НОВЫЙ АНГЛО-РУССКИЙ СЛОВАРЬ

■

MODERN ENGLISH-RUSSIAN DICTIONARY

V. K. Müller

MODERN ENGLISH-RUSSIAN DICTIONARY

160 000 WORDS
AND EXPRESSIONS

9th Edition

MOSCOW · RUSSKY YAZYK PUBLISHERS · 2002

В. К. Мюллер

НОВЫЙ АНГЛО-РУССКИЙ СЛОВАРЬ

160 000 СЛОВ
И СЛОВОСОЧЕТАНИЙ

9-е издание

МОСКВА • ИЗДАТЕЛЬСТВО «РУССКИЙ ЯЗЫК» • 2002

УДК 802.0-3-82
ББК 81.2 Англ-4
М98

Авторы: В. К. Мюллер, специалисты издательства «Русский язык».
В подготовке издания 1994 г. участвовали В. Л. Дашевская, С. П. Романова, Е. Б. Черкасская, А. Я. Дворкина, В. Я. Есипова.

Мюллер В. К.

М98 Новый англо-русский словарь / Издательство «Русский язык», В. К. Мюллер, В. Л. Дашевская, В. А. Каплан и др. — 9-е изд. — М. Рус. яз., 2002. — 880 с.

ISBN 5—200—03176—1

Новый англо-русский словарь содержит более 160 тыс. слов и словосочетаний современного английского языка с подробной разработкой значений и обширным иллюстративным материалом.

Предназначен для широкого круга читателей — от специалистов-лингвистов до студентов и лиц, самостоятельно изучающих английский язык.

УДК 802.0-3-82
ББК 81.2 Англ-4

ISBN 5—200—03176—1

ОТ ИЗДАТЕЛЬСТВА

Новый англо-русский словарь содержит около 160 тыс. слов и словосочетаний с подробной разработкой значений английских слов и сочетаемостью. Словарь предназначен для широкого круга читателей — от специалистов в области английского языка до студентов и читателей, самостоятельно изучающих язык. С помощью этого словаря можно читать тексты различной сложности самой разнообразной тематики, исключая лишь узкоспециальную справочную литературу.

Новый англо-русский словарь создан на основе материала широко известного нашему читателю Англо-русского словаря В. К. Мюллера, первое издание которого вышло в 1943 г., и последнее, 24-е стереотипное , в 1993 г. За прошедшие 50 лет Англо-русский словарь В. К. Мюллера несколько раз подвергался существенной переработке. Первая значительная переработка материала словаря была осуществлена в 1960 г. при работе над 7-м изданием. Переработку и пополнение словаря осуществил авторский коллектив в составе: доцент В. Л. Дашевская, доцент М. Н. Клаз, старший преподаватель В. А. Каплан и профессор Е. Б. Черкасская. Ответственное редактирование было проведено профессором Е. Б. Черкасской. В подготовке седьмого издания участвовали В. О. Блувштейн (Список наиболее употребительных английских и американских сокращений) и С. Н. Тагер (терминологическая часть словаря).

Дальнейшее пополнение и усовершенствование было проведено в 1978 г. при подготовке 17-го издания авторским коллективом в составе: доцент В. Л. Дашевская, старший преподаватель В. А. Каплан, старший преподаватель С. П. Романова и профессор Е. Б. Черкасская. Список наиболее употребительных английских и американских сокращений был пересмотрен и пополнен В. А. Капланом.

В последние годы в связи с бурным развитием двуязычной лексикографии и внимания к ней широкой общественности остро встал вопрос о необходимости коренной переработки Англо-русского словаря В. К. Мюллера, особенно в области словника и семантического содержания словарных статей. Издательство поставило задачу создать Новый англо-русский словарь, соответствующий уровню современной англоязычной лексикографии. Эта большая работа была проведена издательством и авторским коллективом под руководством профессора Е. Б. Черкасской в составе: доцент В. Л. Дашевская, В. А. Каплан, С. П. Романова. В качестве авторов и редакторов словаря выступили также лексикографы с многолетним опытом работы А. Я. Дворкина и В. Я. Есипова, которые кардинально обновили материал словаря В. К. Мюллера, пересмотрели все словарные статьи с точки зрения разбивки на значения и порядка следования значений в соответствии с принципами, принятыми в современных английских словарях. Особо следует отметить работу известного английского лексикографа Брайана О'Кила, который по соглашению между издательством «Русский язык» и издательством «Лонгман» (Великобритания) провел проверку части английского словника с точки зрения его обновления и приближения к современному уровню английского языка. При работе над данным изданием были учтены имеющиеся в издательстве отзывы, рецензии и замечания на последние издания Англо-русского словаря В. К. Мюллера.

Основные изменения в новом издании:

— обновлен английский словник за счет включения новых слов, разговорной и газетной лексики, научно-популярной терминологии;

— обновлена орфография и транскрипция английских слов по новейшим словарям издательства «Лонгман» (Великобритания);

— коренным образом изменено семантическое содержание статей с целью приведения словаря к уровню современной англоязычной лексикографии, что выразилось не только в добавлении новых значений, но и изменении порядка следования имевшихся значений словарной статьи. Ведущим принципом стал принцип употребительности значений;

— усовершенствована система помет, особенно стилистических;

— пересмотрена подача иллюстративных примеров и фразеологии: часть материала, дававшегося за ◇ (ромбом), перенесена к соответствующим значениям слова, что делает статью более простой для пользования;

— обновлен Список географических названий.

Все замечания и предложения просим направлять по адресу: 113303 Москва, Малая Юшуньская ул., д. 1, издательство «Русский язык».

ПОСТРОЕНИЕ СЛОВАРНОЙ СТАТЬИ

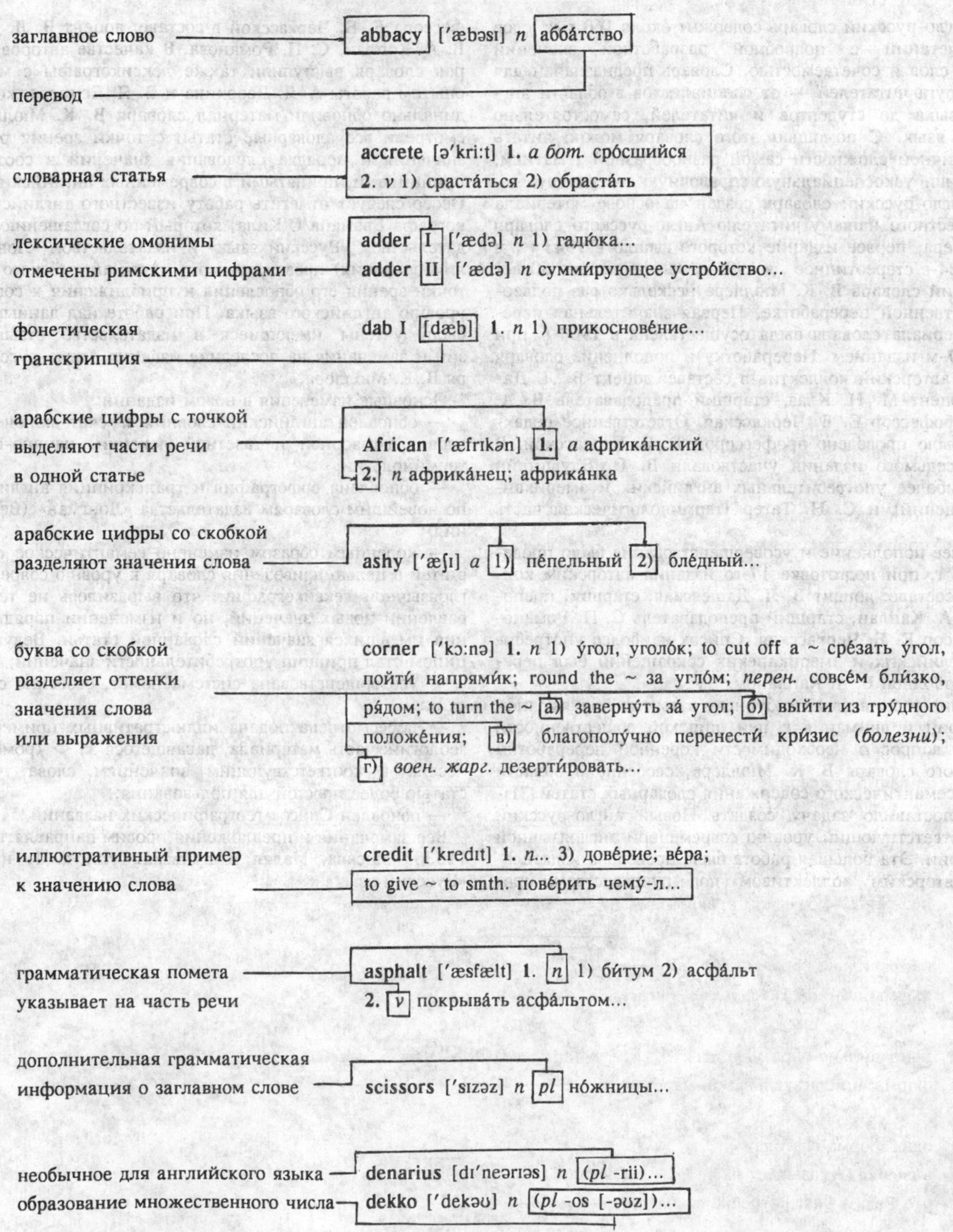

заглавное слово
abbacy ['æbəsɪ] *n* аббáтство
перевод
словарная статья
accrete [ə'kri:t] 1. *a бот.* срóсшийся
2. *v* 1) срастáться 2) обрастáть
лексические омонимы
отмечены римскими цифрами
adder I ['ædə] *n* 1) гадю́ка...
adder II ['ædə] *n* сумми́рующее устрóйство...
фонетическая
транскрипция
dab I [dæb] 1. *n* 1) прикосновéние...
арабские цифры с точкой
выделяют части речи
в одной статье
African ['æfrɪkən] 1. *a* африкáнский
2. *n* африкáнец; африкáнка
арабские цифры со скобкой
разделяют значения слова
ashy ['æʃɪ] *a* 1) пéпельный 2) блéдный...
буква со скобкой
разделяет оттенки
значения слова
или выражения
corner ['kɔ:nə] 1. *n* 1) ýгол, уголóк; to cut off a ~ срéзать ýгол, пойти́ напрями́к; round the ~ за углóм; *перен.* совсéм бли́зко, ря́дом; to turn the ~ а) завернýть зá угол; б) вы́йти из трýдного положéния; в) благополýчно перенести́ кри́зис (*болезни*); г) *воен. жарг.* дезерти́ровать...
иллюстративный пример
к значению слова
credit ['kredɪt] 1. *n*... 3) довéрие; вéра;
to give ~ to smth. повéрить чемý-л...
грамматическая помета
указывает на часть речи
asphalt ['æsfælt] 1. *n* 1) би́тум 2) асфáльт
2. *v* покрывáть асфáльтом...
дополнительная грамматическая
информация о заглавном слове
scissors ['sɪzəz] *n pl* нóжницы...
необычное для английского языка
образование множественного числа
denarius [dɪ'neərɪəs] *n* (*pl* -rii)...
dekko ['dekəʊ] *n* (*pl* -os [-əʊz])...

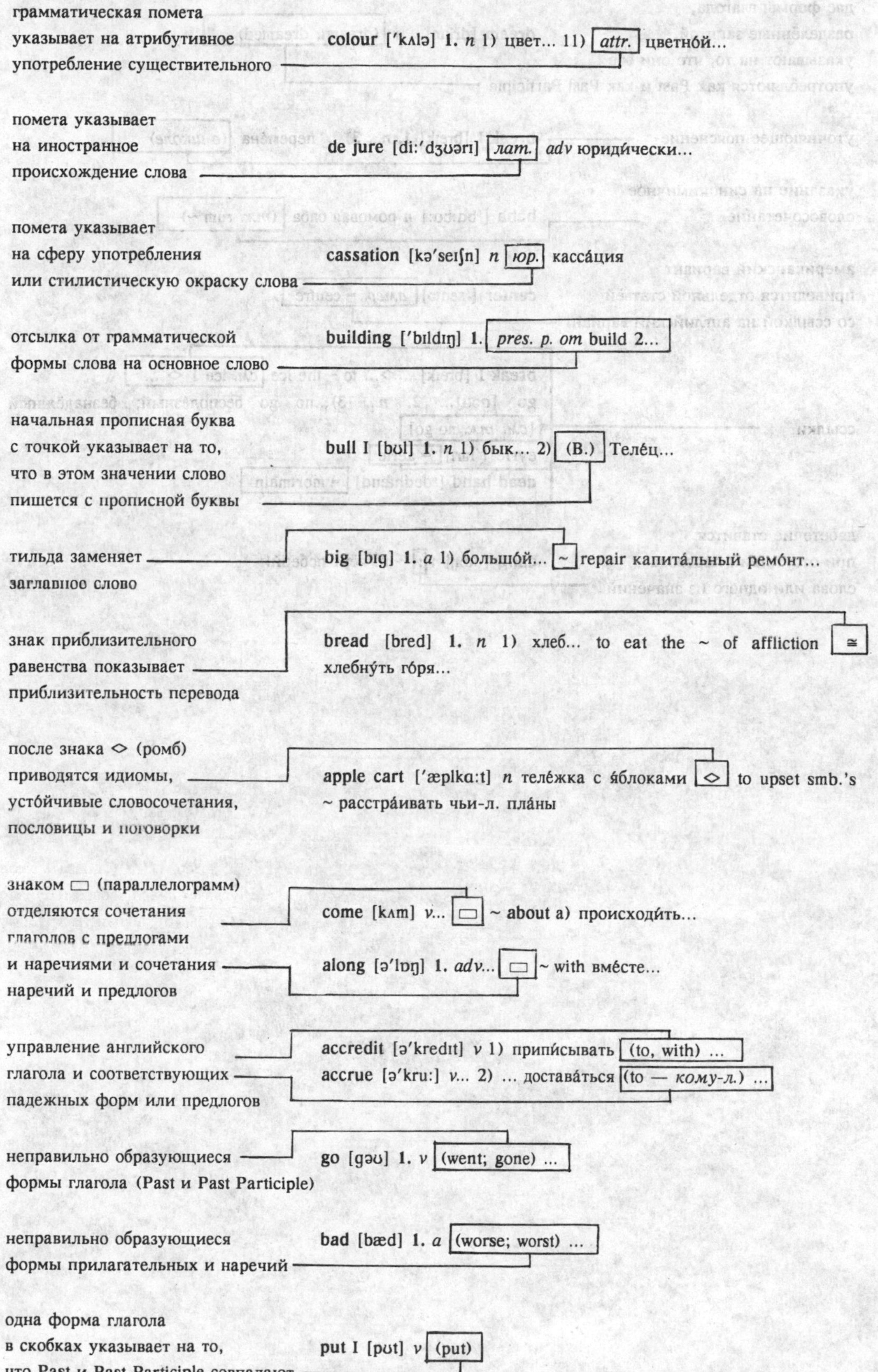
грамматическая помета указывает на атрибутивное употребление существительного
colour [ˈkʌlə] 1. n 1) цвет... 11) attr. цветно́й...
помета указывает на иностранное происхождение слова
de jure [di:ˈdʒʊərɪ] лат. adv юриди́чески...
помета указывает на сферу употребления или стилистическую окраску слова
cassation [kəˈseɪʃn] n юр. касса́ция
отсылка от грамматической формы слова на основное слово
building [ˈbɪldɪŋ] 1. pres. p. от build 2...
начальная прописная буква с точкой указывает на то, что в этом значении слово пишется с прописной буквы
bull I [bʊl] 1. n 1) бык... 2) (B.) Теле́ц...
тильда заменяет заглавное слово
big [bɪg] 1. a 1) большо́й... ~ repair капита́льный ремо́нт...
знак приблизительного равенства показывает приблизительность перевода
bread [bred] 1. n 1) хлеб... to eat the ~ of affliction ≅ хлебну́ть го́ря...
после знака ◇ (ромб) приводятся идиомы, усто́йчивые словосочетания, пословицы и поговорки
apple cart [ˈæplkɑ:t] n теле́жка с я́блоками ◇ to upset smb.'s ~ расстра́ивать чьи-л. пла́ны
знаком ▭ (параллелограмм) отделяются сочетания глаголов с предлогами и наречиями и сочетания наречий и предлогов
come [kʌm] v... ▭ ~ about a) происходи́ть...
along [əˈlɒŋ] 1. adv... ▭ ~ with вме́сте...
управление английского глагола и соответствующих падежных форм или предлогов
accredit [əˈkredɪt] v 1) припи́сывать (to, with) ...
accrue [əˈkru:] v... 2) ... достава́ться (to — кому-л.) ...
неправильно образующиеся формы глагола (Past и Past Participle)
go [gəʊ] 1. v (went; gone) ...
неправильно образующиеся формы прилагательных и наречий
bad [bæd] 1. a (worse; worst) ...
одна форма глагола в скобках указывает на то, что Past и Past Participle совпадают
put I [pʊt] v (put)

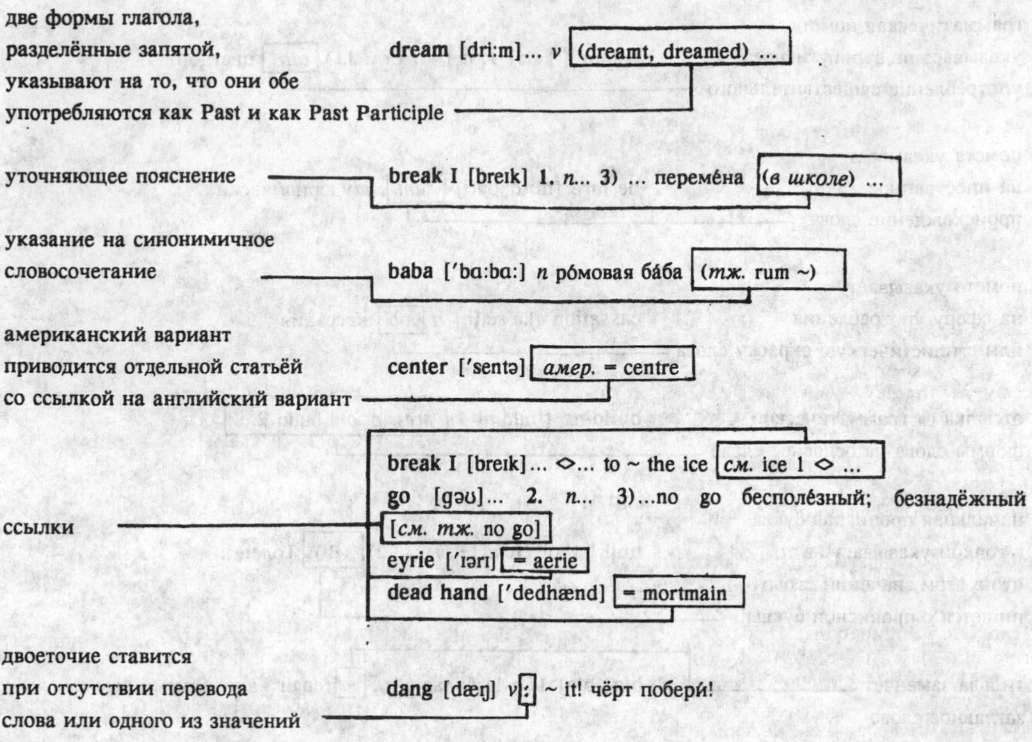

две формы глагола, разделённые запятой, указывают на то, что они обе употребляются как Past и как Past Participle
dream [dri:m]… v (dreamt, dreamed) …
уточняющее пояснение
break I [breɪk] 1. n… 3) … переме́на (в школе) …
указание на синонимичное словосочетание
baba ['bɑ:bɑ:] n ро́мовая ба́ба (тж. rum ~)
американский вариант приводится отдельной статьёй со ссылкой на английский вариант
center ['sentə] амер. = centre
ссылки
break I [breɪk] … ◇… to ~ the ice см. ice 1 ◇ …
go [gəʊ]… 2. n… 3)…no go бесполе́зный; безнадёжный [см. тж. no go]
eyrie ['ɪərɪ] = aerie
dead hand ['dedhænd] = mortmain
двоеточие ставится при отсутствии перевода слова или одного из значений
dang [dæŋ] v: ~ it! чёрт побери́!

ЛЕКСИКОГРАФИЧЕСКИЕ ИСТОЧНИКИ

J. A. H. Murray, H. Bradley, W. A. Craigie, C. T. Onions. The Oxford English Dictionary, vols. I-XII with Supplement and Bibliography. Oxford, 1933.

The Shorter Oxford English Dictionary on Historical Principles. 3d ed. Oxford, 1964.

The Concise Oxford Dictionary of Current English. 8th ed. Oxford, 1990.

Chambers's Twentieth Century Dictionary. Cambridge, 1983.

H. C. Wyld. The Universal Dictionary of the English Language. London, 1956.

Webster's Third New International Dictionary of the English Language. Springfield. Mass., USA, 1981.

Webster's Seventh New Collegiate Dictionary. Springfield. Mass., USA, 1967.

H. W. Horwill. A Dictionary of Modern American Usage. Oxford. 1952.

E. A. Partridge. Dictionary of Slang and Unconventional English. 8th ed. London, 1984.

W. G. Smith. The Oxford Dictionary of English Proverbs. 2nd ed. Oxford, 1957.

D. Jones. An Everyman's English Pronouncing Dictionary. 14th ed. London, 1977.

I. F. Henderson. A Dictionary of Scientific Terms. 5th edition by J. H. Kenneth. New York, 1953.

A. S. Hornby. Oxford Advanced Learner's Dictionary of Current English. 4th ed. London, 1989.

Longman Dictionary of Contemporary English. Essex, England, 1987

Longman Pronunciation Dictionary. Essex, England, 1990.

Longman Webster English College Dictionary. Essex, England, 1984.

The Penguin English Dictionary. Compiled by G. N. Garmonsway with J. Simpson. 2nd ed. Middlesex, England, 1972.

Random House Dictionary of the English Language. 2nd Unabridged Edition. Random House. N. Y., 1987.

M. Reifer. Dictionary of New Words in English. Owen, 1957.

American Pocket Medical Dictionary. 19th ed. Philadelphia and London, 1953.

P. C. Berg. A Dictionary of New Words in English. 2nd ed. London, 1953.

Большой англо-русский словарь. В 2-х т. Под общ. рук. И. Р. Гальперина. Изд. 4-е, М., Русский язык, 1987.

С. И. Ожегов. Словарь русского языка. Под ред. Н. Ю. Шведовой. Изд. 23-е, испр. М., Русский язык, 1990.

Орфографический словарь русского языка. Изд. 29-е, испр. и доп. М., Русский язык, 1991. (АН СССР. Ин-т рус. яз.).

Отраслевые словари, вышедшие за последние годы.

ФОНЕТИКО-ОРФОГРАФИЧЕСКИЕ ЗАМЕЧАНИЯ

Ниже даются основные сведения о звуках английского языка и их буквенном изображении.

I

а) гласные

i: — долгий и
ɪ — краткий, открытый и
e — э в словах э́тот, э́кий
æ — более открытый, чем э
ɑ: — долгий, глубокий а
ɒ — краткий, открытый о
ɔ: — долгий о
ʊ — краткий у со слабым округлением губ
u: — долгий у без сильного округления губ
ʌ — краткий гласный, приближающийся к русскому а в словах: вари́ть, брани́ть
Английский гласный ʌ почти всегда стоит под ударением
ɜ: — долгий гласный, напоминающий русский ё в словах: Фёкла, свёкла
ə — безударный гласный, напоминающий русский безударный гласный в словах: ну́жен, водяно́й, молото́к, ко́мната

б) двугласные

eɪ — э^{й} ɔɪ — о^{й}
əʊ — э^{у} ɪə — и^{а}
aɪ — а^{й} eə — э^{а}
aʊ — а^{у} ʊə — у^{а}

в) от звука к букве

Ниже рассматриваются случаи, когда один и тот же звук имеет несколько способов буквенного выражения

[i:]

e	ee	ea	ie	ei
he she we	green tree keep	read speak teach	field chief thief	receive perceive conceive

[ɑ:]

a+r	a+ss	a+st	a+sk	a+sp	a+lf	a+lm	a+nt	ea+r
car farm dark	class pass grass	past cast mast	ask bask task	grasp clasp	half calf	calm palm	plant can't	heart hearth

[ɔ:]

o + r	a+ll	au	aw	augh	ough	wa + r
short horse	all call fall	sauce autumn	draw claw	taught caught daughter	thought brought fought	war warm

[u:]

o	oo	ou
do who move	spoon too fool	soup group rouble

[ɜ:]

i + r	e + r	u + r	ea+r
shirt dirt dirth	berth her	fur turn burn	learn earn

[ʌ]

u	o	ou	oo
but gun must	son love some	young trouble country	blood flood

[aʊ]

ou	ow
found round count	how now down

[əʊ]

o	oa	ow	o+ll, ld
phone tone stone	boat moan road	know slow flow	roll bold cold

[ɔɪ]

oi	oy
boil coin	boy toy

[aɪ]

i	y	igh	i + gn	i + ld	i + nd
nice write kite	sky fly my	high light right	sign	child wild mild	mind kind bind

[eɪ]

a	ai	ay	ey	eigh
take sake lame	rain plain pain	day say may	they grey	eight freight neighbour

[ɪə]

e + re	ea + r
here mere	ear hear fear

[eə]

a + re	e + re
care dare fare	there where

[ʊə]

oo + r	our
moor	tour

г) от буквы к звуку

Ниже рассматриваются случаи, когда данная буква выражает несколько звуков

Aa

[eɪ]	[æ]	[ɑ:]	[ɔ:]	[ɒ]	[ə]
make plate same	cat bag catch	farm past grass ask	tall salt walk	watch wash what	about around

Ee

[i:]	[ɪ]	[ɜ:]	[ɪə]	[ɑ:]
he meet	begin behind	her berth serve	mere here	clerk sergeant

Ii

[aɪ]	[ɪ]	[i:]	[ɜ:]
fine bind sign	is pick ink	machine ravine	fir bird

Oo

[əʊ]	[ɒ]	[u:]	[ʌ]	[ɔ:]
bone home	not got long	do who move	son come above	more for store

Yy

[aɪ]	[ɪ]	[j]
sky my by	shaky fully kitty	yes yeast yawn

Uu

[ju:]	[ʌ]	[ʊ]
tune fume mute	cut fuss plum	put pull full

II

согласные

p — п
b — б
m — м
w — звук, образующийся с положением губ, как при б, но с маленьким отверстием между губами, как при свисте
f — ф
v — в
θ (*без голоса*)
ð (*с голосом*) — оба звука образуются при помощи языка, кончик которого помещается между передними зубами
s — с
z — з
t — т, произнесенное не у зубов, а у десен
d — д » » »
n — н » » »
l — л » » »
r — звук, несколько похожий на очень твердый русский ж; произносится без вибрации кончика языка в отличие от русского р
ʃ — мягкий русский ш
ʒ — мягкий русский ж в слове вожжи
tʃ — ч
dʒ — озвонченный ч
k — к
g — г
ŋ — заднеязычный н, произнесенный задней частью спинки языка
h — простой выдох
j — й

Некоторые звуки, например: ə, d, h, ɪ, k, p, t, ʊ, v в транскрипции могут быть даны курсивом *ə, d, h, ɪ, k, p, t, ʊ, v* для указания факультативности их произнесения.

СПИСОК СОКРАЩЕНИЙ

Английские

a — adjective — имя прилагательное
adv — adverb — наречие
attr. — attributive — атрибутивное употребление (в качестве определения)

cj — conjunction — союз
conj. — (pronoun) conjunctive — союзное (местоимение)

demonstr. — demonstrative (pronoun) — указательное (местоимение)

emph. — emphatic (pronoun) — усилительное (местоимение)
etc. — et cetera — и так далее

imp. — imperative — повелительное (наклонение)
impers. — impersonal — безличный
indef. — indefinite (pronoun) — неопределенное (местоимение)
inf. — infinitive — неопределенная форма глагола
int — interjection — междометие
inter. — interrogative (pronoun) — вопросительное (местоимение)

n — noun — имя существительное
num. card. — numeral cardinal — количественное числительное
num. ord. — numeral ordinal — порядковое числительное

part — particle — частица
pass. — passive — страдательный (залог)
perf. — perfect — перфект
pers. — personal (pronoun) — личное (местоимение)
pl — plural — множественное число
poss. — possessive (pronoun) — притяжательное (местоимение)
p. p. — past participle — причастие прошедшего времени
predic. — predicative — предикативное употребление
pref — prefix — приставка
prep — preposition — предлог
pres. p. — present participle — причастие настоящего времени
pres. perf. — present perfect — настоящее совершенное время
pron — pronoun — местоимение

recipr. — reciprocal (pronoun) — взаимное (местоимение)
refl. — reflexive — употребляется с возвратным местоимением
rel. — relative (pronoun) — относительное (местоимение)

sing — singular — единственное число
sl. — slang — сленг, жаргон

v — verb — глагол
vi — verb intransitive — непереходные значения глагола
vt — verb transitive — переходные значения глагола

Русские

ав. — авиация
австрал. — употребительно в Австралии
авто — автомобильное дело
ак. — акустика
амер. — американизм
анат. — анатомия
антроп. — антропология
араб. — арабский (язык)
арт. — артиллерия
археол. — археология
архит. — архитектура
астр. — астрономия

бакт. — бактериология
банк. — банковский термин
без измен. — без изменений
библ. — библеизм
биол. — биология
бирж. — биржевой термин
бот. — ботаника
букв. — буквально
бухг. — бухгалтерия
б. ч. — большей частью

венг. — венгерский (язык)
вет. — ветеринария
вм. — вместо
воен. — военное дело
возвыш. — возвышенно
вопр. — вопросительный
вр. — время
вульг. — вульгарное слово, выражение
вчт. — вычислительная техника

г. — 1) год 2) город
геогр. — география
геод. — геодезия
геол. — геология
геом. — геометрия
геральд. — геральдика
гидр. — гидротехника
гл. — глагол
гл. обр. — главным образом
голл. — голландский
горн. — горное дело
грам. — грамматика
греч. — греческий (язык)
груб. — грубое слово, выражение

д. — дюйм
детск. — детская речь
диал. — диалектизм
дип. — дипломатия

дор. — дорожное дело
др. — другие
др.-греч. (*ист.*) — древнегреческий (-ая история)
др.-евр. — древнееврейский (язык)
др.-рим. (*ист.*) — древнеримский (-ая история)

египт. — египетский
ед. ч. — единственное число

ж. — женский род
жарг. — жаргон, жаргонизм
ж.-д. — железнодорожный транспорт
жив. — живопись

зоол. — зоология

инд. — индийские языки; употребительно в Индии
и пр. — и прочее
ирл. — ирландский (язык)
ирон. — в ироническом смысле, иронический
иск. — искусство
исп. — испанский (язык)
ист. — история
ит. — итальянский (язык)
и т. п. — и тому подобное

канад. — употребительно в Канаде
канц. — канцелярское слово, выражение
карт. — термин карточной игры
кино — кинематография
кит. — китайский (язык)
книжн. — книжный стиль
ком. — коммерческий термин
косм. — космонавтика
кул. — кулинария

л. — лицо
-л. — -либо
ласк. — ласкательная форма
лат. — латинский (язык)
лес. — лесное дело
лингв. — лингвистика
лит. — литература, литературоведение
лог. — логика

м. — мужской род
малайск. — малайский (язык)
мат. — математика
мед. — медицина
метал. — металлургия
метео — метеорология
мех. — механика
мин. — минералогия
миф. — мифология
мн. ч. — множественное число
мор. — морской термин
муз. — музыка

нареч. — наречие
неизм. — неизменяемая форма
нем. — немецкий (язык)
неодобр. — неодобрительно
неол. — неологизм
неправ. — неправильно
норв. — норвежский (язык)

обыкн. — обыкновенно
о-в(а) — остров(а)
оз. — озеро
ок. — около
опт. — оптика
особ. — особенно
отриц. — отрицательный
охот. — охота

п. — падеж
палеонт. — палеонтология
парл. — парламентское выражение
перен. — в переносном значении
перс. — персидский (язык)
п-ов — полуостров
полигр. — полиграфия
полит. — политический термин
полит.-эк. — политическая экономия
польск. — польский (язык)
португ. — португальский (язык)
посл. — пословица
поэт. — поэтическое слово, выражение
превосх. ст. — превосходная степень
предл. — предложение
презр. — презрительно
преим. — преимущественно
пренебр. — пренебрежительно
прибл. — приблизительно
прил. — имя прилагательное
прос. — просодия
противоп. — противоположное значение
психол. — психология

р. — 1) река 2) род
радио — радиотехника
разг. — разговорное слово, выражение
распр. — в распространенном, неточном значении
реакт. — реактивная техника
редк. — редко
рез. — резиновая промышленность
рел. — религия
римск. миф. — римская мифология
ритор. — риторический
русск. — русский (язык)

санскр. — санскрит
сев. — употребительно на севере Англии и в Шотландии
сканд. — скандинавский
см. — смотри
собир. — собирательно
собств. — имя собственное
сокр. — сокращение, сокращенно
спец. — специальный термин
спорт. — физкультура и спорт
ср. — сравни
сравн. ст. — сравнительная степень
ср.-век. — в средние века, средневековый
стат. — статистика
стил. — стилистика
стих. — стихосложение
стр. — строительное дело
страх. — страховой термин
студ. — студенческое слово, выражение
сущ. — имя существительное
с.-х. — сельское хозяйство

твор. — творительный (падеж)
театр. — театральный термин
текст. — текстильное дело
тех. — техника
тж. — также
тк. — только
тлв. — телевидение
тлг. — телеграфия
тлф. — телефония
топ. — топография

тур. — турецкий (язык)

уменьш. — уменьшительная форма
унив. — университетское выражение
употр. — употребляется
уст. — устаревшее слово, выражение
утв. — утвердительный

фарм. — фармакология
физ. — физика
физиол. — физиология
филос. — философия
фин. — финансовый термин
финск. — финский (язык)
фон. — фонетика
фото — фотография
фр. — французский (язык)

хим. — химия
хир. — хирургия

церк. — церковное слово, выражение

шахм. — шахматы
школ. — школьное слово, выражение
шотл. — употребительно в Шотландии
шутл. — шутливое слово, выражение

эвф. — эвфемизм
эк. — экономика
эл. — электротехника
эллипт. — эллиптический
элн. — электроника
этн. — этнография

южно-амер. — употребительно в Южной Америке
южно-афр. — употребительно в Южной Африке
юр. — юридический термин

яп. — японский (язык)

АНГЛИЙСКИЙ АЛФАВИТ

Печатные буквы	Транскрипция
Aa	eɪ
Bb	bi:
Cc	si:
Dd	di:
Ee	i:
Ff	ef
Gg	dʒi:
Hh	eɪtʃ
Ii	aɪ
Jj	dʒeɪ
Kk	keɪ
Ll	el
Mm	em
Nn	en
Oo	əʊ
Pp	pi:
Qq	kju:
Rr	ɑ:
Ss	es
Tt	ti:
Uu	ju:
Vv	vi:
Ww	ˈdʌblju:
Xx	eks
Yy	waɪ
Zz	zed

A

A, a I *n* [eɪ] (*pl* As, A's, [eɪz]) 1) *1-я буква англ. алфавита* 2) *условное обозначение чего-л. первого по порядку, сортности и т. п.* 3) *амер.* вы́сшая отме́тка за кла́ссную рабо́ту; straight A «кру́глое отли́чно» 4) *муз.* ля ◇ from A to B от одного́ ме́ста до друго́го; from A to Z а) с нача́ла и до конца́; б) в соверше́нстве, по́лностью; A1 [,eɪ'wʌn] а) 1-й класс в судово́м реги́стре Лло́йда; б) *разг.* первокла́ссный, превосхо́дный; прекра́сно, превосхо́дно (*амер.* A No. 1 [,eɪnʌmbə'wʌn])

a II [eɪ (*полная форма*); ə (*редуцированная форма*)] 1) *грам.* *неопределённый артикль* (*a* — *перед согласными, перед* eu *и перед* u, *когда* u *произносится как* [ju:]; an — *перед гласными и перед немым* h; *напр.*: a horse, *но* an hour; a European, a union, *но* an umbrella; *тж.* a one) 2) оди́н; it costs a penny э́то сто́ит одно́ пе́нни 3) *употр. перед* little, few; good (*или* great) many *и перед счётными существительными* a dozen дю́жина, a score два деся́тка, *напр.*: a little water (time, happiness) немно́го воды́ (вре́мени, сча́стья); a few days (books) не́сколько дней (книг); a good (*или* great) many days (books) о́чень мно́го дней (книг) 4) (*обыкн. после* all of, many of) тако́й же, одина́ковый; all of a size все одно́й и той же величины́ 5) ка́ждый; twice a day два ра́за в день 6) не́кий; a Mr. Henry Green не́кий ми́стер Ге́нри Грин

a- [ə-] *pref* (*из первоначального предлога* on) 1) *в предикативных прилагательных и в наречиях; напр.*: abed в посте́ли; alive живо́й; afoot пешко́м; ashore на бе́рег *и т. п.* 2) *в выражениях типа* to go abegging ни́щенствовать; to go a-hunting идти́ на охо́ту

aardvark ['ɑ:dvɑ:k] *n* *зоол.* африка́нский муравье́д, трубкозу́б

aardwolf ['ɑ:dvʊlf] *n* *зоол.* земляно́й волк

ab- [æb-] *pref с отриц. значением* не-, а-; *напр.*: abnormal ненорма́льный, анорма́льный

abaca ['æbəkə] *n* аба́ка, мани́льская пенька́

abaci ['æbəsɪ] *pl от* abacus

aback [ə'bæk]: taken ~ ошеломлённый, захва́ченный враспло́х

abacus ['æbəkəs] *n* (*pl* -es [-ɪz], -ci) 1) *ист.* счёты 2) *архит.* аба́к(а), ве́рхняя часть капите́ли

Abaddon [ə'bædn] *n* 1) *библ.* Авадо́н (*ангел бездны*) 2) *книжн.* ад, преиспо́дняя

abaft [ə'bɑ:ft] *мор.* **1.** *adv* на корме́, в сто́рону кормы́, с кормы́

2. *prep* сза́ди, позади́; ~ the beam позади́ тра́верза

abandon [ə'bændən] **1.** *v* 1) покида́ть, оставля́ть 2) отка́зываться от 3) *refl.* предава́ться (*страсти, отчаянию и т.п.*; to); to ~ oneself to the idea склоня́ться к мы́сли

2. *n* развя́зность, несде́ржанность

abandoned [ə'bændənd] **1.** *p. p. от* abandon 1; ~ to despair преда́вшийся отча́янию

2. *a* 1) забро́шенный, поки́нутый 2) распу́тный ◇ ~ call несостоя́вшийся разгово́р по телефо́ну

abandonee [ə,bændə'ni:] *n* страхо́вщик, в по́льзу кото́рого остаётся застрахо́ванный груз *или* застрахо́ванное су́дно в слу́чае ава́рии

abandonment [ə'bændənmənt] *n* 1) оставле́ние 2) забро́шенность 3) = abandon 2; 4) *юр.* отка́з (от и́ска)

abase [ə'beɪs] *v* 1) унижа́ть; to ~ oneself so far as to do smth. докати́ться до чего́-л. 2) понижа́ть (*в чине и т. п.*)

abasement [ə'beɪsmənt] *n* 1) униже́ние 2) пониже́ние (*в чине и т. п.*)

abash [ə'bæʃ] *v* (*обыкн. pass.*) смуща́ть, конфу́зить; приводи́ть в замеша́тельство

abashment [ə'bæʃmənt] *n* смуще́ние, замеша́тельство

abate [ə'beɪt] *v* 1) ослабля́ть, уменьша́ть, умеря́ть 2) снижа́ть (*цену, налог и т. п.*) 3) де́лать ски́дку 4) уменьша́ться; ослабева́ть; успока́иваться; утиха́ть (*о буре, эпидемии и т. п.*) 5) притупля́ть (*остриё*); стёсывать (*камень*) 6) *юр.* аннули́ровать, отменя́ть, прекраща́ть 7) *метал.* отпуска́ть (*сталь*)

abatement [ə'beɪtmənt] *n* 1) уменьше́ние; ослабле́ние; смягче́ние 2) сниже́ние (*цены, налога и т. п.*) 3) ски́дка 4) *юр.* аннули́рование, прекраще́ние

abatis, abattis ['æbətɪs] *n* (*pl* abatis ['æbəti:z], abatises, abattises) *ист.* за́сека, зава́л

abattoir ['æbətwɑ:] *фр. n* скотобо́йня

abbacy ['æbəsɪ] *n* абба́тство

abbess ['æbes] *n* аббати́сса; настоя́тельница монастыря́

abbey ['æbɪ] *n* абба́тство; монасты́рь; the A. Вестми́нстерское абба́тство

abbot ['æbət] *n* абба́т; настоя́тель монастыря́

abbreviate [ə'bri:vɪeɪt] *v* сокраща́ть (*текст и т. п.*)

abbreviation [ə,bri:vɪ'eɪʃn] *n* 1) аббревиату́ра, сокраще́ние 2) сокраще́ние (*текста и т. п.*)

ABC [,eɪbi:'si:] *n* 1) алфави́т, а́збука 2) осно́вы, нача́тки; ~ of chemistry осно́вы хи́мии 3) железнодоро́жный спра́вочник с алфави́тным указа́телем 4) *attr.* просто́й, просте́йший

abdicate ['æbdɪkeɪt] *v* отрека́ться; слага́ть полномо́чия; отка́зываться (*от права на что-л. и т. п.*)

abdication [,æbdɪ'keɪʃn] *n* отрече́ние (*от престола*); сложе́ние полномо́чий; отка́з (*от должности и т. п.*)

abdomen ['æbdəmən] *n* 1) *анат.* брю́шная по́лость; живо́т 2) *зоол.* брюшко́ (*насекомого и т. п.*)

abdominal [æb'dɒmɪnl] *a* 1) абдомина́льный, брюшно́й; ~ cavity брюшна́я по́лость 2) брюхопёрый (*о рыбах*)

abdominous [æb'dɒmɪnəs] *a* *шутл.* то́лстый, пуза́тый

abducent [æb'dju:sənt] *a* *анат.* отводя́щий (*о мышце*)

abduct [æb'dʌkt] *v* 1) похища́ть, наси́льно *или* обма́ном увози́ть (*особ. женщину, ребёнка*) 2) *анат.* оття́гивать, отводи́ть (*мышцу*)

abduction [æb'dʌkʃn] *n* 1) похище́ние (*особ. женщины, ребёнка*) 2) *анат.* абду́кция, отведе́ние (*мышцы*)

abductor [æb'dʌktə] *n* 1) похити́тель (*особ. женщины, ребёнка*) 2) *анат.* абду́ктор, отводя́щая мы́шца

abeam [ə'bi:m] *adv* *мор.* на тра́верзе

abecedarian [,eɪbi:si:'deərɪən] *a* 1) располо́женный в алфави́тном поря́дке 2) а́збучный, элемента́рный

abed [ə'bed] *adv* *уст.* в посте́ли

Abel ['eɪbl] *n* *библ.* А́вель

aberrance, -cy [æ'berəns, -sɪ] *n* 1) отклоне́ние от пра́вильного пути́ 2) *биол.* отклоне́ние от но́рмы

aberrant [æ'berənt] *a* 1) заблужда́ющийся; сби́вшийся с пути́ 2) *биол.* отклоня́ющийся от но́рмы

aberration [,æbə'reɪʃn] *n* 1) заблужде́ние, отклоне́ние от пра́вильного пути́ 2) помраче́ние ума́ 3) *спец.* аберра́ция; отклоне́ние; ~ of the needle отклоне́ние магни́тной стре́лки 4) *тех.* отклоне́ние от станда́рта

abet [ə'bet] *v* подстрека́ть; поощря́ть; соде́йствовать (*чему-л. дурному*)

abetment [ə'betmənt] *n* подстрека́тельство, поощре́ние, соде́йствие (*чему-л. дурному*)

abettor [ə'betə] *n* 1) подстрека́тель 2) соуча́стник

abeyance [ə'beɪəns] *n* 1) состоя́ние неопределённости, неизве́стности 2) вре́менное безде́йствие 3) *юр.* вре́менная отме́на (*закона, права*) ◇ in ~ а) в состоя́нии неизве́стности, ожида́ния; б) без владе́льца (*о наследстве*); без претенде́нта (*о наследственном титуле*); в) вре́менно отменённый (*о законе*)

abhor [əb'hɔ:] *v* пита́ть отвраще́ние; ненави́деть

abhorrence [əb'hɒrəns] *n* 1) отвраще́ние; не́нависть 2) то, что вызыва́ет отвраще́ние *или* не́нависть

abhorrent [əb'hɒrənt] *a* 1) вызыва́ющий отвраще́ние, отврати́тельный; ненави́стный; претя́щий (*кому-л., чему-л.*; to) 2) несовмести́мый (to — с)

abidance [ə'baɪdəns] *n* соблюде́ние (*чего-л.*); ~ by rules соблюде́ние пра́вил

abide [ə'baɪd] *v* (abode, *уст.* abided [-ɪd]) 1) выноси́ть, терпе́ть; he cannot ~ her он её не выно́сит; to ~ by the circumstances мири́ться с обстоя́тельствами 2) остава́ться ве́рным (*кому-л., чему-л.*); приде́рживаться; выполня́ть (*обещания*); to ~ by smth. твёрдо держа́ться чего́-л. 3) ждать

abiding [ə'baɪdɪŋ] **1.** *pres. p. от* abide

2. *a* постоя́нный

ability [ə'bɪlətɪ] *n* 1) спосо́бность; уме́ние; to the best of one's abilities по ме́ре сил и спосо́бностей 2) дарова́ние; a man of great abilities высокоодарённый челове́к 3) ло́вкость 4): ~ to pay *ком.* платёжеспосо́бность 5) *юр.* компете́нция

abject ['æbdʒekt] *a* 1) жа́лкий, презре́нный; ни́зкий; ~ fear малоду́шный страх 2) уни́женный, несча́стный; in ~ poverty в кра́йней нищете́; he offered an ~ apology он умоля́л прости́ть его́ великоду́шно

abjection [æb'dʒekʃn] *n* 1) уни́женность, прини́женность 2) униже́ние

abjuration [,æbdʒʊ'reɪʃn] *n* 1) отрече́ние, отсту́пничество 2) отка́з (*от требования и т. п.*)

abjure [əb'dʒʊə] *v* 1) отрека́ться 2) отка́зываться (*от требования и т. п.*); to ~ a claim отка́зываться от прете́нзии, и́ска

ablactation [,æblək'teɪʃn] *n* отня́тие (ребёнка) от груди́

ablation [æb'leɪʃn] *n* 1) *хир.* удале́ние 2) *геол.* снос, размыва́ние поро́д; та́яние ледников́

ablative ['æblətɪv] *n грам.* аблати́в, твори́тельный паде́ж

ablaut ['æblaʊt] *n лингв.* абля́ут

ablaze [ə'bleɪz] *a predic.* 1) в огне́, в пла́мени; to be ~ пыла́ть 2) сверка́ющий; the streets were ~ with lights у́лицы бы́ли я́рко освещены́ 3) возбуждённый; ~ with anger пыла́ющий гне́вом

able ['eɪbl] *a* 1) уме́лый, уме́ющий; зна́ющий; to be ~ (*с inf.*) уме́ть, мочь, быть в состоя́нии, в си́лах; to be ~ to swim уме́ть пла́вать 2) спосо́бный, тала́нтливый

able-bodied [,eɪbl'bɒdɪd] *a* кре́пкий, здоро́вый; го́дный (*к военной службе*); ~ seaman матро́с (*звание*)

abloom [ə'blu:m] *a predic.* в цвету́

ablush [ə'blʌʃ] *a predic.* смущённый, покрасне́вший

ablution [ə'blu:ʃn] *n* 1) (*обыкн. pl*) омове́ние; to perform one's ~s *разг.* умы́ться 2) *тех.* промы́вка

ably ['eɪblɪ] *adv* уме́ло

abnegate ['æbnɪgeɪt] *v книжн.* 1) отка́зывать себе́ в 2) отка́зываться от 3) отрица́ть

abnormal [æb'nɔ:ml] *a* ненорма́льный, непра́вильный; анорма́льный; ~ psychology психопатоло́гия

abnormality [,æbnɔ:'mælətɪ] *n* 1) непра́вильность, ненорма́льность 2) анома́лия 3) уро́дство

abnormity [æb'nɔ:mətɪ] = abnormality

aboard [ə'bɔ:d] *adv, prep* 1) на корабле́, на борту́; в ваго́не; welcome ~! приве́тствуем вас на борту́ самолёта! (*обращение стюардессы к пассажирам*) 2) на кора́бль, на борт; в ваго́н; to go ~ a ship сесть на кора́бль 3) вдоль; to keep the land ~ идти́ вдоль бе́рега (*о судне и т. п.*) ◇ all ~! а) поса́дка зака́нчивается! (*предупреждение об отправлении корабля, вагона и т. п.*); б) поса́дка зако́нчена! (*сигнал к отправлению*); to fall ~ а) столкну́ться (*с другим судном*); б) *уст.* поссо́риться (with, of)

abode I [ə'bəʊd] *n книжн.* жили́ще, местопребыва́ние; to take up one's ~ посели́ться; to make one's ~ жить (*где-л.*); with (*или* of) no fixed ~ *юр.* без постоя́нного местожи́тельства

abode II [ə'bəʊd] *past и p. p. от* abide

abolish [ə'bɒlɪʃ] *v* отменя́ть, уничтожа́ть, упраздня́ть (*обычаи, учреждения*)

abolishment [ə'bɒlɪʃmənt] *n* отме́на, уничтоже́ние, упраздне́ние

abolition [,æbə'lɪʃn] *n* 1) отме́на, аннули́рование (*договора, закона и т. п.*) 2) *амер. ист.* отме́на, уничтоже́ние (*рабства, торговли рабами*)

abolitionism [,æbə'lɪʃnɪzəm] *n амер. ист.* аболициони́зм

abolitionist [,æbə'lɪʃnɪst] *n* 1) сторо́нник отме́ны (*закона и т. п.*) 2) *амер. ист.* аболициони́ст

A-bomb ['eɪbɒm] *n* а́томная бо́мба

abominable [ə'bɒmɪnəbl] *a* 1) отврати́тельный 2) *разг.* проти́вный, га́дкий

abominable snowman [ə,bɒmɪnəbl-'snəʊmən] *n* сне́жный челове́к

abominate [ə'bɒmɪneɪt] *v* 1) пита́ть отвраще́ние, ненави́деть 2) *разг.* не люби́ть

abomination [ə,bɒmɪ'neɪʃn] *n* 1) отвраще́ние; to hold smth. in ~ пита́ть отвраще́ние к чему́-л. 2) что-л. отврати́тельное; ме́рзость

aboriginal [,æbə'rɪdʒənl] **1.** *a* 1) иско́нный, коренно́й; тузе́мный 2) первобы́тный; ме́стный (*о флоре, фауне*); ~ forests первобы́тные леса́

2. *n* тузе́мец; коренно́й жи́тель, абориге́н

aborigine [,æbə'rɪdʒənɪ] = aboriginal 2

abort [ə'bɔ:t] *v* 1) выки́дывать, преждевре́менно разреша́ться от бре́мени 2) потерпе́ть неуда́чу 3) *биол.* оста́ться недора́звитым; стать беспло́дным

aborted [ə'bɔ:tɪd] *v* **1.** *p. p. от* abort

2. *a* 1) недоно́шенный 2) *биол.* недора́звитый; рудимента́рный

abortion [ə'bɔ:ʃn] *n* 1) преждевре́менное прекраще́ние бере́менности, або́рт, вы́кидыш (*искусственный*) 2) уро́дец 3) *биол.* недоразви́тие о́ргана

abortionist [ə'bɔ:ʃnɪst] *n* 1) подпо́льный акуше́р 2) сторо́нник легализа́ции або́ртов

abortive [ə'bɔ:tɪv] *a* 1) неуда́вшийся, беспло́дный; ~ scheme мертворождённый план; to render ~ сорва́ть (*попытку и т. п.*) 2) *биол.* недора́звитый

abortively [ə'bɔ:tɪvlɪ] *adv* неуда́чно, беспло́дно

abound [ə'baʊnd] *v* 1) быть в большо́м коли́честве 2) име́ть в большо́м коли́честве, изоби́ловать (in, with); to ~ in courage быть о́чень сме́лым; the museum ~s with old pictures в музе́е мно́жество ста́рых карти́н

about I [ə'baʊt] **1.** *adv* 1) приблизи́тельно, о́коло, почти́; you are ~ right вы почти́ пра́вы; it is ~ two o'clock сейча́с о́коло двух часо́в 2) неподалёку, недалеко́; he is somewhere ~ он где́-то здесь 3) круго́м, вокру́г; везде́, повсю́ду; to look ~ огляну́ться вокру́г; don't leave the papers ~ не разбра́сывай бума́ги!; rumours are ~ хо́дят слу́хи 4) в обра́тном направле́нии; to face ~ оберну́ться; ~ face (*или* turn)! *воен.* круго́м! ◇ Mr. Jones is not ~ господи́н Джо́унз вы́шел; ~ right а) пра́вильно; б) здо́рово, основа́тельно; to be ~ to go (to speak *etc.*) собира́ться уходи́ть (говори́ть *и т. п.*); what are you ~? а) что вам ну́жно?; б) *редк.* что вы де́лаете?

2. *prep* 1) о, об; насчёт; I'll see ~ it я позабо́чусь об э́том; he went ~ his business он пошёл по свои́м дела́м 2) *во временном значении указывает на приблизительность* о́коло; ~ nightfall к ве́черу 3) *в пространственном значении указывает на*: а) *расположение или движение вокруг чего-л.* вокру́г, круго́м; б) *нахождение вблизи чего-л.* о́коло, близ; у; the forests ~ Tomsk леса́ под То́мском; в) *место совершения действия* по; to walk ~ the room ходи́ть по ко́мнате 4): to have smth. ~ one име́ть что-л. при себе́, с собо́й; I had all the documents ~ me все докуме́нты бы́ли у меня́ с собо́й (*или* при мне, под руко́й)

about II [ə'baʊt] *v мор.* меня́ть курс, повора́чивать на друго́й галс

about-face [ə,baʊt'feɪs] = about-turn 1, 2

about-turn [ə,baʊt'tɜ:n] **1.** *n* 1) поворо́т круго́м (*при тренировке, на учениях и т. п.*) 2) ре́зкое измене́ние (*направления, политики, мнения и т. п.*)

2. *v* 1) поверну́ться круго́м 2) ре́зко измени́ть (*направление, политику и т. п.*)

3. *int воен.* круго́м! (*команда*)

above [ə'bʌv] **1.** *adv* 1) наверху́; вы́ше 2) наве́рх; a staircase leading ~ ле́стница (веду́щая) наве́рх; from ~ све́рху 3) вы́ше, ра́ньше; as stated ~ как ска́зано вы́ше

2. *prep* 1) над; ~ my head над мое́й голово́й; ~ board = aboveboard 2; ~ ground = aboveground 2; 2) свы́ше, бо́льше 3) вы́ше; ~ suspicion вне подозре́ний; it is ~ me э́то вы́ше моего́ понима́ния; ~ measure сверх ме́ры 4) ра́ньше, до (*в книге, документе и т. п.*) ◇ ~ all пре́жде всего́, гла́вным о́бразом, в основно́м; бо́льше всего́

3. *a* упомя́нутый вы́ше; the ~ facts вышеупомя́нутые фа́кты

4. *n* (the ~) вышеупомя́нутое

aboveboard [ə,bʌv'bɔ:d] **1.** *a predic.* че́стный, откры́тый, прямо́й

2. *adv* че́стно, откры́то

aboveground [ə'bʌvgraʊnd] **1.** *a* 1) живу́щий 2) назе́мный

2. *adv* в живы́х

abovementioned [ə,bʌv'menʃnd] *a* вышеупомя́нутый

abracadabra [,æbrəkə'dæbrə] *n* 1) заклина́ние 2) абракада́бра, бессмы́слица

abradant [ə'breɪdənt] *n тех.* абрази́в, абрази́вный материа́л

abrade [ə'breɪd] *v* 1) стира́ть; сна́шивать тре́нием 2) сдира́ть (*кожу*) 3) *тех.* обдира́ть

abranchial [ə'bræŋkɪəl] = abranchiate

abranchiate [ə'bræŋkɪɪt] *a зоол.* безжа́берный

abrasion [ə'breɪʒn] *n* 1) истира́ние 2) сса́дина 3) *геол.* абра́зия; смыв материка́ морско́й водо́й 4) *тех.* стира́ние, сна́шивание 5) *attr.*: ~ marks *фото* цара́пины (*на слое эмульсии*) 6) *attr.*: ~ testing испыта́ние на изно́с

abrasive [ə'breɪsɪv] **1.** *a* 1) обдира́ющий; размыва́ющий 2) ре́зкий, гру́бый 3) абрази́вный, шлифу́ющий; ~ wear изно́с, вызыва́емый тре́нием

2. *n* абрази́в; нажда́к, металли́ческая моча́лка *и т. п.*

abreast [ə'brest] *adv* 1) в ряд, ря́дом, на одно́й ли́нии; four ~ по четы́ре в ряд; to keep ~ of, to be ~ with не отстава́ть от, идти́ в но́гу с 2) на у́ровне; to keep ~ of (*или* with) the times идти́ в но́гу с ве́ком 3) *мор.* на тра́верзе

abridge [ə'brɪdʒ] *v* 1) сокраща́ть 2) ограни́чивать, уре́зывать (*права*) 3) *уст.* лиша́ть (*чего-л.*; of)

abridg(e)ment [ə'brɪdʒmənt] *n* 1) сокращённый текст *или* изда́ние; кра́ткое изложе́ние, конспе́кт 2) сокраще́ние 3) ограниче́ние (*прав*)

abroad [ə'brɔ:d] *adv* 1) за грани́цей; за грани́цу; from ~ из-за грани́цы 2) широко́; повсю́ду; there is a rumour ~ хо́дит слух; to get ~ распространя́ться (*о слухах*) 3) *уст.* в заблужде́нии; to be all ~ а) заблужда́ться; б) растеря́ться; смеша́ться, смути́ться 4) *уст.* вне до́ма, вне своего́ жили́ща

abrogate ['æbrəgeɪt] *v* отменя́ть, аннули́ровать (*закон и т. п.*)

abrogation [,æbrə'geɪʃn] *n* отме́на, аннули́рование (*закона и т. п.*)

abrupt [ə'brʌpt] *a* 1) внеза́пный; ~ discharge *эл.* мгнове́нный разря́д 2) ре́зкий (*о движении, манере*) 3) неро́вный (*о стиле*) 4) обры́вистый, круто́й

abruption [ə'brʌpʃn] *n* 1) разры́в, разъедине́ние; отторже́ние 2) *геол.* вы́ход на пове́рхность (*пласта*)

abruptness [ə'brʌptnəs] *n* 1) внеза́пность 2) ре́зкость (*движений*) 3) неро́вность (*стиля*) 4) крутизна́, обры́вистость

abscess ['æbses] *n* 1) абсце́сс, нары́в, гнойни́к 2) *тех.* ра́ковина (*в металле*)

abscissa [æb'sɪsə] *n* (*pl* -s [-z], -ae) *мат.* абсци́сса

abscissae [æb'sɪsi:] *pl от* abscissa

abscission [æb'sɪʃn] *n* отня́тие, ампута́ция

abscond [əb'skɒnd] *v* скрыва́ться (*обыкн. с чужими деньгами*); скрыва́ться (*от суда*)

abseil ['æbseɪl] *v* спуска́ться с крутизны́ на верёвке

absence ['æbsəns] *n* 1) отсу́тствие, отлу́чка; ~ without leave *воен.* самово́льная отлу́чка; leave of ~ о́тпуск 2) недоста́ток, отсу́тствие (of — *чего-л.*) 3): ~ of mind рассе́янность; отсу́тствие внима́ния

absent **1.** *a* ['æbsənt] 1) отсу́тствующий 2) рассе́янный

2. *v* [æb'sent] *refl.* отлучи́ться; отсу́тствовать; to ~ oneself from smth. уклоня́ться от чего́-л.

absentee [,æbsn'ti:] *n* 1) отсу́тствующий 2) уклоня́ющийся (*от чего-л.*); не уча́ствующий (*в чём-л.*) 3) *attr.*: ~ ballot избира́тельный бюллете́нь, посыла́емый по по́чте (*если невозможно проголосовать лично*)

absenteeism [,æbsn'ti:ɪzəm] *n* 1) абсентеи́зм (*уклонение от посещения собраний и т. п.*) 2) прогу́л, невы́ход на рабо́ту без уважи́тельной причи́ны

absentia [æb'senʃɪə] *лат. n*: in ~ в отсу́тствие; зао́чно; to be tried in ~ *юр.* быть суди́мым зао́чно

absently ['æbsəntlɪ] *adv* рассе́янно

absentminded [,æbsnt'maɪndɪd] *a* рассе́янный

absentmindedness [,æbsnt'maɪndɪdnəs] *n* рассе́янность

absinth(e) ['æbsɪnθ] *n* абсе́нт, полы́нная во́дка

absolute ['æbsəlu:t] *a* 1) по́лный; безусло́вный, неограни́ченный; ~ discharge по́лное освобожде́ние (*от должности; подсудимого, заключённого*); ~ majority абсолю́тное большинство́; ~ zero *физ.* абсолю́тный ноль 2) самовла́стный; абсолю́тный; ~ monarchy абсолю́тная мона́рхия 3) чи́стый, беспри́месный; ~ alcohol чи́стый, неразба́вленный спирт 4) *грам.* абсолю́тный; ~ construction абсолю́тная констру́кция

absolutely ['æbsəlu:tlɪ] *adv* 1) соверше́нно 2) самостоя́тельно, незави́симо; transitive verb used ~ перехо́дный глаго́л без прямо́го дополне́ния 3) безусло́вно 4) *разг.* да, коне́чно

absoluteness ['æbsəlu:tnəs] *n* 1) безусло́вность 2) неограни́ченность, полнота́ вла́сти

absolution [,æbsə'lu:ʃn] *n* 1) оправда́ние; освобожде́ние от наказа́ния, обяза́тельств *и т. п.* 2) *церк.* отпуще́ние грехо́в 3) проще́ние

absolutism ['æbsəlu:tɪzəm] *n* абсолюти́зм

absolutist ['æbsəlu:tɪst] *n* сторо́нник абсолюти́зма

absolve [əb'zɒlv] *v* 1) опра́вдывать; освобожда́ть (from — от *обязательств и т. п.*) 2) проща́ть (from — *что-л.*) 3) *церк.* отпуска́ть (*грехи*; of)

absorb [əb'sɔ:b] *v* 1) вса́сывать, впи́тывать; абсорби́ровать; поглоща́ть 2) поглоща́ть (*внимание*); впи́тывать (*знания*) 3) амортизи́ровать (*толчки*)

absorbent [əb'sɔ:bənt] **1.** *a* вса́сывающий; ~ cotton wool гигроскопи́ческая ва́та; ~ carbon активи́рованный у́голь

2. *n* вса́сывающее вещество́, поглоти́тель, абсорбе́нт

absorber [əb'sɔ:bə] *n тех.* 1) поглоти́тель, абсо́рбер 2) амортиза́тор

absorbing [əb'sɔ:bɪŋ] **1.** *pres p. от* absorb

2. *a* 1) захва́тывающий, всепоглоща́ющий 2) вса́сывающий, впи́тывающий; ~ capacity поглоща́ющая спосо́бность

3. *n* вса́сывание; поглоще́ние

absorption [əb'sɔ:pʃn] *n* 1) вса́сывание, впи́тывание; поглоще́ние, абсо́рбция 2) погружённость (*в мысли и т. п.*) 3) *attr.*: ~ circuit *радио* поглоща́ющий ко́нтур; ~ factor коэффицие́нт поглоще́ния

absorptive [əb'sɔ:ptɪv] *a* впи́тывающий, вса́сывающий; поглоща́ющий; ~ power поглоти́тельная (*или* абсорби́рующая) спосо́бность

absorptivity [,æbsɔ:p'tɪvətɪ] *n* поглоща́ющая (*или* абсорбцио́нная) спосо́бность

absquatulate [əb'skwɒtʃəleɪt] *v амер. sl.* «смы́ться», потихо́ньку уйти́, удра́ть

abstain [əb'steɪn] *v* воздéрживаться (from); to ~ from force воздéрживаться от применéния сúлы; to ~ from drinking не употреблять спиртны́х напúтков

abstainer [əb'steɪnə] *n* 1) непьющий, трéзвенник (*часто* total ~) 2) воздержа́вшийся (*при голосовании*)

abstemious [æb'sti:mɪəs] *a* 1) воздéржанный, умéренный (*особ. в пище, питье*) 2) бережлúвый

abstention [əb'stenʃn] *n* 1) воздержáние (from) 2) неучáстие в голосовáнии (*тж.* ~ from voting)

abstergent [əb'stɜ:dʒənt] **1.** *a* мóющий

2. *n* мóющее срéдство

abstersion [əb'stɜ:ʃn] *n уст.* очищéние, промывáние

abstinence ['æbstɪnəns] *n* воздержáние (from); умéренность; total ~ пóлный откáз от употреблéния спиртны́х напúтков

abstinent ['æbstɪnənt] *a* 1) умéренный, воздéржанный 2) трéзвый, непьющий

abstract **1.** *n* ['æbstrækt] 1) конспéкт; резюмé; извлечéние (*из книги и т. п.*) 2) произведéние абстрáктного искýсства 3) абстрáкция, отвлечённое понятие; in the ~ отвлечённо, абстрáктно; теоретúчески

2. *a* ['æbstrækt] 1) абстрáктный, отвлечённый; ~ art абстрáктное искýсство 2) трýдный для понимáния 3) *разг.* теоретúческий

3. *v* [æb'strækt] 1) отнимáть 2) резюмúровать; суммúровать 3) *разг.* красть, прикармáнивать

abstracted [æb'stræktɪd] **1.** *p. p. от* abstract 3

2. *a* 1) погружённый в мы́сли; рассéянный 2) отдалённый; удалённый

abstractedly [æb'stræktɪdlɪ] *adv* 1) рассéянно 2) абстрáктно, отвлечённо, отдéльно (from)

abstractedness [æb'stræktɪdnəs] *n* 1) абстрáктность, отвлечённость 2) рассéянность

abstraction [æb'strækʃn] *n* 1) абстрáкция; отвлечéние 2) рассéянность

abstractive [æb'stræktɪv] *a* абстрáктный; отвлечённый

abstractiveness [æb'stræktɪvnəs] *n* абстрáктность, отвлечённость

abstruse [æb'stru:s] *a* 1) трýдный для понимáния 2) глубокомы́сленный

absurd [əb'sɜ:d] *a* нелéпый, абсýрдный; смешнóй, глýпый

absurdity [əb'sɜ:dətɪ] *n* нелéпость; нелéпое утверждéние; глýпость, смехотвóрность

absurdly [əb'sɜ:dlɪ] *adv* нелéпо, абсýрдно, глýпо

abundance [ə'bʌndəns] *n* 1) изобúлие, избы́ток (of); богáтство; ~ of the heart избы́ток чувств 2) мнóжество 3) *физ.* распространённость; isotope ~ распространённость изотóпа

abundant [ə'bʌndənt] *a* обúльный, изобúлующий; богáтый (in — *чем-л.*); to be ~ имéть(ся) в изобúлии, кишéть

abuse **1.** *n* [ə'bju:s] 1) злоупотреблéние 2) оскорблéние; брань 3) плохóе обращéние 4) непрáвильное употреблéние

2. *v* [ə'bju:z] 1) злоупотреблять 2) оскорблять; ругáть; поносúть; бесчéстить 3) плóхо обращáться (*с кем-л., чем-л.*)

abusive [ə'bju:sɪv] *a* оскорбúтельный; брáнный; ~ language брань, ругáтельства

abut [ə'bʌt] *v* примыкáть, гранúчить (*обыкн.* ~ on, upon); упирáться (against)

abutment [ə'bʌtmənt] *n* 1) *стр.* контрфóрс; пятá свóда; береговóй устóй (*моста*) 2) межá, границá 3) *attr.* опóрный; ~ stone *стр.* опóрный, пятóвый кáмень

abuzz [ə'bʌz] *a predic.* 1) гудящий, жужжáщий 2) дéятельный

abysm [ə'bɪzəm] *n поэт.* бéздна, прóпасть; пучúна

abysmal [ə'bɪzml] *a* 1) *разг.* ужáсный; пóлный, крáйний; ~ ignorance крáйнее невéжество 2) бездóнный; глубóкий

abyss [ə'bɪs] *n* 1) бéздна, прóпасть; пучúна 2) первúчный хáос ◇ ~ of despair глубóкое отчаяние

abyssal [ə'bɪsl] *a геол.* глубúнный; глубоковóдный; ~ depth наибóлее глубóкая часть мóря

acacia [ə'keɪʃə] *n* акáция

academic [,ækə'demɪk] **1.** *a* 1) академúческий; учéбный; ~ year учéбный год в университéте 2) академúчный, теоретúческий

2. *n* 1) учёный 2) *pl* чúсто теоретúческие, академúческие аргумéнты *и т. п.*

academical [ækə'demɪkl] **1.** *a* академúческий; университéтский

2. *n pl* университéтское одеяние (*плащ и берет*)

academician [ə,kædə'mɪʃn] *n* академúк

academy [ə'kædəmɪ] *n* 1) специáльное учéбное заведéние, шкóла; Military A. воéнное учúлище; riding ~ шкóла верховóй езды́; ~ of music музыкáльная шкóла 2) акадéмия; Royal A. Королéвская акадéмия искýсств; the A. ежегóдная вы́ставка Королéвской акадéмии искýсств 3) вы́сшее учéбное заведéние; 4) срéднее (чáстное) учéбное заведéние

academy-figure [ə'kædəmɪ,fɪgə] *n жив.* акт (*рисунок*)

acanthi [ə'kænθaɪ] *pl от* acanthus

acanthus [ə'kænθəs] *n* (*pl* -ses [-sɪz], -thi) 1) *бот.* акáнт, медвéжья лáпа 2) *архит.* акáнт (*орнамент*)

acarpous [ə'kɑ:pəs] *a бот.* не имéющий плодóв

accede [æk'si:d] *v* 1) принимáть (*должность и т. п.*; to) 2) соглашáться (to — *с чем-л.*) 3) примыкáть, присоединяться; to ~ to an alliance примкнýть, присоединúться к сою́зу

accelerant [ək'selərənt] *n хим.* катализáтор, ускорúтель

accelerate [ək'seləreɪt] *v* ускорять(ся)

accelerating [ək'seləreɪtɪŋ] **1.** *pres. p. от* accelerate

2. *a* ускоряющий; ~ force *физ.* ускоряющая сúла

acceleration [ək,selə'reɪʃn] *n* ускорéние; акселерáция; ~ of gravity ускорéние свобóдного падéния

accelerator [ək'seləreɪtə] *n* 1) *тех.* ускорúтель; акселерáтор 2) *хим.* катализáтор 3) *воен.* многокáморное орýдие

accent **1.** *n* ['æksnt] 1) произношéние; акцéнт 2) ударéние 3) знак ударéния 4) глáвная чертá 5) *pl поэт.* речь, язы́к

2. *v* [ək'sent] 1) подчёркивать, акцентúровать 2) дéлать, стáвить ударéние

accentual [æk'sentʃʊəl] *a* относящийся к ударéнию, тонúческий; ~ prosody тонúческое стихосложéние

accentuate [æk'sentʃʊeɪt] *v* 1) подчёркивать, выделять, дéлать ударéние 2) стáвить ударéние

accentuation [æk,sentʃʊ'eɪʃn] *n* 1) манéра произношéния 2) подчёркивание, выделéние 3) постанóвка ударéния 4) *полигр.* выделéние в тéксте

accept [ək'sept] *v* 1) принимáть; to ~ an offer принять предложéние 2) допускáть; соглашáться; признавáть; I ~ the correctness of your statement признаю́ прáвильность вáшего утверждéния 3) относúться благосклóнно 4) *ком.* акцептовáть (*вексель*) ◇ to ~ the fact примирúться с фáктом

acceptability [ək,septə'bɪlətɪ] *n* приéмлемость

acceptable [ək'septəbl] *a* 1) приéмлемый, допустúмый 2) приятный, желáнный

acceptance [ək'septəns] *n* 1) принятие, приём 2) одобрéние 3) прúнятое значéние слóва 4) *ком.* акцéпт; general ~ акцептовáние вéкселя без какúх-л. оговóрок; qualified (*или* special) ~ акцептовáние вéкселя с оговóрками в отношéнии услóвий 5) *attr.*: ~ flight *ав.* лётное приёмное испытáние

acceptation [,æksep'teɪʃn] *n* прúнятое значéние слóва *или* выражéния

accepted [ək'septɪd] **1.** *p. p. от* accept

2. *a* общепрúнятый, распространённый; the ~ truth общеизвéстная úстина

accepter [ək'septə] *n* тот, кто принимáет, приёмщик

acceptor [ək'septə] *n ком.* акцептáнт

access ['ækses] **1.** *n* 1) прохóд; подхóд; ~ road подъезднóй путь 2) дóступ 3) прúступ (*гнева, болезни*) 4) *вчт.* вы́борка (*из памяти*); дóступ (*к базе данных*)

2. *v вчт.* обращáться (*к базе данных*)

accessary [ək'sesərɪ] **1.** *a predic. юр.* соучáствующий

2. *n юр.* соучáстник; ~ after the fact

ко́свенный соуча́стник, укрыва́тель; ~ before the fact прямо́й соуча́стник

accessibility [ək,sesə'bɪlɪtɪ] *n* 1) досту́пность 2) лёгкость осмо́тра *или* ремо́нта 3) *воен.* удо́бство подхо́да

accessible [ək'sesəbl] *a* 1) досту́пный (to); достижи́мый 2) поддаю́щийся; пода́тливый; ~ to bribery прода́жный; взя́точник

accession [ək'seʃn] **1.** *n* 1) вступле́ние (*на престол, в должность*) 2) приро́ст; прибавле́ние; пополне́ние 3) до́ступ 4) *attr.*: ~ catalogue катало́г но́вых поступле́ний

2. *v* вноси́ть кни́ги в катало́г

accessorial [,æksə'sɔ:rɪəl] *a* вспомога́тельный, дополни́тельный

accessory [ək'sesərɪ] **1.** *a* 1) доба́вочный; вспомога́тельный; второстепе́нный 2) = accessary 1

2. *n* 1) = accessary 2; 2) (the accessories) *pl* принадле́жности; армату́ра

accidence ['æksɪdəns] *n* 1) *грам.* морфоло́гия 2) элеме́нты, осно́вы како́го-л. предме́та

accident ['æksɪdənt] *n* 1) слу́чай; случа́йность; by ~ случа́йно, неча́янно; by a lucky ~ по счастли́вой случа́йности 2) несча́стный слу́чай; катастро́фа; ава́рия; to meet with an ~ потерпе́ть ава́рию, круше́ние; fatal ~ несча́стный слу́чай со смерте́льным исхо́дом; industrial ~ несча́стный слу́чай на произво́дстве 3) *астр., геол.* неро́вность пове́рхности, скла́дка 4) *лог.* случа́йное сво́йство 5) *attr.*: ~ insurance страхова́ние от несча́стных слу́чаев; ~ prevention предупрежде́ние несча́стных слу́чаев; те́хника безопа́сности; ~ rate *амер.* коэффицие́нт промы́шленного травмати́зма ◇ ~s will happen (in the best regulated families) ≅ в семье́ не без уро́да; сканда́л в благоро́дном семе́йстве

accidental [,æksɪ'dentl] **1.** *a* 1) случа́йный 2) второстепе́нный 3) несуще́ственный

2. *n* 1) случа́йность 2) несуще́ственная черта́; случа́йный элеме́нт 3) *муз.* случа́йный знак альтера́ции

accidentally [,æksɪ'dentlɪ] *adv* случа́йно; непредумы́шленно

accident-prone ['æksɪdəntprəun] *a* невезу́чий

acclaim [ə'kleɪm] **1.** *v* шу́мно, бу́рно аплоди́ровать; приве́тствовать 2) провозглаша́ть

2. *n* шу́мное приве́тствие

acclamation [,æklə'meɪʃn] *n* 1) шу́мное одобре́ние; carried (*или* voted) by ~ при́нято без голосова́ния на основа́нии единоду́шного шу́много одобре́ния 2) (*обыкн. pl*) приве́тственные во́згласы

acclimate ['æklɪmeɪt] = acclimatize

acclimation [,æklɪ'meɪʃn] = acclimatization

acclimatization [ə,klaɪmətaɪ'zeɪʃn] *n* акклиматиза́ция

acclimatize [ə'klaɪmətaɪz] *v* 1) акклиматизи́ровать 2) *refl.* акклиматизи́роваться (*тж. перен.*); he couldn't ~ himself to the life in that new place он не мог привы́кнуть к жи́зни на э́том но́вом ме́сте

acclivity [ə'klɪvɪtɪ] *n* поло́гий подъём, укло́н

acclivous [ə'klaɪvəs] *a* поло́гий

accolade ['ækəleɪd] *n* 1) знак одобре́ния *или* почте́ния 2) восто́рженная похвала́ 3) *ист.* аккола́да (*обряд посвящения в рыцари*) 4) *муз.* аккола́да

accommodate [ə'kɒmədeɪt] *v* 1) дава́ть приста́нище; предоставля́ть жильё, помеще́ние; расквартиро́вывать (*войска*) 2) приспоса́бливать 3) снабжа́ть; to ~ smb. with a loan дать кому́-л. де́ньги взаймы́ 4) примиря́ть; ула́живать (*ссору*); согласо́вывать 5) ока́зывать услу́гу

accommodating [ə'kɒmədeɪtɪŋ] **1.** *pres. p. от* accomodate

2. *a* 1) услу́жливый; любе́зный 2) ужи́вчивый; усту́пчивый, сгово́рчивый; in an ~ spirit примири́тельно 3) приспоса́бливающийся 4) вмеща́ющий; a hall ~ 500 people зал на 500 челове́к

accommodation [ə,kɒmə'deɪʃn] *n* 1) помеще́ние; жильё; стол и ночле́г; ~ with every convenience кварти́ра со все́ми удо́бствами 2) прию́т, убе́жище 3) *воен.* расквартирова́ние войск 4) приспособле́ние 5) согласова́ние; соглаше́ние; компроми́сс 6) ссу́да 7) *физиол.* аккомода́ция

accommodation bill [ə,kɒmə'deɪʃnbɪl] *n ком.* дру́жеский ве́ксель

accommodation ladder [əkɒmə'deɪʃn-,lædə] *n мор.* забо́ртный трап

accommodation train [ə,kɒmə'deɪʃntreɪn] *n амер.* ме́стный пассажи́рский по́езд со все́ми остано́вками

accompaniment [ə'kʌmpənɪmənt] *n* 1) *муз.* аккомпанеме́нт 2) сопровожде́ние

accompanist [ə'kʌmpənɪst] *n* аккомпаниа́тор

accompany [ə'kʌmpənɪ] *v* 1) сопровожда́ть, сопу́тствовать 2) *муз.* аккомпани́ровать

accomplice [ə'kʌmplɪs] *n* соо́бщник, соуча́стник (*преступления*)

accomplish [ə'kʌmplɪʃ] *v* 1) соверша́ть, выполня́ть; достига́ть; доводи́ть до конца́, заверша́ть 2) де́лать соверше́нным; соверше́нствовать 3) достига́ть соверше́нства

accomplished [ə'kʌmplɪʃt] **1.** *p. p. от* accomplish

2. *a* 1) совершённый, завершённый; ~ fact соверши́вшийся факт 2) зако́нченный, соверше́нный; ~ violinist превосхо́дный скрипа́ч 3) получи́вший хоро́шее образова́ние; воспи́танный; культу́рный 4) изы́сканный (*о манерах и т. п.*)

accomplishment [ə'kʌmplɪʃmənt] *n* 1) выполне́ние; заверше́ние 2) достиже́ние 3) *pl* образо́ванность; воспита́ние; досто́инства; соверше́нства

accord [ə'kɔ:d] **1.** *n* 1) согла́сие; with one ~ единоду́шно 2) соотве́тствие, гармо́ния 3) неофициа́льное соглаше́ние 4) *муз.* акко́рд, созву́чие ◇ of one's own ~ доброво́льно; of its own ~ самотёком

2. *v* 1) согласо́вывать(ся); соотве́тствовать, гармони́ровать 2) предоставля́ть, жа́ловать; ока́зывать; to ~ a hearty welcome ока́зывать раду́шный приём

accordance [ə'kɔ:dns] *n* согла́сие, соотве́тствие; in ~ with smth. в соотве́тствии с чем-л., согла́сно чему́-л.

accordant [ə'kɔ:dnt] *a* 1) согла́сный; созву́чный 2) соотве́тственный

according [ə'kɔ:dɪŋ] *adv* 1) = accordingly 2): ~ as (*употр. как cj*) соотве́тственно; соразме́рно; смотря́ по тому́, как; you will be paid ~ as you work вам запла́тят сто́лько, ско́лько бу́дет сто́ить ва́ша рабо́та; ~ to (*употр. как prep*) а) согла́сно, в соотве́тствии с; he came ~ to his promise он пришёл, как и обеща́л; б) по утвержде́нию, по слова́м, по мне́нию; ~ to him по его́ слова́м; ~ to BBC по сообще́нию Би-би-си́

accordingly [ə'kɔ:dɪŋlɪ] *adv* 1) соотве́тственно; в соотве́тствии 2) таки́м о́бразом; сле́довательно, поэ́тому

accordion [ə'kɔ:dɪən] *n муз.* аккордео́н; гармо́ника

accost [ə'kɒst] *v* 1) обраща́ться (*к кому-л.*); подойти́ и заговори́ть (*с кем-л.*) 2) пристава́ть (*к кому-л.; особ. о проститутках*)

accouchement [ə'ku:ʃmɑ:ŋ] *фр. n* разреше́ние от бре́мени, ро́ды

accoucheur [,æku:'ʃɜ:] *фр. n* акуше́р

accoucheuse [,æku:'ʃɜ:z] *фр. n* акуше́рка

account [ə'kaunt] **1.** *n* 1) докла́д; сообще́ние; отчёт 2) мне́ние, оце́нка; by all ~s по о́бщим отзы́вам; to give a good ~ of oneself хорошо́ себя́ зарекомендова́ть; to leave out of ~ не принима́ть во внима́ние; not to hold of much ~ быть невысо́кого мне́ния; to take into ~ принима́ть во внима́ние, в расчёт 3) счёт, расчёт; подсчёт; on smb.'s ~ за счёт кого́-л.; on ~ в счёт (*чего-л.*) [*ср. тж.* 5) *и* ◇]; current ~ теку́щий счёт; deposit ~ вклад в ба́нке, депози́т; joint ~ о́бщий счёт; to keep ~s *бухг.* вести́ кни́ги; to lay (one's) ~ with smth. а) рассчи́тывать на что-л.; б) принима́ть что-л. в расчёт; to settle (*или* to square) ~s with smb. а) рассчи́тываться с кем-л.; б) своди́ть счёты с кем-л. 4) отчёт; to give an ~ of smth. дава́ть отчёт в чём-л.; to call to ~ призва́ть к отве́ту, потре́бовать объясне́ния, отчёта 5) основа́ние, причи́на; on ~ of из-за, вслéдствие [*ср. тж.* 3)]; on no ~ ни в ко́ем слу́чае 6) значе́ние, ва́жность; of no ~, of small ~, *амер.* no ~ незначи́тельный; to make ~ of придава́ть значе́ние 7) вы́года, по́льза; to turn to ~ испо́льзовать; извлека́ть вы́году; to turn a thing to ~ испо́льзовать что-л. в свои́х интере́сах 8) торго́вый бала́нс 9) *attr.*: ~ book конто́рская кни́га <> to be called to one's ~, to go to one's ~, *амер.* to hand in one's ~ умере́ть; the great ~ *рел.* день стра́шного суда́, су́дный день; on one's own ~ на свой страх и риск; самостоя́тельно; on smb.'s ~ ра́ди кого́-л. [*ср. тж.* 3) *и* 5)]

2. *v* 1) счита́ть; рассма́тривать как; I ~ myself happy я счита́ю себя́ счастли́вым 2) отчи́тываться (for — в *чём-л.*); отвеча́ть (for — за *что-л.*) 3) объясня́ть (for — *что-л.*); this ~s for his behaviour вот чем объясня́ется его́ поведе́ние 4) составля́ть определённую часть (for — *чего-л.*)

accountability [ə,kaʊntə'bɪlətɪ] *n* 1) отве́тственность 2) подотчётность

accountable [ə'kaʊntəbl] *a* 1) отве́тственный (to — пе́ред *кем-л.*; for — за *что-л.*) 2) подотчётный (*о лице*) 3) объясни́мый

accountancy [ə'kaʊntənsɪ] *n* бухга́лтерское де́ло, счетово́дство

accountant [ə'kaʊntənt] *n* 1) бухга́лтер 2) *юр.* отве́тчик

accountant-general [ə'kaʊntənt,dʒenərəl] *n* гла́вный бухга́лтер

accounting [ə'kaʊntɪŋ] 1. *pres. p. от* account 2

2. *n* 1) учёт; отчётность 2) расчёт, баланси́рование 3) *attr.*: ~ cost калькуля́ция

accoutre [ə'ku:tə] *v* одева́ть, снаряжа́ть, экипирова́ть

accoutrements [ə'ku:trəmənts] *n pl воен.* ли́чное снаряже́ние (*гл. обр. кожаное*)

accredit [ə'kredɪt] *v* 1) припи́сывать (to, with) 2) уполномо́чивать; аккредитова́ть (*дипломатического представителя*) 3) доверя́ть; (по)ве́рить

accredited [ə'kredɪtɪd] 1. *p. p. от* accredit

2. *a* 1) аккредито́ванный, облечённый полномо́чиями 2) общепри́нятый 3): ~ milk молоко́ гаранти́рованного ка́чества

accrete [ə'kri:t] 1. *a бот.* сро́сшийся

2. *v* 1) сраста́ться 2) обраста́ть

accretion [ə'kri:ʃn] *n* 1) разраста́ние; приро́ст; прираще́ние 2) сраста́ние; сраще́ние 3) нараще́ние; увеличе́ние 4) *геол.* нано́с земли́

accrue [ə'kru:] *v* 1) увели́чиваться, накопля́ться; нараста́ть; ~d interest наро́сшие проце́нты 2) выпада́ть на до́лю, достава́ться (to — *кому-л.*) 3) происходи́ть, проистека́ть (from)

accumulate [ə'kju:mjəleɪt] *v* 1) аккумули́ровать, нака́пливать; ска́пливать; скла́дывать 2) скопля́ться

accumulation [ə,kju:mjə'leɪʃn] *n* 1) накопле́ние; primary ~ *полит.-эк.* первонача́льное накопле́ние 2) скопле́ние; ма́сса, гру́да 3) собира́ние; аккумуля́ция

accumulative [ə'kju:mjələtɪv] *a* 1) нака́пливающийся; ~ formation *геол.* аккумуляти́вные образова́ния 2) = cumulative

accumulator [ə'kju:mjəleɪtə] *n* 1) *эл.* аккумуля́тор 2) *тех.* собира́ющее устро́йство 3) *вчт.* нака́пливающий сумма́тор 4) стяжа́тель

accuracy ['ækjərəsɪ] *n* 1) то́чность, пра́вильность; ~ of fire *воен.* ку́чность огня́ 2) тща́тельность

accurate ['ækjərət] *a* 1) то́чный, пра́вильный; тща́тельный; ~ within 0.001 mm с то́чностью до 0,001 мм 2) ме́ткий (*о стрельбе*) 3) калибро́ванный

accurately ['ækjərətlɪ] *adv* то́чно

accursed [ə'kɜ:sɪd] *a* 1) про́клятый 2) *разг.* ненави́стный, отврати́тельный

accurst [ə'kɜ:st] = accursed

accusal [ə'kju:zəl] = accusation 1)

accusation [,ækjʊ'zeɪʃn] *n* 1) обвине́ние 2) *юр.* обвини́тельный акт

accusative [ə'kju:zətɪv] *грам.* 1. *a* вини́тельный

2. *n* аккузати́в, вини́тельный паде́ж

accusatorial [ə,kju:zə'tɔ:rɪəl] *a юр.* обвини́тельный

accusatory [ə'kju:zətərɪ] *a* 1) обличи́тельный; разоблача́ющий 2) = accusatorial

accuse [ə'kju:z] *v* обвиня́ть, предъявля́ть обвине́ние (of — в *чём-л.*)

accused [ə'kju:zd] *n* 1) обвиня́емый, подсуди́мый 2) (the ~) *pl собир.* обвиня́емые, подсуди́мые

accuser [ə'kju:zə] *n* обвини́тель

accustom [ə'kʌstəm] *v* приуча́ть; to ~ oneself to smth. привыка́ть, приуча́ться к чему́-л.

accustomed [ə'kʌstəmd] 1. *p. p. от* accustom

2. *a* 1) привы́кший, приу́ченный 2) привы́чный, обы́чный

ace [eɪs] *n* 1) очко́ 2) *карт.* туз; the ~ of trumps а) гла́вный ко́зырь; б) са́мый ве́ский до́вод 3) первокла́ссный лётчик, ас; выдаю́щийся спортсме́н *и т. п.*; the ~ of ~s *ав.* лу́чший ас; *перен.* лу́чший из лу́чших <> within an ~ of на волосо́к от, чуть не

acephalous [,eɪ'sefələs] *a* 1) *зоол.* ацефа́льный, безголо́вый 2) лишённый главы́, без руководи́теля 3) без пе́рвой строки́ (*о стихотворении*)

acerbate 1. *a* [ə'sɜ:bət] *книжн.* озлобле́нный, ожесточённый

2. *v* ['æsəbeɪt] 1) окисля́ть, придава́ть те́рпкость 2) озлобля́ть, ожесточа́ть

acerbic [ə'sɜ:bɪk] *a* 1) ки́слый, те́рпкий 2) ре́зкий, неприя́тный (*о человеке, манере*)

acerbity [ə'sɜ:bətɪ] *n книжн.* 1) те́рпкость 2) ре́зкость, жёсткость

acetate ['æsəteɪt] *n хим.* 1) соль у́ксусной кислоты́, ацета́т 2) *attr.* ацета́тный; ~ silk ацета́тный, иску́сственный шёлк

acetic [ə'si:tɪk] *a* у́ксусный

acetify [ə'setɪfaɪ] *v хим.* окисля́ть(ся); обраща́ться в у́ксус

acetous ['æsɪtəs] *a* у́ксусный; ки́слый

acetylene [ə'setəli:n] *n* 1) ацетиле́н 2) *attr.* ацетиле́новый; ~ welding ацетиле́новая сва́рка

ache [eɪk] 1. *n* боль (*особ. продолжительная, тупая*)

2. *v* 1) боле́ть; my head ~s у меня́ боли́т голова́ 2) жа́ждать, стра́стно стреми́ться (*к чему-л.*)

acheless ['eɪkləs] *a* безболе́зненный

achievable [ə'tʃi:vəbl] *a* достижи́мый

achieve [ə'tʃi:v] *v* 1) достига́ть, добива́ться; to ~ one's purpose (*или* aim) дости́чь це́ли 2) успе́шно выполня́ть; доводи́ть до конца́

achievement [ə'tʃi:vmənt] *n* 1) достиже́ние 2) выполне́ние 3) по́двиг

Achilles [ə'kɪli:z] *n греч. миф.* Ахилле́с

Achilles' heel [ə,kɪli:z'hi:l] *n* ахилле́сова пята́, сла́бое, легко́ уязви́мое ме́сто

Achilles' tendon [ə,kɪli:z'tendən] *n анат.* ахи́ллово сухожи́лие

achromatic [,ækrəʊ'mætɪk] *a* 1) ахромати́ческий, бесцве́тный, лишённый окра́ски 2) *мед.* страда́ющий дальтони́змом

achromatism [ə'krəʊmətɪzəm] *n* ахромати́зм, бесцве́тность

acid ['æsɪd] 1. *n* 1) кислота́ 2) *sl.* нарко́тик ЛСД

2. *a* 1) ки́слый; ~ looks ки́слая ми́на 2) е́дкий, язви́тельный 3) *хим.* кисло́тный, ки́слый; ~ dye кисло́тный краси́тель; ~ radical кисло́тный радика́л; ~ rain ки́слый (*или* кисло́тный) дождь; ~ salt ки́слая соль; ~ test а) про́ба на ки́слую реа́кцию; б) серьёзное испыта́ние; ~ value коэффицие́нт кисло́тности

acid drop [,æsɪd'drɒp] *n* леденец, монпансье́

acidic [ə'sɪdɪk] *a* кисло́тный, ки́слый

acidify [ə'sɪdɪfaɪ] *v* 1) подкисля́ть 2) окисля́ть(ся)

acidity [ə'sɪdətɪ] *n* 1) кисло́тность 2) е́дкость

acidize ['æsɪdaɪz] *v* окисля́ть

acidly ['æsɪdlɪ] *adv* 1) е́дко, с раздраже́нием 2) с ки́слой ми́ной, недово́льным то́ном

acid-proof ['æsɪdpru:f] *a* кислотоупо́рный

acid-resisting ['æsɪdrɪ,zɪstɪŋ] = acid-proof

acidulated [ə'sɪdjʊleɪtɪd] *a* 1) кислова́тый 2) недово́льный, брюзгли́вый

acidulous [ə'sɪdjʊləs] *a* кислова́тый, подки́сленный

ack-ack ['ækæk] *воен. жарг.* 1. *n* 1) зени́тка 2) ого́нь зени́ток

2. *a* зени́тный

acknowledge [ək'nɒlɪdʒ] *v* 1) сознава́ть; признава́ть, допуска́ть 2) подтвержда́ть; to ~ the receipt подтвержда́ть получе́ние 3) быть призна́тельным (*за что-л.*); награжда́ть (*за услугу*)

acknowledg(e)ment [əkˈnɒlɪdʒmənt] *n* 1) призна́ние 2) подтвержде́ние; уведомле́ние о получе́нии; распи́ска 3) благода́рность; призна́тельность 4) официа́льное заявле́ние

aclinic [əˈklɪnɪk] *a* горизонта́льный, без уклона́; ~ line магни́тный эква́тор, аклини́ческая крива́я

acme [ˈækmɪ] *n* 1) вы́сшая то́чка (*чего-л.*); кульминацио́нный пункт; ~ of perfection верх соверше́нства 2) *мед.* кри́зис (*болезни*)

acne [ˈæknɪ] *n* прыщь, у́горь

acock [əˈkɒk] *adv* набекре́нь

acolyte [ˈækəlaɪt] *n* 1) *церк.* прислу́жник; псало́мщик 2) служи́тель; помо́щник

aconite [ˈækənaɪt] *n бот.* акони́т

acorn [ˈeɪkɔːn] *n* 1) жёлудь 2) *attr.* желудёвый

acoustic [əˈkuːstɪk] *a* 1) акусти́ческий, звуково́й; ~ mine акусти́ческая ми́на 2) *анат.* слухово́й; ~ duct нару́жный слухово́й прохо́д

acoustics [əˈkuːstɪks] *n pl* (*употр. как sing*) аку́стика

acquaint [əˈkweɪnt] *v* 1) знако́мить; to ~ oneself with smth. знако́миться с чем-л.; to get (*или* become) ~ed with smth. познако́миться, ознако́миться с чем-л.; to be ~ed with быть знако́мым с 2) сообща́ть, извеща́ть

acquaintance [əˈkweɪntəns] *n* 1) знако́мство; nodding (*или* bowing) ~ ша́почное знако́мство; to make the ~ of smb., to make smb.'s ~ познако́миться с кем-л.; to cultivate the ~ подде́рживать знако́мство (of — c) 2) знако́мый

acquainted [əˈkweɪntɪd] **1.** *p. p. от* acquaint

2. *a* 1) знако́мый (*с чем-л., с кем-л.*) 2) зна́ющий (*что-л., кого-л.*)

acquiesce [,ækwɪˈes] *v* уступа́ть (in)

acquiescence [,ækwɪˈesns] *n* усту́пка, согла́сие; усту́пчивость

acquiescent [,ækwɪˈesnt] *a* усту́пчивый

acquire [əˈkwaɪə] *v* 1) приобрета́ть 2) достига́ть; овладева́ть (*каким-л. навыком и т. п.*); to ~ knowledge приобрести́ зна́ния

acquired [əˈkwaɪəd] **1.** *p. p. от* acquire

2. *a* благоприобретённый

acquirement [əˈkwaɪəmənt] *n* 1) *pl* приобретённые зна́ния, на́выки 2) приобрете́ние; овладе́ние

acquisition [,ækwɪˈzɪʃn] *n* 1) приобрете́ние (*часто ценное, существенное*); recent ~s of the library но́вые поступле́ния библиоте́ки 2) приобрете́ние (*процесс*); ~ of knowledge приобрете́ние зна́ний

acquisitive [əˈkwɪzətɪv] *a* 1) восприи́мчивый, жа́дно впи́тывающий 2) стяжа́тельский

acquit [əˈkwɪt] *v* 1) опра́вдывать (of — в *чём-л.*) 2) освобожда́ть (of, from — от *обязательства и т. п.*) 3) *уст.* вы́полнить (*обязанность, обязательство*); вы́платить долг; to ~ oneself of a promise испо́лнить обеща́ние 4) *refl.* вести́ себя́; to ~ oneself well (ill) вести́ себя́ хорошо́ (пло́хо)

acquittal [əˈkwɪtl] *n* 1) *юр.* оправда́ние 2) освобожде́ние (от до́лга) 3) выполне́ние (*обязанностей и т. п.*)

acquittance [əˈkwɪtəns] *n* 1) освобожде́ние от обяза́тельства, до́лга; погаше́ние до́лга 2) распи́ска об упла́те до́лга *и т. п.*

acre [ˈeɪkə] *n* 1) акр (≅ *0,4 га*) 2) *pl* зе́мли, владе́ния; broad ~s обши́рное поме́стье ◇ God's A. кла́дбище

acreage [ˈeɪkərɪdʒ] *n* пло́щадь земли́ в а́крах

acrid [ˈækrɪd] *a* 1) о́стрый, е́дкий (*на вкус и т. п.*); раздража́ющий 2) ре́зкий (*о характере*); язви́тельный

acridity [æˈkrɪdətɪ] *n* острота́ *и пр.* [*см.* acrid]

acrimonious [,ækrɪˈməʊnɪəs] *a* жёлчный (*о характере*); язви́тельный, саркасти́ческий

acrimony [ˈækrɪmənɪ] *n* жёлчность (*характера*)

acrobat [ˈækrəbæt] *n* акроба́т

acrobatic [,ækrəˈbætɪk] *a* акробати́ческий

acrobatics [,ækrəˈbætɪks] *n pl* (*употр. как sing*) акроба́тика

acronym [ˈækrənɪm] *n* акрони́м

acrophobia [,ækrəʊˈfəʊbɪə] *n* акрофо́бия, боя́знь высоты́

acropolis [əˈkrɒpəlɪs] *n* (*pl* -ses [-sɪz]) акро́поль

across [əˈkrɒs] **1.** *adv* 1) на ту сто́рону; на той стороне́; to put ~ перевози́ть (*на лодке, пароме*) 2) попере́к; в ширину́ 3) крест-на́крест; with arms ~ скрести́в ру́ки

2. *prep* 1) сквозь, че́рез; to run ~ the street перебежа́ть у́лицу; ~ country напрями́к; по пересечённой ме́стности; ~ lots *амер.* напрями́к 2) попере́к; a tree lay ~ the road попере́к доро́ги лежа́ло де́рево ◇ to put it ~ smb. а) нака́зывать кого́-л.; б) своди́ть счёты с кем-л.; в) вводи́ть в заблужде́ние

acrostic [əˈkrɒstɪk] **1.** *n* акро́стих

2. *a* име́ющий фо́рму акро́стиха

acrylic [əˈkrɪlɪk] *хим.* **1.** *a* акри́ловый; ~ resin акри́ловая синтети́ческая смола́

2. *n* акри́ловая синтети́ческая смола́; акри́л, синтети́ческое волокно́

act [ækt] **1.** *n* 1) де́ло, посту́пок; акт; ~ of bravery по́двиг; ~ of God стихи́йное бе́дствие; caught in the (very) ~ (of commiting a crime) захва́чен на ме́сте преступле́ния; ~ of mutiny вое́нный мяте́ж 2) акт, де́йствие (*часть пьесы*) 3) миниатю́ра, но́мер (*программы варьете или представления в цирке*) 4) игра́, притво́рство 5) зако́н, постановле́ние (*парламента, суда*) ◇ to put on an ~ *разг.* притворя́ться, разыгра́ть сце́ну

2. *v* 1) де́йствовать, поступа́ть; вести́ себя́; ~ up а) пая́сничать; б) сканда́лить; в) пло́хо себя́ вести́ 2) рабо́тать, де́йствовать; the brake refused to ~ то́рмоз отказа́л 3) влия́ть, де́йствовать (on, upon) 4) *театр.* игра́ть; to ~ the part of Othello игра́ть роль Оте́лло; ~ out разы́грывать (*по ролям*) 5) притворя́ться, прики́дываться

acting [ˈæktɪŋ] **1.** *pres. p. от* act 2

2. *n театр.* 1) игра́ 2) *attr.* приспосо́бленный для постано́вки; ~ copy текст пье́сы с режиссёрскими указа́ниями

3. *a* 1) исполня́ющий обя́занности 2) де́йствующий

actinia [ækˈtɪnɪə] *n* (*pl* -ae, -s [-z]) *зоол.* акти́ния

actiniae [ækˈtɪniː] *pl от* actinia

actinic [ækˈtɪnɪk] *a физ., хим.* актини́ческий; ~ rays *физ.* актини́ческие лучи́ (*фиолетовые и ультрафиолетовые*)

actinism [ˈæktɪnɪzəm] *n физ., хим.* актини́зм, актини́чность

actinium [ækˈtɪnɪəm] *n хим.* акти́ний

action [ˈækʃn] *n* 1) де́йствие; посту́пок; *полит.* а́кция, выступле́ние; overt ~ against откры́тое выступле́ние про́тив; to take prompt ~ приня́ть сро́чные ме́ры 2) *pl* поведе́ние 3) де́йствие, возде́йствие 4) де́ятельность; ~ of the heart де́ятельность се́рдца; to put out of ~ выводи́ть из стро́я 5) бой; in ~ в бою́ [*см. тж.* 6)]; to be killed (*или* to fall) in ~ пасть в бою́ 6) де́йствие, рабо́та (*механизма*); in ~ на ходу́, де́йствующий [*см. тж.* 5)] 7) обвине́ние, иск; суде́бный проце́сс; to bring (*или* to enter, to lay) an ~ against smb. возбуди́ть де́ло про́тив кого́-л. 8) *attr.*: ~ radius ра́диус де́йствия (*самолёта и т. п.*) 9) *attr.* боево́й; ~ spring боева́я пружи́на; ~ station боево́й пост 10) *attr.*: ~ painting фо́рма абстра́ктной жи́вописи (*разбрызгивание краски по холсту*) ◇ ~s speak louder than words *посл.* ≅ не по слова́м су́дят, а по дела́м

actionable [ˈækʃnəbl] *a юр.* даю́щий основа́ние для суде́бного пресле́дования

activate [ˈæktɪveɪt] *v* 1) активизи́ровать 2) *хим., биол.* активи́ровать 3) де́лать радиоакти́вным 4) *амер. воен.* формирова́ть и укомплекто́вывать

activated [ˈæktɪveɪtɪd] **1.** *p. p. от* activate

2. *a* активи́рованный

active [ˈæktɪv] **1.** *a* 1) акти́вный; живо́й; энерги́чный, де́ятельный; to become ~ активизи́роваться 2) де́йствующий 3) *эк.* оживлённый; the market is ~ на ры́нке цари́т оживле́ние 4) радиоакти́вный 5) *грам.* действи́тельный (*о залоге*); ~ voice действи́тельный зало́г 6) *воен.* де́йствующий; ~ forces регуля́рные войска́; ~ list спи́сок ка́дрового соста́ва; ~ service действи́тельная слу́жба

2. *n* = ~ voice [*см.* 1, 5)]

activism [ˈæktɪvɪzəm] *n* акти́вность (*особ. в политической деятельности*)

activist ['æktɪvɪst] *n* сторо́нник акти́вных (полити́ческих) мер, активи́ст

activity [æk'tɪvətɪ] *n* 1) де́ятельность; social activities культу́рно-просвети́тельные мероприя́тия 2) акти́вность; эне́ргия 3) *физ.* радиоакти́вность

actor ['æktə] *n* 1) актёр 2) де́ятель, де́йствующее лицо́ ◇ a bad ~ *амер. sl.* ненадёжный челове́к

actress ['æktrəs] *n* актри́са

actual ['æktʃʊəl] *a* 1) факти́чески существу́ющий; действи́тельный; по́длинный; ~ speed действи́тельная ско́рость; *ав.* и́стинная ско́рость; ~ capital действи́тельный капита́л; ~ load поле́зная нагру́зка; in ~ fact в действи́тельности; the ~ position факти́ческое, существу́ющее положе́ние (дел) 2) теку́щий, совреме́нный

actuality [,æktʃʊ'ælətɪ] *n* 1) действи́тельность; реа́льность 2) *pl* существу́ющие усло́вия; фа́кты

actualize ['æktʃʊəlaɪz] *v* реализо́вывать, осуществля́ть

actually ['æktʊəlɪ] *adv* 1) факти́чески, на са́мом де́ле 2) в настоя́щее вре́мя

actuary ['æktʊərɪ] *n* стати́стик страхово́го о́бщества, актуа́рий

actuate ['æktʊeɪt] *v* 1) приводи́ть в де́йствие 2) побужда́ть 3) *эл.* возбужда́ть

actuator ['æktʊeɪtə] *n* *тех.* силово́й при́вод; пуска́тель

acuity [ə'kju:ətɪ] *n* 1) острота́ 2) о́стрый хара́ктер (*болезни*)

acumen [ə'kjʊmən] *n* проница́тельность, сообрази́тельность

acuminate 1. *a* [ə'kju:mɪnət] *биол.* остроконе́чный, заострённый

2. *v* [ə'kju:mɪneɪt] 1) заостря́ть 2) придава́ть остроту́

acupuncture ['ækju,pʌŋktʃə] *n* *мед.* иглоука́лывание, иглотерапи́я, акупункту́ра

acute [ə'kju:t] *a* 1) о́стрый, си́льный; ~ eyesight о́строе зре́ние; ~ pain о́страя боль 2) проница́тельный, сообрази́тельный; ~ observer то́нкий наблюда́тель 3) о́стрый; ~ angle о́стрый у́гол 4) пронзи́тельный, высо́кий (*о звуке*)

ad [æd] *разг. сокр. от* advertisement

adage ['ædɪdʒ] *n* посло́вица, погово́рка, изрече́ние

adagio [ə'dɑ:dʒɪəʊ] *n* (*pl* -os [-əʊz]) *муз.* ада́жио

adamant ['ædəmənt] 1. *n уст.* 1) твёрдый минера́л *или* мета́лл 2) что-л. твёрдое, несокруши́мое

2. *a* непреклóнный; твёрдый, несгиба́емый

adamantine [,ædə'mæntaɪn] *a* 1) о́чень твёрдый 2) несокруши́мый

Adam's apple [,ædəmz'æpl] *n* кады́к

adapt [ə'dæpt] *v* 1) приспоса́бливать, пригоня́ть, прила́живать (to, for) 2) адапти́ровать, сокраща́ть и упроща́ть 3) переде́лывать; to ~ a novel инсцени́ровать рома́н 4) *refl* приспоса́бливаться, применя́ться

adaptability [ə,dæptə'bɪlətɪ] *n* приспособля́емость, примени́мость

adaptable [ə'dæptəbl] *a* 1) легко́ приспоса́бливающийся (*к обстоятельствам и т. п.*) 2) поддаю́щийся (*адаптации, переделке*)

adaptation [,ædæp'teɪʃn] *n* 1) адапта́ция, приспособле́ние; light ~ адапта́ция к све́ту; ~ to the terrain *воен.* примене́ние к ме́стности 2) переде́лка; ~ of a musical composition аранжиро́вка музыка́льного произведе́ния 3) *биол.* адапта́ция

adapter [ə'dæptə] = adaptor 3)

adaptor [ə'dæptə] *n* 1) *тех.* ада́птер, звукосннма́тель 2) соедини́тельное устро́йство; держа́тель 3) тот, кто переде́лывает, адапти́рует литерату́рное произведе́ние

add [æd] *v* 1) прибавля́ть, присоединя́ть; this ~s to the expense э́то увели́чивает расхо́д; ~ed to everything else к тому́ же; в дополне́ние ко всему́ 2) *мат.* скла́дывать ▭ ~ in включа́ть; ~ to добавля́ть, увели́чивать; ~ together, ~ up скла́дывать, подсчи́тывать, подыто́живать; находи́ть су́мму; ~ up to своди́ться к; what does it all ~ up to? что всё э́то зна́чит? ◇ to ~ fuel to the fire (*или* to the flame) подлива́ть ма́сла в ого́нь; to ~ insult to injury наноси́ть но́вые оскорбле́ния

addenda [ə'dendə] *pl от* addendum

addendum [ə'dendəm] *n* (*pl* -da) приложе́ние, дополне́ние (*в книге*), адде́нда

adder I ['ædə] *n* 1) гадю́ка 2) *амер.* уж

adder II ['ædə] *n* сумми́рующее устро́йство, сумма́тор

addict 1. *n* ['ædɪkt] 1) наркома́н (*тж.* drug ~) 2) *разг.* покло́нник, боле́льщик; he is a TV ~ его́ не оторвёшь от телеви́зора

2. *v* [ə'dɪkt] увлека́ться (*обыкн. дурным*); to ~ oneself предава́ться (to — *чему-л.*); he is ~ed to alcohol он си́льно пьёт

addiction [ə'dɪkʃn] *n* скло́нность (*к чему-л.*), па́губная привы́чка

addictive [ə'dɪktɪv] *a* выраба́тывающий привыка́ние (*о лекарствах, наркотиках и т. п.*)

adding machine ['ædɪŋmə,ʃi:n] *n* арифмо́метр; счётная маши́на

addition [ə'dɪʃn] *n* 1) прибавле́ние, увеличе́ние, дополне́ние; in ~ to вдоба́вок, в дополне́ние к, кро́ме того́, к тому́ же 2) *мат.* сложе́ние 3) *хим.* при́месь

additional [ə'dɪʃənəl] *a* доба́вочный, дополни́тельный; ~ charges накладны́е расхо́ды

additive ['ædətɪv] *n* 1) доба́вка, при́месь 2) *тех.* приса́дка (*к маслу*); доба́вка (*к топливу*)

addle ['ædl] 1. *a* 1) пусто́й, вабалмошный; пу́таный 2) ту́хлый, испо́рченный; ~ egg ту́хлое яйцо́; болту́н (*яйцо*)

2. *v* 1) пу́тать; to ~ one's head (*или* one's brain) забива́ть себе́ го́лову (*чем-л.*); лома́ть го́лову (*над чем-л.*) 2) ту́хнуть, по́ртиться (*о яйце*)

addle-brained ['ædlbreɪnd] *a* пустоголо́вый, безмо́зглый

addled ['ædld] *a* испо́рченный, проту́хший (*о яйце*)

addle-headed ['ædlhedɪd] = addle-brained

addle-pated ['ædlpeɪtɪd] = addle-brained

add-on ['ædɒn] *n* *вчт.* расшире́ние, периферийное устро́йство, не входя́щее в станда́ртный компле́кт вычисли́тельной систе́мы

address [ə'dres] 1. *n* 1) (*тж. вчт.*) а́дрес 2) обраще́ние; речь; выступле́ние 3) такт; ло́вкость; (уме́лое) обхожде́ние 4) *pl* уха́живание; to pay one's ~es to a lady уха́живать за да́мой

2. *v* 1) адресова́ть; направля́ть 2) обраща́ться (*к кому-л.*); выступа́ть; to ~ a meeting выступа́ть с ре́чью на собра́нии; to ~ oneself to the audience обраща́ться к аудито́рии 3): to ~ oneself to smth. бра́ться, принима́ться за что-л.

addressee [,ædre'si:] *n* адреса́т

adduce [ə'dju:s] *v* представля́ть, приводи́ть (*в качестве доказательства*)

adducent [ə'dju:sənt] *a* *анат.* приводя́щий (*о мышце*)

adduction [ə'dʌkʃn] *n* 1) приведе́ние (*фактов, доказательств*) 2) *анат.* адду́кция, приведе́ние (*мышцы*)

adductor [ə'dʌktə] *n* *анат.* адду́ктор, приводя́щая мы́шца

adenoids ['ædɪnɔɪds] *n pl* адено́иды

adenoma [ædɪ'nəʊmə] *n* (*pl тж.* -ta [-tə]) *мед.* адено́ма

adept 1. *n* ['ædept] знато́к, экспе́рт

2. *a* [ə'dept] све́дущий

adequacy ['ædɪkwəsɪ] *n* 1) соотве́тствие, адеква́тность 2) доста́точность 3) компете́нтность

adequate ['ædɪkwət] *a* 1) (едва́) доста́точный 2) соотве́тствующий, адеква́тный; ~ definition то́чное определе́ние 3) компете́нтный; отвеча́ющий тре́бованиям

adhere [əd'hɪə] *v* 1) прилипа́ть, пристава́ть (to) 2) твёрдо держа́ться, приде́рживаться (*чего-л.*; to); остава́ться ве́рным (*принципам и т. п.*; to)

adherence [əd'hɪərəns] *n* 1) приве́рженность; ве́рность 2) стро́гое соблюде́ние (*правил, принципов и т. п.*); ~ to specification соблюде́ние техни́ческих усло́вий 3) *тех.* сцепле́ние

adherent [əd'hɪərənt] 1. *n* приве́рженец; сторо́нник

2. *a* 1) приве́рженный 2) вя́зкий, кле́йкий 3) пло́тно прилега́ющий

adhesion [əd'hi:ʒn] *n* 1) прилипа́ние; слипа́ние 2) *мед.* спа́йка 3) *тех.* сцепле́ние (*напр. колёс локомотива с рельсами*) 4) ве́рность (*принципам и т. п.*) 5) согла́сие 6) *физ.* молекуля́рное притяже́ние 7) *attr.* *тех.* сцепно́й; ~ weight сцепной вес; ~ wheel фрикционное колесо

adhesive [əd'hi:sɪv] 1. *a* липкий, клейкий; связывающий; ~ power *тех.* сила сцепления

2. *n* клейкое вещество (*клей, замазка и т. п.*)

adhesiveness [əd'hi:sɪvnəs] *n* 1) клейкость, липкость 2) *психол.* способность к ассоциированию

adhibit [əd'hɪbɪt] *v* 1) прикладывать 2) принимать (*лекарство*)

ad hoc [æd'hɒk] *a* специальный, устроенный для данной цели; ~ committee специальный комитет

adieu [ə'dju:] 1. *int* прощай(те)!

2. *n* (*pl. тж.* -x [-z]) прощание; to bid smb. ~, to make (*или* to take) one's ~ прощаться

adipose ['ædɪpəʊs] 1. *n* животный жир

2. *a* жирный; жировой; сальный

adiposity [,ædɪ'pɒsɪtɪ] *n* ожирение, тучность

adit ['ædɪt] *n* 1) вход, проход 2) *горн.* штольня, галерея

adjacency [ə'dʒeɪsnsɪ] *n* соседство; смежность

adjacent [ə'dʒeɪsnt] *a* 1) примыкающий, смежный, соседний (to); ~ villages близлежащие деревни 2) *мат.* смежный; ~ angle смежный угол

adjectival [,ædʒɪk'taɪvl] *a грам.* употреблённый в качестве прилагательного, адъективный

adjective ['ædʒɪktɪv] 1. *n грам.* имя прилагательное

2. *a* 1) *грам.* имеющий свойства прилагательного; относящийся к прилагательному 2) несамостоятельный, зависимый; ~ colours дополнительные цвета

adjoin [ə'dʒɔɪn] *v* примыкать, прилегать, граничить

adjoining [ə'dʒɔɪnɪŋ] 1. *pres. p. от* adjoin

2. *a* прилегающий, примыкающий, соседний, граничащий

adjourn [ə'dʒɜ:n] *v* 1) отсрочивать, откладывать 2) делать, объявлять перерыв (*в работе сессии и т. п.*) 3) закрывать (*заседание*); расходиться 4) переходить в другое место; переносить заседание в другое помещение; to ~ to the living room *разг.* перейти в гостиную

adjournment [ə'dʒɜ:nmənt] *n* 1) отсрочка 2) перерыв

adjudge [ə'dʒʌdʒ] *v* 1) выносить приговор; приговаривать (to — к); to ~ smb. guilty признавать кого-л. виновным (of — в *чём-л.*) 2) присуждать (*премию и т. п.*; to)

adjudg(e)ment [ə'dʒʌdʒmənt] *n* 1) судебное решение; вынесение приговора 2) присуждение (*премии и т. п.*)

adjudicate [ə'dʒu:dɪkeɪt] *v* судить; выносить решение (*на конкурсе и т. п.*; on, upon)

adjudication [ə,dʒu:dɪ'keɪʃn] *n* 1) вынесение судебного решения 2) объявление *кого-л.* банкротом

adjudicator [ə'dʒu:dɪkeɪtə] *n* 1) член жюри 2) экзаменатор 3) арбитр 4) *pl* жюри

adjunct ['ædʒʌŋkt] *n* 1) приложение, дополнение (to); придаток; случайное свойство 2) помощник; адъюнкт 3) *грам.* определение, обстоятельственное слово 4) добавка

adjuration [,ædʒʊ'reɪʃn] *n* 1) мольба, заклинание 2) клятва 3) *юр.* приведение к присяге

adjure [ə'dʒʊə] *v* 1) молить, заклинать 2) *юр.* приводить к присяге

adjust [ə'dʒʌst] *v* 1) приводить в порядок 2) приспосабливать, пригонять, прилаживать 3) улаживать (*спор и т. п.*) 4) регулировать; устанавливать; выверять; ~ one's watch правильно поставить часы

adjustable [ə'dʒʌstəbl] *a* регулируемый; приспособляемый; передвижной; ~ wrench (*или* spanner) раздвижной гаечный ключ

adjusted [ə'dʒʌstɪd] 1. *p. p. от* adjust

2. *a* урегулированный, установленный; выверенный; ~ fire *воен.* прицельный огонь

adjuster [ə'dʒʌstə] *n* 1) монтажник, сборщик; установщик 2) регулировщик 3) *тех.* натяжное приспособление; натяжной болт (*тж.* ~ bolt)

adjusting [ə'dʒʌstɪŋ] 1. *pres. p. от* adjust

2. *a* регулирующий; установочный; ~ device установочное (*или* регулирующее) приспособление; ~ tool отвес для выверки

adjustment [ə'dʒʌstmənt] *n* 1) (у)регулирование, согласование; приспособление; to make ~s приспособиться 2) установка, сборка, регулировка, пригонка 3) *воен.* корректирование; ~ in direction корректирование направления; ~ in range корректирование дальности; ~ of sight установка прицела 4) *attr.*: ~ fire *воен.* пристрелка

adjutancy ['ædʒʊtənsɪ] *n* звание *или* должность адъютанта

adjutant ['ædʒʊtənt] *n* 1) адъютант; начальник отделения личного состава 2) помощник, подручный 3) *зоол.* марабу, зобатый аист

adjutant-bird ['ædʒʊtəntbɜ:d] = adjutant 3)

adjuvant ['ædʒʊvənt] 1. *n* помощник; вспомогательное средство

2. *a* вспомогательный, полезный

ad lib [,æd'lɪb] 1. *n* экспромт, импровизация

2. *adv* сколько угодно, свободно

ad-lib [,æd'lɪb] 1. *a* импровизированный, неподготовленный

2. *v* импровизировать

adman ['ædmæn] *n* (*pl* admen) *разг.* сотрудник рекламного агентства

admass ['ædmæs] *n* люди, поддающиеся под влияние рекламы *или* пропаганды; жертва рекламы

admeasure [æd'meʒə] *v* отмерять; устанавливать пределы, границы

admin ['ædmɪn] *разг. сокр. от* administration

administer [əd'mɪnɪstə] *v* 1) управлять; вести (*дела*) 2) отправлять (*правосудие*); налагать (*взыскание*) 3): to ~ an oath to smb. приводить кого-л. к присяге 4) совершать (*обряды*) 5) снабжать; оказывать помощь 6) назначать, давать (*лекарство*) ◇ to ~ a shock наносить удар

administrate [əd'mɪnɪstreɪt] *v* управлять; контролировать

administration [əd,mɪnɪs'treɪʃn] *n* 1) управление (*делами*) 2) администрация 3) министерство 4) правительство 5) отправление (*правосудия*) 6) назначение *или* приём (*лекарств*)

administrative [əd'mɪnɪstrətɪv] *a* 1) административный; административно-хозяйственный; ~ units *воен.* части и подразделения служб тыла 2) исполнительный (*о власти*)

administrator [əd'mɪnɪstreɪtə] *n* 1) управляющий, администратор; лицо, выполняющее официальные обязанности (*судья и т. п.*) 2) *юр.* опекун; душеприказчик

administratrices [əd'mɪnɪstreɪtrɪsi:z] *pl от* administratrix

administratrix [əd'mɪnɪstreɪtrɪks] *n* (*pl* -ices) женщина-администратор

admirable ['ædmərəbl] *a* замечательный, восхитительный, превосходный, очаровательный

admiral ['ædmrəl] *n* 1) адмирал; A. of the Fleet, *амер.* Fleet A. адмирал флота 2) флагманский корабль

admiralty ['ædmrəltɪ] *n* 1) (A.) адмиралтейство, морское министерство (*в Англии*); First Lord of the A. первый лорд адмиралтейства (*в Англии*) 2) адмиральское звание 3) *attr.*: ~ mile морская миля (= *1853,248 м*)

admiration [,ædmə'reɪʃn] *n* 1) восхищение; восторг; note of ~ восклицательный знак; lost in ~ в полном восторге 2) предмет восхищения

admire [əd'maɪə] *v* любоваться; восхищаться; выражать восторг

admirer [əd'maɪərə] *n* поклонник, обожатель

admissible [əd'mɪsəbl] *a* 1) допустимый, приемлемый 2) *юр.* имеющий право быть принятым

admission [əd'mɪʃn] *n* 1) признание; ~ of one's guilt признание своей вины 2) доступ 3) входная плата; вход; ~ by ticket вход по билетам 4) принятие, допущение 5) новый пациент, поступивший в больницу 6) *тех.* впуск, подвод (*пара в цилиндр*); подача (*воды, воздуха*) 7) *attr.* вступительный; ~ fee вступительный взнос 8) *attr. тех.*: ~ space объём наполнения; ~ stroke ход всасывания; ~ valve впускной клапан

admit [əd'mɪt] *v* 1) допуска́ть, соглаша́ться; признава́ть; this, I ~, is true допуска́ю, что э́то ве́рно 2) допуска́ть; принима́ть; to be ~ted to the bar получи́ть пра́во адвока́тской пра́ктики в суде́ 3) впуска́ть 4) позволя́ть (of); the question ~s of no delay вопро́с не те́рпит отлага́тельства 5) вмеща́ть (*о помещении*)

admittance [əd'mɪtns] *n* 1) до́ступ, вход 2) разреше́ние на вход; no ~! вход воспрещён! 3) *эл.* по́лная проводи́мость

admittedly [əd'mɪtɪdlɪ] *adv* по о́бщему призна́нию *или* согла́сию

admix [əd'mɪks] *v* приме́шивать(ся); сме́шивать(ся)

admixture [əd'mɪkstʃə] *n* 1) при́месь 2) сме́шивание, приме́шивание

admonish [əd'mɒnɪʃ] *v* 1) де́лать замеча́ние, указа́ние, вы́говор (for) 2) убежда́ть, увещева́ть, сове́товать 3) предостерега́ть (of, against) 4) напомина́ть (of)

admonishment [əd'mɒnɪʃmənt] = admonition

admonition [ˌædmə'nɪʃn] *n* 1) предостереже́ние 2) увещева́ние 3) замеча́ние, указа́ние

admonitory [əd'mɒnɪtərɪ] *a* 1) увещева́ющий, настави́тельный 2) предостерега́ющий

ad nauseam [ˌæd'nɔːzɪæm] *adv* до тошноты́, до отвраще́ния

ado [ə'duː] *n* 1) суета́, хло́поты; without more (*или* further) ~ без дальне́йших церемо́ний; сра́зу 2) затрудне́ние; with much ~ с больши́ми затрудне́ниями ◇ much ~ about nothing мно́го шу́ма из ничего́

adobe [ə'dəʊbɪ] *n* 1) кирпи́ч возду́шной су́шки, необожжённый кирпи́ч, сама́н 2) сама́нная *или* глинобі́тная постро́йка

adolescence [ˌædə'lesns] *n* ю́ность

adolescent [ˌædə'lesnt] **1.** *a* ю́ношеский; ю́ный; подро́стковый

2. *n* ю́ноша; де́вушка; подро́сток

Adonis [ə'dəʊnɪs] *n* 1) *греч. миф.* Адо́нис 2) краса́вец

adopt [ə'dɒpt] *v* 1) усыновля́ть; удочеря́ть 2) принима́ть; to ~ a decision приня́ть реше́ние; to ~ another course of action перемени́ть та́ктику; to ~ the attitude of an onlooker заня́ть пози́цию посторо́ннего наблюда́теля 3) усва́ивать, перенима́ть; to ~ smb.'s methods переня́ть чьи-л. ме́тоды 4) *лингв.* заи́мствовать

adoptee [ˌædɒp'tiː] *n* усыновлённый, приёмыш

adoption [ə'dɒpʃn] *n* 1) усыновле́ние 2) приня́тие; усвое́ние 3) *лингв.* заи́мствование

adoptive [ə'dɒptɪv] *a* 1) приёмный, усыновлённый; ~ parents приёмные роди́тели 2) восприи́мчивый, легко́ усва́ивающий

adorable [ə'dɔːrəbl] *a* 1) обожа́емый 2) *разг.* преле́стный, восхити́тельный

adoration [ˌædə'reɪʃn] *n* обожа́ние; поклоне́ние

adore [ə'dɔː] *v* обожа́ть (*тж. разг.*); поклоня́ться

adorer [ə'dɔːrə] *n* покло́нник, обожа́тель

adorn [ə'dɔːn] *v* украша́ть

adornment [ə'dɔːnmənt] *n* украше́ние

adrenal [ə'driːnl] *анат.* **1.** *a* надпо́чечный

2. *n* надпо́чечная железа́, надпо́чечник

adrenalin(e) [ə'drenəlɪn] *n* адренали́н

adrift [ə'drɪft] *a predic.* по тече́нию; по во́ле волн; по во́ле слу́чая; to cut ~ пусти́ть по тече́нию; he cut himself ~ from his relatives он порва́л со свои́ми родны́ми; to go ~ дрейфова́ть; to turn ~ а) вы́гнать и́з дому; оста́вить на произво́л судьбы́; б) уво́лить со слу́жбы; a ship ~ дрейфу́ющий кора́бль; a man ~ мора́льно неусто́йчивый челове́к ◇ to be all ~ быть в растеря́нности

adroit [ə'drɔɪt] *a* ло́вкий, прово́рный; иску́сный; нахо́дчивый

adroitness [ə'drɔɪtnəs] *n* ло́вкость, прово́рство; иску́сность; нахо́дчивость

adscititious [ˌædsɪ'tɪʃəs] *a книжн.* дополни́тельный, второстепе́нный

adsorb [æd'sɔːb] *v хим.* адсорби́ровать

adsorbate [æd'sɔːbeɪt] *n хим.* адсорби́рованное вещество́

adsorbent [æd'sɔːbənt] *хим.* **1.** *n* адсорбе́нт, адсорби́рующее вещество́

2. *a* адсорби́рующий

adsorption [æd'sɔːpʃn] *n хим.* адсо́рбция

adulation [ˌædjʊ'leɪʃn] *n* низкопокло́нство; лесть

adulatory ['ædjʊleɪtərɪ] *a* льсти́вый; уго́дливый

adult ['ædʌlt] **1.** *n* взро́слый, совершенноле́тний, зре́лый челове́к

2. *a* 1) взро́слый, совершенноле́тний, зре́лый 2) для взро́слых

adulterant [ə'dʌltərənt] *n* при́месь

adulterate 1. *v* [ə'dʌltəreɪt] фальсифици́ровать; подме́шивать; ~d milk разба́вленное молоко́; ~d facts подтасо́ванные фа́кты

2. *a* [ə'dʌltərət] фальсифици́рованный

adulteration [əˌdʌltə'reɪʃn] *n* фальсифика́ция, подде́лка; подме́шивание

adulterer [ə'dʌltərə] *n* неве́рный муж

adulteress [ə'dʌltərəs] *n* неве́рная жена́

adulterous [ə'dʌltərəs] *a* наруша́ющий супру́жескую ве́рность

adultery [ə'dʌltərɪ] *n* адюльте́р, наруше́ние супру́жеской ве́рности, прелюбоде́яние

adulthood ['ædʌlthʊd] *n* зре́лый во́зраст

adumbrate ['ædʌmbreɪt] *v* 1) бе́гло наброса́ть; дать о́бщее представле́ние; описа́ть в о́бщих черта́х 2) предвеща́ть, предзнаменова́ть 3) затемня́ть, броса́ть тень

adumbration [ˌædʌm'breɪʃn] *n* 1) набро́сок; о́бщее представле́ние 2) предзнаменова́ние

adust [ə'dʌst] *a уст.* 1) вы́жженный, сожжённый со́лнцем; ссо́хшийся от со́лнца 2) загоре́лый 3) жёлчный; мра́чный, угрю́мый

ad valorem [ˌædvə'lɔːrem] *лат.* **1.** *a* соотве́тствующий сто́имости; ~ duties по́шлины, взима́емые соотве́тственно сто́имости това́ра

2. *adv* соотве́тственно сто́имости

advance [əd'vɑːns] **1.** *n* 1) продвиже́ние вперёд 2) успе́х, прогре́сс; улучше́ние 3) ссу́да; ава́нс 4) повыше́ние (*цен и т. п.*) 5) продвиже́ние (*по службе*) 6) предваре́ние; упрежде́ние (*тж. тех.*); in ~ вперёд, зара́нее; in ~ of smth. а) впереди́ чего́-л.; б) ра́ньше чего́-л.; to be in ~ а) опереди́ть, обогна́ть; б) идти́ вперёд, спеши́ть (*о часах*) 7) *воен.* наступле́ние 8) *эл.* опереже́ние по фа́зе 9) *attr.* ава́нсовый; ~ notes *ком.* ава́нсовые тра́ты ◇ to make ~s де́лать ава́нсы, предложе́ния; идти́ навстре́чу (*в чём-л.*)

2. *v* 1) продвига́ть(ся) вперёд 2) де́лать успе́хи, развива́ться 3) плати́ть ава́нсом 4) ссужа́ть де́ньги 5) продвига́ть(ся) (*по службе*) 6) выдвига́ть (*предложение, возражение*) 7) перенести́ на бо́лее ра́нний срок, ускоря́ть; they ~d the date of their arrival они́ перенесли́ да́ту своего́ прие́зда на бо́лее ра́нний срок 8) повыша́ть(ся) (*в цене*); the bank has ~d the rate of discount to 5% банк повы́сил проце́нт учёта до пяти́ 9) *воен.* наступа́ть

advanced [əd'vɑːnst] **1.** *p. p. от* advance 2

2. *a* 1) вы́двинутый вперёд 2) передово́й; ~ ideas передовы́е иде́и 3) успева́ющий (*об ученике*) 4) продви́нутый; повы́шенного ти́па; ~ studies заня́тия, курс повы́шенного ти́па для продолжа́ющих обуче́ние ◇ ~ in years престаре́лый

advance-guard [əd'vɑːnsgɑːd] *n* аванга́рд

advancement [əd'vɑːnsmənt] *n* 1) продвиже́ние, распростране́ние (*образования и т. п.*) 2) успе́х, прогре́сс

advantage [əd'vɑːntɪdʒ] **1.** *n* 1) преиму́щество (of, over — над); благоприя́тное положе́ние; to have the ~ of smb. име́ть преиму́щество пе́ред кем-л.; to take ~ of smb. обману́ть, перехитри́ть кого́-л.; to take ~ of smth. воспо́льзоваться чем-л. 2) вы́года, по́льза; to ~ вы́годно, хорошо́; в вы́годном све́те; to turn smth. to ~ испо́льзовать что-л. в свои́х интере́сах

2. *v* благоприя́тствовать, спосо́бствовать

advantageous [ˌædvən'teɪdʒəs] *a* благоприя́тный; вы́годный; поле́зный

Advent ['ædvənt] *n* 1) *рел.* прише́ствие 2) *церк.* рожде́ственский пост 3) (a.) прихо́д, прибы́тие

Adventist ['ædvəntɪst] *n* адвенти́ст

adventitious [,ædvən'tɪʃəs] *a* 1) случа́йный, побо́чный 2) доба́вочный

adventure [əd'ventʃə] **1.** *n* 1) приключе́ние 2) риско́ванное предприя́тие; риск; авантю́ра 3) *разг.* комме́рческое де́ло, предприя́тие 4) *attr.* приключе́нческий; an ~ story приключе́нческий расска́з

2. *v* 1) отва́живаться; рискну́ть сказа́ть *или* сде́лать (*что-л.*) 2) рискова́ть; to ~ one's life рискова́ть жи́знью

adventurer [əd'ventʃrə] *n* 1) иска́тель приключе́ний 2) авантюри́ст

adventuress [əd'ventʃərəs] *n* 1) иска́тельница приключе́ний 2) авантюри́стка

adventurous [əd'ventʃərəs] *a* 1) безрассу́дно сме́лый 2) опа́сный, риско́ванный 3) предприи́мчивый

adverb ['ædvɜ:b] *n грам.* наре́чие

adverbial [əd'vɜ:bɪəl] *a грам.* наре́чный

adversary ['ædvəsərɪ] *n* проти́вник, враг; сопе́рник

adversative [əd'vɜ:sətɪv] *a* 1) *лингв.* выража́ющий противополо́жное поня́тие 2) *грам.* противи́тельный

adverse ['ædvɜ:s] *a* 1) вражде́бный 2) неблагоприя́тный; вре́дный; ~ wind встре́чный ве́тер; it is ~ to their interests э́то противоре́чит их интере́сам 3) лежа́щий (на)про́тив

adversity [əd'vɜ:sətɪ] *n* 1) напа́сти, несча́стья, бе́дствия 2) неблагоприя́тная обстано́вка

advert **1.** *v* [əd'vɜ:t] *книжн.* ссыла́ться; упомина́ть; обраща́ться (*к чему-л.*); каса́ться; to ~ to other matters косну́ться други́х вопро́сов

2. *n* ['ædvɜ:t] *разг.* объявле́ние

advertence, -cy [əd'vɜ:təns, -sɪ] *n* внима́тельное отноше́ние, чу́ткость

advertise ['ædvətaɪz] *v* 1) помеща́ть объявле́ние; реклами́ровать; to ~ for smth. дава́ть объявле́ние о чём-л. 2) афиши́ровать, (широко́) извеща́ть 3) иска́ть по объявле́нию

advertisement [əd'vɜ:tɪsmənt] *n* 1) объявле́ние; рекла́ма; ано́нс 2) *attr.* рекла́мный; ~ column столбе́ц *или* отде́л объявле́ний в газе́те

advertiser ['ædvətaɪzə] *n* 1) рекламода́тель 2) газе́та с объявле́ниями

advertising ['ædvətaɪzɪŋ] *n* реклами́рование, рекла́ма

advertize ['ædvətaɪz] *амер.* = advertise

advice [əd'vaɪz] *n* 1) сове́т; to give ~ сове́товать; to follow the doctor's ~ сле́довать сове́ту врача́ 2) консульта́ция (*юриста, врача*) 3) (*обыкн. pl*) сообще́ние 4) *ком.* ави́зо (*тж.* letter of ~)

advisable [əd'vaɪzəbl] *a* 1) рекоменду́емый; целесообра́зный; жела́тельный 2) благоразу́мный

advise [əd'vaɪz] *v* 1) сове́товать; to ~ with smb. on (*или* about) smth. сове́товаться с кем-л. о чём-л. 2) консульти́ровать 3) извеща́ть, сообща́ть

advised [əd'vaɪzd] **1.** *p. p. от* advise

2. *a уст.* 1) осведомлённый 2) обду́манный, наме́ренный

advisedly [əd'vaɪzɪdlɪ] *adv* наме́ренно; обду́манно

adviser, advisor [əd'vaɪzə] *n* сове́тник; консульта́нт; legal ~ юриско́нсульт; medical ~ врач

advisory [əd'vaɪzərɪ] *a* совеща́тельный; консультати́вный; ~ board консультати́вный о́рган

advocacy ['ædvəkəsɪ] *n* 1) защи́та 2) адвокату́ра, де́ятельность адвока́та 3) пропага́нда (*взглядов и т. п.*)

advocate **1.** *n* ['ædvəkət] 1) защи́тник; сторо́нник (*мнения*) 2) адвока́т, защи́тник (*особ. в Шотландии*); Lord A. генера́льный прокуро́р по дела́м Шотла́ндии ◇ the devil's ~ а) приди́ра; б) завзя́тый спо́рщик

2. *v* ['ædvəkeɪt] отста́ивать; подде́рживать, пропаганди́ровать (*взгляды и т. п.*); to ~ peace выступа́ть в защи́ту ми́ра

adynamia [,ædaɪ'neɪmɪə] *n мед.* сла́бость, бесси́лие; астени́я

adz [ædz] *амер.* = adze

adze [ædz] **1.** *тех.* тесло́; струг

2. *v* теса́ть, строга́ть, обтёсывать

aegis ['i:dʒɪs] *n* 1) эги́да 2) защи́та; under the ~ of под защи́той, под покрови́тельством

aegrotat ['aɪgrəʊtæt] *n* спра́вка о боле́зни у отсу́тствовавшего на экза́мене студе́нта (*в англ. университетах*)

Aeneas [i:'ni:əs] *n греч. миф.* Эне́й

Aeolian [ɪ'əʊlɪən] *a*: ~ harp Эо́лова а́рфа

aeon ['i:ən] *n* 1) ве́чность 2) *геол.* э́ра

aerate ['eəreɪt] *v* 1) гази́ровать 2) прове́тривать, вентили́ровать

aerated water ['eəreɪtɪd,wɔ:tə] *n* гази́рованная вода́

aeration [eə'reɪʃn] *n* 1) гази́рование 2) прове́тривание, вентили́рование; ~ of the soil аэра́ция по́чвы

aerial ['eərɪəl] **1.** *a* 1) возду́шный, эфи́рный; ~ camera = aerocamera; ~ mapping топографи́ческая аэрофотосъёмка; ~ mine авиацио́нная ми́на; ~ navigation аэронавига́ция; ~ reconnaissance возду́шная разве́дка; ~ system радиосе́ть; ~ wire анте́нна 2) нереа́льный 3) надзе́мный; ~ railway (*или* ropeway) подвесна́я кана́тная доро́га

2. *n* анте́нна

aerie ['ɪərɪ] *n* 1) гнездо́ хи́щной пти́цы; *особ.* орли́ное гнездо́ 2) дом на возвы́шенном уединённом ме́сте 3) вы́водок (*хищной птицы*)

aeriform ['eərɪfɔ:m] *a* 1) возду́шный, газообра́зный; ~ body газообра́зное те́ло 2) нереа́льный

aerify ['eərɪfaɪ] *v* 1) превраща́ть в газообра́зное состоя́ние 2) гази́ровать

aerobatics [,eərəʊ'bætɪks] *n pl* (*употр. как sing*) вы́сший пилота́ж, фигу́рные полёты

aerobe ['eərəʊb] *n биол.* аэро́б

aerobic [eə'rəʊbɪk] *a биол.* аэро́бный

aerobics [eə'rəʊbɪks] *n pl* (*употр. как sing*) аэро́бика, ритми́ческая гимна́стика

aerobiology [,eərəʊbaɪ'ɒlədʒɪ] *n* аэробиоло́гия

aerocamera [,eərəʊ'kæmərə] *n фото* аэрока́мера

aerodrome ['eərədrəʊm] *n* аэродро́м

aerodynamic(al) [,eərəʊdaɪ'næmɪk(l)] *a* аэродинами́ческий

aerodynamics [,eərəʊdaɪ'næmɪks] *n pl* (*употр. как sing*) аэродина́мика

aerodyne ['eərəʊdaɪn] *n* лета́тельный аппара́т тяжеле́е во́здуха

aeroembolism [,eərəʊ'embəlɪzəm] *n* кессо́нная боле́знь

aero-engine [,eərəʊ'endʒɪn] *n* авиацио́нный дви́гатель

aerofoil ['eərəʊfɔɪl] *n ав.* аэродинами́ческая пове́рхность; про́филь (крыла́); крыло́

aerogram(me) ['eərəʊgræm] *n* 1) радиогра́мма 2) письмо́, отпра́вленное авиапо́чтой

aerolite ['eərəʊlaɪt] *n геол.* аэроли́т, ка́менный метеори́т

aerology [eə'rɒlədʒɪ] *n* аэроло́гия

aeromechanics [,eərəʊmɪ'kænɪks] *n pl* (*употр. как sing*) аэромеха́ника

aerometer [eə'rɒmɪtə] *n* аэро́метр

aeronaut ['eərəʊnɔ:t] *n* воздухопла́ватель, аэрона́вт

aeronautic(al) [,eərəʊ'nɔ:tɪk(l)] *a* воздухопла́вательный; авиацио́нный

aeronautics [,eərəʊ'nɔ:tɪks] *n pl* (*употр. как sing*) аэрона́втика

aeroplane ['eərəpleɪn] *n* самолёт, аэропла́н

aerosol ['eərəʊsɒl] *n* 1) аэрозо́ль (*инсектицид, деодорант и т. п.*) 2) аэрозо́льная упако́вка 3) мельча́йшие твёрдые *или* жи́дкие части́цы, распылённые в га́зе (*дым, туман и т. п.*)

aerospace ['eərəʊspeɪs] **1.** *n* 1) возду́шно-косми́ческое простра́нство 2) космона́втика 3) авиацио́нно-косми́ческая промы́шленность

2. *a* авиацио́нно-косми́ческий; ~ medicine косми́ческая медици́на; ~ vehicle косми́ческий кора́бль

aerostat ['eərəʊstæt] *n* аэроста́т; возду́шный шар

aerostatics [,eərəʊ'stætɪks] *n pl* (*употр. как sing*) 1) аэроста́тика 2) воздухопла́вание

aerostation [,eərəʊ'steɪʃn] *n* воздухопла́вание

aery ['ɪərɪ] = aerie

Aesop ['i:sɒp] *n* Эзо́п

aesthete ['i:sθi:t] *n* эсте́т

aesthetic [i:s'θetɪk] *a* эстети́ческий

aestheticism [i:s'θetɪsɪzəm] *n* эстети́зм, эсте́тство

aesthetics [i:s'θetɪks] *n pl* (*употр. как sing*) эсте́тика

aestho-physiology [ˌiːsθəʊfɪzɪˈɒlədʒɪ] *n* физиоло́гия о́рганов чувств

aestivate [ˈiːstɪveɪt] *v зоол.* проводи́ть ле́то в спя́чке

aestivation [ˌiːstɪˈveɪʃn] *n зоол.* ле́тняя спя́чка

aetiology [ˌiːtɪˈɒlədʒɪ] *n* этиоло́гия

afar [əˈfɑː] *adv* и́здали, издалека́ (*тж.* from ~); вдалеке́ (*обыкн.* ~ off)

affability [ˌæfəˈbɪlətɪ] *n* приве́тливость; любе́зность, ве́жливость

affable [ˈæfəbl] *a* приве́тливый; любе́зный, ве́жливый

affair [əˈfeə] *n* 1) де́ло; it is an ~ of a few days э́то вопро́с не́скольких дней; it is my ~ э́то моё де́ло; mind your own ~s *разг.* не су́йтесь не в своё де́ло; an ~ of honour а) де́ло че́сти; б) дуэ́ль 2) *pl* дела́, заня́тия; a man of ~s делово́й челове́к; business ~s комме́рческие дела́; current ~s теку́щие дела́ 3) *разг.* «исто́рия», «вещь»; a grand ~ грандио́зное собы́тие 4) любо́вная связь, рома́н; to have an ~ with smb. быть в свя́зи с кем-л.

affect I 1. *n* [ˈæfekt] *психол.* аффе́кт

2. *v* [əˈfekt] 1) де́йствовать (*на кого-л.*); возде́йствовать, влия́ть 2) поража́ть (*о болезни*); ~ed by cold просту́женный 3) тро́гать, волнова́ть; the news ~ed him изве́стие взволнова́ло его́ 4) задева́ть, затра́гивать; to ~ smb.'s interests затра́гивать интере́сы кого́-л.

affect II [əˈfekt] *v* 1) притворя́ться, де́лать вид, прики́дываться; to ~ ignorance прики́дываться незна́ющим 2) люби́ть, предпочита́ть (*что-л.*)

affectation [ˌæfekˈteɪʃn] *n* 1) притво́рство, аффекта́ция, жема́нство 2) иску́сственность (*языка, стиля*)

affected I [əˈfektɪd] 1. *p. p. от* affect I, 2

2. *a* 1) тро́нутый; заде́тый 2) находя́щийся под влия́нием (by — *чего-л.*) 3) поражённый боле́знью

affected II [əˈfektɪd] 1. *p. p. от* affect II

2. *a* неесте́ственный, показно́й, притво́рный; жема́нный

affection [əˈfekʃn] *n* (*часто pl*) привя́занность, любо́вь (towards, for); the object of his ~s предме́т его́ любви́

affectionate [əˈfekʃnət] *a* любя́щий; не́жный; ~ farewell не́жное проща́ние

affective [æˈfektɪv] *a* эмоциона́льный

afferent [ˈæfərənt] *a физиол.* центростреми́тельный; ~ nerves центростреми́тельные, чувстви́тельные не́рвы

affiance [əˈfaɪəns] 1. *n уст.* 1) дове́рие (in, on — к) 2) обруче́ние 3) обеща́ние ве́рности (*при обручении*)

2. *v* (*обыкн. pass.*) дава́ть обеща́ние (*при обручении*); they were ~d они́ бы́ли обручены́

affiant [əˈfaɪənt] *n амер. юр.* свиде́тель, даю́щий показа́ния под прися́гой

affidavit [ˌæfɪˈdeɪvɪt] *n юр.* пи́сьменное показа́ние под прися́гой; to swear (*или* to make) an ~ дава́ть показа́ния под прися́гой; to take an ~ а) снима́ть показа́ния; б) *распр.* дава́ть показа́ния

affiliate [əˈfɪlɪeɪt] *v* 1) присоединя́ть как филиа́л (to, with) 2) присоединя́ться (with — к) 3) принима́ть в чле́ны 4) устана́вливать свя́зи (*культурные и т. п.*) 5) *юр.* устана́вливать отцо́вство 6) проследи́ть исто́чник, устана́вливать а́вторство

affiliated societies [əˌfɪlɪeɪtɪdsəˈsaɪətɪz] *n pl* филиа́лы

affiliation [əˌfɪlɪˈeɪʃn] *n* 1) присоедине́ние, приём в чле́ны *и пр.* [*см.* affiliate] 2) *attr.*: ~ fee вступи́тельный взнос; ~ order суде́бное предписа́ние об алиме́нтах на содержа́ние ребёнка

affined [əˈfaɪnd] *a* ро́дственный (*в каком-л. отношении*); сро́дный

affinity [əˈfɪnətɪ] *n* 1) ро́дственность, бли́зость; родово́е схо́дство (with, between); linguistic ~ языково́е родство́ 2) сво́йство 3) привлека́тельность 4) влече́ние 5) *хим.* сродство́

affirm [əˈfɜːm] *v* 1) утвержда́ть 2) подтвержда́ть; I ~ that it is true я подтвержда́ю, что э́то пра́вда 3) *юр.* торже́ственно заявля́ть

affirmation [ˌæfəˈmeɪʃn] *n* 1) утвержде́ние 2) подтвержде́ние 3) *юр.* торже́ственное заявле́ние (*вместо присяги*) 4) *юр.* скрепля́ть по́дписью

affirmative [əˈfɜːmətɪv] 1. *a* утверди́тельный

2. *n*: to answer in the ~ отвеча́ть утверди́тельно

affix 1. *n* [ˈæfɪks] 1) прибавле́ние, прида́ток 2) *грам.* а́ффикс

2. *v* [əˈfɪks] 1) прикрепля́ть (to, on, upon) 2) присоединя́ть 3) поста́вить (*подпись*); приложи́ть (*печать*); to ~ a stamp прикле́ить ма́рку

affixation [ˌæfɪkˈseɪʃn] *n лингв.* аффикса́ция

afflatus [əˈfleɪtəs] *n* 1) вдохнове́ние 2) боже́ственное открове́ние

afflict [əˈflɪkt] *v* огорча́ть; причиня́ть боль, страда́ние; беспоко́ить, трево́жить; to be ~ed with gout страда́ть пода́грой

afflicted [əˈflɪktɪd] 1. *p. p. от* afflict

2. *a* огорчённый; страда́ющий (*от болезни*)

affliction [əˈflɪkʃn] *n* 1) огорче́ние, печа́ль 2) го́ре, несча́стье; бе́дствие 3) боле́знь, неду́г

affluence [ˈæflʊəns] *n* 1) изоби́лие 2) бога́тство 3) наплы́в, стече́ние; прито́к

affluent [ˈæflʊənt] 1. *n* 1) прито́к (*реки*) 2) *гидр.* подпо́р (*реки*)

2. *a* 1) изоби́льный 2) бога́тый 3) прилива́ющий; притека́ющий 4) полново́дный

afflux [ˈæflʌks] *n* 1) прили́в, прито́к 2) *мед.* прили́в (*крови*)

afford [əˈfɔːd] *v* 1) (быть в состоя́нии) позво́лить себе́ (*часто* can *или* able to ~); I can't ~ it э́то мне не по карма́ну; she can ~ to buy a car она́ мо́жет купи́ть себе́ автомоби́ль; I cannot ~ the time мне не́когда 2) дава́ть, предоставля́ть; приноси́ть; the district ~s minerals в э́том райо́не име́ются поле́зные ископа́емые; to ~ a basis служи́ть опо́рой; to ~ cover дава́ть укры́тие; to ~ ground for дава́ть основа́ния для; предоставля́ть возмо́жность 3) доставля́ть; to ~ great pleasure доставля́ть большо́е удово́льствие

afforest [æˈfɒrɪst] *v* засади́ть ле́сом, облеси́ть

afforestation [æˌfɒrɪsˈteɪʃn] *n* лесонасажде́ние; облесе́ние

affranchise [əˈfræntʃaɪz] *v* отпуска́ть на во́лю

affray [əˈfreɪ] *n* наруше́ние обще́ственного споко́йствия, сканда́л, дра́ка

affreightment [əˈfreɪtmənt] *n мор.* фрахтова́ние

affricate [ˈæfrɪkət] *n фон.* аффрика́та

affright [əˈfraɪt] *поэт.* 1. *n* испу́г

2. *v* пуга́ть

affront [əˈfrʌnt] 1. *n* (публи́чное) оскорбле́ние; to put an ~ upon smb., to offer an ~ to smb. нанести́ оскорбле́ние кому́-л.

2. *v* 1) оскорбля́ть 2) смотре́ть в лицо́ (*опасности, смерти*); броса́ть вы́зов

affusion [əˈfjuːʒn] *n* 1) облива́ние 2) опуска́ние в купе́ль

Afghan [ˈæfgæn] 1. *a* афга́нский

2. *n* 1) афга́нец; афга́нка 2) афга́нский язы́к, пушту́ 3) (a.) вя́заный шерстяно́й плато́к

afghani [æfˈgɑːnɪ] *n* афгани́ (*денежная единица Афганистана*)

aficionado [əˌfɪʃɪəˈnɑːdəʊ] *n* покло́нник, боле́льщик

afield [əˈfiːld] *adv* 1) далеко́, вдалеке́ (*тж.* far ~) 2) в по́ле; на по́ле ◇ to go too far ~ сби́ться с пути́

afire [əˈfaɪə] 1. *a predic.* в огне́

2. *adv* в ого́нь; в огне́; to set ~ поджига́ть, зажига́ть; with heart ~ с огнём в груди́

aflame [əˈfleɪm] *a predic., adv* в огне́, пыла́ющий

afloat [əˈfləʊt] *a predic., adv* 1) на воде́, на плаву́ 2) в мо́ре 3) на слу́жбе в вое́нном фло́те 4) в (по́лном) разга́ре (*деятельности*) 5) в ходу́; various rumours were ~ ходи́ли ра́зные слу́хи

afoot [əˈfʊt] *a predic.* в движе́нии; to be ~ гото́виться, затева́ться

afore [əˈfɔː] *уст. см.* before

afore- [əˈfɔː-] *pref* пре́жде-, выше-

aforecited [əˈfɔːsaɪtɪd] *a* вышеприведённый, вышеука́занный

aforementioned [əˌfɔːˈmenʃnd] *a* вышеупомя́нутый

aforenamed [əˈfɔːneɪmd] *a* вышена́званный

aforesaid [əˈfɔːsed] *a* вышеизло́женный, вышеска́занный

aforethought [əˈfɔ:θɔ:t] *a predic.* преднаме́ренный, умы́шленный

aforetime [əˈfɔ:taɪm] *adv уст.* пре́жде, встарь, в было́е вре́мя

afraid [əˈfreɪd] *a predic* испу́ганный; боя́щийся; to be ~ of smth. боя́ться чего́-л.; I am ~ to wake him, I am ~ of waking him я не реша́юсь его́ буди́ть; I am ~ that I shall wake him бою́сь, как бы я его́ не разбуди́л; I'm ~ I'm late *разг.* я, ка́жется, опозда́л

aframerican [ˌæfrəˈmerɪkən] **1.** *a* относя́щийся к америка́нским не́грам **2.** *n* америка́нский негр

afreet [ˈæfri:t] *n миф.* афри́т (*могу́чий злой дух, демон*)

afresh [əˈfreʃ] *adv* сно́ва, сы́знова

Africaans [ˌæfrɪˈkɑ:ns] *n* африка́анс

African [ˈæfrɪkən] **1.** *a* африка́нский **2.** *n* африка́нец; африка́нка

Africander [ˌæfrɪˈkændə] *n* назва́ние рога́того скота́ и ове́ц Ю́жной А́фрики

Afrikander [ˌæfrɪˈkændə] = Africander

Afrikaner [ˌæfrɪˈkɑ:nə] *n* уроже́нец Ю́жной А́фрики европе́йского происхожде́ния (*особ.* голла́ндец), африка́ндер

afrit [ˈæfri:t] = afreet

aft [ɑ:ft] *adv мор.* в кормово́й ча́сти; в корме́, на корме́; по направле́нию к корме́; за кормо́й; fore and ~ во всю длину́; от но́са к корме́

after [ˈɑ:ftə] **1.** *prep* 1) *указывает на местонахождение позади данного предмета или движение вдогонку* за, позади́; my name comes ~ yours моя́ фами́лия стои́т за ва́шей; she entered ~ her sister она́ вошла́ вслед за свое́й сестро́й 2) *указывает на последовательную смену явлений или промежуток времени, после которого произошло или произойдёт действие* по́сле, за, че́рез, спустя́; day ~ day день за днём; she will come ~ supper она́ придёт по́сле у́жина; they met ~ ten years они́ встре́тились че́рез де́сять лет; ~ his arrival по́сле его́ прие́зда 3) *указывает на сходство с чем-л. или подражание чему-л.* по, с, согла́сно; ~ the same pattern по тому́ же образцу́; an etching ~ Gainsborough гравю́ра с (карти́ны *или* рису́нка) Ге́йнсборо; ~ the latest fashion по после́дней мо́де; the boy takes ~ his father сын во всём похо́ж на отца́; each acted ~ his kind ка́ждый де́йствовал по-сво́ему 4) *указывает на внимание, заботу о ком-л.* о, за; to look ~ smb. присма́тривать, забо́титься о ком-л.; to ask (*или* to inquire) ~ smb. спра́шивать, справля́ться о ком-л. 5) *выражает уступительность* несмотря́ на; ~ all my trouble he has learnt nothing несмотря́ на все мои́ стара́ния, он ничему́ не научи́лся ◇ ~ all в конце́ концо́в; ~ a fashion не о́чень хорошо́, нева́жно; what is he ~? что ему́ ну́жно?; куда́ он гнёт? **2.** *cj* по́сле того́ как; soon ~ he arrived he began to work at the school по прие́зде он стал рабо́тать в шко́ле **3.** *adv* 1) сза́ди, позади́ 2) поздне́е; пото́м, зате́м; впосле́дствии; soon ~ вско́ре по́сле э́того **4.** *a* 1) за́дний; the ~ part of the ship кормова́я часть корабля́ 2) после́дующий; in ~ years в бу́дущем

afterbirth [ˈɑ:ftəbɜ:θ] *n анат.* после́д, де́тское ме́сто

afterburner [ˈɑ:ftəˌbɜ:nə] *n тех.* форса́жная ка́мера

afterburning [ˈɑ:ftəˌbɜ:nɪŋ] *n тех.* дожига́ние то́плива

aftercare [ˈɑ:ftəkeə] *n* ухо́д за выздора́вливающим

aftercrop [ˈɑ:ftəkrɒp] *n с.-х.* второ́й урожа́й; второ́й уко́с

afterdamp [ˈɑ:ftədæmp] *n горн.* ядови́тая га́зовая смесь, образу́ющаяся по́сле взры́ва рудни́чного га́за

aftereffect [ˈɑ:ftərɪˌfekt] *n* после́дствие *или* результа́т, вы́явившийся поздне́е

aftergame [ˈɑ:ftəgeɪm] *n* 1) попы́тка отыгра́ться 2) сре́дства, пу́щенные в ход поздне́е

afterglow [ˈɑ:ftəgləʊ] *n* 1) вече́рняя заря́ 2) прия́тное чу́вство, оста́вшееся по́сле чего́-л., прия́тное воспомина́ние

aftergrass [ˈɑ:ftəgrɑ:s] *n* ота́ва, второ́й уко́с

afterimage [ˈɑ:ftərɪmɪdʒ] *n* 1) *тлв.* оста́точное изображе́ние 2) *психол.* после́довательный о́браз

afterlife [ˈɑ:ftəlaɪf] *n* 1) загро́бная жизнь 2) втора́я полови́на жи́зни; го́ды зре́лости; после́дующие го́ды жи́зни

afterlight [ˈɑ:ftəlaɪt] *n* 1) = afterglow 1); 2) прозре́ние

aftermath [ˈɑ:ftəmæθ] *n* 1) после́дствия; the ~ of the earthquake после́дствия землетрясе́ния 2) = aftergrass

aftermost [ˈɑ:ftəməʊst] *a мор.* ближа́йший к корме́

afternoon [ˌɑ:ftəˈnu:n] *n* вре́мя по́сле полу́дня; послеобе́денное вре́мя; in the ~ по́сле полу́дня, днём; this ~ сего́дня днём; good ~! до́брый день!, здра́вствуйте (*при встрече во второй половине дня*); до свида́ния! (*при расставании во второй половине дня*) ◇ in the ~ of one's life на скло́не лет

afterpiece [ˈɑ:ftəpi:s] *n* дивертисме́нт, пье́ска, дава́емая в заключе́ние представле́ния *или* конце́рта

afters [ˈɑ:ftəz] *n pl разг.* второ́е и тре́тье блю́да

aftershave [ˈɑ:ftəʃeɪv] *n* лосьо́н по́сле бритья́

aftershock [ˈɑ:ftəʃɒk] *n геол.* толчо́к по́сле основно́го землетрясе́ния

aftertaste [ˈɑ:ftəteɪst] *n* вкус, остаю́щийся во рту по́сле еды́, куре́ния *и т. п.*

afterthought [ˈɑ:ftəθɔ:t] *n* 1) мысль, прише́дшая в го́лову сли́шком по́здно; he had the ~ ему́ э́то то́лько пото́м пришло́ в го́лову 2) по́зднее разду́мье

afterwards [ˈɑ:ftəwədz] *adv* впосле́дствии, пото́м, по́зже

afterword [ˈɑ:ftəˌwɜ:d] *n* послесло́вие

afterworld [ˈɑ:ftəˌwɜ:ld] *n* 1) загро́бный мир 2) бу́дущие, гряду́щие поколе́ния

again [əˈgen, əˈgeɪn] *adv* 1) сно́ва, опя́ть; to be oneself ~ опра́виться по́сле боле́зни; ~ and ~ сно́ва и сно́ва, то и де́ло; now and ~ иногда́; вре́мя от вре́мени; time and ~ неоднокра́тно, то и де́ло, ча́сто 2) с друго́й стороны́; же; these ~ are more expensive но э́ти, с друго́й стороны́, доро́же 3) кро́ме того́, к тому́ же; then ~ you must know it кро́ме того́, вам сле́дует э́то знать ◇ as much ~ ещё сто́лько же; half as tall ~ as smb., half smb.'s height ~ в полтора́ ра́за вы́ше, чем кто-л.; half his size ~ гора́здо крупне́е его́

against [əˈgenst, əˈgeɪnst] *prep указывает на* 1) *противоположное направление или положение* про́тив; they sailed ~ the wind они́ плы́ли про́тив ве́тра; ~ the grain про́тив волокна́ *или* ше́рсти; *перен.* про́тив ше́рсти 2) *опору, фон, препятствие* о, об, по, на, к; ~ a dark background на тёмном фо́не; she leaned ~ the fence она́ прислони́лась к забо́ру; a ladder standing ~ the wall ле́стница, прислонённая к стене́; to knock ~ a stone споткну́ться о ка́мень 3) *непосредственное соседство* ря́дом, у; the house ~ the cinema дом ря́дом с кинотеа́тром 4) *столкновение или соприкосновение* на, с; to run ~ a rock наскочи́ть на скалу́; he ran ~ his brother он столкну́лся со свои́м бра́том 5) *определённый срок* к, на; ~ the end of the month к концу́ ме́сяца 6) *противодействие, несогласие с чем-л.* про́тив; she did it ~ my will она́ сде́лала э́то про́тив мое́й во́ли; to struggle ~ difficulties боро́ться с тру́дностями 7) *подготовку к чему-л.* на, про; ~ a rainy day про чёрный день; to store up the food ~ winter запасти́сь едо́й на́ зиму; they took out insurance ~ old age они́ застрахова́лись, что́бы обеспе́чить свою́ ста́рость ◇ to be up ~ (it) стоя́ть пе́ред зада́чей; встре́тить тру́дности; to work ~ time стара́ться ко́нчить рабо́ту к определённому вре́мени; to tell a story ~ smb. наговори́ть на кого́-л.; those ~? кто про́тив?

agamic [əˈgæmɪk] *a биол.* беспо́лый

agape [əˈgeɪp] *a predic. разг.* рази́нув рот

agaric [ˈægərɪk] *n бот.* пласти́нчатый гриб

agate [ˈægət] *n* 1) *мин.* ага́т 2) *амер. полигр.* ага́т (*шрифт размером в 5 1/2 пунктов*)

agave [əˈgeɪvɪ] *n бот.* ага́ва

agaze [əˈgeɪz] *a predic.* в изумле́нии

age [eɪdʒ] **1.** *n* 1) во́зраст; ~ of discretion во́зраст, с кото́рого челове́к счита́ется отве́тственным за свои́ посту́пки; akward ~ перехо́дный во́зраст;

tender ~ ра́нний во́зраст; middle ~ сре́дний во́зраст; ~ of consent бра́чный во́зраст; to be (*или* to act) one's ~ вести́ себя́ соотве́тственно во́зрасту 2) (*часто pl*) *разг.* до́лгий срок; I have not seen you for ~s я не ви́дел вас це́лую ве́чность 3) век; пери́од, эпо́ха (*тж. геол.*); the Middle Ages сре́дние века́; Ice A. леднико́вый пери́од 4) поколе́ние 5) совершенноле́тие; to be of ~ быть совершенноле́тним; to be under ~ быть несовершенноле́тним; to come of ~ дости́чь совершенноле́тия 6) ста́рость; the infirmities of ~ ста́рческие не́мощи

2. *v* 1) старе́ть 2) ста́рить 3) *тех.* подверга́ть старе́нию

aged 1. [eɪdʒd] *p. p. от* age 2

2. *a* 1) [eɪdʒd] дости́гший *такого-то* во́зраста, в во́зрасте *таких-то* лет; ~ ten десяти́ лет 2) ['eɪdʒɪd] ста́рый; пожило́й; соста́рившийся 3) [eɪdʒd] ста́рческий

3. *n* ['eɪdʒɪd] (the ~) *pl собир.* старики́

ageing ['eɪdʒɪŋ] **1.** *pres. p. от* age 2

2. *n* 1) старе́ние 2) вызрева́ние, созрева́ние 3) *тех.* дисперсио́нное тверде́ние

ageless ['eɪdʒləs] *a* 1) нестаре́ющий 2) ве́чный, изве́чный

agency ['eɪdʒənsɪ] *n* 1) аге́нтство 2) о́рган (*учреждение, организация*) 3) де́йствие, де́ятельность 4) сре́дство; соде́йствие, посре́дничество; by (*или* through) the ~ (of) посре́дством 5) си́ла, фа́ктор ◇ free ~ свобо́да во́ли

agenda [ə'dʒendə] *n pl* (*иногда употр. как sing*) 1) пове́стка дня 2) после́довательность опера́ций в ЭВМ

agent ['eɪdʒənt] *n* 1) аге́нт, представи́тель, посре́дник, дове́ренное лицо́; forwarding ~ экспеди́тор; station ~ *амер.* нача́льник ста́нции; ticket ~ *амер.* касси́р биле́тной ка́ссы 2) де́ятель 3) *pl* агенту́ра 4) де́йствующая си́ла; фа́ктор; вещество́; chemical ~ хими́ческое вещество́, реакти́в; physical ~ физи́ческое те́ло ◇ road ~ *амер.* разбо́йник с большо́й доро́ги

agential [ə'dʒenʃl] *a* относя́щийся к аге́нту *или* к аге́нтству

agent provocateur [,æʒɑ:ŋprəvɒkə'tɜ:] *фр. n* провока́тор

age-old [,eɪdʒ'əʊld] *a* веково́й; о́чень да́вний

agglomerate 1. *n* [ə'glɒmərət] аглومера́т

2. *v* [ə'glɒməreɪt] собира́ть(ся); скопля́ть(ся) (*в кучу, в массу*)

agglomeration [ə,glɒmə'reɪʃn] *n* 1) нака́пливание; скопле́ние 2) *тех.* агломера́ция; спека́ние

agglutinate 1. *v* [ə'glu:tɪneɪt] 1) скле́ивать 2) превраща́ть(ся) в клей

2. *a* [ə'glu:tɪnət] 1) скле́енный 2) *лингв.* агглютинати́вный

agglutination [ə,glu:tɪ'neɪʃn] *n* 1) скле́ивание 2) *лингв.* агглютина́ция

agglutinative [ə'glu:tɪnətɪv] *a* 1) скле́ивающий 2) *лингв.* агглютинати́вный

aggrandize [ə'grændaɪz] *v* 1) увели́чивать (*мощь, благосостояние*) 2) возвели́чивать 3) повыша́ть (*в ранге*)

aggrandizement [ə'grændɪzmənt] *n* 1) увеличе́ние; расшире́ние 2) повыше́ние

aggravate ['ægrəveɪt] *v* 1) отягча́ть, усугубля́ть; ухудша́ть; обостря́ть 2) *разг.* раздража́ть, надоеда́ть; огорча́ть

aggravating ['ægrəveɪtɪŋ] **1.** *pres. p. от* aggravate

2. *a* 1) ухудша́ющий; отягча́ющий; ~ circumstances *юр.* отягча́ющие вину́ обстоя́тельства 2) *разг.* доса́дный; надое́дливый

aggravation [,ægrə'veɪʃn] *n* ухудше́ние *и пр.* [*см.* aggravate]

aggregate 1. *n* ['ægrɪgət] 1) совоку́пность; in the ~ в совоку́пности 2) агрега́т

2. *a* ['ægrɪgət] 1) со́бранный вме́сте; о́бщий; весь; ~ membership о́бщее число́ чле́нов; the ~ forces совоку́пные си́лы; ~ capacity *тех.* о́бщая мо́щность 2) *биол., бот.* сгруппиро́ванный, сло́жный 3) *геол.* агрега́тный, сло́жный

3. *v* ['ægrɪgeɪt] 1) собира́ть в одно́ це́лое; собира́ться 2) *разг.* равня́ться, составля́ть в су́мме 3) приобща́ть (to — к *организации*)

aggregation [,ægrɪ'geɪʃn] *n* 1) собира́ние 2) агрега́т 3) скопле́ние; ма́сса; конгломера́т

aggression [ə'greʃn] *n* 1) нападе́ние, агре́ссия; war of ~ агресси́вная война́ 2) агресси́вность; вызыва́ющее поведе́ние

aggressive [ə'gresɪv] *a* 1) напада́ющий; агресси́вный 2) энерги́чный, насто́йчивый

aggressiveness [ə'gresɪvnəs] *n* 1) агресси́вность 2) вызыва́ющий о́браз де́йствий, вызыва́ющее поведе́ние

aggressor [ə'gresə] *n* 1) агре́ссор 2) напада́ющая сторона́; зачи́нщик

aggrieve [ə'gri:v] *v* (*обыкн. pass.*) 1) обижа́ть; огорча́ть; удруча́ть; to be (*или* to feel) ~d обижа́ться 2) *юр.* наноси́ть уще́рб

aggro ['ægrəʊ] *n sl.* 1) у́личная дра́ка, беспоря́дки 2) сло́жности, неприя́тности

aghast [ə'gɑ:st] *a predic.* в у́жасе; ошеломлённый

agile ['ædʒaɪl] *a* прово́рный; бы́стрый, живо́й, подвижно́й; ~ mind живо́й ум

agility [ə'dʒɪlətɪ] *n* прово́рство, быстрота́, жи́вость, ло́вкость

agin [ə'gɪn] *prep шутл. или диал.* про́тив

aging ['eɪdʒɪŋ] = ageing

agio ['ædʒɪəʊ] *n* (*pl* -os [-əʊz]) *фин.* 1) а́жио, лаж 2) биржева́я игра́ 3) ажиота́ж

agiotage ['ædʒətɪdʒ] *n фин.* ажиота́ж, биржева́я игра́

agitate ['ædʒɪteɪt] *v* 1) волнова́ть, возбужда́ть; to be ~d волнова́ться 2) агити́ровать (for, against) 3) трясти́; взба́лтывать 4) переме́шивать

agitated ['ædʒɪteɪtɪd] **1.** *p. p. от* agitate

2. *a* взволно́ванный, возбуждённый

agitation [,ædʒɪ'teɪʃn] *n* 1) волне́ние, возбужде́ние, трево́га 2) агита́ция 3) взба́лтывание; переме́шивание

agitator ['ædʒɪteɪtə] *n* 1) агита́тор 2) *тех.* меша́лка

aglet ['æglɪt] *n* 1) металли́ческий наконе́чник шнурка́ 2) аксельба́нт 3) *бот.* серёжка (*форма соцветия*)

aglow [ə'gləʊ] *a predic.* 1) пыла́ющий; раскалённый докрасна́ 2) возбуждённый; all ~ with delight раскрасне́вшись от удово́льствия

agnail ['ægneɪl] *n* 1) заусе́ница 2) ногтое́да, панари́ций

agnate ['ægneɪt] **1.** *n* ро́дственник по мужско́й ли́нии

2. *a* 1) ро́дственный по отцу́; име́ющий о́бщих пре́дков по мужско́й ли́нии 2) бли́зкий, ро́дственный

agnation [æg'neɪʃn] *n* родство́ по отцу́

agnostic [æg'nɒstɪk] **1.** *n* агно́стик

2. *a* агности́ческий

agnosticism [æg'nɒstɪsɪzəm] *n* агностици́зм

ago [ə'gəʊ] *adv* тому́ наза́д; long ~ давно́; not long ~, a while ~ неда́вно

agog [ə'gɒg] *a predic.* в напряжённом ожида́нии, в возбужде́нии; to be ~ for news жа́дно ожида́ть новосте́й; to set smb. ~ возбужда́ть чьё-л. любопы́тство

agonic [ə'gɒnɪk] *a* не образу́ющий угла́; ~ line ли́ния нулево́го магни́тного склоне́ния

agonistic [,ægəʊ'nɪstɪk] *a* 1) полеми́ческий 2) атлети́ческий 3) уча́ствующий в спорти́вном состяза́нии

agonize ['ægənaɪz] *v* 1) агонизи́ровать, быть в аго́нии, си́льно му́читься 2) му́чить 3) прилага́ть отча́янные уси́лия, стра́стно боро́ться (after)

agonized ['ægənaɪzd] **1.** *p. p. от* agonize

2. *a*: ~ shrieks отча́янные кри́ки

agonizing ['ægənaɪzɪŋ] **1.** *pres. p. от* agonize

2. *a* мучи́тельный, стра́шный; ~ suspense мучи́тельная неизве́стность

agony ['ægənɪ] *n* 1) аго́ния; ~ of death предсме́ртная аго́ния 2) му́ка, муче́ние, страда́ние (*душевное или физическое*) 3) отча́янная борьба́ 4) взрыв, внеза́пное проявле́ние (*чувства*) ◇ ~ column газе́тный столбе́ц с объявле́ниями о ро́зыске пропа́вших родны́х *и т. п.*

agoraphobia [,ægərə'fəʊbɪə] *n мед.* боя́знь простра́нства, откры́той пло́щади *или* толпы́

agrarian [ə'greərɪən] **1.** *a* 1) агра́рный; земе́льный; ~ laws агра́рные зако́ны 2) *бот.* дикорасту́щий

2. *n* 1) сторо́нник агра́рных рефо́рм 2) кру́пный землевладе́лец, агра́рий

agree [ə'gri:] *v* 1) соглаша́ться (with — с *кем-л.*; to — с *чем-л.*, on — на *что-л.*) 2) усла́вливаться (on, upon — о *чём-л.*); договариваться (about); ~d! решено!, по рукам! 3) соответствовать, гармонировать, быть сходным; быть по душе 4) соответствовать, сходиться во взглядах; уживаться (*тж.* ~ together, ~ with); they ~ well они хорошо ладят; their stories ~ in all details их рассказы сходятся во всех деталях 5) быть полезным *или* приятным; быть подходящим; wine doesn't ~ with me вино мне вредно 6) *грам.* согласоваться ◇ to ~ to differ отказаться от попыток убедить друг друга

agreeable [ə'gri:əbl] *a* 1) приятный; милый; to make oneself ~ стараться понравиться, угодить 2) *разг.* выражающий согласие, охотно готовый (*сделать что-л.*) 3) соответствующий (to) 4) приемлемый, подходящий

agreeably [ə'gri:əblɪ] *adv* 1) приятно; ~ surprised приятно удивлён(ный) 2) соответственно

agreement [ə'gri:mənt] *n* 1) (взаимное) согласие; ~ of opinion единомыслие; to come to an ~ прийти к соглашению 2) договор, соглашение 3) *грам.* согласование

agribusiness ['ægrɪ,bɪznəs] *n* 1) агробизнес 2) агропромышленность

agricultural [,ægrɪ'kʌltʃrəl] *a* сельскохозяйственный, земледельческий; ~ engineering агротехника; ~ chemistry агрохимия

agriculturalist [,ægrɪ'kʌltʃrəlɪst] = agriculturist

agriculture ['ægrɪkʌltʃə] *n* сельское хозяйство; земледелие; агрономия; Ministry of A. министерство земледелия (*в Англии*)

agriculturist [,ægrɪ'kʌltʃərɪst] *n* 1) агроном 2) земледелец

agrimony ['ægrɪmənɪ] *n бот.* репейник

agrobiological [,ægrəʊbaɪə'lɒdʒɪkl] *a* агробиологический

agrobiologist [,ægrəʊbaɪ'ɒlədʒɪst] *n* агробиолог

agrobiology [,ægrəʊbaɪ'ɒlədʒɪ] *n* агробиология

agronomic(al) [,ægrəʊ'nɒmɪk(l)] *a* агрономический

agronomics [,ægrəʊ'nɒmɪks] *n pl* (*употр. как sing*) агрономия

agronomist [ə'grɒnəmɪst] *n* агроном

agronomy [ə'grɒnəmɪ] *n* 1) = agronomics 2) сельское хозяйство, земледелие

aground [ə'graʊnd] 1. *a predic.* 1) *мор.* сидящий на мели 2) в затруднении; без средств

2. *adv мор.* на мели; to go (*или* to run, to strike) ~ сесть на мель

ague ['eɪgju:] *n* 1) малярия, лихорадка 2) лихорадочный озноб, приступ дрожи

aguish ['eɪgjuɪʃ] *a* 1) малярийный; подверженный малярии 2) перемежающийся

ah [ɑ:] *int* ах!, а!

aha [ɑ:'hɑ:] *int* ага!

ahead [ə'hed] 1. *a predic.* вперёд; впереди; to be (*или* to get) ~ of smb. опередить кого-л.

2. *adv* вперёд; впереди; full speed ~! полный (ход) вперёд!; to go ~ устремляться вперёд; идти впереди (*на состязании*); go ~! а) вперёд!; б) продолжайте!

ahem [hm] *int* гм!

ahoy [ə'hɔɪ] *int мор.*: ship ~! на корабле!, на судне! (*оклик*); all hands ~! аврал!

ahull [ə'hʌl] *adv мор.* с убранными парусами и рулём на наветренном борту

aid [eɪd] 1. *n* 1) помощь, поддержка 2) помощник 3) *pl* вспомогательные средства; пособия; training ~s учебные пособия; (audio)visual ~s наглядные пособия; ~s and appliances приспособления, материальные средства 4) *pl ист.* сборы, налоги, дань 5) *pl воен.* вспомогательные войска

2. *v* помогать; способствовать

aide [eɪd] *n* помощник

aide-de-camp [,eɪddə'kɑ:mp] *фр. n* (*pl* aides-de-camp) адъютант

aide-mémoire [,eɪdmem'wɑ:] *фр. n* (*pl* aides-mémoire) памятная записка

aides-de-camp [,eɪdzdə'kɑ:mp] *pl от* aide-de-camp

aides-mémoire [,eɪdzmem'wɑ:] *pl от* aide-mémoire

Aids [eɪdz] *n* (*тж.* AIDS) СПИД (синдром приобретённого иммунодефицита)

aiglet ['æglɪt] = aglet

aigrette ['eɪgret] *n* 1) султан, плюмаж; эгрет 2) *тех.* пучок лучей 3) *астр.* сноп лучей в солнечной короне

aiguille ['eɪgwi:l] *n* горный пик, остроконечная вершина; игла

ail [eɪl] *v* 1) беспокоить; причинять страдание; what ~s you? что вас беспокоит? 2) чувствовать недомогание, болеть, хворать

aileron ['eɪlərɒn] *n* (*обыкн. pl*) *ав.* 1) элерон 2) *attr.*: ~ angle угол отклонения элерона

ailing ['eɪlɪŋ] 1. *pres. p. от* ail

2. *a* больной, нездоровый, хворый

ailment ['eɪlmənt] *n* нездоровье

aim [eɪm] 1. *n* 1) цель, намерение 2) прицел; мишень; to take ~ прицеливаться 3) прицеливание

2. *v* 1) домогаться, стремиться (at) 2) целить(ся), прицеливаться (at) 3) иметь в виду; to ~ high метить высоко

aiming ['eɪmɪŋ] 1. *pres. p. от* aim 2

2. *n* прицеливание, наводка

3. *a* прицельный; ~ circle *воен.* буссоль

aimless ['eɪmləs] *a* бесцельный

ain't [eɪnt] *сокр.* 1) *разг.* = are not 2) *диал.* = am not, is not; have not

air [eə] 1. *n* 1) воздух; атмосфера; dead (*или* stale) ~ спёртый, затхлый воздух; to take the ~ прогуляться, подышать воздухом; by ~ самолётом 2) внешний вид; выражение лица; with a triumphant ~ с торжествующим видом 3) *pl* аффектация, важничанье; to give oneself ~s, to put on ~s важничать, держаться высокомерно 4) песня; ария, мелодия 5) дуновение, ветерок ◇ to be in the ~ а) «висеть в воздухе», находиться в неопределённом положении; б) носиться в воздухе; rumours are in the ~ ходят слухи; в) *воен.* быть незащищённым с флангов; to melt (*или* to vanish) into thin ~ скрыться из виду, бесследно исчезнуть; to be on the ~ передаваться по радио; выступать по радио; вести передачи; they were off the ~ они кончили радиопередачу; to give a person the ~ *амер.* уволить кого-л. со службы; to tread (*или* to walk) on ~ ≅ ног под собой не чуять; ликовать, радоваться; to give ~ to smth. предать что-л. гласности

2. *a* 1) воздушный; авиационный, самолётный; ~ fleet воздушный флот; ~ superiority (*или* supremacy) превосходство в воздухе; ~ warfare война в воздухе; ~ fight воздушный бой 2) пневматический

3. *v* 1) сушить, просушивать 2) проветривать; вентилировать 3) выставлять напоказ; обнародовать

air-base ['eəbeɪs] *n* авиабаза

air-bed ['eəbed] *n* надувной матрац

air-bladder ['eə,blædə] *n* 1) плавательный пузырь 2) воздушный пузырёк (*в стекле*) 3) = air-cell

airborne ['eəbɔ:n] *a* 1) переносимый *или* перевозимый по воздуху 2) *predic.* оторвавшийся от земли; находящийся в воздухе; to become ~ оторваться от земли; all planes are ~ все самолёты в воздухе

air-brake ['eəbreɪk] *n тех.* пневматический тормоз

air-brick ['eəbrɪk] *n* 1) кирпич воздушной сушки, саман 2) пустотелый кирпич

air-brush ['eəbrʌʃ] *n* распылитель краски *и т. п.*, краскопульт

airbus ['eəbʌs] *n* аэробус

air-cell ['eəsel] *n анат.* лёгочная альвеола

air-chamber ['eə,tʃeɪmbə] *n* 1) воздушная камера 2) *мор.* воздушный ящик (*шлюпки*)

Air Chief Marshal [,eətʃi:f'mɑ:ʃl] *n* главный маршал авиации

air command [,eəkə'mɑ:nd] *n* авиационное командование (*высшее организационное объединение ВВС*)

Air Commodore [,eə'kɒmədɔ:] *n* коммодор авиации (*в Англии*)

air-condition ['eəkən,dɪʃn] *v* 1) снабжать кондиционером 2) кондиционировать (*воздух*)

air-conditioned ['eəkən,dɪʃnd] 1. *p. p. от* air-condition

2. *a* с кондиционированным воздухом

air-conditioning ['eəkən,dɪʃnɪŋ] 1. *pres. p. от* air-condition

2. *n* кондиционирование воздуха

air-cooled ['eəku:ld] *a* с воздушным охлаждением

air-cooling ['eə,ku:lıŋ] *n* воздушное охлаждение

aircraft ['eəkrɑ:ft] *n* 1) самолёт 2) *собир.* самолёты; авиация 3) *attr.* авиационный, авиа-

aircraft(s)man ['eəkrɑ:ft(s)mən] *n* рядовой авиации (*в Англии*)

aircrew ['eəkru:] *n* экипаж самолёта *или* дирижабля

air-cushion ['eə,kʊʃn] *n* 1) надувная подушка 2) *тех.* демпфер 3) *спец.* воздушная подушка

air-driven ['eə,drıvn] *a* пневматический

airdrome ['eədrəʊm] *n амер.* аэродром

airdrop ['eədrɒp] *n* 1) сбрасывание с самолёта (*снаряжения, грузов и т. п.*) 2) *воен.* выброска десанта

Airedale ['eədeıl] *n* эрдельтерьер (*порода собак*)

airfare ['eəfeə] *n* стоимость авиабилета

airfield ['eəfi:ld] *n* аэродром

airflow ['eəfləʊ] *n* воздушный поток

airfoil ['eəfɔıl] *амер.* = aerofoil

Air Force ['eəfɔ:s] *n* военно-воздушные силы

airframe ['eəfreım] *n* корпус летательного аппарата

airfreighter ['eə,freıtə] *n* грузовой самолёт

air gap ['eəgæp] *n* 1) зазор, просвет 2) *эл.* воздушный зазор 3) *радио* искровой промежуток

air gas ['eəgæs] *n* карбюрированный воздух, горючая смесь

air gauge ['eəgeıdʒ] *n* манометр

air gun ['eəgʌn] *n* 1) духовое ружьё 2) *тех.* пульверизатор

air hammer ['eə,hæmə] *n* пневматический молот

air hardening ['eə,hɑ:dnıŋ] *n метал.* воздушная закалка

airhead ['eəhed] *n* 1) *воен.* плацдарм для воздушного десанта 2) *sl.* пустая башка, болван

airhoist ['eəhɔıst] *n* пневматический подъёмник

air hole ['eəhəʊl] *n* 1) отдушина 2) полынья (*на реке*) 3) *ав.* воздушная яма

air hostess ['eə,həʊstıs] *n* стюардесса на самолёте, бортпроводница

airily ['eərəlı] *adv* 1) воздушно, легко, грациозно 2) легкомысленно, беззаботно

airing ['eərıŋ] 1. *pres. p. от* air 3

2. *n* 1) проветривание и просушивание 2) вентиляция; аэрация 3) обсуждение, «вентилирование» 4) прогулка

air jacket ['eə,dʒækıt] *n* надувной спасательный жилет

air lane ['eəleın] *n* воздушная трасса, авиалиния

airless ['eələs] *n* 1) душный 2) безветренный 3) безвоздушный

airletter ['eə,letə] *n* авиаписьмо

airlift ['eəlıft] *n* переброска по воздуху; «воздушный мост»

airline ['eəlaın] *n* авиалиния

airliner ['eə,laınə] *n* рейсовый самолёт; пассажирский самолёт; воздушный лайнер

air lock ['eəlɒk] *n* 1) *тех.* воздушная пробка 2) воздушный шлюз, тамбур; переходная камера

airmail ['eəmeıl] *n* воздушная почта, авиапочта

airman ['eəmən] *n* 1) лётчик 2) авиаспециалист

airmanship ['eəmənʃıp] *n* лётное мастерство

air-map ['eəmæp] *n* аэронавигационная карта

Air Marshal ['eə,mɑ:ʃl] *n* маршал авиации

air-minded ['eə,maındıd] *a* разбирающийся в вопросах авиации; увлекающийся авиацией

airphoto ['eə,fəʊtəʊ] *n* аэрофотоснимок

air-photography [,eəfə'tɒgrəfı] *n* аэрофотосъёмка

air piracy [,eə'paıərəsı] *n* воздушное пиратство; угон самолётов

airplane ['eəpleın] *n амер.* 1) самолёт, аэроплан 2) *attr.*: ~ observer лётчик-наблюдатель

air pocket ['eə,pɒkıt] *n* 1) *ав.* воздушная яма 2) *метал.* раковина, газовый пузырь

airport ['eəpɔ:t] *n* аэропорт

air power ['eə,paʊə] *n* могущество в воздухе, воздушная мощь

air-powered ['eə,paʊəd] *a* пневматический

airproof ['eəpru:f] = airtight

air pump ['eəpʌmp] *n* 1) *тех.* воздушный насос; поршневой компрессор 2) велосипедный насос

air-quenching ['eə,kwentʃıŋ] = air hardening

air raid ['eəreıd] *n* 1) воздушный налёт 2) *attr.*: ~ warning воздушная тревога; ~ relief помощь населению, пострадавшему от воздушной бомбардировки; ~ shelter бомбоубежище; ~ warden человек, ответственный во время воздушного налёта за соблюдение порядка, светомаскировку *и т. п.*

air rifle ['eə,raıfl] *n* духовое ружьё, пневматическая винтовка

air route ['eəru:t] *n* авиалиния, воздушная трасса

air scout ['eəskaʊt] *n воен.* воздушный разведчик

airscrew ['eəskru:] *n* воздушный винт, пропеллер

air-shaft ['eəʃɑ:ft] *n* вентиляционная шахта

airship ['eəʃıp] *n* дирижабль, воздушный корабль

air show ['eəʃəʊ] *n* 1) авиационная выставка 2) демонстрационные полёты

airsick ['eəsık] *a* страдающий воздушной болезнью

airsickness ['eə,sıknəs] *n* воздушная болезнь

airspace ['eəspeıs] *n* воздушное пространство

air speed ['eəspi:d] *n ав.* воздушная скорость, скорость самолёта

Air Staff ['eəstɑ:f] *n* штаб военно-воздушных сил

airstream ['eə,stri:m] *n* воздушный поток, воздушная струя

airstrip ['eəstrıp] *n* взлётно-посадочная полоса; полевой аэродром

air terminal ['eə,tɜ:mınl] *n* аэровокзал

airtight ['eətaıt] *n* непроницаемый для воздуха, герметический

air-to-air [,eətʊ'eə] *a*: ~ missile ракета класса «воздух-воздух»

air-to-ground [,eətʊ'graʊnd] *a*: ~ missile ракета класса «воздух-земля»

air-unit ['eə,ju:nıt] *n* авиационная часть

airwaves ['eəweıvz] *n pl* радиоволны

airway ['eəweı] *n* 1) воздушная линия, воздушная трасса, авиалиния 2) *горн.* вентиляционная выработка, вентиляционный штрек

airwoman ['eə,wʊmən] *n* лётчица

airworthiness ['eə,wɜ:ðınəs] *n* пригодность самолёта к полёту

airworthy ['eə,wɜ:ðı] *a* годный к полёту (*о самолёте*)

airy ['eərı] *a* 1) хорошо проветриваемый; полный воздуха; ветреный 2) пустой, легкомысленный 3) весёлый 4) воздушный, лёгкий; грациозный 5) *амер. разг.* заносчивый

airy-fairy [,eərı'feərı] *a разг.* витающий в облаках, мечтательный

aisle [aıl] *n* 1) боковой неф храма; придел 2) проход (*между рядами в церкви*) 3) *амер.* проход (*между рядами в театре, вагоне и т. п.*) 4) пролёт цеха

ait [eıt] *n* островок (*особ. на реке*)

aitchbone ['eıtʃbəʊn] *n* 1) крестцовая кость 2) огузок

ajar I [ə'dʒɑ:] *a predic.* приоткрытый

ajar II [ə'dʒɑ:] *adv* в разладе

akimbo [ə'kımbəʊ] 1. *a predic.* подбоченившийся

2. *adv* подбоченясь: with arms ~ руки в боки

akin [ə'kın] *a predic.* 1) сродни; сродный, близкий, родственный 2) похожий; такой же как; pity is ~ to love жалость сродни любви

alabaster ['æləbɑ:stə] *n* алебастр, гипс

alack [ə'læk] *int уст.* увы!

alacrity [ə'lækrətı] *n* живость, готовность; рвение

alar ['eılə] *a* 1) крылатый 2) крыловидный

alarm [ə'lɑ:m] 1. *n* 1) боевая тревога, сигнал тревоги; false ~ ложная тревога; to give the ~ поднять тревогу 2) аварийная сигнализация 3) смятение, страх; to take ~ встревожиться 4) *attr.* сигнальный, тревожный; ~ bell набат, набатный колокол; сигнальный звонок; ~ blast тревожный свисток, гудок

2. *v* 1) поднять тревогу 2) встревожить, взволновать

alarm clock [ə'lɑ:mklɒk] *n* будильник

alarmist [ə'lɑ:mɪst] *n* паникёр; распространитель тревожных слухов

alarum [ə'lærəm] *n* 1) *уст. см.* alarm 1; 2) звон будильника 3) механизм боя в часах <> ~s and excursions волнение, движение и шум (*театральная ремарка*); стычки; беспорядок

alas [ə'læs] *int* увы!

alb [ælb] *n церк.* стихарь

Albanian [æl'beɪnɪən] **1.** *a* албанский

2. *n* 1) албанец; албанка 2) албанский язык

albatross ['ælbətrɒs] *n* альбатрос

albedo [æl'bi:dəʊ] *n физ.* альбедо

albeit [ɔ:l'bi:ɪt] *cj книжн.* хотя; he tried, ~ without success он пытался, хотя и безуспешно

albert ['ælbət] *n* цепочка для мужских часов

albescent [æl'besnt] *a* становящийся белым, белеющий

albinism ['ælbɪnɪzəm] *n* отсутствие пигмента в коже, волосах *и т. п.*; альбинизм

albino [æl'bi:nəʊ] *n* (*pl* -os [-əʊz]) альбинос

Albion ['ælbɪən] *n поэт.* Альбион, Англия

album ['ælbəm] *n* 1) альбом 2) альбом пластинок; долгоиграющая пластинка, альбом 3) книга автографов известных актёров, спортсменов *и т. п.*

albumen ['ælbjʊmɪn] *n* 1) (яичный) белок 2) *биол.* альбумин, белок; белковое вещество 3) *attr.*: ~ test проба на белок

albumin ['ælbjʊmɪn] *n хим.* альбумин

albuminoid [æl'bju:mɪnɔɪd] **1.** *a* белковидный

2. *n pl* альбуминоиды

albuminous [æl'bju:mɪnəs] *a* белковый

alburnum [æl'bɜ:nəm] *n* заболонь

alchemic(al) [æl'kemɪk(l)] *a* алхимический

alchemist ['ælkəmɪst] *n* алхимик

alchemy ['ælkəmɪ] *n* алхимия

alcohol ['ælkəhɒl] *n* 1) алкоголь, спирт; wood ~ древесный спирт 2) спиртные напитки; he does not touch ~ он спиртного в рот не берёт 3) *attr.* спиртовой; ~ thermometer спиртовой термометр

alcoholic [,ælkə'hɒlɪk] **1.** *a* алкогольный, спиртовой; ~ lamp спиртовка

2. *n* алкоголик

alcoholism ['ælkəhɒlɪzəm] *n* алкоголизм

alcoholometer [,ælkəhɒ'lɒmɪtə] *n* спиртомер

Alcoran [,ælkɒ'rɑ:n] *n уст.* Коран

alcove ['ælkəʊv] *n* 1) альков, ниша 2) беседка

aldehyde ['ældɪhaɪd] *n хим.* альдегид

alder ['ɔ:ldə] *n* ольха

alderman ['ɔ:ldəmən] *n* олдермен, член городского управления, член совета графства

aldermanry ['ɔ:ldəmənrɪ] *n* 1) звание олдермена 2) район городского управления

ale [eɪl] *n* эль, пиво; Adam's ~ *шутл.* вода

aleatory [,ælɪ'eɪtərɪ] *a* случайный

alee [ə'li:] *adv, a predic. мор.* 1) под ветром 2) в подветренную сторону

alehouse ['eɪlhaʊs] *n* пивная

alembic [ə'lembɪk] *n* 1) *уст.* перегонный куб 2): through the ~ of fancy сквозь призму воображения

alert [ə'lɜ:t] **1.** *n* 1) тревога, сигнал тревоги 2) *воен.* состояние боевой готовности; (to be) on the ~ (быть) настороже, наготове; to keep on the ~ тревожить, не давать покоя

2. *a* 1) бдительный, настороженный 2) живой, проворный

3. *v* 1) привести в состояние готовности 2) предупреждать об опасности 3) *воен.* объявлять тревогу, поднимать по тревоге

Alexandrine [,ælɪg'zændraɪn] **1.** *n* александрийский стих

2. *a* александрийский

alexandrite [,ælɪg'zændraɪt] *n мин.* александрит

alfalfa [æl'fælfə] *n бот.* люцерна

alfresco [æl'freskəʊ] **1.** *a* происходящий на открытом воздухе; ~ lunch завтрак на открытом воздухе

2. *adv* на открытом воздухе

alga ['ælgə] *n* (*pl* -ae) морская водоросль

algae ['ældʒi:] *pl от* alga

algebra ['ældʒɪbrə] *n* алгебра

algebraic(al) [,ældʒɪ'breɪɪk(l)] *a* алгебраический

algebraist [,ældʒɪ'breɪɪst] *n* алгебраист, специалист по алгебре

Algerian [æl'dʒɪərɪən] **1.** *a* алжирский

2. *n* алжирец; алжирка

algid ['ældʒɪd] *a мед.* холодный, ледяной

Algol ['ælgɒl] *n* алгол (*международный язык программирования*)

algorithm ['ælgərɪðəm] *n мат.* алгоритм

alias ['eɪlɪəs] **1.** *n* вымышленное имя, прозвище, кличка

2. *adv* иначе (называемый); Lewis ~ Smith Льюис, он же Смит

alibi ['æləbaɪ] **1.** *n* 1) *юр.* алиби 2) *разг.* оправдание, отговорка

2. *v юр.* представить алиби

alidad, alidade ['ælɪdæd,-deɪd] *n тех.* алидада, угломер

alien ['eɪlɪən] **1.** *n* чужестранец; иностранец; проживающий в данной стране подданный другого государства

2. *a* 1) чуждый, несвойственный (to, from); it's ~ to my thoughts это чуждо мне 2) иностранный

alienable ['eɪlɪənəbl] *a юр.* отчуждаемый

alienate ['eɪlɪəneɪt] *v* 1) отвращать (from); заставлять отвернуться; my sister ~d me by her behaviour поведение сестры оттолкнуло меня от неё 2) отчуждать (*тж. юр.*)

alienation [,eɪlɪə'neɪʃn] *n* 1) отдаление, отчуждение; ~ of affections охлаждение (чувств) 2) *юр.* отчуждение 3) *мед.* умопомешательство (*обыкн.* mental ~)

alienee [,eɪlɪə'ni:] *n юр.* тот, в чью пользу отчуждается имущество

alien-enemy ['eɪlɪən,enəmɪ] *n юр.* враждебный иностранец, проживающий в стране подданный враждебного государства

alien-friend ['eɪlɪən,frend] *n юр.* дружественный иностранец, проживающий в стране подданный дружественной страны

alienism ['eɪlɪənɪzəm] *n* 1) положение иностранца в чужой стране 2) психиатрия

alienist ['eɪlɪənɪst] *n* психиатр

aliform ['eɪlɪfɔ:m] *a* крылообразный

alight I [ə'laɪt] *v* 1) сходить, высаживаться (out of, from — из, с; at — у); спешиваться (from) 2) спускаться, садиться (*о птицах, насекомых*; on, upon) 3) *ав.* приземляться

alight II [ə'laɪt] *a predic.* 1) зажжённый; в огне 2) освещённый

alighting [ə'laɪtɪŋ] **1.** *pres. p. от* alight I

2. *n ав.* 1) посадка, приземление, спуск 2) *attr.* посадочный

align [ə'laɪn] *v* 1) выстраивать в линию, ставить в ряд; выравнивать; to ~ the sights (of a rifle) and bull's-eye прицеливаться в яблоко мишени; to ~ the track *ж.-д.* рихтовать путь 2) равняться; строиться 3) *тех.* спрямлять <> to ~ oneself with действовать заодно

aligning [ə'laɪnɪŋ] **1.** *pres. p. от* align

2. *n* = alignment

alignment [ə'laɪnmənt] *n* 1) выравнивание, регулировка, выверка; ~ of forces расстановка сил 2) *топ.* визирование через несколько точек 3) *воен.* равнение, линия строя 4) *мор.* створ

alike [ə'laɪk] **1.** *a predic.* одинаковый; похожий, подобный

2. *adv* точно так же, подобно, одинаково

aliment ['ælɪmənt] **1.** *n* 1) пища 2) материальная и моральная поддержка

2. *v* содержать (*кого-л.*); поддерживать

alimentary [,ælɪ'mentərɪ] *a*: ~ canal (*или* track) пищеварительный тракт

alimentation [,ælɪmen'teɪʃn] *n* 1) питание, кормление 2) содержание (*кого-л.*)

alimony ['ælɪmənɪ] *n* 1) алименты 2) содержание, средства к существованию

aline [ə'laɪn] = align

aliped ['ælɪped] **1.** *a* крылоногий

2. *n* крылоно́гое живо́тное (*напр., летучая мышь*)

aliquant ['ælɪkwənt] *a мат.* некра́тный

aliquot ['ælɪkwɒt] *a мат.* кра́тный

alive [ə'laɪv] *a predic.* 1) живо́й; в живы́х; no man ~ никто́ на све́те; any man ~ любо́й челове́к, кто́-нибудь 2) существу́ющий; вызыва́ющий интере́с 3) де́йствующий, рабо́тающий, на ходу́; to keep ~ подде́рживать (*огонь, интерес и т. п.*) 4) живо́й, бо́дрый 5) чу́ткий (*к чему-л.*), я́сно понима́ющий (*что-л.*); to be fully ~ to smth. я́сно понима́ть что-л.; are you ~ to what is going on? вы осознаёте, что происхо́дит? 6) киша́щий (with); the river was ~ with boats река́ была́ запру́жена ло́дками 7) *эл.* (находя́щийся) под напряже́нием ◇ ~ and kicking жив и здоро́в; по́лон жи́зни; look ~! живе́й!; come ~! живе́й!, пошевели́вайся!; man ~! *выражение удивления*: man ~! I am glad to see you! бо́же мой, как я рад вас ви́деть!

alizarin(e) [ə'lɪzərɪn] *n хим.* ализари́н

alkalescence [,ælkə'lesns] *n хим.* сла́бая щёлочность

alkalescent [,ælkə'lesnt] *a хим.* слабощелочно́й

alkali ['ælkəlaɪ] *n* (*pl* -s, -es [-z]) 1) *хим.* щёлочь 2) *attr.*: ~ soils солончаки́

alkalimetry [,ælkə'lɪmətrɪ] *n хим.* алкалиме́трия

alkaline ['ælkəlaɪn] *a хим.* щелочно́й

alkaloid ['ælkəlɔɪd] *n хим.* алкало́ид

all [ɔ:l] **1.** *a* 1) весь, вся, всё, все; ~ day весь день; ~ the time всё вре́мя 2) вся́кий, возмо́жный; in ~ respects во всех отноше́ниях; beyond ~ doubt вне вся́кого сомне́ния

2. *adv* всецело́, вполне́; соверше́нно; the pin was ~ gold була́вка была́ целико́м из зо́лота; ~ alone а) в по́лном одино́честве; б) без вся́кой по́мощи, самостоя́тельно; ~ over а) повсю́ду, круго́м; ~ over the world по всему́ све́ту; б) соверше́нно, по́лностью; she is her mother ~ over она́ вы́литая мать; ~ around круго́м, со всех сторо́н; ~ round а) = ~ around; б) = all-round; ~ along всё вре́мя; ~ at once вдруг, внеза́пно; ~ the more so тем бо́лее

3. *n* 1) все; всё; ~ agree все согла́сны 2) це́лое 3) всё иму́щество; they lost their ~ in the fire при пожа́ре поги́бло всё их иму́щество ◇ ~ told все без исключе́ния; in ~ по́лностью, всего́; a dozen in ~ всего́ дю́жина; ~ but почти́, едва́ не; at ~ вообще́, совсе́м; this plant will only grow in summer if at ~ э́то расте́ние, е́сли и вы́растет, то то́лько ле́том; that's ~ there is to it вот и всё; не́ о чем бо́льше говори́ть; once (and) for ~ навсегда́; ~ one to (соверше́нно) безразли́чно; it is ~ over with him он челове́к ко́нченый; he is not quite ~ there он не в своём уме́; у него́ не все до́ма; ~ and sundry а) ка́ждый и вся́кий; б) все вме́сте и ка́ждый в отде́льности

Allah ['ælə] *n* Алла́х

all-around [,ɔ:lə'raʊnd] = all-round

allay [ə'leɪ] *v* 1) уменьша́ть, ослабля́ть 2) успока́ивать (*волнение*), смягча́ть, облегча́ть (*боль*)

all clear ['ɔ:lklɪə] *n* сигна́л отбо́я возду́шной трево́ги, отбо́й

allegation [,ælə'geɪʃn] *n* 1) голосло́вное утвержде́ние 2) заявле́ние (*особ. перед судом, трибуналом*)

allege [ə'ledʒ] *v* 1) утвержда́ть (*особ. без основания*); ~d deserter подозрева́емый в дезерти́рстве 2) ссыла́ться (*в оправдание, в доказательство*); to ~ illness ссыла́ться на боле́знь; delays ~d to be due to... заде́ржки, я́кобы вы́званные...

allegedly [ə'ledʒɪdlɪ] *adv* бу́дто бы, я́кобы; как утвержда́ют

allegiance [ə'li:dʒəns] *n* 1) ве́рность, пре́данность; лоя́льность 2) *ист.* васса́льная зави́симость

allegoric(al) [,ælə'gɒrɪk(l)] *a* аллегори́ческий, иносказа́тельный

allegorize ['ælәgәraɪz] *v* 1) изобража́ть, выска́зываться *или* толкова́ть аллегори́чески 2) изъясня́ться иносказа́тельно

allegory ['ælәgәrɪ] *n* аллего́рия, иносказа́ние

alleluia [,ælə'lu:jə] = halleluja(h)

all-embracing [,ɔ:lɪm'breɪsɪŋ] *a* всеобъе́млющий

allergen ['ælədʒen] *n* аллерге́н

allergic [ə'lɜ:dʒɪk] *a* 1) аллерги́ческий 2) *predic. разг.* не переноси́щий (*вида, присутствия*); не выноси́щий, пита́ющий отвраще́ние

allergy ['ælədʒɪ] *n* 1) аллерги́я; повы́шенная чувстви́тельность 2) *разг.* отвраще́ние

alleviate [ə'li:vɪeɪt] *v* облегча́ть (*боль, страдания*); смягча́ть

alleviation [ə,li:vɪ'eɪʃn] *n* облегче́ние; смягче́ние

alley I ['ælɪ] *n* 1) у́зкая у́лица *или* переу́лок 2) алле́я 3) прохо́д ме́жду ряда́ми домо́в 4) кегельба́н ◇ it is up your ~ э́то по ва́шей ли́нии

alley II ['ælɪ] *n* мра́морный ша́рик (*для детской игры*)

alleyway ['ælɪweɪ] = alley I, 1) *и* 2)

All Fools' Day [,ɔ:l'fu:lzdeɪ] *n* день шутли́вых обма́нов (*1-е апреля*)

all fours [,ɔ:l'fɔ:z] *n* 1) четы́ре коне́чности живо́тных 2) ру́ки и но́ги (*человека*); on ~ на четвере́ньках

all-honoured [,ɔ:l'ɒnəd] *a* все́ми почита́емый

alliance [ə'laɪəns] *n* 1) сою́з;алья́нс; Holy A. *ист.* Свяще́нный сою́з (*1815 г.*) 2) бра́чный сою́з 3) федера́ция, объедине́ние 4) родство́, о́бщность

allied [ə'laɪd] **1.** *p. p. от* ally I, 2

2. *a* 1) сою́зный, сою́знический 2) ро́дственный, бли́зкий; ~ sciences сме́жные нау́ки

alligator ['ælɪgeɪtə] *n* 1) *зоол.* аллига́тор 2) *attr.* из крокоди́ловой ко́жи; под крокоди́ла; ~ bag портфе́ль из крокоди́ловой ко́жи

all-important [,ɔ:lɪm'pɔ:tənt] *n* кра́йне ва́жный, име́ющий первостепе́нное значе́ние

all-in [,ɔ:l'ɪn] *разг.* **1.** *a* уста́вший, изму́ченный

2. *adv* включа́я всё

all-in-all [,ɔ:lɪn'ɔ:l] **1.** *n* всё (*для кого-л.*), предме́т любви́, обожа́ния

2. *a* о́чень ва́жный, реша́ющий

3. *adv* 1) целико́м, по́лностью 2) в це́лом, в о́бщем

all-in-one [,ɔ:lɪn'wʌn] *a тех.* це́льный, неразъёмный

alliteration [ə,lɪtə'reɪʃn] *n* аллитера́ция

all-metal [,ɔ:l'metl] *a* цельнометалли́ческий

all-night [,ɔ:l'naɪt] *a* ночно́й (*о ресторане, кафе и т. п.*)

allocate ['æləkeɪt] *v* 1) размеща́ть, распределя́ть 2) назнача́ть (to); ассигнова́ть; *амер.* резерви́ровать, брони́ровать (*кредиты, снабжение и т. п.*)

allocation [,ælə'keɪʃn] *n* 1) размеще́ние, распределе́ние 2) назначе́ние; ассигнова́ние 3) локализа́ция, установле́ние ме́ста

allocution [,ælə'kju:ʃn] *n* речь, обраще́ние (*в торжественных случаях*)

allogamy [ə'lɒgəmɪ] *n бот.* аллога́мия, перекрёстное оплодотворе́ние

allopath ['æləpæθ] *n* аллопа́т

allopathy [ə'lɒpəθɪ] *n* аллопа́тия

allot [ə'lɒt] *v* 1) распределя́ть (по жре́бию); раздава́ть, наделя́ть; предназнача́ть; to ~ a task возлага́ть зада́чу; to ~ credits предоставля́ть креди́ты 2) *воен.* вводи́ть в соста́в; придава́ть

allotment [ə'lɒtmənt] *n* 1) небольшо́й уча́сток, отведённый под огоро́д; наде́л 2) до́ля, часть 3) распределе́ние; перечисле́ние (фо́ндов); ~ of billets отведе́ние кварти́р 4) *воен.* введе́ние в соста́в; прида́ча 5) *воен.* вы́плата (*части зарплаты*) по аттеста́ту (*семье*)

allottee [ə,lɒ'ti:] *n* 1) тот, кто получа́ет (*участок земли, деньги по аттестату и т. п.*) 2) ме́лкий аренда́тор

all-out [,ɔ:l'aʊt] *разг.* **1.** *a* 1) по́лный; тота́льный; с примене́нием всех сил и ресу́рсов 2) иду́щий напроло́м; реши́тельный; ~ attack реши́тельное наступле́ние 3) уста́вший, изму́ченный

2. *adv* 1) изо всéх си́л; все́ми сре́дствами; to go ~ боро́ться изо всéх си́л 2) сполна́, вполне́, по́лностью

all-outer [,ɔ:l'aʊtə] *n амер.* сторо́нник кра́йних мер

allow [ə'laʊ] *v* 1) позволя́ть, разреша́ть; smoking is not ~ed кури́ть воспреща́ется 2) дава́ть, регуля́рно выпла́чивать; I ~ him £100 a year я даю́ ему́ по 100 фу́нтов сте́рлингов в год 3) принима́ть во внима́ние, учи́тывать, де́лать ски́дку, де́лать попра́вку (for — на *что-л.*); you must ~ for some mistakes вы должны́ уче́сть не́которые оши́бки; I cannot ~ of such an excuse не могу́ приня́ть тако́го извине́ния 4) допуска́ть; признава́ть; I ~ that I was wrong признаю́, что был непра́в 5) предоставля́ть, де́лать возмо́жным; this gate ~s access to the garden че́рез э́ти воро́та мо́жно пройти́ в сад 6) *амер. диал.* заявля́ть, утвержда́ть ◇ ~ me! разреши́те!; we have ~ed for twenty people мы бы́ли гото́вы встре́тить, приня́ть два́дцать челове́к

allowable [ə'lauəbl] *a* 1) допусти́мый 2) дозво́ленный 3) зако́нный

allowance [ə'lauəns] **1.** *n* 1) (годово́е, ме́сячное *и т. п.*) содержа́ние; карма́нные де́ньги; family ~ посо́бие многосеме́йным 2) но́рма вы́дачи; паёк; at no ~ неограни́ченно; ~ of ammunition боекомпле́кт 3) ски́дка 4) допуще́ние; приня́тие; приня́тие в расчёт, во внима́ние; make ~ for his age прими́те во внима́ние его́ во́зраст 5) *pl* дово́льствие 6) разреше́ние, позволе́ние 7) *тех.* при́пуск; до́пуск 8) *спорт.* фо́ра

2. *v* назнача́ть *или* выдава́ть стро́го ограни́ченный паёк, содержа́ние

allowedly [ə'laudlı] *adv* 1) дозво́ленным о́бразом 2) по о́бщему призна́нию

alloy 1. *n* ['ælɔı] 1) сплав 2) при́месь, лигату́ра 3) про́ба (*драгоценного металла*) 4) [ə'lɔı] при́месь (*чего-л. дурного к хорошему*); happiness without ~ нике́м не омрачённое сча́стье 5) *attr.* леги́рованный; ~ steel леги́рованная сталь

2. *v* [ə'lɔı] 1) сплавля́ть (*металлы*) 2) подме́шивать 3) омрача́ть (*радость, удовольствие и т. п.*)

all-powerful [,ɔ:l'pauəfl] *a* всемогу́щий

all-purpose [,ɔ:l'pɜ:pəs] *a* универса́льный, многоцелево́й

all right [,ɔ:l'raıt] **1.** *a predic.* 1) в поря́дке; вполне́ удовлетвори́тельный; he is ~ он чу́вствует себя́ хорошо́; everything is ~ with your plan с ва́шим пла́ном всё в поря́дке 2) подходя́щий, устра́ивающий (*кого-л.*); is it ~ with you? вас э́то устра́ивает?

2. *adv* 1) вполне́ удовлетвори́тельно, прие́млемо; как ну́жно 2) разуме́ется, коне́чно

3. *int* хорошо́!, ла́дно!, согла́сен!

all-round [,ɔ:l'raund] *a* многосторо́нний, всесторо́нний; кругово́й; ~ man разносторо́нний челове́к; ~ price цена́, включа́ющая накладны́е расхо́ды ◇ ~ champion абсолю́тный чемпио́н

all-rounder [,ɔ:l'raundə] *n* 1) разносторо́нний челове́к 2) *спорт.* десятибо́рец

allseed ['ɔ:lsi:d] *n бот.* многосемя́нное расте́ние

allspice ['ɔ:lspaıs] *n* 1) *бот.* гвозди́чное де́рево 2) яма́йский пе́рец, души́стый пе́рец

all-star [,ɔ:l'stɑ:] *a театр., кино* состоя́щий то́лько из звёзд; ~ cast спекта́кль, в кото́ром уча́ствуют то́лько звёзды

all-time [,ɔ:l'taım] *a* небыва́лый, непревзойдённый; са́мый лу́чший, высо́кий *и т. п.*; ~ high prices небыва́ло высо́кие це́ны

allude [ə'lu:d] *v* 1) упомина́ть; ссыла́ться (to — на) 2) намека́ть (to — на)

all-up [,ɔ:l'ʌp] *n ав.* о́бщий вес (самолёта, экипа́жа, пассажи́ров, гру́за *и т. п.*) в во́здухе, по́лный полётный вес

allure [ə'luə] **1.** *v* 1) очаро́вывать, пленя́ть 2) зама́нивать, завлека́ть, привлека́ть

2. *n* очарова́ние, привлека́тельность

allurement [ə'luəmənt] *n книжн.* 1) привлека́тельность, очарова́ние; притяга́тельная си́ла 2) обольще́ние

alluring [ə'luərıŋ] **1.** *pres. p. от* allure

2. *a* 1) очарова́тельный 2) соблазни́тельный; ~ prospects зама́нчивые перспекти́вы

allusion [ə'lu:ʒn] *n* 1) упомина́ние; ссы́лка (to) 2) намёк (to)

allusive [ə'lu:sıv] *a* 1) заключа́ющий в себе́ ссы́лку (to — на) 2) заключа́ющий в себе́ намёк (to — на); иносказа́тельный 3) *геральд.*: ~ arms символи́ческий герб

alluvia [ə'lu:vıə] *pl от* alluvium

alluvial [ə'lu:vıəl] *a геол.* нано́сный, аллювиа́льный; ~ deposit *горн.* ро́ссыпь; ~ gold *горн.* ро́ссыпное зо́лото

alluvion [ə'lu:vıən] *n* 1) нано́с, нано́сная земля́, намы́в 2) = alluvium

alluvium [ə'lu:vıəm] *n* (*pl* -via, -s [-z]) *геол.* аллю́вий, аллювиа́льные форма́ции; нано́сные образова́ния

all-weather [,ɔ:l'weðə] *a* приго́дный для любо́й пого́ды

all-white [,ɔ:l'waıt] *a* то́лько для бе́лых; ~ school шко́ла, в кото́рую принима́ют то́лько бе́лых

all-wool [,ɔ:l'wul] *a* чистошерстяно́й

ally I 1. *n* ['ælaı] сою́зник; ~ of moment вре́менный сою́зник

2. *v* [ə'laı] соединя́ть; to ~ oneself вступа́ть в сою́з, соединя́ться (*договором, браком*; to, with); to be allied to быть те́сно свя́занным с; име́ть о́бщие черты́ с; Norwegian is nearly allied to Danish норве́жский язы́к бли́зок к да́тскому

ally II ['ælı] = alley II

almanac ['ɔ:lmənæk] *n* календа́рь; альмана́х

almighty [ɔ:l'maıtı] **1.** *a* 1) всемогу́щий 2) *разг.* о́чень си́льный; ужа́сный; we had an ~ row у нас произошёл ужа́сный сканда́л

2. *n*: the A. (Всемогу́щий) Бог

3. *adv разг.* ужа́сно

almond ['ɑ:mənd] *n* 1) минда́ль 2) *attr.* минда́льный

almond-eyed [,ɑ:mənd'aıd] *a* с миндале́ви́дным разре́зом глаз

almond-oil [,ɑ:mənd'ɔıl] *n* минда́льное ма́сло

almond-shaped [,ɑ:mənd'ʃeıpt] *a* миндале́ви́дный

almoner ['ɑ:mənə] *n* 1) рабо́тник социа́льного обеспе́чения, ве́дающий опла́той лече́ния и обслу́живанием больны́х 2) *ист.* раздаю́щий ми́лостыню; Hereditary Grand A., Lord High A. ве́дающий разда́чей ми́лостыни при англи́йском дворе́

almost ['ɔ:lməust] *adv* почти́; едва́ не

alms [ɑ:mz] *n* (*pl без измен.; обыкн. употр. как sing*) ми́лостыня

alms-deed ['ɑ:mzdi:d] *n* благотвори́тельность, милосе́рдие

almshouse ['ɑ:mzhaus] *n ист.* богаде́льня

almsman ['ɑ:mzmən] *n* живу́щий подая́нием, ни́щий

aloe ['æləu] *n* 1) *бот.* ало́э; American ~ столе́тник 2) *pl* сабу́р (*слабительное*)

aloft [ə'lɔft] *adv* 1) наверху́; на высоте́; наве́рх 2) *мор.* на ма́рсе, на ре́ях ◇ to go ~ *разг.* отойти́ в мир ино́й, умере́ть

alone [ə'ləun] **1.** *a predic.* 1) оди́н, одино́кий 2) сам, без посторо́нней по́мощи; he can do it ~ он мо́жет э́то сде́лать сам, без посторо́нней по́мощи 3) не разделя́емый други́ми, отли́чный от други́х (*о мнении, взглядах*) (in) ◇ to let (*или* to leave) smb. ~ оста́вить кого́-л. в поко́е; to let smth. ~ не тро́гать чего́-л., не прикаса́ться к чему́-л.; let ~ не говоря́ уже о

2. *adv* то́лько, исключи́тельно; he ~ can do it то́лько он мо́жет э́то сде́лать

along [ə'lɔŋ] **1.** *adv* 1) вперёд 2) с собо́й; come ~! идём (вме́сте)!; he brought his instruments ~ он принёс с собо́й инструме́нты 3) по всей ли́нии, по длине́ ▭ ~ with вме́сте ◇ all ~ всё вре́мя; I knew it all ~ я э́то знал с са́мого нача́ла; (all) ~ of *диал.* вследствие, из-за; it happened all ~ of your carelessness э́то произошло́ по ва́шей небре́жности; right ~ *амер.* всегда́; непреры́вно; постоя́нно

2. *prep* вдоль, по; ~ the river вдоль реки́; ~ the road по доро́ге; ~ the strike *геол.* по простира́нию

alongshore [ə,lɔŋ'ʃɔ:] *adv* вдоль бе́рега

alongside [ə,lɔŋ'saıd] *adv* 1) бок о́ бок; ря́дом 2) *мор.* борт о́ борт; у бо́рта; у сте́нки 3): ~ of (*употр. как prep*) сбо́ку от, ря́дом с

aloof [ə'lu:f] **1.** *a* 1) сторо́ня́щийся 2) отчуждённый; равноду́шный 3) надме́нный

2. *adv* поо́даль, в стороне́; to hold (*или* to keep) (oneself) ~ (from), to stand ~ (from) держа́ться в стороне́ (от); чужда́ться

aloofness [ə'lu:fnəs] *n* отчуждённость; равноду́шие

alopecia [,ælə'pi:ʃə] *n мед.* алопе́ция, облысе́ние

aloud [ə'laʊd] *adv* 1) вслух 2) *разг.* си́льно, заме́тно; ощути́мо; it reeks ~ ужа́сно воня́ет 3) *уст.* гро́мко, гро́мким го́лосом

alp [ælp] *n* 1) го́рная верши́на 2) го́рное па́стбище в Швейца́рии

alpaca [æl'pækə] *n* 1) *зоол.* альпака́ 2) шерсть альпака́ 3) ткань из ше́рсти альпака́

alpenstock ['ælpənstɒk] *n спорт.* альпешто́к

alpha ['ælfə] *n* 1) а́льфа (*первая буква греческого алфавита*) 2) *астр.* гла́вная звезда́ созве́здия ◇ ~ and omega а́льфа и оме́га, нача́ло и коне́ц; основно́е, гла́вное; ~ plus *разг.* превосхо́дный, отме́нный, первокла́ссный

alphabet ['ælfəbet] *n* алфави́т; а́збука

alphabetic [,ælfə'betɪk] *a* 1) = alphabetical 2) а́збучный

alphabetical [,ælfə'betɪkl] *a* алфави́тный

alphabetically [,ælfə'betɪklɪ] *adv* в алфави́тном поря́дке

alphabetize ['ælfəbetaɪz] *v* располага́ть в алфави́тном поря́дке

alphanumeric [,ælfənjʊ'merɪk] *a* бу́квенно-цифрово́й, алфави́тно-цифрово́й

alpha rays ['ælfə,reɪz] *n pl физ.* а́льфа-лучи́

alpine ['ælpaɪn] *a* альпи́йский

alpinist ['ælpɪnɪst] *n* альпини́ст

already [ɔ:l'redɪ] *adv* уже́

alright ['ɔ:lraɪt] = all right

Alsatian [æl'seɪʃn] **1.** *a* эльза́сский

2. *n* 1) восточноевропе́йская овча́рка 2) эльза́сец

also ['ɔ:lsəʊ] *adv* то́же, та́кже, к тому́ же

also-run ['ɔ:lsəʊræn] *n* 1) ло́шадь, соба́ка *и т. п.*, отста́вшая на соревнова́ниях 2) посре́дственность, зауря́дный челове́к

alt [ælt] *n*: in ~ *муз.* а) на окта́ву вы́ше; б) в припо́днятом настрое́нии

altar ['ɔ:ltə] *n* 1) престо́л, алта́рь (*в христианских церквах*); же́ртвенник; to lead to the ~ вести́ к алтарю́, жени́ться 2) (А.) *астр.* Алта́рь, Же́ртвенник (*созвездие южного неба*) 3) *тех.* поро́г (*печи*)

altar-cloth ['ɔ:ltəklɒθ] *n церк.* напресто́льная пелена́

altarpiece ['ɔ:ltəpi:s] *n церк.* запресто́льный о́браз

altazimuth [ælt'æzɪməθ] *n астр.* альта́зимут

alter ['ɔ:ltə] *v* 1) изменя́ть(ся); меня́ть(ся); вноси́ть измене́ния, переде́лывать; to ~ one's mode of life измени́ть о́браз жи́зни 2) *амер.* холости́ть, кастри́ровать (*скот*)

alterable ['ɔ:ltərəbl] *a* изменя́емый

alterant ['ɔ:ltərənt] *a книжн.* спосо́бный вызыва́ть измене́ния

alteration [,ɔ:ltə'reɪʃn] *n* 1) измене́ние; переме́на; переде́лка, перестро́йка 2) деформа́ция 3) логи́ческое сложе́ние

alterative ['ɔ:ltərətɪv] **1.** *a* вызыва́ющий измене́ние, переме́ну

2. *n мед.* альтера́ция; измене́ние, перестро́йка

altercate ['ɔ:ltəkeɪt] *v* препира́ться, ссо́риться (with)

altercation [,ɔ:ltə'keɪʃn] *n* перебра́нка, ссо́ра

alter ego [,æltər'i:gəʊ] *лат. n* второ́е я; бли́зкий друг и единомы́шленник

alternate 1. *n* [ɔ:l'tɜ:nət] *амер.* замести́тель; дублёр

2. *a* [ɔ:l'tɜ:nət] 1) переме́нный, перемежа́ющийся, чередý́ющийся; they worked ~ shifts они́ рабо́тали посме́нно; on ~ days че́рез день 2) запа́сный; дополни́тельный; ~ design вариа́нт прое́кта; ~ materials замени́тели 3): ~ angles *мат.* противолежа́щие углы́

3. *v* ['ɔ:ltəneɪt] чередова́ть(ся); сменя́ть друг дру́га

alternating ['ɔ:ltəneɪtɪŋ] **1.** *pres. p. от* alternate 3

2. *a* переме́нный, перемежа́ющийся; ~ current *эл.* переме́нный ток; ~ motion *тех.* возвра́тно-поступа́тельное движе́ние

alternation [,ɔ:ltə'neɪʃn] *n* чередова́ние; ~ of day and night сме́на дня и но́чи

alternative [ɔ:l'tɜ:nətɪv] **1.** *n* альтернати́ва, вы́бор; there is no (other) ~ but... нет друго́го вы́хода, кро́ме...

2. *a* 1) альтернати́вный 2) взаимоисключа́ющий; these two plans are not necessarily ~ э́ти два пла́на отню́дь не исключа́ют друг дру́га 3) переме́нно де́йствующий, переме́нный

alternator ['ɔ:ltəneɪtə] *n эл.* генера́тор переме́нного то́ка

although [ɔ:l'ðəʊ] *cj* хотя́, е́сли бы да́же; несмотря́ на то, что

altigraph ['æltɪgrɑ:f] *n ав.* альтигра́ф, прибо́р, регистри́рующий высоту́

altimeter ['æltɪmi:tə] *n* альтиме́тр, высотоме́р

altitude ['æltɪtju:d] *n* 1) высота́; высота́ над у́ровнем мо́ря; to grab for ~ а) *ав.* стара́ться набра́ть высоту́; б) *разг.* си́льно рассерди́ться, рассвирепе́ть; to lose ~ *ав.* теря́ть высоту́ 2) *pl* высо́кие места́, высо́ты; in those ~s the air is thin на э́тих высо́тах во́здух разрежён 3) (*обыкн. pl*) возвы́шенность; *перен.* высо́кое положе́ние 4) *attr. ав.* высо́тный; ~ control высо́тное управле́ние, высо́тный корре́ктор; руль высоты́; ~ correction попра́вка на высоту́; ~ flight высо́тный полёт; ~ gauge альтиме́тр, высотоме́р

alto ['æltəʊ] *n* (*pl* -os [-əʊz]) 1) контра́льто 2) альт (*голос и струнный инструмент*)

altocumulus [,æltəʊ'kju:mjʊləs] *n метео* высококучевы́е облака́

altogether [,ɔ:ltə'geðə] **1.** *adv* 1) вполне́, всеце́ло, соверше́нно; ~ bad соверше́нно него́дный 2) в о́бщем, в це́лом 3) всего́

2. *n*: the ~ *разг.* обнажённая моде́ль; in the ~ *разг.* в обнажённом ви́де (*о модели художника*)

alto-relievo [,æltəʊrɪ'li:vəʊ] *n* (*pl* -os [-əʊz]) *иск.* горелье́ф

altostratus [,æltəʊ'streɪtəs] *n метео* высокослои́стые облака́

altruism ['æltrʊɪzəm] *n* альтруи́зм

altruist ['æltrʊɪst] *n* альтруи́ст

altruistic [,æltrʊ'ɪstɪk] *a* альтруисти́ческий

alum ['æləm] *n* 1) квасцы́ 2) *attr.*: ~ earth = alumina

alumina [ə'lu:mɪnə] *n* о́кись алюми́ния; глинозём

aluminium [,ælə'mɪnɪəm] *n* алюми́ний

aluminium sulphate [ælə,mɪnɪəm'sʌlfeɪt] *n* сернокислый алюми́ний

aluminous [ə'lu:mɪnəs] *a* глинозёмный; квасцо́вый

aluminum [ə'lu:mɪnəm] *амер.* = aluminium

alumna [ə'lʌmnə] *лат.* (*pl* -nae) *ж. к* alumnus

alumnae [ə'lʌmni:] *pl от* alumna

alumni [ə'lʌmnaɪ] *pl от* alumnus

alumnus [ə'lʌmnəs] *лат. n* (*pl* -ni) бы́вший пито́мец (*школы или университета*)

alveolar [,ælvɪ'əʊlə] *a анат., фон.* альвеоля́рный

alveolate ['ælvɪəʊleɪt] *a* альвеоля́рный, яче́истый

alveoli ['ælvɪəʊlaɪ] *pl от* alveolus

alveolus ['ælvɪəʊləs] *n* (*pl* -li) *анат.* альвео́ла, яче́йка

always ['ɔ:lweɪz] *adv* всегда́, постоя́нно

am [æm (*полная форма*), əm, m (*редуцированные формы*)] *1 л. ед. ч. настоящего времени гл.* to be

amadou ['æmədu:] *n* трут

amain [ə'meɪn] *adv уст., поэт.* 1) бы́стро; сломя́ го́лову 2) с разго́на, по ине́рции 3) си́льно, изо все́х си́л

amalgam [ə'mælgəm] *n* 1) амальга́ма 2) смесь

amalgamate [ə'mælgəmeɪt] *v* 1) соединя́ть(ся); объединя́ть(ся); слива́ться (*об учреждениях, организациях и т. п.*) 2) соединя́ть(ся) со рту́тью; амальгами́ровать

amalgamated [ə'mælgəmeɪtɪd] **1.** *p. p. от* amalgamate

2. *a* соединённый, объединённый; ~ trade union объединённый профсою́з

amalgamation [ə,mælgə'meɪʃn] *n* 1) смеше́ние 2) слия́ние, объедине́ние (*учреждений, организаций и т. п.*) 3) амальгами́рование

amanuenses [ə,mænjʊ'ensi:z] *pl от* amanuensis

amanuensis [ə,mænjʊ'ensɪs] *лат. n* (*pl* -ses) ли́чный секрета́рь, пи́шущий под дикто́вку

amaranth ['æmərænθ] *n* 1) *бот.* щири́ца, амара́нт 2) пу́рпу́рный цвет

amaranthine [,æmə'rænθaɪn] *a* 1) неувяда́ющий 2) пу́рпу́рный

amass [ə'mæs] *v* собира́ть; накопля́ть, копи́ть

amateur ['æmətə] *n* 1) любитель, дилетант 2) спортсмен-любитель 3) *attr.* любительский; ~ theatricals любительские спектакли; ~ talent groups художественная самодеятельность

amateurish ['æmətərɪʃ] *a* 1) непрофессиональный, дилетантский 2) неумелый; an ~ attempt неловкая попытка

amateurism ['æmətərɪzəm] *n* дилетантство

amatol ['æmətɒl] *n* аматол (*взрывчатое вещество*)

amatory ['æmətərɪ] *a* 1) любовный 2) любящий

amaze [ə'meɪz] **1.** *v* изумлять, поражать

2. *n поэт. см.* amazement

amazement [ə'meɪzmənt] *n* изумление, удивление

amazing [ə'meɪzɪŋ] **1.** *pres. p. от* amaze 1

2. *a* удивительный, изумительный, поразительный

Amazon ['æməzən] *n* 1) *греч. миф.* амазонка 2) (a.) мужеподобная женщина

ambages [æm'beɪdʒi:z] *n pl книжн.* 1) обиняки, околичности 2) оттяжки, проволочки

ambassador [æm'bæsədə] *n* 1) посол; ~ extraordinary and plenipotentiary чрезвычайный и полномочный посол 2) посланец, вестник; представитель; to act as smb.'s ~ представлять кого-л.; he acted as director's ~ at the negotiations на переговорах он представлял директора

ambassador-at-large [æm'bæsədəət-lɑ:dʒ] *n* посол по особым поручениям

ambassadorial [æm,bæsə'dɔ:rɪəl] *a* посольский

ambassadress [æm'bæsədrəs] *n* 1) женщина-посол 2) жена посла 3) посланница, вестница; представительница

amber ['æmbə] *n* 1) янтарь; окаменелая смола 2) янтарный, жёлтый цвет 3) жёлтый сигнал светофора 4) *attr.* янтарный; жёлтый (*о сигнале уличного движения*)

ambergris ['æmbəgri:s] *n* серая амбра

ambidext(e)rous [,æmbɪ'dekstrəs] *a* владеющий одинаково свободно обеими руками

ambience ['æmbɪəns] *n* окружение

ambient ['æmbɪənt] *a* окружающий, обтекающий

ambiguity [,æmbɪ'gju:ətɪ] *n* 1) двусмысленность 2) неопределённость, неясность

ambiguous [æm'bɪgjʊəs] *a* 1) двусмысленный 2) сомнительный; неопределённый, неясный

ambisonics [,æmbɪ'sɒnɪks] *n pl* (*употр. как sing*) высококлассная воспроизводящая аппаратура

ambit ['æmbɪt] *n* 1) границы; within the ~ of в пределах 2) сфера 3) окружение, окрестность

ambition [æm'bɪʃn] *n* 1) честолюбие, амбиция 2) стремление, цель, предмет желаний; it is his ~ to become a writer его мечта — стать писателем

ambitious [æm'bɪʃəs] *a* 1) честолюбивый 2) стремящийся, жаждущий (of); ~ of power властолюбивый 3) претенциозный

ambivalent [æm'bɪvələnt] *a* 1) противоположный, противоречивый (*о чувстве и т. п.*)

amble ['æmbl] **1.** *n* 1) лёгкая походка, лёгкий шаг 2) иноходь

2. *v* 1) идти лёгким шагом 2) идти иноходью 3) ехать на иноходце

ambler ['æmblə] *n* иноходец

ambrosia [æm'brəʊzɪə] *n* 1) *греч. миф.* амброзия; *перен. тж.* пища богов 2) перга

ambulance ['æmbjələns] *n* 1) средство санитарного транспорта; машина скорой помощи, скорая помощь 2) полевой госпиталь 3) *attr.* санитарный; ~ airplane санитарный самолёт; ~ airdrome *амер.* эвакуационный аэродром; ~ box походная аптечка; ~ car машина скорой помощи; ~ train санитарный поезд; ~ transport *мор.* санитарный транспорт

ambulance-chaser [,æmbjələns'tʃeɪsə] *n амер. разг.* юрист, навязывающий дела лицам, пострадавшим от уличного *или* железнодорожного транспорта

ambulant ['æmbjələnt] *a* 1) амбулаторный (*о больном*) 2) не требующий постельного режима (*о болезни*) 3) перемещающийся (*о боли*); блуждающий (*о болезни*)

ambulatory [,æmbju'leɪtərɪ] **1.** *a* 1) амбулаторный, ходячий (*о больном*) 2) приспособленный, удобный для ходьбы 3) передвижной; временный; ~ court выездной суд

2. *n* галерея для прогулок; крытая внутренняя галерея монастыря

ambuscade [,æmbə'skeɪd] = ambush

ambush ['æmbʊʃ] **1.** *n* засада; to make (*или* to lay) an ~ устраивать засаду; to lie in ~ сидеть в засаде

2. *v* 1) находиться, сидеть в засаде 2) устраивать засаду 3) нападать из засады

ameer [ə'mɪə] *n* эмир

ameliorate [ə'mi:lɪəreɪt] *v* улучшать(ся)

amelioration [ə,mi:lɪə'reɪʃn] *n* 1) улучшение 2) мелиорация

ameliorative [ə'mi:lɪərətɪv] *a* 1) улучшающий(ся) 2) мелиоративный

amen [,ɑ:'men] *int* аминь!; да будет так!; to say ~ to smth. соглашаться с чем-л.; одобрять что-л.

amenability [ə,mi:nə'bɪlətɪ] *n* 1) ответственность; подсудность 2) податливость 3) подверженность (*заболеваниям*)

amenable [ə'mi:nəbl] *a* 1) послушный, сговорчивый; податливый; ~ to discipline подчиняющийся дисциплине 2) ответственный; подсудный; ~ to law ответственный перед законом 3) поддающийся; ~ to flattery падкий на лесть; ~ to persuasion поддающийся убеждению 4) подверженный (*заболеваниям*)

amend [ə'mend] *v* 1) улучшать, исправлять 2) вносить поправки (*в законопроект, предложение и т. п.*)

amendable [ə'mendəbl] *a* исправимый

amendment [ə'mendmənt] *n* 1) поправка (*к резолюции, законопроекту*); to move an ~ внести поправку (*в резолюцию и т. п.*) 2) исправление, поправка

amends [ə'mendz] *n pl* (*употр. как sing*) компенсация, возмещение; to make ~ to smb. for smth. предоставить кому-л. компенсацию за что-л., возмещать кому-л. убытки

amenity [ə'mi:nətɪ] *n* 1) приятность; мягкость; любезность; вежливое обхождение 2) *pl* всё, что способствует хорошему настроению, отдыху *и т. п.*; the amenities of the famous resort благоприятные условия для отдыха на знаменитом курорте; amenities of home life прелести семейной жизни 3) *pl* удобства

amenta [ə'mentə] *pl от* amentum

amentia [eɪ'menʃə] *n* слабоумие

amentum [ə'mentəm] *лат. n* (*pl* -ta) = catkin

amerce [ə'mɜ:s] *v уст.* 1) штрафовать 2) наказывать (with — *чем-л.*)

amercement [ə'mɜ:smənt] *n уст.* 1) наложение штрафа (*особ. по усмотрению штрафующего*) 2) денежный штраф 3) наказание

American [ə'merɪkən] **1.** *a* американский

2. *n* американец; американка ◇ all ~ *ирон.* стопроцентный американец, американец с головы до ног

Americana [ə,merɪ'kɑ:nə] *n pl* американские реалии, американские издания, документы *и т. п.*

Americanism [ə'merɪkənɪzəm] *n* американизм

Americanize [ə'merɪkənaɪz] *v* 1) американизировать 2) давать гражданство США 3) употреблять американизмы

Amerindian [,æmə'rɪndɪən] **1.** *n* америнд, американский индеец

2. *a* американо-индейский

amethyst ['æməθɪst] *n* аметист

amethystine [,æmə'θɪstaɪn] *a* аметистовый

amiability [,eɪmɪə'bɪlətɪ] *n* 1) дружелюбие; любезность 2) добродушие

amiable ['eɪmɪəbl] *a* 1) дружелюбный; любезный 2) добродушный

amianthus [,æmɪ'ænθəs] *n мин.* волокнистый асбест, горный лён

amicable ['æmɪkəbl] *a* 1) дружеский, дружелюбный 2) полюбовный, мирный

amice ['æmɪs] *n церк.* нарамник, омофор

amid [ə'mɪd] *prep* среди, посреди, между; ~ cries of welcome среди приветственных возгласов

amide ['æmaɪd] *n хим.* ами́д

amidol ['æmɪdɒl] *n хим., фото* амидо́л

amidships [ə'mɪdʃɪps] *adv* 1) *мор.* посреди́не корабля́ 2) *ав.* у ми́деля

amidst [ə'mɪdst] = amid

amildar ['æməldɑ:] *инд. n* податно́й инспе́ктор

amine ['æmaɪn] *n хим.* ами́н

amino acid [ə,mi:nəʊ'æsɪd] *n хим.* аминокислота́

amir [ə'mɪə] = ameer

amiss [ə'mɪs] **1.** *a predic.* 1) плохо́й; непра́вильный, неве́рный; not ~ неду́рно; there is something ~ with him с ним что́-то нела́дно; what's ~? в чём де́ло? 2) несвоевре́менный

2. *adv* 1) пло́хо; непра́вильно, неве́рно; нела́дно; to do (*или* to deal) ~ ошиба́ться; поступа́ть ду́рно; to take ~ непра́вильно истолко́вывать; обижа́ться 2) некста́ти; несвоевре́менно; to come ~ а) прийти́ не во́время, некста́ти; б) не получи́ться ◇ nothing comes ~ to him *разг.* ему́ всё сгоди́тся, он со всем спра́вится

amity ['æmətɪ] *n* дру́жеские *или* ми́рные отноше́ния

ammeter ['æmi:tə] *n эл.* ампермéтр

ammo ['æməʊ] *n воен. жарг.* боеприпа́сы

ammonal ['æmənəl] *n* аммона́л

ammonia [ə'məʊnɪə] *n* 1) *хим.* аммиа́к; liquid ~ жи́дкий аммиа́к 2) *разг.* нашаты́рный спирт

ammoniac [ə'məʊnɪæk] *a хим.* аммиа́чный

ammonite ['æmənaɪt] *n геол.* аммони́т

ammonium [ə'məʊnɪəm] *n хим.* 1) аммо́ний 2) *attr.*: ~ chloride нашаты́рный спирт, хло́ристый аммо́ний

ammunition [,æmjʊ'nɪʃn] **1.** *n* 1) боеприпа́сы; снаря́ды, патро́ны; подрывны́е сре́дства; *мор.* боезапа́с 2) *attr.* артиллери́йский, снаря́дный; ~ belt патро́нная ле́нта, патронта́ш; ~ box а) патро́нный я́щик; б) коро́бка для патро́нной ле́нты; в) ни́ша для боеприпа́сов (*в окопе и т. п.*); ~ depot (*или* establishment) артиллери́йский склад, склад боеприпа́сов; ~ factory снаря́дный, патро́нный заво́д; ~ hoist *мор.* элева́тор, подъёмник для снаря́дов

2. *v* снабжа́ть боеприпа́сами

amnesia [æm'ni:zɪə] *n мед.* поте́ря па́мяти, амнези́я

amnesty ['æmnəstɪ] **1.** *n* амни́стия

2. *v* амнисти́ровать

amoeba [ə'mi:bə] *n* (*pl* -ae, -as) *зоол.* амёба

amoebae [ə'mi:bi:] *pl от* amoeba

amok [ə'mɒk] = amuck

among [ə'mʌŋ] *prep* 1) посреди́, среди́, ме́жду; a village ~ the hills дере́вня в гора́х; they quarrelled ~ themselves они́ пересо́рились 2) из числа́, в числе́; I rate him ~ my friends я счита́ю его́ свои́м дру́гом; he is numbered ~ the dead его́ счита́ют уби́тым 3) из; one ~ a thousand оди́н из ты́сячи 4) у, среди́; ~ the ancient Greek у дре́вних гре́ков

amongst [ə'mʌŋst] *книжн.* = among

amoral [,eɪ'mɒrəl] *a* амора́льный

amorist ['æmərɪst] *n* иска́тель любо́вных приключе́ний *или* а́втор любо́вных рома́нов

amorous ['æmərəs] *a* 1) влю́бчивый 2) влюблённый (of) 3) любо́вный; аму́рный; she gave him an ~ look она́ посмотре́ла на него́ влюблённо; ~ songs пе́сни о любви́

amorousness ['æmərəsnəs] *n* 1) влю́бчивость 2) влюблённость

amorphous [ə'mɔ:fəs] *a* 1) бесфо́рменный, амо́рфный 2) некристалли́ческий

amortization [ə,mɔ:taɪ'zeɪʃn] *n* 1) *юр.* погаше́ние (до́лга); амортиза́ция 2) *юр.* отчужде́ние недви́жимости 3) *тех.* амортиза́ция

amortize [ə'mɔ:taɪz] *v* 1) *юр.* погаша́ть (долг); амортизи́ровать 2) *юр.* отчужда́ть недви́жимость 3) *тех.* амортизи́ровать

amount [ə'maʊnt] **1.** *n* 1) коли́чество; a large ~ of work мно́го рабо́ты 2) су́мма, ито́г; what is the ~ of this? ско́лько э́то составля́ет? 3) значи́тельность, ва́жность

2. *v* 1) доходи́ть (*до какого-л. количества*), составля́ть (*сумму*); равня́ться; the bill ~s to £40 счёт составля́ет су́мму в 40 фу́нтов сте́рлингов 2) быть ра́вным, равнозна́чащим; this ~s to a refusal э́то равноси́льно отка́зу; to ~ to very little, not to ~ to much быть незначи́тельным, не име́ть большо́го значе́ния; what, after all, does it ~ to? что, в конце́ концо́в, э́то означа́ет?

amour [ə'mʊə] *n* любо́вь; любо́вная связь, интри́га

amour propre [,æmʊə'prɒprə] *фр. n* самолю́бие; чу́вство со́бственного досто́инства

amperage ['æmpərɪdʒ] *n эл.* си́ла то́ка (в ампе́рах)

ampere ['æmpeə] *n физ.* ампе́р

amperemeter ['æmpə,mi:tə] *n* ампермéтр

ampere turn ['æmpə,tɜ:n] *n* ампе́р-вито́к

ampersand ['æmpəsænd] *n* знак & (= and)

amphetamine [æm'fetəmi:n] *n мед.* амфетами́н (*возбуждающее средство*)

Amphibia [æm'fɪbɪə] *n pl зоол.* амфи́бии, земново́дные

amphibian [æm'fɪbɪən] **1.** *a* 1) земново́дный 2): ~ tank пла́вающий танк

2. *n* 1) *зоол.* амфи́бия 2) *ав.* самолёт-амфи́бия 3) *воен.* танк-амфи́бия

amphibious [æm'fɪbɪəs] *a* 1) земново́дный 2) *воен.* деса́нтный; ~ operation (комбини́рованная) деса́нтная опера́ция

amphibology [,æmfɪ'bɒlədʒɪ] *n* двусмы́сленное выраже́ние

amphitheatre ['æmfɪ,θɪətə] *n* амфитеа́тр

amphora ['æmfərə] *n* (*pl* -ae) а́мфора

amphorae ['æmfəri:] *pl от* amphora

ample ['æmpl] *a* 1) оби́льный 2) доста́точный; will that be ~ for your needs? э́того вам бу́дет доста́точно? 3) *книжн.* просто́рный; обши́рный 4) простра́нный

amplification [,æmplɪfɪ'keɪʃn] *n* 1) увеличе́ние; расшире́ние; the subject requires ~ вопро́с тре́бует разрабо́тки 2) разви́тие, разрабо́тка 3) преувеличе́ние 4) *эл., радио* усиле́ние 5) *attr.*: ~ factor *радио* коэффицие́нт усиле́ния

amplifier ['æmplɪfaɪə] *n* 1) *эл., радио* усили́тель 2) ли́нза позади́ объекти́ва микроско́па

amplify ['æmplɪfaɪ] *v* 1) расширя́ть(ся) 2) развива́ть (*мысль*) 3) вдава́ться в подро́бности, распространя́ться; to ~ on smth. распространя́ться о чём-л. 4) преувели́чивать 5) *радио* уси́ливать

amplitude ['æmplɪtju:d] *n* 1) *физ., астр.* амплиту́да 2) широта́, разма́х (*мысли*) 3) полнота́; оби́лие 4) широта́, просто́р 5) да́льность де́йствия, ра́диус де́йствия

amplitude modulation [,æmplɪtju:d-mɒdjʊ'leɪʃn] *n радио* амплиту́дная модуля́ция

amply ['æmplɪ] *adv* 1) оби́льно; по́лно, доста́точно 2) простра́нно

ampoule, ampule ['æmpu:l, 'æmpju:l] *n* а́мпула

amputate ['æmpjʊteɪt] *v* отнима́ть, ампути́ровать

amputation [,æmpjʊ'teɪʃn] *n* ампута́ция

amputee [,æmpjʊ'ti:] *n* челове́к с ампути́рованной ного́й *или* руко́й

amuck [ə'mʌk] *adv*: to run ~ а) обезу́меть; быть вне себя́, неи́стовствовать; б) в я́рости набра́сываться на вся́кого встре́чного

amulet ['æmjʊlɪt] *n* амуле́т

amuse [ə'mju:z] *v* забавля́ть; развлека́ть; you ~ me вы меня́ смеши́те; to ~ oneself корота́ть вре́мя, занима́ться (*чем-л.*); the children ~d themselves by drawing pictures де́ти занима́лись рисова́нием

amusement [ə'mju:zmənt] *n* 1) развлече́ние, удово́льствие, заба́ва, весе́лье; to find ~ in smth. находи́ть удово́льствие в чём-л. 2) времяпрепровожде́ние 3) *attr.*: ~ park парк с аттракцио́нами

amusing [ə'mju:zɪŋ] **1.** *pres. p. от* amuse

2. *a* заба́вный, смешно́й; занима́тельный, заня́тный

amyloid ['æmɪlɔɪd] **1.** *n* амило́ид

2. *a* крахма́листый, крахма́льный

an I [æn (*полная форма*); ən, n (*редуцированная форма*)] *грам. неопределённый артикль см.* a II

an II [æn] *cj уст.* е́сли

ana ['ɑ:nə] *n* 1) *употр. как pl* анекдо́ты, расска́зы о како́м-л. лице́ 2) сборник воспоминаний, высказываний, изречений

Anabaptist [,ænə'bæptɪst] *n* анабаптист

anabolic [,ænə'bɒlɪk] *a биол.* анаболический, ассимиляционный; ~ steroid анаболические стероиды

anabolism [ə'næbəlɪzəm] *n биол.* анаболизм, процесс ассимиляции

anabranch ['ænəbrɑ:ntʃ] *n* проток реки, возвращающийся в её же русло

anachronism [ə'nækrənɪzəm] *n* анахронизм

anachronistik [ə,nækrə'nɪstɪk] *a* анахроничный, анахронический

anaconda [,ænə'kɒndə] *n* 1) анаконда (*змея*) 2) (крупный) удав

anacreontic [ə,nækrɪ'ɒntɪk] *a лит.* анакреонтический

anadromous [ə'nædrəməs] *a* анадромный, проходной (*о рыбах*)

anaemia [ə'ni:mɪə] *n мед.* анемия, малокровие

anaemic [ə'ni:mɪk] *a* 1) *мед.* анемичный, малокровный 2) бледный, слабый, безжизненный

anaerobe ['ænərəʊb] *n биол.* анаэроб

anaesthesia [,ænəs'θi:zɪə] *n* анестезия, обезболивание

anaesthetic [,ænəs'θetɪk] **1.** *a* анестезирующий, обезболивающий

2. *n* анестезирующее, обезболивающее средство

anaesthetist [ə'ni:sθətɪst] *n* анестезиолог

anaesthetize [æ'ni:sθətaɪz] *v* анестезировать, обезболивать

anagram ['ænəgræm] *n* анаграмма

anagrammatic [,ænəgrə'mætɪk] *a* анаграмматический

anal ['eɪnl] *a анат.* заднепроходный

analects ['ænəlekts] *n pl* литературный сборник

analgesia [,ænl'dʒi:zɪə] *n* анальгезия (*отсутствие болевой чувствительности*)

analgesic [,ænl'dʒi:zɪk] **1.** *a* болеутоляющий

2. *n* болеутоляющее средство

analogical [,ænə'lɒdʒɪkl] *a редк.* 1) аналогический, основанный на аналогии 2) фигуральный, метонимический

analogous [ə'næləgəs] *a* аналогичный; сходный

analogue ['ænəlɒg] *n* 1) аналог 2) моделирующее устройство *или* система

analogy [ə'nælədʒɪ] *n* аналогия, сходство; by ~ with, on the ~ of по аналогии с

analyse ['ænəlaɪz] *v* 1) анализировать 2) *хим.* разлагать 3) *грам.* разбирать (*предложение*)

analyses [ə'næləsi:z] *pl от* analysis

analysis [ə'næləsɪs] *n* (*pl* -ses) 1) анализ 2) *хим.* разложение 3) *грам.* разбор; sentence ~ синтаксический разбор 4) психоанализ ◇ in the last (*или* final) ~ в конечном счёте

analyst ['ænəlɪst] *n* 1) аналитик 2) лаборант-химик 3) специалист по психоанализу; психиатр, пользующийся методом психоанализа 4) комментатор

analytic(al) [,ænə'lɪtɪk(l)] *a* аналитический

analytics [,ænə'lɪtɪks] *n pl* (*употр. как sing*) 1) использование метода анализа 2) аналитика

anamnesis [,ænæm'ni:sɪs] *n* 1) припоминание 2) *мед.* анамнез

anamorphosis [,ænə'mɔ:fəsɪs] *n* 1) искажённое изображение предмета 2) изменение формы путём эволюции, анаморфоз

ananas [ə'nɑ:nəs] *n амер.* ананас

anapaest ['ænəpi:st] *n лит.* анапест

anaphora [ə'næfərə] *n ритор., стил.* анафора

anaphylaxes [,ænəfɪ'læksi:z] *pl от* anaphylaxis

anaphylaxis [,ænəfɪ'læksɪs] *n* (*pl* -xes) *мед.* анафилаксия

anaplasty ['ænəplæstɪ] *n мед.* пластическая хирургия

anarchic(al) [æ'nɑ:kɪk(l)] *a* анархический

anarchism ['ænəkɪzəm] *n* анархизм

anarchist ['ænəkɪst] *n* анархист

anarchy ['ænəkɪ] *n* анархия

anastomoses [ə'næstəməʊsi:z] *pl от* anastomosis

anastomosis [ə'næstəməʊsɪs] *n* (*pl* -ses) *анат., бот.* анастомоз

anathema [ə'næθəmə] *n* 1) анафема, отлучение от церкви 2) проклятие

anathematize [ə'næθəmətaɪz] *v* 1) предавать анафеме 2) проклинать

anatomic [,ænə'tɒmɪk] = anatomical

anatomical [,ænə'tɒmɪkl] *a* анатомический

anatomist [ə'nætəmɪst] *n* 1) анатом 2) исследователь, аналитик

anatomize [ə'nætəmaɪz] *v* 1) анализировать; подвергать тщательному разбору 2) анатомировать

anatomy [ə'nætəmɪ] *n* 1) анатомия 2) *разг.* скелет, «кожа да кости» 3) анализ, тщательный разбор 4) анатомирование

ancestor ['ænsestə] *n* 1) предок, прародитель 2) *юр.* предшествующий владелец

ancestral [æn'sestrəl] *a* наследственный, родовой

ancestry ['ænsestrɪ] *n* 1) происхождение; родословная 2) предки

anchor ['æŋkə] **1.** *n* 1) якорь; at ~ на якоре; to be (*или* to lie, to ride) at ~ стоять на якоре; to cast (*или* to drop) ~ бросить якорь; to come to (an) ~ а) бросить якорь, стать на якорь; б) остепениться, найти тихую пристань; to let go the ~ отдать якорь; to weigh ~ а) сниматься с якоря; б) возобновлять прерванную работу; the ~ comes home а) якорь не держит, судно дрейфует; б) предприятие терпит неудачу 2) якорь спасения, символ надежды; one's sheet ~ верное прибежище, главная надежда 3) *тех.* железная связь, анкер 4) *attr.*: ~ ice донный лёд ◇ to lay an ~ to windward принимать необходимые меры предосторожности

2. *v* 1) ставить на якорь 2) бросить якорь, стать на якорь 3) скреплять, закреплять; to ~ a tent to the ground закрепить палатку 4) осесть, обосноваться ◇ to ~ one's hope (in, on) возлагать надежды (на)

anchorage ['æŋkərɪdʒ] *n* 1) якорная стоянка 2) стоянка на якоре 3) опора, якорь спасения; нечто надёжное 4) *мор.* якорный сбор 5) *тех.* закрепление, жёсткая заделка

anchored ['æŋkəd] **1.** *p. p. от* anchor 2

2. *a* 1) стоящий на якоре 2) верный, надёжный

anchoress ['æŋkərɪs] *n* отшельница, затворница

anchoret, anchorite ['æŋkərət, -raɪt] *n* затворник, отшельник, анахорет

anchorman ['æŋkəmæn] *n* 1) *радио, тлв* ведущий программу 2) *спорт.* сильнейший бегун в команде, который бежит на последнем этапе в эстафете

anchovy ['æntʃəvɪ] *n* анчоус, хамса (*рыба*)

anchylosis [,æŋkɪ'ləʊsɪs] = ankylosis

ancient ['eɪnʃənt] **1.** *a* 1) древний; старинный, старый; ~ monuments памятники старины 2) античный; ~ literature античная литература

2. *n* 1) (the ~s) *pl* а) древние народы; б) античные писатели 2) *уст.* старец, старейшина

ancillary [æn'sɪlərɪ] *a* 1) подсобный, вспомогательный; ~ industries вспомогательные отрасли промышленности 2) подчинённый

and [ænd (*полная форма*; ənd, ən, nd, n (*редуцированные формы*)] *cj* 1) *соединительный союз* и; boys ~ girls мальчики и девочки 2) *в сложных словах*: four ~ twenty двадцать четыре; a hundred ~ twenty сто двадцать; give-and-take policy политика взаимных уступок 3) *противительный союз* а, но; I shall go ~ you stay here я пойду, а ты оставайся здесь; there are books ~ books есть книги и книги 4) *присоединяет инфинитив к сказуемому*: try ~ do it постарайтесь это сделать; come ~ see приходите посмотреть; wait ~ see поживём — увидим ◇ for miles ~ miles бесконечно; очень далеко; for hours ~ hours часами, очень долго; ~ yet и всё же

andante [æn'dæntɪ] *adv, n муз.* анданте

andiron ['ændaɪən] *n* железная подставка для дров в камине

androgyne [æn'drɒdʒaɪn] *n* гермафродит

androgynous [æn'drɒdʒənəs] *a* 1) гермафродитный, двуполый 2) соединяющий в себе противоположные свойства

anecdotal [ˌænɪk'dəʊtl] *a* 1) анекдоти́чный 2) изоби́лующий анекдо́тами

anecdote ['ænɪkdəʊt] *n* 1) коро́ткий расска́з; эпизо́д 2) анекдо́т 3) *pl* подро́бности ча́стной жи́зни (*обыкн. какого-л. исторического лица*)

anecdotic [ˌænɪk'dɒtɪk] *a* 1) анекдоти́чный 2) невероя́тный, неправдоподо́бный

anemograph [ə'neməgrɑ:f] *n метео* анемо́граф, самопи́шущий ветроме́р

anemometer [ˌænɪ'mɒmɪtə] *n метео* анемо́метр

anemone [ə'nemənɪ] *n бот.* анемо́н, ве́треница

anemoscope [ə'neməskəʊp] *n метео* анемоско́п

aneroid ['ænərɔɪd] *n* баро́метр-анеро́ид

anesthesia [ˌænəs'θi:zɪə] *амер.* = anaesthesia

anesthetic [ˌænəs'θetɪk] *амер.* = anaesthetic

aneurism, aneurysm ['ænjərɪzəm] *n мед.* аневри́зм(а)

anew [ə'nju:] *adv* 1) сно́ва 2) за́ново; по-но́вому

anfractuous [æn'fræktjʊəs] *a* 1) изви́листый; криво́й; спира́льный 2) запу́танный, сло́жный

angary ['æŋgərɪ] *n* пра́во вою́ющей стороны́ на захва́т, испо́льзование *или* разруше́ние (с компенса́цией) иму́щества нейтра́льного госуда́рства

angel ['eɪndʒəl] **1.** *n* 1) а́нгел 2) *ист.* золота́я моне́та 3) *sl.* театра́льный мецена́т 4) *sl.* лицо́, ока́зывающее кому́-л. фина́нсовую *или* полити́ческую подде́ржку ◇ to rush in where ~s fear to tread глу́по и самонаде́янно пуска́ться в риско́ванное предприя́тие

2. *v sl.* подде́рживать (*какое-л. предприятие*)

angel-dust [ˌeɪndʒəl'dʌst] *n амер. разг.* «а́нгельская пыль» (*опасный наркотик*)

angelic [æn'dʒelɪk] *a* а́нгельский ◇ ~ patience долготерпе́ние, а́нгельское терпе́ние

angelica [æn'dʒelɪkə] *n бот.* ду́дник, дя́гиль

anger ['æŋgə] **1.** *n* гнев; раздраже́ние ◇ ~ is a short madness *посл.* гнев — недо́лгое безу́мие

2. *v* вызыва́ть гнев; серди́ть, раздража́ть

Angevin ['ændʒəvɪn] *n ист.* анжу́йский

angina [æn'dʒaɪnə] *n* 1) анги́на 2) = angina pectoris

angina pectoris [æn,dʒaɪnə'pektərɪs] *n* грудна́я жа́ба

angle I ['æŋgl] **1.** *n* 1) у́гол; ~ of bank *ав.* у́гол кре́на; ~ of dip у́гол магни́тного отклоне́ния, магни́тная широта́; ~ of dive *ав.* у́гол пики́рования; ~ of drift *ав.* у́гол сно́са; ~ of roll *ав.*, *мор.* у́гол кре́на; ~ of sight *воен.* у́гол прице́ливания; ~ of slope у́гол отко́са, у́гол накло́на; ~ of view у́гол изображе́ния; ~ of lag у́гол отстава́ния; у́гол запа́здывания, у́гол замедле́ния; solid ~ простра́нственный у́гол 2) то́чка зре́ния; to look at the question from all ~s рассма́тривать вопро́с со всех то́чек зре́ния; to get (*или* to use) a new ~ on smth. *разг.* усво́ить но́вую то́чку зре́ния на что-л. 3) сторона́ (*вопроса, дела и т. п.*) 4) угольни́к 5) *attr.* углово́й; ~ bar (*или* iron) углова́я сталь; ~ brace углова́я связь; ~ bracket консо́ль; кронште́йн из уголка́

2. *v* искажа́ть (*рассказ, события*)

angle II ['æŋgl] **1.** *n* рыболо́вный крючо́к

2. *v* уди́ть ры́бу; *перен.* заки́дывать у́дочку ◇ to ~ for a compliment напра́шиваться на комплиме́нт

angler ['æŋglə] *n* 1) рыбо́лов 2) *зоол.* морско́й чёрт

angleworm ['æŋglwɜ:m] *n* червя́к, наса́живаемый на рыболо́вный крючо́к как прима́нка

Anglican ['æŋglɪkən] **1.** *a* 1) англика́нский 2) *амер.* англи́йский

2. *n* лицо́ англика́нского вероиспове́дания

Anglicism ['æŋglɪsɪzəm] *n* 1) англици́зм 2) англи́йский обы́чай, англи́йская привы́чка *и т. п.*

Anglicist ['æŋglɪsɪst] *n* англи́ст

Anglicize ['æŋglɪsaɪz] *v* англизи́ровать

Anglistics [æŋ'glɪstɪks] *n pl* (*употр. как sing*) англи́стика

Anglomania [ˌæŋgləʊ'meɪnɪə] *n* англома́ния

Anglophobia [ˌæŋgləʊ'fəʊbɪə] *n* англофо́бия

Anglo-Saxon [ˌæŋgləʊ'sæksn] **1.** *a* англосаксо́нский; ~ alphabet а́збука из 23 букв (*без* j, q, w, *существовавшая в Англии до середины XVII в.*)

2. *n* 1) англоса́кс 2) англосаксо́нский, древнеангли́йский язы́к

angora [æŋ'gɔ:rə] *n* 1) ткань из ше́рсти анго́рской козы́ 2) анго́рская ко́шка (*тж.* ~ cat) 3) анго́рская коза́ (*тж.* ~ goat)

angrily ['æŋgrɪlɪ] *adv* гне́вно, серди́то

angry ['æŋgrɪ] *a* 1) серди́тый, раздражённый; разгне́ванный; to be ~ with smb. серди́ться на кого́-л.; to get ~ at smth. рассерди́ться из-за чего́-л.; to make smb. ~ рассерди́ть кого́-л. 2) воспалённый, боле́зненный (*о ране, язве и т. п.*) 3) злове́щий, гро́зный

angst [æŋst] *нем. n* страх, беспоко́йство

Ångström unit ['æŋstrəm,ju:nɪt] *n физ.* а́нгстрем

anguine ['æŋgwɪn] *a* змееви́дный

anguish ['æŋgwɪʃ] **1.** *n* му́ка, боль; ~ of body and mind физи́ческие и душе́вные страда́ния

2. *v* испы́тывать о́струю тоску́

angular ['æŋgjʊlə] *a* 1) уго́льный, углово́й; ~ point верши́на угла́; ~ motion углово́е движе́ние; ~ velocity углова́я ско́рость 2) худо́й, костля́вый 3) углова́тый, нело́вкий

angularity [ˌæŋgjʊ'lærətɪ] *n* 1) углова́тость 2) худоба́, костля́вость

anhydride [æn'haɪdraɪd] *n хим.* ангидри́д

anhydrite [æn'haɪdraɪt] *n мин.* ангидри́т

anhydrous [æn'haɪdrəs] *a хим.* безво́дный

anil ['ænɪl] *n* инди́го (*растение и краска*)

anile ['eɪnaɪl] *a* 1) стару́шечий 2) слабоу́мный

aniline ['ænəlɪn] *n хим.* 1) анили́н 2) *attr.* анили́новый; ~ dye анили́новый краси́тель

anility [æ'nɪlətɪ] *n* 1) ста́рость, дря́хлость 2) ста́рческое слабоу́мие

animadversion [ˌænɪmæd'vɜ:ʃn] *n* порица́ние, кри́тика

animadvert [ˌænɪmæd'vɜ:t] *v* критикова́ть, порица́ть (on, upon)

animal ['ænɪml] **1.** *n* 1) живо́тное 2) *разг.* скоти́на

2. *a* живо́тный; ско́тский; ~ bones костяна́я мука́ (*удобрение*); ~ breeding (*или* husbandry) *амер.* животново́дство ◇ ~ spirits жизнера́достность, бо́дрость

animalcule [ænɪ'mælkju:l] *n уст.* микроскопи́ческое живо́тное

animalism ['ænɪməlɪzəm] *n* 1) *филос.* анимали́зм 2) чу́вственность

animate 1. *a* ['ænɪmət] 1) живо́й 2) оживлённый; воодушевлённый

2. *v* ['ænɪmeɪt] 1) оживи́ть, вдохну́ть жизнь 2) оживля́ть; воодушевля́ть; вдохновля́ть

animated ['ænɪmeɪtɪd] **1.** *p. p. от* animate 2

2. *a* 1) оживлённый; воодушевлённый; an ~ discussion оживлённая диску́ссия 2) мультипликацио́нный; ~ cartoon мультипликáция

animation [ˌænɪ'meɪʃn] *n* 1) воодушевле́ние; жи́вость; оживле́ние 2) мультипликáция

animism ['ænɪmɪzəm] *n филос.* аними́зм

animosity [ˌænɪ'mɒsətɪ] *n* вражде́бность, зло́ба

animus ['ænɪməs] *n* предубежде́ние; вражде́бность

anise ['ænɪs] *n* ани́с (*растение*)

aniseed ['ænɪsi:d] *n* ани́с (*семя; семена*)

anker ['æŋkə] *n* а́нкер (*мера жидкости*)

ankle ['æŋkl] *n* лоды́жка

anklet ['æŋklət] *n* ножно́й брасле́т

ankylosis [ˌænkɪ'ləʊsɪs] *n мед.* анкило́з, неподви́жность суста́ва

anna ['ænə] *n ист.* а́нна (*индийская монета = 1/16 рупии*)

annalist ['ænəlɪst] *n* 1) историо́граф 2) летопи́сец

annals ['ænlz] *n pl* анна́лы, ле́тописи

anneal [ə'ni:l] *v* 1) *тех.* отжига́ть; прока́ливать 2) обжига́ть (*стекло, керамические изделия*)

annealing [ə'ni:lɪŋ] **1.** *pres. p. от* anneal
2. *n тех.* о́тжиг
annelid [ə'nelɪd] *n зоол.* ко́льчатый червь
annex 1. *n* ['æneks] 1) пристро́йка, крыло́, фли́гель 2) прибавле́ние, приложе́ние, дополне́ние
2. *v* [ə'neks] 1) присоединя́ть 2) прилага́ть; де́лать приложе́ние (*к книге и т. п.*) 3) аннекси́ровать, захва́тывать
annexation [,ænek'seɪʃn] *n* присоедине́ние; анне́ксия
annexe ['æneks] = annex 1
annihilate [ə'naɪəleɪt] *v* 1) уничтожа́ть, истребля́ть 2) отменя́ть; упраздня́ть
annihilation [ə,naɪə'leɪʃn] *n* 1) уничтоже́ние, истребле́ние 2) отме́на; упраздне́ние
anniversary [,ænɪ'vɜ:sərɪ] **1.** *n* годовщи́на, юбиле́й
2. *a* ежего́дный; годово́й
Anno Domini [,ænəʊ'dɒmɪnaɪ] *лат.* **1.** *adv* христиа́нской э́ры, но́вой э́ры; AD 1558 1558 год на́шей э́ры
2. *n разг.* ста́рость; ~ is the trouble ста́рость — вот беда́
annotate ['ænəʊteɪt] *v* 1) аннoти́ровать 2) снабжа́ть примеча́ниями
annotation [,ænəʊ'teɪʃn] *n* 1) аннота́ция 2) аннoти́рование 3) примеча́ние
announce [ə'naʊns] *v* 1) объявля́ть, дава́ть знать; заявля́ть; извеща́ть 2) публикова́ть 3) докла́дывать (*о прибытии посетителей, гостей*)
announcement [ə'naʊnsmənt] *n* объявле́ние, сообще́ние; извеще́ние, уведомле́ние
announcer [ə'naʊnsə] *n* 1) объявля́ющий програ́мму 2) ди́ктор
annoy [ə'nɔɪ] *v* досажда́ть; докуча́ть, надоеда́ть, раздража́ть
annoyance [ə'nɔɪəns] *n* 1) доса́да; раздраже́ние; неприя́тность 2) надоеда́ние, пристава́ние
annoyed [ə'nɔɪd] **1.** *p. p. от* annoy
2. *a* раздражённый, раздоса́дованный
annoying [ə'nɔɪɪŋ] **1.** *pres. p. от* annoy
2. *a* раздража́ющий; доса́дный; надое́дливый; how ~! кака́я доса́да!
annual ['ænjʊəl] **1.** *a* ежего́дный; годово́й; ~ income годово́й дохо́д; ~ ring (*или* zone) годи́чный слой (*в древесине*)
2. *n* 1) ежего́дник (*книга*) 2) однолéтнее расте́ние
annually ['ænjʊəlɪ] *adv* ежего́дно
annuitant [ə'nju:ɪtənt] *n* получа́ющий ежего́дную ре́нту
annuity [ə'nju:ətɪ] *n* ежего́дная ре́нта; life ~ пожи́зненная ре́нта; government ~ госуда́рственная ре́нта
annul [ə'nʌl] *v* аннули́ровать, отменя́ть; уничтожа́ть; to ~ a judgement касси́ровать реше́ние суда́
annular ['ænjʊlə] *a* кольцеобра́зный, кольцево́й
annulate ['ænjʊleɪt] *a* ко́льчатый, состоя́щий из коле́ц
annulet ['ænjʊlət] *n* 1) *архит.* пояс́ок коло́нны 2) коле́чко
annulment [ə'nʌlmənt] *n* аннули́рование, отме́на; уничтоже́ние
annunciate [ə'nʌnsɪeɪt] *v книжн.* возвеща́ть; объявля́ть
annunciation [ə,nʌnsɪ'eɪʃn] *n* 1) (A.) *рел.* Благове́щение 2) возвеще́ние
annunciator [ə'nʌnsɪeɪtə] *n* сигнализа́тор; светово́й нумера́тор
anode ['ænəʊd] *n эл.* ано́д
anodize ['ænəʊdaɪz] *v тех.* аноди́ровать, подверга́ть ано́дной обрабо́тке
anodyne ['ænəʊdaɪn] **1.** *n* болеутоля́ющее сре́дство; *перен.* успока́ивающее сре́дство
2. *a* болеутоля́ющий; *перен.* успока́ивающий
anoint [ə'nɔɪnt] *v* 1) *рел.* пома́зывать 2) нама́зывать, сма́зывать (*кожу маслом и т. п.*)
anointment [ə'nɔɪntmənt] *n* 1) *рел.* пома́зание 2) сма́зывание (*кожи маслом и т. п.*)
anomalistic [ə,nɒmə'lɪstɪk] *a* 1) *астр.* аномалисти́ческий 2) анома́льный, непра́вильный
anomalous [ə'nɒmələs] *a* непра́вильный, анома́льный, ненорма́льный
anomaly [ə'nɒməlɪ] *n* 1) анома́лия 2) непосле́довательность
anomie, anomy ['ænəʊmɪ] *n* 1) наруше́ние зако́на, беззако́ние 2) аноми́я, паде́ние нра́вов
anon I [ə'nɒn] *adv уст.* 1) ско́ро, вско́ре; see you ~! *шутл.* пока́! 2) то́тчас; сейча́с; ever and ~ вре́мя от вре́мени; то и де́ло
anon II [ə'nɒn] *сокр. от* anonymous
anonym ['ænənɪm] *n* 1) анони́м 2) псевдони́м
anonymity [,ænə'nɪmətɪ] *n* анони́мность
anonymous [ə'nɒnɪməs] *a* анони́мный, безымя́нный
anopheles [ə'nɒfəli:z] *n* ано́фелес, маляри́йный кома́р (*тж.* ~ mosquito)
anorak ['ænəræk] *n* анора́к, ку́ртка с капюшо́ном
anorexia [,ænə'reksɪə] *n мед.* поте́ря аппети́та
anorexic [,ænə'reksɪk] *мед.* **1.** *n* челове́к, страда́ющий отсу́тствием аппети́та
2. *a* потеря́вший аппети́т
anorganic [,ænɔ:'gænɪk] *a* неоргани́ческий
anosmia [æn'ɒzmɪə] *n мед.* аносми́я, отсу́тствие обоня́ния
another [ə'nʌðə] *pron indef.* 1) ещё оди́н; ~ cup of tea? хоти́те ещё ча́шку ча́ю? 2) но́вый, ещё оди́н, похо́жий; ~ Shakespeare но́вый, новоя́вленный Шекспи́р 3) друго́й, отли́чный; I don't like this bag, give me ~ one мне не нра́вится э́та су́мка, да́йте мне другу́ю ◇ ~ world загро́бный, потусторо́нний мир; ~ pair of shoes совсе́м друго́е де́ло; taken one with ~ а) вме́сте взя́тые; б) в сре́днем; ~ place *парл.* друга́я пала́та
anourous [ə'nʊərəs] *a зоол.* бесхво́стый
anoxaemia [,ænɒk'si:mɪə] *n* недоста́ток кислоро́да в крови́; кислоро́дное голода́ние
anoxia [ə'nɒksɪə] *n* отсу́тствие кислоро́да (*в отдельных органах, тканях*)
anserine ['ænsəraɪn] *a* 1) гуси́ный 2) глу́пый
answer ['ɑ:nsə] **1.** *n* 1) отве́т; in ~ to в отве́т на; to know all the ~s име́ть на всё гото́вый отве́т; бы́стро реаги́ровать; to have a ready ~ име́ть гото́вый отве́т 2) реше́ние (*вопроса и т. п.*) 3) возраже́ние 4) *мат.* реше́ние (*задачи*) 5) *юр.* возраже́ние отве́тчика
2. *v* 1) отвеча́ть, отклика́ться; to ~ the door (*или* to bell) откры́ть дверь (*на звонок, на стук и т. п.*); to ~ the phone подойти́ к телефо́ну; to ~ a call а) отве́тить по телефо́ну; б) откли́кнуться на зов; to ~ to the name of... отклика́ться на *какое-л.* и́мя 2) реаги́ровать, отклика́ться (to) 3) соотве́тствовать; подходи́ть; to ~ the description (purpose) соотве́тствовать описа́нию (це́ли) 4) руча́ться, отвеча́ть (for — за *кого-л.*); быть отве́тственным; to ~ for the consequences отвеча́ть за после́дствия 5) исполня́ть, удовлетворя́ть; to ~ the helm *мор.* слу́шаться руля́ 6) возража́ть (to — на *обвинение*) 7) удава́ться; име́ть успе́х; the experiment has not ~ed at all о́пыт не уда́лся 8) служи́ть (*в качестве или взамен чего-л.*); a piece of paper on the table ~ed for a tablecloth вме́сто ска́терти на столе́ лежа́л лист бума́ги ▭ ~ back дерзи́ть
answerable ['ɑ:nsərəbl] *a* 1) отве́тственный; you are ~ to him for it вы отвеча́ете пе́ред ним за э́то 2): such a question is not ~ на тако́й вопро́с невозмо́жно отве́тить 3) *уст.* соотве́тственный; to be not ~ to smth. не соотве́тствовать чему́-л.; the results were not ~ to our hopes результа́ты не оправда́ли на́ших наде́жд
answerphone ['ɑ:nsəfəʊn] *n* автоотве́тчик
ant [ænt] *n* мураве́й; white ~ терми́т
antacid [,ænt'æsɪd] *мед.* **1.** *n* нейтрализу́ющее кислоту́ сре́дство
2. *a* нейтрализу́ющий кислоту́
Antaeus [æn'ti:əs] *n греч. миф.* Анте́й
antagonism [æn'tægənɪzəm] *n* 1) антагони́зм, вражда́ 2) сопротивле́ние (to, against)
antagonist [æn'tægənɪst] *n* 1) антагони́ст; сопе́рник; проти́вник 2) *attr.* антагонисти́ческий
antagonistic [æn,tægə'nɪstɪk] *a* 1) антагонисти́ческий; вражде́бный 2) противоде́йствующий
antagonize [æn'tægənaɪz] *v* 1) вызыва́ть антагони́зм, вражду́ 2) противоде́йствовать 3) *амер.* боро́ться, сопротивля́ться

Antarctic [ænt'ɑ:ktɪk] *a* антаркти́ческий; ~ Circle Ю́жный поля́рный круг

ant-bear ['æntbeə] *n* муравье́д

ante ['æntɪ] *n* 1) ста́вка (*в карточной игре*) 2) *разг.* до́ля, часть, взнос

ante- ['æntɪ-] *pref служит для выражения предшествования во времени или пространстве* до-; пере́д-; antediluvian допото́пный; anteprandial предобе́денный

anteater ['ænt,i:tə] = ant-bear

antebellum [,æntɪ'beləm] *a* 1) довое́нный 2) *амер. ист.* до гражда́нской войны́ в США

antecedent [,æntɪ'si:dnt] **1.** *n* 1) предше́ствующее 2) *pl* про́шлая жизнь, про́шлое; his ~s его́ про́шлое 3) *мат.* предыду́щий член отноше́ния 4) *грам.* антецеде́нт

2. *a* 1) предше́ствующий (to), предыду́щий 2) априо́рный

antechamber ['æntɪ,tʃeɪmbə] *n* пере́дняя, прихо́жая, вестибю́ль

antedate [,æntɪ'deɪt] **1.** *n* да́та, поста́вленная за́дним число́м (*особ. в письме*)

2. *v* 1) предвосхища́ть 2) предше́ствовать 3) дати́ровать бо́лее ра́нним (*или* за́дним) число́м

antediluvian [,æntɪdɪ'lu:vɪən] **1.** *a* допото́пный

2. *n* 1) глубо́кий стари́к 2) старомо́дный челове́к

antelope ['æntɪləʊp] *n* антило́па

antemeridian [,æntɪmə'rɪdɪən] *a* дополу́денный, у́тренний

ante meridiem [,æntɪmə'rɪdɪəm] *adv* до полу́дня

antenatal [,æntɪ'neɪtl] *a* утро́бный, относя́щийся к утро́бной жи́зни; до рожде́ния

antenna [æn'tenə] *n* 1) (*pl* -nae) *зоол.* щу́пальце, у́сик 2) *радио* (*pl* -nas) анте́нна

antennae [æn'teni:] *pl от* antenna 1)

antenuptial [,æntɪ'nʌpʃl] *a* добра́чный

antepenult(imate) [,æntɪpɪ'nʌlt(ɪmət)] *a* тре́тий от конца́ (*о слоге*)

anteprandial [,æntɪ'prændɪəl] *a* предобе́денный

anterior [æn'tɪərɪə] *a* 1) пере́дний 2) предше́ствующий

anteriority [æn,tɪərɪ'ɒrətɪ] *n* пе́рвенство; старшинство́

anteriorly [æn'tɪərɪəlɪ] *adv* ра́ньше

anteroom ['æntɪru:m] *n* пере́дняя, приёмная

antheap ['ænthi:p] = anthill

anthem ['ænθəm] **1.** *n* 1) *церк.* пе́ние, церко́вный хора́л 2) гимн; торже́ственная песнь; national ~ госуда́рственный гимн

2. *v поэт.* петь ги́мны; воспева́ть

anther ['ænθə] *n бот.* пы́льник

anthill ['ænthɪl] *n* мураве́йник

anthologist [æn'θɒlədʒɪst] *n* состави́тель антоло́гии

anthologize [æn'θɒlədʒaɪz] *v* 1) составля́ть антоло́гию 2) помеща́ть в антоло́гию

anthology [æn'θɒlədʒɪ] *n* антоло́гия

anthracene ['ænθrəsi:n] *n хим.* антраце́н

anthracite ['ænθrəsaɪt] *n* антраци́т

anthrax ['ænθræks] *n мед.* 1) сиби́рская я́зва 2) карбу́нкул

anthropoid ['ænθrəʊpɔɪd] **1.** *n* антропо́ид, человекообра́зная обезья́на

2. *a* человекообра́зный

anthropological [,ænθrəʊpə'lɒdʒɪkl] *a* антропологи́ческий

anthropologist [,ænθrə'pɒlədʒɪst] *n* антропо́лог

anthropology [,ænθrə'pɒlədʒɪ] *n* антрополо́гия

anthropometry [,ænθrəʊ'pɒmətrɪ] *n* антропоме́трия

anthropomorphism [,ænθrəʊpəʊ'mɔ:fɪzəm] *n* антропоморфи́зм

anthropophagi [,ænθrəʊ'pɒfəgaɪ] *n pl* людое́ды, канниба́лы

anthropophagy [,ænθrəʊ'pɒfədʒɪ] *n* людое́дство, каннибали́зм

anti- ['æntɪ-] *pref* противо-, анти-

antiaircraft [,æntɪ'eəkrɑ:ft] *воен.* **1.** *n* зени́тная артилле́рия, зени́тные сре́дства

2. *a* противовозду́шный, зени́тный

antibiosis [,æntɪbaɪ'əʊsɪs] *n биол.* антибио́з

antibiotic [,æntɪbaɪ'ɒtɪk] **1.** *n* антибио́тик

2. *a* относя́щийся к антибио́тикам; ~ treatment лече́ние антибио́тиком

antibody ['æntɪ,bɒdɪ] *n физиол.* анти́тело

antic ['æntɪk] *n* 1) *pl* фигля́рство, ужи́мки, ша́лости 2) *уст.* фигля́р

Antichrist ['æntɪkraɪst] *n* анти́христ

anticipant [æn'tɪsɪpənt] **1.** *n* тот, кто ожида́ет *и пр.* [*см.* anticipate]

2. *a* ожида́ющий, предчу́вствующий; предвкуша́ющий

anticipate [æn'tɪsɪpeɪt] *v* 1) де́лать (*что-л.*), говори́ть (*о чём-л.*) *и т. п.* ра́ньше вре́мени; опережа́ть, забега́ть вперёд; to ~ payment *ком.* уплати́ть ра́ньше сро́ка 2) ожида́ть, предви́деть; предчу́вствовать, предвкуша́ть 3) предупрежда́ть, предвосхища́ть; to ~ smb.'s wishes предупрежда́ть чьи-л. жела́ния 4) ускоря́ть, приближа́ть (*наступление чего-л.*); to ~ a disaster ускорить катастро́фу 5) *уст.* испо́льзовать, истра́тить зара́нее

anticipation [æn,tɪsɪ'peɪʃn] *n* 1) ожида́ние *и пр.* [*см.* anticipate]; in ~ of smth. в ожида́нии чего́-л.; в предви́дении чего́-л.; thanking you in ~ зара́нее благода́рный (*в письме*) 2) *муз.* предъём

anticipatory [æn'tɪsɪpətərɪ] *a* предвари́тельный; предупрежда́ющий

anticlerical [,æntɪ'klerɪkl] *n* антиклерика́льный

anticlimax [,æntɪ'klaɪmæks] *n* 1) разря́дка напряже́ния; реа́кция, упа́док 2) *прос.* антикли́макс, спад

anticline ['æntɪklaɪn] *n геол.* антиклина́ль, антиклина́льная скла́дка

anticlockwise [,æntɪ'klɒkwaɪz] *adv* про́тив часово́й стре́лки

anticyclone [,æntɪ'saɪkləʊn] *n* антицикло́н

antidazzle [,æntɪ'dæzl] *n* неослепля́ющий (*о свете фар*)

antidemocratic [,æntɪdemə'krætɪk] *a* антидемократи́ческий

antidotal ['æntɪdəʊtl] *a* противоя́дный; ~ treatment *мед.* примене́ние противоя́дия

antidote ['æntɪdəʊt] *n* противоя́дие (*тж. перен.*)

antifascist [,æntɪ'fæʃɪst] **1.** *n* антифаши́ст

2. *a* антифаши́стский

antifebrile [,æntɪ'fi:braɪl] *a* противолихора́дочный

antifreeze ['æntɪfri:z] *n тех.* антифри́з

antifriction [,æntɪ'frɪkʃn] *a тех.* антифрикцио́нный

antigen ['æntɪdʒən] *n физиол.* антиге́н

antihero ['æntɪ,hɪərəʊ] *n лит.* антигеро́й

antihistamine [,æntɪ'hɪstəmi:n] *n мед.* 1) антигистами́н 2) антигистами́нный препара́т (*противоаллергический*)

anti-icer [,æntɪ'aɪsə] *n ав.* антиобледени́тель

anti-imperialistic [,æntɪɪmpɪərɪə'lɪstɪk] *a* антиимпериалисти́ческий

antijamming [,æntɪ'dʒæmɪŋ] *радио* **1.** *n* устране́ние поме́х

2. *a* помехоусто́йчивый

antiknock [,æntɪ'nɒk] *n авто, ав.* антидетона́тор

antilog ['æntɪlɒg] *разг.* = antilogarithm

antilogarithm [,æntɪ'lɒgərɪðəm] *n мат.* антилогари́фм

antilogy [æn'tɪlədʒɪ] *n книжн.* противоре́чие (*в терминах*)

antimacassar [,æntɪmə'kæsə] *n* салфе́точка (*на спинке мягкой мебели, на столе*)

antimatter ['æntɪ,mætə] *n физ.* антивещество́

antimech(anized) [,æntɪ'mek(ənaɪzd)] *a амер.* противота́нковый

antimilitaristic [,æntɪmɪlɪtə'rɪstɪk] *a* антимилитари́стский

antimissile [,æntɪ'mɪsaɪl] *a* противораке́тный

antimony ['æntɪmənɪ] *n хим.* сурьма́

antinomy [æn'tɪnəmɪ] *n* 1) парадо́кс; противоре́чие 2) противоре́чие в зако́не, законода́тельстве; антино́мия

antinovel ['æntɪ,nɒvl] *n лит.* антирома́н

anti-nuclear [,æntɪ'nju:klɪə] *a* антия́дерный, напра́вленный про́тив созда́ния *или* испо́льзования я́дерного ору́жия

antiparticle ['æntɪ,pɑ:tɪkl] *n физ.* античасти́ца

antipathetic(al) [,æntɪpə'θetɪk(l)] *a*

антипати́чный, внуша́ющий отвраще́ние

antipathic [ˌæntɪˈpæθɪk] *a* 1) противополо́жный, обра́тный (*чему-л.*) 2) *мед.* характеризу́ющийся противополо́жными симпто́мами

antipathy [ænˈtɪpəθɪ] *n* 1) антипа́тия, отвраще́ние 2) несовмести́мость

antipersonnel [ˌæntɪpɜːsəˈnel] *a воен.* противопехо́тный; оско́лочный

antiphlogistic [ˌæntɪflǝʊˈdʒɪstɪk] *a* противовоспали́тельный

antiphon [ˈæntɪfən] *n церк.* антифо́н

antipodal [ænˈtɪpədl] *a* 1) относя́щийся к антипо́дам, живу́щий *или* располо́женный в противополо́жном полуша́рии 2) диаметра́льно противополо́жный

antipodes [ænˈtɪpədiːz] *n pl* 1) антипо́ды, жи́тели *или* стра́ны противополо́жных полуша́рий 2) противополо́жности, антипо́ды

antipoison [ˌæntɪˈpɔɪzn] *n* 1) противоя́дие 2) *attr.* противоя́дный

antipole [ˈæntɪpəʊl] *n* 1) диаметра́льная противополо́жность 2) противополо́жный по́люс

antipyretic [ˌæntɪpaɪˈretɪk] **1.** *a* жаропонижа́ющий

2. *n* жаропонижа́ющее сре́дство

antiquarian [ˌæntɪˈkweərɪən] **1.** *a* антиква́рный

2. *n* собира́тель, люби́тель дре́вностей, антиква́р 2) торго́вец антиква́рными веща́ми

antiquated [ˈæntɪkweɪtɪd] *a* 1) устаре́лый 2) старомо́дный

antique [ænˈtiːk] **1.** *n* 1) дре́вняя *или* стари́нная вещь; антиква́рная вещь 2) произведе́ние дре́внего (*особ.* анти́чного) иску́сства 3) (the ~) дре́внее (*особ.* анти́чное) иску́сство; анти́чный стиль; drawing from the ~ рисова́ние с анти́чных моде́лей; lover of the ~ люби́тель старины́ 4) *полигр.* анти́ква (*шрифт*)

2. *a* 1) дре́вний; стари́нный, антиква́рный 2) анти́чный 3) старомо́дный

antiquity [ænˈtɪkwətɪ] *n* 1) дре́вность; старина́; high ~ глубо́кая дре́вность 2) класси́ческая дре́вность, анти́чность; the nations of ~ наро́ды дре́внего ми́ра 3) (*обыкн. pl*) дре́вности

antirrhinum [ˌæntɪˈraɪnəm] *n бот.* льви́ный зев

antiscorbutic [ˌæntɪskɔːˈbjuːtɪk] **1.** *a* противоцинго́тный

2. *n* противоцинго́тное сре́дство

anti-Semite [ˌæntɪˈsiːmaɪt] *n* антисеми́т

anti-Semitic [ˌæntɪsəˈmɪtɪk] *a* антисеми́тский

anti-Semitism [ˌæntɪˈsemətɪzəm] *n* антисемити́зм

antiseptic [ˌæntɪˈseptɪk] **1.** *a* антисепти́ческий, противогни́лостный

2. *n* антисепти́ческое сре́дство

antisocial [ˌæntɪˈsəʊʃl] *a* 1) антиобще́ственный 2) необщи́тельный; недружелю́бный

antistatic [æntɪˈstætɪk] *a* антистати́ческий

antisubmarine [ˌæntɪsʌbməˈriːn] *a мор.* противоло́дочный; ~ bomb (*сокр.* a. s. bomb) глуби́нная бо́мба

antitank [ˌæntɪˈtæŋk] *a* противота́нковый

anti-terrorism [ˌæntɪˈterərɪzəm] *n* сре́дства борьбы́ с террори́змом

antitheses [ænˈtɪθəsiːz] *pl от* antithesis

antithesis [ænˈtɪθəsɪs] *n* (*pl* -ses) 1) антите́за, противопоставле́ние противополо́жностей 2) контра́ст, по́лная противополо́жность

antithetic(al) [ˌæntɪˈθetɪk(l)] *a* 1) пря́мо противополо́жный 2) антитети́ческий

antitoxic [ˌæntɪˈtɔksɪk] *a* противоя́дный, антитокси́ческий

antitoxin [ˌæntɪˈtɔksɪn] *n* противоя́дие, антитокси́н

antitrades [ˌæntɪˈtreɪdz] *n pl* антипасса́т (*ветер*)

antitrust [ˌæntɪˈtrʌst] *a* антимонопо́льный, антитре́стовский

antitype [ˈæntɪtaɪp] *a* антити́п; антигеро́й

antityphoid [ˌæntɪˈtaɪfɔɪd] *a* противотифо́зный

antiviral [ˌæntɪˈvaɪrəl] *a* противови́русный

antiwar [ˌæntɪˈwɔː] *a* антивое́нный

antler [ˈæntlə] *n* оле́ний рог; отро́сток оле́ньего ро́га

antonym [ˈæntənɪm] *n* анто́ним

anurous [əˈnuːrəs] = anourous

anus [ˈeɪnəs] *n анат.* за́дний прохо́д

anvil [ˈænvɪl] *n* накова́льня ◇ on (*или* upon) the ~ в рабо́те, в проце́ссе рассмотре́ния, обсужде́ния; a good ~ does not fear the hammer *посл.* хоро́шую накова́льню мо́лотом не разобьёшь

anxiety [æŋˈzaɪətɪ] *n* 1) беспоко́йство, трево́га 2) опасе́ние, забо́та 3) *разг.* стра́стное жела́ние (for — *чего-л.*; *тж. с inf.*)

anxious [ˈæŋkʃəs] *a* 1) озабо́ченный, беспоко́ящийся (for, about — о); to be (*или* to feel) ~ about беспоко́иться о 2) трево́жный, беспоко́йный (*о моменте, времени*) 3) *разг.* си́льно жела́ющий (for — *чего-л.; тж. с inf.*); to be ~ for success стреми́ться к успе́ху; I am ~ to see him мне о́чень хо́чется повида́ть его́ ◇ to be on the ~ seat (*или* bench) *амер.* сиде́ть как на иго́лках, му́читься неизве́стностью

anxiously [ˈæŋkʃəslɪ] *adv* 1) с трево́гой, с волне́нием 2) о́чень, си́льно

any [ˈenɪ] **1.** *pron indef.* 1) како́й-нибудь, ско́лько-нибудь (*в вопр. предл.*); никако́й (*в отриц. предл.*); can you find ~ excuse? мо́жете ли вы найти́ како́е-л. извине́ние, оправда́ние?; have you ~ money? есть ли у вас де́ньги?; I did not find ~ mistakes я не нашёл никаки́х оши́бок 2) вся́кий, любо́й (*в утв. предл.*); you can get it in ~ shop э́то мо́жно купи́ть в любо́м магази́не; in ~ case во вся́ком слу́чае; at ~ time в любо́е вре́мя 3): he had little money if ~ е́сли у него́ и бы́ли де́ньги, то о́чень немно́го, у него́ почти́ не́ было де́нег

2. *adv* 1) ниско́лько (*при отрицании*); ско́лько-нибудь (*при сравн. ст.*); they are not ~ the worse for it они́ ниско́лько от э́того не пострада́ли 2) вообще́; во́все; совсе́м; it did not matter ~ *амер.* э́то не име́ло никако́го значе́ния

anybody [ˈenɪbɒdɪ] **1.** *pron indef.* 1) кто́-нибудь (*в вопр. предл.*); никто́ (*в отриц. предл.*); I haven't seen ~ я никого́ не ви́дел 2) любо́й (*в утв. предл.*); ~ will do вся́кому по плечу́

2. *n разг.* ва́жное, значи́тельное лицо́; is he ~? он како́е-нибудь ва́жное лицо́? ◇ ~'s guess мо́жет быть и так, кто зна́ет

anyhow [ˈenɪhau] *adv* 1) каки́м бы то ни́ было о́бразом; так и́ли ина́че (*в утв. предл.*); ника́к (*в отриц. предл.*); I could not get in ~ я ника́к не мог войти́ 2) ка́к-нибудь; ко́е-ка́к; to do one's work ~ рабо́тать ко́е-ка́к 3) во вся́ком слу́чае; что бы то ни́ было; you won't be late ~ во вся́ком слу́чае, вы не опозда́ете ◇ to feel ~ чу́вствовать себя́ расстро́енным, больны́м

anyone [ˈenɪwʌn] *pron indef.* 1) кто́-нибудь (*в вопр. предл.*); никто́ (*в отриц. предл.*) 2) любо́й, вся́кий (*в утв. предл.*)

anyplace [ˈenɪpleɪs] *adv* всю́ду, повсю́ду

anything [ˈenɪθɪŋ] *pron indef.* 1) что́-нибудь (*в вопр. предл.*); ничто́ (*в отриц. предл.*); have you lost ~? вы что́-нибудь потеря́ли?; he hasn't found ~ он ничего́ не нашёл; is he ~ like his father? есть у него́ что́-нибудь о́бщее с отцо́м?, он хоть че́м-нибудь похо́ж на отца́? 2) что уго́дно, всё (*в утв. предл.*); take ~ you like возьми́те всё, что вам нра́вится; ~ but а) всё что уго́дно, то́лько не; he is ~ but a coward он всё что уго́дно, то́лько не трус; б) далеко́ не; it is ~ but clear э́то далеко́ не я́сно ◇ like ~ *разг.* а) си́льно, стреми́тельно, изо все́х си́л; he ran like ~ он бежа́л изо все́х си́л; б) чрезвыча́йно, о́чень, ужа́сно; if ~ пожа́луй, е́сли хоти́те; if ~ he has little changed пожа́луй, он совсе́м не измени́лся

anyway [ˈenɪweɪ] = anyhow 1), 2)

anywhere [ˈenɪweə] *adv* 1) где́-нибудь, куда́-нибудь (*в вопр. предл.*); никуда́ (*в отриц. предл.*); I don't want to go ~ мне никуда́ не хо́чется идти́ 2) где уго́дно, везде́, куда́ уго́дно (*в утв. предл.*); you can get it ~ вы мо́жете всю́ду э́то доста́ть ◇ ~ from... to... в преде́лах, от... до...; the paper's circulation is ~ from 50 to 100 thousand тира́ж газе́ты коле́блется от 50 до 100 ты́сяч

anywize [ˈenɪwaɪz] *adv уст.* каки́м-нибудь о́бразом; в како́й-либо сте́пени

aorta [eɪˈɔːtə] *n* (*pl* -as, -ae [-iː]) *анат.* ао́рта

aortic [eɪ'ɔ:tɪk] *a анат.* аорта́льный; ~ arches ду́ги ао́рты

apace [ə'peɪs] *adv книжн.* бы́стро ◇ ill news comes ~ *посл.* худы́е ве́сти не лежа́т на ме́сте

apanage ['æpənɪdʒ] *n* 1) циви́льный лист 2) уде́л; апана́ж 3) атрибу́т, сво́йство

apart [ə'pɑ:t] *adv* 1) врозь, по́рознь; в отде́льности, отде́льно 2) на ча́сти, на куски́; to take ~ разбира́ть на ча́сти; to come ~ развали́ться (на ча́сти) 3) в стороне́; в сто́рону; to stand ~ стоя́ть в стороне́; особняко́м ▭ ~ from не говоря́ уже́ о, кро́ме, не счита́я ◇ to grow ~ отдаля́ться друг от дру́га

apartheid [ə'pɑ:theɪt] *n* апартеи́д, ра́совая изоля́ция

apartment [ə'pɑ:tmənt] *n* 1) *pl* меблиро́ванные ко́мнаты 2) ко́мната 3) *амер.* кварти́ра; walk-up ~ кварти́ра в до́ме без ли́фта 4) *attr.*: ~ house *амер.* многокварти́рный, жило́й дом

apartness [ə'pɑ:tnəs] *n* обосо́бленность

apathetic [,æpə'θetɪk] *a* равноду́шный, безразли́чный, апати́чный

apathy ['æpəθɪ] *n* апа́тия, безразли́чие; вя́лость

apatite ['æpətaɪt] *n мин.* апати́т

ape [eɪp] **1.** *n* 1) (человекообра́зная) обезья́на 2) обезья́на, кривля́ка; to act (*или* to play) the ~ а) обезья́нничать, передра́знивать; б) глу́по вести́ себя́, валя́ть дурака́; кривля́ться ◇ to go ~ *sl.* быть в восто́рге, ошале́ть (*от кого-л. или чего-л.*)

2. *v* подража́ть, обезья́нничать; передра́знивать

apeak [ə'pi:k] *adv* 1) *мор.* вертика́льно, отве́сно, (о)пане́р 2) стоймя́, «на попа́»

ape-man ['eɪpmən] *n* 1) обезьяноподо́бный челове́к 2) прима́т

aperient [ə'pɪərɪənt] *мед.* **1.** *n* слаби́тельное

2. *a* слаби́тельный, послабля́ющий

aperitif [ə,perə'ti:f] *n* аперити́в

aperitive [ə'perɪtɪv] = aperient

aperture ['æpətʃə] *n* 1) отве́рстие; сква́жина; щель 2) *стр.* проём; пролёт; ~ of a door дверно́й проём 3) *опт.* аперту́ра

apery ['eɪpərɪ] *n* 1) обезья́нничанье, кривля́нье 2) обезья́ний пито́мник

apex ['eɪpeks] *n* (*pl* -xes [-ksɪz], apices) 1) верху́шка, верши́на 2) *стр.* конёк кры́ши 3) *горн.* приёмная площа́дка укло́на; брёмсберг 4) *attr.*: ~ stone *стр.* ключево́й, замыка́ющий ка́мень

aphasia [ə'feɪzɪə] *n мед.* афа́зия

aphelion [æ'fi:lɪən] *n астр.* афе́лий

aphid ['eɪfɪd] *n* тля

aphis ['eɪfɪz] = aphid

aphonia [eɪ'fəʊnɪə] *n мед.* афони́я

aphony ['æfənɪ] = aphonia

aphorism ['æfərɪzəm] *n* афори́зм

aphoristic [,æfə'rɪstɪk] *a* афористи́чный

aphrodisiac [,æfrə'dɪzɪæk] **1.** *a* 1) сладостра́стный 2) возбужда́ющий; обольсти́тельный

2. *n* сре́дство, уси́ливающее полово́е чу́вство

Aphrodite [,æfrə'daɪtɪ] *n греч. миф.* Афроди́та

aphtha ['æfθə] *n* (*pl* -ae) 1) моло́чница (*особ. у детей*) 2) я́щур (*болезнь скота*) 3) *pl мед.* а́фты

aphthae ['æfθi:] *pl от* aphtha

aphyllous [ə'fɪləs] *a бот.* не име́ющий ли́стьев, безли́ст(вен)ный

apian ['eɪpɪən] *a* пчели́ный

apiarian [,eɪpɪ'eərɪən] **1.** *a* пчелово́дческий

2. *n* = apiarist

apiarist ['eɪpɪərɪst] *n* пчелово́д

apiary ['eɪpɪərɪ] *n* пче́льник, па́сека

apical ['æpɪkl] *a* верху́шечный, верши́нный

apices ['eɪpɪsi:z] *pl от* apex

apiculture ['eɪpɪkʌltʃə] *n* пчелово́дство

apiece [ə'pi:s] *adv* 1) за шту́ку; поштучно 2) *разг.* за ка́ждого; на ка́ждого; they had five roubles ~ у ка́ждого из них бы́ло по пяти́ рубле́й

apish ['eɪpɪʃ] *a* 1) обезья́ний 2) обезья́нничающий 3) глу́пый

aplenty [ə'plentɪ] *adv* в изоби́лии, в избы́тке

aplomb [ə'plɒm] *n* апло́мб

apocalypse [ə'pɒkəlɪps] *n* 1) (the A.) Апока́липсис (*последняя книга Нового завета*) 2) открове́ние, проро́ческое предви́дение

apocalyptic [ə,pɒkə'lɪptɪk] *a* апокалипси́ческий, апокалипти́ческий

apocarpous [,æpəʊ'kɑ:pəs] *a бот.* апока́рпный, разде́льный

apocope [ə'pɒkəpɪ] *n лингв.* апо́копа, усече́ние после́днего сло́га *или* зву́ка в сло́ве

Apocrypha [ə'pɒkrəfə] *n pl рел.* апокрифи́ческие кни́ги

apocryphal [ə'pɒkrəfl] *a* 1) апокрифи́ческий 2) недостове́рный

apodal ['æpədəl] *a зоол.* безно́гий, голобрю́хий (*о рыбах, пресмыкающихся и т. п.*)

apogee ['æpədʒi:] *n* апоге́й (*тж. астр.*)

apolitical [,eɪpə'lɪtɪkl] *a* аполити́чный

Apollo [ə'pɒləʊ] *n* 1) *греч. миф.* Аполло́н 2) краса́вец

apologetic [ə,pɒlə'dʒetɪk] *a* 1) извиня́ющийся; he was very ~ он о́чень извиня́лся 2) примири́тельный; he spoke in an ~ tone он говори́л примири́тельным то́ном 3) защити́тельный, апологети́ческий

apologetics [ə,pɒlə'dʒetɪks] *n pl* (*употр. как sing*) апологе́тика

apologia [,æpə'ləʊdʒɪə] *n* аполо́гия

apologize [ə'pɒlədʒaɪz] *v* извиня́ться (for — за *что-л.*, to — пе́ред *кем-л.*); приноси́ть официа́льные извине́ния

apologue ['æpəʊlɒg] *n* нравоучи́тельная ба́сня

apology [ə'pɒlədʒɪ] *n* 1) извине́ние; to make (*или* to offer) an (*или* one's) ~ принести́ извине́ние, извини́ться 2) защи́та, оправда́ние 3) *разг.* не́что второразря́дное, второсо́ртное; an ~ for a painting! карти́на, с позволе́ния сказа́ть!; a mere ~ for a dinner отврати́тельный обе́д; како́й же э́то обе́д?

apophthegm ['æpəθem] *n ритор.* апоф(т)е́гма (*краткое изречение*)

apoplectic [,æpə'plektɪk] *a* 1) апоплекси́ческий 2) *разг.* раздражи́тельный

apoplexy ['æpəpleksɪ] *n* апопле́ксия, уда́р, парали́ч

apostasy [ə'pɒstəsɪ] *n* вероотсту́пничество; отсту́пничество (*от принципов и т. п.*); изме́на (*делу, партии*)

apostate [ə'pɒsteɪt] **1.** *n книжн.* вероотсту́пник; отсту́пник; изме́нник

2. *a книжн.* отсту́пнический

apostatize [ə'pɒstətaɪz] *v книжн.* отступа́ться (*от веры, принципов и т. п.*)

a posteriori [,eɪpɒsterɪ'ɔ:raɪ] **1.** *a* апостерио́рный, осно́ванный на о́пыте

2. *adv* апостерио́ри, из о́пыта, по о́пыту

apostle [ə'pɒsl] *n* 1) апо́стол 2) побо́рник

apostolic [,æpə'stɒlɪk] *a* 1) апо́стольский 2) па́пский

apostolical [,æpə'stɒlɪkl] = apostolic

apostrophe I [ə'pɒstrəfɪ] *n ритор.* апостро́фа, обраще́ние (*в речи, поэме и т. п.*)

apostrophe II [ə'pɒstrəfɪ] *n* апостро́ф (*знак* ')

apostrophize I [ə'pɒstrəfaɪz] *v ритор.* обраща́ться (*к кому-л. или чему-л. в речи, поэме и т. п.*)

apostrophize II [ə'pɒstrəfaɪz] *v* ста́вить знак апостро́фа

apothecary [ə'pɒθəkərɪ] *n уст.* апте́карь, фармаце́вт

apothegm ['æpəθem] *амер.* = apophthegm

apotheoses [ə,pɒθɪ'əʊsi:z] *pl от* apotheosis

apotheosis [ə,pɒθɪ'əʊsɪs] *n* (*pl* -ses) 1) обожествле́ние 2) *церк.* канониза́ция 3) прославле́ние; апофео́з

appal [ə'pɔ:l] *v* ужаса́ть, устраша́ть

appalling [ə'pɔ:lɪŋ] **1.** *pres. p. от* appal

2. *a* ужа́сный; потряса́ющий, отта́лкивающий

appallingly [ə'pɔ:lɪŋlɪ] *adv* ужаса́юще; потряса́юще

appanage ['æpənɪdʒ] = apanage

apparatus [,æpə'reɪtəs] *n* (*pl* -uses [-əsɪz], *тж. без измен.*) 1) прибо́р, инструме́нт; аппара́т, аппарату́ра; маши́на 2) гимнасти́ческий снаря́д 3) аппара́т (*государственный, партийный*) 4) *физиол.* о́рганы; the digestive ~ о́рганы пищеваре́ния

apparel [ə'pærəl] **1.** *n* 1) *поэт.* одея́ние 2) *церк.* украше́ние на облаче́нии

2. *v поэт.* облача́ть; украша́ть

apparent [ə'pærənt] *a* 1) ви́димый; ~ to the naked eye ви́димый невооружённым гла́зом; to become ~ обнару́живаться, выявля́ться 2) я́вный, очеви́дный, несомне́нный; ~ noon *астр.* и́стинный по́лдень; ~ time *астр.* и́стинное вре́мя 3) ка́жущийся 4) *юр.* бесспо́рный

apparently [ə'pærəntlı] *adv* 1) я́вно, очеви́дно 2) по-ви́димому, ви́димо, вероя́тно

apparition [,æpə'rıʃn] *n* 1) появле́ние (*особ.* неожи́данное) 2) виде́ние; при́зрак, привиде́ние 3) *астр.* ви́димость

apparitor [ə'pærıtɔ:] *n* 1) *уст.* чино́вник в гражда́нском *или* церко́вном суде́; ≅ суде́бный при́став 2) *редк.* университе́тский пе́дель

appeal [ə'pi:l] **1.** *n* 1) призы́в, обраще́ние (to — к) 2) воззва́ние 3) про́сьба, мольба́ (for — о); ~ for pardon про́сьба о поми́ловании 4) *юр.* апелля́ция; пра́во апелля́ции 5) привлека́тельность; to make an ~ to smb. привлека́ть кого́-л., де́йствовать притяга́тельно на кого́-л.; to have ~ быть привлека́тельным, нра́виться; he hasn't got much sex ~ он не облада́ет мужско́й привлека́тельностью, он не сли́шком нра́вится же́нщинам 6) влече́ние

2. *v* 1) апелли́ровать, обраща́ться, прибега́ть, взыва́ть (to — к); to ~ to the fact ссыла́ться на факт; to ~ to reason апелли́ровать к здра́вому смы́слу; to ~ to arms прибега́ть к ору́жию 2) взыва́ть, умоля́ть 3) *юр.* подава́ть апелляцио́нную жа́лобу 4) привлека́ть, притя́гивать; нра́виться; these pictures do not ~ to me э́ти карти́ны не тро́гают меня́ ◇ to ~ to the country распусти́ть парла́мент и назна́чить но́вые вы́боры; to ~ from Philip drunk to Philip sober ≅ угова́ривать отказа́ться от необду́манного реше́ния

appealable [ə'pi:ləbl] *a* могу́щий быть обжа́лованным, подлежа́щий обжа́лованию

appealing [ə'pi:lıŋ] **1.** *pres. p. от* appeal 2

2. *a* 1) умоля́ющий, тро́гательный 2) привлека́тельный

appear [ə'pıə] *v* 1) пока́зываться; появля́ться 2) проявля́ться 3) я́вствовать; it ~s from this из э́того я́вствует 4) производи́ть впечатле́ние; каза́ться; strange as it may ~ как бы стра́нно не показа́лось; you ~ to forget вы, по-ви́димому, забыва́ете 5) выступа́ть на сце́не; to ~ in the character of Othello игра́ть роль Оте́лло 6) выступа́ть (официа́льно, публи́чно); to ~ for the defendant выступа́ть в суде́ в ка́честве защи́тника обвиня́емого 7) предста́ть (*перед судом*) 8) выходи́ть, издава́ться; появля́ться (*в печати*)

appearance [ə'pıərəns] *n* 1) появле́ние; to put in an ~ появи́ться ненадо́лго (*на собрании, вечере и т. п.*); to make an (*или* one's) ~ пока́зываться, появля́ться 2) (вне́шний) вид, нару́жность 3) ви́димость; to all ~(s) су́дя по всему́; по-ви́димому 4) выступле́ние; her first ~ was a success её дебю́т прошёл с успе́хом 5) вы́ход из печа́ти 6) явле́ние (*обыкн. загадочное*); фено́мен 7) при́зрак ◇ to keep up ~s соблюда́ть прили́чия

appeasable [ə'pi:zəbl] *a* покла́дистый, сгово́рчивый

appease [ə'pi:z] *v* 1) успока́ивать; умиротворя́ть 2) утоля́ть 3) ублажа́ть, потака́ть 4) облегча́ть (*горе, боль*)

appeasement [ə'pi:zmənt] *n* умиротворе́ние *и пр.* [*см.* appease]; a policy of ~ поли́тика попусти́тельства агре́ссору

appellant [ə'pelənt] **1.** *n* апелля́нт; жа́лобщик

2. *a* 1) апелли́рующий, жа́лующийся 2) *юр.* апелляцио́нный

appellate [ə'pelət] *a* апелляцио́нный; ~ court апелляцио́нный суд

appellation [,æpə'leıʃn] *n* и́мя, назва́ние

appellative [ə'pelətıv] **1.** *n* 1) и́мя, назва́ние 2) *грам.* и́мя (существи́тельное) нарица́тельное

2. *a грам.* нарица́тельный

appellee [,æpe'li:] *n юр.* отве́тчик по апелля́ции

append [ə'pend] *v* 1) приве́шивать; присоединя́ть 2) прибавля́ть; прилага́ть (*что-л. к письму, книге и т. п.*)

appendage [ə'pendıdʒ] *n* 1) прида́ток; приве́сок 2) *книжн.* приложе́ние

appendectomy [,æpən'dektəmı] *n* удале́ние аппе́ндикса

appendices [ə'pendısi:z] *pl от* appendix

appendicitis [ə,pendə'saıtıs] *n мед.* аппендици́т

appendix [ə'pendıks] *n* (*pl* -ices, -ixes) 1) *анат.* червеобра́зный отро́сток, аппе́ндикс 2) приложе́ние (*содержащее библиографию, примечания и т. п.*) 3) добавле́ние 4) аппе́ндикс (*аэростата*)

apperception [,æpə'sepʃn] *n психол.* апперце́пция

appertain [,æpə'teın] *v* 1) относи́ться (to — к *чему-л.*) 2) принадлежа́ть

appetence, -cy ['æpıtəns,-sı] *n* 1) жела́ние (of, for, after) 2) влече́ние (*особ. половое*; for)

appetite ['æpıtaıt] *n* 1) аппети́т 2) инстинкти́вная потре́бность (*в пище, питье и т. п.*); sexual ~ полово́е влече́ние 3) охо́та, скло́нность; an ~ for reading скло́нность к чте́нию ◇ ~ comes with eating *посл.* аппети́т прихо́дит во вре́мя еды́

appetizer ['æpıtaızə] *n* то, что возбужда́ет аппети́т, придаёт вкус; заку́ска

appetizing ['æpıtaızıŋ] *a* аппети́тный, вызыва́ющий аппети́т; вку́сный; привлека́тельный

applaud [ə'plɔ:d] *v* 1) аплоди́ровать, рукоплеска́ть 2) одобря́ть; he ~ed my decision он одо́брил моё реше́ние

applause [ə'plɔ:z] *n* 1) аплодисме́нты, рукоплеска́ния; there was loud ~ for the actor актёру гро́мко аплоди́ровали 2) восхище́ние, одобре́ние

apple ['æpl] *n* 1) я́блоко 2) я́блоня ◇ ~ of discord я́блоко раздо́ра; ~ of one's eye а) зрачо́к; б) зени́ца о́ка; the rotten ~ injures its neighbours *посл.* ≅ парши́вая овца́ всё ста́до по́ртит

applebrandy [,æpl'brændı] *n* я́блочная во́дка

apple cart ['æplkɑ:t] *n* теле́жка с я́блоками ◇ to upset smb.'s ~ расстра́ивать чьи-л. пла́ны

apple dumpling ['æpl,dʌmplıŋ] *n* я́блоко, запечённое в те́сте

applejack ['æpldʒæk] *амер.* = applebrandy

apple pie [,æpl'paı] *n* я́блочный пиро́г ◇ ~ order образцо́вый, по́лный поря́док; ~ bed крова́ть, застелённая таки́м о́бразом, что невозмо́жно вы́тянуть но́ги (*проделка, распространённая в английских школьных интернатах*)

apple sauce [,æpl'sɔ:s] *n амер.* 1) я́блочное пюре́ 2) *разг.* лесть 3) чепуха́, ерунда́

apple-tree ['æpltri:] *n* я́блоня

appliance [ə'plaıəns] *n* 1) приспособле́ние, прибо́р; domestic electric ~s бытовы́е электроприбо́ры 2) *редк.* примене́ние 3) *attr.*: ~ load *эл.* бытова́я нагру́зка

applicable [ə'plıkəbl] *a* примени́мый, приго́дный, подходя́щий (to)

applicant ['æplıkənt] *n* 1) претенде́нт, кандида́т 2) проси́тель

application [,æplı'keıʃn] *n* 1) заявле́ние; проше́ние; to put in an ~ пода́ть заявле́ние 2) прикла́дывание (*горчичника, пластыря и т. п.*) 3) употребле́ние (*лекарства*) 4) примене́ние; примени́мость 5) прилежа́ние, рве́ние, стара́ние (*тж.* ~ to work)

application blank [æplı,keıʃn'blæŋk] = application form

application form [æplı,keıʃn'fɔ:m] *n* анке́та поступа́ющего на рабо́ту

applied [ə'plaıd] **1.** *p. p. от* apply

2. *a* прикладно́й

appliqué [ə'pli:keı] *фр. n* аппlика́ция

apply [ə'plaı] *v* 1) обраща́ться (for — за *работой, помощью, справкой, разрешением и т. п.*; to — к *кому-л.*) 2) каса́ться, относи́ться; быть прие́млемым; this rule applies to all э́то пра́вило отно́сится ко всем 3) применя́ть; употребля́ть; to ~ brakes тормози́ть 4) прикла́дывать 5) *refl.* занима́ться (*чем-л.*), направля́ть своё внима́ние (*на что-л.*)

appoint [ə'pɔınt] *v* 1) назнача́ть, определя́ть; they found it necessary to ~ the exact time and place of their meeting они́ посчита́ли необходи́мым назна́чить то́чное вре́мя и ме́сто встре́чи; he was ~ed manager его́ назна́чили управля́ющим 2) предпи́сывать 3) снаряжа́ть; обору́довать; устра́ивать

appointed [ə'pɔıntıd] **1.** *p. p. от* appoint

2. *a* 1) назна́ченный, определённый; to come at the ~ time прийти́ в назна́ченное вре́мя 2) обору́дованный; well (badly) ~ хорошо́ (пло́хо) обору́дованный

appointee [ə,pɔın'ti:] *n* получи́вший назначе́ние, назна́ченный

appointive [ə'pɔıntıv] *a амер.* замеща́емый по назначе́нию, а не по вы́борам (*о должности*)

appointment [ə'pɔıntmənt] *n* 1) свида́ние, усло́вленная встре́ча; we made an ~ for tomorrow мы усло́вились встре́титься за́втра; to keep (to break) an ~ прийти́ (не прийти́) в назна́ченное вре́мя *или* ме́сто; by (previous) ~ по (предвари́тельной) за́писи (*у врача и т. п.*) 2) назначе́ние, определе́ние (*на должность*) 3) ме́сто, до́лжность; to hold an ~ занима́ть до́лжность 4) *pl* обору́дование; обстано́вка, ме́бель 5) *юр.* распределе́ние насле́дственного иму́щества по дове́ренности

apportion [ə'pɔ:ʃn] *v* распределя́ть, разделя́ть, дели́ть (*соразмерно, пропорционально*); to ~ one's time распределя́ть своё вре́мя

apportionment [ə'pɔ:ʃnment] *n* пропорциона́льное распределе́ние

apposite ['æpəzıt] *a* подходя́щий, уме́стный; уда́чный; an ~ remark уме́стное замеча́ние

appositely ['æpəzıtlı] *adv* кста́ти

apposition [,æpə'zıʃn] *n* 1) присоедине́ние, прикла́дывание; ~ of seal приложе́ние печа́ти 2) *грам.* приложе́ние (*тж.* a noun in ~)

appraisal [ə'preızl] *n* оце́нка

appraise [ə'preız] *v* оце́нивать, расце́нивать

appraisement [ə'preızmənt] *n* оце́нка

appraiser [ə'preızə] *n* оце́нщик; такса́тор

appreciable [ə'pri:ʃəbl] *a* 1) заме́тный, ощути́мый 2) поддаю́щийся оце́нке

appreciate [ə'pri:ʃıeıt] *v* 1) (высоко́) цени́ть; I ~ your kindness я ценю́ ва́шу доброту́ 2) оце́нивать (по досто́инству); понима́ть; I ~ your difficulty я понима́ю, как вам тру́дно; я понима́ю, в чём для вас тру́дность 3) принима́ть во внима́ние; to ~ the necessity учи́тывать, принима́ть во внима́ние необходи́мость 4) повыша́ть(ся) в це́нности

appreciation [ə,pri:ʃı'eıʃn] *n* 1) высо́кая оце́нка 2) оце́нка (по досто́инству) 3) понима́ние; she has an ~ of art она́ (хорошо́) понима́ет иску́сство 4) призна́тельность 5) благоприя́тный о́тзыв; положи́тельная реце́нзия 6) повыше́ние це́нности; вздорожа́ние; ~ of capital повыше́ние сто́имости капита́ла

appreciative [ə'pri:ʃıətıv] *a* восприи́мчивый; уме́ющий цени́ть, благода́рный

apprehend [,æprı'hend] *v* 1) понима́ть, схва́тывать 2) заде́рживать, аресто́вывать 3) предчу́вствовать (*что-л. дурное*), ожида́ть (*несчастья*), опаса́ться; to ~ danger чу́five опа́сность

apprehensible [,æprı'hensəbl] *a* поня́тный, постижи́мый

apprehension [,æprı'henʃn] *n* 1) (*часто pl*) опасе́ние; мра́чное предчу́вствие; to be under ~ of one's life опаса́ться за свою́ жизнь 2) понима́ние; спосо́бность схва́тывать; quick of ~ бы́стро схва́тывающий; dull of ~ ту́го соobража́ющий 3) задержа́ние, аре́ст 4) представле́ние, мне́ние

apprehensive [,æprı'hensıv] *a* 1) по́лный стра́ха, трево́ги, предчу́вствий 2) *уст.* поня́тливый, сообрази́тельный

apprentice [ə'prentıs] 1. *n* 1) учени́к, подмасте́рье; to bind smb. ~ отда́ть кого́-л. в уче́ние (ремеслу́) 2) новичо́к; начина́ющий

2. *v* отдава́ть в уче́ние; to ~ smb. (to a tailor, a shoemaker, *etc.*) отда́ть кого́-л. в уче́ние (к портно́му, сапо́жнику *и т. п.*)

apprenticeship [ə'prentısʃıp] *n* 1) уче́ние, учени́чество; articles of ~ усло́вия догово́ра ме́жду ученико́м и хозя́ином 2) срок уче́ния (*в старину 7 лет*)

apprise [ə'praız] *v* извеща́ть, информи́ровать; to ~ smb. of smth. информи́ровать кого́-л. о чём-л.

apprize [ə'praız] *v уст.* оце́нивать, расце́нивать

appro ['æprəʊ] *n* (*сокр. от* approbation, approval): on ~ *эк.* на про́бу (*с правом возвращения товара обратно*)

approach [ə'prəʊtʃ] 1. *n* 1) приближе́ние; the ~ of summer наступле́ние ле́та 2) по́дступ, подхо́д (*тж. перен*); easy of ~ легкодосту́пный; difficult of ~ труднодосту́пный; to make ~es to smb. стара́ться привле́чь внима́ние кого́-л.; *разг.* подъезжа́ть к кому́-л.; he's rather difficult to ~ к нему́ не подойдёшь 3) *pl* ава́нсы; попы́тки 4) (*обыкн. pl*) *воен.* по́дступ 5) *ав.* захо́д на поса́дку; instrument ~ захо́д на поса́дку по прибо́рам 6) *attr.*: ~ road подъездно́й путь

2. *v* 1) приближа́ться, подходи́ть 2) приближа́ться, быть почти́ ра́вным, похо́жим 3) де́лать предложе́ния, начина́ть перегово́ры; I ~ed him on this matter я обрати́лся к нему́ по э́тому вопро́су; he ~ed me for information он обрати́лся ко мне за све́дениями 4) пыта́ться повлия́ть (*на кого-л.*)

approachable [ə'prəʊtʃəbl] *a* 1) охо́тно иду́щий навстре́чу (*предложениям и т. п.*) 2) досту́пный; достижи́мый

approbate ['æprəʊbeıt] *v амер.* 1) одобря́ть 2) санкциони́ровать

approbation [,æprəʊ'beıʃn] *n* 1) одобре́ние; on ~ *см.* appro 2) са́нкция, согла́сие; by ~ с согла́сия

approbatory [,æprəʊ'beıtərı] *a* одобри́тельный

appropriate 1. *a* [ə'prəʊprııət] 1) подходя́щий, соотве́тствующий (to, for) 2) *книжн.* сво́йственный, прису́щий (to)

2. *v* [ə'prəʊprıeıt] 1) присва́ивать 2) предназнача́ть; ассигнова́ть

appropriation [ə,prəʊprı'eıʃn] *n* 1) присвое́ние 2) назначе́ние, ассигнова́ние (*на определённую цель*) ◇ A. Bill фина́нсовый законопрое́кт

approval [ə'pru:vl] *n* 1) одобре́ние; благоприя́тное мне́ние; he gave his ~ to our plan он одо́брил наш план; to meet with ~ получи́ть одобре́ние; on ~ *см.* appro 2) утвержде́ние; са́нкция

approve [ə'pru:v] *v* 1) одобря́ть (of) 2) утвержда́ть (*особ. постановление*); санкциони́ровать 3) *refl. уст.* пока́зывать, проявля́ть себя́; he ~d himself a good pianist он показа́л себя́ хоро́шим пиани́стом

approved [ə'pru:vd] 1. *p. p. от* approve

2. *a*: ~ school *ист.* исправи́тельная шко́ла для малоле́тних правонаруши́телей

approvingly [ə'pru:vıŋlı] *adv* одобри́тельно

approximate 1. *a* [ə'prɒksımət] 1) приблизи́тельный; ~ value *мат.* приближённое значе́ние 2) находя́щийся бли́зко; бли́зкий (to — к)

2. *v* [ə'prɒksımeıt] 1) приближа́ть(ся); почти́ соотве́тствовать 2) приблизи́тельно равня́ться

approximately [ə'prɒksımətlı] *adv* приблизи́тельно, приближённо, почти́

approximation [ə,prɒksı'meıʃn] *n* 1) приближе́ние 2) приблизи́тельная *или* о́чень бли́зкая су́мма, ци́фра *и т. п.*; приближённое значе́ние

appurtenance [ə'pɜ:tınəns] *n* (*обыкн. pl*) принадле́жность

appurtenant [ə'pɜ:tınənt] *a* принадлежа́щий; относя́щийся

apricot ['eıprıkɒt] *n* 1) абрико́с 2) абрико́совое де́рево 3) абрико́совый цвет

April ['eıprəl] *n* 1) апре́ль 2) *attr.* апре́льский; ~ weather то дождь, то со́лнце; *перен.* то смех, то слёзы

April Fool [,eıprəl'fu:l] *n* челове́к, одура́ченный 1-го апре́ля

April Fools' Day [,eıprəl'fu:lzdeı] *n* день весёлых обма́нов (*1 апреля*)

a priori [,eıpraı'ɔ:raı] *лат.* 1. *a* априо́рный

2. *adv* априо́ри

apriority [,eıpraı'ɒrətı] *n* априо́рность

apron ['eıprən] *n* 1) пере́дник, фа́ртук 2) по́лость (*в экипаже*) 3) *театр.* авансце́на 4) *ав.* бетони́рованная площа́дка пе́ред анга́ром 5) *гидр.* поро́г, водобо́й 6) *тех.* козырёк, фа́ртук

apron strings ['eıprənstrıŋz] *n pl* завя́зки пере́дника ◇ to be tied (*или* to be pinned) to one's wife's (*или* mother's) ~ ≅ быть под каблуко́м у жены́, держа́ться за жёнину ю́бку; не сметь без ма́тери и ша́гу ступи́ть

apropos [,æprə'pəʊ] *фр.* 1. *a* своевре́менный, подходя́щий, уме́стный

2. *adv* 1) относи́тельно, по по́воду; ~

of this по по́воду э́того 2) кста́ти, ме́жду про́чим

apse [æps] *n архит.* апси́да

apsides ['æpsɪ,di:z] *pl от* apsis

apsis ['æpsɪs] *n (pl* apsides) *астр.* апси́да

apt [æpt] *a* 1) подходя́щий; an ~ quotation уда́чная цита́та 2) скло́нный; подве́рженный (*с inf.*); ~ to take fire легковоспламеня́ющийся 3) спосо́бный (at — к) 4) *predic.* вероя́тный, возмо́жный; скло́нный; he is ~ to succeed он, вероя́тно, бу́дет име́ть успе́х

apterous ['æptərəs] *a зоол.* бескры́лый

aptitude ['æptɪtju:d] *n* 1) спосо́бности 2) приго́дность; уме́стность 3) скло́нность (for)

aquaculture ['ækwə,kʌltʃə] *n* аквакульту́ра

aqua fortis [,ækwə'fɔ:tɪs] *n* концентри́рованная азо́тная кислота́

aquafortist [,ækwə'fɔ:tɪst] *n* офорти́ст

aqualung ['ækwəlʌŋ] *n* аквала́нг

aquamarine [,ækwəmə'ri:n] **1.** *n* 1) *мин.* аквамари́н 2) зеленова́то-голубо́й цвет

2. *a* 1) аквамари́новый 2) зеленова́то-голубо́й

aquanaut ['ækwənɔ:t] *n* аквана́вт, иссле́дователь-подво́дник

aquaplane ['ækwəpleɪn] **1.** *n спорт.* аквапла́н

2. *v* скользи́ть на аквапла́не

aqua regia [,ækwə'ri:dʒɪə] *n хим.* ца́рская во́дка

aquarelle [,ækwə'rel] *n* аквaре́ль

aquarellist [,ækwə'relɪst] *n* акварели́ст

aquaria [ə'kweərɪə] *pl от* aquarium

aquarium [ə'kweərɪəm] *n (pl* -iums, -ia) аква́риум

Aquarius [ə'kweərɪəs] *n* Водоле́й (*созвездие и знак зодиака*)

aquatic [ə'kwætɪk] *a* 1) водяно́й 2) во́дный

aquatics [ə'kwætɪks] *n pl* во́дные ви́ды спо́рта

aquatint ['ækwətɪnt] *n иск.* аквати́нта

aquation [ə'kweɪʃn] *n хим.* гидрата́ция

aqua vitae [,ækwə'vaɪti:] *n* во́дка, кре́пкий спиртно́й напи́ток

aqueduct ['ækwɪdʌkt] *n* 1) акведу́к, водопрово́д 2) *анат.* кана́л, труба́, прохо́д

aqueous ['eɪkwɪəs] *a* 1) водяно́й; водяни́стый; ~ solution во́дный раство́р; ~ chamber *анат.* пере́дняя ка́мера гла́за 2) *геол.* оса́дочный

aquifer ['ækwɪfə] *n геол.* водоно́сный слой *или* горизо́нт

aquiferous [ə'kwɪfərəs] *a геол.* водоно́сный

aquiline ['ækwɪlaɪn] *a* орли́ный

Arab ['ærəb] **1.** *n* 1) ара́б; ара́бка 2) ара́бская ло́шадь ◇ street ~ беспризо́рник, у́личный мальчи́шка

2. *a* ара́бский

arabesque [,ærə'besk] **1.** *n* арабе́ска

2. *a* 1) фантасти́ческий, причу́дливый, прихотли́вый 2) (A.) ара́бский, маврита́нский

Arabian [ə'reɪbɪən] **1.** *a* ара́бский ◇ ~ Nights' Entertainments, ~ Nights ара́бские ска́зки, «Ты́сяча и одна́ ночь»

2. *n* арави́ец; арави́йка

Arabic ['ærəbɪk] **1.** *a* ара́бский; арави́йский; ~ numerals ара́бские ци́фры

2. *n* ара́бский язы́к

arable ['ærəbl] **1.** *a* па́хотный

2. *n* па́хота; па́шня

arachnid [ə'ræknɪd] *n* паукообра́зное насеко́мое

arachnoid [ə'ræknɔɪd] **1.** *n анат.* паути́нная оболо́чка (*мозга*)

2. *a бот.* паутинообра́зный

arachnoiditis [ə,ræknɔɪ'daɪtəs] *n мед.* арахноиди́т

Aramaic [,ærə'meɪɪk] *n* араме́йский язы́к

arbalest ['ɑ:bəlɪst] *n ист.* арбале́т, самостре́л

arbalester ['ɑ:bəlɪstə] *n ист.* арбале́тчик

arbiter ['ɑ:bɪtə] *n* 1) арби́тр; трете́йский судья́ 2) власти́тель, повели́тель

arbitrage ['ɑ:bɪtrɑ:ʒ] *n фин.* ску́пка це́нных бума́г *и т. п.* для перепрода́жи

arbitrage(u)r [,ɑ:bɪtrɑ:'ʒɜ:] *n* посре́дник в ба́нковских и торго́вых опера́циях

arbitral ['ɑ:bɪtrəl] *a* арбитра́жный, трете́йский

arbitrament [ɑ:'bɪtrəmənt] *n* 1) арбитра́ж 2) реше́ние, при́нятое арби́тром; авторите́тное реше́ние

arbitrary ['ɑ:bɪtrərɪ] *a* 1) произво́льный 2) капри́зный, своево́льный 3) деспоти́ческий 4) *мат.*: ~ constant произво́льная постоя́нная ◇ ~ signs and symbols усло́вные зна́ки и обозначе́ния

arbitrate ['ɑ:bɪtreɪt] *v* 1) выноси́ть трете́йское реше́ние, быть трете́йским судьёй 2) передава́ть вопро́с трете́йскому суду́

arbitration [,ɑ:bɪ'treɪʃn] *n* 1) трете́йский суд, арбитра́ж 2) = arbitrage; ~ of exchange валю́тный арбитра́ж

arbitrator ['ɑ:bɪtreɪtə] *n* трете́йский судья́, арби́тр

arbor ['ɑ:bə] *n тех.* вал; ось; шпи́ндель; опра́вка

arboraceous [,ɑ:bə'reɪʃəs] *a* древови́дный; древе́сный

Arbor Day ['ɑ:bədeɪ] *n амер., австрал.* весе́нний пра́здник древонасажде́ния

arboreal [ɑ:'bɔ:rɪəl] *a* 1) древе́сный; относя́щийся к де́реву 2) *зоол.* древе́сный, живу́щий на дере́вьях

arboreous [ɑ:'bɔ:rɪəs] *a* 1) леси́стый 2) древови́дный 3) = arboreal 2)

arborescent [,ɑ:bə'resnt] *a* древови́дный

arboreta [,ɑ:bə'ri:tə] *pl от* arboretum

arboretum [,ɑ:bə'ri:təm] *n (pl* -ta, -tums) древе́сный пито́мник

arboriculture ['ɑ:bərɪ,kʌltʃə] *n* древово́дство; разведе́ние, выра́щивание дере́вьев и куста́рников

arboriculturist [,ɑ:bərɪ'kʌltʃərɪst] *n* древово́д

arborization [,ɑ:bərɪ'zeɪʃn] *n* 1) *мин.* древови́дное образова́ние в криста́ллах, го́рных поро́дах 2) *анат.* древови́дное разветвле́ние не́рвных кле́ток *или* кровено́сных сосу́дов

arbour ['ɑ:bə] *n* бесе́дка (*увитая зеленью*)

arbutus [ɑ:'bju:təs] *n* земляни́чное де́рево

arc [ɑ:k] **1.** *n* 1) *мат.* дуга́; ~ of fire *воен.* се́ктор обстре́ла 2) электри́ческая дуга́ 3) *attr.* дугово́й; ~ lamp дугова́я ла́мпа; ~ welding электродугова́я сва́рка

2. *v эл.* образова́ть дугу́

arcade [ɑ:'keɪd] *n* 1) пасса́ж с магази́нами 2) *архит.* арка́да; сво́дчатая галере́я

arcadian [ɑ:'keɪdɪən] **1.** *a* арка́дский; иддили́ческий, се́льский

2. *n* обита́тель Арка́дии, обита́тель счастли́вой, идилли́ческой страны́

arcana [ɑ:'keɪnə] *pl от* arcanum

arcane [ɑ:'keɪn] *a* та́йный, скры́тый, мисти́ческий

arcanum [ɑ:'keɪnəm] *n (pl* -na) 1) *обыкн. pl* та́йна 2) *уст.* колдовско́й напи́ток, сна́добье

arc-boutant [,ɑ:bu:'tɒŋ] *фр. n (pl* arcs-boutants) *стр.* подпо́рная а́рка, а́рочный контрфо́рс

arch I [ɑ:tʃ] **1.** *n* 1) а́рка; свод 2) дуга́; проги́б 3) *attr.* а́рочный; сво́дчатый; ~ bridge а́рочный мост; ~ dam а́рочная плоти́на

2. *v* 1) перекрыва́ть сво́дом; придава́ть фо́рму а́рки 2) изгиба́ть(ся) дуго́й

arch II [ɑ:tʃ] *a* игри́вый, лука́вый

arch- [ɑ:tʃ-] *pref* архи-: а) гла́вный, ста́рший; archbishop архиепи́скоп; б) отъя́вленный, са́мый большо́й; ~-liar отъя́вленный лжец; ~-rogue архиплу́т; в) *редк.* пе́рвый, первонача́льный; ~-founder основа́тель

Archaen [ɑ:'ki:ən] *a геол.* архе́йский

archaeological [,ɑ:kɪə'lɒdʒɪkl] *a* археологи́ческий

archaeologist [,ɑ:kɪ'ɒlədʒɪst] *n* архео́лог

archaeology [,ɑ:kɪ'ɒlədʒɪ] *n* археоло́гия

Archaeozoic [,ɑ:kɪə'zəʊɪk] *a геол.* археозо́йский

archaic [ɑ:'keɪɪk] *a* архаи́ческий, устаре́лый

archaism ['ɑ:keɪ,ɪzəm] *n* архаи́зм, устаре́вшее сло́во *или* выраже́ние

archaize ['ɑ:keɪaɪz] *v* 1) подража́ть архаи́ческим фо́рмам 2) употребля́ть архаи́змы

archangel ['ɑ:k͵eɪndʒəl] *n* 1) арха́нгел 2) *бот.* ду́дник тёмно-пурпу́ровый; white ~ глуха́я крапи́ва

archbishop [ɑ:tʃ'bɪʃəp] *n* архиепи́скоп

archbishopric [ɑ:tʃ'bɪʃəprɪk] *n* архиепи́скопство

archdeacon [ɑ:tʃ'di:kən] *n* архидиа́кон

archdiocese [͵ɑ:tʃ'daɪəsɪs] *n* епа́рхия архиепи́скопа

arched [ɑ:tʃt] **1.** *p. p. от* arch I, 2
2. *a* 1) изо́гнутый 2) сво́дчатый; куполови́дный 3) а́рочный; ~ girder *стр.* а́рочная ба́лка, фе́рма; ~ bridge а́рочный мост

archenemy [͵ɑ:tʃ'enəmɪ] *n* 1) закля́тый враг 2) (*часто* A.) сатана́

archer ['ɑ:tʃə] *n* 1) стрело́к из лу́ка, лу́чник 2) (the A.) Стреле́ц (*созвездие и знак зодиака*)

archery ['ɑ:tʃərɪ] *n* 1) стрельба́ из лу́ка 2) *собир.* отря́д стрелко́в из лу́ка

archetype ['ɑ:kɪtaɪp] *n* оригина́л, образе́ц; прототи́п

archfiend [ɑ:tʃ'fi:nd] *n* сатана́

archil ['ɑ:kɪl] *n бот.* лекано́ра, рокце́лла (*лишайники*)

archimandrite [͵ɑ:kɪ'mændraɪt] *n* архимандри́т

Archimedean [͵ɑ:kɪ'mi:dɪən] *a* архиме́дов; ~ screw архиме́дов винт

archipelago [͵ɑ:kɪ'peləgəʊ] *n* (*pl* -os, -oes [-əʊz]) 1) архипела́г; гру́ппа острово́в 2) мо́ре с многочи́сленными острова́ми

architect ['ɑ:kɪtekt] *n* 1) архите́ктор, зо́дчий; civil ~ гражда́нский архите́ктор; naval ~ корабе́льный инжене́р 2) творе́ц, созда́тель; ~ of one's own fortunes кузне́ц своего́ сча́стья

architectonic [͵ɑ:kɪtek'tɒnɪk] *a* 1) архитекту́рный 2) структу́рный 3) относя́щийся к систематиза́ции нау́ки

architectonics [͵ɑ:kɪtek'tɒnɪks] *n pl* (*употр. как sing*) 1) зо́дчество 2) архите́ктоника

architectural [͵ɑ:kɪ'tektʃrəl] *a* архитекту́рный; ~ engineering строи́тельная те́хника

architecture ['ɑ:kɪtektʃə] *n* 1) архитекту́ра, зо́дчество 2) архитекту́рный стиль 3) строе́ние, структу́ра; the ~ of a speech построе́ние ре́чи

architrave ['ɑ:kɪtreɪv] *n архит.* архитра́в

archival [ɑ:'kaɪvl] *a* архи́вный

archive ['ɑ:kaɪv] *v* 1) отправля́ть в архи́в 2) *вчт.* помеща́ть в архи́в, архиви́ровать

archives ['ɑ:kaɪvz] *n pl* архи́в

archivist ['ɑ:kɪvɪst] *n* архива́риус

archly ['ɑ:tʃlɪ] *adv* лука́во

archness ['ɑ:tʃnəs] *n* лука́вство

archway ['ɑ:tʃweɪ] *n* прохо́д под а́ркой; сво́дчатый прохо́д

arcing ['ɑ:kɪŋ] **1.** *pres. p. от* arc 2
2. *n эл.* искре́ние; образова́ние *или* горе́ние дуги́

arcs-boutants [͵ɑ:bu:'tɒŋ] *pl от* arc-boutant

arctic ['ɑ:ktɪk] **1.** *a* 1) аркти́ческий, поля́рный, се́верный 2) холо́дный
2. *n* 1) (the A.) А́рктика 2) *pl амер.* тёплые бо́ты

Arctic Circle [͵ɑ:ktɪk'sɜ:kl] *n* Се́верный поля́рный круг

arctic fox ['ɑ:ktɪkfɒks] *n* песе́ц

arcuate, arcuated ['ɑ:kjʊət, -ɪd] *a* аркообра́зный, дугови́дный, со́гнутый

ardent ['ɑ:dnt] *a* 1) горя́чий, пы́лкий, стра́стный, ре́вностный; ~ love горя́чая любо́вь; ~ desire стра́стное жела́ние 2) горя́щий, пыла́ющий; ~ heat зной ◇ ~ spirits спиртны́е напи́тки

ardently ['ɑ:dntlɪ] *adv* горячо́, пы́лко, стра́стно

ardour ['ɑ:də] *n* 1) жар, рве́ние, пыл; to damp smb.'s ~ умеря́ть чей-л. пыл 2) жар, зной

arduous ['ɑ:djʊəs] *a* 1) тру́дный 2) круто́й, труднодосту́пный 3) энерги́чный; ре́вностный

are I [ɑ: (*полная форма*); ə, ər *перед гласными* (*редуцированные формы*)] *мн. ч. настоящего времени гл.* to be

are II [ɑ:] *фр. n* ар (*мера земельной площади = 100 кв. м.*)

area ['eərɪə] *n* 1) пло́щадь, простра́нство; ~ under crop посевна́я пло́щадь; ~ of bearing *тех.* опо́рная пове́рхность 2) *мат.* пло́щадь; ~ of a triangle пло́щадь треуго́льника 3) райо́н; зо́на; край; о́бласть; residential ~ жило́й райо́н 4) разма́х, сфе́ра; wide ~ of thought широ́кий кругозо́р 5) *амер.* приямо́к пе́ред вхо́дом и о́кнами полуподва́ла

area code ['eərɪəkəʊd] *n амер.* трёхзначный междугоро́дный телефо́нный код

arena [ə'ri:nə] *n* 1) аре́на 2) ме́сто де́йствия; по́ле сраже́ния

arenaceous [͵ærɪ'neɪʃəs] *a* 1) песча́нистый; песча́ный; содержа́щий песо́к 2) расту́щий на песке́

aren't [ɑ:nt] *сокр. разг.* = are not

areometer [͵eərɪ'ɒmɪtə] *n* арео́метр

Areopagus [͵ærɪ'ɒpəgəs] *греч. n* ареопа́г

arête [ə'reɪt] *фр. n* о́стрый гре́бень горы́

argent ['ɑ:dʒənt] **1.** *a* серебри́стый
2. *n уст., поэт., геральд.* 1) серебро́ 2) серебри́стость, белизна́

argentic [ɑ:'dʒentɪk] *a хим.* содержа́щий серебро́; ~ chloride хло́ристое серебро́

argentiferous [͵ɑ:dʒən'tɪfərəs] *a* сребронс́сный, содержа́щий серебро́ (*о руде*)

Argentine ['ɑ:dʒəntiːn] **1.** *a* аргенти́нский
2. *n* аргенти́нец; аргенти́нка

argentine ['ɑ:dʒəntaɪn] *a* серебряный; серебри́стый

Argentinean, Argentinian [͵ɑ:dʒən'tɪnɪən] *n* аргенти́нец; аргенти́нка

argil ['ɑ:dʒɪl] *n* гонча́рная *или* бе́лая гли́на

argillaceous [͵ɑ:dʒɪ'leɪʃəs] *a* гли́нистый, содержа́щий гли́ну

argon ['ɑ:gɒn] *n хим.* арго́н

Argonaut ['ɑ:gənɔ:t] *n* 1) *греч. миф.* аргона́вт 2) (a.) *амер.* золотоиска́тель [*ср.* forty-niner] 3) (a.) *зоол.* кора́блик (*моллюск*)

argosy ['ɑ:gəsɪ] *n* 1) *ист.* большо́е торго́вое су́дно 2) *поэт.* кора́бль

argot ['ɑ:gəʊ] *n* арго́, жарго́н

arguable ['ɑ:gjʊəbl] *a* 1) спо́рный 2) доказу́емый

argue ['ɑ:gju:] *v* 1) спо́рить (with, against — с *кем-л.*; about — о *чём-л.*); аргументи́ровать; to ~ against выступа́ть про́тив; to ~ smth. away отде́латься, отговори́ться от чего́-л.; to ~ in favour of smth. приводи́ть до́воды в по́льзу чего́-л.; to ~ smth. out with smb. договори́ться с кем-л. о чём-л. 2) дока́зывать; it ~s him (to be) an honest man э́то дока́зывает, что он че́стный челове́к 3) обсужда́ть 4) убежда́ть (into); разубежда́ть (out of); to ~ a man out of an opinion разубеди́ть кого́-л.

argufy ['ɑ:gjʊfaɪ] *v разг.* препира́ться, спо́рить ра́ди спо́ра

argument ['ɑ:gjʊmənt] *n* 1) диску́ссия, спор; a matter of ~ спо́рный вопро́с 2) до́вод, аргуме́нт (for — *в пользу чего-л.*; against — про́тив *чего-л.*); a strong ~ убеди́тельный до́вод; a weak ~ сла́бый до́вод 3) аргумента́ция 4) кра́ткое содержа́ние (*книги*) 5) *мат.* аргуме́нт, незави́симая переме́нная

argumentation [͵ɑ:gjʊmen'teɪʃn] *n* 1) аргумента́ция 2) спор

argumentative [͵ɑ:gjʊ'mentətɪv] *a* 1) любя́щий спо́рить; приводя́щий аргумента́цию 2) логи́чный, аргументи́рованный 3) дискуссио́нный, спо́рный 4) пока́зывающий, свиде́тельствующий (of — о)

Argus ['ɑ:gəs] *n* 1) *греч. миф.* А́ргус 2) бди́тельный, неусы́пный страж

Argus-eyed ['ɑ:gəsaɪd] *a* бди́тельный; зо́ркий

argute [ɑ:'gju:t] *a книжн.* 1) о́стрый, проница́тельный 2) пронзи́тельный (*о звуке*)

argy-bargy [͵ɑ:dʒɪ'bɑ:dʒɪ] *n разг.* оживлённая диску́ссия, ди́спут, спор

aria ['ɑ:rɪə] *n* а́рия

arid ['ærɪd] *a* 1) сухо́й, засу́шливый; безво́дный; ари́дный (*о почве*); ~ region засу́шливый райо́н; ари́дная *или* пусты́нная о́бласть 2) сухо́й, ску́чный, неинтере́сный

aridity [ə'rɪdətɪ] *n* су́хость *и пр.* [*см.* arid]

Aries ['eəri:z] *n* Ове́н (*созвездие и знак зодиака*)

aright [ə'raɪt] *adv* пра́вильно, ве́рно; if I hear you ~ е́сли я вас пра́вильно понима́ю

aril ['ærəl] *n бот.* шелуха́, кожура́

arioso [͵ɑ:rɪ'əʊzəʊ] *um. n, adv муз.* арио́зо

arise [ə'raɪz] *v* (arose; arisen) 1) возника́ть, появля́ться 2) проистека́ть, явля́ться результа́том (from, out of — че-

го-л.) 3) *поэт.* подниматься, вставать 4) *поэт.* восставать; воскресать

arisen [əˈrɪzn] *p. p. от* arise

arisings [əˈraɪzɪŋz] *n pl* вторичные продукты *или* отходы промышленного производства

arista [əˈrɪstə] *n* (*pl* -ae) *бот.* ость

aristae [əˈrɪstiː] *pl от* arista

aristocracy [ˌærɪsˈtɒkrəsɪ] *n* аристократия

aristocrat [ˈærɪstəkræt] *n* аристократ

aristocratic [ˌærɪstəˈkrætɪk] *a* аристократический

Aristotelian [ˌærɪstəˈtiːlɪən] **1.** *a* аристотелевский

2. *n* последователь Аристотеля

arithmetic 1. *n* [əˈrɪθmətɪk] арифметика; счёт

2. *a* [ˌærɪθˈmetɪk] = arithmetical

arithmetical [ˌærɪθˈmetɪkl] *a* арифметический; ~ mean среднее арифметическое; ~ progression арифметическая прогрессия

arithmetician [əˌrɪθməˈtɪʃn] *n* арифметик

ark [ɑːk] *n* 1) ящик, ковчег 2) корабль; *амер.* баржа ◇ Noah's ~ Ноев ковчег (*тж. как название детской игрушки*); ~ of refuge убежище

arm I [ɑːm] *n* 1) рука (*от кисти до плеча*); to fold in one's ~s заключить в объятия; under one's ~ под мышкой; with open ~s с распростёртыми объятиями; a child in ~s младенец; take smb. by the ~ брать кого-л. под руку; keep smb. at ~'s length держать кого-л. на почтительном расстоянии 2) передняя лапа (*животного*) 3) рукав; ~ of a river рукав реки 4) ручка, подлокотник (*кресла*) 5) (большая) ветвь 6) сила, власть; the ~ of the law сила закона 7) *тех.* плечо (*рычага*); ручка, рукоятка; спица (*колеса*); стрела (*крана*); ~s of a balance коромысло весов ◇ to chance one's ~ рисковать, искушать судьбу, попытать счастья

arm II [ɑːm] **1.** *n* 1) (*обыкн. pl*) оружие; small ~s стрелковое оружие; in ~s вооружённый; up in ~s а) готовый к борьбе, сопротивлению; б) охваченный восстанием; to be up in ~s against smb. нападать, жаловаться на кого-л.; to take up ~s, to appeal to ~s взяться за оружие; to lay down ~s сложить оружие; to ~s! к оружию!; under ~s вооружённый, под ружьём 2) *обыкн. pl* военная профессия 3) род войск 4) *pl* война, военные действия 5) *pl* герб (*обыкн.* coat of ~s) 6) *pl attr.:* ~s race гонка вооружений; ~s cut сокращение вооружений

2. *v* 1) вооружать(ся) (*тж. перен.*); to be ~ed with information располагать исчерпывающей информацией 2) заряжать, взводить

armada [ɑːˈmɑːdə] *n* армада; the Invincible A. *ист.* Непобедимая армада

armadillo [ˌɑːməˈdɪləʊ] *n* (*pl* -os [-əʊz]) *зоол.* армадилл, броненосец

Armageddon [ˌɑːməˈgedn] *n* 1) *библ.* Армагеддон 2) великое побоище

armament [ˈɑːməmənt] *n* 1) (*обыкн. pl*) оружие; боеприпасы 2) вооружение 3) (*обыкн. pl*) вооружённые силы 4) *attr.:* ~ factory (*или* works) военный завод 5) *pl attr.:* ~s drive (*или* race) гонка вооружений

armature [ˈɑːmətʃə] *n* 1) *тех.* арматура 2) *эл.* якорь 3) *эл.* броня (*кабеля*) 4) *зоол.*, *бот.* панцирь 5) *уст.* вооружение, броня

armband [ˈɑːmbænd] *n* нарукавная повязка

armchair [ˈɑːmtʃeə] **1.** *n* кресло (*с подлокотниками*)

2. *a* кабинетный; доктринерский; ~ critic критик, слепо следующий какой-л. доктрине, догме

armed [ɑːmd] **1.** *p. p. от* arm II, 2

2. *a* вооружённый; укреплённый; ~ forces вооружённые силы; ~ attack вооружённое нападение; ~ insurrection вооружённое восстание

-armed [-ɑːmd] *в сложных словах означает* а) имеющий *столько-то* рук; one-~ однорукий; б) имеющий *такие-то* руки; long-~ длиннорукий; cross-~ со скрещёнными руками

Armenian [ɑːˈmiːnɪən] **1.** *a* армянский

2. *n* 1) армянин; армянка 2) армянский язык

armful [ˈɑːmfʊl] *n* охапка

armhole [ˈɑːmhəʊl] *n* пройма

arm-in-arm [ˌɑːmɪnˈɑːm] *adv* под руку

arming [ˈɑːmɪŋ] **1.** *pres. p. от* arm II, 2

2. *n* вооружение; боевое снаряжение

armistice [ˈɑːmɪstɪs] *n* прекращение военных действий; короткое перемирие, прекращение огня

armless I [ˈɑːmləs] *a* 1) безрукий 2) не имеющий ветвей

armless II [ˈɑːmləs] *a* безоружный

armlet [ˈɑːmlət] *n* 1) нарукавная повязка 2) браслет 3) небольшой морской залив; рукав реки

armor [ˈɑːmə] *амер.* = armour

armored [ˈɑːməd] *амер.* = armoured

armorial [ɑːˈmɔːrɪəl] **1.** *a* геральдический, гербовый

2. *n* гербовник

armory I [ˈɑːmərɪ] *n* геральдика

armory II [ˈɑːmərɪ] *n амер.* 1) = armoury 2) военный завод (*обыкн. государственный*) 3) учебный манеж

armour [ˈɑːmə] **1.** *n* 1) вооружение; доспехи; латы; панцирь 2) броня (*корабля, танка и т. п.*) 3) *собир.* бронесилы 4) скафандр (*водолаза*) 5) *зоол.*, *бот.* панцирь 6) *attr.* броневой; бронированный

2. *v* покрывать бронёй

armour-bearer [ˌɑːməˈbeərə] *n ист.* оруженосец

armour-clad [ˈɑːməklæd] **1.** *a* броненосный, бронированный

2. *n* броненосец

armoured [ˈɑːməd] **1.** *p. p. от* armour 2

2. *a* бронированный, броненосный; (броне)танковый; ~ car бронеавтомобиль; ~ forces бронетанковые силы; ~ train бронепоезд ◇ ~ concrete железобетон; ~ cow *амер. воен. жарг.* сгущённое молоко

armourer [ˈɑːmərə] *n* 1) оружейный мастер, оружейник 2) владелец оружейного завода 3) заведующий оружейным складом (*полка и т. п.*)

armour-plate [ˌɑːməˈpleɪt] *n* броневой лист, броневая плита

armour-plated [ˌɑːməˈpleɪtɪd] *a* бронированный, броненосный

armoury [ˈɑːmərɪ] *n* склад оружия, арсенал

armpit [ˈɑːmpɪt] *n* подмышка

armrest [ˈɑːmrest] *n* подлокотник

arm-twisting [ˌɑːmˈtwɪstɪŋ] *n* 1) выворачивание рук 2) политика грубого нажима

army [ˈɑːmɪ] *n* 1) армия; Salvation A. Армия спасения; A. in the Field действующая армия; standing ~ постоянная армия; A. at Home армия метрополии; to enter (*или* to go into, to join) the ~ поступить на военную службу 2) множество; масса 3) *attr.* армейский, относящийся к армии *или* принадлежащий армии; ~ command командование сухопутных войск; ~ commander командующий армией; ~ headquarters штаб армии; ~ cloth сукно армейского образца; ~ post exchange (*сокр.* P. X.) *амер.* военный магазин

army list [ˌɑːmɪˈlɪst] *n* список офицерского состава армии

army register [ˌɑːmɪˈredʒɪstə] *n амер.* список офицерского состава армии

arnica [ˈɑːnɪkə] *n бот.*, *фарм.* арника

aroma [əˈrəʊmə] *n* 1) аромат, приятный запах 2) едва заметный признак, оттенок

aromatic [ˌærəˈmætɪk] *a* ароматический; благовонный; ~ compound *хим.* соединение ароматического ряда; ~ series *хим.* ароматический ряд

arose [əˈrəʊz] *past от* arise

around [əˈraʊnd] **1.** *adv* 1) всюду, кругом 2) *разг.* вблизи; поблизости; ~ here в этом районе; неподалёку; to hang ~ быть поблизости; to get (*или* to come) ~ подойти, приблизиться 3) в окружности; в обхвате; the tree measures four feet ~ дерево имеет четыре фута в обхвате ◇ to get ~ to doing smth. собраться сделать что-л., собраться осуществить намерение

2. *prep* 1) вокруг; to walk ~ the house обойти вокруг дома 2) по; за; около; to walk ~ the town гулять по городу; ~ the corner за углом 3) около, приблизительно; he paid ~ a hundred dollars он заплатил около ста долларов

around-the-clock [əˌraʊndðəˈklɒk] = round-the-clock

arouse [əˈraʊz] *v* 1) пробуждать; вызывать, возбуждать (*чувства, страсти, энергию*); to ~ one's interest вызвать чей-л. интере́с 2) буди́ть 3) просыпа́ться, пробужда́ться (*тж. о чувствах, страсти и т. п.*)

arpeggio [ɑ:ˈpedʒɪəʊ] *n муз.* арпе́джио

arquebus [ˈɑ:kwɪbəs] = harquebus

arrack [ˈærək] *n* ара́к (*спиртной напиток из риса*)

arraign [əˈreɪn] *v* 1) привлека́ть к суду́; обвиня́ть; to ~ before the bar of public opinion привле́чь к суду́ обще́ственного мне́ния 2) придира́ться

arraignment [əˈreɪnmənt] *n* 1) привлече́ние к суду́; обвине́ние 2) приди́рки

arrange [əˈreɪndʒ] *v* 1) приводи́ть в поря́док, располага́ть, классифици́ровать 2) устра́ивать(ся) 3) сгова́риваться, усла́вливаться, догова́риваться; to ~ with smb. about smth. договори́ться с кем-л. о чём-л.; we ~d to meet at six мы усло́вились встре́титься в шесть 4) принима́ть ме́ры, подгота́вливать (for) 5) ула́живать (*спор*); приходи́ть к соглаше́нию 6) приспоса́бливать, переде́лывать (*напр., инсценировать роман*) 7) *муз.* аранжи́ровать 8) *тех.* монти́ровать

arrangement [əˈreɪndʒmənt] *n* 1) приведе́ние в поря́док, расположе́ние, классифика́ция 2) устро́йство 3) соглаше́ние, договорённость; to come to an ~ прийти́ к соглаше́нию; to make ~s догова́риваться (*о чём-л.*); организо́вывать (*что-л.*); to make ~s (with smb.) усла́вливаться (с кем-л.); вступа́ть в соглаше́ние (с кем-л.) 4) (*обыкн. pl*) приготовле́ние, ме́ра, мероприя́тие; план 5) приспособле́ние, переде́лка (*для сцены и т. п.*) 6) *распр.* приспособле́ние, механи́зм 7) *муз.* аранжиро́вка 8) *тех.* монта́ж

arranger [əˈreɪndʒə] *n муз.* аранжиро́вщик

arrant [ˈærənt] *a* настоя́щий; су́щий; отъя́вленный; ~ nonsense су́щий вздор; ~ liar отъя́вленный лгун

arras [ˈærəs] *n* гобеле́н; шпале́ра

array [əˈreɪ] **1.** *n* 1) боево́й поря́док (*тж.* battle ~) 2) войска́ 3) ма́сса, мно́жество 4) *поэт.* наря́д, одея́ние, пы́шное облаче́ние 5) *юр.* спи́сок прися́жных заседа́телей 6) *радио* многовибра́торная сло́жная анте́нна 7) *вчт.* ма́трица; табли́ца

2. *v* 1) выстра́ивать в боево́й поря́док 2) *поэт.* одева́ть (in — во *что-л.*); украша́ть (in — *чем-л.*); to ~ oneself in all one's finery *шутл.* разоде́ться в пух и прах 3) *юр.* составля́ть спи́сок прися́жных заседа́телей

arrearage [əˈrɪərɪdʒ] *n* 1) задо́лженность, отстава́ние 2) *pl* долги́ 3) запа́с

arrears [əˈrɪəz] *n pl* 1) задо́лженность, недои́мка, долги́; ~ of rent (of wages) задо́лженность по квартпла́те (зарпла́те) 2) отстава́ние; ~ of housing отстава́ние в жили́щном строи́тельстве; ~ of work недоде́ланная рабо́та ◇ to be in ~ а) име́ть задо́лженность; б) отстава́ть (*в чём-л.*)

arrest [əˈrest] **1.** *n* 1) задержа́ние, аре́ст; under ~ под аре́стом; house ~ дома́шний аре́ст 2) наложе́ние аре́ста (*на имущество*) 3) заде́ржка, остано́вка; приостано́вка; ~ of judg(e)ment отсро́чка пригово́ра 4) *тех.* сто́порный механи́зм

2. *v* 1) аресто́вывать, заде́рживать 2) остана́вливать; приостана́вливать 3) прико́вывать (*взоры, внимание*) 4) выключа́ть (*машину, прибор*); тормози́ть

arrester [əˈrestə] *n* 1) *эл.* разря́дник; громоотво́д; lightning ~ грозово́й разря́дник 2) *тех.* заде́рживающее приспособле́ние, остано́в

arresting [əˈrestɪŋ] **1.** *pres. p. от* arrest 2

2. *a* 1) привлека́ющий внима́ние; поража́ющий; захва́тывающий; ~ speech захва́тывающая речь 2) заде́рживающий; остана́вливающий; ~ device *тех.* остана́вливающий механи́зм; защёлка, упо́р, соба́чка

arrière-ban [ˌærɪeəˈbæn] *фр. n ист.* 1) призы́в васса́лов на войну́ 2) ополче́ние васса́лов

arrière-pensée [ˌærɪeəˈpɑ:ŋseɪ] *фр. n* за́дняя мысль

arris [ˈærɪs] *n тех.* 1) ребро́ 2) о́стрый у́гол

arrival [əˈraɪvl] *n* 1) прибы́тие 2) вновь прибы́вший 3) приня́тие, достиже́ние (*соглашения и т. п.*); ~ at a decision приня́тие реше́ния 4) *шутл.* новорождённый

arrive [əˈraɪv] *v* 1) прибыва́ть (at, in, upon) 2) достига́ть (at); to ~ at a conclusion приходи́ть к заключе́нию; to ~ at an idea прийти́ к мы́сли 3) доби́ться успе́ха; an actor who has ~d актёр, кото́рый доби́лся успе́ха, просла́вился 4) *разг.* роди́ться 5) наступа́ть (*о времени, событии*)

arrogance [ˈærəgəns] *n* 1) высокоме́рие, надме́нность 2) самонаде́янность

arrogant [ˈærəgənt] *a* 1) высокоме́рный, надме́нный 2) самонаде́янный

arrogate [ˈærəgeɪt] *v* 1) де́рзко *или* самонаде́янно претендова́ть, тре́бовать 2) без основа́ния припи́сывать (to — *что-л. кому-л.*)

arrow [ˈærəʊ] *n* 1) стрела́ 2) стре́лка (*на схемах или чертежах*) 3) стре́лка-указа́тель ◇ an ~ left in one's quiver неиспо́льзованное сре́дство, оста́вшееся про запа́с

arrowhead [ˈærəʊhed] *n* 1) наконе́чник, остриё стрелы́ 2) = arrow 3)

arrow-headed [ˈærəʊhedɪd] *a* заострённый; клинообра́зный

arrowroot [ˈærəʊru:t] *n* арроуру́т (*крахмал из подземных побегов или корневищ растения*)

arrowy [ˈærəʊɪ] *a* 1) стрелови́дный 2) о́стрый; язви́тельный, ко́лкий; ~ tongue о́стрый язы́к

arse [ɑ:s] *n груб.* зад

arsenal [ˈɑ:snəl] *n* 1) арсена́л; цейхга́уз 2) ору́жие, сре́дства

arsenic 1. *n* [ˈɑ:snɪk] мышья́к

2. *a* [ɑ:ˈsenɪk] мышьяко́вый

arsenical [ɑ:ˈsenɪkl] = arsenic 2

arson [ˈɑ:sn] *n* поджо́г

arsonist [ˈɑ:snɪst] *n* поджига́тель

arsy-versy [ˌɑ:sɪˈvɜ:sɪ] *разг.* **1.** *a* беспоря́дочный

2. *adv* за́дом наперёд; ши́ворот-навы́ворот; в по́лном беспоря́дке

art I [ɑ:t] *n* 1) иску́сство 2) мастерство́; industrial (*или* mechanical, useful) ~s ремёсла 3) (the ~s) гуманита́рные нау́ки; Faculty of Arts отделе́ние гуманита́рных и математи́ческих нау́к 4) уме́ние, мастерство́, иску́сство; military ~ вое́нное иску́сство 5) (*обыкн. pl*) хи́трость; he gained his ends by ~s он хи́тростью дости́г свое́й це́ли 6) *attr.* худо́жественный; ~ school худо́жественное учи́лище ◇ manly ~ бокс; to have (*или* to be) ~ and part in быть прича́стным к *чему-л.*, быть соуча́стником *чего-л.*; ~ is long, life is short *посл.* жизнь коротка́, иску́сство ве́чно

art II [ɑ:t] *уст. 2 л. ед. ч. настоящего времени гл.* to be

artefact [ˈɑ:tɪfækt] *n* 1) предме́т материа́льной культу́ры 2) *археол.* оста́тки материа́льной культу́ры дре́внего челове́чества 3) *биол.* артефа́кт

Artemis [ˈɑ:tɪmɪs] *n греч. миф.* Арте́мида

arterial [ɑ:ˈtɪərɪəl] *a* 1) *анат.* артериа́льный 2) разветвля́ющийся; ~ drainage систе́ма дрена́жа с разветвля́ющимися кана́лами 3) магистра́льный; основно́й; ~ road магистра́ль, гла́вная доро́га; ~ traffic движе́ние по гла́вным у́лицам *или* доро́гам

arteriole [ɑ:ˈtɪərɪəʊl] *n анат.* ме́лкая арте́рия

arteriosclerosis [ɑ:ˌtɪərɪəʊskləˈrəʊsɪs] *n мед.* артериосклеро́з

artery [ˈɑ:tərɪ] *n* 1) *анат.* арте́рия 2) магистра́ль, гла́вный путь

artesian [ɑ:ˈti:zɪən] *a* артезиа́нский

artful [ˈɑ:tfl] *a* ло́вкий; хи́трый

artfulness [ˈɑ:tflnəs] *n* ло́вкость; хи́трость

arthritic [ɑ:ˈθrɪtɪk] *a мед.* 1) относя́щийся к суста́ву 2) артрити́ческий, подагри́ческий

arthritis [ɑ:ˈθraɪtɪs] *n мед.* артри́т

arthropod [ˈɑ:θrəpɒd] *n зоол.* членисто́ногие, артропо́д

Arthurian [ɑ:ˈθjʊərɪən] *a*: ~ romances *лит.* рома́ны Арту́рова ци́кла

artichoke [ˈɑ:tɪtʃəʊk] *n бот.* артишо́к

article [ˈɑ:tɪkl] **1.** *n* 1) предме́т, изде́лие, вещь; an ~ of clothing предме́т оде́жды; ~s of daily necessity предме́ты пе́рвой необходи́мости 2) статья́; leading ~ передова́я статья́ 3) пункт, пара́граф; the Articles of War вое́нный ко́декс (*сухопутных войск Англии и США*); the Thirty-nine Articles 39 догма́тов англика́нского вероисповеда́ния; ~ of the Constitution статья́ конститу́ции; main ~s of trade основны́е статьи́ торго́вли; to be under ~s быть свя́занным контра́ктом 4) *грам.* арти́кль ◇ in the ~ of death *уст.* в моме́нт сме́рти

2. *v* 1) предъявля́ть пу́нкты обвине́ния (against — про́тив *кого-л.*) 2) отдава́ть по контра́кту в уче́ние

articular [ɑːˈtɪkjʊlə] *a анат.* сустavно́й

articulate 1. *a* [ɑːˈtɪkjʊlət] 1) чётко выража́ющий свои́ мы́сли 2) членоразде́льный, я́сный, отчётливый; чётко сформули́рованный 3) *зоол.*, *анат.*, *бот.* коле́нчатый, суста́вчатый; члени́стый 4) *тех.* шарни́рный

2. *v* [ɑːˈtɪkjʊleɪt] 1) отчётливо произноси́ть 2) *фон.* артикули́ровать 3) (*обыкн. p. p.*) *анат.* свя́зывать, соединя́ть(ся)

articulated [ɑːˈtɪkjʊleɪtɪd] *a* сочленённый (*о средствах передвижения*); an ~ lorry тяга́ч с полуприце́пом

articulation [ɑːˌtɪkjʊˈleɪʃn] *n* 1) *фон.* артикуля́ция 2) *анат.* сочлене́ние 3) *тех.* сочлене́ние

artifact [ˈɑːtɪfækt] = artefact

artifice [ˈɑːtɪfɪs] *n* 1) изобрете́ние, вы́думка 2) иску́сная проде́лка; хи́трость 3) ло́вкость, уме́ние

artificer [ɑːˈtɪfɪsə] *n* 1) изобрета́тель 2) реме́сленник 3) сле́сарь, меха́ник 4) *воен.* те́хник (*оружейный*)

artificial [ˌɑːtɪˈfɪʃl] **1.** *a* 1) иску́сственный; ~ butter маргари́н; ~ respiration иску́сственное дыха́ние; ~ atmosphere кондициони́рованный во́здух; ~ numbers *мат.* логари́фмы; ~ intelligence *вчт.* иску́сственный интелле́кт 2) притво́рный

2. *n pl* иску́сственное удобре́ние

artificiality [ˌɑːtɪfɪʃɪˈælətɪ] *n* 1) иску́сственность 2) что-л. иску́сственное

artillerist [ɑːˈtɪlərɪst] *n* артиллери́ст

artillery [ɑːˈtɪlərɪ] *n* 1) артилле́рия; accompanying ~ артилле́рия сопровожде́ния, артилле́рия подде́ржки пехо́ты 2) *attr.* артиллери́йский; ору́дийный; ~ board батаре́йный огнево́й планше́т; ~ emplacement *амер.* ору́дийный око́п; ~ engagement артиллери́йский бой; ~ mount ору́дийная устано́вка; ~ range артиллери́йский полиго́н

artilleryman [ɑːˈtɪlərɪmən] *n* артиллери́ст

artisan [ˌɑːtɪˈzæn] *n* реме́сленник, мастерово́й

artist [ˈɑːtɪst] *n* 1) худо́жник 2) арти́ст 3) ма́стер своего́ де́ла

artiste [ɑːˈtiːst] *n* 1) эстра́дный арти́ст 2) арти́ст (*лицо, искусное в своей профессии; тж. шутл.*)

artistic [ɑːˈtɪstɪk] *a* 1) артисти́ческий 2) худо́жественный

artistry [ˈɑːtɪstrɪ] *n* 1) артисти́зм, артисти́чность, худо́жественность исполне́ния 2) заня́тие иску́сством

artless [ˈɑːtləs] *a* 1) просто́й, безыску́сственный 2) простоду́шный 3) неиску́сный, неуме́лый

artwork [ˈɑːtwɜːk] *n* произведе́ние иску́сства (*скульптура, рисунок и т. п.*)

arty [ˈɑːtɪ] *a разг.* 1) с претензией на худо́жественность (*о вещах*) 2) претенду́ющий на то́нкий (худо́жественный) вкус (*о людях*)

arty-crafty [ˌɑːtɪˈkrɑːftɪ] *a разг.* претенцио́зный; вы́чурный

arum [ˈeərəm] *n бот.* а́рум, аро́нник

Aryan [ˈeərɪən] **1.** *a* ари́йский

2. *n* ари́ец; ари́йка

as [æz (*полная форма*); əz, z (*редуцированные формы*)] **1.** *pron rel.* 1) како́й, кото́рый; this is the same book as I lost э́то така́я же кни́га, как та, что я потеря́л 2) что; he was a foreigner as they perceived from his accent акце́нт выдава́л в нём иностра́нца

2. *adv* 1) как; do as you are told де́лайте, как (вам) ска́зано; as per order *ком.* согла́сно зака́зу 2) как наприме́р; some animals, as the fox and the wolf не́которые живо́тные, как наприме́р лиса́ и волк 3) в ка́честве (*кого-л.*); to appear as Hamlet вы́ступить в ро́ли Га́млета; to work as a teacher рабо́тать преподава́телем ▭ as... as... так же ... как; he is as tall as you are он тако́го же ро́ста, как и вы; as far as а) так далеко́; до; I will go as far as the station with you я провожу́ вас до ста́нции; б) наско́лько; as far as I know наско́лько мне изве́стно; as far back as 1950 ещё в 1950 году́; as far back as two years ago ещё два го́да тому́ наза́д; as for что каса́ется, что до; as for me, you may rely upon me что каса́ется меня́, то мо́жете на меня́ положи́ться; as much as ско́лько; as much as you like ско́лько хоти́те; I thought as much я так и ду́мал ◇ as good as всё равно́ что; факти́чески; the work is as good as done рабо́та факти́чески зако́нчена; as well а) та́кже; I can do it as well я та́кже могу́ э́то сде́лать; б) с таки́м же успе́хом; as yet пока́ ещё, до сих по́р; there have been no letters from him as yet от него́ ещё пока́ нет пи́сем

3. *cj* 1) когда́, в то вре́мя как (*тж.* just as); he came in as I was speaking он вошёл, когда́ я говори́л; just as I reached the door как то́лько я подошёл к две́ри 2) так как; I could not stay, as it was late я не мог остава́ться, так как бы́ло уже́ по́здно 3) хотя́; как ни; cunning as he is he won't decieve me как он ни хитёр, меня́ он не проведёт; I was glad of his help, slight as it was я был рад его́ по́мощи, хотя́ она́ была́ незначи́тельна 4) (*с inf.*): be so good as to come бу́дьте любе́зны, приходи́те ◇ as if как бу́дто; as it were так сказа́ть; as though = as if; as to, as concerning, as concerns относи́тельно, что каса́ется; they inquired as to the actual reason они́ осве́домились об и́стинной причи́не; as you were! *воен.* отста́вить!

asbestine [æsˈbestɪn] *a* асбе́стовый

asbestos [æsˈbestəs] *n мин.* асбе́ст

ascend [əˈsend] *v* 1) поднима́ться, всходи́ть; to ~ a mountain взойти́, подня́ться на́ гору 2) продвига́ться (*по службе*) 3) восходи́ть; вести́ происхожде́ние (*от чего-л.*) 4) *ав.* набира́ть высоту́

ascendancy [əˈsendənsɪ] *n* власть, доми́ни́рующее влия́ние (over)

ascendant [əˈsendənt] **1.** *n*: to be in the ~ госпо́дствовать, име́ть большо́е влия́ние; his star is in the ~ его́ звезда́ восхо́дит

2. *a* 1) восходя́щий 2) госпо́дствующий

ascendency [əˈsendənsɪ] = ascendancy

ascendent [əˈsendənt] = ascendant

ascension [əˈsenʃn] *n* 1) восхожде́ние, подъём; balloon ~ подъём на возду́шном ша́ре 2) (A.) *рел.* Вознесе́ние

ascensional [əˈsenʃnəl] *a* 1) восходя́щий; ~ ventilation *горн.* восходя́щая вентиля́ция 2) подъёмный; ~ power *ав.* подъёмная си́ла; ~ rate *ав.* ско́рость набо́ра высоты́, ско́рость подъёма

Ascension Day [əˈsenʃndeɪ] *n церк.* пра́здник Вознесе́ния

Ascensiontide [əˈsenʃntaɪd] *n церк.* вре́мя от Вознесе́ния до Тро́ицына дня

ascent [əˈsent] *n* 1) восхожде́ние, подъём 2) продвиже́ние (*по службе*), приобрете́ние (*популярности и т. п.*) 3) крутизна́, круто́й склон; rapid ~ круто́й подъём

ascertain [ˌæsəˈteɪn] *v* устана́вливать, выясня́ть; удостоверя́ться, убежда́ться; to ~ the situation вы́яснить обстано́вку

ascertainment [ˌæsəˈteɪnmənt] *n* выясне́ние, установле́ние; ~ of facts выясне́ние фа́ктов

ascetic [əˈsetɪk] **1.** *a* аскети́ческий; возде́ржанный

2. *n* аске́т; отше́льник

asceticism [əˈsetɪˌsɪzəm] *n* аскети́зм

ascorbic [əˈskɔːbɪk] *a*: ~ acid аскорби́новая кислота́

Ascot [ˈæskət] *n* Э́скот (*место скачек и самые скачки близ Виндзора*)

ascribe [əˈskraɪb] *v* припи́сывать (to — *кому-л.*); this poem is ~d to Byron э́то стихотворе́ние припи́сывается Ба́йрону

ascription [əˈskrɪpʃn] *n* припи́сывание

asepsis [eɪˈsepsɪs] *n* асе́птика

aseptic [eɪˈseptɪk] **1.** *n* асепти́ческое сре́дство

2. *a* асепти́ческий

asexual [eɪˈsekʃʊəl] *a* беспо́лый

ash I [æʃ] **1.** *n* 1) (*обыкн. pl*) зола́, пе́пел; to burn to ~es сжига́ть дотла́ 2) *pl* прах, оста́нки ◇ to turn to dust and ~es разлете́ться в прах (*о надеждах*)

2. *v* посыпа́ть пе́плом

ash II [æʃ] *n бот.* я́сень; mountain ~, wild ~ ряби́на

ashamed [ə'ʃeɪmd] *a predic.* пристыженный; to be ~ of smth. стыдиться чего́-л.; to be (*или* to feel) ~ for smb. стыдиться за кого́-л.; I am ~ of myself мне стыдно за себя; he was ~ to tell the truth ему было стыдно сказать правду

ashbin ['æʃbɪn] *n* 1) ящик, урна для мусора 2) *тех.* зольник

ash-box ['æʃbɒks] *n тех.* зольник; поддувало

ashcan ['æʃkæn] *n амер.* 1) = ashbin 2) *мор. жарг.* глубинная бомба

ashen I ['æʃn] *a* 1) пепельный, из пепла 2) пепельный, пепельного цвета 3) мертвенно-бледный

ashen II ['æʃn] *a* ясеневый

ash-key ['æʃki:] *n бот.* крылатка (*плод ясеня*)

ashlar, ashler ['æʃlə] *n стр.* 1) тёсаный камень (*для облицовки*) 2) *attr.*: ~ facing облицовка из тёсаного камня

ashore [ə'ʃɔ:] *adv* 1) к берегу, на берег; to come ~, to go ~ сходить на берег; to run ~, to be driven ~ наскочить на мель 2) на берегу, на суше

ashpan ['æʃpæn] = ash-box

ash-pit ['æʃpɪt] = ash-box

ashplant ['æʃplɑ:nt] *n* твёрдая древесина ясеневого дерева

ash-stand ['æʃstænd] = ashtray

ashtray ['æʃtreɪ] *n* 1) пепельница 2) *тех.* зольник

Ash Wednesday [,æʃ'wenzdɪ] *n* пепельная среда (*первый день Великого поста*)

ashy ['æʃɪ] *a* 1) пепельный 2) бледный 3) покрытый пеплом

ashy-gray ['æʃɪgreɪ] = ashy 1) *и* 2)

Asian ['eɪʃn] **1.** *n* азиат; азиатка

2. *a* азиатский; ~ flu азиатский грипп

Asiatic [,eɪʃɪ'ætɪk] (*часто презр.*) = Asian

aside [ə'saɪd] **1.** *adv* 1) в сторону; в стороне; to speak ~ говорить в сторону (*об актёрах*); to take (smb.) ~ отвести (кого́-л.) в сторону; to turn ~ for a moment отвлечься на минуту 2) отдельно; в резерве; to put ~ отложить ▭ ~ from а) помимо; б) *амер.* за исключением

2. *n* слова, произносимые актёром в сторону

asinine ['æsɪnaɪn] *a* 1) глупый, упрямый 2) ослиный

ask [ɑ:sk] *v* 1) спрашивать; to ~ a question задавать вопрос 2) осведомляться (about, after, for); to ~ after a person's health осведомиться о чьём-л. здоровье 3) спрашивать, хотеть видеть (for); a boy is ~ing for you тебя какой-то мальчик спрашивает 4) (по)просить; to ~ a favour (for help) просить об одолжении (о помощи) 5) приглашать (*разг. тж.* ~ out) 6) (за)просить; he ~ed a high price он запросил высокую цену 7) требовать; it ~s (for) attention это требует внимания ◇ ~ me another! *разг.* не знаю, не спрашивай(те) меня!; to ~ for (trouble) *разг.* напрашиваться на неприятность, лезть на рожон

askance [ə'skæns] *adv* 1) криво, косо 2) искоса; с подозрением; to look ~ at smb. смотреть на кого́-л. подозрительно, с неодобрением

askant [ə'skænt] = askance

askew [ə'skju:] *adv* 1) криво, косо; to hang a picture ~ повесить картину косо 2) искоса; he looked at them ~ он покосился на них

asking ['ɑ:skɪŋ] **1.** *pres. p. от* ask

2. *n* 1): it's yours for the ~ (вам) стоит только попросить 2) *attr.*: the ~ price запрашиваемая цена

aslant [ə'slɑ:nt] **1.** *adv* косо, наискось

2. *prep* поперёк

asleep [ə'sli:p] *a predic.* 1) спящий; to be ~ спать; to fall ~ заснуть 2) тупой, вялый 3) затёкший (*о руке, ноге*) 4) *эвф.* заснувший навеки

aslope [ə'sləʊp] *adv* косо, покато; на склоне; на скате

asocial [eɪ'səʊʃl] *a* 1) необщественный, нарушающий интересы общества 2) *разг.* враждебный, недружелюбный

asp [æsp] *n* 1) *зоол.* випера; аспид 2) *разг.* змея

asparagus [ə'spærəgəs] *n бот.* спаржа

aspect ['æspekt] *n* 1) аспект, сторона; to consider a question in all its ~s рассматривать вопрос со всех точек зрения 2) (внешний) вид, выражение; he has a gentle ~ у него добродушный вид 3) сторона; my house has a southern ~ мой дом выходит на юг 4) *pl* перспективы; economic ~s экономические перспективы 5) *грам.* вид

aspen ['æspən] **1.** *n бот.* осина

2. *a* осиновый; to tremble like an ~ leaf дрожать как осиновый лист

asperity [æ'sperətɪ] *n* 1) резкость; строгость; to speak with ~ говорить резко 2) (*обыкн. pl*) трудности, лишения; the asperities of a cold winter трудности холодной зимы 3) суровость (*климата*) 4) шероховатость, неровность

asperse [ə'spɜ:s] *v* позорить, чернить, клеветать

aspersion [ə'spɜ:ʃn] *n* клевета; to cast ~s on smb. поносить кого́-л.

asphalt ['æsfælt] **1.** *n* 1) битум 2) асфальт

2. *v* покрывать асфальтом, асфальтировать

asphodel ['æsfədel] *n бот.* асфодель

asphyxia [æs'fɪksɪə] *n мед.* удушье, асфиксия

asphyxiant [æs'fɪksɪənt] **1.** *n* удушающее отравляющее вещество

2. *a* отравляющий; ~ gas удушающий газ

asphyxiate [æs'fɪksɪeɪt] *v* 1) вызывать удушье; душить 2) задыхаться

aspic ['æspɪk] *n* заливное (блюдо)

aspidistra [,æspɪ'dɪstrə] *n бот.* азиатский ландыш, аспидистра

aspirant ['æspərənt] **1.** *n* честолюбец, претендент (to, for, after)

2. *a* честолюбивый, домогающийся

aspirate 1. *n* ['æspərət] *фон.* 1) придыхательный звук 2) знак придыхания

2. *v* ['æspəreɪt] 1) *фон.* произносить с придыханием 2) *мед.* удалять (*жидкость*) из какой-л. полости

aspiration [,æspə'reɪʃn] *n* 1) стремление; сильное желание (*достичь чего-л.*) 2) *фон.* придыхание 3) *мед.* удаление (*жидкости*) из полости

aspirator ['æspəreɪtə] *n* 1) аспиратор 2) отсасывающее устройство

aspire [ə'spaɪə] *v* стремиться, домогаться (to, after, at; *тж. с inf.*)

aspirin ['æsprɪn] *n* аспирин

ass I [æs] *n* осёл ◇ to be an ~ for one's pains не получить благодарности за свои старания; остаться в дураках; to make an ~ of oneself а) ставить себя в глупое положение; б) валять дурака; to make an ~ of smb. поставить кого́-л. в глупое положение; подшутить над кем-л.; to play (*или* to act) the ~ валять дурака

ass II [æs] *амер.* = arse

assagai ['æsəgaɪ] *n* ассагай, дротик (*у африканских племён*)

assail [ə'seɪl] *v* 1) нападать, атаковать; совершать насилие; наступать; I was ~ed with questions меня закидали вопросами; I was ~ed by doubts на меня напали сомнения, я был охвачен сомнениями 2) резко критиковать 3) с жаром набрасываться (*на работу и т. п.*); решительно, энергично браться за трудное дело

assailable [ə'seɪləbl] *a* открытый для нападения, уязвимый

assailant [ə'seɪlənt] *n* противник, нападающая сторона

assassin [ə'sæsɪn] *n* убийца (*обыкн. наёмный, нападающий из-за угла*); hired ~ наёмный убийца

assassinate [ə'sæsɪneɪt] *v* (предательски) убивать

assassination [ə,sæsɪ'neɪʃn] *n* (предательское) убийство

assassinator [ə'sæsɪneɪtə] = assassin

assault [ə'sɔ:lt] **1.** *n* 1) нападение, атака; штурм, приступ; ~ at (*или* of) arms воинские упражнения (*рубка, фехтование и т. п.*); to take (*или* to carry) a fortress by ~ брать крепость штурмом, приступом 2) нападки 3) *юр.* словесное оскорбление и угроза физическим насилием 4) *эвф.* изнасилование 5) *воен.* высадка десанта с боем 6) *attr. воен.* штурмовой; ~ party штурмовой отряд; ~ team штурмовая группа; ~ gun штурмовое орудие; ~ course военная тренировочная площадка

2. *v* 1) атаковать; штурмовать, идти на приступ 2) нападать; набрасываться (*с угрозами и т. п.*) 3) *юр.* грозить физическим насилием 4) *эвф.* изнасиловать

assaulter [ə'sɔ:ltə] *n* 1) нападающий, атакующий 2) *юр.* нападающая сторона

assay [ə'seɪ] **1.** *n* 1) опрóбование; прóба метáллов; колúчественный анáлиз (*руд и металлов*); mark of ~ пробúрное клеймó 2) испытáние, анáлиз 3) образéц для анáлиза

2. *v* прóбовать, испытывать, проводúть колúчественный анáлиз (*руд и металлов*)

assaying [ə'seɪɪŋ] **1.** *pres. p. от* assay 2

2. *n* опрóбование; определéние метáлла в рудé

assegai ['æsɪgaɪ] = assagai

assemblage [ə'semblɪdʒ] *n* 1) собрáние, сбор 2) скоплéние; грýппа 3) коллéкция 4) *тех.* монтáж, сбóрка, соединéние 5): ~ of curves *мат.* семéйство кривы́х

assemble [ə'sembl] *v* 1) собирáть(ся) 2) созывáть 3) составлять; монтúровать; to ~ a watch собрáть часы́

assembly [ə'semblɪ] *n* 1) собрáние, сбор 2) ассамблéя; United Nations General A. Генерáльная Ассамблéя Организáции Объединённых Нáций 3) (A.) законодáтельное собрáние; законодáтельный óрган (*в некоторых штатах США*) 4) *тех.* монтáж, сбóрка 5) агрегáт 6) *воен.* сигнáл сбóра; сбор, сосредотóчение 7) *attr.* сбóрочный; ~ line сбóрочный конвéйер; ~ shop сбóрочный цех

assemblyman [ə'semblɪmən] *n амер.* член мéстного законодáтельного óргана

assembly-room [ə'semblɪru:m] *n* 1) зал для концéртов, собрáний *и т. п.* 2) сбóрочный цех

assent [ə'sent] **1.** *n* 1) соглáсие 2) разрешéние, сáнкция; Royal ~ королéвская сáнкция (*парламентского законопроекта*)

2. *v* соглашáться (to ~ на *что-л.*, с *чем-л.*); изъявлять соглáсие (to); he ~ed to our proposal он согласúлся на нáше предложéние; he ~ed to receive the visitor он согласúлся принять посетúтеля

assentation [,æsen'teɪʃn] *n* угóдливость, подобострáстие

assert [ə'sɜ:t] *v* 1) утверждáть; заявлять 2) докáзывать; отстáивать, защищáть (*свои права и т. п.*); to ~ oneself а) отстáивать свой прáва; быть напóристым; б) предъявлять чрезмéрные претéнзии; to ~ one's rights отстáивать свой правá

assertion [ə'sɜ:ʃn] *n* 1) утверждéние; a mere ~ голословное утверждéние 2) притязáние 3) *лог.* суждéние

assertive [ə'sɜ:tɪv] *a* 1) чрезмéрно настóйчивый, самоувéренный; напóристый 2) утвердúтельный; in an ~ form в утвердúтельной фóрме

assess [ə'sәs] *v* 1) оцéнивать имýщество для обложéния налóгом 2) определять сýмму налóга, штрáфа *и т. п.* 3) облагáть налóгом; штрафовáть

assessable [ə'sesəbl] *a* подлежáщий обложéнию (*налогом*)

assessment [ə'sesmənt] *n* 1) оцéнка имýщества для обложéния налóгом 2) обложéние; сýмма обложéния (*налогом*)

assessor [ə'sesə] *n* 1) податнóй чинóвник 2) *юр.* экспéрт(-консультáнт)

asset ['æset] *n* 1) *разг.* цéнное кáчество; цéнный вклад; good health is a great ~ хорóшее здорóвье — большóе блáго 2) *pl юр.* имýщество несостоятельного должникá, имýщество обанкрóтившейся фúрмы 3) *pl фин.* актúв(ы); авуáры; ~s and liabilities актúв и пассúв 4) имýщество (*часто об одном предмете*)

asseverate [ə'sevəreɪt] *v* торжéственно заявлять; категорúчески *или* клятвенно утверждáть

asseveration [ə,sevə'reɪʃn] *n* торжéственное заявлéние; категорúческое утверждéние

assiduity [,æsɪ'djʊətɪ] *n* 1) усéрдие, прилежáние, старáние 2) *pl* ухáживание

assiduous [ə'sɪdjʊəs] *a* усéрдный, прилéжный; неутомúмый

assiduousness [ə'sɪdjʊəsnəs] *n* усéрдие, прилежáние

assign [ə'saɪn] **1.** *v* 1) предназначáть; ассигновáть 2) поручáть (*задание, работу*) 3) назначáть, определять на дóлжность 4) назначáть, определять (*срок, границы*) 5) припúсывать; this song is sometimes ~ed to Schubert эту пéсню иногдá припúсывают Шýберту

2. *n юр.* правопреéмник

assignation [,æsɪg'neɪʃn] *n* 1) услóвленная встрéча; тáйная встрéча; любóвное свидáние 2) назначéние 3) *юр.* передáча, переустýпка прáва *или* сóбственности 4) *уст.* ассигнáция

assignee [,æsaɪ'ni:] *n* 1) уполномóченный; представúтель 2) *юр.* правопреéмник

assignment [ə'saɪnmənt] *n* 1) задáние 2) назначéние; ~ to a position назначéние на дóлжность 3) ассигновáние 4) распределéние; (пред)назначéние 5) *юр.* передáча имýщества *или* прав 6) *юр.* докумéнт о передáче имýщества *или* прав 7) командирóвка 8) *attr.*: ~ clause услóвие передáчи (*имущества, прав*)

assimilate [ə'sɪməleɪt] *v* 1) *физиол.* ассимилúровать(ся); поглощáть(ся); усвáивать(ся) (*тж. перен.*) 2) уподоблять, приравнивать (to, with) 3) срáвнивать (to, with)

assimilation [ə,sɪmə'leɪʃn] *n* 1) *физиол.* ассимилящия; усвоéние 2) уподоблéние

assist [ə'sɪst] *v* 1) помогáть, содéйствовать 2) принимáть учáстие (in) 3) присýтствовать (at)

assistance [ə'sɪstəns] *n* пóмощь, содéйствие; to render ~ окáзывать пóмощь

assistant [ə'sɪstənt] *n* 1) помóщник; ассистéнт 2) *юр.* заместúтель судьй

assize [ə'saɪz] *n* 1) судéбное разбирáтельство 2) *pl ист.* выездная сéссия судá присяжных

associate **1.** *n* [ə'səʊʃɪət] 1) товáрищ, коллéга; партнёр, компаньóн 2) сою́зник 3) млáдший член университéтской корпорáции, акадéмии худóжеств (*против. оп.* fellow); член-корреспондéнт (*научного общества*) 4) *юр.* соучáстник, сообщник

2. *a* [ə'səʊʃɪət] объединённый; связанный; присоединённый; ~ societies объединённые óбщества; ~ editor *амер.* помóщник редáктора; ~ professor *амер.* адъю́нкт-профéссор

3. *v* [ə'səʊʃɪeɪt] 1) соединять, связывать 2) связываться, ассоциúроваться 3) общáться (with) [*ср. тж.* 4)] 4) *refl.* присоединяться, вступáть; становúться партнёром (in); to ~ oneself with присоединяться к *чему-л.*, солидаризúроваться с *чем-л.* [*ср. тж.* 3)]

associated [ə'səʊʃɪeɪtɪd] **1.** *p. p. от* associate 3

2. *a* 1) связанный; объединённый 2) дéйствующий совмéстно; взаимодéйствующий; ~ arms *воен* взаимодéйствующие рóды войск

association [ə,səʊsɪ'eɪʃn] *n* 1) óбщество, ассоциáция, сою́з 2) соединéние 3) общéние, дрýжба, блúзость 4) ассоциáция, связь (*идей*) 5) *биол.* ассоциáция, жúзненное сообщество 6) *attr.*: ~ football футбóл

associative [ə'səʊʃɪətɪv] *a* 1) ассоциатúвный 2) общúтельный

assonance ['æsənəns] *n* 1) созвýчие 2) ассонáнс, непóлная рúфма (*одних гласных*)

assort [ə'sɔ:t] *v* 1) сортировáть; группировáть; классифицúровать 2) гармонúровать, подходúть, соотвéтствовать

assorted [ə'sɔ:tɪd] *a* 1) смéшанный; a pound of ~ sweets фунт рáзных конфéт 2) подходящий

assortment [ə'sɔ:tmənt] *n* 1) ассортимéнт 2) сортирóвка

assuage [ə'sweɪdʒ] *v* 1) успокáивать (*гнев и т. п.*); смягчáть (*горе, боль*) 2) утолять (*голод, желание*)

assuagement [ə'sweɪdʒmənt] *n* 1) успокоéние; смягчéние 2) болеутоляющее срéдство

assuasive [ə'sweɪsɪv] *a* успокáивающий, смягчáющий

assume [ə'sju:m] *v* 1) предполагáть, допускáть; let us ~ that ... допýстим, что 2) напускáть на себя; притворяться; симулúровать; to ~ airs напускáть на себя вáжность, вáжничать 3) принимáть на себя; присвáивать себé; to ~ responsibility брать на себя отвéтственность; to ~ command принимáть комáндование; to ~ control взять на себя управлéние (*чем-л.*); to ~ office вступáть в дóлжность 4) принимáть (*характер, форму*); his illness ~d a very grave character егó болéзнь принялá óчень серьёзный харáктер 5) быть самонадéянным, высокоме́рным ◇ to ~ measures принима́ть ме́ры; to ~ the offensive *воен.* перейти́ в наступле́ние

assumed [ə'sju:md] **1.** *p. p. от* assume

2. *a* 1) вы́мышленный; an ~ name вы́мышленное и́мя 2) притво́рный 3) допуска́емый, предполага́емый

assuming [ə'sju:mɪŋ] **1.** *pres. p. от* assume

2. *a* самонаде́янный; высокоме́рный

assumption [ə'sʌmpʃn] *n* 1) предположе́ние, допуще́ние 2) присвое́ние, приня́тие на себя́; ~ of power присвое́ние вла́сти 3) вступле́ние (*в должность*) 4) притво́рство 5) высокоме́рие 6) (A.) *рел.* Успе́ние

assumptive [ə'sʌmptɪv] *a* 1) предположи́тельный, допуска́емый 2) самонаде́янный; высокоме́рный

assurance [ə'ʃɔ:rəns] *n* 1) уве́ренность, убеждённость; to make ~ double (*или* doubly) sure а) для бо́льшей ве́рности; б) вдвойне́ застрахова́ться 2) увере́ние; завере́ние, гара́нтия 3) страхова́ние 4) уве́ренность в себе́ 5) самоуве́ренность, самонаде́янность; на́глость; he had the ~ to claim he had done it himself у него́ хвати́ло на́глости заяви́ть, что он сде́лал э́то сам 6) *attr.*: ~ factor *тех.* коэффицие́нт запа́са про́чности

assure [ə'ʃɔ:] *v* 1) уверя́ть; заверя́ть (*кого-л.*); убежда́ть; ~ oneself убежда́ться 2) гаранти́ровать, обеспе́чивать 3) страхова́ть; to ~ one's life with (*или* in) a company застрахова́ть жизнь в страхово́м о́бществе (-о́й компа́нии)

assured [ə'ʃɔ:d] **1.** *p. p. от* assure

2. *a* 1) уве́ренный 2) гаранти́рованный, обеспе́ченный; success is ~ успе́х обеспе́чен 3) застрахо́ванный 4) самоуве́ренный; на́глый

assuredly [ə'ʃɔ:rɪdlɪ] *adv* коне́чно, несомне́нно

assuredness [ə'ʃɔ:dnəs] *n* 1) уве́ренность 2) самоуве́ренность; на́глость

assurer [ə'ʃɔ:rə] *n* страхо́вщик

Assyrian [ə'sɪrɪən] **1.** *a* ассири́йский

2. *n* 1) ассири́янин, ассири́ец; ассири́янка 2) ассири́йский язы́к

astatic [ə'stætɪk] *a физ.* астати́ческий; ~ needle астати́ческая магни́тная стре́лка

aster ['æstə] *n* а́стра

asterisk ['æstərɪsk] *полигр.* **1.** *n* звёздочка, знак сно́ски

2. *v* отмеча́ть звёздочкой

astern [ə'stə:n] *adv мор.* 1) на корме́; за кормо́й; позади́ 2) наза́д; full speed ~ по́лный (ход) наза́д

asteroid ['æstərɔɪd] **1.** *n* 1) *астр.* астеро́ид; ма́лая плане́та 2) *зоол.* морска́я звезда́

2. *a* звездообра́зный

asthenia [æs'θi:nɪə] *n мед.* астени́я, сла́бость

asthma ['æsmə] *n мед.* а́стма, при́ступы уду́шья

asthmatic [æs'mætɪk] **1.** *a* 1) астмати́ческий 2) страда́ющий а́стмой

2. *n* астма́тик

astigmatism [æ'stɪgmə,tɪzəm] *n мед.* астигмати́зм

astir [ə'stə:] **1.** *a predic.* 1) находя́щийся в движе́нии 2) на нога́х, вста́вший с посте́ли; to be early ~ быть с утра́ на нога́х 3) возбуждённый, взволно́ванный; the whole town was ~ with the news весь го́род был взволно́ван но́востью

2. *adv* 1) в движе́нии 2) на нога́х 3) в возбужде́нии

astonish [ə'stɒnɪʃ] *v* удивля́ть, изумля́ть

astonishing [ə'stɒnɪʃɪŋ] **1.** *pres. p. от* astonish

2. *a* удиви́тельный, изуми́тельный

astonishment [ə'stɒnɪʃmənt] *n* удивле́ние, изумле́ние

astound [ə'staʊnd] *v* поража́ть, изумля́ть

astounding [ə'staʊndɪŋ] **1.** *pres. p. от* astound

2. *a* порази́тельный

astraddle [ə'strædl] *adv, a predic.* широко́ расста́вив но́ги; верхо́м (*тж.* *на стуле*)

astragal ['æstrəgl] *n архит.* астрага́л, ободо́к вокру́г коло́нны

astragali [ə'strægəlaɪ] *pl от* astragalus

astragalus [ə'strægələs] *n* (*pl* -li) 1) *анат.* тара́нная кость 2) *бот.* астрага́л

astrakhan [,æstrə'kæn] *русск.* *n* 1) кара́куль 2) *attr.* кара́кулевый

astral ['æstrəl] *a* звёздный, астра́льный

astray [ə'streɪ] *adv*: to go ~ заблуди́ться; сби́ться с пути́ (*тж. перен.*); to lead ~ сбить с пути́ (*тж. перен.*)

astride [ə'straɪd] **1.** *adv* 1) верхо́м; to ride ~ е́хать верхо́м 2) расста́вив но́ги

2. *prep* верхо́м (*на чём-л.*); to sit ~ a horse (a chair) сиде́ть верхо́м на ло́шади (на сту́ле)

astringent [ə'strɪndʒnt] **1.** *a* 1) вя́жущий 2) стро́гий, суро́вый

2. *n* вя́жущее сре́дство

astrolabe ['æstrəʊleɪb] *n геод.* астроля́бия

astrologer [ə'strɒlədʒə] *n* астро́лог; звездочёт

astrology [ə'strɒlədʒɪ] *n* астроло́гия

astronaut ['æstrənɔ:t] *n* астрона́вт, космона́вт

astronautics [,æstrə'nɔ:tɪks] *n pl* (*употр. как sing*) астрона́втика, космона́втика

astronomer [ə'strɒnəmə] *n* астроно́м

astronomic [,æstrə'nɒmɪk] = astronomical

astronomical [,æstrə'nɒmɪkl] *a* 1) астрономи́ческий 2) *разг.* о́чень большо́й

astronomy [ə'strɒnəmɪ] *n* астроно́мия

astrophysicist [,æstrəʊ'fɪzɪsɪst] *n* астрофи́зик

astrophysics [,æstrəʊ'fɪzɪks] *n* астрофи́зика

astute [ə'stju:t] *a* 1) хи́трый 2) проница́тельный

asunder [ə'sʌndə] *adv книжн.* 1) по́рознь, отде́льно; далеко́ друг от дру́га; to rush ~ бро́ситься в ра́зные сто́роны 2) попола́м, в куски́, на ча́сти; to tear ~ разорва́ть на ча́сти

asylum [ə'saɪləm] *n* 1) прию́т; убе́жище 2) *уст.* психиатри́ческая лече́бница (*тж.* lunatic ~)

asymmetric(al) [,eɪsɪ'metrɪk(l)] *a* асимметри́чный

asymmetry [æ'sɪmətrɪ] *n* асимме́три́я, наруше́ние симме́три́и

asynchronous [eɪ'sɪŋkrənəs] *a* асинхро́нный, не совпада́ющий по вре́мени

asyndeta [æ'sɪndɪtə] *pl от* asyndeton

asyndetic [,æsɪn'detɪk] *a грам.* бессою́зный

asyndeton [æ'sɪndɪtən] *n* (*pl* -ta, -tons) *грам.* аси́ндетон, бессою́зие

at [æt (*полная форма*); ət (*редуцированная форма*)] *prep* 1) *в пространственном значении указывает на* а) *местонахождение* в, на, у, при; at Naples в Неа́поле; at a meeting на собра́нии; at a depth of six feet на глубине́ шести́ фу́тов; at the window у окна́; at the hospital при больни́це; at home до́ма; б) *движение в определённом направлении* в, к, на; to throw a stone at smb. бро́сить ка́мнем в кого́-л.; в) *достижение места назначения* к, в, на, до; trains arrive at the terminus every half hour поезда́ прихо́дят на коне́чную ста́нцию ка́ждые полчаса́ 2) *во временном значении указывает на* а) *момент или период времени* в, на; at six o'clock в шесть часо́в; at dinner-time в обе́денное вре́мя; во вре́мя обе́да; at the end of the lesson в конце́ уро́ка; at dawn на заре́; at night но́чью; at present в настоя́щее вре́мя; б) *возраст* в; at the age of 25, at 25 years of age в во́зрасте 25 лет; at an early age в ра́ннем во́зрасте 3) *указывает на действие, занятие* за; at work а) за рабо́той; б) в де́йствии; at breakfast за за́втраком; at school в шко́ле; at court в суде́; at the piano за фортепиа́но; at the wheel за рулём; at one's studies за заня́тиями; what are you at now? а) чем вы за́няты тепе́рь?, над чем рабо́таете тепе́рь?; что вы затева́ете?; he is at it again он сно́ва взя́лся за э́то 4) *указывает на состояние, положение* в, на; at anchor на я́коре; at war в состоя́нии войны́; at peace в ми́ре; at watch на посту́; at leisure на досу́ге 5) *указывает на характер, способ действия* в, с, на; *передаётся тж. твор. падежом*; at a run бего́м; at a gulp одни́м глотко́м; at a snail's pace черепа́шьим ша́гом 6) *указывает на источник* из, в; to get information at the fountainhead получа́ть све́дения из первоисто́чника; to find out the address at the information bureau узна́ть а́дрес в спра́вочном бюро́ 7) *указывает причину* при, по, на; *передаётся тж. твор. падежом*; at smb.'s request по чьей-л. про́сьбе; to be surprised at smth. удивля́ться чему́-л.; we are sad at hearing such news мы огорчи́лись, услы́шав таки́е но́вости; he was shocked at what he saw он был потрясён тем, что уви́дел 8) *употр. в словосочетаниях, содержащих указание на количество, меру, цену* при, на, по, с, в, за; at a speed of 70 km an hour со ско́ростью 70 км в час; at high renumeration за большо́е вознагражде́ние; at three shillings a pound по три ши́ллинга за фунт; at a high price по высо́кой цене́ 9) *указывает на сферу проявления способностей* к; clever at physics спосо́бный к фи́зике; good at languages спосо́бный к языка́м ◇ at that а) прито́м, к тому́ же; she lost her handbag and a new one at that она́ потеря́ла су́мочку, да ещё но́вую к тому́ же; б) на том; let it go at that на том мы и поко́нчим; at all соверше́нно, совсе́м

atavism ['ætə,vɪzəm] *n* атави́зм

atavistic [,ætə'vɪstɪk] *a* атависти́ческий

ataxia [ə'tæksɪə] *n мед.* атакси́я

ate [et] *past от* eat

atelier ['ætəlɪeɪ] *фр. n* ателье́, сту́дия (*особ. художника*)

atheism ['eɪθɪɪzəm] *n* атеи́зм

atheist ['eɪθɪɪst] *n* атеи́ст

atheistic(al) [,eɪθɪ'ɪstɪk(l)] *a* атеисти́ческий

Athena [ə'θi:nə] *n греч. миф.* Афи́на

athenaeum [,æθɪ'ni:əm] *n* 1) Атене́ум (*название литературных и научных обществ*); the A. литерату́рный клуб в Ло́ндоне 2) библиоте́ка, чита́льня

Athene [ə'θi:nɪ] = Athena

Athenian [ə'θi:nɪən] **1.** *a* афи́нский

2. *n* афи́нянин; афи́нянка

atherosclerosis [,æθərəʊsklə'rəʊsɪs] *n мед.* атероскле́роз

athlete ['æθli:t] *n* 1) спортсме́н 2) атле́т

athletic [æθ'letɪk] *a* атлети́ческий; ~ field стадио́н; спорти́вная площа́дка

athleticism [æθ'letɪsɪzəm] *n* атлети́зм

athletics [æθ'letɪks] *n pl* (*употр. тж. как sing*) атле́тика; заня́тия спо́ртом; track-and-field ~ лёгкая атле́тика

at home [ət'həʊm] *n разг.* приём госте́й, *редк.* ве́чер; to give a small ~ устра́ивать небольшо́й ве́чер для госте́й

athwart [ə'θwɔ:t] **1.** *adv* 1) ко́со; поперёк; перпендикуля́рно 2) про́тив; напереко́р

2. *prep* 1) поперёк; че́рез; to run ~ a ship вре́заться в борт друго́го су́дна; to throw a bridge ~ a river перебро́сить мост че́рез ре́ку 2) про́тив; вопреки́; ~ his plans вопреки́ его́ пла́нам

Atlantic [ət'læntɪk] *a* атланти́ческий

Atlas ['ætləs] *n греч. миф.* Атла́нт, Атла́с

atlas I ['ætləs] *n* 1) географи́ческий а́тлас 2) *анат.* атла́нт (*первый шейный позвонок*) 3) *архит.* атла́нт (*мужская фигура, служащая для поддержания карниза, балкона и т. п.*) 4) форма́т бума́ги (*писчей 26 д. × 33 д., чертёжной 26 д. × 36 д.*)

atlas II ['ætləs] *n текст.* атла́с

atmosphere ['ætməsfɪə] *n* 1) атмосфе́ра 2) обстано́вка, атмосфе́ра; tense ~ напряжённая атмосфе́ра 3) во́здух (*в городе, помещении и т. п.*) 4) *attr.* атмосфе́рный; ~ pressure атмосфе́рное давле́ние

atmospheric [,ætməs'ferɪk] *a* атмосфе́рный, атмосфери́ческий; метеорологи́ческий; ~ condensation атмосфе́рные оса́дки; ~ pressure атмосфе́рное давле́ние; ~ density пло́тность во́здуха; ~ temperature температу́ра во́здуха

atmospherical [,ætməs'ferɪkl] = atmospheric

atmospherics [,ætməs'ferɪks] *n pl радио* атмосфе́рные поме́хи

atoll ['ætɒl] *n* ато́лл, кора́лловый о́стров

atom ['ætəm] *n* 1) а́том 2) мельча́йшая части́ца; to break (*или* to smash) to ~s разби́ть вдре́безги; not an ~ of evidence ни те́ни доказа́тельности 3) *attr.*: ~ fission (*или* splitting, smashing) расщепле́ние а́тома

atom bomb ['ætəmbɒm] *n* а́томная бо́мба

atom-bomb ['ætəmbɒm] *v* сбра́сывать а́томные бо́мбы

atomic [ə'tɒmɪk] *a* а́томный; ~ energy а́томная эне́ргия; ~ mass а́томная ма́сса; ~ heat а́томная теплоёмкость; ~ number а́томное число́; ~ rocket раке́та с я́дерным боевы́м заря́дом; ~ weight а́томный вес; ~ pile а́томный котёл, я́дерный реа́ктор; ~ control контро́ль над произво́дством я́дерной эне́ргии; ~ warfare а́томная война́

atomicity [,ætə'mɪsətɪ] *n хим.* а́томность, вале́нтность

atomism ['ætə,mɪzəm] *n филос.* атоми́зм, атомисти́ческая тео́рия

atomistic [,ætə'mɪstɪk] *a* 1) атомисти́ческий 2) раздро́бленный; состоя́щий из мно́жества часте́й, элеме́нтов

atomize ['ætəmaɪz] *v* 1) дроби́ть 2) распыля́ть

atomizer ['ætəmaɪzə] *n* 1) пульвериза́тор 2) *тех.* форсу́нка, распыли́тель 3) гидропу́льт

atom-smasher [,ætəm'smæʃə] *n разг.* ускори́тель я́дерных части́ц

atomy I ['ætəmɪ] *n уст.* 1) а́том 2) ма́ленькое существо́

atomy II ['ætəmɪ] *n* (*сокр. от* anatomy) *уст.* 1) скеле́т (*анатомический препарат*) 2) *разг.* скеле́т, «ко́жа да ко́сти»

atonal [eɪ'təʊnl] *a муз.* атона́льный

atone [ə'təʊn] *v* 1) загла́живать, искупа́ть (*вину; обыкн.* ~ for) 2) возмеща́ть (*обыкн.* ~ for)

atonement [ə'təʊnmənt] *n* 1) искупле́ние (*вины*) 2) возмеще́ние

atonic [eɪ'tɒnɪk] *a* 1) *фон.* безуда́рный; ~ syllable безуда́рный слог 2) *мед.* ослабе́вший; вя́лый, атони́ческий

atony ['ætənɪ] *n мед.* атони́я

atop [ə'tɒp] *adv, prep* 1) наверху́ 2): ~ of наверху́, на верши́не; ~ of the cliff на верши́не утёса

at par [ət'pɑ:] *adv* по номина́лу

atrabilious [,ætrə'bɪlɪəs] *a* 1) *книжн.* меланхоли́ческий; жёлчный 2) страда́ющий разли́тием жёлчи

atremble [ə'trembl] *a* дрожа́щий

atrip [ə'trɪp] *a predic., adv*: to be ~ *мор.* отдели́ться от гру́нта (*о якоре*)

atrocious [ə'trəʊʃəs] *a* 1) *разг.* ужа́сный, отврати́тельный; ~ weather отврати́тельная пого́да 2) жесто́кий, зве́рский

atrocity [ə'trɒsətɪ] *n* 1) *разг.* что-л. ужа́сное, отврати́тельное; that film is an ~ э́то про́сто ужа́сный фильм 2) *разг.* гру́бый про́мах, гру́бая беста́ктность 3) жесто́кость, зве́рство

atrophied ['ætrəfɪd] **1.** *p. p.* от atrophy 2

2. *a* 1) атрофи́рованный 2) истощённый; ча́хлый

atrophy ['ætrəfɪ] **1.** *n* 1) *мед.* атрофи́я 2) притупле́ние, ослабле́ние, истоще́ние

2. *v* 1) атрофи́роваться 2) изнуря́ть

attaboy ['ætəbɔɪ] *int амер. разг.* молоде́ц!

attach [ə'tætʃ] *v* 1) прикрепля́ть, прикла́дывать; to ~ a seal to a document ста́вить печа́ть на докуме́нте; скрепля́ть докуме́нт печа́тью; to ~ a stamp прикле́ивать ма́рку; the responsibility that ~es to that position отве́тственность свя́занная с э́тим положе́нием 2) привя́зывать, располага́ть к себе́; they are deeply ~ed to her они́ о́чень к ней привя́заны 3) припи́сывать, придава́ть; he ~ed the blame to me он свали́л вину́ на меня́ 4): to ~ oneself to присоединя́ться; he ~ed himself to the new arrivals он присоедини́лся к вновь прибы́вшим 5) прикомандиро́вывать; назнача́ть; to ~ a teacher to a class прикрепи́ть преподава́теля к кла́ссу 6) *юр.* аресто́вывать, заде́рживать; опи́сывать (*имущество*), накла́дывать аре́ст (*на имущество*)

attaché [ə'tæʃeɪ] *фр. n* атташе́ посо́льства; air (military, naval) ~ вое́нно-возду́шный (вое́нный, морско́й) атташе́

attaché case [ə'tæʃeɪkeɪs] *n* «диплома́т», ко́жаный пло́ский чемода́нчик

attached [ə'tætʃt] **1.** *p. p. от* attach

2. *a* 1) прикреплённый 2) привя́занный; пре́данный (*кому-л.*) 3) прикомандиро́ванный 4) опи́санный (*об имуществе*)

attachment [ə'tætʃmənt] *n* 1) приспособле́ние, принадле́жность 2) привя́занность, пре́данность 3) прикрепле́ние 4) *юр.* наложе́ние аре́ста

attack [ə'tæk] **1.** *n* 1) ата́ка, наступле́ние; наступа́тельный бой; нападе́ние 2) *pl* напа́дки 3) при́ступ боле́зни, припа́док 4) *спорт.* напада́ющий; нападе́ние

5) *attr. воен.* штурмовóй; ~ plane *ав.* штурмовúк

2. *v* 1) атаковáть, нападáть 2) нападáть, критиковáть 3) поражáть (*о болезни*) 4) разрушáть, разъедáть; acid ~s metals кислотá разъедáет метáллы 5) предпринимáть; брáться энергúчно (*за что-л.*), набрáсываться (*на работу и т. п.*); to ~ a problem подходúть к решéнию задáчи

attackable [əˈtækəbl] *a* 1) уязвúмый 2) спóрный

attain [əˈteɪn] *v* 1) достúгнуть, добúться 2) достúгнуть, добрáться

attainability [əˌteɪnəˈbɪlətɪ] *n* достижúмость

attainable [əˈteɪnəbl] *a* достижúмый

attainder [əˈteɪndə] *n ист.* лишéние граждáнских и имýщественных прав за госудáрственную измéну; act (*или* bill) of ~ парлáментское осуждéние винóвного в госудáрственной измéне

attainment [əˈteɪnmənt] *n* 1) *pl* знáния, нáвыки; a man of varied ~s разносторóнний человéк 2) достижéние; приобретéние

attaint [əˈteɪnt] *v* 1) *ист.* лишáть имýщественных и граждáнских прав [*см.* attainder] 2) *редк.* бесчéстить, позóрить

attar [ˈætə] *n* эфúрное мáсло (*из цветов*); ~ of roses рóзовое мáсло

attemper [əˈtempə] *v редк.* 1) смéшивать в соответ́ствующих пропóрциях 2) регулúровать, приспособлять (to) 3) умерять, успокáивать, смягчáть

attempt [əˈtempt] **1.** *n* 1) попытка; прóба; óпыт 2) покушéние; an ~ on smb.'s life покушéние на чью-л. жизнь

2. *v* пытáться, прóбовать, дéлать попытку

attend [əˈtend] *v* 1) посещáть; присýтствовать (*на лекциях, собраниях и т. п.*); I have to ~ a meeting мне нáдо быть на собрáнии; to ~ school посещáть шкóлу 2) сопровождáть; сопýтствовать; I will ~ you to the theatre я провожý вас до теáтра; success ~s hard work успéх сопýтствует упóрной рабóте 3) ходúть, ухáживать (*за больным*); the patient was ~ed by Dr X больнóго лечúл дóктор X 4) прислýживать, обслýживать (on, upon) 5) уделять внимáние; быть внимáтельным (к *кому-л., чему-л.*; to); to ~ to smb.'s needs быть внимáтельным к чьим-л. нýждам; please, ~! слýшайте!, бýдьте внимáтельны! 6) забóтиться, следúть (to — за *чем-л.*); выполнять; to ~ to the education of one's children следúть за воспитáнием своúх детéй; your orders will be ~ed to вáши приказáния, закáзы бýдут вы́полнены

attendence [əˈtendəns] *n* 1) присýтствие (at); посещéние; your ~ is requested вáше присýтствие желáтельно; hours of ~ служéбные, присýтственные часы́ 2) посещáемость; poor ~ плохáя посещáемость 3) аудитóрия, пýблика; there was a large ~ at the meeting на собрáнии бы́ло мнóго нарóду 4) ухóд, обслýживание (upon); услýги; medical ~ врачéбный ухóд

attendant [əˈtendənt] **1.** *n* 1) сопровождáющее, обслýживающее *или* присýтствующее лицó; спýтник 2) слугá, служúтель

2. *a* 1) сопровождáющий, сопýтствующий; ~ circumstances сопýтствующие обстоятельства 2) присýтствующий 3) обслýживающий (upon)

attention [əˈtenʃn] *n* 1) внимáние; внимáтельность; to attract (*или* to draw, to call) smb.'s ~ to smth. обращáть чьё-л. внимáние на что-л.; to pay ~ (to) обращáть внимáние (на); to compel ~ прикóвывать внимáние; to slip smb.'s ~ ускользнýть от чьегó-л. внимáния; I am all ~ я весь внимáние 2) забóта, забóтливость; to show much ~ (to smb.) проявлять забóту (о ком-л.) 3) ухóд (*за больным и т. п.*) 4) *pl* ухáживание; to pay ~s (to) ухáживать (за) 5) *тех.* ухóд (*за машиной*) 6) *воен.* положéние «смúрно»; ~! смúрно!; to stand at ~ стоять в положéнии «смúрно»

attentive [əˈtentɪv] *a* 1) внимáтельный 2) забóтливый 3) вéжливый, предупредúтельный

attenuate **1.** *a* [əˈtenjʊət] 1) исхудáвший, худóй, истощённый 2) разжижённый; ~ substance разжижённое веществó

2. *v* [əˈtenjʊeɪt] 1) истощáть 2) ослаблять; смягчáть 3) разжижáть

attenuation [əˌtenjʊˈeɪʃn] *n* 1) истощéние; ослаблéние 2) разжижéние 3) *физ., тех.* затухáние 4) *attr.*: ~ constant *радио* коэффициéнт затухáния

attest [əˈtest] *v* 1) удостоверять; подтверждáть; to ~ a signature засвидéтельствовать пóдпись 2) свидéтельствовать, давáть свидéтельские показáния 3) приводúть к присяге

attestation [ˌæteˈsteɪʃn] *n* 1) свидéтельское показáние, подтверждéние 2) засвидéтельствование (*документа*) 3) приведéние к присяге

attested [əˈtestəd] **1.** *p. p. от* attest

2. *a* провéренный, клеймённый (*о пищевых продуктах*)

attestor [əˈtesə] *n юр.* свидéтель

Attic [ˈætɪk] *a* 1) аттúческий 2) классúческий (*о стиле*) ◇ ~ salt (*или* wit) тóнкое остроýмие

attic [ˈætɪk] *n* 1) мансáрда; чердáк 2) (the ~s) *pl* вéрхний чердáчный этáж 3) *архит.* фронтóн 4) *шутл.* головá, «чердáк»

atticism [ˈætɪˌsɪzəm] *n* изящество выражéния; красúвый слог, изящный стиль

attire [əˈtaɪə] *книжн.* **1.** *n* 1) наряд, плáтье; украшéние 2) *геральд.* олéньи рогá

2. *v* (*обыкн. pass.*) одевáть, наряжáть; simply ~d прóсто одéтый

attitude [ˈætɪtjuːd] *n* 1) позúция; отношéние (к *чему-л.*); friendly ~ towards smb. дрýжеское отношéние к комý-л. 2) пóза; осáнка 3): ~ of mind склад умá 4) *ав.* положéние самолёта в вóздухе

attitudinize [ˌætɪˈtjuːdɪnaɪz] *v* принимáть пóзу

attorney [əˈtɜːnɪ] *n юр.* повéренный; адвокáт; юрúст; прокурóр; A. General генерáльный прокурóр (*в Англии*); министр юстúции (*в США*); district (*или* circuit) ~ прокурóр óкруга (*в США*); by ~ по довéренности, чéрез повéренного (*не лично*)

attract [əˈtrækt] *v* 1) привлекáть, притягивать 2) пленять, прельщáть

attractable [əˈtræktəbl] *a* притягиваемый

attractant [əˈtræktənt] *n* аттрактáнт

attraction [əˈtrækʃn] *n* 1) притяжéние (*тж. физ.*); тяготéние 2) привлекáтельность; прéлесть 3) (*обыкн. pl*) примáнка 4) аттракциóн

attractive [əˈtræktɪv] *a* 1) привлекáтельный, притягáтельный, замáнчивый; ~ smile очаровáтельная, чарýющая улы́бка 2): ~ power *физ.* сúла притяжéния

attribute **1.** *n* [ˈætrɪbjuːt] 1) свóйство; характéрный прúзнак, характéрная чертá, атрибýт 2) *грам.* атрибýт, определéние

2. *v* [əˈtrɪbjuːt] приписывать (*чему-л., кому-л.*; to); относúть (*за счёт чего-л., кого-л.*; to)

attribution [ˌætrɪˈbjuːʃn] *n* 1) припúсывание 2) власть, компетéнция

attributive [əˈtrɪbjʊtɪv] **1.** *n грам.* атрибýт, определéние

2. *a грам.* атрибутúвный, определúтельный

attrition [əˈtrɪʃn] *n* 1) трéние 2) изнáшивание от трéния, истирáние 3) потёртость, истёртость 4) истощéние, изнурéние; war of ~ войнá на истощéние

attune [əˈtjuːn] *v* 1) дéлать созвýчным, гармонúчным 2) настрáивать (*музыкальный инструмент, оркестр и т. п.*)

atypical [eɪˈtɪpɪkl] *a* нетипúчный

aubergine [ˈəʊbədʒiːn] *n* баклажáн

auburn [ˈɔːbən] *a* золотúсто-каштáновый, тёмно-ры́жий, красновáто-корúчневый (*обыкн. о волосах*)

auction [ˈɔːkʃn] **1.** *n* аукциóн, торг; to put up for (*амер.* at) ~, to sell by (*амер.* at) ~ продавáть с аукциóна

2. *v* продавáть с аукциóна (*часто* ~ off)

auctioneer [ˌɔːkʃəˈnɪə] **1.** *n* аукционúст

2. *v* продавáть с аукциóна, с молоткá

audacious [ɔːˈdeɪʃəs] *a* 1) смéлый, дéрзкий 2) нáглый

audaciousness [ɔːˈdeɪʃəsnɪs] = audacity

audacity [ɔːˈdæsətɪ] *n* 1) смéлость 2) нáглость

audibility [ˌɔːdəˈbɪlətɪ] *n* слы́шимость, вня́тность

audible [ˈɔːdəbl] *a* слы́шный, вня́тный; слы́шимый

audibly ['ɔ:dəblɪ] *adv* гро́мко, вня́тно; вслух; *перен.* я́вно

audience ['ɔ:dɪəns] *n* 1) пу́блика, зри́тели, аудито́рия 2) радиослу́шатели, телезри́тели 3) аудие́нция (of, with — у *кого-л.*); to give an ~ дать аудие́нцию; вы́слушать

audio ['ɔ:dɪəʊ] *a* звуково́й

audio frequency [,ɔ:dɪəʊ'fri:kwənsɪ] *n радио* звукова́я частота́

audiograph ['ɔ:dɪəʊgrɑ:f] *n ак.* аудио́граф

audiometer [,ɔ:dɪ'ɒmɪtə] *n ак.* аудио́метр

audiotape ['ɔ:dɪəʊ,teɪp] *n* магни́тная ле́нта, ле́нта звукоза́писи

audiovisual [,ɔ:dɪəʊ'vɪʒʊəl] *a* аудиовизуа́льный

audit ['ɔ:dɪt] **1.** *n* прове́рка, реви́зия бухга́лтерских книг, докуме́нтов и отчётности

2. *v* 1) проверя́ть отчётность, ревизова́ть 2) *амер.* посеща́ть заня́тия как вольнослу́шатель

audition [ɔ:'dɪʃn] **1.** *n* 1) про́ба, прослу́шивание (*актёра, певца*) 2) слу́шание, выслу́шивание 3) слух, чу́вство слу́ха

2. *v* прослу́шивать (*актёра, певца*); проходи́ть прослу́шивание (*об актёре, певце*)

auditor ['ɔ:dɪtə] *n* 1) ревизо́р, (фина́нсовый) контролёр 2) *юр.* аудито́р

auditoria [,ɔ:dɪ'tɔ:rɪə] *pl от* auditorium

auditorial [,ɔ:dɪ'tɔ:rɪəl] *a* ревизио́нный, контро́льный

auditorium [,ɔ:dɪ'tɔ:rɪəm] *n* (*pl* -iums, -ia) зри́тельный зал, аудито́рия

auditory ['ɔdɪtərɪ] *a анат.* слухово́й; ~ nerve слухово́й нерв

au fait [əʊ'feɪ] *фр. a* компете́нтный; зна́ющий; знако́мый (with — с); to be ~ in (*или* at) smth. быть све́дущим в чём-л.

Augean [ɔ:'dʒi:ən] *a*: ~ stables а́вгиевы коню́шни

auger ['ɔ:gə] *n тех.* 1) сверло́, бура́в 2) бур 3) шнек (*транспортёра*)

aught [ɔ:t] *n уст.* не́что, ко́е что́; что́-нибудь; for ~ I know наско́лько мне изве́стно

augment 1. *n* ['ɔ:gmənt] 1) увеличе́ние, прибавле́ние 2) *грам.* прираще́ние, аугме́нт

2. *v* [ɔ:g'ment] увели́чивать, прибавля́ть

augmentation [,ɔ:gmen'teɪʃn] *n* увеличе́ние, приро́ст, прираще́ние

augmentative [ɔ:g'mentətɪv] *a* 1) увели́чивающийся 2) *грам.* увеличи́тельный (*о суффиксе*)

augur ['ɔ:gə] **1.** *n* 1) *ист.* авгу́р 2) прорица́тель

2. *v* предска́зывать, предвеща́ть; предви́деть; to ~ well служи́ть хоро́шим предзнаменова́нием

augural ['ɔ:gjʊrəl] *a* предвеща́ющий; ~ sign злове́щий знак

augury ['ɔ:gjʊrɪ] *n* 1) предзнаменова́ние 2) гада́ние, предсказа́ние 3) предчу́вствие

August ['ɔ:gəst] *n* 1) а́вгуст 2) *attr.* а́вгустовский

august [ɔ:'gʌst] *a* 1) вели́чественный 2) августе́йший

Augustan [ɔ:'gʌstən] *a ист.* относя́щийся к эпо́хе А́вгуста; ~ age век (*или* эпо́ха) А́вгуста; *перен.* класси́ческий век литерату́ры и иску́сства

Augustian [ɔ:'gʌstən] *n рел.* августи́нец

auk [ɔ:k] *n* гага́рка (*птица*)

auld lang syne [,ɔ:ldlæŋ'zaɪn] *n шотл.* до́брое ста́рое вре́мя

aunt [ɑ:nt] *n* тётя; тётка ◊ my ~! ≅ вот те на!, вот так шту́ка!, ну и ну́!

auntie ['ɑ:ntɪ] *n ласк.* тётушка

Aunt Sally [,ɑ:nt'sælɪ] *n* 1) *народная игра, состоящая в том, чтобы с известного расстояния выбить трубку изо рта деревянной куклы* 2) мише́нь для напа́док *или* оскорбле́ний

au pair [əʊ'peə] *фр. n* помо́щница по хозя́йству (*иностранка, овладевающая языком, работая за стол и квартиру*; *тж.* ~ girl)

aura ['ɔ:rə] *n* 1) а́ура, мисти́ческая атмосфе́ра 2) дунове́ние 3) атмосфе́ра (*чего л.*) 4) *мед.* а́ура, предве́стник эпилепти́ческого припа́дка

aural ['ɔ:rəl] *a* 1) ушно́й 2) слухово́й; ~ impression слухово́е восприя́тие

aurally ['ɔ:rəlɪ] *adv* у́стно, на слух

aureate ['ɔ:rɪeɪt] *a* 1) золоти́стый 2) позоло́ченный

aureola, aureole [ɔ:'rɪ:ələ, 'ɔ:rɪəʊl] *n* 1) *астр.* opeо́л 2) *рел.* небе́сный вене́ц; нимб 3) opeо́л, сла́ва

au revoir [,əʊrə'vwɑ:] *фр. n* до свида́ния

auric ['ɔ:rɪk] *a* 1) содержа́щий зо́лото 2) *горн.* золотоно́сный

auricle ['ɔ:rɪkl] *n анат.* 1) ушна́я ра́ковина 2) предсе́рдие

auricula [ɔ:'rɪkjʊlə] *n* (*pl* -las [-ləz], -lae) *бот.* аври́кула

auriculae [ɔ:'rɪkjʊli:] *pl от* auricula

auricular [ɔ:'rɪkjʊlə] *a* 1) ушно́й, слухово́й 2) *книжн.* ска́занный на́ ухо; та́йный 3) *анат.* относя́щийся к предсе́рдию

auriferous [ɔ:'rɪfərəs] *a* золотоно́сный, золотосодержа́щий

auriform ['ɔ:rɪfɔ:m] *a* име́ющий фо́рму у́ха

Auriga [ɔ:'raɪgə] *n астр.* Возни́чий (*созвездие*)

aurochs ['ɔ:rɒks] *n зоол.* зубр

Aurora [ə'rɔ:rə] *n* 1) *римск. миф.* Авро́ра 2) (a.) *поэт.* авро́ра, у́тренняя заря́

aurora australis [ə,rɔ:rəɒ'streɪlɪs] *n* ю́жное поля́рное сия́ние

aurora borealis [ə'rɔ:rəbɔ:rɪ'eɪlɪs] *n* се́верное поля́рное сия́ние

auroral [ə'rɔ:rəl] *a* 1) *поэт.* у́тренний 2) *поэт.* сия́ющий; румя́ный 3) вы́званный поля́рным сия́нием

aurora polaris [ə,rɔ:rəpəʊ'lɑ:rɪs] *n* поля́рное сия́ние

auscultate ['ɔ:sklteɪt] *v мед.* выслу́шивать (*больного*)

auscultation [,ɔ:skl'teɪʃn] *n мед.* выслу́шивание (*больного*)

auspice ['ɔ:spɪs] *n* 1) *pl* покрови́тельство; under the ~s of smb. под чьим-л. покрови́тельством 2) до́брое предзнаменова́ние

auspicious [ɔ:'spɪʃəs] *a* благоприя́тный

Aussie ['ɒzɪ] *разг. см.* Australian 2

austere [ɔ:'stɪə] *a* 1) стро́гий; суро́вый, аскети́ческий 2) просто́й, без зате́й 3) стро́гий, чи́стый; просто́й (*о стиле*)

austerity [ɔ:'sterətɪ] *n* 1) стро́гость 2) суро́вость, аскети́зм 3) простота́

austral ['ɔ:strəl] *a* ю́жный

Australian [ɒ'streɪlɪən] **1.** *a* австрали́йский

2. *n* австрали́ец; австрали́йка

autarchy ['ɔ:tɑ:kɪ] *n* 1) автокра́тия, самодержа́вие 2) деспоти́зм

autarky ['ɔ:tɑ:kɪ] *n* авта́ркия

authentic [ɔ:'θentɪk] *a* 1) по́длинный, аутенти́чный 2) достове́рный, ве́рный

authentically [ɔ:'θentɪklɪ] *adv* по́длинно; достове́рно

authenticate [ɔ:'θentɪkeɪt] *v* 1) устана́вливать по́длинность 2) удостоверя́ть

authentication [ɔ:,θentɪ'keɪʃn] *n* идентифика́ция

authenticity [,ɔ:θen'tɪsətɪ] *n* по́длинность, достове́рность

author ['ɔ:θə] *n* 1) а́втор; писа́тель 2) творе́ц, созда́тель 3) вино́вник; инициа́тор

authoress ['ɔ:θəres] *n* писа́тельница

authoritarian [ɔ:,θɒrɪ'teərɪən] **1.** *a* авторита́рный

2. *n* сторо́нник авторита́рной вла́сти

authoritative [ɔ:'θɒrɪtətɪv] *a* 1) авторите́тный; надёжный 2) повели́тельный, вла́стный

authority [ɔ:'θɒrətɪ] *n* 1) власть; the ~ of Parliament власть парла́мента; a man set in ~ челове́к, облечённый вла́стью 2) (*обыкн. pl* the authorities) вла́сти; to apply to the authorities обрати́ться к властя́м 3) полномо́чие (for; *тж. с inf.*); who gave you the ~ to do this? кто уполномо́чил вас сде́лать э́то? 4) авторите́т, вес, влия́ние, значе́ние; to carry ~ име́ть влия́ние 5) авторите́т, кру́пный специали́ст 6) авторите́тный исто́чник (*книга, документ*) 7) основа́ние; on the ~ of the press на основа́нии газе́тных сообще́ний, по утвержде́нию газе́т

authorization [,ɔ:θəraɪ'zeɪʃn] *n* 1) уполномо́чивание 2) са́нкция, разреше́ние

authorize ['ɔ:θəraɪz] *v* 1) санкциони́ровать, разреша́ть 2) уполномо́чивать; поруча́ть 3) опра́вдывать; объясня́ть; his conduct was ~d by the situation его́ поведе́ние опра́вдывалось ситуа́цией

authorized ['ɔ:θəraɪzd] **1.** *p. p. от* authorize

2. *a* авторизо́ванный; ~ translation авторизо́ванный перево́д; A. Version англи́йский перево́д Би́блии изд. 1611 г., при́нятый в англика́нской це́ркви

authorship ['ɔ:θəʃɪp] *n* 1) а́вторство; a book of doubtful ~ кни́га, а́втор кото́рой то́чно не устано́влен 2) писа́тельство

autism ['ɔ:tɪzəm] *n мед.* auти́зм

autistic [ɔ:'tɪstɪk] *a мед.* боле́ющий аути́змом; ~ children де́ти, боле́ющие аути́змом

auto ['ɔ:təʊ] *n сокр. разг.* 1) = automatic pistol [*см.* automatic 1, 1)] 2) *см.* automobile 1

auto- ['ɔ:təʊ-] *pref* авто-, само-

autobahn ['ɔ:təʊbɑ:n] *нем. n* (*pl* -s, -en [-ən]) автостра́да, автоба́н

autobiographic(al) [,ɔ:təʊbaɪə'græfɪk(l)] *a* автобиографи́ческий

autobiography [,ɔ:təʊbaɪ'ɒgrəfɪ] *n* автобиогра́фия

autobus ['ɔ:təʊbʌs] *n амер.* авто́бус

autocephalous [,ɔ:təʊ'sefələs] *a церк.* автокефа́льный

autochthon [ɔ:'tɒkθən] *n* (*pl* -s [-z], -es [-i:z]) коренно́й жи́тель, обита́тель

autochthonous [ɔ:'tɒkθənəs] *a* коренно́й (*о населении страны*)

autocracy [ɔ:'tɒkrəsɪ] *n* самодержа́вие, автокра́тия

autocrat ['ɔ:təkræt] *n* 1) самоде́ржец, автокра́т 2) вла́стный челове́к, де́спот

autocratic [,ɔ:tə'krætɪk] *a* 1) самодержа́вный 2) вла́стный, деспоти́ческий

autocue ['ɔ:təʊkju:] *n* телевизио́нный суфлёр (*приспособление*)

auto-da-fé [,ɔ:təʊdə'feɪ] *португ. n* (*pl* autos-da-fé) *ист.* аутодафе́

autodidact ['ɔ:təʊ,daɪdækt] *n книжн.* автодида́кт, самоу́чка

autogamous [ɔ:'tɒgəməs] *a бот.* автога́мный, самоопыля́ющийся

autogenesis [,ɔ:təʊ'dʒenɪsɪs] *n* автогене́з, самозарожде́ние

autogenous [ɔ:'tɒdʒɪnəs] *a тех.* автоге́нный; ~ welding автоге́нная сва́рка

autogiro [,ɔ:təʊ'dʒaɪərəʊ] *n* (*pl* -s [-z]) *ав.* автожи́р

autograph ['ɔ:təgrɑ:f] **1.** *n* 1) авто́граф 2) оригина́л ру́кописи

2. *v* надпи́сывать, дава́ть авто́граф

autographic [,ɔ:tə'græfɪk] *a* собственнору́чно написа́нный; собственнору́чный

autointoxication [,ɔ:təʊɪntɒksɪ'keɪʃn] *n мед.* аутоинтоксика́ция

automat ['ɔ:təmət] *n амер.* 1) торго́вый автома́т 2) кафе́-автома́т

automata [ɔ:'tɒmətə] *pl от* automaton

automate ['ɔ:təmeɪt] *v* автоматизи́ровать, переводи́ть на автомати́ческую рабо́ту

automatic [,ɔ:tə'mætɪk] **1.** *a* 1) автомати́ческий; ~ pilot автопило́т; ~ pistol автомати́ческий пистоле́т; ~ rifle автомати́ческая винто́вка; ручно́й пулемёт; ~ rifleman пулемётчик; ~ stoker механи́ческая то́пка; ~ coupling *ж.-д.* автосце́пка; ~ fire автомати́ческий ого́нь; ~ telephone system автомати́ческая телефо́нная ста́нция; ~ train stop *ж.-д.* автосто́п; ~ transmitter автомати́ческий переда́тчик 2) машина́льный, непроизво́льный

2. *n* 1) автомати́ческий механи́зм; автома́т 2) автомати́ческое ору́жие 3) *амер.* автомати́ческий пистоле́т

automatical [,ɔ:tə'mætɪkl] = automatic 1

automation [,ɔ:tə'meɪʃn] *n* автоматиза́ция

automatism [ɔ:'tɒmə,tɪzəm] *n* автомати́зм; непроизво́льное движе́ние

automatize [ɔ:'tɒmətaɪz] *v* автоматизи́ровать

automaton [ɔ:'tɒmətən] *n* (*pl* -ta, -tons [-tənz]) автома́т (*тж. перен.*)

automobile ['ɔ:təməʊbi:l] **1.** *n* автомоби́ль

2. *a* 1) автомоби́льный; ~ railway car *ж.-д.* автомотри́са; ~ transportation автотра́нспорт; ~ wagon грузово́й автомоби́ль, грузови́к 2) самодви́жущийся

automotive [,ɔ:tə'məʊtɪv] *a* 1) самодви́жущийся 2) автомоби́льный; ~ industry автомоби́льная промы́шленность

autonomic [,ɔ:tə'nɒmɪk] *a* 1) *биол.* самоуправля́емый, незави́симый; свя́занный с вегетати́вной не́рвной систе́мой 2) *редк.* = autonomous

autonomist [ɔ:'tɒnəmɪst] *n* автономи́ст, сторо́нник автоно́мии

autonomous [ɔ:'tɒnəməs] *a* автоно́мный, самоуправля́ющийся

autonomy [ɔ:'tɒnəmɪ] *n* 1) автоно́мия, самоуправле́ние 2) пра́во на самоуправле́ние 3) автоно́мное госуда́рство; автоно́мная о́бласть

autopilot ['ɔ:təʊ,paɪlət] *n* автопило́т

autopsy ['ɔ:tɒpsɪ] *n* вскры́тие (*трупа*), аутопси́я

autorifle ['ɔ:təʊ,raɪfl] *n амер.* ручно́й пулемёт

autos-da-fé ['ɔ:təʊzdə'feɪ] *pl от* auto-da-fé

autostrada ['ɔ:təʊ,strɑ:də] *итал. n* автостра́да

autosuggestion [,ɔ:təʊsə'dʒestʃn] *n* самовнуше́ние

autotruck ['ɔ:təʊtrʌk] *n амер.* грузови́к

autotype ['ɔ:təʊtaɪp] **1.** *n* автоти́пия; факси́мильный отпеча́ток

2. *v* де́лать автоти́пный сни́мок

autumn ['ɔ:təm] *n* 1) о́сень 2) наступле́ние ста́рости 3) *attr.* осе́нний

autumnal [ɔ:'tʌmnəl] *a* 1) осе́нний 2) цвету́щий *или* созрева́ющий о́сенью 3) на зака́те жи́зни

auxiliary [ɔ:g'zɪlɪərɪ] **1.** *a* 1) вспомога́тельный 2) доба́вочный; запасно́й

2. *n* 1) помо́щник 2) *грам.* вспомога́тельный глаго́л 3) *pl* иностра́нные наёмные *или* сою́зные войска́ 4) *тех.* вспомога́тельное устро́йство, вспомога́тельный механи́зм

auxin ['ɔ:ksɪn] *n биол.* гормо́н ро́ста расте́ний, аукси́н

avail [ə'veɪl] **1.** *n* по́льза, вы́года; of ~ поле́зный; of (*или* to) no ~ бесполе́зный; of (*или* to) little ~ малопригóдный; of what ~ is it? кака́я в э́том по́льза, како́й в э́том смысл?

2. *v* 1) быть поле́зным, вы́годным; his efforts did not ~ him его́ уси́лия не помогли́ ему́ 2) *refl.*: to ~ oneself по́льзоваться, воспо́льзоваться (*случаем, предложением*)

availability [ə,veɪlə'bɪlətɪ] *n* 1) (при-)го́дность 2) нали́чие

available [ə'veɪləbl] *a* 1) досту́пный; име́ющийся в распоряже́нии, нали́чный; ~ surface свобо́дное простра́нство; by all ~ means все́ми досту́пными сре́дствами; all ~ funds все нали́чные сре́дства; this book is not ~ э́той кни́ги нет в нали́чии; to make ~ предоставля́ть 2) (при)го́дный, поле́зный 3) действи́тельный; tickets ~ for one day only биле́ты действи́тельные то́лько на оди́н день

avalanche ['ævəlɑ:ntʃ] *n* 1) лави́на, сне́жный обва́л 2) лави́на, ма́сса; пото́к (*писем и т. п.*) 3) *амер.* реши́тельная побе́да на вы́борах

avant-corps [æ,vɒŋ'kɔ:] *фр. n архит.* выступа́ющий фаса́д

avant-garde [,ævɒŋ'gɑ:d] **1.** *n иск.* аванга́рд, авангарди́зм

2. *a* авангарди́стский, принадлежа́щий к аванга́рду

avarice ['ævərɪs] *n* а́лчность; жа́дность

avaricious [,ævə'rɪʃəs] *a* а́лчный; жа́дный

avast [ə'vɑ:st] *int мор.* стой!, стоп!

avatar ['ævətɑ:] *n инд. миф.* реа́льное воплоще́ние божества́ (*преим. Вишну*)

avenge [ə'vendʒ] *v* мстить; to ~ oneself отомсти́ть, отплати́ть за себя́ (on — *кому-л.*, for — за *что-л.*)

avenger [ə'vendʒə] *n* мсти́тель

aventurine [ə'ventʃəri:n] *n мин.* авантюри́н

avenue ['ævənju:] *n* 1) доро́га, алле́я к до́му (*через парк, усадьбу и т. п.*) 2) широ́кая у́лица, проспе́кт (*особ. в США*) 3) путь, сре́дство; an ~ to wealth (to fame) путь к бога́тству (сла́ве); to explore every ~, to leave no ~ unexplored испо́льзовать все возмо́жности 4): ~ of approach *воен.* по́дступ

aver [ə'vɜ:] *v* 1) утвержда́ть 2) *юр.* дока́зывать

average ['ævərɪdʒ] **1.** *n* 1) сре́днее число́; сре́дняя величина́; on the (*или* an) ~ в сре́днем; to strike an ~ выводи́ть сре́днее число́; below (above) the ~ ни́же (вы́ше) сре́днего 2) *страх.* убы́ток от ава́рии су́дна; распределе́ние убы́тка от ава́рии ме́жду владе́льцами (*груза, судна*)

2. *a* 1) сре́дний, обы́чный, норма́льный; ~ height сре́дний, норма́льный рост 2) сре́дний; ~ output сре́дний вы́пуск (*продукции*); ~ rate of profit *полит.-эк.* сре́дняя но́рма при́были

3. *v* 1) в сре́днем равня́ться, составля́ть 2) выводи́ть сре́днее число́ ▭ ~ out вы́числить сре́днюю величину́; соста́вить сре́днюю величину́

average adjuster [,ævərɪdʒə'dʒʌstə] *n страх.* диспаше́р

average statement [ˌævərɪdʒ'steɪtmənt] *n страх.* диспа́ша

averment [ə'vɜːmənt] *n* 1) утвержде́ние 2) *юр.* доказа́тельство

averse [ə'vɜːs] *a* нерасполо́женный, неохо́тный; пита́ющий отвраще́ние (to — к *чему-л.*); not ~ to a good dinner непро́чь хорошо́ пообе́дать

aversion [ə'vɜːʃn] *n* 1) отвраще́ние, антипа́тия (to) 2) неохо́та 3) предме́т отвраще́ния; one's pet ~ *шутл.* са́мая си́льная антипа́тия

avert [ə'vɜːt] *v* 1) отводи́ть (*взгляд*; from); he ~ed his face он отверну́лся 2) отвлека́ть (*мысли*; from) 3) отвраща́ть, предотвраща́ть (*удар, опасность и т. п.*)

avertable [ə'vɜːtəbl] = avertible

avertible [ə'vɜːtəbl] *a* предотврати́мый

aviary ['eɪvɪərɪ] *n* пти́чник; волье́р(а)

aviate ['eɪvɪeɪt] *v* 1) лета́ть на самолёте, дирижа́бле *и т. п.* 2) управля́ть самолётом, дирижа́блем *и т. п.*

aviation [ˌeɪvɪ'eɪʃn] *n* 1) авиа́ция 2) *attr.* авиацио́нный; ~ engine авиацио́нный мото́р

aviator ['eɪvɪeɪtə] *n* лётчик, авиа́тор, пило́т

aviculture ['eɪvɪkʌltʃə] *n* птицево́дство

avid ['ævɪd] *a* жа́дный; а́лчный (of, for)

avidity [ə'vɪdətɪ] *n* жа́дность; а́лчность

avifauna ['eɪvɪˌfɔːnə] *n зоол.* пти́чья фа́уна, пти́цы (*данной местности, данного района*)

avionics [ˌeɪvɪ'ɒnɪks] *n* авиацио́нная радиоэлектроте́хника

avitaminosis [eɪˌvɪtəmɪ'nəʊsɪs] *n мед.* авитамино́з

avocado [ˌævə'kɑːdəʊ] *n* (*pl* -s [-z]) *бот.* авока́до

avocation [ˌævəʊ'keɪʃn] *n* 1) (*тж. pl*) побо́чное заня́тие, заня́тия в часы́ досу́га, развлече́ния 2) *разг.* основно́е заня́тие; призва́ние

avoid [ə'vɔɪd] *v* 1) избега́ть, сторони́ться 2) уклоня́ться 3) *юр.* отменя́ть, аннули́ровать

avoidable [ə'vɔɪdəbl] *a* тако́й, кото́рого мо́жно избежа́ть

avoidance [ə'vɔɪdns] *n* 1) избежа́ние 2) упраздне́ние, отме́на, аннули́рование 3) (*обыкн. церк.*) вака́нсия

avoirdupois [ˌævwɑːdjʊ'pwɑː] *n* 1) *ист.* «авердюпо́йс» (*английская система мер веса; 1 фунт = 454 г; тж.* ~ weight) 2) *разг.* ту́чность; тя́жесть, вес

avouch [ə'vaʊtʃ] *v уст.* 1) руча́ться, гаранти́ровать 2) уверя́ть, утвержда́ть; дока́зывать 3) признава́ться, сознава́ться

avow [ə'vaʊ] *v* 1) откры́то признава́ть 2) *refl.* признава́ться 3) *юр.* признава́ть факт

avowal [ə'vaʊəl] *n* откры́тое призна́ние

avowed [ə'vaʊd] **1.** *p. p.* от avow

2. *a* общепри́знанный

avowedly [ə'vaʊɪdlɪ] *adv* пря́мо, откры́то

avulsion [ə'vʌlʃn] *n* 1) отры́в, наси́льственное разъедине́ние 2) *юр.* аву́льсия, перемеще́ние уча́стка к чужо́му владе́нию вследствие наводне́ния *или* измене́ния ру́сла реки́

avuncular [ə'vʌŋkjʊlə] *a* дя́дин ◇ ~ relation *шутл.* ростовщи́к

await [ə'weɪt] *v* 1) ждать, ожида́ть 2) предстоя́ть

awake [ə'weɪk] **1.** *v* (awoke; awoke, awoken, awaked [-t]) 1) буди́ть; *перен. тж.* пробужда́ть (*интерес, сознание*); to ~ smb. to the sense of duty пробуди́ть в ком-л. созна́ние до́лга 2) просыпа́ться; *перен.* насторожи́ться; to ~ to one's danger осозна́ть опа́сность

2. *a predic.* 1) бо́дрствующий; to be ~ бо́дрствовать, не спать 2) бди́тельный, насторо́женный; to be ~ to smth. я́сно понима́ть что-л. ◇ wide ~ а) вполне́ очну́вшись от сна; б) начеку́, насторо́же; в) осмотри́тельный; в ку́рсе всего́ происходя́щего; зна́ющий, как сле́дует поступа́ть

awaken [ə'weɪkn] = awake 1, *особ.* пробужда́ть (*талант, чувство и т. п.*)

awakening [ə'weɪkənɪŋ] **1.** *pres. p. от* awaken

2. *n* пробужде́ние (*тж. перен.*); rude ~ го́рькое разочарова́ние

award [ə'wɔːd] **1.** *n* 1) присуждённое наказа́ние, пре́мия *или* стипе́ндия 2) реше́ние (*судей, арбитров*) 3) присужде́ние (*награды, премии*); ~ of pension назначе́ние пе́нсии

2. *v* присужда́ть (*что-л.*); награжда́ть (*чем-л.*) ◇ to ~ a contract сдать подря́д на поста́вку това́ров *или* на произво́дство рабо́т

aware [ə'weə] *a predic.* сознаю́щий; зна́ющий, осведомлённый; to be ~ of (*или* that) знать, сознава́ть, отдава́ть себе́ по́лный отчёт в (*или* в том, что); he is ~ of danger, he is ~ that there is danger он сознаёт грозя́щую ему́ опа́сность

awash [ə'wɒʃ] *a predic.* 1) в у́ровень с пове́рхностью воды́ 2) смы́тый водо́й 3) кача́ющийся на волна́х 4) *разг.* навеселе́, «под му́хой»

away [ə'weɪ] *adv* 1) *обозначает отдаление от данного места* далеко́ *и т. п.*; ~ from home вдали́ от до́ма; he is ~ его́ нет до́ма 2) *обозначает движение, удаление* прочь; to go ~ уходи́ть; to run ~ убега́ть; to throw ~ отбра́сывать; ~ with you! убира́йся!, прочь!; ~ with it! убери́(те) э́то прочь! 3) *обозначает исчезновение, разрушение*: to boil ~ выкипа́ть; to waste (*или* to pine) ~ ча́хнуть; to make ~ with уничтожа́ть; убива́ть; устраня́ть; to pass ~ прекрати́ться; умере́ть 4) *обозначает непрерывное действие*: he worked ~ он продолжа́л рабо́тать 5) *обозначает передачу другому лицу*: to give ~ подари́ть ▭ ~ off *амер.* далеко́; ~ back *амер.* давно́, тому́ наза́д; давны́м-давно́ ◇ far and ~ а) несравне́нно, намно́го, гора́здо; б) несомне́нно; out and ~ несравне́нно, намно́го, гора́здо; right ~ неме́дленно, то́тчас

away match [ə'weɪmætʃ] *n* матч, игра́ на чужо́м по́ле

away team [ə'weɪtiːm] *n спорт.* кома́нда госте́й

awe [ɔː] **1.** *n* (благогове́йный) страх, тре́пет, благогове́ние; to stand in ~ of smb. боя́ться кого́-л.; испы́тывать благогове́йный тре́пет пе́ред кем-л.; to strike with ~ внуша́ть благогове́йный страх, благогове́ние; to keep (*или* to hold) in ~ держа́ть в стра́хе

2. *v* внуша́ть страх, благогове́ние

aweary [ə'wɪərɪ] *a поэт.* уста́лый, утомлённый

aweigh [ə'weɪ] *a predic., adv мор.* на весу́ (*о якоре*)

awesome ['ɔːsəm] *a* 1) устраша́ющий; an ~ sight ужа́сное *или* внуши́тельное зре́лище 2) испы́тывающий страх; испу́ганный

awestriken ['ɔːˌstrɪkən] *a* прони́кнутый, охва́ченный благогове́нием, благогове́йным стра́хом

awestruck ['ɔːstrʌk] = awestricken

awful ['ɔːfl] *a* 1) *разг.* ужа́сный 2) внуша́ющий страх, благогове́ние 3) *поэт., уст.* внуша́ющий глубо́кое уваже́ние; вели́чественный

awfully ['ɔːflɪ] *adv* 1) ужа́сно 2) *разг.* о́чень; кра́йне; чрезвыча́йно; ~ good of you о́чень ми́ло с ва́шей стороны́

awhile [ə'waɪl] *adv поэт.* на не́которое вре́мя, ненадо́лго; wait ~ подожди́те немно́го

awkward ['ɔːkwəd] *a* 1) неудо́бный; нело́вкий; затрудни́тельный; an ~ situation нело́вкое, щекотли́вое положе́ние 2) неуклю́жий, нело́вкий (*о людях, движениях и т. п.*); an ~ gait неуклю́жая похо́дка; ~ age перехо́дный во́зраст 3) *разг.* тру́дный (*о человеке*) 4) труднопреодоли́мый

awkwardness ['ɔːkwədnəs] *n* нело́вкость, неуклю́жесть

awl [ɔːl] *n* ши́ло

awn [ɔːn] *n* ость (*колоса*)

awning ['ɔːnɪŋ] *n* 1) наве́с, тент 2) *attr.*: ~ deck *мор.* те́нтовая па́луба

awoke [ə'wəʊk] *past и p. p.* от awake 1

awoken [ə'wəʊkən] *p. p.* от awake 1

awry [ə'raɪ] **1.** *a predic.* 1) криво́й 2) искажённый; a face ~ with pain лицо́, искажённое бо́лью 3) непра́вильный

2. *adv* 1) ко́со, на́бок; to look ~ смотре́ть ко́со, с недове́рием 2) непра́вильно, нехорошо́; неуда́чно; to take ~ толкова́ть в дурну́ю сто́рону; things went ~ дела́ пошли́ скве́рно

ax [aks] *диал. см.* ask

ax(e) [æks] **1.** *n* 1) топо́р; колу́н 2) топо́р (*палача*) 3) (the ~) казнь, отсече́ние головы́ 4) *ист.* секи́ра 5) *разг.* «усекнове́ние», сокраще́ние бюдже́та, ассигнова́ний ◇ to have an ~ to grind пресле́довать ли́чные коры́стные це́ли; to set the ~ to smth., to lay the ~ to the root of smth. приступи́ть к уничтоже́нию, разруше́нию чего́-л.

2. *v* 1) рабóтать топорóм 2) *разг.* сокращáть (*штаты*); урéзывать (*бюджет, ассигнования*)

axes I ['æksɪz] *pl от* ax(e) 1

axes II ['æksi:z] *pl от* axis

axial ['æksɪəl] *a* осевóй; по направлéнию óси; ~ angle ýгол оптѝческих осéй

axil ['æksɪl] *n бот.* влагáлище (*листа*); пáзуха

axilla [æk'sɪlə] *n* (*pl* -ae) 1) *анат.* подмы́шка 2) = axil

axillae [æk'sɪli:] *pl от* axilla

axillary [æk'sɪlərɪ] *a* 1) *анат.* подмы́шечный 2) *бот.* пáзушный

axiom ['æksɪəm] *n* аксиóма

axiomatic [,æksɪə'mætɪk] *a* самоочеви́дный, не трéбующий доказáтельств

axis ['æksɪs] *n* (*pl* axes) ось

axle ['æksl] *n тех.* ось

axle-bearing ['æksl,beərɪŋ] *n тех.* бýкса

axle-box ['ækslbɒks] *n тех.* бýкса

axled ['æksld] *a* осевóй

axle grease ['æksl gri:s] *n* тавóт, колёсная мазь

axle-pin ['æksl pɪn] *n тех.* чекá

axletree ['æksltri:] *n* колёсный вал, ось

ayah ['aɪə] *инд. n* няня-тузéмка

ayatollah [,aɪə'tɒlə] *n* аятоллá (*религиозный лидер у мусульман шиитов*)

aye [aɪ] **1.** *int* да; ~, ~! *мор.* есть!

2. *n pl*: the ~s члéны парлáмента, голосýющие «за»; the ~s have it большинствó за

azalea [ə'zeɪlɪə] *n бот.* азáлия

Azerbaijani [,æzəbaɪ'dʒɑ:ni:] *n* 1) азербайджáнец; азербайджáнка 2) азербайджáнский язы́к

Azerbaijanian [,æzəbaɪ'dʒɑ:nɪən] = Azerbaijani

azimuth ['æzɪməθ] *n* 1) áзимут; true ~ и́стинный áзимут 2) *attr.* азимутáльный; ~ circle буссóль, угломéрный круг; ~ deviation *воен.* боковóе отклонéние; ~ finder авиациóнный пеленгáтор

azoic [ə'zəʊɪk] *a* 1) безжи́зненный 2) *геол.* не содержáщий органи́ческих остáтков

azote [ə'zəʊt] *n* азóт

azotic [ə'zɒtɪk] *a* азóтный; азóтистый; ~ acid азóтная кислотá

Aztec ['æztek] *n* 1) ацтéк (*индеец племени ацтеков*) 2) ацтéкский язы́к

azure ['æʒə] **1.** *n поэт.* (небéсная) лазýрь, нéбо

2. *a* голубóй, лазýрный; ~ stone *мин.* ля́пис-лазýрь

B

B, b [biː] *n* (*pl* Bs, B's [biːz]) 1) *2-я буква англ. алфавита* 2) *условное обозначение чего-л., следующего за первым по порядку, сортности и т. п.* 3) *муз.* си ◇ not to know B from a bull's foot не знать ни азá; B flat *шутл.* клоп

baa [bɑː] **1.** *n* блéяние овцы́

2. *v* блéять

Baal [ˈbeɪəl] *n* (*pl* Baalim) 1) *миф.* Ваáл 2) и́дол

baa-lamb [ˈbɑːlæm] *n детск.* барáшек

Baalim [ˈbeɪəlɪm] *pl от* Baal

baba [ˈbɑːbɑː] *n* рóмовая бáба (*тж.* rum ~)

babbie [ˈbæbɪ] *диал. см.* baby 1

babbit [ˈbæbɪt] = babbitt

babbitt [ˈbæbɪt] *тех.* **1.** *n* баббит

2. *v* заливáть баббúтом

Babbittry [ˈbæbɪtrɪ] *n книжн.* обывáтельщина, мещáнство

babble [ˈbæbl] **1.** *n* 1) лéпет 2) бормотáние 3) болтовня́ 4) журчáние

2. *v* 1) лепетáть; бормотáть, болтáть 2) вы́болтать, проболтáться 3) журчáть

babblement [ˈbæblmənt] = babble 1

babbler [ˈbæblə] *n* болтýн; говорýн

babe [beɪb] *n* 1) *поэт. см.* baby 1, 1); 2) непрактúчный человéк 3) *амер. разг.* красóтка ◇ ~s and sucklings новичкú, совершéнно неóпытные лю́ди; ~s in the wood наúвные, довéрчивые лю́ди; простакú

babel [ˈbeɪbl] *n* 1) (B.) *библ.* вавилóнская бáшня (*тж.* the tower of B.) 2) галдёж; смешéние языкóв; вавилóнское столпотворéние

baboo [ˈbɑːbuː] = babu

baboon [bəˈbuːn] *n* бабуúн (*обезьяна*)

babu [ˈbɑːbuː] *инд. n* 1) господúн (*как обращение*) 2) *пренебр.* чинóвник-индýс, пúшущий по-англúйски 3) *attr.*: B. English *пренебр.* напы́щенная англúйская речь

baby [ˈbeɪbɪ] **1.** *n* 1) ребёнок, младéнец; малю́тка 2) детёныш (*особ. о животных*) 3) малы́ш, сáмый мáленький (*в семье*) 4) *разг.* крóшка, дéвочка ◇ to carry (*или* to hold) the ~ а) нестú неприя́тную ответ́ственность; б) быть свя́занным по рукáм и ногáм; to plead the ~ act уклоня́ться от ответ́ственности, ссылáясь на неóпытность; to play the ~ ребя́читься; to send a ~ on an errand зарáнее обрекáть на неудáчу

2. *a* 1) дéтский, младéнческий 2) ребя́ческий, инфантúльный 3) небольшóй, мáлый; ~ elephant слонёнок; ~ grand (piano) кабинéтный роя́ль; ~ plane *ав.* авиéтка; ~ car малолитрáжный автомобúль

baby-farmer [ˈbeɪbɪˌfɑːmə] *n* жéнщина, берýщая (за плáту) детéй на воспитáние

babyhood [ˈbeɪbɪhʊd] *n* младéнчество

babyish [ˈbeɪbɪɪʃ] *a* дéтский, ребя́ческий

baby-minding [ˈbeɪbɪˌmaɪndɪŋ] *n* ухóд за ребёнком

baby-sit [ˈbeɪbɪsɪt] *v разг.* быть приходя́щей ня́ней

baby-sitter [ˈbeɪbɪsɪtə] *n разг.* приходя́щая ня́ня

baby talk [ˈbeɪbɪtɔːk] *n* дéтский лéпет (*тж. перен.*)

baby-walker [ˈbeɪbɪˌwɔːkə] *n* ходункú

baccalaureate [ˌbækəˈlɔːrɪt] *n* стéпень бакалáвра

baccarat [ˈbækərɑː] *n* баккарá (*азартная карточная игра*)

bacchanal [ˌbækəˈnæl] **1.** *a* вакхúческий; разгýльный

2. *n* 1) песнопéния и пля́ски в честь Вáкха 2) весéлье 3) гуля́ка, кутúла

bacchanalia [ˌbækəˈneɪlɪə] *n* вакханáлия; пья́ный разгýл

bacchante [bəˈkæntɪ] *n* вакхáнка

bacchic [ˈbækɪk] *a* вакхúческий

Bacchus [ˈbækəs] *n миф.* Бáхус, Вакх

baccy [ˈbækɪ] *n* (*сокр. от* tobacco) *разг.* табачóк

bach [bɑːk] **1.** *n сокр. от* bachelor I

2. *v*: to ~ it а) *амер. sl.* жить самостоя́тельно; б) вестú холостя́цкий óбраз жи́зни

bachelor I [ˈbætʃələ] *n* холостя́к ◇ ~ girl одинóкая дéвушка, живýщая самостоя́тельно; ~'s wife *шутл.* идеáльная жéнщина, «мечтá холостякá»

bachelor II [ˈbætʃələ] *n* бакалáвр

bachelorhood [ˈbætʃələhʊd] *n* холостáя жизнь

bachelorship I [ˈbætʃələʃɪp] = bachelorhood

bachelorship II [ˈbætʃələʃɪp] *n* стéпень бакалáвра

bacilli [bəˈsɪlaɪ] *pl от* bacillus

bacillus [bəˈsɪləs] *n* (*pl* -li) бацúлла

back I [bæk] *n* большóй чан

back II [bæk] **1.** *n* 1) спинá; to turn one's ~ upon smb. отвернýться от когó-л.; покúнуть когó-л.; to be on one's ~ лежáть (*больным*) в постéли 2) спúнка (*стула; в одежде, выкройке*) 3) зáдняя *или* оборóтная сторонá; изнáнка, подклáдка; ~ of the head заты́лок; ~ of the hand ты́льная сторонá рукú 4) корешóк (*книги*) 5) óбух 6) *спорт.* защúтник (*в футболе*) 7) грéбень (*волны, холма*) 8) *мор.*: ~ of a ship киль сýдна 9) *горн., геол.* вися́чий бок (*пласта*); крóвля (*забоя*); потолóк (*выработки*) ◇ ~ to ~ вплотнýю, вприты́к; спинá к спинé; ~ to front зáдом наперёд; with one's ~ to the wall прижáтый к стéнке; в безвы́ходном положéнии; at the ~ of one's mind подсознáтельно; to be at the ~ of smth. быть тáйной причúной чегó-л.; behind one's ~ без вéдома, за спинóй; to turn one's ~ обратúться в бéгство; to put one's ~ (into) рабóтать с энтузиáзмом (над); to break the ~ of закóнчить сáмую трудоёмкую часть (*работы*); to get (*или* to put, to set) smb.'s ~ up рассердúть когó-л.; раздражáть когó-л.; to know the way one knows the ~ of one's hand ≅ знать как свои́ пять пáльцев

2. *a* 1) зáдний; отдалённый; ~ entrance чёрный ход; to take a ~ seat стушевáться, отойтú на зáдний план; занять скрóмное положéние; ~ vowel *фон.* глáсный зáднего ря́да; ~ areas *воен.* ты́лы, тыловы́е райóны; ~ elevation *стр., тех.* вид сзáди, зáдний фасáд; ~ filling *стр.* засы́пка, забýтка 2) стáрый; ~ number а) стáрый нóмер (*газеты, журнала; тж.* ~ issue); б) отстáлый человéк; ретрогрáд; в) что-л. устарéвшее, утрáтившее новизнý 3) запоздáлый; просрóченный (*о платеже*); ~ payment расчёты зáдним числóм; просрóченный платёж 4) отстáлый; a ~ view of things отстáлые взгля́ды 5) обрáтный

3. *v* 1) поддéрживать; подкреплять; субсидúровать 2) держáть парú, стáвить (*на лошадь и т. п.*) 3) двúгать(ся) в обрáтном направлéнии, пя́тить(ся); осáживать; отступáть; идтú зáдним хóдом; to ~ water (*или* the oars) *мор.* табáнить 4) служúть спúнкой 5) служúть фóном 6) служúть подклáдкой 7) стáвить на подклáдку 8) *амер. разг.* носúть на спинé 9) переплетáть (*книгу*) 10) индоссúровать (*вексель*) 11) *амер.* гранúчить, примыкáть (on, upon) 12) éздить верхóм; приучáть (*лошадь*) к седлý; садúться в седлó ▭ ~ **down** отступáться, откáзываться от *чего-л.*; ~ **out** отказáться от учáстия; уклонúться (of — от *чего-л.*); ~ **up** а) поддéрживать; б) давáть зáдний ход ◇ to ~ the wrong horse сдéлать плохóй вы́бор, просчитáться, ошибúться в расчётах

4. *adv* 1) назáд, обрáтно; ~ home снóва дóма, на рóдине; ~ and forth взад и вперёд; ~ from the door! прочь от двéри! 2) томý назáд 3) *указывает на ответное действие*: to talk (*или* to answer) ~ возражáть; to pay ~ отплáчивать; to love ~ отвечáть взаúмностью ▭ ~ from а) в сторонé, вдалекé от; ~ from the road в сторонé от дорóги; б) *амер.* сзáди, позади́; за (*тж.* ~ of) ◇ to go ~ from (*или* on, upon) one's word отказáться от обещáния

backache ['bækeɪk] *n* боль в спинé, в поясни́це

back-bencher [,bæk'bentʃə] *n* рядовóй член парлáмента, «заднескамéечник»

backbit ['bækbɪt] *past от* backbite

backbite ['bækbaɪt] *v* (backbit; backbitten) злослóвить за спинóй, клеветáть

backbitten ['bæk,bɪtn] *p. p. от* backbite

backblocks ['bækblɒks] *n pl австрал. разг.* 1) мéстность, удалённая от путéй сообщéния 2) райóн трущóб

backboard ['bækbɔ:d] *n* 1) спинодержáтель 2) деревя́нная спи́нка (*в лóдке или повóзке*)

backbone ['bækbəʊn] *n* 1) спиннóй хребéт, позвонóчник 2) глáвная опóра; оснóва; суть 3) твёрдость харáктера 4) корешóк (*кни́ги*) ◇ to the ~ до мóзга костéй, насквóзь

backbreaking ['bæk,breɪkɪŋ] *a* изнури́тельный, непоси́льный; ~ labour тя́жкий труд

backchat ['bæktʃæt] *n разг.* дéрзкий отвéт

backcloth ['bækklɒθ] *n театр.* зáдник

backcomb ['bækkəʊm] *v* начёсывать (*вóлосы*), дéлать начёс

back country ['bæk,kʌntrɪ] *n австрал.* отдалённые от цéнтра райóны; глушь

back-country ['bæk,kʌntrɪ] *a* отдалённый; ~ district отдалённый сéльский райóн

backdate ['bækdeɪt] *v* дати́ровать зáдним числóм; проводи́ть зáдним числóм (*постановлéние и т. п.*)

back door ['bækdɔ:] **1.** *n* 1) чёрный ход; запáсный вы́ход 2) закули́сные интри́ги

2. *a* тáйный, закули́сный

backdown ['bækdaʊn] *n* отступлéние, откáз от притязáний

back-draught ['bækdrɑ:ft] *n* 1) обрáтная тя́га 2) зáдний ход (*дви́гателя*)

backdrop ['bækdrɒp] *n театр.* зáдник

backed [bækt] **1.** *p. p. от* back II, 3

2. *a* имéющий спи́нку, со спи́нкой

back end [,bæk'end] *n* 1) зáдняя часть, конéц; the ~ of a car зад маши́ны 2) *редк.* конéц сезóна, пóздняя óсень

backer ['bækə] *n* 1) тот, кто поддéрживает *и пр.* [*см.* back II, 3] 2) сторóнник

backfall [,bæk'fɔ:l] *n спорт.* падéние нá спину (*в борьбé*)

backfiller ['bæk,fɪlə] *n дор.* маши́на для засы́пки (*транши́й пóсле уклáдки труб*)

backfire [,bæk'faɪə] **1.** *n* 1) *амер.* встрéчный пожáр (*для прекращéния леснóго пожáра*) 2) разры́в патрóна в казённой чáсти огнестрéльного орýжия 3) *тех.* обрáтная вспы́шка

2. *v* неожи́данно привести́ к обрáтным результáтам

back-formation ['bækfɔ:,meɪʃn] *n лингв.* обрáтное словообразовáние

backgammon ['bækgæmən] *n* триктрáк (*игрá*)

background ['bækgraʊnd] *n* 1) зáдний план, фон; against the ~ на фóне; to keep (*или* to stay) in the ~ держáться, оставáться в тени́ 2) истóки; происхождéние; биографи́ческие дáнные; what's his ~? что он собóй представля́ет? 3) подготóвка, квалификáция 4) подоплёка; поднóготная 5) предпосы́лка; дáнные, объяснéние 6) музыкáльное *или* шумовóе сопровождéние 7) *attr.*: ~ papers вспомогáтельные материáлы, докумéнты

backhand ['bækhænd] *n* 1) удáр слéва (*в тéннисе, сквóше*) 2) пóчерк с наклóном влéво

backhanded [,bæk'hændɪd] *a* 1) нанесённый ты́льной сторонóй руки́ (*об удáре*) 2) неи́скренний, двусмы́сленный; ~ compliment сомни́тельный комплимéнт 3) косóй, с уклóном влéво (*о пóчерке*) 4) обрáтный, противополóжный обы́чному направлéнию

backhander ['bækhændə] *n* 1) удáр ты́льной сторонóй руки́, наóтмашь 2) *разг.* взя́тка

back-haul ['bækhɔ:l] *n* обрáтный транзи́т; обрáтный груз

backing ['bækɪŋ] **1.** *pres. p. от* back II, 3

2. *n* 1) поддéржка *и пр.* [*см.* back II, 3] 2) *собир.* сторóнники 3) подклáдка (*ткáни*) 4) *стр.* проклáдка; засы́пка 5) зáдний ход; вращéние прóтив часовóй стрéлки ◇ ~ and filling *амер.* колебáние, нереши́тельность

backlash ['bæklæʃ] *n* 1) отрицáтельная реáкция (*на полити́ческое собы́тие и т. п.*) 2) *тех.* мёртвый ход 3) *тех.* зазóр, люфт 4) *ав.* скольжéние винтá

backless ['bækləs] *a* 1) с ни́зким вы́резом на спинé (*о плáтье*) 2) без спи́нки; ~ stool табурéтка

backlist ['bæklɪst] *n* каталóг книг, имéющихся в продáже и вы́шедших рáнее

backlog ['bæklɒg] *n* 1) накопи́вшаяся невы́полненная рабóта; задóлженность 2) резéрвы (*товáров, материáлов и т. п.*)

backmost ['bækməʊst] *a* сáмый зáдний

backpack ['bækpæk] *n* рюкзáк

backpage ['bækpeɪdʒ] *a* напечáтанный на послéдней полосé (*газéты*), мéлкий (*об информáции*)

back pay ['bækpeɪ] *n* 1) задéржанная зарплáта 2) плáта за отрабóтанное врéмя

backpedal [,bæk'pedl] *v* 1) тормози́ть велосипéд 2) *разг.* идти́ на попя́тный 3) тормози́ть (*какóе-л. дéло*)

backrest ['bækrest] *n* спи́нка (*скамьи́ и т. п.*)

backroom ['bækru:m] *n разг.* 1) секрéтный отдéл, секрéтная лаборатóрия 2) *attr.* секрéтный, засекрéченный; ~ boys сотрýдники, зáнятые секрéтной нау́чно-исслéдовательской рабóтой 3) *attr.* незакóнный, тáйный, неглáсный

back seat [,bæk'si:t] *n* зáднее сидéние (*в маши́не*)

back settlement [,bæk'setlmənt] *n* отдалённое поселéние

backside ['bæksaɪd] *n* 1) зад; зáдняя, ты́льная сторонá 2) *разг.* зад, зáдница

backsight ['bæksaɪt] *n геод.* обрáтное визи́рование

back slang ['bækslæŋ] *n* жаргóн, в котóром словá произнóсятся в обрáтном поря́дке (*напр.*, gip *вм.* pig)

backslapping ['bæk,slæpɪŋ] *n* (покрови́тельственное) похлóпывание по спинé

backslide ['bækslaɪd] *v* 1) отступáть, отходи́ть (*от вéры*) 2) снóва впадáть (*в éресь, порóк и т. п.*) 3) откáзываться от прéжних убеждéний

backstage [,bæk'steɪdʒ] **1.** *a* закули́сный; кулуáрный; ~ talks закули́сные переговóры

2. *adv* за кули́сами

backstairs [,bæk'steəz] *n pl* 1) чёрная лéстница 2) закули́сные интри́ги 3) *attr.* тáйный, закули́сный; ~ influence тáйное влия́ние 4) *attr.* скандáльный

backstay ['bæksteɪ] *n* (*обы́кн. pl*) *мор.* бáкштаг

backstitch ['bækstɪtʃ] *n* шов «за игóлку»

backstop ['bækstɒp] *n* заслóн; стéнка; *перен. тж.* оплóт

backstreet ['bækstri:t] *n* 1) глухáя ýлочка (*срéди домóв, на задвóрках и т. п.*) 2) *attr.* нелегáльный, подпóльный; ~ abortion подпóльный абóрт

backstroke ['bækstrəʊk] *n* 1) отвéтный удáр 2) плáвание на спинé

backsword ['bæksɔ:d] *n ист.* тесáк

back talk ['bæktɔ:k] *n разг.* дéрзкий отвéт, рéзкое возражéние

backtrack ['bæktræk] *v* отступáться, откáзываться, отрекáться; to ~ on one's views отрéчься от свои́х взгля́дов

backup ['bækʌp] *n* 1) дубли́рование (*в космонáвтике*) 2) космонáвт-дублёр

backward ['bækwəd] **1.** *a* 1) обрáтный (*о движéнии*) 2) отстáлый; ~ children ýмственно *или* физи́чески отстáлые дéти 3) заскорýзлый, замшéлый 4) запоздáлый; *редк.* прóшлый 5) мéдлящий; неохóтно дéлающий 6) рóбкий, застéнчивый

2. *adv* 1) назáд; зáдом 2) наоборóт; зáдом напéрёд 3) в обрáтном направлéнии, обрáтно

backwardness ['bækwədnəs] *n* отстáлость *и пр.* [*см.* backward 1]

backwards ['bækwədz] = backward 2

backwash ['bækwɒʃ] *n* 1) водá, отбрáсываемая колёсами *или* винтóм парохóда 2) возмущённый потóк (*вóздуха за самолётом*) 3) обрáтный потóк 4) отголóсок, послéдствия

backwater ['bækwɔ:tə] *n* 1) ти́хая зáводь; болóто, застóй 2) зáводь; запрýженная водá 3) = backwash 1); 4) *attr.*

захолу́стный, глухо́й; ~ district медве́жий у́гол

backwoods ['bækwʊdz] *n pl* 1) лесна́я глушь; лесны́е пограни́чные райо́ны 2) *attr. разг.* провинциа́льный; неотёсанный

backwoodsman ['bækwʊdzmən] *n* 1) обита́тель лесно́й глуши́ 2) провинциа́л 3) *разг.* пэр, кото́рый о́чень ре́дко *или* во́все не посеща́ет пала́ту ло́рдов

backyard [,bæk'jɑ:d] *n* за́дний двор

bacon ['beɪkən] *n* 1) копчёная свина́я груди́нка, беко́н; ~ and eggs яи́чница с беко́ном 2) *разг.* чи́стый вы́игрыш, чи́стая при́быль ◇ to save one's ~ *разг.* спасти́ свою́ шку́ру; убра́ться подобру́-поздоро́ву; to bring home the ~ *разг.* доби́ться успе́ха

bacteria [bæk'tɪərɪə] *pl от* bacterium

bactericide [bæk'tɪərɪsaɪd] *n* бактерици́д

bacteriological [bæk,tɪərɪə'lɒdʒɪkl] *a* бактериологи́ческий

bacteriologist [bæk,tɪərɪ'ɒlədʒɪst] *n* бактерио́лог

bacteriology [bæk,tɪərɪ'ɒlədʒɪ] *n* бактериоло́гия

bacteriolysis [bæk,tɪərɪ'ɒlɪsɪs] *n* бактерио́лиз

bacterium [bæk'tɪərɪəm] *n* (*pl* -ria) бакте́рия

bad [bæd] **1.** *a* (worse; worst) 1) плохо́й, дурно́й, скве́рный; she feels ~ она́ пло́хо себя́ чу́вствует; ~ name (for) дурна́я репута́ция; ~ coin фальши́вая *или* неполноце́нная моне́та; ~ language сквернносло́вие; ~ luck невезе́ние; it is too ~! вот беда́! 2) вре́дный; beer is ~ for you пи́во вам вре́дно 3) испо́рченный; недоброка́чественный; to go ~ испо́ртиться, сгнить 4) *разг.* больно́й; ~ leg больна́я нога́; to be taken ~ заболе́ть 5) развращённый, безнра́вственный 6) си́льный (*о боли, холоде и т. п.*); гру́бый (*об ошибке*) 7) *юр.* недействи́тельный ◇ ~ blood ссо́ра; неприя́знь; ~ debt безнадёжный долг; ~ egg (*или* hat, lot) *разг.* моше́нник; непутёвый, никуды́шный челове́к; ~ fairy злой ге́ний; ~ form дурны́е мане́ры; ~ man *амер.* отча́янный челове́к, головоре́з; with a ~ grace нео́хотно

2. *n* 1) неуда́ча, несча́стье; to take the ~ with the good сто́йко переноси́ть превра́тности судьбы́ 2) ги́бель; разоре́ние; to go to the ~ пропа́сть, поги́бнуть; сби́ться с пути́ и́стинного 3) убы́ток; to the ~ в убы́тке, в убы́ток

bad(e) [bæd (beɪd)] *past от* bid 2

badge [bædʒ] *n* 1) значо́к; кока́рда 2) си́мвол; при́знак; знак

badger ['bædʒə] **1.** *n* 1) барсу́к; to draw the ~ *охот.* вы́курить барсука́ из норы́ 2) кисть из во́лоса барсука́ 3) (B.) *амер. разг.* жи́тель шта́та Виско́нсин

2. *v* 1) трави́ть, изводи́ть 2) дразни́ть

badger-baiting ['bædʒə,beɪtɪŋ] *n* тра́вля барсуко́в соба́ками

badger-drawing ['bædʒə,drɔ:ɪŋ] = badger-baiting

Badger State ['bædʒə,steɪt] *n амер. разг.* штат Виско́нсин

badinage ['bædɪnɑ:ʒ] *фр. n* подшу́чивание

badlands ['bædlændz] *n pl амер.* беспло́дные зе́мли

badly ['bædlɪ] *adv* (worse; worst) 1) пло́хо, ду́рно 2) о́чень си́льно; ~ wounded тяжело́ ра́нен; I want it ~ мне э́то о́чень ну́жно; to react ~ to smth. боле́зненно реаги́ровать на что-л. ◇ to be ~ off быть в тру́дном положе́нии, нужда́ться

badminton ['bædmɪntən] *n* 1) бадминто́н 2) крюшо́н из кра́сного вина́

bad-mouth ['bædmaʊθ] *v разг.* черни́ть, поро́чить

badness ['bædnəs] *n* него́дность *и пр.* [*см.* bad 1]

bad-tempered [,bæd'tempəd] *a* злой, раздражи́тельный

Baedeker ['beɪdɪkə] *n* путеводи́тель по истори́ческим места́м, бе́декер

baffle ['bæfl] **1.** *n тех.* 1) (раздели́тельная) перегоро́дка; экра́н; щит; глуши́тель 2) дефле́ктор

2. *v* 1) ста́вить в тупи́к; сбива́ть с то́лку 2) расстра́ивать, опроки́дывать (*расчёты, планы*); препя́тствовать, меша́ть; to ~ pursuit ускольза́ть от пресле́дования 3) тще́тно боро́ться 4) отводи́ть *или* изменя́ть тече́ние ◇ to ~ all description не поддава́ться описа́нию

baffle-board ['bæflbɔ:d] *n* 1) раздели́тельная перегоро́дка 2) *радио* отража́тельная доска́

baffle-plate ['bæflpleɪt] = baffle 1

baffler ['bæflə] *n тех.* 1) отража́тель; перегоро́дка 2) глуши́тель

baffle-wall ['bæflwɔ:l] = baffle-board

baffling ['bæflɪŋ] **1.** *pres. p. от* baffle 2

2. *a* 1) тру́дный; a ~ problem тру́дная зада́ча; ~ complexity чрезвыча́йная сло́жность 2) неблагоприя́тный; ~ winds переме́нные, неблагоприя́тные ве́тры

bag [bæg] **1.** *n* 1) мешо́к; су́мка; чемода́н; to empty the ~ опоро́жнить мешо́к, су́мку; *перен.* рассказа́ть, вы́ложить всё 2) *pl разг.* мно́жество, у́йма 3) *pl разг.* штаны́ (*тж.* pair of ~s) 4) ягдта́ш; добы́ча (*охотника*) 5) *pl* мешки́ (под глаза́ми) 6) балло́н 7) по́лость (*в горной породе*), карма́н 8) *зоол.* су́мка, мешо́к; по́лость 9) вы́мя 10) дипломати́ческая по́чта 11) *sl.* ба́ба, де́вка ◇ in the ~ ≅ де́ло в шля́пе; де́ло ве́рное; to set one's ~ (for) стара́ться захвати́ть, за́риться (*на что-л.*); ~ and baggage а) со все́ми пожи́тками; б) соверше́нно; в) в о́бщем, в совоку́пности; ~ of wind *амер. разг.* болту́н, пустозво́н, хвасту́н [*ср.* windbag]; late ~ почто́вый мешо́к для пи́сем, полу́ченных по́сле устано́вленного сро́ка приёма по́чты; whole ~ of tricks а) вся́ческие ухищре́ния; б) всё без оста́тка; in the bottom of the ~ в ка́честве кра́йнего сре́дства; to give smb. the ~ to hold поки́нуть кого́-л. в беде́; улизну́ть от кого́-л.; to put smb. in a ~ взять верх над кем-л., одоле́ть кого́-л.; to bear (*или* to carry) the ~ а) распоряжа́ться деньга́ми; б) быть хозя́ином положе́ния; to make a (good) ~ of smth. захвати́ть, уничто́жить что-л.

2. *v* 1) класть в мешо́к 2) уби́ть (*сто́лько-то дичи*) 3) сбить (*самолёт*) 4) собира́ть (*коллекцию и т. п.*) 5) оттопы́риваться; висе́ть мешко́м; надува́ться (*о парусах*) 6) *разг., часто шутл.* присва́ивать, брать без спро́са 7) *школ. жарг.* заявля́ть права́, крича́ть «чур»; I ~!, ~s I! чур я!

bagasse [bə'gæs] *n* вы́жимки, жом (*отходы сахарного тростника при производстве сахара*)

bagatelle [,bægə'tel] *n* 1) пустя́к; безделу́шка 2) род билья́рда 3) багате́ль, небольша́я музыка́льная пье́са

bagful ['bægfʊl] *n* (по́лный) мешо́к (*мера*)

baggage ['bægɪdʒ] *n* 1) *амер.* бага́ж 2) *воен.* возимо́е иму́щество, обо́з 3) *шутл., пренебр.* девчо́нка; impudent ~ наха́лка 4) *шутл.* озорни́ца, плуто́вка 5) *груб.* проститу́тка 6) *attr.*: ~ animal вью́чное живо́тное; ~ tram *воен.* вещево́й обо́з

baggage car ['bægɪdʒkɑ:] *n амер.* бага́жный ваго́н

baggage check ['bægɪdʒtʃek] *n амер.* бага́жная квита́нция

baggage-man ['bægɪdʒmæn] *n амер.* носи́льщик

baggage room ['bægɪdʒru:m] *n амер.* ка́мера хране́ния (багажа́)

bagged [bægd] **1.** *p. p. от* bag 2

2. *a* 1) помещённый в мешо́к; (как) в мешке́; инкапсули́рованный 2) вися́щий мешко́м

bagging ['bægɪŋ] **1.** *pres. p. от* bag 2

2. *n* мешкови́на

baggy ['bægɪ] *a* мешкова́тый (*об одежде*); ~ skin below the eyes мешки́ под глаза́ми

bagman ['bægmən] *n* стра́нствующий торго́вец

bagnio ['bænjəʊ] *n уст.* 1) тюрьма́ для рабо́в (*на Востоке*) 2) *редк.* публи́чный дом

bagpiper ['bægpaɪpə] *n* волы́нщик

bagpipes ['bægpaɪps] *n pl* волы́нка (*музыкальный инструмент*)

bah [bɑ:] *int* ба! (*выражает пренебрежение*)

baignoire ['beɪnwɑ:] *n театр.* бенуа́р

bail I [beɪl] **1.** *n* 1) зало́г, поручи́тельство; to save (*или* to surrender to) one's ~ яви́ться в суд в назна́ченный срок (*о выпущенном на поруки*); to forfeit one's ~ не яви́ться в суд 2) поручи́тель; to grant (*или* to accept, to allow, to take) ~, to admit (*или* to hold, to let) to ~ вы́пустить на пору́ки; to give (*или* to offer) ~ найти́ себе́ поручи́теля; to go (*или* to be, to become, to stand) ~ for smb. поручи́ться за кого́-л.; to justify (as) ~ под прися́-

гой подтвердить кредитоспособность поручителя

2. *v* брать на поруки (*кого-л.*; *часто* ~ out)

bail II [beıl] *n* 1) перекладина (*в крикете*) 2) перегородка между стойлами (*в конюшне*)

bail III [beıl] *v* вычерпывать воду (*из лодки*; *тж.* ~ water out); to ~ out a boat вычерпывать воду из лодки ▭ ~ **out** а) *ав. разг.* выбрасываться, прыгать с парашютом; б): ~ out of the difficulties выходить из затруднительного положения

bail IV [beıl] *n* ручка (*ведра или чайника*)

bailable ['beıləbl] *a* допускающий выпуск на поруки (*о составе преступления*)

bailee [ˌbeı'li:] *n* ответственное лицо, которому переданы товары на хранение, депозитарий

bailer ['beılə] *n* ковш, черпак; *мор.* лейка

bailey ['beılı] *n ист.* двор замка ◇ Old B. Центральный уголовный суд (*в Лондоне*)

bailiff ['beılıf] *n* 1) судебный пристав, бейлиф 2) управляющий имением

bailing I ['beılıŋ] **1.** *pres. p. от* bail III

2. *n горн.* 1) тартание (*нефти*) 2) откачка воды (*из шахты*)

bailing II ['beılıŋ] *pres. p. от* bail I, 2

bailiwick ['beılıwık] *n* 1) *ист.* округ *или* юрисдикция бейлифа 2) *шутл.* круг деятельности

bailment ['beılmənt] *n* 1) депонирование, передача товара другому лицу (*на определённых условиях*) 2) освобождение на поруки 3) взятие на поруки

bailor [ˌbeı'lɔ:] *n* депонент, лицо, передающее товар другому лицу (*на определённых условиях*)

bailsman ['beılzmən] *n* поручитель

bairn [beən] *n шотл.* ребёнок

bait [beıt] **1.** *n* 1) приманка; наживка 2) искушение 3) *уст.* отдых и кормление лошадей в пути ◇ to jump at (*или* to rise to, to swallow) the ~ попасться на удочку

2. *v* 1) насаживать наживку на крючок 2) приманивать, завлекать, искушать 3) травить (собаками) 4) *уст.* останавливаться в пути для отдыха и еды 5) *уст.* кормить (*лошадь, особ. в пути*); получать корм (*о лошади*) 6) преследовать насмешками, изводить, не давать покоя

baize [beız] *n* грубое сукно; байка; green ~ зелёное сукно

bake [beık] *v* 1) печь(ся) 2) сушить на солнце; обжигать (*кирпичи*) 3) запекаться; затвердевать 4) загорать на солнце

bakehouse ['beıkhaʊs] *n* пекарня

bakelite ['beıkəlaıt] *n* бакелит

baker ['beıkə] *n* пекарь, булочник

baker's dozen ['beıkəz,dʌzn] *n* чёртова дюжина

bakery ['beıkərı] *n* пекарня, булочная

bakestone ['beıkstəʊn] *n* под (*печи*)

bakhshish [ˌbæk'ʃi:ʃ] = baksheesh

baking ['beıkıŋ] **1.** *pres. p. от* bake

2. *n* 1) выпечка; количество хлеба, выпекаемого за один раз 2) обжиг

3. *a* палящий; ~ sun палящее солнце, палящий зной

baking powder ['beıkıŋ,paʊdə] *n* пекарский порошок, разрыхлитель

baksheesh [ˌbæk'ʃi:ʃ] *n* бакшиш, взятка, чаевые

Balaam ['beıləm] *n* 1) *библ.* Валаам 2) ненадёжный, неверный союзник 3) запасной материал для заполнения свободного места в газете

balaclava [ˌbælə'klɑ:və] *n воен.* подшлемник (*тж.* ~ helmet)

balalaika [ˌbælə'laıkə] *n* балалайка

balance ['bæləns] **1.** *n* 1) весы, равновесие; ~ of forces равновесие сил; ~ of power политическое равновесие (*между государствами*); to keep one's ~ сохранять равновесие; *перен.* оставаться спокойным; to lose one's ~ упасть, потерять равновесие; *перен.* выйти из себя; to be off one's ~ потерять душевное равновесие 2) противовес 3) маятник; балансир, баланс (*в часовом механизме*) 4) *ком.* баланс; сальдо (*тж.* ~ in hand); ~ of payments платёжный баланс; ~ of trade активный баланс (*внешней торговли*); to strike a ~ подводить баланс; *перен.* подводить итоги 5) *разг.* остаток 6) (В.) Весы (*созвездие и знак зодиака*) ◇ to be (*или* to tremble, to swing, to hang) in the ~ висеть на волоске, быть в критическом положении; the ~ of advantage lies with him на его стороне значительные преимущества; to be weighed in the ~ and found wanting не оправдать надежд; to hold the ~ распоряжаться; upon a fair ~ по зрелом размышлении

2. *v* 1) балансировать; сохранять равновесие, быть в равновесии; уравновешивать 2) взвешивать, обдумывать; сопоставлять (with, against) 3) колебаться (between) 4) *ком.* подводить баланс; to ~ one's accounts подытоживать счета; the accounts don't ~ счета не сходятся

balance beam ['bælənsbi:m] *n* 1) коромысло (*весов*) 2) балансир 3) *спорт.* гимнастическое бревно

balance bridge ['bæləns,brıdʒ] *n* подъёмный мост

balanced ['bælənst] **1.** *p. p. от* balance 2

2. *a* уравновешенный; гармоничный; пропорциональный

balancer ['bælənsə] *n* 1) эквилибрист, балансёр 2) *тех.* уравнитель, стабилизатор

balance sheet ['bælənsʃi:t] *n фин.* баланс

balance step ['bælənsstep] *n воен.* парадный шаг с выдержкой

balance weight ['bælənsweıt] *n* противовес, контргруз

balance wheel ['bælənswi:l] *n* маятник (*в часовом механизме*)

balconied ['bælkənıd] *a* с балконом, с балконами

balcony ['bælkənı] *n* 1) балкон 2) *театр.* балкон первого яруса

bald [bɔ:ld] *a* 1) лысый; плешивый; as ~ as an egg (*или* as a billiard ball, as a coot) голый как колено, совершенно лысый 2) оголённый; лишённый растительности, перьев, меха 3) неприкрытый (*о недостатках*) 4) неприкрашенный, простой, прямой 5) убогий, бесцветный (*о стиле и т. п.*) 6) с белой отметиной на голове (*о животном*)

baldachin, baldaquin ['bɔ:ldəkın] *n* балдахин

bald-coot ['bɔ:ldku:t] *n* 1) лысуха (*птица*) 2) *разг.* лысый, плешивый человек

balderdash ['bɔ:ldədæʃ] *n* вздор, галиматья

bald-headed [ˌbɔ:ld'hedıd] **1.** *a* лысый; плешивый

2. *adv*: to go ~ at (*или* into, for) smth. *разг.* идти напролом, действовать очертя голову, безрассудно; рисковать всем

balding ['bɔ:ldıŋ] *a* лысеющий

baldly ['bɔ:ldlı] *adv* 1) открыто; to put it ~ сказать напрямик, без обиняков 2) скудно, убого

baldness ['bɔ:ldnəs] *n* плешивость *и пр.* [*см.* bald]

baldric ['bɔ:ldrık] *n* перевязь (*для меча, рога*)

bale I [beıl] **1.** *n* кипа (*товара*), тюк; cotton ~ кипа хлопка

2. *v* укладывать в тюки, увязывать в кипы

bale II [beıl] *n уст., поэт.* бедствие, зло

bale III [beıl] = bail III

baleen [bə'li:n] *n* китовый ус

balefire ['beıl,faıə] *n* 1) сигнальный огонь 2) костёр

baleful ['beılfl] *a* 1) мрачный, зловещий 2) злобный, злой; гибельный; ~ look недобрый взгляд

baler ['beılə] *n* пресс-подборщик (*сена и т. п.*)

balk [bɔ:k] = baulk

Balkan ['bɔ:lkən] *a* балканский

balky ['bɔ:kı] = baulky

ball I [bɔ:l] **1.** *n* 1) шар 2) мяч 3) шарик, комок, клубок 4) пуля; *ист.* ядро 5) удар (*мячом*); a good ~ точный удар 6) бейсбол 7) подушечка пальца 8) *вет.* пилюля 9) *pl sl. груб.* яйца 10) *pl разг.* чепуха; to make ~s of smth. натворить дел, напутать, привести что-л. в беспорядок ◇ ~-and-socket joint шаровой шарнир; ~ of the eye глазное яблоко; ~ of the knee коленная чашка; ~ of fortune игрушка судьбы; three (golden) ~s вывеска ростовщика, дающего деньги под заклад; to have the ~ at one's feet быть господином положения; иметь шансы на успех; to keep the ~ rolling, to keep up the ~ а) поддерживать разговор; б) продолжать делать что-л.; the ~ is with you (*или* the ~ is in your court) очередь за ва́ми; to carry the ~ *амер. разг.* де́йствовать акти́вно; get on the ~! *амер. разг.* скоре́й!, живе́й!, пошеве́ливайся!; on the ~ *разг.* сметли́вый, расторо́пный; толко́вый

2. *v* собира́ть(ся) в клубо́к; свива́ть(ся) ▭ ~ **up** *sl.* а) приводи́ть в смуще́ние; пу́тать; б) провали́ться на экза́мене

ball II [bɔ:l] *n* бал, танцева́льный ве́чер; to open (*или* to lead up) the ~ открыва́ть бал; *перен.* начина́ть де́йствовать, брать на себя́ инициати́ву

ballad ['bæləd] *n лит.* балла́да

ballade [bæ'lɑ:d] *n стих.* балла́да (*лирическое стихотворение из трёх строф с рефреном и посылкой*)

balladeer [,bælə'dɪə] *n* исполни́тель, сочини́тель балла́д

ballad-monger ['bæləd,mʌŋgə] *n* 1) *ист.* а́втор *или* продаве́ц балла́д 2) *пренебр.* рифмоплёт

balladry ['bælədrɪ] *n* наро́дные балла́ды и их стиль

ballast ['bæləst] **1.** *n* 1) балла́ст; the ship is in ~ су́дно гру́жено балла́стом 2) то, что придаёт усто́йчивость; mental ~ уравнове́шенность, усто́йчивость (*характера*); to lack ~, to have no ~ быть неуравнове́шенным (челове́ком)

2. *v* 1) грузи́ть балла́стом 2) *ж.-д.* засыпа́ть балла́стом 3) придава́ть усто́йчивость (*тж. перен.*)

ball bearing [,bɔ:l'beərɪŋ] *n тех.* шарикоподши́пник

ball cartridge [,bɔ:l'kɑ:trɪdʒ] *n воен.* боево́й патро́н

ballerina [,bælə'ri:nə] *n* балери́на, соли́стка бале́та

ballet ['bæleɪ] *n* бале́т

ballet dancer ['bæleɪ,dɑ:nsə] *n* арти́ст(ка) бале́та

ballet master ['bæleɪ,mɑ:stə] *n* балетме́йстер

balletomane ['bælɪtəʊmeɪn] *n* балетома́н

ballistic [bə'lɪstɪk] *a* баллисти́ческий; ~ missile баллисти́ческая ракéта; intermediate-range ~ missile баллисти́ческая ракéта сре́дней да́льности; ~ guided missile баллисти́ческая управля́емая ракéта

ballistics [bə'lɪstɪks] *n pl* (*употр. как sing*) баллисти́ка

ballon d'essai [bə,lu:nde'seɪ] *фр. n* про́бный шар

balloon [bə'lu:n] **1.** *n* 1) возду́шный шар; неуправля́емый аэроста́т; observation ~ привязно́й аэроста́т наблюде́ния; trial ~ про́бный шар 2) кружо́к, в кото́рый заключены́ слова́ изображённого на карикату́ре персона́жа 3) *attr.*: ~ observation наблюде́ние с привязны́х аэроста́тов

2. *v* 1) раздува́ться 2) надува́ть 3) поднима́ться на возду́шном ша́ре

balloon-car [bə'lu:nkɑ:] *n* гондо́ла аэроста́та

balloon fabric [bə'lu:n,fæbrɪk] *n* бодрю́ш, бодрю́шная мате́рия (*для оболочки аэростата*)

balloonist [bə'lu:nɪst] *a* аэрона́вт, воздухопла́ватель

balloon tire [bə'lu:n,taɪə] *n* балло́н (*шина*)

ballot ['bælət] **1.** *n* баллотиро́вка; голосова́ние (*преим. тайное*); to elect (*или* to vote) by ~, to take a ~ голосова́ть 2) результа́ты голосова́ния 3) жеребьёвка 4) баллотиро́вочный шар; избира́тельный бюллете́нь; tissue ~ *амер.* избира́тельный бюллете́нь на папиро́сной бума́ге ◇ Australian ~ та́йное голосова́ние; to cast a single ~ *амер.* созда́ть ви́димость единоду́шного голосова́ния

2. *v* 1) голосова́ть (for - за; against - про́тив) 2) тяну́ть жре́бий

ballot box ['bælətbɒks] *n* 1) избира́тельная у́рна, баллотиро́вочный я́щик; to stuff the ~ *амер.* заполня́ть избира́тельную у́рну подде́льными бюллете́нями 2) *attr.*: ~ stuffing *амер. sl.* фальсифика́ция вы́боров

ballot paper ['bælət,peɪpə] *n* избира́тельный бюллете́нь

ball-point pen [,bɔ:lpɔɪnt'pen] *n* шарико́вая ру́чка

ballroom ['bɔ:lru:m] *n* 1) танцева́льный зал 2) *attr.* ба́льный

balls-up ['bɔ:lzʌp] *n sl.* неразбери́ха, пу́таница; to make ~ of smth. напу́тать

bally ['bælɪ] *sl.* **1.** *a выражает раздражение, нетерпение, радость*: stung by a ~ wasp уку́шен прокля́той осо́й; whose ~ fault is that? кто винова́т в э́том, чёрт возьми́?

2. *adv* ужа́сно, стра́шно; too ~ tired черто́вски уста́л

ballyhoo [,bælɪ'hu:] *n* 1) шуми́ха 2) чепуха́

ballyrag ['bælɪræg] *v* 1) гру́бо подшу́чивать 2) брани́ть

balm [bɑ:m] *n* 1) бальза́м, болеутоля́ющее сре́дство 2) утеше́ние

balm-cricket ['bɑ:m,krɪkɪt] *n* цика́да

balmy ['bɑ:mɪ] *a* 1) арома́тный 2) благоуха́нный, прия́тный (*о воздухе*); не́жный (*о ветерке*) 3) бальзами́ческий; бальза́мовый, даю́щий бальза́м (*о дереве*) 4) цели́тельный; успокои́тельный 5) *sl.* глу́пый; he's ~ у него́ ви́нтика в голове́ не хвата́ет [*непр. вм.* barmy 2)]

balneology [,bælnɪ'ɒlədʒɪ] *n мед.* бальнеоло́гия

baloney [bə'ləʊnɪ] = boloney

balsa ['bɔ:lsə] *n* ба́льза (*дерево*)

balsam ['bɔ:lsəm] *n* 1) бальза́м 2) *бот.* бальзами́н (садо́вый) 3) *attr.*: ~ fir пи́хта бальзами́ческая

balsamic [bɔ:l'sæmɪk] = balmy 1) *и* 4)

Baltic ['bɔ:ltɪk] *a* балти́йский

baluster ['bæləstə] *n* 1) баля́сина 2) *pl* балюстра́да

balustrade [,bælə'streɪd] *n* балюстра́да

bamboo [,bæm'bu:] *n* (*pl* -boos [-'bu:z]) 1) бамбу́к 2) *attr.* бамбу́ковый

bamboozle [,bæm'bu:zl] *v разг.* обма́нывать, мистифици́ровать; to ~ smb. out of smth. обма́ном взять что-л. у кого́-л.

ban [bæn] **1.** *n* 1) запреще́ние; under a ~ под запре́том 2) пригово́р об изгна́нии; объявле́ние вне зако́на 3) церко́вное прокля́тие, ана́фема 4) *уст. pl* = banns

2. *v* 1) налага́ть запре́т; запреща́ть 2) *уст.* проклина́ть

banal [bə'nɑ:l] *a* бана́льный

banality [bə'nælətɪ] *n* бана́льность

banana [bə'nɑ:nə] *n* бана́н

bananas [bə'nɑ:nəz] *a разг.* сумасше́дший; he's gone ~, he's ~ он спя́тил, рехну́лся

band I [bænd] **1.** *n* 1) *то, что служит связью, скрепой*: тесьма́, ле́нта; о́бод, о́бруч; поясо́к; око́лыш 2) свя́зка, вяза́нка; faggot ~ вяза́нка хво́роста 3) *pl* две бе́лые поло́ски, спуска́ющиеся с воротника́ (*судьи, англиканского священника*) 4) *эл.* полоса́ часто́т 5) *attr.* ле́нточный; ~ conveyer ле́нточный транспортёр; ~ filter ле́нточный фильтр; ~ brake ле́нточный то́рмоз

2. *v* 1) свя́зывать 2) *уст.* перевя́зывать

band II [bænd] **1.** *n* 1) отря́д, гру́ппа люде́й 2) ба́нда 3) орке́стр; string ~ стру́нный орке́стр 4) джаз-орке́стр 5) отря́д солда́т 6) ста́я ◇ when the ~ begins to play *разг.* когда́ положе́ние стано́вится серьёзным

2. *v* объединя́ть(ся); собира́ться (*часто* ~ together)

bandage ['bændɪdʒ] **1.** *n* 1) бинт; перевя́зочный материа́л 2) банда́ж 3) повя́зка (*на глаза*)

2. *v* перевя́зывать, бинтова́ть

bandana [,bæn'dænə] = bandanna

bandanna [,bæn'dænə] *n* цветно́й (носово́й) плато́к

bandar ['bændə] *n зоол.* ре́зус

bandbox ['bændbɒks] *n* карто́нка (*для шляп*) ◇ to look as if one had just come out of a ~ быть оде́тым с иго́лочки

bandeau ['bændəʊ] *n* (*pl* -x) 1) ле́нта для воло́с 2) ко́жаный *или* шёлковый ободо́к, подшива́емый изнутри́ к ту́лье же́нской шля́пы

bandeaux ['bændəʊz] *pl от* bandeau

banded ['bændɪd] *a* окаймлённый, име́ющий каймý

banderol(e) ['bændərəʊl] *n* 1) вы́мпел 2) *иск.* леге́нда (*на гравюре*) 3) *архит.* скульпту́рное украше́ние в ви́де ле́нты с на́дписью

bandicoot ['bændɪku:t] *n зоол.* бандику́т

bandit ['bændɪt] *n* (*pl* -its [-ɪts]; *ист.* -itti) разбо́йник, банди́т

banditti [bæn'dɪtɪ] *n ист.* 1) *pl от* bandit 2) ша́йка, ба́нда

bandmaster ['bænd,mɑ:stə] *n* капельме́йстер

bandog ['bændɒg] *n* 1) цепна́я соба́ка 2) англи́йский дог; ище́йка

bandoleer [,bændə'lɪə] *n воен.* патронта́ш

bandolier [,bændə'lɪə] = bandoleer

band saw ['bændsɔ:] *n* ле́нточная пила́

bandsman ['bændzmən] *n* оркестра́нт

bandstand ['bændstænd] *n* эстрада для оркестра

band wagon ['bændwægən] *n* 1) *амер.* фургон *или* грузовик с оркестром (*напр., передвижного цирка*) 2) сторона, одержавшая победу (*на выборах*); to climb on (*или* to get into) the ~ примкнуть к движению, имеющему шансы на успех; примкнуть к победившей на выборах партии *или* популярному движению 3) массовое движение

bandy I ['bændı] *v* 1) распространять (*слух*) 2) перекидываться, обмениваться (*мячом; словами, комплиментами и т. п.*); to ~ words перебраниваться 3) обсуждать (*тж.* ~ about); to have one's name bandied about быть предметом толков

bandy II ['bændı] *n* 1) хоккей с мячом, бенди 2) клюшка для игры в хоккей с мячом

bandy III ['bændı] *n* бэнди (*индийская повозка*)

bandy IV ['bændı] *a* кривой, изогнутый (*о ногах*)

bandy-legged [,bændı'legd] *a* кривоногий

bane [beın] *n* 1) *поэт.* проклятие; the ~ of one's life несчастье чьей-л. жизни 2) *уст.* отрава, яд

baneful ['beınfl] *a* гибельный, губительный

banewort ['beınwɜ:t] *n* 1) *бот.* лютик жгучий, прыщенец 2) *диал.* ядовитое растение

bang I [bæŋ] **1.** *n* удар, стук; звук выстрела, взрыва *и т. п.*; to shut the door with a ~ громко хлопнуть дверью ◇ to go over with a ~ проходить блестяще, с огромным успехом (*о представлении, приёме, вечере*); to come up with a ~ вспыхнуть с новой силой

2. *v* 1) ударить(ся); стукнуть(ся) 2) хлопнуть (*дверью*) 3) с шумом захлопнуться (*о двери; часто* ~ to) 4) грохнуть, бахнуть; the gun ~ed раздался выстрел 5) *разг.* бить, тузить 6) *разг.* превосходить; перегонять ▭ ~ **down** а) с шумом захлопнуть; б) забить, заколотить; ~ **off** (зря) расстреливать (*патроны*); ~ **up** избить

3. *adv разг.* 1) вдруг; to go ~ выстрелить (*о ружье*) 2) как раз, прямо; the ball hit him ~ in the eye мяч попал ему прямо в глаз

4. *int* бац!

bang II [bæŋ] **1.** *n* чёлка

2. *v* подстригать волосы чёлкой

bang III [bæŋ] *n* высушенные листья и стебли индийской конопли; гашиш

banger ['bæŋə] *n разг.* 1) сосиска 2) фейерверк 3) старый подержаный автомобиль

bangle ['bæŋgl] *n* браслет, надеваемый на запястье *или* щиколотку

bang-on [,bæŋ'ɒn] *a разг.* 1) отличный, потрясающий 2) попавший в самую точку

bang-up [,bæŋ'ʌp] *a амер. sl.* первоклассный, превосходный

banian ['bænıən] *n* 1) = banian-tree 2) индус-торговец 3) маклер; секретарь, управляющий 4) широкая, свободная рубашка; халат

banian-tree ['bænıəntri:] *n* индийская смоковница

banish ['bænıʃ] *v* 1) изгонять, высылать 2) прогонять 3) отгонять (*мысли*)

banishment ['bænıʃmənt] *n* изгнание, высылка

banister ['bænıstə] *n* 1) = baluster 1); 2) *pl* перила (*лестницы*)

banjo ['bændʒəʊ] *n* (*pl* -os, -oes [-əʊz]) 1) *муз.* банджо 2) *тех.* коробка, кожух, картер

bank I [bæŋk] **1.** *n* 1) вал, насыпь 2) берег (*особ. реки*) 3) отмель, банка 4) нанос; занос; ~ of snow снежный занос; сугроб; ~ of clouds гряда облаков 5) *ав.* крен 6) *горн.* залежь, пласт (*руды, угля в открытых разработках*) 7) *тех.* группа (*баллонов, трансформаторов и т. п.*)

2. *v* 1) делать насыпь 2) сгребать (в кучу), наваливать; окружать валом 3) запруживать 4) образовать наносы (*о песке, снеге; часто* ~ up) 5) *ав.* делать вираж; накреняться 6) играть шара от борта, бортов (*на бильярде*)

bank II [bæŋk] **1.** *n* 1) банк; ~ of issue эмиссионный банк; to open an account in (*или* with) a ~ открыть счёт в банке 2) *карт.* банк; to break the ~ сорвать банк 3) банк, место хранения запасов; blood ~ а) донорский пункт; б) запасы консервированной крови для переливания 4) *attr.* банковый, банковский; ~ account счёт в банке; ~ currency банкноты, выпущенные в обращение национальными банками; ~ holiday официальный выходной день, неприсутственный день ◇ you can't put it in the ~ *амер. разг.* это ни к чему, от этого толку мало

2. *v* 1) класть (*деньги*) в банк; держать (*деньги*) в банке; откладывать 2) быть банкиром 3) *карт.* метать банк ◇ to ~ on smb. полагаться на кого-л.

bank III [bæŋk] *n* 1) набор, комплект; ~ of keys клавиатура (*органа, линотипа и т. п.*) 2) верстак 3) *ист.* скамья (*на галере*) 4) *ист.* ряд вёсел (*на галере*)

bankable ['bæŋkəbl] *a фин.* принимаемый банком к учёту, пригодный к учёту

bank bill ['bæŋkbıl] *n* 1) тратта, выставленная на банк (*или* банком) 2) *амер.* банковый билет, банкнот

bankbook ['bæŋkbʊk] *n фин.* банковская книжка, лицевой счёт

bank draft ['bæŋkdrɑ:ft] *n* тратта, выставленная банком на другой банк

banker I ['bæŋkə] *n* 1) банкир 2) *pl* банкирский дом, банк 3) *карт.* банкомёт

banker II ['bæŋkə] *n* 1) судно, занимающееся ловом трески у берегов Ньюфаундленда 2) рыбак, занимающийся ловом трески 3) *диал.* землекоп

banket [bæŋ'ket] *n горн.* банкет (*золотоносный конгломерат*)

banking I ['bæŋkıŋ] **1.** *pres. p. от* bank II, 2

2. *n* банковое дело

banking II ['bæŋkıŋ] **1.** *pres. p. от* bank I, 2

2. *n ав., авто* крен, вираж

banking-house ['bæŋkıŋhaʊs] *n* банк, банкирский дом

bank note ['bæŋknəʊt] *n* кредитный билет, банкнот

bank rate ['bæŋkreıt] *n* учётная ставка банка

bankroll ['bæŋkrəʊl] **1.** *n* денежные средства, финансовые ресурсы (*страны или отдельного лица*)

2. *v* субсидировать, финансировать

bankrupt ['bæŋkrʌpt] **1.** *n* банкрот; *распр.* несостоятельный должник; ~ in reputation человек с дурной репутацией

2. *a* 1) несостоятельный; to go ~ обанкротиться 2) лишённый (of, in — *чего-л.*)

3. *v* сделать банкротом; довести до банкротства

bankruptcy ['bæŋkrʌptsı] *n* банкротство; несостоятельность; court of ~ отдел по делам о несостоятельности

banksman ['bæŋksmən] *n горн.* рукоятчик, (старший) рабочий у устья шахты

banner ['bænə] **1.** *n* 1) знамя; флаг; стяг; *перен. тж.* символ; to join (*или* to follow) the ~ of... стать под знамёна...; *перен.* стать на чью-л. сторону; to unfurl one's ~ *перен.* заявить о своей программе 2) заголовок крупными буквами на всю полосу, «шапка» ◇ to carry the ~ *амер. ирон.* скитаться всю ночь, не имея пристанища

2. *a* (наи)лучший; образцовый; главный; ~ year рекордный год

banner-bearer ['bænə,beərə] *n* знаменосец

banneret [,bænə'ret] *n* флажок

bannock ['bænək] *n сев.* пресная лепёшка

banns [bænz] *n pl* оглашение в церкви имён вступающих в брак; to ask (*или* to call, to publish) the ~ оглашать имена вступающих в брак; to forbid the ~ заявить протест против заключения брака

banquet ['bæŋkwıt] **1.** *n* банкет; пир; званый обед

2. *v* 1) давать банкет (*в честь кого-л.*) 2) пировать

banqueter ['bæŋkwıtə] *n* участник банкета

banquette [,bæŋ'ket] *n* 1) насыпь 2) *воен.* стрелковая ступень; банкет

banshee ['bænʃi:] *n* 1) *ирл., шотл. миф.* дух, стоны которого предвещают смерть 2) *разг.* сирена воздушной тревоги

bantam ['bæntəm] *n* 1) бентамка (*мелкая порода кур*) 2) *разг.* «петух», задира, забияка 3) *attr.*: ~ car малолитражка

bantamweight ['bæntəmweıt] *n спорт.* 1) легчайший вес 2) спортсмен легчайшего веса

banter [ˈbæntə] **1.** *n* доброду́шное подшу́чивание

2. *v* доброду́шно подшу́чивать, подтру́нивать, поддра́знивать

banting [ˈbæntɪŋ] *n* лече́ние ожире́ния дие́той

bantling [ˈbæntlɪŋ] *n презр.* отро́дье, вы́родок (*о ребёнке*)

banyan [ˈbænjən] = banian

baobab [ˈbeɪəʊbæb] *n* баоба́б (*дерево*)

bap [bæp] *n* бу́лочка

baptism [ˈbæptɪzəm] *n* креще́ние; ~ of blood му́ченичество; *воен.* пе́рвое ране́ние; ~ of fire боево́е креще́ние

baptismal [bæpˈtɪzml] *a* относя́щийся к креще́нию; ~ certificate свиде́тельство о креще́нии; ~ name и́мя, да́нное при креще́нии

baptist [ˈbæptɪst] *n* бапти́ст

baptist(e)ry [ˈbæptɪstərɪ] *n* 1) баптисте́рий 2) купе́ль (*у баптистов*)

baptize [bæpˈtaɪz] *v* крести́ть; дава́ть и́мя

bar I [bɑ:] **1.** *n* 1) брусо́к, кусо́к, полоса́; сте́ржень; ~ of gold сли́ток зо́лота; ~ of chocolate пли́тка шокола́да; ~ of soap кусо́к мы́ла 2) болва́нка (*металла*), чу́шка (*свинца*), штык (*меди*) 3) полоса́ (*света, краски*) 4) *спорт.* пла́нка; to clear the ~ перейти́ че́рез пла́нку, взять высоту́; horizontal ~ перекла́дина; parallel ~s (паралле́льные) бру́сья 5) пря́жка на о́рденской ле́нте 6) бар, нано́с песка́ (*в устье реки*); мелково́дье, о́тмель 7) прегра́да, препя́тствие; to let down the ~s устрани́ть препя́тствия, отмени́ть ограниче́ния 8) заста́ва 9) засо́в; ва́га; behind bolt and ~ под надёжным запо́ром; за решёткой 10) *pl* решётка 11) *муз.* та́ктовая черта́; такт

2. *v* 1) запира́ть на засо́в 2) прегражда́ть; all exits are ~red все вы́ходы закры́ты 3) препя́тствовать, меша́ть 4) исключа́ть; отстраня́ть; запреща́ть 5) аннули́ровать, отменя́ть 6) *разг.* име́ть что-л. про́тив *кого-л., чего-л.*, не люби́ть ▭ ~ in запере́ть; не выпуска́ть; ~ out не впуска́ть

3. *prep* исключа́я, не счита́я; ~ none без исключе́ния

bar II [bɑ:] *n* 1) прила́вок, сто́йка 2) бар, буфе́т, заку́сочная; небольшо́й рестора́н

bar III [bɑ:] *n юр.* 1) барье́р, отделя́ющий суде́й от подсуди́мых; prisoner at the ~ обвиня́емый на скамье́ подсуди́мых 2) (the ~, the B.) адвокату́ра; to called (*или* to go) to the B. получи́ть пра́во адвока́тской пра́ктики; to be at the B. быть адвока́том; to be called within the B. получи́ть назначе́ние на до́лжность короле́вского адвока́та; to pitch smb. over the ~ *разг.* лиша́ть кого́-л. зва́ния адвока́та *или* пра́ва адвока́тской пра́ктики 3) суд, сужде́ние; the ~ of conscience суд со́вести; the ~ of public opinion суд обще́ственного мне́ния 4) *парл.* барье́р, отделя́ющий места́ чле́нов пала́ты

bar IV [bɑ:] *n физ.* бар (*единица давления*)

barathea [ˌbærəˈθi:ə] *n* бараты́я (*шерстяная материя, иногда с примесью шёлка или бумаги*)

barb [bɑ:b] **1.** *n* 1) зубе́ц, зазу́брина (*стрелы, копья, рыболовного крючка*) 2) ко́лкость, ко́лкое замеча́ние 3) *бот.* ость; ус; шип 4) *зоол.* у́сики (*некоторых рыб*); колю́чка 5) боро́дка (*птичьего пера*)

2. *v* оснасти́ть *или* снабди́ть колю́чками *и т. п.*

barbarian [bɑ:ˈbeərɪən] **1.** *n* ва́рвар

2. *a* ва́рварский

barbaric [bɑ:ˈbærɪk] *a* гру́бый, ва́рварский; первобы́тный

barbarism [ˈbɑ:bərɪzəm] *n* 1) ва́рварство 2) гру́бость, неве́жество 3) *лингв.* варвари́зм

barbarity [bɑ:ˈbærətɪ] *n* 1) ва́рварство; жесто́кость; бесчелове́чность 2) гру́бость (*стиля, вкуса*)

barbarize [ˈbɑ:bəraɪz] *v* 1) *лингв.* засоря́ть (*речь*) варвари́змами 2) поверга́ть в состоя́ние ва́рварства

barbarous [ˈbɑ:bərəs] *a* 1) ва́рварский, ди́кий 2) гру́бый, жесто́кий

barbate [ˈbɑ:beɪt] *a* 1) *бот.* ости́стый 2) *зоол.* борода́тый, уса́тый

barbecue [ˈbɑ:bɪkju:] **1.** *n* 1) барбекю́, целико́м зажа́ренная ту́ша 2) пикни́к с традицио́нным блю́дом из мя́са, зажа́ренного на решётке над у́глями 3) больша́я ра́ма с решёткой для жа́ренья *или* копче́ния мя́са больши́ми куска́ми 4) площа́дка для су́шки кофе́йных бобо́в

2. *v* жа́рить мя́со над решёткой на ве́ртеле; жа́рить (*тушу*) целико́м

barbed [bɑ:bd] **1.** *p. p. от* barb 2

2. *a* 1) име́ющий колю́чки; колю́чий; ~ wire колю́чая про́волока 2) ко́лкий, ядови́тый; ~ remark ко́лкое замеча́ние

barbel [ˈbɑ:bl] *n* 1) *зоол.* уса́ч 2) у́сик (*некоторых рыб*) 3) *вет.* я́щур

barbell [ˈbɑ:bel] *n pl спорт.* шта́нга

barber [ˈbɑ:bə] *n* парикма́хер, цирю́льник ◇ ~'s block коло́дка для парико́в; ~'s pole шест, окра́шенный в кра́сный и бе́лый цвета́ по спира́ли, слу́жащий вы́веской парикма́хера; ~'s itch *мед.* парази́тарный сико́з

barberry [ˈbɑ:bərɪ] *n бот.* барбари́с

barbershop [ˈbɑ:bəʃɒp] *n* парикма́херская

barbican [ˈbɑ:bɪkən] *n воен. ист.* барбака́н, навесна́я ба́шня

barbiturate [bɑ:ˈbɪtʃʊrət] *n хим.* барбитура́т

barbituric [ˌbɑ:bɪˈtʃʊərɪk] *a хим.* барбиту́ровый

barcarol(l)e [ˌbɑ:kəˈrəʊl] *n* баркаро́ла

bar code [ˈbɑ:kəʊd] *n* штрихово́й код (*маркировка товара для декодирования компьютером*)

bard [bɑ:d] *n* 1) *ист.* бард, менестре́ль 2) лауреа́т традицио́нных состяза́ний поэ́тов в Уэ́льсе 3) *поэт.* бард, певе́ц ◇ the B. of Avon Шекспи́р

bardic [ˈbɑ:dɪk] *a ист.* относя́щийся к ба́рдам; ~ poetry поэ́зия ба́рдов

bare [beə] **1.** *a* 1) го́лый, обнажённый; ~ feet бо́сые но́ги; to lay ~ раскры́ть, обнару́жить; разоблачи́ть 2) пусто́й; лишённый (of — *чего-л.*); бе́дный 3) неприкра́шенный, просто́й 4) едва́ доста́точный; a ~ majority незначи́тельное большинство́; at the ~ mention of при одно́м упомина́нии о; in ~ outlines в о́бщих черта́х; to believe smth. on smb.'s ~ word ве́рить кому́-л. на́ слово 5) мале́йший; ~ possibility мале́йшая возмо́жность 6) *редк.* поно́шенный 7) *эл.* неизоли́рованный ◇ in one's ~ skin го́лый

2. *v* обнажа́ть; раскрыва́ть; to ~ one's head снима́ть шля́пу

bareback [ˈbeəbæk] **1.** *a* неосёдланный

2. *adv* без седла́; на неосёдланной ло́шади

barebacked [ˈbeəbækt] = bareback 1

bare bones [ˌbeəˈbəʊnz] *n разг.* ко́жа да ко́сти (*о человеке*)

barefaced [ˌbeəˈfeɪst] *a* 1) нескрыва́емый; неприкры́тый 2) бессты́дный

barefoot [ˈbeəfʊt] **1.** *a* бо́сой

2. *adv* босико́м

barefooted [ˌbeəˈfʊtɪd] *a* босо́й, босоно́гий

bare-handed [ˌbeəˈhændɪd] *a* с го́лыми рука́ми; без ору́жия

bareheaded [ˌbeəˈhedɪd] *a* с непокры́той голово́й

barelegged [ˌbeəˈlegd] *a* с го́лыми нога́ми

barely [ˈbeəlɪ] *adv* 1) то́лько, про́сто; едва́, лишь 2) *уст.* пря́мо, откры́то

barenecked [ˌbeəˈnekt] *a* с откры́той ше́ей; декольти́рованный

bareness [ˈbeənəs] *n* 1) неприкры́тость, нагота́ 2) бе́дность, ску́дность

barf [bɑ:f] *v sl.* блева́ть

barfly [ˈbɑ:flaɪ] *n разг.* завсегда́тай ба́ров

bargain [ˈbɑ:gɪn] **1.** *n* 1) (торго́вая) сде́лка; to make (*или* to strike, to close) a ~ заключи́ть сде́лку; прийти́ к соглаше́нию; a good (bad, hard, losing) ~ вы́годная (невы́годная) сде́лка; to drive a hard ~ мно́го запра́шивать; торгова́ться; to keep one's part of the ~ вести́ торг; to bind a ~ дать зада́ток 2) (a ~) вы́годная поку́пка; дёшево ку́пленная вещь; to buy at a ~ покупа́ть по дешёвке 3) *attr.*: ~ basement прода́жа това́ров по сни́женным це́нам (*обыкн. на нижнем этаже магазина*); ~ basement rates дешёвка, сни́женные це́ны ◇ into the ~ в прида́чу, к тому́ же; to make the best of a bad ~ не па́дать ду́хом в беде́; that's a ~! по рука́м!; де́ло решённое; договори́лись?; a ~ is a ~ угово́р доро́же де́нег

2. *v* торгова́ться ▭ ~ away уступи́ть за вознагражде́ние; ~ for ожида́ть; быть гото́вым к *чему-л.*; this is more than I ~ed for э́то превзошло́ все мои́ ожида́ния

bargain basement [ˈbɑ:gɪnˌbeɪsmənt] *n* ни́жний эта́ж универма́га, где торгу́ют удешевлёнными това́рами

bargainer [ˈbɑ:gɪnə] *n* торго́вец

bargain-sale [ˈbɑ:gɪnseɪl] *n* распрода́жа

barge [bɑːdʒ] **1.** *n* 1) ба́ржа́; ба́рка 2) двухпа́лубная ба́ржа́ для экску́рсий 3) *мор.* адмира́льский ка́тер 4) *амер.* прогу́лочный ка́тер (*для экскурсий*) 5) *архит.* вы́ступ дымово́й трубы́ над фронто́нной стено́й

2. *v* 1) перевози́ть (гру́зы) на ба́рже́ 2) *разг.*: to ~ into (*или* about, against) smth., smb. натолкну́ться на что-л., на кого́-л. ▭ ~ **in** вторга́ться

bargee [bɑːˈdʒiː] *n* 1) ба́рочник 2) грубия́н ◇ to swear like a ~ руга́ться как изво́зчик

bargeman [ˈbɑːdʒmən] = bargee 1)

barge-pole [ˈbɑːdʒpəʊl] *n* шест для отта́лкивания ба́ржи́ ◇ not fit to be touched with a ~ ≅ тако́й (гря́зный, проти́вный *и т. п.*), что стра́шно прикосну́ться

baric [ˈbeərɪk] *a хим.* ба́риевый

baring [ˈbeərɪŋ] **1.** *pres. p. от* bare 2

2. *n горн.* обнаже́ние *или* вскры́тие пласта́

baritone [ˈbærɪtəʊn] *n* барито́н

barium [ˈbeərɪəm] *n хим.* ба́рий

bark I [bɑːk] **1.** *n* 1) кора́ (*дерева*) 2) хи́на (*тж.* Jesuit's ~, Peruvian ~, China ~) 3) *sl.* ко́жа 4) *attr.*: ~ grafting *бот.* приви́вка под кору́; ~ mill дроби́лка для коры́ ◇ to take the ~ off smth. обесце́нивать что-л., лиша́ть что-л. привлека́тельности, пока́зывать что-л. без прикра́с

2. *v* 1) сдира́ть кору́ (*с дерева*) 2) дуби́ть 3) *sl.* сдира́ть ко́жу

bark II [bɑːk] **1.** *n* 1) лай 2) звук вы́стрела 3) *разг.* ка́шель ◇ his ~ is worse than his bite он бо́льше брани́тся, чем на са́мом де́ле се́рдится

2. *v* 1) ла́ять (at — на) 2) *разг.* ря́вкать 3) *разг.* ка́шлять ◇ to ~ up the wrong tree опростоволо́ситься; напа́сть на ло́жный след

bark III [bɑːk] *n* 1) барк (*большое парусное судно*) 2) *поэт.* кора́бль

barkeeper [ˈbɑːˌkiːpə] *n амер.* хозя́ин ба́ра; ба́рмен

barker I [ˈbɑːkə] *n* око́рщик

barker II [ˈbɑːkə] *n* 1) крику́н 2) аукциони́ст 3) зазыва́ла 4) *sl.* огнестре́льное ору́жие, *особ.* револьве́р ◇ great ~s are no biters ≅ не бо́йся соба́ки, кото́рая ла́ет

barking I [ˈbɑːkɪŋ] **1.** *pres. p. от* bark I, 2

2. *n* 1) око́рка 2) дубле́ние коро́й

barking II [ˈbɑːkɪŋ] **1.** *pres. p. от* bark II, 2

2. *n* лай

3. *a* ла́ющий ◇ ~ iron *sl.* револьве́р

barley [ˈbɑːlɪ] *n* 1) ячме́нь 2) *attr.* ячме́нный ◇ to cry ~ проси́ть поща́ды *или* переми́рия

barley-break [ˈbɑːlɪbreɪk] *n* пятна́шки (*игра*)

barleycorn [ˈbɑːlɪkɔːn] *n* 1) ячме́нное зерно́ 2) *уст.* треть дю́йма ◇ John B. Джон Ячме́нное Зерно́, олицетворе́ние ви́ски, пи́ва и други́х спиртны́х и солодо́вых напи́тков

barley sugar [ˈbɑːlɪˌʃʊgə] *n* ледене́ц

barley water [ˈbɑːlɪˌwɔːtə] *n* ячме́нный отва́р

barley wine [ˌbɑːlɪˈwaɪn] *n* о́чень кре́пкое пи́во

barlow [ˈbɑːləʊ] *n амер.* большо́й складно́й карма́нный нож (*тж.* ~ knife)

barm [bɑːm] *n* (пивны́е) дро́жжи; заква́ска

barmaid [ˈbɑːmeɪd] *n* де́вушка за сто́йкой, ба́рменша

barman [ˈbɑːmən] *n* ба́рмен

barmy [ˈbɑːmɪ] *a* 1) пе́нистый; броди́льный 2) *sl.* спя́тивший; to go ~ спя́тить

barn [bɑːn] *n* 1) амба́р; (сенно́й) сара́й; гумно́ 2) некраси́вое зда́ние, сара́й 3) *амер.* коню́шня, коро́вник 4) *амер.* трамва́йный парк

barnacle I [ˈbɑːnəkl] *n* (*обыкн. pl*) 1) кляп; кля́пцы (*на морду неспокойной лошади*) 2) *pl разг.* очки́

barnacle II [ˈbɑːnəkl] *n* 1) каза́рка белощёкая (*птица*) 2) морска́я у́точка (*ракообразное*) 3) *разг.* неотвя́зный челове́к 4) *разг.* ста́рый моря́к

barn door [ˈbɑːnˌdɔː] **1.** *n* воро́та амба́ра ◇ as big as a ~ о́чень больши́х разме́ров; not to be able to hit a ~ быть о́чень плохи́м стрелко́м

2. *a*: ~ fowl дома́шняя пти́ца

barney [ˈbɑːnɪ] *n разг.* крикли́вая ссо́ра

barn owl [ˈbɑːnaʊl] *n* сипу́ха (*птица*)

barnstorm [ˈbɑːnstɔːm] *v амер. разг.* 1) игра́ть в сара́е, в случа́йном помеще́нии (*о странствующем актёре*) 2) выступа́ть с реча́ми во вре́мя предвы́борной кампа́нии (*в маленьких городках*)

barnstormer [ˈbɑːnstɔːmə] *n амер.* посре́дственный актёр

barnyard [ˈbɑːnjɑːd] *n* 1) гумно́; ток 2) ско́тный двор

barograph [ˈbærəgrɑːf] *n* баро́граф, самопи́шущий баро́метр

barometer [bəˈrɒmɪtə] *n* баро́метр

barometric(al) [ˌbærəˈmetrɪk(l)] *a* барометри́ческий

baron [ˈbærən] *n* 1) баро́н 2) магна́т ◇ ~ of beef то́лстый филе́й

baronage [ˈbærənɪdʒ] *n* 1) баро́ны, сосло́вие баро́нов *или* пэ́ров 2) ти́тул баро́на

baroness [ˈbærənes] *n* бароне́сса

baronet [ˈbærənɪt] **1.** *n* бароне́т (*титул*)

2. *v* дава́ть ти́тул бароне́та

baronetcy [ˈbærənɪtsɪ] *n* ти́тул бароне́та

baronial [bəˈrəʊnɪəl] *a* баро́нский

barony [ˈbærənɪ] *n* 1) владе́ния баро́на 2) ти́тул баро́на 3) во́тчина, владе́ние

baroque [bəˈrɒk] **1.** *n* (the ~) баро́кко

2. *a* 1) баро́чный, в сти́ле баро́кко 2) причу́дливый

baroscope [ˈbærəskəʊp] *n* бароско́п

barouche [bəˈruːʃ] *n* ландо́, четырёхме́стная коля́ска

barque [bɑːk] = bark III

barrack I [ˈbærək] **1.** *n* 1) *pl* каза́рмы 2) бара́к

2. *v* размеща́ть в каза́рмах, бара́ках

barrack II [ˈbærək] *v* гро́мко высме́ивать, осви́стывать неуда́чливого игрока́ (*в крикет и др.*)

barracking [ˈbærəkɪŋ] **1.** *pres. p. от* barrack I, 2 *и* II

2. *n* во́згласы неодобре́ния по а́дресу неуда́чливого игрока́ (*в крикет и др.*)

barracouta [ˌbærəˈkuːtə] = barracuda

barracuda [ˌbærəˈkjuːdə] *n зоол.* барраку́да, морска́я щу́ка

barrage [ˈbærɑːʒ] *n* 1) *воен.* загради́тельный ого́нь, огнево́й вал (*тж.* ~ fire) 2) пото́к ре́зких замеча́ний, кри́тики; град уда́ров 3) загражде́ние 4) плоти́на; запру́да 5) *ав., мор.* загражде́ние, барра́ж 6) *attr.*: ~ balloon аэроста́т загражде́ния

barrator [ˈbærətə] *n* 1) сутя́га, кля́узник 2) *мор. юр.* капита́н *или* кома́нда су́дна, причини́вшие су́дну умы́шленный вред [*см.* barratry 2)]

barratry [ˈbærətrɪ] *n* 1) сутя́жничество, кля́узничество 2) *мор. юр.* бара́трия (*вред, причинённый судну или грузу капитаном или командой умышленно или по преступной небрежности*)

barrel [ˈbærəl] **1.** *n* 1) бо́чка, бочо́нок 2) ба́ррель (*мера жидких, сыпучих и некоторых твёрдых материалов*) 3) ствол, ду́ло (*оружия*) 4) брю́хо (*лошади, коровы*) 5) *амер. разг.* де́ньги для финанси́рования *какой-л.* кампа́нии 6) *тех.* цили́ндр, бараба́н, вал 7) *анат.* бараба́нная по́лость (*уха*) ◇ ~ house, ~ shop *амер. sl.* тракти́р, каба́к; пивна́я; to have smb. over a ~ заста́ть кого́-л. врасплóх; to sit on a ~ of gunpowder сиде́ть на бо́чке с по́рохом; ≅ ходи́ть по кра́ю про́пасти; to scrape the (bottom of the) ~ наскрести́, с трудо́м набра́ть

2. *v* разлива́ть по бочо́нкам

barrel-head [ˈbærəlhed] *n* дни́ще бо́чки

barrel organ [ˈbærəlˌɔːgən] *n* шарма́нка

barrel roll [ˈbærəlrəʊl] *n ав.* бо́чка

barrel-scraping [ˌbærəlˈskreɪpɪŋ] *n разг.* собира́ние после́дних ресу́рсов; ≅ «под метёлку»

barren [ˈbærən] **1.** *a* 1) беспло́дный; неплодоро́дный; то́щий (*о земле*) 2) бессодержа́тельный; бе́дный, ску́чный; ~ of interest (of ideas) лишённый интере́са (мы́слей)

2. *n* (*обыкн. pl*) беспло́дная земля́, пу́стошь

barrenness [ˈbærənnəs] *n* беспло́дие *и пр.* [*см.* barren 1]

barret [ˈbærət] *n* бере́т

barricade [ˌbærɪˈkeɪd] **1.** *n* 1) баррика́да 2) прегра́да

2. *v* баррикади́ровать

barrier [ˈbærɪə] **1.** *n* 1) барье́р; заста́ва; шлагба́ум 2) прегра́да, препя́тствие, поме́ха

2. *v* огражда́ть, загражда́ть (*обыкн.* ~ off, ~ in)

barring I ['bɑ:rɪŋ] *prep* за исключе́нием

barring II ['bɑ:rɪŋ] *n* 1) *тех.* пуск в ход (*машины*) 2) *горн.* крепле́ние кро́вли, ша́хтная крепь

barring III ['bɑ:rɪŋ] *pres. p. от* bar I, 2

barrister ['bærɪstə] *n* адвока́т, ба́рристер; revising ~ *парл.* ба́рристер, проверя́ющий избира́тельные спи́ски

barrister-at-law [,bærɪstərət'lɔ:] (*pl* barristers-) = barrister

barrow I ['bærəʊ] *n археол.* курга́н, (моги́льный) холм

barrow II ['bærəʊ] *n* 1) та́чка; ручна́я теле́жка 2) носи́лки 3) по́лная та́чка, носи́лки *и т. п.* чего́-л. 4) *attr.*: ~ truck двухколёсная теле́жка

barrow boy ['bærəʊbɔɪ] *n* у́личный торго́вец

bartender ['bɑ:,tendə] *n* ба́рмен

barter ['bɑ:tə] **1.** *n* ба́ртер, товарообме́н, менова́я торго́вля

2. *v* меня́ть, обме́нивать; вести́ менову́ю торго́влю ▭ ~ away прода́ть по о́чень ни́зкой цене́; *перен.* променя́ть (*свободу, положение и т. п.*) на что-л. ме́нее це́нное

bartizan ['bɑ:tɪzæn] *n ист.* сторожева́я ба́шенка

baryta [bə'raɪtə] *n хим.* о́кись ба́рия

barytone ['bærɪtəʊn] = baritone

basal ['beɪsl] *a* лежа́щий в осно́ве, основно́й

basalt ['bæsɔ:lt] *n мин.* база́льт

basaltic [bə'sɔ:ltɪk] *a мин.* база́льтовый

bascule ['bæskju:l] *n* подъёмное крыло́ *или* фе́рма (*моста*)

bascule bridge ['bæskju:lbrɪdʒ] *n* подъёмный мост

base I [beɪs] **1.** *n* 1) осно́ва, основа́ние; ба́зис 2) ба́за; опо́рный пункт 3) *спорт.* ме́сто ста́рта 4) «дом» (*в играх*); игра́ в ба́ры (*тж.* prisoner's ~) 5) подно́жие (*горы*) 6) *архит.* пьедеста́л, цо́коль; фунда́мент 7) *хим.* основа́ние 8) *грам.* ко́рень (*слова*) 9) *полигр.* но́жка ли́теры; коло́дка для клише́; фаце́тная доска́ ◇ to be off one's ~ *амер. разг.* а) быть не в своём уме́; б) неле́по заблужда́ться (about — в *чём-л.*); to change one's ~ *амер. разг.* отступа́ть, удира́ть; to get to first ~ *амер. разг.* сде́лать пе́рвые шаги́ (*в каком-л. деле*)

2. *v* 1) бази́ровать, осно́вывать; to ~ oneself upon smth. опира́ться на что-л. 2) закла́дывать основа́ние 3) бази́ровать; размеща́ть (*войска*)

base II [beɪs] *a* 1) ни́зкий; ни́зменный, по́длый 2) неблагоро́дный, просто́й, окисля́ющийся (*о металлах*); of ~ alloy низкопро́бный ◇ ~ coin неполноце́нная *или* фальши́вая моне́та; ~ Latin вульга́рная латы́нь

base III [beɪs] *уст.* = bass III

baseball ['beɪsbɔ:l] *n спорт.* бейсбо́л

baseboard ['beɪsbɔ:d] *n стр.* пли́нтус

baseborn ['beɪsbɔ:n] *a* 1) ни́зкого происхожде́ния 2) незаконнорождённый 3) по́длый, ни́зкий

base frequency [,beɪs'fri:kwənsɪ] *n физ.* основна́я частота́

baseless ['beɪsləs] *a* необосно́ванный

baseline ['beɪslaɪn] *n* 1) ба́зисная ли́ния, основа́ние 2) *спорт.* за́дняя ли́ния площа́дки

baseload ['beɪsləʊd] *n эл.* основна́я нагру́зка

basely ['beɪslɪ] *adv* ни́зко, бесче́стно

basement ['beɪsmənt] *n* 1) подва́л; (полу)подва́льный эта́ж; цо́кольный эта́ж 2) основа́ние, фунда́мент

bases ['beɪsɪz] *pl от* basis

bash [bæʃ] *разг.* **1.** *n* си́льный уда́р; to have a ~ at it пыта́ться, покуша́ться

2. *v* бить; си́льно ударя́ть; to ~ one's head against a tree уда́риться голово́й о де́рево

bashaw [bə'ʃɔ:] *n* 1) паша́ 2) *разг.* ва́жная персо́на, «ши́шка»

basher ['bæʃə] *n амер. sl.* уби́йца

bashful ['bæʃfl] *a* засте́нчивый, ро́бкий

bashing ['bæʃɪŋ] **1.** *pres. p. от* bash 2

2. *n разг.* по́рка; to give a ~ зада́ть трёпку

basic ['beɪsɪk] *a* 1) основно́й; ~ principles основны́е при́нципы; ~ industry а) основна́я о́трасль промы́шленности; б) тяжёлая промы́шленность; ~ stock *эк.* основно́й капита́л 2) *хим.* осно́вный

basically ['beɪsɪklɪ] *adv* в свое́й осно́ве; по существу́, в основно́м

Basic English [,beɪsɪk'ɪŋglɪʃ] *n лингв.* бе́йсик и́нглиш (*упрощённый английский язык из 850 слов, предложенный Ч. Огденом; система обучения этому языку*)

basicity [beɪ'sɪsətɪ] *n хим.* вале́нтность, осно́вность

basic slag ['beɪsɪkslæg] *n* то́мас-шлак (*удобрение*)

basil I ['bæzl] *n бот.* базили́к

basil II ['bæzl] *n* дублёная овчи́на

basilica [bə'zɪlɪkə] *n* бази́лика

basilisk ['bæzəlɪsk] **1.** *n* 1) *миф.* васили́ск 2) *зоол.* ма́ленькая америка́нская я́щерица 3) *ист.* васили́ск (*название пушки XVI — XVII вв.*)

2. *a* ядови́тый, смерте́льный

basin ['beɪsn] *n* 1) таз, ча́шка, ми́ска 2) бассе́йн, резервуа́р; водоём 3) ма́ленькая бу́хта 4) бассе́йн (*реки; каменноугольный*)

basinet ['bæsɪnet] *n ист.* стально́й шлем

basis ['beɪsɪs] *n* (*pl* bases) 1) основа́ние, ба́зис; on this ~ исходя́ из э́того; on a good and neighbourly ~ на осно́ве добрососе́дских отноше́ний 2) ба́за

bask [bɑ:sk] *v* 1) гре́ться (*на солнце, у огня*; in) 2) наслажда́ться (*покоем, счастьем*; in)

basket ['bɑ:skɪt] **1.** *n* 1) корзи́на 2) *ист.* нару́жные места́ (*в почтовом дилижансе*) 3) *баскетбол* корзи́на; попада́ние мячо́м в корзи́ну 4) *attr.*: ~ dinner, ~ lunch, ~ picnic *амер.* пикни́к ◇ to have (*или* to put) all one's eggs in one ~ рискова́ть всем, поста́вить всё на ка́рту; the pick of the ~ са́мое отбо́рное

2. *v* броса́ть в корзи́ну для нену́жных бума́г

basketball ['bɑ:skɪtbɔ:l] *n спорт.* баскетбо́л

basket-case ['bɑ:skɪtkeɪs] *n разг.* ненорма́льный челове́к

basketful ['bɑ:skɪtfʊl] *n* по́лная корзи́на чего́-л.

basketry ['bɑ:skɪtrɪ] *n* 1) плете́ние корзи́н 2) плетёные изде́лия

basketwork ['bɑ:skɪtwɜ:k] = basketry

Basque [bæsk] **1.** *n* 1) баск 2) ба́скский язы́к

2. *a* ба́скский

basque [bæsk] *n* ба́ска (*род лифа*)

bas-relief [,bɑ:rɪ'li:f] *n* барелье́ф

bass I [bæs] *n* о́кунь

bass II [bæs] = bast

bass III [beɪs] **1.** *n* бас

2. *a* басо́вый, ни́зкий; ~ clef басо́вый ключ; ~ drum туре́цкий бараба́н

basset I ['bæsɪt] *n* ба́ссет (*порода собак*)

basset II ['bæsɪt] *n геол.* вы́ход пласто́в

bassinet(te) [,bæsɪ'net] *n* плетёная колыбе́ль с ве́рхом

basso ['bæsəʊ] *n* (*pl* -os [-əʊz]) *муз.* бас

bassoon [bə'su:n] *n* фаго́т

basso-relievo ['bæsəʊrɪ,li:vəʊ] *ит.* = bas-relief

bass-relief ['bæsrɪ,li:f] = bas-relief

bass viol ['beɪs,vaɪəl] *n* виолонче́ль

basswood ['bæswʊd] *n* америка́нская ли́па

bast [bæst] *n* 1) лы́ко, луб; моча́ло; лубяно́е волокно́; рого́жа 2) *attr.* лубяно́й; ~ mat цино́вка из лу́ба, рого́жа

bastard ['bɑ:stəd] **1.** *n* 1) внебра́чный, побо́чный ребёнок 2) *груб.* ублю́док 3) по́месь, мети́с, гибри́д 4) бастр (*неочищенный сахар*)

2. *a* 1) внебра́чный, незаконнорождённый; ~ slip а) побо́чный ребёнок; б) отро́сток от ко́рня де́рева 2) подде́льный, притво́рный; ~ good nature ка́жущееся доброду́шие 3) ху́дшего ка́чества; непра́вильной фо́рмы; необы́чного разме́ра; ~ French ло́маный францу́зский язы́к

bastardize ['bɑ:stədaɪz] *v* 1) объявля́ть незаконнорождённым 2) по́ртить, ухудша́ть

bastardy ['bɑ:stədɪ] *n* 1) рожде́ние ребёнка вне бра́ка 2) *attr.*: ~ order *юр.* суде́бное распоряже́ние об алиме́нтах

baste I [beɪst] *v* сшива́ть на живу́ю ни́тку, смётывать

baste II [beɪst] *v* полива́ть жи́ром (*жаркое*) во вре́мя жа́ренья

baste III [beɪst] *v* 1) бить, колоти́ть 2) заки́дывать вопро́сами, крити́ческими замеча́ниями

bastille [bæ'sti:l] *n* тюрьма́, кре́пость; the B. *ист.* Басти́лия

bastinado [,bæstɪ'neɪdəʊ] **1.** *n* (*pl* -oes

[-əʊz]) пáлочные удáры (*особ.* по пя́ткам; *наказание на Востоке*)

2. *v* бить пáлками (*особ.* по пя́ткам)

basting ['beɪstɪŋ] **1.** *pres. p. от* baste I, II, III

2. *n* 1) намётка 2) *attr.*: ~ thread ни́тка для намётки

bastion ['bæstɪən] *n* 1) *воен.* бастиóн 2) крéпость, оплóт

bat I [bæt] *n* летýчая мышь ◇ to have ~s in one's belfry *разг.* быть ненормáльным; to go ~s сходи́ть с умá; like a ~ out of hell óчень бы́стро, со всех ног; blind as a ~ совершéнно слепóй

bat II [bæt] **1.** *n* 1) би́та (*в крикете и бейсболе*); лаптá; *редк.* ракéтка (*для тенниса*) 2) = batsman; a good ~ хорóший крикети́ст 3) дуби́на; би́ло (*для льна*) 4) *разг.* удáр 5) *разг.* шаг, темп; to go full ~ идти́ бы́стро ◇ off one's own ~ без посторóнней пóмощи, самостоя́тельно; to come to ~ *амер. разг.* столкнýться с трýдной задáчей, тяжёлым испытáнием

2. *v* бить пáлкой, битóй

bat III [bæt] *v*: to ~ one's eyes мигáть, моргáть; not to ~ an eyelid и глáзом не моргнýть; never ~ted an eyelid не сомкнýл глаз

bat IV [bæt] *n амер. sl.* гуля́нка, кутёж; to go on a ~ гуля́ть, кути́ть

bat V [bæt] *n* (the ~) *sl.* язы́к, ýстная речь чужóй страны́; to sling the ~ объясня́ться на лóманом языкé

bat VI [bæt] *n воен.* батальóнное безоткáтное орýдие «Бэт»

bat VII [bæt] *n* вати́н; вáтная подклáдка

batata [bæ'tɑ:tə] *n бот.* батáт, слáдкий картóфель

bat-blind ['bætblaɪnd] *a* совершéнно слепóй

batch [bætʃ] **1.** *n* 1) пáртия, грýппа 2) пáчка, кýчка 3) коли́чество хлéба, выпекáемого за оди́н раз 4) *стр.* замéс бетóна ◇ of the same ~ тогó же сóрта

2. *v вчт.* группировáть прогрáммы, пакети́ровать

batcher ['bætʃə] *n тех.* бýнкер; питáтель, дозáтор

bate I [beɪt] *v* (*сокр. от* abate) 1) убавля́ть, уменьшáть; with ~d breath затаи́в дыхáние 2) слабéть; his energy has not ~d егó энéргия не ослáбла 3) притупля́ть; to ~ one's curiosity удовлетвори́ть любопы́тство

bate II [beɪt] **1.** *n* раствóр для смягчéния кóжи пóсле дублéния

2. *v* погружáть (*кóжу*) в раствóр для смягчéния

bate III [beɪt] *n разг.* я́рость, гнев, бéшенство; to get in a ~ приходи́ть в я́рость

batfowl ['bætfaʊl] *v* лови́ть птиц нóчью, ослепля́я их огнём

bath [bɑ:θ] (*pl* baths [bɑ:ðz]) **1.** *n* 1) вáнна 2) купáние (*в ванне*); to take (*или* to have) a ~ приня́ть вáнну 3) (*обыкн. pl*) бáня; купáльное заведéние; swimming ~s бассéйн для плáвания 4) *тех.* вáнна; hypo ~ *фото* гипосульфи́тная вáнна ◇ Order of the B. óрден Бáни

2. *v* мыть, купáть

Bath brick ['bɑ:θbrɪk] *n* состáв для чи́стки металли́ческих издéлий

Bath chair [,bɑ:θ'tʃeə] *n* крéсло на колёсах для инвали́дов

bathe [beɪð] **1.** *n* купáнье; to have a ~ вы́купаться, искупáться

2. *v* 1) купáть(ся); окунáть(ся); to ~ one's hands in blood обагри́ть рýки крóвью 2) мыть, обмывáть (*тело*); промывáть (*глаза*) 3) омывáть (*берега — о реке, озере*) 4) заливáть (*о свете*)

bather ['beɪðə] *n* купáльщик; купáльщица

bathhouse ['bɑ:θhaʊs] *n* 1) бáня 2) купáльня

bathing ['beɪðɪŋ] **1.** *pres. p. от* bathe 2

2. *n* купáние

bathing-box ['beɪðɪŋbɒks] *n* каби́на для купáющихся

bathing-dress ['beɪðɪŋdres] *n* купáльный костю́м

bathing machine ['beɪðɪŋmə,ʃi:n] *n* каби́на на колёсах (*для переодевания купающихся*)

bathometer [bə'θɒmɪtə] *n* батóметр

bathos ['beɪθɒs] *n* 1) *лит.* перехóд от высóкого к коми́ческому (*о стиле*) 2) глубинá; бéздна; the ~ of stupidity верх глýпости

bathrobe ['bɑ:θrəʊb] *n* купáльный халáт

bathroom ['bɑ:θru:m] *n* вáнная (*кóмната*)

bathtub ['bɑ:θtʌb] *n* вáнна

bathwater ['bɑ:θ,wɔ:tə] *n* водá в вáнне ◇ to throw the baby out with the ~ вмéсте с водóй вы́плеснуть и ребёнка

bathymetry [bə'θɪmətrɪ] *n* батимéтрия, измерéние глубины́ (*моря*)

bathyscaphe ['bæθɪskeɪf] *n* батискáф

bathysphere ['bæθɪsfɪə] *n* батисфéра

batik [bə'ti:k] *n* бáтик

bating ['beɪtɪŋ] *prep уст.* за исключéнием

batiste [bæ'ti:st] *n* бати́ст

batman ['bætmən] *n воен.* денщи́к, вестовóй, ординáрец

baton ['bætɒn] **1.** *n* 1) дирижёрская пáлочка 2) *спорт.* эстафéтная пáлочка; to pass the ~ передáть эстафéту 3) жезл 4) полицéйская дуби́нка

2. *v* бить дуби́нкой (*о полицейском*)

batsman ['bætsmən] *n* бэ́тсмен, отбивáющий мяч (*в крикете*)

battalion [bə'tæljən] *n* батальóн; *амер. тж.* артиллери́йский дивизиóн

battels ['bætlz] *n pl* отчёт о сýммах, израсхóдованных на содержáние кóлледжа (*в Оксфорде*)

batten I ['bætn] **1.** *n* 1) деревя́нная *или* металли́ческая рéйка 2) половáя доскá 3) *attr.* дощáтый; ~ wall дощáтая перегорóдка

2. *v* 1) скрепля́ть (поперéчными) рéйками; заколáчивать дóсками 2) *мор.* задрáивать (*обыкн.* ~ down)

batten II ['bætn] *v* 1) преуспевáть за счёт други́х 2) жить в рóскоши и бездéлье 3) откáрмливаться, жирéть 4) тучнéть (*о почве*)

batter I ['bætə] **1.** *n* 1) жи́дкое тéсто, кляр 2) мя́тая гли́на; густáя ли́пкая грязь 3) *воен.* си́льный артиллери́йский обстрéл; ураганный огóнь 4) *полигр.* сби́тый шрифт

2. *v* 1) си́льно бить, колоти́ть, дубáсить; долби́ть (*тж.* ~ about, ~ down); to ~ at the door си́льно стучáть в дверь 2) подвергáть сурóвой кри́тике; громи́ть 3) плю́щить (*металл*); меси́ть, мять (*глину*) 4) разрушáть; пробивáть брéши (*артиллерийским огнём*) 5) *полигр.* сбивáть шрифт

batter II ['bætə] *архит.* **1.** *n* устýп, уклóн (*стены*)

2. *v* отклоня́ться

batter III ['bætə] *n* отбивáющий мяч (*в бейсболе*)

battered ['bætəd] **1.** *p. p. от* batter I, 2

2. *a* 1) изби́тый, разби́тый 2) изнóшенный, потрёпанный 3) мя́тый 4) в кля́ре (*о рыбе*)

battered baby ['bætədbeɪbɪ] *n* ребёнок с психи́ческими и физи́ческими сдви́гами (*как следствие жестокого обращения родителей*)

battering ram ['bætərɪŋræm] *n ист.* тарáн, стенобúтное орýдие

battery ['bætrɪ] *n* 1) *воен.* батарéя; дивизиóн (лёгкой артиллéрии); *мор.* артиллéрия корабля́ 2) *эл.* батарéя; гальвани́ческий элемéнт; аккумуля́тор (*особ. в автомашине*) 3) *юр.* побóи, оскорблéние дéйствием ◇ cooking ~ кýхонная посýда; to turn a man's ~ against himself бить проти́вника егó же орýжием; to mask one's batteries скрывáть свои́ намéрения

batting ['bætɪŋ] *n* вати́н

battle ['bætl] **1.** *n* 1) би́тва, сражéние, бой; pitched ~ тщáтельно подготóвленное сражéние; to give (*или* to join) ~ давáть бой, вступáть в бой 2) борьбá; to fight a losing ~ вести́ борьбý, обречённую на неудáчу 3) *attr.* боевóй; ~ alarm боевáя тревóга; ~ honour боевóе отли́чие ◇ ~ royal дрáка, óбщая свáлка; шýмная ссóра; half the ~ залóг успéха, побéды; the ~ of the books учёная дискýссия; to fight one's ~s over again снóва пережи́вать прóшлое; to come unscathed out of the ~ ≅ вы́йти сухи́м из воды́; general's (soldier's) ~ бой, исхóд котóрого решáет умéлое комáндование (солдáтская дóблесть); above the ~ беспристрáстный, стоя́щий в сторонé от схвáтки; to fight smb.'s ~s for him лезть в дрáку за когó-л.

2. *v* сражáться, борóться (for — за *когó-л., чтó-л.*; with, against — с *кем-л., чем-л.*)

battle-array ['bætlə,reɪ] *n* боевóй поря́док

battle-axe ['bætlæks] 1) *ист.* боевóй

топо́р; алеба́рда 2) *разг.* напо́ристая, вла́стная осо́ба

battlecraft ['bætlkrɑ:ft] *n* боево́е мастерство́

battle cruiser ['bætl,kru:zə] *n* лине́йный кре́йсер

battle cry ['bætlkraɪ] *n* 1) боево́й клич 2) ло́зунг

battledore ['bætldɔ:] *n* 1) раке́тка (*для игры в бадминтон*); ~ and shuttlecock игра́ в бадминто́н 2) вале́к; ска́лка

battle dress ['bætldres] *n воен.* похо́дное обмундирова́ние

battlefield ['bætlfi:ld] *n* по́ле сраже́ния, по́ле боя́

battle-fleet ['bætlfli:t] *n* лине́йный флот

battleground ['bætlgraʊnd] *n* райо́н боя́, сраже́ния; теа́тр вое́нных де́йствий; по́ле би́твы (*тж. перен.*)

battlement ['bætlmənt] *n* (*часто pl*) 1) зубча́тая стена́; зубцы́ (*стен, башен*) 2) зубча́тые верши́ны гор

battle-order ['bætl,ɔ:də] *n воен.* 1) боево́й поря́док 2) боево́й прика́з 3) похо́дная фо́рма

battle-piece ['bætlpi:s] *n жив.* бата́льная карти́на

battle-plane ['bætlpleɪn] *n* боево́й самолёт

battler ['bætlə] *n* 1) бое́ц 2) выно́сливый боксёр

battle-seasoned ['bætl,si:znd] *a* закалённый в боя́х; обстре́лянный, быва́лый

battleship ['bætlʃɪp] *n* лине́йный кора́бль, линко́р

battle-tried ['bætltraɪd] *a* име́ющий боево́й о́пыт; обстре́лянный

battle-wagon ['bætl,wægən] *n амер. мор. разг.* линко́р

battue [bæ'tu:] *фр. n* 1) обла́ва (*на охоте*) 2) ро́зыск, по́иски 3) резня́, бо́йня

batty ['bætɪ] *a разг.* сумасше́дший, тро́нутый

batwing ['bætwɪŋ] *a* в фо́рме крыла́ лету́чей мы́ши (*о рукаве и т. п.*)

bauble ['bɔ:bl] *n* 1) игру́шка, безделу́шка; пустя́к 2): fool's ~ жезл шута́ (*с ослиными ушами*)

baubling ['bɔ:blɪŋ] *a уст.* пустя́чный

baud [bəʊd] *n вчт.* бод (*единица скорости передачи информации*)

baulk [bɔ:k] **1.** *n* 1) препя́тствие; заде́ржка; to meet with a ~ потерпе́ть пораже́ние 2) оканто́ванное бревно́, ба́лка; брус 3) *мор.* бимс 4) невспа́ханная полоса́ земли́

2. *v* 1) арта́читься; упира́ться; the horse ~ed at a leap ло́шадь заарта́чилась пе́ред прыжко́м 2) препя́тствовать, меша́ть, заде́рживать 3) не оправда́ть (*надежд*); he was ~ed in (*или* of) his desires его́ наде́жды не оправда́лись 4) упуска́ть (*случай*) 5) пропуска́ть, обходи́ть; оставля́ть без внима́ния, игнори́ровать 6) уклоня́ться (*от исполнения долга*) 7) отка́зываться (*от пищи и т. п.*)

baulky ['bɔ:kɪ] *a* упря́мый (*о животном*)

bauxite ['bɔ:ksaɪt] *n мин.* бокси́т, алюми́ниевая руда́

bawbee [,bɔ:'bi:] *n шотл. разг.* полпе́нни, ме́лкая моне́та

bawd [bɔ:d] *n* 1) содержа́тельница публи́чного до́ма 2) *уст.* проститу́тка

bawdry ['bɔ:drɪ] *n* скверносло́вие, ру́гань

bawdy ['bɔ:dɪ] **1.** *a* непристо́йный

2. *n* скверносло́вие

bawdy house ['bɔ:dɪhaʊs] *n* дом терпи́мости, публи́чный дом

bawl [bɔ:l] **1.** *n* крик; рёв

2. *v* крича́ть, ора́ть (at — на *кого-л.*); to ~ and squall горла́нить ▭ ~ **out** крича́ть, выкри́кивать; to ~ out abuse руга́ться; to ~ smb. out накрича́ть, наора́ть на кого́-л.

bay I [beɪ] *n* зали́в, бу́хта, губа́

bay II [beɪ] *n* 1) ни́ша; глубо́кий вы́ступ ко́мнаты с окно́м, «фона́рь» 2) *стр.* пролёт (*между колоннами*); пролёт моста́ 3) отсе́к, помеще́ние 4) сто́йло 5) железнодоро́жная платфо́рма 6) *ж.-д.* тупи́к 7) судово́й лазаре́т

bay III [beɪ] **1.** *n* лай ◇ at ~ в безвы́ходном положе́нии; to bring (*или* to drive) to ~ а) *охот.* загна́ть (*зверя*); б) припере́ть к стене́; в) *воен.* заста́вить (*противника*) приня́ть бой; to hold (*или* to keep) smb. at ~ держа́ть кого́-л. в стра́хе, не подпуска́ть; to stand at ~, to turn to ~ отча́янно защища́ться

2. *v* 1) ла́ять 2) пресле́довать, трави́ть; загоня́ть (*зверя*)

bay IV [beɪ] **1.** *a* гнедо́й

2. *n* гнеда́я ло́шадь

bay V [beɪ] *n* 1) лавр, ла́вровое де́рево 2) *pl* ла́вры, лавро́вый вено́к 3) *attr.*: ~ rum лаврови́шневая вода́ (*лосьон для волос*)

bay VI [beɪ] **1.** *n* запру́да

2. *v* запру́живать

bayadère [,baɪə'dɪə] *фр. n* 1) баядéра 2) полоса́тая мате́рия

bayonet ['beɪənɪt] **1.** *n* 1) штык; to charge with the ~ бро́ситься в штыки́; at the point of the ~ си́лой ору́жия; на штыка́х 2) *attr.* штыково́й; ~ fighting штыково́й бой

2. *v* коло́ть штыко́м ▭ ~ **into** заста́вить си́лой, прину́дить

bayou ['baɪu:] *n* заболо́ченный рука́в реки́, о́зера *или* морско́го зали́ва (*на юге США*)

bay salt [,beɪ'sɔ:lt] *n* оса́дочная морска́я *или* озёрная соль

bay window [,beɪ'wɪndəʊ] *n архит.* э́ркер, фона́рь

baza(a)r [bə'zɑ:] *n* 1) восто́чный база́р 2) благотвори́тельный база́р 3) большо́й магази́н; большо́й торго́вый зал; Christmas ~ база́р ёлочных украше́ний

bazooka [bə'zu:kə] *n воен.* реакти́вный противота́нковый гранатомёт «базу́ка»

be [bi:] *v* (*sing* was, *pl* were; been) 1) быть, существова́ть 2) находи́ться; быва́ть; where are my books? где мои́ кни́ги?; are you often in town? ча́сто ли вы быва́ете в го́роде?; I have never been to the Caucasus я никогда́ не был на Кавка́зе 3) происходи́ть, случа́ться; admission exams are once a year in autumn приёмные испыта́ния прово́дятся оди́н раз в год о́сенью 4) сто́ить; how much is it? ско́лько э́то сто́ит? 5) *в составном именном сказуемом является глаголом-связкой*: he is a teacher он учи́тель; I am cold мне хо́лодно 6) *как вспомогательный глагол служит* а) *для образования длительной формы*: I am reading я чита́ю; б) *для образования пассива*: such questions are settled by the committee подо́бные вопро́сы разреша́ются комите́том 7) *как модальный глагол с последующим инфинитивом обозначает долженствование, возможность, намерение*: I am to inform you я до́лжен вас извести́ть; he is to be there now он до́лжен быть там сейча́с ▭ be **about** а) быть за́нятым *чем-л.*; б) собира́ться (*с inf.*); he is about to go он собира́ется уходи́ть; в) быть на нога́х, встать; be **at** намерева́ться; what would you be at? каковы́ ва́ши наме́рения?; be **away** а) отсу́тствовать; б) = be off; be **back** верну́ться; be **for** а) стоя́ть за *кого-л.*, *что-л.*; б) отправля́ться в; be **in** а) прийти́, прибы́ть (*о поезде, пароходе и т. п.*); наступи́ть (*о времени года*); б) поспе́ть (*о фруктах*); в) быть до́ма; г) прийти́ к вла́сти (*о политической партии*); the labour candidate is in кандида́т лейбори́стской па́ртии прошёл на вы́борах; д): be in on smth. уча́ствовать в чём-л.; be **off** уходи́ть; the train is off по́езд ушёл; be **on** а) происходи́ть; б) идти́ (*о спектакле*); what is on at the Bolshoi Theatre today? что идёт в Большо́м теа́тре сего́дня?; be **out** не быть до́ма, в ко́мнате *и т. п.*; be **up** а) зако́нчиться; б) встать, подня́ться; в) повы́ситься в цене́; г) произойти́; д): be up to smth. замышля́ть что-л. ◇ how are you? здра́вствуйте!, как пожива́ете?; to be going собира́ться (*с inf. часто придаёт значение будущего времени*); the clock is going to strike часы́ сейча́с бу́дут бить; to let be оставля́ть в поко́е; to be oneself а) прийти́ в себя́; б) быть сами́м собо́й; to be of (a group, class, *etc.*) быть одни́м из (гру́ппы, кла́сса *и т. п.*); they knew he was not one of them они́ зна́ли, что он приде́рживается друго́го мне́ния; to be in smb. быть свойственным, характе́рным для кого́-л.; it is not in him to do such a thing э́то не в его́ нату́ре, на него́ э́то не похо́же; I've been there *разг.* э́то всё уже́ изве́стно; you've been (and gone) and done it *разг.* ≅ ну и наде́лали вы дел

be- [bɪ-] *pref* 1) *присоединяется к переходным глаголам со значением*: а) круго́м, вокру́г; *напр.*: beset, besiege окружи́ть, осади́ть, обложи́ть (*город, крепость*); б) по́лностью, целико́м; *напр.*: besmear запа́чкать, замара́ть, заса́лить; bescorch опаля́ть, обжига́ть 2) *в сочета-*

нии с прилагательным и существительным образует переходные глаголы с соответствующим значением; напр.: belittle умалять, уменьшать, принижать; bedim затемнять, затуманивать 3) *образует переходные глаголы со значением подвергнуть действию, покрыть, обработать так, как укзывает значение существительного или прилагательного; напр.*: becloud заволакивать, покрывать тучами; beguile обмануть; bespangle осыпать блёстками

beach [bi:tʃ] **1.** *n* пляж, отлогий морской берег, взморье; отмель; берег моря между линиями прилива и отлива; to hit the ~ пристать к берегу, высадиться ◇ to be on the ~ а) разориться; оказаться в тяжёлом положении, на мели; б) *мор. жарг.* быть в отставке

2. *v* 1) посадить на мель 2) вытаскивать на берег

beachcomber [ˈbi:tʃˌkəʊmə] *n* 1) (белый) обитатель островов Тихого океана, перебивающийся случайной работой 2) *разг.* лицо без определённых занятий; бездельник; бродяга 3) океанская волна, набегающая на берег

beach-head [ˈbi:tʃhed] *n воен.* береговой плацдарм (при высадке десанта)

beach-la-mar [ˌbi:tʃləˈmɑ:] *n лингв.* бичламар (*английский жаргон на островах Полинезии*)

beach-master [ˈbi:tʃˌmɑ:stə] *n воен.* комендант пункта высадки морского десанта

beacon [ˈbi:kən] **1.** *n* 1) сигнальный огонь 2) маяк (*тж. перен.*); бакен; буй 3) сигнальная башня 4) радиомаяк 5) сигнальный фонарь (*у пешеходного перехода — в Великобритании*) 6) предостережение 7) *attr.*: ~ fire, ~ light сигнальный огонь

2. *v* 1) освещать сигнальными огнями 2) светить, указывать путь; служить маяком

bead [bi:d] **1.** *n* 1) шарик, бусина; бисерина 2) *pl* бусы; бисер 3) *pl церк.* чётки; to tell one's ~s читать молитвы (перебирая чётки) 4) капля 5) пузырёк (воздуха) 6) *воен.* прицел, мушка; to draw a ~ on прицеливаться 7) *тех.* борт, отогнутый край, заплечик, реборда, буртик 8) *архит.* капельки (*украшение по краю фронтона*)

2. *v* 1) украшать бусами 2) вышивать бисером 3) нанизывать (бусы); the houses are ~ed along the river дома тесно стоят (*букв.* нанизаны как бусы) вдоль реки 4) *уст.* читать молитвы 5) *тех.* отгибать борт; расчеканивать

beaded [ˈbi:dɪd] **1.** *p. p. от* bead 2

2. *a* 1) украшенный бусами 2) нанизанный (*о бусах или перен.* как бусы) 3) похожий на бусы, бисер, капельки

beadle [ˈbi:dl] *n* 1) университетский педель 2) *уст.* церковный сторож 3) курьер при суде

beadledom [ˈbi:dldəm] *n* 1) формализм 2) канцелярщина; бюрократизм

beadroll [ˈbi:drəʊl] *n* 1) список, перечень 2) *церк. уст.* поминальный список

beadsman [ˈbi:dzmən] *n* 1) призреваемый в богадельне 2) *уст.* молящийся (за благодетеля)

beady [ˈbi:dɪ] *a* 1) похожий на бусинку, маленький и блестящий (*о глазах*); ~ eyes глаза-бусинки 2) покрытый капельками

beagle [ˈbi:gl] **1.** *n* 1) гончая (*собака*); a pack of ~s стая гончих 2) сыщик, ищейка

2. *v* охотиться с гончими

beak I [bi:k] *n* 1) клюв 2) что-л., напоминающее клюв (крючковатый нос, носик сосуда, выступ на носу старинного корабля *и т. п.*) 3) *архит.* слезник

beak II [bi:k] *n sl.* 1) судья 2) учитель, директор (*школы*)

beaked [bi:kt] *a* 1) имеющий клюв 2) выступающий (*о мысе, скале*)

beaker [ˈbi:kə] *n* 1) лабораторный стакан; мензурка 2) *уст.* кубок, чаша

beam [bi:m] **1.** *n* 1) балка; брус, перекладина 2) луч; пучок лучей 3) сияние; сияющий вид; сияющая улыбка 4) радиосигнал (*для самолёта*) 5) радиус действия (*микрофона, громкоговорителя*) 6) *тех.* балансир (*тж.* walking ~, working ~); коромысло (*весов*); to kick (*или* to strike) the ~ оказаться легче, подняться до предела (*о чаше весов*); *перен.* потерпеть поражение 7) *мор.* бимс, ширина (*судна*); to be on one's ~ ends лежать на боку (*о судне*); *перен.* быть в опасности, в безвыходном положении 8) *мор.* траверз; on the ~ на траверзе 9) *с.-х.* грядиль (*плуга*) 10) ткацкий навой 11) *уст.* дышло 12) *attr.*: ~ sea боковая волна; ~ aerial *радио* лучевая антенна ◇ ~ in one's eye «бревно в собственном глазу», собственный недостаток; to be on the ~ быть на правильном пути; to be off the ~ сбиться с пути; to be off one's ~ *амер. груб.* рехнуться; to tip (*или* to turn) the ~ решить исход дела

2. *v* 1) сиять; светить 2) сиять, лучезарно улыбаться; to ~ with joy просиять от радости 3) испускать лучи, излучать 4) определять местонахождение самолёта с помощью радара 5) *радио* вести направленную передачу

beam thread [ˈbi:mθred] *n текст.* основная нить

bean [bi:n] *n* 1) боб; фасоль (*тж.* kidney *или* French ~); horse ~s конские бобы 2) *sl.* голова, башка 3) *sl.* монета (*особ.* золотая); not to have a ~ не иметь ни гроша; not worth a ~ ≅ гроша ломаного не стоит ◇ full of ~s а) горячий (*о лошади*); б) живой, энергичный; в приподнятом настроении; like ~s во всю прыть; to give smb. ~s *разг.* а) вздуть, наказать кого-л.; б) побить кого-л. (*в состязании*); to get ~s быть наказанным, избитым; a hill of ~s *амер.* пустяки; old ~ *sl.* старина, дружище; to spill the ~s а) выдать секрет, проболтаться; б) расстроить (*чьи-л.*) планы; в) попасть в глупое положение, в беду; to know ~s, to know how many ~s make five знать что к чему; быть себе на уме

beanbag [ˈbi:nbæg] *n* погремушка (*с сухими бобами*)

beanery [ˈbi:nərɪ] *n амер. sl.* дешёвый ресторанчик

bean feast [ˈbi:nfi:st] *n* 1) пирушка, гулянка 2) традиционный обед, устраиваемый хозяином для служащих раз в год

beano [ˈbi:nəʊ] *n* (*pl* -os [-əʊz]) *sl. см.* bean feast

bean-pod [ˈbi:npɒd] *n* бобовый стручок

beanpole [ˈbi:npəʊl] *n с.-х.* 1) опора для гороха *или* фасоли 2) *разг.* жердь, каланча (*о долговязом человеке*)

bear I [beə] **1.** *n* 1) медведь 2) грубый, невоспитанный человек; to play the ~ вести себя грубо 3) *бирж.* спекулянт, играющий на понижение 4) *астр.*: Great (Little, Lesser) B. Большая (Малая) Медведица 5) дыропробивной пресс, медведка 6) *метал.* козёл 7) *мор. разг.* швабра (*для мытья палубы*) 8) *attr.*: ~ market *бирж.* рынок с понижательной тенденцией ◇ cross (*или* sulky, surly) as a ~ ≅ зол как чёрт; to sell the ~'s skin before one has caught the ~ делить шкуру неубитого медведя

2. *v бирж.* играть на понижение

bear II [beə] *v* (bore; borne) 1) носить; нести; переносить; перевозить 2) (*p. p.* born) рождать, производить; приносить плоды; to ~ children рожать детей; to ~ fruit приносить плоды; born in 1989 рождения 1989 года 3) выдерживать; нести груз, тяжесть; поддерживать, подпирать; will the ice ~ today? достаточно ли крепок лёд сегодня? 4) терпеть, выносить; I can't ~ him я его не выношу 5) иметь, нести на себе; to ~ marks of violence нести на себе следы насилия 6) питать, иметь (*чувство и т. п.*) 7) простираться 8) направляться, поворачивать; to ~ west направляться на запад 9) *refl.* держаться; вести себя 10) опираться (on) ▭ ~ **away** а) выиграть (*приз, кубок и т. п.*); выйти победителем; б): to be borne away быть захваченным, увлечённым; ~ **down** а) преодолевать; б) *мор.* подходить по ветру; в) устремляться (upon — к); набрасываться, нападать (upon — на *кого-л.*); г) влиять; ~ **in**: to be borne in on smb. становиться ясным, понятным кому-л.; ~ **off** отклоняться; ~ **on** касаться, иметь отношение к *чему-л.*; ~ **out** подтверждать; подкреплять; поддерживать; ~ **up** а) поддерживать; подбадривать; б) держаться стойко; в) *мор.* спускаться (*по ветру*); г): to ~ up for взять направление на; ~ **upon** = ~ on; ~ **with** относиться терпеливо к *чему-л.*; мириться с *чем-л.* ◇ to ~ arms а) носить оружие; служить в армии; to ~ arms against smb. поднять оружие на кого-л., восстать против кого-л.; б) иметь *или* носи́ть герб; to ~ company а) составля́ть компа́нию, сопровожда́ть; б) уха́живать; to ~ comparison вы́держивать сравне́ние; to ~ a hand уча́ствовать; помога́ть; to ~ hard on smb. подавля́ть кого́-л.; to ~ in mind по́мнить; име́ть в виду́; to ~ a part принима́ть уча́стие; to ~ a resemblance быть похо́жим, име́ть схо́дство; to ~ to the right *etc.* приня́ть впра́во *и т. п.*; to ~ the signature име́ть по́дпись, быть подпи́санным; to ~ testimony, to ~ witness свиде́тельствовать, пока́зывать, дава́ть показа́ния

bearable ['beərəbl] *a* сно́сный, терпи́мый

bearbaiting ['beə,beɪtɪŋ] *n* тра́вля медве́дя

beard [bɪəd] **1.** *n* 1) борода́ 2) расти́тельность на лице́ 3) ость (*колоса*) 4) ко́нчик вяза́льного крючка́ 5) зубе́ц; зазу́брина ◇ to laugh in one's ~ смея́ться исподтишка́; ухмыля́ться; to pluck (*или* to take) by the ~ реши́тельно напада́ть

2. *v* 1) сме́ло выступа́ть про́тив; to ~ the lion in his den сме́ло подходи́ть к опа́сному *или* стра́шному челове́ку 2) отёсывать края́ доски́

bearded ['bɪədɪd] **1.** *p. p. от* beard 2

2. *a* 1) борода́тый 2) *бот.* ости́стый

beardie ['bɪədɪ] *n разг.* «борода́», борода́ч

beardless ['bɪədləs] *a* безборо́дый; *перен.* ю́ношеский

bearer ['beərə] *n* 1) тот, кто но́сит *и пр.* [*см.* bear II] 2) носи́льщик 3) санита́р 4) пода́тель (*письма*); предъяви́тель (*чека*) 5) плодонося́щее расте́ние; this tree is a good (poor) ~ э́то де́рево прино́сит хоро́ший (плохо́й) урожа́й 6) *тех.* опо́ра; поду́шка

bear garden ['beə,gɑ:dn] *n* шу́мное сбо́рище, «база́р»

bear hug ['beəhʌg] *n разг.* медве́жьи объя́тия

bearing I ['beərɪŋ] **1.** *pres. p. от* bear II

2. *n* 1) поведе́ние; оса́нка; мане́ра держа́ть себя́ 2) отноше́ние; to consider a question in all its ~s рассма́тривать вопро́с со всех сторо́н; this has no ~ on the question э́то не име́ет никако́го отноше́ния к де́лу, вопро́су 3) значе́ние; the precise ~ of the word то́чное значе́ние сло́ва 4) терпе́ние; beyond (*или* past) all ~ нестерпи́мый; нестерпи́мо 5) ноше́ние 6) рожде́ние, произведе́ние на свет 7) плодоноше́ние 8) деви́з (*на гербе*) 9) *тех.* опо́ра; то́чка опо́ры 10) *тех.* подши́пник; roller ~ ро́ликовый подши́пник 11) *pl мор., ав., воен.* пе́ленг, румб; а́зимут; to lose one's ~s потеря́ть ориентиро́вку; заблуди́ться; *перен.* растеря́ться; to take one's ~s ориенти́роваться, определя́ть положе́ние

3. *a* 1) несу́щий 2) рожда́ющий, порожда́ющий ◇ ~ finder пеленга́тор; ~ capacity грузоподъёмность; допусти́мая нагру́зка

bearing II ['beərɪŋ] *pres. p. от* bear I, 2

bearish ['beərɪʃ] *a* 1) медве́жий 2) гру́бый 3) *бирж.* понижа́тельный

bearleader ['beə,li:də] *n* 1) вожа́к (медве́дя) 2) *шутл.* гувернёр, путеше́ствующий с бога́тым молоды́м челове́ком

bear-pit ['beəpɪt] *n* медве́жья я́ма

bearskin ['beəskɪn] *n* 1) медве́жья шку́ра 2) мехово́й ки́вер (*английских гвардейцев*)

beast [bi:st] *n* 1) зверь, живо́тное; скоти́на; тварь; ~ of burden вью́чное живо́тное; ~ of prey хи́щный зверь; to make a ~ of oneself безобра́зно вести́ себя́ 2) *шутл.* упря́мец, неприя́тный челове́к 3) *собир.* отгу́льный скот ◇ a ~ of a job неприя́тная, тру́дная зада́ча

beastliness ['bi:stlɪnəs] *n* 1) сви́нство, ско́тство 2) га́дость

beastly ['bi:stlɪ] **1.** *a* 1) *разг.* ужа́сный, проти́вный; га́дкий; ~ weather отврати́тельная пого́да 2) живо́тный, гру́бый; зве́рский; непристо́йный

2. *adv разг.* (*служит для усиления отрицательного признака*) отврати́тельно, ужа́сно; it is ~ wet ужа́сно сы́ро, мо́кро

beat [bi:t] **1.** *n* 1) такт; отбива́ние та́кта 2) ритм, разме́р; the measured ~ of the waves разме́ренный плеск волн 3) уда́р; бой (*барабана*); бие́ние (*сердца*) 4) колеба́ние (*маятника*) 5) дозо́р, обхо́д; райо́н (*обхода*); to be on the ~ соверша́ть обхо́д; обходи́ть дозо́ром; to be off (*или* out of) one's ~ быть вне привы́чной сфе́ры де́ятельности *или* компете́нции 6) *амер. разг.* что-л. небыва́лое, неви́данное; I've never seen his ~ он бесподо́бен 7) *амер. sl.* газе́тная сенса́ция 8) *амер. sl.* безде́льник 9) = beatnik 10) *физ.* бие́ние, пульса́ция (*звуковых или световых волн*) 11) *охот.* ме́сто обла́вы 12) *attr.*: ~ generation би́тники

2. *v* (beat; beat, beaten) 1) бить, ударя́ть, колоти́ть 2) выбива́ть (*дробь на барабане*); отбива́ть (*котлету*); взбива́ть (*тесто, яйца*); отбива́ть (*часы*); толо́чь (*в порошок*; *тж.* ~ small); выкола́чивать (*ковёр, одежду, мебель и т. п.*) 3) би́ться (*о сердце*); разбива́ться (*как волны о скалы*); хлеста́ть, стуча́ться (*как дождь в окна*) 4) побива́ть, побежда́ть; the team was ~en for the second time кома́нда втори́чно потерпе́ла пораже́ние; to ~ smb. at his own game бить кого́-л. его́ же ору́жием 5) превосходи́ть; it ~s everything I ever heard э́то превосхо́дит всё, когда́-либо слы́шанное мно́ю; to ~ smth. hollow превзойти́, затми́ть что-л.; it ~s the band (*или* all, anything, creation, my grandmother, the devil, hell, the world) э́то превосхо́дит всё; э́то невероя́тно; ну, э́то уж сли́шком! 6) *амер. разг.* надува́ть; моше́нничать; обходи́ть (*закон и т. п.*); to ~ a bill избежа́ть упла́ты по счёту 7) *охот.* обры́скать (*лес*) 8) *мор.* лави́ровать, боро́ться с встре́чным ве́тром, тече́нием ▭ ~ **about**: to ~ about the bush ходи́ть вокру́г да о́коло; подходи́ть к де́лу осторо́жно, издалека́; tell me straight what you want without ~ing about the bush говори́те пря́мо, без обиняко́в, что вы хоти́те; ~ **back** отбива́ть, отража́ть; ~ **down** а) сбива́ть (*цену*); б) сломи́ть (*сопротивление, оппозицию*); ~ **in** проломи́ть; раздави́ть; ~ **into** вбива́ть, вкола́чивать; ~ **off** = ~ back; ~ **out** выбива́ть, кова́ть (*металл*); to ~ out the meaning разъясня́ть значе́ние; to be ~en out *амер.* быть в изнеможе́нии; ~ **up** а) взбива́ть (*яйца и т. п.*); б) вербова́ть (*рекрутов*); в) избива́ть; обходи́ться со зве́рской жесто́костью; г): ~ up the quarters of посеща́ть; д) *мор.* продвига́ться про́тив ве́тра, про́тив тече́ния ◇ to ~ smb. hollow (*или* all to pieces, to nothing, to smithereens) разби́ть кого́-л. наголову́; to ~ it *разг.* удира́ть; ~ it! *разг.* прочь!, вон!; to ~ the air (*или* the wind) занима́ться бесполе́зным де́лом, по́пусту стара́ться; to ~ one's head with (*или* about) a thing лома́ть над чем-л. го́лову; to ~ one's way пробира́ться; that ~s me не могу́ э́того пости́чь; э́то вы́ше моего́ понима́ния; can you ~ it? мо́жете ли вы себе́ предста́вить что-л. подо́бное?

beaten ['bi:tn] **1.** *p. p. от* beat 2

2. *a* 1) би́тый, побеждённый, разби́тый 2) утомлённый, изму́ченный 3) ко́ваный, чека́нный 4) проторённый; ~ path (*или* track) а) прое́зжая доро́га; б) проторённая доро́жка; рути́на; off the ~ track в стороне́ от большо́й доро́ги; *перен.* в малоизве́стных, малоизу́ченных областя́х 5) изби́тый, бана́льный 6) *воен.* поража́емый; ~ area обстре́ливаемый райо́н

beater ['bi:tə] *n* 1) тот, кто бьёт 2) *охот.* заго́нщик 3) колоту́шка; пест(ик) 4) *текст.* трепа́ло; би́ло 5) *с.-х.* цеп; би́тер (*комбайна*) ◇ he is no ~ about the bush он челове́к прямолине́йный

beatific(al) [,bi:ə'tɪfɪk(l)] *a* блаже́нный; даю́щий блаже́нство

beatify [bɪ'ætɪfaɪ] *v* 1) *церк.* канонизи́ровать 2) де́лать счастли́вым

beating ['bi:tɪŋ] **1.** *pres. p. от* beat 2

2. *n* 1) битьё; по́рка 2) пораже́ние 3) бие́ние (*сердца*) 4) взма́хивание (*крыльями*)

beatitude [bɪ'ætɪtju:d] *n* блаже́нство

beatnik ['bi:tnɪk] *n* би́тник

beau [bəʊ] *n* (*pl* beaux) 1) кавале́р; покло́нник 2) щёголь, франт

beau ideal [,bəʊi:deɪ'æl] *фр. n* идеа́л, образе́ц соверше́нства

beau monde [bəʊ'mɒnd] *n* бомо́нд, вы́сший свет

beauteous ['bju:tɪəs] *a поэт.* прекра́сный, краси́вый

beautician [bju:'tɪʃn] *n* космето́лог; космети́чка

beautiful ['bju:təfl] *a* 1) краси́вый, прекра́сный 2) превосхо́дный

beautify ['bju:tɪfaɪ] *v* украша́ть

beauty ['bju:tɪ] *n* 1) красота́ 2) пре́лесть (*часто ирон.*); that's the ~ of it в э́том-то вся пре́лесть; you are a ~! хоро́ш ты, не́чего сказа́ть! 3) краса́вица ◇ ~ is in the eye of gazer (*или* of the beholder) ≅ не по́ хорошу мил, а по́ милу хоро́ш; ~ is but skin deep нару́жность обма́нчива; нельзя́ суди́ть по нару́жности

beauty parlour [ˈbjuːtɪ,pɑːlə] *n* космети́ческий кабине́т; институ́т красоты́

beauty sleep [ˈbjuːtɪsliːp] *n* 1) ра́нний сон (*до полуночи*) 2) сон днём (*особ. перед балом и т. п.*)

beauty spot [ˈbjuːtɪspɒt] *n* му́шка (*на лице*)

beaux [bəʊz] *pl от* beau

beaver I [ˈbiːvə] *n* 1) бобр 2) бобёр, бобро́вый мех 3) касто́ровая шля́па 4) *sl.* борода́, борода́ч

beaver II [ˈbiːvə] *v* труди́ться не покладая рук (*обыкн.* ~ away)

beaver III [ˈbiːvə] *n ист.* забра́ло

becalm [bɪˈkɑːm] *v* 1) зашти́леть (*о судне*) 2) успока́ивать

became [bɪˈkeɪm] *past от* become

because [bɪˈkɒz] *cj* 1) потому́ что; так как 2): ~ of (*употр. как предлог*) из-за, всле́дствие

béchamel [,beɪʃəˈmel] *n* со́ус бешаме́ль

beck I [bek] *поэт.* **1.** *n* кив́ок; приве́тствие руко́й ◇ to be at smb.'s ~ and call быть всеце́ло в чьём-л. распоряже́нии

2. *v* мани́ть; кива́ть; де́лать зна́ки руко́й

beck II [bek] *n сев.* руче́й

beckon [ˈbekən] *v* мани́ть, кива́ть; де́лать знак (*рукой, пальцем*)

becloud [bɪˈklaʊd] *v* затемня́ть; завола́кивать; затума́нивать (*зрение, рассудок*)

become [bɪˈkʌm] *v* (became; become) 1) *употр. как глагол-связка* де́латься, станови́ться; he became a doctor он стал врачо́м; it became cold ста́ло хо́лодно 2) быть к лицу́; this dress ~s you well э́то пла́тье вам о́чень идёт 3) годи́ться, прили́чествовать 4) случа́ться (of); what has ~ of him? что с ним ста́лось?; куда́ он дева́лся?

becoming [bɪˈkʌmɪŋ] **1.** *pres. p. от* become

2. *a* 1) прили́чествующий, подоба́ющий 2) (иду́щий) к лицу́ (*о платье*)

3. *n филос.* становле́ние

bed [bed] **1.** *n* 1) посте́ль, крова́ть, ло́же; ~ of straw соло́менный тюфя́к; to make the ~ стлать посте́ль; to go to ~ ложи́ться спать; to take to one's ~ слечь в посте́ль; to keep to (one's) ~ хвора́ть, лежа́ть в посте́ли; to leave one's ~ вы́здороветь, встать с посте́ли 2) бра́чное ло́же 3) *поэт.* сме́ртное ло́же, моги́ла; the ~ of honour моги́ла па́вшего в бою́; бра́тская моги́ла 4) клу́мба; гряда́, гря́дка 5) дно (*моря, реки*) 6) *геол.* пласт, слой; залега́ние 7) *ж.-д.* балла́стный слой; полотно́ 8) *стр.* основа́ние (*для фундамента*) 9) *тех.* стани́на ◇ as you make your ~, so you must lie upon it *посл.* ≅ что посе́ешь, то и пожнёшь; ~ of roses (*или* flowers) лёгкая жизнь; ~ of thorns терни́стый путь; неприя́тное, тру́дное положе́ние; to go to ~ in one's boots *груб.* быть мертве́цки пья́ным; to die in one's ~ умере́ть со́бственной сме́ртью; to be brought to ~ (of a boy) разреши́ться от бре́мени (ма́льчиком); to go to ~ with the lamb and rise with the lark ≅ ложи́ться спозара́нку и встава́ть с петуха́ми; to get out of ~ on the wrong side ≅ встать с ле́вой ноги́, быть в плохо́м настрое́нии; ~ and board кварти́ра и стол, пансио́н

2. *v* 1) класть в посте́ль 2) ложи́ться в посте́ль 3) *разг.* спать, жить (*с кем-л.*) 4) стлать подсти́лку (*для лошади*) 5) сажа́ть, выса́живать в грунт (*обыкн.* ~ out) 6) класть на надлежа́щее основа́ние (*кирпич на слой извёстки и т. п.*); настила́ть

bedabble [bɪˈdæbl] *v* замочи́ть; забры́згать

bedaub [bɪˈdɔːb] *v* запа́чкать; зама́зать

bedazzle [bɪˈdæzl] *v* ослепля́ть бле́ском

bedbug [ˈbedbʌg] *n* клоп

bedclothes [ˈbedkləʊðz] *n pl* посте́льное бельё

beddable [ˈbedəbl] *a разг.* соблазни́тельная, сексапи́льная

bedding [ˈbedɪŋ] **1.** *pres. p. от* bed 2

2. *n* 1) посте́льные принадле́жности 2) подсти́лка для скота́ 3) основа́ние, ло́же; фунда́мент 4) *геол.* напластова́ние, насло́ение; залега́ние 5) выса́живание в грунт

bedeck [bɪˈdek] *v* украша́ть

bedel(l) [beˈdel] = beadle 1)

bedevil [bɪˈdevl] *v* 1) терза́ть, му́чить 2) сбива́ть с то́лку 3) околдова́ть; «навести́ по́рчу»

bedew [bɪˈdjuː] *v* 1) покрыва́ть росо́й; обры́згивать 2) *поэт.* ороша́ть слеза́ми

bedfast [ˈbedfɑːst] *a амер.* прико́ванный к посте́ли (*болезнью*)

bedfellow [ˈbed,feləʊ] *n* 1) муж; жена́ 2) спя́щий (*с кем-л.*) в одно́й посте́ли 3) партнёр ◇ a strange ~ случа́йный знако́мый

bedgown [ˈbedgaʊn] *n* же́нская ночна́я соро́чка

bedim [bɪˈdɪm] *v поэт.* затемня́ть; затума́нивать

bedizen [bɪˈdaɪzn] *v поэт.* я́рко, пёстро украша́ть, наряжа́ть

bedlam [ˈbedləm] *n* 1) бедла́м, сумасше́дший дом 2) дом умалишённых

bedlamite [ˈbedləmaɪt] *уст.* **1.** *n* сумасше́дший (челове́к)

2. *a* сумасше́дший

bedlinen [ˈbedlɪnən] *n* посте́льное бельё

Bedouin [ˈbedʊɪn] *n* (*pl* -s [-z] *или без измен.*) бедуи́н

bedpan [ˈbedpæn] *n* подкладно́е су́дно

bedpost [ˈbedpəʊst] *n* сто́лбик крова́ти ◇ between you and me and the ~ *см.* between ◇

bedraggle [bɪˈdrægl] *v* запа́чкать, замара́ть

bedrid(den) [ˈbed,rɪd(n)] *a* 1) прико́ванный к посте́ли боле́знью 2) бесси́льный; bedrid argument сла́бый до́вод

bedrock [ˈbedrɒk] *n* 1) *геол.* коренна́я подстила́ющая поро́да, бедро́к; по́чва (*залежи*) 2) основны́е при́нципы; to get down to ~ добра́ться до су́ти де́ла

bedroom [ˈbedruːm] *n* спа́льня; single (double) ~ ко́мната с одно́й (двумя́) крова́тью (крова́тями)

bedside [ˈbedsaɪd] *n*: to sit (*или* to watch) at (*или* by) a person's ~ уха́живать за больны́м; to have a good ~ manner уме́ть подойти́ к больно́му (*о враче*); to keep books at one's ~ держа́ть кни́ги у изголо́вья крова́ти

bedside table [ˈbedsaɪd,teɪbl] *n* ночно́й сто́лик, (прикрова́тная) ту́мбочка

bed-sitter [,bedˈsɪtə] *разг. см.* bed-sitting-room

bed-sitting-room [,bedˈsɪtɪŋruːm] *n* жила́я ко́мната (*спальня и гостиная*)

bedsore [ˈbedsɔː] *n* про́лежень

bed spread [ˈbedspred] *n* посте́льное покрыва́ло

bedstead [ˈbedsted] *n* о́стов крова́ти

bedstraw [ˈbedstrɔː] *n бот.* подмаре́нник

bedtime [ˈbedtaɪm] *n* вре́мя ложи́ться спать

bed-wetting [ˈbed,wetɪŋ] *n* ночно́е недержа́ние мочи́

bee [biː] *n* 1) пчела́ 2) «пчёлка», трудолюби́вый челове́к 3) встре́ча сосе́дей, друзе́й *и т. п.* для совме́стной рабо́ты и взаимопо́мощи (*тж.* для спорти́вных соревнова́ний и гуля́нья) ◇ to have a ~ in one's bonnet *разг.* а) быть с причу́дами; б) быть поме́шанным на чём-л.; the ~'s knees *разг.* сли́вки о́бщества

beech [biːtʃ] **1.** *n* бук, бу́ковое де́рево

2. *a* бу́ковый

beef [biːf] **1.** *n* (*pl* beeves, *амер.* ~s [-s]) 1) говя́дина 2) бык *или* коро́ва (*откормленные на убой*); мясно́й скот 3) ту́ша 4) *разг.* ту́ша (*о человеке*) 5) си́ла, эне́ргия 6) *sl.* жа́лоба

2. *v sl.* жа́ловаться

beefburger [ˈbiːf,bɜːgə] *n* га́мбургер

beefcake [ˈbiːfkeɪk] *n амер. sl.* краса́вец-мужчи́на

beefeater [ˈbiːf,iːtə] *n* 1) лейб-гварде́ец (*при английском дворе*) 2) служи́тель охра́ны ло́ндонского Та́уэра

beefsteak [ˈbiːfsteɪk] *n* бифште́кс

beef tea [,biːfˈtiː] *n* кре́пкий бульо́н

beef-witted [,biːfˈwɪtɪd] *a* глу́пый, тупоу́мный

beefy [ˈbiːfɪ] *a* мяси́стый; кре́пкий, му́скулистый

beehive [ˈbiːhaɪv] *n* у́лей

beekeeper [ˈbiː,kiːpə] *n* пчелово́д

beeline [ˈbiːlaɪn] *n* пряма́я (возду́шная) ли́ния; to make a ~ for smth. напра́виться кратча́йшим путём

Beelzebub [bɪˈelzɪbʌb] *n* Вельзеву́л

been [biːn (*полная форма*); bɪn (*редуцированная форма*)] *p. p. от* be

beep [biːp] **1.** *n* 1) (автомоби́льный) гудо́к 2) телеметри́ческий сигна́л

2. *v* гуде́ть, издава́ть сигна́лы

beer [bɪə] *n* пи́во; small ~ а) сла́бое пи́во; б) пустяки́; в) ничто́жный челове́к; to think no small ~ of oneself быть о себе́ высо́кого мне́ния ◇ ~ and skittles пра́здные развлече́ния; ~ chaser *разг.* «прицёп» (*стакан пива вслед за виски*)

beerhouse [ˈbɪəhaʊs] *n* пивна́я

beery [ˈbɪərɪ] *a* 1) подвы́пивший 2) пивно́й; отдаю́щий пи́вом

beestings [ˈbi:stɪŋz] *n pl* молоко́ ново-те́льной коро́вы, моло́зиво

beeswax [ˈbi:zwæks] **1.** *n* воск

2. *v* натира́ть во́ском

beeswing [ˈbi:zwɪŋ] *n* 1) налёт на ста́ром, вы́держанном вине́ (*особ. на портвейне*) 2) вы́держанное вино́

beet [bi:t] *n* свёкла; white ~ са́харная свёкла

beetle I [ˈbi:tl] *n* 1) жук; Colorado ~ колора́дский жук 2) *разг.* тарака́н ◇ blind as a ~, ~ blind соверше́нно слепо́й

beetle II [ˈbi:tl] **1.** *n тех.* трамбо́вка; ба́ба; кува́лда

2. *v* 1) трамбова́ть 2) дроби́ть (*камни*)

beetle III [ˈbi:tl] **1.** *a* нави́сший; выступа́ющий

2. *v* выступа́ть; нависа́ть □ ~ off *разг.* уходи́ть, смыва́ться

beetle-browed [ˈbi:tlbraʊd] *a* 1) с нави́сшими бровя́ми 2) угрю́мый; мра́чный; насу́пленный

beetle-crusher [ˈbi:tl,krʌʃə] *n шутл.* 1) сапожи́ще 2) ножи́ща

beetle-head [ˈbi:tlhed] *n* болва́н

beetling I [ˈbi:tlɪŋ] **1.** *pres. p. от* beetle III, 2

2. *a* нави́сший; ~ cliffs (brows) нави́сшие ска́лы (бро́ви)

beetling II [ˈbi:tlɪŋ] *pres. p. от* beetle II, 2

beetroot [ˈbi:tru:t] *n* свёкла

beeves [bi:vz] *pl от* beef

befall [bɪˈfɔ:l] *v* (befell; befallen) *поэт.* случа́ться, приключа́ться, происходи́ть; a strange fate befell him стра́нная судьба́ его́ пости́гла

befallen [bɪˈfɔ:lən] *p. p. от* befall

befell [bɪˈfel] *past от* befall

befit [bɪˈfɪt] *v* подходи́ть, прили́чествовать (*кому-л.*)

befog [bɪˈfɒg] *v* затума́нивать

befogged [bɪˈfɒgd] *a* 1) затума́ненный 2) озада́ченный

befool [bɪˈfu:l] *v* одура́чивать, обма́нывать

before [bɪˈfɔ:] **1.** *adv* 1) ра́ньше, пре́жде, уже́; I have heard it ~ я э́то уже́ слы́шал; long ~ задо́лго до 2) вперёд; go ~ пройди́те вперёд 3) впереди́; вперёд

2. *prep* 1) пе́ред; he stood ~ us он стоя́л пе́ред на́ми 2) впереди́; your whole life is ~ you у вас вся жизнь впереди́ 3) до; the day ~ yesterday позавчера́, тре́тьего дня; Chaucer lived ~ Shakespeare Чо́сер жил до Шекспи́ра; ~ long ско́ро, вско́ре; ~ now ра́ньше, до сих по́р 4) скоре́е... чем; he would die ~ lying он скоре́е умрёт, чем солжёт 5) пе́ред лицо́м, в прису́тствии; to appear ~ the Court предста́ть пе́ред судо́м 6) вы́ше; бо́льше; to be ~ others in class быть (по успе́хам) впереди́ свои́х однокла́ссников; I love him ~ myself я люблю́ его́ бо́льше само́го себя́

3. *cj* пре́жде чем; he arrived ~ I expected him он прие́хал ра́ньше, чем я ожида́л

beforehand [bəˈfɔ:hænd] *adv* 1) зара́нее, вперёд; заблаговре́менно; to be ~ with smb. предупреди́ть, опереди́ть кого́-л. 2) (*часто как прил.*) преждевре́менно; you are rather ~ in your conclusions вы де́лаете сли́шком поспе́шные вы́воды

befoul [bəˈfaʊl] *v поэт.* па́чкать; осквернять

befriend [bɪˈfrend] *v* относи́ться дру́жески; помога́ть

befuddle [bɪˈfʌdl] *v* одурма́нивать

beg [beg] *v* 1) проси́ть, умоля́ть (of — *кого-л.*; for — *о чём-л.*); to ~ leave проси́ть разреше́ния; to ~ pardon проси́ть извине́ния, проще́ния 2) ни́щенствовать; проси́ть подая́ния 3) служи́ть, стоя́ть на за́дних ла́пах (*о собаке*) 4) (*в официальном обращении, в письме*): to ~ to do smth. взять на себя́ сме́лость, позво́лить себе́ что-л. сде́лать; I ~ to differ позво́лю себе́ не согласи́ться; I ~ to enclose при сём прилага́ю; we ~ to inform you извеща́ем вас □ ~ off отпроси́ться; to ~ smb. off доби́ться чьего́-л. проще́ния, смягче́ния наказа́ния ◇ to ~ the question счита́ть спо́рный вопро́с решённым, тре́бующим доказа́тельств

begad [bɪˈgæd] *int уст. разг.* кляну́сь не́бом

began [bɪˈgæn] *past от* begin

beget [bɪˈget] *v* (begot; begotten) *книжн.* 1) рожда́ть, производи́ть 2) порожда́ть

begetter [bɪˈgetə] *n* 1) *редк.* оте́ц 2) породи́вший; вино́вник; вдохнови́тель

beggar [ˈbegə] **1.** *n* 1) попроша́йка, ни́щий 2) бедня́к 3) *шутл.* па́рень, ма́лый; плути́шка; insolent ~ наха́л; poor ~ бедня́га; dull ~ ску́чный, ну́дный челове́к; зану́да; stubborn ~ упря́мец; little ~s малыши́ (*о детях и животных*) ◇ ~s can't be choosers *посл.* беднякам не прихо́дится выбира́ть

2. *v* 1) доводи́ть до нищеты́, разоря́ть; to ~ oneself разори́ться 2) превосходи́ть; it ~s all description э́то не поддаётся описа́нию

beggarly [ˈbegəlɪ] *a* бе́дный; ни́щенский; жа́лкий; ничто́жный; ~ hovel жа́лкая лачу́га

beggary [ˈbegərɪ] *n* кра́йняя нужда́; нищета́

begging [ˈbegɪŋ] **1.** *pres. p. от* beg

2. *n* ни́щенство; to go ~ а) ни́щенствовать; б) не име́ть спро́са, ры́нка; в) быть вака́нтным (*о должности*)

3. *a* ни́щенствующий; выма́ливающий подая́ние; to proffer a ~ bowl ≅ пуска́ть ша́пку по кру́гу

begin [bɪˈgɪn] *v* (began; begun) начина́ть(ся); she began weeping (*или* to weep) она́ запла́кала; to ~ at the beginning начина́ть с са́мого нача́ла; to ~ at the wrong end начина́ть не с того́ конца́; to ~ on (*или* upon) smth. а) бра́ться за что-л.; б) брать нача́ло от чего́-л.; to ~ over начина́ть сы́знова ◇ well begun is half done *посл.* ≅ хоро́шее нача́ло полде́ла отката́ло; to ~ with пре́жде всего́, во-пе́рвых

beginner [bɪˈgɪnə] *n* 1) тот, кто начина́ет 2) нович́ок; начина́ющий

beginning [bɪˈgɪnɪŋ] **1.** *pres. p. от* begin

2. *n* 1) нача́ло; since the ~ of time с незапа́мятных времён 2) исто́чник; происхожде́ние 3) *pl* исто́ки, нача́льная ста́дия ◇ a good ~ is half the battle, a good ~ makes a good ending *посл.* ≅ хоро́шее нача́ло полде́ла откача́ло; a bad ~ makes a bad ending *посл.* ≅ что посе́ешь, то и пожнёшь; in every ~ think of the end *посл.* начина́я де́ло, ду́май о конце́

begone [bɪˈgɒn] *int* убира́йся!, про́чь!

begonia [bɪˈgəʊnɪə] *n бот.* бего́ния

begot [bɪˈgɒt] *past от* beget

begotten [bɪˈgɒtn] *p. p. от* beget

begrime [bɪˈgraɪm] *v* па́чкать, покрыва́ть са́жей, ко́потью; ~d with dust запылённый

begrudge [bɪˈgrʌdʒ] *v* 1) возмуща́ться; обижа́ться; выража́ть недово́льство 2) зави́довать

beguile [bɪˈgaɪl] *v* 1) занима́ть, развлека́ть 2) отвлека́ть *чьё-л.* внима́ние 3) обма́нывать; to ~ a man into doing smth. обма́ном заста́вить кого́-л. сде́лать что-л.

begum [ˈbeɪgəm] *n* бегу́ма (*знатная дама в Индии*)

begun [bɪˈgʌn] *p. p. от* begin

behalf [bɪˈhɑ:f] *n*: on (*амер.* in) ~ of в интере́сах кого́-л.; от и́мени кого́-л.; on my (his, her) ~ в мои́х (его́, её) интере́сах; от моего́ (его́, её) и́мени; on ~ of my friends от и́мени мои́х друзе́й

behave [bɪˈheɪv] *v* 1) поступа́ть, вести́ себя́; to ~ oneself вести́ себя́ как сле́дует; ~ yourself! веди́те себя́ прили́чно! 2) рабо́тать (*о машине*)

behaviour [bɪˈheɪvjə] *n* 1) поведе́ние, мане́ры; to be on one's best ~ стара́ться вести́ себя́ как мо́жно лу́чше 2) *тех.* режи́м (*работы*)

behaviourism [beˈheɪvjərɪzəm] *n психол.* бихевиори́зм

behead [bɪˈhed] *v* отруба́ть го́лову, обезгла́вливать

beheading [bɪˈhedɪŋ] **1.** *pres. p. от* behead

2. *n* отсече́ние головы́

beheld [bɪˈheld] *past и p. p. от* behold 1

behemoth [bɪˈhi:mɒθ] *n библ.* бегемо́т; *перен.* чу́дище

behest [bɪˈhest] *n поэт.* приказа́ние, повеле́ние; заве́т

behind [bɪˈhaɪnd] **1.** *adv* сза́ди, позади́; по́сле; to leave ~ а) оста́вить по́сле себя́; б) оста́вить позади́, превзойти́; в) оставля́ть, забыва́ть; I've left the magazines ~ я забы́л (принести́) журналы; to be ~ запа́здывать; to fall ~ отстава́ть

2. *prep* 1) за, сза́ди, позади́; по́сле; ~ the house за до́мом, позади́ до́ма; ~ the back за спино́й, тайко́м; ~ the scenes за кули́сами; ~ time с опозда́нием; ~ the times отста́лый; устаре́лый; there is more ~ it тут что́-то ещё кро́ется 2) ни́же (*по ка́честву и т. п.*); he is ~ other boys of his class он отстаёт от свои́х одноклассников (*по успе́хам, разви́тию*)

3. *n разг.* зад

behindhand [bɪ'haɪndhænd] **1.** *a predic.* 1) задолжа́вший, в долгу́; he is ~ with his rent он задолжа́л за кварти́ру 2) отста́лый; запозда́вший; he is ~ in his schoolwork он отстаёт в заня́тиях

2. *adv* за́дним число́м

behold [bɪ'həʊld] **1.** *v* (beheld) 1) ви́деть, замеча́ть 2) смотре́ть, созерца́ть

2. *int* смотри́!, вот!

beholden [bɪ'həʊldən] *a predic.* обя́занный, призна́тельный (to — *кому́-л.*, for — за *что-л.*)

beholder [bɪ'həʊldə] *n* зри́тель; очеви́дец

behoof [bɪ'hu:f] *n* по́льза, вы́года, интере́с (*употр. тк. в выраже́нии*: in, on *или* for my, your, his *etc.* ~)

behoove [bɪ'hu:v] *амер.* = behove

behove [bɪ'həʊv] *v* сле́довать, надлежа́ть; it ~s you to go вам сле́дует пойти́

beige [beɪʒ] **1.** *n* цвет беж

2. *a* бе́жевый

be-in [ˌbi:'ɪn] *n* пра́здник с гуля́ньем; сбо́рище (*обы́чно у хи́ппи*)

being ['bi:ɪŋ] **1.** *pres. p. от* be; ~ that так как

2. *n* 1) бытие́, существова́ние, жизнь; social ~ determines consciousness *филос.* бытие́ определя́ет созна́ние; in ~ живу́щий; существу́ющий; to call into ~ вызыва́ть к жи́зни, созда́ть 3) существо́, челове́к; human ~s лю́ди 2) существо́, суть; плоть и кровь; to the very roots of one's ~ до мо́зга косте́й

belabour [bɪ'leɪbə] *v* бить, колоти́ть; мордова́ть

belated [bɪ'leɪtɪd] *a* 1) запозда́лый, по́здний 2) засти́гнутый но́чью, темното́й

belay [bɪ'leɪ] **1.** *v* (belayed [-d]) *мор.* заводи́ть (*снасть, шварто́в на кнехт*)

2. *int разг.* стоп!, дово́льно!

belch [beltʃ] **1.** *n* 1) отры́жка 2) столб (*огня́, ды́ма*)

2. *v* 1) рыга́ть 2) изрыга́ть (*ругате́льства*; *тж.* ~ forth, ~ out) 3) изверга́ть (*ла́ву*); выбра́сывать (*ого́нь, дым*)

beldam(e) ['beldəm] *n уст.* ста́рая карга́, ве́дьма

beleaguer [bɪ'li:gə] *v* осажда́ть

belfry ['belfrɪ] *n* колоко́льня; ба́шня

Belgian ['beldʒən] **1.** *a* бельги́йский

2. *n* бельги́ец; бельги́йка

Belial ['bi:lɪəl] *n* дья́вол; дух зла; a man of ~ нечести́вец; негодя́й

belie [bɪ'laɪ] *v* 1) дава́ть неве́рное представле́ние (*о чём-л.*) 2) опроверга́ть; противоре́чить; his acts ~ his words дела́ его́ расхо́дятся со слова́ми 3) не опра́вдывать (*наде́жд*)

belief [bɪ'li:f] *n* 1) ве́ра; дове́рие (in); beyond ~ невероя́тно; it staggers ~ э́тому тру́дно пове́рить 2) убежде́ние, мне́ние; to the best of my ~ наско́лько мне изве́стно 3) ве́рование

believe [bɪ'li:v] *v* 1) ве́рить; we soon ~ what we desire мы охо́тно принима́ем жела́емое за действи́тельное; ~ it or not хоти́те ве́рьте, хоти́те нет 2) доверя́ть; I ~ you я вам ве́рю, доверя́ю; I ~ in you я в вас ве́рю 3) придава́ть большо́е значе́ние; I ~ in early rising я счита́ю о́чень поле́зным встава́ть ра́но 4) ду́мать, полага́ть; I ~ so ка́жется, так; по-мо́ему, так; да (*в отве́те*); I ~ not ду́маю, что нет; едва́ ли ◇ you'd better ~ it *амер. разг.* мо́жете быть уве́рены; to make ~ де́лать вид, притворя́ться

believer [bɪ'li:və] *n* 1) ве́рующий; true ~ правове́рный 2) сторо́нник, защи́тник; a firm ~ in smth. твёрдый сторо́нник чего́-л.

Belisha beacon [bəˌli:ʃə'bi:kən] *n* (*тж.* beacon) жёлтый сигна́льный фона́рь (*у пешехо́дного перехо́да — в Великобрита́нии*)

belittle [bɪ'lɪtl] *мед.* 1) умаля́ть, преуменьша́ть, принижа́ть 2) уменьша́ть

bell I [bel] **1.** *n* 1) ко́локол, колоко́льчик 2) звоно́к, бубе́нчик 3) ра́струб, расшире́ние 4) *бот.* ча́шечка цветка́; колоко́льчик (*фо́рма цветка́*) 5) *мор.* ры́нда (*ко́локол*); скля́нка; to strike the ~s бить скля́нки 6) *геол.* ку́пол; нави́сшая поро́да 7) ко́нус (*до́мны*) ◇ to bear the ~ быть вожако́м, пе́рвенствовать; to bear (*или* to carry) away the ~ получи́ть на состяза́нии приз; to lose the ~ потерпе́ть пораже́ние в состяза́нии; to bear the cap and ~s разы́грывать роль шута́; ~, book and candle *ист.* отлуче́ние от це́ркви; by (*или* with) ~, book and candle *разг.* оконча́тельно, бесповоро́тно; to ring the ~ *разг.* име́ть успе́х; торжествова́ть побе́ду; to ring one's own ~ занима́ться самореклáмой

2. *v* снабжа́ть колокола́ми, колоко́льчиками ◇ to ~ the cat брать на себя́ отве́тственность в риско́ванном предприя́тии

bell II [bel] **1.** *n* крик, рёв оле́ня (*во вре́мя те́чки у са́мок*)

2. *v* крича́ть, мыча́ть

belladonna [ˌbelə'dɒnə] *n бот.* краса́вка, белладо́нна

bellboy ['belbɔɪ] *n* коридо́рный, посы́льный (*в гости́нице*)

belle [bel] *n* краса́вица; the ~ of the ball цари́ца ба́ла

belles lettres [ˌbel'letrə] *n pl* худо́жественная литерату́ра, беллетри́стика

bellflower ['belflaʊə] *n бот.* колоко́льчик

bellicose ['belɪkəʊs] *a* 1) драчли́вый 2) вои́нственный; агресси́вный

bellicosity [ˌbelɪ'kɒsətɪ] *n* 1) драчли́вость 2) вои́нственность; агресси́вность

belligerency [bɪ'lɪdʒərənsɪ] *n* состоя́ние войны́

belligerent [bə'lɪdʒrənt] **1.** *n* вою́ющая сторона́

2. *a* 1) находя́щийся в состоя́нии войны́; ~ powers вою́ющие держа́вы 2) вои́нственный

bellman ['belmən] *n ист.* глаша́тай

bellow ['beləʊ] **1.** *n* 1) мыча́ние, рёв (*живо́тных*) 2) рёв, вопль

2. *v* 1) мыча́ть, реве́ть (*о живо́тных*); ора́ть 2) бушева́ть, рыча́ть (*от бо́ли*)

bellows ['beləʊz] *n pl* воздуходу́вные мехи́, кузне́чные мехи́; a pair of ~ ручны́е мехи́

bell push ['belpʊʃ] *n* кно́пка звонка́

bell-ringer ['belˌrɪŋə] *n* 1) звона́рь 2) *амер. разг.* ме́лкий полити́кан

bell-tent ['beltent] *n* кру́глая пала́тка

bellwether ['belweðə] *n* бара́н-вожа́к с бубе́нчиком (*в ста́де*); *перен.* вожа́к

belly ['belɪ] **1.** *n* 1) живо́т, брю́хо 2) желу́док 3) ве́рхняя де́ка стру́нного инструме́нта 4) *геол.* утолще́ние пласта́ 5) *мор.* «пу́зо» па́руса

2. *v* надува́ть(ся) (*обыкн.* ~ out); sails ~ out паруса́ напо́лнены ве́тром

bellyache ['belɪeɪk] **1.** *n разг.* боль в животе́

2. *v sl.* ворча́ть, жа́ловаться, хны́кать

bellyband ['belɪbænd] *n* подпру́га

belly button ['belɪˌbʌtn] *n разг.* пупо́к

belly dance ['belɪdɑ:ns] *n* та́нец живота́

bellyful ['belɪfʊl] *n* 1) сы́тость 2) пресыще́ние; to get (*или* to have) a ~ of smth. пресы́титься чем-л.

belly-land ['belɪlænd] *v ав. разг.* производи́ть поса́дку на фюзеля́ж

belly-landing ['belɪˌlændɪŋ] **1.** *pres. p. от* belly-land

2. *n ав. разг.* поса́дка с у́бранным шасси́, поса́дка на фюзеля́ж

belong [bɪ'lɒŋ] *v* 1) принадлежа́ть (to) 2) относи́ться (to — к *чему́-л.*); быть свя́занным (to, with, among — с *кем-л.*, *чем-л.*) 3) быть ро́дом из; происходи́ть; I ~ here а) я ро́дом из э́тих мест; б) моё ме́сто здесь 4) *разг.* быть ча́стью гру́ппы, быть «свои́м»; he felt he did not ~ он чу́вствовал себя́ посторо́нним 5) находи́ться, помеща́ться; the book ~s on that shelf э́та кни́га с той по́лки ▭ ~ **together** гармони́ровать, подходи́ть друг к дру́гу

belongings [bɪ'lɒŋɪŋz] *n pl* принадле́жности; ве́щи, пожи́тки

beloved [bɪ'lʌvɪd] **1.** *a* возлю́бленный, люби́мый

2. *n* возлю́бленный, люби́мый (*челове́к*); возлю́бленная, люби́мая

below [bɪ'ləʊ] **1.** *adv* ни́же, внизу́; as it will be said ~ как бу́дет ска́зано ни́же

2. *prep* 1) ни́же, под; ~ zero ни́же нуля́ 2) ни́же (*о ка́честве, положе́нии и т. п.*); to be ~ smb. in intelligence быть ни́же кого́-л. по у́мственному разви́тию;

~ the average ни́же сре́днего; ~ par *фин.* ни́же номина́ла; *перен.* нева́жно; I feel ~ par я себя́ пло́хо чу́вствую

belt [belt] **1.** *n* 1) по́яс, реме́нь; портупе́я 2) по́яс, зо́на; shelter ~ полезащи́тная лесна́я полоса́ 3) у́зкий проли́в 4) *тех.* ле́нта конве́йера 5) *тех.* приводно́й реме́нь (*тж.* driving ~) 6) *воен.* патро́нная ле́нта 7) *мор.* бронево́й по́яс 8) *архит.* обло́м ◇ ~ of fire *воен.* огнева́я заве́са; to hit (*или* to strike, to tackle) below the ~ а) *спорт.* нанести́ уда́р ни́же по́яса; б) нанести́ преда́тельский уда́р; under one's ~ а) в желу́дке; б) в про́шлом

2. *v* 1) подпоя́сывать; опоя́сывать 2) поро́ть ремнём 3) *sl.* гнать, шпа́рить вовсю́ (*обыкн.* ~ out); the ensemble ~ed the music out in dance tempo музыка́нты вовсю́ шпа́рили танцева́льную му́зыку

Beltane ['beltɪn] *n ист.* ке́льтский пра́здник костро́в (*1-го мая старого стиля*)

belted ['beltɪd] **1.** *p. p. от* belt 2

2. *a* 1) опоя́санный 2) име́ющий реме́нный приво́д

belt-line ['beltlaɪn] *n амер.* кольцева́я ли́ния метро́, трамва́я *и т. п.*

beltway ['beltweɪ] *n амер.* кольцева́я автодоро́га

belvedere ['belvədɪə] *n архит.* бельведе́р

bemire [bɪ'maɪə] *v* забры́згать гря́зью

bemoan [bɪ'məʊn] *v* опла́кивать

bemuse [bɪ'mju:z] *v* ошеломля́ть; смуща́ть

ben [ben] *n шотл.* втора́я ко́мната в небольшо́м двухко́мнатном до́ме; far ~ во вну́тренних поко́ях; but and ~ пе́рвая и втора́я ко́мнаты, *т. е.* весь дом [*ср.* but II] ◇ to be far ~ with smb. быть в бли́зких отноше́ниях с кем-л.

bench [bentʃ] **1.** *n* 1) скамья́ 2) верста́к; стано́к 3) суд; *собир.* су́дьи; ме́сто судьи́; to be raised to the ~ получи́ть ме́сто судьи́ 4) ме́сто (*в парламенте*) 5) *геол.* терра́са, усту́п 6) *стр.* карни́з 7) *мор.* ба́нка 8) вы́ставка (*собак*)

2. *v* демонстри́ровать на вы́ставке (*преим. собак*)

bencher ['bentʃə] *n* старшина́ юриди́ческой корпора́ции

benchmark ['bentʃmɑ:k] *n* 1) отме́тка у́ровня; отме́тка высоты́ 2) исхо́дный пункт 3) *attr.*: ~ data исхо́дные да́нные

bend [bend] **1.** *n* 1) изги́б доро́ги; излу́чина реки́ 2) сгиб, изги́б 3) *мор.* у́зел; *pl* шпангу́ты 4) *тех.* коле́но; отво́д 5) (the ~s) *pl разг.* кессо́нная боле́знь ◇ round the ~ не в своём уме́

2. *v* (bent) 1) сгиба́ть(ся); гну́ть(ся), изгиба́ть(ся); trees ~ before the wind дере́вья гну́тся от ве́тра; to ~ the knee преклоня́ть коле́на; моли́ться; to ~ one's neck гнуть ше́ю, покоря́ться 2) напряга́ть (*мысли, внимание и т. п.*; to) 3) направля́ть (*взоры, шаги и т. п.*) 4) покоря́ть(ся) 5) вяза́ть, привя́зывать (*трос, паруса*) ◇ to ~ one's brows хму́рить бро́ви; to be bent on smth. устремля́ть свои́ по́мыслы на что-л.; стреми́ться к чему́-л.

bended ['bendɪd] *a* со́гнутый; on one's ~ knees коленопреклонённо

bender ['bendə] *n sl.* кутёж, попо́йка; to go on a ~ кути́ть, загуля́ть; to be on a ~ быть пья́ным

beneath [bɪ'ni:θ] **1.** *adv* внизу́

2. *prep* под, ни́же; ~ our (very) eyes (пря́мо) на на́ших глаза́х; ~ criticism ни́же вся́кой кри́тики; to be ~ notice (contempt) не заслу́живать внима́ния (да́же презре́ния); to marry ~ one вступи́ть в нера́вный брак

Benedictine *n* 1) [,benɪ'dɪktɪn] бенедикти́нец (*монах*) 2) [,benɪ'dɪkti:n] ликёр бенедикти́н

benediction [,benɪ'dɪkʃn] *n* благослове́ние

benedictory [,benɪ'dɪktərɪ] *a* благословля́ющий

benefaction [,benɪ'fækʃn] *n* 1) поже́ртвование 2) благодея́ние, ми́лость

benefactor ['benɪfæktə] *n* 1) же́ртвователь 2) благоде́тель

benefactress ['benɪfæktrəs] *n* 1) же́ртвовательница 2) благоде́тельница

benefication [,benɪfɪ'keɪʃn] *n горн.* обогаще́ние

benefice ['benɪfɪs] *n* бенефи́ция, прихо́д

beneficence [bə'nefɪsəns] *n* 1) благодея́ние 2) благотвори́тельность

beneficent [bə'nefɪsənt] *a* благотво́рный; великоду́шный

beneficial [,benɪ'fɪʃl] *a* вы́годный, поле́зный; mutually ~ взаимовы́годный

beneficiary [,benɪ'fɪʃərɪ] *n* 1) лицо́, по́льзующееся поже́ртвованиями *или* благодея́ниями 2) глава́ церко́вного прихо́да

benefit ['benɪfɪt] **1.** *n* 1) вы́года; по́льза; при́быль; to the ~ на бла́го; to be denied the ~s не по́льзоваться преиму́ществами; for your special ~ ра́ди вас; to give smb. the ~ of one's experience (knowledge, *etc.*) подели́ться с кем-л. свои́м о́пытом (зна́ниями *и т. п.*); to reap the ~ of smth. пожина́ть плоды́ чего́-л. 2) пе́нсия, (страхово́е) посо́бие; cash ~ де́нежное посо́бие; ~ in kind натура́льное посо́бие; unemployment ~ посо́бие по безрабо́тице; sickness ~ посо́бие по боле́зни 3) *театр.* бенефи́с (*тж.* ~ performance) ◇ to give smb. ~ of the doubt оправда́ть кого́-л. за недоста́точностьюули́к; ~ of clergy *ист.* неподсу́дность духове́нства све́тскому суду́; with ~ of clergy освящённый це́рковью; to take the ~ *амер.* объяви́ть себя́ банкро́том (*эллиптически вм.* to take the ~ of the bankruptcy laws)

2. *v* 1) помога́ть, приноси́ть по́льзу 2) извлека́ть по́льзу, вы́году (by — из *чего-л.*)

benefit-society ['benɪfɪtsə,saɪətɪ] *n* о́бщество *или* ка́сса взаимопо́мощи

benevolence [bə'nevələns] *n* 1) благожела́тельность 2) ще́дрость, благотвори́тельность 3) *ист.* побо́ры с населе́ния доброво́льного приноше́ния

benevolent [bə'nevələnt] *a* 1) благожела́тельный 2) великоду́шный 3) благотвори́тельный

Bengal [,beŋ'gɔ:l] *a* бенга́льский; ~ tiger бенга́льский тигр

Bengalee [beŋ'gɔ:lɪ] = Bengali

Bengali [beŋ'gɔ:lɪ] **1.** *n* 1) бенга́лец; бенга́лка 2) бенга́льский язы́к

2. *a* бенга́льский

Bengal light [,beŋ'gɔ:llaɪt] *n* бенга́льский ого́нь

benighted [bɪ'naɪtɪd] *a* 1) погружённый во мрак (*невежества и т. п.*) 2) засти́гнутый но́чью

benign [bə'naɪn] *a* 1) до́брый, ми́лостивый 2) благотво́рный 3) мя́гкий (*о климате*); плодоно́сный (*о почве*) 4) *мед.* в лёгкой фо́рме (*о болезни*); доброка́чественный (*об опухоли*)

benignant [bə'nɪgnənt] = benign

benignity [bə'nɪgnətɪ] *n* доброта́

bent I [bent] **1.** *n* 1) скло́нность, накло́нность; to follow one's ~ сле́довать своему́ влече́нию, свои́м вку́сам; to the top of one's ~ вво́лю, вдо́воль 2) *редк.* изги́б; склон холма́ 3) *стр.* ра́мный усто́й

2. *a* 1) изо́гнутый; ~ lever коле́нчатый рыча́г 2) *разг.* бесче́стный 3) *sl.* сексуа́льно извращённый

bent II [bent] *n* 1) *бот.* полеви́ца (*тж.* ~ grass) 2) луг, по́ле

bent III [bent] *past и p. p. от* bend 2

Benthamism ['benθəmɪzəm] *n* уче́ние Бента́ма, утилитари́зм

Benthamite ['benθəmaɪt] *n* утилитари́ст

benumb [bɪ'nʌm] *v* 1) приводи́ть в оцепене́ние 2) притупля́ть (*чувства*); парализова́ть (*энергию*)

benumbed [bɪ'nʌmd] **1.** *p. p. от* benumb

2. *a* 1) окочене́вший от хо́лода 2) притуплённый (*о чувствах*); оцепене́лый

Benzedrine ['benzədri:n] *n* бензедри́н, фенами́н (*стимулирующее средство*)

benzene ['benzi:n] *n* бензо́л

benzine ['benzi:n] **1.** *n* бензи́н

2. *v* чи́стить бензи́ном

benzol(e) ['benzɒl (-əʊl)] *n* бензо́л

benzyl ['benzɪl] *n хим.* бензи́л

bequeath [bɪ'kwi:ð] *v* 1) завеща́ть (*движимость*) 2) передава́ть пото́мству

bequest [bɪ'kwest] *n* 1) оставле́ние насле́дства 2) насле́дство; посме́ртный дар

berate [bɪ'reɪt] *v* руга́ть, брани́ть

Berber ['bɜ:bə] **1.** *n* бербе́р

2. *a* бербе́рский

bereave [bɪ'ri:v] *v* (bereaved [-d], bereft) лиша́ть, отнима́ть (of); an accident bereaved the father of his child в результа́те несча́стного слу́чая оте́ц лиши́лся ребёнка

bereavement [bɪ'ri:vmənt] *n* тяжёлая утра́та

bereft [bɪ'reft] *past и p. p. от* bereave

beret ['bereı] *n* берéт

berg [bɜ:g] *n* áйсберг, ледянáя горá

bergamot ['bɜ:gəmɒt] *n бот.* бергамóт

berhyme [bı'raım] *v уст.* воспевáть в стихáх

beriberi [ˌberı'berı] *n* бéри-бéри, авитаминóз

berime [bı'raım] = berhyme

berk [bɜ:k] *n sl.* дурáк, болвáн

berm [bɜ:m] *n* тропúнка у дорóги, канáла *и т. п.*

Bermudas, Bermuda shorts [bə'mju:dəz, bə'mju:dəʃɔ:ts] *n pl* бермýды

berry ['berı] **1.** *n* 1) я́года 2) мясúстый плод (*помидор, банан и т. п.*) 3) зернó (*кофе, пшеницы и т. п.*) 4) икрúнка, зёрнышко икры́

2. *v* 1) собирáть я́годы 2) приносúть я́годы

berserk [bə'zɜ:k] **1.** *n* 1) *ист.* берсéркер, древнескандинáвский вúтязь; неустрашúмый, нéйстовый вóин 2) нéйстовый человéк

2. *a* бéшеный, нейстовый; to go ~ сходúть с умá; ~ fury бéшенство, я́рость

berserker [bə'zɜ:kə] = berserk 1

berth [bɜ:θ] **1.** *n* 1) кóйка (*на пароходе и т. п.*); спáльное мéсто (*в ж.-д. вагоне, самолёте*); мéсто (*в дилижансе и т. п.*) 2) *мор.* я́корное мéсто; причáл; мéсто у причáла; building ~ стáпель; covered ~ э́ллинг 3) каю́та 4) *разг.* мéсто, дóлжность; a good ~ вы́годная дóлжность 5) помещéние ◇ to give a wide ~ to обходúть (*что-л.*), избегáть (*кого-л., что-л.*)

2. *v* 1) стáвить (*судно*) на я́корь 2) предоставля́ть спáльное мéсто, кóйку

bertha ['bɜ:θə] *n* бéрта, кружевнóй воротнúк

berthing ['bɜ:θıŋ] **1.** *pres. p. от* berth 2

2. *n мор.* 1) постанóвка к причáлу 2) мéсто стоя́нки сýдна

beryl ['berəl] *n мин.* берúлл

beryllium [be'rılıəm] *n хим.* берúллий

beseech [bı'si:tʃ] *v* (besought) просúть, умоля́ть, упрáшивать

beseeching [bı'si:tʃıŋ] **1.** *pres. p. от* beseech

2. *a* моля́щий (*о взгляде, тоне*)

beset [bı'set] *v* (beset) 1) окружáть; осаждáть (*тж. перен.*); to ~ with questions осаждáть вопрóсами 2) занимáть, преграждáть (*дорогу*) 3) *уст.* украшáть (*орнаментом*)

besetting [bı'setıŋ] **1.** *pres. p. от* beset

2. *a* постоя́нно преслéдующий; ~ sin преобладáющий порóк, глáвное искушéние

beside [bı'saıd] *prep* 1) ря́дом с; óколо, близ; ~ the river у рекú 2) по сравнéнию с; she seems dull ~ her sister по сравнéнию со своéй сестрóй онá кáжется неинтерéсной 3) мúмо; ~ the mark, ~ the question мúмо цéли, некстáти, не по существý; ~ the purpose нецелесообрáзно 4) *редк.* крóме, помúмо ◇ ~ oneself вне себя́

besides [bı'saıdz] **1.** *adv* крóме тогó, сверх тогó

2. *prep* крóме

besiege [bı'si:dʒ] *v* 1) *воен.* осаждáть; обложúть, окружúть 2) осаждáть (*просьбами, вопросами*)

besieger [bı'si:dʒə] *n* осаждáющая сторонá

besmear [bı'smıə] *v* 1) пáчкать, марáть; засáливать 2) порóчить

besmirch [bı'smɜ:tʃ] *v* 1) пáчкать 2) чернúть, порóчить; пятнáть

besom ['bi:zəm] *n* 1) метлá, вéник 2) *шотл. разг.* чертóвка, каргá

besot [bı'sɒt] *v* 1) опьяня́ть, кружúть гóлову 2) одурмáнивать, оглупля́ть

besotted [bı'sɒtıd] **1.** *p. p. от* besot

2. *a* 1) ослеплённый (*страстью и т. п.*) 2) одурмáненный (*спиртными напитками, наркотиками и т. п.*)

besought [bı'sɔ:t] *past и p. p. от* beseech

bespangle [bı'spæŋgl] *v* осыпáть блёстками; the ~d sky усéянное звёздами нéбо

bespatter [bı'spætə] *v* 1) забры́згивать гря́зью 2) чернúть, порóчить

bespeak [bı'spi:k] *v* (bespoke; bespoke, bespoken) 1) закáзывать зарáнее; заручáться (*чем-л.*) 2) дéлать на закáз (*вещи*) 3) обнарýживать, покáзывать 4) *поэт.* обращáться (*к кому-л.*)

bespectacled [bı'spektəkld] *a* нося́щий очкú, в очкáх

bespoke [bı'spəʊk] **1.** *past и p. p. от* bespeak

2. *a уст.* сдéланный на закáз

bespoken [bı'spəʊkən] *p. p. от* bespeak

bespread [bı'spred] *v* (bespread) устилáть, покрывáть

besprent [bı'sprent] *a поэт.* 1) обры́зганный 2) усы́панный

besprinkle [bı'sprıŋkl] *v* кропúть, обры́згивать; осыпáть

Bessemer ['besımə] *a:* ~ process *метал.* бессемéровский процéсс

best [best] **1.** *a* (*превосх. ст. от* good 1) 1) лýчший 2) бóльший; the ~ part of the week бóльшая часть недéли 3) *усиливает значение существительного*: ~ liar отъя́вленный лжец; ~ thrashing здорóвая пóрка

2. *n* что-л. сáмое лýчшее, вы́сшая степéнь (*чего-л.*); at ~ в лýчшем слýчае; to do one's ~ (*или* one's level ~) а) сдéлать всё от себя́ зави́сящее; б) проявúть мáксимум энéргии; if the ~ happened в лýчшем слýчае ◇ Sunday ~ прáздничное плáтье; *шутл.* лýчшее плáтье *или* костю́м; to be at one's ~ быть на высотé; быть в удáре; to get (*или* to have) the ~ of it победúть, взять верх (*в споре и т. п.*); to give ~ признáть превосхóдство (*кого-л.*), быть побеждённым; to have the ~ of the bargain быть в наибóлее вы́годном положéнии; to make the ~ of smth. а) испóльзовать что-л. наилýчшим óбразом; б) мирúться с чем-л.; to make the ~ of it (*или* of a bad bargain, business, job) мýжественно переносúть затруднéния, несчáстье; не унывáть в бедé; to make the ~ of one's way идтú как мóжно скорéе, спешúть; to send one's ~ передавáть, посылáть привéт; all the ~ всегó хорóшего; to the ~ of one's ability по мéре сил, спосóбностей; to the ~ of my belief наскóлько мне извéстно; the ~ is the enemy of the good *посл.* лýчшее — враг хорóшего; if you cannot have the ~, make the ~ of what you have *посл.* éсли не имéешь лýчшего, испóльзуй наилýчшим óбразом то, что имéешь

3. *adv* (*превосх. ст. от* well II, 1) лýчше всегó; бóльше всегó; the ~ hated man сáмый ненавúстный человéк; you had ~ confess вам лýчше всегó сознáться; he is ~ forgotten о нём лýчше не вспоминáть

4. *v разг.* взять верх (*над кем-л.*); провестú, перехитрúть

best girl [ˌbest'gɜ:l] *n разг.* возлюблéнная; невéста

bestial ['bestıəl] *a* скóтский, живóтный; грýбый; чýвственный; разврáтный

bestiality [ˌbestı'ælətı] *n* скóтство *и пр.* [*см.* bestial]

bestir [bı'stɜ:] *v* встряхнýться; энергúчно взя́ться; ~ yourself! пошевéливайся!

best man [ˌbest'mæn] *n* шáфер

bestow [bı'stəʊ] *v* давáть, даровáть, награждáть (on, upon); to ~ honours воздавáть пóчести

bestowal [bı'stəʊəl] *n* дар; награждéние

bestrew [bı'stru:] *v* (bestrewed [-d]; bestrewed, bestrewn) 1) покрывáть, устилáть 2) усыпáть; разбрáсывать

bestrewn [bı'stru:n] *p. p. от* bestrew

bestridden [bı'strıdn] *p. p. от* bestride

bestride [bı'straıd] *v* (bestrode; bestridden) 1) садúться *или* сидéть верхóм 2) стоя́ть, расстáвив нóги 3) защищáть

bestrode [bı'strəʊd] *past от* bestride

best-seller [ˌbest'selə] *n* 1) ходовáя кнúга; бестсéллер 2) áвтор бестсéллера

bet [bet] **1.** *n* 1) парú; even ~ парú с рáвными шáнсами; to make a ~ заключúть парú; to win a ~ вы́играть парú; to lay (*или* to place, to put) a ~ on smth. держáть парú на что-л. 2) стáвка (*в пари*) 3) человéк, предмéт *и т. п.*, по пóводу котóрого заключáется парú ◇ one's best ~ ≅ дéло вéрное, вы́игрышное

2. *v* (bet, betted [-ıd]) держáть парú, бúться об заклáд; to ~ on (against) держáть парú за (прóтив) ◇ you ~! конéчно!; ещё бы!; бýдьте увéрены!; to ~ one's shirt рисковáть всем; I'll ~ my life (*или* my bottom dollar, my boots, my hat) ≅ даю́ гóлову на отсечéние

beta ['bi:tə] *n* бéта (*вторая буква греческого алфавита*) ◇ ~ plus немнóго лýчше вторóго сóрта

betake [bı'teık] *v* (betook; betaken) *refl.* прибегáть, обращáться (to — к *чему-л., кому-л.*)

betaken [bı'teıkən] *p. p. от* betake

beta particle ['bi:tə,pɑ:tɪkl] *n физ.* бе́та-части́ца

beta rays ['bi:təreɪz] *n pl физ.* бе́та-лучи́, бе́та-излуче́ние

betatron ['bi:tətrɒn] *n физ.* бетатро́н

betel ['bi:tl] *n бот.* бе́тель

bête noire [,beɪt'nwɑ:] *фр. n* 1) ненави́стный челове́к 2) предме́т не́нависти, отвраще́ния

bethel ['beθl] *n* секта́нтская моле́льня (*в Англии*)

bethink [bɪ'θɪŋk] *v* (bethought) *refl.* вспо́мнить, поду́мать (of); заду́мать (to)

bethought [bɪ'θɔ:t] *past и p. p. от* bethink

betide [bɪ'taɪd] *v книжн., поэт.* (*тк. сосл. накл. 3 л. ед. ч.*) постига́ть, случа́ться; whatever ~ что́ бы ни случи́лось; woe ~ him who... го́ре тому́, кто...

betimes [bɪ'taɪmz] *adv книжн.* 1) ра́но 2) своевре́менно

betoken [bɪ'təʊkn] *v* 1) означа́ть 2) предвеща́ть

betook [bɪ'tʊk] *past от* betake

betray [bɪ'treɪ] *v* 1) предава́ть, изменя́ть 2) обма́нывать, соблазня́ть 3) выдава́ть; his voice ~ed him го́лос его́ вы́дал 4) не опра́вдывать (*надежд, доверия*), подводи́ть

betrayal [bɪ'treɪəl] *n* преда́тельство, изме́на; ~ of trust злоупотребле́ние дове́рием

betrayer [bɪ'treɪə] *n* преда́тель, изме́нник

betroth [bɪ'trəʊð] *v* обручи́ть, помо́лвить

betrothal [bɪ'trəðl] *n* помо́лвка, обруче́ние

betrothed [bɪ'trəʊðd] **1.** *p. p. от* betroth

2. *a* обручённый, помо́лвленный

better I ['betə] *n* держа́щий пари́ [*см.* bet 2]

better II ['betə] **1.** *a* (*сравн. ст. от* good 1) 1) лу́чший 2) *predic.* чу́вствующий себя́ лу́чше; I am ~ я чу́вствую себя́ лу́чше, мне лу́чше ◇ the ~ part большинство́; the ~ half *разг.* дража́йшая полови́на, жена́; to be ~ off быть бога́че; to be ~ than one's word сде́лать бо́льше обе́щанного; for ~ for worse что́ бы ни случи́лось; на го́ре и ра́дость; the ~ hand преиму́щество, переве́с, превосхо́дство; no ~ than a fool про́сто дура́к

2. *n*: one's ~s а) вышестоя́щие ли́ца; б) бо́лее компете́нтные *или* осведомлённые лю́ди ◇ to get the ~ of smb. получи́ть преиму́щество над кем-л., взять верх, победи́ть

3. *adv* (*сравн. ст. от* well II, 1) лу́чше; бо́льше; to think ~ of smth. перемени́ть мне́ние о чём-л.; переду́мать ◇ all the ~, so much the ~ тем лу́чше; never ~ *разг.* как нельзя́ лу́чше; you'd be all the ~ (for) вам не меша́ло бы...; none the ~ (for) ничу́ть не лу́чше; you had ~ go вам лу́чше пойти́; you'd ~ believe it *амер. разг.* мо́жете быть уве́рены; twice as long and ~ бо́лее чем, вдво́е длинне́е; I know ~ меня́ не проведёшь

4. *v* 1) улучша́ть(ся); поправля́ть(ся); исправля́ть(ся); to ~ oneself получи́ть повыше́ние (по слу́жбе) 2) превзойти́, превы́сить

betterment ['betəmənt] *n* 1) улучше́ние, исправле́ние 2) *эк.* возраста́ние цены́ со́бственности, благодаря́ муниципа́льным мероприя́тиям (*строительства дорог и т. п.*)

betting ['betɪŋ] **1.** *pres. p. от* bet 2

2. *n* пари́

bettor ['betə] = better I

between [bɪ'twi:n] **1.** *prep* ме́жду ◇ ~ the devil and the deep (blue) sea в безвы́ходном положе́нии; ме́жду двух огне́й; ~ ourselves, ~ you and me (and the bedpost) ме́жду на́ми, конфиденциа́льно; ~ times, ~ whiles в промежу́тках; ~ this and then на досу́ге; ме́жду де́лом; ~ wind and water в наибо́лее уязви́мом ме́сте

2. *adv* ме́жду ◇ visits are few and far ~ посеще́ния ре́дки

betwixt [bɪ'twɪkst] *уст., поэт. см.* between; ~ and between ни то ни сё

bevel ['bevl] **1.** *n тех.* 1) скос; заостре́ние; накло́н; обре́з; фа́ска 2) ко́нус 3) складно́й уго́льник, па́лка

2. *a* 1) косо́й; косоуго́льный 2) ко́нусный

3. *v* 1) ска́шивать; обтёсывать; снима́ть фа́ску 2) криви́ться; коси́ться

bevel gear ['bevlgɪə] *n тех.* кони́ческая зубча́тая *или* фрикцио́нная переда́ча

bevel pinion ['bevl,pɪnjən] *n тех.* кони́ческая шестерня́

beverage ['bevərɪdʒ] *n* напи́ток

bevy ['bevɪ] *n* 1) стая́ (*птиц*); ста́до (*косуль*) 2) о́бщество, собра́ние (*преим. женщин*)

bewail [bɪ'weɪl] *v* опла́кивать, скорбе́ть

beware [bɪ'weə] *v* берёчься, остерега́ться (*обыкн. в imp. с* of); ~ of dogs! остерега́йтесь соба́к!; ~ lest you provoke him смотри́те, не раздража́йте его́

bewilder [bɪ'wɪldə] *v* смуща́ть, ста́вить в тупи́к; сбива́ть с то́лку

bewilderment [bɪ'wɪldəmənt] *n* 1) смуще́ние; замеша́тельство; недоуме́ние 2) пу́таница

bewitch [bɪ'wɪtʃ] *v* 1) заколдо́вывать 2) очаро́вывать

bewitching [bɪ'wɪtʃɪŋ] **1.** *pres. p. от* bewitch

2. *a* очарова́тельный, чару́ющий

bewitchment [bɪ'wɪtʃmənt] *n* 1) колдовство́ 2) очарова́ние, ча́ры

bey [beɪ] *n* бей

beyond [bɪ'jɒnd] **1.** *adv* вдали́; на расстоя́нии

2. *prep* 1) за; по ту сто́рону 2) по́зже; по́сле; ~ the appointed hour по́зже назна́ченного ча́са 3) вне; сверх, вы́ше; ~ reach вне досяга́емости; ~ belief невероя́тно; ~ compare вне вся́кого сравне́ния; ~ doubt бесспо́рно; ~ hope безнадёжно; ~ measure чрезме́рно; ~ one's depth сли́шком тру́дно; it is ~ me э́то вы́ше моего́ понима́ния

3. *n* (the ~) загро́бная жизнь ◇ the back of ~ са́мый отдалённый уголо́к ми́ра, глушь

bezant ['beznt] *n* 1) византи́н (*золотая византийская монета*) 2) орна́мент в ви́де ря́да ди́сков

bezel ['bezl] *n* 1) ско́шенная грань стамески 2) гнездо́ (*камня в перстне или в часах*) 3) фасе́т 4) желобо́к, в кото́рый вправля́ется стекло́ часо́в

bezique [bɪ'zi:k] *n карт.* бези́к (*игра*)

bhang [bæŋ] = bang III

bi- [baɪ-] *pref* дву(х)-; *напр.*: bicameral двухпала́тный; bimonthly а) выходя́щий раз в два ме́сяца; б) выходя́щий два ра́за в ме́сяц

biannual [,baɪ'ænjʊəl] *a* двухле́тний, происходя́щий два ра́за в год

bias ['baɪəs] **1.** *n* 1) предубежде́ние (against — про́тив *кого-л.*); пристра́стие (in favour of, towards — в по́льзу *кого-л.*); предвзя́тость 2) *стат.* тенденцио́зность, необъекти́вность 3) укло́н, накло́н, склон, пока́тость 4) коса́я ли́ния в тка́ни; to cut on the ~ крои́ть по косо́й ли́нии 5) *радио* смеще́ние

2. *v* склоня́ть; ока́зывать влия́ние (*обыкн. плохое*); настра́ивать

3. *adv* ко́со, по диагона́ли

bias(s)ed ['baɪəst] **1.** *p. p. от* bias 2

2. *a* пристра́стный, лицеприя́тный, тенденцио́зный; to be ~ against smb. име́ть предубежде́ние про́тив кого́-л.

biathlon [baɪ'æθlən] *n спорт.* биатло́н

bib I [bɪb] *n* 1) де́тский нагру́дник 2) ве́рхняя часть фа́ртука ◇ best ~ and tucker лу́чшее пла́тье

bib II [bɪb] *v уст.* пья́нствовать

bibb [bɪb] *n* затво́р; заты́чка, про́бка, кран

bibb cock ['bɪbkɒk] = bibcock

bibber ['bɪbə] *n* пья́ница

bibcock ['bɪbkɒk] *n* кран

bibelot ['bɪbləʊ] *n* 1) брело́к, безделу́шка 2) кни́га миниатю́рного форма́та

Bible ['baɪbl] *n* Би́блия

biblical ['bɪblɪkl] *a* библе́йский

bibliographer [,bɪblɪ'ɒgrəfə] *n* библио́граф

bibliographic(al) [,bɪblɪə'græfɪk(l)] *a* библиографи́ческий

bibliography [,bɪblɪ'ɒgrəfɪ] *n* библиогра́фия

bibliolater [,bɪblɪ'ɒlətə] *n* 1) книголю́б 2) буквали́ст в истолкова́нии Би́блии

bibliomania [,bɪblɪəʊ'meɪnɪə] *n* библиома́ния

bibliomaniac [,bɪblɪəʊ'meɪnɪæk] *n* библиома́н

bibliophile ['bɪblɪəfaɪl] *n* библиофи́л, книголю́б

bibulous ['bɪbjʊləs] *a* пья́нствующий

bicameral [baɪ'kæmrəl] *a* двухпала́тный

bicarbonate [baɪ'kɑ:bənət] *a хим.* двууглеки́слый

bice [baɪs] *n* бле́дно-си́няя кра́ска *или* -ий цвет

bicentenary [ˌbaɪsen'ti:nərɪ] **1.** *n* двухсотлéтняя годовщи́на, двухсотлéтие

2. *a* двухсотлéтний

bicentennial [ˌbaɪsen'tenɪəl] **1.** *a* двухсотлéтний; повторя́ющийся ка́ждые 200 лет

2. *n* двухсотлéтняя годовщи́на, двухсотлéтие

bicephalous [baɪ'sefələs] *a* двугла́вый

biceps ['baɪseps] *n анат.* би́цепс, двугла́вая мы́шца

bichloride [ˌbaɪ'klɔ:raɪd] *n хим.* двухло́ристое соединéние; ~ of mercury сулема́

bichromate [baɪ'krəʊmeɪt] *n хим.* соль двуххро́мовой кислоты́

bicker ['bɪkə] **1.** *n* 1) перебра́нка 2) потасо́вка 3) журча́ние, лёгкий шум

2. *v* 1) спо́рить, препира́ться 2) дра́ться 3) журча́ть (*о воде*); стуча́ть (*о дожде*) 4) колыха́ться (*о пламени*)

biconcave [baɪ'kɒŋkeɪv] *a опт.* двояково́гнутый

biconvex [baɪ'kɒnveks] *a опт.* двояковы́пуклый

bicuspid [ˌbaɪ'kʌspɪd] *анат.* **1.** *n* оди́н из ма́лых коренны́х зубо́в

2. *a* 1) двузу́бчатый 2) двуство́рчатый (*клапан*)

bicycle ['baɪsɪkl] **1.** *n* велосипéд

2. *v* éздить на велосипéде

bicycler ['baɪsɪklə] *амер.* = bicyclist

bicycling ['baɪsɪklɪŋ] **1.** *pres. p. от* bicycle 2

2. *n* езда́ на велосипéде

bicyclist ['baɪsɪklɪst] *n* велосипеди́ст

bid [bɪd] **1.** *n* 1) предложéние цены́ (*обыкн. на аукционе*); зая́вка (*на торгах*) 2) предлага́емая цена́ 3) *разг.* претéнзия, домога́тельство; to make ~s for smth. претендова́ть на что-л., домога́ться чего́-л. 4) *карт.* объявлéние ма́сти; объявлéние коли́чества взя́ток

2. *v* (bad(e), bid; bidden, bid) 1) предлага́ть цéну (*обыкн. на аукционе*; for) 2) *уст.* прика́зывать; do as you are ~den дéлай(те), как веля́т, как прика́зано 3) *уст.* проси́ть 4) *уст.* приглаша́ть (*гостей*) 5) *карт.* объяви́ть масть; объяви́ть коли́чество взя́ток ▭ ~ **against**, ~ **up** набавля́ть цéну ◇ to ~ fair сули́ть, обеща́ть, каза́ться вероя́тным, предвеща́ть; to ~ farewell (*или* goodbye) проща́ться; to ~ welcome приве́тствовать

biddable ['bɪdəbl] *a* послу́шный

bidden ['bɪdn] *p. p. от* bid 2

bidder ['bɪdə] *n* выступа́ющий на торга́х покупа́тель; покупщи́к; the highest (*или* the best) ~ лицо́, предложи́вшее наивы́сшую цéну (*на торгах*)

bidding ['bɪdɪŋ] **1.** *pres. p. от* bid 2

2. *n* 1) предложéние цены́ 2) торги́ 3) приказа́ние; at smb.'s ~ по чьему́-л. трéбованию, приказа́нию *и т. п.* 4) приглашéние, призы́в

biddy ['bɪdɪ] *n разг.* ста́рая сплéтница

bidet ['bi:deɪ] *n* биде́

biennial [baɪ'enɪəl] **1.** *a* 1) двухлéтний, двухгоди́чный 2) случа́ющийся раз в два го́да

2. *n* двухлéтнее растéние

bier [bɪə] *n* похоро́нные дро́ги

biff [bɪf] *разг.* **1.** *n* си́льный уда́р

2. *v* ударя́ть

bifid ['baɪfɪd] *a* разделённый на́двое; расщеплённый

bifocal [ˌbaɪ'fəʊkl] **1.** *a* бифока́льный, двухфо́кусный

2. *n pl* бифока́льные очки́

bifurcate 1. *a* [ˌbaɪ'fɜ:keɪt] раздво́енный

2. *v* ['baɪfəkeɪt] раздва́ивать(ся), разветвля́ть(ся)

bifurcation [ˌbaɪfə'keɪʃn] *n* раздвоéние, разветвлéние; бифурка́ция

big [bɪg] **1.** *a* 1) большо́й, кру́пный; ~ repair капита́льный ремо́нт 2) высо́кий; широ́кий 3) гро́мкий; ~ noise а) си́льный шум; *перен.* хвастовство́; б) *амер. sl.* хозя́ин, шеф 4) ва́жный, значи́тельный; to look ~ принима́ть ва́жный вид 5) взро́слый 6) *разг.* хвастли́вый; ~ talk хвастовство́; ~ mouth хвастли́вый болту́н 7) *часто ирон.* великоду́шный; that's ~ of you э́то великоду́шно с ва́шей стороны́ 8) берéменная (*тж.* ~ with child) ◇ ~ business кру́пный капита́л; *собир.* промы́шленные и ба́нковые магна́ты; ~ money дéнежные тузы́; ~ head *амер.* самомнéние, ва́жничанье; ~ game кру́пные живо́тные *или* ры́бы (*объекты спорт. охоты*); ~ stick «больша́я дуби́нка»; ~ brass вы́сшие офицéры, большо́е нача́льство; ~ bug (*или* shot, noise, gun, cheese) ва́жная персо́на; «ши́шка»; too ~ for one's boots *разг.* самонадéянный

2. *adv разг.* хвастли́во, с ва́жным ви́дом

bigamist ['bɪgəmɪst] *n* двоежéнец; двуму́жница

bigamous ['bɪgəməs] *a* имéющий двух жён *или* имéющая двух муже́й одноврéмéнно, двубра́чный

bigamy ['bɪgəmɪ] *n* бига́мия; двоежёнство; двоему́жие

Big Bang [ˌbɪg'bæŋ] *n* «большо́й взрыв» (*теория происхождения Вселенной*)

Big Ben [ˌbɪg'ben] *n* Большо́й Бен (*часы на здании английского парламента*)

Big Brother [ˌbɪg'brʌðə] *n* прави́тель, дикта́тор

big-headed [ˌbɪg'hedɪd] *a* самодово́льный, самовлюблённый

bighearted [ˌbɪg'hɑ:tɪd] *a* великоду́шный

bight [baɪt] *n* 1) бу́хта 2) излу́чина (*реки*) 3) *мор.* шлаг (тро́са), бу́хта тро́са

bigness ['bɪgnəs] *n* величина́, высота́ *и пр.* [*см.* big 1]

bigot ['bɪgət] *n* слепо́й привéрженец; изувéр; фана́тик

bigoted ['bɪgətɪd] *a* фанати́ческий; нетерпи́мый

bigotry ['bɪgətrɪ] *n* слепа́я привéрженность (*чему-л.*); фанати́зм

big time ['bɪgtaɪm] *n sl.* успéх

big-timer ['bɪgtaɪmə] *n sl.* человéк, дости́гший успéха

big top ['bɪgtɒp] *n разг.* 1) ку́пол ци́рка 2) цирк

big tree ['bɪgtri:] *n амер. бот.* секво́йя

big wheel [ˌbɪg'wi:l] *n* ва́жная персо́на, «ши́шка»

bigwig ['bɪgwɪg] *n разг.* ва́жная персо́на, «ши́шка»

bijou ['bi:ʒu:] *фр.* **1.** *n* (*pl* -oux) безделу́шка; драгоцéнная вещь

2. *a* ма́ленький и изя́щный

bijouterie [bɪ'ʒu:tərɪ] *фр. n* 1) бижутéрия 2) ювели́рные издéлия

bijoux ['bi:ʒu:z] *pl от* bijou

bike [baɪk] *разг. сокр. от* bicycle

bikini [bɪ'ki:nɪ] *n* бики́ни (*женский купальный костюм*)

bilabial [baɪ'leɪbɪəl] *a фон.* билабиа́льный

bilabiate [baɪ'leɪbɪɪt] *a бот.* двугу́бый

bilateral [baɪ'lætrəl] *a* двусторо́нний

bilberry ['bɪlbərɪ] *n* черни́ка

bilbo ['bɪlbəʊ] *n* 1) (bilboes) *pl* ножны́е кандалы́ 2) (*pl* -os [-əʊz]) *ист.* испа́нский клино́к

bile [baɪl] *n* 1) жёлчь 2) раздражи́тельность; жёлчность

bile duct ['baɪldʌkt] *n анат.* жёлчный прото́к

bilge [bɪldʒ] **1.** *n* 1) дни́ще (*судна*) 2) трю́мная вода́ (*тж.* ~ water) 3) *разг.* ерунда́, чепуха́

2. *v* проби́ть дни́ще

biliary ['bɪljərɪ] *a* 1) относя́щийся к пéчени 2) = bilious 2)

bilingual [baɪ'lɪŋgwəl] *a* 1) двуязы́чный 2) говоря́щий на двух языка́х

bilious ['bɪlɪəs] *a* 1) жёлчный 2) страда́ющий от разли́тия жёлчи 3) раздражи́тельный

bilirubin [ˌbɪlɪ'ru:bɪn] *n мед.* билиру́бин

bilk [bɪlk] **1.** *n* = bilker

2. *v* обма́нывать; уклоня́ться от упла́ты (*долгов*)

bilker ['bɪlkə] *n* жу́лик, мошéнник

bill I [bɪl] **1.** *n* 1) клюв 2) у́зкий мыс 3) козырёк (фура́жки) 4) носо́к я́коря

2. *v* 1) целова́ться клю́виками (*о голубях*) 2) нéжничать, ласка́ться (*особ.* to ~ and coo)

bill II [bɪl] **1.** *n* 1) законопроéкт, билль; to pass (to throw out) the ~ приня́ть (отклони́ть) законопроéкт 2) счёт; padded ~s разду́тые счета́; ~ of costs счёт адвока́та (*или* повéренного) клиéнту за ведéние дéла; omnibus ~ счёт по ра́зным статья́м; to run up a ~ имéть счёт (*у портного, в магазине и т. п.*) 3) вéксель, тра́тта (*тж.* ~ of exchange); short ~ краткосро́чная тра́тта 4) спи́сок; инвента́рь; докумéнт; ~ of credit аккредити́в; ~ of entry тамо́женная деклара́ция; ~ of fare меню́; ~ of health каранти́нное свидéтельство; ~ of lading накладна́я, коносамéнт; ~ of parcels факту́ра; накладна́я; ~ of sale ку́пчая, закладна́я 5) програ́мма (*концерта и т. п.*) 6) афи́ша; реклáма, реклáмный листóк 7) *амер.* банкнóт; a five dollar ~ билéт в пять дóлларов <> B. of Rights а) *ист.* «Билль о правáх» (*в Англии*); б) пéрвые дéсять попрáвок в конститýции США; G. I. Bill (of Rights) *амер.* льгóта для демобилизóван-ных; to fill the ~ удовлетворя́ть трéбовани-ям; соотвéтствовать своемý назначéнию

2. *v* 1) объявля́ть в афи́шах 2) расклéивать афи́ши 3) выпи́сывать накладнýю, выдавáть накладнýю (to, for)

bill III [bɪl] *n* 1) *уст.* алебáрда 2) садóвые нóжницы 3) топóр(ик), секáч

billboard [ˈbɪlbɔ:d] *n амер.* доскá для объявлéний, афи́ш; реклáмный щит

billet I [ˈbɪlɪt] 1. *n* 1) помещéние для постóя; to go into ~s расположи́ться на квати́рах 2) óрдер на постóй 3) *разг.* назначéние, мéсто, дóлжность

2. *v* расквартирóвывать (*войскá*)

billet II [ˈbɪlɪt] *n* 1) полéно, чурбáн; плáшка 2) тóлстая пáлка 3) *метал.* заготóвка, би́ллет, сутýнка

billet-doux [ˌbɪleɪˈdu:] *n* (*pl* billets-doux) любóвное письмó

billets-doux [ˌbɪleɪˈdu:z] *pl от* billet-doux

billfold [ˈbɪlfəʊld] *n амер.* бумáжник

billhead [ˈbɪlhed] *n* бланк для фактýр, накладны́х *и т. п.*

billhook [ˈbɪlhʊk] = bill III, 2)

billiard [ˈbɪljəd] *a* бильярдный; ~ cue кий; ~ room бильярдная

billiard ball [ˈbɪljədbɔ:l] *n* бильярдный шар

billiard-marker [ˈbɪljəd,mɑ:kə] *n* маркёр

billiards [ˈbɪljədz] *n pl* бильярд; to play ~ игрáть в бильярд

billingsgate [ˈbɪlɪŋzgeɪt] *n* площаднáя брань (*по названию большого рыбного рынка в Лондоне*); to talk ~ ругáться, как торгóвка на базáре

billion [ˈbɪljən] *num. card., n* 1) *англ.* биллиóн 2) миллиáрд 3) *pl разг.* несмéтное коли́чество

billionaire [ˌbɪljəˈneə] *n* миллиардéр

billon [ˈbɪlən] *n* биллóн, низкопрóбное зóлото *или* серебрó

billow [ˈbɪləʊ] 1. *n* 1) большáя волнá, вал 2) лави́на 3) *поэт.* мóре

2. *v* вздымáться, волновáться

billowy [ˈbɪləʊɪ] *a* 1) вздымáющийся (*о волнах*) 2) волни́стый, пересечённый (*о местности*)

billposter [ˈbɪl,pəʊstə] *n* расклéйщик афи́ш

billsticker [ˈbɪl,stɪkə] = billposter

billy [ˈbɪlɪ] *n австрал.* похóдный котелóк

billycock [ˈbɪlɪkɒk] *n разг.* котелóк (*шляпа*)

billy goat [ˈbɪlɪgəʊt] *n разг.* козёл

billy-oh [ˈbɪlɪəʊ] *n*: like ~ крéпко, си́льно, интенси́вно; it is raining like ~ идёт си́льный дождь

biltong [ˈbɪltɒŋ] *n южно-афр.* провя́ленное мя́со, нарéзанное ýзкими полóсками

bimbo [ˈbɪmbəʊ] *n sl.* 1) тип 2) пустышка (*о молодой женщине*)

bimestrial [baɪˈmestrɪəl] *a книжн.* 1) двухмéсячный 2) = bimonthly 1

bimetallic [ˌbaɪməˈtælɪk] *a* биметалли́ческий

bimetallism [ˌbaɪˈmetlɪzəm] *n эк.* биметалли́зм

bimonthly [ˌbaɪˈmʌnθlɪ] 1. *a* 1) выходя́щий раз в два мéсяца 2) выходя́щий два рáза в мéсяц

2. *adv* 1) раз в два мéсяца 2) два рáза в мéсяц

3. *n* журнáл, выходя́щий раз в два мéсяца

bin [bɪn] 1. *n* 1) зáкром, ларь; бýнкер 2) мýсорное ведрó

2. *v* храни́ть в закромáх *и т. п.*

binary [ˈbaɪnərɪ] *a* двойнóй, сдвóенный; бинáрный; ~ mixture *хим.* бинáрная смесь; ~ digit *мат.* двойнóй знак (*ноль или единица*)

binaural [baɪˈnɔ:rəl] *a* бинаурáльный, относя́щийся к обóим ушáм

bind [baɪnd] 1. *v* (bound) 1) вязáть; свя́зывать 2) задéрживать, ограни́чивать 3) обшивáть, обвя́зывать (*края*) 4) зажимáть 5) привя́зывать 6) переплетáть (*книгу*) 7) обя́зывать; to ~ oneself взять на себя́ обязáтельство, обязáться; to be bound to take an action быть вы́нужденным что-л. предпринять *или* вы́ступить; to be bound to be defeated быть обречённым на поражéние 8) затвердевáть (*о снеге, грязи, глине и т. п.*) 9) скрепля́ть; to ~ the loose sand закрепля́ть пескí 10) вызывáть запóр 11) *sl.* жáловаться ▭ ~ **over** (*с inf.*) обя́зывать, свя́зывать обязáтельством; to ~ over to appear обя́зывать яви́ться в суд; to ~ over keep the peace обя́зывать соблюдáть общéственное спокóйствие; ~ **up** а) перевя́зывать (*раны*); б) переплетáть в óбщий переплёт; в) свя́зывать; this problem is bound up with many others э́та проблéма свя́зана со мнóгими други́ми <> to be bound apprentice быть óтданным в учéние (*ремеслу*)

2. *n муз.* лигатýра

binder [ˈbaɪndə] *n* 1) переплётчик 2) свя́зующее веществó (*клей, цемент и т. п.*) 3) сноповязáлка

bindery [ˈbaɪndərɪ] *n* переплётная мастерскáя

binding [ˈbaɪndɪŋ] 1. *pres. p. от* bind

2. *n* 1) переплёт 2) обши́вка; окóвка; связь 3) *эл.* срáщивание (*проводов*) 4) *спорт.* креплéние (*лыжное*)

3. *a* 1) свя́зующий; вя́жущий; ~ power вя́жущая спосóбность 2) ограни́чительный, сдéрживающий 3) обя́зывающий; обязáтельный; in a ~ form в фóрме обязáтельства

bindweed [ˈbaɪndwi:d] *n бот.* вьюнóк

bine [baɪn] *n бот.* побéг; стéбель ползýчего растéния (*особ. хмеля*)

binge [bɪndʒ] *n sl.* кутёж, вы́пивка; to have a ~, to go on the ~ кути́ть, пья́нствовать

bingo [ˈbɪŋgəʊ] *n* би́нго (*игра типа лото*)

binman [ˈbɪnmæn] *n разг.* мýсорщик

binnacle [ˈbɪnəkl] *n мор.* нактóуз (*ящик для судового компаса*)

binocular [bɪˈnɒkjʊlə] *a* бинокуля́рный

binoculars [bɪˈnɒkjʊləz] *n pl* бинóкль

binomial [baɪˈnəʊmɪəl] 1. *n мат.* бинóм; двучлéн; B. theorem бинóм Ньютона

2. *a* 1) *мат.* биномиáльный, двучлéнный 2) *зоол., бот.* имéющий два назвáния; ~ nomenclature систéма классификáции по рóду и ви́ду

binominal [ˌbaɪˈnɒmɪnl] *a* имéющий два назвáния в наýчной классификáции

bint [bɪnt] *n sl.* дéвушка

biocenosis [ˌbaɪəʊsi:ˈnəʊsɪs] *амер.* = biocoenosis

biochemical [ˌbaɪəʊˈkemɪkl] *a* биохими́ческий

biochemist [ˌbaɪəʊˈkemɪst] *n* биохи́мик

biochemistry [ˌbaɪəʊˈkemɪstrɪ] *n* биохи́мия

biocoenosis [ˌbaɪəʊsi:ˈnəʊsɪs] *n* биоценóз

biodegradable [ˌbaɪəʊdɪˈgreɪdəbl] *a* пóртящийся под дéйствием микроорганизмов

bioengineering [ˌbaɪəʊendʒɪˈnɪərɪŋ] *n* биоинженéрия

biogenesis [ˌbaɪəʊˈdʒenəsɪs] *n* биогенéз

biographer [baɪˈɒgrəfə] *n* биóграф

biographic(al) [ˌbaɪəˈgræfɪk(l)] *a* биографи́ческий

biography [baɪˈɒgrəfɪ] *n* биогрáфия

biological [ˌbaɪəˈlɒdʒɪkl] *a* биологи́ческий; ~ warfare бактериологи́ческая войнá

biologist [baɪˈɒlədʒɪst] *n* биóлог

biology [baɪˈɒlədʒɪ] *n* биолóгия

biolysis [baɪˈɒləsɪs] *n биол.* биóлизис, разрушéние живы́х ткáней под дéйствием органи́змов

biomass [ˈbaɪəʊmæs] *n* биомáсса

biometrics [ˌbaɪəʊˈmetrɪks] *n pl* (*употр. как sing*) биомéтрия

biometry [baɪˈɒmətrɪ] = biometrics

bionics [baɪˈɒnɪks] *n pl* (*употр. как sing*) биóника

bionomics [ˌbaɪəʊˈnɒmɪks] *n pl* (*употр. как sing*) эколóгия

biophysics [ˌbaɪəʊˈfɪzɪks] *n pl* (*употр. как sing*) биофи́зика

bioplasm, bioplast [ˈbaɪəʊplæzəm, ˈbaɪəʊplæst] *n* биоплáзма, протоплáзма

biopsy [ˈbaɪɒpsɪ] *n мед.* биопси́я

biosphere [ˈbaɪəsfɪə] *n* биосфéра

biosynthesis [ˌbaɪəʊˈsɪnθɪsɪs] *n* биоси́нтез

biota [baɪˈəʊtə] *n* флóра и фáуна дáнного райóна

biotechnology [ˌbaɪəʊtekˈnɒlədʒɪ] *n* биотехнолóгия

biotic [baɪˈɒtɪk] *a биол.* жи́зненный, живóй, биоти́ческий

bipartite [baɪˈpɑ:taɪt] *a* 1) двусторóнний (*о соглашении и т. п.*) 2) состоя́щий из двух частéй 3) *бот.* разделённый на две чáсти, двураздéльный

biped ['baɪped] **1.** *n* двуно́гое (живо́тное)

2. *a* = bipedal

bipedal [,baɪ'pi:dl] *a* двуно́гий

biplane ['baɪpleɪn] *n* бипла́н

bipolar [,baɪ'pəʊlə] *a эл.* двухполю́сный

biquadratic [,baɪkwɒ'drætɪk] *мат.* **1.** *a* биквадра́тный

2. *n* биквадра́т; биквадра́тное уравне́ние

birch [bɜ:tʃ] **1.** *n* 1) берёза 2) ро́зга 3) *attr.* берёзовый

2. *v* сечь ро́згой

birchen ['bɜ:tʃən] *a* берёзовый; сде́ланный из берёзы

birch-rod ['bɜ:tʃrɒd] = birch 1, 2)

bird [bɜ:d] *n* 1) пти́ца; пта́шка 2) *sl.* бабёнка 3) *разг.* па́рень, челове́к 4) *sl.* тюрьма́ ◇ to get the ~ а) быть увлечённым; б) быть осви́станным; a ~ in the bush не́что нереа́льное; a ~ in the hand не́что реа́льное; a ~ in the hand is worth two in the bush *посл.* ≅ не сули́ журавля́ в не́бе, дай сини́цу в ру́ки; ~s of a feather ≅ одного́ по́ля я́года; оди́н друго́го сто́ит; ~s of a feather flock together *посл.* ≅ рыба́к рыбака́ ви́дит издалека́; an old ~ ≅ стре́ляный воробе́й; (it is) the early ~ (that) catches the worm *посл.* ≅ кто ра́но встаёт, тому́ уда́ча ждёт; to kill two ~s with one stone ≅ одни́м уда́ром уби́ть двух за́йцев; a little ~ told me ≅ слу́хом земля́ по́лнится; кто́-то мне сказа́л; strictly for the ~s то́лько для несмышлёнышей; никуда́ не годи́тся

birdbath ['bɜ:dbɑ:θ] *n* небольшо́й бассе́йн в саду́ для птиц

birdbrain ['bɜ:dbreɪn] *n разг.* «кури́ные мозги́» (*о глупом человеке*)

bird-cage ['bɜ:dkeɪdʒ] *n* кле́тка (*для птиц*)

birdcall ['bɜ:dkɔ:l] *n* 1) звук, издава́емый пти́цей 2) *охот.* ва́бик

bird dog ['bɜ:ddɒg] *n амер.* 1) соба́ка для охо́ты на пти́цу 2) *sl.* аге́нт (*фирмы*), выполня́ющий зака́зы по поста́вке тех и́ли ины́х това́ров 3) *разг.* отбива́ющий (*возлюбленную*)

birder ['bɜ:də] *n* птицело́в

bird fancier ['bɜ:d,fænsɪə] *n* 1) люби́тель птиц, птицево́д 2) продаве́ц птиц

birdie ['bɜ:dɪ] *n* (*уменьш. от* bird) *разг.* пти́чка, пта́шка

birdlime ['bɜ:dlaɪm] *n* пти́чий клей

bird-nest ['bɜ:dnest] = bird's-nest

bird-nesting ['bɜ:dnestɪŋ] = bird's-nesting

bird of paradise [,bɜ:dəv'pærədaɪs] *n зоол.* ра́йская пти́ца

bird of passage [,bɜ:dəv'pæsɪdʒ] *n* перелётная пти́ца

bird of prey [,bɜ:dəv'preɪ] *n* хи́щная пти́ца

bird seed ['bɜ:dsi:d] *n* пти́чий корм

bird's-eye ['bɜ:dzaɪ] *n бот.* первоцве́т (мучни́стый)

bird's-eye view [,bɜ:dzaɪ'vju:] *n* 1) вид с пти́чьего полёта 2) о́бщая перспекти́ва

bird's-nest ['bɜ:dznest] *n* 1) пти́чье гнездо́ 2) ла́сточкино гнездо́ (*китайское лакомство*)

bird's-nesting ['bɜ:dz,nestɪŋ] *n* охо́та за пти́чьими гнёздами

bird-watcher ['bɜ:d,wɒtʃə] *n* изуча́ющий птиц в есте́ственных усло́виях, натурали́ст

biretta [bə'retə] *n* головно́й убо́р католи́ческих свяще́нников

Biro ['baɪrəʊ] *n* ша́риковая ру́чка (*торговая марка*)

birth [bɜ:θ] *n* 1) ро́ды; two at a ~ дво́йня 2) рожде́ние; an artist by ~ худо́жник по призва́нию; to give ~ to роди́ть, произвести́ на свет [*ср. тж.* 3)]; new (*или* second) ~ второ́е рожде́ние; возрожде́ние 3) нача́ло, исто́чник; происхожде́ние; to give ~ to дать нача́ло (*чему-л.*) [*ср. тж.* 2)]

birth control ['bɜ:θkən,trəʊl] *n* 1) регули́рование рожда́емости 2) противозача́точные ме́ры

birthday ['bɜ:θdeɪ] *n* 1) день рожде́ния 2) *attr.*: ~ cake торт ко дню рожде́ния; ~ party пра́зднование дня рожде́ния ◇ in one's ~ suit *шутл.* го́лый, в чём мать родила́

birthmark ['bɜ:θmɑ:k] *n* ро́динка, роди́мое пятно́

birth-pill ['bɜ:θpɪl] *n* противозача́точная табле́тка (*тж.* the pill)

birthplace ['bɜ:θpleɪs] *n* ме́сто рожде́ния, ро́дина

birthrate ['bɜ:θreɪt] *n* рожда́емость; коэффицие́нт рожда́емости

birthright ['bɜ:θraɪt] *n* 1) пра́во перворо́дства 2) пра́во по рожде́нию (*в определённой семье и т. п.*)

bis [bɪs] *adv* ещё раз, втори́чно, бис

biscuit ['bɪskɪt] *n* 1) сухо́е пече́нье; ship's ~ суха́рь 2) бискви́тный, неглазиро́ванный фарфо́р 3) све́тло-кори́чневый цвет 4) *attr.* све́тло-кори́чневый ◇ it takes the ~ э́то превосхо́дит всё

bisect [baɪ'sekt] *v* разреза́ть, дели́ть попола́м

bisection [baɪ'sekʃn] *n* деле́ние попола́м

bisector [baɪ'sektə] *n мат.* биссектри́са

bisectrices [,baɪsək'traɪsi:z] *pl от* bisectrix

bisectrix [baɪ'sektrɪks] (*pl* -trices) = bisector

bisexual [,baɪ'sekʃʊəl] *a* двупо́лый

bishop ['bɪʃəp] *n* 1) епи́скоп 2) *шахм.* слон 2) би́шоп (*напиток из вина и фруктового сока*)

bishopric ['bɪʃəprɪk] *n* сан епи́скопа; епа́рхия

bisk [bɪsk] = bisque II

bismuth ['bɪzməθ] *n хим.* ви́смут

bison ['baɪsn] *n* бизо́н

bisque I [bɪsk] = biscuit 2)

bisque II [bɪsk] *n* 1) ра́ковый суп 2) суп из пти́цы *или* кро́лика 3) тома́тный суп-пюре́

bisque III [bɪsk] *n* фо́ра (*в игре*)

bissextile [bɪ'sekstaɪl] **1.** *a* високо́сный; the ~ day 29-е февраля́

2. *n* високо́сный год

bistort ['bɪstɔ:t] *n бот.* горле́ц

bistoury ['bɪstərɪ] *n* бисту́ри́ (*хирургический нож*)

bistre ['bɪstə] *n* бистр (*тёмно-коричневая краска*)

bistro ['bi:strəʊ] *n* бистро́, заку́сочная

bisulphate [baɪ'sʌlfeɪt] *n хим.* бисульфи́т

bit I [bɪt] *n* 1) кусо́чек; части́ца 2) небольшо́е коли́чество; a ~ немно́го; not a ~ ничу́ть; ~ by ~ постепе́нно; wait a ~ подожди́те мину́ту; he is a ~ of a coward он труcова́т 3) ме́лкая моне́та; short ~ *амер.* моне́та в 10 це́нтов; long ~ моне́та в 15 це́нтов; two ~s *амер.* моне́та в 25 це́нтов 4) *attr.*: ~ part эпизоди́ческая роль ◇ to give smb. a ~ (*или* piece) of one's mind вы́сказаться напрями́к, открове́нно; to do one's ~ внести́ свою́ ле́пту; де́лать своё де́ло, исполня́ть свой долг; ~s and pieces (*или* bobs) оста́тки, обре́зки, хлам; he (she) is a ~ long in the tooth он (она́) уже́ не ребёнок; to take a ~ of doing тре́бовать затра́ты уси́лий

bit II [bɪt] **1.** *n* 1) удила́; мундшту́к; to draw ~ натяну́ть пово́дья, во́жжи; to take the ~ between (*или* in) one's teeth закуси́ть удила́ 2) ре́жущий край инструме́нта; ле́звие 3) бур; бура́в; зуби́ло 4) бородка (*ключа*)

2. *v* 1) взну́здывать 2) обу́здывать, сде́рживать

bit III [bɪt] *past и p. p. от* bite 2

bit IV [bɪt] *n* двоичный знак (*в вычислительных машинах*)

bitbrace ['bɪtbreɪs] *n тех.* коловоро́т

bitch [bɪtʃ] **1.** *n* 1) су́ка 2) *в названиях животных означает самку*: ~ wolf волчи́ца 3) *груб.* су́ка 4) *sl.* сплошна́я па́кость, дерьмо́

2. *v разг.* 1) жа́ловаться, скули́ть 2) по́ртить, па́костить 3) обма́нывать, обводи́ть вокру́г па́льца, облапо́шивать

bitchy ['bɪtʃɪ] *a разг.* 1) зло́бный 2) раздражи́тельный, озло́бленный 3) цини́чный, разну́зданный

bite [baɪt] **1.** *n* 1) уку́с 2) след уку́са 3) кусо́к (*пищи*) 4) за́втрак, лёгкая заку́ска; to have a ~ перекуси́ть, закуси́ть 5) клёв (*рыбы*) 6) острота́, е́дкость 7) травле́ние (*при гравировке*) 8) *мед.* при́кус 9) *тех.* зажа́тие, сцепле́ние

2. *v* (bit; bit, bitten) 1) куса́ть(ся); жа́лить 2) клева́ть (*о рыбе*) 3) коло́ть, руби́ть (*саблей*) 4) жечь (*о перце, горчице и т. п.*) 5) щипа́ть, куса́ть (*о морозе*) 6) трави́ть, разъеда́ть (*о кислотах*; *обыкн.* ~ in) 7) язви́ть, коло́ть 8) приня́ть, ухвати́ться (*за предложение*) 9) (*pass.*) попада́ться, поддава́ться обма́ну 10) *тех.* сцепля́ться; the wheels will not ~ колёса скользя́т; the brake will not ~ то́рмоз не берёт ▭ ~ off отку́сывать ◇ to ~ off more than one can chew взя́ться за непоси́льное де́ло; переоцени́ть свои́ си́лы;

to ~ the dust (*или* the ground, the sand) а) быть уби́тым; б) па́дать ниц; быть пове́рженным во прах; быть побеждённым; to ~ one's thumb at smb. *уст.* вы́сказать своё презре́ние кому́-л.; to ~ smb.'s head off гру́бо отве́тить, огрызну́ться; to ~ the hand that feeds one отплати́ть чёрной неблагода́рностью

biter [ˈbaɪtə] *n* 1) тот, кто куса́ет 2) куса́ющееся живо́тное ◇ the ~ bit ≅ попа́лся, кото́рый куса́лся

biting [ˈbaɪtɪŋ] **1.** *pres. p. от* bite 2

2. *a* 1) о́стрый, е́дкий 2) язви́тельный, ре́зкий

bitt [bɪt] *n мор.* кнехт; би́тенг

bitten [ˈbɪtn] *p. p. от* bite 2 ◇ to be ~ with зажéчься (*чем-л.*); once ~ twice shy *посл.* ≅ обжёгшись на молоке́, бу́дешь дуть и на́ воду; пу́ганая воро́на (и) куста́ бои́тся

bitter [ˈbɪtə] **1.** *a* 1) го́рький; ~ as gall (*или* wormwood) го́рький как полы́нь 2) го́рький, мучи́тельный 3) ре́зкий (*о словах*); е́дкий (*о замечании*) 4) ре́зкий, си́льный (*о ветре*) 5) ожесточённый; ~ enemy злéйший враг

2. *adv* 1) го́рько 2) ре́зко, жесто́ко 3) *употр. для усиления прилагательного* о́чень, ужа́сно; it was ~ cold бы́ло о́чень хо́лодно

3. *n* 1) го́рькое пи́во 2) го́речь

bitter end [ˌbɪtərˈend] *n разг.*: to the ~ до конца́, до упо́ра; to struggle to the ~ боро́ться до конца́

bitter-ender [ˌbɪtərˈendə] *n* не иду́щий на компроми́сс, сто́йкий, принципиа́льный челове́к

bitterish [ˈbɪtərɪʃ] *a* горькова́тый

bitterly [ˈbɪtəlɪ] *adv* го́рько *и пр.* [*см.* bitter 1]

bittern I [ˈbɪtn] *n зоол.* выпь

bittern II [ˈbɪtn] *n* ма́точный раство́р (*в солеварнях*)

bitterness [ˈbɪtənəs] *n* го́речь *и пр.* [*см.* bitter 1]

bitters [ˈbɪtəz] *n pl* 1) го́рькая насто́йка 2) го́рькое лека́рство

bitter salt [ˈbɪtəsɔːlt] *n мед.* го́рькая соль

bittersweet [ˈbɪtəswiːt] *a* горькова́то-сла́дкий

bitty [ˈbɪtɪ] *a неодобр.* 1) разро́зненный; разноше́рстный 2) бессвя́зный, бессисте́мный

bitumen [ˈbɪtʃʊmɪn] *n* биту́м; асфа́льт

bituminous [bɪˈtjuːmɪnəs] *a* биту́мный, битумино́зный; ~ concrete биту́мный бето́н, асфальтобето́н

bivalent [ˌbaɪˈveɪlənt] *a* двухвале́нтный

bivalve [ˈbaɪvælv] *зоол.* **1.** *n* двуство́рчатый моллю́ск

2. *a* двуство́рчатый

bivouac [ˈbɪvʊæk] **1.** *n* бива́к; to go into ~ располага́ться бива́ком

2. *v* располага́ться, стоя́ть бива́ком

bivvy [ˈbɪvɪ] *n* (*сокр. от* bivouac) *sl.* 1) бива́к 2) пала́тка

biweekly [ˌbaɪˈwiːklɪ] **1.** *a* 1) выходя́щий раз в две неде́ли 2) выходя́щий два ра́за в неде́лю

2. *adv* 1) раз в две неде́ли 2) два ра́за в неде́лю

3. *n* журна́л (изда́ние), выходя́щий (-ее) раз в две неде́ли

biz [bɪz] *разг. см.* business I

bizarre [bɪˈzɑː] *a* стра́нный, причу́дливый, эксцентри́чный

blab [blæb] **1.** *n* 1) болту́н 2) болтовня́

2. *v* болта́ть (*о чём-л.*); разба́лтывать

blabber [ˈblæbə] **1.** *n* болту́н; сплéтник

2. *v* болта́ть, спле́тничать

black [blæk] **1.** *a* 1) чёрный; ~ character = black letter 2) тёмный 3) темноко́жий; сму́глый 4) мра́чный, уны́лый; безнадёжный; things look ~ положе́ние ка́жется безнадёжным 5) серди́тый, злой; ~ looks злы́е взгля́ды; to look ~ вы́глядеть мра́чным, хму́риться 6) дурно́й; he is not so ~ as he is painted он не так плох, как его́ изобража́ют 7) гря́зный (*о руках, белье*) 8) злове́щий ◇ ~ as ink а) чёрный как са́жа; б) мра́чный, безра́достный; ~ art чёрная ма́гия; B. Belt чёрный по́яс, ю́жные райо́ны США, где преоблада́ет негритя́нское населе́ние; the B. Country чёрная страна́, каменноу́гольный и железообраба́тывающий райо́н Ста́ффордшира и Уо́рикшира; ~ as hell (*или* night, pitch, my hat) тьма кроме́шная; ~ as sin (*или* thunder, a thundercloud) мрачне́е ту́чи; ~ and blue в синяка́х; to beat ~ and blue изби́ть до синяко́в, живо́го ме́ста не оста́вить; ~ and tan чёрный с ры́жими подпа́линами; B. and Tans *ист.* англи́йские кара́тельные отря́ды в Ирла́ндии по́сле пе́рвой мирово́й войны́, уча́ствовавшие в подавле́нии восста́ния шинфе́йнеров; ~ dog ≅ тоска́ зелёная; дурно́е настрое́ние, уны́ние; ~ gang *мор. жарг.* кочега́ры; ~ hand *sl.* ша́йка банди́тов; ~ in the face багро́вый (*от раздражения или напряжения*); to know ~ from white понима́ть что к чему́, быть себе́ на уме́; ~ hole ка́рцер

2. *n* 1) чёрный цвет, чернота́; to swear ~ is white называ́ть чёрное бе́лым, заве́домо говори́ть непра́вду 2) чёрная кра́ска, чернь; Berlin ~ чёрный лак для мета́лла 3) негр 4) чёрное пятно́ 5) пла́тье чёрного цве́та; тра́урное пла́тье

3. *v* 1) окра́шивать чёрной кра́ской 2) ва́ксить; to ~ boots чи́стить сапоги́ ва́ксой 3) черни́ть □ ~ out а) выма́рывать, зама́зывать текст чёрной кра́ской; не пропуска́ть, запреща́ть; б) маскирова́ть; затемня́ть; выключа́ть свет; в) *амер.* засекре́чивать; г) на мгнове́ние теря́ть созна́ние; д) заглуша́ть (*радиопередачу*)

blackamoor [ˈblækəmɔː] *n уст.* 1) негр 2) темноко́жий; ара́п

black and white [ˌblækənˈwaɪt] *n* 1) рису́нок перо́м 2): in ~ в пи́сьменной фо́рме; to put down in ~ написа́ть чёрным по бе́лому; напеча́тать 3) чёрно-бе́лое изображе́ние (*в кино, телевидении, фото*)

blackball [ˈblækbɔːl] **1.** *n* чёрный шар (*при баллотировке*)

2. *v* забаллоти́ровать

blackbeetle [ˈblækˌbiːtl] *n* чёрный тарака́н

blackberry [ˈblækbərɪ] *n* 1) ежеви́ка 2) *диал.* чёрная сморо́дина

blackbird [ˈblækbɜːd] *n* чёрный дрозд

blackboard [ˈblækbɔːd] *n* кла́ссная доска́

black body [ˌblækˈbɒdɪ] *n физ.* абсолю́тно чёрное те́ло

black book [ˈblækbʊk] = blacklist 1 ◇ to be in smb.'s ~ быть у кого́-л. в неми́лости

black box [ˈblækbɒks] *n тех., ав.* «чёрный я́щик»

black cap [ˈblækkæp] *n* суде́йская ша́почка, надева́емая при произнесе́нии сме́ртного пригово́ра

blackcap [ˈblækkæp] *n* сла́вка-черноголо́вка (*птица*)

black-chalk [ˈblæktʃɔːk] *n мин.* графи́т

blackcock [ˈblækkɒk] *n* те́терев

black comedy [ˌblækˈkɒmədɪ] *n театр.* «чёрная коме́дия»

blackcurrant [ˌblækˈkʌrənt] *n* чёрная сморо́дина

blackdamp [ˈblækdæmp] *n* рудни́чный газ

Black Death [ˌblækˈdeθ] *n ист.* «чёрная смерть» (*чума в Европе в 1348—49 гг.*)

black draught [ˌblækˈdrɑːft] *n* слаби́тельное (*из александрийского листа*)

black earth [ˌblækˈɜːθ] *n* чернозём

blacken [ˈblækən] *v* 1) черни́ть; па́чкать 2) черне́ть; загора́ть

black eye [ˌblækˈaɪ] *n* синя́к под гла́зом

blackface [ˈblækfeɪs] *n* актёр, выступа́ющий в ро́ли не́гра; to appear in ~ выступа́ть в ро́ли не́гра

blackfly [ˈblækflaɪ] *n зоол.* 1) мо́шка 2) тля

black friar [ˌblækˈfraɪə] *n* доминика́нец (*монах*)

blackguard [ˈblægɑːd] **1.** *n* подле́ц, мерза́вец

2. *a* ме́рзкий

3. *v* руга́ться, сквернослóвить

blackguardism [ˈblægɑːdɪzəm] *n* 1) по́длое поведе́ние 2) сквернослóвие; брань

blackguardly [ˈblægɑːdlɪ] **1.** *a* = blackguard 2

2. *adv* ме́рзко

blackhead [ˈblækhed] *n* 1) у́горь (*на лице*) 2) чéрнеть морска́я (*птица*)

black hole [ˌblækˈhəʊl] *n* 1) *астр.* «чёрная дыра́» 2) ме́сто заключе́ния (*особ. в армии*)

blacking [ˈblækɪŋ] **1.** *pres. p. от* black 3

2. *n* ва́кса

blacking-out [ˈblækɪŋˌaʊt] *n* 1) = blackout 2) выма́рывание (це́нзором) те́кста

blackish [ˈblækɪʃ] *a* черновáтый

blackjack [ˈblækdʒæk] **1.** *n* 1) кувши́н

для пи́ва *и т. п.* 2) пира́тский флаг 3) *амер. разг.* дуби́нка 4) *мин.* сфалери́т, ци́нковая обма́нка

2. *v амер. разг.* избива́ть дуби́нкой

black lead [ˌblæk'led] *n мин.* графи́т

blackleg ['blækleg] *n* 1) штрейкбре́хер 2) шу́лер, плут

black letter [ˌblæk'letə] *n* стари́нный англи́йский готи́ческий шрифт

black-letter [ˌblæk'letə] *a* старопеча́тный, со стари́нным готи́ческим шри́фтом; ~ book старопеча́тная кни́га ◇ ~ day бу́дний день

blacklist ['blæklɪst] **1.** *n* чёрный спи́сок

2. *v* вноси́ть в чёрный спи́сок

blacklisting ['blæklɪstɪŋ] **1.** *pres. p. от* blacklist 2

2. *n* занесе́ние в чёрный спи́сок

black magic [ˌblæk'mæʤɪk] *n* чёрная ма́гия, колдовство́

blackmail ['blækmeɪl] **1.** *n* шанта́ж; вымога́тельство

2. *v* шантажи́ровать; вымога́ть де́ньги

blackmailer ['blækmeɪlə] *n* шантажи́ст

Black Maria [ˌblækmə'ri:ə] *n sl.* тюре́мная каре́та, «чёрный во́рон»

black market [ˌblæk'mɑ:kɪt] *n* чёрный ры́нок

black marketeer [ˌblækmɑ:kɪ'tɪə] *n* торгу́ющий на чёрном ры́нке, спекуля́нт

Black Mass [ˌblæk'mæs] *n* 1) ре́квием 2) «чёрная ме́сса», кото́рую слу́жат в честь сатаны́

black monk ['blækmʌŋk] *n* бенедикти́нец (*монах*)

blackness ['blæknəs] *n* чернота́; темнота́; мра́чность

blackout ['blækaʊt] *n* 1) *театр.* выключе́ние све́та в зри́тельном за́ле и на сце́не 2) затемне́ние (*в связи с противовоздушной обороной*) 3) вре́менное отсу́тствие электри́ческого освеще́ния (*вследствие аварии и т. п.*) 4) затемне́ние созна́ния; прова́л па́мяти; вре́менная слепота́

Black Power [ˌblæk'paʊə] *n амер.* «Власть чёрных» (*лозунг негритянского движения в США, требующий большего участия негров в политической и культурной жизни страны*)

black pudding [ˌblæk'pʊdɪŋ] *n* кровяна́я колбаса́

black sheep [ˌblæk'ʃi:p] *n разг.* «парши́вая овца́», вы́родок, позо́р семьи́

blackshirt ['blækʃɜ:t] *n* фаши́ст, чернору́башечник

blacksmith ['blæksmɪθ] *n* кузне́ц

black spot ['blækspɒt] *n* опа́сное ме́сто на доро́ге

blackstrap ['blækstræp] *n* дешёвый портве́йн *или* ром, сме́шанный с па́токой

blackthorn ['blækθɔ:n] *n бот.* сли́ва колю́чая, тёрн

blacky ['blækɪ] **1.** *a* чернова́тый

2. *n разг.* черноко́жий, негр

bladder ['blædə] *n* 1) *анат.* мочево́й пузы́рь 2) пузы́рь 3) ка́мера; football ~ футбо́льная ка́мера 4) пустоме́ля

bladdery ['blædərɪ] *a* 1) пузы́рчатый 2) пусто́й, по́лый

blade [bleɪd] *n* 1) ле́звие; клино́к; полотно́ (*пилы*) 2) ло́пасть (*винта, весла*) 3) лист, были́нка 4) крыло́ (*семафора*); перо́ (*руля*) 5) (*обыкн. уст. разг.*) па́рень; a jolly old ~ весельча́к

blaeberry ['bleɪbərɪ] *n диал.* черни́ка

blag [blæg] *sl.* **1.** *n* разбо́йное нападе́ние

2. *v* гра́бить

blague [blɑ:g] *фр. n* хвастовство́, пуска́ние пы́ли в глаза́

blah [blɑ:] *n разг.* чепуха́, вздор

blain [bleɪn] *n* нары́в

blame [bleɪm] **1.** *n* 1) отве́тственность; to bear the ~, to take the ~ upon oneself приня́ть на себя́ вину́; to lay the ~ on (*или* upon) smb., to lay the ~ at smb.'s door возложи́ть вину́ на кого́-л.; to lay the ~ at the right door (*или* on the right shoulders) обвиня́ть того́, кого́ сле́дует; to shift the ~ on smb. свали́ть вину́ на кого́-л. 2) порица́ние; упрёк

2. *v* порица́ть; счита́ть вино́вным; he is to ~ for it он винова́т в э́том; she ~d it on him она́ счита́ла его́ вино́вным (в э́том)

blameful ['bleɪmfʊl] = blameworthy

blameless ['bleɪmləs] *a* безупре́чный

blameworthy ['bleɪmˌwɜ:ðɪ] *a* заслу́живающий порица́ния

blanch [blɑ:ntʃ] *v* 1) бели́ть, отбе́ливать 2) бледне́ть (*от страха и т. п.*) 3) обесцве́чивать (*растения*) 4) обва́ривать и снима́ть шелуху́ 5) бланширова́ть 6) луди́ть 7) чи́стить до бле́ска (*металл*) ▭ ~ over обеля́ть, выгора́живать

blancmange [blə'mɒnʤ] *n* бланмáнже

bland [blænd] *a* 1) ве́жливый; ла́сковый; вкра́дчивый 2) мя́гкий (*тж. о климате*) 3) безвку́сный; успока́ивающий (*о лекарстве*)

blandish ['blændɪʃ] *v* 1) задáбривать, упра́шивать, угова́ривать 2) льсти́ть

blandishment ['blændɪʃmənt] *n* (*обыкн. pl*) 1) угова́ривание, упра́шивание 2) льсти́вая речь

blandly ['blændlɪ] *adv* ве́жливо, ла́сково, мя́гко

blank [blæŋk] **1.** *a* 1) пусто́й; чи́стый; неиспи́санный (*о бумаге*); незапо́лненный (*о бланке, документе*); ~ cheque чек на предъяви́теля без обозначе́ния су́ммы опла́ты 2) незастро́енный (*о месте*) 3) лишённый содержа́ния; бессодержа́тельный; his memory is ~ on the subject он ничего́ не по́мнит об э́том; ~ look бессмы́сленный взгляд 4) озада́ченный, смущённый; to look ~ каза́ться озада́ченным 5) по́лный; чисте́йший; ~ silence абсолю́тное молча́ние; ~ despair по́лное отча́яние 6) сплошно́й; ~ wall глуха́я стена́; ~ window ло́жное, слепо́е окно́ ◇ ~ verse бе́лый стих; ~ cartridge холосто́й патро́н; to give a ~ cheque предоста́вить свобо́ду де́йствий, дать карт-бла́нш

2. *n* 1) пусто́е, свобо́дное ме́сто 2) бланк 3) пробе́л; пустота́ (*душевная*); my mind is a complete ~ я ничего́ не по́мню 4) тире́ (*вместо пропущенного или нецензурного слова*) 5) пусто́й лотере́йный биле́т; to draw a ~ вы́нуть пусто́й биле́т; *перен.* потерпе́ть неуда́чу 6) *воен.* бе́лый круг мише́ни; цель 7) *тех.* загото́вка; болва́нка

3. *v* 1) закрыва́ть, прикрыва́ть, загора́живать 2) *амер.* нанос́ить кру́пное пораже́ние; обы́грывать «всуху́ю»

blanket ['blæŋkɪt] **1.** *n* 1) шерстяно́е одея́ло 2) попо́на, чепра́к 3) что-л. закрыва́ющее, покрыва́ющее; покро́в 4) *геол.* нано́с; пове́рхностный слой; отложе́ние; покро́в ◇ born on the wrong side of the ~ рождённый вне бра́ка, незаконнорождённый; to put a wet ~ on smb., to throw a wet ~ over smb. охлажда́ть чей-л. пыл; to play the wet ~ расхола́живать

2. *a* 1) о́бщий, по́лный, всеобъе́млющий, всеохва́тывающий; без осо́бых огово́рок *или* указа́ний; огу́льный 2): ~ sheet *амер.* газе́тный лист большо́го форма́та ◇ ~ finish одновре́ме́нное оконча́ние го́нки сра́зу не́сколькими уча́стниками

3. *v* 1) покрыва́ть (одея́лом) 2) *уст.* подбра́сывать на одея́ле 3) охва́тывать, включа́ть в себя́ 4) заглуша́ть (*шум, радиопередачу и т. п.*) 5) *мор.* отня́ть ве́тер

blanketing ['blæŋkɪtɪŋ] *n* материа́л для одея́л

blankly ['blæŋklɪ] *adv* 1) безуча́стно; ту́по, невырази́тельно 2) беспо́мощно 3) пря́мо, реши́тельно 4) кра́йне

blare [bleə] **1.** *n* зву́ки труб; рёв

2. *v* гро́мко труби́ть

blarney ['blɑ:nɪ] *разг.* **1.** *n* 1) лесть 2) вздор, чушь

2. *v* обма́нывать ле́стью; льсти́ть

blasé ['blɑ:zeɪ] *a* пресы́щенный

blaspheme [blæs'fi:m] *v* поноси́ть; богоху́льствовать

blasphemous ['blæsfəməs] *a* богоху́льный

blasphemy ['blæsfəmɪ] *n* богоху́льство

blast [blɑ:st] **1.** *n* 1) си́льный поры́в ве́тра 2) пото́к во́здуха 3) взрыв 4) звук (*духового инструмента*) 5) взрывна́я волна́ 6) *разг.* стро́гий вы́говор, разно́с 7) вреди́тель, боле́знь (*растений*) 8) *тех.* форси́рованная тя́га; дутьё; to be in (out of) ~ рабо́тать по́лным хо́дом (стоя́ть) (*о доменной печи*) 9) воздуходу́вка ◇ at full ~ в по́лном разга́ре (*о работе и т. п.*)

2. *v* 1) взрыва́ть 2) вреди́ть (*растениям и т. п.*) 3) разруша́ть (*планы, надежды*) 4) *тех.* дуть, продува́ть 5) *разг.* разноси́ть, отчи́тывать 6) проклина́ть

blasted ['blɑ:stɪd] **1.** *p. p. от* blast 2

2. *a* 1) разру́шенный 2) проклятый

blastema [blæs'ti:mə] *n* (*pl* -mas, -mata [-mətə]) *биол.* бласте́ма

blast furnace ['blɑ:stˌfɜ:nɪs] *n* до́мна, до́менная печь

blasting ['blɑ:stɪŋ] **1.** *pres. p. от* blast 2

2. *a* 1) губи́тельный 2) взры́вчатый, подрывно́й; ~ cartridge подрывна́я ша́шка; ~ oil нитроглицери́н (*взрывчатое вещество*)

3. *n* 1) по́рча, ги́бель 2) подрывны́е рабо́ты; пале́ние шпуро́в 3) дутьё 4) *радио* дребезжа́ние (*громкоговорителя*)

blastoderm ['blæstəʊdɜ:m] *n биол.* бластоде́рма

blast-off ['blɑ:stɒf] *n* взлёт (*ракеты*); старт (*космического корабля*)

blastula ['blæstjʊlə] *n* (*pl* -ae) *биол.* бла́стула, заро́дышевый пузы́рь

blastulae ['blæstjʊli:] *pl от* blastula

blatancy ['bleɪtənsɪ] *n* крикли́вость, вульга́рность

blatant ['bleɪtnt] *a* 1) ужа́сный, вопию́щий 2) крикли́вый, вульга́рный 3) очеви́дный, я́вный; a ~ lie я́вная ложь

blather ['blæðə] = blether

blatherskite ['blæðəskaɪt] = bletherskate

blaze I [bleɪz] **1.** *n* 1) пла́мя; in a ~ в огне́ 2) я́ркий свет *или* цвет 3) вспы́шка (*огня, страсти*) 4) блеск, великоле́пие 5) *pl sl.* ад; go to ~s! убира́йтесь к чёрту!; like ~s с я́ростью; неи́стово; what the ~s! како́го чёрта! ◇ ~ of publicity по́лная гла́сность

2. *v* 1) горе́ть я́рким пла́менем 2) сия́ть, сверка́ть 3) кипе́ть; he was blazing with fury он кипе́л от гне́ва ▭ ~ **away** а) *воен.* подде́рживать непреры́вный ого́нь (at); б) бы́стро *или* горячо́ говори́ть, выпа́ливать; в) рабо́тать с увлече́нием (at); ~ away! валя́й, жарь!; ~ **up** вспы́хнуть

blaze II [bleɪz] **1.** *n* 1) бе́лая звёздочка (*на лбу животного*) 2) ме́тка, клеймо́ (*на дереве*)

2. *v* клейми́ть (*деревья*); де́лать значки́ (*на чём-л.*); отмеча́ть (*дорогу*) зару́бками; to ~ a trail прокла́дывать путь в лесу́, де́лая зару́бки на дере́вьях; *перен.* прокла́дывать путь

blaze III [bleɪz] *v* разглаша́ть (*часто* ~ abroad)

blazer ['bleɪzə] *n* бле́йзер, клу́бный пиджа́к

blazing I ['bleɪzɪŋ] **1.** *pres. p. от* blaze I, 2

2. *a* 1) я́рко горя́щий 2) я́вный, заве́домый; ~ scent *охот.* горя́чий след

blazing II ['bleɪzɪŋ] *pres. p. от* blaze II, 2 *и* III

blazon ['bleɪzn] **1.** *n* 1) герб; эмбле́ма 2) прославле́ние

2. *v* 1) украша́ть геральди́ческими зна́ками 2) = blaze III

blazonry ['bleɪznrɪ] *n* 1) гербы́ 2) гера́льдика 3) великоле́пие, блеск; блестя́щее представле́ние

bleach [bli:tʃ] **1.** *n* 1) отбе́ливающее вещество́; хло́рная и́звесть 2) отбе́ливание

2. *v* 1) бели́ть; отбе́ливать(ся); обесцве́чивать 2) побеле́ть

bleacher ['bli:tʃə] *n* 1) отбе́льщик 2) бели́льный бак 3) (*обыкн. pl*) *амер. спорт.* места́ на откры́той трибу́не

bleaching powder ['bli:tʃɪŋ,paʊdə] *n* бели́льная (*или* хло́рная) и́звесть

bleak I [bli:k] *a* 1) откры́тый, незащищённый от ве́тра 2) холо́дный; суро́вый (*о климате*) 3) лишённый расти́тельности 4) уны́лый; мра́чный (*о выражении лица*) 5) бесцве́тный, бле́дный

bleak II [bli:k] *n* укле́йка (*рыба*)

bleakness ['bli:knəs] *n* оголённость (*местности*) *и пр.* [*см.* bleak I]

blear [blɪə] *уст.* **1.** *a* затума́ненный; нея́сный; сму́тный

2. *v* затума́нивать (*взор, полированную поверхность и т. п.*); to ~ the eyes тума́нить взор; *перен.* сбива́ть с то́лку

bleary ['blɪərɪ] *a* 1) затума́ненный (*о зрении, особ. от усталости*) 2) нея́сный, сму́тный

bleary-eyed [,blɪərɪ'aɪd] *a* 1) с затума́ненными глаза́ми 2) непроница́тельный, недальнови́дный 3) тупова́тый

bleat [bli:t] **1.** *n* бле́яние; мыча́ние (*телёнка*)

2. *v* 1) бле́ять; мыча́ть (*о телёнке*) 2) говори́ть глу́пости 3) ныть, скули́ть, жа́ловаться

bleb [bleb] *n* 1) волды́рь 2) пузырёк во́здуха (*в воде, стекле*); ра́ковина (*в металле*)

bled [bled] *past и p. p. от* bleed

bleed [bli:d] **1.** *v* (bled) 1) кровоточи́ть; истека́ть кро́вью; my heart ~s се́рдце кро́вью облива́ется 2) пуска́ть кровь 3) вымога́ть де́ньги 4) подверга́ться вымога́тельству 5) пролива́ть кровь 6) сочи́ться (*о деревьях*); подса́чивать (*деревья*) 7) продува́ть; спуска́ть (*воду*); опора́жнивать (*бак и т. п.*) 8) *полигр.* обреза́ть страни́цу в край (*не оставляя полей; тж.* ~ off) ◇ to ~ white а) обескро́вить; б) обобра́ть до ни́тки; выкача́ть де́ньги

2. *a полигр.* напеча́танный в край страни́цы, без поле́й

bleeder ['bli:də] *n* 1) *sl.* вымога́тель 2) *разг.* гемофи́лик 3) *тех.* предохрани́тельный кла́пан (*на трубопроводе*); кран для спу́ска воды́

bleeding ['bli:dɪŋ] **1.** *pres. p. от* bleed 1

2. *n* 1) кровотече́ние 2) кровопуска́ние

3. *a* 1) облива́ющийся, истека́ющий кро́вью 2) обескро́вленный, обесси́ленный 3) по́лный жа́лости, сострада́ния ◇ ~ heart *разг.* мягкоте́лый челове́к

bleep [bli:p] *n* 1) сигна́л спу́тника Земли́ 2) *эл.* коро́ткий сигна́л, «бип»

bleeper ['bli:pə] *n* преры́вистый звуково́й сигна́л

blemish ['blemɪʃ] **1.** *n* 1) недоста́ток 2) пятно́, позо́р

2. *v* 1) по́ртить, вреди́ть 2) пятна́ть; позо́рить

blench I [blentʃ] *v* 1) уклоня́ться; отступа́ть (*перед чем-л.*) 2) закрыва́ть глаза́ на *что-л.*

blench II [blentʃ] *v* бели́ть, отбе́ливать

blend [blend] **1.** *n* 1) смесь 2) перехо́д одного́ цве́та *или* одного́ отте́нка в друго́й

2. *v* (blended [-ɪd], blent) 1) сме́шивать(ся); изготовля́ть смесь; oil and water will never ~ ма́сло с водо́й не сме́шивается 2) сочета́ться, гармони́ровать 3) незаме́тно переходи́ть из отте́нка в отте́нок (*о красках*) 4) стира́ться (*о различиях*)

blende [blend] *n мин.* сфалери́т, ци́нковая обма́нка

blender ['blendə] *n* 1) смеси́тель, ми́ксер 2) меша́лка 3) *разг.* общи́тельный челове́к

Blenheim ['blenɪm] *n* 1) разнови́дность спание́ля 2): ~ Orange бле́ним (*сорт золотистых яблок*)

blent [blent] *past и p. p. от* blend 2

bless [bles] *v* (blessed [-t], blest) 1) благословля́ть; освяща́ть; to ~ oneself *уст.* перекрести́ться; to ~ one's stars благодари́ть судьбу́ 2) славосло́вить 3) де́лать счастли́вым, осчастли́вливать 4) *эвф.* проклина́ть ◇ to ~ the mark *уст.* а) с позволе́ния сказа́ть; б) бо́же сохрани́ (что́бы); ~ me (*или* my soul), ~ my (*или* your) heart, God ~ me (*или* you), ~ you, I'm blest *выражение удивления, негодования*; I haven't a penny to ~ myself у меня́ нет ни гроша́ за душо́й

blessed 1. [blest] *p. p. от* bless

2. *a* ['blesɪd] 1) счастли́вый, блаже́нный 2) *эвф.* прокля́тый

blessedness ['blesɪdnəs] *n* сча́стье, блаже́нство; single ~ *шутл.* безбра́чие, холоста́я жизнь

blessing ['blesɪŋ] **1.** *pres. p. от* bless

2. *n* 1) благослове́ние 2) бла́го, благодея́ние 3) блаже́нство, сча́стье 4) моли́тва (*до или после еды*) ◇ a ~ in disguise ≅ не́ было бы сча́стья, да несча́стье помогло́; нет ху́да без добра́, неприя́тность, оказа́вшаяся благодея́нием

blest [blest] **1.** *past и p. p. от* bless

2. *a поэт. см.* blessed

blether ['bleðə] **1.** *n* болтовня́, вздор

2. *v* болта́ть вздор; треща́ть

bletherskate ['bleðəskeɪt] *n разг.* болту́н

blew I, II [blu:] *past от* blow II, 2 *и* III, 2

blewits ['blu:ɪts] *n* шля́почный гриб

blight [blaɪt] **1.** *n* 1) боле́знь расте́ний (*выражающаяся в увядании и опадании листьев без гниения*) 2) насеко́мые-парази́ты на расте́ниях 3) вре́дное, па́губное влия́ние

2. *v* 1) приноси́ть вред (*растениям*) 2) разбива́ть (*надежды и т. п.*); отравля́ть (*удовольствие*)

blighter ['blaɪtə] *n разг.* неприя́тный, ну́дный челове́к

Blighty ['blaɪtɪ] *воен. жарг.* **1.** *n* А́нглия, ро́дина ◇ a ~ one ране́ние, обеспе́чивающее отпра́вку на ро́дину

2. *adv* в А́нглию, на ро́дину

blimey ['blaɪmɪ] *int sl.* чтоб мне провали́ться!, иди́ ты!

blimp [blɪmp] *n разг.* 1): (Colonel) B.

(полкóвник) Блимп, крáйний консервáтор, «твердолóбый» 2) *воен.* дирижáбль

blind [blaɪnd] **1.** *a* 1) слепóй; ~ in one eye слепóй на оди́н глаз; ~ flying *ав.* слепóй полёт, полёт по прибóрам; to be ~ to smth. не быть в состоя́нии оцени́ть что-л. 2) слéпо напечáтанный; нея́сный; ~ hand нечёткий пóчерк; ~ path éле замéтная тропи́нка; ~ letter письмó без áдреса *или* с непóлным, нечётким áдресом 3) дéйствующий вслепу́ю, безрассу́дно; to go it ~ игрáть втёмную; дéйствовать вслепу́ю, безрассу́дно 4) непровéренный, не оснóванный на знáнии, фáктах 5) слепóй, не выходя́щий на повéрхность (*о шахте, жиле*) 6) глухóй, сплошнóй (*о стене и т. п.*) 7) *sl.* пья́ный (*тж.* ~ drunk); ~ to the world вдрéбезги пья́ный 8) *кул.* без начи́нки ◇ ~ date *разг.* а) свидáние с незнакóмым человéком; б) незнакóмец (-ка), с котóрым (-ой) назнáчено свидáние; ~ pig (*или* tiger) *амер. sl.* бар, где незакóнно торгу́ют спиртны́ми напи́тками; ~ shell неразорвáвшийся *или* незаря́женный снаря́д; the ~ side (of a person) (чья-л.) слáбая стру́нка, (чьё-л.) слáбое мéсто; to turn a ~ eye закрывáть глазá (*на что-л.*)

2. *n* 1) (the ~) *pl собир.* слепы́е 2) штóра; марки́за; жалюзи́ (*тж.* Venetian ~); стáвень 3) предлóг, отговóрка; улóвка, обмáн 4) *опт.* диафрáгма, блéнда 5) *sl.* запóй

3. *v* 1) ослепля́ть; слепи́ть 2) затемня́ть; затмевáть 3) *воен.* ослепля́ть 4) *опт.* диафрагми́ровать 5) *разг.* вести́ маши́ну, пренебрегáя прáвилами движéния

blindage ['blaɪndɪdʒ] *n* блиндáж

blind alley [,blaɪnd'ælɪ] **1.** *n* тупи́к; *перен.* безвы́ходное положéние

2. *a* бесперспекти́вный; безвы́ходный; ~ employment (*или* occupation) бесперспекти́вная рабóта

blinders ['blaɪndəz] *n pl* шóры

blindfold ['blaɪndfəʊld] **1.** *a* 1) с завя́занными глазáми 2) дéйствующий вслепу́ю; безрассу́дный; не ду́мающий

2. *adv* 1) с завя́занными глазáми 2) вслепу́ю; безрассу́дно

3. *v* 1) завя́зывать глазá 2) обмáнывать, одурáчивать

blind gut ['blaɪndgʌt] *n анат.* слепáя кишкá

blinding ['blaɪndɪŋ] *n дор.* мéлкий заполня́ющий материáл

blindly ['blaɪndlɪ] *adv* 1) слéпо, безрассу́дно 2) как слепóй

blind man's buff [,blaɪndmænz'bʌf] *n* жму́рки

blindness ['blaɪndnəs] *n* 1) слепотá 2) ослеплéние; безрассу́дство

blind spot ['blaɪndspɒt] *n* 1) *мед.* слепóе пятнó 2) незнакóмая óбласть, «бéлое пятнó» (*в науке, технике и т. п.*) 3) часть дорóги, неви́димая води́телю маши́ны

blink [blɪŋk] **1.** *n* 1) мерцáние 2) миг; in a ~ в оди́н миг 3) óтблеск льда (*на горизонте*) ◇ on the ~ *sl.* а) в плохóм состоя́нии, не в поря́дке б) при послéднем издыхáнии

2. *v* 1) мигáть; щу́риться 2) мерцáть 3) закрывáть глазá (at — на *что-л.*)

blinker ['blɪŋkə] *n* 1) *pl* наглáзники, шóры; to be (*или* to run) in ~s имéть шóры на глазáх 2) *воен.* светосигнáльный аппарáт

blinking ['blɪŋkɪŋ] **1.** *pres. p. от* blink 2

2. *a sl.* чертóвский, дья́вольский

blip [blɪp] *n* изображéние на экрáне радáра

bliss [blɪs] *n* блажéнство, счáстье

blissful ['blɪsfl] *a* блажéнный, счастли́вый

blister ['blɪstə] **1.** *n* 1) волды́рь, водянóй пузы́рь 2) *тех.* рáковина (*в металле*); пленá (*в листовом железе*) 3) вытяжнóй плáстырь

2. *v* 1) вызывáть пузыри́ 2) покрывáться волдыря́ми, пузыря́ми 3) *разг.* му́чить, надоедáть

blister beetle ['blɪstə,bi:tl] = blister-fly

blister-fly ['blɪstəflaɪ] *n* шпáнская му́шка

blithe [blaɪð] *a* (*обыкн. поэт.*) 1) весёлый, жизнерáдостный 2) беспéчный

blither ['blɪðə] *диал.* = blether

blithering ['blɪðərɪŋ] **1.** *pres. p. от* blither

2. *a разг.* 1) болтли́вый 2) совершéнный, закóнченный 3) презрéнный

blithesome ['blaɪðsəm] = blithe

blitz [blɪts] *разг.* **1.** *n* 1) = blitzkrieg 2) внезáпное нападéние, *особ.* масси́рованная бомбардирóвка, бомбёжка

2. *v* разгроми́ть, разбомби́ть

blitzkrieg ['blɪtskri:g] *n* молниенóсная войнá, бли́цкриг

blizzard ['blɪzəd] *n* снéжная бу́ря, бурáн

bloat I [bləʊt] *v* раздувáться, пу́хнуть (*обыкн.* ~ out)

bloat II [bləʊt] *v* копти́ть (*рыбу*)

bloated I ['bləʊtɪd] **1.** *p. p. от* bloat I

2. *a* 1) жи́рный, обрю́згший 2) разду́тый; ~ aristocrat «ду́тый аристокрáт», надмéнный, наду́тый человéк; ~ budget разду́тый бюджéт

bloated II ['bləʊtɪd] **1.** *p. p. от* bloat II

2. *a* копчёный

bloater ['bləʊtə] *n* копчёная ры́ба, *особ.* сельдь

blob [blɒb] **1.** *n* 1) мáленький шáрик (*земли, глины и т. п.*) 2) кáпля 3) *sl.* нуль (*при счёте в крикете*)

2. *v* дéлать кля́ксы

bloc [blɒk] *n* блок, объединéние

block [blɒk] **1.** *n* 1) чурбáн, колóда 2) глы́ба (*камня*); блок (*для стройки*) 3) квартáл (*города*); жили́щный масси́в 4) гру́ппа, мáсса однорóдных предмéтов; ~ of shares *фин.* пакéт áкций; in ~ всё вмéсте, целикóм 5) плáха; the ~ казнь на плáхе 6) деревя́нная печáтная фóрма 7) болвáн, фóрма (*для шляп*) 8) блокнóт 9) ку́бик (*концентрата*) 10) *pl* ку́бики; «строи́тель» (*игрушка*) 11) шáшка (*подрывная, дымовая*) 12) прегрáда; затóр (*движения*) 13) *ж.-д.* блокирóвка; блокпóст 14) *тех.* блок, шкив 15) *горн.* цели́к 16) *sl.* башкá 17) *разг.* болвáн, тупи́ца 18) *attr.*: ~ grant единоврéменная субси́дия

2. *v* 1) преграждáть; задéрживать; блоки́ровать (*обыкн.* ~ up); to ~ the access закры́ть дóступ 2) препя́тствовать, создавáть препя́тствия; to ~ progress стоя́ть на пути́ прогрéсса 3) *парл.* задéрживать (*прохождение законопроекта*) 4) набрáсывать вчерне́ (*обыкн.* ~ in, ~ out) 5) *фин.* блоки́ровать, задéрживать, заморáживать 6) засоря́ть(ся)

blockade [blɒ'keɪd] **1.** *n* 1) блокáда; to raise (to run) the ~ снять (прорвáть) блокáду 2) *амер.* затóр (*движения*)

2. *v* блоки́ровать

blockage ['blɒkɪdʒ] *n* 1) заграждéние; препя́тствие 2) блокирóвка

block-booking [,blɒk'bʊkɪŋ] *n* принуди́тельный ассортимéнт кинофи́льмов, навя́зываемый кинотеáтрам кинопромы́шленниками

blockbuster ['blɒk,bʌstə] *n sl.* 1) супербоеви́к (*о фильме*); огрóмная кни́га 2) сверхмóщная фугáсная бóмба

blocked [blɒkt] **1.** *p. p. от* block 2

2. *a фин.* заморóженный; блоки́рованный; ~ accounts блоки́рованные счетá

blockhead ['blɒkhed] *n* болвáн

blockhouse ['blɒkhaʊs] *n* 1) *стр.* сруб 2) *уст.* блокгáуз

blockish ['blɒkɪʃ] *a* тупóй, глу́пый

block letter ['blɒk,letə] *n* прописнáя печáтная бу́ква

block printing ['blɒk,prɪntɪŋ] *n* ксилогрáфия

block signal ['blɒk,sɪgnl] *n ж.-д.* блок-сигнáл

bloke [bləʊk] *n sl.* пáрень, мáлый

blond(e) [blɒnd] **1.** *n* блонди́н

2. *a* белоку́рый, свéтлый

blonde [blɒnd] *n* 1) блонди́нка 2) шёлковая кружевнáя ткань

blood [blʌd] **1.** *n* 1) кровь; to let ~ пусти́ть кровь 2) уби́йство, кровопроли́тие 3) темперáмент, стрáстность; состоя́ние, настроéние; bad ~ враждéбность; cold ~ хладнокрóвие; in cold ~ хладнокрóвно; hot ~ горя́чность, вспы́льчивость; to make smb.'s ~ boil (creep) приводи́ть когó-л. в бéшенство (в содрогáние); his ~ is up он раздражён 4) род, происхождéние 5) родствó; родови́тость; full ~ чистокрóвная лóшадь; blue (*или* high) ~ аристократи́ческое происхождéние, «голубáя кровь»; it runs in his ~ э́то у негó в крови́, в роду́ 6) дéнди, свéтский человéк 7) сок (*плодов, растений*)

2. *v* 1) *охот.* приучáть собáку к крóви 2) приучáть (*кого-л. к чему-л.*)

blood bank ['blʌdbæŋk] *n* 1) храни́лище консерви́рованной крóви и плáзмы 2) запáс консерви́рованной крóви и плáзмы для перели́вания

bloodbath ['blʌdbɑ:θ] *n* резня́, бóйня

blood brother [ˌblʌd'brʌðə] *n* 1) родной брат 2) побратим

bloodcurdling ['blʌdˌkɜ:dlɪŋ] *a* чудовищный; вызывающий ужас; ~ sight зрелище, от которого кровь стынет в жилах

blooded ['blʌdɪd] 1. *p. p. от* blood 2

2. *a* чистокровный (*о лошади*)

blood feud ['blʌdfju:d] *n* родовая вражда; кровная месть

blood group ['blʌdgru:p] *n мед.* группа крови

bloodguilty ['blʌdˌgɪltɪ] *a юр.* виновный в убийстве *или* в чьей-л. смерти

blood heat ['blʌdhi:t] *n* нормальная температура тела

blood-horse ['blʌdhɔ:s] *n* чистокровная лошадь

bloodhound ['blʌdhaʊnd] *n* 1) ищейка (*порода собак*) 2) сыщик

bloodiness ['blʌdɪnəs] *n* кровожадность

bloodless ['blʌdləs] *a* 1) бескровный 2) истощённый; бледный 3) безжизненный, вялый

bloodletting ['blʌdˌletɪŋ] *n* 1) кровопускание 2) *шутл.* кровопролитие

bloodline ['blʌdlaɪn] *n* род, родословная

blood money ['blʌdˌmʌnɪ] *n* 1) вознаграждение наёмному убийце 2) вознаграждение семье убитого

blood orange ['blʌdˌɒrɪndʒ] *n* королёк (*сорт апельсина*)

blood poisoning ['blʌdˌpɔɪznɪŋ] *n* заражение крови

blood pressure ['blʌdˌpreʃə] *n* кровяное давление

blood pudding ['blʌdˌpʊdɪŋ] = black pudding

bloodshed ['blʌdʃed] *n* кровопролитие

bloodshot ['blʌdʃɒt] *a* налитый кровью (*о глазах*)

bloodstained ['blʌdsteɪnd] *a* 1) запачканный кровью 2) запятнанный кровью, виновный в убийстве

bloodstock ['blʌdstɒk] *n* породистые лошади, рысаки

bloodstone ['blʌdstəʊn] *n мин.* гелиотроп, кровавик

bloodsucker ['blʌdˌsʌkə] *n* 1) пиявка 2) кровопийца, паразит, эксплуататор

blood test ['blʌdtest] *n* анализ крови, исследование крови

bloodthirsty ['blʌdˌθɜ:stɪ] *a* кровожадный

blood transfusion ['blʌdtrænsˌfju:ʒn] *n мед.* переливание крови

blood vessel ['blʌdˌvesl] *n* кровеносный сосуд

bloodworm ['blʌdwɜ:m] *n* 1) красный дождевой червь 2) мотыль, личинка комаров-дергунов

bloody ['blʌdɪ] 1. *a* 1) окровавленный; кровавый; ~ flux дизентерия 2) кровожадный 3) *груб.* проклятый 4) кроваво-красного цвета ◇ B. Mary водка с томатным соком, «Кровавая Мэри»

2. *adv вульг.* чертовски, очень

3. *v* окровавить

bloody-minded [ˌblʌdɪ'maɪndɪd] *a разг.* делающий всё наперекор

bloom I [blu:m] 1. *n* 1) цвет, цветение; in ~ в цвету 2) цветущая часть растения 3) расцвет; to take the ~ off smth. испортить, загубить что-л. в самом расцвете 4) румянец 5) пушок (*на плодах*)

2. *v* цвести; расцветать (*тж. перен.*)

bloom II [blu:m] *n тех.* крица, стальная заготовка, блюм

bloomer I ['blu:mə] *n sl.* грубая ошибка; промах

bloomer II ['blu:mə] *n* городской батон

bloomers ['blu:məz] *n pl* женские спортивные брюки; шаровары

blooming I ['blu:mɪŋ] 1. *pres. p. от* bloom I, 2

2. *a* 1) цветущий 2) *эвф. см.* bloody 1, 3); a ~ fool набитый дурак

blooming II ['blu:mɪŋ] *n тех.* блюминг

blooming III ['blu:mɪŋ] *n тлв.* расплывание изображения

bloomy ['blu:mɪ] *a* цветущий

blooper ['blu:pə] *n амер. разг.* оговорка, досадная ошибка; промах

blossom ['blɒsəm] 1. *n* 1) цвет, цветение (*преим. плодовых деревьев*) 2) расцвет

2. *v* 1) цвести; распускаться; расцветать 2) преуспеть, добиться успеха (*обыкн.* ~ forth, ~ out)

blot [blɒt] 1. *n* 1) пятно 2) клякса, помарка 3) пятно; позор, бесчестье ◇ a ~ on the landscape ≅ ложка дёгтя в бочке мёда

2. *v* 1) пачкать 2) промокать (*промокательной бумагой*) 3) пятнать; бесчестить; to ~ one's copybook *разг.* замарать свою репутацию, совершить бесчестный поступок 4) грунтовать, окрашивать ▭ ~ out а) вычёркивать; стирать; б) заглаживать; в) уничтожать; a cloud has ~ted out the moon туча закрыла луну

blotch [blɒtʃ] 1. *n* 1) прыщ 2) пятно, клякса

2. *v* покрывать пятнами, кляксами

blotchy ['blɒtʃɪ] *a* покрытый пятнами, кляксами

blotter ['blɒtə] *n* 1) промокательная бумага 2) *амер.* книга записей

blotting-pad ['blɒtɪŋpæd] *n* блокнот с промокательной бумагой

blotting paper ['blɒtɪŋˌpeɪpə] *n* промокательная бумага

blotto ['blɒtəʊ] *a sl.* пьяный, одурманенный

blouse [blaʊz] *n* 1) блузка 2) гимнастёрка 3) рабочая блуза

blouson ['blu:zɒn] *n* блузон

blow I [bləʊ] *n* 1) удар; at a ~, at one ~ одним ударом; сразу; to come to ~s вступить в бой, в драку, дойти до рукопашной; to deal (*или* to strike, to deliver) a ~ наносить удар; to aim a ~ (at) замахнуться; to strike a ~ for помогать; to strike a ~ against противодействовать 2) несчастье, удар (*судьбы*)

blow II [bləʊ] 1. *n* 1) сильный порыв ветра 2) резкий выдох через нос, сморкание; give your nose a good ~! хорошо высморкайся! 3) сильный выдох при игре на духовом инструменте 4) *амер. разг.* хвастун 4) *тех.* дутьё; бессемерование 5) кладка яиц (*мухами*)

2. *v* (blew; blown) 1) дуть, веять 2) развевать; гнать (*о ветре*) 3) раздувать (*огонь, мехи; тж. перен*); выдувать (*стеклянные изделия*); продувать (*трубку и т. п.*); пускать (*пузыри*); to ~ bubbles пускать мыльные пузыри 4) дуть (*в свисток*) 5) играть (*на духовом инструменте*) 6) (*p. p.* blowed) *sl.* проклинать; I'll be ~ed if I know провалиться мне на этом месте, если я знаю 7) сморкаться (*тж.* to ~ one's nose) 8) пыхтеть, тяжело дышать 9) *sl.* удирать 10) взрывать (*обыкн.* ~ up); to ~ open взрывать, взламывать (*с помощью взрывчатки*); to ~ open a safe взломать сейф 11) выпускать фонтан (*о ките*) 12) *sl.* транжирить (*деньги*) 13) *sl.* упустить, проворонить (*шанс*) 14) *sl.* выдавать (*секрет*) 15) класть яйца (*о мухах*) 16) *амер., австрал. разг.* хвастаться ▭ ~ **about**, ~ **abroad** распространять (*слух, известие*); ~ **in** а) задуть, пустить (*доменную печь*); б) *разг.* (внезапно) появиться; влететь; в) взорвать и ворваться (*в крепость и т. п.*); ~ **off** а) *тех.* продувать; to ~ off steam выпустить пар; *перен.* дать выход избытку энергии; разрядиться; б) *разг.* мотать, транжирить (*деньги*); ~ **out** а) задувать, гасить, тушить (*свечу, керосиновую лампу и т. п.*); гаснуть (*от движения воздуха*); б) выдуть (*доменную печь*); в) лопнуть (*о шине и т. п.*); ~ **over** миновать, проходить (*о грозе, кризисе и т. п.*); ~ **up** а) раздувать; б) взрывать; to ~ up the hell перевернуть всё вверх дном; в) взлететь на воздух (*при взрыве*); г) *разг.* бранить, ругать; д) *фото* увеличивать; е) преувеличивать; ж) *разг.* выходить из себя; ~ **upon** а) лишать свежести, интереса; б) ронять во мнении; в) наговаривать; доносить ◇ to ~ out one's brains пустить пулю в лоб; ~ high, ~ low что бы ни случилось, во что бы то ни стало; to ~ hot and cold колебаться, постоянно менять точку зрения; to ~ the gaff (*или* the gab) *sl.* выдать секрет; проболтаться; to ~ one's top *sl.* разозлиться, прийти в бешенство

blow III [bləʊ] *уст.* 1. *n* цвет, цветение

2. *v* (blew; blown) цвести

blow-by-blow [ˌbləʊbaɪ'bləʊ] *a* методичный, выполненный во всех деталях; a ~ account детальнейший отчёт

blow-dry ['bləʊdraɪ] *v* сушить горячим воздухом (*обыкн.* укладывать волосы феном)

blower ['bləʊə] *n* 1) тот, кто дует; тот, кто раздувает (*мехи и т. п.*) 2) трубач 3) *амер.* хвастун 4) *тех.* воздуходувка; вентилятор 5) *горн.* щель, через которую выделяется газ 6) кит 7) *разг.* телефон 8) *разг.* громкоговоритель

blowfly ['bləʊflaɪ] *n* мясна́я му́ха

blowhard ['bləʊhɑ:d] *n разг.* хвасту́н

blowhole ['bləʊhəʊl] *n* 1) пузы́рь, ра́ковина (*в металле*) 2) дыха́ло (*у кита*) 3) вентиля́тор (*в туннеле*)

blowing I ['bləʊɪŋ] **1.** *pres. p. от* blow II, 2

2. *n* 1) дутьё 2) проса́чивание, уте́чка (*газа, пара*)

blowing II ['bləʊɪŋ] *pres. p. от* blow III, 2

blowing engine ['bləʊɪŋ,endʒɪn] *n* воздуходу́вная маши́на

blowing machine ['bləʊɪŋmə,ʃi:n] = blowing engine

blowing up [,bləʊɪŋ'ʌp] *n* 1) взрыв 2) *sl.* нагоня́й

blow-job ['bləʊdʒɒb] *n груб.* мине́т

blowlamp ['bləʊlæmp] *n* пая́льная ла́мпа

blown I [bləʊn] *p. p. от* blow III, 2

blown II [bləʊn] **1.** *p. p. от* blow II, 2

2. *a* запыха́вшийся, е́ле переводя́щий дыха́ние

blowoff ['bləʊɒf] *n* вы́пуск (*пара и т. п.*)

blowout ['bləʊaʊt] *n* 1) разры́в (*шины и т. п.*) 2) проры́в (*плотины, дамбы и т. п.*) 3) *разг.* кутёж, шу́мное весе́лье 4) *амер.* вспы́шка гне́ва; ссо́ра

blowpipe ['bləʊpaɪp] *n* пая́льная тру́бка

blowsy ['blaʊzɪ] *a* 1) то́лстый и красноще́кий 2) растрёпанный, неря́шливый (*обыкн. о женщине*)

blowtorch ['bləʊtɔ:tʃ] = blowlamp

blowup ['bləʊʌp] *n* 1) *фото* увели́ченный фотосни́мок 2) взрыв

blowy ['bləʊɪ] *a* ве́треный (*о погоде*)

blowzy ['blaʊzɪ] = blowsy

blub [blʌb] *школ. жарг. сокр. от* blubber II, 2

blubber I ['blʌbə] *n* 1) во́рвань 2) меду́за (*разновидность*)

blubber II ['blʌbə] **1.** *n* плач, рёв

2. *v разг.* гро́мко пла́кать, рыда́ть; реве́ть

blubber III ['blʌbə] *a* то́лстый, выпя́чивающийся (*о губах*)

blubbered ['blʌbəd] **1.** *p. p. от* blubber II, 2

2. *a* зарёванный; ~ face запла́канное лицо́

blubber-lipped [,blʌbə'lɪpt] *a* толстогу́бый

bluchers ['blu:kəz] *n pl уст.* коро́ткие тяжёлые сапоги́

bludgeon ['blʌdʒən] **1.** *n* дуби́нка

2. *v* бить дуби́нкой

blue [blu:] **1.** *a* 1) голубо́й; лазу́рный; си́ний; dark (*или* Navy) ~ си́ний 2) испу́ганный; уны́лый, пода́вленный; to look ~ име́ть уны́лый вид; things look ~ дела́ пло́хи; ~ study (мра́чное) разду́мье, размышле́ние; ~ fear (*или* funk) *разг.* испу́г, па́ника, замеша́тельство; to be ~ хандри́ть 3) непристо́йный, скабрёзный; порнографи́ческий; to make (*или* to turn) the air ~ скверносло́вить, руга́ться 4) посине́вший; с кровоподтёками 5) относя́щийся к па́ртии то́ри, консервати́вный; to vote ~ голосова́ть за консерва́торов 6) *ирон.* учёный (*о женщине*) ◇ ~ blood а) аристократи́ческое происхожде́ние, «голуба́я кровь»; б) вено́зная кровь; ~ devils уны́ние; ~ laws *амер.* пурита́нские зако́ны (*закрытие театров по воскресеньям, запрещение продажи спиртных напитков*); ~ sky law *амер.* зако́н, регули́рующий вы́пуск и прода́жу а́кций и це́нных бума́г; ~ chip, ~ chip share (*или* paper) *бирж.* надёжная а́кция, опира́ющаяся на усто́йчивый курс; ~ water откры́тое мо́ре; to drink till all's ~ допи́ться до бе́лой горя́чки; once in a ~ moon о́чень ре́дко

2. *n* 1) си́ний цвет; Oxford ~ тёмно-си́ний цвет; Cambridge ~ све́тло-голубо́й цвет 2) си́няя кра́ска; голуба́я кра́ска; си́нька; Paris ~ пари́жская лазу́рь; Berlin ~ берли́нская лазу́рь 3) си́няя фо́рменная оде́жда; the men (*или* the gentlemen, the boys) in ~ а) полице́йские; б) матро́сы; в) америка́нские федера́льные войска́ 4) (the ~) мо́ре; океа́н 5) (the ~) не́бо; out of the ~ соверше́нно неожи́данно; как гром среди́ я́сного не́ба 6) *разг. см.* bluestocking 7) (the ~s) *pl* меланхо́лия, хандра́; to have (*или* to get) the ~s, to be in the ~s быть в плохо́м настрое́нии, хандри́ть; to give smb. the ~s наводи́ть тоску́ на кого́-л. ◇ to cry the ~s *амер. разг.* прибедня́ться; the B. and the Grey «си́ние и се́рые» (*северная и южная армии в американской гражданской войне 1861 — 1865 гг.*); Dark (*или* Oxford) Blues кома́нда О́ксфорда; Light (*или* Cambridge) Blues кома́нда Ке́мбриджа

3. *v* 1) окра́шивать в си́ний цвет; подси́нивать (*бельё*) 2) ворони́ть (*сталь*) ◇ to ~ one's money *sl.* транжи́рить де́ньги

Bluebeard ['blu:bɪəd] *n* 1) Си́няя Борода́ (*сказочный персонаж*) 2) женоуби́йца

bluebell ['blu:bel] *n бот.* 1) колоко́льчик 2) проле́ска (*в Англии*)

blueberry ['blu:bərɪ] *n* черни́ка; брусни́ка; голуби́ка

bluebird ['blu:bɜ:d] *n* 1) *амер. зоол.* ма́ленькая пе́вчая пти́ца с си́ней окра́ской спины́ 2) дару́ющий сча́стье, си́няя пти́ца сча́стья

blue book ['blu:bʊk] *n* 1) си́няя кни́га (*сборник официальных документов, парламентские стенограммы и т. п.*) 2) *амер.* спи́сок лиц, занима́ющих госуда́рственные до́лжности 3) *амер.* путеводи́тель для автомобили́стов 4) *амер.* тетра́дь (*в синей обложке*) для экзаменацио́нных рабо́т

bluebottle ['blu:,bɒtl] *n* 1) *бот.* василёк (си́ний) 2) *зоол.* му́ха тру́пная 3) *разг.* полице́йский

blue cheese [,blu:'tʃi:z] *n* сорт мя́гкого сы́ра с прожи́лками пле́сени внутри́

blue coat ['blu:kəʊt] *n* 1) солда́т 2) матро́с 3) полице́йский

blue-collar worker [,blu:kɒlə'wɜ:kə] *n* рабо́чий

blue disease ['blu:dɪ,zi:z] *n мед.* 1) синю́ха, циано́з 2) лихора́дка Скали́стых гор

blue-eyed boy [,blu:aɪd'bɔɪ] *n разг.* люби́мчик

bluefish ['blu:fɪʃ] *n* голуба́я ры́ба

bluegrass ['blu:grɑ:s] *n бот.* 1) мя́тлик 2) пыре́й

blueing ['blu:ɪŋ] **1.** *pres. p. от* blue 3

2. *n* 1) вороне́ние (*стали*) 2) си́нька 3) расточи́тельность

bluejacket ['blu:,dʒækɪt] *n разг.* матро́с вое́нно-морско́го фло́та

blue-pencil [,blu:'pensl] *v* редакти́ровать; сокраща́ть, вычёркивать

Blue Peter [,blu:'pi:tə] *n мор.* флаг отплы́тия

blueprint ['blu:prɪnt] **1.** *n* светоко́пия, намётка, прое́кт, план

2. *v* 1) де́лать светоко́пию 2) плани́ровать, намеча́ть

blue ribbon [,blu:'rɪbən] *n* 1) отли́чие; высо́кая награ́да 2) о́рденская ле́нта (*особ. ордена Подвязки*)

blues [blu:z] *n муз.* блюз

bluestocking ['blu:,stɒkɪŋ] *n ирон.* учёная же́нщина, «си́ний чуло́к»; педа́нтка

blue-stone ['blu:stəʊn] *n* ме́дный купоро́с

blue streak ['blu:stri:k] *n* 1) бы́стро дви́жущийся предме́т 2) пото́к слов; to talk a ~ говори́ть без у́молку

bluet ['blu:ɪt] *n бот.* василёк

blue tit ['blu:tɪt] *n* лазо́ревка (*птица*)

bluett ['blu:ɪt] = bluet

blue vitriol [,blu:'vɪtrɪəl] *n* ме́дный купоро́с

blue whale [,blu:'weɪl] *n* голубо́й (си́ний) кит, блюва́л

bluff I [blʌf] **1.** *a* 1) отве́сный, круто́й; обры́вистый 2) ре́зкий, прямо́й; грубова́то-доброду́шный

2. *n* отве́сный бе́рег; обры́в, утёс

bluff II [blʌf] **1.** *n* 1) обма́н, запу́гивание, блеф; to call smb.'s ~ провоци́ровать, подбива́ть (*на что-л.*) 2) обма́нщик

2. *v* обма́нывать, запу́гивать, брать на пу́шку

bluffy ['blʌfɪ] *a* 1) ре́зкий, прямо́й; грубова́то-доброду́шный 2) отве́сный, круто́й; обры́вистый

bluing ['blu:ɪŋ] = blueing 2

bluish ['blu:ɪʃ] *a* голубова́тый, синева́тый

blunder ['blʌndə] **1.** *n* 1) гру́бая оши́бка 2) про́мах, просчёт

2. *v* 1) гру́бо ошиба́ться 2) пло́хо справля́ться (*с чем-л.*); испо́ртить; напу́тать 3) дви́гаться о́щупью; спотыка́ться (about, along, against, into) ▭ ~ away упусти́ть; to ~ away one's chance пропусти́ть удо́бный слу́чай; ~ on = ~ upon; ~ out сболтну́ть, сказа́ть глу́пость; ~ upon случа́йно натолкну́ться на *что-л.*

blunderbuss ['blʌndəbʌs] *n ист.* муш-

кето́н (*короткоствольное ружьё с раструбом*)
blunderhead [ˈblʌndəhed] *n* болва́н, дура́к
blundering [ˈblʌndərɪŋ] **1.** *pres. p. от* blunder 2
2. *a* 1) нело́вкий, неуме́лый 2) оши́бочный
blunge [blʌndʒ] *v* переме́шивать гли́ну с водо́й
blunt [blʌnt] **1.** *a* 1) тупо́й; ~ angle тупо́й у́гол; сре́занный у́гол 2) грубова́тый; прямо́й, ре́зкий
2. *v* притупля́ть
blur [blɜ:] **1.** *n* 1) пятно́, кля́кса 2) расплы́вшееся пятно́; нея́сные очерта́ния
2. *v* 1) замара́ть, запа́чкать; наде́лать клякс 2) сде́лать нея́сным; затума́нить; затемни́ть (*сознание и т. п.*) □ ~ **out** стере́ть, изгла́дить; ~ **over** зама́зывать, затушёвывать (*ошибки, недостатки и т. п.*)
blurb [blɜ:b] *n* изда́тельское рекла́мное объявле́ние; рекла́ма (*обыкн. на обложке или суперобложке книги*)
blurt [blɜ:t] *v* сболтну́ть, вы́палить (*обыкн.* ~ out)
blush [blʌʃ] **1.** *n* 1) румя́нец; кра́ска стыда́, смуще́ния; to put to the ~ заста́вить покрасне́ть; to spare smb.'s ~es щади́ть чью-л. скро́мность, стыдли́вость 2) розова́тый отте́нок 3) *уст.* взгляд; at (the) first ~ на пе́рвый взгляд; с пе́рвого взгля́да
2. *v* красне́ть, залива́ться румя́нцем от смуще́ния, стыда́ (at, for); to ~ like a rose зарде́ться как ма́ков цвет
blushful [ˈblʌʃfʊl] *a* 1) засте́нчивый; стыдли́вый 2) румя́ный, кра́сный
blushing [ˈblʌʃɪŋ] **1.** *pres. p. от* blush 2
2. *a* = blushful
bluster [ˈblʌstə] **1.** *n* 1) шум, пусты́е угро́зы, хвастовство́ 2) рёв бу́ри
2. *v* 1) шуме́ть, хва́статься, грози́ться (at) 2) бушева́ть; реве́ть (*о буре*)
blusterer [ˈblʌstərə] *n* забия́ка; хвасту́н
blusterous, blustery [ˈblʌstərəs, -rɪ] *a* 1) бу́рный, бу́йный 2) шумли́вый, хвастли́вый 3) зади́ристый
bo I [bəʊ] = boo
bo II [bəʊ] *n амер. разг.* прия́тель, старина́
boa [ˈbəʊə] *n* 1) *зоол.* боа́; уда́в 2) боа́, горже́тка
Boanerges [ˌbəʊəˈnɜ:dʒi:z] *n* крикли́вый пропове́дник *или* ора́тор
boar [bɔ:] *n* хряк; wild ~ каба́н, вепрь
board I [bɔ:d] **1.** *n* 1) доска́ 2) пита́ние, харчи́, стол; ~ and lodging кварти́ра и стол; пансио́н 3) *уст.* стол, *особ.* обе́денный; groaning ~ стол, уста́вленный я́ствами 4) по́лка 5) *pl* подмо́стки, сце́на; to go on the ~s стать актёром; to tread the ~s быть актёром 6) кры́шка переплёта 7) борт (*судна*); on ~ на корабле́, на парохо́де, на борту́; *амер. тж.* в ваго́не (*железнодорожном, трамвайном*); to come (*или* to go) on ~ сесть на кора́бль; to go by the ~ па́дать за́ борт; *перен.* быть вы́брошенным за́ борт 8) *горн.* широ́кая вы́работка в у́гольном пласте́ 9) *мор.* галс; to make ~s лави́ровать ◇ to sweep the ~ а) *карт.* забра́ть все ста́вки; б) завладе́ть всем; to take on ~ поня́ть; приня́ть
2. *v* 1) настила́ть пол; обшива́ть доска́ми 2) столова́ться (with — у *кого-л.*) 3) предоставля́ть пита́ние (*жильцу и т. п.*) 4) сесть на кора́бль; *амер. тж.* сесть в по́езд, в трамва́й, на самолёт 5) *ист.* брать на аборда́ж 6) *мор.* лави́ровать
board II [bɔ:d] *n* правле́ние; сове́т; колле́гия; департа́мент; министе́рство; B. of Directors правле́ние; ~ of trustees сове́т попечи́телей; B. of Education а) *уст.* министе́рство просвеще́ния; б) *амер.* (ме́стный) отде́л наро́дного образова́ния; B. of Health отде́л здравоохране́ния; B. of Trade а) министе́рство торго́вли (*в Англии*); б) торго́вая пала́та (*в США*)
boarder [ˈbɔ:də] *n* 1) пансионе́р; нахле́бник 2) пансионе́р (*в школе*)
boarding house [ˈbɔ:dɪŋhaʊs] *n* пансио́н; меблиро́ванные ко́мнаты со столо́м
boarding school [ˈbɔ:dɪŋsku:l] *n* 1) пансио́н, закры́тое уче́бное заведе́ние 2) шко́ла-интерна́т
boardroom [ˈbɔ:dru:m] *n* зал заседа́ний сове́та директоро́в
boardsailing [ˈbɔ:dˌseɪlɪŋ] = windsurfing
board-wages [ˈbɔ:dˌweɪdʒɪz] *n* столо́вые и кварти́рные де́ньги (*выплачиваемые прислуге и т. п.*)
boardwalk [ˈbɔ:dwɔ:k] *n амер.* доща́тый насти́л для прогу́лок на пля́же
boast I [bəʊst] **1.** *n* 1) хвастовство́ 2) предме́т го́рдости; to make ~ of smth. хва́стать(ся) чем-л.
2. *v* 1) хва́стать(ся) (of, about; that); not much to ~ of не́чем похва́стать(ся) 2) горди́ться; to ~ smth. быть счастли́вым облада́телем чего́-л.
boast II [bəʊst] *v* гру́бо обтёсывать ка́мень
boaster I [ˈbəʊstə] *n* хвасту́н
boaster II [ˈbəʊstə] *n* пазови́к, зуби́ло (*каменщика*); скарпе́ль
boastful [ˈbəʊstfl] *a* хвастли́вый
boat [bəʊt] **1.** *n* 1) ло́дка; шлю́пка; кора́бль; су́дно; подво́дная ло́дка; to take the ~ сесть на су́дно; to go by ~ е́хать мо́рем, плыть на парохо́де 2) коры́тце; gravy ~ со́усник ◇ to be in the same ~ быть в одина́ковых усло́виях, в одина́ковом положе́нии с *кем-л.*; to sail in the same ~ де́йствовать сообща́; to sail one's own ~ де́йствовать самостоя́тельно, идти́ свои́м путём; to rock the ~ испо́ртить де́ло, поста́вить под угро́зу
2. *v* 1) ката́ться на ло́дке 2) перевози́ть в ло́дке
boater [ˈbəʊtə] *n* канотье́ (*шляпа*)
boatful [ˈbəʊtfəl] *n* 1) пассажи́ры и кома́нда су́дна 2) ло́дка, напо́лненная до отка́за
boathook [ˈbəʊthʊk] *n* баго́р; *мор.* отпо́рный крюк
boathouse [ˈbəʊthaʊs] *n* наве́с, сара́й для ло́док
boating [ˈbəʊtɪŋ] **1.** *pres. p. от* boat 2
2. *n* ло́дочный спорт; гребля
boatman [ˈbəʊtmən] *n* ло́дочник
boat race [ˈbəʊtreɪs] *n* состяза́ние по гре́бле
boatswain [ˈbəʊsn] *n* бо́цман
boat-tailed [ˈbəʊtˌteɪld] *a* обтека́емой фо́рмы
boat train [ˈbəʊtˌtreɪn] *n* по́езд, согласо́ванный с парохо́дным расписа́нием
bob I [bɒb] **1.** *n* 1) коро́ткая стри́жка (*у женщин*) 2) ма́ятник; ги́ря *или* ча́шка (*маятника*); отве́с; груз отве́са 3) хвост (*игрушечного змея*) 4) поплаво́к 5) = bobsleigh 6) подстри́женный хвост (*лошади*) 7) припе́в, рефре́н; to bear a ~ хо́ром подхвати́ть припе́в 8) пучо́к (*волос*); завито́к 9) шарообра́зный предме́т (*дверная ручка, набалдашник трости и т. п.*); помпо́н (*на шапочке*) 10) ре́зкое движе́ние, толчо́к 11) приседа́ние, кни́ксен 12) *мор.* баланси́р
2. *v* 1) кача́ться 2) подска́кивать, подпры́гивать (*тж.* ~ up and down); to ~ up like a cork воспря́нуть ду́хом 3) сту́кать(ся) 4) неуклю́же приседа́ть 5) ко́ротко стри́чься (*о женщине*) 6) лови́ть угре́й на нажи́вку □ ~ **in**, ~ **into** входи́ть; ~ **up** появля́ться на пове́рхности, всплыва́ть
bob II [bɒb] *n* (*pl без измен.*) *sl.* ши́ллинг
bobbed [bɒbd] *a* ко́ротко подстри́женный (*о женской причёске*)
bobbery [ˈbɒbərɪ] **1.** *n* шум, гам
2. *a*: ~ pack сме́шанная сво́ра соба́к
bobbin [ˈbɒbɪn] *n* 1) кату́шка 2) коклю́шка 3) це́вка; шпу́лька 4) *эл.* боби́на, кату́шка зажига́ния
bobbinet [ˈbɒbɪˌnet] *n* тюль, маши́нное кру́жево
bobbish [ˈbɒbɪʃ] *a разг., диал.* оживлённый, весёлый (*особ.* pretty ~)
bobby [ˈbɒbɪ] *n разг.* полисме́н
bobby-dazzler [ˈbɒbɪˌdæzlə] *n разг.* челове́к *или* вещь что на́до
bobby pin [ˈbɒbɪpɪn] *n амер.* зако́лка
bobby sox [ˈbɒbɪsɒks] *n pl амер. разг.* коро́тенькие носо́чки
bobby-soxer [ˈbɒbɪsɒksə] *n амер. разг.* де́вочка-подро́сток
bobcat [ˈbɒbkæt] *n зоол.* рысь ры́жая
bobolink [ˈbɒbəlɪŋk] *n* ри́совый трупиа́л (*птица*)
bobsled [ˈbɒbsled] = bobsleigh
bobsleigh [ˈbɒbsleɪ] *n* 1) бо́бсле́й (*сани с рулём для катания с гор*)
bobtail [ˈbɒbteɪl] *n* 1) обре́занный хвост 2) ло́шадь *или* соба́ка с обре́занным хвосто́м
bock [bɒk] *n* 1) кре́пкое тёмное пи́во (*немецкое*)
bod [bɒd] *n разг.* челове́к; па́рень; he is an odd ~ он стра́нный ма́лый
bode [bəʊd] *v* предвеща́ть; сули́ть
bodeful [ˈbəʊdfʊl] *a* гро́зный, злове́щий; предвеща́ющий несча́стье

bodega [bəʊ'di:gə] *n* винный погребок

bodge [bɒdʒ] *v* чинить, латать

bodice ['bɒdɪs] *n* корсаж; лиф (*платья*)

bodiless ['bɒdɪləs] *a* бестелесный

bodily ['bɒdɪlɪ] **1.** *a* телесный, физический; ~ fear физический страх; ~ injury телесное повреждение

2. *adv* 1) лично, собственной персоной; he came ~ он явился сам, лично 2) целиком; *тех.* в собранном виде

bodkin ['bɒdkɪn] *n* 1) шило 2) длинная шпилька для волос 3) *уст.* кинжал

Bodleian [bɒd'li:ən] *a*: the ~ (library) Библиотека имени Бодлея (*при Оксфордском университете*)

body ['bɒdɪ] **1.** *n* 1) тело; celestial (*или* heavenly) ~ небесное тело, небесное светило; to keep ~ and soul together поддерживать существование 2) туловище 3) труп 4) главная, основная часть (*чего-л.*); корпус, остов, кузов; фюзеляж (*самолёта*); главный корабль (*церкви*); ствол (*дерева*); ствольная коробка (*винтовки*); стакан (*снаряда*); станина (*станка*); корсаж, лиф (*тж.* ~ of a dress); ~ of a book главная часть книги (*без предисловия, примечаний и т. п.*); ~ of the order текст приказа; the main ~ *воен.* главные силы (*войск*); ядро (*отряда и т. п.*) 5) группа людей; ~ of electors избиратели 6) воинская часть; ~ of cavalry кавалерийский отряд; ~ of troops войсковое соединение 7) юридическое лицо 8) корпорация; организация; the ~ politic государство; autonomous bodies органы самоуправления; legislative ~ законодательный орган; learned ~ учёное общество; in a ~ в полном составе 9) масса; большинство; a great ~ of facts масса фактов 10) *разг.* человек; a poor ~ бедняк [*ср.* somebody, nobody *и др.*] 11) консистенция, сравнительная плотность (*жидкости*); кроющая способность (*краски*) 12) крепость (*вина*) 13) перегонный куб, реторта 14) *attr.*: ~ count подсчёт убитых; to deal a ~ blow ошарашить

2. *v* придавать форму; воплощать (*обыкн.* ~ forth)

body check(ing) ['bɒdɪtʃek(ɪŋ)] *n* *спорт.* силовой приём; блокировка

body-colour ['bɒdɪ,kʌlə] *n* *жив.* корпусная краска; телесный цвет

bodyguard ['bɒdɪgɑ:d] *n* 1) личная охрана; эскорт 2) телохранитель

body snatcher ['bɒdɪ,snætʃə] *n* *ист.* 1) похититель трупов 2) *воен. жарг.* снайпер 3) *амер.* репортёр, освещающий деятельность выдающихся лиц

bodywork ['bɒdɪwɜ:k] *n* кузовостроение

Boer ['bɔ:] *n* *ист.* бур (*голландский поселенец в Южной Африке*)

boffin ['bɒfɪn] *n* *разг.* учёный, исследователь

bog [bɒg] **1.** *n* 1) болото, трясина 2) *sl.* сортир

2. *v*: to be (*или* to get) ~ged down увязнуть (*в болоте, трудностях и т. п.*)

bog-berry ['bɒg,berɪ] *n* клюква

bogey ['bəʊgɪ] = bogie

boggle ['bɒgl] *v* *разг.* 1) пугаться 2) колебаться, останавливаться (at, about, over — перед *чем-л.*) 3) делать (*что-л.*) неумело, портить 4) лукавить, лицемерить; увиливать

boggy ['bɒgɪ] *a* болотистый

bogie ['bəʊgɪ] *n* 1) тележка; каретка 2) *ж.-д.* двухосная тележка (*паровоза*) 3) = bogy 1), 2) *и* 3)

bogle ['bɒgl] *n* *диал.* 1) привидение 2) пугало

bog oak ['bɒg,əʊk] *n* морёный дуб

bog-trotter ['bɒg,trɒtə] *n* 1) обитатель болот 2) *шутл.* ирландец

bogus ['bəʊgəs] *a* поддельный, фиктивный; ~ prisoner мнимый заключённый, осведомитель, «подсадка»

bogy ['bəʊgɪ] *n* 1) домовой 2) привидение 3) пугало, жупел 4) = bogle

boh [bəʊ] = boo

Bohemia [bəʊ'hi:mɪə] *n* *собир.* богема

Bohemian [bəʊ'hi:mɪən] **1.** *a* 1) богемский 2) богемный

2. *n* 1) богемец 2) представитель богемы 3) цыган

boil I [bɔɪl] **1.** *n* кипение, точка кипения; to bring to the ~ доводить до кипения; to keep on (*или* at) the ~ поддерживать кипение; the coffee was near the ~ кофе почти вскипел

2. *v* 1) кипятить(ся), варить(ся) 2) кипеть; бурлить; to make smb.'s blood ~ *см.* blood 1, 3); 3) сердиться; кипятиться ▭ ~ away выкипать; ~ down а) уваривать(ся), выпаривать(ся), сгущать(-ся); б) сокращать(ся), сжимать(ся); в) сводиться (*к чему-л.*); ~ over а) перекипать, уходить через край; б) кипеть, негодовать, возмущаться

boil II [bɔɪl] *n* фурункул, нарыв

boiled [bɔɪld] **1.** *p. p. от* boil I, 2

2. *a* варёный, кипячёный; hard ~ egg яйцо вкрутую; ~ dinner *амер.* блюдо из мяса и овощей; ~ linseed oil олифа; ~ shirt а) *разг.* крахмальная рубашка; б) *амер.* надутый, чопорный человек

boiler ['bɔɪlə] *n* 1) (паровой) котёл, бойлер 2) кипятильник; куб *или* бак для кипячения 3) птица, овощи, годные для варки ◇ to burst one's ~ *амер.* дожить (*или* дойти) до беды, плохо кончить; to burst smb.'s ~ довести кого-л. до беды

boiler-house ['bɔɪləhaʊs] *n* котельная

boiler-plate ['bɔɪləpleɪt] *n* котельное железо; котельный лист

boiler-room ['bɔɪləru:m] *n* котельное отделение, котельная

boiler suit ['bɔɪləsu:t] *n* роба, спецовка

boiling ['bɔɪlɪŋ] **1.** *pres. p. от* boil I, 2

2. *n* 1) кипение 2) кипячение ◇ the whole ~ *sl.* вся компания

3. *a* *разг.* кипящий

boiling heat ['bɔɪlɪŋhi:t] *n* удельная (*или* скрытая) теплота испарения (*при температуре кипения*)

boiling point ['bɔɪlɪŋpɔɪnt] *n* точка кипения (*тж. перен.*)

boisterous ['bɔɪstərəs] *a* 1) шумливый 2) неистовый, бурный

boko ['bəʊkəʊ] *n* *sl.* нос

bold [bəʊld] *a* 1) смелый; I make ~ to say осмелюсь сказать 2) наглый, бесстыдный; as ~ as brass наглый, дерзкий; to make ~ with позволять себе вольности с 3) самоуверенный 4) отчётливый (*о почерке, шрифте*); подчёркнутый, рельефный 5) крутой, обрывистый

bold-faced [,bəʊld'feɪst] *a* 1) жирный (*о шрифте*) 2) наглый

boldly ['bəʊldlɪ] *adv* 1) смело 2) нагло

bole I [bəʊl] *n* ствол

bole II [bəʊl] *n* болюс, бол, железистая известковая глина

bolero *n* 1) [bə'leərəʊ] болеро (*испанский танец*) 2) ['bɒlərəʊ] короткая курточка с рукавами *или* без рукавов, болеро

boletus [bəʊ'li:təs] *n* гриб

bolide ['bəʊlaɪd] *n* *астр.* болид

bolivar ['bɒlɪvɑ:] *n* боливар (*денежная единица Венесуэлы*)

Bolivian [bə'lɪvɪən] **1.** *a* боливийский

2. *n* боливиец; боливийка

boliviano [bə,li:'vjɑ:nəʊ] *n* (*pl* -s [-z]) боливиано (*денежная единица Боливии*)

boll [bəʊl] *n* *бот.* семенная коробочка

bollard ['bɒlɑ:d] *n* *мор.* швартовая тумба

bollocking ['bɒləkɪŋ] *n* *sl. груб.* выволочка

bollocks ['bɒləks] *n pl sl. груб.* 1) яйца 2) чепуха, ерунда

bologna [bə'ləʊnɪ] *амер.* = Bologna sausage

Bologna sausage [bə'ləʊnjə,sɒsɪdʒ] *n* болонская (копчёная) колбаса

bolometer [bəʊ'lɒmɪtə] *n* *физ.* болометр

boloney [bə'ləʊnɪ] *n* 1) *sl.* чепуха, вздор, ерунда 2) = Bologna sausage

Bolshevik ['bɒlʃəvɪk] *ист.* **1.** *n* большевик

2. *a* большевистский

Bolshevism ['bɒlʃəvɪzəm] *n* *ист.* большевизм

Bolshevist ['bɒlʃəvɪst] *ист.* **1.** *n* большевик

2. *a* большевистский

bolster ['bəʊlstə] **1.** *n* 1) валик под подушкой 2) брус, поперечина 3) *тех.* подкладка; втулка, шейка 4) вага 5) буфер

2. *v* 1) поддерживать (*тж.* ~ up); to ~ up smb.'s courage приободрить, оказать моральную поддержку кому-л. 2) подпирать (*подушку*) валиком 3) подстрекать 4) *школ.* бросаться подушками

bolt I [bəʊlt] **1.** *n* 1) засов; задвижка; шкворень; язык (*замка*); *воен.* (цилиндрический) затвор (*оружия*); behind ~ and bar под надёжным запором; за решёткой 2) болт 3) удар грома; a ~ from the blue гром среди ясного неба; полная неожиданность 4) бегство; to make (*или* to do) a ~ броситься, помчаться (for);

удра́ть (to) 5) *уст.* стрела́ арбале́та 6) кусо́к, руло́н (*холста, шёлковой мате-рии*) 7) вяза́нка (*хвороста*) ◇ my ~ is shot я сде́лал всё, что мог; he has shot his last ~ он сде́лал после́днее уси́лие

2. *v* 1) запира́ть на засо́в 2) скрепля́ть болта́ми 3) нести́сь стрело́й, убега́ть; удира́ть 4) понести́ (*о лошади*) 5) глота́ть не разжёвывая

3. *adv*: ~ upright пря́мо; как стрела́

bolt II [ˈbəʊlt] *v* 1) просе́ивать сквозь си́то; грохоти́ть 2) *уст.* отсе́ивать (*тж.* ~ out)

bolter [ˈbəʊltə] *n* си́то, решето́

bolt-hole [ˈbəʊlthəʊl] *n* 1) запасно́й вы́ход 2) убе́жище; нора́

bolting I [ˈbəʊltɪŋ] **1.** *pres. p. от* bolt I, 2

2. *n* 1) запира́ние засо́вом 2) крепле́ние болта́ми

bolting II [ˈbəʊltɪŋ] **1.** *pres. p. от* bolt II

2. *n* просе́ивание; отсе́ивание

bolus [ˈbəʊləs] *n* 1) ша́рик 2) больша́я пилю́ля

bomb [bɒm] **1.** *n* 1) бо́мба; ми́на (*миномёта*); ручна́я грана́та 2) балло́н (*для сжатого воздуха, сжиженного газа*) 3) конте́йнер для радиоакти́вных материа́лов 4) *геол.* вулкани́ческая бо́мба 5) *sl.* мно́го (больша́я су́мма) де́нег; to cost a ~ сто́ить ку́чу де́нег 6) *амер. разг.* по́лный прова́л (*спектакля и т. п.*) 7) *sl.* сигаре́та с марихуа́ной *и т. п.* ◇ to throw a ~ into вы́звать сенса́цию, наде́лать переполо́х; to go down a ~ име́ть огро́мный успе́х

2. *v* 1) бомби́ть, сбра́сывать бо́мбы 2) (*обыкн. амер.*) провали́ться (*о спектакле и т. п.*) 3) дви́гаться *или* идти́ о́чень бы́стро 4) *амер. sl.* раскритикова́ть в пух и прах ▭ ~ out разбомби́ть; ~ up *ав.* грузи́ть(ся) бо́мбами

bombard 1. *n* [ˈbɒmbɑ:d] *ист.* бомба́рда

2. *v* [bɒmˈbɑ:d] 1) бомбардирова́ть 2) *разг.* засыпа́ть, донима́ть (*вопросами*) 3) *физ.* бомбардирова́ть, облуча́ть части́цами

bombardier [ˌbɒmbəˈdɪə] *n* 1) капра́л артилле́рии 2) *амер. ав.* бомбарди́р

bombardment [bɒmˈbɑ:dmənt] *n* бомбардиро́вка; артиллери́йский *или* миномётный обстре́л; preliminary ~ артиллери́йская подгото́вка

bombardon [bɒmˈbɑ:dn] *n* бомбардо́н (*музыкальный духовой инструмент*)

bombasine [ˈbɒmbəsi:n] *n* *текст.* бомбази́н (*шёлковая ткань, обыкн. чёрного цвета*)

bombast [ˈbɒmbæst] *n* напы́щенность (*в речи, письме*)

bombastic [bɒmˈbæstɪk] *a* напы́щенный

bombazine [ˈbɒmbəzi:n] = bombasine

bomb disposal [ˈbɒmdɪˌspəʊzl] *n* обезвре́живание неразорва́вшихся бомб, мин, артиллери́йских снаря́дов

bombed-out [ˈbɒmdˌaʊt] *a* разбомблённый

bomber [ˈbɒmə] *n* 1) *ав.* бомбардиро́вщик 2) *воен.* бомбомета́тель; гранатомётчик

bombing [ˈbɒmɪŋ] **1.** *pres. p. от* bomb 2

2. *n* бомбомета́ние; бомбёжка

bomb-load [ˈbɒmləʊd] *n* бо́мбовая нагру́зка

bomb-proof [ˈbɒmpru:f] *воен.* **1.** *a* непробива́емый бо́мбами

2. *n* бомбоубе́жище

bombshell [ˈbɒmʃel] *n* 1) потряса́ющая но́вость; ≅ гром среди́ я́сного не́ба 2) бо́мба 3) *sl.* красо́тка

bombshelter [ˈbɒmˌʃeltə] *n* бомбоубе́жище

bombsight [ˈbɒmsaɪt] *n ав.* прице́л для бомбомета́ния

bona fide [ˌbəʊnəˈfaɪdɪ] **1.** *a* добросо́вестный; настоя́щий

2. *adv* добросо́вестно

bona fides [ˌbəʊnəˈfaɪdi:z] *n* че́стное наме́рение; добросо́вестность

bonanza [bəˈnænzə] **1.** *n* 1) процвета́ние; (неожи́данная) уда́ча; дохо́дное предприя́тие, «золото́е дно» 2) *горн.* бона́нца (*скопление богатой руды в жиле или залежи*)

2. *a* процвета́ющий; ~ farm дохо́дное, процвета́ющее хозя́йство

bonbon [ˈbɒnbɒn] *n* конфе́та

bonce [bɒns] *n разг.* башка́

bond I [bɒnd] **1.** *n* 1) связь, у́зы 2) *pl* око́вы; *перен.* тюре́мное заключе́ние; in ~s в тюрьме́ 3) соедине́ние 4) сде́рживающая си́ла 5) долгово́е обяза́тельство; to stand ~ for smb. поручи́ться за кого́-л. 6) (*обыкн. pl*) *фин.* облига́ции; бо́ны 7) тамо́женная закладна́я 8) *шотл.* закладна́я 9) *стр.* перевя́зка (*кирпичной кладки*)

2. *v* 1) свя́зывать 2) закла́дывать иму́щество 3) подпи́сывать обяза́тельства 4) *фин.* выпуска́ть облига́ции, бо́ны 5) оставля́ть това́ры на тамо́жне до упла́ты по́шлины 6) *стр.* скрепля́ть, свя́зывать (*кирпичную кладку*) 7) привя́зываться

bond II [bɒnd] *уст.* **1.** *n* крепостно́й (крестья́нин)

2. *a* крепостно́й

bondage [ˈbɒndɪdʒ] *n* 1) ра́бство; крепостно́е состоя́ние 2) зави́симость

bonded [ˈbɒndɪd] **1.** *p. p. от* bond I, 2

2. *a* 1) храня́щийся на тамо́женных скла́дах 2) обеспе́ченный бо́нами (*о долге*) 3): ~ warehouse тамо́женный склад для хране́ния не опла́ченных по́шлиной това́ров

bonder [ˈbɒndə] = bondstone

bondholder [ˈbɒndˌhəʊldə] *n* держа́тель облига́ций, бон

bondmaid [ˈbɒndmeɪd] *n* крепостна́я же́нщина; раба́

bondman [ˈbɒndmən] *n* крепостно́й, билла́н; раб

bond servant [ˈbɒndˌsɜ:vnt] *n* раб

bondservice [ˈbɒndˌsɜ:vɪs] *n* ра́бство; крепостна́я зави́симость

bondslave [ˈbɒndsleɪv] *n* раб

bondsman [ˈbɒndzmən] *n* 1) = bondman 2) поручи́тель

bondstone [ˈbɒndstəʊn] *n стр.* тычо́к, свя́зующий ка́мень

bond(s)woman [ˈbɒnd(z)ˌwʊmən] = bondmaid

bone [bəʊn] **1.** *n* 1) кость; to the ~ наскво́зь; drenched to the ~ наскво́зь промо́кший; frozen to the ~ продро́гший до косте́й 2) *pl* скеле́т; костя́к 3) *pl шутл.* челове́к; те́ло; оста́нки 4) что-л., сде́ланное из ко́сти 5) *pl* (игра́льные) ко́сти; кастанье́ты 6) *pl* домино́ 7) *pl* коклю́шки 8) кито́вый ус ◇ the ~ of contention я́блоко раздо́ра; to cast (in) a ~ between се́ять рознь, вражду́; to cut (costs, *etc.*) to the ~ сни́зить (це́ны *и т. п.*) до ми́нимума; to feel in one's ~s интуити́вно чу́вствовать; to make no ~s about (*или* of) не колеба́ться, не сомнева́ться; не церемо́ниться; to make old ~s *разг.* дожи́ть до глубо́кой ста́рости; on one's ~s *sl.* в тяжёлом положе́нии, на мели́; to have a ~ to pick with smb. име́ть счёты с кем-л.; a bag of ~s ≅ ко́жа да ко́сти; to have a ~ in one's (*или* the) arm (*или* leg) *шутл.* быть уста́лым, быть не в состоя́нии шевельну́ть па́льцем, подня́ться, идти́ да́льше, to have a ~ in one's (*или* the) throat *шутл.* быть не в состоя́нии сказа́ть ни сло́ва; close (*или* near) to the ~ грубова́тый, не вполне́ прили́чный; the nearer the ~ the sweeter the flesh (*или* the meat) *посл.* ≅ оста́тки сла́дки; what is bred in the ~ will not go out of the flesh *посл.* ≅ горба́того моги́ла испра́вит

2. *v* 1) снима́ть мя́со с косте́й 2) удобря́ть костяно́й муко́й 3) *sl.* красть ▭ ~ up (on a subject) зубри́ть, долби́ть (предме́т); to ~ up on (one's) Latin зубри́ть (свою́) латы́нь

bone black [ˈbəʊnblæk] *n* живо́тный *или* ко́стный у́голь

bone china [ˌbəʊnˈtʃaɪnə] *n* сорт тонкосте́нного, просве́чивающего фарфо́ра

bone-coal [ˈbəʊnkəʊl] *n* сланцева́тый *или* гли́нистый у́голь

boned [bəʊnd] *a* очи́щенный от косте́й

bone-dry [ˌbəʊnˈdraɪ] *a* 1) соверше́нно вы́сохший 2) *амер.* сухо́й, запреща́ющий прода́жу спиртны́х напи́тков (*о законе*)

bone-dust [ˈbəʊndʌst] *n* костяна́я мука́ (*удобрение*)

bonehead [ˈbəʊnhed] *n sl.* дура́к, тупи́ца

bone-idle, bone-lazy [ˌbəʊnˈaɪdl, -ˈleɪzɪ] *a разг.* лени́вый; ~ fellow ло́дырь

boneless [ˈbəʊnləs] *a* бесхара́ктерный

bone meal [ˈbəʊnmi:l] = bone-dust

boner [ˈbəʊnə] *n sl.* про́мах; глу́пая оши́бка

bonesetter [ˈbəʊnˌsetə] *n* костопра́в

bone shaker [ˈbəʊnˌʃeɪkə] *n разг.* ста́рая расша́танная маши́на *или* ста́рый велосипе́д; драндуле́т

bone spavin [ˈbəʊnˌspævɪn] *n* ко́стный шпат (*болезнь лошадей*)

bonfire ['bɒn,faɪə] *n* костёр; to make a ~ of сжига́ть (на костре́), уничтожа́ть; разруша́ть

bonhomie ['bɒnəmɪ] *фр. n* дружелю́бие, амикошо́нство

bonk [bɒŋk] *v sl. груб.* тра́хать(ся)

bonkers ['bɒŋkəz] *a sl.* безу́мный, чо́кнутый

bon mot [,bɒŋ'məʊ] *фр. n* (*pl* bons mots) остроу́мное выраже́ние, остро́та

bonne [bɒn] *фр. n* бо́нна

bonnet ['bɒnɪt] **1.** *n* 1) да́мская шля́па (*без полей*); ка́пор; де́тский че́пчик; мужска́я шотла́ндская ша́почка 2) *разг.* ша́пка 3) *тех.* капо́т (*двигателя*); кожу́х, (по)кры́шка; се́тка

2. *v* 1) наде́ть *или* нахлобу́чить (*кому-л.*) шля́пу 2) туши́ть (*огонь*)

bonny ['bɒnɪ] *a сев.* 1) краси́вый (*гл. обр. о девушке*) 2) здоро́вый, цвету́щий 3) хоро́ший

bonny-clabber ['bɒnɪ,klæbə] *n ирл.* простоква́ша

bonsai ['bɒnsaɪ] *n* ка́рликовое де́рево

bons mots [,bɒŋ'məʊz] *pl от* bon mot

bonus ['bəʊnəs] *n* 1) пре́мия; тантье́ма 2) *attr.*: ~ job сде́льная рабо́та

bony ['bəʊnɪ] *a* 1) костля́вый 2) кости́стый

bonze [bɒnz] *n* бо́нза

boo [bu:] **1.** *int восклицание* а) *неодобрения*; б) *употребляющееся, чтобы испугать или удивить*

2. *v* 1) произноси́ть неодобри́тельное восклица́ние; осви́стывать; ши́кать 2) прогоня́ть

boob I [bu:b] *n* доса́дная оши́бка

boob II [bu:b] *n sl.* (*обыкн. pl*) си́ськи

booby ['bu:bɪ] *n* 1) болва́н, дура́к 2) отстаю́щий учени́к 3) спортсме́н *или* кома́нда, пло́хо вы́ступивший (-ая) в соревнова́нии 4) о́луша (*морская птица*)

booby prize ['bu:bɪpraɪz] *n* утеши́тельный приз (*дающийся в шутку пришедшему последним в состязании*)

booby trap ['bu:bɪtræp] *n* 1) лову́шка 2) *воен.* ми́на-сюрпри́з, ми́на-лову́шка

booby-trap ['bu:bɪtræp] *v воен.* ста́вить подрывны́е ми́ны-лову́шки

boodle ['bu:dl] *n sl.* взя́тка

boogie ['bu:gɪ] = boogie-woogie

boogie-woogie [,bu:gɪ'wu:gɪ] *n* бу́ги-ву́ги

booh [bu:] = boo

book [bʊk] **1.** *n* 1) кни́га, литерату́рное произведе́ние 2) (the B.) Би́блия 3) том, кни́га, часть 4) либре́тто; текст (*оперы и т. п.*); сцена́рий 5) конто́рская кни́га 6) сбо́рник отчётов (*коммерческого предприятия, научного общества и т. п.*; *тж.* ~s) 7) *разг.* журна́л 8) телефо́нная кни́га 9) букме́керская кни́га за́писи ста́вок пари́ (*на скачках*); за́пись заключа́емых пари́ 10) кни́жечка (*билетов на автобус и т. п.*); a ~ of matches кни́жечка карто́нных спи́чек 11): a ~ of stamps а) альбо́м ма́рок; б) кни́жечка почто́вых ма́рок 12) *карт.* (пе́рвые) шесть взя́ток одно́й из сторо́н (*в висте*) 13) *attr.* кни́жный; ~ learning кни́жные (*или* теорети́ческие) зна́ния ◇ to read smb. like a ~ прекра́сно понима́ть кого́-л., ви́деть наскво́зь; to speak by the ~ говори́ть (*о чём-л.*) на основа́нии то́чной информа́ции; to be on the ~s зна́читься в спи́ске; to be in smb.'s good (bad, black) ~s быть у кого́-л. на хоро́шем (плохо́м) счету́; one for the ~ досто́йный серьёзного внима́ния, значи́тельный; to bring to ~ призва́ть к отве́ту; to know a thing like a ~ ≅ знать что-л. как свой пять па́льцев; without ~ по па́мяти; to suit smb.'s ~ совпада́ть с чьи́ми-л. пла́нами, отвеча́ть чьим-л. интере́сам; to throw the ~ at предъяви́ть ряд обвине́ний; in one's ~ по чьему́-л. мне́нию

2. *v* 1) зака́зывать, брать биле́т (*железнодорожный и т. п.*) 2) заручи́ться согла́сием; приглаша́ть; ангажи́ровать (*актёра, оратора*); I shall ~ you for Friday evening жду вас в пя́тницу ве́чером 3) заноси́ть в кни́гу, (за)регистри́ровать 4) принима́ть зака́зы на биле́ты; all the seats are ~ed (up) все места́ про́даны ◇ I'm ~ed я попа́лся

bookbinder ['bʊk,baɪndə] *n* переплётчик

bookbinding ['bʊk,baɪndɪŋ] *n* переплётное де́ло

bookcase ['bʊkkeɪs] *n* кни́жный шкаф; кни́жная по́лка; этаже́рка

book-club ['bʊkklʌb] *n* клуб люби́телей кни́ги

booked [bʊkt] **1.** *p. p. от* book 2
2. *a* 1) зака́занный 2) за́нятый

book-hunter ['bʊk,hʌntə] *n* коллекционе́р ре́дких книг

bookie ['bʊkɪ] *n разг.* букме́кер (*на скачках*)

booking-clerk ['bʊkɪŋklɑ:k] *n* касси́р биле́тной, бага́жной *или* театра́льной ка́ссы

booking office ['bʊkɪŋ,ɒfɪs] *n* биле́тная ка́сса (*железнодорожная, театральная*)

bookish ['bʊkɪʃ] *a* 1) учёный 2) кни́жный 3) ото́рванный от жи́зни ◇ the ~ литерату́рные круги́

bookkeeper ['bʊk,ki:pə] *n* бухга́лтер; счетово́д

bookkeeping ['bʊk,ki:pɪŋ] *n* бухгалте́рия; счетово́дство

book-learning ['bʊk,lɜ:nɪŋ] *n* кни́жные зна́ния, зна́ния, ото́рванные от жи́зни; кни́жность

bookless ['bʊkləs] *a* 1) необразо́ванный 2) не име́ющий книг

booklet ['bʊklət] *n* брошю́ра, букле́т

bookmaker ['bʊk,meɪkə] *n* букме́кер (*на скачках*)

bookman ['bʊkmən] *n* литера́тор, *особ.* кри́тик

bookmark(er) ['bʊkmɑ:k(ə)] *n* закла́дка (*в книге*)

bookmobile ['bʊkməʊ,bi:l] *n амер.* передвижна́я библиоте́ка на грузовике́

bookplate ['bʊkpleɪt] *n* экслибрис

bookseller ['bʊk,selə] *n* продаве́ц книг; secondhand ~ букини́ст

bookselling ['bʊk,selɪŋ] *n* кни́жная торго́вля

bookshelf ['bʊkʃelf] *n* кни́жная по́лка

bookshop ['bʊkʃɒp] *n* кни́жный магази́н

bookstall ['bʊkstɔ:l] *n* кни́жный кио́ск

bookstand ['bʊkstænd] *n* кни́жный стенд

bookstore ['bʊkstɔ:] *n* кни́жный магази́н

bookworm ['bʊkwɜ:m] *n* кни́жный червь, люби́тель книг, библиофи́л

boom I [bu:m] *n* 1) *мор.* плаву́чий бон, загражде́ние (*в виде брёвен или цепи*) 2) *тех.* стрела́, вы́лет (*крана*); уко́сина 3) *кино, тлв.* микрофо́нный жура́вль 4) *ав.* лонжеро́н хвостово́й фе́рмы 5) *стр.* по́яс (*арки*) 6) *спорт.* бревно́, бум

boom II [bu:m] **1.** *n* 1) бум, ре́зкий подъём делово́й акти́вности 2) шуми́ха, шу́мная рекла́ма 3) гул (*грома, выстрела и т. п.*) 4) жужжа́ние, гуде́ние

2. *v* 1) производи́ть шум, сенса́цию; станови́ться изве́стным 2) бы́стро расти́ (*о цене, спросе*) 3) реклами́ровать, создава́ть шуми́ху (*вокруг человека, товара и т. п.*) 4) греме́ть 5) жужжа́ть, гуде́ть

boomer I ['bu:mə] *n* саме́ц кенгуру́

boomer II ['bu:mə] *n разг.* челове́к, реклами́рующий что-л. *или* создаю́щий шуми́ху вокру́г чего́-л.

boomerang ['bu:məræŋ] *n* бумера́нг

boon I [bu:n] *n* 1) бла́го, благодея́ние; дар; преиму́щество, удо́бство 2) про́сьба

boon II [bu:n] *a* доброжела́тельный, прия́тный; ~ companion весёлый собуты́льник

boon III [bu:n] *n* 1) сердцеви́на (*дерева*) 2) *с.-х.* костра́, костри́ка

boor [bʊə] *n* гру́бый, невоспи́танный челове́к

boorish ['bʊərɪʃ] *a* невоспи́танный, гру́бый

boost [bu:st] *разг.* **1.** *n* 1) подде́ржка; прота́лкивание 2) созда́ние популя́рности; реклами́рование 2) *эл.* доба́вочное напряже́ние 3) повыше́ние в цене́

2. *v* 1) поднима́ть, подпи́хивать, помога́ть подня́ться 2) реклами́ровать, горячо́ подде́рживать; спосо́бствовать ро́сту популя́рности 3) *эл.* повыша́ть напряже́ние 4) = boom II, 2, 2); 5) повыша́ть (*цену*) 6) *тех.* повыша́ть давле́ние, форси́ровать (*двигатель и т. п.*)

booster ['bu:stə] *n* 1) *тех.* побуди́тель; усили́тель 2) *ж.-д.* бу́стер 3) *воен.* раке́та-носи́тель; ста́ртовый дви́гатель 4) помо́щник; горя́чий сторо́нник

boot I [bu:t] **1.** *n* 1) боти́нок; high (*или* riding) ~ сапо́г 2) *pl спорт.* бу́тсы 3) отделе́ние для багажа́ (*в автомобиле, в карете*) 4) *разг.* пино́к ного́й 5) (the ~) *разг.* увольне́ние (*с работы*) 6) *ист.* коло́дки (*орудие пытки*) 7) фа́ртук (*экипажа*) 8) обёртка (*початка кукурузы*) ◇ ~ and saddle! *уст.* «сади́сь!» (*сигнал в кавалерии*); *амер.* «седла́й!»; the ~ is on the other foot (*или* leg) отве́тственность лежи́т на друго́м; to die in one's ~s a) умере́ть скоропости́жной *или* наси́льственной сме́ртью; б) умере́ть на своём посту́; to get the (order of the) ~ быть уво́ленным; to have one's heart in one's ~s стру́сить; ≅ «душа́ в пя́тки ушла́»; to be in smb.'s ~s быть на чьём-л. ме́сте, быть в чьей-л. шку́ре; like old ~s *sl.* энерги́чно, стреми́тельно, изо всех си́л; too big for one's ~ сли́шком высо́кого о себе́ мне́ния; seven-league ~s сапоги́-скорохо́ды, семими́льные сапоги́

2. *v* 1) надева́ть боти́нки 2) уда́рить сапого́м 3) *разг.* увольня́ть ▭ ~ **out**, ~ **round** выгоня́ть

boot II [bu:t] *уст.* **1.** *n* вы́года, по́льза ◇ to ~ в прида́чу

2. *v* помога́ть; what ~s it? кака́я от э́того по́льза?; it ~s not э́то бесполе́зно

bootblack ['bu:tblæk] *n* (*преим. амер.*) чи́стильщик сапо́г

bootee ['bu:ti:] *n* 1) де́тский вя́заный (*особ. из шерсти*) башмачо́к 2) (тёплый) да́мский боти́нок

Boötes [bəʊ'əʊti:z] *n* Волопа́с (*созвездие*)

booth [bu:ð] *n* бу́дка; кио́ск; пала́тка; каби́на; балага́н (*на ярмарке*)

bootjack ['bu:tdʒæk] *n* 1) приспособле́ние для снима́ния сапо́г 2) *горн.* лови́льный крюк

bootlace ['bu:tleɪs] *n* шнуро́к для боти́нок

bootleg ['bu:tleg] **1.** *n* 1) голени́ще 2) *горн.* невзорва́вшийся шпур 3) спиртны́е напи́тки, продава́емые та́йно 4) *attr.* контраба́ндный

2. *v разг.* 1) та́йно торгова́ть контраба́ндными *или* самого́нными спиртны́ми напи́тками 2) та́йно продава́ть

bootlegger ['bu:tlegə] *n* 1) торго́вец контраба́ндными *или* самого́нными спиртны́ми напи́тками 2) *sl.* торго́вец запрещёнными това́рами

bootless I ['bu:tləs] *a* без башмако́в; без сапо́г; босоно́гий

bootless II ['bu:tləs] *a* бесполе́зный; ~ effort бесполе́зное уси́лие

bootlicker ['bu:tlɪkə] *n разг.* подхали́м

bootmaker ['bu:tmeɪkə] *n* сапо́жник

boots [bu:ts] *n* коридо́рный, слуга́ (*в гостинице*)

bootstrap ['bu:tstræp] *n* 1) у́шко, пе́тля (*на заднике ботинка*) 2) *вчт.* нача́льная загру́зка

boot-top ['bu:ttɒp] *n* голени́ще

boot-tree ['bu:ttri:] *n* сапо́жная коло́дка

booty ['bu:tɪ] *n* награ́бленное добро́, добы́ча

booze [bu:z] *разг.* **1.** *n* 1) спиртно́й напи́ток 2) попо́йка, пья́нка; запо́й; to be on the ~ пья́нствовать

2. *v* пья́нствовать

boozer ['bu:zə] *n разг.* 1) пья́ница, пьянчу́га 2) пивна́я, пивну́шка, тракти́р

boozy ['bu:zɪ] *a разг.* 1) пья́ный 2) лю́бящий вы́пить

bop [bɒp] *v разг.* уда́рить

bo-peep [bəʊ'pi:p] *n* игра́ в пря́тки (*с ребёнком*); to play ~ игра́ть в пря́тки (*тж. перен.*)

bora ['bəʊrə] *n* бо́ра́, холо́дный се́веро-восто́чный ве́тер (*в Адриатике*)

boracic acid [bə,ræsɪk'æsɪd] *n* бо́рная кислота́

borage ['bɒrɪdʒ] *n бот.* огуре́чник апте́чный

borax ['bɔ:ræks] *n* 1) *хим.* бура́ 2) *attr.*: ~ soap бо́рное мы́ло 3) бо́ракс

Bordeaux [bɔ:'dəʊ] *n* бордо́ (*вино*)

bordello [bɔ:'deləʊ] *n* (*обыкн. амер.*) публи́чный дом, борде́ль

border ['bɔ:də] **1.** *n* 1) грани́ца; the B. грани́ца ме́жду А́нглией и Шотла́ндией 2) край; кайма́, бордю́р; фриз

2. *v* 1) грани́чить (on, upon — с) 2) походи́ть, быть похо́жим (upon — на) 3) обшива́ть, окаймля́ть

borderer ['bɔ:dərə] *n* жи́тель пограни́чной полосы́

borderland ['bɔ:dəlænd] *n* 1) пограни́чная о́бласть; пограни́чная полоса́ 2) промежу́точная о́бласть (*в науке*) 3) что-л. неопределённое, промежу́точное; не́что сре́днее

borderless ['bɔ:dələs] *a* не име́ющий грани́ц; бесконе́чный

border line ['bɔ:dəlaɪn] *n* грани́ца, демаркацио́нная ли́ния

borderline ['bɔ:dəlaɪn] *a* пограни́чный; *перен.* находя́щийся на гра́ни

bore I [bɔ:] **1.** *n* 1) вы́сверленное отве́рстие, дыра́ 2) *воен., тех.* кана́л ствола́ 3) диа́метр отве́рстия, кали́бр 4) ску́чное заня́тие, ску́ка; what a ~! кака́я ску́ка! 5) ску́чный челове́к

2. *v* 1) сверли́ть; раста́чивать; бури́ть 2) с трудо́м пробива́ть себе́ путь 3) надоеда́ть; he ~s me to death он мне до́ смерти надое́л

bore II [bɔ:] *n* си́льное прили́вное тече́ние (*в узких устьях рек*)

bore III [bɔ:] *past от* bear II

boreal ['bɔ:rɪəl] *a* се́верный

Boreas ['bɒrɪæs] *n поэт.* Боре́й, се́верный ве́тер

borecole ['bɔ:kəʊl] *n* капу́ста кормова́я, бра́унколь

bored [bɔ:d] **1.** *p. p. от* bore I, 2

2. *a* скуча́ющий; I am ~ мне надое́ло, мне ску́чно

boredom ['bɔ:dəm] *n* ску́ка

borehole ['bɔ:həʊl] *n* бурова́я сква́жина; шпур

borer ['bɔ:rə] *n* 1) бура́в, бур; сверло́ 2) бури́льщик; сверло́вщик 3) сверли́льщик (*червь*)

boric ['bɔ:rɪk] *a хим.* бо́рный

boring ['bɔ:rɪŋ] **1.** *pres. p. от* bore I, 2

2. *n* 1) доку́чливость, надое́дливость 2) буре́ние; сверле́ние 3) бурова́я сква́жина; (просверлённое) отве́рстие 4) *pl* стру́жка

3. *a* 1) надое́дливый, ску́чный 2) сверля́щий

boring machine ['bɔ:rɪŋmə,ʃi:n] *n горн.* бури́льная маши́на; бури́льный молото́к

boring mill ['bɔ:rɪŋmɪl] *n* сверли́льный стано́к

boring rig ['bɔ:rɪŋrɪg] *n горн.* бурово́й стано́к

born [bɔ:n] **1.** *p. p. от* bear II, 2)

2. *a* прирождённый; a poet ~ прирождённый поэ́т ◇ in all one's ~ days за всю свою́ жизнь

borne [bɔ:n] *p. p. от* bear II

borné ['bɔ:neɪ] *фр. a* ограни́ченный, с у́зким кругозо́ром

boron ['bɔ:rɒn] *n хим.* бор

borough ['bʌrə] *n* 1) (небольшо́й) го́род; municipal ~ го́род, име́ющий самоуправле́ние [*ср. тж.* 2)]; Parliamentary ~ го́род, предста́вленный в англи́йском парла́менте; close (*или* pocket) ~ го́род *или* о́круг, в кото́ром вы́боры факти́чески нахо́дятся под контро́лем одного́ лица́; rotten ~ *ист.* гнило́е месте́чко 2) *амер.* оди́н из пяти́ райо́нов Нью-Йо́рка (*тж.* municipal ~) 3): the B. Са́утуарк (*название округа Лондона*)

borough English [,bʌrə'ɪŋglɪʃ] *n юр. ист.* перехо́д недви́жимости к мла́дшему, а не к ста́ршему сы́ну

borrow ['bɒrəʊ] *v* 1) занима́ть, брать на вре́мя (of, from — у *кого-л.*) 2) заи́мствовать

borrowing ['bɒrəʊɪŋ] **1.** *pres. p. от* borrow

2. *n* 1) ода́лживание; he who likes ~ dislikes paying тот, кто лю́бит брать взаймы́, не лю́бит отдава́ть 2) заи́мствование

borsch(t) [bɔ:ʃ] *n* борщ

Borstal ['bɔ:stl] *a*: ~ system систе́ма наказа́ния несовершенноле́тних престу́пников, по кото́рой срок заключе́ния зави́сит от их поведе́ния при отбыва́нии наказа́ния; ~ institution коло́ния для несовершенноле́тних престу́пников; ~ boy подро́сток, отбыва́ющий срок в коло́нии

borzoi ['bɔ:zɔɪ] *n* борза́я (*порода собак*)

boscage ['bɒskɪdʒ] *n поэт.* ро́ща; подле́сок; куста́рник

bosh I [bɒʃ] **1.** *n sl.* вздор; (глу́пая) болтовня́

2. *int* вздор!, глу́пости!

bosh II [bɒʃ] *n тех.* 1) ва́нна для охлажде́ния инструме́нта 2) *pl* заплечики до́менной пе́чи

bosk [bɒsk] *n поэт.* ро́щица

boskage ['bɒskɪdʒ] = boscage

bosket ['bɒskɪt] = bosk

bosky ['bɒskɪ] *a* поро́сший ле́сом *или* куста́рником

bosom ['bʊzəm] **1.** *n* 1) грудь; па́зуха; to put in one's ~ положи́ть за па́зуху 2) ло́но; не́дра; in the ~ of one's family в кругу́ семьи́; the ~ of the sea морски́е глуби́ны 3) се́рдце, душа́ 4) корса́ж, грудь соро́чки *и т. п.*; *амер.* мани́шка ◇ to take to one's ~ a) жени́ться; взять в жёны; б) прибли́зить к себе́, сде́лать свои́м дру́гом

2. *v уст.* 1) храни́ть в та́йне 2) пря́тать (за па́зуху); a house ~ed in trees дом, скры́тый дере́вьями

bosom friend ['bʊzəmfrend] *n* закады́чный друг

bosquet ['bɒskɪt] = bosk

boss I [bɒs] *разг.* **1.** *n* 1) хозя́ин; предпринима́тель; босс; *разг.* шеф; he's the ~ here он здесь хозя́ин 2) *амер.* руководи́тель ме́стной полити́ческой организа́ции 3) деся́тник 4) *горн.* ште́йгер

2. *v* быть хозя́ином; распоряжа́ться ◇ to ~ the show хозя́йничать, распоряжа́ться всем

boss II [bɒs] **1.** *n* 1) ши́шка, вы́пуклость 2) *тех.* бобы́шка, утолще́ние, вы́ступ, прили́в; упо́р 3) *геол.* ку́пол, шток 4) *архит.* релье́фное украше́ние 5) вту́лка колеса́

2. *v* де́лать вы́пуклый орна́мент 2) обта́чивать сту́пицу 3) *sl.* промахну́ться, испо́ртить де́ло

boss-eyed ['bɒsaɪd] *a sl.* 1) косо́й 2) нече́стный

boss shot ['bɒsʃɒt] *n sl.* 1) неуда́чный вы́стрел, про́мах 2) неуда́чная попы́тка

bossy ['bɒsɪ] *a* 1) вы́пуклый 2) шишкова́тый

Boston, boston ['bɒstən] *n* 1) вальс-босто́н 2) *карт.* босто́н

bosun ['bəʊsn] *n* бо́цман

botanical [bə'tænɪkl] *a* ботани́ческий

botanist ['bɒtənɪst] *n* бота́ник

botanize ['bɒtənaɪz] *v* ботанизи́ровать

botany ['bɒtənɪ] *n* бота́ника

Botany Bay [,bɒtənɪ'beɪ] *n* ссы́лка, ка́торга (*от названия бухты в Новом Южном Уэльсе, служившей местом ссылки*)

botch [bɒtʃ] **1.** *n* 1) запла́та 2) пло́хо сде́ланная рабо́та

2. *v* 1) неуме́ло лата́ть 2) де́лать небре́жно; по́ртить

botcher ['bɒtʃə] *n* плохо́й рабо́тник

botfly ['bɒtflaɪ] *n* о́вод

both [bəʊθ] **1.** *pron indef.* о́ба; they are ~ doctors, ~ of them are doctors о́ба они́ врачи́; ~ are busy о́ба они́ за́няты

2. *adv, cj*: ~ ... and... как..., так и...; и... и...; и к тому́ же; he speaks ~ English and French он говори́т и по-англи́йски и по-францу́зски; he is ~ tired and hungry он уста́л и к тому́ же го́лоден

bother ['bɒðə] **1.** *n* беспоко́йство, хло́поты; исто́чник беспоко́йства

2. *v* 1) надоеда́ть; беспоко́ить 2) беспоко́иться, волнова́ться (about) 3) суети́ться; хлопота́ть; don't ~! не сто́ит беспоко́иться ◇ oh, ~ it! *разг.* чёрт возьми́!

botheration [,bɒðə'reɪʃn] *разг.* **1.** *n* = bother 1

2. *int* кака́я доса́да!

bothersome ['bɒðəsəm] *a* надое́дливый, доку́чливый; беспоко́йный

bothy ['bɒθɪ] *n шотл.* 1) хиба́рка 2) (бара́чное) помеще́ние для рабо́чих (*на ферме, стройке*)

bo tree ['bəʊtri:] *n* свяще́нное де́рево (*у буддистов Индии*)

bottle I ['bɒtl] **1.** *n* 1) буты́лка, буты́ль; флако́н 2) рожо́к (*для грудных детей*); to bring up on the ~ вска́рмливать ребёнка на рожке́, иску́сственно вска́рмливать ребёнка 3) вино́; to be fond of the ~ люби́ть вы́пить; to pass the ~ round передава́ть буты́лку вкругову́ю; to have a ~ вы́пить, пропусти́ть рю́мочку; over a ~ за буты́лкой вина́; to take to the ~ запи́ть, пристрасти́ться к вину́; to hit (*или* to give up) the ~ стать тре́звенником 4) *тех.* опо́ка 5) *sl.* отва́га, самоуве́ренность

2. *v* 1) храни́ть в буты́лках 2) разлива́ть по буты́лкам (*тж.* ~ off) 3) *sl.* пойма́ть (*на месте преступления*) ▭ ~ up сде́рживать, скрыва́ть (*обиду и т. п.*)

bottle II ['bɒtl] *n редк.* сноп; оха́пка се́на

bottle-baby ['bɒtl,beɪbɪ] *n* вско́рмленный на рожке́ ребёнок, иску́сственник

bottle-feeding ['bɒtlfi:dɪŋ] *n* иску́сственное вска́рмливание

bottle glass ['bɒtlglɑ:s] *n* буты́лочное стекло́

bottle green ['bɒtlgri:n] *n* тёмно-зелёный, буты́лочного цве́та

bottle-holder ['bɒtl,həʊldə] *n* 1) секунда́нт боксёра 2) помо́щник, сторо́нник

bottle neck ['bɒtlnek] *n* го́рлышко буты́лки

bottleneck ['bɒtlnek] **1.** *n* 1) у́зкий прохо́д 2) про́бка (*в уличном движении*) 3) у́зкое ме́сто 3) *воен.* дефиле́

2. *v* создава́ть зато́р, про́бку

bottle-screw ['bɒtlskru:] *n* што́пор

bottle washer ['bɒtl,wɒʃə] *n* 1) мо́йщик буты́лок 2) *шутл.* ма́льчик на побегу́шках ◇ head cook and ~ *ирон.* и ста́рший по́вар, и судомо́йка; ≅ и швец, и жнец, и в дуду́ игре́ц

bottom ['bɒtəm] **1.** *n* 1) дно, дни́ще; ~ up вверх дном; to have no ~ быть без дна, не име́ть дна; *перен.* быть неистощи́мым, неисчерпа́емым 2) дно (*моря, реки и т. п.*); to go to the ~ пойти́ ко дну; to send to the ~ потопи́ть; to touch ~ а) косну́ться дна; б) дойти́ до преде́льно ни́зкого у́ровня (*о ценах*); в) опусти́ться; г) добра́ться до су́ти де́ла 3) низ, ни́жняя часть; коне́ц; at the ~ of a mountain у подно́жья горы́; at the ~ of the steps на ни́жней ступе́ньке; to be at the ~ of the class занима́ть после́днее ме́сто в кла́ссе по успева́емости; at the ~ of the table в конце́ стола́ 4) грунт; по́чва; подстила́ющая поро́да 5) основа́ние, фунда́мент 6) *разг.* зад, за́дняя часть 7) осно́ва, суть; to get (down) to (*или* at) the ~ of добра́ться до су́ти де́ла; good at (the) ~ по существу́ хоро́ший 8) причи́на; to be at the ~ of smth. быть причи́ной *или* зачи́нщиком чего́-л. 9) сиде́нье (*стула*) 10) под (*печи*) 11) подво́дная часть корабля́ 12) су́дно (*торговое*) 13) (*обыкн. pl*) ни́зменность, доли́на (*реки*) 14) запа́с жи́зненных сил, выно́сливость 15) оса́док, подо́нки ◇ there's no ~ to it э́тому конца́ не ви́дно; to knock the ~ out of an argument опрове́ргнуть аргуме́нт; вы́бить по́чву из-под ног; ~s up! пей до дна!; to be at rock ~ впасть в уны́ние

2. *a* 1) ни́жний; ни́зкий; после́дний; ~ price кра́йняя цена́; ~ rung ни́жняя ступе́нька (*приставной лестницы*); one's ~ dollar после́дний до́ллар 2) основно́й

3. *v* 1) приде́лывать дно 2) каса́ться дна; измеря́ть глубину́ 3) доиска́ться причи́ны, добра́ться до су́ти, вни́кнуть 4) (*обыкн. pass.*) стро́ить, осно́вывать (on, upon — на) 5) осно́вываться

bottom drawer [,bɒtəm'drɔ:] *n* (я́щик в комо́де, в кото́ром храни́тся) прида́ное неве́сты

bottom-land ['bɒtəmlænd] *n амер.* по́йма; доли́на

bottomless ['bɒtəmləs] *a* 1) бездо́нный 2) непостижи́мый 3) не име́ющий сиде́нья (*о стуле*) 4) необосно́ванный

bottommost ['bɒtəmməʊst] *a* са́мый ни́жний

botulism ['bɒtjʊlɪzəm] *n мед.* ботули́зм

boudoir ['bu:dwɑ:] *n* будуа́р

bouffant ['bu:fɒŋ] *a* широ́кий, свобо́дный (*об одежде*); взби́тый, пы́шный (*о волосах*)

bougainvillaea [,bu:gən'vɪlɪə] *n* бугенви́ллия

bough [baʊ] *n* сук

bought [bɔ:t] *past и p. p. от* buy 1

bougie ['bu:ʒi:] *n* 1) *мед.* буж, расшири́тель 2) восковая свеча́

bouillon [bu:'jɒn] *n* бульо́н, суп

boulder ['bəʊldə] *n* 1) валу́н 2) га́лька

boulevard ['bu:ləvɑ:d] *n* 1) бульва́р 2) *амер.* проспе́кт

boulter ['bəʊltə] *n* дли́нная ле́са с не́сколькими крючка́ми

bounce [baʊns] **1.** *n* 1) прыжо́к; отско́к; with a ~ одни́м скачко́м 2) упру́гость 3) *разг.* хвастовство́; преувеличе́ния 4) *разг.* жи́вость, эне́ргия 5) *sl.* увольне́ние 6) прыжо́к самолёта при поса́дке 7) глухо́й, внеза́пный уда́р

2. *v* 1) подпры́гивать; отска́кивать; to ~ into (out of) the room влета́ть в ко́мнату (выска́кивать из ко́мнаты) 2) *фин.* быть возвращённым ба́нком ремите́нту (*ввиду отсутствия средств на счету плательщика — о чеке*) 3) *ав.* подпры́гивать при поса́дке, «козли́ть» 4) *разг.* обма́ном *или* запу́гиванием заста́вить (*сделать что-л.*) 5) *разг.* хва́стать 6) *sl.* увольня́ть

3. *adv* вдруг; внеза́пно и шу́мно

bouncer ['baʊnsə] *n* 1) *sl.* вышиба́ла 2) тот, кто подпры́гивает, подска́кивает 3) *разг.* хвасту́н; лгун 4) *разг.* хвастовство́; ложь, фальшь 5) челове́к *или* вещь кру́пных разме́ров

bouncing ['baʊnsɪŋ] **1.** *pres. p. от* bounce 2

2. *a* 1) здоро́вый, ро́слый, кру́пный, по́лный 2) шумли́вый

3. *n* 1) подпры́гивание автомоби́ля 2) прыжо́к самолёта при поса́дке, «козёл»

bouncy ['baʊnsɪ] *a* 1) жизнера́достный 2) упру́гий (*о мяче*)

bound I [baʊnd] **1.** *n* 1) грани́ца, преде́л 2) (*обыкн. pl*) ограниче́ние; to put (*или* to set) ~s ограни́чивать (to — *что-л.*) ◇ out of ~s вход запрещён (*обыкн.*

для школьников); beyond the ~s of decency в ра́мках прили́чия

2. *v* 1) ограни́чивать 2) сде́рживать 3) грани́чить; служи́ть грани́цей

bound II [baʊnd] **1.** *n* 1) прыжо́к, скачо́к; a ~ forward бы́строе движе́ние вперёд 2) отско́к (*мяча*) 3) *поэт.* си́льный уда́р се́рдца

2. *v* 1) пры́гать, скака́ть; бы́стро бежа́ть 2) отска́кивать (*о мяче и т. п.*)

bound III [baʊnd] **1.** *past и p. p. от* bind 1

2. *a* 1) свя́занный; ~ up with smb., smth. те́сно свя́занный с кем-л., чем-л. 2) обя́занный; вы́нужденный; ~ to military service военнообя́занный 3) непреме́нный, обяза́тельный; he is ~ to succeed ему́ обеспе́чен успе́х 4) уве́ренный; реши́вшийся (*на что-л.*) 5) переплетённый, в переплёте 6) страда́ющий запо́ром

bound IV [baʊnd] *a* гото́вый (*особ. к отправлению*); направля́ющийся (for); the ship is ~ for Plymouth су́дно направля́ется в Пли́мут; outward ~ гото́вый к вы́ходу в мо́ре, отправля́ющийся за грани́цу (*о судне*)

boundary ['baʊndərɪ] *n* 1) грани́ца, межа́ 2) *attr.* пограни́чный; ~ lights *ав.* пограни́чные огни́ (*аэродрома*)

bounden ['baʊndən] *уст. p. p. от* bind 1 ◇ in ~ duty по до́лгу, по чу́вству до́лга

bounder ['baʊndə] *n разг.* развя́зный, шумли́вый челове́к

boundless ['baʊndləs] *a* безграни́чный, беспреде́льный

bounteous ['baʊntɪəs] *a книжн.* 1) ще́дрый (*о людях*) 2) доста́точный, оби́льный

bountiful ['baʊntɪfl] = bounteous

bounty ['baʊntɪ] *n* 1) ще́дрость 2) ще́дрый пода́рок 3) прави́тельственная пре́мия для поощре́ния промы́шленности, торго́вли и се́льского хозя́йства 4) *воен.* пре́мия при доброво́льном поступле́нии на слу́жбу

bouquet [bʊ'keɪ] *n* 1) буке́т 2) буке́т, арома́т (*вина*) 3) комплиме́нт; to hand smb. a ~ for, to throw ~s at smb. *разг.* восхваля́ть кого́-л., расточа́ть комплиме́нты кому́-л.

Bourbon ['bɜ:bən] *n* 1) бискви́т с шокола́дной начи́нкой 2) *амер.* реакционе́р 3) сорт ви́ски (*тж.* ~ whisky)

bourdon ['bʊədn] *n* басо́вый реги́стр орга́на *или* фисгармо́нии; басо́вая тру́бка волы́нки *или* её звуча́ние

bourgeois I ['bʊəʒwɑ:] **1.** *n* 1) буржуа́ 2) *ист.* горожа́нин

2. *a* буржуа́зный

bourgeois II [bɜ:'dʒɔɪs] *n полигр.* бо́ргес

bourgeoisie [,bʊəʒwɑ:'zi:] *n* буржуази́я

bourgeon ['bɜ:dʒən] = burgeon

bourn I [bɔ:n] *n уст.* руче́й

bourn II [bɔ:n] *n уст., поэт.* 1) цель 2) грани́ца, преде́л

bourne [bɔ:n] = bourn II

bourse [bʊəs] *n* пари́жская фо́ндовая би́ржа

bout [baʊt] *n* 1) раз, черёд; круг; что-л., вы́полненное за оди́н раз, в оди́н присе́ст; кругооборо́т; заёзд; this ~ на э́тот раз 2) запо́й 3) припа́док, при́ступ (*болезни, кашля*) 4) *спорт.* схва́тка; встре́ча; ~ with the gloves бокс

boutique [bu:'ti:k] *n* небольшо́й магази́н, небольша́я ла́вка (*торгующие предметами дамского туалета*)

bovine ['bəʊvaɪn] *a* 1) быча́чий, бы́чий 2) тупо́й, глу́пый

bovver ['bɒvə] *n sl.* нарочи́тое наруше́ние поря́дка

bow I [baʊ] **1.** *n* покло́н; to make one's ~ откла́няться; удали́ться; to take a ~ раскла́ниваться (*в ответ на аплодисменты*)

2. *v* 1) кла́няться; to ~ and scrape раболе́пствовать; to ~ one's thanks поклони́ться в знак благода́рности; to ~ out откла́няться, распроща́ться; удали́ться; he was ~ed out of the room его́ с покло́нами проводи́ли из ко́мнаты 2) наклони́ть, склони́ть го́лову 3) гну́ть(ся), сгиба́ть(ся) (*часто* ~ down); ~ed down by care согну́вшийся под бре́менем забо́т 4) подчиня́ться; to ~ to the inevitable покоря́ться неизбе́жному 5) преклоня́ться; to ~ before authority преклоня́ться пе́ред авторите́том

bow II [bəʊ] **1.** *n* 1) бант 2) лук, самостре́л 3) дуга́ 4) смычо́к 5) ра́дуга 6) *стр.* а́рка 7) *эл.* токоприёмник, бу́гель (*трамвая*) ◇ to draw a (*или* the) long ~ преувели́чивать, расска́зывать небыли́цы; to draw a ~ at a venture сде́лать что-л. науга́д

2. *v* владе́ть смычко́м

bow III [baʊ] *n* (*часто pl*) нос (*корабля*)

bow-backed ['baʊbækt] *a* сго́рбленный, согбе́нный

bow-compass(es) ['bəʊ,kʌmpəs(ɪz)] *n* (*pl*) кронци́ркуль

bowdlerize ['baʊdləraɪz] *v* выбра́сывать (*из книги и т. п.*) всё нежела́тельное, одио́зное

bowel ['baʊəl] *n* (*обыкн. pl*) 1) *мед.* кишка́ 2) *pl мед.* кише́чник; to have the ~s open *мед.* име́ть стул; to evacuate the ~s *мед.* очища́ть желу́док 3) *pl* вну́тренности 4) не́дра 5) сострада́ние; to have no ~s быть безжа́лостным; the ~s of mercy (*или* pity) чу́вство сострада́ния 6) *attr.*: ~ movement *мед.* стул

bower I ['baʊə] *n* 1) бесе́дка 2) да́ча, котте́дж 3) *поэт.* жили́ще 4) *уст., поэт.* будуа́р

bower II ['baʊə] *n мор.* станово́й я́корь

bower III ['baʊə] *n карт.*: right ~ козы́рной вале́т; left ~ вале́т одноцве́тной с ко́зырем ма́сти

bower-anchor ['baʊə,æŋkə] = bower II

bowery I ['baʊərɪ] *a* обса́женный дере́вьями, куста́ми; тени́стый

bowery II ['baʊərɪ] *n амер.* 1) у́лица *или* кварта́л дешёвых ба́ров, прито́нов

bowie knife ['bəʊɪnaɪf] *n амер.* дли́нный охо́тничий нож

bowing ['bəʊɪŋ] *n* те́хника владе́ния смычко́м; игра́ на скрипи́чных инструме́нтах

bow-knot ['bəʊnɒt] = bow II, 1, 1)

bowl I [bəʊl] *n* 1) ку́бок, ча́ша; the ~ пир, весе́лье; the flowing ~ спиртны́е напи́тки 2) ча́шка 3) ва́за (*для цветов*) 4) чашеобра́зная часть (*чего-л.*); углубле́ние (*ложки, подсвечника, чашки весов, резервуара фонтана*) 5) *тех.* ти́гель; резервуа́р

bowl II [bəʊl] **1.** *n* 1) шар 2) *pl* игра́ в шары́ 3) *pl диал.* ке́гли 4) *тех.* ро́лик, блок

2. *v* 1) кати́ть (*шар, обруч*) 2) игра́ть в шары́ 3) кати́ться 4) *спорт.* подава́ть мяч (*в крикете*); мета́ть мяч (*в бейсболе*) ▭ ~ **along** идти́, е́хать *или* кати́ться бы́стро; ~ **off** вы́йти из игры́; ~ **out** вы́бить из стро́я; ~ **over** сбить; *перен.* привести́ в замеша́тельство

bowlegged [,bəʊ'legɪd] *a* кривоно́гий

bowler I ['bəʊlə] *n* котело́к (*мужская шляпа*)

bowler II ['bəʊlə] *n* игро́к, подаю́щий мяч (*в крикете*) *или* ме́чущий мяч (*в бейсболе*)

bowler hat ['bəʊləhæt] *n* шля́па-котело́к ◇ to get the ~ быть уво́ленным с вое́нной слу́жбы

bowline ['bəʊlɪn] *n мор.* були́нь; бесе́дочный у́зел

bowling ['bəʊlɪŋ] **1.** *pres. p. от* bowl II, 2

2. *n* игра́ в шары́

bowling alley ['bəʊlɪŋ,ælɪ] *n* 1) = bowling green 2) кегельба́н

bowling green ['bəʊlɪŋgri:n] *n* лужа́йка для игры́ в шары́

bowman I ['bəʊmən] *n* стрело́к (*из лука*), лу́чник

bowman II ['baʊmən] *n мор.* ба́ковый гребе́ц (*ближайший к носу*)

bow saw ['bəʊsɔ:] *n* лучко́вая пила́

bowshot ['bəʊʃɒt] *n* да́льность полёта стрелы́

bowsprit ['bəʊsprɪt] *n мор.* бушпри́т

bowstring ['bəʊstrɪŋ] *n* тетива́

bow tie [,bəʊ'taɪ] *n* га́лстук-ба́бочка

bow window [,bəʊ'wɪndəʊ] *n архит.* окно́ с вы́ступом, э́ркер

bowwow **1.** *n* ['baʊwaʊ] 1) *разг.* соба́ка 2) соба́чий лай ◇ the (big) ~ style (*или* strain) высокопа́рный стиль; категори́ческая мане́ра выраже́ния

2. *int* [,baʊ'waʊ] гав-га́в!

box I [bɒks] **1.** *n* 1) коро́бка, я́щик, сунду́к (*тж. эллиптически* = letter ~, sentry ~ *и др.*); ~ of dominoes а) рот; б) пиани́но, роя́ль 2) рожде́ственский пода́рок (*обычно в ящике*) 3) (the ~) *разг.* телеви́зор 4) я́щик под сиде́ньем ку́чера; ко́злы 5) *театр.* ло́жа 6) сто́йло 7) ма́ленькое отделе́ние с перегоро́дкой (*в харчевне*) 8) до́мик (*особ.* охо́тничий)

9) рудни́чная у́личная вагоне́тка 10) *тех.* бу́кса; втýлка; вкла́дыш (*подшипника*) <> to be in the wrong ~ быть в нело́вком положе́нии; to be in a (tight) ~ быть в трýдном положе́нии; to be in the same ~ быть в одина́ковом положе́нии (*с кем-л.*)

2. *v* 1) запира́ть, класть в я́щик *или* коро́бку 2) подава́ть (*документ*) в суд 3) *лес.* подса́чивать (*дерево*) ▭ ~ **off** отделя́ть перегоро́дкой; ~ **up** а) вти́скивать, запи́хивать; б) неуме́лыми де́йствиями по́ртить, пу́тать де́ло; вноси́ть беспоря́док <> to ~ the compass а) *мор.* называ́ть все ру́мбы ко́мпаса; б) соверши́ть по́лный круг; ко́нчить, где на́чал

box II [bɒks] **1.** *n* 1) уда́р; ~ on the ear пощёчина 2) бокс

2. *v* 1) бокси́ровать 2) бить кулако́м; I ~ed his ear я емý дал затре́щину

box III [bɒks] *n бот.* самши́т вечнозелёный

boxcalf ['bɒks,kɑ:f] *n* бокс, хро́мовая теля́чья ко́жа

boxcar ['bɒkskɑ:] *n амер.* това́рный ваго́н

box-couch ['bɒkskaʊtʃ] *n* тахта́ с я́щиком (*для постели*)

boxen ['bɒksn] *a уст.* из бу́кса, самши́товый

Boxer ['bɒksə] *n ист. участник так наз. боксёрского восстания в Китае в 1900 — 1901 гг.*

boxer ['bɒksə] *n* 1) *спорт.* боксёр 2) боксёр (*порода собак*)

boxing I ['bɒksɪŋ] **1.** *pres. p. от* box II, 2

2. *n* бокс

boxing II ['bɒksɪŋ] **1.** *pres. p. от* box I, 2

2. *n* 1) упако́вка (*в ящик*) 2) фане́ра, материа́л для я́щиков, футля́ров 3) та́ра, футля́р

Boxing day ['bɒksɪŋdeɪ] *n* день пода́рков (*когда по английскому обычаю слуги, письмоносцы, посыльные получают подарки*)

boxing gloves ['bɒksɪŋglʌvz] *n pl* боксёрские перча́тки

box-keeper ['bɒks,ki:pə] *n* капельди́нер при ло́жах

box number ['bɒks,nʌmbə] *n* но́мер почто́вого я́щика (*для ответа на газетные объявления и т. п.*)

box office ['bɒks,ɒfɪs] *n* театра́льная ка́сса

box pleat ['bɒks,pli:t] *n* бантова́я скла́дка, банто́вка

boxroom ['bɒksru:m] *n* кладо́вка

box seat ['bɒks,si:t] *n* 1) сиде́нье на ко́злах 2) ме́сто в ло́же

boxwood ['bɒkswʊd] *n* самши́т; древеси́на самши́та

boy [bɔɪ] *n* 1) ма́льчик 2) па́рень; молодо́й челове́к; my ~ *разг.* бра́тец, дружи́ще, старина́ 3) сын 4) бой (*слуга-туземец на Востоке*) 5) *мор.* ю́нга 6) (the ~) *sl.* а) шампа́нское; б) герои́н <> big ~ а) *амер. разг.* заправи́ла; б) *воен. жарг.* тяжёлое ору́дие; pansy ~ *разг.* педера́ст; fly ~ *разг.* лётчик

boycott ['bɔɪkɒt] **1.** *n* бойко́т

2. *v* бойкоти́ровать

boyfriend ['bɔɪfrend] *n разг.* возлю́бленный, дружо́к

boyhood ['bɔɪhʊd] *n* о́трочество

boyish ['bɔɪɪʃ] *a* о́троческий; мальчи́шеский; живо́й

boyishness ['bɔɪɪʃnəs] *n* ребя́чество

boy scout [,bɔɪ'skaʊt] *n* бойска́ут

bozo ['bəʊzəʊ] *n амер. sl.* субъе́кт, «тип»

bra [brɑ:] *n разг.* бюстга́льтер

brabble ['bræbl] *уст.* **1.** *n* препрека́ния, ссо́ра

2. *v* препрека́ться, ссо́риться из-за пустяко́в

brace [breɪs] **1.** *n* 1) связь; скоба́, скре́па; подпо́рка; распо́рка 2) *pl* подтя́жки 3) сво́ра (*ремень*) 4) (*pl без измен.*) па́ра (*особ. о дичи*); twenty ~ of hares два́дцать пар за́йцев; they are a ~ ≅ (они́) два сапога́ па́ра 5) *мор.* брас 6) фигу́рная ско́бка 7) *тех.* коловоро́т (*тж.* ~ and bit)

2. *v* 1) свя́зывать, скрепля́ть; подпира́ть, подкрепля́ть; обхва́тывать 2) укрепля́ть (*нервы*); to ~ one's energies взять себя́ в ру́ки 3) *мор.* брасо́пить (*реи*) ▭ ~ **up** подба́дривать

bracelet ['breɪslət] *n* 1) брасле́т 2) *pl разг.* нару́чники

bracer ['breɪsə] *n* 1) *разг.* тонизи́рующее сре́дство; живи́тельная вла́га, алкого́льный напи́ток 2) скрепле́ние, связь; скоба́ 3) нарука́вник

bracing ['breɪsɪŋ] **1.** *pres. p. от* brace 2

2. *a* бодря́щий (*о воздухе*); укрепля́ющий

3. *n* крепле́ние, связь; расча́лка

bracken ['brækən] *n* па́поротник-орля́к

bracket ['brækɪt] **1.** *n* 1) кронште́йн, консо́ль; бра 2) ско́бка; round (square) ~s кру́глые (квадра́тные) ско́бки 3) гру́ппа, ру́брика; age ~ возрастна́я гру́ппа 4) га́зовый рожо́к 5) *воен.* ви́лка (*при стрельбе*)

2. *v* 1) заключа́ть в ско́бки 2) упомина́ть, ста́вить наряду́ (*с кем-л., с чем-л.*); don't ~ me with him не ста́вьте меня́ на одну́ до́ску с ним 3) *воен.* захва́тывать в ви́лку

brackish ['brækɪʃ] *a* 1) солонова́тый (*о воде*) 2) проти́вный (*на вкус*)

bract [brækt] *n бот.* прицве́тник

brad [bræd] *n* гвоздь без шля́пки, шти́фтик

bradawl ['brædɔ:l] *n* ши́ло

brae [breɪ] *n диал.* круто́й бе́рег реки́; склон холма́

brag [bræg] **1.** *n* 1) хвастовство́ 2) хвасту́н

2. *v* хва́статься, бахва́литься, кичи́ться

braggadocio [,brægə'dəʊtʃɪəʊ] *n* 1) бахва́льство 2) хвасту́н

braggart ['brægət] **1.** *n* хвасту́н

2. *a* хвастли́вый

Brahma ['brɑ:mə] *n* Бра́ма

brahma(pootra) [,brɑ:mə('pu:trə)] *n* бра́ма(пу́тра) (*порода кур*)

brahmin ['brɑ:mɪn] *n* брами́н

braid [breɪd] **1.** *n* 1) шнуро́к; тесьма́; галу́н 2) коса́ (*волос*)

2. *v* 1) плести́ 2) обшива́ть тесьмо́й, шнурко́м 3) заплета́ть, завяза́ть ле́нтой (*волосы*) 4) *тех.* оплета́ть, обма́тывать (*провод*)

brail [breɪl] *n* 1) *мор.* ги́тов (*снасть для уборки парусов*) 2) пу́ты для со́кола

braille [breɪl] *n* 1) шрифт Бра́йля (*для слепых*) 2) систе́ма чте́ния и письма́ (*по выпуклым точкам*) для слепы́х

brain [breɪn] **1.** *n* 1) мозг; disease of the ~ боле́знь мо́зга 2) *pl* мозги́ (*блюдо*) 3) рассу́док, ум 4) *pl разг.* у́мственные спосо́бности 5) *разг.* у́мница, «голова́» 6) *разг.* электро́нная вычисли́тельная маши́на <> to beat (*или* to puzzle, to rack) one's ~s about (*или* with) smth. лома́ть себе́ го́лову над чем-л.; to crack one's ~(s) спя́тить, свихну́ться; to have one's ~s on ice *разг.* сохраня́ть ледяно́е споко́йствие; smth. on the ~ неотвя́зная мысль; to have (got) smb., smth. on the ~ неотсту́пно ду́мать о ком-л., чём-л.; to make smb.'s ~ reel порази́ть кого́-л.; to pick smb.'s ~s испо́льзовать чужи́е мы́сли; to turn smb.'s ~ а) вскружи́ть кому́-л. го́лову; б) сбить кого́-л. с то́лку

2. *v* размозжи́ть го́лову

brainchild ['breɪntʃaɪld] *n* (*pl* -children) *разг.* порожде́ние ума́, иде́я, вы́думка

brain drain ['breɪndreɪn] *разг.* **1.** *n* «уте́чка мозго́в», перема́нивание специали́стов за грани́цу

2. *v* перема́нивать специали́стов за грани́цу

brain-fag ['breɪnfæg] *n* не́рвное истоще́ние

brain fever ['breɪn,fi:və] *n* 1) воспале́ние мо́зга 2) боле́знь, осложнённая мозговы́ми явле́ниями

brain-growth ['breɪngrəʊθ] *n* о́пухоль головно́го мо́зга

brainless ['breɪnləs] *a* глу́пый, безмо́зглый

brainpan ['breɪnpæn] *n разг.* черепна́я коро́бка, че́реп

brainpower ['breɪn,paʊə] *n* нау́чные ка́дры; нау́чно-техни́ческая интеллиге́нция

brain-sick ['breɪnsɪk] *a* поме́шанный, сумасше́дший

brainstorm ['breɪnstɔ:m] *n разг.* 1) бу́йный припа́док; душе́вное потрясе́ние 2) *амер.* внеза́пная иде́я; плодотво́рная мысль

brains trust ['breɪnztrʌst] *n* мозгово́й трест

brainteaser ['breɪn,ti:zə] *n* зага́дка, головоло́мка

brain-tunic ['breɪn,tju:nɪk] *n* мозгова́я оболо́чка

brainwash ['breɪnwɒʃ] **1.** *n* = brainwashing

2. *v разг.* «промыва́ть мозги́», подверга́ть идеологи́ческой обрабо́тке

brainwashing [ˈbreɪnwɒʃɪŋ] *n разг.* «промыва́ние мозго́в», идеологи́ческая обрабо́тка

brain wave [ˈbreɪnweɪv] *n разг.* счастли́вая мысль, блестя́щая иде́я

brainy [ˈbreɪnɪ] *a* мозгови́тый, у́мный, спосо́бный; остроу́мный

braird [ˈbreəd] *шотл.* **1.** *n* пе́рвый росто́к

2. *v* дава́ть пе́рвые ростки́; всходи́ть (*о траве, посевах*)

braise [breɪz] **1.** *n* тушёное мя́со

2. *v* туши́ть (*мясо*)

brake I [breɪk] **1.** *n* то́рмоз (*тж. перен.*)

2. *v* тормози́ть

brake II [breɪk] **1.** *n* 1) трепа́ло (*для льна, пеньки*) 2) тестомеша́лка 3) больша́я борона́

2. *v* 1) мять, трепа́ть (*лён, пеньку*) 2) меси́ть (*тесто*) 3) разбива́ть ко́мья (*бороной*)

brake III [breɪk] *n* ча́ща, куста́рник

brakeband [ˈbreɪkbænd] *n тех.* тормозна́я ле́нта

brakesman [ˈbreɪksmən] *n* 1) тормозно́й конду́ктор 2) *горн.* машини́ст ша́хтной подъёмной маши́ны

brake van [ˈbreɪkvæn] *n* тормозно́й ваго́н

braky [ˈbreɪkɪ] *a* заро́сший куста́рником *или* па́поротником

bramble [ˈbræmbl] *n бот.* ежеви́ка

bran [bræn] *n* о́труби; высевки

branch [brɑːntʃ] **1.** *n* 1) ветвь; ве́тка 2) рука́в (*реки*); ручеёк 3) отро́г (*горной цепи*) 4) ответвле́ние (*дороги*) 5) ли́ния (*родства*) 6) филиа́л, отделе́ние 7) о́трасль; *воен.* род во́йск, слу́жба 8) *тех.* тройни́к, отво́д 9) *attr.* вспомога́тельный; ~ establishment (*или* office) филиа́л 10) *attr.* ответвля́ющийся, боково́й; ~ line железнодоро́жная ве́тка; ~ track *ж.-д.* маневро́вый путь, боково́й путь; ~ pipe *тех.* па́трубок

2. *v* 1) раски́дывать ве́тви 2) разветвля́ться; расширя́ться; отходи́ть (*обыкн.* ~ out, ~ off, ~ forth)

branchiae [ˈbræŋkiiː] *n pl зоол.* жа́бры

branchial, branchiate [ˈbræŋkɪəl, ˈbræŋkɪeɪt] *a* жа́берный; жаброви́дный

branchless [ˈbrɑːntʃləs] *a* 1) без су́чьев 2) без ответвле́ний (*о дороге, трубопроводе и т. п.*)

branchy [ˈbrɑːntʃɪ] *a* 1) ветви́стый 2) разветвлённый

brand [brænd] **1.** *n* 1) сорт, ка́чество; of the best ~ вы́сшей ма́рки 2) вы́жженное клеймо́; тавро́; фабри́чное клеймо́, фабри́чная ма́рка 3) раскалённое желе́зо 4) головня́; голове́шка 5) клеймо́, печа́ть позо́ра 6) *поэт.* фа́кел 7) *поэт.* меч 8) *бот.* головня́ ◇ a ~ from the burning (*или* the fire) челове́к, спасённый от грозя́щей ему́ опа́сности

2. *v* 1) выжига́ть клеймо́ 2) клейми́ть, позо́рить 3) отпеча́тываться в па́мяти, оставля́ть неизглади́мое впечатле́ние; it is ~ed on my memory э́то вре́залось мне в па́мять

brandish [ˈbrændɪʃ] *v* маха́ть, разма́хивать (*мечом, палкой*)

brandling [ˈbrændlɪŋ] *n* дождево́й червь

brand-new [ˌbrændˈnjuː] *a* соверше́нно но́вый; «с иго́лочки»

brandy [ˈbrændɪ] *n* конья́к, бре́нди

bran-new [ˌbrænˈnjuː] = brand-new

brant(-goose) [ˌbrænt(ˈguːs)] *n зоол.* каза́рка

brash I [bræʃ] **1.** *n* гру́да обло́мков

2. *a* 1) де́рзкий, наха́льный, на́глый 2) хру́пкий, ло́мкий

brash II [bræʃ] *n* 1) изжо́га, ки́слая отры́жка 2) лёгкий при́ступ тошноты́ 3) внеза́пный ли́вень

brass [brɑːs] **1.** *n* 1) лату́нь, жёлтая медь; red ~ томпа́к 2) ме́дная мемориа́льная доска́ 3) (the ~) духовы́е инструме́нты, «медь»; double in ~ *амер. sl.* а) игра́ющий на двух духовы́х инструме́нтах; б) зараба́тывающий в двух места́х; в) спосо́бный, разносторо́нний 4) *sl.* медяки́, де́ньги 5) *воен. разг.* нача́льство; вы́сший вое́нный чин, ста́рший офице́р 6) *разг.* бессты́дство 7) *тех.* вкла́дыш

2. *a* ме́дный, лату́нный; ~ plate доще́чка на двери́ ◇ to come (*или* to get) down to (the) ~ tasks добра́ться до су́ти де́ла; to part ~ rags with smb. *мор. жарг.* порва́ть дру́жбу с кем-л.

brassard [ˈbræsɑːd] *n* нарука́вная повя́зка

brass band [ˌbrɑːsˈbænd] *n* духово́й орке́стр

brass hat [ˌbrɑːsˈhæt] *n воен. жарг.* штабно́й офице́р; высо́кий чин

brasserie [ˈbræsərɪ] *n* пивно́й бар, пивна́я

brassière [ˈbræzɪə] *n* бюстга́льтер, ли́фчик

brass knuckles [ˈbrɑːsˌnʌklz] *n pl амер.* касте́т

brass works [ˈbrɑːswɜːks] *n* медепла́вильный заво́д

brassy [ˈbrɑːsɪ] **1.** *a* 1) бессты́дный 2) претенцио́зный 3) лату́нный, ме́дный 4) металли́ческий (*о звуке*)

2. *n* клю́шка с ме́дным наконе́чником (*для игры в гольф*)

brat [bræt] *n* 1) *пренебр.* ребёнок; отро́дье 2) *горн.* то́нкий пласт угля́ с пири́том

brattice [ˈbrætɪs] *n горн.* перемы́чка, па́рус

brattle [ˈbrætl] (*преим. шотл.*) **1.** *n* гро́хот; то́пот

2. *v* грохота́ть; топота́ть

bravado [brəˈvɑːdəʊ] *n* (*pl* -oes, -os [-əʊz]) хвастовство́, брава́да, напускна́я хра́брость

brave [breɪv] **1.** *a* 1) хра́брый, сме́лый 2) превосхо́дный, прекра́сный 3) *книжн.* наря́дный ◇ none but the ~ deserve the fair *посл.* ≅ сме́лость города́ берёт

2. *n* инде́йский во́ин

3. *v* хра́бро встреча́ть (*опасность и т. п.*) ◇ to ~ it out вести́ себя́ вызыва́юще

bravery [ˈbreɪvərɪ] *n* хра́брость, му́жество

bravo [brɑːˈvəʊ] *int* бра́во!

bravura [brəˈvjʊərə] *n* 1) брава́да 2) *муз.* браву́рная пье́са (*пассаж*)

brawl [brɔːl] **1.** *n* 1) шу́мная ссо́ра; у́личный сканда́л 2) журча́ние

2. *v* 1) ссо́риться, крича́ть, сканда́лить 2) журча́ть

brawler [ˈbrɔːlə] *n* скандали́ст; крику́н

brawn [brɔːn] *n* 1) му́скулы; му́скульная си́ла 2) сту́день из свино́й головы́ 3) засо́ленная *или* консерви́рованная свини́на

brawny [ˈbrɔːnɪ] *a* си́льный, мускули́стый

bray I [breɪ] *v уст.* толо́чь

bray II [breɪ] **1.** *n* 1) крик осла́ 2) неприя́тный ре́зкий звук

2. *v* крича́ть (*об осле*) 2) издава́ть неприя́тный звук

braze [breɪz] *v* 1) пая́ть твёрдым припо́ем из ме́ди и ци́нка 2) де́лать твёрдым

brazen [ˈbreɪzn] **1.** *a* 1) бессты́дный 2) ме́дный; бро́нзовый

2. *v*: to ~ it out на́гло вести́ себя́; держа́ться вызыва́юще; на́гло выкру́чиваться, извора́чиваться

brazen-faced [ˈbreɪznfeɪst] *a* на́глый, бессты́дный

brazier I [ˈbreɪzɪə] *n* ме́дник

brazier II [ˈbreɪzɪə] *n* жаро́вня

brazil [ˈbræzɪl] *n мин.* се́рный колчеда́н, пири́т

Brazilian [brəˈzɪlɪən] **1.** *a* бразильский

2. *n* брази́лец; бразилья́нка

brazil nut [brəˈzɪlnʌt] *n* америка́нский (*или* брази́льский) оре́х

Brazilwood [brəˈzɪlwʊd] *n* брази́льское де́рево, цезальпи́ния; древеси́на цезальпи́нии

brazing [ˈbreɪzɪŋ] **1.** *pres. p. от* braze

2. *n* 1) па́йка твёрдым припо́ем 2) *attr.*: ~ spelter твёрдый припо́й; ~ torch пая́льная ла́мпа

breach [briːtʃ] **1.** *n* 1) проло́м, отве́рстие; брешь 2) разры́в (*отношений*); ссо́ра 3) наруше́ние (*закона, обязательства*); ~ of faith злоупотребле́ние дове́рием, вероло́мство; супру́жеская изме́на; ~ of justice несправедли́вость; ~ of order наруше́ние регла́мента; ~ of prison бе́гство из тюрьмы́; ~ of privilege наруше́ние прав парла́мента; ~ of the peace наруше́ние обще́ственного поря́дка; ~ of promise наруше́ние обеща́ния (*особ.* жени́ться) 4) интерва́л 5) *мор.* во́лны, разбива́ющиеся о кора́бль; clean ~ волна́, снося́щая ма́чты *и т. п.* с корабля́; clear ~ волна́, перекати́вшаяся че́рез су́дно не разби́вшись ◇ to heal the ~ положи́ть коне́ц до́лгой ссо́ре; to stand in the ~ приня́ть на себя́ гла́вный уда́р; without a ~ of continuity непреры́вно

2. *v* 1) пробива́ть брешь, прола́мывать 2) наруша́ть (*закон, контракт и т. п.*) 3) вы́скочить из воды́ (*о ките*)

bread [bred] **1.** *n* 1) хлеб; *перен.* кусо́к хле́ба, сре́дства к существова́нию;

daily ~ хлеб насу́щный; to make one's ~ зараба́тывать на жизнь; to take the ~ out of smb.'s mouth отбива́ть хлеб у кого́-л.; ~ and butter а) хлеб с ма́слом, бутербро́д; б) сре́дства к существова́нию; to have one's ~ buttered for life быть материа́льно обеспе́ченным на всю жизнь; ~ buttered on both sides благополу́чие, обеспе́ченность 2) пи́ща; ~ and cheese проста́я *или* ску́дная пи́ща 3) *sl.* де́ньги ◇ to eat smb.'s ~ and salt быть чьим-л. го́стем; to break ~ with smb. по́льзоваться чьим-л. гостеприи́мством; to eat the ~ of affliction ≅ хлебну́ть го́ря; to know which side one's ~ is buttered ≅ быть себе́ на уме́

2. *v* обва́ливать в сухаря́х, панирова́ть

bread-and-butter [ˌbredn'bʌtə] *a* 1) де́тский, ю́ный, ю́ношеский 2) повседне́вный, проза́ический ◇ ~ letter письмо́, в кото́ром выража́ется благода́рность за гостеприи́мство

breadbasket ['bredˌbɑ:skɪt] *n* 1) корзи́на для хле́ба 2) *sl.* желу́док 3) жи́тница, гла́вный зерново́й райо́н

breadcrumb ['bredkrʌm] *n* 1) хле́бный мя́киш 2) *pl* кро́шки хле́ба

breadfruit ['bredfru:t] *n* 1) хле́бное де́рево 2) плод хле́бного де́рева

breadline ['bredlaɪn] *n амер.* о́чередь безрабо́тных за беспла́тным пита́нием

bread-stuffs ['bredstʌfs] *n pl* 1) зерно́ 2) мука́

breadth [bredθ] *n* 1) ширина́ 2) поло́тнище 3) широта́ (*кругозора, взглядов*); широ́кий разма́х ◇ to a hair's ~ то́чь-в-то́чь, то́чно; by (within) a hair's ~ of smth. на волоске́ от чего́-л.

breadthways ['bredθweɪz] *adv* в ширину́

breadthwise ['bredθwaɪz] = breadthways

bread-ticket ['bredˌtɪkɪt] *n* хле́бная ка́рточка

breadwinner ['bredˌwɪnə] *n* 1) корми́лец (*семьи*) 2) исто́чник существова́ния

break I [breɪk] **1.** *n* 1) проры́в 2) отве́рстие; тре́щина; проло́м 3) переры́в, па́уза; переме́на (*в школе*); coffee ~ переры́в на ча́шку ко́фе 4): ~ of day рассве́т; by the ~ of day на рассве́те 5) *разг.* шанс, возмо́жность; to get the ~s испо́льзовать благоприя́тные обстоя́тельства; име́ть успе́х; a lucky ~ уда́ча 6) обмо́лвка; оши́бка; to make a bad ~ а) сде́лать оши́бку, ло́жный шаг; б) проговори́ться, обмо́лвиться; в) обанкро́титься 7) раско́л; разры́в (*отношений*); to make a ~ with smb. порва́ть с кем-л. 8) *тлг.* тире́-многото́чие 9) *амер.* внеза́пное паде́ние цен 10) *диал.* большо́е коли́чество (*чего-л.*) 11) *хим.* расслое́ние жи́дкости 12) *геол.* разры́в; ма́лый сброс 13) *спорт.* прекраще́ние бо́я при захва́те (*в боксе*) ◇ ~ in the clouds луч наде́жды, просве́т

2. *v* (broke; broken) 1) лома́ть(ся), разбива́ть(ся); разруша́ть(ся); рва́ть(ся), разрыва́ть(ся); взла́мывать 2) прерыва́ть (*сон, молчание, путешествие*); to ~ the monotony нару́шить однообра́зие 3) наруша́ть (*обещание, закон, правило*); to ~ the peace нару́шить поко́й, мир 4) ослабе́ть 5) осла́бить; to ~ a fall осла́бить си́лу паде́ния 6) сломи́ть (*сопротивление, волю*); подорва́ть (*силы, здоровье, могущество*) 7) поби́ть (*рекорд*) 8) порыва́ть (*отношения*; with — с *кем-л.*, с *чем-л.*) 9) избавля́ть(ся), отуча́ть (of — от *привычки и т. п.*) 10) сообща́ть (*известия и т. п.*) 11) рассе́иваться, расходи́ться, расступа́ться 12) *эл.* прерыва́ть (*ток*); размыка́ть (*цепь*) 13): day is ~ing, day ~s (рас)света́ет 14) (*о голосе*) лома́ться; прерыва́ться (*от волнения*) 15) разме́нивать (*деньги*) 16) разоря́ть(ся) 17) прокла́дывать (*дорогу*) 18) разжа́ловать 19) распеча́тывать (*письмо*); отку́поривать (*бутылку, бочку*) 20) разро́знивать (*коллекцию и т. п.*) 21) приуча́ть (*лошадь к поводьям*; to); дрессирова́ть, обуча́ть 22) вскрыва́ться (*о реке; о нарыве*) 23) вы́рваться, сорва́ться; a cry broke from his lips крик сорва́лся с его́ уст 24) *текст.* мять, трепа́ть 25) сепари́ровать (*масло от обрата, мёд от воска*) 26) *хим.* осветля́ть (*жидкость*) ▭ ~ **away** а) убежа́ть, вы́рваться (*из тюрьмы и т. п.*); б) поко́нчить (from — с); в) отдели́ться, отпа́сть; ~ **down** а) разбива́ть, толо́чь; б) разруша́ть(ся); в) сломи́ть (*сопротивление*); г) ухудша́ться, сдава́ть (*о здоровье*); д) разбира́ть (*на части*); дели́ть, подразделя́ть, расчленя́ть; классифици́ровать; е) распада́ться (*на части*); ж) анализи́ровать; з) провали́ться; потерпе́ть неуда́чу; и) не вы́держать, потеря́ть самооблада́ние; ~ **forth** а) вы́рваться; прорва́ться; б) разрази́ться; to ~ forth into tears распла́каться; ~ **in** а) вла́мываться, врыва́ться; б) вмеша́ться (*в разговор и т. п.*; *тж.* on, upon); прерва́ть (*разговор*); в) дрессирова́ть; укроща́ть; объезжа́ть (*лошадей*); дисциплини́ровать; ~ **into** а) вла́мываться; б) разрази́ться (*смехом, слезами*); в): to ~ into smb.'s time отня́ть у кого́-л. вре́мя; г) прерва́ть (*разговор*); д): to ~ into a run побежа́ть; ~ **off** а) отла́мывать; б) внеза́пно прекраща́ть, обрыва́ть (*разговор, дружбу, знакомство и т. п.*); to ~ off action (*или* combat, the fight) *воен.* вы́йти из бо́я; ~ **out** а) (у)бежа́ть (*из тюрьмы*); б) выла́мывать; в) вспы́хивать (*о пожаре, войне, эпидемии и т. п.*); г) разрази́ться; he broke out laughing он расхохота́лся; д) появля́ться; a rash broke out on his body у него́ вы́ступила сыпь; ~ **through** прорва́ться; ~ **up** а) разбива́ть (*на мелкие куски*); to ~ up into groups, categories дели́ть на гру́ппы, катего́рии; классифици́ровать; б) слабе́ть; в) расходи́ться (*о собрании, компании и т. п.*); г) закрыва́ться на кани́кулы; д) распуска́ть (*учеников на каникулы*); е) расформиро́вывать; ж) меня́ться (*о погоде*) ◇ to ~ the back (*или* the neck) of smth. а) уничто́жить, погуби́ть что-л.; б) сломи́ть сопротивле́ние чего́-л.; одоле́ть са́мую тру́дную часть чего́-л. [*ср. тж.* neck 1, 1)]; to ~ a butterfly on the wheel *см.* wheel 1 ◇; to ~ the ice *см.* ice 1 ◇; to ~ the ground, to ~ fresh (*или* new) ground а) распа́хивать целину́; б) прокла́дывать но́вые пути́; начина́ть но́вое де́ло; де́лать пе́рвые шаги́ в чём-л.; в) *воен.* нача́ть рытьё око́пов; г) расчища́ть площа́дку (*при строительстве*); рыть котлова́н; to ~ camp снима́ться с ла́геря; to ~ a lance with smb. «лома́ть ко́пья», спо́рить с кем-л.; to ~ the news осторо́жно сообща́ть (неприя́тную) но́вость; to ~ a story опубликова́ть (*в газете*) отчёт, сообще́ние, информа́цию; to ~ cover а) вы́браться, вы́йти из укры́тия; б) вы́йти нару́жу; вы́ступить на пове́рхность; to ~ surface всплыть (*о подводной лодке и т. п.*); to ~ the bank *карт.* сорва́ть банк; to ~ loose а) вы́рваться на свобо́ду; б) сорва́ться с цепи́; to ~ open взла́мывать; to ~ wind освободи́ться от га́зов; to ~ even оста́ться при свои́х (*в игре*); to ~ a secret вы́дать та́йну

break II [breɪk] *n* откры́тый экипа́ж с двумя́ продо́льными скамья́ми

breakable ['breɪkəbl] **1.** *a* ло́мкий, хру́пкий

2. *n pl* хру́пкие предме́ты (*посуда и т. п.*)

breakage ['breɪkɪdʒ] *n* 1) поло́манные предме́ты; бой 2) ло́мка; поло́мка; ава́рия 3) компенса́ция за поло́мку 4) *горн.* отбо́йка (*породы, руды*); измельче́ние, дробле́ние 5) *текст.* обры́вность ни́тей

breakaway ['breɪkəweɪ] *n* 1) отхо́д (*от традиций и т. п.*) 2) *спорт.* отры́в (*от группы в беге, эстафете и т. п.*); ухо́д от защи́ты (*в футболе и т. п.*) 3) *спорт.* фальста́рт 4) *спорт.* прекраще́ние бо́я при захва́те (*в боксе*)

breakdown ['breɪkdaʊn] *n* 1) поло́мка механи́зма, маши́ны; ава́рия 2) по́лный упа́док сил, здоро́вья; nervous ~ не́рвное расстро́йство 3) распа́д; разва́л 4) ана́лиз 5) разбо́рка (*на части*); распределе́ние; расчлене́ние; деле́ние на катего́рии; классифика́ция 6) брейк, стреми́тельный та́нец 7) *эл.* пробо́й (*диэлектрика*) 8) *attr.*: ~ **gang** авари́йная кома́нда

breaker I ['breɪkə] *n* 1) дроби́льщик 2) наруши́тель (*закона и т. п.*) 3) отбо́йщик 4) буру́н 5) *тех.* дроби́лка 6) *эл.* выключа́тель; прерыва́тель 7) *текст.* мя́ло, трепа́лка 8) *гидр.* ледоре́з; бык (*моста*) ◇ ~s ahead! впереди́ опа́сность!, береги́сь!

breaker II ['breɪkə] *n* небольшо́й бочо́нок

breakfast ['brekfəst] **1.** *n* за́втрак

2. *v* за́втракать

breaking ['breɪkɪŋ] **1.** *pres. p. от* break I, 2

2. *n* 1) ло́мка, поло́мка 2) дробле́ние 3) *амер.* подъём целины́, взмёт земли́ 4) разруше́ние волн 5) проры́в плоти́ны 6) нача́ло, наступле́ние; ~ of September нача́ло сентября́ 7) *эл.* прерыва́ние 8) *горн.* отбо́йка 9) *текст.* трепа́ние 10) *attr.*: ~ point *мех.* преде́л про́чности; ~ strength *мех.* про́чность на разры́в; ~ test про́ба на изло́м

breakneck ['breɪknek] *a*: at (a) ~ pace (*или* speed) сломя́ го́лову, с головокружи́тельной быстрото́й

breakthrough ['breɪkθru:] *n* 1) кру́пное достиже́ние, откры́тие; шаг вперёд в како́й-л. о́бласти 2) *воен.* проры́в

breakup ['breɪkʌp] *n* 1) разва́л; разру́ха; распа́д 2) закры́тие шко́лы (*на каникулы*)

breakwater ['breɪk,wɔ:tə] *n* волноло́м, волноре́з; мол

bream I [bri:m] *n* лещ

bream II [bri:m] *v* очища́ть (*подводную часть корабля*)

breast [brest] **1.** *n* 1) грудь 2) грудна́я железа́ 3) со́весть, душа́ 4) *стр.* часть стены́ от подоко́нника до по́ла 5) отва́л (*плуга*) 6) *горн.* грудь забо́я ◇ to make a clean ~ of it чистосерде́чно созна́ться в чём-л.

2. *v* стать гру́дью (*против чего-л.*); проти́виться, восстава́ть

breast-band ['brestbænd] *n* шле́йка (*в упряжи*)

breastbone ['brestbəʊn] *n* грудна́я кость; груди́на

breast-feeding ['brestfi:dɪŋ] *n* вска́рмливание (*младенца*) гру́дью

breast-high [,brest'haɪ] *a* 1) доходя́щий до груди́ 2) погружённый по грудь

breast-pin ['brestpɪn] *n* була́вка для га́лстука

breastplate ['brestpleɪt] *n* 1) нагру́дник (*кирасы*) 2) нагру́дный знак 3) грудно́й реме́нь, подпе́рсье (*в сбруе*) 4) ни́жняя часть щита́ (*черепахи*)

breast-pocket ['brest,pɒkɪt] *n* нагру́дный карма́н

breaststroke ['breststrəʊk] *n* *спорт.* брасс

breastwork ['brestwɜ:k] *n* 1) *воен.* повы́шенный бру́ствер 2) *мор.* по́ручни

breath [breθ] *n* 1) дыха́ние, вздох; to be out of ~ запыха́ться, задыха́ться; to bate (*или* to hold) one's ~ затаи́ть дыха́ние; to catch one's ~ а) задохну́ться (*часто под влиянием сильных чувств*); б) восстанови́ть дыха́ние (*после бега*); to take ~ передохну́ть; перевести́ дух; to draw ~ дыша́ть; жить; to draw the first ~ роди́ться, появи́ться на свет; to draw one's last ~ испусти́ть дух, умере́ть; short of ~ страда́ющий оды́шкой; all in (*или* one) ~, all in the same ~ еди́ным ду́хом; below (*или* under) one's ~ ти́хо, шёпотом; second ~ *спорт.* второ́е дыха́ние; *перен.* но́вый прили́в эне́ргии 2) жизнь 3) дунове́ние 4) *attr.*: ~ consonant *фон.* глухо́й согла́сный ◇ to take smb.'s ~ away удиви́ть, порази́ть кого́-л.; to waste (*или* to spend) ~ говори́ть на ве́тер, по́пусту тра́тить слова́

breathalyse, breathalyze ['breθəlaɪz] *v* *разг.* взять про́бу на алкого́ль (*у водителя*)

Breathalyser, Breathalyzer ['breθəlaɪzə] *n* аппара́т для получе́ния про́бы на алкого́ль (*у водителя*)

breathe [bri:ð] *v* 1) дыша́ть; вздохну́ть, перевести́ дух; to ~ again, to ~ freely (*или* easily) свобо́дно вздохну́ть, вздохну́ть с облегче́нием 2) жить, существова́ть; a better fellow does not ~ лу́чше него́ нет челове́ка 3) дать передохну́ть 4) издава́ть прия́тный за́пах 5) дуть слегка́ (*о ветре*) 6) говори́ть (ти́хо); not to ~ a word не пророни́ть ни зву́ка, держа́ть в секре́те 7) выража́ть *что-л.*, дыша́ть *чем-л.* (*о лице, наружности*) ▭ ~ again почу́вствовать облегче́ние ◇ to ~ (a) new life into вдохну́ть но́вую жизнь (в *кого-л.*, во *что-л.*); to ~ upon мара́ть репута́цию; to ~ a vein *уст.* пусти́ть кровь; ~ down smb.'s neck *разг.* внима́тельно, при́стально следи́ть за чьей-л. рабо́той

breather ['bri:ðə] *n* 1) *разг.* коро́ткая переды́шка 2) *разг.* дыха́тельное упражне́ние 3) респира́тор 4) *тех.* сапу́н 5) живо́е существо́

breathing ['bri:ðɪŋ] **1.** *pres. p.* от breathe

2. *n* 1) дыха́ние 2) лёгкое дунове́ние 3) *фон.* придыха́ние

3. *a* (сло́вно) живо́й, ды́шащий (*о статуе и т. п.*)

breathing space ['bri:ðɪŋspeɪs] *n* переды́шка

breathless ['breθləs] *a* 1) запыха́вшийся; задыха́ющийся 2) затаи́вший дыха́ние; ~ attention напряжённое внима́ние 3) бездыха́нный 4) безве́тренный; неподви́жный (*о воздухе, воде и т. п.*)

breathtaking ['breθ,teɪkɪŋ] *a* захва́тывающий, порази́тельный, потряса́ющий

breath test ['breθtest] *n* прове́рка на алкого́ль (*водителей автомашин и т. п.*)

breccia ['bretʃɪə] *n* *геол.* бре́кчия

bred [bred] **1.** *past и p. p.* от breed 2

2. *a*: ~ in the bone врождённый

breech ['bri:tʃ] *n* 1) я́годица, зад 2) *воен.* казённая часть (*орудия*; *тж.* ~ end)

breechblock ['bri:tʃblɒk] *n* *воен.* затво́р

breeches ['bri:tʃɪz] *n* *pl* 1) бри́джи 2) *разг.* брю́ки ◇ ~ part мужска́я роль, исполня́емая же́нщиной

breeches buoy ['bri:tʃɪzbɔɪ] *n* спаса́тельная лю́лька (*для снятия людей с аварийного судна*)

breechloader ['bri:tʃ,ləʊdə] *n* *воен.* ору́дие, заряжа́ющееся с казённой ча́сти

breech-sight ['bri:tʃsaɪt] *n* *воен.* прице́л

breed [bri:d] **1.** *n* 1) поро́да, пле́мя 2) пото́мство, поколе́ние

2. *v* (bred) 1) выводи́ть, разводи́ть (*животных*); вска́рмливать 2) высиживать (*птенцов*) 3) воспи́тывать, обуча́ть 4) размножа́ться; to ~ true дава́ть поро́дистый припло́д 5) порожда́ть; вызыва́ть ◇ to ~ in and in заключа́ть бра́ки ме́жду ро́дственниками

breeder ['bri:də] *n* 1) тот, кто разво́дит живо́тных; cattle ~ скотово́д; sheep ~ овцево́д 2) производи́тель (*о животном*) 3) *тех.* аппарату́ра для (расши́ренного) воспроизво́дства я́дерного то́плива

breeding ['bri:dɪŋ] **1.** *pres. p.* от breed 2

2. *n* 1) разведе́ние (*животных*); cattle ~ скотово́дство; sheep ~ овцево́дство 2) размноже́ние 3) хоро́шие мане́ры, воспи́танность 4) *тех.* расши́ренное воспроизво́дство я́дерного то́плива

breeding ground ['bri:dɪŋgraʊnd] *n* 1) ме́сто выведе́ния молодняка́ (*у животных*) 2) расса́дник

breeze I [bri:z] **1.** *n* 1) лёгкий ветеро́к, бриз; *мор.* ве́тер 2) *разг.* шум, ссо́ра, перебра́нка 3) *обыкн.* *амер.* *разг.* но́вость; слух ◇ to fan the ~s ≅ занима́ться беспло́дным де́лом

2. *v* 1) *разг.* промча́ться 2) ве́ять, продува́ть ▭ ~ in вбежа́ть, влете́ть; ~ up крепча́ть (*о ветре*)

breeze II [bri:z] *n* о́вод, слепе́нь

breeze III [bri:z] *n* каменноу́гольный му́сор; у́гольная пыль; штыб

breeze-block ['bri:zblɒk] *n* *стр.* шлакобето́нный блок

breezy ['bri:zɪ] *a* 1) све́жий, прохла́дный 2) живо́й, весёлый

brekker ['brekə] *n* *унив.* *жарг.* за́втрак

brent(goose) ['brent(gu:s)] *n* *зоол.* каза́рка чёрная

brer [brɜ:] *n* *диал.* (*сокр.* от brother) бра́тец; B. Rabbit Бра́тец Кро́лик (*сказочный персонаж*)

brethren ['breðrən] *n* (*pl* от brother) *уст.* собра́тья; бра́тия

breve [bri:v] *n* 1) *муз.* бре́вис 2) *полигр.* значо́к кра́ткости над гла́сными (ă) 3) *ист.* па́пское бре́ве (*послание*)

brevet ['brevɪt] **1.** *n* 1) *воен.* пате́нт на сле́дующий чин без измене́ния окла́да 2) *ав.* пило́тское свиде́тельство

2. *v* присва́ивать сле́дующее зва́ние без измене́ния окла́да

breviary ['bri:vɪərɪ] *n* 1) *церк.* католи́ческий тре́бник 2) сокраще́ние; сокращённое изложе́ние, конспе́кт

brevier [brə'vɪə] *n* *полигр.* пети́т

brevity ['brevətɪ] *n* кра́ткость

brew [bru:] **1.** *v* 1) вари́ть (*пиво*) 2) сме́шивать; приготовля́ть (*пунш*); зава́ривать (*чай*) 3) замышля́ть (*мятеж, восстание*); затева́ть (*ссору и т. п.*) 4) назрева́ть, надвига́ться; a storm is ~ing гроза́ собира́ется

2. *n* 1) ва́рка (*напитка*) 2) ва́рево; напи́ток (*сваренный и настоянный*)

brewer ['bru:ə] *n* пивова́р

brewery ['bru:ərɪ] *n* пивова́ренный заво́д

brewing ['bru:ɪŋ] **1.** *pres. p.* от brew 1

2. *n* 1) пивоваре́ние 2) коли́чество пи́ва, кото́рое ва́рится за оди́н раз 3) *мор.* скопле́ние грозовы́х туч

Brewster Sessions [,bru:stə'seʃnz] *n* *название инстанции в Англии, выдаю-*

щей патенты на право торговли спиртными напитками

briar I, II ['braɪə] = brier I *и* II

bribable ['braɪbəbl] *a* подкупно́й, прода́жный

bribe [braɪb] **1.** *n* взя́тка, по́дкуп

2. *v* подкупа́ть; дава́ть, предлага́ть взя́тку

briber ['braɪbə] *n* тот, кто даёт взя́тку, взяткода́тель

bribery ['braɪbərɪ] *n* взя́точничество

bribetaker ['braɪb,teɪkə] *n* взя́точник; взяткополуча́тель

bric-à-brac ['brɪkəbræk] *n* безделу́шки; стари́нные ве́щи

brick [brɪk] **1.** *n* 1) кирпи́ч; кли́нкер 2) брусо́к (*мы́ла, ча́я и т. п.*); box of ~s де́тские ку́бики 3) *sl.* сла́вный па́рень, молодчи́на ◇ to drop a ~ сде́лать ля́псус, допусти́ть беста́ктность; like a cat on hot ~s ≅ как на горя́чих у́гольях; to make ~s without straw *библ.* рабо́тать, не име́я ну́жного материа́ла; затева́ть безнадёжное де́ло

2. *a* кирпи́чный ◇ to run one's head against a ~ wall прошиба́ть лбом стену́, добива́ться невозмо́жного

3. *v* класть кирпичи́; облицо́вывать *или* мости́ть кирпичо́м □ ~ **in**, ~ **up** закла́дывать кирпича́ми

brickbat ['brɪkbæt] *n* 1) обло́мок кирпича́ 2) неле́стный о́тзыв; ре́зкое замеча́ние

brickfield ['brɪkfi:ld] *n* кирпи́чный заво́д

brick-kiln ['brɪkkɪln] *n* печь для о́бжига кирпича́

bricklayer ['brɪk,leɪə] *n* ка́менщик

bricklaying ['brɪk,leɪɪŋ] *n* кла́дка кирпича́

brickwork ['brɪkwɜ:k] *n* кирпи́чная кла́дка

brickyard ['brɪkjɑ:d] *n* кирпи́чный заво́д

bridal ['braɪdl] **1.** *n* сва́дебный пир, сва́дьба

2. *a* сва́дебный

bride [braɪd] *n* неве́ста; новобра́чная ◇ the B. of the Sea «неве́ста мо́ря», Вене́ция

bridecake ['braɪdkeɪk] *n* сва́дебный пиро́г

bridegroom ['braɪdgru:m] *n* жени́х; новобра́чный

bridesmaid ['braɪdzmeɪd] *n* подру́жка неве́сты

bridesman ['braɪdzmən] *n* ша́фер, дру́жка (*на сва́дьбе*)

bridewell ['braɪdwl] *n уст.* исправи́тельный дом, тюрьма́

bridge I [brɪdʒ] **1.** *n* 1) мост; мо́стик, переми́чка; ~ of boats понто́нный, плашко́утный мост; raft ~ наплавно́й мост 2) капита́нский мо́стик 3) перено́сица 4) кобы́лка (*скри́пки, гита́ры и т. п.*) 5) мост (*для иску́сственных зубо́в*) 6) поро́г то́пки 7) *эл.* паралле́льное соедине́ние, шунт

2. *v* 1) соединя́ть мосто́м; наводи́ть мост, стро́ить мост; перекрыва́ть 2) преодолева́ть препя́тствия, выходи́ть из затрудне́ния; to ~ over the difficulties преодоле́ть тру́дности 3) *эл.* шунти́ровать ◇ to ~ gap ликвиди́ровать разры́в

bridge II [brɪdʒ] *n* бридж (*ка́рточная игра́*)

bridge crane ['brɪdʒkreɪn] *n* порта́льный кран

bridgehead ['brɪdʒhed] *n воен.* (предмо́стный) плацда́рм; предмо́стная пози́ция; предмо́стное укрепле́ние; плацда́рм на террито́рии проти́вника, уде́рживаемый до подхо́да основны́х сил

bridle ['braɪdl] **1.** *n* 1) узда́, узде́чка; to give a horse the ~ отпусти́ть пово́дья; *перен.* предоста́вить по́лную свобо́ду; to put a ~ on сде́рживать, обу́здывать; to turn ~ поверну́ть наза́д 2) узде́чка (*аэроста́та*) 3) *мор.* бри́дель

2. *v* 1) взну́здывать 2) обу́здывать, сде́рживать □ ~ **up** а) задира́ть нос, ва́жничать; б) выража́ть негодова́ние

bridle-hand ['braɪdlhænd] *n* ле́вая рука́ вса́дника

bridlepath ['braɪdlpɑ:θ] *n* (го́рная) вью́чная, верхова́я тропа́

bridle-rein ['braɪdlreɪn] *n* по́вод

brief [bri:f] **1.** *a* 1) коро́ткий, недо́лгий 2) кра́ткий, сжа́тый; лакони́чный 3) отры́вистый, гру́бый

2. *n* 1) сво́дка, резюме́ 2) *юр.* кра́ткое пи́сьменное изложе́ние де́ла с привлече́нием фа́ктов и докуме́нтов, с кото́рым сторона́ выступа́ет в суде́; to have plenty of ~s име́ть большу́ю пра́ктику (*об адвока́те*); to take a ~ принима́ть на себя́ веде́ние де́ла в суде́; to hold a ~ вести́ де́ло в суде́ в ка́честве адвока́та; *перен.* выступа́ть в защи́ту (*кого́-л.*); to throw down one's ~ отка́зываться от дальне́йшего веде́ния де́ла 3) *ав.* инстру́кция, дава́емая лётчику пе́ред боевы́м вы́летом 4) па́пское бре́ве ◇ in ~ вкра́тце, в немно́гих слова́х

3. *v* 1) резюми́ровать, составля́ть кра́ткое изложе́ние 2) поруча́ть (адвока́ту) веде́ние де́ла в суде́ 3) *ав.* инструкти́ровать (лётчиков пе́ред боевы́м вы́летом)

briefcase ['bri:fkeɪs] *n* портфе́ль

briefing ['bri:fɪŋ] **1.** *pres. p. от* brief 3

2. *n* 1) инструкти́вное *или* информацио́нное совеща́ние (*ча́сто для журнали́стов*), бри́финг 2) инструкта́ж, указа́ние

briefless ['bri:fləs] *a* не име́ющий пра́ктики (*об адвока́те*)

briefly ['bri:flɪ] *adv* кра́тко, сжа́то

briefness ['bri:fnəs] *n* кра́ткость, сжа́тость

brier I ['braɪə] *n* 1) *бот.* э́рика (*род ве́реска*) 2) кури́тельная тру́бка, сде́ланная из ко́рня э́рики

brier II ['braɪə] *n* шипо́вник

briery ['braɪərɪ] *a* колю́чий

brig [brɪg] *n* 1) бриг, двухма́чтовое су́дно 2) *амер.* помеще́ние для аресто́ванных на вое́нном корабле́

brigade [brɪ'geɪd] **1.** *n* 1) кома́нда, отря́д 2) брига́да 3) *attr.* брига́дный; ~ major нача́льник операти́вно-разве́дывательного отделе́ния шта́ба брига́ды

2. *v* формирова́ть брига́ду

brigadier [,brɪgə'dɪə] *n воен.* 1) брига́дир 2) брига́дный генера́л

brigand ['brɪgənd] *n* разбо́йник, банди́т

brigandage ['brɪgəndɪdʒ] *n* разбо́й, банди́тизм

bright [braɪt] **1.** *a* 1) я́ркий; блестя́щий; све́тлый 2) я́сный (*о зву́ке*) 3) све́тлый, прозра́чный (*о жи́дкости*) 4) полиро́ванный 5) блестя́щий; великоле́пный 6) спосо́бный, смышлёный; живо́й, расторо́пный 7) весёлый ◇ to look on the ~ side (of things) оптимисти́чески смотре́ть на ве́щи

2. *adv* я́рко; блестя́ще

brighten ['braɪtn] *v* 1) очища́ть, полирова́ть (*мета́лл*); придава́ть блеск 2) проясня́ться 3) улучша́ть(ся) (*о перспекти́вах и т. п.*)

brightness ['braɪtnəs] *n* я́ркость *и т. д.* [*см.* bright 1]

Bright's disease [,braɪtsdɪ'zi:z] *n мед.* бра́йтова боле́знь, хрони́ческий нефри́т

brill [brɪl] *n зоол.* ка́мбала-ромб

brilliance, -cy ['brɪljəns, -sɪ] *n* 1) я́ркость, блеск 2) великоле́пие, блеск

brilliant ['brɪljənt] **1.** *n* 1) бриллиа́нт 2) *полигр.* диама́нт

2. *a* 1) блестя́щий, сверка́ющий 2) блестя́щий, выдаю́щийся

brim [brɪm] **1.** *n* 1) край (*сосу́да*) 2) поля́ (*шля́пы*)

2. *v* наполня́ться до краёв □ ~ **over** перелива́ться че́рез край (*тж. перен.*); he ~s over with health он пы́шет здоро́вьем

brimful [,brɪm'fʊl] *a* по́лный до краёв

brimmer ['brɪmə] *n* по́лный бока́л, ку́бок

brimstone ['brɪmstəʊn] *n уст.* се́ра

brindled ['brɪndld] *a* пёстрый, пятни́стый, полоса́тый

brine [braɪn] **1.** *n* 1) рассо́л; тузлу́к 2) морска́я вода́ 3) ра́па, солено́й раство́р 4) *поэт.* мо́ре, океа́н 5) *поэт.* слёзы

2. *v* соли́ть, заса́ливать

Brinell hardness [brɪ,nel'hɑ:dnəs] *n тех.* твёрдость по Брине́ллю

brine pit ['braɪnpɪt] *n* солева́рня

bring [brɪŋ] *v* (brought) 1) приноси́ть, доставля́ть, приводи́ть, привози́ть 2) влечь за собо́й, причиня́ть; доводи́ть (to — до); to ~ to an end довести́ до конца́, заверши́ть; to ~ water to the boil довести́ во́ду до кипе́ния; to ~ to a fixed proportion установи́ть определённое соотноше́ние 3) заставля́ть, убежда́ть; to ~ oneself to do smth. заста́вить себя́ сде́лать что-л. 4) возбужда́ть (*де́ло*); to ~ an action against smb. возбуди́ть де́ло про́тив кого́-л.; to ~ charges against smb. выдвига́ть обвине́ние про́тив кого́-л. □ ~ **about** а) осуществля́ть; б) вызыва́ть; ~

back а) вызывать, воскрешать в памяти, напоминать; б) приносить обратно; ~ **down** а) подстрелить (*птицу*); б) снижать (*цены*); в) дискредитировать; г) сбивать (*самолёт*); ~ **forth** производить, порождать; ~ **forward** а) выдвигать (*предложение*); б) делать перенос (*счёта*) на следующую страницу; ~ **in** а) вводить; б) приносить (*доход*); в) вносить (*законопроект, предложение*); г) выносить (*приговор*); to ~ in guilty выносить обвинительный приговор; д) ввозить, импортировать; ~ **into**: to ~ into action а) вводить в бой, в дело; б) приводить в действие; to ~ into being вводить в действие; to ~ into play приводить в действие; to ~ into step синхронизировать; ~ **off** а) спасать; б) (успешно) завершать; ~ **on** навлекать, вызывать; ~ **out** а) высказывать (*мнение и т. п.*); выявлять; б) опубликовывать; ставить (*пьесу*); в) вывозить (*девушку в свет*); г) *воен.* снять с фронта, отвести в тыл; ~ **over** а) переубедить; привлечь на свою сторону; б) приводить с собой; ~ **round** а) приводить в себя, в сознание; б) переубеждать; в) доставлять; ~ **through** а) провести через (*какие-л. трудности*); б) вылечить; в) подготовить к экзаменам; ~ **to** а) приводить в сознание; б) *мор.* остановить(ся) (*о судне*); ~ **together** свести вместе (*спорящих, враждующих*); ~ **under** а) подчинять; б) включать, заносить (*в графу, категорию и т. п.*); в) осваивать; to ~ under cultivation *с.-х.* вводить в культуру; ~ **up** а) вскармливать, воспитывать; б) вырвать, стошнить; в) привлекать внимание; г) внезапно *или* резко остановить; д) приводить, приносить наверх; е) поднимать (*вопрос*); заводить (*разговор*); ж) увеличивать; to ~ up the score *спорт.* увеличивать счёт; з) *мор.* поставить *или* ставить на якорь ◇ to ~ down fire *воен.* открыть огонь, накрыть огнём; to ~ to a head обострять; to ~ to bear influence употреблять власть, оказывать влияние; to ~ up to date а) ставить в известность; вводить в курс дела; б) модернизировать

brink [brɪŋk] *n* 1) край (*обрыва, пропасти*); on the ~ of the grave на краю могилы; on the ~ of ruin на грани разорения 2) берег (*обыкн.* обрывистый, крутой)

brinkmanship [ˈbrɪŋkmənʃɪp] *n* балансирование на грани войны

briny [ˈbraɪnɪ] **1.** *a* солёный

2. *n sl.* море

briquette [brɪˈket] *n* брикет

brisk [brɪsk] **1.** *a* 1) живой, оживлённый; проворный 2) отрывистый (*о тоне, манере говорить*) 3) свежий (*о ветре*) 4) шипучий (*о напитках*)

2. *v* оживлять(ся) (*обыкн.* ~ up)

brisket [ˈbrɪskɪt] *n* грудинка

bristle [ˈbrɪsl] **1.** *n* щетина

2. *v* 1) ощетиниться 2) подниматься дыбом 3) рассердиться; рассвирепеть 4) изобиловать (with); to ~ with difficulties (quotation) изобиловать трудностями (цитатами)

bristly [ˈbrɪslɪ] *a* щетинистый; жёсткий; колючий

Bristol board [ˈbrɪstlbɔːd] *n* бристольский картон

Bristol fasion [ˈbrɪstl,fæʃn] *a мор.* (находящийся) в образцовом порядке

Britannia [brɪˈtænjə] *n поэт.* Великобритания (*тж. олицетворение Великобритании в виде женской фигуры на монетах и т. п.*)

Britannia metal [brɪˈtænjə,metl] *n* британский металл (*сплав олова, меди, сурьмы, иногда цинка*)

Britannic [brɪˈtænɪk] *a* британский (*в дипломатическом титуле короля или царствующей королевы*)

Briticism [ˈbrɪtɪ,sɪzəm] *n* англицизм; идиома, типичная для англичан, но не употребляемая в США

British [ˈbrɪtɪʃ] **1.** *a* (велико)британский; английский; ~ thermal unit *тех.* британская тепловая единица ◇ ~ warm короткая тёплая шинель (*для офицеров*)

2. *n* (the ~) *pl собир.* англичане, британцы

Britisher [ˈbrɪtɪʃə] *n амер. разг.* британец, англичанин

Britishism [ˈbrɪtɪ,ʃɪzəm] = Briticism

Briton [ˈbrɪtn] *n* 1) *ист.* бритт 2) британец, англичанин; North ~ шотландец

brittle [ˈbrɪtl] *a* хрупкий, ломкий

broach [brəʊtʃ] **1.** *n* 1) вертел 2) шпиль церкви (*тж.* ~ spire) 3) *тех.* развёртка; протяжка

2. *v* 1) делать прокол, отверстие; почать (*бочку вина*); открыть (*бутылку вина*) 2) огласить; начать обсуждать (*вопрос*); to ~ a subject поднять разговор о чём-л.; открыть дискуссию 3) *тех.* развёртывать, протягивать, прошивать отверстие 4) обтёсывать (*камень*) 5) *горн.* начать разработку (*шахты и т. п.*)

broad [brɔːd] **1.** *a* 1) широкий 2) обширный; просторный 3) широкий, свободный, терпимый 4) общий, данный в общих чертах 5) главный, основной 6) ясный, явный, ясно выраженный; in ~ daylight средь бела дня; ~ hint ясный намёк; ~ Scotch резкий шотландский акцент 7) грубый, неприличный; ~ joke грубая шутка 8) *фон.* открытый (*о звуке*) ◇ it is as ~ as it is long ≅ то же на то же выходит; что в лоб, что по лбу

2. *adv* 1) широко 2) свободно, открыто 3) вполне; ~ awake вполне очнувшись от сна *или* проснувшись 4) с резким акцентом

3. *n* 1) широкая часть (*спины, спинки*) 2) *амер. sl.* девка, баба

broad arrow [,brɔːdˈærəʊ] *n* английское правительственное клеймо

broad beans [,brɔːdˈbiːnz] *n pl* бобы

broad-brim [ˈbrɔːdbrɪm] *n* 1) широкополая шляпа 2) *разг.* квакер

broadcast [ˈbrɔːdkɑːst] **1.** *n* 1) радиовещание; TV ~ телевидение, телевизионное вещание 2) радиопередача; телепередача

2. *a* 1) радиовещательный; ~ appeal обращение по радио 2) посеянный вразброс, разбросанный, рассеянный

3. *v* 1) передавать по радио; вести радиопередачу; вещать 2) передавать по телевидению 3) распространять 4) разбрасывать (*семена и т. п.*)

broadcaster [ˈbrɔːdkɑːstə] *n* диктор

broadcasting [ˈbrɔːdkɑːstɪŋ] *n* радиовещание, трансляция; радиопередача

broadcloth [ˈbrɔːdklɒθ] *n* 1) тонкое чёрное сукно с шелковистой отделкой двойной ширины 2) бумажная *или* шёлковая ткань в рубчик

broaden [ˈbrɔːdn] *v* расширять(ся)

broad-gauge [ˈbrɔːdgeɪdʒ] *a* 1) *ж.-д.* ширококолейный 2) широких взглядов; либеральный

broadly [ˈbrɔːdlɪ] *adv* широко *и т. д.* [*см.* broad 1]; ~ speaking вообще говоря; в общих чертах

broad-minded [,brɔːdˈmaɪndɪd] *a* с широкими взглядами, с широким кругозором; терпимый; либеральный

broadness [ˈbrɔːdnəs] *n* грубость (*речи, шутки*)

broadsheet [ˈbrɔːdʃiːt] *n* большой лист бумаги с печатным текстом на одной стороне; листовка; плакат

broadside [ˈbrɔːdsaɪd] *n* 1) орудия одного борта; бортовой залп; to give a ~ *мор.* дать бортовой залп 2) град брани, упрёков *и т. п.*; to give smb. a ~ обрушиться на кого-л. 3) борт (*корабля*) 4) = broadsheet

broadsword [ˈbrɔːdsɔːd] *n* палаш

broadtail [ˈbrɔːdteɪl] *n* каракульча

broadways [ˈbrɔːdweɪz] *adv* вширь, в ширину, поперёк

broadwise [ˈbrɔːdwaɪz] = broadways

brocade [brəˈkeɪd] *n* парча

brocaded [brəˈkeɪdɪd] *a* парчовый

broccoli [ˈbrɒkəlɪ] *n* брокколи

brochure [ˈbrəʊʃə] *n* брошюра

brock [brɒk] *n* барсук

brocket [ˈbrɒkɪt] *n* двухгодовалый олень

brogue I [brəʊg] *n* грубый башмак

brogue II [brəʊg] *n* провинциальный (*особ. ирландский*) акцент

broidery [ˈbrɔɪdərɪ] *уст.* = embroidery

broil I [brɔɪl] *n уст.* шум, ссора

broil II [brɔɪl] **1.** *n* 1) жар 2) жареное мясо

2. *v* 1) жарить(ся) на огне 2) *разг.* жариться на солнце 3) гореть, бурно переживать; to ~ with impatience гореть нетерпением

broiler [ˈbrɔɪlə] *n* 1) бройлер, потрошёный мясной цыплёнок 2) *разг.* очень жаркий день

broke [brəʊk] **1.** *past от* break I, 2

2. *a* 1) разорённый; to go ~ разориться 2) *уст.* распаханный

broken [ˈbrəʊkən] **1.** *p. p. от* break I, 2

2. *a* 1) сломанный, разбитый; ~ stone щебень 2) разорённый, разорившийся

3) ло́маный (*о языке*) 4) преры́вистый (*о голосе, сне*) 5) нару́шенный (*о законе, обещании*) 6) вы́езженный (*о лошади*) 7) неусто́йчивый, переме́нчивый (*о погоде*) 8) осла́бленный, подо́рванный (*о здоровье*) 9) сло́мленный, сокрушённый; ~ spirits уны́ние ◇ ~ bread (*или* meat) оста́тки пи́щи; ~ tea спито́й чай; ~ ground а) пересечённая ме́стность; б) вспа́ханная земля́; ~ money ме́лкие де́ньги; ме́лочь; ~ water неспоко́йное мо́ре

broken-down [ˌbrəʊkən'daʊn] *a* 1) надло́мленный, сло́мленный; разби́тый 2) поло́манный; вы́шедший из строя

brokenhearted [ˌbrəʊkən'hɑ:tɪd] *a* уби́тый го́рем; с разби́тым се́рдцем

brokenly ['brəʊkənlɪ] *adv* 1) уры́вками 2) су́дорожно; отры́висто

broken wind ['brəʊkənwɪnd] *n вет.* оды́шка, запа́л (*у лошади*)

broker ['brəʊkə] *n* 1) ма́клер, комиссионе́р; посре́дник; insurance ~ страхово́й аге́нт 2) бро́кер

brokerage ['brəʊkərɪdʒ] *n* 1) бро́керские опера́ции 2) комиссио́нное вознагражде́ние

broking ['brəʊkɪŋ] *n* бро́керское де́ло

brolly ['brɒlɪ] *n* 1) *разг.* зо́нтик 2) *sl.* парашю́т

bromide ['brəʊmaɪd] *n* 1) *хим.* броми́д, бро́мистое соедине́ние 2) снотво́рное 3) изби́тая, стереоти́пная фра́за, бана́льность 4) зауря́дный, бана́льный челове́к

bromine ['brəʊmi:n] *n хим.* бром

bronchi, bronchia ['brɒŋkaɪ, 'brɒŋkɪə] *n pl анат.* бро́нхи

bronchial ['brɒŋkɪəl] *a* бронхиа́льный

bronchitis [brɒŋ'kaɪtɪs] *n* бронхи́т

broncho ['brɒŋkəʊ] = bronco

bronco ['brɒŋkəʊ] *n* (*pl* -os [-əʊz]) *амер.* полуди́кая ло́шадь

bronze [brɒnz] **1.** *n* 1) бро́нза 2) красновáто-кори́чневый цвет 3) изде́лия из бро́нзы 4) порошо́к для бронзиро́вки

2. *a* бро́нзовый

3. *v* 1) бронзи́ровать 2) загора́ть на со́лнце

bronzed [brɒnzd] **1.** *p. p. от* bronze 3

2. *a* 1) бро́нзовый, цве́та бро́нзы 2) загоре́лый

brooch [brəʊtʃ] *n* брошь

brood [bru:d] **1.** *n* 1) вы́водок; *разг.* семья́; де́ти 2) ста́я; толпа́; ку́ча

2. *v* 1) размышля́ть (*особ. грустно*; on, over — над); вына́шивать (*в уме, в душе*) 2) тяготи́ть (*о заботах*) 3) сиде́ть на я́йцах 4) нависа́ть (*об облаках, тьме и т. п.*)

brooder ['bru:də] *n* 1) бру́дер (*аппарат для выращивания цыплят, выведенных в инкубаторе*) 2) челове́к, посто́янно погружённый в разду́мье (*обыкн. мрачное*)

brood-hen ['bru:dhen] *n* насе́дка, клу́ша

broodmare ['bru:dmeə] *n* племенна́я кобы́ла, конема́тка

broody ['bru:dɪ] **1.** *n* клу́ша, насе́дка

2. *a* 1) выси́живающая я́йца (*о наседке*) 2) заду́мчивый; пода́вленный

brook I [brʊk] *v книжн.* терпе́ть, выноси́ть (*в отриц. предложениях*); the matter ~s no delay де́ло не те́рпит отлага́тельства

brook II [brʊk] *n* руче́й

brooklet ['brʊklɪt] *n* ручеёк

broom [bru:m] **1.** *n* 1) метла́, ве́ник 2) *бот.* раки́тник ◇ a new ~ «но́вая метла́», но́вое нача́льство; a new ~ sweeps clean *посл.* но́вая метла́ чи́сто метёт

2. *v* мести́, подмета́ть

broomstick ['bru:mstɪk] *n* метлови́ще ◇ to marry over the ~ повенча́ть(ся) вокру́г раки́тового куста́

broth [brɒθ] *n* суп, похлёбка, мясно́й отва́р, бульо́н; Scotch ~ перло́вый суп

brothel ['brɒθl] *n* публи́чный дом, борде́ль

brother ['brʌðə] *n* (*pl* -s [-z]; *см. тж.* brethren) 1) брат; ~ german родно́й брат; ~s uterine единоутро́бные бра́тья; sworn ~s назва́ные бра́тья, побрати́мы 2) собра́т; колле́га; ~ in arms собра́т по ору́жию 3) земля́к ◇ B. Jonathan *шутл.* я́нки (*прозвище американцев*)

brotherhood ['brʌðəhʊd] *n* 1) бра́тство 2) бра́тские, дру́жеские отноше́ния; the ~ of nations бра́тство наро́дов 3) лю́ди одно́й профе́ссии 4) *амер.* профсою́з железнодоро́жников

brother-in-law ['brʌðərɪn,lɔ:] *n* (*pl* brothers-in-law) зять (*муж сестры*); шу́рин (*брат жены*); своя́к (*муж свояченицы*); де́верь (*брат мужа*)

brotherly ['brʌðəlɪ] **1.** *a* бра́тский

2. *adv* по-бра́тски

brothers-in-law ['brʌðəzɪn,lɔ:] *pl от* brother-in-law

brougham ['bru:əm] *n* 1) одноко́нная двухме́стная каре́та 2) *авто* брога́м (*тип кузова*)

brought [brɔ:t] *past и p. p. от* bring

brouhaha ['bru:hɑ:hɑ:] *n разг.* шуми́ха, сенса́ция

brow I [braʊ] *n* 1) бровь; to knit (*или* to bend) the (*или* one's) ~s хму́рить бро́ви, (на)хму́риться; насу́питься 2) *поэт.* лоб, чело́ 3) выраже́ние лица́; вид, нару́жность 4) вы́ступ (*скалы и т. п.*) 5) *горн.* кро́мка усту́па, бро́вка 6) *разг.* интеллектуа́льный у́ровень

brow II [braʊ] *n мор. уст.* мостки́, схо́дни

browbeat ['braʊbi:t] *v* запу́гивать, застраща́ть

brown [braʊn] **1.** *a* 1) кори́чневый; бу́рый; ~ bread хлеб из непросе́янной муки́; ~ paper гру́бая обёрточная бума́га; ~ powder бу́рый ды́мный по́рох 2) сму́глый; загоре́лый 3) ка́рий (*о глазах*) 4) *текст.* суро́вый, небелёный ◇ ~ study глубо́кое разду́мье; мра́чное настрое́ние; ~ sugar бастр, жёлтый са́харный песо́к; ~ ware гли́няная посу́да

2. *n* 1) кори́чневый цвет; кори́чневая кра́ска 2) *sl.* медя́к

3. *v* 1) де́лать(ся) тёмным, кори́чневым; загора́ть 2) поджа́ривать, подрумя́нивать 3) ворони́ть (*металл*)

brown coal ['braʊnkəʊl] *n* лигни́т, бу́рый у́голь

browned-off [ˌbraʊnd'ɒf] *a sl.* раздражённый; I'm ~ with it мне э́то осточерте́ло

brownie I ['braʊnɪ] *n* тип фотографи́ческого аппара́та

brownie II ['braʊnɪ] *n* домово́й

brownie III ['braʊnɪ] *n* де́вочка-ска́ут мла́дшего во́зраста

brownie IV ['braʊnɪ] *n* шокола́дное пиро́жное с оре́хами

browning I ['braʊnɪŋ] *n* бра́унинг

browning II ['braʊnɪŋ] **1.** *pres. p. от* brown 3

2. *n* 1) поджа́ривание 2) припра́ва (*для соуса*) 3) глазуро́вка (*гончарных изделий*)

brownout ['braʊnaʊt] *n* 1) *амер.* уменьше́ние освеще́ния у́лиц и витри́н (*для экономии электроэнергии*) 2) части́чное затемне́ние

browse [braʊz] **1.** *n* 1) молоды́е побе́ги 2)ощи́пывание молоды́х побе́гов

2. *v* 1) объеда́ть, общи́пывать ли́стья, молоды́е побе́ги (on) 2) *распр.* пасти́сь (on) 3) чита́ть, занима́ться беспоря́дочно; пролиста́ть, прогляде́ть; небре́жно рассма́тривать (*товары и т. п.*)

Bruin ['bru:ɪn] *n* Ми́шка (*прозвище медведя в фольклоре*)

bruise [bru:z] **1.** *n* 1) синя́к, кровоподтёк; уши́б; конту́зия 2) поврежде́ние (*растений, фруктов*)

2. *v* 1) ста́вить синяки́; ушиба́ть; конту́зить 2) повреди́ть, помя́ть (*растения, фрукты*) 3) толо́чь

bruiser ['bru:zə] *n разг.* 1) си́льный задири́стый челове́к 2) боксёр-профессиона́л; боре́ц 3) *тех.* прибо́р для шлифо́вки опти́ческих стёкол

bruit [bru:t] *уст.* **1.** *n* молва́, слух

2. *v* распуска́ть слух; it is ~ed about (*или* abroad) that хо́дят слу́хи, что

brumal ['bru:ml] *a* зи́мний

brumby ['brʌmbɪ] *n австрал. разг.* необъе́зженная ло́шадь

brume [bru:m] *n книжн.* тума́н, мгла; ды́мка; испаре́ние

Brummagem ['brʌmədʒəm] **1.** *n* дешёвое, низкопро́бное *или* подде́льное изде́лие; *тж.* фальши́вая моне́та (*от диал. и презр. названия г. Бирмингема, где в XVII в. чеканились фальшивые деньги*)

2. *a* 1) дешёвый; подде́льный 2) сде́ланный в Би́рмингеме

brumous ['bru:məs] *a* мгли́стый, тума́нный

brunch [brʌntʃ] *n* по́здний за́втрак (*заменяющий первый и второй завтрак*)

brunette [bru'net] *n* брюне́тка

Brunswick line [ˌbrʌnzwɪk'laɪn] *n ист.* Ганно́верская дина́стия (*1714—1901 гг.*)

brunt [brʌnt] *n* 1) гла́вный уда́р, ата́ка; to bear the ~ приня́ть на себя́, вы́держать гла́вный уда́р (*неприя́теля*) 2) кри́зис

brush [brʌʃ] **1.** *n* 1) щётка 2) кисть; the ~ иску́сство худо́жника; to give it another ~ порабо́тать над чем-л. ещё, оконча́тельно отде́лать что-л. 3) чи́стка щёткой; to have a ~ почи́стить щёткой 4) сты́чка, столкнове́ние 5) лёгкое прикосновéние 6) хвост (*особ. ли́сий*) 7) *эл.* щётка 8) *австрал.* ни́зкий куста́рник

2. *v* 1) чи́стить щёткой 2) причёсывать (*во́лосы*) 3) легко́ каса́ться, задева́ть 4) обса́живать куста́рником □ ~ **against** слегка́ задева́ть; ~ **aside** а) отде́лываться, отстраня́ть от себя́; отма́хиваться; б) сма́хивать; ~ **away** отчища́ть, счища́ть; отмета́ть; ~ **by** прошмыгну́ть ми́мо; ~ **off** а) удаля́ть, устраня́ть; б) бы́стро убежа́ть; в) отма́хиваться; ~ **up** а) чи́стить(ся); приводи́ть (себя́) в поря́док; б) освежа́ть (*зна́ния*); I must ~ up my French мне ну́жно освежи́ть в па́мяти францу́зский язы́к

brushfire war [ˌbrʌʃfaɪə'wɔ:] *n разг.* лока́льная война́

brush-off ['brʌʃɒf] *n* ре́зкий отка́з; неприя́тие уха́живания

brushup ['brʌʃʌp] *n* повторе́ние, восстановле́ние в па́мяти; I must give my French a ~ мне ну́жно освежи́ть свои́ зна́ния францу́зского языка́, мне на́до подзаня́ться францу́зским (языко́м)

brushwood ['brʌʃwʊd] *n* 1) за́росль, куста́рник 2) хво́рост, валéжник

brushwork ['brʌʃwɜ:k] *n* мане́ра письма́ (*живопи́сца*)

brushy I ['brʌʃɪ] *a* 1) похо́жий на щётку; щети́нистый 2) гру́бый, шерохова́тый

brushy II ['brʌʃɪ] *a* покры́тый куста́рником

brusque [brʊsk] **1.** *a* отры́вистый, ре́зкий; бесцеремо́нный

2. *v* обходи́ться гру́бо, бесцеремо́нно (*с кем-л.*)

brut [bru:t] *фр. a* брют, сухо́й (*о вине́*)

brutal ['bru:tl] *a* 1) жесто́кий, звéрский 2) безжа́лостный 3) *разг.* отврати́тельный

brutality [bru:'tælətɪ] *n* жесто́кость, звéрство

brutalize ['bru:təlaɪz] *v* 1) доводи́ть до звероподо́бного состоя́ния 2) доходи́ть до звероподо́бного состоя́ния 3) обходи́ться гру́бо и жесто́ко

brute [bru:t] **1.** *n* 1) жесто́кий челове́к *и́ли* зверь 2) *разг.* гру́бый *и́ли* глу́пый и тупо́й челове́к; «скоти́на»

2. *a* 1) неразу́мный, бессмы́сленный 2) жесто́кий 3) гру́бый; живо́тный, чу́вственный

brutish ['bru:tɪʃ] *a* 1) гру́бый; звéрский; звероподо́бный 2) тупо́й

bryology [braɪ'ɒlədʒɪ] *n* бриоло́гия, нау́ка о мхах

bub [bʌb] *n амер. разг.* брато́к (*фо́рма обраще́ния*)

bubal ['bju:bəl] *n* североафрика́нская антило́па

bubble ['bʌbl] **1.** *n* 1) пузы́рь 2) пузырёк во́здуха *и́ли* га́за (*в жи́дкости*); пузырёк во́здуха (*в стекле́*) 3) ду́тое предприя́тие, «мы́льный пузы́рь»

2. *v* 1) пузы́риться; кипе́ть 2) бить ключо́м (*тж.* ~ over, ~ up); he ~d over with fun он был неистощи́м на шу́тки 3) журча́ть (*о ре́чи*) 4) *уст.* обма́нывать, дура́чить

bubble and squeak [ˌbʌblən'skwi:k] *n* жарко́е из холо́дного варёного мя́са с овоща́ми

bubble car ['bʌblkɑ:] *n* ми́ни-кар с прозра́чной кры́шей

bubble gum ['bʌblgʌm] *n* надувна́я жева́тельная рези́нка

bubbler ['bʌblə] *n амер.* фонта́нчик для питья́

bubbly ['bʌblɪ] **1.** *a* 1) пе́нящийся (*о вине́*) 2) пузы́рчатый (*о стекле́*)

2. *n разг.* шампа́нское

bubonic [bjʊ'bɒnɪk] *a мед.* бубо́нный

bubonocele [bjʊ'bɒnəsi:l] *n мед.* па́ховая гры́жа

bubs [bʌbz] *n pl груб.* бюст

buccaneer [ˌbʌkə'nɪə] **1.** *n* пира́т

2. *v* занима́ться морски́м разбо́ем

buccinator ['bʌksɪneɪtə] *n* щёчный му́скул, му́скул труба́чей

buck I [bʌk] **1.** *n* 1) саме́ц (*оле́ня, антило́пы, за́йца, кро́лика*) 2) *уст.* де́нди, щёголь; old ~ дружи́ще, старина́ 3) *амер. воен. жарг.* рядово́й 4) *амер. sl.* до́ллар 5) ма́рка в по́кере, ука́зывающая, чья сда́ча 6) брыка́ние 7) *презр.* южноамерика́нский инде́ец ◇ to pass the ~ to smb. сва́ливать отве́тственность на кого́-л.

2. *v* 1) станови́ться на дыбы́; брыка́ться 2) *амер.* проти́виться, выступа́ть про́тив 3) *амер. разг.* выслу́живаться □ ~ **along** трясти́сь в экипа́же; ~ **off** сбра́сывать (*с седла́*); ~ **up** (*особ. в imp.*) *разг.* а) встряхну́ться, оживи́ться, прояви́ть эне́ргию; б) спеши́ть ◇ much ~ed дово́льный, оживлённый

buck II [bʌk] **1.** *n амер.* 1) ко́злы для пи́лки дров 2) козёл (*гимнасти́ческий снаря́д*)

2. *v* 1) распи́ливать (*дере́вья*) на брёвна 2) дроби́ть (*руду́*)

buck III [bʌk] *n* (пусто́й) разгово́р; хвастли́вая болтовня́

bucket ['bʌkɪt] **1.** *n* 1) ведро́; бадья́ 2) черпа́к, ковш (*землечерпа́лки и т. п.*); гре́йфер 3) по́ршень насо́са 4) подъёмная клеть, лю́лька 5) большо́е коли́чество ◇ to kick the ~ протяну́ть но́ги, умере́ть

2. *v* 1) че́рпать 2) гнать ло́шадь изо всех сил; скака́ть сломя́ го́лову; спеши́ть 3) нава́ливаться (*на вёсла при гребле́*)

bucket seat ['bʌkɪtsi:t] *n* одномéстное сиде́нье (*в самолёте и́ли автомоби́ле*)

bucket shop ['bʌkɪtʃɒp] *n* биржева́я конто́ра, в кото́рой нелега́льно ведётся спекуляти́вная игра́

buckeye ['bʌkaɪ] *n* 1) ко́нский кашта́н 2) *амер. разг.* жи́тель шта́та Ога́йо

buck-horn ['bʌkhɔ:n] *n* оле́ний рог (*материа́л*)

Buckingham Palace [ˌbʌkɪŋəm'pæləs] *n* Букинге́мский дворе́ц (*ло́ндонская резиде́нция короля́*)

buckish ['bʌkɪʃ] *a* щегольско́й, фатова́тый

buckle ['bʌkl] **1.** *n* 1) пря́жка 2) изги́б, проги́б (*вертика́льный*) 3) *тех.* хому́тик, скоба́, стя́жка

2. *v* 1) застёгивать пря́жку 2) *шутл. разг.* жени́ться 3) пригото́виться (for); принима́ться энерги́чно за де́ло 4) сгиба́ть; гнуть, выгиба́ть 5) сгиба́ться (*от давле́ния*) □ ~ **up** коро́бiться

buckler ['bʌklə] **1.** *n* 1) *ист.* небольшо́й кру́глый щит 2) *мор.* кру́глый ста́вень 3) защи́та, прикры́тие

2. *v* защища́ть; заслоня́ть

bucko ['bʌkəʊ] *мор. жарг.* **1.** *n* (*pl* -oes [-əʊz]) хвасту́н

2. *a* хвастли́вый, чванли́вый

buckram ['bʌkrəm] **1.** *n* 1) клеёнка; клеёный холст 2) *уст.* чо́порность

2. *a уст.* чо́порный

bucksaw ['bʌksɔ:] *n* лучко́вая пила́

buckshee [ˌbʌk'ʃi:] *a sl.* свобо́дный; беспла́тный

buckshot ['bʌkʃɒt] *n* кру́пная дробь, карте́чь

buckskin ['bʌkskɪn] *n* 1) оле́нья ко́жа 2) *pl* штаны́ из оле́ньей ко́жи

buckthorn ['bʌkθɔ:n] *n бот.* круши́на

bucktooth [ˌbʌk'tu:θ] *n* торча́щий зуб

buckwheat ['bʌkwi:t] *n* 1) греча́ха 2) *attr.* гре́чневый; ~ cakes *амер.* греч́ишные блины́ *и́ли* ола́дьи

bucolic [bjʊ'kɒlɪk] **1.** *a* 1) букoли́ческий 2) *шутл.* се́льский

2. *n* 1) (*обы́кн. pl*) буко́лика 2) буколи́ческий поэ́т 3) *шутл.* се́льский жи́тель

bud [bʌd] **1.** *n* 1) по́чка; in ~ в пери́оде почкова́ния 2) буто́н 3) *разг.* де́вушка-подро́сток 4) *ласк.* кро́шка *и т. п.* 5) = buddy ◇ to nip (*и́ли* to check, to crush) in the ~ пресе́чь в ко́рне, подави́ть в заро́дыше

2. *v* 1) дава́ть по́чки, пуска́ть ростки́ 2) *с.-х.* привива́ть глазко́м 3) развива́ться

Buddha ['bʊdə] *n* Бу́дда

Buddhism ['bʊdɪzəm] *n* будди́зм

buddhistic [bʊ'dɪstɪk] *a* будди́йский

budding ['bʌdɪŋ] **1.** *pres. p. от* bud 2

2. *a* подаю́щий наде́жды; многообеща́ющий

3. *n с.-х.* окулиро́вка; приви́вка глазко́м

buddy ['bʌdɪ] *n амер. разг.* дружи́ще, прия́тель ◇ ~ seat коля́ска мотоци́кла

budge I [bʌdʒ] *v* (*в отриц. предложе́ниях*) 1) шевели́ться 2) переду́мать 3) пошевельну́ть, сдви́нуть с ме́ста

budge II [bʌdʒ] *n* овчи́на

budgerigar ['bʌdʒərɪgɑ:] *n разг.* волни́стый попуга́йчик

budget ['bʌdʒɪt] **1.** *n* 1) бюдже́т; фина́нсовая сме́та 2) запа́с; a ~ of news ку́-

ча новосте́й 3) *уст.* су́мка и её содержи́мое

2. *v* 1) предусма́тривать в бюдже́те, ассигнова́ть (for) 2) составля́ть бюдже́т

budgetary ['bʌdʒɪtərɪ] *a* бюдже́тный

buff [bʌf] **1.** *n* 1) цвет бу́йволовой ко́жи, тёмно-жёлтый цвет 2) *разг.* боле́льщик, люби́тель 3) *разг. уст.* ко́жа челове́ка; in the ~ нагишо́м, в чём мать родила́; to strip to the ~ разде́ть догола́ 4) бу́йволовая ко́жа; то́лстая быча́чья ко́жа

2. *a* 1) цве́та бу́йволовой ко́жи 2) из бу́йволовой ко́жи

3. *v* 1) полирова́ть (*кожаным кругом*) 2) поглоща́ть уда́ры, смягча́ть толчки́

buffalo ['bʌfələʊ] *n* (*pl* -oes [-əʊz]) 1) бу́йвол; бизо́н 2) танк-амфи́бия ◇ ~ bug ковро́вая моль

buffer ['bʌfə] *n* 1) *тех.* бу́фер; амортиза́тор, де́мпфер, глуши́тель 2) бу́фер, бу́ферное госуда́рство (*тж.* ~ State) 3) *воен.* то́рмоз отка́та 4) *мор. жарг.* помо́щник бо́цмана 5) *attr.* бу́ферный; ~ disk *ж.-д.* бу́ферная таре́лка; ~ stock *эк.* резе́рвный запа́с ◇ old ~ *пренебр.* старика́шка, ста́рый хрыч

buffet I ['bʌfɪt] **1.** *n* уда́р (*рукой*; *тж. перен.*)

2. *v* 1) наноси́ть уда́ры; ударя́ть 2) боро́ться (*особ. с волнами*) 3) проти́скиваться, прота́лкиваться

buffet II ['bʊfeɪ] *n* 1) буфе́т (*для посуды*); го́рка (*для серебра, фарфора*) 2) буфе́т, буфе́тная сто́йка ◇ ~ car а) ваго́н-буфе́т, ваго́н-рестора́н; ~ luncheon лёгкий за́втрак

buffo ['bʊfəʊ] *ит.* **1.** *n* (*pl* -s [-z]) коми́ческий актёр (*в опере, на эстраде*)

2. *a* коми́ческий

buffoon [bə'fu:n] **1.** *n* шут, фигля́р, буффо́н

2. *a* шутовско́й

3. *v* пая́сничать, фигля́рничать

buffoonery [bə'fu:nərɪ] *n* шутовство́; буффона́да

bug [bʌg] **1.** *n* 1) клоп 2) насеко́мое; жук 3) *sl.* ви́рус; ви́русное заболева́ние 4) *sl.* техни́ческий дефе́кт 5) *sl.* безу́мная иде́я, помеша́тельство; to go ~s сойти́ с ума́ 6) *разг.* диктофо́н; аппара́т для подслу́шивания, та́йного наблюде́ния

2. *v sl.* 1) устана́вливать аппарату́ру для подслу́шивания, та́йного наблюде́ния; подслу́шивать, вести́ та́йное наблюде́ние (*с помощью специальной аппаратуры*) 2) раздража́ть, докуча́ть 3) *амер.* смыва́ться

bugaboo ['bʌgəbu:] *n* пу́гало, бу́ка

bugbear ['bʌgbeə] = bugaboo

bug-eyed [ˌbʌg'aɪd] *a* пучегла́зый; с вы́таращенными глаза́ми

bugger ['bʌgə] **1.** *n* 1) *юр.* содоми́т, мужело́жец 2) педера́ст (*тж. груб. как бранное слово*)

2. *v юр.* занима́ться содоми́ей, мужело́жством

buggery ['bʌgərɪ] *n юр.* содоми́я

buggy I ['bʌgɪ] *n* 1) лёгкая двухме́стная коля́ска с откидны́м ве́рхом; кабриоле́т 2) ма́ленькая вагоне́тка 3) *амер.* де́тская коля́ска

buggy II ['bʌgɪ] *a* киша́щий клопа́ми

bughouse ['bʌghaʊs] *амер. sl.* **1.** *n* сумасше́дший дом

2. *a* ненорма́льный, сумасше́дший; to go ~ сойти́ с ума́

bug-hunter ['bʌgˌhʌntə] *n разг.* охо́тник за жучка́ми (*шутл. об энтомологе*)

bugle I ['bju:gl] **1.** *n* 1) охо́тничий рог; рожо́к; горн, сигна́льная труба́ 2) *attr.*: ~ call сигна́л на го́рне

2. *v* труби́ть в рог

bugle II ['bju:gl] *n* стекля́рус; би́сер

bugle III ['bju:gl] *n бот.* дубро́вка ползу́чая

bugler ['bju:glə] *n воен.* горни́ст, сигнали́ст

buglet ['bju:glɪt] *n уст.* велосипе́дный рожо́к

buhl [bu:l] *n* ме́бель сти́ля «буль» (*с инкрустацией из бронзы, черепахи и т. п.*)

build [bɪld] **1.** *n* 1) телосложе́ние 2) констру́кция; фо́рма; стиль 3) *текст.* образова́ние (по́чатка)

2. *v* (built) 1) стро́ить, сооружа́ть; to ~ a fire разводи́ть ого́нь *или* костёр 2) создава́ть; to ~ plans стро́ить пла́ны 3) вить (*гнёзда*) 4) осно́вываться, полага́ться (on) ▭ ~ **in**, ~ **into** вде́лывать, вмуро́вывать (*в стену*); ~ **on** пристра́ивать; ~ **up** а) воздвига́ть; постепе́нно создава́ть, стро́ить; б) укрепля́ть (*здоровье*); в) закла́дывать кирпичо́м (*окно, дверь*); г) застра́ивать; to ~ up a district застро́ить райо́н; to ~ up with new blocks of flats застро́ить но́выми дома́ми; д) монти́ровать (*машину*); е) нара́щивать, накопля́ть; ж) широко́ реклами́ровать; ~ **upon** осно́вывать на *чём-л.*; рассчи́тывать на *что-л.*

builder ['bɪldə] *n* 1) строи́тель 2) подря́дчик 3) пло́тник; ка́менщик

building ['bɪldɪŋ] **1.** *pres. p. от* build 2

2. *n* 1) зда́ние, постро́йка; строе́ние, сооруже́ние 2) *pl* надво́рные постро́йки, слу́жбы 3) строи́тельство 4) *attr.* строи́тельный; ~ engineer инжене́р-строи́тель; ~ yard стройплоща́дка; ~ and loan association *амер.* креди́тно-строи́тельное о́бщество

building lease [ˌbɪldɪŋ'li:s] *n* аре́нда земе́льного уча́стка для застро́йки

building paper ['bɪldɪŋˌpeɪpə] *n стр.* облицо́вочный карто́н

building society [ˌbɪldɪŋsə'saɪətɪ] *n* жили́щно-строи́тельная коопера́ция, жили́щно-строи́тельный кооперати́в

buildup ['bɪldʌp] *n* 1) *разг.* рекла́ма; хвале́бные коммента́рии, предваря́ющие выступле́ние (*по радио, телевидению и т. п.*) 2) подгото́вка к чему́-л. 3) исто́чник бо́дрости 4) экспози́ция 5) сосредото́чение; нара́щивание (*сил, средств*)

built [bɪlt] *past и p. p. от* build 2

built-in [ˌbɪlt'ɪn] *a* 1) встро́енный; стенно́й; ~ wardrobe стенно́й шкаф 2) сво́йственный, прису́щий (*чему-л.*); неотъе́млемый

bulb [bʌlb] **1.** *n* 1) *бот., анат.* лу́ковица 2) ша́рик (*термометра*); ко́лба электри́ческой ла́мпы; электри́ческая ла́мпа, ла́мпочка 3) балло́н, сосу́д 4) пузырёк 5) вы́пуклость

2. *v* расширя́ться в фо́рме лу́ковицы ▭ ~ **up** завива́ться (*о кочане капусты*)

bulbaceous [bʌl'beɪʃəs] = bulbous

bulbil ['bʌlbɪl] *n бот.* возду́шная лу́ковица, па́зушная лу́ковка

bulbous ['bʌlbəs] *a* 1) лу́ковичный; луковицеобра́зный 2) вы́пуклый

Bulgarian [bʌl'geərɪən] **1.** *a* болга́рский

2. *n* 1) болга́рин; болга́рка 2) болга́рский язы́к

bulge [bʌldʒ] **1.** *n* 1) вы́пуклость; ~ of a curve горб криво́й (*линии*) 2) *разг.* вре́менное увеличе́ние в объёме *или* в коли́честве; взду́тие цен 3) *воен.* вы́ступ, клин 4) = bilge 1, 1); 5) *мор.* противоми́нная наде́лка 6) *горн.* разду́в (*жилы*) 7) (the ~) *амер. sl.* преиму́щество; to have the ~ on smb. име́ть преиму́щество пе́ред кем-л.

2. *v* 1) выпя́чиваться; выдава́ться 2) деформи́роваться; to ~ at the seams треща́ть по швам 3) раздава́ться, быть напо́лненным до отка́за (*о кошельке, рюкзаке и т. п.*)

bulging ['bʌldʒɪŋ] **1.** *pres. p. от* bulge 2

2. *a* 1) разбу́хший; вы́пуклый; ~ eyes глаза́ навы́кате 2) вы́пяченный, оттопы́ривающийся

bulgy ['bʌldʒɪ] = bulging 2

bulimia [bjʊ'lɪmɪə] *n мед.* (ненорма́льно) повы́шенное чу́вство го́лода, *перен.* жа́дность (*к чему-л.*)

bulk [bʌlk] **1.** *n* 1) объём; вмести́мость 2) больши́е разме́ры; большо́е коли́чество; to sell in ~ продава́ть гурто́м 3) (*обыкн.* the ~) основна́я ма́сса, бо́льшая часть (*чего-л.*); the ~, great ~ огро́мное большинство́ 4) гру́бая пи́ща (*для стимуляции кишечника*) 5) ко́рпус (*здания и т. п.*) 6) груз (*судна*); to break ~ начина́ть разгру́зку; to load in ~ грузи́ть нава́лом 7) *attr.*: ~ cargo *мор.* насыпно́й *или* наливно́й груз; ~ buying опто́вые заку́пки

2. *v* 1) каза́ться больши́м, ва́жным 2) устана́вливать вес (*груза*) 3) ссыпа́ть, сва́ливать в ку́чу; нагроможда́ть ▭ ~ **up** составля́ть изря́дную су́мму; доходи́ть (to — до)

bulkhead ['bʌlkhed] *n* 1) перебо́рка (*на судне*); перемы́чка (*в руднике и т. п.*) 2) кры́ша над пристро́йкой; наве́с 3) надстро́йка

bulky ['bʌlkɪ] *a* 1) большо́й, объёмистый 2) громо́здкий, неуклю́жий

bull I [bʊl] **1.** *n* 1) бык; бу́йвол; *тж.* *самец кита, слона, аллигатора и др. крупных животных* 2) (B.) Теле́ц (*созвездие и знак зодиака*) 3) *бирж.* спекуля́нт, игра́ющий на повыше́ние 4) *амер. sl.* шпик; полице́йский ◇ a ~ in a china shop ≅ слон в посу́дной ла́вке; to take the ~ by the horns взять быка́ за рога́

2. *a* 1) быча́чий, бы́чий 2) *бирж.* повыша́тельный, игра́ющий на повыше́ние

3. *v* 1) поступа́ть *или* обраща́ться (*с кем-л.*) бесчелове́чно 2) *бирж.* спекули́ровать на повыше́ние 3) повыша́ться в цене́

bull II [bʊl] *n* (па́пская) бу́лла

bull III [bʊl] *n* я́вная неле́пость, противоре́чие; вздор, вра́ки; to shoot the ~ нести́ околе́сицу, моло́ть вздор

bull-calf [ˈbʊlkɑːf] *n* 1) бычо́к 2) проста́к

bulldog [ˈbʊldɒg] *n* 1) бульдо́г 2) упо́рный, це́пкий челове́к 3) *разг.* пе́дель (*в ста́рых англ. университе́тах*) 4) *разг.* револьве́р 5) *разг.* кури́тельная тру́бка

bulldoze [ˈbʊldəʊz] *v* 1) разбива́ть кру́пные куски́ (*руды́, поро́ды*) 2) выра́внивать грунт, расчища́ть при по́мощи бульдо́зеров 3) *разг.* шантажи́ровать, запу́гивать; грози́ть наси́лием; принужда́ть

bulldozer [ˈbʊlˌdəʊzə] *n* 1) бульдо́зер 2) бульдозери́ст

bullet [ˈbʊlɪt] *n* 1) пу́ля; ядро́ 2) грузи́ло 3) *pl воен. жарг.* горо́х ◇ every ~ has its billet *посл.* ≅ от судьбы́ не уйдёшь; пу́ля винова́того найдёт

bullet-head [ˌbʊlɪtˈhed] *n* 1) челове́к с кру́глой голово́й 2) *амер.* упря́мец

bulletin [ˈbʊlətɪn] **1.** *n* 1) бюллете́нь 2) сво́дка 3) *attr.*: ~ board доска́ объявле́ний

2. *v* выпуска́ть бюллете́нь

bulletproof [ˈbʊlɪtpruːf] *a* не пробива́емый пу́лями, пуленепробива́емый

bullfight [ˈbʊlfaɪt] *n* бой быко́в

bullfinch [ˈbʊlfɪntʃ] *n* 1) снеги́рь 2) густа́я жива́я и́згородь со рвом

bullhead [ˈbʊlhed] *n* 1) подка́менщик (*ры́ба*) 2) болва́н, тупи́ца

bullhorn [ˈbʊlhɔːn] *n амер.* мегафо́н, ру́пор

bullion [ˈbʊlɪən] *n* 1) сли́ток зо́лота *или* серебра́ 2) кру́жево с золото́й *или* серебряно́й ни́тью ◇ ~ dealer меня́ла

bullish [ˈbʊlɪʃ] *a бирж.* игра́ющий на повыше́ние

bull neck [ˌbʊlˈnek] *n* то́лстая, коро́ткая ше́я, бы́чья ше́я

bullock [ˈbʊlək] *n* вол

bull pen [ˈbʊlpen] *n* 1) сто́йло для быка́ 2) *амер.* ка́мера предвари́тельного заключе́ния

bullring [ˈbʊlrɪŋ] *n* аре́на, где происхо́дит бой быко́в

bull session [ˌbʊlˈseʃn] *n амер. разг.* разгово́ры, бесе́да в мужско́й компа́нии

bull's-eye [ˈbʊlzaɪ] *n* 1) кру́глое (слухово́е) окно́ 2) увеличи́тельное стекло́ 3) фона́рь с увеличи́тельным стекло́м 4) *мор.* иллюмина́тор 5) чёрный круг, я́блоко мише́ни; to hit (*или* to make, to score) the ~ попа́сть в цель 6) стари́нные карма́нные часы́, «лу́ковица» 7) конфе́ты драже́

bullshit [ˈbʊlʃɪt] *n sl.* 1) ≅ дерьмо́ соба́чье 2) ерунда́, несусве́тная чушь

bulltrout [ˈbʊltraʊt] *n зоол.* ку́мжа, ло́сось-тайме́нь

bully I [ˈbʊlɪ] **1.** *n* 1) задира, забия́ка; хвасту́н 2) хулига́н 3) сутенёр ◇ a ~ is always a coward *посл.* задира всегда́ трус

2. *v* задира́ть; запу́гивать

bully II [ˈbʊlɪ] *a разг.* первокла́ссный, великоле́пный ◇ ~ for you! молоде́ц!, бра́во!

bully III [ˈbʊlɪ] *n* мясны́е консе́рвы (*тж.* ~ beef)

bullyrag [ˈbʊlɪræg] *v разг.* 1) запу́гивать 2) брани́ть, поноси́ть

bulrush [ˈbʊlrʌʃ] *n бот.* камы́ш (озёрный); си́тник

bulwark [ˈbʊlwək] **1.** *n* 1) вал; бастио́н 2) опло́т; защи́та 3) мол 4) (*обыкн. pl*) *мор.* фальшбо́рт

2. *v* 1) укрепля́ть ва́лом 2) служи́ть опло́том

bum [bʌm] **1.** *n* 1) *sl.* зад, за́дница 2) *разг.* ло́дырь, безде́льник, лентя́й; to go on the ~ жить на чужо́й счёт

2. *a* 1) плохо́й, ни́зкого ка́чества 2) нече́стный; досто́йный порица́ния

3. *v* ло́дырничать, шата́ться без де́ла; жить на чужо́й счёт

bumbailiff [ˈbʌmˌbeɪlɪf] *n уст.* суде́бный при́став

bumble [ˈbʌmbl] *v* 1) запина́ться, заика́ться 2) пу́тать

bumblebee [ˈbʌmblbiː] *n* шмель

bumbledom [ˈbʌmbldəm] *n разг.* бюрократи́зм, мелкочино́вное чва́нство (*по и́мени прихо́дского сто́рожа в рома́не Ди́ккенса «Оливер Твист»*)

bumble-puppy [ˈbʌmblˌpʌpɪ] *n* плоха́я игра́ (*в ка́рты, в те́ннис*)

bumbling [ˈbʌmblɪŋ] *a* неуклю́жий, неуме́лый

bumboat [ˈbʌmbəʊt] *n* ло́дка, доставля́ющая прови́зию на суда́

bumf [bʌmf] *n sl.* 1) *презр.* бума́ги, докуме́нты 2) туале́тная бума́га

bummer [ˈbʌmə] *n амер. sl.* 1) лентя́й, ло́дырь 2) неприя́тное происше́ствие

bump [bʌmp] **1.** *n* 1) столкнове́ние; глухо́й уда́р 2) о́пухоль; ши́шка 3) вы́гиб, вы́пуклость 4) ши́шка (*в френоло́гии*); *разг.* спосо́бность; the ~ of locality спосо́бность ориенти́роваться на ме́стности 5) уха́б 6) *pl ав.* возду́шные возмуще́ния; возду́шные я́мы

2. *v* 1) ударя́ть(ся) 2) толка́ть, подта́лкивать 3) *спорт.* победи́ть в па́русных го́нках 4) *амер. воен. жарг.* обстре́ливать ▭ ~ **off** *амер. sl.* устрани́ть си́лой; уби́ть

3. *adv* вдруг, внеза́пно; to come ~ on the floor шлёпнуться об пол

bumper [ˈbʌmpə] *n* 1) *тех.* ба́мпер; амортиза́тор 2) бока́л, по́лный до краёв 3) *attr.* о́чень большо́й; ~ crop (*или* harvest) небыва́лый урожа́й

bumph [bʌmf] = bumf

bumpkin [ˈbʌmpkɪn] *n* неотёсанный па́рень, мужла́н

bumptious [ˈbʌmpʃəs] *a* самоуве́ренный, надме́нный; наха́льный

bumpy [ˈbʌmpɪ] *a* уха́бистый, тря́ский (*о доро́ге*)

bun I [bʌn] *n* 1) сдо́бная бу́лочка с изю́мом 2) пучо́к, у́зел (*воло́с*) 3) *с.-х.* костра́ конопли́ ◇ have a ~ in the oven *sl.* быть бере́менной

bun II [bʌn] *n* Бе́лочка (*ласк. назва́ние бе́лки в ска́зках*)

buna [ˈbuːnə] *n хим.* бу́на (*вид синтети́ческого каучу́ка*)

bunch [bʌntʃ] **1.** *n* 1) свя́зка, пучо́к, па́чка (*чего́-л. одноро́дного*); ~ of keys свя́зка ключе́й; ~ of grapes кисть, гроздь виногра́да; ~ of fives *sl.* пятерня́, рука́, кула́к 2) *разг.* гру́ппа, компа́ния; ба́нда; he is the best of the ~ он лу́чший из них 3) *амер.* ста́до 4) *физ.* сгу́сток (электро́нов)

2. *v* 1) образо́вывать пучки́, гро́здья 2) сбива́ть(ся) в ку́чу 3) собира́ть в сбо́рки (*пла́тье*)

bunchy [ˈbʌntʃɪ] *a* 1) вы́пуклый 2) горба́тый 3) расту́щий пучка́ми *или* гро́здьями 4) *горн.* неравноме́рно залега́ющий

bunco [ˈbʌŋkəʊ] *амер.* **1.** *n* (*pl* -os [-əʊz]) обма́н, жу́льничество

2. *v* 1) получа́ть с по́мощью обма́на 2) плутова́ть в ка́ртах

buncombe [ˈbʌŋkəm] = bunkum

bunco-steerer [ˈbʌŋkəʊˌstɪərə] *n амер. sl.* моше́нник, шу́лер

bund [bʌnd] **1.** *n* 1) на́бережная (*в Япо́нии и в Кита́е*) 2) да́мба, плоти́на (*в И́ндии*)

2. *v* защища́ть бе́рег реки́ на́сыпью, да́мбой

bundle [ˈbʌndl] **1.** *n* 1) паке́т; свёрток 2) пучо́к 3) у́зел, свя́зка; вяза́нка 4) больша́я па́чка де́нег 5) два́дцать мотко́в льняно́й пря́жи ◇ ~ of nerves комо́к не́рвов

2. *v* 1) свя́зывать в у́зел (*ча́сто* ~ up); собира́ть ве́щи (пе́ред отъе́здом) 2) отсыла́ть, спрова́живать (*обыкн.* ~ away, ~ off, ~ out); I ~d him off я спрова́дил его́, отде́лался от него́ 3) бы́стро уйти́, «вы́катиться» (*обыкн.* ~ out, ~ off)

bun-fight [ˈbʌnfaɪt] *n sl.* зва́ный чай; чаепи́тие

bung [bʌŋ] **1.** *n* (больша́я) про́бка, зат́ычка, вту́лка

2. *v* 1) затыка́ть, заку́поривать (*обыкн.* ~ up); ~ed up nose зало́женный нос (*при на́сморке*) 2) подби́ть (*глаз в дра́ке*) 3) *sl.* швыря́ть (*ка́мни и т. п.*)

3. *a австрал. sl.* 1) мёртвый, уме́рший 2) обанкро́тившийся

bungalow [ˈbʌŋgələʊ] *n* одноэта́жная да́ча, дом с вера́ндой, бу́нгало

bungle [ˈbʌŋgl] **1.** *n* 1) оши́бка; пу́таница 2) плоха́я рабо́та; to make a ~ of it напо́ртить, запоро́ть

2. *v* рабо́тать неуме́ло, по́ртить рабо́ту; де́лать ко́е-ка́к

bungler [ˈbʌŋglə] *n* плохо́й рабо́тник, «сапо́жник»; растя́па

bunion [ˈbʌnjən] *n мед.* су́мка на нару́жной стороне́ большо́го па́льца ноги́

bunk I [bʌŋk] **1.** *n* ко́йка

2. *v амер.* спать на ко́йке; ложи́ться спать

bunk II [bʌŋk] *sl.* **1.** *n* бе́гство; to do a ~ сбежа́ть

2. *v* исче́знуть, убежа́ть

bunk III [bʌŋk] = bunkum

bunker ['bʌŋkə] **1.** *n* 1) *мор.* у́гольная я́ма, бу́нкер; ash ~ зо́льник 2) бу́нкер, убе́жище 3) *воен.* блинда́ж с кре́пким покры́тием 4) *спорт.* неро́вность, препя́тствие (*на поле для гольфа*) 5) *attr.* бу́нкерный; ~ coal бу́нкерный у́голь

2. *v* 1) грузи́ть(ся) у́глем, то́пливом 2) *спорт.* загна́ть (*мяч*) в лу́нку 3) попа́сть в лу́нку (*о мяче*) 4) (*обыкн. p. p.*) попа́сть в затрудни́тельное положе́ние

bunkhouse ['bʌŋkhaʊs] *n* общежи́тие для рабо́чих

bunko ['bʌŋkəʊ] = bunco

bunkum ['bʌŋkəm] *n* треску́чие фра́зы; болтовня́; to talk ~ поро́ть чушь, нести́ ахине́ю

bunny ['bʌnɪ] *n ласк.* кро́лик

Bunsen burner [,bʌnsn'bɜ:nə] *n тех.* бу́нзеновская горе́лка

bunt I [bʌnt] *n* 1) *мор.* пу́зо (*паруса*) 2) мотня́ (*невода*)

bunt II [bʌnt] **1.** *n* уда́р (*головой, рогами*); пино́к, толчо́к

2. *v* ударя́ть; пиха́ть; бода́ть

bunt III [bʌnt] *n бот.* морска́я головня́

bunting I ['bʌntɪŋ] *n* 1) мате́рия для фла́гов 2) *собир.* фла́ги 3) *мор.* фла́гдук 4) *ав.* обра́тный иммельма́н

bunting II ['bʌntɪŋ] *n зоол.* овся́нка

bunting III ['bʌntɪŋ] *pres. p. от* bunt II, 2

bunyip ['bʌnjɪp] *n австрал.* 1) чудо́вище, монстр (*в сказках*) 2) моше́нник, шарлата́н

buoy [bɔɪ] **1.** *n* буй, ба́кен, буёк; ве́ха

2. *v* 1) ста́вить ба́кены 2) подде́рживать на пове́рхности (*обыкн.* ~ up) 3) поднима́ть на пове́рхность 4) подде́рживать (*энергию, надежду и т. п.*); he was ~ed up by the news изве́стие подбодри́ло его́

buoyage ['bɔɪɪdʒ] *n* устано́вка ба́кенов

buoyancy ['bɔɪənsɪ] *n* 1) плаву́честь; спосо́бность держа́ться на пове́рхности воды́ 2) жизнера́достность, душе́вная эне́ргия; he lacks ~ ему́ не хвата́ет эне́ргии 3) повыша́тельная тенде́нция (*на бирже*)

buoyant ['bɔɪənt] *a* 1) плаву́чий; спосо́бный держа́ться на пове́рхности 2) жизнера́достный, бо́дрый 3) *бирж.* повыша́тельный 4) *эк., бирж.* оживлённый; ~ demand оживлённый, огро́мный спрос

bur [bɜ:] *n* 1) шип, колю́чка (*растения*) 2) репе́йник, репе́й; to stick like a ~ ≅ приста́ть как ба́нный лист 3) назо́йливый челове́к 4) *текст.* ворсова́льная ши́шка

burberry ['bɜ:bərɪ] *n* 1) (B.) «Ба́рберри» (*торговый знак*) 2) непромока́емая ткань «ба́рберри»

burble ['bɜ:bl] **1.** *n* 1) бормота́ние; болтовня́

2. *v* бормота́ть; болта́ть

burbot ['bɜ:bət] *n* нали́м

burden I ['bɜ:dn] **1.** *n* 1) но́ша, тя́жесть; груз 2) бре́мя; a ~ of care бре́мя забо́т; ~ of proof *юр.* бре́мя доказа́тельства 3) *мор.* тонна́ж (*судна*) 4) накладны́е расхо́ды 5) *горн.* пуста́я поро́да, покрыва́ющая руду́

2. *v* 1) нагружа́ть 2) обременя́ть, отягоща́ть

burden II ['bɜ:dn] *n* 1) припе́в, рефре́н 2) те́ма; основна́я мысль, суть; the ~ of the remarks суть э́тих замеча́ний

burdensome ['bɜ:dnsəm] *a* обремени́тельный, тя́гостный

burdock ['bɜ:dɒk] *n бот.* лопу́х большо́й

bureau ['bjʊərəʊ] *n* (*pl* -eaux, -eaus [-əʊz]) 1) бюро́, отде́л, управле́ние, комите́т 2) бюро́, конто́рка, пи́сьменный стол 3) *амер.* комо́д (с зе́ркалом)

bureaucracy [bjʊ'rɒkrəsɪ] *n* 1) *собир.* бюрокра́тия 2) бюрократи́зм

bureaucrat ['bjʊərəkræt] *n* бюрокра́т

bureaucratic [,bjʊərə'krætɪk] *a* бюрократи́ческий

bureaux ['bjʊərəʊz] *pl от* bureau

burette [bjʊ'ret] *n хим.* бюре́тка

burg [bɜ:g] *n амер. разг.* го́род

burgee ['bɜ:dʒi:] *n мор.* треуго́льный флажо́к

burgeon ['bɜ:dʒən] **1.** *n* буто́н; по́чка; росто́к

2. *v* дава́ть по́чки, ростки́; распуска́ться

burger ['bɜ:gə] *n* бутербро́д, бу́лочка, разре́занная вдоль (с бифште́ксом, сы́ром)

burgess ['bɜ:dʒɪs] *n* 1) граждани́н *или* жи́тель го́рода, име́ющего самоуправле́ние 2) *ист.* член парла́мента от го́рода с самоуправле́нием *или* от университе́та

burgh ['bʌrə] *n шотл. ист.* го́род с самоуправле́нием

burgher ['bɜ:gə] *n ист.* горожа́нин, бю́ргер

burglar ['bɜ:glə] *n* вор-взло́мщик; ночно́й граби́тель

burglarious [bə'gleərɪəs] *a* воровско́й, граби́тельский

burglarize ['bɜ:gləraɪz] *v амер.* соверша́ть кра́жу со взло́мом

burglary ['bɜ:glərɪ] *n* ночна́я кра́жа со взло́мом

burgle ['bɜ:gl] = burglarize

burgomaster ['bɜ:gəʊ,mɑ:stə] *n* 1) бургоми́стр (*в голландских, фламандских и германских городах*) 2) *зоол.* поля́рная ча́йка, бургоми́стр

burgoo ['bɜ:gu:] *n* 1) *мор. разг.* густа́я овся́нка 2) *амер.* сухари́, сва́ренные в па́токе 3) *амер.* тушёные о́вощи с мя́сом в густо́й подли́ве

Burgundy ['bɜ:gəndɪ] *n* кра́сное бургу́ндское вино́

burial ['berɪəl] *n* по́хороны

burial-ground ['berɪəlgraʊnd] *n* кла́дбище

burial mound ['berɪəlmaʊnd] *n* моги́льный холм, курга́н

burial-place ['berɪəlpleɪs] *n* ме́сто погребе́ния

burial-service ['berɪəl,sɜ:vɪs] *n* заупоко́йная слу́жба

burin ['bjʊərɪn] *n* резе́ц гравёра, грабшти́хель

burk [bɜ:k] = berk

burke [bɜ:k] *v* 1) замя́ть (*дело и т. п.*); запрети́ть (*книгу*) до вы́хода в свет; сорва́ть (*прения, предложение*) 2) *уст.* задуши́ть

burl [bɜ:l] **1.** *n* 1) *текст.* у́зел на ни́тке в тка́ни 2) *амер.* напль́ив на де́реве

2. *v текст.* очища́ть суровьё от посторо́нних включе́ний и узло́в

burlap ['bɜ:læp] *n* джу́товая *или* пенько́вая мешо́чная ткань

burlesque [bɜ:'lesk] **1.** *n* бурле́ск; паро́дия; карикату́ра; *амер.* эстра́дное представле́ние с элеме́нтами фа́рса

2. *a* шу́точный

3. *v* пароди́ровать

burly ['bɜ:lɪ] *a* 1) доро́дный, пло́тный 2) большо́й и си́льный

Burmese [,bɜ:'mi:z] **1.** *a* бирма́нский

2. *n* 1) бирма́нец; бирма́нка; the ~ *pl собир.* бирма́нцы 2) бирма́нский язы́к

burn I [bɜ:n] *n шотл.* ручеёк

burn II [bɜ:n] **1.** *n* 1) ожо́г 2) клеймо́ 3) выжига́ние расти́тельности на земле́, предназна́ченной к обрабо́тке

2. *v* (burnt, burned) 1) жечь, пали́ть, сжига́ть; прожига́ть; выжига́ть; to ~ to a crisp сжига́ть дотла́ 2) обжига́ть, получа́ть ожо́г 3) вызыва́ть зага́р (*о солнце*) 4) загора́ть (*о коже*) 5) подгора́ть (*о пище*) 6) обжига́ть (*кирпичи*) 7) *мед.* прижига́ть 8) сжига́ть в я́дерном реа́кторе 9) ре́зать (*металл*) автоге́ном 10) сгора́ть, горе́ть, пыла́ть (*тж. перен.*); to ~ with fever быть (как) в жару́; пыла́ть, как в огне́ 11) *амер. sl.* разозли́ться, прийти́ в бе́шенство ▭ ~ **away** а) сгора́ть; б) сжига́ть; the sun ~s away the mist со́лнце рассе́ивает тума́н; ~ **down** а) сжига́ть дотла́; б) догора́ть; ~ **into** вреза́ться; the spectacle of injustice burnt into his soul зре́лище несправедли́вости глубоко́ ра́нило его́ ду́шу; ~ **out** а) вы́жечь; б) вы́гореть; ~ **up** а) зажига́ть, сжига́ть; б) *амер. sl.* вспыли́ть; рассвирепе́ть ◇ she has money to ~ ≅ у неё де́нег ку́ры не клюю́т; to ~ the candle at both ends безрассу́дно тра́тить си́лы, эне́ргию; to ~ daylight *уст.* а) жечь свет днём; б) тра́тить си́лы зря; to ~ the midnight oil заси́живаться за рабо́той до глубо́кой но́чи; to ~ one's bridges (boats) сжига́ть свои́ мосты́ (корабли́); to ~ one's fingers обже́чься (*на чём-л.*); to ~ the water лучи́ть ры́бу; to ~ the wind (*или* the earth), *амер.* to ~ up the road нести́сь (во весь опо́р); his money ~s a hole in his pocket де́ньги у него́ до́лго не де́ржатся, де́ньги ему́ жгут карма́н

burner ['bɜ:nə] *n* 1) горе́лка 2) форсу́нка 3) то́пка

burning ['bɜ:nɪŋ] 1. *pres. p. от* burn II, 2

2. *n* 1) горе́ние 2) о́бжиг, обжига́ние; прока́ливание 3) *горн.* расшире́ние (*шпуров*) взры́вами

3. *a* горя́щий; жгу́чий (*тж. перен.*); ~ bush *библ.* неопали́мая купи́на; ~ oil кероси́н; ~ question жгу́чий вопро́с; ~ shame жгу́чий стыд

burning-glass ['bɜ:nɪŋglɑ:s] *n* зажига́тельное стекло́

burnish ['bɜ:nɪʃ] 1. *n* 1) полиро́вка 2) блеск

2. *v* 1) чи́стить, полирова́ть; ворони́ть (*сталь*) 2) блесте́ть

burnisher ['bɜ:nɪʃə] *n* 1) полиро́вщик 2) инструме́нт для полиро́вки

burnous [bɜ:'nu:s] *n* бурну́с

burnouse [bɜ:'nu:s] = burnous

burnout ['bɜ:naʊt] *n* прекраще́ние горе́ния (*в ракетном двигателе*)

burnt [bɜ:nt] 1. *past и p. p. от* burn II, 2

2. *a* жжёный, горе́лый; ~ gas отрабо́танный газ; ~ offering *библ.* всесожже́ние <> ~ child dreads the fire *посл.* ≅ обжёгшись на молоке́, бу́дешь дуть и на́ воду; пу́ганая воро́на и куста́ бои́тся

burp [bɜ:p] *разг.* 1. *n* отры́жка <> ~ gun *амер. sl.* пистоле́т-автома́т

2. *v* рыга́ть

burr I [bɜ:] 1. *n* 1) шум, гро́хот (*машин и т. п.*) 2) *фон.* заднеязы́чное произноше́ние зву́ка [r] (*на севере Англии*); карта́вость

2. *v фон.* произноси́ть [r] спи́нкой языка́; карта́вить

burr II [bɜ:] = bur

burr III [bɜ:] *n* 1) заусе́нец; грат (*на металле*) 2) треуго́льное долото́ 3) жерново́й ка́мень 4) осело́к, точи́льный ка́мень

burro ['bʊrəʊ] *n* (*pl* -os [-əʊz]) *амер.* о́слик

burrow ['bʌrəʊ] 1. *n* 1) нора́ 2) червото́чина 3) *горн.* отбро́сы, пуста́я поро́да; отва́лы

2. *v* 1) рыть но́ру, ход 2) пря́таться в норе́; жить в норе́ 3) ры́ться (*в книгах, архивах; часто* ~ into)

bursa ['bɜ:sə] *n* (*pl* -ae) 1) *анат.* су́мка 2) общежи́тие (*в немецких учебных заведениях*)

bursae ['bɜ:si:] *pl от* bursa

bursar ['bɜ:sə] *n* 1) казначе́й (*особ. в университетах*) 2) стипендиа́т

bursary ['bɜ:sərɪ] *n* 1) канцеля́рия казначе́я (*в университетах*) 2) стипе́ндия

burse [bɜ:s] *n* 1) = bursary 2); 2) *уст.* кошёль 3) *уст.* би́ржа

bursitis [bɜ:'saɪtɪs] *n мед.* бурси́т

burst [bɜ:st] 1. *n* 1) взрыв; ~ of applause (of laughter) взрыв аплодисме́нтов (сме́ха) 2) вспы́шка (*пламени и т. п.*) 3) поры́в; ~ of energy прили́в эне́ргии; *спорт.* бросо́к, рыво́к 4) разры́в (*снаряда*); пулемётная о́чередь

2. *v* (burst) 1) ло́паться; разрыва́ться, взрыва́ться (*о снаряде, котле*); прорыва́ться (*о плотине; о нарыве*); to ~ open а) распахну́ться; б) взлома́ть 2) разража́ться 3) взрыва́ть, разрыва́ть, разруша́ть; разла́мывать; вскрыва́ть; rivers ~ their banks ре́ки размыва́ют свои́ берега́; to ~ a blood-vessel получи́ть *или* вы́звать разры́в кровено́сного сосу́да ▭ ~ in ворва́ться, вломи́ться; ~ into: to ~ into blossom расцвести́; to ~ into flame вспы́хнуть пла́менем; to ~ into tears (into laughter) зали́ться слеза́ми (сме́хом); to ~ into the room ворва́ться в ко́мнату; to ~ into (*или* upon) the view внеза́пно появи́ться (*в поле зрения*); ~ out вспы́хивать (*о войне, эпидемии*); to ~ out crying (laughing) = to ~ into tears (into laughter); ~ up а) взорва́ться; б) *разг.* потерпе́ть неуда́чу, круше́ние; ~ with ло́паться; to ~ with envy ло́пнуть от за́висти; to ~ with plenty ломи́ться от избы́тка <> I am simply ~ing to tell you я горю́ нетерпе́нием рассказа́ть вам; to ~ one's sides надорва́ть живо́тики от сме́ха

burster ['bɜ:stə] *n* разрывно́й заря́д

bursting ['bɜ:stɪŋ] 1. *pres. p. от* burst 2

2. *n* 1) взрыв, разры́в 2) растре́скивание

3. *a* разрывно́й; ~ charge = burster

burthen ['bɜ:ðn] *поэт. см.* burden I *и* II

burton ['bɜ:tn] *n*: gone for a ~ *sl.* а) пропа́вший; б) разби́тый; сло́манный; the radio's gone for a ~ радиоприёмник испо́ртился; в) уби́тый

bury ['berɪ] *v* 1) хорони́ть, зарыва́ть в зе́млю; to have buried one's relatives потеря́ть, похорони́ть бли́зких 2) пря́тать; to ~ one's face in one's hands закры́ть лицо́ рука́ми; to ~ one's hands in one's pockets засу́нуть ру́ки в карма́ны; to ~ oneself in books зары́ться в кни́ги 3) похорони́ть, преда́ть забве́нию; to ~ the past преда́ть забве́нию про́шлое 4) погружа́ться; to be buried in thought погрузи́ться в разду́мье

bus [bʌs] 1. *n* 1) авто́бус; о́мнибус 2) *разг.* пассажи́рский самолёт, автомоби́ль 3) *эл.* ши́на <> ~ boy, ~ girl *амер.* помо́щник, помо́щница официа́нта, убира́ющий, -ая гря́зную посу́ду со стола́ в рестора́не

2. *v*: to ~ it е́хать в авто́бусе, о́мнибусе

busby ['bʌzbɪ] *n* гуса́рский ки́вер, гуса́рская ша́пка

bush I [bʊʃ] 1. *n* 1) куст, куста́рник 2) густы́е во́лосы; ~ of hair копна́ воло́с 3) больши́е простра́нства некультиви́рованной земли́, покры́тые куста́рником (*в Австралии и Южной Африке*), буш 4) ча́ща, чащо́ба 5) *уст.* ве́тка плюща́ (*в старой Англии служила вывеской таверны*); таве́рна <> to take to the ~ стать бродя́гой

2. *v* 1) обса́живать куста́рником 2) гу́сто разраста́ться 3) боронова́ть (*землю*)

bush II [bʊʃ] 1. *n тех.* вту́лка, вкла́дыш; ги́льза, бу́кса

2. *v* вставля́ть вту́лку

bushel I ['bʊʃl] *n* бу́шель (*мера ёмкости* ≅ *36,4 л*) <> to hide one's light under a ~ *библ.* держа́ть свет под спу́дом; зарыва́ть свой тала́нт (в зе́млю)

bushel II ['bʊʃl] *v амер.* чини́ть, лата́ть мужско́е пла́тье

bushing I ['bʊʃɪŋ] 1. *pres. p. от* bush II, 2

2. *n тех.* (изоли́рующая) вту́лка, вкла́дыш

bushing II ['bʊʃɪŋ] *pres. p. от* bush I, 2

Bushman ['bʊʃmən] *n* бушме́н (*народность в Африке*)

bushman ['bʊʃmən] *n* 1) *австрал.* жи́тель се́льской ме́стности 2) *презр.* дереве́нщина

bushranger ['bʊʃ,reɪndʒə] *n австрал. ист.* бе́глый престу́пник, скрыва́ющийся в за́рослях и живу́щий грабежо́м

bush telegraph [,bʊʃ'telɪgrɑ:f] *n* бы́строе распростране́ние све́дений, слу́хов *и т. п.*

bushwhack ['bʊʃwæk] *v* 1) *амер., австрал.* расчища́ть за́росли; пробива́ть тропу́ в за́рослях 2) *амер., австрал.* скрыва́ться в ча́ще 3) *амер.* соверша́ть нападе́ние, скрыва́ясь в ча́ще

bushwhacker ['bʊʃwækə] *n* 1) *амер., австрал.* жи́тель лесно́й глуши́ 2) *амер.* бродя́га 3) *амер. воен. ист.* партиза́н 4) реза́к для расчи́стки за́рослей куста́рника

bushy ['bʊʃɪ] *a* 1) густо́й (*о бровях, бороде и т. п.*) 2) пуши́стый (*о хвосте лисицы и др. животных*) 3) покры́тый куста́рником

busily ['bɪzɪlɪ] *adv* 1) делови́то 2) назо́йливо, навя́зчиво; с изли́шним любопы́тством

business I ['bɪznəs] *n* 1) де́ло, заня́тие; the ~ of the day (*или* meeting) пове́стка дня; on ~ по де́лу; to be out of ~ обанкро́титься; man of ~ а) делово́й челове́к; б) аге́нт, пове́ренный 2) профе́ссия 3) обя́занность; пра́во; to make it one's ~ счита́ть свое́й обя́занностью; you had no ~ to do it вы не име́ли основа́ния, пра́ва э́то де́лать 4) *пренебр.* де́ло, исто́рия; I am sick of the whole ~ мне вся э́та исто́рия надое́ла 5) торго́вое предприя́тие, фи́рма 6) би́знес; комме́рческая де́ятельность; to set up in ~ нача́ть торго́вое де́ло 7) (вы́годная) сде́лка 8) *театр.* де́йствие, игра́, ми́мика, же́сты (*не диалог*) 9) *attr.* практи́ческий, делово́й; the ~ end практи́ческая, наибо́лее ва́жная сторона́ де́ла; ~ hours часы́ торго́вли *или* приёма; ~ executives руководя́щий администрати́вный персона́л; «капита́ны» промы́шленности; ~ interests делово́й мир, делову́е круги́ <> big ~ кру́пный капита́л, большо́й би́знес; to mean ~ говори́ть всерьёз; име́ть серьёные намéрения; брáться (*за что-л.*) серьёзно, решúтельно; everybody's ~ is nobody's ~ ≅ у семú нянек дитя́ без глáзу; mind your own ~! не вáше дéло!; занимáйтесь своúм дéлом!; to send smb. about his ~ прогонять, выпровáживать когó-л.; what is your ~ here? что вам здесь нáдо?; it has done his ~ э́то егó доконáло

business II [ˈbɪzɪnəs] *уст.* = busyness

businesslike [ˈbɪznəslaɪk] *a* деловóй, практúчный; ~ air деловúтость

businessman [ˈbɪznəsmən] *n* 1) деловóй человéк, коммерсáнт 2) делéц, бизнесмéн; big businessmen крýпные капиталúсты, бизнесмéны

business manager [ˈbɪznəs,mænɪdʒə] *n* управля́ющий делáми; коммéрческий дирéктор, завéдующий коммéрческой чáстью

busk I [bʌsk] *v* петь *или* давáть представлéние на ýлицах

busk II [bʌsk] *n* планшéтка (*в корсете*)

busk III [bʌsk] *v шотл.* 1) готóвиться 2) одевáться 3) торопúться, спешúть

busk IV [bʌsk] *v мор.* бороздúть, рыскáть

buskin [ˈbʌskɪn] *n* котýрн; *перен.* трагéдия

busman [ˈbʌsmən] *n* водúтель автóбуса ◇ ~'s holiday а) день óтдыха, проведённый за обы́чной рабóтой; б) испóрченный óтпуск

buss [bʌs] *уст., амер. разг.* **1.** *n* звóнкий поцелýй

2. *v* целовáть

bust I [bʌst] *n* 1) бюст 2) жéнская грудь

bust II [bʌst] *разг.* **1.** *n* 1) банкрóтство, разорéние 2) налёт полúции 3) кутёж

2. *v* 1) обанкрóтиться (*тж.* to go ~) 2) *амер.* разжáловать, снúзить в чúне 3) схватúть с полúчным; арестовáть 4) запúть (*тж.* to go on the ~) 5) разрушáть, ломáть

bustard [ˈbʌstəd] *n зоол.* дрофá

buster [ˈbʌstə] *n амер. sl.* 1) что-л. необыкновéнное 2) пирýшка, кутёж, попóйка

bustle I [ˈbʌsl] **1.** *n* суматóха, суетá

2. *v* 1) суетúться (*тж.* ~ about) 2) торопúть(ся); to ~ through a crowd пробивáться сквозь толпý

3. *int уст.* живéе!

bustle II [ˈbʌsl] *n* турню́р

bustling [ˈbʌslɪŋ] **1.** *pres. p. от* bustle I, 2

2. *n* суетá, суетлúвость

3. *a* суетлúвый, шýмный

busy [ˈbɪzɪ] **1.** *a* 1) дéятельный; занятóй (at, in, with); ~ as a bee (*или* a beaver) óчень занятóй 2) надоéдливый, назóйливый 3) оживлённый (*об улице*) 4) (*обыкн. амер.*) зáнятый; the line is ~ нóмер (телефóна) зáнят; лúния занятá; ~ signal сигнáл «зáнято» (*по телефону*)

2. *v* 1) давáть рабóту, засадúть за рабóту, занять рабóтой; to ~ one's brains ломáть себé гóлову 2) *refl.* занимáться

busybody [ˈbɪzɪ,bɒdɪ] *n* 1) хлопотýн 2) человéк, лю́бящий вмéшиваться в чужúе делá

busyness [ˈbɪzɪnəs] *n* зáнятость, деловúтость

but I [bʌt (*полная форма*); bət (*редуцированная форма*)] **1.** *adv* тóлько, лишь; I saw him ~ a moment я вúдел егó лишь мéльком; she is ~ nine years old ей тóлько дéвять лет ◇ ~ just тóлько что; all ~ почтú; едвá не; he all ~ died of his wound он едвá не ýмер от своéй рáны

2. *prep* крóме, за исключéнием; all ~ one passenger were drowned утонýли все, крóме одногó пассажúра ◇ the last ~ one предпослéдний; anything ~ далекó не; всё что угóдно, тóлько не; he is anything ~ a coward трýсом егó не назовёшь; nothing ~ ничтó инóе как

3. *cj* 1) но, а, однáко, тем не мéнее; ~ then но с другóй стороны́ 2) éсли (бы) не; как не; чтóбы не; I cannot ~ ... не могý не ...; I cannot ~ agree with you не могý не согласúться с вáми; what could he do ~ confess? что емý оставáлось дéлать, как не сознáться?; he would have fallen ~ that I caught him он упáл бы, éсли бы я егó не подхватúл; he would have fallen ~ for me он упáл бы, éсли бы не я

4. *pron rel.* кто бы не; there is no one ~ knows it нет никогó, кто бы э́того не знал; there are few men ~ would risk all for such a prize мáло найдётся такúх, кто не рискнýл бы всем рáди подóбной нагрáды

5. *n* возражéние

6. *v*: ~ me no ~s не возражáйте

but II [bʌt] *n шотл.* пéрвая *или* рабóчая кóмната в небольшóм двухкóмнатном дóме

butadiene [,bju:təˈdaɪi:n] *n хим.* бутадиéн

butane [ˈbju:teɪn] *n хим.* бутáн

butch [bʊtʃ] *a sl.* мужеподóбная (жéнщина)

butcher [ˈbʊtʃə] **1.** *n* 1) мясни́к; ~'s meat мя́со; ~'s knife нож мясникá 2) убúйца, палáч 3) *амер.* разнóсчик в пóезде 4) искýсственная мýха (*для ловли лососей*)

2. *v* 1) бить (*скот*) 2) безжáлостно убивáть 3) пóртить, искажáть

butcher-bird [ˈbʊtʃəbɜ:d] *n зоол.* сéрый сорокопýт

butcherly [ˈbʊtʃəlɪ] *a* жестóкий, кровожáдный; вáрварский

butchery [ˈbʊtʃərɪ] *n* 1) бóйня, резня́ 2) (ското)бóйня ◇ ~ business торгóвля мя́сом

butler [ˈbʌtlə] *n* дворéцкий, стáрший лакéй

butt I [bʌt] *n* 1) большáя бóчка (*для вина, пива*) 2) бóчка (*как мера ёмкости* ≅ *490,96 л*)

butt II [bʌt] *n* 1) предмéт насмéшек 2) стрéльбищный вал 3) *pl* стрéльбище, полигóн 4) цель, мишéнь

butt III [bʌt] *n* 1) тóлстый конéц (*чего-л.*); торéц, кóмель (*дерева*); приклáд (*ружья*; *тж.* the ~ of the rifle) 2) *разг.* окýрок 3) *разг.* сигарéта 4) (*обыкн. амер.*) *sl.* зáдница

butt IV [bʌt] **1.** *n* 1) удáр (*головой, рогами*) 2) притúк; стык 3) пéтля, навéс (*двери*)

2. *v* 1) ударя́ть головóй 2) натыкáться (against, into — на) 3) бодáться 4) высóвываться, выдавáться 5) *разг.* натыкáться 6) соединя́ть впритúк ▭ ~ in вмéшиваться

butter [ˈbʌtə] **1.** *n* 1) мáсло 2) *разг.* грýбая лесть ◇ he looks as if ~ would not melt in his mouth ≅ слóвно и воды́ не замутúт; он тóлько кáжется тихóней

2. *v* 1) намáзывать мáслом 2) грýбо льстить (*часто* ~ up) ◇ fine (*или* kind, soft) words ~ no parsnips *посл.* ≅ соловья́ бáснями не кóрмят

butter bean [ˈbʌtəbi:n] *n бот.* бобы́ каролúнские

butter-boat [ˈbʌtəbəʊt] *n* сóусник

buttercup [ˈbʌtəkʌp] *n бот.* лю́тик

butter-dish [ˈbʌtədɪʃ] *n* маслёнка

butterfat [ˈbʌtəfæt] *n* молóчный жир

butterfingers [ˈbʌtə,fɪŋgəz] *n разг.* растя́па

butterfly [ˈbʌtəflaɪ] *n* 1) бáбочка 2) «мотылёк» (*о ветреном человеке*) 3) *pl разг.* внýтренняя дрожь 4) *спорт.* баттерфля́й (*стиль плавания*; *тж.* ~ stroke)

butterfly nut [ˈbʌtəflaɪnʌt] *n тех.* гáйка-барáшек

butterfly screw [ˈbʌtəflaɪskru:] *n тех.* винт-барáшек

butterfly table [ˈbʌtəflaɪteɪbl] *n* стол с откидны́ми боковы́ми дóсками

buttermilk [ˈbʌtəmɪlk] *n* пáхта

butternut [ˈbʌtənʌt] *n* орéх сéрый (*дерево и плод*)

butterscotch [ˈbʌtəskɒtʃ] *n* 1) úриски 2) *attr.*: ~ colour цвет жжёного сáхара, свéтло-корúчневый цвет

buttery I [ˈbʌtərɪ] *n* кладовáя (*для хранения провизии и напитков*)

buttery II [ˈbʌtərɪ] *a* 1) мáсляный; масляни́стый 2) льстúвый

buttery-hatch [,bʌtərɪˈhætʃ] *n* раздáточное окнó для вы́дачи продýктов из кладовóй

butting [ˈbʌtɪŋ] *n* предéл, гранúца

butt joint [ˈbʌtdʒɔɪnt] *n тех.* стык, стыковóе соединéние

buttocks [ˈbʌtəks] *n pl* я́годицы

button [ˈbʌtn] **1.** *n* 1) пýговица 2) кнóпка; to press the ~ нажáть кнóпку; *перен.* нажáть все кнóпки, пустúть в ход свя́зи 3) бутóн 4) молодóй, неразвúвшийся гриб 5) *спорт.* шúшечка (*на острие рапиры*) 6) *attr.* кнóпочный; ~ switch кнóпочный выключáтель ◇ not to care a (brass) ~ относúться с пóлным равнодýшием; наплевáть

2. *v* 1) пришивáть пýговицы 2) застёгивать(ся) на пýговицы ▭ ~ up а) застегнýть(ся) на все пýговицы; to ~ up one's purse (*или* pockets) *разг.* скупúться; б) *разг.* заверши́ть (*работу и т. п.*); в) *разг.* замолча́ть; to ~ up one's mouth храни́ть молча́ние; г) *воен.* приводи́ть в поря́док войска́

buttonhold ['bʌtnhəʊld] *уст.* = buttonhole 2, 2)

buttonhole ['bʌtnhəʊl] **1.** *n* 1) пе́тля 2) цвето́к в петли́це; бутонье́рка

2. *v* 1) промётывать пе́тли 2) заде́рживать (*кого-л.*) для до́лгого и ну́дного разгово́ра

buttonhook ['bʌtnhʊk] *n* крючо́к для застёгивания башмако́в, перча́ток

button-on ['bʌtnɒn] *a* пристёгивающийся (*о воротнике и т. п.*)

buttons ['bʌtnz] *n* ма́льчик-посы́льный (*в гостинице*)

buttress ['bʌtrəs] **1.** *n* 1) *стр.* контрфо́рс; подпо́ра, усто́й; бык 2) опо́ра, подде́ржка

2. *v* подде́рживать, служи́ть опо́рой (*часто* ~ up); to ~ up by facts подкрепля́ть фа́ктами

butty I ['bʌtɪ] *n* 1) *разг.* това́рищ 2) *уст.* компаньо́н; па́йщик по подря́дной рабо́те (*обычно в шахте*)

butty II [bʌtɪ] *n* бутербро́д

butyl ['bju:taɪl] *n хим.* бути́л

butyric [bjʊ'tɪrɪk] *a хим.* ма́сляный

buxom ['bʌksəm] *a* 1) по́лная, полногру́дая; пы́шущая здоро́вьем, кре́пкая 2) доброду́шная, серде́чная, весёлая

buy [baɪ] **1.** *v* (bought) 1) покупа́ть; приобрета́ть; to ~ on tick *разг.* покупа́ть в креди́т 2) подкупа́ть ▭ ~ **in** а) закупа́ть; б) выкупа́ть (*собственные вещи на аукционе*); ~ **off** откупа́ться; ~ **out** выкупа́ть; ~ **over** подкупа́ть, перема́нивать на свою́ сто́рону; ~ **up** скупа́ть ◇ to ~ over smb.'s head перехвати́ть у кого́-л. поку́пку за бо́лее дорогу́ю це́ну; to ~ time оттяну́ть вре́мя; I will not ~ that ≅ э́то со мной не пройдёт, я э́того не допущу́

2. *n разг.* поку́пка; a good (bad) ~ уда́чная (неуда́чная) поку́пка; to be on the ~ производи́ть значи́тельные поку́пки

buyer ['baɪə] *n* покупа́тель ◇ ~s over *ком.* спрос превыша́ет предложе́ние; ~'s market *ком.* конъюнкту́ра ры́нка, вы́годная для покупа́телей

buyout ['baɪaʊt] *n* вы́куп

buzz I [bʌz] **1.** *n* 1) жужжа́ние; гул (*голосов*) 2) *разг.* слу́хи, молва́ 3) *sl.* телефо́нный звоно́к; I'll give you a ~ tomorrow я звя́кну тебе́ за́втра 4) *sl.* не́рвное возбужде́ние, эйфори́я

2. *v* 1) жужжа́ть, гуде́ть 2) звони́ть по телефо́ну 3) дви́гаться, снова́ть делови́то и шу́мно 4) *разг.* броса́ть, швыря́ть 5) *ав. разг.* лете́ть на бре́ющем полёте (*о самолёте*) 6) распространя́ть слу́хи ▭ ~ **about** ви́ться, увива́ться; ~ **off** уходи́ть, удаля́ться; улизну́ть

buzz II [bʌz] *v* осуша́ть, выпива́ть (буты́лку, стака́н) до после́дней ка́пли

buzzard ['bʌzəd] *n зоол.* каню́к

buzz-bomb ['bʌzbɒm] *n воен. ист.* самолёт-снаря́д

buzzer ['bʌzə] *n* 1) гудо́к; сире́на 2) *разг.* звоно́к 3) *эл.* зу́ммер, пи́щик; автомати́ческий прерыва́тель 4) *воен. жарг.* связи́ст

buzz saw ['bʌzsɔ:] *n амер.* кру́глая пила́ ◇ to monkey with a (*или* the) ~ ≅ шути́ть *или* игра́ть с огнём

buzzword ['bʌzwɜ:d] *n ирон.* «у́мное» слове́чко (*термин*); all this computer ~ вся э́та компью́терная за́умь

by [baɪ] **1.** *prep* 1) *в пространственном значении указывает на*: а) *близость* у, при, о́коло; a house by the river дом у реки́; a path by the river тропи́нка вдоль бе́рега реки́; б) *прохождение мимо предмета или через определённое место* ми́мо; we went by the house мы прошли́ ми́мо до́ма; we travelled by a village мы прое́хали че́рез дере́вню 2) *во временно́м значении указывает на приближение к определённому моменту, сроку и т. п.* к; by tomorrow к за́втрашнему дню; by five o'clock к пяти́ часа́м; by then к тому́ вре́мени 3) *указывает на автора; передаётся тв. или род. падежом*: a book by Tolstoy кни́га, напи́санная Толсты́м, произведе́ние Толсто́го; the book was written by a famous writer кни́га была́ напи́сана знамени́тым писа́телем 4) *указывает на средство передвижения; передаётся тв. падежом*: by plane самолётом; by air mail возду́шной по́чтой; авиапо́чтой 5) *указывает на причину, источник* че́рез, посре́дством, от, по; to know by experience знать по о́пыту; to die by violence умере́ть наси́льственной сме́ртью 6) *указывает на меры веса, длины и т. п.* в, на, по; *передаётся тж. тв. падежом*: by the yard в я́рдах, я́рдами; by the pound в фу́нтах, фу́нтами 7) *указывает на характер действия*; by chance случа́йно; by the law по зако́ну; by chute, by gravity самотёком 8) *указывает на соответствие, согласованность* по; согла́сно; by agreement по догово́ру; by your leave с ва́шего разреше́ния 9) *указывает на соотношение между сравниваемыми величинами* на; older by two years ста́рше на два го́да ◇ by George ≅ ей-бо́гу!; by the way (*или* by the by(e)) кста́ти, ме́жду про́чим; by and large в о́бщем и це́лом, в о́бщем

2. *adv* 1) бли́зко, ря́дом 2) ми́мо; she passed by она́ прошла́ ми́мо ◇ by and by вско́ре

by-blow ['baɪbləʊ] *n* 1) случа́йный уда́р; *перен.* непредви́денный слу́чай 2) внебра́чный ребёнок

bye I [baɪ] *n* 1) что-л. второстепе́нное 2): to draw (*или* to have) a ~ *спорт.* быть свобо́дным от соревнова́ний

bye II [baɪ] = goodbye 2

bye-bye I ['baɪbaɪ] *n разг.* бай-ба́й; сон; вре́мя спать

bye-bye II [,baɪ'baɪ] *разг. см.* goodbye 1

by-effect ['baɪɪ,fekt] *n тех.* побо́чное явле́ние

byelaw ['baɪlɔ:] = bylaw

by-election ['baɪɪ,lekʃn] *n* дополни́тельные вы́боры

Byelorussian [bɪ,eləʊ'rʌʃn] **1.** *a* белору́сский

2. *n* 1) белору́с; белору́ска 2) белору́сский язы́к

by-end ['baɪend] *n* побо́чная *или* та́йная цель

bygone ['baɪgɒn] **1.** *a* про́шлый

2. *n pl* про́шлое; про́шлые оби́ды ◇ let ~s be ~s *посл.* ≅ кто ста́рое помя́нет, тому́ глаз вон

bylaw ['baɪlɔ:] *n* 1) постановле́ние о́рганов ме́стной вла́сти 2) уста́вные но́рмы (*организации*)

by-line ['baɪlaɪn] *n* 1) строка́ (*в газете, журнале*), на кото́рой помеща́ется фами́лия а́втора 2) побо́чная рабо́та

byname ['baɪneɪm] *n* про́звище

bypass ['baɪpɑ:s] **1.** *n* 1) обхо́д 2) обво́дный кана́л 3) обхо́дный путь 4) *эл.* шунт

2. *v* 1) обходи́ть 2) пренебрега́ть; не принима́ть во внима́ние 3) окружа́ть, окаймля́ть 4) *воен.* обтека́ть (*опорные пункты противника*)

bypath ['baɪpɑ:θ] *n* уединённая бокова́я тропа́ *или* доро́га

byplay ['baɪpleɪ] *n* побо́чная (*часто* нема́я) сце́на; эпизо́д (*в пьесе*)

by-plot ['baɪplɒt] *n* второстепе́нная интри́га (*в пьесе*)

by-product ['baɪ,prɒdʌkt] *n* побо́чный проду́кт

byre ['baɪə] *n* коро́вник

byroad ['baɪrəʊd] = byway

bystander ['baɪ,stændə] *n* свиде́тель; наблюда́тель

bystreet ['baɪstri:t] *n* переу́лок, у́лочка

byte [baɪt] *n тех.* байт (*единица информации = 8 битам*)

byway ['baɪweɪ] *n* 1) доро́га второстепе́нного значе́ния; ме́нее лю́дная доро́га 2) кратча́йший путь 3) негла́вная, малоизу́ченная о́бласть (*науки и т. п.*); ~s of learning ме́нее изу́ченные и сравни́тельно второстепе́нные о́бласти зна́ния

byword ['baɪwɜ:d] *n* 1) люби́мое, ча́сто повторя́емое слове́чко 2) при́тча во язы́цех; олицетворе́ние, си́мвол; a ~ for iniquity олицетворе́ние вся́ческой несправедли́вости 3) погово́рка

by-work ['baɪwɜ:k] *n* побо́чная рабо́та

Byzantine [bɪ'zæntaɪn] **1.** *a* византи́йский

2. *n* византи́ец

Byzantinesque [bɪ,zæntɪ'nesk] *a* византи́йский (*о стиле*)

C

C, c [si:] *n* (*pl* Cs, C's [si:z]) 1) *3-я буква англ. алфавита* 2) *муз.* до 3) *амер.* сто до́лларов

Caaba ['kɑ:əbə] *араб. n* каа́ба

cab I [kæb] (*сокр. от* cabriolet) **1.** *n* 1) такси́; to take a ~ взять такси́; е́хать в такси́ 2) *уст.* наёмный экипа́ж, кеб, изво́зчик

2. *v разг.* е́хать в такси́, на изво́зчике *и т. п.* (*тж.* ~ it)

cab II [kæb] *n* (*сокр. от* cabin) бу́дка (*на паровозе*); каби́на води́теля (*автомобиля*)

cab III [kæb] *сокр. от* cabbage III

cabal [kə'bæl] **1.** *n* 1) интри́га; полити́ческий манёвр 2) полити́ческая кли́ка; гру́ппа загово́рщиков 3) (the C.) *ист.* «каба́льный» сове́т (*при Карле II*)

2. *v* интригова́ть; вступа́ть в за́говор

cabala [kə'bɑ:lə] = cabbala

cabalistic [,kæbə'lɪstɪk] = cabbalistic

cabana [kə'bɑ:nə] *n* 1) ма́ленький до́мик; котте́дж 2) *амер.* каби́нка для переодева́ния (*на пляже*)

cabaret ['kæbəreɪ] *n* 1) эстра́дное выступле́ние в кабаре́ 2) кабаре́

cabas ['kæbɑ:] *n амер.* 1) рабо́чая корзи́нка 2) су́мочка

cabbage I ['kæbɪdʒ] **1.** *n* 1) (коча́нная) капу́ста 2) *разг. пренебр.* «пусто́е ме́сто» (*об инертном человеке*) 3) *attr.* капу́стный

2. *v* завива́ться кочано́м

cabbage II ['kæbɪdʒ] **1.** *n* обре́зки мате́рии зака́зчика, остаю́щиеся у портно́го

2. *v* 1) ута́ивать обре́зки мате́рии (*о портном*) 2) ворова́ть, прикарма́нивать

cabbage III ['kæbɪdʒ] *школ. разг.* **1.** *n* шпарга́лка

2. *v* по́льзоваться шпарга́лкой

cabbage butterfly [,kæbɪdʒ'bʌtəflaɪ] *n зоол.* капу́стница

cabbage-head ['kæbɪdʒhed] *n* 1) коча́н капу́сты 2) *разг.* тупи́ца

cabbage-rose ['kæbɪdʒrəʊz] *n бот.* ро́за столи́стная, ро́за центифо́лия

cabbala [kə'bɑ:lə] *n* каб(б)ала́

cabbalistic [,kæbə'lɪstɪk] *a* каб(б)алисти́ческий; таи́нственный, мисти́ческий

cabby ['kæbɪ] *n разг.* 1) такси́ст 2) изво́зчик

cabin ['kæbɪn] **1.** *n* 1) хи́жина 2) до́мик, котте́дж 3) каби́на, каби́нка, бу́дка 4) каю́та, сало́н 5) *ав.* закры́тая каби́на 6) прицепна́я каби́на (*трейлера*) 7) *ж.-д.* блокпо́ст 8) *attr.*: ~ class *мор.* класс пассажи́рских судо́в без I кла́сса; ~ plane самолёт с закры́той каби́ной

2. *v* 1) помеща́ть в те́сную ко́мнату, каби́ну *и т. п.* 2) жить в хи́жине 3) юти́ться

cabin boy ['kæbɪnbɔɪ] *n* ю́нга

cabined ['kæbɪnd] **1.** *p. p. от* cabin 2

2. *a* стеснённый, сжа́тый

cabinet ['kæbɪnət] *n* 1) шкаф с выдвижны́ми я́щиками; застеклённый шка́фчик, го́рка 2) ко́рпус (*радиоприёмника, телевизора*) 3) (C.) кабине́т мини́стров, прави́тельство; inner C. англи́йский кабине́т мини́стров в у́зком соста́ве 4) *уст.* кабине́т 5) *attr.* прави́тельственный, министе́рский; ~ council сове́т мини́стров; ~ crisis прави́тельственный кри́зис; C. Minister член сове́та мини́стров 6) *attr.* кабине́тный; ~ photograph кабине́тная фотографи́ческая ка́рточка; ~ size кабине́тный форма́т

cabinetmaker ['kæbɪnət,meɪkə] *n* 1) столя́р-краснодере́вщик 2) *шутл.* премье́р-мини́стр

cabinetwork ['kæbɪnətwɜ:k] *n* то́нкая столя́рная рабо́та

cable ['keɪbl] **1.** *n* 1) кана́т, трос; я́корная цепь; to slip the ~ *мор.* вытра́вить цепь 2) ка́бель 3) телегра́мма; каблогра́мма 4) *мор.* ка́бельтов 5) *архит.* вито́й орна́мент 6) *attr.* кана́тный; ~ way кана́тная доро́га, фуникулёр ◇ to cut (*или* to slip) one's ~ *sl.* умере́ть, отда́ть концы́

2. *v* 1) телеграфи́ровать (*по подводному кабелю*) 2) закрепля́ть кана́том, привя́зывать тро́сом 3) *архит.* украша́ть виты́м орна́ментом

cable-cast ['keɪblkɑ:st] *v* трансли́ровать по ка́бельному телеви́дению

cablegram ['keɪblgræm] = cable 1, 3)

cablese [keɪb'li:z] *n разг.* лакони́чный «телегра́фный» язы́к (*с пропусками вспомогательных слов*)

cablet ['keɪblɪt] *n мор.* пе́рлинь

cable television [,keɪbl'telɪvɪʒn] *n* ка́бельное телеви́дение

cabling ['keɪblɪŋ] **1.** *pres. p. от* cable 2

2. *n* 1) укла́дка ка́беля 2) круче́ние, свива́ние (*тросов, канатов*) 3) *архит.* заполне́ние каннелю́р коло́нн выпуклым про́филем

cabman ['kæbmən] *n* 1) шофёр такси́ 2) изво́зчик

cabochon ['kæbəʃɒn] *n* кабошо́н

caboodle [kə'bu:dl] *n амер. разг.*: the whole ~ а) вся компа́ния, вся ора́ва; б) вся ку́ча, всё хозя́йство

caboose [kə'bu:s] *n* 1) *мор.* ка́мбуз 2) *амер.* служе́бный ваго́н в това́рном по́езде; тормозно́й ваго́н 3) *амер.* печь на откры́том во́здухе

cabotage ['kæbətɑ:ʒ] *n мор.* кабота́ж

cab-rank ['kæbræŋk] = cabstand

cabriole ['kæbrɪəʊl] *a* гну́тый (*о ножке мебели*)

cabriolet ['kæbrɪəleɪ] *n* 1) наёмный экипа́ж, кабриоле́т, кеб 2) автомоби́ль; такси́

cabstand ['kæbstænd] *n* стоя́нка такси́, изво́зчиков

ca'canny [kɔ:'kænɪ] *см.* canny ◇

cacao [kə'kaʊ] *n* 1) кака́овое де́рево 2) кака́о (*боб и напиток*)

cacao tree [kə'kaʊtri:] = cacao 1)

cachalot ['kæʃəlɒt] *n* кашало́т

cache [kæʃ] **1.** *n* 1) тайни́к; та́йный склад ору́жия 2) запа́с провиа́нта, оста́вленный нау́чной экспеди́цией в скры́том ме́сте для обра́тного пути́ *или* для други́х экспеди́ций 3) запа́с зерна́ *или* мёда, сде́ланный живо́тным на́ зиму

2. *v* 1) пря́тать провиа́нт в усло́вленном ме́сте для нужд экспеди́ций 2) пря́тать про запа́с в потайно́м ме́сте

cachectic [kæ'kektɪk] *a* боле́зненный, истощённый, худосо́чный

cachet ['kæʃeɪ] *n* 1) печа́ть; отпеча́ток 2) отличи́тельный знак (*подлинности происхождения и т. п.*); courtesy is the ~ of good breeding ве́жливость свиде́тельствует о хоро́шем воспита́нии 3) *мед.* обла́тка, ка́псула для приёма лека́рств

cachexy [kə'keksɪ] *n мед.* кахекси́я, истоще́ние, худосо́чие

cacique [kæ'si:k] *n* 1) каси́к (*вождь, царёк американских индейцев и племён Вест-Индии*) 2) *амер.* полити́ческий запра́вила

cack-handed [,kæk'hændɪd] *a разг.* неуклю́жий, нело́вкий

cackle ['kækl] **1.** *n* 1) куда́хтанье; гогота́нье 2) хихи́канье 3) болтовня́; cut the ~! *разг.* замолчи́те!

2. *v* 1) куда́хтать; гогота́ть 2) хихи́кать 3) болта́ть

cacology [kə'kɒlədʒɪ] *n* плоха́я речь (*с ошибками, плохим произношением и т. п.*)

cacophony [kə'kɒfənɪ] *n* какофо́ния

cactaceous [kæk'teɪʃəs] *a бот.* принадлежа́щий к семе́йству ка́ктусовых; ка́ктусовый

cacti ['kæktaɪ] *pl от* cactus

cactus ['kæktəs] *n* (*pl* -es [-ɪz], cacti) ка́ктус

cacuminal [kæ'kju:mɪnl] *a фон.* какумина́льный, ретрофле́ксный

cad [kæd] *n* 1) невоспи́танный, гру́бый челове́к; хам 2) = caddy I

cadastral [kə'dæstrəl] *a* када́стровый

cadastre [kə'dæstə] *n* када́стр

cadaver [kə'dævə] *n* труп

cadaveric [kə'dævərık] *a* трупный

cadaverous [kə'dævərəs] *a* 1) трупный 2) смертельно бледный; he has a ~ face у него было мертвенно-бледное лицо

caddie ['kædı] = caddy I

caddis ['kædıs] *n* 1) саржа 2) гарусная тесьма

caddis fly ['kædısflaı] *n* веснянка, майская муха

caddish ['kædıʃ] *a* грубый, вульгарный

caddy I ['kædı] *n* мальчик, подносящий клюшки, мячи при игре в гольф

caddy II ['kædı] *n* чайница

caddy III ['kædı] *n* 1) *спорт.* двухколёсная тележка для клюшек (*для игры в гольф*; *тж.* ~ car, ~ cart) 2) хозяйственная сумка на колёсиках

cade I [keıd] *n бот.* можжевельник

cade II [keıd] *n* бочонок

cade III [keıd] *n* ягнёнок *или* жеребёнок, выкормленный искусственно

cadence ['keıdəns] *n* 1) модуляция; понижение голоса 2) *муз.* каденция 3) ритм 4) *воен.* мерный шаг; движение в ногу

cadency ['keıdnsı] *n* 1) = cadence 3); 2) младшая линия (*в генеалогии*)

cadet [kə'det] *n* 1) курсант военного училища; *ист.* кадет 2) младший сын; младший брат 3) *амер. sl.* сутенёр; сводник 4) кадет (*член конституционно-демократической партии*) 5) *attr.* кадетский; ~ corps кадетский корпус

cadet teacher [kə,det'ti:tʃə] *n* 1) учитель-практикант, младший учитель 2) внештатный учитель средней школы

cadge [kædʒ] *v* попрошайничать; жить на чужой счёт

cadger I ['kædʒə] *n* 1) разносчик; уличный торговец 2) попрошайка; прихлебатель

cadger II ['kædʒə] *n тех.* карманная маслёнка

cadi ['kɑ:dı] *араб. n* кади(й)

cadmium ['kædmıəm] *n хим.* кадмий

cadre ['kɑ:də] *n* 1) остов; схема 2) *воен.* кадр(ы), кадровый состав

caducity [kə'dju:sətı] *n* 1) бренность 2) дряхлость

caducous [kə'dju:kəs] *a бот.* рано опадающий (*о листьях*)

caeca ['si:kə] *pl от* caecum

caecum ['si:kəm] *n* (*pl* caeca) *анат.* слепая кишка

Caesar ['si:zə] *n* 1) *ист.* Цезарь 2) самодержец; кесарь ◇ render to ~ the things that are ~'s кесарю кесарево

Caesarean, Caesarian [sı'zeərıən] *a* самодержавный, автократический, кесарев

Caesarian operation [sı'zeərıən-,ɒpəreıʃn] *n мед.* кесарево сечение

caesium ['si:zıəm] *n хим.* цезий

caesura [sı'zjʊərə] *n стих.* цезура

café ['kæfeı] *n* 1) кафе 2) *амер.* бар

cafeteria [,kæfə'tıərıə] *n* кафетерий, кафе-закусочная

caff [kæf] *n sl.* кафешка, ≅ забегаловка

caffeine ['kæfi:n] *n фарм.* кофеин

caftan ['kæftæn] *n* 1) кафтан 2) длинный восточный халат 3) женское свободное платье

cage [keıdʒ] **1.** *n* 1) клетка 2) кабина лифта 3) *горн.* клеть (*в шахтах*) 4) *тех.* обойма (*подшипника*) 5) *разг.* тюрьма 6) садок (*для насекомых или рыб*)

2. *v* 1) сажать в клетку 2) *разг.* заключать в тюрьму

cagey ['keıdʒı] *a разг.* уклончивый в ответах; don't be so ~ отвечайте прямо, не виляйте

cahoots [kə'hu:ts] *n pl sl.* соучастие, сообщничество; in ~ в сговоре; to go ~ делить поровну расходы и доходы

caiman ['keımən] = cayman

Cain [keın] *n* 1) *библ.* Каин 2) братоубийца, предатель ◇ to raise ~ поднять шум, устроить скандал

caique [kaı'i:k] *n* каик, турецкая шлюпка

cairn [keən] *n* пирамида из камней (*памятник, межевой или какой-л. условный знак*) ◇ to add a stone to smb.'s ~ превозносить кого-л. после смерти

cairngorm [,keən'gɔ:m] *n мин.* дымчатый топаз, жёлтая *или* дымчато-бурая разновидность кварца

caisson ['keısn] *n* 1) *тех.* кессон 2) *воен.* зарядный ящик 3) *мор.* батопорт

caitiff ['keıtıf] *поэт.* **1.** *n* трус, негодяй

2. *a* трусливый; презренный

cajole [kə'dʒəʊl] *v* льстить, обхаживать; обманывать ▭ ~ into склонить лестью к *чему-л.*; ~ out: to ~ smth. out of smb. выклянчить что-л. у кого-л.

cajolement [kə'dʒəʊlmənt] *n* 1) лесть 2) выманивание, обман (*с помощью лести*)

cajolery [kə'dʒəʊlərı] = cajolement

cake [keık] **1.** *n* 1) торт, кекс, пирожное, лепёшка 2) лепешка грязи *или* глины (*приставшая к платью*) 3) плитка (*табака*); кусок, брусок; брикет; ~ of soap кусок мыла 4) жмых, макуха ◇ ~s and ale веселье; you cannot eat your ~ and have it too *посл.* ≅ один пирог два раза не съешь; нельзя совместить несовместимое; to go (*или* to sell) like hot ~s раскупаться (*или* продаваться) нарасхват; to take the ~ получить приз, занять первое место; быть лучше всех; that takes the ~ это превосходит всё; вот это да!

2. *v* (*обыкн. refl. или pass.*) затвердевать, спекаться

cake ice ['keıkaıs] *n* сало (*на реке*)

cakewalk ['keıkwɔ:k] *n* кекуок (*танец*)

caking coal ['keıkıŋkəʊl] *n горн.* спекающийся уголь

calabar [,kælə'bɑ:] = calaber

calabash ['kæləbæʃ] *n* 1) *бот.* горлянка, бутылочная тыква 2) бутылка *или* курительная трубка из горлянки; кальян

calaber [,kælə'bɑ:] *n* серый беличий мех

calaboose ['kæləbu:s] *n амер.* тюрьма, кутузка

calamanco [,kælə'mæŋkəʊ] *n текст.* каламянка

calamitous [kə'læmıtəs] *a* 1) пагубный 2) бедственный

calamity [kə'læmətı] *n* 1) бедствие 2) *attr.*: ~ howler *амер.* человек, постоянно предсказывающий какое-л. бедствие; нытик; пессимист

calamus ['kæləməs] *n бот.* 1) аир тростниковый *или* ирный 2) пальма каламус

calash [kə'læʃ] *n уст.* 1) коляска 2) верх коляски

calcareous [kæl'keərıəs] *a* известковый, содержащий известь

calceolaria [,kælsıə'leərıə] *n бот.* кальцеолярия, кошельки

calces ['kælsi:z] *pl от* calx

calciferol [kæl'sıfərɒl] *n* витамин D

calcification [,kælsıfı'keıʃn] *n* 1) обызвествление 2) отвердение, окаменение; окостенение

calcify ['kælsıfaı] *v* превращать(ся) в известь; отвердевать

calcimine ['kælsımaın] *n* известковый раствор (*для побелки*)

calcinate ['kælsıneıt] = calcine

calcination [,kælsı'neıʃn] *n тех.* кальцинирование, прокаливание, обжиг

calcine ['kælsaın] *v* 1) *тех.* кальцинировать; пережигать *или* превращать в известь 2) сжигать дотла

calcitrant ['kælsıtrənt] *a тех.* огнестойкий, тугоплавкий

calcium ['kælsıəm] *n хим.* кальций

calculable ['kælkjʊləbl] *a* 1) поддающийся исчислению, измерению 2) надёжный

calculate ['kælkjʊleıt] *v* 1) вычислять; калькулировать, подсчитывать 2) рассчитывать 3) *амер. разг.* думать, полагать

calculated ['kælkjʊleıtıd] **1.** *p. p. от* calculate

2. *a* 1) вычисленный 2) рассчитанный; годный (for) 3) (пред)намеренный, (пред)умышленный

calculating ['kælkjʊleıtıŋ] **1.** *pres. p. от* calculate

2. *a* 1) счётный 2) расчётливый

calculating machine ['kælkjʊleıtıŋmə-ʃi:n] *n* счётная, вычислительная машина

calculation [,kælkjʊ'leıʃn] *n* 1) вычисление; калькуляция 2) расчёт 3) обдумывание 4) *амер.* предположение; предвидение

calculator ['kælkjʊleıtə] *n* 1) вычислитель, калькулятор 2) счётно-решающее устройство; вычислительный прибор, арифмометр; счётчик

calculi ['kælkjʊlaı] *pl от* calculus I

calculus I ['kælkjʊləs] *n* (*pl* -li) *мед.* камень

calculus II ['kælkjʊləs] *n* (*pl* -es [-ız]) *мат.* исчисление; differential ~ дифференциа́льное исчисле́ние; integral ~ интегра́льное исчисле́ние

caldron ['kɔ:ldrən] = cauldron

Caledonia [,kælı'dəʊnıə] *n поэт.* Шотла́ндия

Caledonian [,kælı'dəʊnıən] *поэт.* **1.** *a* шотла́ндский

2. *n* шотла́ндец; шотла́ндка

calefactory [,kælı'fæktərı] *a* нагрева́тельный, согрева́ющий

calendar ['kæləndə] **1.** *n* 1) календа́рь, летоисчисле́ние 2) свя́тцы 3) о́пись; указа́тель; рее́стр; спи́сок 4) *юр.* спи́сок дел, назна́ченных к слу́шанию 5) *амер.* пове́стка дня

2. *v* 1) регистри́ровать, вноси́ть в спи́сок 2) составля́ть и́ндекс 3) инвентаризи́ровать

calender I ['kæləndə] *тех.* **1.** *n* кала́ндр, като́к, лощи́льный пресс

2. *v* каландри́ровать, лощи́ть, гла́дить, ката́ть

calender II ['kæləndə] *n* де́рвиш

calends ['kælendz] *n pl* календы, пе́рвое число́ ме́сяца (*у древних римлян*) ◇ on (*или* at) the Greek ~ *шутл.* никогда́ (*у греков календаря не было*)

calendula [kæ'lendjʊlə] *n* 1) *бот.* ноготки́ 2) *фарм.* кале́ндула

calenture ['kæləntjʊə] *n мед.* тропи́ческая лихора́дка, сопровож/да́ющаяся бре́дом

calf I [kɑ:f] *n* (*pl* calves) 1) телёнок; cow in (*или* with) ~ сте́льная коро́ва 2) детёныш (*оленя, слона, кита, тюленя и т. п.*) 3) теля́чья ко́жа, опо́ек; bound in ~ переплетённый в теля́чью ко́жу 4) придуркова́тый па́рень; «телёнок» (*употр. тж. в ласк. смысле*) 5) небольша́я плаву́чая льди́на ◇ to kill the fatted ~ *библ.* закла́ть упи́танного тельца́, ра́достно встре́тить (*как блудного сына*); golden ~ золото́й теле́ц

calf II [kɑ:f] *n* (*pl* calves) икра́ (*ноги́*)

calf-knee ['kɑ:fni:] *n анат.* во́гнутое коле́но

calf-length ['kɑ:fleŋθ] *a* до икры́ *или* щи́колотки (*о длине одежды*)

calflove ['kɑ:flʌv] *n* ребя́ческая любо́вь; ю́ношеское увлече́ние

calfskin ['kɑ:fskın] = calf I, 3)

calf's teeth ['kɑ:fzti:θ] *n pl* моло́чные зу́бы

Caliban ['kæləbæn] *n* калиба́н; гру́бый, зло́бный челове́к (*по имени персонажа «Бури» Шекспира*)

caliber ['kæləbə] *амер.* = calibre

calibrate ['kæləbreıt] *v* 1) калиброва́ть; градуи́ровать; тари́ровать 2) проверя́ть, выверя́ть 3) *воен.* определя́ть нача́льную ско́рость

calibration [,kælə'breıʃn] *n* 1) калиброва́ние; градуиро́вка; тари́рование 2) *воен.* определе́ние нача́льной ско́рости

calibre ['kæləbə] *n* 1) кали́бр; диа́метр 2) широта́ ума́; мора́льные ка́чества; значи́тельность (*человека*)

caliche [kə'li:tʃı] *n* саморо́дная чили́йская сели́тра

calico ['kælıkəʊ] *n* (*pl* -os, -oes [-əʊz]) 1) коленко́р, митка́ль 2) *амер.* набивно́й си́тец

calico printer ['kælıkəʊ,prıntə] *n* набо́йщик (*в текст. промышленности*)

calico printing ['kælıkəʊ,prıntıŋ] *n* ситценабивно́е де́ло

calif ['keılıf] = caliph

californium [,kælə'fɔ:nıəm] *n хим.* кали́форний

calipash ['kælıpæʃ] *n* мя́гкая часть те́ла черепа́хи под спинны́м щито́м

calipee ['kælıpi:] *n* мя́гкая часть те́ла черепа́хи под брюшны́м щито́м

caliper ['kælıpə] = calliper

caliph ['keılıf] *n* хали́ф, кали́ф

caliphate ['kælıfeıt] *n* халифа́т

calisthenics [,kælıs'θenıks] = callisthenics

calk I [kɔ:k] **1.** *n* 1) шип (*подковы*) 2) *амер.* подко́вка (*на каблуке*)

2. *v* 1) подко́вывать на шипа́х 2) *амер.* набива́ть подко́вки (*на каблуки*)

calk II [kɔ:k] = caulk

calk III [kɔ:k] *n* негашёная и́звесть

calk IV [kɔ:k] *v* кальки́ровать

calkin ['kælkın] = calk I, 1

call [kɔ:l] **1.** *n* 1) зов, о́клик 2) крик (*животного, птицы*) 3) мано́к, ду́дка (*птицелова*) 4) кра́ткий визи́т; to pay a ~ нанести́ визи́т 5) вы́зов; телефо́нный вы́зов; one ~ was for me оди́н раз вызыва́ли меня́ 6) приглаше́ние, предложе́ние (*места, кафедры и т. п.*) 7) нужда́, необходи́мость; you have no ~ to blush вам не́чего красне́ть 8) тре́бование; спрос; тре́бование упла́ты до́лга 9) призы́в, сигна́л 10) перекли́чка 11) призва́ние, влече́ние 12) захо́д (*парохода*) в порт; остано́вка (*поезда*) на ста́нции 13) *карт.* объявле́ние (*козырной масти*) ◇ ~ of duty чу́вство до́лга; at ~ нагото́ве, к услу́гам; on ~ а) по тре́бованию, по вы́зову; б) *ком.* на онко́льном счёте; within ~ поблизости

2. *v* 1) звать; оклика́ть; to ~ to one another перeклика́ться (друг с дру́гом) 2) вызыва́ть, призыва́ть; созыва́ть; to ~ smb.'s attention to smth. обраща́ть чьё-л. внима́ние на что-л.; to ~ to mind (*или* memory, remembrance) припо́мнить, вспо́мнить 3) заходи́ть, навеща́ть; to ~ at a house зайти́ в дом; to ~ (up)on a person навести́ть кого́-л. 4) называ́ть; дава́ть и́мя 5) счита́ть; I ~ this a good house я нахожу́, что э́то хоро́ший дом 6) буди́ть ▭ ~ **at** остана́вливаться (*где-л.*); ~ **away** отзыва́ть; ~ **back** а) звать обра́тно; б) брать наза́д; ~ **down** а) навлека́ть; б) порица́ть, де́лать вы́говор; в) оспа́ривать, отводи́ть (*довод и т. п.*); ~ **for** а) тре́бовать; the situation ~ed for drastic measures положе́ние тре́бовало приня́тия реши́тельных мер; letters to be ~ed for пи́сьма до востре́бования; б) заходи́ть за *кем-л.*; в) предусма́тривать; ~ **forth** вызыва́ть, тре́бовать; this affair ~s forth all his energy э́то де́ло потре́бует всей его́ эне́ргии; ~ **in** а) потре́бовать наза́д (*долг*); б) изыма́ть из обраще́ния (*денежные знаки*); в) приглаша́ть; г) призыва́ть на вое́нную слу́жбу; ~ **into**: to ~ into existence (*или* being) вызыва́ть к жи́зни, создава́ть; осуществля́ть; приводи́ть в де́йствие; ~ **off** а) отзыва́ть; отменя́ть; прекраща́ть; откла́дывать, переноси́ть; the game was ~ed off игру́ отложи́ли; б) отвлека́ть (*внимание*); ~ **on** а) взыва́ть, апелли́ровать; б) приглаша́ть вы́сказаться; the chairman ~ed on the next speaker председа́тель предоста́вил сло́во сле́дующему ора́тору; в) звони́ть по телефо́ну *кому-л.*; ~ **out** а) вызыва́ть; to ~ out for training призыва́ть на уче́бный сбор; б) призыва́ть (рабо́чих) к забасто́вке; в) вызыва́ть на дуэ́ль; г) выкри́кивать; крича́ть; ~ **over** де́лать перекли́чку; ~ **to**: to ~ to account призва́ть к отве́ту; потре́бовать объясне́ния; to ~ to attention *воен.* скома́ндовать «сми́рно»; to ~ to order а) призва́ть к поря́дку; б) *амер.* откры́ть собра́ние; ~ **together** созыва́ть; ~ **up** а) вызыва́ть (*по телефону*); б) вызыва́ть в па́мяти; в) звать наве́рх; г) призыва́ть (*на военную службу*); д) представля́ть на рассмотре́ние (*законопроект и т. п.*); ~ **upon** а) = ~ on; б): to be ~ed upon быть вы́нужденным ◇ to ~ in question подверга́ть сомне́нию; to ~ names руга́ть(ся); to ~ it a day прекрати́ть (*что-л.*); I'm tired, let's ~ it a day я уста́л, пора́ конча́ть; to ~ it square удовлетворя́ться, примиря́ться; to ~ smb. over the coals руга́ть кого́-л., де́лать кому́-л. вы́говор; to have nothing to ~ one's own ничего́ не име́ть, быть без средств; ≅ ни кола́ ни двора́

callback ['kɔ:lbæk] *n* приня́тие изготови́телем недоброка́чественной проду́кции с це́лью устране́ния дефе́кта

call box ['kɔ:lbɒks] *n* телефо́нная бу́дка

callboy ['kɔ:lbɔı] *n* 1) *театр.* ма́льчик, приглаша́ющий актёра на сце́ну 2) ма́льчик-рассы́льный; коридо́рный (*в гостинице и т. п.*)

call down ['kɔ:ldaʊn] *n* упрёк, замеча́ние, вы́говор

caller I ['kɔ:lə] *n* 1) гость; посети́тель 2) выклика́ющий имена́ во вре́мя перекли́чки 3) тот, кто звони́т по телефо́ну 4) *австрал.* спорти́вный коммента́тор (*на скачках*)

caller II ['kælə] *a диал.* 1) све́жий; ~ herring све́жая селёдка 2) прохла́дный (*о ветре, погоде*)

call girl ['kɔ:lgɜ:l] *n* проститу́тка, вызыва́емая по телефо́ну

call-house ['kɔ:lhaʊs] *n амер. эвф.* публи́чный дом

calligraphy [kə'lıgrəfı] *n* 1) каллигра́фия; чистописа́ние 2) по́черк

call-in ['kɔ:lın] *n амер.* теле- *или* радиопрогра́мма, во вре́мя кото́рой слу́шатели мо́гут звони́ть в сту́дию

calling ['kɔ:lıŋ] **1.** *pres. p. от* call 2

2. *n* 1) профе́ссия; заня́тие 2) призва́ние

calliper ['kælıpə] *n* (*обыкн. pl*) 1)

кронциркуль; inside ~ нутромер 2) калибр

callisthenics [,kælɪs'θenɪks] *n pl* (*употр. как sing*) пластика, ритмическая гимнастика; физическая подготовка; free ~ а) вольные движения; б) художественная гимнастика

callosity [kə'lɒsətɪ] *n* 1) затвердение (*на коже*); мозоль 2) = callousness

callous ['kæləs] *a* 1) бессердечный, чёрствый 2) огрубелый, мозолистый

callousness ['kæləsnəs] *n* грубость, бессердечность

callow ['kæləʊ] **1.** *n диал.* низина; затопляемый, болотистый луг

2. *a* 1) неоперившийся 2) неопытный; ~ youth зелёный юнец

call slot ['kɔ:lslɒt] *n* щель, в которую вставляют ключ для вызова лифта

call-up ['kɔ:lʌp] *n* 1) призыв на военную службу 2) *attr.*: ~ paper повестка о явке на призывной пункт

callus ['kæləs] *n* 1) *мед.* мозоль (*гл. обр. костная*) 2) *бот.* наплыв

calm [kɑ:m] **1.** *a* 1) тихий; безветренный 2) мирный; спокойный 3) беззастенчивый

2. *n* 1) тишина; спокойствие 2) штиль, затишье

3. *v* успокаивать; умиротворять ▭ ~ down успокаивать(ся), смягчать(ся)

calmative ['kælmətɪv] *мед.* **1.** *a* успокоительный

2. *n* успокаивающее средство

calmly ['kɑ:mlɪ] *adv* спокойно, хладнокровно

calmness ['kɑ:mnəs] *n* 1) тишина, спокойствие 2) невозмутимость, хладнокровие

calomel ['kæləmel] *n хим.* каломель, хлористая ртуть

caloric [kə'lɒrɪk] **1.** *n* теплота

2. *a* тепловой

calorie ['kælərɪ] *n* калория

calorific [,kælə'rɪfɪk] *a* тепловой; теплотворный, калорический; ~ capacity (*или* effect, value) теплотворная способность, калорийность

calorification [kə,lɒrɪfɪ'keɪʃn] *n* выделение теплоты

calorifics [,kælə'rɪfɪks] *n pl* (*употр. как sing*) теплотехника

calorimeter [,kælə'rɪmɪtə] *n физ.* калориметр

calory ['kælərɪ] = calorie

calotte [kə'lɒt] *n* 1) скуфейка 2) *архит.* круглый свод; верх сферического купола

caltrop ['kæltrəp] *n* 1) *воен. уст.* проволочные ежи 2) (*обыкн. pl*) *бот.* василёк колючеголовый

calumet ['kæljʊmet] *n* трубка мира (*у североамериканских индейцев*)

calumniate [kə'lʌmnɪeɪt] *v* клеветать; оговаривать; порочить

calumniation [kə,lʌmnɪ'eɪʃn] *n* оговор; клевета

calumniator [kə'lʌmnɪeɪtə] *n* клеветник

calumniatory [kə'lʌmnɪətərɪ] *a* клеветнический

calumnious [kə'lʌmnɪəs] = calumniatory

calumny ['kæləmnɪ] *n* клевета, клеветнические измышления

Calvados ['kælvədɒs] *n* кальвадос, яблочная водка

Calvary ['kælvərɪ] *n* 1) *библ.* Голгофа 2) (c.) изображение распятия

calve [kɑ:v] *v* 1) отелиться; родить детёныша (*о слонах, китах, тюленях и т. п.*) 2) отрываться от ледников *или* айсбергов (*о льдинах*) 3) *горн.* обрушиваться при подкопе

calves I, II [kɑ:vz] *pl от* calf I *и* II

Calvinism ['kælvə,nɪzəm] *n* кальвинизм

calvish ['kɑ:vɪʃ] *a* 1) телячий 2) глупый

calx [kælks] *n* (*pl* -lces) 1) окалина 2) зола 3) известь

calyces ['keɪlɪsi:z] *pl от* calyx

calyx ['keɪlɪks] *n* (*pl* -es [-ɪz], calyces) 1) *бот.* чашечка (*цветка*) 2) *анат.* чашевидная полость

cam [kæm] **1.** *n* 1) *тех.* копир; кулачок; эксцентрик; шаблон 2) поводковый патрон 3) *горн.* рудоразборный стол

2. *v тех.* отводить, поднимать (*кулачком*)

camaraderie [,kæmə'rɑ:dərɪ] *n* товарищество

camarilla [,kæmə'rɪlə] *n* камарилья

camber ['kæmbə] **1.** *n* 1) выпуклость, изогнутость, кривизна 2) *стр.* подъём (*в мостах*); ~ of arch провес *или* стрела арки, подъёма, прогиба 3) *тех.* бомбировка (*вала*) 4) *ав.* кривизна; изогнутость; дужка крыла

2. *v* выгибать; давать подъём

cambist ['kæmbɪst] *n фин.* камбист (*специалист по валютным операциям*)

cambium ['kæmbɪəm] *n бот.* камбий

cambrel ['kæmbrəl] *n* распорка для туш (*у мясников*)

Cambria ['kæmbrɪə] *n поэт.* Уэльс

Cambrian ['kæmbrɪən] **1.** *a* 1) *поэт.* уэльский 2) *геол.* кембрийский

2. *n* уроженец Уэльса

cambric ['keɪmbrɪk] *n* батист

came [keɪm] *past от* come

camel ['kæml] *n* 1) верблюд; Arabian ~ одногорбый верблюд; Bactrian ~ двугорбый верблюд 2) желтовато-коричневый цвет 3) *мор.* камель (*приспособление для подъёма судов*) ◇ the last straw to break the ~'s back ≅ последняя капля, переполняющая чашу терпения

camelcade ['kæmlkeɪd] *n* караван верблюдов

cameleer [,kæmɪ'lɪə] *n* погонщик верблюдов

camellia [kə'mi:lɪə] *n* камелия

camelry ['kæməlrɪ] *n воен.* отряд на верблюдах

Camembert ['kæməmbeə] *n* камамбер (*сорт сыра*)

cameo ['kæmɪəʊ] *n* (*pl* -os [-əʊz]) камея

camera ['kæmərə] *n* 1) фотографический аппарат 2) киноаппарат, кинокамера 3) *тлв.* камера 4) *стр.* сводчатое покрытие *или* помещение ◇ in ~ а) *юр.* в кабинете судьи (*не в открытом судебном заседании*); б) без посторонних; ~ eye *амер.* хорошая зрительная память

cameraman ['kæmrəmæn] *n* 1) кинооператор 2) фотограф, фоторепортёр

camisole ['kæmɪsəʊl] *n* 1) лифчик 2) *уст.* камзол

camlet ['kæmlət] *n текст.* камлот

camomile ['kæməmaɪl] *n* 1) ромашка 2) *attr.*: ~ tea настой ромашки

camouflage ['kæməflɑ:ʒ] **1.** *n* 1) маскировка, камуфляж 2) хитрость, уловка для отвода глаз; очковтирательство

2. *v* маскировать(ся), применять маскировку, дымовую завесу *и т. п.*

camp [kæmp] **1.** *n* 1) лагерь, стан; ~ of instruction *воен.* учебный лагерь 2) стоянка; бивак, место привала, ночёвка на открытом воздухе (*экскурсантов и т. п.*) 3) лагерь, стан, сторона; Peter and Jack belong to different ~s Питер и Джек принадлежат к разным лагерям; in the same ~ одного образа мыслей 4) *амер.* загородный домик, дача (*в лесу*) ◇ to take into ~ убить, уничтожить

2. *v* 1) располагаться лагерем 2) жить (*где-л.*) временно без всяких удобств ▭ ~ out ночевать в палатках *или* на открытом воздухе

campaign [kæm'peɪn] **1.** *n* 1) кампания; поход; political ~ политическая кампания; press ~ кампания в печати 2) *attr.*: ~ biography *амер.* биография кандидата (*особ. на пост президента*), публикуемая незадолго до выборов с агитационной целью

2. *v* 1) проводить кампанию 2) участвовать в походе

campaigner [kæm'peɪnə] *n* участник кампании; old ~ старый служака, ветеран; бывалый человек; peace ~ борец за мир, сторонник мира

campanile [,kæmpə'ni:lɪ] *n архит.* колокольня (*отдельно стоящая*)

campanula [kəm'pænjʊlə] *n бот.* колокольчик

camp bed [,kæmp'bed] *n* походная *или* складная кровать

camp chair [,kæmp'tʃeə] *n* складной стул

camp-cot [,kæmp'kɒt] *n* раскладушка

camper ['kæmpə] *n* 1) отдыхающий, экскурсант, турист 2) домик на колёсах

campestral [kæm'pestrəl] *a* полевой

camp-fever ['kæmp,fi:və] *n* тиф

camp-fire ['kæmp,faɪə] *n* бивачный костёр

camp follower ['kæmp,fɒləʊə] *n* 1) гражданское лицо, сопровождающее армию 2) примазавшийся, подпевала

camphor ['kæmfə] *n* камфара

camphorated ['kæmfəreɪtɪd] *a* пропитанный камфарой; ~ oil камфарное масло

camphor balls ['kæmfəbɔ:lz] *n* нафталин

camphoric [kæm'fɒrɪk] *a* камфарный

camping ['kæmpɪŋ] *n* кемпинг

campion ['kæmpıən] *n бот.* ли́хнис

camp stool ['kæmpstu:l] = camp chair

campus ['kæmpəs] *n* 1) ка́мпус, террито́рия университе́та, ко́лледжа *или* шко́лы (*двор, городок и т. п.*) 2) *обыкн. амер.* университе́т

camshaft ['kæmʃɑ:ft] *n тех.* распредели́тельный вал, кулачко́вый вал

camwood ['kæmwʊd] *n* 1) *бот.* ба́фия я́ркая 2) древеси́на ба́фии я́ркой (*используемая как краситель*)

can I [kæn (*полная форма*); kən, kn (*редуцированные формы*)] *v* (could) *модальный недостаточный глагол* 1) мочь, быть в состоя́нии, име́ть возмо́жность; уме́ть; I will do all I ~ я сде́лаю всё, что могу́; I ~ speak French я говорю́ (уме́ю говори́ть) по-францу́зски; I ~not я не могу́; I ~not away with this терпе́ть э́того не могу́; I ~not but я не могу́ не 2) мочь, име́ть пра́во; you ~ go вы свобо́дны, мо́жете идти́ 3) *выражает сомнение, неуверенность, недоверие*: it can't be true! не мо́жет быть!; ~ it be true? неуже́ли?; she can't have done it! не мо́жет быть, что́бы она́ э́то сде́лала! ◇ what ~ not be cured must be endured что нельзя́ испра́вить, то сле́дует терпе́ть

can II [kæn] **1.** *n* 1) бидо́н 2) жестяна́я коро́бка *или* ба́нка; garbage ~ а) помо́йное ведро́; я́щик для му́сора; б) *sl.* лачу́га в рабо́чем посёлке 3) ба́нка консе́рвов 4) (the ~) *sl.* тюрьма́ 5) *амер. sl.* стульча́к, сиде́нье в убо́рной ◇ to be in the ~ быть зако́нченным и гото́вым к употребле́нию

2. *v* 1) консерви́ровать (*мясо, овощи, фрукты*) 2) *амер. sl.* отде́латься (*от кого-л.*); уво́лить 3) *амер. sl.* посади́ть в тюрьму́ 4) *амер. sl.* останови́ть(ся)

Canaan ['keınən] *n библ.* Ханаа́н, земля́ обетова́нная

Canadian [kə'neıdən] **1.** *a* кана́дский

2. *n* кана́дец; кана́дка

canaille [kæ'neıl] *фр. n* сброд, чернь

canal [kə'næl] *n* 1) кана́л (*искусственный*) 2) *анат.* кана́л, прохо́д

canalization [,kænəlaı'zeıʃn] *n* устро́йство кана́лов; систе́ма кана́лов

canalize ['kænəlaız] *v* 1) проводи́ть кана́лы 2) направля́ть че́рез определённые кана́лы

canapé ['kænəpı] *n* канапе́

canard ['kænɑ:d] *n* «у́тка», ло́жный слух

canary [kə'neərı] **1.** *n* 1) канаре́йка 2) *уст.* сорт вина́

2. *a* я́рко-жёлтый, канаре́ечный

canary-bird [kə'neərıbз:d] = canary 1, 1)

canasta [kə'næstə] *n* кана́ста (*карточная игра*)

canaster [kə'næstə] *n* кна́стер (*сорт табака*)

can-buoy ['kænbɔı] *n мор.* тупоконе́чный буй

cancan ['kænkæn] *n* канка́н (*танец*)

cancel ['kænsl] **1.** *n* 1) отме́на, аннули́рование 2) зачёркивание 3) погаше́ние (*марки*) 4) *полигр.* вычёркивание (*в гранках*) 5) *полигр.* перепеча́тка (*листа*) 6) (*обыкн. pl*) компо́стер (*тж.* pair of ~s)

2. *v* 1) аннули́ровать; отменя́ть; to ~ debts аннули́ровать долги́; to ~ leave отменя́ть о́тпуск; ~! *воен.* отста́вить! (*команда*) 2) вычёркивать 3) погаша́ть (*марки*) 4) своди́ть на нет 5) *мат.* сокраща́ть дробь *или* уравне́ние (*тж.* ~ out)

cancellated ['kænsəleıtıd] *a* решётчатый, се́тчатый

cancellation [,kænsə'leıʃn] *n* 1) аннули́рование; отме́на 2) вычёркивание 3) погаше́ние (*марок*) 4) *мат.* сокраще́ние

cancer ['kænsə] *n* 1) *мед.* рак 2) бич, бе́дствие 3) (C.) Рак (*созвездие и знак зодиака*); tropic of C. тро́пик Ра́ка

cancerous ['kænsərəs] *a мед.* ра́ковый

cancroid ['kæŋkrɔıd] **1.** *n мед.* 1) ракообра́зная о́пухоль; канкро́ид 2) рак ко́жи

2. *a зоол., мед.* ракообра́зный

candelabra [,kændə'lɑ:brə] *pl от* candelabrum

candelabrum [,kændə'lɑ:brəm] *n* (*pl* -ra) канделя́бр

candescence [kæn'desns] *n* бе́лое кале́ние, нака́ливание добела́

candescent [kæn'desnt] *a* раскалённый добела́; светя́щийся, ослепи́тельный

candid ['kændıd] *a* 1) и́скренний; прямо́й; чистосерде́чный 2) беспристра́стный ◇ ~ camera скры́тая ка́мера

candidacy ['kændıdəsı] *n* кандидату́ра

candidate ['kændıdeıt] *n* кандида́т

candidature ['kændıdətʃə] = candidacy

candied ['kændıd] **1.** *p. p. от* candy 2

2. *a* 1) заса́харенный; сва́ренный в са́харе; ~ fruit, ~ peel цука́ты 2) заса́харившийся (*о мёде и т. п.*) 3) медоточи́вый, льсти́вый

candle ['kændl] **1.** *n* 1) свеча́ 2) междунаро́дная свеча́ (*единица силы света*) 3) га́зовая горе́лка ◇ to hold a ~ to the devil сверну́ть с пути́ и́стинного; потво́рствовать, соде́йствовать заве́домо дурно́му; not fit to hold a ~ to, cannot hold (*или* show) a ~ to ≅ в подмётки не годи́ться (*кому-л.*)

2. *v* проверя́ть све́жесть яи́ц на свет

candlebomb ['kændlbɒm] *n ав.* светя́щаяся авиацио́нная бо́мба

candle-end ['kændlend] *n* ога́рок ◇ to save ~s наводи́ть грошо́вую эконо́мию

candlelight ['kændllaıt] *n* 1) свет горя́щей свечи́ *или* свече́й; иску́сственное освеще́ние 2) су́мерки

candlepower ['kændl,paʊə] *n эл.* си́ла све́та (*в свечах*); a burner of 25 ~ ла́мпочка в 25 свече́й

candlestick ['kændlstık] *n* подсве́чник

candlewick ['kændlwık] *n* фити́ль

can-dock ['kændɒk] *n бот.* жёлтая кувши́нка

candour ['kændə] *n* 1) и́скренность, прямота́ 2) беспристра́стие

candy ['kændı] **1.** *n* 1) леденец 2) *амер.* конфе́та; конфе́ты, сла́сти

2. *v* 1) вари́ть в са́харе 2) заса́харивать(ся)

candyfloss ['kændı,flɒs] *n* са́харная ва́та

candyman ['kændımən] *n sl.* торго́вец нарко́тиками

candytuft ['kændıtʌft] *n бот.* ибери́йка (зо́нтичная)

cane [keın] **1.** *n* 1) камы́ш; тростни́к 2) трость; па́лка; прут; ~ of wax па́лочка сургуча́ 3) са́харный тростни́к

2. *v* 1) бить па́лкой 2) оплета́ть тростнико́м, камышо́м

canebrake ['keınbreık] *n* за́росли (са́харного) тростника́

cane chair ['keıntʃeə] *n* плетёное кре́сло из камыша́

cane sugar ['keın,ʃʊgə] *n* тростнико́вый са́хар, сахаро́за

canicular [kə'nıkjʊlə] *a*: ~ days зно́йные дни (*в июле и августе*)

canine ['keınaın] **1.** *a* соба́чий; ~ madness водобоя́знь, бе́шенство ◇ ~ appetite (*или* hunger) во́лчий аппети́т

2. *n* клык (*тж.* ~ tooth)

canister ['kænıstə] *n* 1) небольша́я жестяна́я коро́бка (*для чая, кофе и т. п.*) 2) коро́бка противога́за 3) = canister shot

canister shot ['kænıstəʃɒt] *n* карте́чь

canker ['kæŋkə] **1.** *n* 1) *с.-х.* рак расте́ний; некро́з плодо́вых дере́вьев 2) *вет.* я́звенная боле́знь у́ха у живо́тных (*особ. у кошек и собак*) 3) *мед.* я́звенное пораже́ние (*губ или слизистой оболочки полости рта*) 4) разлага́ющее влия́ние 5) = cankerworm

2. *v* 1) разъеда́ть 2) заража́ть; губи́ть

cankerous ['kæŋkərəs] *a* 1) разъеда́ющий 2) губи́тельный

cankerworm ['kæŋkəwз:m] *n зоол.* плодо́вый червь

cannabic ['kænəbık] *a* конопля́ный; пенько́вый

cannabis ['kænəbıs] *n* 1) конопля́ 2) экстра́кт из конопли́ (*сырьё для наркотиков*)

canned [kænd] **1.** *p. p. от* can II, 2

2. *a* 1) консерви́рованный (*о продуктах*); ~ goods консе́рвы 2): ~ music (lecture) *амер. разг.* му́зыка (ле́кция), запи́санная на граммофо́нную пласти́нку *или* на магнитофо́нную плёнку 3) *sl.* пья́ный

cannelure ['kænəljʊə] *n тех.* каннелю́ра; желобо́к; вы́емка; кольцева́я кана́вка; продо́льный паз

cannery ['kænərı] *n* консе́рвный заво́д

cannibal ['kænıbl] **1.** *n* 1) людое́д, каннибал 2) живо́тное, пожира́ющее себе́ подо́бных

2. *a* людое́дский, канниба́льский

cannibalism ['kænıbə,lızəm] *n* людое́дство

cannikin ['kænıkın] *n* 1) жестя́нка 2) кру́жечка

canning ['kænıŋ] *n* консерви́рование

cannon I ['kænən] *n* 1) (*pl* -s [-z] *и без измен.*) *уст.* пу́шка, ору́дие 2) артиллери́йские ору́дия 3) = cannon bone

cannon II ['kænən] **1.** *n* карамбо́ль (*в бильярде*)

2. *v* 1) столкну́ться (into, against, with) 2) сде́лать карамбо́ль 3) отскочи́ть при столкнове́нии

cannonade [,kænə'neɪd] **1.** *n* канона́да, оруди́йный ого́нь, пу́шечная стрельба́

2. *v* обстре́ливать артиллери́йским огнём

cannonball ['kænənbɔ:l] *n* пу́шечное ядро́

cannon-bit ['kænənbɪt] *n* мундшту́к (*для лошади*)

cannon bone ['kænənbəʊn] *n* берцо́вая кость (*у копытных*)

cannoneer [,kænə'nɪə] *n* кано́ни́р, артиллери́ст

cannon fodder ['kænən,fɒdə] *n* пу́шечное мя́со

cannon-shot ['kænənʃɒt] *n* 1) пу́шечный вы́стрел; пу́шечный снаря́д 2) да́льность пу́шечного вы́стрела

cannot ['kænɒt] *отриц. форма гл.* can I

canny ['kænɪ] *a* 1) умудрённый жите́йским о́пытом 2) бережли́вый 3) осторо́жный; себе́ на уме́ 4) хи́трый 5) *диал.* прия́тный ◇ ca'canny (*сокр. от* call ~) *диал.* рабо́тать ме́дленно, без напряже́ния; проводи́ть италья́нскую забасто́вку

canoe [kə'nu:] **1.** *n* кано́э; челно́к; байда́рка

2. *v* плыть в челноке́, на байда́рке

canon I ['kænən] *n* 1) пра́вило; крите́рий 2) *церк.* кано́н 3) спи́сок произведе́ний како́го-л. а́втора, по́длинность кото́рых устано́влена 4) католи́ческие свя́тцы 5) *полигр.* кано́н (*шрифт в 48 пунктов*) 6) у́хо, кольцо́ ко́локола 7) *attr.* канони́ческий; ~ law канони́ческое пра́во

canon II ['kænən] *n церк.* кано́ник

cañon ['kænjən] = canyon

canonical [kə'nɒnɪkl] **1.** *a* канони́ческий

2. *n pl* церко́вное облаче́ние

canonization [,kænənaɪ'zeɪʃn] *n* канониза́ция; причисле́ние к ли́ку святы́х

canonize ['kænənaɪz] *v* канонизи́ровать

canoodle [kə'nu:dl] *v разг.* ласка́ться, обнима́ться

can-opener ['kæn,əʊpənə] *n* консе́рвный нож

canopy ['kænəpɪ] **1.** *n* 1) балдахи́н; по́лог, наве́с; тент 2) ку́пол (парашю́та) 3) *тех.* несклáдывающийся верх над откры́той каби́ной (тра́ктора) 4) *эл.* ве́рхняя розе́тка лю́стры ◇ ~ of heaven *поэт.* небе́сный свод; under the ~ на земле́; what under the ~ does he want? что ему́ в конце́ концо́в на́до?

2. *v* покрыва́ть балдахи́ном, наве́сом

canorous [kə'nɔ:rəs] *a* мелоди́чный

cant I [kænt] **1.** *n* 1) кося́к 2) ско́шенный, сре́занный край 3) накло́н; накло́нное положе́ние; отклоне́ние от прямо́й 4) *амер.* обтёсанное бревно́, брус 5) толчо́к, уда́р

2. *v* 1) ска́шивать 2) наклоня́ть 3) опроки́дывать(ся); перевёртывать(ся); ста́вить под угло́м 4) кантова́ть

cant II [kænt] **1.** *n* 1) жарго́н; арго́, та́йный язы́к 2) плакси́вый тон (*нищего*) 3) лицеме́рие, ха́нжество

2. *a* 1) име́ющий хара́ктер жарго́на, принадлежа́щий жарго́ну; ~ phrase ходя́чее словцо́, выраже́ние 2) лицеме́рный, ха́нжеский

3. *v* 1) употребля́ть жарго́н 2) говори́ть нараспе́в (*о нищем*); кля́нчить; попроша́йничать 3) лицеме́рить, быть ханжо́й 4) спле́тничать, клевета́ть; руга́ть

can't [kɑ:nt] *сокр. разг.* = cannot

Cantab ['kæntæb] *сокр. от* Cantabrigian 2

Cantabrigian [,kæntə'brɪdʒɪən] **1.** *a* ке́мбриджский

2. *n* студе́нт (*тж.* бы́вший) Ке́мбриджского университе́та

cantaloup ['kæntəlu:p] *n* канталу́па, му́скусная ды́ня

cantankerous [kən'tæŋkərəs] *a* сварли́вый, приди́рчивый

cantata [kæn'tɑ:tə] *n* канта́та

canteen [kæn'ti:n] *n* 1) буфе́т, столо́вая (*при заводе, учреждении и т. п.*) 2) войскова́я ла́вка; dry (wet) ~ войскова́я ла́вка без прода́жи (с прода́жей) спиртны́х напи́тков 3) похо́дный я́щик с ку́хонными и столо́выми принадле́жностями

canter I ['kæntə] *n* 1) говоря́щий на жарго́не 2) попроша́йка 3) лицеме́р

canter II ['kæntə] **1.** *n* лёгкий гало́п; preliminary ~ а) прое́здка лошаде́й пе́ред бега́ми; б) предвари́тельный набро́сок; предвари́тельная намётка ◇ to win in a ~ легко́ дости́гнуть побе́ды, успе́ха

2. *v* е́хать *или* пуска́ть ло́шадь лёгким гало́пом

canterbury ['kæntəbərɪ] *n* резна́я этаже́рка (*для нот, папок, газет и т. п.*)

canticle ['kæntɪkl] *n* 1) песнь, гимн 2) (Canticles) *библ.* Песнь пе́сней

cantilever ['kæntɪli:və] *n* 1) *стр.* консо́ль, кроншите́йн; уко́сина 2) *attr.*: ~ wing *ав.* свободнонесу́щее крыло́

canting I ['kæntɪŋ] **1.** *pres. p. от* cant II, 3

2. *a* 1) говоря́щий на жарго́не 2) лицеме́рный

canting II ['kæntɪŋ] *pres. p. от* cant I, 2

canto ['kæntəʊ] *n* (*pl* -os [-əʊz]) 1) песнь (*часть поэмы*) 2) *муз.* ве́рхний го́лос; сопра́но

canton ['kæntɒn] *n* канто́н, о́круг (*в Швейцарии*)

cantonal ['kæntənl] *a* кантона́льный

cantonment [kən'tu:nmənt] *n* 1) расквартирова́ние (*войск*) 2) вое́нный городо́к; бара́чный городо́к; winter ~ зи́мние кварти́ры

cantrip ['kæntrɪp] *n шотл.* 1) колдовство́ 2) шу́тка; мистифика́ция

canty ['kæntɪ] *a шотл.* весёлый

Canuck [kə'nʌk] *n амер. sl.* кана́дец (*особ. французского происхождения*)

canvas ['kænvəs] *n* 1) холст, паруси́на; брезе́нт 2) па́рус; *собир.* паруса́, суда́ 3) полотно́, холст, карти́на 4) канва́ ◇ under ~ а) *воен.* в пала́тках; б) *мор.* под паруса́ми

canvass ['kænvəs] *v* 1) собира́ть голоса́ пе́ред вы́борами, вербова́ть сторо́нников пе́ред вы́борами 2) обсужда́ть; дебати́ровать 3) собира́ть (*заказы, пожертвования, взносы*); the book agent ~ed the town for subscriptions аге́нт кни́жной фи́рмы рабо́тал по распростране́нию подпи́ски в го́роде

canvasser ['kænvəsə] *n* 1) верavailable ву́ющий сторо́нников кандида́та пе́ред вы́борами 2) представи́тель фи́рмы; сбо́рщик поже́ртвований

cany ['keɪnɪ] *a зоол.* камышо́вый

canyon ['kænjən] *n* каньо́н, глубо́кое уще́лье

caoutchouc ['kaʊtʃʊk] *n* каучу́к

cap [kæp] **1.** *n* 1) ке́пка; фура́жка; ша́пка 2) чепе́ц; колпа́к 3) шля́пка (*гриба*) 4) верху́шка, кры́шка 5) *тех.* колпачо́к; голо́вка; наконе́чник; наса́дка (*сваи*) 6) писто́н, ка́псюль 7) *эл.* цо́коль (*электролампы*) 8) пи́счая бума́га большо́го форма́та ◇ ~ and bells шутовско́й колпа́к; ~ and gown бере́т и плащ (*одежда англ. студентов и профессоров*); ~ in hand поко́рно, смире́нно; уни́женно; the ~ fits ≅ не в бровь, а в глаз; if the ~ fits, wear it ≅ е́сли э́то замеча́ние вы принима́ете на свой счёт, что ж, на здоро́вье; to put on one's thinking (*или* considering) ~ серьёзно поду́мать; to set one's ~ (at, *амер.* for) заи́грывать (*с кем-л.*); завлека́ть (*кого-л.*)

2. *v* 1) надева́ть ша́пку; покрыва́ть го́лову 2) покрыва́ть, крыть 3) присужда́ть учёную сте́пень (*в шотландских университетах*) 4) *спорт.* приня́ть в соста́в кома́нды 5) вставля́ть ка́псюль, писто́н, запа́л 6) перекры́ть, перещеголя́ть; to ~ the climax перещеголя́ть всех, перейти́ все грани́цы; превзойти́ всё (*о поступках, выражениях*); to ~ a quotation отвеча́ть на цита́ту ещё лу́чшей цита́той; to ~ verses цити́ровать стихи́, начина́ющиеся с после́дней бу́квы предыду́щего стиха́ (*в игре*) ◇ to ~ the misery a fast rain began в доверше́ние всех бед пошёл ещё проливно́й дождь

capability [,keɪpə'bɪlətɪ] *n* 1) спосо́бность 2) *pl* (потенциа́льные) возмо́жности

capable ['keɪpəbl] *a* 1) спосо́бный; одарённый 2) у́мный 3) поддаю́щийся (*чему-л.*), допуска́ющий (*что-л.*); ~ of improvement поддаю́щийся улучше́нию, усоверше́нствованию; ~ of explanation объясни́мый 4) спосо́бный (of — на *что-л.*)

capacious [kə'peɪʃəs] *a* 1) просто́рный,

вмести́тельный 2) широ́кий; ~ mind восприи́мчивый ум

capacitance [kə'pæsɪtəns] *n эл.* ёмкость; ёмкостное сопротивле́ние

capacitate [kə'pæsɪteɪt] *v* 1) де́лать спосо́бным 2) *юр.* де́лать правомо́чным

capacity [kə'pæsətɪ] *n* 1) вмести́мость; to fill to ~ наполня́ть до отка́за; seating ~ коли́чество сидя́чих мест; to play to ~ *театр.* де́лать по́лные сбо́ры 2) ёмкость; объём; measure of ~ ме́ра объёма 3) спосо́бность (for - к *чему-л.*); *особ.* у́мственные спосо́бности; a mind of great ~ глубо́кий ум 4) компете́нция; in (out of) my ~ в (вне) мое́й компете́нции 5) возмо́жность; ~ for adjustments приспособля́емость; export ~ э́кспортные возмо́жности 6) положе́ние; ка́чество; in the ~ of an engineer в ка́честве инжене́ра; in a civil ~ на гражда́нском положе́нии; I've come in the ~ of a friend я пришёл как друг; in his ~ as legal adviser he must... он как юриско́нсульт до́лжен... 7) *юр.* правоспосо́бность 8) *тех.* мо́щность, производи́тельность, нагру́зка; labour ~ производи́тельность труда́; carrying ~ пропускна́я спосо́бность 9) электри́ческая ёмкость 10) *attr.*: ~ house перепо́лненный теа́тр; ~ production норма́льная производи́тельность 11) *attr.*: ~ reactance *эл.* ёмкостное сопротивле́ние

cap-à-pie [,kæpə'pi:] *adv* с головы́ до ног; armed ~ вооружённый до зубо́в

caparison [kə'pærɪsən] **1.** *n* 1) попо́на, чепра́к 2) убо́р; украше́ние

2. *v* 1) покрыва́ть попо́ной, чепрако́м 2) разукра́шивать

cape I [keɪp] *n* наки́дка (*с капюшо́ном*); пелери́на

cape II [keɪp] *n геогр.* мыс; the C. (*сокр. от* the C. of Good Hope) Мыс До́брой Наде́жды

caper I ['keɪpə] *n* 1) ка́персовый куст 2) *pl* ка́персы

caper II ['keɪpə] **1.** *n* прыжо́к; ша́лость, прока́за; to cut a ~, to cut ~s пры́гать, выде́лывать антраша́; дура́читься

2. *v* пры́гать, выде́лывать антраша́; дура́читься; шали́ть

caper III ['keɪpə] *n ист.* ка́пер

capercaillie, capercailzie [,kæpə'keɪlɪ, ,kæpə'keɪlzɪ] *n* глуха́рь

capful ['kæpful] *n* по́лная ша́пка (*чего-л.*) ◇ ~ of wind лёгкий поры́в ве́тра

capias ['keɪpɪæs] *лат. n юр.* о́рдер на аре́ст

capillarity [,kæpɪ'lærətɪ] *n физ.* капилля́рность, воло́сность

capillary [kə'pɪlərɪ] **1.** *n* капилля́р

2. *a* волосно́й, капилля́рный

capita ['kæpɪtə] *лат. n pl*: per ~ на челове́ка, на ду́шу населе́ния

capital I ['kæpɪtl] *n* 1) капита́л; состоя́ние; circulating ~ оборо́тный капита́л; industrial ~ промы́шленный капита́л; to make ~ (out of smth.) нажи́ть капита́л (на чём-л.) 2) класс капитали́стов 3) *attr.*: ~ goods а) сре́дства произво́дства; б) капита́льное иму́щество; ~ flow движе́ние капита́ла; ~ gains дохо́ды с капита́ла; ~ issue вы́пуск це́нных бума́г

capital II ['kæpɪtl] **1.** *n* 1) столи́ца 2) прописна́я бу́ква

2. *a* 1) гла́вный, основно́й, капита́льный; важне́йший; ~ stock основно́й капита́л 2): ~ letter прописна́я бу́ква 3) *разг.* превосхо́дный; ~ speech прекра́сная речь; ~ fellow чуде́сный па́рень 4) *юр.* уголо́вный; кара́емый сме́ртью; ~ crime преступле́ние, наказу́емое сме́ртной ка́знью; ~ sentence сме́ртный пригово́р; ~ punishment сме́ртная казнь, вы́сшая ме́ра наказа́ния ◇ ~ ship кру́пный боево́й кора́бль

capital III ['kæpɪtl] *n архит.* капите́ль

capitalism ['kæpɪtə,lɪzəm] *n* капитали́зм

capitalist ['kæpɪtlɪst] **1.** *n* капитали́ст

2. *a* капиталисти́ческий

capitalistic [,kæpɪtə'lɪstɪk] *a* капиталисти́ческий

capitalization [,kæpɪtlaɪ'zeɪʃn] *n* капитализа́ция; превраще́ние в капита́л

capitalize I ['kæpɪtəlaɪz] *v* капитализи́ровать; превраща́ть в капита́л □ ~ **upon** извлека́ть вы́году из *чего-л.*; нажива́ть капита́л на *чём-л.*

capitalize II ['kæpɪtəlaɪz] *v* печа́тать *или* писа́ть прописны́ми бу́квами

capitally ['kæpɪtlɪ] *adv* 1) превосхо́дно, великоле́пно 2) чрезвыча́йно, основа́тельно ◇ to punish ~ подве́ргнуть сме́ртной ка́зни

capitate(d) ['kæpɪteɪt(ɪd)] *a* 1) име́ющий фо́рму головы́ 2) *бот.* голо́вчатый

capitation [,kæpɪ'teɪʃn] *n* 1) исчисле́ние, производи́мое «с головы́» 2) *attr.* взима́емый *или* исчисля́емый «с головы́»; ~ tax поду́шная по́дать; ~ grant дота́ция, исчи́сленная в определённой су́мме на челове́ка

Capitol ['kæpɪtl] *n* 1) *др.-рим.* Капито́лий 2) зда́ние конгре́сса США; зда́ние, в кото́ром помеща́ются о́рганы госуда́рственной вла́сти како́го-л. шта́та

capitulate [kə'pɪtjʊleɪt] *v* капитули́ровать, сдава́ться

capitulation [kə,pɪtjʊ'leɪʃn] *n* капитуля́ция

capon ['keɪpən] *n* каплу́н ◇ Norfolk ~ копчёная селёдка

caponier [,kæpə'nɪə] *n воен.* капони́р

capote [kə'pəʊt] *n* 1) *уст.* плащ с капюшо́ном 2) дли́нная шине́ль 3) же́нская шля́пка с завя́зками 4) откидно́й верх экипа́жа 5) капо́т автомоби́льного мото́ра

capper ['kæpə] *n* 1) подставно́е лицо́ (*на аукционе*) 2) *амер. sl.* коне́ц, «кры́шка»

caprice [kə'pri:s] *n* 1) капри́з; причу́да 2) изме́нчивость; непостоя́нство

capricious [kə'prɪʃəs] *a* капри́зный; непостоя́нный

Capricorn ['kæprɪkɔ:n] *n* Козеро́г (*созвездие и знак зодиака*); tropic of ~ тро́пик Козеро́га

caprine ['kæpraɪn] *a* козли́ный

capriole ['kæprɪəʊl] **1.** *n* прыжо́к (*манежной лошади на месте*); каприо́ль

2. *v* де́лать прыжо́к на ме́сте (*о лошади*); выполня́ть каприо́ль

capsicum ['kæpsɪkəm] *n* стручко́вый пе́рец

capsize [kæp'saɪz] *v* опроки́дывать(ся) (*о лодке, судне, телеге и т. п.*)

capstan ['kæpstən] *n* кабеста́н, во́рот; *мор.* шпиль

capstone ['kæpstəʊn] *n* 1) *стр.* замко́вый ка́мень 2) кульминацио́нный пункт

capsule ['kæpsju:l] **1.** *n* 1) *мед.* обла́тка 2) отсе́к, ка́псула (*космического корабля*) 3) *биол.* ка́псула, оболо́чка 4) *бот.* семенна́я коро́бочка 5) *тех.* ка́псюль; мембра́на 6) резюме́ 7) *attr.* кра́ткий, конспекти́вный; ~ version сокращённый вариа́нт

2. *v* сумми́ровать, де́лать резюме́; to ~ the discussion подвести́ ито́ги обсужде́ния

captain ['kæptɪn] **1.** *n* 1) руководи́тель; магна́т; ~s of industry промы́шленные магна́ты 2) *спорт.* капита́н кома́нды 3) *мор.* капита́н 1 ра́нга; команди́р вое́нного корабля́; капита́н торго́вого су́дна; C. of the Fleet нача́льник снабже́ния фло́та (*в штабе флагмана*) 4) лётчик гражда́нской авиа́ции 5) *воен.* капита́н; *амер. тж.* команди́р ро́ты, эскадро́на, батаре́и; ~ of the day дежу́рный офице́р 6) *амер.* нача́льник полице́йского о́круга 7) *горн.* заве́дующий ша́хтой; штéйгер 8) ста́роста (*в школе*) 9) *амер.* метрдоте́ль 10) полково́дец

2. *v* 1) руководи́ть, вести́ 2) быть капита́ном корабля́ 3) быть капита́ном спорти́вной кома́нды

captaincy ['kæptənsɪ] *n* зва́ние капита́на

captainship ['kæptɪnʃɪp] *n* 1) = captaincy 2) иску́сство полково́дца

captation [kæp'teɪʃn] *n* 1) заи́скивание 2) *горн.* капта́ж (*скважины*)

caption ['kæpʃn] *n* 1) заголо́вок (*статьи, главы*) 2) *кино* титр, на́дпись на экра́не 3) по́дпись (*под рисунком, карикатурой*) 4) *юр.* аре́ст 5) *юр.* сопроводи́тельная на́дпись *или* бума́га к докуме́нту

captious ['kæpʃəs] *a* приди́рчивый; ка́верзный

captivate ['kæptɪveɪt] *v* пленя́ть, очаро́вывать, увлека́ть

captivating ['kæptɪveɪtɪŋ] **1.** *pres. p. от* captivate

2. *a* плени́тельный, очарова́тельный

captive ['kæptɪv] **1.** *a* взя́тый в плен; to take ~ взять в плен; to hold ~ держа́ть в плену́

2. *n* пле́нник; пле́нный

captive balloon ['kæptɪvbə,lu:n] *n* привязно́й аэроста́т

captivity [kæp'tɪvətɪ] *n* плен; плене́ние; нево́ля

captor ['kæptə] *n* взя́вший, захвати́вший в плен

capture ['kæptʃə] **1.** *n* 1) по́имка; захва́т 2) добы́ча 3) *мор.* приз 4) *физ.* захва́т, поглоще́ние (*элементарных частиц*)

2. *v* 1) захва́тывать си́лой; брать в плен; ~d material трофе́и, трофе́йное иму́щество 2) схва́тывать схо́дство (*о художнике*) 3) захвати́ть, увле́чь; to ~ the attention привле́чь внима́ние, увле́чь; to ~ the headlines завоева́ть популя́рность; получи́ть широ́кую огла́ску (*в печати*)

Capuchin [ˈkæpjʊtʃɪn] *n* 1) капуци́н (*монах*) 2) *уст.* плащ с капюшо́ном 3) (c.) капуци́н (*обезьяна*)

car [kɑː] *n* 1) автомоби́ль, маши́на 2) ваго́н (*трамвая, амер. тж. железнодорожный*); parlor ~ *амер.* сало́н-ваго́н; hand ~ дрези́на 3) теле́жка; пово́зка; ваго́нетка 4) гондо́ла дирижа́бля 5) каби́на ли́фта 6) *поэт.* колесни́ца

carabine [ˈkærəbɪn] = carbine

carabineer [ˌkærəbɪˈnɪə] *n воен. ист.* карабине́р

caracal [ˈkærəkæl] *n зоол.* карака́л, рысь степна́я

caracole [ˈkærəkəʊl] *n* 1) карако́ль (*конный спорт*) 2) винтова́я ле́стница

caracul [ˈkærəkʌl] *n* 1) кара́куль 2) кара́кулевая овца́

carafe [kəˈræf] *n* графи́н

caramel [ˈkærəmel] *n* 1) жжёный са́хар (*для подкрашивания кондитерских изделий*) 2) караме́ль

carapace [ˈkærəpeɪs] *n зоол.* щито́к черепа́хи и ракообра́зных

carat [ˈkærət] *n* кара́т (*единица веса драгоценных камней = 0,2 г*)

caravan [ˈkærəvæn] **1.** *n* 1) фурго́н; дом-фурго́н; кры́тая цыга́нская теле́га 2) *амер.* передвижно́й дом на колёсах; дом-автоприце́п 3) карава́н

2. *v*: to go ~ning проводи́ть о́тпуск, свобо́дное вре́мя *и т. п.*, путеше́ствуя в до́ме-автоприце́пе, до́ме-фурго́не

caravanserai [ˌkærəˈvænsəraɪ] *n* 1) карава́н-сара́й 2) больша́я гости́ница

caravel [ˈkærəvel] = carvel

caraway [ˈkærəweɪ] *n* тмин

carb [kɑːb] *разг.* = carburettor

carbarn [ˈkɑːbɑːn] *n амер.* трамва́йный парк

carbide [ˈkɑːbaɪd] *n хим.* карби́д

carbine [ˈkɑːbaɪn] *n* караби́н

carbineer [ˌkɑːbɪˈnɪə] = carabineer

carbohydrate [ˌkɑːbəʊˈhaɪdreɪt] *n хим.* углево́д

carbolic [kɑːˈbɒlɪk] **1.** *a* карбо́ловый; ~ acid карбо́ловая кислота́

2. *n разг.* карбо́лка

carbon [ˈkɑːbən] *n* 1) *хим.* углеро́д 2) *эл.* у́голь, у́гольный электро́д 3) хими́чески чи́стый у́голь 4) копирова́льная бума́га, копи́рка 5) *attr.* у́гольный; углеро́дистый; ~ black са́жа; ~ dioxide углекислота́, углеки́слый газ; ~ oil бензо́л; ~ steel углеро́дистая сталь

carbonaceous [ˌkɑːbəʊˈneɪʃəs] *a хим.* у́глистый; содержа́щий углеро́д

carbonari [ˌkɑːbəˈnɑːrɪ] *ит.* *n собир. ист.* карбона́рии

carbonate [ˈkɑːbəneɪt] *n* 1) *хим.* углеки́слая соль, соль у́гольной кислоты́ 2) *геол.* карбона́т, чёрный алма́з

carbon copy [ˈkɑːbənˌkɒpɪ] *n* 1) ко́пия, полу́ченная че́рез копи́рку 2) *разг.* то́чная ко́пия (*чего-л., кого-л.*)

carbonic [kɑːˈbɒnɪk] *a* у́гольный, углеро́дный, углеро́дистый; ~ acid у́гольная кислота́; ~ oxide о́кись углеро́да

carboniferous [ˌkɑːbəˈnɪfərəs] *a* 1) угleно́сный 2) каменноуго́льный (*о периоде, системе, формации*); ~ limestone известня́к каменноуго́льного пери́ода

carbonization [ˌkɑːbənaɪˈzeɪʃn] *n тех.* 1) обу́гливание; карбониза́ция 2) науглеро́живание; цемента́ция 3) коксова́ние

carbonize [ˈkɑːbənaɪz] *v тех.* обу́гливать; науглеро́живать

carbon monoxide [ˈkɑːbənmə,nɒksaɪd] *n* уга́рный газ

carbon paper [ˈkɑːbən,peɪpə] *n* копирова́льная бума́га, копи́рка

carborundum [ˌkɑːbəˈrʌndəm] *n* карбо́рунд

carboy [ˈkɑːbɔɪ] *n* оплетённая буты́ль (*для кислот*)

carbuncle [ˈkɑːbʌŋkl] *n мед., мин.* карбу́нкул

carburet [ˈkɑːbjʊret] *v хим.* карбюри́ровать, соединя́ть с углеро́дом

carburetter, carburet(t)or [ˌkɑːbəˈretə] *n тех.* карбюра́тор

carcajou [ˈkɑːkədʒuː] *n зоол.* росома́ха

carcase [ˈkɑːkəs] = carcass

carcass [ˈkɑːkəs] *n* 1) ту́ша 2) те́ло, труп (*пренебр. о мёртвом человеке, пренебр. и шутл. о живом человеке*); to save one's ~ спаса́ть свою́ шку́ру 3) карка́с, о́стов; ко́рпус; ку́зов (*корабля*) 4) *стр.* армату́ра, констру́кция 5) разва́лины, обло́мки 6) *воен. ист.* зажига́тельное ядро́, зажига́тельный снаря́д 7) *attr.*: ~ meat парно́е мя́со (*в отличие от консервированного или солонины*)

carcinoma [ˌkɑːsɪˈnəʊmə] *n мед.* ра́ковое новообразова́ние, карцино́ма

car coat [ˈkɑːkəʊt] *n* полупальто́

card I [kɑːd] *n* 1) ка́рточка; откры́тка; visiting ~, *амер.* calling ~ визи́тная ка́рточка 2) биле́т; Party ~ парти́йный биле́т; invitation ~ пригласи́тельный биле́т 3) ка́рта (*игральная*); *pl* ка́рты; игра́ в ка́рты 4) програ́мма (*скачек и т. п.*) 5) *разг.* челове́к; «тип»; a cool ~ хладнокро́вный челове́к; an odd ~, a queer ~ чуда́к 6) карту́шка (*компаса*) 7) *амер.* объявле́ние в газе́те, публика́ция 8) *pl* докуме́нты (*особ. о государственном страховании*) 9) *attr.*: ~ man, ~ holder *амер. разг.* член профсою́за; ~ vote голосова́ние манда́том ◇ on the ~s возмо́жно, вероя́тно; one's best (*или* trump) ~ са́мый ве́ский до́вод; «ко́зырь»; to play the wrong ~ сде́лать непра́вильную ста́вку, просчита́ться; to have a ~ up one's sleeve име́ть ко́зырь про запа́с; to hold the ~s име́ть преиму́щество; to speak by the ~ выража́ться то́чно; that's the ~ вот э́то и́менно то, что ну́жно; house of ~s ка́рточный до́мик; to throw up one's ~s (с)пасова́ть; сда́ться, призна́ть себя́ побеждённым

card II [kɑːd] *текст.* **1.** *n* ка́рда, ка́рдная ле́нта; чеса́льный аппара́т

2. *v* чеса́ть, прочёсывать, кардова́ть

cardamom [ˈkɑːdəməm] *n* кардамо́н

cardan [ˈkɑːdn] *тех.* **1.** *n* карда́н

2. *a*: ~ joint карда́нный, универса́льный шарни́р

cardboard [ˈkɑːdbɔːd] **1.** *n* карто́н

2. *a* 1) непро́чный 2) шабло́нный; схемати́чный; стереоти́пный; ~ characters ходу́льные геро́и

carder [ˈkɑːdə] *n текст.* 1) чеса́льщик; чеса́льщица; ворси́льщик; ворси́льщица 2) ка́рдная маши́на

cardiac [ˈkɑːdɪæk] **1.** *n* сре́дство, возбужда́ющее серде́чную де́ятельность

2. *a анат.* серде́чный

cardigan [ˈkɑːdɪgən] *n* кардига́н, шерстяна́я ко́фта на пу́говицах без воротника́

cardinal [ˈkɑːdɪnl] **1.** *a* 1) гла́вный, основно́й, кардина́льный 2) я́рко кра́сный 3) *грам.* коли́чественный; ~ numbers коли́чественные числи́тельные ◇ ~ point страна́ све́та; гла́вный румб; ~ winds ве́тры, ду́ющие с се́вера, за́пада *и т. д.*

2. *n* 1) *церк.* кардина́л 2) *грам.* коли́чественное числи́тельное 3) кардина́л (*птица из семейства дубоносов*)

card index [ˈkɑːdˈɪndeks] *n* картоте́ка

cardiogram [ˈkɑːdɪəʊgræm] *n* кардиогра́мма

cardiology [ˌkɑːdɪˈɒlədʒɪ] *n мед.* кардиоло́гия

cardsharp [ˈkɑːdʃɑːp] *n* шу́лер (*тж.* ~er)

cardy [ˈkɑːdɪ] *разг.* = cardigan

care [keə] **1.** *n* 1) забо́та; попече́ние, ухо́д; medical ~ медици́нская по́мощь; to take ~ of smb. смотре́ть за кем-л., забо́титься о ком-л.; in ~ of на попече́нии; under the ~ of a physician под наблюде́нием врача́ 2) внима́ние, осторо́жность; the work needs great ~ рабо́та тре́бует осо́бой тща́тельности; have a ~!, take ~! береги́(те)сь! 3) *тж. pl* забо́та, забо́ты, трево́га ◇ c/o (*читается* care of) че́рез; по а́дресу; Mr White c/o Mr Jones г-ну Джо́унзу для переда́чи г-ну Уа́йту; ~ killed the cat *посл.* ≅ не рабо́та ста́рит, а забо́та

2. *v* 1) забо́титься (for, of, about); the children are well ~d for за детьми́ прекра́сный ухо́д 2) пита́ть интере́с, любо́вь (for); she really ~s for him она́ его́ действи́тельно лю́бит; to ~ for music интересова́ться му́зыкой; not to ~ for meat не люби́ть мя́са 3) беспоко́иться, трево́житься 4) име́ть жела́ние (to); I don't ~ мне всё равно́; I don't ~ to go мне не хо́чется идти́ ◇ I don't ~ a straw (*или* a damn, a button, a brass farthing, a fig, a feather, a whoop) мне безразли́чно, наплева́ть; I don't ~ if I do *разг.* я не прочь; ничего́ не име́ю про́тив

careen [kə'ri:n] *v мор.* 1) кренговáть, килевáть 2) крени́ться

careenage [kə'ri:nɪdʒ] *n мор.* 1) кренговáние 2) мéсто для кренговáния 3) стóимость кренговáния

career [kə'rɪə] **1.** *n* 1) карьéра; успéх 2) род дéятельности, профéссия 3) бы́строе движéние; карьéр; in full ~ во весь опóр 4) *attr.*: ~ diplomatist, ~ man профессионáльный диплома́т

2. *v* бы́стро двигáться, нести́сь

career-guidance [kə'rɪə,gaɪdns] *n* профориентáция

careerist [kə'rɪərɪst] *n* карьери́ст

carefree ['keəfri:] *a* беззабóтный, беспéчный

careful ['keəfl] *a* 1) забóтливый, проявля́ющий забóту (for, of) 2) осторóжный 3) тóчный, аккурáтный 4) старáтельный, аккурáтный; внимáтельный; ~ examination of the question тщáтельное обсуждéние, расслéдование вопрóса

carefully ['keəflɪ] *adv* 1) бéрежно, внимáтельно, забóтливо 2) осторóжно, с осторóжностью

care label ['keəleɪbl] *n* ярлы́к с инстрýкцией по ухóду (*за одеждой и т. п.*)

careless ['keələs] *a* 1) небрéжный; неосторóжный 2) беззабóтный; ~ of danger не дýмающий об опáсности 3) легкомы́сленный

caress [kə'res] **1.** *n* лáска

2. *v* ласкáть, глáдить

caret ['kærɪt] *n полигр.* знак (ʌ) встáвки (*буквы или слова*)

caretaker ['keə,teɪkə] *n* 1) лицó, присмáтривающее за дóмом, кварти́рой *и т. п.* 2) смотри́тель (*здания*) 3) *attr.*: ~ government прави́тельство, врéменно руководя́щее странóй до нóвых вы́боров

careworn ['keəwɔ:n] *a* измýченный забóтами

carfare ['kɑ:feə] *n амер.* стóимость проéзда на автóбусе

carfax ['kɑ:fæks] *n* перекрёсток четырёх ýлиц; распýтье

cargo ['kɑ:gəʊ] *n* (*pl* -oes [-əʊz]) 1) груз (*корабля или самолёта*) 2) *attr.* грузовóй; ~ ship (*или* boat) грузовóе сýдно; ~ tank тáнкер, нефтеналивнóе сýдно

carhop ['kɑ:hɒp] *n амер. разг.* официáнт ресторáна для автомобили́стов, обслýживающий клиéнтов прямо в маши́не

cariboo, caribou ['kærəbu:] *n* кари́бу (*северный канадский олень*)

caricature ['kærɪkətʃʊə] **1.** *n* карикатýра

2. *v* изображáть в карикатýрном ви́де

caricaturist ['kærɪkətʃʊərɪst] *n* карикатури́ст

carillon [kə'rɪljən] *n* 1) подбóр колоколóв 2) мелоди́чный перезвóн (*колоколов*)

cariosity [,kærɪ'ɒsətɪ] *n мед.* кариóзный процéсс

carious ['keərɪəs] *a мед.* кариóзный, разрушáющий кость; имéющий пóлость (*о зубе*)

carload ['kɑ:ləʊd] *n* пáртия грýза на оди́н вагóн

Carmagnole ['kɑ:mənjəʊl] *фр. n* карманьóла

carman ['kɑ:mən] *n амер.* 1) вагоновожáтый 2) вóзчик

Carmelite ['kɑ:məlaɪt] *n* кармели́т (*монах*)

carminative ['kɑ:mɪnətɪv] *мед.* **1.** *a* ветрогóнный

2. *n* ветрогóнное срéдство

carmine ['kɑ:maɪn] **1.** *n* карми́н

2. *a* карми́нного цвéта

carnage ['kɑ:nɪdʒ] *n* резня́, кровáвая бóйня

carnal ['kɑ:nl] *a* плóтский, чýвственный; ~ knowledge *юр.* половы́е сношéния

carnality [kɑ:'nælətɪ] *n* чýвственность, пóхоть

carnation [kɑ:'neɪʃn] **1.** *n* 1) гвозди́ка 2) рáзные оттéнки красновáтых тонóв (*от бледно-розового до тёмно-красного*) 3) *уст.* телéсный цвет 4) *pl жив.* чáсти карти́ны, изображáющие нагóе тéло

2. *a* áлый

carnival ['kɑ:nɪvl] *n* 1) мáсленица (*в католических странах*) 2) карнавáл

carnivore ['kɑ:nɪvɔ:] *n* 1) *зоол.* плотоя́дное живóтное 2) *бот.* насекомоя́дное растéние

carnivorous [kɑ:'nɪvərəs] *a* плотоя́дный

carol ['kærəl] **1.** *n* весёлая песнь; гимн (*обыкн. рождественский*)

2. *v* воспевáть; слáвить

Caroline ['kærəlaɪn] *a* 1) каролинский 2) относя́щийся к эпóхе Кáрла I *или* Кáрла II в Áнглии

carom ['kærəm] *амер.* **1.** *n* карамбóль (*бильярд*)

2. *v* отскáкивать

carotene ['kærəti:n] = carotin

carotid [kə'rɒtɪd] *n анат.* сóнная артéрия

carotin ['kærətɪn] *n* кароти́н

carousal [kə'raʊzl] *n* 1) пирýшка, попóйка 2) *амер. непр. вм.* carrousel 2)

carouse [kə'raʊz] **1.** *n* = carousal 1)

2. *v* пировáть; кути́ть

carp I [kɑ:p] *n* карп; сазáн

carp II [kɑ:p] *v* придирáться, находи́ть недостáтки, критиковáть

carpal ['kɑ:pl] *a анат.* кистевóй, запя́стный

carpel ['kɑ:pl] *n бот.* плодоли́стик

carpenter ['kɑ:pəntə] **1.** *n* плóтник; ~'s bench верстáк

2. *v* плóтничать

carpenter-ant ['kɑ:pəntərɑ:nt] *n* муравéй-древотóчец

carpenter-bee ['kɑ:pəntəbi:] *n* шмель-плóтник

carpentry ['kɑ:pəntrɪ] *n* плóтничные рабóты; плóтничное дéло

carper ['kɑ:pə] *n* приди́ра

carpet ['kɑ:pɪt] **1.** *n* 1) ковёр; ~ of flowers ковёр цветóв 2) *стр.* покры́тие; одéжда (*дороги*) 3) *тех.* защи́тный слой ◇ on the ~ а) на обсуждéнии (*о вопросе*); б): to have smb. on the ~ давáть нагоня́й комý-л.

2. *v* 1) устилáть, покрывáть коврáми 2) устилáть (*цветами*) 3) *разг.* вызывáть для замечáния, вы́говора

carpetbag ['kɑ:pɪtbæg] *n* саквоя́ж (*первоначально* коврóвый) ◇ ~ government *амер. sl.* прави́тельство полити́ческих проходи́мцев

carpetbagger ['kɑ:pɪtbægə] *n* 1) *амер. ист.* «саквоя́жник», северя́нин, добúвшийся влия́ния и богáтства на ю́ге (*после войны 1861—65 гг.*) 2) *амер.* полити́ческий авантюри́ст 3) полити́ческий дéятель (*в Англии*), не свя́занный происхождéнием *или* местожи́тельством со свои́м избирáтельным óкругом

carpet-knight ['kɑ:pɪtnaɪt] *n* 1) солдáт, отси́живающийся в тылý 2) салóнный шаркýн 3) *ист.* ры́царь, получи́вший своё звáние не на пóле би́твы, а во дворцé, преклони́в колéна на коврé

carpet-rod ['kɑ:pɪtrɒd] *n* металли́ческий прут для укреплéния коврá на лéстнице

carpet-sweeper ['kɑ:pɪt,swi:pə] *n* щётка для чи́стки коврóв

carpi ['kɑ:paɪ] *pl от* carpus

carping ['kɑ:pɪŋ] **1.** *pres. p. от* carp II

2. *a* приди́рчивый, находя́щий недостáтки; ~ tongue злой язы́к

carpus ['kɑ:pəs] *n* (*pl* -pi) *анат.* запя́стье

carrag(h)een ['kærəgi:n] *n* ирлáндский *или* жемчýжный мох (*съедобные водоросли*)

carrel ['kærəl] *n* каби́на для индивидуáльной наýчной рабóты (*в библиотеке и т. п.*)

carriage ['kærɪdʒ] *n* 1) экипáж, коля́ска; ~ and pair (four) экипáж, запряжённый пáрой (четвёркой) лошадéй 2) *ж.-д.* пассажи́рский вагóн; to change ~s дéлать пересáдку 3) вагонéтка 4) карéтка (*пишущей машинки, станка*); сýппорт 5) шасси́; рáма; несýщее устрóйство 6) лафéт, станóк (*орудия*) 7) перевóзка, трáнспорт 8) стóимость перевóзки, пересы́лки; ~ paid за перевóзку уплáчено 9) выполнéние, проведéние (*законопроекта, предложения*) 10) осáнка; манéра себя́ держáть; посáдка (*головы*)

carriageable ['kærɪdʒəbl] *a* удóбный, проéзжий (*о дороге*)

carriage-company ['kærɪdʒ,kʌmpənɪ] *n* «и́збранное óбщество» (*имеющее своих лошадей*)

carriage dog ['kærɪdʒdɒg] *n* далмáтский пятни́стый дог

carriage-forward [,kærɪdʒ'fɔ:wəd] *n* стóимость пересы́лки за счёт получáтеля

carriage-free [,kærɪdʒ'fri:] *n* пересы́лка бесплáтно; фрáнко-мéсто назначéния

carriageway ['kærɪdʒweɪ] *n* проéзжая часть дорóги

carrier ['kærɪə] *n* 1) носи́льщик; вóзчик; перевóзчик 2) трáнспортная контóра, трáнспортное агéнтство 3) посы́льный, курьéр 4) = carrier pigeon 5) *амер.* почтальóн 6) *мор.* авианóсец 7) трáнспортный самолёт 8) транспортёр 9) багажник (*на мотоцикле*) 10) *мед.* бациллоноситель 11) *тех.* держатель; кронштейн; поддерживающее *или* несущее приспособление 12) *тех.* салазки; ходовой механизм *или* ходовая часть 13) *воен.* рама затвора 14) *attr. эл.* несущий (*о токе, частоте*)

carrier bag [ˈkærɪəbæg] *n* пластиковый *или* бумажный пакет с ручками

carrier-borne [ˌkærɪəˈbɔːn] *a*: ~ aircraft самолёты, действующие с авианосца; ~ attack воздушная атака с авианосца; ~ squadron авиаотряд авианосца

carrier-nation [ˈkærɪəˌneɪʃn] *n* государство, широко использующее свой флот для перевозки товаров других стран

carrier pigeon [ˌkærɪəˈpɪdʒən] *n* почтовый голубь

carrier-plane [ˈkærɪəpleɪn] *n* бортовой самолёт

carrier rocket [ˈkærɪəˌrɒkɪt] *n* ракета-носитель

carriole [ˈkærɪəʊl] *n* 1) канадские сани 2) одноколка; лёгкий крытый одноконный экипаж

carrion [ˈkærɪən] **1.** *n* 1) падаль; мертвечина 2) мясо, негодное к употреблению

2. *a* гниющий; отвратительный

carrion crow [ˌkærɪənˈkrəʊ] *n* чёрная ворона

carrot [ˈkærət] *n* 1) морковь 2) приманка, стимул 3) *pl sl.* рыжие волосы; рыжеволосый человек; рыжий (*разг.*) ◊ the stick and the ~ policy ≅ политика кнута и пряника

carroty [ˈkærətɪ] *a* морковного цвета; рыжеволосый, рыжий

carrousel [ˌkærəˈsel] *n* 1) балаган 2) карусель

carry [ˈkærɪ] **1.** *v* 1) везти, перевозить; to ~ hay (corn) убирать сено (хлеб); the wine will not ~ well это вино портится от перевозки 2) нести, носить, переносить; to ~ the war into the enemy's country а) переносить войну на территорию противника; б) предъявлять встречное обвинение 3) иметь при себе; to ~ a watch носить часы 4) доводить; to ~ to extremes доводить до крайности; to ~ into effect приводить в исполнение, осуществлять 5) влечь за собой; to ~ penalty влечь за собой наказание 6) приносить (*доход, процент*) 7) *refl.* держаться; вести себя; to ~ oneself erect держаться прямо; to ~ oneself with dignity держаться с достоинством 8) издавать (*газеты, журналы*) 9) передавать (*по радио, телевидению*) 10) торговать, продавать; держать; the store also carries hardware магазин торгует также скобяными изделиями 11) достигать; доходить, доноситься; долетать (*о снаряде, звуке*); попадать в цель 12) добиться; to ~ one's point отстоять свою позицию; добиться своего 13) увлекать за собой; he carried his audience with him он увлёк слушателей 14) брать приступом (*крепость и т. п.*) 15) *амер.* победить на выборах (*в штате или в округе*) 16) нести на себе тяжесть, поддерживать (*о колоннах и т. п.*) 17) проводить; принимать; the bill was carried законопроект был принят 18) быть беременной 19) продолжать, удлинять 20) содержать, заключать; the book carries many tables в книге много таблиц; the hospital carries a good staff в больнице хороший персонал; to ~ conviction убеждать, быть убедительным ▭ ~ **away** а) уносить; б) увлекать; ~ **back**: to ~ smb. back напоминать кому-л. прошлое; ~ **forward** а) продвигать (*дело*); б) = ~ over б); ~ **off** а) уносить, уводить; похищать; захватывать; to ~ off a sentry *воен.* «снять», захватить часового; б) выигрывать (*приз*); в) сводить в могилу (*обыкн. о болезни*); г) выдерживать; though frightened he carried it off very well хотя он и испугался, но не показал вида; ~ **on** а) продолжать; вести (*дело*); ~ on! так держать!; продолжайте в том же духе!; to ~ on hostile acts совершать враждебные действия; б) *разг.* вести себя запальчиво; don't ~ on so! веди себя спокойно!, не злись так!; в) *разг.* флиртовать (with); ~ **out** а) доводить до конца; выполнять, проводить; to ~ out in(to) practice осуществлять, проводить в жизнь; б) выносить (*покойника*); ~ **over** а) перевозить; б) *бухг.* переносить в другую графу, на другую страницу, в другую книгу; ~ **through** а) доводить до конца; б) помогать, поддерживать ◊ to ~ all (*или* everything) before one а) преодолевать все препятствия; б) иметь большой успех; преуспевать; выйти победителем; взять верх; to ~ weight иметь вес, влияние; to ~ the day одержать победу; to ~ one *мат.* (держать) один в уме; to ~ too many guns for one оказаться не по силам кому-л.

2. *n* 1) переноска; перевозка 2) дальнобойность (*орудия*); дальность полёта (*снаряда; мяча в гольфе*) 3) *воен.* положение «на плечо» 4) волок (*лодки*)

carryall [ˈkærɪɔːl] *n* 1) просторный крытый экипаж 2) *амер.* большой закрытый автомобиль с двумя продольными скамейками по бокам 3) *амер.* вещевой мешок; большая сумка

carrying capacity [ˌkærɪɪŋkəˈpæsətɪ] *n* 1) пропускная способность 2) грузоподъёмность

carryings-on [ˌkærɪɪŋzˈɒn] *n pl разг.* фривольное, легкомысленное поведение

carrying trade [ˌkærɪɪŋˈtreɪd] *n* перевозка товаров водным, воздушным путём, фрахтовое дело

carryon [ˈkærɪɒn] *n амер.* ручная кладь

carry-over [ˈkærɪˌəʊvə] *n* 1) излишек, переходящий остаток 2) пережиток 3) перенос (*слова на другую строку*) 4) *бирж.* репорт (*отсрочка сделки*)

carsick [ˈkɑːsɪk] *a* не переносящий езды в автотранспорте

cart [kɑːt] **1.** *n* 1) телега; повозка; подвода; тележка; двуколка; Whitechapel ~ лёгкая рессорная двуколка 2) *attr.*: ~ house экипажный сарай ◊ to put the ~ before the horse начинать не с того конца; делать что-л. шиворот-навыворот; принимать следствие за причину; in the ~ *разг.* в затруднительном положении

2. *v* ехать, везти в телеге

cartage [ˈkɑːtɪdʒ] *n* 1) стоимость гужевой перевозки 2) гужевая перевозка

carte [kɑːt] *n* меню, карта вин

carte blanche [ˌkɑːtˈblɑːnʃ] *фр. n* карт-бланш; to give ~ предоставить (*или* дать) полную свободу действий

cartel [kɑːˈtel] *n* 1) *эк.* картель 2) соглашение между воюющими сторонами (*об обмене пленными, почтой и т. п.*); обмен пленными 3) картель, письменный вызов на дуэль

carter [ˈkɑːtə] *n* возчик; ломовой извозчик

Cartesian [kɑːˈtiːzɪən] **1.** *a* картезианский, декартовский

2. *n* последователь Декарта

cartful [ˈkɑːtfʊl] *n* воз (*мера груза*)

Carthaginian [ˌkɑːθəˈdʒɪnɪən] **1.** *a* карфагенский; пунический

2. *n* карфагенянин

carthorse [ˈkɑːthɔːs] *n* ломовая лошадь

Carthusian [kɑːˈθjuːzɪən] *n* картезианец (*монах*)

cartilage [ˈkɑːtəlɪdʒ] *n* хрящ

cartilaginous [ˌkɑːtəˈlædʒɪnəs] *a* хрящевой; ~ fish *собир.* белая рыба

cartload [ˈkɑːtləʊd] = cartful

cartographer [kɑːˈtɒgrəfə] *n* картограф

cartographic(al) [ˌkɑːtəˈgræfɪk(l)] *a* картографический

cartography [kɑːˈtɒgrəfɪ] *n* картография, составление карт

cartomancy [ˈkɑːtəʊˌmænsɪ] *n* гадание на картах

carton [ˈkɑːtn] *n* 1) (большая) картонная коробка, картонка 2) картон 3) белый кружок в центре мишени

cartoon [kɑːˈtuːn] **1.** *n* 1) карикатура (*преим. политическая*) 2) мультипликация (*тж.* animated ~) 3) *иск.* картон (*этюд для фрески и т. п.*)

2. *v* 1) рисовать карикатуры 2) изображать в карикатурном виде

cartoonist [kɑːˈtuːnɪst] *n* 1) карикатурист 2) художник-мультипликатор

cartouche [kɑːˈtuːʃ] *n* 1) картуш, орнаментальный завиток (*на капители, на титуле книги*) 2) *воен.* лядунка; патронная сумка

cartridge [ˈkɑːtrɪdʒ] *n* 1) патрон; заряд; blank ~ холостой патрон 2) катушка с фотографическими плёнками 3) картридж 4) *вчт.* кассета

cartridge belt [ˈkɑːtrɪdʒbelt] *n* 1) патронташ 2) патронная лента

cartridge-box [ˈkɑːtrɪdzbɒks] *n* патронный ящик

cartridge-case [ˈkɑːtrɪdʒkeɪs] *n* патронная гильза

cartridge clip ['kɑ:trɪdʒklɪp] *n* патро́нная обо́йма

cartridge paper ['kɑ:trɪdʒ,peɪpə] *n* пло́тная бума́га (*для рисования и патронных гильз*)

cartridge-pouch ['kɑ:trɪdʒpaʊtʃ] *n* патро́нная су́мка

cart-road, cart-track ['kɑ:trəʊd, 'kɑ:træk] *n* просёлочная, гужева́я доро́га

cartulary ['kɑ:tjʊlərɪ] *n* журна́л за́писей, рее́стр

cartwheel ['kɑ:twi:l] *n* 1) колесо́ теле́ги 2) кувырка́нье «колесо́м»; to turn (*или* to throw) ~s кувырка́ться «колесо́м» 3) *ав.* переворо́т че́рез крыло́ 4) *sl.* больша́я моне́та (*крона, серебряный доллар и т. п.*)

cartwright ['kɑ:traɪt] *n* экипа́жный ма́стер, каре́тник

caruncle [kə'rʌŋkl] *n* мяси́стый наро́ст (*напр. у индюка*)

carve [kɑ:v] *v* (carved [-d]; carved, carven) 1) ре́зать, выреза́ть (*по дереву или кости*; out, of, in, on); гравирова́ть; высека́ть (*из камня*) 2) ре́зать (*мясо за столом*) 3) дели́ть, дроби́ть (*обыкн.* ~ up) 4) разде́лывать (*тушу*) ◇ to ~ one's way пробива́ть себе́ доро́гу; to ~ out a career for oneself сде́лать карье́ру

carvel ['kɑ:vl] *n ист.* карав́елла (*испанский корабль XV—XVII вв.*)

carvel-built ['kɑ:vlbɪlt] *a мор.* с обши́вкой вглад́ь (*противоп.* clinker-built)

carven ['kɑ:vən] *поэт. и ритор. p. p. от* carve

carver ['kɑ:və] *n* 1) ре́зчик (*по дереву*); гравёр 2) нож для нареза́ния мя́са (*за столом*); a pair of ~s большо́й нож и ви́лка

carve-up ['kɑ:vʌp] *n sl.* делёж (награ́бленного добра́)

carving ['kɑ:vɪŋ] **1.** *pres. p. от* carve

2. *n* 1) резьба́ по де́реву 2) резна́я рабо́та

carving chisel ['kɑ:vɪŋ,tʃɪzl] *n* долбёжная стаме́ска

carving-knife ['kɑ:vɪŋnaɪf] = carver 2)

car wash ['kɑ:wɒʃ] *n* мо́йка (*автомобилей*)

caryatid [,kærɪ'ætɪd] *n* (*pl* -s [-z], -es [-i:z]) *архит.* кариати́да

cascade [kæ'skeɪd] **1.** *n* 1) каска́д, водопа́д 2) *эл.* каска́д

2. *v* ниспада́ть каска́дом

case I [keɪs] *n* 1) слу́чай; обстоя́тельство; положе́ние; де́ло; as the ~ stands при да́нном положе́нии дел; in ~ в слу́чае; just in ~ на вся́кий слу́чай; in any ~ во вся́ком слу́чае; in that ~ в тако́м слу́чае; it is not the ~ э́то не так; to put the ~ that... предполо́жим, что... 2) *мед.* заболева́ние, слу́чай; исто́рия боле́зни 3) *мед.* больно́й, пацие́нт; ра́неный 4) *юр.* суде́бное де́ло; слу́чай в суде́бной пра́ктике, прецеде́нт; *pl* суде́бная пра́ктика; the ~ for the defendant фа́кты в по́льзу отве́тчика, подсуди́мого 5) фа́кты, доказа́тельства, до́воды; to state one's ~ изложи́ть свои́ до́воды; to make out one's ~ доказа́ть свою́ правоту́ 6) *грам.* паде́ж 7) *разг.* «тип», чуда́к

case II [keɪs] **1.** *n* 1) коро́бка, ларе́ц; я́щик; контéйнер; cigarette ~ портсига́р 2) су́мка; чемода́н 3) футля́р, чехо́л 4) кры́шка (*переплёта*); ко́рпус (*часов*) 5) кассе́та 6) *тех.* кожу́х 7) *полигр.* набо́рная ка́сса; lower ~ отделе́ние со строчны́ми ли́терами, ци́фрами и зна́ками препина́ния; upper ~ отделе́ние с пропис́ными бу́квами 8) витри́на (*в музеях*), застеклённый стенд 9) *стр.* коро́бка (*оконная, дверная*)

2. *v* 1) класть, упако́вывать в я́щик 2) вставля́ть в опра́ву 3) обшива́ть, покрыва́ть; ~d in armour оде́тый в броню́

case-harden ['keɪs,hɑ:dn] *v* 1) *тех.* цементи́ровать (*сталь*) 2) де́лать нечувстви́тельным, ожесточа́ть

case-hardened ['keɪs,hɑ:dnd] **1.** *p. p. от* case-harden

2. *a* 1) *тех.* закалённый, цементи́рованный 2) нечувстви́тельный; загрубе́лый; закорене́лый

case-hardening ['keɪs,hɑ:dnɪŋ] **1.** *pres. p. от* case-harden

2. *n тех.* цемента́ция, пове́рхностная зака́лка

case history [,keɪs'hɪstrɪ] *n* исто́рия боле́зни

casein ['keɪsɪɪn] *n* казеи́н

case knife ['keɪsnaɪf] *n* нож в футля́ре

case law ['keɪslɔ:] *n юр.* прецеде́нтное пра́во

casemate ['keɪsmeɪt] *n воен.* казема́т; эска́рповая галере́я

casement ['keɪsmənt] *n* 1) ство́рный око́нный переплёт 2) око́нная ство́рка 3) *поэт.* окно́ 4) *attr.*: ~ stay ветрово́й крючо́к

caseous ['keɪsɪəs] *a* творо́жистый; сы́рный

case-record ['keɪs,rekɔ:d] *n* исто́рия боле́зни; ка́рточка (*амбулаторная, диспансерная*)

casern(e) [kə'zɜ:n] *n* (*обыкн. pl*) каза́рма; бара́к

case shot ['keɪsʃɒt] *n* карте́чь

casework ['keɪswɜ:k] *n* изуче́ние пробле́м и нужд лиц, нужда́ющихся в социа́льной подде́ржке

case-worm ['keɪswɜ:m] *n зоол.* ку́колка, ко́кон

cash [kæʃ] **1.** *n* 1) де́ньги; in ~ при деньга́х; out of (*или* short of) ~ не при деньга́х 2) нали́чные де́ньги, нали́чный расчёт; зво́нкая моне́та; ready ~ нали́чные (де́ньги); sold for ~ про́дан за нали́чный расчёт; to pay ~ расплати́ться нали́чными; ~ on delivery нало́женным платежо́м; с упла́той при доста́вке 3) *разг.* бога́тство 4) *attr.*: ~ crop това́рная культу́ра; ~ payment нали́чный расчёт; ~ price цена́ при упла́те нали́чными ◇ ~ down!, ~ on the nail! ≅ де́ньги на бо́чку!

2. *v* получа́ть *или* плати́ть де́ньги по че́ку ◇ to ~ in on smth. *разг.* нажи́ться на чём-л.; to ~ in one's check's [*см.* check 1 ◇]

cashbook ['kæʃbʊk] *n* ка́ссовая кни́га

cashcard ['kæʃkɑ:d] *n* пла́стиковая ка́рточка

cash dispenser [,kæʃdɪ'spensə] *n* касси́р-автома́т (*выплачивающий наличные при опускании особой пластиковой карточки* [*см.* cashcard])

cashew ['kæʃu:] *n* 1) *бот.* анака́рд (*вид дерева, растущего в Южной Америке*) 2) оре́х ке́шью

cashier I [kæ'ʃɪə] *n* касси́р

cashier II [kæ'ʃɪə] *v* исключа́ть, увольня́ть со слу́жбы (*особ. офицеров за недостойное поведение*)

cashmere ['kæʃmɪə] *n* 1) кашеми́р 2) кашеми́ровая шаль

cashpoint ['kæʃpɒɪnt] = cash dispenser

casing ['keɪsɪŋ] **1.** *pres. p. от* case II, 2

2. *n* 1) обши́вка; оболо́чка, оби́вка; опа́лубка; покры́шка 2) *тех.* ка́ртер; футля́р; руба́шка; ра́ма; опра́ва 3) *горн.* обсадны́е тру́бы

casino [kə'si:nəʊ] *n* (*pl* -os (-əʊz]) казино́, иго́рный дом

cask [kɑ:sk] *n* бочо́нок, бо́чка

casket ['kɑ:skɪt] *n* 1) шкату́лка 2) у́рна (*для праха*) 3) *амер.* гроб 4) контéйнер (*для радиоактивных материалов*)

cassation [kə'seɪʃn] *n юр.* касса́ция

cassava [kə'sɑ:və] *n бот.* манио́ка

casserole ['kæsərəʊl] *n* 1) кастрю́ля (*из жаропрочного материала*) 2) запека́нка (*из риса, овощей и мяса*)

cassette [kə'set] *n* кассе́та

cassia ['kæsɪə] *n бот.* ка́ссия

cassock ['kæsək] *n* 1) ря́са; сута́на 2) *разг.* свяще́нник, поп

cassowary ['kæsəweərɪ] *n зоол.* казуа́р

cast [kɑ:st] **1.** *n* 1) бросо́к 2) расстоя́ние, про́йденное бро́шенным предме́том 3) броса́ние, мета́ние; забра́сывание (*сети, удочки, лота*) 4) фо́рма для отли́вки 5) ги́псовый слéпок 6) ги́псовая повя́зка 7) *театр.* распределе́ние роле́й; соста́в исполни́телей (*в данном спектакле*) 8) склад (*ума, характера*); тип; a mind of philosophic ~ филосо́фский склад ума́ 9) отте́нок 10) поворо́т, отклоне́ние; ~ in the eye лёгкое косогла́зие 11) образе́ц, обра́зчик 12) выраже́ние (*лица*) 13) риск; to stake (*или* to set, to put) on a ~ поста́вить на ка́рту, рискну́ть; the last ~ после́дний шанс 14) подсчёт

2. *v* (cast) 1) броса́ть, кида́ть, швыря́ть; мета́ть; отбра́сывать; to ~ anchor броса́ть я́корь; to ~ ashore выбра́сывать на бе́рег; to ~ a look (*или* a glance, an eye) (at) бро́сить взгляд (на); to ~ light (upon) пролива́ть свет (на); вноси́ть я́сность (в); to ~ a net заки́дывать сеть 2) теря́ть (*зубы*); меня́ть (*рога*); сбра́сывать (*кожу*); роня́ть (*листья*); to ~ the coat линя́ть (*о животных*) 3) вы́кинуть, роди́ть ра́ньше вре́мени (*о животных*) 4) подсчи́тывать (*обыкн.* ~ up) 5) *тех.* отлива́ть, лить (*металлы*) 6) распределя́ть (*роли*); to ~ actors for parts назнача́ть актёров на определённые ро́ли; to ~ parts to actors распределя́ть ро́ли ме́жду актёрами 7) бракова́ть (*лошадей и т. п.*) 8) *юр.* присужда́ть к упла́те убы́тков 9) вычисля́ть; to ~ a horoscope составля́ть гороско́п ▭ ~ **about** а) обду́мывать; б) изы́скивать сре́дства; в) *мор.* меня́ть курс; ~ **away** отбра́сывать; отверга́ть; to be ~ away потерпе́ть круше́ние; ~ **down** а) поверга́ть в уны́ние, угнета́ть; to be ~ down быть в уны́нии; б) сверга́ть; разруша́ть; перевёртывать; в) опуска́ть (*глаза*); ~ **off** а) броса́ть, покида́ть; сбра́сывать (*оковы; петли в вязании*); б) зака́нчивать рабо́ту; в) *мор.* отдава́ть (*швартовы*); отва́ливать; г) спуска́ть (*собаку*); ~ **out** а) выгоня́ть; б) изверга́ть (*пищу*); в) *воен.* выбрако́вывать (*лошадей*); ~ **up** а) изверга́ть; б) подсчи́тывать; в) вски́дывать (*глаза, голову*) ◇ to ~ a vote подава́ть го́лос (*на выборах*); to ~ the blame on smb. взва́ливать вину́ на кого́-л.; to ~ smth. in smb.'s teeth брани́ть кого́-л. за что-л.; броса́ть кому́-л. упрёк в чём-л.; to ~ lots бро́сить жре́бий; to ~ in one's lot with smb., smth. связа́ть судьбу́ с кем-л., чем-л.; to ~ a spell upon smb. очарова́ть, околдова́ть кого́-л.

castanets [,kæstə'nets] *n pl* кастаньéты

castaway ['kɑ:stə,weı] **1.** *n* 1) потерпе́вший кораблекруше́ние 2) па́рия; отве́рженный

2. *a* отве́рженный

caste [kɑ:st] *n* 1) ка́ста 2) ка́ста, привилегиро́ванный класс; to lose ~ а) потеря́ть привилегиро́ванное положе́ние; б) лиши́ться уваже́ния

castellan ['kɑ:stılən] *n ист.* кастеля́н, смотри́тель за́мка

castellated ['kæstəleıtıd] *a* 1) постро́енный в ви́де за́мка 2) изоби́лующий за́мками 3) *тех.* зазу́бренный

caster I ['kɑ:stə] *n* 1) лите́йщик 2) *воен.* вы́бракованная ло́шадь

caster II ['kɑ:stə] = castor II

castigate ['kæstıgeıt] *v* 1) брани́ть; жесто́ко критикова́ть 2) нака́зывать; бить 3) исправля́ть (*лит. произведение*)

casting ['kɑ:stıŋ] **1.** *pres. p. от* cast 2

2. *n* 1) броса́ние, мета́ние 2) *тех.* литьё, отли́вка (*процесс и изделие*) 3) коробле́ние (*древесины*) 4) удале́ние вы́копанного гру́нта 5) *театр.* подбо́р актёров; распределе́ние роле́й

3. *a* лите́йный; ~ **bed** лите́йный двор; ~ **box** опо́ка; ~ **form** изло́жница

casting-voice [,kɑ:stıŋ'vɔıs] = casting vote

casting vote [,kɑ:stıŋ'vəʊt] *n* го́лос, даю́щий переве́с, реша́ющий го́лос председа́теля при ра́венстве голосо́в

cast iron [,kɑ:st'aıən] *n* чугу́н

cast-iron [,kɑ:st'aıən] *a* 1) чугу́нный 2) непреклóнный, твёрдый; ~ discipline желе́зная дисципли́на

castle ['kɑ:sl] **1.** *n* 1) за́мок; дворе́ц 2) тверды́ня; убе́жище 3) *шахм.* ладья́ ◇ ~s in the air (*или* in the sky, in Spain) возду́шные за́мки

2. *v шахм.* рокирова́ть(ся)

castle-builder ['kɑ:sl,bıldə] *n* фантазёр, мечта́тель

cast-off ['kɑ:stɒf] **1.** *n* 1) отве́рженный; изгна́нник 2) вы́брошенная вещь 3) *pl* обно́ски, объе́дки

2. *a* него́дный; поно́шенный; нену́жный, бро́совый

castor I ['kɑ:stə] *n* 1) бобро́вый мех 2) касто́р 3) шля́па из бобро́вого *или* кро́личьего ме́ха 4) *мед.* бобро́вая струя́

castor II ['kɑ:stə] *n* 1) ро́лик, колёсико (*на ножках мебели*) 2) соло́нка; пе́речница (*с перфорированной крышкой*); a set of ~s су́дочек (*для приправ*)

castor oil [,kɑ:stər'ɔıl] *a* касто́ровое ма́сло

castor sugar ['kɑ:stə,ʃʊgə] *n* са́харная пу́дра

castrate [kæ'streıt] **1.** *n* 1) кастра́т, е́внух 2) кастри́рованное живо́тное

2. *v* 1) кастри́ровать, холости́ть 2) уре́зывать (*текст*)

castration [kæ'streıʃn] *n* кастра́ция

casual ['kæʒʊəl] **1.** *a* 1) случа́йный 2) непреднаме́ренный 3) случа́йный, нерегуля́рный; ~ labourer (*или* worker) рабо́чий, не име́ющий постоя́нной рабо́ты; ~ poor лю́ди, вре́менно *или* периоди́чески получа́ющие посо́бие по бе́дности 4) небре́жный

2. *n* 1) вре́менный рабо́чий 2) случа́йный посети́тель, клие́нт, покупа́тель *и т. п.* 3) бродя́га

casualize ['kæʒʊəlaız] *v* переводи́ть на непостоя́нную рабо́ту

casualty ['kæʒʊəltı] *n* 1) челове́к, пострада́вший от несча́стного слу́чая 2) *воен.* ра́неный; уби́тый 3) *воен.* подби́тая маши́на; the tank bacame a ~ танк был подби́т, вы́веден из стро́я 4) *pl* поте́ри (*на войне*); to sustain casualties понести́ поте́ри 5) несча́стный слу́чай; ава́рия 6) *attr.*: ~ rate коли́чество уби́тых и ра́неных 7) = casualty department

casualty clearing station [,kæʒʊəltıklıərıŋ'steıʃn] *n* эвакуацио́нный пункт

casualty department [,kæʒʊəltıdı'pɑ:tmənt] *n* травматологи́ческое отделе́ние (в больни́це)

casualty list [,kæʒʊəltı'lıst] *n* спи́сок уби́тых, ра́неных и пропа́вших бе́з вести (*на войне*)

casuist ['kæzjʊıst] *n* казуи́ст

casuistic(al) [,kæzjʊ'ıstık(l)] *a* казуисти́ческий

casuistry ['kæzjʊıstrı] *n* казуи́стика; игра́ слова́ми; софи́стика

casus belli [,kɑ:sʊs'beli:] *лат. n* по́вод для объявле́ния войны́, ка́зус бе́лли

cat I [kæt] **1.** *n* 1) кот; ко́шка; tom ~ кот; pussy ~ ко́шка, ко́шечка 2) *зоол.* живо́тное семе́йства коша́чьих 3) ко́шка (*плеть*) 4) *разг.* сварли́вая же́нщина 5) двойно́й трено́жник 6) *мор.* кат ◇ barber's ~ *разг.* болту́н, трепло́; to fight like Kilkenny ~s дра́ться до взаи́много уничтоже́ния; to lead a ~ and dog life жить как ко́шка с соба́кой (*особ. о супругах*); постоя́нно ссо́риться, враждова́ть; enough to make a ~ laugh ≅ и мёртвого мо́жет рассмеши́ть; о́чень смешно́; to grin like a Cheshire ~ (постоя́нно) бессмы́сленно улыба́ться во весь рот, ухмыля́ться; оскла́биться; to let the ~ out of the bag ≅ вы́болтать секре́т; to see which way the ~ jumps, to wait for the ~ to jump ≅ выжида́ть, куда́ ве́тер поду́ет; that ~ won't jump *разг.* ≅ э́тот но́мер не пройдёт; to turn ~ in the pan стать перебе́жчиком

2. *v* 1) *мор.* брать я́корь на кат 2) бить плётью 3) *sl.* изрыга́ть; блева́ть

cat II [kæt] *n* (*сокр. от* caterpillar tractor) *амер. разг.* 1) гу́сеничный тра́ктор 2) *attr.*: ~ skinner трактори́ст

cataclysm ['kætə,klızəm] *n* 1) катакли́зм; полити́ческий *или* социа́льный переворо́т 2) пото́п

catacomb ['kætəku:m] *n* (*часто pl*) подземе́лье; катако́мба; the Catacombs ри́мские катако́мбы

catafalque ['kætəfælk] *n* 1) катафа́лк, погреба́льная колесни́ца 2) катафа́лк, помо́ст под балдахи́ном для гроба

Catalan ['kætəlæn] **1.** *a* катало́нский; катала́нский (*о языке*)

2. *n* 1) катало́нец 2) катала́нский язы́к

catalepsy ['kætəlepsı] *n мед.* катале́псия; столбня́к; оцепене́ние

cataleptic [,kætə'leptık] *a мед.* каталепти́ческий

catalog ['kætəlɒg] = catalogue

catalogue ['kætəlɒg] **1.** *n* 1) катало́г; card ~ ка́рточный катало́г 2) прейскура́нт 3) *амер.* рее́стр, спи́сок; проспе́кт, програ́мма, уче́бный план

2. *v* каталогизи́ровать, вноси́ть в катало́г

cataloguer ['kætəlɒgə] *n* каталогиза́тор, состави́тель катало́га

catalogue raisonné [,kætəlɒgreızɒ'neı] *фр. n* системати́ческий катало́г с кра́ткими объясне́ниями

catalysis [kə'tæləsıs] *n хим.* ката́лиз

catalyst ['kætəlıst] *n хим.* катализа́тор

catalyzer ['kætəlaızə] = catalyst

catamaran [,kætəmə'ræn] *n* 1) *мор.* катамара́н 2) *разг.* сварли́вая же́нщина, меге́ра

catamite ['kætə,maıt] *n* ма́льчик-партнёр гомосексуали́ста

catamountain ['kætəmaʊntın] *n зоол.* 1) европе́йская ди́кая ко́шка 2) североамерика́нская рысь

cat-and-mouse [,kætn'maʊs] *a*: to behave in a ~ way ≅ игра́ть в ко́шки-мы́шки

cataplasm ['kætə,plæzəm] *n* припа́рка

catapult ['kætəpʌlt] **1.** *n* 1) рога́тка 2) *ист.* мета́тельная маши́на; катапу́льта 3) *ав.* катапу́льта 4) *attr.*: ~ launching *ав.* пуск с катапу́льты

2. *v* 1) *ав.* катапульти́ровать; выбра́сывать катапу́льтой 2) стреля́ть из рога́тки 3) *ист.* мета́ть

cataract ['kætərækt] *n* 1) большо́й водопа́д 2) си́льный ли́вень 3) *мед.* катара́кта 4) *тех.* катара́кт, гидравли́ческий регуля́тор, то́рмоз, де́мпфер 5) пото́к (*красноречия*)

catarrh [kə'tɑ:] *n* ката́р; просту́да

catastrophe [kə'tæstrəfɪ] *n* 1) катастро́фа; ги́бель; несча́стье 2) развя́зка (*в драме*) 3) *геол.* катастро́фа

catastrophic [ˌkætə'strɒfɪk] *n* катастрофи́ческий

catboat ['kætbəʊt] *n* кэт (*парусное судно*)

catbird ['kætbɜ:d] *n амер.* дрозд

catcall ['kætkɔ:l] **1.** *n* 1) свист, осви́стывание 2) свисто́к

2. *v* осви́стывать

catch [kætʃ] **1.** *n* 1) по́имка; захва́т 2) уло́в; добы́ча 3) вы́года; вы́годное приобрете́ние; that is not much of a ~ бары́ш невели́к 4) хи́трость; лову́шка 5) приостано́вка (*дыхания, голоса*) 6) *тех.* захва́тывающее, запира́ющее приспособле́ние; щеко́лда, задви́жка, защёлка; шпингале́т; стяжно́й болт 7) *тех.* то́рмоз, сто́пор; аррети́р ◇ that's the ~ в э́том-то всё де́ло

2. *v* (caught) 1) лови́ть; пойма́ть; схва́тывать; to ~ hold of smth. ухвати́ться за что-л.; to ~ a glimpse of smth. уви́деть что-л. на мгнове́ние; to ~ in a web опу́тать паути́ной 2) заста́ть; to ~ a person in the act заста́ть кого́-л. на ме́сте преступле́ния; to be caught in the rain попа́сть под дождь 3) схвати́ть; зарази́ться; to ~ (a) cold простуди́ться; to ~ measles зарази́ться ко́рью 4) успе́ть; to ~ the train поспе́ть к по́езду 5) улови́ть; to ~ a person's meaning улови́ть, поня́ть чью-л. мысль; to ~ a likeness улови́ть (и переда́ть) схо́дство 6) догна́ть 7) зацепи́ть(ся); заде́ть; защеми́ть; to ~ one's finger in a door прищеми́ть себе́ па́лец две́рью; the boat was caught in the reeds ло́дка застря́ла в камыша́х 8) уда́рить; попа́сть; I caught him one in the eye я подста́вил ему́ синя́к под гла́зом 9) привлека́ть внима́ние; to ~ the eye а) пойма́ть взгляд; б) попа́сться на глаза́ 10) заде́рживать 11) загора́ться; paper ~es fire easily бума́га легко́ воспламеня́ется 12) прерыва́ть, перебива́ть 13) покрыва́ться льдом (*тж.* ~ over); the river ~es река́ ста́ла □ ~ at а) ухвати́ться за *что-л.*; б) обра́доваться *чему-л.*; ~ away утащи́ть; ~ off *амер. sl.* засну́ть; ~ on *разг.* а) станови́ться мо́дным; б) понима́ть; в) ухвати́ться за *что-л.*; ~ out обнару́жить; ~ up а) догна́ть; we had caught up on sleep нам удало́сь отоспа́ться; б) подня́ть; подхвати́ть (*тж. перен., напр. новое слово*); в) прерва́ть ◇ to ~ it *разг.* получи́ть нагоня́й; I caught it мне доста́лось, попа́ло; ~ me (doing that)! чтоб я э́то сде́лал? Никогда́!; to ~ one's foot споткну́ться; to ~ one's breath а) затаи́ть дыха́ние; б) перевести́ дух; to ~ the Speaker's eye *парл.* получи́ть сло́во в пала́те о́бщин

catchall ['kætʃɔ:l] *a* всеобъе́млющий, всеохва́тывающий

catching ['kætʃɪŋ] **1.** *pres. p. от* catch 2

2. *a* 1) зарази́тельный 2) привлека́тельный 3) неусто́йчивый (*о погоде*) 4) захва́тывающий, остана́вливающий, зацепля́ющий

catchment ['kætʃmənt] *n* дрена́ж

catchment area ['kætʃmənt,eərɪə] *n* 1) бассе́йн (*реки*), водосбо́рная пло́щадь 2) микрорайо́н, обслу́живаемый шко́лой, больни́цей *и т. п.*

catchment basin ['kætʃmənt,beɪsn] = catchment area 1)

catchpenny ['kætʃ,penɪ] **1.** *n* не́что показно́е, рассчи́танное на дешёвый успе́х и привлече́ние покупа́телей (*гл. обр. об изданиях*)

2. *a* показно́й, рассчи́танный на дешёвый успе́х

catchpoll ['kætʃpəʊl] *n* суде́бный при́став, суде́бный исполни́тель

catch-22 [,kætʃtwentɪ'tu:] *n разг.* лову́шка, безвы́ходное положе́ние (*название романа Дж. Хеллера (1961)*

catchup ['kætʃəp] = ketchup

catchword ['kætʃwɜ:d] *n* 1) мо́дное слове́чко 2) сло́во *или* фра́за, испо́льзуемые как ло́зунг 3) *театр.* ре́плика 4) *полигр.* колонти́тул в словаря́х и энциклопе́диях 5) загла́вное сло́во (*словарной статьи*) 6) рифмо́ванное сло́во 7) паро́ль

catchy ['kætʃɪ] *a* 1) легко́ запомина́ющийся (*о мелодии*) 2) привлека́тельный 3) обма́нчивый; заковы́ристый 4) поры́вистый (*о ветре*)

catechism ['kætə,kɪsəm] *n* 1) *церк.* катехи́зис 2) ряд вопро́сов и отве́тов; допро́с

catechize ['kætəkaɪz] *v* 1) излага́ть в фо́рме вопро́сов и отве́тов 2) допра́шивать 3) *церк.* преподава́ть катехи́зис, наставля́ть

catechu ['kætətʃu:] *n* дуби́льный экстра́кт

catechumen [,kætə'kju:men] *n* 1) *церк.* новообращённый 2) начина́ющий, новичо́к

categorical [,kætə'gɒrɪkl] *a* 1) безусло́вный, категори́ческий 2) реши́тельный; я́сный, недвусмы́сленный 3) *филос.* категори́ческий, безусло́вный; ~ imperative категори́ческий императи́в

categorize ['kætɪgəraɪz] *v* распределя́ть по катего́риям

category ['kætəgərɪ] *n* 1) катего́рия; разря́д; класс 2) *филос.* катего́рия

catena [kə'ti:nə] *n* (*pl* -nae) цепь, связь, ряд

catenae [kə'ti:ni:] *pl от* catena

catenarian [,kætɪ'neərɪən] *a* цепно́й

catenary [kə'ti:nərɪ] **1.** *n мат.* цепна́я ли́ния

2. *a* цепно́й; ~ suspension цепна́я подве́ска (*электрической железной дороги*)

catenate ['kætɪneɪt] *v* сцепля́ть; свя́зывать; образова́ть цепь

catenation [,kætɪ'neɪʃn] *n* сцепле́ние

cater ['keɪtə] *v* 1) поставля́ть прови́зию (for) 2) обслу́живать зри́теля, посети́теля (*о театрах и т. п.*) 3) потво́рствовать, угожда́ть (to, for)

cater-cousin ['keɪtə,kʌzn] *n* 1) да́льний ро́дственник 2) закады́чный друг

caterer ['keɪtərə] *n* 1) поставщи́к прови́зии 2) владе́лец рестора́на, гости́ницы *и т. п.*

catering ['keɪtərɪŋ] **1.** *pres. p. от* cater

2. *n* 1) обще́ственное пита́ние 2) *attr.*: the ~ trade рестора́нное де́ло

caterpillar ['kætəpɪlə] *n* 1) *зоол.* гу́сеница 2) *тех.* гу́сеница; гу́сеничный ход 3) *attr. тех.* гу́сеничный; ~ tractor гу́сеничный тра́ктор; ~ ordnance гу́сеничная самохо́дная артилле́рия

caterwaul ['kætəwɔ:l] **1.** *n* коша́чий конце́рт

2. *v* 1) крича́ть по-коша́чьи 2) задава́ть коша́чий конце́рт, терза́ть слух 3) ссо́риться как коты́ на кры́ше

catgut ['kætgʌt] *n* 1) струна́ (*для музыкальных инструментов и ракеток*) 2) *хир.* кетгу́т

catharsis [kə'θɑ:sɪs] *n* 1) *филос., психол.* ка́тарсис 2) *мед.* очище́ние желу́дка

cathartic [kə'θɑ:tɪk] **1.** *a* слаби́тельный

2. *n* слаби́тельное (сре́дство)

Cathay [kæ'θeɪ] *n уст., поэт.* Кита́й

cathead ['kæthed] *n мор.* кат-ба́лка; *ист.* кра́мбол, кран-ба́лка

cathedral [kə'θi:drəl] **1.** *n* кафедра́льный собо́р

2. *a* собо́рный

Catherine wheel ['kæθrɪnwi:l] *n* 1) о́гненное колесо́ (*фейерверк*) 2) *архит.* кру́глое окно́, «ро́за» 3) кувырка́нье «колесо́м»

catheter ['kæθɪtə] *n мед.* кате́тер

cathode ['kæθəʊd] *n физ.* като́д

Catholic ['kæθlɪk] **1.** *a* 1) (c.) широ́кий, всеобъе́млющий 2) католи́ческий (*обыкн.* Roman C.) 3) *церк.* вселе́нский

2. *n* като́лик

Catholicism [kə'θɒlə,sɪzəm] *n* католи́чество, католици́зм

catholicity [,kæθə'lɪsətɪ] *n* 1) широта́; всео́бщность; универса́льность 2) (C.) католи́чество

catholicize [kə'θɒlɪsaɪz] *v* обраща́ть в католи́чество

cat-ice ['kætaɪs] *n* то́нкий ледо́к

cation ['kætaɪən] *n хим.* катио́н

catkin ['kætkɪn] *n* серёжка (*на деревьях*)

cat-lap ['kætlæp] *n разг.* о́чень сла́бый чай; безалкого́льные напи́тки

catlick ['kætlɪk] *n разг.* ≅ не мытьё, а смех оди́н

catlike ['kætlaɪk] *a* коша́чий

catling ['kætlɪŋ] *n* 1) *хир.* ампутацио́нный нож 2) *хир.* то́нкий кетгу́т 3) *редк.* ко́шечка

catmint ['kætmɪnt] *n бот.* котови́к коша́чий, коша́чья мя́та

catnap ['kætnæp] **1.** *n* сон уры́вками

2. *v* вздремну́ть, подрема́ть; спать уры́вками

catnip ['kætnɪp] *амер.* = catmint

cat-o'-mountain [,kætə'maʊntɪn] = catamountain

cat-o'-nine-tails [,kætə'naɪnteɪlz] *n* ко́шка (*плеть*)

catoptric [kə'tɒptrɪk] *a физ., уст.* катоптри́ческий, отража́тельный

catoptrics [kə'tɒptrɪks] *n pl* (*употр. как sing*) *физ., уст.* като́птрика

cat-sleep ['kætsli:p] = catnap 1

cat's meat ['kætsmi:t] *n* кони́на, покупа́емая для ко́шек

cat's-paw ['kætspɔ:] *n* 1) ору́дие в чьих-л. рука́х; to make a ~ of a person сде́лать кого́-л. свои́м ору́дием 2) лёгкий бриз, рябь на воде́

catsuit ['kætsu:t] *n* костю́м в ви́де комбинезо́на (*плотно прилегающий*)

catsup ['kætsəp] = ketchup

cat's whisker ['kæts,wɪskə] *n* 1) *sl.* мужи́к что на́до; «блеск» (*о вещи*) 2) *радио* конта́ктная пружи́на, «у́сик»

cattily ['kætɪlɪ] *adv* назло́

cattish ['kætɪʃ] = catty I

cattle ['kætl] *n* 1) кру́пный рога́тый скот 2) *презр.* скоты́ (*о людях*)

cattle-dealer ['kætl,di:lə] *n* торго́вец ското́м, скотопромы́шленник

cattle-feeder ['kætl,fi:də] *n* маши́на для автомати́ческого распределе́ния и пода́чи ко́рма

cattle grid ['kætlgrɪd] *n* приспособле́ние, препя́тствующее вы́ходу скота́ с па́стбища на доро́гу

cattle-leader ['kætl,li:də] *n* кольцо́, проде́тое че́рез нос живо́тного

cattle-lifter ['kætl,lɪftə] *n* вор, угоня́ющий скот

cattleman ['kætlmən] *n* 1) пасту́х; ско́тник 2) *амер.* скотово́д

cattle-pen ['kætlpen] *n* заго́н для скота́

cattle-ranch ['kætlrænʧ] *n* скотово́дческая фе́рма, животново́дческое хозя́йство

cattle-rustler ['kætl,rʌslə] *амер.* = cattle-lifter

cattletruck ['kætltrʌk] *n ж.-д.* платфо́рма для перево́зки скота́

catty I ['kætɪ] *a* 1) хи́трый; злой 2) коша́чий

catty II ['kætɪ] *n* ка́тти (*мера веса в Китае, Индии = 604,8 г*)

Caucasian [kɔ:'keɪzɪən] **1.** *a* кавка́зский

2. *n* кавка́зец

caucus ['kɔ:kəs] *n* 1) *амер.* предвы́борное фракцио́нное *или* парти́йное совеща́ние 2) (*в Англии презр.*) поли́тика подтасо́вки вы́боров, давле́ния на избира́телей *и т. п.*

caudal ['kɔ:dl] *a анат.* хвостово́й; ~ appendage хвостови́дный прида́ток

caudate ['kɔ:deɪt] *a* хвоста́тый, име́ющий хвост

caudle ['kɔ:dl] *n* горя́чий пря́ный напи́ток для больны́х (*смесь вина с яйцами и сахаром*)

caught [kɔ:t] *past и p. p. от* catch 2

caul [kɔ:l] *n* 1) *анат.* во́дная оболо́чка плода́; «соро́чка» (*у новорождённого*) 2) *анат.* большо́й са́льник 3) *ист.* че́пчик

cauldron ['kɔ:ldrən] *n* 1) котёл; котело́к 2) *геол.* котлообра́зный прова́л

caulescent [kɔ:'lesənt] *a бот.* име́ющий сте́бель (*о травянистых растениях*)

cauliflower ['kɒlɪ,flaʊə] *n* цветна́я капу́ста

caulk [kɔ:k] *v* 1) конопа́тить и смоли́ть (*суда*) 2) затыка́ть, зама́зывать (*щели в окнах*)

caulker ['kɔ:kə] *n* 1) конопа́тчик 2) чека́нщик 3) *sl.* глото́к спиртно́го 4) не́что удиви́тельное, невероя́тное, *особ.* ложь, враньё

causal ['kɔ:zl] *a* 1) *филос.* причи́нный; кауза́льный 2) *грам.* причи́нный; ~ clause прида́точное предложе́ние причи́ны

causality [kɔ:'zælətɪ] *n филос.* причи́нность, причи́нная связь

causation [kɔ:'zeɪʃn] *n* 1) причине́ние 2) = causality

causative ['kɔ:zətɪv] *a* 1) причи́нный 2) *грам.* каузати́вный

cause [kɔ:z] **1.** *n* 1) причи́на 2) основа́ние; моти́в, по́вод (for) 3) де́ло; the ~ of peace де́ло ми́ра; to make common ~ with smb. объединя́ться с кем-л. ра́ди о́бщего де́ла; in the ~ of science ра́ди (*или* во и́мя) нау́ки; in a good ~ что́бы сде́лать добро́ 4) *юр.* де́ло, проце́сс; to plead a ~ защища́ть де́ло в суде́ 5) *attr.*: ~ célèbre знамени́тый суде́бный проце́сс

2. *v* 1) быть причи́ной, причиня́ть, вызыва́ть; to ~ smb. to be informed поста́вить кого́-л. в изве́стность 2) заставля́ть; to ~ a thing to be done веле́ть что-л. вы́полнить

'cause [kɒz] *уст.* = because

causeless ['kɔ:zləs] *a* беспричи́нный; необосно́ванный

cause list ['kɔ:zlɪst] *n юр.* спи́сок дел к слу́шанию

causer ['kɔ:zə] *n* вино́вник

causerie ['kəʊzərɪ] *фр. n* 1) статья́ в фо́рме бесе́ды на литерату́рную те́му 2) непринуждённый разгово́р

causeway ['kɔ:zweɪ] **1.** *n* 1) да́мба; гать 2) мостова́я; мощёная доро́жка; тротуа́р

2. *v* 1) стро́ить плоти́ну, да́мбу 2) мости́ть

causey ['kɔ:z(e)ɪ] = causeway

caustic ['kɔ:stɪk] **1.** *n хим.* е́дкое вещество́; каусти́ческое сре́дство; lunar ~ ля́пис

2. *a* 1) *хим.* е́дкий; каусти́ческий; ~ lime негашёная и́звесть; ~ silver ля́пис; ~ soda е́дкий натр 2) е́дкий, язви́тельный, ко́лкий; ~ tongue злой язы́к; ~ remarks язви́тельные замеча́ния

causticity [kɔ:s'tɪsətɪ] *n* 1) е́дкость 2) язви́тельность

cauterization [,kɔ:təraɪ'zeɪʃn] *n мед.* прижига́ние

cauterize ['kɔ:təraɪz] *v* 1) *мед.* прижига́ть 2) де́лать бессерде́чным, чёрствым, нечувстви́тельным

cautery ['kɔ:tərɪ] *n мед.* 1) прижига́ние 2) прижига́ющее сре́дство 3) термока́утер (*инструмент для прижигания*)

caution ['kɔ:ʃn] **1.** *n* 1) осторо́жность; предусмотри́тельность; предосторо́жность 2) предостереже́ние, предупрежде́ние; ~! береги́(те)сь 3) *разг.* необыкнове́нный челове́к, челове́к с больши́ми стра́нностями; стра́нная вещь

2. *v* предостерега́ть (against)

cautionary ['kɔ:ʃnərɪ] *a* предостерега́ющий, предупрежда́ющий

caution board ['kɔ:ʃnbɔ:d] *n* предупрежда́ющая (об опа́сности) на́дпись

caution money ['kɔ:ʃn,mʌnɪ] *n* зало́г (*вносимый, напр., студентами Оксфорда и Кембриджа в обеспечение возможных долгов*)

cautious ['kɔ:ʃəs] *a* осторо́жный; предусмотри́тельный

cavalcade [,kævl'keɪd] *n* кавалька́да, гру́ппа вса́дников

cavalier [,kævə'lɪə] **1.** *n* 1) (C.) *ист.* роялист (*времён Карла I*) 2) *ист.* ры́царь 3) *уст.* кавале́р 4) вса́дник; кавале́ри́ст

2. *a* 1) бесцеремо́нный 2) непринуждённый 3) надме́нный 4) *ист.* (C.) роялистский

cavalry ['kævlrɪ] *n* кавале́рия, ко́нница

cavalryman ['kævlrɪmən] *n* кавалери́ст

cave I [keɪv] **1.** *n* 1) пеще́ра 2) по́лость, впа́дина 3) *полит.* фра́кция; оппозицио́нная *или* отколо́вшаяся от па́ртии гру́ппа 4) *геол.* ка́рстовое образова́ние

2. *v* 1) выда́лбливать 2) *горн.* обру́шивать кро́влю ▭ ~ in а) оседа́ть, опуска́ться; б) *разг.* уступа́ть, отступа́ть, сдава́ться

cave II ['keɪvɪ] *int школ. жарг.* береги́сь!

caveat ['kævɪæt] *n* 1) предостереже́ние, проте́ст 2) *юр.* хода́тайство о приостано́вке суде́бного разбира́тельства; to enter (*или* to put in) a ~ пода́ть заявле́ние о приостано́вке суде́бного разбира́тельства

caveat emptor [,kævɪæt'emptɔ:] *лат. n юр.* ка́чество на риск покупа́теля

cave-dweller ['keɪv,dwelə] = caveman

caveman ['keɪvmæn] *n* троглоди́т, пеще́рный челове́к (*тж. перен.*)

cavendish ['kævndɪʃ] *n* пли́точный таба́к (*сдобренный патокой*)

cavern ['kævn] *n* пеще́ра

cavernous ['kævənəs] *a* 1) изоби́лующий пеще́рами 2) похо́жий на пеще́ру 3) *мед.* пеще́ристый; полостно́й; каверно́зный 4) впа́лый 5) глубо́кий и глухо́й (*о звучании*)

caviar(e) ['kævɪɑ:] *n* икра́ (*употребляемая в пищу*) ◇ ~ to the general сли́шком то́нкое блю́до для гру́бого вку́са

cavil ['kævl] **1.** *n* приди́рка

2. *v* придира́ться, находи́ть недоста́тки

caviller ['kævlə] *n* приди́рчивый челове́к, придира

cavity [ˈkævətɪ] *n* 1) впáдина; пóлость 2) *мед.* кавéрна 3) трéщина в порóде

cavity magnetron [ˌkævətɪˈmægnətrɒn] *n физ.* магнетрóн, обеспéчивающий большóй вы́ход энéргии

cavort [kəˈvɔːt] *v разг.* пры́гать, скакáть

cavy [ˈkeɪvɪ] *n зоол.* морскáя сви́нка

caw [kɔː] **1.** *n* кáрканье

2. *v* кáркать

cay [kiː] *n* 1) корáлловый риф 2) песчáная óтмель

cayenne [keɪˈen] *n* крáсный стручкóвый пéрец

cayman [ˈkeɪmən] *n зоол.* каймáн

cease [siːs] **1.** *v* 1) переставáть, прекращáть(ся) 2) приостанáвливать (*чáсто с герундием*); to ~ talking замолчáть; ~ fire! прекрати́ть стрельбý!; to ~ payment прекрати́ть платежи́, обанкрóтиться

2. *n*: without ~ непрестáнно; to work without ~ рабóтать не поклáдая рук

cease-fire [ˈsiːsˌfaɪə] *n* прекращéние огня́

ceaseless [ˈsiːsləs] *a* непреры́вный, непрестáнный

cecils [ˈseslz] *n pl* мясны́е фрикадéльки

cecity [ˈsiːsətɪ] *n* слепотá

cedar [ˈsiːdə] *n* кедр

cede [siːd] *v* 1) сдавáть (*террито́рию*); уступáть, передавáть (*террито́рию, правá*) 2) уступáть (*в спóре*)

cedilla [səˈdɪlə] *n* седи́ль (*орфографи́ческий знак*)

ceil [siːl] *v стр.* покрывáть, перекрывáть; штукатýрить, отдéлывать потолóк

ceiling [ˈsiːlɪŋ] *n* 1) потолóк 2) перекры́тие, обши́вка; доскá для обши́вки 3) *ав.* потолóк, предéльная высотá 4) *эк.* максимáльная ценá; максимáльный вы́пуск продýкции *и т. п.*

celadon [ˈselədən] *n* свéтлый серовáто-зелёный цвет *или* цвет морскóй волны́

celandine [ˈseləndaɪn] *n бот.* чистотéл

celebrant [ˈseləbrənt] *n* свящéнник, отправля́ющий церкóвную слýжбу

celebrate [ˈseləbreɪt] *v* 1) (от)прáздновать 2) прославля́ть 3) отправля́ть церкóвную слýжбу 4) *разг.* весели́ться, отмечáть прия́тное собы́тие

celebrated [ˈseləbreɪtɪd] **1.** *p. p. от* celebrate

2. *a* знамени́тый; прослáвленный

celebration [ˌseləˈbreɪʃn] *n* 1) прáзднование; торжествá 2) церкóвная слýжба

celebrity [səˈlebrətɪ] *n* 1) знамени́тый человéк; знамени́тость 2) извéстность

celerity [səˈlerətɪ] *n книжн.* быстротá

celery [ˈselərɪ] *n бот.* сельдерéй

celestial [səˈlestɪəl] **1.** *a* 1) великолéпный; божéственный 2) небéсный; астрономи́ческий; ~ map кáрта звёздного нéба; ~ pole *астр.* пóлюс ми́ра; ~ blue небéсно-голубóй

2. *n* небожи́тель

celibacy [ˈseləbəsɪ] *n* 1) целибáт, обéт безбрáчия 2) безбрáчие

celibatarian [ˌseləbəˈteərɪən] **1.** *a* безбрáчный

2. *n* холостя́к

celibate [ˈseləbɪt] **1.** *n* 1) холостя́к 2) человéк, дáвший обéт безбрáчия

2. *a* 1) холостóй 2) дáвший обéт безбрáчия

cell [sel] **1.** *n* 1) тюрéмная кáмера; condemned ~ кáмера смéртников 2) кéлья 3) ячéйка; ячея́; *полит.* ячéйка 4) *ист.* небольшóй монасты́рь; оби́тель; скит 5) *биол.* клéтка; клéточка 6) *эл.* элемéнт 7) *поэт.* моги́ла 8) *тех.* отсéк, кáмера 9) *ав.* сéкция крылá

2. *v* 1) помещáть в клéтку 2) находи́ться в клéтке 3) сидéть за решёткой (*в тюрьмé*)

cellar [ˈselə] **1.** *n* 1) подвáл; пóгреб 2) ви́нный пóгреб; to keep a good ~ имéть хорóший запáс вин

2. *v* храни́ть в подвáле, в пóгребе

cellarage [ˈselərɪdʒ] *n* 1) подвáлы, погребá 2) хранéние в подвáлах 3) плáта за хранéние в подвáлах

cellarer [ˈselərə] *n* келáрь (*экóном в монасты́ре*)

cellaret [ˌseləˈret] *n* погребéц

cellist [ˈtʃelɪst] *n* (*сокр. от* violoncellist) виолончели́ст

cello [ˈtʃeləʊ] *n* (*pl* -os [-əʊz]; *сокр. от* violoncello) виолончéль

cellophane [ˈseləfeɪn] *n* целлофáн ◇ wrapped in ~ непристýпный, надмéнный

cellular [ˈseljʊlə] *a* клéточный, клéточного строéния; ячéистый; ~ tissue *анат.* клетчáтка

cellulate [ˈseljʊleɪt] *a* состоя́щий из клéток; ячéистый

cellule [ˈseljuːl] *n* 1) *биол.* клéточка 2) *ав.* корóбка кры́льев

celluloid [ˈseljʊlɔɪd] *n* 1) целлулóид 2) киноплёнка 3) *разг.* кинó; to put smb. on ~ снимáть в кинó

cellulose [ˈseljʊləʊs] *n* 1) целлюлóза; клетчáтка 2) *attr.*: ~ nitrate нитроцеллюлóза

Celsius [ˈselsɪəs] *n* термóметр Цéльсия; шкалá термóметра Цéльсия

Celt [kelt] *n* кельт

celt [selt] *n археол.* кáменное *или* брóнзовое долотó

Celtic [ˈkeltɪk] **1.** *a* кéльтский

2. *n* кéльтский язы́к

celticism [ˈkeltɪˌsɪzəm] *n* 1) кéльтский обы́чай 2) *лингв.* кéльтское выражéние; кельтици́зм

celtuce [ˈseltəs] *n* гибри́д сельдерéя и салáта

cembalo [ˈtʃembələʊ] *n* (*pl* -os [-əʊz]) цимбáлы

cement [səˈment] **1.** *n* 1) цемéнт 2) вся́кое веществó, скрепля́ющее подóбно цемéнту; вя́жущее веществó 3) связь, сою́з

2. *v* 1) скрепля́ть цемéнтом; цементи́ровать 2) цементи́роваться 3) соединя́ть крéпко; to ~ a friendship скрепля́ть дрýжбу

cementation [ˌsiːmenˈteɪʃn] *n* 1) цементи́рование 2) цементáция

cemetery [ˈsemətrɪ] *n* клáдбище

cenotaph [ˈsenətɑːf] *n* 1) кенотáфий (*пустáя гробни́ца*) 2) пáмятник неизвéстному солдáту; the C. пáмятник, воздви́гнутый в честь поги́бших во врéмя пéрвой мировóй войны́ (*в Лóндоне*)

cense [sens] *v церк.* кади́ть лáданом

censer [ˈsensə] *n* кади́ло; кури́льница

censor [ˈsensə] **1.** *n* 1) цéнзор 2) цензýра (*в психоанáлизе*) 3) надзирáтель (*в англи́йских коллéджах*) 4) крити́кан; блюсти́тель нрáвов

2. *v* подвергáть цензýре; просмáтривать

censorial [senˈsɔːrɪəl] *a* цéнзорский; цензýрный

censorious [senˈsɔːrɪəs] *a* стрóгий; приди́рчивый; ~ remarks крити́ческие замечáния

censorship [ˈsensəʃɪp] *n* 1) цензýра 2) дóлжность цéнзора

censurable [ˈsenʃərəbl] *a* достóйный порицáния

censure [ˈsenʃə] **1.** *n* осуждéние, порицáние; vote of ~ вóтум недовéрия

2. *v* порицáть, осуждáть

census [ˈsensəs] *n* 1) пéрепись; population ~ пéрепись населéния 2) *attr.*: ~ returns результáты пéреписи

census-paper [ˈsensəsˌpeɪpə] *n* бланк, заполня́емый при пéреписи

cent [sent] *n* 1) цент (*0,01 дóллара, гýльдена, рýпии*) 2) *разг.* грош 3) *см.* per cent 4) *физ.* цент (*однá сóтая едини́цы радиоакти́вности*)

cental [ˈsentl] *n* англи́йский квинтáл (*мéра сыпýчих тел, равная 100 англ. фýнтам или 45,36 кг*)

centaur [ˈsentɔː] *n* 1) *миф.* кентáвр 2) (C.) созвéздие Кентáвра

centenarian [ˌsentɪˈneərɪən] **1.** *a* столéтний

2. *n* человéк ста (и бóлее) лет

centenary [senˈtiːnərɪ] **1.** *n* 1) столéтие 2) столéтняя годовщи́на 3) день прáзднования столéтней годовщи́ны

2. *a* столéтний

centennial [senˈtenɪəl] **1.** *a* 1) столéтний 2) происходя́щий раз в сто лет

2. *n* = centenary 1, 2)

center [ˈsentə] *амер.* = centre

centering [ˈsentərɪŋ] **1.** *pres. p. от* centre 2

2. *n* 1) *тех.* центри́рование 2) *стр.* кружáло, опáлубка

centesimal [senˈtesəml] *a* сóтый; разделённый на сто частéй; сóтенный; ~ balance сóтенные весы́

centigrade [ˈsentɪgreɪd] *a* стоградýсный; разделённый на сто грáдусов; ~ thermometer термóметр Цéльсия, термóметр со стоградýсной шкалóй

centigram(me) [ˈsentɪgræm] *n* сантигрáмм

centime [ˈsɒntiːm] *n* санти́м (*0,01 фрáнка*)

centimeter ['sentɪ,mi:tə] *амер.* = centimetre

centimetre ['sentɪ,mi:tə] *n* сантиме́тр

centipede ['sentɪpi:d] *n зоол.* многоно́жка, сороконо́жка

centner ['sentnə] *n* це́нтнер (*50 кг; в Англии = 100 фунтам или 45,36 кг*); metric (*или* double) ~ метри́ческий це́нтнер (*= 100 кг или 220,46 англ. фунта*)

central ['sentrəl] **1.** *a* 1) располо́женный в це́нтре *или* недалеко́ от це́нтра; C. Asia а) Сре́дняя А́зия; б) Центра́льная А́зия 2) центра́льный; гла́вный; ~ idea основна́я иде́я

2. *n амер.* центра́льная телефо́нная ста́нция

centralization [,sentrəlaɪ'zeɪʃn] *n* централиза́ция; сосредото́чение

centralize ['sentrəlaɪz] *v* централизова́ть

centre ['sentə] **1.** *n* 1) центр; средото́чие; середи́на (*чего-л.*); in the ~ посереди́не; at the ~ of events в са́мой гу́ще собы́тий; where's the shopping ~? где здесь торго́вый центр?; ~ of attraction центр притяже́ния; центр внима́ния; ~ of buoyancy а) *мор.* центр величины́; б) центр подъёмной си́лы аэроста́та; ~ of gravity центр тя́жести; ~ of impact *воен.* сре́дняя то́чка попада́ния; ~ of a wheel ступи́ца колеса́ 2) *тех.* шабло́н, уго́льник 3) *спорт.* центра́льный игро́к (*нападающий, защитник и т. д.*); центрово́й 4) *attr.* центра́льный; ~ boss ступи́ца колеса́

2. *v* 1) помеща́ть(ся) в це́нтре; концентри́ровать(ся); сосредото́чивать(ся) (in, on, at, round, about); to ~ one's hopes on (*или* in) smb. возлага́ть все наде́жды на кого́-л.; the interest ~s in интере́с сосредото́чен на; the discussion ~d round one point в це́нтре обсужде́ния находи́лся оди́н пункт 2) *тех.* центри́ровать; отмеча́ть ке́рнером

centreboard ['sentəbɔ:d] *n мор.* выдвижно́й киль

centrefold ['sentəfəʊld] *n полигр.* сфальцо́ванная вкле́йка (*карты и т. п.*)

centreing ['sentərɪŋ] = centering

centrepiece ['sentəpi:s] *n* 1) украше́ние из серебра́, хрусталя́ *и т. п.* на середи́не стола́ 2) орна́мент на середи́не потолка́

centre-section ['sentə,sekʃn] *n ав.* центропла́н

centric(al) ['sentrɪk(l)] *a* центра́льный

centrifugal [,sentrɪ'fju:gl] **1.** *a* центробе́жный; ~ machine (*или* wringer) центрифу́га; ~ force центробе́жная си́ла

2. *n* = centrifuge

centrifuge ['sentrɪfju:dʒ] *n* центрифу́га

centring ['sentərɪŋ] = centering

centripetal [sen'trɪpɪtl] *a* центростреми́тельный; ~ force центростреми́тельная си́ла

centrist ['sentrɪst] *n полит.* центри́ст

centuple ['sentjʊpl] **1.** *a* стокра́тный

2. *v* увели́чивать во сто раз; умножа́ть на́ сто

centuplicate **1.** *n* [sen'tju:plɪkət] сто экземпля́ров; in ~ в ста экземпля́рах

2. *a* [sen'tju:plɪkət] = centuple 1

3. *v* [sen'tju:plɪkeɪt] = centuple 2

centurion [sen'tjʊərɪən] *n* центурио́н

century ['sentʃərɪ] *n* 1) столе́тие; век 2) *ист.* центу́рия 3) со́тня (*чего-л.*); *разг.* сто фу́нтов сте́рлингов; *амер.* сто до́лларов

century plant ['sentʃərɪplɑ:nt] *n бот.* ага́ва америка́нская, столе́тник

cep [sep] *n* бе́лый гриб

cephalic [sə'fælɪk] *a анат.* головно́й; ~ index *антр.* черепно́й и́ндекс

cephalitis [,sefə'laɪtɪs] *n мед.* энцефали́т, воспале́ние головно́го мо́зга

cephalopoda ['sefələpɒdə] *n pl зоол.* головоно́гие

ceramet ['serəmet] = cermet

ceramic [sə'ræmɪk] *a* гонча́рный; керами́ческий

ceramics [sə'ræmɪks] *n pl* 1) (*употр. как sing*) кера́мика; гонча́рное произво́дство 2) (*употр. с гл. во мн. ч.*) керами́ческие изде́лия

ceramist ['serəmɪst] *n* гонча́р

cerastes [sə'ræsti:z] *n зоол.* гадю́ка рога́тая

cerate ['sɪərɪt] *n* вощано́й спуск (*мазь из воска и масла*)

cere [sɪə] *n зоол.* воскови́на (*покрывающая птичий клюв*)

cereal ['sɪərɪəl] **1.** *n* 1) (*обыкн. pl*) хле́бный злак 2) *амер.* ка́ша (*кушанье из круп*)

2. *a* хле́бный, зерново́й

cerebellum [,serə'beləm] *n анат.* мозжечо́к

cerebral ['serəbrəl] **1.** *a* 1) *анат., мед.* че́репно-мозгово́й; ~ hemispheres полуша́рия головно́го мо́зга; ~ haemorrhage кровоизлия́ние в мозг 2) рассу́дочный 3) *фон.* церебра́льный (*звук*)

2. *n фон.* церебра́льный звук

cerebration [,serə'breɪʃn] *n* мозгова́я де́ятельность, рабо́та мо́зга

cerebrum [sə'ri:brəm] *n анат.* головно́й мозг

cerecloth ['sɪəklɒθ] = cerement 1)

cerement ['sɪəmənt] *n* 1) *pl книжн.* погреба́льные оде́жды 2) навощённая холсти́на, са́ван

ceremonial [,serə'məʊnɪəl] **1.** *a* форма́льный; официа́льный; обря́довый

2. *n* 1) церемониа́л; распоря́док 2) обря́д

ceremonious [,serə'məʊnɪəs] *a* 1) церемониа́льный 2) церемо́нный 3) мане́рный, чо́порный

ceremony ['serəmənɪ] *n* 1) обря́д 2) церемо́ния; to stand on ~ церемо́ниться; держа́ться форма́льно, чо́порно; without ~ за́просто; без церемо́ний 3) церемо́нность; форма́льность ◊ Master of Ceremonies а) веду́щий (*концерт, телепередачу и т. п.*); б) распоряди́тель (*бала, вечера и т. п.*); в) церемонийме́йстер

Ceres ['sɪəri:z] *n миф., астр.* Цере́ра

cerise [sə'ri:z] **1.** *n* све́тло-вишнёвый цвет

2. *a* све́тло-вишнёвый

cerium ['sɪərɪəm] *n хим.* це́рий

cermet ['sɜ:met] *n тех.* металлокера́мика

ceroplastics [,sɪərəʊ'plæstɪks] *n pl* (*употр как sing*) церопла́стика (*художественная лепка из воска*)

certain ['sɜ:tn] **1.** *a* 1) *predic.* уве́ренный; to feel ~ быть уве́ренным 2) *attr.* определённый; I have no ~ abode у меня́ нет определённого приста́нища 3) *attr.* оди́н, не́кий, не́который; I felt a ~ joy я почу́вствовал не́которую ра́дость; there was a ~ Mr Jones был не́кий ми́стер Джо́унз; under ~ conditions при изве́стных (*или* при не́которых) усло́виях 4): to make ~ of удостове́риться в; make ~ of your facts before you argue прове́рьте свои́ да́нные, пре́жде чем спо́рить 5) *predic.* надёжный, ве́рный, несомне́нный; the fact is ~ факт несомне́нен ◊ of a ~ age пожило́го во́зраста

2. *n*: not to know for ~ не знать наверняка́

certainly ['sɜ:tnlɪ] *adv* коне́чно, непреме́нно; несомне́нно; he is ~ better today ему́, несомне́нно, лу́чше сего́дня; may I visit him? - Yes, ~ мо́жно его́ навести́ть? — Да, коне́чно

certainty ['sɜ:tntɪ] *n* 1) несомне́нный факт 2) уве́ренность; I know for a ~ я зна́ю наверняка́; with ~ с уве́ренностью

certifiable ['sɜ:tɪfaɪəbl] *a* 1) тре́бующий документа́льного подтвержде́ния 2) *разг.* ненорма́льный, безу́мный

certificate **1.** *n* [sə'tɪfɪkət] 1) пи́сьменное удостовере́ние; свиде́тельство; сертифика́т; ~ of birth свиде́тельство о рожде́нии, ме́трика; ~ of health медици́нское свиде́тельство 2) па́спорт (*оборудования*) 3) *амер.* свиде́тельство об оконча́нии сре́днего уче́бного заведе́ния, аттеста́т

2. *v* [sə'tɪfɪkeɪt] выдава́ть пи́сьменное удостовере́ние; удостоверя́ть

certificated [sə'tɪfɪkeɪtɪd] **1.** *p. p. от* certificate 2

2. *a* дипломи́рованный; ~ teacher учи́тель, име́ющий дипло́м

certification [,sɜ:tɪfɪ'keɪʃn] *n* 1) удостовере́ние 2) вы́дача свиде́тельства

certify ['sɜ:tɪfaɪ] *v* 1) удостоверя́ть, заверя́ть 2) руча́ться 3) уверя́ть 4) выдава́ть удостовере́ние о заболева́нии (*особ. о психическом расстройстве*)

certitude ['sɜ:tɪtju:d] *n* уве́ренность, несомне́нность

cerulean [sə'ru:lɪən] *a лит.* небе́сно-голубо́го цве́та; лазу́рный

cerumen [sə'ru:men] *n* ушна́я се́ра

ceruse ['sɪəru:s] *n* 1) (свинцо́вые) бели́ла 2) бели́ла (*косметические*)

cervelat [,sɜ:və'lɑ:t] *n* сервела́т

cervical [sə'vaɪkl] *a анат.* заты́лочный, ше́йный; ~ vertebrae ше́йные позвонки́

cervices [sə'vaɪsi:z] *pl от* cervix

cervine ['sɜ:vaɪn] *a* оле́ний

cervix ['sɜːvɪks] *n* (*pl* -vices, -es [-ɪz]) *анат.* ше́я; ~ uteri ше́йка ма́тки

cesium ['siːzɪəm] = caesium

cess [ses] *n* 1) *ирл.* ме́стный нало́г 2) *шотл.* поземе́льный нало́г ◇ bad ~ to you! чтоб тебе́ пу́сто бы́ло!

cessation [se'seɪʃn] *n* 1) прекраще́ние 2) остано́вка; переры́в; ~ of arms (*или* of hostilities) прекраще́ние вое́нных де́йствий, переми́рие

cession ['seʃn] *n* усту́пка, переда́ча; ~ of rights переда́ча прав

cesspit ['sespɪt] *n* помо́йная я́ма; выгребна́я я́ма

cesspool ['sespuːl] *n* выгребна́я я́ма; сто́чный коло́дец

cestode ['sestəʊd] *n зоол.* ле́нточный червь

cestoid ['sestɔɪd] = cestode

cetacean [sɪ'teɪʃn] **1.** *a* кито́вый

2. *n* живо́тное из семе́йства кито́вых

cetaceous [sɪ'teɪʃəs] *a* китообра́зный

cevitamic acid [,siːvaɪtæmɪk'æsɪd] *n фарм.* кристалли́ческий витами́н С

chador ['tʃɑːdɔː] *n* чадра́

chafe [tʃeɪf] **1.** *n* 1) сса́дина 2) раздраже́ние; in a ~ в состоя́нии раздраже́ния

2. *v* 1) тере́ть, растира́ть; втира́ть; согрева́ть растира́нием (*руки и т. п.*) 2) натира́ть 3) тере́ться (*обо что-л. — о животных*) 4) раздража́ться, горячи́ться, не́рвничать

chafer ['tʃeɪfə] *n* ма́йский жук

chaff [tʃɑːf] **1.** *n* 1) ме́лко наре́занная соло́ма, се́чка 2) мя́кина 3) подшу́чивание, поддра́знивание; болтовня́ 4) отбро́сы 5) вы́севки 6) костри́ка (*отходы трепания и чесания*) 7) *attr.* соло́менный; ~ bed соло́менный тюфя́к ◇ a grain of wheat in a bushel of ~ ≅ ничто́жные результа́ты, несмотря́ на больши́е уси́лия; an old bird is not caught with ~ *посл.* ста́рого воробья́ на мяки́не не проведёшь

2. *v* 1) руби́ть, ре́зать (*солому и т. п.*) 2) подшу́чивать, поддра́знивать

chaff-cutter ['tʃɑːf,kʌtə] *n с.-х.* соломоре́зка

chaffer ['tʃæfə] **1.** *n* спор (*из-за цены*), торг

2. *v* торгова́ться, выторго́вывать

chaffinch ['tʃæfɪntʃ] *n* зя́блик

chaffy ['tʃɑːfɪ] *a* 1) покры́тый мяки́ной 2) пусто́й, него́дный

chafing dish ['tʃeɪfɪŋdɪʃ] *n* 1) (*обыкн. электрическая*) кастрю́ля, в кото́рой горя́чая пи́ща подогрева́ется на столе́; электри́ческий те́рмос 2) жаро́вня

chafing-gear ['tʃeɪfɪŋgɪə] *n мор.* обмо́тка тро́са для предохране́ния от тре́ния

chagrin ['ʃægrɪn] **1.** *n* доса́да; огорче́ние; разочарова́ние

2. *v* (*часто pass*) досажда́ть; огорча́ть; to feel ~ed (at, by) быть огорчённым *чем-л.*

chain [tʃeɪn] **1.** *n* 1) цепь; цепо́чка; a ~ of mountains го́рная цепь; a ~ of happenings цепь собы́тий; ~ and buckets *тех.* но́рия 2) (*обыкн. pl*) око́вы, у́зы 3) ме́рная цепь (*тж.* Gunter's ~ = *66 фут.* ≅ *20 м*) 4) однoти́пные магази́ны, теа́тры *и т. п.*, принадлежа́щие одно́й фи́рме; систе́ма, сеть; newspaper ~s газе́тные тре́сты, объедине́ния 5) *attr.* цепно́й; ~ reaction цепна́я реа́кция; ~ armour (*или* mail) кольчу́га; ~ belt а) *тех.* цепна́я переда́ча, цепно́й приво́д; б) по́яс из металли́ческих коле́ц; ~ bridge цепно́й мост; ~ broadcasting *радио* одновре́ме́нная переда́ча одно́й програ́ммы не́сколькими ста́нциями; ~ cable я́корная цепь

2. *v* 1) скрепля́ть це́пью 2) ско́вывать; держа́ть в цепя́х; to ~ up a dog посади́ть соба́ку на цепь 3) привя́зывать; ~ed to the desk прико́ванный к пи́сьменному столу́

chain gang ['tʃeɪngæŋ] *n* гру́ппа ка́торжников в кандала́х, ско́ванных о́бщей це́пью

chainlet ['tʃeɪnlɪt] *n* цепо́чка

chain rule ['tʃeɪnruːl] *n мат.* цепно́е пра́вило

chain-smoke ['tʃeɪnsməʊk] *v* заку́ривать от папиро́сы, непреры́вно кури́ть

chain-smoker ['tʃeɪnsməʊkə] *n* завзя́тый кури́льщик

chain stitch ['tʃeɪnstɪtʃ] *n* та́мбурная стро́чка

chain stores ['tʃeɪnstɔːz] *n pl* однoти́пные магази́ны одно́й фи́рмы

chair [tʃeə] **1.** *n* 1) стул; to take a ~ сади́ться 2) ка́федра; профессу́ра 3) председа́тельское ме́сто; *амер.* председа́тель (*собрания*); to address the ~ обраща́ться к председа́телю собра́ния; ~!, ~! к поря́дку!; to take the ~ стать председа́телем собра́ния; откры́ть собра́ние *или* заседа́ние; to be (*или* to sit) in the ~ председа́тельствовать; to leave the ~ закры́ть собра́ние 4) *амер.* электри́ческий стул; to go to the ~ быть казнённым на электри́ческом сту́ле 5) *юр.* ме́сто свиде́теля в суде́ 6) *ж.-д.* ре́льсовая поду́шка ◇ ~ days ста́рость

2. *v* 1) возглавля́ть, стоя́ть во главе́; ста́вить во главе́ 2) председа́тельствовать 3) поднима́ть и нести́ на сту́ле (*в знак одержанной победы*)

chair-bed ['tʃeəbed] *n* кре́сло-крова́ть

chair-car ['tʃeəkɑː] *n ж.-д.* сало́н-ваго́н

chairman ['tʃeəmən] *n* председа́тель

chairmanship ['tʃeəmənʃɪp] *n* обя́занности председа́теля

chair warmer ['tʃeəwɔːmə] *n амер. sl.* лени́вец, безде́льник

chairwoman ['tʃeə,wʊmən] *n* председа́тельница

chaise [ʃeɪz] *n* 1) фаэто́н 2) почто́вая каре́та

chaise longue [,ʃeɪz'lɒŋ] *фр. n* шезло́нг

chalcedony [kæl'sedənɪ] *n мин.* халцедо́н

chalcography [kæl'kɒgrəfɪ] *n* гравирова́ние на ме́ди

Chaldean [kæl'diːən] **1.** *a* халде́йский; древневавило́нский

2. *n* 1) халде́й 2) халде́йский язы́к

chaldron ['tʃɔːldrən] *n* ме́ра у́гля́ (= *1,66 м*^{3})

chalet ['ʃæleɪ] *n* 1) да́ча в швейца́рском сти́ле 2) шале́, се́льский до́мик (*в Швейцарии*) 3) у́личная убо́рная

chalk [tʃɔːk] **1.** *n* 1) мел 2) мело́к (*для рисования, записи*) 3) креди́т, долг 4) счёт (*в игре*) 5) *sl.* шрам; цара́пина ◇ as like as ~ and cheese ≅ похо́же, как гвоздь на панихи́ду; ничего́ о́бщего; not to know ~ from cheese не разбира́ться в просты́х веща́х; абсолю́тно ничего́ не понима́ть в како́м-л. вопро́се; ~s away, by a long ~, by long ~s (на)мно́го, значи́тельно, гора́здо; not by a long ~ отню́дь нет; далеко́ не; ни в ко́ем слу́чае; to walk the ~ а) пройти́ пря́мо по проведённой ме́лом черте́ (*в доказательство своей трезвости*); б) вести́ себя́ безупре́чно; to walk (*или* to stump) one's ~s *sl.* убра́ться, удра́ть

2. *v* 1) писа́ть, рисова́ть *или* натира́ть ме́лом 2) удобря́ть и́звестью ▭ ~ **out** а) набра́сывать; б) намеча́ть (*для выполнения*); в) запи́сывать (*долг*); ~ **up** вести́ счёт (*в игре*)

chalk-stone ['tʃɔːkstəʊn] *n* 1) *pl мед.* подагри́ческие утолще́ния на суста́вах 2) известня́к

chalky ['tʃɔːkɪ] *a* 1) мелово́й; извест-ко́вый 2) *мед.* подагри́ческий

challenge ['tʃælɪndʒ] **1.** *n* 1) вы́зов (*на состязание, дуэль и т. п.*) 2) сло́жная зада́ча, пробле́ма 3) *юр.* отво́д (*присяжных*); peremptory ~ отво́д без указа́ния причи́ны (*в уголовных делах*) 4) о́клик (*часового*) 5) *мор.* опознава́тельные (*сигнал*)

2. *v* 1) вызыва́ть, броса́ть вы́зов 2) оспа́ривать; подверга́ть сомне́нию; to ~ the accuracy of a statement оспа́ривать пра́вильность утвержде́ния 3) сомнева́ться, отрица́ть; the teacher ~d my knowledge учи́тель усомни́лся в мои́х зна́ниях 4) оклика́ть (*о часовом*); спра́шивать паро́ль, про́пуск 5) тре́бовать (*внимания, уважения и т. п.*) 6) *юр.* дава́ть отво́д прися́жным 7) *мор.* пока́зывать опознава́тельные

challenger ['tʃælɪndʒə] *n* 1) посыла́ющий вы́зов 2) претенде́нт 3) возража́ющий про́тив чего́-л., оспа́ривающий что-л.

chalybeate [kə'lɪbɪət] *a* желе́зистый (*об источнике*)

chamber ['tʃeɪmbə] **1.** *n* 1) пала́та (*парламента*); Lower C. ни́жняя пала́та; Star C. *ист.* Звёздная пала́та; C. of Commerce торго́вая пала́та 2) *pl* конто́ра адвока́та; кабине́т судьи́ 3) *уст., поэт.* ко́мната (*гл. обр.* спа́льня) 4) *тех.* ка́мера 5) *воен.* патро́нник; ка́мора 6) *pl* холоста́я меблиро́ванная кварти́ра 7) *горн.* простре́л 8) = chamber pot

2. *a* 1) ка́мерный; ~ concert ка́мерный конце́рт; ~ music ка́мерная му́зыка 2) *юр.*: ~ counsel юри́ст, даю́щий сове́ты в своéй контóре, но не выступáющий в судé; ~ practice консультáция юри́ста

3. *v* 1) заключáть в кáмеру 2) рассвéрливать, высвéрливать 3) *горн.* расширя́ть дно сквáжины

chamberlain ['tʃeɪmbəlɪn] *n* 1) управля́ющий дворóм короля́ 2) камергéр

chambermaid ['tʃeɪmbəmeɪd] *n* гóрничная в гости́нице

chamber pot ['tʃeɪmbəpɒt] *n* ночнóй горшóк

chameleon [kə'mi:lɪən] *n* хамелеóн

chamfer ['tʃæmfə] **1.** *n* 1) жёлоб; вы́емка; hollow ~ *стр.* гáлтель 2) *тех.* скос, фáска

2. *v* 1) вынимáть пазы́ 2) скáшивать, стёсывать óстрые углы́ (*рёбра, кромки и т. п.*)

chamois ['ʃæmwɑ:] **1.** *n* 1) *зоол.* сéрна 2) ['ʃæmɪ] зáмша

2. *v* протирáть зáмшей

champ I [tʃæmp] **1.** *n* чáвканье

2. *v* 1) чáвкать; жевáть 2) грызть удилá

champ II [tʃæmp] *n sl.* чемпиóн

champagne [,ʃæm'peɪn] *n* шампáнское

champaign ['tʃæmpeɪn] *n книжн.* равни́на, откры́тое пóле

champerty ['tʃæmpətɪ] *n юр.* «чéмперти», ведéние чужóго судéбного дéла с получéнием чáсти предмéта спóра *или* исковóй сýммы в слýчае вы́игрыша

champignon ['ʃæmpi:njɒŋ] *фр. n* шампиньóн

champion ['tʃæmpɪən] **1.** *n* 1) чемпиóн, победи́тель 2) получи́вший приз (*о людях, животных, растениях*) 3) побóрник, защи́тник, борéц

2. *a разг.* первоклáссный; ~ chess-player первоклáссный шахмати́ст

3. *v* защищáть; борóться за что-л.; to ~ a cause борóться за какóе-л. дéло

championship ['tʃæmpɪənʃɪp] *n* 1) *спорт.* пéрвенство, чемпионáт; world ~ пéрвенство ми́ра 2) звáние чемпиóна 3) побóрничество, защи́та (*кого-л. или чего-л.*)

chance [tʃɑ:ns] **1.** *n* 1) слýчай; случáйность; by ~ случáйно; on the ~ в слýчае 2) риск; games of ~ азáртные и́гры 3) судьбá; удáча, счáстье 4) возмóжность; веро́ятность; шанс; theory of ~s *мат.* теóрия веро́ятностей; give me a (*или* another) ~! отпусти́те, прости́те меня́ на э́тот раз!; to stand a good ~ имéть хорóшие шáнсы; to take one's (*или* a) ~ (of) реши́ться (*на что-л.*); рискнýть ◇ to have an eye to the main ~ преслéдовать ли́чные (*особ.* коры́стные) цéли

2. *a* случáйный

3. *v* 1) случáться; I ~d to be at home я случáйно был дóма 2) рискнýть; let's ~ it рискнём ▭ ~ **upon** случáйно наткнýться, найти́

chance-comer ['tʃɑ:ns,kʌmə] *n* случáйный *или* неожи́данный посети́тель

chanceful ['tʃɑ:nsfʊl] *a* рискóванный, опáсный

chancel ['tʃɑ:nsl] *n* алтáрь

chancellery ['tʃɑ:nslərɪ] *n* 1) звáние кáнцлера 2) канцеля́рия (*посольства, консульства*)

chancellor ['tʃɑ:nsələ] *n* 1) кáнцлер; C. of the Exchequer кáнцлер казначéйства (*министр финансов Англии*); Lord (High) C. лорд-кáнцлер (*глава судебного ведомства и верховный судья Англии, председатель палаты лордов и одного из отделений верховного суда*) 2) номинáльный президéнт университéта (*в США действительный*) 3) пéрвый секретáрь посóльства

chancellory ['tʃɑ:nsələrɪ] = chancellery

chance-medley ['tʃɑ:ns,medlɪ] *n* 1) *юр.* непредумы́шленное уби́йство, несчáстная случáйность 2) оплóшность; оши́бка

chancery ['tʃɑ:nsərɪ] *n* 1) (C.) суд лóрда-кáнцлера; in ~ a) *юр.* на рассмотрéнии в судé лóрда-кáнцлера; б) в безвы́ходном положéнии; в пéтле 2) *амер.* суд сóвести 3) архи́в, канцеля́рия 4) *спорт.* захвáт головы́

chancre ['ʃæŋkə] *n мед.* твёрдый шанкр, я́зва (*тж.* indurated ~)

chancroid ['ʃæŋkrɔɪd] *n мед.* мя́гкий шанкр

chancy ['tʃɑ:nsɪ] *a* 1) *разг.* рискóванный 2) *разг.* неопределённый 3) счастли́вый, удáчный

chandelier [,ʃændə'lɪə] *n* канделя́бр; лю́стра

chandler ['tʃɑ:ndlə] *n* 1) свечнóй фабрикáнт 2) торгóвец свечáми; лáвочник, мелочнóй торгóвец

chandlery ['tʃɑ:ndlərɪ] *n* 1) мелочнóй товáр 2) склад свечéй

change [tʃeɪndʒ] **1.** *n* 1) переме́на; изменéние; сдвиг; social ~ общéственные (*или* социáльные) сдви́ги; ~ of air a) перемéна обстанóвки; б) *тех.* обмéн вóздуха 2) сдáча; мéлкие дéньги, мéлочь; small ~ a) мéлкие дéньги, мéлочь; б) что-то мéлкое, незначи́тельное 3) разнообрáзие; for a ~ для разнообрáзия 4) замéна (*декорации*) 5) смéна (*белья, платья*) 6) *разг.* кли́макс (*тж.* ~ of life) 7) (*обыкн. pl*) трезвóн, перезвóн колоколóв 8): 'Change (*сокр. от* Exchange) *ист.* лóндонская би́ржа 9) нóвая фáза Луны́, новолýние 10) пересáдка (*на железной дороге, трамвае*); no ~ for Oxford в Óксфорд без пересáдки 11) *attr.*: ~ gear *тех.* механи́зм перемéны направлéния движéния ◇ to get no ~ out of smb. *разг.* ничегó не доби́ться от когó-л.; to ring the ~s (on) повторя́ть, тверди́ть на все лады́ однó и то же; to take the ~ on smb. *разг.* обманýть когó-л.; to take the ~ out of a person *разг.* отомсти́ть комý-л.

2. *v* 1) обмéнивать(ся) 2) меня́ть(ся), изменя́ть(ся); сменя́ть, заменя́ть; times ~ временá меня́ются; to ~ colour покраснéть *или* побледнéть; to ~ countenance измени́ться в лицé; to ~ one's mind передýмать, измени́ть решéние; to ~ hands переходи́ть из рук в рýки; переходи́ть к другóму владéльцу; to ~ sides перейти́ на другýю стóрону (*в политике, споре и т. п.*) 3) разменя́ть (*деньги*) 4) переодевáться 5) дéлать пересáдку, пересáживаться (to — на *другой поезд, трамвай и т. п.*); all ~! пересáдка! 6) переходи́ть в нóвую фáзу (*о Луне*); to ~ up (down) *авто* переходи́ть на бóльшую (мéньшую) скóрость 7) скисáть, прокисáть; пóртиться ▭ ~ **over** a) меня́ться местáми; б) переходи́ть (to — на *что-л.*) ◇ to ~ horses in the midstream производи́ть крýпные перемéны в крити́ческий *или* опáсный момéнт; ≅ меня́ть конéй на переправе

changeability [,tʃeɪndʒə'bɪlətɪ] *n* перемéнчивость, измéнчивость; непостоя́нство

changeable ['tʃeɪndʒəbl] *a* 1) непостоя́нный, измéнчивый; неустóйчивый 2) поддаю́щийся изменéниям

changeful ['tʃeɪndʒfʊl] *a* 1) пóлный перемéн 2) = changeable 1)

changeless ['tʃeɪndʒləs] *a* неизмéнный, постоя́нный

changeling ['tʃeɪndʒlɪŋ] *n* ребёнок, оставля́емый э́льфами взамéн похи́щенного (*в сказках*)

change-over ['tʃeɪndʒ,əʊvə] *n* 1) изменéние; перестрóйка; ~ in editors смéна редáкторов 2) переключéние; перенастрóйка

channel ['tʃænl] **1.** *n* 1) проли́в; the (English) C. Ла-Мáнш 2) канáл; рýсло; фарвáтер; протóк 3) путь, истóчник; the information was received through the usual ~s информáция былá полýчена обы́чным путём 4) *радио* звуковóй тракт 5) сток; стóчная канáва 6) *тех.* жёлоб; вы́емка; паз, шпунт; швéллер

2. *v* 1) проводи́ть канáл; рыть канáву; the river has ~led its way through the rocks рекá проложи́ла себé путь в скáлах 2) пускáть по канáлу; *перен.* направля́ть в определённое рýсло 3) *стр.* дéлать вы́емки *или* пазы́ ▭ ~ **off** расходи́ться (*в разных направлениях*); растекáться

chanson [ʃɑ:n'sɔ:n] *фр. n* пéсня

chant [tʃɑ:nt] **1.** *n* 1) *поэт.* песнь 2) *церк.* монотóнное песнопéние; пéние псалмá

2. *v* 1) расскáзывать *или* петь монотóнно; говори́ть нараспéв; сканди́ровать (*лозунги и т. п.*) 2) *поэт.* петь 3) воспевáть; to ~ the praises of smb. восхваля́ть *или* расхвáливать когó-л.

chantage ['tʃɑ:ntɪʒ] *фр. n* шантáж

chanter ['tʃɑ:ntə] *n* 1) хори́ст, пéвчий 2) рéгент церкóвного хóра 3) трýбка волы́нки, исполня́ющая мелóдию 4) *sl.* лошади́ный бары́шник 5) завирýшка (*лесная птица*)

chanterelle [,ʃæntə'rel] *n* лиси́чка (*гриб*)

chantey ['ʃæntɪ] *амер.* = chanty

chanticleer [,tʃæntɪ'klɪə] *n* шантеклéр (*петух*)

chantry ['tʃɑ:ntrɪ] *n церк.* 1) вклáд, оставленный на отправлéние заупокóйных месс (*по завещанию*) 2) часóвня

chanty ['ʃæntɪ] *n* хоровáя матрóсская пéсня (*которую поют при подъёме тяжестей и т. п.*)

chaos [ˈkeɪɒs] *n* хáос; пóлный беспоря́док

chaotic [keɪˈɒtɪk] *a* хаоти́ческий

chap I [tʃæp] *n разг.* мáлый, пáрень; merry ~ весельчáк; nice ~ слáвный мáлый; old ~ старинá, прия́тель

chap II [tʃæp] **1.** *n* 1) щель, трéщина 2) *мед.* ссáдина

2. *v* 1) образóвывать трéщину; cold weather ~s the skin кóжа трéскается от хóлода 2) трéскаться (*особ. о руках на морозе*)

chap III [tʃæp] *n* (*обыкн. pl*) 1) чéлюсть (*преим. у животных*) 2) пасть (*обыкн. у животных, шутл. у человека*) 3) щекá

chaparral [ˌʃæpəˈræl] *n амер.* 1) чапаррéль, зáросль вечнозелёного кáрликового дýба 2) колючий кустáрник

chapbook [ˈtʃæpbʊk] *n уст.* дешёвое издáние нарóдных скáзок, предáний, баллáд

chape [tʃeɪp] *n* окóвка нóжен

chapel [ˈtʃæpl] *n* 1) часóвня; цéрковь (*тюремная, полковая, домовая и т. п.*) 2) *уст.* капéлла; неанглинкáнская цéрковь; молéльня 3) богослужéние, слýжба в часóвне 4) пéвческая капéлла (*обыкн. придворная*) 5) типогрáфия; коллекти́в *или* собрáние типогрáфских рабóчих; to call a ~ созвáть коллекти́в типогрáфии на собрáние 6) *attr.*: ~ folk нонконформи́сты

chaperon [ˈʃæpərəʊn] **1.** *n* пожилáя дáма, сопровождáющая молодýю дéвушку на балы́ *и пр.*; компаньóнка

2. *v* сопровождáть (*молодую девушку*)

chapfallen [ˈtʃæpˌfɔːlən] *a* 1) уны́лый, удручённый 2) с отви́слой чéлюстью

chapiter [ˈtʃæpɪtə] *n архит.* капитéль колóнны

chaplain [ˈtʃæplɪn] *n* 1) капеллáн 2) свящéнник

chaplet [ˈtʃæplət] *n* 1) венóк, гирля́нда, лéнта (*на голове*) 2) чётки 3) бýсы; ожерéлье 4) *метал.* жеребéйка

chapman [ˈtʃæpmən] *n ист.* стрáнствующий торгóвец; коробéйник

chappie [ˈtʃæpɪ] *n разг.* паренёк, парни́шка

chappy I [ˈtʃæpɪ] *a* потрéскавшийся

chappy II [ˈtʃæpɪ] = chappie

chapter [ˈtʃæptə] **1.** *n* 1) главá (*книги*); to the end of the ~ до концá главы́; *перен.* до сáмого концá; ~ and verse главá и стих Би́блии; *перен.* тóчная ссы́лка на истóчник 2) собрáние канóников *или* члéнов монáшеского *или* ры́царского óрдена 3) тéма, сюжéт; enough on that ~ довóльно об э́том 4) сéрия, цепь, послéдовательность; a ~ of misfortunes цепь неприя́тностей 5) *амер.* мéстное отделéние (*какого-л.*) óбщества

2. *v* разбивáть кни́гу на глáвы

char I [tʃɑː] **1.** *n* 1) (*обыкн. pl*) случáйная, подённая рабóта 2) *pl* домáшняя рабóта 3) *разг. сокр. от* charwoman

2. *v* 1) выполня́ть подённую рабóту 2) чи́стить, убирáть (*дом*)

char II [tʃɑː] **1.** *n* 1) что-л. обýглившееся 2) древéсный ýголь

2. *v* обжигáть; обýгливать(ся)

char III [tʃɑː] *n* 1) голéц (*рыба*) 2) *амер.* ручьевáя форéль, пестрýшка

char IV [tʃɑː] *n sl.* чай; a cup of ~ стакáн чáю

charabanc [ˈʃærəbæŋ] *n ист.* 1) шарабáн 2) автóбус (*для экскурсий*)

character [ˈkærəktə] **1.** *n* 1) харáктер; a man of ~ человéк с (си́льным) харáктером; a man of no ~ слáбый, бесхарáктерный человéк 2) репутáция 3) *лит.* óбраз, герóй; тип; роль, дéйствующее лицó (*в драме*) 4) *разг.* оригинáл, чудáк; quite a ~ оригинáльный человéк 5) фигýра, ли́чность; a public ~ общéственный дéятель; a bad ~ тёмная ли́чность 6) бýква; ли́тера; иерóглиф; ци́фра; алфави́т; письмó; Chinese ~s китáйские иерóглифы; Runic ~ руни́ческое письмó 7) пи́сьменная рекомендáция, характери́стика 8) характéрная осóбенность; отличи́тельный при́знак; innate ~s *биол.* наслéдственные при́знаки; acquired ~ *биол.* благоприобретённый отличи́тельный при́знак органи́зма (*в отличие от наследственного*) 9) кáчество, свóйство 10) *attr.* харáктéрный; ~ actor актёр на харáктéрных ролях ◇ to be in ~ (with) соотвéтствовать; to be out of ~ не соотвéтствовать

2. *v* 1) запечатлевáть 2) *уст.* характеризовáть

characteristic [ˌkærəktəˈrɪstɪk] **1.** *a* характéрный; типи́чный (of)

2. *n* 1) характéрная чертá; осóбенность, свóйство 2) *мат.* характери́стика (*логарифма*)

characteristically [ˌkærəktəˈrɪstɪklɪ] *adv* типи́чно, характéрно; Peter ~ discovers truths Пётр, как емý э́то свóйственно, открывáет и́стины

characterization [ˌkærəktəraɪˈzeɪʃn] *n* 1) характери́стика; описáние харáктера 2) *лит.* искýсство создáния óбразов

characterize [ˈkærəktəraɪz] *v* 1) характеризовáть, изображáть 2) отличáть; служи́ть отличи́тельным при́знаком

characterless [ˈkærəktələs] *a* 1) слáбый, бесхарáктерный 2) не имéющий рекомендáции

charade [ʃəˈrɑːd] *n* шарáда

charcoal [ˈtʃɑːkəʊl] **1.** *n* 1) древéсный ýголь 2) (*обыкн. pl*) рáшкуль, ýгольный карандáш 3) рисýнок углём

2. *v* отмечáть, рисовáть углём

charcoal-burner [ˈtʃɑːkəʊlˌbɜːnə] *n* ýгольщик

chare [tʃeə] = char I

charge [tʃɑːdʒ] **1.** *n* 1) ценá; *pl* расхóды, издéржки; at his own ~ на егó сóбственный счёт; free of ~ бесплáтно; ~s forward достáвка за счёт покупáтеля 2) занесéние на счёт 3) налóг 4) обвинéние; to lay to smb.'s ~ обвиня́ть когó-л. 5) *юр.* заключи́тельная речь судьи́ к прися́жным 6) обя́занности; отвéтственность; I am in ~ of this department э́тот отдéл подчинён мнé, я завéдую э́тим отдéлом; to be in ~ *воен.* быть за стáршего, komáндовать 7) забóта, попечéние; надзóр; хранéние; children in ~ of a nurse дéти, порýченные ня́не; a nurse in ~ of children ня́ня, котóрой порýчена забóта о дéтях; this is left in my ~ and is not my own э́то остáвлено мнé на хранéние, э́то не моё; to give smb. in ~ передáть когó-л. в рýки поли́ции 8) лицó, состоя́щее на попечéнии; her little ~s её мáленькие питóмцы; young ~s дéти, находя́щиеся на чьём-л. попечéнии 9) *воен.* нападéние, атáка (*тж. перен. — в разговоре, споре*); сигнáл к атáке; to return to the ~ возобнови́ть атáку 10) заря́д 11) нагрýзка, загрýзка; брéмя 12) предписáние; поручéние; трéбование 13) *церк.* послáние епи́скопа к пáстве 14) *церк.* пáства 15) *метал.* ши́хта; колóша

2. *v* 1) назначáть цéну, проси́ть (for — за *что-л.*); they ~d us ten dollars for it они́ взя́ли с нас за э́то дéсять дóлларов; what do you ~ for it? скóлько вы прóсите за э́то?, скóлько э́то стóит? 2) запи́сывать в долг 3) обвиня́ть; to ~ with murder обвиня́ть в уби́йстве 4) поручáть, вверя́ть; to ~ with an important mission давáть вáжное поручéние; to ~ oneself with smth. взять на себя́ забóту о чём-л., отвéтственность за что-л. 5) *воен.* атаковáть (*особ. в конном строю*) 6) заряжáть (*оружие; аккумулятор*) 7) нагружáть; загружáть; обременя́ть (*память*); насыщáть; наполня́ть (*стакан вином при тосте*) 8) предпи́сывать; трéбовать (*особ. о судье, епископе*); I ~ you to obey я трéбую, чтóбы вы повиновáлись 9) *юр.* напутствовать прися́жных (*о судье*)

chargeable [ˈtʃɑːdʒəbl] *a* 1) заслýживающий упрёка, обвинéния (with — в *чём-л.*) 2) отвéтственный 3) относи́мый за чей-л. счёт; this is ~ to the account of... э́то слéдует отнести́ на счёт... 4) подлежáщий обложéнию, оплáте

chargé d'affaires [ˌʃɑːʒeɪdæˈfeə] *n фр. дип.* (*pl* chargés d'affaires) повéренный в делáх

charge nurse [ˈtʃɑːdʒnɜːs] *n* 1) палáтная медсестрá 2) стáршая медсестрá отделéния

charger [ˈtʃɑːdʒə] *n* 1) *воен.* строевáя лóшадь, боевóй конь 2) *воен.* патрóнная обóйма 3) тот, кто нагружáет 4) заряжáющий 5) обвини́тель 6) *метал.* сáдочная маши́на, шаржи́р-маши́на

chargés d'affaires [ˌʃɑːʒeɪdæˈfeə] *pl от* chargé d'affaires

charge sheet [ˈtʃɑːdʒʃiːt] *n юр.* полицéйский протокóл

chariness [ˈtʃeərɪnəs] *n* 1) осторóжность 2) забóтливость 3) бережли́вость

chariot [ˈtʃærɪət] *поэт.* **1.** *n* колесни́ца

2. *v* 1) везти́ в колесни́це 2) éхать в колесни́це

charioteer [ˌtʃærɪəˈtɪə] **1.** *n* 1) *уст.* возни́ца 2) (C.) Возни́чий (*созвездие*)

2. *v* везти́ в колесни́це

charisma [kə'rɪzmə] *n* (*pl* -mata) 1) *рел.* бóжий дар 2) харúзма, обаяние; умéние (*вести за собой, управлять и т. п.*) 3) гениáльность (*о художественном даре или исполнении*)

charismata [kə'rɪzmətə] *pl от* charisma

charismatic [,kærɪz'mætɪk] *a* харизматúческий

charitable ['tʃærɪtəbl] *a* 1) благотворúтельный 2) милосéрдный; щéдрый

charity ['tʃærətɪ] *n* 1) благотворúтельность 2) *pl* благотворúтельные учреждéния *или* делá 3) милосéрдие ◇ ~ begins at home кто дýмает о родны́х, не забýдет и чужúх

charity-school ['tʃærətɪsku:l] *n* прию́т

charivari [,ʃɑ:rɪ'vɑ:rɪ] *n* шум, гам, кошáчий концéрт

charlatan ['ʃɑ:lətən] *n* шарлатáн, обмáнщик; знáхарь

Charles's Wain [,tʃɑ:lzɪz'weɪn] *n* Большáя Медвéдица (*созвездие*)

Charleston ['tʃɑ:lstən] *n* чарльстóн (*танец*)

Charley I ['tʃɑ:lɪ] *n* 1) Чáрли (*прозвище лисы в фольклоре*) 2) *амер. воен.* бýква «С», трéтий

Charley II ['tʃɑ:lɪ] *n разг.* 1) ночнóй стóрож 2) бóрдка клúнышком

charley horse ['tʃɑ:lɪhɔ:s] *n амер. sl.* онемéние *или* сýдорога в ногé *или* рукé

Charlie I, II ['tʃɑ:lɪ] = Charley I, II

charlie ['tʃɑ:lɪ] *n sl.* 1) дýрень 2) *pl* тúтьки

charlock ['tʃɑ:lɒk] *n бот.* дúкая горчúца

charlotte ['ʃɑ:lət] *n* шарлóтка (*сладкое блюдо*)

charm [tʃɑ:m] **1.** *n* 1) обаяние, очаровáние 2) (*обыкн. pl*) чáры; to act like a ~ дéйствовать слóвно чýдо (*о лекарстве*) 3) амулéт 4) брелóк

2. *v* 1) очарóвывать; прельщáть; I shall be ~ed to see you я бýду óчень рад вас вúдеть 2) заколдóвывать; заклинáть; to ~ a secret out of smb. вы́ведать тáйну у когó-л. 3) успокáивать (*боль*) 4) приручáть (*или заклинáть*) (*змею*)

charmer ['tʃɑ:mə] *n* 1) *шутл.* очаровáтельный, обаятельный человéк (*особ. о женщине*); чародéйка, чаровнúца 2) волшéбник 3) заклинáтель змей

charming ['tʃɑ:mɪŋ] **1.** *pres. p. от* charm 2

2. *a* очаровáтельный, прелéстный

charnel house ['tʃɑ:nlhaʊs] *n* склеп

chart [tʃɑ:t] **1.** *n* 1) морскáя кáрта 2) кáрта; меркáторская кáрта 3) диагрáмма, схéма, чертёж, таблúца; barometric ~ метеорологúческая таблúца 4) (*обыкн. pl*) *разг.* спúсок сáмых популя́рных пластúнок 5) *attr.*: ~ room *мор.* штýрманская рýбка

2. *v* наносúть на кáрту; составлять кáрту

charter ['tʃɑ:tə] **1.** *n* 1) хáртия, грáмота; The Great C. *ист.* Велúкая хáртия вóльностей (*1215 г.*); The People's C. прогрáмма чартúстов (*1838 г.*); United Nations C. Устáв ООН 2) прáво, привилéгия 3) устáв 4) = charterparty; time ~ тайм-чáртер, договóр на фрахтовáние сýдна на определённый рейс 5) сдáча напрокáт (*автомобиля и т. п.*) 6) *attr.*: ~ member *амер.* одúн из основáтелей какóй-л. организáции

2. *v* 1) даровáть привилéгию 2) фрахтовáть (*судно*) 3) закáзывать, нанимáть

chartered ['tʃɑ:təd] **1.** *p. p. от* charter 2

2. *a* 1) привилегирóванный; ~ accountant общéственный бухгáлтер 2) зафрахтóванный 3) закáзанный

charterer ['tʃɑ:tərə] *n* 1) фрахтовáтель 2) закáзчик (*самолёта, автобуса*)

Charterhouse ['tʃɑ:təhaʊs] *n* дом для престарéлых пенсионéров (*в Лондоне*)

charterparty ['tʃɑ:tə,pɑ:tɪ] *n мор., ком.* чáртер-пáртия

chartism ['tʃɑ:tɪzəm] *n ист.* чартúзм

chartist ['tʃɑ:tɪst] *n ист.* чартúст

chartreuse [ʃɑ:'trɜ:z] *n* 1) ликёр шартрéз 2) *ист.* картезиáнский монасты́рь

charwoman ['tʃɑ:,wʊmən] *n* подёнщица для домáшней рабóты; убóрщица

chary ['tʃeərɪ] *a* 1) осторóжный; to be ~ of giving offence старáться не обúдеть 2) сдéржанный, скупóй (of — на *слова и т. п.*)

chase I [tʃeɪs] **1.** *n* 1) преслéдование, погóня; *разг.* слéжка, трáвля; to give ~ гнáться, преслéдовать; in ~ of в погóне за 2) территóрия для охóты 3) охóта; мéсто охóты; учáстники охóты 4) живóтное, преслéдуемое охóтником 5) *мор.* преслéдуемый корáбль

2. *v* 1) охóтиться 2) гнáться; преслéдовать 3) прогонять; рассéивать, разгонять; to ~ all fear отбрóсить вся́кий страх ◇ go ~ yourself! *амер.* убирáйтесь вон!

chase II [tʃeɪs] **1.** *n* 1) *воен.* дýльная часть стволá орýдия 2) *тех.* фальц 3) *полигр.* рáма 4) опрáва (*драгоценного камня*)

2. *v* 1) нарезáть (*винт*) 2) гравировáть (*орнамент*) 3) запечатлевáть; the sight is ~d on my memory э́то зрéлище запечатлéлось в моéй пáмяти

chaser I ['tʃeɪsə] *n* 1) преслéдователь 2) *ав.* истребúтель 3) *мор.* морскóй охóтник 4) судовóе орýдие 5) *разг.* глотóк пúва *и т. п.* пóсле спиртнóго; рю́мка ликёра пóсле кóфе 6) *амер. разг.* бáбник

chaser II ['tʃeɪsə] *n* 1) гравёр (*по металлу*); чекáнщик 2) *тех.* винторéзная гребёнка; винторéзная плáшка, резьбовóй резéц 3) *горн.* бегýн

chasing I ['tʃeɪsɪŋ] **1.** *pres. p. от* chase I, 2

2. *n* преслéдование, погóня

chasing II ['tʃeɪsɪŋ] **1.** *pres. p. от* chase II, 2

2. *n* резнáя рабóта

chasm ['kæzəm] *n* 1) глубóкая рассéлина; глубóкое ущéлье 2) бéздна, прóпасть 3) глубóкое расхождéние в мнéниях, вкýсах и взгля́дах 4) *уст.* прóбел, разры́в

chassis ['ʃæsɪ] *n* (*pl* chassis ['ʃæsɪz]) *тех.* шассú; рáма; ходовáя часть

chaste [tʃeɪst] *a* 1) целомýдренный; дéвственный 2) стрóгий, чúстый (*о стиле*); простóй

chasten ['tʃeɪsn] *v* 1) сдéрживать, дисциплинúровать 2) карáть 3) выправля́ть, улучшáть (*литературный стиль*)

chastise [tʃæ'staɪz] *v* 1) подвергáть наказáнию (*особ. телесному*) 2) = chasten 1)

chastisement [tʃæ'staɪzmənt] *n* дисциплинáрное взыскáние; наказáние

chastity ['tʃæstətɪ] *n* 1) целомýдрие, дéвственность 2) воздéржанность 3) стрóгость, чистотá (*стиля*)

chasuble ['tʃæzjʊbl] *n церк.* рúза

chat I [tʃæt] **1.** *n* дрýжеский разговóр; бесéда; болтовня́; let's have a ~ поболтáем

2. *v* непринуждённо болтáть

chat II [tʃæt] *n* чекáн (*птица*)

château ['ʃætəʊ] *n* (*pl* châteaux) зáмок, дворéц

châteaux ['ʃætəʊz] *pl от* château

chatelaine ['ʃætəleɪn] *n* 1) хозя́йка зáмка; хозя́йка дóма 2) цепóчка на пóясе для ключéй, кошелькá, брелóков *и т. п.*

chatoyant [ʃe'tɔɪənt] *фр. a* переливчáтый

chat show ['tʃætʃəʊ] *n радио, тлв.* бесéда *или* интервью́ со знаменúтостью, вúдным госудáрственным дéятелем *и т. п.*

chattel ['tʃætl] *n* (*обыкн. pl*) 1) движúмое имýщество (*тж.* ~s personal); ~s real недвúжимое имýщество 2) *attr.*: ~ slavery system систéма рáбского трудá

chatter ['tʃætə] **1.** *n* 1) болтовня́ 2) щебетáние 3) журчáние 4) дребезжáние

2. *v* 1) болтáть 2) разбáлтывать (*секрет*) 3) щебетáть; стрекотáть (*особ. о сороках*); to ~ like a magpie трещáть как сорóка 4) журчáть 5) дребезжáть 6) стучáть (*зубами*) 7) дрожáть, вибрúровать

chatterbox ['tʃætəbɒks] *n* болтýн(ья), пустомéля

chatterer ['tʃætərə] *n* болтýн(ья)

chatty I ['tʃætɪ] *a* 1) болтлúвый 2) *воен. жарг.* вшúвый 3) *мор. жарг.* грязный и неря́шливый

chatty II ['tʃætɪ] *инд. n* глúняный кувшúн

Chaucerian [tʃɔ:'sɪərɪən] *a* чóсеровский

chauffer ['tʃɔ:fə] *n* небольшáя переноснáя железная печь

chauffeur ['ʃəʊfə] *n* шофёр

chauvinism ['ʃəʊvə,nɪzəm] *n* шовинúзм

chauvinist ['ʃəʊvənɪst] *n* шовинúст

chaw [tʃɔ:] *диал.* **1.** *n* 1) чáвканье 2) жвáчка

2. *v* жевáть; чáвкать ▭ ~ **up** разбúть нáголову (*врага, противника в игре*); разбúть вдрéбезги

chaw-bacon ['tʃɔ:,beɪkən] *n пренебр.* неотёсанный, неуклю́жий пáрень, разúня

cheap [tʃi:p] **1.** *a* 1) дешёвый; ~ trip

экску́рсия, путеше́ствие по льго́тному тари́фу; dirt ~ о́чень дешёвый; ~ money *фин.* дешёвый креди́т; ~ loan заём на вы́годных усло́виях 2) обесце́ненный (*о валюте*) 3) плохо́й; ни́зкий, по́длый 4) *predic.*: to feel ~ пло́хо себя́ чу́вствовать; быть не в ду́хе; чу́вствовать себя́ нелóвко, не в свое́й таре́лке; to hold smth. ~ ни в грош не ста́вить; to make oneself ~ вести́ себя́ недосто́йно ◇ to appear on the ~ side прибедня́ться

2. *adv* дёшево; to get off ~ (*или* cheaply) дёшево отде́латься; ~ and nasty дёшево да гни́ло

3. *n*: on the ~ *разг.* по недорого́й цене́, по дешёвке

cheapen ['tʃi:pən] *v* 1) дешеве́ть 2) снижа́ть це́ну 3) унижа́ть

cheap-jack ['tʃi:pdʒæk] *n* стра́нствующий разно́счик, торгу́ющий дешёвыми това́рами (*тж.* cheap-john)

cheaply ['tʃi:plɪ] *adv* 1) дёшево 2) легко́

cheat [tʃi:t] **1.** *n* 1) моше́нничество; обма́н 2) обма́нщик, плут ◇ topping ~ ви́селица

2. *v* 1) моше́нничать; обма́нывать; he ~ed me (out) of five dollars он наду́л меня́ на пять до́лларов; to ~ on smb. вести́ себя́ нече́стно по отноше́нию к кому́-л. 2) избежа́ть (*чего-л.*); to ~ the gallows избежа́ть ви́селицы 3) *уст.* занима́ть (*чем-л.*); to ~ time корота́ть вре́мя; to ~ the journey корота́ть вре́мя в пути́

check [tʃek] **1.** *n* 1) контро́ль, прове́рка; loyatly ~ *амер.* прове́рка лоя́льности (*государственных служащих*) 2) препя́тствие; остано́вка; заде́ржка; отпо́р; without ~ без заде́ржки, безостано́вочно 3) *шахм.* шах (*употр. тж. как int*); the king is in ~ королю́ объя́влен шах 4) *амер.* счёт (*в ресторане*) 5) ярлы́к; бага́жная квита́нция 6) *амер.* фи́шка, ма́рка (*в карт. игре*) 7) поте́ря охо́тничьей соба́кой сле́да 8) тре́щина, щель (*в дереве*) 9) контро́льный ште́мпель; га́лочка (*знак проверки*) 10) номеро́к (*в гардеробе*) 11) контрама́рка; корешо́к (*билета и т. п.*) 12) клётка (*на материи*); клётчатая ткань 13) *амер.* чек [*см. тж.* cheque] 14) *attr.* контро́льный; ~ experiment контро́льный о́пыт; ~ ballot прове́рочное голосова́ние 15) *attr.* клётчатый ◇ to keep (*или* to hold) in ~ сде́рживать; to cash (*или* hand, to pass) in one's ~s умере́ть

2. *v* 1) проверя́ть, контроли́ровать 2) остана́вливать(ся); сде́рживать; препя́тствовать 3) *разг.* де́лать вы́говор; дава́ть нагоня́й 4) *шахм.* объявля́ть шах 5) *амер.* отмеча́ть га́лочкой 6) *амер.* сдава́ть (*в гардероб, в камеру хранения, в багаж и т. п.*) ▭ ~ in регистри́ровать(ся); запи́сывать(ся); сдава́ть под распи́ску; ~ out а) освободи́ть но́мер в гости́нице; б) *амер.* прове́рить; в) *амер.* отме́титься при ухо́де с рабо́ты по оконча́нии рабо́чего дня; г) *амер.* уйти́ в отста́вку; д) *радио* отстро́иться; ~ up проверя́ть; ~ with совпада́ть, соотве́тствовать

checker I ['tʃekə] = chequer

checker II ['tʃekə] *n амер.* ша́шка (*в игре в шашки*)

checkerboard ['tʃekəbɔ:d] *n амер.* ша́хматная доска́

checkered ['tʃekəd] = chequered 2

checking-room ['tʃekɪŋru:m] = check-room

checkmate ['tʃekmeɪt] **1.** *n* 1) шах и мат (*употр. тж. как int*) 2) по́лное пораже́ние

2. *v* 1) сде́лать мат 2) нанести́ по́лное пораже́ние; расстро́ить пла́ны; парализова́ть проти́вника

check-nut ['tʃeknʌt] *n тех.* контрга́йка

check-off ['tʃekɒf] *n амер.* 1) удержа́ние профсою́зных чле́нских взно́сов непосре́дственно из за́работной пла́ты 2) удержа́ние из за́работной пла́ты сто́имости поку́пок, сде́ланных в ла́вке компа́нии, квартпла́ты *и т. п.* 3) *attr.*: ~ agreement соглаше́ние ме́жду профсою́зом и предпринима́телем об удержа́нии профсою́зных взно́сов из за́работной пла́ты

checkout ['tʃekaʊt] *n* 1) контро́ль, испыта́ние 2) контро́ль (*у выхода из библиотеки или магазина самообслуживания*)

checkpoint ['tʃekpɒɪnt] *n* контро́льно-пропускно́й пункт

checkroom ['tʃekru:m] *n* 1) гардеро́б, раздева́лка 2) ка́мера хране́ния

checkrow ['tʃekrəʊ] *n с.-х.* квадра́тно-гнездово́й посе́в

check-taker ['tʃek,teɪkə] *n* 1) *театр.* билетёр 2) *ж.-д.* конду́ктор

checkup ['tʃekʌp] *n* 1) осмо́тр (*особ. медицинский*); прове́рка; реви́зия, контро́ль 2) *attr.* прове́рочный, ревизио́нный; ~ committee ревизио́нная коми́ссия

checkweigher ['tʃek,weɪə] *n горн.* учётчик добы́чи; контро́льный весовщи́к

Cheddar ['tʃedə] *n* че́ддер (*сорт сыра*)

cheek [tʃi:k] **1.** *n* 1) щека́ 2) *разг.* на́глость, самоуве́ренность; to have the ~ to say smth. име́ть на́глость сказа́ть что-л. 3) *sl.* я́годица 4) *тех.* боковая сто́йка;턱 кося́к; *pl* щёки тиско́в 5) *геол.* бок жи́лы 6) *pl мор.* чи́ксы (*на мачте*) ◇ ~ by jowl ря́дом, бок о́ бок; to one's own ~ всё для себя́ одного́; ~ brings success *посл.* ≅ сме́лость города́ берёт

2. *v разг.* наха́льничать, говори́ть де́рзости

cheekbone ['tʃi:kbəʊn] *n* скула́

cheek-tooth ['tʃi:ktu:θ] *n* коренно́й зуб, моля́р

cheeky ['tʃi:kɪ] *a разг.* наха́льный

cheep [tʃi:p] **1.** *n* писк (*птенцов, мышей*)

2. *v* пища́ть

cheeper ['tʃi:pə] *n* 1) птене́ц (*особ.* куропа́тки *или* те́терева) 2) писку́н; младе́нец

cheer [tʃɪə] **1.** *n* 1) одобри́тельное *или* приве́тственное восклица́ние; ~s ура́!; three ~s for our visitors! да здра́вствуют на́ши го́сти!; words of ~ ободря́ющие слова́ 2) *pl* аплодисме́нты, одобри́тельные во́згласы 3) настрое́ние; to be of good (bad) ~ быть в хоро́шем (плохо́м) настрое́нии 4) *pl см.* cheerio 5) весе́лье 6) *уст.* хоро́шее угоще́ние; to make good ~ пирова́ть, угоща́ться

2. *v* 1) приве́тствовать гро́мкими во́згласами 2) ободря́ть; поощря́ть одобри́тельными восклица́ниями 3) аплоди́ровать ▭ ~ up уте́шить(ся); ободри́ть(ся); ~ up! не унывай́(те)!, не па́дайте ду́хом!

cheerful ['tʃɪəfl] *a* 1) бо́дрый, весёлый 2) я́ркий, све́тлый (*о дне*)

cheerio [,tʃɪərɪ'əʊ] *int разг.* 1) за ва́ше здоро́вье! 2) всего́ хоро́шего! 3) здоро́во!, приве́т!

cheerless ['tʃɪələs] *a* уны́лый, мра́чный, угрю́мый

cheery ['tʃɪərɪ] *a* весёлый, живо́й; ра́достный

cheese I [tʃi:z] *n* 1) сыр; a head of ~ голо́вка *или* круг сы́ра; Cheshire ~ че́шир (*сыр*); green ~ молодо́й сыр; ripe ~ вы́держанный сыр 2) *sl.* ва́жная персо́на, «ши́шка» (*тж.* big ~) ◇ to get the ~ потерпе́ть неуда́чу; quite the ~, that's the ~ *разг.* как раз то, что на́до

cheese II [tʃi:z] *v*: ~ it! *sl.* а) замолчи́, переста́нь!, брось!; б) беги́!, удира́й!

cheeseburger ['tʃi:zbɜ:gə] *n* чи́збургер

cheesecake ['tʃi:zkeɪk] *n* 1) сдо́бная ватру́шка 2) *sl.* фотогра́фия обнажённой же́нщины

cheesecloth ['tʃi:zklɒθ] *n* ма́рля

cheesemonger ['tʃi:z,mʌŋgə] *n* торго́вец сы́ром

cheeseparing ['tʃi:z,peərɪŋ] **1.** *n* 1) ко́рка сы́ра 2) ску́пость 3) *pl* отбро́сы, отхо́ды

2. *a* скупо́й

cheesy ['tʃi:zɪ] *a* 1) сы́рный 2) *sl.* дрянно́й; никуда́ не го́дный

cheetah ['tʃi:tə] *n зоол.* гепа́рд

chef [ʃef] *n* шеф-по́вар, гла́вный по́вар

chef d'oeuvre [,ʃeɪ'dɜ:vrə] *фр. n* (*pl* chefs d'oeuvre) шеде́вр

chefs d'oeuvre [,ʃeɪ'dɜ:vrə] *pl от* chef-d'oeuvre

cheiromancy ['kaɪərəʊ,mænsɪ] = chiromancy

cheiroptera [kaɪə'rɒptərə] *n pl зоол.* рукокры́лые

chela ['ki:lə] *n* (*pl* -lae) *зоол.* клешня́

chelae ['ki:li:] *pl от* chela

chemical ['kemɪkl] **1.** *a* хими́ческий; ~ fertilizers минера́льные удобре́ния; ~ war gases боевы́е отравля́ющие вещества́; ~ warfare хими́ческая война́; ~ defence противохими́ческая оборо́на

2. *n pl* химика́лии; хими́ческие препара́ты

chemise [ʃə'mi:z] *n* же́нская соро́чка

chemisette [,ʃemi:'zet] *n* шемизе́тка, мани́шка (*женская*)

chemist ['kemɪst] *n* 1) хи́мик 2) апте́карь; ~'s shop апте́ка

chemistry ['kemɪstrɪ] *n* хи́мия; agricultural ~ агрохи́мия; applied ~ прикладна́я хи́мия

chemotherapy [,ki:məʊ'θerəpɪ] *n мед.* химиотерапи́я

chenille [ʃə'ni:l] *n* сине́ль

cheque [tʃek] **1.** *n* ба́нковский чек [*см. тж.* check 1, 13)]; to cash a ~ получи́ть де́ньги по че́ку; to draw a ~ вы́писать чек

2. *v*: to ~ out получи́ть по че́ку

cheque-book ['tʃekbʊk] *n* че́ковая кни́жка

chequer ['tʃekə] **1.** *n* 1) *pl* ша́хматная доска́ (*как вывеска гостиницы*) 2) *pl амер.* ша́шки (*игра*) 3) (*обыкн. pl*) клётчатая мате́рия

2. *v* 1) графи́ть в клётку 2) размеща́ть в ша́хматном поря́дке 3) пестри́ть, разнообра́зить

chequered ['tʃekəd] **1.** *p. p. от* chequer 2

2. *a* 1) клётчатый 2) пёстрый 3) разнообра́зный, изме́нчивый; ~ fortune изме́нчивое сча́стье; ~ light and shade свето́тень

chequer-wise ['tʃekəwaɪz] *adv* в ша́хматном поря́дке

cherish ['tʃerɪʃ] *v* 1) забо́тливо выра́щивать (*растения*) 2) не́жно люби́ть (*детей*) 3) леле́ять (*надежду, мысль*) 4) храни́ть (*в памяти*)

cheroot [ʃə'ru:t] *n* сорт сига́р с обре́занными конца́ми

cherry ['tʃerɪ] **1.** *n* 1) ви́шня (*плод*) 2) = cherry-tree 3) *амер. sl.* де́вственность 4) *амер. sl.* де́вственница ◇ to make two bites of a ~ прилага́ть изли́шние стара́ния к о́чень лёгкому де́лу

2. *a* 1) вишнёвого цве́та 2) вишнёвый; ~ brandy вишнёвая нали́вка, вишнёвый ликёр

cherry-pie ['tʃerɪpaɪ] *n* 1) пиро́г с ви́шнями 2) гелиотро́п

cherry-stone ['tʃerɪstəʊn] *n* 1) вишнёвая ко́сточка 2) *зоол.* жёсткая раку́шка

cherry-tree ['tʃerɪtri:] *n* ви́шня, вишнёвое де́рево

chert [tʃɜ:t] *n мин.* черт, кремни́стый известня́к, сла́нец

cherub ['tʃerəb] *n* (*pl* -s [-z], -bim) херуви́м

cherubic [tʃə'ru:bɪk] *a* 1) неви́нный как херуви́м; ангелоподо́бный 2) розовощёкий; пу́хлый (*о ребёнке*)

cherubim ['tʃerəbɪm] *pl от* cherub

chervil ['tʃɜ:vl] *n бот.* ке́рвель

chess I [tʃes] *n* ша́хматы

chess II [tʃes] *n* око́нная ра́ма

chessboard ['tʃesbɔ:d] *n* ша́хматная доска́

chessman ['tʃesmæn] *n* ша́хматная фигу́ра

chess-player ['tʃes,pleɪə] *n* шахмати́ст

chest [tʃest] *n* 1) я́щик; сунду́к; ~ of drawers комо́д; medicine ~ дома́шняя апте́чка 2) грудна́я клётка; weak ~ сла́бые лёгкие 3) казначе́йство; казна́; фонд ◇ to get smth. off one's ~ чистосерде́чно призна́ться в чём-л.; облегчи́ть ду́шу

chesterfield ['tʃestəfi:ld] *n* 1) дли́нный мя́гкий дива́н 2) дли́нное пальто́ в та́лию

chest-note ['tʃestnəʊt] *n* ни́зкая грудна́я но́та

chestnut ['tʃesnʌt] **1.** *n* 1) кашта́н (*тж.* Spanish *или* Sweet ~) 2) *разг.* гнеда́я ло́шадь 3) *разг.* изби́тый анекдо́т 4) ба́бка (*у лошади*) ◇ to put the ~s in the fire ≅ завари́ть ка́шу; to pull the ~s out of the fire for smb. таска́ть для кого́-л. кашта́ны из огня́

2. *a* 1) кашта́нового цве́та 2) гнедо́й

chest-voice ['tʃestvɔɪs] *n* грудно́й, ни́зкий го́лос

chesty ['tʃestɪ] *a* 1) *разг.* чахо́точный 2) *разг.* с широ́кой гру́дью; груда́стая (*о женщине*) 3) *амер. sl.* зано́счивый

cheval glass [ʃə'vælglɑ:s] *n* высо́кое зе́ркало на подвижно́й ра́ме, психе́

chevalier [,ʃevə'lɪə] *n* 1) *ист.* ры́царь 2) кавале́р о́рдена 3) кавале́р ◇ ~ of fortune (*или* of industry) авантюри́ст, моше́нник

chevaux de frise [ʃə,vəʊdə'fri:z] *фр. n pl* 1) *воен.* рога́тка 2) торча́щие гво́зди *или* куски́ би́того стекла́ наверху́ стены́

cheviot ['tʃi:vɪət] *n* шевио́т

chevron ['ʃevrən] *n* 1) шевро́н 2) *стр.* стропи́ло

chevy ['tʃevɪ] **1.** *n* 1) охо́та; пого́ня 2) охо́тничий крик при пого́не за лиси́цей

2. *v* 1) гна́ться 2) удира́ть

chew [tʃu:] **1.** *n* 1) жва́чка 2) жева́тельный таба́к

2. *v* 1) жева́ть; to ~ the cud жева́ть жва́чку 2) обду́мывать, размышля́ть (*часто* ~ on, ~ upon) ◇ to ~ the fat (*или* the rag) ворча́ть, придира́ться, «пили́ть»

chewing gum ['tʃu:ɪŋgʌm] *n* жева́тельная рези́нка

chiaroscuro [kɪ,ɑ:rə'skʊərəʊ] *n* 1) *жив.* распределе́ние свето́тени 2) контра́стное сопоставле́ние (*в поэзии*)

chiasmus [kaɪ'æzməs] *n стил.* хиа́зм (*инверсия во второй половине фразы; напр.: he rose up and down sat she*)

chibouk, chibouque [tʃɪ'bu:k] *n* чубу́к

chic [ʃi:k] **1.** *n* шик

2. *a* шика́рный, мо́дный, наря́дный ◇ ~ sale *амер. эвф.* убо́рная

chicane [ʃɪ'keɪn] **1.** *n* 1) приди́рка 2) крючкотво́рство

2. *v* 1) придира́ться 2) занима́ться крючкотво́рством

chicanery [ʃɪ'keɪnərɪ] *n* 1) = chicane 1; 2) софи́стика

chick [tʃɪk] *n* 1) цыплёнок; птене́ц 2) *sl.* пте́нчик (*о ребёнке*); цы́пка (*о молодой женщине*)

chickabiddy ['tʃɪkə,bɪdɪ] *n ласк.* пте́нчик, цыплёночек

chickadee ['tʃɪkədi:] *n зоол.* га́ичка (*вид синицы*)

chickaree ['tʃɪkəri:] *n* североамерика́нская бе́лка

chicken ['tʃɪkɪn] *n* 1) цыплёнок, птене́ц; *амер. тж.* ку́рица, пету́х 2) ку́рица (*кушанье*); ~ soup кури́ный бульо́н 3) *ласк.* ребёнок; (нео́пытный) юне́ц; she is no ~ она́ уже́ не ребёнок; она́ уже́ не пе́рвой мо́лодости; spring ~ желторо́тый юне́ц 4) *attr.* новоиспечённый ◇ don't count your ~s before they are hatched *посл.* цыпля́т по о́сени счита́ют; Mother Car(e)y's ~ бураве́стник

chicken-breasted ['tʃɪkɪn,brestɪd] *a мед.* с кури́ной гру́дью

chickenhearted ['tʃɪkɪn,hɑ:tɪd] *a* трусли́вый, малоду́шный

chicken-liver ['tʃɪkɪn,lɪvə] *n* трус

chicken pox ['tʃɪkɪnpɒks] *n мед.* ветряна́я о́спа, ветря́нка

chickling ['tʃɪklɪŋ] *n* 1) цыплёнок 2) *бот.* чи́на посевна́я (*тж.* ~ vetch)

chick-pea ['tʃɪkpi:] *n бот.* нут, горо́х туре́цкий

chickweed ['tʃɪkwi:d] *n бот.* песча́нка; мокри́чник

chicle ['tʃɪkl] *n* 1) чикл (*натуральный каучук*) 2) жва́чка, жева́тельная рези́нка

chicory ['tʃɪkərɪ] *n* 1) цико́рий 2) *attr.*: ~ salad сала́т из ли́стьев цико́рия

chid [tʃɪd] *past и p. p. от* chide

chidden ['tʃɪdn] *p. p. от* chide

chide [tʃaɪd] *v* (chid; chid, chidden) *книжн.* брани́ть, упрека́ть

chief [tʃi:f] **1.** *n* 1) глава́, руководи́тель; ли́дер; нача́льник; шеф; ~ of police нача́льник поли́ции 2) вождь (*племени, клана*)

2. *a* 1) гла́вный, руководя́щий 2) основно́й; важне́йший; ~ problem основна́я пробле́ма; ~ wall капита́льная стена́

chiefly ['tʃi:flɪ] *adv* гла́вным о́бразом, осо́бенно

chieftain ['tʃi:ftən] *n* 1) вождь (*клана, племени*) 2) *поэт.* вое́нный вождь 3) атама́н разбо́йников

chieftaincy, chieftainship ['tʃi:ftənsɪ, 'tʃi:ftənʃɪp] *n* положе́ние *или* власть атама́на, вождя́ кла́на

chiffchaff ['tʃɪftʃæf] *n* пе́ночка-кузне́чик (*птица*)

chiffonier [,ʃɪfə'nɪə] *n* шифонье́р(ка)

chignon ['ʃi:njɒn] *n* шиньо́н

chigoe ['tʃɪgəʊ] *n* чигу́ (*тропическая песчаная блоха, откладывающая яйца под кожу человека*)

chilblain ['tʃɪlbleɪn] *n* 1) обморо́жение 2) обморо́женное ме́сто

child [tʃaɪld] *n* (*pl* children) 1) ребёнок; дитя́; ча́до; сын; дочь; from a ~ с де́тства; the ~ unborn *преим. ирон.* неви́нный младе́нец; to be with ~ быть бере́менной 2) о́тпрыск, пото́мок 3) де́тище 4) порожде́ние; fancy's ~ порожде́ние мечты́ 5) *attr.*: ~ welfare охра́на младе́нчества (*или* де́тства) ◇ to throw out the ~ along with the bath вме́сте с водо́й вы́плеснуть и ребёнка; a (*или* the) burnt ~ dreads the fire *посл.* ≅ пу́ганая воро́на куста́ бои́тся

childbearing ['tʃaɪld,beərɪŋ] *n* деторожде́ние, ро́ды

childbed [ˈtʃaɪld*d*bed] *n уст.* роды; to die in ~ умереть от родов

childbirth [ˈtʃaɪld*d*bɜːθ] *n* 1) роды 2) рождаемость

Childermas [ˈtʃɪldəmæs] *n церк.* день избиения младенцев (*28 декабря*)

childhood [ˈtʃaɪldhʊd] *n* 1) детство; to be in second ~ впасть в детство 2) *attr.* детский; ~ disease детская болезнь

childish [ˈtʃaɪldɪʃ] *a* 1) детский; ~ sports детские игры, забавы 2) ребяческий, несерьёзный

childless [ˈtʃaɪl*d*ləs] *a* бездетный

childlike [ˈtʃaɪl*d*laɪk] *a* простой, невинный, искренний, непосредственный как ребёнок

childly [ˈtʃaɪldlɪ] *поэт.* **1.** *a* детский; ребячливый

2. *adv* по-детски

childminder [ˈtʃaɪl*d*ˌmaɪndə] *n* няня, присматривающая за детьми, пока родители находятся на работе

children [ˈtʃɪldrən] *pl от* child

child's play [ˈtʃaɪldzpleɪ] *n* лёгкая задача, пустяковое дело

Chilean [ˈtʃɪlɪən] **1.** *a* чилийский

2. *n* чилиец

chiliad [ˈkɪlɪæd] *n* 1) тысяча 2) тысячелетие

Chilian [ˈtʃɪlɪən] = Chilean

chill [tʃɪl] **1.** *n* 1) холод; to take the ~ off подогреть 2) простуда, озноб; дрожь; ~s and fever малярия; to catch a ~ простудиться 3) прохлада; холодность (*в обращении*); to cast a ~ расхолаживать 4) *тех.* закалка 5) *тех.* изложница

2. *a* 1) неприятно холодный 2) прохладный; расхолаживающий 3) холодный; бесчувственный 4) *тех.* закалённый; ~ cast iron закалённый чугун; ~ mould чугунная изложница, кокиль

3. *v* 1) охлаждать; студить; ~ed to the bone продрогший до костей 2) холодеть 3) чувствовать озноб 4) приводить в уныние; расхолаживать 5) *разг.* слегка подогревать (*жидкость*) 6) *тех.* закаливать, отливать в изложницы

chilli [ˈtʃɪlɪ] *n бот.* (красный) стручковый перец

chilly I [ˈtʃɪlɪ] = chilli

chilly II [ˈtʃɪlɪ] **1.** *a* 1) холодный; прохладный (*о погоде*) 2) зябкий 3) сухой, чопорный

2. *adv* 1) зябко, холодно 2) сухо, чопорно

Chiltern Hundreds [ˌtʃɪltənˈhʌndrədz] *n pl*: to accept (*или* to apply for) the ~ слагать с себя полномочия члена парламента

chimb [tʃaɪm] = chime II

chime I [tʃaɪm] **1.** *n* 1) (*часто pl*) подбор колоколов; куранты 2) перезвон, выбиваемая колоколами мелодия; звон курантов 3) гармония, музыка (*стиха*) 4) согласие, гармоническое сочетание; in ~ в гармонии; в согласии

2. *v* 1) выбивать (*мелодию*); отбивать (*часы*) 2) звучать согласно 3) соответствовать, гармонировать (in, with) 4) однообразно повторять(ся) (*часто* ~ over) ▭ ~ in вступать в общий разговор

chime II [tʃaɪm] *n* 1) утор (*бочки*) 2) *attr.*: ~ hoop крайний обруч (*бочки*)

chimera [kaɪˈmɪərə] *n* химера, фантазия, несбыточная мечта

chimerical [kaɪˈmerɪkl] *a* химерический, несбыточный

chimney [ˈtʃɪmnɪ] *n* 1) труба (*дымовая или вытяжная*); дымоход 2) *диал.* камин 3) ламповое стекло 4) отверстие вулкана, кратер 5) расщелина, по которой можно взобраться на отвесную скалу 6) *геол.* крутопадающий рудный столб; эоловый столб

chimney-cap [ˈtʃɪmnɪkæp] *n* колпак дымовой трубы

chimney corner [ˈtʃɪmnɪˌkɔːnə] *n* место у камина

chimneypiece [ˈtʃɪmnɪpiːs] *n* полка над камином; каминная доска

chimney pot [ˈtʃɪmnɪpɒt] *n* 1) = chimney-cap 2) *attr.*: ~ hat *разг.* цилиндр (*шляпа*)

chimney stack [ˈtʃɪmnɪstæk] *n* общий выход нескольких дымовых труб; дымовая труба

chimney-stalk [ˈtʃɪmnɪstɔːk] *n* заводская труба; дымовая труба

chimney sweep, chimney sweeper [ˈtʃɪmnɪswiːp, ˈtʃɪmnɪˌswiːpə] *n* трубочист

chimp [tʃɪmp] *разг.* = chimpanzee

chimpanzee [ˌtʃɪmpənˈziː] *n* шимпанзе

chin [tʃɪn] **1.** *n* подбородок ◇ up to the ~ ≅ по горло; to take things on the ~ не падать духом, держаться бодро; ~s up! не унывай(те)!, выше нос!

2. *v* 1) *амер. sl.* болтать, разговаривать 2) *refl. спорт.* подтянуться на руках (up)

China [ˈtʃaɪnə] *a* китайский

china [ˈtʃaɪnə] **1.** *n* фарфор, фарфоровые изделия; egg-shell ~ тонкий фарфор ◇ to break ~ взбудоражить, вызвать переполох

2. *a* фарфоровый; ~ shop магазин фарфоровых изделий

china clay [ˈtʃaɪnəkleɪ] *n* фарфоровая глина, каолин

china-closet [ˈtʃaɪnəˌklɒzɪt] *n* буфет

China ink [ˈtʃaɪnəɪŋk] *n* (китайская) тушь

Chinaman [ˈtʃaɪnəmən] *n пренебр.* китаец

chinaman [ˈtʃaɪnəmən] *n* торговец фарфоровыми изделиями

Chinatown [ˈtʃaɪnətaʊn] *n* китайский квартал (*в некитайском городе*)

chinaware [ˈtʃaɪnəweə] *n* фарфоровые изделия

Chinawoman [ˈtʃaɪnəˌwʊmən] *n пренебр.* китаянка

chinch [tʃɪntʃ] *n* клоп постельный; клоп-черепашка

chinchilla [tʃɪnˈtʃɪlə] *n* 1) *зоол.* шиншилла 2) шиншилловый мех

chin-chin [ˌtʃɪnˈtʃɪn] *int разг.* ≅ а) привет! (*восклицание при встрече и прощании*); б) за Ваше здоровье! (*шутливый тост*)

chine I [tʃaɪn] *n* 1) спинной хребет животного 2) филей 3) горная гряда

chine II [tʃaɪn] *n* ущелье

Chinee [tʃaɪˈniː] *n разг.* китаец

Chinese [ˌtʃaɪˈniːz] **1.** *a* китайский; ~ white китайские белила

2. *n* 1) китаец; китаянка; the ~ *pl собир.* китайцы 2) китайский язык

Chink [tʃɪŋk] *n* чинк (*презрительная кличка китайца в США*)

chink I [tʃɪŋk] **1.** *n* 1) звон, звяканье (*стаканов, монет*) 2) трескотня (*кузнечиков*) 3) *разг.* монеты, деньги

2. *v* звенеть, звякать

chink II [tʃɪŋk] *n* щель, трещина, расщелина, скважина

chink III [tʃɪŋk] *n* припадок судорожного смеха *или* кашля

chinkapin, chinquapin [ˈtʃɪŋkəpɪn] *n амер. бот.* карликовое каштановое дерево, каштан низкорослый

chintz [tʃɪnts] *n* (вощёный) ситец

chip [tʃɪp] **1.** *n* 1) щепка, лучина; стружка 2) обломок (*камня*); осколок (*стекла*); отбитый кусок (*посуды*) 3) место, где отбит кусок; изъян 4) тонкий кусочек (*сушёного яблока, поджаренного картофеля и т. п.*); fish and ~s рыба с жареным картофелем 5) *pl амер.* чипсы, жареный хрустящий картофель 6) фишка, марка (*в играх*) 7) *pl разг.* деньги, монеты; to buy ~s помещать, вкладывать деньги 8) ничего не стоящая вещь 9) *pl* щебень ◇ to hand (*или* to pass) in one's ~s а) рассчитаться; б) умереть; a ~ of the old block характером весь в отца; I don't care a ~ мне наплевать; to have (*или* to wear) a ~ on one's shoulder быть готовым к драке; искать повода к ссоре; держаться вызывающе; dry as a ~ неинтересный; such carpenters, such ~s ≅ видно мастера по работе

2. *v* 1) стругать, обтёсывать; откалывать 2) отбивать края (*посуды и т. п.*) 3) откалываться, отламываться; биться; this china ~s easily этот фарфор легко бьётся 4) пробивать яичную скорлупу (*о цыплятах*) 5) жарить сырой картофель (*ломтиками*) ▭ ~ in *разг.* вмешиваться; принимать участие (*в разговоре, складчине и т. п.*)

chip basket [ˈtʃɪpˌbɑːskɪt] *n* лёгкая корзина из стружек (*для цветов, фруктов*)

chipboard [ˈtʃɪpbɔːd] *n* доска из прессованных опилок

chipmuck, chipmunk [ˈtʃɪpmʌk, ˈtʃɪpmʌŋk] *n зоол.* бурундук

Chippendale [ˈtʃɪpəndeɪl] *n* чиппендейл (*стиль англ. мебели XVIII в.*)

chipper [ˈtʃɪpə] *a амер.* живой, бодрый

chippie [ˈtʃɪpɪ] = chippy II, 2

chippy I [ˈtʃɪpɪ] *n разг.* 1) магазин, торгующий рыбой с жареным картофелем 2) плотник

chippy II [ˈtʃɪpɪ] **1.** *a* 1) зазубренный (*о ноже*); обломанный (*о краях посуды*)

2) сухóй (как щéпка) 3) *sl.* раздражи́тельный; испы́тывающий недомогáние *или* тошнотý (*с похмéлья*)

2. *n амер. sl.* потаскýшка

chirk [tʃɜːk] *амер. разг.* 1. *a* оживлённый, весёлый

2. *v* 1) развесели́ть 2) оживля́ться (*чáсто* ~ up)

chirm [tʃɜːm] *n* шум (*голосóв*); пти́чий щéбет

chiromancy ['kaɪrəʊ,mænsɪ] *n* хиромáнтия, гадáние по рукé

chiropodist [kɪ'rɒpədɪst] *n* лицó, дéлающее педикю́р, мозóльный оперáтор

chiropody [kɪ'rɒpədɪ] *n* педикю́р; ухóд за ногáми

chirp [tʃɜːp] 1. *n* чири́канье; щебетáние

2. *a амер.* = chirpy

3. *v* чири́кать, щебетáть

chirpy ['tʃɜːpɪ] *a разг.* живóй, весёлый

chirr [tʃɜː] 1. *n* стрекотáние, трескотня́

2. *v* 1) стрекотáть, трещáть (*о кузнéчиках, сверчкáх*) 2) шуршáть (*о сухóм тростникé*)

chirrup ['tʃɪrəp] 1. *n* щéбет, щебетáние

2. *v* 1) щебетáть; чири́кать 2) *sl.* апплоди́ровать (*о клакёрах*)

chirruper ['tʃɪrəpə] *n sl.* клакёр

chisel ['tʃɪzl] 1. *n тех.* резéц; долотó, стамéска, зуби́ло; чекáн ◇ full ~ *амер. разг.* во весь опóр

2. *v* 1) вая́ть; высекáть (*из мрáмора и т. п.*) 2) *тех.* рабóтать зуби́лом, долотóм, стамéской, чекáном 3) отдéлывать (*литерату́рное произведéние*) 4) *sl.* надувáть, обмáнывать ▭ ~ **in** *разг.* вмéшиваться; навя́зываться

chiselled ['tʃɪzld] 1. *p. p. от* chisel 2

2. *a* точёный; отдéланный; ~ features точёные черты́ лицá

chit I [tʃɪt] *n* ребёнок, крóшка; a ~ of a girl девчýшка

chit II [tʃɪt] 1. *n* ростóк

2. *v* пускáть ростки́

chit III [tʃɪt] *n* 1) корóткое письмó; запи́ска 2) счёт 3) рекомендáция, óтзыв, аттестáт 4) распи́ска ◇ farewell ~ *воен. жарг.* увольни́тельный билéт

chitchat ['tʃɪttʃæt] *n* 1) болтовня́ 2) пересýды

chiton ['kaɪtn] *n* хитóн

chitterlings ['tʃɪtəlɪŋz] *n pl* требухá

chivalrous ['ʃɪvlrəs] *a* ры́царский, ры́царственный

chivalry ['ʃɪvlrɪ] *n* ры́царство

chive [tʃaɪv] *n* 1) (*обы́кн. pl*) лук-рéзанец, лук-скородá 2) зубóк чеснокá; лýковичка

chivied ['tʃɪvɪd] *a* измýченный, замотáвшийся

chivy ['tʃɪvɪ] = chevy

chloral ['klɔːrəl] *n хим.* хлорáл

chlorate ['klɔːreɪt] *n хим.* хлорáт, соль хлорновáтой кислоты́

chloric ['klɔrɪk] *a хим.* хлорновáтый; ~ acid хлорновáтая кислотá

chloride ['klɔːraɪd] *хим.* 1. *n* хлори́д, соль хлористоводорóдной кислоты́; sodium ~ повáренная соль

2. *a* хлóристый

chlorinate ['klɔːrɪneɪt] *v* хлори́ровать

chlorination [,klɔːrɪ'neɪʃn] *n* хлори́рование

chlorine ['klɔːriːn] 1. *n хим.* хлор

2. *a* свéтло-зелёный

chloroform ['klɒrəfɔːm] 1. *n* хлорофóрм

2. *v* хлороформи́ровать

chlorophyll ['klɒrəfɪl] *a бот.* хлорофи́лл

chlorosis [klɔː'rəʊsɪs] *n* 1) *мед.* хлорóз, блéдная нéмочь 2) *бот.* хлорóз, желтовáтая окрáска (*ли́стьев*)

chlorous ['klɔːrəs] *a хим.* хлóристый; ~ acid хлóристая кислотá

choc [tʃɒk] *n разг.* шоколáд

chock [tʃɒk] 1. *n* 1) клин 2) подстáвка; подпóрка; распóрка 3) тормознáя колóдка (*под колёса*); башмáк 4) *горн.* кострóвая крепь 5) *тех.* подýшка, подши́пник; вклáдыш, чекá, клин 6) *мор.* полуклю́з

2. *v* 1) подпирáть (*тж.* ~ off); подклáдывать подпóрку 2) *горн.* крепи́ть кострóвой крéпью ▭ ~ **up** забить, загромозди́ть, застáвить

chock-a-block [,tʃɒkə'blɒk] *a* 1) *мор.* до упóра, до откáза 2) *разг.* пóлный; биткóм наби́тый

chock-full [,tʃɒk'fʊl] *a* биткóм наби́тый; перепóлненный

chocolate ['tʃɒklət] 1. *n* 1) шоколáд; a bar of ~ пли́тка шоколáда 2) *pl* шоколáдные конфéты

2. *a* 1) шоколáдный 2) шоколáдного цвéта

choice [tʃɔɪs] 1. *n* 1) вы́бор, отбóр; альтернати́ва; a wide (a poor) ~ большóй (бéдный) вы́бор; to make ~ of smth. выбирáть, отбирáть что-л.; to make (*или* to take) one's ~ сдéлать вы́бор; take your ~ выбирáйте; I have no ~ but у меня́ нет инóго вы́хода, крóме; я принуждён 2) нéчто отбóрное; here is the ~ of the whole garden э́то лýчшее, что есть в садý 3) избрáнник; избрáнница ◇ Hobson's ~ отсýтствие вы́бора, нали́чие тóлько однóго предложéния, «э́то и́ли ничегó»; for ~ преимýщественно

2. *a* 1) отбóрный, лýчший 2) разбóрчивый, осторóжный; to be ~ of one's company быть осторóжным в знакóмствах

choicely ['tʃɔɪslɪ] *adv* осторóжно, с вы́бором

choir ['kwaɪə] 1. *n* 1) церкóвный хор 2) хоровóй ансáмбль 3) мéсто хóра (*в собóре*)

2. *v* петь хóром

choirmaster ['kwaɪə,mɑːstə] *n* хормéйстер

choke I [tʃəʊk] 1. *n* 1) *тех.* воздýшная заслóнка; дрóссель 2) *эл.* дрóссельная катýшка 3) припáдок уду́шья 4) удушéние 5) завя́занный конéц (*мешкá*)

2. *v* 1) души́ть 2) дави́ться (*от кáшля*); задыхáться (*от волнéния, гнéва*); tears ~d him слёзы души́ли егó 3) заглушáть (*тж.* ~ up); to ~ a fire потуши́ть огóнь (*или* костёр); to ~ a plant заглушáть растéние 4) засоря́ть, забивáть 5) *тех.* дросселúровать; заглушáть ▭ ~ **down** а) с трудóм проглáтывать (*пи́щу*); б) с трудóм подавля́ть (*слёзы, волнéние и т. п.*); he ~d down his anger он побóрол свой гнев; ~ **in** *амер. разг.* воздéрживаться от разговóра; держáть язы́к за зубáми; ~ **off** а) застáвить откáзаться (*от попы́тки, намéрения*); б) устрани́ть *когó-л.*, отдéлаться от *когó-л.*; ~ **up** а) загромождáть; б) заноси́ть (*рéку пескóм*); запружáть; в) засоря́ть; заглушáть (*сóрными трáвами*); г) = ~ in

choke II [tʃəʊk] *n* сердцеви́на артишóка

choke-coil ['tʃəʊkkɔɪl] *n эл.* дрóссельная катýшка

chokedamp ['tʃəʊkdæmp] *n* удýшливый газ

choke-full ['tʃəʊkfʊl] *a* биткóм наби́тый, перепóлненный

choker ['tʃəʊkə] *n* 1) корóткое ожерéлье, кольé 2) *шутл.* стоя́чий воротни́к (*преим. у духóвных лиц*) 3) бéлый гáлстук (*тж.* white ~) 4) *тех.* дрóссельная заслóнка

choky I ['tʃəʊkɪ] *a* 1) задыхáющийся (*осóб. от волнéния*) 2) удýшливый

choky II ['tʃəʊkɪ] *n sl.* тюрьмá

cholera ['kɒlərə] *n* холéра; Asiatic ~, malignant ~ азиáтская холéра; summer ~ лéтний понóс, холери́на

choleraic [,kɒlə'reɪɪk] *a* холéрный

choleric ['kɒlərɪk] *a* раздражи́тельный, жёлчный; холери́ческий

cholerine ['kɒlərɪn] *n* холери́на

cholesterol [kə'lestərɒl] *n* холестери́н

choose [tʃuːz] *v* (chose; chosen) 1) выбирáть 2) избирáть 3) решáть, решáться, предпочитáть (*чáсто* ~ rather) 4) *разг.* хотéть; he did not ~ to see her он не захотéл её ви́деть ◇ I cannot ~ but go мне необходи́мо пойти́; not much (*или* nothing) to ~ between them оди́н другóго стóит

chooser ['tʃuːzə] *n* тот, кто выбирáет

choos(e)y ['tʃuːzɪ] *a разг.* привередли́вый, разбóрчивый

chop I [tʃɒp] 1. *n* 1) (*рýбящий*) удáр 2) отбивнáя (*котлéта*); mutton (pork) ~ барáнья (свинáя) отбивнáя 3) сéчка (*корм*) 4) *sl.* увольнéние с рабóты

2. *v* 1) руби́ть 2) нарезáть; кроши́ть 3) отчекáнивать (*слóва*) ▭ ~ **about** обрубáть [*см. тж.* chop III, 2)]; ~ **down** срубáть; ~ **off** отрубáть; ~ **up** нарезáть, кроши́ть

chop II [tʃɒp] *n* (*обы́кн. pl*) чéлюсть [*см. тж.* chap III, 1)] ◇ to lick one's ~s предвкушáть (*осóб.* удовóльствие от еды́); ~s of the Channel вход в Ла-Мáнш из Атланти́ческого океáна

chop III [tʃɒp] 1. *n* 1) перемéна; колебáние; ~s and changes изменéния; постоя́нные переме́ны 2) обме́н 3) лёгкое волне́ние, зыбь (*на море*) 4) *геол.* сброс

2. *v* 1) обме́нивать, меня́ть 2) меня́ться (*о ветре*) 3) колеба́ться; to ~ and change проявля́ть нереши́тельность, колеба́ться; меня́ть свои́ пла́ны, взгля́ды *и т. п.* 4) обме́ниваться слова́ми; to ~ logic спо́рить, резонёрствовать ▭ ~ **about** внеза́пно меня́ть направле́ние (*о ветре*) [*см. тж.* chop I, 2]; ~ **in** вме́шиваться в разгово́р; ~ **round** = ~ about

chop IV [tʃɒp] *n уст.* клеймо́, фабри́чная ма́рка; first- (second-)~ пе́рвый (второ́й) сорт

chop-chop [ˌtʃɒp'tʃɒp] *adv диал.* бы́стро-бы́стро

chophouse ['tʃɒphaʊs] *n* бифште́ксная, рестора́н, где подаю́т отбивны́е и бифште́ксы

chopper ['tʃɒpə] *n* 1) нож (мяснprobleḿ); коса́рь 2) колу́н 3) *эл.* ти́ккер; прерыва́тель 4) *разг.* вертолёт 5) *pl sl.* зу́бы 6) *амер. sl.* пулемёт

chopper switch ['tʃɒpəswɪtʃ] *n эл.* руби́льник

choppy ['tʃɒpɪ] *a* 1) ча́сто меня́ющийся, поры́вистый (*о ветре*); неспоко́йный (*о море*) 2) потре́скавшийся

chopsticks ['tʃɒpstɪks] *n pl* па́лочки для еды́ (*у китайцев, корейцев и японцев*)

chopsuey [ˌtʃɒp'suːɪ] *n* кита́йское рагу́

choral ['kɔːrəl] *a* хорово́й; ~ speaking хорова́я деклама́ция

choral(e) [kɒ'rɑːl] *n* хора́л

chord I [kɔːd] *n* 1) струна́ (*тж. перен.*); to strike (*или* to touch) the right ~ заде́ть чувстви́тельную стру́нку; сыгра́ть на како́м-л. чу́встве 2) *анат.* свя́зка; vocal ~s голосовы́е свя́зки; spinal ~ спинно́й мозг 3) *мат.* хо́рда 4) *стр.* по́яс (*фермы*)

chord II [kɔːd] *n* 1) акко́рд 2) га́мма кра́сок

chorda ['kɔːdə] *n* (*pl* -dae) *анат.* 1) = chord I, 2); 2) спинна́я струна́, хо́рда

chordae ['kɔːdiː] *pl от* chorda

chore [tʃɔː] = char I

chorea [kɒ'rɪə] *n мед.* хоре́я

choree [kɔː'riː] *n стих.* хоре́й, трохе́й

choreographer [ˌkɒrɪ'ɒgrəfə] *n* балетме́йстер, хорео́граф

choreographic [ˌkɒrɪə'græfɪk] *a* хореографи́ческий

choreography [ˌkɒrɪ'ɒgrəfɪ] *n* хореогра́фия

choriamb ['kɒrɪæmb] *n стих.* хориа́мб

chorine ['kɔːriːn] *n амер.* хори́стка

chorister ['kɒrɪstə] *n* 1) хори́ст; пе́вчий 2) *амер.* ре́гент (*хора*)

chortle ['tʃɔːtl] 1. *n* 1) сда́вленный смех; хихи́канье 2) ликова́ние

2. *v* 1) смея́ться сда́вленным сме́хом; хихи́кать 2) гро́мко ликова́ть, торжествова́ть

chorus ['kɔːrəs] 1. *n* 1) хор; хорова́я гру́ппа; in ~ хо́ром; to swell the ~ присоедини́ть и свой го́лос, присоедини́ться к мне́нию большинства́ 2) музыка́льное произведе́ние для хо́ра 3) припе́в, подхва́тываемый всем хо́ром; рефре́н 4) хорово́й анса́мбль 5) кордебале́т

2. *v* петь, повторя́ть всем хо́ром

chose [tʃəʊz] *past от* choose

chosen ['tʃəʊzn] 1. *p. p. от* choose

2. *a* и́збранный

chough [tʃʌf] *n* клуши́ца (*птица*)

choultry ['tʃaʊltrɪ] *инд. n* 1) карава́н-сара́й 2) колонна́да хра́ма

chouse [tʃaʊs] *разг.* 1. *n* моше́нничество; мистифика́ция

2. *v* обма́нывать; выма́нивать

chow [tʃaʊ] *n* 1) *sl.* еда́ 2) ча́у (*название китайской породы собак*)

chow-chow ['tʃaʊtʃaʊ] *n* 1) смесь 2) пи́кули, овощно́й марина́д

chowder ['tʃaʊdə] *n амер.* густа́я похлёбка из ры́бы, моллю́сков, свини́ны, овоще́й *и т. п.*

chrestomathy [kre'stɒməθɪ] *n* хрестома́тия, сбо́рник те́кстов

chrism ['krɪzəm] *n церк.* 1) еле́й 2) пома́зание

Christ [kraɪst] *n* Христо́с; мессия

christen ['krɪsn] *v* 1) крести́ть 2) дава́ть и́мя при креще́нии 3) дава́ть и́мя, про́звище 4) *разг.* в пе́рвый раз по́льзоваться (*чем-л.*)

Christendom ['krɪsndəm] *n* христиа́нский мир

christening ['krɪsnɪŋ] 1. *pres. p. от* christen

2. *n* креще́ние

Christian ['krɪstʃən] 1. *a* христиа́нский; ~ name и́мя (*в отличие от фамилии*)

2. *n* христиани́н, христиа́нка

Christianity [ˌkrɪstɪ'ænətɪ] *n* христиа́нство

christianize ['krɪstʃənaɪz] *v* обраща́ть в христиа́нство

Christmas ['krɪsməs] *n* 1) рождество́ (*сокр. тж.* Xmas); Father ~ Дед Моро́з 2) *attr.* рожде́ственский

Christmas box ['krɪsməsbɒks] *n* коро́бка с рожде́ственскими пода́рками, рожде́ственский пода́рок

Christmassy ['krɪsməsɪ] *a разг.* рожде́ственский, пра́здничный

Christmastide ['krɪsməstaɪd] *n* свя́тки

Christmas tree ['krɪsməstriː] *n* рожде́ственская ёлка

Christy minstrels [ˌkrɪstɪ'mɪnstrəlz] *n pl* тру́ппа загримиро́ванных не́грами исполни́телей негритя́нских пе́сен

chromatic [krə'mætɪk] *a* 1) цветно́й; ~ printing цветна́я печа́ть 2) *муз.* хромати́ческий; ~ scale хромати́ческая га́мма

chromatics [krə'mætɪks] *n pl* (*употр. как sing*) нау́ка о цвета́х *или* кра́сках

chrome [krəʊm] *n* 1) = chromium 2) жёлтая кра́ска; жёлтый цвет

chromic ['krəʊmɪk] *a хим.* хро́мовый; ~ acid хро́мовая кислота́

chromium ['krəʊmɪəm] *n хим.* хром

chromolithograph [ˌkrəʊməʊ'lɪθəgrɑːf] *n* хромолитогра́фия

chromosome ['krəʊməsəʊm] *n биол.* хромосо́ма

chromosphere ['krəʊməsfɪə] *n* хромосфе́ра

chromotype ['krəʊmətaɪp] *n полигр.* хромоти́пия

chronic ['krɒnɪk] 1. *a* 1) хрони́ческий; застаре́лый (*о болезни*) 2) постоя́нный; привы́чный; ~ doubts ве́чные сомне́ния; ~ complaints ве́чные жа́лобы 3) *разг.* ужа́сный; something ~ не́что ужа́сное

2. *n* хро́ник

chronicle ['krɒnɪkl] 1. *n* хро́ника; ле́топись

2. *v* 1) заноси́ть (*в дневник, летопись*) 2) отмеча́ть (*в прессе*); вести́ хро́нику

chronicler ['krɒnɪklə] *n* 1) хроникёр 2) летопи́сец

chronograph ['krɒnəgrɑːf] *n* хроно́граф

chronologic [ˌkrɒnə'lɒdʒɪk] = chronological

chronological [ˌkrɒnə'lɒdʒɪkl] *a* хронологи́ческий

chronology [krə'nɒlədʒɪ] *n* 1) хроноло́гия 2) хронологи́ческая табли́ца

chronometer [krə'nɒmɪtə] *n* хроно́метр

chronopher ['krɒnəfə] *n радио* аппара́т, автомати́чески передаю́щий сигна́лы вре́мени

chrysalides [krɪ'sælɪdiːz] *pl от* chrysalis

chrysalis ['krɪsəlɪs] *n* (*pl* -es [-ɪz], -ides) *зоол.* ку́колка (*насекомых*)

chrysanthemum [krə'sænθɪməm] *n* хризанте́ма

chryselephantine [ˌkrɪselɪ'fæntaɪn] *a* из зо́лота и слоно́вой ко́сти; покры́тый зо́лотом и слоно́вой ко́стью (*о статуе*)

chrysolite ['krɪsəlaɪt] *n мин.* хризоли́т

chrysoprase ['krɪsəpreɪs] *n мин.* хризопра́з

chub [tʃʌb] *n* го́лавль (*рыба*)

chubby ['tʃʌbɪ] *a* кругло́лицый, полнощёкий

chuck I [tʃʌk] 1. *n* 1) *тех.* зажимно́й патро́н 2) *attr.*: ~ jaw *тех.* кулачо́к зажимно́го патро́на

2. *v тех.* зажима́ть, обраба́тывать в патро́не

chuck II [tʃʌk] 1. *n* 1) игри́вое похло́пывание по подборо́дку 2): the ~ *sl.* увольне́ние; to give smb. the ~ уво́лить кого́-л.; порва́ть отноше́ния с кем-л. 3) = chuck-farthing

2. *v* 1) *разг.* броса́ть, швыря́ть 2) *разг.* броса́ть (*работу и т. п.*) 3) ла́сково похло́пывать, трепа́ть (under); to ~ under the chin потрепа́ть по подборо́дку ▭ ~ **away** а) тра́тить понапра́сну, теря́ть; б) упуска́ть (*возможность*); ~ **out** выгоня́ть; выводи́ть, выставля́ть (*беспокойного посетителя из комнаты, общественного места*); ~ **up** броса́ть (*дело, службу и т. п.*) ◇ ~ it! *разг.* молчи́; переста́нь!; to ~ one's hand in сда́ться; призна́ть себя́ побеждённым; to ~ one's weight about держа́ться надме́нно

chuck III [tʃʌk] 1. *n* 1) цыплёнок 2) *ласк.* цы́почка 3) кудахта́нье

2. *v* 1) кудáхтать 2) скликáть домáшнюю птúцу 3) понукáть лóшадь

3. *int*: ~!, ~! цып-цы́п!

chuck IV [tʃʌk] *n амер. разг.* пúща, едá; hard ~ *мор.* сухарú

chuck-farthing ['tʃʌk,fɑ:ðɪŋ] *n* игрá в орля́нку

chuckle I ['tʃʌkl] **1.** *n* 1) довóльный смех; хихúканье 2) кудáхтанье

2. *v* 1) посмéиваться; хихúкать; he is chuckling at (*или* over) his success он рáдуется своему́ успéху 2) кудáхтать

chuckle II ['tʃʌkl] *a* 1) большóй (*обыкн. о голове*) 2) неуклю́жий

chucklehead ['tʃʌklhed] *n* болвáн

chuddar ['tʃʌdə] *n* 1) шерстянáя шаль 2) покрывáло на мусульмáнской гробнúце

chuff [tʃʌf] *n* грубия́н

chug [tʃʌg] **1.** *n* пыхтéние (*паровоза, машины*)

2. *v* двúгаться с пыхтéнием (*о паровозе и т. п.*)

chum I [tʃʌm] *разг.* **1.** *n* товáрищ, прия́тель; закады́чный друг

2. *v* 1) жить вмéсте в однóй кóмнате (together, with) 2) быть в дру́жбе ▭ ~ in, ~ up сблúзиться (with — с *кем-л.*)

chum II [tʃʌm] *амер.* **1.** *n* 1) откáз от ры́бы 2) нарéзанная ры́ба (*для наживки*)

2. *v* испóльзование ры́бы для нажúвки

chummage ['tʃʌmɪdʒ] *n* 1) помещéние двух и бóлее человéк в однóй кóмнате (*в общежитии, тюрьме*) 2) угощéние, котóрое по стáрому тюрéмному обы́чаю устрáивал нóвый арестáнт товáрищам по кáмере

chummery ['tʃʌmərɪ] *n* 1) сожúтельство в однóй кóмнате 2) кóмната, занимáемая нéсколькими товáрищами

chummy ['tʃʌmɪ] *a разг.* общúтельный

chump [tʃʌmp] *n* 1) *разг.* болвáн, дурáк 2) филéйная часть (*мяса*) 3) колóда, чурбáн 4) *sl.* головá, «башкá»; to go off one's ~ а) быть óчень взволнóванным; б) сойтú с умá, «трóнуться» 5) тóлстый конéц (*чего-л.*)

chunk [tʃʌŋk] **1.** *n* 1) = chump 3) *и* 5); 2) *разг.* тóлстый кусóк; ломóть 3) *амер. разг.* коренáстый и пóлный человéк 4) *амер. разг.* коренáстая лóшадь

2. *v амер. разг.* метну́ть, швырну́ть, запустúть ▭ ~ up а) подбрóсить тóплива (*в огонь*); б) набрáть тóплива

chunking ['tʃʌŋkɪŋ] **1.** *n* лязг; шум от движéния большóй машúны

2. *a* большóй, неуклю́жий; ~ piece of beef огрóмный кусóк мя́са

Chunnel ['tʃʌnl] *n разг.* «Чáннел» (*транспортный тоннель под Ла-Маншем*)

church [tʃɜ:tʃ] *n* 1) цéрковь; C. of England, Anglican C. англикáнская цéрковь; to go to ~ а) ходúть в цéрковь; быть нáбожным; б) женúться; выходúть зáмуж; to go into (*или* to enter) the C. принимáть духóвный сан 2) *attr.* церкóвный

churchgoer ['tʃɜ:tʃ,gəʊə] *n* (человéк) регуля́рно посещáющий цéрковь

churchman ['tʃɜ:tʃmən] *n* 1) церкóвник 2) вéрующий

church-owl ['tʃɜ:tʃaʊl] = barn owl

church-rate ['tʃɜ:tʃreɪt] *n* мéстный налóг на содержáние цéркви

church service ['tʃɜ:tʃ,sɜ:vɪs] *n* церкóвная слу́жба, богослужéние

church-text ['tʃɜ:tʃtekst] *n полигр.* англúйский чёрный готúческий шрифт

churchwarden ['tʃɜ:tʃ,wɔ:dn] *n* 1) церкóвный стáроста 2) *разг.* длúнная курúтельная тру́бка

churchy ['tʃɜ:tʃɪ] *a разг.* 1) прéданный цéркви 2) елéйный, хáнжеский

churchyard ['tʃɜ:tʃjɑ:d] *n* 1) клáдбище, погóст 2) *уст.* церкóвный двор

churl [tʃɜ:l] *n* 1) гру́бый, ду́рно воспúтанный человéк, скря́га 2) *уст.* деревéнщина

churlish ['tʃɜ:lɪʃ] *a* 1) гру́бый 2) скупóй 3) упóрный, неподáтливый 4) неблагодáрный (*о труде*); труднообрабáтываемый (*о почве*) 5) тугоплáвкий (*о металле*)

churn [tʃɜ:n] **1.** *n* 1) маслобóйка 2) мешáлка

2. *v* 1) сбивáть (*масло*) 2) взбáлтывать; вспéнивать; the wind ~ed the river to foam вéтер вспéнил рéку

churn-staff ['tʃɜ:nstɑ:f] *n* мутóвка

chut [tʃt, ʃ:t, tʃʌt] *int выражает нетерпение* (≅ да ну́ же!)

chute I [ʃu:t] *n* 1) *тех.* спуск; лотóк, жёлоб, спускнóй жёлоб 2) стремнúна; крутóй скат 3) *уст.* покáтый настúл; гóрка (*ледяная, деревянная*) 4) мусоропровóд 5) *горн.* скат

chute II [ʃu:t] *n* (*сокр. от* parachute) *ав. разг.* парашю́т

chutist ['ʃu:tɪst] *n* (*сокр. от* parachutist) *ав. разг.* парашютúст

chyle [kaɪl] *n физиол.* млéчный сок, хúлус

chyme [kaɪm] *n физиол.* пищевáя кашúца, хúмус

ciao [tʃaʊ] *int разг.* чáо, привéт

cicada [sɪ'kɑ:də] *n* цикáда

cicatrice ['sɪkətrɪs] *n* шрам, рубéц

cicatrization [,sɪkətraɪ'zeɪʃn] *v* 1) заживля́ть 2) заживáть, зарубцóвываться 3) покрывáть(ся) рубцáми

cicely ['sɪsəlɪ] = chervil

Cicero ['sɪsərəʊ] *n* Цицерóн

cicerone [,tʃɪtʃə'rəʊnɪ] *n* (*pl* -ni) провóдник, гид, чичерóне

ciceroni [,tʃɪtʃə'rəʊni:] *pl от* cicerone

Ciceronian [,sɪsə'rəʊnɪən] *a* цицерóновский, красноречúвый

cider ['saɪdə] *n* сидр ◇ all talk and no ~ *амер.* ≅ шу́ма мнóго, а тóлку мáло

ci-devant [,si:də'vɑ:ŋ] *фр. a* прéжний; ~ chairman бы́вший председáтель

cigar [sɪ'gɑ:] *n* сигáра

cigarette [,sɪgə'ret] *n* сигарéта; папирóса; have a ~! заку́ривайте!; filter-tipped ~ сигарéта с фúльтром

cigarette-case [,sɪgə'retkeɪs] *n* портсигáр

cigarette-end [,sɪgə'retend] *n* оку́рок

cigarette-holder [,sɪgə'rethəʊldə] *n* мундшту́к

cigarette-lighter [,sɪgə'retlaɪtə] *n* зажигáлка

cigarette-paper [,sɪgə'retpeɪpə] *n* папирóсная бумáга

cigarette-stub [,sɪgə'retstʌb] = cigarette-end

cigar-holder [sɪ'gɑ:,həʊldə] *n* мундшту́к для сигáр

ciggy ['sɪgɪ] *разг. сокр. от* cigarette

cilery ['sɪlərɪ] = cillery

cilia ['sɪlɪə] *n pl* 1) *анат.* ресни́цы 2) *бот., зоол.* реснúчки

ciliary ['sɪlɪərɪ] *a анат., бот.* реснúчный, мерцáтельный

ciliated ['sɪlɪeɪtɪd] *a* 1) опушённый ресни́цами 2) *бот., зоол.* снабжённый реснúчками, ресни́тчатый

cilice ['sɪlɪs] *n* ткань из вóлоса

cillery ['sɪlərɪ] *n архит.* украшéние в вúде листвы́ (*на капители колонны*)

Cimmerian [sɪ'mɪərɪən] *a миф.* 1) киммерúйский 2) тёмный, непрогля́дный (*о ночи*)

cinch [sɪntʃ] **1.** *n* 1) *разг.* нéчто надёжное, вéрное 2) предрешённое дéло 3) влия́ние; контрóль; to have a ~ on smb. держáть когó-л. в уздé 4) *амер.* подпру́га

2. *v* 1) нажимáть (*на кого-л.*) 2) *sl.* обеспéчить (*успех дела*) 3) *амер.* подтя́гивать подпру́гу (*тж.* ~ up)

cinchona [sɪŋ'kəʊnə] *n* 1) хúнное дéрево 2) хúнная корá; хинúн

cincture ['sɪŋktʃə] **1.** *n* 1) *поэт.* пóяс 2) опоя́сывание 3) *архит.* поясóк (*колонны*)

2. *v* опоя́сывать, окружáть

cinder ['sɪndə] **1.** *n* 1) тлéющие у́гли 2) шлак, окáлина 3) (*часто pl*) золá; у́гольный му́сор; пéпел; to burn to a ~ дать подгорéть; пережáрить (*пищу*)

2. *v* сжигáть, обращáть в пéпел

cinder-box ['sɪndəbɒks] *n тех.* зóльник

Cinderella [,sɪndə'relə] *n* Зóлушка

cinder-path ['sɪndəpɑ:θ] *n спорт.* беговáя, гáревая дорóжка

cinder-sifter ['sɪndə,sɪftə] *n* грóхот для отсéивания золы́ от шлáка

cinder-track ['sɪndətræk] = cinder-path

cineaste ['sɪnɪæst] *n* знатóк и любúтель кинó

cinecamera ['sɪnɪ,kæmərə] *n* киноаппарáт (*съёмочный*)

cine-film ['sɪnɪfɪlm] *n* киноплёнка

cinema ['sɪnəmə] *n* 1) кинó, кинематогрáфия, кинематóграф (*тж.* the ~) 2) кинотеáтр 3) кинофúльм

cinema-circuit ['sɪnəmə,sɜ:kɪt] *n* сеть кинотеáтров, принадлежáщих одномý владéльцу

cinemactor ['sɪnəm,æktə] *n амер.* киноактёр

cinemactress ['sɪnəm,æktrəs] *n амер.* киноактрúса

cinemaddict ['sɪnəm,ædɪkt] *n амер. sl.* стрáстный любúтель кинó, киномáн

cinema-goer ['sɪnəmə,gəʊə] *n* кинозри́тель

cinemascope ['sɪnəməskəʊp] *n* синемаско́п (*система широкоэкранного кино*)

cinematics [,sɪnə'mætɪks] *n pl* (*употр. как sing*) *физ.* кинема́тика

cinematograph [,sɪnə'mætəgrɑ:f] *n* кинемато́граф

cinematographic [,sɪnəmætə'græfɪk] *a* кинематографи́ческий

cinematography [,sɪnəmə'tɒgrəfɪ] *n* кинематогра́фия

cine-projector ['sɪnɪprə,dʒektə] *n* проекцио́нный аппара́т

cinerama [,sɪnə'rɑ:mə] *n кино* синера́ма

cineraria I [,sɪnə'reərɪə] *pl от* cinerarium

cineraria II [,sɪnə'reərɪə] *n бот.* цинера́рия, пе́пельник

cinerarium [,sɪnə'reərɪəm] *n* (*pl* -ria) ни́ша для у́рны с пра́хом

cinerary ['sɪnərərɪ] *a* пе́пельный; ~ urn у́рна с пра́хом

cinereous [sɪ'nɪərɪəs] *a* пе́пельного цве́та

Cingalese [,sɪŋgə'li:z] **1.** *a* 1) синга́льский, сингале́зский 2) *уст.* цейло́нский

2. *n* 1) сингале́з, синга́лец; the ~ сингале́зцы, синга́льцы 2) сингале́зский, синга́льский язы́к

cinnabar ['sɪnəbɑ:] *n* ки́новарь

cinnamon ['sɪnəmən] *n* 1) кори́ца 2) желтова́то-кори́чневый цвет

cinq(ue) [sɪŋk] *n* пятёрка, пять очко́в (*в картах, домино, игральных костях*)

Cinque Ports [,sɪŋk'pɔ:ts] *n pl ист.* Пять порто́в (*группа городов — Dover, Sandwich, Romney, Hastings, Hythe — в юго-восточной Англии, пользовавшихся особыми привилегиями*)

cipher ['saɪfə] **1.** *n* 1) шифр; in ~ зашифро́ванный 2) *мат.* ноль, нуль 3) нуль; ничто́жество; to stand for ~ быть по́лным ничто́жеством 4) моногра́мма 5) ара́бская ци́фра; a number of three ~s трёхзна́чное число́ 6) *attr.*: ~ officer шифрова́льщик (*в посольстве*)

2. *v* 1) шифрова́ть, зашифро́вывать 2) высчи́тывать, вычисля́ть (*часто* ~ out)

circa ['sɜ:kə] *лат. prep* приблизи́тельно, о́коло (*сокр.* c.); died ~ (*или* c.) 1183 у́мер приме́рно в 1183 г.

Circassian [sə'kæsɪən] **1.** *a* черке́сский

2. *n* 1) черке́с; черке́шенка 2) черке́сский язы́к

Circe ['sɜ:sɪ] *n греч. миф.* Цирце́я

circle ['sɜ:kl] **1.** *n* 1) круг; окру́жность 2) *театр.* я́рус; dress ~ бельэта́ж; upper ~ балко́н; parquet ~ амфитеа́тр 3) о́круг 4) гру́ппа, круг (*людей*); ruling ~s пра́вящие круги́ 5) кружо́к 6) сфе́ра, о́бласть; a wide ~ of interests широ́кий круг интере́сов 7) круговоро́т; цикл; ~ of the seasons сме́на всех четырёх времён го́да; to come full ~ заверши́ть цикл; зако́нчиться у исхо́дной то́чки 8) *астр.* орби́та 9) *астр.* круг (*вокруг Луны и т. п.*) 10) *геогр.* круг

2. *v* 1) дви́гаться по кру́гу; враща́ться; the Earth ~s the Sun Земля́ враща́ется вокру́г Со́лнца 2) *поэт.* окружа́ть 3) передава́ть по кру́гу (*вино, закуску и т. п.*)

circlet ['sɜ:klət] *n* 1) кружо́к 2) кольцо́, брасле́т; ~ of flowers вено́к

circs [sɜ:ks] *n pl разг.* (*сокр. от* circumstances) 1) обстоя́тельства, усло́вия 2) материа́льное положе́ние

circuit ['sɜ:kɪt] **1.** *n* 1) о́круг (*судебный, церковный и т. п.*); уча́сток, райо́н; ~ of action райо́н де́йствия 2) *эл.* цепь, ко́нтур; схе́ма; сеть; broken (*или* open) ~ разо́мкнутая цепь; detector ~ дете́кторная схе́ма 3) *юр.* выездна́я се́ссия суда́ (*тж.* ~ court) 4) сеть (*театров и т. п.*), принадлежа́щая одному́ владе́льцу 5) объе́зд, кругова́я пое́здка; to make (*или* to take) a ~ пойти́ обходны́м путём 6) цикл, сово́купность опера́ций 7) кругооборо́т 8) длина́ окру́жности 9) *амер.* ассоциа́ция, ли́га спорти́вных кома́нд 10) *attr.*: ~ rider *амер.* разъездно́й свяще́нник

2. *v* обходи́ть вокру́г; соверша́ть круг; враща́ться

circuit breaker ['sɜ:kɪt,breɪkə] *n эл.* автомати́ческий выключа́тель; прерыва́тель

circuitous [sə:'kju:ɪtəs] *a* кру́жный, око́льный (*путь*)

circular ['sɜ:kjʊlə] **1.** *a* 1) кру́глый; ~ saw кру́глая (*или* ци́ркульная) пила́; ~ staircase винтова́я ле́стница 2) кругово́й; ~ motion кругово́е движе́ние; ~ railway окружна́я желе́зная доро́га 3) дугово́й; ~ arc дуга́; дугово́й сегме́нт 4) циркуля́рный; ~ letter а) циркуля́р(ное письмо́); б) = ~ note; ~ note циркуля́рное аккредити́вное письмо́

2. *n* 1) циркуля́р 2) рекла́ма; проспе́кт

circularity [,sɜ:kjʊ'lærətɪ] *n* кругообра́зность; окру́глость

circularize ['sɜ:kjʊləraɪz] *v* рассыла́ть циркуля́ры, проспе́кты

circulate ['sɜ:kjʊleɪt] *v* 1) циркули́ровать; име́ть кругово́е движе́ние 2) распространя́ть(ся) 3) передава́ть 4) быть в обраще́нии, обраща́ться (*о деньгах*) 5) повторя́ться (*о цифре в периодической дроби*) 6) *амер.* = circularize

circulating ['sɜ:kjʊleɪtɪŋ] **1.** *pres. p. от* circulate

2. *a* обраща́ющийся; переходя́щий; ~ capital оборо́тный капита́л; ~ decimal (*или* fraction) периоди́ческая дробь; ~ library библиоте́ка с вы́дачей книг на́ дом; ~ medium *фин.* платёжное сре́дство

circulation [,sɜ:kjʊ'leɪʃn] *n* 1) круговоро́т, циркуля́ция; кругово́е движе́ние 2) кровообраще́ние (*тж.* ~ of the blood) 3) распростране́ние (*слухов и т. п.*) 4) тира́ж (*газет, журналов*) 5) де́нежное обраще́ние 6) обраще́ние; to put into ~ пусти́ть в обраще́ние; withdrawn from ~ изъя́тый из обраще́ния; ~ of commodities обраще́ние това́ров 7) *attr.* свя́занный с распростране́нием; ~ department отде́л распростране́ния (*в газете, журнале и т. п.*); ~ manager нача́льник отде́ла распростране́ния (*газеты, журнала и т. п.*)

circulator [sɜ:kjʊ'leɪtə] *n* 1) распростраи́тель; ~ of infection распространи́тель зара́зы 2) *мат.* периоди́ческая дробь

circulatory [,sɜ:kjʊ'leɪtərɪ] *a* циркули́рующий

circum- [,sɜ:kəm-] *в сложных словах обозначает* вокру́г, круго́м

circumambient [,sɜ:kəm'æmbɪənt] *a* окружа́ющий (*о воздухе, среде*); омыва́ющий

circumambulate [,sɜ:kəm'æmbjʊleɪt] *v* 1) (об)ходи́ть вокру́г 2) ходи́ть вокру́г да о́коло

circumaviate [,sɜ:kəm'eɪvɪeɪt] *v* лета́ть вокру́г; to ~ the earth соверша́ть кругосве́тный перелёт

circumbendibus [,sɜ:kəm'bendɪbəs] *n шутл.* 1) око́льный путь 2) = circumlocution

circumcise ['sɜ:kəmsaɪz] *v* 1) *церк.* соверша́ть обре́зание 2) *мед.* соверша́ть кругово́е сече́ние 3) очища́ть духо́вно

circumcision [,sɜ:kəm'sɪʒn] *n* 1) *церк.* обре́зание 2) *мед.* кругово́е сече́ние 3) духо́вное очище́ние

circumference [sə'kʌmfrəns] *n* 1) *мат.* окру́жность; перифери́я 2) окру́га

circumferential [sə,kʌmfə'renʃl] *a* относя́щийся к окру́жности; перифери́ческий

circumflex ['sɜ:kəmfleks] *n* циркумфле́кс, диакрити́ческий знак над гла́сной (*в др.-греч. языке означает ударение; во франц. языке — удлинение звука вследствие исчезновения другого звука, напр.* fête *вместо прежнего* feste)

circumfluent [sə'kʌmflʊənt] *a* омыва́ющий со всех сторо́н, обтека́ющий

circumfluous [sə'kʌmflʊəs] *a* 1) = circumfluent 2) омыва́емый, окружённый водо́й

circumgyration [,sɜ:kəmdʒaɪ'reɪʃn] *n* враще́ние (вокру́г свое́й оси́); окруже́ние

circumjacent [,sɜ:kəm'dʒeɪsənt] *a* окружа́ющий, располо́женный вокру́г

circumlittoral [,sɜ:kəm'lɪtərəl] *a* прибре́жный

circumlocution [,sɜ:kəmlə'kju:ʃn] *n* 1) многоречи́вость 2) укло́нчивые ре́чи; околи́чности 3) *лингв.* иносказа́ние, парафра́з(а) ◇ C. Office учрежде́ние, где процвета́ет волоки́та, бюрократи́зм, формали́зм (*по названию бюрократического учреждения в романе Диккенса «Крошка Доррит»*)

circumlocutional [,sɜ:kəmlə'kju:ʃənl] *a* 1) многоречи́вый 2) укло́нчивый

circumlocutory [,sɜ:kəm'lɒkjʊtərɪ] *a* 1) многосло́вный 2) *лингв.* описа́тельный, перифрасти́ческий

circum-meridian [,sɜ:kəmmə'rɪdɪən] *a астр.* бли́зкий к меридиа́ну (*о звезде и т. п.*)

circumnavigate [ˌsɜːkəmˈnævɪgeɪt] *v* пла́вать вокру́г; to ~ the globe (*или* the earth, the world) соверша́ть кругосве́тное пла́вание

circumnavigation [ˌsɜːkəmnævɪˈgeɪʃn] *n* кругосве́тное пла́вание

circumnavigator [ˌsɜːkəmˈnævɪgeɪtə] *n* 1) кругосве́тный морепла́ватель 2) *мор.* прибо́р Кэ́рби

circumpolar [ˌsɜːkəmˈpəʊlə] *a* 1) *геогр.* приполя́рный, околопо́люсный 2) *астр.* околополя́рный

circumscribe [ˈsɜːkəmskraɪb] *v* 1) ограни́чивать; обознача́ть преде́лы; to ~ smb.'s power of action ограни́чивать чьи-л. права́ 2) *геом.* опи́сывать

circumscription [ˌsɜːkəmˈskrɪpʃn] *n* 1) ограниче́ние, преде́л 2) райо́н; о́круг 3) на́дпись (*по окружности монеты, по краям марки и т. п.*)

circumsolar [ˌsɜːkəmˈsəʊlə] *a* *астр.* враща́ющийся вокру́г Со́лнца; бли́зкий к Со́лнцу

circumspect [ˈsɜːkəmspekt] *a* 1) осторо́жный, осмотри́тельный (*о человеке*) 2) проду́манный (*о плане, решении и т. п.*)

circumspection [ˌsɜːkəmˈspekʃn] *n* осторо́жность, осмотри́тельность; насторожённость

circumspective [ˌsɜːkəmˈspektɪv] *a* 1) = circumspect 2) осма́тривающий, замеча́ющий всё круго́м

circumstance [ˈsɜːkəmstəns] *n* 1) обстоя́тельство; слу́чай; the ~ that тот факт, что; lucky ~ счастли́вый слу́чай; unforeseen ~ непредви́денное обстоя́тельство 2) *pl* обстоя́тельства, усло́вия; under (*или* in) no ~s ни при каки́х усло́виях, никогда́; under the ~s при да́нных обстоя́тельствах, в э́тих усло́виях 3) *pl* материа́льное положе́ние; in easy (reduced) ~s в хоро́шем (стеснённом) материа́льном положе́нии 4) подро́бность, дета́ль; to omit no essential ~ не пропусти́ть ни одно́й суще́ственной дета́ли 5) церемо́ния; he was received with great ~ ему́ устро́или пы́шную встре́чу ◇ not a ~ to *амер.* ничто́ по сравне́нию с, не идёт ни в како́е сравне́ние с

circumstanced [ˈsɜːkəmstənst] *a* поста́вленный в (*такие-то*) усло́вия

circumstantial [ˌsɜːkəmˈstænʃl] **1.** *a* 1) подро́бный, обстоя́тельный 2) случа́йный, привходя́щий (*об обстоятельствах*); ~ evidence ко́свенные, дополни́тельные ули́ки

2. *n* 1) дета́ль; подро́бность 2) *pl* привходя́щий моме́нт; difference between substantials and ~s ра́зница ме́жду суще́ственным и несуще́ственным

circumstantiality [ˌsɜːkəmstænʃɪˈælətɪ] *n* обстоя́тельность

circumstantially [ˌsɜːkəmˈstænʃlɪ] *adv* 1) подро́бно, обстоя́тельно 2) не пря́мо, с по́мощью ко́свенных доказа́тельств

circumvent [ˌsɜːkəmˈvent] *v* 1) обману́ть, обойти́, перехитри́ть 2) расстра́ивать, опроки́дывать (*планы*)

circumvention [ˌsɜːkəmˈvenʃn] *n* обма́н, хи́трость

circumvolution [ˌsɜːkəmvəˈluːʃn] *n* 1) враще́ние (*вокруг общего центра*) 2) изви́лина, изги́б

circus [ˈsɜːkəs] *n* 1) цирк 2) *разг.* занима́тельное зре́лище; «цирк» 3) кру́глая пло́щадь с радиа́льно расходя́щимися у́лицами 4) *геол.* го́рный амфитеа́тр; цирк 5) *attr.*: ~ floor *геол.* дно ци́рка

cirque [sɜːk] *n* 1) = circus 4); 2) *поэт.* амфитеа́тр; аре́на

cirrhosis [səˈrəʊsɪs] *n* *мед.* цирро́з пе́чени

cirri [ˈsɪraɪ] *pl от* cirrus

cirrocumulus [ˌsɪrəʊˈkjuːmjʊləs] *n* пе́ристо-кучевы́е облака́, «бара́шки»

cirrostratus [ˌsɪrəʊˈstrɑːtəs] *n* пе́ристо-сло́истые облака́

cirrous [ˈsɪrəs] *a* пе́ристый

cirrus [ˈsɪrəs] *n* (*pl* cirri) 1) пе́ристые облака́ 2) *бот., зоол.* у́сик

cisalpine [sɪsˈælpaɪn] *a* цизальпи́нский (*находящийся по южную сторону Альп*)

cisatlantic [ˌsɪsətˈlæntɪk] *a* на европе́йской стороне́ Атланти́ческого океа́на

cissy [ˈsɪsɪ] = sissy

cist [sɪst] *n* *археол.* гробни́ца

Cistercian [sɪˈstɜːʃn] *n* цистерциа́нец (*монах примыкавшего к бенедиктинцам ордена*)

cistern [ˈsɪstən] *n* 1) цисте́рна, бак; резервуа́р 2) водоём

citadel [ˈsɪtədl] *n* 1) кре́пость, цитаде́ль 2) тверды́ня; опло́т; убе́жище

citation [saɪˈteɪʃn] *n* 1) цити́рование; ссы́лка, упомина́ние; цита́та 2) перечисле́ние; ~ of facts перечисле́ние фа́ктов 3) *воен.* упомина́ние в спи́сках отличи́вшихся; to get a ~ быть отме́ченным в прика́зе 4) *юр.* вы́зов (*в суд*)

cite [saɪt] *v* 1) ссыла́ться; цити́ровать 2) *воен.* упомина́ть в спи́сках отличи́вшихся 3) вызыва́ть (*в суд, преим. церковный*)

cither(n) [ˈsɪθə(n)] *n* *поэт., ист.* кифа́ра, ли́ра

citified [ˈsɪtɪfaɪd] *a* (*обыкн. пренебр.*) сво́йственный городско́му жи́телю, пообтеса́вшийся

citify [ˈsɪtɪfaɪ] *v* придава́ть городско́й вид

citizen [ˈsɪtɪzən] *n* 1) граждани́н; гражда́нка 2) горожа́нин; горожа́нка 3) *амер.* шта́тский (челове́к)

citizenry [ˈsɪtɪzənrɪ] *n* гражда́нское населе́ние, гра́ждане

citizenship [ˈsɪtɪzənʃɪp] *n* гражда́нство

citrate [ˈsɪtreɪt] *n* *хим.* соль лимо́нной кислоты́

citric [ˈsɪtrɪk] *a* лимо́нный

citrine [ˈsɪtrɪn] **1.** *n* *мин.* цитри́н, фальши́вый топа́з

2. *a* лимо́нного цве́та

citron [ˈsɪtrən] *n* 1) цитро́н, сла́дкий лимо́н 2) лимо́нный цвет (*тж.* ~ colour)

citrus [ˈsɪtrəs] *n* *бот.* ци́трус

cits [sɪts] *n pl* *амер. разг.* шта́тская оде́жда

cittern [ˈsɪtɜːn] = cither(n)

city [ˈsɪtɪ] *n* 1) большо́й, стари́нный го́род (*в Англии*); вся́кий бо́лее *или* ме́нее значи́тельный го́род с ме́стным самоуправле́нием (*в США*) 2): the C. Си́ти, делово́й кварта́л в це́нтре Ло́ндона; фина́нсовые и комме́рческие круги́ Ло́ндона 3) *attr.* городско́й, муниципа́льный; ~ council муниципа́льный сове́т; ~ hall *амер.* зда́ние муниципалите́та, ра́туша; ~ planning плани́ровка городо́в; ~ water вода́ из (городско́го) водопрово́да 4) (C.) *attr.*: C. man финанси́ст, коммерса́нт, деле́ц; C. article статья́ в газе́те по фина́нсовым и комме́рческим вопро́сам; C. editor а) реда́ктор фина́нсового отде́ла газе́ты; б) *амер.* заве́дующий репорта́жем

cityfied [ˈsɪtɪfaɪd] = citified

city-state [ˌsɪtɪˈsteɪt] *n* *ист.* по́лис, го́род-госуда́рство

civet [ˈsɪvɪt] *n* 1) *зоол.* виве́рра, циве́тта 2) цибети́н (*ароматическое вещество из желёз виверры или циветты; употр. в парфюмерии*)

civet cat [ˈsɪvɪtkæt] = civet 1)

civic [ˈsɪvɪk] *a* гражда́нский; ~ consciousness гражда́нственность

civic-minded [ˌsɪvɪkˈmaɪndɪd] *a* с ра́звитым чу́вством гражда́нского до́лга

civics [ˈsɪvɪks] *n pl* (*употр. как sing*) 1) осно́вы гражда́нственности; гражда́нское пра́во 2) *юр.* гражда́нские дела́

civil [ˈsɪvl] *a* 1) гражда́нский; ~ rights гражда́нские права́; ~ strife междоусо́бица 2) шта́тский (*противоп.* вое́нный); ~ engineer инжене́р-строи́тель; ~ servant госуда́рственный гражда́нский слу́жащий, чино́вник; ~ service госуда́рственная гражда́нская слу́жба; ~ defence организа́ция противовозду́шной оборо́ны 3) *юр.* гражда́нский (*противоп.* уголо́вный); ~ case гражда́нское де́ло; ~ law гражда́нское пра́во 4) ве́жливый; воспи́танный; to keep a ~ tongue (in one's head) держа́ться в ра́мках прили́чия, быть ве́жливым, учти́вым ◇ ~ list циви́льный лист (*сумма на содержание лиц королевской семьи*)

civilian [səˈvɪlɪən] **1.** *n* 1) шта́тский (челове́к) 2) *pl* гражда́нское населе́ние 3) лицо́, состоя́щее на гражда́нской слу́жбе 4) *юр.* цивили́ст, специали́ст по гражда́нскому пра́ву

2. *a* шта́тский; ~ clothes шта́тская оде́жда; ~ population гражда́нское населе́ние

civility [səˈvɪlətɪ] *n* любе́зность, ве́жливость; to exchange civilities обменя́ться любе́зностями

civilization [ˌsɪvɪlaɪˈzeɪʃn] *n* 1) цивилиза́ция 2) цивилизо́ванный мир

civilize [ˈsɪvəlaɪz] *v* цивилизова́ть

civilized [ˈsɪvəlaɪzd] **1.** *p. p. от* civilize

2. *a* 1) цивилизо́ванный 2) воспи́танный, культу́рный

civilly [ˈsɪvlɪ] *adv* ве́жливо, учти́во, любе́зно

civil-spoken [ˌsɪvlˈspəʊkən] *a* учти́вый в разгово́ре

civ(v)y ['sɪvɪ] *n sl.* 1) шта́тский (челове́к) 2) *pl* шта́тская оде́жда 3) *attr.*: C. Street *воен. разг.* «гражда́нка», гражда́нская жизнь

clack [klæk] **1.** *n* 1) треск; щёлканье 2) шум голосо́в; болтовня́ 3) погрему́шка 4) = clack-valve

2. *v* 1) треща́ть; щёлкать 2) гро́мко болта́ть 3) куда́хтать, гогота́ть

clack valve ['klæk,vælv] *n тех.* откидно́й *или* ство́рчатый кла́пан

clad [klæd] *past и p. p. от* clothe

claim [kleɪm] **1.** *n* 1) тре́бование; прете́нзия; притяза́ние; утвержде́ние, заявле́ние; to raise a ~ предъяви́ть прете́нзию; to lay ~ to smth., to put smth. in a ~ предъявля́ть права́ на что-л. 2) иск; рекла́мация 3) (*преим. амер. и австрал.*) уча́сток земли́, отведённый под разрабо́тку недр; зая́вка на отво́д уча́стка; to jump a ~ а) незако́нно захвати́ть уча́сток, отведённый друго́му; б) незако́нно захвати́ть что-л., принадлежа́щее друго́му; to stake out a ~ а) отмеча́ть грани́цы отведённого уча́стка; б) закрепля́ть своё пра́во на что-л.

2. *v* 1) претендова́ть, предъявля́ть прете́нзию, заявля́ть права́ (*на что-л.*); to ~ the victory наста́ивать на свое́й побе́де 2) тре́бовать; to ~ damages тре́бовать возмеще́ния убы́тков; to ~ attention тре́бовать к себе́ внима́ния; to ~ one's right тре́бовать своего́ 3) утвержда́ть, заявля́ть 4) *юр.* возбужда́ть иск о возмеще́нии убы́тков

claimant ['kleɪmənt] *n* 1) предъявля́ющий права́; претенде́нт 2) исте́ц

claim check ['kleɪm,tʃek] *n* квита́нция на получе́ние зака́за, веще́й по́сле ремо́нта *и т. п.*

claiming race ['kleɪmɪŋ,reɪs] *n* ска́чки, по́сле кото́рых люба́я из лошаде́й мо́жет быть ку́плена

clairvoyance [kleə'vɔɪəns] *n* 1) ясновúдение 2) проница́тельность; предви́дение

clairvoyant [kleə'vɔɪənt] **1.** *n* 1) ясновúдец; ясновúдица 2) прови́дец

2. *a* 1) ясновúдящий 2) дальнови́дный, прозорли́вый

clam [klæm] **1.** *n* 1) съедо́бный морско́й моллю́ск (рази́нька, вене́рка *и пр.*) 2) *разг.* скры́тный, необщи́тельный челове́к ◇ as happy as a ~ (at high tide) ≅ рад-радёшенек; счастли́вый, дово́льный

2. *v* 1) собира́ть моллю́сков 2) ли́пнуть, прилипа́ть 3) *разг.* быть *или* стать молчали́вым, необщи́тельным; замолча́ть

clamant ['kleɪmənt] *a книжн.* 1) шумли́вый 2) вопию́щий; настоя́тельный; a ~ need for changes настоя́тельная необходи́мость в переме́нах

clamber ['klæmbə] **1.** *n* кара́бканье; тру́дный подъём

2. *v* кара́бкаться, цепля́ться (*часто* ~ up)

clambering plant ['klæmbərɪŋ,plɑ:nt] *n* вьющееся расте́ние

clamminess ['klæmɪnəs] *n* кле́йкость, ли́пкость

clammy ['klæmɪ] *a* 1) кле́йкий, ли́пкий 2) холо́дный и вла́жный (*о погоде*)

clamorous ['klæmərəs] *a* 1) шу́мный, крикли́вый 2) настоя́тельный, неотло́жный

clamour ['klæmə] **1.** *n* 1) шум, кри́ки 2) шу́мные проте́сты 3) возмуще́ние, ро́пот

2. *v* шу́мно тре́бовать; крича́ть ▭ ~ **against** выступа́ть, восстава́ть про́тив *чего́-л.*; ~ **down** заста́вить замолча́ть (*криками*); ~ **for** тре́бовать; to ~ for peace тре́бовать ми́ра; ~ **out** шу́мно протестова́ть

clamp I [klæmp] *тех.* **1.** *n* зажи́м; хому́т, струбци́на; скоба́

2. *v* скрепля́ть, зажима́ть; смыка́ть ▭ ~ **down (on)** *разг.* подавля́ть; прекраща́ть; стать тре́бовательнее (*к кому-л.*)

clamp II [klæmp] **1.** *n* ку́ча (*картофеля, прикрытого на зиму соломой и землёй*); клётка (*кирпича, сложенного для обжига*); шта́бель (*сухого торфа*)

2. *v* скла́дывать в ку́чу (*обыкн.* ~ up)

clamp III [klæmp] **1.** *n* тяжёлая по́ступь

2. *v* тяжело́ ступа́ть

clamshell ['klæmʃel] *n* 1) ра́ковина моллю́ска 2) *тех.* гре́йфер

clan [klæn] *n* 1) клан, род (*в Шотландии*) 2) кли́ка

clandestine [klæn'destɪn] *a* та́йный, скры́тый; нелега́льный

clang [klæŋ] **1.** *n* лязг, звон, ре́зкий металли́ческий звук (*оружия, молота, колоколов; в поэзии — труб*)

2. *v* производи́ть лязг, звон, ре́зкий звук; to ~ glasses together чо́каться, звене́ть стака́нами

clanger ['klæŋə] *n sl.* гру́бый про́мах ◇ to drop a ~ оплоша́ть, соверши́ть оши́бку

clangour ['klæŋgə] *n* ре́зкий металли́ческий звук, лязг металли́ческих предме́тов

clank [klæŋk] **1.** *n* звон, лязг (*цепей, железа*); бряца́ние

2. *v* греме́ть (*цепью*); бряца́ть

clannish ['klænɪʃ] *a* (*обыкн. пренебр.*) 1) родово́й, кла́новый 2) приве́рженный к своему́ ро́ду, кла́ну 3) ограни́ченный, обосо́бленный, за́мкнутый в своём кругу́, гру́ппе *и т. п.*

clanship ['klænʃɪp] *n* 1) принадле́жность *или* пре́данность своему́ кла́ну, ро́ду 2) разделе́ние на вражде́бные гру́ппы, кружковщи́на, обосо́бленность

clansman ['klænzmən] *n* член кла́на

clap I [klæp] **1.** *n* 1) хло́панье; хлопо́к 2) уда́р (*грома*) 3) = clapper

2. *v* 1) хло́пать, аплоди́ровать; the audience ~ped the singer пу́блика аплоди́ровала певцу́ 2) хло́пать (*дверями, крыльями и т. п.*); to ~ the lid of a box to захло́пнуть кры́шку сундука́ 3) похло́пать; to ~ smb. on the back похло́пывать кого́-л. по плечу́ 4) *разг.* упря́тать; упе́чь (in); to ~ in prison упе́чь в тюрьму́ 5) надвига́ть (бы́стро *или* энерги́чно); налага́ть; to ~ duties on goods облага́ть това́ры по́шлиной; to ~ a hat on one's head нахлобу́чить шля́пу ▭ ~ **on**: to ~ on sails подня́ть паруса́; to ~ on to smb. подсу́нуть кому́-л. (*что-л.*); ~ **up**: to ~ up (a bargain, match, peace) поспе́шно, на́спех заключи́ть (сде́лку, брак, мир) ◇ to ~ eyes on smb. *разг.* уви́деть, заме́тить кого́-л.

clap II [klæp] *груб.* **1.** *n* три́ппер

2. *v* зарази́ть три́ппером

clapboard ['klæpbɔ:d] *n* 1) клёпка (*бочарная*); ко́лотый лесоматериа́л для клёпки 2) *амер.* доска́ клинообра́зного сече́ния

clap-net ['klæpnet] *n* сило́к для птиц

clapper ['klæpə] *n* 1) язы́к (*колокола и шутл. — человека*) 2) трещо́тка (*для отпугивания птиц*) 3) клакёр

clapperboard ['klæpəbɔ:d] *n кино* нумера́тор с «хлопу́шкой»

clapperclaw ['klæpəklɔ:] *v* 1) цара́пать, рвать когтя́ми 2) брани́ть, ре́зко критикова́ть

claptrap ['klæptræp] **1.** *n* треску́чая фра́за; что-л. рассчи́танное на дешёвый эффе́кт

2. *a* рассчи́танный на дешёвый эффе́кт, показно́й

claque [klæk] *n* кла́ка, гру́ппа клакёров

claqueur ['klækə] *n* клакёр

clarence ['klærəns] *n ист.* закры́тая четырёхме́стная каре́та

clarendon ['klærəndən] *n полигр.* полужи́рный шрифт

claret ['klærət] *n* 1) кра́сное вино́, кларе́т 2) цвет бордо́ 3) *уст. sl.* кровь; to tap smb.'s ~ разби́ть кому́-л. нос в кровь

claret-cup ['klærətkʌp] *n* крюшо́н из кра́сного вина́

clarification [,klærəfɪ'keɪʃn] *n* 1) проясне́ние 2) очище́ние 3) очи́стка

clarify ['klærəfaɪ] *v* 1) де́лать(ся) я́сным (*о стиле, мысли и т. п.*) 2) вноси́ть я́сность; to ~ the disputes ула́живать спо́ры 3) де́лать(ся) прозра́чным (*о воздухе, жидкости*)

clarinet [,klærə'net] *n муз.* кларне́т

clarinettist [,klærə'netɪst] *n* кларнети́ст

clarion ['klærɪən] **1.** *n* 1) гро́мкий, чи́стый звук; *поэт.* рожо́к, горн 2) *уст.* призы́вный звук 3) звук рожка́

2. *a* гро́мкий, чи́стый (*о звуке*); ~ call гро́мкий призы́в

clarionet [,klærɪ'net] = clarinet

clarity ['klærətɪ] *n* 1) чистота́, прозра́чность 2) я́сность

clary ['kleərɪ] *n бот.* шалфе́й муска́тный

clash [klæʃ] **1.** *n* 1) лязг (*оружия*); гул (*колоколов*) 2) столкнове́ние; ~ of interests столкнове́ние интере́сов; ~ of opinions расхожде́ние во взгля́дах 3) конфли́кт

2. *v* 1) ста́лкиваться, сту́каться, ударя́ться друг о дру́га (*особ. об оружии*) 2) ударя́ть с гро́хотом; производи́ть гул, шум, звон; звонить во все колокола 3) расходиться (*о взглядах*) 4) сталкиваться (*об интересах*); приходить в столкновение 5) дисгармонировать; these colours ~ эти цвета не гармонируют 6) совпадать во времени; our lectures ~ наши лекции совпадают

clasp [klɑ:sp] **1.** *n* 1) пряжка, застёжка 2) пожатие; объятие, объятия; he gave my hand a warm ~ он тепло пожал мне руку 3) *тех.* зажим

2. *v* 1) застёгивать 2) сжимать, обнимать; to ~ in one's arms заключать в объятия; to ~ smb.'s hand пожимать кому-л. руку; to ~ (one's own) hands ломать руки в отчаянии 3) обвиваться (*о вьющемся растении*)

clasp knife ['klɑ:spnaɪf] *n* складной нож

clasp-pin ['klɑ:sppɪn] *n* 1) безопасная (английская) булавка 2) заколка

class [klɑ:s] **1.** *n* 1) класс; разряд; группа; категория; ~ of problems круг вопросов 2) (общественный) класс; the working ~ рабочий класс; the middle ~ средняя буржуазия; the upper ~ крупная буржуазия; аристократия; the ~es имущие классы 3) сорт, качество; in a ~ by itself первоклассный; it is no ~ *разг.* это никуда не годится 4) отличие; to get (*или* to obtain) a ~ окончить курс с отличием 5) класс (*в школе*); the top of the ~ первый ученик (*в классе*) 6) курс (*обучения*); to take ~es (in) проходить курс обучения (*где-л.*) 7) *амер.* выпуск (*студентов или учащихся такого-то года*) 8) *воен.* призывники одного и того же года рождения; the 1967 ~ призывники 1967 года (рождения) 9) *биол.* класс 10) класс (*на железной дороге, пароходе*); to travel third ~ ездить в третьем классе 11) время начала занятий (*в школе*); when is ~? когда начинаются занятия? 12) *мор.* тип корабля

2. *a* 1) классовый 2) классный

3. *v* 1) классифицировать 2) распределять отличия (*в результате экзаменов*); Tompkins obtained a degree, but was not ~ed Томпкинс получил степень, но без отличия 3) составить себе мнение, оценить ▭ ~ **with** ставить наряду с

class consciousness [,klɑ:s'kɒnʃəsnəs] *n* классовое сознание

class-fellow ['klɑ:s,feləʊ] *n* одноклассник, школьный товарищ

classic ['klæsɪk] **1.** *a* 1) классический 2) образцовый

2. *n* 1) классик 2) специалист по античной филологии 3) классическое произведение 4) *pl* классические языки; классическая литература

classical ['klæsɪkl] *a* классический; ~ scholar = classic 2, 2)

classicism ['klæsɪsɪzəm] *n* 1) классицизм; следование классическим образцам 2) изучение классических языков и классической литературы 3) *лингв.* латинская *или* греческая идиома

classicize ['klæsɪsaɪz] *v* 1) подражать классическому стилю 2) возводить в образец

classification [,klæsɪfɪ'keɪʃn] *n* классификация

classified ['klæsɪfaɪd] **1.** *p. p. от* classify

2. *a амер.* секретный

classify ['klæsɪfaɪ] *v* классифицировать

classless ['klɑ:sləs] *a* бесклассовый

classman ['klɑ:smæn] *n* студент, выдержавший экзамен с отличием

classmate ['klɑ:smeɪt] = class-fellow

classroom ['klɑ:sru:m] *n* класс, классная комната; аудитория (*в учебном заведении*)

classy ['klɑ:sɪ] *a разг.* 1) первоклассный, отличный 2) шикарный

clastic ['klæstɪk] *a геол.* обломочный

clatter ['klætə] **1.** *n* 1) стук; звон (*посуды*) 2) грохот (*машин*) 3) болтовня, трескотня; гул (*голосов*) 4) топот

2. *v* 1) стучать; греметь 2) болтать ▭ ~ **along** топать; стучать копытами (*о лошади*); ~ **down** с грохотом свалиться вниз; «загреметь» (*вниз по лестнице*)

clause [klɔ:z] *n* 1) *грам.* предложение (*являющееся частью сложного предложения*); principal (subordinate) ~ главное (придаточное) предложение 2) статья, пункт; клаузула (*в договоре*); escape ~ *дип.* пункт договора, предусматривающий отказ от взятого обязательства; saving ~ *дип.* статья, содержащая оговорку

clave [kleɪv] *past от* cleave II

clavecin ['klævɪsɪn] *n муз.* клавесин

clavichord ['klævɪkɔ:d] *n муз.* клавикорды

clavicle ['klævɪkl] *n анат.* ключица

clavicular [klə'vɪkjʊlə] *a анат.* ключичный

clavier [klə'vɪə] *n* 1) клавиатура 2) клавир (*старинное название фортепиано*)

claw [klɔ:] **1.** *n* 1) коготь 2) лапа с когтями 3) клешня 4) *презр.* рука, лапа 5) *тех.* кулак, палец, выступ, зубец; лапа; клещи ◇ to put out a ~ показывать когти; to draw in one's ~s присмиреть; to cut (*или* to clip, to pare) smb.'s ~s ≅ подрезать кому-л. крылышки; обезоружить кого-л.

2. *v* 1) царапать, рвать когтями; когтить 2) хватать; to ~ hold of smth. вцепиться во что-л. 3) *мор.* лавировать; to ~ off the land *мор.* держаться подальше от берега ◇ ~ me and I'll ~ thee *посл.* ≅ услуга за услугу

claw hammer ['klɔ:,hæmə] *n* молоток с расщепом для вытаскивания гвоздей ◇ ~ coat *шутл.* фрак

clay [kleɪ] **1.** *n* 1) глина, глинозём 2) ил, тина 3) тело, плоть 4) *поэт.* прах 5) глиняная трубка (*тж.* ~ pipe) 6) *attr.*: ~ mill глиномялка ◇ to moisten one's ~ выпить, промочить горло; ~ pigeon мишень (*в тире*)

2. *v* обмазывать глиной

clayey ['kleɪɪ] *a* 1) глинистый; ~ soil суглинок 2) липкий как глина; запачканный глиной

claymore ['kleɪmɔ:] *n* старинный палаш (*шотл. горцев*)

clean [kli:n] **1.** *a* 1) чистый; опрятный; ~ room чистая комната; ~ copy беловик 2) чистый, без примеси; без пороков; ~ wheat пшеница без примеси; ~ timber чистосортный лесной материал (*без сучков и др. дефектов*) 3) неисписанный (*о листе бумаги, странице*) 4) незапятнанный, непорочный; to have a ~ record иметь хорошую репутацию 5) гладкий, ровный; to make a ~ cut резать ровно 6) хорошо сложённый (*о человеке*) 7) ловкий, искусный; ~ stroke ловкий удар ◇ to make a ~ sweep of smth. совершенно отделаться, избавиться от чего-л.; подчистить под метлу

2. *n* чистка, уборка; to give it a ~ почистить, убрать

3. *adv* 1) полностью, совершенно; I ~ forgot to ask я совершенно забыл спросить 2) начисто 3) прямо; как раз; to hit ~ in the eye попасть прямо в глаз

4. *v* 1) чистить 2) очищать; протирать; сглаживать; полировать (*металл*); промывать (*золото*) ▭ ~ **down** а) сметать (*пыль со стен и т. п.*); б) чистить (*лошадь*); ~ **out** а) очистить; б) *sl.* обворовать, «обчистить»; ~ **up** а) прибирать, приводить в порядок; б) заканчивать начатую работу; в) *sl.* сорвать большой куш

clean-cut [,kli:n'kʌt] *a* 1) резко очерченный; ~ features резко выраженные черты 2) ясный, определённый; точный

cleaner ['kli:nə] *n* 1) уборщик, чистильщик 2) средство для чистки

cleaner(s) ['kli:nə(z)] *n разг.* химчистка

clean-fingered [,kli:n'fɪŋgəd] *a* неподкупный

clean-handed [,kli:n'hændɪd] *a* честный, невинный

cleaning ['kli:nɪŋ] **1.** *pres. p. от* clean 4

2. *n* 1) чистка, уборка; очистка 2) *горн.* обогащение 3) *attr.*: ~ woman уборщица, убирающая грязную посуду в ресторане

clean-limbed [,kli:n'lɪmd] *a* стройный (*о фигуре*)

cleanliness ['klenlɪnəs] *n* чистота; чистоплотность; опрятность

cleanly **1.** *a* ['klenlɪ] чистоплотный

2. *adv* ['kli:nlɪ] чисто; целомудренно

cleanness ['kli:nnəs] *n* чистота

cleanse [klenz] *v* 1) *книжн.* чистить, очищать 2) дезинфицировать 3) очищать (*от греха, позора*; of)

clean-shaven [,kli:n'ʃeɪvn] *a* чисто выбритый

cleanskin ['kli:nskɪn] *n австрал.* 1) неклеймёное животное 2) *sl.* человек, не состоящий на учёте в полиции

cleanup ['kli:nʌp] *n разг.* 1) уборка; чистка 2) (моральное) очищение (*от порока, преступления и т. п.*)

clear [klɪə] **1.** *a* 1) чи́стый (*без радиоактивного загрязнения и т. п.*) 2) я́сный, све́тлый; ~ sky безо́блачное не́бо 3) прозра́чный 4) я́сно слы́шный, отчётливый 5) поня́тный, я́сный, недвусмы́сленный 6) я́сный (*об уме*) 7) чи́стый (*о весе, доходе; совести*) 8) свобо́дный; ~ passage свобо́дный прохо́д; all ~ а) путь свобо́ден; б) *воен.* проти́вник не обнару́жен; в) отбо́й (*после тревоги*); all ~ signal сигна́л отбо́я; ~ from suspicion вне подозре́ний; ~ of debts свобо́дный от долго́в; ~ line *ж.-д.* свобо́дный перего́н (*между станциями*) 9) це́лый, по́лный; a ~ month це́лый ме́сяц ◇ to get away ~ отде́латься; in ~ а) откры́тым те́кстом, в незашифро́ванном ви́де; б) *тех.* в свету́; to keep ~ of smb. остерега́ться, избега́ть кого́-л.

2. *adv* 1) я́сно; to see one's way ~ не име́ть затрудне́ний 2) совсе́м, целико́м (*тж. несколько усиливает знач. наречий* away, off, through *при глаголах*); three feet ~ це́лых три фу́та

3. *v* 1) очища́ть(ся); расчища́ть; to ~ the air разряди́ть атмосфе́ру; положи́ть коне́ц недоразуме́ниям; to ~ the dishes убира́ть посу́ду со стола́; to ~ the table убира́ть со стола́ 2) освобожда́ть, очища́ть 3) эваку́ировать 4) опра́вдывать; рассе́ивать (*сомнения, подозрения*) 5) дать до́пуск к (секре́тной) информа́ции 6) не заде́ть, прое́хать *или* перескочи́ть че́рез барье́р, не заде́в его́; to ~ an obstacle взять препя́тствие; this horse can ~ 5 feet э́та ло́шадь берёт барье́р в 5 фу́тов 7) получа́ть чи́стую при́быль 8) упла́чивать по́шлины, очища́ть от по́шлин 9) проходи́ть ми́мо, минова́ть 10) проясня́ться 11) станови́ться прозра́чным (*о вине*) 12) распродава́ть това́р; great reductions in order to ~ больша́я ски́дка с це́лью распрода́жи ▭ ~ **away** а) убира́ть со стола́; б) рассе́ивать (*сомнения*); в) рассе́иваться (*о тумане, облаках*); ~ **off** а) отде́лываться от *чего-л.*; б) *разг.* убира́ться; just ~ off at once! убира́йтесь неме́дленно!; в) проясня́ться (*о погоде*); ~ **out** а) очища́ть; б) *разг.* оста́вить без де́нег; в) *разг.* внеза́пно уе́хать, уйти́; ~ **up** а) прибира́ть, убира́ть; б) выясня́ть; распу́тывать (*дело*); в) проясня́ться (*о погоде*) ◇ to ~ the skirts of smb. смыть позо́рное пятно́ с кого́-л.; восстанови́ть чью-л. репута́цию; to ~ the decks (for action) *мор.* пригото́виться к бо́ю (*перен.* к де́йствиям); to ~ the way подгото́вить по́чву; to ~ one's expenses покры́ть свои́ расхо́ды

clearance ['klɪərəns] *n* 1) устране́ние препя́тствий 2) разреше́ние (*напр., оставить государственную должность*) 3) *ком.* очи́стка от тамо́женных по́шлин 4) произво́дство расчётов че́рез расчётную пала́ту 5) очи́стка; security ~ прове́рка благонадёжности 6) вы́рубка (*леса*); расчи́стка под па́шню 7) холосто́й ход 8) *тех.* зазо́р; вре́дное простра́нство (*в цилиндре; тж.* ~ space) 9) кли́ренс (*автомобиля, танка*) 10) *attr.*: ~ sale (дешёвая) распрода́жа 11) *attr.*: ~ papers *ком.* докуме́нты, удостоверя́ющие очи́стку от по́шлин

clearcole ['klɪəkəʊl] *n стр.* грунто́вка

clear-cut [,klɪə'kʌt] *a* я́сно оче́рченный; чёткий, я́сный

clearheaded [,klɪə'hedɪd] *a* здравомы́слящий, с я́сным умо́м

clearing ['klɪərɪŋ] **1.** *pres. p. от* clear 3

2. *n* 1) проясне́ние *и пр.* [*см.* clear 3]; ~ of signal отме́на сигна́ла 2) уча́сток (*леса*), расчи́щенный под па́шню, ро́счисть 3) *фин.* кли́ринг (*система взаимных расчётов между банками*) 4) вскры́тие реки́

clearing bank ['klɪərɪŋbæŋk] *n* кли́ринг-банк

clearinghouse ['klɪərɪŋhaʊs] *n ком.* расчётная пала́та [*см.* clearing 2, 3)]

clearing-off ['klɪərɪŋ,ɒf] *n* расчёт, распла́та

clearing station ['klɪərɪŋ,steɪʃn] *n* эвакуацио́нный пункт

clearly ['klɪəlɪ] *adv* я́сно; очеви́дно; несомне́нно; коне́чно (*в ответе*)

clear-sighted [,klɪə'saɪtɪd] *a* проница́тельный, дальнови́дный

clear-starch ['klɪəstɑ:tʃ] *v* крахма́лить

clearstory ['klɪəstɔ:rɪ] = clerestory

clearway ['klɪəweɪ] *n* фарва́тер

cleat [kli:t] *n* 1) *тех.* кле́мма, зажи́м; клин 2) *тех.* волочи́льная доска́ 3) *тех.* шпунт, соедине́ние в шпунт 4) пла́нка 5) *мор.* крепи́тельная у́тка; крепи́тельная пла́нка 6) *геол.* вертика́льный клива́ж

cleavage ['kli:vɪdʒ] *n* 1) расщепле́ние; раска́лывание 2) расхожде́ние, раско́л; ~ in regard to views расхожде́ние во взгля́дах; ~ of society into classes разделе́ние о́бщества на кла́ссы 3) *геол., горн.* слои́стость; спа́йность

cleave I [kli:v] *v* (clove, cleft; cloven, cleft) 1) раска́лывать(ся) (*часто* ~ asunder, ~ in two) 2) прокла́дывать себе́ путь, пробива́ться (*через что-л.*) 3) разреза́ть

cleave II [kli:v] *v* (clave, cleaved [-d]; cleaved) 1) *книжн.* остава́ться ве́рным, пре́данным (to) 2) *уст.* прилипа́ть

cleaver ['kli:və] *n* 1) большо́й нож мясника́ 2) дровоко́л

cleavers ['kli:vəz] *n бот.* подмаре́нник це́пкий

clef [klef] *n муз.* ключ

cleft I [kleft] *n* тре́щина, рассе́лина

cleft II [kleft] **1.** *past и p. p. от* cleave I

2. *a* расщеплённый; ~ palate *мед.* во́лчья пасть ◇ in a ~ stick в безвы́ходном положе́нии

cleg [kleg] *n* о́вод, сле́пень

clem [klem] *v диал.* 1) голода́ть 2) мори́ть го́лодом

clematis ['klemətɪs] *n бот.* ломоно́с, клема́тис

clemency ['klemənsɪ] *n* 1) милосе́рдие; снисходи́тельность 2) мя́гкость (*климата*)

clement ['klemənt] *a* 1) милосе́рдный, ми́лостивый 2) мя́гкий (*о климате*)

clench [klentʃ] **1.** *n* 1) сжима́ние (*кулаков*); сти́скивание (*зубов*) 2) заклёпывание 3) убеди́тельный аргуме́нт 4) = clinch 1

2. *v* 1) захва́тывать, зажима́ть 2) сжима́ть (*кулаки*); сти́скивать (*зубы*) 3) утвержда́ть, оконча́тельно реша́ть 4) = clinch 2

clepsydra ['klepsɪdrə] *n ист.* клепси́дра, водяны́е часы́

clerestory ['klɪəstɔ:rɪ] *n архит.* ве́рхний ряд о́кон, освеща́ющий хо́ры; зени́тный фона́рь

clergy ['klɜ:dʒɪ] *n* 1) духове́нство, клир 2) *собир. разг.* свяще́нники; twenty ~ were present прису́тствовало два́дцать духо́вных лиц

clergyman ['klɜ:dʒɪmən] *n* свяще́нник ◇ ~'s week (fortnight) о́тпуск, включа́ющий два (три) воскресе́нья

cleric ['klerɪk] *n* духо́вное лицо́, церко́вник

clerical ['klerɪkl] **1.** *a* 1) клерика́льный 2) канцеля́рский; ~ work канцеля́рская, конто́рская рабо́та; ~ error канцеля́рская оши́бка, опи́ска перепи́счика

2. *n* клерика́л

clericalism ['klerɪkəlɪzəm] *n* клерикали́зм

clericalist ['klerɪkəlɪst] = clerical 2

clerihew ['klerɪhju:] *n* коми́ческое четверости́шие

clerk [klɑ:k] **1.** *n* 1) клерк, письмоводи́тель; конто́рский слу́жащий; correspondence ~ *ком.* корреспонде́нт 2) чино́вник; секрета́рь; Chief C. управля́ющий дела́ми, секрета́рь городско́го управле́ния 3) *воен.* пи́сарь 4) *амер.* продаве́ц (*в магазине или гостинице*) 5) *уст.* духо́вное лицо́; образо́ванный *или* гра́мотный челове́к ◇ C. of the Weather *шутл.* ≅ «хозя́ин пого́ды», метеоро́лог; *амер. шутл.* нача́льник метеорологи́ческого отде́ла управле́ния свя́зи

2. *v амер.* служи́ть, быть чино́вником

clerkly ['klɑ:klɪ] *a* 1) облада́ющий хоро́шим по́черком; ~ hand хоро́ший по́черк 2) *уст.* духо́вный, церко́вный 3) *уст.* гра́мотный, учёный

clerkship ['klɑ:kʃɪp] *n* до́лжность секретаря́, кле́рка *и т. п.* [*см.* clerk 1]

clever ['klevə] *a* 1) у́мный 2) ло́вкий; иску́сный; ~ piece of work иску́сная рабо́та 3) спосо́бный, דарови́тый; he is ~ at biology у него́ спосо́бности к биоло́гии 4) *амер. разг.* доброду́шный

cleverness ['klevənəs] *n* 1) одарённость 2) ло́вкость; иску́сность, уме́ние

clevis ['klevɪs] *n* 1) ва́га (*дышла*) 2) *тех.* скоба́; тя́гловая серьга́; караби́н

clew [klu:] **1.** *n* 1) *мор.* шко́товый у́гол па́руса 2) *уст.* клубо́к

2. *v* (*обыкн.* ~ up) 1) *мор.* брать (паруса́) на ги́товы 2) *мор. разг.* зака́нчивать каку́ю-л. рабо́ту 3) *уст.* сма́тывать в клубо́к

clewline ['klu:laɪn] *n мор.* ги́тов

cliché [ˈkliːʃeɪ] *n* 1) штамп; избитая фраза 2) *полигр.* клише; пластинка стереотипа

click [klɪk] **1.** *n* 1) щёлканье (*затвора, щеколды*); щелчок (*в механизме*) 2) *фон.* щёлкающий звук (*в некоторых южноафриканских языках*) 3) засечка (*у лошади*) 4) *тех.* защёлка, собачка; трещотка

2. *v* 1) щёлкать; to ~ the door защёлкнуть за собой дверь; to ~ one's tongue прищёлкнуть языком; to ~ one's heels together щёлкнуть каблуками 2) *разг.* точно соответствовать, подходить (*по характеру*); ладить 3) *разг.* отличаться чёткостью, слаженностью 4) *разг.* иметь успех

click beetle [ˈklɪk͵biːtl] *n зоол.* жук-щелкун

clicker [ˈklɪkə] *n* 1) заготовщик (*обуви*) 2) *полигр.* метранпаж 3) *разг.* зазывала (*в магазин*)

client [ˈklaɪənt] *n* 1) клиент 2) постоянный покупатель, заказчик

clientage [ˈklaɪəntɪdʒ] *n* 1) клиенты, клиентура 2) отношения патрона и клиентов

clientele [͵kliːɒnˈtel] *n* 1) = clientage 1); 2) постоянные покупатели, заказчики; постоянные посетители (*театра и т. п.*)

cliff [klɪf] *n* 1) отвесная скала; утёс 2) крутой обрыв

cliff-hanger [ˈklɪf͵hæŋə] *n* 1) увлекательный сериал *или* рассказ, частями передающийся по телевидению, радио 2) захватывающий приключенческий фильм 3) событие (*состязание и т. п.*), исход которого волнующе неизвестен до последнего момента

climacteric [klaɪˈmæktərɪk] **1.** *n* 1) климактерий, критический возраст 2) критический период

2. *a* 1) климактерический 2) критический, опасный

climate [ˈklaɪmət] *n* 1) климат 2) атмосфера; настроение; состояние общественного мнения (*часто* ~ of opinion); international ~ международная обстановка; in a friendly ~ в атмосфере дружбы

climatic [klaɪˈmætɪk] *a* климатический

climatology [͵klaɪməˈtɒlədʒɪ] *n* климатология

climax [ˈklaɪmæks] **1.** *n* 1) высшая точка, кульминационный пункт 2) *ритор.* нарастание

2. *v* дойти *или* довести до кульминационного пункта

climb [klaɪm] **1.** *n* 1) подъём, восхождение 2) *ав.* набор высоты; rate of ~ скорость подъёма 3) *attr.*: ~ indicator *ав.* указатель вертикальной скорости

2. *v* 1) подниматься, карабкаться, влезать; to ~ (up) a tree влезать на дерево; to ~ to power стремиться к власти 2) виться (*о растениях*) 3) делать карьеру 4) *ав.* набирать высоту ▭ ~ down а) слезать; б) отступать, уступать (*в споре*)

climb-down [ˈklaɪmdaʊn] *n* 1) спуск 2) уступка (*в споре*)

climber [ˈklaɪmə] *n* 1) альпинист 2) вьющееся растение 3) честолюбец, карьерист 4) *pl* монтёрские когти

climbing irons [ˈklaɪmɪŋ͵aɪənz] *n pl* 1) = climber 4); 2) шипы на обуви альпинистов

clime [klaɪm] *n книжн.* 1) страна, край 2) климат

clinch [klɪntʃ] **1.** *n* 1) зажим; скоба; заклёпка 2) *разг.* объятия (*особ. любовные*) 3) клинч, захват (*в боксе*)

2. *v* 1) окончательно решать, договариваться; to ~ a bargain заключить, закрепить сделку; to ~ an argument решить спор; to ~ the matter решить вопрос 2) войти в клинч (*в боксе*) 3) *разг.* обниматься 4) прибивать гвоздём, загибая его шляпку; заклёпывать

clincher [ˈklɪntʃə] *n* 1) *разг.* решающий довод 2) заклёпка, болт; скоба 3) клепальщик 4) *авто* клинчер

cling [klɪŋ] *v* (clung) (*часто* ~ to) 1) цепляться; прилипать; 2) оставаться верным (*взглядам, друзьям*) 3) льнуть; to ~ together держаться вместе 4) облегать (*о платье*)

clingstone [ˈklɪŋstəʊn] *n* плохо отделяемая косточка (*персика, абрикоса и т. п.*)

clingy [ˈklɪŋɪ] *a* липкий, цепкий

clinic [ˈklɪnɪk] *n* 1) клиника, лечебница 2) амбулатория, медпункт (*при больнице*) 3) практические занятия студентов-медиков в клинике 4) *амер.* тематическая конференция; краткие курсы по какому-л. предмету

clinical [ˈklɪnɪkl] *a* клинический; ~ record история болезни

clink I [klɪŋk] **1.** *n* звон (*тонкого металла, стекла*)

2. *v* звенеть; звучать; to ~ glasses звенеть бокалами, чокаться

clink II [klɪŋk] *n sl.* тюрьма; *воен.* «губа»

clinker I [ˈklɪŋkə] *n* 1) застывшая лава 2) шлак 3) *стр.* клинкер 4) штукатурный гвоздь

clinker II [ˈklɪŋkə] *n sl.* 1) прекрасный экземпляр *или* образец чего-л. (*прекрасная лошадь, меткий выстрел, удар и т. п.*) 2) *амер.* (грубая) ошибка, промах

clinker-built [͵klɪŋkəˈbɪlt] *a мор.* обшитый внакрой (*противоп.* carvel-built)

clinking [ˈklɪŋkɪŋ] **1.** *pres. p. от* clink I, 2

2. *a* 1) звенящий 2) *разг.* превосходный, первоклассный

3. *adv разг.* очень; ~ good очень хороший

clinkstone [ˈklɪŋkstəʊn] *n мин.* фенолит, звенящий камень, порфирный сланец

clinometer [klaɪˈnɒmɪtə] *n* 1) клинометр 2) орудийный квадрант

clip I [klɪp] **1.** *n* 1) *тех.* зажимные клещи; зажимная скоба 2) клипс (*брошь, серьга*) 3) скрепка; зажим; хомутик; ~ of cartridges патронная обойма

2. *v* 1) зажимать, сжимать, крепко обхватывать 2) скреплять (*бумаги*)

clip II [klɪp] **1.** *n* 1) стрижка 2) *разг.* сильный удар 3) настриг шерсти 4) *разг.* быстрая походка 5) *кино, тлв.* клип 6) *pl шотл.* ножницы (*для стрижки овец*)

2. *v* 1) стричь (*особ. овец*) 2) обрезать; отрезать; отсекать; обрывать; to ~ the coin обрезать край монеты 3) *разг.* ударить кулаком (*кого-л.*) 4) глотать, сокращать (*слова*) 5) пробивать (*билет в трамвае и т. п.*); компостировать 6) делать вырезки (*из газет и т. п.*) 7) *sl.* обманывать, надувать

2. *v разг.* быстро идти, бежать

clipboard [ˈklɪpbɔːd] *n* пюпитр в виде дощечки с зажимом

clipper I [ˈklɪpə] *n* 1) тот, кто стрижёт 2) *pl* ножницы 3) *тех.* кусачки

clipper II [ˈklɪpə] *n* 1) клипер (*быстроходное парусное судно*; *тж.* *тяжёлая летающая лодка*) 2) скоростной самолёт для дальних (*особ. трансокеанских*) перелётов 3) клеппер (*лошадь*) 4) *sl.* что-л. первосортное

clippie [ˈklɪpɪ] *n разг.* женщина-кондуктор (*в автобусе и т. п.*)

clipping [ˈklɪpɪŋ] **1.** *pres. p. от* clip II, 2

2. *n* 1) газетная вырезка 2) обрезок 3) обрезывание, срезывание

3. *a* 1) режущий; резкий 2) *sl.* первоклассный

clipping room [ˈklɪpɪŋruːm] *n кино* монтажная

clique [kliːk] *n* клика

cliquey [ˈkliːkɪ] *a* 1) имеющий характер клики 2) замкнутый

clitoris [ˈklɪtərɪs] *n анат.* клитор, похотник

clivers [ˈklɪvəs] = cleavers

cloaca [kləʊˈeɪkə] *n* 1) клоака, выводное отверстие для экскрементов (*у рыб и т. п.*) 2) канализационная сточная труба; канал для стока нечистот 3) клоака, атмосфера безнравственности

cloak [kləʊk] **1.** *n* 1) плащ; мантия 2) покров; ~ of snow покров снега 3) предлог; маска, личина; under the ~ of loyalty под маской лояльности

2. *v* 1) покрывать плащом; надевать плащ 2) скрывать, прикрывать, маскировать

cloak-and-dagger [͵kləʊkənˈdægə] *a* 1) приключенческий; романтический; ~ comedy комедия «плаща и шпаги» 2) шпионский; ~ agents шпионы

cloak-and-sword [͵kləʊkənˈsɔːd] = cloak-and-dagger

cloakroom [ˈkləʊkruːm] *n* 1) гардероб, раздевальня 2) *ж.-д.* камера хранения 3) *эвф.* уборная

clobber I [ˈklɒbə] *n sl.* одежда, тряпки

clobber II [ˈklɒbə] *v sl.* 1) избивать, колошматить 2) полностью разбить, разгромить 3) раскритиковать в пух и прах

cloche [klɒʃ] *n* 1) вид тепличной рамы 2) стеклянная герметически закрыва́ющаяся кры́шка скорова́рки (*в форме колокола*) 3) да́мская шля́па «ко́локол»

clock I [klɒk] **1.** *n* 1) часы́ (*стенные, настольные, башенные*); like a ~ пункту́ально; he worked the ~ round он прорабо́тал кру́глые су́тки 2): what o'clock is it? кото́рый час? 3) спидо́метр, счётчик такси́ 4) *sl.* цифербла́т, фи́зия, ро́жа ◇ the ~ strikes for him наста́л его́ час; to put (*или* to set) back the ~ ≅ (пыта́ться) поверну́ть наза́д колесо́ исто́рии; заде́рживать разви́тие

2. *v* 1) отмеча́ть вре́мя прихо́да на рабо́ту (in, on) *или* ухо́да с рабо́ты (out, off) (*на специальных часах*) 2) *спорт.* показа́ть вре́мя; he ~ed 11.6 seconds for the 80 metres hurdles он показа́л вре́мя 11,6 секу́нды в барье́рном бе́ге на 80 ме́тров 3) хронометри́ровать

clock II [klɒk] *n* стре́лка (*чулка*)

clock-case ['klɒkkeɪs] *n* футля́р для часо́в

clock-face ['klɒkfeɪs] *n* цифербла́т

clock-glass ['klɒkglɑ:s] *n* стекля́нный колпа́к для часо́в

clock-house ['klɒkhaʊs] *n амер.* проходна́я (*завода, фабрики и т. п.*)

clocking ['klɒkɪŋ] *a*: ~ hen насе́дка, клу́ша

clock-watcher ['klɒk,wɒtʃə] *n* челове́к, рабо́тающий «от и до»; челове́к, форма́льно относя́щийся к свое́й рабо́те

clockwise ['klɒkwaɪz] **1.** *a* дви́жущийся по часово́й стре́лке

2. *adv* по часово́й стре́лке

clockwork ['klɒkwɜ:k] **1.** *n* часово́й механи́зм; like ~ с то́чностью часово́го механи́зма

2. *a* 1) то́чный 2) заводно́й; ~ toys заводны́е игру́шки

clod [klɒd] **1.** *n* 1) ком, глы́ба 2) *sl.* ду́рень, о́лух 3) ше́я (*мясной туши*) 4) прах, мёртвое те́ло

2. *v* 1) слёживаться ко́мьями 2) швыря́ть ко́мьями

cloddish ['klɒdɪʃ] *a* 1) глу́пый 2) неуклю́жий

clodhopper ['klɒd,hɒpə] *n* 1) (*обыкн. pl*) *разг.* гру́бые, тяжёлые башмаки́ 2) *sl.* ду́рень, о́лух

clodpoll ['klɒdpəʊl] = clod 1, 2)

clog [klɒg] **1.** *n* 1) башма́к на деревя́нной подо́шве 2) *уст.* препя́тствие 3) засоре́ние 4) деревя́нная коло́да (*привязываемая к ногам животного, чтобы затруднить его движения*)

2. *v* 1) засоря́ть(ся); засто́поривать(ся) 2) обременя́ть, меша́ть, препя́тствовать 3) надева́ть пу́ты, спу́тывать (*лошадь*) 4) надева́ть башмаки́ на деревя́нной подо́шве

cloggy ['klɒgɪ] *a* 1) комкова́тый; сбива́ющийся в ко́мья 2) густо́й, вя́зкий 3) легко́ засоря́ющийся

cloisonné [klwɑ:'zɒneɪ] *фр. n* клуазоне́, перегоро́дчатая эма́ль

cloister ['klɔɪstə] **1.** *n* 1) *архит.* крыта́я арка́да 2) монасты́рь 3) *attr.*: ~ vault *архит.* монасты́рский свод

2. *v* 1) заточа́ть в монасты́рь 2) уединя́ться (*часто* ~ oneself)

cloistered ['klɔɪstəd] **1.** *p. p. от* cloister 2

2. *a* 1) уединённый 2) заточённый в монасты́рь 3) окружённый арка́дами

cloisterer ['klɔɪstərə] *n* мона́х

cloistral ['klɔɪstrl] *a* 1) уединённый 2) монасты́рский; мона́шеский

cloistress ['klɔɪstrəs] *n* мона́хиня

cloning ['kləʊnɪŋ] *n биол.* вегетати́вное размноже́ние

clonk [klɒŋk] *n* 1) *разг.* тяжёлый уда́р 2) глухо́й звук

clonus ['kləʊnəs] *n мед.* мы́шечное сокраще́ние, кло́нус

clop [klɒp] *n* стук (*копыт*)

close I [kləʊs] **1.** *a* 1) закры́тый 2) бли́зкий, инти́мный; ~ friend бли́зкий друг 3) бли́зкий (*о времени и месте*); те́сный; ~ contact те́сный конта́кт; to get to ~ quarters сбли́зиться, подойти́ на бли́зкую диста́нцию; ~ attack *воен.* наступле́ние с бли́жней диста́нции; ~ column со́мкнутая коло́нна; ~ order со́мкнутый строй; ~ defence непосре́дственное охране́ние 4) облега́ющий (*об одежде*); хорошо́ при́гнанный; то́чно соотве́тствующий 5) без про́пусков, пробе́лов; свя́зный 6) пло́тный; густо́й (*о лесе*); ~ texture пло́тная ткань 7) почти́ ра́вный (*о шансах*) 8) то́чный; ~ translation то́чный перево́д 9) внима́тельный; тща́тельный; подро́бный; ~ investigation подро́бное обсле́дование; ~ reading внима́тельное, ме́дленное чте́ние 10) сжа́тый (*о почерке, стиле*); ~ print убо́ристая печа́ть 11) спёртый, ду́шный 12) уединённый; скры́тый; to keep a thing ~ держа́ть что-л. в секре́те; to keep (*или* to lie) ~ пря́таться 13) за́мкнутый, молчали́вый, скры́тный; to keep oneself ~ держа́ться за́мкнуто 14) стро́гий (*об аресте, изоляции*) 15) скупо́й; he is ~ with his money он скупова́т ◇ (by) a ~ shave а) на волосо́к от; б) с минима́льным преиму́ществом; ~ call *амер.* на волосо́к от; ~ contest упо́рная борьба́ на вы́борах; ~ vote почти́ ра́вное деле́ние голосо́в; ~ district *амер.* избира́тельный о́круг, где побе́да на вы́борах оде́ржана незначи́тельным большинство́м; ~ season вре́мя, когда́ запрещена́ охо́та *или* ры́бная ло́вля

2. *adv* 1) бли́зко; ~ up побли́зости; ~ on почти́, приблизи́тельно; there were ~ on a hundred people present прису́тствовало почти́ сто челове́к 2) почти́; he ran me very ~ он почти́ догна́л меня́ 3) ко́ротко; ~ cropped ко́ротко остри́женный; to cut one's hair ~ ко́ротко постри́чься

close II [kləʊz] **1.** *n* 1) коне́ц; заверше́ние; to bring to a ~ довести́ до конца́, заверши́ть, зако́нчить 2) закры́тие 3) *муз.* каде́нция; када́нс

2. *v* 1) закрыва́ть(ся); конча́ть (*торговлю, занятия*) 2) зака́нчивать(ся); заключа́ть (*речь и т. п.*); to ~ a discussion прекрати́ть обсужде́ние 3) подходи́ть бли́зко; сближа́ться вплотну́ю 4) *эл.* замыка́ть (*цепь*) 5) догова́риваться (with); приня́ть (*предложение, условие*) ▭ ~ **about** оку́тывать; окружа́ть; ~ **down** а) закрыва́ть (*предприятие*); прекраща́ть рабо́ту, веща́ние, переда́чу (*о радиостанции — до следующего дня*); б) применя́ть репре́ссии; подавля́ть; в) *мор.* задра́ивать; ~ **in** а) приближа́ться; наступа́ть; б) окружа́ть, огора́живать; в) сокраща́ться (*о днях*); ~ **out** *амер.* ликвиди́ровать (*дело*); ~ **up** а) сомкну́ть ряды́; б) закрыва́ть (*особ. временно*); в) закрыва́ться (*о ране*); г) зака́нчивать; ~ **with** а) вступа́ть в борьбу́; б) принима́ть предложе́ние, заключа́ть сде́лку ◇ to ~ one's days умере́ть; to ~ the door on smth. положи́ть коне́ц обсужде́нию чего́-л.; сде́лать что-л. невозмо́жным

close III [kləʊz] *n* 1) огоро́женное ме́сто (*часто вокруг собора*) 2) шко́льная площа́дка

closed [kləʊzd] **1.** *p. p. от* close II, 2

2. *a* 1) за́пертый, закры́тый; ~ sea вну́треннее мо́ре (*все берега которого принадлежат одному государству*); ~ work *горн.* подзе́мные рабо́ты; ~ shop *амер.* предприя́тие, принима́ющее на рабо́ту то́лько чле́нов профсою́за (*на основании договора с профсоюзом*); ~ economy автарки́ческая эконо́мия, автарки́я; ~ season вре́мя, когда́ запрещена́ охо́та 2) зако́нченный 3) *фон.* закры́тый; ~ syllable закры́тый слог 4) *эл.* под то́ком ◇ ~ mind ограни́ченность

closedown ['kləʊzdaʊn] *n* остано́вка рабо́ты в связи́ с закры́тием предприя́тия

closefisted [,kləʊs'fɪstɪd] *a* скупо́й

close-grained [,kləʊs'greɪnd] *a* мелкозерни́стый, мелковолокни́стый

close-hauled [,kləʊs'hɔ:ld] *a мор.* иду́щий в круто́й бейдеви́нд

close-in ['kləʊs,ɪn] *a*: ~ fighting бли́жний бой; рукопа́шная схва́тка

closely ['kləʊslɪ] *adv* 1) бли́зко, те́сно 2) внима́тельно; to look ~ at smth. при́стально смотре́ть на что-л. ◇ ~ confined в стро́гой изоля́ции

closely-knit [,kləʊslɪ'nɪt] *a* сплочённый

closeness ['kləʊsnəs] *n* 1) бли́зость 2) пло́тность 3) духота́ 4) ску́пость 5) уедине́ние

close-out ['kləʊzaʊt] *n* распрода́жа

closestool ['kləʊsstu:l] *n* стульча́к; пара́ша

closet ['klɒzɪt] **1.** *n* 1) небольшо́й кабине́т (*в квартире*) 2) (стенно́й) шкаф; jam ~ буфе́т; bed ~ ни́ша для крова́ти; ма́ленькая спа́льня 3) клозе́т, убо́рная 4) *амер.* чула́н 5) *attr.* кабине́тный; ~ strategist кабине́тный страте́г

2. *v* запира́ть; to be ~ed with smth. совеща́ться с кем-л. наедине́

close-up ['kləʊsʌp] *n* 1) *кино, тлв.* кру́пный план 2) *амер.* тща́тельный осмо́тр 3) *attr.*: ~ pictures *кино* ка́дры, сня́тые кру́пным пла́ном

closing ['kləʊzɪŋ] **1.** *pres. p. от* close II, 2

2. *n* 1) заключе́ние, коне́ц 2) закрытие; запира́ние 3) смыка́ние 4) *эл.* замыка́ние

3. *a* заключи́тельный; ~ speech заключи́тельное сло́во

closing time ['kləʊzɪŋtaɪm] *n* вре́мя закры́тия (*магазинов, учреждений и т. п.*)

closure ['kləʊʒə] 1. *n* 1) закры́тие; *фон.* смыка́ние 2) *парл.* прекраще́ние пре́ний

2. *v* закрыва́ть пре́ния

clot [klɒt] 1. *n* 1) комо́к, сгу́сток 2) *геол.* уча́сток (поро́ды) 3) сверну́вшаяся кровь 4) *мед.* тромб 5) *разг.* идио́т, болва́н

2. *v* 1) свёртываться, запека́ться (*о крови*) 2) сгуща́ться; створа́живаться (*о молоке*)

cloth [klɒθ] *n* 1) ткань; сукно́; полотно́; холст; бума́жная мате́рия; ~ of gold (silver) золота́я (сере́бряная) парча́; bound in ~ в переплёте из мате́рии 2) *pl* куски́ мате́рии; сорта́ су́кон, мате́рий 3) ска́терть; to lay the ~ накрыва́ть на стол 4) пы́льная тря́пка 5) духо́вный сан; gentlemen of the ~ духове́нство

clothe ['kləʊð] *v* (clothed [-d], clad) 1) одева́ть; to ~ one's children обеспе́чивать дете́й оде́ждой; to ~ oneself одева́ться 2) облека́ть; ~d authority облечённый вла́стью; to ~ one's thoughts in words облека́ть мы́сли в слова́ 3) покрыва́ть; spring ~s the land with verdure весна́ покрыва́ет зе́млю зе́ленью

clothes [kləʊðz] *n pl* 1) пла́тье, оде́жда 2) (посте́льное) бельё

clothes-bag ['kləʊðzbæg] = clothes basket

clothes basket ['kləʊðz,bɑ:skɪt] *n* бельева́я корзи́на

clothes brush ['kləʊðzbrʌʃ] *n* 1) платяна́я щётка 2) сварли́вая ба́ба

clotheshorse ['kləʊðzhɔ:s] *n* ра́ма для су́шки белья́

clothesline ['kləʊðzlaɪn] *n* верёвка для разве́шивания и су́шки белья́

clothes-man ['kləʊðzmæn] *n* старьёвщик

clothespin ['kləʊðzpɪn] *n* прище́пка для белья́

clothes-press ['kləʊðzpres] *n* 1) комо́д для белья́ 2) приспособле́ние для глаже́ния оде́жды

clothier ['kləʊðɪə] *n* 1) торго́вец мануфакту́рой и мужско́й оде́ждой 2) портно́й 3) фабрика́нт су́кон

clothing ['kləʊðɪŋ] 1. *pres. p. от* clothe

2. *n* 1) оде́жда, пла́тье 2) *воен.* обмундирова́ние 3) *тех.* обши́вка 4) *мор.* паруса́

clotted ['klɒtɪd] 1. *p. p. от* clot 2

2. *a* сверну́вшийся, запёкшийся; ~ hair сли́пшиеся, сваля́вшиеся во́лосы ◇ ~ nonsense су́щий вздор

cloture ['kləʊtʃə] *амер.* = closure 1, 2)

clou ['klu:] *фр. n* 1) то, что нахо́дится в це́нтре внима́ния; гвоздь програ́ммы 2) основна́я мысль

cloud [klaʊd] 1. *n* 1) о́блако; ту́ча; mushroom ~ грибови́дное о́блако (*при атомном взрыве*); ~s of smoke клубы́ ды́ма; ~s of dust клубы́ пы́ли 2) мно́жество, тьма, ту́ча (*птиц, стрел и т. п.*) 3) что-л. омрача́ющее, броса́ющее тень; a ~ on one's happiness о́блачко, омрача́ющее чьё-л. сча́стье; a ~ on one's reputation пятно́ на чьей-л. репута́ции; to be under a ~ of suspicion быть под подозре́нием 4) покро́в; under ~ of night под покро́вом но́чи 5) шерстяна́я шаль ◇ to be (*или* to have one's head) in the ~s вита́ть в облака́х; in the ~s нереа́льный, вообража́емый; under a ~ а) в тяжёлом положе́нии; б) в неми́лости, в опа́ле; в) под подозре́нием; every ~ has a (*или* its) silver lining *посл.* ≅ нет ху́да без добра́

2. *v* 1) покрыва́ть(ся) облака́ми, ту́чами 2) омрача́ть(ся); затемня́ть; мути́ть 3) очерни́ть; запятна́ть (*репутацию*) ▭ ~ over, ~ up заволаки́ваться

cloudberry ['klaʊdbərɪ] *n бот.* моро́шка

cloudburst ['klaʊdbɜ:st] *n* ли́вень

cloud-capped [,klaʊd'kæpt] *a* закры́тый облака́ми, ту́чами (*о горных вершинах*)

cloud-castle ['klaʊd,kɑ:sl] *n* возду́шные за́мки, мечты́, фанта́зии

cloud-drift ['klaʊddrɪft] *n* плыву́щие облака́

cloudland ['klaʊdlænd] *n* ска́зочная страна́, мир грёз

cloudless ['klaʊdləs] *a* безо́блачный, я́сный

cloudlet ['klaʊdlət] *n* о́блачко, ту́чка

cloud-world ['klaʊdwɜ:ld] = cloudland

cloudy ['klaʊdɪ] *a* 1) о́блачный 2) непрозра́чный, му́тный (*о жидкости*) 3) пу́таный; тума́нный (*о мысли*) 4) затума́ненный, нея́сный (*о зрении, видимости*) 5) хму́рый, мра́чный 6) с пя́тнами, прожи́лками (*о мраморе и т. п.*)

clout [klaʊt] 1. *n* 1) *разг.* затре́щина 2) *разг.* влия́тельное лицо́ (*особ. в политике или бизнесе*) 3) *диал.* лоску́т, тря́пка 4) = clout nail

2. *v* 1) *разг.* дава́ть затре́щину 2) *уст., диал.* гру́бо чини́ть *или* лата́ть

clout nail ['klaʊtneɪl] *n* гвоздь с пло́ской шля́пкой; штукату́рный гвоздь

clove I [kləʊv] *n* 1) гвозди́ка (*пряность*); oil of ~s гвозди́чное ма́сло 2) гвозди́чное де́рево

clove II [kləʊv] *n* зубо́к чесно́чной голо́вки; лу́ковичка

clove III [kləʊv] *past от* cleave I

clove-gillyflower ['kləʊvdʒɪlɪ,flaʊə] *n бот.* гвозди́чное де́рево

clove hitch [,kləʊv'hɪtʃ] *n мор.* вы́бленочный у́зел

cloven ['kləʊvn] 1. *p. p. от* cleave I

2. *a* раздво́енный, расщеплённый; ~ hoof раздво́енное копы́то (*у парнокопытных*) ◇ to show the ~ hoof (*или* foot) обнару́живать дья́вольский хара́ктер (*дьявола обычно изображали с раздвоенным копытом*)

clover ['kləʊvə] *n* кле́вер ◇ he is in ~, he lives in ~ ≅ он как сыр в ма́сле ката́ется; он живёт припева́ючи

clow [klaʊ] *n* шлю́зные воро́та

clown [klaʊn] 1. *n* 1) кло́ун 2) шут 3) *уст.* неотёсанный па́рень

2. *v* дура́читься, изобража́ть из себя́ кло́уна

clownery ['klaʊnərɪ] *n* клоуна́да

clownish ['klaʊnɪʃ] *a* 1) шутовско́й 2) гру́бый; неотёсанный

cloy [klɔɪ] *v* пресыща́ть ◇ too many sweets ~ the palate изби́ток сла́достей вызыва́ет отвраще́ние

club I [klʌb] 1. *n* 1) дуби́нка 2) *спорт.* клю́шка; би́та; булава́ 3) прикла́д (*ружья*)

2. *v* бить (*дубиной, прикладом*)

club II [klʌb] *n pl карт.* тре́фы, тре́фовая масть

club III [klʌb] 1. *n* клуб

2. *v* 1) собира́ться вме́сте 2) устра́ивать скла́дчину (together, with)

clubbable ['klʌbəbl] *a* 1) общи́тельный; лю́бящий (клу́бное) о́бщество 2) досто́йный быть чле́ном клу́ба

clubbing I ['klʌbɪŋ] 1. *pres. p. от* club I, 2

2. *n* избие́ние дуби́нкой

clubbing II ['klʌbɪŋ] *pres. p. от* club III, 2

clubfoot [,klʌb'fʊt] 1. *n* косола́пость; изуро́дованная ступня́

2. *a* = clubfooted

clubfooted [,klʌb'fʊtɪd] *a* косола́пый, с изуро́дованной ступнёй

club-law I ['klʌblɔ:] *n* кула́чное пра́во

club-law II ['klʌblɔ:] *n* уста́в клу́ба

clubman ['klʌbmən] *n* 1) член клу́ба 2) *амер.* све́тский челове́к

club sandwich [,klʌb'sændwɪdʒ] *n амер.* трёхсло́йный бутербро́д

club-shaped ['klʌbʃeɪpt] *a* утолщённый на одно́м конце́, булавови́дный

clubwoman ['klʌb,wʊmən] *n* же́нщина — член *или* завсегда́тай клу́ба

cluck [klʌk] 1. *n* куда́хтанье, клохта́ние

2. *v* куда́хтать, клохта́ть

clue [klu:] *n* 1) ключ (*к разгадке чего-л.*); ули́ка 2) нить (*рассказа и т. п.*); ход мы́слей

clump [klʌmp] 1. *n* 1) гру́ппа (*деревьев*) 2) звук тяжёлых шаго́в 3) двойна́я подо́шва

2. *v* 1) ста́вить двойну́ю подо́шву 2) сажа́ть гру́ппами 3) тяжело́ ступа́ть (*обыкн.* ~ about)

clumsy ['klʌmzɪ] *a* 1) неуклю́жий, нело́вкий; неповоро́тливый 2) гру́бый, topо́рный 3) беста́ктный

clung [klʌŋ] *past и p. p. от* cling

clunk [klʌŋk] = clonk

cluster ['klʌstə] 1. *n* 1) кисть, пучо́к, гроздь; куст; ~ of grapes гроздь виногра́да 2) гру́ппа; ~ of spectators ку́чка зри́телей 3) рой (*пчёл*) 4) скопле́ние, концентра́ция 5) *attr.*: ~ sampling вы́борочное обсле́дование 6) *attr.*: ~ switch *эл.* группово́й выключа́тель

2. *v* 1) расти́ пучка́ми, гро́здьями; roses

~ed round the house вокру́г до́ма росли́ кусты́ роз 2) собира́ться гру́ппами, толпи́ться, тесни́ться; the children ~ed round their teacher де́ти окружи́ли учи́тельницу; memories of the past ~ round this spot с э́тим ме́стом свя́заны воспомина́ния про́шлого

clutch I [klʌtʃ] **1.** *n* 1) сжа́тие; захва́т; to make a ~ at smth. схвати́ть что-л. 2) *pl* ко́гти, ла́пы 3) власть, тиски́; to get into the ~es of moneylenders попа́сть во власть (*или* в ла́пы) ростовщико́в 4) *тех.* зажи́мное устро́йство; му́фта, сцепле́ние; to throw in (out) the ~ сцепи́ть (разобщи́ть) му́фту

2. *v* схвати́ть; зажа́ть; ухвати́ть(ся) ◇ to ~ at a straw хвата́ться за соло́минку

clutch II [klʌtʃ] **1.** *n* 1) я́йца, на кото́рых сиди́т ку́рица 2) вы́водок

2. *v* выси́живать (*цыпля́т*)

clutter ['klʌtə] **1.** *n* 1) сумато́ха 2) беспоря́док; хао́с 3) шум, гам

2. *v* 1) создава́ть сумато́ху 2) приводи́ть в беспоря́док, загроможда́ть веща́ми (*ча́сто* ~ up); her desk was ~ed up with old papers её стол был зава́лен ста́рыми бума́гами 3) создава́ть поме́хи, меша́ть; to ~ traffic затрудня́ть (у́личное) движе́ние 4) шуме́ть

Clydesdale ['klaɪdzdeɪl] *n* клейдеса́льская поро́да лошаде́й-тяжелово́зов

clyster ['klɪstə] *n уст.* 1) кли́зма; клисти́р 2) *attr.*: ~ pipe клисти́рная тру́бка

co- [ˌkəʊ-] *в сло́жных слова́х означа́ет о́бщность, совме́стность де́йствий, сотру́дничество, взаи́мность и т. п.*; *напр.*: coordinate координи́ровать; согласо́вывать; coeducation совме́стное обуче́ние лиц обо́его по́ла

coach I [kəʊtʃ] **1.** *n* 1) авто́бус (междугоро́дного сообще́ния) 2) *ж.-д.* пассажи́рский ваго́н 3) каре́та, экипа́ж; ~ and four (six) каре́та, запряжённая четвёркой (шестёркой) 4) *ист.* почто́вая каре́та ◇ to drive a ~ and four (*или* six) through свести́ на нет, аннули́ровать, обойти́ зако́н (юриди́ческое постановле́ние *и т. п.*), ссыла́ясь на нето́чность *или* нея́сность в те́ксте; найти́ лазе́йку

2. *v* 1) е́хать в каре́те 2) перевози́ть в каре́те

coach II [kəʊtʃ] **1.** *n* 1) репети́тор (*подгота́вливающий к экза́менам*) 2) тре́нер; инстру́ктор

2. *v* 1) подгота́вливать *или*ната́скивать к экза́мену 2) занима́ться с репети́тором 3) тренирова́ть, подгота́вливать к состяза́ниям 4) *ав.* инструкти́ровать пило́та по ра́дио во вре́мя ночны́х полётов

coach box ['kəʊtʃbɒks] *n* ко́злы

coach house ['kəʊtʃhaʊs] *n* каре́тный сара́й

coachman ['kəʊtʃmən] *n* 1) ку́чер 2) иску́сственная му́ха (*для ры́бной ло́вли*)

coadjutor [kəʊ'ædʒʊtə] *n* коадъю́тор, помо́щник, замести́тель (*осо́б. духо́вного лица́*)

coagulant [kəʊ'ægjʊlənt] *n хим.* сгуща́ющее вещество́, коагуля́нт

coagulate [kəʊ'ægjʊleɪt] *v* сгуща́ть(ся), свёртывать(ся); коагули́ровать

coagulation [kəʊˌægjʊ'leɪʃn] *n* коагуля́ция, свёртывание

coal [kəʊl] **1.** *n* 1) (ка́менный) у́голь 2) уголёк ◇ to call (*или* to haul) over the ~s де́лать вы́говор; дава́ть нагоня́й; to carry ~s to Newcastle вози́ть това́р туда́, где его́ и без того́ мно́го; ≅ е́хать в Ту́лу со свои́м самова́ром; занима́ться бессмы́сленным де́лом (*г. Нью́касл - центр уго́льной промы́шленности*); to heap ~s of fire on smb.'s head *библ.* ≅ пристыди́ть кого́-л., возда́в добро́м за зло

2. *v* 1) грузи́ть(ся) у́глем 2) обу́гливаться

coal-bed ['kəʊlbed] *n* у́гольный пласт

coal black ['kəʊlˌblæk] *a* чёрный как смоль

coal-burner ['kəʊlˌbɜ:nə] *n* кора́бль, рабо́тающий на угле́

coal-cutter ['kəʊlˌkʌtə] *n* вру́бовая маши́на

coal-dust ['kəʊldʌst] *n* ме́лкий у́голь, у́гольная пыль

coaler ['kəʊlə] *n* 1) у́гольщик (*парохо́д*) 2) гру́зчик угля́

coalesce [ˌkəʊə'les] *v* 1) сраста́ться 2) объединя́ться (*о лю́дях*)

coalescence [ˌkəʊə'lesns] *n* 1) сраще́ние, соедине́ние 2) объедине́ние (*в гру́ппы и т. п.*); смесь ◇ ~ of councils единоду́шие, единогла́сие

coalfield ['kəʊlfi:ld] *n* каменноуго́льный бассе́йн; месторожде́ние ка́менного угля́

coal-flap ['kəʊlflæp] *n* кры́шка находя́щегося на тротуа́ре лю́ка у́гольного подва́ла

coal gas ['kəʊlgæs] *n* каменноуго́льный газ, свети́льный газ

coal-heaver ['kəʊlˌhi:və] *n* во́зчик угля́

coalhole ['kəʊlhəʊl] *n* 1) подва́л для хране́ния угля́ 2) люк для спу́ска угля́ в подва́л

coaling ['kəʊlɪŋ] **1.** *pres. p. от* coal 2

2. *n* погру́зка угля́, бункеро́вка

coaling station ['kəʊlɪŋˌsteɪʃn] *n* у́гольная ста́нция, у́гольная ба́за

coalite ['kəʊlaɪt] *n хим.* коали́т

coalition [ˌkəʊə'lɪʃn] *n* 1) коали́ция; сою́з (*вре́менный*) 2) *attr.* коалицио́нный; a ~ government коалицио́нное прави́тельство

coalitionist [ˌkəʊə'lɪʃnɪst] *n* уча́стник коали́ции

coalman ['kəʊlmæn] *n* 1) углеко́п 2) у́гольщик (*парохо́д*)

coal measures ['kəʊlˌmeʒəz] *n pl геол.* каменноуго́льные пласты́; каменноуго́льная сви́та; каменноуго́льные отложе́ния

coalmine ['kəʊlmaɪn] *n* у́гольная ша́хта, копь

coal-pit ['kəʊlpɪt] = coalmine

coal-plough machine ['kəʊlplaʊməˌʃi:n] *n* у́гольный комба́йн

coal-scuttle ['kəʊlˌskʌtl] *n* ведёрко для угля́

coal seam ['kəʊlsi:m] = coal-bed

coal tar ['kəʊltɑ:] *n* каменноуго́льная смола́, каменноуго́льный дёготь

coaly ['kəʊlɪ] *a* 1) у́гольный, содержа́щий у́голь 2) чёрный как у́голь 3) покры́тый у́гольной пы́лью; чума́зый

coaming ['kəʊmɪŋ] *n мор.* ко́мингс

coarse [kɔ:s] *a* 1) гру́бый (*о пи́ще, оде́жде и т. п.*); ~ thread суро́вые ни́тки 2) кру́пный; ~ sand кру́пный песо́к 3) необрабо́танный, шерохова́тый (*о материа́ле*) 4) ни́зкого со́рта 5) гру́бый, невё́жливый 6) непристо́йный, вульга́рный

coarse-grained [ˌkɔ:s'greɪnd] *a* 1) крупнозерни́стый; ~ wood широкосло́йная древеси́на 2) неотёсанный, гру́бый (*о челове́ке*)

coarsen ['kɔ:sn] *v* 1) де́лать гру́бым 2) грубе́ть

coast [kəʊst] **1.** *n* 1) морско́й бе́рег, побере́жье 2) спуск под укло́н с вы́ключенным мото́ром *или* без педа́лей 3) *амер.* спуск с горы́ на са́нках 4) *амер.* снё́жная го́рка ◇ the ~ is clear путь свобо́ден, препя́тствий нет

2. *v* 1) спуска́ться под укло́н с вы́ключенным мото́ром *или* без педа́лей 2) де́лать успе́хи без осо́бого уси́лия 3) *амер.* ката́ться с горы́ 4) пла́вать вдоль побере́жья

coastal ['kəʊstl] **1.** *a* берегово́й; ~ traffic кабота́жное пла́вание; ~ command берегова́я охра́на; ~ submarine подво́дная ло́дка прибре́жного де́йствия

2. *n* су́дно берегово́й охра́ны

coaster ['kəʊstə] *n* 1) кабота́жное су́дно 2) подста́вка для стака́на (*и т. п.*); серебря́ный подно́с (*ча́сто на колёсиках*) для графи́на 3) жи́тель берегово́го райо́на

coastguard ['kəʊstgɑ:d] *n* берегова́я охра́на; *амер.* морска́я пограни́чная слу́жба

coasting ['kəʊstɪŋ] **1.** *pres. p. от* coast 2

2. *n* 1) кабота́жное судохо́дство 2) *амер.* спуск с горы́; ката́нье с гор 3) *attr.* кабота́жный; ~ trade кабота́жная торго́вля

coastline ['kəʊstlaɪn] *n* берегова́я ли́ния

coast waiter ['kəʊstˌweɪtə] *n* тамо́женный чино́вник, надзира́ющий за кабота́жными суда́ми

coast warning ['kəʊstˌwɔ:nɪŋ] *n мор.* штормово́й сигна́л

coastwise ['kəʊstwaɪz] **1.** *a* кабота́жный

2. *adv* вдоль побере́жья

coat [kəʊt] **1.** *n* 1) пиджа́к; мунди́р; френч; ки́тель; Eton ~ коро́ткая чёрная ку́ртка; tail (*или* claw hammer) ~ фрак; morning ~ визи́тка; ~ and skirt же́нский костю́м 2) ве́рхнее пла́тье, пальто́; to take off one's ~ снять пальто́ [*ср. тж.* ◇] 3) мех, шерсть; *редк.* шу́бка (*живо́тного*); опере́ние (*пти́цы*) 4) *анат.* оболо́чка, плева́ 5) слой, покро́в; ~ of snow снегово́й покро́в; ~ of paint слой кра́ски; ~ of dust слой пы́ли 6) *тех.* облицо́вка, обши́вка; о́бкла́дка; грунт ◇ ~

of arms гербовый щит, герб; ~ of mail кольчуга; to dust a man's ~ (for him) вздуть, отколотить кого-л.; to take off one's ~ приготовиться к драке [*ср. тж.* 2)]; to take off one's ~ to (the) work горячо взяться за работу; to turn one's ~ менять свои убеждения, взгляды; переходить на сторону противника

2. *v* 1) покрывать (*краской и т. п.*); his tongue is ~ed у него язык обложен 2) облицовывать

coatee ['kəʊti:] *n* короткая куртка

coating ['kəʊtɪŋ] **1.** *pres. p. от* coat 2

2. *n* 1) слой (*краски и т. п.*); шпаклёвка, грунт 2) *тех.* обшивка; покрытие 3) материал для пальто

coauthor [,kəʊ'ɔ:tə] *n* соавтор

co-ax [kəʊ'æks] *n воен.* пулемёт комплексной установки

coax [kəʊks] **1.** *v* 1) упрашивать (*терпеливо и т. п.*); уговаривать; задабривать; she ~ed the child to take the medicine она уговорила ребёнка принять лекарство 2) добиться чего-л. с помощью уговоров, лести (into, out of); he was ~ed into coming here его упросили прийти сюда; to ~ smth. out of smb. добиться лаской *и т. п.* чего-л. от кого-л.; to ~ the fire into burning терпеливо разжигать огонь

2. *n* человек, который умеет упросить, убедить

coaxal [,kəʊ'æksəl] *a* коаксальный, имеющий общую ось

coaxial [,kəʊ'æksɪəl] = coaxal

coaxing ['kəʊksɪŋ] **1.** *pres. p. от* coax 1

2. *n* задабривание, уговаривание

cob I [kɒb] **1.** *n* 1) глыба, ком 2) кочерыжка кукурузного початка 3) крупный орех 4) коб (*название породы невысоких, коренастых верховых лошадей*) 5) = cob-swan

2. *v* 1) бросать, швырять 2) бить 3) *горн.* дробить руду вручную молотком

cob II [kɒb] *n* 1) смесь глины с соломой (*для обмазки стен*) 2) *attr.*: ~ wall глинобитная стена

cobalt ['kəʊbɔ:lt] *n* 1) *хим.* кобальт 2) кобальтовая синяя краска

cobber ['kɒbə] *n австрал. разг.* приятель

cobble I ['kɒbl] **1.** *n* 1) булыжник 2) *pl* крупный уголь

2. *v* мостить (*булыжником*)

cobble II ['kɒbl] **1.** *n* плохо сделанная работа

2. *v* чинить, латать (*обувь*)

cobbler ['kɒblə] *n* 1) сапожник, занимающийся починкой обуви; ~'s wax воск (*для вощения ниток*) 2) кобблер, напиток из вина с сахаром, лимоном и льдом 3) *pl sl.* чушь 4) плохой работник

cobblestone ['kɒblstəʊn] = cobble I, 1, 1)

cobby ['kɒbɪ] *a* низкорослый, коренастый

coble ['kəʊbl] *n* плоскодонная рыбачья лодка

cobnut ['kɒbnʌt] *n* род волошского ореха, фундук

cobra ['kəʊbrə] *n* кобра, очковая змея

cob-swan ['kɒbswɒn] *n* лебедь-самец

cobweb ['kɒbweb] *n* 1) паутина 2) лёгкая прозрачная ткань 3) *pl* хитросплетения, тонкости ◇ ~ morning туманное утро; to blow away the ~s проветриться; прогуляться; he has a ~ in his throat у него горло пересохло

cobwebby ['kɒb,webɪ] *a* затянутый паутиной

coca ['kəʊkə] *n бот.* кока (*кустарник и его листья*)

coca-cola [,kəʊkə'kəʊlə] *n* кока-кола

cocaine [kəʊ'keɪn] *n* кокаин

cocainize [kəʊ'keɪnaɪz] *v* впрыскивать кокаин

cocci ['kɒksaɪ] *pl от* coccus

coccus ['kɒkəs] *n* (*pl* cocci) *мед.* кокк

coccyx ['kɒksɪks] *n анат.* копчик

cochin(-china) ['kəʊtʃɪn('tʃaɪnə)] *n* кохинхинка (*порода кур*)

cochineal [,kɒtʃɪ'ni:l] *n* кошениль (*краска*)

cochlea ['kɒklɪə] *n* (*pl* -leae) *анат.* улитка (*уха*)

cochleae ['kɒklɪi:] *pl от* cochlea

cochleare [,kɔ:klɪ'eəri:] *n мед.* ложка (*мера лекарства, в рецептах сокр.* cochl.)

cock I [kɒk] **1.** *n* 1) петух; ~ of the wood тетерев, глухарь 2) самец (*птицы*) 3) *sl.* друг (*форма обращения*); old ~ дружище 4) *груб.* половой член 5) *sl.* чушь, бред 6) кран 7) флюгер 8) курок; at full ~ на полном взводе 9) сторожок (*весов*); стрелка (*солнечных часов*) 10) петушиный крик (*на заре*); we sat till the second ~ мы сидели до вторых петухов 11) *ав.* сиденье лётчика 12) вожак, коновод; ~ of the school первый коновод и драчун в школе ◇ ~ of the walk *разг.* а) хозяин положения; б) важная персона, местный заправила; to live a fighting ~ жить припеваючи; that ~ won't fight ≅ этот номер не пройдёт

2. *v* поднимать; to ~ (up) one's ears настораживать уши (*о животном*); навострить уши, насторожиться; to ~ one's hat заламывать шляпу набекрень; to ~ one's pistol взводить курок пистолета ◇ to ~ one's eye подмигнуть; взглянуть многозначительно; to ~ one's nose задирать нос, важничать

cock II [kɒk] **1.** *n* стог

2. *v* складывать сено в стога

-cock [-kɒk] *в сложных словах означает самца птиц*

cockade [kɒ'keɪd] *n* кокарда

cock-a-doodle-doo [,kɒkədu:dl'du:] *n* 1) кукареку 2) петух, петушок

cock-a-hoop [,kɒkə'hu:p] *a* 1) *predic.* ликующий; торжествующий 2) самодовольный; хвастливо-задорный; высокомерный

Cockaigne [kɒ'keɪn] *n* сказочная страна изобилия и праздности; the land of ~ *ирон.* Лондон и его окрестности

cockalorum [,kɒkə'lɔ:rəm] *n разг.* «петушок», самоуверенный молодой человек небольшого роста

cock-and-bull [,kɒkən'bʊl] *a*: ~ story неправдоподобная история; небылицы

cockatoo [,kɒkə'tu:] *n* 1) какаду (*попугай*) 2) *австрал. разг.* мелкий фермер

cockatrice ['kɒkətraɪs] *n* василиск

Cockayne [kɒ'keɪn] = Cockaigne

cockboat ['kɒkbəʊt] *n* судовая шлюпка

cockchafer ['kɒk,tʃeɪfə] *n зоол.* майский жук, хрущ

cockcrow ['kɒkkrəʊ] *n* время, когда начинают петь петухи, рассвет

cocked [kɒkt] **1.** *p. p. от* cock I, 2

2. *a* 1) поднятый 2) задранный кверху

cocked hat ['kɒkthæt] *n* 1) треуголка 2) письмо, сложенное треугольником

Cocker ['kɒkə] *n*: according to ~ как по Кокеру (*Кокер — автор учебника арифметики в XVII в.*), точно, совершенно правильно

cocker I ['kɒkə] *v* ласкать, баловать (*детей*) ▭ ~ up потворствовать (in); закармливать сладостями

cocker II ['kɒkə] *n* кокер-спаниель (*охотничья собака*)

cockerel ['kɒkrəl] *n* 1) петушок 2) драчун, задира

cockeye [,kɒk'aɪ] **1.** *n разг* косящий глаз

2. *a* косой

cockeyed [,kɒk'aɪd] *a разг.* 1) косоглазый 2) косой 3) пьяный 4) бестолковый, дурацкий

cockfight(ing) ['kɒk,faɪt(ɪŋ)] *n* петушиный бой

cockhorse [,kɒk'hɔ:s] **1.** *n* палочка-лошадка (*детская игрушка*)

2. *adv* верхом на палочке

cockiness ['kɒkɪnəs] *n* самонадеянность; дерзость

cockle I ['kɒkl] *n бот.* 1) куколь посевной 2) плевел опьяняющий

cockle II ['kɒkl] *n зоол.* съедобный моллюск ◇ to warm (*или* to rejoice) the ~s of one's heart радовать, согревать сердце

cockle III ['kɒkl] **1.** *n* морщина, изъян (*в бумаге, материи*)

2. *v* 1) морщиниться 2) покрываться барашками (*о море*) 3) завёртывать(ся) винтом *или* спиралью

cockle IV ['kɒkl] *n* печь для сушки хмеля

cockle-boat ['kɒklbəʊt] = cockleshell 2)

cockleshell ['kɒklʃel] *n* 1) раковина 2) «скорлупка», утлое судёнышко, утлая лодчонка

cockloft ['kɒklɒft] *n* 1) мансарда 2) чердак

cockney ['kɒknɪ] *n* 1) кокни, лондонец из низов (*особ. уроженец Ист-Энда*) 2) кокни (*лондонское просторечие, преимущественно Ист-Энда*) 3) *пренебр.* горожанин 4) *attr.* свойственный кокни; ~ pronunciation произношение кокни

cockpit ['kɒkpɪt] *n* 1) *ав.* кабина в самоле́те 2) *мор.* ку́брик; ко́кпит 3) аре́на борьбы́ 4) аре́на для петуши́ных боёв

cockroach ['kɒkrəʊtʃ] *n*育 тарака́н

cockscomb ['kɒkskəʊm] *n* 1) петуши́ный гре́бень 2) *бот.* петуши́ный гребешо́к 3) дура́цкий, шутовско́й колпа́к

cocksfoot ['kɒksfʊt] *n бот.* ёжа сбо́рная

cockshead ['kɒkshed] *n бот.* эспарце́т

cockshot ['kɒkʃɒt] = cockshy 2)

cockshy ['kɒkʃaɪ] *n* 1) наро́дная игра́ (*в которой участвующий, попадая в мишень палкой, получает приз*) 2) мише́нь

cock sparrow ['kɒk,spærəʊ] *n* 1) воробе́й-саме́ц 2) забия́ка, зади́ра

cocksure [,kɒk'ʃɔ:] *a* 1) вполне́ уве́ренный; I was ~ of (*или* about) his horse я был уве́рен, что его́ ло́шадь вы́играет 2) самоуве́ренный 3) неизбе́жный (*о событии*)

cockswain ['kɒkswein, 'kɔksn] = coxswain

cocksy ['kɒksɪ] = cocky

cocktail ['kɒkteɪl] *n* 1) кокте́йль 2) ло́шадь с подре́занным хвосто́м; скакова́я полукро́вка 3) вы́скочка

cocky ['kɒkɪ] *a* самоуве́ренный; де́рзкий; наха́льный

cocky-leeky [,kɒkɪ'li:kɪ] *n шотл.* кури́ный бульо́н, запра́вленный лу́ком

coco ['kəʊkəʊ] *n* 1) коко́совая па́льма 2) = coconut 1)

cocoa ['kəʊkəʊ] *n* 1) кака́о (*порошок и напиток*) 2) *attr.* кака́овый; ~ bean боб кака́о; ~ nibs зёрна кака́о, очи́щенные от шелухи́ 3) *attr.*: ~ powder бу́рый по́рох

cocoa-husks ['kəʊkəhʌsks] = cocoa-shells

cocoa-nut ['kəʊkənʌt] = coconut

cocoa-shells ['kəʊkəʃelz] *n pl* какаве́лла

coconut ['kəʊkənʌt] *n* 1) коко́с 2) *разг.* башка́ 3) *sl.* до́ллар 4) *attr.* коко́совый; ~ fibre коко́совая моча́лка; ~ milk мле́чный сок в коко́совом оре́хе ◇ that accounts for the milk in the ~ *шутл.* вот тепе́рь всё поня́тно

coconut tree ['kəʊkənʌt,tri:] *n* коко́совая па́льма

cocoon [kə'ku:n] *n* ко́кон

cocoonery [kə'ku:nərɪ] *n амер.* червово́дня; ста́нция для вы́водки целлюля́рной гре́ны

coco palm ['kəʊkəpɑ:lm] *n* коко́совая па́льма

cocotte [kə'kɒt] *n* коко́тница, порцио́нная кастрю́лечка

cod I [kɒd] *n* (*pl без измен.*) треска́

cod II [kɒd] *v разг.* надува́ть, обма́нывать

cod III [kɒd] *n* стручо́к, шелуха́

coda ['kəʊdə] *n муз.* ко́да

coddle I ['kɒdl] **1.** *n* не́женка

2. *v* 1) уха́живать (*как за больным*); ку́тать; изне́живать 2) балова́ть

coddle II ['kɒdl] *v* 1) обва́ривать кипятко́м, вари́ть на ме́дленном огне́ 2) *диал.* печь (я́блоки)

code [kəʊd] **1.** *n* 1) код; Morse ~ а́збука (*или* код) Мо́рзе 2) *юр.* ко́декс, свод зако́нов; civil ~ гражда́нский ко́декс; criminal ~ уголо́вный ко́декс 3) зако́ны че́сти, мора́ли; мора́льные но́рмы; ~(s) of conduct но́рмы поведе́ния

2. *v* шифрова́ть по ко́ду, коди́ровать

codeine ['kəʊdi:n] *n фарм.* кодеи́н

co-determination [,kəʊdɪtɜ:mɪ'neɪʃn] *n* совме́стное определе́ние поли́тики (*между предпринимателями и рабочими*)

codex ['kəʊdeks] *n* (*pl* codices) 1) стари́нная ру́копись *или* сбо́рник стари́нных ру́кописей 2) *редк.* ко́декс

codfish ['kɒdfɪʃ] = cod I

codger ['kɒdʒə] *n разг.* чуда́к; эксцентри́чный старика́шка

codices ['kəʊdɪsi:z] *pl от* codex

codicil ['kəʊdɪsɪl] *n юр.* дополни́тельное распоряже́ние к завеща́нию

codification [,kəʊdɪfɪ'keɪʃn] *n* кодифика́ция

codify ['kəʊdɪfaɪ] *v* 1) кодифици́ровать 2) приводи́ть в систе́му (*условные знаки, сигналы и т. п.*) 3) шифрова́ть

cod-liver oil [,kɒdlɪvər'ɔɪl] *n* ры́бий жир

codswallop ['kɒdz,wɒləp] *n sl.* бред соба́чий, чепуха́

coed ['kəʊed] *n разг.* (*сокр. от* coeducated) студе́нтка уче́бного заведе́ния для лиц обо́его по́ла

coeducation [,kəʊedjʊ'keɪʃn] *n* совме́стное обуче́ние лиц обо́его по́ла

coefficient [,kəʊɪ'fɪʃnt] **1.** *n* 1) коэффицие́нт; ~ of efficiency *тех.* коэффицие́нт поле́зного де́йствия 2) соде́йствующий фа́ктор

2. *a* соде́йствующий

coemption [kəʊ'empʃn] *n эк.* ску́пка всего́ име́ющегося това́ра

coenobite ['si:nə,baɪt] *n церк.* мона́х; и́нок

coequal [kəʊ'i:kwəl] *a* ра́вный друго́му (*по чину, званию и т. п.*)

coerce [kəʊ'ɜ:s] *v* 1) принужда́ть; to ~ into silence заста́вить замолча́ть, умо́лкнуть 2) сообщи́ть движе́ние

coercible [kəʊ'ɜ:səbl] *a* 1) поддаю́щийся принужде́нию, наси́лию 2) сжима́ющийся (*о газах*)

coercion [kəʊ'ɜ:ʃn] *n* принужде́ние, наси́лие ◇ C. Act, C. Bill зако́н о приостано́вке конституцио́нных гара́нтий

coercive [kəʊ'ɜ:sɪv] *a* принуди́тельный; ~ force *физ.* коэрцити́вная си́ла

coeval [kəʊ'i:vl] **1.** *n* 1) све́рстник 2) совреме́нник

2. *a* 1) одного́ во́зраста 2) совреме́нный (with)

coexist [,kəʊɪg'zɪst] *v* сосуществова́ть

coexistence [,kəʊɪg'zɪstəns] *n* сосуществова́ние; совме́стное существова́ние

coexistent [,kəʊɪg'zɪstənt] *a* сосуществу́ющий

coextensive [,kəʊɪk'stensɪv] *a* одина́кового протяже́ния во вре́мени *или* простра́нстве

coffee ['kɒfɪ] *n* ко́фе; white ~ ко́фе с молоко́м

coffee-bean ['kɒfɪbi:n] *n* кофе́йный боб

coffee-berry ['kɒfɪ,berɪ] = coffee-bean

coffee-cup ['kɒfɪkʌp] *n* ма́ленькая (кофе́йная) ча́шка

coffee-grinder ['kɒfɪ,graɪndə] *n* 1) кофе́йная ме́льница 2) *воен. жарг.* пулемёт

coffee-grounds ['kɒfɪgraʊndz] *n pl* кофе́йная гу́ща

coffeehouse ['kɒfɪhaʊs] *n* кафе́

coffee-mill ['kɒfɪmɪl] *n* кофемо́лка, кофе́йная ме́льница

coffee-palace ['kɒfɪ,pæləs] = coffeehouse

coffeepot ['kɒfɪpɒt] *n* кофе́йник

coffee-room ['kɒfɪru:m] *n* кафе́, столо́вая в гости́нице

coffee table ['kɒfɪ,teɪbl] *n* кофе́йный сто́лик

coffee-table book ['kɒfɪteɪbl,bʊk] *n* хоро́шо иллюстри́рованное пода́рочное изда́ние большо́го форма́та (*часто по искусству*)

coffer ['kɒfə] **1.** *n* 1) металли́ческий (*особ.* де́нежный) сунду́к 2) *pl* казна́ 3) *архит.* кессо́н (*потолка*) 4) *гидр., стр.* кессо́н; ка́мера; шлюз; опускно́й коло́дец

2. *v* запира́ть в сунду́к

cofferdam ['kɒfədæm] *n гидр.* кессо́н для подво́дных рабо́т, кофердáм; переми́чка; водонепроница́емая крепь

coffin ['kɒfɪn] **1.** *n* 1) гроб 2) рогово́й башма́к копы́та

2. *v* 1) класть в гроб 2) упря́тать пода́льше (*что-л.*)

coffin bone ['kɒfɪnbəʊn] *n* копы́тная кость

cog [kɒg] *n* 1) зубе́ц; вы́ступ 2) *разг.* ме́лкая со́шка 3) *горн.* костро́вая крепь ◇ to slip a ~ допусти́ть просчёт, сде́лать оши́бку

cogence, -cy ['kəʊdʒəns, -sɪ] *n* убеди́тельность, неоспори́мость, неопровержи́мость

cogent ['kəʊdʒənt] *a* убеди́тельный; неоспори́мый; обосно́ванный

cogged [kɒgd] *a* зубча́тый

cogitable ['kɒdʒɪtəbl] *a* мы́слимый, досту́пный понима́нию

cogitate ['kɒdʒɪteɪt] *v* обду́мывать; размышля́ть

cogitation [,kɒdʒɪ'teɪʃn] *n* обду́мывание; размышле́ние

cogitative ['kɒdʒɪtətɪv] *a* 1) мысли́тельный 2) мы́слящий, размышля́ющий

cognac ['kɒnjæk] *n* конья́к

cognate ['kɒgneɪt] **1.** *n* 1) *юр.* ро́дственник (*по материнской линии*) 2) *pl лингв.* слова́ *или* языки́ о́бщего происхожде́ния

2. *a* ро́дственный; схо́дный; бли́зкий; одного́ происхожде́ния; похо́жий; ~ words слова́ одного́ ко́рня

cognation [kɒg'neɪʃn] *n* 1) *лингв.* родство́ (*слов, языков*) 2) *шотл. юр.* кро́вное родство́ (*по материнской линии*)

cognition [kɒg'nɪʃn] *n* 1) зна́ние; позна́ние 2) познава́тельная спосо́бность

cognitive ['kɒgnətɪv] *a* познава́тельный

cognizable ['kɒgnɪzəbl] *a* 1) познава́емый 2) *юр.* подсу́дный

cognizance ['kɒgnɪzəns] *n* 1) зна́ние; узнава́ние; to have ~ of smth. знать о чём-л.; to take ~ of smth. заме́тить что-л., обрати́ть внима́ние на что-л. 2) компете́нция; within one's ~ в преде́лах чьей-л. компете́нции 3) юрисди́кция, подсу́дность 4) отличи́тельный знак; герб

cognizant ['kɒgnɪzənt] *a* зна́ющий, осведомлённый (of — о *чём-л*); осозна́вший; позна́вший

cognize [kɒg'naɪz] *v* 1) узнава́ть; замеча́ть, обраща́ть внима́ние 2) *филос.* познава́ть

cognomen [kɒg'nəʊmen] *n* 1) фами́лия 2) про́звище

cognoscente [,kɒgnə'ʃentɪ] *ит. n* (*pl* -nti) знато́к (*искусства, литературы и т. п.*)

cognoscenti [,kɒgnə'ʃentɪ] *pl от* cognoscente

cognovit [kɒg'nəʊvɪt] *лат. n юр.* призна́ние отве́тчиком свое́й непра́воты

cogwheel ['kɒgwi:l] *n тех.* зубча́тое колесо́

cohabit [kəʊ'hæbɪt] *v* сожи́тельствовать (*в браке или вне брака*)

cohabitant [kəʊ'hæbɪtənt] *n* сожи́тель, сожи́тельница [*см.* cohabit]

cohabitation [kəʊ,hæbɪ'teɪʃn] *n* сожи́тельство [*см.* cohabit]

coheir [kəʊ'eə] *n* сонасле́дник

coheiress [kəʊ'eərəs] *n* сонасле́дница

cohere [kəʊ'hɪə] *v* 1) быть сцепленным, свя́занным, быть объединённым 2) быть свя́зным, членоразде́льным 3) согласо́вываться

coherence, -cy [kəʊ'hɪərəns, -sɪ] *n* 1) связь, сцепле́ние 2) свя́зность 3) согласо́ванность

coherent [kəʊ'hɪərənt] *a* 1) поня́тный; я́сный; разбо́рчивый 2) после́довательный, свя́зный 3) сце́пленный

coherer [kəʊ'hɪərə] *n радио* коге́рер

cohesion [kəʊ'hi:ʒn] *n* 1) сцепле́ние; связь 2) *физ.* си́ла сцепле́ния 3) сплочённость

cohesive [kəʊ'hi:sɪv] *a* 1) спосо́бный к сцепле́нию 2) связу́ющий

cohort ['kəʊhɔ:t] *n* 1) *др.-рим.*κого́рта 2) (*обыкн. pl*) отря́д, во́йско 3) гру́ппа люде́й 4) *амер.* после́дователь, сторо́нник

coif [kɔɪf] 1. *n ист.* ша́почка, чепе́ц
2. *v* завива́ть, причёсывать

coiffeur [kwɑ:'fɜ:] *фр. n* парикма́хер

coiffure [kwɑ:'fjʊə] *фр. n* причёска

coign [kɔɪn] *n архит.* вне́шний у́гол (*здания*) ◇ ~ of vantage вы́годная пози́ция, удо́бный наблюда́тельный пункт

coil I [kɔɪl] 1. *n* 1) верёвка, сло́женная витка́ми в круг 2) вито́к, кольцо́ (*верёвки, змеи и т. п.*) 3) про́волочная спира́ль 4) *мор.* бу́хта (*троса*) 5) *тех.* змееви́к 6) *эл.* кату́шка 7) *attr.*: ~ antenna *радио* ра́мочная анте́нна

2. *v* 1) свёртываться кольцо́м, спира́лью (*часто* ~ up); извива́ться 2) нама́тывать, обма́тывать 3) *мор.* укла́дывать в бу́хту (*трос*)

coil II [kɔɪl] *n уст.* суета́, шум, сумато́ха ◇ this mortal ~ э́тот бре́нный мир

coil pipe ['kɔɪlpaɪp] *n тех.* змееви́к

coin [kɔɪn] 1. *n* 1) моне́та; *разг.* де́ньги; false ~ фальши́вая моне́та; *перен.* подде́лка; small ~ разме́нная моне́та; to spin (*или* to toss up) a ~ а) игра́ть в орля́нку; б) реша́ть пари́ подбра́сыванием моне́ты 2) *тех.* ште́мпель, чека́н, пуансо́н 3) = coign 4) *attr.*: ~ slot отве́рстие для опуска́ния моне́т (*напр., в телефоне-автомате*); ~ changer разме́нный автома́т ◇ to pay a man back in his own ~ отпла́чивать той же моне́той, отпла́чивать тем же

2. *v* 1) чека́нить; выбива́ть (*медаль*); штампова́ть; to ~ money *разг.* де́лать де́ньги 2) фабрикова́ть, измышля́ть 3) приду́мывать (*новые слова, выражения*)

coinage ['kɔɪnɪdʒ] *n* 1) чека́нка моне́ты 2) моне́тная систе́ма 3) созда́ние (*новых слов, выражений*); word of modern ~ неологи́зм 4) вы́думка, вы́мысел

coincide [,kəʊɪn'saɪd] *v* 1) совпада́ть 2) соотве́тствовать; равня́ться

coincidence [kəʊ'ɪnsɪdəns] *n* 1) совпаде́ние 2) случа́йное стече́ние обстоя́тельств

coincident [kəʊ'ɪnsɪdənt] *a* 1) совпада́ющий 2) соотве́тствующий

coincidental [kəʊ,ɪnsɪ'dentl] *a* 1) случа́йный 2) = coincident 1)

coiner ['kɔɪnə] *n* 1) чека́нщик (*монеты*) 2) фальшивомоне́тчик 3) вы́думщик

coir ['kɔɪə] *n* коко́совые воло́кна, охло́пья

coition [kəʊ'ɪʃn] *n* совокупле́ние, со́итие

coitus ['kəʊɪtəs] *n* кои́тус, совокупле́ние

coke I [kəʊk] 1. *n* кокс
2. *v* коксова́ть

coke II [kəʊk] *n разг.* ко́ка-ко́ла (*напиток*)

coke III [kəʊk] *n sl.* кокаи́н

coke-oven ['kəʊkʌvn] *n* ко́ксовая печь

coking ['kəʊkɪŋ] 1. *pres. p. от* coke I, 2
2. *n* коксова́ние

col [kɒl] *n* седло́, седлови́на (*в горах*)

col- [kɒ-, ,kə-] *pref см.* com-

cola ['kəʊlə] *n* ко́ла (*тропическое дерево, семена которого употребляются как тонизирующее средство*)

colander ['kʌləndə] *n* дуршла́г

co-latitude [kəʊ'lætɪtju:d] *n астр.* дополне́ние широты́

cold [kəʊld] 1. *a* 1) холо́дный; to be (*или* to feel) ~ зя́бнуть, мёрзнуть; I am ~ мне хо́лодно; as ~ as ice (*или* as stone, as a key) холо́дный как лёд (*или* ка́мень); ~ steel (*или* iron) arms холо́дное ору́жие; it makes one's blood run ~ от э́того кровь сты́нет в жи́лах 2) безуча́стный, равноду́шный; music leaves him ~ му́зыка его́ не волну́ет; in ~ blood хладнокро́вно, обду́манно 3) неприве́тливый; ~ greeting холо́дный приём; сде́ржанное приве́тствие; ~ look холо́дный, надме́нный взгляд 4) удруча́ющий; ~ facts удруча́ющие фа́кты 5) мёртвый; *разг.* потеря́вший созна́ние 6) фриги́дный 7) сла́бый; ~ scent едва́ заме́тный след; ~ comfort сла́бое утеше́ние; ~ colours холо́дные тона́ (*голубой, серый*) 8) *тех.* недействующий ◇ ~ war холо́дная война́; ~ feet тру́сость; ~ deck краплёные ка́рты; ~ truth жесто́кая пра́вда; to throw ~ water (on a plan, proposal, *etc.*) охлажда́ть пыл, отрезвля́ть, обескура́живать (*кого-л.*); as ~ as charity а) холо́дный как лёд; б) бессерде́чный, чёрствый, бесчу́вственный

2. *n* 1) хо́лод; to be dead with ~ промёрзнуть до косте́й; to leave out in the ~ а) выставля́ть на хо́лод; б) трети́ровать, ока́зывать холо́дный приём; в) оставля́ть в дурака́х 2) просту́да; to catch (*или* to take) ~ простуди́ться; ~ in the head на́сморк; ~ in the chest гриппо́зное состоя́ние; common ~ просту́да ◇ to be in the ~ остава́ться в одино́честве

cold-blooded [,kəʊld'blʌdɪd] *a* 1) *зоол.* холоднокро́вный 2) хладнокро́вный; бесчу́вственный, равноду́шный; невозмути́мый; ~ murder преднаме́ренное уби́йство 3) зя́бкий

cold chisel [,kəʊld'tʃɪzl] *n тех.* слеса́рное *или* ручно́е зуби́ло

cold cream ['kəʊldkri:m] *n* кольдкре́м

coldframe ['kəʊldfreɪm] *n* тепли́ца

cold-hammer ['kəʊld,hæmə] *v* кова́ть холо́дную

cold-hardening [,kəʊld'hɑ:dnɪŋ] *n тех.* наклёп

coldhearted [,kəʊld'hɑ:tɪd] *a* бессерде́чный, чёрствый

coldish ['kəʊldɪʃ] *a* холоднова́тый; дово́льно холо́дный

cold-livered [,kəʊld'lɪvəd] *a* бесстра́стный, невозмути́мый

coldly ['kəʊldlɪ] *adv* 1) хо́лодно 2) неприве́тливо; с холодко́м

coldness ['kəʊldnəs] *n* 1) хо́лод 2) хо́лодность

cold-short [,kəʊld'ʃɔ:t] *a* хладноло́мкий (*о стали*)

cold shoulder [,kəʊld'ʃəʊldə] *n* холо́дный приём; to give smb. the ~ оказа́ть кому́-л. холо́дный приём, приня́ть кого́-л. хо́лодно, неприве́тливо

cold-shoulder [,kəʊld'ʃəʊldə] *v* ока́зывать холо́дный приём

cold-slaw ['kəʊldslɔ:] = coleslaw

cold storage [,kəʊld'stɔ:rɪdʒ] *n* 1) хране́ние в холоди́льнике 2) замора́живание (*идеи и т. п.*)

cole [kəʊl] *n* капу́ста (*огоро́дная*)

coleopterous [,kɒlɪ'ɒptərəs] *a* жесткокры́лый (*о насекомых*)

cole-rape ['kəʊlreɪp] *n* кольра́би

cole-seed ['kəʊlsi:d] *n бот.* суре́пица

coleslaw ['kəʊlslɔ:] *n* сала́т из шинко́ванной капу́сты

colic ['kɒlɪk] *n* ко́лика, ре́зкая боль

colicky ['kɒlɪkɪ] *a* 1) име́ющий хара́ктер ко́лик 2) вызыва́ющий ко́лики

Coliseum [,kɒlə'si:əm] *n* Колизе́й (*в Риме*)

colitis [kəʊ'laɪtɪs] *n мед.* коли́т

collaborate [kə'læbəreɪt] *v* 1) сотру́дничать 2) преда́тельски сотру́дничать (*с врагом*)

collaboration [kə,læbə'reɪʃn] *n* 1) сотру́дничество; совме́стная рабо́та 2) преда́тельское сотру́дничество; to work in ~ with the enemy сотру́дничать с враго́м

collaborationist [kə,læbə'reɪʃnɪst] *n* коллаборациони́ст

collaborator [kə'læbəreɪtə] *n* 1) сотру́дник 2) = collaborationist

collage [kɒ'lɑ:ʒ] *n иск.* колла́ж

collagen ['kɒlədʒən] *n* коллаге́н

collapsable [kə'læpsəbl] = collapsible 1

collapse [kə'læps] **1.** *n* 1) обва́л, разруше́ние; оса́дка 2) круше́ние; ги́бель; паде́ние; крах; прова́л 3) ре́зкий упа́док сил, изнеможе́ние 4) *мед.* colla̍пс 5) продо́льный изги́б

2. *v* 1) ру́шиться, обва́ливаться 2) терпе́ть крах (*о предприятии, планах и т. п.*) 3) си́льно ослабе́ть; свали́ться от боле́зни, сла́бости; to ~ in mind and body по́лностью лиши́ться мора́льных и физи́ческих сил 4) па́дать ду́хом 5) сплю́щиваться; сжима́ться

collapsible [kə'læpsəbl] *a* 1) разбо́рный; складно́й 2) откидно́й

collar ['kɒlə] **1.** *n* 1) воротни́к; воротничо́к 2) ожере́лье 3) оше́йник; to slip the ~ сбро́сить оше́йник; *перен.* сбро́сить ярмо́ 4) хому́т; to wear the ~ *перен.* наде́ть на себя́ хому́т; быть в подчине́нии 5) *бот.* корнево́й че́хлик 6) *тех.* вту́лка, са́льник; кольцо́; о́бруч; ша́йба; фла́нец; пе́тля 7) *горн.* отве́рстие бурово́й сква́жины; у́стье ша́хты 8) *мор.* краг (*у штага*) ◇ against the ~ с больши́м напряже́нием; to be in ~ име́ть рабо́ту; out of ~ без рабо́ты, без слу́жбы; to work up to the ~ рабо́тать не покладая рук; to get hot under the ~ рассерди́ться, вы́йти из себя́

2. *v* 1) схвати́ть за во́рот 2) наде́ть хому́т (*тж. перен.*) 3) *разг.* завладе́ть; захвати́ть 4) свёртывать в руле́т (*мясо и т. п.*)

collarbone ['kɒləbəʊn] *n анат.* ключи́ца

collaret(te) [,kɒlə'ret] *n* кружевно́й *или* мехово́й воротничо́к

collate [kə'leɪt] *v* 1) дета́льно слича́ть; сра́внивать; сопоставля́ть; to ~ with the original слича́ть с оригина́лом 2) *полигр.* проверя́ть листы́ брошю́руемой кни́ги 3) собира́ть (*информацию*) из разли́чных исто́чников 4) *церк.* жа́ловать бенефи́ций

collateral [kə'lætrəl] **1.** *a* 1) побо́чный, второстепе́нный; ~ reading дополни́тельное, факультати́вное чте́ние 2) ко́свенный; ~ relationship бокова́я ли́ния (*о родстве*); ~ security дополни́тельное обеспе́чение 3) паралле́льный

2. *n* 1) дополни́тельное обеспе́чение 2) родство́ *или* ро́дственник по боково́й ли́нии

collation [kə'leɪʃn] *n* 1) сличе́ние, сра́внивание 2) заку́ска, лёгкий у́жин

colleague ['kɒli:g] *n* сослужи́вец, колле́га

collect **1.** *v* [kə'lekt] 1) собира́ть 2) коллекциони́ровать 3) получа́ть (*деньги в уплату долга, налога и т. п.*); I'll have to ~ from you вам придётся расплати́ться со мной 4) *ком.* инкасси́ровать 5) востре́бовать (*письма, товары и т. п.*) 6) заходи́ть за *кем-л.*, *чем-л.*; he went to ~ his suitcase он пошёл за свои́м чемода́ном 7) овладева́ть собо́й; сосредото́чиваться; to ~ one's faculties взять себя́ в ру́ки 8) заключа́ть, де́лать вы́вод 9) собира́ться, скопля́ться

2. *n* ['kɒlekt] кра́ткая моли́тва (*в англиканской и католической церкви*)

3. *a* [kə'lekt]: the telegram is sent ~ телегра́мма должна́ быть опла́чена получа́телем

collectanea [,kɒlek'teɪnɪə] *лат. n pl* собра́ние заме́ток, вы́писок; смесь

collected [kə'lektɪd] **1.** *p. p. от* collect 1

2. *a* 1) со́бранный; сосредото́ченный 2) хладнокро́вный, споко́йный

collection [kə'lekʃn] *n* 1) собира́ние 2) колле́кция, собра́ние 3) скопле́ние; толпа́ 4) де́нежный сбор; *ком.* инка́ссо 5) *pl* экза́мены в конце́ семе́стра (*в Оксфорде*)

collective [kə'lektɪv] **1.** *a* 1) коллекти́вный; совме́стный; совоку́пный; ~ agreement коллекти́вный догово́р; ~ bargaining перегово́ры ме́жду предпринима́телем и профсою́зами о заключе́нии коллекти́вного догово́ра; ~ opinion о́бщее мне́ние; ~ consumption совоку́пное потребле́ние 2): ~ noun *грам.* и́мя существи́тельное собира́тельное

2. *n* 1) колхо́з 2) коллекти́в

collective farm [kə,lektɪv'fɑ:m] *n* колхо́з

collective farmer [kə,lektɪv'fɑ:mə] *n* колхо́зник; колхо́зница

collectivism [kə'lektɪ,vɪzəm] *n* коллективи́зм

collectivity [,kɒlek'tɪvətɪ] *n* 1) коллекти́в, коллекти́вная организа́ция 2) коллективи́зм

collectivization [kə,lektɪvaɪ'zeɪʃn] *n* коллективиза́ция

collector [kə'lektə] *n* 1) коллекционе́р, собира́тель 2) сбо́рщик (*налогов и т. п.*); ticket ~ контролёр, проверя́ющий биле́ты 3) *ком.* инкасса́тор 4) *эл.* токосъёмник; щётки 5) *тех.* колле́ктор

colleen [kɒ'li:n] *n ирл.* де́вушка (*тж.* ~ bawn)

college ['kɒlɪdʒ] *n* 1) университе́тский ко́лле́дж 2) специа́льное вы́сшее уче́бное заведе́ние (*педагогическое, военное, морское и т. п.*) 3) привилегиро́ванная ча́стная сре́дняя шко́ла 4) корпора́ция; колле́гия 5) *амер.* университе́т 6) *sl.* тюрьма́

colleger ['kɒlɪdʒə] = collegian

collegian [kə'li:dʒɪən] *n* 1) студе́нт ко́лле́джа 2) лицо́, око́нчившее ко́лле́дж 3) *sl.* заключённый (*в тюрьме*)

collegiate [kə'li:dʒɪət] *a* 1) университе́тский, академи́ческий 2) коллегиа́льный

collet ['kɒlɪt] *n* 1) коро́нка, в кото́рой закрепля́ется драгоце́нный ка́мень; гнездо́ для руби́на в часово́м механи́зме 2) *тех.* ца́нга; зажи́мная вту́лка, ца́нговый патро́н

collide [kə'laɪd] *v* 1) ста́лкиваться 2) вступи́ть в противоре́чие; the interests of the two countries ~d интере́сы двух стра́н столкну́лись

collie ['kɒlɪ] *n* ко́лли, шотла́ндская овча́рка

collier ['kɒlɪə] *n* 1) углеко́п, шахтёр 2) у́гольщик (*судно*) 3) матро́с на у́гольщике

colliery ['kɒljərɪ] *n* каменноу́гольная соль

colligate ['kɒlɪgeɪt] *v* свя́зывать, обобща́ть (*факты*)

collision [kə'lɪʒn] *n* 1) столкнове́ние 2) колли́зия, противоре́чие (*интересов*); to be in ~ (with) находи́ться в противоре́чии (с); to come into ~ (with) вступа́ть в противоре́чие (с)

collocate ['kɒləkeɪt] *v* располага́ть; расстана́вливать

collocation [,kɒlə'keɪʃn] *n* 1) расположе́ние; расстано́вка 2) *лингв.* словосочета́ние

collocutor [kə'lɒkjʊtə] *n* собесе́дник

collodion [kə'ləʊdɪən] *n* колло́дий

collogue [kə'ləʊg] *v разг.* бесе́довать инти́мно, наедине́

colloid ['kɒlɔɪd] **1.** *n* колло́ид

2. *a* колло́идный

colloidal [kə'lɔɪdl] *a* колло́идный

collop ['kɒləp] *n* ло́мтик мя́са, эскало́п

colloquial [kə'ləʊkwɪəl] *a* разгово́рный; нелитерату́рный (*о речи, слове, стиле*)

colloquialism [kə'ləʊkwɪə,lɪzəm] *n* разгово́рное сло́во *или* выраже́ние, коллоквиали́зм

colloquy ['kɒləkwɪ] **1.** *n* 1) разгово́р, собесе́дование 2) литерату́рное произведе́ние в фо́рме диало́га

2. *v* говори́ть, перебра́сываться ре́пликами

collude [kə'lu:d] *v* та́йно сгова́риваться (*в ущерб третьей стороне*)

collusion [kə'lu:ʒn] *n* сго́вор, та́йное соглаше́ние (*в ущерб третьей стороне*)

collusive [kə'lu:sɪv] *a* ула́женный та́йным сго́вором

colly ['kɒlɪ] = collie

collywobbles [ˈkɒlɪ,wɒblz] *n pl разг.* урча́ние в животе́

cologne [kəˈləʊn] *n* одеколо́н (*тж.* ~ water)

Colombian [kəˈlɒmbɪən] **1.** *a* колумби́йский

2. *n* колумби́ец; колумби́йка

colon I [ˈkəʊlən] *n* двоето́чие

colon II [ˈkəʊlən] *n анат.* ободо́чная кишка́, то́лстая кишка́

colon III [kɒˈlɒn] *n* коло́н (*денежная единица Коста-Рики и Сальвадора*)

colonel [ˈkɜ:nl] *n* полко́вник

colonelcy [ˈkɜ:nlsɪ] *n* чин, зва́ние полко́вника

colonial [kəˈləʊnɪəl] **1.** *a* колониа́льный; C. Office *ист.* министе́рство коло́ний (*в Англии*); ~ architecture (furniture) *амер.* архитекту́ра (ме́бель) пери́ода, предше́ствовавшего войне́ за незави́симость

2. *n* 1) жи́тель коло́ний 2) *амер. ист.* солда́т америка́нской а́рмии в эпо́ху войны́ за незави́симость

colonialism [kəˈləʊnɪə,lɪzəm] *n* колониали́зм; колониа́льный режи́м

colonialist [kəˈləʊnɪəlɪst] *n* колониза́тор

colonist [ˈkɒlənɪst] *n* колони́ст, поселе́нец

colonization [,kɒlənaɪˈzeɪʃn] *n* колониза́ция

colonize [ˈkɒlənaɪz] *v* 1) колонизи́ровать, заселя́ть (*чужую страну*) 2) поселя́ть(ся) 3) *амер.* вре́менно переселя́ть избира́телей в друго́й избира́тельный о́круг с це́лью незако́нного втори́чного голосова́ния

colonizer [ˈkɒlənaɪzə] *n* 1) колониза́тор 2) поселе́нец; колони́ст 3) *амер.* избира́тель, вре́менно пересели́вшийся в друго́й избира́тельный о́круг с це́лью незако́нного втори́чного голосова́ния

colonnade [,kɒləˈneɪd] *n* 1) колонна́да 2) (двойно́й) ряд дере́вьев

colony [ˈkɒlənɪ] *n* 1) коло́ния 2) поселе́ние; summer ~ *амер.* да́чный посёлок 3) *биол.* семья́ (*пчёл, муравьёв и т. п.*)

colophon [ˈkɒləfɒn] *n полигр.* 1) конце́вка 2) выходны́е све́дения (*в конце старинных книг*)

colophony [kɒˈlɒfənɪ] *n* канифо́ль

color [ˈkʌlə] *амер.* = colour

Colorado beetle [,kɒlərɑ:dəʊˈbi:tl] *n* колора́дский жук

coloration [,kʌləˈreɪʃn] *n* 1) окра́шивание 2) окра́ска, раскра́ска, расцве́тка

coloratura [,kɒlərəˈtʊərə] *муз.* **1.** *n* 1) колорату́ра 2) = ~ soprano

2. *a* колорату́рный; ~ soprano колорату́рное сопра́но

colorific [,kɒləˈrɪfɪk] *a* 1) кра́сящий 2) кра́сочный 3) цвети́стый (*о стиле*)

colossal [kəˈlɒsl] *a* 1) колосса́льный, грандио́зный, грома́дный 2) *разг.* великоле́пный, замеча́тельный

Colosseum [,kɒləˈsi:əm] = Coliseum

colossi [kəˈlɒsaɪ] *pl от* colossus

colossus [kəˈlɒsəs] *n* (*pl* colossi) коло́сс

colour [ˈkʌlə] **1.** *n* 1) цвет; отте́нок; тон; primary (*или* simple, fundamental) ~s основны́е цвета́; all the ~s of the rainbow все цвета́ ра́дуги; out of ~ вы́цветший; вы́горевший; without ~ бесцве́тный; *перен.* лишённый индивидуа́льных черт 2) кра́ска; кра́сящее вещество́, пигме́нт; ко́лер; to paint in bright (dark) ~s рисова́ть я́ркими (мра́чными) кра́сками 3) свет, вид; отте́нок; to cast (*или* to put) a false ~ on smth. искажа́ть, представля́ть что-л. в ло́жном све́те; to come out in one's true ~s предста́ть в своём настоя́щем ви́де; to give ~ of truth to smth. придава́ть не́которое правдоподо́бие чему́-л.; to paint in true (false) ~s изобража́ть правди́во (лжи́во); to lay on the ~s too thickly *разг.* сгуща́ть кра́ски; си́льно преувели́чивать; хвати́ть че́рез край 4) небе́лый цвет ко́жи, ко́жа не́гра *и т. п.* (*термин расистов*) 5) румя́нец (*тж.* high ~); to gain ~ порозове́ть; to lose ~ побледне́ть; поблёкнуть 6) колори́т; local ~ ме́стный колори́т 7) (*обыкн. pl*) зна́мя; regimental ~ полково́е зна́мя; King's (Queen's) ~ штанда́рт короля́ (короле́вы); to call to the ~s *воен.* призва́ть, мобилизова́ть; to come off with flying ~s а) верну́ться с развева́ющимися знамёнами; б) доби́ться успе́ха, одержа́ть побе́ду; to desert the ~s *воен.* измени́ть своему́ зна́мени; дезерти́ровать; to join the ~s вступа́ть в а́рмию; to lower (*или* to strike) one's ~s сдава́ться, покоря́ться; with the ~s в де́йствующей а́рмии 8) *pl* цветна́я ле́нта; цветно́й значо́к; цветно́е пла́тье; to dress in ~s одева́ться в я́ркие цвета́ 9) *муз.* отте́нок, тембр 10) предло́г; under ~ of smth. а) под предло́гом чего́-л.; б) под ви́дом чего́-л. 11) *attr.* цветно́й; ~ bar, ~ line «цветно́й барье́р», ра́совая дискримина́ция ◇ to see the ~ of smb.'s money получи́ть де́ньги от кого́-л.; to take one's ~ from smb. подража́ть кому́-л.; to stick to one's ~s остава́ться до конца́ ве́рным свои́м убежде́ниям; to nail one's ~s to the mast откры́то отста́ивать свои́ убежде́ния; проявля́ть насто́йчивость; не отступа́ть; to sail under false ~s обма́нывать, лицеме́рить

2. *v* 1) кра́сить, раскра́шивать; окра́шивать 2) прикра́шивать; искажа́ть; an account ~ed by prejudice тенденцио́зный о́тзыв; the facts were improperly ~ed фа́кты бы́ли искажены́ 3) принима́ть окра́ску, окра́шиваться 4) красне́ть, рдеть (*о лице, плоде; часто* ~ up)

colourable [ˈkʌlərəbl] *a* 1) благови́дный; правдоподо́бный; ~ imitation уда́чная имита́ция 2) поддаю́щийся окра́ске

colourant [ˈkʌlərənt] *n* краси́тель

colouration [,kʌləˈreɪʃn] = coloration

colour-blind [ˈkʌləblaɪnd] *a* страда́ющий дальтони́змом, не различа́ющий цвето́в

colour blindness [ˈkʌlə,blaɪndnəs] *n* дальтони́зм, неспосо́бность различа́ть цвета́

colour-box [ˈkʌləbɒks] *n* я́щик с кра́сками

colourcast [ˈkʌləkɑ:st] *n* цветна́я телевизио́нная переда́ча

coloured [ˈkʌləd] **1.** *p. p. от* colour 2

2. *a* 1) цветно́й; ~ print цветна́я гравю́ра 2) раскра́шенный, окра́шенный 3) кра́сочный 4) цветно́й (*о неграх, мулатах*)

colour film [ˈkʌlə,fɪlm] *n* 1) цветно́й фильм 2) цветна́я плёнка

colour filter [ˈkʌlə,fɪltə] *n фото* светофи́льтр

colourful [ˈkʌləfl] *a* кра́сочный, я́ркий

colouring [ˈkʌlərɪŋ] **1.** *pres. p. от* colour 2

2. *n* 1) окра́ска, раскра́ска; protective ~ *зоол., бот.* покрови́тельственная (*или* защи́тная) окра́ска 2) чу́вство цве́та (*у художника*) 3) цвет (*лица, волос и т. п.*) 4) кра́сящее вещество́ (*тж.* ~ matter) 5) колори́т

colourless [ˈkʌlələs] *a* бесцве́тный, бле́дный (*тж. перен.*)

colour-man [ˈkʌləmən] *n* торго́вец кра́сками

colour-printing [ˈkʌlə,prɪntɪŋ] *n* хромоти́пия, многокра́сочная печа́ть

colour-process [ˈkʌlə,prəʊses] *n* цветово́й спо́соб фотогра́фии

colourwash [ˈkʌləwɒʃ] **1.** *n* клеева́я кра́ска

2. *v* кра́сить клеево́й кра́ской

colporteur [,kɒlpɔ:ˈtɜ:] *n* разно́счик книг (*особ. религиозных*)

colposcopy [,kɒlˈpɒskəpɪ] *n мед.* обсле́дование влага́лища и ше́йки ма́тки

Colt [kəʊlt] *n* 1) кольт (*револьвер или пистолет*) 2) *attr.*: ~ machine-gun станко́вый пулемёт Ко́льта

colt [kəʊlt] *n* 1) жеребёнок; *тж.* ослёнок, верблюжо́нок 2) *разг.* новичо́к (*в спорте*) 3) *мор.* линёк ◇ to cast one's ~'s teeth остепени́ться

colter [ˈkəʊltə] *n с.-х.* предплу́жник

coltish [ˈkəʊltɪʃ] *a* жереба́чий, игри́вый

coltsfoot [ˈkəʊltsfʊt] *n бот.* мать-и-ма́чеха

colubrine [ˈkɒljʊbraɪn] *a* змеи́ный, змеепо́добный

columbaria [,kɒləmˈbeərɪə] *pl от* columbarium

columbarium [,kɒləmˈbeərɪəm] *n* (*pl* -ria) 1) колумба́рий 2) голубя́тня

Columbian [kəˈlʌmbɪən] **1.** *a* 1) колумби́йский 2) относя́щийся к Колу́мбу 3) относя́щийся к Аме́рике

2. *n полигр.* ке́гель в 16 пу́нктов

Columbine [ˈkɒləmbaɪn] *n* коломби́на

columbine [ˈkɒləmbaɪn] **1.** *n бот.* водосбо́р

2. *a* голуби́ный; ~ simplicity голуби́ная кро́тость, неви́нность

column [ˈkɒləm] *n* 1) *архит.* коло́нна 2) сто́лб(ик); ~ of mercury сто́лбик рту́ти (*в термометре*); ~ of smoke столб ды́ма 3) столбе́ц (*напр., цифр*); графа́; newspaper ~ газе́тный столбе́ц; in our ~s на страни́цах на́шей газе́ты 4) *воен.* коло́нна; *амер. мор.* строй кильва́тера;

close ~ со́мкнутая коло́нна; in ~ в коло́нне, в заты́лок; *амер. мор.* в строю́ кильва́тера 5) *attr.*: ~ foot *архит.* ба́за коло́нны ◇ to dodge the ~ *разг.* увиливать от рабо́ты

columnar [kə'lʌmnə] *a* 1) колоннообра́зный 2) напеча́танный столбца́ми 3) подде́рживаемый на столба́х 4) стебе́льчатый 5) *геол.* сто́лбчатый

columned ['kɒləmd] = columnar

columnist ['kɒləmnɪst] *n амер.* 1) обозрева́тель; gossip ~ сотру́дник реда́кции, веду́щий отде́л све́тской хро́ники 2) фельетони́ст

colza ['kɒlzə] *n бот.* 1) рапс 2) суре́пица

colza-oil ['kɒlzə,ɔɪl] *n* суре́пное ма́сло

com- [kɒm-] (*тж.* col-, con-, cor- — *в зависимости от последующего звука*) *pref* 1) *означает совместимость или взаимность действия*; *напр.*: collaborate сотру́дничать 2) *означает завершённость или полноту действия*; *напр.*: conclude заверша́ть; compete соревнова́ться; corrupt по́ртить

coma I ['kəʊmə] *n мед.* 1) ко́ма 2) *attr.*: ~ vigil бред тифо́зных больны́х в бессозна́тельном состоя́нии, но с откры́тыми глаза́ми

coma II ['kəʊmə] *n* (*pl* -mae) 1) *астр.* оболо́чка коме́ты 2) *бот.* волосяны́е семенны́е прида́тки (*некоторых растений*) 3) *фото* ко́ма

comae ['kəʊmi:] *pl от* coma II

comatose ['kəʊmətəʊs] *a мед.* комато́зный

comb I [kəʊm] **1.** *n* 1) гре́бень; расчёска; large- (small-)toothed ~ ре́дкий (ча́стый) гре́бень 2) скребни́ца 3) *текст.* бёрдо; рядо́к; чеса́лка 4) гребешо́к (*петуха*); хохоло́к (*птиц*) 5) конёк (*крыши*) 6) пчели́ные со́ты ◇ to cut the ~ of smb. сбить спесь с кого́-л.; to set up one's ~ ва́жничать, хорохо́риться

2. *v* 1) расчёсывать 2) *воен.* «прочёсывать» (*разведкой, огнём*) 3) *текст.* чеса́ть; мять; трепа́ть 4) чи́стить скребни́цей 5) разбива́ться (*о волнах*) ▭ ~ **out** а) вычёсывать; б) производи́ть переосвиде́тельствование ра́нее освобождённых от вое́нной слу́жбы; в) разы́скивать ◇ to ~ smb.'s hair for him «намы́лить го́лову» кому́-л.; дать кому́-л. нагоня́й; to ~ smb.'s hair the wrong way ≅ гла́дить кого́-л. про́тив ше́рстки

comb II [kəʊm] = coomb

combat ['kɒmbæt] **1.** *n* 1) бой; single ~ единобо́рство; поеди́нок 2) *attr.* боево́й; похо́дный; строево́й; ~ arm род войск; ~ company а) боева́я ро́та; б) сапёрная ро́та; ~ liaison связь в бою́; ~ suit *воен.* боева́я фо́рма оде́жды

2. *v* сража́ться, боро́ться (against — про́тив *чего-л.*; for — за *что-л.*)

combatant ['kɒmbətənt] **1.** *n* 1) бое́ц; уча́стник сраже́ния 2) вою́ющая сторона́ 3) побо́рник

2. *a* 1) боево́й, строево́й; ~ forces строевы́е ча́сти; боевы́е си́лы; ~ officer строево́й офице́р; ~ value боеспосо́бность; ~ zone фронтова́я полоса́, полоса́ боевы́х де́йствий; ~ arms *амер. воен.* рода́ войск (*в отличие от воинских служб*) 2) вои́нственный

combative ['kɒmbətɪv] *a* боево́й; вои́нственный; драчли́вый

combe [ku:m] = coomb

comber ['kəʊmə] *n* 1) *текст.* чеса́льщик 2) *текст.* гребнечеса́льная маши́на 3) больша́я волна́

combination [,kɒmbɪ'neɪʃn] *n* 1) соедине́ние; комбина́ция; сочета́ние; in ~ в сочета́нии, во взаимоде́йствии; ~ of forces *мех.* сложе́ние сил 2) сою́з, объедине́ние (*синдикат, трест и т. п.*) 3) мотоци́кл с прицепно́й коля́ской 4) *pl* комбина́ция (*типа цельного купальника*) 5) *attr.*: ~ gas жи́рный приро́дный газ; ~ lock секре́тный замо́к; ~ laws зако́ны, напра́вленные про́тив сою́зов (*в Англии*)

combination room [,kɒmbɪ'neɪʃnru:m] = common room

combinative ['kɒmbɪnətɪv] *a* 1) комбинацио́нный; ~ sound change комбинато́рное измене́ние зву́ка 2) скло́нный к комбина́циям

combinatorial [,kɒmbɪnə'tɔ:rɪəl] *a мат.* комбинато́рный

combine 1. *n* ['kɒmbaɪn] 1) объедине́ние 2) карте́ль, синдика́т, комбина́т 3) *с.-х.* комба́йн

2. *v* [kəm'baɪn] 1) объединя́ть(ся) 2) комбини́ровать, сочета́ть(ся); сме́шивать(ся) 3) убира́ться комба́йном

combined [kəm'baɪnd] *a* комбини́рованный, объединённый; ~ operations (exercises) *воен.* общевойсковы́е опера́ции (манёвры)

combing machine ['kəʊmɪŋmə,ʃi:n] *n текст.* гребнечеса́льная маши́на

combings ['kəʊmɪŋz] *n* 1) *pl* во́лосы, остаю́щиеся на гре́бне по́сле расчёсывания 2) расчёсывание 3) *pl текст.* гребенны́е очёски

combo ['kɒmbəʊ] *n* небольшо́й эстра́дный анса́мбль

comb-out ['kəʊmaʊt] *n* 1) вычёсывание 2) чи́стка (*служащих, членов союза и т. п.*)

combs [kɒmz] *pl разг.* = combination 4)

combust [kəm'bʌst] *v* 1) сжига́ть 2) горе́ть, воспламеня́ться

combustibility [kəm,bʌstə'bɪlətɪ] *n* горю́честь, воспламеня́емость

combustible [kəm'bʌstəbl] **1.** *a* 1) горю́чий, воспламеня́емый 2) легко́ возбуди́мый

2. *n pl* горю́чее; то́пливо

combustion [kəm'bʌstʃən] *n* 1) горе́ние, сгора́ние; сожже́ние; spontaneous ~ самовоспламене́ние, самовозгора́ние 2) *хим.* окисле́ние (*органических веществ*) 3) волне́ние; смяте́ние, беспоря́док 4) *attr.*: ~ chamber *тех.* ка́мера сгора́ния; ~ engine дви́гатель вну́треннего сгора́ния

come [kʌm] *v* (came; come) 1) приходи́ть, подходи́ть; help came in the middle of the battle в разга́р бо́я подошла́ по́мощь; one shot came after another вы́стрелы сле́довали оди́н за други́м; to ~ before the Court предста́ть пе́ред судо́м 2) прибыва́ть; приезжа́ть; she has just ~ from London она́ то́лько что прие́хала из Ло́ндона 3) случа́ться, происходи́ть, быва́ть; how did it ~ that..? как э́то случи́лось, что..?; how ~s it? почему́ э́то получа́ется?, как э́то выхо́дит?; ~ what may будь, что бу́дет 4) де́латься, станови́ться; things will ~ right всё обойдётся, всё бу́дет хорошо́; my dreams came true мои́ мечты́ сбыли́сь; butter will not ~ ма́сло ника́к не сбива́ется; the knot has ~ undone у́зел развяза́лся; to ~ short а) не хвати́ть; б) не дости́гнуть це́ли; в) не оправда́ть ожида́ний 5) вести́ своё происхожде́ние; происходи́ть; he ~s from London он уроже́нец Ло́ндона; he ~s of a working family он из рабо́чей семьи́; that ~s from your carelessness всё э́то от твое́й небре́жности 6) доходи́ть, достига́ть; равня́ться; the bill ~s to 500 roubles счёт составля́ет 500 рубле́й 7) выпада́ть (*на чью-л. долю*); достава́ться (*кому-л.*); it came on my head э́то свали́лось мне на го́лову; ill luck came to me меня́ пости́гла неуда́ча; this work ~s to me э́та рабо́та прихо́дится на мою́ до́лю 8) дости́чь орга́зма, ко́нчить 9) *в повелительном наклонении восклицание, означающее приглашение, побуждение или лёгкий упрёк*: ~, tell me all you know about it ну, расскажи́те же всё, что вы об э́том зна́ете; ~, ~, be not so hasty! подожди́те, подожди́те, не торопи́тесь! 10) *в сочетании с причастием настоящего времени передаёт возникновение действия, выраженного причастием*: the boy came running into the room ма́льчик вбежа́л в ко́мнату; the moonshine came streaming in through the open window в откры́тое окно́ ли́лся лу́нный свет ▭ ~ **about** а) происходи́ть, случа́ться; б) меня́ть направле́ние (*о ветре*); ~ **across** (случа́йно) встре́титься с *кем-л.*; натолкну́ться на *что-л.*; ~ across! *sl.* а) признава́йся!; б) раскоше́ливайся!; ~ **after** а) сле́довать; б) насле́довать; в) пресле́довать; ~ **again** а) *разг.* возвраща́ться; б) *imp.* повтори́те (*что вы сказали?*); ~ **along** а) соглаша́ться; б) идти́, сопровожда́ть; ~ along! идём!; поторо́пливайся!; ~ **apart**, ~ **asunder** распада́ться на ча́сти; ~ **at** а) получи́ть до́ступ к *чему-л.*, доби́ться *чего-л.*; how did you ~ at the information? как вы э́то узна́ли?; б) напада́ть, набра́сываться; добра́ться до *кого-л.*; just let me ~ at him да́йте мне то́лько добра́ться до него́; ~ **away** а) отла́мываться; the handle came away in my hand ру́чка отломи́лась и оста́лась у меня́ в рука́х; б) уходи́ть; ~ **back** а) возвраща́ться; б) вспомина́ться; в) очну́ться, прийти́ в себя́; г) вновь станови́ться популя́рным *или* мо́дным; д) *амер.* отвеча́ть тем же са́мым, отплати́ть той же моне́той; ~ **before** а) предста́ть пе́ред (*судом и* *т. п.*); б) предшествовать; в) превосходить; ~ **by** а) проходить мимо; б) доставать, приобретать; в) *амер.* заходить; ~ **down** а) падать (*о снеге, дожде*); б) спускаться; опускаться; в) деградировать; to ~ down in the world потерять состояние, положение; опуститься; г) переходить по традиции; д) падать (*о ценах*); е) набрасываться (upon, on — на); бранить, наказывать (upon, on — *кого-л.*); ж) *разг.* раскошелиться; ~ down with your money! раскошеливайтесь!; з) *амер. разг.* заболеть (with — *чем-л.*); и) быть поваленным (*о дереве*); к) спадать, ниспадать; л) быть разрушенным (*о постройке*); ~ **for** а) заходить за; б) нападать на; ~ **forward** а) выходить вперёд; выдвигаться; б) откликаться; в) предлагать свои услуги; ~ **in** а) входить; б) *спорт* прийти к финишу; to ~ in first победить, прийти первым; в) входить в моду; г) оказаться полезным, пригодиться (*тж.* ~ useful); where do I ~ in? *разг.* чем я могу быть полезен?; какое это имеет ко мне отношение?; д) поступать (*о новостях и т. п.*); е) начать трансляцию; ж) вступать (*в должность*); приходить к власти; з) войти в дело (*в качестве компаньона*); и) прибывать (*о поезде, пароходе*); ~ **in for** получить *что-л.* (*свою долю и т. п.*); he came in for a lot of trouble ему здорово досталось; ~ **into** а) вступать в; б) получать в наследство; в): to ~ into being (*или* existence) возникать; to ~ into the world родиться; to ~ into force вступать в силу; to ~ into notice привлечь внимание; to ~ into play начать действовать; to ~ into position *воен.* занять позицию; to ~ into sight появиться; ~ **off** а) *разг.* иметь успех; удаваться, проходить с успехом; all came off satisfactorily всё сошло благополучно; to ~ off with honour выйти с честью; б) отделываться; he came off a loser он остался в проигрыше, he came off clear он вышел сухим из воды; в) происходить, иметь место; г) сходить, слезать; д) *разг.* замолчать; oh ~ off it! да перестань же!; е) удаляться; ж) отрываться (*о пуговице и т. п.*); ~ **on** а) приближаться; a storm is coming on приближается гроза; б) наступать, нападать; в) расти; г) появляться (*на сцене*); д) возникать (*о вопросе*); е) рассматриваться (*в суде*); ж): ~ on! живей!; продолжайте!; идём (*тж. как формула вызова*); з) натыкаться, наскакивать; поражать (*о болезни*); ~ **out** а) обнаруживаться; проявляться; the secret came out секрет раскрылся; б) появляться (*в печати*); в) выступить (with — с *заявлением, разоблачением*); г) признать себя гомосексуалистом; д) забастовать; е) выходить, получаться (*о фотографии*); ж) дебютировать (*на сцене, в обществе*); з) проявляться (*о пятнах*); ~ **over** а) переезжать; приезжать; б) переходить на другую сторону; в) охватить, овладеть; a fear came over me мной овладел страх; г) *разг.* перехитрить, обойти; ~ **round** а) заходить ненадолго; заглянуть; a friend came round last night вчера вечером заходил приятель; б) приходить в себя (*после обморока, болезни*); в) менять своё мнение, соглашаться с *чьей-л.* точкой зрения; г) объехать, обойти кругом; д) изменяться к лучшему; I hope things will ~ round надеюсь, всё образуется; е) возвращаться (*к теме и т. п.*); ~ **through** а) остаться в живых; б) выпутаться из неприятного положения; в) проходить внутрь, проникать; ~ **to** а) прийти в себя, очнуться (*тж.* to ~ to oneself); б) *мор.* становиться на якорь; в) наконец-то поумнеть; г) доходить до; to ~ to blows дойти до рукопашной; it came to my knowledge я узнал; to ~ to find out случайно обнаружить, узнать, выяснить; to ~ to good иметь хороший результат; to ~ to no good испортиться; д) стоить, равняться; ~ **together** а) объединиться, собраться вместе; б) сойтись (*о мужчине и женщине*); ~ **up** а) подниматься; б) достигать (*богатства, положения в обществе*); в) возникать (*о проблеме и т. п.*); to ~ up for discussion стать предметом обсуждения; г) всходить (*о растении*); д) доходить (to); е) достигать уровня, сравниваться (to); ж) приезжать (*из провинции в большой город, университет и т. п.*); з) нагонять (with — *кого-л.*); ~ **upon** а) натолкнуться, напасть неожиданно; б) предъявить требование; в) лечь бременем на *чьи-л.* плечи ◇ to ~ to bat *амер.* столкнуться с трудной проблемой, тяжёлым испытанием; to ~ easy to smb. не представлять трудностей для кого-л.; to ~ to harm пострадать; to ~ out with one's life остаться в живых, уцелеть (*после боя и т. п.*); to ~ in useful прийтись кстати; to ~ to stay утвердиться, укорениться; it has come to stay это надолго; to ~ natural быть естественным; (which is) to ~ грядущий; будущий; things to ~ грядущее; in days to ~ в будущем, pleasure to ~ предвкушаемое удовольствие; let'em all ~! *разг.* будь что будет!; to ~ to pass случаться, происходить; to ~ to the book давать присягу перед исполнением обязанностей судьи; light ~ light go что досталось легко, быстро исчезает; to ~ it strong *разг.* действовать энергично; to ~ it too strong *разг.* перестараться; to ~ clean *разг.* говорить правду

come-and-go [ˌkʌmənˈgəʊ] *n* 1) движение взад и вперёд 2) *attr.*: ~ people случайные люди, сменяющие один другого

come-at-able [ˌkʌmˈætəbl] *a разг.* легкодоступный

comeback [ˈkʌmbæk] *n* 1) возвращение (*к власти, популярности и т. п.*); to make a sharp ~ возникать с новой силой 2) *sl* возражение; остроумный ответ, ехидная реплика 3) выздоровление; возвращение в нормальное состояние; to make a complete ~ окончательно поправиться 4) возмездие; воздание по заслугам

come-between [ˌkʌmbɪˈtwiːn] *n* посредник; посредница

come-by-chance [ˌkʌmbaɪˈtʃɑːns] *n разг.* 1) нечто случайное; случайная находка 2) незаконнорождённый ребёнок

comedian [kəˈmiːdɪən] *n* 1) автор комедии 2) комик, комедийный актёр; low ~ комик буфф

comedienne [kəˌmiːdɪˈen] *n* комедийная актриса

comedietta [kəˌmiːdɪˈetə] *n* одноактная комедия

comedo [ˈkɒmɪdəʊ] *n* (*pl* -ones, -os [-əʊz]) *мед.* угорь

comedones [ˌkɒmɪˈdəʊniːz] *pl от* comedo

comedown [ˈkʌmdaʊn] *n* 1) ухудшение; деградация 2) разочарование 3) падение; спуск

comedy [ˈkɒmədɪ] *n* 1) комедия 2) забавное событие, комичный случай

comeliness [ˈkʌmlɪnəs] *n* миловидность

comely [ˈkʌmlɪ] *a* миловидный; хорошенький

come-off [ˈkʌmɒf] *n* уловка, отговорка, отписка

comer [ˈkʌmə] *n* 1) тот, кто приходит; приходящий; пришелец; посетитель; who is the ~? кто пришёл?; first ~ первый пришедший 2) *разг.* многообещающий, подающий надежды ◇ against all ~s против кого бы то ни было; for all ~s для всех желающих

comestible [kəˈmestəbl] *книжн.* **1.** *n* (*обыкн. pl*) съестные припасы

2. *a* съедобный

comet [ˈkɒmɪt] *n* комета

comeuppance [ˌkʌmˈʌpəns] *n разг.* отповедь, взбучка

comfit [ˈkʌmfɪt] *n уст.* 1) конфета 2) *pl* засахаренные фрукты

comfort [ˈkʌmfət] **1.** *n* 1) утешение; одобрение; поддержка 2) успокоение; отдых, покой 3) комфорт; *pl* удобства 4) *амер.* стёганое одеяло

2. *v* утешать; успокаивать

comfortable [ˈkʌmftəbl] **1.** *a* 1) удобный; комфортабельный; уютный 2) спокойный; довольный 3) *разг.* достаточный, приличный (*напр., о заработке*)

2. *n* = comforter 4)

comforter [ˈkʌmfətə] *n* 1) утешитель 2) соска, пустышка 3) *уст.* шерстяной шарф; тёплое кашне 4) *амер.* стёганое ватное одеяло

comforting [ˈkʌmfətɪŋ] *a* утешительный

comfortless [ˈkʌmfətləs] *a* 1) печальный, безутешный 2) неуютный

comfort station [ˈkʌmfətˌsteɪʃn] *n амер. эвф.* общественная уборная

comfy [ˈkʌmfɪ] *разг. см.* comfortable 1

comic [ˈkɒmɪk] **1.** *a* 1) комедийный 2) комический, юмористический; смешной; ~ strip комикс

2. *n* 1) *разг.* актёр, комик 2) (the ~) комизм

comical [ˈkɒmɪkl] *a* смешной, забавный, потешный; чудной

comicality [,kɒmɪ'kælətɪ] *n* 1) коми́чность; чуда́чество 2) что-л. смешно́е

comics ['kɒmɪks] *n pl* ко́миксы; бульва́рная литерату́ра

coming ['kʌmɪŋ] 1. *pres. p. от* come

2. *n* прие́зд, прихо́д, прибы́тие

3. *a* 1) бу́дущий, наступа́ющий; предстоя́щий; ожида́емый 2) многообеща́ющий, подаю́щий наде́жды (*писатель, поэт и т. п.*)

coming-in [,kʌmɪŋ'ɪn] *n* ввоз (*товаров*)

coming-out [,kʌmɪŋ'aʊt] *n* вы́воз (*товаров*)

comity ['kɒmətɪ] *n* ве́жливость; ~ of nations взаи́мное призна́ние зако́нов и обы́чаев ра́зными на́циями

comma ['kɒmə] *n* запята́я; inverted ~s кавы́чки

command [kə'mɑ:nd] 1. *n* 1) кома́нда, прика́з 2) владе́ние; ~ of one's emotions уме́ние владе́ть собо́й; he has good (*или* complete, great) ~ of the language он свобо́дно владе́ет языко́м 3) госпо́дство, власть; ~ of the air госпо́дство в во́здухе 4) кома́ндование; to be in ~ of a regiment кома́ндовать полко́м; under ~ of smb. под чьим-л. нача́льством; at ~ в распоряже́нии 5) войска́, находя́щиеся под (*чьим-л.*) кома́ндованием; Fighter C. кома́ндование истреби́тельной авиа́ции 6) вое́нный о́круг (*в Англии*) 7) *топ.* превыше́ние 8) *attr.* кома́ндный; находя́щийся в распоряже́нии кома́ндования; ~ post а) кома́ндный пункт; б) *амер.* штаб вое́нного подразделе́ния; ~ car штабно́й автомоби́ль; ~ airplane самолёт кома́ндования

2. *v* 1) прика́зывать 2) кома́ндовать 3) владе́ть (*собой*); сде́рживать (*чувства и т. п.*) 4) располага́ть, име́ть в своём распоряже́нии; to ~ a large vocabulary име́ть большо́й запа́с слов; to ~ the services of smb. по́льзоваться чьи́ми-л. услу́гами; yours to ~ к ва́шим услу́гам 5) внуша́ть (*напр., уважение*) 6) *воен.* держа́ть под обстре́лом 7) госпо́дствовать; to ~ the seas госпо́дствовать на моря́х 8) возвыша́ться; the window ~ed a lovely view из окна́ открыва́лся прекра́сный вид 9) сто́ить; приноси́ть, дава́ть; this article ~s a good price за э́тот това́р мо́жно взять хоро́шую це́ну

commandant ['kɒməndænt] *n* 1) нача́льник (*особ. военного училища*) 2) коменда́нт

commandeer [,kɒmən'dɪə] *v* 1) принуди́тельно набира́ть (*в армию*) 2) реквизи́ровать 3) *разг.* присва́ивать

commander [kə'mɑ:ndə] *n* 1) команди́р; нача́льник; кома́ндующий; ~ of the guard нача́льник карау́ла 2) *мор.* капита́н 3 ра́нга

Commander-in-Chief [kə,mɑ:ndərɪn'tʃi:f] *n* 1) главнокома́ндующий; кома́ндующий войска́ми о́круга 2) *мор.* кома́ндующий флו́том *или* отде́льной эска́дрой

command-in-chief [kə,mɑ:ndɪn'tʃi:f] *n* гла́вное кома́ндование

commanding [kə'mɑ:ndɪŋ] 1. *pres. p. от* command 2

2. *a* 1) внуши́тельный; ~ speech внуши́тельная речь 2) доминиру́ющий; ~ eminence домини́рующая высота́ 3) кома́ндующий

commandment [kə'mɑ:ndmənt] *n* 1) за́поведь 2) прика́з

command module [kə'mɑ:nd,mɒdju:l] *n* основно́й блок, кома́ндный отсе́к (*космического корабля*)

commando [kə'mɑ:ndəʊ] *n* (*pl* -os, -oes [-əʊz]) *воен.* 1) диверсио́нно-деса́нтный отря́д 2) бое́ц диверсио́нно-деса́нтного отря́да

commemorate [kə'meməreɪt] *v* 1) пра́здновать (*годовщину*); отмеча́ть (*событие*) 2) чтить па́мять 3) служи́ть напомина́нием

commemoration [kə,memə'reɪʃn] *n* 1) пра́зднование *или* ознаменова́ние (*годовщины*); in ~ of в па́мять о; C. (Day) акт Оксфо́рдского университе́та с помина́нием основа́телей, присужде́нием почётных степене́й *и пр.* 2) *церк.* поминове́ние

commemorative [kə'memərətɪv] *a* па́мятный, мемориа́льный

commence [kə'mens] *v* начина́ть(ся)

commencement [kə'mensmənt] *n* 1) нача́ло 2) день присужде́ния университе́тских степене́й в Ке́мбридже, Ду́блине *и др.* 3) акт; а́ктовый день (*в амер. учебных заведениях*); at ~ на выпускно́м а́кте

commend [kə'mend] *v* 1) хвали́ть; рекомендова́ть 2) *refl.* привлека́ть, прельща́ть

commendable [kə'mendəbl] *a* похва́льный, досто́йный похвалы́

commendation [,kɒmen'deɪʃn] *n* 1) похвала́ 2) рекоменда́ция 3) *амер. воен.* объявле́ние благода́рности в прика́зе

commensal [kə'mensl] *n* 1) сотрапе́зник 2) *биол.* коммонса́л

commensurable [kə'menʃərəbl] *a* 1) соизмери́мый 2) пропорциона́льный

commensurate [kə'menʃərət] *a* соотве́тственный; соразме́рный

comment ['kɒment] 1. *n* 1) замеча́ние, о́тзыв 2) *собир.* то́лки, сужде́ния 3) примеча́ние, коммента́рий

2. *v* де́лать (крити́ческие) замеча́ния; выска́зывать мне́ние (on — о); комменти́ровать; to ~ on the book а) рецензи́ровать кни́гу; б) комменти́ровать кни́гу; it ~s itself э́то само́ за себя́ говори́т

commentary ['kɒməntərɪ] *n* 1) коммента́рий; running ~ а) (радио)репорта́ж; б) подстро́чный коммента́рий 2) *кино* ди́кторский текст

commentation [,kɒmən'teɪʃn] *n* 1) комменти́рование; толкова́ние (*текста*) 2) аннота́ция

commentator ['kɒmənteɪtə] *n* 1) (радио)коммента́тор 2) толкова́тель

commerce ['kɒmɜ:s] *n* 1) (опто́вая) торго́вля, комме́рция; home ~ вну́тренняя торго́вля; Chamber of C. Торго́вая пала́та 2) обще́ние; to have no ~ with smb. не име́ть ничего́ о́бщего с кем-л.

commercial [kə'mɜ:ʃl] 1. *a* торго́вый, комме́рческий; ~ aviation гражда́нская авиа́ция; ~ interests торго́вцы, коммерса́нты; ~ law торго́вое пра́во; ~ traveller коммивояжёр; ~ treaty торго́вый догово́р; ~ vehicle грузови́к; авто́бус; ~ driver води́тель грузово́го автотра́нспорта; ~ broad- *или* telecast комме́рческая радио- *или* телепереда́ча (*оплаченная рекламодателем*)

2. *n разг.* 1) = ~ traveller 2) = ~ broadcast

commercialese [kə,mɜ:ʃə'li:z] *n* стиль комме́рческих докуме́нтов

commercialism [kə'mɜ:ʃə,lɪzəm] *n* 1) торга́шеский дух 2) сло́во *или* выраже́ние, испо́льзуемое в комме́рческом языке́

commercialize [kə'mɜ:ʃəlaɪz] *v* превраща́ть в исто́чник при́были; ста́вить на комме́рческую но́гу

Commie ['kɒmɪ] *n sl. пренебр.* коммуни́ст

commination [,kɒmɪ'neɪʃn] *n книжн.* угро́за возме́здия

commingle [kɒ'mɪŋgl] *v книжн.* сме́шивать(ся)

comminute ['kɒmɪnju:t] *v* 1) толо́чь, превраща́ть в порошо́к 2) дроби́ть, дели́ть на ме́лкие ча́сти (*имущество*)

comminuted ['kɒmɪnju:tɪd] 1. *p. p. от* comminute

2. *a*: ~ fracture *мед.* оско́лочный перело́м

comminution [,kɒmɪ'nju:ʃn] *n* размельче́ние, раздробле́ние

commiserate [kə'mɪzəreɪt] *v* сочу́вствовать, выража́ть соболе́знование (with); to ~ a misfortune выража́ть соболе́знование по по́воду несча́стья

commiseration [kə,mɪzə'reɪʃn] *n* сочу́вствие; соболе́знование

commiserative [kə'mɪzərətɪv] *a* сочу́вствующий, соболе́знующий

commissar [,kɒmɪ'sɑ:] *n русск.* комисса́р

commissariat [,kɒmɪ'seərɪət] *n* 1) интенда́нтство 2) продово́льственное снабже́ние 3) *ист.* комиссариа́т (*министерство в СССР*)

commissary ['kɒmɪsərɪ] *n* 1) уполномо́ченный; комисса́р 2) *уст.* интенда́нт 3) = commissar 4) вое́нный продово́льственный магази́н; вое́нный магази́н

commission [kə'mɪʃn] 1. *n* 1) доверенность; полномо́чие; in ~ име́ющий полномо́чия; I cannot go beyond my ~ я не могу́ превы́сить свои́ полномо́чия 2) коми́ссия; standing ~ постоя́нная коми́ссия; комите́т; interim ~ вре́менная коми́ссия 3) поруче́ние; зака́з (*особ. художнику*) 4) пате́нт на офице́рский чин *или* на зва́ние мирово́го судьи́; to get a ~ получи́ть офице́рский чин; to resign one's ~ пода́ть в отста́вку с вое́нной слу́жбы 5) комиссио́нная прода́жа; to have goods on ~ име́ть това́ры на коми́ссии 6) комиссио́нное вознагражде́ние 7) соверше́ние (*преступления и т. п.*); the ~ of murder соверше́ние уби́йства 8) *мор.* вооруже́ние; введе́ние в строй су́дна; to come into ~ вступа́ть в строй по́сле постро́йки *или* ремо́нта (*о корабле*); in ~ в испра́вности; в по́лной гото́вности; out of ~ в неиспра́вности; a ship in ~ су́дно, гото́вое к пла́ванию ◇ sins of ~ and omission сде́лаешь — пло́хо, а не сде́лаешь — то́же пло́хо

2. *v* 1) уполномо́чивать 2) поруча́ть; дава́ть зака́з (*особ. художнику*) 3) назнача́ть на до́лжность; to ~ an officer присво́ить пе́рвое офице́рское зва́ние 4) *мор.* подгота́вливать кора́бль к пла́ванию; укомплекто́вывать ли́чным соста́вом; назнача́ть команди́ра корабля́

commissionaire [kə,mɪʃə'neə] *n* 1) посы́льный; швейца́р; the Corps of Commissionaires объедине́ние бы́вших военнослу́жащих (*основанное в Лондоне в 1859 г.*), поставля́ющая швейца́ров, курье́ров *и т. п.*

commissioned [kə'mɪʃnd] **1.** *p. p. от* commission 2

2. *a* 1) облечённый полномо́чиями; получи́вший поруче́ние 2) получи́вший офице́рское зва́ние; ~ officer офице́р 3) укомплекто́ванный ли́чным соста́вом и гото́вый к пла́ванию (*о корабле*)

commissioner [kə'mɪʃnə] *n* 1) специа́льный уполномо́ченный, комисса́р; High C. верхо́вный комисса́р (*представитель одной из стран Содружества наций в другой стране Содружества; представитель колонии или британского доминиона в Англии*) 2) член коми́ссии

commit [kə'mɪt] *v* 1) поруча́ть, вверя́ть 2) предава́ть; to ~ to flames предава́ть огню́; to ~ a body to the ground преда́ть те́ло земле́; to ~ smb. for trial преда́ть кого́-л. суду́; to ~ to prison заключа́ть в тюрьму́ 3) соверша́ть (*преступление и т. п.*); to ~ suicide поко́нчить жизнь самоуби́йством; to ~ an error соверши́ть оши́бку; to ~ a crime соверши́ть преступле́ние 4): to ~ oneself а) принима́ть на себя́ обяза́тельство (*особ. рискованное, опасное*); свя́зывать себя́; б) компромети́ровать себя́ 5) передава́ть законопрое́кт в коми́ссию (*парламента*) 6) фикси́ровать; to ~ to memory зау́чивать, запомина́ть; to ~ to paper, to ~ to writing запи́сывать 7) *воен.* вводи́ть в де́ло; to ~ to attack бро́сить в ата́ку; to ~ to battle вводи́ть в бой ◇ to ~ the command *воен.* свя́зывать свобо́ду де́йствий кома́ндования

commitment [kə'mɪtmənt] *n* 1) обяза́тельство 2) вруче́ние, переда́ча 3) переда́ча законопрое́кта в коми́ссию 4) заключе́ние под стра́жу 5) соверше́ние (*преступления и т. п.*)

committal [kə'mɪtl] *n* 1) = commitment 2) погребе́ние

committee [kə'mɪtɪ] *n* 1) комите́т; ~ of action *полит.* комите́т де́йствия; strike ~ ста́чечный комите́т; steering ~ организацио́нный подготови́тельный комите́т 2) коми́ссия; credentials ~ манда́тная коми́ссия; C. of the whole House заседа́ние парла́мента на права́х комите́та для обсужде́ния законопрое́кта; the House goes into C., the House resolves itself into C. *парл.* пала́та объявля́ет себя́ коми́ссией для обсужде́ния како́го-л. вопро́са; to go into ~ пойти́ на рассмотре́ние коми́ссии (*о законопроекте*); a check-up ~ *амер.* ревизио́нная коми́ссия 3) *юр.* опеку́н 4) *attr.*: ~ English канцеля́рский англи́йский язы́к

committeeman [kə'mɪtɪmən] *n* член коми́ссии *или* комите́та

commixture [kə'mɪkstʃə] *n книжн.* смеше́ние; смесь

commode [kə'məʊd] *n* 1) комо́д 2) стульча́к (*для ночного горшка*)

commodious [kə'məʊdɪəs] *a* 1) просто́рный 2) *редк.* удо́бный

commodity [kə'mɒdətɪ] *n* 1) предме́т потребле́ния; staple commodities гла́вные предме́ты торго́вли 2) (*часто pl*) това́р; value of ~ това́рная сто́имость 3) *редк.* удо́бство 4) *attr. эк.* това́рный; ~ composition (*или* pattern) това́рная структу́ра; ~ exchange това́рная би́ржа; ~ capital това́рный капита́л; ~ production това́рное произво́дство

commodore ['kɒmədɔ:] *n мор.* 1) коммодо́р, капита́н 1-го ра́нга; кома́ндующий соедине́нием корабле́й 2) нача́льник конво́я 3) командо́р яхт-клу́ба

common ['kɒmən] **1.** *a* 1) о́бщий; ~ lot о́бщий уде́л; C. Market О́бщий ры́нок; ~ interests о́бщие интере́сы; by ~ consent с о́бщего согла́сия; to make ~ cause де́йствовать сообща́ 2) просто́й, обыкнове́нный, рядово́й; ~ honesty элемента́рная че́стность; the ~ man обыкнове́нный челове́к; ~ soldier *воен.* рядово́й; ~ labour неквалифици́рованный труд; чёрная рабо́та; a man of no ~ abilities челове́к незауря́дных спосо́бностей; ~ fraction *мат.* проста́я дробь 3) общепри́нятый, распространённый; it is ~ knowledge что общеизве́стно, э́то всем изве́стно 4) обще́ственный; публи́чный; общи́нный; ~ land обще́ственный вы́гон; ~ membership коллекти́вное чле́нство 5) просто́й, гру́бый; ду́рно сде́ланный (*об одежде*) 6) вульга́рный, бана́льный; ~ manners гру́бые мане́ры 7) *грам.* о́бщий; ~ gender о́бщий род; ~ case о́бщий паде́ж; ~ noun и́мя нарица́тельное 8) *мат.* о́бщий; ~ factor о́бщий дели́тель; ~ multiple о́бщий мно́житель ◇ ~ or garden *разг.* обы́чный, изве́стный; шабло́нный, изби́тый; ~ sense здра́вый смысл; ~ woman а) вульга́рная же́нщина; б) проститу́тка

2. *n* 1) общи́нная земля́; вы́гон; пусты́рь 2) пра́во на обще́ственное по́льзование землёй; ~ of pasturage пра́во на обще́ственный, общи́нный вы́гон 3) о́бщее; обы́чное; in ~ совме́стно; to have nothing in ~ with smb. не име́ть ничего́ о́бщего с кем-л.; out of the ~ незауря́дный, из ря́да вон выходя́щий; nothing out of the ~ ничего́ осо́бенного, та́к себе 4) *sl.* здра́вый смысл; use your ~ пошевели́ мозга́ми

commonable ['kɒmənəbl] *a* 1) пасу́щийся на обще́ственной земле́ (*о скоте*) 2) находя́щаяся в обще́ственном владе́нии (*о земле*)

commonage ['kɒmənɪdʒ] *n* 1) пра́во на обще́ственный, общи́нный вы́гон 2) = commonalty

commonalty ['kɒmənltɪ] *n ист.* общи́ны; наро́д (*т. е. третье сословие без высших сословий*)

common council ['kɒmən,kaʊnsl] *n* муниципа́льный сове́т

commoner ['kɒmənə] *n* 1) челове́к из наро́да, просто́й челове́к 2) име́ющий общи́нные права́ 3) студе́нт, не получа́ющий стипе́ндии (*в Оксфордском университете*) 4) *редк.* член пала́ты о́бщин

common law [,kɒmən'lɔ:] *n юр.* о́бщее пра́во; обы́чное пра́во; некодифици́рованное пра́во

commonly ['kɒmənlɪ] *adv* 1) обы́чно, обыкнове́нно; ~ held view широко́ распространённый взгляд 2) дёшево, пло́хо

commonness ['kɒmənnəs] *n* 1) обы́чность, обы́денность 2) бана́льность

commonplace ['kɒmənpleɪs] **1.** *n* 1) о́бщее ме́сто, бана́льность 2) что-л. обы́чное, привы́чное

2. *a* бана́льный, изби́тый

3. *v* 1) повторя́ть о́бщие места́ 2) запи́сывать в тетра́дь для заме́ток

commonplace book ['kɒmənpleɪs,bʊk] *n* тетра́дь для заме́ток, о́бщая тетра́дь

common room ['kɒmənru:m] *n* о́бщая ко́мната, ко́мната о́тдыха (*в учебных заведениях*)

commons ['kɒməns] *n pl* 1) (the C.) пала́та о́бщин (*тж.* House of C.) 2) просто́й наро́д; *ист.* тре́тье сосло́вие 3) по́рция, рацио́н; short ~ ску́дный стол, ску́дное пита́ние ◇ Doctors' C. ассоциа́ция юри́стов по гражда́нским дела́м

commonsensical [,kɒmən'sensɪkl] *a* отвеча́ющий здра́вому смы́слу

commonweal ['kɒmənwi:l] *n* 1) о́бщее бла́го 2) *уст.* = commonwealth

commonwealth ['kɒmənwelθ] *n* 1) госуда́рство; респу́блика; содру́жество; федера́ция; the (British) ~ (of Nations) (Брита́нское) Содру́жество (На́ций); the C. of England *ист.* Англи́йская респу́блика (*1649—60 гг.*) 2) *уст.* (все)о́бщее благосостоя́ние; for the good of the ~ для о́бщего бла́га

commotion [kə'məʊʃn] *n* 1) волне́ние (*моря*) 2) смяте́ние; потрясе́ние (*нервное, душевное*) 3) беспоря́дки, волне́ния

communal ['kɒmjʊnl] *a* 1) общи́нный; ~ ownership of land общи́нное землевладе́ние 2) коллекти́вный, коммуна́льный, обще́ственный; ~ kitchen обще́ственная столо́вая; фа́брика-ку́хня 3) относя́щийся к религио́зной общи́не (*в Индии*)

communalize ['kɒmjʊnə,laɪz] *v* обобществля́ть

Communard ['kɒmjʊnɑ:d] *n* коммуна́р, уча́стник Пари́жской комму́ны

commune **1.** *n* ['kɒmju:n] 1) общи́на

2) коммýна; the C. (of Paris) Пари́жская Коммýна

2. *v* [kə'mju:n] общáться, бесéдовать

communicable [kə'mju:nɪkəbl] *a* 1) поддаю́щийся передáче 2) передаю́щийся, сообщáющийся; ~ disease зарáзная болéзнь 3) *уст.* привéтливый, общи́тельный

communicant [kə'mju:nɪkənt] 1. *n* 1) *церк.* причáстник; причáстница 2) сообщáющий нóвости

2. *a анат.* сообщáющийся

communicate [kə'mju:nɪkeɪt] *v* 1) сообщáть; передавáть (to) 2) сообщáться (with); сноси́ться (by) 3) сообщáться, быть смéжным (*о комнатах и т. п.*) 4) *церк.* причащáть(ся)

communicating [kə'mju:nɪkeɪtɪŋ] 1. *pres. p. от* communicate

2. *a* смéжный (*о комнате*)

communication [kə,mju:nɪ'keɪʃn] *n* 1) передáча, сообщéние (*мыслей, сведений и т. п.*) 2) сообщéние, информáция; vocal ~ ýстное сообщéние; privileged ~ свéдения, не подлежáщие оглашéнию 3) коммуникáция; связь; срéдство сообщéния (*железная дорога, телеграф, телефон и т. п.*); lines of ~ пути́ сообщéния 4) общéние, срéдство общéния; *pl* свя́зи, контáкты; to be in ~ with smb. перепи́сываться с кем-л. 5) *pl* коммуникáции; коммуникациóнные ли́нии 6) *attr.* слýжащий для сообщéния, свя́зи; ~ trench *воен.* ход сообщéния; ~ service слýжба свя́зи; ~ satellite спýтник свя́зи

communicative [kə'mju:nɪkətɪv] *a* общи́тельный, разговóрчивый

communicator [kə'mju:nɪkeɪtə] *n тех.* коммуникáтор, передаю́щий механи́зм

communion [kə'mju:nɪən] *n* 1) общéние; óбщность 2) óбщность вероисповéдания; грýппа людéй одинáкового вероисповéдания 3) (C.) *церк.* причáстие

communion-table [kə'mju:nɪən,teɪbl] *n церк.* престóл

communiqué [kə'mju:nɪkeɪ] *n* официáльное сообщéние; коммюникé

communism ['kɒmjʊ,nɪzəm] *n* коммуни́зм

communist ['kɒmjʊnɪst] 1. *n* коммуни́ст

2. *a* коммунисти́ческий

communistic [,kɒmjʊ'nɪstɪk] *a* коммунисти́ческий

communitarian [,kɒmju:nɪ'teərɪən] *n* член коммýны

community [kə'mju:nətɪ] *n* 1) мéстность, населённый пункт, окрýга; микрорайóн; жи́тели микрорайóна 2) грýппа лиц, объединённых каки́ми-л. при́знаками; объединéние, сообщество; national communities национáльные образовáния; world ~ мировóе сообщество; children's ~ дéтский дом, шкóла-интернáт; дéтский городóк; business ~ деловы́е круги́ 3) óбщность; ~ of goods óбщность владéния имýществом 4) óбщи́на 5) (the ~) óбщество; the interests of the ~ интерéсы óбщества 6) *attr.* общéственный; ~ centre здáние *или* помещéние для проведéния культýрных и общéственных мероприя́тий; ~ theatre *амер.* непрофессионáльный (люби́тельский) теáтр

commutable [kə'mju:təbl] *a* 1) замени́мый, заменя́емый 2) неокончáтельный (*о приговоре*)

commutation [,kɒmjʊ'teɪʃn] *n* 1) замéна; ~ of rations *воен.* замéна натурáльного довóльствия дéнежным 2) *юр.* смягчéние наказáния 3) *амер.* поéздки по желéзной дорóге из при́города на рабóту 4) *эл.* коммутáция, коммути́рование, переключéние 5) *attr.*: ~ ticket *амер.* сезóнный железнодорóжный билéт

commutator ['kɒmjʊteɪtə] *n эл.* преобразовáтель тóка; коллéктор; коммутáтор; переключáтель

commute [kə'mju:t] *v* 1) заменя́ть 2) *юр.* смягчáть наказáние 3) *амер.* пóльзоваться сезóнным билéтом 4) *амер.* совершáть регуля́рные поéздки на рабóту в гóрод из при́города 5) *эл.* переключáть (*ток*)

commuter [kə'mju:tə] *n* 1) пассажи́р, пóльзующийся сезóнным билéтом 2) *attr.*: ~ station *ж.-д.* стáнция при́городного сообщéния

commuterville [kə'mju:təvɪl] *n* при́город, где живýт рабóтающие в гóроде

comp [kɒmp] *n разг.* 1) соревновáние 2) наборщик 3) аккомпаниáтор

compact I ['kɒmpækt] *n* соглашéние, договóр

compact II 1. *a* [kəm'pækt] 1) компáктный; плóтный 2) сжáтый (*стиль и т. п.*)

2. *n* ['kɒmpækt] пýдреница с пýдрой и румя́нами

3. *v* [kəm'pækt] сжимáть, уплотня́ть

compacted [kəm'pæktɪd] 1. *p. p. от* compact II, 3

2. *a* компáктный; плóтно упакóванный *или* улóженный

compages [kəm'peɪdʒi:z] *n спец.* слóжная систéма строéния

companion [kəm'pænjən] 1. *n* 1) товáрищ; faithful ~ вéрный друг; ~ in misfortune товáрищ по несчáстью 2) спýтник; попýтчик, случáйный сосéд (*по вагону и т. п.*) 3) компаньóн; компаньóнка; ~ in crime соучáстник преступлéния 4) собесéдник; poor ~ неинтерéсный собесéдник 5) предмéт, составля́ющий пáру 6) кавалéр óрдена (*низшей степени*) 7) спрáвочник; gardener's ~ спрáвочник садовóда 8) = companion-ladder 9) *attr.* пáрный; ~ portrait пáрный портрéт

2. *v* 1) сопровождáть 2) *книжн.* быть компаньóном, спýтником

companionable [kəm'pænjənəbl] *a* общи́тельный

companionate [kəm'pænjənət] *a* 1) подходя́щий 2) дрýжеский

companion-in-arms [kəm,pænjənɪn'ɑ:mz] *n* товáрищ (*или* собрáт) по орýжию, сорáтник

companion-ladder [kəm'pænjən,lædə] *n мор.* сходнóй трап

companionship [kəm'pænjənʃɪp] *n* 1) общéние, товáрищеские отношéния 2) бригáда набóрщиков, рабóтающих под наблюдéнием метранпáжа

companionway [kəm'pænjənweɪ] = companion-ladder

company ['kʌmpənɪ] *n* 1) óбщество; компáния; to bear (*или* to keep) smb. ~ составля́ть комý-л. компáнию, сопровождáть когó-л.; to keep ~ *разг.* ухáживать; to keep ~ with smb. общáться, встречáться с кем-л.; to keep good ~ встречáться с хорóшими людьми́, бывáть в хорóшем óбществе; to keep bad ~ води́ться с плохи́ми людьми́; to part ~ with smb. прекрати́ть связь, знакóмство с кем-л.; he is good (poor) ~ он интерéсный (скýчный) собесéдник 2) гóсти; to receive a great deal of ~ чáсто приним́ать гостéй 3) *ком.* товáрищество, компáния 4) трýппа, ансáмбль арти́стов; stock ~ постоя́нная трýппа 5) экипáж (*судна*) 6) *воен.* рóта 7) *attr. воен.* рóтный 8) *attr.*: ~ store фабри́чная лáвка; ~ union *амер.* «компанéйский» профсою́з (*организуемый предпринимателем для борьбы с независимыми профсоюзами*) ◇ present ~ excepted о присýтствующих не говоря́т; for ~ за компáнию; a man is known by the ~ he keeps *посл.* ≅ скажи́ мне, кто твой друг, и я скажý, кто ты

company checkers ['kʌmpənɪ,tʃekəz] *n pl амер.* шпики́, донóсчики

company spotters ['kʌmpənɪ,spɒtəz] = company checkers

comparable ['kɒmpərəbl] *a* 1) сравни́мый; заслýживающий сравнéния 2) сопостави́мый; in ~ prices в сопостави́мых цéнах; on ~ terms на аналоги́чных услóвиях

comparative [kəm'pærətɪv] 1. *a* 1) сравни́тельный; the ~ method сравни́тельный мéтод; ~ anatomy сравни́тельная анатóмия 2) сравни́тельный; относи́тельный 3) *грам.* сравни́тельный

2. *n грам.* сравни́тельная стéпень

comparatively [kəm'pærətɪvlɪ] *adv* сравни́тельно; относи́тельно

compare [kəm'peə] 1. *v* 1) срáвнивать, сличáть (with) 2) срáвнивать, стáвить наравнé 3) сравни́ться; вы́держивать сравнéние; not to be ~d with (*или* to) не мóжет сравни́ться с; to ~ favourably with smth. вы́годно отличáться от чегó-л.; as ~d with по сравнéнию 4) уподобля́ть (to) ◇ to ~ notes обмéниваться мнéниями, впечатлéниями

2. *n книжн.*: beyond (*или* past, without) ~ вне вся́кого сравнéния

comparison [kəm'pærɪsən] *n* сравнéние; to make a ~ проводи́ть сравнéние; beyond (all) ~ вне (вся́кого) сравнéния; in ~ with в сравнéнии с; to bear (*или* to stand) ~ with вы́держать сравнéние с; there is no ~ between them невозмóжно их срáвнивать; degrees of ~ *грам.* стéпени сравнéния

compartment [kəm'pɑ:tmənt] *n* отделéние; купé; water-tight ~ *мор.* водонепроницáемый отсéк ◇ to live in water-tight

~s *разг.* жить совершенно изолированно от людей

compass ['kʌmpəs] **1.** *n* 1) компас (*тж.* mariner's ~); буссоль; wireless ~ радиокомпас 2) (*часто pl*) циркуль 3) граница; предел(ы); within the ~ of a lifetime в пределах человеческой жизни; beyond one's ~ за пределами чьих-л. возможностей, чьего-л. понимания; to keep one's desires within ~ сдерживать свои желания 4) окружность; круг; to fetch (*или* to go) a ~ идти обходным путём; делать крюк 5) объём, обхват; диапазон; voice of great ~ голос обширного диапазона

2. *a* 1) компасный; ~ bearing компасный пеленг 2) полукруглый; ~ window *архит.* полукруглое окно

3. *v* 1) обходить кругом; окружать 2) *книжн.* понимать, схватывать 3) замышлять (*что-л. дурное*) 4) *книжн.* достигать, осуществлять; to ~ one's purpose достичь цели

compassion [kəm'pæʃn] *n* жалость, сострадание; сочувствие; to have (*или* to take) ~ (up)on smb. жалеть кого-л.; относиться с состраданием к кому-л.

compassionate [kəm'pæʃnət] **1.** *a* 1) жалостливый, сострадательный; сочувствующий 2) благотворительный; ~ allowance благотворительное пособие; discharge on ~ grounds *воен.* увольнение по семейным обстоятельствам

2. *v* относиться с состраданием; сочувствовать

compatibility [kəm,pætə'bɪlətɪ] *n* совместимость

compatible [kəm'pætəbl] *a* совместимый (with)

compatriot [kəm'pætrɪət] *n* соотечественник

compeer ['kɒmpɪə] *n* ровня; товарищ

compel [kəm'pel] *v* 1) заставлять, принуждать; to ~ silence заставить замолчать 2) подчинять; to ~ attention приковывать внимание

compelling [kəm'pelɪŋ] **1.** *pres. p. от* compel

2. *a* неотразимый, непреодолимый; ~ force непреодолимая сила

compendia [kəm'pendɪə] *pl от* compendium

compendious [kəm'pendɪəs] *a* краткий, сжатый

compendium [kəm'pendɪəm] *лат. n* (*pl* -dia) 1) компендиум, краткое руководство (*учебник*), справочник 2) конспект; резюме

compensate ['kɒmpənseɪt] *v* 1) возмещать (*убытки*); компенсировать (for) 2) вознаграждать 3) *тех.* балансировать; уравнивать 4) *эк.* поддерживать устойчивость валюты

compensation [,kɒmpən'seɪʃn] *n* 1) возмещение, компенсация; to make ~ for smth. компенсировать что-л. 2) вознаграждение 3) *амер.* жалованье, денежное вознаграждение 4) *тех.* уравновешивание; уравнивание; компенсация

compensative [kəm'pensətɪv] *a* 1) компенсирующий, возмещающий 2) вознаграждающий 3) *тех.* уравнивающий

compensator [,kɒmpən'seɪtə] *n эл.* трансформатор

compensatory [,kɒmpən'seɪtərɪ] = compensative

compère ['kɒmpeə] **1.** *n* конферансье, ведущий (программу)

2. *v* конферировать, вести программу

compete [kəm'pi:t] *v* 1) состязаться, соревноваться 2) конкурировать (with — с *кем-л.*; for — из-за *чего-л.*, ради *чего-л.*) 3) принимать участие в спортивном соревновании

competence ['kɒmpɪtəns] *n* 1) способность; умение; I doubt his ~ for such work (*или* to do such work) я сомневаюсь, что у него есть данные для этой работы 2) компетентность 3) достаток, хорошее материальное положение 4) *юр.* компетенция, правомочность

competency ['kɒmpɪtənsɪ] = competence

competent ['kɒmpɪtənt] *a* 1) компетентный, знающий 2) достаточный; ~ majority требуемое законом большинство 3) *юр.* полноправный; правомочный

competition [,kɒmpə'tɪʃn] *n* 1) соревнование; to be in ~ with smb. соревноваться с кем-л. 2) конкуренция; cut-throat ~ жестокая конкуренция 3) соревнование, состязание, встреча; chess ~ шахматный поединок, шахматный турнир 4) конкурс; конкурсный экзамен

competitioner [,kɒmpə'tɪʃnə] *n* 1) участник соревнования 2) лицо, поступающее на службу по конкурсу

competitive [kəm'petətɪv] *a* 1) конкурсный; ~ examination конкурсный экзамен 2) конкурентоспособный; ~ ability конкурентоспособность 3) соперничающий, конкурирующий; конкурентный

competitor [kəm'petɪtə] *n* соперник; конкурент

compilation [,kɒmpɪ'leɪʃn] *n* 1) компилирование; собирание (*материала, фактов и т. п.*) 2) компиляция

compile [kəm'paɪl] *v* 1) компилировать 2) составлять; to ~ a dictionary составлять словарь 3) собирать (*материал, факты и т. п.*) 4) *разг.* накапливать

compiler [kəm'paɪlə] *n* 1) составитель 2) компилятор

complacence, -cy [kəm'pleɪsns, -sɪ] *n* 1) самодовольство 2) благодушие; удовлетворённость

complacent [kəm'pleɪsnt] *a* 1) самодовольный 2) благодушный; удовлетворённый

complain [kəm'pleɪn] *v* 1) выражать недовольство (of — *чем-л.*) 2) жаловаться (of — на *боль и т. п.*) 3) подавать жалобу, жаловаться (to — *кому-л.*; of — на *что-л.*)

complainant [kəm'pleɪnənt] *n* 1) *юр.* истец 2) жалобщик

complaint [kəm'pleɪnt] *n* 1) жалоба; to lodge (*или* to make) a ~ against smb. подавать жалобу на кого-л.; I have no ~ to make мне не на что жаловаться; without ~ безропотно 2) недовольство 3) болезнь, недуг

complaisance [kəm'pleɪzns] *n* услужливость; почтительность; обходительность; любезность

complaisant [kəm'pleɪznt] *a* услужливый; почтительный; обходительный; любезный

complement 1. *n* ['kɒmplɪmənt] 1) дополнение (*тж. грам.*); ~ of an angle *мат.* дополнение угла до 90° 2) комплект 3) *воен.* (штатный) личный состав военной части *или* корабля

2. *v* ['kɒmplɪment] 1) дополнять, служить дополнением до целого 2) укомплектовывать

complementary [,kɒmplɪ'mentərɪ] *a* дополнительный, добавочный; ~ angles *мат* два угла, взаимно дополняющие друг друга до 90°

complete [kəm'pli:t] **1.** *a* 1) полный; законченный; ~ set of works полное собрание сочинений 2) совершенный, полный; he is a ~ failure он совершенный неудачник

2. *adv разг. см.* completely

3. *v* 1) заканчивать, завершать; to ~ an agreement заключить соглашение 2) делать совершенным 3) комплектовать, укомплектовывать 4) заполнять (*анкету и т. п.*)

completely [kəm'pli:tlɪ] *adv* совершенно, полностью, вполне, всецело

completeness [kəm'pli:tnəs] *n* полнота; законченность, завершённость

completion [kəm'pli:ʃn] *n* завершение, окончание; заключение

completive [kəm'pli:tɪv] *a* завершающий, заканчивающий

complex ['kɒmpleks] **1.** *n* 1) комплекс, совокупность 2) комплекс; пунктик, заскок

2. *a* 1) сложный, комплексный, составной; ~ machinery сложные машины 2) сложный, трудный; запутанный 3) *мат.* комплексный; ~ number комплексное число 4) *грам.*: ~ sentence сложноподчинённое предложение

complexion [kəm'plekʃn] *n* 1) цвет лица (*иногда тж.* волос *и* глаз) 2) вид; аспект; to put a different ~ on the matter представить дело в другом свете

-complexioned [-kəm'plekʃnd] *в сложных словах означает* имеющий *такой-то* цвет лица; *напр.*: dark-~ смуглый; pale-~ бледнолицый

complexity [kəm'pleksətɪ] *n* 1) сложность; запутанность 2) запутанное дело

compliance [kəm'plaɪəns] *n* 1) согласие; in ~ with your wish в соответствии с вашим желанием 2) податливость, уступчивость 3) угодливость

compliant [kəm'plaɪənt] *a* 1) податливый, уступчивый 2) угодливый

complicacy ['kɒmplɪkəsɪ] = complexity

complicate ['kɒmplɪkeɪt] *v* усложнять; to ~ matters запутать дело

complicated ['kɒmplɪkeɪtɪd] **1.** *p. p. от* complicate

2. *a* 1) запу́танный; сло́жный; ~ machine сло́жная маши́на 2) осложнённый; ~ disease боле́знь с осложне́ниями

complication [ˌkɒmplɪˈkeɪʃn] *n* 1) сло́жность; запу́танность 2) осложне́ние

complice [ˈkɒmplɪs] *уст.* = accomplice

complicity [kəmˈplɪsətɪ] *n* соуча́стие (*в преступлении и т. п.*)

compliment 1. *n* [ˈkɒmplɪmənt] 1) комплиме́нт, похвала́; любе́зность; to pay (*или* to make) a ~ сде́лать комплиме́нт; to return the ~ отве́тить комплиме́нтом на комплиме́нт 2) *pl* поздравле́ние; приве́т, покло́н; ~s of the season поздрави́тельные приве́тствия, пожела́ния (*соответственно праздникам*); give him my ~s переда́йте ему́ приве́т (от меня́); with ~s с приве́том (*в конце письма*)

2. *v* [ˈkɒmplɪment] 1) говори́ть комплиме́нты, хвали́ть; льсти́ть 2) приве́тствовать, поздравля́ть; to ~ smb. on smth. поздравля́ть кого́-л. с чем-л. 3) подари́ть (with — *что-л.*)

complimentary [ˌkɒmplɪˈmentərɪ] *a* 1) поздрави́тельный; приве́тственный 2) ле́стный, хвале́бный; to be ~ about smb.'s work ле́стно отзыва́ться о чьей-л. рабо́те ◇ ~ ticket пригласи́тельный биле́т

complin(e) [ˈkɒmplɪn] *n* вече́рнее богослуже́ние (*у католиков*)

comply [kəmˈplaɪ] *v* 1) исполня́ть (*просьбу, требование и т. п.*; with) 2) подчиня́ться (*правилам*; with) 3) уступа́ть; соглаша́ться

component [kəmˈpəʊnənt] **1.** *n* 1) компоне́нт; составна́я часть, составно́й элеме́нт 2) *pl* дета́ли

2. *a* составно́й; составля́ющий, слага́ющий; ~ parts *тех.* комплекту́ющие ча́сти

comport [kəmˈpɔːt] *v* 1) *refl. книжн.* вести́ себя́ (хорошо́) 2) согласова́ться (with — с *чем-л.*); соотве́тствовать

comportment [kəmˈpɔːtmənt] *n* поведе́ние, мане́ра держа́ться

compose [kəmˈpəʊz] *v* 1) сочиня́ть, создава́ть, писа́ть (*музыкальное или литературное произведение*); to ~ a picture заду́мать и вы́работать план карти́ны 2) составля́ть; to ~ a delegation формирова́ть делега́цию 3) (*обыкн. pass.*) состоя́ть (*из*); our group was ~d of teachers and doctors на́ша гру́ппа состоя́ла из учителе́й и враче́й 4) ула́живать (*ссору*); успока́ивать; to ~ oneself успока́иваться; to ~ differences ула́живать разногла́сия 5) *полигр.* набира́ть

composed [kəmˈpəʊzd] **1.** *p. p. от* compose

2. *a* споко́йный, сде́ржанный

composer [kəmˈpəʊzə] *n* компози́тор

composing [kəmˈpəʊzɪŋ] **1.** *pres. p. от* compose

2. *a* 1) составля́ющий 2) *уст.* успока́ивающий; ~ medicine успока́ивающее сре́дство

composing-machine [kəmˈpəʊzɪŋməˌʃiːn] *n полигр.* набо́рная маши́на

composing-room [kəmˈpəʊzɪŋruːm] *n полигр.* набо́рный цех

composing stick [kəmˈpəʊzɪŋstɪk] *n полигр.* верста́тка

composite [ˈkɒmpəzɪt] **1.** *n* 1) смесь; что-л. составно́е 2) *бот.* расте́ние семе́йства сложноцве́тных

2. *a* 1) составно́й; сло́жный; ~ style *иск.* сме́шанный стиль; ~ index сво́дный и́ндекс (*в статистике*) 2) *бот.* сложноцве́тный

composition [ˌkɒmpəˈzɪʃn] *n* 1) составле́ние, образова́ние, построе́ние; *лингв.* словосложе́ние 2) структу́ра, соста́в 3) соедине́ние, смесь, сплав; ~ of forces *физ.* сложе́ние сил 4) соста́в (*химический*); составны́е ча́сти 5) литерату́рное *или* музыка́льное произведе́ние 6) шко́льное сочине́ние 7) компози́ция, компоно́вка 8) склад ума́, хара́ктер; he has a touch of madness in his ~ он «тро́нулся», он не в своём уме́ 9) *полигр.* набо́р 10) соглаше́ние; компроми́сс 11) *юр.* компроми́ссное соглаше́ние должника́ с кредито́рами 12) *воен.* соглаше́ние о переми́рии, о прекраще́нии вое́нных де́йствий 13) *attr.*: ~ book *амер.* тетра́дь для упражне́ний

composition-metal [kɒmpəˈzɪʃnˌmetl] *n* сплав ме́ди с ци́нком; лату́нь

compositor [kəmˈpɒzɪtə] *n* набо́рщик

compos (mentis) [ˌkɒmpəs(ˈmentɪs)] *лат. a юр.* находя́щийся в здра́вом уме́ и твёрдой па́мяти; вменя́емый

compost [ˈkɒmpɒst] **1.** *n* компо́ст, составно́е удобре́ние

2. *v* 1) удобря́ть компо́стом 2) гото́вить компо́ст

composure [kəmˈpəʊʒə] *n* споко́йствие; хладнокро́вие; самооблада́ние

compote [ˈkɒmpəʊt] *n* компо́т

compound I 1. *n* [ˈkɒmpaʊnd] 1) смесь; соста́в, соедине́ние 2) *лингв.* сло́жное сло́во 3) *тех.* компа́унд (*тж.* ~ engine)

2. *a* [ˈkɒmpaʊnd] составно́й; сло́жный; *грам.* сложносочинённый; ~ addition (subtraction *etc.*) сложе́ние (вычита́ние *и т. д.*) имено́ванных чи́сел

3. *v* [kəmˈpaʊnd] 1) сме́шивать, соединя́ть; составля́ть 2) осложня́ть, увели́чивать (*трудности и т. п.*) 3) ула́живать; примиря́ть (*интересы*) 4) приходи́ть к компроми́ссу (*с кредитором*); части́чно погаша́ть долг 5) *юр.*: to ~ a felony отка́зываться от суде́бного пресле́дования за материа́льное вознагражде́ние

compound II [ˈkɒmpaʊnd] *n* 1) посёлок не́гров-рабо́чих фи́рмы (*в Африке*) 2) огоро́женная террито́рия вокру́г фа́брики, конто́ры *и т. п.* европе́йцев (*на Востоке*) 3) огоро́женное ме́сто (*для военнопленных и т. п.*)

comprador [ˌkɒmprəˈdɔː] *n* компрадо́р

comprehend [ˌkɒmprɪˈhend] *v* 1) понима́ть, постига́ть 2) охва́тывать, включа́ть

comprehensible [ˌkɒmprɪˈhensəbl] *a* поня́тный, постижи́мый

comprehension [ˌkɒmprɪˈhenʃn] *n* 1) понима́ние; поня́тливость 2) охва́т, включе́ние 3) экзаменацио́нный текст для прове́рки понима́ния

comprehensive [ˌkɒmprɪˈhensɪv] *a* 1) объе́млющий; исче́рпывающий; обстоя́тельный; ~ arrangement всеобъе́млющее соглаше́ние; ~ mechanization ко́мплексная механиза́ция 2) обши́рный 3) поня́тливый, легко́ схва́тывающий 4) всесторо́нний; ~ school общеобразова́тельная шко́ла

compress 1. *n* [ˈkɒmpres] компре́сс; мя́гкая, да́вящая повя́зка

2. *v* [kəmˈpres] сжима́ть; сда́вливать

compressed [kəmˈprest] **1.** *p. p. от* compress 2

2. *a* сжа́тый

compressibility [kəmˌpresəˈbɪlətɪ] *n* сжима́емость

compressible [kəmˈpresəbl] *a* сжима́ющийся

compression [kəmˈpreʃn] *n* 1) сжа́тие; сда́вливание 2) *тех.* компре́ссия 3) *тех.* наби́вка, уплотне́ние; прокла́дка 4) *attr.*: ~ member *тех.* элеме́нт (*конструкции*), рабо́тающий на сжа́тие; ~ chamber *авто* ка́мера сжа́тия *или* сгора́ния

compressor [kəmˈpresə] *n тех.* компре́ссор

comprise [kəmˈpraɪz] *v* 1) включа́ть, заключа́ть в себе́, охва́тывать 2) содержа́ть; вмеща́ть; this dictionary ~s about 60 000 words в э́том словаре́ о́коло 60 000 слов 3) входи́ть в соста́в

compromise [ˈkɒmprəmaɪz] **1.** *n* компроми́сс

2. *v* 1) пойти́ на компроми́сс 2) компромети́ровать; подверга́ть ри́ску, опа́сности (*репутацию и т. п.*)

compromiser [ˈkɒmprəmaɪzə] *n* примире́нец, соглаша́тель

comprovincial [ˌkɒmprəˈvɪnʃəl] *a книжн.* из того́ же о́круга

comptometer [ˌkɒmpˈtɒmɪtə] *n* арифмо́метр, компто́метр

comptroller [kənˈtrəʊlə] = controller

compulsion [kəmˈpʌlʃn] *n* принужде́ние; under (*или* upon) ~ вы́нужденный

compulsive [kəmˈpʌlsɪv] *a* 1) принуди́тельный 2) зая́длый; he is a ~ smoker он зая́длый кури́льщик 3) непреодоли́мый

compulsory [kəmˈpʌlsrɪ] *a* принуди́тельный; обяза́тельный; ~ education обяза́тельное обуче́ние; ~ measures принуди́тельные ме́ры; ~ (military) service во́инская пови́нность

compunction [kəmˈpʌŋkʃn] *n* 1) угрызе́ния со́вести; раская́ние 2) сожале́ние; without ~ без сожале́ния

compunctious [kəmˈpʌŋkʃəs] *a* испы́тывающий угрызе́ния со́вести

computable [kəmˈpjuːtəbl] *a* исчисли́мый

computation [ˌkɒmpjʊˈteɪʃn] *n* вычисле́ние, вы́кладка; расчёт

compute [kəmˈpjuːt] **1.** *v* счита́ть, подсчи́тывать; вычисля́ть, де́лать вы́кладки

2. *n редк.* вычисле́ние; beyond ~ неисчисли́мый

computer [kəmˈpjuːtə] *n* 1) компьютер; счётно-решáющее устрóйство; (электрóнно-)вычислúтельная машúна, ЭВМ; счётчик 2) тот, кто вычисляéт

computerization [kəm,pju:təraɪ'zeɪʃn] *n* компьютеризáция

computerize [kəm'pju:təraɪz] *v* 1) оснащáть ЭВМ 2) вычислять *или* обрабáтывать с пóмощью ЭВМ

comrade ['kɒmreɪd] *n* товáрищ

comrade-in-arms [,kɒmreɪdɪn'ɑ:mz] *n* (*pl* comrades-in-arms) сорáтник, товáрищ по орýжию, боевóй товáрищ

comradely ['kɒmreɪdlɪ] *a* товáрищеский

comradeship ['kɒmreɪdʃɪp] *n* товáрищеские отношéния

comrades-in-arms [,kɒmreɪdzɪn'ɑ:mz] *pl от* comrade-in-arms

comsat ['kɒmsæt] *n* (*сокр. от* communication satellite) спýтник свя́зи

con I [kɒn] *v уст.* зáучивать наизýсть; зубрúть, долбúть

con II [kɒn] **1.** *n мор.* подáча комáнд рулевóму

2. *v* 1) вестú сýдно, управля́ть кораблём 2) направля́ть мысль, дéйствия (*человéка*)

con III [kɒn] *n* (*сокр. от лат.* contra): the pros and ~s дóводы за и прóтив

con IV [kɒn] *sl.* **1.** *n* 1) жýльничество 2) жýлик

2. *a* жýльнический

3. *v* жýльничать, надувáть

con- [kɒn-] *см.* com-

conation [kəʊ'neɪʃn] *n психол.* спосóбность к волевóму движéнию

concatenate [kən'kætəneɪt] *v* сцепля́ть, свя́зывать

concatenation [kən,kætə'neɪʃn] *n* 1) сцеплéние (*сóбытий, идéй*); взаúмная связь (*причúнная*); ~ of circumstances стечéние обстоя́тельств 2) *тех.* каскáдное соединéние; цепь

concave [,kɒn'keɪv] **1.** *a* вóгнутый; впáлый

2. *n* 1) впáдина 2) *архит.* свод 3) небéсный свод

3. *v* дéлать вóгнутым

concavity [,kɒn'kævətɪ] *n* вóгнутая повéрхность, вóгнутость

concavo-concave [kɒn,keɪvəʊkɒn'keɪv] *a* двояковóгнутый

concavo-convex [kɒn,keɪvəʊkɒn'veks] *a* вóгнуто-вы́пуклый

conceal [kən'si:l] *v* 1) скрывáть; утáивать, умáлчивать 2) маскировáть; пря́тать

concealer [kən'si:lə] *n* укрывáтель

concealment [kən'si:lmənt] *n* 1) скрывáние, утáивание, сокры́тие; укрывáтельство 2) тáйное убéжище 3) маскирóвка

concede [kən'si:d] *v* 1) допускáть (*возмóжность, прáвильность чегó-л.*); признавáть 2) уступáть 3) *разг.* проúгрывать, признавáть поражéние

conceit [kən'si:t] *n* 1) самонадéянность; самомнéние; тщеслáвие; чвáнство; he is full of ~ он о себé высóкого мнéния; он пóлон самодовóльства 2) причýдливый óбраз (*преим. в поэзии XVI—XVII вв.*)

conceited [kən'si:tɪd] *a* самодовóльный; тщеслáвный

conceivable [kən'si:vəbl] *a* мы́слимый, постижúмый; возмóжный

conceivably [kən'si:vəblɪ] *adv* предположúтельно

conceive [kən'si:v] *v* 1) почýвствовать, возымéть; to ~ an affection for smb. привязáться к комý-л.; to ~ a dislike for smb. невзлюбúть когó-л. 2) зачáть, заберéменеть 3) постигáть, понимáть; представля́ть себé 4) задýмывать; a well ~d scheme хорошó задýманный план

conceiving [kən'si:vɪŋ] **1.** *pres. p. от* conceive

2. *n* зачáтие, зарождéние

concelebrate [,kɒn'seləbreɪt] *v церк.* совмéстно проводúть слýжбу

concentrate ['kɒnsntreɪt] **1.** *n* 1) обогащённый продýкт 2) (пищевóй) концентрáт

2. *v* 1) сосредотóчивать(ся); концентрúровать(ся) (on, upon) 2) *хим.* сгущáть, выпáривать 3) *горн.* обогащáть рудý

concentrated ['kɒnsntreɪtɪd] **1.** *p. p. от* concentrate 2

2. *a* 1) сосредотóченный; концентрúрованный 2) *хим.* сгущённый

concentration [,kɒnsn'treɪʃn] *n* 1) концентрáция; сосредотóчение 2) сосредотóченность 3) крéпость (*раствóра*) 4) *спец.* сгущéние 5) обогащéние руды́ 6) *attr.*: ~ camp концентрациóнный лáгерь

concentre [kɒn'sentə] *v* 1) концентрúровать(ся); сосредотóчивать (*мы́сли и т. п.*) 2) сходúться в цéнтре, имéть óбщий центр

concentric [kən'sentrɪk] *a* концентрúческий

concentrically [kən'sentrɪklɪ] *adv* концентрúчески

concentricity [,kɒnsən'trɪsətɪ] *n* концентрúчность

concept ['kɒnsept] *n* поня́тие, идéя; óбщее представлéние; концéпция

conception [kən'sepʃn] *n* 1) зачáтие; оплодотворéние 2) понимáние; it is beyond my ~ э́то вы́ше моегó понимáния 3) поня́тие 4) концéпция 5) зáмысел

conceptual [kən'sepʃʊəl] *a* 1) умозрúтельный 2) поня́тийный

conceptualize [kən'septʃʊəlaɪz] *v* составля́ть концéпцию, представлéние (*о чём-л.*)

concern [kən'sɜ:n] **1.** *n* 1) забóта, беспокóйство; огорчéние; to feel ~ about smth. беспокóиться о чём-л., быть озабóченным чем-л.; with deep ~ с больши́м огорчéнием 2) дéло, отношéние, касáтельство; it is no ~ of mine э́то не моё дéло, э́то меня́ не касáется 3) учáстие, интерéс; to have a ~ in a business быть учáстником какóго-л. предприя́тия 4) значéние, вáжность; a matter of great ~ óчень вáжное дéло 5) предприя́тие, фúрма

2. *v* 1) касáться, имéть отношéние; as ~s что касáется; as far as his conduct is ~ed что касáется егó поведéния 2) *refl.* занимáться, интересовáться (*чем-л.*) 3) забóтиться, беспокóиться; to be ~ed about the future беспокóиться о бýдущем

concerned [kən'sɜ:nd] **1.** *p. p. от* concern 2

2. *a* 1) зáнятый (*чем-л.*); свя́занный (*с чем-л.*); имéющий отношéние (*к чемý-л.*); ~ parties заинтересóванные стóроны 2) озабóченный; ~ air озабóченный вид

concerning [kən'sɜ:nɪŋ] **1.** *pres. p. от* concern 2

2. *prep* относúтельно, касáтельно

concernment [kən'sɜ:nmənt] *n книжн.* 1) дéло, предприя́тие 2) вáжность; a matter of ~ вáжное дéло 3) учáстие, заинтересóванность 4) озабóченность

concert **1.** *n* ['kɒnsət] 1) концéрт 2) соглáсие, соглашéние; in ~ во взаимодéйствии, дрýжно; to act in ~ дéйствовать сообщá, по уговóру 3) *attr.* концéртный; ~ grand концéртный роя́ль; ~ pitch международная единúца высоты́ музыкáльного тóна для настрóйки инструмéнтов (*440 герц*)

2. *v* [kən'sɜ:t] сговáриваться, договáриваться; сообщá принимáть мéры; to ~ action соглассóвывать дéйствия

concerted [kən'sɜ:tɪd] **1.** *p. p. от* concert 2

2. *a* соглассóванный; to take ~ action дéйствовать соглассóванно, по уговóру

concerti [kən'tʃeəti:] *pl от* concerto

concertina [,kɒnsə'ti:nə] **1.** *n* концертúно (*шестигранная гармоника*)

2. *v авто разг.* сплю́щиться «в гармóшку» (*в результате аварии, столкновения и т. п.*)

concerto [kən'tʃeətəʊ] *n* (*pl* -os [-əʊz], -ti) концéрт (*музыкальная форма*)

concession [kən'seʃn] *n* 1) устýпка; a ~ to public opinion устýпка общéственному мнéнию 2) концéссия

concessionaire [kən,seʃə'neə] *n* концессионéр

concessionary [kən'seʃənərɪ] *a* концессиóнный

concessioner [kən'seʃənə] *амер.* = concessionaire

concessive [kən'sesɪv] *a* 1) устýпчивый 2) *грам.* уступúтельный

conch [kɒŋk] *n* 1) рáковина 2) *архит.* абсúда, полукрýглый вы́ступ

concha ['kɒŋkə] *n* (*pl* -chae [-ki:]) *анат.* ушнáя рáковина

conchoid ['kɒŋkɔɪd] *n мат.* конхóида

conchology [kɒŋ'kɒlədʒɪ] *n зоол.* конхиолóгия

conchy ['kɒntʃɪ] *n разг.* = conscientious objector [*см.* conscientious]

concierge ['kɒnsɪeəʒ] *n* консьéрж; консьéржка

concilia [kən'sɪlɪə] *pl от* concilium

conciliate [kən'sɪlɪeɪt] *v* 1) успокáивать, умиротворя́ть 2) расположúть к себé; сыскáть довéрие, любóвь

conciliation [kən,sılı'eıʃn] *n* 1) примирéние; умиротворéние 2) *юр.* согласи́тельная процеду́ра

conciliator [kən'sılıeıtə] *n* 1) миротвóрец; примири́тель 2) *юр.* мировóй посрéдник

conciliatory [kən'sılıətərı] *a* примири́тельный

concilium [kən'sılıəm] *n* (*pl* -lia) конси́лиум

concise [kən'saıs] *a* 1) крáткий; сжáтый; немногословный 2) чёткий; вырази́тельный

conciseness [kən'saısnəs] *n* 1) крáткость, сжáтость 2) вырази́тельность

concision [kən'sıʒn] = conciseness

conclave ['kɒŋkleıv] *n* 1) тáйное совещáние; to sit in ~ учáствовать в тáйном совещáнии 2) *церк.* конклáв

conclude [kən'klu:d] *v* 1) закáнчивать(ся); he ~d his speech with the following remark (*или* by making the following remark) он закóнчил речь слéдующими словáми; to ~ итáк (*в конце речи*) 2) выводи́ть заключéние; дéлать вы́вод; заключáть 3) заключáть; to ~ a treaty заключáть договóр 4) (*преим. амер.*) решáть, принимáть решéние

conclusion [kən'klu:ʒn] *n* 1) окончáние; завершéние; in ~ в заключéние; to bring to a ~ завершáть, доводи́ть до концá 2) исхóд, результáт 3) заключéние; ~ of a treaty заключéние договóра 4) умозаключéние, вы́вод; to draw a ~ дéлать вы́вод; to arrive at a ~ прийти́ к заключéнию; to jump to a ~ дéлать поспéшный вы́вод; foregone ~ предрешённое дéло; предвзя́тое мнéние ◇ to try ~s прóбовать; to try ~s with smb. вступáть в состязáние с кем-л.

conclusive [kən'klu:sıv] *a* 1) окончáтельный, решáющий 2) заключи́тельный 3) убеди́тельный; ~ evidence убеди́тельное доказáтельство

concoct [kən'kɒkt] *v* 1) стря́пать 2) приду́мать, состря́пать (*небылицу, сюжет рассказа и т. п.*)

concoction [kən'kɒkʃn] *n* 1) вáрево; стряпня́ 2) «бáсни», вы́мысел, небыли́цы 3) составлéние, приду́мывание

concomitance [kən'kɒmıtəns] *n* сопу́тствование

concomitant [kən'kɒmıtənt] **1.** *a* сопу́тствующий

2. *n* сопу́тствующее обстоя́тельство

concord ['kɒŋkɔ:d] *n* 1) соглáсие 2) соглашéние; договóр, конвéнция 3) согласовáние (*тж. грам.*) 4) *муз.* гармóния, созву́чие

concordance [kən'kɔ:dns] *n* 1) соглáсие; соотвéтствие; in ~ with smth. в соотвéтствии с чем-л., соглáсно чему́-л. 2) алфави́тный указáтель слов *или* изречéний, встречáющихся в какóй-л. кни́ге *или* у какóго-л. класси́ческого писáтеля

concordant [kən'kɔ:dnt] *a* 1) соглáсный; согласу́ющийся (with) 2) гармони́чный

concordat [kɒn'kɔ:dæt] *n* конкордáт, договóр

concourse ['kɒŋkɔ:s] *n* 1) стечéние нарóда, толпá 2) скоплéние (*чего-л.*) 3) откры́тое мéсто, где собирáется пу́блика 4) глáвный вестибю́ль вокзáла

concrescence [kɒn'kresəns] *n* *биол.* сращéние

concrete ['kɒŋkri:t] **1.** *n* 1) бетóн; reinforced ~ железобетóн; prestressed ~ предвари́тельно напряжённый бетóн 2) нéчто конкрéтное, реáльное; in the ~ реáльно, практи́чески

2. *a* 1) бетóнный 2) конкрéтный; ~ number имено́ванное числó; ~ poetry *лит.* конкрéтная поэ́зия

3. *v* 1) бетони́ровать 2) [kən'kri:t] сгущáть(ся); твердéть 3) конкретизи́ровать

concretion [kən'kri:ʃn] *n* 1) сращéние; срáщивание 2) сгущéние, оседáние, осаждéние, коагуля́ция 3) *геол.* конкрéция 4) *мед.* кáмень, конкремéнт

concretionary [kən'kri:ʃnərı] *a* *геол.* конкрециóнный; стремя́щийся к срастáнию

concretize ['kɒŋkri:taız] *v* конкретизи́ровать

concubinage [kɒn'kju:bınıdʒ] *n* внебрáчное сожи́тельство

concubine ['kɒŋkjʊbaın] *n* 1) *уст.* сожи́тельница, налóжница, любóвница 2) млáдшая женá (*у народов, где распространено многожёнство*)

concupiscence [kən'kju:pısəns] *n* *книжн.* 1) похотли́вость 2) стрáстное желáние

concupiscent [kən'kju:pısənt] *a* *книжн.* похотли́вый, сладострáстный

concur [kən'kɜ:] *v* 1) совпадáть 2) соглашáться; сходи́ться в мнéниях 3) дéйствовать сообщá, совмéстно

concurrence [kən'kʌrəns] *n* 1) совпадéние (*мнений и т. п.*); стечéние (*обстоятельств*) 2) соглáсие; согласóванность (*действий*)

concurrent [kən'kʌrənt] **1.** *n* сопу́тствующее обстоя́тельство

2. *a* 1) совпадáющий 2) дéйствующий совмéстно *или* одноврéмéнно

concuss [kən'kʌs] *v* 1) сотрясáть, потрясáть 2) *мед.* вызывáть сотрясéние (*мозга*) 3) *уст.* запу́гивать; принуждáть (*к чему-л.*)

concussion [kən'kʌʃn] *n* 1) контузия; ~ of the brain сотрясéние мóзга 2) сотрясéние; толчóк

condemn [kən'dem] *v* 1) осуждáть, порицáть 2) приговáривать, выноси́ть приговóр 3) уличáть; his looks ~ him лицó выдаёт егó 4) браковáть; признавáть негóдным 5) конфисковáть (*судно, груз*) 6) нáглухо забивáть

condemnation [,kɒndem'neıʃn] *n* 1) осуждéние, приговóр 2) конфискáция, наложéние арéста

condemnatory [kən'demnətərı] *a* осуждáющий; обвини́тельный

condemned [kən'demd] **1.** *p. p.* *от* condemn

2. *a* 1) осуждённый; приговорённый 2): ~ cell кáмера смéртника

condensable [kən'densəbl] *a* поддаю́щийся сжимáнию, сгущéнию *или* сжижéнию

condensate ['kɒndenseıt] *n* *тех.* конденсáт, (жи́дкий) продýкт конденсáции

condensation [,kɒnden'seıʃn] *n* 1) сгущéние, уплотнéние, конденсáция 2) сжáтость (*стиля*)

condense [kən'dens] *v* 1) сгущáть(ся); конденси́ровать(ся) 2) сжáто выражáть (*мысль*)

condensed [kən'denst] **1.** *p. p.* *от* condense

2. *a* конденси́рованный; сгущённый; ~ milk сгущённое молокó

condenser [kən'densə] *n* 1) конденсáтор 2) *тех.* холоди́льник 3) *эл.* конденсáтор 4) *опт.* кондéнсор

condescend [,kɒndı'send] *v* 1) снисходи́ть; удостáивать 2) унижáться (to — до *чего-л.*), роня́ть своё достóинство

condescension [,kɒndı'senʃn] *n* 1) снисхождéние 2) снисходи́тельность

condign [kən'daın] *a* заслу́женный (*о наказании*)

condiment ['kɒndımənt] *n* припрáва

condition [kən'dıʃn] **1.** *n* 1) услóвие; on (*или* upon) ~ при услóвии 2) состоя́ние, положéние; in (out of) ~ в хорóшем (плохóм) состоя́нии (*тж. о здоровье*); in good ~ гóдный к употреблéнию (*о пище*) 3) *pl* обстоя́тельства; обстанóвка; under such ~s при таки́х обстоя́тельствах; international ~s междунарóдная обстанóвка 4) общéственное положéние; humble ~ of life скрóмное положéние; men of all ~s лю́ди вся́кого звáния; to change one's ~ вы́йти зáмуж, жени́ться 5) *амер.* переэкзаменóвка; незачтённый предмéт, «хвост»

2. *v* 1) улучшáть состоя́ние; to ~ the team *спорт.* подготáвливать, тренировáть комáнду 2) *с.-х.* доводи́ть до конди́ции 3) кондициони́ровать (*воздух*) 4) принимáть мéры к сохранéнию (*чего-л.*) в свéжем состоя́нии 5) стáвить услóвия; обуслóвливать; choice is ~ed by supply вы́бор обуслóвлен предложéнием 6) испы́тывать (*степень влажности шёлка, шерсти и т. п.*) 7) *амер.* сдавáть переэкзаменóвку 8) *амер.* принимáть *или* переводи́ть с переэкзаменóвкой

conditional [kən'dıʃənəl] *a* 1) услóвный, обуслóвленный; ~ sale *ком.* продáжа с принуди́тельным ассортимéнтом 2) *грам.* услóвный; ~ sentence услóвное предложéние; ~ mood услóвное наклонéние

conditioned [kən'dıʃnd] **1.** *p. p.* *от* condition 2

2. *a* 1) обуслóвленный; ~ reflex услóвный рефлéкс 2) кондициóнный, отвечáющий стандáрту; well-~ cattle кондициóнный скот 3) кондициони́рованный

conditioner [kən'dıʃnə] *n* 1) кондиционéр 2) восстанови́тель (*для волос*)

conditioning [kən'dıʃnıŋ] **1.** *pres. p.* *от* condition 2

2. *n* 1) мéры к улучшéнию физи́ческого состоя́ния; physical ~ физи́ческая зака́лка 2) ме́ры к сохране́нию (*чего-л.*) в све́жем состоя́нии 3) кондициони́рование (*воздуха*)

condo ['kɒndəʊ] *разг. сокр. от* condominium

condolatory [kən'dəʊlətrɪ] *a* сочу́вствующий, соболе́знующий

condole [kən'dəʊl] *v* сочу́вствовать, соболе́зновать; выража́ть соболе́знование

condolence [kən'dəʊləns] *n* (*обыкн. pl*) соболе́знование; to present one's ~s to smb. выража́ть своё соболе́знование кому́-л.

condom ['kɒndəm] *n* презервати́в

condominium [,kɒndə'mɪnɪəm] *n* 1) кондоми́ниум, совладе́ние 2) *амер.* многокварти́рный дом (*в котором квартиры находятся в частном владении*) 3) кварти́ра (*в таком доме*)

condonable [kən'dəʊnəbl] *a* заслу́живающий проще́ния

condonation [,kɒndə'neɪʃn] *n* терпи́мость (*особ. к супружеской неверности*)

condone [kən'dəʊn] *v* мири́ться, смотре́ть сквозь па́льцы

condor ['kɒndɔ:] *n зоол.* ко́ндор

conduce [kən'dju:s] *v* спосо́бствовать, вести́ (*к чему-л.*)

conducive [kən'dju:sɪv] *a* благоприя́тный; спосо́бствующий; ~ to smth. веду́щий к чему́-л.

conduct 1. *n* ['kɒndʌkt] 1) поведе́ние; о́браз де́йствий 2) руково́дство, веде́ние; ~ of operations *воен.* веде́ние опера́ций 3) *attr.*: ~ sheet конду́ит, лист для за́писи взыска́ний

2. *v* [kən'dʌkt] 1) вести́; ~ oneself вести́ себя́ 2) сопровожда́ть; эскорти́ровать 3) руководи́ть (*делом*) 4) дирижи́ровать (*оркестром, хором*) 5) *физ.* проводи́ть; служи́ть проводнико́м

conductance [kən'dʌktəns] *n физ.* акти́вная проводи́мость

conduction [kən'dʌkʃn] *n физ.* 1) проводи́мость 2) конду́кция, передвиже́ние электро́нов

conductive [kən'dʌktɪv] *a физ.* проводя́щий

conductivity [,kɒndʌk'tɪvətɪ] *n физ.* уде́льная проводи́мость; электропрово́дность

conductor [kən'dʌktə] *n* 1) дирижёр 2) конду́ктор (*трамвая, автобуса*) 3) *амер. ж.-д.* проводни́к 4) гид 5) руководи́тель 6) *физ.* проводни́к 7) *эл.* про́вод; жи́ла 8) молниеотво́д

conductress [kən'dʌktrəs] *n* 1) же́нщина-конду́ктор 2) руководи́тельница

conduit ['kɒndjʊɪt] *n* 1) трубопрово́д; водопрово́дная труба́; акведу́к 2) подзе́мный потайно́й ход; *перен.* кана́л 3) *эл.* изоляцио́нная тру́бка

cone [kəʊn] **1.** *n* 1) ко́нус; ~ of paper фу́нтик, бума́жный кулёк; ice-cream ~ моро́женое в ва́фельном *или* бума́жном стака́нчике; ~ of rays *физ.* пучо́к луче́й 2) *бот.* ши́шка

2. *v* 1) придава́ть фо́рму ко́нуса 2) (*обыкн. pass.*): to be ~d быть обнару́женным прожектора́ми проти́вника (*о самолёте*)

coney ['kəʊnɪ] = cony

confab ['kɒnfæb] *разг.* **1.** *n сокр. от* confabulation

2. *v сокр. от* confabulate

confabulate [kən'fæbjʊleɪt] *v* разгова́ривать, бесе́довать, болта́ть

confabulation [kən,fæbjʊ'leɪʃn] *n* болтовня́, дру́жеский разгово́р

confect [kən'fekt] *v* 1) де́лать, создава́ть 2) изготовля́ть сла́дости

confection [kən'fekʃn] **1.** *n* 1) сла́дости 2) изготовле́ние сла́достей 3) конфекцио́н; предме́т же́нской оде́жды

confectioner [kən'fekʃnə] *n* конди́тер

confectionery [kən'fekʃnərɪ] *n* 1) конди́терская 2) конди́терские изде́лия

confederacy [kən'fedərəsɪ] *n* 1) конфедера́ция; ли́га; сою́з госуда́рств 2) за́говор

confederate 1. *n* [kən'fedərət] 1) член конфедера́ции, сою́зник 2) соо́бщник, соуча́стник (*преступления*) 3) (C.) *амер. ист.* конфедера́т, сторо́нник ю́жных шта́тов (*в 1860—65 гг.*)

2. *a* [kən'fedərət] сою́зный, федерати́вный, the C. States of America *ист.* конфедера́ция 11 ю́жных шта́тов, отоше́дших от США в 1860—1861 гг.

3. *v* [kən'fedəreɪt] объединя́ть(ся) в сою́з, составля́ть федера́цию

confederation [kən,fedə'reɪʃn] *n* конфедера́ция, федера́ция, сою́з

confer [kən'fɜ:] *v* 1) дарова́ть; присва́ивать (*звание*); присужда́ть (*степень*); to ~ powers наделя́ть вла́стью; to ~ a title on smb. дава́ть ти́тул кому́-л. 2) обсужда́ть, совеща́ться (together, with)

conferee [,kɒnfə'ri:] *n* уча́стник перегово́ров, конфере́нции

conference ['kɒnfrəns] *n* 1) конфере́нция; совеща́ние; съезд; to be in ~ быть на совеща́нии; заседа́ть 2) ассоциа́ция (университе́тов, спорти́вных кома́нд, церкве́й *и т. п.*) 3) *attr.*: ~ circuit диспе́тчерская связь; ~ rate *ком.* карте́льная фра́хтовая ста́вка

conferment [kən'fɜ:mənt] *n* присвое́ние (*звания*); присужде́ние (*степени*)

conferva [kən'fɜ:və] *n бот.* конфе́рва, нитча́тка; водяно́й мох; ря́ска

confess [kən'fes] *v* 1) признава́ть(ся); сознава́ться 2) испове́довать(ся)

confessant [kən'fesənt] *n* испове́дующийся

confessedly [kən'fesdlɪ] *adv* по ли́чному *или* о́бщему призна́нию

confession [kən'feʃn] *n* 1) призна́ние (*вины, ошибки*) 2) и́споведь 3) вероиспове́дание

confessional [kən'feʃnəl] **1.** *n* испове́дальня

2. *a* конфессиона́льный, вероиспове́дный

confessor [kən'fesə] *n* духовни́к; испове́дник

confetti [kən'fetɪ] *n* конфетти́

confidant ['kɒnfɪdænt] *n* напе́рсник

confidante ['kɒnfɪdænt] *n* напе́рсница

confide [kən'faɪd] *v* 1) доверя́ть, поверя́ть (in — *кому-л.*); полага́ться (in — на *кого-л.*) 2) вверя́ть; поруча́ть (to) 3) признава́ться, сообща́ть по секре́ту (to)

confidence ['kɒnfɪdəns] *n* 1) дове́рие; to enjoy smb.'s ~ по́льзоваться чьим-л. дове́рием; to take a person into one's ~ дове́рить кому́-л. свои́ та́йны; to place ~ in a person доверя́ть кому́-л. 2) конфиденциа́льное сообще́ние; in strict ~ стро́го конфиденциа́льно; to tell smth. in ~ сказа́ть что-л. по секре́ту 3) уве́ренность 4) самонаде́янность, самоуве́ренность ◇ ~ game (*или* trick) получе́ние де́нег обма́нным путём (посре́дством внуше́ния же́ртве дове́рия); ~ man моше́нник, получи́вший де́ньги обма́нным путём

confident ['kɒnfɪdənt] *a* 1) уве́ренный (of — в *успехе и т. п.*) 2) самоуве́ренный, самонаде́янный

confidential [,kɒnfɪ'denʃl] *a* 1) конфиденциа́льный; секре́тный 2) по́льзующийся дове́рием 3) доверя́ющий; довери́тельный

confidentially [,kɒnfɪ'denʃlɪ] *adv* по секре́ту, конфиденциа́льно

configuration [kən,fɪgjə'reɪʃn] *n* конфигура́ция; очерта́ние; фо́рма

confine [kən'faɪn] *v* 1) ограни́чивать 2) заключа́ть в тюрьму́ 3) заточа́ть, держа́ть взаперти́; to ~ to barracks *воен.* держа́ть на каза́рменном положе́нии 4): to be ~d *уст.* рожа́ть; to be ~d to bed (to one's room) быть прико́ванным к посте́ли (не выходи́ть по боле́зни из ко́мнаты) 5) *refl.* приде́рживаться (*чего-л.*); to ~ oneself strictly to the subject стро́го приде́рживаться те́мы

confined [kən'faɪnd] **1.** *p. p. от* confine

2. *a* 1) ограни́ченный 2) те́сный; у́зкий 3) заключённый 4) рожа́ющая 5) *мед.* страда́ющий запо́ром

confinement [kən'faɪnmənt] *n* 1) ограниче́ние 2) тюре́мное заключе́ние 3) ро́ды

confines ['kɒnfaɪnz] *n pl* грани́цы; рубе́ж; within the ~ of smth. в преде́лах, ра́мках чего́-л.

confirm [kən'fɜ:m] *v* 1) подтвержда́ть 2) подкрепля́ть, подде́рживать 3) утвержда́ть; закрепля́ть 4) ратифици́ровать 5) *церк.* конфирмова́ть

confirmand ['kɒnfə,mænd] *n церк.* гото́вящийся к конфирма́ции; конфирма́нт

confirmation [,kɒnfə'meɪʃn] *n* 1) подтвержде́ние 2) утвержде́ние; ~ to (*или* in) a post утвержде́ние в до́лжности 3) подкрепле́ние 4) *церк.* конфирма́ция

confirmative, confirmatory [kən'fɜ:mətɪv, -tərɪ] *a* подтвержда́ющий; подкрепля́ющий

confirmed [kən'fɜ:md] **1.** *p. p. от* confirm

2. *a* 1) хрони́ческий 2) закорене́лый, убеждённый

confiscate ['kɒnfɪskeɪt] *v* конфискова́ть, реквизи́ровать

confiscation [ˌkɒnfɪˈskeɪʃn] *n* конфиска́ция, реквизи́ция

confiture [ˈkɒnfɪtjʊə] *n* конфитю́р, варе́нье

conflagration [ˌkɒnfləˈgreɪʃn] *n* большо́й пожа́р, пожа́рище

conflate [kənˈfleɪt] *v* объединя́ть два вариа́нта те́кста

conflict 1. *n* [ˈkɒnflɪkt] 1) конфли́кт, столкнове́ние; ~ of interest(s) столкнове́ние интере́сов; ~ of laws *юр.* а) коллизио́нное пра́во; ча́стное междунаро́дное пра́во; б) конфли́кт правовы́х норм 2) противоре́чие; internal ~s вну́тренние противоре́чия

2. *v* [kənˈflɪkt] 1) противоре́чить (with — *чему-л.*); to ~ with reality противоре́чить (реа́льной) действи́тельности

conflicting [kənˈflɪktɪŋ] **1.** *pres. p. от* conflict 2

2. *a* противоречи́вый; ~ opinions противоречи́вые мне́ния

confluence [ˈkɒnflʊəns] *n* 1) слия́ние (*рек*); пересече́ние (*доро́г*); ме́сто слия́ния 2) стече́ние наро́да, толпа́

confluent [ˈkɒnflʊənt] **1.** *a* 1) слива́ющийся 2) *мед.* сливно́й; ~ smallpox сливна́я о́спа

2. *n* одна́ из слива́ющихся рек; прито́к реки́

conflux [ˈkɒnflʌks] = confluence

conform [kənˈfɔːm] *v* 1) сообразова́ть(ся); согласова́ться (to — с); соотве́тствовать (to *или* with — *чему-л.*) 2) приспособля́ть(ся) 3) подчиня́ться (*пра́вилам*)

conformable [kənˈfɔːməbl] *a* 1) подо́бный 2) подчиня́ющийся, послу́шный

conformation [ˌkɒnfɔːˈmeɪʃn] *n* 1) устро́йство, фо́рма; структу́ра 2) приспособле́ние, приведе́ние в соотве́тствие (to)

conformist [kənˈfɔːmɪst] *n* конформи́ст

conformity [kənˈfɔːmətɪ] *n* 1) соотве́тствие; согласо́ванность 2) схо́дство 3) ортодокса́льность; сле́дование до́гмам англика́нской це́ркви 4) подчине́ние

confound [kənˈfaʊnd] *v* 1) поража́ть, приводи́ть в смуще́ние; ста́вить в тупи́к 2) сме́шивать, спу́тывать 3) *уст.* разруша́ть (*пла́ны, наде́жды*) <> ~ it! к чёрту!; будь оно́ про́клято!

confounded [kənˈfaʊndɪd] **1.** *p. p. от* confound

2. *a разг.* отъя́вленный; he is a ~ bore он а́дски ску́чен

confoundedly [kənˈfaʊndɪdlɪ] *adv разг.* чрезвыча́йно, ужа́сно, стра́шно

confraternity [ˌkɒnfrəˈtɜːnətɪ] *n* бра́тство

confrère [ˈkɒnfreə] *n* собра́т, колле́га

confront [kənˈfrʌnt] *v* 1) стоя́ть лицо́м к лицу́; стоя́ть про́тив 2) противостоя́ть; смотре́ть в лицо́ (*сме́рти, опа́сности*) 3) столкну́ться (with); he was ~ed with demands ему́ бы́ли предъя́влены тре́бования 4) де́лать о́чную ста́вку (with) 5) сопоставля́ть, слича́ть

confrontation [ˌkɒnfrʌnˈteɪʃn] *n* 1) конфронта́ция, противобо́рство 2) о́чная ста́вка 3) сличе́ние, сопоставле́ние

Confucianism [kənˈfjuːʃnˌɪzəm] *n* уче́ние Конфу́ция

confuse [kənˈfjuːz] *v* 1) приводи́ть в замеша́тельство, смуща́ть; сбива́ть с то́лку 2) сме́шивать, спу́тывать; he must have ~d me with somebody else он, должно́ быть, при́нял меня́ за друго́го 3) помрача́ть созна́ние 4) производи́ть беспоря́док; приводи́ть в беспоря́док; создава́ть пу́таницу

confused [kənˈfjuːzd] **1.** *p. p. от* confuse

2. *a* 1) смущённый; to become ~ смути́ться, спу́таться 2) спу́танный; ~ mass беспоря́дочная ма́сса; ~ tale бессвя́зный расска́з; ~ answer тума́нный отве́т

confusedly [kənˈfjuːzɪdlɪ] *adv* 1) смущённо; в смуще́нии, в замеша́тельстве 2) беспоря́дочно; в беспоря́дке

confusion [kənˈfjuːʒn] *n* 1) пу́таница, неразбери́ха 2) смяте́ние, замеша́тельство 3) беспоря́дки, волне́ния 4) смуще́ние

confutation [ˌkɒnfjʊˈteɪʃn] *n* опроверже́ние

confute [kənˈfjuːt] *v* опроверга́ть

cong [kɒŋ] *амер. сокр. от* congress

conga [ˈkɒŋgə] *n* латиноамерика́нский та́нец; ~ drum высо́кий и у́зкий бараба́н ти́па тамта́м

congeal [kənˈdʒiːl] *v* 1) замора́живать 2) замерза́ть, застыва́ть 3) сгуща́ть(ся); свёртываться

congelation [ˌkɒndʒɪˈleɪʃn] *n* 1) замора́живание 2) застыва́ние 3) затверде́ние

congener [kənˈdʒiːnə] *n* 1) собра́т, соро́дич 2) ро́дственная вещь

congeneric(al) [ˌkəndʒɪˈnerɪk(l)] *a* одноро́дный

congenerous [kənˈdʒenərəs] *a* ро́дственный; одноро́дный; несу́щий одина́ковые фу́нкции (*с други́м*)

congenial [kənˈdʒiːnɪəl] *a* 1) бли́зкий по ду́ху; конгениа́льный 2) благоприя́тный; подходя́щий

congeniality [kənˌdʒiːnɪˈælətɪ] *n* конгениа́льность, родство́, схо́дство, бли́зость

congenital [kənˈdʒenɪtl] *a* прирождённый, врождённый

conger [ˈkɒŋgə] *n зоол.* морско́й у́горь (*тж.* ~ eel)

congeries [kɒnˈdʒɪəriːz] *n* (*pl без измен.*) ма́сса; ку́ча; скопле́ние

congest [kənˈdʒest] *v* 1) перегружа́ть; переполня́ть 2) скопля́ть(ся), накопля́ть(ся)

congested [kənˈdʒestɪd] **1.** *p. p. от* congest

2. *a* 1) перенаселённый (*о райо́не и т. п.*); ~ streets кища́щие людьми́ у́лицы 2) *мед.* перепо́лненный кро́вью (*об о́рганах*); засто́йный

congestion [kənˈdʒestʃən] *n* 1) перегру́женность, зато́р (*у́личного движе́ния*), про́бка 2) перенаселённость 3) ку́ча, гру́да; скопле́ние 4) *мед.* заку́порка; засто́й; venous ~ заку́порка вен

conglobate [ˈkɒngləʊbeɪt] **1.** *a* шарообра́зный, сфери́ческий

2. *v* придава́ть *или* принима́ть сфери́ческую фо́рму

conglomerate 1. *n* [kənˈglɒmərət] 1) конгломера́т 2) *геол.* обло́мочная го́рная поро́да

2. *v* [kənˈglɒməreɪt] 1) собира́ть(ся); скопля́ться 2) превраща́ться в сли́тную ма́ссу

3. *a* [kənˈglɒmərət] соста́вленный из ра́зных часте́й

conglomeration [kənˌglɒməˈreɪʃn] *n* конгломера́ция; накопле́ние, скопле́ние; сгу́сток

conglutination [kənˌgluːtɪˈneɪʃn] *n* 1) скле́ивание, слипа́ние 2) *мед.* спа́йка

Congolese [ˌkɒŋgəˈliːz] **1.** *a* конголе́зский

2. *n* (*pl без измен.*) конголе́зец; конголе́зка

congrats [kənˈgræts] *int pl разг.* (*сокр. от* congratulation) поздравля́ю!

congratulate [kənˈgrætʃʊleɪt] *v* поздравля́ть (on, upon)

congratulation [kənˌgrætʃʊˈleɪʃn] *n* (*обыкн. pl*) поздравле́ние; a letter of ~s поздрави́тельное письмо́

congratulatory [kənˌgrætʃʊˈleɪtərɪ] *a* поздрави́тельный

congregant [ˈkɒŋgrɪgənt] *n* член бра́тства (*обыкн. религио́зного*)

congregate [ˈkɒŋgrɪgeɪt] *v* собира́ть(ся); скопля́ться, сходи́ться

congregation [ˌkɒŋgrɪˈgeɪʃn] *n* 1) скопле́ние, собра́ние; схо́дка 2) (C.) университе́тский сове́т 3) *церк.* прихожа́не; моля́щиеся (*в це́ркви*); па́ства 4) *церк.* конграга́ция; религио́зное бра́тство

Congregationalism [ˌkɒŋgrɪˈgeɪʃnəlɪzəm] *n* индепенде́нтство; конгрегационали́зм

congress [ˈkɒŋgres] *n* 1) конгре́сс; съезд; to go into ~ заседа́ть 2) (the C.) конгре́сс США 3): (Indian National) C. па́ртия «Инди́йский национа́льный конгре́сс»

congressional [kənˈgreʃnəl] *a* относя́щийся к конгре́ссу; C. district *амер.* избира́тельный о́круг для вы́боров в конгре́сс; C. Record *амер.* отчёты конгре́сса США

Congressman [ˈkɒŋgresmən] *n амер.* конгрессме́н, член конгре́сса

congruence [ˈkɒŋgrʊəns] *n* 1) согласо́ванность; соотве́тствие; to be in ~ with соотве́тствовать чему́-л. 2) *мат.* конгруэ́нтность

congruent [ˈkɒŋgrʊənt] *a* 1) = congruous 2) *мат.* конгруэ́нтный, совпада́ющий

congruous [ˈkɒŋgrʊəs] *a* соотве́тствующий; гармони́рующий; подходя́щий

conic(al) [ˈkɒnɪk(l)] *a* кони́ческий; ко́нусный, конусообра́зный

conifer [ˈkɒnɪfə] *n* хво́йное де́рево

coniferous [kəʊˈnɪfərəs] *a* хво́йный, шишконо́сный

coniform ['kəʊnɪfɔ:m] = conic(al)

conjectural [kən'dʒektʃrəl] *a* предположи́тельный

conjecture [kən'dʒektʃə] **1.** *n* 1) дога́дка, предположе́ние; to hazard a ~ высказа́ть дога́дку, сде́лать предположе́ние 2) *лингв.* конъекту́ра

2. *v* 1) предполага́ть, гада́ть 2) *лингв.* предлага́ть исправле́ние те́кста, конъекту́ру

conjoin [kən'dʒɔɪn] *v* соединя́ть(ся); сочета́ть(ся)

conjoint [kən'dʒɔɪnt] *a* соединённый, объединённый; о́бщий, совме́стный; ~ action объединённые де́йствия

conjugal ['kɒndʒʊgl] *a* супру́жеский; бра́чный

conjugality [,kɒndʒʊ'gælətɪ] *n* супру́жество, состоя́ние в бра́ке

conjugate 1. *a* ['kɒndʒʊgət] 1) соединённый 2) *мат.* сопряжённый; ~ angles сопряжённые углы́ 3) *бот.* па́рный (*о листьях*) 4) *лингв.* ро́дственный по ко́рню и по значе́нию (*о слове*)

2. *n* ['kɒndʒʊgət] *лингв.* сло́во, ро́дственное по ко́рню *или* значе́нию

3. *v* ['kɒndʒʊgeɪt] 1) *грам.* спряга́ть 2) *биол.* соединя́ться

conjugation [,kɒndʒʊ'geɪʃn] *n* 1) соедине́ние 2) *грам.* спряже́ние 3) *биол.* конъюга́ция

conjunct ['kɒndʒʌŋkt] *a* соединённый; свя́занный; объединённый

conjunction [kən'dʒʌŋkʃn] *n* 1) соедине́ние, связь; in ~ вме́сте, сообща́ 2) совпаде́ние; стече́ние; сочета́ние 3) *грам.* сою́з 4) пересече́ние доро́г, перекрёсток

conjunctiva [,kɒndʒʌŋk'taɪvə] *n анат.* конъюнкти́ва (*слизистая оболочка глаза*)

conjunctive [kən'dʒʌŋktɪv] **1.** *a* 1) свя́зывающий; ~ tissue *физиол.* соедини́тельная ткань 2) *грам.*: ~ mood сослага́тельное наклоне́ние; ~ adverb соедини́тельное наре́чие; ~ pronoun соедини́тельное местоиме́ние

2. *n* = ~ mood

conjunctivitis [kən,dʒʌŋktɪ'vaɪtɪs] *n мед.* конъюнктиви́т

conjuncture [kən'dʒʌŋktʃə] *n* стече́ние обстоя́тельств; конъюнкту́ра; at this ~ в сложи́вшихся усло́виях

conjuration [,kɒndʒʊə'reɪʃn] *n* заклина́ние; колдовство́

conjure ['kʌndʒə] *v* 1) занима́ться ма́гией; колдова́ть 2) вызыва́ть, заклина́ть (*духов*; *тж.* ~ up) 3) изгоня́ть ду́хов (*тж.* ~ away, ~ out of); to ~ out of a person изгоня́ть ду́хов из кого́-л. 4) вызыва́ть в воображе́нии (*обыкн.* ~ up) 5) пока́зывать фо́кусы 6) [kən'dʒʊə] умоля́ть, заклинать ◇ a name to ~ with влия́тельное лицо́; большо́е влия́ние

conjurer, conjuror ['kʌndʒərə] *n* 1) волше́бник, чаро́дей 2) фо́кусник

conk [kɒŋk] *sl.* **1.** *n* 1) нос, носи́ще 2) голова́ 3) уда́р по́ носу (по голове́) 4) неспра́вная рабо́та (*двигателя*), стук, перебо́и

2. *v* 1) дать в нос; сту́кнуть по голове́ 2) умере́ть ▭ ~ out испо́ртиться, слома́ться, загло́хнуть (*о двигателе*)

conker ['kɒŋkə] *n* 1) плод ко́нского кашта́на 2) *pl разг.* де́тская игра́ «кашта́ны»

conn [kɒn] *амер.* = con II

connate ['kɒneɪt] *a* 1) врождённый, прирождённый 2) рождённый *или* возни́кший одновре́ме́нно 3) ро́дственный, конгениа́льный 4) *геол.* рели́ктовый; ~ water рели́ктовая вода́ (*в пустотах пород*)

connatural [kə'nætʃrəl] *a* 1) врождённый 2) одноро́дный

connect [kə'nekt] *v* 1) соединя́ть(ся); свя́зывать(ся); сочета́ть(ся); ~ed to earth *эл.* заземлённый 2) ассоции́ровать; ста́вить в причи́нную связь 3) быть согласо́ванным 4) *воен.* устана́вливать непосре́дственную связь

connected [kə'nektɪd] **1.** *p. p. от* connect

2. *a* 1) свя́занный (with — с) 2) име́ющий больши́е (ро́дственные) свя́зи 3) свя́зный (*о рассказе и т. п.*) 4) соединённый

connecting-link [kə'nektɪŋlɪŋk] *n* 1) связу́ющее звено́ 2) *тех.* кули́са, серьга́

connecting rod [kə'nektɪŋrɒd] *n тех.* шату́н, тя́га

connection [kə'nekʃn] *n* 1) связь; соедине́ние; присоедине́ние; in this ~ а) в э́той связи́; б) в тако́м конте́ксте; in ~ with this в связи́ с э́тим; to cut the ~ порва́ть вся́кую связь, порва́ть отноше́ния 2) сочлене́ние 3) сре́дство свя́зи *или* сообще́ния 4) (*обыкн. pl*) согласо́ванность расписа́ния (*поездов, пароходов*); to miss a ~ опозда́ть на переса́дку 5) (*обыкн. pl*) свя́зи, знако́мства 6) родство́; свойство́ 7) (*часто pl*) ро́дственник, сво́йственник 8) полова́я связь; criminal ~ *юр.* внебра́чная связь; to form a ~ вступи́ть в связь 9) клиенту́ра; покупа́тели

connective [kə'nektɪv] **1.** *a* соедини́тельный; связу́ющий; ~ tissue *анат.* соедини́тельная ткань; ~ word *грам.* сою́зное сло́во; ~ pronoun *грам.* соедини́тельное местоиме́ние; ~ adverb *грам.* соедини́тельное наре́чие

2. *n грам.* соедини́тельное сло́во

connexion [kə'nekʃn] = connection

conning tower ['kɒnɪŋ,taʊə] *n мор.* боева́я ру́бка

conniption [kə'nɪpʃn] *n амер. разг.* припа́док истери́и; при́ступ гне́ва (*тж.* ~ fit)

connivance [kə'naɪvns] *n* 1) потво́рство; попусти́тельство 2) молчали́вое согла́сие

connive [kə'naɪv] *v* потво́рствовать; смотре́ть сквозь па́льцы

connoisseur [,kɒnə'sɜ:] *n* знато́к

connotation [,kɒnə'teɪʃn] *n* 1) дополни́тельное, сопу́тствующее значе́ние; то, что подразумева́ется 2) *лингв.* коннота́ция

connote [kə'nəʊt] *v* 1) име́ть дополни́тельное, второстепе́нное значе́ние (*о слове*) 2) име́ть дополни́тельное сле́дствие (*о факте и т. п.*) 3) *разг.* означа́ть

connubial [kə'nju:bɪəl] *a* супру́жеский, бра́чный

conoid ['kəʊnɔɪd] **1.** *n мат.* коно́ид; усечённый ко́нус

2. *a* конусообра́зный

conquer ['kɒŋkə] *v* 1) завоёвывать, покоря́ть, подчиня́ть; подавля́ть 2) побежда́ть; преодолева́ть; превозмога́ть

conqueror ['kɒŋkərə] *n* завоева́тель; победи́тель; The C. *ист.* Вильге́льм Завоева́тель

conquest ['kɒŋkwest] *n* 1) завоева́ние, покоре́ние; побе́да; to make a ~ of smb. а) одержа́ть побе́ду над кем-л.; б) завоева́ть чью-л. привя́занность; The (Norman) C. *ист.* завоева́ние А́нглии норма́ннами (*1066 г.*) 2) завоёванная террито́рия; захва́ченное иму́щество *и т. п.* 3) тот, чью привя́занность удало́сь завоева́ть, покорённое се́рдце

conquistador [kɒn'kwɪstədɔ:] *n* конкистадо́р

consanguine [kɒn'sæŋgwɪn] = consanguineous

consanguineous [,kɒnsæŋ'gwɪnɪəs] *a* единокро́вный, ро́дственный, бли́зкий

consanguinity [,kɒnsæŋ'gwɪnɪtɪ] *n* родство́, единокро́вность, бли́зость

conscience ['kɒnʃns] *n* со́весть; good (*или* clear) ~ чи́стая со́весть; bad (*или* evil) ~ нечи́стая со́весть; for ~(') sake для успоко́ения со́вести; to have smth. on one's ~ име́ть что-л. на со́вести, чу́вствовать себя́ винова́тым в чём-л.; to get smth. off one's ~ успоко́ить свою́ со́весть в отноше́нии чего́-л.; in all ~, upon one's ~ по со́вести говоря́; коне́чно, пои́стине; to make a matter of ~ поступа́ть по со́вести; the freedom of ~ свобо́да со́вести; свобо́да вероисповеда́ния

conscienceless ['kɒnʃnsləs] *a* бессо́вестный

conscience-smitten ['kɒnʃns,smɪtn] = conscience-stricken

conscience-stricken ['kɒnʃns,strɪkən] *a* испы́тывающий угрызе́ния со́вести

conscientious [,kɒnʃɪ'enʃəs] *a* добросо́вестный; сознательный, че́стный (*об отношении к чему-л.*); ~ attitude созна́тельное отноше́ние ◇ ~ objector челове́к, отка́зывающийся от вое́нной слу́жбы по полити́ческим *или* религио́зно-эти́ческим убежде́ниям

conscious ['kɒnʃəs] *a* 1) сознаю́щий; he was ~ of his guilt он сознава́л свою́ вину́ 2) ощуща́ющий; ~ of pain (cold) чу́вствующий боль (хо́лод) 3) созна́тельный, здра́вый; with ~ superiority с созна́нием своего́ превосхо́дства 4) *predic.* находя́щийся в созна́нии; she was ~ to the last она была́ в созна́нии до после́дней мину́ты ◇ with a ~ air со смущённым ви́дом

-conscious [-'kɒnʃəs] *в сложных словах означает* сознаю́щий, понима́ющий; *напр.*: class-~ worker созна́тельный рабо́чий

consciousness [ˈkɒnʃəsnəs] *n* 1) созна́ние; to lose ~ потеря́ть созна́ние; to recover (*или* to regain) ~ прийти́ в себя́ 2) созна́ние, понима́ние 3) созна́тельность; самосозна́ние

conscript **1.** *n* [ˈkɒnskrɪpt] при́званный на вое́нную слу́жбу, призывни́к, новобра́нец

2. *a* [ˈkɒnskrɪpt] при́званный на вое́нную слу́жбу

3. *v* [kənˈskrɪpt] призыва́ть на вое́нную слу́жбу; мобилизова́ть

conscription [kənˈskrɪpʃn] *n* 1) во́инская пови́нность 2) призы́в на вое́нную слу́жбу

consecrate [ˈkɒnsɪkreɪt] **1.** *a* 1) освящённый 2) посвящённый

2. *v* 1) освяща́ть 2) посвяща́ть

consecration [ˌkɒnsɪˈkreɪʃn] *n* 1) освяще́ние 2) посвяще́ние

consecution [ˌkɒnsɪˈkjuːʃn] *n* 1) после́довательность 2) сле́дование (*событий и т. п.*)

consecutive [kənˈsekjʊtɪv] *a* 1) после́довательный; for the fifth ~ time пя́тый раз подря́д; ~ reaction *хим.* после́довательная ступе́нчатая реа́кция 2) *грам.* сле́дственный; ~ clause предложе́ние сле́дствия

consensual [kənˈsensjʊəl] *a* согласо́ванный

consensus [kənˈsensəs] *n* 1) согла́сие, единоду́шие 2) *полит.* консе́нсус, согласо́ванное мне́ние 3) *физиол.* согласо́ванность де́йствий разли́чных о́рганов те́ла

consent [kənˈsent] **1.** *n* 1) согла́сие; half-hearted ~ вы́нужденное согла́сие; to withhold one's ~ не дава́ть согла́сия; by common (*или* with one) ~ с о́бщего согла́сия; to have the ~ of smb. быть одо́бренным кем-л.; получи́ть чьё-л. согла́сие 2) разреше́ние ◇ silence gives (*или* means) ~ *посл.* молча́ние — знак согла́сия

2. *v* 1) соглаша́ться, дава́ть согла́сие, уступа́ть 2) позволя́ть, разреша́ть

consentient [kənˈsenʃənt] *a* 1) *книжн.* единоду́шный; соглаша́ющийся (to) 2) согласо́ванный

consequence [ˈkɒnsɪkwəns] *n* 1) (по)сле́дствие; in ~ of вследствие; в результа́те; to take the ~s отвеча́ть, нести́ отве́тственность за после́дствия 2) вы́вод, заключе́ние 3) значе́ние, ва́жность; of no ~ несуще́ственный, нева́жный 4) влия́тельность, влия́тельное положе́ние; person of ~ ва́жное, влия́тельное лицо́

consequent [ˈkɒnsɪkwənt] **1.** *a* 1) явля́ющийся результа́том (*чего-л.*) 2) (логи́чески) после́довательный

2. *n* 1) результа́т, после́дствие 2) *грам.* второ́й член усло́вного предложе́ния, сле́дствие 3) *мат.* второ́й член пропо́рции

consequential [ˌkɒnsɪˈkwenʃl] *a* 1) логи́чески вытека́ющий 2) ва́жничающий, по́лный самомне́ния 3) ва́жный

consequently [ˈkɒnsɪkwəntlɪ] *adv* сле́довательно; поэ́тому; в результа́те

conservancy [kənˈsɜːvnsɪ] *n* 1) охра́на приро́ды 2) комите́т по охра́не приро́ды 3) *attr.*: ~ area запове́дник

conservation [ˌkɒnsəˈveɪʃn] *n* 1) охра́на окружа́ющей среды́ 2) сохране́ние; ~ of energy *физ.* сохране́ние эне́ргии 3) консерви́рование (*плодов*) 4) запове́дник

conservationist [ˌkɒnsəˈveɪʃnɪst] *n* защи́тник приро́ды; рабо́тник слу́жбы охра́ны приро́ды

conservatism [kənˈsɜːvəˌtɪzəm] *n* консервати́зм

conservative [kənˈsɜːvətɪv] **1.** *a* 1) консервати́вный, реакцио́нный 2) уме́ренный; осторо́жный; ~ estimate скро́мный подсчёт 3) (C.) относя́щийся к консервати́вной па́ртии 4) охрани́тельный

2. *n* 1) консерва́тор, реакционе́р; to go ~ стать консерва́тором 2) (C.) член консервати́вной па́ртии

conservatoire [kənˈsɜːvətwɑː] *n* консервато́рия

conservator [kənˈsɜːvətə] *n* 1) храни́тель (*музея и т. п.*) 2) слу́жащий управле́ния охра́ны рек и лесо́в 3) охрани́тель; опеку́н

conservatory [kənˈsɜːvətrɪ] *n* 1) оранжере́я, тепли́ца 2) *амер.* = conservatoire

conserve [kənˈsɜːv] **1.** *v* 1) сохраня́ть, сберега́ть; to ~ one's strength бере́чь си́лы 2) консерви́ровать

2. *n* (*часто pl*) консерви́рованные заса́харенные фру́кты; варе́нье, джем

consider [kənˈsɪdə] *v* 1) рассма́тривать, обсужда́ть 2) обду́мывать 3) принима́ть во внима́ние, учи́тывать; all things ~ed приня́в всё во внима́ние 4) полага́ть, счита́ть; he is ~ed a rich man он счита́ется богачо́м 5) счита́ться с *кем-л.*; проявля́ть уваже́ние к *кому-л.*; to ~ others счита́ться с други́ми

considerable [kənˈsɪdərəbl] **1.** *a* 1) значи́тельный; ва́жный 2) большо́й; a ~ amount of time нема́ло вре́мени

2. *n амер. разг.* мно́жество, мно́го

considerate [kənˈsɪdərət] *a* внима́тельный к други́м; делика́тный, такти́чный

consideration [kənˌsɪdəˈreɪʃn] *n* 1) рассмотре́ние, обсужде́ние; under ~ на рассмотре́нии, рассма́триваемый, обсужда́емый; to give a problem one's careful ~ тща́тельно обсуди́ть вопро́с 2) внима́ние, предупреди́тельность; уваже́ние; to show great ~ for smb. быть о́чень предупреди́тельным к кому́-л.; accept the assurance of my highest ~ прими́те увере́ние в моём соверше́нном (к Вам) уваже́нии (*в официальных письмах*) 3) соображе́ние; to take into ~ принима́ть во внима́ние; that's a ~ э́то ва́жное соображе́ние *или* обстоя́тельство; in ~ of принима́я во внима́ние; on (*или* under) no ~ ни под каки́м ви́дом; overriding ~s соображе́ния, име́ющие важне́йшее значе́ние; budgetary ~s *фин.* бюдже́тные предположе́ния 4) возмеще́ние, компенса́ция; for a ~ за вознагражде́ние

considering [kənˈsɪdərɪŋ] **1.** *pres. p. от* consider

2. *prep* 1) учи́тывая, принима́я во внима́ние; he ran very well ~ his age он бежа́л о́чень хорошо́, е́сли уче́сть его́ во́зраст 2): you acted properly ~ *разг.* вы де́йствовали пра́вильно (*учитывая все обстоятельства*)

consign [kənˈsaɪn] *v* 1) передава́ть; поруча́ть 2) (пред)назнача́ть 3) предава́ть (*земле*) 4) *ком.* отправля́ть, посыла́ть на консигна́цию (*груз, товар*) 5) *фин.* вноси́ть в депози́т ба́нка

consignation [ˌkɒnsaɪˈneɪʃn] *n* 1) *ком.* отпра́вка това́ров на консигна́цию 2) *фин.* внесе́ние су́ммы в депози́т ба́нка

consignee [ˌkɒnsaɪˈniː] *n* грузополуча́тель

consigner [kənˈsaɪnə] = consignor

consignment [kənˈsaɪnmənt] *n* 1) груз; па́ртия това́ров 2) *ком.* консигнацио́нная отпра́вка това́ров; country of ~ страна́ назначе́ния (*при экспорте*); страна́ происхожде́ния (*при импорте*) 3) накладна́я, коносаме́нт

consignor [kənˈsaɪnə] *n* грузоотправи́тель

consilient [kənˈsɪlɪənt] *a спец.* совпада́ющий, согла́сный

consist [kənˈsɪst] **1.** *v* 1) состоя́ть (of — из); заключа́ться (in — в) 2) *книжн.* совмеща́ться, совпада́ть (with)

2. *n разг.* соста́в (*особ. поезда*)

consistence [kənˈsɪstəns] *n* 1) консисте́нция; пло́тность 2) сте́пень пло́тности, густоты́

consistency [kənˈsɪstənsɪ] *n* 1) = consistence 2) после́довательность, логи́чность 3) постоя́нство 4) согласо́ванность

consistent [kənˈsɪstənt] *a* 1) совмести́мый, согласу́ющийся; ~ pattern закономе́рность; it is not ~ with what you said before э́то противоре́чит ва́шим пре́жним слова́м 2) после́довательный, сто́йкий 3) твёрдый, пло́тный

consistory [kənˈsɪstərɪ] *n церк.* 1) консисто́рия 2) церко́вный суд

consociation [kənˌsəʊʃɪˈeɪʃn] *n* объедине́ние

consolation [ˌkɒnsəˈleɪʃn] *n* 1) утеше́ние 2) *attr. спорт.* утеши́тельный; ~ prize утеши́тельный приз; ~ race бега́ для лошаде́й, проигра́вших в предыду́щих заезда́х

consolatory [kənˈsɒlətərɪ] *a* утеши́тельный

console I [kənˈsəʊl] *v* утеша́ть

console II [ˈkɒnsəʊl] *n архит., тех.* 1) консо́ль, кронште́йн 2) ко́рпус *или* шка́фчик радиоприёмника, телеви́зора *и т. п.* (*стоящий на полу*)

console-mirror [ˈkɒnsəʊlˌmɪrə] *n* трюмо́

consolidate [kənˈsɒlɪdeɪt] *v* 1) укрепля́ть(ся) 2) объединя́ть(ся) (*о территориях, обществах*); to ~ two offices слить два учрежде́ния 3) *воен.* закрепля́ть(ся) 4) *фин.* консолиди́ровать (*займы*) 5) тверде́ть; затвердева́ть

consolidated [kən'sɒlɪdeɪtɪd] **1.** *p. p. от* consolidate

2. *a* 1) консолиди́рованный; ~ annuities = consols; C. Fund консолиди́рованный фонд (*из которого оплачиваются проценты по государственному долгу и некоторые другие расходы*) 2) объединённый; сво́дный; ~ return сво́дка, сво́дные да́нные; сво́дное донесе́ние 3) затверде́вший; ~ mud засо́хшая грязь

consolidation [kən,sɒlɪ'deɪʃn] *n* 1) консолида́ция; укрепле́ние 2) затвердева́ние, отверде́ние

consols [kən'sɒlz] *n pl фин.* консо́ли, 2 $^1/_2$ % (первонача́льно 3%) англи́йская консолиди́рованная ре́нта

consommé [kɒn'sɒmeɪ] *n* консоме́

consonance ['kɒnsənəns] *n* 1) согла́сие, гармо́ния 2) созву́чие, ассона́нс 3) *муз.* консона́нс

consonant ['kɒnsənənt] **1.** *n* 1) *фон.* согла́сный звук 2) бу́ква, обознача́ющая согла́сный звук

2. *a* 1) согла́сный (to — с); совмести́мый (with) 2) созву́чный; гармони́чный

consonantal [,kɒnsə'næntl] *a фон.* согла́сный

consort 1. *n* ['kɒnsɔ:t] 1) супру́г(а) (*особ. о королевской семье*); Prince C. принц-консо́рт, супру́г ца́рствующей короле́вы (*не являющийся сам королём*) 2) *мор.* кора́бль сопровожде́ния

2. *v* [kən'sɔ:t] 1) обраща́ться 2) гармони́ровать, соотве́тствовать

consortium [kən'sɔ:tɪəm] *n фин.* консо́рциум

conspectus [kən'spektəs] *n* 1) обзо́р 2) конспе́кт

conspicuous [kən'spɪkjʊəs] *a* ви́дный, заме́тный, броса́ющийся в глаза́; to make oneself ~ обраща́ть на себя́ внима́ние; to be ~ by one's absence блиста́ть свои́м отсу́тствием; ~ failure я́вная неуда́ча

conspiracy [kən'spɪrəsɪ] *n* 1) за́говор; та́йный сго́вор 2) конспира́ция 3) та́йная подпо́льная организа́ция

conspirator [kən'spɪrətə] *n* загово́рщик

conspiratorial [kən,spɪrə'tɔ:rɪəl] *a* загово́рщический; законспири́рованный

conspire [kən'spaɪə] *v* устра́ивать за́говор, та́йно замышля́ть; сгова́риваться (against — про́тив *кого-л.*); all things ~ed to please him всё бы́ло для него́ сло́вно по зака́зу, всё ему́ благоприя́тствовало

constable ['kʌnstəbl] *n* 1) конста́бль, полице́йский (чин); полисме́н; Chief C. нача́льник поли́ции (*в городе, графстве*) 2) *ист.* коннета́бль ◇ to outrun the ~ жить не по сре́дствам, влезть в долги́

constabulary [kən'stæbjʊlərɪ] **1.** *n* полице́йские си́лы, поли́ция; mounted ~ ко́нная поли́ция

2. *a* полице́йский

constancy ['kɒnstənsɪ] *n* 1) постоя́нство 2) ве́рность; твёрдость

constant ['kɒnstənt] **1.** *n физ., мат.* постоя́нная (величина́), конста́нта; ~ of friction коэффицие́нт тре́ния

2. *a* 1) постоя́нный; in terms of ~ prices в неизме́нных це́нах 2) неизме́нный, неосла́бный 3) твёрдый; ве́рный (*идее и т. п.*)

constantan ['kɒnstəntən] *n* константа́н (*сплав*)

constantly ['kɒnstəntlɪ] *adv* 1) постоя́нно 2) ча́сто, то и де́ло

constellate ['kɒnstəleɪt] *v астр.* образо́вывать созве́здие

constellation [,kɒnstə'leɪʃn] *n астр.* созве́здие (*тж. перен.*)

consternation [,kɒnstə'neɪʃn] *n* у́жас; испу́г; оцепене́ние (*от страха*)

constipate ['kɒnstɪpeɪt] *v мед.* вызыва́ть запо́р

constipation [,kɒnstɪ'peɪʃn] *n мед.* запо́р

constituency [kən'stɪtjʊənsɪ] *n* 1) *собир.* избира́тели; to sweep a ~ получи́ть подавля́ющее большинство́ голосо́в 2) избира́тельный о́круг 3) клиенту́ра (*покупатели, подписчики на газету и т. п.*)

constituent [kən'stɪtjʊənt] **1.** *n* 1) избира́тель 2) составна́я часть 3) *лингв.* составля́ющая; immediate ~s непосре́дственно составля́ющие

2. *a* 1) составля́ющий часть це́лого; ~ element компоне́нт 2) облада́ющий законода́тельной вла́стью; правомо́чный вырaба́тывать конститу́цию; ~ assembly учреди́тельное собра́ние 3) избира́ющий

constitute ['kɒnstɪtju:t] *v* 1) составля́ть; to ~ justification служи́ть оправда́нием; to ~ a menace представля́ть угро́зу 2) осно́вывать; учрежда́ть 3) назнача́ть (*комиссию, должностное лицо*) 4) издава́ть *или* вводи́ть в си́лу (*закон*)

constituted ['kɒnstɪtju:tɪd] **1.** *p. p. от* constitute

2. *a*: ~ authorities зако́нные вла́сти

constitution [,kɒnstɪ'tju:ʃn] *n* 1) учрежде́ние, устро́йство, составле́ние 2) конститу́ция, основно́й зако́н 3) конститу́ция, телосложе́ние; склад; the ~ of one's mind склад ума́; strong ~ си́льный органи́зм 4) соста́в 5) *ист.* установле́ние, указ (*особ. церк.*)

constitutional [,kɒnstɪ'tju:ʃnəl] **1.** *a* 1) конституцио́нный; ~ government конституцио́нный о́браз правле́ния 2) *мед.* органи́ческий; конституцио́нный 3) *тех.*: ~ formula фо́рмула строе́ния, структу́рная фо́рмула

2. *n* моцио́н, прогу́лка

constitutionalism [,kɒnstɪ'tju:ʃnəlɪzəm] *n* 1) конституцио́нная систе́ма правле́ния 2) конституционали́зм

constitutive [kən'stɪtjʊtɪv] *a* 1) учреди́тельный; устана́вливающий, образу́ющий; конструкти́вный 2) суще́ственный 3) составно́й

constitutor ['kɒnstɪtju:tə] *n* учреди́тель, основа́тель

constrain [kən'streɪn] *v* 1) принужда́ть, вынужда́ть 2) сде́рживать, ограни́чивать; сжима́ть; стесня́ть; 3) заключа́ть в тюрьму́

constrained [kən'streɪnd] **1.** *p. p. от* constrain

2. *a* 1) вы́нужденный, принуждённый 2) напряжённый; смущённый; натя́нутый (*о тоне, манерах*); сда́вленный (*о голосе*) 3) ско́ванный, несвобо́дный (*о движениях*); стеснённый 4) *тех.* с принуди́тельным движе́нием

constrainedly [kən'streɪnədlɪ] *adv* 1) понево́ле, по принужде́нию 2) напряжённо, с уси́лием 3) стеснённо

constraint [kən'streɪnt] *n* 1) принужде́ние; under ~ по принужде́нию; под давле́нием 2) принуждённость; стесне́ние 3) напряжённость; ско́ванность 4) тюре́мное заключе́ние

constrict [kən'strɪkt] *v* стя́гивать, сжима́ть, сокраща́ть, сужа́ть

constriction [kən'strɪkʃn] *n* стя́гивание, сжа́тие, сокраще́ние, суже́ние

constrictor [kən'strɪktə] *n* 1) *зоол.* констри́ктор, уда́в 2) *анат.* констри́ктор; мы́шца, сжима́ющая о́рган

constringent [kən'strɪndʒənt] *a анат.* сжима́ющий; стя́гивающий

construct [kən'strʌkt] *v* 1) стро́ить, сооружа́ть; воздвига́ть; конструи́ровать 2) создава́ть; сочиня́ть; приду́мывать; to ~ the plot of a novel приду́мать сюже́т рома́на 3) *грам.* составля́ть (*предложение*)

construction [kən'strʌkʃn] *n* 1) строи́тельство, стро́йка; under ~ в проце́ссе строи́тельства; стро́ящийся 2) строе́ние, зда́ние 3) истолкова́ние; he puts the best (worst) ~ on everything он всё перетолко́вывает в лу́чшую (ху́дшую) сто́рону 4) *грам.* констру́кция (предложе́ния *и т. п.*) 5) *мат.* построе́ние 6) *иск.* произведе́ние в конструктиви́стском сти́ле 7) *attr.* строи́тельный; ~ engineering строи́тельная те́хника; ~ plant строи́тельная площа́дка; ~ timber строи́тельный лесоматериа́л

constructional [kən'strʌkʃnəl] *a* строи́тельный, конструкти́вный; структу́рный

constructionism [kən'strʌkʃənɪzəm] *n иск.* конструктиви́зм

constructive [kən'strʌktɪv] *a* 1) конструкти́вный; строи́тельный 2) тво́рческий; созида́тельный; a ~ suggestion конструкти́вное предложе́ние 3) конструкти́вный (*о критике*) 4) подразумева́емый; не вы́раженный пря́мо, а вы́веденный путём умозаключе́ния; ~ denial ко́свенный отка́з; ~ crime *юр.* посту́пок, сам по себе́ не заключа́ющий соста́ва преступле́ния, но могу́щий быть истолко́ванным как тако́вой

constructor [kən'strʌktə] *n* 1) констру́ктор; строи́тель 2) *мор.* инжене́р-кораблестрои́тель

construe [kən'stru:] *v* 1) толкова́ть, истолко́вывать 2) *грам.* управля́ть, тре́бовать (*падежа и т. п.*); "to depend" is ~d with "upon" глаго́л depend тре́бует по́сле себя́ upon 3) де́лать синтакси́ческий разбо́р 4) поддава́ться граммати́ческому разбо́ру

consubstantial [,kɒnsəb'stænʃl] *a рел.* единосу́щный

consuetude ['kɒnswɪtju:d] *n* 1) (*преим.*

шотл.) обы́чай; непи́санный зако́н 2) дру́жеское обще́ние

consuetudinary [ˌkɒnswɪ'tju:dɪnərɪ] **1.** *n церк.* уста́в (*особ.* монасты́рский)

2. *a* (*преим. шотл.*) обы́чный; ~ law *юр.* обы́чное пра́во

consul ['kɒnsl] *n* ко́нсул

consular ['kɒnsjʊlə] *a* ко́нсульский

consulate ['kɒnsjʊlət] *n* 1) ко́нсульство 2) ко́нсульское зва́ние 3) срок пребыва́ния ко́нсула в свое́й до́лжности

consul general [ˌkɒnsl'dʒenrəl] *n* генера́льный ко́нсул

consulship ['kɒnslʃɪp] *n* до́лжность ко́нсула

consult [kən'sʌlt] *v* 1) сове́товаться; консульти́роваться; to ~ a doctor посове́товаться с врачо́м; обрати́ться к врачу́ 2) совеща́ться 3) справля́ться; to ~ a dictionary справля́ться в словаре́, иска́ть ну́жное сло́во в словаре́; to ~ a watch посмотре́ть на часы́ 4) принима́ть во внима́ние; I shall ~ your interests я учту́ ва́ши интере́сы

consultant [kən'sʌltənt] *n* консульта́нт

consultation [ˌkɒnsl'teɪʃn] *n* 1) консульта́ция 2) совеща́ние; to hold a ~ совеща́ться 3) конси́лиум (*враче́й*)

consultative [kən'sʌltətɪv] *a* совеща́тельный; консультати́вный

consulting [kən'sʌltɪŋ] **1.** *pres. p. от* consult

2. *a* 1) консульти́рующий; ~ physician врач-консульта́нт 2) консультацио́нный; ~ hours приёмные часы́ (*врача и т. п.*); ~ room кабине́т врача́

consumables [kən'sju:məblz] *n pl* потреби́тельские това́ры

consume [kən'sju:m] *v* 1) потребля́ть; расхо́довать 2) съеда́ть; поглоща́ть 3) истребля́ть (*об огне*) 4) (*pass.*) быть снеда́емым (with); he is ~d with envy его́ гло́жет за́висть 5) расточа́ть (*состояние, время*) 6) ча́хнуть (*часто* ~ away)

consumer [kən'sju:mə] *n* 1) потреби́тель 2) *attr.* потреби́тельский; ~ commodities потреби́тельские това́ры

consummate 1. *a* [kən'sʌmət] соверше́нный, зако́нченный; a ~ master of his craft непревзойдённый ма́стер своего́ де́ла

2. *v* ['kɒnsəmeɪt] 1) доводи́ть до конца́, заверша́ть 2) осуществи́ть бра́чные отноше́ния 3) *уст.* соверше́нствовать

consummately [kən'sʌmətlɪ] *adv* 1) по́лностью, соверше́нно 2) в соверше́нстве

consummation [ˌkɒnsə'meɪʃn] *n* 1) заверше́ние (*работы*) 2) осуществле́ние бра́чных отноше́ний 3) достиже́ние, осуществле́ние (*цели*) 4) коне́ц, смерть 5) *уст.* соверше́нство

consumption [kən'sʌmpʃn] *n* 1) потребле́ние; расхо́д 2) *эк.* сфе́ра потребле́ния 3) чахо́тка, туберкулёз лёгких 4) увяда́ние (*от болезни*)

consumptive [kən'sʌmptɪv] **1.** *a* 1) туберкулёзный, чахо́точный 2) истоща́ющий

2. *n* больно́й туберкулёзом

contact ['kɒntækt] **1.** *n* 1) соприкоснове́ние; конта́кт; to come into ~ а) прийти́ в соприкоснове́ние; б) прийти́ к столкнове́нию; to make ~ установи́ть конта́кт; to make (to break) ~ *эл.* включа́ть (выключа́ть) ток 2) связно́й 3) знако́мый (*обыкн. деловой*) 4) *pl* отноше́ния, знако́мства, свя́зи 5) бациллоноси́тель 6) *pl разг.* конта́ктные ли́нзы 7) *эл.* конта́кт 8) сцепле́ние, связь 9) *мат.* каса́ние 10) *тех.* катализа́тор 11) *attr.* конта́ктный, свя́зывающий; ~ lenses конта́ктные ли́нзы; ~ man аге́нт, посре́дник; ~ print *фото* конта́ктная печа́ть 12) *attr.*: ~ flight *ав.* полёт с визуа́льной ориента́цией

2. *v* 1) быть в соприкоснове́нии, в конта́кте, (со)прикаса́ться (with) 2) приводи́ть в соприкоснове́ние, в конта́кт 3) устана́вливать связь (*с кем-л. по телефону, по почте и т. п.*); связа́ться; where can I ~ Mr. B.? где я могу́ найти́ ми́стера Б.? 4) *эл.* включа́ть

contact-breaker ['kɒntækt,breɪkə] *n эл.* руби́льник

contactman ['kɒntæktmən] *n разг.* 1) посре́дник 2) пресс-секрета́рь; представи́тель учрежде́ния

contactor ['kɒntæktə] *n эл.* конта́ктор, замыка́тель

contagion [kən'teɪdʒən] *n* 1) переда́ча инфе́кции 2) зара́за, инфе́кция 3) инфекцио́нное заболева́ние, зара́зная боле́знь 4) распростране́ние вре́дных настрое́ний, мы́слей *и т. п.* 5) вре́дное влия́ние; мора́льное разложе́ние

contagious [kən'teɪdʒəs] *a* 1) зара́зный, инфекцио́нный, контагио́зный; передаю́щийся непосре́дственно и че́рез тре́тьих лиц 2) зарази́тельный (*смех и т. п.*)

contain [kən'teɪn] *v* 1) содержа́ть в себе́, вмеща́ть 2) сде́рживать; ~ your anger укроти́ свой гнев; to ~ the enemy сде́рживать проти́вника 3) *refl.* сде́рживаться; he could not ~ himself for joy он не мог сдержа́ть себя́ от ра́дости 4) *мат.* дели́ться без оста́тка

container [kən'teɪnə] *n* 1) вмести́лище; сосу́д; резервуа́р; приёмник 2) станда́ртная та́ра, конте́йнер

containerize [kən'teɪnəraɪz] *v* осуществля́ть конте́йнерные перево́зки

containment [kən'teɪnmənt] *n* поли́тика сде́рживания (*экспансии, агрессии*)

contaminate [kən'tæmɪneɪt] *v* 1) загрязня́ть 2) заража́ть; де́лать радиоакти́вным (*в результате атомного взрыва*) 3) по́ртить; разлага́ть, ока́зывать па́губное влия́ние 4) оскверня́ть

contaminated [kən'tæmɪneɪtɪd] **1.** *p. p. от* contaminate

2. *a*: ~ ground (*или* area) *воен.* уча́сток зараже́ния

contamination [kən,tæmɪ'neɪʃn] *n* 1) загрязне́ние; по́рча 2) зараже́ние 3) оскверне́ние 4) *лингв.* контамина́ция 5) *attr.*: ~ meter прибо́р для определе́ния нали́чия радиоакти́вных веще́ств

contango [kən'tæŋgəʊ] *n* (*pl* -os [-əʊz]) *бирж.* конта́нго, надба́вка к цене́, взима́емая продавцо́м за отсро́чку расчёта по сде́лке

contemn [kən'tem] *v книжн.* презира́ть, относи́ться с пренебреже́нием, пренебрега́ть

contemplate ['kɒntəmpleɪt] *v* 1) созерца́ть 2) предполага́ть, намерева́ться 3) рассма́тривать 4) обду́мывать, размышля́ть 5) ожида́ть; I do not ~ any opposition from him я не ожида́ю с его́ стороны́ противоде́йствия

contemplation [ˌkɒntəm'pleɪʃn] *n* 1) созерца́ние 2) предположе́ние 3) рассмотре́ние, изуче́ние 4) размышле́ние 5) ожида́ние

contemplative [kən'templətɪv] *a* 1) созерца́тельный 2) заду́мчивый; ~ look заду́мчивый вид

contemporaneity [kən,tempərə'ni:ətɪ] *n* 1) одновре́ме́нность, совпаде́ние (*во времени*) 2) совреме́нность

contemporaneous [kən,tempə'reɪnɪəs] *a* 1) одновре́ме́нный 2) совреме́нный

contemporary [kən'temprərɪ] **1.** *n* 1) совреме́нник 2) све́рстник 3) изда́ние, произведе́ние, вы́шедшее в тот же пери́од, что и друго́е

2. *a* 1) одновре́ме́нный 2) совреме́нный 3) одного́ во́зраста; одно́й эпо́хи

contemporize [kən'tempəraɪz] *v* 1) синхронизи́ровать, приуро́чивать к тому́ же вре́мени 2) существова́ть одновре́ме́нно; совпада́ть во вре́мени

contempt [kən'tempt] *n* 1) презре́ние (for — к); to fall into ~ вызыва́ть к себе́ презре́ние; to have (*или* to hold) in ~ презира́ть 2) *юр.* неуваже́ние (*к власти и т. п.*); ~ of court оскорбле́ние суда́, неуваже́ние к суду́ ◇ in ~ of вопреки́, невзира́я на

contemptible [kən'temptəbl] *a* презре́нный

contemptuous [kən'temptjʊəs] *a* презри́тельный; пренебрежи́тельный; высокоме́рный

contemptuously [kən'temptjʊəslɪ] *adv* презри́тельно; с презре́нием

contend [kən'tend] *v* 1) боро́ться 2) сопе́рничать, состяза́ться (with — с *кем-л.*; for — в *чём-л.*) 3) спо́рить 4) утвержда́ть, заявля́ть (that)

contender [kən'tendə] *n* 1) сопе́рник (*на состязании, на выборах*) 2) претенде́нт; кандида́т (*на пост*)

content I ['kɒntent] *n* 1) (*обыкн. pl*) содержа́ние; the ~s of a book содержа́ние кни́ги; table of ~s оглавле́ние; form and ~ фо́рма и содержа́ние 2) (*обыкн. pl*) содержи́мое 3) до́ля, содержа́ние (*вещества*) 4) суть, су́щность; the ~ of proposition, of a statement суть предложе́ния, заявле́ния 5) объём; вмести́мость, ёмкость

content II [kən'tent] **1.** *n* 1) дово́льство; чу́вство удовлетворе́ния; to one's heart's ~ вво́лю, всласть 2) член пала́ты лóрдов, голосýющий за предложéние *или* законопроéкт; гóлос «за»

2. *a* 1) *predic.* довóльный (with) 2) соглáсный; голосýющий за (*в палате лордов*)

3. *v* 1) удовлетворя́ть 2) *refl.* довóльствоваться (with — *чем-л.*)

contented [kən'tentɪd] **1.** *p. p. от* content II, 3

2. *a* довóльный, удовлетворённый

contention [kən'tenʃn] *n* 1) борьбá, спор, ссóра; раздóр 2) соревновáние 3) предмéт спóра, ссóры 4) утверждéние, заявлéние ◇ bone of ~ я́блоко раздóра

contentious [kən'tenʃəs] *a* 1) вздóрный; придúрчивый; сварлúвый 2) спóрный

contentment [kən'tentmənt] *n* удовлетворённость, довóльство

conterminal [kɒn'tɜ:mɪnəl] *a* имéющий óбщую границу, смéжный, пограни́чный (to, with)

conterminous [kɒn'tɜ:mɪnəs] *a* 1) = conterminal 2) совпадáющий

contest **1.** *n* ['kɒntest] 1) спор 2) сопéрничество 3) соревновáние; состязáние; кóнкурс

2. *v* [kən'test] 1) оспáривать, опровергáть 2) спóрить, борóться (with); выступáть прóтив (against) 3) отстáивать; to ~ every inch of ground борóться за кáждую пядь землú 4) добивáться (*премии, места в парламенте и т. п.*); учáствовать, конкурúровать (*в выборах — о кандидатах*)

contestant [kən'testənt] *n* 1) конкурéнт, сопéрник, протúвник 2) учáстник соревновáния, состязáния

contestation [,kɒnte'steɪʃn] *n* 1) оспáривание 2) предмéт спóра

contested [kən'testɪd] **1.** *p. p. от* contest 2

2. *a:* ~ election вы́боры, прáвильность котóрых оспáривается

context ['kɒntekst] *n* 1) контéкст 2) ситуáция, связь, фон; обстанóвка

contextual [kən'tekstjʊəl] *a* контекстуáльный, вытекáющий из контéкста

contexture [kən'tekstʃə] *n* 1) сплетéние; ткань 2) композúция (*литературного произведения*)

contiguity [,kɒntɪ'gju:ətɪ] *n* 1) смéжность; соприкосновéние, блúзость 2) *психол.* ассоциáция идéй

contiguous [kən'tɪgjʊəs] *n* соприкасáющийся, смéжный, прилегáющий; блúзкий

continence ['kɒntɪnəns] *n* 1) сдéржанность 2) воздержáние (*особ. половое*)

continent I ['kɒntɪnənt] *a* 1) сдéржанный 2) воздéржанный; целомýдренный

continent II ['kɒntɪnənt] *n* 1) материк, континéнт 2) (the C.) Европéйский матерúк (*в противоп. Британским островам*) 3) (the C.) *амер. ист.* колóнии (*в эпоху борьбы за независимость*), впослéдствии образовáвшие Соединённые Штáты

continental [,kɒntɪ'nentl] **1.** *a* 1) континентáльный 2) (С.) инострáнный, небритáнский 3) (С.) *амер. ист.* относя́щийся к америкáнским колóниям в эпóху борьбы́ за незавúсимость ◇ ~ breakfast лёгкий зáвтрак (*кофе с булочкой*)

2. *n* 1) (С.) жúтель европéйского континéнта; инострáнец, неангличáнин 2) (С.) *амер. ист.* солдáт эпóхи борьбы́ за незавúсимость 3) *амер. ист.* обесцéненные бумáжные дéньги (*эпохи борьбы за независимость*) ◇ I don't care a ~ *амер.* мне наплевáть; not worth a ~ *амер.* грошá лóманого не стóит

contingency [kən'tɪndʒənsɪ] *n* случáйность, слýчай; непредвúденное обстоя́тельство

contingent [kən'tɪndʒənt] **1.** *n* 1) *воен.* контингéнт, лúчный состáв 2) пропорционáльное колúчество (*участников*)

2. *a* 1) услóвный; завúсящий от обстоя́тельств; ~ fee on cure плáта врачý по излечéнии 2) случáйный 3) возмóжный; непредвúденный

continual [kən'tɪnjʊəl] *a* постоя́нный, непреры́вный; то и дéло повторя́ющийся

continuance [kən'tɪnjʊəns] *n* 1) продолжúтельность, длúтельность; длúтельный перúод; ~ in office длúтельное пребывáние в дóлжности 2) продолжéние 3) *юр.* отсрóчка (*в разборе судебного дела*)

continuant [kən'tɪnjʊənt] *n фон.* фрикатúвный соглáсный звук

continuation [kən,tɪnjʊ'eɪʃn] *n* 1) продолжéние 2) возобновлéние 3) *attr.*: ~ school (*или* classes) дополнúтельная шкóла (*для пополнения образования по окончании начальной школы*)

continue [kən'tɪnju:] *v* 1) продолжáть(ся); оставáться; сохраня́ть(ся); пребывáть; to be ~d продолжéние слéдует; to ~ smb. in office оставля́ть когó-л. в дóлжности 2) возобновля́ть 3) служúть продолжéнием 4) тянýться, простирáться 5) *юр.* отсрóчить разбóр судéбного дéла

continued [kən'tɪnju:d] **1.** *p. p. от* continue

2. *a* непреры́вный; продолжáющийся; ~ fraction *мат.* непреры́вная дробь

continuity [,kɒntɪ'nju:ətɪ] *n* 1) непреры́вность; неразры́вность; цéлостность 2) послéдовательность 3) сценáрий, послéдовательная смéна (*напр., кадров в кинофильме*) 4) сериáл, передавáемый частя́ми по рáдио *или* телевúдению 5) преéмственность 6) электропровóдность (*цепи*) 7) *attr.*: ~ title *кино* соединúтельная нáдпись

continuous [kən'tɪnjʊəs] **1.** *a* 1) непреры́вный; постоя́нного дéйствия; длúтельный; ~ flights *ав.* беспосáдочный перелёт 2) сплошнóй; ~ stretch of water сплошнóе вóдное прострáнство 3) *эл.* постоя́нный (*о токе*); ~ waves *радио* незатухáющие колебáния 4) *грам.* длúтельный; ~ form длúтельная фóрма глагóла

2. *n* = ~ form [*см.* 1, 4)]

contort [kən'tɔ:t] *v* 1) искривля́ть 2) искажáть

contortion [kən'tɔ:ʃn] *n* 1) искривлéние 2) искажéние 3) *мед.* вы́вих, искривлéние

contortionist [kən'tɔ:ʃnɪst] *n* акробáт, «человéк-змея́»

contour ['kɒntʊə] **1.** *n* 1) кóнтур, очертáние; áбрис 2) *топ.* горизонтáль (*тж.* ~ line) 3) *амер.* положéние дел, развúтие собы́тий; he is jubilant over the ~ of things он довóлен положéнием вещéй 4) *attr.* кóнтурный; ~ map *топ.* кáрта, вы́черченная в горизонтáлях, кóнтурная кáрта

2. *v* наносúть кóнтур; вычéрчивать в горизонтáлях

contra ['kɒntrə] *лат.* **1.** *n* нéчто противополóжное; (all) pro and ~ (все) за и прóтив

2. *adv* напрóтив, наоборóт

3. *prep* прóтив

contra- ['kɒntrə-] *в сложных словах означает* прóтиво-; *напр.*: contradistinction противополóжность; противопоставлéние

contraband ['kɒntrəbænd] **1.** *n* 1) контрабáнда; ~ of war воéнная контрабáнда 2) *амер. ист.* бéглый негр, попáвший в расположéние северя́н (*во время гражданской войны 1861—65 гг.*)

2. *a* контрабáндный

contrabandist ['kɒntrəbændɪst] *n* контрабандúст

contrabass [,kɒntrə'beɪs] *n муз.* контрабáс

contraception [,kɒntrə'sepʃn] *n* примéнение противозачáточных срéдств; предупреждéние берéменности

contraceptive [,kɒntrə'septɪv] **1.** *a* противозачáточный

2. *n* противозачáточное срéдство

contract **1.** *n* ['kɒntrækt] 1) контрáкт, договóр; соглашéние 2) брáчный договóр; помóлвка, обручéние 3) *разг.* предприя́тие (*особ. строительное*) 4) *attr.* договóрный; ~ price договóрная ценá; ~ law *юр.* договóрное прáво

2. *v* [kən'trækt] 1) сжимáть(ся); сокращáть(ся); to ~ expenses сокращáть расхóды; to ~ efforts уменьшáть усúлия; to ~ muscles сокращáть мы́шцы 2) заключáть договóр, соглашéние; принимáть на себя́ обязáтельство 3) приобретáть (*привычку*); получáть; подхвáтывать; to ~ a disease заболéть 4) вступáть (*в брак, в союз*) 5) заводúть (*дружбу*); завя́зывать (*знакомство*) 6) дéлать (*долги*) 7) хмýрить; мóрщить; to ~ the brow (*или* the forehead) мóрщить лоб 8) *лингв.* стя́гивать [*см.* contracted 2, 5)] 9) *тех.* давáть усáдку; спекáться

contracted [kən'træktɪd] **1.** *p. p. от* contract 2

2. *a* 1) обуслóвленный договóром, договóрный; ~ worker законтрактóванный рабóчий 2) помóлвленный 3) смóрщенный; нахмýренный 4) ýзкий, ограничéнный (*о взглядах*); сýженный 5) *лингв.* сокращённый; стя́жённый (*о сло-*

ве; напр.: can't вм. cannot, o'er вм. over); ~ sentence сли́тное предложе́ние

contractile [kən'træktaɪl] *a* сжима́ющий(ся); сокраща́ющийся

contractility [,kɒntræk'tɪlətɪ] *n* сжима́емость; сокраща́емость

contracting parties [kən,træktɪŋ'pɑ:tɪz] *n pl* догова́ривающиеся сто́роны; контраге́нты

contraction [kən'trækʃn] *n* 1) сжа́тие; суже́ние; стя́гивание, уплотне́ние; уменьше́ние; укороче́ние, сокраще́ние 2) заключе́ние (*брака и т. п.*) 3) приобрете́ние (*привычки*) 4) *лингв.* стяже́ние, стяжённая фо́рма; сокраще́ние, контраку́ра 5) *тех.* уса́дка (*при твердении*)

contractive [kən'træktɪv] *a* сжима́ющийся, сокраща́ющийся; спосо́бный к сжа́тию, сокраще́нию

contractor [kən'træktə] *n* 1) подря́дчик; builder and ~ подря́дчик-строи́тель 2) поставщи́к; контраге́нт 3) *анат.* стя́гивающая мы́шца

contractual [kən'træktʊəl] *a* догово́рный

contradict [,kɒntrə'dɪkt] *v* 1) противоре́чить; возража́ть 2) опроверга́ть, отрица́ть

contradiction [,kɒntrə'dɪkʃn] *n* 1) противоре́чие, расхожде́ние; ~ in terms я́вное противоре́чие 2) опроверже́ние; an official ~ of the rumours официа́льное опроверже́ние неда́вних слу́хов 3) противополо́жность, по́лное несоотве́тствие

contradictious [,kɒntrə'dɪkʃəs] *a* лю́бящий возража́ть, противоре́чить

contradictor [,kɒntrə'dɪktə] *n* 1) оппоне́нт; проти́вник 2) спо́рщик

contradictory [,kɒntrə'dɪktərɪ] *a* противоре́чащий; несовмести́мый; противоречи́вый

contradistinction [,kɒntrədɪ'stɪŋkʃn] *n* противопоставле́ние; разли́чие; in ~ to (*реже* from) в отли́чие от

contradistinguish [,kɒntrədɪ'stɪŋgwɪʃ] *v* противопоставля́ть; различа́ть

contraflow ['kɒntrəfləʊ] *n дор.* встре́чный пото́к движе́ния по той же полосе́ (*особ. при чрезвычайных обстоятельствах*)

contrail ['kɒntreɪl] *n ав.* след инве́рсии самолёта

contraindication [,kɒntrəɪndɪ'keɪʃn] *n мед.* противопоказа́ние

contralto [kən'trɑ:ltəʊ] *n* (*pl* -os [-əʊz]) *муз.* контра́льто

contraposition [,kɒntrəpə'zɪʃn] *n* противоположе́ние, антите́за

contraption [kən'træpʃn] *n разг.* шту́чка, штуко́вина, новоизобретённое хитроу́мное приспособле́ние

contrapuntal [,kɒntrə'pʌntl] *a муз.* контрапункти́ческий

contrariety [,kɒntrə'raɪətɪ] *n* 1) противоде́йствие; препя́тствие 2) противоре́чие, расхожде́ние

contrariness ['kɒntrərɪnəs] *n* упря́мство, своево́лие

contrariwize [kən'treərɪwaɪz] *adv* 1) с друго́й стороны́ 2) наоборо́т 3) в противополо́жном направле́нии

contrary ['kɒntrərɪ] **1.** *n* не́что обра́тное, противополо́жное; противополо́жность; on the ~ наоборо́т; to the ~ в обра́тном смы́сле, ина́че; unless I hear to the ~ е́сли я не услы́шу чего́-нибудь ино́го, противополо́жного; there is no evidence to the ~ нет доказа́тельств проти́вного, обра́тного; to interpret by contraries толкова́ть, понима́ть в обра́тном смы́сле

2. *a* 1) противополо́жный 2) *разг.* [kən'treərɪ] упря́мый; своево́льный; капри́зный; ~ disposition сварли́вый нрав 3) проти́вный (*о ветре*); неблагоприя́тный; ~ weather неблагоприя́тная пого́да

3. *adv* вопреки́, про́тив (to); to act ~ to common sense поступа́ть вопреки́ здра́вому смы́слу

contrast 1. *n* ['kɒntrɑ:st] 1) противополо́жность; контра́ст 2) противопоставле́ние; сопоставле́ние; in ~ with smth. а) в противополо́жность чему́-л.; б) по сравне́нию с чем-л. 3) *фото* контра́ст; отте́нок

2. *v* [kən'trɑ:st] 1) противопоставля́ть; сопоставля́ть 2) контрасти́ровать; these two colours ~ very well э́ти два цве́та хорошо́ контрасти́руют

contrasty ['kɒntrɑ:stɪ] *a фото* контра́стный

contravene [,kɒntrə'vi:n] *v* 1) наруша́ть, преступа́ть (*закон и т. п.*) 2) противоре́чить (*правилу, закону и т. п.*); идти́ вразре́з (*с чем-л.*) 3) оспа́ривать, возража́ть

contravention [,kɒntrə'venʃn] *n* наруше́ние (*закона и т. п.*)

contretemps ['kɒntrətɒŋ] *n* непредви́денное осложне́ние, затрудне́ние, несча́стье

contribute [kən'trɪbju:t] *v* 1) же́ртвовать (*деньги*; to) 2) соде́йствовать, спосо́бствовать 3) де́лать вклад (*в науку и т. п.*; to) 4) отдава́ть (*время*) 5) сотру́дничать (*в газете, журнале*; to)

contribution [,kɒntrɪ'bju:ʃn] *n* 1) соде́йствие 2) вклад (*денежный, научный и т. п.*) 3) поже́ртвование; взнос 4) статья́ (*для газеты, журнала*) 5) сотру́дничество (*в газете и т. п.*) 6) нало́г; контрибу́ция; to lay under ~ налага́ть контрибу́цию

contributor [kən'trɪbjʊtə] *n* 1) (постоя́нный) сотру́дник газе́ты, журна́ла 2) же́ртвователь 3) соде́йствующий; помо́щник

contributory [kən'trɪbjʊtərɪ] *a* 1) соде́йствующий; спосо́бствующий; ~ negligence неосторо́жность пострада́вшего, вы́звавшая несча́стный слу́чай 2) де́лающий взнос, поже́ртвование; ~ scheme поря́док упла́ты взно́сов 3) сотру́дничающий

contrite ['kɒntraɪt] *a* сокруша́ющийся, ка́ющийся

contritely ['kɒntraɪtlɪ] *adv* пока́янно, с раска́янием; сокрушённо

contrition [kən'trɪʃn] *n* раска́яние

contrivance [kən'traɪvns] *n* 1) вы́думка, зате́я; изобрете́ние 2) план, за́мысел, *особ.* преда́тельский 3) приспособле́ние (*механическое*)

contrive [kən'traɪv] *v* 1) приду́мывать; изобрета́ть 2) затева́ть; замышля́ть 3) ухитря́ться, умудря́ться 4) справля́ться, устра́ивать свои́ дела́ ◇ to cut and ~ ухитря́ться своди́ть концы́ с конца́ми

contriver [kən'traɪvə] *n* 1) изобрета́тель, вы́думщик 2): good ~ хоро́ший, эконо́мный хозя́ин

control [kən'trəʊl] **1.** *n* 1) надзо́р; сде́рживание; контро́ль, прове́рка; регули́рование; birth ~ регули́рование рожда́емости; social ~ обще́ственный контро́ль; to be in ~, to have ~ over управля́ть, контроли́ровать; to be beyond (*или* out of) ~ вы́йти из подчине́ния; to bring under ~ подчини́ть; to pass under the ~ of smb. перейти́ в чьё-л. ве́дение; ~ of epidemics борьба́ с эпидеми́ческими заболева́ниями 2) управле́ние, руково́дство; власть 3) сде́ржанность, самооблада́ние 4) регулиро́вка 5) *радио* модуля́ция 6) (*обыкн. pl*) ру́чки настро́йки радиоприёмника, прибо́ра *и т. п.* 7) *pl тех.* рычаги́ управле́ния 8) контро́льный пацие́нт (*в эксперименте*); контро́льное подо́пытное живо́тное 9) *attr.* контро́льный; ~ experiment контро́льный о́пыт

2. *v* 1) управля́ть, распоряжа́ться 2) руководи́ть; госпо́дствовать; заправля́ть; име́ть большинство́ (*в парламенте и т. п.*) 3) регули́ровать; контроли́ровать; проверя́ть 4) сде́рживать (*чувства, слёзы*); to ~ oneself сде́рживаться, сохраня́ть самооблада́ние 5) обусло́вливать; норми́ровать (*потребление*) 6) *тех.* настра́ивать

control-gear [kən'trəʊlgɪə] *n тех.* механи́зм управле́ния

controllable [kən'trəʊləbl] *a* 1) управля́емый, регули́руемый 2) поддаю́щийся прове́рке, контро́лю 3) поддаю́щийся обузда́нию

controller [kən'trəʊlə] *n* 1) контролёр; ревизо́р; инспе́ктор 2) *тех.* контро́ллер; регуля́тор

controversial [,kɒntrə'vɜ:ʃl] *a* 1) спо́рный, дискуссио́нный 2) лю́бящий поле́мику

controversialist [,kɒntrə'vɜ:ʃlɪst] *n* спо́рщик; полеми́ст

controversy ['kɒntrəvɜ:sɪ] *n* 1) спор, диску́ссия, поле́мика; without (*или* beyond) ~ неоспори́мо, бесспо́рно 2) спор, ссо́ра

controvert [,kɒntrə'vɜ:t] *v* 1) оспа́ривать, полемизи́ровать 2) возража́ть, отрица́ть

contumacious [,kɒntjʊ'meɪʃəs] *a* 1) непоко́рный, неподчиня́ющийся 2) упо́рный; упря́мый 3) *юр.* не явля́ющийся на вы́зов суда́ *или* не подчиня́ющийся распоряже́нию суда́

contumacy ['kɒntjʊməsɪ] *n* 1) неповинове́ние, неподчине́ние 2) упо́рство; упря́мство 3) *юр.* нея́вка в суд; неподчине́ние постановле́нию суда́

contumelious [,kɒntjʊ'mi:lɪəs] *a* оскорби́тельный; де́рзкий

contumely ['kɒntju:mlɪ] *n* 1) оскорбле́ние; де́рзость 2) бесче́стье

contuse [kən'tju:z] *v* контузи́ть; ушиби́ть

contusion [kən'tju:ʒn] *n* конту́зия; уши́б

conundrum [kə'nʌndrəm] *n* зага́дка; головоло́мка

conurbation [,kɒnɜ:'beɪʃn] *n* конурба́ция, большо́й го́род со всеми при́городами

convalesce [,kɒnvə'les] *v* выздора́вливать

convalescence [,kɒnvə'lesns] *n* выздора́вливание; выздоровле́ние

convalescent [,kɒnvə'lesnt] **1.** *n* выздора́вливающий

2. *a* выздора́вливающий; поправля́ющийся

convection [kən'vekʃn] *n физ.* конве́кция

convenances [,kɒnvə'nɑ:nsɪz] *фр. n pl* прили́чия; благопристо́йность, благоприли́чие

convene [kən'vi:n] *v* 1) созыва́ть (*собрание, съезд*) 2) собира́ть(ся) 3) вызыва́ть (*в суд*)

convener [kən'vi:nə] *n* член комите́та, коми́ссии, кото́рому пору́чено созыва́ть собра́ния

convenience [kən'vi:nɪəns] *n* 1) удо́бство; at your ~ как *или* когда́ вам бу́дет удо́бно; to await (*или* to suit) smb.'s ~ счита́ться с чьи́ми-л. удо́бствами; for ~' sake для удо́бства 2) *pl* комфо́рт; удо́бства; a house with modern ~s дом со все́ми (совреме́нными) удо́бствами 3) вы́года, преиму́щество; for the ~ of... в интере́сах...; to make a ~ of smb. беззасте́нчиво испо́льзовать кого́-л. в свои́х интере́сах; злоупотребля́ть чьим-л. внима́нием, дру́жбой; marriage of ~ брак по расчёту 4) убо́рная 5) *attr.*: ~ food проду́кты, гото́вые к употребле́нию

convenient [kən'vi:nɪənt] *a* удо́бный, подходя́щий; приго́дный; ~ time удо́бное вре́мя

convent ['kɒnvənt] *n* монасты́рь (*преим. женский*)

conventicle [kən'ventɪkl] *n* 1) секта́нтская моле́льня (*в Англии*) 2) *ист.* та́йное собра́ние *или* моле́ние англи́йских пурита́н (*при Карле II и Иакове II*)

convention [kən'venʃn] *n* 1) обы́чай, обыкнове́ние; усло́вность 2) собра́ние, съезд; *ист.* конве́нт 3) догово́р, соглаше́ние, конве́нция

conventional [kən'venʃnəl] *a* 1) обы́чный, общепри́нятый 2) прили́чный, све́тский; обусло́вленный; договорённый; ~ tariff конвенцио́нные по́шлины 3) усло́вный; ~ sign усло́вный знак 4) традицио́нный; шабло́нный; he made a very ~ speech в свое́й ре́чи он ничего́ но́вого не сказа́л 5) *воен.* обы́чный (*о вооружении — в отличие от атомного*); ~ weapons обы́чные ви́ды ору́жия; ~ bombs бо́мбы обы́чного ти́па; ~ attack (*или* aggression) нападе́ние с примене́нием обы́чных ви́дов ору́жия 6) *тех.* станда́ртный; удовлетворя́ющий техни́ческим усло́виям

conventionalism [kən'venʃnəlɪzəm] *n* усло́вность; рути́нность

conventionality [kən,venʃə'nælətɪ] *n* 1) усло́вность 2) (the conventionalities) *pl* усло́вности (*принятые в обществе*)

conventionalize [kən'venʃnəlaɪz] *v* 1) де́лать усло́вным 2) *иск.* изобража́ть усло́вно, в традицио́нном сти́ле

conventual [kən'ventjʊəl] **1.** *a* монасты́рский

2. *n* мона́х; мона́хиня

converge [kən'vɜ:dʒ] *v* 1) сходи́ться (*о линиях, дорогах и т. п.*) 2) своди́ть в одну́ то́чку 3) *мат.* приближа́ться (*к пределу*)

convergence [kən'vɜ:dʒəns] *n* 1) схожде́ние в одно́й то́чке 2) *мат.* сходи́мость (*бесконечного ряда*), конверге́нция 3) *биол.*, *мед.* конверге́нция

convergent [kən'vɜ:dʒənt] *a* сходя́щийся в одно́й то́чке; ~ angle *мат.* у́гол конверге́нции

converging [kən'vɜ:dʒɪŋ] **1.** *pres. p. от* converge

2. *a* сходя́щийся; сосредото́ченный; дви́гающийся по сходя́щимся направле́ниям; ~ fire *воен.* перекрёстный ого́нь

conversable [kən'vɜ:səbl] *a* 1) общи́тельный; разгово́рчивый 2) интере́сный как собесе́дник 3) подходя́щий для разгово́ра (*о теме*)

conversance [kən'vɜ:sns] *n* осведомлённость (with)

conversant [kən'vɜ:snt] *a* 1) хорошо́ знако́мый; ~ with a subject (with a person) знако́мый с предме́том (с челове́ком) 2) све́дущий

conversation [,kɒnvə'seɪʃn] *n* 1) разгово́р, бесе́да; to make ~ вести́ пусто́й разгово́р 2) *pl* перегово́ры 3) *жив.* жа́нровая карти́на (*тж.* ~ piece)

conversational [,kɒnvə'seɪʃnəl] *a* 1) разгово́рный 2) разгово́рчивый

conversationalist [,kɒnvə'seɪʃnəlɪst] *n* 1) ма́стер поговори́ть 2) интере́сный собесе́дник

conversazione [,kɒnvəsætsɪ'əʊnɪ] *n* (*pl тж.* -ni) ве́чер, устра́иваемый нау́чным *или* литерату́рным о́бществом

conversazioni [,kɒnvəsætsɪ'əʊni:] *pl от* conversazione

converse I 1. *v* [kən'vɜ:s] 1) разгова́ривать, бесе́довать 2) обраща́ться, подде́рживать отноше́ния (*с кем-л.*)

2. *n* ['kɒnvɜ:s] 1) разгово́р, бесе́да 2) обще́ние

converse II ['kɒnvɜ:s] **1.** *n* 1) обра́тное утвержде́ние, положе́ние *или* отноше́ние 2) *мат.* обра́тная теоре́ма

2. *a* обра́тный; перевёрнутый

conversely ['kɒnvɜ:slɪ] *adv* обра́тно; наоборо́т

conversion [kən'vɜ:ʃn] *n* 1) превраще́ние (to, into); перехо́д (*из одного состояния в другое*); измене́ние; ~ of a solid into a liquid превраще́ние твёрдой ма́ссы в жи́дкую 2) обраще́ние (*в какую-л. веру*); перехо́д (*в другую веру*) 3) переме́на убежде́ний (*переход из одной партии в другую и т. п.*) 4) перево́д (*одних единиц в другие*), пересчёт 5) *фин.* конве́рсия, пересчёт 6) *эк.* конве́рсия, перехо́д на вы́пуск друго́й проду́кции 7) перестро́йка, реконстру́кция (*здания*) 8) *юр.* присвое́ние, обраще́ние в свою́ по́льзу (*об имуществе*) 9) *лингв.* конве́рсия 10) *мат.* превраще́ние (*простой дроби в десятичную*) 11) *тех.* превраще́ние, перерабо́тка; трансформи́рование 12) *метал.* переде́л чугуна́ в сталь

convert 1. *n* ['kɒnvɜ:t] 1) *рел.* новообращённый 2) переше́дший из одно́й па́ртии в другу́ю

2. *v* [kən'vɜ:t] 1) превраща́ть; переде́лывать 2) обраща́ть (*на путь истины, в другую веру и т. п.*) 3) *фин.* конверти́ровать 4) *эк.* конверти́ровать, переходи́ть на вы́пуск друго́й проду́кции 5) перестра́ивать, реконструи́ровать (*здания*) 6) *юр.* присва́ивать, обраща́ть в свою́ по́льзу (*имущество*)

converter [kən'vɜ:tə] *n* 1) *эл.* конве́ртер, преобразова́тель то́ка 2) *тех.* конве́ртер, рето́рта 3) *амер.* шифрова́льный прибо́р

convertibility [kən,vɜ:tə'bɪlətɪ] *n* 1) обрати́мость, изменя́емость 2) *фин.* обрати́мость, конверти́руемость

convertible [kən'vɜ:təbl] **1.** *a* 1) обрати́мый, изменя́емый; замени́мый; heat is ~ into electricity теплота́ мо́жет быть превращена́ в электри́чество; ~ terms сино́нимы; ~ husbandry *с.-х.* плодопереме́нное хозя́йство 2) откидно́й; ~ seat откидно́е сиде́нье 3) *фин.* обрати́мый, конверти́руемый

2. *n* 1) автомоби́ль с откидны́м ве́рхом 2) дива́н-крова́ть

converting [kən'vɜ:tɪŋ] **1.** *pres. p. от* convert 2

2. *n* 1) преобразова́ние; превраще́ние; обраще́ние 2) *метал.* бессемерова́ние

convex [,kɒn'veks] *a* вы́пуклый

convexity [kən'veksətɪ] *n* вы́пуклость

convexo-concave [kən,veksəʊkɒn'keɪv] *a* вы́пукло-во́гнутый

convexo-convex [kən,veksəʊkɒn'veks] *a* двояковы́пуклый

convey [kən'veɪ] *v* 1) перевози́ть, переправля́ть (*пассажиров, товары*); транспорти́ровать 2) сообща́ть (*известия*) 3) выража́ть (*идею и т. п.*); it does not ~ anything to my mind э́то мне ничего́ не говори́т 4) передава́ть (*запах, звук, благодарность и т. п.*) 5) *юр.* передава́ть (*имущество или право владения имуществом*)

conveyance [kən'veɪəns] *n* 1) перево́зка, транспортиро́вка 2) сообще́ние (*идей и т. п.*) 3) перево́зочные сре́дства 4) наёмный экипа́ж 5) *юр.* переда́ча (*имущества*) 6) *юр.* докуме́нт (*о передаче* *имущества*) 7) *горн.* транспортёр, конвейер

conveyancer [kən'veɪənsə] *n юр.* юрист, ведущий дела по передаче имущества

conveyancing [kən'veɪənsɪŋ] *n юр.* составление нотариальных актов о передаче имущества

conveyer [kən'veɪə] *n тех.* 1) конвейер; транспортёр 2) *attr.*: ~ screw винтовой (*или* шнековый) транспортёр

convict 1. *n* ['kɒnvɪkt] осуждённый, заключённый; каторжник

2. *v* [kən'vɪkt] 1) *юр.* признавать виновным; выносить приговор 2) привести к осознанию (*проступка, вины и т. п.*)

conviction [kən'vɪkʃn] *n* 1) *юр.* осуждение, признание виновным; summary ~ приговор, вынесенный без участия присяжных 2) убеждение; to carry ~ убеждать, быть убедительным 3) уверенность, убеждённость (of — в; that) 4) *церк.* сознание греховности

convince [kən'vɪns] *v* убеждать, уверять

convinced [kən'vɪnst] 1. *p. p. от* convince

2. *a* убеждённый (of — в)

convincing [kən'vɪnsɪŋ] 1. *pres. p. от* convince

2. *a* убедительный

convive ['kɒnvaɪv] *v* собутыльник

convivial [kən'vɪvɪəl] *a* 1) весёлый; общительный, компанейский 2) праздничный; пиршественный

conviviality [kən,vɪvɪ'ælətɪ] *n* весёлость; праздничное настроение *и пр.* [*см.* convivial]

convocation [,kɒnvə'keɪʃn] *n* 1) созыв 2) собрание 3) (C.) совет (*Оксфордского или Даремского университета*) 4) *церк.* синод (*в Кентербери и Йорке*)

convoke [kən'vəʊk] *v* собирать, созывать (*парламент, собрание*)

convolute ['kɒnvəlu:t] *a бот.* свёрнутый, свитый

convoluted ['kɒnvəlu:tɪd] *a* 1) свёрнутый спиралью; имеющий извилины 2) завитый, изогнутый (*о бараньих рогах и т. п.*)

convolution [,kɒnvə'lu:ʃn] *n* 1) свёрнутость; изогнутость 2) оборот (*спирали*); виток 3) *анат.* извилина (*мозговая*)

convolve [kən'vɒlv] *v* свёртывать(ся); скручивать(ся); сплетать(ся)

convolvulus [kən'vɒlvjʊləs] *n бот.* вьюнок

convoy ['kɒnvɔɪ] 1. *n* 1) *мор.* конвой 2) колонна автотранспорта 3) сопровождение 4) погребальная процессия 5) *attr.* сопровождающий; конвойный

2. *v* сопровождать; конвоировать

convulse [kən'vʌls] *v* 1) (*обыкн. pass.*) вызывать судороги, конвульсии; to be ~d корчиться в конвульсиях 2) (*обыкн. pass.*) заставить задрожать (*от смеха, горя и т. п.*) 3) потрясать; the ground was ~d земля дрожала 4) волновать

convulsion [kən'vʌlʃn] *n* 1) (*обыкн. pl*) судорога, конвульсия; he went into ~s с ним сделался припадок 2) колебание (*почвы*); ~ of nature землетрясение, извержение вулкана *и т. п.* 3) потрясение (*тж. общественное*) 4) *pl* судорожный смех

convulsive [kən'vʌlsɪv] *a* судорожный, конвульсивный

cony ['kəʊnɪ] *n* 1) кролик 2) крашеная кроличья шкурка (*промышленное название*)

coo [ku:] 1. *n* воркование

2. *v* 1) ворковать 2) говорить воркующим голосом

cook [kʊk] 1. *n* кухарка, повар; *мор.* кок ◇ too many ~s spoil the broth *посл.* ≅ у семи нянек дитя без глазу

2. *v* 1) стряпать, приготовлять пищу; жарить(ся); варить(ся) 2) жариться на солнце 3) подделывать, фабриковать (*документ*); состряпать (*историю*), придумать (*что-л. в извинение*) ◇ to ~ smb.'s goose расправиться с кем-л.; погубить кого-л.; to ~ one's (own) goose погубить себя

cookbook ['kʊkbʊk] *амер.* = cookery book

cooker ['kʊkə] *n* 1) плита; печь 2) кастрюля 3) сорт фруктов, годный для варки 4) тот, кто подделывает, сочиняет *и т. п.* [*см.* cook 2, 3)]

cookery ['kʊkərɪ] *n* кулинария; стряпня

cookery book ['kʊkərɪbʊk] *n* поваренная книга

cook-galley ['kʊk,gælɪ] *n мор.* камбуз

cook-general ['kʊk,dʒenrəl] *n* прислуга, выполняющая обязанности кухарки и горничной, прислуга «за всё»

cookhouse ['kʊkhaʊs] *n* походная *или* судовая кухня

cook-housemaid ['kʊk,haʊsmeɪd] = cook-general

cookie ['kʊkɪ] *n шотл., амер.* домашнее печенье; булочка

cookout ['kʊkaʊt] *n амер.* пикник, на котором главное блюдо — жареное мясо

cook-room ['kʊkru:m] *n* кухня; *мор.* камбуз

cook-shop ['kʊkʃɒp] *n* столовая; харчевня

cook-table ['kʊk,teɪbl] *n* кухонный стол

cook up ['kʊkʌp] *v разг.* выдумать, придумать

cookware ['kʊkweə] *n* кухонная посуда, кастрюли, сковородки *и т. п.*

cooky ['kʊkɪ] *n* 1) = cookie 2) кухарка

cool [ku:l] 1. *a* 1) прохладный, свежий; нежаркий; to get ~ стать прохладным; остыть 2) спокойный, невозмутимый; хладнокровный; to keep ~ (one's head) сохранять спокойствие, хладнокровие; не терять голову 3) равнодушный, безучастный; сухой, неласковый, неприветливый 4) дерзкий, беззастенчивый, нахальный; a ~ hand (*или* customer) беззастенчивый человек; ~ cheek нахальство 5) *разг.* круглый (*о сумме*); a ~ thousand dollars кругленькая сумма в тысячу долларов; a ~ twenty kilometres добрых двадцать километров

2. *n* 1) прохлада 2) *sl.* хладнокровие

3. *v* охлаждаться; остывать (*часто* ~ down, ~ off)

coolant ['ku:lənt] *n тех.* смазочно-охлаждающая имульсия

cooler ['ku:lə] *n* 1) *амер.* холодильник 2) ведёрко для охлаждения бутылки вина 3) бачок с водой 4) прохладительный напиток 5) *воен. жарг.* гауптвахта 6) *sl.* арестантская камера; тюрьма; «холодная» 7) *тех.* градирня 8) *спорт. жарг.* скамья штрафников

coolheaded [,ku:l'hedɪd] *a* хладнокровный, спокойный

coolie ['ku:lɪ] *n* кули

cooling ['ku:lɪŋ] 1. *pres. p. от* cool 3

2. *n* охлаждение

coolness ['ku:lnəs] *n* 1) прохлада, свежесть 2) ощущение прохлады 2) хладнокровие; спокойствие 4) холодок (*в тоне и т. п.*); охлаждение (*в отношениях*)

coomb [ku:m] *n* ложбина, овраг; узкая долина, ущелье

coon [ku:n] *n* 1) (*сокр. от* racoon) енот 2) *разг.* хитрый парень (*тж.* an old ~); a gone ~ пропащий человек 3) *презр.* негр

co-op ['kəʊɒp] *n* (*сокр. от* cooperative) кооператив, кооперативное общество; on the ~ на кооперативных началах

coop [ku:p] 1. *n* курятник; клетка для домашней птицы

2. *v* сажать в курятник, в клетку ▭ ~ in, ~ up а) держать взаперти; б) (*обыкн. p. p.*) набивать битком

cooper ['ku:pə] 1. *n* 1) бондарь, бочар 2) спиртной напиток

2. *v* бондарить, бочарничать

cooperage ['ku:pərɪdʒ] *n* 1) бондарное ремесло 2) бондарня 3) плата за бондарную работу

cooperate [kəʊ'ɒpəreɪt] *v* 1) сотрудничать 2) содействовать; способствовать 3) кооперироваться; объединяться 4) *воен.* взаимодействовать (with, in, for)

cooperation [kəʊ,ɒpə'reɪʃn] *n* 1) сотрудничество; совместные действия 2) кооперация 3) *воен.* взаимодействие

cooperative [kəʊ'ɒpərətɪv] 1. *a* 1) совместный, объединённый, согласованно действующий; in a ~ spirit в духе сотрудничества 2) кооперативный

2. *n* кооператив; кооперативное общество; кооперативный магазин (*тж.* ~ shop); consumers' ~ потребительский кооператив; producers' ~ производственный кооператив

cooperator [kəʊ'ɒpəreɪtə] *n* 1) сотрудник 2) кооператор

co-opt [kəʊ'ɒpt] *v* кооптировать

co-optation [,kəʊɒp'teɪʃn] *n* кооптация

coordinate 1. *a* [kəʊ'ɔ:dɪnət] 1) одного разряда, той же степени 2) одного ранга, не подчинённый 3) *грам.* сочинённый (*о предложении*); ~ conjunction сочини́тельный сою́з

2. *n* [kəʊ'ɔ:dɪnət] 1) *pl мат.* координа́ты; систе́ма координа́т 2) ра́вный, ро́вня

3. *v* [kəʊ'ɔ:dɪneɪt] координи́ровать, устана́вливать пра́вильное соотноше́ние; согласо́вывать

coordination [kəʊˌɔ:dɪ'neɪʃn] *n* 1) координа́ция; согласова́ние 2) *грам.* сочине́ние

coot [ku:t] *n* 1) лысу́ха (*птица*) 2) *разг.* проста́к ◇ bald as a ~ лы́сый, плеши́вый

cootie ['ku:tɪ] *n sl.* платяна́я вошь

co-ownership [ˌkəʊ'əʊnəʃɪp] *n* совме́стное владе́ние

cop I [kɒp] *разг.* **1.** *n* 1) полице́йский; полисме́н, «фарао́н» 2) по́имка; fair ~ по́имка на ме́сте преступле́ния

2. *v* пойма́ть, заста́ть (at — на *месте преступления*); to ~ it а) пойма́ть, сца́пать; б) попа́сться, попа́сть в беду́; you will ~ it тебе́ попадёт

cop II [kɒp] *n* 1) верху́шка (*чего-л.*) 2) хохоло́к (*птицы*) 3) *текст.* поча́ток

copacetic [ˌkəʊpə'si:tɪk] *амер. sl.* отли́чный, первокла́ссный

copaiba [kəʊ'paɪbə] *n* копа́йский бальза́м

copal ['kəʊpl] *n* копа́л (*современная или ископаемая смола деревьев*); каме́дь

coparcenary [ˌkəʊ'pɑ:sɪnərɪ] *n юр.* совме́стное насле́дование; неразделённое насле́дство

coparcener [ˌkəʊ'pɑ:sɪnə] *n юр.* сонасле́дник

copartner [ˌkəʊ'pɑ:tnə] *n* член това́рищества; уча́стник в при́былях

cope I [kəʊp] *v* спра́виться; совлада́ть (with)

cope II [kəʊp] **1.** *n* 1) *церк.* ри́за 2). the ~ of heaven небе́сный свод; the ~ of night покро́в но́чи 3) бу́дка; каби́на 4) *тех.* колпа́к, кожу́х, кры́шка лите́йной фо́рмы

2. *v* 1) крыть, покрыва́ть 2) обхва́тывать

copeck ['kəʊpek] *n* копе́йка

coper I ['kəʊpə] *n* торго́вец лошадьми́, ко́нский бары́шник

coper II ['kəʊpə] *n* су́дно, та́йно снабжа́ющее рыбако́в спиртны́ми напи́тками в откры́том мо́ре

copestone ['kəʊpstəʊn] *n* 1) карни́зный ка́мень 2) заверше́ние; после́днее сло́во (*науки и т. п.*); it was the ~ of his misfortunes э́то бы́ло для него́ после́дним уда́ром

co-pilot ['kəʊˌpaɪlət] *n* второ́й пило́т

coping I ['kəʊpɪŋ] *pres. p. от* cope I

coping II ['kəʊpɪŋ] **1.** *pres. p. от* cope II, 2

2. *n* 1) *стр.* перекрыва́ющий ряд кла́дки стены́; парапе́тная плита́ 2) гре́бень плоти́ны

copingstone ['kəʊpɪŋstəʊn] = copestone

copious ['kəʊpɪəs] *a* оби́льный; обши́рный; ~ writer плодови́тый писа́тель; ~ vocabulary бога́тый слова́рный запа́с

copper I ['kɒpə] **1.** *n* 1) медь 2) ме́дная *или* бро́нзовая моне́та 3) ме́дный котёл 4) пая́льник ◇ hot ~s су́хость го́рла с похме́лья; to cool one's ~s опохмели́ться

2. *a* 1) ме́дный 2) ме́дно-кра́сный (*о цвете*)

3. *v* покрыва́ть ме́дью

copper II ['kɒpə] *n разг.* полице́йский, полисме́н

copperas ['kɒpərəs] *n* (желе́зный) купоро́с

copper-bottomed [ˌkɒpə'bɒtəmd] *a* 1) *мор.* обши́тый ме́дью (*о дне корабля*) 2) кре́пкий, надёжный; платёжеспосо́бный

copper-butterfly ['kɒpəˌbʌtəflaɪ] *n* голубя́нка, а́ргус щаве́левый (*бабочка*)

copperhead ['kɒpəhed] *n* 1) мокасси́новая змея́ 2) (C.) та́йный сторо́нник южа́н (*среди северян в эпоху американской гражданской войны 1861—65 гг.*)

copperplate ['kɒpəpleɪt] *n* 1) ме́дная гравиро́вальная доска́ 2) о́ттиск с тако́й доски́ 3) *attr.*: ~ hand каллиграфи́ческий по́черк

coppersmith ['kɒpəsmɪθ] *n* ме́дник; коте́льщик

coppery ['kɒpərɪ] *a* 1) цве́та ме́ди 2) содержа́щий медь

coppice ['kɒpɪs] *n* 1) ро́щица; подле́сок 2) лесно́й уча́сток (*для периодической вырубки*)

copra ['kɒprə] *n* ко́пра, сушёное ядро́ коко́сового оре́ха

coproduction [ˌkəʊprə'dʌkʃn] *n* совме́стное произво́дство фи́льма, совме́стная постано́вка спекта́кля *и т. п.*

copse [kɒps] = coppice

Copt [kɒpt] *n* копт

copter, 'copter ['kɒptə] *сокр. от* helicopter

Coptic ['kɒptɪk] **1.** *a* ко́птский

2. *n* ко́птский язы́к

copula ['kɒpjʊlə] *n грам., анат.* свя́зка

copulate ['kɒpjʊleɪt] *v биол.* спа́риваться

copulation [ˌkɒpjʊ'leɪʃn] *n* 1) *биол.* копуля́ция; спа́ривание; слу́чка 2) соедине́ние

copulative ['kɒpjʊlətɪv] **1.** *a* 1) связу́ющий 2) *грам.* соедини́тельный 3) *биол.* деторо́дный

2. *n грам.* соедини́тельный сою́з

copy ['kɒpɪ] **1.** *n* 1) ко́пия 2) репроду́кция 3) экземпля́р; advance ~ сигна́льный экземпля́р 4) материа́л для статьи́, кни́ги; this makes good ~ э́то хоро́ший материа́л (*для печати*) 5) ру́копись; fair (*или* clean) ~ перепи́санная на́чисто ру́копись; rough (*или* foul) ~ чернови́к, оригина́л 6) образе́ц 7) *ист. юр.* ко́пия протоко́ла манориа́льного (поме́стного) суда́, формули́рующего усло́вия аре́нды земе́льного уча́стка

2. *v* 1) снима́ть ко́пию; копи́ровать; воспроизводи́ть; де́лать по шабло́ну 2) спи́сывать; перепи́сывать 3) подража́ть, брать за образе́ц

copybook ['kɒpɪbʊk] *n* 1) тетра́дь с про́писями 2) тетра́дь *или* па́пка, содержа́щая ко́пии пи́сем *или* други́х докуме́нтов ◇ ~ maxims прописны́е и́стины; ~ morality ходя́чая мора́ль; a ~ performance неха́трое де́ло, несло́жная зада́ча

copycat ['kɒpɪkæt] *n детск.* обезья́на, кривля́ка

copyhold ['kɒpɪhəʊld] *n ист.* 1) аре́ндные права́ 2) аре́ндная земля́, копиго́льд

copyholder ['kɒpɪˌhəʊldə] *n* 1) *ист.* копиго́льдер, насле́дственный *или* пожи́зненный аренда́тор поме́щичьей земли́ 2) корре́ктор-подчи́тчик 3) *полигр.* тена́кль

copying pencil ['kɒpɪɪŋˌpensl] *n* хими́ческий каранда́ш

copyist ['kɒpɪɪst] *n* 1) перепи́счик 2) копиро́вщик 3) имита́тор, подража́тель

copyreader ['kɒpɪˌri:də] *n амер.* 1) = copyholder 2); 2) помо́щник реда́ктора (*газеты*)

copyright ['kɒpɪraɪt] **1.** *n* а́вторское пра́во; ~ reserved а́вторское пра́во сохранено́ (*перепечатка воспрещается*)

2. *a predic.* охраня́емый а́вторским пра́вом; this book is ~ на э́ту кни́гу распространя́ется а́вторское пра́во

3. *v* обеспе́чивать а́вторское пра́во

coquet [kɒ'ket] *v* коке́тничать

coquetry ['kɒkɪtrɪ] *n* коке́тство

coquette [kɒ'ket] *n* коке́тка

cor- [kɔ:] *см.* com-

coracle ['kɒrəkl] *n* рыба́чья ло́дка, сплетённая из ивняка́ и обтя́нутая ко́жей *или* брезе́нтом (*в Ирландии и Уэльсе*)

coral ['kɒrəl] **1.** *n* кора́лл

2. *a* 1) кора́лловый 2) кора́ллового цве́та

coral-island ['kɒrəlˌaɪlənd] *n* кора́лловый о́стров

coralline ['kɒrəlaɪn] **1.** *n* кора́лловый мох

2. *a* кора́лловый

coral-reef ['kɒrəlri:f] *n* кора́лловый риф

corbel ['kɔ:bl] **1.** *n* 1) *архит.* поясо́к, вы́ступ 2) *тех.* кронште́йн

2. *v тех.* расположи́ть на кронште́йне; подде́рживать кронште́йном

corbie ['kɔ:bɪ] *n шотл.* во́рон

corbie-steps ['kɔ:bɪsteps] *n pl архит.* ступе́нчатый фронто́н

cord [kɔ:d] **1.** *n* 1) верёвка, шнур(о́к) 2) *анат.* свя́зка; vocal ~s голосовы́е свя́зки 3) корд, плис (*ткань*) 4) *pl* брю́ки из ру́бчатого пли́са [*см. тж.* corduroy 1, 2)] 5) ру́бчик (*на ткани*) 6) *эл.* шнур 7) корд (*мера дров* = *128 куб. фут. или 3,63* $м^3$)

2. *v* 1) свя́зывать верёвкой (*часто* ~ up) 2) скла́дывать дрова́ в ко́рды

cordage ['kɔ:dɪdʒ] *n* верёвки; сна́сти, такела́ж

cordate ['kɔ:deɪt] *a бот.* сердцеви́дный

corded [ˈkɔːdɪd] **1.** *p. p. от* cord 2

2. *a* 1) перевя́занный верёвкой 2) ру́бчатый (*о материи*)

cordelier [ˌkɔːdəˈlɪə] *n ист.* 1) кордельéр (*монах-францисканец*) 2) кордельéр (*член клуба «Друзей прав человека и гражданина» эпохи Французской буржуазной революции 1789 г.*)

cordial [ˈkɔːdɪəl] **1.** *a* сердéчный; и́скренний; раду́шный, тёплый (*о приёме*); ~ dislike си́льная антипа́тия, неприя́знь

2. *n* (стимули́рующее) сердéчное срéдство; крéпкий (стимули́рующий) напи́ток

cordiality [ˌkɔːdɪˈælətɪ] *n* сердéчность, раду́шие

cordially [ˈkɔːdɪəlɪ] *adv* 1) сердéчно; по душа́м; раду́шно 2) *амер.* с совершéнным почтéнием (*форма заключения письма*)

cordite [ˈkɔːdaɪt] *n* корди́т (*бездымный порох*)

cordon [ˈkɔːdn] *n* 1) кордо́н; охранéние 2) о́рденская лéнта (*преим. иностранная*) 3) *архит.* кордо́н (*верхний край цоколя*)

cordon bleu [ˌkɔːdɒŋˈblɜː] *n* 1) ва́жная персо́на 2) первокла́ссный по́вар

cordovan [ˈkɔːdəvn] *n* 1) *ист.* кордо́вская цветна́я дублёная козли́ная *или* ко́нская ко́жа (*тж.* ~ leather) 2) (C.) жи́тель *г.* Кордо́вы

corduroy [ˈkɔːdərɔɪ] **1.** *n* 1) ру́бчатый плис; вельвéт 2) *pl* пли́совые *или* вельвéтовые штаны́; бри́джи 3) бревéнчатая мостова́я *или* доро́га (*тж.* ~ road)

2. *v* стро́ить бревéнчатую мостову́ю *или* доро́гу

core [kɔː] **1.** *n* 1) сердцеви́на; вну́тренностьл ядро́; to the ~ насквÆзь 2) центр, сéрдце (*чего-л.*) 3) суть; the very ~ of the subject са́мая суть дéла 4) *тех.* сердéчник; стéржень 5) *эл.* жи́ла ка́беля

2. *v* выреза́ть сердцеви́ну

cored [kɔːd] **1.** *p. p. от* core 2

2. *a* по́лый

coreligionist [ˌkəʊrɪˈlɪdʒənɪst] *n* испове́дующий ту же ве́ру, единове́рец

coreopsis [ˌkɒrɪˈɒpsɪs] *n бот.* корео́псис

co-respondent [ˌkəʊrɪˈspɒndənt] *n юр.* соотвéтчик (*в бракоразводном процессе*)

corf [kɔːf] *n* 1) садо́к; корзи́на (*для живой рыбы*) 2) *ист.* рудни́чная вагонéтка

coriaceous [ˌkɒrɪˈeɪʃəs] *a* ко́жистый; твёрдый, как ко́жа

coriander [ˌkɒrɪˈændə] *n* кориа́ндр

Corinthian [kəˈrɪnθɪən] **1.** *a* кори́нфский; ~ order *архит.* кори́нфский о́рдер

2. *n* 1) коринфя́нин 2) *уст.* свéтский человéк 3) состоя́тельный человéк, увлека́ющийся спо́ртом

cork [kɔːk] **1.** *n* 1) кора́ про́бкового ду́ба 2) про́бка 3) поплаво́к; like a ~ плаву́чий, держа́щийся на водé; *перен.* бо́дрый, жизнера́достный 4) луб

2. *a* про́бковый; ~ jacket (*или* vest) про́бковый спаса́тельный жилéт

3. *v* 1) затыка́ть про́бкой 2) сдéрживать(ся); зата́ивать, пря́тать (*часто* ~ up) 3) ма́зать жжёной про́бкой

corkage [ˈkɔːkɪdʒ] *n* 1) дополни́тельная опла́та за отку́поривание и пода́чу принесённого с собо́й вина́ (*в ресторане и т. п.*) 2) заку́поривание и отку́поривание буты́лок

corked [kɔːkt] **1.** *p. p. от* cork 3

2. *a* 1) заку́поренный 2) отдаю́щий про́бкой (*о вине*) 3) нама́занный жжёной про́бкой

corker [ˈkɔːkə] *n* 1) маши́на для заку́поривания буты́лок 2) *разг.* нéчто потряса́ющее; необыкновéнный человéк 3) *разг.* реша́ющий до́вод, неопровержи́мое доказа́тельство

corking [ˈkɔːkɪŋ] **1.** *pres. p. от* cork 3

2. *a разг.* потряса́ющий, замеча́тельный

corkscrew [ˈkɔːkskruː] **1.** *n* што́пор

2. *a* спира́льный, винтообра́зный; ~ spin *ав.* спуск што́пором

3. *v* 1) дви́гаться (как) по спира́ли 2) проти́скиваться, пробива́ться 3) *ав.* вводи́ть самолёт в што́пор

cork-tree [ˈkɔːktriː] *n бот.* дуб про́бковый

corkwood [ˈkɔːkwʊd] *n* про́бковое дéрево

corky [ˈkɔːkɪ] *a* 1) про́бковый 2) *разг.* живо́й, весёлый, подви́жный; вéтреный

cormorant [ˈkɔːmrənt] *n* 1) *зоол.* большо́й бакла́н 2) жа́дина; обжо́ра

corn I [kɔːn] **1.** *n* 1) *собир.* зерно́, хлеба́, *особ.* пшени́ца 2) *амер. собир.* кукуру́за, маи́с (*тж.* Indian ~) 3) зерно́; зёрнышко 4) зёрнышко; крупи́нка, песчи́нка 5) *амер. разг.* кукуру́зная во́дка 6) *амер. разг.* шу́тки, развлечéния; бана́льные *или* сентимента́льные мы́сли 7) *attr.* зерново́й; *амер.* кукуру́зный; ~ bread *амер.* хлеб из кукуру́зы, маи́совый хлеб; ~ failure неурожа́й

2. *v* 1) соли́ть, заса́ливать (*мясо*) 2) налива́ться зерно́м (*часто* ~ up) 3) сéять пшени́цу, *амер.* кукуру́зу 4) *тех.* зерни́ть, гранули́ровать

corn II [kɔːn] *n* мозо́ль (*обыкн. на ноге*)

corn-chandler [ˈkɔːnˌtʃɑːndlə] *n* ро́зничный торго́вец хлéбом и фуражо́м

corncob [ˈkɔːnkɒb] *n* кочеры́жка кукуру́зного поча́тка

corn cockle [ˈkɔːnˌkɒkl] *n бот.* ку́коль обыкновéнный

corncrake [ˈkɔːnkreɪk] *n* коростéль (*птица*)

corn dodger [ˈkɔːndɒdʒə] = dodger 3)

cornea [ˈkɔːnɪə] *n анат.* рогова́я оболо́чка гла́за

corned I [kɔːnd] *a* солёный; ~ beef солони́на

corned II [kɔːnd] *p. p. от* corn I, 2

cornel [ˈkɔːnl] *n бот.* кизи́л настоя́щий

cornelian [kɔːˈniːlɪən] *n мин.* сердоли́к

corneous [ˈkɔːnɪəs] *a* рогово́й; рогови́дный

corner [ˈkɔːnə] **1.** *n* 1) у́гол, уголо́к; to cut off a ~ срéзать у́гол, пойти́ напрями́к; round the ~ за угло́м; *перен.* совсéм бли́зко, ря́дом; to turn the ~ а) заверну́ть за́ угол; б) вы́йти из тру́дного положéния; в) благополу́чно перенести́ кри́зис (*болезни*); г) *воен. жарг.* дезерти́ровать 2) нело́вкое положéние; затруднéние; to drive into a ~ загна́ть в у́гол, приперéть к стенé 3) закоу́лок, потайно́й уголо́к; done in a ~ сдéлано исподтишка́, потихо́ньку 4) часть, райо́н; the four ~s of the earth четы́ре страны́ свéта 5) *эк.* ску́пка монополи́стами това́ра со спекуляти́вными цéлями 6) *спорт.* ко́рнер, углово́й уда́р ◇ hole and ~ transactions та́йные махина́ции

2. *v* 1) загоня́ть в у́гол, в тупи́к; приперéть к стенé 2) скупа́ть това́ры со спекуляти́вными цéлями; to ~ the market овладéть ры́нком, скупа́я това́ры 3) заверну́ть за́ угол

corner-boy [ˈkɔːnəbɔɪ] *ирл.* = cornerman 2)

cornercutting [ˈkɔːnəˌkʌtɪŋ] *n разг.* вы́бор кратча́йшего пути́

cornered [ˈkɔːnəd] **1.** *p. p. от* corner 2

2. *a* 1) с угла́ми, имéющий углы́ 2) в тру́дном положéнии; припёртый к стенé

cornerman [ˈkɔːnəmən] *n* 1) исполни́тель коми́ческой ро́ли в негритя́нском анса́мбле 2) у́личный зева́ка 3) кру́пный (биржево́й) спекуля́нт [*см.* corner 2, 2)]

cornerstone [ˈkɔːnəstəʊn] *n* 1) *архит.* углово́й ка́мень 2) краеуго́льный ка́мень

cornet [ˈkɔːnɪt] *n* 1) *муз.* корнéт, корнéт-а-писто́н 2) корнети́ст 3) кулёк (*из бумаги*); ва́фля с моро́женым

cornet-à-pistons [ˌkɔːnɪtəˈpɪstənz] *n* (*pl* cornets-à-pistons) *муз.* корнéт, корнéт-а-писто́н

cornets-à-pistons [ˌkɔːnɪtəˈpɪstənz] *pl от* cornet-à-pistons

corn-exchange [ˌkɔːnɪksˈtʃeɪndʒ] *n* хлéбная би́ржа

cornfield [ˈkɔːnfiːld] *n* по́ле, ни́ва; *амер.* кукуру́зное по́ле

cornflakes [ˈkɔːnfleɪks] *n pl* корнфлéкс, кукуру́зные хло́пья

corn-floor [ˈkɔːnflɔː] *n* гумно́; ток

cornflour [ˈkɔːnflaʊə] *n* кукуру́зная, ри́совая (*в Шотландии — овсяная*) мука́

cornflower [ˈkɔːnflaʊə] *n* василёк (си́ний)

cornice [ˈkɔːnɪs] *n* 1) *архит.* карни́з; свес 2) нави́сшая глы́ба (*снега*)

cornicle [ˈkɔːnɪkl] *n* рожо́к (*улитки*); у́сик (*насекомого*)

Cornish [ˈkɔːnɪʃ] **1.** *a* корнуо́ллский

2. *n ист.* корнуо́ллский, корни́йский язы́к

cornopean [kəˈnəʊpɪən] = cornet 1)

corn pone [ˈkɔːnpəʊn] *n амер.* кукуру́зная лепёшка

corn-rent [ˈkɔːnrent] *n* земéльная арéнда, упла́чиваемая зерно́м

corn-stalk [ˈkɔːnstɔːk] *n* 1) *амер.* стéбель кукуру́зы 2) *разг.* ды́лда

cornucopia [ˌkɔːnjʊˈkəʊpɪə] *n* рог изоби́лия

corny I ['kɔ:nɪ] *a* хлéбный, зерновóй; хлеборóдный

corny II ['kɔ:nɪ] *a* 1) мозóлистый 2) *разг.* жёсткий; шероховáтый 3) *разг.* банáльный; ~ joke избúтая шýтка 4) заскорýзлый, кóсный

corolla [kə'rɒlə] *n бот.* вéнчик

corollary [kə'rɒlərɪ] *n* 1) *лог.* вы́вод; заключéние 2) естéственное слéдствие, результáт

corona [kə'rəʊnə] *n* 1) сóлнечная корóна (*видимая при полном затмении*); кольцó (*вокруг Луны или Солнца*) 2) *анат.* корóнка зýба 3) вéнчик цветкá 4) *архит.* венéц, отлúвина 5) *эл.* корóна, свечéние на проводáх 6) *амер.* чепрáк под вью́чное седлó

coronach ['kɒrənək] *n* 1) похорóнная песнь, похорóнная мýзыка (*в горной Шотландии*) 2) похорóнный плач, причитáния (*в Ирландии*)

coronal ['kɒrənl] **1.** *n* 1) корóна, венéц 2) венóк

2. *a* венéчный; коронáрный; ~ suture *анат.* венéчный шов

coronary ['kɒrənərɪ] *a мед.* коронáрный; ~ thrombosis тромбóз венéчных сосýдов

coronate ['kɒrəneɪt] *v* короновáть

coronation [,kɒrə'neɪʃn] *n* 1) коронáция, коронов́ание 2) (успéшное) завершéние

coroner ['kɒrənə] *n* кóронер, слéдователь, ведýщий делá о насúльственной *или* скоропостúжной смéрти

coronet ['kɒrənɪt] *n* 1) корóна (*пэров*) 2) диадéма 3) *поэт.* венóк 4) нúжняя часть бáбки (*у лошади*), вóлосень

corpora ['kɔ:pərə] *pl от* corpus

corporal I ['kɔ:prəl] *a* телéсный; ~ defects физúческие недостáтки; ~ punishment телéсное наказáние, пóрка

corporal II ['kɔ:prəl] *n* капрáл; ship's ~ капрáл корабéльной полúции

corporal III ['kɔ:prəl] *n церк.* антимúнс

corporate ['kɔ:pərət] *a* корпоратúвный, óбщий; ~ body корпоратúвная организáция; ~ responsibility отвéтственность кáждого члéна корпорáции; ~ town гóрод, имéющий самоуправлéние

corporation [,kɔ:pə'reɪʃn] *n* 1) корпорáция; municipal ~ муниципалитéт 2) *амер.* акционéрное óбщество; banking ~ акционéрный банк 3) *шутл.* большóй живóт

corporative ['kɔ:pərətɪv] = corporate

corporator ['kɔ:pəreɪtə] *n* член корпорáции

corporeal [kɔ:'pɔ:rɪəl] *a* 1) телéсный 2) вещéственный, материáльный

corporeality [kɔ:,pɔ:rɪ'ælətɪ] *n* вещéственность, материáльность

corporeity [,kɔ:pɔ:'ri:ətɪ] = corporeality

corposant ['kɔ:pɒzænt] *n* явлéние атмосфéрного электрúчества; *особ.* свечéние на концáх мачт (*так наз. огни св. Эльма*)

corps [kɔ:] *n* (*pl* corps [kɔ:z]) 1) *воен.* кóрпус; род войск, слýжба 2) кóрпус; C. diplomatique дипломатúческий кóрпус

corps de ballet [,kɔ:də'bæleɪ] *фр. n* кордебалéт

corpse [kɔ:ps] *n* труп

corpulence ['kɔ:pjʊləns] *n* добрóтность; тýчность

corpulent ['kɔ:pjʊlənt] *a* добрóтный, пóлный, тýчный, жúрный

corpus ['kɔ:pəs] *n* (*pl* -pora) 1) свод (*законов*), кóдекс; собрáние; the ~ of American poetry антолóгия америкáнской поэ́зии; ~ juris [-dʒʊərɪs] свод закóнов 2) *шутл.* тýловище, тéло (*человека или животного*) 3) основнóй капитáл

Corpus Christi [,kɔ:pəs'kr st *n церк.* прáздник тéла Христóва

corpuscle ['kɔ:pʌsl] *n* 1) частúца, тéльце; корпýскула; red (white) ~s *физиол.* крáсные (бéлые) кровянúе шáрики 2) *физ.* áтом; электрóн; корпýскула

corpuscular [kɔ:'pʌskjʊlə] *a физ.* корпускулярный; áтомный

corpus delicti [,kɔ:pəsdɪ'lɪktaɪ] *лат. n юр.* состáв преступлéния

corral [kə'rɑ:l] **1.** *n* 1) загóн (*для скота*) 2) лáгерь, окружённый обóзными повóзками (*для заслона*)

2. *v* 1) загонять в загóн 2) окружáть лáгерь повóзками 3) *разг.* присвáивать

correct [kə'rekt] **1.** *a* 1) прáвильный, вéрный, тóчный 2) соотвéтствующий, подходящий (*о поведении, одежде*) ◇ the ~ card прогрáмма спортúвного состязáния

2. *v* 1) исправлять, поправлять, корректúровать; to ~ barometer reading to sea level вносúть в показáния барóметра попрáвку на высотý дáнного мéста 2) нейтрализовáть (*вредное влияние*) 3) дéлать замечáние, вы́говор; накáзывать 4) регулúровать 5) прáвить (*корректуру*)

correction [kə'rekʃn] *n* 1) исправлéние, (по)прáвка; to speak under ~ говорúть, допускáя возмóжность ошúбки 2) *уст.* наказáние 3) *эл.* коррéкция 4) *attr.*: ~ factor попрáвочный коэффициéнт

correctional [kə'rekʃnəl] *a* исправúтельный; C. Institutions исправúтельные заведéния, тю́рьмы

corrective [kə'rektɪv] **1.** *a* 1) исправúтельный 2) *фарм.* корригúрующий

2. *n* 1) коррект́ив; попрáвка, изменéние 2) *фарм.* корригúрующее срéдство

correctly [kə'rektlɪ] *adv* 1) прáвильно, вéрно 2) коррéктно, вéжливо; to behave ~ вестú себя́ коррéктно

corrector [kə'rektə] *n* 1) исправляющий 2) коррéктор (*тж.* ~ of the press)

correlate ['kɒrəleɪt] **1.** *n* коррелят, соотносúтельное понятие

2. *v* находúться в свя́зи, в определённом соотношéнии; устанáвливать соотношéние (to, with)

correlation [,kɒrə'leɪʃn] *n* взаимосвя́зь, соотношéние; корреляция; взаимозавúсимость

correlative [kə'relətɪv] **1.** *a* 1) соотносúтельный 2) корреляти́вный, пáрный

2. *n* 1) коррелят 2) *лингв.* коррелятúвное слóво; слóво, обы́чно употребляемое в пáре с другúм (*напр.*, so — as, either — or)

correspond [,kɒrə'spɒnd] *v* 1) соответствовать (with, to); согласóвываться 2) быть аналогúчным (to) 3) перепúсываться (with)

correspondence [,kɒrə'spɒndəns] *n* 1) соотвéтствие 2) соотношéние; аналóгия 3) корреспондéнция, перепúска; пúсьма 4) *attr.*: ~ column столбéц в газéте для пúсем в редáкцию; ~ courses заóчные кýрсы

correspondent [,kɒrə'spɒndənt] **1.** *n* корреспондéнт

2. *a уст.* соглáсный, в соглáсии, соотвéтственный (to, with)

corresponding [,kɒrə'spɒndɪŋ] **1.** *pres. p. от* correspond

2. *a* 1) соотвéтственный 2) ведýщий перепúску

corresponding member [kɒrə,spɒndɪŋ-'membə] *n* член-корреспондéнт (*академии наук и т. п.*)

corrida [kɒ'ri:də] *n* коррúда, бой быкóв

corridor ['kɒrɪdɔ:] *n* коридóр

corrigenda [,kɒrɪ'dʒendə] *pl от* corrigendum

corrigendum [,kɒrə'dʒendəm] *лат. n* (*pl* -da) 1) опечáтка 2) *pl* спúсок опечáток

corrigible ['kɒrɪdʒəbl] *a* исправúмый, поправúмый

corroborant [kə'rɒbərənt] **1.** *a* подтверждáющий; подкрепляющий

2. *n* 1) подтверждáющий факт 2) *мед.* тонизúрующее, укрепляющее срéдство

corroborate [kə'rɒbəreɪt] *v* подтверждáть; подкреплять (*теорию и т. п.*)

corroborative [kə'rɒbərətɪv] *a* укрепляющий; подтверждáющий

corroboratory [kə'rɒbərətərɪ] = corroborative

corrode [kə'rəʊd] *v* 1) разъединять (*тж перен.*); вытравлять (*кислотой*) 2) ржáветь; подвергáться дéйствию коррóзии

corrosion [kə'rəʊʒn] *n* коррóзия; ржавлéние; разъедáние; окислéние

corrosive [kə'rəʊsɪv] **1.** *a* éдкий, разъедáющий; коррозúйный; ~ sublimate *хим.* сулемá

2. *n* éдкое, разъедáющее веществó

corrugate ['kɒrəgeɪt] *v* 1) смóрщивать(ся) 2) *тех.* гофрúровать

corrugated ['kɒrəgeɪtɪd] **1.** *p. p. от* corrugate

2. *a* гофрирóванный, рифлёный; ~ iron волнúстое *или* рифлёное желéзо

corrugation [,kɒrə'geɪʃn] *n* 1) склáдка, морщúна (*на лбу*) 2) вы́боина (*дороги*) 3) *тех.* смóрщивание; рифлéние; волнúстость

corrupt [kə'rʌpt] **1.** *a* 1) испóрченный; развращённый 2) продáжный; ~ practices взя́точничество, бесчéстные приёмы 3) испóрченный (*о воздухе и т. п.*), гнилóй 4) искажённый, недостовéрный (*о тексте*)

2. *v* 1) пóртить(ся); развращáть(ся) 2) подкупáть 3) пóртить, гнои́ть 4) гнить, разлагáться 5) искажáть (*текст*) 6) *юр.* лишáть граждáнских прав

corruptibility [kə,rʌptəˈbɪlətɪ] *n* 1) продáжность, подкýпность 2) подвéрженность пóрче

corruptible [kəˈrʌptəbl] *a* 1) подкýпный 2) пóртящийся

corruption [kəˈrʌpʃn] *n* 1) разложéние (*моральное*); продáжность, коррýпция 2) развращéние 3) извращéние; искажéние (*слова, текста*) 4) пóрча; гниéние; ~ of the body разложéние трýпа

corsac [ˈkɔːsæk] *n* лисá корсáк

corsage [kɔːˈsɑːʒ] *n* 1) корсáж 2) *разг.* букéт, прикóлотый к корсáжу

corsair [ˈkɔːseə] *n ист.* 1) кáпер (*судно*) 2) пирáт, корсáр

corse [kɔːs] *n поэт. см.* corpse

corselet [ˈkɔːslət] *n* 1) грáция, корсéт 2) *ист.* лáты

corset [ˈkɔːsɪt] *n* 1) корсéт 2) (*часто pl*) грáция; пóяс

corslet [ˈkɔːslət] = corselet

cortège [kɔːˈteɪʒ] *n* кортéж, торжéственное шéствие

Cortes [ˈkɔːtes] *n pl* кортéсы (*парламент в Испании, Португалии*)

cortex [ˈkɔːteks] *n* (*pl* -tices) 1) *анат.* корá головнóго мóзга 2) *бот.* корá

cortical [ˈkɔːtɪkl] *a* кóрковый

corticate [ˈkɔːtɪkət] *a* покры́тый корóй; кóрковый; коркови́дный

corticated [ˈkɔːtɪkeɪtɪd] = corticate

cortices [ˈkɔːtɪsiːz] *pl от* cortex

coruscate [ˈkɒrəskeɪt] *v* сверкáть; блистáть

coruscation [,kɒrəˈskeɪʃn] *n* сверкáние, блеск

corvée [ˈkɔːveɪ] *n* 1) *ист.* бáрщина 2) тяжёлая, подневóльная рабóта

corvette [kɔːˈvet] *n мор.* корвéт; сторожевóй корáбль

corvine [ˈkɔːvaɪn] *a* вóроний

corymb [ˈkɒrɪmb] *n бот.* щитóк

corymbose [kəˈrɪmbəʊs] *a бот.* щиткови́дный

coryphaei [,kɒrɪˈfiːaɪ] *pl от* coryphaeus

coryphaeus [,kɒrɪˈfiːəs] *n* (*pl* -phaei) корифéй

coryphée [,kɒrɪˈfeɪ] *n* корифéйка (*в балете*)

cos [kɒs] *n бот.* салáт ромэ́н (*тж.* C. lettuce)

cosaque [kɒˈzɑːk] *n* хлопýшка с конфéтой

cose [kəʊz] *v* удóбно, ую́тно расположи́ться, устрóиться

cosecant [,kəʊˈsiːkənt] *n мат.* косéканс

coseismal [kəʊˈsaɪzməl] *n геол.* сейсми́ческая кривáя (*тж.* ~ line, ~ curve)

cosh [kɒʃ] *n разг.* тяжёлая (полицéйская) дуби́нка, нáлитая свинцóм

cosher I [ˈkɒʃə] *v* баловáть, нéжить

cosher II [ˈkɒʃə] *v ирл.* пировáть; жить на чужóй счёт

cosher III [ˈkɒʃə] *v разг.* болтáть, разговáривать зáпросто

cosignatory [,kəʊˈsɪgnətərɪ] *n юр.* лицó *или* госудáрство, подпи́сывающее соглашéние вмéсте с други́ми ли́цами *или* госудáрствами

cosily [ˈkəʊzɪlɪ] *adv* ую́тно

cosine [ˈkəʊsaɪn] *n мат.* кóсинус

cosiness [ˈkəʊzɪnəs] *n* ую́т, ую́тность

cosmetic [kɒzˈmetɪk] **1.** *a* космети́ческий

2. *n* космéтика; космети́ческое срéдство

cosmetologist [,kɒzməˈtɒlədʒɪst] *n* косметóлог; космети́чка

cosmetology [,kɒzməˈtɒlədʒɪ] *n* космéтика

cosmic [ˈkɒzmɪk] *a* 1) косми́ческий 2) огрóмный, всеобъéмлющий; ~ sadness мировáя скорбь 3) *редк.* упоря́доченный, организóванный

cosmodrome [ˈkɒzmədrəʊm] *n* космодрóм

cosmogony [kɒzˈmɒgənɪ] *n* космогóния

cosmography [kɒzˈmɒgrəfɪ] *n* космогрáфия

cosmology [kɒzˈmɒlədʒɪ] *n* космолóгия

cosmonaut [ˈkɒzmənɔːt] *n* космонáвт

cosmonautics [,kɒzməˈnɔːtɪks] *n* космонáвтика

cosmopolis [,kɒzməˈpɒlɪs] *n* огрóмный гóрод; столи́ца ми́ра

cosmopolitan [,kɒzməˈpɒlɪtən] **1.** *n* космополи́т

2. *a* космополити́ческий

cosmopolitanism [,kɒzməˈpɒlɪtənɪzəm] *n* космополити́зм

cosmopolite [kɒzˈmɒpəlaɪt] = cosmopolitan 1

cosmopolitism [,kɒzməˈpɒlɪtɪzəm] = cosmopolitanism

cosmos [ˈkɒzmɒs] *n* 1) кóсмос, вселéнная 2) упоря́доченная систéма

Cossack [ˈkɒsæk] *n* 1) казáк 2) *attr.* казáцкий

cosset [ˈkɒsɪt] **1.** *n* 1) люби́мый ягнёнок 2) люби́мец; бáловень

2. *v* баловáть, ласкáть, нéжить

cost [kɒst] **1.** *n* 1) ценá, стóимость (*тж. перен.*); prime ~ фабри́чная себестóимость; ~s of production издéржки произвóдства; ~ of living прожи́точный ми́нимум; ~ and freight *ком.* стóимость и фрахт; ~, insurance and freight (*сокр.* c. i. f.) *ком.* стóимость, страховáние, фрахт 2) *pl* расхóды, издéржки, затрáты 3) *pl* судéбные издéржки 4) *attr.*: ~ price себестóимость; ~ accounting ведéние отчётности; калькуля́ция стóимости ◇ at any ~, at all ~s любóй ценóй; во чтó бы то ни стáло; at the ~ of smth. ценóю чегó-л.; at one's ~ за чей-л. счёт; to count the ~ взвéсить все обстоя́тельства; to know (to learn) to one's own ~ знать (узнáть) по гóрькому óпыту

2. *v* (cost) 1) стóить, обходи́ться; it ~ him infinite labour э́то стóило емý огрóмного трудá; it may ~ you your life э́то мóжет стóить вам жи́зни 2) назначáть цéну, расцéнивать (*товар*) 3) *разг.* дóрого стóить

costal [ˈkɒstl] *a* рёберный

co-star [ˈkəʊstɑː] *v* 1) игрáть глáвную роль (*в фильме или пьесе*) в пáре (*с кем-л.*) 2) (*о фильме*) имéть в глáвных ролях двух «звёзд»

costard [ˈkʌstəd] *n* крýпное я́блоко

coster (monger) [ˈkɒstə(,mʌŋgə)] *n* ýличный торгóвец фрýктами, овощáми, ры́бой *и т. п.*

costive [ˈkɒstɪv] *a* 1) страдáющий запóром 2) скуповáтый 3) медли́тельный; не умéющий вы́разить словáми свои́ мы́сли и чýвства

costless [ˈkɒstləs] *a* даровóй, ничегó не стóящий

costliness [ˈkɒstlɪnəs] *n* дорогáя ценá; дороговизна

costly [ˈkɒstlɪ] *a* 1) дорогóй, цéнный 2) пы́шный, роскóшный

costume [ˈkɒstjuːm] **1.** *n* 1) одéжда, плáтье, костю́м 2) стиль в одéжде, костю́м; English ~ of the XVIII century одéжда англичáн XVIII вéка 3) костю́м (*обыкн. дамский*) 4) *attr.*: ~ ball костюми́рованный бал, бал-маскарáд

2. *v* одевáть; снабжáть одéждой

costume piece [ˈkɒstjuːm,piːs] *n театр.* истори́ческая пьéса

costumier [kɒˈstjuːmɪə] *n* костюмéр; торгóвец театрáльными и маскарáдными костю́мами

cosy [ˈkəʊzɪ] **1.** *a* ую́тный, удóбный

2. *n* стёганый чехóл (*для чайника*)

cot I [kɒt] *n* 1) дéтская кровáтка 2) кóйка 3) лёгкая похóдная кровáть, раскладýшка 4) *attr.*: ~ case *мед.* лежáчий больнóй

cot II [kɒt] *n* 1) загóн, хлев 2) *поэт.* хи́жина

cot III [kɒt] *сокр. от* cotangent

cotangent [,kəʊˈtændʒənt] *n мат.* котáнгенс

cote [kəʊt] *n* загóн, хлев, овчáрня

cotenant [kəʊˈtenənt] *n* соарендáтор

coterie [ˈkəʊtərɪ] *n* 1) кружóк (*литературный, артистический и т. п.*) 2) и́збранный, зáмкнутый круг

cothurni [kəʊˈθɜːnaɪ] *pl от* cothurnus

cothurnus [kəʊˈθɜːnəs] *n* (*pl* -ni) 1) *др.-греч.* котýрн 2) трагéдия 3) высокопáрный стиль

cotidal [kəʊˈtaɪdl] *a*: ~ line котидáльная ли́ния (*соединяющая пункты одновременного прилива*)

cotillion [kəˈtɪlɪən] *n* котильóн (*танец*)

cottage [ˈkɒtɪdʒ] *n* 1) коттéдж; *амер.* лéтняя дáча 2) небольшóй дом, хи́жина 3) *австрал.* одноэтáжный дом 4) *attr.*: ~ cheese домáшний сыр; ~ hospital небольшáя сéльская больни́ца (*без живущих при ней врачей*); больни́ца, располóженная в нéскольких разбрóсанных коттéджах; ~ piano небольшóе пиани́но

cottager [ˈkɒtɪdʒə] *n* 1) живýщий в

хи́жине, котте́дже 2) *амер.* да́чник 3) батра́к; крестья́нин [*см. тж.* cottar]

cottar ['kɒtə] *n* 1) *шотл. ист.* батра́к (*живущий при ферме*) 2) *ирл. ист.* бедня́к-аренда́тор (*плативший ренту, установленную на публичных торгах*)

cotter I ['kɒtə] = cottar

cotter II ['kɒtə] *n тех.* 1) клин, чека́, шпо́нка 2) *attr.*: ~ bolt болт с чеко́й

cottier ['kɒtɪə] = cottar 2)

cotton I ['kɒtn] **1.** *n* 1) хло́пок 2) хлопча́тник 3) хлопча́тая бума́га; бума́жная ткань 4) *pl* оде́жда из бума́жной тка́ни 5) ни́тка; a needle and ~ иго́лка с ни́ткой 6) ва́та (*тж.* ~ wool)

2. *a* 1) хло́пковый 2) хлопчатобума́жный

cotton II ['kɒtn] *v* 1) согласова́ться; ужива́ться (together, with) 2) полюби́ть, привяза́ться (to); I don't ~ to him at all он мне совсе́м не по душе́ ▭ ~ **on** а) сдружи́ться (to — с); б) *разг.* понима́ть; ~ **up (to)** стара́ться расположи́ть к себе́

cotton-cake ['kɒtnkeɪk] *n* хло́пковый жмых

cotton gin ['kɒtndʒɪn] *n текст.* волокноотдели́тель

cotton grass ['kɒtngrɑ:s] *n бот.* пуши́ца

cotton-grower ['kɒtn,grəʊə] *n* хлопково́д

cotton-lord ['kɒtnlɔ:d] *n* тексти́льный магна́т

cotton-machine ['kɒtnmə,ʃi:n] *n* бумагопряди́льная маши́на

cotton mill ['kɒtnmɪl] *n* хлопкопряди́льная фа́брика

cottonocracy [,kɒtə'nɒkrəsɪ] *n шутл.* магна́ты хло́пковой торго́вли и хлопчатобума́жной промы́шленности

Cottonopolis [,kɒtə'nɒpəlɪs] *n шутл. г.* Ма́нчестер (*как центр хлопчатобумажной промышленности*)

cotton-picker ['kɒtn,pɪkə] *n* 1) сбо́рщик хло́пка 2) хлопкоубо́рочная маши́на

cotton-plant ['kɒtnplɑ:nt] *n* хлопча́тник

cotton-planter ['kɒtn,plɑ:ntə] *n* хлопково́д

cotton-spinner ['kɒtn,spɪnə] *n* 1) хлопкопряди́льщик 2) владе́лец бумагопряди́льни

cottontail ['kɒtnteɪl] *n* америка́нский кро́лик

cotton waste [,kɒtn'weɪst] *n текст.* 1) обти́рочный материа́л 2) уга́р

cotton weed ['kɒtnwi:d] = cudweed

cotton wool ['kɒtnwʊl] *n* 1) хло́пок-сыре́ц 2) ва́та

cottony ['kɒtnɪ] *a* 1) хло́пковый 2) пуши́стый, мя́гкий

cotton yarn ['kɒtnjɑ:n] *n* хлопчатобума́жная пряжа

cotyledon [,kɒtɪ'li:dn] *n бот.* семядо́ля

couch I [kaʊtʃ] **1.** *n* 1) куше́тка; тахта́ 2) *поэт.* ло́же 3) ло́говище, берло́га; нора́ 4) *жив.* грунт, предвари́тельный слой (*краски, лака на холсте*)

2. *v* 1) излага́ть, выража́ть, формули́ровать; the refusal was ~ed in polite terms отка́з был облечён в ве́жливую фо́рму 2) (*тк. в р. р.*) ложи́ться 3) лежа́ть, притаи́ться (*о зверях*) 4) взять наперевес, на́ руку (*копьё, пику*) 5) *мед.* удаля́ть катара́кту 6) *с.-х.* прора́щивать (*семена и т. п.*)

couch II [kaʊtʃ] = couch-grass

couchette [ku:'ʃet] *n* спа́льное ме́сто (*в вагоне*)

couch-grass ['kaʊtʃgrɑ:s] *n бот.* пыре́й ползу́чий

cougar ['ku:gə] *n зоол.* пу́ма, кугуа́р

cough [kɒf] **1.** *n* ка́шель

2. *v* ка́шлять ▭ ~ **down** ка́шлем заста́вить замолча́ть (*говорящего*); ~ **out** отха́ркивать; ~ **up** *разг.* а) = ~ out; б) сболтну́ть, проболта́ться, вы́дать (*что-л.*); в) вы́жать из себя́

cough-drop ['kɒfdrɒp] *n* сре́дство от ка́шля

cough-lozenge ['kɒf,lɒzɪndʒ] *n* табле́тки от ка́шля

could [kʊd] *v модальный глагол* 1) *past от* can I; the boy said he ~ speak English fluently ма́льчик сказа́л, что мо́жет свобо́дно говори́ть по-англи́йски; I ~ not understand what he said я не мог поня́ть, что он сказа́л 2) *в условных предложениях с простым инфинитивом выражает реальную возможность совершения действия*: you ~ learn the poem easily if you try hard ты мог бы легко́ вы́учить стихотворе́ние, е́сли бы о́чень постара́лся 3) *с перфектным инфинитивом выражает неосуществлённую возможность в прошлом*: you ~ have informed me of your arrival вы могли́ бы сообщи́ть мне о своём прие́зде (*но не сообщили*) 4) *в вопр. и отриц. предложениях выражает большую степень сомнения*: ~ it really be so terrible? неуже́ли э́то действи́тельно так ужа́сно?; they couldn't have left without seeing us не мо́жет быть, что́бы они́ уе́хали, не повида́в нас 5) *выражает просьбу в вежливой форме*: ~ you show me the way to the railway station? пожа́луйста, покажи́те мне доро́гу на вокза́л 6) *выражает желание, склонность*: I ~ jump for joy мне хоте́лось пры́гать от ра́дости

coulee ['ku:lɪ] *n* 1) *геол.* отверде́вший пото́к ла́вы 2) *амер.* глубо́кий овра́г; сухо́е ру́сло

coulisse [ku:'li:s] *n* 1) *театр.* кули́са 2) *тех.* вы́емка, паз 3) *attr.*: ~ gossip закули́сные спле́тни

couloir ['ku:lwɑ:] *n* уще́лье

coulomb ['ku:lɒm] *n эл.* куло́н

coulter ['kəʊltə] *n* реза́к, нож плу́га

council ['kaʊnsl] *n* 1) сове́т; Security C. Сове́т Безопа́сности; town ~ муниципалите́т, городско́й сове́т; ~ of war вое́нный сове́т (*тж. перен.*) 2) совеща́ние; ~ of physicians конси́лиум враче́й 3) церко́вный собо́р 4) *библ.* синедрио́н

council-board ['kaʊnslbɔ:d] *n* 1) заседа́ние сове́та 2) стол, за кото́рым происхо́дит заседа́ние сове́та

councillor ['kaʊnsɪlə] *n* член сове́та; сове́тник

councilman ['kaʊnslmən] *n амер.* член сове́та (*особ. муниципального*)

counsel ['kaʊnsl] **1.** *n* 1) сове́т; to give good ~ дать хоро́ший сове́т 2) обсужде́ние, совеща́ние; to take ~ with совеща́ться с 3) адвока́т; юриско́нсульт; гру́ппа адвока́тов (*в каком-л. деле, процессе*); King's (*или* Queen's) C. короле́вский адвока́т (*по назначению правительства*) 4) наме́рение; пла́ны; to keep one's own ~ пома́лкивать; держа́ть в секре́те

2. *v* дава́ть сове́т; рекомендова́ть

counsellor ['kaʊnslə] *n* 1) сове́тник 2) *амер.*, *ирл.* адвока́т

count I [kaʊnt] **1.** *n* 1) счёт, подсчёт; to keep ~ вести́ счёт, учёт, подсчёт; to lose ~ потеря́ть счёт 2) сосчи́танное число́; ито́г 3) *юр.* пункт обвини́тельного а́кта, доста́точный для возбужде́ния де́ла 4) *физ.* одино́чный и́мпульс 5) *текст.* но́мер пря́жи (*тж.* ~ of yarn)

2. *v* 1) счита́ть, подсчи́тывать, пересчи́тывать; it can be ~ed on one hand по па́льцам мо́жно сосчита́ть 2) принима́ть во внима́ние, счита́ть; there are ten of us ~ing the children вме́сте с детьми́ нас де́сять (челове́к) 3) полага́ть, счита́ть 4) име́ть значе́ние; идти́ в расчёт; this does not ~ э́то не счита́ется, не идёт в расчёт; every little ~s вся́кий пустя́к име́ет значе́ние; he does not ~ с ним не сто́ит счита́ться ▭ ~ **for** сто́ить; име́ть значе́ние; to ~ for much (little) име́ть большо́е (ма́лое) значе́ние; to ~ for nothing не идти́ в счёт; не име́ть никако́го значе́ния; ~ **in** включа́ть; ~ **on** рассчи́тывать на *что-л.*, на *кого-л.*; ~ **out** а) отсчи́тывать; опуска́ть, пропуска́ть; б) *спорт.* объяви́ть боксёра нокаути́рованным; в) исключи́ть, не счита́ть, не принима́ть во внима́ние; г) *парл.* отложи́ть заседа́ние из-за отсу́тствия кво́рума; д) *амер.* производи́ть неве́рный подсчёт избира́телей; ~ **upon** = ~ on

count II [kaʊnt] *n* граф (*не английский*)

countable ['kaʊntəbl] *a* исчисли́мый, исчисля́емый

countdown ['kaʊntdaʊn] *n* 1) отсчёт вре́мени в обра́тном поря́дке 2) (от)счёт вре́мени пе́ред за́пуском (*ракеты и т. п.*); счёт вре́мени гото́вности (*ракеты и т. п.*)

countenance ['kaʊntənəns] **1.** *n* 1) выраже́ние лица́; лицо́; to change one's ~ измени́ться в лице́; to keep one's ~ а) не пока́зывать ви́да; б) уде́рживаться от сме́ха 2) споко́йствие, самооблада́ние; to lose ~ потеря́ть самооблада́ние; to put smb. out of ~ смути́ть кого́-л.; привести́ кого́-л. в замеша́тельство 3) сочу́вственный взгляд; проявле́ние сочу́вствия; мора́льная подде́ржка, поощре́ние; to lend (*или* to give) one's ~ оказа́ть мора́льную подде́ржку; подбодри́ть

2. *v* 1) одобря́ть, санкциони́ровать, разреша́ть 2) мора́льно подде́рживать, поощря́ть; относи́ться сочу́вственно

counter I ['kaʊntə] *n* прила́вок; сто́йка; to serve behind the ~ служи́ть в мага-зи́не

counter II [ˈkaʊntə] *n* 1) фи́шка, ма́р-ка (*для счёта в играх*) 2) ша́шка (*в игре*) 3) *тех.* счётчик; тахо́метр

counter III [ˈkaʊntə] **1.** *n* 1) отраже́ние уда́ра; встре́чный уда́р, нанесённый одновре́ме́нно с пари́рованием уда́ра проти́вника 2) проти́вное, обра́тное; as a ~ to smth. в противове́с чему́-л. 3) хо́лка; загри́вок 4) *мор.* кормово́й подзо́р 5) за́дник (*сапога*) 6) восьмёрка (*конькобежная фигура*)

2. *a* противополо́жный; обра́тный; встре́чный

3. *adv* обра́тно; в обра́тном направле́нии; напро́тив; to run ~ идти́ про́тив

4. *v* 1) противостоя́ть; проти́виться; противоре́чить; to ~ a claim опроверга́ть утвержде́ние 2) *спорт.* нанести́ встре́чный уда́р (*в боксе*)

counter- [ˌkaʊntə-] *pref* противо-, контр-

counteract [ˌkaʊntərˈækt] *v* 1) проти-водействовать 2) нейтрализова́ть

counteraction [ˌkaʊntərˈækʃn] *n* 1) противоде́йствие 2) нейтрализа́ция 3) *юр.* встре́чный иск

counteractive [ˌkaʊntərˈæktɪv] *a* 1) противоде́йствующий 2) нейтрализу́ю-щий

counterattack [ˈkaʊntərəˌtæk] **1.** *n* контрата́ка, контрнаступле́ние

2. *v* контратакова́ть

counter attraction [ˌkaʊntərəˈtrækʃn] *n* 1) обра́тное притяже́ние 2) отвлека́ю-щее сре́дство

counterbalance 1. *n* [ˈkaʊntəbæləns] противове́с

2. *v* [ˌkaʊntəˈbæləns] уравнове́шивать, служи́ть противове́сом

counterblast [ˈkaʊntəblɑːst] *n* 1) встре́чный поры́в ве́тра 2) контрме́ра; энерги́чный проте́ст (*против чего-л.*) 3) серьёзное обвине́ние

counterblow [ˈkaʊntəbləʊ] *n* встре́ч-ный уда́р, контруда́р

countercharge [ˈkaʊntətʃɑːdʒ] **1.** *n* встре́чное обвине́ние

2. *v* предъявля́ть встре́чное обвине́ние

countercheck [ˈkaʊntətʃek] *n* противо-де́йствие; препя́тствие

counterclaim [ˈkaʊntəkleɪm] **1.** *n* встре́чный иск, контрпрете́нзия

2. *v* предъявля́ть встре́чный иск

counterclockwise [ˌkaʊntəˈklɒkwaɪz] *adv* про́тив (движе́ния) часово́й стре́лки

counterespionage [ˌkaʊntərˈespɪənɑːʒ] *n* контрразве́дка

counterfeit [ˈkaʊntəfɪt] **1.** *n* 1) подде́л-ка 2) *уст.* обма́нщик; подставно́е лицо́

2. *a* 1) подде́льный, подло́жный; фальши́вый 2) притво́рный; ~ grief при-тво́рное го́ре

3. *v* 1) подде́лывать 2) подража́ть; быть похо́жим 3) притворя́ться; обма́ны-вать

counterfoil [ˈkaʊntəfɔɪl] *n* корешо́к че́-ка, квита́нции, биле́та *и т. п.*

counterfort [ˈkaʊntəfɔːt] *n* *стр.* контр-фо́рс, подпо́рка

counterintelligence [ˌkaʊntərɪnˈtelɪdʒəns] *n* контрразве́дка

counterirritant [ˌkaʊntərˈɪrɪtənt] *n* *мед.* оття́гивающее *или* отвлека́ющее сре́дст-во

counter-jumper [ˌkaʊntəˈdʒʌmpə] *разг. пренебр. см.* counterman

counterman [ˈkaʊntəmən] *n* продаве́ц, прика́зчик

countermand [ˌkaʊntəˈmɑːnd] **1.** *n* контрприка́з; прика́з в отме́ну пре́жнего прика́за

2. *v* 1) отменя́ть прика́з(а́ние) *или* за-ка́з 2) отзыва́ть (*лицо, воинскую часть*)

countermarch [ˈkaʊntəmɑːtʃ] **1.** *n* *воен.* контрма́рш

2. *v* возвраща́ться обра́тно *или* в об-ра́тном поря́дке

countermark [ˈkaʊntəmɑːk] *n* конт-ро́льное *или* проби́рное клеймо́

countermeasure [ˈkaʊntəˌmeʒə] *n* контрме́ра

countermine [ˈkaʊntəˌmaɪn] **1.** *n* контрми́на

2. *v* 1) закла́дывать контрми́ны 2) расстра́ивать про́иски

counteroffensive [ˌkaʊntərəˈfensɪv] *n* *воен.* контрнаступле́ние

counterpane [ˈkaʊntəpeɪn] *n* стёганое покрыва́ло (*на кровати*)

counterpart [ˈkaʊntəpɑːt] *n* 1) двойни́к 2) то́чная ко́пия 3) что-л. (*человек или вещь*), дополня́ющее друго́е, хорошо́ сочета́ющееся с други́м 4) *юр.* дубли-ка́т 5) *юр.* проти́вная сторона́ (*в процессе*)

counterplot [ˈkaʊntəplɒt] **1.** *n* контрза́-говор

2. *v* организова́ть контрза́говор

counterpoint [ˈkaʊntəpɔɪnt] *n* *муз.* контрапу́нкт

counterpoise [ˈkaʊntəpɔɪz] **1.** *n* 1) про-тивове́с 2) равнове́сие

2. *v* уравнове́шивать

counterrevolution [ˌkaйntərevəˈluːʃn] *n* контрреволю́ция

counterrevolutionary [ˌkaʊntərevəˈluːʃnərɪ] **1.** *n* контрреволюционе́р

2. *a* контрреволюцио́нный

counterscarp [ˈkaʊntəskɑːp] *n* *воен.* контрэска́рп

countershaft [ˈkaʊntəʃɑːft] *n* *тех.* контрприво́д, промежу́точный вал

countersign [ˈkaʊntəsaɪn] **1.** *n* 1) *воен.* паро́ль 2) скре́па, контрассигна́ция

2. *v* скрепля́ть (*документ*) по́дписью, ста́вить втору́ю по́дпись

countersink [ˈkaʊntəsɪŋk] *тех.* **1.** *n* зенко́вка, кони́ческий зе́нкер

2. *v* зенкова́ть

countervail [ˌkaʊntəˈveɪl] *v* компенси́-ровать; уравнове́шивать

countervailing duty [kaʊntəˌveɪlɪŋˈdjuːtɪ] *n* *эк.* компенсацио́нная по́шли-на

counterweigh [ˌkaʊntəˈweɪ] *v* уравно-ве́шивать

counterweight [ˈkaʊntəweɪt] *n* проти-вове́с, контргру́з

counterwork 1. *n* [ˈkaʊntəwɜːk] проти-водействие

2. *v* [ˌkaʊntəˈwɜːk] противоде́йство-вать; расстра́ивать (*планы*)

countess [ˈkaʊntɪs] *n* графи́ня

countinghouse [ˈkaʊntɪŋhaʊs] *n* бух-галте́рия

counting-room [ˈkaʊntɪŋruːm] *амер.* = countinghouse

countless [ˈkaʊntlɪs] *a* несчётный, бесчи́сленный, неисчисли́мый

countrified [ˈkʌntrɪfaɪd] *a* име́ющий дереве́нский вид

country [ˈkʌntrɪ] *n* 1) страна́ 2) дере́в-ня (*в противоположность городу*); се́льская ме́стность; in the ~ за́ городом; в дере́вне; на да́че; in the open ~ на ло́не приро́ды 3) перифери́я, прови́нция 4) ро́дина, оте́чество (*тж.* old ~); to leave the ~ уе́хать за грани́цу 5) ме́стность; террито́рия 6) о́бласть, сфе́ра; this subject is quite unknown ~ to me э́тот воп-ро́с — чу́ждая мне о́бласть 7) жи́тели страны́, населе́ние 8) *attr.* се́льский; дереве́нский ◇ to appeal (*или* to go) to the ~ распусти́ть парла́мент и назна́чить но́-вые вы́боры

country cousin [ˌkʌntrɪˈkʌzn] *n* 1) ро́д-ственник из прови́нции 2) провинциа́л, впервы́е уви́девший го́род

country-dance [ˌkʌntrɪˈdɑːns] *n* контр-да́нс (*танец*)

countryfolk [ˈkʌntrɪfəʊk] *n pl* се́льские жи́тели

country house [ˌkʌntrɪˈhaʊs] *n* 1) по-ме́щичий дом 2) за́городный дом, да́ча

countryman [ˈkʌntrɪmən] *n* 1) соотéче-ственник, земля́к 2) крестья́нин, се́ль-ский жи́тель

country party [ˌkʌntrɪˈpɑːtɪ] *n* агра́р-ная па́ртия

country seat [ˌkʌntrɪˈsiːt] *n* поме́стье; име́ние

countryside [ˈkʌntrɪsaɪd] *n* 1) се́льская ме́стность; окру́га 2) ме́стное се́льское населе́ние

country town [ˈkʌntrɪˌtaʊn] *n* провин-циа́льный го́род

countrywoman [ˈkʌntrɪˌwʊmən] *n* 1) сооте́чественница, земля́чка 2) кресть-я́нка, се́льская жи́тельница

county [ˈkaʊntɪ] *n* 1) гра́фство (*административная единица в Англии*); о́к-руг (*в США*) 2) жи́тели гра́фства *или* о́круга 3) *attr.* относя́щийся к гра́фству *или* о́кругу; окружно́й; ~ borough го́род с населе́нием свы́ше 50 ты́сяч, админи-страти́вно вы́деленный в самостоя́тель-ную едини́цу; ~ council сове́т гра́фства *или* о́круга; ~ court ме́стный суд гра́фст-ва *или* о́круга; ~ town (*или* seat) гла́вный го́род гра́фства *или* о́круга

coup [kuː] *n* уда́чный ход; уда́ча в де-ла́х

coup de grâce [ˌkuːdəˈgrɑːs] *фр.* *n* за-верша́ющий смерте́льный уда́р

coup d'état [ˌku:deɪ'tɑ:] *фр. n* государственный переворо́т

coupé ['ku:peɪ] *n* 1) двухме́стная каре́та 2) двухме́стный закры́тый автомоби́ль 3) *ж.-д.* двухме́стное купе́

couple ['kʌpl] **1.** *n* 1) два, па́ра; lend me a ~ of pencils дай мне па́ру карандаше́й 2) чета́, па́ра 3) сво́ра 4) па́ра борзы́х на сво́ре *или* го́нчих на смы́чке 5) *тех.* па́ра сил 6) *эл.* элеме́нт ◇ to hunt in ~s быть неразлу́чными

2. *v* 1) соединя́ть 2) свя́зывать, ассоции́ровать 3) пожени́ться 4) спа́риваться 5) *ж.-д.* сцепля́ть

coupler ['kʌplə] *n* 1) сце́пщик 2) *тех.* сце́пка; соедини́тельный прибо́р; сцепля́ющая му́фта 3) *радио* устро́йство свя́зи

couplet ['kʌplət] *n* рифмо́ванное двусти́шие

coupling ['kʌplɪŋ] **1.** *pres. p. от* couple 2

2. *n* 1) соедине́ние; стыко́вка (*косми́ческих корабле́й*) 2) совокупле́ние; спа́ривание 3) *тех.* му́фта; сцепле́ние; сопряже́ние 4) *радио* связь

coupon ['ku:pɒn] *n* 1) купо́н; тало́н (*продово́льственной или промтова́рной ка́рточки*) 2) *полит.* са́нкция ли́дера па́ртии кандида́ту от па́ртии на вы́борах

courage ['kʌrɪdʒ] *n* хра́брость, сме́лость, отва́га, му́жество; to muster (*или* to pluck) (up) ~ отва́житься, набра́ться хра́брости; to lose ~ испуга́ться; to have the ~ of one's convictions (*или* opinions) име́ть му́жество поступа́ть согла́сно свои́м убежде́ниям ◇ Dutch ~ сме́лость во хмелю́

courageous [kə'reɪdʒəs] *a* сме́лый, отва́жный, хра́брый

courier ['kʊrɪə] *n* 1) аге́нт 2) курье́р, наро́чный, посы́льный

course [kɔ:s] **1.** *n* 1) курс, направле́ние 2) ход; тече́ние; ~ of events ход собы́тий; in the ~ of a year в тече́ние го́да; the ~ of nature есте́ственный, норма́льный поря́док веще́й 3) тече́ние (*реки́*) 4) поря́док; о́чередь, постепе́нность; in ~ по о́череди, по поря́дку; in due ~ а) своевре́менно; б) до́лжным о́бразом 5) ли́ния поведе́ния, де́йствия 6) курс (*ле́кций, обуче́ния, лече́ния*) 7) блю́до; a dinner of three ~s обе́д из трёх блюд 8): ~ of exchange валю́тный курс 9) скаково́й круг 10) *стр.* горизонта́льный ряд кла́дки 11) *мор.* ни́жний прямо́й па́рус 12) *геол.* простира́ние за́лежи; пласт (*угля́*), жи́ла 13) *pl физиол.* менструа́ция ◇ a matter of ~ не́что само́ собо́й разуме́ющееся; of ~ коне́чно

2. *v* 1) бежа́ть, течь 2) гна́ться за ди́чью (*о го́нчих*); охо́титься с го́нчими 3) пресле́довать, гна́ться по пята́м 4) *горн.* прове́тривать

courser ['kɔ:sə] *n* 1) рыса́к 2) *поэт.* (боево́й) конь

court [kɔ:t] **1.** *n* 1) суд; *амер. тж.* судья́, су́дьи; Supreme C. Верхо́вный суд; ~ of justice суд; C. of Appeal апелляцио́нный суд; to be out of ~ потеря́ть пра́во на иск; *перен.* потеря́ть си́лу; this book is now out of ~ э́та кни́га тепе́рь устаре́ла 2) площа́дка для игр; корт 3) двор 4) двор (*короля́ и т. п.*); to hold a ~ устра́ивать приём при дворе́ 5) уха́живание; to make (*или* to pay) ~ to smb. уха́живать за кем-л. 6) *амер.* правле́ние (*предприя́тия*)

2. *v* 1) уха́живать; иска́ть расположе́ния, популя́рности 2) добива́ться (*ле́стью и т. п.*), напра́шиваться (*на похвалу́ и т. п.*); to ~ applause стреми́ться сорва́ть аплодисме́нты 3) соблазня́ть (into, to, from) 4) навлека́ть, наклика́ть (*на себя́*); to ~ disaster накли́кать несча́стье

court card ['kɔ:tkɑ:d] *n* фигу́рная ка́рта в коло́де

courteous ['kɜ:tɪəs] *a* ве́жливый, учти́вый, обходи́тельный

courtesan [ˌkɔ:tɪ'zæn] *n* куртиза́нка

courtesy ['kɜ:tɪsɪ] *n* учти́вость, обходи́тельность, ве́жливость; пра́вила ве́жливости, этике́т; by (the) ~ of... благодаря́ любе́зности...; as a matter of ~ в поря́дке любе́зности ◇ ~ title ти́тул, носи́мый по обы́чаю, а не по зако́ну (*напр.*, honourable); ~ of the port освобожде́ние от тамо́женного осмо́тра багажа́

courtezan [ˌkɔ:tɪ'zæn] = courtesan

courthouse ['kɔ:thaʊs] *n* 1) зда́ние суда́ 2) зда́ние, в кото́ром помеща́ются ме́стные о́рганы управле́ния (*в гра́фстве или о́круге*)

courtier ['kɔ:tɪə] *n* 1) придво́рный 2) льстец

courtliness ['kɔ:tlɪnəs] *n* 1) ве́жливость, учти́вость; изы́сканность 2) льсти́вость

courtly ['kɔ:tlɪ] *a* 1) ве́жливый; изы́сканный 2) льсти́вый

court-martial [ˌkɔ:t'mɑ:ʃl] **1.** *n* (*pl* courts martial) вое́нный суд, трибуна́л

2. *v* суди́ть вое́нным судо́м

court plaster ['kɔ:tˌplɑ:stə] *n* лейкопла́стырь

courtship ['kɔ:tʃɪp] *n* уха́живание

courts martial [ˌkɔ:ts'mɑ:ʃl] *pl от* court-martial

courtyard ['kɔ:tjɑ:d] *n* вну́тренний двор

cousin ['kʌzn] *n* 1) двою́родный брат, кузе́н; двою́родная сестра́, кузи́на (*тж.* first ~, ~ german); second ~ трою́родный брат; трою́родная сестра́; first ~ once removed ребёнок двою́родного бра́та *или* двою́родной сестры́ 2) ро́дственник; to call ~ (*или* ~s) with smb. счита́ть кого́-л. родне́й, претендова́ть на родство́ с кем-л. 3) *ист.* ти́тул, применя́емый лицо́м короле́вского ро́да в обраще́нии к друго́му лицу́ короле́вского ро́да в свое́й стране́ ◇ forty-second ~ да́льний ро́дственник; ~ Betty слабоу́мный (челове́к)

couth [ku:θ] *a* воспи́танный, культу́рный

couture [kʊ'tjʊə] *n* модели́рование мо́дной дорого́й оде́жды

couturier [kʊ'tjʊəreɪ] *n* кутюрье́, да́мский портно́й

cove I [kəʊv] **1.** *n* 1) бу́хточка; убе́жище среди́ скал 2) *стр.* свод; вы́кружка

2. *v стр.* сооружа́ть свод

cove II [kəʊv] *n уст. разг.* па́рень, ма́лый

coven ['kʌvn] *n* сбо́рище; ша́баш ведьм

covenant ['kʌvənənt] **1.** *n* 1) соглаше́ние, договорённость 2) *юр.* догово́р; отде́льная статья́ догово́ра; C. of the League of Nations *ист.* статья́ Верса́льского догово́ра об учрежде́нии Ли́ги На́ций 3) (C.) *библ.* заве́т; the books of the Old and the New C. кни́ги Ве́тхого и Но́вого заве́та; land of the C. «земля́ обетова́нная»

2. *v* заключа́ть соглаше́ние

covenanted ['kʌvənəntɪd] **1.** *p. p. от* covenant 2

2. *a* свя́занный догово́ром

coventrate ['kʌvəntreɪt] *v* подверга́ть разруши́тельной бомбардиро́вке с во́здуха

coventrize ['kʌvəntraɪz] = coventrate

cover ['kʌvə] **1.** *n* 1) (по)кры́шка; обёртка; чехо́л; покрыва́ло; футля́р, колпа́к 2) обло́жка, переплёт, кры́шка переплёта; to read from ~ to ~ проче́сть от ко́рки до ко́рки (*о кни́ге*) 3) конве́рт; under the same ~ в том же конве́рте 4) убе́жище, укры́тие; прикры́тие; засло́н; under ~ в укры́тии, под защи́той [*ср. тж.* 6) *и* 5)]; to take ~ укры́ться 5) покро́в; under ~ of darkness под покро́вом темноты́ [*ср. тж.* 4) *и* 6)] 6) ши́рма; предло́г; отгово́рка, личи́на, ма́ска; under ~ of friendship под личи́ной дру́жбы [*ср. тж.* 4) *и* 5)] 7) *ком.* гаранти́йный фонд 8) куве́рт, прибо́р (*обе́денный*) 9) обши́вка 10) *воен.* прикры́тие 11) = cover point

2. *v* 1) закрыва́ть; покрыва́ть; накрыва́ть; прикрыва́ть; перекрыва́ть; to ~ a wall with paper окле́ивать сте́ну обо́ями; to ~ one's face with one's hands закры́ть лицо́ рука́ми; to ~ the retreat прикрыва́ть отступле́ние; to ~ one's tracks замета́ть свои́ следы́ 2) укрыва́ть, огражда́ть, защища́ть; he ~ed his friend from the blow with his own body он свои́м те́лом закры́л дру́га от уда́ра 3) скрыва́ть; to ~ one's confusion (annoyance) скрыть (*или* не показа́ть) своё смуще́ние (доса́ду) 4) охва́тывать; относи́ться (*к чему́-л.*); the book ~s the whole subject кни́га даёт исче́рпывающие све́дения по всему́ предме́ту 5) преодолева́ть, проходи́ть (*како́е-л. расстоя́ние*); *спорт.* пройти́ (*диста́нцию*) 6) расстила́ться; распространя́ться; the city ~s ten square miles го́род занима́ет де́сять квадра́тных миль 7) дава́ть материа́л, отчёт (*для пре́ссы*) 8) разреша́ть, предусма́тривать; the circumstances are ~ed by this clause обстоя́тельства предусмо́трены э́тим пу́нктом 9) прикрыва́ть огнём, держа́ть под обстре́лом; держа́ть под угро́зой 10) покрыва́ть (*кобы́лу и т. п.*) 11) сиде́ть (*на яйца́х*) ▭ ~ in а) закры́ть; б) заброса́ть землёй (*могилу*); ~ **over** скрыть, прикры́ть; ~ **up** спря́тать, тща́тельно прикры́ть

coverage [ˈkʌvərɪdʒ] *n* 1) охва́т 2) освеще́ние в печа́ти, по ра́дио *и т. п.* 3) зо́на де́йствия; ра́диус слы́шимости (*радиостанции и т. п.*)

coverall(s) [ˈkʌvərɔ:l(z)] *n* (*pl*) рабо́чий комбинезо́н, спецоде́жда

cover crop [ˈkʌvəkrɒp] *n с.-х.* покро́вная культу́ра

covered [ˈkʌvəd] **1.** *p. p. от* cover 2

2. *a* 1) (за)кры́тый; укры́тый, защищённый 2) в шля́пе; pray be ~ пожа́луйста, наде́нь(те) шля́пу; to remain ~ не снима́ть шля́пы

cover girl [ˈkʌvə,gɜ:l] *n* хоро́шенькая де́вушка, изображе́ние кото́рой помеща́ют на обло́жке журна́ла; журна́льная красо́тка

covering [ˈkʌvərɪŋ] **1.** *pres. p. от* cover 2

2. *n* 1) покры́шка, чехо́л; покрыва́ло, одея́ло; оболо́чка; покро́в 2) общи́вка; облицо́вка 3) насти́л, покры́тие 4) засы́пка

3. *a* 1) сопроводи́тельный; ~ letter сопроводи́тельное письмо́; ~ note сопроводи́тельная запи́ска 2) *воен.*: ~ party прикры́тие; ~ sergeant замыка́ющий сержа́нт

coverlet [ˈkʌvələt] *n* покрыва́ло; одея́ло

coverlid [ˈkʌvəlɪd] = coverlet

cover-point [,kʌvəˈpɔɪnt] *n спорт.* 1) защи́тник (*в крикете*) 2) ме́сто защи́тника (*в крикете*)

covert [ˈkʌvət] **1.** *n* 1) убе́жище для ди́чи (*лес, чаща*) 2) *текст.* коверко́т (*тж.* ~ cloth) 3) *pl* опере́ние

2. *a* скры́тый, завуали́рованный, та́йный; ~ glance взгляд укра́дкой

coverture [ˈkʌvətjʊə] *n* 1) укры́тие, убе́жище 2) *юр. ист.* ста́тус заму́жней же́нщины

cover-up [ˈkʌvərʌp] *n* 1) прикры́тие; «дымова́я заве́са» 2) предло́г

covet [ˈkʌvɪt] *v* жа́ждать, домога́ться (*чужого, недоступного*)

covetous [ˈkʌvɪtəs] *a* 1) зави́стливый 2) жа́дный, а́лчный (of) 3) скупо́й

covey [ˈkʌvɪ] *n* 1) вы́водок, ста́я (*особ. куропаток*); to spring a ~ вспугну́ть ста́ю 2) *шутл.* ста́йка, гру́ппа (*особ. детей, женщин*)

cow I [kaʊ] *n* 1) (*pl* -s [-z], *уст. тж.* kine) коро́ва 2) са́мка слона́, носоро́га, кита́, тюле́ня *и т. д.* ◇ till the ~s come home ≅ по́сле до́ждичка в четве́рг

cow II [kaʊ] *v* запу́гивать, терроризи́ровать; усмиря́ть

coward [ˈkaʊəd] **1.** *n* трус

2. *a* 1) трусли́вый 2) ро́бкий; малоду́шный

cowardice [ˈkaʊədɪs] *n* 1) тру́сость 2) малоду́шие; ро́бость

cowardly [ˈkaʊədlɪ] **1.** *a* трусли́вый; малоду́шный

2. *adv редк.* трусли́во

cowberry [ˈkaʊbərɪ] *n* брусни́ка

cowboy [ˈkaʊbɔɪ] *n амер.* ковбо́й

cowcatcher [ˈkaʊ,kætʃə] *n амер. ж.-д.* скотосбра́сыватель (*на паровозе*)

cower [ˈkaʊə] *v* сжима́ться, съёживаться (*от страха, холода*)

cowfish [ˈkaʊfɪʃ] *n* 1) морска́я коро́ва 2) се́рый дельфи́н

cow-heel [ˈkaʊhi:l] *n* говя́жий сту́день (*из ножек*)

cowherd [ˈkaʊhɜ:d] *n* пасту́х

cowhide [ˈkaʊhaɪd] **1.** *n* 1) воло́вья ко́жа 2) *амер.* плеть из воло́вьей ко́жи

2. *v* стега́ть ремнём

cow-house [ˈkaʊhaʊs] *n* хлев

cowl [ˈkaʊl] *n* 1) ря́са, сута́на с капюшо́ном; капюшо́н 2) зонт над дымово́й трубо́й 3) капо́т дви́гателя 4) *ав.* обтека́тель

cow-leech [ˈkaʊli:tʃ] *n разг.* ветерина́р

cowlick [ˈkaʊlɪk] *n* вихо́р, чуб

cowling [ˈkaʊlɪŋ] *n ав.* капо́т дви́гателя, обтека́тель

cowman [ˈkaʊmən] *n* 1) рабо́чий на ра́нчо 2) *амер.* скотопромы́шленник

co-worker [,kəʊˈwɜ:kə] *n* сотру́дник

cowpox [ˈkaʊpɒks] *n мед.* коро́вья о́спа

cowpuncher [ˈkaʊ,pʌntʃə] *n амер. разг.* ковбо́й

cowrie, cowry [ˈkaʊrɪ] *n* кау́ри (*раковина, заменяющая деньги в некоторых частях Азии и Африки*)

cowshed [ˈkaʊʃed] *n* хлев, коро́вник

cowslip [ˈkaʊslɪp] *n бот.* 1) первоцве́т, и́стинный *или* апте́чный 2) *амер.* калу́жница боло́тная

cox [kɒks] *разг. сокр. от* coxswain

coxcomb [ˈkɒkskəʊm] *n* самодово́льный хлыщ, фат

coxcombical [ˈkɒks,kəʊmɪkl] *a* фатова́тый, самодово́льный

coxcombry [ˈkɒks,kəʊmrɪ] *n* самодово́льство, фатовство́

coxswain [ˈkɒksn] *n* 1) рулево́й 2) старшина́ шлю́пки

coxy [ˈkɒksɪ] = cocksy

coy [kɔɪ] *a* 1) засте́нчивый, скро́мный 2) (коке́тливо) ума́лчивающий (*о чём-л.*)

coyote [kɔɪˈəʊt] *n зоол.* лугово́й волк, койо́т

coyoting [kɔɪˈəʊtɪŋ] *n разг.* хи́щническая разрабо́тка недр

cozen [ˈkʌzn] *v книжн.* обма́нывать, моше́нничать

cozenage [ˈkʌznɪdʒ] *n книжн.* обма́н, надува́тельство

cozy [ˈkəʊzɪ] = cosy

crab I [kræb] *n* 1) ди́кое я́блоко 2) ди́кая я́блоня

crab II [kræb] **1.** *n* 1) *зоол.* краб 2) (C.) Рак (*созвездие и знак зодиака*) 3) *тех.* лебёдка, во́рот ◇ to catch a ~ ≅ «пойма́ть леща́»

2. *v* 1) цара́пать когтя́ми (*о хищной птице*) 2) *разг.* находи́ть недоста́тки, приди́рчиво критикова́ть 3) *мор.*, *ав.* сноси́ться ве́тром

crab III [kræb] *n разг.* 1) неудо́бство; неуда́ча 2) раздражи́тельный, ворчли́вый челове́к

crabbed [ˈkræbɪd] **1.** *p. p. от* crab II, 2

2. *a* 1) раздражи́тельный, ворчли́вый 2) тру́дно понима́емый; неразбо́рчивый (*о почерке*)

crabber [ˈkræbə] *n мор.* краболо́в

crabby [ˈkræbɪ] *a* раздражи́тельный

crack [kræk] **1.** *n* 1) треск; щёлканье (*хлыста*) 2) лома́ющийся го́лос (*у мальчика*) 3) уда́р; затре́щина 4) тре́щина; щель, рассе́лина; свищ 5) *разг.* остро́та, шу́тка; саркасти́ческое замеча́ние 6) кто-л. *или* что-л. замеча́тельное

2. *a разг.* великоле́пный, первокла́ссный; знамени́тый

3. *v* 1) дава́ть тре́щину, тре́скаться; раска́лывать(ся); коло́ть, расщепля́ть 2) производи́ть треск, шум, вы́стрел; щёлкать (*хлыстом*) 3) лома́ться (*о голосе*) 4) *тех.* подверга́ть (*нефть*) кре́кингу ▭ ~ **down** сломи́ть (*сопротивление*); ~ **up** *разг.* а) разбива́ться (вдре́безги); разруша́ться; потерпе́ть ава́рию (*о самолёте*); вы́звать ава́рию (*самолёта*); б) превозноси́ть; реклами́ровать; в) старе́ть; слабе́ть (*от старости*) ◇ to ~ a bottle распи́ть, «раздави́ть» буты́лку (вина́); to ~ a joke отпусти́ть шу́тку; to ~ a smile улыбну́ться; to ~ a record *амер.* поста́вить *или* поби́ть реко́рд; to ~ a window распахну́ть окно́

crackajack [ˈkrækədʒæk] *амер. sl.* **1.** *n* отли́чный па́рень; кла́ссная шту́ка

2. *a* отли́чный, кла́ссный

crack-brained [ˈkrækbreɪnd] *a* 1) слабоу́мный, поме́шанный 2) бессмы́сленный, неразу́мный (*о поведении, поступке*)

crackdown [ˈkrækdaʊn] *n* примене́ние суро́вых мер, жесто́кое пресле́дование

cracked [krækt] **1.** *p. p. от* crack 3

2. *a* 1) тре́снувший 2) пошатну́вшийся (*о репутации, кредите*) 3) вы́живший из ума́; his brains are ~ он ненорма́льный 4) ре́зкий; надтре́снутый (*о голосе*)

cracker [ˈkrækə] *n* 1) шути́ха, хлопу́шка-конфе́та 2) *pl* щипцы́ для оре́хов 3) сухо́е пече́нье, кре́кер 4) *амер.* бедня́к (*прозвище белых бедняков в южных штатах США*) 5) *sl.* ложь 6) *sl.* красо́тка; краса́вец 7) *тех.* дроби́лка

cracking [ˈkrækɪŋ] **1.** *pres. p. от* crack 3

2. *n тех.* кре́кинг

crackjack [ˈkrækdʒæk] *n sl.* ма́стер своего́ де́ла

crack-jaw [ˈkrækdʒɔ:] *a разг.* с трудо́м вы́гова́риваемый (*о слове*)

crackle [ˈkrækl] **1.** *n* потре́скивание; треск; хруст

2. *v* потре́скивать; хрусте́ть

crackling [ˈkræklɪŋ] **1.** *pres. p. от* crackle 2

2. *n* 1) треск; хруст 2) поджа́ристая

ко́рочка (*свинины*) 3) *pl* шква́рки ◇ bit of ~ *разг.* красо́тка

cracknel ['kræknl] *n* 1) сухо́е пече́нье 2) поджа́ристая свини́на 3) *pl* шква́рки

crackpot ['krækpɒt] *n разг.* ненорма́льный, чо́кнутый

cracksman ['kræksmən] *n* взло́мщик

cracky ['krækɪ] *a* 1) потре́скавшийся 2) легко́ тре́скающийся 3) *разг.* поме́шанный

cradle ['kreɪdl] **1.** *n* 1) колыбе́ль, лю́лька; from the ~ с колыбе́ли, прирождённый; from the ~ to the grave всю жизнь 2) нача́ло; исто́ки; младе́нчество; the ~ of civilization исто́ки цивилиза́ции 3) рыча́г (*телефона*); he dropped the receiver into its ~ он положи́л тру́бку 4) *тех.* ра́ма, опо́ра 5) *воен.* лю́лька (*орудия*) 6) *горн.* лото́к для промы́вки золотоно́сного песка́ 7) *мор.* спусковы́е сала́зки

2. *v* 1) кача́ть (как) в лю́льке; убаю́кивать 2) воспи́тывать с са́мого ра́ннего де́тства 3) *горн.* промыва́ть (*золотой песок*)

cradling ['kreɪdlɪŋ] **1.** *pres. p. от* cradle 2

2. *n* 1) кача́ние в лю́льке 2) *стр.* ра́ма; кружа́ло

craft [krɑːft] *n* 1) ло́вкость, уме́ние, иску́сство; сноро́вка 2) ремесло́ 3) су́дно; *собир.* суда́ вся́кого наименова́ния 4) самолёт(ы) 5) хи́трость, обма́н 6) (the C.) масо́нское бра́тство 7) *attr.* цехово́й; ~ union а) профсою́з, организо́ванный по цехово́му при́нципу, цехово́й профсою́з; б) *ист.* ги́льдия

craft-brother ['krɑːft,brʌðə] *n* това́рищ по ремеслу́

craftily ['krɑːftɪlɪ] *adv* 1) хи́тро 2) обма́нным путём

craftiness ['krɑːftɪnəs] *n* хи́трость, лука́вство

craftsman ['krɑːftsmən] *n* 1) иску́сный ма́стер, худо́жник 2) ма́стер, ремесле́нник

craftsmanship ['krɑːftsmənʃɪp] *n* мастерство́

crafty ['krɑːftɪ] *a* хи́трый, кова́рный

crag [kræg] *n* скала́, утёс

craggy ['krægɪ] *a* 1) скали́стый, изоби́лующий ска́лами 2) круто́й, отве́сный

cragsman ['krægzmən] *n* альпини́ст

crake [kreɪk] *n зоол.* коросте́ль, дерга́ч

cram [kræm] **1.** *n* 1) да́вка, толкотня́ 2) нахва́танные зна́ния 3) зубрёжка 4) *разг.* обма́н, мистифика́ция

2. *v* 1) переполня́ть; the theatre was ~med теа́тр был наби́т битко́м 2) впи́хивать, вти́скивать (into) 3) вбива́ть в го́лову; вталко́вывать;ната́скивать к экза́мену 4) на́спех зазу́бривать (*часто* ~ up) 5) пи́чкать, отка́рмливать 6) нае́даться 7) *разг.* лгать

crambo ['kræmbəʊ] *n* 1) игра́ в подыска́ние рифм 2) *пренебр.* рифмоплётство 3) ри́фма ◇ dumb ~ шара́да-пантоми́ма

cram-full [,kræm'fʊl] *a* наби́тый до отка́за

crammer ['kræmə] *n* 1) репети́тор, ната́скивающий к экза́мену 2) *разг.* ложь

cramp [kræmp] **1.** *n* 1) су́дорога, спазм 2) *pl амер.* ко́лики 3) *тех.* зажи́м, скоба́ 4) *горн.* цели́к

2. *v* 1) вызыва́ть су́дорогу, спа́змы 2) свя́зывать, стесня́ть (*движение*); меша́ть (*развитию*); су́живать 3) *тех.* скрепля́ть скобо́й

cramped [kræmpt] **1.** *p. p. от* cramp 2

2. *a* 1) страда́ющий от су́дорог 2) сти́снутый; стеснённый (*в пространстве*) 3) чрезме́рно сжа́тый (*о стиле*) 4) неразбо́рчивый (*о почерке*) 5) ограни́ченный (*об умственных способностях*)

cramp-fish ['kræmpfɪʃ] *n зоол.* электри́ческий скат

cramp-iron ['kræmp,aɪən] = crampon 2)

crampon ['kræmpɒn] *n* 1) *pl* шипы́ на подо́швах о́буви *или* на подко́вах 2) *тех.* желе́зный захва́т

cranage ['kreɪnɪdʒ] *n* 1) по́льзование подъёмным кра́ном 2) пла́та за по́льзование кра́ном

cranberry ['krænbərɪ] *n* клю́ква

cranc [kreɪn] **1.** *n* 1) жура́вль 2) *тех.* (грузо)подъёмный кран 3) *тех.* сифо́н

2. *v* 1) вытя́гивать ше́ю, что́бы лу́чше разгляде́ть (*часто* ~ out, ~ over, ~ down) 2) поднима́ть кра́ном 3) *разг.* остана́вливаться, колеба́ться пе́ред тру́дностями, опа́сностью (at)

crane fly ['kreɪnflaɪ] *n зоол.* долгоно́жка

cranesbill ['kreɪnzbɪl] *n бот.* гера́нь, жураве́льник

crania ['kreɪnɪə] *pl от* cranium

cranial ['kreɪnɪəl] *a* черепно́й

craniometry [,kreɪnɪ'ɒmətrɪ] *n* измере́ние че́репа, краниоме́трия

cranium ['kreɪnɪəm] *n* (*pl* -nia) че́реп

crank I [kræŋk] **1.** *n тех.* кривоши́п; коле́но; коле́нчатый рыча́г; заводна́я ру́чка, рукоя́тка

2. *v* 1) заводи́ть рукоя́тью 2) сгиба́ть

crank II [kræŋk] **1.** *n* 1) чуда́к, челове́к с причу́дами 2) при́хоть, причу́да 3) причу́дливый оборо́т (*речи*)

2. *a* 1) *см.* cranky 2) *мор.* ва́лкий

crankcase ['kræŋkkeɪs] *n тех.* ка́ртер дви́гателя

cranked [kræŋkt] **1.** *p. p. от* crank I, 2

2. *a* коле́нчатый, изо́гнутый

crankshaft ['kræŋkʃɑːft] *n тех.* коле́нчатый вал

crankweb ['kræŋkweb] *n тех.* плечо́ кривоши́па

cranky ['kræŋkɪ] *a* 1) эксцентри́чный 2) расша́танный, неиспра́вный (*о механизме*) 3) раздражённый, всем недово́льный; капри́зный; с причу́дами 4) *диал.* сла́бый (*о здоровье*) 5) изви́листый, по́лный закоу́лков

crannied ['krænɪd] *a* потре́скавшийся

cranny ['krænɪ] *n* щель, тре́щина

crap [kræp] *n* 1) *sl.* чепуха́ 2) *диал.* де́ньги ◇ to do (*или* to take) a ~ оправля́ться (*в уборной*)

crape [kreɪp] *n* 1) креп; *перен.* тра́ур 2) тра́урная повя́зка, повя́зка из кре́па

craped [kreɪpt] *a* 1) оде́тый в тра́ур 2) отде́ланный кре́пом

craps [kræps] *n амер.* аза́ртная игра́ в ко́сти ◇ ~! чёрт побери́!

crapulence ['kræpjʊləns] *n* 1) похме́лье 2) пья́ный разгу́л

crapulent ['kræpjʊlənt] *a* 1) предаю́щийся како́му-л. поро́ку (*распутству, пьянству, обжорству*) 2) в состоя́нии похме́лья 3) *разг.* пья́ный

crapulous ['kræpjʊləs] = crapulent

crapy ['kreɪpɪ] *a* кре́повый

craquelure ['krækə,ljʊə] *n жив.* кракелю́р

crash I [kræʃ] **1.** *n* 1) гро́хот; треск 2) си́льный уда́р при паде́нии, столкнове́нии 3) ава́рия, поло́мка, круше́ние 4) крах, банкро́тство

2. *adv* с гро́хотом, с тре́ском

3. *v* 1) па́дать, ру́шиться с тре́ском, гро́хотом (*часто* ~ through, ~ down); грохота́ть; to ~ into smth. наскочи́ть на что-л. с тре́ском 2) разби́ть, разру́шить; вы́звать ава́рию; to ~ a plane сбить самолёт 3) потерпе́ть ава́рию, круше́ние; разби́ться при паде́нии 4) потерпе́ть крах 5) *амер. разг.* прони́кнуть «за́йцем», без биле́та *или* без приглаше́ния; to ~ a party яви́ться без приглаше́ния; to ~ the gate пройти́ в теа́тр (*на концерт и т. п.*) без биле́та ▭ ~ in вторга́ться

crash II [kræʃ] *n* суро́вое полотно́, холст

crash helmet ['kræʃ,helmɪt] *n* защи́тный шлем (*лётчика, космонавта, водителя автомашины или мотоциклиста*)

crash-land ['kræʃlænd] *v ав.* соверши́ть (вы́нужденную) авари́йную поса́дку

crash landing ['kræʃ,lændɪŋ] *n ав.* (вы́нужденная) авари́йная поса́дка

crashproof ['kræʃpruːf] *a тех.* нелома́ющийся

crash-test ['kræʃtest] **1.** *n* авари́йное испыта́ние

2. *v* проводи́ть авари́йное испыта́ние

crass [kræs] *a* 1) полне́йший (*о невежестве и т. п.*) 2) гру́бый

crassitude ['kræsɪtjuːd] *n* кра́йняя ту́пость, глу́пость

cratch [krætʃ] *n* корму́шка (*для кормления животных на открытом воздухе*)

crate [kreɪt] **1.** *n* 1) (деревя́нный) я́щик; упако́вочная клеть *или* корзи́на 2) ра́ма стеко́льщика 3) *ав. жарг.* самолёт

2. *v* упако́вывать в кле́ти, корзи́ны

crater ['kreɪtə] *n* 1) кра́тер (*вулкана*) 2) воро́нка (*от снаряда*) 3) кра́тер (*сосуд в Древней Греции*)

cravat [krə'væt] *n* га́лстук; шарф

crave [kreɪv] *v* 1) стра́стно жела́ть, жа́ждать (for) 2) проси́ть, умоля́ть 3) тре́бовать (*об обстоятельствах*)

craven ['kreɪvn] **1.** *a* малоду́шный; трусли́вый; to cry ~ сда́ться; стру́сить

2. *n* трус

craving ['kreɪvɪŋ] 1. *pres. p. от* crave

2. *n* стрáстное желáние, стремлéние (for)

craw [krɔ:] *n* зоб (*у птицы*)

crawfish ['krɔ:fɪʃ] 1. *n* = crayfish

2. *v амер. разг.* идтú на попя́тный

crawl [krɔ:l] 1. *v* 1) пóлзать; ползтú; to ~ about éле передвигáть нóги (*о больном*) 2) пресмыкáться 3) кишéть (*насекомыми*; with) 4) чýвствовать мурáшки по тéлу 5) плáвать крóлем

2. *n* 1) пóлзание, мéдленное движéние; to go at a ~ ходúть, двúгаться мéдленно 2) пресмыкáтельство 3) кроль (*стиль плавания*; *тж.* ~ stroke)

crawler ['krɔ:lə] *n* 1) низкопоклóнник 2) ползýчее растéние; пóлзающее насекóмое 3) мéдленно éдущий извóзчик 4) *тех.* гýсеничный ход 5) *pl* ползункú (*одежда для детей*) 6) *attr. тех.* гýсеничный

crawly ['krɔ:lɪ] *a разг.* испы́тывающий ощущéние мурáшек по тéлу

crayfish ['kreɪfɪʃ] *n* 1) речнóй рак 2) лангýст(а), десятинóгий морскóй рак

crayon ['kreɪɒn] 1. *n* 1) цветнóй карандáш; цветнóй мелóк; пастéль 2) рисýнок цветны́м карандашóм *или* мелкóм; рисýнок пастéлью 3) карандáш для бровéй 4) *эл.* ýголь в дуговóй лáмпе 5) *attr.* рисовáльный, для рисовáния; ~ paper рисовáльная бумáга

2. *v* рисовáть цветны́м карандашóм *или* мелкóм

craze [kreɪz] 1. *n* 1) мáния; пункт помешáтельства 2) *разг.* мóда, повáльное увлечéние (for); to be the ~ быть в мóде, производúть фурóр 3) трéщина (*на глазури*)

2. *v* (*обыкн. p. p.*) 1) сводúть с умá 2) сходúть с умá 3) дéлать волосны́е трéщины (*на глазури*)

crazy ['kreɪzɪ] *a* 1) сумасшéдший, безýмный 2) *разг.* помéшанный (*на чём-л.*); сúльно увлечённый (about) 3) шáткий; развáливающийся 4) покры́тый трéщинами (*о глазури*) 5) сдéланный из кускóв разлúчной фóрмы; ~ quilt лоскýтное одеяло; ~ bone = funny bone

creak [kri:k] 1. *n* скрип

2. *v* скрипéть

creaky ['kri:kɪ] *a* скрипýчий

cream [kri:m] 1. *n* 1) слúвки; крем 2) пéна 3) (*обыкн.* the ~) что-л. отбóрное, сáмое лýчшее; цвет (*чего-л.*); the ~ of the joke (*или* of the story) соль шýтки (*или* рассkáза); the ~ of society «слúвки óбщества» 4) крем (*косметическое средство*) 5) *attr.* = cream-coloured 6) крéмовый цвет 7) торт с крéмом 8) *attr.*: ~ freezer морóженица

2. *v* 1) снимáть слúвки (*тж. перен.*) 2) добавля́ть слúвки (*в чай и т. п.*) 3) отстáиваться 4) пéниться 5) *кул.* смéшивать; сбивáть; to ~ butter and sugar till soft смешáть мáсло с сáхаром до однорóдной мáссы

cream cheese [,kri:m'tʃi:z] *n* слúвочный сыр

cream-coloured ['kri:m,kʌləd] *a* крéмового цвéта

creamer ['kri:mə] *n* 1) молóчный сепарáтор 2) *амер.* кувшúн для молокá

creamery ['kri:mərɪ] *n* 1) маслобóйня; сыровáрня 2) молóчная

cream-laid paper ['kri:mleɪd,peɪpə] *n* бумáга вержé крéмового цвéта

cream of tartar [,kri:məv'tɑ:tə] *n* вúнный кáмень

cream-wove paper [,kri:mwəʊv'peɪpə] *n* велéневая бумáга крéмового цвéта

creamy ['kri:mɪ] *a* 1) слúвочный; жúрный 2) крéмовый

crease [kri:s] 1. *n* 1) склáдка; сгиб; загúб; отутю́женная склáдка брюк 2) чертá, лúния (*в играх*) 3) конёк (*крыши*)

2. *v* 1) мять(ся); this material ~s easily э́та матéрия легкó мнётся 2) утю́жить склáдки 3) загибáть, фальцевáть

creasy ['kri:sɪ] *a* смя́тый, морщúнистый; лежáщий склáдками

create [krɪ'eɪt] *v* 1) творúть, создавáть 2) вызывáть (*какое-л. чувство и т. п.*); производúть (*впечатление и т. п.*) 3) возводúть в звáние; he was ~d a baronet он получúл тúтул баронéта 4) *разг.* суетúться, волновáться; he is always creating about nothing он всегдá суетúтся без тóлку

creation [krɪ'eɪʃn] *n* 1) создáние; (со)творéние, созидáние 2) мироздáние 3) произведéние (*науки, искусства*) 4) возведéние в звáние

creative [krɪ'eɪtɪv] *a* твóрческий, созидáтельный; ~ personality твóрческая лúчность

creator [krɪ'eɪtə] *n* 1) творéц; создáтель; áвтор 2) (the C.) бог

creature ['kri:tʃə] *n* 1) создáние, творéние 2) живóе существó 3) тварь 4) креатýра, стáвленник 5) *шутл.* «зéлье», спиртны́е напúтки ◇ ~ comforts а) земны́е блáга; б) *воен.* мéлкие предмéты лúчного потреблéния (*папиросы и т. п.*)

crèche [kreʃ] *n* дéтские я́сли

credence ['kri:dns] *n* 1) вéра, довéрие; to give ~ to smb. повéрить комý-л.; letter of ~ рекомендáтельное письмó 2) жéртвенник (*в алтаре*; *тж.* ~ table)

credent ['kri:dnt] *a* довéрчивый

credential [krə'denʃl] *n* 1) *обыкн. pl* мандáт; удостоверéние лúчности; рекомендáция 2) *pl* верúтельные грáмоты (*посла*) 3) *pl attr.* мандáтный

credibility [,kredə'bɪlətɪ] *n* вероя́тность, правдоподóбие

credible ['kredəbl] *a* вероя́тный; заслýживающий довéрия

credit ['kredɪt] 1. *n* 1) похвалá, признáтельность; честь; to one's ~ к чьей-л. чéсти; the boy is a ~ to his family мáльчик дéлает честь своéй семьé; to do smb. ~ дéлать честь комý-л. 2) хорóшая репутáция, дóброе úмя 3) довéрие; вéра; to give ~ to smth. повéрить чемý-л. 4) влия́ние; значéние; уважéние (of, for) 5) *фин.* кредúт; долг; сýмма, запúсанная на прихóд; прáвая сторонá бухгáлтерской кнúги; on ~ в долг; в кредúт; to allow ~ предостáвить кредúт 6) *амер.* зачёт; удостоверéние о прохождéнии какóго-л. кýрса в учéбном заведéнии 7) *attr.*: ~ card кредúтная кáрточка (*форма безналичного расчёта*); ~ worthiness кредитоспосóбность

2. *v* 1) доверя́ть; вéрить 2) приписывать; to ~ smb. with good intentions припúсывать комý-л. дóбрые намéрения 3) *фин.* кредитовáть

creditable ['kredɪtəbl] *a* похвáльный, дéлающий честь (*кому-л.*)

creditor ['kredɪtə] *n* 1) кредитóр 2) прáвая сторонá бухгáлтерской кнúги

credo ['kreɪdəʊ] *n* (*pl* -os [-əʊz]) 1) убеждéния, крéдо 2) (C.) *церк.* сúмвол вéры

credulity [krə'dju:lətɪ] *n* легковéрие, довéрчивость

credulous ['kredjʊləs] *a* легковéрный, довéрчивый

creed [kri:d] *n* 1) крéдо, убеждéния 2) (*обыкн.* the C.) вероучéние; сúмвол вéры

creek [kri:k] *n* 1) бýхта, залúв; ýстье рекú 2) *амер.* притóк; небольшáя рекá; ручéй

creel [kri:l] *n* 1) корзúна для ры́бы 2) *текст.* рáма для катýшек

creep [kri:p] 1. *v* (crept) 1) пóлзать; пресмыкáться 2) éле передвигáть нóги (*о больном*) 3) крáсться, подкрáдываться (*часто* ~ in, ~ into, ~ up); to ~ about on tiptoe ходúть на цы́почках; to ~ into smb.'s favour втирáться к комý-л. в довéрие 4) пресмыкáться, раболéпствовать 5) стлáться, вúться (*о ползучих растениях*) 6) содрогáться; чýвствовать мурáшки по тéлу; it makes my flesh (*или* blood) ~ меня́ морóз по кóже продирáет от э́того 7) *мор.* трáлить 8) *тех.* набегáть по инéрции (*о ремне и т. п.*)

2. *n* 1) *pl разг.* содрогáние; мурáшки 2) лазéйка для скотá (*в изгороди*) 3) *геол.* двúжущийся óползень; обвáл 4) *тех.* крип, ползýчесть метáлла 5) *мор.* дóнный трал, дрáга 6) *тех.* набегáние ремня́

creeper ['kri:pə] *n* 1) ползýчее растéние 2) пресмыкáющееся живóтное; рептúлия 3) *pl* ползункú (*одежда для детей*) 4) *pl* шипы́ на подóшвах 5) *тех.* дрáга

creeping ['kri:pɪŋ] 1. *pres. p. от* creep 1

2. *a* раболéпный, угóдливый, пресмыкáющийся

creepy ['kri:pɪ] *a* 1) *разг.* вызывáющий мурáшки, бросáющий в дрожь 2) ползýчий 3) пресмыкáющийся

creese [kri:s] *n* малáйский кинжáл

cremate [krə'meɪt] *v* кремúровать

cremation [krə'meɪʃn] *n* кремáция

cremator [krə'meɪtə] *n* 1) тот, кто сжигáет 2) кремациóнная печь 3) печь для сжигáния мýсора

crematoria [ˌkreməˈtɔːrɪə] *pl от* crematorium

crematorium [ˌkreməˈtɔːrɪəm] *n* (*pl* -s [-z], -ria) кремато́рий

crematory [ˈkremətərɪ] = crematorium

crenel [ˈkrenəl] = crenelle

crenellated [ˈkrenəleɪtɪd] *a* зубча́тый

crenelle [krɪˈnel] *n архит.* амбразу́ра

Creole [ˈkriːəʊl] *n* крео́л; крео́лка

creosote [ˈkriːəsəʊt] *n хим.* креозо́т

crêpe [kreɪp] *n* 1) креп (*ткань*); ~ de Chine крепдеши́н 2) *attr.*: ~ paper гофриро́ванная бума́га; ~ shoes боти́нки на рези́новой подо́шве

crepitate [ˈkrepɪteɪt] *v* 1) хрусте́ть, потре́скивать 2) хрипе́ть

crepitation [ˌkrepɪˈteɪʃn] *n* 1) хруст, потре́скивание 2) хри́пы (*при пневмонии*)

crept [krept] *past и p. p. от* creep 1

crepuscular [krɪˈpʌskjʊlə] *a* 1) су́меречный; ту́склый 2) *зоол.* су́меречный

crescendo [krəˈʃendəʊ] 1. *n муз.* креще́ндо

2. *adv* в бу́рном те́мпе, нараста́я

crescent [ˈkreznt] 1. *n* 1) полуме́сяц; серп луны́; пе́рвая *или* после́дняя че́тверть луны́ 2) что-л., име́ющее фо́рму полуме́сяца ◇ C. City *г.* Но́вый Орлеа́н

2. *a* 1) име́ющий фо́рму полуме́сяца, серпови́дный 2) *поэт.* расту́щий, возраста́ющий

cress [kres] *n* кресс (*салат*)

cresset [ˈkresɪt] *n* фа́кел, све́точ

crest [krest] 1. *n* 1) гребешо́к (*петуха*); хохоло́к (*птицы*) 2) гре́бень шле́ма; *поэт.* шлем 3) гре́бень (*волны, горы, крыши*); on the ~ of the wave на гре́бне волны́; *перен.* на верши́не сла́вы 4) конёк (*крыши*) 5) *геральд.* украше́ние наверху́ ге́рбового щита́ 6) герб (*на флагах и т. п.*) 7) гри́ва; хо́лка 8) *тех.* пик (*нагрузки*)

2. *v* 1) служи́ть гре́бнем; уве́нчивать 2) достига́ть верши́ны 3) *поэт.* вздыма́ться (*о волнах*)

crested [ˈkrestɪd] 1. *p. p. от* crest 2

2. *a* снабжённый, укра́шенный гре́бнем, хохолко́м

crestfallen [ˈkrestˌfɔːlən] *a* упа́вший ду́хом, уны́лый; удручённый

cretaceous [krɪˈteɪʃəs] *a геол.* мело́вой

Cretan [ˈkriːtn] 1. *a* кри́тский

2. *n* критя́нин

cretin [ˈkretɪn] *n* крети́н

cretinism [ˈkretɪnɪzəm] *n* кретини́зм

cretonne [kreˈtɒn] *n текст.* крето́н

crevasse [krəˈvæs] *n* рассе́лина в леднике́

crevice [ˈkrevɪs] *n* 1) щель, расще́лина 2) *геол.* тре́щина, содержа́щая жи́лу

crew I [kruː] *n* 1) судова́я кома́нда; экипа́ж (*судна*) 2) *воен.* ору́дийный *или* пулемётный расчёт 3) брига́да *или* арте́ль рабо́чих; engine ~ паровозная брига́да 4) *разг.* компа́ния, ша́йка; a noisy, disreputable ~ шу́мная, непристо́йная компа́ния

crew II [kruː] *past от* crow II, 2

crew cut [ˈkruːkʌt] *n* мужска́я стри́жка «ёжик»

crewel [ˈkruːəl] *n* 1) то́нкая шерсть (*для вышивания*) 2) вышива́ние ше́рстью

crib [krɪb] 1. *n* 1) де́тская крова́тка (*с боковыми стенками*) 2) я́сли; корму́шка; сто́йло 3) *разг.* подстро́чник 4) *разг.* плагиа́т (from) 5) *школ.* шпарга́лка 6) хи́жина; небольша́я ко́мната 7) ларь, за́кром 8) *sl.* кварти́ра, дом, магази́н; to crack a ~ соверши́ть кра́жу со взло́мом 9) ве́рша для ло́вли лососе́й 10) *горн.* сруб кре́пи; костро́вая крепь

2. *v* 1) *разг.* соверша́ть плагиа́т (from) 2) *школ.* спи́сывать тайко́м, по́льзоваться шпарга́лкой 3) запира́ть, заключа́ть в те́сное помеще́ние 4) *разг.* красть, ворова́ть

cribbage [ˈkrɪbɪdʒ] *n* кри́бидж (*карточная игра*)

cribriform [ˈkrɪbrɪfɔːm] *a* 1) *анат.* решётчатый 2) *бот.* ситови́дный

crick [krɪk] 1. *n* растяже́ние мышц

2. *v* растяну́ть мы́шцу

cricket I [ˈkrɪkɪt] *n* сверчо́к ◇ lively (*или* merry) as a ~ жизнера́достный

cricket II [ˈkrɪkɪt] *спорт.* 1. *n* кри́кет ◇ it is not ~ *разг.* не по пра́вилам; нече́стно, ни́зко

2. *v* игра́ть в кри́кет

cried [kraɪd] *past и p. p. от* cry 2

crier [ˈkraɪə] *n* 1) крику́н 2) чино́вник в суде́, де́лающий публи́чные объявле́ния 3) глаша́тай (*тж.* street ~)

cries [kraɪz] *pl от* cry 1

crikey [ˈkraɪkɪ] *int разг.* ≅ бо́же мой! (*восклицание удивления*)

crime [kraɪm] 1. *n* 1) преступле́ние; злоде́яние; ~s against humanity преступле́ние про́тив челове́чности 2) престу́пность

2. *v воен.* кара́ть за наруше́ние уста́ва

Crimean [kraɪˈmɪən] *a* кры́мский

criminal [ˈkrɪmɪnl] 1. *a* престу́пный; кримина́льный, уголо́вный; ~ law уголо́вное пра́во; ~ action уголо́вное де́ло

2. *n* престу́пник; war ~ вое́нный престу́пник

criminalist [ˈkrɪmɪnəlɪst] *n* кримнали́ст, специали́ст по уголо́вному пра́ву

criminality [ˌkrɪmɪˈnælətɪ] *n* престу́пность; вино́вность

criminally [ˈkrɪmɪnlɪ] *adv* 1) престу́пно 2) согла́сно уголо́вному пра́ву

criminate [ˈkrɪmɪneɪt] *v* 1) обвиня́ть в преступле́нии; инкримини́ровать 2) осужда́ть, порица́ть

crimination [ˌkrɪmɪˈneɪʃn] *n* 1) обвине́ние в преступле́нии 2) осужде́ние, ре́зкое порица́ние

criminative [ˈkrɪmɪnətɪv] *a* обвини́тельный, обличи́тельный

criminatory [ˈkrɪmɪnətrɪ] *a* облича́ющий, обвини́тельный

criminology [ˌkrɪmɪˈnɒlədʒɪ] *n* кримноло́гия

crimp I [krɪmp] 1. *n* аге́нт, вербу́ющий матро́сов и солда́т обма́нным путём

2. *v* вербова́ть обма́нным путём

crimp II [krɪmp] 1. *n* 1) *pl* зави́тые во́лосы 2) завито́к 3) поме́ха, препя́тствие; to put a ~ in (*или* into) (по)меша́ть (*в чём-л.*)

2. *a* 1) гофриро́ванный (*о материи*) 2) волни́стый (*о волосах*) 3) ло́мкий, хрустя́щий

3. *v* 1) завива́ть; гофрирова́ть 2) надреза́ть мя́со *или* ры́бу пе́ред гото́вкой

crimped [krɪmpt] *a* завито́й

crimper [ˈkrɪmpə] *n* 1) щипцы́ (*для завивки*) 2) *метал.* обжимны́е щипцы́

crimpy I [ˈkrɪmpɪ] *a* курча́вый; вью́щийся; волни́стый

crimpy II [ˈkrɪmpɪ] *a разг.* о́чень холо́дный; to expect ~ weather ожида́ть больши́х моро́зов

crimson [ˈkrɪmzn] 1. *a* тёмно-кра́сный, мали́новый

2. *n* 1) мали́новый цвет 2) румя́нец

3. *v* 1) окра́шивать(ся) в мали́новый цвет 2) красне́ть, покрыва́ться румя́нцем

cringe [krɪndʒ] *v* 1) раболе́пствовать (to) 2) проявля́ть раболе́пный страх; съёживаться (*от страха*)

cringing [ˈkrɪndʒɪŋ] *n* раболе́пие, низкопокло́нство

cringle [ˈkrɪŋgl] *n мор.* лю́верс; кре́нгельс

crinkle [ˈkrɪŋkl] 1. *n* 1) скла́дка, морщи́на 2) изги́б, изви́лина

2. *v* 1) мо́рщить(ся) 2) завива́ть (*волосы*); ~d paper гофриро́ванная бума́га 3) извива́ться

crinoline [ˈkrɪnəlɪn] *n* 1) кринолИн 2) ткань из ко́нского во́лоса; борто́вка

cripple [ˈkrɪpl] 1. *n* кале́ка, инвали́д

2. *v* 1) кале́чить, уро́довать; лиша́ть трудоспосо́бности 2) приводи́ть в негодно́сть; наноси́ть вред, уро́н 3) *воен.* поврежда́ть (*технику*)

crippling [ˈkrɪplɪŋ] 1. *pres. p. от* cripple 2

2. *n тех.* деформа́ция

crises [ˈkraɪsiːz] *pl от* crisis

crisis [ˈkraɪsɪs] *n* (*pl* crises) 1) кри́зис; economic ~ экономи́ческий кри́зис 2) перело́м (*в ходе болезни*)

crisis-ridden [ˈkraɪsɪsˌrɪdn] *a* охва́ченный кри́зисом

crisp [krɪsp] 1. *a* 1) рассы́пчатый; хрустя́щий 2) све́жий, бодря́щий, живи́тельный (*о воздухе*) 3) живо́й (*о стиле и т. п.*) 4) я́сно очёрченный, чёткий (*о чертах лица*) 5) твёрдый, жёсткий 6) реши́тельный (*об ответе, нраве*) 7) кудря́вый, завито́й 8) покры́тый ря́бью

2. *v* 1) хрусте́ть 2) де́лать рассы́пчатым, хрустя́щим 3) завива́ть(ся) 4) покрыва́ться ря́бью 5) *текст.* ворси́ть

3. *n* 1) хрустя́щий карто́фель 2) хрустя́щая ко́рочка

crispate [ˈkrɪspeɪt] *a* хрустя́щий

crispbread [ˈkrɪspbred] *n* хрустя́щие хле́бцы

crisper [ˈkrɪspə] *n* контéйнер (*для фруктов и овощей в холодильнике*)

crispy [ˈkrɪspɪ] *a* кудря́вый, завито́й

crisscross ['krɪskrɒs] 1. *a* 1) перекре́щивающийся; перекрёстный 2) раздражи́тельный; ворчли́вый
2. *n* 1) крест (*вместо подписи неграмотного*) 2) детская игра́ в кре́стики
3. *adv* 1) крест-на́крест 2) вкось
4. *v* перекре́щивать; оплета́ть (крест-на́крест)
cristate ['krɪsteɪt] *a* хохла́тый, гребе́нчатый
crit [krɪt] *разг. сокр. от* criticism, critique
criteria [kraɪ'tɪərɪə] *pl от* criterion
criterion [kraɪ'tɪərɪən] *n* (*pl* -ia) крите́рий, мери́ло
critic ['krɪtɪk] *n* 1) кри́тик 2) критика́н
critical ['krɪtɪkl] *a* 1) крити́ческий 2) перело́мный, реша́ющий 3) риско́ванный, опа́сный; крити́ческий, угрожа́ющий 4) разбо́рчивый 5) *амер.* дефици́тный; кра́йне необходи́мый; норми́руемый
criticaster ['krɪtɪ,kæstə] *n* приди́ра, критика́н
criticism ['krɪtɪ,sɪzəm] *n* 1) кри́тика; beneath ~ ни́же вся́кой кри́тики; destructive ~ уничтожа́ющая кри́тика 2) крити́ческий разбо́р, крити́ческая статья́
criticize ['krɪtɪsaɪz] *v* 1) осужда́ть 2) критикова́ть; well ~d получи́вший благоприя́тный о́тзыв
critique [krɪ'ti:k] *n* 1) реце́нзия; крити́ческая статья́ 2) кри́тика
croak [krəʊk] 1. *n* ка́рканье; ква́канье
2. *v* 1) ка́ркать; ква́кать 2) ворча́ть, брюзжа́ть 3) накли́кать, напроро́чить беду́ 4) *sl.* умере́ть 5) *sl.* уби́ть
croaker ['krəʊkə] *n* 1) ка́ркающая пти́ца; ква́кающее живо́тное 2) ворчу́н 3) прорица́тель дурно́го
Croat ['krəʊæt] *n* хорва́т
Croatian [krəʊ'eɪʃn] *a* хорва́тский
croc [krɒk] *разг.* = crocodile
crochet ['krəʊʃeɪ] 1. *n* 1) вышива́ние та́мбуром 2) вяза́льный крючо́к
2. *v* вышива́ть та́мбуром
crock I [krɒk] *n* 1) гли́няный кувши́н *или* горшо́к 2) гли́няный черепо́к
crock II [krɒk] *разг.* 1. *n* 1) сло́мленный челове́к 2) драндуле́т, «ста́рая кало́ша»
2. *v* (*обыкн.* ~ up) 1) заёздить (*лошадь*) 2) разру́шить здоро́вье, вы́мотать си́лы (*у человека*) 3) вы́мотаться, слома́ться (*о человеке*)
crocked [krɒkt] 1. *p. p. от* crock II, 2
2. *a разг.* замо́танный, заёзженный, за́гнанный
crockery ['krɒkərɪ] *n* посу́да (*глиняная, фаянсовая*)
crocket ['krɒkɪt] *n архит.* ли́ственный орна́мент
crocodile ['krɒkədaɪl] *n* 1) крокоди́л 2) *шутл.* гуля́нье па́рами (*о школьницах*) 3) *attr.* крокоди́ловый ◇ ~ shears *тех.* рыча́жные но́жницы
crocodilian [,krɒkə'dɪlɪən] *a* крокоди́ловый
crocus ['krəʊkəs] *n* 1) *бот.* кро́кус, шафра́н 2) *тех.* кро́кус (*окись железа в порошке*)
Croesus ['kri:səs] *n* 1) *миф.* Крез 2) облада́тель несме́тных бога́тств
croft [krɒft] *n* 1) приуса́дебный уча́сток (*в Англии*) 2) небольша́я фе́рма (*в Шотландии*)
crofter ['krɒftə] *n* аренда́тор небольшо́й фе́рмы (*в Шотландии*)
cromlech ['krɒmlek] *n археол.* кро́млех
crone [krəʊn] *n* стару́ха, ста́рая карга́
crony ['krəʊnɪ] *n* бли́зкий, закады́чный друг
crook [krʊk] 1. *n* 1) (пасту́ший) по́сох 2) крюк 3) поворо́т, изги́б (*реки, дороги*); a ~ in the back горб на спине́; a ~ in the nose горби́нка на носу́ 4) *разг.* обма́нщик, плут ◇ a ~ in the lot тяжёлое испыта́ние; уда́р судьбы́; on the ~ обма́нным путём
2. *v* 1) сгиба́ть(ся); изгиба́ть, искривля́ть; скрю́чивать(ся); го́рбиться 2) выла́вливать, лови́ть крючко́м 3) *sl.* укра́сть, спере́ть
crook-back(ed) ['krʊkbæk(t)] *a* горба́тый
crooked 1. [krʊkt] *p. p. от* crook 2
2. *a* ['krʊkɪd] 1) изо́гнутый, криво́й; ~ nail *тех.* косты́ль 2) искривлённый; сго́рбленный; согбе́нный 3) непрямо́й, нече́стный; извращённый 4) *разг.* нече́стный, добы́тый нече́стным путём
croon [kru:n] 1. *n* ти́хое проникнове́нное пе́ние (*особ. перед микрофоном*)
2. *v* напева́ть вполго́лоса
crooner ['kru:nə] *n* эстра́дный пев́ец
crop [krɒp] 1. *n* 1) урожа́й; жа́тва; посе́в; heavy ~ бога́тый урожа́й 2) хлеб на корню́; land under ~ засе́янная земля́; land out of ~ незасе́янная *или* невозде́ланная земля́ 2) *с.-х.* культу́ра; technical (*или* industrial) ~s техни́ческие культу́ры 4) кнутови́ще 5) ко́ротко остри́женные во́лосы; Eton ~ да́мская стри́жка «под ма́льчика» 6) зоб (*у птиц*) 7) дублёная шку́ра 8) оби́лие; ма́сса 9) *горн.* добы́ча (руды́) 10) *attr.*: ~ rotation севооборо́т; ~ failure неурожа́й, недоро́д
2. *v* 1) подстрига́ть, обреза́ть 2) щипа́ть, объеда́ть (*траву и т. п.*) 3) собира́ть урожа́й 4) дава́ть урожа́й ▭ ~ out *геол.* обнажа́ться, выходи́ть на пове́рхность (*о пласте*); ~ up a) неожи́данно обнару́живаться; возника́ть; б) = ~ out
crop-eared ['krɒpɪəd] *a* 1) корноу́хий, с обре́занными уша́ми 2) ко́ротко подстри́женный (*о пуританах*)
cropper ['krɒpə] *n* 1) косе́ц, жнец 2) издо́льщик (*в хлопковых районах США*); испо́льщик 3) коси́лка, жне́йка 4): a good (*или* heavy) ~ расте́ние, даю́щее хоро́ший урожа́й; a light ~ расте́ние, даю́щее небольшо́й урожа́й 5) зоба́стый го́лубь ◇ to come ~ a) упа́сть с ло́шади вниз голово́й; б) потерпе́ть крах
crop plants ['krɒppla:nts] *n pl* хле́бные зла́ки
croquet ['krəʊkɪ] 1. *n* кроке́т
2. *v* кроки́ровать
croquette [krɒ'ket] *n* кроке́ты (*кушанье*)
crosier ['krəʊzɪə] *n* епи́скопский по́сох
cross [krɒs] 1. *n* 1) крест; Red C. Кра́сный Крест 2) (the C.) христиа́нство 3) распя́тие 4) кре́стное зна́мение 5) кре́стик, знак + *или* x 6) крест (*знак отличия*) 7) черта́, перечёркивающая бу́квы t, f 8) страда́ния, испыта́ния; to bear one's ~ нести́ свой крест 9) *биол.* гибридиза́ция, скре́щивание (*пород*) 10) по́месь, гибри́д (between) 11) *тех.* крестови́на, крест 12) *топ.* э́ккер
2. *a* 1) *разг.* раздражённый, злой, серди́тый; he is ~ with you он серди́т на вас 2) попере́чный; пересека́ющийся; перекрёстный 3) проти́вный (*о ветре*); противополо́жный; неблагоприя́тный ◇ as ~ as two sticks о́чень не в ду́хе; зол как чёрт
3. *v* 1) пересека́ть; переходи́ть (*через улицу и т. п.*); переправля́ться; to ~ the Channel пересе́чь Ла-Ма́нш, пое́хать на контине́нт *или* с контине́нта в А́нглию; to ~ smb.'s path a) встре́титься с кем-л.; б) стать кому́-л. поперёк доро́ги 2) скре́щивать (*шпаги, руки и т. п.*) 3) скре́щиваться; пересека́ться 4) перечёркивать; to ~ a cheque *ком.* перечёркивать (*или* кросси́ровать) чек 5): to ~ oneself (пере)крести́ться 6) разминуться, разойти́сь (*о людях, письмах*) 7) *биол., с.-х.* скре́щиваться 8) противоде́йствовать, противоре́чить; препя́тствовать 9) *воен.* форси́ровать ▭ ~ off, ~ out вычёркивать; ~ over переходи́ть, пересека́ть, переезжа́ть, переправля́ться ◇ to ~ one's mind прийти́ в го́лову; to ~ one's t's and dot one's i's ≅ ста́вить то́чки над i; to ~ the Rubicon перейти́ Рубико́н, приня́ть бесповоро́тное реше́ние; to ~ the floor of the House *парл.* перейти́ из одно́й па́ртии в другу́ю
cross-arm ['krɒsa:m] *n тех.* попере́чина, тра́верса
cross-armed ['krɒsa:md] *a predic.* скрести́в ру́ки
crossbar ['krɒsba:] *n* 1) *тех.* попере́чина, распо́рка 2) *спорт.* пла́нка (*для прыжков в высоту*); перекла́дина (*ворот в футболе и т. п.*)
crossbeam ['krɒsbi:m] *n тех.* попере́чная ба́лка, коромы́сло
cross bench ['krɒsbentʃ] *n* скамья́ в англи́йском парла́менте для незави́симых депута́тов
cross-bencher ['krɒsbentʃə] *n* незави́симый член парла́мента
crossbill ['krɒsbɪl] *n* клёст (*птица*)
crossbones ['krɒsbəʊnz] *n pl* изображе́ние двух скре́щенных косте́й, эмбле́ма сме́рти
crossbow ['krɒsbəʊ] *n ист.* самостре́л; арбале́т
crossbred ['krɒsbred] *a* сме́шанный, гибри́дный
crossbreed ['krɒsbri:d] 1. *n* по́месь, гибри́д

2. v скрéщивать

cross-check [ˌkrɒsˈtʃek] v перепроверя́ть с испóльзованием ины́х мéтодов *или* други́х истóчников

cross-country [ˌkrɒsˈkʌntrı] 1. n пересечённая мéстность

2. a 1) проходя́щий прямикóм; без дорóги; ~ race *спорт.* гóнка, кросс, бег по пересечённой мéстности; ~ flight *ав.* маршру́тный полёт 2) вездехóдный; ~ vehicle вездехóд

crosscut [ˈkrɒskʌt] 1. n 1) кратчáйший путь 2) *горн.* квершлáг

2. a поперéчный

crosse [krɒs] n *спорт.* клю́шка для игры́ в лакрóсс

cross-examination [ˌkrɒsıgzæməˈneıʃn] n *юр.* перекрёстный допрóс

cross-examine [ˌkrɒsıgˈzæmın] v *юр.* подвергáть перекрёстному допрóсу

cross-eyed [ˌkrɒsˈaıd] a косóй, косоглáзый

cross-fertilize [ˌkrɒsˈfɜ:təlaız] v 1) *биол.* перекрёстно опыля́ть *или* оплодотворя́ть 2) помогáть друг дру́гу совéтами *и т. п.*

cross fire [ˈkrɒsˌfaıə] n 1) *воен.* перекрёстный огóнь 2) шу́мный обмéн мнéниями; словéсная перепáлка

cross-grained [ˌkrɒsˈgreınd] a 1) свилевáтый (*о древесине*) 2) упря́мый, несговóрчивый

crosshatch [ˈkrɒshætʃ] v гравировáть *или* штриховáть перекрёстными штрихáми

cross-head [ˈkrɒshed] n 1) = cross-heading 2) *тех.* крейцкóпф, ползу́н

cross-heading [ˈkrɒsˌhedıŋ] n подзаголóвок (*в газетной статье*)

crossing [ˈkrɒsıŋ] 1. *pres. p. от* cross 3

2. n 1) пересечéние; скрéщивание; скрещéние 2) перекрёсток; перехóд (*через улицу*) 3) переéзд по водé, переправа 4) перечёркивание, зачёркивание 5) *ж.-д.* переéзд; пересечéние двух ли́ний; разъéзд 6) *биол.* скрéщивание

cross-legged [ˌkrɒsˈlegd] a сидя́щий, положи́в нóгу нá ногу *или* поджáв нóги «по-турéцки»

cross-light [ˈkrɒslaıt] n 1) *pl* пересекáющиеся лучи́; перекрёстное освещéние 2) освещéние вопрóса с разли́чных тóчек зрéния

crossly [ˈkrɒslı] *adv* раздражённо, сварли́во; серди́то

crossness [ˈkrɒsnəs] n раздражи́тельность, сварли́вость

crossover [ˈkrɒsˌəʊvə] n 1) перехóд, переéзд 2) перехóд в другу́ю пáртию

crosspatch [ˈkrɒspætʃ] n *разг.* сварли́вый человéк

crosspiece [ˈkrɒspi:s] n 1) поперéчина; *тех.* крестови́на 2) *мор.* крáспица

cross-polinate [ˌkrɒsˈpɒləneıt] v *бот.* опыля́ть перекрёстно

cross-purpose [ˌkrɒsˈpɜ:pəs] n 1) (*обыкн. pl*) противополóжное намéрение; to be at ~s спóрить, дéйствовать наперекóр друг дру́гу 2) недоразумéние, оснóванное на взаи́мном непонимáнии 3) *pl* игрá-загáдка

cross question [ˌkrɒsˈkwestʃən] = cross-examine

cross-reference [ˌkrɒsˈrefrəns] n перекрёстная ссы́лка

crossroad [ˈkrɒsrəʊd] n 1) (*обыкн. pl, употр. с гл. в ед. ч.*) перекрёсток 2) *амер.* пересекáющая дорóга ◇ at the ~s на распу́тье

cross-section [ˈkrɒsˌsekʃn] n 1) поперéчное сечéние, поперéчный разрéз, прóфиль 2) поперéчный разрéз óбщества (*в социологии*)

cross-stitch [ˈkrɒsstıtʃ] n вы́шивка крéстиками; крéстик

crosstrees [ˈkrɒstri:z] n *pl мор.* сáлинг

crosswalk [ˈkrɒswɔ:k] n *амер.* пешехóдный перехóд

crosswind [ˈkrɒswınd] n встрéчный, проти́вный вéтер

crosswise [ˈkrɒswaız] *adv* крестообрáзно; крест-нáкрест

crossword [ˈkrɒswɜ:d] n кроссвóрд; (*тж.* ~ puzzle)

crotch [krɒtʃ] n 1) разви́лина; разветвлéние 2) ви́лы; крюк 3) промéжность

crotchet [ˈkrɒtʃıt] n 1) крючóк; крюк 2) *муз.* четвертнáя нóта 3) *разг.* фантáзия, причу́да, каприз

crotcheteer [ˌkrɒtʃəˈtıə] n фантазёр, человéк с причу́дами

crotchety [ˈkrɒtʃətı] a своенрáвный; капри́зный

croton bug [ˈkrəʊtnbʌg] n *зоол.* таракáн-прусáк

crouch [ˈkraʊtʃ] v 1) припáсть к земле́ (*от страха или для нападения — о животных*) 2) раболéпствовать, пресмыкáться; to ~ one's back гнуть спи́ну (*перед кем-л.*)

croup I [kru:p] n *мед.* круп

croup II [kru:p] n зад, круп (*лошади*)

croupe [kru:p] = croup II

croupier [ˈkru:pıə] n 1) крупьé, банкомёт 2) замести́тель председáтеля на официáльном банкéте

crow I [krəʊ] n ворóна

crow II [krəʊ] 1. n 1) пéние петухá 2) рáдостный крик (*младенца*) ◇ as the ~ flies, in a ~ line по прямóй ли́нии; to have a ~ to pick (*или* to pluck) with smb. имéть счёты с кем-л.

2. v (crowed, crew; crowed) 1) кричáть кукарекý 2) издавáть рáдостные звýки (*о детях*); ликовáть ▭ ~ over восторжествовáть над кем-л.

crowbar [ˈkrəʊbɑ:] n *тех.* лом, вáга, áншпуг

crow-bill [ˈkrəʊbıl] n хирурги́ческие щипцы́

crowd [kraʊd] 1. n 1) толпá 2) *разг.* компáния, грýппа людéй 3) (the ~) простóй люд, нарóд 4) толкотня́; дáвка 5) мнóжество, мáсса (*чего-л.*) 6) *театр.* стати́сты ◇ he might pass in the ~ он не хýже други́х

2. v 1) собирáться толпóй, толпи́ться; тесни́ться; набивáться биткóм 2) скáпливать, нагромождáть 3) тесни́ть, напирáть, вытесня́ть 4) окáзывать давлéние; тороп́ить, приставáть (*с чем-л.*) 5): to ~ (on) sail *мор.* спеши́ть, идти́ на всех парусáх ▭ ~ into проти́скиваться, вти́скиваться; ~ out вытесня́ть; ~ through = ~ into

crowded [ˈkraʊdıd] 1. *pres. p. от* crowd 2

2. a 1) переполненный, биткóм наби́тый; ~ streets у́лицы, перепóлненные нарóдом 2) пóлный, напóлненный; life ~ with great events жизнь, пóлная вели́ких собы́тий 3) *амер.* прижáтый, прити́снутый ◇ to be ~ for time имéть врéмени в обрéз

crowfoot [ˈkrəʊfʊt] n 1) (*pl* -s [-z]) лю́тик 2) (*pl* -feet) = crow's-foot 2); 3) (*pl* -feet) *горн.* лови́льный крюк

crown [kraʊn] 1. n 1) венéц, корóна 2) (C.) корóна, престóл; королéвская власть; корóль; королéва; to succeed to the ~ наслéдовать престóл 3) (C.) госудáрство; верхóвная власть 4) венóк (*цветов*) 5) крóна, верху́шка дéрева 6) маку́шка, тéмя; головá 7) венéц, завершéние 8) ту́лья (*шляпы*) 9) корóнка (*зуба*) 10) *ист.* крóна (*монета достоинством в 5 шиллингов*) 11) формáт бумáги (*имер. 15 д. х 19 д. писчей; англ. $16^1/_2$ д. х 21 д. — печатной, 15 д. х 19 д. чертёжной*) 12) *архит.* шелы́га áрки *или* свóда 13) *мор.* пя́тка я́коря 14) *тех.* корóнка, венéц

2. v 1) венчáть; короновáть 2) вознаграждáть 3) возглавля́ть 4) завершáть, увéнчивать; закáнчивать 5) провести́ в дáмки (*шашку*) 6) постáвить корóнку (*на зуб*) ◇ the end ~s the work *посл.* конéц венчáет дéло

Crown Colony [ˌkraʊnˈkɒlənı] n корóнная колóния (*британская колония, не имеющия самоуправления*)

crowned [kraʊnd] 1. *p. p. от* crown 2

2. a 1) коронóванный 2) увéнчанный (with) 3) закóнченный, завершённый 4): high (low) ~ с высóкой (ни́зкой) ту́льей 5): ~ tooth зуб с корóнкой

crown glass [ˌkraʊnˈglɑ:s] n кронглáс (*сорт стекла*)

crown law [ˈkraʊnlɔ:] n уголóвное прáво

Crown prince [ˌkraʊnˈprıns] n наслéдный принц, наслéдник престóла, кронпри́нц

crown-wheel [ˈkraʊnwi:l] n *тех.* корóнная шестерня́

crow-quill [ˈkrəʊkwıl] n 1) ворóнье перó 2) тóнкое стальнóе перó

crow's-foot [ˈkrəʊzfʊt] n (*pl* -feet) 1) *pl* морщи́нки в уголкáх глáз 2) *воен.* прóволочные силки́ 3) *pl ав.* гуси́ные лáпы

crow's nest [ˈkrəʊznest] n *мор.* наблюдáтельный пост (*на мачте*), «ворóнье гнездó»

croze [krəʊz] n утóр (*в бочке*)

cruces [ˈkru:si:z] *pl от* crux

crucial [ˈkru:ʃl] a 1) решáющий (*о моменте, опыте*); крити́ческий (*о периоде*) 2) *мед.* крестообрáзный

crucian ['kru:ʃn] *n* карáсь

cruciate ['kru:ʃieɪt] *a зоол., бот.* крестообрáзный

crucible ['kru:səbl] *n* тúгель; *перен.* сурóвое испытáние

cruciferous [kru:'sɪfərəs] *a бот.* крестоцвéтный

crucifix ['kru:səfɪks] *n* распя́тие

crucifixion [,kru:sə'fɪkʃn] *n* 1) распя́тие на крестé 2) (C.) распя́тие Христá 3) мýки, страдáния

cruciform ['kru:sɪfɔ:m] *a* крестообрáзный

crucify ['kru:sɪfaɪ] *v* 1) распинáть 2) умерщвля́ть (*плоть*) 3) мýчить 4) *sl.* разбúть, разгромúть (*в споре и т. п.*)

crud [krʌd] *n sl.* 1) отбрóсы 2) подóнок, мразь 3) чепухá, абсýрд

crude [kru:d] *a* 1) необработанный; неочúщенный; ~ oil неочúщенная нефть 2) грýбый 3) незрéлый, непродýманный, необработанный 4) гóлый (*о фактах*) 5) кричáщий (*о красках*) 6) сырóй, незрéлый

crude iron ['kru:d,aɪən] *n* чугýн

crudity ['kru:dətɪ] *n* необработанность, грýбость *и пр.* [*см.* crude]

cruel [kru:əl] *a* 1) жестóкий; безжáлостный, бессердéчный 2) мучúтельный; ужáсный; ~ suffering ужáсные страдáния; ~ war сурóвая, жестóкая войнá; ~ fate гóрькая судьбúна; ~ disease тяжёлая, мучúтельная болéзнь

cruelly ['kru:əlɪ] *adv* 1) жестóко; безжáлостно 2) мучúтельно

cruelty ['kru:əltɪ] *n* жестóкость; безжáлостность, бессердéчие

cruet ['kru:ɪt] *n* 1) бутылочка, графúнчик для ýксуса *или* мáсла (= cruet-stand) 2) *церк.* потúрная чáша

cruet-stand ['kru:ɪtstænd] *n* судóк (*столовый прибор*)

cruise [kru:z] **1.** *n* 1) круúз, морскóе путешéствие 2) *мор.* крéйсерство

2. *v мор.* крейсúровать; совершáть рéйсы

cruiser ['kru:zə] *n мор.* крéйсер

cruiser-carrier ['kru:zə,kærɪə] *n мор.* крéйсер-авианóсец

cruiserweight ['kru:zəweɪt] *n* 1) полутяжёлый вес 2) боксёр полутяжёлого вéса

cruising speed ['kru:zɪŋspi:d] *n мор.* крéйсерская скóрость

cruising submarine ['kru:zɪŋ,sʌbmə'ri:n] *n мор.* крéйсерская подвóдная лóдка

cruller ['krʌlə] *n амер.* жáреный пирожóк

crumb [krʌm] **1.** *n* 1) (*обыкн. pl*) крóшка (*особ. хлеба*) 2) *pl* крóхи, крупúцы; ~s of information обрывки свéдений 3) мя́киш (*хлеба*)

2. *v* 1) обсыпáть крóшками; обвáливать в сухаря́х 2) крошúть 3) сметáть крóшки (*со стола*)

crumb-brush ['krʌmbrʌʃ] *n* щётка для сметáния крóшек (*со стола*)

crumble ['krʌmbl] *v* 1) крошúться; осыпáться; обвáливаться 2) крошúть, раздробля́ть, толóчь, растирáть (*в порошок*) 3) распадáться, разрушáться, гúбнуть (*часто* ~ away); his hopes have ~d to nothing егó надéжды рýхнули

crumbly ['krʌmblɪ] *a* крошáщийся, рассы́пчатый, ры́хлый

crumby ['krʌmɪ] *a* 1) усы́панный крóшками 2) мя́гкий (*как мякиш*) 3) = crummy 1)

crummy ['krʌmɪ] *a* 1) *sl.* гря́зный, мéрзкий 2) *разг.* пýхленькая, пóлная (*о женщине*)

crump [krʌmp] **1.** *n* 1) сúльный удáр; тяжёлое падéние 2) *воен. жарг.* тяжёлый фугáсный снаря́д 3) звук от разры́ва тяжёлого снаря́да

2. *v* 1) сúльно ударя́ть 2) *воен. жарг.* обстрéливать

crumpet ['krʌmpɪt] *n* 1) сдóбная пы́шка 2) *шутл.* аппетúтная бабёнка

crumple ['krʌmpl] *v* 1) мять(ся); кóмкать; мóрщиться; съёживаться; this cloth ~s very easily э́та матéрия óчень мнётся 2) сгибáть, закрýчивать 3) свалúться, рýхнуть 4) пáдать дýхом

crunch [krʌntʃ] **1.** *n* 1) хруст 2) скрип; треск

2. *v* 1) грызть; хрустéть 2) скрипéть под ногáми; трещáть

crupper ['krʌpə] *n* 1) подхвóстник (*часть сбруи*) 2) круп (*лошади*)

crural ['krʊərəl] *a анат.* бéдренный

crusade [kru:'seɪd] **1.** *n* 1) *ист.* крестóвый похóд 2) похóд, кампáния (*против чего-л. или за что-л.*)

2. *v* вы́ступить в похóд; борóться (*против чего-л. или в защиту чего-л., кого-л.*)

crusader [kru:'seɪdə] *n* 1) *ист.* крестонóсец 2) учáстник обществéнной кампáнии

crush [krʌʃ] **1.** *n* 1) раздáвливание, дроблéние *и пр.* [*см.* 2] 2) дáвка; толкотня́ 3) *разг.* шýмное собрáние, большóе сбóрище 4) приём (*гостей*) 5) фруктóвый сок 6) *разг.* увлечéние, пы́лкая любóвь; to have (got) a ~ on smb. сúльно увлéчься кем-л.

2. *v* 1) (раз)давúть 2) дробúть, толóчь, размельчáть 3) выжимáть, давúть (*виноград*) 4) мять(ся) 5) уничтожáть, подавля́ть, сокрушáть 6) втúскивать ▭ ~ down а) смять; придавúть; б) раздробúть; в) подавúть (*восстание, оппозицию*); ~ out подавúть; ~ up размельчúть, растолóчь, смять ◇ to ~ a bottle of wine вы́пить, «раздавúть» буты́лку (*вина*)

crush bar ['krʌʃbɑ:] *n* буфéт (*в театре*)

crush barrier ['krʌʃ,bærɪə] *n* (врéменный) барьéр (*ограничивающий проход на стадион и т. п.*)

crusher ['krʌʃə] *n* 1) тот, кто *или* то, что сокрушáет 2) *разг.* потрясáющее собы́тие, нóвость 3) *sl.* полисмéн 4) *тех.* дробúлка

crush-hat ['krʌʃ,hæt] *n* 1) шапокля́к (*складной цилиндр*) 2) мя́гкая (фéтровая) шля́па

crushing ['krʌʃɪŋ] **1.** *pres. p. от* crush 2

2. *a* сокрушúтельный; a ~ defeat сокрушúтельный разгрóм, тяжёлое поражéние; a ~ reply уничтожáющий отвéт

crush-room ['krʌʃru:m] *n театр.* фойé

crust [krʌst] **1.** *n* 1) кóрка (*хлеба*) 2) *разг.* срéдства к существовáнию; to earn one's ~ заработать на кусóк хлéба 3) твёрдый повéрхностный слой, кóрка; кóрка на рáне; затвердéвший слой снéга 4) *геол.* земнáя корá; повéрхностные отложéния 5) осáдок (*вина на стенках бутылки*) 6) дéрзость, нáглость, нахáльство 7) *разг.* угрю́мость, раздражúтельность 8) *метал.* нáстыль

2. *v* 1) покрывáть(ся) корóй, кóркой 2) давáть осáдок (*о вине*)

crustacean [krʌ'steɪʃn] *n зоол.* ракообрáзное

crusted ['krʌstɪd] **1.** *p. p. от* crust 2

2. *a* 1) покры́тый кóркой 2) с образовáвшимся осáдком (*о вине*) 3) дрéвний; укоренúвшийся

crustily ['krʌstɪlɪ] *adv* сварлúво; с раздражéнием

crustiness ['krʌstɪnəs] *n* сварлúвость; раздражúтельность

crusty ['krʌstɪ] *a* 1) покры́тый корóй, кóркой; твёрдый, жёсткий 2) сварлúвый; раздражúтельный; рéзкий

crutch [krʌtʃ] *n* 1) косты́ль (*обыкн. pl, тж.* a pair of ~es); *перен.* опóра; поддéржка 2) = crotch 3); 3) стóйка (*мотоцикла и т. п.*) 4) *мор.* кормовóй брештýк; уклю́чина

crux [krʌks] *n* (*pl* cruxes *или* cruces) 1) решáющий момéнт, глáвный вопрóс; the ~ of the matter суть дéла 2) трýдный вопрóс 3) (C.) созвéздие Ю́жного Крестá ◇ to put one's finger on the ~ попáсть в сáмую тóчку

cruzado [krʊ'zɑ:dəʊ] *n* (*pl* -os [-əʊz]) крузáдо (*денежная единица Бразилии*)

cruzeiro [krʊ'zeərəʊ] *n* (*pl* -os [-əʊz]) *ист.* крузéйро (*денежная единица Бразилии*)

cry [kraɪ] **1.** *n* 1) крик 2) вóпль; мольбá 3) плач; she had a good ~ онá вы́плакалась 4) лóзунг; (боевóй) клич 5) молвá; on the ~ по слýхам; the popular ~ óбщее мнéние, «глас нарóда» 6) крик ýличных разнóсчиков 7) звук, издавáемый живóтным 8) собáчий лай 9) свóра собáк ◇ much ~ and little wool ≅ мнóго шýма из ничегó; шýма мнóго, тóлку мáло; far ~ а) далёкое расстоя́ние; б) большáя рáзница; in full ~ а) в бéшеной погóне; б) в пóлном разгáре

2. *v* 1) кричáть; вопúть 2) восклицáть; взывáть; to ~ poverty прибедня́ться 3) плáкать; to ~ bitter tears плáкать гóрькими слезáми 4) оглашáть; объявля́ть 5) издавáть звýки (*о животных*) 6) предлагáть для продáжи (*об уличном разносчике*) ▭ ~ away гóрько рыдáть, обливáться слезáми; ~ down а) умаля́ть, принижáть; б) осуждáть; раскритикова́ть; в) заглуша́ть кри́ками; г) сбива́ть це́ну; ~ **for** проси́ть, тре́бовать себе́ *чего́-л.*; to ~ for the moon жела́ть невозмо́жного; ~ **off** отка́зываться от сде́лки, наме́рения *и т. п.*, идти́ на попя́тный; ~ **out** объявля́ть во всеуслы́шание, выклика́ть; б): to ~ one's heart out го́рько рыда́ть; ча́хнуть от тоски́; ; ~ **up** превозноси́ть, прославля́ть ◇ there's no use to ~ (*или* crying) over spilt milk *посл.* ≅ сде́ланного, потёрянного не воро́тишь; to ~ shame upon smb. порица́ть, стыди́ть, поноси́ть кого́-л.; to ~ stinking fish а) хули́ть то, в чём сам заинтересо́ван; б) выноси́ть сор из избы́

crybaby ['kraɪ,beɪbɪ] *n* пла́кса, рёва

crying ['kraɪɪŋ] **1.** *pres. p. от* cry 2

2. *a* 1) крича́щий, пла́чущий 2) вопию́щий, возмути́тельный; a ~ need насу́щная необходи́мость

cryochemistry [,kraɪəʊ'kemɪstrɪ] *n* хи́мия ни́зких температу́р

cryogen ['kraɪəʊdʒən] *n спец.* охлажда́ющая смесь

cryogenics [,kraɪəʊ'dʒenɪks] *n* фи́зика ни́зких температу́р

cryolite ['kraɪəlaɪt] *n мин.* криоли́т

cryology [kraɪ'ɒlədʒɪ] *n* криоло́гия, нау́ка о возде́йствии хо́лода на физи́ческие тела́

cryosurgery [,kraɪəʊ'sɜ:dʒərɪ] *n* криохирурги́я

crypt [krɪpt] *n* 1) склеп, подзе́мная часо́вня 2) *ист.* кри́пта 3) потайно́е ме́сто, тайни́к

cryptic ['krɪptɪk] *a* 1) зага́дочный, та́инственный; сокрове́нный 2) *биол.*, *мед.* скры́тый, лате́нтный

crypto ['krɪptəʊ] *n* (*pl* (os [-əʊz]) та́йный уча́стник организа́ции *или* па́ртии

cryptogam ['krɪptəgæm] *n бот.* тайнобра́чное (*или* спо́ровое) расте́ние

cryptogram ['krɪptəgræm] *n* криптогра́мма, та́йнопись; шифро́ванный докуме́нт

cryptographer [krɪp'tɒgrəfə] *n* шифрова́льщик

crystal ['krɪstl] **1.** *n* 1) криста́лл 2) хруста́ль 3) хруста́льная посу́да 4) стекло́ для карма́нных и ручны́х часо́в 5) прозра́чный предме́т (*особ. поэт.* вода́, лёд, слеза́, глаз) 6) *радио* детекторный криста́лл

2. *a* 1) кристалли́ческий 2) чи́стый, прозра́чный, криста́льный 3) хруста́льный

crystal gazing ['krɪstl,geɪzɪŋ] *n* гада́ние с зе́ркалом *или* посре́дством «маги́ческого криста́лла»

crystalline ['krɪstəlaɪn] = crystal 5); ~ lens *анат.* хруста́лик (*глаза*)

crystallite ['krɪstəlaɪt] *n мин.* кристалли́т

crystallization [,krɪstlaɪ'zeɪʃn] *n* кристаллиза́ция

crystallize ['krɪstəlaɪz] *v* 1) кристаллизова́ть(ся) 2) вылива́ться в определённую фо́рму 3) заса́харивать(ся) (*о фру́ктах*)

crystallography [,krɪstə'lɒgrəfɪ] *n* кристаллогра́фия

crystalloid ['krɪstəlɔɪd] **1.** *n спец.* кристалло́ид

2. *a* кристаллови́дный

crystalware ['krɪstlweə] *n* хруста́льные изде́лия

csardas ['tʃɑ:dæʃ] *n* ча́рдаш

ctenoid ['ti:nɔɪd] *a зоол.* гребневи́дный

cub [kʌb] **1.** *n* 1) *зоол.* детёныш 2) *шутл.*, *пренебр.* молокосо́с, юне́ц; невоспи́танный ма́льчик; unlicked ~ зелёный юне́ц 3) (C.) бойска́ут мла́дшей дружи́ны 4) *амер. разг.* новичо́к

2. *v* 1) щени́ться 2) охо́титься на лися́т

cubage ['kju:bɪdʒ] *n* кубату́ра

Cuban ['kju:bən] **1.** *a* куби́нский

2. *n* куби́нец; куби́нка

cubbing ['kʌbɪŋ] **1.** *pres. p. от* cub 2

2. *n* охо́та на лися́т

cubbish ['kʌbɪʃ] *a* 1) неуклю́жий 2) ду́рно воспи́танный

cubby ['kʌbɪ] *n* ую́тное месте́чко *или* жили́ще (*обыкн.* ~ hole)

cube [kju:b] **1.** *n* 1) *мат.* куб; the ~ of 4 is 64 4 в ку́бе равня́ется 64 2) *дор.* брусча́тка 3) *attr.* куби́ческий; the ~ root of 64 is 4 ко́рень куби́ческий из 64 равня́ется 4 ◇ ~ sugar пилёный са́хар

2. *v* 1) *мат.* возводи́ть в куб 2) вычисля́ть кубату́ру, куби́ческий объём 3) мости́ть брусча́ткой 4): to ~ ice коло́ть лёд на ку́бики

cubic(al) ['kju:bɪk(l)] *a* куби́ческий

cubicle ['kju:bɪkl] *n* 1) каби́на (*для приме́рки, переодева́ния и т. п.*) 2) небольша́я отгоро́женная спа́льня в общежи́тии 3) одноме́стная больни́чная пала́та

cubiform ['kju:bɪfɔ:m] *a* кубови́дный

cubism ['kju:bɪzəm] *n иск.* куби́зм

cubit ['kju:bɪt] *n* 1) *анат.* локтева́я кость 2) *ист.* ло́коть (*ме́ра длины́ = 45 см*)

cubital ['kju:bɪtl] *a анат.*, *зоол.* локтево́й

cuboid ['kju:bɔɪd] **1.** *n* 1) *мат.* кубо́ид 2) *анат.* кубови́дная кость (*плюсны́ ноги́*)

2. *a* име́ющий фо́рму ку́ба

cucking stool ['kʌkɪŋstu:l] *n ист.* позо́рный стул, к кото́рому привя́зывали же́нщин дурно́го поведе́ния и торго́вцев-моше́нников

cuckold ['kʌkəʊld] **1.** *n* рогоно́сец, обма́нутый муж

2. *v* наставля́ть рога́, изменя́ть своему́ му́жу

cuckoo **1.** *n* ['kʊku:] 1) куку́шка 2) кукова́ние 3) *разг.* глупе́ц, рази́ня, «воро́на»

2. *a* ['kʊku:] *разг.* не в своём уме́, чо́кнутый

3. *int* [,kʊ'ku:] ку-ку́!

4. *v* ['kʊku:] куков́ать

cuckoo clock ['kʊku:klɒk] *n* часы́ с куку́шкой

cuckooflower ['kʊku:flaʊə] *n бот.* 1) серде́чник лугово́й 2) горицве́т, куку́шкин цвет

cucumber ['kju:kʌmbə] *n* огуре́ц ◇ as cool as a ~ невозмути́мый, споко́йный, хладнокро́вный

cud [kʌd] *n* жва́чка; to crew the ~ жева́ть жва́чку; *перен.* пережёвывать ста́рое, размышля́ть

cudbear ['kʌdbeə] *n* ла́кмусовый я́гель (*краси́тель*)

cuddle ['kʌdl] **1.** *n* объя́тия

2. *v* 1) прижима́ть к себе́; обнима́ть 2) прижима́ться (*друг к дру́гу; ча́сто* ~ up, ~ together) 3) сверну́ться кала́чиком

cuddy I ['kʌdɪ] *n* 1) небольша́я каю́та 2) чула́н; буфе́т

cuddy II ['kʌdɪ] *n шотл.* 1) осёл 2) дура́к

cudgel ['kʌdʒəl] **1.** *n* дуби́на; to take up the ~s for а) заступа́ться за *кого́-л.*; б) отста́ивать *что-л.*

2. *v* бить па́лкой

cudweed ['kʌdwi:d] *n бот.* суше́ница

cue I [kju:] *n* 1) *театр.* ре́плика 2) намёк; to give smb. the ~ намекну́ть, подсказа́ть кому́-л.; to take one's ~ from smb. воспо́льзоваться чьим-л. намёком, указа́нием 3) *тлв.*, *ра́дио* сигна́л 4) *attr.*: ~ card *тлв.*, *кино* текст ро́ли, лежа́щий пе́ред глаза́ми ди́ктора *или* исполни́теля

cue II [kju:] *n* кий

cue ball ['kju:bɔ:l] *n* билья́рдный шар

cueist ['kju:ɪst] *n* игро́к на билья́рде

cuff I [kʌf] *n* манже́та; обшла́г

cuff II [kʌf] **1.** *n* лёгкий уда́р руко́й

2. *v* слегка́ ударя́ть руко́й; шлёпать

cuff link ['kʌflɪŋk] *n* за́понка для манже́т

cuirass [kwɪ'ræs] *n ист.* кира́са, па́нцирь

cuirassier [,kwɪrə'sɪə] *n ист.* кираси́р

cuisine [kwɪ'zi:n] *n* ку́хня, стол (*пита́ние; пова́ренное иску́сство*); French ~ францу́зская ку́хня

cuke [kju:k] *n разг.* огу́рчик, корнишо́н

cul-de-sac ['kʌldəsæk] *n* (*pl* culs-de-sac) 1) тупи́к; глухо́й переу́лок 2) *воен.* мешо́к 3) тупи́к, безвы́ходное положе́ние 4) *анат.* слепо́й мешо́к 5) *attr.* тупико́вый; ~ station *ж.-д.* тупико́вая ста́нция

culinary ['kʌlɪnərɪ] *a* 1) кулина́рный; ку́хонный 2) го́дный для ва́рки (*об овоща́х*)

cull [kʌl] **1.** *n* (*обыкн. pl*) 1) отбрако́ванный нагу́льный скот 2) *амер.* забрако́ванные материа́лы, отбро́сы

2. *v* 1) отбира́ть, выбира́ть 2) собира́ть (*цветы́*) 3) отбира́ть; бракова́ть

cullender ['kʌləndə] = colander

cully ['kʌlɪ] *n* 1) *разг.* друг, това́рищ 2) *редк.* же́ртва обма́на; проста́к

culm I [kʌlm] *n бот.* сте́бель (*трав, зла́ков*); соло́мина

culm II [kʌlm] *n* 1) у́гольная ме́лочь; антраци́товый штыб 2) *геол.* кульм

culminate ['kʌlmɪneɪt] *v* 1) достига́ть

вы́сшей то́чки *или* сте́пени 2) *астр.* кульмини́ровать

culmination [ˌkʌlmɪˈneɪʃn] *n* 1) наивы́сшая то́чка; кульминацио́нный пункт 2) *астр.* кульмина́ция; зени́т

culottes [kjʊˈlɒts] *n pl* ю́бка-брю́ки

culpability [ˌkʌlpəˈbɪlətɪ] *n юр.* вино́вность

culpable [ˈkʌlpəbl] *a* заслу́живающий порица́ния; вино́вный, престу́пный

culprit [ˈkʌlprɪt] *n* 1) обвиня́емый 2) престу́пник; вино́вный

culs-de-sac [ˈkʌldəsæk] *pl от* cul-de-sac

cult [kʌlt] *n* 1) культ, поклоне́ние; ~ of individual культ ли́чности 2) вероиспове́дание 3) поклоне́ние, обожествле́ние, культ

cultivate [ˈkʌltɪveɪt] *v* 1) обраба́тывать, возде́лывать 2) *с.-х.* культиви́ровать (*по́чву, расте́ния*) 3) развива́ть, культиви́ровать; to ~ the acquaintance of smb. цени́ть, стара́ться подде́рживать знако́мство с кем-л.

cultivated [ˈkʌltɪveɪtɪd] **1.** *p. p. от* cultivate

2. *a* 1) обраба́тываемый; обрабо́танный; ~ area посевна́я пло́щадь 2) культу́рный, развито́й; утончённый

cultivation [ˌkʌltɪˈveɪʃn] *n* 1) возде́лывание (*земли́*) 2) разведе́ние, культу́ра (*расте́ний, бакте́рий и т. п.*) 3) разви́тие (*путём упражне́ния*); культиви́рование

cultivator [ˈkʌltɪveɪtə] *n* 1) культива́тор (*с.-х. ору́дие*) 2) земледе́лец 3) тот, кто культиви́рует

cultural [ˈkʌltʃrəl] *a* 1) культу́рный 2) *с.-х.* обраба́тываемый; иску́сственно выра́щиваемый

culture [ˈkʌltʃə] *n* 1) культу́ра 2) разведе́ние, возде́лывание; ~ of vine (oysters, *etc.*) разведе́ние виногра́дной лозы́ (у́стриц *и т. п.*) 3) сельскохозя́йственная культу́ра 4) культу́ра, выра́щивание бакте́рий 5) поме́тки и назва́ния на топографи́ческих ка́ртах

cultured [ˈkʌltʃəd] *a* 1) культу́рный, развито́й 2) культиви́рованный; ~ pearls культиви́рованный же́мчуг

culver [ˈkʌlvə] *n* ди́кий го́лубь

culvert [ˈkʌlvət] *n* 1) кульве́рт; водопропускна́я труба́ 2) *горн.* дрена́жная што́льня

cum [kʌm] *prep* с; ~ dividend включа́я дивиде́нд

cumber [ˈkʌmbə] *книжн.* **1.** *n* затрудне́ние, стесне́ние; препя́тствие

2. *v* затрудня́ть, стесня́ть; препя́тствовать

cumbersome [ˈkʌmbəsəm] *a* 1) нескладно́й; громо́здкий 2) обремени́тельный

Cumbrian [ˈkʌmbrɪən] **1.** *n* жи́тель Ка́мберленда

2. *a* ка́мберлендский

cumbrous [ˈkʌmbrəs] = cumbersome

cumin [ˈkʌmɪn] *n* тмин

cummer [ˈkʌmə] *n шотл.* 1) крёстная мать 2) прия́тельница 3) спле́тница, ку́мушка

cummin [ˈkʌmɪn] = cumin

cumulate 1. *a* [ˈkjuːmjʊlət] нако́пленный; со́бранный в ку́чу

2. *v* [ˈkjuːmjʊleɪt] нака́пливать; аккумули́ровать; собира́ть в ку́чу

cumulation [ˌkjuːmjʊˈleɪʃn] *n* накопле́ние; скопле́ние

cumulative [ˈkjuːmjʊlətɪv] *a* совоку́пный, нако́пленный; кумуляти́вный; ~ changes о́бщие сдви́ги; ~ vote систе́ма вы́боров, при кото́рой ка́ждый избира́тель име́ет сто́лько голосо́в, ско́лько вы́ставлено кандида́тов, и мо́жет отда́ть все свои́ голоса́ одному́ кандида́ту *или* распредели́ть их по своему́ жела́нию

cumuli [ˈkjuːmjʊlaɪ] *pl от* cumulus

cumulonimbus [ˌkjuːmjʊləˈnɪmbəs] *n* ку́чево-дождевы́е облака́

cumulus [ˈkjuːmjʊləs] *n* (*pl* -li) 1) кучевы́е облака́ 2) мно́жество, скопле́ние

cuneiform [ˈkjuːnɪfɔːm] **1.** *a* клинообра́зный

2. *n* клинообра́зный знак (*в ассири́йских на́дписях*)

cunnilingus [kʌnɪˈlɪŋgəs] *n* куннили́нгус

cunning [ˈkʌnɪŋ] **1.** *n* 1) хи́трость, кова́рство 2) *уст.* ло́вкость, уме́ние

2. *a* 1) хи́трый, кова́рный 2) *уст.* иску́сный, спосо́бный, ло́вкий; изобрета́тельный 3) *амер.* *разг.* преле́стный, изя́щный, интере́сный, пика́нтный; ~ smile очарова́тельная улы́бка

cunt [kʌnt] *n груб.* влага́лище

cup [kʌp] **1.** *n* 1) ча́ш(к)а; ку́бок 2) *бот.* ча́шечка (*цветка́*) 3) вино́ 4) *спорт.* ку́бок 5) до́ля, судьба́; his ~ of happiness was full он был сча́стлив; a bitter ~ го́рькая ча́ша; the ~ of life ча́ша жи́зни 6) *церк.* поти́р, поти́рная ча́ша 7) *эл.* ю́бка (*изоля́тора*) 8) *тех.* манже́та 9) *мед.* ба́нка ◇ one's ~ of tea увлече́ние; то, что нра́вится; it's not quite English ~ of tea э́то не совсе́м то, что нра́вится (*или* сво́йственно) англича́нам; to be in one's ~s быть навеселе́; to be a ~ too low быть в пода́вленном настрое́нии; to fill up the ~ перепо́лнить ча́шу терпе́ния

2. *v* 1) *бот.* придава́ть чашеви́дную фо́рму 2) *мед.* ста́вить ба́нки

cup and ball [ˌkʌpənˈbɔːl] *n* бильбоке́ (*игра́*)

cupbearer [ˈkʌpˌbeərə] *n* виноче́рпий

cupboard [ˈkʌbəd] *n* 1) шкаф, буфе́т 2) стенно́й шкаф; чула́н ◇ ~ love коры́стная любо́вь

cupel [ˈkjuːpel] **1.** *n* проби́рная ча́шка

2. *v* определя́ть про́бу (*драгоце́нных мета́ллов*)

cupful [ˈkʌpfʊl] *n* по́лная ча́шка (*чего́-л.*)

Cupid [ˈkjuːpɪd] *n римск. миф.* Купидо́н

cupidity [kjʊˈpɪdətɪ] *n* а́лчность, жа́дность; скаре́дность

cupola [ˈkjuːpələ] *n* 1) ку́пол 2) *тех.* вагра́нка 3) *воен., мор.* бронеба́шня; туре́ль

cuppa [ˈkʌpə] *n разг.* ча́шка ча́ю

cupping [ˈkʌpɪŋ] **1.** *pres. p. от* cup 2

2. *n мед.* примене́ние ба́нок

cupping-glass [ˈkʌpɪŋglɑːs] *n мед.* ба́нка

cupreous [ˈkjuːprɪəs] *a геол.* ме́дистый, содержа́щий медь

cupriferous [kjuːˈprɪfərəs] *a* медесодержа́щий

cuprite [ˈkjuːpraɪt] *n* купри́т, кра́сная ме́дная руда́

cuprous [ˈkjuːprəs] *a хим.*: ~ chloride хло́ристая медь

cuprum [ˈkjuːprəm] *n хим.* медь

cur [kɜː] *n* 1) дворня́жка (*особ. зла́я, куса́ющая*); ша́вка 2) ду́рно воспи́танный *или* трусли́вый челове́к

curability [ˌkjʊərəˈbɪlətɪ] *n* излечи́мость

curable [ˈkjʊərəbl] *a* излечи́мый

curaçao [ˈkjʊərəsəʊ] *n* ликёр кюрасо́

curacy [ˈkjʊərəsɪ] *n* 1) сан свяще́нника 2) прихо́д (*церко́вный*)

curare [kjʊˈrɑːrɪ] *n* кура́ре

curate [ˈkjʊərət] *n* вика́рий, второ́й свяще́нник прихо́да

curative [ˈkjʊərətɪv] **1.** *a* цели́тельный, целе́бный

2. *n* целе́бное сре́дство

curator [kjʊˈreɪtə] *n* 1) храни́тель (*музе́я, библиоте́ки*) 2) кура́тор, член правле́ния (*в университе́те*) 3) *шотл. юр.* опеку́н

curb [kɜːb] **1.** *n* 1) узда́; обузда́ние 2) подгу́бный реме́нь *или* цепо́чка, «це́пка» (*узде́чки*) 3) нару́жный сруб коло́дца 4) бордю́рный ка́мень; обо́чина (*тротуа́ра*; *см. тж.* kerb) 5) *attr.* мундшту́чный; ~ bit мундшту́чное уди́ло; ~ bridle мундшту́чная узде́чка

2. *v* 1) обу́здывать; сде́рживать 2) надева́ть узду́ (*на ло́шадь*)

curb roof [ˈkɜːbruːf] *n* манса́рдная кры́ша

curbstone [ˈkɜːbstəʊn] = kerbstone [*см. тж.* kerb *и* curb 1, 4)]

curcuma [ˈkɜːkjʊmə] = turmeric

curd [kɜːd] *n* 1) сверну́вшееся молоко́ 2) (*обыкн. pl*) творо́г

curdle [ˈkɜːdl] *v* 1) свёртывать(ся) (*о кро́ви, молоке́*) 2) засты́ть (*от у́жаса*), оцепене́ть 3): to ~ the blood ледени́ть кровь

curdy [ˈkɜːdɪ] *a* сверну́вшийся, створо́жившийся

cure I [kjʊə] **1.** *n* 1) лече́ние 2) излече́ние 3) лека́рство; сре́дство 4) курс лече́ния 5) *церк.* попече́ние (*о па́стве*) 6) *церк.* прихо́д 7) *тех.* вулканиза́ция (*рези́ны*)

2. *v* 1) выле́чивать, исцеля́ть 2) исправля́ть (*вред, зло*) 3) заготовля́ть, консерви́ровать 4) вулканизи́ровать (*рези́ну*) ◇ what cannot be ~d must be endured *посл.* ≅ что нельзя́ испра́вить, то сле́дует терпе́ть

cure II [kjʊə] *n sl.* чуда́к

cure-all [ˈkjʊrɔːl] *n* панаце́я, лека́рство от всех боле́зней, сре́дство от всех бед

cureless ['kjʊələs] *a* неизлечи́мый

curettage [kjʊ'retɪdʒ] *n мед.* выска́бливание

curette [kjʊ'ret] *хир.* 1. *n* кюре́тка

2. *v* выска́бливать кюре́ткой

curfew ['kɜ:fju:] *n* 1) коменда́нтский час 2) *ист.* вече́рний звон (*сигнал для гашения огней*) 3) колпачо́к (*для тушения огня*)

Curia ['kjʊərɪə] *n* па́пская ку́рия

curie ['kjʊərɪ] *n физ.* кюри́ (*единица радиоактивности*)

curing ['kjʊərɪŋ] *n* 1) лече́ние 2) исцеле́ние 3) консерви́рование, загото́вка

curio ['kjʊərɪəʊ] *n* (*pl* -os [-əʊz]) ре́дкая, антиква́рная вещь

curiosa [kjʊərɪ'əʊsə] *n pl* 1) ре́дкие *или* необы́чные ве́щи 2) эроти́ческие *или* порнографи́ческие кни́ги

curiosity [,kjʊərɪ'ɒsətɪ] *n* 1) любозна́тельность 2) любопы́тство 3) стра́нность 4) (a ~) дико́вина, ре́дкость 5) антиква́рная, ре́дкая вещь 6) *attr.* антиква́рный; ~ shop антиква́рный магази́н, «ла́вка дре́вностей»

curious ['kjʊərɪəs] *a* 1) любозна́тельный, пытли́вый 2) любопы́тный 3) стра́нный, курьёзный; возбужда́ющий любопы́тство 4) *эвф.* эроти́ческий; порнографи́ческий

curiously ['kjʊərɪəslɪ] *adv* стра́нно; необыча́йно; ~ enough любопы́тно, как ни стра́нно

curium ['kjʊərɪəm] *n хим.* кю́рий

curl [kɜ:l] 1. *n* 1) ло́кон; завито́к; *pl* выю́щиеся во́лосы 2) завито́к; спира́ль; кольцо́ (*дыма*) 3) зави́вка 4) вихрь, завихре́ние 5): ~ of the lips крива́я, презри́тельная улы́бка, усме́шка

2. *v* 1) завива́ть(ся); ви́ться (*о волосах*); крути́ть 2) ви́ться, клуби́ться (*о дыме, облаках*) 3) ряби́ть (*водную поверхность*) 4): to ~ one's lips презри́тельно криви́ть гу́бы 5) игра́ть в ке́рлинг ▭ ~ up а) скру́чивать(ся), смо́рщивать(ся); б) *разг.* скрути́ть (*о несчастье, горе и т. п.*); в) *разг.* испыта́ть потрясе́ние

curler ['kɜ:lə] *n* 1) бигуди́, папильо́тка 2) игро́к в ке́рлинг

curlew ['kɜ:lju:] *n* кро́ншнеп (*птица*)

curlicue ['kɜ:lɪkju:] *n* причу́дливый узо́р, причу́дливая завиту́шка

curling ['kɜ:lɪŋ] 1. *pres. p. om* curl 2

2. *n* 1) завива́ние; скру́чивание 2) ке́рлинг (*шотландская игра*)

3. *a* выю́щийся

curling irons ['kɜ:lɪŋ,aɪənz] *n pl* щипцы́ для зави́вки

curling tongs ['kɜ:lɪŋtɒŋz] = curling irons

curlpaper ['kɜ:l,peɪpə] *n* папильо́тка

curly ['kɜ:lɪ] *a* 1) кудря́вый, курча́вый; выю́щийся; волни́стый 2) изо́гнутый ◇ ~ gain свилева́тость, кососло́й (*в древесине*)

curmudgeon [kɜ:'mʌdʒən] *n разг.* 1) грубия́н 2) скупе́ц, скря́га

curmudgeonly [kɜ:'mʌdʒənlɪ] *a* 1) гру́бый 2) скупо́й

currant ['kʌrənt] *n* 1) кори́нка 2) сморо́дина

currency ['kʌrənsɪ] *n* 1) валю́та, де́ньги 2) де́нежное обраще́ние 3) употреби́тельность; this word (this game) is in common ~ э́то о́чень распространённое сло́во (распространённая игра́); to give ~ to smth. пуска́ть что-л. в обраще́ние

current ['kʌrənt] 1. *n* 1) струя́; пото́к 2) тече́ние; ход (*событий и т. п.*) 3) *эл.* ток 4) *гидр.* тече́ние, пото́к ◇ against the ~ про́тив тече́ния; to breast the ~ идти́ про́тив тече́ния

2. *a* 1) теку́щий, тепе́решний; совреме́нный; ~ week, ~ month, *etc.* теку́щая неде́ля, теку́щий ме́сяц *и т. д.*; ~ issue теку́щий но́мер (*журнала*); of ~ interest злободне́вный, актуа́льный 2) употреби́тельный, распространённый, ходя́чий; находя́щийся в обраще́нии; ~ coin ходя́чая моне́та; *перен.* общераспространённое мне́ние; to go (*или* to pass, to run) ~ быть общепри́нятым

curricle ['kʌrɪkl] *n ист.* па́рный двухколёсный экипа́ж

curricula [kə'rɪkjʊlə] *pl om* curriculum

curriculum [kə'rɪkjʊləm] *n* (*pl* -la) курс обуче́ния, уче́бный план (*школы, института, университета*)

curriculum vitae [kə,rɪkjʊləm'vi:taɪ] *n* кра́ткая биогра́фия

currier ['kʌrɪə] *n* коже́вник

currish ['kɜ:rɪʃ] *a* невоспи́танный; гру́бый; сварли́вый

curry I ['kʌrɪ] 1. *n* 1) ка́рри (*острая приправа*) 2) блю́до, припра́вленное ка́рри

2. *v* приготовля́ть блю́да с ка́рри, приправля́ть ка́рри

curry II ['kʌrɪ] *v* 1) чи́стить скребни́цей (*лошадь*) 2) выде́лывать ко́жу ◇ to ~ favour заи́скивать, подли́зываться

currycomb ['kʌrɪkəʊm] *n* скребни́ца (*для чистки лошадей*)

curse [kɜ:s] 1. *n* 1) прокля́тие; руга́тельство 2) бич, бе́дствие; the ~ of drink па́губа, прокля́тие пья́нства 3) (the ~) *разг.* менструа́ция 4) отлуче́ние от це́ркви ◇ don't care a ~ наплева́ть; wouldn't give a ~ гроша́ бы не дал (за *что-л.*); not worth a ~ никуда́ него́дный, гроша́ не сто́ит; ~s come home to roost прокля́тия обру́шиваются на го́лову проклина́ющего; ≅ не рой друго́му я́му, сам в неё попадёшь

2. *v* 1) проклина́ть; руга́ться 2) кощу́нствовать 3) отлуча́ть от це́ркви 4) (*обыкн. pass*) му́чить, причиня́ть страда́ния

cursed 1. [kɜ:st] *p. p. om* curse 2

2. *a* ['kɜ:sɪd] 1) прокля́тый, окая́нный 2) про́клятый 3) *разг.* отврати́тельный, ужа́сный

3. *adv* ['kɜ:sɪd] = cursedly

cursedly ['kɜ:sɪdlɪ] *adv* черто́вски; ме́рзко, отврати́тельно

cursive ['kɜ:sɪv] 1. *n* 1) ско́ропись 2) рукопи́сный шрифт

2. *a* скорописный; рукопи́сный

cursor ['kɜ:sə] *n* 1) *тех.* стре́лка, указа́тель, движо́к (*на шкале*) 2) *вчт.* курсо́р

cursorial [kɜ:'sɔ:rɪəl] *a* бе́гающий (*о птицах и насекомых*)

cursory ['kɜ:srɪ] *a* бе́глый, пове́рхностный; курсо́рный; to give a ~ glance бро́сить бе́глый взгля́д

curst [kɜ:st] = cursed 2 *u* 3

curt [kɜ:t] *a* 1) кра́ткий; сжа́тый (*о стиле*) 2) отры́висто-гру́бый (*об ответе*)

curtail [kɜ:'teɪl] *v* сокраща́ть, укора́чивать, уре́зывать

curtailment [kɜ:'teɪlmənt] *n* 1) сокраще́ние, уре́зывание

curtain ['kɜ:tn] 1. *n* 1) занаве́ска; to draw the ~ задёрнуть занаве́ску 2) за́навес; to drop the ~ опусти́ть за́навес; the ~ falls (*или* drops, is dropped) за́навес па́дает, представле́ние око́нчено; the ~ rises (*или* is raised) за́навес поднима́ется, представле́ние начина́ется; to lift the ~ подня́ть за́навес; *перен.* приподня́ть заве́су (*над чем-л.*) 3) = curtain-call 4) *воен.* заве́са 5) *pl разг.* коне́ц, кры́шка ◇ ~ lecture вы́говор, получа́емый му́жем от жены́ наедине́; behind the ~ за кули́сами, та́йно; to take the ~ выходи́ть на аплодисме́нты

2. *v* занаве́шивать ▭ ~ off отделя́ть за́навесом

curtain-call ['kɜ:tnkɔ:l] *n* вы́зов актёра (*на сцену*)

curtain-fire ['kɜ:tn,faɪə] *n воен.* огнева́я заве́са

curtain raiser ['kɜ:tn,reɪzə] *n* одноа́ктная пье́са, исполня́емая пе́ред нача́лом спекта́кля

curtilage ['kɜ:təlɪdʒ] *n юр.* уча́сток, прилега́ющий к до́му

curtsey ['kɜ:tsɪ] = curtsy

curtsy ['kɜ:tsɪ] 1. *n*ревера́нс, приседа́ние; to make (*или* to drop) a ~ присе́сть, сде́лать ревера́нс

2. *v* приседа́ть, де́лать ревера́нс

curvaceous [kɜ:'veɪʃəs] *a разг.* с краси́выми округлыми фо́рмами (*о женской фигуре*)

curvature ['kɜ:vətʃə] *n* 1) сгиба́ние, выгиба́ние 2) кривизна́, изги́б, искривле́ние

curve [kɜ:v] 1. *n* 1) крива́я (*линия или поверхность*); дуга́ 2) изги́б, кривизна́, закругле́ние 3) крива́я (*диаграмма*) 4) лека́ло

2. *v* гну́ть, сгиба́ть; изгиба́ть(ся)

curve piece ['kɜ:vpi:s] *n стр.* кружа́ло

curvet [kɜ:'vet] 1. *n* курбе́т

2. *v* де́лать курбе́т

curvilinear [,kɜ:vɪ'lɪnɪə] *a* криволине́йный

cushat ['kʌʃət] *n шотл.* лесно́й го́лубь, вя́хирь

cushion ['kʊʃn] 1. *n* 1) (дива́нная) поду́шка 2) борт (*бильярда*) 3) поду́шка (*для плетения кружев*) 4) возду́шная поду́шка (*судна*) 5) *тех.* упру́гая прокла́дка, поду́шка

2. *v* 1) подкла́дывать поду́шку 2) защища́ть, смягча́ть (*неблагоприятные последствия*); to ~ a shock смягчи́ть уда́р 3) зама́лчивать, обходи́ть молча́нием

cushioncraft ['kʊʃnkrɑ:ft] *n* су́дно на возду́шной поду́шке

cushiony ['kʊʃnɪ] *a* похо́жий на поду́шку; мя́гкий, как поду́шка

cushy ['kʊʃɪ] *a разг.* лёгкий и хорошо́ опла́чиваемый; a ~ job «тёпленькое месте́чко»; ~ wound лёгкая ра́на

cusp [kʌsp] *n* 1) (го́рный) пик; вы́ступ; мыс 2) рог луны́ 3) то́чка пересече́ния (*двух кривых*)

cuspid ['kʌspɪd] *n анат.* клык

cuspidal ['kʌspɪdl] *a* остроконе́чный

cuspidate(d) ['kʌspɪdeɪt(ɪd)] *a* остроконе́чный

cuspidor ['kʌspɪdɔ:] *n амер.* плева́тельница

cuss [kʌs] *разг.* **1.** *n* 1) прокля́тие 2) тип; (него́дный) ма́лый; «наказа́ние» ◇ not to care a ~ относи́ться наплева́тельски

2. *v* руга́ться

cussed ['kʌsɪd] *a разг.* упря́мый

custard ['kʌstəd] *n* заварно́й крем

custodian [kʌ'stəʊdɪən] *n* 1) сто́рож 2) храни́тель (*музея и т. п.*) 3) опеку́н

custody ['kʌstədɪ] *n* 1) опе́ка, попече́ние; охра́на, хране́ние 2) заключе́ние; заточе́ние; to take into ~ арестова́ть, взять под стра́жу

custom ['kʌstəm] **1.** *n* 1) обы́чай; привы́чка 2) *юр.* обы́чное пра́во 3) клиенту́ра; покупа́тели 4) зака́зы 5) *pl* тамо́женные по́шлины 6) *pl* тамо́женное управле́ние 7) *attr.*: ~s clearance тамо́женная очи́стка; ~s duties тамо́женные по́шлины и сбо́ры; ~s policy тамо́женная поли́ция; ~s union тамо́женный сою́з

2. *a* изгото́вленный, сде́ланный на зака́з; ~ clothes пла́тье, сши́тое на зака́з

customable ['kʌstəməbl] *a* подлежа́щий тамо́женному обложе́нию

customary ['kʌstəmərɪ] *a* обы́чный, привы́чный; осно́ванный на о́пыте; ~ law *юр.* обы́чное пра́во

custom-built [,kʌstəm'bɪlt] *a* 1) постро́енный по специа́льному зака́зу 2) изгото́вленный на зака́з

customer ['kʌstəmə] *n* зака́зчик, покупа́тель; клие́нт; *перен.* завсегда́тай ◇ rum (*или* queer) ~ чуда́к, стра́нный челове́к

customhouse ['kʌstəmhaʊs] *n* тамо́жня

customize ['kʌstəmaɪz] *v* выполня́ть по индивидуа́льному зака́зу

custom-made [,kʌstəm'meɪd] = custom-built 2)

cut I [kʌt] **1.** *v* (cut) 1) ре́зать; среза́ть, отреза́ть, разреза́ть; стричь; to ~ oneself поре́заться 2) коси́ть, жать; убира́ть урожа́й 3) руби́ть, вали́ть (*лес*) 4): to ~ loose отделя́ть, освобожда́ть; to ~ open рассека́ть 5) причини́ть о́струю боль, ре́зко уда́рить 6) обижа́ть, ра́нить 7) снижа́ть (*цены, налоги*) 8) уре́зывать; сокраща́ть (*статью, книгу, продукцию, расходы*) 9) высека́ть (*из камня*); ре́зать (*по дереву*); теса́ть, стёсывать; шлифова́ть, грани́ть (*драгоценные камни*) 10) кро́ить 11) бури́ть; копа́ть; рыть 12) пересека́ться (*о линиях, дорогах*) 13) сокраща́ть путь, идти́ напряме́к 14) прерыва́ть знако́мство (*с кем-л.*); не кла́няться, де́лать вид, что не замеча́ешь (*кого-л.*); to ~ smb. dead соверше́нно игнори́ровать кого́-л. 15) *разг.* перестава́ть, прекраща́ть 16) пропуска́ть, не прису́тствовать; to ~ lecture пропусти́ть ле́кцию 17) *разг.* удира́ть 18) *карт.* снима́ть коло́ду; to ~ for partners вынима́нием карт определи́ть партнёров 19) *кино* монти́ровать 20) ре́заться, проре́зываться (*о зубах*) 21) кастри́ровать (*животное*) 22) *спорт.* среза́ть (*мяч*) ▭ ~ at наноси́ть уда́р (*мечом, кнутом; тж. перен.*); ~ **away** а) среза́ть; б) *разг.* убега́ть; ~ **back** *кино* повтори́ть да́нный ра́нее кадр (*обычно в воспоминаниях и т. п.*); ~ **down** а) руби́ть (*деревья*); б) (*обыкн. pass.*) сража́ть (*о болезни, смерти*); в) сокраща́ть (*расходы, статью и т. п.*); ~ **in** а) вме́шиваться; б) вкли́ниваться ме́жду маши́нами; в) *эл.* включа́ть; ~ **off** а) обреза́ть, отсека́ть; прерыва́ть; operator, I have been ~ off послу́шайте, ста́нция, нас разъедини́ли; б) приводи́ть к ра́нней сме́рти; в) отреза́ть (*отступление*) г) выключа́ть (*электричество, воду, газ и т. п.*); ~ **out** а) выреза́ть; крои́ть; б) вытесня́ть; в) *мор.* отреза́ть су́дно от бе́рега; г) *эл.* выключа́ть; д) *карт.* выходи́ть из игры́; ~ **over** выруба́ть лес; ~ **under** продава́ть деше́вле (*конкурирующих фирм*); ~ **up** а) разруба́ть, разреза́ть на куски́; б) раскритикова́ть; в) подрыва́ть (*силы, здоровье*); причиня́ть страда́ния; to be ~ up му́читься, страда́ть ◇ ~ the coat according to the cloth ≅ по одёжке протя́гивай но́жки; to ~ and come again есть с аппети́том; to ~ and run убега́ть, удира́ть; to ~ both ways быть обоюдоо́стрым; to ~ a joke отпусти́ть, отколо́ть шу́тку; to be ~ out for smth. быть сло́вно со́зданным для чего́-л.; ~ it out! *разг.* переста́ньте!, бро́сьте!; to ~ up well оста́вить по́сле свое́й сме́рти большо́е состоя́ние; to ~ up rough негодова́ть, возмуща́ться; to ~ to the heart (*или* to the quick) заде́ть за живо́е, глубоко́ уязви́ть, глубоко́ заде́ть (*чьи-л. чувства*); to ~ to pieces разби́ть на́голову; раскритикова́ть; to ~ a feather *уст.* а) вдава́ться в изли́шние то́нкости; б) *разг.* щеголя́ть, красова́ться, выставля́ть напока́з; to ~ short прерыва́ть, обрыва́ть

2. *n* 1) ре́зание, разреза́ние 2) разре́з, поре́з; ра́на, зару́бка, засе́чка 3) сниже́ние (*цен, количества*) 4) прекраще́ние пода́чи (*энергии и т. п.*) 5) вы́резка (*тж. из книги, статьи*); a ~ from the joint вы́резка, филе́й 6) ре́зкое замеча́ние 7) покро́й 8) прекраще́ние (*знакомства*); to give smb. the ~ direct прекрати́ть знако́мство с кем-л. 9) гравю́ра на де́реве (*доска или оттиск*) 10) кратча́йший путь (*тж.* a short ~) 11) *карт.* сня́тие (*колоды*) 12) *кино* монта́ж; rough ~ предвари́тельный монта́ж 13) *кино* бы́страя сме́на ка́дров 14) кана́л; вы́емка 15) про́филь, сече́ние; пролёт (*моста*) ◇ the ~ of one's rig (*или* jib) *разг.* вне́шний вид челове́ка

cut II [kʌt] **1.** *p. p. от* cut I, 1

2. *a* 1) отре́занный, подре́занный, сре́занный 2) поре́занный 3) сни́женный, уме́ньшенный 4) скро́енный 5) кастри́рованный ◇ ~ and dried (*или* dry) а) зара́нее подгото́вленный; в зако́нченном ви́де; б) трафаре́тный, тривиа́льный, бана́льный

cutaneous [kjʊ'teɪnɪəs] *a мед.* ко́жный

cut away ['kʌtəweɪ] *n* визи́тка

cutback ['kʌtbæk] *n* сокраще́ние, сниже́ние; ~ of economic activity экономи́ческий спад

cute [kju:t] *a разг.* 1) привлека́тельный, милови́дный 2) у́мный, сообрази́тельный; остроу́мный, нахо́дчивый

cut glass ['kʌtglɑ:s] *n* гранёное стекло́

cuticle ['kju:tɪkl] *n анат., бот.* кути́кула

cutie ['kju:tɪ] *n sl.* красо́тка, мила́шка

cutlass ['kʌtləs] *n мор. ист.* абορда́жная са́бля

cutler ['kʌtlə] *n* ножо́вщик; торго́вец ножевы́ми изде́лиями

cutlery ['kʌtlərɪ] *n* 1) ножевы́е изде́лия; ножево́й това́р 2) ремесло́ ножо́вщика

cutlet ['kʌtlət] *n* отбивна́я котле́та

cut off ['kʌtɒf] *n* 1) *амер.* сокраще́ние пути́, обхо́д, обходна́я доро́га 2) *гидр.* спрямле́ние ру́сла 3) *тех.* отсе́чка па́ра

cutoff date [,kʌtɒf'deɪt] *n* коне́чный, после́дний срок

cut out ['kʌtaʊt] *n* 1) очерта́ние, а́брис, про́филь, ко́нтур 2) *эл.* предохрани́тель; автомати́ческий выключа́тель; руби́льник 3) апплика́ция

cut sugar ['kʌt,ʃʊgə] *n* пилёный са́хар

cutter ['kʌtə] *n* 1) закро́йщик; закро́йщица 2) ре́зчик (*по дереву, камню*) 3) забо́йщик 4) *кино* монтажёр 5) *мор.* ка́тер; те́ндер (*одномачтовая парусная яхта*) 6) ре́жущий инструме́нт *или* стано́к; резе́ц; реза́к; фреза́; бур *и т. п.* 7) *горн.* вру́бовая маши́на 8) *амер.* двухме́стные са́ни

cutthroat ['kʌtθrəʊt] *n* 1) головоре́з, уби́йца 2) опа́сная бри́тва 3) *attr.* беспоща́дный, ожесточённый; ~ competition конкуре́нция не на жизнь, а на́ смерть

cutting ['kʌtɪŋ] **1.** *pres. p. от* cut I, 1

2. *n* 1) ре́зание; ру́бка; теса́ние; гране́ние; фрезерова́ние 2) вы́резка (*газетная, журнальная*) 3) *с.-х.* черено́к 4) вы́резанная фигу́ра 5) *pl* обре́зки, опи́лки, стру́жки ◇ railway ~ вы́емка железнодоро́жного пути́

3. *a* 1) о́стрый, ре́зкий; язви́тельный (*о замечании*) 2) прони́зывающий (*о*

ветре) 3) ре́жущий; для ре́зания; ~ speed ско́рость ре́зания; ~ tool резе́ц; ре́жущий инструме́нт

cutting area ['kʌtɪŋ,eərɪə] *n* лесосе́ка

cutting room ['kʌtɪŋru:m] *n кино* монта́жная

cuttle ['kʌtl] = cuttlefish

cuttlefish ['kʌtlfɪʃ] *n зоол.* карака́тица

cutty ['kʌtɪ] *n диал.* 1) коро́тенькая гли́няная труба́ 2) коро́ткая ло́жка 3) безнра́вственная же́нщина

cutty stool ['kʌtɪstu:l] *n* 1) ни́зкий табуре́т 2) *ист.* позо́рный стул в шотла́ндских церква́х

cutwater ['kʌt,wɔ:tə] *n* 1) *мор.* водоре́з 2) *стр.* волноло́м (*быка*)

cutworm ['kʌtwɜ:m] *n зоол.* гу́сеница ози́мой со́вки

cuvette [kju:'vet] *n фото* кюве́тка

cyanic [saɪ'ænɪk] *a хим.* циа́новый; ~ acid циа́новая кислота́

cyanide ['saɪənaɪd] *n хим.* циани́д, соль цианистоводоро́дной кислоты́; ~ of potassium циа́нистый ка́лий

cyanogen [saɪ'ænədʒən] *n хим.* циа́н

cyanosis [,saɪə'nəʊsɪs] *n мед.* циано́з, синю́ха

cybernated [,saɪbə'neɪtɪd] *a* кибернетизи́рованный; оснащённый компью́терами

cybernation [,saɪbə'neɪʃn] *n* кибернетиза́ция; компьютериза́ция

cybernetic [,saɪbə'netɪk] *a* кибернети́ческий

cybernetics [,saɪbə'netɪks] *n pl* (*употр. как sing*) киберне́тика

cyclamen ['sɪkləmən] *n бот.* циклaméн

cycle ['saɪkl] **1.** *n* 1) цикл; круг; круговоро́т 2) (*сокр. от* bicycle) велосипе́д 3) *тех.* (кругово́й) проце́сс, такт

2. *v* 1) е́здить на велосипе́де 2) соверша́ть цикл разви́тия 3) де́лать оборо́ты (*о колесе и т. п.*)

cycle-car ['saɪklkɑ:] *n* малолитра́жный автомоби́ль с мотоцикле́тным дви́гателем

cycler ['saɪklə] *амер.* = cyclist

cyclic(al) ['sɪklɪk(l)] *a* цикли́ческий

cycling ['saɪklɪŋ] **1.** *pres. p. от* cycle 2 **2.** *n* езда́ на велосипе́де

cyclist ['saɪklɪst] *n* велосипеди́ст

cycloid ['saɪklɔɪd] *n геом.* цикло́ида

cyclometer [saɪ'klɒmɪtə] *n* цикломе́тр (*инструмент*)

cyclone ['saɪkləʊn] *a* циклони́ческий

cyclop(a)edia [,saɪkləʊ'pi:dɪə] *n* (*сокр. от* encyclop(a)edia) энциклопе́дия

cyclop(a)edic [,saɪkləʊ'pi:dɪk] *a* (*сокр. от* encyclop(a)edic) энциклопеди́ческий

Cyclopean [,saɪkləʊ'pi:ən] *a* циклопи́ческий; грома́дный, гига́нтский

Cyclopes [saɪ'kləʊpi:z] *pl от* Cyclops

Cyclops ['saɪklɒps] *n* (*pl* -opes) 1) *миф.* цикло́п 2) *pl зоол.* цикло́пы (*сем. низших раков с одним глазом*)

cyclorama [,saɪkləʊ'rɑ:mə] *n кино* циклора́ма

cyclotron ['saɪkləʊtrɒn] *n физ.* циклотро́н

cyder ['saɪdə] = cider

cygnet ['sɪgnət] *n* молодо́й ле́бедь

cylinder ['sɪlɪndə] *n* 1) *геом.* цили́ндр 2) *тех.* цили́ндр; ва́лик, вало́к; бараба́н; gas ~ балло́н 3) бараба́н револьве́ра 4) *attr.* цили́ндровый; ~ bore диа́метр цили́ндра в свету́; ~ head кры́шка цили́ндра

cylindrical [sə'lɪndrɪkl] *a* цилиндри́ческий

cymbals ['sɪmblz] *n pl муз.* таре́лки

cyme [saɪm] *n бот.* сло́жный зо́нтик

cymograph ['saɪməʊgrɑ:f] *n* кимо́граф

cymometer [saɪ'mɒmɪtə] *n радио* волноме́р; частотоме́р

cymoscope ['saɪməskəʊp] *n эл.* индика́тор колеба́ний

Cymric ['kʌmrɪk] *a* ки́мрский; уэ́льский

cynic ['sɪnɪk] *n* ци́ник

cynical ['sɪnɪkl] *a* цини́чный; бессты́дный

cynicism ['sɪnɪ,sɪzəm] *n* цини́зм

cynosure ['saɪnəsjʊə] *n* 1) центр внима́ния 2) путево́дная звезда́

Cynthia ['sɪnθɪə] *n миф.* Ци́нтия, Луна́

cypher ['saɪfə] = cipher

cypress ['saɪprəs] *n бот.* кипари́с

Cyprian ['sɪprɪən] **1.** *a* ки́прский **2.** *n* уроже́нец Ки́пра, киприо́т

Cypriote ['sɪprɪəʊt] *n* уроже́нец Ки́пра, киприо́т

Cyrillic [sə'rɪlɪk] **1.** *a*: ~ alphabet кири́ллица (*древнеславянская азбука*) **2.** *n* кири́ллица

cyst [sɪst] *n* 1) *анат.* пузы́рь; *бот.* ци́ста 2) *мед.* киста́

cystic ['sɪstɪk] *a анат.* пузы́рный

cystitis [sɪ'staɪtɪs] *n мед.* воспале́ние мочево́го пузыря́, цисти́т

cytology [saɪ'tɒlədʒɪ] *n* уче́ние о кле́тке, цитоло́гия

cytoplasm ['saɪtəʊ,plæzəm] *n биол.* протопла́зма кле́тки, цитопла́зма

czar [zɑ:] = tsar

czardas ['tʃɑ:dæʃ] = csardas

czarevitch ['zɑ:rɪvɪtʃ] = tsarevitch

czarina [zɑ:'ri:nə] = tsarina

Czech [tʃek] **1.** *a* че́шский **2.** *n* 1) чех; че́шка 2) че́шский язы́к

Czechoslovak [,tʃekəʊ'sləʊvæk] **1.** *a* чехослова́цкий **2.** *n* жи́тель Чехослова́кии

Czekh [tʃek] = Czech

D

D, d [di:] *n* (*pl* Ds, D's [di:z]) 1) *4-я буква англ. алфавита* 2) *муз.* ре 3) *тех.* что-л., имеющее форму D [*см.* dee 2)]

d [di:] *эвф. см.* damn

'd [-d] *разг. сокр. от* had, should, would; he'd go он пошёл бы

da [dɑ:] *разг. см.* dad

dab I [dæb] **1.** *n* 1) прикосновение 2) мазок; пятно (*краски*) 3) лёгкий удар

2. *v* 1) слегка прикасаться 2) прикладывать что-л. мягкое *или* мокрое; to ~ one's forehead with a handkerchief прикладывать ко лбу платок 3) намазывать; покрывать (*краской, штукатуркой*); делать лёгкие мазки (*тряпкой, кистью*; on) 4) тыкать; ударять (at); to ~ with one's finger тыкать пальцем 5) клевать 6) *тех.* отмечать кернером

dab II [dæb] *n зоол.* ершоватка, лиманда

dab III [dæb] *n разг.* знаток, мастер, дока

dabble ['dæbl] *v* 1) заниматься (*чем-л.*) поверхностно, по-любительски; to ~ in politics политиканствовать 2) плескать(ся), брызгать(ся); барахтаться (*в воде, грязи*) 3) опрыскивать, орошать

dabbler ['dæblə] *n пренебр.* любитель, дилетант

dabster ['dæbstə] *n* 1) (*преим. диал.*) знаток, специалист [*см.* dab III] 2) *разг.* неумелый работник

dace [deɪs] *n* (*pl* dace) елец (*рыба*); плотва

dacha ['dætʃə] *русск. n* дача

dachshund ['dæksnd] *n* такса (*порода собак*)

dactyl ['dæktɪl] *n* 1) *прос.* дактиль 2) *зоол.* палец (*животного*)

dactylic [dæk'tɪlɪk] **1.** *a* дактилический **2.** *n* (*обыкн. pl*) дактилический стих

dactyliography [,dæktɪlɪ'ɒgrəfɪ] *n* история искусства гравирования (*на драгоценных камнях и кольцах*)

dactylogram [dæk'tɪləgræm] *n* отпечаток пальца

dactylography [,dæktɪ'lɒgrəfɪ] *n* дактилоскопия

dactylology [,dæktɪ'lɒlədʒɪ] *n* разговор при помощи пальцев, дактилология

dad, daddy [dæd, 'dædɪ] *n разг.* папа, папочка

daddy longlegs [,dædɪ'lɒŋlegz] *n* 1) долгоножка (*насекомое*) 2) паук-сенокосец

dado ['deɪdəʊ] **1.** *n* (*pl* -os [-əʊz]) *архит.* 1) панель (*стены*) 2) цоколь

2. *v* 1) обшивать панелью; расписывать панель 2) *тех.* выбирать пазы

daedal ['di:dəl] *a поэт.* 1) искусный 2) затейливый, сложный

Daedalian [dɪ'deɪlɪən] *a* сложный; запутанный, как лабиринт, хитроумный

daemonic [dɪ'mɒnɪk] = demonic

daffodil ['dæfədɪl] **1.** *n* 1) *бот.* бледно-жёлтый нарцисс (*является национальной эмблемой валлийцев*) 2) бледно-жёлтый цвет

2. *a* бледно-жёлтый

daffodilly ['dæfədɪlɪ] = daffodil 1, 1)

daffy ['dæfɪ] = daft

daft [dɑ:ft] *a разг.* 1) сумасшедший; чокнутый; глупый 2) свихнувшийся (*на чём-л.*), потерявший голову; to go ~ рехнуться; потерять голову 3) легкомысленный; бесшабашный

dag I [dæg] *n* клок сбившейся шерсти

dag II [dæg] *n ист.* большой пистолет

dagger ['dægə] **1.** *n* 1) кинжал; to be at ~s drawn with smb. быть на ножах с кем-л. 2) *полигр.* крестик ◇ to look ~s злобно смотреть, бросать гневные взгляды; to speak ~s говорить озлобленно, с раздражением

2. *v* 1) пронзать кинжалом 2) *полигр.* отмечать крестиком

daggle ['dægl] *v* 1) извозить, измазать 2) тащить, волочить по грязи

dago ['deɪgəʊ] *n* (*pl* -os, -oes [-əʊz]) *амер. презр.* даго (*прозвище итальянца, испанца, португальца*)

daguerreotype [də'gerəʊtaɪp] *n* дагерротип

dahlia ['deɪlɪə] *n бот.* георгин

Dail (Eireann) [,dɔɪl('eərən)] *n* нижняя палата парламента Ирландии

daily ['deɪlɪ] **1.** *a* ежедневный; повседневный; суточный; it is of ~ occurrence это происходит ежедневно; это повседневное явление; ~ living needs, ~ wants насущные потребности, бытовые нужды; ~ allowance *воен.* суточное довольствие; ~ duty дежурство ◇ ~ dozen *спорт. разг.* зарядка

2. *n разг.* 1) ежедневная газета 2) приходящая работница (*тж.* ~ woman)

3. *adv* ежедневно

daintiness ['deɪntɪnəs] *n* утончённость, изысканность

dainty ['deɪntɪ] **1.** *n* лакомство, деликатес

2. *a* 1) утончённый; изящный, элегантный 2) лакомый; вкусный 3) разборчивый, привередливый

dairy ['deərɪ] *n* 1) маслодельня; сыроварня 2) молочная 3) = dairy farm 4) *attr.* молочный; ~ produce молочные продукты; ~ cattle молочный скот

dairy farm ['deərɪfɑ:m] *n* молочная ферма

dairying ['deərɪɪŋ] *n* производство, хранение и продажа молочных продуктов

dairymaid ['deərɪmeɪd] *n* работница на молочной ферме; доярка

dairyman ['deərɪmən] *n* 1) продавец молочных продуктов; торговец молочными продуктами 2) владелец *или* работник молочной фермы; дояр

dais ['deɪɪs] *n* помост, возвышение (*в зале для трона, кафедры*)

daisied ['deɪzɪd] *a поэт.* покрытый маргаритками

daisy ['deɪzɪ] *n* 1) маргаритка 2) *амер. бот.* поповник, нивяник обыкновенный 3) *sl.* что-л. первоклассное, первосортное

daisy-cutter ['deɪzɪ,kʌtə] *n* 1) лошадь, едва поднимающая ноги во время бега 2) мяч, скользящий по грунту (*в крикете*)

daisy wheel ['deɪzɪwi:l] *n вчт.* ромашка, лепестковый литероноситель

dak [dɑ:k] *инд. n* 1) сменные носильщики *или* лошади 2) почта на перекладных *или* на сменных носильщиках

dak bungalow [,dɑ:k'bʌŋgələʊ] *n* гостиница при почтовой станции (*в Индии и Пакистане*)

Dalai lama [,dælaɪ'lɑ:mə] *n* далай-лама

dale [deɪl] *n поэт.* долина, дол ◇ up hill and down ~ по горам, по долам; не разбирая дороги; to curse up hill and down ~ ≅ ругать на чём свет стоит

-dale [-deɪl] *в сложных словах означает* долина; *напр.*, Clydesdale

dalesman ['deɪlzmən] *n* житель долин (*на севере Англии*)

dalliance ['dælɪəns] *n* 1) праздное времяпрепровождение; развлечение 2) несерьёзное отношение (*к чему-л.*) 3) флирт

dally ['dælɪ] *v* 1) заниматься пустяками; болтаться без дела; to ~ with an idea носиться с мыслью (*ничего не предпринимая*) 2) развлекаться 3) кокетничать, флиртовать □ ~ **away** а) зря терять время; б) упускать возможность; ~ **off** откладывать в долгий ящик; уклоняться от *чего-л.*

Dalmatian [dæl'meɪʃn] **1.** *a* далматский **2.** *n* далматский дог

dalmatic [dæl'mætɪk] *n церк.* далматик (*облачение католических священнослужителей*)

daltonism ['dɔ:ltənɪzəm] *n мед.* дальтонизм

dam I [dæm] **1.** *n* 1) да́мба, плоти́на, запру́да; гать; перемы́чка; мол 2) запру́женная вода́

2. *v* запру́живать во́ду (*часто* ~ up) ▭ ~ **back** сде́рживать, уде́рживать; ~ **out** задéрживать, отводи́ть плоти́ной (*воду*)

dam II [dæm] *n* ма́тка (*о животном*)

damage ['dæmɪdʒ] **1.** *n* 1) вред; повреждéние; убы́ток; ущéрб 2) *pl юр.* убы́тки; компенса́ция за убы́тки; to bring an action of ~s against smb. предъяви́ть кому́-л. иск за убы́тки 3) (*тж. pl*) *разг.* сто́имость; what's the ~? ско́лько э́то сто́ит?; I will stand the ~s я заплачу́

2. *v* 1) поврежда́ть, по́ртить; наноси́ть ущéрб, убы́ток 2) позо́рить, дискредити́ровать 3) *разг.* ушиби́ть, повреди́ть (*о частях тела*)

damageable ['dæmɪdʒəbl] *a* легко́ повреждáемый *или* по́ртящийся

damage control ['dæmɪdʒkən,trəʊl] *n* ремо́нтно-восстанови́тельные рабо́ты

daman ['deɪmən] *n зоол.* дама́н

damascene ['dæməsi:n] *n* украша́ть насéчкой из зо́лота *или* серебра́ (*металл*); ворони́ть (*сталь*)

damask ['dæməsk] **1.** *n* 1) дама́ст, камка́ (*узорчатая шёлковая или полотняная ткань*) 2) камча́тное полотно́ (*для скатертей*) 3) *ист.* дама́сская сталь; була́т 4) а́лый цвет

2. *a* 1) камча́тный 2) *ист.* сдéланный из дама́сской ста́ли, була́тный; ~ steel була́т 3) а́лый

3. *v* 1) ткать с узо́рами 2) украша́ть насéчкой из зо́лота *или* серебра́; ворони́ть (*сталь*)

dame [deɪm] *n* 1) (D.) кавалéрственная да́ма (*титул жены баронета или женщины, имеющей орден Британской Империи*) 2) *шутл.* пожила́я жéнщина 3) *уст.* госпожа́, да́ма 4) *уст.* нача́льница шко́лы 5) *амер. разг.* жéнщина ◇ D. Nature мать-приро́да; D. Fortune госпожа́ форту́на

dame school ['deɪmsku:l] *n ист.* шко́ла для ма́леньких детéй (*возглавляемая женщиной*)

damfool ['dæmfu:l] *a разг.* глу́пый, дурно́й

dammar ['dæmə] *n* дамма́ра, дамма́ровая смола́

damme ['dæmɪ] *int* (*сокр. от* damn me) будь я про́клят!

dammit ['dæmɪt] *int разг.* чёрт побери́!

damn [dæm] **1.** *n* проклятие; руга́тельство ◇ not to care a ~ совершéнно не интересова́ться, наплева́ть; not worth a ~ ≅ вы́еденного яйца́ не сто́ит

2. *v* 1) проклина́ть; ~ it all! тьфу, про́пасть!; I'll be ~ed if будь я про́клят, éсли 2) осужда́ть; порица́ть, критикова́ть; to ~ a play хо́лодно приня́ть, провали́ть пьéсу; to ~ with faint praise ≅ похвали́ть так, что не поздоро́вится 3) руга́ться

damnable ['dæmnəbl] *a* 1) ужа́сный, отврати́тельный 2) заслу́живающий осуждéния

damnably ['dæmnəblɪ] *adv* отврати́тельно; ужа́сно, о́чень, чрезвыча́йно

damnation [dæm'neɪʃn] **1.** *n* 1) прокля́тие; may ~ take him! будь он про́клят! 2) *церк.* вéчные му́ки (*в аду*) 3) осуждéние, стро́гая кри́тика

2. *int* прокля́тие!

damnatory ['dæmnətərɪ] *a* 1) осужда́ющий 2) вызыва́ющий осуждéние; па́губный 3) *юр.* влеку́щий за собо́й осуждéние (*о показании*)

damned [dæmd] **1.** *p. p. от* damn 2

2. *a* 1) осуждённый, про́клятый 2) *разг.* прокля́тый, трекля́тый; отврати́тельный, черто́вский (*часто употр. для усиления*); none of your ~ nonsense! не валя́йте дурака́; it is ~ hot черто́вски жа́рко

damnification [,dæmnɪfɪ'keɪʃn] *n юр.* причинéние вреда́, ущéрба

damnify ['dæmnɪfaɪ] *v* причиня́ть вред, ущéрб

damning ['dæmɪŋ] **1.** *pres. p. от* damn 2

2. *a* 1) *юр.* влеку́щий за собо́й осуждéние; ~ evidence изоблича́ющие ули́ки 2) *разг.* убийственный

Damocles ['dæməkli:z] *n греч. миф.* Дамо́кл; sword of ~ дамо́клов меч

damp [dæmp] **1.** *n* 1) сы́рость, вла́жность; испарéния 2) уны́ние, угнетённое состоя́ние ду́ха; to cast a ~ over smb. огорча́ть, разочаро́вывать кого́-л.; приводи́ть в уны́ние, угнета́ть кого́-л. 3) *горн.* рудни́чный газ

2. *a* вла́жный, сыро́й; ~ summer сыро́е лéто

3. *v* 1) сма́чивать, увлажня́ть 2) обескура́живать, угнета́ть (*о мысли и т. п.*); to ~ smb.'s ardour охлади́ть чей-л. пыл; to ~ smb.'s spirits испо́ртить кому́-л. настроéние 3) спусти́ть жар в пéчи, затуши́ть (*топку*; *часто* ~ down) 4) *физ.* уменьша́ть амплиту́ду колеба́ний; заглуша́ть (*звук*) 5) *тех.* тормози́ть; амортизи́ровать; демпфи́ровать ▭ ~ off ги́бнуть от ми́лдью (*о растениях*)

damp course ['dæmpkɔ:s] *n стр.* гидроизоля́ция

dampen ['dæmpən] *v* 1) = damp 3; 2) станови́ться вла́жным, отсырева́ть

damper ['dæmpə] *n* 1) кто-л., что-л., дéйствующее угнета́юще; to put (*или* to cast) a ~ on обескура́живать *кого-л.*, расхола́живать 2) увлажни́тель; гу́бка *или* ро́лик для сма́чивания ма́рок 3) *тех.* глуши́тель; амортиза́тор 4) регуля́тор тя́ги; дымова́я засло́нка; вью́шка (*в печах*) 5) дéмпфер (*в фортепиано*); сурди́на 6) *австрал.* прéсная лепёшка (*испечённая в золе*)

damping ['dæmpɪŋ] **1.** *pres. p. от* damp 3

2. *n* 1) увлажнéние, сма́чивание 2) глушéние; торможéние 3) *радио* затуха́ние

dampish ['dæmpɪʃ] *a* сырова́тый, слегка́ вла́жный

damp-proof ['dæmppru:f] *a* влагосто́йкий, влагонепроница́емый

dampy ['dæmpɪ] *a* 1) сырова́тый 2) *горн.* га́зовый, содержа́щий рудни́чный газ

damsel ['dæmzl] *n уст.*, *книжн.* деви́ца

damson ['dæmzn] *n* черносли́в, мéлкая чёрная сли́ва

damson cheese ['dæmzntʃi:z] *n* пластово́й мармела́д из сли́вы

damson-coloured ['dæmzn,kʌləd] *a* краснова́то-си́ний (*цвета сливы*)

Dan [dæn] *n уст.*, *поэт.* господи́н, су́дарь

dan I [dæn] *n* дан (*в дзюдо*)

dan II [dæn] *n мор.* буёк

dance [dɑ:ns] **1.** *n* 1) тáнец 2) тур (*в танцах*) 3) бал, танцева́льный вéчер 4) му́зыка для та́нцев ◇ to lead smb. a (pretty) ~ води́ть кого́-л. за́ нос, заста́вить кого́-л. пому́читься; St. Vitus's ~ пля́ска св. Ви́тта (*болезнь*)

2. *v* 1) танцева́ть, пляса́ть 2) пры́гать, скака́ть; to ~ for joy пляса́ть от ра́дости 3) кружи́ться (*о листьях*); дви́гаться (*о тени*); скользи́ть (*в лучах*); кача́ться (*о лодке*) 4) кача́ть (*ребёнка*) ◇ to ~ attendance upon smb. ходи́ть пéред кем-л. на за́дних ла́пках; to ~ to smb.'s tune (*или* whistle, piping) пляса́ть под чью-л. ду́дку; to ~ to another (*или* to a different) tune запéть друго́е; to ~ upon nothing *ирон.* быть повéшенным

dance hall ['dɑ:nshɔ:l] *n* да́нсинг, танцева́льный зал

dancer ['dɑ:nsə] *n* 1) танцу́ющий 2) танцо́р; танцо́вщик; танцо́вщица; балери́на; арти́ст(ка) балéта; ~ at shows балага́нный шут, пая́ц ◇ merry ~s сéверное сия́ние

dancing ['dɑ:nsɪŋ] **1.** *pres. p. от* dance 2

2. *n* 1) та́нцы, пля́ска 2) *attr.* танцева́льный; ~ master учи́тель та́нцев; ~ party танцева́льный вéчер

dancing-hall ['dɑ:nsɪŋhɔ:l] = dance hall

dandelion ['dændɪlaɪən] *n* одува́нчик

dander I ['dændə] *n разг.* раздражéние; злость; негодова́ние; to get one's ~ up рассерди́ть(ся); вы́вести *или* вы́йти из терпéния

dander II ['dændə] = dandruff

dandify ['dændɪfaɪ] *v* одева́ть щёголем; принаряжа́ть

dandle ['dændl] *v* 1) кача́ть на рука́х *или* на колéнях (*ребёнка*) 2) ласка́ть; балова́ть

dandruff ['dændrəf] *n* пéрхоть

dandy ['dændɪ] **1.** *n* 1) дéнди, щёголь, франт 2) (the ~) *разг.* что-л. первокла́ссное

2. *a* 1) *разг.* превосхо́дный, первокла́ссный 2) щегольско́й, пижо́нский

dandy brush ['dændɪbrʌʃ] *n* скребни́ца, жёсткая щётка (*из китового уса для чистки лошадей*)

dandyism ['dændɪɪzəm] *n книжн.* денди́зм, франтовство́, щегольство́

Dane [deɪn] *n* 1) датча́нин; датча́нка 2) да́тский дог (*тж.* Great ~)

Danelagh ['deɪnlɔ:] = Danelaw

Danelaw [ˈdeɪnlɔː] *n ист.* 1) да́тские зако́ны (*установленные в сев.-восточной Британии в X в.*) 2) о́бласть, где де́йствовали э́ти зако́ны [*см.* 1)]

dang [dæŋ] *v*: ~ it! чёрт побери́!

danger [ˈdeɪndʒə] *n* 1) опа́сность; out of ~ вне опа́сности; in ~ в опа́сном положе́нии; in ~ of one's life с опа́сностью для жи́зни; to keep out of ~ избега́ть опа́сности 2) угро́за; a ~ to peace угро́за ми́ру

danger arrow [ˈdeɪndʒər,ærəʊ] *n* зигзагообра́зная стрела́, знак мо́лнии (*обозначение токов высокого напряжения*)

danger-money [ˈdeɪndʒə,mʌnɪ] *n* пла́та за страх, за риск

dangerous [ˈdeɪndʒərəs] *a* опа́сный; риско́ванный; to look ~ быть в раздражённом состоя́нии

danger-signal [ˈdeɪndʒə,sɪgnl] *n* 1) сигна́л опа́сности 2) *ж.-д.* сигна́л «путь закры́т»

dangle [ˈdæŋgl] *v* 1) свобо́дно свиса́ть, болта́ться, кача́ться 2) пока́чивать 3) мани́ть, соблазня́ть, дразни́ть ▭ ~ **after** бе́гать за *кем-л.*, волочи́ться; ~ **around** слоня́ться, болта́ться

dangle-dolly [ˈdæŋgl,dɒlɪ] *n* игру́шка, кото́рая подве́шивается в автомаши́не

dangler [ˈdæŋglə] *n* 1) безде́льник 2) волоки́та

dangling [ˈdæŋglɪŋ] *a* 1) вися́щий, свиса́ющий 2) *грам.* обосо́бленный

Danish [ˈdeɪnɪʃ] **1.** *a* да́тский ◇ ~ balance безме́н

2. *n* да́тский язы́к

dank [dæŋk] *a* (сли́шком) вла́жный; сыро́й и холо́дный; промо́зглый

dap [dæp] *v* 1) уди́ть ры́бу (*слегка погружая приманку в воду*) 2) ударя́ть(ся) о зе́млю (*о мяче*)

daphne [ˈdæfnɪ] *n бот.* волчея́годник

daphnia [ˈdæfnɪə] *n зоол.* да́фния, водяна́я блоха́

dapper [ˈdæpə] *a* 1) опря́тно *или* щегольски́ оде́тый 2) подви́жный, энерги́чный

dapple [ˈdæpl] *v* покрыва́ть(ся) (кру́глыми) пя́тнами

dapple-bay [ˈdæplbeɪ] *n* гнедо́й в я́блоках конь

dappled [ˈdæpld] **1.** *p. p. от* dapple

2. *a* пёстрый, пятни́стый; испещрённый; ~ deer пятни́стый оле́нь

dapple-grey [,dæplˈgreɪ] **1.** *a* се́рый в я́блоках

2. *n* се́рый в я́блоках конь

darby [ˈdɑːbɪ] *n стр.* пра́вило штукату́ра; лопа́тка ка́менщика; мастеро́к для зати́рки

dare [deə] **1.** *v* (dared [-d], durst; dared; *3 л. ед. ч. настоящего времени* dares *и* dare) 1) *модальный глагол* сметь, отва́живаться; he won't ~ to deny it он не осме́лится отрица́ть э́то; I ~ swear я уве́рен в э́том; I ~ say полага́ю, осме́люсь сказа́ть (*иногда ирон.*) 2) пренебрега́ть опа́сностью, рискова́ть; to ~ the perils of arctic travel пренебре́чь все́ми опа́сностями поля́рного путеше́ствия 3) вызыва́ть (to — на *что-л.*); подзадо́ривать; I ~ you to jump the stream! а ну, перепры́гни(те) че́рез э́тот руче́й!

2. *n* вы́зов; to take a ~ приня́ть вы́зов

daredevil [ˈdeə,devl] **1.** *n* смельча́к, бесшаба́шный челове́к, сорвиголова́

2. *a* отва́жный; безрассу́дный, опроме́тчивый

daresay [,deəˈseɪ] = dare say [*см.* dare 1, 1)]

daring [ˈdeərɪŋ] **1.** *pres. p. от* dare 1

2. *n* сме́лость; отва́га; бесстра́шие

3. *a* 1) сме́лый, отва́жный, бесстра́шный 2) де́рзкий

dark [dɑːk] **1.** *a* 1) тёмный; it is getting ~ стано́вится темно́, темне́ет 2) сму́глый; темноволо́сый; ~ complexion сму́глый цвет лица́ 3) мра́чный, угрю́мый; безнадёжный, печа́льный; ~ humour мра́чный ю́мор; to look on the ~ side of things быть пессими́стом 4) дурно́й, чёрный; нечи́стый, сомни́тельный 5) та́йный, секре́тный; непоня́тный; нея́сный; to keep ~ скрыва́ться; to keep a thing ~ держа́ть что-л. в секре́те 6) необразо́ванный, тёмный ◇ the D. and Bloody Ground *амер.* штат Кенту́кки; the D. Continent А́фрика

2. *n* 1) темнота́, тьма; after ~ по́сле наступле́ния темноты́; at ~ в темноте́; before ~ до наступле́ния темноты́ 2) неве́жество 3) неве́дение; to be in the ~ быть в неве́дении, не знать (about); to keep smb. in the ~ держа́ть кого́-л. в неве́дении; скрыва́ть (*что-л.*) от кого́-л. 4) *жив.* тень; the lights and ~s of a picture свет и те́ни в карти́не ◇ in the ~ of the moon а) в новолу́ние; б) в кроме́шной тьме

darken [ˈdɑːkən] *v* 1) затемня́ть, де́лать тёмным 2) темне́ть; станови́ться тёмным 3) затемня́ть (*смысл*); to ~ counsel запу́тать вопро́с 4) омрача́ть 5) *жив.* дать бо́лее насы́щенный тон (*в красках*) ◇ not to ~ smb.'s door again не переступи́ть бо́льше чьего́-л. поро́га

darkey [ˈdɑːkɪ] = darky

dark lantern [ˈdɑːk,læntən] *n* потайно́й фона́рь

darkle [ˈdɑːkl] *v книжн.* 1) темне́ть, ме́ркнуть 2) хму́риться

darkling [ˈdɑːklɪŋ] **1.** *pres. p. от* darkle

2. *a поэт.* темне́ющий; находя́щийся в темноте́, во мра́ке; тёмный

3. *adv поэт.* в темноте́, во мра́ке; to sit ~ су́мерничать

darkly [ˈdɑːklɪ] *adv* 1) мра́чно; зло́бно 2) зага́дочно; нея́сно

darkness [ˈdɑːknəs] *n* темнота́, мрак *и пр.* [*см.* dark 1]

darkroom [ˈdɑːkruːm] *n фото* тёмная ко́мната

darksome [ˈdɑːksəm] *a поэт.* 1) тёмный 2) мра́чный, хму́рый

darky [ˈdɑːkɪ] *n презр.* негр, черномо́зый

darling [ˈdɑːlɪŋ] **1.** *n* 1) люби́мый; люби́мая; my ~! мой дорого́й!, голу́бчик! 2) люби́мец, ба́ловень; the ~ of fortune ба́ловень судьбы́

2. *a* 1) люби́мый; ми́лый; дорого́й 2) *разг.* преле́стный 3) горя́чий, заве́тный (*о желании*)

darn I [dɑːn] **1.** *n* заштопанное ме́сто; што́пка

2. *v* што́пать; чини́ть

darn II [dɑːn] (*эвф. вм.* damn) *разг.* **1.** *a* прокля́тый, ужа́сный

2. *v* проклина́ть, руга́ться

darnel [ˈdɑːnl] *n бот.* пле́вел

darner [ˈdɑːnə] *n* 1) што́пальщик; што́пальщица 2) = darning needle 1); 3) «гриб» (*для штопки*)

darning I [ˈdɑːnɪŋ] **1.** *pres. p. от* darn I, 2

2. *n* 1) што́панье, што́пка 2) ве́щи, нужда́ющиеся в што́панье

darning II [ˈdɑːnɪŋ] *pres. p. от* darn II, 2

darning needle [ˈdɑːnɪŋ,niːdl] *n* 1) што́пальная игла́ 2) *амер.* стрекоза́

dart [dɑːt] **1.** *n* 1) о́строе мета́тельное ору́жие; дро́тик, стрела́ 2) бы́строе, как мо́лния, движе́ние; бросо́к; рыво́к 3) жа́ло 4) вы́тачка, шов 5) *pl* (*употр. как sing*) дартс, дро́тики (*популярная игра*)

2. *v* 1) помча́ться стрело́й; устреми́ться 2) мета́ть (*стрелы*; *тж. перен.*); his eyes ~ed flashes of anger его́ глаза́ мета́ли мо́лнии ▭ ~ **away** умча́ться; ~ **down(wards)** а) ри́нуться вниз; б) *ав.* пики́ровать

dartboard [ˈdɑːtbɔːd] *n* мише́нь для дро́тиков

darter [ˈdɑːtə] *n* 1) мета́тель дро́тика 2) *зоол.* змееше́йка, змеи́ная пти́ца

darting [ˈdɑːtɪŋ] **1.** *pres. p. от* dart 2

2. *a* стреми́тельный

dartre [ˈdɑːtə] *n мед.* лиша́й

Darwinian [dɑːˈwɪnɪən] **1.** *n* дарвини́ст

2. *a* дарвини́стский

Darwinism [ˈdɑːwɪn,ɪzəm] *n* дарвини́зм, уче́ние Да́рвина

Darwinist [ˈdɑːwɪnɪst] = Darwinian 1

dash [dæʃ] **1.** *n* 1) стреми́тельное движе́ние; поры́в; на́тиск; to make a ~ against enemy стреми́тельно бро́ситься на проти́вника; to make a ~ for smth. ки́нуться к чему́-л. 2) уда́р, взмах; at one ~ с одного́ ра́за 3) *спорт.* рыво́к, бросо́к (*в беге, игре*) 4) эне́ргия, реши́тельность; a man of skill and ~ уме́лый и реши́тельный челове́к 5) черта́; тире́ 6) бы́стрый набро́сок; мазо́к; штрих, ро́счерк 7) рисо́вка; to cut a ~ рисова́ться, выставля́ть что-л. напока́з 8) при́месь (*чего-л.*); чу́точка; there is a romantic ~ about it в э́том есть что́-то романти́ческое 9) *амер.* забе́г на коро́ткую диста́нцию 10) плеск ◇ ~ (and ~) line пункти́рная ли́ния

2. *v* 1) бро́ситься, ри́нуться; мча́ться, нести́сь; to ~ up to the door бро́ситься к две́ри 2) бро́сить, швырну́ть 3) *спорт.* сде́лать рыво́к (*в беге*) 4) разбива́ть(ся); the waves ~ed against the cliff во́лны разбива́лись о скалу́ 5) бры́згать, плеска́ть; to ~ colours on the canvas набра́сывать пя́тна кра́сок на холст 6) обескура́живать; смущáть 7) разрушáть (*планы, надежды и т. п.*) 8) подчёркивать 9) разбавлять, смéшивать; подмéшивать 10) *разг. см.* damn 2; ~ it!, ~ you! к чёрту! ▭ ~ off бы́стро набросáть (*письмо, записку и т. п.*)

dashboard [ˈdæʃbɔːd] *n* 1) крыло́ (*экипажа*) 2) *авто, ав.* щито́к; прибо́рный щито́к 3) *стр.* отливнáя доскá

dasher [ˈdæʃə] *n* 1) человéк, производя́щий фурóр 2) мутóвка, би́ло (*в маслобойке*) 3) *амер.* крыло́ (*экипажа*)

dashing [ˈdæʃɪŋ] 1. *pres. p. от* dash 2

2. *a* 1) лихóй 2) стреми́тельный 3) живóй, энерги́чный 4) лю́бящий рисовáться, пози́ровать

dashpot [ˈdæʃpɒt] *n тех.* воздýшный *или* мáсляный бýфер, амортизáтор

dastard [ˈdæstəd] *n* трус; негодя́й, дéйствующий исподтишкá

dastardly [ˈdæstədlɪ] *a* трусли́вый; пóдлый

data [ˈdeɪtə] *n pl* 1) *pl от* datum 2) (*часто употр. как sing*) дáнные; фáкты; свéдения 3) (*часто употр. как sing*) информáция

data bank, database [ˈdeɪtəbæŋk, -beɪs] *n вчт.* банк, бáза дáнных

datable [ˈdeɪtəbl] *a* поддаю́щийся датирóвке

data capture [ˈdeɪtə,kæptʃə] *n вчт.* сбор дáнных

data processing [,deɪtəˈprəʊsesɪŋ] *n вчт.* обрабóтка дáнных

data processor [,deɪtəˈprəʊsesə] *n* электрóнно-вычисли́тельное устрóйство, компью́тер

date I [deɪt] 1. *n* 1) дáта, числó (*месяца*); ~ of birth день рождéния 2) срок, перио́д; врéмя, порá; out of ~ устарéлый; up to ~ стоя́щий на ýровне совремéнных трéбований; совремéнный; новéйший; at that ~ в то врéмя, в тот перио́д 3) *разг.* свидáние; I have got a ~ у меня свидáние; to make a ~ назнáчить свидáние 4) *амер. разг.* тот, комý назначáют свидáние

2. *v* 1) дати́ровать 2) относи́ть к определённому врéмени 3) вести́ начáло (*от чего-л.*); восходи́ть (*к определённой эпохе; тж.* ~ back); this manuscript ~s from the XIVth century э́та рýкопись отнóсится к XIV вéку 4) вести́ исчислéние (*от какой-л. даты*) 5) вы́йти из употреблéния; устарéть 6) *разг.* назначáть свидáние; to ~ a girl назнáчить свидáние дéвушке

date II [deɪt] *n* 1) фи́ник 2) фи́никовая пáльма

dated [ˈdeɪtɪd] 1. *p. p. от* date I, 2

2. *a* 1) дати́рованный 2) вы́шедший из употреблéния; устарéвший

dateless [ˈdeɪtləs] *a* 1) недати́рованный 2) бесконéчный; вéчный; незапáмятный

dateline [ˈdeɪtlaɪn] *n* 1) *астр., мор.* демаркациóнная ли́ния сýточного врéмени 2) укáзание мéста и дáты корреспондéнции, статьи́ *и т. п.* 3) *полигр.* выходны́е дáнные

date-palm [ˈdeɪtpɑːm] *n* фи́никовая пáльма

dative [ˈdeɪtɪv] 1. *a* 1) *грам.* дáтельный 2) сменя́емый (*о должности судьи, чиновника и т. п.*)

2. *n грам.* дáтельный падéж

datum [ˈdeɪtəm] *n* (*pl* data) дáнная величинá, исхóдный факт

datum-level [,deɪtəmˈlevl] *n спец.* плóскость *или* ýровень, при́нятые за нуль (*для измерения высоты*); нуль высоты́

datum line [ˈdeɪtəmlaɪn] *n спец.* бáзовая ли́ния; бáзис, нуль высóт

datura [dəˈtjʊərə] *n бот.* дурмáн

daub [dɔːb] 1. *n* 1) штукатýрка, обмáзка 2) мазóк 3) плохáя карти́на; мазня́; пачкотня́

2. *v* 1) обмáзывать, мáзать (*глиной, извёсткой и т. п.*) 2) малевáть 3) пáчкать, грязни́ть

daube [dəʊb] *n* тушёное мя́со (*в вине*)

dauber [ˈdɔːbə] *n* 1) плохóй худóжник, мази́лка 2) подýшечка, пропи́танная крáской (*употр. при гравировании*)

daubster [ˈdɔːbstə] = dauber 1)

dauby [ˈdɔːbɪ] *a* 1) плóхо напи́санный (*о картине*) 2) ли́пкий

daughter [ˈdɔːtə] *n* 1) дочь 2) *attr.* дочéрний; рóдственный

daughter-in-law [ˈdɔːtərɪnlɔː] *n* (*pl* daughters-in-law) женá сы́на, невéстка, снохá

daughterly [ˈdɔːtəlɪ] *a* дочéрний

daughters-in-law [ˈdɔːtəzɪnlɔː] *pl от* daughter-in-law

daunt [dɔːnt] *v* 1) устрашáть, запýгивать; nothing ~ed ниcмáло не смущáясь, неустраши́мо 2) *диал.* обескурáживать

dauntless [ˈdɔːntləs] *a* неустраши́мый; бесстрáшный

dauphin [ˈdɔːfɪn] *n ист.* дофи́н

davenport [ˈdævnpɔːt] *n* 1) небольшóй сти́льный пи́сьменный стол, изя́щное бюрó 2) *амер.* тахтá, диван-кровáть

davit [ˈdævɪt] *n мор.* шлюпбáлка; fish ~ фишбáлка, бокáнец

daw [dɔː] *n* гáлка

dawdle [ˈdɔːdl] *v* слоня́ться без дéла; зря трáтить врéмя, бездéльничать (*часто* ~ away)

dawdler [ˈdɔːdlə] *n* 1) лóдырь 2) копýша

dawn [dɔːn] 1. *n* 1) рассвéт, ýтренняя заря́; at ~ на рассвéте, на зарé 2) зачáтки, начáло, прóблески; the ~ of brighter days заря́ лýчшей жи́зни

2. *v* 1) (рас)светáть 2) начинáться; проявля́ться; пробуждáться (*о таланте и т. п.*); впервы́е появля́ться, пробивáться (*об усах*) 3) станови́ться я́сным; приходи́ть в гóлову (on, upon); it has just ~ed upon me меня́ вдруг осени́ло, мне пришлó в гóлову

day [deɪ] *n* 1) день; сýтки; on that ~ в тот день; all (the) ~ весь день; all ~ long день-деньскóй; solar (*или* astronomical, nautical) ~ астрономи́ческие сýтки (*исчисляются от 12 ч. дня*); civil ~ граждáнские сýтки (*исчисляются от 12 ч. ночи*); every other ~, ~ about чéрез день; the present ~ сегóдня; текýщий день; the ~ after tomorrow послезáвтра; the ~ before наканýне; the ~ before yesterday трéтьего дня, позавчерá; one ~ однáжды; the other ~ на днях; some ~ когдá-нибудь, кáк-нибудь на днях; one of these ~s в оди́н из ближáйших дней; ~ in, ~ out изо дня́ в дéнь; ~ by (*или* after) ~, from ~ to ~ день за днём; изо дня́ в дéнь; со дня́ нá день; first ~ (of the week) воскресéнье; ~ off выходнóй день; ~ out а) день, проведённый вне дóма; б) свобóдный день для прислýги; far in the ~ к концý дня; this ~ week, month, *etc.* рóвно чéрез недéлю, мéсяц *и т. п.*, спустя́ недéлю, мéсяц *и т. п.*; three times a ~ три рáза в день 2) дневнóе врéмя; by ~ днём; at ~ на зарé, на рассвéте; before ~ до рассвéта; between two ~s *амер.* нóчью 3) рабóчий день; a six-hour ~ шестичасовóй рабóчий день; by the ~ подённо 4) (*часто pl*) перио́д, отрéзок врéмени; эпóха; in the ~s of yore (*или* old) в старинý, в былы́е временá; in these latter ~s в послéднее врéмя; in ~s to come в бýдущем, в грядýщие временá; men of the ~ ви́дные лю́ди (*эпохи*) 5) (the ~) настоя́щее врéмя, сегóдняшний день; the issues of the ~ насýщные проблéмы 6) порá, врéмя (*расцвета, упадка и т. п.*); вся жизнь человéка; to have had (*или* to have seen) one's ~ устарéть, отслужи́ть своё, вы́йти из употреблéния; he will see his better ~s yet он ещё опрáвится, настýпят и для негó лýчшие временá; one's early ~s ю́ность; his ~ is gone егó врéмя прошлó, окóнчилась егó счастли́вая порá; his ~s are numbered дни егó сочтены́; to close (*или* to end) one's ~s окóнчить дни свои́; скончáться; покóнчить счёты с жи́знью 7) знаменáтельный день; May D. Пéрвое мáя; Victory D. День Побéды; Inauguration D. день вступлéния в дóлжность вновь и́збранного президéнта США; high (*или* banner) ~ прáздник 8) побéда; to carry (*или* to win) the ~ одержáть побéду; the ~ is ours мы одержáли побéду, мы вы́играли сражéние; to lose the ~ проигрáть сражéние 9) *геол.* дневнáя повéрхность; пласт, ближáйший к земнóй повéрхности ◇ good ~ а) дóбрый день; б) до свидáния; to a ~ день в день; early in the ~ вóвремя; rather late in the ~ позднoвáто; увы́, сли́шком пóздно; a ~ after the fair сли́шком пóздно; a ~ before the fair сли́шком рáно, преждеврéменно; if a ~ ни бóльше ни мéньше; как раз; she is fifty if she is a ~ ей все пятьдеся́т (лет), никáк не мéньше; to be on one's ~ быть в удáре; to make a ~ of it вéсело провести́ день; a creature of a ~ а) *зоол.* эфемери́да; б) недолговéчное существó *или* явлéние; to save the ~ спасти́ положéние; every ~ is not Sunday *посл.* ≅ не всё котý мáсленица; to name on (*или* in) the same ~ with ≅ постáвить на однý дóску с; to call it a ~ а) считáть дéло закóнченным; let us call it a ~ на сегóдня хвáтит; б) быть довóльным дости́гнутыми результáтами; the ~ of doom (*или* of judgement) *библ.* день стра́шного суда́; коне́ц све́та, светопреставле́ние

day-and-night [ˌdeɪən'naɪt] *a* кругло-су́точный

daybed ['deɪbed] *n* куше́тка

day-blindness ['deɪˌblaɪndnəs] *n мед.* гемерало́пия, дневна́я слепота́

day-boarder ['deɪˌbɔːdə] *n* полупансионе́р (*о школьнике*)

daybook ['deɪbʊk] *n* 1) дневни́к 2) *бухг.* журна́л

day-boy ['deɪbɔɪ] *n* учени́к, не живу́щий при шко́ле; приходя́щий учени́к

daybreak ['deɪbreɪk] *n* рассве́т

daydream ['deɪdriːm] **1.** *n* грёзы, мечты́; фанта́зия

2. *v* гре́зить наяву́; фантази́ровать, мечта́ть

daydreamer ['deɪdriːmə] *n* мечта́тель; фантазёр

day-fly ['deɪflaɪ] *n зоол.* подёнка

day-girl ['deɪgɜːl] *n* учени́ца, не живу́щая при шко́ле; приходя́щая учени́ца

day-labour ['deɪˌleɪbə] *n* подённая рабо́та

day-labourer ['deɪˌleɪbərə] *n* подёнщик

daylight ['deɪlaɪt] *n* 1) дневно́й свет; есте́ственное освеще́ние 2) рассве́т 3) откры́тость, гла́сность; in broad (*или* open) ~ средь бе́ла дня; публи́чно; to let ~ into преда́ть гла́сности 4) *pl sl.* «гляде́лки», глаза́ ◇ to see ~ наконе́ц-то поня́ть; находи́ть вы́ход из положе́ния

daylight saving [ˌdeɪlaɪt'seɪvɪŋ] *n* перево́д ле́том часово́й стре́лки (*на час*) вперёд (*с целью экономии электроэнергии*)

day lily ['deɪˌlɪlɪ] *n бот.* красодне́в, лиле́йник

daylong ['deɪlɒŋ] **1.** *adv* весь день

2. *a* для́щийся це́лый день

day nursery ['deɪˌnɜːsrɪ] *n* (дневны́е) я́сли для дете́й

day-school ['deɪskuːl] *n* 1) шко́ла для приходя́щих ученико́в, шко́ла без пансио́на 2) шко́ла с дневны́ми часа́ми заня́тий 3) обы́чная шко́ла (*в противоп. воскресной*)

day shift ['deɪʃɪft] *n* дневна́я сме́на

daysman ['deɪzmən] *n* подённый рабо́чий, подёнщик

dayspring ['deɪsprɪŋ] *n поэт.* заря́, рассве́т

daystar ['deɪstɑː] *n* 1) у́тренняя звезда́ 2) *поэт.* со́лнце

daytime ['deɪtaɪm] *n* день; дневно́е вре́мя; in the ~ днём

day-to-day [ˌdeɪtə'deɪ] *a* повседне́вный

day-work ['deɪwɜːk] *n* 1) подённая рабо́та 2) дневна́я рабо́та 3) дневна́я вы́работка 4) *горн.* рабо́та на пове́рхности земли́

daze I [deɪz] **1.** *n* изумле́ние

2. *v* изуми́ть; удиви́ть, ошеломи́ть

daze II [deɪz] *n мин.* слюда́

dazedly ['deɪzɪdlɪ] *adv* изумлённо; с изумле́нием

dazzle ['dæzl] **1.** *n* 1) ослепи́тельный блеск 2) ослепле́ние 3) *attr.*: ~ paint *мор.* защи́тная окра́ска (*военных судов*); камуфля́ж

2. *v* 1) ослепля́ть я́рким све́том, бле́ском, великоле́пием 2) поража́ть тала́нтом, зна́ниями *и т. п.*; прельща́ть 3) *мор.* маскирова́ть окра́ской (*суда*)

d — d [diː'diː] *сокр. эвф. от* damned 2, 2)

D-day ['diːdeɪ] *n* 1) *ист.* день вы́садки сою́зных войск в Евро́пе (*6 июня 1944 г.*) 2) *воен.* день нача́ла опера́ции

de- [ˌdiː-, dɪ-, də-] *pref* 1) *указывает на*: а) *отделение, лишение*: defrock лиша́ть духо́вного са́на; degas дегази́ровать; б) *плохое качество, недостаточность и т. п.*: degenerate вырожда́ться; derange приводи́ть в беспоря́док 2) *придаёт слову противоположное значение*; *напр.*: naturalize натурализова́ть — denaturalize денатурализова́ть; merit заслу́га — demerit недоста́ток; mobilize мобилизова́ть — demobilize демобилизова́ть

deacon ['diːkən] **1.** *n* дья́кон

2. *v амер.* 1) чита́ть вслух псалмы́ 2) подкра́шивать фру́кты при прода́же; выставля́ть лу́чшие экземпля́ры све́рху; фальсифици́ровать това́ры 3) жу́льничать

deaconess [ˌdiːkə'nes] *n* 1) диакони́са 2) дья́конница

deactivate [diː'æktɪveɪt] *v* дезактиви́ровать

dead [ded] **1.** *a* 1) мёртвый, уме́рший; до́хлый 2) онеме́вший, нечувстви́тельный; my fingers are ~ у меня́ онеме́ли па́льцы 3) безжи́зненный, вя́лый; безразли́чный (to — к *чему-л.*) 4) вы́шедший из употребле́ния (*о законе, обычае*) 5) утра́тивший, потеря́вший основно́е сво́йство; ~ lime гашёная и́звесть; ~ steam отрабо́танный пар; ~ volcano поту́хший вулка́н 6) неодушевлённый, неживо́й 7) однообра́зный, уны́лый; неинтере́сный; ~ season мёртвый сезо́н; *эк.* засто́й (*в делах*), спад делово́й акти́вности; ~ time просто́й (*на работе*) 8) неподви́жный, оцепене́лый 9) загло́хший, не рабо́тающий; the motor is ~ мото́р загло́х 10) *эл.* не находя́щийся под напряже́нием; ~ wire про́вод не под то́ком 11) вы́шедший из игры́; ~ ball шар, кото́рый не счита́ется 12) по́лный, соверше́нный; ~ certainty по́лная уве́ренность; ~ failure по́лная неуда́ча; ~ earnest твёрдая реши́мость; ~ faint по́лная поте́ря созна́ния; to come to a ~ stop останови́ться как вко́панный 13) *употр. для усиления*: to be ~ with cold промёрзнуть наскво́зь; to be ~ with hunger умира́ть с го́лоду 14) сухо́й, увя́дший (*о растениях*) 15) неплодоро́дный (*о почве*) 16) *полигр.* него́дный 17) *горн.* непрове́триваемый (*о выработке*); засто́йный (*о воздухе*) 18) *горн.* пусто́й, не содержа́щий поле́зных ископа́емых ◇ ~ above the ears *амер. разг.* тупо́й, глу́пый; ~ and gone давно́ проше́дший; ~ gold ма́товое зо́лото; ~ horse рабо́та, за кото́рую бы́ло запла́чено вперёд; ~ hours глухи́е часы́ но́чи; ~ leaf *ав.* паде́ние листо́м; ~ marines (*или* men) *разг.* пусты́е ви́нные буты́лки; more ~ than alive ужа́сно уста́лый; as ~ as a doornail (*или* as mutton, as a nit) без каки́х-л. при́знаков жи́зни

2. *n* 1) (the ~) *pl собир.* уме́ршие, поко́йники 2) глуха́я пора́; in the ~ of night глубо́кой но́чью, в глуху́ю по́лночь; in the ~ of winter глубо́кой зимо́й

3. *adv* 1) по́лностью, соверше́нно, то́чно; ~ against а) как раз в лицо́ (*о ветре*); б) реши́тельно про́тив 2) *употр. для усиления*: ~ asleep засну́вший мёртвым сном; ~ drunk мертве́цки пья́ный; ~ tired до́ смерти уста́лый; ~ calm соверше́нно споко́йный

dead-alive [ˌdedə'laɪv] *a* 1) безжи́зненный, вя́лый; моното́нный; ску́чный; удруча́ющий 2) удручённый

deadbeat **1.** *a* [ˌded'biːt] 1) *разг.* смерте́льно уста́лый; измо́танный; за́гнанный (*о лошади*) 2) успоко́енный (*о магнитной стрелке*) 3) апериоди́ческий (*об измерительном приборе*)

2. *n* ['dedbiːt] 1) *разг.* бедня́к, голодра́нец 2) *амер. sl.* безде́льник, парази́т; авантюри́ст

dead centre [ˌded'sentə] *n* мёртвая то́чка

dead colour ['dedˌkʌlə] *n жив.* грунто́вка

dead earth ['dedˌɜːθ] *n эл.* по́лное заземле́ние

deaden ['dedn] *v* 1) лиша́ть(ся) жи́зненной эне́ргии, си́лы, ра́дости; де́лать(ся) нечувстви́тельным (*к чему-л.*) 2) заглуша́ть, ослабля́ть 3) лиша́ть бле́ска, арома́та

dead(-)end [ˌded'end] **1.** *n* тупи́к (*тж. перен.*)

2. *a* 1) безвы́ходный, бесперспекти́вный 2) *тех.* заглушённый 3): ~ kid у́личный мальчи́шка

deadeye ['dedaɪ] *n мор.* ю́ферс

deadfall ['dedfɔːl] *n амер.* 1) западня́, капка́н 2) ку́ча пова́ленных дере́вьев, бурело́м

dead ground [ˌded'graʊnd] *n воен.*, *ав.* мёртвое простра́нство

dead hand ['dedhænd] = mortmain

deadhead ['dedhed] *n* 1) беспла́тный посети́тель теа́тров; беспла́тный пассажи́р 2) нереши́тельный, неэнерги́чный челове́к, «пусто́е ме́сто»

dead heat [ˌded'hiːt] *n спорт.* одновре́ме́нный фи́ниш; фи́ниш грудь в грудь

dead letter [ˌded'letə] *n* 1) не применя́ющийся, но и не отменённый зако́н 2) письмо́, не востре́бованное адреса́том *или* не доста́вленное ему́

dead-level [ˌded'levl] *n* 1) соверше́нно гла́дкая пове́рхность; равни́на 2) моното́нность, однообра́зие

dead lift [ˌded'lɪft] *n* 1) чрезме́рное, напра́сное уси́лие (*при подъёме тяжести*) 2) геодези́ческая высота́ подъёма

deadlight ['dedlaɪt] *n мор.* глухо́й иллюмина́тор; глухо́е окно́

deadline ['dedlaɪn] *n* 1) кра́йний срок, к кото́рому до́лжен быть гото́в материа́л для очередного номера (*газеты, журнала*) 2) черта, за которую нельзя переходить

dead load [,ded'ləʊd] *n тех.* мёртвый груз; собственный вес, вес конструкции; постоянная нагрузка

deadlock ['dedlɒk] **1.** *n* мёртвая точка; тупик, безвыходное положение; застой

2. *v* зайти в тупик

deadly ['dedlɪ] **1.** *a* 1) смертельный; смертоносный; ~ poison смертельный яд 2) *разг.* ужасный, чрезвычайный; ~ paleness смертельная бледность; ~ gloom страшный мрак; in ~ haste в страшной спешке 3) неумолимый, беспощадный; убийственный; ~ struggle борьба не на жизнь, а на смерть ◇ ~ sin смертный грех

2. *adv* 1) смертельно 2) *разг.* ужасно, чрезвычайно

deadly nightshade [,dedlɪ'naɪtʃeɪd] *n бот.* красавка, белладонна, сонная одурь

dead man's handle [,dedmænz'hændl] *n* рукоятка экстренного торможения (*в электропоездах*)

dead march ['dedmɑ:tʃ] *n* похоронный марш

deadnettle ['dednetl] *n бот.* яснотка

dead-office ['ded,ɒfɪs] *n церк.* заупокойная служба, панихида

deadpan ['dedpæn] *n разг.* невозмутимый вид; бесстрастное, неподвижное лицо

dead point [,ded'pɔɪnt] = dead centre

dead reckoning [,ded'rekənɪŋ] *n мор., ав.* навигационное счисление (*пути*)

dead set [,ded'set] **1.** *n* 1) *охот.* (мёртвая) стойка 2) решимость

2. *a predic.* полный решимости; he is ~ on going to Moscow он решил во что бы то ни стало поехать в Москву

dead short ['dedʃɔ:t] *n эл.* полное короткое замыкание

dead shot ['dedʃɒt] *n* меткий стрелок

dead-spot [,ded'spɒt] *n радио* зона молчания

dead wall [,ded'wɔ:l] *n стр.* глухая стена

dead-water ['ded,wɔ:tə] *n* 1) стоячая вода 2) *мор.* кильватер

deadweight [,ded'weɪt] *n* 1) *мор.* полная грузоподъёмность (*судна*), дедвейт 2) *стр.* мёртвый груз; вес конструкции

dead-wind [,ded'wɪnd] *n* встречный лобовой ветер

dead window [,ded'wɪndəʊ] *n архит.* фальшивое окно, глухое окно

deadwood ['dedwʊd] *n* 1) никчёмный человек; бесполезная вещь 2) сухостойное дерево; сухостой; сухостойная древесина 3) *мор.* дейдвуд

deaf [def] *a* 1) глухой, глуховатый, тугой на ухо; ~ of an ear, ~ in one ear глухой на одно ухо 2) глухой, отказывающийся слушать; he was ~ to our advice он не послушался нашего совета ◇ to turn a ~ ear to smb., smth. не слушать кого-л., пропускать мимо ушей; не обращать внимания на что-л.; ~ as an adder (*или* a beetle, a stone, a post) ≅ глухая тетеря

deaf-aid ['defeɪd] *n* слуховой аппарат

deaf-and-dumb [,defn'dʌm] *a* глухонемой

deafen ['defn] *v* 1) оглушать 2) заглушать 3) делать звуконепроницаемым

deafening ['defnɪŋ] **1.** *pres. p. от* deafen

2. *a* 1) оглушительный 2) заглушающий

3. *n* звукоизолирующий материал

deaf-mute [,def'mju:t] *n* глухонемой

deafness ['defnəs] *n* глухота

deal I [di:l] **1.** *n* 1) *разг.* некоторое, *часто* значительное количество; there is a ~ of truth in it в этом есть доля правды; a great ~ of много; a great ~ better гораздо лучше 2) *разг.* сделка; соглашение; to do (*или* to make) a ~ with smb. заключить сделку с кем-л. 3) обхождение, обращение 4) *карт.* сдача 5) *амер.* правительственный курс, система мероприятий; New D. *ист.* «новый курс» (*система экономических мероприятий президента Ф. Рузвельта*)

2. *v* (dealt) 1) принимать меры (*к чему-л.*); бороться; to ~ with fires бороться с пожарами 2) общаться, иметь дело (*с кем-л.*); to refuse to ~ with smb. отказываться иметь дело (*с кем-л.*) 3) вести дело, ведать, рассматривать вопрос (with); to ~ with a problem разрешать вопрос; to ~ with an attack отражать атаку 4) обходиться, поступать; to ~ honourably поступать благородно; to ~ generously (cruelly) with (*или* by) smb. обращаться великодушно (жестоко) (*с кем-л.*) 5) торговать (in — *чем-л.*); вести торговые дела (with — *с кем-л.*) 6) быть клиентом, покупать в определённой лавке (at, with) 7) раздавать, распределять (*обыкн.* ~ out) 8) *карт.* сдавать 9) наносить (*удар*); причинять (*обиду*)

deal II [di:l] **1.** *n* 1) еловая *или* сосновая доска определённого размера, дильс 2) хвойная древесина

2. *a* сосновый *или* еловый (*о древесине*); из дильса

dealer ['di:lə] *n* 1) торговец; retail ~ розничный торговец; ~ in old clothes старьёвщик 2) *карт.* сдающий карты 3) агент по продаже, посредник 4) *бирж.* дилер ◇ a plain ~ прямой откровенный человек; a double ~ двурушник, двуличный человек

dealing ['di:lɪŋ] **1.** *pres. p. от* deal I, 2

2. *n* 1) *pl* деловые отношения; торговые дела; сделки; to have ~s with smb. вести дела, иметь торговые связи с кем-л. ◇ plain ~ прямота; откровенность; straight ~ честность; double ~ двурушничество; лицемерие

dealt [delt] *past и p. p. от* deal I, 2

dean I [di:n] *n* 1) *церк.* настоятель собора; старший священник; rural ~ благочинный 2) *церк.* декан (*титул старшего после епископа духовного лица в католической и англиканской церкви*) 3) декан (*факультета*) 4) старшина дипломатического корпуса, дуайен

dean II [di:n] *n* балка, глубокая и узкая долина

deanery ['di:nərɪ] *n* 1) дом декана *или* настоятеля 2) церковный округ (*подчинённый благочинному*) 3) деканство 4) деканат

dear [dɪə] **1.** *a* 1) дорогой, милый 2) *вежливая или иногда ироническая форма обращения*: my ~ Jones любезный (*или* любезнейший) Джоунз; D. Sir милостивый государь, уважаемый господин (*офиц. обращение в письме*) 3) славный, прелестный; he is a ~ fellow он прекрасный парень 4) заветный, сокровенный; my ~est wish моё самое сокровенное желание 5) дорогой, дорого стоящий; ~ shop магазин, в котором товары продаются по более дорогой цене

2. *n* 1) возлюбленный, милый; возлюбленная, милая 2) *разг.* прелесть; what ~s they are! как они прелестны!

3. *adv* дорого (*тж. перен.*)

4. *int выражает симпатию, сожаление, огорчение, нетерпение, удивление, презрение*: ~ me! is it so? неужели?; oh ~, my head aches! ох, как болит голова!

dearborn ['dɪəbɔ:n] *n амер.* лёгкий четырёхколёсный экипаж

dear-bought ['dɪəbɔ:t] *a* дорого доставшийся

dearie ['dɪərɪ] *n разг.* (*обыкн. в обращении*) дорогой; дорогая; милочка, душечка; голубчик; голубушка

dearly ['dɪəlɪ] *adv* 1) нежно; ~ beloved нежно любимый 2) дорогой ценой, дорого (*особ. перен.*); he would ~ love to see his mother again он дорого бы дал, чтобы увидеть снова мать

dearth [dɜ:θ] *n* 1) нехватка продуктов; голод; in time of ~ во время голода 2) нехватка, недостаток; ~ of workmen недостаток рабочих рук

deary ['dɪərɪ] = dearie

death [deθ] *n* 1) смерть; natural (violent) ~ естественная (насильственная) смерть; civil ~ гражданская смерть; поражение в правах гражданства; to meet one's ~ найти свою смерть; at ~'s door при смерти; на краю гибели; to be in the jaws of ~ быть в когтях смерти, в крайней опасности; to put (*или* to do) to ~ казнить, убивать; wounded to ~ смертельно раненый; war to the ~ война на истребление 2) конец, гибель; the ~ of one's hopes конец чьим-л. надеждам 3): the Black D. *ист.* чума в Европе в XIV в., «чёрная смерть» 4) *употр. для усиления*: tired to ~ смертельно усталый; to work smb. to ~ не давать кому-л. передышки, загнать кого-л. до полусмерти; this will be the ~ of me это сведёт меня в могилу; это меня ужасно огорчит 5) *attr.* смертный, смертельный ◇ to be in at the ~ а) *охот.* присутствовать при том, как на охоте убивают затравленную лисицу; б) быть свидетелем завершения каких-л. событий; like grim ~ отча́янно, изо всéх си́л; worse than ~ óчень плохóй

death-adder ['deθ,ædə] *n зоол.* шипохвóст австрали́йский

death-agony ['deθ,ægənı] *n* предсмéртная агóния

deathbed ['deθbed] *n* 1) смéртное лóже; on one's ~ на смéртном одрé 2) предсмéртные минýты 3) *attr.* предсмéртный; ~ repentance запоздáлое раскáяние

death-bell ['deθbel] *n* похорóнный звон

deathblow ['deθbləʊ] *n* смертéльный *или* роковóй удáр

death cell ['deθsel] *n* кáмера смéртника

death certificate ['deθsə,tıfıkət] *n* свидéтельство о смéрти

death cup ['deθkʌp] *n* блéдная погáнка *(гриб)*

death-damp ['deθdæmp] *n* холóдный пот *(у умирающего)*

death duty ['deθ,dju:tı] *n ист.* налóг на наслéдство

death-feud ['deθfju:d] *n* смертéльная враждá

death-knell ['deθnel] *n* 1) погребáльный звон 2) стрáшное предзнаменовáние

deathless ['deθləs] *a* бессмéртный

deathlike ['deθlaık] *a* подóбный смéрти, мёртвый

deathly ['deθlı] **1.** *a* смертéльный, роковóй; подóбный смéрти; ~ silence гробовóе молчáние

2. *adv* смертéльно

death mask ['deθmɑ:sk] *n* посмéртная мáска

death penalty ['deθ,penltı] *n* смéртная казнь

death rate ['deθreıt] *n* смéртность; показáтель смéртности

death rattle ['deθ,rætl] *n* предсмéртный хрип

death-roll ['deθrəʊl] *n* спи́сок уби́тых *или* поги́бших

death's-head ['deθshed] *n* 1) чéреп *(как эмблема смерти)*; to look like a ~ on a mopstick быть похóжим на мертвецá 2) мёртвая *(или* адáмова) головá *(бабочка)*

death-struggle ['deθ,strʌgl] *n* агóния

death tax ['deθtæks] *n амер.* налóг на наслéдство

death-toll ['deθtəʊl] = death-roll

death trap ['deθtræp] *n разг.* опáсное, ги́блое мéсто

death warrant ['deθ,wɒrənt] *n* 1) распоряжéние о приведéнии в исполнéние смéртного приговóра 2) смéртный приговóр *(напр.*, прогнóз врачá)

deathwatch ['deθwɒtʃ] *n* 1) бóдрствование у постéли умирáющего *или* умéршего 2) часовóй, пристáвленный к приговорённому к смéртной кáзни 3) *зоол.* жук-моги́льщик

deb [deb] *n (сокр. от* débutante) *разг.* дебютáнтка

débâcle [deı'bɑ:kl] *n* 1) разгрóм 2) ниспровержéние, падéние *(правительства)* 3) пани́ческое бéгство 4) вскры́тие реки́; ледохóд 5) стихи́йный проры́в вод

debag [,di:'bæg] *v sl.* спусти́ть штаны́

debar [dı'bɑ:] *v* воспрещáть, не допускáть; откáзывать; лишáть прáва; to ~ smb. from voting лиши́ть когó-л. прáва гóлоса; to ~ smb. from holding public offices лишáть когó-л. прáва занимáть общéственные дóлжности; to ~ passage не давáть пройти́

debark [dı'bɑ:k] *v* высáживать(ся); выгружáть(ся) *(на берег)*

debarkation [,dıbɑ:'keıʃn] *n* вы́садка *(людей)*; вы́грузка *(товара)*

debarkment [dı'bɑ:kmənt] = debarkation

debase [dı'beıs] *v* 1) понижáть кáчество, цéнность; пóртить; to ~ the coinage *фин.* сни́зить курс валю́ты 2) унижáть достóинство

debasement [dı'beısmənt] *n* 1) снижéние цéнности, кáчества 2) унижéние

debatable [dı'beıtəbl] *a* 1) спóрный, дискуссиóнный 2) оспáриваемый; ~ ground территóрия, оспáриваемая двумя́ стрáнами; *перен.* предмéт спóра

debate [dı'beıt] **1.** *n* 1) диску́ссия, прéния, дебáты; to open a ~ откры́ть дискýссию 2) спор, полéмика; beyond ~ бесспóрно 3) (the ~s) *pl* официáльный отчёт о парлáментских заседáниях

2. *v* 1) обсуждáть, дебати́ровать; спóрить; оспáривать 2) обдýмывать; рассмáтривать; to ~ a matter in one's mind взвéшивать, обдýмывать что-л.

debater [dı'beıtə] *n* учáстник дебáтов, прéний; skilful ~ искýсный спóрщик

debating-society [dı,beıtıŋsə'saıətı] *n* дискуссиóнный клуб

debauch [dı'bɔ:tʃ] **1.** *n* 1) попóйка, дебóш, óргия 2) разврáт, распýтство

2. *v* 1) совращáть, развращáть; обольщáть *(женщину)* 2) пóртить, искажáть *(вкус, суждение)*

debauchee [,debɔ:'tʃi:] *n* разврáтник, распýтник

debauchery [dı'bɔ:tʃərı] *n* 1) пья́нство, обжóрство, невоздéржанность 2) разврáт, распýщенность 3) *pl* óргии, кутёж

debenture [dı'bentʃə] *n фин.* 1) долговóе обязáтельство, долговáя распи́ска 2) облигáция акционéрного óбщества, компáнии 3) сертификáт тамóжни на возврáт пóшлин 4) *attr.*: ~ bond облигáция акционéрного óбщества; ~ stock облигáции

debilitate [dı'bılıteıt] *v мед.* ослабля́ть, расслабля́ть; истощáть

debilitation [dı,bılı'teıʃn] *n мед.* ослаблéние, слáбость; истощéние

debility [dı'bılətı] *n* 1) слáбость, бесси́лие 2) болéзненность; слáбость здорóвья

debit ['debıt] *бухг.* **1.** *n* дéбет; to put to smb.'s ~ записáть в дéбет комý-л.

2. *v* дебетовáть, вноси́ть в дéбет

debonair [,debə'neə] *a* 1) беззабóтный, весёлый, жизнерáдостный 2) добродýшный, любéзный

debouch [dı'baʊtʃ] *v* 1) *воен.* дебуши́ровать, выходи́ть на откры́тую мéстность 2) впадáть, вливáться *(о реке; into)*

debouchment [dı'baʊtʃmənt] *n* 1) *воен.* дебуши́рование, вы́ход на откры́тую мéстность 2) ýстье реки́

debrief [,di:'bri:f] *v разг.* опрáшивать *(дипломата, пилота и т. п.)* о выполнéнии задáния

debris ['debri:] *n* 1) оскóлки, облóмки; обрéзки; лом 2) развáлины 3) строи́тельный мýсор 4) *геол.* облóмки пород; нанóсная порóда, покрывáющая месторождéние; пустáя порóда

debt [det] *n* долг; to contract ~s наделáть долгóв; to incur a ~, to get *(или* to run) into ~ влезть в долги́; a bad ~ безнадёжный долг; ~ of gratitude долг благодáрности; ~ of honour долг чéсти; he is heavily in ~ ≅ он в долгý как в шелкý; to be in smb.'s ~ быть у когó-л. в долгý; I am very much in your ~ я вам óчень обя́зан

debtor ['detə] *n* 1) должни́к, дебитóр; ~'s prison долговáя тюрьмá 2) *бухг.* дéбет, прихóд

debt service ['det,sɜ:vıs] *n* уплáта капитáльного дóлга и процéнтов по госудáрственному дóлгу

debug [,di:'bʌg] *v разг.* 1) удаля́ть подслýшивающее устрóйство *(из помещения, здания)* 2) *тех.* устанáвливать и устраня́ть дефéкты

debunk [,di:'bʌŋk] *v разг.* 1) развéнчивать, лишáть прести́жа 2) разоблачáть обмáн

debus [di:'bʌs] *v* высáживать(ся), выгружáть(ся) из автомаши́н

debussing-point [di:,bʌsıŋ'pɔınt] *n воен.* мéсто вы́грузки из автомаши́н

début ['deıbju:] *n* дебю́т; to make one's ~ дебюти́ровать

débutant ['debjʊtɑ:ŋ] *n* дебютáнт

débutante ['debjʊtɑ:nt] *n* дебютáнтка

deca- ['dekə-] *pref* дека-, десяти-

decachord ['dekəkɔ:d] *n* десятистрýнная áрфа *(древнегреческая)*

decadal ['dekədəl] *a* 1) происходя́щий кáждые дéсять лет 2) состоя́щий из десяти́ *(серий, предметов и т. п.)*

decade ['dekeıd] *n* 1) десятилéтие 2) грýппа из десяти́, деся́ток

decadence, -cy ['dekədəns, -sı] *n* 1) упáдок, ухудшéние 2) декадéнтство, упáдочничество, декадáнс *(в искусстве)*

decadent ['dekədənt] **1.** *n* декадéнт

2. *a* упáдочный, декадéнтский

decaffeinate [,di:'kæfıneıt] *v* уменьшáть содержáние кофеи́на *(в кофе)*; удаля́ть кофеи́н

decagon ['dekəgən] *n* десятиугóльник

decagonal [de'kægənəl] *a* десятиугóльный

decagram(me) ['dekəgræm] *n* декагрáмм

decahedral [,dekə'hi:drəl] *a* десятигрáнный

decalcify [di:'kælsıfaı] *v* удаля́ть изве́стковое вещество́, декальцини́ровать

decalitre ['dekə,li:tə] *n* декали́тр

Decalogue ['dekəlɒg] *n библ.* де́сять за́поведей, декало́г

decametre ['dekə,mi:tə] *n* декаме́тр

decamp [dı'kæmp] *v* 1) снима́ться с ла́геря, выступа́ть из ла́геря 2) удира́ть, скрыва́ться

decampment [dı'kæmpmənt] *n* 1) выступле́ние из ла́геря 2) бы́стрый ухо́д; побе́г, бе́гство

decanal [dı'keınl] *a* дека́нский

decandrous [dı'kændrəs] *a бот.* с десятью́ тычи́нками

decangular [dı'kæŋgjulə] *a* десятиуго́льный

decant [dı'kænt] *v* 1) фильтрова́ть, деканти́ровать; отму́чивать 2) сце́живать; перелива́ть из буты́лки в графи́н (*вино*)

decanter [dı'kæntə] *n* графи́н

decapitate [dı'kæpıteıt] *v* обезгла́вливать, отруба́ть го́лову

decapitation [dı,kæpı'teıʃn] *n* обезгла́вливание

decapod ['dekəpɒd] *зоол.* **1.** *n* десятино́гий рак

2. *a* десятино́гий

decarbonate, decarbonize [di:'kɑ:bəneıt, -naız] *v* 1) *хим.* обезуглеро́живать 2) очища́ть от нага́ра, ко́поти

decasualize [di:'kæʒjuəlaız] *v эк.* ликвиди́ровать *или* сократи́ть теку́честь рабо́чей си́лы

decasyllabic [,dekəsı'læbık] **1.** *a* десятисло́жный

2. *n* десятисло́жный стих

decathlon [dı'kæθlɒn] *n спорт.* десятибо́рье

decay [dı'keı] **1.** *n* 1) гние́ние, распа́д 2) разложе́ние, упа́док, загнива́ние; распа́д (*государства, семьи и т. п.*); to fall into ~ приходи́ть в упа́док, разруша́ться 3) расстро́йство (*здоровья*) 4) разруше́ние (*здания*) 5) *физ.* распа́д 6) сгни́вшая часть (*яблока и т. п.*)

2. *v* 1) гнить, разлага́ться 2) по́ртиться; ухудша́ться; хире́ть, слабе́ть, угаса́ть 3) приходи́ть в упа́док; распада́ться (*о государстве, семье и т. п.*) 4) опусти́ться (*о человеке*) 5) *физ.* распада́ться (to)

decease [dı'si:s] **1.** *n* смерть, конч́ина

2. *v* сконча́ться

deceased [dı'si:st] **1.** *p. p. от* decease 2

2. *a книжн.* поко́йный, уме́рший

3. *n книжн.* (the ~) поко́йник, поко́йный, уме́рший

decedent [dı'si:dnt] *n амер. юр.* поко́йный

deceit [dı'si:t] *n* 1) обма́н; to practise ~ хитри́ть, обма́нывать 2) хи́трость 3) лжи́вость

deceitful [dı'si:tfl] *a* 1) лжи́вый; преда́тельский 2) вводя́щий в заблужде́ние; обма́нчивый

deceive [dı'si:v] *v* 1) обма́нывать; вводи́ть в заблужде́ние; to ~ oneself обма́нываться 2) изменя́ть, наруша́ть (супру́жескую) ве́рность

decelerate [,di:'seləreıt] *v* уменьша́ть ско́рость, ход, число́ оборо́тов; замедля́ть

deceleration [,di:selə'reıʃn] *n* замедле́ние; торможе́ние

December [dı'sembə] *n* 1) дека́брь 2) *attr.* дека́брьский

Decembrist [dı'sembrıst] *n ист.* декабри́ст

decenary [dı'senərı] = decennary

decency ['di:snsı] *n* 1) прили́чие, благопристо́йность; a breach of ~ наруше́ние прили́чий, деко́рума; in common ~ из уваже́ния к прили́чиям; have the ~ to confess име́йте со́весть призна́ться; to serve the decencies соблюда́ть прили́чия 2) ве́жливость; любе́зность; поря́дочность 3) *pl* (the ~s) соблюде́ние прили́чий, пра́вила хоро́шего то́на

decennary [dı'senərı] *n* десятиле́тие

decenniad [dı'senıæd] = decennary

decennial [dı'senıəl] *a* 1) десятиле́тний; продолжа́ющийся де́сять лет

decent ['di:snt] *a* 1) прили́чный, поря́дочный; подходя́щий; a pretty ~ house дово́льно прили́чный дом 2) скро́мный; сде́ржанный 3) *разг.* сла́вный, хоро́ший; that's very ~ of you э́то о́чень ми́ло с ва́шей стороны́ 4) *школ.* нестро́гий, до́брый

decently ['di:sntlı] *adv* 1) поря́дочно, прили́чно, хорошо́ 2) скро́мно 3) любе́зно, ми́ло

decentralize [di:'sentrəlaız] *v* децентрализова́ть

deception [dı'sepʃn] *n* обма́н, жу́льничество; ложь; хи́трость; to practise ~ обма́нывать

deceptive [dı'septıv] *a* обма́нчивый, вводя́щий в заблужде́ние; appearances are often ~ нару́жность ча́сто обма́нчива; ~ gas *воен.* маскиру́ющий газ

deci- [desı-] *pref* деци- (*обозначает десятую часть, особ. в метрической системе*)

decibel ['desıbel] *n физ.* децибе́л

decide [dı'saıd] *v* 1) реша́ть(ся), принима́ть реше́ние; to ~ against (in favour of) smb. выноси́ть реше́ние про́тив (в по́льзу) кого́-л.; that ~s me! решено́!; to ~ between two things сде́лать вы́бор 2) склоня́ть к реше́нию, заста́вить приня́ть реше́ние ▭ ~ on вы́брать; she ~d on the green hat она́ вы́брала зелёную шля́пу

decided [dı'saıdıd] **1.** *p. p. от* decide

2. *a* 1) определённый, решённый; бесспо́рный; ~ superiority я́вное превосхо́дство 2) реши́тельный

decidedly [dı'saıdıdlı] *adv* 1) несомне́нно, я́вно, бесспо́рно 2) реши́тельно

decider [dı'saıdə] *n спорт.* реша́ющая встре́ча

deciduous [dı'sıdjuəs] *a* 1) *бот.* листопа́дный (*о деревьях*); ли́ственный 2) периоди́чески сбра́сываемый (*о рогах*) 3) моло́чный (*о зубах*) 4) быстроте́чный, преходя́щий

decigram(me) ['desıgræm] *n* дециграмм

decilitre ['desı,li:tə] *n* децили́тр

decimal ['desəml] **1.** *a* десяти́чный; ~ fraction десяти́чная дробь; ~ notation обозначе́ние ара́бскими ци́фрами; ~ numeration десяти́чная систе́ма счисле́ния; ~ coinage десяти́чная моне́тная систе́ма; ~ point то́чка в десяти́чной дро́би, отделя́ющая це́лое от дро́би

2. *n* десяти́чная дробь; recurring ~ периоди́ческая десяти́чная дробь

decimalism ['desəməl,ızəm] *n* примене́ние десяти́чной систе́мы

decimalize ['desəməlaız] *v* 1) обраща́ть в десяти́чную дробь 2) переводи́ть на метри́ческую систе́му мер

decimally ['desəmlı] *adv* по десяти́чной систе́ме

decimate ['desəmeıt] *v* 1) уничтожа́ть, коси́ть; cholera ~d the population холе́ра коси́ла населе́ние 2) *воен. ист.* казни́ть ка́ждого деся́того

decimetre ['desı,mi:tə] *n* дециме́тр

decimosexto [,desıməʊ'sekstəʊ] *n полигр.* форма́т кни́ги в 1/16 листа́

decipher [dı'saıfə] *v* 1) расшифро́вывать 2) разбира́ть (*неясный почерк, древние письмена и т. п.*)

decipherable [dı'saıfərəbl] *a* поддаю́щийся расшифро́вке, чте́нию

decision [dı'sıʒn] *n* 1) реше́ние; to arrive at (*или* to come to) a ~ приня́ть реше́ние 2) *юр.* реше́ние, определе́ние 3) реши́мость, реши́тельность; a man of ~ реши́тельный челове́к; to lack ~ быть нереши́тельным; with ~ уве́ренно, реши́тельно

decisive [dı'saısıv] *a* 1) реша́ющий, име́ющий реша́ющее значе́ние 2) реши́тельный (*о характере, человеке*) 3) убеди́тельный (*о фактах, уликах*)

deck [dek] **1.** *n* 1) па́луба; on ~ а) на па́лубе; б) *амер. разг.* под руко́й; в) *амер.* гото́вый к де́йствиям; to clear the ~s (for action) *мор.* пригото́виться к бо́ю; *перен.* пригото́виться к де́йствиям 2) пол в ваго́не трамва́я *или* авто́буса 3) кры́ша ваго́на, складно́й *или* съёмный верх (автомоби́ля) 4) *амер.* коло́да (*карт*) 5) *sl.* земля́, су́ша

2. *v* 1) украша́ть, убира́ть (*цветами, флагами; часто* ~ out) 2) настила́ть па́лубу

deck alighting ['dekə,laıtıŋ] = deck landing

deck-bridge ['dekbrıdʒ] *n* мост с ездо́й по́верху

deck-cabin ['dek,kæbın] *n* па́лубная каю́та

deck-cargo ['dek,kɑ:gəʊ] *n* па́лубный груз

deck chair ['dektʃeə] *n* шезло́нг, лонгшéз (*для пассажиров на палубе*)

-decker [-'dekə] *в сложных словах означает*: име́ющий *столько-то* па́луб; one-~ (two-~) однопа́лубное (двухпа́лубное) су́дно

deckhand ['dekhænd] *n* па́лубный матро́с

deckhouse ['dekhaʊs] *n мор.* ру́бка

decking ['dekɪŋ] 1. *pres. p. от* deck 2
2. *n* 1) украше́ние 2) па́лубный материа́л 3) опа́лубка; насти́л
deck landing ['dek,lændɪŋ] *n мор. ав.* поса́дка на па́лубу
deckle ['dekl] 1. *n тех.* де́кель
2. *v* 1) обреза́ть края́ бума́ги 2) трепа́ть, обрыва́ть (*край бумаги*)
deckle-edged [,dekl'edʒd] *a* с неро́вными края́ми (*о бумаге*)
deck-light ['deklaɪt] *n мор.* па́лубный иллюмина́тор
deck-passage ['dek,pæsɪdʒ] *n* прое́зд на па́лубе (*без права пользования каютой*)
deck-passenger ['dek,pæsɪndʒə] *n* па́лубный пассажи́р
deck start ['dekstɑ:t] *n мор. ав.* взлёт с па́лубы
declaim [dɪ'kleɪm] *v* 1) произноси́ть с па́фосом (*речь*) 2) деклами́ровать, чита́ть (*стихи*) 3) осужда́ть (*в выступлении*), выступа́ть про́тив (against)
declamation [,deklə'meɪʃn] *n* 1) деклама́ция; худо́жественное чте́ние 2) торже́ственная речь 3) красноре́чие 4) хоро́шая фразиро́вка (*при пении*)
declamatory [dɪ'klæmətərɪ] *a* 1) деклама́ционный 2) ора́торский 3) напы́щенный
declarable [dɪ'kleərəbl] *a* облага́емый по́шлиной на тамо́жне
declarant [dɪ'kleərənt] *n юр.* 1) заяви́тель, пода́тель заявле́ния, деклара́ции 2) *амер.* иностра́нец, пода́вший заявле́ние о приня́тии его́ в америка́нское гражда́нство
declaration [,deklə'reɪʃn] *n* 1) заявле́ние, деклара́ция; to make a ~ сде́лать заявле́ние 2) объявле́ние (*войны и т. п.*); ~ of the poll объявле́ние результа́тов голосова́ния 3) *юр.* исково́е заявле́ние истца́; торже́ственное заявле́ние (*свидетеля без присяги*) 4) тамо́женная деклара́ция 5) объясне́ние в любви́
declarative [dɪ'klærətɪv] *a* 1) деклара-ти́вный 2) *грам.* повествова́тельный (*о предложении*)
declaratory [dɪ'klærətərɪ] *a* 1) = declarative 1); 2) объясни́тельный, поясни́тельный
declare [dɪ'kleə] *v* 1) объявля́ть; to ~ war объяви́ть войну́; to ~ one's love объясня́ться в любви́ 2) признава́ть, объявля́ть (*кого-л. кем-л.*); he was ~d an invalid он был при́знан инвали́дом 3) заявля́ть, провозглаша́ть, объявля́ть публи́чно; well, I ~! *разг.* одна́ко, скажу́ я вам! 4) называ́ть, предъявля́ть ве́щи, облага́емые по́шлиной (*в таможне*); have you anything to ~? предъяви́те ве́щи, подлежа́щие обложе́нию по́шлиной 5) *карт.* объявля́ть ко́зырь 6) свиде́тельствовать, пока́зывать 7) выска́зываться (for — за; against — про́тив); to ~ oneself а) вы́сказаться; б) показа́ть себя́ ▭ ~ in заяви́ть о своём согла́сии баллоти́роваться; ~ off отказа́ться от (*сделки и т. п.*)
declared [dɪ'kleəd] 1. *p. p. от* declare
2. *a* 1) объя́вленный, заявле́нный; ~ value *ком.* объя́вленная це́нность (*товаров*) 2) я́вный, при́знанный
déclassé [deɪ'klæseɪ] *фр.* = declassed
declassed [,dɪ:'klɑ:st] *a* деклассиро́ванный
declassify [di:'klæsɪfaɪ] *v* рассекре́чивать (*документы, материалы*)
declension [dɪ'klenʃn] *n* 1) *грам.* склоне́ние; кла́ссы склоне́ний 2) отклоне́ние (*от образца*); ухудше́ние ◇ in the ~ of years на скло́не лет
declensional [dɪ'klenʃənəl] *a грам.* относя́щийся к склоне́нию; ~ endings паде́жные оконча́ния
declinable [dɪ'klaɪnəbl] *a грам.* склоня́емый
declination [,deklɪ'neɪʃn] *n* 1) отклоне́ние 2) магни́тное склоне́ние 3) накло́н, наклоне́ние 4) *амер.* официа́льный отка́з
declinator ['deklɪneɪtə] = declinometer
declinatory [dɪ'klaɪnətərɪ] *a* 1) отклоня́ющий(ся) 2) отка́зывающий(ся)
decline [dɪ'klaɪn] 1. *n* 1) паде́ние, упа́док, спад; business ~ спад делово́й акти́вности; on the ~ а) в состоя́нии упа́дка; б) на ущёрбе, на скло́не; the ~ of the moon луна́ на ущёрбе 2) ухудше́ние (*здоровья, жизненного уровня и т. п.*) 3) коне́ц, зака́т (*жизни, дня*) 4) сниже́ние (*цены*) 5) *уст.* изнури́тельная боле́знь, *особ.* туберкулёз 6) *уст.* склон, укло́н
2. *v* 1) приходи́ть в упа́док; ухудша́ться (*о здоровье, жизненном уровне и т. п.*) 2) отклоня́ть (*предложения и т. п.*); отка́зывать(ся) 3) наклоня́ть, склоня́ть; to ~ one's head on one's breast склони́ть (*или* урони́ть) го́лову на грудь 4) клони́ться, наклоня́ться; заходи́ть (о со́лнце) 5) *грам.* склоня́ть 6) идти́ к концу́ 7) уменьша́ться, идти́ на у́быль; спада́ть (*о температуре*)
declining [dɪ'klaɪnɪŋ] 1. *pres. p. от* decline 2
2. *a* преклонный; ~ years прекло́нные го́ды; зака́т дней
declinometer [,deklɪ'nɒmɪtə] *n* уклономе́р; деклино́метр; деклина́тор
declivitous [dɪ'klɪvətəs] *a* дово́льно крутой (*о спуске*)
declivity [dɪ'klɪvətɪ] *n* пока́тость; спуск; склон; отко́с; укло́н (*пути*)
declivous [dɪ'klaɪvəs] *a* пока́тый; отло́гий
declutch [di:'klʌtʃ] *v тех.* расцепля́ть
decoct [dɪ'kɒkt] *v* приготовля́ть отва́р; отва́ривать; наста́ивать
decoction [dɪ'kɒkʃn] *n* 1) вывáривание 2) (лече́бный) отва́р, деко́кт
decode [di:'kəʊd] *v* расшифро́вывать; декоди́ровать
decoder [di:'kəʊdə] *n* 1) шифрова́льщик 2) *спец.* деко́дер, декоди́рующее устро́йство
decohere [,di:kəʊ'hɪə] *v радио* декогери́ровать
decollate [dɪ'kɒleɪt] *v уст.* обезгла́вливать
decollation [,di:kə'leɪʃn] *n уст.* обезгла́вливание
décolleté [deɪ'kɒlteɪ] (*ж.* -tée [-te]) *фр. a* декольти́рованный
decolonize [di:'kɒlənaɪz] *v* деколонизи́ровать, предоста́вить коло́нии незави́симость
decolo(u)r [di:'kʌlə] = decolo(u)rize
decolo(u)rant [di:'kʌlərənt] *n* обесцве́чивающее вещество́
decolo(u)ration [di:,kʌlə'reɪʃn] *n* обесцве́чивание
decolo(u)rize [di:'kʌləraɪz] *v* обесцве́чивать
decommission [,di:kə'mɪʃn] *v* спи́сывать, переводи́ть (*в резерв*)
decompensation [di:,kɒmpen'seɪʃn] *n мед.* декомпенса́ция
decomplex [,di:kəm'pleks] *a книжн.* вдвойне́ сло́жный, име́ющий сло́жные ча́сти
decompose [,di:kəm'pəʊz] *v* 1) разлага́ться, гнить 2) разлага́ть на составны́е ча́сти; to ~ a force *физ.* разложи́ть си́лу 3) растворя́ть(ся) 4) анализи́ровать (*причины, мотивы и т. п.*)
decomposite [di:'kɒmpəzɪt] *a* соста́вленный из сло́жных часте́й; составно́й
decomposition ['di:kɒmpə,zɪʃn] *n* 1) *физ., хим.* разложе́ние 2) распа́д, гние́ние
decompound [,di:kəm'paʊnd] 1. *a* = decomposite; ~ leaf *бот.* перистосло́жный лист
2. *v* 1) составля́ть из сло́жных часте́й 2) разлага́ть на составны́е ча́сти
decompress [,di:kəm'pres] *v спец.* уменьша́ть давле́ние
deconsecrate [,di:'kɒnsɪkreɪt] *v* секуляризи́ровать (*церковные земли, имущество*)
decontaminate [,di:kən'tæmɪneɪt] *v* обеззара́живать; дегази́ровать
decontrol [,di:kən'trəʊl] *n* освобожде́ние от (госуда́рственного) контро́ля
décor ['deɪkɔ:] *n* 1) оформле́ние (*выставки и т. п.*) 2) *театр.* декора́ции 3) орна́мент
decora [dɪ'kɔ:rə] *pl от* decorum
decorate ['dekəreɪt] *v* 1) украша́ть, декори́ровать 2) отде́лывать (*дом, помещение*) 3) награжда́ть зна́ками отли́чия, ордена́ми
decorated ['dekəreɪtɪd] 1. *p. p. от* decorate
2. *a* 1) укра́шенный, декори́рованный; ~ style англи́йская го́тика XIV ве́ка 2) награждённый зна́ками отли́чия
decoration [,dekə'reɪʃn] *n* 1) украше́ние; убра́нство 2) *архит.* деко́р, нару́жная и вну́тренняя отде́лка, украше́ние до́ма 3) о́рден, знак отли́чия; to confer a ~ on smb. награди́ть кого́-л. о́рденом, зна́ком отли́чия 4) *pl* пра́здничные фла́ги, гирля́нды 5) *attr.*: D. Day *амер.* = Memorial Day [*см.* memorial 2]
decorative ['dekərətɪv] *a* декорати́вный
decorator ['dekəreɪtə] *n* 1) архите́ктор-декора́тор 2) маля́р; обо́йщик

decorous ['dekərəs] *a* прили́чный, присто́йный

decorticate [ˌdɪ'kɔ:tɪkeɪt] *v* сдира́ть (*кору, шелуху и т. п.*)

decorum [dɪ'kɔ:rəm] *n* (*pl* -s [-z], -ra) 1) вне́шнее прили́чие, деко́рум 2) этике́т

decoy 1. *n* ['di:kɔɪ] 1) прима́нка; мано́к 2) западня́, лову́шка 3) пруд, затя́нутый се́ткой (*для заманивания диких птиц с помощью манков*) 4) *воен.* маке́т

2. *v* [dɪ'kɔɪ] 1) прима́нивать, зама́нивать в лову́шку 2) завлека́ть

decoy-duck [dɪ'kɔɪdʌk] *n* 1) подсадна́я у́тка 2) прима́нка

decoy ship [dɪ'kɔɪʃɪp] *n мор. уст.* су́дно-лову́шка

decrease 1. *n* ['di:kri:s] уменьше́ние, убыва́ние, пониже́ние; убавле́ние; спад; to be on the ~ идти́ на у́быль

2. *v* [ˌdi:'kri:s] уменьша́ть(ся), убыва́ть

decree [dɪ'kri:] 1. *n* 1) ука́з, декре́т, прика́з 2) постановле́ние, реше́ние (*суда по гражданским делам*) 3) постановле́ние церко́вного сове́та 4) *pl церк. ист.* декрета́лии ◇ ~ of nature зако́н приро́ды

2. *v* 1) издава́ть декре́т, декрети́ровать 2) отдава́ть распоряже́ние

decree nisi [dɪˌkri:'naɪsaɪ] *n юр.* постановле́ние о разво́де, вступа́ющее в си́лу че́рез шесть ме́сяцев, е́сли оно́ не бу́дет отменено́ до э́того

decrement ['dekrɪmənt] *n* 1) *физ.* декреме́нт 2) *книжн.* уменьше́ние, сте́пень у́были 3) *тех.* успокое́ние, демпфи́рование

decrepit [dɪ'krepɪt] *a* 1) дря́хлый 2) ве́тхий, изно́шенный

decrepitate [dɪ'krepɪteɪt] *v* 1) *тех.* обжига́ть, прока́ливать до растре́скивания 2) потре́скивать на огне́

decrepitation [dɪˌkrepɪ'teɪʃn] *n* 1) *тех.* обжига́ние, прока́ливание 2) потре́скивание при нака́ливании

decrepitude [dɪ'krepɪtju:d] *n* 1) дря́хлость 2) ве́тхость

decrescent [dɪ'kreʃnt] *a* убыва́ющий

decretal [dɪ'kri:tl] *n церк.* 1) декре́т, постановле́ние 2) *pl ист.* декрета́лии

decretive [dɪ'kri:tɪv] *a* декре́тный

decretory [dɪ'kri:tərɪ] = decretive

decry [dɪ'kraɪ] *v* 1) принижа́ть, преуменьша́ть значе́ние (*чего-л.*); обесце́нивать (*деньги*) 2) порица́ть, хули́ть

decuman ['dekjʊmən] *a книжн.* могу́чий, мо́щный (*о волне*); ~ wave девя́тый вал

decumbent [dɪ'kʌmbənt] *a* 1) лежа́щий 2) *бот.* сте́лющийся по земле́

decuple ['dekjʊpl] *n* удесятерённое число́ *или* коли́чество

decussate [dɪ'kʌseɪt] 1. *a* 1) пересека́ющийся под прямы́м угло́м 2) *бот.* располо́женный крестообра́зно

2. *v* пересека́ть(ся) под прямы́м угло́м, крест-на́крест

dedans [de'dɑ:ŋ] *n спорт.* 1) по́ле пода́чи (*в теннисе*) 2) (the ~) *собир.* зри́тели на те́ннисном ма́тче

dedicate ['dedɪkeɪt] *v* 1) посвяща́ть 2) предназнача́ть 3) надпи́сывать (*книгу*) 4) *амер.* открыва́ть (*торжественно*)

dedicated ['dedɪkeɪtɪd] 1. *p. p. от* dedicate

2. *a* пре́данный; посвяти́вший себя́ (*долгу, делу*); убеждённый (*о стороннике чего-л.*)

dedicatee [ˌdedɪkə'ti:] *n* лицо́, кото́рому что-л. посвящено́

dedication [ˌdedɪ'keɪʃn] *n* 1) посвяще́ние 2) пре́данность, самоотве́рженность

dedicator ['dedɪkeɪtə] *n* тот, кто посвяща́ет, посвяща́ющий

dedicatory ['dedɪkətərɪ] *a* посвяти́тельный; посвяща́ющий

deduce [dɪ'dju:s] *v* 1) выводи́ть (*заключение, следствие, формулу*) 2) *уст.* проследи́ть, установи́ть происхожде́ние

deduct [dɪ'dʌkt] *v* вычита́ть, отнима́ть; уде́рживать; сбавля́ть

deduction [dɪ'dʌkʃn] *n* 1) вычита́ние, вы́чет; удержа́ние; ~ in pay вы́четы, удержа́ния из жа́лованья 2) вычита́емое 3) ски́дка 4) вы́вод, заключе́ние; *лог.* деду́кция

deductive [dɪ'dʌktɪv] *a лог.* дедукти́вный

dee [di:] *n* 1) *название буквы* D 2) *тех.* D-обра́зное кольцо́, рым

deed [di:d] 1. *n* 1) де́йствие, посту́пок 2) де́ло; акт; in word and ~ сло́вом и де́лом; in ~ and not in name на де́ле, а не на слова́х (то́лько); in very ~ в са́мом де́ле, в действи́тельности 3) по́двиг 4) *юр.* докуме́нт, акт; to draw up a ~ составля́ть докуме́нт

2. *v амер.* передава́ть по а́кту

deed poll ['di:dpəʊl] *n юр.* односторо́ннее обяза́тельство

deejay ['di:dʒeɪ] *n sl.* диск-жоке́й

deem [di:m] *v* полага́ть, ду́мать, счита́ть

deemster ['di:mstə] *n* оди́н из двух суде́й на о-ве Мэн

deep [di:p] 1. *a* 1) глубо́кий; ~ water больша́я глубина́; ~ sleep глубо́кий сон; to my ~ regret к моему́ глубо́кому сожале́нию; to keep smth. a ~ secret храни́ть что-л. в стро́гой та́йне; ~ in debt по́ уши в долгу́ 2) ни́зкий (*о звуке*) 3) насы́щенный, тёмный, густо́й (*о краске, цвете*) 4) си́льный, глубо́кий; ~ feelings глубо́кие чу́вства; ~ delight огро́мное наслажде́ние 5) погружённый (*во что-л.*); поглощённый (*чем-л.*); за́нятый (*чем-л.*); ~ in a book (in a map) погружённый, уше́дший с голово́й в кни́гу (в изуче́ние ка́рты); ~ in thought, ~ in meditation (глубоко́) заду́мавшийся, погружённый в размышле́ния 6) серьёзный, не пове́рхностный; ~ knowledge серьёзные, глубо́кие зна́ния 7) таи́нственный, труднопостига́емый ◇ a ~ one то́нкая бе́стия; to draw up five (six) ~ *воен.* стро́ить(ся) в пять (шесть) рядо́в; ~ pocket бога́тство, состоя́тельность

2. *n* 1) (the ~) *поэт.* мо́ре, океа́н 2) глубо́кое ме́сто 3) бе́здна, про́пасть 4) са́мое сокрове́нное

3. *adv* глубоко́; ~ in one's mind в глубине́ души́; to dig ~ рыть глубоко́; *перен.* докапываться; ~ into the night до глубо́кой но́чи ◇ still waters run ~ *посл.* ≅ в ти́хом о́муте че́рти во́дятся

deep-drawn ['di:p, drɔ:n] *a* 1) вырва́вшийся из глубины́ (*о вздохе*) 2) *тех.* глубоко́ вы́тянутый

deepen ['di:pən] *v* 1) углубля́ть(ся) 2) уси́ливать(ся) 3) де́лать(ся) темне́е; сгуща́ть(ся) (*о красках, тенях*) 4) понижа́ть(ся) (*о звуке, голосе*)

deep-felt [ˌdi:p'felt] *a* глубоко́ прочу́вствованный

deep freeze [ˌdi:p'fri:z] 1. *n* морози́льник; морози́льная ка́мера

2. *v* замора́живать, подверга́ть глубо́кой заморо́зке (*продукты*)

deep-frozen [ˌdi:p'frəʊzn] *a* 1) заморо́женный при ни́зкой температу́ре 2): ~ soil ве́чная мерзлота́

deep-fry [ˌdi:p'fraɪ] *v* жа́рить во фритю́ре

deep-laid [ˌdi:p'leɪd] *a* дета́льно разрабо́танный и секре́тный (*о плане*)

deeply ['di:plɪ] *adv* глубоко́; he is ~ in debt он круго́м в долгу́; to feel (to regret) smth. ~ глубоко́ пережива́ть что-л. (сожале́ть о чём-л.); to drink ~ пить запо́ем

deep-mouthed [ˌdi:p'maʊðd] *a* гро́мко ла́ющий

deepness ['di:pnəs] *n* глубина́ *и пр.* [*см.* deep 1]

deep-piled [ˌdi:p'paɪld] *a*: a ~ carpet ковёр с дли́нным во́рсом

deep-rooted [ˌdi:p'ru:tɪd] *a* глубоко́ укорени́вшийся

deep-sea [ˌdi:p'si:] *a* глубоково́дный; ~ fishing ло́вля ры́бы в глубо́ких во́дах

deep-seated [ˌdi:p'si:tɪd] *a* 1) глубоко́ сидя́щий; вкорени́вшийся; ~ abscess глубо́кий нары́в; ~ disease скры́тая боле́знь 2) твёрдый (*об убеждении*) 3) затаённый (*о чувстве*)

deer [dɪə] *n* (*pl без измен.*) оле́нь; лань; *собир.* кра́сный зверь; red ~ благоро́дный оле́нь; to run like ~ бежа́ть быстре́е ла́ни, нести́сь стрело́й

deer-forest ['dɪəˌfɒrɪst] *n* оле́ний запове́дник

deerhound ['dɪəhaʊnd] *n* шотла́ндская борза́я

deer-lick ['dɪəlɪk] *n* уча́сток солончако́вой по́чвы, где оле́ни ли́жут соль, лизуне́ц

deer-neck ['dɪənek] *n* то́нкая ше́я (*лошади*)

deer-park ['dɪəpɑ:k] = deer-forest

deerskin ['dɪəskɪn] *n* оле́нья ко́жа, лоси́на; за́мша

deerstalker ['dɪəˌstɔ:kə] *n* 1) во́йлочная шля́па 2) охо́тник на оле́ней

deerstalking ['dɪəˌstɔ:kɪŋ] *n* охо́та на оле́ней

de-escalate [di:'eskəleɪt] *v* свора́чивать; сокраща́ть

deface [dɪ'feɪs] *v* 1) по́ртить; искажа́ть

2) стира́ть, де́лать неудобочита́емым 3) *уст.* дискредити́ровать

defacement [dɪ'feɪsmənt] *n* 1) по́рча; искаже́ние 2) стира́ние

de facto [deɪ'fæktəʊ] *adv* на де́ле, факти́чески, де-фа́кто (*противоп.* de jure); the government ~ находя́щееся у вла́сти прави́тельство

defalcate ['di:fælkeɪt] *v книжн.* 1) произвести́ растра́ту; присво́ить чужи́е де́ньги 2) обману́ть дове́рие 3) нару́шить долг

defalcation [ˌdi:fæl'keɪʃn] *n книжн.* присвое́ние чужи́х де́нег

defamation [ˌdefə'meɪʃn] *n* клевета́; диффама́ция

defamatory [dɪ'fæmətərɪ] *a* бесче́стящий, клеветни́ческий, дискредити́рующий

defame [dɪ'feɪm] *v* поноси́ть, клевета́ть, поро́чить; позо́рить

defatted [di:'fætɪd] *a* обезжи́ренный

default [dɪ'fɔ:lt] **1.** *n* 1) невыполне́ние обяза́тельств (*особ. денежных*) 2) нея́вка в суд; judgement by ~ заочное реше́ние суда́ в по́льзу истца́ (*вследствие неявки ответчика*) 3) *спорт.* вы́ход из состяза́ния ◇ in ~ of за неиме́нием, за отсу́тствием

2. *v* 1) не вы́полнить свои́х обяза́тельств; прекрати́ть платежи́ 2) не яви́ться по вы́зову суда́ 3) вы́нести зао́чное реше́ние (*в пользу истца*) 4) *спорт.* вы́йти из состяза́ния до его́ оконча́ния

defaulter [dɪ'fɔ:ltə] *n* 1) лицо́, не выполня́ющее свои́х обяза́тельств; банкро́т 2) растра́тчик 3) уклони́вшийся от я́вки (*в суд*) 4) *воен.* провини́вшийся; получи́вший взыска́ние 5) *спорт.* уча́стник, вы́бывший из соревнова́ний до оконча́ния ма́тча, встре́чи *и т. п.* 6) *attr.*: ~ book *воен.* журна́л взыска́ний

defeasance [dɪ'fi:zns] *n* 1) аннули́рование; отме́на 2) *юр.* огово́рка в докуме́нте (*могущая аннулировать его*); усло́вие отме́ны

defeasible [dɪ'fi:zəbl] *a* могу́щий быть отменённым, аннули́рованным

defeat [dɪ'fi:t] **1.** *n* 1) пораже́ние; to sustain (*или* to suffer) a ~ потерпе́ть пораже́ние 2) расстро́йство (*планов*); круше́ние (*надежд*) 3) *юр.* аннули́рование

2. *v* 1) наноси́ть пораже́ние 2) расстра́ивать (*планы*); разруша́ть (*надежды и т. п.*); прова́ливать (*законопроект*) 3) *юр.* отменя́ть, аннули́ровать

defeatism [dɪ'fi:tˌɪzəm] *n* пораже́нчество

defeatist [dɪ'fi:tɪst] *n* пораже́нец, капитуля́нт

defeature [dɪ'fi:tʃə] *v* де́лать неузнава́емым; искажа́ть

defecate ['defəkeɪt] *v* 1) испражня́ться 2) очища́ть(ся); отста́ивать, осветля́ть (*жидкость*)

defecation [ˌdefə'keɪʃn] *n* 1) испражне́ние 2) очище́ние, осветле́ние (*жидкости*)

defect 1. *n* ['di:fekt] 1) недоста́ток, неиспра́вность, дефе́кт, недочёт; поро́к, изъя́н 2) поврежде́ние

2. *v* [dɪ'fekt] нару́шить свой долг; отступи́ться (*от своей партии и т. п.*)

defection [dɪ'fekʃn] *n книжн.* 1) наруше́ние (*долга, верности*); дезерти́рство; отсту́пничество (from) 2) прова́л, неуда́ча

defective [dɪ'fektɪv] **1.** *a* 1) несоверше́нный; недоста́точный; непо́лный 2) неиспра́вный; повреждённый; дефе́ктный 3) дефекти́вный, у́мственно отста́лый 4) *грам.* недоста́точный (*о глаголе*)

2. *n* 1) *мед.* дефекти́вный субъе́кт 2) *грам.* недоста́точный глаго́л

defence [dɪ'fens] *n* 1) оборо́на; защи́та 2) *pl воен.* укрепле́ния, оборони́тельные сооруже́ния 3) *юр.* защи́та (*на суде*); оправда́ние, реабилита́ция; counsel for the ~ защи́тник обвиня́емого 4) *спорт.* защи́та ◇ best ~ is offence нападе́ние — лу́чший спо́соб защи́ты

defenceless [dɪ'fensləs] *a* 1) беззащи́тный 2) незащищённый, уязви́мый 3) необороня́емый

defend [dɪ'fend] *v* 1) обороня́ть(ся), защища́ть(ся) 2) отста́ивать, поддéрживать (*мнение*); опра́вдывать (*меры и т. п.*) 3) *юр.* защища́ть в суде́, выступа́ть защи́тником; to ~ the case защища́ться (*на суде*)

defendant [dɪ'fendənt] *n юр.* отве́тчик; подсуди́мый, обвиня́емый

defender [dɪ'fendə] *n* 1) защи́тник; ~s of peace сторо́нники ми́ра 2) *спорт.* защи́тник (*в футболе*); чемпио́н, защища́ющий своё зва́ние

defense [dɪ'fens] *амер.* = defence

defensible [dɪ'fensəbl] *a* 1) могу́щий быть опра́вданным, защищённым 2) *воен.* удо́бный для оборо́ны; защити́мый

defensive [dɪ'fensɪv] **1.** *n* оборо́на; оборони́тельная пози́ция; to act (*или* to be, to stand) on the ~ обороня́ться, защища́ться

2. *a* оборони́тельный; оборо́нный

defer I [dɪ'fɜ:] *v* 1) откла́дывать, отсро́чивать 2) *воен.* предоставля́ть отсро́чку от призы́ва

defer II [dɪ'fɜ:] *v* счита́ться с чьим-л. мне́нием; уступа́ть, поступа́ть по сове́ту *или* жела́нию друго́го; to ~ smb.'s experience полага́ться на чей-л. о́пыт

deference ['defrəns] *n* уваже́ние, почти́тельное отноше́ние; to pay (*или* to show) ~ to smb. относи́ться почти́тельно к кому́-л.; in (*или* out of) ~ to smb., smth. из уваже́ния к кому́-л., чему́-л.; with all due ~ to smb., smth. при всём уваже́нии к кому́-л., чему́-л.

deferent ['defrənt] *a* 1) *анат.* выводя́щий, выводя́щий (*о протоках, артериях*) 2) отводя́щий (*о каналах*)

deferential [ˌdefə'renʃl] *a* почти́тельный

deferment [dɪ'fɜ:mənt] *n* отсро́чка; откла́дывание

deferred I [dɪ'fɜ:d] **1.** *p. p. от* defer I

2. *a* 1) заме́дленный 2) отсро́ченный; ~ annuity отсро́ченный платёж по ежего́дной ре́нте; ~ pass *амер.* усло́вный перево́д на сле́дующий курс с обяза́тельством сда́чи академи́ческой задо́лженности

deferred II [dɪ'fɜ:d] *p. p. от* defer II

defervescence [ˌdi:fɜ:'vesns] *n мед.* паде́ние температу́ры; сниже́ние температу́ры до норма́льной

defiance [dɪ'faɪəns] *n* 1) вызыва́ющее поведе́ние; откры́тое неповинове́ние; по́лное пренебреже́ние; to bid ~ to, to set at ~ пренебрега́ть, броса́ть вы́зов, не счита́ться с; ни во что не ста́вить 2) вы́зов (*на бой, спор*) ◇ in ~ of а) вопреки́; б) с я́вным пренебреже́нием к

defiant [dɪ'faɪənt] *a* вызыва́ющий; откры́то неповину́ющийся, де́рзкий

deficiency [dɪ'fɪʃnsɪ] *n* 1) отсу́тствие (*чего-л.*), нехва́тка, дефици́т 2) недоста́ток, неполноце́нность 3) *attr.*: ~ disease авитамино́з

deficient [dɪ'fɪʃnt] *a* 1) недоста́точный; недостаю́щий; непо́лный 2) несоверше́нный; лишённый (*чего-л.*; in); mentally ~ слабоу́мный

deficit ['defəsɪt] *n* дефици́т; нехва́тка; недочёт; to meet a ~ покры́ть дефици́т

defilade [ˌdefɪ'leɪd] *воен.* **1.** *n* есте́ственное укры́тие

2. *v* укрыва́ть в скла́дках ме́стности

defile I [dɪ'faɪl] *v* 1) загрязня́ть, па́чкать 2) оскверня́ть, профани́ровать 3) развраща́ть, растлева́ть

defile II [dɪ'faɪl] **1.** *n* дефиле́, тесни́на; уще́лье

2. *v* дефили́ровать, проходи́ть у́зкой коло́нной (*о войсках*)

defilement [dɪ'faɪlmənt] *n* 1) загрязне́ние 2) оскверне́ние, профана́ция 3) растле́ние

definable [dɪ'faɪnəbl] *a* поддаю́щийся определе́нию, определи́мый

define [dɪ'faɪn] *v* 1) определя́ть, дава́ть (то́чное) определе́ние; to ~ a word определи́ть сло́во 2) дава́ть характери́стику 3) оче́рчивать, обознача́ть (*границы*)

definite ['defənət] *a* 1) определённый (*тж. грам.*); for a ~ period на определённый срок; ~ article *грам.* определённый арти́кль (*в англ. языке* the) 2) то́чный, я́сный

definitely ['defənətlɪ] **1.** *adv* то́чно, несомне́нно

2. *int разг.* коне́чно, то́чно, разуме́ется

definition [ˌdefə'nɪʃn] *n* 1) определе́ние 2) я́сность, чёткость 3) *фото, тлв.* ре́зкость, чёткость

definitive [dɪ'fɪnətɪv] *a* 1) оконча́тельный; реши́тельный; безусло́вный 2) наибо́лее по́лный, то́чный (*об издании и т. п.*) 3) *биол.* вполне́ разви́той, дефинити́вный

deflagrate ['defləgreɪt] *v* бы́стро сжига́ть *или* сгора́ть

deflagration [ˌdeflə'greɪʃn] *n* 1) интенси́вное горе́ние; вспы́шка 2) сгора́ние взры́вчатых веще́ств без взры́ва

deflate [ˌdiː'fleɪt] *v* 1) выка́чивать, выпуска́ть во́здух, газ 2) спуска́ть (*о шине*) 3) сбить спесь, поколеба́ть уве́ренность 4) *фин.* сокраща́ть вы́пуск де́нежных зна́ков 5) снижа́ть це́ны 6) умаля́ть (*важность*)

deflation [ˌdiː'fleɪʃn] *n* 1) выка́чивание, выпуска́ние во́здуха, га́за 2) *фин.* дефля́ция

deflect [dɪ'flekt] *v* 1) отклоня́ть(ся) от прямо́го направле́ния 2) преломля́ть(ся)

deflected [dɪ'flektɪd] *a* ото́гнутый, отклонённый; искривлённый

deflection [dɪ'flekʃn] *n* 1) отклоне́ние от прямо́го направле́ния 2) склоне́ние магни́тной стре́лки; отклоне́ние стре́лки (*приборов*) 3) *воен.* у́гол горизонта́льной наво́дки; угломе́р основно́го ору́дия; попра́вка; упрежде́ние 4) *тех.* проги́б, прове́с 5) *опт.* преломле́ние

deflective [dɪ'flektɪv] *a* вызыва́ющий отклоне́ние

deflector [dɪ'flektə] *n тех.* дефле́ктор, отража́тель; отклоня́ющее устро́йство

deflexion [dɪ'flekʃn] = deflection

defloration [ˌdiːflɔː'reɪʃn] *n* 1) лише́ние де́вственности 2) обрыва́ние цвето́в

deflower [ˌdiː'flaʊə] *v* 1) лиша́ть де́вственности; изнаси́ловать 2) по́ртить 3) обрыва́ть цветы́

defoliate [diː'fəʊlɪeɪt] 1. *a* лишённый ли́стьев

2. *v* 1) лиша́ть листвы́ 2) уничтожа́ть расти́тельность

defoliation [diːˌfəʊlɪ'eɪʃn] *n* 1) опаде́ние ли́стьев; листопа́д 2) удале́ние листвы́

deforest [ˌdiː'fɒrɪst] *v* вы́рубить леса́; обезле́сить (*местность*)

deform [dɪ'fɔːm] *v* 1) уро́довать 2) искажа́ть 3) *тех.* деформи́ровать

deformation [ˌdiːfɔː'meɪʃn] *n* 1) уро́дование 2) искаже́ние 3) *тех.* деформа́ция

deformity [dɪ'fɔːmətɪ] *n* 1) уро́дливость; уро́дство (*физическое или нравственное*) 2) изъя́н, поро́к 3) испо́рченность, поро́чность

defraud [dɪ'frɔːd] *v* 1) обма́нывать 2) обма́ном лиша́ть (*чего-л.*); выма́нивать; to ~ smb. of his rights обма́ном лиша́ть кого́-л. прав

defray [dɪ'freɪ] *v* опла́чивать; to ~ the expenses (of) брать на себя́ расхо́ды (по)

defrayal [dɪ'freɪəl] *n* опла́та (*издержек*)

defrayment [dɪ'freɪmənt] = defrayal

defreeze [ˌdiː'friːz] *v* размора́живать (*продукты*)

defrock [ˌdiː'frɒk] *v* лиша́ть духо́вного са́на

defrost [ˌdiː'frɒst] *v* 1) размора́живать (*холодильник и т. п.*) 2) = defreeze 3) та́ять, размора́живаться 4) *эк.* размора́живать (*фонды иностранного государства*)

defroster [ˌdiː'frɒstə] *n тех.* 1) антиобледени́тель 2) дефро́стер, размора́живатель (*в холодильнике*)

deft [deft] *a* ло́вкий, иску́сный; прово́рный

defunct [dɪ'fʌŋkt] 1. *a книжн.* 1) уме́рший, усо́пший 2) несуществу́ющий, исче́знувший, вы́мерший

2. *n юр.* (the ~) поко́йный, поко́йник

defuse [ˌdiː'fjuːz] *v* 1) снима́ть взрыва́тель 2) снима́ть напряже́ние, разряди́ть (*обстановку и т. п.*)

defy [dɪ'faɪ] *v* 1) ока́зывать откры́тое неповинове́ние; игнори́ровать, пренебрега́ть; to ~ the law игнори́ровать зако́н; to ~ public opinion пренебрега́ть обще́ственным мне́нием 2) не поддава́ться, представля́ть непреодоли́мые тру́дности; it defies description э́то не поддаётся описа́нию; the problem defies solution э́то неразреши́мая пробле́ма

degas [dɪ'gæs] *v* дегази́ровать

degeneracy [dɪ'dʒenərəsɪ] *n* 1) вырожде́ние 2) дегенерати́вность 3) упа́док

degenerate 1. *n* [dɪ'dʒenərət] дегенера́т, вы́родок

2. *a* [dɪ'dʒenərət] вырожда́ющийся

3. *v* [dɪ'dʒenəreɪt] вырожда́ться; ухудша́ться

degeneration [dɪˌdʒenə'reɪʃn] *n* 1) вырожде́ние; дегенера́ция 2) *мед.* перерожде́ние

degenerative [dɪ'dʒenərətɪv] *a* вырожда́ющийся; дегенерати́вный

degradation [ˌdegrə'deɪʃn] *n* 1) пониже́ние; разжа́лование 2) упа́док; деграда́ция; ухудше́ние 3) уменьше́ние масшта́ба 4) *биол.* вырожде́ние 5) *хим.*, *физ.* деграда́ция 6) *геол.* размы́тие, подмы́в; пониже́ние земно́й пове́рхности 7) *жив.* ослабле́ние интенси́вности то́на

degrade [dɪ'greɪd] *v* 1) понижа́ть (*в чине, звании и т. п.*); разжа́ловать; низводи́ть на ни́зшую ступе́нь 2) унижа́ть 3) приходи́ть в упа́док; деградировать 4) снижа́ть, убавля́ть, уменьша́ть (*силу, ценность и т. п.*) 5) *хим.*, *физ.* дегради́ровать 6) *геол.* размыва́ть; разруша́ть 7) *жив.* ослабля́ть интенси́вность то́на

degraded [dɪ'greɪdɪd] 1. *p. p. от* degrade

2. *a* 1) разжа́лованный; пони́женный в чи́не, зва́нии 2) уни́женный 3) находя́щийся в состоя́нии упа́дка, дегради́ровавший 4) *биол.* вырожда́ющийся 5) *геол.* размы́тый; пони́зившийся 6) *жив.* деградированный (*о тоне*)

degrease [diː'griːs] *v* обезжи́ривать

degree [dɪ'griː] *n* 1) сте́пень; ступе́нь; by ~s постепе́нно; not in the least (*или* slightest) ~ ничу́ть, ниско́лько; ни в како́й сте́пени; in some ~ в не́которой сте́пени; in a varying ~ в той и́ли ино́й сте́пени; to a ~ *разг.* о́чень, значи́тельно; to a certain ~ до изве́стной сте́пени; to the last ~ до после́дней сте́пени; to a lesser ~ в ме́ньшей сте́пени; to what ~? в како́й сте́пени?, до како́й сте́пени?; a ~ better (warmer, *etc.*) чуть лу́чше (тепле́е *и т. п.*) 2) у́ровень 3) гра́дус; we had ten ~s of frost last night вчера́ ве́чером бы́ло де́сять гра́дусов моро́за; an angle of ninety ~s у́гол в 90° 4) зва́ние, учёная сте́пень; to take one's ~ получи́ть сте́пень; honorary ~ почётное зва́ние 5) сте́пень родства́, коле́но; prohibited ~s *юр.* сте́пени родства́, при кото́рых запреща́ется брак 6) положе́ние, ранг 7) *мат.* сте́пень 8) *грам.* сте́пень; ~s of comparison сте́пени сравне́ния ◇ third ~ допро́с с примене́нием пы́ток

degression [dɪ'greʃn] *n* 1) сниже́ние нало́гов 2) уменьше́ние; спад

degressive [dɪ'gresɪv] *a* 1) пропорциона́льно уменьша́ющийся (*о налоге*) 2) нисходя́щий

dehisce [dɪ'hɪs] *v* раскрыва́ться, растре́скиваться (*о семенных коробочках*)

dehiscent [dɪ'hɪsnt] *a* раскрыва́ющийся, растре́скивающийся (*о семенных коробочках*)

dehorn [ˌdiː'hɔːn] *v* удаля́ть рога́

dehumanize [diː'hjuːmənaɪz] *v* лиша́ть челове́ческих ка́честв; де́лать гру́бым, бесчелове́чным

dehydration [ˌdiːhaɪ'dreɪʃn] *n хим.* обезво́живание

dehydrogenize [ˌdiː'haɪdrədʒɪnaɪz] *v хим.* удаля́ть водоро́д

de-ice [ˌdiː'aɪs] *v ав.* 1) устраня́ть обледене́ние 2) предотвраща́ть обледене́ние

de-icer [ˌdiː'aɪsə] *n ав.* антиобледени́тель

deictic ['daɪktɪk] *a лог.* непосре́дственно дока́зывающий

deification [ˌdeɪɪfɪ'keɪʃn] *n* обожествле́ние

deify ['deɪɪfaɪ] *v* 1) обожествля́ть 2) обоготворя́ть; боготвори́ть

deign [deɪn] *v* соизво́лить; снизойти́; соблаговоли́ть; удосто́ить; he did not ~ to speak он не соизво́лил заговори́ть; he did not ~ an answer он не удосто́ил нас отве́том

deism ['deɪˌɪzəm] *n* деи́зм

deist ['deɪɪst] *n* деи́ст

deity ['deɪətɪ] *n* 1) божество́ 2) боже́ственность 3) (the D.) Созда́тель, Бог

déjà vu [ˌdeɪʒɑː'vuː] *фр. n психол.* обма́н па́мяти, явле́ние ло́жной па́мяти

deject [dɪ'dʒekt] *v* удруча́ть, угнета́ть; to ~ smb.'s spirit по́ртить кому́-л. настрое́ние

dejecta [dɪ'dʒektə] *n pl спец.* испражне́ния

dejection [dɪ'dʒekʃn] *n* 1) пода́вленное настрое́ние, уны́ние 2) *физиол.* дефека́ция 3) *геол.* ла́ва, пе́пел, выбра́сываемые вулка́ном

déjeuner ['deɪʒəneɪ] *фр. n* пара́дный *или* официа́льный за́втрак

de jure [diː'dʒʊərɪ] *лат. adv* юриди́чески, де-ю́ре (*противоп.* de facto)

dekko ['dekəʊ] *n* (*pl* -os [-əʊz]) *sl.* бы́стрый взгляд

delaine [də'leɪn] *n* (полушерстяна́я) пла́тельная ткань

delate [dɪ'leɪt] *v уст.* 1) обвиня́ть; доноси́ть 2) оглаша́ть, распространя́ть

delay [dɪ'leɪ] 1. *n* 1) отлага́тельство, отсро́чка 2) заде́ржка, приостано́вка, препя́тствие 3) замедле́ние, промедле́-

ние; проволо́чка; without ~ безотлага́тельно

2. *v* 1) откла́дывать; отсро́чивать 2) заде́рживать; препя́тствовать 3) ме́длить; ме́шкать; опа́здывать

delayed-action mine [dɪ,leɪdækʃn'maɪn] *n воен.* ми́на заме́дленного де́йствия

delayed drop [dɪ'leɪddrɒp] *n* затяжно́й парашю́тный прыжо́к

dele ['di:li:] **1.** *n* корректу́рный знак вы́броски

2. *v* вычёркивать знак *или* гру́ппу зна́ков (*в корректуре*)

delectable [dɪ'lektəbl] *a книжн.* восхити́тельный, преле́стный

delectation [,di:lek'teɪʃn] *n книжн.* наслажде́ние, удово́льствие; for ~ of smb. на поте́ху кому́-л.

delegacy ['delɪgəsɪ] *n* 1) делеги́рование 2) делега́ция 3) полномо́чия делега́та

delegate 1. *n* ['delɪgət] 1) делега́т; представи́тель 2) *амер.* депута́т террито́рии [*см.* territory 2)] в конгре́ссе (*с правом совещательного голоса*)

2. *v* ['delɪgeɪt] 1) делеги́ровать; уполномо́чивать; передава́ть полномо́чия 2) поруча́ть

delegation [,delɪ'geɪʃn] *n* 1) делега́ция, депута́ция 2) посы́лка делега́ции

delete [dɪ'li:t] *v* вычёркивать, стира́ть

deleterious [,delɪ'tɪərɪəs] *a* вре́дный, вредоно́сный

deletion [dɪ'li:ʃn] *n* 1) вычёркивание, стира́ние 2) то, что вычеркнуто, стёрто; вы́марка

delft [delft] *n* (де́льфтский) фая́нс

deliberate 1. *a* [dɪ'lɪbərət] 1) преднаме́ренный, умы́шленный, нарочи́тый; ~ lie преднаме́ренная ложь 2) обду́манный 3) осторо́жный, осмотри́тельный 4) неторопли́вый (*о движениях, речи и т. п.*)

2. *v* [dɪ'lɪbəreɪt] 1) обду́мывать, взве́шивать 2) совеща́ться; обсужда́ть; to ~ on (*или* upon, over, about) a matter обсужда́ть вопро́с

deliberately [dɪ'lɪbərətlɪ] *adv* 1) умы́шленно, наро́чно 2) обду́манно 3) осторо́жно, осмотри́тельно 4) ме́дленно, не спеша́

deliberation [dɪ,lɪbə'reɪʃn] *n* 1) обду́мывание, взве́шивание; after long ~ по зре́лом размышле́нии 2) (*часто pl*) обсужде́ние, диску́ссия 3) осмотри́тельность, осторо́жность 4) медли́тельность; неторопли́вость; he spoke with ~ он говори́л ме́дленно, тща́тельно подбира́я слова́

deliberative [dɪ'lɪbərətɪv] *a* совеща́тельный; ~ body совеща́тельный о́рган

delicacy ['delɪkəsɪ] *n* 1) утончённость, изы́сканность, то́нкость 2) хру́пкость, боле́зненность 3) сло́жность, щекотли́вость (*положения*); a position of extreme ~ о́чень щекотли́вое положе́ние 4) делика́тес, ла́комство; the delicacies of the season ра́нние фру́кты, о́вощи *и т. п.* 5) делика́тность, учти́вость, такт 6) не́жность (*красок, оттенков; кожи*) 7) чувстви́тельность (*приборов*)

delicate ['delɪkət] *a* 1) утончённый, изы́сканный, то́нкий 2) иску́сный (*о работе*); изя́щный, то́нкий 3) не́жный; блёклый (*о красках и т. п.*) 4) хру́пкий, боле́зненный; сла́бый (*о здоровье*) 5) делика́тный, щекотли́вый, затрудни́тельный (*о положении*) 6) чувстви́тельный (*о приборе*) 7) делика́тный, учти́вый, ве́жливый 8) то́нкий, о́стрый (*о слухе*) 9) вку́сный, лёгкий (*о пище*)

delicatessen [,delɪkə'tesn] *n* 1) делика́тесы; кулина́рия 2) гастрономи́ческий магази́н

delicious [dɪ'lɪʃəs] *a* 1) о́чень вку́сный, прия́тный 2) восхити́тельный, преле́стный

delict ['di:lɪkt] *n юр.* дели́кт, наруше́ние зако́на, правонаруше́ние; in flagrant ~ на ме́сте преступле́ния

delight [dɪ'laɪt] **1.** *n* 1) восхище́ние, восто́рг 2) удово́льствие, наслажде́ние; to take (a) ~ in smth. находи́ть удово́льствие в чём-л., наслажда́ться чем-л.

2. *v* 1) восхища́ть(ся) 2) доставля́ть наслажде́ние 3) наслажда́ться; to ~ in music наслажда́ться му́зыкой; (I am) ~ed (to meet you) о́чень рад (познако́миться с ва́ми)

delightful [dɪ'laɪtfl] *a* восхити́тельный, очарова́тельный

delightsome [dɪ'laɪtsəm] *a поэт.* восхити́тельный

delimit [di:'lɪmɪt] *v* определя́ть грани́цы; размежёвывать

delimitate [dɪ'lɪmɪteɪt] = delimit

delimitation [dɪ,lɪmɪ'teɪʃn] *n* определе́ние грани́ц; размежева́ние

delineate [dɪ'lɪnɪeɪt] *v* 1) оче́рчивать, обрисо́вывать; устана́вливать очерта́ния *или* разме́ры 2) изобража́ть, опи́сывать

delineation [dɪ,lɪnɪ'eɪʃn] *n* 1) оче́рчивание 2) чертёж, план; очерта́ние, а́брис 3) изображе́ние; описа́ние

delineator [dɪ'lɪnɪeɪtə] *n* вы́кройка, приго́дная для ра́зных разме́ров оде́жды; патро́нка

delinquency [dɪ'lɪŋkwənsɪ] *n* 1) просту́пок; упуще́ние; прови́нность 2) правонаруше́ние (*особ. несовершеннолетних*) 3) *attr.*: ~ list *воен.* све́дения о провини́вшихся

delinquent [dɪ'lɪŋkwənt] **1.** *n* правонаруши́тель, престу́пник

2. *a* 1) вино́вный 2) не выполня́ющий свои́х обя́занностей 3) *амер.* неупла́ченный (*о налоге и т. п.*)

deliquesce [,delɪ'kwes] *v хим.* расплыва́ться

deliquescence [,delɪ'kwesns] *n хим.* расплыва́ние

deliquescent [,delɪ'kwesnt] *a хим.* расплыва́ющийся

delirious [dɪ'lɪrɪəs] *a* 1) (находя́щийся) в бреду́ 2) безу́мный, исступлённый; горя́чечный; ~ with delight вне себя́ от ра́дости 3) бредово́й, бре́довый; бессвя́зный (*о речи*)

delirium [dɪ'lɪrɪəm] *n* 1) бред, бре́довое состоя́ние 2) исступле́ние

delirium tremens [dɪ,lɪrɪəm'tri:menz] *n* бе́лая горя́чка

delitescence [,delɪ'tesns] *n мед.* скры́тое, лате́нтное состоя́ние; инкубацио́нный пери́од

delitescent [,delɪ'tesnt] *a мед.* скры́тый, лате́нтный (*о симптомах болезни*)

deliver [dɪ'lɪvə] *v* 1) доставля́ть, разноси́ть (*письма, товары*) 2) передава́ть; официа́льно вруча́ть; to ~ an order отдава́ть прика́з; to ~ a message вруча́ть донесе́ние (*или* распоряже́ние) 3) освобожда́ть, избавля́ть (from) 4) (*обыкн. pass.*) рожа́ть; to be ~ed (of) разреши́ться (*от бремени; тж. перен. чем-л.*) 5) принима́ть (*младенца*) 6) произноси́ть, чита́ть; to ~ a lecture чита́ть ле́кцию; to ~ oneself of a speech произнести́ речь; to ~ oneself of an opinion торже́ственно вы́сказать мне́ние 7) сдава́ть (*город, крепость; тж.* ~ up); уступа́ть; to ~ oneself up отда́ться в ру́ки (*властей и т. п.*) 8) представля́ть (*отчёт и т. п.*) 9) наноси́ть (*удар, поражение и т. п.*); to ~ an attack произвести́ ата́ку; to ~ a battle дать бой; to ~ fire вести́ ого́нь; to ~ the bombs сбро́сить бо́мбы 10) *амер.* обеспе́чивать успе́х на вы́борах 11) снабжа́ть, пита́ть 12) поставля́ть; выраба́тывать, производи́ть; выпуска́ть (*с завода*) 13) нагнета́ть (*о насосе*) ▭ ~ over передава́ть; ~ up сдава́ть (*крепость и т. п.*) ◇ to ~ the goods вы́полнить взя́тые на себя́ обяза́тельства

deliverance [dɪ'lɪvrəns] *n* 1) освобожде́ние, избавле́ние 2) официа́льное заявле́ние; мне́ние, вы́сказанное публи́чно 3) *юр.* верди́кт

delivery [dɪ'lɪvərɪ] *n* 1) поста́вка; доста́вка; разно́ска (*писем, газет*); the early (*или* the first) ~ пе́рвая разно́ска пи́сем (*утром*); special ~ а) сро́чная доста́вка; б) спе́шная по́чта; ~ at door доста́вка зака́зов на́ дом 2) переда́ча, вруче́ние 3) ро́ды 4) *спорт.* пода́ча (*особ. в крикете*) 5) сда́ча; вы́дача 6) произнесе́ние (*речи и т. п.*) 7) мане́ра произнесе́ния; a good ~ хоро́шая ди́кция 8) *юр.* форма́льная переда́ча (*собственности*); ввод во владе́ние 9) пита́ние, снабже́ние (*током, водой*); пода́ча (*угля*) 10) *тех.* нагнета́ние; нагнета́тельный насо́с 11) *attr.*: ~ desk стол вы́дачи книг на́ дом; абонеме́нт (*в библиотеке*) 12) *attr. тех.* пита́ющий, нагнета́тельный; ~ pipe подаю́щая труба́; напо́рная труба́

delivery note [dɪ'lɪvərɪnəʊt] *n ком.* накладна́я

dell [del] *n* леси́стая доли́на, лощи́на

Delphian ['delfɪən] *a* 1) *др.-греч.* дельфи́йский; ~ oracle дельфи́йский ора́кул 2) непоня́тный, зага́дочный; двусмы́сленный

Delphic ['delfɪk] = Delphian

delphinium [del'fɪnɪəm] *n бот.* дельфи́ниум, живокость, шпо́рник

delta ['deltə] *n* 1) де́льта (*реки*); the D. де́льта Ни́ла 2) де́льта (*греческая* *буква*) 3) *attr.*: ~ connection *эл.* соединение треугольником

deltaic [del'teɪɪk] *a* образующий дельту

deltoid ['deltɔɪd] **1.** *a* дельтовидный; треугольный

2. *n анат.* дельтовидная мышца

delude [dɪ'lu:d] *v* вводить в заблуждение, обманывать; to ~ oneself заблуждаться; обманывать себя

deluge ['delju:dʒ] **1.** *n* 1) потоп; the D. *библ.* всемирный потоп 2) ливень (*тж.* ~s of rain) 3) поток (*слов*); град (*вопросов*); толпы (*посетителей*)

2. *v* затоплять, наводнять (*тж. перен.*); to ~ with invitations засыпать приглашениями

delusion [dɪ'lu:ʒn] *n* 1) заблуждение, иллюзия; to be (*или* to labour) under a ~ заблуждаться, ошибаться 2) обман 3) *мед.* галлюцинация; мания; ~ of grandeur мания величия; ~ of persecution мания преследования

delusive, delusory [dɪ'lu:sɪv, -sərɪ] *a* обманчивый, иллюзорный, нереальный; ~ hopes несбыточные надежды

de luxe [də'lʌks] *a* роскошный; an edition ~, a ~ edition роскошное издание; ~ suite номер люкс (*в гостинице*)

delve [delv] **1.** *n* впадина; рытвина

2. *v* 1) делать изыскания; рыться (*в документах*); копаться (*в книгах*) 2) *уст.* копать, рыть; to dig and ~ копать

demagnetization [,di:mægnətaɪ'zeɪʃn] *n* размагничивание

demagnetize [di:'mægnətaɪz] *v* размагничивать

demagog ['deməgɒg] = demagogue

demagogic [,demə'gɒgɪk] *a* демагогический

demagogue ['deməgɒg] *n* демагог

demagogy ['deməgɒgɪ] *n* демагогия

demand [dɪ'mɑ:nd] **1.** *n* 1) требование; payable on ~ подлежащий оплате по предъявлении 2) *эк.* спрос; a ~ for labour спрос на рабочую силу; to be in great ~ быть в большом спросе 3) потребность, нужда; запрос 4) *attr.*: ~ bill счёт, оплачиваемый по предъявлении; вексель, срочный по предъявлении; ~ deposit бессрочный вклад; ~ loan заём *или* ссуда до востребования; ~ factor коэффициент спроса ◇ I have many ~s on my purse у меня много расходов; I have many ~s on my time у меня очень много дел

2. *v* 1) требовать (of, from — с *кого-л.*, от *кого-л.*); предъявлять требование 2) спрашивать, задавать вопрос; he ~ed my business он спросил, что мне нужно 3) нуждаться; this problem ~s attention этот вопрос требует внимания

demandant [dɪ'mɑ:ndənt] *n юр.* истец

demarcate ['di:mɑ:keɪt] *v* 1) проводить демаркационную линию 2) разграничивать

demarcation [,di:mɑ:'keɪʃn] *n* 1) демаркация; line of ~ демаркационная линия 2) разграничение 3) разделение сфер деятельности профсоюзов (*по профессиям; обыкн. на одном предприятии*)

démarche ['deɪmɑ:ʃ] *фр. n дип.* демарш

demean I [dɪ'mi:n] *v refl.* вести себя

demean II [dɪ'mi:n] *v* унижать; to ~ oneself ронять своё достоинство; поступать низко

demeanour [dɪ'mi:nə] *n* поведение, манера вести себя

dement [dɪ'ment] *v книжн.* сводить с ума

demented [dɪ'mentɪd] **1.** *p. p. от* dement

2. *a книжн.* умалишённый; to be (*или* to become) ~ сходить с ума; it will drive me ~ это меня с ума сведёт

démenti [,deɪmɑ:ŋ'ti:] *фр. n дип.* официальное опровержение (*слухов и т. п.*)

dementia [dɪ'menʃə] *n мед.* слабоумие

demerit [di:'merɪt] *n* 1) недостаток, дефект, дурная черта 2) *школ.* плохая отметка (*за успеваемость или поведение*; *тж.* ~ mark)

demesne [dɪ'meɪn] *n* 1) владения; территория 2) владение (*недвижимостью*); to hold in ~ владеть 3) сфера, поле деятельности 4) *юр. ист.* поместье, не сдаваемое владельцем в аренду; Royal ~ земельная собственность королевской семьи

demi- ['demɪ-] *pref* 1) *обозначает половинную часть чего-л.* полу-, наполовину, частично 2) *указывает на недостаточно хорошее качество, небольшой размер и т. п.*: ~tasse маленькая чашечка (*чёрного кофе*)

demigod ['demɪgɒd] *n* 1) полубог 2) *разг.* кумир, божество

demijohn ['demɪdʒɒn] *n* большая оплетённая бутыль

demilitarize [di:'mɪlɪtəraɪz] *v* демилитаризировать

demimondaine [,demɪmɒn'deɪn] *фр. n* дама полусвета

demi-monde [,demɪ'mɒnd] *фр. n* 1) полусвет 2) дамы полусвета

demi-rep ['demɪrep] *n уст.* женщина сомнительного поведения

demise [dɪ'maɪz] *юр.* **1.** *n* 1) смерть, кончина 2) передача имущества по наследству 3) переход короны *или* прав наследнику

2. *v* 1) оставлять по духовному завещанию *или* сдавать в аренду 2) передавать по наследству

demisemiquaver ['demɪsemɪ,kweɪvə] *n муз.* тридцать вторая (нота)

demit [dɪ'mɪt] *v редк.* уходить в отставку; отказываться от должности

demitasse ['demɪtæs] *n* кофейная чашка

demiurge ['demɪɜ:dʒ] *n* 1) демиург, творец, создатель мира (*в платоновской философии*) 2) *ист.* демиург

demo ['deməʊ] *разг. сокр. от* demonstration 2)

demob [di:'mɒb] *разг. сокр. от* demobilize

demobee [,di:mə'bi:] *n разг.* демобилизованный

demobilization [dɪ,məʊbəlaɪ'zeɪʃn] *n* демобилизация

demobilize [dɪ'məʊbəlaɪz] *v* демобилизовать

democracy [dɪ'mɒkrəsɪ] *n* 1) демократия 2) демократическое государство 3) демократизм 4) (D.) *амер.* демократическая партия

democrat ['deməkræt] *n* 1) демократ 2) (D.) *амер.* член демократической партии

democratic [,demə'krætɪk] *a* демократический; демократичный

democratize [dɪ'mɒkrətaɪz] *v* демократизировать

démodé [deɪ'məʊdeɪ] *фр. a* вышедший из моды, устаревший

demographic [,demə'græfɪk] *a* демографический; ~ explosion (*или* outburst) демографический взрыв

demography [dɪ'mɒgrəfɪ] *n* демография

demoiselle [,demwɑ:'zel] *n* 1) журавль-красавка 2) хвостовка, стрекоза-лютка 3) *уст.* молодая особа

demolish [dɪ'mɒlɪʃ] *v* 1) разрушать; сносить (*здание*) 2) разбивать, опровергать (*теорию, довод*) 3) *шутл.* уничтожать, съедать

demolition [,demə'lɪʃn] *n* 1) разрушение; снос, разборка 2) ломка, уничтожение 3) *attr.*: ~ bomb фугасная бомба; ~ work подрывные работы

demon ['di:mən] *n* 1) демон, дьявол, сатана; злой дух-искуситель; a regular ~ *разг.* сущий дьявол 2) *разг.* энергичный человек; he is a ~ for work *разг.* он работает как чёрт

demonetize [di:'mʌnɪtaɪz] *v* 1) изымать из обращения (*монету*) 2) лишать стандартной стоимости (*монету*)

demoniac, demoniacal [dɪ'məʊnɪæk, ,di:məʊ'naɪəkl] *a* 1) бесноватый, одержимый 2) дьявольский, демонический

demonic [dɪ'mɒnɪk] *a* 1) = demoniac 2) необычайно одарённый

demonstrable [dɪ'mɒnstrəbl] *a* доказуемый

demonstrate ['demənstreɪt] *v* 1) проявлять, обнаруживать (*чувства и т. п.*) 2) демонстрировать; наглядно показывать 3) доказывать; служить доказательством 4) участвовать в демонстрации 5) *воен.* производить демонстрацию, наносить отвлекающий удар

demonstration [,demən'streɪʃn] *n* 1) проявление, выражение (*симпатии и т. п.*) 2) демонстрация 3) демонстрирование наглядными примерами 4) доказательство 5) *воен.* демонстрация сил; показное учение

demonstrationist [,demən'streɪʃnɪst] = demonstrator 1)

demonstrative [dɪ'mɒnstrətɪv] **1.** *a* 1) экспансивный, несдержанный 2) наглядный, доказа́тельный, убеди́тельный 3) демонстрати́вный, сопровожда́емый пока́зом 4) *грам.* указа́тельный

2. *n грам.* указа́тельное местоиме́ние

demonstrator [ˈdemənstreɪtə] *n* 1) демонстра́нт; уча́стник демонстра́ции 2) демонстра́тор, лабора́нт; ассисте́нт профе́ссора

demoralization [dɪˌmɒrəlaɪˈzeɪʃn] *n* деморализа́ция

demoralize [dɪˈmɒrəlaɪz] *v* 1) деморализова́ть 2) подрыва́ть дисципли́ну, вноси́ть дезорганиза́цию

Demos [ˈdiːmɒs] *др.-греч.* *n* де́мос, наро́д

Demosthenic [ˌdemɒsˈθenɪk] *a* демосфе́новский, красноречи́вый

demote [ˌdiːˈməʊt] *v амер.* понижа́ть в до́лжности, в зва́нии

demotic [dɪˈmɒtɪk] *a* 1) наро́дный; простонаро́дный 2) демоти́ческий (*о еги́петском письме́*)

demount [dɪˈmaʊnt] *v* разбира́ть, демонти́ровать

demountable [dɪˈmaʊntəbl] *a* разбо́рный, съёмный

demulcent [dɪˈmʌlsənt] *мед.* 1. *n* успоко́ительное сре́дство

2. *a* мягчи́тельный, успоко́ительный

demur [dɪˈmɜː] 1. *n* возраже́ние *или* сомне́ние; without ~ без возраже́ний; no ~ возраже́ний нет

2. *v* 1) представля́ть возраже́ния; выража́ть сомне́ние; to ~ to a proposal возража́ть про́тив предложе́ния; he ~red at working so late он возража́л про́тив того́, что́бы рабо́тать так по́здно 2) *юр.* заявля́ть процессуа́льный отво́д

demure [dɪˈmjʊə] *a* 1) скро́мный, сде́ржанный; серьёзный 2) притво́рно засте́нчивый

demurrage [dɪˈmʌrɪdʒ] *n ком.* 1) де́мерредж, пла́та за просто́й (*су́дна, ваго́на*) 2) просто́й (*су́дна, ваго́на*)

demurrer I [dɪˈmʌrə] *n юр.* процессуа́льный отво́д

demurrer II [dɪˈmɜːrə] *n* тот, кто возража́ет, сомнева́ется *и пр.* [*см.* demur 2]

demy [dɪˈmaɪ] *n* 1) форма́т бума́ги 2) стипендиа́т ко́лледжа Магдали́ны в О́ксфорде

den [den] *n* 1) ло́гово, берло́га, нора́; пеще́ра 2) клётка для ди́ких звере́й (*в зоологи́ческом саду́*) 3) прито́н 4) *разг.* небольшо́й обосо́бленный рабо́чий кабине́т 5) прибе́жище 6) камо́рка

denarii [dɪˈneərɪaɪ] *pl от* denarius

denarius [dɪˈneərɪəs] *n* (*pl* -rii) дена́рий (*древнери́мская серебряная моне́та*)

denary [ˈdiːnərɪ] *a* десятери́чный

denationalization [ˌdiːnæʃnəlaɪˈzeɪʃn] *n* денационализа́ция

denationalize [diːˈnæʃnəlaɪz] *v* 1) лиша́ть национа́льных прав *или* черт 2) передава́ть госуда́рственные предприя́тия в ча́стные ру́ки, денационализи́ровать

denaturalize [diːˈnætʃrəlaɪz] *v* 1) лиша́ть приро́дных сво́йств 2) денатурализова́ть, лиша́ть по́дданства, прав гражда́нства 3) = denature

denature [diːˈneɪtʃə] *v* 1) изменя́ть есте́ственные сво́йства 2) денатури́ровать (*спирт*)

denatured alcohol [diːˌneɪtʃədˈælkəhɒl] *n* денатура́т

denazification [diːˌnɑːtsɪfɪˈkeɪʃn] *n* денацифика́ция

denazify [diːˈnɑːtsɪfaɪ] *v* денацифици́ровать

dendriform [ˈdendrɪfɔːm] *a* древови́дный

dendritic [denˈdrɪtɪk] *a* древови́дный, дендрити́ческий; ветвя́щийся

dendroid(al) [denˈdrɔɪd(əl)] = dendritic

dendrology [denˈdrɒlədʒɪ] *n* дендроло́гия

dene I [diːn] *n* у́зкая леси́стая доли́на

dene II [diːn] *n* прибре́жные пески́, дю́ны

dengue [ˈdeŋgɪ] *n* тропи́ческая лихора́дка

denial [dɪˈnaɪəl] *n* 1) отрица́ние 2) отка́з; to take no ~ не принима́ть отка́за 3) опроверже́ние; отклоне́ние; flat ~ категори́ческое опроверже́ние 4) отрече́ние

denigrate [ˈdenɪgreɪt] *v редк.* черни́ть, клевета́ть, поро́чить

denigration [ˌdenɪˈgreɪʃn] *n редк.* клевета́, диффама́ция

denim [ˈdenɪm] *n* 1) гру́бая си́няя хлопчатобума́жная ткань (*для джи́нсов, комбинезо́нов и т. п.*) 2) *pl разг.* джи́нсы, комбинезо́н

denitrify [diːˈnaɪtrɪfaɪ] *v хим.* удаля́ть азо́т из соедине́ний; денитрифици́ровать

denizen [ˈdenɪzən] 1. *n* 1) натурализова́вшийся иностра́нец 2) акклиматизи́ровавшееся живо́тное *или* расте́ние 3) заи́мствованное сло́во, воше́дшее в употребле́ние 4) *поэт.* жи́тель, обита́тель

2. *v* принима́ть в число́ гра́ждан; натурализова́ть

denominate [dɪˈnɒmɪneɪt] *v* называ́ть; обознача́ть

denomination [dɪˌnɒmɪˈneɪʃn] *n* 1) вероисповеда́ние 2) досто́инство, сто́имость; coins of small ~s моне́ты ма́лого досто́инства 3) назва́ние 4) обозначе́ние, называ́ние 5) наименова́ние; to reduce feet and inches to the same ~ свести́ фу́ты и дю́ймы к одному́ наименова́нию 6) класс, тип, катего́рия

denominational [dɪˌnɒmɪˈneɪʃnəl] *a* 1) относя́щийся к како́му-л. вероисповеда́нию 2) секта́нтский

denominative [dɪˈnɒmɪnətɪv] 1. *a* 1) нарица́тельный 2) *грам.* отымённый

2. *n грам.* отымённое сло́во

denominator [dɪˈnɒmɪneɪtə] *n мат.* знамена́тель; to reduce to a common ~ приводи́ть к о́бщему знамена́телю

denotata [ˌdiːnəʊˈteɪtə] *pl от* denotatum

denotation [ˌdiːnəʊˈteɪʃn] *n* 1) обозначе́ние 2) знак; указа́ние 3) (то́чное) значе́ние; смысл 4) *лог.* объём поня́тия 5) *лингв.* предме́тная отнесённость

denotative [dɪˈnəʊtətɪv] *a* 1) означа́ющий 2) ука́зывающий (of — на)

denotatum [ˌdiːnəʊˈteɪtəm] *лат.* *n pl* (-ta) *лингв.* обознача́емое

denote [dɪˈnəʊt] *v* 1) ука́зывать на (*что-л.*), пока́зывать 2) означа́ть, обознача́ть, зна́чить

denotement [dɪˈnəʊtmənt] *n* 1) обозначе́ние 2) знак 3) указа́ние

denouement, dénouement [deɪˈnuːmɒŋ] *n* 1) развя́зка (*в рома́не, дра́ме*) 2) заверше́ние, исхо́д

denounce [dɪˈnaʊns] *v* 1) обвиня́ть, осужда́ть; поноси́ть 2) доноси́ть 3) денонси́ровать, расторга́ть (*догово́р*); to ~ a truce *воен.* заяви́ть о досро́чном прекраще́нии переми́рия 4) предрека́ть, предска́зывать (*плохо́е*) 5) *уст.* угрожа́ть

denouncement [dɪˈnaʊnsmənt] = denunciation

dense [dens] *a* 1) пло́тный; густо́й; компа́ктный; ~ texture пло́тная ткань; ~ ignorance глубо́кое неве́жество; ~ population высо́кая пло́тность населе́ния 2) ча́стый; густо́й; ~ forest густо́й лес 3) тупо́й, глу́пый 4) *фото* пло́тный, непрозра́чный

densely [ˈdenslɪ] *adv* гу́сто, пло́тно; a ~ populated area густонаселённая ме́стность

densimeter [denˈsɪmɪtə] *n* денсиме́тр, пикно́метр, арео́метр

densitometer [ˌdensɪˈtɒmɪtə] *n* плотноме́р

density [ˈdensətɪ] *n* 1) густота́, пло́тность; компа́ктность 2) *физ.* уде́льный вес; пло́тность 3) глу́пость, ту́пость

dent I [dent] 1. *n* вы́боина, впа́дина, во́гнутое *или* вда́вленное ме́сто: вмя́тина; след

2. *v* вда́вливать, оставля́ть след, вы́боину; вмина́ть

dent II [dent] 1. *n тех.* зуб, зубе́ц; насе́чка, зару́бка; наре́зка

2. *v* нареза́ть, насека́ть

dental [ˈdentl] 1. *a* 1) зубно́й 2) зубовраче́бный 3) *фон.* зубно́й, denта́льный

2. *n* зубно́й *или* дента́льный согла́сный

dentate [ˈdenteɪt] *a бот.* зубча́тый

dentation [denˈteɪʃn] *n бот.* зубча́тость

denticle [ˈdentɪkl] *n зоол.* зу́бчик

denticular [denˈtɪkjʊlə] = denticulate

denticulate, denticulated [denˈtɪkjʊlət, -ɪd] *a* 1) зазу́бренный 2) *архит.* снабжённый денти́кулами

dentiform [ˈdentɪfɔːm] *a* име́ющий фо́рму зу́ба

dentifrice [ˈdentɪfrɪs] *n* зубно́й поро́шок *или* зубна́я па́ста

dentil [ˈdentɪl] *n архит.* денти́кула

dentilingual [ˌdentɪˈlɪŋgwəl] *a фон.* межзу́бный

dentine [ˈdentiːn] *n* денти́н

dentist [ˈdentɪst] *n* зубно́й врач, данти́ст

dentistry [ˈdentɪstrɪ] *n* 1) лечéние зубóв 2) профéссия зубнóго врачá

dentition [denˈtɪʃn] *n* 1) харáктер, числó и расположéние зубóв 2) прорéзывание *или* рост зубóв

denture [ˈdentʃə] *n* зубнóй протéз; ряд зубóв (*особ. искусственных*)

denuclearization [diːˌnjuːklɪəraɪˈzeɪʃn] *n* создáние зóны, свобóдной от я́дерного орýжия

denuclearize [diːˈnjuːklɪəraɪz] *v* создавáть зóну, свобóдную от я́дерного орýжия, выводи́ть я́дерное орýжие из страны́, региóна *и т. п.*

denuclearized [diːˈnjuːklɪəraɪzd] *a* безъя́дерный; ~ zone безъя́дерная зóна; зóна, свобóдная от я́дерного орýжия

denudation [ˌdiːnjʊˈdeɪʃn] *n* 1) оголéние, обнажéние 2) *геол.* денудáция, эрóзия

denudative [dɪˈnjuːdətɪv] *a* обнажáющий, оголя́ющий

denude [dɪˈnjuːd] *v* 1) обнажáть, оголя́ть 2) лишáть (*чего-л.*); отбирáть; to ~ of hope лишáть надéжды; to ~ of money отобрáть дéньги 3) *геол.* обнажáть смы́вом

denunciation [dɪˌnʌnsɪˈeɪʃn] *n* 1) откры́тое обличéние, обвинéние; осуждéние 2) денонси́рование, расторжéние (*договора*) 3) угрóза *или* предупреждéние (*о неизбежности тяжёлых последствий*)

denunciative [dɪˈnʌnsɪətɪv] *a* 1) обвини́тельный 2) выражáющий угрóзу

denunciator [dɪˈnʌnsɪeɪtə] *n* 1) обвини́тель 2) донóсчик

denunciatory [dɪˈnʌnsɪətərɪ] = denunciative

deny [dɪˈnaɪ] *v* 1) отрицáть, отвергáть; to ~ the charge отвергáть обвинéние 2) отпирáться, откáзываться, брать назáд; to ~ one's signature откáзываться от своéй пóдписи; to ~ one's words откáзываться от свои́х слов 3) откáзывать(ся); to ~ a request отказáть в прóсьбе; to ~ oneself every luxury не позволя́ть себé ничегó ли́шнего 4) не допускáть; откáзывать в приёме (*гостей*); she denied herself to visitors онá не принялá гостéй; he was denied admission егó не впусти́ли 5) отрекáться, отступáться

deodar [ˈdiːəʊdɑː] *n* гималáйский кедр

deodorant [dɪˈəʊdərənt] **1.** *n* дезодорáтор, деодорáнт, дезодорáнт

2. *a* уничтожáющий (дурнóй) зáпах, дезодори́рующий

deodorize [dɪˈəʊdəraɪz] *v* уничтожáть, отбивáть (дурнóй) зáпах, дезодори́ровать

deodorizer [dɪˈəʊdəraɪzə] = deodorant 1

deontology [ˌdiːɒnˈtɒlədʒɪ] *n* деонтолóгия (*раздел этики*)

deoxidate [ˌdiːˈɒksɪdeɪt] = deoxidize

deoxidize [ˌdiːˈɒksɪdaɪz] *v* *хим.* раскисля́ть, отнимáть кислорóд; восстанáвливать

depart [dɪˈpɑːt] *v* 1) уходи́ть; уезжáть; отбывáть, отправля́ться 2) отклоня́ться, уклоня́ться, отступáть (from); to ~ from tradition отступáть от тради́ции; to ~ from one's word (promise) нарýшить своё слóво (обещáние); to ~ from one's plans измени́ть свои́ плáны 3) умирáть; скончáться

departed [dɪˈpɑːtɪd] **1.** *p. p. от* depart

2. *a* 1) покóйный, умéрший 2) *поэт.* бы́лой, минýвший; ~ joys бы́лые рáдости

3. *n* (the ~) *эвф.* усóпший; усóпшие

department [dɪˈpɑːtmənt] *n* 1) вéдомство; департáмент 2) *амер.* министéрство; State D. госудáрственный департáмент (*министерство иностранных дел США*); D. of the Navy воéнно-морскóе министéрство США 3) óбласть, óтрасль (*науки, знания*) 4) факультéт 5) отдéл; отделéние; the men's clothing ~ отдéл мужскóго готóвого плáтья (*в магазине*) 6) цех, отделéние 7) воéнный, войсковóй óкруг 8) *attr.* вéдомственный; относя́щийся к вéдомству; ~ hospital райóнный госпитáль

departmental [ˌdiːpɑːtˈmentl] *a* 1) вéдомственный 2): ~ teaching систéма обучéния, при котóрой кáждый преподавáтель ведёт тóлько оди́н предмéт *или* нéсколько рóдственных предмéтов

departmentalism [ˌdiːpɑːtˈmentəlɪzəm] *n* бюрократи́зм

department store [dɪˈpɑːtmənt‚stɔː] *n* универсáльный магази́н, универмáг

departure [dɪˈpɑːtʃə] *n* 1) отъéзд; ухóд; to take one's ~ уходи́ть, уезжáть 2) отправлéние, отбы́тие 3) исхóдный момéнт, отправнáя тóчка; a new ~ нóвая отправнáя тóчка, нóвая ли́ния поведéния (*в политике и т. п.*) 4) отклонéние, уклонéние 5) *мор.* отшéствие; отшéдший пункт 6) *уст.* кончи́на, смерть 7) *attr.* исхóдный, отправнóй; ~ position исхóдное положéние; the ~ platform платфóрма отправлéния поездóв

depasture [diːˈpɑːstʃə] *v* 1) пасти́(сь) 2) выгоня́ть на пáстбище (*скот*)

depauperate [diːˈpɔːpəreɪt] *v* 1) доводи́ть до нищеты́ 2) истощáть, лишáть сил

depauperize [ˌdiːˈpɔːpəraɪz] *v* избавля́ть от нищеты́; изживáть нищетý

depend [dɪˈpend] *v* 1) зави́сеть (on, upon - от) 2) находи́ться на иждивéнии; to ~ upon one's parents находи́ться на иждивéнии роди́телей 3) полагáться, рассчи́тывать; you may ~ upon him мóжете на негó положи́ться; ~ upon it бýдьте увéрены; I ~ on you to do it я рассчи́тываю, что вы э́то сдéлаете 4) находи́ться на рассмотрéнии (*суда, парламента*) ◇ it (all) ~s как сказáть!, поживём — уви́дим

dependability [dɪˌpendəˈbɪlətɪ] *n* надёжность

dependable [dɪˈpendəbl] *a* надёжный; заслýживающий довéрия; ~ news достовéрные свéдения

dependant [dɪˈpendənt] *n* 1) иждивéнец 2) слýжащий, подчинённый

dependence [dɪˈpendəns] *n* 1) зави́симость (upon); подчинённое положéние; to live in ~ находи́ться в зави́симости (*от кого-л.*); жить на иждивéнии (*кого-л.*); he was her sole ~ он был её еди́нственной опóрой 2) довéрие; to place (*или* to put) ~ in smb. питáть к комý-л. довéрие 3) ожидáние решéния, нахождéние на рассмотрéнии (*суда, парламента*)

dependency [dɪˈpendənsɪ] *n* 1) зави́симость; подчинённое положéние 2) зави́симая странá 2) *attr.*: ~ allowance посóбие на иждивéнцев

dependent [dɪˈpendənt] **1.** *a* 1) подчинённый, подвлáстный 2) зави́симый; зави́сящий (on — от); ~ variable *мат.* зави́симая перемéнная, фýнкция 3) находя́щийся на иждивéнии (on) 4) *грам.* подчинённый (*о предложении*)

2. *n* *амер.* = dependant

dephosphorize [diːˈfɒsfəraɪz] *v* *хим.* удаля́ть, отнимáть фóсфор

depict [dɪˈpɪkt] *v* 1) рисовáть, изображáть 2) опи́сывать, обрисóвывать

depicture [dɪˈpɪktʃə] *v* *книжн.* 1) = depict 2) представля́ть себé, воображáть

depilate [ˈdepɪleɪt] *v* удаля́ть вóлосы

depilation [ˌdepɪˈleɪʃn] *n* депиля́ция, удалéние волóс

depilatory [dɪˈpɪlətərɪ] **1.** *a* спосóбствующий удалéнию волóс

2. *n* депиля́тор, срéдство для удалéния волóс

deplane [diːˈpleɪn] *v* выси́живать(ся) из самолёта

deplenish [dɪˈplenɪʃ] *v* опорожня́ть, опустошáть

deplete [dɪˈpliːt] *v* 1) истощáть, исчéрпывать (*запас, силы и т. п.*); *перен.* обескрóвливать; ~d strength *воен.* умéньшившийся соcтáв (*вследствие потерь*) 2) *мед.* очищáть кишéчник 3) *мед.* производи́ть кровопускáние

depletion [dɪˈpliːʃn] *n* 1) истощéние, исчéрпывание (*запасов, сил и т. п.*) 2) *мед.* очищéние, опорожнéние кишéчника 3) *мед.* кровопускáние

depletive [dɪˈpliːtɪv] **1.** *a* слаби́тельный

2. *n* слаби́тельное срéдство

depletory [dɪˈpliːtərɪ] = depletive 1

deplorable [dɪˈplɔːrəbl] *a* 1) сквéрный; a ~ meal отврати́тельная едá 2) прискóрбный, плачéвный

deplore [dɪˈplɔː] *v* 1) оплáкивать, сожалéть 2) считáть предосуди́тельным, порицáть

deploy [dɪˈplɔɪ] **1.** *n* *воен.* развёртывание

2. *v* 1) *воен.* развёртывать(ся) 2) *эк.* разблоки́ровать; to ~ resources испóльзовать ресýрсы 3) приводи́ть в дéйствие, применя́ть

deployment [dɪˈplɔɪmənt] *n* *воен.* развёртывание

deplume [dɪˈpluːm] *v* ощи́пывать пéрья; *перен.* лишáть (*почестей, состояния и т. п.*)

depolarize [diːˈpəʊləraɪz] *v* 1) *физ.* деполяризова́ть 2) расша́тывать, разбива́ть (*убеждения и т. п.*)

depoliticize [ˌdi:pəˈlɪtɪsaɪz] *v* деполитизи́ровать

depone [dɪˈpəʊn] *v юр.* дава́ть показа́ние под прися́гой

deponent [dɪˈpəʊnənt] **1.** *n* 1) *юр.* свиде́тель, даю́щий показа́ние под прися́гой 2) *грам.* отложи́тельный глаго́л (*в греч. и лат. языках*)

2. *a грам.* отложи́тельный (*о греч. и лат. глаголе*)

depopulate [di:ˈpɒpjʊleɪt] *v* 1) уменьша́ть *или* истребля́ть населе́ние; обезлю́дить 2) уменьша́ться, сокраща́ться (*о населении*)

depopulation [di:ˌpɒpjʊˈleɪʃn] *n* 1) истребле́ние населе́ния 2) уменьше́ние населе́ния

deport [dɪˈpɔ:t] *v* 1) высыла́ть, ссыла́ть; выдворя́ть; депорти́ровать 2) *refl.* вести́ себя́

deportation [ˌdi:pɔ:ˈteɪʃn] *n* вы́сылка, ссы́лка, изгна́ние; депорта́ция

deportee [ˌdi:pɔ:ˈti:] *n* со́сланный, вы́сланный; высыла́емый

deportment [dɪˈpɔ:tmənt] *n* 1) мане́ры, уме́ние держа́ть себя́; поведе́ние 2) оса́нка, вы́правка

depose [dɪˈpəʊz] *v* 1) смеща́ть (*с должности*); сверга́ть (*с престола*) 2) *юр.* свиде́тельствовать, дава́ть показа́ния под прися́гой

deposit [dɪˈpɒzɪt] **1.** *n* 1) вклад (*в банк*) 2) зада́ток, зало́г; депози́т; to place money on ~ вноси́ть де́ньги в депози́т 3) храни́лище 4) отложе́ние; отсто́й; оса́док 5) *геол.* ро́ссыпь, за́лежь, месторожде́ние

2. *v* 1) класть 2) отлага́ть, осажда́ть, дава́ть оса́док 3) сдава́ть на хране́ние 4) класть в банк; депони́ровать 5) дава́ть зада́ток, обеспе́чение 6) класть я́йца (*о птицах*)

depositary [dɪˈpɒzɪtərɪ] *n* 1) лицо́, кото́рому вве́рены вкла́ды, взно́сы, депозита́рий 2) = depository

deposition [ˌdepəˈzɪʃn] *n* 1) сверже́ние (*с престола*); лише́ние (*власти*) 2) *юр.* показа́ние под прися́гой 3) (the D.) *библ.* сня́тие с креста́ 4) взнос, вклад (*денег в банк*) 5) отложе́ние; на́кипь, оса́док

depositor [dɪˈpɒzɪtə] *n* вкла́дчик; вкла́дчица; депози́тор

depository [dɪˈpɒzɪtərɪ] *n* склад, храни́лище; *перен.* кла́дезь, сокро́вищница; he is a ~ of learning он кла́дезь учёности, прему́дрости

depot [ˈdepəʊ] *n* 1) склад; храни́лище; амба́р, сара́й 2) *воен.* ба́зовый склад 3) *воен.* уче́бная часть 4) авто́бусный парк, парк грузовы́х автомоби́лей *и т. п.* 5) [ˈdi:pə] *амер.* железнодоро́жная ста́нция 6) *attr.* запасно́й, запа́сный; ~ battery запа́сная (уче́бная) батаре́я 7) *attr.*: ~ ship су́дно-ба́за, плаву́чая ба́за; ~ aerodrome аэродро́м-ба́за

depravation [ˌdeprəˈveɪʃn] *n* 1) развраще́ние; развращённость 2) ухудше́ние, по́рча

deprave [dɪˈpreɪv] *v* 1) развраща́ть; по́ртить 2) ухудша́ть, искажа́ть

depraved [dɪˈpreɪvd] **1.** *p. p. от* deprave

2. *a* испо́рченный; развращённый

depravity [dɪˈprævətɪ] *n* 1) поро́чность; развращённость 2) *церк.* грехо́вность

deprecate [ˈdeprəkeɪt] *v* ре́зко осужда́ть; возража́ть, протестова́ть, выступа́ть про́тив; to ~ war энерги́чно выступа́ть про́тив войны́; to ~ hasty action выска́зываться про́тив поспе́шных де́йствий

deprecation [ˌdeprəˈkeɪʃn] *n* осужде́ние, неодобре́ние; возраже́ние; проте́ст

deprecative [ˈdeprəkeɪtɪv] *a* 1) неодобри́тельный 2) = deprecatory 1)

deprecatory [ˈdeprəkeɪtərɪ] *a* 1) моля́щий об отвраще́нии како́й-л. беды́ 2) стара́ющийся уми́лостивить, задо́брить; проси́тельный, извини́тельный

depreciate [dɪˈpri:ʃɪeɪt] *v* 1) обесце́нивать(ся), па́дать в цене́ 2) унижа́ть, умаля́ть, недооце́нивать

depreciatingly [dɪˈpri:ʃɪeɪtɪŋlɪ] *adv* пренебрежи́тельно, неуважи́тельно

depreciation [dɪˌpri:ʃɪˈeɪʃn] *n* 1) амортиза́ция, изна́шивание 2) ски́дка на по́рчу това́ра (*при расчётах*) 3) обесце́нивание, обесце́нение; сниже́ние сто́имости 4) умале́ние; пренебреже́ние

depreciatory [dɪˈpri:ʃɪətərɪ] *a* 1) обесце́нивающий 2) умаля́ющий

depredate [ˈdeprədeɪt] *v книжн.* 1) гра́бить 2) опустоша́ть

depredation [ˌdeprəˈdeɪʃn] *n книжн.* (*обыкн. pl*) 1) грабёж, расхище́ние 2) опустоше́ние; разруши́тельное де́йствие

depredator [ˈdeprədeɪtə] *n книжн.* 1) граби́тель 2) разруши́тель

depress [dɪˈpres] *v* 1) опуска́ть; to ~ eyes опуска́ть глаза́; to ~ the voice понижа́ть го́лос 2) подавля́ть, угнета́ть, приводи́ть в уны́ние; огорча́ть 3) понижа́ть; ослабля́ть; to ~ the action of the heart ослабля́ть де́ятельность се́рдца; the trade is ~ed в торго́вле засто́й 4) понижа́ть це́ну, сто́имость (*чего-л.*)

depressant [dɪˈpresnt] *мед.* **1.** *n* депресса́нт, успокои́тельное сре́дство

2. *a* успокои́тельный, успока́ивающий

depressed [dɪˈprest] **1.** *p. p. от* depress

2. *a* 1) пода́вленный, уны́лый 2) пони́женный, сни́женный 3) во́гнутый; сплю́щенный ◇ ~ areas райо́ны экономи́ческого засто́я, райо́ны хрони́ческой безрабо́тицы

depressing [dɪˈpresɪŋ] **1.** *pres. p. от* depress

2. *a* гнету́щий, тя́гостный; уны́лый; наводя́щий тоску́

depression [dɪˈpreʃn] *n* 1) угнетённое состоя́ние; уны́ние; депре́ссия 2) *эк.* депре́ссия; ~ of trade засто́й в торго́вле 3) сниже́ние, паде́ние (*давления и т. п.*) 4) пониже́ние ме́стности, низи́на, впа́дина, углубле́ние; ~ in the ground ложби́нка 5) *астр.* углово́е склоне́ние (*звезды*) 6) *воен.* склоне́ние (*орудия*) 7) *физ.* разреже́ние, ва́куум

depressive [dɪˈpresɪv] *a* 1) гнету́щий, навева́ющий тоску́ 2) депресси́вный

depressor [dɪˈpresə] *n анат.* депре́ссор (*тж.* ~ muscle)

deprivation [ˌdeprɪˈveɪʃn] *n* 1) поте́ря; лише́ние 2) *церк.* лише́ние бенефи́ция

deprive [dɪˈpraɪv] *v* 1) лиша́ть (of — *чего-л.*) 2) *церк. уст.* отреша́ть от до́лжности; отбира́ть бенефи́ций

depth [depθ] *n* 1) глубина́, глубь; in the ~ of one's heart в глубине́ души́ 2) си́ла, глубина́; the ~ of one's feelings глубина́ чувств; in ~ глубоко́, тща́тельно; in the ~ of despair в по́лном отча́янии 3) густота́, интенси́вность (*цвета, краски*); глубина́ (*звука*) 4) *pl поэт.* глуби́ны, пучи́на 5) разга́р; середи́на; in the ~ of night глубо́кой но́чью; in the ~ of winter в разга́р зимы́; the ~s of a forest ча́ща ле́са ◇ to be out of (*или* beyond) one's ~ а) попа́сть на глубо́кое ме́сто (*в реке, море*); б) быть недосту́пным понима́нию; быть не по зуба́м; в) растеря́ться, не поня́ть; to get (*или* to go) out of one's ~ потеря́ть по́чву под нога́ми

depth bomb [ˈdepθbɒm] *n* глуби́нная бо́мба

depth charge [ˈdepθtʃɑ:dʒ] = depth bomb

depth-gauge [ˈdepθgeɪdʒ] *n* водоме́рная ре́йка; глубиноме́р

depthless [ˈdepθləs] *a* 1) бездо́нный 2) ме́лкий, пове́рхностный

depurate [ˈdepjʊreɪt] *v* очища́ть(ся)

depuration [ˌdepjʊˈreɪʃn] *n* очище́ние

deputation [ˌdepjʊˈteɪʃn] *n* 1) делега́ция, депута́ция 2) делеги́рование

depute [dɪˈpju:t] *v* 1) делеги́ровать; назнача́ть замести́телем *или* представи́телем 2) передава́ть полномо́чия

deputize [ˈdepjʊtaɪz] *v* 1) представля́ть (*кого-л.*; for) 2) замеща́ть 3) назнача́ть депута́том 4) дубли́ровать (*об актёре, музыканте*)

deputy [ˈdepjʊtɪ] *n* 1) замести́тель; by ~ по дове́ренности, по уполномо́чию 2) депута́т, делега́т; представи́тель; Chamber of Deputies пала́та депута́тов (*во Франции*) 3) *амер. сокр. от* deputy sheriff 4) *горн.* деся́тник по безопа́сности; крепи́льщик

deputy sheriff [ˌdepjʊtɪˈʃerɪf] *n амер.* помо́щник шери́фа

deracinate [dɪˈræsɪneɪt] *v книжн.* вырыва́ть с ко́рнем; искореня́ть

derail [di:ˈreɪl] *v* 1) вызыва́ть круше́ние (*поезда*); the car was ~ed ваго́н сошёл с ре́льсов 2) сходи́ть с ре́льсов

derailment [di:ˈreɪlmənt] *n* сход с ре́льсов; круше́ние

derange [dɪˈreɪndʒ] *v* 1) приводи́ть в беспоря́док; расстра́ивать (*планы и т. п.*); выводи́ть из стро́я (*машину и т. п.*) 2) своди́ть с ума́; доводи́ть до сумасше́ствия 3) отрыва́ть (*от дела*), беспоко́ить

deranged [dɪ'reɪndʒd] **1.** *p. p. от* derange

2. *a* 1) ненормáльный, сумасшéдший; to be (mentally) ~ сойти с умá, быть сумасшéдшим 2) перепýтанный, находя́щийся в беспоря́дке

derangement [dɪ'reɪndʒmənt] *n* 1) приведéние в беспоря́док, расстрóйство 2) психи́ческое расстрóйство

derate [,di:'reɪt] *v* уменьшáть размéры мéстных налóгов

deration [,di:'ræʃn] *v* отменя́ть норми́рование, кáрточную систéму

Derby ['dɑ:bɪ] *n* 1) дéрби 2) (d.) ['dɜ:bɪ] *амер.* котелóк (*мужская шляпа*) 3) *attr.*: ~ day день ежегóдных скáчек в Э́псоме (*близ Лондона*)

derelict ['derəlɪkt] **1.** *a* 1) поки́нутый владéльцем 2) поки́нутый, брóшенный; бесхóзный; беспризóрный 3) *амер.* нарушáющий (*долг, обязанности*)

2. *n* 1) отщепéнец, изгóй; отвéрженный; бездóмный, неимýщий 2) что-л., брóшенное за негóдностью, *особ.* сýдно, брóшенное комáндой

dereliction [,derə'lɪkʃn] *n* 1) нарушéние дóлга (*тж.* ~ of duty); упущéние 2) заброшенность 3) оставлéние 4) отступлéние мóря от бéрега; морскóй нанóс

derequisition [di:,rekwɪ'zɪʃn] *v* возвращáть владéльцу реквизи́рованное рáнее имýщество

derestrict [,di:rɪ'strɪkt] *v* снимáть ограничéния

deride [dɪ'raɪd] *v* осмéивать, высмéивать

de rigueur [dərɪ'gɜ:] *фр. a predic.* трéбуемый обы́чаями *или* этикéтом

derision [dɪ'rɪʒn] *n* 1) высмéивание, осмея́ние; to hold (*или* to have) in ~ насмехáться; to be in ~ быть посмéшищем; to bring into ~ дéлать посмéшищем 2) *редк.* посмéшище

derisive [dɪ'raɪsɪv] = derisory

derisory [dɪ'raɪsərɪ] *a* 1) насмéшливый, ирони́ческий 2) смехотвóрный; ~ attempts смехотвóрные, я́вно не удáчные попы́тки

derivation [,derɪ'veɪʃn] *n* 1) возникновéние, появлéние, образовáние 2) *лингв.* деривáция, словопроизвóдство 3) = derivative 1, 1); 4) происхождéние; истóчник; начáло 5) *мат.* взя́тие произвóдной; решéние; вы́вод 6) *гидр.* деривáция; отвóд (*воды*) 7) *эл.* ответвлéние, шунт 8) *мед.* отвлечéние

derivative [dɪ'rɪvətɪv] **1.** *n* 1) *лингв.* производное слóво 2) *мат.* производная (фýнкция); дериват

2. *a* производный; to be logically ~ from smth. логи́чески вытекáть из чегó-л.

derive [dɪ'raɪv] *v* 1) получáть, извлекáть; to ~ an income извлекáть дохóды; to ~ pleasure получáть удовóльствие (from — от) 2) происходи́ть; the word "evolution" is ~d from Latin слóво «эволю́ция» лати́нского происхождéния 3) устанáвливать происхождéние; производи́ть (*от чего-л.*); выводи́ть; to ~ religion from myths устанáвливать происхождéние рели́гии от ми́фов 4) наслéдовать; he ~s his character from his father он унаслéдовал харáктер отцá 5) отводи́ть (*воду*) 6) *эл.* ответвля́ть, шунтовáть

derm(a) ['dɜ:m(ə)] = dermis

dermal ['dɜ:ml] *a анат.* кóжный

dermatic [dɜ:'mætɪk] = dermal

dermatitis [,dɜ:mə'taɪtɪs] *n мед.* воспалéние кóжи, дермати́т

dermatologist [,dɜ:mə'tɒlədʒɪst] *n* дерматóлог, врач по кóжным болéзням

dermatology [,dɜ:mə'tɒlədʒɪ] *n* дерматолóгия

dermis ['dɜ:mɪs] *n анат.* кóжа

dernier cri [,dɜ:nɪeɪ'kri:] *фр. n* послéдний крик мóды

derogate ['derəgeɪt] *v* 1) умаля́ть (*заслуги, достоинство*); отнимáть (*часть прав и т. п.*); to ~ from smb.'s reputation задевáть чью-л. репутáцию 2) унижáть себя́, роня́ть своё дострóинство

derogation [,derə'geɪʃn] *n* 1) умалéние (*прав, заслуг*); подры́в (*репутации*); it is said on ~ of his character э́то скáзано, чтóбы подорвáть егó репутáцию 2) унижéние

derogatory [dɪ'rɒgətərɪ] *a* 1) умаля́ющий; нарушáющий (*права и т. п.*) 2) унизи́тельный

derrick ['derɪk] *n* 1) *тех.* дéррик-крáн; вóрот для подъёма тя́жестей; *мор.* подъёмная стрелá 2) бурова́я вы́шка 3) *ист.* ви́селица (*по имени лондонского палача XVII в.*)

derring-do [,derɪŋ'du:] *n книжн.* отчáянная хрáбрость; безрассýдство

derringer ['derɪndʒə] *n амер.* небольшóй крупнокали́берный пистолéт

dervish ['dɜ:vɪʃ] *n* дéрви́ш

desalinate [di:'sælɪneɪt] *v* опресня́ть

desalt [,di:'sɔ:lt] = desalinate

descale [,di:'skeɪl] *v* снимáть окáлину, нáкипь

descant 1. *n* ['deskænt] 1) *поэт.* пéсня, мелóдия, напéв 2) дискáнт; сопрáно 3) дли́нное рассуждéние

2. *v* [dɪ'skænt] 1) подрóбно обсуждáть, распространя́ться (upon) 2) петь, распевáть

descend [dɪ'send] *v* 1) спускáться, сходи́ть; to ~ a hill спусти́ться с холмá 2) опускáться, снижáться 3) происходи́ть; to ~ from a peasant family происходи́ть из крестья́нской семьи́ 4) передавáться по наслéдству, переходи́ть (from); to ~ from father to son переходи́ть от отцá к сы́ну 5) обрýшиться; налетéть, нагря́нуть (upon) 6) пасть; опусти́ться (*морально*); унизи́ться 7) *муз.* понижáться (*о звуке*) 8) переходи́ть (*от прошлого к настоящему, от общего к частному и т. п.*) 9) *астр.* склоня́ться к горизóнту

descendant [dɪ'sendənt] *n* потóмок; direct (*или* lineal) ~ потóмок по прямóй ли́нии

descendible [dɪ'sendəbl] *a юр.* передавáемый по наслéдству

descent [dɪ'sent] *n* 1) спуск; снижéние; to make a parachute ~ спусти́ться с парашю́том 2) склон; скат 3) происхождéние 4) поколéние (*по определённой линии*) 5) передáча по наслéдству, наслéдование (*имущества, черт характера*) 6) падéние (*моральное*) 7) понижéние (*звука, температуры и т. п.*) 8) внезáпное нападéние (*особ. с моря*); десáнт

describe [dɪ'skraɪb] *v* 1) опи́сывать, изображáть; характеризовáть(ся); to ~ one's purposes изложи́ть свои́ намéрения 2) *геом.* начерти́ть, построи́ть (*фигуру*) 3) описáть (*круг, кривую*)

description [dɪ'skrɪpʃn] *n* 1) описáние, изображéние; to answer (to) the ~ соотвéтствовать описáнию; совпадáть с примéтами; to beggar (*или* to baffle, to defy) ~ не поддавáться описáнию; beyond ~ не поддающийся описáнию 2) вид, род, сорт; books of every ~ всевозмóжные кни́ги; of the worst ~ хýдшего ти́па; сáмого хýдшего сóрта 3) вычéрчивание, описáние

descriptive [dɪ'skrɪptɪv] *a* описáтельный; изобрази́тельный; нагля́дный; ~ attribute *грам.* описáтельное определéние; ~ geometry начертáтельная геомéтрия; ~ style стиль, богáтый описáниями

descry [dɪ'skraɪ] *v* 1) *книжн.* рассмотрéть, замéтить, уви́деть (*особ. издали*) 2) обнарýжить

desecrate ['desɪkreɪt] *v* оскорбля́ть; осквернять (*святыню*)

desecration [,desɪ'kreɪʃn] *n* осквернéние, профанáция

deseed [di:'si:d] *v* удаля́ть семенá

desegregation [,di:segrɪ'geɪʃn] *n* десегрегáция, ликвидáция сегрегáции

deselect [,di:sə'lekt] *v* отказáться от выдвижéния кандидатýры *или* оставлéния её в спи́ске для голосовáния

desensitize [di:'sensətaɪz] *v* 1) уменьшáть восприи́мчивость; снижáть чувстви́тельность 2) *фото* десенсибилизи́ровать 3) *мед.* возвращáть в нормáльное психи́ческое состоя́ние

desert I 1. *n* ['dezət] 1) пусты́ня 2) необитáемое пусты́нное мéсто 3) скýчная тéма, рабóта *и т. п.*

2. *a* ['dezət] 1) пусты́нный; ~ island необитáемый óстров 2) гóлый, бесплóдный

3. *v* [dɪ'zɜ:t] 1) покидáть, оставля́ть; бросáть (*семью*); his courage ~ed him смéлость поки́нула егó 2) *воен.* дезерти́ровать

desert II [dɪ'zɜ:t] *n* 1) (*обыкн. pl*) заслýженное (*в хорошем или дурном смысле*); нагрáда; наказáние; to treat people according to their ~s поступáть с людьми́ по заслýгам; to obtain (*или* to meet with) one's ~s получи́ть по заслýгам 2) заслýга; прови́нность

deserter [dɪ'zɜ:tə] *n* 1) дезерти́р; перебéжчик 2) остáвивший семью́, предáвший своё дéло *и т. п.*

desertion [dɪ'zɜ:ʃn] *n* 1) ухóд (*из семьи и т. п.*) 2) дезерти́рство 3) забрóшенность; in utter ~ поки́нутый всéми

deserve [dɪ'zɜːv] *v* заслу́живать, быть досто́йным (*чего-л.*); to ~ attention заслу́живать внима́ния; to ~ well (ill) заслу́живать награ́ды (наказа́ния); to ~ well of one's country име́ть больши́е заслу́ги пе́ред ро́диной

deserved [dɪ'zɜːvd] **1.** *p. p. от* deserve

2. *a* заслу́женный

deservedly [dɪ'zɜːvɪdlɪ] *adv* заслу́женно, по заслу́гам, по досто́инству

deserving [dɪ'zɜːvɪŋ] **1.** *pres. p. от* deserve

2. *a* заслу́живающий; досто́йный

desex [diː'seks] *v* 1) кастри́ровать (*живо́тное*) 2) лиша́ть сексуа́льной привлека́тельности

desexualize [diː'sekʃʊəlaɪz] *v* лиша́ть половы́х при́знаков

déshabillé [,dezə'biːeɪ] *фр. n* 1) полуоде́тое состоя́ние 2) дома́шнее пла́тье; дезабилье́

desiccant ['desɪkənt] *n спец.* сиккати́в

desiccate ['desɪkeɪt] *v спец.* 1) высу́шивать; ~d milk сухо́е молоко́; ~d fruit сушёные фру́кты 2) высыха́ть, теря́ть вла́жность

desiccation [,desɪ'keɪʃn] *n спец.* высу́шивание; су́шка; десика́ция

desiccator ['desɪkeɪtə] *n* суши́льная печь, суши́льный шкаф; эксика́тор, десика́тор; испари́тель

desiderata [dɪ,zɪdə'rɑːtə] *pl от* desideratum

desiderate [dɪ'zɪdəreɪt] *v уст.* чу́вствовать отсу́тствие (*чего-л.*), ощуща́ть недоста́ток (*в чём-л.*); жела́ть (*чего-л.*)

desideratum [dɪ,zɪdə'rɑːtəm] *n* (*pl* -ta) что-л. недостаю́щее, жела́емое

design [dɪ'zaɪn] **1.** *n* 1) прое́кт; план; чертёж; констру́кция, расчёт; a ~ for a building прое́кт зда́ния 2) рису́нок, эски́з; узо́р 3) за́мысел, план 4) наме́рение, цель; by ~ (пред)наме́ренно 5) компози́ция (*карти́ны и т. п.*) 6) (*тж. pl*) (зло́й) у́мысел; to have (*или* to harbour) ~s on (*или* against) smb. вына́шивать кова́рные за́мыслы про́тив кого́-л.

2. *v* 1) составля́ть план, проекти́ровать; конструи́ровать 2) рисова́ть, изобража́ть; де́лать эски́зы (*костю́мов и т. п.*) 3) предназнача́ть; this room is ~ed as a study э́та ко́мната предназнача́ется для кабине́та 4) заду́мывать, замышля́ть, намерева́ться, предполага́ть; we did not ~ this result мы не ожида́ли тако́го результа́та; we ~ed for his good мы де́лали всё для его́ бла́га 5) проекти́ровать, быть констру́ктором

designate 1. *a* ['dezɪgnət] (*обыкн. по́сле сущ.*) назна́ченный, но ещё не вступи́вший в до́лжность

2. *v* ['dezɪgneɪt] 1) назнача́ть на до́лжность 2) определя́ть, обознача́ть; ука́зывать 3) называ́ть, характеризова́ть 4) предназнача́ть

designation [,dezɪg'neɪʃn] *n* 1) обозначе́ние; называ́ние; указа́ние 2) и́мя; назва́ние 3) назначе́ние на до́лжность 4) указа́ние профе́ссии и а́дреса (*при фами́лии*) 5) (пред)назначе́ние, цель

designed [dɪ'zaɪnd] **1.** *p. p. от* design 2

2. *a* 1) соотве́тствующий пла́ну, прое́кту *и т. п.* 2) предназна́ченный 3) предумы́шленный

designedly [dɪ'zaɪnɪdlɪ] *adv* умы́шленно, с наме́рением

designer [dɪ'zaɪnə] *n* 1) констру́ктор; проектиро́вщик 2) чертёжник 3) рисова́льщик 4) моделье́р, констру́ктор оде́жды 5) интрига́н

designing [dɪ'zaɪnɪŋ] **1.** *pres. p. от* design 2

2. *n* 1) проекти́рование, конструи́рование 2) интрига́нство

3. *a* 1) интригу́ющий; хи́трый, кова́рный 2) плани́рующий, проекти́рующий

desirability [dɪ,zaɪərə'bɪlətɪ] *n* жела́тельность

desirable [dɪ'zaɪərəbl] *a* 1) жела́тельный 2) жела́нный; вызыва́ющий (полово́е) влече́ние 3) подходя́щий, хоро́ший

desire [dɪ'zaɪə] **1.** *n* 1) (си́льное) жела́ние (for) 2) про́сьба; пожела́ние; at your ~ по ва́шей про́сьбе 3) страсть, вожделе́ние 4) предме́т жела́ния; мечта́

2. *v* 1) жела́ть; хоте́ть; to leave much to be ~d оставля́ть жела́ть мно́го лу́чшего 2) проси́ть, тре́бовать; I ~ you to go at once я тре́бую (прошу́), что́бы вы пошли́ неме́дленно

desirous [dɪ'zaɪərəs] *a* жела́ющий, жа́ждущий (*чего-л.*); to be ~ to succeed (*или* of success) стреми́ться к успе́ху

desist [dɪ'zɪst] *v книжн.* перестава́ть, прекраща́ть; возде́рживаться; to ~ from attempts отказа́ться от попы́ток

desk [desk] *n* 1) пи́сьменный стол; рабо́чий стол; конто́рка; па́рта 2) регистрату́ра (*в гости́нице*); конто́рка портье́ 3) отде́л (*в реда́кции газе́ты*) 4) *муз.* пюпи́тр 5) пульт управле́ния 6) *церк.* анало́й; ка́федра пропове́дника 7) *attr.* насто́льный; ~ set насто́льный телефо́н

desk book ['deskbʊk] *n* насто́льная кни́га; спра́вочник

desktop ['desktɒp] *n* 1) кры́шка пи́сьменного стола́ *и т. п.* 2) *attr.* насто́льный (*о микрокомпью́тере*)

desman ['desmən] *n зоол.* вы́хухоль

desolate 1. *a* ['desələt] 1) поки́нутый, одино́кий 2) забро́шенный, запу́щенный, разру́шенный 3) необита́емый, безлю́дный 4) несча́стный; неуте́шный

2. *v* ['desəleɪt] 1) опустоша́ть; разоря́ть; обезлю́дить 2) де́лать несча́стным; приводи́ть в отча́яние

desolation [,desə'leɪʃn] *n* 1) опустоше́ние, разоре́ние; запусте́ние 2) одино́чество, забро́шенность 3) го́ре, отча́яние

desorb [diː'zɔːb] *v* десорби́ровать, выделя́ть

despair [dɪ'speə] **1.** *n* 1) отча́яние; безысхо́дность; to fall into ~ впасть в отча́яние; out of ~ с отча́яния 2) исто́чник огорче́ния; he is the ~ of his mother он причиня́ет свое́й ма́тери одни́ лишь огорче́ния

2. *v* отча́иваться, теря́ть наде́жду (of); his life is ~ed of его́ состоя́ние безнадёжно (*о больно́м*)

despairingly [dɪ'speərɪŋlɪ] *adv* в отча́янии; безнадёжно

despatch [dɪ'spætʃ] = dispatch

desperado [,despə'rɑːdəʊ] *n* (*pl* -oes [-əʊz]) отча́янный челове́к; головоре́з; сорвиголова́

desperate ['despərət] *a* 1) доведённый до отча́яния; безрассу́дный; ~ daring а) безу́мная отва́га; б) хра́брость отча́яния 2) отча́янный, безнадёжный; in ~ condition в отча́янном положе́нии 3) ужа́сный; отъя́вленный; ~ storm ужа́сная бу́ря; ~ fool отъя́вленный дура́к

desperation [,despə'reɪʃn] *n* 1) безрассу́дство, безу́мство; to drive smb. to ~ *разг.* доводи́ть кого́-л. до кра́йности, до бе́шенства 2) отча́яние

despicable [dɪ'spɪkəbl] *a* презре́нный

despise [dɪ'spaɪz] *v* презира́ть

despite [dɪ'spaɪt] **1.** *n книжн.* 1) зло́ба; презре́ние 2): in ~ of *уст.* (*употр. как prep*) вопреки́; несмотря́ на; in his ~ ему́ на́зло

2. *prep* несмотря́ на; ~ our efforts несмотря́ на на́ши уси́лия

despiteful [dɪ'spaɪtfʊl] *a уст.* зло́бный, жесто́кий

despoil [dɪ'spɔɪl] *v книжн.* гра́бить, обира́ть; лиша́ть (of — *чего-л.*)

despoilment [dɪ'spɔɪlmənt] *n книжн.* ограбле́ние; грабёж; расхище́ние

despoliation [dɪ,spəʊlɪ'eɪʃn] = despoilment

despond [dɪ'spɒnd] **1.** *v* па́дать ду́хом, уныва́ть, теря́ть наде́жду

2. *n уст.* = despondency

despondency [dɪ'spɒndənsɪ] *n* отча́яние, уны́ние, упа́док ду́ха

despondent [dɪ'spɒndənt] *a* уны́лый, пода́вленный

despot ['despɒt] *n* де́спот

despotic [dɪ'spɒtɪk] *a* деспоти́ческий

despotism ['despə,tɪzəm] *n* 1) деспоти́зм 2) деспоти́я

desquamate ['deskwəmeɪt] *v мед.* шелуши́ться, лупи́ться

dessert [dɪ'zɜːt] *n* десе́рт, сла́дкое (*блю́до*)

dessertspoon [dɪ'zɜːtspuːn] *n* десе́ртная ло́жка

destabilize [,diː'steɪbəlaɪz] *v* 1) дестабилизи́ровать 2) расша́тывать, подрыва́ть

destination [,destɪ'neɪʃn] *n* 1) ме́сто назначе́ния (*тж.* place of ~); цель (*путеше́ствия, похо́да и т. п.*) 2) назначе́ние, предназначе́ние

destine ['destɪn] *v* 1) назнача́ть, предназнача́ть; предопределя́ть; the plan was ~d to fail э́тому пла́ну не суждено́ бы́ло осуществи́ться 2) направля́ть; we are ~d for Moscow мы направля́емся в Москву́

destined ['destɪnd] **1.** *p. p. от* destine

2. *a* предназна́ченный

destiny ['destənɪ] *n* 1) судьба́, уде́л 2)

неизбе́жный ход собы́тий; неизбе́жность 3) (D.) *миф.* боги́ня судьбы́; *pl* Па́рки

destitute ['destɪtju:t] **1.** *a* 1) си́льно нужда́ющийся; to be left ~ оста́ться без средств 2) лишённый (of — *чего-л.*)

2. *n* (the ~) нужда́ющиеся, бе́дные

destitution [,destɪ'tju:ʃn] *n* лише́ния; нужда́; нищета́

destrier ['destrɪə] *n ист.* боево́й конь

destroy [dɪ'strɔɪ] *v* 1) разруша́ть; уничтожа́ть 2) истребля́ть 3) де́лать бесполе́зным, своди́ть к нулю́ 4) губи́ть, подрыва́ть

destroyer [dɪ'strɔɪə] *n* 1) разруши́тель 2) *мор.* эска́дренный миноно́сец, эсми́нец 3) *ав.* истреби́тель

destruct [dɪ'strʌkt] *v амер.* ликвиди́ровать в полёте свою́ раке́ту *и т. п.* (*в це́лях безопа́сности*)

destruction [dɪ'strʌkʃn] *n* 1) разруше́ние; уничтоже́ние 2) разоре́ние 3) причи́на ги́бели *или* разоре́ния; overconfidence was his ~ чрезме́рная самоуве́ренность погуби́ла его́

destructive [dɪ'strʌktɪv] **1.** *a* 1) разруши́тельный; ~ agency сре́дство разруше́ния 2) па́губный, вре́дный; ~ to health вре́дный для здоро́вья 3): ~ distillation *хим.* суха́я перего́нка

2. *n* сре́дство разруше́ния

destructor [dɪ'strʌktə] *n* мусоросжига́тельная печь

desuetude ['deswɪtju:d] *n* неупотреби́тельность; устаре́лость; to fall into ~ выходи́ть из употребле́ния

desulphurize [di:'sʌlfəraɪz] *v хим.* удаля́ть се́ру, обессе́ривать

desultory ['desltərɪ] *a* несвя́зный, отры́вочный; несистемати́ческий; ~ conversation бессвя́зный разгово́р; ~ reading бессисте́мное чте́ние; ~ remark случа́йное замеча́ние; ~ fighting *воен.* отде́льные сты́чки и перестре́лка; ~ fire *воен.* беспоря́дочная стрельба́

detach [dɪ'tætʃ] *v* 1) отделя́ть(ся); отвя́зывать; разъединя́ть; отцепля́ть; прерыва́ть соедине́ние (from) 2) *воен.*, *мор.* отряжа́ть, посыла́ть (*отряд, судно*)

detachable [dɪ'tætʃəbl] *a* 1) съёмный 2) отрывно́й; отрезно́й

detached [dɪ'tætʃt] **1.** *p. p. от* detach

2. *a* 1) беспристра́стный; незави́симый; ~ opinion (*или* view) незави́симое мне́ние 2) бесстра́стный; in a ~ way невозмути́мо 3) отде́льный, обосо́бленный; отделённый; ~ house особня́к 4) *воен.* (от)командиро́ванный; ~ duty командиро́вка; ~ service *амер.* откомандирова́ние из ча́сти; to place on ~ service прикомандиро́вывать (*для слу́жбы, учёбы и т. п.*)

detachment [dɪ'tætʃmənt] *n* 1) отчуждённость; отрешённость; обосо́бленность; an air of ~ отрешённый вид 2) беспристра́стность; незави́симость (*сужде́ний и т. п.*) 3) отделе́ние; выделе́ние; разъедине́ние 4) *воен.* отря́д; оруди́йный *или* миномётный расчёт 5) *мор.* отря́д корабле́й 6) *воен.* (от)командирова́ние

detail ['di:teɪl] **1.** *n* 1) подро́бность; дета́ль; to go (*или* to enter) into ~s вдава́ться в подро́бности; in ~ обстоя́тельно; подро́бно 2) ча́стность, несуще́ственная подро́бность 3) *pl* дета́ли (*зда́ния или маши́ны*); ча́сти, элеме́нты 4) *воен.* наря́д; кома́нда 5) *attr.* дета́льный, подро́бный; ~ drawing дета́льный чертёж

2. *v* 1) подро́бно излага́ть; входи́ть в подро́бности 2) *воен.* выделя́ть; наряжа́ть, назнача́ть в наря́д

detailed ['di:teɪld] **1.** *p. p. от* detail 2

2. *a* 1) подро́бный, дета́льный 2) *воен.* назна́ченный; вы́деленный

detailing ['di:teɪlɪŋ] **1.** *pres. p. от* detail 2

2. *n воен.* выделе́ние, назначе́ние в наря́д; ~ for guard наря́д в карау́л

detain [dɪ'teɪn] *v* 1) заде́рживать; аресто́вывать; содержа́ть под стра́жей 2) заставля́ть ждать 3) замедля́ть; меша́ть (*движе́нию и т. п.*) 4) уде́рживать (*де́ньги и т. п.*)

detainee [,di:teɪ'ni:] *n юр.* заде́ржанный, находя́щийся под аре́стом

detainer [dɪ'teɪnə] *n юр.* 1) незако́нное задержа́ние иму́щества 2) предписа́ние о дальне́йшем содержа́нии арестованного под стра́жей

detank [di:'tæŋk] *v воен.* выса́живать(ся) из та́нка

detect [dɪ'tekt] *v* 1) выявля́ть, находи́ть, обнару́живать 2) рассле́довать (*преступле́ние*) 3) замеча́ть, обнару́живать 4) *ра́дио* детекти́ровать, выпрямля́ть

detection [dɪ'tekʃn] *n* 1) выявле́ние, обнаруже́ние 2) рассле́дование 3) *ра́дио* детекти́рование

detective [dɪ'tektɪv] **1.** *n* аге́нт сыскно́й поли́ции, сы́щик; детекти́в

2. *a* сыскно́й; детекти́вный; ~ novel детекти́вный рома́н

detector [dɪ'tektə] *n* 1) прибо́р для обнаруже́ния; lie ~ дете́ктор лжи 2) *ра́дио* дете́ктор 3) *хим.* индика́тор

detent [dɪ'tent] *n тех.* сто́пор, защёлка, соба́чка; аррети́р

détente ['deɪtɒnt] *фр. n* разря́дка, ослабле́ние напряже́ния (*осо́б. в отноше́ниях ме́жду госуда́рствами*)

detention [dɪ'tenʃn] *n* 1) задержа́ние 2) удержа́ние 3) аре́ст; содержа́ние под аре́стом 4) *школ.* оставле́ние по́сле уро́ков 5) вы́нужденная заде́ржка 6) *attr.*: ~ camp ла́герь для интерни́рованных

détenu [,detə'nju:] *фр. n* аресто́ванный, заключённый

deter [dɪ'tɜ:] *v* уде́рживать (from — от *чего-л.*); отпу́гивать (from)

deterge [dɪ'tɜ:dʒ] *v мед.* очища́ть

detergent [dɪ'tɜ:dʒənt] **1.** *n* очища́ющее, мо́ющее сре́дство; детерге́нт

2. *a* очища́ющий, мо́ющий

deteriorate [dɪ'tɪərəreɪt] *v* 1) ухудша́ть(ся); по́ртить(ся) 2) разруша́ться 3) вырожда́ться

deterioration [dɪ,tɪərɪə'reɪʃn] *n* 1) ухудше́ние; по́рча 2) изна́шивание, изно́с

deteriorative [dɪ'tɪərɪəreɪtɪv] *a* ухудша́ющий

determinant [dɪ'tɜ:mɪnənt] **1.** *n* 1) реша́ющий, определя́ющий фа́ктор 2) *мат.* детермина́нт, определи́тель

2. *a* определя́ющий, реша́ющий, обусло́вливающий

determinate [dɪ'tɜ:mɪnət] *a* 1) определённый, устано́вленный 2) решённый, оконча́тельный 3) реши́тельный

determination [dɪ,tɜ:mɪ'neɪʃn] *n* 1) реши́тельность; реши́мость 2) определе́ние; установле́ние (*грани́ц и т. п.*); ~ of price калькуля́ция 3) реше́ние; определе́ние, постановле́ние 4) *мед.* прили́в (*кро́ви*)

determinative [dɪ'tɜ:mɪnətɪv] **1.** *a* 1) определя́ющий; реша́ющий 2) ограни́чивающий

2. *n* 1) реша́ющий фа́ктор 2) *грам.* определя́ющее сло́во

determine [dɪ'tɜ:mɪn] *v* 1) определя́ть; устана́вливать 2) реша́ть(ся); to ~ upon a course of action реши́ть, как де́йствовать; определи́ть ли́нию поведе́ния 3) обусло́вливать, определя́ть; детермини́ровать 4) побужда́ть, заставля́ть 5) *юр.* конча́ться, истека́ть (*о сро́ке, аре́нде и т. п.*)

determined [dɪ'tɜ:mɪnd] **1.** *p. p. от* determine

2. *a* 1) приня́вший реше́ние, реши́вшийся 2) реши́тельный; по́лный реши́мости; непреклонный; ~ character твёрдый хара́ктер

determinism [dɪ'tɜ:mɪ,nɪzəm] *n филос.* детермини́зм

deterrence [dɪ'terəns] *n* 1) удержа́ние (*от вражде́бных де́йствий*) 2) устраше́ние, отпу́гивание

deterrent [dɪ'terənt] **1.** *n* сре́дство устраше́ния, сде́рживания

2. *a* отпу́гивающий, устраша́ющий; уде́рживающий

detersive [dɪ'tɜ:sɪv] = detergent

detest [dɪ'test] *v* ненави́деть, пита́ть отвраще́ние

detestable [dɪ'testəbl] *a* отврати́тельный; ме́рзкий; ~ act ме́рзкий посту́пок

detestation [,di:te'steɪʃn] *n* 1) кра́йнее отвраще́ние, омерзе́ние 2) ме́рзкий челове́к; отврати́тельная вещь

dethrone [dɪ'θrəʊn] *v* 1) сверга́ть с престо́ла 2) разве́нчивать

dethronement [dɪ'θrəʊnmənt] *n* 1) сверже́ние с престо́ла 2) развенча́ние

detinue ['detɪnju:] *n юр.* незако́нный захва́т чужо́го иму́щества; action of ~ иск о возвраще́нии незако́нно захва́ченного иму́щества

detonate ['detəneɪt] *v* детони́ровать, взрыва́ть(ся)

detonating ['detəneɪtɪŋ] **1.** *pres. p. от* detonate

2. *a* детони́рующий; ~ fuse детони́рующий запа́л, уда́рная тру́бка; взрыва́тель; ~ gas грему́чий газ

detonation [,detə'neɪʃn] *n* 1) детона́ция, взрыв 2) гро́хот при взры́ве

detonator [ˈdetəneɪtə] *n* 1) детона́тор; ка́псюль 2) *ж.-д.* пета́рда

detour [ˈdiːtʊə] *n* око́льный путь, объе́зд; объе́зд; to make a ~ сде́лать крюк

detoxicate [ˌdiːˈtɒksɪkeɪt] = detoxify

detoxify [diːˈtɒksɪfaɪ] *v* устрани́ть токси́ческое де́йствие, обезвре́дить яд

detract [dɪˈtrækt] *v* 1) отнима́ть; уменьша́ть 2) умаля́ть, принижа́ть; that does not ~ from his merit э́то не умаля́ет его́ заслу́ги

detraction [dɪˈtrækʃn] *n* 1) уменьше́ние; умале́ние, приниже́ние 2) клевета́; злосло́вие

detractive [dɪˈtræktɪv] *a* 1) умаля́ющий досто́инства 2) поро́чащий

detractor [dɪˈtræktə] *n* клеветни́к

detractory [dɪˈtræktərɪ] = detractive

detrain [ˌdiːˈtreɪn] *v* 1) выса́живать(ся) из по́езда (*обыкн. о войсках*) 2) разгружа́ть, выгружа́ть (ваго́ны)

detriment [ˈdetrɪmənt] *n* уще́рб, вред; without ~ to без уще́рба для; I know nothing to his ~ я не зна́ю за ним ничего́ предосуди́тельного; to the ~ of one's health в уще́рб своему́ здоро́вью

detrimental [ˌdetrɪˈmentl] **1.** *a* 1) принося́щий убы́ток; уще́рб 2) вре́дный; ~ to one's health вре́дный для здоро́вья

2. *n разг.* незави́дная па́ртия (*о женихе*)

detrition [dɪˈtrɪʃn] *n* (*преим. геол.*) стира́ние, изна́шивание от тре́ния

detritus [dɪˈtraɪtəs] *n* 1) *геол.* детри́т 2) *attr.*: ~ mineral обло́мочный минера́л

de trop [dəˈtrəʊ] *фр. a predic.* изли́шний, нену́жный, нежела́тельный; ни к чему́

detruck [diːˈtrʌk] *v амер.* 1) выса́живать(ся) из грузовико́в 2) разгружа́ть грузовики́

detune [diːˈtjuːn] *v радио* расстра́ивать

deuce I [djuːs] *n* 1) дво́йка, два очка́ 2) ра́вный счёт (*в теннисе*)

deuce II [djuːs] *n* чёрт (*в ругательствах, восклицаниях*); (the) ~ take it! чёрт побери́!; (the) ~ a bit ничу́ть!; (the) ~ a man! никто́!; to play the ~ with smb. причиня́ть вред кому́-л.; where the ~ did I put the book? чёрт его́ зна́ет, куда́ я положи́л кни́гу!

deuced [djuːst] *уст.* **1.** *a* чёрто́вский, ужа́сный; I'm in a ~ hurry я ужа́сно спешу́

2. *adv* черто́вски, ужа́сно

deus ex machina [ˌdeɪʊseksˈmækɪnə] *лат. n* неожи́данное спасе́ние

deuterium [djʊˈtɪərɪəm] *n хим., физ.* дейте́рий, тяжёлый водоро́д

Deuteronomy [ˌdjuːtəˈrɒnəmɪ] *n библ.* Второзако́ние

Deutsche Mark, Deutschmark [ˌdɔɪtʃəˈmɑːk, ˈdɔɪtʃmɑːk] *n* неме́цкая ма́рка (*денежная единица Германии*)

devaluate [ˌdiːˈvæljʊeɪt] = devalue

devaluation [ˌdiːvæljʊˈeɪʃn] *n* 1) обесце́нение 2) *фин.* девальва́ция

devalue [ˌdiːˈvæljuː] *v* 1) обесце́нивать 2) *фин.* проводи́ть девальва́цию

devastate [ˈdevəsteɪt] *v* 1) опустоша́ть, разоря́ть 2) глубоко́ огорчи́ть, стра́шно расстро́ить

devastated [ˈdevəsteɪtɪd] *a* опустошённый, разорённый; ~ areas пострада́вшие (*от какого-л. бедствия*) райо́ны, райо́ны бе́дствия

devastating [ˈdevəsteɪtɪŋ] **1.** *pres. p. от* devastate

2. *a* 1) опустоши́тельный, разруши́тельный 2) огро́мный; ~ contrast рази́тельный контра́ст

devastation [ˌdevəˈsteɪʃn] *n* 1) опустоше́ние, разоре́ние 2) *юр.* растра́та иму́щества (*душеприказчиками*)

develop [dɪˈveləp] *v* 1) развива́ть(ся) 2) соверше́нствовать 3) разраба́тывать; to ~ a mine разраба́тывать копь; to ~ the plot of a story разраба́тывать сюже́т расска́за 4) конструи́ровать, разраба́тывать 5) распространя́ться, развива́ться (*о болезни, эпидемии*) 6) проявля́ть(ся); he has ~ed a tendency to brood у него́ появи́лась привы́чка размышля́ть; он стал ча́сто заду́мываться 7) излага́ть, раскрыва́ть (*аргументы, мотивы и т. п.*) 8) выясня́ть(ся), обнару́живать(ся), станови́ться очеви́дным; it ~ed that he had made a mistake вы́яснилось, что он оши́бся; to ~ the enemy разве́дать проти́вника 9) *фото* проявля́ть 10) *амер. воен.* развёртывать(ся); to ~ an attack развёртываться для наступле́ния

developer [dɪˈveləpə] *n* 1) застро́йщик 2) *фото* прояви́тель

development [dɪˈveləpmənt] *n* 1) разви́тие; рост; расшире́ние, эволю́ция 2) разрабо́тка, созда́ние 3) (*часто pl*) обстоя́тельство; собы́тие; to meet unexpected ~s столкну́ться с непредви́денными обстоя́тельствами 4) развёртывание 5) улучше́ние, усоверше́нствование (*механизмов*) 6) но́вое строи́тельство, застро́йка; предприя́тие 7) обраба́тываемый уча́сток земли́ 8) вы́вод, заключе́ние 9) *фото* проявле́ние 10) *горн.* подготови́тельные рабо́ты, подгото́вка месторожде́ния 11) *attr.*: ~ theory эволюцио́нная тео́рия ◇ ~ battalion уче́бный батальо́н; ~ type о́пытный образе́ц

developmental [dɪˌveləpˈmentl] *a* 1) свя́занный с разви́тием; ~ diseases боле́зни ро́ста; ~ resources ресу́рсы, необходи́мые для экономи́ческого разви́тия 2) эволюцио́нный

deviant [ˈdiːvɪənt] **1.** *a* 1) отклоня́ющийся от но́рмы 2) страда́ющий полово́ым извраще́нием

2. *n* челове́к, страда́ющий полово́ым извраще́нием

deviate [ˈdiːvɪeɪt] **1.** *v* отклоня́ться; отступа́ть; уклоня́ться; to ~ from the truth отклони́ться от и́стины; to ~ ships вынужда́ть суда́ отклоня́ться от ку́рса

2. *n* = deviant 2

deviation [ˌdiːvɪˈeɪʃn] *n* 1) отклоне́ние 2) *полит.* укло́н 3) девиа́ция (*магнитной стрелки*) 4) *мор. ком.* девиа́ция, отклоне́ние от договорённого ре́йса 5) *attr.*: ~ clause *мор.* пункт во фра́хтовом контра́кте, предусма́тривающий захо́д су́дна в друго́й порт, поми́мо по́рта назначе́ния

device [dɪˈvaɪs] *n* 1) устро́йство; приспособле́ние; механи́зм; аппара́т, прибо́р 2) спо́соб, сре́дство, приём 3) деви́з, эмбле́ма 4) план; схе́ма; прое́кт 5) зате́я; злой у́мысел ◇ to leave smb. to his own ~s предоста́вить кого́-л. самому́ себе́

devil [ˈdevl] **1.** *n* 1) (*обыкн.* the D.) дья́вол, сатана́ 2) чёрт, бес 3) стра́шный, кова́рный челове́к, настоя́щий дья́вол 4) *разг.* энерги́чный, напо́ристый челове́к; a ~ to work рабо́тает, как чёрт; a ~ to eat ест за четверы́х 5) *разг.* челове́к, па́рень; lucky ~ счастли́вец; poor ~ бедня́га; a ~ of a fellow хра́брый ма́лый; little (*или* young) ~ *шутл.* чертёнок; *ирон.* су́щий дья́вол, отча́янный ма́лый 6) *разг.* тру́дное де́ло, дья́вольская шту́ка 7) *употр. для усиления или придания иронического или отрицательного оттенка*: what the ~ do you mean? что вы э́тим хоти́те сказа́ть, чёрт возьми́?; как бы не так!; ~ a bit of money did he give! дал он де́нег, чёрта с два! [*ср.* deuce II] 8) литера́тор, журнали́ст, выполня́ющий рабо́ту для друго́го, «негр» 9) ма́льчик на побегу́шках, учени́к в типогра́фии (*тж.* printer's ~) 10) жа́реное мясно́е *или* ры́бное блю́до с пря́ностями и спе́циями 11) *зоол.* су́мчатый волк (*в Тасмании*); су́мчатый дья́вол 12) *тех.* волк-маши́на ◇ talk of the ~ (and he is sure to appear) ≅ лёгок на поми́не!; ~ among the tailors а) о́бщая дра́ка, сва́лка; б) род фейерве́рка; the ~ (and all) to pay грозя́щая неприя́тность, беда́; затрудни́тельное положе́ние; the ~ is not so bad as he is painted *посл.* не так стра́шен чёрт, как его́ малю́ют; to paint the ~ blacker than he is сгуща́ть кра́ски; between the ~ and the deep sea ≅ ме́жду двух огне́й; ~'s own luck ≅ черто́вски везёт; необыкнове́нное сча́стье; ~ take the hindmost ≅ го́ре неуда́чникам; к чёрту неуда́чников; вся́к за себя́; to give the ~ his due отдава́ть до́лжное проти́внику; to play the ~ with причини́ть вред; испо́ртить; to raise the ~ шуме́ть, буя́нить; поднима́ть сканда́л

2. *v* 1) гото́вить о́строе мясно́е *или* ры́бное блю́до 2) рабо́тать (for — на); исполня́ть черново́ю рабо́ту для литера́тора, журнали́ста 3) *амер.* надоеда́ть; дразни́ть

devildom [ˈdevldəm] *n* дья́вольщина, чертовщи́на

devilfish [ˈdevlfɪʃ] *n зоол.* 1) скат — морско́й дья́вол 2) осьмино́г 3) карака́тица

devilish [ˈdevlɪʃ] **1.** *a* 1) дья́вольский, а́дский 2) озорно́й

2. *adv разг.* черто́вски, ужа́сно; ~ funny (nice, cold, *etc.*) черто́вски смешно́ (хорошо́, хо́лодно *и т. п.*)

devil-may-care [ˌdevlmeɪˈkeə] *a* беззабо́тный; безрассу́дный; бесшаба́шный; ~ attitude наплева́тельское отноше́ние, всё трын-трава́

devilment ['devlmənt] = devilry 1) *и* 2)

devilry ['devlrɪ] *n* 1) жесто́кость, кова́рство 2) прока́зы, ша́лости 3) чёрная ма́гия; чертовщи́на 4) *собир.* дья́волы, нечи́стая си́ла

devil's bones ['devlzbəʊnz] *n pl разг.* игра́льные ко́сти

devil's books ['devlzbʊks] *n pl разг.* ка́рты

devil's coach horse [,devlz'kəʊtʃhɔ:s] *n* большо́й чёрный жук

devil's darning-needle [,devlz'dɑ:nɪŋni:dl] *n* стрекоза́

deviltry ['devltrɪ] = devilry

devil-worship ['devl,wɜ:ʃɪp] *n* культ сатаны́

devious ['di:vɪəs] *a* 1) хи́трый; нейскренний, нече́стный 2) око́льный, кру́жный; изви́листый; ~ paths око́льные пути́ 3) отклоня́ющийся от прямо́го пути́; блужда́ющий

devisable [dɪ'vaɪzəbl] *a* 1) могу́щий быть приду́манным, изобретённым 2) *юр.* могу́щий быть заве́щанным, пе́реданным по насле́дству

devise [dɪ'vaɪz] **1.** *n юр.* завеща́ние; заве́щанное иму́щество (*недвижимое*)

2. *v* 1) заду́мывать, приду́мывать; изобрета́ть 2) *юр.* завеща́ть (*недвижимость*)

devisee [,devɪ'zi:] *n юр* насле́дник (*недвижимости по завещанию*)

deviser [dɪ'vaɪzə] *n* 1) изобрета́тель 2) *юр.* завеща́тель (*недвижимости*)

devisor [dɪ'vaɪzə] = deviser 2)

devitalize [di:'vaɪtəlaɪz] *v* лиша́ть жи́зненной си́лы; де́лать безжи́зненным

devitrification [di:,vɪtrɪfɪ'keɪʃn] *n геол., хим.* расстеклова́ние

devocalize [di:'vəʊkəlaɪz] *v фон.* девокализи́ровать, оглуша́ть

devoid [dɪ'vɔɪd] *a* лишённый (of — *чего-л.*); свобо́дный (of — от); ~ of sense лишённый смы́сла; ~ of substance лишённый основа́ния; ~ of fear бесстра́шный

devoir ['devwɑ:] *n уст.* 1) долг, обя́занность 2) *pl* акт ве́жливости; to pay one's ~s to smb. засвиде́тельствовать кому́-л. своё почте́ние; нанести́ визи́т

devolution [,di:və'lu:ʃn] *n* 1) переда́ча (*власти, обязанностей и т. п.*) 2) перехо́д *или* переда́ча по насле́дству (*имущества и т. п.*) 3) *биол.* вырожде́ние, perpécc

devolve [dɪ'vɒlv] *v* 1) передава́ть (*полномочия, обязанности и т. п.*) 2) переходи́ть к друго́му лицу́ (*о должности, работе и т. п.*; upon) 3) переходи́ть по насле́дству (*об имуществе и т. п.*)

Devonian [de'vəʊnɪən] **1.** *a* 1) девонши́рский 2) *геол.* дево́нский

2. *n* 1) уроже́нец Девонши́ра 2) *геол.* дево́н, дево́нский пери́од

devote [dɪ'vəʊt] *v* 1) посвяща́ть, уделя́ть; to ~ much time to studies уделя́ть мно́го вре́мени заня́тиям 2) предава́ться (*чему-л.*)

devoted [dɪ'vəʊtɪd] **1.** *p. p. от* devote

2. *a* 1) пре́данный; не́жный 2) посвящённый 3) увлека́ющийся (*чем-л.*); he is ~ to sports он увлека́ется спо́ртом

devotedly [dɪ'vəʊtɪdlɪ]] *adv* пре́данно

devotee [,devəʊ'ti:] *n* 1) челове́к, всеце́ло пре́данный како́му-л. де́лу; приве́рженец; энтузиа́ст своего́ де́ла 2) на́божный челове́к; свято́ша, фана́тик

devotion [dɪ'vəʊʃn] *n* 1) пре́данность; си́льная привя́занность 2) посвяще́ние себя́ (*чему-л.*) 3) увлече́ние; ~ to tennis увлече́ние те́ннисом 4) на́божность, религио́зное рве́ние 5) *pl* религио́зные обря́ды; моли́твы

devotional [dɪ'vəʊʃnəl] *a* религио́зный, на́божный, благочести́вый

devour [dɪ'vaʊə] *v* 1) пожира́ть; есть жа́дно 2) уничтожа́ть, истребля́ть (*о пожаре и т. п.*) 3) поглоща́ть, прогла́тывать; ~ed by curiosity (anxiety) снеда́емый любопы́тством (беспоко́йством); to ~ novel after novel поглоща́ть рома́н за рома́ном; to ~ the way бы́стро дви́гаться; he ~ed every word он жа́дно лови́л ка́ждое сло́во

devouringly [dɪ'vaʊərɪŋlɪ] *adv* жа́дно; to gaze ~ at с жа́дностью смотре́ть на

devout [dɪ'vaʊt] *a* 1) благогове́йный; на́божный, благочести́вый 2) и́скренний; пре́данный

dew [dju:] **1.** *n* 1) роса́ 2) *поэт.* све́жесть; the ~ of youth све́жесть ю́ности 3) ка́пля по́та; слеза́ ◇ mountain ~ ви́ски

2. *v* 1) ороша́ть, сма́чивать; обры́згивать 2) *поэт.* покрыва́ть росо́й; it is beginning to dew, it ~s появля́ется роса́

dewberry ['dju:bərɪ] *n* ежеви́ка

dewclaw ['dju:klɔ:] *n* рудимента́рный отро́сток в ви́де па́льца на ла́пе *или* копы́те (*у некоторых пород собак и парнокопытных*)

dewdrop ['dju:drɒp] *n* ка́пля росы́, роси́нка

dewfall ['dju:fɔ:l] *n* 1) выпаде́ние росы́ 2) вре́мя выпаде́ния росы́, ве́чер

dewiness ['dju:ɪnəs] *n* роси́стость

dewlap ['dju:læp] *n* 1) подгру́док (*у крупного рогатого скота*) 2) серёжка (*у индюка*) 3) *разг.* второ́й подборо́док

dew point ['dju:pɔɪnt] *n метео* то́чка росы́; температу́ра та́яния, температу́ра конденса́ции

dewy ['dju:ɪ] *a* 1) покры́тый росо́й; роси́стый 2) вла́жный, увлажнённый 3) *поэт.* све́жий; освежа́ющий

dexter ['dekstə] *a* 1) пра́вый 2) *геральд.* находя́щийся на ле́вой (*от смотрящего*) стороне́ гербá

dexterity [dek'sterətɪ] *n* 1) хоро́шие спосо́бности 2) прово́рство; ло́вкость; сноро́вка

dexterous ['dekstərəs] *a* 1) проявля́ющий хоро́шие спосо́бности, спосо́бный 2) ло́вкий, прово́рный

dextral ['dekstrəl] *a* пра́вый, располо́женный спра́ва

dextrin(e) ['dekstrɪn] *n хим.* декстри́н

dextrogyrate [,dekstrəʊdʒaɪ'reɪt] *a спец.* правовраща́ющий, враща́ющий пло́скость поляриза́ции впра́во

dextrorotatory [,dekstrəʊrəʊ'teɪtərɪ] = dextrogyrate

dextrorse ['dekstrɔ:s] *a бот.* выю́щийся сле́ва напра́во

dextrose ['dekstrəʊz] *n хим.* декстро́за

dextrous ['dekstrəs] = dexterous

dharma ['dɑ:mə] *n* дха́рма, зако́н; уче́ние; мора́ль (*в индийской философии*)

dhole [dəʊl] *инд. n* ди́кая соба́ка

dhoti ['dəʊtɪ] *n* набе́дренная повя́зка инду́сов

dhow [daʊ] *n* одномáчтовое ара́бское кабота́жное су́дно

di- ['daɪ-] *pref* 1) = dis-; diatomic двуха́томный 2) = dia-

dia- ['daɪə-] *pref* чрез-, ме́жду-

diabase ['daɪəbeɪs] *n мин.* диаба́з

diabetes [,daɪə'bi:ti:z] *n мед.* диабе́т, са́харная боле́знь

diabetic [,daɪə'betɪk] **1.** *n* диабе́тик

2. *a* диабети́ческий

diablerie [dɪ'ɑ:blərɪ] *n* чёрная ма́гия, колдовство́

diabolic(al) [,daɪə'bɒlɪk(l)] *a* 1) дья́вольский 2) (*обыкн.* diabolical) злой, жесто́кий

diabolism [daɪ'æbəlɪzəm] *n* 1) культ сатаны́ 2) чёрная ма́гия, колдовство́ 3) дья́вольская зло́ба; жесто́кость 4) бесно-ва́тость, одержи́мость

diachylon, diachylum [daɪ'ækɪlən, -ləm] *n мед.* свинцо́вый пла́стырь

diaconal [daɪ'ækənl] *a* дья́конский

diacritic [,daɪə'krɪtɪk] *грам.* **1.** *a* диакрити́ческий

2. *n* диакрити́ческий знак

diacritical [,daɪə'krɪtɪkl] = diacritic 1

diadem ['daɪədem] **1.** *n* 1) диаде́ма, вене́ц; коро́на 2) вено́к на голове́ 3) власть мона́рха

2. *v* венча́ть коро́ной, короно-ва́ть

diaereses [daɪ'ɪərəsi:z] *pl от* diaeresis

diaeresis [daɪ'ɪərəsɪs] *n* (*pl* -eses) *лингв.* трема́ (*знак над гласной для произнесения её отдельно от предшествующей гласной; напр.*, naïve)

diagnose ['daɪəgnəʊz] *v* ста́вить диа́гноз

diagnoses [,daɪəg'nəʊsi:z] *pl от* diagnosis

diagnosis [,daɪəg'nəʊsɪs] *n* (*pl* -oses) 1) диа́гноз; to make a ~ поста́вить диа́гноз 2) то́чное определе́ние, оце́нка

diagnostic [,daɪəg'nɒstɪk] **1.** *a* диагности́ческий

2. *n* 1) симпто́м (*болезни*) 2) = diagnosis

diagnosticate [,daɪəg'nɒstɪkeɪt] = diagnose

diagnostician [,daɪəgnɒs'tɪʃn] *n* диагно́ст

diagnostics [,daɪəg'nɒstɪks] *n pl* (*употр. как sing*) диагно́стика

diagonal [daɪ'ægnəl] **1.** *a* 1) диагона́льный, иду́щий на́искось; ~ cloth диагона́ль (*ткань*)

2. *n* диагона́ль

diagram ['daɪəgræm] **1.** *n* 1) диагра́мма; гра́фик; assembled ~ сво́дная диагра́мма 2) схе́ма; (объясни́тельный) чертёж 3) *attr.* графи́ческий; in ~ form графи́чески

2. *v* 1) составля́ть диагра́мму 2) изобража́ть схемати́чески

diagrammatic(al) [,daɪəgrə'mætɪk(l)] *a* схемати́ческий

diagrammatize [,daɪə'græmətaɪz] = diagram 2

dial ['daɪəl] **1.** *n* 1) цифербла́т; кругова́я шкала́ 2) *тлф.* диск набо́ра 3) со́лнечные часы́ 4) угломе́рный круг, лимб 5) го́рный ко́мпас (*тж.* miner's ~) 6) *sl.* физионо́мия, «луна́»

2. *v* 1) измеря́ть по шкале́, цифербла́ту 2) набира́ть но́мер (*по автомати́ческому телефону*) 3) настра́ивать (*приёмник, телевизор*)

dialect ['daɪəlekt] *n лингв.* 1) диале́кт, наре́чие; го́вор 2) *attr.* диалекта́льный

dialectal [,daɪə'lektl] *a лингв.* диалекта́льный

dialectical [,daɪə'lektɪkl] *a* 1) *филос.* диалекти́ческий; ~ materialism диалекти́ческий материали́зм; ~ method диалекти́ческий ме́тод 2) = dialectal

dialectician [,daɪəlek'tɪʃn] *n филос.* диале́ктик

dialectics [,daɪə'lektɪks] *n pl* (*употр. как sing*) диале́ктика

dialectology [,daɪəlek'tɒlədʒɪ] *n* диалектоло́гия

dialling code ['daɪəlɪŋkəʊd] *n* телефо́нный код (*междугородный и т. п.*)

dialling tone ['daɪəlɪŋtəʊn] *n тлф.* до́лгий гудо́к, сигна́л «ли́ния свобо́дна»

dialogic [,daɪə'lɒdʒɪk] *a* диалоги́ческий

dialogue ['daɪəlɒg] *n* 1) диало́г (*в драме, романе*) 2) *полит.* обме́н мне́ниями, неофициа́льные перегово́ры 3) разгово́р

dialysis [daɪ'æləsɪs] *n хим.* диа́лиз

diamantiferous [,daɪəmæn'tɪfərəs] *a* алмазоно́сный

diameter [daɪ'æmɪtə] *n* диа́метр

diametral [daɪ'æmɪtrəl] *a* диаметра́льный; попере́чный

diametric(al) [,daɪə'metrɪk(l)] *a* 1) диаметра́льный, попере́чный 2) диаметра́льно, по́лностью противополо́жный

diametrically [,daɪə'metrɪklɪ] *adv* диаметра́льно

diamond ['daɪəmənd] **1.** *n* 1) алма́з; бриллиа́нт; black ~ чёрный алма́з; ~ of the first water бриллиа́нт чи́стой воды́; *перен.* замеча́тельный челове́к; rough ~ неотшлифо́ванный алма́з; *перен.* челове́к, облада́ющий вну́тренними досто́инствами, но не име́ющий вне́шнего ло́ска; false ~ фальши́вый бриллиа́нт 2) ромб 3) *pl карт.* бу́бны 4) алма́з для ре́зки стекла́ 5) *амер.* площа́дка для игры́ в бейсбо́л 6) *полигр.* диама́нт (*мелкий шрифт в 4 $^1/_2$ пункта*) ◇ ~ cut ~ ≅ оди́н друго́му не усту́пит (*в хитрости, остроумии и т. п.*)

2. *a* 1) алма́зный; бриллиа́нтовый; ~ mine алма́зная копь; the D. State *амер.* штат Де́лавэр 2) ромбоида́льный ◇ ~ anniversary шестидесятиле́тний, *амер. тж.* семидесятипятиле́тний юбиле́й

3. *v* украша́ть бриллиа́нтами

diamond-field ['daɪəməndfi:ld] *n* алма́зная копь

diamond-point ['daɪəməndpɔɪnt] *n* 1) игла́ для гравирова́ния с алма́зным наконе́чником 2) *pl ж.-д.* косо́е пересече́ние ре́льсовых путе́й

Diana [daɪ'ænə] *n римск. миф.* Диа́на

diapason [,daɪə'peɪzn] *n* 1) диапазо́н 2) основно́й реги́стр орга́на 2) камерто́н

diaper ['daɪəpə] **1.** *n* 1) *амер.* пелёнка 2) узо́рчатое полотно́ 3) полоте́нце, салфе́тка из узо́рчатого полотна́ 4) ромбови́дный узо́р

2. *v* 1) украша́ть ромбови́дным узо́ром 2) *амер.* завёртывать в пелёнки, пелена́ть

diaphanous [daɪ'æfənəs] *a* прозра́чный, просве́чивающий

diaphoretic [,daɪəfə'retɪk] **1.** *a* потого́нный

2. *n* потого́нное сре́дство

diaphragm ['daɪəfræm] *n* 1) *анат.* диафра́гма 2) перегоро́дка, перемы́чка 3) *тех.* мембра́на 4) *бот., зоол.* перепо́нка 5) противозача́точный колпачо́к

diaphragmatic [,daɪəfræg'mætɪk] *a* относя́щийся к диафра́гме

diapositive [,daɪə'pɒzɪtɪv] *n* диапозити́в

diarchy ['daɪɑ:kɪ] *n* двоевла́стие

diarist ['daɪərɪst] *n* челове́к, веду́щий дневни́к

diarize ['daɪəraɪz] *v* вести́ дневни́к; записа́ть в дневнике́

diarrhoea [,daɪə'rɪə] *n мед.* поно́с

diary ['daɪərɪ] *n* 1) дневни́к 2) записна́я кни́жка-календа́рь

Diaspora, diaspora [daɪ'æspərə] *n* 1) диа́спора, рассе́яние 2) (the D.) *ист.* евре́йская диа́спора

diastole [daɪ'æstəlɪ] *n физиол.* диа́стола

diathermancy [,daɪə'θɜ:mənsɪ] *n физ.* диатерми́чность, теплопрозра́чность

diathermic [,daɪə'θɜ:mɪk] *a физ.* диатерми́ческий; теплопрозра́чный

diathermy ['daɪəθɜ:mɪ] *n мед.* диатерми́я

diathesis [daɪ'æθəsɪs] *n мед.* диате́з

diatom ['daɪətɒm] *n бот.* диато́мовая (кремнёвая) во́доросль

diatomic [,daɪə'tɒmɪk] *a хим.* двуха́томный

diatonic [,daɪə'tɒnɪk] *n муз.* диатони́ческий

diatribe ['daɪətraɪb] *n книжн.* диатри́ба, ре́зкая обличи́тельная речь

dibasic [daɪ'beɪsɪk] *хим.* **1.** *a* двухосно́вный

2. *n* двухосно́вная кислота́

dibble ['dɪbl] *с.-х.* **1.** *n* ямкоде́латель, сажа́льный кол

2. *v* сажа́ть под кол, де́лать я́мки в земле́

dibhole ['dɪbhəʊl] *n горн.* зумпф

dibs [dɪbz] *n pl* 1) ба́бки (*игра*) 2) фи́шки 3) *sl.* ба́бки, де́ньги

dice [daɪs] **1.** *n pl* 1) *pl от* die I, 1, 1) *и* 4); 2) игра́ в ко́сти

2. *v* 1) игра́ть в ко́сти 2) *кул.* нареза́ть в фо́рме ку́биков 3) графи́ть в кле́тку 4) вышива́ть узо́р квадра́тиками ▭ ~ away прои́грывать в ко́сти

dice-box ['daɪsbɒks] *n* коро́бочка, из кото́рой броса́ют игра́льные ко́сти

dicer ['daɪsə] *n* игро́к в ко́сти

dicey ['daɪsɪ] *a разг.* риско́ванный, ненадёжный

dichogamy [daɪ'kɒgəmɪ] *n бот.* дихога́мия, разновре́менное созрева́ние ты́чинок и пе́стиков расте́ния

dichotomy [daɪ'kɒtəmɪ] *n* 1) *спец.* после́довательное деле́ние це́лого на две ча́сти; дихотоми́я 2) *лог.* деле́ние кла́сса на два противопоставля́емых друг дру́гу подкла́сса 3) *бот.* вилообра́зное разветвле́ние 4) *астр.* дихотоми́я

dichromatic [,daɪkrəʊ'mætɪk] *a* 1) дихромати́ческий, двухцве́тный 2) = dichromic

dichromic [daɪ'krəʊmɪk] *a мед.* уме́ющий различа́ть то́лько два основны́х цве́та

dick [dɪk] *n sl.* сы́щик, детекти́в

dickens ['dɪkɪnz] *n разг.* чёрт; what the ~ do you want? како́го чёрта вам ну́жно?

dicker ['dɪkə] **1.** *n* 1) ме́лкая сде́лка; обме́н 2) *ком.* дю́жина; деся́ток

2. *v* торгова́ться по мелоча́м

dickey, dicky ['dɪkɪ] *разг.* **1.** *n* 1) мани́шка; вста́вка 2) фа́ртук; де́тский нагру́дник 3) пти́чка, пта́шка 4) сиде́нье для ку́чера *или* лаке́я позади́ экипа́жа 5) *авто* за́днее складно́е сиде́нье в двухме́стном ку́зове

2. *a* 1) сла́бый, нездоро́вый; нетвёрдый на нога́х 2) ненадёжный (*о торговом предприятии и т. п.*)

dicotyledon [,daɪkɒtɪ'li:dn] *n бот.* двудо́льное расте́ние

dicotyledonous [,daɪkɒtɪ'li:dənəs] *a бот.* двудо́льный

dicta ['dɪktə] *pl от* dictum

dictagraph ['dɪktəgrɑ:f] = dictograph

dictaphone ['dɪktəfəʊn] *n* диктофо́н

dictate **1.** *n* ['dɪkteɪt] 1) (*часто pl*) предписа́ние, веле́ние; the ~s of reason (of conscience) веле́ние ра́зума (со́вести) 2) *полит.* дикта́т

2. *v* [dɪk'teɪt] 1) диктова́ть (*письмо и т. п.*) 2) предпи́сывать; диктова́ть (*условия и т. п.*)

dictation [dɪk'teɪʃn] *n* 1) дикто́вка; дикта́нт; to write at smb.'s ~ писа́ть под чью-л. дикто́вку; to take ~ писа́ть под дикто́вку; *перен.* подчиня́ться прика́зу 2) предписа́ние; to do smth. at smb.'s ~ де́лать что-л. по чьему́-л. предписа́нию, прика́зу 3) = dictate 1, 2)

dictator [dɪk'teɪtə] *n* дикта́тор

dictatorial [,dɪktə'tɔ:rɪəl] *a* 1) диктáторский 2) влáстный, повели́тельный

dictatorship [dɪk'teɪtəʃɪp] *n* диктатýра; the ~ of the proletariat диктатýра пролетариáта

diction ['dɪkʃn] *n* 1) ди́кция 2) стиль, манéра выражéния мы́слей; вы́бор слов; poetic ~ язы́к поэ́зии

dictionary ['dɪkʃənrɪ] *n* 1) словáрь 2) спрáвочник, постро́енный по алфави́тному при́нципу

dictograph ['dɪktəgrɑ:f] *n* диктóграф

dictum ['dɪktəm] *n* (*pl* dicta) 1) официáльное авторитéтное заявлéние 2) изречéние, афори́зм 3) *юр.* мнéние судьи́

did [dɪd] *past от* do I

didactic [daɪ'dæktɪk] *a* 1) дидакти́ческий; поучи́тельный 2) лю́бящий поучáть

didacticism [daɪ'dæktɪsɪzəm] *n* дидакти́зм; склóнность к поучéнию

didactics [daɪ'dæktɪks] *n pl* (*употр. как sing*) дидáктика

didder ['dɪdə] = dither 2, 1)

diddle ['dɪdl] *v разг.* 1) обмáнывать, надувáть; to ~ smb. out of his money вы́манить у когó-л. дéньги 2) трáтить врéмя зря

dido ['daɪdəʊ] *n* (*pl* -oes [-əʊz]) *амер. разг.* шáлость, прокáза; to cut ~es валя́ть дуракá

didst [dɪdst] *уст. 2-е л. ед. ч. прошедшего времени гл.* to do

die I [daɪ] **1.** *n* 1) (*pl* dice) игрáльная кость; to play with loaded dice жýльничать 2) штамп, пуансóн; штéмпель, мáтрица 3) *тех.* винторéзная головка; клупп 4) (*pl* dice) *архит.* цóколь (*колонны*) 5) *тех.* волочи́льная доскá; фильéра ◇ the ~ is cast (*или* thrown) жрéбий брóшен, вы́бор сдéлан; to be upon the ~ быть постáвленным на кáрту

2. *v* штамповáть, чекáнить

die II [daɪ] *v* 1) умерéть, скончáться (of, from — от *чего-л.*; for — за *что-л.*); to ~ in one's bed умерéть естéственной смéртью 2) кончáться, исчезáть; быть забы́тым 3) заглóхнуть (*о моторе*; *тж.* ~ out) 4) затихáть (*о ветре*) 5) испаря́ться (*о жидкости*) 6) станови́ться безучáстным, безразли́чным 7) *разг.* томи́ться желáнием (for); I am dying for a glass of water мне дó смерти хóчется пить; I am dying to see him я ужáсно хочý егó ви́деть ▭ ~ **away** а) увядáть; б) замирáть (*о звуке*); в) пáдать в óбморок; ~ **down** = ~ away а) *и* б); ~ **off** а) отмирáть; б) умирáть оди́н за други́м; ~ **out** а) вымирáть; б) заглóхнуть (*о моторе*); в) *воен.* захлебнýться (*об атаке*) ◇ to ~ game умерéть мýжественно, пасть смéртью хрáбрых; to ~ hard а) сопротивля́ться до концá; б) быть живýчим; to ~ in the last ditch стоя́ть нáсмерть; to ~ in harness умерéть за рабóтой; умерéть на своём постý; to ~ in one's boots умерéть скоропости́жной *или* наси́льственной смéртью; a man can ~ but once *посл.* ≅ двум смертя́м не бывáть, а однóй не миновáть; never say ~ *посл.* ≅ никогдá не слéдует отчáиваться

die-away ['daɪə,weɪ] *a* тóмный, страдáльческий

diehard ['daɪhɑ:d] *n* 1) консервати́вный человéк 2) *полит.* твердолóбый, консервáтор

dielectric [,daɪɪ'lektrɪk] *эл.* **1.** *n* диэлéктрик, непроводни́к

2. *a* диэлектри́ческий

diesel ['di:zl] *n тех.* дви́гатель Ди́зеля, ди́зель (*тж.* ~ engine, ~ motor)

dieses ['daɪəsi:z] *pl от* diesis

diesinker ['daɪ,sɪŋkə] *n* инструментáльщик по штáмпам

Dies irae [,di:eɪz'ɪəraɪ] *лат.* *n рел.* Сýдный день

diesis ['daɪəsɪs] *n* (*pl* -eses) *полигр.* знак снóски в ви́де двойнóго крéстика

dies non [,daɪi:z'nɒn] *лат.* *n юр.* неприсýтственный день

diestock ['daɪstɒk] *n тех.* клупп

diet I ['daɪət] **1.** *n* 1) пи́ща, питáние, стол; simple ~ простóй стол 2) диéта; to be on ~ быть на диéте; a milk-free ~ диéта с исключéнием молокá 3) предпи́санный распоря́док *или* режи́м

2. *v* держáть на диéте; to ~ oneself соблюдáть диéту

diet II ['daɪət] *n* 1) парлáмент (*неанглийский*) 2) конферéнция, конгрéсс 3) *шотл.* одноднéвное заседáние

dietary ['daɪətərɪ] **1.** *n* 1) диéта 2) паёк

2. *a* дие(те)ти́ческий

dietetic [,daɪə'tetɪk] *a* дие(те)ти́ческий

dietetics [,daɪə'tetɪks] *n pl* (*употр. как sing*) диетéтика

dietitian [,daɪə'tɪʃn] *n* диетврáч; диетсестрá

dif- [dɪf-] = dis-

differ ['dɪfə] *v* 1) различáться; отличáться (*часто* ~ from) 2) не соглашáться, расходи́ться (from, with); ссóриться; to ~ in opinion расходи́ться во мнéниях; I beg to ~ извини́те, но я с вáми не соглáсен; let's agree to ~ пусть кáждый остáнется при своём мнéнии

difference ['dɪfrəns] **1.** *n* 1) рáзница; разли́чие; it makes no ~ нет никакóй рáзницы; э́то не имéет значéния; it makes all the ~ in the world э́то существéнно меня́ет дéло; э́то óчень вáжно 2) отличи́тельный при́знак 3) *мат.* рáзность 4) разноглáсие, расхождéние во мнéниях; ссóра; to settle the ~s улáдить спор; to iron out the ~s сглáдить, устрани́ть разноглáсия; to have ~s ссóриться, расходи́ться во мнéниях ◇ to split the ~ а) раздели́ть пóровну остáток; б) идти́ на компроми́сс

2. *v* 1) отличáть; служи́ть отличи́тельным при́знаком 2) *мат.* вычисля́ть рáзность

different ['dɪfrənt] *a* 1) другóй, не такóй; несхóдный; непохóжий; отли́чный (from, to); this is ~ from what he said э́то не соотвéтствует томý, что он говори́л; that is quite ~ э́то совсéм другóе дéло 2) разли́чный, рáзный; a lot of ~ things мнóго рáзных вещéй 3) *разг.* необы́чный

differentia [,dɪfə'renʃɪə] *n* (*pl* -ae) отличи́тельное свóйство ви́да *или* клáсса

differentiae [,dɪfə'renʃɪi:] *pl от* differentia

differential [,dɪfə'renʃl] **1.** *n* 1) рáзница в оплáте трудá квалифици́рованных и неквалифици́рованных рабóчих однóй óтрасли *или* рабóчих рáзных отраслéй промы́шленности 2) *ж.-д.* рáзница в стóимости проéзда в однó и то же мéсто рáзными маршрýтами 3) *мат.*, *тех.* дифференциáл

2. *a* 1) отличи́тельный 2) дифференци́рованный 3) *мат.* дифференциáльный; ~ gear *тех.* дифференциáльная передáча, дифференциáл 4) *эк.* дифференциáльный; ~ rent дифференциáльная рéнта; ~ rate бóлее ни́зкая оплáта проéзда

differentiate [,dɪfə'renʃɪeɪt] *v* 1) различáть(ся), отличáть(ся); to ~ one from another отличáть однó от другóго 2) видоизменя́ться, дифференци́роваться 3) *мат.* дифференци́ровать

differentiation [,dɪfərenʃɪ'eɪʃn] *n* 1) дифференциáция 2) дифференци́рование, различéние 3) видоизменéние

differently ['dɪfrəntlɪ] *adv* различно, по-рáзному; по-инóму; и́наче; now he thinks quite ~ about it тепéрь он совсéм другóго мнéния об э́том

difficult ['dɪfɪklt] *a* 1) трýдный; тяжёлый 2) затрудни́тельный, неприя́тный 3) трéбовательный; оби́дчивый; неужи́вчивый; ~ person тяжёлый человéк; трýдный субъéкт

difficulty ['dɪfɪkltɪ] *n* 1) трýдность; the difficulties of English трýдности в изучéнии англи́йского языкá; to find ~ in doing smth. столкнýться с трýдностями в чём-л. 2) препя́тствие, затруднéние; to put difficulties in the way стáвить препя́тствия на пути́; to overcome difficulties преодолевáть трýдности, препя́тствия; to make (*или* to raise) difficulties чини́ть препя́тствия 3) *pl* затруднéния (*материальные*); I am in difficulties for money я испы́тываю дéнежные затруднéния

diffidence ['dɪfɪdəns] *n* неувéренность в себé; застéнчивость, рóбость

diffident ['dɪfɪdənt] *a* неувéренный в себé; застéнчивый, рóбкий

diffract [dɪ'frækt] *v опт.* дифраги́ровать, преломля́ть (*лучи*)

diffraction [dɪ'frækʃn] *n опт.* дифрáкция, преломлéние (*лучей*)

diffuse 1. *a* [dɪ'fju:s] 1) рассéянный (*о свете и т. п.*) 2) распространённый, разбрóсанный 3) многослóвный, расплы́вчатый

2. *v* [dɪ'fju:z] 1) рассéивать (*свет, тепло и т. п.*) 2) распространя́ть; to ~ learning (*или* knowledge) распространя́ть знáния 3) распыля́ть; рассыпáть, разбрáсывать 4) *физ.* диффунди́ровать (*о газах и жидкостях*)

diffused light [dɪ'fju:zdlaɪt] *n* рассéянный свет

diffusible [dɪ'fju:zəbl] *a физ.* спосóбный к распространéнию *или* к диффýзии

diffusion [dɪ'fju:ʒn] *n* 1) распространéние 2) многословие 3) *физ.* рассéивание, диффýзия

dig [dɪg] **1.** *v* (dug, *уст.* digged [-d]) 1) копáть, рыть; выкáпывать, раскáпывать (*тж.* ~ out) 2) откáпывать, разыскивать; докáпываться; to ~ the truth out of smb. вы́удить прáвду у когó-л.; to ~ for information откáпывать свéдения 3) вонзáть, ты́кать, толкáть (*обыкн.* ~ in); to ~ smb. in the ribs толкнýть когó-л. в бок 4) *sl.* ценить, понимáть 5) *амер. разг.* усéрдно долбить, зубрить ▭ ~ **for** искáть; ~ **from** выкáпывать; ~ **in**, ~ **into** а) зарывáть; to ~ oneself in окáпываться; б) вонзáть (*шпоры, нож и т. п.*); ~ **out** а) выкáпывать, раскáпывать (of); б) *амер. разг.* внезáпно покидáть; поспéшно уходить, уезжáть; ~ **through** прокопáть, проры́ть; ~ **up** а) вы́рыть; б) вскопáть (*землю*); в) *разг.* вы́копать, разыскáть; докопáться; г) *амер. разг.* наскрести определённую сýмму; д) *амер. разг.* получить (*деньги*)

2. *n* 1) толчóк, тычóк 2) *разг.* кóлкость, насмéшка; to have a ~ at smb. зло посмеяться над кем-л. 3) *pl разг.* берлóга, норá (*о своей комнате или квартире*) 4) *амер. разг.* прилéжный студéнт

digamy ['dɪgəmɪ] *n* вторóй брак; двоебрáчие

digastric [daɪ'gæstrɪk] *анат.* **1.** *a* двубрю́шный (*о мышцах*)

2. *n* двубрю́шная мы́шца (*челюсти*)

digest 1. *n* ['daɪdʒest] 1) сбóрник (*материалов*); спрáвочник; резюмé; компéндиум, крáткое изложéние (*законов*); крáткий сбóрник решéний судá; крáткий обзóр периодической литератýры 2) (the D.) Юстиниáновы дигéсты, пандéкты

2. *v* [daɪ'dʒest] 1) перевáривать(ся) (*о пище*); this food ~s well эта пища хорошó перевáривается, легкó усвáивается 2) усвáивать; to read, mark and inwardly ~ хорошó усвáивать прочитанное; to ~ the events разобрáться в собы́тиях 3) приводить в систéму, классифицировать; составлять индекс 4) терпéть, переноси́ть 5) вывáривать(ся); выпáривать(ся); настáивать(ся) 6) *с.-х.* приготовлять компóст

digester [daɪ'dʒestə] *n* 1) срéдство, способствующее пищеварéнию 2) герметически закрывáющийся сосýд для вáрки; кастрю́ля-скоровáрка 3) *тех.* автоклáв

digestibility [daɪ,dʒestə'bɪlətɪ] *n* удобоварúмость

digestible [daɪ'dʒestəbl] *a* удобовари́мый, легкó усвáиваемый

digestion [daɪ'dʒestʃən] *n* 1) пищеварéние 2) усвоéние (*знаний и т. п.*)

digestive [daɪ'dʒestɪv] **1.** *n* срéдство, способствующее пищеварéнию

2. *a* 1) пищевари́тельный 2) способствующий пищеварéнию

digger ['dɪgə] *n* 1) землекóп 2) экскавáтор; землерóйная маши́на; копáтель, копáлка; potato ~ картофелекопáлка 3) горнорабóчий; углекóп, отбóйщик; золотоискáтель 4) *разг.* австрали́ец *или* новозелáндец; австрали́йский *или* новозелáндский солдáт 5) (Diggers) *pl* индéйское плéмя, питáющееся корéньями (*в Сев. Калифорнии*) 6) (Diggers) *pl ист.* ди́ггеры (*участники аграрного движения в эпоху англ. буржуазной революции XVII в.*) 7) *pl* рóющие óсы

digging ['dɪgɪŋ] **1.** *pres. p. от* dig 1

2. *n* 1) копáние, рытьё; земляны́е рабóты 2) *pl* рудни́к, копь; золоты́е при́иски 3) добы́ча (*полезных ископаемых*) 4) *pl* раскóпки 5) *pl разг.* жили́ще, жильё; «норá» 6) *pl амер. разг.* райóн, мéстность

digit ['dɪdʒɪt] *n* 1) *мат.* однозначное числó (*от 0 до 9*) 2) *анат.*, *зоол.* пáлец 3) ширинá пáльца (*как мера*; = *3/4 дюйма*)

digital ['dɪdʒɪtl] **1.** *a* 1) цифровóй; ~ computer цифровáя вычисли́тельная маши́на 2) пальцеви́дный, пальцеобрáзный

2. *n* 1) пáлец 2) клáвиша

digitalis [,dɪdʒɪ'teɪlɪs] *n бот.*, *мед.* дигитáлис, наперстя́нка

digitate ['dɪdʒɪtət] *a* 1) *зоол.* имéющий развиты́е пáльцы 2) *бот.* пáльчатый

digitated ['dɪdʒɪteɪtɪd] = digitate

digitise, digitize ['dɪdʒɪtaɪz] *v вчт.* преобразóвывать в цифровýю фóрму

dignified ['dɪgnɪfaɪd] **1.** *p. p. от* dignify

2. *a* 1) обладáющий чýвством сóбственного достóинства 2) вели́чественный; величáвый 3) достóйный (*о человеке*)

dignify ['dɪgnɪfaɪ] *v* 1) придавáть достóинство; облагорáживать 2) удостáивать 3) величáть, удостáивать и́мени; he dignifies his few books by the name of library он именýет свои́ нéсколько книг библиотéкой

dignitary ['dɪgnətərɪ] *n* санóвник, лицó, занимáющее высóкий пост (*особ. церковный*)

dignity ['dɪgnətɪ] *n* 1) достóинство; чýвство сóбственного достóинства; to stand on one's ~ держáть себя́ с больши́м достóинством; beneath one's ~ ни́же своегó достóинства 2) звáние, сан, ти́тул; to confer the ~ of a peerage дать звáние пэ́ра 3) *собир.* ли́ца высóкого звáния; знать

digraph ['daɪgrɑ:f] *n* диграф

digress [daɪ'gres] *v* отступáть; отвлекáться, отклоня́ться (*от темы и т. п.*)

digression [daɪ'greʃn] *n* 1) отступлéние, отклонéние (*от темы*) 2) *астр.* угловóе расстоя́ние (планéты) от Сóлнца

digressive [daɪ'gresɪv] *a* отклоня́ющийся, отступáющий (*от темы и т. п.*)

dihedral [daɪ'hi:drəl] *мат.* **1.** *a* образýемый двумя́ пересекáющимися плоскостя́ми; ~ angle двугрáнный ýгол

2. *n* = dihedral angle [*см.* 1]

dike [daɪk] **1.** *n* 1) дáмба; плоти́на; гать 2) стóчная канáва, ров 3) дернóвая *или* кáменная огрáда 4) прегрáда, препя́тствие 5) *австрал. sl.* убóрная 6) *геол.* дáйка

2. *v* 1) защищáть дáмбой 2) окáпывать рвом 3) осушáть (*местность*) канáвами 4) мочи́ть (*лён, пеньку*) в канáвах

diktat ['dɪktæt] *n* диктáт

dilapidate [dɪ'læpɪdeɪt] *v* 1) приходи́ть *или* приводи́ть в упáдок; разрушáть(ся); ломáть(ся); развáливаться 2) *уст.* растрáтить, промотáть

dilapidated [dɪ'læpɪdeɪtɪd] **1.** *p. p. от* dilapidate

2. *a* 1) полуразрýшенный, полуразвали́вшийся; вéтхий 2) неопря́тный, неря́шливо одéтый

dilapidation [dɪ,læpɪ'deɪʃn] *n* 1) полуразрýшенное состоя́ние; обветшáние; упáдок 2) приведéние в полуразрýшенное состоя́ние

dilatable [daɪ'leɪtəbl] *a* спосóбный расширя́ться, растяжи́мый

dilatation [,daɪleɪ'teɪʃn] *n* 1) расширéние 2) *мед.* расширéние óргана

dilate [daɪ'leɪt] *v* 1) расширя́ть(ся); with ~d eyes с широкó раскры́тыми глазáми 2) распространя́ться; to ~ upon smth. прострáнно говори́ть о чём-л.

dilation [daɪ'leɪʃn] = dilatation

dilative [daɪ'leɪtɪv] *a* расширя́ющий(ся)

dilator [daɪ'leɪtə] *n* 1) расширя́ющая мы́шца 2) *мед.* расшири́тель

dilatory ['dɪlətərɪ] *a* 1) мéдленный 2) медли́тельный; оття́гивающий (*время*) 3) запоздáлый

dilemma [dɪ'lemə] *n* дилéмма; затрудни́тельное положéние; to be put into a ~, to be in a ~ стоя́ть пéред дилéммой ◇ to be on the horns of a ~ быть вы́нужденным выбирáть из двух зол

dilettante [,dɪlə'tæntɪ] **1.** *n* (*pl* -ti) дилетáнт, люби́тель

2. *a* дилетáнтский, люби́тельский

dilettanti [,dɪlə'tænti:] *pl от* dilettante

dilettantism [,dɪlə'tæntɪzəm] *n* дилетáнтство, дилетанти́зм

diligence I ['dɪlɪdʒəns] *n* прилежáние, усéрдие, старáние

diligence II ['dɪlɪdʒəns] *n ист.* дилижáнс

diligent ['dɪlɪdʒənt] *a* 1) прилéжный, усéрдный, старáтельный 2) *разг.* тщáтельно вы́полненный

dill I [dɪl] *n* укрóп

dill II [dɪl] *n австрал. sl.* дýрень

dilly I ['dɪlɪ] *n разг.* прéлесть, чýдо

dilly II ['dɪlɪ] *a австрал. sl.* придуркова́тый, глýпый

dillydally ['dɪlɪdælɪ] *v разг.* колебáться; мéшкать, теря́ть врéмя в нереши́тельности

diluent ['dɪljʊənt] **1.** *n спец.* разбави́тель, разжижи́тель

2. *a* разжижáющий, растворя́ющий

dilute [daɪ'lu:t] 1. *v* 1) разжижа́ть, разбавля́ть, разводи́ть; разрежа́ть 2) обескро́вливать, выхола́щивать (*теорию, программу и т. п.*) ◇ to ~ labour заменя́ть квалифици́рованных рабо́чих неквалифици́рованными

2. *a* 1) разведённый, разба́вленный 2) бле́дный, линя́лый (*о цвете*)

dilutee [,daɪlu:'ti:] *n* малоквалифици́рованный рабо́чий, при́нятый на заво́д в связи́ с расшире́нием произво́дства

dilution [daɪ'lu:ʃn] *n* 1) разжиже́ние, разведе́ние, растворе́ние 2) ослабле́ние ◇ ~ of labour заме́на квалифици́рованных рабо́чих неквалифици́рованными

diluvial [daɪ'lu:vɪəl] *a геол.* дилювиа́льный

diluvium [daɪ'lu:vɪəm] *n геол.* дилю́вий

dim [dɪm] 1. *a* 1) ту́склый; нея́сный; ~ room тёмная ко́мната 2) ма́товый 3) сму́тный, тума́нный; потускне́вший; the inscription is ~ на́дпись неразбо́рчива, стёрлась; ~ recollection сму́тное воспомина́ние; ~ idea сму́тное представле́ние 4) *разг.* тупо́й, бестолко́вый 5) сла́бый (*о зрении; об интеллекте*) 6) с нея́сным созна́нием ◇ to take a ~ view of smth. смотре́ть на что-л. скепти́чески *или* пессимисти́чески

2. *v* потускне́ть; де́лать(ся) ту́склым, затума́нивать(ся) ▭ ~ out затемня́ть

dime [daɪm] *n амер., канад.* 1) моне́та в 10 це́нтов 2) *attr.* дешёвый; ~ novel дешёвый бульва́рный рома́н ◇ not to care a ~ ≅ ни в грош не ста́вить; наплева́ть

dimension [daɪ'menʃn] 1. *n* 1) измере́ние; of three ~s трёх измере́ний 2) *pl* разме́ры, величина́; объём; протяже́ние; scheme of vast ~s план огро́мной ва́жности, огро́много разма́ха

2. *v* проставля́ть разме́ры; соблюда́ть ну́жные разме́ры

dimensional [daɪ'menʃnəl] *a* име́ющий измере́ние; простра́нственный

-dimensional [-daɪ'menʃnəl] *в сложных словах означает* име́ющий *столько-то* измере́ний; *напр.*: one-~ одного́ измере́ния

dimer ['daɪmə] *n хим.* диме́р

dimerous ['dɪmərəs] *a бот., зоол.* двучле́нный

dimeter ['dɪmɪtə] *n стих.* двухсто́пный разме́р

dimethyl [daɪ'meθɪl] *n хим.* эта́н

dimidiate 1. *a* [dɪ'mɪdɪət] разделённый на две ра́вные ча́сти

2. *v* [dɪ'mɪdɪeɪt] дели́ть попола́м, дели́ть на две ча́сти

diminish [dɪ'mɪnɪʃ] *v* 1) уменьша́ть(ся), убавля́ть(ся) 2) ослабля́ть 3) унижа́ть

diminished [dɪ'mɪnɪʃt] 1. *p. p. от* diminish

2. *a* 1) уме́ньшенный; ~ arch *архит.* сжа́тая, пло́ская а́рка; ~ column су́живающаяся кве́рху коло́нна 2) уни́женный; to hide one's ~ head стыди́ться, смуща́ться

diminuendo [dɪ,mɪnjʊ'endəʊ] *n, adv муз.* диминуэ́ндо

diminution [,dɪmɪ'nju:ʃn] *n* 1) уменьше́ние; сокраще́ние; убавле́ние 2) *архит.* суже́ние коло́нны 3) *муз.* повторе́ние те́мы но́тами полови́нной *или* четвертно́й дли́тельности

diminutival [dɪ'mɪnjʊtɪvl] *грам.* 1. *a* уменьши́тельный

2. *n* уменьши́тельный су́ффикс

diminutive [dɪ'mɪnjʊtɪv] 1. *a* 1) ма́ленький, миниатю́рный 2) *грам.* уменьши́тельный

2. *n грам.* уменьши́тельное сло́во; уменьши́тельный су́ффикс

dimity ['dɪmətɪ] *n* канифа́с, ткань для занаве́сок, покрыва́л *и т. п.*

dimmer ['dɪmə] *n эл.* 1) реоста́т для регули́рования си́лы све́та ла́мпы 2) *амер. pl* бли́жний свет фар

dimmish ['dɪmɪʃ] *a* тусклова́тый, нея́сный

dimness ['dɪmnəs] *n* ту́склость *и пр.* [*см.* dim 1]

dimorphic [daɪ'mɔ:fɪk] *a спец.* димо́рфный, могу́щий существова́ть в двух фо́рмах

dimorphism [daɪ'mɔ:fɪzəm] *n спец.* диморфи́зм

dimorphous [daɪ'mɔ:fəs] = dimorphic

dimout ['dɪmaʊt] *n* части́чное затемне́ние, светомаскиро́вка

dimple ['dɪmpl] 1. *n* 1) я́мочка (*на щеке, подбородке*) 2) рябь (*на воде*) 3) впа́дина

2. *v* покрыва́ться ря́бью

dimply ['dɪmplɪ] *a* 1) покры́тый я́мочками 2) подёрнутый ря́бью (*о воде*)

dimwit ['dɪmwɪt] *n разг.* неу́мный челове́к, дура́к

dim-witted [,dɪm'wɪtɪd] *a разг.* тупо́й, неу́мный

din [dɪn] 1. *n* шум; гро́хот

2. *v* 1) назо́йливо повторя́ть; to ~ smth. into smb.'s ears (head) прожужжа́ть кому́-л. у́ши (вдалбливать кому́-л. в го́лову) 2) шуме́ть, грохота́ть; оглуша́ть 3) гуде́ть, звене́ть в уша́х

dinar ['di:nɑ:] *n* дина́р (*денежная единица Иордании, Ирака, Ирана и др. стран*)

dine [daɪn] *v* 1) обе́дать, to ~ out обе́дать не до́ма; to ~ on smth. пообе́дать чем-л. 2) угоща́ть обе́дом, дава́ть обе́д; he ~d me handsomely он угости́л меня́ прекра́сным обе́дом 3): this table (this room) ~s twelve comfortably за э́тим столо́м (в э́той ко́мнате) вполне́ мо́гут обе́дать двена́дцать челове́к ◇ to ~ with Duke Humphrey *шутл.* оста́ться без обе́да

diner ['daɪnə] *n* 1) обе́дающий 2) челове́к, ча́сто обе́дающий вне до́ма 3) ваго́н-ресторА́н 4) *амер.* небольшо́й рестора́нчик

dinette [daɪ'net] *n* небольша́я столо́вая; обе́денный уголо́к (*кухни или комнаты; в маленькой квартире*)

ding [dɪŋ] 1. *n* звон ко́локола

2. *v* (dinged [-d], dung) 1) звене́ть (*о металле и т. п.*) 2) назо́йливо повторя́ть

dingdong ['dɪŋdɒŋ] 1. *n* 1) динг-до́нг, динь-до́н (*о перезвоне колоколов*) 2) моното́нное повторе́ние 3) приспособле́ние в часа́х, отбива́ющее ка́ждую че́тверть

2. *a* 1) звеня́щий 2) череду́ющийся; ~ fight (упо́рный) бой с переме́нным успе́хом

3. *adv* с упо́рством, серьёзно

dinghy ['dɪŋɪ] *n* 1) кора́бельная шлю́пка 2) прогу́лочная ло́дка, я́лик 3) надувна́я рези́новая ло́дка

dingle ['dɪŋgl] *n* глубо́кая лощи́на

dingle-dangle [,dɪŋgl'dæŋgl] 1. *n* кача́ние взад и вперёд

2. *adv* кача́ясь

dingo ['dɪŋgəʊ] *n* (*pl* -oes [-əʊz]) *зоол.* ди́нго

dingy ['dɪndʒɪ] *a* 1) тёмный, гря́зный (*от сажи, пыли*); закопте́лый 2) ту́склый, вы́цветший 3) пло́хо оде́тый, обтрёпанный 4) сомни́тельный (*о репутации*)

dining car ['daɪnɪŋkɑ:] *n* ваго́н-рестора́н

dining room ['daɪnɪŋru:m] *n* столо́вая

dinkey ['dɪŋkɪ] *n амер.* небольшо́й паро́воз, «куку́шка»

dinky ['dɪŋkɪ] *a разг.* 1) привлека́тельный; наря́дный, изя́щный 2) *амер.* пустяко́вый, несуще́ственный

dinner ['dɪnə] *n* 1) обе́д; to have (*или* to take) ~ обе́дать; to give a ~ устра́ивать зва́ный обе́д 2) *attr.* обе́денный; ~ break обе́денный переры́в; ~ companion сотрапе́зник ◇ ~ without grace ≅ бра́чные отноше́ния до бра́ка; after ~ comes the reckoning *посл.* ≅ лю́бишь ката́ться, люби́ и са́ночки вози́ть

dinner bell ['dɪnəbel] *n* звоно́к к обе́ду

dinner jacket ['dɪnə,dʒækɪt] *n* смо́кинг

dinner-pail ['dɪnəpeɪl] *n* су́дки

dinner party ['dɪnə,pɑ:tɪ] *n* зва́ный обе́д; го́сти к обе́ду

dinner service, dinner set ['dɪnə,sɜ:vɪs, -set] *n* обе́денный серви́з, обе́денный прибо́р

dinner-time ['dɪnətaɪm] *n* вре́мя (*или* час) обе́да

dinner-wagon ['dɪnə,wægən] *n* (серви́ровочный) сто́лик (*на колёсиках*)

dinosaur ['daɪnəsɔ:] *n* диноза́вр

dint [dɪnt] 1. *n* 1) след от уда́ра; вмя́тина 2): by ~ of (*употр. как prep*) посре́дством, путём

2. *v* оставля́ть след, вмя́тину

diocesan [daɪ'ɒsɪsən] 1. *a* епархиа́льный

2. *n* епи́скоп (*иногда* свяще́нник *или* прихожа́нин) да́нной епа́рхии

diocese ['daɪəsɪs] *n* епа́рхия

diode ['daɪəʊd] *n радио* дио́д

dioecious [daɪ'i:ʃəs] *n* 1) *бот.* двудо́мный 2) *зоол.* раздельнопо́лый

Dionysiacs [,daɪə'nɪzɪæks] *n pl* диони́сии, пра́здненства в честь бо́га Диони́са (*в Древней Греции*)

diopter [daɪ'ɒptə] *амер.* = dioptre

dioptre [daɪ'ɒptə] *n* 1) дио́птрия 2) дио́птр (*визирный прибор*)

dioptric [daɪ'ɒptrɪk] *a* диоптри́ческий, преломля́ющий

dioptrics [daɪ'ɒptrɪks] *n pl* (*употр. как sing*) дио́птрика

diorama [,daɪə'rɑ:mə] *n иск.* диора́ма

dioxide [daɪ'ɒksaɪd] *n хим.* двуо́кись

dip [dɪp] **1.** *n* 1) погруже́ние (*в жидкость*); to take (*или* to have) a ~ (in the sea) окуну́ться в мо́ре 2) жи́дкость, раство́р (*для крашения, очистки металла, для уничтожения паразитов на овцах и т. п.*) 3) окуна́ние, купа́ние 4) приспу́щенное положе́ние фла́га 5) укло́н, отко́с 6) впа́дина, углубле́ние 7) со́ус, подли́вка 8) наклоне́ние ви́димого горизо́нта 9) наклоне́ние магни́тной стре́лки 10) *геол.* паде́ние (*жилы, пласта*) 11) *sl.* вор-карма́нник 12) ма́каная свеча́ (*тж.* farthing ~, ~ candle) 13) *ав.* ре́зкое паде́ние высоты́ (*самолёта*)

2. *v* (dipped [-t], dipt) 1) погружа́ть(ся); окуна́ть(ся); ныря́ть; to ~ one's fingers in water обма́кивать па́льцы в во́ду; to ~ a pen into ink обмакну́ть перо́ в черни́ла 2) спуска́ться, опуска́ться; the sun ~s below the horizon со́лнце скрыва́ется за горизо́нт; the road ~s доро́га спуска́ется по́д гору 3) па́дать (*о ценах, доходах*) 4) пове́рхностно, невнима́тельно просма́тривать (into); to ~ into a book просмотре́ть кни́гу 5) погружа́ться (*в изучение, исследование*); пыта́ться вы́яснить что-л.; to ~ (deep) into the future загляну́ть в бу́дущее 6) че́рпать (*тж.* ~ out) 7) наклоня́ть (*голову при приветствии*) 8) спуска́ть (*парус*); салютова́ть (*флагом*) 9) опуска́ть в осо́бый раство́р; to ~ candles де́лать ма́каные све́чи; to ~ a dress кра́сить, перекра́шивать пла́тье; to ~ sheep купа́ть ове́ц в дезинфици́рующем раство́ре 10) *разг.* запу́тывать (*в долгах*) 11) *геол.* па́дать, понижа́ться (*о пластах*) 12) *ав.* ре́зко теря́ть высоту́ (*о самолёте*) □ ~ **out**, ~ **up** выче́рпывать ◇ to ~ into one's pocket (*или* purse) раскоше́ливаться; to ~ in the gravy прикарма́нить обще́ственные де́ньги; to ~ one's pen in gall зло, жёлчно писа́ть (*о чём-л.*)

diphasic [daɪ'feɪzɪk] *a эл.* двухфа́зный

diphtheria [dɪf'θɪərɪə] *a мед.* дифтери́я, дифтери́т

diphtheric, diphtheritic [dɪf'θerɪk, ,dɪfθə'rɪtɪk] *a мед.* дифтери́тный

diphthong ['dɪfθɒŋ] *n фон.* дифто́нг

diphthongal [dɪf'θɒŋgl] *a фон.* дифтонги́ческий

diphthongize ['dɪfθɒŋgaɪz] *v фон.* дифтонгизи́ровать; произноси́ть как дифто́нг

diploma [dɪ'pləʊmə] *n* 1) дипло́м; свиде́тельство; ~ in architecture дипло́м архите́ктора 2) официа́льный докуме́нт

diplomacy [dɪ'pləʊməsɪ] *n* 1) диплома́тия 2) дипломати́чность, такт

diplomaed [dɪ'pləʊməd] *a* име́ющий *или* получи́вший дипло́м, дипломи́рованный

diplomat ['dɪpləmæt] *n* диплома́т

diplomate ['dɪpləmeɪt] *n* (*обыкн. амер.*) дипломи́рованный специали́ст, *особ.* врач

diplomatic [,dɪplə'mætɪk] *a* 1) дипломати́ческий; ~ body (*или* corps) дипломати́ческий ко́рпус; ~ bag (*или* pouch) мешо́к с дипломати́ческой по́чтой, дипломати́ческая по́чта 2) дипломати́чный, builtins такти́чный; уклончи́вый; be ~ диплома́тничать 3) тексту́альный, буква́льный; ~ copy то́чная ко́пия

diplomatics [,dɪplə'mætɪks] *n pl* (*употр. как sing*) 1) дипломати́ческое иску́сство 2) диплома́тика (*отдел палеографии*)

diplomatist [dɪ'pləʊmətɪst] = diplomat

dip-needle ['dɪp,ni:dl] *n* магни́тная стре́лка

dip net ['dɪpnet] *n* рыболо́вный сачо́к

dipnoi ['dɪpnɔɪ] *n pl зоол.* двоякоды́шащие (ры́бы)

dipolar [daɪ'pəʊlə] *a* име́ющий два по́люса

dipper ['dɪpə] *n* 1) ковш; черпа́к 2) *пренебр.* анабапти́ст; бапти́ст 3) кра́сильщик 4) оля́пка (*птица*) 5): the (Big) D. *амер.* Больша́я Медве́дица; the Little D. *амер.* Ма́лая Медве́дица 6) *геол.* нисходя́щий сброс

dipping ['dɪpɪŋ] **1.** *pres. p. от* dip 2

2. *n* погруже́ние, мака́ние; окуна́ние

dipping-needle ['dɪpɪŋ,ni:dl] = dip-needle

dippy ['dɪpɪ] *a разг.* рехну́вшийся, сумасше́дший

dipso ['dɪpsəʊ] *n разг.* алка́ш, алкого́лик

dipsomania [,dɪpsəʊ'meɪnɪə] *n мед.* алкоголи́зм

dipsomaniac [,dɪpsəʊ'meɪnɪæk] *n* алкого́лик, запо́йный пья́ница

dipstick ['dɪpstɪk] *n тех.* указа́тель у́ровня

dipt [dɪpt] *past и p. p. от* dip 2

dipteral ['dɪptərəl] **1.** *a* 1) *архит.* окружённый по́ртиком с двумя́ ряда́ми коло́нн 2) = dipterous

2. *n архит.* зда́ние с двумя́ кры́льями; гре́ческий храм, окружённый двумя́ ряда́ми коло́нн

dipterous ['dɪptərəs] *a зоол., бот.* двукры́лый

diptych ['dɪptɪk] *n* 1) *церк.* ди́птих; двуство́рчатый скла́день 2) *ист.* ди́птих (*вощёные дощечки для письма*)

dire ['daɪə] *a* 1) ужа́сный, стра́шный 2) по́лный, кра́йний; ~ necessity жесто́кая необходи́мость, нужда́; ~ plight ужа́сное положе́ние

direct [də'rekt] **1.** *a* 1) прямо́й; ~ road пряма́я доро́га 2) прямо́й, откры́тый; я́сный; правди́вый; ~ answer прямо́й, неукло́нчивый отве́т 3) прямо́й, непосре́дственный, ли́чный; ~ descendant пото́мок по прямо́й ли́нии; ~ influence непосре́дственное влия́ние; ~ drive пряма́я переда́ча; ~ (laying) fire *воен.* ого́нь, стрельба́ прямо́й наво́дкой; ~ hit *воен.* прямо́е попада́ние; ~ pointing *амер. воен.* пряма́я наво́дка 4) по́лный, абсолю́тный; ~ opposite по́лная (диаметра́льная) противополо́жность 5) *грам.* прямо́й; ~ speech пряма́я речь 6) *астр.* дви́жущийся с за́пада на восто́к 7) *эл.* постоя́нный; ~ current постоя́нный ток

2. *adv* пря́мо; непосре́дственно

3. *v* 1) руководи́ть; управля́ть; to ~ a business руководи́ть предприя́тием, фи́рмой 2) прика́зывать; do as you are ~ed де́лайте, как вам прика́зано 3) адресова́ть; to ~ a parcel адресова́ть посы́лку 4) ука́зывать доро́гу; can you ~ me to the post office? не ска́жете ли вы мне, как пройти́ на по́чту? 5) наце́ливать(ся) 6) направля́ть; to ~ one's remarks (efforts, attention) (to) направля́ть свои́ замеча́ния (уси́лия, внима́ние) (на); to ~ one's eyes обрати́ть свой взор; to ~ one's steps направля́ться 7) предска́зывать, побужда́ть, направля́ть; duty ~s my actions все́ми мои́ми посту́пками руководи́т чу́вство до́лга 8) *театр.* ста́вить (*спектакль, фильм*); режисси́ровать 9) дирижи́ровать (*оркестром, хором*)

direction [də'rekʃn] *n* 1) руково́дство, управле́ние; to work under the ~ of smb. рабо́тать под руково́дством кого́-л. 2) (*часто pl*) указа́ние; инстру́кция, пра́вила по́льзования; распоряже́ние; at the ~ по указа́нию, по распоряже́нию; to give ~s отдава́ть распоряже́ния 3) *pl* директи́вы 4) направле́ние; in the ~ of по направле́нию к 5) а́дрес (*на письме и т. п.*) 6) сфе́ра, о́бласть; there is a marked improvement in many ~s произошло́ заме́тное улучше́ние во мно́гих областя́х; new ~s of research но́вые пути́ иссле́дования 7) дире́кция; правле́ние 8) *театр.* постано́вка (*спектакля, фильма*); режиссу́ра

directional [də'rekʃnəl] *a* напра́вленный, напра́вленного де́йствия; ~ radio напра́вленное ра́дио; радиопеленга́ция; ~ transmitter передаю́щая, радиопеленга́торная ста́нция

direction finder [də'rekʃn,faɪndə] *n* радиопеленга́тор

direction sign [də'rekʃnsaɪn] *n* доро́жный (указа́тельный) знак

directive [də'rektɪv] **1.** *n* директи́ва, указа́ние

2. *a* 1) направля́ющий; ука́зывающий 2) директи́вный

directly [də'rektlɪ] **1.** *adv* 1) неме́дленно; то́тчас; вско́ре 2) непосре́дственно 3) то́чно, по́лностью 4) пря́мо

2. *cj разг.* как то́лько; to get up ~ the bell rings встава́ть по звонку́

director [də'rektə] *n* 1) руководи́тель, нача́льник 2) член правле́ния; дире́ктор; managing ~ замести́тель дире́ктора по администрати́вно-хозя́йственной ча́сти, управля́ющий 3) (кино)режиссёр; постано́вщик 4) *церк.* духовни́к 5) дирижёр (*оркестра, хора*) 6) *воен.* буссо́ль; прибо́р управле́ния артиллери́йским огнём

directorate [də'rektərət] *n* 1) дирéкция, (у)правлéние 2) дирéкторство

directorial [,daırek'tɔ:rıəl] *a* дирéкторский; ~ board правлéние

directorship [də'rektəʃıp] *n* дирéкторство; руковóдство

directory [də'rektərı] **1.** *n* 1) руковóдство, указáтель 2) áдресная кни́га; спрáвочник; telephone ~ телефóнная кни́га 3) *амер.* дирéкция 4) (D.) *ист.* Директóрия 5) *церк.* служéбник

2. *a* директи́вный, содержáщий указáния, инстрýкции

directress [də'rektrəs] *n* директри́са, начáльница учéбного заведéния

directrices [də'rektrısi:z] *pl от* directrix

directrix [də'rektrıks] *n* (*pl* -rices) *геом.* директри́са, направля́ющая ли́ния

direful ['daıəfl] *a книжн.* ужáсный; стрáшный; зловéщий

dirge [dɜ:dʒ] *n* 1) панихи́да 2) погребáльная песнь

dirham ['dıəræm] *n* дирхáм (*денежная единица Марокко и Объединённых Арабских Эмиратов*)

dirigible ['dırıdʒəbl] **1.** *n* дирижáбль

2. *a* управля́емый (*особ. об аэростате*)

diriment ['dırımənt] *a юр.* аннули́рующий; ~ impediment of marriage обстоя́тельство, аннули́рующее брак

dirk [dɜ:k] **1.** *n* 1) кинжáл 2) *мор.* кóртик

2. *v* вонзáть кинжáл

dirndl ['dɜ:ndl] *n* 1) плáтье с ýзким ли́фом и ширóкой ю́бкой 2) ширóкая ю́бка в сбóрку (*тж.* ~ skirt)

dirt [dɜ:t] *n* 1) грязь, сор; нечистóты 2) земля́; пóчва; грунт 3) непристóйные рéчи, брань, оскорблéние; to fling (*или* to throw, to cast) ~ at smb. осыпáть брáнью, порóчить когó-л.; to fling ~ about злослóвить 4) нечистóты 5) непоря́дочность; гáдость; to do smb. ~ сдéлать комý-л. гáдость 6) *геол.* нанóсы; пустáя порóда; включéния; золотосодержáщий песóк 7) *attr.* землянóй; грунтовóй; ~ floor землянóй пол; ~ road грунтовáя дорóга 8) *attr.* мýсорный; ~ wagon *амер.* фургóн для вы́возки мýсора ◇ as cheap as ~ ≅ дешéвле пáреной рéпы; ~ farmer *амер.* фéрмер, ли́чно обрабáтывающий зéмлю; yellow ~ зóлото; to treat smb. like ~ плóхо обращáться с кем-л., пренебрегáть кем-л.

dirt-cheap [,dɜ:t'tʃi:p] *a разг.* óчень дешёвый

dirtily ['dɜ:tılı] *adv* 1) гря́зно 2) ни́зко, бесчéстно

dirtiness ['dɜ:tınəs] *n* 1) грязь; неопря́тность 2) ни́зость, гáдость

dirt track ['dɜ:ttræk] *n* трек с гáревым покры́тием для мотогóнок

dirty ['dɜ:tı] **1.** *a* 1) гря́зный 2) нечéстный; ~ player нечéстный игрóк 3) скабрёзный, неприли́чный; ~ conduct непристóйное поведéние 4) ненáстный, бýрный; ~ weather ненáстная погóда 5) гря́зный (*о цвете*) 6) «гря́зный», даю́щий радиоакти́вные осáдки ◇ ~ work а) нечéстный постýпок; б) тяжёлая, нýдная рабóта; to do smb.'s ~ work for him выполня́ть за когó-л. тяжёлую рабóту

2. *n*: to do the ~ on smb. подложи́ть свинью́ комý-л.

3. *v* загрязня́ть, пáчкать

dis- [dıs-] *pref* 1) *придаёт слову отриц. значение* не-, дез-; obedient послýшный — disobedient непослýшный; to organize организóвывать — to disorganize дезорганизóвывать 2) *указывает на лишение чего-л.*: to disinherit лишáть наслéдства; to disbar лишáть прáва адвокáтской прáктики; to disbranch обрубáть сýчья; dismasted лишённый мачт 3) *указывает на разделение, отделение, рассеяние в разные стороны, разложение на составные части*: to distribute распределя́ть; to dismiss распускáть 4) *усиливает значение отриц. по содержанию слова*: to disannul аннули́ровать

disability [,dısə'bılətı] *n* 1) неспосóбность, беcси́лие; нетрудоспосóбность 2) *юр.* неправоспосóбность 3) неплатёжеспосóбность 4) *attr.*: ~ pension пéнсия по нетрудоспосóбности

disable [dıs'eıbl] *v* 1) дéлать неспосóбным, непригóдным; калéчить 2) *юр.* дéлать неправоспосóбным, лишáть прáва

disabled [dıs'eıbld] **1.** *p. p. от* disable

2. *a* искалéченный; привéдённый в негóдность; ~ soldier (*или* veteran) инвали́д войны́; ~ worker инвали́д трудá

disablement [dıs'eıblmənt] *n* 1) вывéдение из стрóя 2) лишéние трудоспосóбности 3) лишéние прав

disabuse [,dısə'bju:z] *v* выводи́ть из заблуждéния; лишáть иллю́зий ◇ to ~ one's mind перестáть дýмать; вы́бросить из головы́

disaccord [,dısə'kɔ:d] **1.** *n* разноглáсие, расхождéние

2. *v* расходи́ться во взгля́дах

disadvantage [,dısəd'vɑ:ntıdʒ] *n* 1) невы́годное положéние; to be at a ~ быть в невы́годном положéнии; to take smb. at a ~ а) застáть когó-л. врасплóх; б) быть в бóлее вы́годном положéнии, чем кто-л.; to put smb. at a ~ постáвить когó-л. в невы́годное положéние 2) вред, ущéрб; неудóбство; помéха

disadvantaged [,dısəd'vɑ:ntıdʒd] *a* лишённый благоприя́тных услóвий; обделённый, оби́женный

disadvantageous [,dısædvən'teıdʒəs] *a* невы́годный, неблагоприя́тный

disaffected [,dısə'fektıd] *a* 1) нелоя́льный 2) недовóльный

disaffection [,dısə'fekʃn] *n* 1) неприя́знь 2) недовóльство (*особ.* прави́тельством)

disaffirm [,dısə'fɜ:m] *v* 1) *юр.* отменя́ть (*решение*) 2) отрицáть

disafforest [,dısə'fɒrıst] *v* 1) вырубáть лесá 2) *юр.* переводи́ть на положéние обы́чной земли́ (*о бывшей лесной площади*)

disagree [,dısə'gri:] *v* 1) расходи́ться во мнéниях; не соглашáться; I ~ with you я с вáми не соглáсен 2) не лáдить, ссóриться; they ~ они́ ссóрятся 3) не совпадáть, не соотвéтствовать, противорéчить оди́н другóму 4) не подходи́ть, быть противопокáзанным, быть врéдным (*о климате, пище*; with)

disagreeable [,dısə'gri:əbl] **1.** *a* 1) неприя́тный 2) раздражи́тельный, сварли́вый, с дурны́м харáктером

2. *n* (*обыкн. pl*) неприя́тности

disagreement [,dısə'gri:mənt] *n* 1) расхождéние во мнéниях; разноглáсие 2) разлáд, ссóра

disallow [,dısə'laʊ] *v* 1) отвергáть 2) откáзывать; to ~ a claim откáзывать в и́ске 3) запрещáть

disallowance [,dısə'laʊəns] *n* 1) откáз 2) запрещéние

disannul [,dısə'nʌl] *v* отменя́ть, аннули́ровать; пóлностью уничтожáть

disappear [,dısə'pıə] *v* 1) исчезáть; скрывáться 2) пропадáть

disappearance [,dısə'pıərəns] *n* 1) исчезновéние 2) пропáжа

disappoint [,dısə'pɔınt] *v* 1) разочарóвывать; to be ~ed at smth. разочаровáться в чём-л. 2) обмáнывать (*надежды*); расстрáивать (*планы и т. п.*) 3) лишáть; he was ~ed of the prize егó лиши́ли нагрáды

disappointed [,dısə'pɔıntıd] **1.** *p. p. от* disappoint

2. *a* разочарóванный, разочаровáвшийся; огорчённый

disappointing [,dısə'pɔıntıŋ] **1.** *pres. p. от* disappoint

2. *a* неутеши́тельный, разочарóвывающий; печáльный

disappointment [,dısə'pɔıntmənt] *n* 1) причи́на разочаровáния; неприя́тность, досáда 2) разочаровáние; обмáнутая надéжда

disapprobation [,dısæprəʊ'beıʃn] *n* рéзкое неодобрéние; осуждéние

disapprobative, disapprobatory [,dısæprəʊ'beıtıv, -'beıtərı] *a* неодобри́тельный, осуждáющий

disapproval [,dısə'pru:vl] *n* неодобрéние; осуждéние

disapprove [,dısə'pru:v] *v* не одобря́ть; неодобри́тельно относи́ться (of — к)

disapprovingly [,dısə'pru:vıŋlı] *adv* неодобри́тельно

disarm [dıs'ɑ:m] *v* 1) разоружáть(ся) 2) обезорýживать; умиротворя́ть 3) обезврéживать

disarmament [dıs'ɑ:məmənt] *n* разоружéние

disarming [dıs'ɑ:mıŋ] **1.** *pres. p. от* disarm

2. *a* обезорýживающий

disarrange [,dısə'reındʒ] *v* 1) приводи́ть в беспоря́док 2) расстрáивать, дезорганизовáть

disarrangement [,dısə'reındʒmənt] *n* расстрóйство; дезорганизáция

disarray [,dısə'reı] **1.** *n* 1) беспоря́док, смятéние, замешáтельство 2) беспоря́док в одéжде; небрéжный костю́м

2. *v* 1) приводи́ть в беспоря́док, в смяте́ние 2) *поэт.* разоблача́ть, снима́ть оде́жду

disarticulate [ˌdɪsɑːˈtɪkjʊleɪt] *v спец.* разъединя́ть, расчленя́ть

disassemble [ˌdɪsəˈsembl] *v* разбира́ть (*на части*); демонти́ровать

disassociate [ˌdɪsəˈsəʊʃɪeɪt] = dissociate

disaster [dɪˈzɑːstə] *n* бе́дствие, несча́стье; to invite ~ накли́кать беду́

disastrous [dɪˈzɑːstrəs] *a* бе́дственный, ги́бельный

disavow [ˌdɪsəˈvaʊ] *v* 1) отрица́ть; отрека́ться, отка́зываться; отмежёвываться; снима́ть с себя́ отве́тственность 2) *полит.* дезавуи́ровать

disavowal [ˌdɪsəˈvaʊəl] *n* 1) отрица́ние; отрече́ние, отка́з 2) *полит.* дезавуи́рование

disbalance [dɪsˈbæləns] *n* наруше́ние равнове́сия, дисбала́нс

disband [dɪsˈbænd] *v* 1) расходи́ться, рассе́иваться 2) распуска́ть 3) *воен.* расформиро́вывать

disbar [dɪsˈbɑː] *v юр.* лиша́ть зва́ния адвока́та, лиша́ть адвока́тской пра́ктики

disbarment [dɪsˈbɑːmənt] *n юр.* 1) лише́ние адвока́тского зва́ния 2) лише́ние пра́ва выступа́ть в суде́ в ка́честве адвока́та

disbelief [ˌdɪsbɪˈliːf] *n* неве́рие; недове́рие

disbelieve [ˌdɪsbɪˈliːv] *v* 1) не ве́рить; не доверя́ть (in); быть скéптиком 2) быть неве́рующим

disbeliever [ˌdɪsbɪˈliːvə] *n* неве́рующий

disboscation [ˌdɪsbɒsˈkeɪʃn] *n с.-х.* вы́рубка ле́са, превраще́ние лесны́х площаде́й в па́шни

disbranch [dɪsˈbrɑːntʃ] *v* обреза́ть ве́тви; подстрига́ть (*дерево*)

disbud [dɪsˈbʌd] *v* обреза́ть (*лишние*) по́чки

disburden [dɪsˈbɜːdn] *v книжн.* освобожда́ть(ся) от гру́за, тя́жести, бре́мени; облегча́ть ду́шу; to ~ one's mind (of) вы́сказаться, отвести́ ду́шу

disburse [dɪsˈbɜːs] *v* 1) расхо́довать, тра́тить 2) плати́ть; распла́чиваться; опла́чивать

disbursement [dɪsˈbɜːsmənt] *n книжн.* 1) опла́та, вы́плата 2) расхо́ды, издéржки

disc [dɪsk] **1.** *n* 1) диск; круг 2) патефо́нная пласти́нка 3) магни́тный диск (*внешней памяти ЭВМ*) 4) *attr.* ди́сковый, дискообра́зный; ~ coil *радио* пло́ская кату́шка; ~ harrow *с.-х.* ди́сковый культива́тор; ~ valve *тех.* таре́льчатый кла́пан

2. *v* 1) *с.-х.* дискова́ть 2) запи́сывать на пласти́нку

discalced [dɪsˈkælst] *a* босоно́гий (*о члене религиозного ордена*)

discard 1. *n* [ˈdɪskɑːd] 1) что-л. нену́жное, него́дное; брак; to throw into the ~ вы́бросить за нена́добностью 2) сбро́шенная ка́рта 3) сбра́сывание карт

2. *v* [dɪsˈkɑːd] 1) отбра́сывать, выбра́сывать (*за ненадобностью*) 2) отка́зываться (*от прежних взглядов, дружбы и т. п.*) 3) увольня́ть 4) сбра́сывать ка́рту

discarnate [dɪsˈkɑːnət] *a* беспло́тный

discern [dɪˈsɜːn] *v* 1) различа́ть; распознава́ть; разгляде́ть; we ~ed a sail in the distance вдали́ мы уви́дели па́рус; to ~ smb.'s intentions разгада́ть чьи-л. наме́рения 2) отлича́ть; проводи́ть разли́чие; to ~ no difference не ви́деть ра́зницы

discernible [dɪˈsɜːnəbl] *a* ви́димый, различи́мый; заме́тный

discerning [dɪˈsɜːnɪŋ] **1.** *pres. p. от* discern

2. *a* 1) уме́ющий различа́ть, распознава́ть 2) проница́тельный

discernment [dɪˈsɜːnmənt] *n* 1) уме́ние различа́ть, распознава́ть 2) проница́тельность

discharge 1. *n* [ˈdɪstʃɑːdʒ] 1) увольне́ние (*с работы или из армии*) 2) освобожде́ние (*заключённого*) 3) реабилита́ция; оправда́ние (*подсудимого*) 4) рекоменда́ция (*выдаваемая увольняемому*) 5) вы́стрел; залп 6) вытека́ние; спуск, сток; слив 7) выделе́ние (*гноя и т. п.*) 8) де́бит (*воды*) 9) *физиол.* выделя́емое, секре́т 10) упла́та (*долга*) 11) исполне́ние (*обязанностей*); выполне́ние (*обязательств*) 12) *эл.* разря́д 13) разгру́зка 14) *текст., хим.* обесцве́чивание тка́ней; раство́р для обесцве́чивания тка́ней 15) *тех.* выпускно́е отве́рстие; вы́хлоп 16) *attr.*: ~ pipe выпускна́я, отво́дная труба́

2. *v* [dɪsˈtʃɑːdʒ] 1) отпуска́ть, освобожда́ть (*заключённого*) 2) освобожда́ть от обяза́тельств; реабилити́ровать; восстана́вливать в права́х (*банкрота*) 3) увольня́ть, дава́ть расчёт; *воен.* демобилизова́ть; увольня́ть в отста́вку *или* в запа́с 4) выпи́сывать (*из больницы*) 5) вы́пустить заря́д, вы́стрелить 6) выпуска́ть; спуска́ть, вылива́ть; the chimney ~s smoke из трубы́ идёт дым; the wound ~s matter ра́на выделя́ет гной; to ~ oaths разрази́ться бра́нью 7) нести́ свои́ во́ды (*о реке*) 8) выполня́ть (*обязанности*) 9) выпла́чивать (*долги*) 10) *юр.* аннули́ровать (*решение суда*) 11) *эл.* разряжа́ть 12) разгружа́ть; to ~ cargo from a ship разгружа́ть кора́бль 13) расснáщивать (*судно*) 14) *текст., хим.* удаля́ть кра́ску, обесцве́чивать

dischargee [ˌdɪstʃɑːˈdʒiː] *n амер.* уво́ленный из а́рмии, демобилизо́ванный

discharger [ˈdɪstʃɑːdʒə] *n* 1) тот, кто освобожда́ет, разгружа́ет *и пр.* [*см.* discharge 2] 2) *эл.* разря́дник; lightning ~ молниеотво́д 3) пусково́е устро́йство раке́ты

disci [ˈdɪskaɪ] *pl от* discus

disciple [dɪˈsaɪpl] *n* 1) учени́к, после́дователь; сторо́нник 2) *церк.* апо́стол

disciplinarian [ˌdɪsəplɪˈneərɪən] *n* 1) сторо́нник дисципли́ны 2) *ист.* приве́рженец пресвитериа́нства

disciplinary [ˈdɪsəplɪnərɪ] *a* 1) дисциплина́рный, исправи́тельный 2) дисциплини́рующий

discipline [ˈdɪsəplɪn] **1.** *n* 1) дисципли́на, поря́док 2) дисциплини́рованность 3) обуче́ние, трениро́вка 4) дисципли́на (*отрасль знания*) 5) наказа́ние 6) *церк.* епитимья́; умерщвле́ние пло́ти

2. *v* 1) нака́зывать; подверга́ть дисциплина́рному взыска́нию 2) дисциплини́ровать 3) тренирова́ть; *воен.* муштрова́ть

discipular [dɪˈsɪpjʊlə] *a книжн.* учени́ческий

disc jockey [ˈdɪskˌdʒɒkɪ] *n* диск-жоке́й

disclaim [dɪsˈkleɪm] *v* 1) отрека́ться; to ~ responsibility снима́ть с себя́ отве́тственность 2) отрица́ть, не признава́ть 3) *юр.* отка́зываться (*от прав на что-л.*)

disclaimer [dɪsˈkleɪmə] *n* 1) отрече́ние, отка́з 2) *юр.* отка́з (*от права на что-л.*)

disclamation [ˌdɪskləˈmeɪʃn] = disclaimer

disclose [dɪsˈkləʊz] *v* обнару́живать; разоблача́ть; раскрыва́ть

disclosure [dɪsˈkləʊʒə] *n* откры́тие, обнаруже́ние; разоблаче́ние; раскры́тие

disco [ˈdɪskəʊ] *разг.* **1.** *n* (*pl* -os [-əʊz]) дискоте́ка

2. *v* посеща́ть дискоте́ку; танцева́ть под дискоте́чную му́зыку; she ~ed the night away она́ танцева́ла в дискоте́ке всю ночь

discoboli [dɪˈskɒbəlaɪ] *pl от* discobolus

discobolus [dɪˈskɒbələs] *n* (*pl* -li) дискобо́л

discography [dɪˈskɒgrəfɪ] *n* катало́г пласти́нок

discoid [ˈdɪskɔɪd] *a* име́ющий фо́рму ди́ска

discolo(u)r [dɪsˈkʌlə] *v* 1) изменя́ть цвет, окра́ску; обесцве́чивать(ся) 2) па́чкать(ся)

discolo(u)ration [dɪsˌkʌləˈreɪʃn] *n* 1) измене́ние цве́та, обесцве́чивание 2) пятно́; вы́цветшее ме́сто

discomfit [dɪsˈkʌmfɪt] *v* 1) расстра́ивать (*планы и т. п.*) 2) приводи́ть в замеша́тельство 3) *уст.* наноси́ть пораже́ние

discomfiture [dɪsˈkʌmfɪtʃə] *n* 1) расстро́йство пла́нов 2) смуще́ние, замеша́тельство 3) *уст.* пораже́ние (*в бою*)

discomfort [dɪsˈkʌmfət] **1.** *n* 1) неудо́бство; нело́вкость 2) беспоко́йство 3) стеснённое положе́ние

2. *v* причиня́ть неудо́бство; беспоко́ить; затрудня́ть

discommend [ˌdɪskəˈmend] *v* 1) *книжн.* не одобря́ть; порица́ть 2) не рекомендова́ть, отсове́товать

discommode [ˌdɪskəˈməʊd] = discomfort 2

discommodity [ˌdɪskəˈmɒdətɪ] *n* 1) неудо́бство 2) бесполе́зность

discompose [ˌdɪskəmˈpəʊz] *v* расстра́ивать; беспоко́ить; (вз)волнова́ть, (вс)трево́жить

discomposedly [ˌdɪskəmˈpəʊzdlɪ] *adv* беспоко́йно; трево́жно; взволно́ванно

discomposure [ˌdɪskəmˈpəʊʒə] *n* беспоко́йство; волне́ние; замеша́тельство

disconcert [ˌdɪskən'sɜ:t] *v* 1) смущáть; приводи́ть в замешáтельство 2) расстрáивать (*планы*)

disconcerted [ˌdɪskən'sɜ:tɪd] **1.** *p. p. от* disconcert

2. *a* 1) смущённый 2) расстрóенный

disconformity [ˌdɪskən'fɔ:mətɪ] *n* несоотвéтствие

disconnect [ˌdɪskə'nekt] *v* 1) разъединя́ть, разобщáть, расщепля́ть (with, from) 2) *эл.* разъединя́ть; отключáть

disconnected [ˌdɪskə'nektɪd] **1.** *p. p. от* disconnect

2. *a* 1) разъединённый 2) бессвя́зный, отры́вистый

disconnectedly [ˌdɪskə'nektɪdlɪ] *adv* бессвя́зно, отры́висто

disconnection, disconnexion [ˌdɪskə'nekʃn] *n* 1) разъединéние; разобщéние 2) разобщённость 3) *эл.* отключéние

disconsolate [dɪs'kɒnsələt] *a* неутéшный, печáльный; несчáстный

discontent [ˌdɪskən'tent] **1.** *n* недовóльство; неудовлетворённость, досáда

2. *a* недовóльный; неудовлетворённый

3. *v* вызывáть недовóльство; to be ~ed быть недовóльным

discontentedly [ˌdɪskən'tentɪdlɪ] *adv* недовóльно; неудовлетворённо; с досáдой

discontentment [ˌdɪskən'tentmənt] = discontent 1

discontinuance [ˌdɪskən'tɪnjʊəns] *n* 1) прекращéние, переры́в 2) *юр.* прекращéние (*дела*)

discontinuation [ˌdɪskəntɪnjʊ'eɪʃn] = discontinuance

discontinue [ˌdɪskən'tɪnju:] *v* 1) прерывáть(ся), прекращáть(ся); упраздня́ть; publication will ~ издáние бýдет прекращенó; to ~ a unit *амер. воен.* расформирóвывать часть 2) *юр.* прекращáть (*дело*)

discontinuity [ˌdɪskɒntɪ'nju:ətɪ] *n* 1) отсýтствие непреры́вности, послéдовательности 2) переры́в, разры́в

discontinuous [ˌdɪskən'tɪnjʊəs] *a* преры́вистый, прерывáемый; прерывáющийся, перемежáющийся; ~ waves *радио* затухáющие вóлны; ~ function *мат.* преры́вная фýнкция

discord 1. *n* ['dɪskɔ:d] 1) разноглáсие, разлáд; раздóры; to sow ~ сéять враждý 2) шум; рéзкие звýки 3) *муз.* диссонáнс

2. *v* [dɪs'kɔ:d] 1) расходи́ться во взгля́дах, мнéниях (with, from) 2) дисгармони́ровать; не соотвéтствовать 3) *муз.* звучáть диссонáнсом

discordance [dɪs'kɔ:dns] *n* 1) разноглáсие 2) *муз.* диссонáнс

discordant [dɪs'kɔ:dnt] *a* 1) несоглáсный, противоречи́вый 2) *муз.* нестрóйный, диссони́рующий; ~ note диссонáнс

discothèque ['dɪskətek] *n* дискотéка

discount 1. *n* ['dɪskaʊnt] 1) ски́дка; at a ~ а) ни́же номинáльной цены́; обесцéненный; б) *разг.* непопуля́рный; не в ходý 2) *фин.* дискóнт, учёт векселéй 3) *фин.* процéнт ски́дки, стáвка учёта 4) (мы́сленная) поправка на преувеличéние (*рассказчика*)

2. *v* [dɪs'kaʊnt] 1) дéлать поправку на преувеличéние, не доверя́ть всемý слы́шанному 2) обесцéнивать; уменьшáть, снижáть, сбавля́ть 3) не принимáть в расчёт 4) дéлать ски́дку 5) *фин.* дисконти́ровать, учи́тывать векселя́ 6) *фин.* получáть процéнты вперёд при дáче дéнег взаймы́

discountenance [dɪs'kaʊntɪnəns] *v* 1) смущáть, приводи́ть в замешáтельство 2) откáзывать в поддéржке 3) не одобря́ть, обескурáживать

discourage [dɪs'kʌrɪdʒ] *v* 1) обескурáживать, расхолáживать, отбивáть охóту 2) отговáривать, отсовéтовать (from)

discouragement [dɪs'kʌrɪdʒmənt] *n* 1) обескурáживание, расхолáживание 2) упáдок дýха, обескурáженность 3) отговáривание

discouraging [dɪs'kʌrɪdʒɪŋ] **1.** *pres. p. от* discourage

2. *a* обескурáживающий, расхолáживающий

discourse *книжн.* **1.** *n* ['dɪskɔ:s] рассуждéние; лéкция; речь; трактáт; прóповедь

2. *v* [dɪs'kɔ:s] орáторствовать; рассуждáть; излагáть в фóрме рéчи, лéкции, прóповеди

discourteous [dɪs'kɜ:tɪəs] *a* невоспи́танный, невéжливый, неучти́вый

discourtesy [dɪs'kɜ:təsɪ] *n* 1) невоспи́танность, невéжливость, неучти́вость, грýбость 2) грýбая вы́ходка; нетакти́чное замечáние

discover [dɪ'skʌvə] *v* 1) узнавáть, обнарýживать, раскрывáть; to ~ good reasons подыскáть подходя́щие моти́вы 2) дéлать откры́тия, открывáть 3) открывáть и представля́ть пýблике нóвое даровáние

discovert [dɪ'skʌvət] *a юр.* незамýжняя; вдóвая

discovery [dɪ'skʌvərɪ] *n* 1) раскры́тие, обнарýжéние 2) откры́тие 3) развёртывание (*сюжета*) 4) *юр.* обязáтельное представлéние докумéнтов судý ◇ D. Day день откры́тия Амéрики (*12 октября*)

discredit [dɪs'kredɪt] **1.** *n* 1) дискредитáция; to bring ~ on oneself дискредити́ровать себя́; such behaviour is a ~ to him такóе поведéние позóрит, дискредити́рует егó; to bring into ~ навлéчь дурнýю слáву, дискредити́ровать 2) недовéрие; to throw ~ upon smth. подвéргнуть что-л. сомнéнию 3) *фин.* лишéние коммéрческого креди́та

2. *v* 1) дискредити́ровать; позóрить; his behaviour ~s him with the public егó поведéние дискредити́рует егó в глазáх óбщества 2) не доверя́ть; the report is ~ed э́тому сообщéнию не вéрят

discreditable [dɪs'kredɪtəbl] *a* дискредити́рующий; позóрный

discreet [dɪ'skri:t] *a* 1) осторóжный, осмотри́тельный, благоразýмный 2) сдéржанный, такти́чный

discrepancy [dɪs'krepənsɪ] *n* 1) различие, несхóдство 2) разноглáсие, противорéчие; расхождéние

discrepant [dɪs'krepənt] *a* отличáющийся (*от чего-л.*); несхóдный; противоречи́вый; разноречи́вый; ~ rumours противоречи́вые слýхи

discrete [dɪ'skri:t] *a* 1) раздéльный, состоя́щий из разрóзненных частéй; дискрéтный 2) абстрáктный, отвлечённый

discretion [dɪ'skreʃn] *n* 1) благоразýмие, осторóжность; the years of ~ вóзраст (*в Англии — 14 лет*), с котóрого человéк считáется отвéтственным за свои́ постýпки; to act with ~ вести́ себя́ осторóжно, благоразýмно; to show ~ проявля́ть благоразýмие 2) свобóда дéйствий; усмотрéние; the instructions leave me a wide ~ инстрýкции предоставля́ют мне бóльшую свобóду дéйствий; at the ~ of smb. на усмотрéние когó-л.; I leave it to your ~ дéлайте, как вы считáете нýжным; to use one's ~ решáть, дéйствовать по своемý усмотрéнию; at ~ по сóбственному усмотрéнию; to surrender at ~ безоговóрочно сдáться на ми́лость победи́теля ◇ ~ is the better part of valour ≅ слéдует избегáть ненýжного ри́ска (*обыкн. как шутливое оправдание трусости*)

discretionary [dɪ'skreʃənrɪ] *a* предостáвленный на сóбственное усмотрéние, дискрециóнный; ~ powers дискрециóнная власть

discriminate 1. *a* [dɪ'skrɪmɪnət] 1) отчётливый; имéющий отличи́тельные при́знаки 2) *уст.* различáющий(ся)

2. *v* [dɪ'skrɪmɪneɪt] 1) (умéть) различáть, распознавáть (between) 2) дискримини́ровать; относи́ться по-рáзному; to ~ in favour of smb. стáвить когó-л. в благоприя́тные услóвия; to ~ against smb. стáвить когó-л. в хýдшие услóвия 3) отличáть, выделя́ть 4) тóнко разбирáться

discriminating [dɪ'skrɪmɪneɪtɪŋ] **1.** *pres. p. от* discriminate 2

2. *a* 1) отличи́тельный (*о признаке и т. п.*) 2) умéющий различáть, разбирáющийся; проницáтельный; ~ taste тóнкий вкус 3) дискриминациóнный 4) дифференциáльный

discrimination [dɪˌskrɪmɪ'neɪʃn] *n* 1) дискриминáция; различный подхóд, неодинáковое отношéние; race ~ рáсовая дискриминáция 2) умéние разбирáться, проницáтельность 3) распознавáние

discriminative [dɪ'skrɪmɪnətɪv] = discriminating 2, 1) *и* 2)

discriminatory [dɪ'skrɪmɪnətərɪ] *a* 1) отличи́тельный 2) пристрáстный

discrown [dɪs'kraʊn] *v* лишáть корóны; *перен.* развéнчивать

discursive [dɪs'kɜ:sɪv] *a* 1) перескáкивающий с одногó вопрóса на другóй 2) *лог.* дискурси́вный

discus ['dɪskəs] *n* (*pl тж.* disci) диск

discuss [dɪ'skʌs] *v* обсуждáть, дискути́ровать

discussion [dɪ'skʌʃn] *n* 1) обсуждéние; the question is under ~ вопрóс обсуждáется 2) прéния, дискýссия 3) переговóры; direct ~ непосрéдственные, прямы́е переговóры

disdain [dɪs'deɪn] **1.** *n* 1) презрéние, пренебрежéние 2) надмéнность

2. *v* 1) презирáть 2) считáть ни́же своегó достóинства; смотрéть свысокá

disdainful [dɪs'deɪnfl] *a* презри́тельный, пренебрежи́тельный

disease [dɪ'zi:z] *n* болéзнь

diseased [dɪ'zi:zd] *a* 1) больнóй, заболéвший 2) нарýшенный, расстрóенный

diseconomy [ˌdɪsɪ'kɒnəmɪ] *n эк.* отрицáтельный экономи́ческий эффéкт; неэкономи́чность; ущéрб

disembark [ˌdɪsɪm'bɑ:k] *v* 1) высáживать(ся) (*с судов*) 2) выгружáть (*товары, груз с судов*)

disembarkation [ˌdɪsembɑ:'keɪʃn] *n* вы́садка, вы́грузка (*на берег*)

disembarrass [ˌdɪsɪm'bærəs] *v* 1) выводи́ть из затруднéния, замешáтельства; освобождáть (of — от *стеснений, хлопот*) 2) распýтывать (*что-л. сложное*; from)

disembody [ˌdɪsɪm'bɒdɪ] *v рел.* освобождáть от телéсной оболóчки

disembogue [ˌdɪsɪm'bəʊg] *v* 1) впадáть, вливáться (*о реке*) 2) выливáться, выплёскиваться (*о толпе*)

disembosom [ˌdɪsɪm'bʊzəm] *v* 1) поверя́ть (*тайну, чувство*) 2) *refl.* откры́ть дýшу, откры́ться (*кому-л.*)

disembowel [ˌdɪsɪmbaʊəl] *v* потрошúть

disembroil [ˌdɪsɪm'brɔɪl] *v* распýтывать

disenable [ˌdɪsɪn'eɪbl] *v книжн.* дéлать неспосóбным; дисквалифици́ровать

disenchant [ˌdɪsɪn'tʃɑ:nt] *v* освобождáть от чар, иллю́зий; разочарóвывать

disencumber [ˌdɪsɪn'kʌmbə] *v* освобождáть от затруднéний, препя́тствий, брéмени

disendow [ˌdɪsɪn'daʊ] *v* лишáть пожéртвований, завéщанных вклáдов *и т. п.* (*обыкн. о церкви*)

disenfranchise [ˌdɪsɪn'fræntʃaɪz] *v* 1) лишáть граждáнских (*особ. избирательных*) прав 2) лишáть избирáтельный óкруг прáва представи́тельства

disengage [ˌdɪsɪn'geɪdʒ] *v* 1) освобождáть(ся); отвя́зывать(ся) 2) *воен.* выходи́ть из бóя; отрывáться от проти́вника 3) *тех.* разобщáть; выключáть; разъединя́ть

disengaged [ˌdɪsɪn'geɪdʒd] **1.** *p. p. от* disengage

2. *a* 1) свобóдный, незáнятый; I am ~ this evening сегóдня вéчером я свобóден 2) несвя́занный, незави́симый 3) *тех.* разобщённый; разъединённый

disengagement [ˌdɪsɪn'geɪdʒmənt] *n* 1) освобождéние; свобóда (*от обязательств, дел и т. п.*) 2) расторжéние помóлвки 3) естéственность (*манер*); непринуждённость 4) *воен.* вы́ход из бóя 5) *хим.* выделéние

disentail [ˌdɪsɪn'teɪl] *v юр.* снять ограни́чительное услóвие наслéдования имýщества [*см.* tail II]

disentangle [ˌdɪsɪn'tæŋgl] *v* 1) распýтывать(ся) 2) выпýтывать(ся) из затруднéний (from)

disenthral(l) [ˌdɪsɪn'θrɔ:l] *v книжн.* отпускáть на вóлю; освобождáть от рáбства

disentitle [ˌdɪsɪn'taɪtl] *v* 1) лишáть прáва (*на что-л.*) 2) лишáть ти́тула

disentomb [ˌdɪsɪn'tu:m] *v книжн.* 1) выкáпывать из моги́лы 2) откáпывать, находи́ть

disequilibrium [ˌdɪsi:kwɪ'lɪbrɪəm] *n* отсýтствие *или* потéря равновéсия; неустóйчивость

disestablish [ˌdɪsɪ'stæblɪʃ] *v* 1) отделя́ть цéрковь от госудáрства 2) разрушáть, отменя́ть (*установленное*)

disfavour [dɪs'feɪvə] **1.** *n* 1) неми́лость; to fall into ~ впасть в неми́лость; to be in ~ быть в неми́лости 2) неодобрéние; to regard with ~ относи́ться с неодобрéнием

2. *v* не одобря́ть

disfiguration [dɪsˌfɪgə'reɪʃn] = disfigurement

disfigure [dɪs'fɪgə] *v* обезобрáживать, урóдовать; пóртить

disfigurement [dɪs'fɪgəmənt] *n* 1) обезобрáживание 2) физи́ческий недостáток, урóдство; изъя́н

disforest [dɪs'fɒrɪst] *v* вырубáть лесá; обезлéсить

disfranchise [dɪs'fræntʃaɪz] = disenfranchise

disfrock [ˌdɪs'frɒk] *v* лишáть духóвного звáния, сáна

disgorge [dɪs'gɔ:dʒ] *v* 1) изрыгáть (*пищу*) 2) неохóтно возвращáть (*особ. нечестно присвоенное, захваченное*) 3) разгружáть(ся), опорожня́ть(ся) 4) извергáть (*лаву и т. п.*); выбрáсывать (*клубы дыма и т. п.*) 5) вливáться, впадáть; the river ~s into the sea рекá впадáет в мóре

disgrace [dɪs'greɪs] **1.** *n* 1) позóр, бесчéстие; позóрный постýпок; to bring ~ upon smb. навлéчь позóр на когó-л. 2) неми́лость; to be in (deep) ~ быть в неми́лости, опáле; to fall into ~ впадáть в неми́лость

2. *v* 1) позóрить, бесчéстить 2) разжáловать; лиши́ть расположéния; подвéргнуть неми́лости

disgraceful [dɪs'greɪsfl] *a* позóрный, посты́дный; ~ behaviour недостóйное поведéние

disgruntle [dɪs'grʌntl] *v* серди́ть, приводи́ть в дурнóе настроéние, раздражáть

disgruntled [dɪs'grʌntld] **1.** *p. p. от* disgruntle

2. *a* в плохóм настроéнии, раздражённый, рассéрженный; to be ~ быть не в дýхе

disguise [dɪs'gaɪz] **1.** *n* 1) маскирóвка; переодевáние; in ~ переодéтый; замаскирóванный; скры́тый 2) обмáн, сокры́тие 3) обмáнчивая внéшность, мáска, личи́на; to throw off one's ~ сбрóсить личи́ну, мáску

2. *v* 1) переодевáть; маскировáть 2) дéлать неузнавáемым; a door ~d as a bookcase потайнáя дверь, замаскирóванная под кни́жный шкаф; to ~ one's voice меня́ть гóлос 3) скрывáть; to ~ one's intentions (feelings *etc.*) скрывáть свои́ намéрения (чýвства *и т. п.*) ◇ ~d with drink подвы́пивший

disgust [dɪs'gʌst] **1.** *n* отвращéние, омерзéние

2. *v* внушáть отвращéние; быть проти́вным; to be ~ed чýвствовать отвращéние; возмущáться

disgustful [dɪs'gʌstfl] *a* отврати́тельный, проти́вный

disgusting [dɪs'gʌstɪŋ] **1.** *pres. p. от* disgust 2

2. *a* = disgustful

dish [dɪʃ] **1.** *n* 1) блю́до, тарéлка, ми́ска 2) блю́до, кýшанье 3) *pl* (гря́зная) посýда 4) *sl.* дéвушка, красóтка 5) ложби́на, впáдина; котловáн ◇ to have a hand in the ~ быть замéшанным в чём-л.

2. *v* 1) класть на блю́до 2) *разг.* провести́, перехитри́ть (*особ. своих политических противников*) 3) разрýшить (*надежды и т. п.*) 4) выгибáть; придавáть вóгнутую фóрму □ ~ out раскладывать кýшанье; ~ up а) подавáть кýшанье к столý; сервировáть; б) умéть преподнести́ (*анекдот и т. п.*); в) *разг.* мыть посýду ◇ to ~ it out to smb. дать жáру комý-л.

dishabille [ˌdɪsə'bi:l] = déshabillé

disharmonious [ˌdɪshɑ:'məʊnɪəs] *a* 1) дисгармони́чный 2) несоотвéтствующий

disharmonize [dɪs'hɑ:mənaɪz] *v* 1) дисгармони́ровать 2) вноси́ть разноглáсие, нарушáть гармóнию

disharmony [dɪs'hɑ:mənɪ] *n* 1) дисгармóния 2) разноглáсие

dishcloth ['dɪʃklɒθ] *n* 1) посýдное, кýхонное полотéнце 2) тря́пка для мытья́ посýды

dishearten [dɪs'hɑ:tn] *v* приводи́ть в уны́ние, расхолáживать; don't be ~ed не унывáй(те)

dishevel [dɪ'ʃevl] *v* растрепáть, взъерóшить

dishevelled [dɪ'ʃevld] **1.** *p. p. от* dishevel

2. *a* растрёпанный, всклокóченный, взъерóшенный

dish-gravy ['dɪʃˌgreɪvɪ] *n* подли́вка (*из сока жаркого*)

dishonest [dɪs'ɒnɪst] *a* нечéстный; мошéннический

dishonesty [dɪs'ɒnəstɪ] *n* 1) нечéстность; мошéнничество; недобросóвестность 2) обмáн, нечéстный постýпок

dishonour [dɪs'ɒnə] **1.** *n* бесчéстье, позóр

2. *v* 1) бесчéстить, позóрить; оскорбля́ть; to ~ one's promise не сдержáть своегó обещáния 2) *фин.* откáзываться от платежá *или* акцéпта (*векселя или чека*)

dishonourable [dɪs'ɒnərəbl] *a* 1) бесчéстный, позóрный 2) пóдлый, ни́зкий

dishorn [dɪs'hɔ:n] *v* удаля́ть рогá

dishrag [ˈdɪʃræg] = dishcloth
dishwasher [ˈdɪʃwɒʃə] *n* 1) посудомо́ечная маши́на 2) судомо́йка
dishwater [ˈdɪʃwɔ:tə] *n* помо́и
dishy [ˈdɪʃɪ] *a разг.* привлека́тельный, соблазни́тельный
disillusion [ˌdɪsɪˈlu:ʒn] **1.** *n* утра́та иллю́зий; разочарова́ние
2. *v* разруша́ть иллю́зии; открыва́ть пра́вду; разочаро́вывать
disillusionize [ˌdɪsɪˈlu:ʒnaɪz] = disillusion 2
disincentive [ˌdɪsɪnˈsentɪv] *n* сде́рживающее сре́дство, препя́тствие
disinclination [ˌdɪsɪnklɪˈneɪʃn] *n* несклю́нность (to); нерасположе́ние; нежела́ние; неохо́та (*что-л. сделать*; for; to do)
disincline [ˌdɪsɪnˈklaɪn] *v* 1) лиша́ть жела́ния, отбива́ть охо́ту (for; to do) 2) не чу́вствовать скло́нности
disincorporate [ˌdɪsɪnˈkɔ:pəreɪt] *v* распусти́ть, закры́ть (*общество, корпорацию*)
disinfect [ˌdɪsɪnˈfekt] *v* дезинфици́ровать
disinfectant [ˌdɪsɪnˈfektənt] **1.** *n* дезинфици́рующее сре́дство
2. *a* дезинфици́рующий
disinfection [ˌdɪsɪnˈfekʃn] *n* 1) дезинфе́кция, обеззара́живание 2) *attr.* дезинфекцио́нный; ~ plant дезинфекцио́нная ка́мера
disinfest [ˌdɪsɪnˈfest] *v* уничтожа́ть насеко́мых, грызуно́в *и т. п.*
disinflation [ˌdɪsɪnˈfleɪʃn] *n эк.* дефля́ция
disinformation [ˌdɪsɪnfəˈmeɪʃn] *n* дезинформа́ция
disingenuous [ˌdɪsɪnˈdʒenjʊəs] *a* неи́скренний, хи́трый; лицеме́рный
disinherit [ˌdɪsɪnˈherɪt] *v* лиша́ть насле́дства
disinheritance [ˌdɪsɪnˈherɪtəns] *n* лише́ние насле́дства
disintegrate [dɪsˈɪntɪgreɪt] *v* 1) разделя́ть(ся) на составны́е ча́сти; дезинтегри́ровать; раздробля́ть 2) распада́ться, разруша́ться 3) *разг.* слабе́ть физи́чески *или* у́мственно 4) *хим., физ.* расщепля́ть(ся)
disintegration [dɪsˌɪntɪˈgreɪʃn] *n* 1) разделе́ние на составны́е ча́сти; дезинтегра́ция; измельче́ние 2) распаде́ние, разруше́ние 3) *хим., физ.* расщепле́ние
disintegrator [dɪsˈɪntɪgreɪtə] *n тех.* дезинтегра́тор, дроби́лка; дефибре́р
disinter [ˌdɪsɪnˈtɜ:] *v* 1) выка́пывать (из моги́лы); отрыва́ть 2) отка́пывать, оты́скивать
disinterest [dɪsˈɪntrəst] *n* 1) беспристра́стие 2) безразли́чие, равноду́шие
disinterested [dɪsˈɪntrəstɪd] *a* 1) бескоры́стный, незаинтересо́ванный; ~ help бескоры́стная по́мощь 2) безразли́чный, равноду́шный; we are not ~ мы не отно́симся безуча́стно
disinvestment [ˌdɪsɪnˈvestmənt] *n* сокраще́ние капиталовложе́ний; изъя́тие капиталовложе́ний
disject [dɪsˈdʒekt] *v* разбра́сывать, рассе́ивать
disjecta membra [dɪsˌdʒektəˈmembrə] *лат. n pl* отры́вки, обры́вки (*цитат и т. п.*)
disjoin [dɪsˈdʒɔɪn] *v* разъединя́ть; разобща́ть
disjoint [dɪsˈdʒɔɪnt] *v* 1) расчленя́ть; разбира́ть на ча́сти 2) разделя́ть 3) вы́вихнуть
disjointed [dɪsˈdʒɔɪntɪd] **1.** *p. p. от* disjoint
2. *a* 1) расчленённый 2) несвя́зный (*о речи*) 3) вы́вихнутый
disjunct [dɪsˈdʒʌŋkt] *a* разобщённый; разъединённый
disjunction [dɪsˈdʒʌŋkʃn] *n* 1) разделе́ние; разобще́ние; разъедине́ние 2) *эл.* размыка́ние (*цепи*)
disjunctive [dɪsˈdʒʌŋktɪv] **1.** *n* 1) *грам.* раздели́тельный сою́з 2) *лог.* альтернати́ва
2. *a* 1) разъединя́ющий; ~ conjunction *грам.* раздели́тельный сою́з 2) *лог.* альтернати́вный
disk [dɪsk] = disc
diskette [dɪˈsket] *n вчт.* диске́та
disk jockey [ˈdɪskˌdʒɒkɪ] = disc jockey
dislike [dɪsˈlaɪk] **1.** *n* нелюбо́вь, непри́язнь, нерасположе́ние, антипа́тия (for, of, to)
2. *v* не люби́ть, испы́тывать непри́язнь, нерасположе́ние
dislocate [ˈdɪsləkeɪt] *v* 1) вывихивать 2) наруша́ть; расстра́ивать (*планы и т. п.*); to ~ traffic наруша́ть движе́ние 3) сдвига́ть, перемеща́ть, смеща́ть
dislocation [ˌdɪsləˈkeɪʃn] *n* 1) вы́вих 2) неувя́зка, неуря́дица, непола́дка, наруше́ние 3) *геол.* дислока́ция, наруше́ние, перемеще́ние (*пластов*)
dislodge [dɪsˈlɒdʒ] *v* 1) удаля́ть; смеща́ть; вытесня́ть 2) выгоня́ть (*зверя из берлоги*) 3) выбива́ть с пози́ции (*противника*)
disloyal [dɪsˈlɔɪəl] *a* 1) нелоя́льный 2) вероло́мный, преда́тельский
disloyalty [dɪsˈlɔɪəltɪ] *n* 1) неве́рность, нелоя́льность 2) вероло́мство, преда́тельство
dismal [ˈdɪzməl] **1.** *a* 1) мра́чный, уны́лый; ~ prospects мра́чные перспекти́вы 2) печа́льный; угрю́мый; ~ mood пода́вленное настрое́ние 3) гнету́щий; ~ weather мра́чная, гнету́щая пого́да 4) *разг.* сла́бый, невырази́тельный ◇ the ~ science *шутл.* эконо́мика
2. *n* (the ~s) *pl* пода́вленное настрое́ние; печа́льные обстоя́тельства
dismantle [dɪsˈmæntl] *v* 1) разбира́ть (*машину*); демонти́ровать; лиша́ть обору́дования 2) разоружа́ть, расснáщивать (*корабль*) 3) раздева́ть; снима́ть (*одежду, покров*) 4) срыва́ть (*крепость*)
dismantling [dɪsˈmæntlɪŋ] **1.** *pres. p. от* dismantle
2. *n* демонта́ж, разбо́рка
dismast [ˌdɪsˈmɑ:st] *v мор.* снима́ть, сноси́ть ма́чты
dismay [dɪsˈmeɪ] **1.** *n* 1) страх, трево́га; испу́г; in ~ с трево́гой; we were struck with ~ мы бы́ли испу́ганы 2) уны́ние
2. *v* 1) ужаса́ть, пуга́ть 2) приводи́ть в уны́ние
dismember [dɪsˈmembə] *v* расчленя́ть; разрыва́ть, дели́ть на ча́сти
dismemberment [dɪsˈmembəmənt] *n* расчлене́ние, разделе́ние на ча́сти
dismiss [dɪsˈmɪs] *v* 1) отпуска́ть (*класс и т. п.*); распуска́ть; to ~ a meeting закры́ть собра́ние 2) увольня́ть; прогоня́ть 3) гнать от себя́ (*мысль, опасение*); to ~ smth. from one's mind вы́бросить что-л. из головы́ 4) отде́лываться (*от чего-л.*); to ~ the subject прекрати́ть обсужде́ние вопро́са 5) освобожда́ть (*заключённого*) 6) *юр.* прекраща́ть (*дело*); отклоня́ть (*заявление, иск*) 7) *воен.* распуска́ть (*строй*); подава́ть кома́нду «разойди́сь!»
dismissal [dɪsˈmɪsl] *n* 1) ро́спуск (*на каникулы и т. п.*); предоставле́ние о́тпуска 2) увольне́ние; отста́вка 3) освобожде́ние 4) отстране́ние от себя́ (*неприятной мысли и т. п.*); отклоне́ние (*идеи и т. п.*) 5) *attr.*: ~ pay (*или* wage) выходно́е посо́бие
dismission [dɪsˈmɪʃn] = dismissal
dismount [dɪsˈmaʊnt] *v* 1) спе́шиваться, слеза́ть; ~! *воен.* слеза́й! (*команда*) 2) сбра́сывать с ло́шади 3) снима́ть (*с подставки, пьедестала*); вынима́ть (*из оправы*); to ~ a gun снима́ть ору́дие с лафе́та 4) разбира́ть (*машину*)
disobedience [ˌdɪsəˈbi:dɪəns] *n* неповинове́ние, непослуша́ние; civil ~ гражда́нское неповинове́ние
disobedient [ˌdɪsəˈbi:dɪənt] *a* непоко́рный, непослу́шный
disobey [ˌdɪsəˈbeɪ] *v* не повинова́ться, не подчиня́ться, ослу́шаться
disoblige [ˌdɪsəˈblaɪdʒ] *v* 1) поступа́ть нелюбе́зно; досажда́ть; he did it to ~ me он сде́лал э́то в пи́ку мне 2) не счита́ться с (*чьим-л.*) жела́нием, удо́бством
disobligingly [ˌdɪsəˈblaɪdʒɪŋlɪ] *adv* 1) не счита́ясь с други́ми 2) нелюбе́зно
disorder [dɪsˈɔ:də] **1.** *n* 1) беспоря́док 2) (*часто pl*) беспоря́дки (*массовые волнения*); непола́дки 3) *мед.* расстро́йство
2. *v* (*обыкн. p. p.*) 1) приводи́ть в беспоря́док 2) расстра́ивать (*здоровье*)
disorderly [dɪsˈɔ:dəlɪ] **1.** *a* 1) беспоря́дочный 2) неаккура́тный, неопря́тный 3) *юр.* противозако́нный; ~ conduct хулига́нство, наруше́ние обще́ственного поря́дка; ~ person лицо́, вино́вное в наруше́нии обще́ственного поря́дка 4) непристо́йный; распу́щенный; ~ house а) дом терпи́мости; б) иго́рный дом
2. *adv* беспоря́дочно *и пр.* [*см.* 1]
3. *n* беспоря́дочный, неопря́тный *или* распу́щенный челове́к
disorganization [dɪsˌɔ:gənaɪˈzeɪʃn] *n* дезорганиза́ция, расстро́йство; беспоря́док

disorganize [dɪs'ɔ:gənaɪz] *v* дезорганизова́ть, расстра́ивать

disorient [dɪs'ɔ:rɪent] = disorientate

disorientate [dɪs'ɔ:rɪənteɪt] *v* дезориенти́ровать; сбива́ть с то́лку, вводи́ть в заблужде́ние

disown [dɪs'əʊn] *v* не признава́ть, отрица́ть, отка́зываться, отрека́ться

disparage [dɪ'spærɪdʒ] *v* 1) говори́ть пренебрежи́тельно 2) относи́ться с пренебреже́нием; третирова́ть; унижа́ть

disparagement [dɪ'spærɪdʒmənt] *n* 1) недооце́нка, умале́ние 2) пренебрежи́тельное отноше́ние

disparaging [dɪ'spærɪdʒɪŋ] **1.** *pres. p. от* disparage

2. *a* унизи́тельный; пренебрежи́тельный; a ~ remark пренебрежи́тельное замеча́ние

disparate ['dɪspərət] **1.** *a* в ко́рне отли́чный, несравни́мый, несопостави́мый; несоизмери́мый

2. *n pl* абсолю́тно несопостави́мые ве́щи

disparity [dɪs'pærətɪ] *n* нера́венство; несоотве́тствие; несоразме́рность; ~ in years ра́зница в года́х

dispart [dɪs'pɑ:t] *v* 1) разделя́ть(ся) 2) расходи́ться; распада́ться

dispassionate [dɪs'pæʃnət] *a* 1) беспристра́стный 2) бесстра́стный, хладнокро́вный; споко́йный

dispatch [dɪ'spætʃ] **1.** *n* 1) отпра́вка, отправле́ние (*курьера, почты*) 2) преда́ние сме́рти, казнь; уби́йство; happy ~ а) хараќири; б) мгнове́нная смерть при ка́зни 3) (дипломати́ческая депе́ша; официа́льное донесе́ние; корреспонде́нция 4) быстрота́, бы́строе выполне́ние (*работы*); to do smth. with ~ де́лать что-л. бы́стро; the matter requires ~ э́то сро́чное де́ло

2. *v* 1) посыла́ть; отсыла́ть, отправля́ть по назначе́нию 2) бы́стро выполня́ть, справля́ться (*с делом, работой*); to ~ one's dinner на́скоро пообе́дать 3) отправля́ть на тот свет, убива́ть 4) *разг.* бы́стро съесть, проглоти́ть

dispatch-boat [dɪ'spætʃbəʊt] *n* посы́льное су́дно

dispatch box [dɪ'spætʃbɒks] *n* су́мка (курье́ра) для официа́льных бума́г

dispatcher [dɪ'spætʃə] *n* 1) экспеди́тор 2) диспе́тчер

dispatch station [dɪ,spætʃ'steɪʃn] *n ж.-д.* ста́нция отправле́ния

dispel [dɪ'spel] *v* разгоня́ть; рассе́ивать; to ~ apprehensions рассе́ять опасе́ния

dispensable [dɪ'spensəbl] *a* 1) необяза́тельный 2) несуще́ственный

dispensary [dɪ'spensərɪ] *n* 1) апте́ка (*особ. бесплатная для бедняков*) 2) амбулато́рия (*часто бесплатная*)

dispensation [,dɪspən'seɪʃn] *n* 1) разда́ча, распределе́ние 2) освобожде́ние (*от обязательства, от обета*); разреше́ние бра́ка (*между родственниками в католической церкви*) 3) осуществле́ние; ~ of justice отправле́ние правосу́дия 4) осо́бая ми́лость, (осо́бое) разреше́ние 5) *рел.* бо́жий про́мысл 6) *рел.* зако́н, заве́т

dispensatory [dɪ'spensətərɪ] *n* фармакопе́я

dispense [dɪ'spens] *v* 1) раздава́ть, распределя́ть (*пищу и т. п.*) 2) отправля́ть (*правосудие*) 3) приготовля́ть и распределя́ть (*лекарства*) 4) освобожда́ть (from — от *обязательства*) ▭ ~ with обходи́ться без *чего-л.*; to ~ with smb.'s services обходи́ться без чьих-л. услу́г; machinery ~s with much labour маши́ны даю́т большу́ю эконо́мию челове́ческого труда́

dispenser [dɪ'spensə] *n* 1) фармаце́вт 2) торго́вый автома́т 3) *тех.* разда́точное устро́йство

-dispenser [-dɪ'spensə] *в сложных словах означает*: а) автома́т для прода́жи чего́-л.; *напр.*: gum-~ автома́т для прода́жи жева́тельной рези́нки; б) я́щичек *или* сосу́д, содержа́щий предме́т о́бщего по́льзования; *напр.*: toilet-paper-~ я́щик с туале́тной бума́гой

dispeople [,dɪs'pi:pl] *v* обезлю́дить, уме́ньшить населе́ние

dispersal [dɪ'spɜ:sl] *n* 1) рассе́ивание; рассыпа́ние; рассредото́чение 2) *attr.*: ~ field *воен.* запасно́й аэродро́м

disperse [dɪ'spɜ:s] *v* 1) разгоня́ть, рассе́ивать 2) рассе́иваться, исчеза́ть 3) расходи́ться 4) разбра́сывать, рассыпа́ть 5) распространя́ть 6) *опт.* дисперги́ровать

dispersion [dɪ'spɜ:ʃn] *n* 1) разбра́сывание; рассе́ивание 2) разбро́санность 3) *физ.* диспе́рсия 4) *хим.* диффу́зия 5) *стат.* диспе́рсия, разбро́с 6) (the D.) *ист.* иуде́йская диа́спора

dispersive [dɪ'spɜ:sɪv] *a* разбра́сывающий; рассе́ивающий

dispirit [dɪ'spɪrɪt] *v* (*обыкн. p. p.*) приводи́ть в уны́ние, удруча́ть

dispiteous [dɪs'pɪtɪəs] *a книжн.* безжа́лостный

displace [dɪs'pleɪs] *v* 1) перемеща́ть; переставля́ть, перекла́дывать 2) смеща́ть, увольня́ть 3) вытесня́ть, замеща́ть 4) име́ть водоизмеще́ние (*о судне*) 5) *хим.* замеща́ть

displaced person [dɪs'pleɪst,pɜ:sn] *n* перемещённое лицо́

displacement [dɪs'pleɪsmənt] *n* 1) перемеще́ние, перестано́вка; ~ of track *ж.-д.* уго́н пути́ 2) смеще́ние, вытесне́ние; замеще́ние 3) водоизмеще́ние 4) *геол.* сдвиг (*пластов*) 5) *тех.* литра́ж (*цилиндра*); производи́тельность (*насоса*) 6) *эл.* ви́димый разря́д 7) *хим.* замеще́ние 8) *спец.* фильтрова́ние

display [dɪ'spleɪ] **1.** *n* 1) пока́з, демонстра́ция 2) вы́ставка; there was a great ~ of goods бы́ло вы́ставлено мно́го това́ров 3) проявле́ние (*смелости и т. п.*) 4) выставле́ние напока́з; хвастовство́; to make great ~ of generosity хва́статься свое́й ще́дростью 6) *полигр.* выделе́ние осо́бым шри́фтом 5) *вчт.* диспле́й

2. *v* 1) выставля́ть, пока́зывать; демонстри́ровать; to ~ the colours укра́сить фла́гами 2) проявля́ть, обнару́живать 3) выставля́ть напока́з; хва́статься 4) *полигр.* выделя́ть осо́бым шри́фтом

displease [dɪs'pli:z] *v* 1) не нра́виться; быть неприя́тным, не по вку́су (*кому-л.*) 2) серди́ть, раздража́ть; ~d at (*или* with) smth. недово́льный чем-л.

displeasing [dɪs'pli:zɪŋ] **1.** *pres. p. от* displease

2. *a* неприя́тный, проти́вный

displeasure [dɪs'pleʒə] *n* неудово́льствие, недово́льство; доса́да; to incur smb.'s ~ навле́чь на себя́ чей-л. гнев; to take ~ оби́деться; to be in ~ with smb. быть у кого́-л. в неми́лости

disport [dɪ'spɔ:t] *v* (*обыкн. refl.*) развлека́ться, забавля́ться; резви́ться

disposable [dɪ'spəʊzəbl] *a* 1) однора́зового употребле́ния; a ~ paper towel бума́жное полоте́нце однора́зового по́льзования 2) находя́щийся (*или* име́ющийся) в распоряже́нии; свобо́дный; ~ income *фин.* чи́стый дохо́д

disposal [dɪ'spəʊzl] *n* 1) переда́ча; прода́жа; ~ of property переда́ча иму́щества 2) расположе́ние, размеще́ние 3) *воен.* диспози́ция 4) управле́ние, контро́ль; возмо́жность распоряди́ться (*чем-л.*); at one's ~ в чьём-л. распоряже́нии; at your ~ к ва́шим услу́гам; to place at smb.'s ~ предоста́вить в чьё-л. распоряже́ние 5) избавле́ние (*от чего-л.*); устране́ние; удале́ние (*нечистот и т. п.*); ~ of bombs обезвре́живание бомб

dispose [dɪ'spəʊz] *v* 1) располага́ть, склоня́ть; I am ~d to think that я скло́нен ду́мать, что; they are well (*или* kindly) ~d towards us они́ хорошо́ к нам отно́сятся 2) располага́ть, размеща́ть, расставля́ть 3) определя́ть, предопределя́ть; man proposes, God ~s челове́к предполага́ет, а Бог располага́ет ▭ ~ of а) распоряди́ться иму́ществом (*путём продажи, дара, завещания*); б) отде́латься, изба́виться; ликвиди́ровать; to ~ of an argument устрани́ть, опрове́ргнуть аргуме́нт

disposition [,dɪspə'zɪʃn] *n* 1) предрасположе́ние, скло́нность (to — к *чему-л.*) 2) хара́ктер, нрав; he is of a cheerful (gentle) ~ у него́ весёлый (мя́гкий) хара́ктер; social ~ общи́тельный хара́ктер; well-oiled ~ покла́дистый хара́ктер 3) расположе́ние, размеще́ние (*в определённом порядке и т. п.*) 4) (*обыкн. pl*) *воен.* диспози́ция; дислока́ция; military ~s боевы́е поря́дки 5) распоряже́ние; возмо́жность распоряди́ться (*чем-л.*); контро́ль; to have in one's ~ име́ть в своём распоряже́нии 6) избавле́ние; прода́жа; the ~ of property прода́жа иму́щества 7) *pl* приготовле́ния; пла́ны; to make ~s for a campaign гото́виться к кампа́нии 8) *рел.* бо́жий про́мысл

dispossess [,dɪspə'zes] *v* 1) выселя́ть 2) лиша́ть со́бственности, пра́ва владе́ния (of) ◇ to ~ smb. of an error выводи́ть кого́-л. из заблужде́ния

disproof [dɪs'pru:f] *n* опроверже́ние

disproportion [ˌdɪsprəˈpɔːʃn] *n* несоразме́рность, непропорциона́льность, диспропо́рция

disproportionate [ˌdɪsprəˈpɔːʃnət] *a* несоразме́рный, непропорциона́льный

disprove [dɪsˈpruːv] *v* опроверга́ть; дока́зывать ло́жность *или* оши́бочность (*чего-л.*)

disputable [dɪˈspjuːtəbl] *a* спо́рный, сомни́тельный; находя́щийся под вопро́сом

disputant [dɪˈspjuːtnt] **1.** *n* уча́стник ди́спута, диску́ссии

2. *a* принима́ющий уча́стие в диску́ссии; спо́рящий

disputation [ˌdɪspjʊˈteɪʃn] *n* 1) деба́ты 2) спор 3) ди́спут

disputatious [ˌdɪspjʊˈteɪʃəs] *a* любя́щий спо́рить

dispute [dɪˈspjuːt] **1.** *n* 1) ди́спут; деба́ты, поле́мика; beyond (*или* past, without) ~ вне сомне́ния; бесспо́рно; the matter is in ~ де́ло нахо́дится в ста́дии обсужде́ния 2) спор, разногла́сия; препира́ния; labour (*или* industrial, trade) ~ трудово́й конфли́кт

2. *v* 1) спо́рить, дискути́ровать (with, against — с; on, about — о) 2) обсужда́ть 3) препира́ться, ссо́риться 4) оспа́ривать, подверга́ть сомне́нию (*право на что-л., достоверность чего-л. и т. п.*) 5) оспа́ривать (*первенство в состязании и т. п.*) 6) проти́виться; препя́тствовать; ока́зывать сопротивле́ние; отста́ивать; to ~ in arms every inch of ground отста́ивать с ору́жием в рука́х ка́ждую пядь земли́; to ~ the enemy's advance сде́рживать наступле́ние, продвиже́ние проти́вника

disqualification [dɪsˌkwɒlɪfɪˈkeɪʃn] *n* 1) дисквалифика́ция (*тж. спорт.*); лише́ние пра́ва (*на что-л.*) 2) него́дность (for — к) 3) *юр.* неправоспосо́бность

disqualify [dɪsˈkwɒlɪfaɪ] *v* 1) дисквалифици́ровать (*тж. спорт.*); лиша́ть пра́ва 2) де́лать *или* признава́ть неспосо́бным, него́дным

disquiet [dɪsˈkwaɪət] **1.** *n* беспоко́йство, волне́ние, трево́га

2. *a* беспоко́йный, трево́жный

3. *v* беспоко́ить, трево́жить

disquieting [dɪsˈkwaɪətɪŋ] **1.** *pres. p. от* disquiet 3

2. *a* беспоко́йный, трево́жный

disquietude [dɪsˈkwaɪətjuːd] *n* беспоко́йство, трево́га

disquisition [ˌdɪskwɪˈzɪʃn] *n* подро́бное иссле́дование; изыска́ние

disrate [dɪsˈreɪt] *v* (*обыкн. мор.*) понижа́ть в разря́де, ра́нге, зва́нии

disregard [ˌdɪsrɪˈɡɑːd] **1.** *n* 1) равноду́шие, невнима́ние; игнори́рование (of, for); ~ of self самозабве́ние, самоотве́рженность 2) пренебреже́ние, неуваже́ние

2. *v* 1) не обраща́ть внима́ния, не придава́ть значе́ния; игнори́ровать 2) пренебрега́ть, не уважа́ть

disrelish [dɪsˈrelɪʃ] **1.** *n* нерасположе́ние, отвраще́ние; to regard a person with ~ чу́вствовать нерасположе́ние к кому́-л.

2. *v* не люби́ть, испы́тывать отвраще́ние

disrepair [ˌdɪsrɪˈpeə] *n* ве́тхость; плохо́е состоя́ние, неиспра́вность (*здания и т. п.*)

disreputable [dɪsˈrepjʊtəbl] *a* 1) по́льзующийся дурно́й репута́цией 2) дискредити́рующий; позо́рный 3) неопря́тный

disrepute [ˌdɪsrɪˈpjuːt] *n* дурна́я сла́ва, плоха́я репута́ция; to fall (to bring) into ~ получи́ть (навле́чь) дурну́ю сла́ву; to be in ~ име́ть плоху́ю репута́цию

disrespect [ˌdɪsrɪˈspekt] **1.** *n* неуваже́ние, непочти́тельность; to treat with ~, to show ~ относи́ться без уваже́ния

2. *v* относи́ться непочти́тельно

disrespectful [ˌdɪsrɪˈspektfl] *a* непочти́тельный, неве́жливый

disrobe [dɪsˈrəʊb] *v возвыш.* 1) раздева́ть(ся, разоблача́ть(ся) 2) лиша́ть(ся) до́лжности, вла́сти

disrupt [dɪsˈrʌpt] *v* разрыва́ть, разруша́ть (*употр. тж. как p. p. вм.* disrupted); срыва́ть; подрыва́ть

disruption [dɪsˈrʌpʃn] *n* 1) разруше́ние 2) разры́в; раско́л; подры́в, срыв 3) *геол.* распа́д, дезинтегра́ция (*пород*) 4) *эл.* про́бой

disruptive [dɪsˈrʌptɪv] *a* 1) разруши́тельный; подрывно́й 2) *эл.* пробивно́й, разря́дный

dissatisfaction [ˌdɪssætɪsˈfækʃn] *n* неудовлетворённость, недово́льство

dissatisfactory [ˌdɪssætɪsˈfæktərɪ] *a* неудовлетвори́тельный

dissatisfied [ˌdɪsˈsætɪsfaɪd] **1.** *p. p. от* dissatisfy

2. *a* неудовлетворённый; недово́льный, раздоса́дованный (with, at)

dissatisfy [ˌdɪsˈsætɪsfaɪ] *v* (*обыкн. pass.*) не удовлетворя́ть; вызыва́ть недово́льство

dissect [dɪˈsekt] *v* 1) рассека́ть 2) вскрыва́ть, анатоми́ровать 3) анализи́ровать; разбира́ть крити́чески

dissecting-room [dɪˈsektɪŋruːm] *n мед.* секцио́нный зал, прозе́кторская

dissection [dɪˈsekʃn] *n* 1) рассече́ние 2) вскры́тие, анатоми́рование 3) ана́лиз, разбо́р

dissector [dɪˈsektə] *n мед.* прозе́ктор

dissector(-tube) [dɪˈsektə(tjuːb)] *n* диссе́ктор (*передающая телевизионная трубка*)

disseise [ˌdɪsˈsiːz] *v юр.* незако́нно лиша́ть пра́ва владе́ния недви́жимостью

disseize [dɪsˈsiːz] = disseise

dissemblance [dɪˈsembləns] *n* 1) разли́чие; отсу́тствие схо́дства; ра́зница 2) притво́рство, лицеме́рие

dissemble [dɪˈsembl] *v* 1) притворя́ться, лицеме́рить 2) скрыва́ть; to ~ one's anger не пока́зывать своего́ гне́ва 3) умы́шленно не замеча́ть (*обиды, оскорбления и т. п.*); ума́лчивать, не упомина́ть (*факт, деталь и т. п.*)

dissembler [dɪˈsemblə] *n* лицеме́р, притво́рщик

disseminate [dɪˈsemɪneɪt] *v* 1) рассе́ивать, разбра́сывать (*семена*) 2) распространя́ть (*учение, взгляды*) 3) се́ять (*недовольство*)

disseminated [dɪˈsemɪneɪtɪd] **1.** *p. p. от* disseminate

2. *a* 1) рассе́янный; ~ sclerosis *мед.* рассе́янный склеро́з 2) *геол.* мелковкра́пленный

dissension [dɪˈsenʃn] *n* 1) разногла́сие 2) разла́д, ра́спри, раздо́ры

dissent [dɪˈsent] **1.** *n* 1) разногла́сие, расхожде́ние во взгля́дах; несогла́сие 2) *церк.* секта́нтство, раско́л

2. *v* 1) расходи́ться во мне́ниях, взгля́дах (from) 2) *церк.* отступа́ть от взгля́дов госпо́дствующей це́ркви; принадлежа́ть к се́кте

dissenter [dɪˈsentə] *n* 1) (*обыкн.* D.) секта́нт; раско́льник; диссиде́нт 2) недово́льный, оппозицио́нно настро́енный челове́к

dissentient [dɪˈsenʃɪənt] **1.** *n* 1) инакомы́слящий, приде́рживающийся други́х взгля́дов челове́к 2) го́лос про́тив; the motion was passed with only two ~s предложе́ние бы́ло при́нято при двух голоса́х про́тив

2. *a* не соглаша́ющийся, инакомы́слящий; раско́льнический; without a ~ voice единогла́сно

dissenting voice [dɪˈsentɪŋvɔɪs] *n* го́лос про́тив; with two ~s с двумя́ голоса́ми про́тив

dissepiment [dɪˈsepɪmənt] *n бот., зоол.* перегоро́дка

dissert, dissertate [dɪˈsɜːt, ˈdɪsəteɪt] *v редк.* 1) рассужда́ть (upon — о *чём-л.*) 2) писа́ть иссле́дование, диссерта́цию

dissertation [ˌdɪsəˈteɪʃn] *n* диссерта́ция; тракта́т

disserve [dɪˈsɜːv] *v уст.* оказа́ть плоху́ю услу́гу, напо́ртить, навреди́ть

disservice [dɪˈsɜːvɪs] *n* плоха́я услу́га; уще́рб, вред; to do smb. a ~ оказа́ть кому́-л. плоху́ю услу́гу; нанести́ кому́-л. уще́рб

dissever [dɪˈsevə] *v* разъединя́ть(ся), отделя́ть(ся); дели́ть на ча́сти

disseverance [dɪˈsevrəns] *n* разъедине́ние, отделе́ние

dissident [ˈdɪsɪdənt] **1.** *n* 1) диссиде́нт, инакомы́слящий 2) раско́льник, секта́нт

2. *a* 1) инакомы́слящий; приде́рживающийся други́х взгля́дов 2) раско́льнический, секта́нтский

dissimilar [dɪˈsɪmɪlə] *a* непохо́жий, несхо́дный (to); разноро́дный

dissimilarity [ˌdɪsɪmɪˈlærətɪ] *n* несхо́дство, разли́чие

dissimilation [ˌdɪsɪmɪˈleɪʃn] *n лингв.* диссимиля́ция

dissimilitude [ˌdɪsɪˈmɪlɪtjuːd] *n* несхо́дство, несхо́жесть

dissimulate [dɪˈsɪmjʊleɪt] *v* 1) скрыва́ть (*чувства и т. п.*) 2) симули́ровать; притворя́ться, лицеме́рить

dissimulation [dɪˌsɪmjʊ'leɪʃn] *n* симуля́ция; притво́рство, обма́н, лицеме́рие

dissimulator [dɪ'sɪmjʊleɪtə] *n* притво́рщик, лицеме́р

dissipate ['dɪsɪpeɪt] *v* 1) рассе́ивать, разгоня́ть (*облака, мрак, страх и т. п.*) 2) рассе́иваться 3) расточа́ть, растра́чивать (*время, силы*); прома́тывать (*деньги*) 4) кути́ть, развлека́ться; вести́ распу́тный о́браз жи́зни

dissipated ['dɪsɪpeɪtɪd] **1.** *p. p. от* dissipate

2. *a* 1) рассе́янный 2) растра́ченный (*понапрасну*) 3) распу́щенный; беспу́тный, распу́тный

dissipation [ˌdɪsɪ'peɪʃn] *n* 1) легкомы́сленные развлече́ния; беспу́тный о́браз жи́зни 2) расточе́ние, растра́чивание 3) рассе́яние 4) уте́чка

dissociable [dɪ'səʊʃəbl] *a* 1) необщи́тельный 2) раздели́мый, разъедини́мый

dissocial [dɪ'səʊʃl] *a* необщи́тельный

dissociate [dɪ'səʊsɪeɪt] *v* 1) разъедини́ть, отделя́ть (from); разобща́ть 2) *refl.* отмежёвываться 3) *хим.* диссоции́ровать; разлага́ть

dissociation [dɪˌsəʊʃɪ'eɪʃn] *n* 1) разъедине́ние, отделе́ние; разобще́ние 2) отмежева́ние 3) *психол.* диссоциа́ция, расщепле́ние ли́чности 4) *хим.* распа́д, разложе́ние 5) *тех.* кре́кинг-проце́сс

dissociative [dɪ'səʊsɪətɪv] *a* 1) разъединя́ющий, разобща́ющий 2) диссоции́рующий

dissolubility [dɪˌsɒljʊ'bɪlətɪ] *n* 1) раствори́мость; разложи́мость 2) расторжи́мость

dissoluble [dɪ'sɒljʊbl] *a* 1) раствори́мый; разложи́мый 2) расторжи́мый (*о договоре, браке*)

dissolute ['dɪsəlu:t] *a* распу́щенный, беспу́тный, распу́тный

dissolution [ˌdɪsə'lu:ʃn] *n* 1) растворе́ние; разжиже́ние; разложе́ние (*на составные части*) 2) та́яние (*снега, льда*) 3) расторже́ние (*договора, брака*); отме́на 4) ро́спуск, закры́тие (*парламента и т. п.*) 5) расформирова́ние 6) распа́д (*государства*) 7) коне́ц, смерть; исчезнове́ние 8) *ком.* ликвида́ция

dissolvable [dɪ'zɒlvəbl] *a* 1) разложи́мый на составны́е ча́сти 2) расторжи́мый

dissolve [dɪ'zɒlv] **1.** *n кино* наплы́в

2. *v* 1) растворя́ть(ся); та́ять; разжижа́ть(ся); разлага́ть(ся) (*на составные части*); ice ~s in the sun лёд та́ет на со́лнце; sun ~s ice со́лнце раста́пливает лёд; ~d in tears залива́ясь слеза́ми 2) постепе́нно исчеза́ть; испаря́ться 3) распуска́ть (*парламент и т. п.*) 4) аннули́ровать, расторга́ть; to ~ a marriage расто́ргнуть брак 5) *кино* наплыва́ть; дава́ть наплы́вом

dissolvent [dɪ'zɒlvənt] **1.** *n* раствори́тель

2. *a* растворя́ющий

dissonance ['dɪsənəns] *n* 1) *муз.* неблагозву́чие, диссона́нс 2) несоотве́тствие; несхо́дство (*характеров и т. п.*); разла́д

dissonant ['dɪsənənt] *a* 1) *муз.* нестро́йный, диссони́рующий 2) противоречи́вый, ста́лкивающийся (*об интересах, взглядах*)

dissuade [dɪ'sweɪd] *v* отгова́ривать, отсове́товать (from); разубежда́ть

dissuasion [dɪ'sweɪʒn] *n* разубежде́ние, отгова́ривание

dissuasive [dɪ'sweɪsɪv] *a* разубежда́ющий

dissyllabic [ˌdɪsɪ'læbɪk] = disyllabic

dissyllable [dɪ'sɪləbl] *n* двусло́жное сло́во

dissymmetrical [ˌdɪsɪ'metrɪkl] *a* 1) несимметри́чный; асимметри́чный 2) зерка́льно симметри́чный

dissymmetry [dɪ'sɪmətrɪ] *n* 1) отсу́тствие симметри́и; асимметри́я, несимметри́чность 2) зерка́льная симметри́я

distaff ['dɪstɑ:f] *n* пря́лка ◇ the ~ a) же́нское де́ло; б) же́нщины; the ~ side же́нская ли́ния (*в генеалогии*)

distal ['dɪstl] *a анат.* отдалённый от це́нтра, перифери́ческий

distance ['dɪstəns] **1.** *n* 1) отдалённость; да́льность; даль; in the ~ вдали́; from a ~ издалека́; it is quite a ~ from here э́то дово́льно далеко́ отсю́да; a good ~ off дово́льно далеко́; no ~ at all совсе́м недалеко́ 2) расстоя́ние; диста́нция; at a ~ на изве́стном расстоя́нии; out of ~, beyond striking (*или* listening) ~ вне досяга́емости; within striking (*или* listening) ~ в преде́лах досяга́емости; to hit the ~ *спорт.* пробежа́ть диста́нцию 3) сде́ржанность, хо́лодность (*в обращении*); to keep one's ~ from smb. избега́ть кого́-л.; to keep a person at a ~ держа́ть кого́-л. на почти́тельном расстоя́нии, избега́ть сближе́ния с кем-л. 4) даль, перспекти́ва (*в живописи*); middle ~ сре́дний план 5) промежу́ток, пери́од (*времени*); отре́зок; the ~ between two events промежу́ток вре́мени ме́жду двумя́ собы́тиями; at this ~ of time сто́лько вре́мени спустя́ 6) *муз.* интерва́л ме́жду двумя́ но́тами 7) *attr.*: ~ control дистанцио́нное управле́ние, телеуправле́ние

2. *v* 1) отдаля́ть; помеща́ть *или* держа́ть на определённом расстоя́нии 2) оставля́ть далеко́ позади́ себя́ 3) владе́ть перспекти́вой (*о художнике*)

distance runner ['dɪstənsrʌnə] *n* бегу́н на дли́нные *или* сре́дние диста́нции

distant ['dɪstənt] *a* 1) да́льний; далёкий; отдалённый; five miles ~ отстоя́щий на 5 миль; ~ likeness отдалённое схо́дство; ~ relative да́льний ро́дственник 2) далёкий, да́вний, про́шлый; ~ centuries далёкие, давнопроше́дшие века́ 3) сде́ржанный, сухо́й, холо́дный; ~ politeness холо́дная ве́жливость; to be on ~ terms быть в стро́го официа́льных отноше́ниях 4) сла́бый, неулови́мый

distant early warning [ˌdɪstəntɜ:lɪ'wɔ:nɪŋ] *n воен.* да́льнее обнаруже́ние (*воздушных целей*)

distantly ['dɪstəntlɪ] *adv* 1) отдалённо 2) сде́ржанно, хо́лодно

distaste [dɪs'teɪst] **1.** *n* отвраще́ние; неприя́знь (for); to have a ~ for smth. испы́тывать отвраще́ние к чему́-л.

2. *v* пита́ть отвраще́ние; испы́тывать неприя́знь

distasteful [dɪs'teɪstfl] *a* проти́вный, неприя́тный (*особ. на вкус*; to)

distemper I [dɪ'stempə] **1.** *n* 1) соба́чья чума́ 2) *амер.* душе́вное расстро́йство; хандра́ 3) *уст.* беспоря́дки, волне́ния, сму́та

2. *v* 1) расстра́ивать здоро́вье 2) наруша́ть душе́вное равнове́сие

distemper II [dɪ'stempə] **1.** *n* 1) те́мпера; жи́вопись те́мперой 2) клеева́я кра́ска

2. *v* 1) писа́ть те́мперой 2) кра́сить клеево́й кра́ской

distempered I [dɪ'stempəd] **1.** *p. p. от* distemper I, 2

2. *a* расстро́енный; a ~ fancy (*или* mind) расстро́енное воображе́ние

distempered II [dɪ'stempəd] *p. p. от* distemper II, 2

distend [dɪ'stend] *v* надува́ть(ся), раздува́ть(ся)

distensible [dɪ'stensəbl] *a* растяжи́мый, эласти́чный

distension [dɪ'stenʃn] *n* растяже́ние, расшире́ние

distent [dɪ'stent] *a* наду́тый, разду́тый

distich ['dɪstɪk] *n* двусти́шие, ди́стих

distichous ['dɪstɪkəs] *a бот.* располо́женный двумя́ ряда́ми, двуря́дный

distil [dɪ'stɪl] *v* 1) дистилли́ровать, очища́ть; опресня́ть (*воду*) 2) извлека́ть эссе́нцию (*из растений*) 3) извлека́ть су́щность, квинтэссе́нцию 4) перегоня́ть, гнать (*спирт и т. п.*) 5) сочи́ться, ка́пать 6) подверга́ться дистилля́ции

distillate ['dɪstɪlət] *n* проду́кт перего́нки, дистилля́ции, дистилля́т

distillation [ˌdɪstɪ'leɪʃn] *n* 1) дистилля́ция, перего́нка; возго́нка; ректифика́ция; dry ~ суха́я перего́нка, возго́нка; fractional ~ дро́бная (*или* фракцио́нная) перего́нка 2) су́щность, квинтэссе́нция

distillatory [dɪ'stɪlətərɪ] *a* очища́ющий, дистилли́рующий; ~ vessel перего́нный куб

distiller [dɪ'stɪlə] *n* 1) виноку́р; дистилля́тор 2) дисти́ллер, перего́нный аппара́т

distillery [dɪ'stɪlərɪ] *n* 1) виноку́ренный заво́д; перего́нный заво́д 2) устано́вка для перего́нки

distinct [dɪ'stɪŋkt] *a* 1) отде́льный; осо́бый, индивидуа́льный; отли́чный (*от других*); ~ type of mind осо́бый склад ума́ 2) отчётливый; я́сный, вня́тный 3) определённый

distinction [dɪ'stɪŋkʃn] *n* 1) различе́ние; распознава́ние; разграниче́ние 2) отличи́тельная осо́бенность, оригина́льность, индивидуа́льность; his style lacks ~ в его́ сти́ле нет индивидуа́льности 3) разли́чие, отли́чие; ра́зница; nice ~ то́нкое разли́чие; a ~ without a difference иску́сственное, (то́лько) ка́жущееся разли́чие; all without ~ все без разли́чия, без исключе́ния 4) почёт, честь, по́честь 5) высо́кие ка́чества; изве́стность; зна́тность; poet of ~ выдаю́щийся, знамени́тый поэ́т 6) отли́чие; знак отли́чия; mark of ~ знак отли́чия

distinctive [dɪ'stɪŋktɪv] *a* 1) отличи́тельный, характе́рный; ~ feature отличи́тельная черта́; ~ mark отличи́тельный знак 2) осо́бый; ~ mission осо́бая ми́ссия

distinctly [dɪ'stɪŋktlɪ] *adv* 1) я́сно, отчётливо 2) определённо, заме́тно; days are growing ~ дни стано́вятся заме́тно длинне́е

distinctness [dɪ'stɪŋktnəs] *n* я́сность, отчётливость; определённость

distingué [dɪ'stæŋgeɪ] *фр. a* изы́сканный, изя́щный

distinguish [dɪ'stɪŋgwɪʃ] *v* 1) ви́деть *или* проводи́ть разли́чие, различа́ть, распознава́ть; I can hardly ~ between the two brothers, I can hardly ~ the two brothers one from the other я с трудо́м различа́ю э́тих двух бра́тьев 2) служи́ть отличи́тельным при́знаком, характеризова́ть 3) различи́ть; разгляде́ть 4) отлича́ть, выделя́ть; with the geniality which ~es him со сво́йственным ему́ доброду́шием; to ~ oneself by smth. вы́делиться, отличи́ться чем-л.; стать изве́стным благодаря́ чему́-л.

distinguishable [dɪ'stɪŋgwɪʃəbl] *a* различи́мый, отличи́мый

distinguished [dɪ'stɪŋgwɪʃt] 1. *p. p. от* distinguish

2. *a* 1) выдаю́щийся, изве́стный; ~ guest высо́кий гость; ~ appearance представи́тельная вне́шность; ~ service *воен.* отли́чная слу́жба 2) изы́сканный, утончённый; необы́чный; ~ style утончённый стиль

distinguishing [dɪ'stɪŋgwɪʃɪŋ] 1. *pres. p. от* distinguish

2. *a* отличи́тельный, характе́рный

distort [dɪ'stɔ:t] *v* 1) искажа́ть; искривля́ть; перека́шивать 2) извраща́ть (*факты и т. п.*)

distortion [dɪ'stɔ:ʃn] *n* 1) искаже́ние; искривле́ние; перека́шивание 2) извраще́ние (*фактов и т. п.*)

distortionist [dɪ'stɔ:ʃnɪst] *n* 1) карикату́рист 2) акроба́т, «челове́к-змея́»

distract [dɪ'strækt] *v* 1) отвлека́ть, рассе́ивать (*внимание и т. п.*; from) 2) сбива́ть с то́лку; смуща́ть; расстра́ивать; ~ed by (*или* with, at) smth. расстро́енный чем-л.

distracted [dɪ'stræktɪd] 1. *p. p. от* distract

2. *a* обезу́мевший; to drive a person ~ своди́ть кого́-л. с ума́

distraction [dɪ'strækʃn] *n* 1) отвлече́ние внима́ния 2) то, что отвлека́ет внима́ние, развлека́ет; noise is a ~ when one is working шум о́чень меша́ет, когда́ челове́к рабо́тает 3) развлече́ние 4) рассе́янность 5) смуще́ние, растерянность; смяте́ние 6) си́льное возбужде́ние; безу́мие; to love to ~ люби́ть до безу́мия; to be driven to ~ быть доведённым до безу́мия

distrain [dɪ'streɪn] *v юр.* накла́дывать аре́ст на иму́щество в обеспе́чение до́лга

distrainee [ˌdɪstreɪ'ni:] *n юр.* лицо́, у кото́рого опи́сано иму́щество (*за долги*)

distrainment [dɪ'streɪnmənt] *n юр.* о́пись иму́щества в обеспе́чение до́лга

distraint [dɪ'streɪnt] = distrainment

distrait ['dɪstreɪ] *м.*, **distraite** ['dɪstreɪt] *ж. фр. a* рассе́янный, невнима́тельный

distraught [dɪ'strɔ:t] *a* потеря́вший рассу́док, обезу́мевший (*от горя*)

distress [dɪ'stres] 1. *n* 1) го́ре, страда́ние 2) несча́стье; беда́; бе́дствие; a ship in ~ су́дно, те́рпящее бе́дствие 3) нужда́; нищета́; to relieve ~ помо́чь нужда́ющимся 4) = distrainment 5) недомога́ние; утомле́ние; истоще́ние 6) *attr.*: ~ signal сигна́л бе́дствия (SOS)

2. *v* 1) причиня́ть страда́ние, го́ре, боль; to ~ oneself беспоко́иться, му́читься 2) доводи́ть до нищеты́ 3) = distrain

distressed [dɪ'strest] 1. *p. p. от* distress

2. *a* 1) бе́дствующий; ~ areas райо́ны хрони́ческой безрабо́тицы 2) потерпе́вший ава́рию

distressful [dɪ'stresfl] *a* причиня́ющий страда́ния; многострада́льный, скорбный; го́рестный; ~ situation бе́дственное положе́ние

distressing [dɪ'stresɪŋ] 1. *pres. p. от* distress 2

2. *a* огорчи́тельный, внуша́ющий беспоко́йство; most ~ news весьма́ печа́льная но́вость

distress-signal [dɪˌstres'sɪgnl] *n* сигна́л бе́дствия

distributable [dɪ'strɪbjʊtəbl] *a* подлежа́щий распределе́нию; могу́щий быть распределённым

distributary [dɪ'strɪbjʊtərɪ] *n* рука́в реки́

distribute [dɪ'strɪbju:t] *v* 1) распределя́ть, раздава́ть (among, to); to ~ letters разноси́ть пи́сьма; to ~ profits выпла́чивать дивиде́нды (*акционерам и т. п.*) 2) (ро́вно) разма́зывать (*краску*); (равноме́рно) разбра́сывать; to ~ manure over a field разброса́ть удобре́ние по́ полю 3) распространя́ть 4) классифици́ровать; to ~ books into classes распределя́ть кни́ги по отде́лам 5) *полигр.* разобра́ть шрифт и разложи́ть его́ по ка́ссам 6) *лог.* испо́льзовать те́рмин в са́мом о́бщем и широ́ком смы́сле

distributing [dɪ'strɪbjʊtɪŋ] 1. *pres. p. от* distribute

2. *a* распредели́тельный; ~ facilities торго́вая сеть

distribution [ˌdɪstrɪ'bju:ʃn] *n* 1) распределе́ние; разда́ча; commodity ~ това́рное обраще́ние 2) распростране́ние; age ~ возрастна́я структу́ра (*населения*) 3) *мат.*, *лингв.* дистрибу́ция 4) *полигр.* разбо́р шри́фта и распределе́ние его́ по ка́ссам

distributive [dɪ'strɪbjʊtɪv] 1. *a* 1) распредели́тельный 2): ~ trades железнодоро́жные и морски́е перево́зки; ро́зничная торго́вля 3) *грам.* раздели́тельный 4) *мат.*, *лингв.* дистрибути́вный

2. *n грам.* раздели́тельное местоиме́ние; раздели́тельное прилага́тельное

distributor [dɪ'strɪbjʊtə] *n* 1) распредели́тель 2) *авто* распредели́тель зажига́ния 3) *дор.* гудрона́тор

district ['dɪstrɪkt] 1. *n* 1) райо́н; о́круг; уча́сток; the lake ~ озёрный край (*на севере Англии*) 2) избира́тельный о́круг (*по выборам в местные органы власти*) 3) самостоя́тельный церко́вный прихо́д (*в Англии*) 4) *attr.* райо́нный; окружно́й; ~ council окружно́й сове́т; ~ court *амер.* окружно́й суд; ~ attorney *амер.* окружно́й прокуро́р; ~ heating теплофика́ция; D. Railway электри́ческая желе́зная доро́га, соединя́ющая Ло́ндон с при́городами

2. *v амер.* дели́ть на райо́ны, округа́, райони́ровать

distrust [dɪs'trʌst] 1. *n* недове́рие, сомне́ние; подозре́ние

2. *v* не доверя́ть, сомнева́ться (*в ком-л.*); подозрева́ть

distrustful [dɪs'trʌstfl] *a* недове́рчивый; подозри́тельный

distune [dɪs'tju:n] *v* расстра́ивать (*музыкальный инструмент*)

disturb [dɪ'stɜ:b] *v* 1) беспоко́ить; наруша́ть (*покой, молчание, душевное равновесие*); to ~ confidence подорва́ть дове́рие 2) приводи́ть в беспоря́док 3) расстра́ивать (*планы*) 4) волнова́ть, смуща́ть

disturbance [dɪ'stɜ:bəns] *n* 1) наруше́ние (*тишины, покоя, порядка и т. п.*) 2) (*тж. pl*) волне́ния; беспоря́дки 3) трево́га, беспоко́йство 4) *юр.* наруше́ние (*прав*) 5) неиспра́вность, поврежде́ние 6) *геол.* дислока́ция 7) переры́в (*геологического периода*) 8) *радио* атмосфе́рные поме́хи

disturber [dɪ'stɜ:bə] *n* 1) наруши́тель (*тишины, прав и т. п.*) 2) поме́ха

disunion [dɪs'ju:nɪən] *n* 1) разделе́ние; разъедине́ние; разобще́ние 2) разногла́сие, разла́д

disunite [ˌdɪsjʊ'naɪt] *v* разделя́ть; разобща́ть(ся); разъединя́ть(ся)

disunity [dɪs'ju:nətɪ] *n* отсу́тствие еди́нства; разла́д; разобщённость, разъединённость

disuse 1. *n* [dɪs'ju:s] неупотребле́ние; неупотреби́тельность; to come (*или* to fall) into ~ вы́йти из употребле́ния

2. *v* [dɪs'ju:z] переста́ть употребля́ть, переста́ть по́льзоваться (*чем-л.*)

disutility [ˌdɪsju:'tɪlətɪ] *n* 1) па́губность, вре́дность 2) бесполе́зность

disyllabic [ˌdaɪsɪ'læbɪk] *a* двусло́жный

dit [dɪt] *n тлг.* то́чка (*в азбуке Морзе*)

ditch [dɪtʃ] 1. *n* 1) кана́ва, ров; кюве́т 2) транше́я; вы́емка, котлова́н ◇ to die in the last ~, to fight up to the last ~ би́ться до конца́, до после́дней ка́пли кро́ви; стоя́ть на́смерть

2. *v* 1) ока́пывать (*рвом, канавой*) 2) чи́стить кана́ву, ров 3) осуша́ть по́чву с по́мощью кана́в 4) *амер.* сбра́сывать в кана́ву; пуска́ть под отко́с 5) *sl.* покида́ть в беде́ 6) *разг.* де́лать вы́нужденную поса́дку на́ воду

ditcher ['dɪtʃə] *n* 1) землеко́п 2) канавокопа́тель (*машина*)

ditching ['dɪtʃɪŋ] **1.** *pres. p. от* ditch 2

2. *n* рытьё кана́в (*часто* hedging and ~)

ditch-water ['dɪtʃwɔ:tə] *n* стоя́чая, стоя́лая вода́ ◇ dull as ~ невыноси́мо ску́чный

ditheism ['daɪθi,ɪzəm] *n* религио́зный дуали́зм, двоебо́жие

dither ['dɪðə] **1.** *n* 1) *разг.* си́льное возбужде́ние; to be all of a ~, to have the ~s находи́ться в состоя́нии си́льного возбужде́ния 2) *разг.* нереши́тельность; смуще́ние 3) *диал.* дрожь

2. *v* 1) *разг.* колеба́ться; смуща́ться 2) *диал.* дрожа́ть, трясти́сь

dithyramb ['dɪθɪræm] *n* дифира́мб

dittany ['dɪtənɪ] *n бот.* ясене́ц бе́лый

ditto ['dɪtəʊ] **1.** *n* (*pl* -os [-əʊz]) 1) то же, сто́лько же, тако́й же (*употребляется в инвентарных списках, счетах и т. п. для избежания повторения*); paid to A 100 roubles, ~ to B упла́чено А 100 рубле́й и сто́лько же упла́чено Б 2) *разг.* то́чная ко́пия 3) *sl.* костю́м из одного́ материа́ла (*тж.* suit of ~s) ◇ to say ~ to smb. *шутл.* подда́кивать кому́-л.

2. *v* де́лать повторе́ния

3. *adv* таки́м же о́бразом

ditty ['dɪtɪ] *n* пе́сенка

ditty bag, ditty box ['dɪtɪbæg, -bɒks] *n* мешо́чек, коро́бочка солда́та, матро́са для иго́лок, ни́ток *и др.* мелоче́й

diuresis [,daɪjʊ'ri:sɪs] *n мед.* диуре́з

diuretic [,daɪjʊ'retɪk] **1.** *n* мочего́нное сре́дство

2. *a* мочего́нный

diurnal [daɪ'ɜ:nl] *a* 1) дневно́й (*противоп.* nocturnal) 2) ежедне́вный 3) *астр.* су́точный

diva ['di:və] *n* примадо́нна, ди́ва

divagate ['daɪvəgeɪt] *v* 1) *книжн.* отклоня́ться от те́мы 2) броди́ть, блужда́ть

divagation [,daɪvə'geɪʃn] *n* 1) *книжн.* разгово́ры, рассужде́ния, отклоня́ющиеся от те́мы 2) бесце́льное хожде́ние

divalent [daɪ'veɪlent] *a хим.* двухвале́нтный

divan [dɪ'væn] *n* 1) тахта́ 2) дива́н (*законодательное, административное или судебное учреждение в некоторых странах мусульманского Востока*) 3) *уст.* таба́чная ла́вка 4) дива́н, сбо́рник восто́чных стихо́в 5) *уст.* кури́тельная ко́мната

divaricate [daɪ'værɪkeɪt] **1.** *a бот., зоол.* разветвлённый

2. *v* 1) разветвля́ться 2) расходи́ться (*о дорогах и т. п.*)

divarication [daɪ,værɪ'keɪʃn] *n* 1) разветвле́ние 2) расхожде́ние 3) разви́лка (*дорог*)

dive [daɪv] **1.** *n* 1) ныря́ние, прыжо́к в во́ду 2) погруже́ние (*подводной лодки*) 3) *ав.* пики́рование 4) внеза́пное исчезнове́ние 5) *разг.* дешёвый рестора́н, «подва́льчик» 6) *амер.* ви́нный погребо́к; кабачо́к; прито́н

2. *v* 1) ныря́ть; броса́ться в во́ду 2) *ав.* пики́ровать 3) погружа́ться (*о подводной лодке*) 4) броса́ться вниз 5) внеза́пно скры́ться и́з виду, шмы́гнуть; to ~ into the bushes ю́ркну́ть в кусты́ 6) *разг.* су́нуть ру́ку (*в сумку, в карман*) 7) уходи́ть с голово́й, углубля́ться (*в работу и т. п.*)

dive-bomb ['daɪvbɒm] *v воен. ав.* бомби́ть с пики́рования

dive-bomber ['daɪvbɒmə] *n* пики́рующий бомбардиро́вщик

diver ['daɪvə] *n* 1) прыгу́н в во́ду, ныря́льщик 2) водола́з 3) иска́тель же́мчуга; лове́ц гу́бок 4) гага́ра (*птица*) 5) *разг.* вор-карма́нник

diverge [daɪ'vɜ:dʒ] *v* 1) расходи́ться 2) отклоня́ться; уклоня́ться 3) отходи́ть от но́рмы *или* станда́рта

divergence, -cy [daɪ'vɜ:dʒəns, -sɪ] *n* 1) расхожде́ние 2) отклоне́ние 3) *мат., эк.* диверге́нция

divergent [daɪ'vɜ:dʒənt] *a* 1) расходя́щийся 2) отклоня́ющийся; диверге́нтный 3) *опт.* рассе́ивающий (*о линзе*)

divers ['daɪvəz] *a уст.* ра́зный; разли́чный; in ~ places в ра́зных места́х

diverse [daɪ'vɜ:s] *a* 1) ино́й, отли́чный (*от чего-л.*) 2) разнообра́зный, ра́зный

diversified [daɪ'vɜ:sɪfaɪd] *a* разнообра́зный, разносторо́нний, многосторо́нний; ~ agriculture многоотраслево́е се́льское хозя́йство

diversiform [daɪ'vɜ:sɪfɔ:m] *a* разнообра́зный; име́ющий разли́чные фо́рмы

diversify [daɪ'vɜ:sɪfaɪ] *v* 1) разнообра́зить 2) вкла́дывать в разли́чные предприя́тия (*капитал*)

diversion [daɪ'vɜ:ʃn] *n* 1) отклоне́ние 2) отвлече́ние внима́ния 3) развлече́ние 4) *воен.* отвлека́ющий манёвр; демонстра́ция 5) обхо́д, отво́д 6) *attr.*: ~ dam отво́дная плоти́на

diversionist [daɪ'vɜ:ʃnɪst] *n* диверса́нт; челове́к, занима́ющийся подрывно́й де́ятельностью

diversity [daɪ'vɜ:sətɪ] *n* 1) разнообра́зие; многообра́зие; разноро́дность 2) несхо́дство; разли́чие 3) разнови́дность

divert [daɪ'vɜ:t] *v* 1) отводи́ть; отклоня́ть 2) отвлека́ть (*внимание*) 3) забавля́ть, развлека́ть

diverting [daɪ'vɜ:tɪŋ] **1.** *pres. p. от* divert

2. *a* развлека́ющий, занима́тельный

divertissement [,di:veə'ti:smɒŋ] *n* 1) развлече́ние 2) дивертисме́нт

Dives ['daɪvi:z] *n библ.* бога́ч

divest [daɪ'vest] *v книжн.* 1) раздева́ть, снима́ть (*одежду и т. п.*; of) 2) лиша́ть (of); to ~ smb. of his right лиши́ть кого́-л. пра́ва; I cannot ~ myself of the idea я не могу́ отде́латься от мы́сли

divestiture [daɪ'vestɪtʃə] *n книжн.* 1) раздева́ние 2) лише́ние (*прав и т. п.*)

divestment [daɪ'vestmənt] = divestiture

divide [dɪ'vaɪd] **1.** *n* 1) грани́ца, ли́ния разде́ла 2) водоразде́л 3) *разг.* разделе́ние; делёж ◇ the Great D. а) перева́л в Скали́стых гора́х; б) смерть; to cross the Great D. умере́ть

2. *v* 1) дели́ть(ся); разделя́ться; to ~ into several parts (among several persons) раздели́ть на не́сколько часте́й (ме́жду не́сколькими ли́цами) 2) распределя́ть (among, between); дели́ться (with) 3) отделя́ть(ся); разъединя́ть(ся) 4) градуи́ровать, наноси́ть деле́ния (*на шкалу*) 5) подразделя́ть; дроби́ть 6) вызыва́ть разногла́сия; разделя́ть; расходи́ться (*во взглядах*); opinions are ~d on the point по э́тому вопро́су мне́ния расхо́дятся 7) *мат.* дели́ть; дели́ться без оста́тка 8) *парл.* голосова́ть; ~!, ~! *возгласы, требующие прекращения прений и перехода к голосованию;* to ~ the House провести́ поимённое голосова́ние

divided [dɪ'vaɪdɪd] **1.** *p. p. от* divide 2

2. *a* 1) разделённый, отделённый; разде́льный; разъёмный, составно́й 2) градуи́рованный 3) рассечённый, резно́й (*о листьях*)

divided skirt [dɪ,vaɪdɪd'skɜ:t] *n* ю́бка-брю́ки

dividend ['dɪvɪdend] *n* 1) *фин.* диви-де́нд 2) *мат.* дели́мое 3) по́льза, вы́года

dividend warrant ['dɪvɪdend,wɒrənt] *n* сертифика́т на получе́ние дивиде́нда

divider [dɪ'vaɪdə] *n* 1) тот, кто *или* то, что де́лит 2) ши́рма 3) *pl* ци́ркуль

dividing [dɪ'vaɪdɪŋ] **1.** *pres. p. от* divide 2

2. *a* 1) разделя́ющий 2) *тех.* дели́тельный

dividual [dɪ'vɪdjʊəl] *a* 1) отде́льный; разделённый 2) дели́мый

divination [,dɪvɪ'neɪʃn] *n* 1) гада́ние, ворожба́ 2) предсказа́ние; прорица́ние 3) уда́чный, пра́вильный прогно́з

divine [dɪ'vaɪn] **1.** *n* богосло́в; духо́вное лицо́

2. *a* 1) боже́ственный 2) проро́ческий 3) *разг.* боже́ственный, превосхо́дный

3. *v* 1) проро́чествовать; предска́зывать 2) (пред)уга́дывать, предви́деть 3) *разг.* гада́ть, занима́ться ворожбо́й

diving ['daɪvɪŋ] **1.** *pres. p. от* dive 2

2. *n* ныря́ние; *спорт.* прыжки́ в во́ду

diving bell ['daɪvɪŋbel] *n* водола́зный ко́локол

diving board ['daɪvɪŋbɔ:d] *n* трампли́н для прыжко́в в во́ду

diving dress ['daɪvɪŋdres] *n* скафа́ндр, водола́зный костю́м

diving-rudder ['daɪvɪŋ,rʌdə] *n ав.* руль высоты́ *или* глубины́

diving suit ['daɪvɪŋsu:t] = diving dress

divining-rod [dɪ'vaɪnɪŋrɒd] *n* волше́бный (и́вовый) прут для отыска́ния подпо́чвенных вод *или* мета́ллов

divinity [dɪ'vɪnətɪ] *n* 1) боже́ственность

2) божество́; небе́сное созда́ние 3) (the D.) Бог 4) богосло́вие 5) богосло́вский факульте́т

divinize ['dɪvɪnaɪz] *v* обожествля́ть

divisibility [dɪ,vɪzə'bɪlətɪ] *n* дели́мость

divisible [dɪ'vɪzəbl] *a* 1) дели́мый 2) *мат.* де́лящийся без оста́тка (by)

division [dɪ'vɪʒn] *n* 1) деле́ние 2) разделе́ние; ~ of labour разделе́ние труда́ 3) *мат.* деле́ние 4) расхожде́ние во взгля́дах, разногла́сия 5) *парл.* разделе́ние голосо́в во вре́мя голосова́ния; голосова́ние 6) часть, разде́л 7) отде́л 8) перегоро́дка; межа́, грани́ца; барье́р 9) администрати́вный *или* избира́тельный о́круг 10) классифика́ция, деле́ние 11) *воен.* диви́зия 12) *мор.* дивизио́н

divisional [dɪ'vɪʒnəl] *a* 1) относя́щийся к деле́нию; дро́бный 2) *воен.* дивизио́нный; ~ area (тылово́й) райо́н диви́зии

division sign [dɪ'vɪʒnsaɪn] *n мат.* знак деле́ния

divisive [dɪ'vaɪsɪv] *a* разделя́ющий, вызыва́ющий разногла́сия

divisor [dɪ'vaɪzə] *n мат.* дели́тель

divorce [dɪ'vɔ:s] **1.** *n* 1) разво́д, расторже́ние бра́ка 2) отделе́ние, разъедине́ние, разры́в

2. *v* 1) разводи́ться, растóргать брак 2) отделя́ть, разъединя́ть; to ~ from the soil обезземе́ливать

divorcé [dɪ,vɔ:'si:] *n* разведённый (муж)

divorcée [dɪ,vɔ:'si:] *n* разведённая (жена́)

divorcee [dɪ,vɔ:'si:] *n* разведённый муж *или* -ая жена́

divorcement [dɪ'vɔ:smənt] *n* 1) разво́д, расторже́ние бра́ка 2) разры́в, разъедине́ние

divot ['dɪvət] *n шотл.* дёрн

divulgation [,daɪvʌl'geɪʃn] *n* разглаше́ние (*тайны*)

divulge [daɪ'vʌldʒ] *v* разглаша́ть (*тайну*)

divvy ['dɪvɪ] *разг.* **1.** *n* пай, до́ля

2. *v* 1) дели́ть(ся) 2) войти́ в пай (*тж.* ~ up)

Dixie ['dɪksɪ] *n* Ю́жные шта́ты США (*тж.* Dixieland)

dixie, dixy ['dɪksɪ] *n разг.* 1) похо́дный ку́хонный котёл 2) *воен.* похо́дный котело́к

dizzily ['dɪzɪlɪ] *adv* головокружи́тельно

dizziness ['dɪzɪnəs] *n* головокруже́ние

dizzy ['dɪzɪ] **1.** *a* 1) чу́вствующий головокруже́ние; I am ~ у меня́ голова́ кру́жится 2) ошеломлённый 3) головокружи́тельный

2. *v* 1) вызыва́ть головокруже́ние 2) ошеломля́ть

do I [du: (*полная форма*); dʊ, də, d (*редуцированные формы*)] **1.** *v* (did; done) 1) де́лать, выполня́ть; to do one's lessons гото́вить уро́ки; to do one's work де́лать свою́ рабо́ту; to do lecturing чита́ть ле́кции; to do one's correspondence писа́ть пи́сьма, отвеча́ть на пи́сьма; вести́ перепи́ску; to do a sum реша́ть арифмети́ческую зада́чу; what can I do for you? *разг.* чем могу́ служи́ть? 2) устра́ивать, приготовля́ть 3) причиня́ть; to do smb. good быть (*или* оказа́ться) поле́зным кому́-л.; it doesn't do to complain что по́льзы в жа́лобах; it'll only do you good э́то вам бу́дет то́лько на по́льзу; to do harm причиня́ть вред 4) де́йствовать, проявля́ть де́ятельность, быть акти́вным; поступа́ть; вести́ себя́ 5) подходи́ть, годи́ться; удовлетворя́ть тре́бованиям; быть доста́точным; he will do for us он нам подхо́дит; this sort of work won't do for him э́та рабо́та ему́ не подойдёт; that will do доста́точно, хорошо́; it won't do to play all day нельзя́ це́лый день игра́ть; this hat will do э́та шля́па подхо́дит 6) прибира́ть, приводи́ть в поря́док; to do one's hair причёсываться; to do the room убира́ть ко́мнату 7) процвета́ть, преуспева́ть; чу́вствовать себя́ хорошо́; flowers will not do in this soil цветы́ не бу́дут расти́ на э́той по́чве; to do well поправля́ться, чу́вствовать себя́ хорошо́ 8) пожива́ть; how do you do? (*тж.* how d'ye do?) здра́вствуйте! 9) пройти́, прое́хать (*какое-л. расстояние*) 10) исполня́ть (*роль*); де́йствовать в ка́честве (*кого-л.*); to do Hamlet исполня́ть роль Га́млета 11) (*perf.*) *разг.* конча́ть, зака́нчивать; поко́нчить (*с чем-л.*); I have done with my work я ко́нчил свою́ рабо́ту; let us have done with it оста́вим э́то, поко́нчим с э́тим; have done! дово́льно!, хва́тит!; переста́нь(те)!; that's done it э́то доверши́ло де́ло 12) ста́вить (*спектакль*) 13) гото́вить, жа́рить, туши́ть; I like my meat very well done я люблю́, что́бы мя́со бы́ло хорошо́ прожа́рено; done to a turn прожа́рено хорошо́, в ме́ру; the potatoes will be done in 10 minutes карто́шка бу́дет гото́ва че́рез 10 мину́т; to do brown а) поджа́рить *или* испе́чь до появле́ния румя́ной ко́рочки; б) *разг.* одура́чить 14) *разг.* осма́тривать (*достопримечательности*); to do the British Museum осма́тривать Брита́нский музе́й 15) *разг.* выма́тывать, изма́тывать 16) *разг.* загуби́ть; уби́ть 17) *разг.* обма́нывать, надува́ть; I think you've been done мне ка́жется, что вас провели́ 18) *разг.* отбыва́ть срок (*в тюрьме*) 19) *sl.* спать (*с кем-л.*) 20) *sl.* принима́ть (*наркотик*) 21) *употр. в качестве вспомогательного глагола в отриц. и вопр. формах в Present и Past Indefinite*: I do not speak French я не говорю́ по-францу́зски; he did not see me он меня́ не ви́дел; did you not see me? ра́зве вы меня́ не ви́дели?; do you smoke? вы ку́рите? 22) *употр. вместо другого глагола в Present и Past Indefinite во избежание его повторения*: he works as much as you do (= work) он рабо́тает сто́лько же, ско́лько и вы; he likes bathing and so do I он лю́бит купа́ться и я то́же 23) *употр. для усиления*: do come пожа́луйста, приходи́те; I did say so and I do say so now да, я э́то (действи́тельно) сказа́л и ещё раз повторя́ю 24) *употр. при инверсии в Present и Past Indefinite*: well do I remember it я хорошо́ э́то по́мню ▭ do **away** with уничто́жить; разде́латься; отменя́ть; this old custom is done away with с э́тим ста́рым обы́чаем поко́нчено; he did away with himself он поко́нчил с собо́й; do **by** обраща́ться; do as you would be done by поступа́й с други́ми так, как ты хоте́л бы, что́бы поступа́ли с тобо́й; do **down** *разг.* а) надува́ть, обма́нывать; б) брать верх; do **for** *разг.* а) (*обыкн. pass.*) губи́ть, убива́ть; he is done for с ним поко́нчено; б) (ис)по́ртить; в) забо́титься, присма́тривать; вести́ хозя́йство (*кого-л.*); г) справля́ться; to do for oneself обходи́ться без посторо́нней по́мощи; do **in** *разг.* а) погуби́ть, уби́ть; б) разру́шить; в) переутоми́ть; г) обману́ть; д) одоле́ть; победи́ть в состяза́нии; do **into** переводи́ть; done into English переведено́ на англи́йский (язы́к); do **out** *разг.* а) убира́ть, прибира́ть; б) кра́сить, окле́ивать обо́ями; do **over** а) *sl.* убива́ть; б) *разг.* покрыва́ть (*краской и т. п.*), обма́зывать; окле́ивать обо́ями; в) *амер.* переде́лывать, де́лать вновь; do **to**, do **into** = do by; do **up** а) завёртывать (*пакет*); б) *разг.* приводи́ть в поря́док, прибира́ть; to do the suite up привести́ кварти́ру в поря́док; to do one's dress up застегну́ть пла́тье; в) *sl.* погуби́ть, разби́ть; г) (*обыкн. p. p.*) *sl.* кра́йне утомля́ть; he is quite done up after his journey он о́чень уста́л по́сле пое́здки; do **with** а) быть дово́льным, удовлетворя́ться; I could do with a meal я бы что́-нибудь съел; I can do with a cup of milk for my supper я могу́ обойти́сь ча́шкой молока́ на у́жин; б) терпе́ть, выноси́ть; ла́дить с *кем-л.*; I can't do with him я его́ не выношу́; do **without** обходи́ться без; he can't do without his pair of crutches он не мо́жет ходи́ть без костыле́й ◇ to do oneself well доставля́ть себе́ удово́льствие; to do a beer вы́пить (кру́жку) пи́ва; to do the business for smb. *разг.* погуби́ть кого́-л.; to do smb. out of smth. наду́ть кого́-л.; to do in the eye *sl.* на́гло обма́нывать, дура́чить; напа́костить; to do to death *разг.* уби́ть; to do or die, to do and die соверша́ть герои́ческие по́двиги; ≅ победи́ть и́ли умере́ть; what's to do? в чём де́ло?; what is done cannot be undone сде́ланного не воро́тишь; to do one's worst из ко́жи вон лезть; done!, done with you! ла́дно, по рука́м!; well done! бра́во!, молодцо́м!

2. *n* (*pl* dos, do's [du:z]) 1) *sl.* обма́н, моше́нничество 2) *разг.* приём госте́й, вечери́нка; *шутл.* собы́тие; we've got a do on tonight у нас сего́дня ве́чер 3) *pl разг.* уча́стие, до́ля; fair do's! чур, попола́м! 4) *разг.* приказа́ние, распоряже́ние 5) *австрал. разг.* успе́х

do II [dəʊ] *n муз.* до

do III [du:] *сокр. от* ditto

doable ['du:əbl] *a* выполни́мый

do-all ['du:ɔ:l] *n* 1) ма́стер на все ру́ки 2) факто́тум, посре́дник

dobbin ['dɒbɪn] *n* рабо́чая ло́шадь

Dobermann ['dəʊbəmən] *n* доберма́н-пи́нчер (*порода собак*)

doc [dɒk] *n разг.* до́ктор

docile ['dəʊsaɪl] *a* 1) послу́шный, поко́рный 2) *уст.* поня́тливый

docility [dəʊ'sɪlətɪ] *n* 1) послуша́ние 2) *уст.* поня́тливость

dock I [dɒk] *n* щаве́ль

dock II [dɒk] **1.** *n* 1) док; floating ~ плаву́чий док; wet ~ мо́крый док; dry ~ сухо́й док; to be in dry ~ *разг.* оказа́ться на мели́; оста́ться без рабо́ты 2) (*обыкн. pl*) порто́вый бассе́йн 3) *амер.* при́стань; прича́л 4) *ж.-д.* тупи́к 5) *театр.* склад декора́ций 6) *воен. разг.* го́спиталь

2. *v* 1) ста́вить су́дно в док; входи́ть в док 2) производи́ть стыко́вку; стыкова́ться 3) обору́довать до́ками, стро́ить до́ки

dock III [dɒk] *n* скамья́ подсуди́мых

dock IV [dɒk] **1.** *n* 1) ре́пица (*хвоста животного*) 2) обру́бленный хвост

2. *v* 1) обруба́ть (*хвост*) 2) ко́ротко стричь (*волосы*) 3) уменьша́ть, сокраща́ть; лиша́ть ча́сти (*чего-л.*); to ~ wages уре́зывать за́работную пла́ту 4): to ~ the entail *юр.* отменя́ть ограниче́ния в пра́ве вы́бора насле́дника

dockage I ['dɒkɪdʒ] *n* 1) до́ковые сбо́ры; сбор за по́льзование до́ком 2) стоя́нка судо́в в до́ках

dockage II ['dɒkɪdʒ] *n* сокраще́ние, уре́зка

dock-dues ['dɒkdju:z] = dockage I, 1)

docker ['dɒkə] *n* до́кер, порто́вый рабо́чий

docket ['dɒkɪt] **1.** *n* 1) ярлы́к, этике́тка (*с описанием груза и адресом грузополучателя*) 2) квита́нция об упла́те тамо́женной по́шлины 3) *амер.* рее́стр суде́бных дел; trial ~ спи́сок дел, назна́ченных к слу́шанию; on the ~ *разг.* в проце́ссе обсужде́ния, рассмотре́ния; to clear the ~ исчерпа́ть спи́сок дел, назна́ченных к слу́шанию 4) спи́сок, пе́речень (*дел, заданий и т. п.*) 5) вы́писка из суде́бного реше́ния

2. *v* 1) де́лать на́дпись на гру́зе, докуме́нте, письме́ с кра́тким изложе́нием его́ содержа́ния 2) маркирова́ть, накле́ивать этике́тки 3) вноси́ть содержа́ние суде́бного де́ла в рее́стр

docking ['dɒkɪŋ] **1.** *pres. p. от* dock II, 2

2. *n косм.* стыко́вка

dockland ['dɒklænd] *n* райо́н до́ков

dock-master ['dɒk,mɑ:stə] *n* нача́льник до́ка

dockyard ['dɒkjɑ:d] *n* 1) судоремо́нтный заво́д с до́ками, ве́рфями, э́ллингами и скла́дами 2) (*обыкн. pl*) судострои́тельная верфь

doctor ['dɒktə] **1.** *n* 1) врач, до́ктор 2) *амер.* данти́ст; ветерина́рный врач 3) до́ктор (*учёная степень*) 4) *разг.* ма́стер по ремо́нту 5) вспомога́тельный механи́зм 6) *мор. жарг.* судово́й по́вар 7) иску́сственная му́ха (*употр. для ужения*)

2. *v разг.* 1) занима́ться враче́бной пра́ктикой; лечи́ть; to ~ oneself лечи́ться 2) ремонти́ровать, чини́ть на ско́рую ру́ку 3) подде́лывать (*документы*) 4) фальсифици́ровать (*пищу, вино*) 5) присужда́ть сте́пень до́ктора

doctoral ['dɒktərəl] *a* до́кторский

doctorate ['dɒktərət] *n* до́кторская сте́пень

doctrinaire [,dɒktrɪ'neə] **1.** *n* доктринёр

2. *a* доктринёрский

doctrinal [dɒk'traɪnl] *a* относя́щийся к доктри́не; содержа́щий доктри́ну

doctrinarian [,dɒktrɪ'neərɪən] = doctrinaire

doctrine ['dɒktrɪn] *n* 1) уче́ние, доктри́на; ~ of descent *биол.* тео́рия происхожде́ния ви́дов 2) ве́ра, до́гма

doctrinist ['dɒktrɪnɪst] *n* слепо́й приве́рженец како́й-л. доктри́ны

docudrama [,dɒkjʊ'drɑ:mə] *n тлв.* документа́льная дра́ма

document 1. *n* ['dɒkjʊmənt] докуме́нт, свиде́тельство

2. *v* ['dɒkjʊment] 1) подтвержда́ть докуме́нтами, документи́ровать 2) снабжа́ть докуме́нтами (*особ. судовыми*)

documentalist [,dɒkjʊ'mentəlɪst] *n* документали́ст

documentary [,dɒkjʊ'mentərɪ] **1.** *a* документа́льный

2. *n* документа́льный фильм *и т. п.*

documentation [,dɒkjʊmen'teɪʃn] *n* 1) документа́ция, подтвержде́ние докуме́нтами 2) *мор.* снабже́ние (*судна*) докуме́нтами

dodder I ['dɒdə] *n бот.* повили́ка

dodder II ['dɒdə] *v* 1) ковыля́ть (*тж.* ~ along) 2) дрожа́ть, трясти́сь (*от слабости, старости*) 3) мя́млить

doddered ['dɒdəd] *a* с поражённой верху́шкой (*о деревьях*)

doddering ['dɒdərɪŋ] **1.** *pres. p. от* dodder II

2. *a* = doddery

doddery ['dɒdərɪ] *a* 1) нетвёрдый на нога́х, дрожа́щий, трясу́щийся 2) глу́пый, слабоу́мный; ста́рчески болтли́вый

dodecagon [,dəʊ'dekəgən] *n* двенадцатиуго́льник

dodecahedron [,dəʊdekə'hi:drən] *n* додека́эдр, двенадцатигра́нник

dodecaphonic [,dəʊdekə'fɒnɪk] *a муз.* додекафони́ческий

dodge [dɒdʒ] **1.** *n* 1) увёртка, уклоне́ние 2) уло́вка, хи́трость 3) *спорт.* обма́нное движе́ние, финт 4) *разг.* хи́трое приспособле́ние *или* сре́дство; приём; a good ~ for remembering names хоро́ший спо́соб запомина́ть имена́

2. *v* 1) избега́ть, увёртываться, уклоня́ться (*от удара*) 2) пря́таться (behind, under) 3) увили́вать; хитри́ть; уклоня́ться

dodgem ['dɒdʒəm] *n* электри́ческий автомоби́льчик (*парковый аттракцион*)

dodger ['dɒdʒə] *n* 1) увёртливый челове́к; хитре́ц 2) *амер.* рекла́мный листо́к 3) *амер.* кукуру́зная лепёшка 4) *sl.* бутербро́д; хлеб; еда́

dodgery ['dɒdʒərɪ] *n* 1) увёртка 2) плутовство́

dodgy ['dɒdʒɪ] *a* 1) *разг.* хи́трый; нече́стный 2) изворо́тливый, ло́вкий 3) хитроу́мный (*о приспособлении*)

dodo ['dəʊdəʊ] *n* (*pl* -oes, -os [-əʊz]) 1) дронт (*вымершая птица*) 2) ко́сный, неу́мный челове́к

doe [dəʊ] *n* са́мка оле́ня (*тж.* за́йца, кро́лика, кры́сы, мы́ши *и* хорька́)

doer ['du:ə] *n* 1) исполни́тель; he is a ~, not a talker он лю́бит де́йствовать, а не болта́ть 2) де́ятель, созида́тель 3) *шотл. юр.* дове́ренное лицо́, аге́нт 4): a good (bad) ~ расте́ние, кото́рое бу́йно (пло́хо) растёт *или* цветёт

doeskin ['dəʊskɪn] *n* 1) оле́нья ко́жа; за́мша 2) ткань, имити́рующая за́мшу

dog [dɒg] **1.** *n* 1) соба́ка, пёс; Greater (Lesser) Dog созве́здие Большо́го (Ма́лого) Пса 2) кобе́ль; саме́ц во́лка, лисы́ (*тж.* ~-wolf, ~-fox) 3) *разг.* подле́ц, соба́ка 4) *разг.* па́рень (*переводится по контексту*); gay (*или* jolly) ~ весельча́к; lucky ~ счастли́вец; lazy ~ лентя́й; dirty ~ дрянь-челове́к, «свинья́» 5) *амер.*, *австрал. sl.* лега́вый, стука́ч 6) *тех.* соба́чка; гвоздодёр; остано́в 7) = andiron 8) = dogfish 9) *мор.* задра́йка 10) (the ~s) *pl разг.* состяза́ние борзы́х ◇ a ~'s life соба́чья жизнь; let sleeping ~s lie не каса́йтесь неприя́тных вопро́сов без необходи́мости; ≅ не тронь ли́хо, пока́ спит ти́хо; there is life in the old ~ yet ≅ есть ещё по́рох в пороховни́цах; ~s of war у́жасы войны́, спу́тники войны́; a ~'s age до́лгое вре́мя; a dead ~ челове́к *или* вещь, ни на что не го́дный, -ая; to go to the ~s ги́бнуть; разоря́ться; ≅ идти́ к чертя́м; to help a lame ~ over a stile помо́чь кому́-л. в беде́; every ~ has his day ≅ бу́дет и на на́шей у́лице пра́здник; hot ~! *амер. восклицание одобрения*; spotty ~ варёный пу́динг с кори́нкой; to put on ~ *разг.* ва́жничать; держа́ть себя́ высокоме́рно; to throw to the ~s вы́бросить за него́дностью; ~ on it! прокля́тие!; чёрт побери́!; top ~ а) соба́ка, победи́вшая в дра́ке; б) хозя́ин положе́ния; госпо́дствующая *или* победи́вшая сторона́; under ~ а) соба́ка, побеждённая в дра́ке; б) подчиня́ющаяся *или* побеждённая сторона́; в) челове́к, кото́рому не повезло́ в жи́зни, неуда́чник

2. *v* 1) ходи́ть по пята́м, высле́живать (*тж.* ~ smb.'s footsteps) 2) пресле́довать, трави́ть; ~ged by misfortune пресле́дуемый несча́стьями 3) трави́ть соба́ками 4) *мор.*: to ~ down задра́ивать

dog-ape ['dɒgeɪp] *n зоол.* бабу́ин

dogate ['dəʊgeɪt] *n ист.* сан до́жа

dogbane ['dɒgbeɪn] *n бот.* кенды́рь

dog-bee ['dɒgbi:] *n* тру́тень

Dogberry ['dɒgberɪ] *n* самоуве́ренный чину́ша (*по имени персонажа комедии Шекспира «Много шума из ничего»*)

dogberry ['dɒgberɪ] *n бот.* свиди́на крова́во-кра́сная (*растение с несъедобными ягодами*)

dog biscuit ['dɒg,bɪskɪt] *n* собáчья галéта (*корм*)

dogcart ['dɒgkɑ:t] *n* 1) лёгкая телéжка, запряжённая собáками 2) двухмéстный двухколёсный экипáж с поперéчными сидéньями

dog-cheap ['dɒgtʃi:p] *уст. разг.* **1.** *a* óчень дешёвый

2. *adv* óчень дёшево

dog collar ['dɒg,kɒlə] *n* 1) ошéйник 2) *разг.* высóкий жёсткий воротнúк (*у лиц духовного звания*) 3) высóкий вóрот

dog days ['dɒgdeɪz] *n pl* сáмые жáркие лéтние дни, знóйные дни

doge [dəʊdʒ] *n ист.* дож

dog-eared ['dɒgɪəd] *a*: a ~ book кнúга с зáгнутыми уголкáми странúц

dog-eat-dog [,dɒgi:t'dɒg] *a разг.* беспощáдный, ожесточённый (*о конкуренции*)

dogface ['dɒgfeɪs] *n амер. разг.* 1) солдáт-пехотúнец 2) рéкрут, новобрáнец, салáка

dog-fancier ['dɒg,fænsɪə] *n* собаковóд

dogfight ['dɒgfaɪt] *n разг.* 1) воздýшный бой 2) рукопáшный бой 3) свáлка, беспорядочная дрáка

dogfish ['dɒgfɪʃ] *n* морскáя собáка (*акула*)

dog-fox ['dɒgfɒks] *n* самéц лисúцы, лис

dogged [dɒgd] **1.** *p. p. от* dog 2

2. *a* ['dɒgɪd] упрямый, упóрный, настóйчивый; it's ~ that does it *разг.* упóрный своегó добьётся

3. *adv разг.* чертóвски, óчень

dogger I ['dɒgə] *n* дóггер, двухмáчтовое голлáндское рыболóвное сýдно

dogger II ['dɒgə] *n геол.* срéдняя юра

doggerel ['dɒgrəl] *n* плохúе стихú, вúрши

doggery ['dɒgərɪ] *n* 1) собáчьи повáдки, пóдлое поведéние 2) *амер. разг.* пóртерная; кабачóк

doggie ['dɒgɪ] = doggy 1

doggish ['dɒgɪʃ] *a* 1) собáчий 2) жестóкий; грýбый 3) *редк.* раздражúтельный; огрызáющийся 4) *разг.* криклúво-мóдный

doggo ['dɒgəʊ] *adv разг.*: to lie ~ притаúться; выжидáть

doggone ['dɒgɒn] *int sl.* проклятье!; чёрт поберú! (*тж.* doggoned)

doggy ['dɒgɪ] **1.** *n* собáчка, собачóнка, пёсик

2. *a* 1) собáчий 2) любящий собáк

doghole ['dɒghəʊl] *n* собáчья конурá, камóрка

doghouse ['dɒghaʊs] *n амер.* собáчья конурá ◇ in the ~ опозóренный, в немúлости

dog in the manger [,dɒgɪnðə'meɪndʒə] *n* собáка на сéне

dog Latin [,dɒg'lætɪn] *n* испóрченная, «кýхонная» латынь

dog-lead ['dɒgli:d] *n* собáчий поводóк

dog-licence ['dɒglaɪsns] *n* регистрациóнное свидéтельство на собáку

dogma ['dɒgmə] *n* (*pl* -as [-əz], -ata) 1) дóгма 2) дóгмат

dogmata ['dɒgmətə] *pl от* dogma

dogmatic [dɒg'mætɪk] *a* 1) диктáторский; не допускáющий возражéний 2) категорúческий, безапелляциóнный 3) догматúческий

dogmatically [dɒg'mætɪklɪ] *adv* 1) авторитéтным тóном 2) догматúчески

dogmatics [dɒg'mætɪks] *n pl* (*употр. как sing*) догмáтика; догматúческое богослóвие

dogmatize ['dɒgmətaɪz] *v* 1) говорúть безапелляциóнным тóном 2) выдвигáть в кáчестве дóгмы

dog nail ['dɒgneɪl] *n тех.* костыль

dog-poor ['dɒgpɔ:] *a predic.* нúщий; ≅ гол как сокóл

dog rose ['dɒgrəʊz] *n* дúкая рóза, шипóвник

dog-salmon ['dɒg,sæmən] *n зоол.* кéта, горбýша

dog's-eared ['dɒgzɪəd] = dog-eared

dog's-grass ['dɒgzgrɑ:s] *n бот.* пырéй ползýчий

dogshores ['dɒgʃɔ:z] *n pl мор.* упóры спусковóго устрóйства

dog-sick ['dɒg,sɪk] *a predic. разг.*: he was ~ он себя отвратúтельно чýвствовал

dogskin ['dɒgskɪn] *n* лáйка (*кожа*)

dog sleep ['dɒgsli:p] *n* чýткий сон; сон урывками

dog's letter ['dɒgz,letə] *n старое название буквы* R

dog's-meat ['dɒgzmi:t] *n* 1) мясо для собáк, *особ.* конúна 2) пáдаль

Dog's Tail ['dɒgzteɪl] *n астр.* Мáлая Медвéдица

dog's-tail ['dɒgzteɪl] *n бот.* гребéнник

dog-star ['dɒgstɑ:] *n разг.* Сúриус (*звезда*)

dog tag ['dɒgtæg] *n* 1) регистрациóнный нóмер собáки 2) *амер. воен. разг.* лúчный знак

dog-tail ['dɒgteɪl] = dog's-tail

dog-tired [,dɒg'taɪəd] *a* устáлый как собáка

dogtooth ['dɒgtu:θ] *n* 1) клык 2) *архит. название пирамидального орнамента английской готики*

dog-tree ['dɒgtri:] = dogwood

dogtrot ['dɒgtrɒt] *n* рысцá

dog violet ['dɒg,vaɪələt] *n бот.* фиáлка собáчья; дúкая фиáлка

dogwatch ['dɒgwɒtʃ] *n мор.* полувáхта (*от 16 до 18 ч. или от 18 до 20 ч.*)

dog-weary [,dɒg'wɪərɪ] = dog-tired

dogwood ['dɒgwʊd] *n бот.* кизúл

doily ['dɔɪlɪ] *n* салфéточка

doing ['du:ɪŋ] **1.** *pres. p. от* do I

2. *n* 1) (*часто pl*) дéло, дéйствия, поведéние, постýпки; fine ~s these! хорóшенькие делá творятся!; I have heard of your ~s *ирон.* слышал я о вáших пóдвигах 2) *pl* событúя 3) *pl* возня, шум 4) *разг.* нахлобýчка; выволочка 5) *pl амер. разг.* затéйливые блюда

doit [dɔɪt] *n* 1) *ист.* мéлкая монéта 2) мéлочь, пустяк; not to care a ~ ни во что не стáвить; not worth a ~ грошá лóманого не стóит

doited ['dɔɪtɪd] *a шотл.* выживший из умá

do-it yourself [,du:ɪtjə'self] **1.** *n* ≅ «сдéлай сам» (*ремонт, изготовление чего-л.*)

2. *a* предназнáченный для самодéятельного занятия; a ~ kit for building a radio оборýдование для изготовлéния самодéльного радиоприёмника

dojo ['dəʊdʒəʊ] *n* шкóла дзюдó

Dolby ['dɒlbɪ] *n* дóлби (*система звукозаписи для уменьшения помех*)

dolce vita [,dɒltʃɪ'vi:tə] *ит. n* слáдкая жизнь

doldrums ['dɒldrəmz] *n pl* 1) дурнóе настроéние; депрéссия; to be in the ~ хандрúть, быть в плохóм настроéнии 2) *мор., метео* экваториáльная штилевáя полосá

dole I [dəʊl] **1.** *n* 1) посóбие по безрабóтице; to be (*или* to go) on the ~ получáть посóбие 2) небольшóе вспомоществовáние; подáчка 3) *уст.* дóля, судьбá

2. *v* 1) скýпо выдавáть, раздавáть в скýдных размéрах (*обыкн.* ~ out) 2) окáзывать благотворúтельную пóмощь

dole II [dəʊl] *n разг. поэт.* гóре, скорбь

doleful ['dəʊlfl] *a* скóрбный, печáльный; меланхолúческий

dolichocephalic [,dɒlɪkəʊsɪ'fælɪk] *a мед.* длинноголóвый, долихоцефáльный

doll [dɒl] **1.** *n* 1) кýкла; Paris ~ манекéн 2) *разг.* кýколка, хорóшенькая пустоголóвая дéвушка *или* жéнщина

2. *v разг.* наряжáть(ся) (*обыкн.* ~ up); ~ed up разряженный

dollar ['dɒlə] *n* 1) дóллар (= *100 центам*); the ~s дéньги, богáтство 2) *разг.* крóна (*монета в 5 шиллингов*) 3) *attr.* дóлларовый; ~ diplomacy дипломáтия дóллара

dollish ['dɒlɪʃ] *a* кýкольный, похóжий на кýклу

dollop ['dɒləp] *n* кусóк, небольшóе колúчество

dolly ['dɒlɪ] **1.** *n* 1) *детск.* кýколка 2) *кино, тлв.* операторская телéжка 3) бельевóй валёк 4) телéжка 5) локомотúв узкоколéйной желéзной дорóги, «кукýшка» 6) *горн.* пест для размельчéния руды

2. *a разг.* 1) кýкольный; хорóшенький 2) дéтский; лёгкий, неслóжный

3. *v* 1) бить валькóм (*бельё*) 2) *горн.* перемéшивать (*руду*) во врéмя её промывки; дробúть (*руду*) пéстиком ▭ ~ in *кино, тлв.* дéлать «наéзд»; ~ out *кино, тлв.* дéлать «отъéзд»; ~ up наряжáться

dolly-bag ['dɒlɪbæg] *n* мáленькая дáмская сýмочка

dolly-tub ['dɒlɪtʌb] *n* 1) лохáнь; корыто 2) *горн.* отсáдочная машúна

dolman ['dɒlmən] *n* 1) доломáн (*гусарский мундир*) 2) доломáн (*род женской одежды*)

dolmen ['dɒlmen] *n археол.* дольмéн, крóмлех

dolomite ['dɒləmaɪt] *n мин.* доломúт

dolorous ['dɒlərəs] *a поэт.* печáльный, грýстный

dolour ['dɒlə] *n поэт.* печáль, гóре

dolphin ['dɒlfɪn] *n* 1) *зоол.* дельфи́н (настоя́щий); дельфи́н-белобóчка 2) *мор.* швартóвый пал; свáйный куст; деревя́нный крáнец

dolphinarium [ˌdɒlfɪ'neərɪəm] *n* дельфинáрий

dolt [dəʊlt] *n* дýрень, болвáн

doltish ['dəʊltɪʃ] *a* тупóй, придуркова́тый

domain [də'meɪn] *n* 1) владéние; имéние; территóрия; Eminent D. суверéнное прáво госудáрства отчуждáть чáстную сóбственность (за компенсáцию) 2) óбласть, сфéра

dome [dəʊm] **1.** *n* 1) кýпол; свод; ~ of heaven *поэт.* небéсный свод 2) кýпол обсерватóрии 3) *разг.* головá, башкá 4) *поэт.* величéственное здáние 5) *тех.* колпáк; steam ~ сухопáрник

2. *v* 1) венчáть кýполом 2) возвышáться в ви́де кýпола

domed [dəʊmd] **1.** *p. p. от* dome 2

2. *a* 1) куполообрáзный 2) укрáшенный кýполом

Domesday Book ['du:mzdeɪbʊk] *n* (*букв.* кни́га стрáшного судá) *ист.* кадáстровая кни́га, земéльная óпись А́нглии, произведённая Вильгéльмом Завоевáтелем (*в 1086 г.*)

domestic [də'mestɪk] **1.** *a* 1) домáшний; семéйный; ~ science домовóдство; ~ appliances предмéты домáшнего обихóда 2) внýтренний; отéчественный; ~ industry отéчественная промы́шленность; ~ trade внýтренняя торгóвля; ~ issue внутриполити́ческий вопрóс 3) домáшний, ручнóй (*о живóтных*) 4) домосéдливый, лю́бящий семéйную жизнь

2. *n* 1) прислýга 2) *pl* товáры отéчественного произвóдства 3) *pl амер.* прóстые хлопчатобумáжные ткáни

domesticable [də'mestɪkəbl] *a* поддаю́щийся приручéнию (*о живóтных*)

domesticate [də'mestɪkeɪt] *v* 1) приручáть (*живóтных*); культиви́ровать (*растéния*); акклиматизи́ровать 2) цивилизовáть 3) привя́зывать к дóму, к семéйной жи́зни 4) обучáть ведéнию хозя́йства 5) освáивать; to ~ space освáивать кóсмос

domestication [dəˌmestɪ'keɪʃn] *n* 1) приручéние (*живóтных*) 2) привы́чка, любóвь к дóму, к семéйной жи́зни

domesticity [ˌdəʊme'stɪsətɪ] *n* 1) семéйная, домáшняя жизнь 2) любóвь к семéйной жи́зни, к ую́ту 3) (the domesticities) *pl* домáшние делá

domett [dəʊ'met] *n* полушерстянáя ткань, домéтт

domic(al) ['dəʊmɪk(l)] *a* куполообрáзный, кýпольный

domicile ['dɒmɪsaɪl] **1.** *n* 1) *книжн.* постоя́нное местожи́тельство 2) *юр.* домици́лий, юриди́ческий áдрес лицá *или* фи́рмы 3) *ком.* домици́лий, мéсто платежá по вéкселю

2. *v* 1) *книжн.* посели́ться на постоя́нное жи́тельство 2) *ком.* обозначи́ть мéсто платежá по вéкселю

domiciliary [ˌdɒmɪ'sɪlɪərɪ] *a книжн.*, *юр.* домáшний, по мéсту жи́тельства; ~ visit а) домáшний óбыск; б) осмóтр дóма официáльными óрганами

dominance ['dɒmɪnəns] *n* господствó; влия́ние; преоблáдание

dominant ['dɒmɪnənt] **1.** *a* 1) госпóдствующий; доміни́рующий, преобладáющий 2) возвышáющийся (*о скале и т. п.*) 3) *биол.* доминáнтный, доміни́рующий

2. *n* 1) *спец.* доминáнта, основнóй при́знак 2) *муз.* доминáнта, пя́тая ступéнь диатони́ческой гáммы

dominate ['dɒmɪneɪt] *v* 1) госпóдствовать; влáствовать 2) имéть влия́ние (*на когó-л.*) 3) доміни́ровать, преобладáть 4) сдéрживать, подавля́ть, овладевáть; to ~ one's emotions владéть свои́ми чýвствами 5) возвышáться (*над чем-л.*)

domination [ˌdɒmɪ'neɪʃn] *n* 1) госпóдство, власть 2) преоблáдание

domineer [ˌdɒmɪ'nɪə] *v* 1) держáть себя́ высокомéрно 2) дéйствовать деспоти́чески, влáствовать; повелевáть; влады́чествовать 3) возвышáться над мéстностью (over)

domineering [ˌdɒmɪ'nɪərɪŋ] **1.** *pres. p. от* domineer

2. *a* 1) высокомéрный 2) деспоти́ческий, влáстный, не допускáющий возражéний 3) госпóдствующий, возвышáющийся (*над местностью*)

dominical [də'mɪnɪkl] *a церк.* 1) воскрéсный; ~ day воскресéнье 2) госпóдний, христóв

Dominican [də'mɪnɪkən] **1.** *a* доминикáнский

2. *n* 1) доминикáнец; доминикáнка 2) доминикáнец (*монах*)

dominion [də'mɪnjən] *n* 1) влады́чество, власть 2) суверéнное прáво 3) (*часто pl*) владéние 4) *ист.* доминиóн 5) *attr.*: D. Day прáздник 1 ию́ля в Канáде (*годовщина образования доминиона*)

domino ['dɒmɪnəʊ] *n* (*pl* -oes [-əʊz]) 1) кость (доминó) 2) *pl* доминó (*игра*) 3) доминó (*маскарадный костюм*) 4) учáстник маскарáда ◇ it's ~ with smb., smth. всё кóнчено с кем-л., чем-л., нет надéжды

dominoed ['dɒmɪnəʊd] *a* одéтый в доминó

don I [dɒn] *n* 1) преподавáтель, член совéта кóлледжа (*в Оксфорде и Кембридже*) 2) (D.) дон (*испанский титул*)

don II [dɒn] *v уст.* надевáть

dona(h) ['dəʊnə] *n разг.* 1) жéнщина 2) ми́лая, подрýжка

donate [dəʊ'neɪt] *v* дари́ть, жéртвовать

donation [dəʊ'neɪʃn] *n* 1) передáча в дар, дарéние 2) дар, дéнежное пожéртвование 3) *attr.*: ~ duty налóг на дáрственную передáчу имýщества

donative ['dəʊnətɪv] **1.** *n* 1) дар, подáрок 2) *церк.* бенефи́ций, доброхóтное дая́ние

2. *a* дáрственный; пожéртвованный

donatory ['dəʊnətərɪ] *n юр.* лицó, получáющее дар, подáрок

do-naught ['du:nɔ:t] = do-nothing

done [dʌn] **1.** *p. p. от* do I; ~ in English состáвлено на англи́йском языкé (*об официальном документе*); it isn't ~ так не поступáют; э́то не при́нято

2. *a* 1) сдéланный 2) *разг.* соотвéтствующий обы́чаю, мóде 3) *разг.* устáлый, в изнеможéнии (*часто* ~ up) 4) хорошó приготóвленный; прожáренный 5) *разг.* обмáнутый (*тж.* ~ brown) ◇ ~ for а) разорённый; б) приговорённый, кóнченый; в) уби́тый; ~ to the world (*или* to the wide) *разг.* разгрóмленный, побеждённый; потерпéвший пóлную неудáчу

donee [dəʊ'ni:] *n* получáющий дар, подáрок

dong [dɒŋ] *n* 1) «дон», удáр большóго кóлокола 2) *австрал. разг.* тяжёлый удáр

donjon ['dɒndʒən] *n архит.* глáвная бáшня (средневекóвого зáмка)

donkey ['dɒŋkɪ] *n* 1) осёл 2) *разг.* осёл, дурáк 3) (D.) *амер. прозвище демократической партии* 4) *тех.* = donkey engine ◇ to talk the hind leg off a ~ *разг.* заговори́ть, утоми́ть многослóвием

donkey engine ['dɒŋkɪˌendʒɪn] *n тех.* небольшóй стационáрный дви́гатель

donkeywork ['dɒŋkɪwɜ:k] *n разг.* нýдная неблагодáрная рабóта

donna ['dɒnə] *n* 1) дóнна 2) госпожá, дáма

donnish ['dɒnɪʃ] *a* 1) педанти́чный 2) вáжный, чвáнный

Donnybrook Fair ['dɒnɪbrʊkˌfeə] *n* 1) *ист.* ежегóдная я́рмарка в Дóннибруке (*близ Дублина*) 2) шýмное сбóрище; гвалт; «базáр»

donor ['dəʊnə] *n* 1) жéртвователь 2) *мед.* дóнор

do-nothing ['du:ˌnʌθɪŋ] *n* бездéльник, лентя́й

don't [dəʊnt] *разг.* 1) *сокр.* = do not 2) не нáдо, пóлно, перестáнь(те) 3) *употр. как сущ.* запрещéние; I am sick and tired of your don'ts мне надоéли вáши запрещéния

doodle ['du:dl] *разг.* **1.** *n* болвáн

2. *v* машинáльно черти́ть *или* рисовáть

doodlebug ['du:dlbʌg] *n разг.* 1) самолёт-снаря́д 2) плавýчая *или* передвижнáя золотомóйка

doom [du:m] **1.** *n* 1) рок, судьбá 2) ги́бель; смерть; to go to one's ~ идти́ на вéрную смерть; to send a man to his ~ посылáть человéка на вéрную смерть 3) осуждéние; приговóр 4) *уст.* статýт, декрéт ◇ crack of ~ *рел.* трýбный глас

2. *v* 1) осуждáть, обрекáть, предопределя́ть 2) *юр.* выноси́ть обвини́тельный приговóр

doomed [du:md] **1.** *p. p. от* doom 2

2. *a* обречённый; осуждённый

doomsday ['du:mzdeɪ] *n* 1) *рел.* день стрáшного судá; to wait till ~ ждать до второ́го прише́ствия (*т. е.* бесконе́чно) 2) светопреставле́ние, коне́ц све́та 3) день суда́

door [dɔ:] *n* 1) дверь; две́рца; дверно́й проём; front ~ пара́дный вход; to close the ~ (up)on smb. закры́ть за кем-л. дверь; to answer the ~ откры́ть дверь (*на стук или звонок*); behind closed ~s за закры́тыми дверя́ми, та́йно; to slam (*или* to shut) the ~ in smb.'s face захло́пнуть дверь пе́ред са́мым но́сом кого́-л. 2) дом, кварти́ра, помеще́ние; out of ~s на откры́том во́здухе, на у́лице; within ~s = indoors; to turn smb. out of ~s вы́ставить за дверь, прогна́ть кого́-л.; next ~ сосе́дний дом; he lives next ~ (four ~s off) он живёт в сосе́днем до́ме (че́рез 4 до́ма отсю́да); next ~ to а) по сосе́дству, ря́дом; б) на грани́це *чего-л.*; почти́; he is next ~ to bankruptcy он накану́не разоре́ния 3) путь, доро́га; a ~ to success путь к успе́ху; to close the ~ to (*или* upon) smth. отре́зать путь к чему́-л.; сде́лать что-л. невозмо́жным; to open a ~ to (*или* for) smth. откры́ть путь к чему́-л.; сде́лать что-л. возмо́жным 4) *тех.* засло́нка 5) *attr.* дверно́й ◇ to lay smth. at smb.'s ~ обвиня́ть кого́-л. в чём-л.

doorbell ['dɔ:bel] *n* дверно́й звоно́к

doorcase ['dɔ:keɪs] *n* дверна́я коро́бка

doorframe ['dɔ:freɪm] = doorcase

doorkeeper ['dɔ:ki:pə] *n* швейца́р; приврáтник

doorman ['dɔ:mæn] = doorkeeper

doormat ['dɔ:mæt] *n* 1) полови́к для вытира́ния ног 2) *разг.* сла́бый, бесхара́ктерный челове́к, «тря́пка»

door-money ['dɔ:,mʌnɪ] *n* пла́та за вход

doorplate ['dɔ:pleɪt] *n* табли́чка на дверя́х (*с фамилией*)

doorpost ['dɔ:pəʊst] *n* дверно́й кося́к ◇ deaf as a ~ ≅ глух как пень

door's-man ['dɔ:zmæn] = doorkeeper

doorstep ['dɔ:step] *n* поро́г

doorstone ['dɔ:stəʊn] *n* ка́менная плита́ (*крыльца*)

doorway ['dɔ:weɪ] *n* 1) дверно́й проём, пролёт две́ри, вход в помеще́ние, in the ~ в дверя́х 2) путь, доро́га (*к чему-л.*)

door-yard ['dɔ:,jɑ:d] *n амер.* палиса́дник

dopant ['dəʊpənt] *n* леги́рующая при́месь, доба́вка

dope [dəʊp] **1.** *n* 1) густо́е сма́зывающее вещество́, па́ста 2) аэрола́к 3) *хим.* поглоти́тель 4) *разг.* нарко́тик, дурма́н 5) *разг.* до́пинг 6) *разг.* дура́к, остоло́п 7) *sl.* секре́тная информа́ция о ша́нсах на вы́игрыш той или ино́й ло́шади (*на скачках, бегах*); (ло́жная *или* секре́тная) информа́ция, испо́льзуемая журнали́стами

2. *v* 1) дава́ть нарко́тики *или* до́пинг; to ~ oneself with cocaine ню́хать кокаи́н 2) одурма́нивать, убаю́кивать 3) покрыва́ть аэрола́ком 4) *тех.* залива́ть горю́чее; добавля́ть приса́дки 5) *sl.* получа́ть секре́тную информа́цию; предска́зывать (*что-л.*) на основа́нии та́йной информа́ции

dop(e)y ['dəʊpɪ] *a разг.* 1) вя́лый, полусо́нный, одурма́ненный 2) одурма́нивающий; наркоти́ческий

dor [dɔ:] *n* жук (*майский, навозный*)

dorado [də'rɑ:dəʊ] *n* (*pl* -os [-əʊz]) корифе́на (*рыба*)

dorbeetle ['dɔ:bi:tl] = dor

dor-bug ['dɔ:bʌg] *амер.* = dor

Dorcas ['dɔ:kəs] *n* До́ркас (*английское женское благотворительное общество для снабжения бедных одеждой*; *тж.* ~ Society)

Dorian ['dɔ:rɪən] *ист.* **1.** *a* дори́ческий

2. *n* дори́ец

Doric ['dɒrɪk] **1.** *a* 1) провинциа́льный (*о диалекте*) 2) дори́ческий; ~ order *архит.* дори́ческий о́рдер

2. *n* 1) ме́стный диале́кт; to speak one's native ~ говори́ть на родно́м диале́кте 2) дори́ческое наре́чие

Dorking ['dɔ:kɪŋ] *n* до́ркинг (*английская порода мясных кур*)

dorm [dɔ:m] *разг. см.* dormitory 1)

dormancy ['dɔ:mənsɪ] *n* 1) дремо́та 2) состоя́ние безде́йствия 3) спя́чка (*животных*) 4) состоя́ние поко́я (*семян, растений*)

dormant ['dɔ:mənt] *a* 1) дре́млющий; спя́щий 2) безде́йствующий; ~ capital мёртвый капита́л 3) потенциа́льный, скры́тый (*о способностях, силах и т. п.*); to lie ~ безде́йствовать; находи́ться в скры́том состоя́нии; a ~ volcano поту́хший вулка́н 4) находя́щийся в спя́чке (*о животных*); находя́щийся в состоя́нии поко́я (*о растениях*) 5) *геральд.* спя́щий ◇ ~ partner *см.* partner 1, 2)

dormer (window) [,dɔ:mə('wɪndəʊ)] *n* слухово́е, манса́рдное окно́

dormice ['dɔ:maɪs] *pl от* dormouse

dormitory ['dɔ:mətrɪ] *n* 1) дортуа́р, о́бщая спа́льня 2) «спа́льный при́город», «спа́льный райо́н» (*население которого работает в городе*)

dormouse ['dɔ:maʊs] *n* (*pl* dormice) *зоол.* со́ня

dorothy bag ['dɒrəθɪbæg] *n* да́мская су́мочка-мешо́чек

dorr [dɔ:] = dor

dorsal ['dɔ:sl] **1.** *a анат., зоол.* дорса́льный, спинно́й

2. *n* = dossal

dorse [dɔ:s] *n* молода́я треска́

dory I ['dɔ:rɪ] *n* со́лнечник (обыкнове́нный) (*рыба*)

dory II ['dɔ:rɪ] *n* рыба́чья плоскодо́нная ло́дка (*в Сев. Америке*)

dosage ['dəʊsɪdʒ] *n* 1) дозиро́вка 2) до́за

dose [dəʊs] **1.** *n* 1) до́за, приём; lethal ~ смерте́льная до́за 2) по́рция, до́ля; to have a regular ~ of smth. приня́ть что-л. в большо́м коли́честве 3) ингредие́нт, прибавля́емый к вину́ 4) *sl.* венери́ческая боле́знь, *особ.* гоноре́я

2. *v* 1) дава́ть лека́рство до́зами; дози́ровать 2) прибавля́ть (*спирт к вину*)

dosimeter [dəʊ'sɪmɪtə] *n физ.* дози́метр

doss [dɒs] *sl.* **1.** *n* 1) крова́ть, ко́йка (*в ночлежном доме*) 2) сон

2. *v* 1) ночева́ть (*в ночлежном доме*) 2) спать

dossal ['dɒsəl] *n церк.* заалта́рная заве́са

dosshouse ['dɒshaʊs] *n sl.* ночле́жка

dossier ['dɒsɪeɪ] *n* досье́; де́ло

dossil ['dɒsɪl] *n* 1) *мед.* тампо́н 2) *полигр.* поду́шечка для стира́ния кра́ски

dost [dʌst] *уст. 2-е л. ед. ч. настоящего времени гл.* to do I

dot I [dɒt] **1.** *n* 1) то́чка (*тж. в азбуке Морзе*) 2) пя́тнышко 3) *муз.* то́чка для удлине́ния предше́ствующей но́ты 4) кро́шечная вещь; a ~ of a child кро́шка, малю́тка ◇ to a ~ до мельча́йших подро́бностей; то́чно; to came on the ~ *разг.* (прийти́) мину́та в мину́ту; off one's ~ *sl.* чо́кнутый

2. *v* 1) ста́вить то́чки 2) отмеча́ть пункти́ром 3) усе́ивать, испещря́ть 4) *sl.* тре́снуть, сту́кнуть ◇ to ~ the i's and cross the t's ста́вить то́чки над i, уточня́ть все дета́ли; to ~ and carry one переноси́ть в сле́дующий разря́д (*при сложении*)

dot II [dɒt] *n* прида́ное

dotage ['dəʊtɪdʒ] *n* 1) ста́рческое слабо́умие; to be in one's ~ впасть в де́тство 2) слепа́я любо́вь; обожа́ние

dot and carry one [,dɒtən'kærɪwʌn] *n* 1) перено́с в сле́дующий разря́д (*при сложении*) 2) *шутл.* учи́тель арифме́тики

dot-and-dash [,dɒtən'dæʃ] *a*: ~ code а́збука Мо́рзе

dot and go one [,dɒtən'gəʊwʌn] **1.** *n* 1) ковыля́ющая похо́дка 2) кале́ка на деревя́нной ноге́

2. *v* хрома́ть, ковыля́ть

dotard ['dəʊtəd] *n* вы́живший из ума́ стари́к; ста́рый дура́к

dote [dəʊt] *v* 1) люби́ть до безу́мия (on, upon) 2) вы́жить из ума́

doth [dʌθ] *v уст. 3-е л. ед. ч. настоящего времени гл.* to do I

doting ['dəʊtɪŋ] **1.** *pres. p. от* dote

2. *a* 1) лю́бящий до безу́мия, сле́по пре́данный 2) страда́ющий ста́рческим слабоу́мием

dotted line ['dɒtɪdlaɪn] *n* 1) пункти́рная ли́ния, пункти́р 2) ли́ния отры́ва ◇ to sign on the ~ сра́зу согласи́ться

dotterel ['dɒtrəl] *n* 1) ржа́нка (*птица*) 2) *диал.* простофи́ля

dottle ['dɒtl] *n* оста́ток недоку́ренного табака́ в тру́бке

dottrel ['dɒtrəl] = dotterel

dotty ['dɒtɪ] *a* 1) *разг.* рехну́вшийся 2) *разг.* нетвёрдый на нога́х 3) усе́янный то́чками; то́чечный

doty ['dəʊtɪ] *a* поражённый гнилью (*о древесине*)

double ['dʌbl] **1.** *n* 1) двойно́е коли́чество 2) *разг.* двойна́я по́рция спиртно́го 3) двойни́к 4) дублика́т, дубле́т 5) прототи́п 6) *театр.* дублёр 7) *театр.* актёр, исполня́ющий в пье́се две ро́ли

8) *pl спорт.* па́рные и́гры (*напр., в теннисе*); mixed ~s игра́ сме́шанных пар (*каждая из мужчины и женщины*) 9) круто́й поворо́т (*преследуемого зверя*); пе́тля (*зайца*) 10) изги́б (*реки*) 11) хи́трость 12) *воен.* бе́глый шаг; to advance at the ~ наступа́ть бего́м; at the ~ ми́гом, бего́м

2. *a* 1) двойно́й, сдво́енный; па́рный; ~ chin двойно́й подборо́док; ~ bed двуспа́льная крова́ть 2) удво́енный; уси́ленный; ~ whisky двойно́е ви́ски; ~ brush *перен. разг.* язви́тельное замеча́ние; ~ speed удво́енная ско́рость; ~ feature *амер. театр.* представле́ние по расши́ренной програ́мме 3) *бот.* махро́вый 4) двоя́кий, двойно́й 5) дво́йственный, двули́чный; двусмы́сленный; ~ game двойна́я игра́; двули́чие, лицеме́рие; to go in for (*или* to engage in) ~ dealing вести́ двойну́ю игру́

3. *v* 1) удва́ивать(ся); сдва́ивать; to ~ the work сде́лать двойну́ю рабо́ту; to ~ for smth. одновре́ме́нно служи́ть для чего́-л. друго́го; the indoors basketball court ~d for dances on weekends баскетбо́льный зал по суббо́там испо́льзовался для та́нцев 2) быть вдво́е бо́льше 3) скла́дывать вдво́е 4) *театр.* исполня́ть в пье́се две ро́ли; he's doubling the parts of a servant and a country labourer он исполня́ет роль слуги́ и роль батрака́ 5) *театр.* дубли́ровать роль 6) замеща́ть 7) *кино* дубли́ровать 8) запу́тывать след, де́лать пе́тли (*о преследуемом звере*) 9) де́лать изги́б (*о реке*) 10) *мор.* огиба́ть (*мыс*) 11) сжима́ть (*кулак*) 12) *воен.* дви́гаться бе́глым ша́гом ▭ ~ **back** а) запу́тывать след (*о преследуемом звере*); б) убега́ть обра́тно по со́бственным следа́м; ~ **in** подогну́ть; загну́ть внутрь; ~ **up** а) скрю́чить(ся); сгиба́ться; ~d up with pain скрю́чившийся от бо́ли; his knees ~d up under him коле́ни у него́ подгиба́лись; б) жить в одно́й ко́мнате (*с кем-л.*); ~ **upon** *мор.* обойти́, окружи́ть (*неприятельский флот*)

4. *adv* 1) вдвойне́, вдво́е 2) вдвоём; to ride ~ е́хать вдвоём на одно́й ло́шади ◇ he sees ~ у него́ двои́тся в глаза́х (*о пьяном*)

double-acting [ˈdʌbl,æktɪŋ] *a* двойно́го де́йствия (*о механизме*)

double-barrelled [,dʌblˈbærəld] *a* 1) двуство́льный; ~ gun двуство́лка 2) двусмы́сленный

double bass [,dʌblˈbeɪs] *n муз.* контраба́с

double-bedded [,dʌblˈbedɪd] *a* 1) име́ющий две крова́ти *или* двуспа́льную крова́ть (*о комнате*) 2) двойно́й (*о номере в гостинице*)

double boiler [,dʌblˈbɔɪlə] *n* парова́рка (*двойная кастрюля для каш и т. п.*)

double-breasted [,dʌblˈbrestɪd] *a* двубо́ртный (*о пиджаке и т. п.*)

double-charge [,dʌblˈtʃɑ:dʒ] *v* заряжа́ть двойны́м заря́дом

double-check [,dʌblˈtʃek] *v* перепроверя́ть

double cream [,dʌblˈkri:m] *n* жи́рные, двойны́е сли́вки

double-cross [,dʌblˈkrɒs] *v разг.* наду́ть, перехитри́ть

double-dealer [,dʌblˈdi:lə] *n* обма́нщик; двуру́шник

double-dealing [,dʌblˈdi:lɪŋ] 1. *n* обма́н; лицеме́рие; двуру́шничество

2. *a* лицеме́рный; двуру́шнический

double-decker [,dʌblˈdekə] *n* 1) двухпа́лубное су́дно 2) *разг.* двухэта́жный трамва́й, авто́бус, тролле́йбус 3) *разг.* трёхсло́йный бутербро́д

double-dyed [,dʌblˈdaɪd] *a* 1) два ра́за окра́шенный; пропи́танный кра́ской 2) закорене́лый, матёрый; ~ scoundrel закорене́лый негодя́й

double eagle [,dʌblˈi:gl] *n* 1) *геральд.* двугла́вый орёл 2) *амер.* стари́нная золота́я моне́та в 20 до́лларов

double-edged [,dʌblˈedʒd] *a* 1) обоюдо́острый 2) допуска́ющий двойно́е толкова́ние (*о доводе и т. п.*)

double entendre [,du:blɒnˈtɒndrə] *фр. n* двусмы́сленное выраже́ние; двусмы́сленность

double entry [,dʌblˈentrɪ] *n ком.* двойна́я бухгалте́рия

double-event [,dʌblɪˈvent] *n спорт.* двоебо́рье

double-faced [ˈdʌblfeɪst] *a* 1) двули́чный; неи́скренний 2) двусторо́нний (*о материи*) 3): ~ hammer *тех.* двубойко́вый мо́лот

double figures [,dʌblˈfɪgəz] *n pl* двузна́чные чи́сла

double first [,dʌblˈfɜ:st] *n* 1) дипло́м пе́рвой сте́пени по двум специа́льностям 2) око́нчивший англи́йский университе́т с дипло́мом пе́рвой сте́пени по двум специа́льностям

double-handed [ˈdʌbl,hændɪd] *a* 1) име́ющий две руки́ 2) снабжённый двумя́ рукоя́тками

doubleheader [,dʌblˈhedə] *n амер.* 1) по́езд на двойно́й тя́ге 2) два ма́тча, сы́гранные подря́д в оди́н день те́ми же кома́ндами

double-hearted [,dʌblˈhɑ:tɪd] *a* двоеду́шный; вероло́мный

double-lock [ˈdʌbllɒk] *v* запере́ть, поверну́в ключ в замке́ два ра́за

double-manned [,dʌblˈmænd] *a воен., мор.* с удво́енным ли́чным соста́вом

double meaning [ˈdʌbl,mi:nɪŋ] *n* 1) двоя́кое значе́ние 2) двусмы́сленность

double-meaning [ˈdʌbl,mi:nɪŋ] *a* обма́нчивый, вводя́щий в заблужде́ние

double-minded [,dʌblˈmaɪndɪd] *a* 1) нереши́тельный, коле́блющийся 2) двоеду́шный, фальши́вый

double-natured [,dʌblˈneɪtʃəd] *a* дво́йственный

double-park [,dʌblˈpɑ:k] *v* припаркова́ть свою́ маши́ну ря́дом с друго́й (*в нарушение правил*)

double-quick [,dʌblˈkwɪk] 1. *a* о́чень бы́стрый

2. *adv* о́чень бы́стро; уско́ренным ма́ршем

double-reef [,dʌblˈri:f] *v мор.* брать два ри́фа на па́русе

double standard [,dʌblˈstændəd] *n* двойна́я мора́ль; ра́зный подхо́д

double-stop [,dʌblˈstɒp] *v* прижа́ть две струны́ одновре́ме́нно (*при игре на скрипке и т. п.*)

doublet [ˈdʌblət] *n* 1) дублика́т; па́рная вещь 2) *лингв.* дубле́т 3) *ист.* род камзо́ла XIV-XVII вв. 4) *pl* одина́ковое число́ очко́в на двух костя́х, бро́шенных одновре́ме́нно 5) дупле́т (*в бильярде*) 6) *охот.* дупле́т (*две птицы, убитые дуплетом*) 7) *радио* вибра́тор; дипо́ль

double take [,dʌblˈteɪk] *n* после́дующая реа́кция, реа́кция по (зре́лом) размышле́нии

double-talk [ˈdʌbltɔ:k] *n* укло́нчивые ре́чи; лицеме́рная болтовня́

double time [ˈdʌbltaɪm] *n* 1) двойна́я опла́та 2) *воен.* уско́ренный марш

double-tongued [,dʌblˈtʌŋd] *a* лжи́вый

doubling [ˈdʌblɪŋ] 1. *pres. p. от* double 3

2. *n* 1) удвое́ние, сдва́ивание 2) повторе́ние, дубли́рование 3) внеза́пный поворо́т (*в беге*) 4) укло́нчивость; уло́вка; увёртки 5) *текст.* круче́ние, суче́ние

doubloon [dʌˈblu:n] *n ист.* дубло́н (*испанская золотая монета*)

doublure [du:ˈblɜ:] *фр. n* вну́тренняя сторона́ переплёта (*из кожи, парчи и т. п.*)

doubly [ˈdʌblɪ] *adv* 1) вдвойне́, вдво́е; to be ~ careful быть осо́бенно осторо́жным 2) двоя́ко 3) *уст.* дво́йственно; нече́стно; to deal ~ вести́ двойну́ю игру́

doubt [daʊt] 1. *n* сомне́ние; I have my ~s about him у меня́ на его́ счёт есть сомне́ния; the final outcome of this affair is still in ~ исхо́д э́того де́ла всё ещё не я́сен; to make ~ сомнева́ться; to make no ~ а) не сомнева́ться; быть уве́ренным; б) прове́рить; make no ~ about it не сомнева́йтесь в э́том, бу́дьте уве́рены; no ~, without ~, beyond ~ несомне́нно, вне сомне́ния; there is not a shadow of ~ нет ни мале́йшего сомне́ния

2. *v* 1) сомнева́ться, име́ть сомне́ния; быть неуве́ренным, колеба́ться 2) не доверя́ть, подозрева́ть; you surely don't ~ me вы, наде́юсь, мне доверя́ете

doubtful [ˈdaʊtfl] *a* 1) по́лный сомне́ний; сомнева́ющийся, коле́блющийся; I am ~ what I ought to do я не зна́ю, что мне де́лать 2) нея́сный, неопределённый 3) сомни́тельный, вызыва́ющий подозре́ния, подозри́тельный; ~ character (*или* reputation) сомни́тельная репута́ция

doubting [ˈdaʊtɪŋ] 1. *pres. p. от* doubt 2

2. *a* сомнева́ющийся, коле́блющийся ◇ ~ Thomas Фома́ неве́рный (*или* неве́рующий), скéптик

doubtless [ˈdaʊtləs] 1. *adv* 1) несомне́нно 2) *разг.* вероя́тно
2. *a поэт.* несомне́нный
douce [du:s] *a шотл.* споко́йный, степе́нный
douceur [du:ˈsɜ:] *n* 1) чаевы́е 2) взя́тка
douche [du:ʃ] 1. *n* 1) приня́тие ду́ша, облива́ние; промыва́ние 2) душ ◇ to throw a cold ~ upon smb. расхола́живать кого́-л., вы́лить на кого́-л. уша́т холо́дной воды́
2. *v* полива́ть из ду́ша; принима́ть душ; облива́ть(ся) водо́й; промыва́ть
dough [dəʊ] *n* 1) те́сто 2) па́ста, густа́я ма́сса 3) *sl.* де́ньги ◇ my (our) cake is ~ моё (на́ше) де́ло пло́хо
doughboy [ˈdəʊbɔɪ] *n* 1) клёцка; по́нчик 2) *амер. sl.* солда́т-пехоти́нец
doughface [ˈdəʊfeɪs] *n амер.* мягкоте́лый, слабохара́ктерный челове́к
doughnut [ˈdəʊnʌt] *n* по́нчик; жа́реный пирожо́к ◇ it is dollars to ~s *амер.* несомне́нно, наверняка́
doughty [ˈdaʊtɪ] *a уст., шутл.* сме́лый, отва́жный, хра́брый, му́жественный, до́блестный
doughy [ˈdəʊɪ] *a* 1) тестообра́зный; пло́хо пропечённый 2) бле́дный (*о цвете лица*); одутлова́тый 3) тупо́й (*о человеке*)
dour [dʊə] *a* суро́вый, стро́гий, непреклóнный
douse [daʊs] *v* 1) окуна́ть(ся), погружа́ть(ся) в во́ду 2) туши́ть, гаси́ть; to ~ the glim *разг.* гаси́ть свет 3) бы́стро спуска́ть па́рус
dove [dʌv] *n* 1) го́лубь; голу́бка; ~ of peace го́лубь ми́ра 2) *ласк.* голу́бчик; голу́бушка 3) *амер. разг.* «го́лубь», сторо́нник поли́тики ми́ра 4) = dove-colour
dove-colour [ˈdʌv,kʌlə] *n* си́зый цвет
dovecot(e) [ˈdʌvkəʊt] *n* голубя́тня ◇ to flutter the dovecotes подня́ть переполо́х, всех переполоши́ть
dove-eyed [,dʌvˈaɪd] *a* с неви́нным выраже́нием лица́, с кро́тким взгля́дом
dove-like [ˈdʌvlaɪk] *a* голуби́ный, не́жный, кро́ткий
dovetail [ˈdʌvteɪl] 1. *n тех., стр.* ла́сточкин хвост, ла́па, шип
2. *v* 1) *стр.* вяза́ть в ла́пу 2) подгоня́ть, пло́тно прила́живать 3) согласо́вывать, увя́зывать 4) подходи́ть; соотве́тствовать, совпада́ть
dowager [ˈdaʊədʒə] *n* 1) вдова́ (*высокопоставленного лица*); the Queen ~ (the ~ duchess) вдо́вствующая короле́ва (герцоги́ня) 2) *разг.* вели́чественная престаре́лая да́ма
dowdy [ˈdaʊdɪ] 1. *n* неря́шливо и немо́дно оде́тая же́нщина
2. *a* 1) немо́дный, неэлега́нтный (*о платье*) 2) неря́шливо и немо́дно оде́тый (*о женщине*)
dowdyish [ˈdaʊdɪɪʃ] *a* немо́дный, неэлега́нтный
dowel [ˈdaʊəl] *тех.* 1. *n* дю́бель; штырь; шпо́нка; чека́
2. *v* скрепля́ть шпо́нками
dower [ˈdaʊə] 1. *n* 1) вдо́вья часть (насле́дства) 2) *уст.* прида́ное 3) приро́дный дар, тала́нт
2. *v* 1) оставля́ть насле́дство (*вдове*) 2) *уст.* дава́ть прида́ное 3) наделя́ть тала́нтом (with)
down I [daʊn] *n* пух, пушо́к
down II [daʊn] *n* (*обыкн. pl*) холм, безле́сная возвы́шенность; the Downs гряда́ мелов́ых холмо́в в Ю́жной А́нглии
down III [daʊn] 1. *adv* 1) вниз; to climb ~ слеза́ть; to come ~ спуска́ться; to flow ~ стека́ть 2) внизу́; the sun is ~ со́лнце зашло́, се́ло; the blinds are ~ што́ры спу́щены; to hit a man who is ~ бить лежа́чего 3) до конца́, вплоть до; to read ~ to the last page дочита́ть до после́дней страни́цы; ~ to the time of Shakespeare вплоть до вре́мени, до эпо́хи Шекспи́ра 4) *означает уменьшение количества, размера; ослабление, уменьшение силы; ухудшение*: to boil ~ выкипа́ть, увари́ваться; to bring ~ the price снижа́ть це́ну; to be ~ ослабева́ть, снижа́ться; the temperature (the death rate) is very much ~ температу́ра (сме́ртность) значи́тельно пони́зилась; to calm ~ успока́иваться; the quality of ale has gone ~ ка́чество пи́ва уху́дшилось; worn ~ with use изно́шенный 5) *означает движение от центра к периферии, из столицы в провинцию и т. п.*: to go ~ to the country е́хать в дере́вню; to go ~ to Brighton е́хать (*из Лондона*) в Бра́йтон 6) *амер. означает движение к центру города, в столицу, к югу*: trains going ~ поезда́, иду́щие в ю́жном направле́нии 7) *придаёт глаголам значение совершенного вида*: to write ~ записа́ть; to fall ~ упа́сть ◇ ~ and out в беспо́мощном состоя́нии; разорённый; потерпе́вший круше́ние в жи́зни; ~ in the mouth в уны́нии, в плохо́м настрое́нии; ~ on the nail сра́зу, неме́дленно; cash ~ де́ньги на бо́чку; ~ with! доло́й!; to be ~ with fever лежа́ть в жару́, в лихора́дке; to be ~, to be ~ at (*или* in) health хвора́ть, быть сла́бого здоро́вья; to come (*или* to drop) ~ on smb. набра́сываться на кого́-л., брани́ть кого́-л.; to face smb. ~ нагна́ть стра́ху на кого́-л. свои́м взгля́дом
2. *prep* 1) вниз 2) (вниз) по; вдоль по; ~ the river вниз по реке́; ~ wind по ве́тру; to go ~ the road идти́ по доро́ге
3. *n* 1) (*обыкн. pl*) спуск 2) *разг.* неудово́льствие; напа́дки; to have a ~ on smb. име́ть зуб про́тив кого́-л. 3) *амер. спорт.* мяч вне игры́ (*в футболе и т. п.*)
4. *a* 1) напра́вленный книзу; нисходя́щий; ~ grade укло́н железнодоро́жного пути́; *перен.* ухудше́ние 2) иду́щий из це́нтра; ~ train по́езд, иду́щий из столи́цы, из большо́го го́рода; ~ platform перро́н для поездо́в, иду́щих из столи́цы *или* из большо́го го́рода 3) *амер.* иду́щий к це́нтру го́рода 4): ~ payment пе́рвый взнос (*напр., при покупке товаров в кредит*) 5) *спорт.* отстаю́щий от проти́вника; he is one ~ он отста́л на одно́ очко́ ◇ to be ~ on smb. серди́ться на кого́-л.
5. *v разг.* 1) опуска́ть, спуска́ть 2) сбива́ть (*самолёт, человека*) 3) глота́ть 4) оси́ливать, одолева́ть; подчиня́ть 5) конча́ть (*с чем-л.*), разде́лываться ◇ to ~ tools прекрати́ть рабо́ту, забастова́ть
downbeat [ˈdaʊnbi:t] *a* мра́чный, пессимисти́ческий
downcast I [ˈdaʊnkɑ:st] *a* 1) опу́щенный вниз; поту́пленный (*о взгляде*) 2) удручённый, пода́вленный 3) нисходя́щий, напра́вленный вниз
downcast II [ˈdaʊnkɑ:st] *n горн.* вентиляцио́нная ша́хта
downdraught [ˈdaʊndrɑ:ft] *n тех.* ни́жняя тя́га
downer [ˈdaʊnə] *n sl.* 1) депресса́нт 2) зану́да; неуда́чник 3) = downturn 1)
downfall [ˈdaʊnfɔ:l] *n* 1) паде́ние; ги́бель; разоре́ние 2) ниспроверже́ние 3) ли́вень; си́льный снегопа́д; оса́дки
downgrade [ˈdaʊngreɪd] 1. *n* 1) укло́н 2) упа́док
2. *v* 1) понижа́ть (*в должности и т. п.*); переводи́ть на ме́нее квалифици́рованную рабо́ту 2) разве́нчивать, представля́ть в невы́годном све́те
downhearted [,daʊnˈhɑ:tɪd] *a* упа́вший ду́хом, уны́лый
downhill [,daʊnˈhɪl] 1. *n* 1) *спорт.* скоростно́й спуск 2) склон; ~ of life зака́т дней, зака́т жи́зни
2. *a* 1) пока́тый, накло́нный 2) ухудша́ющийся
3. *adv* 1) вниз; по́д гору; под укло́н 2) на зака́те, в упа́дке; на скло́не; to go ~ ухудша́ться (*о здоровье, материальном положении*); *перен.* кати́ться по накло́нной пло́скости
downiness [ˈdaʊnɪnəs] *n* пуши́стость; пушо́к
Downing Street [ˈdaʊnɪŋstri:t] *n* 1) Да́унинг-стрит (*улица в Лондоне, на которой помещается министерство иностранных дел и официальная резиденция премьер-министра*) 2) англи́йское прави́тельство
downlead [ˈdaʊnli:d] *n радио* анте́нный спуск
downpipe [ˈdaʊnpaɪp] *n* водосто́чная труба́
downplay [,daʊnˈpleɪ] *v* преуменьша́ть; принижа́ть
downpour [ˈdaʊnpɔ:] *n* ли́вень
downright [ˈdaʊnraɪt] 1. *a* 1) прямо́й, открове́нный, че́стный 2) я́вный; очеви́дный 3) отъя́вленный
2. *adv* соверше́нно, я́вно
downscale [,daʊnˈskeɪl] 1. *v амер.* уме́ньшить разме́р, сни́зить разма́х
2. *a* находя́щийся в ху́дшем положе́нии; ху́дший
Down's syndrome [ˈdaʊnz,sɪndrəʊm] *n мед.* боле́знь, синдро́м Да́уна
downstage [,daʊnˈsteɪdʒ] 1. *a* 1) относя́щийся к авансце́не 2) *разг.* дру́жеский

2. *adv* 1) на авансце́не 2) на авансце́ну

downstair [,daʊn'steə] = downstairs 1

downstairs [,daʊn'steəz] **1.** *a* располо́женный в ни́жнем этаже́

2. *adv* 1) вниз; to go ~ спусти́ться, сойти́ вниз 2) внизу́; в ни́жнем этаже́

downstream [,daʊn'stri:m] **1.** *adv* вниз по тече́нию

2. *n гидр.* низова́я сторона́ плоти́ны, ни́жний бьеф

downthrow ['daʊnθrəʊ] *n геол.* сброс, ни́жнее крыло́ сбро́са

downtime ['daʊntaɪm] *n амер.* просто́й, вы́нужденное безде́йствие

downtown [,daʊn'taʊn] *амер.* **1.** *n* делова́я часть го́рода

2. *a* располо́женный в делово́й ча́сти го́рода

3. *adv* 1) в делово́й центр 2) в делово́й ча́сти го́рода

downtrend ['daʊntrend] *n* тенде́нция к пониже́нию

downtrodden ['daʊntrɒdn] *a* 1) по́пранный, угнетённый 2) растóптанный, втóптанный

downturn ['daʊntɜ:n] *n* 1) *эк.* уменьше́ние, спад 2) заги́б

downward ['daʊnwəd] **1.** *a* спуска́ющийся; ухудша́ющийся; ~ tendency *полит.-эк.* понижа́тельная тенде́нция

2. *adv* вниз, кни́зу

downwards ['daʊnwədz] = downward 2

downwind [,daʊn'wɪnd] **1.** *a* подве́тренный

2. *adv* по́ ветру

downy I ['daʊnɪ] *a* 1) пуши́стый, мя́гкий как пух 2) пухо́вый 3) мя́гкий, не́жный; ~ bed мя́гкая посте́ль

downy II ['daʊnɪ] *a* холми́стый

downy III ['daʊnɪ] *a sl.* хи́трый, продувно́й

dowry ['daʊrɪ] *n* 1) прида́ное 2) приро́дный тала́нт

dowse [daʊz] *v* определя́ть нали́чие подпо́чвенных вод *или* минера́лов при по́мощи и́вового прута́ [*ср.* divining-rod]

dowser ['daʊzə] *n* лозоиска́тель, челове́к, определя́ющий прису́тствие подпо́чвенной воды́ *или* минера́лов при по́мощи и́вового прута́ [*ср.* divining-rod]

dowsing rod ['daʊzɪŋrɒd] = divining-rod

doxology [dɒk'sɒlədʒɪ] *n церк.* славосло́вие

doxy I ['dɒksɪ] *n* 1) доктри́на, тео́рия 2) ве́рование

doxy II ['dɒksɪ] *n уст. sl.* 1) проститу́тка; шлю́ха 2) любо́вница

doyen ['dɔɪən] *n* 1) дуайе́н, старшина́ (*дипломатического корпуса*) 2) старе́йшина, старшина́ (*корпорации*)

doze [dəʊz] **1.** *n* 1) дремо́та 2) дря́блость (*древесины*)

2. *v* дрема́ть

dozen ['dʌzn] *n* 1) дю́жина; by the ~ дю́жинами 2) *pl разг.* мно́жество, ма́сса ◇ baker's (*или* printer's, devil's, long) ~ чёртова дю́жина; daily ~ заря́дка; to talk nineteen to the ~ говори́ть без у́молку

dozer ['dəʊzə] *разг. сокр. от* bulldozer

dozy ['dəʊzɪ] *a* 1) со́нный, дре́млющий 2) *разг.* тупо́й; лени́вый

drab I [dræb] **1.** *n* 1) ту́скло-кори́чневый цвет 2) пло́тная шерстяна́я ткань ту́скло-кори́чневого цве́та 3) се́рость, однообра́зие

2. *a* 1) ску́чный, бесцве́тный, однообра́зный; a ~ existence се́рые бу́дни, однообра́зие 2) ту́скло-кори́чневый; желтова́то-се́рый

drab II [dræb] *n* 1) неря́шливая же́нщина 2) проститу́тка

drabbet ['dræbɪt] *n* гру́бое небелёное полотно́

drabble ['dræbl] *v* забры́згать(ся), замочи́ть(ся), испа́чкать(ся)

drachm [dræm] *n* дра́хма (*1/8 унции в аптекарском весе, 1/16 унции в торговом весе*)

drachma ['drækmə] *n* (*pl* -mae, -mas [-məz]) 1) дра́хма (*денежная единица Греции*) 2) дра́хма (*древнегреческая серебряная монета*)

drachmae ['drækmi:] *pl от* drachma

Draco ['dreɪkəʊ] *n* 1) *астр.* Драко́н (*созвездие*) 2) *зоол.* лету́чий драко́н (*ящерица*)

dracone ['drækəʊn] *n* эласти́чная букси́руемая ёмкость (*для жидкостей*)

Draconian, Draconic [drə'kəʊnɪən, drə'kɒnɪk] *a* драко́новский, суро́вый

draff [dræf] *n* 1) по́йло 2) барда́ (*отходы винокурения и пивоварения*) 3) помо́и; отбро́сы 4) дрянь

draft [drɑ:ft] **1.** *n* 1) чертёж, план; эски́з, рису́нок 2) прое́кт, набро́сок; чернови́к (*документа и т. п.*) 3) чек; тра́тта; получе́ние по че́ку; to make a ~ on a fund взять часть вкла́да с теку́щего счёта; *перен.* извле́чь вы́году, воспо́льзоваться (*дружбой, хорошим отношением, доверием*) 4) отбо́р (*особ. солдат*) для специа́льной це́ли; отря́д; подкрепле́ние 5) *амер. воен.* призы́в, вербо́вка 6) *амер. см.* draught 1, 1); 7) *тех.* тя́га, дутьё 8) оса́дка (*судна*) 9) *ком.* ски́дка на прове́с 10) *attr.*: ~ treaty прое́кт догово́ра 11) *attr. амер.*: ~ dodger лицо́, уклоня́ющееся от призы́ва на вое́нную слу́жбу

2. *v* 1) де́лать чертёж 2) составля́ть план, законопрое́кт 3) набра́сывать чернови́к 4) производи́ть отбо́р; выделя́ть (*солдат для определённой цели*) 5) *амер. воен.* призыва́ть 6) цеди́ть, отце́живать

draftee [drɑ:f'ti:] *n амер.* призывни́к

drafter ['drɑ:ftə] *n* ломова́я ло́шадь, упряжна́я ло́шадь

drafting ['drɑ:ftɪŋ] **1.** *pres. p. от* draft 2

2. *n* 1) составле́ние (*документа, законопроекта*); the ~ of this clause is very obscure формулиро́вка э́того пу́нкта нея́сна́, о́чень нечётка 2) черче́ние 3) *attr.* чертёжный; ~ room *амер.* чертёжная; ~ paper чертёжная бума́га 4) *attr.*: ~ committee редакцио́нная коми́ссия

draftsman ['drɑ:ftsmən] *n* 1) чертёжник 2) рисова́льщик 3) состави́тель докуме́нта, а́втор законопрое́кта

draftsmanship ['drɑ:ftsmənʃɪp] *n* черче́ние, иску́сство черче́ния

drag [dræg] **1.** *n* 1) торможе́ние, заде́ржка движе́ния; ме́дленное движе́ние 2) *ав., авто* лобово́е сопротивле́ние 3) ме́дленное затруднённое движе́ние 4) то́рмоз, тормозно́й башма́к 5) *разг.* обу́за; бре́мя; to be a ~ on a person быть для кого́-л. обу́зой 6) *разг.* ску́чный тип, зану́да; скучи́ща 7) *охот.* паху́чая прима́нка; охо́та с паху́чей прима́нкой 8) дра́га; ко́шка; землечерпа́лка 9) бре́день, не́вод 10) *разг.* затя́жка; she took a long ~ on (*или* to) her cigarette она затяну́лась сигаре́той 11) *sl.* же́нское пла́тье (*гомосексуалиста и т. п.*) 12) *sl.* оде́жда 13) *амер. sl.* проте́кция, блат 14) *ист.* экипа́ж, запряжённый четвёркой, с сиде́ньями внутри́ и наверху́

2. *v* 1) (с уси́лием) тащи́ть(ся), волочи́ть(ся); тяну́ть; to ~ one's feet а) волочи́ть но́ги; б) неохо́тно, лени́во де́лать что-л. 2) тяну́ться, затя́гиваться (*о времени и т. п.*) 3) чи́стить дно (*реки, озера, пруда*) дра́гой 4) отстава́ть, тащи́ться позади́ 5) букси́ровать 6) борони́ть (*поле*) ▭ ~ **in** *разг.* а) втащи́ть, вовле́чь; б) притяну́ть; to ~ in by the head and shoulders ≅ притяну́ть за́ уши (*довод и т. п.*); ~ **on** продолжа́ть всё то же; ску́чно тяну́ться (*о времени, жизни*); ~ **out** а) выта́скивать; б) растя́гивать (*рассказ и т. п.*); тяну́ть, ме́длить; ~ **up** *разг.* пло́хо воспи́тывать

dragée [dræ'ʒeɪ] *n* драже́

draggle ['drægl] *v* 1) испа́чкать, вываля́ть в грязи́ 2) волочи́ть(ся); тащи́ть(ся) по гря́зи 3) тащи́ться в хвосте́ 4) ме́длить

draggle-tail ['drægltеɪl] *n* 1) *pl* замы́зганный подо́л 2) неря́ха, замара́шка

dragline ['dræglaɪn] *n тех.* дра́глайн, скребко́вый экскава́тор

dragnet ['drægnet] *n* 1) бре́день, не́вод 2) сеть для ло́вли птиц

dragoman ['drægəmən] *n* (*pl* -mans [-mənz], -men) драгома́н, перево́дчик (*на Востоке*)

dragon ['drægən] *n* 1) драко́н 2) о́чень стро́гий челове́к; дуэ́нья 3) (D.) *астр.* Драко́н (*созвездие*) 4) *зоол.* лету́чий драко́н (*ящерица*) 5) караби́н 6) карабине́р

dragonfly ['drægənflaɪ] *n* стрекоза́

dragon's blood ['drægənzblʌd] *n* драко́нова кровь (*красная смола драконова и некоторых других деревьев*)

dragon's teeth ['drægənzti:θ] *n* 1) *воен. разг.* противота́нковые на́долбы 2) *миф.* зу́бы драко́на

dragon-tree ['drægəntri:] *n* драко́ново де́рево, драко́нник

dragoon [drə'gu:n] **1.** *n воен.* драгу́н

2. *v* 1) принужда́ть си́лой (*тж. шутл.*; into) 2) посыла́ть кара́тельную экспеди́цию

dragster ['drægstə] *n* дрáгстер (*гоночный автомобиль*)

drain [dreɪn] **1.** *n* 1) дренáж; дренáжная канáва 2) канализациóнная трубá 3) водостóк, водоотвóд 4) *мед.* дренáжная трýбка 5) вытекáние 6) постоя́нная утéчка; расхóд; истощéние; ~ of specie from a country утéчка валю́ты из страны́; it is a great ~ on my health э́то óчень истощáет моё здорóвье 7) *разг.* глотóк 8) *attr.*: ~ cock (*или* valve) спускнóй кран

2. *v* 1) дрени́ровать, осушáть (*почву*) 2): the river ~s the whole region рекá собирáет вóды всей округи 3) дрени́ровать (*рану*) 4) проводи́ть канализáцию; this house is well (badly) ~ed в дóме хорóшая (плохáя) канализáция 5) стекáть (*в реку*); сочи́ться, просáчиваться 6) суши́ть; to ~ dishes суши́ть посýду (*после мытья*) 7) истощáть (*силы, средства*); to ~ smb. of money лиши́ть когó-л. дéнег 8) осушáть, пить до дна (*тж.* ~ dry, ~ to the dregs) 9) фильтровáть

drainage ['dreɪnɪdʒ] *n* 1) дренáж; осушéние; сток 2) канализáция 3) *мед.* дрени́рование (*раны*) 4) нечистóты

drainage-basin ['dreɪnɪdʒ,beɪsn] *n* бассéйн (*реки*), водосбóрная плóщадь

drainage-tube ['dreɪnɪdʒtju:b] *n* *мед.* дренáжная трýбка

drain-away ['dreɪnə,weɪ] **1.** *n* «утéчка мозгóв» (*о переманивании учёных, специалистов*)

2. *v* перемáнивать (*учёных, специалистов*)

drain-ditch ['dreɪndɪtʃ] *n* водостóчная канáва

drainer ['dreɪnə] *n* приспособлéние для сýшки; суши́лка для посýды

draining board ['dreɪnɪŋbɔ:d] *n* суши́лка для посýды

drake I [dreɪk] *n* сéлезень

drake II [dreɪk] *n* мýха подёнка (*употр. как наживка при ужении*)

dram [dræm] *n* 1) глотóк спиртнóго; he is fond of a ~ он лю́бит вы́пить 2) = drachm

drama ['drɑ:mə] *n* 1) дрáма 2) (*обыкн.* the ~) драматурги́я

dramatic [drə'mætɪk] *a* 1) драмати́ческий 2) драмати́чный 3) мелодрамати́чный; театрáльный; актёрский; дéланный 4) волнýющий, впечатля́ющий, эффéктный 5) рази́тельный, бросáющийся в глазá; a ~ change рази́тельная перемéна

dramatics [drə'mætɪks] *n pl* (*употр. как sing и как pl*) 1) драмати́ческое искýсство 2) представлéние, спектáкль (*особ. любительский*) 3) истéрика; she goes in for ~ онá закáтывает истéрики

dramatis personae [,dræmətɪspɜ:'səʊnaɪ] *n pl* (*часто употр. как sing*) дéйствующие ли́ца (*пьесы*); спи́сок дéйствующих лиц

dramatist ['dræmətɪst] *n* драматýрг

dramatization [,dræmətaɪ'zeɪʃn] *n* драматизáция; инсцениро́вка

dramatize ['dræmətaɪz] *v* 1) драматизи́ровать; инсцени́ровать (*литературное произведение*) 2) годи́ться для передéлки в дрáму 3) преувели́чивать; разы́грывать трагéдию; сгущáть крáски

dramaturge ['dræmətɜ:dʒ] = dramatist

dramaturgic [,dræmə'tɜ:dʒɪk] *a* драматурги́ческий

dramaturgist ['dræmətɜ:dʒɪst] = dramatist

dramaturgy ['dræmətɜ:dʒɪ] *n* драматурги́я

dram-shop ['dræmʃɒp] *n* *уст.* бар; пивнáя

drank [dræŋk] *past от* drink 2

drape [dreɪp] **1.** *n* 1) (*часто pl*) портьéра, драпирóвка 2) обóйный материáл

2. *v* 1) драпировáть, украшáть ткáнями, зáнавесами 2) драпировáть (*одежду*) 3) ниспадáть краси́выми склáдками

draper ['dreɪpə] *n* торгóвец мануфактýрными товáрами

drapery ['dreɪpərɪ] *n* 1) драпирóвка 2) (*часто pl*) драпирóвки, портьéры 3) ткáни

drastic ['dræstɪk] *a* 1) сильнодéйствующий (*о лекарстве*) 2) реши́тельный, крутóй; радикáльный; ~ changes кореннáые изменéния

drat [dræt] *int разг.* провали́сь ты!, пропади́ ты прóпадом!

D-ration [,di:'ræʃn] *n амер. воен.* авари́йный паёк

dratted ['drætɪd] *a разг.* прокля́тый

draught [drɑ:ft] **1.** *n* 1) тя́га вóздуха; сквозня́к 2) тя́га, тя́говое уси́лие; beasts of ~ живóе тя́гло, рабóчий скот 3) *мор.* осáдка, водоизмещéние (*судна*) 4) нацéживание; beer on ~ пи́во из бóчки 5) глотóк; to drink at a ~ вы́пить зáлпом 6) дóза жи́дкого лекáрства; black ~ слаби́тельное из александри́йского листá и магнéзии 7) *pl* шáшки (*игра*) 8) заки́дывание нéвода 9) однá заки́дка нéвода, тóня; улóв 10) *attr.* тя́гловый; ~ animal рабóчий скот; ~ horse ломовáя лóшадь 11) *attr.*: ~ beer бóчковое пи́во; [*см. тж.* draft 1] ◇ to feel the ~ *разг.* находи́ться в неблагоприя́тных услóвиях (*обыкн. о денежных затруднениях*)

2. *v редк.* = draft 2

draughtboard ['drɑ:ftbɔ:d] *n* шáшечная доскá

draughtsman ['drɑ:ftsmən] *n* 1) = draftsman 2) шáшка (*в игре*)

draughtsmanship ['drɑ:ftsmənʃɪp] = draftsmanship

draughty ['drɑ:ftɪ] *a* располóженный на сквозняке́

draw [drɔ:] **1.** *n* 1) тя́га; вытя́гивание 2) то, что привлекáет, нрáвится; примáнка; the play is a ~ э́та пьéса имéет успéх 3) жеребьёвка; лотерéя 4) жрéбий; вы́игрыш 5) игрá вничью́, ничья́ 6) затя́жка (*сигаретой*) 7) замечáние, имéющее цéлью вы́пытать что-л.; наводя́щий вопрóс; a sure ~ замечáние, котóрое обязáтельно застáвит другóго проговори́ться 8) *амер.* разводнáя часть мóстá 9) *амер.* выдвижнóй я́щик комóда 10) *бот.* молодóй побéг ◇ he is quick on the ~ он срáзу хватáется за орýжие

2. *v* (drew; drawn) 1) тащи́ть, волочи́ть; тянýть, натя́гивать; to ~ wire тянýть прóволоку; to ~ a parachute раскры́ть парашю́т; to ~ bridle (*или* rein) натя́гивать повóдья, остáнавливать лóшадь; *перен.* остáнавливаться; сдéрживаться; сокращáть расхóды 2) натя́гивать, надевáть (*шапку*; *тж.* ~ on) 3) задёргивать; раздвигáть; to ~ the curtain поднимáть *или* опускáть зáнавес; *перен.* скрывáть *или* выставля́ть напокáз (*что-л.*) 4) (*обыкн. pass*) вытя́гивать; искажáть; a face drawn with pain лицó, искажённое от бóли 5) вдыхáть, втя́гивать, вбирáть; to ~ a sigh вздохнýть; to ~ a breath передохнýть; to ~ a deep breath сдéлать глубóкий вздох 6) привлекáть (*внимание, интерес*); вовлекáть (*в разговор и т. п.*); I felt drawn to him меня́ потянýло к немý; the play still ~s пьéса всё ещё дéлает сбóры 7) вытáскивать, выдёргивать; вырывáть; to ~ the sword обнажи́ть шпáгу; *перен.* начáть войнý; to ~ the knife угрожáть ножóм 8) получáть (*деньги и т. п.*); to ~ a prize получи́ть приз 9) черпать (*вдохновение и т. п.*) 10) добывáть (*сведения, информацию*) 11) черти́ть, рисовáть; проводи́ть ли́нию, чертý; to ~ the line (at) постáвить (*себе или другому*) предéл 12) кончáть (*игру*) вничью́ 13) приближáться, подходи́ть; to ~ to a close подходи́ть к концý 14) выводи́ть (*заключение*); to ~ conclusions дéлать вы́воды 15) вызывáть (*слёзы, аплодисменты*) 16) навлекáть; to ~ troubles upon oneself накликáть на себя́ бедý 17) вызывáть (*на разговор, откровенность и т. п.*); застáвить раскры́ться; to ~ no reply не получи́ть отвéта 18) *карт.* вы́бить (у партнёра) кóзыри *и т. п.* 19) доставáть (*воду*) из колóдца; вычéрпывать (*воду*) 20) пускáть (*кровь*) 21) имéть тя́гу; the chimney ~s well в трубé хорóшая тя́га 22) настáивать(ся) (*о чае*) 23) тянýть, бросáть (*жребий*); they drew for places они́ брóсили жрéбий, комý где сесть 24) составля́ть, оформля́ть (*документ*); выпи́сывать (*чек, часто* ~ out, ~ up) 25) проводи́ть (*различие*) 26) сидéть в водé (*о судне*); this steamer ~s 12 feet э́тот парохóд имéет осáдку в 12 фýтов 27) потроши́ть; to ~ a fowl потроши́ть пти́цу 28) *метал.* отпускáть (*сталь*); закáливать 29) *метал.* тянýть, волочи́ть ▭ ~ **aside** отводи́ть в стóрону; ~ **away** а) уводи́ть; б) уходи́ть, удаля́ться; в) отвлекáть; г) *спорт.* оторвáться от проти́вника; ~ **back** отступáть; выходи́ть из дéла, предприя́тия, игры́; ~ **down** а) спускáть (*штору, занавес*); б) навлекáть (*гнев, неудовольствие и т. п.*); в) втянýть; затянýться (*сигаретой и т. п.*); ~ **in** а) бли́зиться к концý (*о дне*); сокращáться (*о днях*); б) вовлекáть; в) сокращáть (*расходы и т. п.*); г): to ~ in on a cigarette затянýться сигарéтой; ~ **off** а) снимáть, стя́гивать (*сапоги, перчатки и т. п.*); б) отводи́ть (*воду*); в) отвлекáть;

г) оття́гивать (*войска*); д) отступа́ть (*о войсках*); ~ **on** а) натя́гивать, надева́ть (*перчатки и т. п.*); б) наступа́ть, приближа́ться; autumn is ~ing on о́сень приближа́ется; в) привлека́ть, зама́нивать; г) = ~ down б); ~ **out** а) вытя́гивать, вытаскивать; б) затя́гиваться, продолжа́ться; the speech drew out interminably речь тяну́лась без конца́; в) станови́ться всё длинне́е (*о днях*); г) вызыва́ть на разгово́р, допы́тываться; д) набра́сывать; to ~ out a scheme наброса́ть план; е) выводи́ть (*войска*); ж) отряжа́ть, откомандирова́ть; ~ **over** перема́нивать на свою сто́рону; ~ **round** собира́ться вокру́г (*стола, огня, ёлки и т. п.*); ~ **up** а) составля́ть (*документ*); б) *воен.* выстра́ивать(ся); в) остана́вливаться; the carriage drew up before the door экипа́ж останови́лся у подъе́зда; г) *refl.* подтяну́ться; вы́прямиться; ~ **upon** че́рпать, брать (*из средств, фонда и т. п.*) ◇ to ~ amiss *охот.* идти́ по ло́жному сле́ду; to ~ a bow at a venture сде́лать *или* сказа́ть что-л. науга́д; случа́йным замеча́нием попа́сть в то́чку; to ~ the cloth убира́ть со стола́ (*особ. перед десертом*); to ~ the (enemy's) fire (upon oneself) вы́звать ого́нь на себя́; ~ it mild! *разг.* не преувели́чивай(те)!; to ~ one's pen against smb. вы́ступить в печа́ти про́тив кого́-л.; to ~ the teeth off ≅ вы́рвать жа́ло у змеи́; обезвре́дить; to ~ to a head а) нарыва́ть (*о фурункуле*); б) назрева́ть; достига́ть апоге́я; to ~ the wool over smb.'s eyes вводи́ть кого́-л. в заблужде́ние; втира́ть очки́

drawback ['drɔ:bæk] *n* 1) препя́тствие; поме́ха 2) недоста́ток, отрица́тельная сторона́ 3) *ком.* возвра́ты по́шлин 4) усту́пка (*в цене*)

drawbar ['drɔ:bɑ:] *n* 1) *ж.-д.* тя́говый сте́ржень (*паровоза, вагона*) 2) упряжна́я тя́га

drawbridge ['drɔ:brɪdʒ] *n* подъёмный мост, разводно́й мост

drawee [drɔ:'i:] *n фин.* трасса́т

drawer I ['drɔ:ə] *n* 1) чертёжник; рисова́льщик 2) состави́тель (*документа*) 3) *фин.* трасса́нт

drawer II [drɔ:] *n* (выдвижно́й) я́щик (*стола, комода*)

drawer III ['drɔ:ə] *n* буфе́тчик

drawers [drɔ:z] *n pl* кальсо́ны, подшта́нники, трусы́ (*тж.* a pair of ~)

drawing ['drɔ:ɪŋ] **1.** *pres. p. от* draw 2

2. *n* 1) рисова́ние; черче́ние (*тж.* mechanical ~); out of ~ нарисо́ванный с наруше́нием перспекти́вы 2) рису́нок 3) *метал.* волоче́ние (*проволоки*), вытя́гивание, протя́гивание; прока́тка 4) щепо́тка ча́я для зава́рки

drawing-bench ['drɔ:ɪŋbentʃ] *n тех.* волочи́льный стано́к

drawing-block ['drɔ:ɪŋblɒk] *n* тетра́дь, блокно́т для рисова́ния

drawing-board ['drɔ:ɪŋbɔ:d] *n* чертёжная доска́

drawing card ['drɔ:ɪŋkɑ:d] *n* гвоздь програ́ммы; о́чень популя́рный но́мер, актёр *или* спекта́кль

drawing knife ['drɔ:ɪŋnaɪf] *n* струг, ско́бель

drawing-pad ['drɔ:ɪŋpæd] *n* блокно́т для рисова́ния

drawing-paper ['drɔ:ɪŋ,peɪpə] *n* рисова́льная бума́га; чертёжная бума́га

drawing-pen ['drɔ:ɪŋpen] *n* рейсфе́дер

drawing pin ['drɔ:ɪŋpɪn] *n* чертёжная *или* канцеля́рская кно́пка

drawing room ['drɔ:ɪŋru:m] *n* 1) гости́ная 2) *амер.* купе́ в сало́н-ваго́не 3) *attr.*: ~ comedy сало́нная пье́са

drawing scale ['drɔ:ɪŋskeɪl] *n* масшта́бная лине́йка

drawl [drɔ:l] **1.** *n* протя́жное произноше́ние, медли́тельность ре́чи

2. *v* растя́гивать слова́, произноси́ть с подчёркнутой медли́тельностью

drawn [drɔ:n] **1.** *p. p. от* draw 2

2. *a* 1) напряжённый, искажённый; ~ face искажённое лицо́ 2) оття́нутый наза́д; отведённый 3) растопленный; ~ butter топлёное ма́сло 4) зако́нчившийся вничью́ 5) нерешённый, с нея́сным исхо́дом (*о сражении и т. п.*) 6) обнажённый (*о шпаге и т. п.*) 7) *горн.* вы́работанный

drawn-out ['drɔ:naʊt] *a* дли́тельный, продолжи́тельный

drawplate ['drɔ:pleɪt] *n тех.* волочи́льная доска́

draw-well ['drɔ:wel] *n* коло́дец (с ведро́м на верёвке)

dray [dreɪ] *n* подво́да, теле́га

dray horse ['dreɪhɔ:s] *n* ломова́я ло́шадь

drayman ['dreɪmən] *n* ломово́й изво́зчик

dread [dred] **1.** *n* 1) страх, боя́знь; опасе́ния; to have a ~ of smth. боя́ться чего́-л. 2) то, что порожда́ет страх; пу́гало; тот, кто внуша́ет страх

2. *v* страши́ться, боя́ться; опаса́ться

3. *a уст.* ужа́сный, стра́шный

dreadful ['dredfl] **1.** *a* 1) ужа́сный, стра́шный 2) *разг.* о́чень плохо́й, отврати́тельный

2. *n* рома́н у́жасов (*тж.* penny ~)

dreadnought ['drednɔ:t] *n* 1) *мор.* дредно́ут 2) *уст.* то́лстое сукно́ (*для пальто*); пальто́ из то́лстого сукна́

dream [dri:m] **1.** *n* 1) сон, сновиде́ние; to go to one's ~s ложи́ться спать, засну́ть; to see a ~ ви́деть сон 2) мечта́; грёза; the land of ~s ца́рство грёз 3) виде́ние ◇ ~s go by opposites наяву́ всё наоборо́т

2. *v* (dreamt, dreamed [-d]) 1) ви́деть сны, ви́деть во сне 2) мечта́ть, гре́зить, вообража́ть (of) 3) ду́мать, помышля́ть (*в отриц. предложениях*); I shouldn't ~ of doing such a thing я бы и не поду́мал сде́лать что-л. подо́бное ▭ ~ **away**: to ~ away one's life проводи́ть жизнь в мечта́х; ~ **up** *разг.* выду́мывать, фантази́ровать; приду́мывать

dreamboat ['dri:mbəʊt] *n разг.* 1) предме́т мечта́ний, пре́лесть, красо́тка, краса́вчик 2) преде́л жела́ний, голуба́я мечта́

dreamer ['dri:mə] *n* мечта́тель, фантазёр

dream-hole ['dri:mhəʊl] *n* отве́рстие для све́та (*в башне, колокольне и т. п.*)

dreamily ['dri:mɪlɪ] *adv* мечта́тельно; как во сне

dreamland ['dri:mlænd] *n* ска́зочная страна́, мир грёз

dreamless ['dri:mləs] *a* без сновиде́ний

dreamlike ['dri:mlaɪk] *a* 1) ска́зочный 2) при́зрачный

dreamt [dremt] *past и p. p. от* dream 2

dreamworld ['dri:mwɜ:ld] = dreamland

dreamy ['dri:mɪ] *a* 1) мечта́тельный, непракти́чный 2) нея́сный; сму́тный 3) *разг.* чу́дный, восхити́тельный 4) *поэт.* по́лный сновиде́ний

drear [drɪə] *поэт. см.* dreary

dreary ['drɪərɪ] *a* 1) мра́чный, тоскли́вый; отча́янно ску́чный 2) *уст.* печа́льный, гру́стный

dredge I [dredʒ] **1.** *n* 1) *тех.* землечерпа́лка, дра́га, экскава́тор 2) сеть для выла́вливания у́стриц 3) *хим.* взвесь 4) *горн.* ху́дшая часть руды́ (*после отборки*)

2. *v* 1) производи́ть дноуглуби́тельные рабо́ты, углубля́ть; драги́ровать 2) лови́ть у́стриц се́тью

dredge II [dredʒ] *v* посыпа́ть (*мукой, сахаром и т. п.*)

dredger I ['dredʒə] *n* 1) землечерпа́лка, экскава́тор 2) дра́гер; у́стричное су́дно

dredger II ['dredʒə] *n* сосу́д с ма́ленькими ды́рочками в кры́шке для посыпа́ния (*мукой, сахаром и т. п.*)

dree [dri:] *v уст.* страда́ть, терпе́ть; to ~ one's weird покоря́ться судьбе́

dreg [dreg] *n* 1) *pl* оса́док; отбро́сы; to drink to the ~s вы́пить до дна; ~s of society отбро́сы о́бщества 2) небольшо́й оста́ток, чу́точка 3) *хим.* отсто́й, муть

dreggy ['dregɪ] *a разг.* му́тный, гря́зный; с нечисто́тами

drench [drentʃ] **1.** *n* 1) промока́ние 2) ли́вень 3) до́за лека́рства (*для животного*)

2. *v* 1) сма́чивать, мочи́ть, прома́чивать насквозь; пропи́тывать 2) влива́ть лека́рство (*животным*)

drencher ['drentʃə] *n* 1) ли́вень 2) приспособле́ние для влива́ния лека́рства (*животным*)

Dresden ['drezdən] *n* дре́зденский фарфо́р (*тж.* ~ china, ~ porcelain)

dress [dres] **1.** *n* 1) пла́тье; оде́жда; evening ~ фрак; смо́кинг; вече́рнее пла́тье; ба́льный туале́т; morning ~ а) дома́шний костю́м; б) визи́тка; the (*или* a) ~ да́мское наря́дное пла́тье 2) вне́шний покро́в; одея́ние; опере́ние 3) *attr.* пара́дный (*об одежде*) 4) *attr.* пла́тельный; ~ goods тка́ни для пла́тьев, пла́тельные тка́ни

2. *v* 1) одева́ть(ся) 2) наряжа́ть(ся); украша́ть(ся); to ~ a shop window оформля́ть витри́ну; the ballet will be newly ~ed бале́т бу́дет поста́влен в но́вых костю́мах; to ~ for dinner (пере)одева́ться к обе́ду; to ~ a ship расцве́чивать кора́бль 3) перевя́зывать (*рану*) 4) причёсывать, де́лать причёску 5) разде́лывать (*тушу*); чи́стить (*птицу*) 6) приготовля́ть; приправля́ть (*кушанье*) 7) унаво́живать, удобря́ть (*почву*); обраба́тывать (*землю*) 8) *текст.* аппрети́ровать 9) шлифова́ть (*камень*) 10) обтёсывать, строга́ть (*доски*) 11) чи́стить (*лошадь*) 12) выде́лывать (*кожу*) 13) *воен.* равня́ться; выра́вниваться; ~! равня́йсь!; right (left) ~! напра́во (нале́во) равня́йсь! 14) подреза́ть, подстрига́ть (*деревья, растения*) 15) *горн.* обогаща́ть (*руду*) ▭ ~ **down** *разг.* зада́ть головомо́йку, отруга́ть; ~ **out** украша́ть; наряжа́ть(ся); ~ **up** а) изы́сканно одева́ть(ся); б) надева́ть маскара́дный костю́м; в) приукраша́ть

dressage ['dresɑ:ʒ] *n* 1) объе́здка лошаде́й 2) *attr.*: ~ tests про́бные испыта́ния, вы́водка лошаде́й

dress circle [,dres'sɜ:kl] *n* *театр.* бельэта́ж

dress coat [,dres'kəʊt] *n* 1) фрак 2) *воен.* пара́дный мунди́р

dresser I ['dresə] *n* 1) *театр.* костюме́р 2) хирурги́ческая сестра́ 3) оформи́тель витри́н 4) челове́к, одева́ющийся со вку́сом; франт (*тж.* smart ~) 5) коже́вник 6) *горн.* сортиро́вщик; обогати́тель

dresser II ['dresə] *n* 1) ку́хонный шкаф для посу́ды; ку́хонный стол с по́лками для посу́ды 2) *амер.* туале́тный сто́лик, туале́т

dress-guard ['dresgɑ:d] *n* предохрани́тельная се́тка (*на дамском велосипеде*)

dressing ['dresɪŋ] 1. *pres. p. от* dress 2

2. *n* 1) одева́ние 2) украше́ние, убра́нство 3) отде́лка, очи́стка; шлифо́вка 4) припра́ва (*к рыбе, салату*) 5) перевя́зочный материа́л 6) *текст.* шлихтова́ние; аппрети́рование 7) удобре́ние 8) *горн.* обогаще́ние (*руды*) 9) *воен.* равне́ние 10) = dressing down

dressing-bag ['dresɪŋbæg] = dressing-case

dressing-bell ['dresɪŋbel] *n* звоно́к, приглаша́ющий переоде́ться к обе́ду

dressing-case ['dresɪŋkeɪs] *n* 1) несессе́р 2) я́щик для перевя́зочного материа́ла

dressing-down [,dresɪŋ'daʊn] *n* *разг.* вы́говор, по́рка; to give a good ~ зада́ть хоро́шую головомо́йку

dressing gown ['dresɪŋgaʊn] *n* хала́т, пеньюа́р

dressing room ['dresɪŋru:m] *n* 1) гардеро́б (*в театре и т. п.*); раздева́лка (*на стадионе, в бассейне и т. п.*) 2) туале́тная ко́мната; гардеро́бная

dressing station ['dresɪŋ,steɪʃn] *n* *воен.* перевя́зочный пункт

dressing table ['dresɪŋteɪbl] *n* туале́тный сто́лик

dressmaker ['dresmeɪkə] *n* портни́ха

dressmaking ['dresmeɪkɪŋ] *n* шитьё да́мского пла́тья

dress preserver [,dresprɪ'zɜ:və] *n* подмы́шник

dress rehearsal [,dresrɪ'hɜ:sl] *n* генера́льная репети́ция

dress shield ['dresʃi:ld] = dress preserver

dressy ['dresɪ] *a* *разг.* 1) лю́бящий, уме́ющий наря́дно и мо́дно одева́ться 2) расфранчённый, разоде́тый 3) изя́щный, шика́рный (*о платье*)

drew [dru:] *past от* draw 2

drey [dreɪ] *n* бе́личье гнездо́

dribble ['drɪbl] 1. *n* 1) ка́панье 2) ручеёк 3) моравя́щий дождь 4) веде́ние мяча́ (*в футболе*)

2. *v* 1) пуска́ть слю́ни 2) ка́пать; лить по ка́пле 3) вести́ мяч (*в футболе и т. п.*) 4) гнать шар в лу́зу (*в бильярде*) ▭ ~ **along** тяну́ться (*о времени*)

dribbler ['drɪblə] *n* игро́к, веду́щий мяч (*в футболе и т. п.*)

driblet ['drɪblət] *n* 1) чу́точка; ка́пелька; by (*или* in) ~s небольши́ми частя́ми, по ка́пельке 2) небольша́я су́мма 3) ручеёк

dribs and drabs [,drɪbzən'dræbz] *n* *pl* *разг.* обры́вки, кро́хи

dried [draɪd] *a* сухо́й, вы́сушенный; ~ milk порошко́вое молоко́

drier ['draɪə] 1. *n* 1) суши́лка, фен 2) суши́льный аппара́т 3) *тех.* сиккати́в

2. *a сравн. ст. от* dry 1

drift [drɪft] 1. *n* 1) ме́дленное тече́ние 2) направле́ние, тенде́нция 3) наме́рение, стремле́ние; the ~ of a speech смысл ре́чи; I don't understand your ~ я не понима́ю, куда́ вы кло́ните 4) сугро́б (*снега*); ку́ча (*песка, листьев и т. п.*), нанесённая ве́тром 5) пасси́вность; the policy of ~ поли́тика безде́йствия *или* самотёка 6) *мор.* дрейф; *ав.* девиа́ция, снос; ско́рость сно́са 7) *воен.* growth дерива́ция 8) *горн.* штрек, горизонта́льная вы́работка 9) *геол.* ледни́ковый нано́с 10) дри́фтерная сеть

2. *v* 1) относи́ть ве́тром, тече́нием, относи́ться, перемеща́ться по ве́тру, тече́нию; дрейфова́ть 2) быть пасси́вным, плыть по тече́нию; to ~ into war быть втя́нутым в войну́ 3) скопля́ться ку́чами (*о снеге, песке и т. п.*) 4) наноси́ть ве́тром, тече́нием 5) *тех.* расширя́ть, пробива́ть отве́рстия ▭ ~ **apart** разойти́сь (*тж. перен.*); ~ **together** сбли́зиться

driftage ['drɪftɪdʒ] *n* 1) снос, дрейф (*судна в море*) 2) предме́ты, вы́брошенные на бе́рег мо́ря

drifter ['drɪftə] *n* 1) *разг.* никчёмный челове́к 2) *амер. разг.* бродя́га 3) дри́фтер (*судно для лова рыбы плавными сетями*) 4) рыба́к, пла́вающий на дри́фтере

drift-ice ['drɪftaɪs] *n* дрейфу́ющий лёд

drift net ['drɪftnet] *n* дри́фтерная сеть

driftwood ['drɪftwʊd] *n* 1) сплавно́й лес 2) лес, приби́тый к бе́регу мо́ря; плавни́к

drill I [drɪl] 1. *n* 1) (строева́я) подгото́вка; муштро́вка; муштра́ 2) (физи́ческое) упражне́ние, трениро́вка 3) *attr.*: ~ cartridge уче́бный патро́н

2. *v* 1) обуча́ть (стро́ю); to ~ troops обуча́ть войска́ 2) проходи́ть строево́е обуче́ние 3) тренирова́ть; to ~ in grammarната́скивать по грамма́тике

drill II [drɪl] *тех.* 1. *n* 1) сверло́ 2) дрель, коловоро́т 3) бур; бура́в

2. *v* сверли́ть, бури́ть

drill III [drɪl] *с.-х.* 1. *n* 1) борозда́ 2) (рядова́я) се́ялка

2. *v* се́ять, сажа́ть ряда́ми

drill IV [drɪl] *n* тик (*ткань*)

drill V [drɪl] *n* мандри́лл (*обезьяна*)

driller ['drɪlə] *n* 1) бури́льщик; сверло́вщик 2) сверли́льный стано́к

drill ground ['drɪlgraʊnd] *n* *воен.* уче́бный плац

drill-hall ['drɪlhɔ:l] *n* мане́ж

drillhole ['drɪlhəʊl] *n* бурова́я сква́жина

drilling I ['drɪlɪŋ] 1. *pres. p. от* drill I, 2

2. *n* обуче́ние (*войск*)

drilling II ['drɪlɪŋ] 1. *pres. p. от* drill II, 2

2. *n* 1) высве́рливание 2) буре́ние

drilling III ['drɪlɪŋ] 1. *pres. p. от* drill III, 2

2. *n* посе́в рядово́й се́ялкой

Drill Regulations [,drɪlregjʊ'leɪʃnz] *n* *воен.* строево́й уста́в

drily ['draɪlɪ] *adv* су́хо; хо́лодно

drink [drɪŋk] 1. *n* 1) питьё; напи́ток; soft ~s безалкого́льные напи́тки 2) спиртно́й напи́ток (*тж.* ardent ~, strong ~) 3) глото́к; стака́н (*вина, воды*); to have a ~ вы́пить; попи́ть, напи́ться 4) скло́нность к спиртно́му, пья́нство; in ~ в пья́ном ви́де, пья́ный; to be on the ~ пить запо́ем; to take to ~ стать пья́ницей 5): the ~ *разг.* мо́ре; to fall into ~ па́дать за́ борт ◇ the big ~ *амер. шутл.* а) Атланти́ческий океа́н; б) река́ Миссиси́пи; long ~ of water *амер. разг.* челове́к о́чень высо́кого ро́ста

2. *v* (drank; drunk) 1) пить, вы́пить 2) пить, пья́нствовать; to ~ the health of smb. пить за чьё-л. здоро́вье; to ~ brotherhood вы́пить на брудерша́фт; to ~ hard, to ~ heavily, to ~ like a fish си́льно пья́нствовать; to ~ deep а) сде́лать большо́й глото́к; б) си́льно пья́нствовать 3) впи́тывать (*влагу; о растениях*) 4) вдыха́ть (*воздух*) 5) пить за чьё-л. здоро́вье ▭ ~ **away** пропи́ть (*деньги и т. п.*); ~ **down** вы́пить за́лпом; ~ **in** жа́дно впи́тывать; упива́ться (*красотой и т. п.*); ~ **off** = ~ down; ~ **to** пить за здоро́вье, за процвета́ние; ~ **up** а) = ~ down; б) вы́пить до дна ◇ I could ~ the sea dry меня́ му́чит жа́жда, я о́чень хочу́ пить

drinkable ['drɪŋkəbl] 1. *a* го́дный для питья́

2. *n pl* напи́тки

drink-driver [,drɪŋk'draɪvə] *n* води́тель, вы́пивший бо́льше но́рмы

drinker ['drɪŋkə] *n* 1) пьющий, тот, кто пьёт 2) пьяница

drinking-bout ['drɪŋkɪŋbaʊt] *n* запóй

drinking fountain ['drɪŋkɪŋˌfaʊntɪn] *n* питьевóй фонтáнчик

drinking-horn ['drɪŋkɪŋhɔ:n] *n* рог (*для вина*)

drinking-song ['drɪŋkɪŋsɒŋ] *n* застóльная пéсня

drinking water ['drɪŋkɪŋˌwɔ:tə] *n* питьевáя водá

drink-offering ['drɪŋkˌɒfərɪŋ] *n* возлияние винá (*жертвоприношение*)

drip [drɪp] **1.** *n* 1) кáпанье 2) звук пáдающих кáпель 3) *горн.* капёж 4) *разг.* тупица; бéстолочь 5) = dripstone 1)

2. *v* кáпать, пáдать кáплями; the tap is ~ping кран течёт; to ~ with wet промóкнуть насквóзь

drip-dry ['drɪpdraɪ] **1.** *n* быстросóхнущая ткань

2. *v* сóхнуть *или* сушить без выжимáния

drip-feed ['drɪpfi:d] *n мед.* кáпельное внутривéнное вливáние, применéние кáпельницы

drip-moulding ['drɪpˌməʊldɪŋ] = dripstone 1)

dripping ['drɪpɪŋ] **1.** *pres. p. от* drip 2

2. *n* 1) кáпанье; просáчивание 2) *pl* жир, кáпающий с мяса во врéмя жáренья 3) пáдающая кáплями жидкость

3. *a* 1) кáпающий, кáплющий 2) мóкрый, промóкший; ~ wet насквóзь мóкрый

dripping-pan ['drɪpɪŋpæn] *n* 1) сковородá; прóтивень 2) *тех.* маслосбóрник, маслоуловитель

drippy ['drɪpɪ] *a* 1) кáпающий 2) *sl.* слезливый, сентиментáльный

dripstone ['drɪpstəʊn] *n* 1) *архит.* слезник; отливина 2) фильтр из пóристого кáмня

drive [draɪv] **1.** *n* 1) катáние, ездá, прогýлка (*в экипаже, автомобиле*); to go for a ~ совершить прогýлку 2) большáя энéргия, напóристость 3) побуждéние, стимул 4) тендéнция 5) дорóга (*для экипажей*); подъезднáя аллéя (*к дому*) 6) драйв, удáр (*в теннисе, крикете*) 7) (общéственная) кампáния (*по привлечению новых членов и т. п.*); to put on a ~ начáть кампáнию; a ~ to raise funds кампáния по сбóру средств 8) сплав, гóнка (*леса*) 9) *тех.* передáча, привóд 10) преслéдование (*неприятеля или зверя*) 11) *воен.* энергичное наступлéние, удáр, атáка 12) гóнка, спéшка (*в работе*) 13) *горн.* штрек 14) *амер. разг.* продáжа по низким цéнам (*с целью конкуренции*)

2. *v* (drove; driven) 1) гнать, прогонять (*обыкн.* away, back, out) 2) вынуждáть; доводить, приводить; to ~ to despair доводить до отчáяния; to ~ mad, to ~ out of one's senses, to ~ crazy сводить с умá 3) переутомлять, перегружáть рабóтой; he was very hard driven он был óчень перегрýжен 4) управлять (*машиной, автомобилем*) 5) везти (*в автомобиле, экипаже и т. п.*) 6) éхать (*в автомобиле, экипаже и т. п.*); быстро двигаться, нестись 7) прáвить (*лошадьми*); to ~ a pair прáвить пáрой 8) вбивáть, вколáчивать (*тж.* ~ into); to ~ a nail home вбить гвоздь по сáмую шляпку; *перен.* довести (*что-л.*) до концá; убедить; to ~ home убеждáть, внедрять в сознáние 9) проводить, проклáдывать; to ~ a railway through the desert стрóить желéзную дорóгу чéрез пустыню 10) *горн.* проходить горизонтáльную вырáботку 11) совершáть, вести; to ~ a bargain заключáть сдéлку; to ~ a trade вести торгóвлю 12) приводить в движéние *или* дéйствие (*машину и т. п.*) 13) *спорт.* дéлать удáр, отбивáть дрáйвом (*в теннисе, крикете*) 14) гнать; преслéдовать (*зверя, неприятеля*); to ~ into a corner загнáть в ýгол; *перен. тж.* приперéть к стéнке; driven ashore выброшенный на бéрег ▭ ~ **at** мéтить; клонить к *чему-л.*; what is he driving at? кудá он гнёт?; ~ **away** а) прогонять; б) рассéивать; ~ **in** а) загонять; to ~ the cows in загнáть корóв; б) въéхать; ~ **into** вбивáть; *перен.* вдáлбливать, растолкóвывать; ~ **out** а) выбивáть; вытеснять; б) изгонять (*нечистую силу*); в) проéхаться, прокатиться (*в автомобиле*); ~ **up** подъéхать, подкатить ◇ to ~ a quill, to ~ a pen быть писáтелем; to let ~ at мéтить, направлять удáр в; ~ yourself car машина напрокáт без шофёра

drive-in ['draɪvɪn] *n* 1) кинó под открытым нéбом (*где фильм смотрят, не выходя из автомобиля*; *тж.* ~ motion picture theater) 2) магазин, банк, мастерскáя *и т. п.* (*где обслуживают клиентов прямо в автомобилях*)

drivel ['drɪvl] **1.** *n* бессмыслица, глýпая болтовня; чушь, бред

2. *v* 1) распустить слюни 2) порóть чушь, нести чепухý 3) растрáчивать, разбазáривать

driveler ['drɪvlə] *амер.* = driveller

driveller ['drɪvlə] *n* 1) слюнявый ребёнок; слюнтяй 2) идиóт; глýпый болтýн

driven ['drɪvn] *p. p. от* drive 2

driven wheel ['drɪvnwi:l] *n тех.* ведóмое колесó

driver ['draɪvə] *n* 1) шофёр; водитель; машинист; вагоновожáтый; кýчер 2) гуртовщик; погóнщик скотá 3) надсмóтрщик за рабáми; хозяин-эксплуатáтор 4) дрáйвер, длинная клюшка (*для гольфа*) 5) первичный двигатель 6) *мор.* 5-я, 6-я *или* 7-я мáчта (*шхуны*); бизáнь-мáчта 7) *тех.* ведýщее колесó, ведýщий шкив 8) *тех.* всякий инструмéнт *или* приспособлéние для ввинчивания, завинчивания, вколáчивания *и т. п.*

driveway ['draɪvweɪ] *n* дорóга, проéзд

driving ['draɪvɪŋ] **1.** *pres. p. от* drive 2

2. *n* 1) катáние; ездá 2) вождéние автомобиля 3) *тех.* передáча, привóд 4) *горн.* прохóдка штрéка 5) *мор.* дрейф

3. *a* 1) сильный, имéющий большýю силу; ~ storm сильная бýря; ~ rain проливнóй дождь 2) движущий, приводящий в движéние 3) *тех.* приводнóй

driving-axle ['draɪvɪŋˌæksl] *n* ведýщая ось

driving-belt ['draɪvɪŋbelt] *n* приводнóй ремéнь

driving force ['draɪvɪŋfɔ:s] *n* движущая сила

driving licence ['draɪvɪŋˌlaɪsns] *n* водительские правá

driving wheel ['draɪvɪŋwi:l] *n* ведýщее колесó

drizzle ['drɪzl] **1.** *n* мéлкий дождь, изморось

2. *v* моросить; it ~s моросит

drogher ['drəʊgə] *n мор.* дрóгер

drogue [drəʊg] *n* 1) буёк, прикреплённый к гарпунý 2) плавýчий якорь

droll [drəʊl] **1.** *n уст.* шут, фигляр

2. *a* чуднóй; забáвный; смешнóй

drollery ['drəʊlərɪ] *n* шýтки, юмор

dromedary ['drɒmədərɪ] *n* одногóрбый верблюд, дромадéр

dromon ['drɒmən] = dromond

dromond ['drɒmənd] *n ист.* большáя пáрусная галéра

drone [drəʊn] **1.** *n* 1) трýтень 2) трýтень, тунеядец 3) жужжáние; гудéние 4) басóвая трýбка волынки *или* её звук 5) *ав.* управляемый снаряд; беспилóтный самолёт

2. *v* 1) жужжáть; гудéть 2) бубнить, читáть, петь монотóнно 3) бездéльничать

drool [dru:l] **1.** *n* чепухá, чушь

2. *v* 1) распускáть слюни 2) течь, сочиться (*о слюне и т. п.*) 3) нести чепухý; млеть от счáстья

droop [dru:p] **1.** *n* 1) понижéние, поникáние; наклóн 2) сутýлость 3) изнеможéние; упáдок дýха

2. *v* 1) свисáть, склоняться, поникáть 2) наклонять 3) повéсить, понýрить (*голову*); потýпить (*глаза, взор*) 4) сползáть, спускáться (*о плечике, бретельке*) 5) увядáть; ослабевáть; plants ~ from drought растéния вянут от зáсухи 6) *поэт.* опускáться; клониться к закáту 7) унывáть, пáдать дýхом 8) изнемогáть

drop [drɒp] **1.** *n* 1) кáпля; a ~ in the bucket, a ~ in the ocean ≅ кáпля в мóре; ~ by ~, by ~s кáпля за кáплей 2) глотóк (*спиртного*); to have a ~ in one's eye быть навеселé; to take a ~ too much хлебнýть лишнего 3) рéзкое понижéние, крутóй спуск 4) расстояние (*сверху вниз*), высотá падéния; a ~ of 10 feet from the window to the ground от окнá до земли 10 фýтов 5) падéние; he had a nasty ~ он здóрово шлёпнулся 6) падéние, понижéние; снижéние; ~ in prices (temperature) падéние цен (температýры); a ~ on smth. снижéние по сравнéнию с чем-л. 7) серьгá, подвéска 8) дражé; леденéц 9) пáдающий зáнавес (*в театре*) 10) пáдалица (*о плодах*) 11) *pl мед.* кáпли 12) кáпелька, чýточка; not a ~ of pity ни кáпли жáлости 13) удáр по мячý, отскочившему от земли (*в футбо-*

ле) 14) щель для монéты *или* жетóна (*в автомáте*) 15) налúчник (*замкá*) 16) *sl.* хáза, укрытие для крáденого 17) *sl.* тайнúк (*для укрытия и передачи шпионской информации*) 18) *тех.* перепáд ◇ at the ~ of a hat а) по знáку, по сигнáлу, как заведённый; б) без колебáний

2. *v* 1) кáпать; пáдать *или* выступáть кáплями 2) ронять, проливáть (*слёзы и т. п.*) 3) ронять, выпускáть из рук 4) пáдать; спадáть; to ~ as if one had been shot упáсть как подкóшенный; he is ready to ~ он с ног вáлится, óчень устáл; to ~ asleep заснýть 5) сразúть (*удáром, пулей*) 6) умерéть 7) оставлять, бросáть (*привычку, занятие*); прекращáть; ~ it! брóсь(те)!; остáвь(те)!; перестáнь(те)!; to ~ smoking брóсить курúть 8) прекращáть (*рабóту, разговор*); let us ~ the subject прекратúм разговóр на э́ту тéму 9) *разг.* оставлять, покидáть (*семью, друзей*) 10) высáживать, довозúть до; подбрóсить; I'll ~ you at your door я подвезý вас до (вáшего) дóма 11) проронúть (*слово*) 12) отправлять, опускáть (*письмо*); ~ me a line ≅ черкнú(те) мне нéсколько строк 13) пáдать, снижáться; спадáть, понижáться (*о цене и т. п.*) 14) спускáться; опускáться; his jaw ~ped у негó отвúсла чéлюсть 15) понижáть (*голос*); потуплять (*глаза*) 16) *разг.* терять, проúгрывать (*деньги*) 17) пропускáть, опускáть; to ~ a letter пропустúть бýкву 18) *спорт.* проигрáть (*матч, встречу*) 19) отелúться, ожеребúться *и т. п.* рáньше врéмени 20) сбрáсывать (*с самолёта*) 21) *разг.* увольнять □ ~ **across** *разг.* а) случáйно встрéтить; б) сдéлать выговор; ~ away уходúть одúн за другúм; ~ **back** *воен., спорт.* отступáть, отходúть; ~ **behind** отставáть; ~ **in** *разг.* а) зайтú, заглянýть; б) входúть одúн за другúм; ~ **into** *разг.* а) случáйно зайтú, заглянýть; б) втянýться, приобрестú привычку; в) ввязáться (*в разговор*); ~ **off** а) постепéнно уменьшáться; б) расходúться; в) *разг.* заснýть; г) *разг.* умерéть; д) довезтú до, подбрóсить (*на машине*); ~ **on** сдéлать выговор; наказáть; ~ **out** а) *разг.* бóльше не учáствовать (*в конкурсе и т. п.*); б) опустúть, не включúть; в) *полигр.* выпасть (*из набора*) ◇ to ~ short а) не хватáть; б) не достигáть цéли; to ~ a word in favour of smb. замóлвить за когó-л. словéчко; to ~ from the clouds свалúться как снег нá голову; to ~ like a hot potato поспешúть избáвиться от *чего-л.*; to ~ from sight исчéзнуть из пóля зрéния

drop curtain ['drɒp,kɜ:tn] *n* пáдающий зáнавес (*в театре*)

drop hammer ['drɒp,hæmə] *n тех.* копёр; пáдающий мóлот

dropkick ['drɒpkɪk] *n спорт.* удáр с полулёта (*в футболе*)

drop leaf ['drɒpli:f] *n* откиднáя доскá (*у стола*)

droplet ['drɒplət] *n* кáпелька

drop-letter ['drɒp,letə] *n амер.* мéстное, городскóе письмó

drop-light ['drɒplaɪt] *n амер.* опускнáя лáмпа

dropout ['drɒpaʊt] *n разг.* выбывший, исключённый; учáщийся, брóсивший шкóлу

dropper ['drɒpə] *n* пипéтка

dropping-gear ['drɒpɪŋgɪə] *n* 1) *ав.* бомбосбрáсыватель 2) *мор.* торпедосбрáсыватель

droppings ['drɒpɪŋz] *n pl* 1) помёт живóтных, навóз 2) то, что упáло *или* пáдает кáплями (*дождь, стекающий жир и т. п.*)

drop scene ['drɒpsi:n] *n* 1) = drop curtain 2) заключúтельная сцéна

drop-shutter ['drɒp,ʃʌtə] *n фото* пáдающий затвóр

dropsical ['drɒpsɪkl] *a* 1) страдáющий водянкой 2) опýхший; отёчный

dropsy ['drɒpsɪ] *n* 1) водянка 2) *sl.* взятка

drosometer [drɒ'sɒmɪtə] *n метео* росомéр

drosophila [drə'sɒfɪlə] *n* дрозофúла

dross [drɒs] *n* 1) отбрóсы; остáтки, подóнки 2) окáлина; шлак; ýгольный мýсор

drossy ['drɒsɪ] *a* 1) нечúстый, сóрный 2) содержáщий шлак

drought [draʊt] *n* 1) зáсуха 2) *уст* сýхость; жáжда

droughty ['draʊtɪ] *a* сухóй; засýшливый

drouth [draʊθ] *n поэт., шотл. см.* drought

drove I [drəʊv] *past от* drive 2

drove II [drəʊv] *n* 1) толпá; to stand in ~s толпúться 2) гурт, стáдо 3) *тех.* зубúло для обтёски камнéй

drover ['drəʊvə] *n* 1) гуртовщúк 2) скотопромышленник

drown [draʊn] *v* 1) тонýть; to be ~ed утонýть 2) топúть(ся) 3) затоплять, заливáть; ~ed in tears весь в слезáх, заливáясь слезáми; ~ed in sleep погружённый в сон; совсéм сóнный 4) заглушáть (*звук, голос; тоску*) ◇ a ~ing man will catch at a straw утопáющий хватáется за солóминку

drowse [draʊz] **1.** *n* 1) дремóта, полусóн 2) сонлúвость

2. *v* 1) дремáть, быть сóнным 2) проводúть врéмя в бездéйствии 3) окáзывать снотвóрное дéйствие; наводúть сон

drowsily ['draʊzɪlɪ] *adv* сóнно; вяло

drowsy ['draʊzɪ] *a* 1) сóнный, дрéмлющий 2) навевáющий дремóту; снотвóрный 3) вялый

drub [drʌb] *v* 1) тóпать, стучáть, барабáнить 2) (по)бúть, (по)колотúть; to ~ into smb. вбить комý-л. в гóлову; to ~ out of smb. выбить у когó-л. из головы 3) ругáть, поносúть

drubbing ['drʌbɪŋ] **1.** *pres. p. от* drub

2. *n* избиéние, побóи

drudge [drʌdʒ] **1.** *n* человéк, выполняющий тяжёлую, нýдную рабóту

2. *v* выполнять тяжёлую, нýдную рабóту

drudgery ['drʌdʒərɪ] *n* тяжёлая, нýдная рабóта

drug [drʌg] **1.** *n* 1) лекáрство, медикамéнт 2) наркóтик 3) неходовóй товáр; то, что никомý не нýжно (*обыкн.* ~ in *или* on the market) 4) *attr.* лекáрственный; ~ plants лекáрственные растéния 5) *attr.* наркотúческий; ~ addict (*или* taker) наркомáн; the ~ habit наркомáния

2. *v* 1) подмéшивать наркóтики *или* яд (*в пищу*) 2) давáть наркóтики 3) употреблять наркóтики 4) притуплять (*чувства*)

drugget ['drʌgɪt] *n* драгéт (*грубая шерстяная материя для половиков*)

druggist ['drʌgɪst] *n* 1) аптéкарь 2) *амер.* фармацéвт

druggy ['drʌgɪ] *n разг.* наркомáн

drug squad ['drʌg,skwɒd] *n* отряд по борьбé с наркомáнией

drugstore ['drʌgstɔ:] *n амер.* аптéкарский магазúн, торгýющий лекáрствами, морóженым, кóфе, журнáлами *и т. п.*

Druid ['dru:ɪd] *n ист.* друúд, жрец

drum [drʌm] **1.** *n* 1) барабáн 2) барабáнный бой 3) *анат.* барабáнная перепóнка 4) ящик для упакóвки сушёных фруктов *и т. п.* 5) *тех.* барабáн; цилúндр ◇ to beat the (big) ~ а) беззастéнчиво реклами́ровать; б) шýмно протестовáть

2. *v* 1) бить в барабáн 2) барабáнить пáльцами 3): to ~ smth. into smb., to ~ smth. into smb.'s head вдáлбливать что-л. комý-л. 4) стучáть, тóпать 5) хлóпать крыльями (*о птицах*) □ ~ **up** созывáть, зазывáть; to ~ up customers *амер.* зазывáть покупáтелей, закáзчиков

drumbeat ['drʌmbi:t] *n* барабáнный бой

drumfire ['drʌm,faɪə] *n воен.* ураганный огóнь

drum-fish ['drʌmfɪʃ] *n* барабáнщик (*рыба*)

drumhead ['drʌmhed] *n* 1) кóжа на барабáне 2) *анат.* барабáнная перепóнка 3) *мор.* дромгéд, головá шпúля ◇ ~ court martial воéнно-полевóй суд

drum major ['drʌmmeɪdʒə] *n* стáрший полковóй барабáнщик, тамбурмажóр

drum majorette [,drʌmmeɪdʒə'ret] *n* тамбурмажорéтка

drummer ['drʌmə] *n* 1) барабáнщик 2) *амер. разг.* коммивояжёр 3) *sl.* вор

drumstick ['drʌmstɪk] *n* 1) барабáнная пáлочка 2) нóжка варёной *или* жáреной птúцы (*курицы, утки, гуся и т. п.*)

drunk [drʌŋk] **1.** *p. p. от* drink 2

2. *a predic.* 1) пьяный; to get ~ напúться пьяным; ~ as a lord (*или* as a fiddler) ≅ пьян как сапóжник, как стéлька; blind (*или* dead) ~ мертвéцки пьян 2) опьянённый (*успехом и т. п.*; with)

3. *n разг.* 1) пьяный 2) попóйка; запóй

drunkard ['drʌŋkəd] *n* пьяница, алкогóлик

drunken ['drʌŋkən] *a* пьяный; ~ brawl пьяная ссóра; ~ driving вождéние автомобúля в нетрéзвом вúде

drupaceous [dru:'peɪʃəs] *a бот.* ко́сточковый (*о плоде*)

drupe [dru:p] *n бот.* ко́сточковый плод (*слива, вишня, персик и т. п.*)

drupel(et) ['dru:pl(ɪt)] *n* костя́ночка (*малины, ежевики и т. п.*)

druse [dru:z] *n мин.* дру́за

dry [draɪ] **1.** *a* 1) сухо́й; ~ cough сухо́й ка́шель; ~ masonry *стр.* кла́дка без раство́ра (*насухо*); ~ cell (*или* battery) суха́я электри́ческая батаре́я 2) засу́шливый 3) сухо́й, высо́хший (*о колодце, реке и т. п.*) 4) сухо́й, несла́дкий (*о вине*) 5) сухо́й; ску́чный, неинтере́сный; ~ book ску́чная кни́га; ~ facts го́лые фа́кты 6) холо́дный; сде́ржанный; бесстра́стный; ~ humour сде́ржанный ю́мор 7) антиалкого́льный, запреща́ющий прода́жу спиртны́х напи́тков; ~ town го́род, в кото́ром запрещена́ прода́жа спиртны́х напи́тков; to go ~ ввести́ сухо́й зако́н 8) без ма́сла, дже́ма *и т. п.*, сухо́й; ~ bread хлеб без ма́сла 9) сыпу́чий, твёрдый (*о продуктах*) 10) *разг.* испы́тывающий жа́жду (*о человеке*) 11) *воен.* уче́бный; ~ shot холосто́й вы́стрел ◇ ~ cow я́ловая коро́ва; ~ death смерть без проли́тия кро́ви; ~ light непредубеждённый взгляд (*на вещи*); he's not even ~ behind the ears ≅ у него́ ещё молоко́ на губа́х не обсо́хло

2. *n* 1) за́суха; сушь; суха́я пого́да 2) *австрал. разг.* засу́шливые райо́ны 3) *амер.* сторо́нник запреще́ния спиртны́х напи́тков

3. *v* 1) суши́ть(ся), со́хнуть, высыха́ть; to ~ herbs суши́ть тра́вы; to ~ oneself суши́ться 2) иссяка́ть 3) вытира́ть (по́сле мытья́); he dried his hands on the towel он вы́тер ру́ки полоте́нцем ▭ ~ **up** а) высу́шивать; to ~ up one's tears осуши́ть слёзы; б) высыха́ть, пересыха́ть (*о колодце, реке*); *перен.* истощи́ться, исся́кнуть (*о воображении и т. п.*); в) *разг.* замолча́ть; переста́ть; ~ up! замолчи́(те)!, переста́нь(те)!

dryad ['draɪæd] *n миф.* дриа́да

Dryasdust ['draɪəzdʌst] *n* ску́чный, педанти́чный челове́к, «суха́рь»; учёный, профе́ссор *и т. п.*

dry-bob ['draɪbɒb] *n* уча́щийся — люби́тель спо́рта (*не водного*) [*ср.* wet-bob]

dry-cargo ship [,draɪkɑ:gəʊ'ʃɪp] *n мор.* сухогру́з, сухогру́зное су́дно

dry-clean [,draɪ'kli:n] *v* подверга́ть хими́ческой чи́стке

dry-cleaners [,draɪ'kli:nəz] *n pl* хими́ческая чи́стка, химчи́стка (*мастерская*)

dry cleaning [,draɪ'kli:nɪŋ] **1.** *pres. p. от* dry-clean

2. *n* хими́ческая чи́стка (*процесс*)

dry-cure [,draɪ'kjʊə] *v* соли́ть, вя́лить, копти́ть

dryer ['draɪə] = drier 1

dry farming [,draɪ'fɑ:mɪŋ] *n* неполивно́е земледе́лие (*в засушливых районах*)

dry fly ['draɪflaɪ] *n* иску́сственная му́шка (*употребляемая при рыбной ловле*)

dry goods ['draɪgʊdz] *n pl* мануфакту́ра, галантере́я

dryish ['draɪɪʃ] *a* сухова́тый

dry measure ['draɪ,meʒə] *n* ме́ра сыпу́чих тел

dry nurse [,draɪ'nɜ:s] **1.** *n* ня́ня; ня́нька

2. *v* ня́нчить

drypoint ['draɪpɔɪnt] **1.** *a* 1) игла́ для гравирова́ния без кислоты́ 2) гравирова́ние сухо́й иглой́ 3) гравю́ра, вы́полненная сухо́й иглой́

2. *v* гравирова́ть иглой́ без кислоты́

dry rot [,draɪ'rɒt] *n* 1) суха́я гниль (*древесины*) 2) мора́льное разложе́ние; упа́док, загнива́ние

drysalter ['draɪ,sɔ:ltə] *n* 1) торго́вец москате́льными това́рами 2) торго́вец сушёными проду́ктами, марина́дами, консе́рвами

dry-shod [,draɪ'ʃɒd] *adv* не замочи́в ног

dual ['dju:əl] **1.** *a* двойственный; двойно́й; состоя́щий из двух часте́й; ~ ownership совме́стное владе́ние (*двух лиц*); ~ nationality (*или* citizenship) двойно́е гражда́нство, по́дданство; the D. Monarchy *ист.* а́встро-венге́рская мона́рхия

2. *n грам.* 1) дво́йственное число́ 2) сло́во в дво́йственном числе́

dualism ['dju:əl,ɪzəm] *n филос.* дуали́зм

duality [djʊ'ælətɪ] *n* дво́йственность

dualize ['dju:əlaɪz] *v* раздва́ивать

dual-purpose [,dju:əl'pɜ:pəs] *a* двойно́го назначе́ния

dub I [dʌb] *v* 1) обруба́ть 2) обтёсывать; строга́ть 3) ровня́ть; пригоня́ть; отде́лывать 4) сма́зывать жи́ром (*сапоги, кожу и т. п.*)

dub II [dʌb] *v* дубли́ровать фильм; производи́ть дубля́ж

dub III [dʌb] *v* 1) посвяща́ть в ры́цари 2) дава́ть ти́тул 3) окрести́ть, дать про́звище

dub IV [dʌb] *n амер. разг.* у́вален, неуме́лый челове́к

dubbin, dubbing ['dʌbɪn, 'dʌbɪŋ] *n* жир для сма́зывания ко́жи

dubiety [djʊ'baɪətɪ] *n книжн.* 1) сомне́ние, колеба́ние 2) что-л. сомни́тельное

dubious ['dju:bɪəs] *a* 1) сомнева́ющийся, колеблю́щийся 2) сомни́тельный, подозри́тельный; ~ character подозри́тельная ли́чность

ducal ['dju:kl] *a* ге́рцогский

ducat ['dʌkət] *n* 1) *ист.* дука́т 2) *разг.* моне́та; *pl* де́ньги

duchess ['dʌtʃɪs] *n* герцоги́ня

duchy ['dʌtʃɪ] *n* ге́рцогство

duck I [dʌk] *n* 1) у́тка 2) ути́ное мя́со 3) нулево́й счёт (*в крикете*) 4) *ласк.* голу́бушка; ду́шка 5) *разг.* па́рень 6) *воен. разг.* грузови́к-амфи́бия 7) *attr.*: ~ tail ути́ный хвост; *перен.* вихо́р, хохоло́к ◇ like a ~ in a thunderstorm с растеря́нным ви́дом; fine weather for young ~s *шутл.* дождли́вая пого́да; like water off a ~'s back ≅ как с гу́ся вода́; ~s and drakes игра́, состоя́щая в броса́нии пло́ских ка́мешков по пове́рхности воды́; to play ~s and drakes with smth. расточа́ть, прома́тывать что-л., поступа́ть безрассу́дно, рискова́ть чем-л.; to take to smth. like a ~ to water чу́вствовать себя́ в чём-л. как ры́ба в воде́; a ~ of *разг.* преле́стный, восхити́тельный

duck II [dʌk] **1.** *n* 1) ныря́ние; окуна́ние 2) бы́строе наклоне́ние головы́

2. *v* 1) ныря́ть; окуна́ть(ся) 2) бы́стро наклоня́ть го́лову 3) *разг.* увёртываться (*от удара снаряда*) 4): to ~ a curtsy *разг.* приседа́ть, де́лать povера́нс

duck III [dʌk] *n* 1) гру́бое полотно́, паруси́на 2) *pl* паруси́новые брю́ки

duckbill ['dʌkbɪl] *n зоол.* утконо́с

duckboards ['dʌkbɔ:dz] *n pl* доща́тый насти́л

ducket ['dʌkɪt] *n sl.* 1) (лотере́йный) биле́т 2) *амер.* профсою́зный биле́т

duck-hawk ['dʌkhɔ:k] *n зоол.* лунь боло́тный

ducking ['dʌkɪŋ] **1.** *pres. p. от* duck II, 2

2. *n* погруже́ние в во́ду; I got a good ~ я си́льно промо́к

ducking stool ['dʌkɪŋstu:l] = cucking stool

duck-legged ['dʌklegd] *a* коротконо́гий, ходя́щий вперева́лку

duckling ['dʌklɪŋ] *n* утёнок

duck-out ['dʌkaʊt] *n воен. жарг.* 1) дезерти́рство 2) дезерти́р

duck's-egg ['dʌkseg] = duck I, 3)

duck's meat ['dʌksmi:t] = duckweed

duckweed ['dʌkwi:d] *n бот.* ря́ска

ducky ['dʌkɪ] = duck I, 4)

duct [dʌkt] *n* 1) трубопрово́д; труба́ 2) *анат.* прото́к, кана́л

ductile ['dʌktaɪl] *a* 1) ко́вкий, тягу́чий; вя́зкий (*о металле*) 2) эласти́чный 3) пода́тливый, послу́шный; поддаю́щийся влия́нию (*о человеке*)

ductility [dʌk'tɪlətɪ] *n* 1) ко́вкость, тягу́честь; вя́зкость (*металла*) 2) эласти́чность 3) пода́тливость, послуша́ние

ductless ['dʌktləs] *a анат.* не име́ющий выводно́го прото́ка; ~ glands же́лезы вну́тренней секре́ции

dud [dʌd] *разг.* **1.** *n* 1) никчёмный челове́к; неуда́чник 2) подде́лка; де́нежный докуме́нт, при́знанный недействи́тельным 3) неразорва́вшийся снаря́д 4) *pl* лохмо́тья, рвань; одежо́нка, пло́хонькая оде́жда

2. *a* подде́льный, него́дный, недействи́тельный

dude [dju:d] *n амер. разг.* хлыщ, фат, пижо́н

dudgeon ['dʌdʒən] *n* оби́да, возмуще́ние; in high (*или* deep, great) ~ в глубо́ком возмуще́нии

due [dju:] **1.** *n* 1) до́лжное; то, что причита́ется; to give smb. his ~ воздава́ть кому́-л. по заслу́гам; отдава́ть до́лжное 2) *pl* сбо́ры, нало́ги, по́шлины; custom ~s тамо́женные по́шлины 3) *pl* чле́нские взно́сы; party ~s парти́йные взно́сы ◇ for a full ~ основа́тельно, про́чно

2. *a* 1) *predic.* до́лжный, обя́занный (*по соглашению, по договору*); he is ~ to speak at the meeting он до́лжен вы́ступить на собра́нии 2) причита́ющийся; his wages are ~ за́работная пла́та ему́ ещё не вы́плачена 3) до́лжный, надлежа́щий, соотве́тствующий; with ~ attention с до́лжным внима́нием; after ~ consideration по́сле внима́тельного рассмотре́ния 4) обусло́вленный; his death was ~ to nephritis смерть его́ была́ вы́звана нефри́том 5) *predic.* ожида́емый; the train is ~ and over-due по́езд давны́м-давно́ до́лжен был прийти́ 6): ~ to (*употр. как prep*) благодаря́

3. *adv* то́чно, пря́мо (*о стрелке компаса*); they went ~ south они́ держа́ли курс пря́мо на юг

duel ['dju:əl] **1.** *n* 1) дуэ́ль, поеди́нок; Pushkin lost his ~ Пу́шкин был уби́т на дуэ́ли 2) состяза́ние, борьба́

2. *v* дра́ться на дуэ́ли

duellist ['dju:əlɪst] *n* уча́стник дуэ́ли, дуэля́нт

duenna [djʊ'enə] *n* дуэ́нья; компаньо́нка (*молодой девушки*)

duet(t) [djʊ'et] *n* дуэ́т

duff I [dʌf] *n* варёный пу́динг

duff II [dʌf] *v разг.* 1) фальсифици́ровать (*товары*); подновля́ть 2) обма́нывать 3) *австрал.* ворова́ть скот и меня́ть клеймо́

duffel ['dʌfl] = duffle

duffer ['dʌfə] *n разг.* 1) тупи́ца; никчёмный, неспосо́бный челове́к 2) фальши́вая моне́та 3) *австрал.* вы́работанная ша́хта

duffle ['dʌfl] *n* 1) шерстяна́я ба́йка 2) *амер.* снаряже́ние (*туриста*); туристи́ческий *или* спорти́вный костю́м

duffle bag ['dʌflbæg] *n* вещево́й мешо́к

dug I [dʌg] *past u p. p. от* dig 1

dug II [dʌg] *n* 1) сосо́к (*животного*) 2) вы́мя

dug out ['dʌgaʊt] *n* 1) *воен.* убе́жище; блинда́ж; земля́нка; укры́тие 2) челно́к, вы́долбленный из бревна́ 3) *воен. жарг.* офице́р, вновь при́званный на слу́жбу из отста́вки

duiker ['daɪkə] *n* ду́кер, южноафрика́нская антило́па

duke [dju:k] *n* 1) ге́рцог; Grand D. вели́кий князь 2) (*обыкн. pl*) *sl.* ру́ки; кулаки́

dukedom ['dju:kdəm] *n* 1) ге́рцогство 2) ти́тул ге́рцога

dulcet ['dʌlsɪt] *a* сла́дкий, не́жный (*о звуках*)

dulcify ['dʌlsɪfaɪ] *v книжн.* 1) де́лать мя́гким, прия́тным 2) подсла́щивать

dulcimer ['dʌlsɪmə] *n* цимба́лы

dulia ['dju:lɪə] *n церк.* поклоне́ние святы́м *и* а́нгелам

dull [dʌl] **1.** *a* 1) тупо́й, глу́пый 2) ску́чный; моното́нный; ~ beggar (*или* fish) ску́чный челове́к 3) тупо́й; приту́пленный, притуплённый; ~ pain тупа́я боль; ~ of hearing туго́й на́ ухо 4) па́смурный 5) ту́склый 6) тупо́й, неотто́ченный 7) безра́достный, уны́лый, пону́рый 8) нея́сный; ~ sight сла́бое зре́ние 9) вя́лый (*о торговле*) 10) неходово́й, не име́ющий спро́са (*о товаре*)

2. *v* притупля́ть(ся); де́лать(ся) тупы́м, ту́склым, вя́лым, ску́чным; to ~ the edge of one's appetite замори́ть червячка́

dullard ['dʌləd] *n* тупи́ца, о́лух

dullish ['dʌlɪʃ] *a* 1) тупова́тый 2) скучнова́тый

dulse [dʌls] *n* тёмно-кра́сная съедо́бная во́доросль

duly ['dju:lɪ] *adv* 1) до́лжным о́бразом, пра́вильно 2) в до́лжное вре́мя

dumb [dʌm] *a* 1) немо́й; deaf and ~ глухонемо́й; ~ show нема́я сце́на, пантоми́ма 2) бесслове́сный; ~ animals бесслове́сные живо́тные 3) онеме́вший (*от страха и т. п.*) 4) беззву́чный; this piano has several ~ notes у э́того пиани́но не́сколько кла́вишей не звуча́т 5) *амер. разг.* глу́пый; тупо́й 6) молчали́вый; a ~ dog *разг.* молчали́вый па́рень ◇ ~ barge несамохо́дная ба́ржа

dumb bell ['dʌmbel] **1.** *n* 1) *pl* ги́ри; ганте́ли 2) *амер. разг.* болва́н, дура́к

2. *v* выполня́ть упражне́ния с ганте́лями

dumbfound [dʌm'faʊnd] *v* ошара́шить, ошеломи́ть

dumbhead ['dʌmhed] *n амер. sl.* дура́к

dumbness ['dʌmnəs] *n* немота́

dumb piano ['dʌmpɪ,ænəʊ] *n* нема́я клавиату́ра

dumb waiter [,dʌm'weɪtə] *n* 1) лифт для пода́чи блюд с одного́ этажа́ на друго́й, ку́хонный лифт 2) враща́ющийся сто́лик, откры́тая этаже́рка для заку́сок

dumdum ['dʌmdʌm] *n* пу́ля «дум-ду́м» (*тж.* ~ bullet)

dummy ['dʌmɪ] **1.** *n* 1) ку́кла, чу́чело; манеке́н; моде́ль 2) маке́т 3) *разг.* дурачо́к 4) ору́дие в чужи́х рука́х; марионе́тка 5) подставно́е, фикти́вное лицо́ 6) со́ска (*тж.* baby's ~) 7) *карт.* болва́н 8) *спорт.* финт, обма́нное движе́ние (*в футболе и т. п.*) ◇ tailor's ~ франт, пижо́н

2. *a* 1) подде́льный; подставно́й; фикти́вный; ~ window ло́жное окно́ 2) уче́бный, моде́льный; ~ cartridge уче́бный патро́н 3) вре́менный 4) *тех.* холосто́й

dump I [dʌmp] **1.** *n* 1) сва́лка, гру́да хла́ма; му́сорная ку́ча 2) *разг.* глушь, мра́чная дыра́ 3) *воен.* вре́менный полево́й склад 4) шта́бель у́гля́ *или* руды́; отва́л, ку́ча шла́ка 5) глухо́й звук от паде́ния тяжёлого предме́та

2. *v* 1) сбра́сывать, сва́ливать (*мусор*) 2) опроки́дывать (*вагонетку*); разгружа́ть 3) *разг.* броса́ть, оставля́ть 4) *эк.* устра́ивать де́мпинг 5) роня́ть с шу́мом

dump II [dʌmp] *n* 1) свинцо́вый кружо́к; свинцо́вая фи́шка 2) *разг.* ме́лкая моне́та; *pl* де́ньги; not worth a ~ гроша́ ме́дного не сто́ит 3) = dumpy II, 2

dump-car(t) ['dʌmpkɑ:(t)] *n* опроки́дывающаяся теле́жка *или* вагоне́тка, ду́мпкар

dumping ['dʌmpɪŋ] **1.** *pres. p. от* dump I, 2

2. *n* 1) разгру́зка, сва́ливание в отва́л 2) *эк.* де́мпинг, бро́совый э́кспорт

dumpling ['dʌmplɪŋ] *n* 1) клёцка 2) я́блоко, запечённое в те́сте 3) *разг.* коро́тышка

dumps [dʌmps] *n pl разг.* хандра́, уны́ние; to be (down) in the ~ быть в плохо́м настрое́нии, хандри́ть

dumpy I ['dʌmpɪ] *a* уны́лый

dumpy II ['dʌmpɪ] **1.** *a* корена́стый

2. *n* невысо́кий корена́стый челове́к

dun I [dʌn] **1.** *n* 1) серова́то-кори́чневый цвет 2) иску́сственная се́рая му́шка (*в рыбной ловле*)

2. *a* 1) серова́то-кори́чневый 2) *поэт.* тёмный, су́мрачный

dun II [dʌn] **1.** *n* 1) назо́йливый кредито́р 2) насто́йчивое тре́бование упла́ты до́лга

2. *v* 1) насто́йчиво тре́бовать упла́ты до́лга; to ~ smb. out of his money вымога́ть де́ньги 2) надоеда́ть

dun-bird ['dʌnbɜ:d] *n зоол.* ныро́к красноголо́вый

dunce [dʌns] *n* болва́н, тупи́ца; неуспева́ющий учени́к; ~'s cap *ист.* бума́жный колпа́к, надева́емый лени́вым ученика́м в кла́ссе в ви́де наказа́ния

dunderhead ['dʌndəhed] *n* глу́пая башка́, болва́н

dune [dju:n] *n* дю́на

dung I [dʌŋ] *n* помёт, наво́з; удобре́ние

dung II [dʌŋ] *past u p. p. от* ding 2

dungaree [,dʌŋgə'ri:] *n* 1) гру́бая бума́жная ткань 2) *pl* рабо́чие брю́ки из гру́бой бума́жной тка́ни

dung beetle ['dʌŋ,bi:tl] *n* наво́зный жук; скарабе́й

dungeon ['dʌndʒən] *n* 1) подзе́мная тюрьма́; темни́ца 2) *уст.* = donjon

dung-fork ['dʌŋfɔ:k] *n* наво́зные ви́лы

dunghill ['dʌŋhɪl] *n* наво́зная ку́ча

dungy ['dʌŋɪ] *a* наво́зный, гря́зный

duniwassal ['du:nɪwɒsəl] *n шотл.* ме́лкий дворяни́н

dunk [dʌŋk] *v* 1) мака́ть (*сухарь, печенье в чай, вино*) 2) замочи́ть, смочи́ть

dunlin ['dʌnlɪn] *n* чернозо́бик (*птица*)

dunnage ['dʌnɪdʒ] *n мор.* подсти́лка под груз

duo ['dju:əʊ] *n* (*pl* -os [-əʊz]) 1) два актёра, выступа́ющие вме́сте, актёрская па́ра 2) *муз.* дуэ́т

duodecimal [,dju:əʊ'desɪml] **1.** *n* двена́дцатая часть

2. *a* двенадцатери́чный

duodecimo [,dju:əʊ'desɪməʊ] *n* форма́т кни́ги в двена́дцатую до́лю листа́

duodena [,dju:əʊ'di:nə] *pl от* duodenum

duodenal [,dju:əʊ'di:nl] *a анат.* дуодена́льный; ~ ulcer я́зва двенадцатипе́рстной кишки́

duodenary [,dju:əʊ'di:nərɪ] *a* двенадцатери́чный

duodenitis [,dju:əʊdi:'naɪtɪs] *n мед.* дуодени́т, воспале́ние двенадцатипе́рстной кишки́

duodenum [,dju:əʊ'di:nəm] *n* (*pl* -na) *анат.* двенадцатипе́рстная кишка́

duologue ['dju:əlɒg] *n* 1) = dialogue 1); 2) пье́са *или* отры́вок из пье́сы для двух актёров

dupable ['dju:pəbl] *a* легко́ поддаю́щийся обма́ну, изли́шне дове́рчивый

dupe [dju:p] **1.** *n* 1) простофи́ля 2) же́ртва обма́на

2. *v* обма́нывать, одура́чивать

dupery ['dju:pərɪ] *n* надува́тельство

duple ['dju:pl] *a* 1) *мат.* двойно́й 2) *муз.* двухта́ктный

duplex ['dju:pleks] *a* 1) двухсторо́нний; спа́ренный, двойно́й 2) *амер.* располо́женный в двух этажа́х *или* рассчи́танный на две семьи́; ~ house двухкварти́рный дом; ~ apartment двухэта́жная кварти́ра с вну́тренней ле́стницей

duplicate **1.** *n* ['dju:plɪkət] 1) дублика́т; ко́пия; in ~ в двух экземпля́рах 2) *pl* запасны́е ча́сти 3) зало́говая квита́нция

2. *a* ['dju:plɪkət] 1) воспроизведённый в то́чности; аналоги́чный 2) двойно́й, удво́енный; *тех.* спа́ренный; ~ ratio (*или* proportion) *мат.* отноше́ние квадра́тов 3) запа́сный, запасно́й

3. *v* ['dju:plɪkeɪt] 1) удва́ивать, увели́чивать вдво́е 2) снима́ть ко́пию; де́лать дублика́т 3) дубли́ровать

duplication [,dju:plɪ'keɪʃn] *n* 1) удва́ивание 2) сня́тие ко́пий; размноже́ние

duplicator ['dju:plɪkeɪtə] *n* копирова́льный аппара́т

duplicity [djʊ'plɪsətɪ] *n* двули́чность

durability [,djʊərə'bɪlətɪ] *n* 1) про́чность; сто́йкость; продолжи́тельность сро́ка слу́жбы; долгове́чность 2) дли́тельность

durable ['djʊərəbl] *a* 1) про́чный, надёжный; a ~ pair of shoes про́чные ту́фли 2) дли́тельный, долговре́менный 3) *эк.* дли́тельного по́льзования

duralumin [djʊ'ræljʊmɪn] *n* дюралюми́ний

duramen [djʊ'reɪmen] *n* 1) *бот.* сердцеви́на (*дерева*) 2) *лес.* ядро́вая древеси́на

duration [djʊ'reɪʃn] *n* продолжи́тельность; for the ~ of the war на вре́мя войны́; of short ~ недолгове́чный

durbar ['dɜ:bɑ:] *инд.* *n* торже́ственный приём

duress(e) [djʊ'res] *n* 1) лише́ние свобо́ды; заключе́ние (в тюрьму́) 2) *юр.* принужде́ние; to do smth. under ~ де́лать что-л. по принужде́нию, под давле́нием

during ['djʊərɪŋ] *prep* в тече́ние, в продолже́ние; во вре́мя

durmast ['dɜ:mɑ:st] *n бот.* дуб ска́льный

durst [dɜ:st] *уст. past от* dare 1

dusk [dʌsk] **1.** *n* су́мерки; су́мрак; till ~ дотемна́; scarcely visible in the ~ едва́ различи́мый в темноте́

2. *a поэт.* су́меречный, су́мрачный, нея́сный

3. *v поэт.* смерка́ться

duskiness ['dʌskɪnəs] *n* 1) су́мрак, темнота́ 2) сму́глость

dusky ['dʌskɪ] *a* 1) су́меречный, тёмный; ~ thicket тёмная ча́ща 2) сму́глый

dust [dʌst] **1.** *n* 1) пыль; gold ~ золото́й песо́к; atomic ~ радиоакти́вная пыль; cosmic ~ косми́ческая пыль 2) *бот.* пыльца́ 3) *поэт.* прах 4) *разг.* де́ньги, презре́нный мета́лл ◇ to raise (*или* to make) a ~ поднима́ть шум, сумато́ху; humbled in (*или* to) the ~ кра́йне уни́женный; пове́рженный во прах; to give the ~ to smb. *амер.* обогна́ть, опереди́ть кого́-л.; to take smb.'s ~ *амер.* отстава́ть от кого́-л.; плести́сь в хвосте́; to throw ~ in smb.'s eyes ≅ втира́ть очки́ кому́-л.

2. *v* 1) вытира́ть, выбива́ть пыль; to ~ a table вытира́ть пыль со стола́ 2) посыпа́ть са́харной пу́дрой, муко́й *и т. п.* 3) запыли́ть ▭ ~ **down** а) вы́чистить (*одежду*); б) *разг.* отчита́ть ◇ to ~ the eyes of обма́нывать *кого-л.*

dustbin ['dʌstbɪn] *n* му́сорный я́щик

dust bowl ['dʌstbəʊl] *n* «пы́льная ча́ша», террито́рия, подверга́ющаяся пы́льным бу́рям и за́сухе

dustcart ['dʌstkɑ:t] *n* фурго́н, маши́на для вы́возки му́сора

dustcloak ['dʌstkləʊk] = dustcoat

dustcoat ['dʌstkəʊt] *n* пы́льник (*плащ*)

dustcolour ['dʌst,kʌlə] *n* серова́то-кори́чневый цвет

dustcover ['dʌst,kʌvə] *n* 1) = dustsheet 2) = dust jacket

duster ['dʌstə] *n* 1) пы́льная тря́пка; щётка для обмета́ния, чи́стки *и т. п.* 2) *амер.* = dustcoat 3) приспособле́ние для посыпа́ния (*сахарной пудрой, перцем и т. п.*) 4) *горн.* непродукти́вная сква́жина

dust-hole ['dʌsthəʊl] *n* му́сорная я́ма, сва́лка

dusting ['dʌstɪŋ] **1.** *pres. p. от* dust 2

2. *n* 1) вытира́ние пы́ли 2) антисепти́ческий порошо́к для присы́пки ран 3) *разг.* побо́и; to give a ~ изби́ть, поколоти́ть 4) *разг.* морска́я ка́чка

dust jacket ['dʌst,dʒækɪt] *n* суперобло́жка

dustman ['dʌstmən] *n* му́сорщик

dustpan ['dʌstpæn] *n* сово́к для му́сора

dust-proof ['dʌstpru:f] *a* пыленепроница́емый

dustsheet ['dʌstʃi:t] *n* чехо́л для ме́бели

dust shot ['dʌstʃɒt] *n* са́мая ме́лкая дробь

dust storm ['dʌststɔ:m] *n* пы́льная бу́ря

dust-up ['dʌstʌp] *n разг.* шум, перебра́нка, сканда́л

dusty ['dʌstɪ] *n* 1) пы́льный 2) ме́лкий; как пыль; размельчённый 3) сухо́й, неинтере́сный 4) серова́то-коричнева́тый, нечи́стый (*о цвете*) 5) неопределённый (*об ответе и т. п.*) ◇ not so ~ *разг.* неду́рно, непло́хо

Dutch [dʌtʃ] **1.** *a* 1) нидерла́ндский; голла́ндский 2) *уст., амер. разг.* неме́цкий ◇ ~ auction аукцио́н со сниже́нием цен, пока́ не найдётся покупа́тель; ~ barn наве́с для се́на *или* соло́мы; ~ carpet полови́к из гру́бой полушерстяно́й тка́ни; ~ comfort ≅ могло́ быть и ху́же; сла́бое утеше́ние; ~ concert пе́ние, при кото́ром ка́ждый поёт своё; ≅ «кто в лес, кто по дрова́»; ~ tile ка́фель, изразе́ц; ~ lunch (*или* supper, treat) угоще́ние, при кото́ром ка́ждый пла́тит за себя́; ~ feast пиру́шка, на кото́рой хозя́ин напива́ется ра́ньше госте́й; to talk like a ~ uncle оте́чески наставля́ть, жури́ть

2. *n* 1) (the ~) *pl собир.* нидерла́ндцы; голла́ндцы 2) нидерла́ндский, голла́ндский язы́к 3) *уст., амер. разг.* неме́цкий язы́к; High ~ верхненеме́цкий язы́к; Low ~ нижненеме́цкий язы́к ◇ double ~ тараба́рщина; that (*или* it) beats the ~ э́то превосхо́дит всё

dutch [dʌtʃ] *n разг.* жена́; my old ~ моя́ стару́ха (*о жене*)

Dutchman ['dʌtʃmən] *n* 1) нидерла́ндец; голла́ндец 2) голла́ндское су́дно; Flying ~ Лету́чий голла́ндец 3) *уст., амер. разг.* не́мец ◇ I'm a ~, if I do! провали́ться мне на э́том ме́сте, е́сли...; я не я бу́ду, е́сли...

Dutch-metal [,dʌtʃ'metl] *n* сплав ме́ди с ци́нком («*под золото*»)

Dutch oven [,dʌtʃ'ʌvn] *n* (небольша́я) жаро́вня

Dutchwoman ['dʌtʃ,wʊmən] *n* нидерла́ндка; голла́ндка

duteous ['dju:tɪəs] *книжн.* = dutiful

dutiable ['dju:tɪəbl] *a* подлежа́щий обложе́нию (тамо́женной) по́шлиной

dutiful ['dju:tɪfl] *a* 1) испо́лненный созна́ния до́лга; послу́шный до́лгу 2) поко́рный 3) почти́тельный

duty ['dju:tɪ] *n* 1) долг, обя́занность; to do one's ~ исполня́ть свой долг 2) по́шлина; ге́рбовый сбор; нало́г; customs duties тамо́женные по́шлины 3) служе́бные обя́занности; дежу́рство; to take up one's duties приступи́ть к свои́м обя́занностям; on ~ на дежу́рстве; при исполне́нии служе́бных обя́занностей; doctor on ~ дежу́рный врач; off ~ вне слу́жбы; out of ~ вне слу́жбы, в свобо́дное от рабо́ты вре́мя 4) почте́ние; he sends his ~ to you он свиде́тельствует вам своё почте́ние 5) *тех.* рабо́та, производи́тельность, режи́м (*машины*); мо́щность; ~ of water *с.-х.* гидромо́дуль 6) *церк.* слу́жба 7) *attr.* официа́льный; ~ call официа́льный визи́т 8) *attr.* служе́бный; ~ journey служе́бная пое́здка, командиро́вка 9) *attr.* дежу́рный; ~ officer *амер. воен.* дежу́рный офице́р

duty-bound ['dju:tɪbaʊnd] *a* обя́занный

duty-free [,dju:tɪ'fri:] **1.** *a* беспо́шлинный, не подлежа́щий обложе́нию тамо́женной по́шлиной *или* сбо́ром

2. *adv* беспо́шлинно

duty list ['dju:tılıst] *n воен.* гра́фик дежу́рств

duty-paid ['dju:tıpeıd] *a* опла́ченный по́шлиной

duumvir [djʊ'ʌmvə] *n* (*pl* -s [-z], -ri) дуумви́р (*в Древнем Риме*)

duumvirate [djʊ'ʌmvərət] *n* дуумвира́т (*в Древнем Риме*)

duumviri [djʊ'ʌmvəri:] *pl от* duumvir

duvet ['du:veı] *n* пухо́вое одея́ло с пододея́льником

dwarf [dwɔ:f] **1.** *n* 1) ка́рлик 2) ка́рликовое живо́тное *или* расте́ние 3) *миф.* гном

2. *a* ка́рликовый

3. *v* 1) меша́ть ро́сту; остана́вливать разви́тие 2) создава́ть впечатле́ние ме́ньшего разме́ра; the little cottage was ~ed by the surrounding elms ма́ленький котте́дж каза́лся ещё ме́ньше из-за окружа́ющих его́ высо́ких вя́зов

dwarfish ['dwɔ:fıʃ] *a* 1) ка́рликовый 2) недора́звитый

dwell [dwel] *v* (dwelt) 1) *книжн.* жить, обита́ть, находи́ться, пребыва́ть (in, at, on) 2) подро́бно остана́вливаться, задерживаться (on, upon — на *чём-л.*); to ~ on a note выде́рживать но́ту 3) остана́вливаться, заде́рживаться пе́ред препя́тствием (*о лошади*)

dweller ['dwelə] *n* жи́тель, обита́тель

dwelling ['dwelıŋ] **1.** *pres. p. от* dwell

2. *n книжн.* 1) жили́ще, дом 2) прожива́ние

dwelling house ['dwelıŋhaʊs] *n книжн.* жило́й дом

dwelling place ['dwelıŋpleıs] *n* местожи́тельство

dwelt [dwelt] *past и p. p. от* dwell

dwindle ['dwındl] *v* 1) уменьша́ться, сокраща́ться; истоща́ться 2) теря́ть значе́ние; ухудша́ться, приходи́ть в упа́док; вырожда́ться

dyad ['daıæd] *n* 1) *книжн.* число́ два; дво́йка, па́ра 2) *хим.* двухвале́нтный элеме́нт 3) *биол.* бивале́нт, диа́да ◇ one's other ~ чьё-л. второ́е «я»; чей-л. двойни́к

dyadic [daı'ædık] *a книжн.* состоя́щий из двух элеме́нтов

dye [daı] **1.** *n* 1) кра́ска; кра́сящее вещество́; краси́тель 2) кра́ска; окра́ска, цвет ◇ scoundrel of the deepest ~ отъя́вленный негодя́й

2. *v* 1) кра́сить, окра́шивать; ~ in the wool (*или* in the grain) окра́шивать в пря́же, про́чно пропи́тывать кра́ской 2) принима́ть кра́ску, окра́шиваться

d'ye [djə] *сокр. разг.* = do you

dyed-in-the-wool [,daıdınðə'wʊl] *a* 1) отъя́вленный, закорене́лый; ~ Tory твердоло́бый то́ри 2) выно́сливый, сто́йкий 3) вы́крашенный в пря́же

dye-house ['daıhaʊs] *n* краси́льня

dyeing ['daııŋ] **1.** *pres. p. от* dye 2

2. *n* 1) краше́ние, окра́ска ткане́й 2) краси́льное де́ло

dyer ['daıə] *n* краси́льщик

dyer's broom ['daıəzbru:m] *n бот.* дрок краси́льный

dyer's weed ['daıəzwi:d] *n бот.* ва́йда краси́льная; дрок краси́льный; резеда́ краси́льная, це́рва

dye-stuff ['daıstʌf] *n* кра́сящее вещество́, краси́тель

dyewood ['daıwʊd] *n* краси́льное де́рево

dye-works ['daıwɜ:ks] *n* краси́льная фа́брика, краси́льня

dying I ['daııŋ] **1.** *pres. p. от* die II

2. *n* 1) умира́ние; смерть 2) угаса́ние; затуха́ние

3. *a* 1) предсме́ртный; till one's ~ day до конца́ свои́х дней 2) умира́ющий 3) угаса́ющий

dying II ['daııŋ] *pres. p. от* die I, 2

dyke [daık] **1.** *n* 1) да́мба; плоти́на; гать 2) сто́чная кана́ва, ров 3) дерно́вая *или* ка́менная огра́да 4) прегра́да, препя́тствие 5) *австрал. sl.* убо́рная 6) *геол.* да́йка

2. *v* 1) защища́ть да́мбой 2) ока́пывать рвом 3) осуша́ть (*местность*) кана́вами 4) мочи́ть (*лён, пеньку*) в кана́вах

dynamic(al) [daı'næmık(l)] *a* 1) акти́вный, де́йствующий, энерги́чный 2) динами́ческий 3) *физиол.* функциона́льный

dynamics [daı'næmıks] *n pl* 1) (*употр. как sing*) дина́мика 2) дви́жущие си́лы

dynamism ['daınə,mızəm] *n* динами́зм (*тж. филос.*)

dynamite ['daınəmaıt] **1.** *n* 1) динами́т 2) *sl.* нарко́тик, герои́н

2. *v* взрыва́ть динами́том

dynamiter ['daınəmaıtə] *n* террори́ст, динами́тчик

dynamo ['daınəməʊ] *n* (*pl* -os [-əʊz]) 1) *эл.* дина́мо-маши́на, дина́мо 2) *разг.* энерги́чный, мото́рный челове́к

dynamometer [,daınə'mɒmıtə] *n* динамо́метр

dynast ['dınəst] *n* 1) прави́тель 2) представи́тель дина́стии

dynastic [dı'næstık] *a* династи́ческий

dynasty ['dınəstı] *n* дина́стия

dyne [daın] *n физ.* ди́на (*единица силы*)

dysenteric [,dısn'terık] *a* дизентери́йный

dysentery ['dısntrı] *n* дизентери́я

dysfunction [dıs'fʌŋkʃn] *n мед.* дисфу́нкция

dyslogistic [,dıslə'dʒıstık] *a книжн.* неодобри́тельный

dyspepsia [dıs'pepsıə] *n мед.* расстро́йство пищеваре́ния, диспепси́я

dyspeptic [dıs'peptık] **1.** *n* челове́к, страда́ющий дурны́м пищеваре́нием

2. *a* 1) страда́ющий дурны́м пищеваре́нием 2) находя́щийся в пода́вленном состоя́нии

dyspnoea [dısp'ni:ə] *n мед.* оды́шка, затруднённое дыха́ние

dysprosium [dıs'prəʊzıəm] *n хим.* диспро́зий

dystrophy ['dıstrəfı] *n мед.* дистрофи́я

E

E, e [i:] *n* (*pl* Es, E's [i:z]) 1) *5-я буква англ. алфавита* 2) *муз.* ми 3) *мор.* сýдно 2-го клáсса

each [i:tʃ] **1.** *pron* кáждый, всякий; ~ of us кáждый из нас; ~ and all все без разбóра

2. *a* кáждый, всякий; ~ student has to learn it by heart кáждый студéнт дóлжен вы́учить э́то наизýсть

each other [i:tʃ'ʌðə] *pron recipr.* друг дрýга (*обычно о двух*)

eager ['i:gə] *a* 1) пóлный стрáстного желáния; си́льно желáющий, стремя́щийся; ~ for (*или* after) fame жáждущий слáвы; ~ to be off стремя́щийся уйти́ 2) нетерпели́вый, горя́чий (*о желании и т. п.*) 3) энерги́чный; напряжённый; ~ pursuit энерги́чное преслéдование; ~ beaver *разг.* а) энтузиáст; б) (изли́шне) прилéжный, добросóвестный рабóтник, работя́га

eagerness ['i:gənəs] *n* пыл, рвéние

eagle ['i:gl] *n* 1) орёл 2) *амер. уст.* золотáя монéта в 10 дóлларов

eagle-eyed [,i:gl'aɪd] *a* с проницáтельным взгля́дом; проницáтельный

eaglet ['i:glət] *n* орлёнок

eagl owl ['i:glaʊl] *n* фи́лин

eagre ['eɪgə] *n* прили́вный вал в ýстье реки́

ear I [ɪə] *n* 1) ýхо 2) слух; an ~ for music музыкáльный слух; to play by ~ игрáть по слýху; to have a good (bad) ~ имéть хорóший (плохóй) слух; to strain one's ~s напрягáть слух 3) ушкó, проýшина, дýжка, рýчка 4) *редк.* отвéрстие, сквáжина ◇ to be all ~s преврати́ться в слух; слýшать с напряжённым внимáнием; to give ~ to smb. вы́слушать когó-л.; to gain the ~ of smb. быть вы́слушанным кем-л.; in (at) one ~ and out (at) the other в однó ýхо вошлó, в другóе вы́шло; to keep one's ~s open прислýшаться; навостри́ть ýши; насторожи́ться; up to the ~s пó уши (*в работе и т.п.*); to bring a storm (*или* hornets' nest) about one's ~s вы́звать бýрю негодовáния; вы́звать больши́е нарекáния; to have smb.'s ~ пóльзоваться чьим-л. благосклóнным внимáнием; to set by the ~s рассóрить; to have long (*или* itching) ~s быть любопы́тным

ear II [ɪə] **1.** *n* 1) кóлос 2) початóк (кукурýзы)

2. *v* колоси́ться; давáть почáтки

earache ['ɪəreɪk] *n* боль в ýхе

eardrop ['ɪədrɒp] *n* серьгá-подвéска

eardrops ['ɪədrɒps] *n pl* кáпли для ýха

eardrum ['ɪədrʌm] *n* барабáнная перепóнка

earflaps ['ɪəflæps] *n pl* наýшники (*тёплой шапки*)

earful ['ɪəfʊl] *n разг.* 1) бесконéчные разговóры 2) взбýчка, нагоня́й

earl [ɜ:l] *n* граф (*английский*)

earlap ['ɪəlæp] *n* 1) мóчка (*уха*) 2) ýхо (*шапки и т.п.*)

earldom ['ɜ:ldəm] *n* 1) ти́тул грáфа, грáфство 2) *ист.* (земéльные) владéния грáфа, грáфство

earless ['ɪələs] *a* 1) безýхий 2) лишённый музыкáльного слýха 3) без рýчки (*о сосуде*)

earlobe ['ɪələʊb] = earlap 1)

earlock ['ɪəlɒk] *n* прядь волóс, завитóк у ýха

early ['ɜ:lɪ] **1.** *a* 1) преждеврéменный, досрóчный, рáнний 2) рáнний; the ~ bird *шутл.* рáнняя птáшка; at an ~ date в ближáйшем бýдущем; it is ~ days yet ещё сли́шком рáно, врéмя не настáло; one's ~ days ю́ность 3) заблаговрéменный; своеврéменный; ~ diagnosis рáннее распознавáние болéзни; ~ warning system *воен.* систéма рáннего оповещéния 4) бли́зкий, скóрый (*о сроке*); ~ postwar years пéрвые послевоéнные гóды 5) рáнний, далёкий, относя́щийся к начáльному перúоду 6) *с.-х.* скороспéлый 7) *геол.* ни́жний (*о свитах*); дрéвний

2. *adv* 1) преждеврéменно 2) рáно; ~ in the year в начáле гóда; ~ in life в мóлодости; ~ in the day рáно ýтром; *перен.* заблаговрéменно 3) заблаговрéменно; своеврéменно ◇ ~ to bed and ~ to rise makes a man healthy, wealthy and wise *посл.* кто рáно ложи́тся и рáно встаёт, здорóвье, богáтство и ум наживёт

earmark ['ɪəmɑ:k] **1.** *n* 1) отличи́тельный при́знак 2) клеймó на ýхе; таврó

2. *v* 1) отклáдывать, предназначáть; ассигновáть 2) клейми́ть; наклáдывать таврó

earmuff ['ɪəmʌf] *n* наýшник (*для защиты от холода, шума и т.п.*)

earn [ɜ:n] *v* 1) зарабáтывать; to ~ one's living (*или* one's daily bread) зарабáтывать на жизнь 2) приноси́ть дохóд (*о капитале*) 3) заслýживать; to ~ fame доби́ться извéстности, прослáвиться

earner ['ɜ:nə] *n* 1) зарабáтывающий, получáющий дéньги 2) *разг.* вы́годная рабóта, дохóдное дéло

earnest I ['ɜ:nɪst] **1.** *a* 1) серьёзный; вáжный 2) и́скренний; убеждённый 3) горя́чий, рéвностный

2. *n* серьёзность; in ~ а) всерьёз, серьёзно; б) усéрдно, старáтельно; in real (*или* dead) ~ совершéнно серьёзно

earnest II ['ɜ:nɪst] *n* задáток; залóг; an ~ of more to come залóг бýдущих благ

earnestly ['ɜ:nɪstlɪ] *adv* настоя́тельно, убеди́тельно

earnings ['ɜ:nɪŋz] *n pl* 1) зарабóтанные дéньги, зáработок 2) дохóд, при́быль

earphone ['ɪəfəʊn] = headphone

earpiece ['ɪəpi:s] *n* (*обыкн. pl*) 1) ýши (*на зимней шапке*) 2) дýжка очкóв 3) рáковина телефóнной трýбки

earplug ['ɪəplʌg] *n* (*обыкн. pl*) зaты́чка для ушéй

earring ['ɪərɪŋ] *n* серьгá

earshot ['ɪəʃɒt] *n* расстоя́ние, на котóром слы́шен звук; within (out of) ~ в предéлах (вне предéлов) слы́шимости

earsplitting ['ɪə,splɪtɪŋ] *a* оглуши́тельный

earth [ɜ:θ] **1.** *n* 1) (E.) Земля́ (*планета*), земнóй шар 2) земля́; on ~ на землé 3) сýша 4) пóчва; scorched ~ вы́жженная земля́ 5) *рел.* земнóй мир; смéртные 6) *эл.* заземлéние 7) норá; to take ~ скры́ться в нóру (*о лисе*); to run to ~ а) = to take ~; б) спря́таться, притаи́ться; в) вы́следить; насти́гнуть; отыскáть 8) *употр. для усиления*: how on ~? каки́м óбразом?; no use on ~ реши́тельно ни к чемý; why on ~? с какóй стáти? 9) *attr.* землянóй; грунтовóй; ~ wax *геол.* озокери́т ◇ to come back (*или* down) to ~ спусти́ться с облакóв на зéмлю, вернýться к реáльности

2. *v* 1) зарывáть, закáпывать; покрывáть землёй; окýчивать 2) загоня́ть *или* зарывáться в нóру 3) *эл., радио* заземля́ть 4) *ав.* сажáть (*самолёт*); to be ~ed сдéлать вы́нужденную посáдку

earthborn ['ɜ:θbɔ:n] *a* 1) смéртный; человéческий 2) *миф.* рождённый землёй

earthbound ['ɜ:θbaʊnd] *a* 1) земнóй, житéйский 2) напрáвленный к землé

earthen ['ɜ:θn] *a* 1) землянóй 2) гли́няный 3) земнóй

earthenware ['ɜ:θnweə] **1.** *n* гли́няная посýда, гончáрные издéлия; керáмика

2. *a* гли́няный

earthing ['ɜ:θɪŋ] **1.** *pres. p. от* earth 2

2. *n эл.* заземлéние

earthlight ['ɜ:θlaɪt] = earthshine

earthly ['ɜ:θlɪ] *a* 1) земнóй; сýетный 2) *разг.* возмóжный; no ~ use (reason) бесполéзно (бессмы́сленно); not an ~ *разг.* ни малéйшей надéжды

earthly-minded ['ɜ:θlɪ,maɪndɪd] *a* чрезмéрно практи́чный, насквóзь земнóй

earthnut ['ɜ:θnʌt] *n* землянóй орéх, арáхис

earthquake [ˈɜːθkweɪk] *n* 1) землетрясе́ние 2) потрясе́ние, катастро́фа

earthshaking [ˈɜːθ,ʃeɪkɪŋ] *a* име́ющий осо́бо ва́жное значе́ние, первостепе́нной ва́жности

earth-shattering [ˈɜːθ,ʃætərɪŋ] *a разг.* потряса́ющий, порази́тельный

earthshine [ˈɜːθʃaɪn] *n астр.* пе́пельный свет (*Луны*)

earthward(s) [ˈɜːθwəd(z)] *adv* по направле́нию к земле́

earthwork [ˈɜːθwɜːk] *n* 1) земляно́е укрепле́ние 2) земляны́е рабо́ты

earthworm [ˈɜːθwɜːm] *n* 1) земляно́й (*или* дождево́й) червь 2) ни́зкая душа́; подхали́м

earthy [ˈɜːθɪ] *a* 1) земляно́й; земли́стый 2) земно́й, жите́йский 3) грубова́тый

earwax [ˈɪəwæks] *n* ушна́я се́ра

earwig [ˈɪəwɪg] *n зоол.* уховёртка

ease [iːz] **1.** *n* 1) поко́й; свобо́да, непринуждённость; ~ of body and mind физи́ческий и душе́вный поко́й; at one's ~ свобо́дно, удо́бно, непринуждённо; to feel ill at ~ чу́вствовать себя́ нело́вко; конфу́зиться; a life of ~ споко́йная, лёгкая жизнь; social ~ уме́ние держа́ть себя́, простота́ в обраще́нии; to stand at ~ *воен.* стоя́ть во́льно; at ~! *воен.* во́льно! 2) лёгкость, простота́; with ~ с лёгкостью; to learn with ~ учи́ться без труда́ 3) досу́г; to take one's ~ а) наслажда́ться досу́гом, отдыха́ть; б) успоко́иться 4) пра́здность, лень 5) облегче́ние (*боли*), прекраще́ние (*тревоги и т. п.*)

2. *v* 1) облегча́ть (*боль, ношу*); to ~ *smb.* of his purse (*или* cash) *шутл.* обокра́сть 2) успока́ивать 3) ослабля́ть, освобожда́ть 4) слабе́ть (*о ветре*) 5) выпуска́ть (*швы в платье*); растя́гивать (*обувь*) 6) осторо́жно устана́вливать (in, into); to ~ a piano into place поста́вить роя́ль на ме́сто; to ~ a block into position опусти́ть и установи́ть (*строительный*) блок на ме́сто 7) *мор.* отдава́ть, (по)трави́ть (*тж.* ~ away, ~ down, ~ off); ~ her! уба́вить ход! (*команда*) ▭ ~ **down** а) замедля́ть ход; б) уменьша́ть напряже́ние, уси́лие; ~ **off** а) стать ме́нее напряжённым; ослабля́ть(ся); расслабля́ться б) *мор.* отдава́ть (*канат, конец*)

easeful [ˈiːzfl] *a книжн.* 1) успокои́тельный 2) споко́йный 3) неза́нятый, пра́здный

easel [ˈiːzl] *n* 1) мольбе́рт 2) подста́вка; пюпи́тр

easement [ˈiːzmənt] *n* 1) *книжн.* удо́бство 2) *юр.* пра́во прохо́да, проведе́ния освеще́ния *и т. п.* по чужо́й земле́

easily [ˈiːzɪlɪ] *adv* 1) легко́; свобо́дно, без труда́ 2) *разг.* гора́здо, намно́го 3) вероя́тно

easiness [ˈiːzɪnəs] *n* 1) лёгкость 2) непринуждённость

east [iːst] **1.** *n* 1) восто́к; *мор.* ост; to the ~ (of) к восто́ку (от) 2) (the E.) Восто́к; Far E. Да́льний Восто́к; Middle E. Сре́дний Восто́к (*страны Ближнего Востока вместе с Ираном и Афганистаном*); Near E. Бли́жний Восто́к (*страны восточного Средиземноморья, в том числе Турция и Северная Африка*) 3) восто́чный ве́тер (*тж.* ~ wind) ◇ E. or West home is best *посл.* ≅ в гостя́х хорошо́, а до́ма лу́чше

2. *a* восто́чный

3. *adv* 1) на восто́к; к восто́ку 2) с восто́ка (*о ветре*); to blow ~ дуть с восто́ка

eastbound [ˈiːstbaʊnd] *a* дви́жущийся на восто́к

East End [,iːstˈend] *n* И́ст-Э́нд, восто́чная (*беднейшая*) часть Ло́ндона

Easter [ˈiːstə] *n церк.* 1) Па́сха (*праздник*) 2) *attr.* пасха́льный

easterly [ˈiːstəlɪ] **1.** *a* восто́чный

2. *n* восто́чный ве́тер

3. *adv* 1) на восто́к; к восто́ку 2) с восто́ка (*о ветре*)

eastern [ˈiːstən] **1.** *a* 1) восто́чный; ~ window окно́, выходя́щее на восто́к 2) (E.) относя́щийся к Бли́жнему, Сре́днему *или* Да́льнему Восто́ку 3) (E.) располо́женный в (се́веро-)восто́чной ча́сти США *или* относя́щийся к ней

2. *n* (E.) жи́тель Восто́ка

Easterner [ˈiːstənə] *n* 1) = eastern 2; 2) жи́тель восто́чной ча́сти США

easternmost [ˈiːstənməʊst] *a* са́мый восто́чный

Eastertide [,iːstəˈtaɪd] *n церк.* 1) пасха́льная неде́ля 2) пери́од от Па́схи до Ду́хова Дня

East India Company [,iːstɪndɪəˈkʌmpənɪ] *n ист.* Ост-И́ндская компа́ния

easting [ˈiːstɪŋ] *n мор.* курс на ост; отше́ствие на восто́к

East Side [,iːstˈsaɪd] *n* И́ст-Са́йд, восто́чная (*беднейшая*) часть Нью-Йо́рка

eastward [ˈiːstwəd] **1.** *a* дви́жущийся *или* обращённый на восто́к

2. *adv* на восто́к, к восто́ку, в восто́чном направле́нии

3. *n* восто́чное направле́ние

eastwards [ˈiːstwədz] = eastward 2

easy [ˈiːzɪ] **1.** *a* 1) лёгкий, нетру́дный; ~ of access досту́пный; ~ money шальны́е де́ньги 2) споко́йный; make your mind ~ успоко́йтесь 3) удо́бный; ~ coat просто́рное пальто́ 4) обеспе́ченный, состоя́тельный; ~ circumstances доста́ток 5) непринуждённый, свобо́дный, есте́ственный; ~ manners непринуждённые мане́ры 6) покла́дистый; терпи́мый; to be ~ on smb., smth. относи́ться снисходи́тельно к кому́-л., чему́-л. 7) изли́шне усту́пчивый; чересчу́р пода́тливый; of ~ virtue не (сли́шком) стро́гих пра́вил 8) неторопли́вый; at an ~ pace не спеша́ 9) поло́гий (*о скате*) 10) *эк.* не име́ющий спро́са (*о товаре*); вя́лый, засто́йный (*о рынке и т. п.*) ◇ ~ meat (*тж.* game, mark *или* pray) лёгкая добы́ча, легкове́рный челове́к; ~ street благоде́нствие, бога́тство; to be on ~ street процвета́ть; as ~ as falling off a log (*или* as ABC) о́чень легко́

2. *adv* 1) легко́ 2) споко́йно; неторопли́во; to take it ~ а) не торопи́ться, не усе́рдствовать; б) относи́ться споко́йно ◇ ~ all! *мор.* суши́ вёсла! (*команда*); ~ does it *посл.* ≅ ти́ше е́дешь, да́льше бу́дешь; ~ come, ~ go ≅ как на́жито, так и про́жито; easier said than done ле́гче сказа́ть, чем сде́лать

easy chair [,iːzɪˈtʃeə] *n* мя́гкое кре́сло

easygoing [,iːzɪˈgəʊɪŋ] *a* 1) доброду́шно-весёлый; беспе́чный, беззабо́тный 2) лёгкий, споко́йный (*о ходе лошади*)

eat [iːt] *v* (ate; eaten) 1) есть; поеда́ть, поглоща́ть; to ~ well а) име́ть хоро́ший аппети́т; б) име́ть прия́тный вкус 2) разъеда́ть, разруша́ть 3) поглоща́ть (*ресурсы и т. п.*) 4) *разг.* терза́ть, му́чить, грызть ▭ ~ **away** а) съеда́ть, пожира́ть; б) = 2); to ~ away at one's nerves де́йствовать на не́рвы, изводи́ть; ~ **in** а) пита́ться до́ма; б) столова́ться по ме́сту рабо́ты; в) въеда́ться (*о хим. веществах и т. п.*); ~ **into** а) = ~ in в); б) растра́чивать (*состояние*); ~ **off** а) отъеда́ть (*о кислоте и т. п.*); б) объеда́ть (*кого-л.*), жить за чей-л. счёт; ~ **up** а) пожира́ть; поглоща́ть; ~en up with pride снеда́емый го́рдостью; б) бы́стро покрыва́ть како́е-л. расстоя́ние ◇ to ~ one's heart out страда́ть мо́лча; to ~ dirt (*или* humble pie, *амер.* crow) а) смири́ться, проглоти́ть оби́ду, покори́ться; б) унижа́ться; уни́женно извиня́ться; to ~ one's terms (*или* dinners), to ~ for the bar учи́ться на юриди́ческом факульте́те; гото́виться к адвокату́ре; to ~ one's words брать наза́д свои́ слова́; to ~ out of smb.'s hand безогово́рочно подчиня́ться кому́-л.; станови́ться совсе́м ручны́м; to ~ smb. out of house and home объеда́ть кого́-л., разоря́ть кого́-л.; I'll ~ my boots (*или* hat) даю́ го́лову на отсече́ние; what's ~ing you? кака́я му́ха тебя́ укуси́ла?

eatable [ˈiːtəbl] **1.** *a* съедо́бный

2. *n* (*обыкн. pl*) съестно́е, пи́ща

eaten [ˈiːtn] *p. p. от* eat

eater [ˈiːtə] *n* 1) едо́к 2) *pl* столо́вые фру́кты

eatery [ˈiːtərɪ] *n амер. разг.* столо́вка; заку́сочная, забега́ловка

eating [ˈiːtɪŋ] **1.** *pres. p. от* eat

2. *n* 1) приём пи́щи, еда́ 2) пи́ща

3. *a*: ~ apple столо́вое я́блоко

eating house [ˈiːtɪŋhaʊs] *n* дешёвый рестора́н, столо́вая

eats [iːts] *n pl разг.* еда́, пи́ща, съестно́е

eau de cologne [,əʊdəkəˈləʊn] *n* одеколо́н

eau-de-vie [,əʊdəˈviː] *n* конья́к; во́дка, ви́ски

eaves [iːvz] *n pl* 1) *стр.* карни́з; свес кры́ши 2) *поэт.* ве́ки; ресни́цы

eavesdrop [ˈiːvzdrɒp] *v* подслу́шивать (on)

eavesdropper [ˈiːvzdrɒpə] *n* подслу́шивающий, соглядата́й

ebb [eb] **1.** *n* 1) отли́в 2) переме́на к ху́дшему; упа́док; to be at the ~, to be at a low ~ а) быть в затрудни́тельном положéнии; б) находи́ться в упáдке; his courage was at the lowest ~ он совсéм стру́сил

2. *v* 1) отливáть, убывáть 2) ослабевáть, угасáть (*часто* ~ away); daylight was ~ing fast стáло бы́стро смеркáться

ebb tide [,eb'taɪd] *n* отли́в

ebon ['ebən] *a поэт. см.* ebony 2

ebonite ['ebənaɪt] *n тех.* эбони́т

ebony ['ebənɪ] **1.** *n* 1) эбéновое, чёрное дéрево 2) *разг.* чёрный, негр

2. *a* 1) эбéновый 2) чёрный как смоль

ebullience, -cy [ɪ'bʌlɪəns, -sɪ] *n* 1) возбуждéние 2) кипéние

ebullient [ɪ'bʌlɪənt] *a книжн.* 1) кипу́чий, пóлный энтузиáзма 2) кипя́щий

ebullition [,ebə'lɪʃn] *n* 1) рáдостное возбуждéние 2) кипéние; вскипáние

écarté [eɪ'kɑ:teɪ] *фр. n* экартé (*картóчная игрá*)

ecaudate [i:'kɔ:deɪt] *a зоол.* бесхвóстый

eccentric [ɪk'sentrɪk] **1.** *a* 1) эксцентри́чный; стрáнный 2) *геом., тех.* эксцентри́ческий; эксцéнтриковый; нецентрáльный (*напр., об удáре*); ~ rod эксцéнтриковая тя́га

2. *n* 1) эксцентри́чный человéк; оригинáл, чудáк 2) *тех.* эксцéнтрик, кулáк

eccentricity [,eksen'trɪsətɪ] *n* 1) эксцентри́чность, стрáнность; оригинáльность 2) *тех.* эксцентри́чность; эксцентриситéт

ecclesiastic [ɪ,kli:zɪ'æstɪk] **1.** *n* духóвное лицó, священнослужи́тель

2. *a* = ecclesiastical

ecclesiastical [ɪ,kli:zɪ'æstɪkl] *a* духóвный; церкóвный

echelon ['eʃəlɒn] **1.** *n* 1) ступéнь (*на общéственной лéстнице*), положéние (*в организáции и т. п.*) 2) *воен.* звенó; инстáнция; эшелóн; ~ of attack эшелóн боевóго поря́дка при наступлéнии 3) усту́п, ступéнчатое расположéние

2. *v* 1) *воен.* эшелони́ровать 2) располагáть усту́пами

echidna [ɪ'kɪdnə] *n зоол.* ехи́дна

echini [ɪ'kaɪnaɪ] *pl от* echinus

echinus [ɪ'kaɪnəs] *n* (*pl* -ni) 1) *зоол.* морскóй ёж 2) *архит.* эхи́н

echo ['ekəʊ] **1.** *n* (*pl* -oes [-əʊz]) 1) э́хо; to the ~ грóмко; востóрженно 2) отголóсок, подражáние; faint ~ слáбый отголóсок 3) подражáтель 4) *attr.*: ~ sounder эхолóт; ~ sounding измерéние глубины́ эхолóтом

2. *v* 1) отдавáться э́хом; отражáться (*о зву́ке*) 2) вторить, поддáкивать; подражáть

echoic [e'kəʊɪk] *a* звукоподражáтельный

echo-sounder [,ekəʊ'saʊndə] *n мор.* эхолóт

éclair [ɪ'kleə] *n* эклéр (*пирóжное*)

eclampsia [ɪ'klæmpsɪə] *n мед.* эклампси́я

éclat [eɪ'klɑ:] *n* 1) блеск, слáва 2) успéх, шум; with great ~ с бóльшим успéхом

eclectic [ɪ'klektɪk] **1.** *a* эклекти́ческий **2.** *n* эклéктик

eclecticism [ɪ'klektɪ,sɪzəm] *n* эклекти́зм; эклéктика

eclipse [ɪ'klɪps] **1.** *n* 1) *астр.* затмéние; total (partial) ~ пóлное (части́чное) затмéние 2) потускнéние, утрáта былóго блéска, прéжней рóли; his fame has suffered an ~ слáва егó помéркла

2. *v* 1) *астр.* затемня́ть (*небéсное тéло*) 2) затмевáть, заслоня́ть; in sports he quite ~d his brother в спóрте он затми́л своегó брáта

ecliptic [ɪ'klɪptɪk] *астр.* **1.** *n* эклипти́ка

2. *a* эклипти́ческий

eclogue ['eklɒg] *n лит.* эклóга

ecological [,i:kə'lɒdʒɪkl] *a* экологи́ческий

ecologist [ɪ'kɒlədʒɪst] *n* экóлог

ecology [ɪ'kɒlədʒɪ] *n* эколóгия

economic [,i:kə'nɒmɪk] *a* 1) экономи́ческий; хозя́йственный; ~ forces экономи́ческие фáкторы; ~ miracle «экономи́ческое чу́до» 2) рентáбельный; экономи́чески вы́годный, целесообрáзный 3) практи́ческий, прикладнóй; ~ botany прикладнáя ботáника

economical [,i:kə'nɒmɪkl] *a* 1) эконóмный, бережли́вый; экономи́чный 2) экономи́ческий; относя́щийся к эконóмике *или* полити́ческой эконóмии

economically [,i:kə'nɒmɪklɪ] *adv* 1) эконóмно, бережли́во, практи́чно 2) экономи́чески, с тóчки зрéния эконóмики

economics [,i:kə'nɒmɪks] *n pl* (*употр. как sing*) 1) эконóмика, экономи́ческая нау́ка, полити́ческая эконóмия 2) эконóмика; нарóдное хозя́йство; planned ~ плáновое хозя́йство

economist [ɪ'kɒnəmɪst] *n* экономи́ст

economize [ɪ'kɒnəmaɪz] *v* эконóмить

economizer [ɪ'kɒnəmaɪzə] *n тех.* экономáйзер, подогревáтель

economy [ɪ'kɒnəmɪ] *n* 1) хозя́йство, эконóмика 2) эконóмия, бережли́вость 3) (*чáсто pl*) сэконóмленное; сбережéния; little economies мáленькие сбережéния 4) структу́ра, организáция

economy class [ɪ'kɒnəmɪklɑ:s] *n* туристи́ческий класс (*на самолёте*)

ecosphere ['i:kəʊsfɪə] *n* экосфéра

ecosystem ['i:kəʊsɪstəm] *n* экосистéма

ecru ['eɪkru:] *n* цвет небелённого, сурóвого полотнá; цвет беж

ecstasize ['ekstəsaɪz] *v* 1) приводи́ть в востóрг 2) приходи́ть в востóрг

ecstasy ['ekstəsɪ] *n* экстáз, исступлённый востóрг; in the ~ of joy в поры́ве рáдости

ecstatic [ɪk'stætɪk] *a* исступлённый; экстати́ческий; востóрженный; в экстáзе

ectoplasm ['ektəʊplæzəm] *n биол.* эктоплáзма

Ecuadoran [,ekwə'dɔ:rən] = Ecuadorian

Ecuadorian [,ekwə'dɔ:rɪən] **1.** *a* эквадóрский

2. *n* жи́тель Эквадóра

ecumenic(al) [,i:kjʊ'menɪkl] *a церк.* вселéнский (*осóб. о соборе*); экуменический

eczema ['eksɪmə] *n мед.* экзéма

edacious [ɪ'deɪʃəs] *a* 1) прожóрливый 2) жáдный

edacity [ɪ'dæsətɪ] *n* 1) прожóрливость 2) жáдность

Edam ['i:dæm] *n* эдáмский сыр

eddy ['edɪ] **1.** *n* 1) водоворóт 2) вихрь 3) óблако, клубы́ (*ды́ма, пы́ли*) 4) *физ.* вихревóе, турбулéнтное движéние 5) *attr.*: ~ currents *эл.* вихревы́е тóки

2. *v* 1) крути́ться в водоворóте 2) клуби́ться

edelweiss ['eɪdlvaɪs] *n бот.* эдельвéйс

Eden ['i:dn] *n* Эдéм; рай

edentate [ɪ'denteɪt] *a* 1) *зоол.* неполнозу́бый 2) *шутл.* беззу́бый

edge [edʒ] **1.** *n* 1) край, крóмка; ~ of a wood опу́шка лéса 2) грань 3) остриё, лéзвие 4) остротá; the knife has no ~ нож затупи́лся 5) кряж, хребéт; ~ of a mountain грéбень горы́ 6) крити́ческое положéние 7) *разг.* преиму́щество; to have an ~ on smb. имéть преиму́щество пéред кем-л. 8) обрéз (*кни́ги*); бордю́р; uncut ~s неразрéзанные страни́цы 9) опóрная при́зма (*мáятника, коромы́сла весóв*) 10) борóдка (*ключá*) ◇ (all) on ~ нетерпели́вый; раздражённый; to give an ~ to one's appetite раздразни́ть аппети́т; to take the ~ off one's appetite замори́ть червячкá; to take the ~ off an argument ослáбить си́лу дóвода; to give the ~ of one's tongue to smb. рéзко с кем-л. говори́ть; to set smb.'s nerves on ~ раздражáть когó-л.; to set the teeth on ~ дéйствовать на нéрвы; рéзать слух; вызывáть отвращéние (*у когó-л.*); to have an ~ on *sl.* быть навеселé; to be on the ~ of doing smth. реши́ться на что-л.

2. *v* 1) пододвигáть незамéтно *или* постепéнно; продвигáться незамéтно *или* мéдленно; пробирáться, пролезáть 2) окаймля́ть, обрамля́ть 3) обрезáть края́; срáвнивать, сглáживать, обтёсывать углы́ 4) точи́ть; заостря́ть ▭ ~ **away** отходи́ть осторóжно, бочкóм; ~ **into** вти́скивать(ся); to ~ oneself into the conversation вмешáться в (чужóй) разговóр; ~ **off** = ~ away; ~ **on** подстрекáть; ~ **out** а) осторóжно выбирáться; б) вытесня́ть

edge stone ['edʒstəʊn] *n* 1) жёрнов, бегу́н (*в дроби́лке*) 2) *дор.* бордю́рный кáмень

edge tool ['edʒtu:l] *n* óстрый, рéжущий инструмéнт

edgeways ['edʒweɪz] *adv* остриём, крáем (вперёд); бóком; to get a word in ~ вверну́ть словéчко

edgewise ['edʒwaɪz] = edgeways

edging ['edʒɪŋ] **1.** *pres. p. от* edge 2

2. *n* 1) край, каймá, бордю́р 2) обрамлéние, окантóвка 3) *attr.*: ~ saw *тех.* обрезнáя пилá

edgy ['edʒɪ] *a* 1) раздражённый; раздражи́тельный 2) óстрый, рéжущий 3) отры́вистый, рéзкий 4) *жив.* имéющий рéзкий кóнтур

edibility [,edə'bɪlətɪ] *n* съедóбность

edible ['edəbl] **1.** *a* съедо́бный; го́дный в пи́щу

2. *n pl* съестно́е, еда́

edict ['i:dɪkt] *n* эди́кт, ука́з

edification [ˌedɪfɪ'keɪʃn] *n* назида́ние, наставле́ние

edifice ['edɪfɪs] *n* 1) зда́ние, сооруже́ние 2) систе́ма взгля́дов, доктри́на

edify ['edɪfaɪ] *v* поуча́ть, наставля́ть

edit ['edɪt] *v* 1) редакти́ровать, гото́вить к печа́ти; рабо́тать *или* быть реда́ктором 2) осуществля́ть руково́дство изда́нием 3) монти́ровать (*фильм*) ▭ ~ out выма́рывать, вычёркивать

edition [ɪ'dɪʃn] *n* 1) изда́ние; pocket ~ карма́нное изда́ние 2) тира́ж (*книги, газеты и т. п.*) 3) вы́пуск; morning ~ у́тренний вы́пуск (*газеты*) 4) ко́пия, вариа́нт; she is a more charming ~ of her sister она́ вы́литая сестра́, но ещё бо́лее очарова́тельна

editio princeps [ɪˌdɪʃɪəʊ'prɪnseps] *лат. n* пе́рвое изда́ние

editor ['edɪtə] *n* 1) реда́ктор 2) а́втор передови́ц (*в газете*) 3) *кино* монтажёр

editorial [ˌedɪ'tɔ:rɪəl] **1.** *a* реда́кторский, редакцио́нный; ~ office реда́кция (*помещение*); ~ staff редакцио́нные рабо́тники, сотру́дники реда́кции; ~ board редакцио́нная колле́гия

2. *n* передова́я *или* редакцио́нная статья́

editorialist [ˌedɪ'tɔ:rɪəlɪst] *n* пи́шущий передовы́е *или* редакцио́нные статьи́

editorialize [ˌedɪ'tɔ:rɪəlaɪz] *v* тенденцио́зно излага́ть *или* интерпрети́ровать материа́л (*в газете*)

editor-in-chief ['edɪtərɪn'tʃi:f] *n* (*pl* editors-in-chief) гла́вный реда́ктор

educate ['edjʊkeɪt] *v* 1) воспи́тывать; дава́ть образова́ние 2) тренирова́ть; to ~ the ear развива́ть слух 3) консульти́ровать, предоставля́ть информа́цию

educated ['edjʊkeɪtɪd] **1.** *p. p. от* educate

2. *a* 1) (высоко)образо́ванный 2) трениро́ванный; ~ taste (mind) развито́й вкус (ум)

education [ˌedjʊ'keɪʃn] *n* 1) образова́ние; просвеще́ние, обуче́ние; all-round ~ разносторо́ннее образова́ние; classical (commercial, art) ~ класси́ческое (комме́рческое, худо́жественное) образова́ние; vocational ~ профессиона́льно-техни́ческое образова́ние; higher ~ вы́сшее образова́ние 2) воспита́ние, разви́тие (*характера, способностей*) 3) культу́ра, образо́ванность 4) дрессиро́вка, обуче́ние (*животных*)

educational [ˌedjʊ'keɪʃənl] *a* образова́тельный; воспита́тельный; уче́бный, педагоги́ческий; ~ film уче́бный фильм

educationalist [ˌedjʊ'keɪʃnəlɪst] *n* педаго́г-теоре́тик

educationally [ˌedjʊ'keɪʃnəlɪ] *adv* педагоги́чески; с то́чки зре́ния воспита́ния, образова́ния

educationist [ˌedjʊ'keɪʃnɪst] = educationalist

educative ['edjʊkətɪv] *a* воспи́тывающий, воспита́тельный; просвети́тельный

educator ['edjʊkeɪtə] *n* 1) воспита́тель, педаго́г 2) = educationalist

educe [ɪ'dju:s] *v* 1) выявля́ть (*скрытые способности*); развива́ть 2) выводи́ть (*заключение;* from) 3) *хим.* выделя́ть

eduction [ɪ'dʌkʃn] *n* 1) выявле́ние (*скрытых способностей*) 2) вы́вод 3) вы́пуск; вы́ход 4) извлече́ние 5) *хим.* выделе́ние

edulcorate [ɪ'dʌlkəreɪt] *v хим.* очища́ть от кисло́т, соле́й *и т. п.* промы́вкой

Edwardian [əd'wɔ:dɪən] *a* времён, эпо́хи одного́ из англи́йских короле́й Эдуа́рдов

eel [i:l] *n зоол.* у́горь

eelpout ['i:lpaʊt] *n зоол.* бельдю́га

eelworm ['i:lwɜ:m] *n биол.* немато́да

e'en [i:n] *поэт. см.* even I *и* II, 2

e'er [eə] *поэт. см.* ever

eerie, eery ['ɪərɪ] *a* 1) жу́ткий; мра́чный; сверхъесте́ственный 2) *шотл.* суеве́рно боязли́вый

eff [ef] *v sl.* спать, совокупля́ться

efface [ɪ'feɪs] *v* 1) стира́ть; вычёркивать; изгла́живать 2) превзойти́, затми́ть 3) принижа́ть; to ~ oneself стушева́ться, держа́ться в тени́

effect [ɪ'fekt] **1.** *n* 1) сле́дствие, результа́т; cause and ~ причи́на и сле́дствие; of (*или* to) no ~, without ~ а) безрезульта́тный; б) бесполе́зный; в) безрезульта́тно; бесце́льно; to have ~ име́ть жела́тельный результа́т; подействовать 2) де́йствие, влия́ние; возде́йствие; the ~ of light on plants де́йствие све́та на расте́ния; argument has no ~ on him убежде́ние на него́ ника́к не де́йствует 3) эффе́кт, впечатле́ние; general ~ о́бщее впечатле́ние; calculated for ~ рассчи́танный на эффе́кт; to do smth. for ~ де́лать что-л., что́бы произвести́ впечатле́ние, пусти́ть пыль в глаза́ 4) де́йствие, си́ла; to go (*или* to come) into ~, to take ~ вступа́ть в си́лу (*о законе, постановлении, правиле и т. п.*); the law goes into ~ soon зако́н ско́ро всту́пит в си́лу; with ~ from today вступа́ющий в си́лу с сего́дняшнего дня; to bring to ~, to give ~ to, to carry (*или* to put) into ~ осуществля́ть, приводи́ть в исполне́ние, проводи́ть в жизнь; no ~s нет средств (*надпись банка на неакцептованном чеке*); in ~ в действи́тельности, в су́щности 5) *pl* иму́щество, пожи́тки; sale of household ~s распрода́жа дома́шних веще́й; to leave no ~s умере́ть, ничего́ не оста́вив насле́дникам 6) *pl театр., кино* звуковы́е эффе́кты 7) цель, наме́рение; to this ~ для э́той це́ли; в э́том смы́сле 8) содержа́ние; the letter was to the following ~ письмо́ бы́ло сле́дующего содержа́ния 9) *тех.* поле́зный эффе́кт, производи́тельность (*машины*)

2. *v* производи́ть; выполня́ть, соверша́ть; осуществля́ть; to ~ a change in a plan произвести́ измене́ние в пла́не; to ~ an insurance policy застрахова́ть

effective [ɪ'fektɪv] **1.** *a* 1) действи́тельный, эффекти́вный, результати́вный; ~ demand *эк.* платёжеспосо́бный спрос 2) эффе́ктный; производя́щий впечатле́ние, впечатля́ющий 3) име́ющий хожде́ние (*о денежных знаках*) 4) де́йствующий, име́ющий си́лу (*о законе и т. п.*); to become ~ входи́ть в си́лу; ~ from 22 hours, December 31 вступа́ющий в си́лу с десяти́ часо́в ве́чера 31 декабря́; ~ until the end of the month действи́телен то́лько до конца́ теку́щего ме́сяца 5) *воен.* го́дный; (по́лностью) гото́вый к де́йствию; де́йствующий; эффекти́вный; ~ range да́льность действи́тельного огня́; ~ fire действи́тельный ого́нь 6) *тех.* поле́зный; ~ area рабо́чая пове́рхность (*площади*); ~ head *гидр.* поле́зный напо́р

2. *n* 1) *воен.* бое́ц 2) *pl* боево́й соста́в

effectless [ɪ'fektləs] *a* безрезульта́тный, неэффекти́вный

effectual [ɪ'fektʃʊəl] *a* 1) эффекти́вный, де́йственный, достига́ющий це́ли; действи́тельный 2) *юр.* име́ющий (зако́нную) си́лу; де́йствующий

effectuate [ɪ'fektʃʊeɪt] *v книжн.* соверша́ть, приводи́ть в исполне́ние

effectuation [ɪˌfektʃʊ'eɪʃn] *n книжн.* осуществле́ние, выполне́ние, приведе́ние в исполне́ние

effeminacy [ɪ'femɪnəsɪ] *n* изне́женность, же́нственность (*в мужчине*)

effeminate [ɪ'femɪnət] **1.** *a* 1) изне́женный, женоподо́бный 2) сла́бый, привы́кший к не́ге, избало́ванный; ~ civilization упа́дочная цивилиза́ция

2. *n* 1) женоподо́бный мужчи́на; сла́бый, изне́женный челове́к 2) гомосексуали́ст

effendi [e'fendɪ] *тур. n* эфе́нди, су́дарь

efferent ['efərənt] *a* выносящий (*о кровеносных сосудах*); центробе́жный; ~ nerve дви́гательный нерв

effervesce [ˌefə'ves] *v* 1) выделя́ться в ви́де пузырько́в га́за; шипе́ть, пе́ниться; игра́ть (*о шипучем напитке*) 2) быть в возбужде́нии; испы́тывать подъём, и́скриться

effervescence, -cy [ˌefə'vesns, -sɪ] *n* 1) выделе́ние пузырько́в га́за; шипе́ние, вскипа́ние 2) возбужде́ние, волне́ние

effervescent [ˌefə'vesnt] *a* 1) шипу́чий 2) кипу́чий; искромётный

effete [ɪ'fi:t] *a* 1) истощённый, сла́бый 2) прише́дший в упа́док 3) изне́женный, избало́ванный 4) упа́дочный 5) беспло́дный

efficacious [ˌefɪ'keɪʃəs] *a* де́йственный, эффекти́вный; производи́тельный; an ~ cure for a disease эффекти́вное лече́ние боле́зни

efficacy ['efɪkəsɪ] *n* эффекти́вность, си́ла; де́йственность

efficiency [ɪ'fɪʃnsɪ] *n* 1) де́йственность, эффекти́вность 2) продукти́вность, производи́тельность; 3) уме́ние, подгото́вленность; дееспосо́бность, операти́вность; работоспосо́бность 4) рента́бельность, экономи́ческая эффекти́вность 5) *тех.* отда́ча, коэффицие́нт поле́зного де́йствия 6) *attr.*: ~ expert (*или* engineer) специали́ст по нау́чной организа́ции труда́

efficient [ɪ'fɪʃnt] *a* 1) де́йственный, эффекти́вный 2) уме́лый, подгото́вленный, квалифици́рованный (*о челове́ке*) 3) целесообра́зный, рациона́льный 4) *тех.* продукти́вный, с высо́ким коэффицие́нтом поле́зного де́йствия

effigy ['efɪdʒɪ] *n* изображе́ние, портре́т; to burn in ~ сжечь (*чьё-л.*) изображе́ние

effloresce [,eflə'res] *v* 1) зацвета́ть, расцвета́ть 2) *хим.* выцвета́ть, покрыва́ться вы́цветом; выкристаллизо́вываться 3) *геол.* выве́триваться

efflorescence [,eflə'resns] *n* 1) нача́ло цвете́ния; расцве́т 2) *хим.* вы́цвет, выцвета́ние; проду́кт кристаллиза́ции 3) *геол.* выве́тривание криста́ллов 4) *мед.* высыпа́ние

effluence ['efluəns] *n* истече́ние; эмана́ция; an ~ of light from an open door пото́к (*или* сноп) све́та из откры́той две́ри

effluent ['efluənt] **1.** *n* 1) сток, сто́чные во́ды, промы́шленный сток 2) река́; пото́к, вытека́ющий из друго́й реки́ *или* о́зера; исто́к

2. *a* вытека́ющий (*из чего-л.*); проса́чивающийся

effluvia [ɪ'flu:vɪə] *pl от* effluvium

effluvium [ɪ'flu:vɪəm] *n* (*pl* -s [-z], -via) испаре́ние (*особ. вре́дное или злово́нное*); миа́змы

efflux ['eflʌks] *n* 1) уте́чка, истече́ние (*жи́дкости*, газа) 2) истече́ние (*сро́ка, вре́мени*) 3) эмана́ция 4) *тех.* га́зовая струя́

effort ['efət] *n* 1) уси́лие, попы́тка; напряже́ние; to make an ~ сде́лать уси́лие, попыта́ться; to make ~s приложи́ть уси́лия; to spare no ~s не щади́ть уси́лий; without ~ легко́, не прилага́я уси́лий 2) *разг.* достиже́ние

effortless ['efətləs] *a* 1) не тре́бующий уси́лий; лёгкий 2) не де́лающий уси́лий; есте́ственный

effrontery [ɪ'frʌntərɪ] *n* на́глость, бессты́дство, наха́льство

effulgence [ɪ'fʌldʒəns] *n книжн.* лучеза́рность, блеск, сия́ние

effulgent [ɪ'fʌldʒənt] *a книжн.* лучеза́рный

effuse 1. *a* [ɪ'fju:s] 1) *книжн.* лью́щийся, разлива́ющийся 2) *бот.* разро́сшийся

2. *v* [ɪ'fju:z] 1) излива́ть; испуска́ть (*за́пах и т. п.*) 2) распространя́ть (*иде́и и т. п.*)

effusion [ɪ'fju:ʒn] *n* 1) излия́ние; ~ of blood а) кровоизлия́ние; б) поте́ря кро́ви 2) изверже́ние (*ла́вы*) 3) (*обыкн. пренебр.*) неудержи́мый пото́к (*слов, стихо́в и т. п.*) 4) *физ.* эффу́зия 5) *мед.* вы́пот; истече́ние, излия́ние

effusive [ɪ'fju:sɪv] *a* 1) экспанси́вный; несде́ржанный, чрезме́рный; ~ compliments неуме́ренные комплиме́нты 2) *геол.* эффузи́вный

eft [eft] *n зоол.* трито́н

egad [ɪ'gæd] *int уст., шутл.* ей-бо́гу!

egalitarian [ɪ,gælɪ'teərɪən] **1.** *a* уравни́тельный, эгалита́рный

2. *n* побо́рник равнопра́вия, эгалитари́ст

egg I [eg] **1.** *n* 1) яйцо́; soft(-boiled) ~, lightly boiled ~ яйцо́ всмя́тку; hard-boiled ~ круто́е яйцо́; ham and ~s яи́чница с ветчино́й 2) *биол.* яйцекле́тка 3) *воен. жарг.* бо́мба; грана́та ◇ in the ~ в зача́точном состоя́нии; to crush in the ~ подави́ть в заро́дыше, пресе́чь в ко́рне; a bad ~ *разг.* а) непутёвый, никуды́шный челове́к; б) неуда́чная зате́я; a good ~ *разг.* а) молоде́ц, молодчи́на!; б) отли́чная шту́ка!; to teach your grandmother to suck ~s ≅ не учи́ учёного; я́йца ку́рицу не у́чат

2. *v* 1) сма́зывать яйцо́м 2) забра́сывать ту́хлыми я́йцами

egg II [eg] *v* нау́ськивать, подстрека́ть (*тж.* ~ on)

eggbeater ['eg,bi:tə] *n* 1) взбива́лка для яи́ц 2) *амер. воен. жарг.* вертолёт

eggcup ['egkʌp] *n* рю́мка для яйца́

eggflip ['egflɪp] = eggnog

egghead ['eghed] *n ирон.* интеллиге́нт; у́мник; эруди́т

eggnog ['eg,nɒg] *n* эг-но́г, яи́чно-ви́нный кокте́йль

eggplant ['egplɑ:nt] *a* яйцеви́дный, в фо́рме яйца́, ова́льный

eggshell ['egʃel] **1.** *n* 1) яи́чная скорлупа́ 2) хру́пкий предме́т ◇ to walk (*или* to tread) upon ~s де́йствовать с большо́й осторо́жностью

2. *a* хру́пкий и прозра́чный; ~ china то́нкий фарфо́р

egg timer ['eg,taɪmə] *n* трёхмину́тные песо́чные часы́ (*для ва́рки яи́ц*)

egg-white ['egwaɪt] *n* яи́чный бело́к

eglantine ['egləntaɪn] *n* ро́за эгланте́рия

ego ['i:gəʊ] *n* 1) *филос.* субъе́кт, э́го, мы́слящая ли́чность 2) *разг.* со́бственное «я», со́бственная персо́на

egocentric [,i:gəʊ'sentrɪk] *a* эгоцентри́ческий, эгоисти́чный

egoism ['i:gəʊ,ɪzəm] *n* эгои́зм

egoist ['i:gəʊɪst] *n* эгои́ст

egoistic(al) [,i:gəʊ'ɪstɪkl] *a* эгоисти́чный; эгоисти́ческий

egotism ['egəʊtɪzəm] *n* эготи́зм; самомне́ние, самовлюблённость

egotist ['egəʊtɪst] *n* эготи́ст; эгоцентри́ст

ego trip [,i:gəʊ'trɪp] *n разг. неодобр.* бахва́льство; to be on an ~ похваля́ться, кичи́ться, бахва́литься

egregious [ɪ'gri:dʒəs] *a книжн.* отъя́вленный, вопию́щий; ~ error гру́бая, вопию́щая оши́бка; ~ lie вопию́щая ложь; ~ fool отъя́вленный дура́к

egress ['i:gres] *n* 1) вы́ход 2) пра́во вы́хода 3) *геол.* вы́ход на пове́рхность

egression [ɪ'greʃn] *n книжн.* вы́ход

egret ['i:grət] *n* 1) бе́лая ца́пля 2) эгре́т(ка)

Egyptian [ɪ'dʒɪpʃn] **1.** *a* еги́петский

2. *n* 1) египтя́нин; египтя́нка 2) *уст.* цыга́н; цыга́нка

Egyptology [,i:dʒɪp'tɒlədʒɪ] *n* египтоло́гия

eh [eɪ] *int выража́ет вопро́с, удивле́ние, наде́жду на согла́сие слу́шающего* а?, как?, что (вы сказа́ли)?, вот как!, не пра́вда ли?

eider ['aɪdə] *n* 1) *зоол.* га́га (обыкнове́нная) 2) = eiderdown

eiderdown ['aɪdədaʊn] *n* 1) гага́чий пух 2) пухо́вое стёганое одея́ло

eidolon [aɪ'dəʊlɒn] *n* 1) привиде́ние, фанто́м 2) куми́р, идеа́л

eight [eɪt] **1.** *num. card.* во́семь

2. *n* 1) восьмёрка 2) (the Eights) *pl* гребны́е состяза́ния ме́жду оксфо́рдскими и ке́мбриджскими студе́нтами 3): in ~s в восьму́ю до́лю листа́ ◇ to cut ~s де́лать восьмёрки (*в фигу́рном ката́нии*); to be behind the ~ ball *амер.* оказа́ться в опа́сном *или* кра́йне затрудни́тельном положе́нии; to have one over the ~ *sl.* напи́ться, опьяне́ть

eighteen [,eɪ'ti:n] *num. card.* восемна́дцать

eighteenth [,eɪ'ti:nθ] **1.** *num. ord.* восемна́дцатый

2. *n* 1) восемна́дцатая часть 2) (the ~) восемна́дцатое число́

eighth [eɪtθ] **1.** *num. ord.* восьмо́й

2. *n* 1) восьма́я часть 2) (the ~) восьмо́е число́

eighties ['eɪtɪz] *n pl* 1) (the ~) восьмидеся́тые го́ды 2) во́семьдесят лет; девя́тый деся́ток (*во́зраст ме́жду 80 и 89 года́ми*)

eightieth ['eɪtɪɪθ] **1.** *num. ord.* восьмидеся́тый

2. *n* восьмидеся́тая часть

eighty ['eɪtɪ] **1.** *num. card.* во́семьдесят; he is over ~ ему́ за во́семьдесят; ~-one во́семьдесят оди́н; -two во́семьдесят два *и т. д.*

2. *n* во́семьдесят (*едини́ц, штук*)

einsteinium [aɪn'staɪnɪəm] *n хим.* эйнште́йний

eirenicon [aɪ'ri:nɪkɒn] *n* миролюби́вое предложе́ние; план подде́ржания ми́ра

eisteddfod [aɪ'stedfəd] *n* (*pl* -s, -au [-aɪ]) ежего́дный фестива́ль валли́йских ба́рдов

either ['aɪðə] **1.** *pron. indef.* 1) оди́н из двух; тот и́ли друго́й; ~ of the two boys may go оди́н из э́тих двух ма́льчиков мо́жет пойти́ 2) и тот и друго́й; о́ба; ка́ждый, любо́й (из двух); ~ will do подойдёт и тот и друго́й

2. *a* 1) оди́н из двух; тако́й *или* друго́й; э́тот *или* ино́й; you may put the lamp at ~ end of the table вы мо́жете поста́вить ла́мпу на тот *или* друго́й коне́ц столá 2) кáждый, любóй (из двух); there are curtains on ~ side of the window по обéим сторонáм окнá висят занавéски; ~ way и так и эдак

3. *adv* тáкже (*при отрицании*); if you do not go I shall not ~ éсли вы не пойдёте, то и я не пойдý

4. *cj* или; ~... or... или... или...; ~ come in or go out либо входите, либо выходите

ejaculate [ɪ'dʒækjʊleɪt] *v* 1) восклицáть 2) *физиол.* эякулировать

ejaculation [ɪ,dʒækjʊ'leɪʃn] *n* 1) восклицáние 2) *физиол.* эякуляция

eject [ɪ'dʒekt] *v* 1) изгонять (from) 2) извергáть, выбрáсывать; выпускáть (*дым и т. п.*) 3) выгонять, увольнять 4) катапультировать 5) выселять

ejection [ɪ'dʒekʃn] *n* 1) изгнáние 2) извержéние, выбрáсывание (*дыма, лавы и т. п.*) 3) выброшенная, извéрженная мáсса, лáва 4) увольнéние 5) катапультирование 6) выселéние

ejectment [ɪ'dʒektmənt] *n юр.* 1) выселéние 2) судéбное дéло о возвращéнии имýщества

ejector [ɪ'dʒektə] *n* 1) *тех.* эжéктор 2) *тех.* струйный насóс 3) *воен.* отражáтель

ejector seat [ɪ'dʒektə,si:t] *n* катапультируемое крéсло (сидéнье)

eke I [i:k] *v*: to ~ out восполнять, пополнять (with); to ~ out one's existence перебивáться кóе-кáк, умудряться сводить концы с концáми

eke II [i:k] *adv уст.* тáкже, тóже; к томý же

el [el] *n* 1) *название буквы* L 2) *амер. разг.* (*сокр. от* elevated railroad) надзéмная желéзная дорóга

elaborate 1. *a* [ɪ'læbərət] 1) тщáтельно разрабóтанный; продýманный; вырабóтанный; искýсно сдéланный; слóжный; ~ dinner изысканный обéд 2) усовершéнствованный

2. *v* [ɪ'læbəreɪt] 1) тщáтельно разрабáтывать, разрабáтывать в детáлях 2) вдавáться в подрóбности 3) вырабáтывать; развивáть

elaboration [ɪ,læbə'reɪʃn] *n* 1) разрабóтка; развитие; уточнéние; совершéнствование 2) слóжность 3) *физиол.* вырабóтка, перерабóтка

élan [eɪ'lɒŋ] *фр. n* стремительность; порыв

eland ['i:lənd] *n зоол.* антилóпа кáнна

elapse [ɪ'læps] *v* проходить, пролетáть, летéть (*о времени*)

elastic [ɪ'læstɪk] **1.** *a* 1) эластичный; гибкий и упрýгий; ~ band крýглая резинка (*аптечная или канцелярская*); ~ limit *тех.* предéл упрýгости 2) гибкий; приспосáбливающийся; ~ rule прáвило, котóрое мóжно по-рáзному толковáть 3) быстро оправляющийся (*от огорчения, переживаний*); ~ conscience легкó успокáивающаяся сóвесть

2. *n* 1) резинка (*шнур*) 2) резинка, подвязка

elasticity [,i:læ'stɪsɪtɪ] *n* 1) эластичность *и пр.* [*см.* elastic 1] 2) *тех.* упрýгость

Elastoplast [ɪ'læstəʊplɑ:st] *n* эластоплáст (*бактерицидный пластырь*)

elate [ɪ'leɪt] *v* поднимáть настроéние, подбодрять; вселять гóрдость

elated [ɪ'leɪtɪd] **1.** *p. p. от* elate

2. *a* в припóднятом настроéнии, ликýющий; ~ by success окрылённый успéхом

elation [ɪ'leɪʃn] *n* припóднятое настроéние; востóрг; бýрная рáдость; энтузиáзм

elbow ['elbəʊ] **1.** *n* 1) лóкоть; at one's ~ под рукóй; рядом 2) подлокóтник (*кресла*) 3) *тех.* колéно; угóльник ◇ to be out at ~s а) ходить в лохмóтьях; быть бéдно одéтым; б) нуждáться, бéдствовать; to crook (*или* to lift, to bend) the ~ *sl.* выпивáть; to rub ~s with smb. якшáться с кем-л.; up to the ~s in work по гóрло в рабóте

2. *v* 1) толкáть(ся) локтями 2) протáлкиваться, протискиваться (*в толпе*); to ~ one's way протáлкиваться; to ~ one's way out выбирáться (*из толпы*); to ~ into smth. а) втискиваться; б) втирáться

elbow grease ['elbəʊgri:s] *n разг.* 1) усиленная полирóвка 2) тяжёлая, упóрная рабóта

elbowrest ['elbəʊrest] *n* подлокóтник

elbowroom ['elbəʊru:m] *n* 1) простóр (*для движения*) 2) простóр, свобóда

eld [eld] *n уст., поэт.* 1) стáрость 2) старинá, дáвние временá

elder I ['eldə] **1.** *a* 1) *сравн. ст. от* old 1; 2) стáрший (*в семье*); my ~ brother мой стáрший брат; ~ statesman старéйший государственный дéятель, старéйшина (*опытный государственный или политический деятель, обыкн. в отставке*)

2. *n* 1) стáрший из двух; who is the ~? кто из них стáрший? 2) *pl* стáрые люди, стáршие 3) старéйшина 4) старéц 5) *церк.* церкóвный стáроста

elder II ['eldə] *n бот.* бузинá

elderberry ['eldə,berɪ] *n* ягода бузины

elderly ['eldəlɪ] *a* пожилóй, почтéнный

elder statesman [,eldə'steɪtsmən] *n* заслýженный госудáрственный дéятель

eldest ['eldɪst] *a* 1) *превосх. ст. от* old 1; 2) сáмый стáрший (*в семье*) 3): the ~ hand *карт.* пéрвая рукá

El Dorado, eldorado [,eldə'rɑ:dəʊ] *n* Эльдорáдо, странá скáзочных богáтств

eldritch ['eldrɪtʃ] *a шотл.* жýткий, сверхъестéственный

elecampane [,elɪkæm'peɪn] *n бот.* девясил

elect [ɪ'lekt] **1.** *a* 1) избранный, лýчший 2) избранный (*но ещё не вступивший в должность*) 3) *как сущ.*: the ~ *pl собир.* избранные ◇ bride ~ наречённая (невéста)

2. *v* 1) избирáть; выбирáть (*голосованием*); they ~ed him chairman они выбрали егó председáтелем; he was ~ed chairman он был выбран председáтелем 2) решить, предпочéсть; he ~ed to remain at home он предпочёл остáться дóма 3) назначáть (*на должность*)

election [ɪ'lekʃn] *n* 1) выборы; general (special) ~ всеóбщие (*амер.* дополнительные) выборы; to hold an ~ проводить выборы 2) избрáние 3) *рел.* предопределéние 4) *attr.* избирáтельный, связанный с выборами; ~ campaign избирáтельная кампáния

electioneer [ɪ,lekʃə'nɪə] *v* проводить предвыборную кампáнию; агитировать за кандидáта

electioneering [ɪ,lekʃə'nɪərɪŋ] **1.** *pres. p. от* electioneer

2. *n* предвыборная кампáния

elective [ɪ'lektɪv] *a* 1) выборный; ~ office выборная дóлжность 2) избирáтельный; ~ franchise избирáтельное прáво 3) имéющий избирáтельные правá; an ~ body избирáтели 4) факультатúвный, необязáтельный; ~ course систéма обучéния, при котóрой студéнту предостáвлено прáво выбирáть для изучéния интересýющие егó дисциплины, не придéрживаясь обязáтельной прогрáммы 5) *хим.*: ~ affinity избирáтельное сродствó; *перен.* родствó душ

elector [ɪ'lektə] *n* 1) избирáтель; выборщик 2) *амер.* член коллéгии выборщиков [*см.* electoral]

electoral [ɪ'lektərəl] *a* избирáтельный; ~ system избирáтельная систéма; ~ law избирáтельный закóн; ~ college *амер.* коллéгия выборщиков (*избираемых в штатах для выборов президента и вице-президента*); ~ mandate накáз избирáтелей

electorate [ɪ'lektərət] *n* 1) избирáтели, контингéнт избирáтелей 2) избирáтельный óкруг

electric [ɪ'lektrɪk] *a* 1) электрический, ~ fan электрический вентилятор; ~ light электрический свет, электричество; ~ lighting электрическое освещéние; ~ locomotive электровóз 2) наэлектризóванный; волнýющий, поразительный ◇ ~ seal крóличий мех «под кóтик»

electrical [ɪ'lektrɪkl] *a* электрический; ~ engineering электротéхника

electric blue [ɪ,lektrɪk'blu:] *n* электрик (*цвет*)

electric chair [ɪ,lektrɪk'tʃeə] *n* электрический стул

electric fire [ɪ'lektrɪk,faɪə] *n* электрокамин

electric guitar [ɪ,lektrɪkgɪ'tɑ:] *n* электрогитáра

electrician [ɪlek'trɪʃn] *n* 1) электротéхник, элéктрик 2) электромонтёр

electricity [ɪ,lek'trɪsətɪ] *n* электричество

electric razor [ɪ,lektrɪk'reɪzə] = electric shaver

electric shaver [ɪ,lektrɪk'ʃeɪvə] *n* электробритва

electrification [ɪ,lektrɪfɪ'keɪʃn] *n* 1) электрификáция 2) электризáция

electrify [ɪ'lektrɪfaɪ] *v* 1) электрифицировать 2) электризовáть; заряжáть электри́ческим то́ком 3) возбужда́ть, электризова́ть; to ~ one's audience наэлектризова́ть свои́х слу́шателей (аудито́рию)

electro [ɪ'lektrəʊ] *разг. сокр. от* electroplate *и* electrotype

electrocardiogram [ɪ,lektrəʊ'kɑ:dɪəʊgræm] *n мед.* электрокардиогра́мма

electrochemistry [ɪ,lektrəʊ'kemɪstrɪ] *n* электрохи́мия

electrocute [ɪ'lektrəkju:t] *v* 1) казни́ть на электри́ческом сту́ле 2) убива́ть электри́ческим то́ком

electrocution [ɪ,lektrə'kju:ʃn] *n* казнь на электри́ческом сту́ле

electrode [ɪ'lektrəʊd] *n* электро́д

electrodynamics [ɪ,lektrəʊdaɪ'næmɪks] *n pl* (*употр. как sing*) электродина́мика

electrokinetics [ɪ,lektrəʊkaɪ'netɪks] *n pl* (*употр. как sing*) электрокине́тика

electrolier [ɪ,lektrəʊ'lɪə] *n* лю́стра

electrolyse [ɪ'lektrəʊlaɪz] *v* подверга́ть электро́лизу

electrolysis [ɪ,lek'trɒləsɪs] *n* электро́лиз

electrolyte [ɪ'lektrəʊlaɪt] *n* электроли́т

electromagnet [ɪ,lektrəʊ'mægnɪt] *n* электромагни́т

electromagnetic [ɪ,lektrəʊmæg'netɪk] *a* электромагни́тный; ~ waves электромагни́тные во́лны

electromechanical [ɪ,lektrəʊmɪ'kænɪkl] *a* электромехани́ческий

electrometallurgy [ɪ,lektrəʊme'tæləd͡ʒɪ] *n* электрометаллу́рги́я

electrometer [ɪlek'trɒmɪtə] *n* электро́метр

electromotive [ɪ,lektrəʊ'məʊtɪv] *a* электродви́жущий; ~ force электродви́жущая си́ла

electromotor [ɪ,lektrəʊ'məʊtə] *n* электромото́р

electron [ɪ'lektrɒn] *n физ.* 1) электро́н 2) *attr.* электро́нный; ~ microscope электро́нный микроско́п; ~ beam пучо́к электро́нов

electronegative [ɪ,lektrəʊ'negətɪv] *a* электроотрица́тельный

electronic [ɪ,lek'trɒnɪk] *a* электро́нный; ~ computer (*или разг.* brain) электро́нная вычисли́тельная маши́на (ЭВМ), компью́тер; ~ mail электро́нная по́чта, спо́соб переда́чи и хране́ния информа́ции среди́ по́льзователей компью́терной се́ти

electronics [ɪ,lek'trɒnɪks] *n pl* (*употр. как sing*) электро́ника

electron volt [ɪ,lektrɒn'vəʊlt] *n физ.* электро́н-вольт

electrophone [ɪ'lektrəfəʊn] *n* электрофо́н

electroplate [ɪ'lektrəʊpleɪt] **1.** *n полигр.* гальваностереоти́п

2. *v спец.* гальванизи́ровать

electroplating [ɪ'lektrəʊ,pleɪtɪŋ] **1.** *pres. p. от* electroplate 2

2. *n спец.* гальванопокры́тие

electropositive [ɪ,lektrəʊ'pɒzətɪv] *a* электроположи́тельный

electroscope [ɪ'lektrəʊskəʊp] *n* электроско́п

electrostatics [ɪ,lektrəʊ'stætɪks] *n pl* (*употр. как sing*) электроста́тика

electrotherapy [ɪ,lektrəʊ'θerəpɪ] *n* электротерапи́я

electrotype [ɪ'lektrəʊtaɪp] *n полигр.* 1) электроти́пия 2) гальва́но

electuary [ɪ'lektjʊərɪ] *n мед.* электуа́рий, лека́рственная ка́шка

eleemosynary [,elii:'mɒsɪnərɪ] *a книжн.* 1) живу́щий ми́лостыней 2) благотвори́тельный

elegance, -cy ['elɪgəns, -sɪ] *n* элега́нтность, изя́щество; to dress with ~ одева́ться со вку́сом

elegant ['elɪgənt] **1.** *a* 1) изя́щный, элега́нтный; изы́сканный 2) *амер. разг.* прекра́сный; лу́чший; первокла́ссный

2. *n разг.* мо́дник, пижо́н, щёголь

elegiac [,elɪ'd͡ʒaɪək] **1.** *a* элеги́ческий; гру́стный

2. *n pl* элеги́ческие стихи́

elegize ['elɪd͡ʒaɪz] *v* писа́ть эле́гии (upon)

elegy ['eləd͡ʒɪ] *n* эле́гия

element ['elɪmənt] *n* 1) элеме́нт; составна́я часть; небольша́я часть, след; an ~ of truth до́ля пра́вды 2) *хим.*, *физ.* элеме́нт 3) стихи́я; war of the ~s борьба́ стихи́й; the four ~s земля́, во́здух, ого́нь, вода́; the devouring ~ ого́нь 4) *эл.* нагрева́тельный элеме́нт 5) *pl* осно́вы (*науки и т. п.*); азы́ 6) *pl церк.* святы́е дары́, прича́стие 7) *тех.* се́кция (*котла и т. п.*) 8) *воен.* подразделе́ние 9) *амер. ав.* звено́ (*самолётов*) ◇ to be in one's ~ быть в свое́й стихи́и; чу́вствовать себя́ как ры́ба в воде́; he is out of his ~ он занима́ется не свои́м де́лом; он чу́вствует себя́ как ры́ба, вы́нутая из воды́

elemental [,elɪ'mentl] *a* 1) стихи́йный 2) си́льный, неудержи́мый 3) просто́й, не составно́й 4) основно́й; изнача́льный

elementary [,elɪ'mentərɪ] *a* 1) элемента́рный, просто́й; ~ particle *физ.* элемента́рная части́ца 2) первонача́льный, нача́льный 3) перви́чный; ~ cell заро́дышевая клётка 4) *хим.* неразложи́мый

elephant ['elɪfənt] *n* 1) слон 2) (E.) *амер.* слон (*эмблема республиканской партии*) 3) форма́т бума́ги 4) *attr.*: ~ bull слон; ~ calf слонёнок; ~ cow слони́ха; ~ trumpet рёв слона́ ◇ white ~ обремени́тельное иму́щество; пода́рок, кото́рый неизве́стно куда́ дева́ть; to see the ~, to get a look at the ~ *амер.* узна́ть жизнь, уви́деть свет; уви́деть жизнь большо́го го́рода

elephantiasis [,elɪfən'taɪəsɪs] *n мед.* слоно́вая боле́знь, элефантиа́з(ис)

elephantine [,elɪ'fæntaɪn] *a* 1) слоно́вый 2) слоноподо́бный; неуклю́жий, тяжелове́сный; ~ humour гру́бый ю́мор

Eleusinian mysteries [,eljʊsɪnɪən'mɪstrɪz] *n pl др.-греч.* элевси́нии, элевси́нские та́инства

elevate ['elɪveɪt] *v* 1) поднима́ть; повыша́ть; to ~ hopes возбужда́ть наде́жды; to ~ the voice повыша́ть го́лос 2) *воен.* придава́ть у́гол возвыше́ния (*орудию*) 3) повыша́ть (*по службе*) 4) облагора́живать, улучша́ть; to ~ mind расширя́ть кругозо́р; облагора́живать ум

elevated ['elɪveɪtɪd] **1.** *p. p. от* elevate

2. *a* 1) возвы́шенный, по́днятый 2) надзе́мный; ~ railway, *амер.* ~ railroad надзе́мная желе́зная доро́га (на эстака́де); ~ train по́езд надзе́мной желе́зной доро́ги 3) возвы́шенный, благоро́дный 4) *разг.* подвы́пивший

3. *n амер. разг.* = railroad 1; [*см.* 2, 2)]

elevating ['elɪveɪtɪŋ] **1.** *pres. p. от* elevate

2. *a* подъёмный

elevation [,elɪ'veɪʃn] *n* 1) подня́тие, повыше́ние 2) высота́ (*над уровнем моря*) 3) возвыше́ние, приго́рок 4) вели́чие; возвы́шенность; облагора́живание; ~ of style возвы́шенность сти́ля 5) *воен.* у́гол возвыше́ния; вертика́льная наво́дка 6) *астр.* высота́ небе́сного те́ла над горизо́нтом 7) *тех.* про́филь, вертика́ль; front ~ фаса́д; вид спе́реди (*на чертеже*); side ~ боково́й фаса́д; бок; вид сбо́ку

elevator ['elɪveɪtə] *n* 1) грузоподъёмник 2) *ав.* руль высоты́ 3) *амер.* лифт 4) элева́тор (*тж.* grain ~) 5) *анат.* поднима́ющая мы́шца

elevator operator ['elɪveɪtə,ɒpəreɪtə] *n амер.* лифтёр

eleven [ɪ'levn] **1.** *num. card.* оди́ннадцать

2. *n* кома́нда из оди́ннадцати челове́к (*в футболе или крикете*)

elevenses [ɪ'levnzɪz] *n разг.* лёгкий за́втрак о́коло 11 часо́в утра́

eleventh [ɪ'levnθ] **1.** *num. ord.* оди́ннадцатый ◇ at the ~ hour ≅ в после́днюю мину́ту

2. *n* 1) оди́ннадцатая часть 2) (the ~) оди́ннадцатое число́

elf [elf] *n* (*pl* elves) 1) *миф.* эльф 2) ка́рлик 3) прока́зник

elfin ['elfɪn] *a* 1) относя́щийся к э́льфам; волше́бный 2) похо́жий на э́льфа, миниатю́рный 3) прока́зливый

elf-lock ['elflɒk] *n* спу́танные во́лосы, колту́н

elicit [ɪ'lɪsɪt] *v* 1) извлека́ть; выявля́ть; to ~ a fact вы́явить факт 2) добива́ться; допы́тываться; to ~ a reply доби́ться отве́та; to ~ applause вызыва́ть аплодисме́нты 3) де́лать вы́вод, устана́вливать

elide [ɪ'laɪd] *v* 1) *лингв.* выпуска́ть (*слог или гласный*) при произноше́нии 2) выпуска́ть, обходи́ть молча́нием

eligibility [,elɪd͡ʒə'bɪlətɪ] *n* 1) пра́во на избра́ние 2) прие́млемость

eligible ['elɪd͡ʒəbl] *a* 1) могу́щий быть и́збранным (for); ~ for membership име́ющий пра́во быть чле́ном 2) подходя́щий, жела́тельный; ~ young man *разг.* подходя́щий жени́х

Elijah [ɪ'laɪd͡ʒə] *n библ.* (проро́к) Илия́

eliminate [ɪ'lɪmɪneɪt] *v* 1) устраня́ть; исключа́ть (from); to ~ a possibility исключи́ть возмо́жность 2) уничтожа́ть, ликвиди́ровать 3) игнори́ровать, не счита́ться 4) исключа́ть из числа́ уча́стников соревнова́ния 5) *хим.*, *физиол.* очища́ть; выделя́ть; удаля́ть из органи́зма 6) *мат.* исключа́ть (*неизвестное*)

elimination [ɪ,lɪmɪ'neɪʃn] *n* 1) исключе́ние *и пр.* [*см.* eliminate]; ~ of waste испо́льзование отхо́дов 2) *attr.* ото́бранный путём отсе́ва; ~ trials *спорт.* отбо́рочные соревнова́ния

eliminator [ɪ'lɪmɪneɪtə] *n* 1) сепара́тор, отдели́тель (*воды, масла и т. п.*) 2) *тех.* выта́лкиватель

elision [ɪ'lɪʒn] *n лингв.* эли́зия

élite, elite [ɪ'li:t] *n* эли́та, отбо́рная часть, цвет (*общества и т. п.*)

elitism [ɪ'li:t,ɪzəm] *n* элита́рность

elitist [ɪ'li:tɪst] *a* элита́рный

elixir [ɪ'lɪksə] *n* 1) филосо́фский ка́мень (*у алхимиков*) 2) панаце́я 3) *фарм.* элекси́р

Elizabethan [ɪ,lɪzə'bi:θn] **1.** *a* эпо́хи короле́вы Елизаве́ты

2. *n* совреме́нник елизаве́тинской эпо́хи, елизаве́тинец

elk [elk] *n* лось

ell I [el] *n ист.* ме́ра длины́ (≅ *113 см*) ◇ give him an inch and he'll take an ~ ≅ дай ему́ па́лец, он всю ру́ку отку́сит

ell II [el] *n* 1) крыло́ до́ма 2) *амер.* пристро́йка, фли́гель

ellipse [ɪ'lɪps] *n* 1) *мат.* э́ллипс; ова́л 2) = ellipsis

ellipses [ɪ'lɪpsi:z] *pl от* ellipsis

ellipsis [ɪ'lɪpsɪs] *n* (*pl* -ses) *лингв.* э́ллипсис

elliptic(al) [ɪ'lɪptɪk(l)] *a лингв.* эллипти́ческий

elm [elm] *n бот.* вяз, ильм

elocution [,elə'kju:ʃn] *n* 1) ора́торское иску́сство 2) ди́кция

elongate ['i:lɒŋgeɪt] **1.** *v* 1) растя́гивать(ся), удлиня́ть(ся) 2) продлева́ть (*срок*)

2. *a* вы́тянутый, удлинённый

elongation [,i:lɒŋ'geɪʃn] *n* 1) удлине́ние 2) продле́ние; продолже́ние

elope [ɪ'ləʊp] *v* 1) сбежа́ть (*с возлюбленным*) 2) скры́ться (from)

elopement [ɪ'ləʊpmənt] *n* та́йное бе́гство (*с возлюбленным*)

eloquence ['eləkwəns] *n* 1) красноре́чие; ора́торское иску́сство 2) рито́рика

eloquent ['eləkwənt] *a* 1) красноречи́вый; ~ speech проникнове́нная речь 2) вырази́тельный; ~ eyes вырази́тельные глаза́

else [els] **1.** *adv* 1) (*с pron indef и pron inter*) ещё, кро́ме; no one ~ has come никто́ бо́льше не приходи́л; what ~? что ещё?; who ~? кто ещё? 2) (*обыкн. после* or) ина́че; а то; и́ли же; take care or ~ you will fall бу́дьте осторо́жны, ина́че упадёте

2. *pron indef.* друго́й; somebody ~'s hat шля́па кого́-то друго́го; more than anything ~ бо́льше, чем что́-либо друго́е

elsewhere [,els'weə] *adv* 1) где́-нибудь в друго́м ме́сте 2) куда́-нибудь в друго́е ме́сто

elucidate [ɪ'lu:sɪdeɪt] *v* объясня́ть, разъясня́ть, пролива́ть свет

elucidation [ɪ,lu:sɪ'deɪʃn] *n* разъясне́ние

elucidative [ɪ'lu:sɪdeɪtɪv] *a* объясни́тельный, пролива́ющий свет

elucidatory [ɪ'lu:sɪdeɪtərɪ] = elucidative

elude [ɪ'lu:d] *v* 1) избега́ть, уклоня́ться; to ~ pursuit (observation) ускольза́ть от пресле́дования (наблюде́ния) 2) не приходи́ть на ум; ускольза́ть; the meaning ~s me не могу́ вспо́мнить значе́ние

elusion [ɪ'lu:ʒn] *n* увёртка, уклоне́ние

elusive [ɪ'lu:sɪv] *a* 1) неуловúмый; укло́нчивый 2) сла́бый, ненадёжный; an ~ memory сла́бая па́мять 3) незапомина́ющийся, ускольза́ющий из па́мяти

elusory [ɪ'lu:sərɪ] *a* легко́ ускольза́ющий, иллюзо́рный

elutriate [ɪ'lu:trɪeɪt] *v хим.*, *тех.* вымыва́ть; отму́чивать

eluvium [ɪ'lu:vɪəm] *n геол.* элю́вий

elver ['elvə] *n зоол.* молодо́й у́горь

elves [elvz] *pl от* elf

elvish ['elvɪʃ] *a* 1) волше́бный 2) ма́ленький 3) прока́зливый

Elysian fields [ɪ'lɪzɪənfi:ldz] *n греч. миф.* Елисе́йские поля́, загро́бный мир блаже́нства

Elysium [ɪ'lɪzɪəm] *n греч. миф.* элизиум, эли́зий; поля́ блаже́нных; рай

elytra ['elɪtrə] *pl от* elytron

elytron ['elɪtrɒn] *n* (*pl* -ra) надкры́лье (*у насекомых*)

Elzevir ['elzəvɪə] *n* 1) эльзеви́р (*книга голландского издания XVI—XVII вв.*) 2) *attr.*: ~ type шрифт эльзеви́р

em [em] *n* 1) *название буквы* M 2) *полигр.* бу́ква m как едини́ца измере́ния печа́тной строки́ (*соответствует круглой*)

'em [əm] *разг. сокр. от* them

em- [em-, ɪm-] *pref см.* en-

emaciate [ɪ'meɪʃɪeɪt] *v* истоща́ть, изнуря́ть

emaciated [ɪ'meɪʃɪeɪtɪd] **1.** *p. p. от* emaciate

2. *a* истощённый; ~ soil истощённая земля́

emaciation [ɪ,meɪsɪ'eɪʃn] *n* истоще́ние, изнуре́ние

emanate ['emәneɪt] *v* 1) происходи́ть (from) 2) исходи́ть, истека́ть 3) излуча́ть; испуска́ть

emanation [,emə'neɪʃn] *n* эмана́ция; истече́ние; излуче́ние, испуска́ние

emancipate [ɪ'mænsɪpeɪt] *v* 1) освобожда́ть; эмансипи́ровать 2) *юр.* освобожда́ть от роди́тельской опе́ки, объявля́ть совершеннолéтним

emancipation [ɪ,mænsɪ'peɪʃn] *n* 1) освобожде́ние; эмансипа́ция; ~ of slaves освобожде́ние рабо́в; ~ from slavery освобожде́ние от ра́бства 2) *юр.* совершенноле́тие, вы́ход из-под роди́тельской опе́ки

emancipationist [ɪ,mænsɪ'peɪʃnɪst] *n* сторо́нник эмансипа́ции

emancipist [ɪ'mænsɪpɪst] *n австрал.* бы́вший ка́торжник

emasculate 1. *v* [ɪ'mæskjʊleɪt] 1) обесси́ливать; ослабля́ть 2) изне́живать; расслабля́ть 3) кастри́ровать 4) выхола́щивать (*идею и т. п.*); обедня́ть (*язык*)

2. *a* [ɪ'mæskjʊlət] 1) лишённый си́лы; вы́холощенный 2) кастри́рованный 3) изне́женный; рассла́бленный

emasculation [ɪ,mæskjʊ'leɪʃn] *n* 1) кастра́ция 2) выхола́щивание 3) бесси́лие

embalm [ɪm'bɑ:m] *v* 1) бальзами́ровать 2) сохраня́ть от забве́ния 3) наполня́ть благоуха́нием

embalmment [ɪm'bɑ:mmənt] *n* бальзами́рование

embank [ɪm'bæŋk] *v* 1) защища́ть на́сыпью, обноси́ть ва́лом; запру́живать плоти́ной 2) заключа́ть (*реку*) в ка́менную на́бережную

embankment [ɪm'bæŋkmənt] *n* 1) да́мба, на́сыпь, гать 2) на́бережная

embargo [ɪm'bɑ:gəʊ] **1.** *n* (*pl* -oes [-əʊz]) эмба́рго; запреще́ние, запре́т; oil is under an ~ на торго́влю не́фтью нало́жено эмба́рго; to lay an ~ on (*или* upon) налага́ть запреще́ние на; to lift (*или* to take off) an ~ снима́ть запреще́ние

2. *v* 1) накла́дывать эмба́рго; to ~ a ship заде́рживать су́дно в порту́ 2) реквизи́ровать; конфискова́ть 3) накла́дывать запре́т

embark [ɪm'bɑ:k] *v* 1) грузи́ть(ся), сади́ться на кора́бль 2) начина́ть; вступа́ть (*в дело, в войну*); to ~ on a venture пуска́ться в како́е-л. предприя́тие; to ~ on hostilities прибе́гнуть к вое́нным де́йствиям 3) отпра́виться на корабле́ (for — в)

embarkation [,embɑ:'keɪʃn] *n* поса́дка, погру́зка (*на суда*)

embarrass [ɪm'bærəs] *v* 1) смуща́ть, приводи́ть в замеша́тельство 2) затрудня́ть, стесня́ть 3) (*часто p. p.*) запу́тывать (*в делах*); обременя́ть (*долгами*)

embarrassed [ɪm'bærəst] **1.** *p. p. от* embarrass

2. *a* 1) смущённый; растéрянный 2) стеснённый 3) запу́тавшийся в долга́х

embarrassing [ɪm'bærəsɪŋ] **1.** *pres. p. от* embarrass

2. *a* смуща́ющий, затрудни́тельный

embarrassingly [ɪm'bærəsɪŋlɪ] *adv* ошеломля́юще

embarrassment [ɪm'bærəsmənt] *n* 1) замеша́тельство, смуще́ние 2) затрудне́ние; препя́тствие, поме́ха 3) запу́танность (*в делах, долгах*)

embassy ['embəsɪ] *n* 1) посо́льство 2) депута́ция, посла́нцы

embattle I [ɪm'bætl] *v* (*обыкн. p. p.*) стро́ить в боево́й поря́док

embattle II [ɪm'bætl] *v ист.* защища́ть зубца́ми и бойни́цами (*стены башни и т. п.*)

embay [ɪm'beɪ] *v* 1) запира́ть, окружа́ть 2) вводи́ть в зали́в (*судно*) 3) изре́зывать (*берег*) зали́вами

embed [ɪm'bed] *v* 1) вставля́ть, вреза́ть, вде́лывать; внедря́ть; a thorn ~ded in the finger шип, глубоко́ вонзи́вшийся в пáлец 2) запечатлéть; that day is ~ded for ever in my memory этот день навсегдá врéзался в мою пáмять

embellish [ɪm'belɪʃ] *v* 1) украшáть 2) приукрашáть (*выдумкой рассказ и т. п.*)

embellishment [ɪm'belɪʃmənt] *n* 1) украшéние 2) приукрáшивание

ember I ['embə] *n* (*обыкн. pl*) послéдние крáсные угольки́ (*тлеющие в золе*)

ember II ['embə] *a*: ~ days дни постá и моли́твы (*по три дня четыре раза в год в английской и католической церкви; тж.* ~ week, ~ tide)

ember-goose ['embəgu:s] *n зоол.* гагáра поля́рная

embezzle [ɪm'bezl] *v* присвáивать, растрáчивать (*чужие деньги*)

embezzlement [ɪm'bezlmənt] *n* растрáта; присвоéние (*чужого имущества*)

embitter [ɪm'bɪtə] *v* 1) озлобля́ть, раздражáть; наполня́ть гóречью; отравля́ть (*существование*) 2) растравля́ть; отягчáть (*горе и т. п.*)

emblazon [ɪm'bleɪzn] *v* 1) распи́сывать герб 2) превозноси́ть, слáвить

emblem ['embləm] *n* эмблéма; си́мвол; national ~ государственный герб

emblematic(al) [,emblɪ'mætɪk(l)] *a* символи́ческий

emblematize [em'blemətaɪz] *v* служи́ть эмблéмой; символизи́ровать

embodied [ɪm'bɒdɪd] *a* воплощённый, олицетворённый

embodiment [ɪm'bɒdɪmənt] *n* 1) воплощéние 2) объединéние, сли́яние

embody [ɪm'bɒdɪ] *v* 1) осуществля́ть, реализовáть (*идею*) 2) воплощáть; изображáть, олицетворя́ть 3) заключáть в себé 4) объединя́ть; включáть

embolden [ɪm'bəʊldən] *v* 1) ободря́ть, придавáть хрáбрости 2) поощря́ть

embolism ['embə,lɪzəm] *n мед.* эмболи́я, закýпорка кровенóсного сосýда

embonpoint [,ɒmbɒn'pwæŋ] *фр. n* полнотá, дорóдность

embosom [ɪm'bʊzəm] *v уст.* 1) обнимáть, прижимáть к груди́ 2) окружáть; trees ~ing the house окружáющие дом дерéвья

emboss [ɪm'bɒs] *v* 1) лепи́ть рельéф; украшáть рельéфом 2) выбивáть, выдáвливать вы́пуклый рисýнок; чекáнить; гофрировáть

embouchure [,ɒmbʊ'ʃʊə] *n* 1) *муз.* мундштýк, амбушю́р 2) ýстье (*реки*) 3) вход (*в долину*)

embowel [ɪm'baʊəl] *v* потроши́ть

embower [ɪm'baʊə] *v поэт.* окружáть, укрывáть, осеня́ть

embrace [ɪm'breɪs] **1.** *n* объя́тие; объя́тия

2. *v* 1) обнимáть(ся) 2) воспóльзоваться (*случаем, предложением*) 3) принимáть (*веру, теорию*) 4) избирáть (*специальность*) 5) включáть, заключáть в себé, содержáть 6) охвáтывать (*взглядом, мыслью*)

embracery [ɪm'breɪsərɪ] *n юр.* незакóнное давлéние на судью́ *или* прися́жных

embranchment [ɪm'brɑ:ntʃmənt] *n* 1) ответвлéние, ветвь 2) разветвлéние

embrangle [ɪm'bræŋgl] *v* запýтывать, сбивáть с тóлку

embrasure [ɪm'breɪʒə] *n* 1) *архит.* проём в стенé 2) *воен.* амбразýра, бойни́ца

embrittle [em'brɪtl] *v* дéлать лóмким *или* хрýпким

embrocate ['embrəkeɪt] *v* 1) растирáть жи́дкой мáзью 2) класть припáрки

embrocation [,embrə'keɪʃn] *n* 1) растирáние 2) жи́дкая мазь, примóчка

embroider [ɪm'brɔɪdə] *v* 1) вышивáть 2) расцвéчивать, приукрáшивать (*рассказ*)

embroidery [ɪm'brɔɪdərɪ] *n* 1) вышивáние 2) вы́шивка; вы́шитое издéлие 3) украшéние 4) прикрáсы, приукрáшивание

embroil [ɪm'brɔɪl] *v* 1) впýтывать (*в неприятности*) 2) ссóрить (with) 3) запýтывать (*дела, фабулу*)

embroilment [ɪm'brɔɪlmənt] *n* 1) пýтаница 2) ссóра, скандáл 3) вовлечéние в ссóру, скандáл *и т. п.*

embrown [ɪm'braʊn] *v* придавáть кори́чневый *или* бýрый оттéнок

embryo ['embrɪəʊ] *n* (*pl* -os [-əʊz]) 1) эмбриóн, зарóдыш; in ~ в зачáточном состоя́нии 2) *attr.* зарóдышевый; эмбрионáльный

embryology [,embrɪ'ɒlədʒɪ] *n* эмбриолóгия

embryonic [,embrɪ'ɒnɪk] *a* эмбрионáльный; незрéлый, не успéвший разви́ться

embus [ɪm'bʌs] *v* сажáть; сади́ться, грузи́ть(ся) в автомаши́ны

emcee [em'si:] *n разг.* конферансьé, ведýщий

emend, emendate [ɪ'mend, 'i:mendeɪt] *v* изменя́ть *или* исправля́ть (*текст*)

emendation [,i:men'deɪʃn] *n* изменéние *или* исправлéние тéкста (литератýрного) произведéния

emerald ['emrəld] **1.** *n* 1) изумрýд 2) изумрýдный цвет 3) *полигр.* имерáльд (*шрифт в 6,5 пунктов*)

2. *a* изумрýдный ◇ E. Isle Ирлáндия

emerge [ɪ'mɜ:dʒ] *v* 1) появля́ться, выходи́ть; всплывáть 2) выясня́ться 3) вставáть, возникáть (*о вопросе и т. п.*) ◇ to ~ unscathed ≅ вы́йти сухи́м из воды́

emergence [ɪ'mɜ:dʒəns] *n* вы́ход, появлéние

emergency [ɪ'mɜ:dʒənsɪ] *n* 1) непредви́денный слýчай; крáйняя необходи́мость; крáйность; in case of ~ в слýчае крáйней необходи́мости; on ~ на крáйний слýчай; ready for all emergencies готóвый ко всем неожи́данностям; to save for ~ приберегáть на крáйний слýчай 2) крити́ческое положéние; авáрия; to rise to the ~ быть на высотé положéния; the state of ~ чрезвычáйное положéние 3) *австрал. спорт.* запаснóй игрóк 4) *attr.* вспомогáтельный, запáсный, запаснóй, авари́йный; ~ ration а) неприкосновéнный запáс; б) *ав.* авари́йный паёк; ~ store неприкосновéнный запáс; ~ barrage *воен.* вспомогáтельный заградительный огóнь; ~ brake *ж.-д.* экстренный (*или* запаснóй) тóрмоз; ~ measures чрезвычáйные мéры; ~ forces си́лы осóбого назначéния; ~ powers чрезвычáйные полномóчия; ~ station *мед.* пункт пéрвой пóмощи; травматологи́ческий пункт

emergent [ɪ'mɜ:dʒənt] *a* 1) неожи́данно появля́ющийся, внезáпно всплывáющий 2) нóвый, получи́вший незави́симость (*о государстве*); ~ nations стрáны, получи́вшие незави́симость, развивáющиеся стрáны

emeritus [ɪ'merɪtəs] *a*: ~ professor *или* professor ~ заслýженный профéссор в отстáвке

emersion [ɪ'mɜ:ʃn] *n* 1) всплы́тие, всплывáние 2) появлéние (*обыкн. солнца, луны после затмения*)

emery ['emərɪ] *n* наждáк, корýнд

emery cloth ['emərɪklɒθ] *n* наждáчное полотнó, шкýрка

emery paper ['emərɪ,peɪpə] *n* наждáчная бумáга

emery wheel ['emərɪwi:l] *n* точи́ло, шлифовáльный круг; наждáчный круг

emetic [ɪ'metɪk] **1.** *a* рвóтный

2. *n* рвóтное (лекáрство)

emigrant ['emɪgrənt] **1.** *n* эмигрáнт; переселéнец

2. *a* эмигри́рующий; переселéнческий

emigrate ['emɪgreɪt] *v* 1) переселя́ть(ся); эмигри́ровать 2) переезжáть

emigration [,emɪ'greɪʃn] *n* 1) переселéние; эмигрáция 2) *собир.* эмигрáнты, эмигрáция

emigratory ['emɪgrətərɪ] *a* переселя́ющийся; эмиграциóнный

émigré ['emɪgreɪ] *n* эмигрáнт (*обыкн.* полити́ческий)

eminence ['emɪnəns] *n* 1) высóкое положéние; знамени́тость; a man of ~ знамени́тый человéк 2) высотá; возвы́шенность 3) (E.) преосвящéнство, эминéнция (*титул кардинала*)

eminent ['emɪnənt] *a* 1) выдаю́щийся, ви́дный, знамени́тый

emir [e'mɪə] *n* эми́р

emirate ['emərət] *n* эмирáт

emissary ['emɪsərɪ] *n* 1) эмиссáр, агéнт 2) шпиóн, лазýтчик

emission [ɪ'mɪʃn] *n* 1) выделéние, распространéние (*тепла, света, запаха*) 2) *физ.* эми́ссия электрóнов 3) *фин.* вы́пуск, эми́ссия 4) *физиол.* поллю́ция

emissive [ɪ'mɪsɪv] *a* выделя́ющий; испускáющий; излучáющий

emit [ɪ'mɪt] *v* 1) испускáть, выделя́ть (*тепло, свет*) 2) издавáть (*крик, звук*) 3) *физ.* излучáть 4) выбрáсывать, извергáть (*дым, лаву*) 5) выпускáть (*деньги, воззвания и т. п.*)

emmet ['emɪt] *n уст., диал.* муравéй

emollient [ɪ'mɒlɪənt] **1.** *a* смягчáющий

2. *n* смягчи́тельное срéдство

emolument [ɪ'mɒljʊmənt] *n* (*обыкн. pl*)

за́работок, вознагражде́ние; жа́лованье, дохо́д

emote [ɪ'məʊt] *v разг.* 1) проявля́ть показны́е чу́вства 2) *театр.* переи́грывать, изобража́ть стра́сти

emotion [ɪ'məʊʃn] *n* 1) душе́вное волне́ние, возбужде́ние 2) чу́вство; эмо́ция

emotional [ɪ'məʊʃnəl] *a* 1) эмоциона́льный 2) взволно́ванный 3) волну́ющий (*напр.* о музыке)

emotionalism [ɪ'məʊʃnəlɪzəm] *n* повы́шенная эмоциона́льность

emotionality [ɪ,məʊʃə'nælətɪ] *n* эмоциона́льность

emotive [ɪ'məʊtɪv] *a* 1) эмоциона́льный 2) волну́ющий; возбужда́ющий

empale [ɪm'peɪl] = impale

empanel [ɪm'pænl] *v* составля́ть спи́сок прися́жных; включа́ть в спи́сок прися́жных

empathy ['empəθɪ] *n* сочу́вствие; сопережива́ние

empennage [em'penɪʒ] *n ав.* хвостово́е опере́ние

emperor ['empərə] *n* 1) импера́тор 2) формат бумаги

emphases ['emfəsi:z] *pl от* emphasis

emphasis ['emfəsɪs] *n* (*pl* -ses) 1) осо́бое внима́ние (*чему-л.*); to lay special ~, to place an ~ on smth. /ридава́ть осо́!ое значе́ние, осо́бенно подчёркивать что-л. 3) *лингв.* ударе́ние, акце́нт 4) *жив.* ре́зкость ко́нтуров 5) *полигр.* выдели́тельный шрифт (*курсив, разрядка*); ~ mine подчёркнуто мно́ю (*авторское замечание в тексте*)

emphasize ['emfəsaɪz] *v* 1) придава́ть осо́бое значе́ние; подчёркивать; акценти́ровать 2) де́лать осо́бое ударе́ние (*на слове, факте*) 3) *лингв.* ста́вить ударе́ние

emphatic [ɪm'fætɪk] *a* 1) вырази́тельный; эмфати́ческий 2) подчёркнутый 3) насто́йчивый

emphatically [ɪm'fætɪklɪ] *adv* 1) вырази́тельно 2) насто́йчиво

emphysema [,emfɪ'si:mə] *n мед.* эмфизе́ма

Empire ['empaɪə] **1.** *n* стиль ампи́р
2. *a* в сти́ле ампи́р

empire ['empaɪə] **1.** *n* импе́рия; the E. а) Брита́нская импе́рия; б) *ист.* Свяще́нная Ри́мская импе́рия
2. *a* импе́рский

Empire City ['empaɪə,sɪtɪ] *n амер. г.* Нью-Йо́рк

Empire State ['empaɪə,steɪt] *n* штат Нью-Йо́рк

empiric [ɪm'pɪrɪk] **1.** *n* 1) эмпи́рик 2) *уст.* ле́карь-шарлата́н
2. *a* = empirical

empirical [ɪm'pɪrɪkl] *a* эмпири́ческий, осно́ванный на о́пыте

empiricism [ɪm'pɪrɪsɪzəm] *n* эмпири́зм

empiricist [ɪm'pɪrɪsɪst] *n* эмпи́рик

emplacement [ɪm'pleɪsmənt] *n* 1) устано́вка на ме́сто; назначе́ние ме́ста (*для постройки и т. п.*) 2) *воен.* обору́дованная огнева́я пози́ция; оруди́йный око́п 3) *редк.* местоположе́ние

emplane [ɪm'pleɪn] *v* сажа́ть, сади́ться, грузи́ть(ся) на самолёт(ы)

employ [ɪm'plɔɪ] **1.** *n* слу́жба; рабо́та по на́йму; to be in smb.'s ~ служи́ть, рабо́тать у кого́-л.
2. *v* 1) держа́ть на слу́жбе; предоставля́ть рабо́ту; нанима́ть; to be ~ed by рабо́тать, служи́ть у; the new road will ~ hundreds of men на но́вой доро́ге бу́дут за́няты со́тни люде́й 2) употребля́ть, применя́ть, испо́льзовать (in, on, for); to ~ theory in one's experiments в свои́х экспериме́нтах опира́ться на тео́рию 3) занима́ть (*чьё-л. время и т. п.*); how do you ~ yourself in the evening? что вы де́лаете ве́чером?

employable [ɪm'plɔɪəbl] *a* трудоспосо́бный

employe [ɒm'plɔɪeɪ] *амер.* = employee

employee [,ɪmplɔɪ'i:] *n* слу́жащий; рабо́тающий по на́йму; number of ~s число́ за́нятых

employer [ɪm'plɔɪə] *n* нанима́тель, работода́тель; предпринима́тель

employment [ɪm'plɔɪment] *n* 1) слу́жба; заня́тие; рабо́та; out of ~ без рабо́ты; full ~ *эк.* по́лная за́нятость 2) примене́ние, испо́льзование 3) *attr.*: ~ bureau бюро́ на́йма (*рабочих и служащих*); ~ exchange би́ржа труда́ и страхова́я ка́сса; ~ agent аге́нт по на́йму

empoison [ɪm'pɔɪzn] *v* 1) отравля́ть 2) по́ртить (*жизнь*) 3) ожесточа́ть

emporia [em'pɔ:rɪə] *pl от* emporium

emporium [em'pɔ:rɪəm] *n* (*pl* -iums, -ia) 1) торго́вый центр; ры́нок 2) *книжн.* большо́й магази́н, универма́г

empower [ɪm'paʊə] *v* 1) уполномо́чивать; to ~ the Ambassador to conduct negotiations уполномо́чить посла́ на веде́ние перегово́ров 2) дава́ть возмо́жность, разреша́ть (*делать что-л.*)

empress ['emprɪs] *n* императри́ца

emprise [ɪm'praɪz] *n уст., поэт.* сме́лое предприя́тие; ры́царский по́двиг

emptiness ['emptɪnəs] *n* пустота́

empty ['emptɪ] **1.** *a* 1) пусто́й; порo̐жний; ~ sheet of paper чи́стый лист бума́ги; ~ crate пуста́я та́ра; tank ~ of petrol пусто́й бензоба́к 2) нежило́й, незаселённый 3) пусто́й, бессодержа́тельный; ~ words, words ~ of meaning слова́, лишённые смы́сла; пусты́е слова́; ~ rhetoric пустосло́вие 4) *разг.* голо́дный; to feel ~ чу́вствовать го́лод; ~ stomachs голода́ющие 5) *тех.* без нагру́зки, холосто́й ◇ ~ vessels make the greatest *или* the most sound *посл.* пуста́я бо́чка пу́ще греми́т
2. *n* (*обыкн. pl*) 1) поро́жняя та́ра (*бутылки, ящики и т. п.*); returned empties возвра́тная та́ра 2) *ж.-д.* порожня́к
3. *v* 1) опорожня́ть, освобожда́ть; осуша́ть (*стакан*); вылива́ть; высыпа́ть; выка́чивать, выпуска́ть 2) перелива́ть, пересыпа́ть (into) 3) опорожня́ться; пусте́ть 4) впада́ть (*о реке;* into)

empty-handed [,emptɪ'hændɪd] *a* с пусты́ми рука́ми; to go ~ уйти́ ни с чем; ≅ оста́ться при пи́ковом интере́се

empty-headed [,emptɪ'hedɪd] *a* пустоголо́вый; невe̐жественный

empurple [ɪm'pɜ:pl] *v* обагря́ть

empyreal [,empɪ'ri:əl] *a поэт.* небе́сный, заоблачный; неземно́й

empyrean [,empɪ'ri:ən] **1.** *n* 1) *греч. миф.* эмпире́и, небеса́ 2) *поэт.* небе́сная твердь, не́бо
2. *a* = empyreal; ~ love чи́стая, неземна́я любо́вь

emu ['i:mju:] *n зоол.* э́му

emulate ['emjʊleɪt] *v* 1) соревнова́ться, стреми́ться превзойти́ 2) сопе́рничать 3) подража́ть

emulation [,emjʊ'leɪʃn] *n* 1) соревнова́ние 2) сопе́рничество 3) подража́ние (*пр' меру*)

emulative ['emjʊlətɪv] *a* соревнова́тельный; ~ spirit дух соревнова́ния

emulous ['emjʊləs] *a* 1) соревну́ющийся 2) побужда́емый чу́вством сопе́рничества 3) жа́ждущий (of — *чего-л.*)

emulsify [ɪ'mʌlsɪfaɪ] *v* де́лать эму́льсию, эмульси́ровать

emulsion [ɪ'mʌlʃn] *n* 1) эму́льсия 2) *attr.*: ~ paint (водо)эмульсио́нная кра́ска

emulsive [ɪ'mʌlsɪv] *a* эмульсио́нный; масляни́стый

en [en] *n* 1) *название буквы* N 2) *полигр.* бу́ква n как едини́ца измере́ния печа́тной строки́ (*соответствует полукруглой*)

en- [en-, ɪn-] *pref* (em- *перед* b, p, m) *служит для образования глаголов и придаёт им значение* а) *включения внутрь чего-л.*: to encage сажа́ть в кле́тку; to entruck сажа́ть на грузови́к; б) *приведения в какое-л. состояние*: to enslave порабоща́ть; to encourage ободря́ть

enable [ɪ'neɪbl] *v* 1) дава́ть возмо́жность *или* пра́во (*что-л. сделать*) 2) создава́ть возмо́жность, облегча́ть

enact [ɪ'nækt] *v* 1) предпи́сывать; постановля́ть; вводи́ть в де́йствие (*закон*) 2) ста́вить на сце́не; игра́ть роль 3) (*обыкн. pass.*) происходи́ть, разы́грываться

enacting [ɪ'næktɪŋ] **1.** *pres. p. от* enact
2. *a* вводя́щий, постановля́ющий; ~ clause преа́мбула зако́на, конве́нции *и т. п.*

enactment [ɪ'næktmənt] *n* 1) введе́ние зако́на в си́лу 2) зако́н, ука́з, законода́тельный акт

enamel [ɪ'næml] **1.** *n* 1) эма́ль; фини́фть 2) глазу́рь, поли́ва 3) лак для ногте́й 4) эма́ль (*на зубах*)
2. *v* 1) покрыва́ть эма́лью, глазу́рью; эмалирова́ть 2) *поэт.* испещря́ть; fields ~led with flowers поля́, усе́янные цвета́ми

enamour [ɪ'næmə] *v* (*обыкн. pass.*) возбужда́ть любо́вь; очаро́вывать; to be ~ed of smb. быть влюблённым в кого́-л.; to be ~ed of smth. стра́стно увлека́ться чем-л.

en bloc [ˌɒn'blɒk] *фр. adv* целико́м; в це́лом

en brosse [ˌɒn'brɒs] *фр. a* ко́ротко стри́женый

encaenia [en'si:nɪə] *n* пра́зднование годовщи́ны (*основания*)

encage [ɪn'keɪdʒ] *v* сажа́ть в кле́тку

encamp [ɪn'kæmp] *v* располага́ть(ся) ла́герем

encampment [ɪn'kæmpmənt] *n* 1) ла́герь, ме́сто ла́геря 2) расположе́ние ла́герем

encapsulate [ɪn'kæpsjuleɪt] *v* 1) заключа́ть в ка́псулу, инкапсули́ровать 2) выража́ть что-л. в сжа́той, кра́ткой фо́рме

encase [ɪn'keɪs] *v* 1) упако́вывать, класть (*в ящик*) 2) вставля́ть, обрамля́ть 3) по́лностью закрыва́ть, заключа́ть; ~d in armour зако́ванный в ла́ты 4) *стр.* опа́лубить

encasement [ɪn'keɪsmənt] *n* 1) обши́вка; облицо́вка; опа́лубка 2) футля́р; кожу́х; покры́шка; упако́вка

encash [ɪn'kæʃ] *v ком.* 1) получа́ть нали́чными деньга́ми 2) реализова́ть

encaustic [en'kɔ:stɪk] **1.** *a* 1) энкаусти́ческий, относя́щийся к жи́вописи восковы́ми кра́сками 2) обожжённый, относя́щийся к о́бжигу (*о керамике, эмали*); ~ tile разноцве́тный изразе́ц

2. *n* энка́устика, жи́вопись восковы́ми кра́сками (*с помощью горячих металлических инструментов*)

enceinte I [ɒn'sænt] *фр. a уст.* бере́менная

enceinte II [ɒn'sænt] *фр. n воен.* крепостна́я огра́да

encephalic [ˌenkɪ'fælɪk] *a анат.* мозгово́й

encephalitis [enˌkefə'laɪtɪs] *n мед.* энцефали́т

encephalogram [en'kefələʊgræm] *n мед.* энцефалогра́мма

enchain [ɪn'tʃeɪn] *v* 1) сажа́ть на цепь; зако́вывать 2) прико́вывать (*внимание*); ско́вывать (*чувства и т. п.*)

enchant [ɪn'tʃɑ:nt] *v* 1) очаро́вывать, приводи́ть в восто́рг 2) околдо́вывать, опу́тывать ча́рами

enchanter [ɪn'tʃɑ:ntə] *n* чароде́й, волше́бник

enchantment [ɪn'tʃɑ:ntmənt] *n* 1) очарова́ние, обая́ние 2) колдовство́, ма́гия, волшебство́

enchantress [ɪn'tʃɑ:ntrəs] *n* 1) чароде́йка, колду́нья, волше́бница 2) чаровни́ца, обворожи́тельная же́нщина

enchase [ɪn'tʃeɪs] *v* 1) оправля́ть, вставля́ть в опра́ву 2) инкрусти́ровать; гравирова́ть

enchiridia [ˌenkaɪə'rɪdɪə] *pl от* enchiridion

enchiridion [ˌenkaɪə'rɪdɪən] *n книжн.* (*pl* -s [-z], -ia) спра́вочник, руково́дство

encipher [en'saɪfə] *v* зашифро́вывать, писа́ть ши́фром сообще́ние

encircle [ɪn'sɜ:kl] *v* окружа́ть, опоя́сывать

encirclement [ɪn'sɜ:klmənt] *n* окруже́ние

encircling [ɪn'sɜ:klɪŋ] **1.** *pres. p. от* encircle

2. *a*: ~ manoeuvre *воен.* обхо́д; манёвр на окруже́ние

en clair [ˌɒn'kleə] *фр.* **1.** *a* нешифро́ванный

2. *adv* откры́тым те́кстом

enclasp [ɪn'klɑ:sp] *v* обхва́тывать, обнима́ть

enclave ['enkleɪv] *n* 1) террито́рия, окружённая чужи́ми владе́ниями,ankла́в 2) за́мкнутая гру́ппа, у́зкий круг

enclitic [ɪn'klɪtɪk] *лингв.* **1.** *a* энклити́ческий

2. *n* энкли́тика

enclose [ɪn'kləʊz] *v* 1) окружа́ть, огора́живать; заключа́ть 2) *ист.* огора́живать общи́нные зе́мли 3) вкла́дывать (*в письмо и т. п.*); прилага́ть

enclosure [ɪn'kləʊʒə] *n* 1) отгора́живание 2) *ист.* огора́живание общи́нных земе́ль (*в Англии*) 3) огоро́женное ме́сто 4) вложе́ние, приложе́ние 5) огражде́ние, огра́да 6) *стр.* тепля́к

encode [ɪn'kəʊd] *v* коди́ровать, шифрова́ть

encomia [en'kəʊmɪə] *pl от* encomium

encomiast [en'kəʊmɪæst] *n книжн.* панегири́ст; льстец

encomiastic [enˌkəʊmɪ'æstɪk] *a книжн.* панегири́ческий, хвале́бный

encomium [en'kəʊmɪəm] *n* (*pl* -s [-z], -ia) *книжн.* панеги́рик, восхвале́ние

encompass [ɪn'kʌmpəs] *v* 1) окружа́ть (*тж. перен. напр., заботой и т. п.*) 2) заключа́ть (*в себе*)

encore [ɒŋ'kɔ:] **1.** *int.* бис!

2. *n* вы́зов на «бис»

3. *v* тре́бовать повторе́ния, крича́ть «бис», вызыва́ть

encounter [ɪn'kaʊntə] **1.** *n* 1) неожи́данная встре́ча 2) столкнове́ние, схва́тка, сты́чка

2. *v* 1) (неожи́данно) встре́тить(ся) 2) ста́лкиваться; име́ть столкнове́ние 3) ната́лкиваться (*на трудности и т. п.*)

encourage [ɪn'kʌrɪdʒ] *v* 1) ободря́ть 2) поощря́ть, подде́рживать 3) потво́рствовать; подстрека́ть

encouragement [ɪn'kʌrɪdʒmənt] *n* ободре́ние *и пр.* [*см.* encourage]

encouraging [ɪn'kʌrɪdʒɪŋ] *n* **1.** *pres. p. от* encourage

2. *a* ободря́ющий; обнадёживающий

encroach [ɪn'krəʊtʃ] *v* 1) вторга́ться (upon) 2) покуша́ться на чужи́е права́, посяга́ть (on, upon); ~ upon smb.'s time отнима́ть вре́мя у кого́-л.

encroachment [ɪn'krəʊtʃmənt] *n* вторже́ние

encrust [ɪn'krʌst] *v* 1) покрыва́ть(ся) ко́ркой, ржа́вчиной *и т. п.* 2) инкрусти́ровать

encrypt [ɪn'krɪpt] *v вчт.* коди́ровать, шифрова́ть

encumber [ɪn'kʌmbə] *v* 1) обременя́ть, быть обу́зой 2) меша́ть, затрудня́ть, препя́тствовать 3) обременя́ть (*долгами и т. п.*; with) 4) загроможда́ть

encumbrance [ɪn'kʌmbrəns] *n* 1) бре́мя, обу́за 2) препя́тствие, затрудне́ние 3) *юр.* закладна́я (*на имущество*) 4) лицо́, находя́щееся на иждиве́нии (*особ. о ребёнке*); without ~ безде́тный

encumbrancer [ɪn'kʌmbrənsə] *n юр.* залогодержа́тель

encyclical [ɪn'sɪklɪkl] *церк.* **1.** *a* предназна́ченный для широ́кого распростране́ния; ~ letter циркуля́рное письмо́, циркуля́р

2. *n* энци́клика

encyclop(a)edia [ɪnˌsaɪklə'pi:dɪə] *n* энциклопе́дия ◇ walking ~ ходя́чая энциклопе́дия

encyclop(a)edic [ɪnˌsaɪklə'pi:dɪk] *a* энциклопеди́ческий

encyclop(a)edist [ɪnˌsaɪklə'pi:dɪst] *n* энциклопеди́ст

encyst [en'sɪst] *v спец.* инкапсули́ровать(ся), образова́ть оболо́чку, ка́псулу

end [end] **1.** *n* 1) коне́ц; оконча́ние; преде́л; ~ on концо́м вперёд; to put an ~ to smth., to take an ~ of smth. положи́ть коне́ц чему́-л., уничто́жить что-л.; in the ~ в заключе́ние; в коне́чном счёте; they won the battle in the ~ в коне́чном счёте они́ доби́лись побе́ды; at the ~ of в конце́ (*чего-л.*); at the ~ of the story в конце́ расска́за; at the ~ of the month в конце́ ме́сяца 2) край; грани́ца; ~s of the earth край земли́; глухома́нь; the world's ~ край све́та 3) коне́ц, смерть; he is near(ing) his ~ он умира́ет 4) результа́т, сле́дствие; happy ~ благополу́чная развя́зка, счастли́вый коне́ц; it is difficult to foresee the ~ тру́дно предви́деть результа́т 5) цель; to that ~ с э́той це́лью; to gain one's ~s дости́чь це́ли; ~s and means це́ли и сре́дства 6) оста́ток, обло́мок; обре́зок; отры́вок 7) *спорт.* полови́на по́ля *или* площа́дки 8) *амер.* аспе́кт, сторона́; the political ~ of smth. полити́ческий аспе́кт чего́-л. 9) часть, отде́л; the retail ~ of a business отде́л ро́зничной торго́вли 10) *sl.* зад 11) дни́ще 12) *pl стр.* э́ндсы, диле́ны ◇ to be on the ~ of a line попа́сться на у́дочку; to be at a loose ~ быть свобо́дным, неза́нятым; не знать, чем себя́ заня́ть; come and see us if you're at a loose ~ приходи́ к нам, е́сли тебе́ не́чего де́лать; to make both (*или* two) ~s meet своди́ть концы́ с конца́ми; no ~ *разг.* безме́рно; в вы́сшей сте́пени; no ~ obliged to you чрезвыча́йно вам призна́телен; no ~ of *разг.* а) мно́го, ма́сса; no ~ of trouble ма́сса хлопо́т, неприя́тностей; б) прекра́сный, исключи́тельный; he is no ~ of a fellow он чуде́сный ма́лый; we had no ~ of a time мы прекра́сно провели́ вре́мя; on ~ а) стоймя́; ды́бом; б) беспреры́вно, подря́д; for two years on ~ два го́да подря́д; to begin at the wrong ~ нача́ть не с того́ конца́; to the bitter ~ до преде́ла, до то́чки; до после́дней ка́пли кро́ви; to keep one's ~ up сде́лать всё от себя́ зави́сящее; не сдава́ться; ~ to ~ непреры́вной це́пью; laid ~ to ~ вме́сте взя́тые; the ~

justifies the means цель опра́вдывает сре́дства; any means to an ~ все сре́дства хороши́

2. *v* 1) конча́ть; зака́нчивать; прекраща́ть; to ~ all wars положи́ть коне́ц всем во́йнам; to ~ one's life поко́нчить с собо́й 2) конча́ться, заверша́ться (in, with); to ~ in disaster око́нчиться катастро́фой; the story ~s with the hero's death расска́з конча́ется сме́ртью геро́я ▭ ~ **off**, ~ **up** ока́нчиваться, прекраща́ться, обрыва́ться

endanger [ɪn'deɪndʒə] *v* подверга́ть опа́сности

endear [ɪn'dɪə] *v* заста́вить полюби́ть; внуши́ть любо́вь

endearment [ɪn'dɪəmənt] *n* ла́ска, выраже́ние не́жности, привя́занности

endeavor [ɪn'devə] *амер.* = endeavour

endeavour [ɪn'devə] **1.** *n* попы́тка, стара́ние; стремле́ние

2. *v* пыта́ться, прилага́ть уси́лия, стара́ться

endemic [en'demɪk] **1.** *a* эндеми́ческий; сво́йственный да́нной ме́стности

2. *n* эндеми́ческое заболева́ние

end game ['endgeɪm] *n шахм.* э́ндшпиль

ending ['endɪŋ] **1.** *pres. p. от* end 2

2. *n* 1) оконча́ние 2) *грам.* оконча́ние, фле́ксия

3. *a* коне́чный, заключи́тельный

endive ['endɪv] *n бот.* цико́рий-энди́вий, энди́вий зи́мний

endless ['endləs] *a* 1) бесконе́чный; несконча́емый; ~ chain *тех.* цепь привода *или* переда́чи 2) бесчи́сленный; ~ attempts бесчи́сленные попы́тки

endlong ['endlɒŋ] *adv уст.* 1) пря́мо, вдоль 2) стоймя́, вертика́льно

endocarditis [,endəʊkɑ:'daɪtɪs] *n мед.* эндокарди́т

endocrine ['endəʊkraɪn] *a* эндокри́нный; ~ glands же́лезы вну́тренней секре́ции, эндокри́нные же́лезы

endocrinology [,endəʊkrɪ'nɒlədʒɪ] *n* эндокриноло́гия

endogamy [en'dɒgəmɪ] *n* эндога́мия

endogenous [en'dɒdʒənəs] *a спец.* эндоге́нный

endorse [ɪn'dɔ:s] *v* 1) подтвержда́ть, одобря́ть; подде́рживать 2) распи́сываться на оборо́те докуме́нта; to ~ by signature скрепля́ть по́дписью 3) *фин.* индосси́ровать, де́лать переда́точную на́дпись

endorsement [ɪn'dɔ:smənt] *n* 1) подтвержде́ние; подде́ржка 2) *фин.* индоссаме́нт, переда́точная на́дпись (*на векселе, чеке*)

endosperm ['endəʊ,spɜ:m] *n бот.* эндоспе́рм

endow [ɪn'daʊ] *v* 1) обеспе́чивать постоя́нным дохо́дом; завеща́ть постоя́нный дохо́д, де́лать вклад 2) (*часто p. p.*) наделя́ть, одаря́ть; man is ~ed with reason челове́к одарён ра́зумом

endowment [ɪn'daʊmənt] *n* 1) даре́ние, завеща́ние (*имущества и т. п.*) 2) вклад, дар, поже́ртвование; наде́л; ~ with information сообще́ние све́дений 3) (*обыкн. pl*) дарова́ние, тала́нт; mental ~s у́мственные спосо́бности

endpaper ['end,peɪpə] *n полигр.* фо́рзац

end play ['endpleɪ] *n* 1) *шахм.* э́ндшпиль 2) *тех.* осево́й люфт

end product ['end,prɒdʌkt] *n* 1) гото́вое изде́лие, коне́чный проду́кт 2) результа́т

endue [ɪn'dju:] *v* (*обыкн. pass.*) одаря́ть; наделя́ть (*полномочиями, качествами;* with); to ~ with strength наделя́ть си́лой

endurable [ɪn'djʊərəbl] *a* переноси́мый, терпи́мый

endurance [ɪn'djʊərəns] *n* 1) выно́сливость, спосо́бность переноси́ть (*боль, страдание и т. п.*); this is past (*или* beyond) ~ э́то невыноси́мо 2) про́чность, сто́йкость; сопротивля́емость изна́шиванию 3) дли́тельность, продолжи́тельность 4) *attr.*: ~ test испыта́ние на долгове́чность; space ~ test прове́рка переноси́мости дли́тельного пребыва́ния в косми́ческом простра́нстве

endure [ɪn'djʊə] *v* 1) сто́йко переноси́ть; выде́рживать испыта́ние вре́менем 2) выноси́ть; терпе́ть; I cannot ~ the thought я не могу́ примири́ться с мы́слью 3) дли́ться; продолжа́ться; as long as life ~s в тече́ние всей жи́зни

enduring [ɪn'djʊərɪŋ] **1.** *pres. p. от* endure

2. *a* 1) про́чный, сто́йкий 2) терпели́вый, выно́сливый 3) дли́тельный, продолжи́тельный

end-user ['endju:zə] *n* коне́чный потреби́тель проду́кции

end-view ['endvju:] *n* вид сбо́ку (*на чертеже*)

endways ['endweɪz] *adv* 1) концо́м вперёд 2) вверх; стоймя́ 3) вдоль

endwise ['endwaɪz] = endways

enema ['enəmə] *n мед.* кли́зма

enemy ['enəmɪ] **1.** *n* враг; неприя́тель, проти́вник; оппоне́нт; to be one's own ~ де́йствовать во вред самому́ себе́ ◇ the (old) E. дья́вол

2. *a* вражде́бный; вра́жеский, неприя́тельский

energetic [,enə'dʒetɪk] *a* энерги́чный

energetics [,enə'dʒetɪks] *n pl* (*употр. как sing*) энерге́тика

energize ['enədʒaɪz] *v* 1) *книжн.* возбужда́ть, сообща́ть *или* проявля́ть эне́ргию 2) *эл.* пита́ть эне́ргией

energy ['enədʒɪ] *n* 1) эне́ргия; си́ла; мо́щность; potential (latent) ~ потенциа́льная (скры́тая) эне́ргия 2) *pl* си́лы, эне́ргия (*в борьбе и т. п.*)

enervate **1.** *a* [ɪ'nɜ:vət] сла́бый, рассла́бленный

2. *v* ['enə,veɪt] 1) обесси́ливать, расслабля́ть 2) лиша́ть во́ли, му́жества

enervation [,enə'veɪʃn] *n* 1) сла́бость, рассла́бленность 2) *мед.* сниже́ние не́рвной эне́ргии

enfant terrible [,ɒnfɒntə'ri:bl] *фр. n* беста́ктный, «неудо́бный» челове́к

enfeeble [ɪn'fi:bl] *v* ослабля́ть

enfetter [ɪn'fetə] *v книжн.* 1) зако́вывать (*в кандалы*) 2) ско́вывать, свя́зывать; порабоща́ть

enfilade [,enfɪ'leɪd] **1.** *n воен.* продо́льный ого́нь

2. *v воен.* обстре́ливать продо́льным огнём

enfold [ɪn'fəʊld] *v* 1) завёртывать, заку́тывать (in, with) 2) обнима́ть, обхва́тывать

enforce [ɪn'fɔ:s] *v* 1) проводи́ть в жизнь; придава́ть си́лу; to ~ the laws проводи́ть зако́ны в жизнь; насажда́ть зако́нность 2) ока́зывать давле́ние, принужда́ть, заставля́ть; навя́зывать; to ~ obedience доби́ться повинове́ния 3) уси́ливать, подкрепля́ть

enforceable [ɪn'fɔ:səbl] *a* 1) осуществи́мый 2) обеспе́чиваемый примене́нием си́лы

enforcement [ɪn'fɔ:smənt *n* 1) давле́ние, принужде́ние 2) *attr.* принуди́тельный; ~ measures принуди́тельные ме́ры

enfranchise [ɪn'fræntʃaɪz] *v* 1) предоставля́ть избира́тельные права́ 2) дава́ть (*городу*) пра́во представи́тельства в парла́менте 3) *ист.* освобожда́ть, отпуска́ть на во́лю (*раба*)

enfranchisement [ɪn'fræntʃɪzmənt] *n* 1) освобожде́ние (*от рабства, зависимости и т. п.*) 2) предоставле́ние избира́тельных прав

engage [ɪn'geɪdʒ] *v* 1) нанима́ть 2) занима́ть, привлека́ть; вовлека́ть; to ~ smb.'s attention завладе́ть чьим-л. внима́нием 3) обя́зывать(ся); to ~ by new commitments свя́зывать но́выми обяза́тельствами 4) (*обыкн. pass.*) обручи́ться; to be ~d быть помо́лвленным(и) 5) зака́зывать зара́нее (*комнату, место*) 6) *тех.* зацепля́ть(ся); включа́ть 7) *воен.* вступа́ть в бой; открыва́ть ого́нь; to be ~d in hostilities быть вовлечённым в вое́нные де́йствия 8) занима́ться (*чем-л.*); say I am ~d скажи́те, что я за́нят; to ~ in a discussion приня́ть уча́стие в диску́ссии; to be ~d in smth. занима́ться чем-л. ▭ ~ **for** обеща́ть, гаранти́ровать; руча́ться (*за кого-л.*)

engaged [ɪn'geɪdʒd] **1.** *p. p. от* engage

2. *a* 1) помо́лвленный 2) за́нятый 3) зака́занный зара́нее 4) заинтересо́ванный; поглощённый (*чем-л.*)

engagement [ɪn'geɪdʒmənt] *n* 1) де́ло, заня́тие 2) свида́ние, встре́ча; приглаше́ние 3) помо́лвка 4) обяза́тельство; to meet one's ~s выполня́ть свои́ обяза́тельства; плати́ть долги́ 5) *воен.* бой, сты́чка 6) *тех.* зацепле́ние 7) *attr.* обруча́льный; ~ ring обруча́льное кольцо́ с ка́мнем

engaging [ɪn'geɪdʒɪŋ] **1.** *pres. p. от* engage

2. *a* 1) очарова́тельный, обая́тельный; ~ smile очарова́тельная улы́бка; ~ frankness подкупа́ющая открове́нность 2) *тех.* зацепля́ющийся

engender [ɪn'dʒendə] *v* порождать, вызывать, возбуждать

engine ['endʒɪn] *n* 1) машина, двигатель; мотор 2) локомотив, паровоз 3) *уст.* орудие, инструмент, средство 4) *attr.* паровозный 5) *attr.* машинный; моторный; ~ oil машинное масло

engine crew ['endʒɪnkru:] *n* паровозная бригада

engine driver ['endʒɪn,draɪvə] *n ж.-д.* машинист

engineer [,endʒɪ'nɪə] **1.** *n* 1) инженер 2) механик 3) *амер.* машинист 4) сапёр; Royal Engineers, *амер.* Corps of Engineers инженерные войска

2. *v* 1) сооружать; проектировать 2) работать в качестве инженера 3) *разг.* устраивать, затевать; придумывать, изобретать 4) подстраивать; провоцировать; to ~ acts of sabotage организовать диверсии

engineering [,endʒɪ'nɪərɪŋ] **1.** *pres. p. от* engineer 2

2. *a* прикладной (*о науке*)

3. *n* 1) инженерное искусство; техника 2) машиностроение 3) *разг.* махинации, происки 4) *attr.* машиностроительный; ~ plant машиностроительный завод; ~ worker рабочий-машиностроитель

engine house ['endʒɪnhaʊs] *n* паровозное депо

engine room ['endʒɪnru:m] *n* машинное отделение

enginery ['endʒɪnərɪ] *n собир.* машины; механическое оборудование

engird [ɪn'gɜ:d] *v* (*тж.* engirt) опоясывать

engirdle [ɪn'gɜ:dl] = engird

engirt [ɪn'gɜ:t] *past и p. p. от* engird

English ['ɪŋglɪʃ] **1.** *a* английский

2. *n* 1) английский язык; Modern (Standard) ~ современный (литературный) английский язык; to speak ~ уметь говорить по-английски; to speak in ~ говорить, выступать на английском языке; spoken (broken) ~ разговорный (ломаный) английский язык; not ~ не по-английски 2) (the ~) *pl собир.* англичане 3) *полигр.* миттель, кегель 14 ◊ in plain ~ прямо, без обиняков

3. *v уст.* переводить на английский язык

Englishism ['ɪŋglɪʃɪzəm] *n* 1) английская черта, английский обычай 2) идиома, употребляемая в Англии 3) англомания, увлечение всем английским

Englishman ['ɪŋglɪʃmən] *n* англичанин

Englishwoman ['ɪŋglɪʃ,wʊmən] *n* англичанка

engorge [ɪn'gɔ:dʒ] *v* 1) *мед.* налиться кровью (*об органе*) 2) жадно и много есть

engraft [ɪn'grɑ:ft] *v* 1) *бот.* делать прививку (upon, into) 2) прививать, внедрять (in)

engrail [ɪn'greɪl] *v* делать нарезку; зазубривать

engrain [ɪn'greɪn] *v* 1) внедрять, укоренять 2) *текст.* красить в пряже

engrained [ɪn'greɪnd] **1.** *p. p. от* engrain

2. *a* = ingrained

engrave [ɪn'greɪv] *v* 1) гравировать; резать (*по камню, дереву, металлу*) 2) запечатлевать (on, upon)

engraver [ɪn'greɪvə] *n* гравёр

engraving [ɪn'greɪvɪŋ] **1.** *pres. p. от* engrave

2. *n* 1) гравюра 2) гравирование

engross [ɪn'grəʊs] *v* 1) поглощать (*время, внимание и т. п.*); завладевать (*разговором*) 2) (*pass.*) быть поглощённым (*чем-л.*), углубиться (*во что-л.*) 3) писать крупными буквами; красиво и чётко переписывать (*документ и т. п.*), облекая его в юридическую форму 4) *уст.* монополизировать; сосредоточивать в своих руках товар

engrossing [ɪn'grəʊsɪŋ] **1.** *pres. p. от* engross

2. *a* всепоглощающий; захватывающий, увлекательный

engulf [ɪn'gʌlf] *v* 1) заваливать, засыпать; ~ed by letters заваленный письмами 2) поглощать

enhance [ɪn'hɑ:ns] *v* 1) увеличивать, усиливать, усугублять 2) повышать (*цену, качество и т. п.*)

enharmonic [,enhɑ:'mɒnɪk] *a муз.* энгармонический

enigma [ɪ'nɪgmə] *n* загадка

enigmatic(al) [,enɪg'mætɪk(l)] *a* загадочный

enisle [ɪn'aɪl] *v поэт.* 1) превращать в остров 2) поместить на остров; изолировать

enjoin [ɪn'dʒɔɪn] *v* 1) предписывать (on, upon); приказывать; to ~ silence upon smb., to ~ smb. to be silent велеть кому-л. молчать; I ~ed they should be silent я потребовал, чтобы они замолчали 2) *юр.* запрещать

enjoy [ɪn'dʒɔɪ] *v* 1) (*тж. refl.*) получать удовольствие; наслаждаться; how did you ~ yourself? как вы провели время?; how did you ~ the book? как вам понравилась книга? 2) пользоваться (*правами и т. п.*) 3) обладать; to ~ good (poor) health отличаться хорошим (плохим) здоровьем

enjoyable [ɪn'dʒɔɪəbl] *a* приятный, доставляющий удовольствие

enjoyment [ɪn'dʒɔɪmənt] *n* 1) наслаждение, удовольствие; to find ~ in получать удовольствие от 2) обладание, использование

enkindle [ɪn'kɪndl] *v книжн.* 1) зажигать 2) воспламенять, воодушевлять

enlace [ɪn'leɪs] *v* 1) опутывать, обвивать 2) окружать

enlarge [ɪn'lɑ:dʒ] *v* 1) увеличивать(ся); укрупнять(ся) 2) расширять(ся) 3) распространяться (upon — о *чём-л.*) 4) *фото* увеличивать; поддаваться увеличению

enlarged [ɪn'lɑ:dʒd] **1.** *p. p. от* enlarge

2. *a* увеличенный, расширенный; ~ meeting расширенное заседание; revised and ~ edition переработанное и дополненное издание

enlargement [ɪn'lɑ:dʒmənt] *n* 1) увеличение, расширение; укрупнение 2) пристройка 3) приложение 4) *фото* увеличение

enlighten [ɪn'laɪtn] *v* 1) просвещать 2) осведомлять; информировать 3) *поэт.* проливать свет

enlightened [ɪn'laɪtnd] **1.** *p. p. от* enlighten

2. *a* просвещённый; thoroughly ~ upon the subject хорошо осведомлённый в данном вопросе

enlightener [ɪn'laɪtnə] *n* просветитель

enlightenment [ɪn'laɪtnmənt] *n* 1) просвещение 2) просвещённость

enlist [ɪn'lɪst] *v* 1) вербовать на военную службу 2) поступать на военную службу 3) заручиться поддержкой; привлечь на свою сторону; to ~ smb.'s support заручиться чьей-л. поддержкой

enlisted [ɪn'lɪstɪd] **1.** *p. p. от* enlist

2. *a амер. воен.* срочнослужащий; ~ man солдат; военнослужащий рядового *или* сержантского состава

enlistee [en'lɪsti:] *n амер. воен.* поступивший на военную службу

enliven [ɪn'laɪvn] *v* 1) оживлять, подбодрять 2) делать интереснее, веселее, разнообразить

en masse [,ɒn'mæs] *фр. adv* в массе, в целом; все вместе

enmesh [ɪn'meʃ] *v* опутывать, запутывать

enmity ['enmətɪ] *n* вражда; неприязнь, враждебность; unexpressed ~ затаённая вражда; at ~ with во враждебных отношениях с

ennoble [ɪ'nəʊbl] *v* 1) облагораживать 2) жаловать дворянством

ennoblement [ɪ'nəʊblmənt] *n* 1) облагораживание 2) пожалование дворянством

ennui [ɒ'nwi:] *n* скука; внутренняя опустошённость

Enoch ['i:nɒk] *n библ.* Енох

enormity [ɪ'nɔ:mətɪ] *n* 1) гнусность, чудовищность 2) ужасная ошибка, чудовищное преступление

enormous [ɪ'nɔ:məs] *a* 1) громадный; огромный; ~ changes огромные перемены 2) чудовищный, ужасный

enormously [ɪ'nɔ:məslɪ] *adv* чрезвычайно, крайне

enormousness [ɪ'nɔ:məsnəs] *n* огромность, огромные размеры, масштабы *и т. п.*

enough [ɪ'nʌf] **1.** *a* достаточный; to have ~ time располагать достаточным запасом времени

2. *n* достаточное количество; he has ~ and to spare он имеет больше, чем нужно; I've had ~ of him он мне надоел

3. *adv* достаточно; довольно; strangely ~ как это ни странно; you know well ~ вы отлично знаете; he did it well ~ он сделал это довольно хорошо

enounce [ɪ'naʊns] *v книжн.* 1) выражáть; излагáть 2) произносúть
enow [ɪ'naʊ] *уст. поэт. см.* enough
enplane [ɪn'pleɪn] = emplane
enquire [ɪn'kwaɪə] = inquire
enquiry [ɪn'kwaɪərɪ] = inquiry
enrage [ɪn'reɪdʒ] *v* бесúть, приводúть в я́рость
enrapture [ɪn'ræptʃə] *v* восхищáть, приводúть в востóрг; захвáтывать
enrich [ɪn'rɪtʃ] *v* 1) обогащáть 2) улучшáть; удобря́ть (*почву*) 3) украшáть 4) витаминизúровать
enrobe [ɪn'rəʊb] *v* облачáть
enrol(l) [ɪn'rəʊl] *v* 1) запúсываться, вступáть в члéны (*какой-л. организации*) 2) вносúть в спúсок (*учащихся, членов какой-л. организации и т. п.*); регистрúровать 3) вербовáть; зачисля́ть в áрмию 4) поступáть на воéнную слýжбу
enrol(l)ment [ɪn'rəʊlmənt] *n* 1) внесéние в спúски, регистрáция; the ~ of new members приём нóвых члéнов (*в профсоюз и т. п.*) 2) вербóвка 3) *амер.* колúчество прúнятых (*в учебное заведение*)
enroot [ɪn'ru:t] *v* (*обыкн. p. p.*) укореня́ть; *перен.* внедря́ть
en route [ɒn'ru:t] *фр. adv* по путú, по дорóге; в путú
ensanguine [ɪn'sæŋgwɪn] *v книжн.* залúть, обагрúть крóвью
ensconce [ɪn'skɒns] *v* (*обыкн. refl или pass*) 1) укрывáть(ся) 2) устрáивать(ся) удóбно *или* ую́тно; to ~ oneself cosily усéсться ую́тно
ensemble [ɒn'sɒmbl] *n* 1) ансáмбль (*тж.* tout ~) 2) óбщее впечатлéние 3) костю́м, туалéт; ансáмбль 4) грýппа (*исполнителей*) 5) *муз.* ансáмбль
enshrine [ɪn'ʃraɪn] *v* 1) *церк.* помещáть в рáку 2) хранúть, лелéять (*воспоминание и т. п.*)
enshroud [ɪn'ʃraʊd] *v книжн.* закýтывать, обволáкивать; ~ed in darkness погружённый во тьму
ensign ['ensaɪn] *n* 1) знáмя; флаг; вы́мпел; blue ~ сúний (англúйский) кормовóй флаг; red ~ англúйский торгóвый флаг; white ~ англúйский воéнно-морскóй флаг 2) *ист.* прáпорщик 3) *амер. мор.* лейтенáнт, э́нсин (*первичное офицерское звание*) 4) *уст.* значóк, эмблéма, кокáрда 5) *attr.*: ~ ship флáгманское сýдно; ~ staff *мор.* кормовóй флагштóк
ensilage ['ensəlɪdʒ] *n с.-х.* 1) силосовáние 2) силосóванный корм
ensile [en'saɪl] *v* силосовáть
enslave [ɪn'sleɪv] *v* порабощáть; покоря́ть; дéлать рабóм
enslavement [ɪn'sleɪvmənt] *n* 1) порабощéние; покорéние 2) рáбство
enslaver [ɪn'sleɪvə] *n* 1) поработúтель 2) покорúтель; покорúтельница, обольстúтельница
ensnare [ɪn'sneə] *v* 1) поймáть в ловýшку 2) завлекáть 3): to ~ oneself (in) поддáться обмáну, обольщéнию
ensnarl [ɪn'snɑ:l] *v* втянýть, вовлéчь когó-л. во что-л.
ensoul [ɪn'səʊl] *v* воодушевля́ть
ensue [ɪn'sju:] *v* 1) слéдовать; silence ~d послéдовало молчáние 2) получáться в результáте; происходúть (from, on)
ensuing [ɪn'sju:ɪŋ] **1.** *pres. p. от* ensue
2. *a* 1) (по)слéдующий, бýдущий (*иногда* next ~); in the ~ year в слéдующем годý 2) вытекáющий; ~ consequences вытекáющие послéдствия
ensure [ɪn'ʃɔ:] *v* 1) обеспéчивать, гарантúровать; to ~ the independence гарантúровать незавúсимость 2) ручáться
entablature [en'tæblətʃə] *n архит.* антаблемéнт
entablement [ɪn'teɪblmənt] *n тех.* рáма, станúна
entail [ɪn'teɪl] **1.** *n* 1) *юр.* акт, закрепля́ющий поря́док наслéдования землú без прáва отчуждéния; майорáтное наслéдование 2) майорáт
2. *v* 1) влечь за собóй; вызывáть (*что-л.*) 2) навлекáть (upon - на) 3) *юр.* определя́ть поря́док наслéдования землú без прáва отчуждéния
entangle [ɪn'tæŋgl] *v* 1) запýтывать (*тж. перен.*) 2) впýтывать, вовлекáть 3) осложня́ть, запýтывать
entanglement [ɪn'tæŋglmənt] *n* 1) запýтанность; затруднúтельное положéние 2) *воен.* (прóволочное) заграждéние 3) компрометúрующая связь
entente [ɒn'tɒnt] *n* дрýжеское соглашéние мéжду грýппой госудáрств; the E. *ист.* Антáнта
enter ['entə] *v* 1) входúть; проникáть; to ~ a room войтú в кóмнату; the idea never ~ed my head такáя мысль мне никогдá в гóлову не приходúла 2) *театр.* «вхóдит» (*ремарка*) 3) вонзáться; the pin ~ed the finger булáвка укол́ола пáлец 4) впúсывать, вносúть (*в книги, списки*); запúсывать, регистрúровать; to ~ smb.'s name внестú чью-л. фамúлию (*в список, реестр и т. п.*); to ~ a word in a dictionary включúть слóво в словáрь; to ~ a team for the event внестú комáнду в спúсок учáстников состязáния; to ~ an event зафиксúровать факт; to ~ a boy at a school подáть заявлéние о приёме мáльчика в шкóлу 5) вступáть, поступáть; to ~ school поступúть в шкóлу 6) сдéлать пúсьменное заявлéние; to ~ an affidavit представúть пúсьменное свидéтельское показáние 7) *юр.* начинáть процéсс 8) начинáть; брáться (*за что-л.; тж.* ~ upon) □ ~ for запúсывать(ся) (*для участия в чём-л.*); ~ into а) вступáть; to ~ into a contract заключáть договóр; to ~ into negotiations вступáть в переговóры; б) входúть; являться составнóй чáстью (*чего-л.*); water ~s into the composition of all vegetables водá являéтся составнóй чáстью всех овощéй; в) заня́ться, приступúть; to ~ into a new undertaking приня́ть на себя́ нóвые обязáтельства; г) разделя́ть (*чувство*); понимáть; I could not ~ into the fun я не мог разделúть э́того удовóльствия; ~ upon а) приступáть к *чему-л.*; б) *юр.* вступáть во владéние
enteric [en'terɪk] **1.** *a анат.* брюшнóй, кишéчный; ~ fever брюшнóй тиф
2. *n мед.* брюшнóй тиф
enteritis [,entə'raɪtɪs] *n мед.* энтерúт, воспалéние тóнких кишóк
enterprise ['entəpraɪz] *n* 1) смéлое предприя́тие 2) предприúмчивость, смéлость; инициатúва 3) предпринимáтельство; free (*или* private) ~ чáстное предпринимáтельство 4) промы́шленное предприя́тие (*фабрика, завод и т. п.*)
enterprising ['entəpraɪzɪŋ] *a* предприúмчивый; инициатúвный
entertain [,entə'teɪn] *v* 1) принимáть, угощáть (*гостей*); we don't ~ мы не устрáиваем у себя́ приёмов 2) развлекáть, занимáть 3) принимáть во внимáние, обдýмывать, учúтывать; to ~ a proposal рассмотрéть предложéние; to ~ a request приня́ть во внимáние прóсьбу 4) питáть (*надежду, сомнение*); лелéять (*мечту*); to ~ a grudge against smb. имéть зуб прóтив когó-л. 5) *уст.* поддéрживать (*переписку и т. п.*)
entertaining [,entə'teɪnɪŋ] **1.** *pres. p. от* entertain
2. *a* забáвный, занимáтельный, развлекáтельный
entertainment [,entə'teɪnmənt] *n* 1) приём (*гостей*); вéчер; вечерúнка 2) эстрáдный концéрт, дивертисмéнт 3) развлечéния, увеселéния 4) развлечéние; much to his ~ к огрóмному егó удовóльствию 5) гостеприúмство; угощéние
enthalpy [en'θælpɪ] *n физ.* энтальпúя, теплосодержáние
enthral(l) [ɪn'θrɔ:l] *v* 1) очарóвывать, увлекáть, захвáтывать 2) порабощáть
enthralling [ɪn'θrɔ:lɪŋ] **1.** *pres. p. от* enthral(l)
2. *a* увлекáтельный, захвáтывающий
enthrone [ɪn'θrəʊn] *v* возводúть на престóл; to be ~d in the hearts царúть в сердцáх
enthronement [ɪn'θrəʊnmənt] *n* возведéние на престóл
enthuse [ɪn'θju:z] *v разг.* 1) приходúть в востóрг 2) приводúть в востóрг
enthusiasm [ɪn'θju:zɪ,æzəm] *n* 1) востóрг; энтузиáзм 2) востóрженность 3) *уст.* (религиóзное) исступлéние
enthusiast [ɪn'θju:zɪæst] *n* 1) энтузиáст 2) востóрженный человéк
enthusiastic [ɪn'θju:zɪæstɪk] *a* 1) пóлный энтузиáзма, энéргии 2) востóрженный; увлечённый; ~ comment горя́чие óтклики; to be ~ about (*или* over) smth., smb. быть в востóрге от чегó-л., когó-л.
entice [ɪn'taɪs] *v* 1) соблазня́ть 2) замáнивать; перемáнивать (from — с, от; into — на, в) □ ~ away увлéчь
enticement [ɪn'taɪsmənt] *n* 1) заманивáние; перемáнивание 2) примáнка, соблáзн 3) очаровáние
enticing [ɪn'taɪsɪŋ] **1.** *pres. p. от* entice
2. *a* соблазнúтельный, привлекáтельный

entire [ɪn'taɪə] **1.** *a* 1) пóлный, совершéнный 2) цéлый, цéльный; сплошнóй 3) не кастри́рованный (*о живóтном*) 4) чи́стый, беспри́месный

2. *n* 1) (the ~) цéлое; полнотá 2) некастри́рованное живóтное, *особ.* жеребéц

entirely [ɪn'taɪəlɪ] *adv* 1) пóлностью, всецéло, совершéнно 2) исключи́тельно, еди́нственно

entirety [ɪn'taɪətɪ] *n* 1) полнотá, цéльность; in its ~ пóлностью; в цéлом; во всей полнотé 2) óбщая сýмма 3) *юр.* совмéстное владéние неразделённым недви́жимым имýществом

entitle [ɪn'taɪtl] *v* 1) давáть прáво (to — на *что-л.*); to be ~d to smth. имéть прáво на что-л. 2) назывáть, давáть назвáние; озаглáвливать 3) *уст.* жáловать ти́тул

entity ['entətɪ] *n* 1) нéчто реáльно существýющее 2) существó, органи́зм; организáция; political ~ полити́ческая организáция; legal ~ юриди́ческое лицó 3) вещь, объéкт 4) *филос.* бытиé 5) сýщность, существó

entomb [ɪn'tu:m] *v* 1) погребáть 2) служи́ть гробни́цей 3) укрывáть

entombment [ɪn'tu:mmənt] *n* 1) погребéние 2) моги́ла, гробни́ца

entomological [,entəmə'lɒdʒɪkl] *a* энтомологи́ческий

entomologist [,entə'mɒlədʒɪst] *n* энтомóлог

entomology [,entə'mɒlədʒɪ] *n* энтомолóгия

entourage [,ɒntʊ'rɑ:ʒ] *n* 1) сопровождáющие ли́ца, сви́та 2) окружéние, антурáж

entr'acte ['ɒntrækt] *n* антрáкт

entrails ['entreɪlz] *n pl* 1) внýтренности; кишки́ 2) нéдра

entrain [ɪn'treɪn] *v* 1) грузи́ть(ся) в пóезд 2) сади́ться в пóезд

entrance I ['entrəns] *n* 1) вход, вхождéние, въезд; no ~ вхóда *или* въéзда нет, вход *или* въезд воспрещён; to force an ~ (into) ворвáться 2) вход (*в здáние и т. п.*); front (back) ~ парáдный (чёрный) ход 3) дóступ; прáво вхóда 4) *театр.* вы́ход (*актёра на сцéну*) 5) вступлéние (*в дóлжность, организáцию и т. п.*) 6) плáта за вход 7) *attr.* входнóй; вступи́тельный; ~ fee а) вступи́тельный взнос; б) входнáя плáта; ~ examination вступи́тельный экзáмен

entrance II [ɪn'trɑ:ns] *v* приводи́ть в состоя́ние трáнса, востóрга *и т. п.*

entrancing [ɪn'trɑ:nsɪŋ] **1.** *pres. p. от* entrance II

2. *a* чарýющий; очаровáтельный

entrant ['entrənt] *n* 1) тот, кто вхóдит, вступáет (*напр.*, посети́тель, гость; вступáющий в члéны клýба, óбщества *и т. п.*) 2) вступáющий в дóлжность, приступáющий к отправлéнию обя́занностей 3) приéзжий, приезжáющий (*в странý*) 4) (заявлéнный) учáстник (*состязáния и т. п.*)

entrap [ɪn'træp] *v* 1) поймáть в ловýшку 2) замани́ть в ловýшку, обманýть, запýтать, завлéчь

entreat [ɪn'tri:t] *v* умоля́ть, упрáшивать

entreaty [ɪn'tri:tɪ] *n* мольбá, прóсьба

entrechat [,ɒntrə'ʃɑ:] *фр. n* антрашá

entrecôte ['ɒntrəkəʊt] *n* антрекóт

entrée ['ɒntreɪ] *n* 1) блю́до, подавáемое мéжду ры́бой и жарки́м 2) *амер.* основнóе блю́до (*за обéдом*) 3) прáво вхóда, дóступ

entremets ['ɒntrəmeɪ] *фр. n pl* дополни́тельные блю́да (*подавáемые мéжду основны́ми*)

entrench [ɪn'trentʃ] *v* 1) *воен.* окáпывать, укрепля́ть траншéями; to ~ oneself а) окáпываться; б) закрепи́ться, заня́ть прóчное положéние 2) отстáивать свои́ взгля́ды, защищáть свою́ пози́цию 3) покушáться (upon — на *чужи́е прáва и т. п.*)

entrenched [ɪn'trentʃt] **1.** *p. p. от* entrench

2. *a* укорени́вшийся, закрепи́вшийся; ~ habits укорени́вшиеся привы́чки

entrenchment [ɪn'trentʃmənt] *n воен.* окóп; траншéя, полевóе укреплéние

entrepôt ['ɒntrəpəʊ] *n* пакгáуз; склад, перевáлочный пункт (*для транзи́тных грýзов*)

entrepreneur [,ɒntrəprə'nɜ:] *n* 1) предпринимáтель 2) антрепренёр

entrepreneurial [,ɒntrəprə'nɜ:rɪəl] *a* предпринимáтельский; ~ flair предпринимáтельское чутьё, -ий талáнт

entresol ['ɒntresɒl] *n архит.* антресóли; полуэтáж (*обы́кн. мéжду пéрвым и вторы́м этажáми*)

entropy ['entrəpɪ] *n физ.* энтропи́я

entruck [ɪn'trʌk] *v* сажáть, сади́ться; грузи́ть(ся) на грузови́к(и)

entrust [ɪn'trʌst] *v* вверя́ть; возлагáть, поручáть

entry ['entrɪ] *n* 1) вход, въезд; no ~! вход (*или* въезд) запрещён 2) вступлéние (*в организáцию и т. п.*); вхождéние; вторжéние; ~ into the territorial waters вторжéние в территориáльные вóды (*страны́*) 3) вы́ход актёра на сцéну 4) торжéственный вы́ход (*королéя и т. п.*) 5) прáво на вход, въезд 6) вход; дверь, ворóта; прохóд 7) вестибю́ль; перéдняя, холл; *амер.* лéстничная площáдка 8) ýстье реки́ 9) отдéльная зáпись; book-keeping by double ~ двойнáя бухгалтéрия 10) занесéние (*в спи́сок, в торгóвые кни́ги*) 11) статья́ (*в словарé, энциклопéдии, спрáвочнике и т. п.*) 12) заявка на учáстие (*в спорти́вном состязáнии, вы́ставке и т. п.*) 13) спи́сок учáстников (*кóнкурса, соревновáния*); large ~ большóй кóнкурс 14) *амер.* начáло (*мéсяца и т. п.*) 15) тамóженная декларáция 16) *юр.* вступлéние во владéние 17) *юр.* проникновéние в дом с цéлью совершéния преступлéния 18) *горн.* откáточный штрек 19) *attr.* входнóй, въезднóй; ~ visa въезднáя ви́за

entwine [ɪn'twaɪn] *v* 1) обвивáть (with, about) 2) сплетáть(ся); вплетáть 3) обхвáтывать

enucleate [ɪ'nju:klɪeɪt] *v* 1) *книжн.* выясня́ть, выявля́ть 2) *мед.* вылýщивать (*óпухоль и т. п.*)

enumerate [ɪ'nju:məreɪt] *v* 1) перечисля́ть 2) тóчно подсчи́тывать

enumeration [ɪ,nju:mə'reɪʃn] *n* 1) перечислéние 2) пéречень

enumerator [ɪ'nju:məreɪtə] *n* счётчик (*по перепи́си населéния*)

enunciate [ɪ'nʌnsɪeɪt] *v* 1) я́сно, отчётливо произноси́ть 2) формули́ровать (*теóрию и т. п.*) 3) объявля́ть; провозглашáть

enunciation [ɪ,nʌnsɪ'eɪʃn] *n* 1) хорóшее произношéние, ди́кция 2) формулирóвка 3) возвещéние; провозглашéние

enure [ɪ'njʊə] = inure

enuresis [,enjʊ'ri:sɪs] *n мед.* энурéз

envelop [ɪn'veləp] *v* 1) обёртывать; завёртывать 2) закýтывать; окýтывать; ~ed in flames объя́тый плáменем; ~ed in mystery окýтанный тáйной 3) *воен.* окружáть, охвáтывать, обходи́ть

envelope ['envələʊp] *n* 1) конвéрт 2) обёртка; oблóжка 3) оболóчка (*аэростáта и т. п.*); покры́шка 4) обвёртка (*у растéний*); плёнка (*в яйцé*) 5) *мат.* огибáющая (*ли́ния*)

envelopment [ɪn'veləpmənt] *n* 1) обёртывание 2) покры́шка 3) *воен.* охвáт

envenom [ɪn'venəm] *v* отравля́ть

envenomed [ɪn'venəmd] **1.** *p. p. от* envenom

2. *a* злóбный, ядови́тый; ~ tongue злой язы́к

enviable ['envɪəbl] *a* зави́дный

envious ['envɪəs] *a* зави́стливый

environ [ɪn'vaɪərən] *v* окружáть

environment [ɪn'vaɪrənmənt] *n* 1) окружéние, окружáющая обстанóвка 2) окружáющая средá

environmental [ɪn,vaɪrən'mentl] *a книжн.* относя́щийся к окружáющей срéде; относя́щийся к борьбé с загрязнéнием окружáющей среды́; ~ research исслéдование окружáющей среды́

environmentalist [ɪn,vaɪrən'mentəlɪst] *n* учёный, занимáющийся защи́той окружáющей среды́

environs [ɪn'vaɪrənz] *n pl* 1) окрéстности 2) окружéние, средá

envisage [ɪn'vɪzɪdʒ] *v* 1) представля́ть себé; предви́деть 2) рассмáтривать (*вопрóс*) 3) *уст.* смотрéть пря́мо в глазá (*опáсности, фáктам*)

envision [ɪn'vɪʒn] *v книжн.* воображáть (*что-л.*), рисовáть в своём воображéнии; представля́ть себé

envoy I ['envɔɪ] *n* 1) послáнник; послáнец, эмиссáр 2) агéнт, довéренное лицó

envoy II ['envɔɪ] *n* заключи́тельная строфá поэ́мы

envy ['envɪ] **1.** *n* 1) зáвисть (of, at) 2) предмéт зáвисти

2. *v* зави́довать

enwrap [ɪn'ræp] *v книжн.* 1) завёртывать (in, with) 2) окýтывать

enzyme ['enzaɪm] *n* энзи́м, ферме́нт
Eocene ['i:əʊsi:n] *n геол.* эоце́н
eon [i:ən] = aeon
epact ['i:pækt] *n астр.* эпа́кта
eparch ['epɑ:k] *n* глава́ епа́рхии
eparchy ['epɑ:kɪ] *n* епа́рхия
epaulet(te) ['epəlet] *n* эполе́т
épée ['epeɪ] *n спорт.* шпа́га
epenthetic [,epen'θetɪk] *a лингв.* вставно́й (*о звуке или букве; напр.*, b *в словах* nimble, debt)
ephedrine ['efədrɪn] *n фарм.* эфедри́н
ephemera [ɪ'femərə] *n* (*pl тж.* -ae) 1) *зоол.* подёнка, одноднёвка 2) *pl* что-л. мимолётное, преходя́щее
ephemerae [ɪ'femə,ri:] *pl от* ephemera
ephemeral [ɪ'femrəl] *a* 1) эфеме́рный, преходя́щий; недолгове́чный 2) *биол.* живу́щий оди́н день (*о насекомых, растениях*)
epic ['epɪk] **1.** *n* 1) эпи́ческая поэ́ма 2) *разг.* многосери́йный приключе́нческий фильм; приключе́нческий рома́н с продолже́нием
2. *a* 1) эпи́ческий 2) герои́ческий
epical ['epɪkl] = epic 2
epicene ['epɪsi:n] *a* 1) *грам.* о́бщего ро́да 2) двупо́лый 3) женоподо́бный 4) беспо́лый
epicentre ['epɪsentə] *n* эпице́нтр (*землетрясения*)
epicure ['epɪkjʊə] *n* эпикуре́ец
epicurean [,epɪkjʊ'ri:ən] **1.** *a* эпикуре́йский
2. *n* = epicure
Epicureanism [,epɪkjʊ'ri:ənɪzəm] *n* 1) уче́ние Эпику́ра 2) (e.) эпикуре́йство
epicurism ['epɪkjʊrɪzəm] = epicureanism 2)
epicycle ['epɪsaɪkl] *n мат.* эпици́кл
epicycloid [,epɪ'saɪklɔɪd] *n мат.* эпициклóида
epidemic [,epɪ'demɪk] **1.** *n* эпиде́мия
2. *a* эпидеми́ческий
epidemical [,epɪ'demɪkl] = epidemic 2
epidemiology [,epɪdi:mɪ'ɒlədʒɪ] *n* эпидемиоло́гия
epidermal [,epɪ'dɜ:məl] *a анат.* эпиде́рми́ческий
epidermic [,epɪ'dɜ:mɪk] = epidermal
epidermis [,epɪ'dɜ:mɪs] *n анат., бот.* эпиде́рма, эпиде́рмис
epidiascope [,epɪ'daɪəskəʊp] *n* эпидиаско́п
epigastric [,epɪ'gæstrɪk] *a анат.* надчре́вный; ~ burning *мед.* изжо́га
epigastrium [,epɪ'gæstrɪəm] *n анат.* надчре́вная о́бласть
epiglottis [,epɪ'glɒtɪs] *n анат.* надгорта́нник
epigone ['epɪgəʊn] *n* (*pl тж.* -ni) эпиго́н
epigoni [e'pɪgənaɪ] *pl от* epigone
epigram ['epɪgræm] *n* 1) эпигра́мма 2) остроу́мная сенте́нция
epigrammatist [,epɪ'græmətɪst] *n* а́втор эпигра́мм
epigraph ['epɪgrɑ:f] *n* эпи́граф
epigraphy [e'pɪgrəfɪ] *n* эпигра́фика
epilate ['epɪleɪt] *v* удаля́ть во́лосы
epilation [epɪ'leɪʃn] *n* эпиля́ция, удале́ние воло́с
epilepsy ['epɪlepsɪ] *n мед.* эпиле́псия
epileptic [,epɪ'leptɪk] **1.** *a* эпилепти́ческий
2. *n* эпиле́птик
epilogue ['epɪlɒg] *n* эпило́г
Epiphany [ɪ'pɪfənɪ] *n* 1) *церк.* Богоявле́ние, Креще́ние (*праздник*) 2) (e.) прозре́ние
epiphyte ['epɪfaɪt] *n* 1) *бот.* эпифи́т 2) *мед.* грибко́вый парази́т (*животного*)
episcopacy [ɪ'pɪskəpəsɪ] *n* 1) епископа́льная систе́ма церко́вного управле́ния 2) (the ~) *собир.* епи́скопы
episcopal [ɪ'pɪskəpl] *a* епи́скопский; епископа́льный
episcopalian [ɪ,pɪskə'peɪlɪən] **1.** *n* приве́рженец *или* член епископа́льной це́ркви
2. *a* епископа́льный
episcopate [ɪ'pɪskəpət] *n* 1) сан епи́скопа 2) (the ~) *собир.* епи́скопы 3) епа́рхия
episode ['epɪsəʊd] *n* эпизо́д
episodic(al) [,epɪ'sɒdɪk(l)] *a* 1) эпизоди́ческий 2) случа́йный
epistemology [ɪ,pɪstɪ'mɒlədʒɪ] *n филос.* эпистемоло́гия, тео́рия позна́ния
epistle [ɪ'pɪsl] *n* 1) *книжн., шутл.* посла́ние 2) (E.) *церк.* апо́стольское посла́ние
epistolary [ɪ'pɪstələrɪ] *a* эпистоля́рный
epistyle ['epɪstaɪl] *n* 1) *архит.* эпи́стиль, архитра́в 2) *стр.* перекла́дина
epitaph ['epɪtɑ:f] *n* эпита́фия, надгро́бная на́дпись
epithelia [,epɪ'θi:lɪə] *pl от* epithelium
epithelial [,epɪ'θi:lɪəl] *a анат.* эпителиа́льный
epithelium [,epɪ'θi:lɪəm] *n* (*pl тж.* -ia) *анат.* эпите́лий
epithet ['epɪθet] *n* эпи́тет
epitome [ɪ'pɪtəmɪ] *n* 1) воплоще́ние, олицетворе́ние 2) изображе́ние в миниатю́ре 3) конспе́кт, сокраще́ние
epitomize [ɪ'pɪtəmaɪz] *v* 1) воплоща́ть 2) конспекти́ровать, кра́тко излага́ть; сокраща́ть
epizootic [,epɪzəʊ'ɒtɪk] *вет.* **1.** *a* эпизооти́ческий
2. *n* эпизоо́тия
epoch ['i:pɒk] *n* эпо́ха; век; э́ра
epochal ['epɒkl] *a* эпоха́льный
epoch-making ['i:pɒk,meɪkɪŋ] *a* значи́тельный, эпоха́льный; мирово́й; ~ discovery откры́тие мирово́го значе́ния
eponym ['epənɪm] *n* эпони́м, челове́к, да́вший чему́-л. своё и́мя; William Penn is the ~ of Pennsylvania штат Пенсильва́ния на́зван по и́мени Уи́льяма Пе́нна
eponymous [ɪ'pɒnɪməs] *a* даю́щий чему́-л. своё и́мя
epopee ['epəʊpi:] *n редк.* эпопе́я
epos ['epɒs] *n* э́пос; эпи́ческая поэ́ма
Epsom ['epsəm] *n* Э́псом (*место скачек и сами скачки*)
Epsom salt [,epsəm'sɔ:lt] *n* (*обыкн. pl*) англи́йская (*или* го́рькая) соль
equability [,ekwə'bɪlətɪ] *n* 1) равноме́рность 2) уравнове́шенность
equable ['ekwəbl] *a* 1) равноме́рный; ро́вный 2) уравнове́шенный, споко́йный (*о человеке*)
equal ['i:kwəl] **1.** *a* 1) ра́вный, одина́ковый; равноси́льный; on ~ terms, on an ~ footing на ра́вных нача́лах; he speaks French and German with ~ ease он одина́ково свобо́дно говори́т по-францу́зски и по-неме́цки; twice two is ~ to four два́жды два — четы́ре; of ~ rank в одина́ковом чи́не; ~ rights равнопра́вие; everything else being ~ при про́чих ра́вных усло́виях 2) равнопра́вный; ~ partners равнопра́вные партнёры (*владельцы фирмы, члены ассоциации и т. п.*) 3) приго́дный; спосо́бный (to); he is not ~ to the task он не мо́жет спра́виться с э́той зада́чей; ~ to the occasion на до́лжной высоте́ 4) споко́йный, вы́держанный (*о характере*); to preserve (*или* to keep) an ~ mind сохраня́ть вы́держку, споко́йствие ◇ ~ (*или* ~s) sign знак ра́венства
2. *n* ра́вный; ро́вня; he has no ~ ему́ нет ра́вного
3. *v* 1) равня́ться, быть ра́вным 2) оказа́ться на (до́лжной) высоте́, не уступа́ть; to ~ the hopes оправда́ть наде́жды 3) прира́внивать, ура́внивать
equality [ɪ'kwɒlətɪ] *n* ра́венство; равнопра́вие; on an ~ with на ра́вных усло́виях, права́х (*с кем-л.*)
equalization [,i:kwəlaɪ'zeɪʃn] *n* ура́внивание, уравне́ние
equalize ['i:kwəlaɪz] *v* 1) де́лать ра́вным (with, to); ура́внивать, уравнове́шивать 2) *спорт.* сравня́ть счёт
equalizer ['i:kwəlaɪzə] *n* 1) *спорт.* уда́р, мяч, уравнове́шивающий счёт 2) *амер. sl.* пистоле́т 3) *радио* эквала́йзер
equally ['i:kwəlɪ] *adv* 1) одина́ково 2) равно́, в ра́вной сте́пени 3) по́ровну
equanimity [,ekwə'nɪmətɪ] *n* споко́йствие, самооблада́ние; хладнокро́вие, невозмути́мость
equate [ɪ'kweɪt] *v* 1) равня́ть, ура́внивать; счита́ть ра́вным 2) быть ра́вным, эквивале́нтным (*чему-л.*) 3) соотве́тствовать 4) *мат.* прира́внивать; запи́сывать в ви́де уравне́ния
equation [ɪ'kweɪʒn] *n* 1) выра́внивание 2) *мат.* уравне́ние
equator [ɪ'kweɪtə] *n* эква́тор; celestial ~ небе́сный эква́тор
equatorial [,ekwə'tɔ:rɪəl] *a* экваториа́льный
equerry ['ekwerɪ] *n* 1) коню́ший (*придворное звание*) 2) *ист.* коню́ший, гла́вный ко́нюх
equestrian [ɪ'kwestrɪən] **1.** *n* вса́дник; нае́здник
2. *a* ко́нный; ~ statue ко́нная ста́туя; ~ sport ко́нный спорт
equestrienne [ɪ,kwestrɪ'en] *n* вса́дница; нае́здница (*особ. в цирке*)
equiangular [,i:kwɪ'æŋgjʊlə] *a геом.* равноуго́льный

equidistant [ˌi:kwɪˈdɪstənt] *a геом.* равноотстоя́щий

equilateral [ˌi:kwɪˈlætrəl] *a геом.* равносторо́нний

equilibrate [ˌi:kwɪˈlaɪbreɪt] *v* уравнове́шивать(ся)

equilibration [ˌi:kwɪlaɪˈbreɪʃn] *n* 1) уравнове́шивание 2) равнове́сие; сохране́ние равнове́сия

equilibria [ˌi:kwɪˈlɪbrɪə] *pl от* equilibrium

equilibrist [i:ˈkwɪlɪbrɪst] *n* эквилибри́ст; канатохо́дец

equilibrium [ˌi:kwɪˈlɪbrɪəm] *n* (*pl тж.* -ia) 1) равнове́сие 2) уравнове́шенность; to maintain (to lose) one's ~ сохраня́ть споко́йствие (вы́йти из себя́)

equine [ˈekwaɪn] *a книжн.* ко́нский, лошади́ный

equinoctial [ˌi:kwɪˈnɒkʃl] **1.** *a* равноде́нственный

2. *n* 1) равноде́нственная ли́ния; небе́сный эква́тор 2) *pl* бу́ри, возника́ющие в пери́од равноде́нствия

equinox [ˈi:kwɪnɒks] *n* равноде́нствие

equip [ɪˈkwɪp] *v* 1) снаряжа́ть; экипирова́ть; обору́довать 2) дава́ть (*необходимые знания, образование и т. п.*; with)

equipage [ˈekwɪpɪdʒ] *n* 1) снаряже́ние; dressing ~ несессе́р 2) экипа́ж; вы́езд 3) *уст.* сви́та

equipment [ɪˈkwɪpmənt] *n* 1) обору́дование; оснаще́ние; армату́ра 2) (*часто pl*) *воен.* материа́льная часть; боева́я те́хника 3) *ж.-д.* подвижно́й соста́в 4) обору́дование, оснаще́ние необходи́мым обору́дованием

equipoise [ˈekwɪpɔɪz] **1.** *n* 1) равнове́сие 2) противове́с

2. *v* уравнове́шивать, держа́ть в равнове́сии

equipollent [ˌi:kwɪˈpɒlənt] *a книжн.* ра́вный по си́ле; равноце́нный

equiponderant [ˌi:kwɪˈpɒndərənt] *a* 1) ра́вный по ве́су 2) не име́ющий переве́са

equiponderate [ˌi:kwɪˈpɒndəreɪt] *v* уравнове́шивать, служи́ть противове́сом

equitable [ˈekwɪtəbl] *a* справедли́вый, беспристра́стный; ~ to the interest of both parties отвеча́ющий интере́сам той и друго́й стороны́; ~ treaty равнопра́вный догово́р

equitation [ˌekwɪˈteɪʃn] *n* верхова́я езда́; иску́сство верхово́й езды́

equity [ˈekwətɪ] *n* 1) справедли́вость; беспристра́стность 2) *юр.* пра́во справедли́вости (*дополнение к обычному праву*); Court of E. суд, реша́ющий дела́, осно́вываясь на пра́ве справедли́вости 3) *pl бирж.* обыкнове́нные а́кции, а́кции без фикси́рованного дивиде́нда 4) часть зало́женного иму́щества, оста́вшаяся по́сле удовлетворе́ния прете́нзий кредито́ров 5) (E.) «Э́квити» (*профсоюз актёров в Великобритании*)

equivalence, ~cy [ɪˈkwɪvələns, -sɪ] *n* эквивале́нтность, равноце́нность; равнозна́чность

equivalent [ɪˈkwɪvələnt] **1.** *n* эквивале́нт

2. *a* равноце́нный; равнозна́чащий; равноси́льный; эквивале́нтный

equivocal [ɪˈkwɪvəkl] *a* 1) двусмы́сленный 2) неопределённый, сомни́тельный 3) сомни́тельный, подозри́тельный

equivocate [ɪˈkwɪvəkeɪt] *v* говори́ть двусмы́сленно; увíливать; затемня́ть смысл

equivocation [ɪˌkwɪvəˈkeɪʃn] *n* увíливание (*от прямого ответа*); укло́нчивость

equivoke, equivoque [ˈekwɪˌvəʊk] *n* двусмы́сленность; каламбу́р; экиво́к

era [ˈɪərə] *n* э́ра; эпо́ха

eradiate [ɪˈreɪdɪeɪt] *v* излуча́ть, сия́ть

eradiation [ɪˌreɪdɪˈeɪʃn] *n* излуче́ние

eradicate [ɪˈrædɪkeɪt] *v* 1) вырыва́ть с ко́рнем 2) искореня́ть, уничтожа́ть

eradication [ɪˌrædɪˈkeɪʃn] *n* искорене́ние, уничтоже́ние

erase [ɪˈreɪz] *v* 1) стира́ть, соска́бливать, подчища́ть 2) стира́ть, изгла́живать, вычёркивать (*из памяти*) 3) *sl.* убива́ть

eraser [ɪˈreɪzə] *n* ла́стик, рези́нка

erasure [ɪˈreɪʒə] *n* 1) подчи́стка; соска́бливание 2) подчи́щенное, стёртое ме́сто в те́ксте 3) уничтоже́ние

erbium [ˈɜ:bɪəm] *n хим.* э́рбий

ere [eə] *поэт., уст.* **1.** *prep* до; пе́ред; ~ long вскоре

2. *cj* пре́жде чем; скоре́е чем; he would die ~ he would consent он скоре́е умрёт, чем согласи́тся

Erebus [ˈerɪbəs] *n греч. миф.* Эре́б, подзе́мный мир, ца́рство мёртвых

erect [ɪˈrekt] **1.** *a* 1) прямо́й; вертика́льный 2) по́днятый; with head ~ с (высоко́) по́днятой голово́й 3) торча́щий; ощети́нившийся

2. *adv* пря́мо

3. *v* 1) сооружа́ть; устана́вливать; воздвига́ть 2) выпрямля́ть; поднима́ть 3) создава́ть, выстра́ивать 4) *тех.* собира́ть; монти́ровать

erectile [ɪˈrektaɪl] *a* 1) спосо́бный выпрямля́ться 2) *физиол.* спосо́бный напряга́ться; ~ tissue пеще́ристая ткань

erection [ɪˈrekʃn] *n* 1) сооруже́ние, возведе́ние 2) выпрямле́ние 3) зда́ние, сооруже́ние 4) *физиол.* эре́кция 5) *тех.* сбо́рка, устано́вка, монта́ж

erector [ɪˈrektə] *n* 1) строи́тель 2) сбо́рщик, монта́жник 3) *анат.* выпрямля́ющая мы́шца 4) эре́ктор

erelong [ˌeəˈlɒŋ] *adv поэт. уст.* вскоре

eremite [ˈerəmaɪt] *n поэт.* отше́льник; затво́рник, анахоре́т; пусты́нник

eremitic(al) [ˌerəˈmɪtɪk(l)] *a поэт.* отше́льнический, затво́рнический

erenow [ˌeəˈnaʊ] *n поэт.* пре́жде, ра́ньше

erethism [ˈerəθɪzəm] *n мед.* эрети́зм, повы́шенная возбуди́мость тка́ни *или* о́ргана

erf [ɜ:f] *n* (*pl* erven) *южно-афр.* приуса́дебный уча́сток

erg [ɜ:g] *n физ.* эрг

ergo [ˈɜ:gəʊ] *лат. adv обыкн. шутл.* ита́к, сле́довательно

ergonomics [ˌɜ:gəˈnɒmɪks] *n* эргоно́мика

ergot [ˈɜ:gət] *n бот.* споры́нья

ergotism [ˈɜ:gətɪzəm] *n* отравле́ние спорыньёй

erica [ˈerɪkə] *n бот. собир.* ве́ресковые

Erin [ˈerɪn] *n уст., поэт.* Ирла́ндия

eristic [eˈrɪstɪk] *книжн.* **1.** *a* эристи́ческий, полеми́ческий

2. *n* 1) эри́стика, иску́сство спо́ра, поле́мики 2) полеми́ст, спо́рщик

erk [ɜ:k] *n воен. жарг.* 1) рядово́й 2) простофи́ля, дура́к

ermine [ˈɜ:mɪn] *n* горноста́й ◇ to assume (to wear) the ~ стать (быть) чле́ном (верхо́вного) суда́

ern [ɜ:n] *амер.* = erne

erne [ɜ:n] *n поэт.* орла́н-белохво́ст

erode [ɪˈrəʊd] *v* 1) разъеда́ть; вытравля́ть 2) *мед.* разруша́ть (*ткани*) 3) *геол.* выве́тривать; размыва́ть

erogenous [ɪˈrɒdʒənəs] *a* 1) эро(то)ге́нный 2) эроти́ческий

Eros [ˈɪərɒs] *n греч. миф.* Э́рос, Эро́т

erosion [ɪˈrəʊʒn] *n* эро́зия, разъеда́ние; разруше́ние; размыва́ние; выве́тривание

erosive [ɪˈrəʊsɪv] *a* эрози́йный, вызыва́ющий эро́зию; размыва́ющий; выве́тривающий

erotic [ɪˈrɒtɪk] **1.** *a* любо́вный; эроти́ческий

2. *n* любо́вное стихотворе́ние

eroticism [ɪˈrɒtɪsɪzəm] *n* 1) эроти́зм 2) повы́шенная полова́я возбуди́мость; чрезме́рная чу́вственность

erotism [ˈerətɪzəm] = eroticism

err [ɜ:] *v* 1) ошиба́ться, заблужда́ться; to ~ is human челове́ку сво́йственно ошиба́ться 2) греши́ть 3) *уст.* блужда́ть

errancy [ˈerənsɪ] *n редк.* заблужде́ние

errand [ˈerənd] *n* поруче́ние; команди-ро́вка; to go on an ~ пое́хать, пойти́ по поруче́нию; to run (on) ~s быть на посы́лках ◇ fool's ~ бесполе́зное де́ло; беспло́дная зате́я; to send smb. on fool's ~ дать кому́-л. бессмы́сленное поруче́ние

errand-boy [ˈerəndbɔɪ] *n* ма́льчик на посы́лках; рассы́льный, курье́р (*в конторе*)

errant [ˈerənt] *a* 1) заблу́дший, сби́вшийся с пути́ 2) *книжн., уст.* стра́нствующий 3) блужда́ющий (*о мыслях*)

errantry [ˈerəntrɪ] *n книжн., уст.* приключе́ния стра́нствующего ры́царя

errata [eˈrɑ:tə] *n pl* 1) *pl от* erratum 2) спи́сок опеча́ток

erratic [ɪˈrætɪk] *a* 1) стра́нный, эксцентри́чный; рассе́янный (*о мыслях, взглядах и т. п.*) 2) неусто́йчивый; беспоря́дочный; ~ behaviour сумасбро́дное поведе́ние; ~ temperature неусто́йчивая температу́ра 3) *уст.* блужда́ющий 4) *геол.* эррати́ческий; ~ block эррати́ческий валу́н, блок

erratum [e'rɑ:təm] *n* (*pl* -ta) опеча́тка, опи́ска

erring ['ɜ:rɪŋ] **1.** *pres. p. от* err

2. *a* заблу́дший, гре́шный

erroneous [ɪ'rəʊnɪəs] *a* ло́жный; оши́бочный; ~ policies непра́вильная поли́тика, непра́вильный курс

error ['erə] *n* 1) оши́бка, заблужде́ние; to make an ~ соверши́ть оши́бку, ошиби́ться; in ~ по оши́бке, оши́бочно; to be in ~ заблужда́ться 2) отклоне́ние, уклоне́ние, погре́шность 3) грех 4) *поэт.* блужда́ние 5) *радио* рассогласова́ние

ersatz ['eəzæts] *n* эрза́ц, сурро́гат, замени́тель

Erse [ɜ:s] *n* 1) ирла́ндский гэ́льский язы́к 2) шотла́ндский гэ́льский язы́к

erst [ɜ:st] *adv уст.* пре́жде, не́когда

erstwhile ['ɜ:stwaɪl] *уст.* **1.** *a* пре́жний, было́й

2. *adv* пре́жде, не́когда, быва́ло

erubescent [,eru'besnt] *a книжн.* 1) красне́ющий 2) *амер.* краснова́тый

eruct [ɪ'rʌkt] *v* рыга́ть, отры́гивать

eructation [,i:rʌk'teɪʃn] *n книжн.* 1) отры́жка 2) изверже́ние (*вулкана*)

erudite ['erudaɪt] **1.** *n* эруди́т; учёный

2. *a* 1) эруди́рованный; начи́танный 2) нау́чный, учёный

erudition [,eru'dɪʃn] *n* эруди́ция, учёность; начи́танность

erupt [ɪ'rʌpt] *v* 1) прорыва́ться, врыва́ться 2) изверга́ть(ся) (*о вулкане, гейзере*) 3) проре́зываться (*о зубах*)

eruption [ɪ'rʌpʃn] *n* 1) изверже́ние (*вулкана*) 2) взрыв (*смеха, гнева*) 3) *мед.* сыпь, высыпа́ние 4) проре́зывание (*зубов*)

eruptive [ɪ'rʌptɪv] *a* 1) *геол.* эрупти́вный, изве́рженный, вулкани́ческий 2) *мед.* сопровожда́емый сы́пью; ~ stage ста́дия высыпа́ния

erven ['ɜ:vən] *pl от* erf

erysipelas [,erɪ'sɪpələs] *n мед.* ро́жа, ро́жистое воспале́ние

erythema [,erɪ'θi:mə] *n мед.* эрите́ма, покрасне́ние ко́жи

erythrocyte [ɪ'rɪθrəʊsaɪt] *n* эритроци́т

Esau ['i:sɔ:] *n библ.* Иса́в

escadrille [,eskə'drɪl] *n* эскадри́лья

escalade [,eskə'leɪd] *n воен. ист.* штурм стены́ (*с помощью лестниц*), эскала́да

escalate ['eskəleɪt] *v* 1) расширя́ть, обостря́ть (*конфликт и т. п.*); to ~ confrontation углубля́ть конфронта́цию 2) обостря́ться (*о конфликте и т. п.*) 3) поднима́ться (на эскала́торе) ▭ ~ down смягча́ть (*конфликт и т. п.*)

escalating ['eskəleɪtɪŋ] **1.** *pres. p. от* escalate

2. *a* возраста́ющий, расту́щий; ~ costs всё возраста́ющие затра́ты, расхо́ды

escalation [,eskə'leɪʃn] *n* эскала́ция, увеличе́ние масшта́бов, расшире́ние; обостре́ние (*конфликта и т. п.*); the danger of ~ опа́сность обостре́ния (*конфликта и т. п.*)

escalator ['eskəleɪtə] *n* эскала́тор ◇ ~ clause усло́вие «скользя́щей шкалы́» (*в коллективных договорах*)

escallop [ɪs'kɒləp] = scallop

escalope ['eskəlɒp] *n* эскало́п

escapade [,eskə'peɪd] *n* 1) весёлая, сме́лая проде́лка; шальна́я вы́ходка, эскапа́да 2) побе́г (*из заключения*)

escape [ɪs'keɪp] **1.** *n* 1) бе́гство; побе́г; *перен.* ухо́д от действи́тельности 2) избавле́ние; спасе́ние; to have a narrow (*или* hairbreadth) ~ едва́ избежа́ть опа́сности, быть на волосо́к (*от чего-л.*) 3) истече́ние, выделе́ние (*крови и т. п.*) 4) уте́чка (*газа, пара и т. п.*); вы́пуск (*газа, пара*) 5) *тех.* выпускно́е отве́рстие 6) одича́вшее культу́рное расте́ние 7) *attr.* спаса́тельный; ~ ladder спаса́тельная ле́стница; ~ route доро́га к отступле́нию; ~ hatch а) деса́нтный люк; б) люк для вы́хода в косми́ческое простра́нство (*в космическом корабле*); ~ velocity втора́я косми́ческая ско́рость

2. *v* 1) бежа́ть, соверша́ть побе́г (*из заключения, плена*) 2) дава́ть уте́чку; улету́чиваться 3) избежа́ть (*опасности*), спасти́сь; изба́виться; отде́латься; to ~ punishment избежа́ть наказа́ния 4) ускольза́ть; your point ~s me я не улавливаю ва́шей мы́сли; his name had ~d my memory не могу́ припо́мнить его́ и́мени; nothing ~s you! всё-то вы замеча́ете! 5) вырыва́ться (*о стоне и т. п.*)

escapee [,ɪskeɪ'pi:] *n* беглéц

escapement [ɪs'keɪpmənt] *n* 1) бе́гство *и пр.* [*см.* escape 2] 2) спуск, регуля́тор хо́да (*часов*) 3) *тех.* вы́ход, вы́пуск

escapism [ɪs'keɪpɪzəm] *n лит.* эскапи́зм, бе́гство от жи́зни

escapist [ɪs'keɪpɪst] **1.** *n* 1) стремя́щийся уйти́ от действи́тельности 2) *лит.* писа́тель-эскапи́ст

2. *a лит.* эскапи́стский

escarp [ɪs'kɑ:p] **1.** *n* 1) крута́я на́сыпь; отко́с 2) *воен.* эскарп

2. *v* 1) де́лать отко́с 2) *воен.* эскарпи́ровать

escarpment [ɪs'kɑ:pmənt] *n* 1) круто́й отко́с 2) *воен.* эска́рп

eschalot ['eʃəlɒt] = shallot

eschar ['eskɑ:] *n мед.* струп (*после ожога и т. п.*)

eschatology [,eskə'tɒlədʒɪ] *n филос.* эсхатоло́гия (*религиозное учение о конечных судьбах мира и человека*)

escheat [ɪs'tʃi:t] *юр.* **1.** *n* 1) перехо́д вы́морочного иму́щества в казну́ 2) вы́морочное иму́щество

2. *v* 1) конфискова́ть вы́морочное иму́щество 2) станови́ться вы́морочным (*об имуществе*)

eschew [ɪs'tʃu:] *v книжн.* избега́ть, сторони́ться, возде́рживаться, остерега́ться

escort 1. *n* ['eskɔ:t] 1) охра́на, конво́й, прикры́тие 2) сопровожде́ние, сви́та; эско́рт 3) провожа́тый

2. *v* [ɪs'kɔ:t] конвои́ровать; сопровожда́ть, эскорти́ровать

escribe [ə'skraɪb] *v мат.* опи́сывать (*круг*)

escritoire [,eskrə'twɑ:] *n* секрете́р

escrow ['eskrəʊ] *n* усло́вное депони́рование де́нежной су́ммы (*или* со́бственности) у тре́тьего лица́ на чьё-л. и́мя; in ~ на хране́нии

escudo [ɪ'sku:dəʊ] *n* (*pl* -os [-əʊz]) эску́до (*денежная единица Португалии и др. стран*)

esculent ['eskjʊlənt] *книжн.* **1.** *a* съедо́бный, го́дный в пи́щу (*особ. об овощах*)

2. *n* съедо́бное, съестно́е (*особ. об овощах*)

escutcheon [ɪs'kʌtʃən] *n* 1) щит герба́ 2) доска́ (*на корме*) с назва́нием су́дна 3) *архит.* орнамента́льный щит ◇ a blot on one's ~ пятно́ позо́ра, запя́тнанная репута́ция *или* честь

Eskimo ['eskɪməʊ] **1.** *n* (*pl* -oes [-əʊz]) 1) эскимо́с 2) эскимо́сский язы́к ◇ ~ dog ла́йка; ~ pie *амер.* эскимо́ (*мороженое*)

2. *a* эскимо́сский

esophagus [i:'sɒfəgəs] *амер.* = oesophagus

esoteric [,esəʊ'terɪk] **1.** *a* та́йный; изве́стный *или* поня́тный лишь посвящённым

2. *n* посвящённый

espalier [ɪs'pælɪeɪ] *n* шпале́ры, шпале́рник (*в саду*)

esparto [es'pɑ:təʊ] *n* (*pl* -os [-əʊz]) *бот.* трава́ а́льфа, эспа́рто (*тж.* ~ grass)

especial [ɪs'peʃl] *a* осо́бенный, осо́бый; специа́льный, исключи́тельный; my ~ aversion предме́т моего́ осо́бого отвраще́ния; of ~ importance осо́бо ва́жный

especially [ɪs'peʃlɪ] *adv* осо́бенно, гла́вным о́бразом

Esperanto [,espə'ræntəʊ] *n* (язы́к) эспера́нто

espial [ɪ'spaɪəl] *n* та́йное наблюде́ние; высле́живание

espionage [,espɪə'nɑ:ʒ] *n* шпиона́ж, шпио́нство

esplanade [,esplə'neɪd] *n* 1) эспла́нада, площа́дка для прогу́лок 2) *воен.* эспла́на́да

espousal [ɪs'paʊzl] *n* 1) уча́стие, подде́ржка (*какого-л. дела*) 2) (*обыкн. pl*) *уст.* сва́дьба; обруче́ние

espouse [ɪs'paʊz] *v* 1) подде́рживать (*идею и т. п.*); отдава́ться (*какому-л. делу*) 2) *уст.* выдава́ть за́муж; жени́ть

espresso [e'spresəʊ] *n* (*pl* -os [-əʊz]) 1) кафе́ «экспре́сс» (*тж.* ~ bar) 2) кофева́рка «экспре́сс»

esprit [e'spri:] *фр. n* 1) дух 2) жи́вость ума́, остроу́мие

esprit de corps [e,spri:də'kɔ:] *фр. n* ка́стовость; сосло́вный, корпорати́вный дух

espy [ɪ'spaɪ] *v книжн.* 1) заме́тить, зави́деть издалека́ 2) неожи́данно обнару́жить (*недостаток и т. п.*)

Esquimau ['eskɪməʊ] = Eskimo

esquire [ɪs'kwaɪə] *n* 1) (Esq.) господи́н (*как вежливое обращение; пишется* *в адресе после имени адресата)*; John Smith, Esq. г-ну Джо́ну Сми́ту 2) *уст.* = squire 1

essay 1. *n* ['eseɪ] 1) о́черк, этю́д, набро́сок; эссе́ 2) попы́тка 3) про́ба, о́пыт

2. *v* [e'seɪ] *книжн.* 1) пыта́ться; to ~ a hard task брать на себя́ неблагода́рный труд 2) подверга́ть испыта́нию

essayist ['eseɪɪst] *n* очерки́ст; эссеи́ст

essence ['esns] *n* 1) су́щность, существо́; in ~ по существу́; of the ~ суще́ственно 2) экстра́кт, эссе́нция 3) арома́т 4) *уст.* духи́ 5) *авто* бензи́н

essential [ɪ'senʃl] **1.** *a* 1) необходи́мый, весьма́ ва́жный, це́нный; неотъе́млемый 2) суще́ственный; составля́ющий су́щность 3): ~ oils эфи́рные масла́

2. *n* 1) *pl* предме́ты пе́рвой необходи́мости 2) су́щность; неотъе́млемая часть; the ~s of education осно́вы воспита́ния

essentiality [ɪ,senʃɪ'ælətɪ] *n* су́щность; суще́ственность

essentially [ɪ'senʃlɪ] *adv* 1) по существу́ 2) суще́ственным о́бразом

establish [ɪ'stæblɪʃ] *v* 1) осно́вывать; создава́ть; учрежда́ть 2) устана́вливать, создава́ть; устра́ивать; to ~ favourable conditions (for smth.) созда́ть благоприя́тные усло́вия (для чего́-л.); to ~ oneself in a new house посели́ться в но́вом до́ме 3) устана́вливать (*обычай, факт*) 4) упро́чивать, укрепля́ть; to ~ one's reputation упро́чить свою́ репута́цию 5) (юриди́чески) доказа́ть 6) заложи́ть (*фундамент*)

established [ɪs'tæblɪʃt] **1.** *p. p. от* establish

2. *a* 1) (официа́льно) учреждённый; E. Church госуда́рственная це́рковь 2) устано́вленный; упро́чившийся; укорени́вшийся; ~ truth непрело́жная и́стина; ~ practice устоя́вшаяся пра́ктика; long ~ освящённый вре́менем; общепри́нятый 3) при́знанный, авторите́тный 4) акклиматизи́ровавшийся

establishment [ɪ'stæblɪʃmənt] *n* 1) основа́ние; введе́ние 2) учрежде́ние, заведе́ние; ве́домство 3) штат (*служащих*) 4) хозя́йство, семья́, дом; separate ~ побо́чная семья́ 5) (the E.) а) госуда́рственная це́рковь; б) исте́блишмент; совоку́пность осно́в и усто́ев госуда́рственного и социа́льного стро́я; консервати́вно-бюрократи́ческий аппара́т сохране́ния вла́сти; пра́вящая эли́та

estate [ɪ'steɪt] *n* 1) име́ние, поме́стье 2) площа́дка жило́й *или* промы́шленной застро́йки 3) иму́щество; personal (real) ~ дви́жимое (недви́жимое) иму́щество 4) сосло́вие; the fourth ~ *ирон.* «четвёртое сосло́вие», пре́сса 5) *уст.* положе́ние; to suffer in one's ~ тяготи́ться свои́м положе́нием; man's ~ возмужа́лость 6) *attr.*: ~ agent а) управля́ющий име́нием; б) аге́нт по прода́же домо́в, земе́льных уча́стков и име́ний (*тж.* real ~ agent); ~ duty нало́г на насле́дство

estate car [ɪ'steɪtkɑ:] *n* легково́й автомоби́ль с ку́зовом «универса́л»

esteem [ɪ'sti:m] **1.** *n* уваже́ние; to hold in (high) ~ пита́ть (большо́е) уваже́ние

2. *v* 1) уважа́ть, почита́ть; I ~ him highly я глубоко́ его́ уважа́ю; я высоко́ его́ ценю́ 2) *книжн.* счита́ть, рассма́тривать; дава́ть оце́нку; I shall ~ it a favour я сочту́ э́то за любе́зность

ester ['estə] *n хим.* сло́жный эфи́р

estimable ['estɪməbl] *a* 1) досто́йный уваже́ния 2) *уст.* це́нный

estimate 1. *n* ['estɪmət] 1) оце́нка 2) сме́та; намётка; калькуля́ция; the Estimates прое́кт госуда́рственного бюдже́та по расхо́дам (*представляемый ежегодно в англ. парламент*)

2. *v* ['estɪmeɪt] 1) оце́нивать, дава́ть оце́нку 2) составля́ть сме́ту; подсчи́тывать приблизи́тельно; прики́дывать

estimation [,estɪ'meɪʃn] *n* 1) подсчёт, вычисле́ние; определе́ние глазоме́ром; прики́дка 2) сужде́ние; мне́ние; оце́нка; in my ~ по моему́ мне́нию 3) *уст.* уваже́ние; to hold in ~ уважа́ть

estimator ['estɪmeɪtə] *n* оце́нщик

Estonian [e'stəʊnɪən] **1.** *a* эсто́нский

2. *n* 1) эсто́нец; эсто́нка 2) эсто́нский язы́к

estop [ɪ'stɒp] *v юр.* 1) отводи́ть како́е-л. заявле́ние, противоре́чащее пре́жним выска́зываниям того́ же лица́ 2) заявля́ть процессуа́льный отво́д

estoppel [ɪ'stɒpl] *n юр.* процессуа́льный отво́д

estrange [ɪ'streɪndʒ] *v* отдаля́ть, отстраня́ть, де́лать чу́ждым; to ~ oneself from smb. отходи́ть, отдаля́ться от кого́-л.

estrangement [ɪ'streɪndʒmənt] *n* 1) отчуждённость, отчужде́ние; охлажде́ние, холодо́к (*в отношениях*) 2) отдале́ние; отры́в, разры́в

estreat [ɪ'stri:t] *v* 1) *юр.* направля́ть ко взыска́нию докуме́нты о штра́фе, недо́имке *и т. п.* 2) штрафова́ть

estuary ['estjʊrɪ] *n* эстуа́рий, де́льта; у́стье реки́

esurient [ɪ'sjʊərɪənt] *a уст.* 1) голо́дный 2) жа́дный

et cetera [et'setrə] *лат. adv* и так да́лее, и про́чее

et ceteras, etceteras [et'setrə] *n pl* вся́кая вся́чина; несуще́ственные дополне́ния

etch [etʃ] *v* 1) гравирова́ть; трави́ть на мета́лле 2) оставля́ть неизглади́мый след

etcher ['etʃə] *n* граве́р; офорти́ст

etching ['etʃɪŋ] *n* 1) гравю́ра, офо́рт 2) гравиро́вка 3) травле́ние, вытра́вливание 4) *attr.*: ~ ground офо́ртный грунт; ~ needle офо́ртная игла́

eternal [ɪ'tɜ:nl] *a* 1) ве́чный; изве́чный, ве́ковечный; the E. City Рим 2) неизме́нный, твёрдый, непрело́жный (*о принципах и т. п.*) 3) *разг.* беспреры́вный, постоя́нный; his ~ jokes ве́чные его́ шу́тки

eternalize [ɪ'tɜ:nəlaɪz] *v* увекове́чивать; де́лать ве́чным

eternity [ɪ'tɜ:nətɪ] *n* 1) ве́чность 2) *рел.* ве́чная жизнь; загро́бный мир 3) *разг.* це́лая ве́чность, о́чень до́лго 4) *pl* ве́чные и́стины

eternize [i:'tɜ:naɪz] = eternalize

Etesian [ɪ'ti:ʒɪən] *a* периоди́ческий, годи́чный; ~ winds ле́тние се́веро-за́падные пасса́тные ве́тры (*на Средиземном море*)

ethane ['eθeɪn] *n хим.* эта́н

ethanol ['eθənɒl] *n* эти́ловый спирт

ether ['i:θə] *n* 1) *хим., физ.* эфи́р; over the ~ по ра́дио 2) *поэт.* не́бо, небеса́

ethereal [ɪ'θɪərɪəl] *a* 1) эфи́рный 2) лёгкий, возду́шный; беспло́тный 3) неземно́й

ethic(al) ['eθɪk(l)] *a* 1) нра́вственный, эти́ческий 2) эти́чный

ethics ['eθɪks] *n pl* (*употр. как sing*) э́тика; a code of ~ мора́льный ко́декс

Ethiopian [,i:θɪ'əʊpɪən] **1.** *a* эфио́пский

2. *n* эфио́п

ethmoid ['eθmɔɪd] *a* решётчатый; ~ bone *анат.* решётчатая кость

ethnic(al) ['eθnɪk(l)] *a* 1) этни́ческий 2) *уст.* язы́ческий

ethnographic(al) [,eθnə'græfɪk(l)] *a* этнографи́ческий

ethnography [eθ'nɒgrəfɪ] *n* этногра́фия

ethnologic(al) [,eθnə'lɒdʒɪk(l)] *a* этнологи́ческий

ethnology [eθ'nɒlədʒɪ] *n* этноло́гия

ethology [i:'θɒlədʒɪ] *n* этоло́гия

ethos ['i:θɒs] *n филос.* э́тос, хара́ктер лица́ *или* явле́ния

ethyl ['eθɪl] *n* 1) *хим.* эти́л 2) *attr.*: ~ alcohol ви́нный спирт (= ethanol)

etiolate ['i:tɪəleɪt] *v* 1) *бот.* выра́щивать расте́ние в темноте́, этиоли́ровать 2) де́лать бле́дным, придава́ть боле́зненный вид

etiology [,i:tɪ'ɒlədʒɪ] *амер.* = aetiology

etiquette ['etɪket] *n* 1) этике́т 2) профессиона́льная э́тика

Eton ['i:tn] *n* 1) И́тонский ко́лледж 2) *attr.*: ~ collar широ́кий отложно́й воротни́к; ~ crop коро́ткая же́нская стри́жка

Etonian [i:'təʊnɪən] **1.** *a* относя́щийся к И́тонскому ко́лледжу

2. *n* воспи́танник И́тонского ко́лледжа

Etruscan [ɪ'trʌskən] *ист.* **1.** *a* этру́сский

2. *n* 1) этру́ск 2) этру́сский язы́к

étude [eɪ'tju:d] *n муз.* этю́д

étui [e'twi:] *n* я́щичек для иго́лок, була́вок *и пр.*; футля́рчик

etyma ['etɪmə] *pl от* etymon

etymologic(al) [,etɪmə'lɒdʒɪk(l)] *a* этимологи́ческий

etymologist [,etɪ'mɒlədʒɪst] *n* этимо́лог

etymologize [,etɪ'mɒlədʒaɪz] *v* изуча́ть этимоло́гию; определя́ть этимоло́гию сло́ва

etymology [,etɪ'mɒlədʒɪ] *n* этимоло́гия

etymon ['etɪmɒn] *n* (*pl* -ma) *лингв.* этимо́н

eucalypti [,ju:kə'lɪptaɪ] *pl от* eucalyptus

eucalyptus [ˌjuːkəˈlɪptəs] *n* (*pl* -ses [-sɪz], -ti) *бот.* эвкали́пт

Eucharist [ˈjuːkərɪst] *n церк.* 1) евхари́стия, прича́стие 2) святы́е дары́

euchre [ˈjuːkə] **1.** *n* род ка́рточной игры́

2. *v* 1) *карт.* обреми́зить проти́вника 2) перехитри́ть, взять верх, одоле́ть

Euclid [ˈjuːklɪd] *n* 1) Эвкли́д 2) эвкли́дова геоме́трия

eudiometer [ˌjuːdɪˈɒmɪtə] *n хим.* эвдио́метр

eugenic [juˈdʒenɪk] *a* евгени́ческий

eugenics [juˈdʒenɪks] *n pl* (*употр. как sing*) евге́ника

eulogist [ˈjuːlədʒɪst] *n* панегири́ст

eulogistic(al) [ˌjuːləˈdʒɪstɪk(l)] *a* хвале́бный, панегири́ческий

eulogize [ˈjuːlədʒaɪz] *v* хвали́ть, превозноси́ть, восхваля́ть

eulogy [ˈjuːlədʒɪ] *n* хвале́бная речь, панеги́рик; to pronounce a ~ on smb., to pronounce smb.'s ~ расхвали́ть кого́-л.

eunuch [ˈjuːnək] *n* е́внух, скопе́ц

eupepsia [jʊˈpepsɪə] *n* норма́льное пищеваре́ние

eupeptic [jʊˈpeptɪk] *a* 1) име́ющий хоро́шее пищеваре́ние 2) спосо́бствующий пищеваре́нию

euphemism [ˈjuːfəˌmɪzəm] *n* эвфеми́зм

euphemistic(al) [ˌjuːfəˈmɪstɪk(l)] *a* эвфемисти́ческий

euphonic(al) [juːˈfɒnɪk(l)] *a* благозву́чный

euphonious [jʊˈfəʊnɪəs] = euphonic(al)

euphonize [ˈjuːfənaɪz] *v* де́лать благозву́чным

euphony [ˈjuːfənɪ] *n* благозву́чие

euphoria [jʊˈfɔːrɪə] *n* 1) *мед.* эйфори́я 2) повы́шенно-ра́достное настрое́ние; in a state of ~ в припо́днятом настрое́нии

euphrasy [ˈjuːfrəsɪ] *n бот.* оча́нка лека́рственная

euphuism [ˈjuːfjʊˌɪzəm] *n лит.* эвфуи́зм, напы́щенный стиль

Eurasian [jʊˈreɪʒn] **1.** *a* еврази́йский

2. *n* еврази́ец

eureka [jʊˈriːkə] *int* э́врика!

eurhythmics [jʊˈrɪðmɪk] *n* ри́тмика; ритми́ческая гимна́стика

European [ˌjʊərəˈpiːən] **1.** *a* европе́йский

2. *n* европе́ец

europium [jʊˈrəʊpɪəm] *n хим.* европи́й

Eurovision [ˈjʊərəʊˌvɪʒn] *n тлв.* Еврови́дение

Eustachian tube [jʊˌsteɪʃnˈtjuːb] *n анат.* евста́хиева труба́

euthanasia [ˌjuːθəˈneɪzɪə] *n* 1) эйтана́зия, умерщвле́ние неизлечи́мых больны́х 2) лёгкая смерть, безболе́зненный ухо́д из жи́зни

evacuate [ɪˈvækjʊeɪt] *v* 1) эвакуи́ровать, вывози́ть 2) опорожня́ть; *мед.* очища́ть (*желудок и т. п.*) 3) *тех.* отка́чивать, разрежа́ть (*воздух*)

evacuation [ɪˌvækjʊˈeɪʃn] *n* 1) эвакуа́ция 2) *мед.* опорожне́ние, эвакуа́ция 3) *физиол.* испражне́ние

evacuee [ɪˌvækjˈiː] *n* эвакуи́рованный; эвакуи́руемый

evade [ɪˈveɪd] *v* 1) ускольза́ть 2) уклоня́ться; обходи́ть (*закон, вопрос*) 3) избега́ть 4) не поддава́ться (*усилиям, определению и т. п.*)

evaluate [ɪˈvæljʊeɪt] *v* 1) оце́нивать; определя́ть коли́чество, ка́чество *и т. п.* 2) *мат.* выража́ть в чи́слах

evaluation [ɪˌvæljʊˈeɪʃn] *n* оце́нка, определе́ние ка́чества, коли́чества *и т. п.*

evanesce [ˌevəˈnes] *v* 1) исчеза́ть из виду 2) изгла́живаться, стира́ться

evanescence [ˌevəˈnesns] *n* исчезнове́ние

evanescent [ˌevəˈnesnt] *a* 1) мимолётный; бы́стро исчеза́ющий 2) *мат.* бесконе́чно ма́лый, приближа́ющийся к нулю́

evangelic [ˌiːvænˈdʒelɪk] *a* ева́нгельский

evangelical [ˌiːvænˈdʒelɪkl] **1.** *a* 1) ева́нгельский 2) евангели́ческий, протеста́нтский

2. *n* протеста́нт

evangelist [ɪˈvændʒəlɪst] *n* 1) евангели́ст 2) стра́нствующий пропове́дник; миссионе́р

evangelistic [ɪˌvændʒəˈlɪstɪk] *a* евангели́стский

evanish [ɪˈvænɪʃ] *v поэт.* исчеза́ть; замира́ть (*о звуках и т. п.*)

evaporate [ɪˈvæpəreɪt] *v* 1) испаря́ть(ся) 2) выпа́ривать; сгуща́ть 3) *разг.* исчеза́ть; умира́ть; his hopes ~d от его́ наде́жд ничего́ не оста́лось

evaporated [ɪˈvæpəreɪtɪd] **1.** *p. p. от* evaporate

2. *a* сгущённый; ~ milk сгущённое молоко́ (*без сахара*)

evaporation [ɪˌvæpəˈreɪʃn] *n* 1) испаре́ние; парообразова́ние 2) выпа́ривание

evaporative [ɪˈvæpərətɪv] *a* испаря́ющий; парообразу́ющий

evaporator [ɪˈvæpəreɪtə] *n тех.* испари́тель

evasion [ɪˈveɪʒn] *n* 1) уклоне́ние; увёртка, отгово́рка *и пр.* [*см.* evade]; his answer was a mere ~ он про́сто уклони́лся от отве́та 2) *редк.* бе́гство

evasive [ɪˈveɪsɪv] *a* 1) укло́нчивый 2) уклоня́ющийся 3) неуловúмый

Eve [iːv] *n библ.* Е́ва; *перен.* же́нщина; daughters of ~ до́чери Е́вы, же́нщины

eve [iːv] *n* 1) кану́н; on the ~ накану́не; Christmas ~ Соче́льник 2) *поэт.* ве́чер

even I [ˈiːvn] *n поэт.* ве́чер

even II [ˈiːvn] **1.** *a* 1) ро́вный, гла́дкий 2) одина́ковый; тот же са́мый; схо́дный; ~ date *бухг.* то же число́ 3) ра́вный, на одно́м у́ровне (with); ~ with the ground вро́вень с землёй 4) равноме́рный, разме́ренный; моното́нный; ~ movement равноме́рное движе́ние 5) уравнове́шенный; ~ temper ро́вный, споко́йный хара́ктер 6) справедли́вый, беспристра́стный 7) чётный 8) це́лый (*о числе*) ◇ to get (*или* to be) ~ with smb. свести́ счёты, расквита́ться с кем-л.

2. *adv* 1) да́же; ~ if, ~ though да́же е́сли; хотя́ бы; ~ as как раз; ~ so несмотря́ на, одна́ко, хотя́, всё же 2) как раз; то́чно 3) *уст.* ро́вно

3. *v* 1) выра́внивать (*поверхность*); сгла́живать 2) равня́ть, ста́вить на одну́ до́ску ◇ to ~ up on smb. расквита́ться с кем-л.

evenhanded [ˌiːvnˈhændɪd] *a* беспристра́стный, справедли́вый

evening [ˈiːvnɪŋ] *n* 1) ве́чер 2) вечери́нка, ве́чер 3) *attr.* вече́рний; ~ star вече́рняя звезда́; ~ meal у́жин; ~ dress а) вече́рний костю́м (*фрак, смокинг*); б) вече́рнее, ба́льное пла́тье

evenly [ˈiːvnlɪ] *adv* 1) ро́вно, по́ровну; одина́ково 2) равноме́рно 3) споко́йно, уравнове́шенно 4) беспристра́стно, справедли́во

even-minded [ˌiːvnˈmaɪndɪd] *a* споко́йный; уравнове́шенный

evensong [ˈiːvnsɒŋ] *n церк.* 1) ве́черя 2) вече́рняя моли́тва

event [ɪˈvent] *n* 1) собы́тие; the course of ~s ход собы́тий; quite an ~ це́лое, настоя́щее собы́тие 2) слу́чай, происше́ствие; in the ~ of his death в слу́чае его́ сме́рти; at all ~s во вся́ком слу́чае; in any (*или* in either) ~ так и́ли ина́че 3) исхо́д, результа́т; his plan was unhappy in the ~ в коне́чном результа́те его́ план потерпе́л неуда́чу 4) но́мер (*в программе состязаний*) 5) соревнова́ние по определённому ви́ду спо́рта 6) *тех.* такт (*двигателя внутреннего сгорания*) 7) *физ.* я́дерное превраще́ние (*тж.* nuclear ~)

eventful [ɪˈventfl] *a* по́лный собы́тий, бога́тый собы́тиями

eventide [ˈiːventaɪd] *n поэт.* ве́чер, вече́рняя пора́

eventless [ɪˈventləs] *a* бе́дный собы́тиями

eventual [ɪˈventʃʊəl] *a* 1) коне́чный, оконча́тельный 2) возмо́жный, могу́щий случи́ться, эвентуа́льный

eventuality [ɪˌventʃʊˈælətɪ] *n* возмо́жный слу́чай; возмо́жность; случа́йность

eventually [ɪˈventʃʊəlɪ] *adv* в коне́чном счёте, в конце́ концо́в; со вре́менем

eventuate [ɪˈventʃʊeɪt] *v книжн.* 1) конча́ться, разреша́ться (in — *чем-л.*) 2) явля́ться результа́том, возника́ть, случа́ться

ever [ˈevə] *adv* 1) всегда́; ~ after, ~ since с тех по́р (как); for ~ (and ~), for ~ and a day а) навсегда́, наве́чно; б) беспреста́нно; ~ yours всегда́ Ваш (*подпись в письме*) 2) когда́-либо; it is the best symphony I have ~ heard э́то лу́чшая симфо́ния, кото́рую я когда́-либо слы́шал; hardly ~ едва́ ли когда́-нибудь; почти́ никогда́ 3) *разг. употр. для усиления*: why ~ did you do it? да почему́ же вы э́то сде́лали?; what ~ do you mean? что же вы хоти́те э́тим сказа́ть? 4): as ~ как то́лько; I shall do it as soon as ~ I can я сде́лаю э́то, как то́лько смогу́ ◇ ~ so *разг.* а) о́чень; thank you ~ so much большóе вам спасúбо; б) как бы ни; even if the weather is ~ so bad, I must go как бы плохá погóда ни былá, я дóлжен идтú

everglade ['evəgleɪd] *n* болóтистая нúзменность, местáми порóсшая высóкой травóй ◇ E. State Болóтистый штат (*название штата Флорида*)

evergreen ['evəgri:n] **1.** *a* вечнозелёный

2. *n* вечнозелёное растéние

ever-growing [,evə'grəʊɪŋ] *a* постоянно, неуклóнно растýщий; ~ demand всё увелúчивающийся спрос

everlasting [,evə'lɑ:stɪŋ] **1.** *a* 1) вéчный 2) вéчный, бесконéчный; постоя́нный; this ~ noise э́тот постоя́нный шум 3) надоéдливый, докýчливый 4) выносливый; прóчный 5) сохраня́ющий цвет и фóрму в засýшенном вúде (*о растениях*)

2. *n* 1) *поэт.* вéчность; from ~ спокóн векóв 2) *бот.* иммортéль, бессмéртник (*тж.* ~ flower)

evermore [,evə'mɔ:] *adv* навéки; навсегдá

ever-present [,evə'preznt] *a* вездесýщий

evert [ɪ'vɜ:t] *v* вывора́чивать наизна́нку, нарýжу

every ['evrɪ] *a* 1) кáждый; всякий; ~ time а) всегдá; б) когдá бы ни, кáждый раз; в) *разг.* без исключéния; без колебáния 2) вся́кий, все; ~ gun was loaded все орýдия бы́ли заря́жены 3) пóлный, абсолю́тный; I have ~ reason to believe that... у меня́ есть все основáния считáть, что... ◇ ~ now and then, ~ now and again врéмя от врéмени, то и дéло; ~ bit (*или* whit) *разг.* во всех отношéниях; совершéнно; ~ so often врéмя от врéмени; with ~ good wish с лýчшими пожелáниями

everybody ['evrɪbɒdɪ] *pron indef.* кáждый, вся́кий (человéк); все; ~ is happy все счáстливы

everyday ['evrɪdeɪ] *a* ежеднéвный; повседнéвный, обы́чный; ~ sentences обихóдные фрáзы; ~ talk разговóр на бытовы́е тéмы

everyman ['evrɪmæn] *n* обыкновéнный, срéдний человéк; обывáтель

everyone ['evrɪwʌn] = everybody

everyplace ['evrɪpleɪs] *adv амер.* вездé, повсю́ду

everything ['evrɪθɪŋ] *pron indef.* 1) всё 2) *разг.* мáсса, кýча; they gave me ~ онú мне всегó понадавáли 3) *разг.* всё сáмое вáжное; speed is ~ сáмое глáвное — э́то скóрость

every way ['evrɪweɪ] *adv* 1) во всех направлéниях 2) во всех отношéниях

everywhere ['evrɪweə] *adv* всю́ду, вездé

evict [ɪ'vɪkt] *v* 1) выселя́ть; изгоня́ть 2) оттягáть по судý (*землю и т. п.*; of, from — у)

eviction [ɪ'vɪkʃn] *n* 1) выселéние; изгнáние 2) *юр.* лишéние имýщества (*по суду*)

evidence ['evɪdəns] **1.** *n* 1) основáние; дáнные, прúзнаки; to give (*или* to bear) ~ свидéтельствовать; on this ~ в свéте э́того; from all ~ , there is ample ~ that всё говорúт за то, что 2) *юр.* улúка; свидéтельское показáние; piece of ~ улúка; cumulative ~ совокýпность улúк; to call in ~ вызывáть (*в суд*) для дáчи показáний; to turn King's (*или* Queen's, *амер.* State's) ~ вы́дать сообщников и стать свидéтелем обвинéния; in ~ прúнятый в кáчестве доказáтельства [*ср. тж.* 3)] 3) очевúдность; in ~ замéтный, бросáющийся в глазá [*ср. тж.* 2)]

2. *v* служúть доказáтельством, докáзывать

evident ['evɪdənt] *a* 1) очевúдный, я́вный 2) кáжущийся; his ~ anxiety егó кáжущаяся обеспокóенность

evidential [,evɪ'denʃl] *a* 1) очевúдный, не вызывáющий сомнéний 2) доказáтельный

evidentiary [,evɪ'denʃərɪ] = evidential

evidently ['evɪdentlɪ] *adv* 1) очевúдно; несомнéнно 2) по внéшнему вúду, внéшне

evil ['i:vl] **1.** *n* 1) зло; вред; to do ~ наносúть ущéрб; творúть зло; (the) lesser ~ мéньшее зло 2) бéдствие, несчáстье 3) грех, порóк 4) *уст.* болéзнь; King's ~ золотýха; St. John's ~ эпилéпсия ◇ of two ~s choose the less *посл.* из двух зол выбирáй мéньшее

2. *a* 1) дурнóй, злой; зловéщий; the E. One дья́вол; ~ tongue злой язы́к; ~ eye дурнóй глаз 2) врéдный, пáгубный; ~ results злосчáстные послéдствия 3) порóчный, дурнóй; ~ life распýтная жизнь ◇ to fall on ~ days (*или* times) обнищáть; попáсть в полосý неудáч; хлебнýть гóря

evildoer ['i:vl,du:ə] *n* 1) престýпник, злодéй 2) грéшник

evil-minded [,i:vl'maɪndɪd] *a* 1) злонамéренный 2) злóбный, злой

evince [ɪ'vɪns] *v* 1) проявля́ть, выкáзывать 2) *редк.* докáзывать

evincible [ɪ'vɪnsbl] *a* доказýемый

evincive [ɪ'vɪnsɪv] *a* докáзывающий; доказáтельный

evirate ['i:vɪreɪt] *v книжн.* 1) кастрúровать 2) лишáть мýжественности

eviscerate [ɪ'vɪsəreɪt] *v книжн.* 1) потрошúть 2) лишáть содержáния, выхолáщивать

evocative [ɪ'vɒkətɪv] *a* восстанáвливающий в пáмяти

evoke [ɪ'vəʊk] *v* 1) вызывáть (*воспоминание, восхищение и т. п.*) 2) вызывáть (*духов*) 3) *юр.* истрéбовать (*дело*) из нижестоя́щего судá в вышестоя́щий

evolution [,i:və'lu:ʃn] *n* 1) развúтие, постепéнное изменéние 2) эволю́ция; Theory of E. эволюциóнная теóрия 3) (*обыкн. pl*) *воен., мор.* перестроéние; манёвр; передвижéние 4) развёртывание, развúтие (*сюжета и т. п.*)

evolutional [,i:və'lu:ʃnl] *a* эволюциóнный

evolutionary [,i:və'lu:ʃnərɪ] = evolutional

evolutionism [,i:və'lu:ʃnɪzəm] *n* теóрия эволю́ции

evolutionist [,i:və'lu:ʃnɪst] *n* эволюционúст

evolutive [ɪ'vɒljʊtɪv] *a* спосóбствующий развúтию; находя́щийся в процéссе развúтия

evolve [ɪ'vɒlv] *v* 1) развивáться, эволюционúровать 2) развивáть (*теорию и т. п.*); to ~ a plan намéтить план 3) развёртываться 4) выделя́ть (*газы, теплоту*); издавáть (*запах*)

evulsion [ɪ'vʌlʃn] *n* насúльственное извлечéние, вырывáние с кóрнем

ewe [ju:] *n* овцá

ewer ['ju:ə] *n* кувшúн

ex- [eks-] *pref* 1) *указывает на изъятие, исключение и т. п.* из-, вне-; extract вырывáть; exterritorial экстерриториáльный 2) бы́вший, прéжний, экс-; ex-president бы́вший президéнт

exacerbate [ɪg'zæsəbeɪt] *v* 1) обострять, усúливать (*боль и т. п.*) 2) раздражáть, ожесточáть

exacerbation [ɪg,zæsə'beɪʃn] *n* 1) обострéние, усилéние (*боли и т. п.*) 2) раздражéние 3) *мед.* пароксúзм; обострéние (*болезни*)

exact [ɪg'zækt] **1.** *a* тóчный; стрóгий (*о правилах, порядке*); аккурáтный; совершéнно прáвильный, вéрный; ~ sciences тóчные наýки; ~ memory хорóшая пáмять

2. *v* 1) взы́скивать (from, of) 2) (настоя́тельно) трéбовать; домогáться 3) вымогáть

exacting [ɪg'zæktɪŋ] **1.** *pres. p. от* exact 2

2. *a* 1) трéбовательный; придúрчивый; сурóвый 2) напряжённый; изнуря́ющий

exaction [ɪg'zækʃn] *n* 1) настоя́тельное трéбование; домогáтельство 2) вымогáтельство 3) чрезмéрный налóг, побóры *и т. п.*

exactitude [ɪg'zæktɪtju:d] *n* тóчность; аккурáтность

exactly [ɪg'zæktlɪ] *adv* 1) тóчно; как раз; not ~ the same не совсéм то же сáмое 2) úменно, да, совершéнно вéрно (*в ответе*)

exactness [ɪg'zæktnəs] *n* тóчность; аккурáтность

exactor [ɪg'zæktə] *n* вымогáтель

exaggerate [ɪg'zædʒəreɪt] *v* 1) преувелúчивать 2) излúшне подчёркивать

exaggerated [ɪg'zædʒəreɪtɪd] **1.** *p. p. от* exaggerate

2. *a* 1) преувелúченный 2) *мед.* ненормáльно расшúренный, увелúченный (*о сердце и т. п.*)

exaggeratedly [ɪg'zædʒəreɪtɪdlɪ] *adv* преувелúченно; подчёркнуто

exaggeration [ɪg,zædʒə'reɪʃn] *n* преувеличéние

exaggerative [ɪg'zædʒərətɪv] *a* преувелúчивающий; не соблюдáющий чýвства мéры

exalt [ɪg'zɔ:lt] *v* 1) возвыша́ть; возноси́ть; возвели́чивать 2) превозноси́ть; восхваля́ть; to ~ to the skies превозноси́ть до небе́с 3) поднима́ть настрое́ние; приводи́ть в восто́рг 4) уси́ливать; сгуща́ть (*краски и т. п.*)

exaltation [,egzɔ:l'teɪʃn] *n* 1) возвыше́ние; повыше́ние; возвеличе́ние 2) восто́рг, экзальта́ция

exalted [ɪg'zɔ:ltɪd] **1.** *p. p. от* exalt

2. *a* 1) возвы́шенный (*о чувстве, стиле и т. п.*); досто́йный, благоро́дный 2) высокопоста́вленный 3) экзальтиро́ванный

exam [ɪg'zæm] *n разг.* экза́мен

examination [ɪg,zæmɪ'neɪʃn] *n* 1) осмо́тр, прове́рка; иссле́дование; эксперти́за; custom-house ~ тамо́женный досмо́тр 2) осмо́тр, освиде́тельствование; ~ by touch *мед.* пальпа́ция; post-mortem ~ *мед.* вскры́тие тру́па 3) экза́мен; to go in for an ~ держа́ть экза́мен; to take an ~ сдава́ть экза́мен; to pass one's ~ вы́держать экза́мен; to fail an ~ провали́ться на экза́мене 4) *юр.* допро́с

examinational [ɪg,zæmɪ'neɪʃənl] *a* экзаменацио́нный

examination-paper [ɪg,zæmɪ'neɪʃn-peɪpə] *n* экзаменацио́нная рабо́та

examine [ɪg'zæmɪn] *v* 1) рассма́тривать; иссле́довать (*тж.* ~ into) 2) прове́рять, обсле́довать 3) экзаменова́ть 4) *мед.* выслу́шивать, осма́тривать 5) *воен. юр.* допра́шивать; опра́шивать

examinee [ɪg,zæmɪ'ni:] *n* экзамену́ющийся

examiner [ɪg'zæmɪnə] *n* 1) экзамена́тор; to satisfy the ~s сдать экза́мен удовлетвори́тельно, без отли́чия 2) инспе́ктор; контролёр; экспе́рт

example [ɪg'zɑ:mpl] *n* 1) характе́рный приме́р, образе́ц 2) приме́р; for ~ наприме́р; to set a good (bad) ~ (по)дава́ть хоро́ший (дурно́й) приме́р; without ~ без прецеде́нта; беспрецеде́нтный; беспримéрный; to take ~ by подража́ть, брать за образе́ц 3) приме́рное наказа́ние, уро́к; let it be an ~ to him пусть э́то послу́жит ему́ уро́ком; to make an ~ of smb. наказа́ть кого́-л. в назида́ние други́м

exanimate [ɪg'zænɪmət] *a редк.* 1) без при́знаков жи́зни 2) безжи́зненный; вя́лый

exanthema [,eksæn'θi:mə] *n мед.* экзанте́ма

exarch ['eksɑ:k] *n церк.* экза́рх

exarchate ['eksɑ:keɪt] *n церк.* экзарха́т

exasperate [ɪg'zæspəreɪt] *v* 1) серди́ть; раздража́ть; изводи́ть, доводи́ть до бе́лого кале́ния 2) уси́ливать (*боль, гнев и т. п.*); to ~ enmity разжига́ть вражду́

exasperating [ɪg'zæspəreɪtɪŋ] **1.** *pres. p. от* exasperate

2. *a* раздража́ющий, изводя́щий

exasperation [ɪg,zæspə'reɪʃn] *n* 1) раздраже́ние; озлобле́ние, гнев 2) усиле́ние, обостре́ние (*боли, болезни и т. п.*)

ex cathedra [,ekskə'θi:drə] *лат. adv* авторите́тно, безапелляцио́нно

excavate ['ekskəveɪt] *v* 1) копа́ть, рыть; вынима́ть грунт; рыть котлова́н 2) выка́пывать, отка́пывать 3) *археол.* производи́ть раско́пки

excavation [,ekskə'veɪʃn] *n* 1) выка́пывание 2) экскава́ция, вы́емка гру́нта; земляны́е рабо́ты 3) выда́лбливание 4) вы́рытая я́ма, вы́емка 5) *археол.* раско́пки 6) го́рная вы́работка

excavator ['ekskəveɪtə] *n* 1) экскава́тор 2) землеко́п

exceed [ɪk'si:d] *v* 1) превыша́ть, быть бо́льше 2) превосходи́ть; to ~ smb. in strength (in height) быть сильне́е кого́-л. (вы́ше ро́стом, чем кто-л.) 3) превыша́ть преде́лы, переходи́ть грани́цы; to ~ one's instructions превы́сить полномо́чия

exceeding [ɪk'si:dɪŋ] **1.** *pres. p. от* exceed

2. *a* безме́рный, чрезме́рный

exceedingly [ɪk'si:dɪŋlɪ] *adv* чрезвыча́йно, о́чень, кра́йне

excel [ɪk'sel] *v* 1) превосходи́ть (in, at); to ~ smb. at smth. превосходи́ть кого́-л. в чём-л. 2) выдава́ться, выделя́ться; to ~ as an orator быть выдаю́щимся ора́тором

excellence ['eksələns] *n* 1) превосхо́дство, преиму́щество 2) выдаю́щееся мастерство́; высо́кое ка́чество

Excellency ['eksələnsɪ] *n* превосходи́тельство

excellent ['eksələnt] *a* превосхо́дный, отли́чный

excelsior [ek'selsɪɔ:] **1.** *int* вы́ше и вы́ше!

2. *n амер.* мя́гкая упако́вочная стру́жка

except [ɪk'sept] **1.** *v* 1) исключа́ть 2) возража́ть (against, to) 3) *юр.* отводи́ть (*свидетеля*)

2. *prep* 1) исключа́я, кро́ме; everybody went ~ John все отпра́вились, а Джон оста́лся 2): ~ for а) (*употр. как предлог*) за исключе́нием; кро́ме; everything is settled ~ for a few details обо всём договорено́, за исключе́нием не́которых дета́лей; б) (*употр. как cj*) е́сли бы не

3. *cj уст.* е́сли не

excepting [ɪk'septɪŋ] **1.** *pres. p. от* except 1

2. *prep* за исключе́нием

exception [ɪk'sepʃn] *n* 1) исключе́ние; the ~ proves the rule исключе́ние подтвержда́ет пра́вило; with the ~ of... за исключе́нием... 2) возраже́ние; неодобре́ние; to take ~ to smth. а) возража́ть про́тив чего́-л.; б) обижа́ться на что-л. 3) *юр.* отво́д

exceptionable [ɪk'sepʃnəbl] *a* небезупре́чный, вызыва́ющий возраже́ния

exceptional [ɪk'sepʃnəl] *a* исключи́тельный; необы́чный; необыкнове́нный

exceptionally [ɪk'sepʃnəlɪ] *adv* исключи́тельно; ~ interesting кра́йне, удиви́тельно занима́тельный

exceptive [ɪk'septɪv] *a книжн.* 1) составля́ющий исключе́ние 2) приди́рчивый

excerpt 1. *n* ['eksɜ:pt] 1) отры́вок, вы́держка 2) (отде́льный) о́ттиск

2. *v* [ek'sɜ:pt] выбира́ть (*отрывки*), де́лать вы́держки, подбира́ть цита́ты

excerption [ek'sɜ:pʃn] *n* 1) вы́бор отры́вка; подбо́р цита́т 2) цита́та; отры́вок; вы́держка

excess [ɪk'ses] *n* 1) избы́ток, изли́шек; in ~ of сверх, бо́льше чем 2) превыше́ние 3) неуме́ренность; to ~ до изли́шества; сли́шком мно́го 4) (*обыкн. pl*) эксце́сс; кра́йность 5) *attr.* дополни́тельный; ~ luggage бага́ж вы́ше но́рмы; ~ fare *ж.-д.* допла́та, припла́та (*за билет*); ~ profit сверхпри́быль; ~ profits tax нало́г на сверхпри́быль

excessive [ɪk'sesɪv] *a* чрезме́рный; изли́шний

exchange [ɪks'tʃeɪndʒ] **1.** *n* 1) обме́н; ме́на; in ~ for в обме́н на; cultural ~ культу́рный обме́н; ~ of prisoners обме́н военнопле́нными 2) *фин.* разме́н де́нег; rate of ~ валю́тный курс; foreign ~ а) иностра́нная валю́та; б) курс иностра́нной валю́ты; bill of ~ ве́ксель, тра́тта 3) центра́льная телефо́нная ста́нция; коммута́тор 4) би́ржа; commodity ~ това́рная би́ржа; grain (*или* corn) ~ хле́бная би́ржа; labour ~ би́ржа труда́ 5) *ком.* расчёты посре́дством деви́з 6) перебра́нка 7) *attr.* менов́ой

2. *v* 1) обме́нивать 2) разме́нивать (*деньги*) 3) меня́ться; to ~ seats поменя́ться места́ми; to ~ words with smb. обменя́ться с кем-л. не́сколькими слова́ми; to ~ ratifications обменя́ться ратификацио́нными гра́мотами; to ~ into another regiment перевести́сь в друго́й полк путём встре́чного обме́на

exchangeable [ɪks'tʃeɪndʒəbl] *a* 1) подлежа́щий обме́ну; not ~ обме́ну не подлежи́т 2) го́дный для обме́на 3) *тех.* взаимозаменя́емый, сме́нный

exchequer [ɪks'tʃekə] *n* 1) казначе́йство; Chancellor of the E. ка́нцлер казначе́йства (*министр финансов Великобритании*) 2) казна́ 3) *разг.* ресу́рсы, фина́нсы 4) *attr.*: ~ bill казначе́йский ве́ксель

excisable [ek'saɪzəbl] *a* облага́емый акци́зным сбо́ром

excise I [ek'saɪz] *v* 1) выреза́ть; отреза́ть 2) *мед.* выреза́ть, иссека́ть; удаля́ть

excise II ['eksaɪz] **1.** *n* 1) акци́з (*тж.* ~ duty) 2) (the E.) *ист.* акци́зное управле́ние

2. *v* взима́ть акци́зный сбор

excision [ɪk'sɪʒn] *n* 1) выреза́ние, отреза́ние 2) *мед.* иссече́ние, удале́ние

excitability [ɪk,saɪtə'bɪlətɪ] *n* возбуди́мость

excitable [ɪk'saɪtəbl] *a* (легко́) возбуди́мый

excitant ['eksɪtənt] **1.** *a* возбужда́ющий

2. *n* возбужда́ющее сре́дство

excitation [,eksɪ'teɪʃn] *n* возбужде́ние

excitative [ek'saɪtətɪv] *a* возбуди́тельный, возбужда́ющий

excitatory [ek'saɪtətərɪ] = excitative

excite [ɪk'saɪt] *v* 1) возбуждáть, волновáть; he was ~d by (*или* at, about) the news он был взволнóван извéстием; don't ~ yourself (*или* get ~d) не волнýйтесь!, сохраняйте спокóйствие! 2) побуждáть; вызывáть (*ревность, ненависть*); пробуждáть (*интерес и т. п.*); to ~ rebellion поднимáть восстáние 3) *эл.* возбуждáть (*ток*)

excitement [ɪk'saɪtmənt] *n* возбуждéние, волнéние

exciter [ɪk'saɪtə] *n эл.* возбуди́тель

exciting [ɪk'saɪtɪŋ] **1.** *pres. p. от* excite

2. *a* 1) возбуждáющий, волнýющий 2) захвáтывающий; an ~ story увлекáтельный расскáз

exclaim [ɪks'kleɪm] *v* восклицáть ▭ ~ **against** протестовáть, грóмко обвинять; ~ **at** вы́разить крáйнее удивлéние

exclamation [,ekskləˈmeɪʃn] *n* 1) восклицáние 2) *attr.*: ~ mark восклицáтельный знак (!)

exclamatory [eks'klæmətərɪ] *a* 1) восклицáтельный; ~ sentence восклицáтельное предложéние 2) шумли́вый, крикли́вый

exclude [ɪks'klu:d] *v* 1) не впускáть; не допускáть (*возможности и т. п.*); устранять; to ~ smb. from a house откáзывать комý-л. от дóма 2) исключáть, выгонять (from) 3) снимáть (*с обсуждения, рассмотрения*); изымáть

exclusion [ɪks'klu:ʒn] *n* исключéние ◇ to the ~ of за исключéнием

exclusive [ɪks'klu:sɪv] *a* 1) исключи́тельный, осóбый; ~ privileges осóбые привилéгии 2) недостýпный; с ограни́ченным дóступом (*о клубе и т. п.*) 3) отли́чный, первоклáссный 4) еди́нственный; ~ occupation еди́нственное заня́тие; ~ interview эксклюзи́вное интервью́ ◇ ~ of не считáя, исключáя; there were 49 pages ~ of the title page (всегó) бы́ло 49 страни́ц без ти́тульного листá

exclusively [ɪks'klu:sɪvlɪ] *adv* исключи́тельно, еди́нственно, тóлько

excogitate [eks'kɒdʒɪteɪt] *v книжн.* вы́думывать, придýмывать; измышлять

excogitation [eks,kɒdʒɪ'teɪʃn] *n книжн.* вы́думывание, придýмывание; измышлéние, вы́мысел

excommunicate [,ekskəˈmju:nɪkeɪt] **1.** *v* отлучéние от цéркви

2. *a* отлучённый от цéркви

excommunication [,ekskəmju:nɪ'keɪʃn] *n* отлучéние от цéркви

excoriate [ɪks'kɔ:rɪeɪt] *v* 1) содрáть кóжу, ссади́ть 2) подвергáть сурóвой кри́тике; устрóить разнóс 3) вы́звать шелушéние

excoriation [ɪks,kɔ:rɪ'eɪʃn] *n* 1) сдирáние кóжи 2) ссáдина 3) сурóвая кри́тика; разнóс

excorticate [eks'kɔ:tɪkeɪt] *v* сдирáть корý, кóжу, оболóчку, шелухý

excrement ['ekskrɪmənt] *n физиол.* экскремéнты, испражнéния

excrescence [ɪks'kresns] *n* нарóст, ши́шка

excrescent [ɪks'kresnt] *a* 1) ненормáльно разрастáющийся; образýющий нарóст 2) ли́шний

excreta [ɪks'kri:tə] *n pl физиол.* выделéния, испражнéния

excrete [ɪks'kri:t] *v* выделять, извергáть

excretion [ɪks'kri:ʃn] *n физиол.* выделéние

excretive [ɪks'kri:tɪv] *a* 1) *физиол.* спосóбствующий выделéнию 2) *анат.* выводящий

excretory [ɪks'kri:tərɪ] *a анат.* выводнóй, выдели́тельный, экскретóрный

excruciate [ɪks'kru:ʃɪeɪt] *v* мýчить, терзáть, истязáть

excruciating [ɪks'kru:ʃɪeɪtɪŋ] **1.** *pres. p. от* excruciate

2. *a* мучи́тельный

excruciation [ɪks,kru:ʃɪ'eɪʃn] *n* 1) терзáние, мучéние 2) мýка, пы́тка

exculpate ['ekskʌlpeɪt] *v юр.* опрáвдывать; реабилити́ровать

exculpation [,ekskʌl'peɪʃn] *n юр.* 1) оправдáние, реабилитáция 2) основáние для реабилитáции; опрáвдывающее обстоятельство

exculpatory [eks'kʌlpətərɪ] *a юр.* опрáвдывающий; оправдáтельный

excursion [ɪks'kɜ:ʃn] *n* 1) экскýрсия; поéздка; to go on an ~ поéхать на экскýрсию; отпрáвиться в туристи́ческую поéздку 2) э́кскурс 3) *тех.* возврáтно-поступáтельное движéние (*поршня и т. п.*) 4) *attr.*: ~ train пóезд для экскурсáнтов по сни́женному тари́фу; ~ rates сни́женные расцéнки для тури́стов (*на билеты, гостиницы и т. п.*)

excursionist [ɪks'kɜ:ʃnɪst] *n* экскурсáнт, тури́ст

excursive [ɪks'kɜ:sɪv] *a* 1) отклоняющийся (*от пути, курса*) 2) бессистéмный, беспорядочный; ~ reading беспорядочное чтéние 3) изоби́лующий áвторскими отступлéниями

excursus [eks'kɜ:səs] *n* (*pl* -es [-ɪz]) 1) подрóбное обсуждéние какóй-л. детáли *или* пýнкта в кни́ге (*обыкн. в приложении*) 2) отступлéние (*от темы, от сути*); э́кскурс

excusable [ɪks'kju:zəbl] *a* извини́тельный, прости́тельный

excusatory [ɪks'kju:zɪtərɪ] *a* извини́тельный; оправдáтельный

excuse 1. *n* [ɪks'kju:s] 1) оправдáние; in ~ of smth. в оправдáние чегó-л. 2) извинéние; ignorance of the law is no ~ незнáние закóна не мóжет служи́ть оправдáнием 3) отговóрка, предлóг; a poor ~ неудáчная, слáбая отговóрка; to offer ~s опрáвдываться 4) освобождéние (*от обязанностей*)

2. *v* [ɪks'kju:z] 1) находи́ть оправдáние, извиня́ть, прощáть; ~ me! извини́те!, виновáт!; ~ my coming late, ~ me for coming late прости́те меня́ за опоздáние; to ~ oneself извиня́ться; опрáвдываться 2) служи́ть оправдáнием, извинéнием 3) освобождáть (*от работы, обязанностей*); your attendance today is ~d вы мóжете сегóдня не присýтствовать; you're ~d мы вас не задéрживаем, мóжете быть свобóдны; to ~ from duty *воен.* освободи́ть от несéния слýжбы ◇ ~ me for living! *ирон.* уж и спроси́ть нельзя́!

ex-directory [,eksdəˈrektərɪ] *a* не внесённый в телефóнную кни́гу

exeat ['eksɪæt] *n* разрешéние на отлýчку (*в университете или монастыре*)

execrable ['eksɪkrəbl] *a* отврати́тельный, оттáлкивающий

execrate ['eksɪkreɪt] *v* 1) ненави́деть; питáть отвращéние 2) проклинáть

execration [,eksɪ'kreɪʃn] *n* 1) омерзéние, отвращéние 2) прокля́тие 3) предмéт отвращéния

executant [ɪgˈzekjʊtənt] *n* исполни́тель; исполняющий музыкáльное произведéние

execute ['eksɪkju:t] *v* 1) казни́ть 2) убивáть по полити́ческим моти́вам 3) выполнять, осуществлять; доводи́ть до концá 4) исполнять (*распоряжение*) 5) выполнять (*обязанности, функции*) 6) исполнять (*музыкальное произведение*) 7) *юр.* оформлять (*документ*) 8) *юр.* приводи́ть в исполнéние (*решение суда и т. п.*)

execution [,eksɪ'kju:ʃn] *n* 1) казнь 2) выполнéние 3) исполнéние (*музыкального произведения*) 4) мастерствó исполнéния 5) *уст.* уничтожéние; опустошéние; to make good ~ разгроми́ть; переби́ть (*противника*)

executioner [,eksɪ'kju:ʃnə] *n* палáч

executive [ɪgˈzekjʊtɪv] **1.** *a* исполни́тельный; *амер. тж.* администрати́вный; ~ council *амер.* исполни́тельный совéт; ~ committee исполни́тельный комитéт; ~ secretary ответственный секретáрь; управляющий делáми (*в органах ООН*); ~ agreement *амер.* договóр, заключáемый президéнтом с инострáнным госудáрством и не трéбующий утверждéния сенáта; ~ order *амер.* прикáз президéнта; ~ officer *мор.* строевóй офицéр; *амер.* стáрший помóщник командíра; ~ session *амер.* закры́тое заседáние (*законодательного органа*); to go into ~ session *амер.* удаляться на закры́тое заседáние, совещáние

2. *n* 1) должностнóе лицó, руководи́тель, администрáтор (*фирмы, компании*); business ~s представи́тели деловы́х кругóв 2) (the ~) исполни́тельная власть, исполни́тельный óрган 3) (E.) *амер.* главá исполни́тельной влáсти; Chief E. президéнт США 4) *амер. воен.* начáльник штáба (*части*); помóщник команди́ра

executor [ɪgˈzekjʊtə] *n* 1) душеприкáзчик 2) *редк.* судéбный исполни́тель

executrices [ɪgˈzekjʊ,trɪsi:z] *pl от* executrix

executrix [ɪgˈzekjʊtrɪks] *n* (*pl* -ices, -es) душеприкáзчица

exegeses [,eksɪ'dʒi:si:z] *pl от* exegesis

exegesis [,eksɪ'dʒi:sɪs] *n* (*pl* -ses) экзеге́за, толкова́ние (*особ. Библии*)

exegetic(al) [,eksɪ'dʒetɪk(l)] *a* интерпрети́рующий, толку́ющий (*письменные тексты, особ. библейские*)

exemplar [ɪg'zemplɑ:] *n* 1) образе́ц, приме́р для подража́ния 2) тип, представи́тель 3) экземпля́р

exemplary [ɪg'zemplərɪ] *a* 1) образцо́вый, приме́рный; досто́йный подража́ния 2) поучи́тельный, слу́жащий уро́ком 3) типи́чный, типово́й

exemplification [ɪg,zemplɪfɪ'keɪʃn] *n* 1) поясне́ние приме́ром; иллюстра́ция 2) *юр.* заве́ренная ко́пия

exemplify [ɪg'zemplɪfaɪ] *v* 1) приводи́ть приме́р 2) служи́ть приме́ром 3) снима́ть и заверя́ть ко́пию

exempt [ɪg'zempt] **1.** *a* 1) освобождённый (*от налога, военной службы и т. п.*) 2) свобо́дный (*от недостатков и т. п.*)

2. *v* освобожда́ть (*от обязанности, налога*; from)

exemption [ɪg'zempʃn] *n* освобожде́ние (*от налога и т. п.*); ~ from military service освобожде́ние от вое́нной слу́жбы

exequies ['eksɪkwɪz] *n pl книжн.* погреба́льный обря́д

exercise ['eksəsaɪz] **1.** *n* 1) упражне́ние; трениро́вка 2) (*часто pl*) упражне́ние, зада́ча, зада́ние; five-finger ~s упражне́ния на роя́ле; Latin ~ шко́льный лати́нский перево́д 3) физи́ческая заря́дка; моцио́н; to take ~ де́лать моцио́н; занима́ться спо́ртом 4) осуществле́ние, проявле́ние; the ~ of good will проявле́ние до́брой во́ли 5) (*часто pl*) *воен.* уче́ние, заня́тие; боева́я подгото́вка 6) *pl амер.* торжества́, пра́зднества; graduation ~s выпускно́й акт (*в колледжах*) 7) *pl* ритуа́л, обря́ды 8) *attr.*: ~ book тетра́дь; ~ yard прогу́лочный плац (*в тюрьме*); ~ ground *воен.* уче́бный плац

2. *v* 1) проявля́ть (*способности*); to ~ one's personality вы́разить свою индивидуа́льность 2) испо́льзовать, осуществля́ть (*права*); по́льзоваться (*правами*) 3) выполня́ть (*обязанности*) 4) упражня́ть(ся), развива́ть, тренирова́ть 5) *воен.* проводи́ть уче́ние; обуча́ться 6) *pass.* беспоко́иться (over, about); I am ~d about his future меня́ беспоко́ит его́ бу́дущее

exergue [ek'sɜ:g] *n* ме́сто для на́дписи и на́дпись (*на оборотной стороне монеты, медали*)

exert [ɪg'zɜ:t] *v* 1) ока́зывать давле́ние; влия́ть; to ~ one's influence оказа́ть влия́ние 2) напряга́ть (*силы*); to ~ every effort прилага́ть все уси́лия; to ~ oneself де́лать уси́лия, стара́ться; лезть из ко́жи вон 3) *тех.* вызыва́ть (напряже́ние)

exertion [ɪg'zɜ:ʃn] *n* 1) испо́льзование (*авторитета и т. п.*) 2) напряже́ние, уси́лие 3) проявле́ние (*силы воли, терпения*)

exeunt ['eksɪʌnt] *v театр.* «ухо́дят» (*ремарка*)

exfoliate [eks'fəʊlɪeɪt] *v* 1) лупи́ться, сходи́ть сло́ями, шелуши́ться; отсла́иваться, рассла́иваться 2) сбра́сывать ли́стья *или* кору́

exfoliation [eks,fəʊlɪ'eɪʃn] *n* шелуше́ние, отслое́ние, расслое́ние *и пр.* [*см.* exfoliate]

ex gratia [eks'greɪʃə] *лат. a* доброво́льный; ~ payment доброво́льный платёж

exhalation [,ekshə'leɪʃn] *n* 1) вы́дох; выдыха́ние 2) испаре́ние, выделе́ние (*газа и т. п.*) 3) пар, тума́н

exhale [eks'heɪl] *v* 1) выдыха́ть; производи́ть вы́дох 2) выделя́ть (*пар и т. п.*); испари́ться, растя́ять в во́здухе, исче́знуть как дым 3) дава́ть вы́ход (*гневу и т. п.*)

exhaust [ɪg'zɔ:st] **1.** *n тех.* 1) выхлопны́е га́зы 2) выхлопна́я труба́; вы́хлоп, вы́пуск 3) *attr.* выхлопно́й, выпускно́й; ~ steam мя́тый, отрабо́танный пар

2. *v* 1) исче́рпывать; to ~ the subject исчерпа́ть те́му 2) истоща́ть (*человека, силы; запасы и т. п.*); изнуря́ть; to ~ all reserves истощи́ть все резе́рвы; to ~ oneself with work рабо́тать до (по́лного) изнеможе́ния 3) разрежа́ть, выка́чивать, выса́сывать, вытя́гивать (*воздух*); выпуска́ть (*пар*)

exhausted [ɪg'zɔ:stɪd] **1.** *p. p. от* exhaust 2

2. *a* 1) исче́рпанный 2) истощённый, изнурённый; изму́ченный; обесси́ленный

exhauster [ɪg'zɔ:stə] *n тех.* 1) вытяжно́й вентиля́тор, эксга́устер 2) пылесо́с 3) аспира́тор

exhaustible [ɪg'zɔ:stəbl] *a* истощи́мый; небезграни́чный, ограни́ченный

exhausting [ɪg'zɔ:stɪŋ] **1.** *pres. p. от* exhaust 2

2. *a* утоми́тельный; изнури́тельный

exhaustion [ɪg'zɔ:stʃən] *n* 1) изнеможе́ние, истоще́ние; to dance oneself to ~ танцева́ть до упа́ду 2) вытя́гивание, выса́сывание; вы́пуск 3) разреже́ние (*воздуха*)

exhaustive [ɪg'zɔ:stɪv] *a* 1) исче́рпывающий 2) истоща́ющий

exhibit [ɪg'zɪbɪt] **1.** *n* 1) экспона́т 2) *юр.* веще́ственное доказа́тельство 3) пока́з, экспози́ция

2. *v* 1) выставля́ть; экспони́ровать(ся) на вы́ставке 2) пока́зывать; проявля́ть 3) *юр.* представля́ть веще́ственное доказа́тельство

exhibition [,eksɪ'bɪʃn] *n* 1) вы́ставка; пока́з, демонстра́ция 2) пока́з, проявле́ние; to make an ~ of oneself а) пока́зывать себя́ с дурно́й стороны́, вызыва́ть осужде́ние; б) де́лать из себя́ посме́шище 3) стипе́ндия 4) *амер.* публи́чный экза́мен 5) представле́ние суду́ (*документов и т. п.*)

exhibitioner [,eksɪ'bɪʃnə] *n* стипендиа́т

exhibitionism [,eksɪ'bɪʃnɪzəm] *n* 1) скло́нность к саморекла́ме, самолюбова́нию 2) эксгибициони́зм

exhibitionist [,eksɪ'bɪʃnɪst] *n* эксгибициони́ст

exhibitor [ɪg'zɪbɪtə] *n* экспоне́нт

exhilarate [ɪg'zɪləreɪt] *v* развесели́ть; оживля́ть; подбодря́ть

exhilarated [ɪg'zɪləreɪtɪd] **1.** *p. p. от* exhilarate

2. *a* 1) весёлый 2) навеселе́, подвы́пивший

exhilaration [ɪg,zɪlə'reɪʃn] *n* весёлость; ра́достное настрое́ние, прия́тное возбужде́ние

exhort [ɪg'zɔ:t] *v* 1) увещева́ть, убежда́ть; призыва́ть кого́-л. сде́лать что-л.; заклина́ть 2) предупрежда́ть 3) подде́рживать, защища́ть (*реформу и т. п.*)

exhortation [,egzɔ:'teɪʃn] *n книжн.* 1) увещева́ние, призы́в 2) про́поведь 3) предупрежде́ние 4) подде́ржка

exhortative [ɪg'zɔ:tətɪv] *a книжн.* увещева́тельный, поучи́тельный

exhortatory [ɪg'zɔ:tətərɪ] = exhortative

exhumation [,ekshjʊ'meɪʃn] *n* эксгума́ция, выка́пывание тру́па

exhume [eks'hju:m] *v* 1) эксгуми́ровать 2) выка́пывать, *перен. тж.* вытя́скивать на свет бо́жий

exigence ['eksɪdʒəns] = exigency

exigency ['eksɪdʒənsɪ] *n книжн.* о́страя необходи́мость, кра́йность

exigent ['eksɪdʒənt] *a книжн.* 1) тре́бовательный 2) не те́рпящий отлага́тельства, сро́чный

exigible ['eksɪdʒəbl] *a книжн.* подлежа́щий взыска́нию

exiguty [,eksɪ'gju:ətɪ] *n книжн.* ску́дость, незначи́тельность

exiguous [ɪg'zɪgjʊəs] *a книжн.* ску́дный, ма́лый, незначи́тельный

exile ['eksaɪl] **1.** *n* 1) изгна́ние; ссы́лка; to live in ~ быть *или* жить в изгна́нии; to be sent into ~ быть со́сланным, вы́сланным 2) изгна́нник; ссы́льный 3) (the E.) *библ.* вавило́нское плене́ние

2. *v* изгоня́ть; ссыла́ть

exility [eg'zɪlətɪ] *n* то́нкость; утончённость

exist [ɪg'zɪst] *v* 1) существова́ть, быть 2) находи́ться, быть; lime ~s in many soils и́звесть встреча́ется во мно́гих по́чвах 3) жить, существова́ть 4) *разг.* влачи́ть жа́лкое существова́ние

existence [ɪg'zɪstəns] *n* 1) существова́ние, нали́чие 2) жизнь, существова́ние; a wretched ~ жа́лкое существова́ние 3) существо́ 4) всё существу́ющее; in ~ существу́ющий в приро́де

existent [ɪg'zɪstənt] *a* существу́ющий; происходя́щий; нали́чный

existential [,egzɪ'stenʃl] *a* 1) *книжн.* относя́щийся к существова́нию, реа́льности 2) *филос.* экзистенциа́льный

existentialism [,egzɪs'tenʃlɪzəm] *n филос.* экзистенциали́зм

exit ['eksɪt] **1.** *n* 1) вы́ход; no ~! нет вы́хода! 2) ухо́д (*актёра со сцены*) 3) исчезнове́ние, смерть 4) *attr.*: ~ visa (*или* permit) выездна́я ви́за

2. *v театр.* «ухо́дит» (*ремарка*)

ex libris [eks'li:brɪs] *n* экслибрис

exobiology [ˌeksəʊbaɪ'ɒlədʒɪ] *n* экзобиоло́гия (*биология внеземной жизни*)

exodus ['eksədəs] *n* 1) ма́ссовый отъе́зд (*особ. об эмигрантах*) 2) (E.) *библ.* исхо́д евре́ев из Еги́пта 3) (E.) Исхо́д (*2-я книга Ветхого завета*)

ex officio [ˌeksə'fɪʃɪəʊ] *a, adv* по до́лжности

exogamy [ek'sɒgəmɪ] *n* экзога́мия

exonerate [ɪg'zɒnəreɪt] *v* 1) снять бре́мя (*вины, долга*) 2) реабилити́ровать; to ~ oneself оправда́ться, доказа́ть свою́ невино́вность

exoneration [ɪgˌzɒnə'reɪʃn] *n книжн.* оправда́ние, реабилита́ция

exonerative [ɪg'zɒnərətɪv] *a книжн.* снима́ющий бре́мя (*вины, долга*); реабилити́рующий

exorbitance, -cy [ɪg'zɔ:bɪtəns, -sɪ] *n* непоме́рность, чрезме́рность

exorbitant [ɪg'zɔ:bɪtənt] *a* чрезме́рный, непоме́рный

exorcism ['eksɔ:ˌsɪzəm] *n* заклина́ние, изгна́ние нечи́стой си́лы

exorcize ['eksɔ:saɪz] *v* заклина́ть, изгоня́ть злых ду́хов

exordia [ek'sɔ:dɪə] *pl от* exordium

exordial [ek'sɔ:dɪəl] *a книжн.* вступи́тельный, вво́дный

exordium [ek'sɔ:dɪəm] *n* (*pl* -dia, -s [-z]) *книжн.* вступле́ние, введе́ние (*в речи, трактате*)

exosphere ['eksəʊsfɪə] *n* экзосфе́ра

exoteric [ˌeksəʊ'terɪk] *a книжн.* экзотери́ческий, общедосту́пный; поня́тный непосвящённым

exothermal [ˌeksəʊ'θɜ:məl] = exothermic

exothermic [ˌeksəʊ'θɜ:mɪk] *a физ.* экзотерми́ческий

exotic [ɪg'zɒtɪk] **1.** *a* экзоти́ческий; инозе́мный

2. *n* 1) экзоти́ческое расте́ние, экзо́т 2) иностра́нное сло́во (*в языке*)

expand [ɪks'pænd] *v* 1) расширя́ть(ся); увели́чивать(ся) в объёме; растя́гивать(ся) 2) развива́ть(ся) (into) 3) излага́ть подро́бно; распространя́ться 4) станови́ться бо́лее общи́тельным, открове́нным 5) расправля́ть (*крылья*); раски́дывать (*ветви*) 6) *бот.* распуска́ться, расцвета́ть 7) *мат.* раскрыва́ть (*формулу*)

expanse [ɪks'pæns] *n* 1) (широ́кое) простра́нство; протяже́ние; an ~ of lake (of field) гладь о́зера (просто́р по́ля) 2) экспа́нсия, расшире́ние

expansibility [ɪksˌpænsə'bɪlətɪ] *n* растяжи́мость

expansible [ɪks'pænsəbl] *a* растяжи́мый

expansion [ɪks'pænʃn] *n* 1) расшире́ние; растяже́ние; распростране́ние 2) рост, подъём (*коммерческой деятельности и т. п.*) 3) экспа́нсия 4) простра́нство, протяже́ние 5) *мат.* раскры́тие (*формулы*) 6) *тех.* раска́тка, развальцо́вка

expansionism [ɪks'pænʃnɪzəm] *n* экспансиони́зм, поли́тика захва́та чужи́х террито́рий и ры́нков сбы́та

expansive [ɪks'pænsɪv] *a* 1) спосо́бный расширя́ться; расшири́тельный 2) обши́рный 3) экспанси́вный; открове́нный; откры́тый (*о характере*); an ~ smile располага́ющая улы́бка

expansivity [ˌekspæn'sɪvɪtɪ] *n* экспанси́вность

expat [ˌeks'pæt] *разг.* = expatriate

expatiate [eks'peɪʃɪeɪt] *v* распространя́ться, разглаго́льствовать (*на какую-л. тему* — upon)

expatriate 1. *n* [eks'pætrɪət] экспатриа́нт; изгна́нник; эмигра́нт

2. *v* [eks'pætrɪeɪt] 1) изгоня́ть из оте́чества; экспатрии́ровать 2) *refl.* эмигри́ровать; отка́зываться от гражда́нства

expatriation [eksˌpætrɪ'eɪʃn] *n* 1) изгна́ние из оте́чества; экспатриа́ция 2) эмигра́ция

expect [ɪk'spekt] *v* 1) ждать, ожида́ть 2) рассчи́тывать, наде́яться 3) *разг.* предполага́ть, полага́ть, ду́мать 4): to be ~ing *эвф.* ожида́ть ребёнка, быть в положе́нии

expectance, -cy [ɪk'spektəns, -sɪ] *n* 1) ожида́ние 2) предвкуше́ние; наде́жда, упова́ние 3) вероя́тность

expectant [ɪk'spektənt] **1.** *n* кандида́т, претенде́нт

2. *a* 1) ожида́ющий (of) 2) выжида́тельный; ~ policy выжида́тельная поли́тика; ~ treatment *мед.* выжида́тельная терапи́я; симптомати́ческое лече́ние 3) рассчи́тывающий (*на получение чего-л.*) 4) *эвф.* бере́менная; ~ mother же́нщина, гото́вящаяся стать ма́терью

expectation [ˌekspek'teɪʃn] *n* 1) ожида́ние 2) наде́жда, предвкуше́ние; *pl* ви́ды на бу́дущее, на насле́дство; beyond (contrary to) ~ сверх (про́тив) ожида́ния 3) вероя́тность; life ~ предполага́емая сре́дняя продолжи́тельность жи́зни

expectorant [ek'spektərənt] *n мед.* отха́ркивающее сре́дство

expectorate [ek'spektəreɪt] *v* отха́ркивать, отка́шливать, плева́ть

expectoration [ekˌspektə'reɪʃn] *n* 1) отха́ркивание *и пр.* [*см.* expectorate] 2) вы́деленная мокро́та

expedience, -cy [ɪk'spi:dɪəns, -sɪ] *n* целесообра́зность; вы́годность

expedient [ɪk'spi:dɪənt] **1.** *a* подходя́щий, надлежа́щий, целесообра́зный, соотве́тствующий (*обстоятельствам*); вы́годный

2. *n* сре́дство для достиже́ния це́ли; приём, уло́вка; to go to every ~ пойти́ на всё

expedite ['ekspədaɪt] **1.** *a* 1) бы́стрый; незатруднённый 2) удо́бный

2. *v* ускоря́ть; бы́стро выполня́ть; to ~ matters упрости́ть де́ло

expediter ['ekspədaɪtə] *n* 1) диспе́тчер 2) аге́нт, кото́рому пору́чено продвиже́ние выполне́ния зака́зов *и т. п.*; ≅ толка́ч

expedition [ˌekspə'dɪʃn] *n* 1) экспеди́ция 2) быстрота́; поспе́шность; with ~ сро́чно, незамедли́тельно

expeditionary [ˌekspə'dɪʃnərɪ] *a* экспедицио́нный; ~ force экспедицио́нные войска́

expeditious [ˌekspə'dɪʃəs] *a* бы́стрый, ско́рый

expel [ɪk'spel] *v* 1) выгоня́ть, исключа́ть; удаля́ть 2) выбра́сывать, выта́лкивать 3) изгоня́ть, высыла́ть (*из страны*)

expellee [ɪkˌspel'i:] *n* изгна́нник

expend [ɪk'spend] *v* тра́тить (on), расхо́довать

expendable [ɪk'spendəbl] *a* 1) потребля́емый, расхо́дуемый 2) невозврати́мый

expendables [ɪk'spendəblz] *n pl воен.* расхо́дуемые предме́ты снабже́ния

expenditure [ɪk'spendɪtʃə] *n* 1) потребле́ние 2) тра́та, расхо́д

expense [ɪk'spens] *n* 1) тра́та, расхо́д; heavy ~s больши́е расхо́ды; to cut down ~s сократи́ть расхо́ды; to go to ~ тра́титься; to put smb. to ~ вводи́ть кого́-л. в расхо́д, заста́вить раскоше́литься 2) (*обыкн. pl*) расхо́ды, изде́ржки 3) цена́; at the ~ of one's life цено́й жи́зни; to profit at the ~ of another получи́ть вы́году за счёт друго́го; to laugh at smb.'s ~ смея́ться над кем-л., выставля́ть кого́-л. на посме́шище

expensive [ɪk'spensɪv] *a* дорого́й, дорогостоя́щий

experience [ɪk'spɪərɪəns] **1.** *n* 1) (жи́зненный) о́пыт; to know smth. by (*или* from) ~ знать что-л. по о́пыту; to learn by ~ позна́ть что-л. на (го́рьком) о́пыте 2) квалифика́ция, мастерство́ 3) пережива́ние; слу́чай; an unpleasant ~ неприя́тный слу́чай 4) стаж, о́пыт рабо́ты 5) *pl* (по)зна́ния

2. *v* испы́тывать, знать по о́пыту; to ~ the bitterness of smth. позна́ть го́речь чего́-л.

experienced [ɪk'spɪərɪənst] **1.** *p. p. от* experience 2

2. *a* о́пытный, зна́ющий

experiential [ekˌspɪərɪ'enʃl] *a филос.* осно́ванный на о́пыте; эмпири́ческий

experiment 1. *n* [ɪk'sperɪmənt] о́пыт, экспериме́нт

2. *v* [ɪk'sperɪment] производи́ть о́пыты, эксперименти́ровать (on, with)

experimental [ɪkˌsperɪ'mentl] *a* 1) эксперимента́льный, осно́ванный на о́пыте 2) про́бный 3) подо́пытный

experimentalize [ɪkˌsperɪ'mentəlaɪz] *v* производи́ть о́пыты, эксперименти́ровать

experimentally [ɪkˌsperɪ'mentlɪ] *adv* о́пытным путём, в поря́дке о́пыта

experimentation [ekˌsperɪmen'teɪʃn] *n* эксперименти́рование

experimenter [ɪks'perɪmentə] *n* эксперимента́тор, о́пытник

expert ['ekspɜ:t] **1.** *n* 1) знато́к, экспе́рт; специали́ст 2) *attr.*: ~ evidence мне́ние, показа́ние специали́стов

2. *a* о́пытный, иску́сный (at, in — в); квалифици́рованный

expertise [,ekspɜ:'ti:z] *n* 1) знáния и óпыт (*в данной специальности*); компетéнция, знáние дéла 2) экспертúза

expiate ['ekspɪeɪt] *v* искупáть (*вину*)

expiation [,ekspɪ'eɪʃn] *n* искуплéние

expiatory ['ekspɪətərɪ] *a* искупúтельный

expiration [,ekspə'reɪʃn] *n* 1) выдыхáние, вы́дох 2) окончáние, истечéние (*срока*)

expiratory [ɪk'spaɪrətərɪ] *a* 1) выдыхáтельный 2) *фон.* экспиратóрный

expire [ɪk'spaɪə] *v* 1) кончáться, истекáть (*о сроке*); терять сúлу (*о законе и т. п.*) 2) умирáть; угасáть 3) выдыхáть

expiry [ɪk'spaɪərɪ] *n* окончáние, истечéние срóка

explain [ɪk'spleɪn] *v* 1) объяснять, толковáть (*значение*) 2) опрáвдывать, объяснять (*поведение*); to ~ oneself объяснúться; представить объяснéния (в своё оправдáние) ▭ ~ **away** опрáвдываться

explainable [ɪk'spleɪnəbl] *v* объяснúмый; поддающийся толковáнию

explanation [,eksplə'neɪʃn] *n* 1) объяснéние, разъяснéние 2) толковáние 3) оправдáние

explanatory [ɪk'splænətərɪ] *a* объяснúтельный; толкóвый (*о словаре*)

expletive [ɪk'spli:tɪv] **1.** *a* 1) слýжащий для заполнéния пустóго мéста; дополнúтельный, вставнóй 2) брáнный

2. *n* 1) прислóвье *или* брáнное выражéние 2) вставнóе слóво

explicable [ɪk'splɪkəbl] *a* объяснúмый

explicate ['eksplɪkeɪt] *v* объяснять, развивáть (*идею*); излагáть (*план*)

explication [,eksplɪ'keɪʃn] *n* 1) объяснéние; толковáние 2) развёртывание (*лепестков*) 3) *театр.* экспликáция, план постанóвки (*пьесы*)

explicative [ek'splɪkətɪv] *a* объяснúтельный

explicatory [ek'splɪkətərɪ] = explicative

explicit [ɪk'splɪsɪt] *a* 1) ясный, подрóбный, вы́сказанный до концá; тóчный, определённый; he is quite ~ on the point он совершéнно тóчно формулúрует своё мнéние по э́тому вопрóсу 2) úскренний, откровéнный 3) *мат.* явный; ~ function явная фýнкция

explode [ɪk'spləʊd] *v* 1) взрывáть(ся) 2) разражáться (*гневом и т. п.*); to ~ with laughter разразúться грóмким смéхом 3) разбивáть, подрывáть (*теорию и т. п.*)

exploded [ɪk'spləʊdɪd] **1.** *p. p. от* explode

2. *a*: ~ custom упразднённый обы́чай

exploder [ɪk'spləʊdə] *n* взрывáтель; детонáтор

exploit I ['eksplɔɪt] *n* пóдвиг

exploit II [ɪk'splɔɪt] *v* 1) эксплуатúровать; разрабáтывать (*копи и т. п.*) 2) испóльзовать в свoúх интерéсах 3) *воен.*: to ~ success развивáть успéх

exploitation [,eksplɔɪ'teɪʃn] *n* 1) эксплуатáция 2) *горн.* разрабóтка месторождéния

exploiter [ɪk'splɔɪtə] *n* эксплуатáтор

exploration [,eksplə'reɪʃn] *n* 1) исслéдование 2) *воен. уст.* дáльняя развéдка

explorative [ek'splɒrətɪv] = exploratory

exploratory [ek'splɒrətərɪ] *a* исслéдующий; исслéдовательский

explore [ɪk'splɔ:] *v* 1) исслéдовать; обслéдовать; изучáть 2) выяснять, развéдывать 3) исслéдовать, зондúровать (*рану*) 4) *горн., геол.* развéдывать

explorer [ɪk'splɔ:rə] *n* 1) исслéдователь; геологоразвéдчик 2) *мед.* зонд

explosion [ɪk'spləʊʒn] *n* 1) взрыв 2) вспы́шка (*гнева и т. п.*) 3) бы́стрый рост (*особ. населения*) 4) *attr.*: ~ engine *тех.* двúгатель внýтреннего сгорáния; ~ stroke рабóчий такт (*двигателя внутреннего сгорания*)

explosive [ɪk'spləʊsɪv] **1.** *a* 1) взрывчáтый; ~ bomb фугáсная бóмба; ~ bullet разрывнáя пýля 2) вспы́льчивый 3) *фон.* взрывнóй

2. *n* 1) взры́вчатое веществó 2) *фон.* взрывнóй соглáсный

exponent [ɪk'spəʊnənt] **1.** *n* 1) представúтель (*теории, направления и т. п.*) 2) истолковáтель 3) исполнúтель (*музыкального произведения и т. п.*) 4) образéц, тип 5) экспонéнт; лицó *или* организáция, принимáющие учáстие в вы́ставке 6) *мат.* экспонéнт, показáтель стéпени

2. *a* объяснúтельный

exponential [,ekspə'nenʃl] *a мат.* экспоненциáльный, показáтельный

export **1.** *n* ['ekspɔ:t] 1) э́кспорт, вы́воз 2) предмéт вы́воза 3) (*обыкн. pl*) óбщее колúчество, óбщая сýмма вы́воза 4) *attr.* э́кспортный, вывознóй; ~ duty э́кспортная пóшлина

2. *v* [ɪk'spɔ:t] экспортúровать, вывозúть (*товары*)

exportation [,ekspɔ:'teɪʃn] *n* вы́воз, экспортúрование

exporter [ɪk'spɔ:tə] *n* экспортёр

expose [ɪk'spəʊz] *v* 1) выставлять, подвергáть дéйствию (*солнца, ветра и т. п.*); оставлять незащищённым; a house ~d to the south дом, обращённый на юг 2) подвергáть (*опасности, риску и т. п.*); бросáть на произвóл судьбы́; to ~ to difficulties стáвить в затруднúтельное положéние; to ~ a child остáвить ребёнка на произвóл судьбы́, подкúнуть ребёнка 3) *фото* дéлать вы́держку 4) раскрывáть (*секрет*) 5) разоблачáть 6) выставлять (*напоказ, на продажу*) ◇ ~ oneself непристóйно обнажáться

exposé [ek'spəʊzeɪ] *n* публúчное разоблачéние

exposition [,ekspə'zɪʃn] *n* 1) описáние, изложéние; толковáние 2) *фото* вы́держка, экспозúция 3) вы́ставка, покáз, экспозúция 4) *лит., муз.* экспозúция

expositive [ɪk'spɒzɪtɪv] *a* описáтельный; объяснúтельный

expositor [ɪk'spɒzɪtə] *n* толковáтель; комментáтор

expository [ɪk'spɒzətərɪ] *a* объяснúтельный

expostulate [ɪk'spɒstjʊleɪt] *v* 1) протестовáть; спóрить 2) дрýжески пенять; увещевáть (with — *кого-л.*; about, for, on — в *чём-л.*)

expostulation [ɪk,spɒstjʊ'leɪʃn] *n* увещевáние, попы́тка разубедúть

exposure [ɪk'spəʊʒə] *n* 1) подвергáние (*риску, опасности и т. п.*) 2) выставлéние (*на солнце, под дождь и т. п.*) 3) разоблачéние 4) *фото* экспозúция 5) вы́ставка (*гл. обр. товаров*) 6) местоположéние, вид; the room has a southern ~ кóмната выхóдит на юг 7) оставлéние (*ребёнка*) на произвóл судьбы́ 8) *геол.* обнажéние *или* вы́ход пластóв 9) метеорологúческая свóдка 10) *attr.*: ~ hazards риск, связанный с воздéйствием внéшних фáкторов (*облучением и т. п.*); ~ meter *фото* экспонóметр

expound [ɪk'spaʊnd] *v* 1) излагáть 2) разъяснять, толковáть

express [ɪk'spres] **1.** *n* 1) *ж.-д.* экспрéсс 2) срóчное (почтóвое) отправлéние 3) *амер.* пересы́лка дéнег, багажá, товáров *и т. п.* с нáрочным *или* чéрез посрéдство трáнспортной контóры 4) *амер.* чáстная трáнспортная контóра (*тж.* ~ company)

2. *a* 1) срóчный; курьéрский; ~ train курьéрский пóезд, экспрéсс; ~ delivery срóчная достáвка; ~ bullet облегчённая пýля с повы́шенной скóростью; ~ rifle винтóвка с повы́шенной начáльной скóростью пýли 2) определённый, тóчно вы́раженный; ~ desire настóйчивое желáние; настоятельная прóсьба; the ~ image of his person егó тóчная кóпия 3) специáльный, нарочúтый

3. *adv* 1) спéшно, óчень бы́стро; с нáрочным 2): to travel ~ éхать экспрéссом

4. *v* 1) отправлять срóчной пóчтой *или* с нáрочным (*письмо, посылку*) 2) выражáть (прямо, ясно); to be unable to ~ oneself не умéть вы́сказаться, вы́разить своú мы́сли; the agreement is ~ed so as... соглашéние предусмáтривает... 3) *амер.* отправлять чéрез посрéдство трáнспортной контóры (*багаж и т. п.*) 4) éхать экспрéссом

expressible [ɪk'spresəbl] *a* выразúмый

expression [ɪk'spreʃn] *n* 1) выражéние; beyond ~ невыразúмо; to give ~ to one's feelings выражáть своú чýвства, давáть вы́ход своúм чýвствам 2) выражéние, оборóт рéчи 3) выражéние (*лица, глаз и т. п.*) 4) выразúтельность, экспрéссия

expressionism [ɪk'spreʃnɪzəm] *n иск.* экспрессионúзм

expressive [ɪk'spresɪv] *a* 1) выразúтельный; многозначúтельный; ~ glance многозначúтельный взгляд 2) выражáющий; ~ of joy (despair) выражáющий рáдость (отчаяние)

expressly [ɪk'spreslɪ] *adv* 1) нарочúто; специáльно 2) тóчно, ясно

expressman [ɪk'spresmæn] *n амер.* агéнт трáнспортной контóры

expressway [ɪk'spresweɪ] *n амер.* автострада; автомагистра́ль со сквозны́м движе́нием

exprорriate [ek'sprəuprieit] *v* 1) экспропри́ировать 2) отчужда́ть, лиша́ть

exprорriation [ek,sprəupri'eiʃn] *n* 1) экспроприа́ция 2) отчужде́ние; конфиска́ция иму́щества

expulsion [ik'spʌlʃn] *n* 1) изгна́ние; исключе́ние (*из школы, клуба*) 2) *тех.* вы́хлоп, вы́пуск; проду́вка

expulsive [ik'spʌlsiv] *a* изгоня́ющий

expunge [ek'spʌndʒ] *v* вычёркивать (*из списка, из книги*)

expurgate ['ekspəgeit] *v* вычёркивать нежела́тельные места́ (*в книге*)

expurgation [,ekspə'geiʃn] *n* вычёркивание (*нежелательных мест в книге*)

exquisite [ik'skwizit] **1.** *n* фат, щёголь, де́нди

2. *a* 1) изы́сканный, утончённый 2) соверше́нный, зако́нченный 3) о́стрый (*об ощущении*)

exsanguinate [ek'sæŋgwi,neit] *v* обескро́вить

exsanguine [ek'sæŋgwin] *a* бескро́вный, анеми́чный

exscind [ek'sind] *v* выреза́ть, отсека́ть

ex-service [,eks'sɜ:vis] *a* демобилизо́ванный, отставно́й

ex-serviceman [,eks'sɜ:vismən] *n* демобилизо́ванный *или* отставно́й вое́нный; ветера́н войны́, бы́вший фронтови́к

exsiccate ['eksikeit] *v* 1) высу́шивать 2) иссыха́ть

exsiccation [,eksi'keiʃn] *n* высу́шивание

extant [ek'stænt] *a* сохрани́вшийся, существу́ющий в настоя́щее вре́мя, нали́чный

extemporaneous [ik,stempə'reiniəs] *a* 1) импровизи́рованный, неподгото́вленный 2) случа́йный, незаплани́рованный; спонта́нный

extemporary [ik'stempərəri] = extempore 1

extempore [ek'stempəri] **1.** *a* неподгото́вленный, импровизи́рованный

2. *adv* без подгото́вки, экспро́мтом

extemporization [ik,stempərai'zeiʃn] *n* импровиза́ция; экспро́мт

extemporize [ik'stempəraiz] *v* импровизи́ровать

extend [ik'stend] *v* 1) простира́ть(ся); тяну́ть(ся) 2) протя́гивать; to ~ one's hand for a handshake протяну́ть ру́ку для рукопожа́тия 3) вытя́гивать; натя́гивать (*проволоку между столбами и т. п.*) 4) ока́зывать (*покровительство, внимание — to*); to ~ sympathy and kindness to smb. прояви́ть симпа́тию и внима́ние к кому́-л. 5) расширя́ть (*дом и т. п.*); продолжа́ть (*дорогу и т. п.*); удлиня́ть, продли́ть, оттяну́ть (*срок*) 6) распространя́ть (*влияние*) 7) (*обыкн. pass.*) *спорт.* напряга́ть си́лы 8) *воен.* рассыпа́ть(ся) це́пью

extended [ik'stendid] **1.** *p. p. от* extend

2. *a* 1) протя́нутый 2) дли́тельный; обши́рный 3) продо́лженный; ~ payment продлённый срок упла́ты 4) протяжённый; ~ order *воен.* расчленённый строй 5) *грам.* распространённый; simple ~ sentence просто́е распространённое предложе́ние

extender [ik'stendə] *n тех.* наполни́тель (*пластмассы и т. п.*)

extensibility [ik,stensə'biləti] *n* растяжи́мость

extensible [ik'stensəbl] *a* растяжи́мый

extensile [ik'stensail] *a* растяжи́мый

extension [ik'stenʃn] *n* 1) вытя́гивание 2) протяже́ние; протяжённость 3) отсро́чка; продле́ние 4) расшире́ние, распростране́ние; удлине́ние; продолже́ние, разви́тие; to put an ~ on one's house сде́лать пристро́йку к до́му 5) дополни́тельный телефо́н (*с тем же номером*); отводна́я тру́бка; доба́вочный но́мер (*в коммутаторе*) 6) *ж.-д.* ве́тка 7) *мед.* выпрямле́ние; вытяже́ние 8) *тех.* надста́вка, удлини́тель 9) *воен.* размыка́ние (*строя*) 10) *attr.*: ~ table раздвижно́й стол; ~ apparatus *мед.* приспособле́ние (*в ортопедии*) для вытяже́ния

extension course [ik'stenʃn,kɔ:s] *n* ку́рсы повыше́ния квалифика́ции (*обыкн. заочные или вечерние*)

extensive [ik'stensiv] *a* 1) обши́рный, простра́нный; ~ discussion широ́кое обсужде́ние 2) далеко́ иду́щий; ~ plans широ́кие пла́ны 3) *с.-х.* экстенси́вный

extensively [ik'stensivli] *adv* 1) широко́ 2) простра́нно 3) во все сто́роны; to travel ~ мно́го путеше́ствовать; е́здить по ра́зным стра́нам

extensometer [,eksten'sɒmitə] *n тех.* экстензо́метр

extensor [ik'stensə] *n анат.* разгиба́ющая мы́шца, разгиба́тель

extent [ik'stent] *n* 1) протяже́ние, простра́нство 2) сте́пень, ме́ра; to what ~? до како́й сте́пени, наско́лько?; to a great ~ в значи́тельной сте́пени; to the full ~ of one's power в по́лную си́лу; to such an ~ до тако́й сте́пени; to exert oneself to the utmost ~ стара́ться изо всех сил

extenuate [ek'stenjueit] *v* 1) стара́ться найти́ извине́ние; ослабля́ть, смягча́ть (*вину*) 2) служи́ть оправда́нием, извине́нием; nothing can ~ his wrongdoing его́ посту́пку нет оправда́ния

extenuation [ek,stenjʊ'eiʃn] *n* 1) извине́ние, части́чное оправда́ние 2) изнуре́ние, истоще́ние; ослабле́ние

extenuatory [ik'stenjʊətəri] *a* смягча́ющий (*вину*); ослабля́ющий (*боль*)

exterior [ik'stiəriə] **1.** *n* 1) вне́шность, нару́жность; вне́шняя, нару́жная сторона́ 2) экстерье́р (*животного*) 3) *кино* нату́ра; съёмка на нату́ре

2. *a* 1) вне́шний, нару́жный; ~ angle вне́шний у́гол 2) иностра́нный, зарубе́жный 3) посторо́нний 4): ~ shooting *кино* съёмка на нату́ре

exteriority [ik,stiəri'ɒrəti] *n* вне́шняя сторона́; положе́ние вне чего́-л.

exteriorize [ek'stiəriəraiz] = externalize

exterminate [ik'stɜ:mineit] *v* искореня́ть; истребля́ть

extermination [ik,stɜ:mi'neiʃn] *n* уничтоже́ние, истребле́ние; искорене́ние

exterminator [ik'stɜ:mineitə] *n* 1) истреби́тель, искорени́тель 2) истребля́ющее сре́дство

exterminatory [ik'stɜ:minətəri] *a* истребля́ющий, истреби́тельный

external [ik'stɜ:nl] **1.** *a* 1) нару́жный, вне́шний; for ~ use only то́лько для нару́жного употребле́ния; ~ ear *анат.* нару́жное у́хо 2) находя́щийся, лежа́щий вне, за преде́лами (*чего-л.*); ~ force вне́шняя си́ла; ~ reality объекти́вное существова́ние ми́ра вне нас; ~ evidence объекти́вные показа́ния *или* да́нные; ~ world вне́шний мир, мир вне нас 3) (чи́сто) вне́шний, несуще́ственный; ~ circumstances обстоя́тельства, не име́ющие суще́ственного значе́ния 4) иностра́нный, вне́шний (*о политике, торговле*) 5) сдаю́щий экза́мены экстéрном (*о студенте*)

2. *n pl* 1) вне́шность; вне́шнее, несуще́ственное; to judge by ~s суди́ть по вне́шности 2) вне́шние обстоя́тельства

externality [,ekstɜ:'næləti] *n* вне́шность

externalize [ek'stɜ:nəlaiz] *v* 1) воплоща́ть, придава́ть материа́льную фо́рму; облека́ть в конкре́тную фо́рму 2) ви́деть причи́ну во вне́шних обстоя́тельствах; to ~ one's failure приписа́ть неуда́чу де́йствию вне́шних фа́кторов

exterritorial [,eksteri'tɔ:riəl] *a* экстерриториа́льный

exterritoriality [,eksteritɔ:ri'æləti] *n* экстерриториа́льность

extinct [ik'stiŋkt] *a* 1) не име́ющий продолжа́теля ро́да, насле́дника (*дворянского титула и т. п.*) 2) вы́мерший 3) поту́хший; ~ volcano поту́хший вулка́н 4) уга́сший (*о чувствах, жизни и т. п.*) 5) вы́шедший из употребле́ния (*о слове, обычае и т. п.*)

extinction [ik'stiŋkʃn] *n* 1) вымира́ние (*рода*) 2) угаса́ние, потуха́ние 3) туше́ние 4) прекраще́ние (*вражды*) 5) *юр.* погаше́ние (*долга*) 6) гаше́ние (*извести*)

extinguish [ik'stiŋgwiʃ] *v* 1) гаси́ть, туши́ть 2) уничтожа́ть, убива́ть (*надежду, любовь, жизнь*) 3) *юр.* выпла́чивать, погаша́ть; аннули́ровать 4) затмева́ть

extinguisher [ik'stiŋgwiʃə] *n* гаси́тель, огнетуши́тель

extirpate ['ekstɜ:peit] *v* 1) искореня́ть, вырыва́ть с ко́рнем; истребля́ть 2) *мед.* удаля́ть; вылу́щивать

extirpation [,ekstɜ:'peiʃn] *n* 1) искорене́ние, истребле́ние 2) *мед.* удале́ние; вылуще́ние, экстирпа́ция

extirpator ['ekstɜ:peitə] *n* 1) искорени́тель 2) *с.-х.* экстирпа́тор, культива́тор

extol [ik'stəul] *v* превозноси́ть

extort [ik'stɔ:t] *v* вымога́ть (*деньги*); выпы́тывать (*тайну и т. п.*)

extortion [ɪk'stɔ:ʃn] *n* 1) вымога́тельство 2) назначе́ние грабительских цен

extortionate [ɪk'stɔ:ʃnət] *a* 1) вымога́тельский 2) граби́тельский (*о ценах*)

extortioner [ɪk'stɔ:ʃnə] *n* вымога́тель, граби́тель

extra ['ekstrə] **1.** *n* 1) что-л. дополни́тельное; сверх програ́ммы; припла́та; service, fire and light are ~s за услу́ги, отопле́ние и освеще́ние осо́бая пла́та 2) вы́сший сорт 3) *театр., кино* стати́ст 4) э́кстренный вы́пуск (*газеты*)

2. *a* 1) доба́вочный, дополни́тельный; ~ duty дополни́тельные обя́занности 2) осо́бый 3) вы́сшего ка́чества

3. *adv* 1) осо́бо, осо́бенно 2) дополни́тельно; charged ~ опла́чиваемый дополни́тельно

extra- ['ekstrə-] *pref* сверх-, особо-, вне-, экстра-; extraordinary необы́чный, чрезвыча́йный; extraterritorial экстерриториа́льный

extracellular [,ekstrə'seljʊlə] *a биол.* внекле́точный

extract 1. *n* ['ekstrækt] 1) *хим.* экстра́кт 2) вы́держка, извлече́ние (*из книги*)

2. *v* [ɪk'strækt] 1) вытаскивать, удаля́ть (*зуб*); извлека́ть (*пулю*); выжима́ть (*сок*) 2) вырыва́ть (*согласие и т. п.*); извлека́ть (*выгоду, удовольствие и т. п.*); to ~ information вы́удить сведе́ния 3) выбира́ть (*примеры, цитаты*); де́лать вы́держки 4) получа́ть экстра́кт 5) *мат.* извлека́ть (*корень*)

extraction [ɪk'strækʃn] *n* 1) извлече́ние; добыва́ние 2) *мед.* экстра́кция, удале́ние зу́ба 3) происхожде́ние; of Indian ~ инди́ец по происхожде́нию 4) экстра́кт, эссе́нция

extractive [ɪk'stræktɪv] **1.** *a* 1) извлека́емый, добыва́емый 2) добыва́ющий; ~ industries добыва́ющие о́трасли промы́шленности 3) экстракти́вный

2. *n* экстра́кт

extractor [ɪk'stræktə] *n* 1) извлека́ющее устро́йство; экстра́ктор 2) *мед.* щипцы́ 3) выбра́сыватель (*в оружии*)

extracurricular [,ekstrəkə'rɪkjʊlə] *a* внеаудито́рный, обще́ственный (*о работе учащихся, студентов и т. п.*)

extraditable ['ekstrədaɪtəbl] *a* 1) подлежа́щий вы́даче (*о преступнике*) 2) обусло́вливающий вы́дачу (*преступника*)

extradite ['ekstrədaɪt] *v* выдава́ть (*преступника другому государству*)

extradition [,ekstrə'dɪʃn] *n* вы́дача (*преступника другому государству*), экстради́ция

extrados [ek'streɪdɒs] *n архит.* ве́рхняя вы́пуклая пове́рхность а́рки *или* сво́да

extrajudicial [,ekstrədʒʊ'dɪʃl] *a юр.* 1) внесуде́бный 2) сде́ланный вне заседа́ния су́да (*о признании*)

extramarital [,ekstrə'mærɪtl] *a* внебра́чный; ~ affair связь на стороне́ (*женатого или замужней*)

extramundane [,ekstrə'mʌndeɪn] *a* потусторо́нний

extramural [,ekstrə'mjʊərəl] *a* 1) заочный *или* вече́рний; ~ courses ку́рсы зао́чного обуче́ния; ци́клы университе́тских ле́кций и заня́тий для лиц, не явля́ющихся студе́нтами 2): ~ interment погребе́ние вне городски́х стен

extraneous [ɪk'streɪnɪəs] *a* вне́шний, поступа́ющий извне́; чу́ждый, посторо́нний

extraofficial [,ekstrəə'fɪʃl] *a* не входя́щий в круг обы́чных обя́занностей

extraordinarily [ɪk'strɔ:dnrəlɪ] *adv* соверше́нно необы́чно, необы́чайным о́бразом

extraordinary [ɪk'strɔ:dnrɪ] *a* 1) необы́чайный; выдаю́щийся, незауря́дный 2) чрезвыча́йный; экстраордина́рный; ~ measures чрезвыча́йные ме́ры 3) необы́чный, стра́нный; удиви́тельный 4) [,ekstrə'ɔ:dnrɪ] *дип.* чрезвыча́йный (*посланник и т. п.*)

extrapolate [ɪk'stræpəleɪt] *v* 1) *мат.* экстраполи́ровать 2) предугада́ть, вы́числить что-л., относя́щееся к бу́дущему, опира́ясь на уже́ изве́стные фа́кты

extrapolation [ɪk,stræpə'leɪʃn] *n мат.* экстраполя́ция

extrasensory [,ekstrə'sensərɪ] *a филос.* непознава́емый чу́вствами

extraterrestrial [,ekstrətə'restrɪəl] **1.** *a* внеземно́й, вне преде́лов Земли́

2. *n* инопланетя́нин, косми́ческий прише́лец

extraterritorial [,ekstrəterɪ'tɔ:rɪəl] = exterritorial

extravagance, -cy [ɪk,strævəgəns, -sɪ] *n* 1) расточи́тельность 2) сумасбро́дство; блажь; причу́ды 3) преувеличе́ние, кра́йность; несде́ржанность

extravagant [ɪk'strævəgənt] *a* 1) расточи́тельный 2) сумасбро́дный, неле́пый; экстравага́нтный (*о внешности, поступке*) 3) непоме́рный (*о требованиях, цене*) 4) кра́йний (*о взглядах, мнении*)

extravaganza [ɪk,strævə'gænzə] *n* 1) фантасти́ческая пье́са; буффона́да; фее́рия 2) неле́пая вы́ходка; несде́ржанная речь

extravasation [ek,strævə'seɪʃn] *n мед.* 1) кровоизлия́ние 2) кровоподтёк, синя́к

extravehicular [,estrəvɪ'hɪkjʊlə] *a* свя́занный с вы́ходом космона́вта из косми́ческого корабля́ в ко́смос; ~ period вре́мя пребыва́ния вне косми́ческого корабля́; ~ activity рабо́та вне косми́ческого корабля́

extravert ['ekstrəvɜ:t] = extrovert

extreme [ɪk'stri:m] **1.** *n* 1) (*обыкн. pl*) кра́йняя противополо́жность; ~s meet кра́йности схо́дятся 2) кра́йняя сте́пень, кра́йность; to run to an ~ впада́ть в кра́йность; to go to ~s идти́ на кра́йние ме́ры; in the ~ в вы́сшей сте́пени 3) *pl мат.* кра́йние чле́ны (*пропорции*)

2. *a* 1) кра́йний; ~ old age глубо́кая ста́рость; ~ views кра́йние, экстреми́стские взгля́ды; ~ youth ра́нняя мо́лодость; the ~ penalty (of the law) *юр.* вы́сшая ме́ра наказа́ния; ~ reform радика́льная рефо́рма 2) чрезвыча́йный 3) после́дний; in one's ~ moments пе́ред сме́ртью

extremely [ɪk'stri:mlɪ] *adv* чрезвыча́йно, кра́йне; *разг.* о́чень

extremeness [ɪk'stri:mnəs] *n* кра́йность (*взглядов*)

extremism [ɪk'stri:m,ɪzəm] *n* экстреми́зм

extremist [ɪk'stri:mɪst] *n* экстреми́ст, сторо́нник кра́йних мер, кра́йних взгля́дов

extremity [ɪk'stremətɪ] *n* 1) коне́ц, край, оконе́чность 2) *pl* коне́чности 3) кра́йность, кра́йняя нужда́; in the worst ~ в слу́чае кра́йней необходи́мости; to drive smb. to ~ доводи́ть кого́-л. до кра́йности, до отча́яния 4) *pl* чрезвыча́йные ме́ры

extricate ['ekstrɪkeɪt] *v* 1) выводи́ть (*из затруднительного положения*; from, out of); to ~ oneself а) выпу́тываться; б) *воен.* отрыва́ться от проти́вника; to ~ casualties *воен.* выноси́ть ра́неных 2) разреша́ть (*сложную проблему*)

extrication [,ekstrɪ'keɪʃn] *n* выпу́тывание, высвобожде́ние

extrinsic(al) [eks'trɪnsɪk(l)] *a* 1) несво́йственный, непрису́щий 2) вне́шний, посторо́нний

extroversion [,ekstrə'vɜ:ʃn] *n психол.* экстрове́ртность

extrovert ['ekstrəʊvɜ:t] *n психол.* экстрове́рт, челове́к с откры́той нату́рой

extrude [ɪk'stru:d] *v* 1) выта́лкивать, вытесня́ть 2) *тех.* штампова́ть, прессова́ть, выда́вливать

extrusion [ɪk'stru:ʒn] *n* 1) выта́лкивание, вытесне́ние; изгна́ние 2) *тех.* экстру́зия

extrusive [ɪk'stru:sɪv] *a* 1) вытесня́ющий, выта́лкивающий, выда́вливающий 2) вытесня́ющий, изгоня́ющий

exuberance, -cy [ɪg'zju:brəns, -sɪ] *n* изоби́лие, избы́ток, бога́тство

exuberant [ɪg'zju:brənt] *a* 1) оби́льный; ~ health избы́ток здоро́вья 2) бу́йный, пы́шно расту́щий (*о растительности*) 3) бью́щий че́рез край; бу́рный; ~ high spirits неудержи́мое весе́лье 4) плодови́тый (*о писателе и т. п.*) 5) многосло́вный, цвети́стый

exuberate [ɪg'zju:breɪt] *v* изоби́ловать

exudation [,eksjʊ'deɪʃn] *n* 1) проступа́ние, выделе́ние (*пота*) че́рез по́ры 2) *мед.* экссуда́т

exude [ɪg'zju:d] *v* 1) выделя́ть(ся) (*поте и т. п.*); проступа́ть сквозь по́ры 2) распространя́ть вокру́г себя́ (*недовольство, злобу и т. п.*)

exult [ɪg'zʌlt] *v* ра́доваться, ликова́ть, торжествова́ть; to ~ at (*или* over) one's success ра́доваться свои́м успе́хам; to ~ in one's victory торжествова́ть свою́ побе́ду

exultancy [ɪg'zʌltənsɪ] = exultation

exultant [ɪg'zʌltənt] *a* лику́ющий

exultation [,egzʌl'teɪʃn] *n* ликова́ние, торжество́

exurb ['eksɜ:b] *n* при́городный райо́н (*заселённый зажиточными людьми*)

exuviae [ɪg'zu:vii:] *n pl* 1) *зоол.* сбро́шенные при ли́ньке покро́вы живо́тных (*кожа, чешуя*) 2) *геол.* оста́тки первобы́тной фа́уны

exuviate [ɪg'zju:vieɪt] *v* линя́ть, сбра́сывать ко́жу, чешую́

exuviation [ɪg,zju:vɪ'eɪʃn] *n* ли́нька, сбра́сывание ко́жи, чешуи́

eyas ['aɪəs] *n* соколёнок, птене́ц со́кола

eye [aɪ] **1.** *n* 1) глаз; о́ко; зре́ние 2) взгляд, взор; easy on the ~ прия́тный на вид; to set (*или* to clap) ~s on smb., smth. останови́ть свой взгляд на ком-л., чём-л.; обрати́ть внима́ние на кого́-л., что-л. 3) взгля́ды; сужде́ние; in the ~s of smb. в чьих-л. глаза́х; in my ~s по-мо́ему; in the ~ of the law в глаза́х зако́на 4) *sl.* сы́щик, детекти́в; a private ~ ча́стный сы́щик 5) рису́нок в фо́рме гла́за (*на оперении павлина*) 6) *бот.* глазо́к 7) ушко́ (*иголки*); пе́телька; проу́шина 8) глазо́к (*в сыре*) 9) глазо́к (*в двери для наблюдения*) 10) *sl.* экра́н телеви́зора 11) *горн.* у́стье ша́хты 12) *метео* центр тропи́ческого цикло́на ◇ black ~ а) подби́тый глаз; б) *амер.* плоха́я репута́ция; a quick ~ о́стрый глаз, наблюда́тельность; to be all ~s гляде́ть во все глаза́; to have (*или* to keep) an ~ on (*или* to) smb., smth. следи́ть за кем-л., чем-л.; to close one's ~s to smth. закрыва́ть глаза́ на что-л., не замеча́ть чего́-л.; to make ~s at smb. де́лать гла́зки кому́-л.; to have an ~ for smth. а) облада́ть наблюда́тельностью; име́ть зо́ркий глаз; б) быть знатоко́м чего́-л.; уме́ть разбира́ться в чём-л.; to have a good ~ for a bargain покупа́ть с то́лком; to catch smb.'s ~ (*или* the ~ of smb.) пойма́ть, перехвати́ть, привле́чь чей-л. взгляд; to turn a blind ~ on (to) smth. ≅ закрыва́ть глаза́ на что-л., смотре́ть сквозь па́льцы на что-л.; to see ~ to ~ сходи́ться во взгля́дах, мне́ниях с кем-л., to see ~ to ~ with smb. смотре́ть одни́ми глаза́ми; to keep one's ~ in smth. продолжа́ть занима́ться чем-л.; не теря́ть сноро́вки, на́выка; to see with half an ~ сра́зу уви́деть, поня́ть (*что-л.*); one could see it with half an ~ э́то бы́ло ви́дно с пе́рвого взгля́да; if you had half an ~ ... е́сли бы вы не́ бы́ли соверше́нно слепы...; up to the ~ in work (in debt) ≅ по́ уши в рабо́те (в долга́х); ~s right! (left!, front!) *воен.* равне́ние напра́во! (нале́во!, пря́мо!) (*команда*); the ~ of day *поэт.* со́лнце; небе́сное о́ко; ~ for ~ *библ.* о́ко за о́ко; four ~s see more than two *посл.* ≅ ум хорошо́, а два лу́чше; to have ~s at the back of one's head всё замеча́ть; in the mind's ~ в воображе́нии, мы́сленно; to keep one's ~s open (*или* skinned, peeled) *sl.* смотре́ть в о́ба; держа́ть у́хо востро́; with an ~ to с це́лью; для того́, что́бы; to make smb. open his (her) ~s удиви́ть кого́-л.; it was a sight for sore ~s э́то ласка́ло глаз; (oh) my ~(s)! *восклицание удивления;* all my ~ (and Betty Martin)! чепуха́!, вздор!

2. *v* смотре́ть, при́стально разгля́дывать; наблюда́ть

eyeball ['aɪbɔ:l] *n* глазно́е я́блоко ◇ ~-to-~ *разг.* друг про́тив дру́га

eyebath ['aɪbɑ:θ] *n мед.* глазна́я ва́ночка

eye-beam ['aɪbi:m] *n* бы́стрый взгляд

eyebrow ['aɪbraʊ] *n* 1) бровь; to raise the ~s подня́ть бро́ви (*выражая удивление или пренебрежение*) 2) *attr.*: ~ pencil каранда́ш для брове́й

eye-catcher ['aɪ,kætʃə] *n* не́что, броса́ющееся в глаза́; я́ркое зре́лище

eye-cup ['aɪkʌp] *n мед.* глазна́я ва́ночка (*в форме рюмки*)

eyeful ['aɪfʊl] *n разг.* 1): to get an ~ вдо́сталь наслади́ться созерца́нием (*чего-л.*) 2) восхити́тельное зре́лище 3) преле́стная же́нщина

eyeglass ['aɪglɑ:s] *n* 1) ли́нза; окуля́р 2) моно́кль 3) *pl* пенсне́; лорне́т; очки́ 4) = eyebath

eyehole ['aɪhəʊl] *n* 1) глазна́я впа́дина 2) щёлка (*для подсматривания*), глазо́к

eyelash ['aɪlæʃ] *n* 1) ресни́чка 2) (*тж. pl*) ресни́цы

eyeless ['aɪləs] *a* 1) безгла́зый 2) *поэт.* незря́чий, слепо́й

eyelet ['aɪlət] *n* 1) ушко́, пе́телька; небольшо́е отве́рстие 2) = eyehole 2)

eyelid ['aɪlɪd] *n* ве́ко ◇ not to bat an ~ не теря́ть споко́йствия; и гла́зом не моргну́ть; и бро́вью не повести́

eye-opener ['aɪ,əʊpənə] *n разг.* 1) что-л., вызыва́ющее си́льное удивле́ние; что-л., открыва́ющее челове́ку глаза́ на действи́тельное положе́ние веще́й 2) *амер.* глото́к спиртно́го (*особ. утром*)

eyepatch ['aɪpætʃ] *n* повя́зка на глазу́

eyepiece ['aɪpi:s] *n* окуля́р (*оптического прибора*)

eye-service ['aɪ,sɜ:vɪs] *n уст.* 1) рабо́та, хорошо́ исполня́емая то́лько под наблюде́нием; рабо́та из-под па́лки 2) показна́я пре́данность

eyeshade ['aɪʃeɪd] *n* козырёк для защи́ты глаз от ре́зкого све́та

eyeshadow ['aɪ,ʃædəʊ] *n* каранда́ш для век

eyeshot ['aɪʃɒt] *n* по́ле зре́ния; out of (within) ~ вне по́ля (в по́ле) зре́ния

eyesight ['aɪsaɪt] *n* зре́ние; good (poor) ~ хоро́шее (плохо́е) зре́ние

eye-socket ['aɪ,sɒkɪt] *n* глазни́ца

eyesore ['aɪsɔ:] *n* что-л. проти́вное, оскорби́тельное (*для глаза*); бельмо́ на глазу́; to be an ~ оскорбля́ть взор

eye-spotted ['aɪ,spɒtɪd] *a* испещрённый глазка́ми, пя́тнышками

eyestrain ['aɪstreɪn] *n* чрезме́рное напряже́ние глаз, зре́ния; he has ~ from reading fine print у него́ боля́т глаза́ от ме́лкого шри́фта

eyetooth ['aɪtu:θ] *n анат.* глазно́й зуб ◇ to cut one's eyeteeth приобрести́ жи́зненный о́пыт, образу́миться, остепени́ться

eyewash ['aɪwɒʃ] *n* 1) примо́чка для глаз 2) *sl.* очковтира́тельство

eyewater ['aɪ,wɒtə] *n* 1) = eyewash 1); 2) слёзы 3) *sl.* джин

eyewink ['aɪwɪŋk] *n уст.* 1) (бы́стрый) взгляд 2) миг

eyewithness ['aɪwɪtnəs] *n* очеви́дец; свиде́тель

eyre [eə] *n ист.* выездна́я се́ссия суда́

eyrie ['ɪərɪ] = aerie

F

F, f [ef] *n* (*pl* Fs, F's [efs]) 1) *6-я буква англ. алфавита* 2) *муз.* фа 3) *амер.* неудовлетвори́тельная оце́нка (*в школе и некоторых колледжах*) 4) *амер. разг.* пло́хо успева́ющий студе́нт

fa [fɑ:] *n муз.* фа

fab [fæb] *a разг.* потряса́ющий; ска́зочный

Fabian ['feɪbɪən] **1.** *a* 1) осторо́жный, выжида́тельный (*о политике, стратегии, тактике*) 2) фабиа́нский

2. *n* фабиа́нец

fable ['feɪbl] **1.** *n* 1) ба́сня 2) *собир.* ми́фы 3) небыли́ца; вы́думка; ложь

2. *v* выду́мывать, расска́зывать ба́сни

fabled ['feɪbld] *a* 1) ска́зочный, легенда́рный 2) вы́думанный, приду́манный

fabler ['feɪblə] *n* 1) баснопи́сец 2) ска́зочник 3) сочини́тель небыли́ц, вы́думщик

fabliau ['fæblɪəʊ] *n* (*pl* -aux) *лит.* фабльо́

fabliaux ['fæblɪəʊz] *pl от* fabliau

fabric ['fæbrɪk] *n* 1) ткань, мате́рия; материа́л 2) изде́лие, фабрика́т 3) вы́делка 4) структу́ра, строе́ние, устро́йство; the ~ of society обще́ственный строй 5) сооруже́ние, зда́ние; о́стов 6) *attr.* тка́ный, мате́рчатый; ~ gloves ни́тяные перча́тки

fabricate ['fæbrɪkeɪt] *v* 1) производи́ть, фабрикова́ть, выде́лывать, изготовля́ть; собира́ть из станда́ртных часте́й 2) выду́мывать; to ~ a charge состря́пать обвине́ние 3) подде́лывать (*документы*)

fabrication [,fæbrɪ'keɪʃn] *n* 1) произво́дство, изготовле́ние 2) вы́думка 3) подде́лка, фальши́вка

fabulist ['fæbjʊlɪst] *n* 1) баснопи́сец 2) вы́думщик, лгун

fabulosity [,fæbjʊ'lɒsətɪ] *n* баснесло́вность, легенда́рность

fabulous ['fæbjʊləs] *a* 1) невероя́тный, неправдоподо́бный; преувели́ченный; ~ wealth ска́зочное бога́тство 2) *разг.* потряса́ющий 3) мифи́ческий, легенда́рный

façade [fə'sɑ:d] *n* 1) фаса́д 2) нару́жность, вне́шний вид 3) (чи́сто) вне́шняя сторона́ (*вопроса и т.п.*); ви́димость; he maintained a ~ of contentment он сде́лал вид, что вполне́ дово́лен

face [feɪs] **1.** *n* 1) лицо́; лик; физионо́мия; ~ to ~ а) лицо́м к лицу́; б) наедине́, без посторо́нних; in the ~ of а) пе́ред лицо́м; б) вопреки́; in (*или* to) smb.'s ~ откры́то, в лицо́, в глаза́; to laugh in smb.'s ~ откры́то сме́яться над кем-л.; black (*или* blue, red) in the ~ багро́вый (*от гнева, усилий и т.п.*); full ~ анфа́с; half ~ в про́филь; straight ~ бесстра́стное, ничего́ не выража́ющее лицо́; to keep a straight ~ сохраня́ть невозмути́мый вид 2) выраже́ние лица́; a sad (*или* long) ~ печа́льный, мра́чный вид 3) на́глость; to have the ~ (to say) име́ть на́глость (сказа́ть *что-л.*); to show a ~ вызыва́юще держа́ться 4) грима́са; to draw (*или* to make) ~s ко́рчить ро́жи 5) вне́шний вид; on the ~ of it су́дя по вне́шнему ви́ду; на пе́рвый взгляд; to put a new ~ on предста́вить всё в но́вом све́те; прида́ть друго́й вид; to put a bold ~ on не растеря́ться 6) пере́дняя, лицева́я сторона́, лицо́ (*медали и т.п.*); пра́вая сторона́ (*ткани*; *тж.* ~ of cloth) 7) цифербла́т 8) *уст.* вид спе́реди; фаса́д 9) *тех.* (лобова́я) пове́рхность; торе́ц; срез, фа́ска 10) *воен.* фас; right about ~! напра́во круго́м! 11) *геом.* грань 12) *горн.* забо́й; пло́скость забо́я 13) облицо́вка 14) *полигр.* очко́ (*литеры*) 15) *стр.* ширина́ (*доски*) 16) *спорт.* стру́нная пове́рхность (*теннисной ракетки*) ◇ to fling (*или* to cast, to throw) smth. in smb.'s ~ бро́сать в лицо́; before smb.'s ~ пе́ред (са́мым) но́сом у кого́-л.; to save one's ~ спасти́ репута́цию, прести́ж; избежа́ть позо́ра; to lose ~ потеря́ть прести́ж; to set one's ~ against smth. (реши́тельно) проти́виться чему́-л.; to open one's ~ *амер.* заговори́ть, переста́ть отма́лчиваться; it's written all over his ~ ≅ э́то у него́ на лбу напи́сано

2. *v* 1) стоя́ть лицо́м (*к чему-л.*); смотре́ть в лицо́; быть обращённым в определённую сто́рону; to ~ page 20 к страни́це 20 (*о рисунке*); the man now facing me челове́к, кото́рый нахо́дится передо мно́й; my windows ~ the sea мои́ о́кна выхо́дят на мо́ре 2) встреча́ть сме́ло; смотре́ть в лицо́ без стра́ха; to ~ the facts смотре́ть в лицо́ фа́ктам; учи́тывать реа́льные обстоя́тельства; to ~ reality счита́ться с (реа́льной) действи́тельностью; to ~ danger подверга́ться опа́сности 3) ста́лкиваться (*с необходимостью*); ната́лкиваться (*на трудности и т.п.*); to ~ a task стоя́ть пе́ред необходи́мостью реша́ть зада́чу *или* вы́полнить тре́бование 4) полирова́ть; обта́чивать 5) обкла́дывать, облицо́вывать (*камнем*) 6) отде́лывать (*платье*) 7) подкра́шивать (*чай*) ▭ ~ **about** *воен.* повора́чиваться круго́м; ~ **down** осади́ть; запуга́ть; ~ **out** а) не испуга́ться, вы́держать сме́ло; б) вы́полнить *что-л.*; ~ **up** быть гото́вым встре́тить (to) ◇ to ~ the music а) встреча́ть, не дро́гнув, кри́тику *или* тру́дности; б) держа́ть отве́т, распла́чиваться

face-ache ['feɪseɪk] *n мед.* невралги́я лицево́го не́рва

face card ['feɪskɑ:d] *n* фигу́ра (*в картах*)

facecloth ['feɪsklɒθ] *n* ма́ленькое полоте́нце *или* ва́режка для мытья́ лица́

face-guard ['feɪsgɑ:d] *n спорт.* защи́тная ма́ска

faceless ['feɪsləs] *a* не име́ющий лица́; безли́кий

face-lift ['feɪs,lɪft] *n* пласти́ческая опера́ция лица́ с космети́ческой це́лью

face-off ['feɪsɒf] *n спорт.* вбра́сывание (*мяча, шайбы*)

facer ['feɪsə] *n разг.* 1) неожи́данное препя́тствие, непредви́денные тру́дности 2) уда́р в лицо́

face-saving ['feɪs,seɪvɪŋ] *a* спаса́ющий прести́ж, до́брое и́мя, репута́цию

facet ['fæsɪt] **1.** *n* 1) аспе́кт 2) грань; фа́ска; фаце́т

2. *v* грани́ть; шлифова́ть

facetiae [fə'si:ʃɪ,i:] *лат. n pl* 1) шу́тки, остро́ты 2) порнографи́ческая литерату́ра

facetious [fə'si:ʃəs] *a* 1) шутли́вый; шу́точный 2) весёлый; живо́й

face value ['feɪs,vælju:] *n* номина́льная сто́имость (*монеты, марки и т.п.*) ◇ to accept (*или* to take) smth. at its ~ принима́ть что-л. за чи́стую моне́ту

facia ['feɪʃə] = fascia 2)

facial ['feɪʃl] **1.** *a* лицево́й (*тж. анат.*); ~ artery лицева́я арте́рия; ~ angle лицево́й у́гол; ~ expression выраже́ние лица́

2. *n* масса́ж лица́

facile ['fæsaɪl] *a* 1) *неодобр.* лёгкий; не тре́бующий уси́лий; ~ victory лёгкая побе́да 2) *неодобр.* лёгкий, пла́вный (*о стиле, речи и т.п.*); ~ verse гла́дкие стихи́ 3) поспе́шный, пове́рхностный 4) покла́дистый, усту́пчивый; снисходи́тельный (*о человеке*)

facilitate [fə'sɪləteɪt] *v* облегча́ть; соде́йствовать; спосо́бствовать; продвига́ть

facilitation [fə,sɪlə'teɪʃn] *n* облегче́ние, по́мощь

facility [fə'sɪlətɪ] *n* 1) лёгкость; отсу́тствие препя́тствий и поме́х 2) лёгкость, пла́вность (*речи*) 3) ги́бкость (*ума*) 4) пода́тливость, усту́пчивость 5) (*обыкн. pl*) возмо́жности, благоприя́тные усло́вия; льго́ты; facilities for study благоприя́тные усло́вия для учёбы 6) *pl* обору́дование; приспособле́ния; аппарату́ра; mechanical facilities техни́ческие приспособле́ния; athletic facilities спорти́вные сооруже́ния 7) *амер.* заво́д, предприя́тие 8): ~ of access досту́пность (*для ос-*

мотра, смазки станка и т.п.) 9) *pl* срéдства обслýживания; удóбства

facing ['feɪsɪŋ] **1.** *pres. p. от* face 2

2. *n* 1) отдéлка, кант 2) *pl* отдéлка мундúра (*обшлага, воротник и т.п. из материала другого цвета, кант*) 3) облицóвка; отдéлка 4) нарýжное покры́тие, внéшний слой 5) обтóчка (*поверхности*) 6) *pl воен.* поворóт на мéсте 7) *attr.* облицóвочный; ~ sand облицóвочный песóк; ~ stone а) облицóвочный кáмень; б) оселóк

facsimile [fæk'sɪmәlɪ] **1.** *n* факсúмиле; in ~ в тóчности

2. *v* воспроизводúть в вúде факсúмиле

fact [fækt] *n* 1) обстоя́тельство; факт; собы́тие; явлéние; stark ~ гóлый, неприкрáшенный факт 2) сýщность, факт; the ~ that he was there, shows... то, что он был там, покáзывает...; the ~ is that дéло в том, что; the ~ of the matter is that сýщность заключáется в том, что 3) *pl* дáнные, аргумéнты 4) úстина, действúтельность; this is a ~ and not a matter of opinion э́то непрелóжный факт ◇ in ~, in point of ~ фактúчески, на сáмом дéле, в действúтельности; по сýти, в сýщности; на повéрку

fact-finding ['fækt,faɪndɪŋ] *n* 1) расслéдование обстоя́тельств; установлéние фáктов 2) *attr.*: ~ board (*или* committee) комúссия по расслéдованию

faction I ['fækʃn] *n* 1) фрáкция; группирóвка 2) раздóры, дух интрúги

faction II ['fækʃn] *n* кнúга *или* фильм, в оснóву котóрых взя́ты úстинные собы́тия

factionalism ['fækʃnәl,ɪzәm] *n* фракциóнность

factious ['fækʃәs] *a* фракциóнный, раскóльнический

factitious [fæk'tɪʃәs] *a* искýсственный; поддéльный; наúгранный

factitive ['fæktәtɪv] *a грам.* каузáльный, фактитúвный

factor ['fæktә] *n* 1) фáктор, движýщая сúла; ~ of time фáктор врéмени 2) момéнт, осóбенность 3) *мат.* мнóжитель 4) комиссионéр; агéнт, посрéдник 5) *шотл.* управля́ющий (*имением*) 6) *тех.* коэффициéнт, фáктор; correction ~ попрáвочный коэффициéнт; ~ of safety коэффициéнт безопáсности; запáс прóчности

factorial [fæk'tɔ:rɪәl] *n мат.* факториáл

factory ['fæktrɪ] *n* 1) завóд, фáбрика 2) *ист.* фактóрия 3) *attr.* фабрúчный; ~ committee фабрúчно-заводскóй комитéт; F. Acts фабрúчное законодáтельство; ~ accident производственная трáвма; ~ farming ведéние сéльского хозя́йства промы́шленными мéтодами

factotum [fæk'tәutәm] *n* мáстер на все рýки

factual ['fæktʃuәl] *a* фактúческий, действúтельный; оснóванный на фáктах

facultative ['fækltәtɪv] *a* 1) факультатúвный, необязáтельный 2) случáйный; несистематúческий

faculty ['fækltɪ] *n* 1) спосóбность, дар; ~ of speech дар рéчи; ~ for music музыкáльные спосóбности; to be in possession of all one's faculties (пóлностью) сохраня́ть все свoú физúческие и ýмственные спосóбности 2) факультéт 3) *амер.* профéссорско-преподавáтельский состáв 4) óбласть наýки *или* искýсства 5) лúца с вы́сшим образовáнием, принадлежáщие к однóй профéссии (*особ. в области медицины*) 6) власть; прáво (*особ. церковное*)

fad [fæd] *n* прúхоть, причýда; фантáзия; конёк; преходя́щее увлечéние (*чем-л.*); to be full of ~s and fancies имéть мáссу причýд и фантáзий

faddish ['fædɪʃ] *a* чудаковáтый, с прúхотями

faddishness ['fædɪʃnәs] *n* чудáчество

faddist ['fædɪst] *n* чудáк

faddy ['fædɪ] *a* чудаковáтый; с прúхотями *или* фантáзиями (*особ. в еде*)

fade [feɪd] *v* 1) вя́нуть, увядáть, блёкнуть 2) выгорáть, линя́ть, блёкнуть 3) стирáться, сливáться (*об оттенках*); замирáть (*о звуках*) 4) постепéнно исчезáть (*часто* ~ away); all memory of the past has ~d воспоминáние о прóшлом изглáдилось 5) обесцвéчивать ▭ ~ **away** *разг.* угасáть; расплывáться; ~ **in** *радио, кино, тлв.* постепéнно увелúчивать сúлу звýка *или* чёткость изображéния; ~ **out** *радио, кино, тлв.* постепéнно уменьшáть сúлу звýка *или* чёткость изображéния

fadeaway [,feɪdә'weɪ] *n разг.* постепéнное исчезновéние

fade-in ['feɪdɪn] *n* 1) *кино, радио, тлв.* постепéнное появлéние (*звука или изображения*) 2) *кино* съёмка «из затемнéния»

fadeless ['feɪdlәs] *a* неувядáющий

fade-out ['feɪdaut] *n* 1) *кино, радио, тлв.* постепéнное исчезновéние (*звука или изображения*) 2) *кино* съёмка «в затемнéние»

fading ['feɪdɪŋ] **1.** *pres. p. от* fade

2. *n радио* затухáние, фéдинг

faeces ['fi:si:z] *n pl* 1) испражнéния; кал 2) осáдок

faerie, faery ['feәrɪ] *n уст.* 1) волшéбное цáрство; волшебствó 2) фéя 3) *attr.* волшéбный, феерúческий

faff [fæf] *разг.* = fuss 1 *и* 2

fag I [fæg] **1.** *n* 1) *разг.* тяжёлая, утомúтельная *или* скýчная рабóта 2) *sl.* сигарéта 3) млáдший ученúк, окáзывающий услýги стáршему (*в англ. школах*)

2. *v* 1) утомля́ться (*тж.* ~ out) 2) (*тж.* ~ away) трудúться, корпéть (at — над) 3) пóльзоваться услýгами млáдших товáрищей; окáзывать услýги стáршим товáрищам (*в англ. школах*) ▭ ~ **out** а) утомля́ться до изнеможéния; б) отбивáть мяч (*в крикете*)

fag II [fæg] *n амер. sl.* «голубóй», гóмик (*о гомосексуалисте*)

fag end [,fæg'end] *n sl.* 1) окýрок 2) конéц; the ~ of smth. (сáмый) конéц чегó-л.; at the ~ of a book в сáмом концé кнúги; the ~ of the day конéц дня 3) негóдный *или* ненýжный остáток (*чего-л.*)

faggot ['fægәt] **1.** *n* 1) запечённая и припрáвленная рýбленая печёнка 2) вязáнка, охáпка хвóроста; пук прýтьев; фашúна 3) *sl. пренебр.* кикúмора (*о женщине*) 4) *амер. sl.* гóмик

2. *v* 1) вязáть хвóрост в вязáнки; свя́зывать 2) дéлать мерéжку

fagot ['fægәt] *амер.* = faggot

Fahrenheit ['færәnhaɪt] *n* термóметр Фаренгéйта; шкалá термóметра Фаренгéйта

faience [faɪ'ɑ:ns] *n* фая́нс

fail [feɪl] **1.** *n* провáл, неудáча на экзáмене ◇ without ~ наверня́кá, непремéнно, обязáтельно

2. *v* 1) потерпéть неудáчу; не имéть успéха; my attempt has ~ed моя́ попы́тка не удалáсь 2) провалúть(ся) на экзáменах; to ~ in mathematics провалúться по математúке 3) изменúть; покúнуть; his courage ~ed him мýжество покúнуло егó; his heart ~ed him у негó сéрдце упáло, он испугáлся 4) не сбывáться, обмáнывать ожидáния, не удавáться; the maize ~ed that year кукурýза не удалáсь в тот год; I will never ~ you я никогдá вас не подведý 5) не испóлнить, не сдéлать; to ~ in one's duties пренебрегáть своúми обя́занностями; don't ~ to let me know не забýдьте дать мне знать; he ~ed to make use of the opportunity он не воспóльзовался э́той возмóжностью; don't ~ to come обязáтельно приходúте; I ~ to see your meaning не могý поня́ть, о чём вы говорúте 6) ослабевáть, теря́ть сúлы; his sight has ~ed of late егó зрéние рéзко ухýдшилось за послéднее врéмя 7) перестáть дéйствовать; вы́йти из стрóя 8) недоставáть, не хватáть; имéть недостáток (*в чём-л.*); words ~ me не нахожý слов; this novel ~s in unity в э́том ромáне нет еднúнства; time would ~ me я не успéю, мне не позвóлит врéмя

failing ['feɪlɪŋ] **1.** *pres. p. от* fail 2

2. *n* 1) недостáток 2) слабохарáктерность

3. *a* 1) недостаю́щий 2) слабéющий

4. *prep* за неимéнием; в слýчае отсýтствия; ~ an answer to my letter I shall telegraph éсли я не получý отвéта на письмó, бýду телеграфúровать

faille [feɪl] *фр. n текст.* фай

fail-safe ['feɪlseɪf] *a* самоотключáющийся (*при аварии и т.п.*)

failure ['feɪljә] *n* 1) неуспéх, неудáча, провáл; harvest ~ неурожáй; to end in ~ кóнчиться неудáчей; to meet with ~ потерпéть неудáчу; the play was a ~ пьéса провалúлась 2) неудáчник; неудáвшееся дéло 3) невыполнéние, неосуществлéние 4) *тех.* авáрия, повреждéние; откáз в рабóте, остановка *или* переры́в в дéйствии 5) недостáток, отсýтствие (*чего-л.*) 6) банкрóтство, несостоя́тельность 7) неспосóбность, несостоя́тельность; ~ to respond in a proper way неумéние прáвильно реагировать 8) небрежность 9) *геол.* обвал, обрушение

fain [feɪn] **1.** *a predic. уст.* 1) принуждённый (to); he was ~ to comply он был вынужден согласиться 2) *уст.* склонный, готовый сделать *что-л.*

2. *adv уст.* (*употр. тк.* с would) охотно, с радостью; he would ~ depart он рад был бы уйти

fainéant ['feɪnɪənt] **1.** *n* лентяй, бездельник

2. *a* ленивый, праздный

faint [feɪnt] **1.** *n* обморок, потеря сознания; dead ~ полная потеря сознания, глубокий обморок

2. *a* 1) тусклый, неотчётливый; бледный; ~ sound слабый, едва различимый звук 2) обморочный, близкий к обмороку; to feel ~ чувствовать дурноту 3) недостаточный, незначительный, слабый; not the ~est hope ни малейшей надежды 4) слабый, слабеющий; вялый 5) приторный, тошнотворный ◇ ~ heart never won fair lady *посл.* ≅ сробел — пропал; робость мешает успеху

3. *v* 1) слабеть; падать в обморок 2) *уст., поэт.* терять мужество

faintheart ['feɪnthɑ:t] *n* трус; малодушный человек; ≅ заячья душа

fainthearted [,feɪnt'hɑ:tɪd] *a* трусливый, малодушный

faintheartedly [,feɪnt'hɑ:tɪdlɪ] *adv* трусливо, малодушно; нерешительно

fainting-fit ['feɪntɪŋfɪt] *n* обморок

faintly ['feɪntlɪ] *adv* бледно; слабо; едва; ~ discernible едва различимый

fair I [feə] *n* 1) ярмарка; book ~ книжная ярмарка 2) благотворительный базар 3) выставка; world ~ всемирная выставка

fair II [feə] **1.** *a* 1) честный; справедливый, беспристрастный; законный; ~ game законная добыча; it is ~ to say справедливости ради следует отметить; ~ and square открытый, честный; ~ play игра по правилам; *перен.* честная игра, честность; by ~ means честным путём; by ~ means or foul любыми средствами; ~ price справедливая, настоящая цена 2) белокурый; светлый; ~ complexion белый (не смуглый) цвет лица; ~ man блондин 3) посредственный, средний; ~ to middling так себе, неважный; this film was only ~ фильм был весьма посредственный 4) порядочный, значительный; a ~ amount изрядное количество 5) благоприятный, неплохой; ~ weather хорошая, ясная погода; a ~ chance of success хорошие шансы на успех 6) чистый, незапятнанный; ~ name хорошая репутация 7) прекрасный, красивый; ~ one прекрасная *или* любимая женщина; the ~ sex прекрасный пол, женщины 8) *уст.* вежливый, учтивый ◇ ~ field and no favour игра *или* борьба на равных условиях; all's ~ in love and war *посл.* в любви и на войне все средства хороши

2. *adv* 1) честно; to hit (to fight) ~ нанести удар (бороться) по правилам 2) точно, прямо; to strike ~ in the face ударить прямо в лицо 3) чисто, ясно 4) *уст.* любезно, учтиво; to speak smb. ~ любезно, вежливо поговорить с кем-л. ◇ ~ enough ладно, хорошо

3. *n уст.* красавица; the ~ *поэт.* прекрасный пол ◇ for ~ *амер.* действительно, несомненно

fair-dealing ['feə,di:lɪŋ] **1.** *n* честность, прямота

2. *a* честный

fairground ['feəgraʊnd] *n* ярмарочная площадь

fairing I ['feərɪŋ] *n уст.* гостинец, подарок с ярмарки

fairing II ['feərɪŋ] *n ав.* обтекатель

fairly ['feəlɪ] *adv* 1) справедливо, беспристрастно 2) довольно; в известной степени; сносно; ~ often (well) довольно часто (хорошо) 3) явно; совершенно; in ~ close relations в весьма близких отношениях 4) безусловно; фактически

fairness ['feənəs] *n* справедливость; чистота, незапятнанность *и пр.* [*см.* fair II, 1]; in all ~ по совести (говоря)

fair-spoken [,feə'spəʊkən] *a* обходительный, вежливый, мягкий

fairway ['feəweɪ] *n мор.* фарватер; судоходный канал; проход

fair-weather ['feəweðə] *a* пригодный только в хорошую погоду ◇ ~ friends ненадёжные друзья, друзья только в счастье; ~ sailor неопытный *или* робкий моряк

fairy ['feərɪ] **1.** *n* 1) фея; волшебница; эльф; bad ~ злой дух, злой гений 2) *sl.* «голубой», гомосексуалист

2. *a* 1) волшебный, сказочный; похожий на фею 2) воображаемый

fairy godmother [,feərɪ'gɒdmʌðə] *n* «добрая фея», женщина, одаривающая кого-л. *или* приходящая на помощь

Fairyland ['feərɪlænd] *n* сказочная, волшебная страна

fairy lights ['feərɪlaɪts] *n pl* китайские фонарики

fairy story ['feərɪstɒrɪ] = fairy tale

fairy tale ['feərɪteɪl] *n* 1) (волшебная) сказка 2) выдумка, небылица, «бабушкины сказки»

fait accompli [,feɪtə'kɒmpli:] *фр. n* совершившийся факт; to present with a ~ ставить перед совершившимся фактом

faith [feɪθ] *n* 1) вера, доверие; to place one's ~ (*in smth.*) слепо верить (*чему-л.*); to shake (*или* to shatter) smb.'s ~ поколебать чью-л. веру 2) вера, вероисповедание; the Reformed ~ протестантизм 3) честность; верность, лояльность; in good ~ честно; добросовестно; in bad ~ вероломно 4) обещание, ручательство, слово; to plight (to break) one's ~ дать (нарушить) слово ◇ by my ~!, in ~! *уст.* клянусь (честью)!, ей-ей!; in ~ whereof *канц.* в удостоверение чего

faithful ['feɪθfl] **1.** *a* 1) верующий, правоверный 2) верный, преданный 3) правдивый; заслуживающий доверия, точный

2. *n* (the F.) *pl собир.* верующие; правоверные; Father of the ~ калиф

faithfully ['feɪθflɪ] *adv* верно; честно; yours ~ ≅ с совершенным почтением (*заключительная фраза письма*)

faithfulness ['feɪθflnəs] *n* верность, лояльность

faithless ['feɪθləs] *a* 1) вероломный; ненадёжный; не заслуживающий доверия 2) неверующий; неверный

fake I [feɪk] *v мор.* укладывать (*канат*) в бухту

fake II [feɪk] **1.** *n* 1) плутовство 2) подделка; фальшивка

2. *v* 1) подделывать, фабриковать (*обыкн.* ~ up) 2) мошенничать, обжуливать 3) прикидываться 4) *театр.* импровизировать

faked [feɪkt] *a* фальшивый, поддельный; сфабрикованный; ~ diamonds фальшивые бриллианты; ~ report сфабрикованный отчёт

faked-up ['feɪktʌp] *a*: ~ evidence состряпанное обвинение

faker ['feɪkə] *n* 1) жулик; обманщик 2) разносчик; уличный торговец; коробейник 3) *амер.* литературный правщик

fakir ['feɪkɪə] *n* факир

falcate, falcated ['fælkeɪt, -ɪd] *a спец.* серповидный

falchion ['fɔ:ltʃən] *n* 1) *ист.* короткая широкая кривая сабля 2) *поэт.* меч

falciform ['fælsɪfɔ:m] *a спец.* серповидный

falcon ['fɔ:lkən] *n* 1) сокол 2) = falconet 2)

falconer ['fɔ:lkənə] *n* соколиный охотник; сокольничий

falconet ['fɔ:lkənət] *n* 1) *зоол.* сорокопут 2) *ист.* фальконет (*пушка*)

falconry ['fɔ:lkənrɪ] *n* 1) соколиная охота 2) выноска ловчих птиц

falderal ['fældə'ræl] *n* 1) безделушка, украшение 2) ничего не значащий припев в старинных песнях

faldstool ['fɔ:ldstu:l] *n* 1) складное кресло епископа 2) небольшой складной аналой

fall [fɔ:l] **1.** *n* 1) падение; снижение 2) спад; падение цен, обесценение 3) выпадение осадков; a heavy ~ of rain ливень 4) уклон, обрыв, склон (*холма*); скат, понижение профиля местности 5) упадок, закат, потеря могущества 6) моральное падение; потеря чести; the F. of man *библ.* грехопадение 7) выпадение (*волос и т.п.*) 8) количество сваленного леса 9) *амер.* осень 10) (*обыкн. pl*) водопад (*напр.*, Niagara Falls) 11) впадение (*реки*) 12) *спорт.* схватка (*в борьбе*); to try a ~ with smb. бороться с кем-л. 13) *муз.* каданс 14) окот; выводок, помёт 15) *тех.* напор, высота напора 16) *тех.* канат *или* цепь подъёмного блока (*обыкн.* block and ~) 17) *мор.* фал ◇ pride goes before (*или* will have) a ~ *посл.* ≅ гордый покичился да во прах скатился; спесь в добро не вводит, гордыня до добра не доведёт

2. *v* (fell; fallen) 1) падать, спадать,

понижа́ться; the Neva has ~en вода́ в Неве́ спа́ла; prices are ~ing це́ны понижа́ются 2) опуска́ться, па́дать; the curtain ~s за́навес опуска́ется; the temperature has ~en температу́ра упа́ла; похолода́ло; my spirits fell моё настрое́ние упа́ло 3) ниспада́ть; (свобо́дно) па́дать (*об одежде, волосах и т.п.*) 4) оседа́ть, обва́ливаться 5) впада́ть (*о реке*; into — в) 6) спуска́ться, сходи́ть; night fell спусти́лась ночь 7) потерпе́ть крах; разори́ться 8) сни́кнуть; her face fell её лицо́ вы́тянулось 9) утра́тить власть 10) пасть мора́льно 11) приходи́ться, па́дать; достава́ться; his birthday ~s on Monday день его́ рожде́ния прихо́дится на понеде́льник; the expense ~s on me расхо́д па́дает на меня́ 12) ги́бнуть; to ~ in battle пасть в бою́; быть уби́тым; the fortress fell кре́пость па́ла 13) стиха́ть (*о ветре и т.п.*) 14) рожда́ться (*о ягнятах и т.п.*) 15) руби́ть (*лес*); вали́ть (*дерево*); вали́ться (*о дереве*) ▭ ~ **about** *разг.* па́дать от хо́хота; ~ **apart** а) разбива́ться (*о посуде*); б) конча́ться неуда́чей; в) распада́ться (*о дружбе*); ~ **away** а) ча́хнуть, со́хнуть; б) спада́ть; уменьша́ться; в) покида́ть, изменя́ть; ~ **back** отступа́ть; ~ **back (up)on** а) прибега́ть к *чему-л.*; б) обраща́ться к *кому-л.* в нужде́; ~ **behind** а) отстава́ть, остава́ться позади́; б) опа́здывать с упла́той; ~ **down** *разг.* потерпе́ть неуда́чу; to ~ down on one's work не спра́виться со свое́й рабо́той; ~ **for** *разг.* а) попада́ться на у́дочку; б) влюбля́ться; чу́вствовать влече́ние; поддава́ться (*чему-л.*); ~ **in** а) *воен.* станови́ться в строй, стро́иться; б) прова́ливаться, обру́шиваться; в) истека́ть (*о сроке аренды, долга, векселя*); ~ **in (with)** а) случа́йно встре́титься, столкну́ться; б) уступа́ть; соглаша́ться, быть в согла́сии (*с кем-л.*); ~ **off** а) уменьша́ться; ослабева́ть; б) отпада́ть; отва́ливаться; в) *мор.* не слу́шаться руля́ (*о корабле*); ~ **out** а) ссо́риться; б) выпада́ть; в) *воен.* выходи́ть из стро́я; г) случа́ться; it so fell out that случи́лось так, что; ~ **over** а) споткну́ться обо *что-л.*; б) увлека́ться; ~ **through** провали́ться; потерпе́ть неуда́чу; ~ **to** а) начина́ть, принима́ться за *что-л.*; б) принима́ться за еду́ ◇ to ~ in love влюбля́ться; he ~s in and out of love too often он непостоя́нен в любви́; to ~ on one's face ~ провали́ться с тре́ском, осканда́литься; to ~ to pieces развали́ться; to ~ flat не произвести́ ожида́емого впечатле́ния; his joke fell flat его́ шу́тка не име́ла успе́ха; to ~ from grace а) согреши́ть; б) впасть в е́ресь; to ~ into line *воен.* постро́иться, стать в строй; to ~ into line with подчиня́ться, соглаша́ться с; to ~ foul of а) *мор.* ста́лкиваться; б) ссо́риться; напада́ть; to ~ over oneself лезть из ко́жи вон; to ~ over one another, to ~ over each other дра́ться, боро́ться, ожесточённо сопе́рничать друг с дру́гом; let ~! *мор.* отпуска́й!

fallacious [fə'leɪʃəs] *a* оши́бочный, ло́жный

fallacy ['fæləsɪ] *n* 1) оши́бка, заблужде́ние; ло́жный вы́вод 2) оши́бочность, обма́нчивость 3) софи́зм, ло́жный до́вод

fal-lal [fæl'læl] *n* украше́ние, блестя́щая безделу́шка

fallen ['fɔ:lən] **1.** *p.p. om* fall 2

2. *a* 1) па́вший 2) па́дший; the ~ woman па́дшая же́нщина

3. *n* (the ~) *pl собир.* па́вшие (в бою́)

fall guy ['fɔ:lgaɪ] *n sl.* козёл отпуще́ния

fallibility [,fælə'bɪlətɪ] *n* подве́рженность оши́бкам; оши́бочность

fallible ['fæləbl] *a* подве́рженный оши́бкам

falling ['fɔ:lɪŋ] **1.** *pres. p. om* fall 2

2. *n* 1) паде́ние 2) пониже́ние

3. *a* 1) па́дающий 2) понижа́ющийся

falling sickness [,fɔ:lɪŋ'sɪknəs] *n* эпиле́псия; паду́чая

fallout ['fɔ:laʊt] *n* 1) выпаде́ние радиоакти́вных оса́дков 2) радиоакти́вные оса́дки (*тж.* nuclear ~)

fallow I ['fæləʊ] **1.** *n с.-х.* пар

2. *a* 1) вспа́ханный под пар (*о поле*); to lie ~ остава́ться под па́ром 2) неразвито́й (*об уме, о человеке*)

3. *v с.-х.* поднима́ть пар; вспа́хивать под пар

fallow II ['fæləʊ] *a* коричнева́то-жёлтый; краснова́то-жёлтый

fallow deer ['fæləʊdɪə] *n* лань

false [fɔ:ls] **1.** *a* 1) ло́жный, оши́бочный, непра́вильный; ~ pride ло́жная го́рдость 2) фальши́вый, вероло́мный; лжи́вый; обма́нчивый; ~ pretences обма́н, притво́рство 3) фальши́вый (*о деньгах*); иску́сственный (*о волосах, зубах*) 4): ~ keel *мор.* фальшки́ль ◇ to give a ~ colour to smth., to put a ~ colour on smth. искажа́ть, представля́ть что-л. в ло́жном све́те; to show a ~ face лицеме́рить

2. *adv*: to play smb. ~ обману́ть, преда́ть кого́-л.

false alarm [,fɔ:lsə'lɑ:m] *n* ло́жная трево́га

false arch ['fɔ:lsɑ:tʃ] *n стр.* декорати́вная а́рка

false-bottomed [,fɔ:ls'bɒtəmd] *a* с двойны́м дно́м

false-hearted [,fɔ:ls'hɑ:tɪd] *a* вероло́мный

falsehood ['fɔ:lshʊd] *n* 1) лжи́вость; вероло́мство 2) ложь, непра́вда; фальшь

falsely ['fɔ:lslɪ] *adv* 1) притво́рно, фальши́во 2) ло́жно, оши́бочно

falseness ['fɔ:lsnəs] *n* 1) фальшь; лжи́вость; вероло́мство 2) оши́бочность

false start [,fɔ:ls'stɑ:t] *n* 1) *спорт.* фальста́рт 2) неуда́чное нача́ло

falsetto [fɔ:l'setəʊ] *n* фальце́т

falsework ['fɔ:lswɜ:k] *n стр.* опа́лубка; леса́, по́дмости

falsification [,fɔ:lsɪfɪ'keɪʃn] *n* фальсифика́ция, подде́лка; искаже́ние

falsify ['fɔ:lsɪfaɪ] *v* 1) фальсифици́ровать, подде́лывать (*документы*); искажа́ть (*показания и т.п.*) 2) обма́нывать (*надежды*) 3) опроверга́ть

falsity ['fɔ:lsətɪ] *n* 1) ло́жность, оши́бочность 2) вероло́мство

falter ['fɔ:ltə] *v* 1) шата́ться, спотыка́ться 2) де́йствовать нереши́тельно, колеба́ться; дро́гнуть 3) запина́ться; говори́ть нереши́тельно; to ~ out an excuse пробормота́ть извине́ние

faltering ['fɔ:ltərɪŋ] **1.** *pres. p. om* falter

2. *a* запина́ющийся, нереши́тельный; ~ voice дрожа́щий го́лос

fame [feɪm] **1.** *n* 1) сла́ва, изве́стность 2) репута́ция 3) *уст.* молва́ ◇ house of ill ~ *уст.* публи́чный дом

2. *v* прославля́ть

famed [feɪmd] **1.** *p.p. om* fame 2

2. *a* изве́стный, знамени́тый, просла́вленный

familiar [fə'mɪlɪə] **1.** *a* 1) хорошо́ знако́мый, привы́чный; обы́чный; a ~ sight привы́чная карти́на 2) хорошо́ зна́ющий, осведомлённый; to be ~ with smth. знать что-л.; быть в ку́рсе чего́-л. 3) бли́зкий, инти́мный 4) фамилья́рный; бесцеремо́нный

2. *n* бли́зкий друг

familiarity [fə,mɪlɪ'ærətɪ] *n* 1) хоро́шая осведомлённость; thorough ~ with a language хоро́шее зна́ние языка́ 2) бли́зкое знако́мство 3) инти́мные отноше́ния 4) фамилья́рность ◇ ~ breeds contempt *посл.* ≅ чем бли́же зна́ешь, тем ме́ньше почита́ешь

familiarization [fə,mɪlɪəraɪ'zeɪʃn] *n* осва́ивание, ознакомле́ние

familiarize [fə'mɪlɪəraɪz] *v* ознако́мить; to ~ oneself with smth. осво́иться, ознако́миться с чем-л.

familiarly [fə'mɪlɪəlɪ] *adv* бесцеремо́нно; фамилья́рно

family ['fæmlɪ] *n* 1) семья́, семе́йство; род; a man of ~ а) семе́йный челове́к; б) челове́к зна́тного ро́да; a ~ of languages *лингв.* языкова́я семья́ 2) содру́жество 3) *attr.* семе́йный; родово́й; фами́льный; ~ circle а) семе́йный круг; б) *амер. театр.* галёрка; балко́н; ~ estate родово́е име́ние; ~ man семе́йный челове́к; домосе́д; ~ name а) фами́лия; б) и́мя, ча́стое в роду́; ~ tree родосло́вное де́рево; ~ hotel гости́ница для семе́йных; ~ likeness фами́льное схо́дство; отдалённое схо́дство; ~ friend друг семьи́; ~ jewels фами́льные драгоце́нности; ~ planning плани́рование семьи́ ◇ to be in the ~ way быть в интере́сном положе́нии (*быть беременной*); the President's official ~ *амер.* чле́ны кабине́та (мини́стров)

famine ['fæmɪn] *n* 1) го́лод (*стихи́йное бедствие*); голода́ние 2) недоста́ток; ~ of qualified engineers недоста́ток дипломи́рованных инжене́ров 3) *attr.*: ~ prices це́ны, взви́нченные во вре́мя го́лода

famish ['fæmɪʃ] *v* 1) мори́ть го́лодом 2) голода́ть; I am ~ed *разг.* умира́ю с го́лоду

famous ['feɪməs] *a* 1) знаменитый, известный, прославленный, славный; world ~ всемирно известный; to be ~ for smth. славиться чем-л. 2) *разг.* отличный, замечательный; he has a ~ appetite у него замечательный аппетит; that's ~! блестяще!, отлично!

famously ['feɪməslɪ] *adv разг.* здорово, лихо, отлично

famuli ['fæmjʊlaɪ] *pl от* famulus

famulus ['fæmjʊləs] *n* (*pl* -li) 1) ассистент профессора 2) ассистент иллюзиониста

fan I [fæn] **1.** *n* 1) веер, опахало 2) вентилятор 3) веялка 4) крыло ветряной мельницы 5) лопасть (*воздушного или гребного винта*)

2. *v* 1) веять (*зерно*) 2) обмахивать; to ~ oneself обмахиваться веером 3) раздувать; to ~ the flame *перен.* разжигать страсти 4) развёртывать веером 5) *разг.* обыскивать ▭ ~ **out** *воен.* развёртывать(ся) веером

fan II [fæn] *n* энтузиаст, болельщик; любитель

fanatic [fə'nætɪk] **1.** *n* фанатик, изувер

2. *a* фанатический, изуверский

fanatical [fə'nætɪkl] = fanatic 2

fanaticism [fə'nætɪsɪzəm] *n* фанатизм, изуверство

fan belt ['fænbelt] *n авто* ремень охлаждения (*радиатора*)

fancier ['fænsɪə] *n* знаток, любитель

fanciful ['fænsɪfl] *a* 1) капризный, с причудами 2) причудливый, прихотливый, странный 3) нереальный, фантастический

fancy ['fænsɪ] **1.** *n* 1) склонность; пристрастие; конёк; вкус (*к чему-л.*); to have a ~ for smth. любить что-л., увлекаться чем-л.; to take a ~ for (*или* to) smb., smth. увлёчься кем-л., чем-л.; полюбить кого-л., что-л., to take (*или* to catch) the ~ of smb. привлечь внимание кого-л.; захватить кого-л., полюбиться кому-л.; to tickle smb.'s ~ понравиться кому-л., возбудить чьё-л. любопытство 2) прихоть, причуда, каприз 3) фантазия; воображение 4) мысленный образ 5) (the ~) любители, энтузиасты; болельщики

2. *a* 1) орнаментальный, разукрашенный; фасонный; ~ bread сдоба 2) причудливый, прихотливый 3) фантастический; ~ picture фантастическое описание; ~ price баснословно дорогая цена 4) *амер.* модный; высшего качества; ~ articles модные товары; безделушки; галантерея 5) многоцветный (*о растениях*) 6) обладающий особыми свойствами, полученными путём селекции (*о растении или животном*) 7) маскарадный; ~ dress маскарадный костюм ◇ ~ man а) любовник; б) *sl.* сутенёр; ~ woman (*или* lady) а) любовница; б) проститутка

3. *v* 1) полагать, предполагать 2) *разг.* нравиться; любить; you may eat anything that you ~ вы можете есть всё (что угодно) 3) *refl. разг.* воображать, быть о себе высокого мнения 4) воображать, представлять себе; ~!, just (*или* only) ~! можете себе представить!, подумай(те) только! 5) выращивать животных *или* растения улучшенной породы *или* вида

fancy dress [,fænsɪ'dres] *a* костюмированный; ~ ball маскарад

fancy-free [,fænsɪ'fri:] *a* невлюблённый

fancywork ['fænsɪwɜ:k] *n* вышивка; вышивание

fandango [fæn'dæŋgəʊ] *n* (*pl тж.* -os [-əʊz]) 1) фанданго (*испанский танец*) 2) дурачество, сумасбродство

fane [feɪn] *n поэт.* храм

fanfare ['fænfeə] *n* фанфара

fanfaronade [,fænfærə'neɪd] *n* фанфаронство, бахвальство

fang [fæŋ] *n* 1) клык 2) ядовитый зуб (*змеи*) 3) корень зуба 4) *разг.* зуб (*человека*) 5) *тех.* крюк; захват 6) *горн.* вентиляционная штольня

fanlight ['fænlaɪt] *n* веерообразное окно (*особ. над дверью*)

fanner ['fænə] *n* веялка

fanny ['fænɪ] *n* 1) *груб.* женские половые органы 2) *амер. sl.* задница, зад

fantail ['fænteɪl] *n* трубастый голубь

fantasia [fæn'teɪzɪə] *n муз.* фантазия

fantastic [fæn'tæstɪk] *a* 1) *разг.* превосходный, чудесный 2) экстравагантный; капризный 3) фантастический; причудливый; гротескный; ~ ideas странные выдумки; ~ lies несусветная ложь; ~ profits баснословные прибыли

fantasticality [fæn,tæstɪ'kælətɪ] *n* фантастичность, причудливость

fantasy ['fæntəsɪ] *n* 1) воображение, фантазия 2) иллюзия; игра воображения 3) каприз 4) = fantasia

fantoccini [,fæntə'tʃi:nɪ] *ит. n pl* марионетки; театр марионеток

fan tracery ['fæn,treɪsərɪ] *n архит.* рёбра [illegible] свода; нервюра

faquir ['fɑ:kɪə] = fakir

far [fɑ:] **1.** *a* (farther, further; farthest, furthest) дальний, далёкий; отдалённый (*тж.* ~ off); a ~ bank противоположный берег

2. *adv* (farther, further; farthest, furthest) 1) далеко; на большом расстоянии (*тж.* ~ away, ~ off, ~ out); ~ back in the past в далёком прошлом; ~ and near повсюду; ~ and wide а) повсюду; б) всесторонне; he saw ~ and wide он обладал широким кругозором; ~ in the day к концу дня; ~ into the night допоздна; ~ into the air высоко в воздух; ~ into the ground глубоко в землю; to go ~ далеко пойти; to go (*или* to carry it) too ~ заходить слишком далеко; ~ from далеко от; it is ~ from true это далеко не так 2) гораздо, намного; ~ different значительно отличающийся; ~ better значительно лучше; ~ the best самый лучший ◇ as ~ back as the 27th of January ещё 27 января; ~ and away а) несравненно, намного, гораздо; б) несомненно; so ~ so good пока всё хорошо; ~ from it ничуть, отнюдь нет; ~ be it from me ни за что; я вовсе не это имею в виду

3. *n* 1) значительное количество; by ~ намного; to surpass by ~ намного превзойти; to prefer by ~ отдавать серьёзное предпочтение 2) большое расстояние; from ~ издалека

farad ['færəd] *n эл.* фарада

faraway [,fɑ:rə'weɪ] *a* 1) дальний, отдалённый 2) отсутствующий, рассеянный; she has a ~ look in her eyes у неё отсутствующий взгляд

far-between [,fɑ:bɪ'twi:n] *a* редкий

farce I [fɑ:s] *n* 1) *театр.* фарс 2) фарс, грубая выходка

farce II [fɑ:s] **1.** *n* фарш

2. *v* фаршировать; шпиговать

farcical ['fɑ:sɪkl] *a* 1) смехотворный, нелепый 2) фарсовый, шуточный

farcy ['fɑ:sɪ] *n вет.* кожный сап

fardel ['fɑ:dəl] *n уст.* 1) узел (*с вещами*) 2) бремя, груз

fare [feə] **1.** *n* 1) стоимость проезда, плата за проезд; what is the ~? сколько стоит проезд, билет? 2) ездок, пассажир 3) пища, стол, провизия, съестные припасы

2. *v книжн.* 1) быть, поживать; случаться; how ~s it? как дела?; it has ~d ill with him ему плохо пришлось; ~ you well! прощайте, счастливого пути! 2) случаться, происходить; оказаться; we shall see, how it will ~ with him посмотрим, что с ним будет 3) ехать, путешествовать ◇ you may go farther and ~ worse *посл.* ≅ от добра добра не ищут

Far-Eastern [,fɑ:r'i:stən] *a* дальневосточный

farewell [,feə'wel] **1.** *n* прощание; to bid one's ~, to make one's ~s прощаться

2. *a* прощальный

3. *int* до свидания!, добрый путь!; ~ to school! прощай, школа!

far-famed ['fɑ:,feɪmd] *a* широко известный

farfetched [,fɑ:'fetʃt] *a* натянутый, неестественный, искусственный; притянутый за уши (*об аргументе, доводе*)

far-flung [,fɑ:'flʌŋ] *a* широко раскинувшийся, обширный

far-gone [,fɑ:'gɒn] *a* 1) далеко зашедший 2) *разг.* в последней стадии (*болезни*) 3) *разг.* ≅ по уши в долгах 4) *разг.* сильно пьяный 5) *разг.* сильно *или* безнадёжно влюблённый

farina [fə'ri:nə] *n* 1) мука 2) манная крупа 3) порошок 4) крахмал, картофельная мука 5) *бот.* пыльца

farinaceous [,færɪ'neɪʃəs] *a* мучнистый, мучной

farinose ['færɪnəʊs] *a* 1) мучнистый 2) словно мукой посыпанный

farm [fɑ:m] **1.** *n* 1) ферма, хозяйство; хутор; dairy ~ молочная ферма 2) питомник 3) (крестьянское) хозяйство; collective ~ колхоз; state ~ совхоз; individual ~ единоличное хозяйство 4) = farmhouse 5) *attr.* сельскохозяйственный; ~ labourer батрак; ~ tenure условия аренды земли

2. *v* 1) обрабáтывать зéмлю; he ~ed in Australia он был фéрмером в Австрáлии 2) брать на воспитáние детéй (*за плату*) 3) сдавáть в арéнду (*имение*) 4) брать на óткуп ▭ ~ **out** а) отдавáть, передоверя́ть часть рабóты другóму; б) сдавáть в арéнду

farmer [ˈfɑːmə] *n* 1) фéрмер; арендáтор 2) откупщи́к

farmhand [ˈfɑːmhænd] *n* сельскохозя́йственный рабóчий

farmhouse [ˈfɑːmhaʊs] *n* жилóй дом на фéрме

farming [ˈfɑːmɪŋ] 1. *pres. p. от* farm 2

2. *n* 1) сдáча в арéнду, на óткуп 2) сéльское хозя́йство; mixed ~ неспециализи́рованное многоотраслевóе сéльское хозя́йство

farmstead [ˈfɑːmsted] *n* фéрма со слу́жбами; усáдьба

farmyard [ˈfɑːmjɑːd] *n* двор фéрмы

faro [ˈfeərəʊ] *n* фараóн (*карт. игра*)

far-off [ˌfɑːrˈɒf] *a* отдалённый

farouche [fəˈruːʃ] *a* нелюди́мый, ди́кий, угрю́мый

far-out [ˌfɑːrˈaʊt] *a* 1) отдалённый 2) передовóй, нетрадициóнный; свобóдный от предрассу́дков и услóвностей

farraginous [fəˈrædʒɪnəs] *a* смéшанный, сбóрный

farrago [fəˈrɑːgəʊ] *n* (*pl тж.* -os [-əʊz]) смесь, мешани́на; вся́кая вся́чина

far-reaching [ˌfɑːˈriːtʃɪŋ] *a* 1) широ́кий 2) далекó иду́щий; чревáтый серьёзными послéдствиями

farrier [ˈfærɪə] *n* 1) кузнéц (*подковывающий лошадей*) 2) коновáл

farriery [ˈfærɪərɪ] *n* 1) кóвка лошадéй 2) ку́зница 3) *уст.* ветеринáрная хирурги́я

farrow I [ˈfærəʊ] 1. *n* 1) поросёнок 2) опорóс; помёт порося́т

2. *v* пороси́ться

farrow II [ˈfærəʊ] *a* я́ловая (*о корове*)

farseeing [ˌfɑːˈsiːɪŋ] *a* дальнови́дный, прозорли́вый, предусмотри́тельный

farsighted [ˌfɑːˈsaɪtɪd] *a* 1) дальнозóркий 2) дальнови́дный, прозорли́вый, предусмотри́тельный

fart [fɑːt] *груб.* 1. *n* 1) (грóмкий) треск при вы́ходе гáзов из органи́зма 2) воню́чка, перду́н (*о человеке*)

2. *v* издавáть (грóмкий) треск, освобождáясь от гáзов, пердéть

farther [ˈfɑːðə] 1. *a* 1) *сравн. ст. от* far 1; 2) бóлее отдалённый; дальнéйший, позднéйший 3) дополни́тельный; have you anything ~ to say? что ещё вы мóжете добáвить?

2. *adv* 1) *сравн. ст. от* far 2; 2) дáльше, дáлее 3) *редк.* крóме тогó, тáкже

farthermost [ˈfɑːðəməʊst] *a* сáмый дáльний, наибóлее отдалённый

farthest [ˈfɑːðɪst] 1. *a* 1) *превосх. ст. от* far 1; 2) сáмый дáльний 3) сáмый дóлгий, сáмый пóздний; at (the) ~ сáмое бóльшее; сáмое пóзднее

2. *adv* 1) *превосх. ст. от* far 2); 2) дáльше всегó

farthing [ˈfɑːðɪŋ] *n уст.* фáртинг (*1/4 пенни*) ◇ it does not matter a ~ э́то рóвно ничегó не знáчит; it's not worth a ~ грошá лóманого не стóит; not to care a brass ~ наплевáть

farthingale [ˈfɑːðɪŋgeɪl] *n* ю́бка с фи́жмами (*по моде XVI в.*)

fasces [ˈfæsiːz] *n pl др.-рим.* пучóк пру́тьев ли́ктора

fascia [ˈfeɪʃə] *n* (*pl тж.* -iae) 1) полóска, полосá, пóяс 2) вы́веска 3) *архит.* поясóк, вáлик 4) [ˈfæʃɪə] *мед.* повя́зка, бинт; *анат.* фáсция

fasciae [ˈfeɪʃɪiː] *pl от* fascia

fascicle [ˈfæsɪkl] *n* 1) отдéльный вы́пуск (*какого-л. издания*) 2) *бот.* пучóк, гроздь

fascicule [ˈfæsɪkjuːl] = fascicle

fascinate [ˈfæsɪneɪt] *v* 1) очарóвывать, пленя́ть 2) зачарóвывать взгля́дом

fascinating [ˈfæsɪneɪtɪŋ] 1. *pres. p. от* fascinate

2. *a* обворожи́тельный, очаровáтельный, плени́тельный

fascination [ˌfæsɪˈneɪʃn] *n* очаровáние, обая́ние; прéлесть

fascinator [ˈfæsɪneɪtə] *n* 1) чародéй 2) *уст.* лёгкая кружевня́я наки́дка для головы́

fascine [fæˈsiːn] *n* 1) фаши́на 2) *attr.*: ~ dwelling свáйная постройка

Fascism [ˈfæʃɪzəm] *n* фаши́зм

fascist [ˈfæʃɪst] 1. *n* фаши́ст

2. *a* фаши́стский

fash [fæʃ] *шотл.* 1. *n* беспокóйство; мучéние; досáда

2. *v* беспокóить(ся); му́чить(ся)

fashion [ˈfæʃn] 1. *n* 1) стиль, мóда; to be the ~, to be in ~ быть в мóде; to be in the ~ слéдовать мóде; to bring into ~ вводи́ть в мóду; dressed in the height of ~ одéтый по послéдней мóде; a man of ~ свéтский человéк, слéдующий мóде; out of ~ вы́шедший из мóды 2) фасóн, покрóй; фóрма 3) óбраз, манéра; after (*или* in) a ~ а) нéкоторым óбразом, до извéстной стéпени; б) кóе-кáк; after the ~ of smth. по образцу́ чегó-л.; in one's own ~ по-своéму

2. *v* 1) придавáть вид, фóрму (into, to); *тех.* формовáть, фасони́ровать, моделúровать; to ~ a vase from clay лепи́ть сосу́д из гли́ны 2) *редк.* приспосáбливать (to)

fashionable [ˈfæʃnəbl] 1. *a* мóдный; свéтский; фешенéбельный

2. *n* свéтский человéк

fashioner [ˈfæʃnə] *n* портнóй, костюмéр

fashion-monger [ˈfæʃn,mʌŋgə] *n* мóдник; мóдница

fashion plate [ˈfæʃnpleɪt] *n* 1) мóдная карти́нка 2) мóдно одéтая жéнщина 3) франт

fast I [fɑːst] 1. *n* пост; to break (one's) ~ разговéться

2. *v* пости́ться

fast II [fɑːst] 1. *a* 1) скóрый, бы́стрый; ~ train скóрый пóезд; ~ neutron *физ.* бы́стрый нейтрóн; ~ track *ж.-д.* ли́ния с движéнием поездóв большóй скóрости 2) нетóчный; the watch is ~ часы́ спешáт; the scales are ~ весы́ покáзывают бóльший вес 3) прóчный, крéпкий, твёрдый; стóйкий; закреплённый; ~ colour прóчная крáска; ~ friendship прóчная дру́жба; ~ sleep беспробу́дный сон; ~ coupling *тех.* постоя́нная (соедини́тельная) му́фта; to make ~ а) закрепля́ть; б) запирáть (*дверь*) 4) фривóльный; легкомы́сленный; a ~ set óбщество кути́л; to lead a ~ life вести́ беспу́тную жизнь; прожигáть жизнь ◇ a ~ prisoner у́зник; ~ tennis-court удóбная, хорóшая тéннисная площáдка; ~ and loose непостоя́нный, измéнчивый, ненадёжный; to play ~ and loose (with) поступáть безответственно (с); быть непослéдовательным, ненадёжным; нарушáть обещáние

2. *adv* 1) бы́стро, чáсто; скóро 2) крéпко, си́льно, прóчно; ~ shut плóтно закры́тый; to be ~ asleep крéпко спать 3): to live ~ прожигáть жизнь ◇ ~ by (*или* beside) совсéм ря́дом; stand ~! *воен.* стой!

3. *n* 1) *мор.* швартóв, причáл 2) *горн.* штрек

fasten [ˈfɑːsn] *v* 1) прикрепля́ть, привя́зывать (to, upon, on - к); свя́зывать (together, up, in); скрепля́ть, укрепля́ть, зажимáть, сви́нчивать; сжимáть, сти́скивать (*руки, зубы*); to ~ a nickname on smb. давáть комý-л. прóзвище 2) запирáть(ся); застёгивать(ся); to ~ a door заперéть дверь; to ~ a glove застегну́ть перчáтку 3) устремля́ть (*взгляд, мысли и т. п.* — on, upon); to ~ one's eyes on smb., smth. при́стально смотрéть на когó-л., что-л. 4) навя́зывать; to ~ a quarrel upon smb. поссóриться с кем-л., придрáться к комý-л.; to ~ the blame on smb. возлагáть на когó-л. вину́ 5) *стр.* затвердевáть (*о растворе*) ▭ ~ **off** закрепи́ть (*нитку*); ~ **up** закрывáть; завя́зывать; to ~ up a box заколоти́ть я́щик; ~ **upon** ухвати́ться, набрóситься; to ~ upon an idea (a pretext) ухвати́ться за мысль (предлóг); the bees ~ed upon me пчёлы облепи́ли меня́

fastener [ˈfɑːsnə] *n* 1) запóр, задви́жка 2) застёжка; «мóлния» 3) зажи́м 4) скрéпка для бумáг

fastening [ˈfɑːsnɪŋ] 1. *pres. p. от* fasten

2. *n* 1) свя́зывание, скреплéние; замыкáние 2) = fastener

fasti [ˈfæstiː] *лат. n pl* лéтопись, аннáлы

fastidious [fæˈstɪdɪəs] *a* 1) утончённый, изощрённый 2) привередли́вый, разбóрчивый

fasting [ˈfɑːstɪŋ] 1. *pres. p. от* fast I, 2

2. *n* пост

3. *a* постя́щийся, соблюдáющий пост

4. *adv* на голóдный желу́док, натощáк

fastness [ˈfɑːstnəs] *n* 1) крéпость, тверды́ня, оплóт, цитадéль 2) прóчность *и пр.* [*см.* fast II, 1] 3) сопротивля́емость органи́зма нéкоторым я́дам

fat [fæt] 1. *n* 1) жир, сáло; расти́тельное ма́сло (*тж.* vegetable ~) 2) сма́зка, мазь; таво́т 3) полнота́, ту́чность; ожире́ние; to be inclined to ~ быть скло́нным к полноте́; to run to ~ *разг.* жире́ть, толсте́ть 4) лу́чшая часть (*чего-л.*); to live on the ~ of the land *библ.* жить роско́шно 5) *театр.* вы́игрышная роль; вы́игрышное ме́сто в ро́ли ◇ ~ cat *амер.* «де́нежный мешо́к», бога́ч-финанси́ст, субсиди́рующий разли́чные мероприя́тия; to live on one's own ~ а) жить ста́рыми запа́сами (*знаний и т.п.*); б) жить на свой капита́л; the ~ is in the fire ≅ де́ло сде́лано, быть беде́

2. *a* 1) упи́танный, то́лстый, ту́чный; отко́рмленный; ~ cheeks пу́хлые щёки; ~ fingers то́лстые коро́ткие па́льцы 2) жи́рный; са́льный (*о пище*); масляни́стый; ~ type жи́рный шрифт 3) плодоро́дный (*о почве*) 4) вы́годный, дохо́дный; ~ job вы́годное де́ло; тёпленькое месте́чко; ~ part вы́игрышная роль 5) оби́льный, бога́тый 6) тупоу́мный, глу́пый ◇ a ~ lot *разг.* мно́го, о́чень (*обыкн. ирон.* ма́ло); a ~ lot you care ≅ вам на э́то наплева́ть

fatal ['feɪtl] *a* 1) смерте́льный, губи́тельный, па́губный 2) рокова́й, фата́льный, неизбе́жный ◇ the ~ sisters *миф.* па́рки; the ~ thread нить жи́зни; the ~ shears смерть

fatalism ['feɪtəlˌɪzəm] *n* фатали́зм

fatality [fə'tælətɪ] *n* 1) несча́стье; смерть (*от несчастного случая и т.п.*) 2) рок; фата́льность, обречённость

fata morgana [ˌfɑːtəmɔː'gɑːnə] *ит. n* фа́та-морга́на, мира́ж

fate [feɪt] **1.** *n* 1) ги́бель, смерть; to go to one's ~ идти́ на ги́бель 2) рок, судьба́; жре́бий, уде́л; as sure as ~ несомне́нно 3) (the Fates) *pl миф.* па́рки

2. *v* (*обыкн. pass.*) предопределя́ть; he was ~d to do it ему́ суждено́ бы́ло сде́лать э́то

fated ['feɪtɪd] **1.** *p. p. от* fate 2

2. *a* предопределённый; обречённый

fateful ['feɪtfl] *a* 1) реши́тельный, ва́жный (*по последствиям*) 2) рокова́й 3) обречённый 4) проро́ческий; злове́щий

fathead ['fæthed] *n разг.* о́лух, болва́н

father ['fɑːðə] **1.** *n* 1) оте́ц, роди́тель; natural ~ оте́ц внебра́чного ребёнка 2) приёмный оте́ц, усынови́тель (*тж.* adoptive ~) 3) пре́док, родонача́льник, пароди́тель 4) созда́тель, творе́ц; вдохнови́тель 5) покрови́тель; засту́пник, «оте́ц родно́й» 6) духо́вный оте́ц, епи́скоп; the Holy F. па́па ри́мский 7) старе́йший член; *pl* старе́йшины; F. of the House а) старе́йший (*по годам непрерывности депутатского звания*) член пала́ты о́бщин; б) *амер.* старе́йшина пала́ты представи́телей ◇ the wish is ~ to the thought жела́ние порожда́ет мысль; ≅ лю́ди скло́нны ве́рить тому́, чему́ хотя́т ве́рить; F. Thames ≅ ма́тушка Те́мза, F. of lies сатана́; to be gathered to one's ~s отпра́виться к пра́отцам; F. of Waters *амер.* река́ Миссиси́пи

2. *v* 1) быть отцо́м; производи́ть, порожда́ть, быть а́втором, творцо́м 2) припи́сывать отцо́вство; припи́сывать а́вторство; возлага́ть отве́тственность (за а́вторство) (on, upon — на) 3) усыновля́ть; оте́чески забо́титься

Father Christmas [ˌfɑːðə'krɪsməs] *n* Дед Моро́з

father figure ['fɑːðəˌfɪgə] *n* челове́к, кото́рого лю́бят и уважа́ют как родно́го отца́; руководи́тель, по́льзующийся авторите́том

fatherhood ['fɑːðəhʊd] *n* отцо́вство

father image ['fɑːðərˌɪmɪdʒ] = father figure

father-in-law ['fɑːðərɪnlɔː] *n* (*pl* fathers-in-law) 1) свёкор (*отец мужа*) 2) тесть (*отец жены*)

fatherland ['fɑːðəlænd] *n* оте́чество, отчи́зна

fatherless ['fɑːðələs] *a* оста́вшийся без отца́

fatherly ['fɑːðəlɪ] **1.** *a* отцо́вский; оте́ческий, не́жный **2.** *adv* оте́чески

fathom ['fæðəm] **1.** *n* (*pl с цифрами обыкн. без изменений*) 1) морска́я са́жень (= *6 футам 182 см*) 2) изоба́та ◇ to be ~s deep in love быть влюблённым по́ уши

2. *v* 1) вника́ть, понима́ть; I cannot ~ his meaning я не могу́ поня́ть, что он хо́чет сказа́ть 2) измеря́ть глубину́ (*воды*); де́лать проме́р ло́том

Fathometer [fæ'ðɒmɪtə] *n мор.* эхоло́т

fathomless ['fæðəmləs] *a* 1) неизмери́мый; бездо́нный; the ~ depths of the sea бездо́нные глуби́ны мо́ря 2) непостижи́мый

fatidic(al) [feɪ'tɪdɪk(l)] *a* проро́ческий

fatigue [fə'tiːg] **1.** *n* 1) уста́лость, утомле́ние 2) *тех.* уста́лость (*металлов*) 3) утоми́тельность 4) утоми́тельная рабо́та 5) = ~-duty 6) = ~-party

2. *v* утомля́ть, изнуря́ть

fatigue-dress [fə'tiːgˌdres] *n воен.* рабо́чая оде́жда солда́та

fatigue-duty [fə'tiːgˌdjuːtɪ] *n воен.* нестроево́й наря́д

fatigue-party [fə'tiːgˌpɑːtɪ] *n воен.* рабо́чая кома́нда

fatstock ['fætstɒk] *n* скот, отко́рмленный для убо́я

fatten ['fætn] *v* 1) отка́рмливать на убо́й 2) жире́ть, толсте́ть 3) удобря́ть (*землю*)

fatty ['fætɪ] **1.** *a* жи́рный; жирово́й; ~ degeneration *мед.* жирово́е перерожде́ние, ожире́ние; ~ degeneration of the heart ожире́ние се́рдца; ~ acids *хим.* жи́рные кисло́ты

2. *n разг.* толстя́к

fatuity [fə'tjuːətɪ] *n* самодово́льная глу́пость; бессмы́сленность

fatuous ['fætjʊəs] *a* глу́пый, дура́цкий; ~ smile бессмы́сленная улы́бка

fat-witted ['fætˌwɪtɪd] *a* тупо́й, глу́пый

faubourg ['fəʊbʊəg] *фр. n* предме́стье, при́город (*особ. Парижа*)

fauces ['fɔːsiːz] *n pl анат.* зев, го́рло, ротогло́тка

faucet ['fɔːsɪt] *n* 1) водопрово́дный кран 2) ве́нтиль; вту́лка; растру́б; заты́чка (*преим. амер.*)

faugh [fɔː] *int* тьфу!, фу!

fault [fɔːlt] **1.** *n* 1) недоста́ток, дефе́кт; to find ~ with smb., smth. а) придира́ться к кому́-л., к чему́-л.; брани́ть кого́-л.; б) жа́ловаться на что-л. 2) про́мах, оши́бка; to be at ~ ошиба́ться [*см. тж.* 6)] 3) *спорт.* непра́вильно по́данный мяч 4) просту́пок, вина́; in ~ винова́тый; whose ~ is it?, who is in ~? кто винова́т?; through no ~ of mine не по мое́й вине́ 5) *геол.* разло́м, сдвиг, сброс 6) *охот.* поте́ря следа́; to be at ~ потеря́ть след; *перен.* быть озада́ченным; находи́ться в затрудне́нии [*см. тж.* 2)] 7) *тех.* ава́рия, поврежде́ние, неиспра́вность ◇ to a ~ о́чень; сли́шком; чрезме́рно; a ~ confessed is half redressed *посл.* ≅ пови́нную го́лову меч не сечёт

2. *v* 1) придира́ться 2) допуска́ть оши́бки, ошиба́ться 3) *геол.* образова́ть разры́в *или* сброс

faultfinder ['fɔːltfaɪndə] *n* приди́ра

faultfinding ['fɔːltfaɪndɪŋ] **1.** *n* 1) приди́рки, приди́рчивость 2) *тех.* обнару́жение ава́рии

2. *a* приди́рчивый

faultless ['fɔːltləs] *a* 1) безупре́чный 2) безоши́бочный

faulty ['fɔːltɪ] *a* 1) несовершённый 2) непра́вильный, оши́бочный 3) испо́рченный, повреждённый 4) наделённый недоста́тками

faun [fɔːn] *n римск. миф.* фавн

fauna ['fɔːnə] *n* (*pl* -ae, -as [-əz]) фа́уна

faunae ['fɔːniː] *pl от* fauna

faux pas [fəʊ'pɑː] *фр. n* ло́жный шаг

favor, favorable, favored, favorite, favoritism ['feɪvə, 'feɪvərəbl, 'feɪvəd, 'feɪvrət, 'feɪvrətˌɪzəm] *амер.* = favour, favourable, favoured, favourite, favouritism

favour ['feɪvə] **1.** *n* 1) одолже́ние; любе́зность; to do smth. as a ~ сде́лать одолже́ние, оказа́ть любе́зность; do me a ~, read this carefully бу́дьте добры́, прочти́те э́то внима́тельно 2) благоскло́нность, расположе́ние; одобре́ние; to find ~ in the eyes of smb., to win smb.'s ~ снcка́ть чьё-л. расположе́ние; угоди́ть кому́-л.; to look with ~ on smb., smth. относи́ться доброжела́тельно к кому́-л., чему́-л.; to stand high in smb.'s ~ быть в ми́лости у кого́-л.; in ~ в почёте; out of ~ в неми́лости; to enjoy the ~s of a woman по́льзоваться благоскло́нностью же́нщины 3) пристра́стие (*к кому-л.*); покрови́тельство; he gained his position more by ~ than by merit (скоре́е) не ли́чные заслу́ги, а покрови́тельство помогло́ ему́ дости́чь тако́го положе́ния 4) по́льза, интере́с; по́мощь; in ~ of а) за; to be in ~ of smth. стоя́ть за что-л., быть сторо́нником чего́-л.; б) в по́льзу (*кого-л., чего-л.*); to draw a cheque in smb.'s ~ вы́писать чек на чьё-л. и́мя 5) значо́к; бант, розе́тка; сувени́р 6) *ком. уст.* письмо́; your ~ of yesterday ва́ше вчера́шнее письмо́ 7) *уст.* вне́шность, лицо́ ◇ by your ~ *уст.* с ва́шего позволе́ния; under ~ *уст.* с позволе́ния сказа́ть; those in ~? кто за?

2. *v* 1) благоволи́ть, быть благоскло́нным; ока́зывать внима́ние, любе́зность; please, ~ me with an answer благоволи́те мне отве́тить 2) благоприя́тствовать; помога́ть, подде́рживать 3) покрови́тельствовать; быть пристра́стным, ока́зывать предпочте́ние 4) *разг.* бере́чь, оберега́ть, щади́ть 5) *разг.* быть похо́жим; the boy ~s his father ма́льчик похо́ж на отца́ ◇ ~ed by smb. пе́реданное кем-л. (*письмо*)

favourable ['feɪvərəbl] *a* 1) благоприя́тный; подходя́щий; удо́бный; ~ answer благоприя́тный отве́т; ~ wind попу́тный ве́тер 2) благоскло́нный, располо́женный, симпатизи́рующий

favoured ['feɪvəd] **1.** *p. p. от* favour 2

2. *a* 1) привилегиро́ванный, по́льзующийся преиму́ществом; most ~ nation *дип.* наибо́лее благоприя́тствуемая на́ция; ~ few немно́гие и́збранные 2) благода́тный (*о климате*)

favourite ['feɪvrət] **1.** *n* 1) люби́мец; фаворит 2) люби́мая вещь; that book is a great ~ of mine я о́чень люблю́ э́ту кни́гу 3) фаворит (*о лошади*)

2. *a* люби́мый, излю́бленный ◇ ~ son *амер.* полити́ческий де́ятель, вы́двинутый представи́телями своего́ шта́та на пост президе́нта

favouritism ['feɪvrət,ɪzəm] *n* фаворити́зм

fawn I [fɔ:n] **1.** *n* молодо́й оле́нь (*до одного года*); in ~ сте́льная (*о ланке*)

2. *a* желтова́то-кори́чневый

3. *v* тели́ться (*о ланке*)

fawn II [fɔ:n] *v* 1) подли́зываться, прислу́живаться, лебези́ть (on, upon) 2) ласка́ться; виля́ть хвосто́м

fawn-coloured ['fɔ:n,kʌləd] = fawn I, 2

fawning I ['fɔ:nɪŋ] *pres. p. от* fawn I, 3

fawning II ['fɔ:nɪŋ] **1.** *pres. p. от* fawn II

2. *a* раболе́пный

fay I [feɪ] *n уст.* ве́ра; ве́рность; by my ~! че́стное сло́во!

fay II [feɪ] *n книжн.* фе́я; эльф

faze [feɪz] *v разг.* беспоко́ить, досажда́ть; расстра́ивать

fealty ['fi:əltɪ] *n ист.* ве́рность васса́ла феода́лу; to swear ~ to (*или* for) smb. присяга́ть на ве́рность кому́-л.

fear [fɪə] **1.** *n* 1) страх, боя́знь; for ~ (of smth.) из боя́зни (чего́-л.); for ~ of exposure боя́сь разоблаче́ния; in ~ of one's life в стра́хе за свою́ жизнь; without ~ or favour беспристра́стно 2) опасе́ние; возмо́жность, вероя́тность (*чего-л. нежелательного*); no ~ *разг.* вряд ли; едва́ ли

2. *v* 1) боя́ться, страши́ться; never ~ не бо́йтесь; I ~ me *уст.* я бою́сь 2) опаса́ться; ожида́ть (*чего-л. нежелательного*)

fearful ['fɪəfl] *a* 1) испу́ганный, напу́ганный; a ~ glance испу́ганный взгляд 2) ужа́сный, стра́шный 3) *разг.* огро́мный, ужа́сный; in a ~ mess в стра́шном беспоря́дке; a ~ bore скучне́йший челове́к 4) ро́бкий; ~ to do smth. боя́щийся сде́лать что-л. 5) *уст.* по́лный стра́ха, испу́ганный (of); испо́лненный благогове́ния

fearless ['fɪələs] *a* бесстра́шный, неустраши́мый; му́жественный

fear-monger ['fɪə,mʌŋgə] *n* паникёр

fearsome ['fɪəsəm] *a* (*обыкн. шутл.*) гро́зный, стра́шный; to be ~ внуша́ть опасе́ния (*или* страх)

feasibility [,fi:zə'bɪlətɪ] *n* 1) осуществи́мость, выполни́мость 2) возмо́жность, вероя́тность

feasible ['fi:zəbl] *a* 1) выполни́мый, осуществи́мый 2) возмо́жный, вероя́тный; правдоподо́бный

feast [fi:st] **1.** *n* 1) пир; пра́зднество; банке́т 2) удово́льствие, наслажде́ние; a ~ for the eye(s) прия́тное зре́лище 3) пра́здник; ежего́дный се́льский церко́вный *или* прихо́дский пра́здник ◇ enough is as good as a ~ *посл.* ≅ от добра́ добра́ не и́щут; бо́льше чем доста́точно

2. *v* 1) пирова́ть, пра́здновать 2) принима́ть, че́ствовать; угоща́ть(ся) 3) наслажда́ться; to ~ one's eyes on smb., smth. любова́ться кем-л., чем-л.

feast-day ['fi:stdeɪ] *n* пра́здник; (семе́йное) торжество́

feat [fi:t] **1.** *n* 1) по́двиг; ~ of arms боево́й по́двиг 2) проявле́ние большо́й ло́вкости, иску́сства

2. *a уст.* ло́вкий, иску́сный

feather ['feðə] **1.** *n* 1) перо́ (*птичье*); *собир. или pl* опере́ние; she is (as) light as a ~ она́ лёгкая как пёрышко 2) плюма́ж 3) *охот.* дичь 4) волосна́я тре́щина (*порок в драгоценном камне*) 5) не́что лёгкое; пустячо́к 6) *тех.* вы́ступ, гре́бень; шпо́нка ◇ in full (*или* in fine) ~ в по́лном пара́де; во всём бле́ске; in high ~ в хоро́шем настрое́нии; to show (*или* to fly) the white ~ стру́сить, прояви́ть малоду́шие; to knock down with a ~ ошеломи́ть; to smooth one's ruffled ~s прийти́ в себя́; опра́виться; to preen one's ~s прихора́шиваться; a ~ in one's cap предме́т го́рдости, достиже́ние, успе́х

2. *v* 1) украша́ть(ся) пе́рьями 2) придава́ть фо́рму пера́; boughs ~ed with snow су́чья, опушённые сне́гом 3) опера́ться 4) *тех.* соединя́ть на шпунт *или* шпо́нку 5) *охот.* сбить пе́рья с пти́цы вы́стрелом 6) *мор., спорт.* выноси́ть весло́ плашмя́ 7) ре́зать во́здух (*крылом и т.п.*) 8) *ав.* цикли́чески изменя́ть шаг (*несущего винта вертолёта*) 9) *охот.* дрожа́ть, виля́я хвосто́м (*о собаке, разыскивающей след*) ◇ to ~ one's nest ~ нагре́ть ру́ки; наби́ть себе́ карма́н; обогати́ться

feather bed [,feðə'bed] *n* 1) пери́на 2) удо́бное месте́чко 3) ро́скошь

featherbed ['feðəbed] *v* 1) балова́ть; изне́живать 2) *амер.* нормализова́ть нагру́зку на одного́ рабо́чего путём увеличе́ния шта́тов *или* сокраще́ния объёма произво́дства по тре́бованию профсою́за

featherbrain ['feðəbreɪn] *n* вертопра́х, пусто́й челове́к

featherbrained ['feðəbreɪnd] *a* глу́пый, пусто́й, ве́треный

feathered ['feðəd] **1.** *p. p. от* feather 2

2. *a* 1) покры́тый *или* укра́шенный пе́рьями 2) име́ющий вид пера́ 3) крыла́тый, бы́стрый ◇ our ~ friends на́ши крыла́тые друзья́ (*птицы*)

feather-grass ['feðəgrɑ:s] *n бот.* ковы́ль

featherhead ['feðəhed] = featherbrain

featherheaded ['feðəhedɪd] = featherbrained

feathering ['feðərɪŋ] **1.** *pres. p. от* feather 2

2. *n* 1) опере́ние 2) что-л., похо́жее на опере́ние

feather-pate ['feðəpeɪt] = featherbrain

feather-pated ['feðəpeɪtɪd] = featherbrained

featherstitch ['feðəstɪtʃ] *n* шов та́мбуром, в ёлочку

featherweight ['feðəweɪt] *n* 1) *спорт.* полулёгкий вес, «вес пера́» 2) о́чень лёгкий челове́к *или* предме́т

feathery ['feðərɪ] *a* 1) = feathered 2; 2) похо́жий на перо́; лёгкий, пуши́стый

feature ['fi:tʃə] **1.** *n* 1) осо́бенность, характе́рная черта́; при́знак, сво́йство, дета́ль; a ~ of a treaty положе́ние догово́ра 2) (*обыкн. pl*) черты́ лица́ 3) больша́я (газе́тная) статья́ 4) сенсацио́нный материа́л (*о статье, сообщении по радио или телевидению*) 5) гвоздь програ́ммы; аттракцио́н 6) полнометра́жный фильм; основно́й фильм кинопрогра́ммы; центра́льная переда́ча телепрогра́ммы 7) *топ.* ме́стный предме́т; подро́бность релье́фа ме́стности 8) *attr.*: ~ film худо́жественный фильм; ~ article о́черк

2. *v* 1) изобража́ть, рисова́ть, набра́сывать; обрисо́вывать 2) быть характе́рной черто́й 3) пока́зывать (*на экране*); выводи́ть в гла́вной ро́ли 4) де́лать гвоздём програ́ммы 5) отводи́ть важне́йшее ме́сто; the newspaper ~s a story газе́та на ви́дном ме́сте помеща́ет расска́з 6) исполня́ть гла́вную роль, выступа́ть в гла́вной ро́ли 7) *разг.* напомина́ть черта́ми лица́, походи́ть (*на кого-л., что-л.*)

feature-length ['fi:tʃəleŋθ] *a кино* полнометра́жный

featureless ['fi:tʃələs] *a* лишённый характе́рных черт, невырази́тельный

febrifuge ['febrɪfju:dʒ] *мед.* **1.** *n* жаропонижа́ющее (сре́дство)

2. *a* жаропонижа́ющий

febrile ['fi:braɪl] *a* лихора́дочный

February ['februərɪ] *n* 1) февра́ль 2) *attr.* февра́льский

feces ['fi:si:z] *амер.* = faeces

fecit ['feɪkɪt] *лат. v* испо́лнил, сде́лал (*подпись художника*)

feck [fek] *n шотл.* 1) це́нность 2) си́ла 3) коли́чество; the (most) ~ бо́льшая часть; большинство́

feckless ['fekləs] *a* 1) беспо́мощный; бесполе́зный 2) безду́мный, безотве́тственный

feculence ['fekjʊləns] *n* муть, му́тность; му́тный оса́док

feculent ['fekjʊlənt] *a* му́тный

fecund ['fekənd] *a* 1) плодови́тый (*тж. перен.*) 2) плодоро́дный

fecundate ['fekəndeɪt] *v* 1) де́лать плодоро́дным 2) оплодотворя́ть

fecundity [fɪ'kʌndətɪ] *n* 1) плодоро́дность, плодоро́дие 2) плодови́тость (*тж. перен.*)

fed [fed] *past и p. p. от* feed I, 2

federal ['fedərəl] **1.** *a* федера́льный, сою́зный

2. *n* федерали́ст; the Federals войска́ северя́н (*в гражданской войне в Америке 1861-65 гг.*)

federate 1. *a* ['fedərət] федерати́вный

2. *v* ['fedəreɪt] объединя́ть(ся) на федерати́вных нача́лах

federation [ˌfedə'reɪʃn] *n* 1) федера́ция, сою́з 2) объедине́ние, организа́ция; World F. of Trade Unions Всеми́рная федера́ция профсою́зов

federative ['fedərətɪv] *a* федерати́вный

fedora [fɪ'dɔ:rə] *n* мя́гкая фе́тровая шля́па

fed up [ˌfed'ʌp] *a разг.* 1) насы́щенный; пресы́щенный 2) сы́тый по го́рло, пресы́тившийся; I am ~ с меня́ хва́тит; надое́ло

fee [fi:] **1.** *n* 1) гонора́р, вознагражде́ние 2) вступи́тельный *или* чле́нский взнос 3) *pl* пла́та за уче́ние 4) *юр.* пра́во насле́дования без ограниче́ний 5) *ист.* лен, феода́льное поме́стье

2. *v* (feed) 1) плати́ть гонора́р 2) нанима́ть

feeble ['fi:bl] *a* 1) сла́бый 2) не́мощный, хи́лый 3) ничто́жный

feebleminded [ˌfi:bl'maɪndɪd] *a* слабоу́мный

feed I [fi:d] **1.** *n* 1) пита́ние, кормле́ние 2) корм, фура́ж 3) по́рция, да́ча (*корма*) 4) *разг.* пи́ща, еда́ 5) па́стбище, вы́гон; out at ~ на подно́жном корму́ 6) *тех.* пода́ча материа́ла, пита́ние; по́данный материа́л 7) *театр. sl.* актёр, подаю́щий ре́плики друго́му 8) *attr.* кормово́й; ~ crop *с.-х.* кормова́я культу́ра 9) *attr.* загру́зочный; ~ box *тех.* коро́бка пода́ч ◇ to be off one's ~ не име́ть аппети́та

2. *v* (fed) 1) пита́ть(ся); корми́ть(ся) 2) пасти́(сь); задава́ть корм 3) подде́рживать; снабжа́ть то́пливом, водо́й, сырьём (*машину*; into, to) ▭ ~ **down** испо́льзовать (*землю как пастбище*); ~ **on**, ~ **upon** пита́ть(ся) *чем-л.*; ~ **up** отка́рмливать, уси́ленно пита́ть ◇ to ~ suspicions подогрева́ть подозре́ния

feed II [fi:d] *past и p.p. от* fee 2

feedback ['fi:dbæk] *n* 1) *радио* обра́тная связь 2) *эл.* обра́тное пита́ние

feeder ['fi:də] *n* 1) едо́к; a large (*или* gross) ~ обжо́ра; he is a quick ~ он ест о́чень бы́стро 2) прито́к (*реки*); кана́л 3) = feeding bottle 4) де́тский нагру́дник 5) корму́шка 6) *эл.* фи́дер 7) *тех.* пита́тель, подаю́щий механи́зм 8) *ж.-д.* ве́тка 9) вспомога́тельная возду́шная, авто́бусная *и т. п.* ли́ния

feeding bottle ['fi:dɪŋbɒtl] *n* буты́лочка для кормле́ния ребёнка

feed-pipe ['fi:dpaɪp] *n тех.* пита́тельная труба́

feed-pump ['fi:dpʌmp] *n тех.* пита́тельный насо́с

feed-screw ['fi:dskru:] *n тех.* ходово́й винт, подаю́щий червя́к, шнек

feedstuff ['fi:dstʌf] *n* 1) корма́, фура́ж 2) пита́тельные вещества́, входя́щие в соста́в кормо́в

feed-tank ['fi:dtæŋk] *n* резервуа́р пита́ющей воды́, расхо́дный бак

feed-trough ['fi:dtrɒf] = feed-tank

fee-faw-fum ['fi:fɔ:ˌfʌm] **1.** *int восклицание людоеда в англ. сказках*

2. *n* смехотво́рная угро́за; this is all ~ э́то всё чепуха́

feel [fi:l] **1.** *v* (felt) 1) ощу́пывать; тро́гать, осяза́ть; to ~ the edge of a knife про́бовать ле́звие ножа́; to ~ the pulse of smb. щу́пать чей-л. пульс; *перен.* стара́ться вы́яснить чьи-л. жела́ния, наме́рения *и т. п.*; прощу́пывать 2) ощуща́ть; to ~ the heat (the cold) быть чувстви́тельным к жаре́ (к хо́лоду) 3) чу́вствовать 4) о́стро *или* то́нко воспринима́ть, быть чувстви́тельным (*к чему-л.*); to ~ beauty (poetry) чу́вствовать красоту́ (поэ́зию) 5) пережива́ть; to ~ a friend's death пережива́ть смерть дру́га 6) ша́рить, иска́ть о́щупью; to ~ in one's pocket иска́ть (*что-л.*) в карма́не; to ~ one's way пробира́ться о́щупью; *перен.* де́йствовать осторо́жно; зонди́ровать по́чву, выясня́ть обстано́вку 7) *глагол-связка в составном именном сказуемом*: а) чу́вствовать себя́; I ~ hot (cold) мне жа́рко (хо́лодно); to ~ fine (bad) чу́вствовать себя́ прекра́сно (пло́хо); to ~ low чу́вствовать себя́ пода́вленным; to ~ quite oneself опра́виться, прийти́ в себя́; to ~ angry серди́ться; to ~ certain быть уве́ренным; to ~ tired чу́вствовать себя́ уста́лым; do you ~ hungry? вы голодны́?; б) дава́ть ощуще́ние; your hand ~s cold у вас холо́дная рука́; velvet ~s soft ба́рхат мя́гок на о́щупь 8) полага́ть, счита́ть; I ~ it my duty я счита́ю э́то свои́м до́лгом; to ~ bound to say быть вы́нужденным сказа́ть 9) предчу́вствовать 10) *воен. разг.* «прощу́пывать»; разве́дывать ▭ ~ **about** а) дви́гаться о́щупью; б) ша́рить, нащу́пывать (for); ~ **out** вызве́дывать, разузнава́ть; ~ **up to** быть в состоя́нии ◇ to ~ like (eating, *etc.*) быть скло́нным, хоте́ть (пое́сть *и т. п.*); to ~ like putting smb. on *амер.* испы́тывать жела́ние подшути́ть над кем-л.; to ~ strongly about испы́тывать чу́вство возмуще́ния, быть про́тив; to ~ one's feet (*или* legs) почу́вствовать по́чву под нога́ми; быть уве́ренным в себе́; to ~ in one's bones быть соверше́нно уве́ренным; what do you ~ about it? что вы об э́том ду́маете?

2. *n* 1) осяза́ние; ощуще́ние; cold to the ~ холо́дный на о́щупь; the cool ~ of smth. ощуще́ние хо́лода от прикоснове́ния чего́-л. *или* к чему́-л.; by ~ на о́щупь 2) чутьё; вкус

feeler ['fi:lə] *n* 1) *зоол.* щу́пальце; у́сик 2) про́ба, про́бный шар 3) *воен.* о́рган разве́дки 4) разве́дчик ◇ to put out a ~ зонди́ровать по́чву

feeling ['fi:lɪŋ] **1.** *pres. p. от* feel 1

2. *n* 1) чувстви́тельность; I have no ~ in this leg у меня́ онеме́ла нога́ 2) чу́вство, ощуще́ние, созна́ние; he had a ~ of safety он чу́вствовал себя́ в безопа́сности; to appeal to smb.'s better ~s взыва́ть к лу́чшим чу́вствам кого́-л.; стара́ться разжа́лобить кого́-л. 3) эмо́ция, волне́ние; чу́вство; ~ ran high стра́сти разгоре́лись; to hurt smb.'s ~s оби́деть кого́-л.; to relieve one's ~s отвести́ ду́шу 4) отноше́ние, настрое́ние; (*часто pl*) взгляд; the general ~ was against him о́бщее настрое́ние бы́ло про́тив него́; good ~ доброжела́тельность; ill ~ неприя́знь, предубежде́ние; вражде́бность; strong ~(s) (глубо́кое) возмуще́ние 5) ощуще́ние, впечатле́ние; bad ~ плохо́е впечатле́ние 6) сочу́вствие 7) то́нкое восприя́тие (*искусства, красоты*) 8) интуи́ция, предчу́вствие; a ~ of danger ощуще́ние надвига́ющейся опа́сности

3. *a* 1) чувстви́тельный 2) прочу́вствованный 3) по́лный сочу́вствия

feelingly ['fi:lɪŋlɪ] *adv* с чу́вством, с жа́ром

feet [fi:t] *pl от* foot 1

feeze [fi:z] *уст., диал.* **1.** *n* 1) возбужде́ние 2) трево́га

2. *v* 1) беспоко́ить(ся) 2) бить

feign [feɪn] *v* 1) притворя́ться, симули́ровать; to ~ indifference притворя́ться безразли́чным 2) *уст.* вы́думывать, приду́мывать; to ~ an excuse приду́мывать оправда́ние

feigned [feɪnd] **1.** *p. p. от* feign

2. *a* притво́рный

feigningly ['feɪnɪŋlɪ] *adv* притво́рно

feint [feɪnt] **1.** *n* 1) ло́жный вы́пад, финт; манёвр для отвлече́ния внима́ния проти́вника 2) притво́рство; to make a ~ of doing smth. притворя́ться де́лающим что-л.

2. *v* сде́лать манёвр для отвлече́ния внима́ния проти́вника (at, upon, against)

feist [faɪst] *n амер. разг.* (зла́я) собачо́нка

feisty ['faɪstɪ] *a амер. sl.* 1) напори́стый, энерги́чный 2) оби́дчивый, раздражи́тельный

feldspar ['feldspɑ:] *n мин.* полево́й шпат

felicitate [fə'lɪsɪteɪt] *v* 1) поздравля́ть (on — с); жела́ть сча́стья 2) *редк.* осчастли́вливать

felicitation [fəˌlɪsɪ'teɪʃn] *n* (*обыкн. pl*) поздравле́ние

felicitous [fə'lɪsɪtəs] *a* уда́чный, уме́стный, подходя́щий; ~ remark ме́ткое замеча́ние

felicity [fə'lɪsətɪ] *n* 1) сча́стье; блаже́нство 2) счастли́вое уме́ние (*писать, рисовать и т.п.*); ~ of phrase спосо́бность находи́ть уда́чные выраже́ния; красноре́чие 3) уда́чность, ме́ткость (*выражения*)

feline ['fi:laɪn] **1.** *n зоол.* живо́тное из семе́йства коша́чьих

2. *a* 1) *зоол.* коша́чий 2) по-коша́чьи хи́трый *или* зло́бный

fell I [fel] *n* шку́ра (*тж. перен.*); ~ of hair ко́смы воло́с

fell II [fel] *n сев.* 1) гора́ (*в названиях*) 2) пусты́нная боло́тистая ме́стность (*на севере Англии*)

fell III [fel] *a поэт.* жесто́кий, свире́пый, беспоща́дный

fell IV [fel] **1.** *v* 1) руби́ть, вали́ть (*дерево*) 2) сбить с ног 3) запошива́ть (*шов*); подруба́ть (*ткань*)

2. *n* коли́чество сру́бленного ле́са

fell V [fel] *past от* fall 2

fella ['felə] *разг. см.* fellow 2)

fellah ['felə] *n* (*pl* fellaheen, -ahs [-əz]) фелла́х

fellaheen [,felə'hi:n] *pl от* fellah

feller ['felə] *разг. см.* fellow 2)

felling ['felɪŋ] **1.** *pres. p. от* fell IV, 1

2. *n* ру́бка, ва́лка (*леса*)

felloe ['feləʊ] *n* о́бод (*колеса*)

fellow ['feləʊ] *n* 1) *разг.* челове́к; па́рень; a good ~ сла́вный ма́лый; my dear ~ дорого́й мой; old ~ старина́, дружи́ще 2) *презр.* тип 3) това́рищ, собра́т; a ~ in misery това́рищ по несча́стью; ~s in arms това́рищи по ору́жию 4) па́рная вещь; па́ра; I shall never find his ~ я никогда́ не найду́ ра́вного ему́ 5) рове́сник, све́рстник 6) (*обыкн.* F.) член сове́та колле́джа; стипендиа́т, занима́ющийся иссле́довательской рабо́той 7) (*обыкн.* F.) член нау́чного о́бщества 8) *амер. разг.* ухажёр, покло́нник 9) *attr.*: ~ citizen согражда́нин; ~ creature бли́жний; ~ soldier това́рищ по ору́жию

fellow-countryman [,feləʊ'kʌntrɪmən] *n* сооте́чественник, земля́к

fellow feeling [,feləʊ'fi:lɪŋ] *n* 1) сочу́вствие, симпа́тия 2) о́бщность взгля́дов *или* интере́сов

fellowship ['feləʊʃɪp] *n* 1) това́рищество, чу́вство това́рищества; бра́тство; good ~ чу́вство това́рищества 2) соуча́стие, уча́стие 3) корпора́ция 4) зва́ние чле́на сове́та колле́джа; зва́ние стипендиа́та, занима́ющегося иссле́довательской рабо́той 5) чле́нство (*в научном обществе и т. п.*) 6) стипе́ндия, выпла́чиваемая ли́цам, око́нчившим университе́т и веду́щим при нём иссле́довательскую рабо́ту; holder of a ~ стипендиа́т

fellow traveller [,feləʊ'trævlə] *n* 1) спу́тник; попу́тчик 2) *полит.* попу́тчик; сочу́вствующий

felly ['felɪ] = felloe

felo-de-se [,fi:ləʊdi:'si:] *n* (*pl* felones-de-se, felos-de-se) 1) самоуби́йца 2) (*тк. sing*) самоуби́йство

felon I ['felən] **1.** *n юр.* уголо́вный престу́пник

2. *a уст.* престу́пный; жесто́кий; ~ deed жесто́кий посту́пок

felon II ['felən] *n мед.* панари́ций

felones-de-se [,feləʊni:zdi:'si:] *pl от* felo-de-se

felonious [fə'ləʊnɪəs] *a юр.* престу́пный

felonry ['felənrɪ] *n собир.* престу́пные элеме́нты

felony ['felənɪ] *n юр.* уголо́вное преступле́ние

felos-de-se [,fi:ləʊzdi:'si:] *pl от* felo-de-se

felspar ['felspɑ:] = feldspar

felt I [felt] **1.** *n* 1) во́йлок; фетр 2) *attr.* во́йлочный; фе́тровый; ~ boots ва́ленки

2. *v* 1) сбива́ть во́йлок; сбива́ться в во́йлок; валя́ть шерсть 2) покрыва́ть во́йлоком

felt II [felt] *past и p. p. от* feel 1

felt-tip(ped) pen ['felttɪp(t),pen] *n* флома́стер

felucca [fe'lʌkə] *n мор.* фелю́га, фелю́ка

female ['fi:meɪl] **1.** *n* 1) же́нщина (*часто пренебр.*) 2) *зоол.* са́мка; ма́тка 3) *бот.* же́нская о́собь

2. *a* 1) же́нского по́ла, же́нский; ~ child де́вочка; ~ insect насеко́мое-са́мка; ~ suffrage избира́тельное пра́во для же́нщин; ~ weakness же́нская сла́бость 2) *тех.* охва́тывающий, объе́млющий; с вну́тренней резьбо́й; ~ screw га́йка; га́ечная резьба́

feme [fi:m] *n юр.* же́нщина, жена́; ~ covert заму́жняя же́нщина; ~ sole незаму́жняя же́нщина (*особ. разведённая*)

feminine ['femənɪn] *a* 1) же́нский, сво́йственный же́нщинам; ~ gender *грам.* же́нский род; ~ rhyme *прос.* же́нская ри́фма 2) же́нственный 3) женоподо́бный

femininity [,femə'nɪnətɪ] *n* 1) же́нственность 2) *собир.* же́нский пол

feminism ['femə,nɪzəm] *n* фемини́зм

feminist ['femənɪst] *n* фемини́ст

feminize ['femənaɪz] *v* де́лать(ся) же́нственным, изне́живать(ся)

femme fatale [,fæmfə'tɑ:l] *фр. n* рокова́я же́нщина

femora ['femərə] *pl от* femur

femoral ['femrəl] *a анат.* бе́дренный

femur ['fi:mə] *n* (*pl* -s [-z], femora) *анат.* бедро́

fen I [fen] *n* боло́то, топь, фен; the ~s боло́тистая ме́стность в Ке́мбриджшире и Ли́нкольншире

fen II [fen] = fain II

fence [fens] **1.** *n* 1) забо́р, и́згородь, огра́да, огражде́ние; green (wire) ~ жива́я (про́волочная) и́згородь 2) *sl.* укрыва́тель *или* ску́пщик кра́деного 3) *sl.* прито́н для укрыва́ния кра́деного, «мали́на» 4) *тех.* направля́ющий уго́льник 5) фехтова́ние; master of ~ иску́сный фехтова́льщик; *перен.* иску́сный спо́рщик ◇ to mend one's ~s *амер.* а) *полит.* уси́ливать свои́ ли́чные полити́ческие пози́ции; б) *разг.* стара́ться установи́ть хоро́шие, дру́жеские отноше́ния; to be (*или* to sit) on the ~, straddle the ~ занима́ть нейтра́льную *или* выжида́тельную пози́цию; держа́ться выжида́тельного о́браза де́йствий; колеба́ться ме́жду двумя́ мне́ниями *или* реше́ниями; to come down on the right side of the ~ встать на сто́рону победи́теля

2. *v* 1) огора́живать; загора́живать; защища́ть 2) *sl.* укрыва́ть кра́деное; продава́ть кра́деное 3) фехтова́ть; to ~ with a question уклоня́ться от отве́та; пари́ровать вопро́с вопро́сом 4) уклоня́ться от прямо́го отве́та 5) брать препя́тствие (*о лошади*) 6) запреща́ть охо́ту и ры́бную ло́влю (*на каком-л. участке*) ▭ **~ about, ~ in** окружа́ть, ограждать; **~ off, ~ out** отража́ть, отгоня́ть; **~ round** = **~ about**

fenceless ['fensləs] *a* 1) неогоро́женный; откры́тый 2) *поэт.* незащищённый, беззащи́тный

fencer ['fensə] *n* 1) фехтова́льщик 2) ло́шадь, уча́ствующая в ска́чках с препя́тствиями

fencing ['fensɪŋ] **1.** *pres. p. от* fence 2

2. *n* 1) огора́живание; огражде́ние 2) и́згородь, забо́р, огра́да; материа́л для и́згородей 3) фехтова́ние 4) *sl.* укрыва́тельство кра́деного

fend [fend] *v* 1) забо́титься (*обыкн. о себе*; for); to ~ for oneself забо́титься о себе́ 2) отража́ть, отгоня́ть; пари́ровать (*обыкн.* ~ off, ~ away, ~ from)

fender ['fendə] *n* 1) ками́нная решётка 2) предохрани́тельная решётка (*впереди трамвая или паровоза*) 3) *амер.* крыло́ (*автомобиля*) 4) *мор.* кра́нец

fen-fire ['fen,faɪə] *n* блужда́ющий огонёк

Fenian ['fi:nɪən] *ист.* **1.** *n* фе́ний (*член тайного общества, боровшегося за освобождение Ирландии от английского владычества*)

2. *a* фениа́нский

fennel ['fenl] *n* фе́нхель (*сладкий укроп*)

fenny ['fenɪ] *a* боло́тистый; боло́тный

fenugreek ['fenjʊgri:k] *n* па́житник, шамбала́ (*бобовая мелкосеменная культура*)

feoff [fi:f] = fief

feoffee [fe'fi:] *n ист.* владе́лец ле́на, ле́нник

ferae naturae [,fɪri:næ'tʊri:] *лат. a predic.* неприручённый, ди́кий

feral I ['ferəl] *a* 1) ди́кий; неприручённый 2) одича́вший; полево́й (*о растениях*) 3) гру́бый, нецивилизо́ванный

feral II ['ferəl] *a уст.* 1) похоро́нный 2) рокова́й, смерте́льный

feretory ['ferɪtərɪ] *n* ра́ка; гробни́ца; склеп

ferial ['fɪərɪəl] *a* бу́дний, непра́здничный

ferine ['fɪəraɪn] = feral I

ferity ['ferətɪ] *n* ди́кое *или* нецивилизо́ванное состоя́ние, ди́кость

ferment 1. *n* ['fɜ:ment] 1) возбужде́ние, броже́ние, волне́ние 2) *хим.* броже́ние 3) заква́ска, ферме́нт

2. *v* [fə'ment] 1) вызыва́ть броже́ние 2) *хим.* броди́ть 3) выха́живать(ся) (*о пиве*) 4) волнова́ть(ся), возбужда́ть(ся)

fermentable [fə'mentəbl] *a* спосо́бный к броже́нию; спосо́бный производи́ть броже́ние

fermentation [,fɜ:men'teɪʃn] *n* 1) броже́ние, фермента́ция 2) волне́ние, возбужде́ние

fermi ['fɜ:mɪ] *n физ.* фе́рми

fermion ['fɜ:mɪɒn] *n физ.* фермио́н

fern [fɜ:n] *n бот.* па́поротник (мужско́й)

fernery ['fɜ:nərɪ] *n* ме́сто, заро́сшее па́поротником

ferny ['fɜ:nɪ] *a* 1) поро́сший па́поротником 2) папоротникови́дный

ferocious [fə'rəʊʃəs] *a* 1) ди́кий 2) жесто́кий, свире́пый 3) *разг.* ужа́сный, си́льный; ~ heat стра́шная жара́

ferocity [fə'rɒsətɪ] *n* 1) ди́кость 2) свире́пость, жесто́кость

ferrate ['fereɪt] *n* ферра́т, соль желе́зной кислоты́

ferret I ['ferɪt] **1.** *n* хорёк

2. *v* 1) охо́титься с хорько́м (*особ.* to go ~ing); выгоня́ть из норы́ (*обыкн.* ~ away, ~ out) 2) разню́хивать; ры́ться, ша́рить, вы́искивать (for, about) [*ср. тж.* ~ out] ▭ ~ **out** выню́хивать; разве́дывать, разы́скивать [*ср. тж.* 2)]; to ~ out a secret вы́ведать та́йну

ferret II ['ferɪt] *n* пло́тная бума́жная, шерстяна́я *или* шёлковая тесьма́

ferreting ['ferɪtɪŋ] = ferret II

ferriage ['ferɪɪdʒ] *n* 1) перево́з, перепра́ва 2) пла́та за перепра́ву

ferric ['ferɪk] *a хим. обозначает соединения окиси железа*: ~ acid желе́зная кислота́ (H_2FeO_4)

ferriferous [fe'rɪfərəs] *a* содержа́щий желе́зо, желе́зистый

Ferris wheel ['ferɪswi:l] *n амер.* чёртово колесо́ (*аттракцион*)

ferrite ['feraɪt] *n хим.* ферри́т

ferroalloy [,ferəʊ'ælɔɪ] *n* ферроспла́в, желе́зный сплав

ferroconcrete [,ferəʊ'kɒŋkri:t] *n* железобето́н

ferromagnetic [,ferəʊmæg'netɪk] *a* ферромагни́тный

ferrotype ['ferəʊtaɪp] *n фото* ферроти́пия

ferrous ['ferəs] *a хим.* желе́зистый; ~ metals чёрные мета́ллы

ferruginous [fe'ru:dʒɪnəs] *a* 1) содержа́щий желе́зо, желе́зистый 2) ржа́вый 3) цве́та ржа́вчины; красновато-кори́чневый

ferrule ['feru:l] *n* 1) металли́ческий ободо́к *или* наконе́чник 2) о́бруч, му́фта 3) *воен.* предохрани́тельное кольцо́

ferry ['ferɪ] **1.** *n* 1) паро́м 2) перево́з, перепра́ва 3) регуля́рная (вое́нная) авиатра́нспортная слу́жба 4) *ав.* перего́нка самолётов 5) *attr.*: ~ pilot лётчик, перегоня́ющий самолёт на операти́вную ба́зу ◇ Charon's ~ ладья́ Харо́на; to take the ~, to cross the Stygian ~ перепра́виться че́рез Стикс, отпра́виться к пра́отцам, умере́ть

2. *v* 1) перевози́ть (*на лодке, пароме*) 2) переезжа́ть (*на лодке, пароме*) 3) перегоня́ть (*самолёты*) 4) доставля́ть по во́здуху

ferryboat ['ferɪbəʊt] *n* паро́м, су́дно для перево́за че́рез ре́ку *и т. п.*

ferrybridge ['ferɪbrɪdʒ] *n мор.* схо́дни ме́жду при́станью и паро́мом, аппаре́ль

ferryman ['ferɪmən] *n* перево́зчик, паро́мщик

fertile ['fɜ:taɪl] *a* 1) плодоро́дный; изоби́льный (*часто* ~ in, ~ of); ~ in resources изоби́лующий приро́дными бога́тствами 2) всхо́жий (*о семенах*); плодонося́щий 3) плодови́тый, насы́щенный; ~ in ideas бога́тый мы́слями 4) *физ.*: ~ material я́дерное то́пливное сырьё

fertility [fɜ:'tɪlətɪ] *n* 1) плодоро́дие; изоби́лие 2) бога́тство (*фантазии и т. п.*) 3) плодови́тость; спосо́бность к воспроизведе́нию пото́мства

fertilization [,fɜ:təlaɪ'zeɪʃn] *n* 1) удобре́ние (*почвы*) 2) *биол.* оплодотворе́ние; опыле́ние

fertilize ['fɜ:təlaɪz] *v* 1) удобря́ть 2) *биол.* оплодотворя́ть; опыля́ть

fertilizer ['fɜ:təlaɪzə] *n* 1) удобре́ние; удобри́тельный тук 2) *биол.* оплодотвори́тель; опыли́тель

ferula ['feru:lə] = ferule

ferule ['feru:l] **1.** *n* 1) лине́йка (*для наказания школьников*) 2) шко́льная дисципли́на; стро́гий режи́м; to be under the ~ быть под нача́лом (*у кого-л.*) 3) пло́ская доще́чка

2. *v* нака́зывать лине́йкой

fervency ['fɜ:vnsɪ] *n* горя́чность, рве́ние

fervent ['fɜ:vnt] *a* 1) пы́лкий, пла́менный; ~ desire пы́лкое жела́ние; ~ hatred жгу́чая не́нависть 2) горя́чий, жа́ркий; пыла́ющий

fervid ['fɜ:vɪd] *a* 1) пы́лкий, стра́стный 2) *поэт.* пыла́ющий, горя́чий

fervour ['fɜ:və] *n* 1) жар, пыл, страсть; рве́ние, усе́рдие 2) зной

fescue ['feskju:] *n* 1) *бот.* овся́ница 2) ука́зка

festal ['festl] *a* пра́здничный, весёлый; ~ occasion ра́достное собы́тие (*свадьба, день рождения и т. п.*); ~ music весёлая му́зыка

fester ['festə] **1.** *n* 1) гноя́щаяся ра́нка 2) нагное́ние

2. *v* 1) гнои́ться (*о ранке*); вызыва́ть нагное́ние 2) глода́ть, му́чить (*о зависти и т. п.*); растравля́ть

festival ['festəvl] *n* пра́зднество; фестива́ль

festive ['festɪv] *a* пра́здничный, весёлый

festivity [fe'stɪvətɪ] *n* 1) весе́лье 2) *pl* пра́зднества; торжества́

festoon [fes'tu:n] **1.** *n* гирля́нда; фесто́н

2. *v* украша́ть гирля́ндами, фесто́нами

Festschrift ['festʃrɪft] *нем. n* сбо́рник стате́й, посвящённых де́ятельности выда́ющегося учёного, обще́ственного де́ятеля

fetal ['fi:tl] *a* эмбриона́льный

fetch I [fetʃ] **1.** *v* 1) сходи́ть за *кем-л.*; принести́; доста́ть; to (go and) ~ a doctor привести́ врача́ 2) получа́ть, выруча́ть; the vase is sure to ~ a high price э́ту ва́зу мо́жно прода́ть за хоро́шие де́ньги 3) вызыва́ть (*слёзы, кровь*) 4): to ~ one's breath перевести́ дух; to ~ a sigh тяжело́ вздохну́ть 5) *разг.* уда́рить; he was ~ed on the head from behind кто́-то сза́ди нанёс ему́ уда́р по голове́ 6) *разг.* привлека́ть, нра́виться, очаро́вывать 7) достига́ть, добива́ться (*часто* ~ up) 8) приноси́ть уби́тую дичь (*о собаке*) ▭ ~ **away** вы́рваться, освободи́ться; ~ **down** = bring down [*см.* bring]; ~ **out** выявля́ть; выделя́ть; оттеня́ть; ~ **up** а) остана́вливаться; б) рвать, блева́ть; he ~es up его́ рвёт; в) нагоня́ть, навёрстывать; г): to ~ up against smth. сту́кнуться обо что́-л.; д) *амер.* доверша́ть, зака́нчивать ◇ to ~ and carry (for) прислу́живать; to ~ and carry news распространя́ть но́вости

2. *n* хи́трость, уло́вка

fetch II [fetʃ] *n* привиде́ние; двойни́к

fetching ['fetʃɪŋ] **1.** *pres. p. от* fetch I, 1

2. *a разг.* привлека́тельный, очарова́тельный; a ~ smile очарова́тельная улы́бка

fête [feɪt] **1.** *n* 1) пра́зднество, пра́здник 2) имени́ны

2. *v* че́ствовать (*кого-л.*); пра́здновать

fête champêtre [,feɪtʃɑ:ŋ'peətr] *фр. n* пра́здник на ло́не приро́ды, пикни́к

fête-day ['feɪtdeɪ] = fête 1, 1)

fetich(e) ['fi:tɪʃ] = fetish

fetid ['fetɪd] *a* злово́нный, воню́чий

fetish ['fetɪʃ] *n* 1) фети́ш; амуле́т 2) и́дол, куми́р

fetishist ['fetɪʃɪst] *n* фетиши́ст

fetlock ['fetlɒk] *n* щётка (*волосы за копытом у лошади*)

fetor ['fi:tə] *n* злово́ние

fetter ['fetə] **1.** *n* 1) (*обыкн. pl*) пу́ты, ножны́е кандалы́ 2) *pl* око́вы, у́зы; to burst one's ~s слома́ть око́вы, вы́рваться на свобо́ду

2. *v* 1) ско́вывать, зако́вывать 2) спу́тывать (*лошадь*); *перен.* свя́зывать по рука́м и нога́м

fetterless ['fetələs] *a* свобо́дный

fettle ['fetl] **1.** *n* 1) состоя́ние, положе́ние; in good ~ в хоро́шем состоя́нии; in fine (splendid) ~ в хоро́шем (прекра́сном) настрое́нии 2) *метал.* футеро́вка

2. *v* 1) чини́ть, поправля́ть; исправля́ть 2) *метал.* футерова́ть (*печь*)

fetus ['fi:təs] = foetus

feud I [fju:d] *n* дли́тельная, *часто* насле́дственная вражда́; междоусо́бица; deadly ~ а) смерте́льная, непримири́мая вражда́; to be at deadly ~ with smb. враждова́ть, быть на нож́ах с кем-л.; б) кро́вная месть; to sink a ~ забы́ть вражду́, помири́ться

feud II [fju:d] *n ист.* лен, феода́льное поме́стье

feudal ['fju:dl] *a* феода́льный, ле́нный; ~ lord феода́л

feudalism ['fju:dlɪzəm] *n* феодали́зм

feudalist ['fju:dlɪst] *n* 1) феода́л 2) приве́рженец феода́льного стро́я

feudality [fju:'dælətɪ] *n* феодали́зм

feudalize ['fju:dəlaɪz] *v* 1) превраща́ть в лен (*землю*) 2) превраща́ть в васса́лов

feudatory ['fju:dətərɪ] **1.** *a* васса́льный; подчинённый

2. *n* 1) феода́льный васса́л 2) лен

feu de joie [ˌfɜːdəˈʒwɑː] *фр. n* салю́т в честь знамена́тельного собы́тия

feuilleton [ˌfɜːjəˈtɒŋ] *фр. n* 1) часть газе́ты, посвящённая литерату́ре, кри́тике *и т. п.* 2) фельето́н

fever [ˈfiːvə] **1.** *n* 1) жар, лихора́дка 2) не́рвное возбужде́ние 3) *attr.* лихора́дочный; ~ heat жар, высо́кая температу́ра (*во время болезни*) ◇ Channel ~ тоска́ по ро́дине (*об англичанах*)

2. *v* вызыва́ть жар, лихора́дку; броса́ть в жар; лихора́дить

fevered [ˈfiːvəd] **1.** *p. p. от* fever 2

2. *a* лихора́дочный; возбуждённый; ~ imagination пы́лкое воображе́ние

feverfew [ˈfiːvəfjuː] *n бот.* пире́трум де́вичий

feverish [ˈfiːvərɪʃ] *a* 1) лихора́дочный 2) возбуждённый, беспоко́йный; взволно́ванный

feverous [ˈfiːvərəs] *уст.* = feverish

fever therapy [ˌfiːvəˈθerəpɪ] *n мед.* лихора́дочная терапи́я, электропирекси́я

few [fjuː] **1.** *a* 1) немно́гие, немно́го, ма́ло; ~ possessions ску́дные пожи́тки; he is a man of ~ words он немногосло́вен; every ~ hours ка́ждые не́сколько часо́в; his friends are ~ у него́ ма́ло друзе́й; his visitors are ~ у него́ го́сти ре́дки 2) (a ~) не́сколько; quite a ~ поря́дочное число́, дово́льно мно́го ◇ in ~ *уст.*, in a ~ words кра́тко; в не́скольких слова́х; ~ and far between отделённые больши́м промежу́тком вре́мени; ре́дкие

2. *n* незначи́тельное число́; ~ could tell ма́ло кто мог сказа́ть; ~ if any почти́ никто́; почти́ ничего́; the ~ меньшинство́ ◇ not a ~, a good ~ *разг.* поря́дочное число́; до́брая полови́на; some ~ незначи́тельное число́, не́сколько, немно́го

fewness [ˈfjuːnəs] *n* немногочи́сленность

fey [feɪ] *a шотл.* обречённый, умира́ющий

fez [fez] *n* фе́ска

fiacre [fɪˈɑːkr] *n* фиа́кр, наёмный экипа́ж

fiancé [fɪˈɒnseɪ] *n* жени́х

fiancée [fɪˈɒnseɪ] *n* неве́ста

fiasco [fɪˈæskəʊ] *n* (*pl тж.* -os [-əʊz]) прова́л, неуда́ча, фиа́ско

fiat [ˈfiːæt] *n* 1) декре́т, ука́з 2) *attr.*: ~ money *амер.* бума́жные де́ньги (*не обеспеченные золотом*)

fib [fɪb] **1.** *n* вы́думка, непра́вда; to tell a ~ навра́ть, нагороди́ть

2. *v* выду́мывать, привира́ть

fibber [ˈfɪbə] *n* вы́думщик, враль

fiber [ˈfaɪbə] *амер.* = fibre

fibre [ˈfaɪbə] *n* 1) *бот.* боково́й ко́рень 2) волокно́; фи́бра; нить; древе́сное волокно́; лы́ко, моча́ло 3) склад хара́ктера

fibred [ˈfaɪbəd] *a* волокни́стый (*гл. образом в сочетаниях, напр.*, finely-~ *и т. п.*)

fibreglass [ˈfaɪbəglɑːs] *n* стекловолокно́

fibril [ˈfaɪbrɪl] *n* 1) *анат.* то́нкое не́рвное волокно́ 2) *бот.* корнево́й волосо́к

fibrillation [ˌfaɪbrɪˈleɪʃn] *n мед.* фибрилля́ция

fibrin [ˈfaɪbrɪn] *n физиол.* фибри́н

fibroid [ˈfaɪbrɔɪd] **1.** *n мед.* фибро́зная о́пухоль, фибро́ид

2. *a* волокни́стый

fibroin [ˈfaɪbrəʊɪn] *n хим.* фиброи́н

fibroma [faɪˈbrəʊmə] *n* (*pl тж* -ta) *мед.* фибро́ма

fibromata [faɪˈbrəʊmətə] *pl от* fibroma

fibroses [faɪˈbrəʊsɪs] *pl от* fibrosis

fibrosis [faɪˈbrəʊsɪs] *n* (*pl* -ses) *мед.* фибро́з, образова́ние волокни́стой тка́ни

fibrous [ˈfaɪbrəs] *a* волокни́стый, жи́листый; фибро́зный

fibster [ˈfɪbstə] *n разг.* лгуни́шка, враль

fibula [ˈfɪbjʊlə] *n* (*pl* -ae, -as [-əz]) *анат.* малоберцо́вая кость

fibulae [ˈfɪbjʊliː] *pl от* fibula

fiche [fiːʃ] = microfiche

fichu [ˈfiːʃuː] *n* кружевна́я косы́нка

fickle [ˈfɪkl] *a* непостоя́нный, переме́нчивый; ненадёжный

fickleness [ˈfɪklnəs] *n* непостоя́нство, переме́нчивость

fictile [ˈfɪktaɪl] *a* 1) гли́няный 2) гонча́рный

fiction [ˈfɪkʃn] *n* 1) вы́мысел, вы́думка, фи́кция 2) беллетри́стика; худо́жественная литерату́ра; works of ~ рома́ны; по́вести 3) *юр.* фи́кция; legal ~ юриди́ческая фи́кция

fictional [ˈfɪkʃnəl] *a* вы́мышленный *и пр.* [*см.* fiction]

fiction-monger [ˈfɪkʃnˌmʌŋgə] *n* вы́думщик, враль; спле́тник

fictitious [fɪkˈtɪʃəs] *a* 1) вы́мышленный, вообража́емый 2) фикти́вный; ~ marriage фикти́вный брак 3) взя́тый из рома́на; a ~ character вы́мышленный о́браз

fictive [ˈfɪktɪv] *a* 1) вы́мышленный, вообража́емый 2) ло́жный; притво́рный

fid [fɪd] *n* 1) клин, ко́лышек 2) *мор.* сва́йка (*для рассучивания*); шлагто́в (*стеньги*) 3) *диал.* небольшо́й то́лстый кусо́к (*пищи и т. п.*)

fiddle [ˈfɪdl] **1.** *n* 1) *разг.* скри́пка; to play first ~ игра́ть пе́рвую скри́пку; занима́ть руководя́щее положе́ние; to play second ~ игра́ть втору́ю скри́пку; занима́ть второстепе́нное положе́ние 2) *разг.* надува́тельство 3) *мор.* се́тка на столе́ (*чтобы вещи не падали во время качки*) 4) *sl.* торго́вля из-под полы́ 5) *sl.* щекота́ние; зуд ◇ a face as long as a ~ мра́чное лицо́

2. *v* 1) игра́ть на скри́пке 2) верте́ть в рука́х, игра́ть (with — *чем-л.*) 3) *sl.* соверша́ть махина́ции (*с документами и т. п.*) 4) *sl.* торгова́ть из-под полы́ ▭ ~ about безде́льничать; шата́ться без де́ла; ~ away прома́тывать, расточа́ть, растра́чивать

fiddle-bow [ˈfɪdlbəʊ] = fiddlestick 1

fiddle-case [ˈfɪdlkeɪs] *n* футля́р для скри́пки

fiddle-de-dee [ˌfɪdldɪˈdiː] **1.** *n* чепуха́, безде́лица, ерунда́, вздор

2. *int* вздор!, чепуха́!

fiddle-faddle [ˈfɪdlˌfædl] **1.** *n* пустяки́, глу́пости; болтовня́

2. *a* пустя́чный, пустяко́вый

3. *v* безде́льничать; болта́ть вздор

4. *int* вздор!

fiddlehead [ˈfɪdlhed] *n мор.* резно́е украше́ние на носу́ корабля́

fiddler [ˈfɪdlə] *n* 1) скрипа́ч (*особ. уличный*) 2) *sl.* обма́нщик

fiddlestick [ˈfɪdlstɪk] **1.** *n* смычо́к

2. *int* (*обыкн.* ~s) вздор!, чепуха́!

fiddling [ˈfɪdlɪŋ] *a разг.* 1) пусто́й; за́нятый пустяка́ми 2) ничто́жный, пустя́чный

fiddly [ˈfɪdlɪ] *a разг.* запу́танный; неудо́бный; утоми́тельный

fidelity [fɪˈdelətɪ] *n* 1) ве́рность, пре́данность, лоя́льность 2) то́чность, пра́вильность; with greatest ~ с большо́й то́чностью 3) *тех., радио* (безукори́зненная) то́чность воспроизведе́ния

fidget [ˈfɪdʒɪt] **1.** *n* 1) суетли́вый, беспоко́йный челове́к; непосе́да 2) (*часто* the ~s) беспоко́йное состоя́ние; не́рвные, суетли́вые движе́ния

2. *v* 1) беспоко́йно дви́гаться; ёрзать (*часто* ~ about); to ~ with smth. игра́ть чем-л., не́рвно перебира́ть что-л.; don't ~! не ёрзай! 2) быть в волне́нии, не быть в состоя́нии сосредото́чить внима́ние 3) приводи́ть в беспоко́йное состоя́ние; нерви́ровать

fidgety [ˈfɪdʒətɪ] *a* неугомо́нный, суетли́вый, беспоко́йный

fiducial [fɪˈdjuːʃɪəl] *a* 1) *астр., топ.* при́нятый за осно́ву сравне́ния; ~ point отправна́я то́чка измере́ния 2) осно́ванный на ве́ре *или* дове́рии

fiduciary [fɪˈdjuːʃɪərɪ] **1.** *n* попечи́тель, опеку́н

2. *a* 1) дове́ренный, пору́ченный 2) *фин.* осно́ванный на обще́ственном дове́рии; ~ fiat money бума́жные де́ньги в обраще́нии (*не имеющие обеспечения золотом*)

fie [faɪ] *int уст.* фу!, тьфу!; ~ upon you!, ~, for shame! сты́дно!

fief [fiːf] *n ист.* феода́льное поме́стье, лен

field [fiːld] *n* 1) по́ле; луг; большо́е простра́нство 2) *геол.* месторожде́ние (*преим. в сложных словах, напр.*, diamond-fields, gold-fields) 3) спорти́вная площа́дка 4) все уча́стники состяза́ния *или* все, за исключе́нием сильне́йших 5) по́ле сраже́ния; сраже́ние; a hard-fought ~ серьёзное сраже́ние; in the ~ на войне́, в похо́де; в полевы́х усло́виях; ~ of honour а) ме́сто дуэ́ли; б) по́ле би́твы; to conquer the ~ одержа́ть побе́ду; *перен. тж.* взять верх в спо́ре; to enter the ~ вступа́ть в борьбу́; *перен. тж.* вступа́ть в соревнова́ние, вступа́ть в спор; to hold the ~ уде́рживать пози́ции; to keep the ~ продолжа́ть сраже́ние; to leave the ~ отступи́ть; потерпе́ть пораже́ние 6) по́ле де́йствия; ~ of view (*или* vision) по́ле зре́ния; magnetic ~ магни́тное по́ле 7) о́бласть, сфе́ра де́ятельности, наблюде́ния; in the whole ~ of our history на всём протяже́нии на́шей исто́рии 8) фон, грунт (*картины и т. п.*) 9) *геральд.* по́ле *или* часть по́ля (*щита*) 10) *эл.* возбужде́ние (*тока*) 11) *attr.* полево́й; ~ force(s) де́йствующая а́рмия; ~ fortification(s) полевы́е укрепле́ния; ~ ambulance *воен.* а) медици́нский отря́д; б) санита́рная маши́на; ~ equipment а) полево́е обору́дование; б) кинопередви́жка; в) похо́дное снаряже́ние; ~ service(s) *воен.* полева́я слу́жба; ~ security контрразве́дка в де́йствующей а́рмии; ~ magnet возбужда́ющий магни́т; ~ theory *мат.* тео́рия по́ля; ~ trial испыта́ния в полевы́х усло́виях

field allowance ['fi:ldə,laʊəns] *n воен.* полева́я но́рма снабже́ния; полева́я надба́вка

field artillery ['fi:ldɑ:,tɪlərɪ] *n воен.* полева́я артилле́рия

field-book ['fi:ldbʊk] *n* кни́га за́писей геодези́ческих заме́ров

field court martial ['fi:ldkɔ:t,mɑ:ʃl] *n* вое́нно-полево́й суд

field crops ['fi:ldkrɒps] *n pl с.-х.* полевы́е культу́ры

field day ['fi:lddeɪ] *n* 1) *воен.* манёвры; такти́ческие заня́тия на ме́стности 2) день, посвящённый атлети́ческим состяза́ниям, охо́те *или* ботанизи́рованию 3) па́мятный, знамена́тельный день

field duty ['fi:ld,dju:tɪ] *n* слу́жба в де́йствующей а́рмии

fielder ['fi:ldə] = fieldsman

field events ['fi:ldɪ,vents] *n pl* соревнова́ния по легкоатлети́ческим ви́дам спо́рта (*исключая бег*)

fieldfare ['fi:ldfeə] *n* дрозд-ряби́нник

field glasses ['fi:ld,glɑ:sɪz] *n pl* полево́й бино́кль

field-gun ['fi:ldgʌn] *n воен.* полева́я пу́шка

field hockey ['fi:ld,hɒkɪ] *n* хокке́й на траве́

field hospital ['fi:ld,hɒspɪtl] *n* 1) полево́й го́спиталь 2) санита́рная маши́на

field-house ['fi:ldhaʊs] *n амер.* 1) разнева́лка и ме́сто хране́ния спорти́вного инвентаря́ при стадио́не 2) закры́тый мане́ж

Field Marshal [,fi:ld'mɑ:ʃl] *n* фельдма́ршал

field mouse ['fi:ldmaʊs] *n* полева́я мышь

field officer ['fi:ld,ɒfɪsə] *n* штаб-офице́р (*офицер, имеющий чин не ниже майора и не выше полковника*)

fieldsman ['fi:ldzmən] *n спорт.* принима́ющий игро́к (*в крикете*)

field sports ['fi:ldspɔ:ts] *n pl* заня́тия охо́той, ры́бной ло́влей *и т. п.*

fieldwork ['fi:ldwɜ:k] *n* 1) рабо́та в по́ле (*геолога и т. п.*); разве́дка, съёмка *и т. п.* 2) *воен.* полево́е укрепле́ние 3) *pl воен.* оборони́тельные сооруже́ния 4) сбор на места́х статисти́ческих да́нных для нау́чной рабо́ты

fiend [fi:nd] *n* 1) дья́вол; де́мон 2) злоде́й, и́зверг; a very ~ су́щий дья́вол 3) *sl.* челове́к, пристрасти́вшийся к вре́дной привы́чке; drug (*или* dope) ~ наркома́н; fresh-air ~ *шутл.* энтузиа́ст све́жего во́здуха 4) *разг.* челове́к, отлича́ющийся ре́дкой целеустремлённостью

fiendish ['fi:ndɪʃ] *a* дья́вольский, жесто́кий

fierce [fɪəs] *a* 1) свире́пый, лю́тый 2) си́льный (*о буре, жаре*); горя́чий; неи́стовый 3) *разг.* неприя́тный, боле́зненный

fieri facias [faɪəraɪ'feɪʃɪæs] *лат. n юр.* исполни́тельный лист об обраще́нии взыска́ния на иму́щество должника́

fiery ['faɪərɪ] *a* 1) о́гненный, пла́менный; горя́щий; *перен.* жгу́чий, горя́чий, пла́менный; ~ eyes о́гненный взор 2) о́гненно-кра́сный 3) пы́лкий, вспы́льчивый; ~ horse горя́чая ло́шадь 4) воспламеня́ющийся (*о газе*) 5) *горн.* га́зовый; содержа́щий грему́чий газ

fiesta [fɪ'estə] *n* пра́здник, фие́ста

fife [faɪf] 1. *n* 1) ду́дка; ма́ленькая фле́йта 2) ду́дочник, флейти́ст

2. *v* игра́ть на ду́дке

fifteen [,fɪf'ti:n] 1. *num. card.* пятна́дцать

2. *n спорт.* кома́нда игроко́в в ре́гби ◇ the F. *ист.* восста́ние якоби́тов в 1715 г.

fifteenth [,fɪf'ti:nθ] 1. *num. ord.* пятна́дцатый

2. *n* 1) пятна́дцатая часть 2) (the ~) пятна́дцатое число́

fifth [fɪfθ] 1. *num. ord.* пя́тый; ~ part пя́тая часть ◇ ~ column пя́тая коло́нна, преда́тели внутри́ страны́ *или* организа́ции; ~ wheel пя́тая спи́ца в колесни́це

2. *n* 1) пя́тая часть 2) (the ~) пя́тое число́ 3) 1/5 галло́на (*единица измерения спиртных напитков*) 4) *муз.* кви́нта

fifthly ['fɪfθlɪ] *adv* в-пя́тых

fifties ['fɪftɪz] *n pl* 1) (the ~) пятидеся́тые го́ды 2) пятьдеся́т лет; шесто́й деся́ток (*возраст между 50 и 59 годами*); he is in his early (late) ~ ему́ пятьдеся́т с небольши́м (далеко́ за пятьдеся́т)

fiftieth ['fɪftɪɪθ] 1. *num. ord.* пятидеся́тый

2. *n* пятидеся́тая часть

fifty ['fɪftɪ] 1. *num. card.* пятьдеся́т; ~-one пятьдеся́т оди́н; ~-two пятьдеся́т два *и т. п.*; he is over ~ ему́ за пятьдеся́т

2. *n* пятьдеся́т (*единиц, штук*)

fifty-fifty [,fɪftɪ'fɪftɪ] 1. *a* ра́вный, с ра́вными ша́нсами *или* частя́ми; on a ~ basis на ра́вных нача́лах

2. *adv* по́ровну; попола́м; to go ~ дели́ть по́ровну

fig I [fɪg] *n* 1) ви́нная я́года, инжи́р 2) фи́говое де́рево; смоко́вница 3) *разг.* шиш, фи́га; I don't care (*или* give) a ~ мне наплева́ть

fig II [fɪg] 1. *n* 1) наря́д; in full ~ в по́лном пара́де; в пара́дном костю́ме; в вече́рнем туале́те 2) состоя́ние, настрое́ние; in good ~ в хоро́шем состоя́нии

2. *v* наряжа́ть, украша́ть (*обыкн.* ~ out, ~ up)

fight [faɪt] 1. *n* 1) бой; running ~ отступле́ние с боя́ми; sham ~ уче́бный бой 2) дра́ка 3) спор, борьба́; to have the ~ of one's life вы́держать тяжёлую борьбу́ 4) задо́р, драчли́вость; to have plenty of ~ in one быть по́лным боево́го задо́ра; не сдава́ться; to show ~ быть гото́вым к борьбе́; не поддава́ться

2. *v* (fought) 1) дра́ться, сража́ться, воева́ть, боро́ться (against — про́тив, for — за, with — с); to ~ for dear life дра́ться отча́янно; сража́ться не на живо́т, а на́ смерть; to ~ a battle а) провести́ бой; дать сраже́ние; б) *спорт.* вести́ бой (*в боксе, фехтовании*); to ~ a bout провести́ схва́тку (*в боксе*); to ~ a duel дра́ться на дуэ́ли 2) отста́ивать, защища́ть; to ~ a suit отста́ивать де́ло (*в суде*) 3) *воен.* вести́ бой 4) *мор.* управля́ть, маневри́ровать (*кораблём в шторм, в бою*) 5) нау́ськивать, стра́вливать; to ~ cocks проводи́ть петуши́ные бои ▭ ~ **back** а) сопроти́вляться, дава́ть отпо́р; б) подавля́ть, сде́рживать (*чувства, слёзы и т. п.*); ~ **down** а) подавля́ть (чу́вства *и т. п.*); б) победи́ть; ~ **off** отби́ть, отогна́ть, вы́гнать; ~ **out**: to ~ (it) out а) довести́ борьбу́ (*или* спор) до конца́; б) добива́ться си́лой ◇ to ~ a lone hand боро́ться в одино́чку; to ~ one's way прокла́дывать себе́ доро́гу; to ~ the good fight боро́ться за справедли́вое де́ло; to ~ through every hardship преодоле́ть (все) тру́дности; to ~ shy of smb., smth. избега́ть кого́-л., чего́-л.; to ~ one's battles over again вспомина́ть мину́вшие дни; to ~ for one's own hand отста́ивать свои́ интере́сы; постоя́ть за себя́

fighter ['faɪtə] *n* 1) бое́ц; боре́ц 2) *ав.* истреби́тель

fighter pilot ['faɪtə,paɪlət] *n* лётчик-истреби́тель

fighting ['faɪtɪŋ] 1. *pres. p. от* fight 2

2. *n* бой, сраже́ние; дра́ка, борьба́; house-to-house ~ борьба́ за ка́ждый дом; street ~ у́личные бои́

3. *a* боево́й; ~ arm род во́йск; ~ machine *ав.* боева́я маши́на; самолёт-истреби́тель; ~ fund избира́тельный фонд (*политической партии*); ~ chance шанс на успе́х, тре́бующий огро́мных уси́лий

fig leaf ['fɪgli:f] *n* фи́говый лист(о́к)

figment ['fɪgmənt] *n* вы́мысел, фи́кция; ~ of the imagination плод воображе́ния

fig-tree ['fɪgtri:] *n* фи́говое де́рево; смоко́вница

figurant [,fɪgjʊ'rænt] *фр. n* 1) арти́ст кордебале́та 2) стати́ст

figurante [,fɪgjʊ'rænt] *фр. n* 1) арти́стка кордебале́та 2) стати́стка

figuration [,fɪgjʊ'reɪʃn] *n* 1) прида́ние фо́рмы, оформле́ние 2) вид, фо́рма, ко́нтур 3) орнамента́ция

figurative ['fɪgərətɪv] *a* 1) фигура́льный, перено́сный; метафори́ческий; in a ~ sense в перено́сном смы́сле; ~ style о́бразный стиль; ~ writer писа́тель, (ча́сто) по́льзующийся мета́форами *и т. п.* 2) изобрази́тельный, пласти́ческий, живопи́сный

figure ['fɪgə] 1. *n* 1) фигу́ра; вне́шний вид; о́блик, о́браз; to keep one's ~ следи́ть за фигу́рой 2) ли́чность, фигу́ра; а person of ~ выдающаяся ли́чность; public ~ обще́ственный де́ятель 3) изображе́ние, карти́на, ста́туя 4) иллюстра́ция, рису́нок (*в книге*); диагра́мма, чертёж 5) *геом.* фигу́ра, те́ло 6) ци́фра; *pl* цифровы́е да́нные; in round ~s кру́глым счётом 7) цена́; at a high (low) ~ до́рого (дёшево) 8) *pl* арифме́тика 9) фигу́ра (*в танцах, фигурном катании, пилотаже*) 10) ритори́ческая фигу́ра; ~ of speech а) ритори́ческая фигу́ра; б) преувеличе́ние, непра́вда 11) гороско́п ◇ to cut a poor ~ а) игра́ть незначи́тельную роль; б) каза́ться жа́лким; to cut a ~ привлека́ть внима́ние, производи́ть впечатле́ние; to cut no ~ не производи́ть никако́го впечатле́ния; a ~ of fun неле́пая, смешна́я фигу́ра

2. *v* 1) фигури́ровать; игра́ть ви́дную роль 2) изобража́ть (*графически, диаграммой и т. п.*) 3) представля́ть себе́ (*часто* ~ to oneself) 4) украша́ть (*фигурами*) 5) обознача́ть ци́фрами 6) подсчи́тывать, оце́нивать; исчисля́ть 7) реша́ть арифмети́ческие зада́чи 8) служи́ть си́мволом, символизи́ровать 9) *обыкн. амер.* полага́ть, счита́ть 10) выполня́ть фигу́ры (*в фигурном катании и т. п.*) 11) придава́ть фо́рму ▭ ~ **on** *амер. разг.* рассчи́тывать на; де́лать расчёты; ~ **out** а) вычисля́ть; б) понима́ть, постига́ть; ~ **up** подсчи́тывать

figured ['fɪgəd] **1.** *p. p. от* figure 2

2. *a* 1) фигу́рный; узо́рчатый; ~ silk узо́рчатый шёлк 2) метафори́ческий, обра́зный

figurehead ['fɪgəhed] *n* 1) номина́льный глава́; подставно́е лицо́ 2) *мор.* носово́е украше́ние

figure of eight [ˌfɪgərəv'eɪt] *a* име́ющий фо́рму восьмёрки

figure skating ['fɪgəˌskeɪtɪŋ] *n* фигу́рное ката́ние (*на коньках*)

figurine ['fɪgəri:n] *n* статуэ́тка

figwort ['fɪgwɜ:t] *n бот.* нори́чник

filagree ['fɪləgri:] = filigree

filament ['fɪləmənt] *n* 1) *бот.* нить 2) *эл.* нить нака́ла 3) волокно́, волосо́к 4) *attr.*: ~ lamp ла́мпа нака́ливания

filamentary [ˌfɪlə'mentərɪ] *a* волокни́стый

filamentous [ˌfɪlə'mentəs] *a* волокни́стый, состоя́щий из воло́кон

filar ['faɪlə] *a тех.* филя́рный, ни́точный

filature ['fɪlətʃə] *n* 1) шёлкопряди́льная фа́брика; шёлкомота́льная фа́брика 2) шёлкопряде́ние

filbert ['fɪlbət] *n* 1) лещи́на, фунду́к; америка́нский лесно́й оре́х 2) оре́шник

filch [fɪltʃ] *v* укра́сть, стяну́ть, стащи́ть (*мелочи*)

file I [faɪl] **1.** *n* 1) *тех.* напи́льник 2) пи́лочка (*для ногтей*) 3) отде́лка, полиро́вка; to need the ~ тре́бовать отде́лки 4) огло́бля, ды́шло 5) *sl.* ловка́ч ◇ close ~ скря́га; old (*или* deep) ~ *груб.* продувна́я бе́стия, тёртый кала́ч

2. *v* 1) пили́ть, подпи́ливать 2) отде́лывать (*стиль и т. п.*) ▭ ~ **away**, ~ **down**, ~ **off** спи́ливать, обраба́тывать, отшлифо́вывать

file II [faɪl] **1.** *n* 1) картоте́ка 2) подши́тые бума́ги, де́ло; досье́ 3) *вчт.* файл 4) подши́вка (*газет*) 5) скоросшива́тель (*для бумаг*)

2. *v* 1) регистри́ровать и храни́ть (*документы*) в како́м-л. определённом поря́дке; подшива́ть к де́лу (*тж.* ~ away) 2) *амер.* представля́ть, подава́ть како́й-л. докуме́нт; to ~ resignation пода́ть заявле́ние об отста́вке 3) сдава́ть в архи́в 4) посыла́ть (материа́л) в газе́ту (*о репортёре*)

file III [faɪl] **1.** *n воен.* 1) о́чередь, хвост 2) ряд, шере́нга; коло́нна (*людей*); a ~ of men два бойца́; blank (full) ~ непо́лный (по́лный) ряд; to march in ~ идти́ (в коло́нне) по́ два; in single (*или* in Indian) ~ гусько́м, по одному́ 3) *шахм.* вертика́ль 4) *attr.*: ~ leader головно́й ря́да, головно́й коло́нны по одному́; ~ closer замыка́ющий

2. *v* идти́ гусько́м; передвига́ть(ся) коло́нной ▭ ~ **away** = ~ off; ~ **in** входи́ть шере́нгой; ~ **off** уходи́ть гусько́м, по одному́, по́ два; ~ **out** выходи́ть шере́нгой

file-cutter ['faɪlˌkʌtə] *n* насека́льщик напи́льников

filet ['fɪleɪ] *n* 1) филе́ (*кружево*) 2) *кул.* филе́(й)

filial ['fɪlɪəl] *a* 1) сыно́вний, доче́рний 2): ~ branch (*или* agency) филиа́л

filiation [ˌfɪlɪ'eɪʃn] *n* 1) отноше́ние родства́, происхожде́ние (from — от) 2) *юр.* установле́ние отцо́вства 3) ответвле́ние, ветвь 4) филиа́л 5) образова́ние филиа́ла, ме́стного отделе́ния

filibeg ['fɪlɪbeg] = kilt 1

filibuster ['fɪlɪbʌstə] **1.** *n* 1) флибусть́ер, пира́т 2) *полит.* обструкциони́ст

2. *v* 1) занима́ться морски́м разбо́ем 2) тормози́ть приня́тие зако́на *или* реше́ния (*путём обструкции*)

filicide ['fɪlɪsaɪd] *n* 1) детоуби́йство 2) детоуби́йца

filiform ['fɪlɪfɔ:m] *a* нитеви́дный

filigree ['fɪlɪgri:] *n* филигра́нная рабо́та

filing ['faɪlɪŋ] *n* 1) опило́вка 2) *pl* металли́ческие опи́лки

filing cabinet ['faɪlɪŋˌkæbɪnɪt] *n* 1) шкаф для хране́ния докуме́нтов 2) картоте́ка

fill [fɪl] **1.** *v* 1) наполня́ть(ся); sails ~ed with wind а) паруса́ наду́лись; б) паруса́, наду́тые ве́тром 2) заполня́ть (*отверстия и т. п.*); закла́дывать 3) наполня́ть, заполня́ть (*сосуд доверху*) 4) пломбирова́ть (*зубы*) 5) назнача́ть (*на пост*) 6) занима́ть (*должность*); исполня́ть (*обязанности*); his place will not be easily ~ed его́ не легко́ замени́ть 7) исполня́ть, выполня́ть (*заказ и т. п.*) 8) занима́ть (*свободное время*) 9) удовлетворя́ть; насыща́ть; food that ~s пи́ща, даю́щая ощуще́ние сы́тости 10) приготовля́ть лека́рство (*по рецепту врача*) ▭ ~ **in** а) заполня́ть; to ~ in one's name вписа́ть своё и́мя; б) замеща́ть; I'm just ~ing in here temporarily я здесь то́лько вре́менно замеща́ю друго́го; в) = 8); г) дава́ть бо́лее по́лную информа́цию (*кому-л.*); д) *sl.* бить, колоти́ть; ~ **out** а) расширя́ть(ся); наполня́ть(ся); his cheeks have ~ed out его́ лицо́ пополне́ло; б) *амер.* заполня́ть (*анкету и т. п.*); ~ **up** а) наполня́ть(ся); набива́ть; заполня́ть (*вакансию*); б) возмеща́ть (*недостающее*)

2. *n* 1) доста́точное коли́чество (*чего-л.*); a ~ of tobacco щепо́тка табаку́ (*достаточная, чтобы набить трубку*); I've had my ~ of it с меня́ хва́тит 2) сы́тость; to eat (to drink, to weep) one's ~ нае́сться (напи́ться, напла́каться) до́сыта 3) *диал.* = file I, 1, 4); 4) *амер. ж.-д.* на́сыпь

fille de joie [ˌfɪjdə'zwɑ:] *фр. n* проститу́тка

filler ['fɪlə] *n* 1) тот, кто *или* то, что наполня́ет *или* заполня́ет 2) заря́д (*снаряда*) 3) *тех.* наливно́е отве́рстие, воро́нка 4) наполни́тель (*вещество*)

fillet ['fɪlɪt] **1.** *n* 1) *кул.* филе́(й) 2) ле́нта *или* у́зкая повя́зка (*на голову*); у́зкая дли́нная ле́нта из любо́го материа́ла 3) *тех.*, *стр.* ва́лик, ободо́к; баге́т 4) *тех.* га́лтель, утолще́ние 5) углубле́ние, желобо́к 6) *текст.* кро́мка

2. *v* 1) приготовля́ть филе́ 2) повя́зывать ле́нтой *или* повя́зкой

fill-in ['fɪlɪn] *n* вре́менная заме́на

filling ['fɪlɪŋ] **1.** *pres. p. от* fill 1

2. *n* 1) наполне́ние 2) погру́зка; насы́пка 3) зали́вка, запра́вка горю́чим 4) пло́мба (*в зубе*) 5) наби́вка; прокла́дка; шпатлёвка 6) *текст.* уто́к 7) фарш, начи́нка 8) заря́д (*снаряда*) 9) *стр.* торкрети́рование

filling station ['fɪlɪŋˌsteɪʃn] *n* автозапра́вочная ста́нция; *разг.* бензоколо́нка

fillip ['fɪlɪp] **1.** *n* 1) сти́мул 2) щелчо́к 3) толчо́к 4) пустя́к

2. *v* 1) стимули́ровать, подта́лкивать 2) щёлкнуть

fillister ['fɪlɪstə] *n тех.* фальцо́вка, калёвка

filly ['fɪlɪ] *n* 1) молода́я кобы́ла 2) *разг.* шу́страя деви́ца *или* бабёнка

film [fɪlm] **1.** *n* 1) плёнка; лёгкий слой (*чего-л.*); оболо́чка; перепо́нка; a ~ of fog лёгкий тума́н; ды́мка 2) фотоплёнка, киноплёнка, плёнка 3) фильм 4) *pl* кино́; to be in the ~s снима́ться в кино́ 5) то́нкая нить 6) *attr.* кино-

2. *v* 1) снима́ть, производи́ть киносъёмку; экранизи́ровать (*литературное произведение*) 2) снима́ться в кино́ 3): she ~s well она́ фотогени́чна 4) покрыва́ть(ся) плёнкой, оболо́чкой; застила́ться ды́мкой

film star ['fɪlmstɑ:] *n* кинозвезда́

filmstrip ['fɪlmstrɪp] *n* диафи́льм

film test ['fɪlmtest] *n* кинопро́ба бу́дущего исполни́теля ро́ли

filmy ['fɪlmɪ] *a* 1) тума́нный 2) то́нкий как паути́нка 3) плёнчатый, покры́тый плёнкой

filoselle [ˌfɪlə'sel] *n* шёлк-сырéц

filter ['fɪltə] **1.** *n* фильтр

2. *v* 1) фильтрова́ть, процёживать 2) проса́чиваться, проника́ть

filter bed [ˈfɪltəbed] *n тех.* фильтру́ющий слой

filter-tipped [ˈfɪltətɪpt] *a*: ~ cigarette сигаре́та с фи́льтром

filth [fɪlθ] *n* 1) грязь; отбро́сы 2) непристо́йность; ме́рзость; развра́т 3) сквернosло́вие

filthy [ˈfɪlθɪ] *a* 1) гря́зный 2) развращённый; непристо́йный 3) *разг.* отврати́тельный, ме́рзкий (*о погоде*)

filtrate [ˈfɪltreɪt] **1.** *n хим.* фильтра́т

2. *v* фильтрова́ть

fin [fɪn] **1.** *n* 1) плавни́к (*рыбы*) 2) *ав.* киль, стабилиза́тор 3) *тех.* ребро́, заусе́нец 4) *pl спорт.* ла́сты 5) *sl.* рука́

2. *v* 1) обреза́ть плавники́ 2) пла́вать как ры́ба

finable [ˈfaɪnəbl] *a* облага́емый штра́фом, пе́ней

finagle [fɪˈneɪgl] *v* 1) *разг.* надува́ть; обжу́ливать 2) *карт.* объявля́ть рено́нс

final [ˈfaɪnl] **1.** *a* 1) коне́чный, заключи́тельный; ~ cause коне́чная цель; the ~ chapter после́дняя глава́; ~ blow заверша́ющий уда́р 2) оконча́тельный, реша́ющий; to give a ~ touch оконча́тельно отде́лать; is that ~? э́то после́днее сло́во?, э́то оконча́тельно? 3) целево́й; ~ clause *грам.* предложе́ние це́ли

2. *n* 1) (*часто pl*) реша́ющая игра́ в ма́тче; после́дний заe̋зд в ска́чках, го́нках *и т. п.* 2) после́дний вы́пуск газе́ты (*за день*) 3) (*обыкн. pl*) выпускны́е экза́мены

finale [fɪˈnɑːlɪ] *n муз., лит.* фина́л, заключе́ние

finalist [ˈfaɪnlɪst] *n спорт.* финали́ст

finality [faɪˈnælətɪ] *n* 1) зако́нченность; оконча́тельность; with an air of ~ с таки́м ви́дом, что всё решено́ (*или* что все разгово́ры ко́нчены) 2) заключи́тельное де́йствие, заверше́ние

finalize [ˈfaɪnəlaɪz] *v* 1) придава́ть оконча́тельную фо́рму 2) заверша́ть, зака́нчивать

finally [ˈfaɪnəlɪ] *adv* 1) в заключе́ние 2) в коне́чном счёте, в конце́ концо́в 3) оконча́тельно

finance **1.** *n* [ˈfaɪnæns] 1) фина́нсовое де́ло 2) *pl* фина́нсы, дохо́ды; family ~s семе́йный бюдже́т

2. *v* [faɪˈnæns] 1) финанси́ровать 2) занима́ться фина́нсовыми опера́циями

financial [faɪˈnænʃl] *a* 1) фина́нсовый; ~ year отчётный год 2) *австрал. sl.* облада́ющий материа́льным доста́тком

financier [faɪˈnænsɪə] **1.** *n* финанси́ст

2. *v* вести́ фина́нсовые опера́ции (*обыкн. презр.*)

finback [ˈfɪnbæk] *n зоол.* кит-полоса́тик

finch [fɪntʃ] *n название многих певчих птиц, преим.* зя́блик

find [faɪnd] **1.** *v* (found) 1) находи́ть; встреча́ть; признава́ть; обнару́живать; заставáть; to ~ no sense не ви́деть смы́сла; to ~ oneself найти́ своё призва́ние; обрести́ себя́; to ~ time улучи́ть вре́мя 2) *охот.* подня́ть (*зверя, особ. лису*) 3) обрести́; получи́ть, доби́ться; to ~ one's account in smth. убеди́ться в вы́годе чего́-л.; испо́льзовать что-л. в свои́х (ли́чных) интере́сах 4) *sl.* ворова́ть 5) убежда́ться, приходи́ть к заключе́нию; счита́ть; I ~ it necessary to go there я счита́ю необходи́мым пое́хать туда́ 6) снабжа́ть; обеспе́чивать; £2 a week and ~ yourself 2 фу́нта (сте́рлингов) в неде́лю на свои́х харча́х 7) *юр.* устана́вливать; выноси́ть реше́ние; to ~ smb. guilty призна́ть кого́-л. вино́вным 8) попа́сть (*в цель*); the blow found his chest уда́р пришёлся ему́ в грудь 9) *мат.* вычисля́ть 10) *воен.* выделя́ть, выставля́ть □ ~ out узна́ть, разузна́ть, вы́яснить; поня́ть; раскры́ть (*обман, тайну*); to ~ out the truth узна́ть пра́вду; to ~ smb. out разоблачи́ть кого́-л.; to ~ out for oneself добра́ться до и́стины ◇ all found на всём гото́вом; £100 a year all found 100 фу́нтов (сте́рлингов) в год на всём гото́вом; how do you ~ yourself? как вы себя́ чу́вствуете?; как пожива́ете?; to ~ one's way а) дости́гнуть; to ~ one's way home добра́ться домо́й; б) прони́кнуть; пробра́ться; how did it ~ its way into print? как э́то попа́ло в печа́ть?; to ~ one's feet а) научи́ться ходи́ть (*о ребёнке*); б) стать на́ ноги, обрести́ самостоя́тельность; наби́ть ру́ку

2. *n* 1) откры́тие (*месторождения и т. п.*) 2) нахо́дка; a great ~ це́нная нахо́дка; a sure ~ *охот.* местонахожде́ние зве́ря

finder [ˈfaɪndə] *n* 1) иска́тель 2) вспомога́тельный телеско́п 3) *фото* видоиска́тель

finding [ˈfaɪndɪŋ] **1.** *pres. p. от* find 1

2. *n* 1) реше́ние (*присяжных*); пригово́р (*суда*); *pl* вы́воды (*комиссии*) 2) *амер. pl* прикла́д (*для платья и т. п.*); фурниту́ра; shoe ~s крем, шнурки́ *и пр.* для о́буви 3) нахо́дка; обнару́жение 4) определе́ние (*местонахождения*), ориента́ция, ориентиро́вка 5) *pl* полу́ченные да́нные, добы́тые све́дения

fine I [faɪn] **1.** *n* пе́ня, штраф

2. *v* штрафова́ть, налага́ть пе́ню, штраф

fine II [faɪn] *n*: in ~ а) в о́бщем, сло́вом, вкра́тце; б) наконе́ц; в заключе́ние; в ито́ге

fine III [faɪn] **1.** *a* 1) высо́кого ка́чества; очи́щенный, рафини́рованный; высокопро́бный; gold 22 carats ~ зо́лото 88-й про́бы 2) хоро́ший; прекра́сный, превосхо́дный (*часто ирон.*); to have a ~ time *разг.* хорошо́ провести́ вре́мя; a ~ friend you are! *ирон.* хоро́ш друг!; ~ income изря́дный дохо́д 3) то́нкий, утончённый, изя́щный; высо́кий, возвы́шенный (*о чувствах*); ~ needle то́нкая игла́; ~ skin не́жная ко́жа; ~ distinction то́нкое разли́чие; ~ intellect утончённый ум; a ~ lady! *разг. ирон.* что за (*или* ну и) ба́рыня!; ~ point (*или* question) тру́дный, делика́тный вопро́с 4) кру́пный, внуши́тельный (*о размерах*) 5) я́сный, хоро́ший; сухо́й (*о погоде*); a ~ morning пого́жее у́тро; ~ air здоро́вый во́здух; one ~ day одна́жды, в оди́н прекра́сный день; one of these ~ days в оди́н прекра́сный день (*о будущем*); когда́-нибудь 6) о́стрый; ~ edge о́строе ле́звие; to talk ~ говори́ть остроу́мно 7) ме́лкий; ~ sand ме́лкий песо́к 8) блестя́щий, наря́дный 9) претенцио́зный ◇ the ~ arts изобрази́тельные иску́сства; ~ feathers make ~ birds *посл.* ≅ оде́жда кра́сит челове́ка

2. *adv* 1) изя́щно, утончённо 2) *разг.* отли́чно, прекра́сно; that will suit me ~ э́то мне как ра́з подойдёт ◇ to cut it too ~ дать сли́шком ма́ло (*особ.* вре́мени)

3. *v* де́лать(ся) прозра́чным, очища́ть(-ся) (*тж.* ~ down) □ ~ **away**, ~ **down**, ~ **off** де́лать(ся) изя́щнее, то́ньше; уменьша́ться; сокраща́ться

fine-draw [ˌfaɪnˈdrɔː] *v.* (fine-drew; fine-drawn) 1) сшива́ть незаме́тным швом; штукова́ть 2) волочи́ть то́нкие сорта́ (*проволоки*)

fine-drawn [ˌfaɪnˈdrɔːn] **1.** *p. p. от* fine-draw

2. *a* 1) сши́тый незаме́тным швом 2) о́чень то́нкий; то́нкого волоче́ния (*о проволоке*) 3) иску́сный 4) *спорт.* оптима́льный (*о весе боксёра, борца и т. п.*)

fine-drew [ˌfaɪnˈdruː] *past от* fine draw

fine-grained [ˌfaɪnˈgreɪnd] *a* мелкозерни́стый

fineness [ˈfaɪnnəs] *n* 1) то́нкость, изя́щество *и пр.* [*см.* fine III, 1] 2) острота́ (чувств) 3) про́ба (*благородных металлов*) 4) высо́кое ка́чество 5) мелкозерни́стость; величина́ зерна́ 6) *ав.* аэродинами́ческое ка́чество

finery I [ˈfaɪnərɪ] *n* пы́шный наря́д, пы́шное украше́ние, убра́нство; cheap ~ дешёвые украше́ния

finery II [ˈfaɪnərɪ] *n тех.* кри́чный горн

finespun [ˌfaɪnˈspʌn] *a* 1) утончённый, изы́сканный 2) хитросплетённый; запу́танный; изощрённый до преде́ла 3) то́нкий (*о ткани*)

finesse [fɪˈnes] **1.** *n* 1) то́нкость; иску́сность 2) ухищре́ние, ло́вкий приём; хи́трость 3) *карт.* проре́зывание (*ход*)

2. *v* 1) де́йствовать иску́сно *или* хи́тро́ 2) *карт.* проре́зать

fine-tune [ˌfaɪnˈtjuːn] *v* настра́ивать, регули́ровать (*механизм и т. п.*)

finger [ˈfɪŋgə] **1.** *n* 1) па́лец (*руки, перчатки*); my ~s itch *перен.* у меня́ ру́ки че́шутся; by a ~'s breadth е́ле-е́ле; to lay (*или* to put) a ~ on smb. тро́нуть кого́-л.; I had not laid a ~ on him я его́ и па́льцем не тро́нул; to let slip through the ~s упусти́ть из рук 2) *тех.* па́лец, штифт 3) стре́лка (*часов*); указа́тель (*на шкале*) 4) *sl.* глото́к ви́ски *и т. п.* 5) *sl.* осведоми́тель 6) *sl.* карма́нник 7) *sl.* полице́йский ◇ to lay (*или* to put) one's ~ on smth. а) то́чно указа́ть что-л.; б) ≅ попа́сть в то́чку; пра́вильно поня́ть, установи́ть что-л.; to turn (*или* to twist) smb. round one's (little) ~ обвести́ кого́-л. вокру́г па́льца; not to move a ~ ≅ па́лец о па́лец не уда́рить; his ~s are all thumbs он о́чень нело́вок, неуклю́ж; his ~s turned to thumbs па́льцы его́ одереве́нели; to have a ~ in smth. уча́ствовать в чём-л.; вме́шиваться во что́-л.; he has a ~ in the pie ≅ у него́ ры́льце в пушку́; он заме́шан в э́том де́ле

2. *v* 1) тро́гать, перебира́ть па́льцами (*часто* ~ over) 2) *муз.* ука́зывать аппликату́ру 3) *амер. sl.* ука́зывать (*полиции на жертву или преступника*) 4) *разг.* брать взя́тки; ворова́ть

finger-alphabet ['fɪŋgər,ælfəbet] *n* а́збука глухонемы́х

fingerboard ['fɪŋgəbɔ:d] *n муз.* гриф; клавиату́ра

finger bowl ['fɪŋgəbəʊl] *n* небольша́я ча́ша (*для споласкивания пальцев после десерта*)

finger-end ['fɪŋgərend] = fingertip

finger-glass ['fɪŋgəglɑ:s] = finger bowl

fingerhold ['fɪŋgəhəʊld] *n* ша́ткая опо́ра; to have no (*или* never) more than a ~ не име́ть ро́вно никако́й опо́ры

finger hole ['fɪŋgəhəʊl] *n* боково́е отве́рстие, кла́пан (*в духовом инструменте*)

fingering I ['fɪŋgərɪŋ] **1.** *pres. p. от* finger 2

2. *n* 1) прикоснове́ние па́льцев 2) *муз.* игра́ на инструме́нте 3) *муз.* аппликату́ра

fingering II ['fɪŋgərɪŋ] *n* то́нкая шерсть (*для чулок*)

finger-mark ['fɪŋgəmɑ:k] **1.** *n* пятно́ от па́льца

2. *v* захвата́ть гря́зными па́льцами

fingernail ['fɪŋgəneɪl] *n* но́готь

fingerplate ['fɪŋgəpleɪt] *n* нали́чник дверно́го замка́

fingerpost ['fɪŋgəpəʊst] *n* указа́тельный столб на разви́лке доро́ги

fingerprint ['fɪŋgəprɪnt] **1.** *n* (дактилоскопи́ческий) отпеча́ток па́льца

2. *v* снима́ть отпеча́тки па́льцев

fingerstall ['fɪŋgəstɔ:l] *n* напа́льчник

fingertip ['fɪŋgətɪp] *n* ко́нчик па́льца ◇ to have at one's ~s знать, как свои́ пять па́льцев; to one's ~s ≅ от головы́ до пят; до ко́нчиков ногте́й

finical ['fɪnɪkl] *a* 1) разбо́рчивый; ме́лочно тре́бовательный 2) жема́нный, аффекти́рованный 3) чересчу́р отшлифо́ванный; перегру́женный дета́лями

finicking, finicky, finikin ['fɪnɪkɪŋ, -kɪ, -kɪn] = finical

fining I ['faɪnɪŋ] *pres. p. от* fine I, 2

fining II ['faɪnɪŋ] **1.** *pres. p. от* fine III, 3

2. *n* очи́стка, рафини́рование

finis ['fɪnɪs] *n* (*тк. sing*) 1) коне́ц (*пишется в конце книги*) 2) коне́ц жи́зни

finish ['fɪnɪʃ] **1.** *n* 1) оконча́ние; коне́ц; *спорт.* фи́ниш; to be in at the ~ прису́тствовать на после́днем эта́пе (*соревнований, дебатов и т. п.*); *перен.* ≅ прийти́ к ша́почному разбо́ру; to fight to a ~ би́ться до конца́ 2) зако́нченность; отде́лка; to lack ~ быть неотде́ланным 3) *текст.* аппрету́ра

2. *v* 1) конча́ть(ся); зака́нчивать; заверша́ть 2) *разг.* прико́нчить, уби́ть (*тж.* ~ off) 3) зака́нчивать что-л. на́чатое, доводи́ть до конца́ (*тж.* ~ up); haven't you ~ed that book yet? вы ещё не дочита́ли э́ту кни́гу?; we have ~ed the pie мы дое́ли э́тот пиро́г 4) *спорт.* финиши́ровать 5) отде́лывать (*тж.* ~ off); сгла́живать, выра́внивать 6) подгото́вить для вы́сшего о́бщества (*девушку*) 7) до кра́йности узнуря́ть; the long march has quite ~ed the troops дли́нный перехо́д обесси́лил войска́

finished ['fɪnɪʃt] **1.** *p. p. от* finish 2

2. *a* зако́нченный; отде́ланный; обрабо́танный; ~ goods гото́вые изде́лия; ~ manners лощёные мане́ры; ~ gentleman настоя́щий джентльме́н

finisher ['fɪnɪʃə] *n* 1) *текст.* аппрету́рщик 2) *тех.* вся́кое приспособле́ние для оконча́тельной отде́лки 3) фи́нишер (*дорожная машина*) 4) *разг.* реша́ющий до́вод; сокруша́ющий уда́р

finishing ['fɪnɪʃɪŋ] **1.** *pres. p. от* finish 2

2. *n текст.* аппрету́ра; отде́лка

3. *a* заверша́ющий

finite ['faɪnaɪt] *a* 1) ограни́ченный, име́ющий преде́л; ~ risk не́который риск 2) *грам.* ли́чный (*о глаголе*)

fink [fɪŋk] *амер. sl.* **1.** *n* 1) доно́счик 2) штрейкбре́хер

2. *v* 1) доноси́ть, предава́ть 2) быть штрейкбре́хером

Finn [fɪn] *n* финн; фи́нка

finnan ['fɪnən] *n* копчёная пи́кша (*тж.* ~ haddock)

Finnic ['fɪnɪk] *a* фи́нский

Finnish ['fɪnɪʃ] **1.** *a* фи́нский

2. *n* фи́нский язы́к

Finno-Ugric [,fɪnəʊ'ju:grɪk] *a* фи́нно-уго́рский (*о языках*)

finny ['fɪnɪ] *a* 1) име́ющий плавники́ 2) бога́тый ры́бой

fiord ['fi:ɔ:d] *n* фио́рд

fir [fɜ:] *n бот.* 1) пи́хта; *распр.* ель; Scotch F. сосна́; Silver F. пи́хта 2) ель (*древесина*)

fir-cone ['fɜ:kəʊn] *n* ело́вая ши́шка

fire ['faɪə] **1.** *n* 1) ого́нь, пла́мя; to strike ~ вы́сечь ого́нь; to lay a ~ разложи́ть костёр; развести́ ого́нь (*в очаге, печи и т. п.*); electric ~ электри́ческая печь *или* ками́н; gas ~ га́зовая плита́ *или* ками́н; it is too warm for ~s сли́шком тепло́, что́бы топи́ть; to light (*или* to make up) the ~ затопи́ть пе́чку; to nurse the ~ подде́рживать ого́нь; to stir the ~ помеша́ть в пе́чке; between two ~s *перен.* ме́ж(ду) двух огне́й; to blow the ~ раздува́ть ого́нь; *перен.* разжига́ть стра́сти (*и т. п.*) 2) пожа́р; to catch (*или* to take) ~ загоре́ться; *перен.* заже́чься (*чем-л.*); to be on ~ горе́ть; *перен.* быть в возбужде́нии; to set ~ to smth., to set smth. on ~, *амер.* to set a ~ поджига́ть (*что-л.*) 3) то́пка, печь, ками́н 4) *воен.* ого́нь, стрельба́; to be under ~ подверга́ться обстре́лу; *перен.* служи́ть мише́нью напа́док; to stand ~ выде́рживать ого́нь проти́вника (*тж. перен.*); running ~ бе́глый ого́нь; *перен.* град крити́ческих замеча́ний 5) пыл, воодушевле́ние; *поэт.* вдохнове́ние 6) жар, лихора́дка 7) свече́ние ◇ not to set the Thames on ~ ≅ звёзд с не́ба не хвата́ть; to play with ~ игра́ть с огнём; to fight ~ with ~ ≅ клин кли́ном вышиба́ть

2. *v* 1) стреля́ть, пали́ть, вести́ ого́нь (at, on, upon); to ~ a mine взрыва́ть ми́ну 2) засыпа́ть (*оскорблениями и т. п.*) 3) *sl.* увольня́ть 4) зажига́ть, поджига́ть; to ~ a house подже́чь дом 5) воспламеня́ть(-ся) 6) топи́ть (печь) 7) загора́ться ▭ ~ **away** начина́ть; ~ away! валя́й!, начина́й!, жарь!; ~ **off** дать вы́стрел; *перен.* вы́палить (*замечание и т. п.*); ~ **out** *разг.* выгоня́ть; увольня́ть; ~ **up** вспы́лить

fire alarm ['faɪərə,lɑ:m] *n* 1) пожа́рная трево́га 2) автомати́ческий пожа́рный сигна́л

fire arm ['faɪərɑ:m] *n* огнестре́льное ору́жие

fireball ['faɪəbɔ:l] *n* 1) боли́д 2) шарова́я мо́лния 3) *ист.* зажига́тельное ядро́

fireboat ['faɪəbəʊt] *n* пожа́рное су́дно

firebomb ['faɪəbɒm] *n* зажига́тельная бо́мба

firebox ['faɪəbɒks] *n тех.* огнева́я коро́бка, то́пка

firebrand ['faɪəbrænd] *n* 1) головня́ (*обгорелое полено*) 2) зачи́нщик, подстрека́тель; смутья́н

firebreak ['faɪəbreɪk] *n* противопожа́рная полоса́

firebrick ['faɪəbrɪk] *n* огнеупо́рный кирпи́ч

fire-bridge ['faɪəbrɪdʒ] *n тех.* пла́менный поро́г; то́почный поро́г

fire brigade ['faɪəbrɪ,geɪd] *n* пожа́рная кома́нда

firebug ['faɪəbʌg] *n* 1) *разг.* поджига́тель 2) *зоол.* светля́к

fireclay ['faɪəkleɪ] *n* огнеупо́рная гли́на

fire-company ['faɪə,kʌmpənɪ] *n* 1) *амер.* пожа́рная кома́нда 2) о́бщество страхова́ния от огня́

fire control ['faɪəkən,trəʊl] *n* 1) *воен.* управле́ние огнём 2) *лес.* борьба́ с лесны́ми пожа́рами

firecracker ['faɪəkrækə] *n амер.* фейерве́рк

firedamp ['faɪədæmp] *n* рудни́чный газ, грему́чий газ

fire department ['faɪədɪ,pɑ:tmənt] *n амер.* пожа́рное депо́

firedog ['faɪədɒg] = andiron

fire-door ['faɪədɔ:] *n тех.* то́почная две́рца

fire drill ['faɪədrɪl] *n* 1) уче́бные заня́тия пожа́рной кома́нды 2) обуче́ние населе́ния противопожа́рным ме́рам

fire-eater ['faɪər,i:tə] *n* 1) пожира́тель огня́ (*о фокуснике*) 2) дуэля́нт, бретёр; драчу́н

fire engine ['faɪər,endʒɪn] *n* 1) пожа́рная маши́на 2) *attr.*: ~ red я́рко-кра́сный цвет

fire escape ['faɪərɪs,keɪp] *n* 1) пожа́рная ле́стница 2) спаса́тельные приспособле́ния во вре́мя пожа́ра (*лестницы и т. п.*)

fire extinguisher ['faɪərɪk,stɪŋgwɪʃə] *n* огнетуши́тель

fire-eyed ['faɪəraɪd] *a поэт.* с горя́щим взо́ром

fire fighter ['faɪə,faɪtə] *n* 1) пожа́рный, пожа́рник 2) пожа́рник-доброво́лец

firefly ['faɪəflaɪ] *n* светля́к (*летающий*)

fire-grate ['faɪəgreɪt] *n тех.* колоснико́вая решётка

fireguard ['faɪəgɑ:d] *n* ками́нная решётка

fire-hose ['faɪəhəʊz] *n* пожа́рный рука́в

fire-insurance ['faɪərɪn,ʃʊərəns] *n* страхова́ние от огня́

fire irons ['faɪər,aɪənz] *n pl* ками́нный прибо́р

firelight ['faɪəlaɪt] *n* свет от ками́на, костра́ *и т. п.*

fire lighter ['faɪə,laɪtə] *n* расто́пка

firelock ['faɪəlɒk] *n* 1) кремнёвое ружьё 2) кремнёвый ружейный замо́к

fireman ['faɪəmən] *n* 1) пожа́рный 2) кочега́р

fire office ['faɪərɒfɪs] *n* конто́ра о́бщества страхова́ния от огня́

fireplace ['faɪəpleɪs] *n* 1) ками́н, оча́г 2) горн

fire plug ['faɪəplʌg] *n амер.* пожа́рный кран, гидра́нт

fire-policy ['faɪə,pɒləsɪ] *n* по́лис (*страхования от огня*)

firepower ['faɪəpaʊə] *n* 1) *воен.* огнева́я мощь 2) фина́нсовая, интеллектуа́льная *и т. п.* мощь

fireproof ['faɪəpru:f] *a* несгора́емый; огнеупо́рный

fire-raising ['faɪə,reɪzɪŋ] *n* поджо́г

fire screen ['faɪəskri:n] *n* ками́нный экра́н

fire ship ['faɪəʃɪp] *n мор. ист.* бра́ндер

fireside ['faɪəsaɪd] *n* 1) ме́сто о́коло ками́на; by the ~ у камелька́ 2) дома́шний оча́г, семе́йная жизнь

firespotter ['faɪə,spɒtə] *n* пожа́рник на вы́шке

fire station ['faɪə,steɪʃn] *n* пожа́рное депо́

fire wall ['faɪəwɔl] *n* брандма́уэр

fire-warden ['faɪə,wɔ:dn] *n амер.* 1) нача́льник лесно́й пожа́рной охра́ны 2) брандме́йстер

fire-watcher ['faɪə,wɒtʃə] = firespotter

firewater ['faɪə,wɔ:tə] *n разг.* «о́гненная вода́» (*водка и т. п.*)

firewood ['faɪəwʊd] *n* дрова́; расто́пка

firework ['faɪəwɜ:k] *n* 1) фейерве́рк 2) *pl* вспы́льчивость 3) *pl* блеск ума́, остроу́мия *и т. п.*

fire-worship ['faɪə,wɜ:ʃɪp] *n* огнепокло́нничество

firing ['faɪərɪŋ] 1. *pres. p. от* fire 2

2. *n* 1) стрельба́; произво́дство вы́стрела *или* взры́ва 2) то́пливо 3) сжига́ние то́плива, отопле́ние 4) растáпливание 5) о́бжиг 6) *вет.* прижига́ние 7) *горн.* пале́ние шпу́ров 8) за́пуск (*ракеты*) 9) рабо́та (*реактивного двигателя*)

firing line ['faɪərɪŋlaɪn] *n воен.* огнево́й рубе́ж; ли́ния огня́

firing party ['faɪərɪŋ,pɑ:tɪ] *n воен.* салю́тная кома́нда

firing squad ['faɪərɪŋskwɒd] *n воен.* кома́нда, наря́женная для расстре́ла

firkin ['fɜ:kɪn] *n* ма́ленький бочо́нок (≅ 8—9 галло́нам)

firm I [fɜ:m] *n* 1) фи́рма, торго́вый дом 2) гру́ппа люде́й, рабо́тающих вме́сте (*особ. медперсонал в госпитале*)

firm II [fɜ:m] 1. *a* 1) кре́пкий, твёрдый; ~ ground су́ша; to be on ~ ground чу́вствовать твёрдую по́чву под нога́ми; чу́вствовать себя́ уве́ренно 2) усто́йчивый; сто́йкий, непоколеби́мый; ~ step твёрдая по́ступь; ~ prices усто́йчивые це́ны; (as) ~ as a rock твёрдый *или* неподви́жный как скала́ 3) реши́тельный; насто́йчивый; ~ measures реши́тельные ме́ры

2. *adv* твёрдо, кре́пко

3. *v* укрепля́ть(ся); уплотня́ть(ся); to ~ the ground after planting утрамбова́ть зе́млю по́сле поса́дки расте́ний

firmament ['fɜ:məmənt] *n* (*обыкн.* the ~) *книжн.* небе́сный свод

firman [fɜ:'mɑ:n] *n* 1) фирма́н (*указ султана или шаха*) 2) разреше́ние; лице́нзия

fir-needle ['fɜ:,ni:dl] *n* ело́вая *или* сосно́вая игла́, хво́я

firry ['fɜ:rɪ] *a* ело́вый; заро́сший пи́хтами, е́лями

first [fɜ:st] 1. *num. ord.* пе́рвый; ~ form пе́рвый класс (*в школе*)

2. *a* 1) пе́рвый; ра́нний; ~ thing пе́рвым де́лом; I'll do it ~ thing in the morning я пе́рвым де́лом за́втра займу́сь э́тим; to come ~ прийти́ пе́рвым; they were the ~ to come они́ пришли́ пе́рвыми; in the ~ place сперва́; пре́жде всего́; в пе́рвую о́чередь 2) пе́рвый, выдаю́щийся; значи́тельный; the ~ scholar of the day са́мый выдаю́щийся учёный своего́ вре́мени 3) пе́рвый, веду́щий; ~ violin пе́рвая скри́пка ◇ F. Commoner спи́кер (*в палате общин до 1919 г.*); F. Sea Lord пе́рвый морско́й лорд, нача́льник гла́вного морско́го шта́ба (*Англии*); ~ water чисте́йшей воды́ (*о бриллиантах*); to be on a ~ name basis with smb. ~ быть на ты с кем-л.

3. *n* 1) (the ~) челове́к *или* предме́т, упомина́емый *или* появля́ющийся пе́рвым 2) нача́ло; at ~ сперва́; на пе́рвых пора́х, внача́ле; from the ~ с са́мого нача́ла; from ~ to last с нача́ла до конца́ 3) (the ~) пе́рвое число́ 4) вы́сшая оце́нка (*на экзамене*) 5) челове́к, получи́вший вы́сшую оце́нку 6) *pl* това́ры вы́сшего ка́чества 7) са́мая высо́кая па́ртия в музыка́льной пье́се *или* са́мый высо́кий го́лос в анса́мбле

4. *adv* 1) сперва́, снача́ла; ~ of all пре́жде всего́ 2) в пе́рвую о́чередь 3) впервы́е; I ~ met him last year впервы́е я его́ встре́тил в про́шлом году́ 4) скоре́е, предпочти́тельно ◇ ~ and last в о́бщем и це́лом; ~, last and all the time *амер.* реши́тельно и бесповоро́тно; раз и навсегда́; ~ or last ра́но и́ли по́здно

first aid [,fɜ:st'eɪd] *n* 1) пе́рвая по́мощь; ско́рая по́мощь 2) *тех.* авари́йный ремо́нт 3) *attr.*: ~ kit санита́рная су́мка; ~ station пункт пе́рвой по́мощи

firstborn ['fɜ:stbɔ:n] *n* пе́рвенец

first-class [,fɜ:st'klɑ:s] 1. *n* пе́рвый класс; вы́сший сорт

2. *a* первокла́ссный

3. *adv* 1) *разг.* превосхо́дно; to feel ~ великоле́пно себя́ чу́вствовать 2): to travel ~ е́хать в пе́рвом кла́ссе, пе́рвым кла́ссом

first cousin [,fɜ:st'kʌzn] *n* двою́родный брат; двою́родная сестра́

first-floor [,fɜ:st'flɔ:] *n* 1) второ́й эта́ж 2) *амер.* пе́рвый эта́ж

first floor ['fɜ:stflɔ:] *a* 1) находя́щийся на второ́м этаже́ *или* относя́щийся ко второ́му этажу́ 2) *амер.* находя́щийся на пе́рвом этаже́ *или* относя́щийся к пе́рвому этажу́

first-foot ['fɜ:stfʊt] *n шотл.* пе́рвый гость в Но́вом году́

firstfruits ['fɜ:stfru:ts] *n pl* пе́рвые плоды́ (*тж. перен.*)

firsthand [,fɜ:st'hænd] 1. *a* полу́ченный из пе́рвых рук ◇ to have ~ knowledge испыта́ть на себе́; знать по со́бственному о́пыту

2. *adv* из пе́рвых рук

3. *n*: at ~ из со́бственного о́пыта; to see at ~ воочи́ю убеди́ться

firstling ['fɜ:stlɪŋ] *n* 1) (*обыкн. pl*) пе́рвые плоды́ 2) пе́рвенец (*у животных*)

firstly ['fɜ:stlɪ] *adv* во-пе́рвых

first name ['fɜ:stneɪm] *n* и́мя (*в отличие от фамилии*)

first night [,fɜ:st'naɪt] *n* премье́ра, пе́рвое представле́ние

first-nighter [,fɜ:st'naɪtə] *n* постоя́нный посети́тель театра́льных премье́р

first person [,fɜ:st'pɜ:sn] *n грам.* пе́рвое лицо́

first-rate [,fɜ:st'reɪt] 1. *a* 1) первокла́ссный; первостепе́нной ва́жности *или* значе́ния 2) превосхо́дный

2. *adv разг.* прекра́сно, превосхо́дно; to do ~ преуспева́ть

first-string [,fɜ:st'strɪŋ] *a* 1) ви́дный, крупне́йший 2) основно́й (*в труппе, команде и т. п.*)

firth [fɜ:θ] *n* у́зкий морско́й зали́в; лима́н; у́стье реки́ (*особ. в Шотландии*)

fir-tree ['fɜ:tri:] = fir 1)

fiscal ['fɪskl] 1. *n* 1) суде́бный исполни́тель 2) *амер.* фина́нсовый год

2. *a* фиска́льный; фина́нсовый; ~ year фина́нсовый год

fish I [fɪʃ] 1. *n* 1) (*pl часто без измен.*) ры́ба; *распр. тж.* кра́бы, у́стрицы; ~ and chips ры́ба с жа́реной карто́шкой 2) *разг.* тип; cold ~ бесчу́вственный челове́к; cool ~ наха́л, наглёц; odd (*или* queer) ~ чуда́к; poor ~ никуды́шный челове́к 3) (the F. *или* Fishes) Ры́бы (*созвездие и знак зодиака*) 4) *мор. sl.* подво́дная ло́дка; торпе́да 5) *амер. sl.* до́ллар 6) *attr.* ры́бный; ~ corral садо́к для рыбы <> like a ~ out of water не в своей тарелке; to feed the ~es *разг.* а) утонуть; б) страдать морской болезнью; to have other ~ to fry иметь другие дела; a pretty (*или* fine) kettle of ~! *разг.* ≅ весёленькая история!; хорошенькое дело!; ~ story ≅ «охотничий рассказ»; преувеличение; небылицы; neither ~, flesh nor fowl (*или* good red herring) ни рыба ни мясо; ни то ни сё

2. *v* 1) ловить *или* удить рыбу 2): to ~ the anchor *мор.* поднимать якорь ▭ ~ **for** а) искать в воде (*жемчуг и т. п.*); б) *разг.* выуживать (*секреты*); в) *разг.* напрашиваться, набиваться; to ~ for compliments (for an invitation) напрашиваться на комплименты (на приглашение); ~ **out** *разг.* а) доставать; вытаскивать (*из кармана*); б) выуживать, выпытывать (*секреты*); ~ **up** вытаскивать (*из воды*) <> to ~ or cut bait *амер.* сделать выбор, не откладывая в долгий ящик

fish II [fɪʃ] **1.** *n* 1) *мор.* фиш (*в якорном устройстве*); шкало (*у мачты*) 2) = fishplate

2. *v тех.* соединять накладкой; скреплять стыком

fish III [fɪʃ] *n* фишка

fish-ball [ˈfɪʃbɔ:l] *амер.* = fishcake

fishbolt [ˈfɪʃbəʊlt] *n тех., ж.-д.* стыковой болт

fishcake [ˈfɪʃkeɪk] *n* рыбная котлета

fisher [ˈfɪʃə] *n уст.* рыбак; рыболов

fisherman [ˈfɪʃəmən] *n* 1) рыбак, рыболов 2) рыболовное судно

fishery [ˈfɪʃərɪ] *n* 1) рыбные места; тоня 2) рыболовство; рыбный промысел 3) *юр.* право рыбной ловли

fish farming [ˈfɪʃ,fɑ:mɪŋ] *n* рыбоводство

fish-fork [ˈfɪʃfɔ:k] *n* острога

fish-gig [ˈfɪʃgɪg] = fizgig 3)

fish-glue [ˈfɪʃglu:] *n* рыбный клей

fishhook [ˈfɪʃhʊk] *n* рыболовный крючок

fishily [ˈfɪʃɪlɪ] *adv разг.* подозрительно; сомнительно

fishing [ˈfɪʃɪŋ] **1.** *pres. p. от* fish I, 2

2. *n* 1) рыбная ловля 2) право рыбной ловли 3) = fishery 1)

fishing-line [ˈfɪʃɪŋlaɪn] *n* леса

fishing-rod [ˈfɪʃɪŋrɒd] *n* удилище

fishing-tackle [ˈfɪʃɪŋ,tækl] *n* рыболовные снасти

fish kettle [ˈfɪʃ,ketl] *n* котёл для варки рыбы целиком

fish knife [ˈfɪʃnaɪf] *n* столовый нож для рыбы

fish ladder [ˈfɪʃ,lædə] *n* рыбоход (*в плотине*)

fishmonger [ˈfɪʃmʌŋgə] *n* торговец рыбой

fishnet [ˈfɪʃnet] *a*: ~ stockings ажурные чулки

fishplate [ˈfɪʃpleɪt] *n ж.-д., тех.* стыковая накладка

fishpond [ˈfɪʃpɒnd] *n* 1) пруд для разведения рыбы, садок 2) *шутл.* море

fish-pot [ˈfɪʃpɒt] *n* верша (*для крабов, угрей*)

fish slice [ˈfɪʃslaɪs] *n* широкий прямоугольный кухонный нож для рыбы

fish-tackle [ˈfɪʃ,tækl] *n* рыболовные принадлежности

fishtail [ˈfɪʃteɪl] **1.** *n* рыбий хвост

2. *a* имеющий форму рыбьего хвоста; ~ wind ветер, часто меняющий направление

fishwife [ˈfɪʃwaɪf] *n* 1) шумливая вульгарная женщина 2) торговка рыбой

fishy [ˈfɪʃɪ] *a* 1) с рыбным привкусом 2) рыбный; рыбий; ~ eye тусклый взгляд 3) *шутл.* изобилующий рыбой 4) *sl.* подозрительный, сомнительный; ~ tale неправдоподобная история

fissile [ˈfɪsaɪl] *a* 1) расщепляющийся; ~ materials расщепляющиеся материалы 2) раскалывающийся пластами; сланцеватый

fission [ˈfɪʃn] **1.** *n* 1) расщепление, разделение 2) *физ.* расщепление, деление атомного ядра при цепной реакции 3) *биол.* размножение путём деления клеток

2. *v* расщепляться *и пр.* [см. 1]

fissionable [ˈfɪʃnəbl] *a* расщепляемый, способный к ядерному распаду

fissiparous [fɪˈsɪpərəs] *a* 1) *биол.* размножающийся путём деления 2) способный к расщеплению, делению

fissure [ˈfɪʃə] *n* 1) трещина, расщелина; излом 2) *анат.* борозда (*мозга*) 3) *мед.* трещина; надлом (*кости*)

fist [fɪst] **1.** *n* 1) кулак 2) *sl.* почерк; he writes a good ~ у него хороший почерк 3) *sl.* рука; give us your ~ дайте вашу лапу 4) *полигр.* указательный знак в виде пальца руки <> he made a better ~ of it дело у него пошло лучше; he made a poor ~ of it дело у него не задалось

2. *v* 1) ударить кулаком 2) *преим. мор.* зажимать в руке (*весло и т. п.*)

fistful [ˈfɪstfl] *n* (полная) горсть (*чего-л.*); пригоршня

fistic [ˈfɪstɪk] *a шутл.* кулачный

fisticuff [ˈfɪstɪkʌf] *n* 1) *pl* кулачный бой 2) удар кулаком

fistula [ˈfɪstjʊlə] *n мед.* фистула, свищ

fit I [fɪt] *n* 1) *pl* судороги, конвульсии; истерия; to scream oneself into ~s ≅ отчаянно вопить 2) припадок, пароксизм; ~ of apoplexy апоплексия, удар 3) приступ (*кашля и т. п.*) 4) порыв, настроение; a ~ of energy прилив сил 5) *разг.* вспышка (*гнева и т.п.*) <> to give smb. a ~ (*или* ~s) *разг.* поразить, возмутить, оскорбить кого-л.; to throw a ~ *разг.* а) разозлиться; закатить истерику; б) *амер.* встревожиться; by ~s and starts порывами, урывками

fit II [fɪt] **1.** *n* 1) *тех.* пригонка, посадка 2): to be a good (bad) ~ хорошо (плохо) сидеть (*о платье и т.п.*)

2. *a* 1) годный, подходящий; соответствующий; приспособленный; ~ time and place надлежащее время и место; the food here isn't ~ to eat пища здесь не съедобна 2) достойный; подобающий; I am not ~ to be seen я не могу показаться; it is not ~ не подобает; to see (*или* think) ~ решать, выбирать (*что делать*) 3) готовый, способный; ~ to die of shame готовый умереть со стыда; I am ~ for another mile я могу пройти ещё милю 4) в хорошем состоянии, в хорошей форме (*о спортсмене*); сильный, здоровый; to feel (*или* to keep) ~ быть бодрым и здоровым <> (as) ~ as a fiddle а) совершенно здоров; б) в прекрасном настроении; в) как нельзя лучше

3. *v* 1) соответствовать, годиться, быть впору; совпадать, точно соответствовать; the coat ~s well пальто сидит хорошо 2) прилаживать(ся); приспосабливать(ся); to ~ oneself to new duties приготовиться к исполнению новых обязанностей 3) устанавливать, монтировать 4) снабжать (with) ▭ ~ **in** а) приспосабливать(ся); приноравливать(ся); подходить; б) вставлять; в) подгонять; втискивать; ~ **on** примерять, пригонять; ~ **out** снаряжать, снабжать необходимым, экипировать; ~ **up** а) снабжать; оснащать; отделывать; the hotel is ~ted up with all modern conveniences гостиница имеет все (современные) удобства; б) собирать, монтировать <> to ~ like a glove быть как раз впору; to ~ the bill отвечать всем требованиям

fitch [fɪtʃ] *n* 1) хорёк 2) хорьковый мех 3) щётка, кисть из волос хорька

fitchew [ˈfɪtʃu:] *n* 1) хорёк 2) = fitch 2)

fitful [ˈfɪtfl] *a* судорожный; перемежающийся, прерывистый; ~ energy проявляющаяся вспышками энергия; ~ gleams мерцающий свет; ~ wind порывистый ветер

fitment [ˈfɪtmənt] *n* 1) (*обыкн. pl*) арматура; оборудование 2) предмет обстановки

fitness [ˈfɪtnəs] *n* (при)годность, соответствие

fitter [ˈfɪtə] *n* 1) портной, занимающийся переделкой, примеркой *и т.п.* 2) слесарь-монтажник, монтёр, сборщик

fitting [ˈfɪtɪŋ] **1.** *pres. p. от* fit II, 3

2. *n* 1) пригонка, прилаживание; примерка 2) установка, сборка, монтаж 3) *pl тех.* фитинги; гарнитура 4) *pl эл.* осветительные приборы

3. *a* подходящий, годный, надлежащий

fitting-room [ˈfɪtɪŋru:m] *n* примерочная

fitting-shop [ˈfɪtɪŋʃɒp] *n* 1) сборочная мастерская 2) монтажный цех

five [faɪv] **1.** *num. card.* пять

2. *n* 1) пятёрка 2) *pl* пятый номер (*размер перчаток, обуви и т.п.*) 3) банкнот в пять фунтов *или* в пять долларов 4) спортивная команда из пяти человек (*в баскетболе, крикете*) <> the time is now ~ (minutes) to twelve а) без пяти двенадцать; б) время не ждёт

five-day [ˈfaɪvdeɪ] *a* пятидневный

five-finger [ˈfaɪv,fɪŋgə] *n* 1) *бот.* лапчатка 2) *зоол.* морская звезда 3) *attr.* пятиконечный, звездообразный

fivefold ['faɪvfəʊld] **1.** *a* пятикратный

2. *adv* впятеро; в пятикратном размере

five o'clock shadow [,faɪvəklɒk'ʃædəʊ] *n* лёгкая щетина, появляющаяся на лице (у мужчин) к концу дня

five o'clock tea [,faɪvəklɒk'ti:] *n* файф-о-клок (*чай между ленчем и обедом*)

fiver ['faɪvə] *n разг.* пятёрка (*пять фунтов стерлингов или пять долларов*)

fives [faɪvz] *n pl* (*употр. как sing*) род игры в мяч

fivescore ['faɪvskɔ:] *n* сотня; сто

fix [fɪks] **1.** *v* 1) укреплять, закреплять, устанавливать 2) решать, назначать (*срок, цену и т. п.*) 3) чинить, ремонтировать; to ~ a broken lock починить сломанный замок; to ~ a coat починить пиджак 4) внедрять; вводить 5) привлекать (*внимание*); останавливать (*взгляд, внимание*; on, upon — на); to ~ one's eyes on smth. фиксировать внимание на чём-л.; не сводить глаз, пялиться 6) устроиться; to ~ oneself in a place устроиться, поселиться где-л. 7) договориться, уладить 8) точно определить местоположение 9) *амер. разг.* приготовить (*пищу и т. п.*); ~ breakfast приготовить завтрак; to ~ one's hair привести причёску в порядок; to ~ the fire развести огонь *и т. п.* 10) оседать, густеть, твердеть 11) *хим.* сгущать, связывать 12) *разг.* разделаться, расправиться 13) *фото* фиксировать, закреплять 14) *разг.* получить поддержку (*с помощью взятки*) 15) *sl.* давать наркотики □ ~ **on** выбрать, остановиться на *чём-л.*; ~ **up** *разг.* а) организовать; уладить; привести в порядок; урегулировать; договориться; б) устроить, дать приют; в) починить; подправить; ~ **upon** = ~ on

2. *n* 1) *разг.* дилемма; затруднительное положение; to get into a terrible ~ попасть в страшную переделку; in the same ~ в одинаково тяжёлом положении 2) местоположение; to take a ~ определить своё положение в пространстве 3) *sl.* доза наркотика 4) *амер. sl.* взятка

fixate [fɪk'seɪt] *v* 1) фиксировать, закреплять 2) *психол.* страдать навязчивой идеей

fixation [fɪk'seɪʃn] *n* 1) фиксация, закрепление 2) тяготение, пристрастие (*к чему-л.*) 3) сгущение

fixative ['fɪksətɪv] **1.** *a* фиксирующий

2. *n* фиксатив; фиксаж

fixed [fɪkst] **1.** *p. p. от* fix 1

2. *a* 1) неподвижный, постоянный; закреплённый; стационарный; with ~ bayonets с примкнутыми штыками 2) неизменный, твёрдый; ~ prices твёрдые цены 3) непреложный; ~ fact *амер.* установленный факт 4) навязчивый; ~ idea навязчивая идея 5) *амер. жарг.* подстроенный, подтасованный 6) *хим.* связанный; нелетучий ◇ ~ capital основной капитал; well ~ *амер.* состоятельный, обеспеченный

fixedly ['fɪksɪdlɪ] *adv* 1) пристально; в упор 2) твёрдо, крепко, прочно

fixedness ['fɪksɪdnəs] *n* 1) неподвижность; закреплённость 2) стойкость

fixer ['fɪksə] *n* 1) мастер-наладчик 2) фиксаж 3) *sl.* человек, занимающийся устройством всяких сомнительных дел

fixings ['fɪksɪŋz] *n амер. pl разг.* 1) снаряжение, принадлежности, оборудование 2) *кул.* гарнир 3) отделка (*платья*)

fixity ['fɪksətɪ] *n* 1) неподвижность; ~ of look пристальность взгляда 2) стойкость, устойчивость 3) *физ.* нелетучесть

fixture ['fɪkstʃə] *n* 1) арматура; зажимное приспособление 2) *разг.* лицо *или* учреждение, прочно обосновавшееся в каком-л. месте; our guest seems to become a ~ наш гость слишком долго засиделся 3) спортивное состязание *и* дата его проведения 4) *юр. pl* движимость, соединённая с недвижимостью

fizgig ['fɪzgɪg] *n уст.* 1) ветреная, кокетливая женщина 2) шутиха (*фейерверк*) 3) гарпун, острога

fizz [fɪz] **1.** *n* 1) шипение 2) *разг.* шампанское; шипучий напиток

2. *v* 1) шипеть 2) искриться, играть (*о вине*)

fizzle ['fɪzl] **1.** *n* 1) шипящий звук 2) *разг.* фиаско, неудача

2. *v* слабо шипеть □ ~ **out** выдыхаться; *перен.* кончаться неудачей

fizzy ['fɪzɪ] *a* газированный, шипучий

fjord ['fi:ɔ:d] = fiord

flabbergast ['flæbəgɑ:st] *v разг.* поражать, изумлять

flabby ['flæbɪ] *a* 1) отвислый, вялый, дряблый 2) слабохарактерный, мягкотелый

flaccid ['flæksɪd] *a* 1) слабый, вялый 2) бессильный 3) слабохарактерный, нерешительный; пассивный

flag I [flæg] **1.** *n* 1) флаг, знамя, стяг; ~ of truce парламентёрский флаг 2) флажок (*у такси и т. п.*); a taxi with the ~ up свободное такси 3) *мор.* флагман(ский корабль) 4) хвост (*сеттера или ньюфаундленда*) 5) *полигр.* корректорский знак пропуска ◇ to lower (*или* to strike) ~ *мор.* сдаваться; to hoist (to strike) one's ~ *мор.* принимать (сдавать) командование; to keep the ~ flying не сдаваться

2. *v* 1) сигнализировать флагами 2) украшать флагами □ ~ **down** сигнализировать водителю с требованием остановить машину

flag II [flæg] *n бот.* ирис

flag III [flæg] **1.** *n* 1) плита (*для мощения*); плитняк 2) *pl* вымощенный плитами тротуар

2. *v* выстилать плитами

flag IV [flæg] *v* 1) повиснуть, поникнуть 2) ослабевать, уменьшаться; our conversation was ~ging наш разговор не клеился

flag-captain ['flæg,kæptɪn] *n* командир флагманского корабля

Flag Day ['flægdeɪ] *n амер.* 14 июня — день установления государственного флага США (*1777 г.*)

flag day ['flægdeɪ] *n* день продажи на улице маленьких флажков с благотворительной целью

flagellant ['flædʒələnt] *n* 1) *ист.* флагеллант 2) человек, занимающийся самобичеванием

flagellate ['flædʒəleɪt] *v* бичевать, пороть

flagellation [,flædʒə'leɪʃn] *n* бичевание; порка

flageolet [,flædʒə'let] *n муз.* флажолет

flagging I ['flægɪŋ] **1.** *pres. p. от* flag III, 2

2. *n* устланная плитами мостовая; пол из плитняка

flagging II ['flægɪŋ] **1.** *pres. p. от* flag IV

2. *a* слабеющий, никнущий

flagging III ['flægɪŋ] *pres. p. от* flag I, 2

flagitious [flə'dʒɪʃəs] *a* преступный; гнусный, позорный

flagman ['flægmən] *n* сигнальщик

flag officer ['flæg,ɒfɪsə] *n мор.* 1) адмирал; вице-адмирал; контр-адмирал 2) командор яхт-клуба

flagon ['flægən] *n* графин *или* большая бутыль со сплюснутыми боками

flagpole ['flægpəʊl] = flagstaff

flagrant ['fleɪgrənt] *a* 1) ужасающий, вопиющий; огромный; позорный 2) ужасный, страшный (*о преступнике и т. п.*)

flagship ['flægʃɪp] *n* флагманский корабль, флагман (*тж. перен.*)

flagstaff ['flægstɑ:f] *n* флагшток

flag-station ['flæg,steɪʃn] *n* станция, где поезд останавливается по особому требованию

flagstone ['flægstəʊn] = flag III, 1, 1)

flag-waving ['flæg,weɪvɪŋ] *n* 1) *воен. sl.* сигнализация флагами 2) бряцание оружием

flail [fleɪl] **1.** *n* 1) цеп 2) *attr.*: ~ tank *воен.* танк-разградитель

2. *v* молотить

flair [fleə] *n* 1) нюх, чутьё 2) склонность, способность

flak [flæk] *n* 1) зенитная артиллерия 2) зенитный огонь

flake I [fleɪk] **1.** *n* 1) *pl* хлопья; ~ of snow снежинка 2) слой, ряд 3) чешуйка 4) *разг.* человек со странностями

2. *v* 1) падать, сыпать(ся) хлопьями 2) расслаиваться, шелушиться (*тж.* ~ away, ~ off)

flake II [fleɪk] *n* 1) сушилка для рыбы 2) *мор.* люлька для работы за бортом 3) *мор.* бухта (*кабеля*)

flake out ['fleɪkaʊt] *v разг.* валиться с ног (*от усталости*), мгновенно заснуть; терять сознание

flaky ['fleɪkɪ] *a* 1) похожий на хлопья 2) слоистый, чешуйчатый 3) *разг.* чудной, со странностями

flam [flæm] **1.** *n* 1) фальши́вка; ложь 2) лесть; фальшь

2. *v* 1) обману́ть, одура́чить 2) лебези́ть

flambé ['flɒmbeɪ] *фр. a* поли́тый спи́ртом и подожжённый (*о пище*)

flambeau ['flæmbəʊ] *n* (*pl* -eaus [-əʊz], -eaux [-əʊz]) фа́кел

flamboyance, -cy [flæm'bɔɪəns, -sɪ] *n* я́ркость, цвети́стость, пы́шность

flamboyant [flæm'bɔɪənt] **1.** о́гненно-кра́сный цвето́к

2. *a* 1) цвети́стый, я́ркий; чрезме́рно пы́шный 2) *архит.* «пламене́ющий» (*название стиля поздней французской готики*)

flame [fleɪm] **1.** *n* 1) пла́мя; the ~s ого́нь; to burst into ~(s) вспы́хнуть пла́менем; to commit to the ~s сжига́ть; in ~s пыла́ющий, в огне́; the ~ of sunset за́рево зака́та 2) я́ркий свет 3) пыл, страсть; to fan the ~ разжига́ть стра́сти 4) *разг.* предме́т любви́; an old ~ of his его́ ста́рая любо́вь

2. *v* 1) горе́ть, пламене́ть, пыла́ть 2) вспы́хнуть (*о страсти*) 3) вспыли́ть ▭ ~ out, ~ **up** а) вспы́хнуть, запыла́ть б) вспыли́ть

flamenco [flə'meŋkəʊ] *n* (*pl* -os [əʊz]) фламе́нко (*музыкальный стиль и танец испанских цыган*)

flamethrower ['fleɪm,θrəʊ] *n* огнемёт

flaming ['fleɪmɪŋ] **1.** *pres. p. от* flame 2

2. *a* 1) пламене́ющий, пыла́ющий 2) о́чень жа́ркий 3) *разг.* пы́лкий, пла́менный 4) *разг.* отъя́вленный 5) я́ркий

flamingo [flə'mɪŋgəʊ] *n* (*pl* -os, -oes [-əʊz]) *зоол.* флами́нго

flammable ['flæməbl] *a* огнеопа́сный; легковоспламеня́ющийся

flamy ['fleɪmɪ] *a* о́гненный, пла́менный

flan [flæn] *n* 1) откры́тый пиро́г с я́годами, фру́ктами *и т. п.* 2) диск для чека́нки моне́ты

flange [flændʒ] **1.** *n* 1) *тех.* фла́нец; кро́мка 2) *ж.-д.* ребо́рда (*колеса*) 3) гре́бень, вы́ступ, борт

2. *v тех.* фланцева́ть, загиба́ть кро́мку

flank [flæŋk] **1.** *n* 1) бок, сторона́ 2) бочо́к (*часть мясной туши*) 3) склон (*горы*) 4) *воен.* фланг 5) крыло́ (*здания*) 6) *attr. воен.* фла́нговый; ~ file фла́нговый ряд

2. *v* 1) быть располо́женным *или* располага́ть сбо́ку, на фла́нге 2) защища́ть *или* прикрыва́ть фланг 3) угрожа́ть с фла́нга 4) *воен.* фланки́ровать 5) грани́чить (on — с); примыка́ть

flanker ['flæŋkə] *n* 1) *воен. разг.* обхо́д; охва́т, уда́р во фланг 2) *sl.* моше́нничество, надува́тельство

flannel ['flænl] **1.** *n* 1) флане́ль 2) *pl* флане́левые брю́ки (*особ.* спорти́вные); флане́левый костю́м; флане́левое бельё 3) флане́лька (*употр. для чистки и т. п.*) 4) *sl.* чушь, вздор 5) *sl.* уго́дничество

2. *a* флане́левый ◇ ~ cake *амер.* то́нкая лепёшка

3. *v* 1) *разг.* угожда́ть (*начальству*) 2) протира́ть флане́лью

flannelette [,flænl'et] *n текст.* фланеле́т

flannelled ['flænld] **1.** *p. p. от* flannel 3

2. *a* оде́тый во флане́левый костю́м

flap [flæp] **1.** *n* 1) что-л., прикреплённое за оди́н коне́ц, све́шивающееся *или* развева́ющееся на ветру́ 2) взмах кры́льев, колыха́ние зна́мени *и т. п.* 3) *разг.* трево́га, беспоко́йство; па́ника 4) откидна́я доска́ (*стола*) 5) уда́р, хлопо́к; шлепо́к 6) хлопу́шка (*для мух*) 7) кла́пан (*карманный*) 8) пола́ 9) дли́нное вися́чее у́хо (*животного*) 10) *тех.* кла́пан, засло́нка, ство́рка 11) крыло́ (*седла*) 12) *ав.* щито́к; закры́лок

2. *v* 1) взма́хивать (*крыльями*) 2) маха́ть; развева́ть(ся); колыха́ть(ся); the wind ~s the sails ве́тер поло́щет паруса́ 3) *разг.* впада́ть в па́нику; суети́ться, волнова́ться 4) хло́пать, шлёпать; ударя́ть; бить (*ремнём*); to ~ flies away отгоня́ть мух (*платком и т. п.*) 5) свиса́ть ◇ to ~ one's mouth, to ~ about болта́ть, толкова́ть

flapdoodle ['flæp,du:dl] *n разг.* глу́пости, чепуха́

flap-eared ['flæpɪəd] *a* вислоу́хий

flapjack ['flæpdʒæk] *n* 1) лепёшка 2) *амер.* блин, ола́дья 3) пло́ская пу́дреница

flapper ['flæpə] *n* 1) хлопу́шка (*для мух*); колоту́шка (*для птиц*); молоти́ло (*часть цепа*) 2) кла́пан 3) пола́, фа́лда 4) ласт (*тюленя, моржа и т. п.*) 5) *разг.* паникёр 6) *уст. sl.* распу́тница 7) птене́ц; ди́кий утёнок

flare [fleə] **1.** *n* 1) я́ркий, неро́вный свет, сия́ние; сверка́ние; блеск 2) вспы́шка *или* язы́к пла́мени 3) светово́й сигна́л 4) сигна́льная раке́та; освети́тельный патро́н 5) вы́пуклость (*сосуда и т. п.*) 6) клёш (*юбки или брюк*)

2. *v* 1) расширя́ть(ся); раздвига́ть 2) выступа́ть, выдава́ться нару́жу 3) я́рко вспы́хивать (*тж.* ~ up); ослепля́ть бле́ском 4) горе́ть я́рким, неро́вным пла́менем; копти́ть (*о лампе*) 5) рассерди́ться, прийти́ в я́рость (*тж.* ~ up) ▭ ~ **up** а) вспы́хнуть; б) разрази́ться гне́вом, вспыли́ть

flared skirt ['fleədskɜ:t] *n* ю́бка-клёш

flare-up ['fleərʌp] *n* 1) вспы́шка пла́мени 2) вспы́шка (*гнева и т. п.*); шу́мная ссо́ра 3) светово́й сигна́л

flaring ['fleərɪŋ] **1.** *pres. p. от* flare 2

2. *a* 1) я́рко, неро́вно горя́щий 2) броса́ющийся в глаза́; крича́щий, безвку́сный 3) вы́пуклый 4) расширя́ющийся кни́зу, выступа́ющий нару́жу

flash [flæʃ] **1.** *n* 1) вспы́шка, сверка́ние; a ~ of lightning вспы́шка мо́лнии 2) о́чень коро́ткий отре́зок вре́мени, мгнове́ние; in a ~ в оди́н миг, в мгнове́ние о́ка 3) вспы́шка (*чувства*); неожи́данное проявле́ние (*остроумия, сообразительности и т. п.*); ~ of hope про́блеск наде́жды 4) «в после́днюю мину́ту», коро́ткая телегра́мма в газе́ту (*посылаемая до подробного отчёта*); news ~ сво́дка о хо́де вы́боров (*передаваемая по радио*) 5) вне́шний, показно́й блеск 6) *разг.* воровско́й жарго́н, арго́ 7) *кино* коро́ткий кадр (*фильма*) ◇ a ~ in the pan осе́чка; неуда́ча

2. *v* 1) сверка́ть; вспы́хивать; дава́ть о́тблески, отража́ть; his eyes ~ed fire его́ глаза́ мета́ли мо́лнии; to ~ a look (*или* a glance, one's eyes) at метну́ть взгляд на; his old art ~ed out occasionally иногда́ появля́лись про́блески его́ пре́жнего мастерства́ 2) осени́ть, прийти́ в го́лову; блесну́ть (*о догадке*); the idea ~ed across (*или* into, through) my mind, the idea ~ed upon me меня́ вдруг осени́ло 3) бы́стро промелькну́ть, пронести́сь; замелька́ть; the train ~ed past по́езд пронёсся ми́мо 4) передава́ть по телегра́фу, ра́дио *и т. п.* (*известия*) 5) *разг.* выставля́ть напока́з, красова́ться; бахва́литься 6) *sl.* непристо́йно выставля́ть себя́ напока́з

flashback ['flæʃbæk] *n* 1) *кино* обра́тный кадр; се́рия ка́дров, прерыва́ющих повествова́ние, что́бы верну́ться к про́шлому (*в мыслях героев и т. п.*) 2) взгляд в про́шлое, воспомина́ние, ретроспе́кция

flashbulb ['flæʃbʌlb] *n фото* ла́мпа-вспы́шка

flash burn ['flæʃbɜ:n] *n* ожо́г, вы́званный теплов́ым излуче́нием

flasher ['flæʃə] *n* 1) эксгибициони́ст 2) проблеско́вый прибо́р, мая́к-мига́лка

flash flood [,flæʃ'flʌd] *n* внеза́пное наводне́ние (*после дождя и т. п.*)

flashgun ['flæʃgʌn] *n фото* ла́мпа-вспы́шка, свя́занная с затво́ром аппара́та

flashing ['flæʃɪŋ] **1.** *pres. p. от* flash 2

2. *n* 1) сверка́ние *и пр.* [*см.* flash 2] 2) *тех.* о́тжиг стекла́

flashlight ['flæʃlaɪt] *n* 1) *фото* вспы́шка ма́гния 2) *амер.* ручно́й электри́ческий фона́рь 3) сигна́льный ого́нь; про́блесковый свет маяка́ 4) вся́кий неро́вный, мига́ющий свет (*световые рекламы, иллюминация и т. п.*) 5) *attr.:* ~ photograph сни́мок при вспы́шке ма́гния

flash point ['flæʃpɔɪnt] *n* 1) температу́ра вспы́шки, то́чка воспламене́ния 2) преде́л (*терпения и т. п.*)

flashy ['flæʃɪ] *a* показно́й, крича́щий

flask [flɑ:sk] *n* 1) фля́жка; фля́га; буты́ль; ко́лба, флако́н; скля́нка 2) пороховни́ца 3) оплетённая буты́лка с у́зким го́рлом 4) *тех.* опо́ка

flasket ['flɑ:skɪt] *n* 1) ма́ленькая фля́жка 2) *диал.* корзи́на для белья́

flat I [flæt] **1.** *n* 1) пло́скость, пло́ская пове́рхность; the ~ of the hand ладо́нь; on the ~ *жив.* на пло́скости, в двух измере́ниях 2) равни́на, низи́на; о́тмель; ни́зкий бе́рег 3) широ́кая неглубо́кая корзи́на 4) фа́ска, грань 5) *муз.* бемо́ль 6) *театр.* за́дник 7) *амер. разг.* спу́щенная ши́на 8) *sl.* дура́к, болва́н 9) *pl* ту́фли без каблуко́в 10) *стр.* насти́л 11) = flatcar 12) *геол.* поло́гая за́лежь 13) *тех.* боёк молотка́ ◇ to join the ~s прида́ть вид еди́ного це́лого, скомпонова́ть

2. *a* 1) плóский, рóвный; распростёртый во всю длинý; a ~ roof плóская крыша; the storm left the oats ~ бýря побúла (*или* положúла) овёс; ~ nose приплюснутый нос 2) нерельéфный, плóский; ~ ground слáбо пересечённая мéстность 3) категорúческий, прямóй; that's ~ это окончáтельно (решенó) 4) вялый, скýчный, однообрáзный; life is very ~ in your town жизнь óчень скучнá, однообрáзна в вáшем гóроде 5) унылый; безжúзненный; неэнергúчный; неостроýмный; тупóй; to fall ~ не произвестú впечатлéния [*см. тж.* 3, 1)] 6) выдохшийся (*о пиве и т. п.*); ослабéвший; спустúвшийся (*о пневматической шине и т. п.*) 7) *муз.* бемóльный 8) *ком.* неоживлённый, вялый (*о рынке*) 9) твёрдый, единообрáзный; ~ rate едúная стáвка (*налога, расценок и т. п.*) 10) плóский (*о шутке*) 11) *воен.* настúльный (*о траектории*) 12) *полигр.* несфальцóванный (*о листе*); флáтовый (*о бумаге*) ◇ ~ race скáчка без препятствий

3. *adv* 1) плóско; врастяжку, плашмя; to fall ~ упáсть плашмя [*см. тж.* 2, 5)] 2) *разг.* прямо, без обинякóв; решúтельно 3) *разг.* тóчно, как раз; to go ~ against orders идтú вразрéз с приказáниями

4. *v тех.* дéлать *или* становúться рóвным, плóским

flat II [flæt] *n* 1) квартúра (*расположенная в одном этаже*) 2) *pl* дом с такúми квартúрами

flatboat ['flætbəʊt] *n* плоскодóнка

flat-broke ['flætbrəʊk] *a разг.* разорённый вконéц, обанкрóтившийся

flatcar ['flætkɑ:] *n амер. ж.-д.* вагóн-платфóрма

flat-chested [,flæt'tʃestɪd] *a* плоскогрýдый (*особ. о женщине*)

flatfish ['flætfɪʃ] *n* плóская рыба (*камбала и т. п.*)

flatfoot ['flætfʊt] *n* 1) *мед.* плоскостóпие 2) *sl.* простáк 3) *sl.* полицéйский; сыщик 4) *sl.* моряк, матрóс

flat-footed [,flæt'fʊtɪd] *a* 1) *мед.* плоскостóпный 2) *разг.* решúтельный, твёрдый; he came out ~ for the measure он пóлностью, решúтельно поддержáл это мероприятие 3) *разг.* застúгнутый врасплóх

flatiron ['flæt,aɪən] *n* 1) *уст.* утюг 2) полосовáя сталь

flatland ['flætlænd] *n* равнúна

flatlet ['flætlət] *n* небольшáя квартúрка

flatly ['flætlɪ] *adv* 1) плóско, рóвно 2) скýчно, уныло 3) решúтельно; to refuse ~ наотрéз отказáть(ся)

flatness ['flætnəs] *n* 1) плóскость 2) безвкýсица 3) скýка, вялость 4) категорúчность, решúтельность 5) *воен.* настúльность (*траектории*)

flat out ['flætaʊt] *adv разг.* 1) изо всéх сил 2) без сил

flat spin ['flætspɪn] *n* 1) *ав.* почтú горизонтáльный штóпор 2) *разг.* состояние волнéния, пáники

flatten ['flætn] *v* 1) дéлать(ся) рóвным, плóским; выравнивать, разглáживать 2) стихáть (*о ветре, буре*) 3) выдыхáться, становúться безвкýсным (*о пиве, вине*) 4) становúться вялым, скýчным 5) придавáть мáтовость 6) *sl.* приводúть в унынúе 7) *разг.* унижáть; оскорблять 8) *разг.* нанестú удáр, сбить с ног; раздавúть ▭ ~ out а) выравнивать (*самолёт*); б) раскáтывать, расплющивать

flatter I ['flætə] *v* 1) льстить 2): to ~ oneself that тéшить себя, льстить себя (*надеждой*); I ~ myself that смéю дýмать, что 3) приукрáшивать; преувелúчивать достóинства; the portrait ~s him этот портрéт приукрáшивает егó 4) быть приятным; ласкáть (*взор, слух*)

flatter II ['flætə] *n тех.* рихтовáльный мóлот

flatterer ['flætərə] *n* льстец

flattering ['flætərɪŋ] **1.** *pres. p. от* flatter I

2. *a* 1) льстúвый 2) лéстный

flattery ['flætərɪ] *n* лесть

flatting mill ['flætɪŋmɪl] *n* листопрокáтный стан

flattop ['flættɒp] *n амер. sl.* авианóсец

flatty ['flætɪ] *см.* flatfoot 2), 3) *и* 4)

flatulence, -cy ['flætjʊləns, -sɪ] *n* 1) *мед.* скоплéние гáзов, метеорúзм 2) напыщенность, претенциóзность

flatulent ['flætjʊlənt] *a* 1) *мед.* вызывáющий гáзы (*в кишечнике*) 2) *мед.* страдáющий от гáзов 3) напыщенный, претенциóзный; пустóй

flatus ['fleɪtəs] *n* скоплéние гáзов, вздýтие

flatware ['flætweə] *n* 1) мéлкая *или* плóская посýда 2) *амер.* столóвый прибóр (*нож, вилка и ложка*)

flatways, flatwise ['flætweɪz, -waɪz] *adv* плашмя

flaunt [flɔ:nt] *v* 1) гóрдо развевáться (*о знаменах*) 2) выставлять (себя) напокáз, рисовáться; щеголять

flautist ['flɔ:tɪst] *n* флейтúст

flavescent [flə'vesənt] *a* желтéющий, желтовáтый

flavin ['fleɪvɪn] *n* жёлтая крáска

flavor, flavorless ['fleɪvə, -ləs] *амер.* = flavour, flavourless

flavorous ['fleɪvərəs] *a* вкýсный, ароматный

flavour ['fleɪvə] **1.** *n* 1) вкус (*обыкн. приятный*); букéт (*вина*); аромáт, зáпах 2) осóбенность 3) прúвкус; there is a ~ of romance in the affair в этой истóрии есть чтó-то романтúческое

2. *v* приправлять; придавáть вкус, зáпах; *перен.* придавáть интерéс, пикáнтность

flavourless ['fleɪvələs] *a* 1) безвкýсный 2) без зáпаха

flaw I [flɔ:] **1.** *n* 1) пятнó, недостáток, изъян, порóк; a ~ in an argument слáбое мéсто в аргументáции 2) трéщина, щель, порóк (*в металле, фарфоре и т. п.*) 3) брак (*товара*) 4) *юр.* упущéние, ошúбка (*в документе, в показаниях и т. п.*)

2. *v* 1) вызывáть трéщину; трéскать ся; пóртить(ся); повреждáть; раскáлывать 2) *юр.* дéлать недействúтельным

flaw II [flɔ:] *n* порыв вéтра; шквал

flawless ['flɔ:ləs] *a* без изъяна, безупрéчный

flawy ['flɔ:ɪ] *a* с изъянами, порóками *и пр.* [*см.* flaw I, 1]

flax [flæks] *n* 1) лён 2) кудéль

flaxen ['flæksn] *a* 1) льнянóй 2) светло-жёлтый, солóменный (*о цвете волос*)

flaxseed ['flækssi:d] *n* льнянóе сéмя

flaxy ['flæksɪ] *a* 1) льнянóй 2) похóжий на лён

flay [fleɪ] *v* 1) сдирáть кóжу; свежевáть 2) чúстить, снимáть кóжицу, обдирáть корý *и т. п.* 3) вымогáть, разорять; драть шкýру 4) беспощáдно критиковáть

flea [fli:] *n* блохá ◇ a ~ in one's ear а) рéзкое замечáние, разнóс; б) отпóр; в) раздражáющий отвéт; to send smb. away with a ~ in his ear дать комý-л. пощёчину; дать рéзкий отпóр комý-л., осадúть когó-л.

fleabag ['fli:bæg] *n sl.* 1) обносившийся отвратный тип 2) старьё, барахлó 3) спáльный мешóк

fleabane ['fli:beɪn] *n бот.* блошнúца дизентерúйная

fleabite ['fli:baɪt] *n* 1) блошúный укýс 2) ничтóжная боль, мáленькое неудóбство *или* неприятность 3) рыжее пятнó на бéлой шéрсти лóшади

flea-bitten ['fli:,bɪtn] *a* 1) искýсанный блóхами 2) захудáлый; понóшенный 3) чубáрый (*о лошади*)

fleam [fli:m] *n* ланцéт

flea market ['fli:mɑ:kɪt] *n разг.* «блошúный рынок», барахóлка

fleapit ['fli:pɪt] *n разг.* 1) грязная, обшáрпанная кóмната; развалюха, «сарáй» 2) дешёвое кинó

fleck [flek] **1.** *n* 1) пятнó, крáпинка; ~s of sunlight сóлнечные блúки 2) частúца; a ~ of dust пылúнка 3) веснýшка

2. *v* покрывáть пятнами, крáпинками

flecker ['flekə] *v* испещрять

flection ['flekʃn] *амер.* = flexion

fled [fled] *past и p. p. от* flee

fledge [fledʒ] *v* 1) оперяться 2) выкáрмливать птенцóв 3) оперять (*стрелу*) 4) выстилáть пýхом и пéрьями (*гнездо*)

fledged [fledʒd] **1.** *p. p. от* fledge

2. *a* 1) оперúвшийся; спосóбный летáть (*о птицах*) 2) встáвший нá ноги; самостоятельный; a fully ~ engineer знáющий инженéр

fledg(e)ling ['fledʒlɪŋ] *n* оперúвшийся птенéц 2) ребёнок; неóпытный юнéц

flee [fli:] *v* (fled) 1) бежáть, спасáться бéгством (from; out of; away) 2) избегáть 3) (*тк. past и p. p.*) исчéзнуть, пролетéть; the clouds fled before the wind вéтер рассéял облакá

fleece [fli:s] **1.** *n* 1) рунó; овéчья шерсть

2) на́стриг с одно́й овцы́ 3) копна́ воло́с 4) *текст.* начёс, ворс

2. *v* 1) обдира́ть, вымога́ть (*деньги*); he was ~d of his money ≅ его́ ободра́ли как ли́пку 2) стричь ове́ц 3) покрыва́ть сло́вно ше́рстью

fleecy ['fli:sı] *a* 1) шерсти́стый; ~ cloud кудря́вое о́блако; ~ hair курча́вые во́лосы 2) покры́тый ше́рстью

fleer [flıə] **1.** *n* презри́тельный взгляд; насме́шка

2. *v* презри́тельно улыба́ться; насмеха́ться; ска́лить зу́бы

fleet I [fli:t] *n* 1) флот 2) флоти́лия; fishing ~ рыболо́вная флоти́лия 3) парк (*автомобилей, тракторов и т. п.*)

fleet II [fli:t] **1.** *a* 1) *книжн.* бы́стрый 2) *поэт.* быстроте́чный 3) *диал.* ме́лкий (*о воде*)

2. *v* 1) *уст.* плыть по пове́рхности 2) бы́стро протека́ть, минова́ть

fleet-footed ['li:t,fʊtıd] *a* быстроно́гий

fleeting ['fli:tıŋ] **1.** *pres. p. от* fleet II, 2

2. *a* бы́стрый, мимолётный, скороте́чный; ~ glance бе́глый взгляд; ~ impression пове́рхностное впечатле́ние

Fleet Street ['fli:tstri:t] *n* 1) Фли́тстрит (*улица в Лондоне, где расположены основные издательства; центр английской газетной индустрии*) 2) англи́йская пре́сса

Fleming ['flemıŋ] *n* флама́ндец

Flemish ['flemıʃ] **1.** *a* флама́ндский

2. *n* флама́ндский язы́к

flench [flentʃ] = flense

flense [flens] *v* обдира́ть (*кита, тюленя*); добыва́ть во́рвань

flesh [fleʃ] **1.** *n* 1) те́ло; (сыро́е) мя́со; wolves live on ~ во́лки пита́ются мя́сом 2) полнота́; in ~ в те́ле, по́лный; to lose ~ худе́ть; to make (*или* to gain) ~, to put on ~ полне́ть 3) плоть; ~ and blood плоть и кровь; челове́ческая приро́да; род челове́ческий; one's own ~ and blood со́бственная плоть и кровь, свои́ де́ти, *тж.* бра́тья, сёстры; all ~ всё живо́е; in the ~ живы́м, во плоти́ 4) мя́коть, мя́со (*плода*)

2. *v* 1) отка́рмливать 2) *разг.* полне́ть 3) приуча́ть (*собаку, сокола к охоте*) вку́сом кро́ви 4) разжига́ть кровожа́дность; ожесточа́ть 5) обагри́ть меч кро́вью (*впервые*)

flesh-coloured ['fleʃ,kʌləd] *a* теле́сного цве́та

flesh fly ['fleʃflaı] *n* мясна́я му́ха

fleshings ['fleʃıŋz] *n pl* трико́ теле́сного цве́та (*для сцены*)

fleshly ['fleʃlı] *a* 1) пло́тский, чу́вственный 2) теле́сный 3) мирско́й, су́етный

fleshpot ['fleʃpɒt] *n* котёл для ва́рки мя́са ◇ ~s (of Egypt) *библ.* а) дово́льство, бога́тая жизнь, материа́льное благополу́чие; б) зла́чные места́

flesh tights ['fleʃtaıts] = fleshings

flesh wound ['fleʃwu:nd] *n* пове́рхностная ра́на

fleshy ['fleʃı] *a* 1) то́лстый 2) мяси́стый

fleur-de-lis [,flɜ:də'li:] *n* (*pl* fleurs-de-lis) 1) *бот.* и́рис 2) геральди́ческая ли́лия (*особ. эмблема французского королевского дома*)

flew [flu:] *past от* fly II, 2

flews [flu:z] *n pl* отви́слые гу́бы (*у собаки-ищейки и т. п.*)

flex [fleks] **1.** *n эл.* ги́бкий шнур

2. *v* сгиба́ть, гнуть

flexible ['fleksəbl] *a* 1) ги́бкий; гну́щийся 2) пода́тливый, усту́пчивый 3) свобо́дный (*о графике и т. п.*)

flexion ['flekʃn] *n* 1) *тех., мед.* сгиба́ние 2) сгиб, изо́гнутость 3) *грам.* фле́ксия 4) *мат.* кривизна́, изги́б

flexitime ['fleksıtaım] *n* свобо́дный режи́м рабо́чего дня, скользя́щий гра́фик (*свободный выбор времени начала и окончания работы*)

flexor ['fleksə] *n* сгиба́ющая мы́шца

flexure ['flekʃə] *n* 1) сгиба́ние 2) сгиб; изги́б; проги́б; вы́гиб, кривизна́, искривле́ние 3) = flexion 4) *геол.* флексу́ра, моноклина́льная скла́дка

flibbertigibbet [,flıbətı'dʒıbıt] *n* 1) болту́н(ья); спле́тник; спле́тница 2) легкомы́сленный *или* ненадёжный челове́к; челове́к без твёрдых убежде́ний

flick [flık] **1.** *n* 1) лёгкий уда́р (*хлыстом, ногтем и т. п.*) 2) ре́зкое движе́ние 3) *разг.* (кино)фи́льм 4) (the ~s) *pl разг.* кино́

2. *v* 1) смахну́ть *или* сбро́сить (*что-л.*) лёгким уда́ром *или* щелчко́м (*пепел с сигареты, крошки и т. п.; обыкн.* ~ off, ~ away) 2) слегка́ уда́рить, стегну́ть ▭ ~ out бы́стро вы́тащить, вы́хватить

flicker I ['flıkə] **1.** *n* 1) мерца́ние 2) трепета́ние; дрожа́ние 3) коро́ткая вспы́шка 4) *pl sl.* (кино)фи́льм

2. *v* 1) мерца́ть 2) колыха́ться; дрожа́ть 3) бить, маха́ть кры́льями 4) вспы́хивать и га́снуть (*о надежде и т. п.*); a faint hope still ~ed in her breast сла́бая наде́жда всё ещё те́плилась в её душе́

flicker II ['flıkə] *n* дя́тел

flickering ['flıkərıŋ] **1.** *pres. p. от* flicker I, 2

2. *a* трепе́щущий, колеблю́щийся; the ~ tongue of a snake дрожа́щий язычо́к змеи́; ~ shadows дрожа́щие те́ни

flick-knife ['flıknaıf] *n* пружи́нный нож

flier ['flaıə] = flyer

flight I [flaıt] *1. n* 1) полёт (*тж. перен.*); birds in ~ пти́цы в полёте; to take (*или* to wing) one's ~ улете́ть 2) перелёт 3) *ав.* рейс 4) стая́ (*птиц, насекомых*) 5) ле́стничный марш; пролёт ле́стницы 6) подъём, поры́в; a ~ of fancy (*или* imagination) полёт фанта́зии; a ~ of wit про́блеск остроу́мия 7) расстоя́ние полёта, перелёта 8) град (*стрел, пуль и т. п.*) залп 9) бы́строе тече́ние (*времени*) 10) звено́ (*самолётов*) 11) *разг.* вы́водок (*птиц*) 12) ряд барье́ров (*на скачках*) 13) ряд шлю́зов (*на канале*) 14) *attr.*: ~ path а) направле́ние полёта (*самолёта*); б) *воен.* траекто́рия полёта; ~ book *ав.* бортово́й журна́л ◇ in the first ~ в пе́рвых ряда́х, в аванга́рде; занима́ющий веду́щее ме́сто

2. *v* соверша́ть перелёт; слета́ться (*о стае птиц*)

flight II [flaıt] *n* бе́гство, поспе́шное отступле́ние; побе́г; to seek safety in ~ спаса́ться бе́гством; to put to ~ обраща́ть в бе́гство; to take (to) ~ обраща́ться в бе́гство ◇ ~ of capital *эк.* уте́чка капита́ла за грани́цу

flight deck ['flaıtdek] *n ав.* 1) полётная па́луба (*на авианосце*) 2) каби́на экипа́жа авиала́йнера

flight lieutenant [,flaıtlef'tenənt] *n* капита́н авиа́ции (*в Англии*)

flight-shot ['flaıtʃɒt] *n* 1) да́льность полёта стрелы́ 2) вы́стрел влёт

flighty ['flaıtı] *a* 1) непостоя́нный, изме́нчивый; ве́треный, капри́зный 2) поме́шанный

flimflam ['flımflæm] *разг.* **1.** *n* 1) вздор, ерунда́ 2) трюк, моше́нническая проде́лка

2. *v* обма́нывать, моше́нничать

flimsy ['flımzı] **1.** *n* 1) папиро́сная *или* то́нкая бума́га (*для копий*) 2) то́нкое же́нское бельё 3) *sl.* телегра́мма

2. *a* 1) непро́чный, хру́пкий 2) необосно́ванный, ша́ткий; ~ argument неубеди́тельный до́вод 3) по́шный, бана́льный (*о пьесе и т. п.*) 4) лёгкий, то́нкий (*о ткани*)

flinch I [flıntʃ] *v* 1) вздра́гивать (*от боли*); дро́гнуть 2) уклоня́ться, отступа́ть (from — от *выполнения долга, намеченного пути и т. п.*)

flinch II [flıntʃ] = flense

flinders ['flındəz] *n pl* куски́; обло́мки, ще́пки; to break (*или* to fly) in ~ разлете́ться вдре́безги

fling [flıŋ] **1.** *n* 1) броса́ние, швыря́ние 2) разгу́л; бу́рная жизнь; to have one's ~ *разг.* погуля́ть, перебеси́ться 3) *разг.* ре́зкое, насме́шливое замеча́ние; to have a ~ at smb. пройти́сь на чей-л. счёт 4) си́льное, ре́зкое *или* торопли́вое движе́ние ◇ the Highland ~ бу́рный шотла́ндский та́нец; at one ~ одни́м уда́ром, сра́зу; to have a ~ at smth. попыта́ться, попро́бовать что-л.; in full ~ в по́лном разга́ре

2. *v* (flung) 1) кида́ть(ся), броса́ть(ся), швыря́ть(ся); to ~ a stone at smb. швырну́ть ка́мнем в кого́-л.; to ~ out of a room вы́скочить из ко́мнаты; to ~ oneself into the saddle вскочи́ть в седло́; to ~ oneself into a chair бро́ситься в кре́сло; to ~ smth. in smb.'s teeth бро́сить кому́-л. в лицо́ (*упрёк и т. п.*) 2) сде́лать бы́строе, стреми́тельное движе́ние (*руками и т. п.*); to ~ one's arms round smb.'s neck обви́ть чью-л. ше́ю рука́ми; to ~ open распахну́ть, раскры́ть на́стежь 3) брыка́ться (*о животном*) 4) распространя́ть (*звук, свет, запах*); the flowers ~ their fragrance around цветы́ распространя́ют благоуха́ние 5) реши́тельно принима́ться (into — за); to ~ oneself into an undertaking с голово́й уйти́ в како́е-л.

предприя́тие □ ~ **about** разбра́сывать; to ~ one's arms about я́ростно жестикули́ровать; ~ **aside** отве́ргнуть, пренебре́чь; ~ **away** а) отбро́сить; б) промота́ть; в) бро́ситься вон; ~ **down** а) сбра́сывать на зе́млю; б) разруша́ть; ~ **off** а) сбра́сывать, стря́хивать; the horse flung his rider off ло́шадь сбро́сила седока́; б) бро́ситься вон; в) отде́латься от; to ~ off one's pursuers убежа́ть от пресле́дования; ~ **on** набра́сывать, наки́дывать; to ~ one's clothes on наки́нуть пла́тье впопыха́х; ~ **out** а) брыка́ться (*о лошади*); б) выбра́сывать; в) ри́нуться, бро́ситься (вон) (*из комнаты и т. п.*); ~ to броса́ть (*что-л. кому-л.*); ~ **up**: to ~ one's arms up всплесну́ть рука́ми; ~ **upon**: to ~ oneself upon smb.'s mercy отда́ться на ми́лость кого́-л. ◇ to ~ up one's heels удира́ть, сверка́ть пя́тками

flint [flɪnt] *n* 1) креме́нь; кремнёвая га́лька 2) что-л. о́чень твёрдое *или* жёсткое как ка́мень; a heart of ~ ка́менное се́рдце ◇ to wring water from a ~ де́лать чудеса́

flint glass [ˈflɪntglɑːs] *n* флинтгла́с

flint-hearted [ˌflɪntˈhɑːtɪd] *a* жестокосе́рдный

flintlock [ˈflɪntlɒk] *n ист.* 1) замо́к кремнёвого ружья́ 2) кремнёвое ружьё

flinty [ˈflɪntɪ] *a* 1) кремни́стый, кремнёвый 2) суро́вый, твёрдый как скала́

flip I [flɪp] **1.** *n* 1) щелчо́к, лёгкий уда́р 2) *разг.* (непродолжи́тельный) полёт в самолёте 3) *attr.*: the ~ side *разг.* обра́тная сторона́ (*грампластинки*)

2. *v* 1) подбро́сить 2) смахну́ть, стряхну́ть (*пепел с сигареты и т. п.*) 3) щёлкать, ударя́ть слегка́ 4) *sl.* внеза́пно воодушеви́ться *или* взволнова́ться (*чем-л.*)

flip II [flɪp] *n* флип (*горячий напиток из подслащённого вина или пива с пряностями*)

flip III [flɪp] *разг.* = flippant

flip-flop [ˈflɪpflɒp] *n* 1) *pl* рези́новые санда́лии 2) *амер.* са́льто-morта́ле 3) род фейерве́рка; шути́ха 4) каче́ли (*на ярмарке*) 5) хло́пающие зву́ки 6) *амер.* род пече́нья (*к чаю*)

flippancy [ˈflɪpənsɪ] *n* 1) легкомы́слие, ве́треность 2) де́рзость

flippant [ˈflɪpənt] *a* 1) легкомы́сленный, ве́треный 2) де́рзкий 3) *уст.* болтли́вый

flipper [ˈflɪpə] *n* 1) *зоол.* плавни́к, пла́вательная перепо́нка; ласт; *pl* ла́сты (*пловца*) 2) *sl.* рука́ 3) *авто* фли́ппер

flirt [flɜːt] **1.** *n* 1) коке́тка 2) внеза́пный толчо́к; взмах

2. *v* 1) флиртова́ть, коке́тничать (with) 2) заи́грывать, притворя́ться заинтересо́ванным; he ~ed with the idea of dropping the cards он поду́мывал о том, что́бы (оконча́тельно) переста́ть игра́ть в ка́рты 3) игра́ть, шути́ть (*с опасностью и т. п.*) 4) бы́стро дви́гать(ся) *или* маха́ть; to ~ a fan игра́ть ве́ером

flirtation [flɜːˈteɪʃn] *n* флирт

flirtatious [flɜːˈteɪʃəs] *a* коке́тливый, лю́бящий пофлиртова́ть

flirty [ˈflɜːtɪ] *a* лю́бящий пофлиртова́ть, коке́тливый

flit [flɪt] **1.** *n* переме́на местожи́тельства (*особ. тайно от кредиторов*)

2. *v* 1) легко́ и бесшу́мно дви́гаться (about) 2) перелета́ть, порха́ть; to ~ past пролета́ть; recollections ~ through one's mind воспомина́ния проно́сятся в голове́ 3) *разг.* переезжа́ть на другу́ю кварти́ру (*особ. тайно от кредиторов*)

flitch [flɪtʃ] *n* 1) засо́ленный и копчёный свино́й бок 2) *лес.* горбы́ль 3) филе́ па́лтуса

flitter [ˈflɪtə] *v* порха́ть, лета́ть; маха́ть кры́льями

flivver [ˈflɪvə] *n амер. sl.* 1) дешёвый автомоби́ль *или* самолёт 2) прова́л, неуда́ча 3) что-л. ма́ленькое, дешёвое, незначи́тельное

float [fləʊt] **1.** *n* 1) паро́м; плот 2) про́бка; поплаво́к; буй 3) пузы́рь (*у рыбы*) 4) пла́вательный по́яс 5) поплаво́к гидросамолёта 6) плаву́чая ма́сса (*льда и т. п.*) 7) ло́пасть (*гребного колеса*) 8) ни́зкая платфо́рма на колёсах, испо́льзуемая для рекла́мных, карнава́льных *и др.* це́лей 9) (*часто pl*) *театр.* ра́мпа 10) мастеро́к (*штукатура*) 11) *геол.* нано́с 12) теле́га 13) = floater 1)

2. *v* 1) пла́вать; всплыва́ть; держа́ться на пове́рхности воды́ 2) плыть по не́бу (*об облаках*) 3) проноси́ться; to ~ in the mind проноси́ться в мы́слях; to ~ before the eyes промелькну́ть пе́ред глаза́ми 4) подде́рживать на пове́рхности воды́ 5) пусти́ть в ход (*торговое предприятие, проект*) 6) выпуска́ть, размеща́ть (*заём, акции*) 7) *фин.* вводи́ть свобо́дно колеблю́щийся курс валю́ты 8) спуска́ть на́ воду; снима́ть с ме́ли 9) распространя́ть (*слух*)

floatable [ˈfləʊtəbl] *a* 1) плаву́чий 2) сплавно́й

floatage [ˈfləʊtɪdʒ] *n* 1) плаву́честь 2) *собир.* то, что пла́вает; пла́вающие обло́мки по́сле кораблекруше́ния 3) надво́дная часть су́дна

floatation [fləʊˈteɪʃn] *n* 1) плаву́честь 2) *ком.* основа́ние предприя́тия 3) *тех.* флота́ция

floater [ˈfləʊtə] *n* 1) избира́тель, го́лос кото́рого мо́жно купи́ть 2) *sl.* оши́бка, ло́жный шаг 3) челове́к, ча́сто меня́ющий род заня́тий 4) *бирж.* це́нная бума́га ◇ to make a ~ попа́сть впроса́к, влипну́ть

floating [ˈfləʊtɪŋ] **1.** *pres. p. от* float 2

2. *a* 1) пла́вающий, плаву́чий; ~ cargo морско́й груз; ~ light *мор.* светя́щий плаву́чий знак; ~ piston пла́вающий, свобо́дный по́ршень 2) изме́нчивый; ~ population теку́чее народонаселе́ние 3) *мед.* блужда́ющий; ~ kidney блужда́ющая по́чка ◇ ~ rate (of exchange) *фин.* свобо́дно коле́блющийся курс валю́ты; ~ debt теку́щая задо́лженность; краткосро́чный долг; ~ voter избира́тель, не принадлежа́щий к како́й-л. полити́ческой па́ртии; коле́блющийся избира́тель

floating bridge [ˌfləʊtɪŋˈbrɪdʒ] *n* понто́нный *или* наплавно́й мост

floatplane [ˈfləʊtpleɪn] *n* поплавко́вый гидросамолёт

floaty [ˈfləʊtɪ] *a* 1) лёгкий 2) плаву́чий

flocculate [ˈflɒkjʊleɪt] *v хим.* выпада́ть хло́пьями, флоккули́ровать

flock I [flɒk] *n* 1) пуши́нка; клочо́к (*шерсти*); пучо́к (*волос*) 2) *pl* шерстяны́е *или* хлопчатобума́жные очёски

flock II [flɒk] **1.** *n* 1) ста́до (*обыкн. овец*); ста́я (*обыкн. птиц*); ~s and herds о́вцы и рога́тый скот; the flower of the ~ *перен.* краса́, украше́ние семьи́ 2) толпа́; гру́ппа; to come in ~s приходи́ть то́лпами 3) *церк.* па́ства

2. *v* стека́ться; держа́ться вме́сте; the children ~ed round their teacher ребя́та окружи́ли учи́теля

floe [fləʊ] *n* 1) плаву́чая льди́на 2) ледяно́е по́ле

flog [flɒg] *v* 1) стега́ть, поро́ть, сечь 2) подгоня́ть 3) *sl.* продава́ть *или* меня́ть что-л. из-под полы́ 4) лови́ть ры́бу внахлёстку □ ~ **along** погоня́ть кнуто́м; ~ **into** вбива́ть, вкола́чивать (*в голову*); побо́ями заставля́ть (*учить что-л.*); ~ **out** вы́бить (*лень и т. п.*; of) ◇ to ~ a dead horse ≅ решето́м во́ду носи́ть; зря тра́тить си́лы

flogging [ˈflɒgɪŋ] **1.** *pres. p. от* flog

2. *n* по́рка, теле́сное наказа́ние

flood [flʌd] **1.** *n* 1) наводне́ние; полово́дье, па́водок; разли́тие, разли́в; the F., Noah's F. *библ.* всеми́рный пото́п (*тж. перен.*) 2) прили́в; подъём воды́ 3) пото́к, изоби́лие; a ~ of words пото́к слов; a ~ of tears пото́ки, мо́ре слёз; a ~ of light мо́ре огне́й; a ~ of anger волна́ гне́ва 4) *поэт.* мо́ре, о́зеро, река́ ◇ at the ~ в удо́бный, благоприя́тный моме́нт

2. *v* 1) затопля́ть 2) наводня́ть 3) ороша́ть 4) *мед.* страда́ть ма́точным кровотече́нием 5) устреми́ться, хлы́нуть пото́ком 6) поднима́ться (*об уровне реки*); выступа́ть из берего́в; the river is ~ed by the rains река́ взду́лась от дожде́й

floodgate [ˈflʌdgeɪt] *n* шлюз, шлю́зные воро́та, шлю́зный затво́р ◇ to open the ~s а) дать во́лю (*чему-л.*); б) распла́каться, зали́ться слеза́ми

floodlight [ˈflʌdlaɪt] **1.** *n* (*обыкн. pl*) проже́ктор(ное освеще́ние)

2. *v* освеща́ть проже́ктором

floodwater [ˈflʌdwɔːtə] *n* вода́, затопля́ющая су́шу во вре́мя наводне́ния

floor [flɔː] **1.** *n* 1) пол; насти́л, междуэта́жное перекры́тие 2) дно (*моря, пещеры*) 3) эта́ж; я́рус; third ~ четвёртый эта́ж; *амер.* тре́тий эта́ж 4) места́ для чле́нов (законода́тельного) собра́ния; ~ of the House места́ чле́нов парла́мента в за́ле заседа́ния 5) пра́во выступа́ть на собра́нии; to have (*или* to take) the ~ выступа́ть, брать сло́во; to get the ~ получи́ть сло́во; a question from the ~ вопро́с с ме́ста 6) минима́льный у́ровень (*особ. цен.*) 7) гумно́ 8) *разг.* земля́ 9) киносту́дия 10) произво́дство фи́льма; to go on the ~ идти́ в произво́дство (*о фи́льме*); to be on the ~ быть в произво́дстве 11) *attr.*: ~ exercise во́льные упражне́ния; ~ space разме́ры помеще́ния

2. *v* 1) настила́ть пол 2) повали́ть на́ пол; сбить с ног 3) *разг.* срази́ть, смути́ть, заста́вить замолча́ть; the question ~ed him вопро́с поста́вил его́ в тупи́к 4) *разг.* одоле́ть, спра́виться (*с кем-л.*); to ~ the question суме́ть отве́тить на вопро́с 5) *школ.* посади́ть на ме́сто (*ученика, не зна́ющего уро́ка*) 6) расстила́ть по́ полу

floorboard ['flɔ:bɔ:d] *n* полови́ца

floor-cloth ['flɔ:klɒθ] *n* 1) полова́я тря́пка 2) лино́леум

floorer ['flɔ:rə] *n* 1) сногсшиба́тельный уда́р 2) *разг.* озада́чивающий вопро́с; тяжёлое изве́стие; затрудни́тельное положе́ние; сло́жная зада́ча

flooring ['flɔ:rɪŋ] 1. *pres. p. от* floor 2

2. *n* 1) насти́л, пол 2) насти́лка поло́в 3) *стр.* половы́е до́ски

floor lamp ['flɔ:læmp] *n* торше́р

floor show ['flɔ:ʃəʊ] *n* представле́ние среди́ пу́блики (*в кабаре и т. п.*)

floorwalker ['flɔ:wɔ:kə] *n амер.* администра́тор универса́льного магази́на

floosie, floozie, floozy ['flu:zɪ] *n разг.* шлю́ха

flop [flɒp] 1. *n* 1) шлёпанье 2) прова́л; to go ~ потерпе́ть неуда́чу, потерпе́ть фиа́ско 3) (*особ. амер.*) *sl.* ночлёжка 4) *амер. разг.* шля́па с мя́гкими поля́ми 5) *амер. разг.* челове́к, не оправда́вший возлага́вшихся на него́ наде́жд, обману́вший ожида́ния

2. *v* 1) полоска́ться (*о парусах и т. п.*) 2) шлёпнуться; плю́хнуться; he ~ped down on his knees and begged for mercy он бу́хнулся на коле́ни и моли́л о поща́де 3) *sl.* потерпе́ть неуда́чу, провали́ться 4) *sl.* свали́ться (*от усталости*); завали́ться спать 5) уда́рить; би́ть(ся); the fish ~ped about in the boat ры́ба би́лась в ло́дке 6) бить кры́льями 7) *амер.* переметну́ться, переки́нуться (*к другой полит. партии*; *часто* ~ over)

3. *adv*: to fall ~ into the water плю́хнуться в во́ду

4. *int* шлёп!

flophouse ['flɒphaʊs] *n* (*особ. амер.*) *sl.* ночлёжка

floppy ['flɒpɪ] *a* 1) свобо́дно вися́щий 2) лени́вый, пасси́вный (*об уме*); небре́жный (*о стиле*)

floppy disk [,flɒpɪ'dɪsk] *n вчт.* диске́та

flora ['flɔ:rə] *n* (*pl* -ae, -as [-əz]) фло́ра

florae ['flɔ:ri:] *pl от* flora

floral ['flɔ:rəl] *a* 1) относя́щийся к фло́ре, расти́тельный 2) цвето́чный

Florentine ['flɒrəntaɪn] 1. *a* флоренти́йский

2. *n* 1) флоренти́нец 2) (f.) флоренти́н (*род шёлковой материи*)

florescence [flɔ:'resns] *n* 1) цвете́ние; вре́мя цвете́ния 2) расцве́т

floret ['flɒrət] *n* 1) *бот.* цвето́к, цвето́чек (*в корзинке сложноцветных*) 2) ма́ленький цвето́к

floriated ['flɔ:rɪeɪtɪd] *a* с цвето́чным орна́ментом

floriculture ['flɔ:rɪkʌltʃə] *n* цветово́дство

florid ['flɒrɪd] *a* 1) кра́сный, багро́вый (*о лице*) 2) цвети́стый, напы́щенный; ~ style витиева́тый стиль 3) крича́щий (*о наряде*)

florin ['flɒrɪn] *n ист.* флори́н (*монета в разных странах*)

florist ['flɒrɪst] *n* 1) торго́вец цвета́ми 2) цветово́д

floruit ['flɒrʊɪt] *n* го́ды де́ятельности истори́ческого лица́

floss [flɒs] *n* шёлк-сыре́ц

flossy ['flɒsɪ] *a* шелкови́стый

flotage ['fləʊtɪdʒ] = floatage

flotation [fləʊ'teɪʃn] = floatation

flotilla [fləʊ'tɪlə] *n* флоти́лия (*обыкн. мелких судов*)

flotsam ['flɒtsəm] *n* вы́брошенный и пла́вающий на пове́рхности груз; пла́вающие обло́мки ◇ ~ and jetsam а) обло́мки кораблекруше́ния; б) нену́жные ве́щи; в) бездо́мные бродя́ги; бо́мжи

flounce I [flaʊns] 1. *n* ре́зкое нетерпели́вое движе́ние

2. *v* броса́ться, мета́ться; ре́зко дви́гаться (*обыкн.* ~ away, ~ out, ~ about, ~ down, ~ up); to ~ out of the room бро́ситься вон из ко́мнаты

flounce II [flaʊns] 1. *n* обо́рка

2. *v* отде́лывать обо́рками

flounder I ['flaʊndə] *v* 1) бара́хтаться; дви́гаться с трудо́м 2) пу́таться (*в словах*); to ~ through a speech объясня́ться с трудо́м (*напр., на иностранном языке*)

flounder II ['flaʊndə] *n* ме́лкая ка́мбала

flour ['flaʊə] 1. *n* 1) мука́, крупча́тка 2) порошо́к; пу́дра 3) *attr.*: ~ paste клейстер

2. *v* 1) посыпа́ть муко́й 2) моло́ть, разма́лывать

flourish ['flʌrɪʃ] 1. *n* 1) разма́хивание 2) ро́счерк, завиту́шка 3) цвети́стое выраже́ние 4) фанфа́ры; ~ of trumpets туш; *перен.* пы́шное представле́ние (*кого-л.*); шу́мная рекла́ма; торже́ственная церемо́ния (*при открытии чего-л.*)

2. *v* 1) пы́шно расти́; разраста́ться 2) процвета́ть, преуспева́ть; быть в расцве́те 3) жить, де́йствовать (*в определённую эпоху*); Socrates ~ed about 400 B. C. Сокра́т жил приблизи́тельно в IV в. до на́шей э́ры 4) разма́хивать (*чем-л.*) 5) выставля́ть напока́з 6) де́лать ро́счерк перо́м 7) цвети́сто выража́ться

flourishing ['flʌrɪʃɪŋ] 1. *pres. p. от* flourish 2

2. *a* 1) здоро́вый, цвету́щий 2) процвета́ющий

floury ['flaʊərɪ] *a* 1) мучно́й 2) мучни́стый 3) посы́панный муко́й

flout [flaʊt] *v* 1) презира́ть; попира́ть; to ~ smb.'s advice пренебрега́ть чьим-л. сове́том 2) *уст.* насмеха́ться, глуми́ться, издева́ться (at — над)

flow [fləʊ] 1. *n* 1) тече́ние, пото́к, струя́ 2) пла́вность (*речи, линий*) 3) изоби́лие; ~ of spirits жизнера́достность 4) *мед.* менструа́ция 5) прили́в; the tide is on the ~ вода́ прибыва́ет 6) *гидр.* деби́т воды́

2. *v* 1) течь, ли́ться, струи́ться; пла́вно переходи́ть от одного́ к друго́му (*о линиях, очертаниях и т. п.*) 2) хлы́нуть; разрази́ться пото́ком; *перен.* уплыва́ть; gold ~s from the country происхо́дит уте́чка зо́лота за грани́цу 3) течь, протека́ть (*о беседе и т. п.*) 4) ниспада́ть 5) проистека́ть, происходи́ть (from) 6) *уст.* изоби́ловать (with)

flowchart ['fləʊtʃɑ:t] *n* 1) диагра́мма, схе́ма 2) *вчт.* блок-схе́ма

flower ['flaʊə] 1. *n* 1) цвето́к; цветко́вое расте́ние 2) расцве́т; цвете́ние; in ~ в цвету́; to come to full ~ расцвести́ пы́шным цве́том; in the ~ of one's age во цве́те лет 3) цвет, лу́чшая, отбо́рная часть (*чего-л.*) 4): ~s of speech краси́вые оборо́ты ре́чи; *часто ирон.* цвети́стые фра́зы 5): ~s of sulphur *хим.* се́рный цвет 6) *pl уст.* менструа́ция 7) *attr.*: ~ children *разг. собир.* «де́ти-цветы́», хи́ппи

2. *v* 1) цвести́ 2) быть в расцве́те

flowerbed ['flaʊəbed] *n* клу́мба

flower-de-luce [,flaʊədə'lu:s] = fleur-de-lis

flowered ['flaʊəd] 1. *p. p. от* flower 2

2. *a* укра́шенный цвето́чным узо́ром; ~ silk тра́вчатый шёлк

floweret ['flaʊərɪt] *n* цвето́чек

flower-garden ['flaʊə,gɑ:dn] *n* цветни́к

flower girl ['flaʊəgɜ:l] *n* цвето́чница, продавщи́ца цвето́в

flowering ['flaʊərɪŋ] 1. *pres. p. от* flower 2

2. *n* расцве́т; цвете́ние

3. *a* цвету́щий, в цвету́

flower-piece ['flaʊəpi:s] *n жив.* карти́на с изображе́нием цвето́в

flowerpot ['flaʊəpɒt] *n* цвето́чный горшо́к

flower show ['flaʊəʃəʊ] *n* вы́ставка цвето́в

flowery ['flaʊərɪ] *a* 1) у́бранный цвета́ми 2) цвети́стый (*о стиле и т. п.*)

flowing ['fləʊɪŋ] 1. *pres. p. от* flow 2

2. *a* 1) гла́дкий, пла́вный (*о стиле*) 2) мя́гкий (*о линиях, контуре*) 3) ниспада́ющий; ~ draperies ниспада́ющая свобо́дными скла́дками драпиро́вка 4) теку́щий

flown [fləʊn] *p. p. от* fly II, 2

flow sheet ['fləʊʃi:t] *n* ка́рта технологи́ческого проце́сса

flu [flu:] *n разг.* грипп

flubdub ['flʌbdʌb] *амер.* = flapdoodle

fluctuate ['flʌktjʊeɪt] *v* колеба́ться; колыха́ться; быть неусто́йчивым, меня́ться

fluctuation [,flʌktjʊ'eɪʃn] *n* колеба́ние; неусто́йчивость; кача́ние, колыха́ние; ~s of temperature неусто́йчивая температу́ра

flue I [flu:] *n* 1) дымохо́д 2) *тех.* жарова́я труба́ (*котла*)

flue II [flu:] *n* 1) пушо́к 2) хло́пья пы́ли (*под мебелью*)

flue III [flu:] *n* род рыболо́вной се́ти

flue IV [flu:] = fluke II

fluency ['flu:ənsɪ] *n* пла́вность; бе́глость (*речи*)

fluent ['flu:ənt] *a* 1) гла́дкий; пла́вный; бе́глый (*о речи*); to speak ~ English свобо́дно говори́ть по-англи́йски 2) владе́ющий ре́чью; a ~ speaker уме́лый ора́тор 3) напы́щенный и пусто́й (*о словах и т. п.*); ~ phrases пусты́е слова́ 4) теку́чий, жи́дкий

fluently ['flu:əntlɪ] *adv* 1) пла́вно, гла́дко 2) бе́гло (*о речи*)

fluff [flʌf] **1.** *n* 1) пух, пушо́к 2) *sl.* оплóшность; to make a ~ дать ма́ху 3) *театр. sl.* пло́хо вы́ученная роль ◇ a bit of ~ *груб.* аппети́тная ба́ба

2. *v* 1) взбива́ть(ся); вспуши́ть; to ~ one's feathers распуши́ть пе́рья (*о птице; тж. перен.*) 2) *театр. sl.* пло́хо знать роль 3) *разг.* чита́ть (*текст*) с огово́рками, запина́ясь 4) промахну́ться, прома́зать

fluffy ['flʌfɪ] *a* 1) *sl.* забы́вчивый 2) *sl.* нетвёрдо стоя́щий на нога́х, пья́ный 3) пуши́стый, взби́тый

fluid ['flu:ɪd] **1.** *n* жи́дкость; жи́дкая *или* газообра́зная среда́

2. *a* 1) жи́дкий, теку́чий 2) (постоя́нно) меня́ющийся; подви́жный, изме́нчивый

fluidity [flʊ'ɪdətɪ] *n* 1) жи́дкое состоя́ние 2) теку́честь 3) пла́вность (*речи*) 4) подви́жность, изме́нчивость

fluke I [flu:k] **1.** *n* счастли́вая случа́йность; by a ~ по счастли́вой случа́йности

2. *v* 1) получи́ть что-л. *или* вы́играть игру́ благодаря́ счастли́вой случа́йности 2) *амер. разг.* обмишу́литься

fluke II [flu:k] *n* 1) трематóда (*глист*) 2) ка́мбала, па́лтус; пло́ская ры́ба

fluke III [flu:k] *n* 1) ла́па (*якоря*) 2) зазу́брина гарпуна́ 3) *pl* хвостово́й плавни́к кита́

fluky ['flu:kɪ] *a* случа́йный; зави́сящий от уда́чи

flume [flu:m] *n* 1) иску́сственный кана́л 2) го́рное уще́лье с пото́ком 3) *тех.* жёлоб; подводя́щий кана́л

flummery ['flʌmərɪ] *n* 1) *разг.* пусты́е комплиме́нты; болтовня́, вздор 2) *кул.* драчёна

flummox ['flʌməks] *v разг.* смуща́ть, ста́вить в затрудни́тельное положе́ние

flump [flʌmp] **1.** *n* глухо́й шум, стук

2. *v* 1) па́дать *или* дви́гаться с глухи́м шу́мом 2) ста́вить, броса́ть (*что-л.*) на́ пол с глухи́м шу́мом, сту́ком

flung [flʌŋ] *past и p. p от* fling 2

flunk [flʌŋk] *амер. разг.* **1.** *n* по́лный прова́л

2. *v* провали́ть(ся) на экза́мене ▭ ~ **out** исключи́ть за неуспева́емость (*из учебного заведения*)

flunk(e)y ['flʌŋkɪ] *n* 1) ливре́йный лаке́й 2) лаке́й, подхали́м, подли́за 3) *амер.* по́вар 4) *амер.* официа́нт

fluorescence [flɔ:'resns] *n* свече́ние, флуоресце́нция

fluorescent [flɔ:'resnt] *a* флуоресце́нтный; ~ lamp ла́мпа дневно́го све́та; ~ light флуоресце́нтный свет

fluoride ['flʊəraɪd] *n хим.* фтори́д

fluorine ['flʊəri:n] *n хим.* фтор

fluoroscope ['flʊərə,skəʊp] *n* флюороско́п

fluorspar ['flʊəspɑ:] *n мин.* плавико́вый шпат

flurry ['flʌrɪ] **1.** *n* 1) шквал; неожи́данный ли́вень *или* снегопа́д 2) взрыв акти́вности 3) беспоко́йство, волне́ние; сумато́ха; смяте́ние 4) мета́ния смерте́льно ра́ненного кита́

2. *v* (*обыкн. p. p.*) волнова́ть; будора́жить (*особ. спешкой*); don't get flurried не волну́йтесь

flush I [flʌʃ] **1.** *n* 1) прили́в кро́ви; кра́ска (*на лице*), румя́нец 2) смыва́ние, промыва́ние си́льной струёй воды́ (*в унитазе и т. п.*) 3) внеза́пный прили́в, пото́к (*воды*) 4) прили́в (*чувства*); упое́ние (*успехом и т. п.*); ~ of hope вспы́шка наде́жды 5) расцве́т (*молодости, сил и т. п.*) 6) бы́стрый прито́к, внеза́пное изоби́лие (*чего-л.*) 7) прили́вы (*при климаксе; тж.* hot ~) 8) при́ступ (*лихорадки*) 9) бу́йный рост (*зелени и т. п.*)

2. *a* 1) по́лный (*до краёв — о реке*) 2) *predic.* изоби́лующий; ще́дрый, расточи́тельный (with); to be ~ with money а) быть обеспе́ченным, быть с (больши́м) доста́тком; б) не счита́ть де́ньги, сори́ть деньга́ми 3) *тех.* находя́щийся на одно́м у́ровне, заподлицо́ (*с чем-л.*)

3. *v* 1) вспы́хнуть, (по)красне́ть (*часто* ~ up); she ~ed (up) when I spoke to her лицо́ её залило́сь кра́ской, когда́ я заговори́л с ней 2) прилива́ть к лицу́ (*о крови*); вызыва́ть кра́ску на лице́ 3) промыва́ть си́льным напо́ром струи́, to the toilet спусти́ть во́ду в убо́рной 4) бить струёй; оби́льно течь, хлы́нуть 5) затопля́ть 6) наполня́ть, переполня́ть (*чувством*); to be ~ed with joy (pride, *etc.*) быть охва́ченным ра́достью (го́рдостью *и т. п.*); ~ed with victory упоённый побе́дой 7) дава́ть но́вые побе́ги (*о растениях*)

flush II [flʌʃ] **1.** *n* вспу́гнутая ста́я птиц

2. *v* 1) спу́гивать (*дичь*) 2) взлета́ть, вспа́рхивать

flush III [flʌʃ] *n* ка́рты одно́й ма́сти

fluster ['flʌstə] **1.** *n* суета́, волне́ние; all in a ~ в волне́нии; в возбужде́нии

2. *v* 1) волнова́ть(ся); возбужда́ть(ся) 2) слегка́ опьяне́ть

flute [flu:t] **1.** *n* 1) фле́йта 2) *архит.* канелю́ра, желобо́к 3) вы́емка; ри́фля

2. *v* 1) свисте́ть (*о птице*) 2) де́лать вы́емки; желоби́ть

flutist ['flu:tɪst] *n* флейти́ст

flutter ['flʌtə] **1.** *n* 1) порха́ние 2) маха́ние 3) волне́ние; тре́пет; to put smb. into a ~ взбудора́жить кого́-л.; to make (*или* to cause) a ~ производи́ть сенса́цию 4) *sl.* риск (*обыкн. в азартных играх*) 5) *тех.* вибра́ция 6) *ав.* фла́ттер

2. *v* 1) маха́ть *или* бить кры́льями; перепа́рхивать 2) трепета́ть; би́ться неро́вно (*о сердце*) 3) маха́ть; развева́ться (*на ветру*) 4) дрожа́ть от волне́ния; волнова́ть(ся), беспоко́ить(ся) 5) *тех.* вибри́ровать

fluty ['flu:tɪ] *a* напомина́ющий звук фле́йты; мя́гкий и чи́стый

fluvial ['flu:vɪəl] *a* речно́й

flux [flʌks] **1.** *n* 1) тече́ние; пото́к 2) постоя́нная сме́на; постоя́нное движе́ние; ~ and reflux прили́в и отли́в; in a state of ~ в состоя́нии постоя́нного *или* непреры́вного измене́ния 3) *метал.* флюс, пла́вень 4) *физ.* пото́к 5) *мед.* истече́ние, оби́льное выделе́ние (*крови, экскрементов*); *уст.* дизентери́я

2. *v* 1) истека́ть 2) дава́ть слаби́тельное, очища́ть 3) *тех.* пла́вить, растопля́ть 4) *метал.* обраба́тывать флю́сом 5) отшлакова́ть

fluxion ['flʌkʃn] *n* 1) *мат.* флю́ксия, произво́дная 2) *мед.* прили́в кро́ви *или* жи́дкости (*к лицу и др. частям тела*)

fly I [flaɪ] *n* 1) му́ха 2) *с.-х. разг.* вреди́тель ◇ a ~ in the ointment ≅ ло́жка дёгтя в бо́чке мёда; a ~ on the wheel ≅ самомне́ния ему́ не занима́ть стать; there are no flies on him он не дура́к, его́ не проведёшь

fly II [flaɪ] **1.** *n* 1) шири́нка (*у брюк*) 2) откидно́е поло́тнище пала́тки 3) *pl театр.* колосники́ 4) полёт; расстоя́ние полёта; on the ~ на лету́ 5) *уст.* одноко́нный наёмный экипа́ж 6) *тех.* ма́ятник; баланси́р 7) крыло́ (*ветряка*) 8) длина́ (*флага*) 9) край (*флага*)

2. *v* (flew, flown) 1) лета́ть, пролета́ть; to ~ across the continent лете́ть че́рез (весь) контине́нт 2) пилоти́ровать (*самолёт*) 3) переправля́ть пассажи́ров (*или* гру́зы) по во́здуху 4) развева́ть(ся) 5) улета́ть, исчеза́ть (*тж. перен.*); the bird has flown ≅ «пти́чка улете́ла», престу́пник скры́лся; it is late, we must ~ уже́ по́здно, нам пора́ убира́ться 6) *разг.* улепётывать, удира́ть; спаса́ться бе́гством 7) спеши́ть; the children flew to meet their mother де́ти бро́сились, ки́нулись навстре́чу к ма́тери 8): to ~ pigeons гоня́ть голубе́й ▭ ~ **at** напада́ть; набра́сываться с бра́нью; to let ~ at а) стреля́ть в *кого-л.*, во *что-л.*; б) отпуска́ть руга́тельства по *чьему-л. адресу*; ~ **in** доставля́ть по во́здуху; ~ **into** а) прийти́ (*в ярость, в восторг*); б) влете́ть (*в комнату и т. п.*); ~ **off** а) поспе́шно убега́ть; уклоня́ться; б) соска́кивать, отлета́ть; to ~ off the handle соскочи́ть с рукоя́тки (*о молотке*); *перен.* вы́йти из себя́, вспыли́ть; he flew off the handle он как с це́пи сорва́лся; ~ **on** = ~ at; ~ **out** вспыли́ть, рассерди́ться (at — на); ~ **over** перепры́гнуть, перемахну́ть че́рез; ~ **round** кружи́ться, крути́ться (*о* *колесе*); ~ **upon** = ~ at ◇ to ~ open распахну́ть(ся); to ~ high высо́ко заноси́ться, быть честолюби́вым; to ~ the flag *мор.* нести́ флаг; пла́вать под фла́гом; the glass flew into pieces стекло́ разби́лось вдре́безги; to ~ in the face of smb. броса́ть вы́зов кому́-л.; откры́то не повинова́ться кому́-л.; не счита́ться с кем-л.; to ~ in the face of Providence искуша́ть судьбу́; to make the money ~ а) швыря́ть(ся) деньга́ми; б) промота́ть де́ньги; to make the feathers ~ стравить (*противников*), раззадо́рить; to send smb. ~ing сбить кого́-л. с ног, свали́ть кого́-л. уда́ром на зе́млю; to send things ~ing расшвыря́ть ве́щи; to ~ to arms взя́ться за ору́жие; нача́ть войну́; to ~ to smb.'s arms бро́ситься в чьи-л. объя́тия

fly III [flaɪ] *a sl.* зна́ющий, у́мный, осмотри́тельный

fly agaric ['flaɪ,ægərɪk] *n* мухомо́р

flyaway ['flaɪəweɪ] *a* 1) развева́ющийся (*о волосах*) 2) широ́кий, свобо́дный (*об одежде*) 3) ве́треный, непостоя́нный (*о человеке*)

fly-bitten ['flaɪ,bɪtn] *a* заси́женный му́хами

flyblow ['flaɪbləʊ] 1. *n* яйцо́ му́хи (*в мясе*)

2. *v* откла́дывать я́йца (*о мухе*)

flyblown ['flaɪbləʊn] *a* 1) испо́рченный (*о мясе, поражённом яйцами мух*) 2) зама́ранный

fly-by-night ['flaɪbaɪ,naɪt] *a* ненадёжный; безотве́тственный

flycatcher ['flaɪkætʃə] *n зоол.* мухоло́вка

flyer ['flaɪə] *n разг.* 1) лётчик, пило́т 2) что-л. бы́стро дви́жущееся 3) *амер.* небольша́я афи́ша 4) риско́ванное предприя́тие; биржева́я авантю́ра 5) *амер.* экспре́сс 6) пти́ца, насеко́мое, летучая мышь *и т. п.* 7) *тех.* махови́к 8) *текст.* банкобро́ш 9) *стр.* прямо́й марш ле́стницы ◇ to take a ~ упа́сть вниз голово́й

fly-fishing ['flaɪfɪʃɪŋ] *n* уже́ние на му́ху

flying ['flaɪɪŋ] 1. *pres. p. от* fly II, 2

2. *n* лета́ние, полёты; лётное де́ло

3. *a* 1) развева́ющийся 2) бы́стрый; ~ visit мимолётный визи́т; she paid us a ~ visit она́ загляну́ла к нам на мину́тку; ~ jump *спорт.* прыжо́к с разбе́га; ~ column лету́чий отря́д 3) *ав.* лётный; ~ gear лётное снаряже́ние; ~ field лётное по́ле 4) лета́ющий; лету́чий; лета́тельный; ~ machine самолёт

flying boat ['flaɪɪŋbəʊt] *n ав.* лета́ющая ло́дка

flying bridge [,flaɪɪŋ'brɪdʒ] *n* 1) переки́дной мост 2) паро́м-самолёт

flying fish [,flaɪɪŋ'fɪʃ] *n* лету́чая ры́ба

flying fortress [,flaɪɪŋ'fɔ:trəs] *n ав.* «лета́ющая кре́пость»

flying instrument [,flaɪɪŋ'ɪnstrəmənt] *n ав.* пилота́жный прибо́р

flying officer ['flaɪɪŋ,ɒfɪsə] *n* офице́р-лётчик (*в Англии*)

flying saucer [,flaɪɪŋ'sɔ:sə] *n* лета́ющая таре́лка, НЛО

flying start [,flaɪɪŋ'stɑ:t] *n* 1) старт с опереже́нием (*на скачках*) 2) хоро́шее нача́ло; to get off to a ~ успе́шно нача́ть (*новое дело, работу и т. п.*)

flyleaf ['flaɪli:f] *n полигр.* фо́рзац, чи́стый лист в нача́ле *или* в конце́ кни́ги

flyman ['flaɪmən] *n* 1) *театр.* рабо́чий на колосника́х 2) ку́чер

flyover ['flaɪəʊvə] *n* 1) эстака́да 2) *attr.*: ~ crossing пересече́ние доро́г на ра́зных у́ровнях

flypaper ['flaɪ,peɪpə] *n* ли́пкая бума́га от мух

fly-sheet ['flaɪʃi:t] *n* листо́вка

fly title ['flaɪ,taɪtl] *n полигр.* шмуцти́тул

fly-trap ['flaɪtræp] *n* мухоло́вка

flyweight ['flaɪweɪt] *n* 1) лёгкий вес (*в любительском боксе*) 2) боксёр лёгкого ве́са

flywheel ['flaɪwi:l] *n* махово́е колесо́

foal [fəʊl] 1. *n* жеребёнок; ослёнок; in (*или* with) ~ жерёбая

2. *v* жереби́ться

foam [fəʊm] 1. *n* 1) пе́на 2) мы́ло (*на лошади*) 3) *поэт.* мо́ре

2. *v* 1) пе́ниться 2) быть в бе́шенстве (*часто* ~ at the mouth) 3) взмы́литься (*о лошади*)

foam rubber [,fəʊm'rʌbə] *n* гу́бчатая рези́на; поролóн (*для набивки матрацев, спинок и сидений мебели и т. п.*)

foamy ['fəʊmɪ] *a* 1) пе́нящийся 2) покры́тый пе́ной, взмы́ленный

fob I [fɒb] *n* карма́шек для часо́в

fob II [fɒb] *v*: to ~ off smb. with smth., to ~ smth. off on smb. надува́ть кого́-л. (*поддельной вещью, ложными обещаниями и т. п.*)

focal ['fəʊkl] *a* 1) *физ.* фо́кусный; ~ distance (*или* length) фо́кусное расстоя́ние 2) центра́льный; she has come to be the ~ point of his thinking она́ занима́ет гла́вное ме́сто в его́ мы́слях; ~ points основны́е, узловы́е моме́нты *или* пу́нкты

foci ['fəʊsaɪ] *pl от* focus

fo'c's'le ['fəʊksl] = forecastle

focus ['fəʊkəs] 1. *n* (*pl* -ci, -ses [-ɪz]) 1) *физ.* фо́кус; in ~ в фо́кусе; out of ~ не в фо́кусе 2) центр, средото́чие; ~ of interest круг интере́сов; to bring to a ~ выдвига́ть (*вопрос и т. п.*) 3) оча́г (*инфекции, землетрясения*)

2. *v* 1) собира́ть(ся), помеща́ть в фо́кусе; сфокуси́ровать 2) сосредото́чивать (*внимание и т. п.*; on — на)

fodder ['fɒdə] 1. *n* корм для скота́; фура́ж

2. *v* задава́ть корм (*скоту*)

foe [fəʊ] *n поэт.* враг, проти́вник; недоброжела́тель

foetal ['fi:tl] *a* эмбриона́льный

foetid ['fetɪd] = fetid

foetus ['fi:təs] *n* утро́бный плод

fog I [fɒg] 1. *n* 1) густо́й тума́н 2) дым *или* пыль, стоя́щие в во́здухе; мгла 3): in a ~ как в тума́не; в замеша́тельстве, в затрудне́нии 4) *фото* вуа́ль

2. *v* 1) оку́тывать тума́ном; затума́нивать(ся) 2) напуска́ть тума́ну, озада́чивать

fog II [fɒg] *с.-х.* 1. *n* 1) ота́ва 2) трава́, оста́вшаяся нескo̓шенной

2. *v* 1) пасти́ скот на ота́ве 2) оставля́ть траву́ неско́шенной

fogey ['fəʊgɪ] = fogy

foggy ['fɒgɪ] *a* 1) тума́нный; тёмный; a ~ idea сму́тное представле́ние 2) *физ.* нея́сный

foghorn ['fɒghɔ:n] *n* 1) сире́на, подаю́щая сигна́лы суда́м во вре́мя тума́на 2) пронзи́тельный го́лос

fogy ['fəʊgɪ] *n* старомо́дный, отста́лый (*иногда* чудакова́тый) челове́к (*обыкн.* old ~)

foible ['fɔɪbl] *n* 1) сла́бая стру́нка, сла́бость, недоста́ток 2) сла́бая, ги́бкая часть клинка́

foil I [fɔɪl] 1. *n* 1) фо́льга́, стани́оль 2) *архит.* орна́мент в ви́де ли́стьев (*в готическом стиле*) 3) контра́ст; фон; to serve as a ~ to служи́ть контра́стом, подчёркивать (*что-л.*)

2. *v редк.* служи́ть контра́стом, подчёркивать (*что-л.*)

foil II [fɔɪl] 1. *n* след зве́ря

2. *v* 1) ста́вить в тупи́к; расстра́ивать (*чьи-л.*) пла́ны; срыва́ть (*что-л.*) 2) сбива́ть (*собаку*) со сле́да 3) *уст.* отрази́ть нападе́ние, одоле́ть

foil III [fɔɪl] *n* рапи́ра

foist [fɔɪst] *v* всу́нуть, всучи́ть; he foisted his company on them он навяза́л им свою́ компа́нию

fold I [fəʊld] 1. *n* 1) скла́дка, сгиб; a dress hanging in loose ~s пла́тье, па́дающее свобо́дными скла́дками 2) впа́дина, падь; изви́лины уще́лья, каньо́на 3) створ (*двери*) 4) *тех.* фальц 5) *геол.* флексу́ра, скла́дка 6) кольцо́ (*змеи*)

2. *v* 1) скла́дывать (*ткань и т. п.*) вдвое, вчётверо *и т. п.*; сгиба́ть, загиба́ть, перегиба́ть; to ~ one's arms скрести́ть ру́ки на груди́; to ~ one's hands сложи́ть ру́ки; *перен.* безде́йствовать 2) завёртывать (in) 3) *поэт.* обнима́ть, обхва́тывать; to ~ smb. to one's breast прижа́ть кого́-л. к груди́ 4) оку́тывать; hills ~ed in mist го́ры, оку́танные тума́ном 5) *полигр.* фальцева́ть 6) *текст.* дубли́ровать 7) *кул.* сбива́ть, выме́шивать (*негустое тесто и т. п.*) ▭ ~ **back** отверну́ть; to ~ back the bedclothes сверну́ть посте́ль; ~ **up** а) свёртывать, завёртывать; б) *разг.* прогоре́ть; обанкро́титься; the business finally ~ed up last week предприя́тие, в конце́ концо́в, на про́шлой неде́ле прекрати́ло существова́ние

fold II [fəʊld] 1. *n* 1) заго́н (*для овец*), овча́рня; коша́ра 2) *церк.* па́ства ◇ to return to the ~ а) верну́ться в о́тчий дом; б) верну́ться в ло́но единомы́шленников

2. *v* загоня́ть (*овец*)

folder ['fəʊldə] *n* 1) па́пка, скоросшива́тель 2) несши́тая брошю́ра 3) кни́жечка (*рекламная; расписание поездов* *или самолётов)* 4) *амер.* кни́жечка с карто́нными спи́чками 5) *полигр.* фальцева́льная маши́на 6) фальцо́вщик 7) *pl* складны́е очки́, складно́й бино́кль *и т. п.*

folding I ['fəuldɪŋ] **1.** *pres. p. от* fold I, 2

2. *n* фальцо́вка

3. *a* складно́й; ство́рчатый; откидно́й; ~ door(s) раздвижны́е две́ри; ~ screen ши́рма

folding II ['fəuldɪŋ] *pres. p. от* fold II, 2

folding-bed ['fəuldɪŋbed] *n* похо́дная крова́ть; крова́ть-раскладу́шка

folding-chair ['fəuldɪŋtʃeə] *n* складно́й стул

folding-cot ['fəuldɪŋkɒt] = folding-bed

folding-stool ['fəuldɪŋstu:l] = folding-chair

foliage ['fəulɪɪdʒ] *n* 1) листва́, ли́стья 2) ли́ственный орна́мент

foliar ['fəulɪə] *a* ли́ственный

foliate 1. *a* ['fəulɪət] 1) листообра́зный 2) ли́ственный

2. *v* ['fəulɪeɪt] 1) покрыва́ться ли́стьями 2) *архит.* украша́ть ли́ственным орна́ментом 3) нумерова́ть листы́ кни́ги *(не страницы)* 4) наводи́ть амальга́му *(на зеркало)* 5) расщепля́ть(ся) на то́нкие слои́

folic acid [,fəulɪk'æsɪd] *n* фо́лиевая кислота́ *(витамин группы В)*

folio ['fəulɪəu] *n (pl* ~s [-əuz]) 1) ин-фо́лио *(формат в пол-листа)* 2) *полигр.* колонци́фра 3) фолиа́нт 4) лист *(бухгалтерской книги)* 5) *юр.* едини́ца измере́ния длины́ докуме́нта *(в Англии 72—90 слов, в США — 100 слов)*

folk [fəuk] *n* 1) *(употр. с гл. во мн. ч.)* лю́ди; old ~ стари́ки́; rich ~ богачи́; my ~s *разг.* родня́; the old ~s at home старики́, роди́тели 2) наро́д 3) *attr.* наро́дный

folk etymology [,fəuketɪ'mɒlədʒɪ] *n лингв.* наро́дная этимоло́гия

folklore ['fəuklɔ:] *n* фолькло́р

folk song ['fəuksɒŋ] *n* наро́дная пе́сня

folksy ['fəuksɪ] *a* 1) общи́тельный 2) бли́зкий к наро́ду, наро́дный

folkways ['fəukweɪz] *n pl* наро́дные обы́чаи, нра́вы

follicle ['fɒlɪkl] *n* 1) *анат.* фолли́кул, су́мка, мешо́чек 2) *зоол.* ко́кон 3) *бот.* стручо́к

follow ['fɒləu] *v* 1) сле́довать, идти́ за; a concert ~ed the lecture, the lecture was ~ed by a concert по́сле ле́кции состоя́лся конце́рт; one misfortune ~ed (upon) another одна́ беда́ сменя́лась друго́й 2) смени́ть *(кого-л.)*; быть преє́мником 3) сопровожда́ть *(кого-л.)* 4) разделя́ть взгля́ды, подде́рживать; быть после́дователем; I cannot ~ you in all your views я не со все́ми ва́шими взгля́дами могу́ согласи́ться 5) занима́ться *чем-л.*; to ~ the plough паха́ть; to ~ the hounds охо́титься с соба́ками; to ~ the law быть, стать юри́стом; to ~ the sea быть, стать моряко́м 6) приде́рживаться; ~ this path! иди́те э́той доро́гой!; to ~ the policy приде́рживаться (определённой) поли́тики 7) пресле́довать 8) следи́ть, провожа́ть *(взглядом)* 9) слу́шать, следи́ть *(за словами)*; (do) you ~ me? поня́тно? 10) логи́чески вытека́ть; from what you say it ~s из ва́ших слов сле́дует □ ~ **on** продолжа́ть (пре)сле́довать; ~ **out** выполня́ть до конца́; осуществля́ть; ~ **through** а) доводи́ть до конца́ *(дело и т. п.)*; б) *спорт.* заверша́ть *(удар, бросок и т. п.)*; ~ **up** а) пресле́довать упо́рно, энерги́чно *(тж. перен.)*; б) доводи́ть до конца́; развива́ть, заверша́ть ◇ as ~s сле́дующее; the letter reads as ~s в письме́ говори́тся сле́дующее

follower ['fɒləuə] *n* 1) после́дователь; сторо́нник 2) ухажёр *(горничной)* 3) *тех.* ведо́мое звено́ механи́зма; толка́тель; подава́тель *(в оружии)*

following ['fɒləuɪŋ] **1.** *pres. p. от* follow

2. *n* 1) после́дователи, приве́рженцы; he has a large ~ у него́ мно́го после́дователей 2) (the ~) сле́дующее; the ~ is noteworthy ну́жно обрати́ть внима́ние на сле́дующее

3. *a* 1) сле́дующий, после́дующий 2) попу́тный *(о ветре, течении)*

4. *prep* по́сле; всле́дствие

follow my leader [,fɒləumə'li:də] *n* де́тская игра́ «де́лай как я»

follow-up ['fɒləuʌp] *n* 1) прове́рка исполне́ния 2) мероприя́тие, проведённое во исполне́ние како́го-л. реше́ния; a ~ to the conference дальне́йшие шаги́ по́сле совеща́ния 3) дополни́тельное сообще́ние 4) *attr.* дополня́ющий

folly ['fɒlɪ] *n* 1) глу́пость; недомы́слие; безрассу́дство; безу́мие 2) глу́пый посту́пок; до́рого сто́ящий капри́з 3) *pl театр.* ревю́ с уча́стием полуобнажённых очарова́тельных актри́с

foment [fəu'ment] *v* 1) подстрека́ть; раздува́ть, разжига́ть *(ненависть, беспорядки и т. п.)* 2) класть припа́рки

fomentation [,fəumen'teɪʃn] *n* 1) подстрека́тельство; ~ of discontent разжига́ние недово́льства 2) припа́рка

fond [fɒnd] *a* 1) не́жный, лю́бящий; in ~ remembrance of smb., smth. в знак (до́брой) па́мяти о ком-л., чём-л. 2): to be ~ of smb., smth. люби́ть кого́-л., что-л. 3) изли́шне дове́рчивый, изли́шне оптимисти́чный; ~ hope тще́тная наде́жда

fondant ['fɒndənt] *n кул.* пома́дка

fondle ['fɒndl] *v* ласка́ть

fondling ['fɒndlɪŋ] **1.** *pres. p. от* fondle

2. *n* люби́мец

fondly ['fɒndlɪ] *adv* 1) не́жно 2) наи́вно, дове́рчиво

fondness ['fɒndnəs] *n* не́жность, любо́вь

font [fɒnt] *n* 1) *церк.* купе́ль 2) резервуа́р кероси́новой *или* ма́сляной ла́мпы 3) = fount II

food [fu:d] *n* 1) пи́ща, пита́ние; еда́, корм; the ~ there is excellent там хорошо́ ко́рмят; to become ~ for fishes утону́ть; to become ~ for worms умере́ть 2) съестны́е припа́сы, прови́зия, продово́льствие 3) пи́ща *(духовная)*; ~ for thought пи́ща для размышле́ния 4) *attr.* пита́тельный; ~ value пита́тельность 5) *attr.* продово́льственный; ~ rationing ка́рточная систе́ма *(распределения продуктов)*

food-card ['fu:dkɑ:d] *n* продово́льственная ка́рточка

food crop ['fu:dkrɒp] *n с.-х.* продово́льственная культу́ра

foodstuffs ['fu:dstʌfs] *n* продово́льствие, проду́кты пита́ния

fool I [fu:l] **1.** *n* 1) дура́к, глупе́ц; to make a ~ of smb. одура́чить кого́-л.; to make a ~ of oneself поста́вить себя́ в глу́пое положе́ние, сваля́ть дурака́; to play the ~ валя́ть дурака́; to play the ~ with а) дура́чить, обма́нывать; б) по́ртить 2) *ист.* шут ◇ no ~ like an old ~ ≅ седина́ в бо́роду, а бес в ребро́; to be a ~ for one's pains напра́сно потруди́ться

2. *a амер. разг.* глу́пый, безрассу́дный

3. *v* дура́чить(ся); одура́чивать; обма́нывать □ ~ **about** зря болта́ться; ~ **after** волочи́ться за *кем-л.*; ~ **around** = ~ about; ~ **away** тра́тить зря; упуска́ть *(случай)*; to ~ away one's time по́пусту тра́тить вре́мя; ~ **out** добива́ться обма́ном (of — у); ~ **with** забавля́ться, игра́ть

fool II [fu:l] *n* кисе́ль; gooseberry ~ крыжо́венный кисе́ль со сби́тыми сли́вками

foolery ['fu:lərɪ] *n* 1) дура́чество 2) глу́пый посту́пок

foolhardy ['fu:lhɑ:dɪ] *a* 1) безрассу́дно хра́брый 2) лю́бящий риск

foolish ['fu:lɪʃ] *a* глу́пый; безрассу́дный; дура́шливый

foolishness ['fu:lɪʃnəs] *n* глу́пость, безрассу́дство

foolproof ['fu:lpru:f] *n разг.* 1) несло́жный, поня́тный всем и ка́ждому 2) безопа́сный, защищённый от неосторо́жного *или* неуме́лого обраще́ния 3) ве́рный *(о деле)*

foolscap, fool's cap ['fu:lskæp] *n* 1) форма́т бума́ги *(13 д. х 17 д.)* 2) шутовско́й колпа́к

fool's gold ['fu:lzgəuld] *n мин.* пири́т *(иногда принимаемый за золото)*

fool's paradise [,fu:lz'pærədaɪs] *n* беззабо́тное существова́ние

foot [fut] **1.** *(pl* feet) 1) ступня́; нога́ *(ниже щиколотки)*; ла́па *(животного)*; to be on one's feet быть на нога́х, опра́виться по́сле боле́зни; *перен.* стоя́ть на свои́х нога́х, быть самостоя́тельным, материа́льно обеспе́ченным 2) носо́к *(чулка)* 3) основа́ние, опо́ра, подно́жие; the ~ of a staircase основа́ние ле́стницы 4) ни́жняя часть, ни́жний край; at the ~ (of the bed) в нога́х (крова́ти); at the ~ of a page (of a table) в конце́ страни́цы (стола́) 5) но́жка *(мебели)*; подно́жка, сто́йка 6) шаг, похо́дка, по́ступь; at a ~'s pace ша́гом; fleet *(или* swift) of ~ *поэт.* быстроно́гий; light (heavy) ~ лёгкая (тяжёлая) по́ступь; on ~ пешко́м; *перен.* в движе́нии, в ста́дии приготовле́ния; to put one's best ~ forward а) прибáвить шáгу, поторопи́ться; б) дéлать всё возмóжное; to run a good ~ хорошó бежáть (*о лошади*) 7) (*pl часто без измен.*) фут (= *30,48 см*); cubic ~ куби́ческий фут; a square ~ of land пядь земли́ 8) *прос.* стопá 9) *воен. уст.* пехóта 10) (*pl* -s [-s]) осáдок; подóнки ◇ to be on ~ проекти́роваться; to put one's feetaup безде́льнигать; to set (*или* to put, to have) one's ~ on the neck of smb. порабоги́ть когó-л.; to sweep (*или* carry) smb. off his feet вы́звать чей-л. востóрг; си́льно взволновáть, возбуди́ть когó-л.; to fall on one's feet счáстливо отдéлаться, удáчно вы́йти из трýдного положéния; to put one's ~ down *разг.* заня́ть твёрдую пози́цию; приня́ть твёрдое решéние; реши́тельно воспроти́виться; to put one's ~ in (*или* into) it *разг.* вли́пнуть, обмишýлиться; соверши́ть бестáктный постýпок; сесть в лýжу; to know (*или* to get, to find, to have, to take) the length of smb.'s ~ узнáть чью-л. слáбость, раскуси́ть человéка; under ~ на землé, под ногáми; my ~! (какáя) чепухá! как бы не так!

2. *v* 1) (*обыкн.* ~ it) идти́ пешкóм 2) (*обыкн.* ~ it) танцевáть 3) оплáчивать (*расходы*); to ~ the bill заплати́ть по счёту [*см. тж.* 4)] 4) подытóживать; подсчи́тывать; to ~ the bill испы́тывать на себé послéдствия, расплáчиваться [*см. тж.* 3)] 5) надвя́зывать (*чулок*) 6) составля́ть, достигáть; his losses ~ up to £ 100 егó убы́ток достигáет 100 фýнтов (стéрлингов) 7) *разг.* лягáть

footage ['fʊtɪdʒ] *n* 1) длинá *или* расстоя́ние в фýтах 2) коли́чество плёнки, предназнáченной для покáза, передáчи *и т. п.*

foot-and-mouth disease [,fʊtn-'maʊθdɪzi:z] *n вет.* я́щур

football ['fʊtbɔ:l] *n* 1) футбóл 2) футбóльный мяч 3) актуáльная проблéма (*являющаяся предметом постоянных споров и разногласий*)

footballer ['fʊtbɔ:lə] *n* футболи́ст

football-player ['fʊtbɔ:l,pleɪə] = footballer

footbath ['fʊtbɑ:θ] *n* ножнáя вáнна

footboard ['fʊtbɔ:d] *n* 1) поднóжка (*экипажа, железнодорожного вагона, автомобиля*); запя́тки; ступéнька 2) изнóжье (*кровати*)

foot brake ['fʊtbreɪk] *n* ножнóй тóрмоз

footbridge ['fʊtbrɪdʒ] *n* пешехóдный мóстик

footer ['fʊtə] *n разг.* футбóл

-footer [-fʊtə] *в сложных словах означает столько-то* фýтов рóстом; *напр.*: a six-~ человéк шести́ фýтов рóстом

footfall ['fʊtfɔ:l] *n* 1) звук шагóв 2) пóступь

foot fault ['fʊtfɔ:lt] *n* потéря подáчи из-за непрáвильного положéния ног подающего (*в теннисе*), зашáг

foot-gear ['fʊtgɪə] *n собир.* 1) óбувь 2) чулки́ и носки́

Foot Guards ['fʊtgɑ:dz] *n pl* гвардéйская пехóта

foothill ['fʊthɪl] *n* предгóрье

foothold ['fʊthəʊld] *n* 1) опóра для ноги́ 2) тóчка опóры; опóрный пункт, плацдáрм; to gain a ~ стать твёрдой ногóй, утверди́ться, укрепи́ться

footing ['fʊtɪŋ] **1.** *pres. p. от* foot 2

2. *n* 1) опóра для ноги́; to lose one's ~ поскользнýться, оступи́ться 2) прóчное положéние (*в обществе, учреждении и т. п.*); to get (*или* to gain) a ~ in society приобрести́ положéние в óбществе 3) оснoвáние, фундáмент, опóра 4) взаимоотношéния; on an equal ~ на рáвных оснoвáниях 5) итóг, сýмма столбцá цифр ◇ to pay (for) one's ~ *уст.* а) сдéлать вступи́тельный взнос (*в виде дара, для организации вечеринки и т. п.*); б) постáвить магары́ч; to put on a war ~ приводи́ть в боевýю готóвность; переводи́ть на воéнное положéние

footle ['fu:tl] *разг.* **1.** *n* болтовня́, ерундá; глýпость

2. *v* дури́ть, болтáть чепухý

footless ['fʊtləs] *a* 1) безнóгий 2) лишённый оснoвáния 3) *разг.* неуклюжий; бестолкóвый

footlights ['fʊtlaɪts] *n pl театр.* огни́ рáмпы; рáмпа; to appear before the ~ выступáть на сцéне; стать актёром; to get across the ~ имéть успéх, понрáвиться пýблике (*о пьесе, спектакле*)

footling ['fu:tlɪŋ] *a разг.* пустякóвый

footloose ['fʊtlu:s] *a* свобóдный, незави́симый; ~ and fancy free ≅ свобóден, как вóльная птáшка

footman ['fʊtmən] *n* 1) (ливрéйный) лакéй 2) *уст.* пехоти́нец

footmark ['fʊtmɑ:k] *n* след, отпечáток (ноги́)

footnote ['fʊtnəʊt] **1.** *n* подстрóчное примечáние; снóска

2. *v* снабжáть подстрóчными примечáниями

footpace ['fʊtpeɪs] *n* шаг; at (a) ~ шагом

footpad ['fʊtpæd] *n ист.* разбóйник

foot-passenger ['fʊt,pæsɪndʒə] *n* пешехóд

foot path ['fʊtpɑ:θ] *n* пешехóдная дорóжка, тропи́нка

foot plate ['fʊtpleɪt] *n* 1) площáдка машини́ста паровóза 2) *attr.* паровóзный; ~ crew паровóзная бригáда

foot-pound [,fʊt'paʊnd] *n тех.* футофýнт

footprint ['fʊtprɪnt] *n* след, отпечáток (ноги́)

footrace ['fʊtreɪs] *n* состязáние по ходьбé

footrule ['fʊtru:l] *n* складнóй фут

footsie ['fʊtsɪ] *n разг.*: to play ~ заи́грывать (*с кем-л.*)

footslog ['fʊtslɒg] *v* идти́ *или* шагáть (*особ. большое расстояние*)

footslogger ['fʊtslɒgə] *n разг.* 1) пехоти́нец 2) пешехóд

foot soldier ['fʊtsəʊldʒə] *n* пехоти́нец

footsore ['fʊtsɔ:] *a* со стёртыми ногáми

footstalk ['fʊtstɔ:k] *n бот.* стéбель

footstep ['fʊtstep] *n* 1) шаг, пóступь, похóдка; to follow in smb.'s ~s идти́ по чьим-л. стопáм 2) звук шагóв 3) след (*ноги*) 4) поднóжка, ступéнька

footstool ['fʊtstu:l] *n* скамéечка для ног

footway ['fʊtweɪ] *n* 1) пешехóдная дорóжка; тротуáр 2) *горн.* лéстница (*в шахте*)

footwear ['fʊtweə] = foot-gear

footwork ['fʊtwɜ:k] *n* рабóта ног (*в спорте, танцах и т. п.*)

footworn ['fʊtwɔ:n] *a* 1) устáлый (*о путнике*) 2) исхóженный, утóптанный (*о тропинке и т. п.*)

foozle ['fu:zl] *разг.* **1.** *n* 1) неудáчный удáр (*в гольфе*) 2) *амер.* дурáк

2. *v* 1) дéлать неудáчный удáр (*в гольфе*) 2) дéлать кóе-кáк (*что-л.*)

fop [fɒp] *n* фат, щёголь, хлыщ

foppery ['fɒpərɪ] *n* фатовствó, щегольствó

foppish ['fɒpɪʃ] *a* фатовáтый, пустóй

for [fɔ: (*полная форма*); fə (*редуцированная форма*)] **1.** *prep* 1) для, рáди; *передаётся тж. дательным падежом*; ~ my sake рáди меня́; it is very good ~ you вам óчень полéзно; ~ children для детéй; ~ sale для продáжи 2) за; we are ~ peace мы за мир 3) рáди, за (*о цели*); just ~ fun рáди шýтки; to send ~ a doctor послáть за врачóм 4) прóтив, от; medicine ~ a cough лекáрство от кáшля 5) в направлéнии; к; to start ~ напрáвиться в 6) из-за, за, по причи́не, вслéдствие; ~ joy от рáдости; to dance ~ joy плясáть от рáдости; ~ many reasons по мнóгим причи́нам; famous ~ smth. знамени́тый чем-л. 7) в течéние, в продолжéние; to last ~ an hour дли́ться час; to wait ~ years ждать годáми 8) на расстоя́ние; to run ~ a mile бежáть ми́лю 9) вмéсто, в обмéн; за (*что-л.*); I got it ~ 5 dollars я купи́л э́то за пять дóлларов; will you please act ~ me in the matter? прошý вас заня́ться э́тим вопрóсом вмéсто меня́ 10) на (*определённый момент*); the lecture was arranged ~ two o'clock лéкция былá назнáчена на 2 часá 11) в; на; ~ the first time в пéрвый раз; ~ (this) once на э́тот раз 12) от; *передаётся тж. родительным падежом;* member ~ Oxford член парлáмента от Óксфорда 13) *употр. со сложным дополнением и другими сложными членами предложения*: it seems useless ~ them to take this course им, по-ви́димому, бесполéзно идти́ по э́тому пути́; I'd have given anything ~ this not to have happened я бы мнóгое тепéрь отдáл за то, чтóбы ничегó э́того не произошлó; this is ~ you to decide вы должны́ реши́ть э́то сáми ◇ ~ all I know наскóлько мне извéстно; ~ all that несмотря́ на всё э́то; ~ all that I wouldn't talk like that и всё-таки я бы так не говори́л; as ~ me, ~ all I care что касáется меня́; he is free to do what he likes ~ all I care по мне, пусть поступáет, как хóчет; oh, ~ ...! ах, éсли бы ..!; oh, ~ a fine day! (как бы́ло бы сла́вно,) е́сли бы вы́пал хоро́ший, я́сный день!; to hope ~ the best наде́яться на лу́чшее; put my name down ~ two tickets запиши́те два биле́та на моё и́мя; it's too beautiful ~ words слов нет — э́то прекра́сно, э́то вы́ше вся́ких слов

2. *cj* и́бо; ввиду́ того́, что

forage [ˈfɒrɪdʒ] **1.** *n* 1) фура́ж, корм 2) *воен.* фуражиро́вка

2. *v* 1) добыва́ть продово́льствие *или* что-л. необходи́мое; to ~ (about) for a meal оты́скивать ме́сто, где мо́жно пое́сть 2) опустоша́ть, гра́бить 3) *воен.* фуражи́ровать

forage-cap [ˈfɒrɪdʒkæp] *n* пило́тка

forager [ˈfɒrɪdʒə] *n* фуражи́р

foramen [fəˈreɪmen] *n* (*pl* -mina, -mens [-menz]) *анат.*, *зоол.*, *бот.* отве́рстие, кана́л, прохо́д

foramina [fəˈræmɪnə] *pl от* foramen

forasmuch [fərəzˈmʌtʃ] *adv*: ~ as ввиду́ того́ что, поско́льку

foray [ˈfɒreɪ] **1.** *n* набе́г; мародёрство

2. *v* производи́ть граби́тельский набе́г

forbad [fəˈbæd] *редк. past от* forbid

forbade [fəˈbæd] *past от* forbid

forbear I [ˈfɔːbeə] *n* (*обыкн. pl*) пре́док

forbear II [fɔːˈbeə] *v* (forbore; forborne) *книжн.* 1) возде́рживаться (from) 2) быть терпели́вым; to bear and ~ быть терпели́вым и терпи́мым

forbearance [fɔːˈbeərəns] *n* 1) возде́ржанность 2) снисходи́тельность, терпи́мость

forbid [fəˈbɪd] *v* (forbad, forbade; forbidden) запреща́ть; не позволя́ть; to ~ smb. the country запрети́ть кому́-л. въезд в страну́; to ~ the house отказа́ть от до́ма; time ~s вре́мя не позволя́ет; I am ~den tobacco мне запрещено́ кури́ть ◇ God ~! Бо́же упаси́!

forbidden [fəˈbɪdn] **1.** *p. p. от* forbid

2. *a* запре́тный; запрещённый ◇ ~ fruit запре́тный плод; ~ ground запре́тная те́ма (разгово́ра)

forbidding [fəˈbɪdɪŋ] **1.** *pres. p. от* forbid

2. *a* 1) непривлека́тельный, отта́лкивающий; a ~ look отта́лкивающая вне́шность 2) угрожа́ющий; стра́шный 3) непристу́пный; a ~ coast непристу́пный бе́рег; his attitude was ~ он держа́л себя́ непристу́пно

forbore [fɔːˈbɔː] *past от* forbear II

forborne [fɔːˈbɔːn] *p. p. от* forbear II

force [fɔːs] **1.** *n* 1) си́ла; by ~ си́лой, наси́льно; by ~ of (arms) си́лой, посре́дством (ору́жия); he did it by ~ of habit он сде́лал э́то в си́лу привы́чки 2) наси́лие, принужде́ние; brute ~ гру́бая си́ла, наси́лие 3) вооружённый отря́д 4): the ~ поли́ция 5) (*обыкн. pl*) вооружённые си́лы, войска́ 6) си́ла, де́йствие (*закона, постановления и т. п.*); to come into ~ вступа́ть в си́лу; to put in ~ вводи́ть в де́йствие, осуществля́ть, проводи́ть в жизнь; to remain in ~ остава́ться в си́ле, де́йствовать 7) влия́ние, де́йственность, убеди́тельность; by ~ of circumstances в си́лу обстоя́тельств; there is ~ in what you say вы говори́те убеди́тельно 8) смысл, значе́ние; the ~ of a clause смысл статьи́ (*договора*) 9) *физ.* си́ла; ~ of gravity си́ла тя́жести; земно́е притяже́ние ◇ to come in full ~ прибы́ть в по́лном соста́ве

2. *v* 1) заставля́ть, принужда́ть; навя́зывать; to ~ a confession вы́нудить призна́ние; to ~ a smile вы́давить улы́бку; заста́вить себя́ улыбну́ться; to ~ tears from smb.'s eyes заста́вить кого́-л. распла́каться, довести́ кого́-л. до слёз; to ~ an action а) *воен.* навяза́ть бой; б) вы́нудить (*кого-л.*) сде́лать что-л.; to ~ a division потре́бовать голосова́ния (*особ. в англ. парламенте*) 2) брать си́лой, форси́ровать; to ~ a lock взлома́ть замо́к; to ~ one's way проложи́ть себе́ доро́гу; to ~ a crossing *воен.* форси́ровать во́дную прегра́ду 3) *тех.* вставля́ть с си́лой 4) форси́ровать (*ход*); перегружа́ть маши́ну 5) ускоря́ть (*движение*); добавля́ть оборо́ты 6) напряга́ть, наси́ловать; to ~ one's voice напряга́ть го́лос 7) выводи́ть, выра́щивать ▭ ~ in а) продави́ть; б) вти́снуться; ~ into вти́снуть; to ~ into application вводи́ть, насажда́ть ◇ to ~ down the throat навяза́ть (*что-л.*) си́лой; to ~ smb.'s hand заставля́ть кого́-л. де́йствовать неме́дленно, вопреки́ его́ жела́нию; толка́ть (*на что-л.*), подта́лкивать; to ~ up prices вздува́ть, взви́нчивать це́ны

forced [fɔːst] **1.** *p. p. от* force 2

2. *a* 1) принуди́тельный; ~ landing *ав.* вы́нужденная поса́дка 2) натя́нутый (*об улыбке*); аффекти́рованный, притво́рный; неесте́ственный 3) *воен.* форси́рованный 4) *тех.* форси́рованный; принуди́тельный; ~ draught иску́сственная тя́га

forcedly [ˈfɔːsɪdlɪ] *adv* вы́нужденно; принужде́нно

force-feed [ˌfɔːsˈfiːd] *v* принуди́тельно корми́ть (*особ. заключённого*)

forceful [ˈfɔːsfl] *a* 1) си́льный 2) де́йственный, убеди́тельный

force-land [ˈfɔːslænd] *v ав.* соверша́ть вы́нужденную поса́дку

forceless [ˈfɔːsləs] *a* бесси́льный

force majeure [ˌfɔːsmæˈʒɜː] *фр. n* 1) *юр.* непреодоли́мая си́ла, форс-мажо́р 2) непредви́денные обстоя́тельства, поме́шавшие выполне́нию усло́вий контра́кта

forcemeat [ˈfɔːsmiːt] *n* фарш

forceps [ˈfɔːseps] *n* (*употр. как sing и как pl*) 1) хирурги́ческие щипцы́; пинце́т 2) *attr.*: a ~ delivery наложе́ние щипцо́в (*при родах*)

force pump [ˈfɔːspʌmp] *n тех.* нагнета́тельный насо́с

forcible [ˈfɔːsəbl] *a* 1) наси́льственный 2) ве́ский, убеди́тельный (*о доводе и т. п.*); я́ркий

forcing [ˈfɔːsɪŋ] **1.** *pres. p. от* force 2

2. *n* 1) наси́лие, принужде́ние 2) стимуля́ция (*роста*); вы́гонка (*растения*) в парнике́ 3) *тех.* форси́рование 4) *attr.*: ~ bed парни́к; тепли́ца

Ford [fɔːd] *n* форд (*автомобиль*)

ford [fɔːd] **1.** *n* 1) брод 2) *уст.*, *поэт.* река́, пото́к

2. *v* переходи́ть вброд

fore [fɔː] **1.** *n мор.* нос, носова́я часть су́дна ◇ to the ~ а) поблизости; б) налицо́ (*о деньгах и т. п.*); в) впереди́, на пере́днем пла́не; заме́тный; to come to the ~ выступа́ть, выдвига́ться вперёд; he has come to the ~ recently с не́которых пор о нём заговори́ли

2. *a* пере́дний; *мор.* носово́й

3. *adv мор.* впереди́; ~ and aft на носу́ и на корме́; вдоль всего́ су́дна

fore- [fɔː-] *pref* пред-, пе́ред; *напр.*: forearm предпле́чье; to foresee предви́деть

fore-and-aft [ˌfɔːrəndˈɑːft] *a мор.* продо́льный; ~ rigged с косы́м па́русным вооруже́нием; ~ sail косо́й па́рус ◇ ~ cap *воен.* пило́тка

forearm I [ˈfɔːrɑːm] *n* предпле́чье

forearm II [fɔːrˈɑːm] *v* зара́нее вооружа́ться

forebear [ˈfɔːbeə] = forbear I

forebode [fɔːˈbəʊd] *v* 1) предвеща́ть 2) предчу́вствовать (*преим. дурное*)

foreboding [fɔːˈbəʊdɪŋ] **1.** *pres. p. от* forebode

2. *n* 1) предчу́вствие (*дурного*) 2) плохо́е предзнаменова́ние; предве́стник беды́

fore-cabin [ˈfɔːˌkæbɪn] *n мор.* 1) сало́н команди́ра 2) пассажи́рское помеще́ние 2-го кла́сса

forecast [ˈfɔːkɑːst] **1.** *n* предсказа́ние; прогно́з; population ~ демографи́ческий прогно́з; crop ~ ви́ды на урожа́й

2. *v* (forecast, forecasted [-ɪd]) предви́деть, предсказывать

forecastle [ˈfəʊksl] *n мор.* бак; полуба́к; носово́й ку́брик (*для матросов*)

foreclose [fɔːˈkləʊz] *v* 1) *юр.* исключа́ть, лиша́ть пра́ва по́льзования 2) *юр.* лиша́ть пра́ва вы́купа зало́женного иму́щества 3) предреша́ть (*вопрос*)

foreclosure [fɔːˈkləʊʒə] *n юр.* лише́ние пра́ва вы́купа зало́женного иму́щества

forecourt [ˈfɔːkɔːt] *n* вне́шний двор (*перед домом*)

foredoom [fɔːˈduːm] *v* (*обыкн. pass.*) 1) предреша́ть (*судьбу*); предопределя́ть 2) обрека́ть (to); it was an attempt ~ed to failure э́та попы́тка была́ обречена́ на неуда́чу

fore-edge [ˈfɔːredʒ] *n* пере́дний обре́з кни́ги

forefather [ˈfɔːfɑːðə] *n* (*преим. pl*) пре́док; Forefathers' Day *амер.* годовщи́на вы́садки англи́йских колони́стов на америка́нском берегу́ (*21 декабря 1620 г.*), пра́зднуемая 22 декабря́

forefinger [ˈfɔːfɪŋgə] *n* указа́тельный па́лец

forefoot [ˈfɔːfʊt] *n* пере́дняя нога́ *или* ла́па

forefront [ˈfɔːfrʌnt] *n* 1) *воен.* передова́я ли́ния (фро́нта); пере́дний край 2) важне́йшее ме́сто, центр де́ятельности; to bring to the ~, to place in the ~ выдвига́ть на пере́дний план

forego [fɔ:ˈgəʊ] *v* (forewent; foregone) 1) предше́ствовать 2) = forgo

foregoing [fɔ:ˈgəʊɪŋ] 1. *pres. p. om* forego

2. *a* предше́ствующий, упомя́нутый вы́ше

foregone [fɔ:ˈgɒn] 1. *p. p. om* forego

2. *a* изве́стный *или* при́нятый зара́нее; ~ conclusion предрешённый вы́вод, зара́нее изве́стное реше́ние

foreground [ˈfɔ:graʊnd] *n* 1) пере́дний план (*карти́ны*) 2) са́мое ви́дное ме́сто; to keep oneself in the ~ держа́ться на виду́ 3) *театр.* авансце́на

forehand [ˈfɔ:hænd] 1. *n* 1) уда́р спра́ва (*те́ннис*) 2) пере́дняя часть ко́рпуса ло́шади (*пе́ред вса́дником*)

2. *a* заблаговре́менный

forehanded [ˈfɔ:hændɪd] *a* 1) своевре́менный, заблаговре́менный 2) *амер.* расчётливый, предусмотри́тельный 3) *амер.* преуспева́ющий

forehead [ˈfɒrɪd] *n* лоб

foreign [ˈfɒrən] *a* 1) иностра́нный; зарубе́жный; ~ policy вне́шняя поли́тика; ~ problems вопро́сы вне́шней поли́тики; the F. Office министе́рство иностра́нных дел (*в А́нглии*); F. Secretary мини́стр иностра́нных дел (*в А́нглии*); ~ service дипломати́ческая слу́жба; ~ economic relations внешнеэкономи́ческие свя́зи; ~ exchange иностра́нная валю́та 2) чужо́й, нзде́шний 3) чу́ждый; lying is ~ to his nature ложь не в его́ хара́ктере 4) *мед., хим.* иноро́дный 5) не относя́щийся к де́лу; несоотве́тствующий; ~ to the matter in hand не име́ющий отноше́ния к да́нному вопро́су

foreigner [ˈfɒrənə] *n* 1) иностра́нец 2) *диал.* чужо́й (челове́к) 3) *разг.* иностра́нный кора́бль 4) *разг.* расте́ние, живо́тное *и т. п.*, вы́везенное из друго́й страны́

forejudge [fɔ:ˈdʒʌdʒ] *v* принима́ть предвзя́тое реше́ние; предреша́ть

foreknew [fɔ:ˈnju:] *past om* foreknow

foreknow [fɔ:ˈnəʊ] *v* (foreknew; foreknown) знать напере́д

foreknowledge [ˌfɔ:ˈnɒlɪdʒ] *n* предви́дение

foreknown [fɔ:ˈnəʊn] *p. p. om* foreknow

foreland [ˈfɔ:lənd] *n* 1) мыс 2) прибре́жная, примо́рская полоса́; коса́

foreleg [ˈfɔ:leg] *n* пере́дняя нога́ *или* ла́па

forelock [ˈfɔ:lɒk] *n* прядь воло́с на лбу; хохо́л; чуб ◇ to take time (*или* occasion) by the ~ воспо́льзоваться слу́чаем; испо́льзовать благоприя́тный моме́нт; не зева́ть

foreman [ˈfɔ:mən] *n* 1) ма́стер; ста́рший рабо́чий; деся́тник; проро́б, те́хник; нача́льник це́ха; *горн.* штейгер 2) *юр.* старшина́ прися́жных

foremast [ˈfɔ:mɑ:st] *n мор.* фок-ма́чта

foremilk [ˈfɔ:mɪlk] *n* моло́зиво

foremost [ˈfɔ:məʊst] 1. *a* 1) пере́дний, передово́й; head ~ голово́й вперёд 2) са́мый гла́вный, выдаю́щийся; ~ authority крупне́йший специали́ст

2. *adv* на пе́рвом ме́сте; пре́жде всего́; во-пе́рвых, в пе́рвую о́чередь (*обыкн.* first and ~)

forename [ˈfɔ:neɪm] *n* и́мя (*в отли́чие от фами́лии на бла́нках, анке́тах и т. п.*)

forenamed [ˈfɔ:neɪmd] *a* вышеупомя́нутый

forenoon [ˈfɔ:nu:n] *n мор., юр.* вре́мя до полу́дня; у́тро

forensic [fəˈrensɪk] *a* суде́бный; ~ medicine суде́бная медици́на; ~ eloquence красноре́чие адвока́та

foreordain [ˌfɔ:rɔ:ˈdeɪn] *v* предопределя́ть

forepart [ˈfɔ:pɑ:t] *n* 1) пере́дняя часть 2) пе́рвая часть

foreplay [ˈfɔ:pleɪ] *n* любо́вная игра́, эроти́ческое стимули́рование

forerun [fɔ:ˈrʌn] *v* (foreran; forerun) предше́ствовать; предвеща́ть

forerunner [ˈfɔ:rʌnə] *n* 1) предте́ча 2) предве́стник

foresail [ˈfɔ:seɪl] *n мор.* фок

foresaw [fɔ:ˈsɔ:] *past om* foresee

foresee [fɔ:ˈsi:] *v* (foresaw; foreseen) предви́деть

foreseeable [fɔ:ˈsi:əbl] *a* поддаю́щийся предви́дению

foreseen [fɔ:ˈsi:n] *p. p. om* foresee

foreshadow [fɔ:ˈʃædəʊ] *v* предзнаменова́ть, предвеща́ть; to be ~ed намеча́ться

foreshore [ˈfɔ:ʃɔ:] *n* берегова́я полоса́, затопля́емая прили́вом

foreshorten [fɔ:ˈʃɔ:tn] *v* рисова́ть *или* черти́ть в перспекти́ве *или* ра́курсе

foreshow [fɔ:ˈʃəʊ] *v* (foreshowed [-d]; foreshown) предска́зывать, предвеща́ть

foreshown [fɔ:ˈʃəʊn] *p. p. om* foreshow

foresight [ˈfɔ:saɪt] *n* 1) предви́дение 2) предусмотри́тельность 3) *воен.* му́шка

foreskin [ˈfɔ:skɪn] *n анат.* кра́йняя плоть

forest [ˈfɒrɪst] 1. *n* 1) лес 2) *юр.* запове́дник (*для охо́ты*); зака́зник 3) *attr.* лесно́й; ~ conservation охра́на лесо́в; ~ shelter belt полезащи́тная лесна́я полоса́

2. *v* заса́живать ле́сом

forestall [fɔ:ˈstɔ:l] *v* 1) предупрежда́ть, предвосхища́ть; опережа́ть, забега́ть вперёд 2) *уст.* скупа́ть това́ры *или* препя́тствовать их поступле́нию на ры́нок с це́лью повыше́ния цен

forester [ˈfɒrɪstə] *n* 1) лесни́к, лесни́чий 2) обита́тель лесо́в

forestry [ˈfɒrɪstrɪ] *n* 1) лесово́дство; лесно́е хозя́йство 2) лесни́чество 3) леса́, лесны́е масси́вы

foretaste 1. *n* [ˈfɔ:teɪst] предвкуше́ние

2. *v* [fɔ:ˈteɪst] предвкуша́ть

foretell [fɔ:ˈtel] *v* (foretold) предска́зывать

forethought [ˈfɔ:θɔ:t] *n* предусмотри́тельность; уме́ние рассчита́ть зара́нее

forethoughtful [fɔ:ˈθɔ:tfl] *a* предусмотри́тельный

foretime [ˈfɔ:taɪm] *n* ста́рые времена́; бы́лые дни; про́шлое

foretoken 1. *n* [ˈfɔ:ˌtəʊkən] плохо́е предзнаменова́ние

2. *v* [fɔ:ˈtəʊkən] предвеща́ть

foretold [fɔ:ˈtəʊld] *past и p. p. om* foretell

foretooth [ˈfɔ:tu:θ] *n* пере́дний зуб

forever [fərˈevə] *adv* 1) постоя́нно; беспреста́нно 2) навсегда́

forewarn [fɔ:ˈwɔ:n] *v* предостерега́ть ◇ ~ed is forearmed *посл.* кто предостережён, тот вооружён

forewent [fɔ:ˈwent] *past om* forego

forewoman [ˈfɔ:wʊmən] *n* 1) же́нщина-деся́тник; же́нщина-те́хник; же́нщина-ма́стер 2) *юр.* старшина́ же́нщин-прися́жных

foreword [ˈfɔ:wɜ:d] *n* предисло́вие

forfeit [ˈfɔ:fɪt] 1. *n* 1) распла́та (*за просту́пок и т. п.*); штраф 2) фант; *pl* игра́ в фа́нты 3) конфиско́ванная вещь 4) конфиска́ция; поте́ря (*чего-л.*)

2. *a* конфиско́ванный

3. *v* поплати́ться (*чем-л.*); потеря́ть пра́во (*на что-л.*)

forfeiture [ˈfɔ:fɪtʃə] *n* 1) поте́ря 2) конфиска́ция

forfend [fɔ:ˈfend] *v* 1) *амер.* предохраня́ть 2) *уст.* отводи́ть; отвраща́ть

forgather [fɔ:ˈgæðə] *v* собира́ться, встреча́ться

forgave [fəˈgeɪv] *past om* forgive

forge I [fɔ:dʒ] 1. *n* 1) ку́зница 2) (кузне́чный) горн

2. *v* 1) подде́лывать (*докуме́нт, по́дпись и т. п.*) 2) выду́мывать, изобрета́ть 3) кова́ть, выко́вывать

forge II [fɔ:dʒ] *v* постепе́нно обгоня́ть; постепе́нно выходи́ть на пе́рвое ме́сто; возглавля́ть, лиди́ровать (*о бегуне́ и т. п.*) (*тж.* ~ ahead)

forger [ˈfɔ:dʒə] *n* 1) тот, кто подде́лывает докуме́нты, по́дписи *и т. п.* 2) фальшивомоне́тчик 3) кузне́ц

forgery [ˈfɔ:dʒərɪ] *n* 1) подде́лывание (*докуме́нта и т. п.*) 2) подло́г, подде́лка (*особ. докуме́нта или по́дписи*)

forget [fəˈget] *v* (forgot; forgotten) забыва́ть; to ~ oneself а) забыва́ть себя́, ду́мая то́лько о други́х; б) забы́ться; в) забыва́ться, вести́ себя́ недосто́йно ◇ ~ it! не обраща́йте внима́ния!, пустяки́!; не сто́ит благода́рности!, пожа́луйста!

forgetful [fəˈgetfl] *a* 1) забы́вчивый; he is ~ of dates у него́ плоха́я па́мять на да́ты 2) невнима́тельный, небре́жный; ~ of one's duties пло́хо по́мнящий о свои́х обя́занностях

forget-me-not [fəˈgetmɪnɒt] *n* незабу́дка

forgivable [fəˈgɪvəbl] *a* прости́тельный

forgive [fəˈgɪv] *v* (forgave; forgiven) 1) проща́ть 2) не тре́бовать, не взы́скивать (долг)

forgiven [fəˈgɪvn] *p. p. om* forgive

forgiveness [fəˈgɪvnəs] *n* проще́ние

forgiving [fəˈgɪvɪŋ] 1. *pres. p. om* forgive

2. *а* снисходи́тельный, всепроща́ющий

forgo [fɔ:ˈɡəʊ] *v* (forwent; forgone) отка́зываться, возде́рживаться (*от чего-л.*); to ~ one's custom оста́вить привы́чку

forgone [fɔ:ˈɡɒn] *p. p. от* forgo

forgot [fəˈɡɒt] *past от* forget

forgotten [fəˈɡɒtn] **1.** *p. p. от* forget

2. *а* забы́тый; the ~ man *разг.* неуда́чник, па́сынок судьбы́

forint [ˈfɒrɪnt] *n* фо́ринт (*денежная единица Венгрии*)

fork [fɔ:k] **1.** *n* 1) ви́лка 2) рога́тина; ви́лы 3) камерто́н 4) разветвле́ние; ответвле́ние 5) разви́лка (*дорог*), распу́тье 6) рука́в (*реки*) 7) ви́лка (*велосипеда*) 8) пах ◇ ~s of flame языки́ пла́мени

2. *v* 1) рабо́тать ви́лами 2) разветвля́ться ▭ ~ out *sl.* раскошéлиться; ~ up = ~ out

forked [fɔ:kt] **1.** *p. p. от* fork 2

2. *а* раздво́енный; разветвлённый; вилкообра́зный; ~ lightning зигзагообра́зная мо́лния

forklift [ˈfɔ:klɪft] *n* грузоподъёмник (*тж.* ~ truck)

forlorn [fəˈlɔ:n] *а* несча́стный, забро́шенный; одино́кий, поки́нутый ◇ ~ hope а) о́чень сла́бая наде́жда; б) безнадёжное предприя́тие (*тж. воен.*); в) *воен.* отря́д, выполня́ющий опа́сное зада́ние *или* обречённый на ги́бель

form [fɔ:m] **1.** *n* 1) фо́рма; вне́шний вид; очерта́ние; it the ~ of a globe в фо́рме ша́ра; to take the ~ of smth. приня́ть фо́рму чего́-л. 2) фигу́ра (*особ. человека*) 3) вид, разнови́дность 4) образе́ц, бланк; анке́та 5) класс (*в школе*) 6) поря́док; общепри́нятая фо́рма; in due ~ в до́лжной фо́рме, по всем пра́вилам 7) форма́льность, этике́т, церемо́ния; good (bad) ~ хоро́ший (дурно́й) тон, хоро́шие (плохи́е) мане́ры 8) состоя́ние, гото́вность; the horse is in ~ ло́шадь вполне́ подгото́влена к бега́м; in (good) ~ а) «в фо́рме» (*о спортсмене*); б) в уда́ре 9) *sl.* досье́ престу́пника 10) *грам.* фо́рма 11) *иск.* фо́рма, вид; literary ~ литерату́рная фо́рма 12) скамья́ 13) *полигр.* печа́тная фо́рма 14) нора́ (*зайца*) 15) *тех.* фо́рма, моде́ль 16) *стр.* опа́лубка 17) *ж.-д.* формирова́ние (*поездов*) 18) *воен.* формирова́ние, построе́ние

2. *v* 1) придава́ть *или* принима́ть фо́рму, вид; to ~ a vessel out of clay вы́лепить сосу́д из гли́ны 2) формирова́ть(ся), образо́вывать(ся); стро́иться 3) создава́ть(ся), образо́вывать(ся); I can ~ no idea of his character не могу́ соста́вить себе́ представле́ния о его́ хара́ктере 4) воспи́тывать, выраба́тывать (*характер, качества и т. п.*); дисциплини́ровать; тренирова́ть 5) *воен.* формирова́ть (*части*) 6) составля́ть; parts ~ a whole ча́сти образу́ют це́лое 7) *ж.-д.* формирова́ть (*поезда*) 8) *тех.* формова́ть

formal [ˈfɔ:ml] **1.** *n амер.* 1) вече́рнее пла́тье 2) официа́льный приём

2. *а* 1) вы́полненный по устано́вленной фо́рме; ~ dress вече́рнее пла́тье 2) официа́льный; ~ call официа́льный визи́т; ~ permission официа́льное разреше́ние 3) пра́вильный, соотве́тствующий пра́вилам; симметри́чный; ~ garden(s) англи́йский парк 4) форма́льный; номина́льный; ~ acquiescence форма́льное согла́сие 5) относя́щийся к вне́шней фо́рме, вне́шний; ~ resemblance вне́шнее схо́дство

formaldehyde [fɔ:ˈmældɪhaɪd] *n хим.* формальдеги́д

formalin [ˈfɔ:məlɪn] *n* формали́н

formalism [ˈfɔ:məl,ɪzəm] *n* 1) формали́зм; педанти́чность 2) *иск.* формали́зм 3) *рел.* обря́довость

formalist [ˈfɔ:mlɪst] *n* формали́ст; педа́нт

formality [fɔ:ˈmælətɪ] *n* 1) соблюде́ние устано́вленных норм и пра́вил; педанти́чность 2) форма́льность; legal formalities юриди́ческие форма́льности; a mere ~ чи́стая форма́льность

formalize [ˈfɔ:məlaɪz] *v* 1) оформля́ть; придава́ть определённую фо́рму 2) де́йствовать официа́льно 3) подходи́ть форма́льно

format [ˈfɔ:mæt] *n* 1) форма́т кни́ги 2) фо́рма, хара́ктер (*собрания и т. п.*) 3) *вчт.* форма́т

formate [ˈfɔ:meɪt] *n хим.* соль муравьи́ной кислоты́

formation [fɔ:ˈmeɪʃn] *n* 1) образова́ние, созда́ние; формирова́ние; составле́ние 2) строе́ние, констру́кция 3) хара́ктер, строе́ние; national ~ национа́льный склад 4) *воен.* построе́ние; строй; боево́й поря́док (*войск*) 5) *геол.* форма́ция, сви́та пласто́в

formative [ˈfɔ:mətɪv] *а* 1) образу́ющий; созида́тельный; ~ influences влия́ния, формиру́ющие хара́ктер *и т. п.*; in a ~ stage в ста́дии становле́ния (*или* формирова́ния) 2) *лингв.* словообразу́ющий

forme [fɔ:m] = form 1, 15)

former I [ˈfɔ:mə] *n* 1) состави́тель; творе́ц; созда́тель 2) *эл.* карка́с кату́шки 3) *ав.* вспомога́тельная нерву́ра 4) *ж.-д.* состави́тель (*поездов*) 5) *тех.* копи́р; шабло́н; моде́ль; фасо́нный резе́ц 6) *полигр.* словоли́тчик

former II [ˈfɔ:mə] *а* 1) пре́жний, бы́вший; in ~ times в пре́жние времена́, в старину́ 2) предше́ствующий; the ~ пе́рвый (*из двух названных*)

formic [ˈfɔ:mɪk] *а хим.* муравьи́ный; ~ acid муравьи́ная кислота́

Formica [fɔ:ˈmaɪkə] *n* огнеупо́рная пластма́сса (*торговая марка*)

formicary [ˈfɔ:mɪkərɪ] *n* мураве́йник

formication [,fɔ:mɪˈkeɪʃn] *n* мура́шки по те́лу

formidable [ˈfɔ:mɪdəbl] *а* 1) стра́шный, гро́зный 2) значи́тельный, внуши́тельный; ~ personality ва́жная персо́на 3) грома́дный, огро́мный, труднопреодоли́мый

formless [ˈfɔ:mləs] *а* бесфо́рменный, амо́рфный

form-master [ˈfɔ:m,mɑ:stə] *n* кла́ссный руководи́тель

formula [ˈfɔ:mjʊlə] *n* (*pl* -as [-əz], -ae) 1) фо́рмула, формулиро́вка 2) фо́рмула (*в точных науках*) 3) ло́зунг, доктри́на 4) реце́пт 5) *амер.* де́тское пита́ние

formulae [ˈfɔ:mjʊli:] *pl от* formula

formulary [ˈfɔ:mjʊlərɪ] *n* 1) *церк.* тре́бник 2) фармакологи́ческий спра́вочник

formulate [ˈfɔ:mjʊleɪt] *v* 1) выража́ть в ви́де фо́рмулы 2) формули́ровать

formulation [,fɔ:mjʊˈleɪʃn] *n* формулиро́вка, реда́кция; final ~ оконча́тельная реда́кция

formulism [ˈfɔ:mjʊlɪzəm] *n* слепо́е сле́дование фо́рмуле

fornicate [ˈfɔ:nɪkeɪt] *v уст., шутл.* вступа́ть во внебра́чную связь

fornication [,fɔ:nɪˈkeɪʃn] *n уст., шутл.* внебра́чная связь; блуд

forrader [ˈfɒrədə] *adv разг.* вперёд; (I) can't get any ~ да́льше мне не пройти́

forsake [fəˈseɪk] *v* (forsook; forsaken) 1) оставля́ть, покида́ть 2) отка́зываться (*от привычки и т. п.*)

forsaken [fəˈseɪkən] **1.** *p. p. от* forsake

2. *а* бро́шенный, поки́нутый

forsook [fəˈsʊk] *past от* forsake

forsooth [fəˈsu:θ] *adv ирон.* несомне́нно, пои́стине

forswear [fɔ:ˈsweə] *v* (forswore, forsworn) 1) отрека́ться 2): to ~ oneself ло́жно кля́сться; наруша́ть кля́тву

forswore [fɔ:ˈswɔ:] *past от* forswear

forsworn [fɔ:ˈswɔ:n] *p. p. от* forswear

fort [fɔ:t] *n* форт

forte I [ˈfɔ:teɪ] *n* си́льная сторона́ (*в человеке*); Latin is not my ~ в латы́ни я не силён

forte II [ˈfɔ:teɪ] *adv, n муз.* фо́рте

forth [fɔ:θ] **1.** *adv* 1) вперёд, да́льше; back and ~ туда́ и сюда́; взад и вперёд 2) впредь; from this time (*или* day) ~ с э́того вре́мени 3) нару́жу; to put ~ leaves покрыва́ться ли́стьями ◇ and so ~ и так да́лее

2. *prep уст.* из

forthcoming [fɔ:θˈkʌmɪŋ] **1.** *n* появле́ние, приближе́ние

2. *а* 1) *predic.* ожида́емый; the help we hoped for was not ~ по́мощь, на кото́рую мы рассчи́тывали, не поступа́ла 2) предстоя́щий, гряду́щий; приближа́ющийся; a ~ book кни́га, зака́нчивающаяся печа́танием; кни́га, кото́рая ско́ро вы́йдет 3) *разг.* обходи́тельный, приве́тливый; общи́тельный (*о человеке*)

forthright 1. *а* [ˈfɔ:θraɪt] 1) открове́нный; прямолине́йный, че́стный 2) реши́тельный

2. *adv* [fɔ:θˈraɪt] пря́мо, реши́тельно

forthwith [,fɔ:θˈwɪθ] *adv* то́тчас, неме́дленно

forties [ˈfɔ:tɪz] *n pl* 1) (the ~) сороковы́е го́ды 2) пя́тый деся́ток (*возраст между 40 и 49 годами*) ◇ the roaring ~ бу́рная зо́на Атла́нтики (*39—50° сев. широты*)

fortieth [ˈfɔ:tɪəθ] **1.** *num. ord.* сороково́й

2. *n* сороково́я часть

fortification [ˌfɔ:tɪfɪˈkeɪʃn] *n* 1) фортификáция 2) *pl* укреплéния 3) спиртовáние, креплéние (*вина*)

fortified [ˈfɔ:tɪfaɪd] **1.** *p. p. от* fortify

2. *a* 1) *воен.* укреплённый; ~ area укреплённый райóн 2) обогащённый; креплёный; ~ wine креплёное винó

fortify [ˈfɔ:tɪfaɪ] *v* 1) укреплять 2) поддéрживать (*морально, физически*) 3) *воен.* укреплять, сооружáть укреплéние 4) добавлять спирт к винý 5) подтверждáть, подкреплять (*фактами*)

fortissimo [fɔ:ˈtɪsɪməʊ] *adv, n муз.* фортиссимо

fortitude [ˈfɔ:tɪtju:d] *n* сила дýха, стóйкость

fortnight [ˈfɔ:tnaɪt] *n* две недéли; a ~ today, this day ~ рóвно чéрез две недéли; this ~ послéдние *или* послéдующие две недéли

fortnightly [ˈfɔ:tnaɪtlɪ] **1.** *a* двухнедéльный; выходящий раз в две недéли (*о журнале*); происходящий кáждые две недéли

2. *adv* раз в две недéли

fortress [ˈfɔ:trəs] *n* крéпость

fortuitous [fɔ:ˈtju:ɪtəs] *a* случáйный; удáчный

fortuity [fɔ:ˈtju:ɪtɪ] *n* случáйность; слýчай

fortunate [ˈfɔ:tʃənət] *a* счастливый, удáчный; благоприятный; if one is ~ в слýчае удáчи; в лýчшем слýчае

fortunately [ˈfɔ:tʃənətlɪ] *adv* к счáстью, по счастливой случáйности; ~ it didn't rain к счáстью, нé было дождя

fortune [ˈfɔ:tʃən] **1.** *n* 1) удáча; счáстье; счастливый слýчай; bad (*или* ill) ~ несчáстье, неудáча; by good ~ по счастливой случáйности; to seek one's ~ искáть счáстья 2) судьбá; to read smb.'s ~, to tell ~s гадáть; to tell smb. his ~ предсказáть комý-л. судьбý 3) богáтство, состояние; a man of ~ богáч; to come into a ~ получить наслéдство; to make a ~ разбогатéть; to marry a ~ жениться на деньгáх; a small ~ *разг.* ≅ цéлое состояние, большáя сýмма

2. *v уст., поэт.* 1) случáться 2) наткнýться (upon)

fortune hunter [ˈfɔ:tʃən,hʌntə] *n разг.* охóтник за придáным, искáтель богáтых невéст

fortuneless [ˈfɔ:tʃənləs] *a* 1) незадáчливый; несчáстный 2) бéдный

fortune-teller [ˈfɔ:tʃən,telə] *n* гадáлка, ворожея

forty [ˈfɔ:tɪ] **1.** *num. card.* сóрок; ~-one сóрок один; ~-two сóрок два *и т. д.* ◇ ~ winks корóткий (послеобéденный) сон; the F.-five якобитское восстáние 1745 г.

2. *n* 1) сóрок (*единиц, штук*)

forty-niner [ˌfɔ:tɪˈnaɪnə] *n амер. разг.* золотоискáтель (*прибывший в Калифорнию в 1849 г. после открытия в ней золота*)

forum [ˈfɔ:rəm] *n* 1) фóрум, собрáние 2) свобóдная дискýссия 3) суд (*совести, чести, общественного мнения*) 4) *ист.* фóрум

forward [ˈfɔ:wəd] **1.** *a* 1) передний 2) всюду сующийся; развязный; нахáльный 3) заблаговрéменный (*о закупках, контрактах*); ~ estimate предварительная смéта *или* оцéнка 4) идýщий впередú другúх; рабóтающий *или* успевáющий лýчше другúх 5) передовóй, прогрессивный 6) рáнний; скороспéлый; преждеврéменный; необычно рáнний 7) готóвый (*помочь и т. п.*)

2. *adv* 1) вперёд; дáльше 2) вперёд, впредь; from this time ~ с этого врéмени; to look ~ смотрéть в бýдущее ◇ backward(s) and ~(s) взад и вперёд; to look ~ to smth. предвкушáть что-л.

3. *n спорт.* нападáющий (*в футболе*); centre ~ центр нападéния

4. *v* 1) отправлять, пересылáть; посылáть, препровождáть 2) ускорять; помогáть, спосóбствовать; to ~ a scheme продвигáть проéкт

5. *int* вперёд!

forwarder [ˈfɔ:wədə] *n* экспедитор

forward-looking [ˌfɔ:wədˈlʊkɪŋ] *a* 1) прогрессивный 2) предусмотрительный, дальновидный

forwardness [ˈfɔ:wədnəs] *n* 1) рáннее развитие 2) готóвность, рвéние 3) самоувéренность, развязность; нахáльство

forwards [ˈfɔ:wədz] = forward 2, 1)

forwent [fɔ:ˈwent] *past от* forgo

forworn [fɔ:ˈwɔ:n] *a уст., поэт.* устáлый, измýченный

fossa [ˈfɒsə] *n* (*pl* -ae) *анат.* ямка, впáдина

fossae [ˈfɒsi:] *pl от* fossa

fosse [fɒs] *n* 1) *воен.* ров, канáва, траншéя 2) = fossa

fossick [ˈfɒsɪk] *v австрал. разг.* 1) шáрить, искáть 2) искáть зóлото в заброшенных вырабóтках

fossil [ˈfɒsl] **1.** *n* окаменéлость, ископáемое (*тж. перен.*)

2. *a* 1) окаменéлый, ископáемый 2) старомóдный, допотóпный

fossilize [ˈfɒslaɪz] *v* 1) превращáть(ся) в окаменéлость 2) закоснéть

fossorial [fɒˈsɔ:rɪəl] *a* рóющий, копáющий (*о животных*)

foster [ˈfɒstə] *v* 1) поощрять; благоприятствовать 2) питáть (*чувство*); лелéять (*мысль*) 3) воспитывать, выхáживать; ходить (*за детьми, больными*)

fosterage [ˈfɒstərɪdʒ] *n* 1) воспитáние (*чужого*) ребёнка 2) отдáча (*ребёнка*) на воспитáние 3) поощрéние

foster brother [ˈfɒstə,brʌðə] *n* молóчный брат

foster child [ˈfɒstətʃaɪld] *n* приёмыш; воспитанник

foster father [ˈfɒstə,fɑ:ðə] *n* приёмный отéц

fosterling [ˈfɒstəlɪŋ] *n* питóмец; подопéчный

foster mother [ˈfɒstə,mʌðə] *n* 1) кормилица 2) приёмная мать 3) брýдер, искýсственная мáтка (*для цыплят*)

foster sister [ˈfɒstə,sɪstə] *n* молóчная сестрá

fought [fɔ:t] *past и p. p. от* fight 2

foul [faʊl] **1.** *a* 1) грязный, отвратительный, вонючий 2) загрязнённый; гнóйный (*о ране*); зарáзный (*о болезни*) 3) бесчéстный, нрáвственно испóрченный; пóдлый; предáтельский; by fair means or ~ любыми срéдствами 4) непристóйный, непотрéбный; ~ language сквернослóвие 5) *спорт.* непрáвильный, сыгранный не по прáвилам; ~ blow запрещённый удáр 6) *разг.* гáдкий, отвратительный, сквéрный; ~ journey отвратительная поéздка; ~ dancer плохóй танцóр 7) бýрный; вéтреный (*о погоде*) 8) *мор.* запýтанный (*о снастях, якоре*) 9) *мор.* зарóсший ракýшками и вóдорослями (*о подводной части судна*) 10) противный, встрéчный (*о ветре*)

2. *n* 1) *спорт.* нарушéние прáвил игры; to claim a ~ *спорт.* опротестовáть побéду своегó противника ввидý нарушéния им прáвил игры 2) столкновéние (*при беге, верховой езде и т. п.*) 3) что-л. дурнóе, грязное *и т. п.*

3. *adv* нечéстно

4. *v* 1) пáчкать(ся); засорять(ся) 2) *спорт.* нечéстно игрáть 3) *мор.* запýтывать(ся) (*о снастях*) 4) образовáть затóр (*движения*) 5) дискредитировать, бросáть тень (*на кого-л.*) 6) обрастáть (*о дне судна*) ◇ to ~ one's hands with smth. унизиться до чегó-л.

foulard [ˈfu:lɑ:] *n* фуляр

foully [ˈfaʊlɪ] *adv* 1) грязно, отвратительно 2) предáтельски; жестóко

foulmouthed [ˈfaʊlmaʊðd] *a* сквернослóвящий

foulness [ˈfaʊlnəs] *n* 1) грязь, испóрченность *и пр.* [*см.* foul 1] 2) *геол.* газонóсность

foul play [ˌfaʊlˈpleɪ] *n* 1) нечéстная игрá 2) предáтельство, насилие (*особ. убийство*)

foul-up [ˈfaʊlʌp] *n разг.* пиковое положéние

foumart [ˈfu:mɑ:t] *n* хорёк

found I [faʊnd] *v* 1) оснóвывать, учреждáть; создавáть 2) заклáдывать (*фундамент, город*) 3) обосновывать, подводить оснóву; to be well ~ed быть хорошó обоснóванным, убедительным 4) опирáться, оснóвываться (*о доводах и т. п.*; on, upon — на)

found II [faʊnd] *v* плáвить, лить, отливáть; варить (*стекло*)

found III [faʊnd] **1.** *past и p. p. от* find 1

2. *a* снабжённый всем необходимым

foundation [faʊnˈdeɪʃn] *n* 1) фундáмент; основáние, оснóва; to lay the ~(s) of smth. заложить фундáмент чегó-л.; положить начáло чемý-л. 2) основáние (*города и т. п.*) 3) основáние, обоснóванность; the rumour has no ~ это ни на чём не оснóванный слух 4) *pl* оснóвы; устóи 5) организáция, учреждéние 6) фонд, пожéртвованный на культýрные начинáния 7) учреждéние, существýющее на пожéртвованный фонд 8) *attr.*: ~

garment корсе́т, гра́ция; ~ cream крем под пу́дру

foundationer [faʊn'deɪʃnə] *n* стипендиа́т (*получающий стипендию из благотворительных средств*)

foundation stone [faʊn'deɪʃnstəʊn] *n* 1) *тех.* фунда́ментный ка́мень 2) краеуго́льный ка́мень; осно́ва; основно́й при́нцип

founder I ['faʊndə] *n* основа́тель, учреди́тель

founder II ['faʊndə] *n* плави́льщик; лите́йщик

founder III ['faʊndə] **1.** *n вет.* ламини́т

2. *v* 1) идти́ ко дну (*о корабле*) 2) пусти́ть ко дну (*корабль*) 3) оседа́ть (*о здании*) 4) охроме́ть; упа́сть (*о лошади*)

foundling ['faʊndlɪŋ] *n* подки́дыш, найдёныш

foundling-hospital [,faʊndlɪŋ'hɒspɪtl] *n* прию́т, воспита́тельный дом

foundress ['faʊndrəs] *n* основа́тельница, учреди́тельница

foundry ['faʊndrɪ] *n* 1) лите́йная, лите́йный цех 2) литьё

foundry hand ['faʊndrɪhænd] *n* лите́йщик

fount I [faʊnt] *n* 1) *поэт.* исто́чник, ключ 2) = font 2)

fount II [fɒnt] *n полигр.* компле́кт шри́фта

fountain ['faʊntɪn] *n* 1) фонта́н 2) ключ, исто́чник; исто́к реки́ 3) резервуа́р (*керосиновой лампы, авторучки*)

fountainhead ['faʊntɪnhed] *n* 1) ключ, исто́чник 2) первоисто́чник; to go to the ~ обрати́ться к первоисто́чнику

fountain pen ['faʊntɪnpen] *n* автору́чка

four [fɔ:] **1.** *num. card.* четы́ре

2. *n* 1) четвёрка 2) *pl* четвёртый но́мер (*размер перчаток, обуви и т. п.*) 3) *разг.* четвёрка (*лодка*); кома́нда четвёрки 4) *pl воен.* строй по четы́ре; form ~s! ряды́ вздвой! 5) *фин.* четырёхпроце́нтные а́кции *или* це́нные бума́ги ◇ on all ~s а) на четвере́ньках; б) то́чно совпада́ющий; аналоги́чный, тожде́ственный

four-cornered [,fɔ:'kɔ:nəd] *a* четырёхуго́льный

four-cycle ['fɔ:saɪkl] *a тех.* четырёхта́ктный

four-eyes ['fɔ:raɪz] *n sl.* очка́рик

Four-F ['fɔ:ref] *n амер. воен.* него́дный к действи́тельной вое́нной слу́жбе

four-flusher ['fɔ:flʌʃə] *n амер.* обма́нщик

fourfold ['fɔ:fəʊld] **1.** *a* четырёхкра́тный

2. *adv* четы́режды; вчётверо

four-footed [,fɔ:'fʊtɪd] *a* четвероно́гий

four-handed [,fɔ:'hændɪd] *a* 1) четвероу́кий (*об обезьяне*) 2) для четырёх челове́к (*об игре*) 3) разы́грываемый в четы́ре руки́ (*на фортепьяно*)

four-in-hand [,fɔ:rɪn'hænd] *n* 1) экипа́ж четвёркой 2) *амер.* га́лстук-самовя́з, завя́зывающийся свобо́дным узло́м с двумя́ дли́нными конца́ми

four-letter word [,fɔ:letə'wɜ:d] *n* непристо́йное сло́во, руга́тельство

four-oar ['fɔ:rɔ:] *n* четвёрка (*лодка*)

four-poster [,fɔ:'pəʊstə] *n* крова́ть с по́логом на четырёх сто́лбиках

fourscore [,fɔ:'skɔ:] *n уст.* 1) во́семьдесят 2) во́семьдесят лет (*о возрасте*)

four-seater [,fɔ:'si:tə] *n* четырёхме́стный автомоби́ль

foursome ['fɔ:səm] *n* 1) компа́ния, гру́ппа из четырёх челове́к 2) игра́ в гольф ме́жду двумя́ па́рами

foursquare [,fɔ:'skweə] **1.** *n* квадра́т

2. *a* 1) че́стный 2) квадра́тный

3. *adv* пря́мо; че́стно

fourteen [,fɔ:'ti:n] *num. card.* четы́рнадцать

fourteenth [,fɔ:'ti:nθ] **1.** *num. ord.* четы́рнадцатый

2. *n* 1) четы́рнадцатая часть 2) (the ~) четы́рнадцатое число́

fourth [fɔ:θ] **1.** *num. ord.* четвёртый ◇ the ~ arm вое́нно-возду́шные си́лы

2. *n* 1) че́тверть 2) (the ~) четвёртое число́; the F. (of July) *амер.* 4 ию́ля (*день провозглашения независимости США*)

fourth dimension [,fɔ:θdɪ'menʃn] *n мат.* четвёртое измере́ние

fourth estate [,fɔ:θɪ'steɪt] *n шутл.* пре́сса

fourthly ['fɔ:θlɪ] *adv* в-четвёртых

four-wheeler [,fɔ:'wi:lə] *n* изво́зчичья каре́та

fowl [faʊl] **1.** *n* 1) дома́шняя пти́ца, *обыкн.* ку́рица *или* пету́х 2) пти́ца (*тж. собир.*); дичь

2. *v* 1) охо́титься на дичь 2) лови́ть птиц

fowler ['faʊlə] *n* птицело́в; охо́тник

fowling bag ['faʊlɪŋbæg] *n* ягдта́ш

fowling piece ['faʊlɪŋpi:s] *n* охо́тничье ружьё

fowl-run ['faʊlrʌn] *n* пти́чий двор, пти́чник

fox [fɒks] **1.** *n* 1) лиси́ца, лиса́ 2) ли́сий мех 3) хитре́ц, лиса́ 4) *амер. sl.* ко́шечка (*о хорошенькой женщине*) 5) *attr.* ли́сий

2. *v* 1) *sl.* де́йствовать ло́вко; хитри́ть, обма́нывать 2) покрыва́ть(ся) бу́рыми пя́тнами (*о бумаге*)

foxbane ['fɒksbeɪn] *n бот.* акони́т, боре́ц

fox brush ['fɒksbrʌʃ] *n* ли́сий хвост

fox-earth ['fɒksɜ:θ] = foxhole 2)

foxfire ['fɒks,faɪə] *n амер.* фосфоресци́рующий свет (*гнилого дерева*)

foxglove ['fɒksglʌv] *n бот.* наперстя́нка

foxhole ['fɒkshəʊl] *n* 1) *воен.* стрелко́вая яче́йка 2) укро́мное месте́чко

foxhound ['fɒkshaʊnd] *n* англи́йская пара́тая го́нчая

foxtail ['fɒksteɪl] *n* 1) = fox brush 2) *бот.* лисохво́ст

fox terrier ['fɒks,terɪə] *n* фокстерье́р

fox-trot ['fɒkstrɒt] **1.** *n* фокстро́т

2. *v* танцева́ть фокстро́т

foxy ['fɒksɪ] *a* 1) ли́сий 2) хи́трый 3) ры́жий; кра́сно-бу́рый; ~ hair ры́жие во́лосы 4) покры́тый пя́тнами сы́рости (*о бумаге*) 5) *амер. sl.* сексапи́льная (*о женщине*) 6) проки́сший (*о вине, пиве*) 7) име́ющий ре́зкий за́пах

foyer ['fɔɪeɪ] *n* фойе́

frabjous ['fræbdʒəs] *a* 1) великоле́пный 2) ра́достный

fracas ['frækɑ:] *n* шу́мная ссо́ра; сканда́л

fraction ['frækʃn] *n* 1) дробь; common ~ проста́я дробь; proper (improper) ~ пра́вильная (непра́вильная) дробь 2) части́ца, до́ля, крупи́ца; обло́мок, оско́лок; not by a ~ ни на йо́ту 3) *полит.* фра́кция 4) *хим.* фра́кция

fractional, fractionary ['frækʃnəl, -nərɪ] *a* 1) дро́бный; части́чный 2) *разг.* незначи́тельный 3) *хим.* фракцио́нный

fractionate ['frækʃəneɪt] *v хим.* фракциони́ровать

fractious ['frækʃəs] *a* 1) капри́зный, раздражи́тельный 2) непоко́рный; ~ horse норови́стая ло́шадь

fracture ['fræktʃə] **1.** *n* 1) *хир.* перело́м 2) тре́щина, изло́м; разры́в

2. *v* лома́ть(ся); вызыва́ть перело́м; раздробля́ть

frag bomb ['frægbɒm] *n воен. разг.* оско́лочная бо́мба

fragile ['frædʒaɪl] *a* 1) хру́пкий, ло́мкий 2) хру́пкий, сла́бый 3) преходя́щий, недолгове́чный

fragility [frə'dʒɪlətɪ] *n* 1) хру́пкость, ло́мкость 2) хру́пкость, сла́бость 3) недолгове́чность

fragment ['frægmənt] *n* 1) обло́мок; оско́лок, кусо́к 2) обры́вок; to overhear ~s of conversation услы́шать обры́вки разгово́ра 3) отры́вок; фрагме́нт

fragmentary ['frægməntərɪ] *a* 1) отры́вочный; фрагмента́рный 2) *геол.* обло́мочный

fragmentation [,frægmən'teɪʃn] *n* 1) дробле́ние, раздробле́ние 2) разры́в (снаря́да) на оско́лки

fragmentation bomb [,frægmən'teɪʃnbɒm] *n* оско́лочная бо́мба

fragmented [,fræg'mentɪd] *a* разби́тый на куски́

fragrance ['freɪgrəns] *n* арома́т, благоуха́ние

fragrant ['freɪgrənt] *a* арома́тный, благоуха́ющий

frail I [freɪl] *n* 1) тростни́к 2) корзи́на из тростника́

frail II [freɪl] **1.** *n амер. sl.* же́нщина

2. *a* 1) хру́пкий, непро́чный 2) хи́лый, боле́зненный 3) нра́вственно неусто́йчивый 4) бре́нный

frailty ['freɪltɪ] *n* 1) хру́пкость; непро́чность 2) бре́нность 3) мора́льная неусто́йчивость

frame [freɪm] **1.** *n* 1) ра́мка, ра́ма 2) парнико́вая ра́ма 3) *тех.* стани́на; ра́ма 4) о́стов, скеле́т, костя́к, карка́с; сруб 5) *pl* опра́ва (*очков*) 6) телосложе́ние; sobs shook the child's ~ рыда́ния сотряса́ли тéло ребёнка 7) строéние, структýра; систéма; the ~ of government структýра правúтельства; the ~ of society социáльная систéма 8) сооружéние, строéние 9) *кино* кадр 10) *attr. радио* рáмочный; ~ antenna рáмочная антéнна ◇ ~ of mind расположéние дýха, настроéние; ~ of reference а) тóчка зрéния; критéрий; in a somewhat different ~ of reference в нéсколько другóм разрéзе; б) компетéнция, сфéра дéятельности

2. *v* 1) вставля́ть в рáмку; обрамля́ть 2) *тех.* собирáть (*конструкцию*) 3) стрóить, сооружáть 4) создавáть, вырабáтывать; составля́ть; to ~ a plan составля́ть план 5) приспосáбливать; a man ~d for hardships человéк, спосóбный борóться с трýдностями 6) *sl.* сфабриковáть, подстрóить лóжное обвинéние; лóжно обвиня́ть 7) выражáть в словáх; произносúть; to ~ a sentenceострóить предложéние 8) развивáться ▭ ~ up *разг.* подстрáивать (*что-л.*); подтасóвывать фáкты; судúть на оснóвании сфабрикóванных обвинéний

frame-house ['freɪmhaʊs] *n* карка́сный дом

frame-up ['freɪmʌp] *n разг.* 1) тáйный сгóвор 2) подтасóвка фáктов; лóжное обвинéние, провокáция; судéбная инсценирóвка 3) ловýшка, западня́ 4) *attr.* инсценúрованный; ~ trial инсценúрованный процéсс

framework ['freɪmwɜ:k] *n* 1) сруб; óстов, кóрпус, каркáс; набóр (*корпуса корабля*) 2) рáма, обрамлéние; корóбка 3) структýра; рáмки; within the ~ of (*smth.*) в рáмках, в предéлах (*чего-л.*); the ~ of society общéственный строй; to return into the ~ воссоединúться 4) = frame of reference *см.* frame 1 ◇; 5) *стр.* фéрма; стропúла

framing ['freɪmɪŋ] 1. *pres. p. от* frame 2

2. *n* 1) рáма, обрамлéние; a new ~ of mutual relations нóвая структýра взаимоотношéний 2) óстов, сруб 3) *кино, тлв.* установка в рáмку

franc [fræŋk] *n* франк (*денежная единица Франции, Бельгии и Швейцарии*)

franchise ['fræntʃaɪz] *n* 1) (*обыкн.* the ~) прáво учáствовать в вы́борах, прáво гóлоса 2) привилéгия

Franciscan [fræn'sɪskən] 1. *a* францискáнский

2. *n* францискáнец (*монах*)

Francophile ['fræŋkəʊfaɪl] 1. *a* франкофúльский

2. *n* франкофúл

Francophobe ['fræŋkəʊfəʊb] 1. *a* франкофóбский

2. *n* франкофóб

frangible ['frændʒɪbl] *a* лóмкий, хрýпкий

Frank [fræŋk] *n ист.* франк

frank I [fræŋk] *a* 1) úскренний, открове́нный, откры́тый 2) *мед.* я́вный (*о симптомах и т. п.*)

frank II [fræŋk] 1. *v* франкúровать (*письмо*)

2. *n* франкирóвка

Frankenstein ['fræŋkənstaɪn] *n* 1) творéние рук человéческих, принося́щее гúбель своемý создáтелю 2) чудóвище в óблике человéка (*герой одноимённого романа Мэри Шелли*)

frankfurter ['fræŋkfɜ:tə] *n* сосúска; ~s with sauerkraut сосúски с тушёной кúслой капýстой

frankincense ['fræŋkɪn,sens] *n* лáдан

franklin ['fræŋklɪn] *n ист.* свобóдный землевладéлец недворя́нского происхождéния

frantic ['fræntɪk] *a* 1) нéистовый, безýмный; she was ~ with grief онá обезýмела от гóря 2) *разг.* ужáсный; возмутúтельный

fraternal [frə'tɜ:nl] *a* брáтский; ~ order (*или* society, association) óбщество (*часто* тáйное)

fraternity [frə'tɜ:nətɪ] *n* 1) брáтство; общúна; содрýжество; the ~ of the Press журналúсты, газéтчики 2) *амер.* студéнческая мужскáя организáция

fraternization [,frætənaɪ'zeɪʃn] *n* 1) тéсная дрýжба 2) братáние

fraternize ['frætənaɪz] *v* 1) относúться по-брáтски 2) братáться 3) *разг.* вступáть в тéсные отношéния с населéнием оккупúрованной страны́

fratricidal [,frætrɪ'saɪdl] *a* братоубúйственный

fratricide ['frætrɪsaɪd] *n* 1) братоубúйца 2) братоубúйство

fraud [frɔ:d] *n* 1) обмáн; мошéнничество; поддéлка 2) обмáнщик, мошéнник

fraudulent ['frɔ:djʊlənt] *a* обмáнный; мошéннический; ~ bankruptcy *юр.* злóстное банкрóтство

fraught [frɔ:t] *a* 1) пóлный; преиспóлненный; чревáтый; ~ with danger чревáтый опáсностью 2) *поэт.* нагружённый

fray I [freɪ] *n* 1) столкновéние, дрáка; eager for the ~ готóвый лезть в дрáку 2) шýмная ссóра, скандáл

fray II [freɪ] 1. *n* протёршееся мéсто

2. *v* 1) протирáть(ся), изнáшивать(ся); обтрёпывать(ся) 2) раздражáть; истрепáть, издёргать (*нервы*)

frazil ['freɪzɪl] *n амер.* 1) шугá; дóнный лёд 2) нáледь

frazzle ['fræzl] *разг.* 1. *n* 1) изнóшенность (*платья*) 2) потёртые *или* обтрёпанные края́ плáтья, махры́ ◇ beaten (*или* worn) to a ~ *разг.* измóтанный, измочáленный; to work oneself to a ~ измотáться

2. *v* 1) протерéть(ся), износúть(ся) до лохмóтьев 2) измýчить, вы́мотать (*тж.* ~ out)

freak [fri:k] 1. *n* 1) урóдец (*тж.* ~ of nature) 2) ненормáльный ход (*какого-л. естественного процесса*) 3) *разг.* чудáк 4) *разг.* помéшанный (*на чём-л.*); health ~ человéк, помéшанный на своём здорóвье 5) *разг.* наркомáн 6) капрúз; причýда; чудáчество 7) *радио* внезáпное прекращéние *или* восстановлéние радиоприёма 8) *кино* частотá

2. *a разг.* необы́чный, стрáнный; причýдливый

3. *v разг.* 1) сердúться 2) приходúть в возбуждéние (*особ. от наркотика*) 3) приводúть в возбуждéние, я́рость *и т. п.* 4) вестú крáйне беспоря́дочный óбраз жúзни

freaked [fri:kt] 1. *p. p. от* freak 3

2. *a* испещрённый

freakish ['fri:kɪʃ] *a* 1) капрúзный 2) причýдливый, стрáнный 3) *разг.* извращённый

freckle ['frekl] 1. *n* веснýшка

2. *v* покрывáть(ся) веснýшками

freckled ['frekld] *a* веснýшчатый

free [fri:] 1. *a* 1) свобóдный, вóльный 2) независúмый (*политически*); a ~ press свобóдная прéсса; a ~ society свобóдное óбщество 3) находя́щийся на свобóде; независúмый; to make ~ use of smth. пóльзоваться чем-л. без ограничéний; широкó пóльзоваться чем-л.; to get ~ освободúться; to make (*или* to set) ~ освобождáть 4) свобóдный от уз и обязáтельств; ~ love свобóдная любóвь 5) лишённый (of, from — *чего-л.*); свобóдный (of, from — от *чего-л.*); ~ of debt не имéющий долгóв, задóлженности; ~ of duty беспóшлинный; a day ~ from wind безвéтренный день 6) добровóльный, без принуждéния; you are ~ to choose ты вóлен вы́брать 7) непринуждённый, естéственный; ~ gesture непринуждённый жест 8) бесплáтный, освобождённый от оплáты; ~ education бесплáтное образовáние 9) незáнятый, свобóдный; are you ~ tonight? вы свобóдны сегóдня вéчером?; the bathroom is ~ now вáнная сейчáс свобóдна 10) откры́тый, достýпный; ~ access свобóдный дóступ 11) щéдрый; обúльный; to be ~ with one's money быть щéдрым, расточúтельным 12) откры́тый, открове́нный 13) не стеснённый прáвилами, вóльный (*о литературном стиле*) 14) ширóкий по смы́слу, вóльный; ~ translation вóльный перевóд 15) распýщенный, вóльный (*о поведении и т. п.*) 16) вóльный, неприлúчный (*разговор, рассказ и т. п.*) 17) *хим., физ.* свобóдный, несвя́занный, незакреплённый ◇ ~ labour а) *ист.* труд свобóдных людéй (*не рабов*); б) труд лиц, не принадлежáщих к профсою́зам; в) рабóчие, не являющиеся члéнами профсою́за; to make ~ with smb. позволя́ть себé вóльности, бесцеремóнность по отношéнию к комý-л.; ~ of за предéлами; we're not ~ of the suburbs yet мы ещё не вы́брались из прúгородов; ~ pardon пóлное прощéние; амнúстия; to give with a ~ hand раздавáть щéдрой рукóй; to spend with a ~ hand швыря́ться деньгáми; to have (to give) a ~ hand имéть (давáть) пóлную свобóду дéйствий

2. *adv* 1) свобóдно; to run ~ бéгать на свобóде 2) бесплáтно

3. *v* освобождáть (from, of — от); выпускáть на свобóду

free agency [ˈfri:eɪdʒənsɪ] *n* свобо́да во́ли; свобо́дная во́ля

free and easy [ˌfri:əndˈi:zɪ] **1.** *a* непринуждённый, чу́ждый усло́вностей

2. *n разг.* 1) конце́рт, встре́ча *и т. п.*, где цари́т непринуждённость 2) кабачо́к

freebie [ˈfri:bɪ] *n преим. амер. разг.* беспла́тный биле́т, угоще́ние *и т. п.*

freeboard [ˈfri:bɔ:d] *n мор.* надво́дный борт; высота́ надво́дного бо́рта

freebooter [ˈfri:bu:tə] *n* граби́тель; пира́т, флибустье́р

freeborn [ˌfri:ˈbɔ:n] *a* свободнорождённый

Free Church [ˌfri:ˈtʃɜ:tʃ] *n* 1) це́рковь, отделённая от госуда́рства 2) нонконформи́стская це́рковь

free city [ˈfri:ˌsɪtɪ] *n ист.* во́льный го́род

freedom [ˈfri:dəm] *n* 1) свобо́да, незави́симость 2) пра́во, привиле́гия; ~ of speech (of the press) свобо́да сло́ва (печа́ти); academic ~s академи́ческие свобо́ды (*права университетов и студенческого волеизъявления*); ~ of the city почётное гражда́нство и вытека́ющие из него́ привиле́гии; ~ of the seas свобо́дное морепла́вание для судо́в-нейтра́лов во вре́мя войны́ 3) свобо́дное по́льзование 4) свобо́да, во́льность; to take (*или* to use) ~s with smb. позволя́ть себе́ во́льности по отноше́нию к кому́-л.

free enterprise [ˌfri:ˈentəpraɪz] *n* свобо́дное предпринима́тельство

free-fall [ˌfri:ˈfɔ:l] *n* 1) *физ.* свобо́дное паде́ние 2) *ав.* затяжно́й прыжо́к

free-for-all [ˈfri:fərˌɔ:l] **1.** *a* откры́тый, общедосту́пный, досту́пный для всех

2. *n* всео́бщая дра́ка, сва́лка

free hand [ˈfri:hænd] *n* 1) свобо́да де́йствий 2) рису́нок от руки́

freehanded [ˌfri:ˈhændɪd] *a* ще́дрый

freehearted [ˌfri:ˈhɑ:tɪd] *a* 1) открове́нный, чистосерде́чный 2) ще́дрый

freehold [ˈfri:həʊld] *n* свобо́дное владе́ние землёй *или* со́бственностью

freeholder [ˈfri:həʊldə] *n* фриго́льдер, свобо́дный землевладе́лец *или* со́бственник

free kick [ˌfri:ˈkɪk] *n спорт.* штрафно́й уда́р (*в футболе*)

free lance [ˈfri:lɑ:ns] *n* 1) *ист.* ландскне́хт 2) поли́тик, не принадлежа́щий к определённой па́ртии 3) журнали́ст, не свя́занный с определённой реда́кцией

freelance [ˈfri:lɑ:ns] *v* 1) рабо́тать не по на́йму 2) *разг.* де́йствовать на свой страх и риск

free-list [ˈfri:lɪst] *n* 1) спи́сок не облага́емых по́шлиной това́ров 2) спи́сок лиц, по́льзующихся беспла́тным до́ступом куда́-л. *и т. п.*

free-liver [ˌfri:ˈlɪvə] *n* жуи́р, бонвива́н

freeload [ˌfri:ˈləʊd] *v амер. sl.* нахле́бничать

freeloader [ˌfri:ˈləʊdə] *n амер. sl.* нахле́бник

freely [ˈfri:lɪ] *adv* 1) свобо́дно; во́льно 2) оби́льно; широко́

freeman [ˈfri:mən] *n* 1) почётный граждани́н го́рода 2) полнопра́вный граждани́н

Freemason [ˈfri:meɪsn] *n* масо́н

free-range [ˌfri:ˈreɪndʒ] *a* на свобо́дном вы́гуле (*о курах и т. п.*)

freesia [ˈfri:zɪə] *n бот.* фре́зия

free-spoken [ˌfri:ˈspəʊkən] *a* открове́нный, прямо́й

freestanding [ˌfri:ˈstændɪŋ] *a* без опо́ры

freestone I [ˈfri:stəʊn] *n* строи́тельный ка́мень, легко́ поддаю́щийся обрабо́тке

freestone II [ˈfri:stəʊn] *n* плод с легко́ отделя́ющейся ко́сточкой (*персик, абрикос, слива и т. п.*)

freestyle [ˈfri:staɪl] *n спорт.* во́льный стиль

freethinker [ˌfri:ˈθɪŋkə] *n* вольноду́мец; атеи́ст

free trade [ˌfri:ˈtreɪd] *n* 1) беспо́шлинная торго́вля 2) *ист.* контраба́нда

free-trader [ˌfri:ˈtreɪdə] *n* 1) *полит.* фритре́дер 2) *ист.* контрабанди́ст

free-way [ˈfri:weɪ] *n амер.* скоростна́я автостра́да с тра́нспортными развя́зками

freewheel [ˌfri:ˈwi:l] **1.** *n* 1) свобо́дное колесо́ 2) спуск с горы́ с вы́ключенным мото́ром (*об автомобиле*)

2. *v* 1) кати́ться с горы́ (*на велосипеде, в автомобиле*) 2) свобо́дно де́йствовать *или* дви́гаться

free will [ˌfri:ˈwɪl] *n* свобо́да во́ли; of one's own ~ доброво́льно

freewill [ˌfri:ˈwɪl] *a* доброво́льный

freeze [fri:z] *v* (froze; frozen) 1) замерза́ть, покрыва́ться льдом (*часто* ~ over) 2) мёрзнуть 3) замора́живать 4) (*в безл. оборотах*): it ~s моро́зит 5) застыва́ть, затвердева́ть; *перен.* сты́нуть; it made my blood ~ у меня́ от э́того кровь засты́ла в жи́лах 6) замора́живать (*фонды и т. п.*); to ~ wages (prices) замора́живать зарабо́тную пла́ту (це́ны); to ~ credits заморо́зить *или* заблоки́ровать креди́ты 7) запреща́ть испо́льзование, произво́дство *или* прода́жу сырья́ *или* гото́вой проду́кции 8) *амер.* оконча́тельно приня́ть, стандартизи́ровать (*конструкцию, чертежи и т. п.*) ▭ ~ **in** вмерза́ть; to be frozen in быть затёртым льда́ми; вмёрзнуть; ~ **on** *амер. разг.* а) кре́пко ухвати́ться, вцепи́ться (to); б) привяза́ться к *кому-л.*; ~ **out** *амер. разг.* отде́латься (*от соперника*); ~ **up**: to be frozen up а) засты́ть, закочене́ть; б) замкну́ться, приня́ть холо́дный, непристу́пный вид

freezer [ˈfri:zə] *n* 1) испари́тель (*холодильника*); морози́лка, ка́мера замора́живания 2) *австрал. разг.* поставщи́к моро́женой бара́нины для э́кспорта 3) моро́женица

freeze-up [ˈfri:zʌp] *n* пери́од си́льного моро́за

freezing [ˈfri:zɪŋ] **1.** *pres. p. от* freeze

2. *n* замерза́ние, застыва́ние; замора́живание

3. *a* 1) ледяно́й; леденя́щий 2) охлажда́ющий, замора́живающий

freezing point [ˈfri:zɪŋpɔɪnt] *n* то́чка замерза́ния

freight [freɪt] **1.** *n* 1) фрахт, сто́имость перево́зки 2) фрахт, груз 3) наём су́дна для перево́зки гру́зов 4) *амер.* това́рный по́езд 5) *attr.* грузово́й; това́рный; ~ carrier грузово́й самолёт; ~ train *амер.* това́рный по́езд

2. *v* 1) грузи́ть 2) фрахтова́ть

freightage [ˈfreɪtɪdʒ] *n* 1) перево́зка гру́зов 2) фрахтова́ние 3) грузовмести́мость

freighter [ˈfreɪtə] *n* 1) грузово́е су́дно 2) грузово́й самолёт 3) фрахто́вщик

freightliner [ˈfreɪtˌlaɪnə] *n* контейнерный грузово́й соста́в

French [frentʃ] **1.** *a* францу́зский ◇ ~ brandy конья́к; ~ polish политу́ра; ~ bean (стручко́вая) фасо́ль; ~ roof манса́рдная кры́ша; ~ sash око́нный переплёт, доходя́щий до по́ла; ~ window двуство́рчатое окно́, доходя́щее до по́ла; ~ door застеклённая ство́рчатая дверь; ~ bread дли́нный бато́н; ~ chalk портня́жный мел; ~ horn валто́рна (*муз. инструмент*); ~ dressing припра́ва для сала́та из у́ксуса и расти́тельного ма́сла; ~ leave ухо́д без проща́ния; to take ~ leave уйти́ не проща́ясь, незаме́тно; ~ letter *разг.* презервати́в

2. *n* 1) (the ~) *pl собир.* францу́зский наро́д, францу́зы 2) францу́зский язы́к 3) *attr.*: ~ master учи́тель францу́зского языка́; ~ lesson уро́к францу́зского языка́

French Canadian [ˌfrentʃkəˈneɪdɪən] *n* кана́дец, говоря́щий на францу́зском языке́, франкокана́дец

Frenchify [ˈfrentʃɪfaɪ] *v* офранцу́живать(ся)

Frenchman [ˈfrentʃmən] *n* 1) францу́з 2) францу́зское су́дно

Frenchwoman [ˈfrentʃwʊmən] *n* францу́женка

frenetic [frəˈnetɪk] *a* 1) неи́стовый, безу́мный 2) фанати́чный

frenzied [ˈfrenzɪd] *a* взбешённый; ~ efforts бе́шеные уси́лия

frenzy [ˈfrenzɪ] *n* безу́мие, бе́шенство; неи́стовство

Freon [ˈfri:ɒn] *n* фрео́н

frequency [ˈfri:kwənsɪ] *n* 1) часто́тность, частота́; ~ of the pulse частота́ пу́льса 2) ча́стое повторе́ние 3) *физ.* частота́; high (low) ~ высо́кая (ни́зкая) частота́ 4) *attr.* часто́тный; ~ divider *радио* дели́тель частоты́; ~ modulation *радио* часто́тная модуля́ция; ~ range *радио* часто́тный диапазо́н

frequent **1.** *a* [ˈfri:kwənt] 1) ча́стый; ча́сто повторя́емый *или* встреча́ющийся 2) обы́чный; постоя́нный 3) учащённый (*о пульсе*)

2. *v* [frɪˈkwent] ча́сто посеща́ть

frequentative [frɪˈkwentətɪv] *a грам.* многокра́тный

frequenter [frɪˈkwentə] *n* постоя́нный посети́тель, завсегда́тай

fresco ['freskəʊ] **1.** *n* (*pl* -os, -oes [-əʊz]) фре́ска; фре́сковая жи́вопись

2. *v* украша́ть фре́сками

fresh [freʃ] **1.** *a* 1) све́жий; ~ paint ещё не просо́хшая кра́ска; ~ paint! осторо́жно, окра́шено!; ~ sprouts молоды́е побе́ги 2) но́вый; друго́й; to begin a ~ chapter нача́ть но́вую главу́; to make a ~ start нача́ть всё за́ново; no ~ news никаки́х дополни́тельных изве́стий, ничего́ но́вого 3) натура́льный; неконсерви́рованный; ~ fruit све́жие фру́кты 4) несолёный; ~ butter несолёное ма́сло; ~ water пре́сная вода́ 5) чи́стый, све́жий; ~ air чи́стый во́здух; a ~ shirt чи́стая соро́чка 6) све́жий, здоро́вый, цвету́щий; ~ complexion хоро́ший цвет лица́ 7) бодря́щий (*о пого́де*); све́жий, кре́пкий (*о ве́тре*); ~ gale ве́тер си́лой в 8 ба́ллов 8) бо́дрый; не уста́вший 9) *разг.* де́рзкий, наха́льный; распу́щенный 10) нео́пытный; a ~ hand нео́пытный челове́к; ~ from school не име́ющий о́пыта (*о специали́сте*); ≅ пря́мо со шко́льной скамьи́ 11) слегка́ вы́пивший 12) *шотл.* тре́звый 13) *школ. жарг.* но́венький (*об учени́ке*)

2. *n* 1) прохла́да 2) = freshet

freshen ['freʃn] *v* 1) свеже́ть (*тж.* ~ up; *о ве́тре*) 2): to ~ oneself up приводи́ть себя́ в поря́док 3) освежа́ть (*в па́мяти*) 4) *тех.* фрешева́ть

freshener ['freʃnə] *n разг.* освежа́ющий напи́ток

fresher ['freʃə] *n разг.* первоку́рсник

freshet ['freʃɪt] *n* 1) пото́к пре́сной воды́, влива́ющийся в мо́ре 2) вы́ход реки́ из берего́в, полово́дье; па́водок

freshly ['freʃlɪ] *adv* 1) свежо́, бо́дро *и пр.* [*см.* fresh 1] 2) неда́вно, то́лько что (*тк. с p. p., напр.*: ~-painted то́лько что окра́шенный)

freshman ['freʃmən] *n* 1) первоку́рсник (*в университе́те*) 2) *амер.* первоку́рсник (*в вы́сшей шко́ле*) 3) *attr.*: ~ year пе́рвый год пребыва́ния в соста́ве како́й-л. организа́ции; ~ English нача́льный курс англи́йского языка́

freshwater ['freʃwɔ:tə] *a* 1) пресново́дный 2) *амер.* провинциа́льный (*осо́б. о шко́ле или колле́дже*)

fret I [fret] **1.** *n* 1) раздраже́ние, волне́ние; муче́ние 2) броже́ние (*напи́тков*)

2. *v* 1) беспоко́ить(ся); му́чить(ся); you have nothing to ~ about вам не́ из-за чего волнова́ться 2) разъеда́ть, подта́чивать; размыва́ть 3) подёргиваться ря́бью ◇ to ~ and fume ≅ рвать и мета́ть

fret II [fret] **1.** *n* прямоуго́льный орна́мент

2. *v* украша́ть резьбо́й *или* лёпкой

fret III [fret] *n* лад (*в гита́ре*)

fretful ['fretfl] *a* раздражи́тельный, капри́зный

fretsaw ['fretsɔ:] *n* пи́лка для выпи́ливания, ло́бзик

fretwork ['fretwɜ:k] *n* 1) украше́ние *или* узо́р, вы́пиленные из де́рева ло́бзиком 2) *архит.* резно́е *или* лепно́е украше́ние

Freudian ['frɔɪdɪən] **1.** *a* фрейди́стский

2. *n* фрейди́ст

friability [,fraɪə'bɪlətɪ] *n* ры́хлость

friable ['fraɪəbl] *a* кроша́щийся; ло́мкий, хру́пкий; ры́хлый; ~ soil ры́хлая по́чва

friar ['fraɪə] *n* 1) *ист.* мона́х 2) *полигр.* бе́лое *или* сла́бо отпеча́тавшееся ме́сто на страни́це

friary ['fraɪərɪ] *n* мужско́й монасты́рь

fribble ['frɪbl] **1.** *n* безде́льник

2. *v* безде́льничать

fricassee ['frɪkəseɪ] *n кул.* фрикасе́

fricative ['frɪkətɪv] *фон.* **1.** *a* фрикати́вный

2. *n* фрикати́вный звук

friction ['frɪkʃn] *n* 1) тре́ние 2) растира́ние 3) тре́ния, разногла́сия

friction gear ['frɪkʃngɪə] *n тех.* фрикцио́нная переда́ча

Friday ['fraɪdeɪ] *n* пя́тница; man ~ ве́рный слуга́ (*по и́мени слуги́ в рома́не «Робинзо́н Кру́зо» Дефо́*); girl ~ а) ве́рная помо́щница; б) секрета́рша ◇ Good ~ *церк.* страстна́я пя́тница

fridge [frɪdʒ] = frig I

friend [frend] **1.** *n* 1) друг, прия́тель; to make ~s помири́ться; to make ~s with smb. подружи́ться с кем-л 2) сторо́нник, доброжела́тель 3) това́рищ, колле́га; my honourable ~ мой достопочте́нный собра́т (*упомина́ние одни́м чле́ном парла́мента друго́го в свое́й ре́чи*) 4) знако́мый 5) (F.) ква́кер; Society of Friends «О́бщество друзе́й» (*ква́керы*) ◇ a ~ in need is a ~ indeed *посл.* друзья́ позна́ются в беде́

2. *v поэт.* помога́ть, быть дру́гом

friendless ['frendləs] *a* одино́кий, не име́ющий друзе́й

friendliness ['frendlɪnəs] *n* дружелю́бие

friendly ['frendlɪ] **1.** *a* 1) дру́жеский; дру́жески располо́женный; дружелю́бный; ~ in manner обходи́тельный; F. Society о́бщество взаимопо́мощи; ~ match *спорт.* това́рищеская встре́ча 2) дру́жественный; ~ nation дру́жественная страна́ 3) сочу́вствующий, одобря́ющий (to) 4) благоприя́тный 5) (F.) ква́керский

2. *adv* дру́жественно; дружелю́бно

3. *n спорт.* това́рищеская встре́ча (*тж.* ~ match)

friendship ['frendʃɪp] *n* 1) дру́жба 2) дружелю́бие

frieze I [fri:z] *n текст.* бо́брик; гру́бая ворси́стая шерстяна́я ткань

frieze II [fri:z] *n* фриз; бордю́р

frig I [frɪdʒ] *разг. см.* refrigerator

frig II [frɪg] *v груб.* 1) совокупля́ться 2) онани́ровать

frigate ['frɪgət] *n* 1) *мор.* фрега́т 2) сторожево́й кора́бль 3) *зоол.* фрега́т

frigate bird ['frɪgətbɜ:d] = frigate 3)

frige [frɪdʒ] = frig I

frigging ['frɪgɪŋ] **1.** *pres. p. от* frig II

2. *a эвф., разг.* чёртов, прокля́тый

fright [fraɪt] **1.** *n* 1) испу́г; to give smb. a ~ напуга́ть кого́-л.; to have (*или* to get) a ~ напуга́ться 2) *разг.* пу́гало, страши́лище

2. *v поэт.* пуга́ть; трево́жить

frighten ['fraɪtn] *v* пуга́ть ▭ ~ away спугну́ть; ~ into стра́хом, запу́гиванием заста́вить сде́лать *что-л.*; ~ off спугну́ть; ~ out of запу́гиванием заста́вить отказа́ться от *чего́-л.*; to ~ smb. out of existence напуга́ть кого́-л. до́ смерти

frightened ['fraɪtnd] **1.** *p. p. от* frighten

2. *a* испу́ганный

frightful ['fraɪtfl] *a* 1) стра́шный, ужа́сный 2) *разг.* неприя́тный, проти́вный 3) *разг.* безобра́зный

frigid ['frɪdʒɪd] *a* 1) холо́дный, безразли́чный, натя́нутый 2) фриги́дная (*о же́нщине*) 3) холо́дный (*во́здух и т. п.*)

frigidity [frɪ'dʒɪdətɪ] *n* 1) хо́лодность, безразли́чие 2) моро́зность; мерзлота́ 3) фриги́дность

frill [frɪl] *n* 1) обо́рочка; сбо́рки; жабо́; брыжи 2) *pl* нену́жные украше́ния 3) *pl* ужи́мки 4) *pl амер. разг.* делика́тес 5) *анат.* брыже́йка ◇ to put on ~s мане́рничать, ва́жничать; задава́ться

frilled [frɪld] *a* 1) укра́шенный обо́рками 2) *тех.* гофриро́ванный

frillies ['frɪlɪz] *n pl разг.* ни́жние ю́бки с обо́рками

fringe [frɪndʒ] **1.** *n* 1) бахрома́ 2) чёлка 3) край, кайма́; on the ~ of the forest на опу́шке ле́са 4) *attr.*: ~ benefits *амер.* дополни́тельные льго́ты (*пе́нсия, опла́ченные о́тпуска и т. п.*)

2. *a* доба́вочный, дополни́тельный

3. *v* 1) отде́лывать бахромо́й 2) окаймля́ть

frippery ['frɪpərɪ] *n* 1) мишу́рные украше́ния; безделу́шки 2) мане́рность, претенцио́зность (*о литерату́рном сти́ле*)

Frisco ['frɪskəʊ] *n разг. г.* Сан-Франци́ско

Frisian ['frɪzɪən] **1.** *a* фри́зский

2. *n* 1) фриз 2) фри́зский язы́к

frisk [frɪsk] **1.** *n* 1) прыжо́к, скачо́к 2) *sl.* обы́скивание (*кого́-л. в по́исках ору́жия*)

2. *v* 1) резви́ться, пры́гать 2) *sl.* обы́скивать (*кого́-л. в по́исках ору́жия*)

frisky ['frɪskɪ] *a* ре́звый, игри́вый

frit [frɪt] *тех.* **1.** *n* фри́тта

2. *v* спека́ть, сплавля́ть; фриттова́ть

frith [frɪθ] = firth

fritter I ['frɪtə] *n* 1) ола́дья (*ча́сто с я́блоками и т. п.*) 2) обры́вок

fritter II ['frɪtə] *v* 1) растра́чивать по мелоча́м (*обыкн.* ~ away) 2) *уст.* дели́ть на ме́лкие ча́сти

fritz [frɪts] *n*: on the ~ *амер. sl.* испо́рченный, сло́манный

frivol ['frɪvəl] *v* 1) вести́ пра́здный о́браз жи́зни 2) бессмы́сленно растра́чивать (*вре́мя, де́ньги и т. п.; обыкн.* ~ away)

frivolity [frɪ'vɒlətɪ] *n* 1) легкомы́слие; легкомы́сленный посту́пок 2) фриво́льность

frivolous ['frɪvələs] *a* 1) пустя́чный, незначи́тельный 2) пусто́й, легкомы́сленный; фриво́льный; пове́рхностный

friz [frɪz] = frizz I

frizz I [frɪz] 1. *n* 1) ку́дри 2) вью́щиеся во́лосы

2. *v* завива́ть □ ~ up ви́ться

frizz II [frɪz] *v* шипе́ть (*при жаренье*)

frizzed [frɪzd] 1. *p. p. от* frizz I, 2

2. *a* завито́й

frizzle I ['frɪzl] *v* 1) жа́рить(ся) с шипе́нием 2) изнемога́ть от жары́

frizzle II ['frɪzl] 1. *n* 1) зави́вка (*причёска*) 2) ку́дри

2. *v* завива́ть(ся) (*тж.* ~ up)

frizzly ['frɪzlɪ] = frizzed 2

frizzy ['frɪzɪ] *a* вью́щийся; завито́й

fro [frəʊ] *adv*: to and ~ взад и вперёд; туда́ и сюда́

frock [frɒk] *n* 1) да́мское *или* де́тское пла́тье 2) ря́са 3) = frock coat 4) тельня́шка

frock coat [,frɒk'kəʊt] *n* сюрту́к

frog I [frɒg] *n* 1) лягу́шка 2) (F.) *презр.* францу́з 3) стре́лка (*в копыте лошади*) 4) *эл.* возду́шная стре́лка 5) *ж.-д.* крестови́на (*стрелочного перевода*) 6) сто́йка-башма́к (*плуга*)

frog II [frɒg] *n* 1) отде́лка на оде́жде из тесьмы́, сутажа́ *и т. п.* 2) аксельба́нт 3) пе́тля, крючо́к (*для прикрепления палаша, кортика и т. п.*)

froggy ['frɒgɪ] *a* лягу́шечий; лягуша́чий

frog-in-the-throat [,frɒgɪnðə'θrəʊt] *n разг.* хрипота́

frogling ['frɒglɪŋ] *n* лягушо́нок

frogman ['frɒgmən] *n* 1) ныря́льщик с аквала́нгом 2) водола́з

frogmarch ['frɒgmɑ:tʃ] 1. *n* приём подавле́ния сопротивле́ния при аре́сте (*когда четыре полицейских несут человека за ноги и за руки лицом вниз*)

2. *v* тащи́ть (*кого-л.*) с четырёх сторо́н за́ ноги и за́ руки лицо́м вниз

frogskin ['frɒgskɪn] *n амер. sl.* до́лларовая бума́жка

frolic ['frɒlɪk] 1. *n* ша́лость; ре́звость; весе́лье

2. *a уст.* весёлый; ре́звый; шаловли́вый

3. *v* резви́ться, прока́зничать

frolicsome ['frɒlɪksəm] *a* игри́вый, ре́звый

from [frɒm (*полная форма*); frəm (*редуцированная форма*)] *prep.* 1) *указывает на пространственные отношения* от, из, с (*передаётся тж. приставками*); ~ St.-Petersbourg из Са́нкт-Петербу́рга; where is he coming ~ ? отку́да он?; we are two hours journey ~ there мы нахо́димся в двух часа́х пути́ отту́да; we were 50 km ~ the town мы бы́ли в 50 км от го́рода 2) *указывает на отправную точку, исходный пункт, предел* с, от; ~ the beginning of the book с нача́ла кни́ги; ~ floor to ceiling от по́ла до потолка́; ~ end to end из конца́ в коне́ц; you will find the word in the seventh line ~ the bottom (of the page) вы найдёте э́то сло́во в седьмо́й строке́ сни́зу; ~ ten to twenty thousand от десяти́ до двадцати́ ты́сяч; ~ my point of view с мое́й то́чки зре́ния 3) *указывает на временны́е отношения* с, от, из; ~ the (very) beginning с (са́мого) нача́ла; ~ the beginning of the century с нача́ла ве́ка; ~ a child с де́тства; ~ before the war с довое́нного вре́мени; ~ now on с э́тих пор, отны́не; beginning ~ Friday week начина́я с бу́дущей пя́тницы; ~ dusk to dawn от зари́ и до зари́; ~ six a. m. с шести́ часо́в утра́; ~ beginning to end от нача́ла до конца́ 4) *указывает на отнятие, изъятие, вычитание, разделение и т. п.* у, из, с, от; take the knife ~ the child отними́те нож у ребёнка; take ten ~ fifteen вы́чтите де́сять из пятна́дцати; to exclude ~ the number исключи́ть из числа́; she parted ~ him at the door она́ расста́лась с ним у двере́й; they withdrew the team ~ the match кома́нда не была́ допу́щена к соревнова́ниям 5) *указывает на освобождение от обязанностей, избавление от опасности и т. п.* от; to hide ~ smb. спря́таться от кого́-л.; to release ~ duty *воен.* смени́ть на посту́, заступи́ть в наря́д; he was excused ~ digging он был освобождён от тяжёлых земляны́х рабо́т; he was saved ~ ruin он был спасён от разоре́ния; prevent him ~ going there не пуска́йте его́ туда́ 6) *указывает на источник, происхождение* от, из, по; I know it ~ the papers я зна́ю э́то из газе́т; to speak (to write down) ~ memory говори́ть (запи́сывать) по па́мяти; I heard it ~ his own lips я слы́шал э́то из его́ со́бственных уст 7) *указывает на причину действия* от, из; to suffer ~ cold страда́ть от хо́лода; he died ~ blood-poisoning он у́мер от зараже́ния кро́ви; to act ~ good motives де́йствовать из до́брых побужде́ний; to blush ~ embarrassment зали́ться румя́нцем от смуще́ния 8) *указывает на различие* от, из; to tell real silk ~ its imitation отличи́ть натура́льный шёлк от иску́сственного; customs differ ~ country to country в ка́ждой стране́ свои́ обы́чаи; to do things differently ~ other people поступа́ть не так, как все 9) *указывает на изменение состояния* из, с, от; ~ being a dull, indifferent boy he now became a vigorous youth из вя́лого, апати́чного ма́льчика он преврати́лся в живо́го, энерги́чного ю́ношу

frond [frɒnd] *n* 1) вайя́; ветвь с ли́стьями 2) лист (*папоротника или пальмы*)

Fronde [frɔ:ŋd] *фр. n ист.* фро́нда

front [frʌnt] 1. *n* 1) фаса́д; пере́дняя сторона́ (*чего-л.*); to come to the ~ вы́двинуться; in ~ of пе́ред, впереди́; a car stopped in ~ of the house пе́ред до́мом останови́лась маши́на; in ~ of smb.'s eyes на чьих-л. глаза́х; don't say it in ~ of the children не говори́ об э́том при де́тях 2) *воен.* фронт; передовы́е пози́ции 3) фронт, сплочённость (*перед лицом врага*); united ~ еди́ный фронт; popular (*или* the people's) ~ наро́дный фронт 4) лицо́; *поэт.* лик; чело́ 5) накла́дка из воло́с 6) накрахма́ленная мани́шка 7) *sl.* прикры́тие, ши́рма (*для незаконных махинаций и т. п.*) 8) на́бережная; примо́рский бульва́р ◇ to have the ~ to do smth. име́ть на́глость сде́лать что-л.; to present (*или* to show) a bold ~ не па́дать ду́хом; to put a bold ~ on it прояви́ть му́жество

2. *a* 1) пере́дний 2) *фон.* переднеязы́чный; ~ vowels гла́сные пере́днего ря́да ◇ ~ bench министе́рская скамья́ в англи́йском парла́менте *или* скамья́, занима́емая ли́дерами оппози́ции в парла́менте [*см.* front bencher]

3. *v* 1) выходи́ть на; быть обращённым к; the house ~s on (*или* towards) the sea дом выхо́дит на мо́ре 2) *sl.* служи́ть прикры́тием, ши́рмой (*для незаконных махинаций и т. п.*) 3) быть главарём (*банды*) 4) противостоя́ть

frontage ['frʌntɪdʒ] *n* 1) пере́дний фаса́д 2) палиса́дник; уча́сток ме́жду зда́нием и доро́гой 3) грани́ца земе́льного уча́стка (*по дороге, реке*) 4) *воен.* ширина́ фро́нта

frontal ['frʌntl] *a* 1) *воен.* лобово́й, фронта́льный 2) *анат.* ло́бный 3) *тех.* торцо́вый

front bencher [,frʌnt'bentʃə] *n парл.* 1) мини́стр 2) бы́вший мини́стр 3) руководи́тель оппози́ции

frontier ['frʌntɪə] *n* 1) грани́ца 2) *ист.* грани́ца продвиже́ния поселе́нцев в США 3) *уст.* форт 4) *attr.* пограни́чный; ~ town пограни́чный го́род

frontiersman ['frʌntɪəzmən] *n* 1) жи́тель пограни́чной зо́ны 2) *амер. ист.* переселе́нец, колони́ст

frontispiece ['frʌntɪspi:s] *n архит., полигр.* фронтиспи́с

frontlet ['frʌntlət] *n* 1) повя́зка на лбу 2) пятно́ на лбу живо́тного

front line ['frʌntlaɪn] *n* ли́ния фро́нта; пере́дний край

fronton ['frʌntən] *n архит.* фронто́н; щипе́ц

front page [,frʌnt'peɪdʒ] *n* 1) ти́тульный лист 2) пе́рвая полоса́ (*в газете*)

front-page [,frʌnt'peɪdʒ] *a* помеща́емый на пе́рвой страни́це (*газеты*); о́чень ва́жный

front passage [,frʌnt'pæsɪdʒ] *n разг.* влага́лище

front-rank [,frʌnt'ræŋk] *a* передово́й

front-runner [,frʌnt'rʌnə] *n* наибо́лее вероя́тный претенде́нт

frontward ['frʌntwəd] 1. *a* выходя́щий на фаса́д

2. *adv* (лицо́м) вперёд

frontwards ['frʌntwədz] = frontward 2

frontways, frontwise ['frʌntweɪz, -waɪz] = frontward 2

frore [frɔ:] *a поэт.* моро́зный

frost [frɒst] 1. *n* 1) моро́з; ten degrees of ~ де́сять гра́дусов моро́за; black ~ моро́з без и́нея; hard (*или* sharp, biting) ~ си́льный моро́з 2) и́ней (*тж.* hoar ~) 3) хо́лодность, суро́вость 4) *sl.* прова́л (*пье-*

сы, затеи и т. п.); the play turned out a ~ пьéса провали́лась; dead ~ разг. ги́блое дéло; пóлная неудáча, фиáско

2. v 1) побивáть морóзом (растения) 2) подморáживать 3) расхолáживать 4) подвергáть бы́строму заморáживанию (продукты) 5) амер. покрывáть глазýрью, посыпáть сáхарной пýдрой 6) матировáть (стекло) 7) подкóвывать на óстрые шипы́

frostbite ['frɒstbaɪt] n отморóженное мéсто

frostbitten ['frɒstbɪtn] a обморóженный

frost-bound ['frɒstbaʊnd] a скóванный морóзом

frost-cleft ['frɒstkleft] лес. 1. n зáблина, морозобóина

2. a поражённый морозобóиной; трéснувший от морóза

frost crack ['frɒstkræk] = frost-cleft 1

frosted ['frɒstɪd] 1. p. p. от frost 2

2. a 1) трóнутый морóзом 2) покры́тый и́неем 3) мáтовый (о стекле) 4) амер. глазирóванный (о торте)

frost-hardy ['frɒst,hɑ:dɪ] a морозостóйкий (о растениях)

frostily ['frɒstɪlɪ] adv хóлодно, непривéтливо; сдéржанно

frosting ['frɒstɪŋ] n 1) амер. глазýрь 2) мáтовая повéрхность (стекла, металла)

frostwork ['frɒstwɜ:k] n 1) ледянóй узóр (на стекле) 2) тóнкие узóры на серебрé или óлове

frosty ['frɒstɪ] a 1) морóзный; ~ trees дерéвья, покры́тые и́неем 2) холóдный, ледянóй 3) поседéвший; ~ head седáя головá

froth [frɒθ] 1. n 1) пéна 2) вздóрные мы́сли, пусты́е словá, болтовня́

2. v 1) пéниться; кипéть 2) сбивáть в пéну 3) пустослóвить

frothy ['frɒθɪ] a 1) пéнистый 2) пустóй

froufrou ['fru:fru:] n шуршáние (шёлка)

frounce [fraʊns] v 1) завивáть 2) дéлать сбóрки, склáдки 3) уст. хмýриться

froward ['frəʊəd] a уст. упря́мый; несговóрчивый; капри́зный

frown [fraʊn] 1. n сдви́нутые брóви; хмýрый взгляд; выражéние неодобрéния

2. v хмýрить брóви; смотрéть неодобри́тельно (at, on, upon — на); насýпиться; to ~ on smth. быть недовóльным чем-л.

frowst [fraʊst] разг. 1. n спёртый, зáтхлый вóздух (в комнате), духотá

2. v 1) сидéть в духотé 2) бездéльничать

frowsy, frowzy ['fraʊzɪ] a 1) зáтхлый, спёртый 2) неря́шливый, нечёсаный, гря́зный

froze [frəʊz] past от freeze

frozen ['frəʊzn] 1. p. p. от freeze

2. a 1) замёрзший 2) заморóженный; ~ fruit свежезаморóженные фрýкты 3) студёный 4) холóдный, крáйне сдéржанный

fructiferous [frʌk'tɪfərəs] a плодонося́щий

fructification [,frʌktɪfɪ'keɪʃn] n бот. 1) плодоношéние 2) оплодотворéние

fructify ['frʌktɪfaɪ] v 1) бот. оплодотворя́ть 2) приноси́ть плоды́ (тж. перен.)

fructose ['frʌktəʊs] n фруктóза

frugal ['fru:gl] a 1) бережли́вый, эконóмный 2) умéренный, скрóмный; ~ supper скýдный ýжин

frugality [fru:'gælətɪ] n 1) бережли́вость 2) умéренность

fruit [fru:t] 1. n 1) плод; to bear ~ плодоноси́ть 2) собир. фрукты; to grow ~ разводи́ть плодóвые дерéвья; small ~ я́годы 3) (преим. pl) плоды́, результáты 4) attr. фруктóвый

2. v плодоноси́ть

fruitage ['fru:tɪdʒ] n 1) плодоношéние 2) поэт. плоды́

fruitarian [fru:'teərɪən] n человéк, питáющийся тóлько фрýктами

fruitcake ['fru:tkeɪk] n 1) кекс с изю́мом или сморóдиной 2) sl. псих

fruiter ['fru:tə] n 1) плодóвое дéрево 2) садовóд 3) сýдно, гружённое фрýктами

fruiterer ['fru:tərə] n торгóвец фрýктами

fruitful ['fru:tfl] a 1) плодорóдный 2) плодотвóрный 3) плодови́тый

fruit-grower ['fru:t,grəʊə] n садовóд, плодовóд

fruitgrowing ['fru:t,grəʊɪŋ] n садовóдство, плодовóдство

fruition [frʊ'ɪʃn] n 1) пóльзование каки́ми-л. блáгами 2) осуществлéние (надежд и т. п.)

fruit-knife ['fru:tnaɪf] n нож для фрýктов

fruitless ['fru:tləs] a 1) бесплóдный 2) бесполéзный

fruit machine ['fru:tmə,ʃi:n] n игрáльный автомáт

fruit salad ['fru:t,sæləd] n 1) фруктóвый салáт 2) sl. выставлéние напокáз нагрáд и т. п.

fruit sugar ['fru:t,ʃʊgə] n фруктóза; глюкóза

fruit-tree ['fru:ttri:] n плодóвое дéрево

fruity ['fru:tɪ] a 1) похóжий на фрýкты (по вкусу, запаху и т. п.) 2) сохраня́ющий аромáт виногрáда (о вине) 3) звýчный; ирон. сладкоголóсый; a ~ voice мелоди́чный гóлос 4) разг. сóчный, смáчный; непристóйный; a ~ story истóрия с пикáнтными подрóбностями

frumenty ['fru:məntɪ] n слáдкая пшени́чная кáша на молокé, припрáвленная кори́цей

frump [frʌmp] n старомóдно и плóхо одéтая жéнщина

frumpish ['frʌmpɪʃ] a старомóдно одéтый

frumpy ['frʌmpɪ] a непривлекáтельный; старомóдный

frusta ['frʌstə] pl от frustum

frustrate [frʌ'streɪt] v расстрáивать, срывáть (планы); дéлать тщéтным, бесполéзным

frustration [frʌ'streɪʃn] n 1) расстрóйство (планов); крушéние (надежд) 2) разочаровáние

frustum ['frʌstəm] n (pl -ta, -tums [-təmz]) геом. усечённая пирами́да; усечённый кóнус

fry I [fraɪ] n мéлкая рыбёшка; мальки́; small ~ пренебр., шутл. мелкотá, мелюзгá; мéлкая сóшка

fry II [fraɪ] 1. n 1) внýтренности нéкоторых живóтных в жáреном ви́де 2) жáреное мя́со; жаркóе 3) амер. пикни́к

2. v жáрить(ся)

frying pan ['fraɪɪŋpæn] n сковородá ◇ out of the ~ into the fire ≅ из огня́ да в пóлымя

fubsy ['fʌbzɪ] a 1) пóлный, тóлстый 2) призéмистый

fuck [fʌk] груб. 1. v совокупля́ться

2. n половóй акт

fucking ['fʌkɪŋ] груб. 1. a прокля́тый, чёртов

2. adv чертóвски, отврати́тельно

fuck up ['fʌkʌp] v груб. испóртить, испогáнить

fuddle ['fʌdl] 1. n 1) опьянéние 2) попóйка

2. v 1) напои́ть дóпьяна; to ~ oneself, to be ~d напивáться 2) одурмáнивать

fuddy-duddy ['fʌdɪdʌdɪ] n sl. 1) ворчýн 2) ретрогрáд; консервáтор

fudge [fʌdʒ] 1. n 1) помáдка 2) вы́думка; «стряпня́» 3) извéстия, помещáемые в газéте в послéднюю минýту

2. v дéлать кóе-кáк, недобросóвестно; «состря́пать»

3. int чепухá!, вздор!

fuel [fju:əl] 1. n тóпливо, горю́чее

2. v 1) снабжáть тóпливом 2) возбуждáть, разжигáть (эмоции и т. п.) 3) запасáться тóпливом 4) заправля́ть(ся) горю́чим 5) ж.-д. экипировáть

fuelling ['fju:əlɪŋ] 1. pres. p. от fuel 2

2. n 1) горю́чее 2) запрáвка горю́чим

fuel pump ['fju:əlpʌmp] n насóс для подáчи горю́чего, бензопóмпа

fug [fʌg] разг. 1. n 1) духотá, спёртый вóздух 2) сор; пыль (по углам помещения, в швах одежды и т. п.)

2. v сидéть в духотé; to ~ at home вести́ сидя́чий óбраз жи́зни

fugacious [fjʊ'geɪʃəs] a книжн. 1) мимолётный 2) летýчий

fuggy ['fʌgɪ] a разг. спёртый (о воздухе); дýшный

fugitive ['fju:dʒətɪv] 1. n 1) беглéц 2) бéженец 3) дезерти́р

2. a 1) бéглый 2) мимолётный, непрóчный 3): ~ verse стихотворéние, сочинённое по какóму-л. слýчаю

fugle ['fju:gl] v уст. руководи́ть; служи́ть образцóм

fugleman ['fju:glmæn] n 1) воен. уст. флигельмáн 2) вожáк; человéк, слýжащий примéром

fugue [fju:g] n муз. фýга

führer ['fjʊərə] n фю́рер, диктáтор

fulcra ['fʌlkrə] pl от fulcrum

fulcrum ['fʌlkrəm] n (pl тж. -ra) 1)

физ. то́чка опо́ры (*рычага*) 2) сре́дство достиже́ния це́ли 3) *тех.* ось *или* центр шарни́ра

fulfil [fʊl'fɪl] *v* 1) выполня́ть; исполня́ть, осуществля́ть; to ~ the quota выполня́ть но́рму; to ~ a promise выполня́ть обеща́ние 2) удовлетворя́ть (*требованиям, условиям и т. п.*); to ~ oneself дости́чь соверше́нства (*в пределах своих возможностей*), наибо́лее по́лно вы́разить себя́ 3) заверша́ть

fulfilment [fʊl'fɪlmənt] *n* 1) выполне́ние; исполне́ние, осуществле́ние; сверше́ние 2) заверше́ние

fulgent ['fʌldʒənt] *a поэт.* блиста́ющий, сия́ющий

fulgurite ['fʌlgjʊ,raɪt] *n геол.* фульгури́т

fuliginous [fjʊ'lɪdʒɪnəs] *a* закопчённый, покры́тый са́жей

full I [fʊl] **1.** *a* 1) по́лный; це́лый; a ~ audience по́лная аудито́рия, по́лный зри́тельный зал; ~ to overflowing (*или* to the brim) по́лный до краёв; a ~ hour це́лый час; ~ load по́лная нагру́зка 2) *разг.* сы́тый; to eat till one is ~ есть до отва́ла, до по́лного насыще́ния 3) оби́льный; a ~ meal сы́тная еда́ 4) изоби́лующий, бога́тый (*чем-л.*) 5) поглощённый; he is ~ of his own affairs он всеце́ло за́нят свои́ми дела́ми 6) по́лный, доро́дный 7) широ́кий, свобо́дный (*о платье*) 8) перепо́лненный (*эмоциями и т. п.*) 9) *sl.* подда́тый 10) *уст.* дости́гший вы́сшей сте́пени, вы́сшей то́чки; in ~ vigour в расцве́те сил; ~ tide высо́кая вода́ ◇ ~ brother родно́й брат; ~ powers полномо́чия; to be on ~ time быть за́нятым по́лную рабо́чую неде́лю; ~ up *predic. разг.* перепо́лненный; битко́м наби́тый; ~ moon полнолу́ние

2. *n*: in ~ по́лностью; to the ~ в по́лной ме́ре

3. *adv* 1) о́чень; ~ well (о́чень) хорошо́ 2) вполне́ 3) как раз; the ball hit him ~ on the nose мяч попа́л ему́ пря́мо в нос

4. *v* крои́ть широко́ (*платье*); шить в сбо́рку, в скла́дку

full II [fʊl] *v текст.* валя́ть (*сукно*)

fullback [,fʊl'bæk] *n* защи́тник (*в футболе*)

full-blooded [,fʊl'blʌdɪd] *a* 1) полнокро́вный 2) си́льный; по́лный жи́зни 3) чистокро́вный

full-blown [,fʊl'bləʊn] *a* вполне́ распусти́вшийся (*о цветке*)

full-bodied [,fʊl'bɒdɪd] *a* по́лный; скло́нный к полноте́

full-bottomed [,fʊl'bɒtəmd] *a* 1): ~ wig алло́нжевый пари́к 2) *мор.*: ~ ship су́дно с по́лными обво́дами подво́дной ча́сти

full dress [,fʊl'dres] *n* по́лная пара́дная фо́рма; вече́рнее пла́тье, вече́рний костю́м

full-dress [,fʊl'dres] *a*: ~ debate *парл.* пре́ния по ва́жному вопро́су; ~ rehearsal генера́льная репети́ция

fuller I ['fʊlə] *n* валя́льщик, сукнова́л

fuller II ['fʊlə] *тех.* **1.** *n* инструме́нт для вы́делки желобо́в

2. *v* 1) вы́делывать желоба́ 2) чека́нить

fuller's earth [,fʊləz'ɜ:θ] *n* 1) валя́льная *или* сукнова́льная гли́на 2) *хим.* фу́ллерова земля́

full-faced [,fʊl'feɪst] *a* 1) повёрнутый анфа́с 2) с по́лным лицо́м, полнолицый

full-fashioned [,fʊl'fæʃnd] = fully-fashioned

full-fed [,fʊl'fed] *a* 1) раско́рмленный, жи́рный 2) нако́рмленный

full-fledged [,fʊl'fledʒd] = fully-fledged

full-grown [,fʊl'grəʊn] *a* 1) разви́вшийся, вы́росший 2) взро́слый

fulling-mill ['fʊlɪŋmɪl] *n текст.* сукнова́льная маши́на

full-length [,fʊl'leŋθ] *a* 1) по́лный; без сокраще́ний; a ~ film полнометра́жный фильм 2) во всю длину́, во весь рост (*часто о портрете*)

fullmouthed [,fʊl'maʊðd] *a* 1) с по́лностью сохрани́вшимися зуба́ми (*о скоте*) 2) гро́мко ла́ющая соба́ка

fullness ['fʊlnəs] *n* полнота́, оби́лие, сы́тость *и пр.* [*см.* full I, 1]; to write with great ~ писа́ть о́чень подро́бно ◇ in the ~ of time в своё вре́мя, в ну́жный моме́нт

full-scale [,fʊl'skeɪl] *a* 1) в натура́льную величину́ 2) по́лный, всеобъе́млющий; ~ study исче́рпывающее иссле́дование

full stop [,fʊl'stɒp] *n* то́чка ◇ to come to a ~ дойти́ до то́чки, зайти́ в тупи́к

full-timer [,fʊl'taɪmə] *n* 1) рабо́чий, за́нятый по́лную рабо́чую неде́лю 2) шко́льник, посеща́ющий все заня́тия

fully ['fʊlɪ] *adv* вполне́, соверше́нно, по́лностью; ~ justified вполне́ опра́вданный; to eat ~ есть до́сыта

fully-fashioned [,fʊlɪ'fæʃnd] *a* сде́ланный то́чно по фигу́ре

fully-fledged [,fʊlɪ'fledʒd] *a* 1) вполне́ опери́вшийся 2) разви́вшийся, созре́вший 3) заверши́вший подгото́вку

fulmar ['fʊlmə] *n* глупы́ш (*птица*)

fulminant ['fʊlmɪnənt] *a* 1) молниено́сный 2) *мед.* скороте́чный

fulminate ['fʊlmɪneɪt] **1.** *v* 1) выступа́ть с осужде́нием (*чьих-л. действий и т. п.*); излива́ть гнев (*на кого-л.*); громи́ть (against) 2) взрыва́ть(ся) 3) греме́ть 4) сверка́ть 5) *мед.* бу́рно протека́ть

2. *n*: ~ of mercury грему́чая ртуть

fulminatory ['fʊlmɪnətərɪ] *a* 1) греми́щий 2) громя́щий

fulness ['fʊlnəs] = fullness

fulsome ['fʊlsəm] *a* неи́скренний; ~ flattery гру́бая лесть

fulvous ['fʌlvəs] *a* краснова́то-жёлтый, бу́рый

fumble ['fʌmbl] *v* 1) нащу́пывать (for, after); to ~ in one's purse ры́ться в (своём) кошельке́ 2) неуме́ло обраща́ться (*с чем-л.*) 3) верте́ть, мять в рука́х 4) *спорт.* не останови́ть мяч

fume [fju:m] **1.** *n* 1) дым *или* пар с си́льным за́пахом; the ~s of wine ви́нные пары́; the ~s of cigars дым от сига́р 2) испаре́ние; пар(ы́) 3) си́льный за́пах 4) возбужде́ние; при́ступ гне́ва; in a ~ в припа́дке раздраже́ния

2. *v* 1) оку́ривать; копти́ть 2) кури́ть благово́ниями 3) мори́ть (*дуб*) 4) дыми́ть; испаря́ться (*обыкн.* ~ away) 5) *шутл.* кури́ть 6) волнова́ться; раздража́ться; кипе́ть от зло́сти

fumigate ['fju:mɪgeɪt] *v* 1) оку́ривать; дезинфици́ровать 2) кури́ть благово́ния

fumigation [,fju:mɪ'geɪʃn] *n* оку́ривание; дезинфе́кция

fumitory ['fju:mɪtərɪ] *n бот.* дымя́нка (апте́чная)

fumy ['fju:mɪ] *a* ды́мный; по́лный испаре́ний

fun [fʌn] **1.** *n* шу́тка; весе́лье; заба́ва, figure of ~ смешна́я фигу́ра, предме́т насме́шек; he is great ~ он о́чень заба́вен; it was rather ~ eating in a restaurant в рестора́не обе́дать бы́ло гора́здо интере́снее; I did it for (*или* in) ~ я сде́лал э́то шу́тки ра́ди; to make ~ of smb., to poke ~ at smb. высме́ивать кого́-л.; подсме́иваться над кем-л.; what ~! как смешно́!, вот потéха! ◇ like ~ а) как бы не так; ≅ держи́ карма́н ши́ре; б) со всех ног

2. *v редк.* шути́ть (*обыкн.* to be ~ning)

funambulist [fju:'næmbjʊlɪst] *n* канато́ходец

function ['fʌŋkʃn] **1.** *n* 1) фу́нкция, назначе́ние 2) отправле́ние (*организма*) 3) (*обыкн. pl*) должностны́е обя́занности 4) торжество́; торже́ственное собра́ние 5) ве́чер, приём (*часто* public *или* social ~) 6) *мат.* фу́нкция

2. *v* функциони́ровать, де́йствовать; выполня́ть фу́нкции

functional ['fʌŋkʃnəl] *a* 1) функциона́льный (*тж. физиол. и мат.*) 2) *архит.* конструкти́вный, без украша́тельства

functionary ['fʌŋkʃnərɪ] **1.** *n* должностно́е лицо́; чино́вник

2. *a* официа́льный

fund [fʌnd] **1.** *n* 1) запа́с; a ~ of knowledge кла́дезь зна́ний 2) фонд; капита́л 3) *pl* де́нежные сре́дства; to be in ~s быть при деньга́х 4) (the ~s) *pl* госуда́рственные проце́нтные бума́ги; to have money in the ~s держа́ть де́ньги в госуда́рственных бума́гах 5) обще́ственная *или* благотвори́тельная организа́ция, фонд

2. *v* 1) *эк.* консолиди́ровать 2) вкла́дывать капита́л в це́нные бума́ги 3) *редк.* де́лать запа́с

fundament ['fʌndəmənt] *n шутл.* зад, я́годицы

fundamental [,fʌndə'mentl] **1.** *a* основно́й; коренно́й; суще́ственный; the ~ rules основны́е пра́вила; ~ frequency *физ.* основна́я частота́, со́бственная частота́; ~ truth аксио́ма; ~ freedoms основны́е свобо́ды

2. *n* 1) (*обыкн. pl*) основно́е пра́вило; при́нцип; осно́вы 2) *муз.* основно́й тон

funded ['fʌndɪd] **1.** *p. p. от* fund 2

2. *a* фундированный; помещённый в государственные бумаги; ~ debt фундированный долг; долгосрочные государственные займы

funeral ['fju:nrəl] **1.** *n* 1) похороны; похоронная процессия 2) *амер.* заупокойная служба ◇ it is not my ~ *sl.* меня это не касается; это не моё дело; that's your ~ *sl.* это ваше дело; это ваша забота

2. *a* похоронный; ~ urn урна для праха; ~ home *амер.* помещение, снимаемое для гражданской панихиды; ~ speech речь на похоронах

funereal [fjʊ'nɪərɪəl] *a* 1) похоронный 2) мрачный; траурный

fun fair ['fʌnfeə] *n* ярмарка с аттракционами, балаганом *и т. п.*

fungal ['fʌŋgl] *a* 1) *бот.* грибной 2) *мед.* грибковый

fungi ['fʌŋgi:] *pl от* fungus

fungible ['fʌndʒəbl] *a юр.* заменяемый (*о товаре*)

fungicide ['fʌŋgɪsaɪd] *n мед.* фунгицид

fungous ['fʌŋgəs] *a* губчатый, ноздреватый

fungus ['fʌŋgəs] *n* (*pl* -gi, -es [-ɪz]) 1) гриб; поганка; плесень; древесная губка 2) *мед.* грибок

funicular [fjʊ'nɪkjʊlə] **1.** *a* канатный

2. *n* фуникулёр (*тж.* ~ railway)

funk I [fʌŋk] *разг.* **1.** *n* 1) испуг, страх; to be in a ~ трусить 2) трус

2. *v* 1) трусить, бояться 2) уклоняться (*от чего-л.*)

funk II [fʌŋk] *n амер. sl.* вонь

funk hole ['fʌŋkhəʊl] *n воен. sl.* 1) блиндаж 2) укрытие, убежище 3) должность, которая даёт возможность уклониться от военной службы

funky I ['fʌŋkɪ] *a sl.* трусливый, напуганный

funky II ['fʌŋkɪ] *a sl.* 1) шибко модный 2) *амер.* вонючий

funnel ['fʌnl] *n* 1) дымовая труба, дымоход 2) воронка 3) *тех.* литник

funny I ['fʌnɪ] **1.** *a* 1) забавный, смешной; смехотворный; потешный 2) *разг.* странный; ~ business подозрительное, не совсем чистое дело; to feel ~ неважно себя чувствовать

2. *n pl разг.* страничка юмора в газете

funny II ['fʌnɪ] *n* двухвёсельная лодка, ялик

funny bone ['fʌnɪbəʊn] *n анат.* внутренний мыщелок плечевой кости

funny farm ['fʌnɪfɑ:m] *n sl.* психбольница, дурдом

funny house ['fʌnɪhaʊs] *n амер. разг.* 1) психиатрическая больница 2) лечебница для наркоманов

funnyman ['fʌnɪmæn] *n* 1) клоун; комик; юморист 2) шутник

funster ['fʌnstə] *n амер.* 1) клоун; комик 2) шутник

fur [fɜ:] **1.** *n* 1) мех 2) шерсть, шкура 3) *собир.* пушной зверь; ~ and feather пушной зверь и дичь 4) (*обыкн. pl*) пушнина; меховые изделия 5) налёт (*на языке больного*); накипь (*в котле, трубах*); осадок (*в винных бочках*) 6) *attr.* меховой; ~ coat (меховая) шуба ◇ to make the ~ fly *разг.* поднять бучу, затеять ссору

2. *v* 1) подбивать *или* отделывать мехом 2) счищать накипь (*в котле*) 3) *стр.* обшивать рейками, дранью *или* досками

furbelow ['fɜ:bələʊ] *n* 1) оборка 2) *pl презр.* тряпки; безвкусные украшения

furbish ['fɜ:bɪʃ] *v* 1) полировать, чистить; счищать ржавчину 2) подновлять, ремонтировать

furcate ['fɜ:keɪt] **1.** *a* раздвоенный, разветвлённый

2. *v* раздваиваться

furcation [fɜ:'keɪʃn] *n* раздвоение, разветвление

furfur ['fɜ:fə] *n* (*pl* -res [-ri:z]) перхоть

furious ['fjʊərɪəs] *a* взбешённый, неистовый; he was ~ он был в ярости

furl [fɜ:l] **1.** *n* 1) свёртывание 2) что-л. свёрнутое

2. *v* 1) свёртывать; убирать (*паруса*) 2) складывать (*веер, зонт*) 3) оставлять (*надежды*)

furlong ['fɜ:lɒŋ] *n* восьмая часть мили (= *201 м*)

furlough ['fɜ:ləʊ] *n воен.* отпуск

furmety ['fɜ:mətɪ] = frumenty

furnace ['fɜ:nɪs] *n* 1) горн; очаг; печь 2) топка

furnish ['fɜ:nɪʃ] *v* 1) снабжать (with); предоставлять, доставлять; to ~ sentries *воен.* выставлять часовых 2) представлять; to ~ benefits (explanations) представлять выгоды (объяснения) 3) обставлять (*мебелью*), меблировать

furnished ['fɜ:nɪʃt] **1.** *p. p. от* furnish

2. *a* меблированный; ~ rooms меблированные комнаты; ~ house дом с мебелью, с обстановкой

furnisher ['fɜ:nɪʃə] *n* поставщик (*мебели*)

furnishings ['fɜ:nɪʃɪŋz] *n pl* 1) обстановка, меблировка 2) оборудование 3) украшения 4) домашние принадлежности

furniture ['fɜ:nɪtʃə] *n* 1) мебель; обстановка 2) весь инвентарь (*дома*); оборудование, оснастка (*корабля и т. п.*) 3) содержимое; ~ of one's mind знания; ~ of one's pocket деньги 4) *полигр.* пробельный материал

furor ['fjʊərɔ:] *амер.* = furore

furore [fjʊ'rɔ:rɪ] *n* фурор

furred [fɜ:d] **1.** *p. p. от* fur 2

2. *a* 1) отделанный мехом 2) *мед.* обложенный (*о языке*) 3) *тех.* покрытый накипью (*о котле, трубах и т. п.*)

furrier ['fʌrɪə] *n* меховщик; скорняк

furriery ['fʌrɪərɪ] *n* 1) меховое дело; меховая торговля 2) *уст. собир.* меха

furrow ['fʌrəʊ] **1.** *n* 1) борозда; колея 2) жёлоб 3) глубокая морщина 4) *поэт.* пахотная земля 5) *тех.* фальц

2. *v* 1) бороздить; пахать 2) покрывать морщинами

furry ['fɜ:rɪ] *a* 1) меховой; подбитый мехом 2) покрытый налётом, накипью

fur seal ['fɜ:si:l] *n зоол.* морской котик

further ['fɜ:ðə] **1.** *a* 1) *сравн. ст. от* far 1; 2) более отдалённый 3) дальнейший; добавочный; ~ education дальнейшее образование (*исключая университетское*); to obtain ~ information получить дополнительные сведения; till ~ notice впредь до дальнейшего уведомления

2. *adv* 1) *сравн. ст. от* far 2; 2) дальше; далее 3) затем; кроме того; более того; to inquire ~ расспросить подробнее; let me ~ tell you разрешите мне добавить

3. *v* продвигать; содействовать, способствовать; to ~ hopes поддерживать надежды

furtherance ['fɜ:ðrəns] *n* продвижение; поддержка, помощь

furthermore [,fɜ:ðə'mɔ:] *adv* к тому же, кроме того; более того

furthermost ['fɜ:ðəməʊst] = farthermost

furthest ['fɜ:ðɪst] = farthest

furtive ['fɜ:tɪv] *a* 1) скрытый, тайный; ~ footsteps крадущиеся шаги; to cast a ~ glance посмотреть украдкой 2) хитрый 3) ворованный 4) вороватый

furtively ['fɜ:tɪvlɪ] *adv* украдкой, крадучись

furuncle ['fjʊərʌŋkl] *n* фурункул, чирей

fury ['fjʊərɪ] *n* 1) неистовство; бешенство; ярость 2) (F.) *миф.* фурия; *перен. тж.* сварливая женщина ◇ like ~ *разг.* чертовски, безумно

furze [fɜ:z] *n бот.* дрок

fuscous ['fʌskəs] *a* темноватый, с тёмным оттенком

fuse I [fju:z] **1.** *n* 1) плавка 2) *эл.* плавкий предохранитель, пробка; to blow a ~ сделать короткое замыкание

2. *v* 1) плавить(ся), сплавлять(ся); *эл.* сделать короткое замыкание 2) растворяться 3) сливаться, объединяться

fuse II [fju:z] **1.** *n* 1) запал, затравка; огнепроводный шнур; фитиль 2) *арт.* снарядная трубка; взрыватель

2. *v арт.* ввинчивать взрыватель *или* трубку

fusee [fjʊ'zi:] *n* 1) барабан (*в механизме висячих или каминных часов*) 2) запал 3) = fusil 4) спичка, не гаснущая на ветру

fuselage ['fju:zəlɑ:ʒ] *n ав.* фюзеляж

fusel oil ['fju:zlɔɪl] *n* сивушное масло

fusibility [,fju:zə'bɪlətɪ] *n* плавкость

fusible ['fju:zəbl] *a* плавкий

fusiform ['fju:zɪfɔ:m] *a* веретенообразный

fusil ['fju:zɪl] *n ист.* фузея, лёгкий мушкет

fusilier [,fju:zə'lɪə] *n ист.* фузилёр, стрелок

fusillade [,fju:zə'leɪd] *n* 1) стрельба 2) расстрел 3) нескончаемый поток критики

fusion ['fju:ʒn] *n* 1) плавка; расплавле́ние 2) распла́вленная ма́сса, сплав 3) слия́ние, объедине́ние 4) *attr.*: ~ reaction реа́кция си́нтеза; ~ bomb термоя́дерная бо́мба

fuss [fʌs] **1.** *n* 1) не́рвное, возбуждённое состоя́ние; to get into a ~ разволнова́ться, разне́рвничаться 2) суета́, беспоко́йство из-за пустяко́в; to make a ~ about smth. волнова́ться по́пусту, раздражённо жа́ловаться; суети́ться; to make a ~ of smb. суетли́во, шу́мно опека́ть кого́-л.; to make a ~ of smth. поднима́ть шум вокру́г чего́-л., привлека́ть к чему́-л. внима́ние 3) суетли́вый челове́к, волну́ющийся из-за вся́ких пустяко́в

2. *v* 1) суети́ться, волнова́ться из-за пустяко́в (*часто* ~ about); пристава́ть, надоеда́ть с пустяка́ми 2) *амер. разг.* ссо́риться; объясня́ться ▭ ~ up *амер. разг.* наряжа́ть

fusspot [ˈfʌspɒt] *n разг.* суетли́вый, беспоко́йный челове́к

fussy [ˈfʌsɪ] *a* 1) суетли́вый; не́рвный 2) вы́чурный; аляпова́тый 3) привере́дливый

fust [fʌst] *n архит.* сте́ржень коло́нны *или* пиля́стра

fustian [ˈfʌstɪən] **1.** *n* 1) флане́ль; вельве́т 2) напы́щенные ре́чи; напы́щенный стиль

2. *a* 1) флане́левый; вельве́товый 2) наду́тый, напы́щенный

fustic [ˈfʌstɪk] *n* фу́стик (*краси́льное расте́ние*)

fustigate [ˈfʌstɪgeɪt] *v шутл.* колоти́ть па́лкой

fusty [ˈfʌstɪ] *a* 1) за́тхлый, спёртый 2) устаре́вший, старомо́дный

futhorc [ˈfu:θɔ:k] *n* руни́ческий алфави́т (*по назва́ниям пе́рвых шести́ букв*)

futile [ˈfju:taɪl] *a* 1) бесполе́зный, тще́тный 2) несерьёзный, пусто́й, пове́рхностный

futility [fjʊˈtɪlətɪ] *n* тще́тность *и пр.* [*см.* futile]

future [ˈfju:tʃə] **1.** *n* 1) бу́дущее; for the ~, in ~ в бу́дущем, впредь 2) бу́дущность 3) *грам.* бу́дущее вре́мя 4) *pl ком.* това́ры, закупа́емые *или* продава́емые на срок (*ча́сто в спекуляти́вных це́лях*) 5) *pl ком.* сро́чные контра́кты; to deal in ~s скупа́ть това́ры заблаговре́менно в спекуляти́вных це́лях

2. *a* бу́дущий; ~ tense *грам.* бу́дущее вре́мя

futurism [ˈfju:tʃər,ɪzəm] *n* футури́зм

futurist [ˈfju:tʃərɪst] *n* футури́ст

futurity [fjʊˈtjʊərətɪ] *n* 1) бу́дущее, бу́дущность 2) *pl* собы́тия бу́дущего 3) *рел.* загро́бная жизнь

futurology [,fju:tʃəˈrɒlədʒɪ] *n* футуроло́гия

fuze [fju:z] = fuse II

fuzz [fʌz] **1.** *n* 1) пух, пуши́нка 2) пы́шные во́лосы 3) *sl.* поли́ция 4) *sl.* полице́йский

2. *v* 1) покрыва́ться сло́ем мельча́йших пуши́нок 2) разлета́ться (*о пу́хе*)

fuzzily [ˈfʌzɪlɪ] *adv* нея́сно, сму́тно, как в тума́не

fuzzy [ˈfʌzɪ] *a* 1) пуши́стый; ворси́стый 2) запушённый 3) нея́сный, неопределённый

fyke [faɪk] *n амер.* кошелько́вый не́вод

fylfot [ˈfɪlfɒt] *n* сва́стика

G

G, g [dʒiː] *n* (*pl* **Gs, G's** [dʒiːz]) 1) *7-я буква англ. алфавита* 2) *муз.* соль

gab I [gæb] *разг.* **1.** *n* 1) болтовня́; stop your ~! замолчи́те!; придержи́(те) язы́к 2) болтли́вость, разгово́рчивость

2. *v* болта́ть, трепа́ть языко́м

gab II [gæb] *n тех.* 1) крюк; ви́лка 2) вы́лет, вы́нос 3) отве́рстие

gabardine [ˌgæbə'diːn] *n* 1) *текст.* габарди́н 2) плащ из габарди́на

gabber ['gæbə] *n разг.* болту́н, пустозво́н

gabble ['gæbl] **1.** *n* бессвя́зная, нечленоразде́льная речь

2. *v* говори́ть бы́стро, бормота́ть; тарато́рить, треща́ть

gabbler ['gæblə] *n* бормоту́н; болту́н

gabby ['gæbɪ] *a разг.* разгово́рчивый; словоохо́тливый

gaberdine [ˌgæbə'diːn] *n* 1) = gabardine 2) *ист.* длиннопо́лый кафта́н из гру́бого сукна́

gabion ['geɪbɪən] *n* 1) *гидр.* габио́н 2) *воен. ист.* тур

gable ['geɪbl] *n* 1) *архит.* фронто́н, щипе́ц 2) конёк кры́ши 3) *attr.*: ~ roof двуска́тная (*или* щипцо́вая) кры́ша; ~ window слухово́е окно́

gabled ['geɪbld] *a* остроконе́чный (*о крыше*)

gaby ['geɪbɪ] *n разг.* проста́к, дурачо́к

gad I [gæd] *int уст.* (*тж.* by ~) ну?; да ну!; вот так та́к! (*выражает изумление, сожаление, гнев, досаду*)

gad II [gæd] *v разг.* слоня́ться, шата́ться без де́ла (*обыкн.* ~ about, ~ around)

gad III [gæd] *n* 1) остриё, о́стрый шип 2) *ист.* копьё 3) = goad 1, 1); 4) *тех.* зуби́ло; клин (*для отбивки угля*)

gadabout ['gædəbaʊt] *n* бродя́га; праздношата́ющийся

gadder ['gædə] *n* бродя́га; гуля́ка

gadfly ['gædflaɪ] *n* 1) о́вод, слепе́нь 2) надое́дливый, приди́рчивый челове́к

gadget ['gædʒɪt] *n* (но́вое) приспособле́ние *или* устро́йство (*механическое, электронное и т. п.*) 2) *пренебр.* безделу́шка; ерунда́

gadoid ['geɪdɔɪd] *a* из семе́йства тре́ско́вых

gadolinium [ˌgædə'lɪnɪəm] *n хим.* гадоли́ний

Gael [geɪl] *n* шотла́ндский (*реже* ирла́ндский) кельт, гэл

Gaelic ['geɪlɪk] **1.** *a* гэ́льский

2. *n* гэ́льский язы́к (*особ. язык шотландских кельтов*)

gaff I [gæf] **1.** *n* 1) острога́; баго́р 2) *мор.* га́фель ◇ to stand the ~ *амер. разг.* прояви́ть выно́сливость; без жа́лоб выноси́ть тру́дности; to give smb. the ~ суро́во обраща́ться с кем-л.; подверга́ть кого́-л. жесто́кой кри́тике

2. *v* багри́ть (*рыбу*)

gaff II [gæf] *n разг.* ерунда́, вздор ◇ to blow the ~ проболта́ться

gaffe [gæf] *n* оплo̒шность, оши́бка, ло́жный шаг

gaffer ['gæfə] *n* 1) *диал.* стари́к; де́душка (*обращение*) 2) *разг.* деся́тник, бригади́р 3) *кино, тлв. разг.* гла́вный освети́тель

gag [gæg] **1.** *n* 1) заты́чка, кляп 2) *театр.* отсебя́тина; вставно́й коми́ческий но́мер; шу́тка, остро́та; хо́хма 3) *разг.* обма́н; мистифика́ция 4) *парл.* прекраще́ние пре́ний 5) *мед.* ротораcшири́тель 6) *тех.* про́бка, заглу́шка

2. *v* 1) вставля́ть кляп, затыка́ть рот 2) заста́вить замолча́ть; не дава́ть говори́ть 3) дави́ться 4) *театр.* вставля́ть отсебя́тину; хохми́ть 5) *разг.* обма́нывать, мистифици́ровать 6) *мед.* применя́ть ротораcшири́тель 7) *тех.* пра́вить

gaga ['gɑːgɑː] *a разг.* 1) слабоу́мный; to go ~ поглупе́ть; впасть в слабоу́мие 2) глу́пый

gage I [geɪdʒ] **1.** *n* 1) зало́г; in ~ of smth. в зало́г чего́-л.; to give on ~ отдава́ть в зало́г 2) вы́зов (*на поединок*); to throw down a ~ бро́сить вы́зов, «перча́тку»

2. *v уст.* отдава́ть под зало́г

gage II [geɪdʒ] *амер.* = gauge

gaggle ['gægl] **1.** *n* 1) ста́до гусе́й 2) шу́мная толпа́ 3) гогота́нье

2. *v* гогота́ть

gagman ['gægmən] *n* сочини́тель остро́т, шу́ток, ре́плик для эстра́ды, ра́дио *и т. п.*

gaiety ['geɪətɪ] *n* 1) весёлость 2) (*обыкн. pl*) развлече́ния; весе́лье 3) весёлый *или* наря́дный вид

gaily ['geɪlɪ] *adv* 1) ве́село; ра́достно 2) я́рко

gain [geɪn] **1.** *n* 1) нажи́ва, коры́сть; love of ~ корыстолю́бие 2) при́быль, вы́года 3) *pl* дохо́ды (from — от); за́работок; вы́игрыш (*в карты и т. п.*) 4) увеличе́ние, приро́ст, рост 5) *радио, тлв.* усиле́ние ◇ ill-gotten ~s never prosper *посл.* ≅ чужо́е добро́ впрок нейдёт

2. *v* 1) добива́ться, получа́ть, приобрета́ть; to ~ the confidence of smb. войти́ в дове́рие к кому́-л.; to ~ experience приобрета́ть о́пыт; to ~ a bad reputation стяжа́ть дурну́ю сла́ву; to ~ weight увели́чиваться в ве́се; to ~ strength набира́ться сил, оправля́ться 2) зараба́тывать, добыва́ть 3) нара́щивать, набира́ть 4) выи́грывать, добива́ться; to ~ a prize вы́играть приз; to ~ time сэконо́мить, вы́играть вре́мя 5) извлека́ть по́льзу, вы́году; выга́дывать 6) завоёвывать, отвоёвывать 7) убега́ть вперёд (*о часах*) 8) достига́ть, добира́ться; to ~ touch *воен.* установи́ть соприкоснове́ние (*с противником*); to ~ the rear of the enemy *воен.* вы́йти в тыл проти́вника ▭ ~ on а) нагоня́ть; б) вторга́ться, захва́тывать посте́пенно часть су́ши (*о море*); в) доби́ться (*чьего-л. расположения*); ~ over перемани́ть на свою́ сто́рону, убеди́ть; ~ upon = ~ on ◇ to ~ the upper hand взять верх; my watch ~s мои́ часы́ спеша́т

gainful ['geɪnfl] *a* 1) опла́чиваемый 2) дохо́дный, при́быльный, сто́ящий, вы́годный

gainings ['geɪnɪŋz] *n pl* 1) за́работок, дохо́д 2) вы́игрыш

gainsaid [ˌgeɪn'sed] *past и p. p. от* gainsay

gainsay [ˌgeɪn'seɪ] *v* (gainsaid) *книжн. уст.* 1) противоре́чить 2) отрица́ть

gainst, 'gainst [genst] *prep поэт. см.* against

gait [geɪt] *n* 1) похо́дка 2) аллю́р

gaiter ['geɪtə] *n* (*обыкн. pl*) гама́ши; ге́тры; кра́ги

gal [gæl] *n sl.* девчо́нка

gala ['gɑːlə] **1.** *n* пра́зднество

2. *a* торже́ственный, пра́здничный, пара́дный

galactic [gə'læktɪk] *a астр.* галакти́ческий

gala day ['gɑːlədeɪ] *n* день пра́зднества; пра́здник

gala night ['gɑːlənaɪt] *n* га́ла-представле́ние; торже́ственный ве́чер

galantine ['gæləntiːn] *n* заливно́е, галанти́н

galanty show [gəˌlæntɪ'ʃəʊ] *n театр.* кита́йские те́ни

galaxy ['gæləksɪ] *n* 1) гала́ктика 2) (the G.) Мле́чный путь 3) плея́да (*тж. перен.*); созве́здие

gale I [geɪl] *n* 1) шторм; бу́ря; ве́тер от 7 до 10 ба́ллов 2) взрыв, вспы́шка; ~s of laughter взры́вы сме́ха 3) *поэт.* ветеро́к, зефи́р

gale II [geɪl] *n бот.* воско́вник (обыкнове́нный)

galena [gə'liːnə] *n* свинцо́вый блеск, галени́т

galenic(al) [geɪ'lenɪk(l)] *a* гале́нов, относя́щийся к Гале́ну (*в фармакологии*)

galimatias [ˌgælɪ'mætɪəs] *n* галимать́я, чепуха́

galipot [ˈgælɪpɒt] *n* засты́вшая сосно́вая *или* ело́вая смола́, живи́ца

gall I [gɔ:l] *n* 1) *разг.* на́глость, наха́льство; to have the ~ to do smth. име́ть на́глость сде́лать что-л. 2) жёлчность, раздраже́ние; зло́ба 3) жёлчь 4) жёлчный пузы́рь ◇ ~ and wormwood не́что ненави́стное, посты́лое

gall II [gɔ:l] **1.** *n* 1) сса́дина, натёртое ме́сто; нагнёт (*у лошади*) 2) доса́да, раздраже́ние

2. *v* 1) ссади́ть, натере́ть (*кожу*) 2) раздража́ть, беспоко́ить 3) уязвля́ть (*гордость*)

gall III [gɔ:l] *n бот.* галл, черни́льный оре́шек

gallant [ˈgælənt] **1.** *a* 1) хра́брый, до́блестный; a ~ soldier до́блестный во́ин; a ~ steed бо́рзый конь 2) краси́вый, прекра́сный, велича́вый 3) [gəˈlænt] галантный; внима́тельный, почти́тельный (*к женщинам*) 4) [gəˈlænt] любо́вный; ~ adventures любо́вные похожде́ния

2. *n* [*тж.* gəˈlænt] 1) гала́нтный кавале́р, ухажёр 2) любо́вник 3) *уст.* све́тский челове́к, щёголь, кавале́р

3. *v* [*тж.* gəˈlænt] 1) уха́живать; быть гала́нтным кавале́ром 2) сопровожда́ть (*даму*)

gallantry [ˈgæləntrɪ] *n* 1) хра́брость, отва́га 2) гала́нтность; изы́сканная любе́зность 3) любо́вная интри́га, уха́живание

gall bladder [ˈgɔ:l,blædə] *n анат.* жёлчный пузы́рь

galleass [ˈgælɪæs] *n* галеа́с, трёхма́чтовая гале́ра

galleon [ˈgælɪən] *n мор. ист.* галео́н

gallery [ˈgælərɪ] *n* 1) галере́я 2) галёрка; пу́блика на галёрке; to play to the ~ игра́ть, рассчи́тывая на дешёвый эффе́кт; иска́ть дешёвой популя́рности 3) хо́ры 4) галере́я, по́ртик, балко́н 5) *горн.* штрек, што́льня

galley [ˈgælɪ] *n* 1) *ист.* гале́ра; the ~s ка́торжные рабо́ты [*ср.* galley slave 1)] 2) *мор.* вельбо́т; ги́чка 3) *мор.* ка́мбуз 4) *полигр.* набо́рная доска́; верста́тка 5) = galley proof; to read the ~s чита́ть гра́нки

galley proof [ˈgælɪ,pru:f] *n полигр.* гра́нка

galley slave [ˈgælɪ,sleɪv] *n* 1) *ист.* гребе́ц на гале́ре (*раб или осуждённый преступник*) 2) челове́к, обречённый на тяжёлый труд

gall-fly [ˈgɔ:lflaɪ] *n зоол.* орехотво́рка

Gallic [ˈgælɪk] *a* 1) га́лльский 2) *шутл.* францу́зский

gallic [ˈgælɪk] *a хим.* га́лловый; ~ acid га́лловая кислота́

Gallicism [ˈgælɪ,sɪzəm] *n* галлици́зм

galligaskins [,gælɪˈgæskɪnz] *n pl* 1) широ́кие штаны́ (*которые носили в XVI—XVII вв.*) 2) *шутл.* широ́кие брю́ки

gallimaufry [,gælɪˈmɔ:frɪ] *n* вся́кая вся́чина, мешани́на

gallinaceousz [,gælɪˈneɪʃəs] *a зоол.* кури́ный

galliot [ˈgælɪət] *n мор. ист.* галио́т

gallipot I [ˈgælɪpɒt] *n* апте́чная (обливна́я) ба́нка

gallipot II [ˈgælɪpɒt] = galipot

gallium [ˈgælɪəm] *n хим.* га́ллий

gallivant [ˈgælɪvænt] *v разг.* 1) шля́ться, шата́ться, броди́ть 2) уха́живать, флиртова́ть

gall-nut [ˈgɔ:lnʌt] = gall III

gallon [ˈgælən] *n* 1) галло́н (*мера жидких и сыпучих тел; англ. = 4,54 л, тж.* imperial ~; *амер. = 3,78 л*) 2) (*обыкн. pl*) *разг.* це́лая ку́ча, мно́жество

galloon [gəˈlu:n] *n* галу́н

gallop [ˈgæləp] **1.** *n* гало́п; at full ~ во весь опо́р

2. *v* 1) скака́ть гало́пом, галопи́ровать 2) пуска́ть (*лошадь*) гало́пом 3) бы́стро прогресси́ровать 4) де́лать (*что-л.*) бы́стро (*часто* ~ through, ~ over)

Gallophile [ˈgæləʊfaɪl] *n* галлофи́л

Gallophobe [ˈgæləʊfəʊb] *n* галлофо́б

galloping [ˈgæləpɪŋ] **1.** *pres. p. от* gallop 2

2. *a* несу́щийся (гало́пом) (*тж. перен.*); ~ consumption скороте́чная чахо́тка; ~ prices галопи́рующие це́ны

gallows [ˈgæləʊz] *n pl* (*обыкн. употр. как sing*) ви́селица; to come to the ~ быть пове́шенным; ~ humor ю́мор ви́сельника

gallows bird [ˈgæləʊzbɜ:d] *n разг.* негодя́й, ви́сельник

gallows tree [ˈgæləʊztri:] = gallows

gallstone [ˈgɔ:lstəʊn] *n мед.* жёлчный ка́мень

Gallup poll [,gæləpˈpəʊl] *n* опро́с Гэ́ллапа, социологи́ческий опро́с населе́ния; выявле́ние обще́ственного мне́ния по разли́чным вопро́сам

galluses [ˈgæləsɪz] *n pl диал., амер.* подтя́жки

galoot [gəˈlu:t] *n амер.* (*преим. шутл.*) неуклю́жий челове́к, увале́нь

galop [ˈgæləp] **1.** *n* гало́п (*танец*)

2. *v* танцева́ть гало́п

galore [gəˈlɔ:] *a* оби́льный, в изоби́лии; there is fruit ~ this summer в э́том году́ огро́мный урожа́й фру́ктов

galosh [gəˈlɒʃ] *n* (*обыкн. pl*) гало́ша; *амер.* рези́новый бот

galumph [gəˈlʌmf] *v разг.* дви́гаться с шу́мом, неуклю́же

galvanic [gælˈvænɪk] *a* 1) спазмати́ческий; неожи́данный *или* неесте́ственный (*об улыбке, движениях и т. п.*) 2) возбужда́ющий, электризу́ющий 3) *физ.* гальвани́ческий

galvanism [ˈgælvənɪzəm] *n* 1) *физ.* гальвани́зм 2) *мед.* гальваниза́ция

galvanization [,gælvənaɪˈzeɪʃn] *n мед., тех.* гальваниза́ция

galvanize [ˈgælvənaɪz] *v* 1) оживля́ть; возбужда́ть; to ~ smb. into action побужда́ть кого́-л. к де́йствию; заста́вить кого́-л. де́йствовать 2) *спец.* гальванизи́ровать; оцинко́вывать

galvanometer [,gælvəˈnɒmɪtə] *n эл.* гальвано́метр

gam [gæm] *n sl.* нога́

gamba [ˈgæmbə] = viola da gamba

gambade [gæmˈbeɪd] = gambado

gambado [gæmˈbeɪdəʊ] *n* (*pl* -os, -oes [-əʊz]) 1) прыжо́к, курбе́т (*лошади*) 2) неожи́данная вы́ходка, эскапа́да

gambit [ˈgæmbɪt] *n* 1) *шахм.* гамби́т 2) пе́рвый шаг (*в чём-л.*) (*тж.* opening ~) 3) усту́пка с це́лью получе́ния вы́годы в дальне́йшем, уло́вка

gamble [ˈgæmbl] **1.** *n* 1) риско́ванное предприя́тие, авантю́ра 2) аза́ртная игра́

2. *v* 1) игра́ть в аза́ртные и́гры; to ~ away проигра́ть в ка́рты (*состояние и т. п.*) 2) спекули́ровать (*на бирже*) 3) рискова́ть (with)

gambler [ˈgæmblə] *n* 1) игро́к, карте́жник 2) афери́ст

gamboge [gæmˈbəʊdʒ] *n спец.* гуммигу́т

gambol [ˈgæmbl] **1.** *n* 1) прыжо́к, скачо́к 2) весе́лье

2. *v* (ве́село) пры́гать, скака́ть

game I [geɪm] **1.** *n* 1) игра́; to play the ~ игра́ть по пра́вилам; *перен.* поступа́ть благоро́дно; to play a good (poor) ~ быть хоро́шим (плохи́м) игроко́м 2) *спорт.* игра́; па́ртия; a ~ of tennis па́ртия в те́ннис; гейм 3) *pl* соревнова́ния; и́гры 4) коли́чество очко́в, необходи́мое для вы́игрыша; счёт (*в игре*) 5) игра́ (*настольная и т. п.*) 6) развлече́ние, заба́ва; what a ~! как заба́вно! 7) шу́тка; to have a ~ with дура́чить (*кого-л.*); to make ~ of высме́ивать; подшу́чивать 8) за́мысел, прое́кт, де́ло 9) *pl* уло́вки, увёртки, хи́трости, «фо́кусы»; none of your ~s оста́вьте э́ти шу́тки, без фо́кусов ◇ to give the ~ away вы́дать секре́т, проболта́ться; the ~ is up «ка́рта би́та», де́ло проигра́но; the ~ is not worth the candle игра́ не сто́ит свеч; two can play at that ≅ посмо́трим ещё, чья возьмёт; to have the ~ in one's hands быть уве́ренным в успе́хе; this ~ is yours вы вы́играли

2. *a* 1) сме́лый; боево́й, задо́рный 2) охо́тно гото́вый (*сделать что-л.*); to be ~ for anything быть гото́вым на всё; ничего́ не боя́ться

3. *v* игра́ть в аза́ртные и́гры ▭ ~ away проигра́ть

game II [geɪm] *n* 1) *собир.* дичь; fair ~ дичь, на кото́рую разрешено́ охо́титься; *перен.* (зако́нный) объе́кт нападе́ния; объе́кт тра́вли; big ~ кру́пная дичь, кру́пный зверь; *перен.* жела́нная добы́ча 2) мя́со ди́ких у́ток, куропа́ток, зайча́тина *и т. п.*

game III [geɪm] *a* искале́ченный, парализо́ванный (*о руке, ноге*)

gamebag [ˈgeɪmbæg] *n* ягдта́ш, охо́тничья су́мка

game-bird [ˈgeɪmbɜ:d] *n* перна́тая дичь

gamecock [ˈgeɪmkɒk] *n* бойцо́вый пету́х

game fish [ˈgeɪmfɪʃ] *n* непромысло́вая ры́ба

gamekeeper [ˈgeɪm,ki:pə] *n* е́герь, охо́тничий инспе́ктор

game-laws ['geɪmlɔ:z] *n pl* зако́ны об охра́не ди́чи; пра́вила охо́ты

game point [ˌgeɪm'pɔɪnt] *n спорт.* очко́, реша́ющее исхо́д ге́йма

game-preserve [ˌgeɪmprɪ'zɜ:v] *n* охо́тничий запове́дник

gamesmanship ['geɪmzmənʃɪp] *n* уме́ние по́льзоваться хи́тростью для того́, что́бы доби́ться побе́ды *или* преиму́щества в игре́, иску́сство игры́

games-master ['geɪmzˌmɑ:stə] *n* преподава́тель физкульту́ры

games-mistress ['geɪmzˌmɪstrəs] *n* преподава́тельница физкульту́ры

gamesome ['geɪmsəm] *a* весёлый, игри́вый, шутли́вый

gamester ['geɪmstə] *n* игро́к, картёжник

gamete ['gæmi:t] *n биол.* гаме́та, полова́я кле́тка

gamey ['geɪmɪ] = gamy

gamin ['gæmɪn] *n* беспризо́рник; у́личный мальчи́шка

gamine ['gæmi:n] *a* озорно́й, лука́вый, прока́зливый (*о женщине или девушке*)

gaming-house ['geɪmɪŋhaʊs] *n* иго́рный дом

gaming-table ['geɪmɪŋˌteɪbl] *n* 1) иго́рный стол 2) аза́ртная игра́ на де́ньги

gamma ['gæmə] *n* 1) га́мма (*третья буква греческого алфавита*) 2) *физ.* га́мма

gamma rays ['gæməreɪz] *n pl физ.* га́мма-лучи́

gammer ['gæmə] *n уст.* стару́ха; мама́ша, ба́бушка (*обращение*)

gammon I ['gæmən] **1.** *n* о́корок

2. *v* копти́ть, заса́ливать о́корок, пригота́вливать беко́н

gammon II ['gæmən] *разг.* **1.** *n* 1) обма́н 2) болтовня́

2. *v* 1) обма́нывать 2) нести́ вздор

gammoning I ['gæmənɪŋ] **1.** *pres. p. от* gammon I, 2

2. *n* засо́лка и копче́ние о́корока, приготовле́ние беко́на

gammoning II ['gæmənɪŋ] *pres. p. от* gammon II, 2

gammy ['gæmɪ] *a разг.* хромо́й

gamp [gæmp] *n шутл.* (большо́й) зо́нтик

gamut ['gæmət] *n* 1) полнота́, глубина́ (*чего-л.*); to experience the whole ~ of suffering испыта́ть всю полноту́ страда́ния 2) *муз.* га́мма 3) диапазо́н (*голоса*)

gamy ['geɪmɪ] *a* 1) испо́ртившийся, с душко́м (*о мясе, дичи и т. п.*) 2) сме́лый, отва́жный (*обыкн. о животных*)

gander ['gændə] *n* 1) гуса́к 2) глупе́ц; проста́к 3) *разг.* жена́тый челове́к 4) *амер. разг.* челове́к, живу́щий врозь с жено́й; соло́менный вдове́ц 5) *разг.* взгляд; to take a ~ взгляну́ть

gang I [gæŋ] **1.** *n* 1) па́ртия *или* брига́да (*рабочих и т. п.*); арте́ль; сме́на; section ~ па́ртия железнодоро́жных рабо́чих (*на путевом участке*) 2) ша́йка, ба́нда; press ~ а) га́нгстеры пера́, ша́йка газе́тчиков; б) *ист.* гру́ппа вербо́вщиков (*в армию или флот*) 3) *разг.* компа́ния 4) набо́р, компле́кт (*инструментов*) 5) *attr.*: ~ leader бригади́р (*рабочих и т. п.*)

2. *v* 1) организова́ть брига́ду 2) организова́ть ша́йку; вступи́ть в ша́йку (*тж.* ~ up) ▭ ~ **up** *разг.* сговори́ться, стакну́ться

gang II [gæŋ] *v шотл.* идти́

ganger ['gæŋə] *n* деся́тник

gangland ['gæŋlænd] *n разг.* престу́пный мир, мир организо́ванной престу́пности

ganglia ['gæŋglɪə] *pl от* ganglion

gangling ['gæŋglɪŋ] *a разг.* долговя́зый, нескла́дный

ganglion ['gæŋglɪən] *n* (*pl* -lia) 1) *анат.* га́нглий, не́рвный у́зел 2) центр (*деятельности, интересов*)

gangly ['gæŋglɪ] = gangling

gangplank ['gæŋplæŋk] *n* схо́дня, трап

gangrene ['gæŋgri:n] *мед.* **1.** *n* гангре́на; омертве́ние

2. *v* 1) вызыва́ть омертве́ние 2) подверга́ться омертве́нию

gangrenous ['gæŋgrɪnəs] *a мед.* гангрено́зный, омертве́лый

gang-saw ['gæŋsɔ:] *n* лесопи́льная ра́ма

gangster ['gæŋstə] *n* га́нгстер, банди́т

gangway ['gæŋweɪ] *n* 1) прохо́д ме́жду ряда́ми (*кресел и т. п.*) 2) *парл.* прохо́д, разделя́ющий пала́ту о́бщин на две ча́сти; members above the ~ мини́стры и чле́ны парла́мента, те́сно свя́занные с официа́льной поли́тикой свои́х па́ртий 3) *мор.* схо́дня; продо́льный мо́стик 4) *стр.* рабо́чие мостки́ 5) *горн.* штрек

ganja ['gændʒə] *n* марихуа́на

gannet ['gænɪt] *n* 1) *зоол.* о́луша; бакла́н 2) *разг.* жа́дина

ganoid ['gænɔɪd] *a* 1) гла́дкий и блестя́щий (*о чешуе*) 2) гано́идный (*о рыбе*)

gantlet ['gæntlət] = gauntlet II

gantry ['gæntrɪ] *n* 1) порта́л подъёмного кра́на 2) пускова́я ба́шня (*космической ракеты*) 3) подста́вка для бо́чек (*в погребе*) 4) *ж.-д.* сигна́льный мо́стик (*над железнодорожными путями*) 5) *радио* радиолокацио́нная анте́нна

gantry-crane ['gæntrɪˌkreɪn] *n* порта́льный кран

gaol [dʒeɪl] **1.** *n* 1) тюрьма́ 2) тюре́мное заключе́ние

2. *v* заключа́ть в тюрьму́

gaol-bird ['dʒeɪlbɜ:d] *n*ареста́нт; уголо́вник

gaoler ['dʒeɪlə] *n* тюре́мщик; тюре́мный надзира́тель

gap [gæp] *n* 1) пробе́л, лаку́на, про́пуск; to close (*или* to stop, to fill up) the ~ запо́лнить пробе́л 2) брешь, проло́м, щель 3) глубо́кое расхожде́ние (*во взглядах и т. п.*); разры́в 4) промежу́ток, интерва́л; «окно́» (*в расписании*) 5) го́рный прохо́д, глубо́кое уще́лье 6) отстава́ние (*в чём-л.*); утра́та, дефици́т 7) *воен.* проры́в (*в обороне*) 8) *тех.* зазо́р, люфт 9) *ав.* расстоя́ние ме́жду кры́льями би́пла́на ◇ to stand in the ~ приня́ть на себя́ гла́вный уда́р (*противника*)

gape [geɪp] **1.** *n* 1) изумлённый взгляд 2) зево́к 3) (the ~s) *pl* зево́та (*болезнь кур*); *шутл.* при́ступ зево́ты 4) отве́рстие; зия́ние

2. *v* 1) широко́ разева́ть рот 2) глазе́ть (at — на) 3) изумля́ться; смотре́ть в изумле́нии (on, upon — на *что-л.*); to make smb. ~ изуми́ть кого́-л. 4) зия́ть 5) зева́ть 6) стра́стно жела́ть (*чего-л.*; after, for)

gaper ['geɪpə] *n* зева́ка

gappy ['gæpɪ] *a* с промежу́тками, с пробе́лами; непо́лный

garage ['gærɑ:ʒ] **1.** *n* 1) гара́ж 2) гара́ж-магази́н (с по́лным обслу́живанием автомоби́ля)

2. *v* ста́вить в гара́ж

garage sale ['gærɑ:ʒˌseɪl] *n* «гара́жная распрода́жа» (*распродажа пожитков на дому обыкн. с благотворительной целью*)

garb [gɑ:b] **1.** *n* 1) наря́д, одея́ние; in the ~ of a sailor в оде́жде матро́са 2) стиль оде́жды

2. *v* (*обыкн. pass.*) одева́ть, облача́ть; to ~ oneself in motley облачи́ться в шутовско́й наря́д

garbage ['gɑ:bɪdʒ] *n* 1) (ку́хонные) отбро́сы; гнию́щий му́сор 2) макулату́ра, чти́во (*тж.* literary ~) 3) *разг.* вся́кая чепуха́, чушь

garbage can ['gɑ:bɪdʒˌkæn] *n амер.* му́сорный я́щик

garbage-collector ['gɑ:bɪdʒkəˌlektə] *n* убо́рщик му́сора, му́сорщик

garble ['gɑ:bl] **1.** *n* 1) при́меси, оста́вшиеся при просе́ивании (*семян и т. п.*) 2) искаже́ние, подтасо́вка (*фактов и т. п.*)

2. *v* 1) се́ять, просе́ивать 2) спу́тать, перепу́тать 3) искажа́ть, подтасо́вывать (*факты, слова и т. п.*)

garçon [gɑ:r'sɔ:ŋ] *фр. n* официа́нт, гарсо́н

garden ['gɑ:dn] **1.** *n* 1) сад 2) огоро́д (*тж.* kitchen ~) 3) *pl* парк 4) *attr.* садо́вый; огоро́дный

2. *v* возде́лывать, разводи́ть (*сад*)

garden-bed ['gɑ:dnbed] *n* гря́дка, клу́мба

garden city [ˌgɑ:dn'sɪtɪ] *n* го́род-сад

gardener ['gɑ:dnə] *n* 1) садо́вник 2) огоро́дник 3) садово́д

garden-frame ['gɑ:dnfreɪm] *n* парнико́вая ра́ма

garden hose ['gɑ:dnhəʊz] *n* садо́вый шланг

garden-house ['gɑ:dnhaʊs] *n* 1) бесе́дка 2) до́мик в саду́

gardenia [gɑ:'di:nɪə] *n бот.* гарде́ния

gardening ['gɑ:dnɪŋ] **1.** *pres. p. от* garden 2

2. *n* садово́дство

garden party ['gɑ:dnˌpɑ:tɪ] *n* приём (госте́й в саду́)

garden-plot ['gɑ:dnplɒt] *n* уча́сток земли́ под са́дом; садо́вый уча́сток

garden-stuff [ˈgɑ:dnstʌf] *n* о́вощи, плоды́, цветы́; зе́лень

garden truck [ˌgɑ:dnˈtrʌk] *n амер.* о́вощи и фру́кты, выра́щиваемые для прода́жи

garfish [ˈgɑ:fɪʃ] *n* сарга́н (*рыба*)

gargantuan [gɑ:ˈgæntjʊən] *a* колосса́льный, гига́нтский; ~ appetite зве́рский аппети́т

garget [ˈgɑ:gɪt] *n вет.* масти́т, воспале́ние вы́мени (*у коров, овец и т. п.*)

gargle [ˈgɑ:gl] **1.** *n* 1) полоска́ние (*для горла*) 2) *sl.* вы́пивка, спиртно́е

2. *v* полоска́ть (*горло*)

gargoyle [ˈgɑ:gɔɪl] *n* горгу́лья (*рыльце водосточной трубы в готической архитектуре*)

garibaldi [ˌgærɪˈbɔ:ldɪ] *n* же́нская свобо́дная блу́за с дли́нными рукава́ми (*раньше ярко-красного цвета*)

garish [ˈgeərɪʃ] *a* 1) я́ркий, ослепи́тельный 2) крича́щий (*о платье, красках*); показно́й

garland [ˈgɑ:lənd] **1.** *n* 1) гирля́нда, вено́к; диаде́ма 2) приз; па́льма пе́рвенства 3) антоло́гия

2. *v* 1) украша́ть гирля́ндой, венко́м 2) *редк.* плести́ вено́к

garlic [ˈgɑ:lɪk] *n* 1) чесно́к; a clove of ~ зубо́к чеснока́ 2) *attr.*: ~ bulblet зубо́к чеснока́

garlicky [ˈgɑ:lɪkɪ] *a* чесно́чный, отдаю́щий чесноко́м

garment [ˈgɑ:mənt] **1.** *n* 1) предме́т оде́жды 2) *pl* оде́жда 3) покро́в, одея́ние; the earth's ~ of green зелёный покро́в земли́

2. *v* (*преим. pass.*) *поэт.* одева́ть

garner [ˈgɑ:nə] **1.** *n книжн.* амба́р; жи́тница (*тж. перен.*)

2. *v* ссыпа́ть зерно́ в амба́р; скла́дывать в амба́р, запаса́ть

garnet [ˈgɑ:nɪt] *n* 1) *мин.* грана́т 2) тёмно-кра́сный цвет

garnish [ˈgɑ:nɪʃ] **1.** *n* 1) гарни́р 2) украше́ние, отде́лка

2. *v* 1) гарни́ровать (*блюдо*) 2) украша́ть, отде́лывать; swept and ~ed приведённый в поря́док и укра́шенный

garniture [ˈgɑ:nɪtʃə] *n* 1) гарни́р 2) украше́ние; орна́мент; отде́лка

garotte [gəˈrɒt] = garrotte

garret [ˈgærət] *n* 1) черда́к; манса́рда 2) *разг.* голова́, «черда́к»

garrison [ˈgærɪsən] **1.** *n* гарнизо́н

2. *v* 1) ста́вить гарнизо́н, вводи́ть войска́ 2) назнача́ть на гарнизо́нную слу́жбу

garrotte [gəˈrɒt] **1.** *n* 1) гарро́та (*орудие казни или пытки*) 2) казнь гарро́той 3) удуше́ние с це́лью грабежа́

2. *v* 1) казни́ть посре́дством удуше́ния гарро́той 2) удуши́ть при ограбле́нии

garrulity [gəˈru:lətɪ] *n* болтли́вость, говорли́вость, словоохо́тливость

garrulous [ˈgærələs] *a* 1) болтли́вый, говорли́вый, словоохо́тливый

garter [ˈgɑ:tə] **1.** *n* 1) подвя́зка 2) (the G.) о́рден Подвя́зки

2. *v* 1) наде́ть подвя́зку 2) пожа́ловать о́рден Подвя́зки

garth [gɑ:θ] *n уст., поэт.* 1) огоро́женное ме́сто 2) двор, сад

gas [gæs] **1.** *n* 1) газ; газообра́зное те́ло; natural ~ приро́дный газ; producer ~ генера́торный газ 2) (бытово́й) газ; свети́льный газ 3) *воен.* газ, отравля́ющее вещество́ 4) *горн.* мета́н, рудни́чный газ 5) *мед.* ве́тры, га́зы 6) *амер. разг.* бензи́н, газоли́н; горю́чее; step on the ~! дай га́зу! 7) *sl.* потря́сная шту́ка; блеск (*тж. о человеке*) 8) *разг.* болтовня́, бахва́льство

2. *v* 1) отравля́ть(ся) га́зом; she ~sed herself она́ отрави́лась га́зом 2) заража́ть отравля́ющими вещества́ми; производи́ть хими́ческое нападе́ние 3) наполня́ть га́зом; насыща́ть га́зом 4) выделя́ть газ 5) *амер. разг.* заправля́ться горю́чим 6) *разг.* болта́ть; бахва́литься; нести́ вздор для отво́да глаз; stop ~sing! переста́нь болта́ть вздор!

gasalarm [ˌgæsəˈlɑ:m] *n* хими́ческая трево́га

gas attack [ˈgæsəˌtæk] *n* хими́ческое нападе́ние

gasbag [ˈgæsbæg] *n* 1) га́зовый балло́н 2) *разг.* болту́н; пустозво́н

gasbomb [ˈgæsbɒm] *n* хими́ческая бо́мба

gasbracket [ˈgæsˌbrækɪt] *n* га́зовый рожо́к

gas-burner [ˈgæsˌbɜ:nə] = gas-jet

gas chamber [ˈgæsˌtʃeɪmbə] *n* га́зовая ка́мера, душегу́бка

Gascon [ˈgæskən] *n* 1) гаско́нец 2) (g.) хвасту́н

gasconade [ˌgæskəˈneɪd] **1.** *n* хвастовство́, бахва́льство

2. *v* хва́статься, бахва́литься

gas-engine [ˈgæsˌendʒɪn] *n* 1) двигатель вну́треннего сгора́ния 2) га́зовый дви́гатель

gaseous [ˈgæsjəs] *a* га́зовый; газообра́зный

gas-field [ˈgæsfi:ld] *n* месторожде́ние приро́дного га́за

gas-fire [ˌgæsˈfaɪə] *n* га́зовая плита́

gas-fitter [ˈgæsˌfɪtə] *n* газопрово́дчик, сле́сарь-газовщи́к

gas-furnace [ˈgæsˌfɜ:nɪs] *n* га́зовая печь

gash [gæʃ] **1.** *n* 1) глубо́кая ра́на, разре́з 2) *тех.* надре́з; запи́л

2. *v* наноси́ть глубо́кую ра́ну

gasholder [ˈgæsˌhəʊldə] *n* газго́льдер, газохрани́лище

gasification [ˌgæsɪfɪˈkeɪʃn] *n* газифика́ция, превраще́ние в газ

gasiform [ˈgæsɪfɔ:m] *a* газообра́зный

gasify [ˈgæsɪfaɪ] *v* газифици́ровать; превраща́ть(ся) в газ

gas-jet [ˈgæsdʒet] *n* га́зовый рожо́к, горе́лка

gasket [ˈgæskɪt] *n тех.* прокла́дка, наби́вка, са́льник

gaskin [ˈgæskɪn] *n* го́лень ло́шади

gaslight [ˈgæslaɪt] *n* 1) га́зовое освеще́ние 2) га́зовая ла́мпа

gas-main [ˈgæsmeɪn] *n* газопрово́д, га́зовая магистра́ль

gasman [ˈgæsmæn] *n* 1) инкасса́тор по счета́м за газ 2) = gas-fitter

gas mask [ˈgæsmɑ:sk] *n* противога́з

gas-meter [ˈgæsˌmi:tə] *n* га́зовый счётчик

gasolene, gasoline [ˈgæsəli:n] *n* 1) газоли́н 2) *амер.* бензи́н

gasolier [ˌgæsəˈlɪə] *n* га́зовая лю́стра

gasometer [gæˈsɒmɪtə] *n* 1) = gasholder 2) лаборато́рный прибо́р для хране́ния и измере́ния га́за

gasp [gɑ:sp] **1.** *n* затруднённое дыха́ние; уду́шье; at one's last ~ а) при после́днем издыха́нии; б) в после́дний моме́нт; to give a ~ онеме́ть от изумле́ния

2. *v* 1) дыша́ть с трудо́м, задыха́ться; лови́ть во́здух 2) открыва́ть рот (*от изумления*) 3) стра́стно жела́ть (for) ▭ ~ out произноси́ть задыха́ясь ◇ to ~ out one's life испусти́ть дух, сконча́ться

gasper [ˈgɑ:spə] *n sl.* дешёвая сигаре́та

gaspingly [ˈgɑ:spɪŋlɪ] *adv* 1) задыха́ясь; с оды́шкой 2) в изумле́нии

gas producer [ˈgæsprəˌdju:sə] *n* газогенера́тор

gas-proof [ˈgæspru:f] *a* газонепроница́емый; ~ shelter газоубе́жище

gas ring [ˈgæsrɪŋ] *n* га́зовое кольцо́, горе́лка

gassed [gæst] **1.** *p. p. от* gas 2

2. *a* отра́вленный га́зами; поражённый, заражённый отравля́ющими вещества́ми

gasser [ˈgæsə] *n* 1) *разг.* болту́н, пустоме́ля 2) = gas 1, 7)

gas shell [ˈgæsʃel] *n* хими́ческий снаря́д

gas shelter [ˈgæsˌʃeltə] *n* газоубе́жище

gassing [ˈgæsɪŋ] **1.** *pres. p. от* gas 2

2. *n* 1) отравле́ние га́зом 2) оку́ривание га́зом 3) га́зовая дезинфе́кция 4) выделе́ние га́за 5) *разг.* болтовня́; бахва́льство

gas station [ˈgæsˌsteɪʃn] *n амер.* автозапра́вочная ста́нция; бензоколо́нка

gas stove [ˈgæsstəʊv] *n* га́зовая плита́

gassy [ˈgæsɪ] *a* 1) газообра́зный 2) по́лный га́за 3) *разг.* хвастли́вый; болтли́вый, пусто́й

gas-tank [ˈgæstæŋk] *n амер.* 1) резервуа́р для га́за 2) *авто, ав.* бак для горю́чего; бензоба́к

gas-tight [ˈgæstaɪt] = gas-proof

gastric [ˈgæstrɪk] *a* желу́дочный; ~ ulcer я́зва желу́дка; ~ juice желу́дочный сок

gastritis [gæˈstraɪtɪs] *n мед.* гастри́т

gastroenteritis [ˌgæstrəʊentəˈraɪtɪs] *n мед.* гастроэнтери́т

gastronome [ˈgæstrənəʊm] *n* гастроно́м, гурма́н

gastronomic [ˌgæstrəˈnɒmɪk] *a* гастрономи́ческий

gastronomist [gæˈstrɒnəmɪst] = gastronome

gastronomy [gæ'strɒnəmɪ] *n* кулина́рия, гастроно́мия

gastropod ['gæstrə,pɒd] *n зоол.* моллю́ск из семе́йства брюхоно́гих

gastroscopy [gæ'strɒskəpɪ] *n мед.* гастроскопи́я

gas warfare ['gæs,wɔ:feə] *n* хими́ческая война́

gasworks ['gæswɜ:ks] *n* га́зовый заво́д

gat [gæt] *n амер. разг.* револьве́р

gate [geɪt] **1.** *n* 1) воро́та; кали́тка 2) заста́ва, шлагба́ум 3) вход, вы́ход 4) го́рный прохо́д 5) шлюз 6) коли́чество зри́телей (*на стадионе, выставке и т. п.*) 7) сбор (*денежный — на стадионе, выставке и т. п.*) 8) *амер. sl.* «ва́режка», рот 9) *тех.* щит, затво́р; кла́пан, засло́нка; ши́бер; ли́тник ◇ to give the ~ *амер. sl.* дать отста́вку, уво́лить; to get the ~ *амер. sl.* получи́ть отста́вку, быть уво́ленным; to open the ~ for (*или* to) smb. откры́ть кому́-л. путь

2. *v* нака́зывать уча́щегося, запрети́в ему́ выходи́ть за террито́рию шко́лы *или* ко́лле́джа

gateau ['gætəʊ] *n* торт с начи́нкой из кре́ма

gate-crash ['geɪtkræʃ] *v* 1) приходи́ть незва́ным 2) проходи́ть без биле́та, «за́йцем» 3) прони́кнуть на вне́шний ры́нок

gate-crasher ['geɪt,kræʃə] *n* 1) незва́ный гость 2) «за́яц», безбиле́тный зри́тель

gatefold ['geɪtfəʊld] *n* дли́нная страни́ца (*складывается гармошкой*)

gatehouse ['geɪthaʊs] *n* 1) сторо́жка у воро́т 2) *гидр.* зда́ние управле́ния шлю́зами *или* щита́ми гидравли́ческих сооруже́ний

gatekeeper ['geɪt,ki:pə] *n* привра́тник, сто́рож

gateleg ['geɪtleg] *a*: ~ table стол с раздвижны́ми но́жками и откидно́й кры́шкой

gateman ['geɪtmən] = gatekeeper

gate-money ['geɪt,mʌnɪ] = gate 1, 7)

gatepost ['geɪtpəʊst] *n* воро́тный столб ◇ between you and me and the ~ ме́жду на́ми

gateway ['geɪtweɪ] *n* 1) воро́та 2) вход 3) подворо́тня

gather ['gæðə] **1.** *v* 1) собира́ть; to ~ a crowd собира́ть толпу́ 2) собира́ться, скопля́ться 3) накопля́ть, приобрета́ть; to ~ experience (strength) накопля́ть о́пыт (си́лы); to ~ way тро́гаться (*о судне*) 4) рвать (*цветы*); снима́ть (*урожай*); собира́ть (*ягоды*) 5) поднима́ть (*с земли, с пола*) 6) де́лать вы́вод, умозаключа́ть; I could ~ nothing from his statement я ничего́ не мог поня́ть из его́ заявле́ния ▭ ~ **up** а) подбира́ть; to ~ up the thread of a story подхвати́ть нить расска́за; б) сумми́ровать; в) съёжиться, заня́ть ме́ньше ме́ста; г): to ~ oneself up подтяну́ться; собра́ться с си́лами

2. *n pl* сбо́рки

gathering ['gæðərɪŋ] **1.** *pres. p. от* gather 1

2. *n* 1) собира́ние; комплектова́ние 2) собра́ние; сбо́рище; встре́ча; скопле́ние 3) *с.-х.* убо́рка (*хлеба или сена*); убо́рочный сезо́н 4) *мед.* нагное́ние; нары́в

gauche [gəʊʃ] *a* 1) неуклю́жий, нело́вкий 2) беста́ктный

gaucherie ['gəʊʃərɪ] *n* 1) неуклю́жесть (*в манерах и поведении*) 2) беста́ктность

gaucho ['gaʊtʃəʊ] *n* га́учо

gaud [gɔ:d] *n* 1) безвку́сное украше́ние; мишура́ 2) игру́шка; безде́лка 3) *pl* пы́шные пра́зднества

gaudy I ['gɔ:dɪ] *n* 1) ежего́дный обе́д в честь бы́вших студе́нтов (*в англ. колледжах*) 2) большо́е пра́зднество

gaudy II ['gɔ:dɪ] *a* 1) я́ркий, крича́щий, безвку́сный 2) цвети́стый, витиева́тый (*о стиле*)

gauge [geɪdʒ] **1.** *n* 1) ме́ра, масшта́б, разме́р; кали́бр; to take the ~ of измеря́ть; оце́нивать 2) кали́бр (*пули*) 3) но́мер, толщина́ (*проволоки или листа*) 4) *эл.* сорта́мент (*проводов*) 5) измери́тельный прибо́р 6) шабло́н, лека́ло; этало́н 7) *ж.-д.* ширина́ коле́и; broad (narrow) ~ широ́кая (у́зкая) коле́я 8) крите́рий; спо́соб оце́нки 9) *мор.* положе́ние относи́тельно ве́тра ◇ to have the weather ~ of име́ть преиму́щество пе́ред *кем-л.*

2. *v* 1) измеря́ть, проверя́ть (*размер*) 2) оце́нивать (*человека, характер*) 3) градуи́ровать, калиброва́ть; выверя́ть, клейми́ть (*меры*) 4) подводи́ть под определённый разме́р

gauge-glass ['geɪdʒglɑ:s] *n* водоме́рное стекло́

Gaul [gɔ:l] *n* 1) галл 2) *шутл.* францу́з

Gauleiter ['gaʊ,laɪtə] *n* гаулéйтер (*в фашистской Германии*)

Gaulish ['gɔ:lɪʃ] **1.** *a* 1) га́лльский 2) *шутл.* францу́зский

2. *n* 1) га́лльский язы́к 2) *шутл.* францу́зский язы́к

gault [gɔ:lt] *n геол.* тяжёлая гли́на

gaunt [gɔ:nt] *a* 1) сухопа́рый; исхуда́лый, измождённый 2) вы́тянутый в длину́; дли́нный 3) мра́чный, суро́вый

gauntlet I ['gɔ:ntlət] *n* 1) рукави́ца; перча́тка с кра́гами (*шофёра, фехтовальщика и т. п.*) 2) *ист.* ла́тная рукави́ца ◇ to throw (*или* to fling) down the ~ бро́сить перча́тку, бро́сить вы́зов; to take (*или* to pick) up the ~ приня́ть вы́зов

gauntlet II ['gɔ:ntlət] *n*: to run the ~ а) подверга́ться ре́зкой кри́тике; б) проходи́ть сквозь строй

gauss [gaʊs] *n* (*pl тж. без измен.*) *физ.* га́усс

gauze [gɔ:z] *n* 1) газ (*материя*) 2) ма́рля 3) *тех.* металли́ческая се́тка, про́волочная ткань 4) ды́мка (*в воздухе*)

gauzy ['gɔ:zɪ] *a* то́нкий, просве́чивающий (*особ. о ткани*)

gave [geɪv] *past от* give 1

gavel ['gævl] *n* молото́к (*председателя собрания, судьи или аукциониста*)

gavotte [gə'vɒt] *n* гаво́т (*музыка и танец*)

gawk [gɔ:k] **1.** *n* остоло́п; рази́ня; простофи́ля

2. *v разг.* смотре́ть с глу́пым ви́дом; тара́щить глаза́

gawky ['gɔ:kɪ] *a* 1) неуклю́жий, нескла́дный 2) засте́нчивый (*о человеке*)

gawp [gɔ:p] *v разг.* глазе́ть, уста́виться, смотре́ть, раскры́в рот (at)

gay [geɪ] **1.** *a* 1) весёлый; ра́достный 2) я́ркий, пёстрый; наря́дный; блестя́щий 3) *разг.* гомосексуа́льный 4) беспу́тный; to lead a ~ life вести́ беспу́тную жизнь

2. *n* гей, гомосексуали́ст

gaze [geɪz] **1.** *n* при́стальный взгляд; to stand at ~ смотре́ть при́стально; to be at ~ находи́ться в состоя́нии замеша́тельства, быть в изумле́нии

2. *v* при́стально гляде́ть (at, on, upon — на); вгля́дываться

gazebo [gə'zi:bəʊ] *n* (*pl* -os, -oes [-əʊz]) *архит.* вы́шка на кры́ше до́ма, бельведе́р

gazelle [gə'zel] *n* газе́ль

gazer ['geɪzə] *n* при́стально глядя́щий (челове́к), наблюда́тель; star ~ наблюда́ющий за звёздами; *шутл.* звездочёт

gazette [gə'zet] **1.** *n* 1) официа́льный о́рган печа́ти; прави́тельственный бюллете́нь; to appear in the G., to have one's name in the G. быть упомя́нутым в газе́те; «попа́сть в газе́ту», *особ.* быть объя́вленным несостоя́тельным должнико́м 2) *уст.* газе́та

2. *v* (*обыкн. pass.*) опублико́вывать в официа́льной газе́те

gazetteer [,gæzə'tɪə] *n* 1) географи́ческий спра́вочник 2) *уст.* журнали́ст

gazump [gə'zʌmp] *v разг.* 1) вымога́ть дополни́тельную пла́ту (*после совершения сделки*) 2) надува́ть, обма́нывать

gear [gɪə] **1.** *n* 1) (*часто pl*) *тех.* шестерня́, зубча́тая переда́ча; переда́точный механи́зм; приво́д; in ~ включённый, сце́пленный, де́йствующий; out of ~ невключённый, неде́йствующий, нерабо́тающий; to change (shift) ~ переключи́ть переда́чу; *перен.* измени́ть темп, та́ктику *и т. п.*; to throw out of ~ выключить переда́чу; to get into ~ включи́ть переда́чу; *перен.* включи́ться в рабо́ту; to go into 1st, 2nd, *etc.* ~ переключа́ться на 1-ю, 2-ю *и т. д.* ско́рость; in high ~ на большо́й ско́рости; *перен.* в разга́ре; low ~ ни́зшая, пе́рвая переда́ча 2) механи́зм, аппара́т; прибо́р 3) приспособле́ния, принадле́жности 4) оде́жда 5) дви́жимое иму́щество, у́тварь 6) у́пряжь 7) *мор.* такела́ж; сна́сти

2. *v* 1) направля́ть по определённому пла́ну; приспоса́бливать; to ~ oneself for war гото́виться к войне́ 2) снабжа́ть приво́дом 3) приводи́ть в движе́ние (*механизм*) 4) зацепля́ть, сцепля́ться (*о зубцах колёс*) 5) запряга́ть (*часто* ~ up) ▭ ~ **down** замедля́ть (*движение*); ~ to свя́зывать с, ста́вить в зави́симость от; ~ **up** ускоря́ть (*движение и т. п.*)

gearbox ['gɪəbɒks] *n тех.* коро́бка переда́ч; коро́бка скоросте́й

gearing ['gɪərɪŋ] **1.** *pres. p. от* gear 2

2. *n тех.* зацепле́ние; зубча́тая переда́ча, приво́д

gear level ['gɪə,levl] *n тех.* рыча́г *или* ру́чка переключе́ния переда́ч

gear-ratio ['gɪə,reɪʃɪəʊ] *n тех.* переда́точное число́

gear wheel ['gɪəwi:l] *n* зубча́тое колесо́

gee I [dʒi:] *n амер. sl.* «кусо́к», «шту́ка», ты́сяча до́лларов

gee II [dʒi:] *int* 1) но!, пошёл! (*окрик, которым погоняют лошадь*) 2) *амер. разг.* вот так та́к!, вот здо́рово!

gee(-gee) ['dʒi:(dʒi:)] *n разг.* лоша́дка

geese [gi:s] *pl от* goose I

gee-up ['dʒi:ʌp] = gee II, 1)

gee whiz ['dʒi:wɪz] *int* = gee II, 2)

geezer ['gi:zə] *n разг.* челове́к со стра́нностями, чудно́й старика́шка

Gehenna [gɪ'henə] *n* гее́нна, ад

Geiger counter ['gaɪgə,kaʊntə] *n физ.* счётчик Ге́йгера

geisha ['geɪʃə] *n* ге́йша

gel [dʒel] **1.** *n хим.* гель

2. *v* образо́вывать гель

gelatin(e) ['dʒelətɪn, -ti:n] *n* 1) желати́н 2) сту́день, желе́

gelatinize [dʒɪ'lætɪnaɪz] *v* превраща́ть(ся) в сту́день

gelatinous [dʒɪ'lætɪnəs] *a* 1) желати́новый 2) студени́стый

gelation [dʒɪ'leɪʃn] *n* застыва́ние (*при охлаждении*)

geld [geld] *v* (gelded [-ɪd], gelt) кастри́ровать

gelding ['geldɪŋ] **1.** *pres. p. от* geld

2. *n* кастри́рованное живо́тное, *особ.* ме́рин

gelid ['dʒelɪd] *a* 1) ледяно́й, студёный 2) леденя́щий, холо́дный (*о тоне, манере*)

gelignite ['dʒelɪgnaɪt] *n горн.* гелигни́т

gelly ['dʒelɪ] *sl.* = gelignite

gelt [gelt] *past и p. p. от* geld

gem [dʒem] **1.** *n* 1) драгоце́нный ка́мень, самоцве́т; ге́мма 2) драгоце́нность; жемчу́жина; the ~ of the whole collection са́мая прекра́сная вещь во всей колле́кции; she is a ~ она́ пре́лесть 3) *амер.* пре́сная сдо́бная бу́лочка

2. *v* украша́ть драгоце́нными камня́ми; stars ~ the sky звёзды сверка́ют на не́бе, как драгоце́нные ка́мни

geminate ['dʒemɪneɪt] **1.** *a* сдво́енный, располо́женный па́рами

2. *v* удва́ивать, сдва́ивать

gemination [,dʒemɪ'neɪʃn] *n* удвое́ние, сдва́ивание

Gemini ['dʒemɪnaɪ] *n pl* Близнецы́ (*созвездие и знак зодиака*)

gemma ['dʒemə] *n* (*pl* -ae) 1) *бот.* по́чка 2) *зоол.* ге́мма

gemmae ['dʒemi:] *pl от* gemma

gemmate ['dʒemɪt] **1.** *a* име́ющий по́чки; размножа́ющийся почкова́нием

2. *v* дава́ть по́чки; размножа́ться почкова́нием

gemmation [dʒe'meɪʃn] *n* образова́ние по́чек, почкова́ние

gemmiferous [dʒe'mɪfərəs] *a* 1) *бот.* почконо́сный 2) содержа́щий драгоце́нные ка́мни (*о месторождении*)

gemmule ['dʒemju:l] *n бот.* по́чечка, ме́лкая по́чка

gemstone ['dʒem,stəʊn] *n* подéлочный ка́мень

gen [dʒen] *n* (*сокр. от* general information) *sl.* (разве́дывательные) да́нные, информа́ция, све́дения

gendarme ['ʒɒndɑ:m] *n* жанда́рм

gendarmerie [ʒɒn'dɑ:mərɪ] *n* жандарме́рия

gender ['dʒendə] **1.** *n* 1) *грам.* род 2) *разг.* пол

2. *v поэт.* порожда́ть

gene [dʒi:n] *n биол.* ген

genealogical [,dʒi:nɪə'lɒdʒɪkl] *a* родосло́вный; генеалоги́ческий

genealogist [,dʒi:nɪ'ælədʒɪst] *n* специали́ст по генеало́гии

genealogy [,dʒi:nɪ'ælədʒɪ] *n* генеало́гия; родосло́вная

genera ['dʒenərə] *pl от* genus

general I ['dʒenrəl] *a* 1) о́бщий, о́бщего хара́ктера, всео́бщий; генера́льный; ~ meeting о́бщее собра́ние; ~ impression о́бщее впечатле́ние; ~ public широ́кая пу́блика, обще́ственность; ~ workers неквалифици́рованные рабо́чие, разнорабо́чие; ~ strike всео́бщая забасто́вка; ~ hospital неспециализи́рованная больни́ца, больни́ца о́бщего ти́па; in ~ вообще́ 2) повсеме́стный, широ́кий 3) обы́чный, общепри́нятый; as a ~ rule как пра́вило; in a ~ way обы́чным путём 4) о́бщий, приблизи́тельный, нето́чный; ~ impression о́бщее впечатле́ние 5) гла́вный; ~ lay-out генера́льный план (строи́тельства); G. Headquarters штаб главнокома́ндующего, ста́вка; гла́вное кома́ндование; ~ staff общевойсково́й штаб; G. Staff генера́льный штаб (*сухопутных войск*) ◇ ~ (post) delivery пе́рвая у́тренняя разно́ска по́чты; *амер.* (по́чта) до востре́бования

general II ['dʒenrəl] *n* генера́л; полково́дец

General-in-Chief [,dʒenrəlɪn'tʃi:f] *n* (*pl* Generals-in-Chief) главнокома́ндующий

generalissimo [,dʒenrə'lɪsɪməʊ] *n* (*pl* -os [-əʊz]) генерали́ссимус

generalist ['dʒenrəlɪst] *n* эруди́т, челове́к обши́рных зна́ний

generality [,dʒenə'rælətɪ] *n* 1) утвержде́ние о́бщего хара́ктера; *pl* о́бщие места́ 2) всео́бщность; примени́мость ко всему́ 3) неопределённость 4) (the ~) большинство́; бо́льшая часть

generalization [,dʒenrəlaɪ'zeɪʃn] *n* 1) обобще́ние; don't be hasty in ~ не спеши́те с обобще́ниями 2) о́бщее пра́вило

generalize ['dʒenrəlaɪz] *v* 1) обобща́ть; своди́ть к о́бщим зако́нам 2) придава́ть неопределённость; говори́ть неопределённо, в о́бщей фо́рме 3) распространя́ть; вводи́ть в о́бщее употребле́ние

generalized ['dʒenrəlaɪzd] **1.** *p. p. от* generalize

2. *a* обобщённый; ~ form of value *полит.-эк.* всео́бщая фо́рма сто́имости

generally ['dʒenrəlɪ] *adv* 1) обы́чно, как пра́вило; в це́лом; it is ~ recognized общепри́знанно 2) в о́бщем смы́сле, вообще́ 3) широко́ (*распространённый*); в большинстве́ слу́чаев, бо́льшей ча́стью; the plan was ~ welcomed план был одо́брен большинство́м

general-purpose [,dʒenrəl'pɜ:pəs] *a* универса́льный, многоцелево́й, о́бщего назначе́ния

generalship ['dʒenrəlʃɪp] *n* 1) полково́дческое иску́сство 2) (иску́сное) руково́дство 3) генера́льский чин, зва́ние генера́ла

Generals-in Chief [,dʒenrəlzɪn'tʃi:f] *pl от* General-in-Chief

generate ['dʒenəreɪt] *v* 1) порожда́ть, вызыва́ть 2) *спец.* производи́ть; генери́ровать

generation [,dʒenə'reɪʃn] *n* 1) поколе́ние; in our ~ в на́ше вре́мя, в на́шу эпо́ху; over the past ~ в тече́ние жи́зни про́шлого поколе́ния 2) *тех.* поколе́ние, но́вая ступе́нь разви́тия; fourth ~ computers компью́теры четвёртого поколе́ния 3) поколе́ние, пери́од в 30 лет; а ~ ago в про́шлом поколе́нии, лет три́дцать наза́д 4) род, пото́мство 5) порожде́ние; зарожде́ние 6) *тех.* генера́ция, образова́ние (*пара*)

generative ['dʒenrətɪv] *a* производя́щий; производи́тельный; порожда́ющий

generator ['dʒenəreɪtə] *n* 1) *тех.* исто́чник эне́ргии; генера́тор 2) производи́тель

generatrices [,dʒenə'reɪtrɪsi:z] *pl от* generatrix

generatrix [,dʒenə'reɪtrɪks] *n* (*pl* -trices) *мат.* образу́ющая

generic [dʒə'nerɪk] *a* 1) родово́й; характе́рный для определённого кла́сса, ви́да *и т. п.* 2) о́бщий

generosity [,dʒenə'rɒsətɪ] *n* 1) великоду́шие; благоро́дство 2) ще́дрость

generous ['dʒenrəs] *a* 1) ще́дрый 2) великоду́шный; благоро́дный; a ~ nature благоро́дная нату́ра 3) оби́льный; большо́й; изря́дный; a ~ amount большо́е коли́чество; of ~ size большо́го разме́ра 4) интенси́вный; густо́й (*о цвете*) 5) вы́держанный, кре́пкий (*о вине*) 6) плодоро́дный (*о почве*)

genesis ['dʒenəsɪs] *n* 1) происхожде́ние, возникнове́ние; ге́незис 2) (G.) *библ.* Кни́га Бытия́

genet ['dʒenɪt] *n зоол.* гене́тта, виве́рра

genetic [dʒə'netɪk] *a* генети́ческий; ~ code генети́ческий код

geneticist [dʒə'netɪsɪst] *n* гене́тик

genetics [dʒə'netɪks] *n pl* (*употр. как sing*) гене́тика

geneva [dʒə'ni:və] *n* джин, можжеве́ловая насто́йка, во́дка

Genevan [dʒə'ni:vn] **1.** *a* жене́вский

2. *n* 1) женéвец 2) кальвини́ст; кальвини́стка

genial I [ˈdʒiːnɪəl] *a* 1) дóбрый, сердéчный, радýшный; добродýшный; общи́тельный 2) мя́гкий (*о климате*) 3) *редк.* брáчный 4) *уст.* гениáльный 5) *редк.* плодорóдный, производя́щий

genial II [dʒəˈniːəl] *a анат.* подборóдочный

geniality [ˌdʒiːnɪˈælətɪ] *n* 1) добротá, сердéчность, радýшие; добродýшие; общи́тельность 2) мя́гкость (*климата*)

genially [ˈdʒiːnɪəlɪ] *adv* сердéчно; добродýшно

genie [ˈdʒiːnɪ] *n* (*pl* genies, genii) джин (*из арабских сказок*)

genii I [ˈdʒiːnɪaɪ] *pl от* genius 3)

genii II [ˈdʒiːnɪaɪ] *pl от* genie

genista [dʒəˈnɪstə] *n бот.* дрок

genital [ˈdʒenɪtl] 1. *a* детородный, половóй

2. *n pl* гениталии, половы́е óрганы

genitalia [ˌdʒenɪˈteɪlɪə] = genital 2

genitive [ˈdʒenətɪv] *грам.* 1. *a* роди́тельный

2. *n* роди́тельный падéж

genius [ˈdʒiːnɪəs] *n* 1) (*тк. sing*) одарённость; гениáльность; a man of ~ гениáльный человéк 2) (*pl* -ses) гéний, гениáльный человéк, гениáльная ли́чность 3) (*pl* genii) гéний, дух; good (evil) ~ дóбрый (злой) дух, дóбрый (злой) гéний 4) (*pl* -ses) дух (*века, времени, нации, языка, закона*) 5) (*pl* -ses) чýвства, настроéния, свя́занные с каки́м-л. мéстом

genocide [ˈdʒenəsaɪd] *n* геноци́д

Genoese [ˌdʒenəʊˈiːz] 1. *a* генуэ́зский

2. *n* генуэ́зец

genome [ˈdʒiːˌnəʊm] *n ген.* генóм

genotype [ˈdʒenətaɪp] *n биол.* геноти́п

genre [ˈʒɒnrə] *n* 1) жанр; манéра, стиль 2) жанр, жáнровая жи́вопись (*тж.* ~ painting)

gent [dʒent] *n разг.* 1) *см.* gentleman 1) *и* 2); 2) (the Gents) мужскáя убóрная

genteel [dʒenˈtiːl] *a* 1) мóдный, изя́щный, элегáнтный; жемáнный 2) *ирон.* благорóдный; благовоспи́танный; свéтский

gentian [ˈdʒenʃn] *n бот.* горечáвка

gentile [ˈdʒentaɪl] *n* 1) *библ.* неевр́ей 2) немормóн 3) *редк.* язы́чник

gentility [dʒenˈtɪlətɪ] *n* 1) *часто ирон.* (претéнзия на) элегáнтность; аристократи́ческие замáшки 2) *уст.* родови́тость, знáтность; знать

gentle [ˈdʒentl] 1. *a* 1) мя́гкий, дóбрый; ти́хий, спокóйный; крóткий (*о характере*); the ~ sex прекрáсный пол 2) нéжный, лáсковый (*о голосе*) 3) лёгкий, слáбый (*о ветре*; *о наказании и т. п.*); with a ~ hand осторóжно 4) послýшный, сми́рный (*о животных*) 5) родови́тый, знáтный 6) отлóгий 7) *уст.* вéжливый, великодýшный; ~ reader благосклóнный читáтель (*обращение автора к читателю в книге*)

2. *n* нажи́вка (*для ужения*)

3. *v* 1) облагорáживать, дéлать мя́гче (*человека*) 2) объезжáть (*лошадь*)

gentlefolk(s) [ˈdʒentlfəʊk(s)] *n pl книжн.* дворя́нство, знать

gentleman [ˈdʒentlmən] *n* 1) джентльмéн, хорошó воспи́танный и порядóчный человéк; ~'s agreement джентльмéнское соглашéние 2) джентльмéн; господи́н 3) *ист.* дворяни́н 4) *pl* мужскáя убóрная ◇ ~ in waiting камерге́р; ~'s ~ лакéй; ~ at large *шутл.* человéк без определённых заня́тий; ~ of the road а) «ры́царь большóй дорóги», разбóйник; б) коммивояжёр; ~ of fortune пирáт; авантюри́ст; the old ~ *шутл.* дья́вол; the ~ in black velvet крот

gentleman-at-arms [ˌdʒentlmənətˈɑːmz] *n* лейб-гвардéец

gentlemanly [ˈdʒentlmənlɪ] *a* 1) прили́чествующий джентльмéну, поступáющий по-джентльмéнски [*см.* gentleman 1)] 2) воспи́танный; вéжливый

gentleness [ˈdʒentlnəs] *n* мя́гкость; добротá

gentlewoman [ˈdʒentlˌwʊmən] *n* 1) дáма, лéди 2) *уст.* дворя́нка 3) *ист.* фрéйлина; камери́стка

gently [ˈdʒentlɪ] *adv* 1) мя́гко, нéжно, крóтко; ти́хо 2) спокóйно; осторóжно; умéренно; ~! ти́ше!, лéгче! ◇ ~ born знáтный, родови́тый

gentry [ˈdʒentrɪ] *n* 1) джéнтри, нетитулóванное мелкопомéстное дворя́нство 2) *пренебр., шутл.* определённая грýппа людéй; these ~ э́ти господá

genual [ˈdʒiːnjʊəl] *a анат.* колéнный

genuflect [ˈdʒenjʊflekt] *v* преклоня́ть колéна

genuflection, genuflexion [ˌdʒenjʊˈflekʃn] *n* коленопреклонéние

genuine [ˈdʒenjʊɪn] *a* 1) и́скренний; ~ sorrow и́скреннее гóре 2) пóдлинный, и́стинный, неподдéльный, настоя́щий; ~ diamond настоя́щий бриллиáнт 3) *с.-х.* чистопорóдный

genuinely [ˈdʒenjʊɪnlɪ] *adv* и́скренне; неподдéльно

genus [ˈdʒiːnəs] *n* (*pl* genera) 1) *биол.* род 2) сорт; вид

geocentric [ˌdʒiːəʊˈsentrɪk] *a* геоцентри́ческий

geochemistry [ˌdʒiːəʊˈkemɪstrɪ] *n* геохи́мия

geodesic [ˌdʒɪəʊˈdesɪk] *a* геодези́ческий

geodesy [dʒiːˈɒdɪsɪ] *n* геодéзия

geodetic [ˌdʒiːəˈdetɪk] *a* геодези́ческий

geognosy [dʒɪˈɒgnəsɪ] *n* геогнóзия (*раздел геологии*)

geographer [dʒɪˈɒgrəfə] *n* геóграф

geographic(al) [ˌdʒɪəˈgræfɪk(l)] *a* географи́ческий

geography [dʒɪˈɒgrəfɪ] *n* геогрáфия

geologic(al) [ˌdʒiːəˈlɒdʒɪk(l)] *a* геологи́ческий; ~ age геологи́ческий вóзраст

geologist [dʒɪˈɒlədʒɪst] *n* геóлог

geologize [dʒɪˈɒlədʒaɪz] *v* 1) изучáть геолóгию 2) занимáться геологи́ческими исслéдованиями

geology [dʒɪˈɒlədʒɪ] *n* геолóгия

geomagnetic(al) [ˌdʒiːəmægˈnetɪk(l)] *a* геомагни́тный; ~ field магни́тное пóле Земли́

geometer [dʒɪˈɒmɪtə] *n* геóметр

geometric(al) [ˌdʒiːəˈmetrɪk(l)] *a* геометри́ческий; ~ progression геометри́ческая прогрéссия

geometrically [ˌdʒiːəˈmetrɪklɪ] *adv* геометри́чески; по геометри́ческим при́нципам

geometrician [ˌdʒiːəmeˈtrɪʃn] = geometer

geometry [dʒɪˈɒmətrɪ] *n* геомéтрия

geophysical [ˌdʒiːəʊˈfɪzɪkl] *a* геофизи́ческий

geophysics [ˌdʒiːəʊˈfɪzɪks] *n pl* (*употр. как sing*) геофи́зика

geopolitics [ˌdʒiːəʊˈpɒlɪtɪks] *n pl* (*употр. как sing*) геополи́тика

George [dʒɔːdʒ] *n ав. жарг.* автопилóт ◇ by ~ ! ей-бóгу!, чéстное слóво; вот так тáк!

georgette [dʒɔːˈdʒet] *n текст.* жоржéт

Georgian I [ˈdʒɔːdʒən] 1. *a* грузи́нский

2. *n* 1) грузи́н; грузи́нка; the ~s *pl собир.* грузи́ны 2) грузи́нский язы́к

Georgian II [ˈdʒɔːdʒən] *амер.* 1. *a* относя́щийся к штáту Джóрджия

2. *n* урожéнец штáта Джóрджия

Georgian III [ˈdʒɔːdʒən] *a* врéмени, эпóхи одногó из англи́йских королéй Гéоргов

geoscience [ˌdʒiːəʊˈsaɪəns] *n* наýка о Землé (*геология, география и т. п.*)

geostationary [ˌdʒiːəʊˈsteɪʃnərɪ] *a* геостационáрный

geothermal [ˌdʒiːəʊˈθɜːml] *a* геотермáльный

geranium [dʒəˈreɪnɪəm] *n бот.* гeрáнь, журавéльник

gerbil [ˈdʒɜːbl] *n зоол.* песчáная кры́са, песчáнка

gerfalcon [ˈdʒɜːˌfɔːlkən] = gyrfalcon

geriatric [ˌdʒerɪˈætrɪk] *a* 1) гериатри́ческий 2) *разг.* стáрый, устарéлый

geriatrician [ˌdʒerɪəˈtrɪʃn] *n* (врач-) гериáтр

geriatrics [ˌdʒerɪˈætrɪks] *n pl* (*употр. как sing*) гериатри́я

germ [dʒɜːm] 1. *n* 1) микрóб 2) *биол.* зарóдыш, эмбриóн 3) *бот.* зáвязь; in ~ в зарóдыше, в зачáточном состоя́нии 4) зачáток; происхождéние; the ~ of an idea происхождéние идéи; in ~ в зарóдыше, в зачáточном состоя́нии 5) *attr.*: ~ warfare бактериологи́ческая войнá

2. *v уст.* давáть ростки́, развивáться

German [ˈdʒɜːmən] 1. *a* гермáнский, немéцкий ◇ ~ Ocean *уст.* Сéверное мóре

2. *n* 1) нéмец; нéмка; the ~s *pl собир.* нéмцы 2) немéцкий язы́к; High (Low) ~ верхненемéцкий (нижненемéцкий) язы́к

germander [dʒɜːˈmændə] *n бот.* дубрóвник

germane [dʒɜ:ˈmeɪn] *a* уме́стный, подходя́щий (to)

Germanic [dʒɜ:ˈmænɪk] **1.** *a* 1) *ист.* герма́нский 2) тевто́нский

2. *n лингв.* герма́нский праязы́к; общегерма́нский язы́к

Germanism [ˈdʒɜ:mənɪzəm] *n* 1) *лингв.* неме́цкий оборо́т, германи́зм 2) германофи́льство

germanium [dʒɜ:ˈmeɪnɪəm] *n хим.* герма́ний

Germanize [ˈdʒɜ:mənaɪz] *v* германизи́ровать, онеме́чивать

German measles [ˌdʒɜ:mənˈmi:zlz] *n* (корева́я) красну́ха

German shepherd [ˌdʒɜ:mənˈʃepəd] *n* восто́чно-европе́йская овча́рка

germen [ˈdʒɜ:mən] *n биол.* зача́ток, заро́дыш, росто́к

germicidal [ˌdʒɜ:mɪˈsaɪdl] *a* гермици́дный, бактерици́дный

germicide [ˈdʒɜ:mɪsaɪd] *n* гермици́д, бактерици́д

germinal [ˈdʒɜ:mɪnl] *a* 1) заро́дышевый; зача́точный 2) генери́рующий иде́и

germinate [ˈdʒɜ:mɪneɪt] *v* 1) прораста́ть (*о семенах*), дава́ть по́чки, ростки́ 2) вызыва́ть к жи́зни, порожда́ть

germination [ˌdʒɜ:mɪˈneɪʃn] *n* 1) прораста́ние, всхо́жесть (*семян*) 2) зарожде́ние, рост, разви́тие

gerontocracy [ˌdʒerɒnˈtɒkrəsɪ] *n* геронтокра́тия, прави́тельство *или* правле́ние старе́йших

gerontology [ˌdʒerɒnˈtɒlədʒɪ] *n* геронтоло́гия

Gerry [ˈdʒerɪ] = Jerry

gerrymander [ˈdʒerɪmændə] **1.** *n* 1) предвы́борные махина́ции 2) махина́ции

2. *v* 1) устра́ивать предвы́борные махина́ции 2) искажа́ть фа́кты, фальсифици́ровать

gerund [ˈdʒerənd] *n грам.* геру́ндий

gerund-grinder [ˈdʒerəndˌgraɪndə] *n пренебр.* учи́тель лати́нского языка́; учи́тель-педа́нт

gerundive [dʒəˈrʌndɪv] *грам.* **1.** *n* герунди́в

2. *a* герундиа́льный

gesso [ˈdʒesəʊ] *n* (*pl* -oes [-əʊz]) гипс (*для скульптуры*)

gestalt [gəˈʃtælt] *n* 1) це́лое, отлича́ющееся от су́ммы его́ составля́ющих 2) *психол.* це́лостное восприя́тие объе́кта

gestapo [gesˈtɑ:pəʊ] *n* геста́по

gestate [dʒeˈsteɪt] *v* 1) быть бере́менной 2) вына́шивать (*планы и т. п.*)

gestation [dʒeˈsteɪʃn] *n* 1) бере́менность; пери́од бере́менности 2) созрева́ние (*плана, проекта*)

gesticulate [dʒeˈstɪkjʊleɪt] *v* жестикули́ровать

gesticulation [dʒeˌstɪkjʊˈleɪʃn] *n* жестикуля́ция

gesture [ˈdʒestʃə] **1.** *n* 1) жест; телодвиже́ние; a fine ~ благоро́дный жест 2) *перен.* посту́пок, жест ◇ friendly ~ дру́жеский жест

2. *v* жестикули́ровать

get [get] **1.** *v* (got; *p. p. уст., амер.* gotten) 1) получа́ть; достава́ть, добыва́ть; we can ~ it for you мы мо́жем доста́ть э́то для вас; you'll ~ little by it вы ма́ло что от э́того вы́играете; to ~ advantage получи́ть преиму́щество 2) зараба́тывать; to ~ a living зараба́тывать на жизнь 3) покупа́ть, приобрета́ть; to ~ a new coat купи́ть но́вое пальто́ 4) получа́ть; брать; I ~ letters every day я получа́ю пи́сьма ежедне́вно; to ~ leave получи́ть, взять о́тпуск; to ~ singing lessons брать уро́ки пе́ния 5) сесть, попа́сть (*на поезд и т. п.*; on) 6) достига́ть, добива́ться (from, out of); we couldn't ~ permission from him мы не могли́ получи́ть у него́ разреше́ния; to ~ glory доби́ться сла́вы 7) устана́вливать, вычисля́ть; we ~ 9.5 on average мы получи́ли 9,5 в сре́днем 8) схвати́ть, зарази́ться; to ~ an illness заболе́ть 9) свя́зываться, устана́вливать связь (*по телефону*); I got him (*или* through to him) on the telephone at last наконе́ц я дозвони́лся к нему́ 10) доставля́ть, приноси́ть; ~ me a chair принеси́ мне стул; I got him to bed я уложи́л его́ спать 11) прибы́ть, добра́ться, дости́чь (*какого-л. места*; to); попа́сть (*куда-л.*); we cannot ~ to Moscow tonight сего́дня ве́чером мы не попадём в Москву́ 12) подверга́ться (*наказанию*), получа́ть (*по заслугам*); to ~ it (hot) получи́ть нагоня́й 13) *perf. разг.* име́ть, облада́ть, владе́ть; I've got very little money у меня́ о́чень ма́ло де́нег; he has got the measles у него́ корь 14) *разг.* понима́ть, постига́ть; I don't ~ you я вас не понима́ю; to ~ it right поня́ть пра́вильно 15) *разг.* надоеда́ть, раздража́ть 16) *разг.* ста́вить в тупи́к; the answer got me отве́т меня́ озада́чил 17) *разг.* съеда́ть (*завтрак, обед и т. п.*); go and ~ your breakfast поза́втракай сейча́с же 18) *уст.* порожда́ть, производи́ть (*о животных*) 19) (*perf.*; *с inf.*) быть обя́занным, быть до́лжным (*что-л. сделать*); I've got to call the doctor at once я до́лжен неме́дленно вы́звать врача́ 20) (*с последующим сложным дополнением — n или pron + inf.*) заста́вить, убеди́ть (*кого-л. сделать что-л.*); to ~ smb. to speak заста́вить кого́-л. вы́ступить; we got our friends to come to dinner мы уговори́ли свои́х друзе́й прийти́ к обе́ду; to ~ a tree to grow in a bad soil суме́ть вы́растить де́рево на плохо́й по́чве 21) (*с последующим сложным дополнением — n или pron + p. p. или a*) *обозначает*: а) *что действие выполнено или должно быть выполнено кем-л. по желанию субъекта*: I got my hair cut я подстри́гся, меня́ постри́гли; you must ~ your coat made вы должны́ (отда́ть) сшить себе́ пальто́; б) *что какой-то объект приведён действующим лицом в определённое состояние*: you'll ~ your feet wet вы промо́чите но́ги; she's got her face scratched она́ оцара́пала лицо́ 22) (*с последующим инфинитивом или герундием*) *означает начало или однократность действия*: to ~ to know узна́ть; they got talking они́ на́чали разгова́ривать 23) (*глагол-связка в составном именном сказуемом или вспомогательный глагол в pass.*) станови́ться, де́латься; to ~ old старе́ть; to ~ angry (рас)серди́ться; to ~ better а) опра́виться; б) стать лу́чше; to ~ drunk опьяне́ть; to ~ married жени́ться; you'll ~ left behind вас обго́нят, вы оста́нетесь позади́ 24) (*с последующим существительным*) *выражает действие, соответствующее значению существительного*: to ~ some sleep сосну́ть; to ~ a glimpse of smb. ме́льком уви́деть кого́-л. ▭ ~ **about** а) быва́ть в ра́зных места́х; передвига́ться; б) начина́ть (вы)ходи́ть по́сле боле́зни; в) распространя́ться (*о слухах*); ~ **abroad** распространя́ться (*о слухах*); станови́ться изве́стным; ~ **across** а) чётко изложи́ть; to ~ across an idea донести́ мысль до слу́шателя; б) перебира́ться, переправля́ться; ~ **after** а) гна́ться (*за кем-л.*), пресле́довать (*кого-л.*); б) *разг.* руга́ть, придира́ться; докуча́ть (*кому-л.*); ~ **ahead** а) продвига́ться; б) преуспева́ть; ~ **along** а) ужива́ться, ла́дить; they ~ along они́ ла́дят; б) жить; обходи́ться; I'll ~ along somehow я уж ка́к-нибудь устро́юсь; to ~ along without food обходи́ться без пи́щи; в) справля́ться с де́лом; преуспева́ть; ~ **at** а) добра́ться, дости́гнуть; б) дозвони́ться (*по телефону*); в) поня́ть, пости́гнуть; I cannot ~ at the meaning я не могу́ поня́ть смы́сла; г) *разг.* подкупа́ть; д) *разг.* высме́ивать; ~ **away** а) уходи́ть; отправля́ться; удира́ть; выбира́ться; б) *разг.* удра́ть с добы́чей (with); в) *разг.* вы́йти из положе́ния, вы́йти сухи́м из воды́ (with); вы́играть состяза́ние (with); г) *ав.* взлете́ть, оторва́ться; д) *амер. авто* тро́гать с ме́ста; ~ **back** а) верну́ться; б) возмеща́ть (*потерю, убытки*); ~ **behind** а) подде́рживать; б) отста́ть; в) просро́чить; ~ **by** а) проходи́ть, проезжа́ть; there's enough room for the car to ~ by автомоби́ль вполне́ мо́жет здесь прое́хать; б) своди́ть концы́ с конца́ми; устра́иваться; в) сдать (*экзамен*); г) быть допусти́мым, приє́млемым; ~ **down** а) спусти́ться, сойти́; б) снять (*с полки*); в) прогла́тывать; г) запи́сывать; д) засе́сть (*за учение и т. п.*; to); ~ **in** а) входи́ть; б) приезжа́ть, прибыва́ть; в) пройти́ на вы́борах; г) сажа́ть (*семена*); д) убира́ть (*сено, урожай*); е) присоедини́ться, войти́ в пай, уча́ствовать (on — в); ~ **into** а) войти́; прибы́ть; б) надева́ть, напя́ливать (*одежду*); ~ **off** а) *разг.* убежа́ть; спасти́сь, отде́латься (*от наказания и т. п.*; with); б) начина́ть; he got off to a flying start он на́чал блестя́ще; в) сойти́, слезть; г) снима́ть (*платье*); д) отбыва́ть, отправля́ться; е) *ав.* отрыва́ться от земли́, поднима́ться; ж) отходи́ть ко сну; з) отка́лывать (*шутки*); ~ **on** а) де́лать успе́хи, преуспева́ть; how is he ~ting on? как (иду́т) его́ дела́?; б) сади́ться (*в автобус и т. п.*); в) старе́ть; ста́риться; to ~ on in years старе́ть; г) приближа́ться (*о времени*); it is ~ting on for supper-time вре́мя бли́зится к у́жину; д) надева́ть; е) ужива́ться; ла́дить (with); ж) продолжа́ть; let's ~ on with the meeting продо́лжим собра́ние; ~ **out** а) уходи́ть, выходи́ть, вылеза́ть (from, of — из); to ~ out of shape потеря́ть фо́рму; to ~ out of sight исче́знуть из по́ля зре́ния; ~ out! уходи́!, прова́ливай!; б) вынима́ть, выта́скивать (from, of — из); в) стать изве́стным (*о секрете*); г) произнести́, вы́молвить; д) вы́ведывать, дознава́ться; е) бро́сить (*привычку*; of); ж) избега́ть (*делать что-л.*); з): what did you ~ out of his lecture? что вы вы́несли из его́ ле́кции?; what did you ~ out of the deal? ско́лько вы зарабо́тали на э́той сде́лке?; ~ **over** а) перейти́, перелезть, перепра́виться (че́рез); б) опра́виться (*после болезни, от испуга*); в) преодоле́ть (*трудности*); поко́нчить, разде́латься с чем-л.; г) пережи́ть *что-л.*; д) пройти́ (*расстояние*); е): to ~ over smb. перехитри́ть, обойти́ *кого-л.*; ~ **round** а) обману́ть, перехитри́ть, обойти́ *кого-л.*; заста́вить сде́лать по-сво́ему; б) обходи́ть (*закон, вопрос и т. п.*); в) вы́здороветь; г) навеща́ть, посеща́ть (to); ~ **through** а) пройти́ че́рез *что-л.*; б) спра́виться с *чем-л.*; вы́держать экза́мен; в) провести́ (*законопроект*); г) пройти́ (*о законопроекте*); д) связа́ться по телефо́ну; ~ **to** а) добра́ться до *чего-л.*; to ~ to close quarters *воен.* сбли́зиться, подойти́ на бли́зкую диста́нцию; *перен.* сцепи́ться (*в споре*); столкну́ться лицо́м к лицу́; б) принима́ться за *что-л.*; ~ **together** а) собира́ть(ся); встреча́ть(ся); б) *разг.* совеща́ться; прийти́ к соглаше́нию; ~ **under** гаси́ть; туши́ть (*пожар*); ~ **up** а) встава́ть, поднима́ться (*тж. на гору*); б) сади́ться (*в экипаж, на лошадь*); в) уси́ливаться (*о пожаре, ветре, буре*); г) подгота́вливать, осуществля́ть; оформля́ть (*книгу*); ста́вить (*пьесу*); д) уси́ленно изуча́ть (*что-л.*); е) уси́ливать; увели́чивать (*скорость и т. п.*); ж) дорожа́ть (*о товарах*); з) гримирова́ть, наряжа́ть; причёсывать; to ~ oneself up тща́тельно оде́ться, выряди́ться; и) вспугну́ть дичь ◇ to ~ by heart вы́учить наизу́сть; to ~ one's hand in наби́ть ру́ку в *чём-л.*, осво́иться с *чем-л.*; to ~ smth. into one's head вбить что-л. себе́ в го́лову; to ~ one's breath перевести́ дыха́ние; прийти́ в себя́; to ~ on one's feet (*или* legs) встава́ть (*чтобы говорить публично*); to have got smb., smth. on one's nerves раздража́ться из-за кого́-л., чего́-л.; to ~ under way сдви́нуться с ме́ста; отпра́виться; to ~ smb. to уговори́ть кого́-л. (*сделать что-л.*); to ~ a head захмеле́ть, име́ть тяжёлую го́лову с похме́лья; to ~ hold of суме́ть схвати́ть (*часто мысль*); to ~ the boot (*или* the sack, walking orders, walking papers) быть уво́ленным; to ~ in wrong with smb. попа́сть в неми́лость к кому́-л.; to ~ one's own way сде́лать по-сво́ему, поста́вить на своём; to ~ nowhere ничего́ не дости́чь; to ~ off with a whole skin ≅ вы́йти сухи́м из воды́; ~ along with you! *разг.* убира́йтесь!; ~ away with you! *шутл.* да ну́ тебя́!; не болта́й глу́постей!; ~ out with you! уходи́!, прова́ливай!

2. *n* 1) припло́д, пото́мство (*у животных*) 2) *sl.* дура́к, идио́т

get-at-able [get'ætəbl] *a разг.* досту́пный

getaway ['getəweɪ] *n разг.* бе́гство; побе́г; to make a ~ а) бежа́ть; б) ускользну́ть

getter ['getə] *n* 1) приобрета́тель; добы́тчик 2) *горн.* забо́йщик 3) производи́тель (*о жеребце, быке*) 4) радио ге́ттер

get together ['gettə,geðə] *n* 1) встре́ча, сбор, совеща́ние, сбо́рище, собра́ние 2) вечери́нка

get-tough ['gettʌf] *a разг.* жёсткий; ~ policy жёсткая поли́тика

getup ['getʌp] *n разг.* 1) устро́йство, о́бщая структу́ра 2) мане́ра одева́ться; стиль 3) оде́жда, обмундирова́ние 4) оформле́ние (*книги*) 5) постано́вка (*пьесы*) 6) *амер.* эне́ргия, предприи́мчивость

get-well card [get'wel,ka:d] *n* откры́тка с пожела́нием скоре́йшего выздоровле́ния

gewgaw ['gju:gɔ:] *n* безделу́шка, пустя́к; мишура́

geyser ['gɪ:zə, 'gaɪzə] *n* 1) ге́йзер 2) га́зовая коло́нка (*ванны*)

ghastly ['gɑ:stlɪ] **1.** *a* 1) стра́шный 2) *разг.* ужа́сный; неприя́тный 3) ме́ртвенно-бле́дный; при́зрачный; ~ smile страда́льческая улы́бка

2. *adv* стра́шно, ужа́сно, чрезвыча́йно

gha(u)t [gɑ:t] *инд. n* 1) го́рная цепь 2) го́рный прохо́д 3) при́стань на реке́

ghee [gi:] *инд. n* топлёное ма́сло (*из молока буйволицы*)

gherkin ['gɜ:kɪn] *n* корнишо́н

ghetto ['getəʊ] *n* (*pl* -os, -oes [-əʊz]) 1) трущо́бы, райо́н трущо́б; Black ~ негритя́нское городско́е ге́тто 2) ге́тто

ghost [gəʊst] **1.** *n* 1) привиде́ние, при́зрак; дух 2) тень, лёгкий след (*чего-л.*); ~s of the past те́ни про́шлого; not to have the ~ of a chance не име́ть ни мале́йшего ша́нса; the ~ of a smile чуть заме́тная улы́бка 3) факти́ческий а́втор, та́йно рабо́тающий на друго́е лицо́; писа́тель-невиди́мка 4) *тлв.* удво́енное изображе́ние

2. *v* 1) быть факти́ческим а́втором, писа́ть за друго́го 2) пресле́довать, броди́ть как привиде́ние

ghostly ['gəʊstlɪ] *a* 1) похо́жий на привиде́ние; при́зрачный 2) *уст.* духо́вный; ~ father духовни́к

ghost town ['gəʊsttaʊn] *n* го́род-при́зрак; го́род, не́когда процвета́ющий, но оста́вленный жи́телями

ghostwriter ['gəʊst,raɪtə] = ghost 3)

ghoul [gu:l] *n* 1) вурдала́к, упы́рь, вампи́р 2) кладби́щенский вор

ghoulish ['gu:lɪʃ] *a* дья́вольский, отврати́тельный; ме́рзкий

GI [,dʒi:'aɪ] (*сокр. от* government issue) *амер.* **1.** *n* солда́т ◇ ~ bride *разг.* неве́ста *или* жена́ америка́нского солда́та из друго́й страны́

2. *a* 1) казённый, вое́нного образца́ 2) арме́йский

giant ['dʒaɪənt] **1.** *n* 1) велика́н, гига́нт; исполи́н; тита́н 2) *тех.* гидромони́тор

2. *a* гига́нтский, грома́дный, исполи́нский

giantess ['dʒaɪəntes] *n* велика́нша

giantism ['dʒaɪəntɪzəm] *n мед.* гиганти́зм

giant-killer ['dʒaɪnt,kɪlə] *n* «победи́тель велика́нов» (*о человеке, сказочном персонаже, спортивной команде и т. п.*), тот, кто побежда́ет намно́го бо́лее си́льного проти́вника

giantlike ['dʒaɪəntlaɪk] a гига́нтский, огро́мный

giaour ['dʒaʊə] *тур. n* гя́ур

gib I [gɪb] *n* кот

gib II [dʒɪb] *n тех.* 1) клин, контркли́н; направля́ющая при́зма 2) *attr.*: ~ arm = gibbet 1, 3)

gibber ['dʒɪbə] **1.** *n* невня́тная, нечленоразде́льная речь

2. *v* говори́ть бы́стро, невня́тно, непоня́тно; тарато́рить

gibberish ['dʒɪbərɪʃ] *n* невня́тная, непоня́тная речь; тараба́рщина; негра́мотная речь

gibbet ['dʒɪbɪt] **1.** *n* 1) ви́селица; to die on the ~ быть пове́шенным 2) (the~) пове́шение 3) *тех.* укосина, стрела́ кра́на

2. *v* 1) ве́шать 2) выставля́ть на позо́р, на посме́шище; to be ~ed in the press быть высме́янным в печа́ти

gibbon ['gɪbən] *n зоол.* гиббо́н

gibbous ['gɪbəs] *a* 1) вы́пуклый 2) ме́жду второ́й че́твертью и полнолу́нием (*о Луне*) 3) горба́тый

gibe [dʒaɪb] **1.** *n* насме́шка

2. *v* насмеха́ться (at — над)

giber ['dʒaɪbə] *n* насме́шник

giblets ['dʒɪbləts] *n pl* гуси́ные потроха́

gibus ['dʒaɪbəs] *n* шапокля́к, складно́й цили́ндр

giddily ['gɪdɪlɪ] *adv* 1) головокружи́тельно 2) легкомы́сленно, ве́трено

giddiness ['gɪdɪnəs] *n* 1) головокруже́ние 2) легкомы́слие, ве́треность; взба́лмошность

giddy ['gɪdɪ] *a* 1) *predic.* испы́тывающий головокруже́ние; I feel ~ у меня́ кру́жится голова́ 2) легкомы́сленный, ве́треный, непостоя́нный 3) головокружи́тельный; ~ success головокружи́тельный успе́х

gift [gɪft] **1.** *n* 1) пода́рок, дар; I would not take (*или* have) it at a ~ ≅ я э́того и да́ром не возьму́ 2) спосо́бность, дарова́ние; тала́нт (of); the ~ of the gab бо́йкость ре́чи; the ~ of tongues (*или* for languages) спосо́бность к языка́м 3) пра́во распределя́ть (*приходы, должности*)

4) *разг.* лёгкое зада́ние, «пода́рок» <> Greek ~ дары́ дана́йцев

2. *v* 1) дари́ть 2) одаря́ть, наделя́ть

gifted ['gɪftɪd] **1.** *p. p. от* gift 2

2. *a* одарённый, спосо́бный; тала́нтливый, дарови́тый

gig I [gɪg] *n* 1) кабриоле́т; двуко́лка 2) ги́чка (*быстроходная лодка*) 3) подъёмная маши́на, лебёдка

gig II [gɪg] **1.** *n* острога́

2. *v* лови́ть ры́бу острого́й

gig III [gɪg] *n разг.* ангажеме́нт, *обыкн.* на одно́ выступле́ние (*особ. джаза*)

gigantic [dʒaɪ'gæntɪk] *a* гига́нтский, грома́дный, исполи́нский

gigantism ['dʒaɪgæn,tɪzəm] *n* 1) гига́нтский рост 2) *мед.* гиганти́зм

giggle ['gɪgl] **1.** *n* хихи́канье

2. *v* хихи́кать

gigolo ['dʒɪgələʊ] *n* (*pl* -os [-əʊz]) 1) альфо́нс, мужчи́на на содержа́нии у любо́вницы 2) наёмный партнёр (*в танцах*) 3) сутенёр

gigot ['dʒɪgət] *n* 1) бара́нья нога́ 2) *attr.*: ~ sleeve у́зкий ни́же ло́ктя рука́в со сбо́рками у плеча́

gilbert ['gɪlbət] *n эл.* ги́льберт

gild I [gɪld] *v* (gilded [-ɪd], gilt) 1) золоти́ть; to ~ the pill позолоти́ть пилю́лю 2) украша́ть; to ~ the lily улучша́ть *что-л.* и без того́ доста́точно хоро́шее; занима́ться нену́жным де́лом; по́пусту теря́ть вре́мя

gild II [gɪld] = guild

gilded ['gɪldɪd] **1.** *p. p. от* gild I

2. *a* позоло́ченный <> G. Chamber пала́та ло́рдов; ~ youth золота́я молодёжь

gilder ['gɪldə] *n* позоло́тчик; carver and ~ багéтный ма́стер

gilding ['gɪldɪŋ] **1.** *pres. p. от* gild I

2. *n* 1) золоче́ние 2) позоло́та

gill I [gɪl] *n* (*обыкн. pl*) 1) жа́бры 2) *бот.* гимениа́льная пласти́нка (*в шляпке гриба*) 3) второ́й подборо́док 4) боро́дка (*у петуха*) <> to be (*или* to look) rosy (green) about the ~s вы́глядеть здоро́вым (больны́м)

gill II [gɪl] *n* 1) глубо́кий лесно́й овра́г 2) го́рный пото́к

gill III [dʒɪl] *n* че́тверть пи́нты (*англ. = 0,142 л, амер. = 0,118 л*)

gillie ['gɪlɪ] *n шотл.* 1) помо́щник охо́тника, рыбака́ 2) *ист.* слуга́ вождя́

gillyflower ['dʒɪlɪ,flaʊə] *n* левко́й

gilt [gɪlt] **1.** *past и p. p. от* gild I

2. *n* 1) позоло́та 2) (*обыкн. pl*) *разг.* надёжные це́нные бума́ги <> to take the ~ off the gingerbread пока́зывать что-л. без прикра́с; лиша́ть что-л. привлека́тельности; обесце́нивать что-л. [*см. тж.* gingerbread]

3. *a* золочёный, позоло́ченный

gilt-edged [,gɪlt'edʒd] *a* 1) первокла́сный, лу́чшего ка́чества; he gave her a ~ tip он дал ей прекра́сный сове́т; ~ securities надёжные це́нные бума́ги 2) с золоты́м обре́зом

gimbals ['dʒɪmblz] *n pl тех.* карда́нов подве́с

gimcrack ['dʒɪmkræk] **1.** *n* мишура́; дешёвое украше́ние

2. *a* мишу́рный; дешёвый, безвку́сный

gimlet ['gɪmlət] *n* бура́в(чик); eyes like ~s пронзи́тельный *или* пытли́вый взгляд

gimmick ['gɪmɪk] *n разг.* 1) хитроу́мное приспособле́ние 2) нови́нка, дико́винка 3) уло́вка, ухищре́ние

gimp [gɪmp] *n* 1) каните́ль; позуме́нт 2) то́лстая ни́тка в кру́жеве для выделе́ния рису́нка

gin I [dʒɪn] **1.** *n* 1) западня́, сило́к 2) подъёмная лебёдка; во́рот; ко́злы 3) джин (*хлопкоочистительная машина*)

2. *v* 1) лови́ть в западню́ 2) очища́ть хло́пок

gin II [dʒɪn] *n* джин (*можжевёловая настойка*)

ginger ['dʒɪndʒə] **1.** *n* 1) имби́рь 2) огонёк, воодушевле́ние; he wants some ~ ему́ изю́минки не хвата́ет 3) рыжева́тый цвет (*волос*) 4) *разг.* рыжеволо́сый челове́к <> ~ group гру́ппа чле́нов парла́мента *или* како́й-л. друго́й полити́ческой организа́ции, наста́ивающих на бо́лее реши́тельной, акти́вной поли́тике

2. *v* 1) приправля́ть имбирём 2) подстегну́ть, оживи́ть (*тж.* ~ up) 3) взба́дривать (*беговую лошадь*)

ginger ale [,dʒɪndʒə'eɪl] *n* имби́рный эль

ginger beer [,dʒɪndʒə'bɪə] *n* имби́рное пи́во

gingerbread ['dʒɪndʒəbred] *n* 1) имби́рный пря́ник (*иногда золочёный*) 2) *attr.* пы́шный, мишу́рный, пря́ничный; ~ work а) золочёная резьба́ на корабле́; б) безвку́сный орна́мент

gingerly ['dʒɪndʒəlɪ] **1.** *a* осторо́жный, осмотри́тельный; ро́бкий

2. *adv* осторо́жно, осмотри́тельно; ро́бко

ginger snap ['dʒɪndʒəsnæp] *n* имби́рное пече́нье

gingery ['dʒɪndʒərɪ] *a* 1) имби́рный, пря́ный 2) рыжева́тый

gingham ['gɪŋəm] *n* полоса́тая *или* клётчатая бума́жная ткань

gingivitis [,dʒɪndʒɪ'vaɪtɪs] *n мед.* воспале́ние дёсен, гингиви́т

gink [gɪŋk] *n sl.* чуди́ла; хрыч

gin mill ['dʒɪnmɪl] *n амер. разг.* бар (*с алкогольными напитками*)

ginseng ['dʒɪnseŋ] *n* женьше́нь

Gipsy ['dʒɪpsɪ] **1.** *n* 1) цыга́н; цыга́нка 2) цыга́нский язы́к

2. *a* цыга́нский

3. *v* (g.) 1) вести́ бродя́чий, кочево́й о́браз жи́зни 2) устра́ивать пикни́к

gipsy moth ['dʒɪpsɪmɒθ] *n зоол.* непа́рный шелкопря́д

giraffe [dʒə'rɑ:f] *n* жира́ф(а)

girandole ['dʒɪrəndəʊl] *n* 1) колесо́ (*в фейерверке*) 2) жирандо́ль, канделя́бр, большо́й фигу́рный подсве́чник для не́скольких свече́й 3) серьга́ *или* кулон с кру́пным ка́мнем, окружённым бо́лее ме́лкими камня́ми 4) многостру́йный фонта́н

gird I [gɜ:d] *v* (-ed [-ɪd], girt) *книжн.* 1) опоя́сывать; подпоя́сывать(ся); he was girt about with a rope он был подпоя́сан верёвкой 2) окружа́ть, опоя́сывать; the island ~ed by the sea о́стров, окружённый мо́рем 3) прикрепля́ть са́блю, ша́шку к по́ясу 4) облека́ть (*властью*; with) <> to ~ oneself for smth. пригото́виться к чему́-л.

gird II [gɜ:d] **1.** *n* насме́шка

2. *v* насмеха́ться (at — над)

girder ['gɜ:də] *n* ба́лка; брус; перекла́дина; фе́рма (*моста*); *радио* ма́чта

girdle I ['gɜ:dl] **1.** *n* 1) по́яс, куша́к 2) по́яс-корсе́т 3) *анат.* по́яс 4) *тех.* обо́йма, кольцо́ 5) *геол.* то́нкий пласт песча́ника

2. *v* 1) подпоя́сывать 2) кольцева́ть (*плодовые деревья*) 3) окружа́ть 4) обнима́ть; to ~ smb.'s waist обня́ть кого́-л. за та́лию

girdle II ['gɜ:dl] = griddle

girl [gɜ:l] *n* 1) де́вочка 2) де́вушка 3) *разг.* (молода́я) же́нщина 4) *разг.* неве́ста, возлю́бленная 5) служа́нка, прислу́га 6) продавщи́ца 7) *разг.* хори́стка, танцо́вщица в ревю 8) *attr.*: ~ guides же́нская организа́ция ска́утов <> old ~ *пренебр.*, *ласк.* «стару́шка», же́нщина (*независимо от возраста*); ми́лая (*в обращении*)

girlfriend ['gɜ:lfrend] *n* 1) подру́га, подру́жка 2) люби́мая де́вушка

girlhood ['gɜ:lhʊd] *n* деви́чество

girlie ['gɜ:lɪ] *n* (*уменьш. от* girl) де́вочка, девчу́шка

girlish ['gɜ:lɪʃ] *a* 1) девичий 2) изне́женный, похо́жий на де́вочку (*о мальчике*)

giro ['dʒaɪrəʊ] *n* (*pl* -os [-əʊz]) *эк.* жи́ро, жирорасчёты

Girondist [dʒɪ'rɒndɪst] *n ист.* жиронди́ст

girt [gɜ:t] **1.** *past и p. p. от* gird I

2. *v* = girth 2

girth [gɜ:θ] **1.** *n* 1) обхва́т; разме́р (*талии; дерева в обхвате и т. п.*) 2) подпру́га

2. *v* 1) подтя́гивать подпру́гу (*тж.* ~ up) 2) ме́рить в обхва́те 3) окружа́ть, опоя́сывать

gist [dʒɪst] *n* 1) суть, су́щность; the ~ of the story основно́е содержа́ние расска́за 2) *юр.* гла́вный пункт (*обвинения и т. п.*)

give [gɪv] **1.** *v* (gave; given) 1) дава́ть; отдава́ть; to ~ lessons дава́ть уро́ки; to ~ one's word дать сло́во, обеща́ть; this ~s him a right to complain э́то даёт ему́ пра́во жа́ловаться 2) дари́ть; же́ртвовать; одари́вать; жа́ловать (*награду*); завеща́ть; to ~ a handsome present сде́лать хоро́ший пода́рок; to ~ alms подава́ть ми́лостыню; he gave freely to the hospital он мно́го же́ртвовал на больни́цу 3) плати́ть; опла́чивать; I gave five pounds for the hat я заплати́л за шля́пу 5 фу́нтов 4) вруча́ть, передава́ть; to ~ a note вручи́ть запи́ску 5) передава́ть; he ~s you his regards он передаёт вам наилу́чшие пожела́ния 6) предоставля́ть; поруча́ть; he gave us this work to do он поручи́л нам э́ту рабо́ту 7) отдава́ть, посвяща́ть; to ~ one's attention to уделя́ть внима́ние *чему-л.*; to ~ one's mind to study по́лностью отдава́ться заня́тиям (*или* учёбе) 8) *с различными, гл. обр. отглагольными существительными образует фразовый глагол, который обыкн. выражает однократность действия и передаётся русским глаголом, соответствующим по значению существительному во фразовом глаголе*: to ~ cry (вс)кри́кнуть; to ~ a look взгляну́ть; to ~ encouragement ободри́ть; to ~ permission разреши́ть; to ~ an order приказа́ть; to ~ thought to заду́маться над 9) быть исто́чником, производи́ть; the sun ~s light со́лнце — исто́чник све́та; the hen ~s two eggs a day ку́рица несёт два яйца́ в день 10) подава́ться, оседа́ть (*о фундаменте*); быть эласти́чным; сгиба́ться, гну́ться (*о дереве, металле*); to ~ but not to break сгиба́ться, но не лома́ться 11) выска́зывать; пока́зывать; to ~ to the world обнаро́довать, опубликова́ть; it was ~n in the newspapers об э́том сообща́лось в газе́тах; he ~s no signs of life он не подаёт при́знаков жи́зни; the thermometer ~s 25° in the shade термо́метр пока́зывает 25° в тени́ 12) изобража́ть; исполня́ть; ~ us Chopin сыгра́йте нам Шопе́на 13) заража́ть; you've ~n me your cold я от вас зарази́лся на́сморком 14) причиня́ть; it gave me much pain э́то причини́ло мне большу́ю боль; the pupil ~s the teacher much trouble э́тот учени́к доставля́ет учи́телю мно́го волне́ний 15) цени́ть, придава́ть значе́ние (for); he ~s nothing for their opinion он соверше́нно не счита́ется с их мне́нием 16) уступа́ть; соглаша́ться; I ~ you that point уступа́ю вам по э́тому вопро́су, соглаша́юсь с ва́ми в э́том; to ~ way а) отступа́ть; уступа́ть; сдава́ться; б) сдава́ть (*о здоровье*); по́ртиться; в) *тех.* погну́ться; г) па́дать (*об акциях*); д) поддава́ться (*отчаянию, горю*); дава́ть во́лю (*слезам*) 17) налага́ть (*наказание*); выноси́ть (*приговор*); the court gave him six months imprisonment суд присуди́л его́ к шести́ ме́сяцам заключе́ния 18) устра́ивать (*обед, вечеринку*) 19) выходи́ть (*об окне, коридоре*; into, (up)on, on to — на, в); вести́ (*о дороге*) 20) произноси́ть, провозглаша́ть (*тост*) ▭ ~ away а) отдава́ть; дари́ть; раздава́ть (*призы*); to ~ away the bride быть посажёным отцо́м; б) выдава́ть, проговариваться; обнару́живать; подводи́ть; предава́ть; ~ back возвраща́ть, отдава́ть; отплати́ть (*за обиду*); ~ forth а) объявля́ть; обнаро́довать; б) распуска́ть слух; ~ in а) уступа́ть, сдава́ться; б) подава́ть (*заявление, отчёт, счёт*); в) впи́сывать; регистри́ровать; ~ off выделя́ть, испуска́ть; ~ out а) объявля́ть, провозглаша́ть; б) выделя́ть, испуска́ть; в) распределя́ть; г): to ~ oneself out to be smb. вы́дать себя́ за кого́-л.; д) иссяка́ть, конча́ться (*о запасах, силах и т. п.*); по́ртиться (*о машине*); ~ over а) броса́ть, оставля́ть (*привычку*); б) передава́ть; в) посвяща́ть, по́лностью отдава́ть (to); ~ under не вы́держать; ~ up а) оста́вить; отказа́ться (*от работы, участия в чём-л. и т. п.*); he is ~n up by the doctors он при́знан врача́ми безнадёжным; б) бро́сить (*привычку*); в) уступи́ть; to ~ oneself up to smth. предава́ться, отдава́ться чему́-л.; г) признава́ть безнадёжным, отка́зываться (*от дела и т. п.*) ◇ to ~ as good as one gets не оста́ться в долгу́; to ~ smb. the creeps нагна́ть стра́ху на кого́-л.; бро́сить кого́-л. в дрожь; to ~ it smb. (hot and strong) проучи́ть кого́-л., вы́пать кому́-л., зада́ть кому́-л. жа́ру; to ~ one what for вы́пать по пе́рвое число́, зада́ть пе́рцу; to ~ or take с попра́вкой в ту и́ли ину́ю сто́рону; it will take you ten hours to go, ~ or take a few minutes вам придётся идти́ 10 часо́в, мо́жет быть, на не́сколько мину́т бо́льше и́ли ме́ньше; to ~ smb. a piece of one's mind сказа́ть кому́-л. па́ру «тёплых» слов, отруга́ть; to ~ mouth а) подава́ть го́лос; б) выска́зывать, расска́зывать; to ~ rise to а) дава́ть нача́ло (*о реке*); б) вызыва́ть, име́ть результа́ты; to ~ smb. rope дать запу́таться, дать кому́-л. возмо́жность погуби́ть само́го себя́; to ~ vent to one's feelings отвести́ ду́шу; to ~ a year or so either way с отклоне́ниями в год в ту и́ли другу́ю сто́рону

2. *n* 1) эласти́чность, упру́гость 2) пода́тливость, усту́пчивость

give-and-take [ˌgɪvn'teɪk] *n* 1) обме́н мне́ниями, любе́зностями, ко́лкостями *и т. п.* 2) взаи́мные усту́пки, компроми́сс

giveaway ['gɪvəˌweɪ] **1.** *n разг.* 1) (ненаме́ренное) разоблаче́ние та́йны *или* преда́тельство 2) про́данное дёшево *или* о́тданное да́ром; *амер.* распрода́жа (*по сниженным ценам*)

2. *a* 1) ни́зкий (*о цене*); at a ~ price почти́ да́ром 2): a ~ show рекла́мная ра́дио- *или* телевикто́рина с вы́дачей призо́в

given ['gɪvn] **1.** *p. p. от* give 1

2. *a* 1) да́нный, пода́ренный 2) *predic.* скло́нный (*к чему-л.*); предаю́щийся (*чему-л.*); увлека́ющийся (*чем-л.*); he is not much ~ to speech он не о́чень разгово́рчив 3) *юр.* дати́рованный (*таким-то числом*) 4) обусло́вленный; within a ~ period в тече́ние устано́вленного сро́ка 5) *мат., лог.* да́нный, определённый

giver ['gɪvə] *n* тот, кто даёт, да́рит, же́ртвует (охо́тно); дари́тель

gizzard ['gɪzəd] *n* 1) второ́й желу́док (*у птиц*) 2) *разг.* гло́тка, го́рло; живо́т; it sticks in my ~ э́то мне поперёк го́рла ста́ло

glabrous ['gleɪbrəs] *a* гла́дкий, лишённый воло́с (*о коже*)

glacé ['glæseɪ] *a* 1) глазиро́ванный; заса́харенный 2) гла́дкий, сатини́рованный

glacial ['gleɪʃl] *a* 1) ледо́вый, ледяно́й; леденя́щий; студёный 2) леднико́вый 3) холо́дный 4) кристаллизо́ванный

glaciate ['gleɪsɪeɪt] *v* 1) замора́живать; ~d подве́ргшийся де́йствию ледников 2) наводи́ть ма́товую пове́рхность

glacier ['glæsɪə] *n* ледни́к, гле́тчер

glaciology [ˌglæsɪ'ɒlədʒɪ] *n* гляциоло́гия

glacis ['glæsɪs] *n воен.* гла́сис, пере́дний скат бру́ствера

glad [glæd] *a* 1) *predic.* дово́льный; I'm ~ to see you рад вас ви́деть; ~ to hear it рад э́то слы́шать 2) ра́достный, весёлый; ~ cry ра́достный крик 3) прия́тный, утеши́тельный 4) я́ркий, прекра́сный ◇ to give the ~ eye to smb. *разг.* смотре́ть с любо́вью на кого́-л.

gladden ['glædn] *v* ра́довать; весели́ть

glade [gleɪd] *n* 1) прога́лина; про́сека; поля́на 2) *амер.* полынья́ 3) *амер.* боло́тистый уча́сток, поро́сший высо́кой траво́й

gladiator ['glædɪeɪtə] *n* гладиа́тор

gladiatorial [ˌglædɪə'tɔːrɪəl] *a* гладиа́торский

gladioli [ˌglædɪ'əʊlaɪ] *pl от* gladiolus

gladiolus [ˌglædɪ'əʊləs] *n* (*pl* -es [-ɪz], -li) *бот.* гладио́лус, шпа́жник

gladly ['glædlɪ] *adv* ра́достно; охо́тно, с удово́льствием

glad rags ['glædˌrægz] *n разг.* пра́здничное, выходно́е пла́тье; вече́рнее пла́тье

gladsome ['glædsəm] *a поэт.* ра́достный, весёлый; with ~ looks с приве́тливым лицо́м

Gladstone ['glædstən] *n* ко́жаный саквоя́ж (*тж.* ~ bag)

glair [gleə] **1.** *n* я́ичный бело́к

2. *v* сма́зывать я́ичным белко́м

glairy ['gleərɪ] *a* 1) белко́вый 2) сма́занный я́ичным белко́м

glaive [gleɪv] *n уст., поэт.* меч; копьё

glamor ['glæmə] *амер.* = glamour

glamorize ['glæməraɪz] *v* восхваля́ть, реклами́ровать; дава́ть высо́кую оце́нку

glamorous ['glæmərəs] *a* 1) эффе́ктный 2) обая́тельный, очарова́тельный

glamour ['glæmə] **1.** *n* 1) привлека́тельность, эффекти́вность (*особ. благодаря макияжу*) 2) романти́ческий орео́л; обая́ние, очарова́ние 3) ча́ры, волшебство́; to cast a ~ over очарова́ть, околдова́ть 4) *attr.* эффе́ктный; ~ boy (girl) *разг.* шика́рный па́рень (-ная деви́ца)

2. *v поэт.* зачарова́ть, околдова́ть, плени́ть

glamourous ['glæmərəs] = glamorous

glance I [glɑːns] **1.** *n* 1) бы́стрый взгляд; at a ~ с одного́ взгля́да; to take (*или* to give) a ~ (at) взгляну́ть (на); to cast a ~ at бро́сить бы́стрый взгляд на; stealthy ~ взгляд укра́дкой 2) сверка́ние, блеск

2. *v* 1) ме́льком взгляну́ть (at — на); бе́гло просмотре́ть (over) 2) скользну́ть (*часто* ~ aside, ~ off) 3) перескáкивать (*с одной темы на другую*) 4) блеснýть, сверкнýть; мелькнýть; отражáться

glance II [glɑ:ns] *v* наводи́ть глянец; полировáть

gland I [glænd] *n анат.* железá; *pl* шéйные желёзки; глáнды

gland II [glænd] *n тех.* сáльник

glanderous [ˈglændərəs] *a вет.* сáпный

glanders [ˈglændəz] *n pl вет.* сап

glandular [ˈglændjʊlə] *a* 1) желéзистый 2) в фóрме железы́

glandule [ˈglændju:l] *n* 1) желёзка 2) набухáние, óпухоль

glare [gleə] **1.** *n* 1) ослепи́тельный блеск, я́ркий свет 2) свирéпый взгляд 3) блестя́щая мишурá

2. *v* 1) свирéпо, с нéнавистью смотрéть (at) 2) ослепи́тельно сверкáть 3) бросáться в глазá

glaring [ˈgleərɪŋ] **1.** *pres. p. от* glare 2

2. *a* 1) бросáющийся в глазá; вопию́щий; ~ contrast рази́тельный контрáст; ~ mistake грýбая оши́бка 2) я́ркий, ослепи́тельный (*о свете*) 3) сли́шком я́ркий, кричáщий (*о цвете*)

glaringly [ˈgleərɪŋlɪ] *adv* 1) вызывáюще; грýбо 2) я́рко, ослепи́тельно

glass [glɑ:s] **1.** *n* 1) стеклó 2) стекля́нная посýда 3) стакáн; рю́мка; he has taken a ~ too much *разг.* он вы́пил ли́шнее 4) зéркало 5) песóчные часы́; *мор.* (*обыкн. pl*) (получасовáя) скля́нка 6) парникóвая рáма; парни́к 7) стекля́шки, побрякýшки 8) барóметр 9) *pl* очки́ 10) подзóрная трубá; телескóп; бинóкль; микроскóп 11) *attr.* стекля́нный ◇ to see through rose-coloured ~es (spectacles) ви́деть всё в рóзовом свéте

2. *v* 1) вставля́ть стёкла; остекля́ть 2) помещáть в парни́к 3) *поэт.* отражáться (*как в зеркале*) 4) гермети́чески закрывáть в стекля́нной посýде (*о консервах и т. п.*)

glassblower [ˈglɑ:s,bləʊə] *n* стеклодýв

glassblowing [ˈglɑ:s,bləʊɪŋ] *n* стеклодýвное дéло; вы́дувка стеклá

glass-case [ˈglɑ:skeɪs] *n* витри́на

glass cutter [ˈglɑ:s,kʌtə] *n* 1) стекóльщик 2) алмáз (*для резки стекла*)

glassful [ˈglɑ:sfʊl] *n* стакáн (*как мера ёмкости*)

glasshouse [ˈglɑ:shaʊs] *n* 1) тепли́ца, оранжерéя 2) *sl.* воéнная тюрьмá 3) стекóльный завóд 4) фотоательé (*со стеклянной крышей*) 5) *attr.* тепли́чный; ~ culture тепли́чная культýра

glasspaper [ˈglɑ:s,peɪpə] *n* наждáчная бумáга, шкýрка

glassware [ˈglɑ:sweə] *n* стекля́нная посýда; издéлия из стеклá

glass wool [ˈglɑ:swʊl] *n тех.* стекля́нная вáта

glasswork [ˈglɑ:swɜ:k] *n* 1) стекóльное произвóдство 2) стеклó (*изделия*) 3) встáвка стёкол

glassworks [ˈglɑ:swɜ:ks] *n* стекóльный завóд

glassy [ˈglɑ:sɪ] *a* 1) зеркáльный, глáдкий 2) стекля́нный, стеклови́дный; прозрáчный (*как стекло*) 3) безжи́зненный, тýсклый (*о взгляде, глазах*)

Glaswegian [glɑ:zˈwi:dʒən] **1.** *a* относя́щийся к г. Глáзго

2. *n* урожéнец *г.* Глáзго

Glauber's salt(s) [,glaʊbəzˈsɔ:lt(s)] *n хим.* глáуберова соль, серноки́слый нáтрий

glaucoma [glɔ:ˈkəʊmə] *n мед.* глаукóма

glaucous [ˈglɔ:kəs] *a* 1) серовáто-зелёный, серовáто-голубóй 2) тýсклый 3) *бот.* покры́тый налётом

glaze [gleɪz] **1.** *n* 1) муравá, глазýрь; гля́нец 2) глазурóванная посýда 3) *амер.* слой льда, ледянóй покрóв 4) *жив.* лессирóвка

2. *v* 1) вставля́ть стёкла; застекля́ть 2) покрывáть глазýрью, муравóй 3) покрывáть льдом 4) *кул.* глази́ровать 5) тускнéть, стекленéть (*о глазах*); покрывáться поволóкой 6) *жив.* лесси́ровать 7) *тех.* полировáть, лощи́ть

glazed [gleɪzd] **1.** *p. p. от* glaze 2

2. *a* 1) застеклённый 2) глазирóванный

glazier [ˈgleɪzɪə] *n* стекóльщик

glazing [ˈgleɪzɪŋ] *n* 1) встáвка стёкол 2) глазуровáние, глазурóвка (*керамики, посуды и т. п.*) 3) глазýрь 4) *жив.* лессирóвка

glazy [ˈgleɪzɪ] *a* 1) глянцеви́тый, блестя́щий 2) тýсклый, безжи́зненный (*о взгляде*)

gleam [gli:m] **1.** *n* 1) слáбый свет, прóблеск, луч 2) óтблеск; отражéние (*лучей заходящего солнца*) 3) прóблеск, вспы́шка (*юмора, веселья и т. п.*); not a ~ of hope никаки́х прóблесков надéжды

2. *v* 1) свети́ться; мерцáть 2) отражáть свет

glean [gli:n] *v* 1) тщáтельно подбирáть, собирáть по мелочáм (*факты, сведения*) 2) подбирáть колóсья (*после жатвы*), виногрáд (*после сбора*)

gleaner [ˈgli:nə] *n с.-х.* стри́ппер

gleanings [ˈgli:nɪŋz] *n pl* 1) сóбранные фáкты 2) обры́вки, крупи́цы знáний 3) сóбранные пóсле жáтвы колóсья

glebe [gli:b] *n* 1) церкóвные зéмли 2) *поэт.* земля́, клочóк земли́ 3) *горн.* рудонóсный учáсток земли́

glee [gli:] *n* 1) весéлье; ликовáние 2) пéсня (*для нескольких голосов*)

gleeful [ˈgli:fl] *a* весёлый, ликýющий; рáдостный

gleet [gli:t] *n мед.* хрони́ческий уретри́т

glen [glen] *n* ýзкая гóрная доли́на

glengarry [glenˈgærɪ] *n* шотлáндская шáпка

glib [glɪb] *a* 1) бóйкий (*о речи*); he has a ~ tongue он бóйкий на язы́к 2) речи́стый, говорли́вый 3): a ~ excuse благови́дный предлóг 4) *уст.* глáдкий (*о поверхности*) 5) *редк.* лёгкий, беспрепя́тственный (*о движении*)

glibly [ˈglɪblɪ] *adv* многоречи́во; многослóвно

glide [glaɪd] **1.** *n* 1) скольжéние; плáвное движéние 2) *фон.* скольжéние; промежýточный звук 3) *ав.* плани́рование, плани́рующий спуск 4) *муз.* хромати́ческая гáмма

2. *v* 1) скользи́ть; дви́гаться плáвно 2) *ав.* плани́ровать 3) проходи́ть незамéтно (*о времени*) 4) незамéтно и постепéнно переходи́ть (*в другое состояние*; into) 5) дви́гаться бесшýмно, крáсться

glide-bomb [ˈglaɪdbɒm] *n воен.* самолёт-снаря́д

glider [ˈglaɪdə] *n ав.* планёр

gliding [ˈglaɪdɪŋ] **1.** *pres. p. от* glide 2

2. *n* 1) скольжéние 2) *ав.* плани́рование 3) планери́зм

glimmer [ˈglɪmə] **1.** *n* 1) мерцáние; тýсклый свет 2) слáбый прóблеск

2. *v* мерцáть; тýскло свети́ть

glimmering [ˈglɪmərɪŋ] *n* прóблеск

glimpse [glɪmps] **1.** *n* 1) мимолётное впечатлéние; бы́стро промелькнýвшая пéред глазáми карти́на; to have (*или* to catch) a ~ of уви́деть мéльком 2) мелькáние, прóблеск 3) бы́стрый взгляд; at a ~ с пéрвого взгля́да; мéльком 4) нéкоторое представлéние; намёк

2. *v* 1) (у)ви́деть мéльком 2) мелькáть, промелькнýть

glint [glɪnt] **1.** *n* 1) вспы́шка, сверкáние; я́ркий блеск 2) мерцáющий свет

2. *v* 1) вспы́хивать, сверкáть; я́рко блестéть 2) отражáть свет

glissade [glɪˈsɑ:d] **1.** *n* 1) скольжéние, соскáльзывание 2) *ав.* скольжéние на крылó 3) глиссé (*в танцах*)

2. *v* 1) скользи́ть, соскáльзывать 2) дéлать глиссé (*в танцах*)

glissando [glɪˈsændəʊ] *n муз.* глиссáндо

glisten [ˈglɪsn] **1.** *v* блестéть, сверкáть; и́скриться; сиять; to ~ with dew блестéть росóй; his eyes ~ed with excitement егó глазá блестéли от возбуждéния

2. *n* сверкáние, блеск; óтблеск

glister [ˈglɪstə] *уст.* = glisten

glitch [glɪtʃ] *n разг.* внезáпный откáз (*механизма*), неожи́данная полóмка *или* авáрия

glitter [ˈglɪtə] **1.** *v* 1) блестéть, сверкáть 2) блистáть ◇ all is not gold that ~s *посл.* не всё то зóлото, что блести́т

2. *n* 1) я́ркий блеск, сверкáние 2) пóмпа, пы́шность

glitterati [,glɪtəˈrɑ:tɪ] *n pl sl.* верхýшка писáтельской брáтии; заправи́лы шóу-би́знеса

glitz [glɪts] *n sl.* нарочи́тая, показнáя пы́шность

glitzy [ˈglɪtsɪ] *a sl.* 1) роскóшный 2) кричáщий, безвкýсный; a ~ gown эффéктное плáтье

gloaming [ˈgləʊmɪŋ] *n поэт.* сýмерки

gloat [gləʊt] **1.** *v* 1) тáйно злорáдствовать, торжествовáть 2) пожирáть глазáми (over, upon)

2. *n* злорáдство

gloatingly [ˈgləʊtɪŋlɪ] *adv* злорáдно; со злорáдством

glob [glɒb] *n разг.* 1) ка́пля 2) шар, ша́рик; a ~ of clay ша́рик гли́ны; a ~ of whipped cream шар взби́тых сли́вок

global ['gləʊbl] *a* 1) мирово́й, всеми́рный, глоба́льный 2) всео́бщий; ~ disarmament всео́бщее разоруже́ние

globalization ['gləʊblaɪ,zeɪʃn] *n* распростране́ние *или* примене́ние в глоба́льном масшта́бе

globalize ['gləʊblaɪz] *v* распространя́ть *или* применя́ть в глоба́льном масшта́бе

globe [gləʊb] *n* 1) (the ~) земно́й шар 2) небе́сное те́ло 3) шар; ~ of the eye глазно́е я́блоко 4) гло́бус 5) держа́ва (*эмблема власти монарха*) 6) ко́локол возду́шного насо́са 7) кру́глый стекля́нный абажу́р

globeflower ['gləʊb,flaʊə] *n бот.* купа́льница

globe-trotter ['gləʊb,trɒtə] *n* челове́к, мно́го путеше́ствующий по све́ту

globose ['gləʊbəʊs] *a* шарови́дный; сфери́ческий

globosity [gləʊ'bɒsətɪ] *n* шарови́дность

globular ['glɒbjʊlə] *a* 1) шарови́дный; сфери́ческий; ~ flowers шарообра́зные цветы́ 2) состоя́щий из шарови́дных части́ц

globule ['glɒbju:l] *n* 1) ша́рик; шарови́дная части́ца; ка́пля; гло́була 2) *физиол.* кра́сный кровяно́й ша́рик 3) пилю́ля

globulin ['glɒbjʊlɪn] *n спец.* глобули́н

glockenspiel ['glɒkənspi:l] *n муз.* металлофо́н, гло́кеншпиль

glom [glɒm] *v амер. sl.* красть, пере́ть, ти́брить

glomerate ['glɒmərɪt] *a бот., анат.* сви́тый в клубо́к

glomerulus [glɒ'merjʊləs] *n* (*pl* -li [-laɪ]) *анат.* клубо́чек

gloom [glu:m] **1.** *n* 1) мрак; темнота́; тьма 2) мра́чность; уны́ние; пода́вленное настрое́ние

2. *v* 1) име́ть хму́рый *или* уны́лый вид 2) хму́риться; завола́киваться (*о небе*) 3) омрача́ть; вызыва́ть уны́ние

gloomily ['glu:mɪlɪ] *adv* мра́чно; уны́ло; с уны́лым ви́дом

gloomy ['glu:mɪ] *a* 1) мра́чный; тёмный 2) угрю́мый; печа́льный; хму́рый, уны́лый; ~ prospects печа́льные, мра́чные перспекти́вы

Gloria ['glɔ:rɪə] *n* 1) Сла́ва в вы́шних Бо́гу (*молитва*) 2) (g.) нимб, сия́ние 3) (g.) ткань «гло́рия» для зонто́в

glorification [,glɔ:rɪfɪ'keɪʃn] *n* прославле́ние, восхвале́ние

glorify ['glɔ:rɪfaɪ] *v* 1) прославля́ть, окружа́ть орео́лом; возвели́чивать 2) хвали́ть, превозноси́ть 3) (*обыкн. p. p.*) захва́ливать, расхва́ливать

gloriole ['glɔ:rɪəʊl] *n* нимб, орео́л, сия́ние

glorious ['glɔ:rɪəs] *a* 1) сла́вный; знамени́тый 2) великоле́пный, чуде́сный, восхити́тельный (*тж. ирон.*) 3) *разг.* в припо́днятом настрое́нии; подвы́пивший

glory ['glɔ:rɪ] **1.** *n* 1) сла́ва 2) триу́мф 3) великоле́пие, красота́ 4) предме́т го́рдости 5) *разг.* восто́рг 6) нимб, орео́л, сия́ние ◇ to go to ~ умере́ть; to send to ~ уби́ть; Old G. *амер. разг.* госуда́рственный флаг США

2. *v* горди́ться (*обыкн.* ~ in); торжествова́ть; упива́ться; to ~ in one's health and strength быть олицетворе́нием здоро́вья и си́лы

gloss I [glɒs] **1.** *n* 1) вне́шний блеск 2) обма́нчивая нару́жность

2. *v* 1) наводи́ть гля́нец, лоск 2) лосни́ться

gloss II [glɒs] **1.** *n* 1) гло́сса; заме́тка на поля́х; толкова́ние 2) подстро́чник *или* глосса́рий 3) превра́тное истолкова́ние 4) глосса́рий

2. *v* 1) составля́ть глосса́рий; снабжа́ть коммента́рием 2) превра́тно истолко́вывать (upon) 3) истолко́вывать благоприя́тно (*часто* ~ over)

glossal ['glɒsl] *a анат.* относя́щийся к языку́

glossary ['glɒsərɪ] *n* 1) слова́рь (*приложенный в конце книги*) 2) глосса́рий

glossiness ['glɒsɪnəs] *n* лоск, гля́нец

glossitis [glɒ'saɪtɪs] *n мед.* воспале́ние языка́

glossy ['glɒsɪ] **1.** *a* блестя́щий, глянцеви́тый, лосня́щийся, лощёный

2. *n разг.* (иллюстри́рованный) журна́л на гля́нцевой бума́ге

glottal ['glɒtl] *a* 1) *анат.* относя́щийся к голосово́й ще́ли 2) *фон.* образо́ванный в голосово́й ще́ли

glottal stop [,glɒtl'stɒp] *n фон.* твёрдый при́ступ

glottic ['glɒtɪk] *a* относя́щийся к голосово́й ще́ли

glottis ['glɒtɪs] *n анат.* голосова́я щель

Gloucester ['glɒstə] *n* гло́стерский сыр

glove [glʌv] **1.** *n* перча́тка ◇ to handle without ~s не церемо́ниться, поступа́ть гру́бо; относи́ться беспоща́дно; to throw down (to take up) the ~ бро́сить (приня́ть) вы́зов; to take off the ~s пригото́виться к бою́

2. *v* 1) наде́ть перча́тку; ~d в перча́тках 2) снабжа́ть перча́тками

glover ['glʌvə] *n* перча́точник

glow [gləʊ] **1.** *n* 1) си́льный жар, нака́л; summer's scorching ~ паля́щий ле́тний зной; to be in all of a ~, to be in a ~ пыла́ть, ощуща́ть жар 2) свет, о́тблеск, за́рево (*отдалённого пожара, заката*) 3) я́ркость кра́сок 4) румя́нец 5) пыл; оживлённость; взволно́ванность, горя́чность 6) *эл.* свече́ние, нака́л

2. *v* 1) накаля́ться до́красна́; до́бела́ 2) свети́ться; сверка́ть 3) горе́ть, сверка́ть (*о глазах*) 4) сия́ть (*от радости*) 5) рдеть, пыла́ть (*о щеках*) 6) чу́вствовать прия́тную теплоту́ (*в теле*) 7) тлеть

glower ['glaʊə] **1.** *n* серди́тый взгляд **2.** *v* смотре́ть серди́то

glowing ['gləʊɪŋ] **1.** *pres. p. от* glow 2

2. *a* 1) раскалённый до́красна́, до́бела́ 2) я́рко светя́щийся 3) горя́чий, пы́лкий 4) я́ркий (*о красках*); to paint in ~ colours представля́ть в ра́дужном све́те 5) пыла́ющий (*о щеках*)

glow-lamp ['gləʊlæmp] *n эл.* ла́мпа нака́ливания

glowworm ['gləʊwɜ:m] *n* жук-светля́к

gloxinia [glɒk'sɪnɪə] *n бот.* глокси́ния

glucose ['glu:kəʊs] *n хим.* глюко́за

glue [glu:] **1.** *n* 1) клей 2) *attr.* клеево́й

2. *v* 1) кле́ить, прикле́ивать 2) прикле́иваться, скле́иваться, прилипа́ть 3) *разг.* быть неотлу́чно (*при ком-л.*) ▭ ~ up закле́ивать, запеча́тывать ◇ to have one's eye ~d to (*или* on) не отрыва́ть взгля́да от

gluey ['glu:ɪ] *a* кле́йкий, ли́пкий

glum [glʌm] *a* угрю́мый, хму́рый, мра́чный

glume [glu:m] *n* шелуха́ (*зерна*)

glut [glʌt] **1.** *n* 1) избы́ток; перепроизво́дство; ~ in the market затова́ривание ры́нка 2) пресыще́ние 3) изли́шество (*в еде и т. п.*) 4) *тех.* клин

2. *v* 1) насыща́ть, пресыща́ть 2) наполня́ть до отка́за 3) затова́ривать

gluten ['glu:tn] *n* клейкови́на

glutinous ['glu:tɪnəs] *a* кле́йкий

glutton ['glʌtn] *n* 1) обжо́ра 2) *разг.* жа́дный, ненасы́тный челове́к; a ~ of books жа́дно и мно́го чита́ющий 3) *зоол.* росома́ха

gluttonous ['glʌtnəs] *a* прожо́рливый

gluttony ['glʌtnɪ] *n* обжо́рство

glycerin(e) ['glɪsərɪn] *n* глицери́н

glycogen ['glaɪkədʒən] *n биол.* гликоге́н

glyph [glɪf] *n* 1) *архит.* глиф 2) релье́фно вы́резанная фигу́ра *или* символи́ческий знак

glyptic ['glɪptɪk] *a* глипти́ческий

glyptics ['glɪptɪks] *n pl* (*употр. как sing*) гли́птика

glyptography [glɪp'tɒgrəfɪ] *n* резьба́ по драгоце́нному ка́мню

G-man ['dʒi:mæn] *n* (*сокр. от* Government man) *амер. разг.* аге́нт Федера́льного бюро́ рассле́дований

gnarled, gnarly [nɑ:ld, 'nɑ:lɪ] *a* 1) шишкова́тый (*с наростами*); сучкова́тый; искривлённый (*о дереве*) 2) углова́тый, гру́бый (*о внешности*) 3) несгово́рчивый; упря́мый

gnash [næʃ] *v* скрежета́ть (*зубами*)

gnat [næt] *n* 1) кома́р; моски́т; мо́шка 2) доса́дная ме́лочь, ерунда́; to strain at a ~ переоце́нивать ме́лочи; быть ме́лочным

gnaw [nɔ:] *v* 1) грызть, глода́ть 2) разъеда́ть (*о кислоте*) 3) подта́чивать, беспоко́ить, терза́ть

gnawer ['nɔ:ə] *n* грызу́н

gneiss [naɪs] *n мин.* гнейс

gnome I ['nəʊmi:] *n* афори́зм

gnome II [nəʊm] *n* 1) гном, ка́рлик 2) *разг.* междунаро́дный банки́р, финансо́вый вороти́ла

gnomic(al) ['nəʊmɪk(l)] *a* гноми́ческий, афористи́ческий

gnomish ['nəʊmɪʃ] *a* похóжий на гнóма

gnomon ['nəʊmɒn] *n* стóлбик-указáтель сóлнечных часóв; гнóмон

gnosis ['nəʊsɪs] *n филос.* гнóзис, тáйное познáние божéственной и́стины, достýпное тóлько посвящённым

gnostic ['nɒstɪk] *филос.* **1.** *a* гности́ческий

2. *n* гнóстик

gnosticism ['nɒstɪsɪzəm] *n филос.* гностици́зм

gnu [nu:] *n* гну (*антилопа*)

go [gəʊ] **1.** *v* (went; gone) 1) идти́, ходи́ть; быть в движéнии; передвигáться (*в пространстве или во времени*); the train goes to London пóезд идёт в Лóндон; who goes there? кто идёт? (*окрик часового*); to go after smb. идти́ за кем-л. [*см. тж.* ▭ go after] 2) éхать, путешéствовать; to go by train éхать пóездом; to go by plane летéть самолётом; I shall go to France я поéду во Фрáнцию 3) простирáться, вести́ (*куда-л.*), пролегáть, тянýться; how far does this road go? далекó ли тя́нется э́та дорóга? 4) отправля́ться (*часто с последующим отглагольным существительным*); go shopping отправля́ться за покýпками 5) пойти́; уходи́ть; уезжáть; стартовáть; I'll be going now ну, я пошёл; it is time for us to go нам порá уходи́ть (*или* идти́); let me go! отпусти́те! 6) быть в дéйствии, рабóтать (*о механизме, машине*); ходи́ть (*о часах*); to set the clock going завести́ часы́ 7) имéть хождéние (*о монете, пословице и т. п.*); быть в обращéнии; переходи́ть из уст в устá; the story goes как говоря́т 8) сдéлать какóе-л. движéние; go like this with your left foot! сдéлай так лéвой ногóй! 9) приводи́ться в движéние; направля́ться, руковóдствоваться (by); the engine goes by electricity маши́на привóдится в движéние электри́чеством; I shall go entirely by what the doctor says я бýду руковóдствоваться исключи́тельно тем, что говори́т врач 10) звучáть, звони́ть (*о колоколе, звонке и т. п.*); бить, отбивáть (*о часах*) 11) *разг.* умирáть, ги́бнуть; теря́ться, пропадáть; she is gone онá поги́бла; онá скончáлась; my sight is going я теря́ю зрéние 12) проходи́ть; исчезáть; рассéиваться, расходи́ться; much time has gone since that day с тогó дня прошлó мнóго врéмени; summer is going лéто прохóдит; the clouds have gone тýчи рассéялись; all hope is gone исчéзли все надéжды 13) гласи́ть, говори́ть (*о тексте, статье*); as the saying ~es как говори́тся 14) подходи́ть, быть под стать (*чему-л.*); the blue scarf goes well with your blouse э́тот голубóй шарф хорошó подхóдит к вáшей блýзке 15) класть(ся), стáвить(ся) на определённое мéсто; постоя́нно храни́ться; where is this carpet to go? кудá постели́ть э́тот ковёр? 16) умещáться, уклáдываться (*во что-л.*); six into twelve goes twice шесть в двенáдцати содéржится два рáза; the thread is too thick to go into the needle э́та ни́тка сли́шком толстá, чтóбы пролéзть в игóлку 17) пройти́, окóнчиться определённым результáтом; the election went against him вы́боры кóнчились для негó неудáчно; how did the voting go? как прошлó голосовáние?; the play went well пьéса имéла успéх 18) пройти́, быть при́нятым, получи́ть при́знание (*о плане, проекте*) 19) продавáться (*по определённой цене*; for); this goes for 5 pounds э́то стóит 5 фýнтов; to go cheap продавáться по дешёвой ценé 20) расхóдоваться, трáтиться; £200 went on a new coat 200 фýнтов ушлó на нóвое пальтó 21) переходи́ть в сóбственность, доставáться; the house went to the elder son дом достáлся стáршему сы́ну 22) рýхнуть, свали́ться, сломáться, подáться; the platform went трибýна обрýшилась; first the sail and then the mast went спервá подáлся пáрус, а затéм и мáчта 23) потерпéть крах, обанкрóтиться; the bank may go any day крах бáнка ожидáется со дня́ нá день 24) отменя́ться, уничтожáться; this clause of the bill will have to go э́та статья́ законопроéкта должнá быть вы́брошена 25) регуля́рно ходи́ть, посещáть (*школу и т. п.*) 26) доходи́ть до (*какого-л. предела*; to); the price went as high as £100 ценá дошлá до 100 фýнтов 27) быть óтданным, присуждённым (*кому-л.*; *о призе и т. п.*) 28) стать (*кем-л.*); to go to sea стать моря́кóм; to go on the stage стать актёром; to go on the streets стать проститýткой 29) *глагол-связка в составном именном сказуемом означает*: а) постоя́нно находи́ться в какóм-л. положéнии *или* состоя́нии; to go hungry быть, ходи́ть всегдá голóдным; to go in rags ходи́ть в лохмóтьях; б) дéлаться, станови́ться; to go mad сойти́ с умá; to go sick захворáть; to go bust *разг.* разори́ться; he goes hot and cold егó бросáет в жар и в хóлод 30) *в сочетании с последующим герундием означает*: чем-то чáсто *или* постоя́нно занимáться; he goes frightening people with his stories он постоя́нно пугáет людéй свои́ми расскáзами; to go hunting ходи́ть на охóту 31) *в обороте* be going + *inf. смыслового глагола выражает намерение совершить какое-л. действие в ближайшем будущем*: I am going to speak to her я намеревáюсь поговори́ть с ней; it is going to rain собирáется дождь ▭ go **about** а) расхáживать, ходи́ть тудá и сюдá; б) циркули́ровать, имéть хождéние (*о слухах*; *о деньгах*); в) дéлать поворóт кругóм; г) *мор.* дéлать поворóт оверштáг; go **after** а) искáть; б) добивáться (*чего-л.*); go **against** противорéчить, идти́ прóтив (*убеждений*); go **ahead** а) дви́гаться вперёд; go ahead! вперёд!; продолжáй(те)!; дéйствуй(те)!; б) идти́ напролóм; в) идти́ впереди́ (*на состязании*); go **along** а) дви́гаться вперёд; б) продолжáть; в) сопровождáть (with); go **at** *разг.* а) бросáться на *кого-л.*; б) энерги́чно брáться за *что-л.*; go **away** уходи́ть, убирáться; go **back** а) возвращáться; б) нарýшить (*обещание, слово*; on, upon); в) откáзаться (on, upon — от *своих слов*); г) измени́ть (*друзьям*; on, upon); go **behind** пересмáтривать, рассмáтривать зáново, изучáть (*основания, данные*); go **between** быть посрéдником мéжду; go **beyond** превышáть что-л.; выходи́ть за предéлы (*чего-л.*); go **by** а) проходи́ть (*о времени*); б) проходи́ть ми́мо; в) суди́ть по; г) руковóдствоваться; I go by the barometer я руковóдствуюсь барóметром; go **down** а) уменьшáться; б) спускáться; опускáться; to go down in the world опусти́ться, потеря́ть былóе положéние (в óбществе); в) снижáться, пáдать (*о ценах*); г) затонýть; д) сади́ться (*о солнце*); е) стихáть (*о ветре*); ж) быть побеждённым; з) быть приéмлемым (*для кого-л.*); быть одóбренным (with — *кем-л.*); go **far** пойти́ далекó, преуспéть; go **for** а) идти́ за *чем-л.*; б) стóить, имéть цéну; to go for nothing (something) ничегó не стóить (кóе-чтó стóить); to go for a song идти́ за бесцéнок, ничегó не стóить; в) *разг.* стреми́ться к *чему-л.*; г) *разг.* наброситься, обрýшиться на; the speaker went for the profiteers орáтор обрýшился на спекуля́нтов; д) быть при́нятым за; go **forth** быть опубликóванным; go **in** а) входи́ть; б) учáствовать (*в состязании*; *обыкн.* for); в) затми́ться (*о солнце, луне*); go **in for** а) стáвить себé (*что-л.*) цéлью, добивáться (*чего-л.*); to go in for an examination экзаменовáться; б) увлекáться (*чем-л.*); to go in for sports занимáться спóртом; to go in for collecting pictures заня́ться, увлéчься коллекциони́рованием карти́н; в) *разг.* выступáть в пóльзу (*кого-л., чего-л.*); go **in with** объединя́ться, дéйствовать совмéстно с *кем-л.*; присоединя́ться к *кому-л.*; go **into** а) входи́ть; вступáть; to go into Parliament стать члéном парлáмента; б) чáсто бывáть, посещáть; в) впадáть (*в истерику и т. п.*); приходи́ть (*в ярость*); г) расслéдовать, тщáтельно рассмáтривать; go **off** а) вы́стрелить (*об оружии*); *перен.* вы́палить; б) уходи́ть со сцéны; в) ослабевáть (*о боли и т. п.*); г) сойти́, пройти́; the concert went off well концéрт прошёл хорошó; д) стать хýже; испóртиться (*о мясе и т. п.*); е) засыпáть; теря́ть сознáние; ж) умирáть; з) отдéлаться от *чего-л.*; сбыть, продáть; и) убежáть, сбежáть; go **on** а) (упóрно) продолжáть, идти́ дáльше; б) дли́ться, продолжáться; в) говори́ть бесконéчно дóлго, говори́ть и говори́ть; г) *разг.* отчи́тывать, ругáть (at); д) случáться, происходи́ть; go **on for** приближáться к (*о времени, возрасте*); go **out** а) вы́йти; выходи́ть; б) бывáть в óбществе; в) вы́йти в эфи́р; вы́йти в свет (*о книге*); г) погáснуть; д) вы́йти в отстáвку; е) вы́йти из мóды; ж) (за)бастовáть; з) кончáться (*о месяце, годе*); и) *амер.* обрýшиться; к) потерпéть неудáчу; go **over** а) переходи́ть (на другýю стóрону); б) переходи́ть из одно́й па́ртии в другу́ю; перемени́ть ве́ру; в) опроки́нуться (*об экипаже*); г) превосходи́ть; д) перечи́тывать, повторя́ть; е) изуча́ть в дета́лях; ж) быть отло́женным (*о проекте закона*); з) *хим.* переходи́ть, превраща́ться; go **round** а) враща́ться; the wheels go round колёса враща́ются; б) обхва́тывать, быть доста́точно дли́нным в) быть доста́точным, хвати́ть на всех (*за столом*); г) приходи́ть в го́сти за́просто; go **through** а) доводи́ть до конца́, зака́нчивать; б) тща́тельно разбира́ть пункт за пу́нктом; в) упо́рно изуча́ть, занима́ться г) испы́тывать, подверга́ться; д) находи́ть сбыт, ры́нок (*о товаре*); to go through several editions вы́держать не́сколько изда́ний (*о книге*); е) быть при́нятым (*о проекте, предложении*); ж) израсхо́довать все де́ньги; з) проноси́ться (*об одежде*); и) обы́скивать, обша́ривать; go **through with** smth. довести́ что-л. до конца́; go **together** сочета́ться, гармони́ровать; go **under** а) тону́ть; б) ги́бнуть; *амер. разг.* умира́ть; в) исчеза́ть; г) разоря́ться; д) не вы́держивать (*испытаний, страданий*); е) заходи́ть, зака́тываться (*о солнце*); go **up** а) поднима́ться; восходи́ть (*на гору*); go up in smoke улету́читься; б) расти́ (*о числе*); повыша́ться (*о ценах*); apples have gone up я́блоки подорожа́ли; в) *разг.* поступи́ть в университе́т; г) взорва́ться, сгоре́ть; д) *амер.* разори́ться; go **with** а) подходи́ть, гармони́ровать; согласо́вываться, соотве́тствовать; б) быть заодно́ с *кем-л.*; в) сопровожда́ть; г) уха́живать (*за кем-л.*), встреча́ться (*с кем-л.*); go **without** обходи́ться без *чего-л.* ◇ go about your business! *разг.* пошёл вон!, убира́йся!; it will go hard with him ему́ тру́дно (*или* пло́хо) придётся; ему́ не поздоро́вится; to go by the name of а) быть изве́стным под и́менем; б) быть свя́занным с *чьим-л.* и́менем; to go off the deep end напи́ться; to go off the handle вы́йти из себя́; to go all out напря́чь все си́лы; to go to smb.'s heart печа́лить, огорча́ть кого́-л.; to go a long way а) име́ть большо́е значе́ние, влия́ние (to, towards, with); б) хвата́ть надо́лго (*о деньгах*); to go one better превзойти́ (*соперника*); to go right through идти́ напроло́м; to go round the bend теря́ть равнове́сие; сходи́ть с ума́; to go the rounds ходи́ть по рука́м; it goes without saying само́ собо́й разуме́ется; (it is true) as far as it goes (ве́рно) поско́льку де́ло каса́ется э́того; be gone! прова́ливай(те)!; going fifteen на пятна́дцатом году́; he went and did it он взял и сде́лал э́то; to go down the drain *разг.* быть истра́ченным впусту́ю (*о деньгах*); to go easy on smth. быть такти́чным в отноше́нии чего́-л.; to go on instruments вести́ (*самолёт*) по прибо́рам

2. *n* (*pl* goes [gəʊz]) *разг.* 1) движе́ние; ход, ходьба́; to be on the go а) быть в движе́нии, в рабо́те; he is always on the go он ве́чно куда́-то спеши́т; б) собира́ться уходи́ть; в) быть пья́ным; г) быть на скло́не лет, на зака́те дней 2) эне́ргия; воодушевле́ние; рве́ние; full of go по́лон эне́ргии 3) *разг.* успе́х; успе́шное предприя́тие; to make a go of it доби́ться успе́ха; преуспе́ть; no go бесполе́зный; безнадёжный [*см. тж.* no go] 4) *разг.* попы́тка; have a go (at) попыта́ться, рискну́ть; let's have a go at it дава́йте попро́буем 5) *разг.* обстоя́тельство, положе́ние; неожи́данный поворо́т дел; here's a pretty go! ну и положе́ньице! 6) *разг.* при́ступ, обостре́ние (*болезни*) 7) *разг.* по́рция (*кушанья*); глото́к (*вина*) 8) *разг.* сде́лка; is it a go? идёт?; по рука́м? ◇ all (*или* quite) the go о́чень мо́дно; предме́т всео́бщего увлече́ния; first go пе́рвым де́лом, сра́зу же; at a go сра́зу, зара́з

goad [gəʊd] **1.** *n* 1) боде́ц, стрека́ло 2) возбуди́тель, сти́мул

2. *v* 1) подгоня́ть (*стадо*) 2) побужда́ть; подстрека́ть; to ~ into fury привести́ в я́рость; довести́ до бе́шенства

go-ahead ['gəʊəhed] **1.** *n* 1) сигна́л к ста́рту; разреше́ние дви́гаться вперёд 2) прогре́сс; движе́ние вперёд

2. *a* энерги́чный, предприи́мчивый

goal [gəʊl] *n* 1) цель, зада́ча 2) цель, ме́сто назначе́ния 3) *спорт.* воро́та 4) *спорт.* гол 5) *спорт.* фи́ниш 6) ме́та (*в Древнем Риме*)

goalie ['gəʊlɪ] *разг.* = goalkeeper

goalkeeper ['gəʊl,ki:pə] *n спорт.* врата́рь

goalmouth ['gəʊlmaʊθ] *n* врата́рская площа́дка (*хоккей, футбол*)

goalpost ['gəʊlpəʊst] *n спорт.* сто́йка воро́т

go-as-you-please [,gəʊəzjʊ'pli:z] *a* 1) свобо́дный от пра́вил (*о гонках и т. п.*); неограни́ченный; нестеснённый 2) лишённый пла́на, методи́чности 3) име́ющий произво́льную ско́рость, ритм

goat [gəʊt] *n* 1) козёл; коза́ 2) «козёл», «кобе́ль» 3) *разг.* ду́рень, осёл 4) (G.) Козеро́г (*созвездие и знак зодиака*) 5) *амер.* козёл отпуще́ния ◇ to get smb.'s ~ раздража́ть, серди́ть кого́-л.; to play (*или* to act) the (giddy) ~ *разг.* вести́ себя́ глу́по, валя́ть дурака́

goatee [gəʊ'ti:] *n* ко́зли́ная боро́дка; эспаньо́лка

goatherd ['gəʊthɜ:d] *n* козопа́с

goatish ['gəʊtɪʃ] *a* 1) ко́зли́ный 2) похотли́вый

goatskin ['gəʊtskɪn] *n* 1) сафья́н 2) бурдю́к

goatsucker ['gəʊt,sʌkə] *n* козодо́й (*птица*)

goaty ['gəʊtɪ] *a* козли́ный

gob I [gɒb] *sl.* **1.** *n* 1) комо́к, плево́к 2) рот, гло́тка 3) *амер.* (*обыкн. pl*) ма́сса, у́йма; ~s of money у́йма де́нег

2. *v* плева́ть

gob II [gɒb] *n амер. sl.* моря́к

gobbet ['gɒbɪt] *n* кусо́к сыро́го мя́са *и т. п.*

gobble I ['gɒbl] *v* есть жа́дно, бы́стро; пожира́ть

gobble II ['gɒbl] **1.** *n* кулды́канье

2. *v* 1) кулды́кать (*об индюке*) 2) зло́бно бормота́ть

gobbler ['gɒblə] *n разг.* индю́к

Gobelin, gobelin ['gəʊbəlɪn] **1.** *n* гобеле́н

2. *a* гобеле́новый; ~ tapestry гобеле́н

go-between ['gəʊbɪ,twi:n] *n* 1) посре́дник 2) сват; сво́дник 3) связу́ющее звено́

goblet ['gɒblət] *n* бока́л; ку́бок

goblin ['gɒblɪn] *n* домово́й

go-by ['gəʊbaɪ] *n* обго́н (*на скачках*) ◇ to give the ~ а) пройти́ ми́мо, не обрати́в внима́ния, не поздоро́вавшись; игнори́ровать; б) обгоня́ть, оставля́ть позади́; в) избега́ть, уклоня́ться (*от чего-л.*)

goby ['gəʊbɪ] *n* бычо́к (*рыба*)

go-cart ['gəʊkɑ:t] *n* 1) ручна́я теле́жка 2) де́тская коля́ска 3) *уст.* ходуно́к (*для обучения детей ходьбе*)

god [gɒd] **1.** *n* 1) бог, божество́ 2) (G.) Всевы́шний, Бог; G.'s truth и́стинная пра́вда; my G.! Бо́же мой!; by G. ей-бо́гу!; G. Almighty Бо́же Всемогу́щий; G. bless you! *разг.* а) Бо́же мой! (*восклицание, выражающее удивление*); б) бу́дьте здоро́вы (*говорится чихнувшему*); honest to G. че́стное сло́во; G. damn you! бу́дьте вы про́кляты! 3) и́дол, куми́р; to make a ~ of smb. боготвори́ть кого́-л. 4) *pl театр.* галёрка, раёк; пу́блика галёрки

2. *v редк.* обожествля́ть; боготвори́ть

godchild ['gɒdtʃaɪld] *n* кре́стник; кре́стница

goddam(n) ['gɒdæm] **1.** *n* прокля́тие

2. *v* проклина́ть, посыла́ть к чёрту

goddamn(ed) ['gɒdæm(d)] **1.** *a* прокля́тый

2. *adv* черто́вски

goddaughter ['gɒd,dɔ:tə] *n* кре́стница

goddess ['gɒdes] *n* боги́ня

godfather ['gɒd,fɑ:ðə] *n* 1) кре́стный (оте́ц) 2) *амер.* «кре́стный оте́ц», глава́ ба́нды *или* ма́фии

godfearing ['gɒd,fɪərɪŋ] *a* богобоя́зненный

godforsaken ['gɒdfə,seɪkn] *a* бо́гом забы́тый; забро́шенный; уны́лый

godhead ['gɒdhed] *n* 1) боже́ственность 2) божество́

godless ['gɒdləs] *a* 1) нечести́вый 2) безбо́жный

godlike ['gɒdlaɪk] *a* богоподо́бный; боже́ственный

godliness ['gɒdlɪnəs] *n* на́божность, благоче́стие

godly ['gɒdlɪ] *a* благочести́вый; религио́зный

godmother ['gɒd,mʌðə] *n* кре́стная (мать)

godparent ['gɒd,peərənt] *n* кре́стный (оте́ц); кре́стная (мать)

God's acre ['gɒdz,eɪkə] *n* кла́дбище

godsend ['gɒdsend] *n* неожи́данное счастли́вое собы́тие; уда́ча; нахо́дка

godson ['gɒdsʌn] *n* кре́стник

godspeed [,gɒd'spi:d] **1.** *n* пожела́ние

успе́ха; to bid (*или* to wish) smb. ~ ≅ говори́ть кому́-л. «бог в по́мощь!», «счастли́вого пути́!»

2. *int* бог в по́мощь!

goer ['gəuə] *n* 1) ходо́к; good (bad) ~ хоро́ший (плохо́й) ходо́к 2) отъезжа́ющий

goffer ['gəufə] 1. *n* 1) щипцы́ для гофриро́вки 2) гофриро́вка

2. *v* гофрирова́ть; плои́ть

go-getter ['gəu,getə] *n разг.* хва́ткий и уда́чливый челове́к; предприи́мчивый деле́ц

goggle ['gɒgl] 1. *n* 1) *pl* защи́тные *или* тёмные очки́ 2) *pl разг.* очки́ 3) изумлённый, испу́ганный взгляд, «больши́е глаза́»

2. *a* вы́пученный, вы́таращенный (*о глазах*)

3. *v* 1) тара́щить глаза́; смотре́ть широко́ раскры́тыми глаза́ми 2) враща́ть глаза́ми

goggle-box ['gɒgl,bɒks] *n разг. шутл.* телеви́зор

goggle-eyed [,gɒgl'aɪd] *a* пучегла́зый

go-go ['gəu,gəu] *a* исполня́емый в совреме́нной (*обыкн.* эроти́ческой) мане́ре пе́ред посети́телями ночны́х клу́бов, ба́ров *и т. п.* (*о танцах*)

going ['gəuɪŋ] 1. *pres. p. от* go 1

2. *n* 1) ходьба́ 2) ско́рость передвиже́ния 3) отъе́зд 4) состоя́ние доро́ги, бегово́й доро́жки 5) *стр.* про́ступь (*ширина ступени*) ◇ rough ~ тру́дности, затрудне́ния

3. *a* 1) рабо́тающий, де́йствующий (*о предприятии и т. п.*) 2) действи́тельный, существу́ющий 3) процвета́ющий, преуспева́ющий

going-over [,gəuɪŋ'əuvə] *n* 1) осмо́тр 2) тамо́женное рассле́дование, прове́рка 3) нагоня́й, взбу́чка

goings-on [,gəuɪŋz'ɒn] *n pl* поведе́ние, посту́пки (*обыкн. неодобрительно*); пова́дки; о́браз жи́зни

goitre ['gɔɪtə] *n мед.* зоб

goitrous ['gɔɪtrəs] *a* 1) зо́бный 2) страда́ющий зо́бом

gold [gəuld] 1. *n* 1) зо́лото 2) цвет зо́лота, золоти́стый цвет 3) зо́лото, золоты́е моне́ты *или* ве́щи 4) бога́тство, сокро́вища; це́нность 5) центр мише́ни (*при стрельбе из лука*)

2. *a* 1) золото́й; ~ plate золота́я сервиро́вка 2) золоти́стого цве́та

goldbeater ['gəuld,bi:tə] *n* золотоби́т

goldbrick ['gəuldbrɪk] *n разг.* что-л. несто́ящее, выдава́емое за це́нность ◇ to sell a ~ наду́ть, обману́ть

gold-cloth ['gəuldklɒθ] *n* парча́

gold digger ['gəuld,dɪgə] *n* 1) золотоиска́тель 2) *разг.* авантюри́стка, вымога́тельница

gold-diggings ['gəuld,dɪgɪŋz] *n pl* золоты́е при́иски

gold-dust ['gəulddʌst] *n* золотоно́сный песо́к

golden ['gəuldən] *a* 1) золоти́стый 2) золото́й (*преим. перен.*); ~ age золото́й век; ~ hours счастли́вое вре́мя; ~ opportunity прекра́сный слу́чай; ~ deeds благоро́дные посту́пки

golden handshake [,gəuldən'hændʃeɪk] *n* кру́пное де́нежное посо́бие, кото́рое компа́ния выпла́чивает своему́ сотру́днику, уходя́щему на пе́нсию

golden mean [,gəuldən'mi:n] *n* золота́я середи́на

golden rule [,gəuldən'ru:l] *n* «золото́е пра́вило» (*заключающееся в том, что человек должен поступать с другим так, как он хотел бы, чтобы поступали с ним*)

golden syrup [,gəuldən'sɪrəp] *n* све́тлая па́тока

gold fever ['gəuld,fi:və] *n* золота́я лихора́дка

goldfield ['gəuldfi:ld] *n* золото́й при́иск

goldfinch ['gəuldfɪntʃ] *n* 1) *зоол.* щего́л 2) *sl.* золота́я моне́та

goldfish ['gəuldfɪʃ] *n* 1) золота́я ры́бка 2) серебряный кара́сь

gold leaf ['gəuldli:f] *n* 1) суса́льное зо́лото 2) золота́я фольга́

gold mine ['gəuldmaɪn] *n* 1) золото́й рудни́к, при́иск 2) *разг.* «золото́е дно», исто́чник обогаще́ния

gold-plate ['gəuldpleɪt] 1. *a* из накладно́го зо́лота

2. *v* позолоти́ть, покры́ть позоло́той

gold rush ['gəuldrʌʃ] = gold fever

goldsmith ['gəuldsmɪθ] *n* золоты́х дел ма́стер; ювели́р

gold-thread ['gəuldθred] *n* золочёная каните́ль

golf [gɒlf] 1. *n* гольф

2. *v* игра́ть в гольф

golf club ['gɒlfklʌb] *n* 1) клю́шка для игры́ в гольф 2) гольф-клу́б

golf course ['gɒlfkɔ:s] *n* площа́дка для игры́ в гольф

golfer ['gɒlfə] *n* игро́к в гольф

golf links ['gɒlflɪŋks] *n* (*употр. как sing*) площа́дка для игры́ в гольф (*обыкн. у моря*)

Golgotha ['gɒlgəθə] *n* 1) *библ.* Голго́фа 2) ме́сто муче́ний, исто́чник страда́ний

Goliath [gə'laɪəθ] *n библ.* Голиа́ф; *перен. тж.* гига́нт

golliwog ['gɒlɪwɒg] *n* 1) чёрная ку́кла-уро́дец 2) пу́гало

gollop ['gɒləp] *v разг.* бы́стро и жа́дно глота́ть, загла́тывать

golly ['gɒlɪ] *int разг.*: (by) ~! ей-бо́гу!

golosh [gə'lɒʃ] = galosh

gombeen [gɒm'bi:n] *ирл. n* ростовщи́чество

gombeen-man [gɒm'bi:nmæn] *ирл. n* ростовщи́к

gonad ['gəunæd] *n анат.* яи́чник; яи́чко

gondola ['gɒndələ] *n* 1) гондо́ла 2) корзи́нка (*воздушного шара*) 3) *ж.-д.* полуваго́н (*тж.* ~ car)

gondolier [,gɒndə'lɪə] *n* гондолье́р

gone [gɒn] 1. *p. p. от* go 1; a man ~ ninety years of age челове́к, кото́рому за 90 лет

2. *a* 1) проше́дший, исте́кший 2) уше́дший, уе́хавший 3) потёрянный, пропа́щий; a ~ case *разг.* безнадёжный слу́чай; пропа́щее де́ло; a ~ man = goner 1) *и* 2); 4) разорённый 5) уше́дший; уме́рший; he is ~ его́ не ста́ло 6) испо́льзованный, израсхо́дованный 7) *разг.* на *таком-то* ме́сяце (бере́менности); she is seven months ~ она́ на седьмо́м ме́сяце ◇ to be ~ on быть влюблённым, ослеплённым

goner ['gɒnə] *n разг.* 1) ко́нченый челове́к 2) разорённый челове́к 3) пропа́щее де́ло

gonfalon ['gɒnfələn] *n* зна́мя; хору́гвь

gonfalonier [,gɒnfələ'nɪə] *n* знамено́сец; хоругвено́сец

gong [gɒŋ] *n* 1) гонг 2) *sl.* меда́ль

goniometer [,gəunɪ'ɒmɪtə] *n* гонио́метр, угломе́рный прибо́р

gonorrhoea [,gɒnə'ri:ə] *n мед.* гоноре́я

goo [gu:] *n разг.* 1) что-л. ли́пкое *или* вя́зкое 2) сентимента́льщина

goober ['gu:bə] *n амер. диал.* земляно́й оре́х, ара́хис

good [gud] 1. *a* (better; best) 1) хоро́ший; прия́тный; ~ features краси́вые черты́ лица́; ~ to see you *разг.* прия́тно вас ви́деть; ~ news до́брая весть 2) уме́лый, иску́сный; ~ at languages спосо́бный к языка́м 3) ми́лый, любе́зный; how ~ of you! как э́то ми́ло с ва́шей стороны́! 4) до́брый; доброде́тельный; ~ works до́брые дела́; ~ citizen добропоря́дочный граждани́н 5) послу́шный (*о ребёнке*) 6) значи́тельный; *разг.* здоро́вый; ~ thrashing здоро́вая взбу́чка; a ~ deal значи́тельное коли́чество, мно́го 7) го́дный; поле́зный; a ~ man for челове́к, подходя́щий для; milk is ~ for children молоко́ де́тям поле́зно; I am ~ for another 10 miles я спосо́бен пройти́ ещё 10 миль 8) надлежа́щий, целесообра́зный; to have ~ reason to believe име́ть все основа́ния счита́ть 9) надёжный, кредитоспосо́бный 10) све́жий, неиспо́рченный; ~ food доброка́чественная, све́жая пи́ща; ~ lungs здоро́вые лёгкие 11) плодоро́дный 12) *усиливает значение следующего прилагательного* a ~ long walk дово́льно дли́нная прогу́лка ◇ ~ morning до́брое у́тро; ~ gracious! Го́споди! (*восклицание*); as ~ as всё равно́ что; почти́; he as ~ as promised me он почти́ что обеща́л мне; to be as ~ as one's word держа́ть (своё) сло́во

2. *n* 1) по́льза; to the ~ на по́льзу; в *чью-л.* по́льзу; for the ~ of ра́ди, из-за; what is the ~ of it? кака́я по́льза от э́того?; како́й в э́том смысл?; it is no ~ бесполе́зно 2) добро́, бла́го; to do smb. ~ помога́ть кому́-л.; исправля́ть кого́-л. ◇ for ~ (and all) навсегда́, оконча́тельно

goodbye 1. *n* [,gud'baɪ] проща́ние

2. *int* [,gud'baɪ] до свида́ния!; проща́йте!

good-fellowship ['gud,feləuʃɪp] *n* това́рищество; общи́тельность

good-for-nothing [ˌgʊdfəˈnʌθɪŋ] **1.** *n* бездéльник; никчёмный человéк

2. *a* ни на чтó не гóдный

good-humoured [ˌgʊdˈhjuːməd] *a* добродýшный; жизнерáдостный

good-looker [ˌgʊdˈlʊkə] *n разг.* красáвец; красáвица

good-looking [ˌgʊdˈlʊkɪŋ] *a* красивый, интерéсный; приятный (*о внешности*)

goodly [ˈgʊdlɪ] *a* 1) красивый; миловидный 2) значительный, большóй; крýпный

good-natured [ˌgʊdˈneɪtʃəd] *a* добродýшный

good-neighbour [ˌgʊdˈneɪbə] *a полит.* добрососéдский; ~ policy полúтика добрососéдства

goodness [ˈgʊdnəs] *n* 1) добротá; великодýшие; любéзность 2) добродéтель 3) хорóшее кáчество; цéнные свóйства ◇ ~ gracious! Гóсподи! (*восклицание удивления или возмущения*); ~ knows! кто егó знáет!; for ~' sake! рáди Бóга!

goods [gʊdz] *n pl* 1) товáр; товáры, *иногда* груз, багáж; fancy ~ мóдный товáр; consumer ~ потребительские товáры 2) вéщи, имýщество; груз; багáж; ~ and chattels лúчные вéщи 3) (the ~) *разг.* трéбуемые, необходúмые кáчества; úменно то, что нýжно; he has the ~ он вполнé компетéнтен 4) (the ~) *разг.* улúки, вещéственные доказáтельства, изобличáющие престýпника, полúчное; to catch with the ~ поймáть с полúчным 5) *attr.* грузовóй, багáжный; ~ circulation товáрное обращéние

good sense [ˌgʊdˈsens] *n* здрáвый смысл

goods shed [ˈgʊdzʃed] *n* пакгáуз

goods yard [ˈgʊdzjɑːd] *n* склад (*для открытого хранения*)

good-tempered [ˌgʊdˈtempəd] *a* 1) с хорóшим харáктером, добродýшный 2) уравновéшенный

good-timer [ˈgʊdˌtaɪmə] *n* человéк, вéсело проводя́щий врéмя; гуля́ка

goodwill [ˌgʊdˈwɪl] *n* 1) доброжелáтельность; расположéние (to, towards — к) 2) дóбрая вóля 3) *ком.* цéнность фúрмы, определя́ющаяся её клиентýрой, репутáцией *и т. п.*; престúж фúрмы 4) рвéние, готóвность сдéлать что-л.

goody I [ˈgʊdɪ] *n* 1) положúтельный герóй (*в фильме и т. п.*); хорóший человéк 2) конфéта, слáдость

goody II [ˈgʊdɪ] *разг.* **1.** *a* сентиментáльно благочестúвый, хáнжеский; чувствúтельно настрóенный

2. *n* ханжá

goody-goody [ˈgʊdɪˌgʊdɪ] = goody II

gooey [ˈguːɪ] *a разг.* 1) лúпкий, клéйкий 2) сентиментáльный

goof [guːf] *n разг.* болвáн; ýвалень

go-off [ˈgəʊɒf] *n разг.* начáло, старт

goofy [ˈguːfɪ] *a разг.* глýпый, бестолкóвый

goon [guːn] *n sl.* 1) тупúца, болвáн 2) неуклю́жий, нелóвкий человéк 3) головорéз; наёмный бандúт; громúла

goosander [guːˈsændə] *n* крохáль (*птица*)

goose I [guːs] *n* (*pl* geese) 1) гусь; гусы́ня 2) *разг.* дýрень; простáк; простýшка; простофúля ◇ all his geese are swans ≅ он (всегдá) преувелúчивает; can't say «bo» (*или* «boo») to a ~ ≅ óчень рóбок; и мýхи не обúдит

goose II [guːs] *n* (*pl* gooses [-ɪz]) портнóвский утю́г

gooseberry [ˈgʊzbərɪ] *n* крыжóвник ◇ to play ~ сопровождáть влюблённых для прилúчия; быть трéтьим лицóм

goose egg [ˈguːseg] *n* 1) гусúное яйцó 2) нуль (*в играх*)

goose-fat [ˈguːsfæt] *n* гусúный жир, гусúное сáло

gooseflesh [ˈguːsfleʃ] *n* гусúная кóжа (*от холода, страха*)

goose grass [ˈguːsgrɑːs] *n бот.* подорóжник (большóй)

goose grease [ˈguːsgriːz] *n* гусúный жир

gooseneck [ˈguːsnek] *n* 1) предмéт, похóжий на гусúную шéю *или* изóгнутый в вúде бýквы S 2) *тех.* S-обрáзное колéно

goose-skin [ˈguːsskɪn] = gooseflesh

goose step [ˈguːsstep] *n воен.* гусúный шаг

goosey [ˈguːsɪ] *n* 1) бéстолочь, балдá 2) глупы́шка, дурáшка (*в обращении к ребёнку*)

gopher [ˈgəʊfə] **1.** *n* 1) мешóтчатая кры́са, гóфер 2) сýслик ◇ G. State *шутл.* штат Миннесóта

2. *v* 1) рыть 2) *горн.* производúть бессистéмные развéдки

gorblimey [gɔːˈblaɪmɪ] *int разг.* чёрт-те что!, нáдо же!; чтоб тебé (провалúться)!

Gordian knot [ˌgɔːdɪənˈnɒt] *n* гóрдиев ýзел

gore I [gɔː] *n* запёкшаяся, свернýвшаяся кровь; *поэт.* кровь

gore II [gɔː] **1.** *n* 1) клин, лáстовица (*в белье, платье*) 2) клин (*земли*)

2. *v* 1) придавáть фóрму клúна 2) вставля́ть, вшивáть клин

gore III [gɔː] *v* 1) бодáть, забодáть, пронзáть (*рогами, клыками*) 2) пробúть (*борт судна о скалу*)

gorge [gɔːdʒ] **1.** *n* 1) ýзкое ущéлье, теснúна 2) обжóрство 3) то, что проглóчено, съéдено 4) *воен.* гóржа 5) затóр, нагромождéние; прóбка 6) *уст., поэт.* гóрло; глóтка, пасть; зоб (*хищных птиц*) ◇ my ~ rises я чýвствую отвращéние, меня́ тошнúт; to raise the ~ приводúть в я́рость

2. *v* 1) жáдно есть, объедáться 2) жáдно глотáть, поглощáть

gorgeous [ˈgɔːdʒəs] *a* 1) я́рко расцвéченный 2) *разг.* великолéпный, прекрáсный 3) витиевáтый (*о стиле*)

gorget [ˈgɔːdʒɪt] *n* 1) *ист.* лáтный воротнúк 2) ожерéлье 3) горжéт 4) отмéтина на шéйке птиц

Gorgon [ˈgɔːgən] *n* 1) *миф.* Горгóна, Медýза 2) (g.) мегéра, страшúлище

Gorgonzola [ˌgɔːgənˈzəʊlə] *n* горгонзóла (*сорт острого овечьего сыра*)

gorilla [gəˈrɪlə] *n* 1) горúлла 2) *разг.* страшúлище 3) *амер. sl.* убúйца, бандúт

gormandize [ˈgɔːməndaɪz] **1.** *n* обжóрство

2. *v* объедáться

gormless [ˈgɔːmləs] *a разг.* глýпый, безмóзглый

gorse [gɔːs] *n бот.* утёсник обыкновéнный

gory [ˈgɔːrɪ] *a* 1) кровопролúтный 2) окровáвленный

gosh [gɒʃ] *int разг.*: by ~! чёрт возьмú! (*выражение изумления, досады и т. п.*)

goshawk [ˈgɒshɔːk] *n* я́стреб-тетеревя́тник

gosling [ˈgɒzlɪŋ] *n* 1) гусёнок 2) глупы́ш

go-slow [ˌgəʊˈsləʊ] *n* снижéние тéмпа рабóты (*вид забастовки*)

gospel [ˈgɒspl] *n* 1) (G.) Евáнгелие 2) прóповедь; отры́вок из Евáнгелия, читáемый во врéмя богослужéния 3) взгля́ды, убеждéния 4) религиóзное песнопéние (*в евангелической церкви*) ◇ to take for ~ принимáть (слéпо) за úстину; ~ truth úстинная прáвда

gospeller [ˈgɒspələ] *n* 1) евангелúст 2) проповéдник; hot ~ of smth. горя́чий защúтник чегó-л.

gossamer [ˈgɒsəmə] *n* 1) осéнняя паутúна (*в воздухе*) 2) тóнкая ткань, газ

gossamery [ˈgɒsəmərɪ] *a* лёгкий, тóнкий как паутúна

gossip [ˈgɒsɪp] **1.** *n* 1) сплéтня; слýхи; to be given to ~ сплéтничать 2) болтовня́ 3) кýмушка, болтýнья, сплéтница; болтýн, сплéтник 4) *attr.*: ~ column свéтская хрóника

2. *v* 1) сплéтничать, передавáть слýхи 2) болтáть; бесéдовать

gossipy [ˈgɒsɪpɪ] *a* 1) болтлúвый; любя́щий посплéтничать 2) пустóй, прáздный (*о болтовне*)

gossoon [gəˈsuːn] *ирл. n* 1) пáрень 2) молодóй слугá

got [gɒt] *past и p. p. от* get 1

Goth [gɒθ] *n* 1) *ист.* гот 2) вáрвар, вандáл

Gotham [ˈgəʊtəm] *n*: a man of ~, a wise man of ~ простáк, дурáк

Gothic [ˈgɒθɪk] **1.** *a* 1) гóтский 2) готúческий (*о стиле*) 3) вáрварский, грýбый, жестóкий 4) *полигр.* готúческий (*о шрифте*)

2. *n* 1) гóтский язы́к 2) готúческий стиль 3) *полигр.* готúческий шрифт

go-to-meeting [gəʊtəˈmiːtɪŋ] *a шутл.* прáздничный, лýчший (*о костюме, платье, шляпе*)

gotten [ˈgɒtn] *амер. p. p. от* get 1

gouache [gʊˈɑːʃ] *n жив.* гуáшь

gouge [gaʊdʒ] **1.** *n* 1) полукрýглое долотó 2) вы́долбленное отвéрстие, вы́емка *и т. п.* 3) *амер. разг.* обмáн

2. *v* 1) выдáлбливать; выдáвливать; to ~ out an eye вы́бить, вы́давить глаз 2) *амер. разг.* обмáнывать; вымогáть дéньги

goulash ['gu:læʃ] *n* гуля́ш

gourd [gʊəd] *n* 1) ты́ква 2) буты́ль из ты́квы

gourde [gʊəd] *n* гурд (*денежная единица Гаити*)

gourmand ['gʊəmənd] **1.** *n* 1) обжо́ра 2) *пренебр.* гурма́н, ла́комка

2. *a* обжо́рливый

gourmet ['gʊəmeɪ] *n* гурма́н, гастроно́м

gout [gaʊt] *n* 1) пода́гра 2) *уст.* ка́пля кро́ви

gouty ['gaʊtɪ] *a* подагри́ческий; страда́ющий пода́грой

govern ['gʌvn] *v* 1) управля́ть, пра́вить 2) регули́ровать; руководи́ть 3) влия́ть (*на кого-л.*); направля́ть, определя́ть, обусло́вливать (*ход событий*) 4) владе́ть (*собой, страстями*) 5) *грам.* управля́ть

governable ['gʌvnəbl] *a* послу́шный; подчиня́ющийся; управля́емый

governance ['gʌvnəns] *n* управле́ние; власть; руково́дство

governess ['gʌvnəs] *n* гуверна́нтка, воспита́тельница

governing ['gʌvnɪŋ] **1.** *pres. p. от* govern

2. *a* 1) руководя́щий, контроли́рующий; ~ body правле́ние 2) гла́вный, основно́й

government ['gʌvnmənt] *n* 1) правле́ние, управле́ние; local ~ ме́стное самоуправле́ние 2) фо́рма правле́ния 3) прави́тельство; organs of ~ о́рганы госуда́рственного управле́ния; responsible ~ отве́тственное министе́рство 4) прови́нция (*управляемая губернатором*), штат 5) *грам.* управле́ние

governmental [,gʌvn'mentl] *a* прави́тельственный

Government house ['gʌvnmənthaʊs] *n* официа́льная резиде́нция губерна́тора

governor ['gʌvnə] *n* 1) прави́тель 2) губерна́тор 3) коменда́нт (*крепости*); нача́льник (*тюрьмы*) 4) заве́дующий (*школой, больницей*) 5) *разг.* хозя́ин 6) *разг.* оте́ц 7) *разг.* господи́н 8) *тех.* регуля́тор

Governor-General [,gʌvnə'dʒenrəl] *n* губерна́тор коло́нии *или* доминио́на, генера́л-губерна́тор

gowk [gaʊk] *n* *диал.* 1) куку́шка 2) о́лух

gown [gaʊn] **1.** *n* 1) пла́тье (*женское*); evening ~ вече́рнее пла́тье 2) свобо́дная дома́шняя оде́жда; nightgown ночна́я руба́шка; dressing ~ хала́т, пеньюа́р 3) ма́нтия (*судьи, преподавателя университета и т. п.*) 4) *собир.* студе́нты и преподава́тели университе́та 5) ри́мская то́га ◇ cap and ~ *см.* cap 1 ◇

2. *v* облача́ть, одева́ть

gownsman ['gaʊnzmən] *n* лицо́, нося́щее ма́нтию (*адвокат, профессор, студент и т. п.*)

grab [græb] **1.** *n* 1) внеза́пная попы́тка схвати́ть; бы́строе хвата́тельное движе́ние 2) захва́т; присвое́ние; a policy of ~ захва́тническая поли́тика 3) *тех.* экскава́тор; ковш, черпа́к; гре́йфер ◇ up for ~s *разг.* досту́пный вся́кому жела́ющему (*о призе, премии и т. п.*)

2. *v* 1) схва́тывать, внеза́пно хвата́ть; пыта́ться схвати́ть (at) 2) захва́тывать; присва́ивать

grabber ['græbə] *n* рвач, хапу́га

grabble ['græbl] *v* 1) иска́ть о́щупью 2) по́лзать на четвере́ньках

grace [greɪs] **1.** *n* 1) гра́ция; изя́щество; привлека́тельность 2) прили́чие; такт; любе́зность; with (a) good ~ любе́зно, охо́тно; with (a) bad ~ нелюбе́зно, неохо́тно; you had the ill ~ to deny it вы име́ли беста́ктность отрица́ть э́то 3) благоскло́нность, благоволе́ние; to be in smb.'s good ~s по́льзоваться чьей-л. благоскло́нностью 4) *pl* привлека́тельные сво́йства, ка́чества; airs and ~s мане́рность 5) ми́лость, милосе́рдие; проще́ние; Act of ~ (всео́бщая) амни́стия 6) отсро́чка, переды́шка; days of ~ *ком.* льго́тные дни (*для уплаты по векселю*) 7) моли́тва (*перед едой и после еды*) 8) *унив.* разреше́ние на соиска́ние учёной сте́пени 9) ми́лость, све́тлость (*форма обращения к герцогу, герцогине, архиепископу*); Your, His G. Ва́ша, Его́ Све́тлость 10) (the Graces) *pl* *миф.* Гра́ции 11) *муз.* фиориту́ра 12) *pl* игра́ в серсо́

2. *v* 1) украша́ть (with) 2) удоста́ивать, награжда́ть

graceful ['greɪsfl] *a* 1) грацио́зный, изя́щный; элега́нтный 2) прия́тный

graceless ['greɪsləs] *a* 1) некраси́вый, непривлека́тельный 2) нра́вственно испо́рченный; бессты́дный; непристо́йный; развращённый 3) тяжелове́сный (*о стиле*)

gracile ['græsaɪl] *a* 1) стро́йный, худо́й 2) грацио́зный

gracious ['greɪʃəs] **1.** *a* 1) до́брый, ми́лостивый, милосе́рдный 2) обходи́тельный, любе́зный, снисходи́тельный

2. *int*: ~ me! Бо́же мой!; ба́тюшки!

graciously ['greɪʃəslɪ] *adv* ми́лостиво; любе́зно; снисходи́тельно

gradate [grə'deɪt] *v* 1) *жив.* незаме́тно переходи́ть от отте́нка к отте́нку 2) располага́ть в поря́дке степене́й

gradation [grə'deɪʃn] *n* (*обыкн. pl*) 1) *обыкн.* перехо́дные ступе́ни, отте́нки 2) града́ция, постепе́нность; постепе́нный перехо́д 3) фа́за, ступе́нь 4) *лингв.* чередова́ние гла́сных, абля́ут

grade [greɪd] **1.** *n* 1) сте́пень; ранг, класс; зва́ние 2) ка́чество, сорт 3) *амер.* отме́тка, оце́нка 4) *амер.* класс (*в школе*); the grades = grade school 5) *ж.-д.* укло́н; градие́нт; down ~ под укло́н; спуска́ясь; up ~ на подъёме; to make the ~ брать круто́й подъём; *перен. разг.* доби́ться успе́ха; доби́ться своего́ 6) *с.-х.* но́вая, улу́чшенная скре́щиванием поро́да 7) *спец.* гра́дус

2. *v* 1) располага́ть по ра́нгу, по степеня́м; сортирова́ть 2) постепе́нно меня́ться, переходи́ть (*в другую стадию*; into — в) 3) *амер.* ста́вить оце́нку (*учащемуся*) 4) *с.-х.* улучша́ть поро́ду скре́щиванием (*обыкн.* ~ up) 5) *ж.-д.* нивели́ровать

grade crossing ['greɪd,krɒsɪŋ] *n* *амер.* пересече́ние железнодоро́жного пути́ с шоссе́ (на одно́м у́ровне *или* в одно́й пло́скости)

grader ['greɪdə] *n* 1) сортиро́вщик 2) *с.-х.* сортирова́льная маши́на 3) гре́йдер 4) *амер.* учени́к нача́льной шко́лы

grade school ['greɪdsku:l] *n* *амер.* нача́льная шко́ла

gradient ['greɪdɪənt] *n* 1) укло́н, скат 2) *физ.* градие́нт 3) склоне́ние (*стрелки барометра*)

gradual ['grædʒʊəl] *a* постепе́нный; после́довательный

gradualism ['grædʒʊəlɪzəm] *n* 1) *филос.* градуали́зм 2) *полит.* уче́ние о постепе́нности в социа́льных преобразова́ниях 3) *амер. ист.* тре́бование постепе́нности в отме́не рабовладе́ния

gradually ['grædʒʊəlɪ] *adv* постепе́нно, ма́ло-пома́лу, понемно́гу

graduand ['grædʒʊænd] *n* студе́нт-выпускни́к

graduate **1.** *n* ['grædʒʊət] 1) име́ющий учёную сте́пень 2) (*чаще амер.*) око́нчивший (*любое*) учё́бное заведе́ние; выпускни́к; абитурие́нт 3) мензу́рка

2. *v* ['grædʒʊeɪt] 1) конча́ть университе́т с учёной сте́пенью (at) 2) (*преим. амер.*) око́нчить (*любое*) учё́бное заведе́ние (*тж.* ~ from) 3) располага́ть в после́довательном поря́дке 4) градуи́ровать, наноси́ть деле́ния, калиброва́ть 5) *биол.* постепе́нно изменя́ться, переходя́ во что-л. друго́е 6) *хим.* сгуща́ть жи́дкость (*выпариванием*)

graduate school ['grædʒʊət,sku:l] *n* аспиранту́ра

graduate student ['grædʒʊət,stju:dnt] *n* аспира́нт

graduation [,grædʒʊ'eɪʃn] *n* 1) оконча́ние учё́бного заведе́ния (from) 2) получе́ние *или* присужде́ние учёной сте́пени 3) града́ция 4) градуиро́вка (*сосуда*) 5) ли́нии, деле́ния

Graeco-Roman [,gri:kəʊ'rəʊmən] *a* гре́ко-ри́мский; ~ wrestling класси́ческая борьба́

graffito [grə'fi:təʊ] *n* (*pl* -ti [-tɪ]) 1) граффи́ти 2) рису́нок, на́дпись на стена́х домо́в *и т. п.* (*обыкн. непристойности, политические лозунги и т. п.*)

graft I [grɑ:ft] **1.** *n* 1) приво́й, приви́вка (*растения*) 2) *хир.* переса́дка тка́ни 3) *разг.* тяжёлая работёнка

2. *v* 1) привива́ть (*растение*) 2) переса́живать ткань 3) *разг.* вка́лывать, иша́чить

graft II [grɑ:ft] **1.** *n* взя́тка, незако́нные дохо́ды; по́дкуп

2. *v* брать взя́тки, по́льзоваться нече́стными дохо́дами

grafter I ['grɑ:ftə] *n* 1) приво́й 2) садо́вый нож

grafter II ['grɑ:ftə] *n* 1) взя́точник 2) моше́нник, жу́лик

grafting I [ˈgrɑ:ftɪŋ] **1.** *pres. p. от* graft I, 2

2. *n с.-х.* приви́вка

grafting II [ˈgrɑ:ftɪŋ] *pres. p. от* graft II, 2

graham [ˈgreɪəm] *a амер.* сде́ланный из пшени́чной муки́ гру́бого помо́ла

Grail [greɪl] *n*: The (Holy) ~ *миф.* Граа́ль, ча́ша Граа́ля

grain [greɪn] **1.** *n* 1) зерно́ (*злаков и т. п.*) 2) *собир.* зерно́, хле́бные зла́ки 3) *собир.* крупа́ 4) зёрнышко; крупи́нка; песчи́нка; мельча́йшая части́ца; not a ~ of truth ни крупи́цы и́стины 5) гран (= *0,0648 г*) 6) зерни́стость, грануля́ция 7) строе́ние, структу́ра 8) волокно́, жи́лка, фи́бра, ни́тка; dyed in ~ [*см.* dye 2, 2)]; with the ~ по направле́нию волокна́ (*бумаги и т. п.*); against the ~ про́тив древе́сного волокна́ (*тж. см.* ◇) 9) приро́да, хара́ктер, скло́нность; in ~ по нату́ре, по хара́ктеру 10) гре́на, яи́чки шелкопря́да 11) *уст., поэт.* кра́ска ◇ a fool (a rogue) in ~ отъя́вленный дура́к (моше́нник); to receive (*или* to take) smth. with a ~ (*или* pinch) of salt относи́ться к чему́-л. недове́рчиво, скепти́чески; against the ~ про́тив ше́рсти, про́тив жела́ния

2. *v* 1) раздробля́ть 2) придава́ть зерни́стую пове́рхность; кра́сить под де́рево *или* мра́мор; наводи́ть мерею́ (*на кожу*) 3) очища́ть (*кожу*) от ше́рсти

grain alcohol [ˈgreɪn,ælkəhɒl] *n* хле́бный спирт

grain binder [ˈgreɪn,baɪndə] *n с.-х.* сноповяза́лка

grain elevator [ˈgreɪn,elɪveɪtə] *n с.-х.* элева́тор

grain grower [ˈgreɪn,grəʊə] *n* хлеборо́б

grains [greɪnz] *n pl* (*обыкн. употр. как sing*) гарпу́н

grain tank [ˈgreɪntæŋk] *n с.-х.* бу́нкер для зерна́

grainy [ˈgreɪnɪ] *a* 1) зерни́стый, гранули́рованный 2) негла́дкий, шерохова́тый

gram I [græm] = gramme

gram II [græm] *n бот.* горо́х туре́цкий

grama [ˈgrɑ:mə] = gramma

gramicidin [,græmɪˈsaɪdɪn] *n фарм.* грамициди́н

graminaceous, gramineous [,greɪmɪˈneɪʃəs, greɪˈmɪnɪəs] *a* травяни́стый

graminivorous [,græmɪˈnɪvərəs] *a* травоя́дный

gramma [ˈgræmə] *n* па́стбищная трава́ (*тж.* ~ grass)

grammar [ˈgræmə] *n* 1) грамма́тика 2) граммати́ческие на́выки; his ~ is terrible он де́лает мно́го граммати́ческих оши́бок 3) уче́бник грамма́тики 4) граммати́ческая систе́ма языка́ 5) введе́ние в нау́ку, элеме́нты нау́ки 6) *разг. см.* grammar school

grammarian [grəˈmeərɪən] *n* 1) грамма́тист 2) фило́лог

grammar school [ˈgræməsku:l] *n* 1) класси́ческая сре́дняя шко́ла 2) *амер.* ста́ршие кла́ссы сре́дней шко́лы

grammatical [grəˈmætɪkl] *a* 1) граммати́ческий 2) граммати́чески пра́вильный

gramme [græm] *n* грамм

gramophone [ˈgræməfəʊn] *n* 1) прои́грыватель 2) *редк.* граммофо́н; патефо́н

grampus [ˈgræmpəs] *n* 1) се́рый дельфи́н; каса́тка 2) пыхтя́щий *или* гро́мко сопя́щий челове́к 3) *тех.* больши́е кле́щи́

gran [græn] *n разг.* бабу́ля, ба́бушка

granary [ˈgrænərɪ] *n* 1) амба́р; зернохрани́лище 2) жи́тница, хлебоpо́дный райо́н

grand [grænd] **1.** *a* 1) грандио́зный, большо́й, вели́чественный 2) великоле́пный, пы́шный; роско́шный; импоза́нтный; пара́дный 3) возвы́шенный; благоро́дный 4) основно́й; гла́вный, о́чень ва́жный; ~ question ва́жный вопро́с 5) вели́кий (*тж. в титулах*) 6) *разг.* восхити́тельный, прия́тный 7) ва́жный, зна́тный 8) ва́жничающий, испо́лненный самомне́ния 9) *разг.* бога́то, щегольски́ оде́тый 10) ито́говый; сумми́рующий

2. *n* 1) *разг.* роя́ль 2) *sl.* «кусо́к», ты́сяча фу́нтов *или* до́лларов

grandad [ˈgrændæd] = granddad

grandchild [ˈgræntʃaɪld] *n* внук; вну́чка

granddad [ˈgrændæd] *n разг.* де́душка

granddaughter [ˈgræn,dɔ:tə] *n* вну́чка

Grand Duchess [,grændˈdʌtʃɪs] *n* вели́кая герцоги́ня; жена́ *или* вдова́ вели́кого ге́рцога

Grand Duke [,grændˈdju:k] *n* 1) вели́кий ге́рцог 2) вели́кий князь

grandee [grænˈdi:] *n* 1) гранд (*испанский или португальский*) 2) вельмо́жа, сано́вник; ва́жная персо́на

grandeur [ˈgrændʒə] *n* 1) грандио́зность; великоле́пие; пы́шность 2) зна́тность, высо́кое положе́ние 3) (нра́вственное) вели́чие

grandfather [ˈgrænd,fɑ:ðə] *n* де́душка ◇ ~ clock высо́кие напо́льные часы́

grandiloquence [grænˈdɪləkwəns] *n* высокопа́рность, напы́щенность

grandiloquent [grænˈdɪləkwənt] *a* 1) высокопа́рный, напы́щенный 2) говоря́щий высокопа́рными фра́зами

grandiose [ˈgrændɪəʊs] *a* 1) грандио́зный 2) напы́щенный, претенцио́зный

grandiosity [,grændɪˈɒsətɪ] *n* грандио́зность

grand jury [,grændˈdʒʊərɪ] *n юр.* большо́е жюри́; прися́жные, реша́ющие вопро́с о преда́нии суду́

grandma [ˈgrænmɑ:] *n разг.* ба́бушка

Grand Master [ˈgrænd,mɑ:stə] *n шахм.* гроссме́йстер

grandmother [ˈgræn,mʌðə] *n* ба́бушка

grandmotherly [ˈgræn,mʌðəlɪ] *a* 1) забо́тливый, до́брый, мя́гкий 2) похо́жий на ба́бушку 3) изли́шне ме́лочный (*особенно о законодательстве*)

grandnephew [ˈgræn,nefju:] *n* внуча́тый племя́нник

grandniece [ˈgrænni:s] *n* внуча́тая племя́нница

grand opera [,grændˈɒprə] *n* больша́я о́пера (*в отличие от комической оперы и оперетты*)

grandpa [ˈgrænpɑ:] *n разг.* де́душка

grandparents [ˈgræn,peərənts] *n pl* де́душка и ба́бушка

grand piano [,grændˈpjænəʊ] *n* роя́ль

grand prix [,grɒŋˈpri:] *n* большо́й приз, гран-при́

grand slam [,grændˈslæm] *n* 1) *карт.* большо́й шлем 2) *спорт.* «Большо́й шлем» (*победа спортсмена на основных соревнованиях по отдельному виду спорта в течение одного года*)

grandson [ˈgrænsʌn] *n* внук

grandstand [ˈgrændstænd] **1.** *n* трибу́на, места́ для зри́телей (*на стадионе и т. п.*)

2. *a амер. разг.* показно́й, рассчи́танный на эффе́кт

3. *v амер. разг.* рисова́ться, бить на эффе́кт, игра́ть «на пу́блику»

grange [greɪndʒ] *n* 1) мы́за, фе́рма 2) *уст.* амба́р 3) *амер.* ассоциа́ция фе́рмеров

granite [ˈgrænɪt] *n* 1) грани́т 2) *attr.*: the G. city *г.* Аберди́н

granitic [græˈnɪtɪk] *a* грани́тный

grannie, granny [ˈgrænɪ] *n* 1) *ласк.* ба́бушка, бабу́ся 2) *разг.* стару́шка 3) *воен. жарг.* тяжёлое ору́дие

granola [grəˈnəʊlə] *n* грано́ла (*подслащённая овсянка с добавлением орехов и изюма*)

grant [grɑ:nt] **1.** *n* 1) даре́ние, официа́льное предоставле́ние; да́рственный акт 2) дар, поже́ртвование 3) дота́ция, субси́дия; безвозме́здная ссу́да 4) стипе́ндия 5) усту́пка, разреше́ние, согла́сие

2. *v* 1) разреша́ть; дава́ть согла́сие (*на что-л.*) 2) дари́ть, жа́ловать, дарова́ть; предоставля́ть 3) дава́ть дота́цию, субси́дию 4) допуска́ть; to take for ~ed допуска́ть, счита́ть дока́занным, не тре́бующим доказа́тельства; счита́ть само́ собо́й разуме́ющимся; to take nothing for ~ed ничего́ не принима́ть на ве́ру

grantee [grɑ:nˈti:] *n* получа́ющий в дар

grant-in-aid [,grɑntɪnˈeɪd] *n* дота́ция, субси́дия

grantor [grɑ:nˈtɔ:] *n* дари́тель

granular [ˈgrænjʊlə] *a* зерни́стый; гранули́рованный

granulate [ˈgrænjʊleɪt] *v* 1) грануля́ровать(ся) 2) обраща́ть(ся) в зёрна; дроби́ть 3) грануля́роваться, образо́вывать грануля́ции (*о ране и т. п.*)

granulated sugar [,grænjʊleɪtɪdˈʃʊgə] *n* са́харный песо́к

granulation [,grænjʊˈleɪʃn] *n* 1) грануля́ция 2) грануля́рование 3) зерне́ние, дробле́ние

granule [ˈgrænju:l] *n* зёрнышко, зерно́

granulose [ˈgrænjʊləʊs] *a* зерни́стый, грануля́рованный

grape [greɪp] *n* 1) виногра́д (*о плодах обыкн. pl*); гроздь виногра́да 2) (the ~) *разг.* вино́ 3) *pl* = grease 1, 3); 4) = grapeshot ◇ sour ~s, the ~s are sour «зе́лен виногра́д»

grapefruit [ˈgreɪpfru:t] *n* (*pl без измен.*) гре́йпфрут

grapery [ˈgreɪpərɪ] *n* оранжере́я для виногра́да

grapeshot [ˈgreɪpʃɒt] *n воен. ист.* кру́пная карте́чь

grape sugar [ˈgreɪp,ʃʊgə] *n* виногра́дный са́хар, глюко́за

grapevine I [ˈgreɪpvaɪn] *n* виногра́дная лоза́

grapevine II [ˈgreɪpvaɪn] *n разг.* 1) систе́ма сообще́ния с по́мощью сигна́лов; спо́соб та́йного сообще́ния (*тж.* ~ telegraph) 2) ло́жные слу́хи

graph [grɑ:f] *n* 1) гра́фик, диагра́мма, крива́я 2) *мат.* граф 3) *attr.*: ~ paper миллиметро́вка

graphic [ˈgræfɪk] *a* 1) графи́ческий, изобрази́тельный; ~ arts изобрази́тельные иску́сства 2) нагля́дный; живопи́сный; живо́й, кра́сочный (*о рассказе*) 3): ~ model *мат.* простра́нственная диагра́мма

graphically [ˈgræfɪklɪ] *adv* 1) графи́чески 2) нагля́дно; жи́во, кра́сочно

graphics [ˈgræfɪks] *n* гра́фика; иллюстрати́вный материа́л в ви́де гра́фиков

graphite [ˈgræfaɪt] *n* графи́т

graphology [græˈfɒlədʒɪ] *n* графоло́гия

grapnel [ˈgræpnl] *n* 1) крюк, захва́т, ко́шка 2) дрек; шлю́почный я́корь

grapple [ˈgræpl] **1.** *n* 1) схва́тка, борьба́ 2) = grapnel

2. *v* 1) схвати́ться, сцепи́ться; to ~ with *мор.* взять на аборда́ж 2) боро́ться; пыта́ться преодоле́ть (*затруднение*), разреши́ть (*задачу*) 3) схвати́ть

grappling iron [ˈgræplɪŋ,aɪən] = grapnel

grasp [grɑ:sp] **1.** *n* 1) схва́тывание; кре́пкое сжа́тие; хва́тка; *перен.* власть, контро́ль; within one's ~ бли́зко; так, что мо́жно доста́ть руко́й; *перен.* в чьих-л. возмо́жностях, в чьей-л. вла́сти; beyond ~ вне преде́лов досяга́емости 2) схва́тывание, спосо́бность бы́строго восприя́тия; понима́ния; it is beyond one's ~ э́то вы́ше чьего́-л. понима́ния 3) рукоя́тка 4) *воен.* ше́йка прикла́да

2. *v* 1) схва́тывать, зажима́ть (*в руке*); захва́тывать 2) хвата́ться (at — за) 3) охвати́ть, поня́ть; осозна́ть; усво́ить; I can't ~ your meaning не понима́ю, что вы хоти́те сказа́ть

grasper [ˈgrɑ:spə] *n* рвач, хапу́га

grasping [ˈgrɑ:spɪŋ] **1.** *pres. p. от* grasp 2

2. *a* 1) це́пкий, хва́ткий 2) скупо́й, жа́дный

grass [grɑ:s] **1.** *n* 1) трава́ 2) злак 3) па́стбище; to be at ~ пасти́сь, быть на подно́жном корму́; *перен. разг.* быть на о́тдыхе, на кани́кулах; быть без де́ла; to put (*или* to send) out to ~ выгоня́ть в по́ле, на подно́жный корм 4) лужа́йка, газо́н; луг; to lay down in ~ запуска́ть под луга́ 5) *sl.* марихуа́на 6) *sl.* доно́счик, стука́ч 7) *горн.* пове́рхность земли́; у́стье ша́хты 8) *разг.* спа́ржа ◇ to let no ~ grow under one's feet де́йствовать бы́стро и энерги́чно; to put (*или* to send) out to ~ уво́лить; to hear the ~ grow слы́шать, как трава́ растёт, быть необыкнове́нно чу́тким

2. *v* 1) засева́ть траво́й; покрыва́ть дёрном 2) зараста́ть траво́й 3) пасти́сь 4) выгоня́ть в по́ле (*скот*) 5) *sl.* донести́, «настуча́ть» (*на кого-л.*) 6) сбить с ног 7) подстрели́ть (*птицу*) 8) вы́тащить на бе́рег (*рыбу*)

grass-cutter [ˈgrɑ:s,kʌtə] *n* газонокоси́лка

grasshopper [ˈgrɑ:s,hɒpə] *n* 1) кузне́чик; *амер. тж.* саранча́ 2) *воен. жарг.* лёгкий связно́й самолёт

grassland [ˈgrɑ:slænd] *n* па́стбище; сеноко́сное уго́дье; луг

grass roots [,grɑ:sˈru:ts] *n pl* 1) просты́е лю́ди, широ́кие ма́ссы 2) осно́ва, исто́чник

grass snake [ˈgrɑ:ssneɪk] *n зоол.* уж (обыкнове́нный)

grass widow [,grɑ:sˈwɪdəʊ] *n* соло́менная вдова́

grassy [ˈgrɑ:sɪ] *a* 1) покры́тый траво́й 2) травяно́й; травяни́стый

grate I [greɪt] *n* 1) ками́н 2) решетка 3) ками́нная решётка 4) *тех.* колоснико́вая решётка 5) *тех.* гро́хот

grate II [greɪt] *v* 1) тере́ть (*тёркой*), растира́ть 2) тере́ть, скрести́ с ре́зким зву́ком 3) скрипе́ть, скрежета́ть 4) раздража́ть, раздража́юще де́йствовать (on, upon — на); it ~s on (*или* upon) my ear э́то мне ре́жет слух

grateful [ˈgreɪtfl] *a* 1) благода́рный; призна́тельный; благода́рственный 2) прия́тный

gratefully [ˈgreɪtflɪ] *adv* 1) с благода́рностью 2) прия́тно

gratefulness [ˈgreɪtflnəs] *n* 1) благода́рность 2) прия́тность

grater [ˈgreɪtə] *n* тёрка

graticule [ˈgrætɪkju:l] *n тех.* 1) масшта́бная се́тка 2) се́тка координа́т (*в картографии*)

gratification [,grætɪfɪˈkeɪʃn] *n* 1) удовлетворе́ние; удово́льствие 2) *уст.* вознагражде́ние

gratify [ˈgrætɪfaɪ] *v* 1) удовлетворя́ть 2) доставля́ть удово́льствие; ра́довать (*глаз*) 3) потво́рствовать, потака́ть 4) *уст.* вознагражда́ть; дава́ть взя́тку

grating I [ˈgreɪtɪŋ] *n* решётка

grating II [ˈgreɪtɪŋ] **1.** *pres. p. от* grate II

2. *a* 1) скрипу́чий, ре́зкий 2) раздража́ющий

gratis [ˈgrætɪs] *adv* беспла́тно, да́ром

gratitude [ˈgrætɪtju:d] *n* благода́рность, призна́тельность

gratters [ˈgrætəz] *n pl разг.* поздравле́ния

gratuitous [grəˈtju:ɪtəs] *a* 1) даровой, безвозме́здный 2) доброво́льный 3) беспричи́нный; ничем не вы́званный

gratuity [grəˈtju:ətɪ] *n* 1) де́нежный пода́рок; посо́бие 2) чаевы́е 3) *воен.* награ́дные

gravamen [grəˈveɪmen] *n* (*pl тж.* -mina) *юр.* 1) суть обвине́ния 2) жа́лоба

gravamina [grəˈveɪmɪnə] *pl от* gravamen

grave I [greɪv] *n* моги́ла; *перен.* смерть; to sink into the ~ сойти́ в моги́лу; to have one foot in the ~ стоя́ть одно́й ного́й в моги́ле; in one's ~ мёртвый; to make smb. turn in his grave *шутл.* заста́вить кого́-л. в гробу́ переверну́ться

grave II [greɪv] *v* (graved; graved, graven) 1) запечатлева́ть (in, on) 2) *уст.* гравирова́ть; высека́ть; выре́зывать

grave III 1. *a* [greɪv] 1) серьёзный, ве́ский; ва́жный 2) ва́жный; степе́нный 3) тяжёлый, угрожа́ющий 4) влия́тельный, авторите́тный 5) мра́чный, печа́льный; тёмный (*о красках*) 6) ни́зкий (*о тоне*) 7) [grɑ:v] *фон.* тупо́й (*об ударении*)

2. *n* [grɑ:v] *фон.* тупо́е ударе́ние

grave IV [greɪv] *v мор.* чи́стить дни́ще

graveclothes [ˈgreɪvkləʊðz] *n pl* са́ван

gravedigger [ˈgreɪv,dɪgə] *n* моги́льщик, гробокопа́тель

gravel [ˈgrævl] **1.** *n* 1) гра́вий 2) золото-но́сный песо́к (*тж.* auriferous ~) 3) *мед.* мочево́й песо́к, ка́мни (*в мочевом пузыре*)

2. *v* 1) посыпа́ть гра́вием 2) *разг.* приводи́ть в замеша́тельство, ста́вить в тупи́к

gravel-blind [ˈgrævlblaɪnd] *a книжн.* почти́ слепо́й

gravelly [ˈgrævlɪ] *a* 1) состоя́щий из гра́вия 2) усы́панный гра́вием; засы́панный песко́м 3) хри́плый (*о голосе*)

graven image [,greɪvnˈɪmɪdʒ] *n* и́дол, куми́р

graver [ˈgreɪvə] *n* 1) резе́ц 2) *уст.* ре́зчик, гравёр

Graves' disease [ˈgreɪvzdɪ,zi:z] *n* базе́дова боле́знь

gravestone [ˈgreɪvstəʊn] *n* моги́льная плита́, надгро́бный ка́мень

graveyard [ˈgreɪvjɑ:d] *n* кла́дбище ◇ ~ shift *амер.* сме́на, начина́ющаяся о́коло 12 часо́в но́чи; ночна́я сме́на

gravid [ˈgrævɪd] *a книжн.* бере́менная

gravimetric [,grævɪˈmetrɪk] *a* гравиметри́ческий; весово́й

graving dock [ˈgreɪvɪŋdɒk] *n* ремо́нтный док (*сухой или плавучий*)

gravitate [ˈgrævɪteɪt] *v* 1) тяготе́ть, стреми́ться (to, towards); in summer people ~ to the seaside ле́том лю́ди стремя́тся к мо́рю 2) *физ.* притя́гиваться (towards); to ~ to the bottom па́дать, оседа́ть на дно

gravitation [,grævɪˈteɪʃn] *n физ.* гравита́ция, си́ла тя́жести; притяже́ние; тяготе́ние; the law of ~ зако́н тяготе́ния

gravitational [,grævɪˈteɪʃənəl] *a* гравитацио́нный

gravity [ˈgrævətɪ] *n* 1) си́ла тя́жести; тяготе́ние; centre of ~ центр тя́жести 2) *физ.* тя́жесть 3) серьёзность; ва́жность 4) тя́жесть, опа́сность (*положения и т. п.*) 5) торже́ственность; серьёзный вид 6) степе́нность, уравнове́шенность 7) *attr.*: ~ feed *тех.* пода́ча самотёком

gravy ['greɪvɪ] *n* 1) подли́вка (*из сока жаркого*), со́ус 2) *sl.* лёгкая нажи́ва, незако́нные дохо́ды; взя́тка 3) *attr.*: ~ train *sl.* вы́годное предприя́тие; to ride the ~ train загреба́ть де́ньги; to board the ~ train вы́годно устро́иться

gravy boat ['greɪvɪbəʊt] *n* со́усник

gray I [greɪ] = grey

gray II [greɪ] *n физ.* грэй (*единица дозы облучения*)

grayling ['greɪlɪŋ] *n* ха́риус (*рыба*)

graze I [greɪz] **1.** *v* 1) содра́ть, натере́ть (*кожу*) 2) слегка́ каса́ться, задева́ть; the bullet ~d the wall пу́ля оцара́пала сте́ну 3) *воен.* обстре́ливать насти́льным огнём

2. *n* 1) лёгкая ра́на, цара́пина 2) задева́ние, каса́ние 3) *воен.* разры́в при уда́ре; клево́к

graze II [greɪz] *v* 1) пасти́, держа́ть на подно́жном корму́ 2) пасти́сь, щипа́ть траву́ 3) испо́льзовать как па́стбище

grazer ['greɪzə] *n* пасу́щееся живо́тное

grazier ['greɪzɪə] *n* скотово́д; животново́д

graziery ['greɪzɪərɪ] *n* отка́рмливание (*скота*) на па́стбище; нагу́л

grease [gri:s] **1.** *n* 1) сма́зочное вещество́; густа́я сма́зка 2) топлёное са́ло; жир; in ~ отко́рмленный на убо́й 3) *вет.* мокре́ц, подсе́д (*у лошади*)

2. *v* сма́зывать (*жиром и т. п.*), зама́сливать, заса́ливать ◇ to ~ the palm (*или* the hand, the fist) of «подма́зать», дать взя́тку, «ула́дить» де́ло

grease-box ['gri:sbɒks] *n тех.* маслёнка; бу́кса

grease gun ['gri:sgʌn] *n* шприц для густо́й сма́зки

greasepaint ['gri:speɪnt] *n театр.* грим

greaseproof ['gri:spru:f] *a* жиронепроница́емый

greaser ['gri:sə] *n* 1) сма́зчик 2) кочега́р (*на пароходе*) 3) *тех.* сма́зочное приспособле́ние

greasing ['gri:sɪŋ] **1.** *pres. p. от* grease 2

2. *n тех.* сма́зка

greasy ['gri:sɪ] *a* 1) са́льный, жи́рный 2) не очи́щенный от жи́ра (*о шерсти*) 3) ско́льзкий и гря́зный (*о дороге*) 4) ско́льзкий, непристо́йный 5) еле́йный, вкра́дчивый; при́торный; слаща́вый

great [greɪt] **1.** *a* 1) большо́й, грома́дный, огро́мный; a ~ hole огро́мная дыра́; ~ masses of population широ́кие ма́ссы населе́ния 2) дли́тельный, до́лгий, продолжи́тельный; a ~ while до́лгое вре́мя; to live to a ~ age дожи́ть до глубо́кой ста́рости 3) ва́жный, значи́тельный 4) вели́кий; ~ power вели́кая держа́ва; ~ occasion выдаю́щееся собы́тие 5) возвы́шенный (*о цели, идее и т. п.*); ~ thoughts возвы́шенные мы́сли 6) замеча́тельный; прекра́сный; выдаю́щийся; a ~ singer замеча́тельный певе́ц 7) си́льный, интенси́вный; ~ pain си́льная боль 8) *predic.* о́пытный, иску́сный (at) 9) *predic.* понима́ющий, разбира́ющийся (on) 10) настоя́щий; су́щий; ~ friend и́стинный друг; he's a ~ liar он врун, каки́х ма́ло 11) *разг.* восхити́тельный, великоле́пный, отли́чный; that's ~! э́то замеча́тельно! 12) *для усиления*: ~ big fish огро́мная ры́бина; a ~ many несме́тное коли́чество 13) (*в степенях родства*) пра-; *напр.*: ~-grandchild пра́внук; пра́внучка; ~-grandfather пра́дед ◇ to be ~ with child *уст.* быть бере́менной

2. *n* (the ~) *собир.* (*употр. как pl*) 1) вельмо́жи, богачи́; «си́льные ми́ра сего́» 2) вели́кие писа́тели, кла́ссики

great circle [ˌgreɪt'sɜ:kl] *n мат.* большо́й круг

greatcoat ['greɪtkəʊt] *n* 1) пальто́ 2) шине́ль

greater ['greɪtə] *a* 1) *сравн. ст. от* great 1; 2) большо́й (*в геогр. названиях, напр.*: Greater London, Greater New York)

Great go [ˌgreɪt'gəʊ] *n уст. разг.* выпускно́й экза́мен на сте́пень бакала́вра (*преим. гуманитарных наук в Кембридже*)

great-grandchild [ˌgreɪt'græntʃaɪld] *n* пра́внук; пра́внучка

great-grandfather [ˌgreɪt'grændfɑ:ðə] *n* пра́дед

greathearted [ˌgreɪt'hɑ:tɪd] *a* великоду́шный

greatly ['greɪtlɪ] *adv* 1) о́чень; значи́тельно, весьма́ 2) возвы́шенно; благоро́дно

greatness ['greɪtnəs] *n* 1) вели́чие, си́ла 2) величина́

Greats [greɪts] *n pl разг.* выпускно́й экза́мен на сте́пень бакала́вра иску́сств по класси́ческим языка́м и филосо́фии в О́ксфорде

Great War ['greɪtwɔ:] *n* пе́рвая мирова́я война́ 1914—18 гг.

greaves I [gri:vz] *n pl ист.* ножны́е ла́ты, наголе́нники (*доспехов*)

greaves II [gri:vz] *n pl* оста́тки топлёного са́ла; шква́рки

grebe [gri:b] *n* пога́нка (*птица*)

Grecian ['gri:ʃn] **1.** *a* гре́ческий (*о стиле*)

2. *n* эллини́ст

greed [gri:d] *n* жа́дность

greedily ['gri:dɪlɪ] *adv* жа́дно, с жа́дностью

greediness ['gri:dɪnəs] *n* 1) прожо́рливость, ненасы́тность 2) жа́дность

greedy ['gri:dɪ] *a* 1) прожо́рливый, ненасы́тный 2) жа́дный (of, for)

greedy-guts ['gri:dɪgʌts] *n разг.* обжо́ра

Greek [gri:k] **1.** *n* 1) грек; греча́нка 2) гре́ческий язы́к ◇ it is all ~ to me ≅ э́то для меня́ «кита́йская гра́мота»

2. *a* гре́ческий

green [gri:n] **1.** *a* 1) зелёный; to turn ~ позелене́ть 2) покры́тый зе́ленью 3) незре́лый, неспе́лый 4) све́жий, не подве́ргшийся обрабо́тке; сыро́й 5) молодо́й; нео́пытный; дове́рчивый; ~ hand новичо́к; нео́пытный челове́к 6) бле́дный, болє́зненный 7) по́лный сил, цвету́щий, све́жий 8) расти́тельный (*о пище*) 9) (*тж.* G.) относя́щийся к движе́нию «зелёных» ◇ ~ winter бесснє́жная, мя́гкая зима́

2. *n* 1) зелёный цвет; зелёная кра́ска 2) зелёная лужа́йка, луг (*для игр и т. п.*); площа́дка для игры́ в гольф 3) *pl* зе́лень, о́вощи 4) мо́лодость, си́ла; in the ~ в расцве́те сил 5) (*тж.* G.) «зелёный», уча́стник движе́ния «зелёных» 6) *sl.* деньжа́та 7) расти́тельность

3. *v* 1) де́лать(ся) зелёным, зелене́ть 2) кра́сить в зелёный цвет 3) *разг.* обма́нывать, мистифици́ровать ▭ ~ out дава́тьростки́

greenback ['gri:nbæk] *n амер. разг.* банкно́та

green belt ['gri:nbelt] *n* зелёная зо́на (*вокруг города*)

green cheese ['gri:ntʃi:z] *n* 1) молодо́й сыр 2) зелёный сыр

green cloth ['gri:nklɒθ] *n* 1) зелёное сукно́ (*на столе, бильярде*) 2) иго́рный стол ◇ (Board of) G. C. гофма́ршальская конто́ра (*при английском дворе*)

green crop ['gri:nkrɒp] *n с.-х.* кормова́я культу́ра

greenery ['gri:nərɪ] *n* 1) зе́лень, расти́тельность 2) оранжере́я, тепли́ца

green-eyed [ˌgri:n'aɪd] *a* ревни́вый; зави́стливый ◇ ~ monster ре́вность; за́висть

greenfinch ['gri:nfɪntʃ] *n зоол.* зелену́шка

green-fingered [ˌgri:n'fɪŋgəd] *a* иску́сный, уме́лый в обраще́нии с расте́ниями

green fingers [ˌgri:n'fɪŋgəz] *n pl* садово́дческое (цветово́дческое) иску́сство

greenfly ['gri:nflaɪ] *n зоол.* тля

greengage ['gri:ngeɪdʒ] *n* ренкло́д (*сорт слив*)

green goods ['gri:ngʊdz] *n pl* 1) све́жие о́вощи 2) *амер.* фальши́вые бума́жные де́ньги

greengrocer ['gri:nˌgrəʊsə] *n* зеленщи́к; продаве́ц фру́ктов

greengrocery ['gri:nˌgrəʊsərɪ] *n* 1) зеленна́я *или* фрукто́вая ла́вка 2) зе́лень; фру́кты

greenhorn ['gri:nhɔ:n] *n* новичо́к; нео́пытный челове́к

greenhouse ['gri:nhaʊs] *n* 1) тепли́ца, оранжере́я 2) *attr.*: ~ effect парнико́вый эффе́кт

greening ['gri:nɪŋ] *n* зелёное я́блоко (*сорт*)

greenish ['gri:nɪʃ] *a* зеленова́тый

green light [ˌgri:n'laɪt] *n* 1) зелёный свет (светофо́ра) 2) *разг.* разреше́ние на беспрепя́тственное прохожде́ние (*работы, проекта и т. п.*); «зелёная у́лица»

green linnet ['gri:nˌlɪnɪt] = greenfinch

green manure [gri:nmə'njuːə] *n с.-х.* зелёное удобре́ние

greenness [ˈgri:nnəs] *n* 1) зéлень 2) незрéлость; неóпытность

green revolution [ˌgri:nrevəˈlu:ʃn] *n* «зелёная революция» (*резкое увеличение производства зерновых в развивающихся странах*)

greenroom [ˈgri:nru:m] *n* артистúческое фойé

greensickness [ˈgri:nˌsɪknəs] *n мед.* блéдная нéмочь

greenstone [ˈgri:nstəʊn] *n мин.* 1) диорúты, диабáзы, зелёный порфúр *и т. п.* 2) нефрúт

greenstuff [ˈgri:nstʌf] *n* свéжие óвощи, огорóдная зéлень

greensward [ˈgri:nswɔ:d] *n* дёрн

greenwood [ˈgri:nwʊd] *n* лес в зелёном нарядe ◇ to go to the ~ стать разбóйником; быть объявленным вне закóна

greeny [ˈgri:nɪ] *a* зеленовáтый

greet I [gri:t] *v* 1) привéтствовать; здорóваться; клáняться 2) встречáть (*возгласами и т. п.*) 3) доносúться (*о звуке и т. п.*) 4) открывáться (*взгляду*)

greet II [gri:t] *v шотл.* плáкать

greeting I [ˈgri:tɪŋ] **1.** *pres. p. от* greet I

2. *n* 1) привéтствие, поклóн 2) (*часто pl*) встрéча (*аплодисментами и т. п.*)

greeting II [ˈgri:tɪŋ] *pres. p. от* greet II

gregarious [grɪˈgeərɪəs] *a* 1) общúтельный 2) стáдный 3) живýщий стáями, стадáми, óбществами

Gregorian [grɪˈgɔ:rɪən] *a* григориáнский; ~ style нóвый стиль; ~ calendar григориáнский календáрь

Gregory's powder [ˈgregərɪzˌpaʊdə] *n ист. фарм.* слабúтельное (*из ревеня, имбиря и магнезии*)

gremlin [ˈgremlɪn] *n* 1) злой гном, вызывáющий полóмки и неисправности в механúзмах 2) таúнственная злáя сúла

grenade [grɪˈneɪd] *n* 1) гранáта 2) огнетушúтель

grenadier [ˌgrenəˈdɪə] *n* гренадéр

grenadine I [ˌgrenəˈdi:n] *n* гранáтовый сирóп

grenadine II [ˌgrenəˈdi:n] *n* гренадúн (*шёлковая материя*)

gressorial [grɪˈsɔ:rɪəl] *a зоол.* приспосóбленный для ходьбы; ходячий

Gretna-green marriage [ˌgretnəgri:n ˈmærɪdʒ] *n* брак мéжду убежáвшими любóвниками без выполнения формáльностей

grew [gru:] *past от* grow

grey [greɪ] **1.** *a* 1) сéрый 2) пáсмурный, сýмрачный 3) мрáчный, невесёлый 4) седóй; ~ hairs седúны; *перен.* стáрость; to turn ~ поседéть 5) блéдный, невыразúтельный, сéрый

2. *n* 1) сéрый цвет 2) сéрый костюм 3) лóшадь сéрой мáсти 4) седина

3. *v* 1) дéлать(ся) сéрым 2) седéть

greybeard [ˈgreɪbɪəd] *n уст.* 1) старúк; пожилóй человéк 2) глúняный кувшúн (*для спиртных напитков*)

grey-coat [ˈgreɪkəʊt] *n* солдáт в сéрой шинéли; *амер. ист.* солдáт áрмии южáн (*в гражданской войне 1861—65 гг.*)

grey-eyed [ˈgreɪaɪd] *a* сероглáзый

grey friar [ˈgreɪˌfraɪə] *n* францискáнец (*монах*)

grey-headed [ˌgreɪˈhedɪd] *a* седóй; стáрый

greyhen [ˈgreɪhen] *n* тетёрка

greyhound [ˈgreɪhaʊnd] *n* 1) борзáя, грéйхаунд 2) быстрохóдное океáнское сýдно (*тж.* ocean ~)

greyish [ˈgreɪɪʃ] *a* 1) серовáтый 2) седовáтый; с прóседью

greylag [ˈgreɪlæg] *n* дúкий гусь (*тж.* ~ goose)

grey matter [ˈgreɪˌmætə] *n* 1) сéрое веществó мóзга 2) *разг.* ум

grid [grɪd] *n* 1) решётка 2) = gridiron 1); 3) *радио* вещáтельная сеть 4) энергосистéма

griddle [ˈgrɪdl] *n* 1) плóская сковорóдка для блúнчиков, олáдьев *и т. п.* 2) *горн.* крýпное сúто для руды

griddle cake [ˈgrɪdlkeɪk] *n* лепёшка, олáдья

gride [graɪd] **1.** *n* скрип; скрежéщущий звук

2. *v* 1) врезáться с рéзким, скрипящим звýком (*обыкн.* ~ along, ~ through); вонзáться, причиняя óструю боль 2) *уст.* пронзáть

gridiron [ˈgrɪdˌaɪən] *n* 1) рáшпер 2) решётка, сéтка 3) *амер. разг.* футбóльное пóле 4) *театр.* колосникú 5) комплéкт запасных частéй и ремóнтных инструмéнтов 6) *ж.-д.* сортирóвочный парк 7) *ист.* решётка для пытки (*огнём*); on the ~ *перен.* в мýках; в сúльном беспокóйстве, как на ýгольях

gridlock [ˈgrɪdlɒk] *n* затóр машúн на перекрёстке

grief [gri:f] *n* гóре, печáль; огорчéние; бедá; to come to ~ попáсть в бедý; потерпéть неудáчу; to bring to ~ довестú до беды

grievance [ˈgri:vns] *n* 1) обúда; пóвод для недовóльства 2) жáлоба; what is your ~? на что вы жáлуетесь?

grieve [gri:v] *v* 1) огорчáть, глубокó опечáливать 2) горевáть, убивáться (at, for, about, over)

grievous [ˈgri:vəs] *a* 1) тяжёлый, мучúтельный (*о боли и т. п.*) 2) гóрестный, печáльный; прискóрбный, достóйный сожалéния 3) ужáсный, вопиющий

grievously [ˈgri:vəslɪ] *adv* 1) мучúтельно 2) гóрестно, печáльно; с прискóрбием

griffin [ˈgrɪfɪn] *n* 1) *миф.* грифóн; *перен.* бдúтельный страж; дуэнья 2) *зоол.* сип (*или* гриф) белоголóвый

griffon I [ˈgrɪfn] = griffin

griffon II [ˈgrɪfn] *n* грифóн (*длинношёрстная легавая собака*)

griffon vulture [ˈgrɪfnˌvʌltʃə] = griffin 2)

grig [grɪg] *n* 1) *зоол.* ýгорь 2) кузнéчик; сверчóк; merry (*или* lively) as a ~ óчень весёлый

grill [grɪl] **1.** *n* 1) рáшпер, гриль 2) жáренные на рáшпере мясо, рыба 3) = grillroom 4) решётка 5) штéмпель для погашéния почтóвых мáрок

2. *v* 1) жáрить(ся) на рáшпере 2) палúть, жечь (*о солнце*) 3) пéчься на сóлнце 4) *амер.* допрáшивать с пристрáстием 5) погашáть почтóвые мáрки

grillage [ˈgrɪlɪdʒ] *n стр.* рóстверк, решётка

grille [grɪl] *n* решётка

grillroom [ˈgrɪlru:m] *n* гриль-бáр, зал *или* ресторáн, где мясо *или* рыба жáрятся при посетúтелях

grilse [grɪls] *n* молодóй лóсось

grim [grɪm] *a* 1) жестóкий, беспощáдный, неумолúмый, непреклóнный 2) стрáшный, мрáчный, зловéщий; ~ humour мрáчный юмор

grimace [grɪˈmeɪs] **1.** *n* гримáса, ужúмка

2. *v* гримáсничать

grimalkin [grɪˈmælkɪn] *n уст.* 1) стáрая кóшка 2) злáя, ворчлúвая старýха, стáрая каргá

grime [graɪm] **1.** *n* 1) глубокó въéвшаяся грязь, сáжа 2) грязь

2. *v* пáчкать, грязнúть

grimy [ˈgraɪmɪ] *a* запáчканный, покрытый сáжей, ýглем; чумáзый; грязный

grin [grɪn] **1.** *n* оскáл зубóв; усмéшка

2. *v* скáлить зýбы; осклáбиться; ухмыляться; to ~ and bear it скрывáть под улыбкой своú переживáния; мýжественно переносúть боль; he ~ned approval он одобрúтельно улыбнýлся

grind [graɪnd] **1.** *n* 1) размáлывание 2) *разг.* тяжёлая, однообрáзная, скýчная рабóта 3) скáчки с препятствиями 4) *амер. разг.* зубрúла 5) *разг.* зубрёжка

2. *v* (ground) 1) молóть(ся), перемáлывать(ся); растирáть (*в порошок*); толóчь; разжёвывать 2) точúть, оттáчивать; полировáть; шлифовáть; гранúть (*алмазы*) 3) наводúть мат, дéлать мáтовым (*стекло*) 4) стáчиваться; шлифовáться 5) терéть(ся) со скрúпом (on, into, against — об(о) *что-л.*); to ~ the teeth скрежетáть зубáми 6) рабóтать усéрдно, кропотлúво 7) вертéть рýчку (*чего-л.*); игрáть на шармáнке 8) *разг.* вдáлбливать (*ученику и т. п.*) 9) *разг.* зубрúть 10) мýчить, угнетáть (*чрезмерной требовательностью*) 11) *груб.* трáхаться ▭ ~ **away** усéрдно рабóтать (at); учúться; ~ **down** а) размáлывать(ся); б) стáчивать; в) замýчить; ~ **in** пришлифóвывать, притирáть; ~ **out** а) вымýчивать из себя, выполнять с большúм трудóм; б) *тех.* вытáчивать; в) придавúть, растоптáть (*окурок и т. п.*); ~ **up** измельчáть, размáлывать ◇ to have an axe to ~ преслéдовать лúчные, корыстные цéли

grinder [ˈgraɪndə] *n* 1) точúльщик; шлифóвщик 2) жёрнов 3) коренной зуб; *pl шутл.* зýбы 4) кофéйная мéльница; дробúлка 5) шлифовáльный станóк; точúльный кáмень 6) *разг.* зубрúла 7) (*обыкн. pl*) *радио* потрéскивание (*атмосферные разряды*)

grindery [ˈgraɪndərɪ] *n* 1) точúльная

мастерская 2) сапожные принадлежности

grinding machine ['graɪndɪŋmə,ʃi:n] *n* шлифовальный станок

grindstone ['graɪndstəʊn] *n* точильный камень; точило ◇ to hold (*или* to keep, to put) smb.'s nose to the ~ заставлять кого-л. работать без отдыха

gringo ['grɪŋgəʊ] *n* (*pl* -os [-əʊz]) *презр.* гринго, иностранец, *особ.* англичанин *или* американец (*в Лат. Америке*)

grip [grɪp] **1.** *n* 1) схватывание; сжатие, зажатие; пожатие; хватка; close ~ мёртвая хватка; to come to ~s, to get at ~s схватиться (*о борцах*); вступить в борьбу 2) умение овладеть положением, чьим-л. вниманием 3) способность понять, схватить (*суть дела*) 4) власть, контроль; тиски; to secure a ~ on smth. прибрать к рукам что-л.; in the ~ of poverty в нужде, в бедности 5) рукоять, ручка, эфес 6) саквояж 7) *тех.* тиски, зажим, захват; лапа

2. *v* 1) схватить (on, onto); сжать 2) крепко держать 3) понимать, схватывать (*умом*) 4) охватывать, овладевать (*о чувстве*) 5) овладевать вниманием 6) затирать, зажимать; захватывать; the ship was ~ped by the ice судно было затёрто льдами

gripe [graɪp] **1.** *n* 1) (*обыкн. pl*) *разг.* колики, резь 2) *разг.* жалоба 3) схватывание; зажим, зажатие; *перен.* тиски 4) рукоятка, ручка

2. *v* 1) *разг.* жаловаться, ворчать 2) вызывать резь, спазмы (*в кишечнике*) 3) *уст.* схватить, сжать 4) понять, постигнуть, усвоить

grippe [grɪp] *n разг.* грипп

gripsack ['grɪpsæk] *n амер.* саквояж

grisaille [grɪ'zeɪl] *n жив.* гризаль

grisly ['grɪzlɪ] *a* 1) вызывающий ужас, суеверный страх 2) *разг.* неприятный, скверный

grist [grɪst] *n* 1) зерно для помола; помол 2) солод 3) *амер. разг.* количество, масса ◇ to bring ~ to the mill приносить доход; all is ~ that comes to his mill он из всего извлекает барыш

gristle ['grɪsl] *n анат.* хрящ

gristly ['grɪslɪ] *a* хрящевой; хрящеватый

gristmill ['grɪstmɪl] *n* мукомольная мельница

grit [grɪt] **1.** *n* 1) песок; гравий 2) крупнозернистый песчаник 3) *разг.* твёрдость характера, мужество, выдержка 4) *тех.* дробь *или* звёздочки для очистки литья 5) (G.) либерал (*в Канаде*)

2. *v* 1) скрипеть; to ~ the teeth скрежетать зубами 2) посыпать песком, гравием

grits [grɪts] *n pl* овсяная крупа; овсяная мука грубого помола

gritstone ['grɪtstəʊn] *n геол.* крупнозернистый песчаник

gritty ['grɪtɪ] *a* песчаный; с песком

grizzle I ['grɪzl] **1.** *n* 1) серый цвет 2) седой человек 3) седой парик 4) серая лошадь 5) необожжённый кирпич 6) низкосортный уголь

2. *v* 1) становиться серым, сереть 2) седеть

grizzle II ['grɪzl] *v разг.* 1) хныкать, капризничать (*о детях*) 2) жаловаться, плакаться

grizzled I ['grɪzld] **1.** *p. p. от* grizzle I, 2

2. *a* седой; седеющий

grizzled II ['grɪzld] *p. p. от* grizzle II

grizzly I ['grɪzlɪ] **1.** *a* 1) серый 2) с сильной проседью

2. *n* гризли, североамериканский медведь (*тж.* ~ bear)

grizzly II ['grɪzlɪ] *n* 1) защитная решётка 2) *горн.* колосниковый грохот

groan [grəʊn] **1.** *n* 1) тяжёлый вздох; стон 2) скрип, треск

2. *v* 1) стонать; тяжело вздыхать; охать; to ~ inwardly быть расстроенным 2) со стонами высказывать, рассказывать (*что-л.*; *тж.* ~ out) 3) издавать треск, скрипеть; the table ~ed with food стол ломился от яств ▭ ~ down ворчаньем, оханьем заставить (*говорящего*) замолчать

groat [grəʊt] *n* 1) *ист.* грот (*серебряная монета в 4 пенса*) 2) *уст.* мелкая, ничтожная сумма ◇ I don't care a ~ мне решительно всё равно

groats [grəʊts] *n pl* крупа (*преим.* овсяная)

grocer ['grəʊsə] *n* торговец бакалейными товарами, бакалейщик

grocery ['grəʊsərɪ] *n* 1) бакалейная лавка; бакалейно-гастрономический магазин (*тж.* ~ shop) 2) бакалейная торговля 3) *pl* бакалея

grog [grɒg] **1.** *n* грог

2. *v* пить грог

grog-blossom ['grɒg,blɒsəm] *n разг.* краснота носа (*у пьяниц*)

groggy ['grɒgɪ] *a разг.* 1) нетвёрдый на ногах, слабый (*после болезни и т. п.*) 2) непрочный, неустойчивый, шаткий

grog-shop ['grɒgʃɒp] *n* винная лавка, винный погребок

groin [grɔɪn] **1.** *n* 1) пах 2) *архит.* ребро крестового свода

2. *v архит.* выводить крестовый свод

grommet ['grɒmɪt] = grummet

groom [grʊm] **1.** *n* 1) грум; конюх 2) (*сокр. от* bridegroom) жених 3) придворный

2. *v* 1) чистить лошадь, ходить за лошадью 2) (*обыкн. p. p.*) ухаживать, холить; to be well ~ed быть выхоленным, хорошо одетым, тщательно подстриженным, подтянутым *и т. п.* 3) *разг.* готовить к определённой деятельности, карьере

groomsman ['grʊmzmən] *n* шафер, дружка (*жениха*)

groove [gru:v] **1.** *n* 1) желобок, паз; прорез, канавка 2) рутина; привычка; to get into a ~ войти в привычную колею; to move (*или* to run) in a ~ а) идти по проторённой дорожке; б) идти своим чередом 3) нарез (*винтовки*) 4) *тех.* ручей, калибр

2. *v* 1) желобить, делать пазы, канавки 2) *sl.* наслаждаться (*чем-л.*)

groovy ['gru:vɪ] *a разг.* 1) привлекательный своим молодым видом 2) волнующий, захватывающий

grope [grəʊp] *v* 1) искать ощупью (for, after); *перен.* нащупывать 2) ощупывать, идти ощупью

gropingly ['grəʊpɪŋlɪ] *adv* ощупью

grosbeak ['grəʊsbi:k] *n* дубонос (*птица*)

gross [grəʊs] **1.** *a* 1) толстый, тучный 2) грубый, вульгарный; грязный; непристойный; ~ story неприличный анекдот 3) грубый, явный; ужасный; ~ blunder грубая ошибка; ~ dereliction of duty преступная халатность 4) валовой; брутто; ~ receipt валовой доход; ~ value валовая стоимость; ~ weight вес брутто; ~ national product *эк.* валовой продукт страны 5) буйный (*о растительности*) 6) простой, грубый, жирный (*о пище*); ~ feeder тот, кто ест много и неразборчиво 7) плотный, сгущённый; весьма ощутимый 8) грубый; притуплённый; ~ ear грубый, немузыкальный слух 9) крупный, грубого помола 10) большой, крупный; объёмистый 11) макроскопический

2. *n* 1) масса; by (*или* in) the ~ а) оптом; гуртом; б) в общем, в целом 2) (*pl без измен.*) гросс (*12 дюжин*)

3. *v* получать *или* приносить чистый доход (*без вычетов*)

grossly ['grəʊslɪ] *adv* 1) грубо; вульгарно 2) чрезвычайно 3) *эк.* оптом

gross ton [,grəʊs'tʌn] *n* длинная (*или* английская) тонна (= *1016,06 кг*)

grot I [grɒt] *n поэт. см.* grotto

grot II [grɒt] *разг.* **1.** *n* дрянь, хлам, барахло

2. *a* грязный, противный, обшарпанный

grotesque [grəʊ'tesk] **1.** *n* 1) гротеск 2) шарж

2. *a* 1) гротескный 2) абсурдный, нелепый

grotto ['grɒtəʊ] *n* (*pl* -oes, -os [-əʊz]) пещера, грот

grotty ['grɒtɪ] *a sl.* безобразный, отвратительный

grouch [graʊtʃ] *разг.* **1.** *n* 1) брюзга 2) дурное настроение

2. *v* брюзжать, ворчать

ground I [graʊnd] *past и p. p. от* grind 2

ground II [graʊnd] **1.** *n* 1) земля; почва; грунт; to fall to the ~ упасть; *перен.* рушиться (*о надежде и т. п.*); to take ~ приземлиться; to break new ~ а) распахивать землю, поднимать целину; б) начинать новое дело, прокладывать новые пути 2) местность; область; расстояние; to cover ~ покрыть расстояние; to cover much ~ быть широким (*об исследовании и т. п.*) 3) основание, мотив; on the ~s of а) по причине, на основании; б) под предлогом 4) учáсток земли́; спорти́вная площáдка (*тж.* sports ~) 5) плац; аэродрóм; полигóн 6) *pl* сад, парк при дóме 7) бáза, оснóва (*для договорённости и т. п.*); on firm ~ на прóчной оснóве 8) *жив.* грунт, фон 9) *муз.* тéма 10) *pl* осáдок, гýща 11) *эл.* заземлéние 12) дно мóря; to take the ~ *мор.* сесть на мель; to touch the ~ коснýться дна; *перен.* дойти́ до сýти дéла, до фáктов (*в споре*) 13) пол (*комнаты и т. п.*) ◇ above (below) ~ живýщий, в живы́х (скончáвшийся, умéрший); to be on the ~ дрáться на дуэ́ли; to cut the ~ from under smb. (*или* smb.'s feet) вы́бить пóчву у когó-л. из-под ног; to hold (*или* to stand) one's ~ а) удержáть свои́ пози́ции, прояви́ть твёрдость; б) стоя́ть на своём; down to the ~ *разг.* во всех отношéниях, вполнé, совершéнно; forbidden ~ запрéтная тéма; to gain (*или* to get) ~ продвигáться вперёд; дéлать успéхи; to give ~ отступáть; уступáть; to go to ~ скрывáться в норé (*о лисе*); off the ~ нáчатый, находя́щийся в рабóте

2. *v* 1) *ав.* запрещáть полёты, отстраня́ть от полётов; the fog ~ed all aircraft at N airfield из-за тумáна ни оди́н самолёт не мог подня́ться в вóздух на аэродрóме N 2) *ав.* приземля́ться, застáвить приземли́ться 3) *мор.* посади́ть на мель, сесть на мель 4) обучáть оснóвам предмéта (in) 5) обосновывать; обоснóвывать (on) 6) *эл.* заземля́ть 7) класть, опускáть(ся) на зéмлю; to ~ arms склáдывать орýжие, сдавáться 8) грунтовáть 9) мездри́ть (*кожу*)

ground control ['graʊndkən,trəʊl] *n* управлéние с земли́ (*ракетой и т. п.*)

ground cover ['graʊnd,kʌvə] *n* зелёное покры́тие из стéлющихся *или* ползýчих растéний (*плющ, мирт и т. п.*), испóльзуемое вмéсто травы́

ground crew ['graʊndkru:] *n* *ав.* аэродрóмная комáнда

ground floor [,graʊnd'flɔ:] *n* ни́жний, цóкольный этáж ◇ to get (*или* to be let) in on the ~ *разг.* а) получи́ть áкции на óбщих оснóваниях с учреди́телями; б) заня́ть рáвное положéние; в) оказáться в вы́игрышном положéнии

ground forces ['graʊnd,fɔ:sɪz] *n pl* сухопýтные войскá

ground glass [,graʊnd'glɑ:s] *n* мáтовое стеклó

groundhog ['graʊndhɒg] *n* сурóк леснóй америкáнский

ground-ice ['graʊndaɪs] *n* дóнный лёд

ground-in ['graʊndɪn] *a* пришлифóванный, притёртый

grounding ['graʊndɪŋ] **1.** *pres. p. от* ground II, 2

2. *n* 1) обучéние оснóвам предмéта 2) *ав.* запрещéние поднимáться в вóздух 3) посáдка на мель 4) грунтóвка 5) *эл.* заземлéние

groundless ['graʊndləs] *a* беспричи́нный, беспóчвенный, неосновáтельный; ~ suspicions необоснóванные подозрéния

groundling ['graʊndlɪŋ] *n* 1) ползýчее *или* низкорóслое растéние 2) дóнная ры́ба (*пескарь и т. п.*) 3) невзыскáтельный зри́тель *или* читáтель

groundnut ['graʊndnʌt] *n* землянóй орéх, арáхис

ground oak ['graʊndəʊk] *n* кáрликовый дуб

ground plan ['graʊndplæn] *n* план пéрвого этажá здáния

ground rice ['graʊndraɪs] *n* рис-сéчка, дроблёный рис

ground rule ['graʊndru:l] *n* основнóй при́нцип; глáвное прáвило

groundsel ['graʊnsl] *n* *бот.* крестóвник

groundsheet ['graʊndʃi:t] *n* непромокáемая ткань, постилáемая на землé (*напр., в палатке*)

groundsman ['graʊndzmən] *n* *спорт.* слýжащий стадиóна, поддéрживающий спортплощáдку в поря́дке

ground squirrel ['graʊnd,skwɪrəl] *n* *зоол.* 1) бурундýк 2) сýслик

ground swell ['graʊndswel] *n* 1) дóнные вóлны 2) растýщая общéственная поддéржка

ground-to-air (guided) missile [,graʊndtʊeə(gaɪdɪd)'mɪsaɪl] *n* *воен.* (управля́емая) ракéта клáсса «земля́ — вóздух»

ground-to-ground (guided) missile [,graʊndtəgraʊnd(gaɪdɪd)'mɪsaɪl] *n* *воен.* (управля́емая) ракéта клáсса «земля́ — земля́»

groundwater ['graʊnd,wɔ:tə] *n* пóчвенная, грунтóвая водá; подпóчвенные вóды

groundwork ['graʊndwɜ:k] *n* 1) подготови́тельная рабóта 2) фундáмент, оснóва (*тж. перен.*) 3) полотнó желéзной дорóги

group [gru:p] **1.** *n* 1) грýппа 2) группирóвка, фрáкция 3) *pl* слои́, круги́ (*общества*); business ~s деловы́е круги́ 4) ансáмбль популя́рной мýзыки 5) *ав.* авиагрýппа 6) *хим.* радикáл

2. *v* 1) группировáть(ся) 2) подбирáть гармони́чно крáски, цветá 3) классифици́ровать, распределя́ть по грýппам

group captain ['gru:p,kæptɪn] *n* полкóвник авиáции (*в Англии*)

grouper ['gru:pə] *n* морскóй óкунь

grouping ['gru:pɪŋ] **1.** *pres. p. от* group 2

2. *n* 1) группировáние 2) = groupment

groupment ['gru:pmənt] *n* группирóвка

grouse I [graʊs] *n* (*pl без измен.*) шотлáндская куропáтка (*тж.* red ~); тéтерев; black ~ тéтерев-косáч; white ~ бéлая куропáтка; great ~ тéтерев-глухáрь; hazel ~ ря́бчик

grouse II [graʊs] *разг.* **1.** *n* ворчýн

2. *v* ворчáть

grout [graʊt] *стр.* **1.** *n* жи́дкий раствóр

2. *v* заливáть раствóром

grove [grəʊv] *n* рóща, лесóк

grovel ['grɒvl] *v* лежáть ниц; пóлзать, пресмыкáться, унижáться

groveller ['grɒvlə] *n* подхали́м, низкопоклóнник

grow [grəʊ] *v* (grew; grown) 1) вырастáть; расти́, увели́чиваться; уси́ливаться (*о боли и т. п.*); to ~ in experience обогащáться óпытом 2) расти́, произрастáть 3) *как глагол-связка в составном именном сказуемом* дéлаться, становиться; to ~ pale бледнéть; it is ~ing dark смеркáется 4) выращивать, разводи́ть, культиви́ровать 5) отрáщивать (*бороду, волосы и т. п.*) ▭ ~ down, ~ downwards уменьшáться; укорáчиваться; ~ into а) врастáть; б): she'll soon ~ into this dress скóро э́то плáтье ей бýдет впóру; в) превращáться; ~ on а) нрáвиться всё бóльше; this place ~s on me э́то мéсто мне всё бóльше нрáвится; б) овладевáть; a habit that ~s on me привы́чка, от котóрой мне всё труднéй избáвиться; ~ out а) прорастáть; б) вырастáть из, перерастáть (*рамки, размеры, границы*; of); she grew out of her clothes одéжда стáла ей малá; в): to ~ out of a bad habit отвы́кнуть от дурнóй привы́чки; to ~ out of use вы́йти из употреблéния; ~ over зарастáть; ~ together срастáться; ~ up а) созревáть; станови́ться взрóслым; б) создавáться, возникáть (*об обычаях*); ~ upon = ~ on ◇ he grew away from his family он стал чужи́м в своéй сóбственной семьé

grower ['grəʊə] *n* 1) садовóд, растениевóд, плодовóд 2): fast (*или* rapid) ~ быстрорастýщее растéние

growing ['grəʊɪŋ] **1.** *pres. p. от* grow

2. *n* 1) выращивание; ~ of grapes виногрáдарство 2) рост

3. *a* 1) растýщий, уси́ливающийся; возрастáющий 2) спосóбствующий рóсту; ~ weather погóда, спосóбствующая рóсту растéний

growing pains ['grəʊɪŋpeɪnz] *n pl* 1) боль в ногáх у растýщих детéй, причи́на котóрой необъясни́ма 2) болéзнь рóста

growl [graʊl] **1.** *n* 1) рычáние 2) ворчáнье 3) грóхот; раскáт (*грома*)

2. *v* 1) рычáть 2) ворчáть, жáловаться (*тж.* ~ out) 3) гремéть (*о громе*)

growler ['graʊlə] *n* 1) ворчýн, брюзгá 2) грóулер, небольшóй áйсберг

grown [grəʊn] *p. p. от* grow

grown-up ['grəʊnʌp] **1.** *n* взрóслый (человéк)

2. *a* взрóслый

growth [grəʊθ] *n* 1) рост; развитие; full ~ пóлное развитие; of foreign ~ инострáнного происхождéния 2) прирóст, увеличéние 3) плод; продýкт 4) пóросль 5) *мед.* новообразовáние, óпухоль 6) *бакт.* культýра 7) выращивание, культиви́рование

growth ring ['grəʊθrɪŋ] *n* годи́чное кольцó (*в древесине*)

groyne [grɔɪn] **1.** *n* волнорéз; волнолóм; ряж

2. *v* защищáть волнорéзами (*берег*)

grub I [grʌb] **1.** *n* 1) личи́нка (*жука*) 2) литератýрный подéнщик; компиля́тор

2. *v* 1) вскáпывать 2) выкáпывать, выкорчёвывать; вытáскивать (*обыкн.* ~ up,

~ out); to ~ up the stumps выкорчёвывать пни 3) копа́ться, ры́ться, отка́пывать (*в архивах, книгах*) 4) мно́го рабо́тать, надрыва́ться (*тж.* ~ on, ~ along, ~ away)

grub II [grʌb] *разг.* **1.** *n* пи́ща, еда́, харч

2. *v* есть

grub-ax(e) ['grʌbæks] *n* поло́льная моты́га

grubber ['grʌbə] *n* 1) поло́льщик; корчёвщик 2) культива́тор-экстирпа́тор, гру́ббер 3) корчева́тель

grubbiness ['grʌbɪnəs] *n* неря́шливость; нечистопло́тность; грязь

grubby ['grʌbɪ] *a* 1) неря́шливый, неопря́тный; гря́зный 2) поражённый личи́нками, черви́вый

Grub street ['grʌbstri:t] *n разг.* 1) журна́льные компиля́торы, писа́ки (*от названия улицы в Лондоне, где в XVII—XVIII вв. жили бедные литераторы*) 2) дешёвые компиля́ции (*тж.* ~ writings)

grudge [grʌdʒ] **1.** *n* 1) недово́льство; недоброжела́тельство; за́висть; to have a ~ against smb., to bear (*или* to owe) smb. a ~ ≅ име́ть зуб про́тив кого́-л. 2) причи́на недово́льства

2. *v* 1) выража́ть недово́льство; испы́тывать недо́брое чу́вство (*к кому-л.*); зави́довать 2) неохо́тно дава́ть, неохо́тно позволя́ть; жале́ть (*что-л.*); to ~ smb. the very food he eats пожале́ть кусо́к хле́ба кому́-л.

grudgingly ['grʌdʒɪŋlɪ] *adv* неохо́тно, не́хотя

gruel ['gru:əl] *n* жи́дкая (овся́ная) ка́ша; каши́ца; размазня́ ◇ to have (*или* to get, to take) one's ~ а) получи́ть взбу́чку, быть жесто́ко нака́занным; б) быть уби́тым

gruelling ['gru:əlɪŋ] *a* изнури́тельный, изма́тывающий

gruesome ['gru:səm] *a* ужа́сный, отврати́тельный

gruff [grʌf] *a* 1) гру́бый, хри́плый (*о голосе*) 2) грубова́тый; серди́тый, ре́зкий

grumble ['grʌmbl] **1.** *n* 1) ворча́нье, ро́пот; *pl* дурно́е настрое́ние 2) гром, гро́хот

2. *v* 1) ворча́ть, жа́ловаться (at, about, over — на) 2) греме́ть, грохота́ть

grumbler ['grʌmblə] *n* ворчу́н

grummet ['grʌmɪt] *n мор.* верёвочное кольцо́; кре́нгельс

grumpy ['grʌmpɪ] *a* серди́тый, сварли́вый, раздражи́тельный

Grundyism ['grʌndɪɪzəm] *n* усло́вная мора́ль (*по имени* Mrs Grundy — *персонаж пьесы Мортона (1798 г.), олицетворение общественного мнения в вопросах приличия*; what will Mrs Grundy say? что ска́жут лю́ди?)

grunt [grʌnt] **1.** *n* 1) хрю́канье 2) ворча́нье, брюзжа́ние

2. *v* 1) хрю́кать 2) ворча́ть, брюзжа́ть

gryphon ['grɪfn] = griffin 1)

G-string ['dʒi:strɪŋ] *n* набе́дренная повя́зка

G-suit ['dʒi:su:t] *n* противоперегру́зочный костю́м (*космонавта, лётчика*)

guana ['gwɑ:nə] *n зоол.* 1) игуа́на 2) люба́я больша́я я́щерица

guano ['gwɑ:nəʊ] **1.** *n* (*pl* -os [-əʊz]) гуа́но

2. *v* удобря́ть гуа́но

guarantee [,gærən'ti:] **1.** *n* 1) гара́нтия 2) зало́г; поручи́тельство 3) гара́нт, поручи́тель 4) тот, кому́ вно́сится зало́г

2. *v* 1) гаранти́ровать 2) руча́ться 3) обеспе́чивать, страхова́ть (against)

guarantor [,gærən'tɔ:] *n* поручи́тель; гара́нт

guaranty ['gærəntɪ] **1.** *n* гара́нтия; обяза́тельство; зало́г

2. *v* гаранти́ровать

guard [gɑ:d] **1.** *n* 1) бди́тельность; осторо́жность; to be off ~ быть недоста́точно бди́тельным; быть засти́гнутым врасплóх; to be on (one's) ~ быть насторож́е 2) часово́й; карау́льный; сто́рож; конво́ир 3) охра́на, стра́жа, конво́й, карау́л; ~ of honour почётный карау́л; to mount ~ вступа́ть в карау́л; to relieve ~ сменя́ть карау́л; to stand ~ стоя́ть на часа́х 4) *pl* гва́рдия 5) како́е-л. предохрани́тельное приспособле́ние, се́тка, га́рда (*эфеса*) *и т. п.*; fire-~ ками́нная решётка 6) *ж.-д.* конду́ктор 7) *спорт.* защи́тник 8) оборони́тельное положе́ние (*в боксе*) 9) *attr.* сторожево́й, карау́льный

2. *v* 1) защища́ть (against, from); стоя́ть на стра́же (*интересов и т. п.*) 2) охраня́ть; сторожи́ть; карау́лить 3) бере́чься, остерега́ться, принима́ть ме́ры предосторо́жности (against) 4) сде́рживать (*мысли, выражения и т. п.*)

guard-boat ['gɑ:dbəʊt] *n* дежу́рная шлю́пка, сторожево́й ка́тер

guarded ['gɑ:dɪd] *a* сде́ржанный, осторо́жный

guardedly ['gɑ:dɪdlɪ] *adv* сде́ржанно, осторо́жно

guardhouse ['gɑ:dhaʊs] *n* 1) карау́льное помеще́ние 2) гауптва́хта

guardian ['gɑ:dɪən] *n* 1) опеку́н; попечи́тель 2) настоя́тель франциска́нского монастыря́ 3) *attr.*: ~ angel а) а́нгел-храни́тель, до́брый ге́ний; б) *разг.* пара́шют

guardianship ['gɑ:dɪənʃɪp] *n* опе́ка; опеку́нство; under the ~ of the laws под охра́ной зако́нов

guardrail ['gɑ:dreɪl] *n* 1) пери́ла, по́ручень 2) направля́ющий рельс

guardroom ['gɑ:dru:m] = guardhouse

guard-ship ['gɑ:dʃɪp] *n мор.* сторожево́й кора́бль; дежу́рный кора́бль

guardsman ['gɑ:dzmən] *n* 1) гварде́ец 2) карау́льный

Guatemalan [,gwɑ:tə'mɑ:lən] **1.** *n* гватема́лец; гватема́лка

2. *a* гватема́льский

gubernatorial [,gu:bənə'tɔ:rɪəl] *a* губерна́торский, относя́щийся к губерна́тору, прави́телю, управля́ющему *и т. п.*

gudgeon I ['gʌdʒən] *n* песка́рь ◇ to swallow a ~ попа́сться на у́дочку

gudgeon II ['gʌdʒən] *n тех.* 1) болт 2) ось, ше́йка, ца́пфа

guelder rose ['geldərəʊz] *n бот.* кали́на (обыкнове́нная)

guerdon ['gɜ:dn] *поэт.* **1.** *n* награ́да

2. *v* награжда́ть

guerilla [gə'rɪlə] *n* 1) партиза́нская война́ (*обыкн.* ~ war) 2) партиза́н (*тж.* ~ warrior)

Guernsey ['gɜ:nzɪ] *n* 1) гернзе́йская поро́да моло́чного скота́ 2) (g.) шерстяна́я фуфа́йка (*тж.* ~ shirt)

guerrilla [gə'rɪlə] = guerilla

guess [ges] **1.** *n* 1) дога́дка; предположе́ние; by ~ науга́д 2) приблизи́тельный подсчёт

2. *v* 1) предполага́ть (by, from); дога́дываться; приблизи́тельно определя́ть; I should ~ his age at forty я дал бы ему́ лет со́рок 2) угада́ть, отгада́ть; to ~ a riddle отгада́ть зага́дку 3) *амер.* счита́ть, полага́ть; I ~ we shall miss the train ду́маю, что мы опозда́ем на по́езд

guesstimate **1.** *n* ['gestɪmət] *разг.* дога́дка; мне́ние, сужде́ние, оце́нка, не подкреплённые информа́цией

2. *v* ['gestɪ,meɪt] дава́ть приблизи́тельную оце́нку

guesswork ['geswɜ:k] *n* дога́дки; предположе́ния

guest [gest] *n* 1) гость 2) постоя́лец (*в гостинице*); paying ~ жиле́ц в ча́стном пансио́не 3) парази́т (*животное или растение*)

guest-chamber ['gest,tʃeɪmbə] = guestroom

guestroom ['gestru:m] *n* ко́мната для госте́й

guff [gʌf] *n разг.* пуста́я болтовня́

guffaw [gʌ'fɔ:] **1.** *n* гру́бый хо́хот; го́гот

2. *v* гру́бо хохота́ть; гогота́ть

guggle ['gʌgl] **1.** *n* бу́льканье

2. *v* бу́лькать

guidance ['gaɪdns] *n* 1) сове́т, рекоменда́ция 2) руково́дство; води́тельство; under the ~ of под руково́дством

guide [gaɪd] **1.** *n* 1) проводни́к, гид; экскурсово́д 2) руководи́тель; сове́тчик 3) руководя́щий при́нцип 4) путеводи́тель; руково́дство; уче́бник 5) ориенти́р 6) *воен.* разве́дчик 7) *тех.* направля́ющая дета́ль; переда́точный рыча́г 8) *горн.* обса́дная труба́

2. *v* 1) вести́, быть *чьим-л.* проводнико́м 2) руководи́ть, направля́ть 3) быть причи́ной, сти́мулом, основа́нием 4) вести́ дела́, быть руководи́телем

guidebook ['gaɪdbʊk] *n* путеводи́тель

guided missile [,gaɪdɪd'mɪsaɪl] *n* управля́емая раке́та

guide dog ['gaɪddɒg] *n* соба́ка-поводы́рь

guideline ['gaɪdlaɪn] *n* 1) о́бщий курс, генера́льная ли́ния 2) директи́ва, руководя́щие указа́ния, устано́вка

guide mark ['gaɪdmɑ:k] *n* отме́тка, ме́тка

guidepost ['gaɪdpəʊst] *n* указа́тельный столб (*на перекрёстке*)

guide rope ['gaɪdrəʊp] *n ав.* гайдро́п

guidon ['gaɪdn] *n* (остроконе́чный) флажо́к (*на пике и т. п.*)

guild [gɪld] *n* 1) цех, ги́льдия 2) организа́ция, сою́з

guilder ['gɪldə] *n* гу́льден (*денежная единица Нидерландов*)

Guildhall ['gɪldhɔ:l] *n* 1) (the ~) ра́туша (*в Лондоне*) 2) (g.) *ист.* ме́сто собра́ний ги́льдии, це́ха

guile [gaɪl] *n* обма́н; хи́трость, кова́рство; вероло́мство

guileful ['gaɪlfl] *a* вероло́мный; кова́рный

guileless ['gaɪlləs] *a* простоду́шный, бесхи́тростный

guillemot ['gɪlɪmɒt] *n* ка́йра (*птица*)

guillotine ['gɪləti:n] **1.** *n* 1) гильоти́на 2) *тех.* ре́зальная маши́на 3) хирурги́ческий инструме́нт для удале́ния минда́лин 4) *парл.* гильотини́рование пре́ний (*фиксированием времени для голосования*); жёсткий регла́мент

2. *v* 1) гильотини́ровать 2) *парл.* сорва́ть диску́ссию

guilt [gɪlt] *n* 1) вина́, вино́вность 2) чу́вство вины́ 3) *уст.* грех

guiltily ['gɪltɪlɪ] *adv* винова́то, с винова́тым ви́дом

guiltiness ['gɪltɪnəs] *n* вино́вность

guiltless ['gɪltləs] *a* 1) неви́нный; невино́вный (of) 2) *разг.* не зна́ющий (*чего-л.*), не уме́ющий (*что-л. делать*); ~ of writing poems не уме́ющий писа́ть стихо́в

guilty ['gɪltɪ] *a* 1) вино́вный (of — в); престу́пный 2) винова́тый (*о взгляде, виде*)

guinea ['gɪnɪ] *n ист.* гине́я (*до 1831 г. золотая монета; до 1971 г. денежная единица, использовалась особ. для выплаты гонораров*)

guinea fowl ['gɪnɪfaʊl] *n* цеса́рка

guinea pig ['gɪnɪpɪg] *n* 1) морска́я сви́нка 2) «подо́пытный кро́лик», челове́к, над кото́рым произво́дят нау́чные о́пыты 3) *ист. шутл.* адвока́т, врач *и т. п.*, получа́ющий гонора́р в гине́ях

guinea worm ['gɪnɪwɜ:m] *n* ри́шта (*подкожный червь*)

Guinness ['gɪnɪs] *n* сорт пи́ва

guise [gaɪz] *n* 1) личи́на, ма́ска; предло́г; under (*или* in) the ~ of под ви́дом, под ма́ской 2) нару́жность, о́блик 3) *уст.* одея́ние, наря́д

guitar [gɪ'tɑ:] *n* гита́ра

gulch [gʌltʃ] *n амер.* у́зкое глубо́кое уще́лье, рассе́лина, ба́лка

gulden ['gʊldən] = guilder

gules [gju:lz] *геральд.* **1.** *a* кра́сный

2. *n* кра́сный цвет

gulf [gʌlf] **1.** *n* 1) морско́й зали́в 2) бе́здна, про́пасть (*тж. перен.*) 3) водоворо́т, пучи́на 4) *горн.* больша́я за́лежь руды́ 5) *унив. разг.* дипло́м без отли́чия

2. *v* 1) поглоща́ть, вса́сывать в водоворо́т 2) *унив. разг.* присужда́ть дипло́м без отли́чия

gull I [gʌl] *n* ча́йка

gull II [gʌl] *v* обма́нывать, дура́чить

gullet ['gʌlɪt] *n* 1) пищево́д 2) гло́тка

gullible ['gʌləbl] *a* легкове́рный, дове́рчивый

gully I ['gʌlɪ] **1.** *n* 1) глубо́кий овра́г, промо́ина, ры́твина 2) водосто́к 3) жело́бчатый рельс

2. *v* образо́вывать овра́ги, ры́твины

gully II ['gʌlɪ] *n* большо́й нож

gulp [gʌlp] **1.** *n* 1) глота́ние, глота́тельное движе́ние *или* уси́лие 2) большо́й глото́к; at one ~ одни́м глотко́м, за́лпом; сра́зу

2. *v* (*обыкн.* ~ down) 1) жа́дно, бы́стро *или* с уси́лием глота́ть 2) задыха́ться; дави́ться 3) глота́ть (*слёзы*); сде́рживать (*волнение*) 4) *разг.* принима́ть за чи́стую моне́ту

gum I [gʌm] *n* десна́

gum II [gʌm] **1.** *n* 1) каме́дь, гу́мми 2) смоли́стое выделе́ние 3) *амер. разг.* жева́тельная рези́нка 4) леденец 5) клей 6) каме́дное де́рево 7) клейкое выделе́ние во вну́треннем углу́ гла́за 8) *амер., разг.* рези́на 9) *pl* = gumboots 10) *горн.* штыб, у́гольная ме́лочь

2. *v* 1) скле́ивать(ся) 2) выделя́ть каме́дь, смолу́

gum III [gʌm] *n разг.*: by ~! ей-бо́гу!

gum arabic [,gʌm'ærəbɪk] *n* гуммиара́бик

gumbo ['gʌmbəʊ] *n амер.* (*pl* -os [-əʊz]) 1) *бот.* ба́мия, о́кра 2) суп из стручко́в ба́мии 3) гу́мбо (*илистая почва, богатая щелочами*)

gumboil ['gʌmbɔɪl] *n* флюс

gumboot ['gʌmbu:t] *n* рези́новый сапо́г

gum elastic ['gʌmɪ,læstɪk] *n* рези́на, каучу́к

gummy ['gʌmɪ] *a* 1) кле́йкий 2) смоли́стый 3) источа́ющий каме́дь, смолу́ 4) опу́хший, отёкший

gumption ['gʌmpʃn] *n разг.* 1) смышлёность; нахо́дчивость; сообрази́тельность; здра́вый смысл 2) раствори́тель для кра́сок

gumshoe ['gʌmʃu:] *амер.* **1.** *n* 1) *разг.* гало́ша 2) *pl* ке́ды, полуке́ды 3) *sl.* полице́йский; сы́щик

2. *v* кра́сться, идти́ кра́дучись

gum tree ['gʌmtri:] *n* камедено́сное де́рево, *особ.* эвкали́пт ◇ up a ~ в большо́м затрудне́нии, в тупике́

gun [gʌn] **1.** *n* 1) ору́дие, пу́шка 2) пулемёт 3) огнестре́льное ору́жие, ружьё; *ист.* мушке́т; double-barrelled ~ двуство́лка; smooth-bore ~ гладкоство́льное ружьё; sporting ~ охо́тничье ружьё; starting ~ *спорт.* ста́ртовый пистоле́т 4) *разг.* револьве́р 5) стрело́к, охо́тник 6) *амер.* банди́т, уби́йца, вооружённый револьве́ром *и т. п.* 7) оруди́йный вы́стрел 8) *метал.* пу́шка для заби́вки лётки 9) *attr.* пу́шечный; оруди́йный ◇ big (*или* great) ~ *разг.* ва́жная персо́на, «ши́шка»; to blow great ~s реве́ть (*о буре*); to stick (*или* to stand) to one's ~s не сдава́ть пози́ций, не отступа́ть; остава́ться до конца́ ве́рным свои́м убежде́ниям; настоя́ть на своём; to jump the ~ а) *спорт.* преждевре́менно стартова́ть (*до сигнала*); б) нача́ть, сде́лать что-л. до поло́женного вре́мени; опережа́ть собы́тия; to go great ~s *разг.* де́йствовать бы́стро и успе́шно

2. *v* 1) стреля́ть 2) *воен.* обстре́ливать артиллери́йским огнём 3) охо́титься

gunboat ['gʌnbəʊt] *n* 1) каноне́рская ло́дка 2) *attr.*: ~ diplomacy диплома́тия каноне́рок

gun-carriage ['gʌn,kærɪdʒ] *n воен.* лафе́т

guncotton ['gʌn,kɒtn] *n* пироксили́н

guncrew ['gʌnkru:] *n воен.* оруди́йный расчёт

gundog ['gʌn,dɒg] *n* охо́тничья соба́ка, нау́ченная подбира́ть и приноси́ть дичь

gunfight ['gʌnfaɪt] *n* дра́ка с примене́нием огнестре́льного ору́жия (*револьверов*)

gunfire ['gʌn,faɪə] *n* оруди́йный ого́нь; артиллери́йский ого́нь

gung ho [,gʌŋ'həʊ] *a амер. разг.* чрезме́рно восто́рженный

gunlayer ['gʌn,leɪə] *n воен.* (оруди́йный) наво́дчик

gunlock ['gʌnlɒk] *n* замо́к огнестре́льного ору́жия

gunman ['gʌnmən] *n* 1) вооружённый ружьём, револьве́ром 2) банди́т, престу́пник, уби́йца 3) оруже́йный ма́стер

gunmetal ['gʌn,metl] *n* 1) *ист.* пу́шечная бро́нза 2) тёмно-се́рый цвет

gunnel ['gʌnl] = gunwale

gunner ['gʌnə] *n* 1) канони́р; артиллери́ст; пулемётчик; но́мер оруди́йного расчёта 2) *мор.* комендо́р 3) *ав.* стрело́к 4) охо́тник

gunnery ['gʌnərɪ] *n* 1) артиллери́йское де́ло 2) артиллери́йская стрельба́

gunning ['gʌnɪŋ] **1.** *pres. p. от* gun 2

2. *n* 1) охо́та с ружьём 2) стрельба́; обстре́л

gunny ['gʌnɪ] *n* гру́бая, кре́пкая джу́товая ткань; рого́жка, дерю́га

gunpoint ['gʌn,pɔɪnt] *n*: at ~ под ду́лом пистоле́та; to hold smb. at ~ держа́ть кого́-л. на прице́ле

gunpowder ['gʌn,paʊdə] *n* чёрный по́рох

gun room ['gʌnru:m] *n* 1) ко́мната, где храня́тся охо́тничьи ру́жья 2) кают-компа́ния мла́дших офице́ров (*на военных кораблях*)

gunrunning ['gʌn,rʌnɪŋ] *n* незако́нный ввоз ору́жия

gunshot ['gʌnʃɒt] *n* 1) руже́йный вы́стрел 2) да́льность вы́стрела; within (out of) ~ на расстоя́нии (вне досяга́емости) пу́шечного вы́стрела 3) *attr.*: ~ wound огнестре́льная ра́на

gun-shy ['gʌnʃaɪ] *a* пуга́ющийся вы́стрелов (*особ. об охотничьих собаках*)

gunsmith ['gʌnsmɪθ] *n* оруже́йный ма́стер

gun-stock ['gʌnstɒk] *n* руже́йная ло́жа

gunwale ['gʌnl] *n мор.* планши́р

gurgitation [ˌgɜ:dʒɪ'teɪʃn] *n* волне́ние, бу́льканье воды́, как при кипе́нии

gurgle ['gɜ:gl] **1.** *n* бу́льканье (*воды*); бу́лькающий звук

2. *v* 1) бу́лькать; журча́ть 2) полоска́ть го́рло

Gurkha ['gɜ:kə] *n* 1) гурк (*представитель народности, живущей в Непале*) 2) *attr.*: ~ regiments полки́ гу́ркских стрелко́в (*в английской армии*)

gurnard ['gɜ:nəd] *n* морско́й пету́х

gurnet ['gɜ:nɪt] = gurnard

guru ['gʊru:] *n* гуру́, духо́вный наста́вник, учи́тель

gush [gʌʃ] **1.** *n* 1) си́льный *или* внеза́пный пото́к; ли́вень 2) пото́к, лави́на, поры́в; излия́ние чувств; сентимента́льный восто́рг; a ~ of anger вспы́шка гне́ва

2. *v* 1) хлы́нуть; ли́ться *или* разрази́ться пото́ком 2) фонтани́ровать (*о нефти и т. п.*) 3) излива́ть свои́ чу́вства

gusher ['gʌʃə] *n* 1) нефтяно́й фонта́н 2) *разг.* челове́к, излива́ющийся в свои́х чу́вствах

gushy ['gʌʃɪ] *a* оби́льный, чрезме́рный; изли́шне сентимента́льный

gusset ['gʌsɪt] *n* 1) вста́вка, клин (*в платье и т. п.*); ла́стовица 2) *тех.* углово́е соедине́ние, науго́льник

gust I [gʌst] *n* 1) поры́в ве́тра; хлы́нувший дождь *и т. п.* 2) взрыв (*гнева и т. п.*)

gust II [gʌst] *n уст., поэт.* 1) вкус, понима́ние; to have a ~ of smth. высоко́ цени́ть, то́нко чу́вствовать что-л. 2) о́стрый *или* прия́тный вкус

gustation [gʌ'steɪʃn] *n* про́ба на вкус

gustatory ['gʌstətərɪ] *a* вкусово́й

gusto ['gʌstəʊ] *n* (*pl* -os [-əʊz]) удово́льствие, смак (*с которым выполняется работа и т. п.*)

gusty ['gʌstɪ] *a* 1) ве́треный (*о погоде и т. п.*) 2) бу́рный, поры́вистый

gut [gʌt] **1.** *n* 1) кишка́; пищевари́тельный кана́л; *pl* кишки́, вну́тренности; blind ~ слепа́я кишка́ 2) *pl разг.* му́жество, вы́держка, си́ла во́ли; хара́ктер; a man with plenty of ~s си́льный челове́к; there's no ~s in him он немно́гого сто́ит 3) *pl* це́нная *или* суще́ственная часть чего́-л. 4) струна́ *или* леса́ из кишки́ 5) *хир.* кетгу́т 6) у́зкий прохо́д *или* проли́в 7) *attr.* инстинкти́вный, слепо́й 8) *attr.* насу́щный

2. *v* 1) потроши́ть (*дичь и т. п.*) 2) опустоша́ть (*о пожаре*) 3) схва́тывать суть (*книги*), бе́гло просма́тривая 4) *груб.* жа́дно есть

gutless ['gʌtləs] *a разг.* сла́бый, безво́льный

gutta-percha [ˌgʌtə'pɜ:tʃə] *n* гуттапе́рча

gutter ['gʌtə] **1.** *n* 1) водосто́чный жёлоб 2) сто́чная кана́в(к)а 3) (the ~) трущо́бы; низы́ (о́бщества) 4) *полигр.* кру́пный пробе́льный материа́л

2. *v* 1) де́лать желоба́, кана́вки 2) стека́ть 3) оплыва́ть (*о свече*)

gutter press ['gʌtəpres] *n* бульва́рная пре́сса

guttersnipe ['gʌtəsnaɪp] *n* беспризо́рный ребёнок; у́личный мальчи́шка

guttle ['gʌtl] *v разг.* жа́дно есть

guttler ['gʌtlə] *n разг.* обжо́ра

guttural ['gʌtərəl] **1.** *a* 1) горта́нный; горлово́й 2) *фон.* задненёбный, веля́рный; гуттура́льный

2. *n фон.* задненёбный, веля́рный звук

guy I [gaɪ] **1.** *n* 1) *разг.* па́рень, ма́лый; regular ~ хоро́ший па́рень, сла́вный ма́лый; wise ~ у́мный ма́лый 2) пу́гало, чу́чело 3) смешно́ оде́тый челове́к

2. *v* 1) осме́ивать, издева́ться 2) выставля́ть на посме́шище (*чьё-л. изображение*)

guy II [gaɪ] *мор.* **1.** *n* оття́жка, ва́нта

2. *v* укрепля́ть оття́жками; расча́ливать

guzzle ['gʌzl] *v разг.* 1) жа́дно глота́ть; пить, есть с жа́дностью; пожира́ть 2) пропива́ть, проеда́ть (*часто* ~ away)

guzzler ['gʌzlə] *n* 1) обжо́ра 2) пья́ница

gybe [dʒaɪb] *v мор.* 1) переки́дывать (*парус*) 2) де́лать поворо́т че́рез фордеви́нд

gyle [gaɪl] *n* 1) броди́вшее су́сло 2) броди́льный чан

gym [dʒɪm] *разг. сокр. от* gymnasium *и* gymnastics

gymkhana [dʒɪm'kɑ:nə] *n* спорти́вные состяза́ния (*верховая езда, вождение автомобиля и т. п.*)

gymnasia [dʒɪm'neɪzɪə] *pl от* gymnasium 1)

gymnasium *n* 1) [dʒɪm'neɪzɪəm] (*pl* -sia, -siums [-zɪəmz]) гимнасти́ческий зал 2) [gɪm'nɑ:zɪəm] (*pl* -siums [-zɪəmz]) гимна́зия

gymnast ['dʒɪmnæst] *n* гимна́ст

gymnastic [dʒɪm'næstɪk] *a* гимнасти́ческий

gymnastics [dʒɪm'næstɪks] *n pl* (*употр. тж. как sing*) гимна́стика

gym shoe ['dʒɪmʃu:] *n* лёгкая спорти́вная о́бувь

gymslip ['dʒɪmslɪp] *n* пла́тье-сарафа́н (*часть школьной формы*)

gynaecological [ˌgaɪnɪkə'lɒdʒɪkl] *a* гинекологи́ческий

gynaecologist [ˌgaɪnɪ'kɒlədʒɪst] *n* гинеко́лог

gynaecology [ˌgaɪnɪ'kɒlədʒɪ] *n* гинеколо́гия

gyp I [dʒɪp] *n* слуга́ (*в Кембриджском и Даремском университетах*)

gyp II [dʒɪp] *sl.* **1.** *n* 1) моше́нничество, жу́льничество; обма́н 2) моше́нник, плут

2. *v* 1) моше́нничать, жу́льничать 2) ворова́ть

gypseous ['dʒɪpsɪəs] *a* ги́псовый

gypsum ['dʒɪpsəm] **1.** *n* гипс

2. *v* гипсова́ть (*почву*)

Gypsy ['dʒɪpsɪ] = Gipsy

gyrate 1. *a* ['dʒaɪərət] свёрнутый спира́лью

2. *v* [dʒaɪ'reɪt] враща́ться по кру́гу; дви́гаться по спира́ли

gyration [dʒaɪ'reɪʃn] *n* 1) кругово́е *или* круговраща́тельное движе́ние 2) циркуля́ция

gyratory [dʒaɪ'reɪtərɪ] *a* враща́тельный

gyre ['dʒaɪə] *n поэт.* 1) круговраще́ние; вихрь 2) круг; кольцо́ 3) спира́ль

Gyrene [dʒaɪ'ri:n] *n амер. воен. жарг.* солда́т морско́й пехо́ты

gyrfalcon ['dʒɜ:ˌfɔ:lkən] *n зоол.* (исла́ндский) кре́чет

gyro ['dʒaɪrəʊ] *сокр. от* gyroscope

gyro- ['dʒaɪrəʊ-] *pref* гиро-, гироскопи́ческий

gyrocompass ['dʒaɪrəʊˌkʌmpəs] *n ав.* гироко́мпас

gyropilot ['dʒaɪrəʊˌpaɪlət] *n ав.* автопило́т

gyroplane ['dʒaɪrəpleɪn] *n ав.* автожи́р

gyroscope ['dʒaɪrəskəʊp] *n* гиро́скоп

gyroscopic [ˌdʒaɪrə'skɒpɪk] *a* гироскопи́ческий

gyrostat ['dʒaɪrəstæt] *n* гироста́т

gyve [dʒaɪv] *поэт. уст.* **1.** *n* (*обыкн. pl*) око́вы, кандалы́, у́зы

2. *v* зако́вывать в кандалы́, ско́вывать

H

H, h [eɪtʃ] *n* (*pl* Hs, H's ['eɪtʃɪz]) *8-я буква англ. алфавита*; to drop one's hs не произноси́ть h там, где э́то сле́дует (*особенность лондонского просторечия*)

ha [hɑ:] *int* ха!, ба! (*восклицание, выражающее удивление, подозрение, торжество*)

ha' [hɑ:] *разг. сокр. форма от* have

habanera [ˌ(h)ɑ:bɑ:'neɪrə] *n* хабане́ра (*испанский танец*)

habeas corpus [ˌheɪbɪəs'kɔ:pəs] *n* предписа́ние о представле́нии аресто́ванного в суд для рассмотре́ния зако́нности аре́ста (*тж.* writ of ~)

Habeas Corpus Act [ˌheɪbɪəskɔ:pəs'ækt] *n* Ха́беас Ко́рпус (*английский закон 1679 г. о неприкосновенности личности*)

haberdasher ['hæbədæʃə] *n* 1) галантере́йщик 2) *амер.* торго́вец предме́тами мужско́го туале́та

haberdashery ['hæbədæʃərɪ] *n* 1) галантере́я 2) галантере́йный магази́н 3) *амер.* предме́ты мужско́го туале́та

habergeon ['hæbədʒən] *n ист.* кольчу́га

habile ['hæbɪl] *a редк.* иску́сный, ло́вкий

habiliment [hə'bɪlɪmənt] *n* 1) (*обыкн. pl*) одея́ние 2) (*обыкн. pl*) *шутл.* пла́тье, оде́жда 3) предме́т оде́жды

habilitate [hə'bɪlɪteɪt] *v* 1) *книжн.* гото́виться к определённому ро́ду де́ятельности (*преподаванию и т. п.*) 2) финанси́ровать *или* снабжа́ть обору́дованием го́рные разрабо́тки 3) *уст.* одева́ть

habit I ['hæbɪt] **1.** *n* 1) привы́чка, обыкнове́ние; обы́чай; by (*или* from) force of ~ в си́лу привы́чки, по привы́чке; to be in the ~ of doing smth. име́ть обыкнове́ние что-л. де́лать; to break off (to fall into) a ~ бро́сить (усво́ить) привы́чку; to break a person of a ~ отучи́ть кого́-л. от како́й-л. привы́чки 2) осо́бенность, сво́йство; характе́рная черта́; ~ of mind склад ума́ 3) пристра́стие к нарко́тикам 4) сложе́ние, телосложе́ние; a man of corpulent ~ доро́дный, ту́чный челове́к 5) *биол.* хара́ктер произраста́ния, разви́тия; га́битус; a plant of trailing ~ сте́лющееся расте́ние

habit II ['hæbɪt] **1.** *n* 1) *книжн.* одея́ние, облаче́ние 2) костю́м для верхово́й езды́

2. *v книжн.* одева́ть, облача́ть

habitable ['hæbɪtəbl] *a* го́дный для жилья́; обита́емый

habitant I ['hæbɪtənt] *n* жи́тель

habitant II ['hæbɪtɒn] *n* кана́дец францу́зского происхожде́ния

habitat ['hæbɪtæt] *n* ро́дина, ме́сто распростране́ния, среда́ обита́ния (*животного, растения*); есте́ственная среда́

habitation [ˌhæbɪ'teɪʃn] *n* 1) прожива́ние, житьё 2) жили́ще; обита́лище; жильё; fit for ~ приго́дный для жилья́ 3) посёлок

habit-forming ['hæbɪtfɔ:mɪŋ] *a* входя́щий в привы́чку; создаю́щий усто́йчивую привы́чку

habitual [hə'bɪtʃʊəl] *a* 1) обы́чный, привы́чный 2) пристрасти́вшийся (к *чему-л.*); ~ drunkard пропо́йца; ~ criminal закорене́лый престу́пник

habituate [hə'bɪtʃʊeɪt] *v* 1) приуча́ть; to ~ oneself to привыка́ть, приуча́ться к 2) *амер. разг.* ча́сто посеща́ть

habitude ['hæbɪtju:d] *n* 1) привы́чка; скло́нность 2) установи́вшийся поря́док, обыкнове́ние

habitué [hə'bɪtjʊeɪ] *фр. n* завсегда́тай

hacienda [ˌhæsɪ'endə] *n* гасие́нда (*имение, плантация и т. п. в Испании и Латинской Америке*)

hack I [hæk] **1.** *n* 1) уда́р (по ноге́) 2) ссади́на на ноге́ от уда́ра (*в футболе*) 3) ре́заная ра́на 4) моты́га, кирка́, кайла́ 5) уда́р моты́ги *и т. п.* 6) зару́бка; зазу́брина 7) *тех.* кузне́чное зуби́ло 8) сухо́й ка́шель

2. *v* 1) руби́ть, разруба́ть; кромса́ть; разбива́ть на куски́ 2) разбива́ть, разрыхля́ть моты́гой *и т. п.* 3) теса́ть; обтёсывать (*камень*) 4) де́лать зару́бку; зазу́бривать 5) *разг.* уда́рить по ноге́, «подкова́ть» (*в футболе*) 6) надруба́ть; наноси́ть ре́заную ра́ну 7) проруба́ть доро́гу (*сквозь заросли*) 8) *разг.* незако́нно получи́ть до́ступ к компью́терным да́нным 9) ка́шлять сухи́м ка́шлем

hack II [hæk] **1.** *n* 1) ло́шадь (*верховая или упряжная*), *особ.* полукро́вка; road ~ доро́жная верхова́я ло́шадь 2) наёмная ло́шадь 3) кля́ча 4) литерату́рный подёнщик; наёмный писа́ка 5) челове́к, выполня́ющий ну́дную рабо́ту за друго́го, «иша́к» 6) *амер.* наёмный экипа́ж 7) *амер. разг.* такси́ 8) *амер. разг.* води́тель такси́, такси́ст

2. *a* 1) наёмный 2) = hackneyed

3. *v* 1) дава́ть напрока́т 2) е́хать (верхо́м) не спеша́ 3) испо́льзовать в ка́честве литерату́рного подёнщика 4) испо́льзовать на ну́дной, тяжёлой рабо́те 5) де́лать бана́льным, опошля́ть

hackbut ['hækbʌt] = harquebus

hacker ['hækə] *n* 1) программи́ст, спосо́бный составля́ть програ́ммы без предвари́тельной разрабо́тки и операти́вно вноси́ть исправле́ния в програ́ммы, не име́ющие документа́ции 2) *разг.* хэ́кер, компью́терный хулига́н; охо́тник за секре́тной информа́цией

hackery ['hækərɪ] *инд. n* пово́зка, запряжённая вола́ми

hacking ['hækɪŋ] *a* отры́вистый и сухо́й (*о кашле*)

hackle I ['hækl] *n* 1) *pl* дли́нные пе́рья на ше́е петуха́ и не́которых други́х птиц 2) иску́сственная прима́нка (*для ужения рыбы*) ◇ with his ~s up разъярённый, взъерепе́нившийся, гото́вый лезть в дра́ку

hackle II ['hækl] **1.** *n* чеса́лка, гре́бень для льна

2. *v* чеса́ть лён

hackle III ['hækl] *v* руби́ть, разруба́ть как попа́ло; кромса́ть

hackly ['hæklɪ] *a* пло́хо отде́ланный, в зазу́бринах

hackmatack ['hækmətæk] *n бот.* ли́ственница америка́нская

hackney ['hæknɪ] **1.** *n* 1) = hack II, 1, 1); 2) *уст.* рабо́тник, на́нятый на ну́дную, тяжёлую рабо́ту

2. *v редк.* = hack II, 3

hackney-carriage [ˌhæknɪ'kærɪdʒ] *n* 1) *амер.* такси́ 2) наёмный экипа́ж

hackney-coach ['hæknɪkəʊtʃ] = hackney-carriage

hackneyed ['hæknɪd] *a* бана́льный, изби́тый; зата́сканный; ~ phrases изби́тые фра́зы

hacksaw ['hæksɔ:] *n тех.* слеса́рная ножо́вка

hackwork ['hækwɜ:k] *n* 1) литерату́рная подёнщина; халту́ра 2) ну́дная, тяжёлая рабо́та

hackwriter ['hækˌraɪtə] *n* литерату́рный подёнщик

had [hæd (*полная форма*); həd, əd (*редуцированные формы*)] *past и p. p. от* have 1

haddock ['hædək] *n* пи́кша (*рыба*)

hade [heɪd] *горн.* **1.** *n* отклоне́ние жи́лы по отноше́нию к вертика́ли; у́гол паде́ния

2. *v* отклоня́ться от вертика́ли; составля́ть у́гол с вертика́лью

Hades ['heɪdi:z] *n греч. миф.* Гаде́с (*подземное царство, царство теней; бог подземного царства*)

hadji ['hædʒɪ] = hajji

hadn't ['hædnt] *сокр. разг.* = had not

haem- [hi:m-] *компонент сложных слов со значением* крово-, крове-; *в русском языке соответствует компоненту* гемо-

haemal ['hi:ml] *a анат.* относя́щийся к кро́ви и кровено́сным сосу́дам

haematic [hɪ'mætɪk] *a* 1) кровяно́й 2) *мед.* де́йствующий на кровь

haematite ['hi:mətaɪt] *n мин.* кра́сный железня́к, гемати́т

haematology [ˌhi:mə'tɒlədʒɪ] *n* гематоло́гия

haematoma [ˌhi:mə'təʊmə] *n мед.* гемато́ма

haemoglobin [ˌhi:mə'gləʊbɪn] *n физиол.* гемоглоби́н

haemolysis [hi:'mɒləsɪs] *n мед.* гемо́лиз

haemophilia [ˌhi:mə'fɪlɪə] *n мед.* гемофили́я

haemophiliac [ˌhi:mə'fɪlɪæk] *мед.* **1.** *n* страда́ющий гемофили́ей

2. *a* гемофили́ческий

haemorrhage ['hemərɪdʒ] **1.** *n* 1) кровоизлия́ние 2) кровотече́ние

2. *v* кровото́чить, истека́ть кро́вью

haemorrhoids ['hemərɔɪdz] *n pl мед.* геморро́й

haemostatic [ˌhi:mə'stætɪk] **1.** *a* кровоостана́вливающий

2. *n* кровоостана́вливающее сре́дство

hafnium ['hæfnɪəm] *n хим.* га́фний

haft [hɑ:ft] *n* черено́к, рукоя́тка, ру́чка

hag [hæg] *n* 1) ста́рая ве́дьма, карга́, фу́рия 2) ве́дьма, колду́нья

haggard ['hægəd] *a* измождённый, изму́ченный; осу́нувшийся

haggis ['hægɪs] *n шотл.* ли́вер в теля́чьем рубце́

haggish ['hægɪʃ] *a* похо́жий на ве́дьму, безобра́зный

haggle ['hægl] *v* 1) торгова́ться (about, over — o) 2) придира́ться, находи́ть недоста́тки 3) неуме́ло ре́зать; руби́ть; кромса́ть

hagiographer [ˌhægɪ'ɒgrəfə] *n* агио́граф, состави́тель жизнеописа́ния святы́х

hagiographic [ˌhægɪə'græfɪk] *a* относя́щийся к жизнеописа́нию святы́х

hagiography [ˌhægɪ'ɒgrəfɪ] *n* агиогра́фия, жизнеописа́ния святы́х

hagridden ['hægˌrɪdn] *a* 1) му́чимый кошма́рами 2) пода́вленный, в угнетённом состоя́нии

hah [hɑ:] = ha

ha-ha I [hɑ:'hɑ:] **1.** *int* ха-ха-ха́!

2. *n* смех, хо́хот

3. *v* смея́ться, хохота́ть

ha-ha II [hɑ:'hɑ:] *n* ни́зкий забо́рчик (*вокруг сада, поля*); кана́ва с опо́рной сте́нкой

haiku ['haɪku:] *n* ха́йку, хо́кку (*японское лирическое трёхстишие*)

hail I [heɪl] **1.** *n* град; ~ of fire *воен.* си́льный ого́нь

2. *v* 1) (*в безл. оборотах*): it ~s, it is ~ing идёт град 2) осыпа́ть гра́дом (*ударов и т. п.*) 3) сы́паться гра́дом (*тж. перен.*)

hail II [heɪl] **1.** *n* приве́тствие, о́клик; out of ~ за преде́лами слы́шимости, вдали́; within ~ на расстоя́нии слы́шимости го́лоса

2. *v* 1) приве́тствовать; поздравля́ть 2) оклика́ть, звать; to ~ a taxi останови́ть такси́ 3) *мор.* оклика́ть (*судно*) ◇ to ~ from a) *мор.* идти́ из (*какого-л. порта*); б) происходи́ть из; where do you ~ from? отку́да вы ро́дом?

3. *int* приве́т!

hail-fellow(-well-met) [ˌheɪlfeləʊ(wel-'met)] *a* дру́жеский, приятельский, бли́зкий; to be ~ with everyone быть со все́ми в прия́тельских отноше́ниях

hailstone ['heɪlstəʊn] *n* гра́дина

hailstorm ['heɪlstɔ:m] *n* ли́вень; гроза́ с гра́дом; си́льный град

hain't [heɪnt] *диал.* = have not, has not

hair [heə] *n* 1) во́лос, волосо́к 2) во́лосы; to cut one's ~ стри́чься, остри́чься; to let one's ~ down а) распусти́ть во́лосы; б) переста́ть себя́ сде́рживать; в) держа́ться развя́зно; г) излива́ть ду́шу; to lose one's ~ а) лысе́ть; б) рассерди́ться, потеря́ть самооблада́ние 3) шерсть (*животного*) 4) щети́на; и́глы (*дикобраза и т. п.*) 5) *текст.* ворс ◇ to a ~ точь-в-то́чь; то́чно; within a ~ of на волосо́к от; to have more ~ than wit быть дурако́м; keep your ~ on! не горячи́тесь!; not to turn a ~ ≅ гла́зом не моргну́ть; не выка́зывать боя́зни, смуще́ния, уста́лости *и т. п.*; to split ~s спо́рить о мелоча́х, придира́ться к пустяка́м; to take a ~ of the dog that bit you *посл.* ≅ а) клин кли́ном вышиба́ть; чем уши́бся, тем и лечи́сь; б) опохмеля́ться; it made his ~ stand on end от э́того у него́ во́лосы вста́ли ды́бом

hairbreadth ['heəbredθ] = hair's breadth

hairbrush ['heəbrʌʃ] *n* щётка для воло́с

hairclipper ['heəˌklɪpə] *n* маши́нка для стри́жки воло́с

haircloth ['heəklɒθ] *n* 1) мате́рия из во́лоса, волосяна́я ткань, борто́вка 2) *рел.* власяни́ца

haircut ['heəkʌt] *n* стри́жка

hairdo ['heədu:] *n* причёска; укла́дка воло́с

hairdresser ['heədresə] *n* парикма́хер

hair-drier ['heədraɪə] *n* фен, электри́ческий прибо́р для су́шки воло́с

hairgrip ['heəgrɪp] *n* зако́лка для воло́с (*с зубчиками, которые держат волосы*)

hairiness ['heərɪnəs] *n* волоса́тость

hairless ['heələs] *n* безволо́сый, лы́сый

hairline ['heəlaɪn] *n* 1) то́нкая, волосна́я ли́ния 2) бечёвка, ле́са́ (*из волоса*) 3) *attr.* то́нкий, волосно́й; ~ crack *тех.* волосна́я тре́щина; ~ distinction то́нкое разли́чие

hairnet ['heənet] *n* се́тка для воло́с

hair pencil ['heəˌpensl] *n* то́нкая кисть для акваре́ли

hairpiece ['heəpi:s] *n* шиньо́н

hairpin ['heəpɪn] *n* шпи́лька ◇ ~ bend круто́й поворо́т доро́ги

hair-raiser ['heəreɪzə] *n разг.* фильм, кни́га *и т. п.* у́жасов

hair-raising ['heəreɪzɪŋ] *a* стра́шный, ужа́сный

hair's breadth ['heəzbredθ] *n* ничто́жное, минима́льное расстоя́ние; by a ~ са́мую ма́лость ◇ within (*или* by) a ~ of death на волосо́к от сме́рти

hair shirt [ˌheə'ʃɜ:t] *n рел.* власяни́ца

hair-shirt ['heəʃɜ:t] *a* аскети́чный, гото́вый к самопоже́ртвованию

hair-slide ['heəslaɪd] *n* зако́лка для воло́с

hair-splitting ['heəsplɪtɪŋ] **1.** *n* ме́лочный педанти́зм, копа́ние в мелоча́х

2. *a* ме́лкий; пустяко́вый, незначи́тельный

hairspray ['heəspreɪ] *n* лак для воло́с

hairspring ['heəsprɪŋ] *n* волоско́вая пружи́нка, волосо́к (*в часовом механизме*)

hairstyle ['heəstaɪl] *n* причёска

hair trigger ['heəˌtrɪgə] *n воен.* спусково́й крючо́к, тре́бующий сла́бого нажа́тия

hair-trigger ['heəˌtrɪgə] *a разг.* вспы́льчивый

hairworm ['heəwɜ:m] *n зоол.* волоса́тик

hairy ['heərɪ] *a* 1) покры́тый волоса́ми, волоса́тый 2) ворси́стый (*о ткани*) 3) *разг.* проти́вный; тру́дный, ерши́стый

Haitian ['heɪʃn] **1.** *a* гаитя́нский

2. *n* гаитя́нин; гаитя́нка

hajj [hædʒ] *n* хадж

hajji ['hædʒɪ] *n* хаджи́ (*мусульманин, совершивший хадж*)

hake [heɪk] *n* хек

hakim I [hə'ki:m] *араб. n* врач

hakim II ['hɑ:kɪm] *араб. n* судья́; прави́тель, кру́пный чино́вник

halation [hə'leɪʃn] *n фото* орео́л

halberd ['hælbəd] *n ист.* алеба́рда

halberdier [ˌhælbə'dɪə] *n ист.* алеба́рдщик

halcyon ['hælsɪən] **1.** *n поэт.* зиморо́док

2. *a* ти́хий, безмяте́жный; ~ days ми́рные, счастли́вые дни

hale I [heɪl] *a* здоро́вый, кре́пкий (*преим. о стариках*); ~ and hearty кре́пкий и бо́дрый

hale II [heɪl] *v* тащи́ть, тяну́ть (*тж. перен.*)

half [hɑ:f] **1.** *n* (*pl* halves) 1) полови́на; ~ a mile полми́ли; ~ (an hour) past two (o'clock) полови́на тре́тьего 2) часть (*чего-л.*); the larger ~ бо́льшая часть 3) семе́стр; the winter (summer) ~ зи́мний (ле́тний) семе́стр 4) *разг.* = halfback 5) *разг.* полпи́нты пи́ва; полсто́пки ви́ски 6) *спорт.* полови́на игры́ 7) *разг.* полбиле́та, биле́т со ски́дкой в 50% 8) *амер. разг.* полдо́ллара 9) *юр.* сторона́ (*в договорах и т. п.*) ◇ to go halves in smth. дели́ть что-л. по́ровну; to have ~ a mind to do smth. быть не прочь сде́лать что-л.; to do smth. by halves де́лать что-л. ко́е-ка́к; недоде́лывать; too clever by ~ *ирон.* сли́шком уж умён

2. *a* 1) полови́нный 2) непо́лный, части́чный

3. *adv* 1) наполови́ну; полу-; ~ raw полусыро́й 2) в значи́тельной сте́пени, почти́ <> ~ as much в два ра́за ме́ньше; ~ as much again в полтора́ ра́за бо́льше; not ~ a) о́чень, ужа́сно; he didn't ~ swear он отча́янно руга́лся; б) отню́дь нет; как бы не так; I don't ~ like it мне э́то совсе́м не нра́вится; not ~ bad недурно

half-a-crown [ˌhɑːfəˈkraʊn] = half-crown

half-and-half [ˌhɑːfnˈhɑːf] 1. *n* 1) смесь двух напи́тков, *напр.*, по́ртер и эль попола́м 2) *тех.* полови́нник (*припой из равных частей олова и свинца*)

2. *a* 1) сме́шанный в ра́вных коли́чествах 2) полови́нчатый; нереши́тельный 3) ни то ни сё

3. *adv* попола́м

halfback [ˈhɑːfbæk] *n спорт.* полузащи́тник

half-baked [ˌhɑːfˈbeɪkt] *a* 1) недопечённый, полусыро́й 2) непроду́манный, неразрабо́танный 3) незре́лый, нео́пытный 4) с при́дурью

half-binding [ˈhɑːfˌbaɪndɪŋ] *n полигр.* комбини́рованный переплёт

half blood [ˈhɑːfblʌd] *n* 1) брат, сестра́ то́лько по одному́ из роди́телей 2) родство́ по одному́ из роди́телей 3) = half-breed

half-bred [ˈhɑːfbred] *a* сме́шанного происхожде́ния, нечистокро́вный; a ~ horse ло́шадь-полукро́вка

half-breed [ˈhɑːfbriːd] *n* 1) (*часто пренебр.*) мети́с 2) *с.-х.* полукро́вка

half-brother [ˈhɑːfbrʌðə] *n* единокро́вный *или* единоутро́бный брат

half-caste [ˈhɑːfkɑːst] *n* (*часто пренебр.*) челове́к сме́шанной ра́сы

half cock [ˌhɑːfˈkɒk] *n воен.* предохрани́тельный взвод; уда́рник на пе́рвом взво́де <> to go off at ~ говори́ть *или* поступа́ть необду́манно, опроме́тчиво

half-cocked [ˌhɑːfˈkɒkt] *a* 1) на предохрани́тельном взво́де 2) неподгото́вленный

half-crown [ˌhɑːfˈkraʊn] *n ист.* полкро́ны (*монета в 2 шиллинга 6 пенсов*)

half-dollar [ˌhɑːfˈdɒlə] *n* полдо́ллара (*американская или канадская монета в 50 центов*)

half-done [ˌhɑːfˈdʌn] *a* 1) сде́ланный наполови́ну 2) недова́ренный, недожа́ренный

half-dozen [ˌhɑːfˈdʌzn] *n* полдю́жины

half-hardy [ˌhɑːfˈhɑːdɪ] *a* не выде́рживающий зимы́ на откры́том во́здухе (*о растении*); ~ plant грунтово́е расте́ние, тре́бующее прикры́тия на́ зиму

half-hearted [ˌhɑːfˈhɑːtɪd] *a* 1) равноду́шный, не проявля́ющий энтузиа́зма; a ~ consent сде́ржанное, неохо́тное согла́сие 2) нереши́тельный, вя́лый

halfheartedly [ˌhɑːfˈhɑːtɪdlɪ] *adv* без осо́бого энтузиа́зма, нереши́тельно

half-holiday [ˌhɑːfˈhɒlədeɪ] *n* сокращённый рабо́чий день

half hose [ˌhɑːfˈhəʊz] *n* го́льфы; носки́

half-hour [ˌhɑːfˈaʊə] *n* полчаса́

half-hourly [ˌhɑːfˈaʊəlɪ] *a* получасово́й, происходя́щий ка́ждые полчаса́

half-length [ˌhɑːfˈleŋθ] 1. *n* поясно́й портре́т

2. *a* поясно́й (*о портрете и т. п.*)

half-life [ˈhɑːflaɪf] *n физ.* пери́од полураспа́да (*радиоактивного элемента*)

half-light [ˈhɑːflaɪt] *n* 1) полутьма́; су́мерки 2) *жив.* полуто́н 3) *attr.* нея́ркий; пло́хо освещённый

half-mast [ˌhɑːfˈmɑːst] 1. *n*: flag at ~ приспу́щенный флаг

2. *v* приспуска́ть (*флаг в знак траура*)

half measure [ˈhɑːfmeʒə] *n* полуме́ра

half moon [ˌhɑːfˈmuːn] *n* 1) полуме́сяц 2) *воен. ист.* равели́н

half pay [ˌhɑːfˈpeɪ] *n* полови́нный окла́д

halfpenny [ˈheɪpnɪ] 1. *n* (*pl* halfpence [ˈheɪpəns], halfpennies [ˈheɪpnɪz]) *ист.* полпе́нса

2. *a разг.* грошо́вый; дешёвый и мишу́рный

halfpennyworth [ˈheɪpnɪwɜːθ] *n* 1) на полпе́нса чего́-л.; что-л. ценой в полпе́нса 2) *разг.* ничто́жное коли́чество, ка́пля

half-pint [hɑːfˈpaɪnt] *n* 1) полови́на пи́нты; буты́лка в полпи́нты 2) *разг.* коро́тышка

half-pound [ˌhɑːfˈpaʊnd] 1. *n* полфу́нта

2. *a* ве́сящий полфу́нта

half-pounder [ˌhɑːfˈpaʊndə] *n* предме́т, ве́сящий полфу́нта

half-price [ˌhɑːfˈpraɪs] 1. *n* полцены́; at ~ за полцены́

2. *adv* за полцены́, с пятидесятипроце́нтной ски́дкой; children are admitted ~ на де́тские биле́ты ски́дка пятьдеся́т проце́нтов

half-roll [ˌhɑːfˈrəʊl] *n ав.* переворо́т че́рез крыло́, полубо́чка

half-round [ˌhɑːfˈraʊnd] 1. *n* полукру́г

2. *a* полукру́глый

half-seas-over [ˌhɑːfsiːzˈəʊvə] *a sl.* подвы́пивший

half sister [ˈhɑːfsɪstə] *n* единокро́вная *или* единоутро́бная сестра́

half-sovereign [ˌhɑːfˈsɒvrɪn] *n ист.* полсовере́на (*английская золотая монета в 10 шиллингов*)

half-staff [ˌhɑːfˈstɑːf] = half-mast 1

half-term [ˌhɑːfˈtɜːm] *n* двух- или трёхдне́вные кани́кулы шко́льной че́тверти

half-time [ˌhɑːfˈtaɪm] *n* 1) непо́лная рабо́чая неде́ля; непо́лный рабо́чий день; to work ~ рабо́тать непо́лный день *или* непо́лную неде́лю 2) непо́лная зарпла́та 3) *спорт.* переры́в ме́жду та́ймами

half-timer [ˈhɑːfˌtaɪmə] *n* 1) полубезрабо́тный; рабо́чий, за́нятый непо́лную неде́лю 2) уча́щийся, освобождённый от ча́сти заня́тий (*из-за работы*)

half-title [ˌhɑːfˈtaɪtl] *n полигр.* шмуцти́тул

halftone [ˌhɑːfˈtəʊn] *n* 1) *муз.*, *жив.* полуто́н 2) *полигр.* автоти́пия

half-track [ˈhɑːftræk] *n воен.* полугу́сеничная маши́на

half-truth [ˈhɑːftruːθ] *n* полупра́вда

halfway [ˌhɑːfˈweɪ] 1. *a* лежа́щий на полпути́ <> ~ house a) гости́ница на полпути́; б) компроми́сс

2. *adv* 1) на полпути́ 2) наполови́ну; части́чно <> to meet smb. ~ пойти́ навстре́чу кому́-л.; пойти́ на компроми́сс, на усту́пки

halfwit [ˈhɑːfwɪt] *n* слабоу́мный; дурачо́к

halfwitted [ˌhɑːfˈwɪtɪd] *a* слабоу́мный, придуркова́тый

half-year [ˌhɑːfˈjɪə] *n* 1) полго́да 2) семе́стр

half-yearly [ˌhɑːfˈjɪəlɪ] 1. *a* полугодово́й

2. *n* изда́ние, выходя́щее раз в полго́да

3. *adv* раз в полго́да

halibut [ˈhælɪbət] *n* па́лтус

halite [ˈhælaɪt] *n мин.* гали́т, ка́менная соль

halitosis [ˌhælɪˈtəʊsɪs] *n мед.* дурно́й за́пах изо рта́

hall [hɔːl] *n* 1) холл; приёмная, вестибю́ль 2) *амер.* коридо́р 3) зал; больша́я ко́мната; banqueting ~ зал для банке́тов; servants' ~ помеще́ние для слуг 4) зда́ние, помеще́ние обще́ственного хара́ктера; Surgeons' H. помеще́ние ассоциа́ции хиру́ргов 5) общежи́тие при университе́те 6) столо́вая университе́тского ко́лледжа 7) обе́д в университе́тской столо́вой 8) поме́щичий дом, уса́дьба 9) *поэт.* черто́г

halleluja(h) [ˌhælɪˈluːjə] *n int* аллилу́йя

halliard [ˈhæljəd] = halyard

hallmark [ˈhɔːlmɑːk] 1. *n* 1) проби́рное клеймо́, про́ба 2) отличи́тельный при́знак; крите́рий

2. *v* 1) ста́вить про́бу 2) устана́вливать крите́рий

hallo [həˈləʊ] 1. *int* алло́!, приве́т!

2. *n* приве́тствие; приве́тственный во́зглас; во́зглас удивле́ния *и т. п.*

3. *v* здоро́ваться; звать, оклика́ть

halloo [həˈluː] 1. *int* 1) ату́! 2) эй!

2. *v* 1) кри́ком привлека́ть внима́ние 2) натра́вливать соба́к 3) подстрека́ть, нау́ськивать

hallow I [həˈləʊ] = halloo

hallow II [ˈhæləʊ] 1. *n*: All ~s = Hallowmas

2. *v* 1) освяща́ть 2) почита́ть, чтить

Hallowe'en [ˌhæləʊˈiːn] *n* кану́н Дня всех святы́х

Hallowmas [ˈhæləʊmæs] *n церк.* День всех святы́х (*1 ноября*)

hallucinate [həˈluːsɪneɪt] *n* 1) вызыва́ть галлюцина́цию 2) галлюцини́ровать; страда́ть галлюцина́циями

hallucination [həˌluːsɪˈneɪʃn] *n* галлюцина́ция

hallucinatory [həˈluːsɪnətərɪ] *a* 1) вызыва́ющий галлюцина́ции 2) характеризу́ющийся галлюцина́циями

hallucinogen [ˌhæluːˈsɪnədʒən] *n* галлюциноге́н

hallway [ˈhɔːlweɪ] *n* 1) *амер.* коридо́р 2) прихо́жая

halm [hɑːm] = haulm

halo [ˈheɪləʊ] **1.** *n* (*pl* -oes [-əʊz]) 1) ве́нчик, нимб 2) орео́л, сия́ние 3) *астр.* гало́

2. *v* окружа́ть орео́лом

halogen [ˈhælədʒən] *n хим.* галоге́н

haloid [ˈhælɔɪd] *n хим.* гало́ид

halt I [hɔːlt] **1.** *n* 1) прива́л; остано́вка 2) полуста́нок, платфо́рма

2. *v* остана́вливать(ся); де́лать прива́л

3. *int* стой! (*команда*)

halt II [hɔːlt] *v* 1) колеба́ться 2) запина́ться 3) хрома́ть

halter [ˈhɔːltə] **1.** *n* 1) по́вод, недоу́здок; to put a ~ upon (*или* on) smb. обузда́ть, взнузда́ть, оседла́ть кого́-л. 2) верёвка с пе́тлей на ви́селице; уда́вка

2. *v* 1) надева́ть недоу́здок; приуча́ть к узде́ 2) ве́шать (*казнить*)

halting [ˈhɔːltɪŋ] *a* 1) запина́ющийся 2) хрома́ющий, спотыка́ющийся

halve [hɑːv] *v* 1) дели́ть попола́м 2) уменьша́ть, сокраща́ть наполови́ну 3) *стр.* соединя́ть вполдерева

halves [hɑːvz] *pl от* half 1

halyard [ˈhæljəd] *n мор.* фал

ham [hæm] **1.** *n* 1) о́корок, ветчина́ 2) бедро́, ля́жка 3) *pl разг.* зад 4) *разг.* плохо́й актёр; плоха́я игра́ 5) *разг.* радиолюби́тель

2. *v разг.* пло́хо игра́ть, переи́грывать (*об актёре*)

hamate [ˈheɪmeɪt] *a редк.* крючкова́тый

Hamburg [ˈhæmbɜːg] *n* 1) сорт чёрного виногра́да 2) га́мбургская поро́да кур

hamburger [ˈhæmbɜːgə] *n* га́мбургер, бу́лочка с ру́бленым бифште́ксом

ham-fisted [ˌhæmˈfɪstɪd] *a разг.* неуклю́жий

ham-handed [ˌhæmˈhændɪd] = ham-fisted

hamlet [ˈhæmlət] *n* дере́вня, дереву́шка

hammer [ˈhæmə] **1.** *n* 1) молото́к; мо́лот 2) молото́чек (*в различных механизмах*) 3) куро́к, уда́рник 4) молото́к аукциони́ста 5) *анат.* молото́чек (*уха*) ◇ ~ and tongs с воодушевле́нием; энерги́чно; изо все́й си́лы; to go at it ~ and tongs а) взя́ться за что-л. с воодушевле́нием; изо все́х си́л стара́ться; б) набро́ситься, напа́сть

2. *v* 1) ударя́ть, бить 2) стуча́ть, колоти́ть (at — в) 3) взбива́ть, вкола́чивать (in, into — в); прибива́ть 4) кова́ть, чека́нить 5) втолко́вывать, вбива́ть в го́лову 6) *разг.* победи́ть, разгроми́ть (*в сражении, состязании*) 7) суро́во критикова́ть 8) объявля́ть несостоя́тельным должнико́м ▭ ~ **away at** *разг.* а) упо́рно рабо́тать над *чем-л.*; продолжа́ть де́лать (*что-л.*); рабо́тать над *чем-л.*; б) упо́рно повторя́ть, долби́ть; ~ **down** урегули́ровать; ~ **out** а) *тех.* выко́вывать; расплю́щивать; б) приду́мывать; составля́ть; изобрета́ть; ~ **together** сбива́ть, скола́чивать ◇ to ~ it home to smb. внуши́ть кому́-л., довести́ до чьего́-л. созна́ния

hammer-blow [ˈhæməbləʊ] *n* тяжёлый, сокруши́тельный уда́р

hammerer [ˈhæmərə] *n* молотобо́ец

hammerhead [ˈhæməhed] *n* 1) голо́вка молотка́ 2) *зоол.* мо́лот-ры́ба

hammering [ˈhæmərɪŋ] **1.** *pres. p. от* hammer 2

2. *n* 1) ко́вка, чека́нка 2) стук, уда́ры; to give a good ~ *разг.* отдуба́сить

3. *a* сокруши́тельный

hammerman [ˈhæməmən] = hammerer

hammer scale [ˈhæməskeɪl] *n тех.* молотобо́ина, ока́лина

hammersmith [ˈhæməsmɪθ] *n* кузне́ц

hammer-throwing [ˈhæməˌθrəʊɪŋ] *n спорт.* мета́ние мо́лота

hammock [ˈhæmək] *n* гама́к; подвесна́я ко́йка

hammy [ˈhæmɪ] *n разг.* переи́грывающий (*об актёре*); ходу́льный, неесте́ственный (*об исполнении*)

hamper I [ˈhæmpə] *v* 1) затрудня́ть, стесня́ть движе́ния; to ~ the progress of business препя́тствовать успе́ху де́ла 2) препя́тствовать, меша́ть

hamper II [ˈhæmpə] *n* 1) корзи́на с кры́шкой 2) корзи́на, паке́т с ла́комствами, гости́нцами

hamshackle [ˈhæmʃækl] *v* опу́тывать, спу́тывать (*животное*)

hamster [ˈhæmstə] *n зоол.* хомя́к

hamstring [ˈhæmstrɪŋ] **1.** *n* подколе́нное сухожи́лие

2. *v* (hamstringed [-d], hamstrung) 1) подреза́ть поджи́лки 2) подреза́ть кры́лья; ре́зко ослабля́ть; кале́чить

hamstrung [ˈhæmstrʌŋ] *past и p. p. от* hamstring 2

hand [hænd] **1.** *n* 1) рука́ (*кисть*); ~ in ~ рука́ о́б руку; ~s up! ру́ки вверх! by ~ а) от руки́; ручны́м спо́собом; б) самоли́чно 2) пере́дняя ла́па *или* нога́ 3) (*часто pl*) власть, контро́ль; in ~ а) в рука́х; в подчине́нии; to keep in ~ держа́ть в рука́х, в подчине́нии; б) в исполне́нии; в рабо́те; в) нали́чный; в нали́чности; to get out of ~ вы́йти из подчине́ния; отби́ться от рук 4) по́мощь, акти́вная подде́ржка; to give a ~ оказа́ть по́мощь 5) стре́лка часо́в 6) крыло́ (*семафора*) 7) указа́тель (*изображение руки с вытянутым указательным пальцем*) 8) сторона́, положе́ние; on all ~s со всех сторо́н 9) ло́вкость, уме́ние; a ~ for (*или* at) smth. иску́сство в чём-л. 10) исполни́тель; ма́стер; a picture by the same ~ карти́на того́ же худо́жника; to be a good ~ at (*или* in) smth. быть иску́сным в чём-л.; to be an old (poor) ~ at smth. быть о́пытным, иску́сным (сла́бым) в чём-л. 11) по́черк; small ~ ме́лкий по́черк 12) *книжн.* по́дпись; under one's ~ and seal за по́дписью и печа́тью тако́го-то 13) исто́чник (*сведений и т. п.*); at first ~ из пе́рвых рук; непосре́дственно; at second ~ из вторы́х рук; по чьим-л. слова́м 14) согла́сие на брак 15) рабо́тник; рабо́чий; factory ~ фабри́чный рабо́чий 16) *pl* экипа́ж, кома́нда су́дна; all ~s on deck! все наве́рх! 17) *карт.* игро́к; па́ртия; ка́рты на рука́х у игрока́ 18) *разг.* аплодисме́нты; big ~ продолжи́тельные аплодисме́нты, успе́х 19) ладо́нь (*как мера*); 10 сантиме́тров (*при измерении роста лошади*) 20) гроздь бана́нов 21) *attr.* ручно́й 22) *attr.* сде́ланный ручны́м спо́собом; управля́емый вручну́ю ◇ on the one ~ ... on the other ~ с одно́й стороны́... с друго́й стороны́; at ~ находя́щийся под руко́й; бли́зкий (*тж. о времени*); on ~ а) име́ющийся в распоряже́нии, на рука́х; on one's ~s на чье́й-л. отве́тственности; б) *амер.* налицо́, побли́зости; to ~ под руко́й, налицо́; off ~ а) без подгото́вки, экспро́мтом; б) бесцеремо́нный [*см.* offhand]; out of ~ без подгото́вки, сра́зу; экспро́мтом; ~s off! ру́ки прочь! off one's ~s с рук доло́й; ~ and foot а) по рука́м и нога́м; to bind ~ and foot связа́ть по рука́м и нога́м; б) усе́рдно; ~ and glove with smb. о́чень бли́зкий, в те́сной свя́зи с кем-л.; ~s down легко́, без уси́лий; ~ over ~, ~ over fist бы́стро, прово́рно; to come to ~ прибыва́ть, поступа́ть; получа́ться; to suffer at smb.'s ~s натерпе́ться от кого́-л.; to have (*или* to take) a ~ in smth. уча́ствовать в чём-л.; вме́шиваться во что-л.; to bring up by ~ вы́кормить рожко́м, иску́сственно; to send by ~ посла́ть с на́рочным; переда́ть че́рез кого́-л.; to live from ~ to mouth жить без уве́ренности в бу́дущем; жить впро́голодь, ко́е-ка́к своди́ть концы́ с конца́ми; to keep one's ~ in at smth. продолжа́ть занима́ться чем-л., не теря́ть иску́сства в чём-л.; to put (*или* to set) one's ~s to smth. предприня́ть, нача́ть что-л.; бра́ться за что-л.; with a heavy ~ жесто́ко; with a high ~ высокоме́рно; своево́льно; дёрзко; to have (*или* to gain, to get) the upper ~ име́ть превосхо́дство, госпо́дствовать

2. *v* 1) вруча́ть, передава́ть; предоставля́ть; would you kindly ~ me the salt? переда́йте, пожа́луйста, соль; they ~ed him a surprise они́ преподнесли́ ему́ сюрпри́з 2) помо́чь (*войти, пройти*; into, out of, to); to ~ a lady into a bus помо́чь же́нщине сесть в авто́бус 3) *разг.* сли́шком легко́ уступи́ть ▭ ~ **down** а) подава́ть све́рху; б) помо́чь сойти́ вниз; в) передава́ть из поколе́ния в поколе́ние; г) передава́ть (*что-л.*) во владе́ние; ~ **in** а) вруча́ть, подава́ть (*заявление*); to ~ in one's resignation пода́ть проше́ние об отста́вке; б) посади́ть (*в машину и т. п.*); ~ **on** передава́ть, пересыла́ть; ~ **out** а) выдава́ть, раздава́ть; б) *разг.* тра́тить де́ньги; в) помо́чь сойти́, вы́йти; ~ **over** а) передава́ть (друго́му); б) *воен.* сдава́ть; ~ **round** раздава́ть, разноси́ть; ~ **up** подава́ть сни́зу вверх ◇ to ~ it to smb. а) призна́ть чьё-л. превосхо́дство; б) дать высо́кую оце́нку

handbag [ˈhændbæg] *n* 1) да́мская су́мка, су́мочка 2) чемода́н, саквоя́ж

handball [ˈhændbɔːl] *n спорт.* гандбо́л, ручно́й мяч

handbarrow ['hændbærəʊ] *n* 1) носи́лки 2) ручна́я теле́жка, та́чка

handbasin ['hændbeɪsn] *n* ра́ковина в ва́нной ко́мнате

handbell ['hændbel] *n* колоко́льчик

handbill ['hændbɪl] *n* рекла́мный листо́к

handbook ['hændbʊk] *n* 1) руково́дство; спра́вочник; указа́тель 2) кни́жка букме́кера

handbook man ['hændbʊkmæn] *n амер.* букме́кер

handbrake ['hændbreɪk] *n* ручно́й то́рмоз

handcar ['hændkɑ:] *n амер.* дрези́на

handcart ['hændkɑ:t] *n* ручна́я теле́жка

handclap ['hændklæp] *n* аплодисме́нты, рукоплеска́ния

handcuff ['hændkʌf] **1.** *n* (*обыкн. pl*) нару́чник

2. *v* надева́ть нару́чники

handful ['hændfʊl] *n* 1) при́горшня; горсть 2) ма́ленькая ку́чка, гру́ппа; го́рсточка 3) *разг.* кто-л. *или* что-л., доставля́ющее беспоко́йство; «беда́», «наказа́ние»; that boy is a ~! э́тот мальчи́шка — и́стинное наказа́ние!

handglass ['hændglɑ:s] *n* 1) ручна́я лу́па 2) ручно́е зе́ркальце

hand-grenade ['hændgrɪ,neɪd] *n* ручна́я грана́та

handgrip ['hændgrɪp] *n* 1) рукопожа́тие, сжа́тие руки́ 2) *pl* схва́тка врукопа́шную 3) рукоя́тка

handgun ['hændgʌn] *n* ручно́е огнестре́льное ору́жие, пистоле́т *или* револьве́р

handhold ['hændhəʊld] *n* 1) опо́ра, то, за что мо́жно ухвати́ться руко́й (*напр.*, вы́ступ скалы́, ве́тка де́рева *и т. п.*) 2) рукоя́тка 3) по́ручень, пери́ла

handicap ['hændɪkæp] **1.** *n* 1) *спорт.* гандика́п; соревнова́ния с гандика́пом 2) *авто* го́нки по пересечённой ме́стности 3) поме́ха; препя́тствие 4) физи́ческий недоста́ток *или* уве́чье

2. *v* 1) *спорт.* уравнове́шивать си́лы; ура́внивать усло́вия 2) ста́вить в невы́годное положе́ние; быть поме́хой; to be ~ped испы́тывать затрудне́ния; physically ~ped страда́ющий каки́м-л. физи́ческим недоста́тком

handicraft ['hændɪkrɑ:ft] *n* 1) ремесло́; ручна́я рабо́та 2) иску́сство реме́сленника 3) *attr.* реме́сленный, куста́рный; ~ industry реме́сленное произво́дство; куста́рное произво́дство

handicraftsman ['hændɪkrɑ:ftsmən] *n* реме́сленник

handie-talkie [,hændɪ'tɔ:kɪ] *n разг.* портати́вная ду́плексная радиоста́нция (*для связи на ходу*)

handiwork ['hændɪwɜ:k] *n* 1) ручна́я рабо́та; рукоде́лие 2) вещь, изде́лие ручно́й рабо́ты, а́вторская рабо́та

handkerchief ['hæŋkətʃɪf] *n* 1) носово́й плато́к 2) ше́йный плато́к, косы́нка

hand-knitted ['hændnɪtɪd] *a* ручно́й вя́зки, свя́занный на спи́цах

hand-lamp ['hændlæmp] *n* перено́сная электри́ческая ла́мпа (*для осмотра машин*)

handle ['hændl] **1.** *n* 1) ру́чка, рукоя́ть; рукоя́тка 2) удо́бный слу́чай, предло́г; to give (*или* to leave) a ~ to smth. дать по́вод к чему́-л. ◇ a ~ to one's name ти́тул

2. *v* 1) брать рука́ми, держа́ть в рука́х 2) де́лать (*что-л.*) рука́ми; перебира́ть, перекла́дывать *и т. п.* 3) управля́ть, регули́ровать; the car ~s well маши́на легка́ в управле́нии; he is hard to ~ с ним тру́дно договори́ться 4) уха́живать (*за машиной, скотом, растениями, землёй*) 5) обходи́ться, обраща́ться с *кем-л.*, *чем-л.* 6) *ком.* торгова́ть (*чем-л.*) 7) трактова́ть; обсужда́ть, разбира́ть

handlebar ['hændlbɑ:] *n* (*обыкн. pl*) руль велосипе́да

handling ['hændlɪŋ] **1.** *pres. p. от* handle 2

2. *n* 1) обхожде́ние; обраще́ние (*с кем-л., с чем-л.*) 2) ухо́д; обрабо́тка; ~ of land ухо́д за землёй 3) управле́ние; ~ of men расстано́вка рабо́чей си́лы 4) тракто́вка (*темы*); подхо́д к реше́нию (*вопросов и т. п.*)

handlist ['hændlɪst] **1.** *n* кра́ткий алфави́тный спи́сок (*обязательной литературы и т. п.*)

2. *v* составля́ть кра́ткий алфави́тный спи́сок

handmade [,hænd'meɪd] *a* ручно́й рабо́ты

handmaid(en) ['hændmeɪd(n)] *n* служа́нка

hand-me-down ['hændmɪdaʊn] *разг.* **1.** *n* 1) поде́ржанное пла́тье 2) дешёвое гото́вое пла́тье

2. *a* 1) поде́ржанный (*о платье*) 2) гото́вый, недорого́й (*о платье*)

hand-mill ['hændmɪl] *n* ручна́я ме́льница

hand-operated [,hænd'ɒpəreɪtɪd] *a* управля́емый вручну́ю

hand organ ['hænd,ɔ:gən] *n* шарма́нка

handout ['hændaʊt] *n* 1) ми́лостыня, подая́ние; пи́ща, оде́жда *и т. п.*, раздава́емые беспла́тно 2) официа́льное заявле́ние для печа́ти 3) рекла́мная листо́вка, проспе́кт 4) те́зисы (*доклада, лекции*)

handover ['hændəʊvə] *n* переда́ча (*из рук в руки*)

handpick [,hænd'pɪk] *v* тща́тельно выбира́ть, подбира́ть

handpicked [,hænd'pɪkt] *a* 1) вы́бранный, подо́бранный; ~ jury специа́льно подо́бранный соста́в прися́жных 2) *разг.* отбо́рный 3) *тех.* отсортиро́ванный вручну́ю

handrail ['hændreɪl] *n* 1) пери́ла 2) по́ручень

handsaw ['hændsɔ:] *n* ножо́вка, ручна́я пила́

handsel ['hændsəl] **1.** *n* 1) пода́рок к Но́вому го́ду *и т. п.*; пода́рок *или* угоще́ние, что́бы отме́тить нача́ло но́вого де́ла *и т. п.* 2) почи́н, до́брое нача́ло (*торговли и т. п.*) 3) зада́ток, зало́г; пе́рвый взнос 4) предвкуше́ние

2. *v* 1) дари́ть 2) нача́ть, сде́лать впервы́е 3) отмеча́ть откры́тие (*в торжественной обстановке*) 4) служи́ть хоро́шим предзнаменова́нием

handset ['hændset] *n* 1) телефо́нная тру́бка 2) телефо́н-тру́бка (*аппарат*)

handshake ['hændʃeɪk] *n* рукопожа́тие

hands-off [,hændz'ɒf] *a* 1) осно́ванный на невмеша́тельстве в дела́ други́х стран; the ~ policy поли́тика невмеша́тельства 2) *вчт.* не тре́бующий ручно́го вмеша́тельства

handsome ['hænsəm] *a* 1) краси́вый, ста́тный 2) ще́дрый 3) значи́тельный; a ~ sum изря́дная су́мма ◇ ~ is as (*или* that) ~ does *посл.* ≅ су́дят не по слова́м, а по дела́м

hands-on [,hændz'ɒn] *a вчт.* тре́бующий управле́ния че́рез клавиату́ру

handspike ['hændspaɪk] *n мор.* га́ншпуг

handspring ['hændsprɪŋ] *n* кувырка́нье «колесо́м»; to turn ~s кувырка́ться, де́лать «колесо́»

handstand ['hændstænd] *n спорт.* сто́йка на рука́х

hand-to-hand [,hændtə'hænd] *a воен.* рукопа́шный; ~ fighting рукопа́шный бой, рукопа́шная

handwork ['hændwɜ:k] *n* ручна́я рабо́та

handwriting ['hændraɪtɪŋ] *n* по́черк; sprawling ~ разма́шистый по́черк

handwritten [,hænd'rɪtn] *a* напи́санный от руки́

handy ['hændɪ] *a* 1) удо́бный (*для пользования*); портати́вный 2) легко́ управля́емый 3) (име́ющийся) под руко́й, бли́зкий 4) ло́вкий, иску́сный ◇ to come in ~ быть кста́ти, пригоди́ться

handyman ['hændɪmæn] *n* 1) на все ру́ки ма́стер 2) *разг.* матро́с

hang [hæŋ] **1.** *n* 1) вид; мане́ра; mark the ~ of the dress обрати́те внима́ние на то, как сиди́т пла́тье 2) осо́бенности, смысл, значе́ние (*чего-л.*); to get the ~ of smth. осво́иться с чем-л., приобрести́ сноро́вку в чём-л. 3) склон, скат; накло́н ◇ I don't care (*или* give) a ~ мне наплева́ть

2. *v* (hung, *но* hanged [-d] *в знач. вешать — казнить*) 1) ве́шать; подве́шивать; разве́шивать 2) прикрепля́ть, наве́шивать; to ~ a door наве́сить дверь; to ~ wallpaper окле́ивать обо́ями 3) выставля́ть карти́ны на вы́ставке 4) украша́ть (*картинами, гобеленами и т. п.*) 5) ве́шать (*казнить*); to ~ oneself пове́ситься 6) висе́ть; свиса́ть; to ~ by a thread висе́ть на волоске́ 7) сиде́ть (*о платье*); to ~ loose болта́ться, висе́ть, как на ве́шалке 8) висе́ть в во́здухе, пари́ть (*часто* over) 9) застрева́ть, заде́рживаться при спу́ске *и т. п.*; to ~ fire дать осе́чку; *перен.* ме́длить, ме́шкать ▭ **~ about, ~ around** а) *разг.* броди́ть вокру́г; окола́чиваться, шля́ться, слоня́ться; б) быть близким, надвигаться; there is a thunderstorm ~ing about надвигается гроза; в) тесниться вокруг; ~ **back** а) не решаться, робеть; б) пятиться, упираться; в) отставать; ~ **behind** отставать; ~ **down** свисать, ниспадать; to ~ down one's head повесить, понурить голову, унывать; ~ **on** а) упорствовать; б) повиснуть (*часто* to); прицепиться; крепко держаться; в) = ~ upon; ~ **out** а) вывешивать, развешивать (*флаги и т. п.*); б) *разг.* жить, квартировать; в) *разг.* болтаться; околачиваться; г) высовываться (*из окна*); ~ **over** а) нависать; *перен.* грозить, угрожать; б) остаться незаконченным; ~ **together** а) быть связным, логичным; соответствовать; б) держаться сплочённо, поддерживать друг друга; ~ **up** а) повесить *что-л.*; б) повесить телефонную трубку, дать отбой (*часто* on); в) *разг.* медлить, откладывать, оставлять нерешённым; ~ **upon** опираться, полагаться на; зависеть от ◇ to ~ heavy медленно тянуться (*о времени*); ~ it all! тьфу, пропасть!, пропади оно пропадом!; ~ you! убирайтесь к чёрту!; I am ~ed if I know провалиться мне на этом месте, если я что-нибудь знаю; to ~ up one's hat надолго остановиться (*у кого-л.*); to ~ upon smb.'s lips (*или* words) внимательно слушать, ловить каждое слово кого-л.

hangar ['hæŋə] *n* 1) ангар 2) навес, сарай

hangdog ['hæŋdɒg] **1.** *n* висельник; подлый человек

2. *a* 1) низкий, подлый 2) пристыженный, пристыжённый, виноватый (*о выражении лица*)

hanger ['hæŋə] *n* 1) тот, кто навешивает, наклеивает (*афиши и т. п.*) 2) вешатель, палач 3) то, что подвешено, висит, свисает (*напр.*, занавеска, верёвка колокола *и т. п.*) 4) крюк, крючок, вешалка (*платья*) 5) *тех.* подвеска; крюк, серьга; кронштейн 6) *мор.* кортик 7) *горн.* висячий бок выработки, месторождения

hanger-on [,hæŋər'ɒn] *n* (*pl* hangers-on) 1) прихлебатель; приспешник 2) навязчивый поклонник

hangers-on [,hæŋəz'ɒn] *pl от* hanger-on

hanging ['hæŋɪŋ] **1.** *pres. p. от* hang 2

2. *n* 1) вешание; подвешивание 2) смертная казнь через повешение 3) *pl* драпировки, портьеры ◇ ~ committee жюри по отбору картин для выставки; it's a ~ matter тут пахнет виселицей; ~ judge судья, слишком часто выносящий смертный приговор

3. *a* висячий, подвесной; ~ bridge висячий мост

hangman ['hæŋmən] *n* 1) палач, вешатель 2) «виселица» (*игра*)

hangnail ['hæŋneɪl] *n* 1) заусеница 2) ногтоеда, панариций

hangout ['hæŋaʊt] *n разг.* постоянное место сборищ *или* встреч

hangover ['hæŋəʊvə] *n* 1) похмелье 2) пережиток; наследие (*прошлого*)

hang-up ['hæŋʌp] *n sl.* эмоциональное расстройство, подавленность

hank [hæŋk] **1.** *n* 1) *текст.* моток 2) *мор.* бухта троса, кабеля

2. *v* сматывать

hanker ['hæŋkə] *v* страстно желать, жаждать (after, for)

hankering ['hæŋkərɪŋ] *n* страстное желание; стремление; to have a ~ for (after) smth. стремиться к чему-л.; очень хотеть чего-л.; тосковать

hankie, hanky ['hæŋkɪ] *n разг.* носовой платок

hanky-panky [,hæŋkɪ'pæŋkɪ] *n разг.* 1) безнравственность, распущенность 2) обман, мошенничество, проделки

Hanoverian [,hænəʊ'vɪərɪən] *a ист.* ганноверский; ~ House Ганноверская династия

Hansard ['hænsɑ:d] *n* официальный отчёт о заседаниях английского парламента

hansel ['hænsl] = handsel

hansom (cab) ['hænsəm(kæb)] *n* двухколёсный экипаж (*с местом для кучера*)

han't [hɑ:nt] *сокр. диал.* = have not, has not

hap [hæp] *v уст.* случаться, происходить

haphazard [hæp'hæzəd] **1.** *n* случай, случайность; at (*или* by) ~ случайно; наудачу

2. *a* 1) случайный 2) бессистемный

hapless ['hæpləs] *a поэт.* 1) несчастный, злополучный 2) незадачливый

ha'p'orth ['heɪpəθ] *разг. см.* halfpennyworth

happen ['hæpən] *v* 1) случаться, происходить (to *smb.* — с *кем-л.*); something must have ~ed очевидно, что-то случилось 2) (случайно) оказываться; I ~ed to be at home я как раз оказался дома; as it ~s I have left my money at home оказывается, я оставил деньги дома 3) случайно найти ▭ ~ **along**, *амер.* ~ **in** *разг.* случайно зайти; ~ **on**, ~ **upon** случайно натолкнуться, встретить

happening ['hæpənɪŋ] **1.** *pres. p. от* happen

2. *n* 1) случай, событие 2) *театр.* хэппенинг

happily ['hæpɪlɪ] *adv* 1) счастливо 2) к счастью 3) успешно; удачно

happiness ['hæpɪnəs] *n* счастье

happy ['hæpɪ] *a* 1) довольный, весёлый 2) счастливый; ~ man! счастливец!; ~ end счастливый конец (*романа, фильма и т. п.*); as ~ as the day is long очень счастливый 3) удачный, подходящий; ~ retort находчивый ответ; ~ guess правильная догадка; ~ hunting ground (благоприятный) шанс (*в выгодном деле и т. п.*); ~ thought (*или* idea) удачная мысль 4) *разг.* навеселе

happy event [,hæpɪɪ'vent] *n разг.* рождение ребёнка; разрешение от бремени

happy-go-lucky [,hæpɪgəʊ'lʌkɪ] **1.** *a* 1) беспечный, беззаботный 2) случайный

2. *adv* как придётся; по воле случая

hara-kiri [,hærə'kɪrɪ] *n* харакири

harangue [hə'ræŋ] **1.** *n* 1) речь (*публичная*); горячее обращение 2) разглагольствование

2. *v* 1) произносить речь 2) разглагольствовать

harass ['hærəs] *v* 1) беспокоить, тревожить 2) изводить, изнурять, изматывать

harassment ['hærəsmənt] *n* 1) беспокойство, забота 2) раздражение

harbinger ['hɑ:bɪndʒə] *n* предвестник

harbour ['hɑ:bə] **1.** *n* 1) гавань, порт 2) убежище, прибежище

2. *v* 1) дать убежище; укрыть; приютить; the woods ~ much game в лесу много дичи 2) затаить, питать (*чувство злобы, мести и т. п.*) 3) стать на якорь (*в гавани*) 4) *охот.* выследить зверя

harbourage ['hɑ:bərɪdʒ] *n* 1) место для стоянки судов в порту 2) убежище, приют

harbour-dues ['hɑ:bədju:z] *n pl* портовые сборы

hard [hɑ:d] **1.** *a* 1) твёрдый, жёсткий; ~ apple жёсткое яблоко; ~ collar крахмальный воротничок; ~ food а) зерновой корм; б) грубая, невкусная пища 2) трудный, тяжёлый; требующий напряжения; to learn smth. the ~ way напряжённо учиться, вкладывать все силы в учёбу; ~ case а) трудный случай; б) закоренелый преступник; ~ to cure трудноизлечимый 3) несчастный, тяжёлый; ~ lines (*или* lot, luck, cheese) тяжёлая, несчастная судьба; тяжёлое испытание 4) строгий; суровый; безжалостный; ~ discipline суровая дисциплина; to be ~ on smb. быть (слишком) строгим с кем-л. 5) суровый, холодный 6) резкий, неприятный (*для слуха, глаза*) 7) усердный, упорный 8) усиленно предающийся (*чему-л.*); ~ drinker пьяница 9) крепкий, сильный; ~ blow сильный удар 10) *полит.* крайний, придерживающийся крайних взглядов; the ~ right крайний правый 11) крепкий (*о напитках и т. п.*); сильнодействующий и вызывающий привыкание (*о наркотике*) 12) скупой, жадный 13) *физ.* проникающий, жёсткий 14) жёсткий (*о воде*) 15) определённый, подтверждённый; ~ fact неопровержимый факт 16) устойчивый; высокий; ~ prices устойчивые цены; ~ currency твёрдая, конвертируемая валюта 17) *фон.* твёрдый (*о согласном*) 18) *фото, кино* контрастный; ~ image контрастное изображение ◇ ~ and fast негибкий, твёрдый, жёсткий (*о правилах*); строго определённый; прочный; ~ labour каторжные работы; ~ cash (*амер.* money) наличные (*деньги*); звонкая монета; ~ of hearing тугой на ухо

2. *adv* 1) настойчиво, упорно, энергично; to try ~ упорно пытаться; очень стараться 2) твёрдо; крепко; сильно; it froze ~ yesterday вчера сильно морозило 3) с трудом, тяжело 4) сурово, жестоко;

to criticize ~ ре́зко критикова́ть 5) чрезме́рно, неуме́ренно; to swear ~ руга́ться после́дними слова́ми 6) бли́зко, вплотну́ю, по пята́м; ~ by бли́зко, ря́дом; to follow ~ after (*или* behind, upon) сле́довать по пята́м за <> ~ pressed, ~ pushed в тру́дном, тяжёлом положе́нии; ~ put to it в затрудне́нии, запу́тавшийся; it goes ~ with him его́ дела́ пло́хи

3. *n* 1) песча́ное ме́сто для вы́садки на бе́рег; проходи́мое ме́сто на то́пком боло́те; брод 2) *разг.* ка́торга

hardback ['hɑ:dbæk] *n* кни́га в жёстком переплёте, в твёрдой обло́жке

hardbake ['hɑ:dbeɪk] *n* минда́льная караме́ль

hardball ['hɑ:dbɔ:l] *n амер.* 1) = baseball 2) *sl.* бескомпроми́ссность, жёсткая ли́ния (*особ. в политике*)

hard-bitten [,hɑ:d'bɪtn] *a разг.* сто́йкий, упо́рный; упря́мый, насты́рный

hardboard ['hɑ:dbɔ:d] *n* древесноволокни́стая плита́

hard-boiled [,hɑ:d'bɔɪld] *a* 1) сва́ренный вкруту́ю (*о яйце*) 2) круто́й, бесчу́вственный, чёрствый, жёсткий 3) искушённый, прожжённый; вида́вший ви́ды

hard coal ['hɑ:dkəʊl] *n* антраци́т

hard copy [,hɑ:d'kɒpɪ] *n вчт.* печа́тная ко́пия

hard core [,hɑ:d'kɔ:] *n разг.* 1) основна́я, центра́льная часть, ядро́ (*партии, общества и т. п.*) 2) консервати́вное *или* реакцио́нное меньшинство́

hard-core [,hɑ:d'kɔ:] *a* 1) бескомпроми́ссный, твёрдый 2) махро́вый, беззасте́нчивый (*о порнографии*) 3) относя́щийся к сильноде́йствующим нарко́тикам, вызыва́ющим привыка́ние

hardcover ['hɑ:dkʌvə] = hardback

hard disk [,hɑ:d'dɪsk] *n вчт.* жёсткий диск

hard-earned [,hɑ:d'ɜ:nd] *a* с трудо́м зарабо́танный

harden ['hɑ:dn] *v* 1) де́лать(ся) твёрдым; тверде́ть, застыва́ть 2) закаля́ть(ся), укрепля́ть(ся) 3) де́лать(ся) бесчу́вственным, ожесточа́ть(ся); ~ed criminal закорене́лый престу́пник 4) стабилизи́роваться (*о ценах*) 5) *спец.* закаля́ть(ся); цементи́ровать

hardener ['hɑ:dnə] *n спец.* отверди́тель; лигату́ра; дуби́тель

hard error [,hɑ:d'erə] *n вчт.* постоя́нная оши́бка

hard-favoured [,hɑ:d'feɪvəd] = hard-featured

hard-featured [,hɑ:d'fɪtʃəd] *a* с гру́быми, ре́зкими черта́ми лица́

hardfisted [,hɑ:d'fɪstɪd] *a* скупо́й, прижи́мистый

hard-grained [,hɑ:d'greɪnd] *a* 1) твёрдый, пло́тный (*о дереве*) 2) крупнозерни́стый 3) суро́вый, бесчу́вственный; упря́мый

hardhanded [,hɑ:d'hændɪd] *a* 1) с загрубе́лыми, натру́женными рука́ми 2) гру́бый; суро́вый; жесто́кий

hard hat ['hɑ:dhæt] *n разг.* 1) ка́ска (*шахтёра и т. п.*) 2) реакционе́р

hardhead ['hɑ:dhed] *n* 1) практи́чный челове́к; деля́га 2) болва́н

hardheaded [,hɑ:d'hedɪd] *a* 1) практи́чный, тре́звый 2) искушённый; прожжённый 3) упря́мый

hard-hearted [,hɑ:d'hɑ:tɪd] *a* жестокосе́рдный; жесто́кий, бесчу́вственный; чёрствый

hardihood ['hɑ:dɪhʊd] *n* 1) сме́лость, де́рзость 2) на́глость

hardily ['hɑ:dɪlɪ] *adv* сме́ло

hardiness ['hɑ:dɪnəs] *n* 1) сме́лость, де́рзость 2) кре́пость, выно́сливость

hard landing [,hɑ:d'lændɪŋ] *n ав.* авари́йная поса́дка

hard-liner [,hɑ:d'laɪnə] *n* сторо́нник «жёсткого» ку́рса (*в политике и т. п.*); проти́вник компроми́ссов

hardly ['hɑ:dlɪ] *adv* 1) едва́; I had ~ uttered a word я едва́ успе́л вы́молвить сло́во 2) едва́ ли; the rumour was ~ true вря́д ли слух был ве́рен 3) с трудо́м 4) ре́зко, суро́во; несправедли́во

hardmouthed [,hɑ:d'maʊðd] *a* 1) туго́уздый (*о лошади*) 2) непода́тливый 3) упря́мый, своево́льный

hardness ['hɑ:dnəs] *n* 1) твёрдость, сте́пень твёрдости; пло́тность, про́чность 2) суро́вость (*климата*) 3) жёсткость (*воды*) 4) *attr.*: ~ testing *тех.* испыта́ние на твёрдость

hard-nosed [,hɑ:d'nəʊzd] *n разг.* тре́звый, практи́чный, твёрдый, неусту́пчивый

hardpan ['hɑ:dpæn] *n геол.* твёрдый подпо́чвенный пласт, ортште́йн

hard rock [,hɑ:d'rɒk] *n муз. разг.* хард-ро́к, тяжёлый рок

hards [hɑ:dz] *n pl* па́кля, очёс(ки)

hard sell [,hɑ:d'sel] *n* уси́ленное реклами́рование това́ров; систе́ма навя́зывания това́ров покупа́телю

hard-set [,hɑ:d'set] *a* 1) в тру́дном положе́нии 2) закреплённый неподви́жно 3) упря́мый

hardshell ['hɑ:dʃel] *a* 1) с твёрдой скорлупо́й 2) не поддаю́щийся угово́рам, сто́йкий, непоколеби́мый

hardship ['hɑ:dʃɪp] *n* 1) лише́ние, нужда́ 2) тяжёлое испыта́ние 3) тру́дность; неудо́бство; early rising is a ~ in winter ра́но встава́ть зимо́й о́чень тру́дно

hardstanding [,hɑ:d'stændɪŋ] *n* бетони́рованная площа́дка для стоя́нки автотра́нспорта

hardtack ['hɑ:dtæk] *n* суха́рь, гале́та

hard-to-reach [,hɑ:dtə'ri:tʃ] *a* труднодосту́пный

hard up [,hɑ:d'ʌp] *a разг.* 1) си́льно нужда́ющийся (*в деньгах*) 2) в тру́дном положе́нии; he was ~ for smth. to say он не знал, что сказа́ть

hardware ['hɑ:dweə] *n* 1) металли́ческие изде́лия; скобяны́е това́ры 2) ору́жие; вооруже́ние 3) элеме́нты электро́нных устро́йств

hardwearing [,hɑ:d'weərɪŋ] *a* про́чный, но́ский; износосто́йкий

hardwood ['hɑ:dwʊd] *n* твёрдая древеси́на

hardworking [,hɑ:d'wɜ:kɪŋ] *a* трудолюби́вый, приле́жный

hardy ['hɑ:dɪ] *a* 1) выно́сливый, сто́йкий, закалённый 2) морозоусто́йчивый; ~ annual а) морозосто́йкое одноле́тнее расте́ние; б) ежего́дно поднима́емый вопро́с (*напр., в парламенте*) 3) сме́лый, отва́жный 4) безрассу́дный; де́рзкий; опроме́тчивый

hare [heə] **1.** *n* за́яц <> ~ and hounds «за́яц и соба́ки» (*игра*); to run (*или* to hold) with the ~ and hunt with the hounds ≅ служи́ть и на́шим и ва́шим; first catch your ~ (then cook him) *посл.* ≅ цыпля́т по о́сени счита́ют; не говори́ гоп, пока́ не перепры́гнешь

2. *v* бежа́ть, мча́ться как за́яц ▭ ~ away *разг.* удира́ть, улепётывать

harebell ['heəbel] *n бот.* колоко́льчик (круглоли́стный)

harebrained ['heəbreɪnd] *a* безрассу́дный, легкомы́сленный; безду́мный; ≅ с кури́ными мозга́ми

harelip [,heə'lɪp] *n мед.* за́ячья губа́

harem ['hɑ:ri:m] *n* гаре́м

haricot ['hærɪkəʊ] *n* фасо́ль (*тж.* ~ bean)

hari-kari [,hærɪ'kærɪ] = hara-kiri

hark [hɑ:k] *v* (*часто употр. как int*) *уст.* 1) слу́шать; just ~ to him *ирон.* то́лько послу́шайте, что он говори́т; ~! слу́шай!; чу! 2) *охот.*: ~! ищи́! ▭ ~ back возвраща́ться к исхо́дному пу́нкту, положе́нию, вопро́су *и т. п.*

harken ['hɑ:kən] = hearken

harlequin ['hɑ:ləkwɪn] **1.** *n* 1) арлеки́н 2) шут

2. *a* пёстрый, многоцве́тный

harlequinade [,hɑ:ləkwɪ'neɪd] *n* 1) арлекина́да 2) шутовство́

Harley Street ['hɑ:lɪstri:t] *n* Ха́рли-стрит (*улица в Лондоне, где расположены кабинеты преуспевающих врачей*); *перен.* врачи́, меди́цинский мир

harlot ['hɑ:lət] *n* проститу́тка, шлю́ха

harlotry ['hɑ:lətrɪ] *n* распу́тство, развра́т

harm [hɑ:m] **1.** *n* 1) вред; уще́рб; bodily ~ теле́сное поврежде́ние; out of ~'s way в безопа́сности; ≅ от греха́ пода́льше 2) зло, оби́да; no ~ done всё благополу́чно; никто́ не пострада́л; I meant no ~ я не хоте́л вас оби́деть

2. *v* вреди́ть; наноси́ть уще́рб

harmful ['hɑ:mfl] *a* вре́дный, па́губный, губи́тельный; тлетво́рный

harmless ['hɑ:mləs] *a* 1) безвре́дный, безоби́дный 2) неви́нный; ни в чём не пови́нный

harmonic [hɑ:'mɒnɪk] **1.** *a* гармони́чный, стро́йный; гармони́ческий (*тж. муз.*)

2. *n физ., мат.* гармо́ника

harmonica [hɑ:'mɒnɪkə] *n* губна́я гармо́ника

harmonious [hɑ:'məʊnɪəs] *a* 1) мелоди́чный, благозву́чный 2) гармони́чный, гармонирующий 3) дружный, согласный

harmonist ['hɑ:mənɪst] *n* музыкант; аранжировщик

harmonium [hɑ:'məʊnɪəm] *n* фисгармония

harmonize ['hɑ:mənaɪz] *v* 1) *муз.* гармонизировать; аранжировать 2) гармонизировать, приводить в соответствие; согласовывать; соизмерять 3) гармонировать 4) настраивать

harmony ['hɑ:mənɪ] *n* 1) гармония; созвучие, благозвучие 2) согласие; ~ of interests общность интересов

harness ['hɑ:nɪs] **1.** *n* 1) упряжь, сбруя 2) *ист.* доспехи 3) *текст.* ремиза ◇ in ~ за повседневной работой; double ~ *шутл.* супружество; to run in double ~ а) *шутл.* быть женатым *или* замужем; б) работать с напарником

2. *v* 1) запрягать; впрягать 2) использовать (*в качестве источника энергии — о реке, водопаде и т. п.*)

harp [hɑ:p] **1.** *n* арфа

2. *v* 1) надоедливо толковать об одном и том же, завести волынку (on — о, об) 2) играть на арфе

harper, harpist ['hɑ:pə, 'hɑ:pɪst] *n* арфист

harpoon [hɑ:'pu:n] **1.** *n* гарпун; острога; багор

2. *v* бить гарпуном

harpsichord ['hɑ:psɪkɔ:d] *n* клавесин

harpy ['hɑ:pɪ] *n* 1) *миф.* гарпия 2) хищник, алчный человек

harquebus ['hɑ:kwɪbəs] *n ист.* аркебуза

harridan ['hærɪdən] *n* старая карга, ведьма

harrier I ['hærɪə] *n* 1) гончая (*на зайца*) 2) *pl* свора гончих (*на зайца*) с охотниками 3) участник кросса 4) член клуба игроков в «hare and hounds» [*см.* hare] 5) *pl* клуб игроков [*см.* 4)]

harrier II ['hærɪə] *n* грабитель; разоритель

Harrovian [hə'rəʊvɪən] *n* воспитанник колледжа в *г.* Харроу

harrow ['hærəʊ] **1.** *n* борона ◇ under the ~ в беде; в бедственном положении

2. *v* 1) боронить 2) мучить, терзать

harrowing ['hærəʊɪŋ] *a* горестный; душераздирающий; a ~ story душераздирающая история

harry ['hærɪ] *v* 1) разорять, опустошать 2) беспокоить, надоедать, изводить; to ~ the enemy изматывать противника

harsh [hɑ:ʃ] *a* 1) грубый, жёсткий, шероховатый 2) резкий, неприятный 3) терпкий 4) суровый; резкий; ~ truth горькая правда

harshness ['hɑ:ʃnəs] *n* резкость; грубость, жёсткость

harslet ['hɑ:slət] = haslet

hart [hɑ:t] *n* олень-самец (*старше пяти лет*)

hartal [hɑ:'tɑ:l] *n* прекращение работы и торговли (*в знак протеста или национального траура — в Индии*)

hartshorn ['hɑ:tshɔ:n] *n уст.* 1) олений рог 2) нюхательная соль 3) нашатырный спирт

harum-scarum [ˌheərəm'skeərəm] *разг.* **1.** *n* легкомысленный, ветреный человек

2. *a* 1) легкомысленный, опрометчивый, безрассудный 2) небрежный, торопливый

harvest ['hɑ:vɪst] **1.** *n* 1) жатва; уборка хлеба; сбор (*яблок, мёда и т. п.*) 2) урожай 3) плоды; результат 4) *attr.* связанный с урожаем; ~ time время жатвы, жатва, страдная пора, страда

2. *v* 1) собирать урожай 2) жать 3) пожинать плоды; расплачиваться (*за что-л.*)

harvest bug ['hɑ:vɪstbʌg] *n зоол.* клещ

harvester ['hɑ:vɪstə] *n* 1) жнец 2) уборочная машина

harvest home [ˌhɑ:vɪst'həʊm] *n* 1) окончание уборки урожая 2) праздник урожая

harvesting ['hɑ:vɪstɪŋ] **1.** *pres. p. от* harvest 2

2. *n* уборка урожая

harvest mite ['hɑ:vɪstmaɪt] = harvest bug

harvest moon [ˌhɑ:vɪst'mu:n] *n* полнолуние перед осенним равноденствием

harvest mouse ['hɑ:vɪstmaʊs] *n* полевая мышь

has [hæz (*полная форма*); həz, əz, z (*редуцированные формы*)] *3-е л. ед. ч. настоящего времени гл.* to have

has-been ['hæzbi:n] *n* (*pl* has-beens [-z]) *разг.* 1) бывший человек, человек, лишившийся прежнего положения, известности *и т. п.* 2) что-л., утерявшее прежние качества, новизну

hash I [hæʃ] **1.** *n* 1) блюдо из мелко нарезанного мяса и овощей 2) мешанина, путаница; to make a ~ of smth. напутать, напортить в чём-л. 3) что-л. старое, выдаваемое в изменённом виде за новое 4) *амер.* = hash house ◇ to settle smb.'s ~ а) заставить кого-л. замолчать; б) разделаться, покончить с кем-л.

2. *v* 1) рубить, крошить (*мясо*) 2) напутать, испортить (*что-л.*)

hash II [hæʃ] *n разг.* гашиш

hash house ['hæʃhaʊs] *n амер. разг.* дешёвый ресторан, забегаловка

hashish ['hæʃi:ʃ] *n* гашиш

hash mark ['hæʃmɑ:k] *n амер. воен. разг.* нарукавная нашивка

Hasid ['hæsɪd] *n* (*pl* Hasidim) хасид

Hasidim ['hæsɪdɪm] *pl от* Hasid

haslet ['heɪzlət] *n* (*обыкн. pl*) потроха (*особ.* свиные)

hasn't ['hæznt] *сокр. разг.* = has not

hasp [hɑ:sp] **1.** *n* 1) запор, накладка; засов, крюк 2) застёжка 3) моток 4) *текст.* шпулька

2. *v* запирать, накладывать засов

hassle ['hæsl] *разг.* **1.** *n* 1) перебранка, ссора 2) драка, стычка

2. *v* 1) надоедать, докучать 2) спорить, ссориться

hassock ['hæsək] *n* 1) подушечка (*подкладываемая под колени, напр. при молитве*) 2) пук травы; кочка 3) *горн.* мягкий песчаник; туф

hast [hæst (*полная форма*); həst, əst (*редуцированные формы*)] *уст. 2-е л. ед. ч. настоящего времени гл.* to have

hastate ['hæsteɪt] *a бот.* копьевидный, стреловидный

haste [heɪst] **1.** *n* 1) поспешность, торопливость; спешка; to make ~ спешить, торопиться; to make no ~ to do smth. медлить с чем-л.; make ~! поторапливайся! 2) опрометчивость ◇ more ~, less speed ≅ тише едешь, дальше будешь; ~ makes waste ≅ поспешишь — людей насмешишь

2. *v* = hasten 1) *и* 2)

hasten ['heɪsn] *v* 1) спешить, торопиться 2) торопить 3) ускорять (*процесс, рост и т. п.*)

hastily ['heɪstɪlɪ] *adv* 1) поспешно, торопливо; наскоро 2) опрометчиво, необдуманно; to judge ~ of smb., smth. делать поспешные выводы о ком-л., чём-л. 3) запальчиво

hastiness ['heɪstɪnəs] *n* 1) поспешность 2) необдуманность 3) вспыльчивость

hasty ['heɪstɪ] *a* 1) поспешный, торопливый 2) быстрый, стремительный; ~ growth быстрый рост 3) необдуманный, опрометчивый; ~ remark поспешное, необдуманное замечание 4) вспыльчивый, резкий

hat [hæt] **1.** *n* 1) шляпа; шапка; high (*или* silk, top, stovepipe) ~ цилиндр; squash ~ мягкая фетровая шляпа 2) *горн.* верхний слой; слой породы над жилой ◇ ~ in hand подобострастно; to take off one's ~ to smb. преклоняться перед кем-л.; to send (*или* to pass) round the ~ пустить шапку по кругу, собирать пожертвования; to talk through one's ~ хвастать; нести чушь; to keep smth. under one's ~ держать что-л. в секрете; to throw one's ~ in (to) the ring а) принять вызов; б) заявить о своём участии в состязании

2. *v* надевать шляпу; they were ~ted они были в шляпах

hatband ['hætbænd] *n* лента на шляпе

hatch I [hætʃ] *n* 1) люк; решётка, крышка люка; under ~es а) *мор.* под палубой; б) не на вахте, не на дежурстве; в) в заточении; г) в беде; д) умерший, погребённый 2) *гидр.* затвор; шлюз, шлюзовая камера

hatch II [hætʃ] **1.** *n* 1) выведение (*цыплят*) 2) выводок

2. *v* 1) вылупляться из яйца (*часто* ~ out) 2) высиживать (*цыплят*); насиживать (*яйца*) 3) выводить (*цыплят*) искусственно 4) рождаться, выводиться (*о личинках*) 5) замышлять, тайно подготавливать, обдумывать, вынашивать (*идею, план и т. п.*; *тж.* ~ up)

hatch III [hætʃ] **1.** *n* штрих, штриховка (*на схеме, рисунке*)

2. *v* штриховáть; гравировáть

hat-check girl [ˌhættʃek'gɜ:l] *n* гардерóбщица

hatcher ['hætʃə] *n* 1) инкубáтор 2) насéдка 3) заговóрщик; интригáн

hatchery ['hætʃərɪ] *n* инкубáторная стáнция; садóк

hatchet ['hætʃɪt] *n* 1) топóрик, топóр; томагáвк 2) большóй нож, резáк, сéчка ◇ to bury the ~ заключи́ть мир; to dig (*или* to take) up the ~ начáть войнý

hatchet face [ˌhætʃɪt'feɪs] *n* продолговáтое лицó с óстрыми чертáми

hatchet job ['hætʃɪtdʒɒb] *n разг.* 1) наёмное убийство 2) грязная рабóта (*политического характера*)

hatchet man ['hætʃɪtmən] *n разг.* наёмный убийца

hatchment ['hætʃmənt] *n* мемориáльная доскá с изображéнием гербá

hatchway ['hætʃweɪ] *n* люк

hate [heɪt] **1.** *n* 1) нéнависть 2) *разг.* ненави́стный человéк, отврати́тельная вещь

2. *v* 1) ненави́деть 2) *разг.* не хотéть, испы́тывать нелóвкость; I ~ to trouble you мне óчень неудóбно беспокóить вас

hateful ['heɪtfl] *a* 1) ненави́стный; отврати́тельный 2) пóлный нéнависти; злóбный

hath [hæθ (*полная форма*); həθ, əθ (*редуцированные формы*)] *уст.* = has

hatred ['heɪtrɪd] *n* нéнависть

hatstand ['hætstænd] *n* вéшалка для шляп

hatter ['hætə] *n* 1) шля́пный мáстер *или* фабрикáнт; торгóвец шля́пами 2) *австрал.* рабóтающий в одинóчку (*гл. обр. о старателе*)

hat trick ['hættrɪk] *n* 1) взя́тие одни́м игрокóм трёх ворóтец тремя́ слéдующими оди́н за други́м мячáми (*в крикете*) 2) *спорт.* счёт в три очкá, мячá *и т. п.*

hauberk ['hɔ:bɜ:k] *n ист.* кольчýга

haughtiness ['hɔ:tɪnəs] *n* надмéнность, высокомéрие

haughty ['hɔ:tɪ] *a* надмéнный, высокомéрный

haul [hɔ:l] **1.** *n* 1) тя́га, волочéние 2) перевóзка, подвóзка; éздка; рейс 3) тя́га, вы́борка (*сетей*) 4) тóня (*одна закидка невода*) 5) улóв 6) трофéй 7) *горн.* откáтка 8) *ж.-д.* перевóзка; прóйденное расстоя́ние 9) груз

2. *v* 1) тянýть, тащи́ть, волочи́ть; букси́ровать; to ~ timber (*или* logs) трелевáть лес 2) перевози́ть, подвози́ть 3) *мор.* менять направлéние (*судна*) 4) *мор.* держáть(ся) прóтив вéтра, держáть(ся) крýто к вéтру 5) *горн.* откáтывать ▭ ~ **down** опускáть, трави́ть (*канат*); ~ **up** а) поднимáть; б) *мор.* останáвливаться; в) *разг.* привлекáть к отвéту, отчи́тывать ◇ to ~ down one's flag (*или* colours) сдавáться

haulage ['hɔ:lɪdʒ] *n* 1) тя́га; буксирóвка 2) подвóзка; перевóзка 3) стóимость перевóзки 4) *горн.* откáтка

hauler ['hɔ:lə] *амер.* = haulier

haulier ['hɔ:lɪə] *n* 1) фи́рма грузовы́х перевóзок, транспорти́рóвщик грýзов 2) *горн.* откáтчик

haulm [hɔ:m] *n* 1) стéбель 2) *собир.* ботвá 3) солóма

haunch [hɔ:ntʃ] *n* 1) бедрó, ля́жка; to sit on one's ~es сидéть на кóрточках 2) зáдняя ногá; зáдняя часть (*туши*) 3) *стр.* полуду́жье áрки; крылó свóда; часть áрки мéжду замкóм и пятóй

haunt [hɔ:nt] **1.** *n* 1) чáсто посещáемое, люби́мое мéсто 2) притóн 3) убéжище, лóговище

2. *v* 1) чáсто посещáть какóе-л. мéсто 2) появля́ться, явля́ться, обитáть (*о призраке и т. п.*) 3) преслéдовать (*о мыслях и т. п.*)

haunter ['hɔ:ntə] *n* 1) постоя́нный посети́тель, завсегдáтай 2) привидéние 3) навя́зчивая идéя

haunting ['hɔ:ntɪŋ] *a* преслéдующий, навя́зчивый (*о мелодии и т. п.*)

hautboy ['əʊbɔɪ] *уст.* = oboe

haute couture [ˌəʊtku'tjʊə] *фр. n* высóкая мóда

hauteur [əʊ'tɜ:] *n* надмéнность, высокомéрие

Havana [hə'vænə] *n* гавáнская сигáра

have [hæv (*полная форма*); həv, əv, v (*редуцированные формы*)] **1.** *v* (had) 1) имéть; обладáть; I ~ a very good flat у меня́ прекрáсная квартíра; I ~ no time for him мне нéкогда с ним вози́ться; he has no equals емý нет рáвных 2) содержáть, имéть в состáве; June has 30 days в ию́не 30 дней; the room has four windows в кóмнате четы́ре óкнá 3) испы́тывать (*что-л.*), подвергáться (*чему-л.*); to ~ a pleasant time прия́тно провести́ врéмя; I ~ a headache у меня́ боли́т головá 4) получáть; добивáться; we had news мы получи́ли извéстие; there is nothing to be had ничегó не добьёшься 5) проводи́ть (*собрание, вечер и т. п.*) 6) (*обыкн. употр. в отриц. форме*) допускáть; терпéть; позволя́ть; I won't ~ it я не потерплю́ э́того; I won't ~ you say such things я вам не позвóлю говори́ть таки́е вéщи 7) роди́ть, приноси́ть потóмство 8) знать; понимáть; he has no Greek он не знáет грéческого языкá; I ~ your idea я пóнял вáшу мысль 9) *разг.* победи́ть, взять верх; he had you in the first game он поби́л вас в пéрвой пáртии 10) (*употр. в pres. perf. pass.*) *разг.* обманýть; разочаровáть; you ~ been had вас обманýли 11) утверждáть, говори́ть; as Shakespeare has it как скáзано у Шекспи́ра; if you will ~ it... éсли вы настáиваете...; he will ~ it that... он утверждáет, что... 12) *разг.*: I ~ got = I ~, you ~ got = you ~, he has got = he has *и т. д.* (*в разн. знач.*); I ~ got no money about me у меня́ нет при себé дéнег; she has got a cold онá простýжена 13) *образует фразовые глаголы* а) *с отглагольными существительными обозначает конкретное действие*: to ~ a walk прогуля́ться; to ~ a smoke покури́ть; to ~ a try попытáться *и т. д.*; go and ~ a lie down пойди́ полежи́; б) *с абстрактными существительными означает* испы́тывать чýвство, ощущéние; to ~ pity жалéть; to ~ mercy щади́ть 14) *с существительными, обозначающими еду, имеет значение* есть, пить: to ~ breakfast зáвтракать; to ~ dinner обéдать *и т. п.*; to ~ tea пить чай 15) *со сложным дополнением показывает, что действие выполняется не субъектом, выраженным подлежащим, а другим лицом по желанию субъекта, или что оно совершается без его желания*: please, ~ your brother bring my books пусть твой брат принесёт мои́ кни́ги; he had his watch repaired емý почини́ли часы́; he had his pocket picked егó обчи́стили; what would you ~ me do? что Вы хоти́те, чтóбы я сдéлал? 16) *как вспомогательный глагол употребляется для образования перфектной формы*: I ~ done, I had done я сдéлал, I shall ~ done я сдéлаю; to ~ done сдéлать 17) *с последующим инфинитивом имеет модальное значение*: быть дóлжным, вы́нужденным (*что-л. делать*); I ~ to go to the dentist мне необходи́мо пойти́ к зубнóму врачý; the clock will ~ to be fixed часы́ нýжно почини́ть ▭ ~ **down** принимáть в кáчестве гóстя; we'll ~ them down for a few days они́ бýдут гости́ть у нас нéсколько дней; ~ **in** имéть в дóме (*запас чего-л.*); we ~ enough coal in for the winter у нас достáточно ýгля нá зиму, нам хвáтит ýгля нá зиму; ~ **on** а) быть одéтым в; to ~ a hat (an overcoat) on быть в шля́пе (в пальтó); б) *разг.* обмáнывать, надувáть; разы́грывать ◇ I had better (*или* best) я предпочёл бы, лýчше бы; you had better go home вам бы лýчше пойти́ домóй; ~ done! перестáнь(те)!; ~ no doubt мóжете не сомневáться; he had eyes only for his mother он смотрéл тóлько на мать, он не ви́дел никогó, крóме мáтери; he has had it *разг.* а) он безнадёжно отстáл, он устарéл; б) он поги́б, он пропáл; to ~ a question out with smb. вы́яснить вопрóс с кем-л.; to ~ it in for smb. затаи́ть что-л. плохóе прóтив когó-л.; to ~ smb. up привлéчь когó-л. к судý; to ~ nothing on smb. а) не имéть ули́к прóтив когó-л.; б) не знать ничегó дурнóго о ком-л.; let him ~ it дай емý взбýчку, задáй емý пéрцу; will you ~ the goodness to do it? бýдьте настóлько добры́, сдéлайте э́то; he has never had it so good емý никогдá так хорошó не жилóсь

2. *n* 1): the ~s and the ~-nots *разг.* имýщие и неимýщие 2) *разг.* мошéнничество, обмáн

haven ['heɪvn] *n* 1) гáвань 2) убéжище, прибéжище, прию́т

haven't [hævnt] *сокр. разг.* = have not

haver ['heɪvə] *шотл.* **1.** *n* (*обыкн. pl*) глýпый разговóр; бессмы́слица

2. *v* болтáть, говори́ть глýпости

haversack ['hævəsæk] *n* 1) сýмка, мешóк для прови́зии 2) *воен.* рáнец-рюкзáк; сýмка для противогáза

havings [ˈhævɪŋz] *n pl* иму́щество, со́бственность

havoc [ˈhævək] **1.** *n* опустоше́ние; разруше́ние; to make ~ (of), to play ~ (among, with) *разг.* производи́ть беспоря́док, разруша́ть

2. *v* опустоша́ть; разруша́ть

haw I [hɔ:] *n* 1) я́года боя́рышника 2) = hawthorn

haw II [hɔ:] **1.** *int* 1) м-да, гм (*выражает нерешительность*) 2) хо! (*окрик, которым погонщик заставляет животное повернуть*)

2. *v* бормота́ть, произноси́ть (в нереши́тельности) невня́тные зву́ки; to hum and ~ *см.* hum I, 2, 3)

hawfinch [ˈhɔ:fɪntʃ] *n* дубоно́с (*птица*)

haw-haw [hɔ:ˈhɔ:] = ha-ha I, 1

hawk I [hɔ:k] **1.** *n* 1) я́стреб; со́кол; хи́щная пти́ца 2) хи́щник (*о человеке*) 3) «я́стреб», сторо́нник жёсткого ку́рса (*в политике*)

2. *v* 1) охо́титься с я́стребом *или* со́колом 2) налете́ть как я́стреб (at — на)

hawk II [hɔ:k] *v* 1) торгова́ть вразно́с 2) распространя́ть (*слухи, сплетни и т. п.*); to ~ praises расточа́ть похвалы́

hawk III [hɔ:k] *v* отка́шливать(ся), отха́ркивать(ся)

hawk IV [hɔ:k] *n* со́кол (*инструмент штукатура*)

hawker I [ˈhɔ:kə] *n* 1) охо́тник с я́стребом *или* со́колом 2) соко́льник

hawker II [ˈhɔ:kə] *n* разно́счик, у́личный торго́вец, лото́чник

hawk-eyed [ˈhɔ:kaɪd] *a* 1) име́ющий о́строе зре́ние 2) бди́тельный

hawk-nosed [ˌhɔ:kˈnəʊzd] *a* горбоно́сый, с орли́ным но́сом; с крючкова́тым но́сом

hawse [hɔ:z] *n мор.* 1) клюз 2) положе́ние я́корных цепе́й впереди́ форште́вня

hawse-hole [ˈhɔ:zhəʊl] *n мор.* клюз

hawser [ˈhɔ:zə] *n мор.* пе́рлинь; (стально́й) трос

hawthorn [ˈhɔ:θɔ:n] *n* боя́рышник

hay [heɪ] **1.** *n* се́но; to make ~ а) коси́ть траву́ и суши́ть се́но; б) нажива́ться; ≅ нагре́ть ру́ки ◇ to make ~ of smth. а) вноси́ть пу́таницу во что-л.; б) переверну́ть вверх дном; разби́ть, опрове́ргнуть (*чьи-л. доводы и т. п.*); make ~ while the sun shines *посл.* ≅ коси́ коса́, пока́ роса́; куй желе́зо, пока́ горячо́

2. *v* коси́ть и суши́ть траву́; загота́вливать се́но

haycock [ˈheɪkɒk] *n* копна́ се́на

hay-drier [ˈheɪˌdraɪə] *n с.-х.* сеносуши́лка

hay fever [ˈheɪfi:və] *n* сенна́я лихора́дка

haying [ˈheɪɪŋ] = haymaking

haying time [ˈheɪɪŋtaɪm] = hay time

hayloft [ˈheɪlɒft] *n* сенова́л

haymaker [ˈheɪmeɪkə] *n* 1) рабо́чий на сеноко́се; коса́рь 2) сеноубо́рочная маши́на 3) *sl.* си́льный уда́р

haymaking [ˈheɪmeɪkɪŋ] *n* сеноко́с

haymaking time [ˈheɪmeɪkɪŋˌtaɪm] = hay time

haymow [ˈheɪməʊ] *n* 1) стог се́на 2) сенова́л

hayrack [ˈheɪræk] *n радио разг.* радиолокацио́нный мая́к с приводны́м устро́йством

hayrick [ˈheɪrɪk] = haystack

hayseed [ˈheɪsi:d] *n* 1) семена́ трав 2) сенна́я труха́ 3) *амер. шутл.* дереве́нщина

hay spreader [ˈheɪˌspredə] *n с.-х.* разбра́сыватель валко́в се́на

haystack [ˈheɪstæk] *n* стог се́на

hay-stacker [ˈheɪˌstækə] *n с.-х.* стогомета́тель

hay time [ˈheɪtaɪm] *n* сеноко́с, сеноко́сная пора́

haywire [ˈheɪwaɪə] **1.** *n с.-х.* вяза́льная про́волока

2. *a разг.* 1) нару́шенный, расстро́енный, разва́ливающийся 2) взволно́ванный, расстро́енный; не в себе́

hazard [ˈhæzəd] **1.** *n* 1) риск, опа́сность; at ~ науга́д, наудачу́; at all ~s во что́ бы то ни ста́ло; риску́я всем; alcohol is a health ~ алкого́ль вре́ден для здоро́вья 2) шанс 3) вид аза́ртной игры́ в ко́сти 4) *спорт.* препя́тствие, поме́ха (*на площадке для гольфа; напр., выбоины, высокая трава и т. п.*)

2. *v* 1) осме́ливаться, отва́живаться; to ~ a remark осме́литься сказа́ть что-л., возрази́ть 2) рискова́ть, ста́вить на ка́рту

hazardous [ˈhæzədəs] *a* риско́ванный, опа́сный

haze I [heɪz] **1.** *n* 1) лёгкий тума́н, ды́мка; мгла 2) тума́н в голове́; отсу́тствие я́сности в мы́слях

2. *v* затума́нивать(ся), завола́кивать(ся)

haze II [heɪz] *v* 1) *мор.* изнуря́ть рабо́той 2) зло подшу́чивать, *особ.* над новичко́м

hazel [ˈheɪzl] **1.** *n* 1) *бот.* лесно́й оре́х, обыкнове́нный оре́шник 2) оре́х, древеси́на оре́хового де́рева 3) краснова́то-кори́чневый цвет; светло-кори́чневый цвет

2. *a* оре́ховый, светло-кори́чневый; ка́рий

hazel hen [ˈheɪzlhen] *n* ря́бчик

hazelnut [ˈheɪzlnʌt] *n* лесно́й оре́х, фунду́к (*плод*)

haziness [ˈheɪzɪnəs] *n* тума́нность, нея́сность

hazy [ˈheɪzɪ] *a* 1) тума́нный, подёрнутый ды́мкой 2) неопределённый, нея́сный, сму́тный 3) слегка́ подвы́пивший

H-bomb [ˈeɪtʃbɒm] *n* водоро́дная бо́мба

he [hi: (*полная форма*); hɪ, ɪ (*редуцированные формы*)] **1.** *pron pers.* он (*о существе мужского пола*); *косв. п.* him его́, ему́ *и т. д.*; *косв. п. употр. в разговорной речи вместо* he: that's him э́то он; she is taller than him она́ вы́ше него́

2. *n* 1) мужчи́на, лицо́ мужско́го по́ла; it is a he э́то ма́льчик (*о новорождённом*) 2) водя́щий (*в детской игре*)

he- [hi:-] *в сложных словах означает самца; напр.*: ~-dog кобе́ль; ~-goat козёл

head [hed] **1.** *n* 1) голова́; (by) a ~ taller на го́лову вы́ше; from ~ to foot (*или* heel), ~ to foot с головы́ до пят; to win by a ~ *спорт.* а) опереди́ть на́ голову; б) с больши́м трудо́м доби́ться побе́ды 2) ум; спосо́бности; he has a good ~ for mathematics у него́ хоро́шие спосо́бности к матема́тике; he has a (good) ~ on his shoulders у него́ хоро́шая голова́; two ~s are better than one ум хорошо́, а два лу́чше 3) что-л., напомина́ющее по фо́рме го́лову; a ~ of cabbage коча́н капу́сты; the ~ of a flower голо́вка цветка́ 4) черено́к (*ножа*); о́бу́х (*топора*); боёк (*молота*) 5) шля́пка (*гвоздя*); голо́вка (*булавки*); набалда́шник (*трости*) 6) *архит.* замо́чный ка́мень (*свода*); капите́ль (*колонны*) 7) кро́на (*дерева*) 8) пе́на; сли́вки 9) *стр.* ве́рхний брус око́нной *или* дверно́й коро́бки 10) глава́; руководи́тель; нача́льник (*учреждения, предприятия*); the ~ of the school дире́ктор шко́лы 11) веду́щее, руководя́щее положе́ние; to be at the ~ of the class быть лу́чшим ученико́м в кла́ссе 12) пере́дняя часть, перёд (*чего-л.*); the ~ of the procession голова́ проце́ссии 13) изголо́вье (*постели*) 14) ве́рхняя часть (*лестницы, страницы и т. п.*); the ~ of a mountain верши́на горы́ 15) верху́шка, ве́рхняя часть; кры́шка 16) *мор.* топ (*мачты*) 17) челове́к; 5 pounds per ~ по пяти́ фу́нтов с челове́ка; to count ~s сосчита́ть число́ прису́тствующих 18) (*pl без измен.*) голова́ скота́; fifty ~ of cattle пятьдеся́т голо́в скота́ 19) лицева́я сторона́ моне́ты 20) исто́к реки́ 21) мыс 22) голо́вка (*проигрывателя*) 23) *тех., гидр.* гидростати́ческий напо́р, давле́ние столба́ жи́дкости; ~ of water высота́ напо́ра воды́ 24) нос (*судна*); ~ to sea про́тив волны́; by the ~ а) *мор.* на нос; б) подвы́пивший 25) (*обыкн. pl*) *мор.* гальюн 26) ру́брика, отде́л; заголо́вок; the question was treated under several ~s э́тот вопро́с рассма́тривался в не́скольких разде́лах (*доклада, статьи и т. п.*) 27) перело́м, кри́зис боле́зни 28) назре́вшая голо́вка нары́ва; to come (*или* to draw) to a ~ а) назре́ть (*о нарыве*); б) дости́гнуть крити́ческой *или* реша́ющей ста́дии 29) *sl.* наркома́н 30) *тех.* ба́бка (*станка*) 31) *pl горн.* руда́ (*чистая*); концентра́т (*высшего качества*) 32) при́быль (*при литье*) 33) *attr.* гла́вный; ~ waiter метрдоте́ль 34) *attr.* встре́чный; ~ tide встре́чное тече́ние; ~ wind встре́чный ве́тер ◇ at the ~ во главе́; ~ of hair ша́пка, копна́ воло́с; a good ~ of hair густа́я шевелю́ра; ~ over heels вверх торма́шками, вверх нога́ми; to be ~ over heels in love быть по́ уши влюблённым; to be ~ over heels in debt быть круго́м в долга́х; (by) ~ and shoulders above smb. намно́го сильне́е, на го́лову вы́ше кого́-л.; ~s or tails ≅ орёл и́ли ре́шка; can't make ~ or tail of it ничего́ не могу́ поня́ть; to give a horse his ~ отпусти́ть пово́дья; to give smb. his ~ дать кому́-л. во́лю; to keep (to lose) one's ~ сохраня́ть (теря́ть) споко́йствие, сохраня́ть (теря́ть) прису́тствие ду́ха; to keep one's ~ above water а) держа́ться на пове́рхности; б) справля́ться с тру́дностями; to lay (*или* to put) ~s together совеща́ться; to make ~ продвига́ться вперёд; to make ~ against сопротивля́ться, проти́виться; to go out of one's ~ сойти́ с ума́; рехну́ться; off one's ~ вне себя́; безу́мный; over ~ and ears, ~ over ears по́ уши; to bring to a ~ а) обостря́ть; б) доводи́ть до конца́

2. *v* 1) возглавля́ть; вести́; to ~ the list быть на пе́рвом ме́сте 2) озагла́вливать; служи́ть загла́вием 3) направля́ть(ся), держа́ть курс (for — *куда-л.*) 4) отбива́ть мяч голово́й; игра́ть голово́й (*в футболе*) 5) брать нача́ло (*о реке*) 6) формирова́ть (*крону или колос*); завива́ться (*о капусте*; *тж.* ~ up) ▭ ~ **back** а) преграждá́ть (*путь*); б) верну́ться наза́д; ~ **off** препя́тствовать; меша́ть; прегражда́ть (*путь*); отража́ть (*нападение*)

headache ['hedeɪk] *n* 1) головна́я боль 2) *разг.* неприя́тность, поме́ха; to give (*или* to cause) a ~ а) причиня́ть беспоко́йство; б) заста́вить призаду́маться; тре́бовать больши́х уси́лий; it's my ~ э́то моя́ забо́та, об э́том позабо́чусь я

headachy ['hedeɪkɪ] *a* 1) страда́ющий головно́й бо́лью 2) вызыва́ющий головну́ю боль

headband ['hedbænd] *n* 1) повя́зка на голове́; ле́нта на го́лову 2) *полигр.* капта́л; заста́вка

headboard ['hedbɔ:d] *n* пере́дняя спи́нка крова́ти

headcheese ['hedtʃi:z] *n амер.* зельц

headcount ['hedkaʊnt] *n* 1) подсчёт населе́ния (*при переписи и т. п.*) 2) число́ рабо́тающих (*на предприятии и т. п.*)

headdress ['heddres] *n* 1) головно́й убо́р (*особ.* наря́дный) 2) причёска

headed ['hedɪd] *a* снабжённый заголо́вком; ~ note-paper бланк учрежде́ния

-headed [-hedɪd] *в сложных словах означает*: име́ющий *такую-то* фо́рму головы́ *или столько-то* голо́в; *напр.*: long-headed длинноголо́вый; round-headed круглоголо́вый

header ['hedə] *n* 1) уда́р голово́й (*в футболе*) 2) прыжо́к *или* паде́ние в во́ду вниз голово́й; to take a ~ нырну́ть 3) уда́р по голове́ 5) *тех.* водосбо́рник, водяно́й колле́ктор 4) *стр.* тычо́к 6) *горн.* вру́бовая маши́на 7) *с.-х.* хе́дер (*комбайна*) 8) *тех.* наса́дка

headfirst [ˌhed'fɜ:st] *adv* 1) голово́й вперёд 2) опроме́тчиво, очертя́ го́лову

headforemost [ˌhed'fɔ:məʊst] = headfirst

headgear ['hedgɪə] *n* 1) головно́й убо́р 2) оголо́вье узде́чки 3) *горн.* надша́хтный копёр; бурова́я вы́шка

headhunter ['hedhʌntə] *n* 1) охо́тник за голова́ми 2) челове́к, перема́нивающий квалифици́рованные ка́дры

headhunting ['hedhʌntɪŋ] *n* 1) охо́та за голова́ми 2) перема́нивание квалифици́рованных ка́дров

heading ['hedɪŋ] **1.** *pres. p. от* head 2

2. *n* 1) загла́вие, заголо́вок, ру́брика 2) уда́р голово́й (*в футболе*) 3) *мор.* направле́ние, курс 4) *горн.* направле́ние прохо́дки; гла́вный штрек 5) до́нник (*клёпка*)

headlamp ['hedlæmp] = headlight

headland ['hedlənd] *n* 1) мыс 2) незапа́ханный коне́ц по́ля

headless ['hedləs] *a* 1) обезгла́вленный 2) лишённый руково́дства 3) бессмы́сленный, глу́пый

headlight ['hedlaɪt] *n* головно́й проже́ктор (*локомотива*); головно́й ого́нь (*самолёта*); фа́ра (*автомобиля*); носово́й ого́нь (*корабля*)

headline ['hedlaɪn] **1.** *n* 1) заголо́вок 2) *pl* но́вости одно́й строко́й, кра́ткая сво́дка новосте́й (*по радио, в газете и т. п.*) ◇ he hit the ~s о нём писа́ли все газе́ты

2. *v* 1) озагла́вить 2) широко́ освеща́ть в печа́ти 3) *амер.* исполня́ть гла́вный но́мер програ́ммы

headliner ['hedˌlaɪnə] *n амер.* популя́рный актёр, ле́ктор *и т. п.* (*имя которого на афишах пишется крупными буквами*)

headlong ['hedlɒŋ] **1.** *a* 1) безу́держный, бу́рный 2) опроме́тчивый

2. *adv* 1) голово́й вперёд; to fall ~ па́дать плашмя́ 2) опроме́тчиво; очертя́ го́лову

headman ['hedmən] *n* 1) вождь (*племени*) 2) ста́рший рабо́чий; деся́тник; ма́стер; глава́, нача́льник

headmaster [ˌhed'mɑ:stə] *n* дире́ктор шко́лы

headmistress [ˌhed'mɪstrəs] *n* дире́ктри́са, заве́дующая шко́лой

head-money ['hedˌmʌnɪ] *n* 1) избира́тельный нало́г 2) награ́да, объя́вленная за пои́мку кого́-л. 3) поду́шный нало́г

headmost ['hedməʊst] *a* пере́дний, передово́й

headnote ['hednəʊt] *n* 1) кра́ткое введе́ние, вступле́ние 2) *юр.* кра́ткое изложе́ние основны́х вопро́сов по решённому де́лу

head-on [ˌhed'ɒn] **1.** *a* лобово́й, фронта́льный

2. *adv* 1) голово́й; пере́дней ча́стью, но́сом 2) пря́мо; во всеору́жии; to meet a situation ~ быть во всеору́жии

headphone ['hedfəʊn] *n* (*обыкн. pl*) нау́шники, головно́й телефо́н

headpiece ['hedpi:s] *n* 1) заста́вка (*в книге*) 2) шлем 3) = headstall 4) = headphone 5) *уст.* ум, смека́лка

headquarters [ˌhed'kwɔ:təz] *n pl* (*употр. как sing и как pl*) 1) гла́вное управле́ние, центр; центра́льный о́рган (*какой-л. организации*) 2) *воен.* штаб; штаб-кварти́ра; о́рган управле́ния войска́ми 3) исто́чник (*сведений и т. п.*)

headrace ['hedreɪs] *n гидр.* 1) ве́рхняя вода́, ве́рхний бьеф 2) подводя́щий кана́л (*водяной турбины*)

headrest ['hedrest] *n авто* подголо́вник

headroom ['hedru:m] *n* 1) *авто* высота́ ку́зова 2) *стр.* габари́тная высота́ 3) просве́т (*арки, моста*)

head sea ['hedsi:] *n* встре́чная волна́

headset ['hedset] *n* 1) *радио* головно́й телефо́н 2) *амер.* нау́шники

headship ['hedʃɪp] *n* руково́дство; руководя́щее положе́ние

headsman ['hedzmən] *n* пала́ч

headspring ['hedsprɪŋ] *n* 1) исто́к(и) 2) гла́вный исто́чник (*идеи и т. п.*)

headstall ['hedstɔ:l] *n* оголо́вье узде́чки; недоу́здок

headstone ['hedstəʊn] *n* моги́льный ка́мень, надгро́бие

headstrong ['hedstrɒŋ] *a* своево́льный, упря́мый

headwaters ['hedwɔ:təz] *n pl* 1) *гидр.* гла́вный водосбо́р 2) во́ды с верхо́вьев, исто́ки

headway ['hedweɪ] *n* 1) прогре́сс; успе́х; to make ~ де́лать успе́хи; преуспева́ть 2) движе́ние вперёд; поступа́тельное движе́ние 3) *тех.* высота́ в свету́ 4) промежу́ток вре́мени ме́жду двумя́ сле́дующими друг за дру́гом поезда́ми *или* авто́бусами 5) *горн.* бре́мсберг; (механизи́рованный) скат

headwind ['hedwɪnd] *n* ве́тер, ду́ющий в лицо́; встре́чный ве́тер

headword ['hedwɜ:d] *n* загла́вное сло́во (*в словарной статье*)

headwork ['hedwɜ:k] *n* 1) у́мственная рабо́та 2) *архит.* изображе́ние головы́ на замко́вом ка́мне (*свода и т. п.*) 3) *горн.* копёр

heady ['hedɪ] *a* 1) кре́пкий, опьяня́ющий, пьяня́щий 2) стреми́тельный, бу́рный 3) горя́чий, опроме́тчивый

heal [hi:l] *v* 1) зажива́ть, заживля́ться (*часто* ~ over, ~ up) 2) излечи́вать, исцеля́ть (of — от) 3) ула́живать, устраня́ть противоре́чия 4) успока́ивать; облегча́ть

heal-all [ˌhi:l'ɔ:l] *n* 1) универса́льное сре́дство, панаце́я 2) *бот.* черноголо́вка обыкнове́нная

healer ['hi:lə] *n* исцели́тель, цели́тель; time is a great ~ вре́мя — лу́чший ле́карь

healing ['hi:lɪŋ] **1.** *pres. p. от* heal

2. *n* лече́ние, излече́ние; заживле́ние

3. *a* лече́бный, целе́бный

health [helθ] *n* 1) здоро́вье; to be in good ~ быть здоро́вым; to be in bad (*или* poor, ill) ~ име́ть сла́бое здоро́вье; public ~ здравоохране́ние; ~ authorities о́рганы здравоохране́ния; to drink smb.'s ~ пить за здоро́вье кого́-л. 2) благосостоя́ние; жизнеспосо́бность; to restore the ~ of the economy оздорови́ть эконо́мику 3) целе́бная си́ла; there is ~ in sunshine со́лнце облада́ет целе́бными сво́йствами 4) *attr.* гигиени́ческий, санита́рный; ~ education санита́рное просвеще́ние; ~ bill каранти́нное свиде́тельство; infant ~ centre де́тская консульта́ция; ~ centre диспансе́р

health food ['helθfu:d] *n* здоро́вая пи́ща (*приготовленная без химических добавок из продуктов, выращенных без удобрений*)

healthful ['helθfl] *a* 1) целе́бный 2) здоро́вый

health-officer ['helθ,ɒfɪsə] *n* санита́рный врач

health-resort ['helθrɪ,zɔ:t] *n* куро́рт

health service ['helθ,sɜ:vɪs] *n* здравоохране́ние

health visitor ['helθvɪzɪtə] *n* патрона́жная сестра́

healthy ['helθɪ] *a* 1) здоро́вый 2) поле́зный (для здоро́вья) 3) нра́вственный (*о фильме и т. п.*); здра́вый, разу́мный (*о взглядах и т. п.*) 4) жизнеспосо́бный; ~ economy процвета́ющая эконо́мика 5) безопа́сный (*в отриц. предложении*) 6) *разг.* большо́й, значи́тельный

heap [hi:p] **1.** *n* 1) ку́ча, гру́да 2) *pl разг.* мно́жество, мно́го; ~s of time мно́го *или* ма́сса вре́мени; he is ~s better ему́ мно́го лу́чше 3) *горн.* отва́л ◇ struck (*или* knocked) all of a ~ *разг.* сражённый, ошеломлённый; пода́вленный

2. *v* 1) нагроможда́ть 2) накопля́ть (*часто* ~ up) 3) нагружа́ть (with) 4) осыпа́ть (*милостями или оскорблениями*; on, upon)

hear [hɪə] *v* (heard) 1) слы́шать 2) слу́шать, внима́ть; выслу́шивать (*часто* ~ out); to ~ a course of lectures прослу́шать курс ле́кций 3) *юр.* слу́шать (*дело*) 4) услы́шать, узна́ть (of, about — о) 5) получи́ть изве́стие, письмо́ (from) 6) внять (*просьбе, мольбе*) ▭ ~ out вы́слушать, дать (*кому-л.*) вы́сказаться ◇ ~! ~! пра́вильно!, пра́вильно! (*возглас, выражающий согласие с выступающим*); I won't ~ of it я э́того не потерплю́; you will ~ about this вам за э́то попадёт

heard [hɜ:d] *past и p. p. от* hear

hearer ['hɪərə] *n* слу́шатель

hearing ['hɪərɪŋ] **1.** *pres. p. от* hear

2. *n* 1) слух 2) преде́л слы́шимости; out of ~ вне преде́лов слы́шимости; within ~ в преде́лах слы́шимости; насто́лько бли́зко, что мо́жно услы́шать; in my ~ в моём прису́тствии 3) слу́шание; выслу́шивание; to give smb. a (fair) ~ (беспристра́стно) выслу́шивать кого́-л. 4) *юр.* разбо́р, слу́шание де́ла; preliminary ~ предвари́тельное сле́дствие 5) *pl* протоко́лы заседа́ний (*правительственных или парламентских комиссий, комиссий конгресса США*)

hearing aid ['hɪərɪŋeɪd] *n* слухово́й аппара́т

hearken ['hɑ:kən] *v поэт., уст.* слу́шать, выслу́шивать (to)

hearsay ['hɪəseɪ] *n* 1) слух, молва́ 2) *attr.* осно́ванный на слу́хах; ~ evidence *юр.* показа́ния с чужи́х слов, доказа́тельства, осно́ванные на слу́хах

hearse [hɜ:s] *n* 1) катафа́лк, похоро́нные дро́ги 2) *attr.*: ~ cloth (чёрный) покро́в (*на гроб*)

heart [hɑ:t] *n* 1) се́рдце; душа́; a man of ~ отзы́вчивый челове́к; to take to ~ принима́ть бли́зко к се́рдцу; to lay to ~ серьёзно отнести́сь (*к совету, упрёку*); big ~ благоро́дство, великоду́шие; at ~ в глубине́ души́; from the bottom of one's ~ из глубины́ души́; in one's ~ (of ~s) в глубине́ души́; with all one's ~ от всей души́ 2) чу́вства, любо́вь; to give (*или* to lose) one's ~ to smb. полюби́ть кого́-л. 3) му́жество, сме́лость, отва́га; to pluck up ~ собра́ться с ду́хом, набра́ться хра́брости; to lose ~ па́дать ду́хом; впада́ть в уны́ние; отча́иваться; to take ~ мужа́ться; to give ~ ободря́ть 4) *в обращении*: dear ~ ми́лый; ми́лая 5) сердцеви́на; ядро́; оча́г, центр; ~ of cabbage капу́стная кочеры́жка; ~ of oak а) сердцеви́на, древеси́на ду́ба; б) отва́жный челове́к; удале́ц; at the ~ of smth. в осно́ве 6) суть, су́щность; the ~ of the matter суть де́ла 7) располо́женные в глубине́ райо́ны, центра́льная часть страны́; in the ~ of Africa в се́рдце А́фрики; the ~ of the country а) глуби́нные райо́ны; б) глушь 8) *pl карт.* че́рви 9) плодоро́дие (*почвы*); out of ~ неплодоро́дный [*ср. тж.* ◇] 10) *тех.* серде́чник ◇ have a ~! *разг.* сжа́льтесь!, помилосе́рдствуйте!; to have smth. at ~ быть пре́данным чему́-л., быть глубоко́ заинтересо́ванным в чём-л.; to set one's ~ on smth. стра́стно жела́ть чего́-л.; стреми́ться к чему́-л.; with half a ~ неохо́тно; he's a man after my own ~ он мне о́чень по душе́; with a single ~ единоду́шно; by ~ наизу́сть, на па́мять; out of ~ в уны́нии; в плохо́м состоя́нии [*ср. тж.* 9)]; to eat one's ~ out си́льно беспоко́иться, трево́житься; to have one's ~ in one's mouth (*или* throat) быть о́чень напу́ганным; ≅ душа́ в пя́тки ушла́; to have one's ~ in one's boots испы́тывать чу́вство безнадёжности, впасть в уны́ние; to have one's ~ in the right place име́ть хоро́шие, до́брые наме́рения; to take ~ of grace собра́ться с ду́хом; to wear one's ~ on one's sleeve не (уме́ть) скрыва́ть свои́х чувств

heartache ['hɑ:teɪk] *n* душе́вная боль, страда́ние

heart attack ['hɑ:tə,tæk] *n* серде́чный при́ступ

heartbeat ['hɑ:tbi:t] *n* 1) бие́ние, пульса́ция се́рдца 2) волне́ние

heartbreak ['hɑ:tbreɪk] *n* большо́е го́ре

heartbreaking ['hɑ:tbreɪkɪŋ] *a* надрыва́ющий се́рдце; душераздира́ющий; вызыва́ющий печа́ль

heartbroken ['hɑ:tbrəʊkən] *a* уби́тый го́рем; с разби́тым се́рдцем

heartburn ['hɑ:tbɜ:n] *n* изжо́га

heartburning ['hɑ:t,bɜ:nɪŋ] *n* 1) недово́льство, доса́да 2) та́йная за́висть, ре́вность

heart disease ['hɑ:tdɪzi:z] *n* боле́знь се́рдца

hearten ['hɑ:tn] *v* ободря́ть, подбодря́ть (*часто* ~ up)

heart failure ['hɑ:tfeɪljə] *n мед.* 1) парали́ч се́рдца 2) серде́чная недоста́точность, серде́чная сла́бость

heartfelt ['hɑ:tfelt] *a* и́скренний; прочу́вствованный

heart-free ['hɑ:tfri:] *a* ни в кого́ не влюблённый

hearth [hɑ:θ] *n* 1) ками́н 2) дома́шний оча́г; ~ and home а) дом, дома́шний оча́г; б) центр, оча́г (*культуры и т. п.*) 3) ка́менная плита́ под очаго́м; под пе́чи 4) *тех.* под, горн; ва́нна, рабо́чее простра́нство (*в отражательной печи*); то́пка

hearth-money ['hɑ:θ,mʌnɪ] *n ист.* нало́г на очаги́

hearthrug ['hɑ:θrʌg] *n* ко́врик пе́ред ками́ном

hearthstone ['hɑ:θstəʊn] = hearth 3)

heartily ['hɑ:tɪlɪ] *adv* 1) серде́чно, и́скренне 2) охо́тно, усе́рдно; to eat ~ есть с аппети́том 3) си́льно, о́чень; I am ~ sick of it мне э́то опроти́вело

heartiness ['hɑ:tɪnəs] *n* 1) кре́пость, здоро́вье 2) серде́чность, и́скренность 3) усе́рдие, пыл

heartland ['hɑ:tlænd] *n* центра́льный *или* ва́жный райо́н (*страны и т. п.*)

heartless ['hɑ:tləs] *a* бессерде́чный, безжа́лостный

heartrending ['hɑ:trendɪŋ] *a* душераздира́ющий; тяжёлый, го́рестный

heart-searching ['hɑ:tsɜ:tʃɪŋ] *n* глубо́кий самоана́лиз, беспристра́стное иссле́дование свои́х чувств

heartsease ['hɑ:tsi:z] *n бот.* аню́тины гла́зки

heartsick ['hɑ:tsɪk] *a* па́вший ду́хом, удручённый

heartstrings ['hɑ:tstrɪŋz] *n pl* глубо́кие чу́вства; тайники́ души́; to play upon smb.'s ~ игра́ть на чьих-л. чу́вствах; to pull at smb.'s ~ растро́гать кого́-л. до глубины́ души́

heartthrob ['hɑ:tθrɒb] *n* 1) сердцебие́ние 2) *разг.* предме́т обожа́ния

heart-to-heart [,hɑ:ttə'hɑ:t] *a* инти́мный, серде́чный; ~ conversation разгово́р по душа́м

heartwarming ['hɑ:twɔ:mɪŋ] *a* тёплый, душе́вный; тро́гательный

heart-whole ['hɑ:thəʊl] *a* 1) и́скренний 2) свобо́дный от привя́занностей

hearty ['hɑ:tɪ] **1.** *a* 1) кре́пкий, здоро́вый; энерги́чный 2) серде́чный, и́скренний; дру́жеский 3) оби́льный (*о еде*) 4) плодоро́дный (*о почве*)

2. *n* 1) кре́пкий па́рень, *особ.* моря́к 2) *унив. разг.* студе́нт, занима́ющийся спо́ртом

heat [hi:t] **1.** *n* 1) жара́, зной 2) жар 3) *физ.* теплота́ 4) *тех.* нагре́в, нака́л 5) теплота́ чувств 6) пыл, раздраже́ние, гнев 7) разга́р, нака́л; political ~ нака́л полити́ческих страсте́й 8) что-л., сде́ланное за оди́н раз, в оди́н приём; *особ. спорт.* часть состяза́ния; забе́г; заплы́в;

заéзд (*на бегах*); at a ~ за оди́н раз 9) *pl спорт.* отбóрочные соревновáния 10) перúод тéчки (*у живóтных*)

2. *v* 1) нагревáть(ся); разогревáть; подогревáть (*чáсто* ~ up); согревáть(ся) 2) накáливать, накаля́ться 3) топи́ть 4) разгорячи́ть; горячи́ть; раздражáть

heat capacity [ˌhi:tkəˈpæsətɪ] *n физ.* теплоёмкость

heated [ˈhi:tɪd] **1.** *p. p. от* heat 2

2. *a* 1) разгорячённый; возбуждённый; ~ with dispute в пылу́ спóра 2) горя́чий, пы́лкий; a ~ discussion горя́чий спор

heatedly [ˈhi:tɪdlɪ] *adv* возбуждённо, гнéвно

heat engine [ˈhi:tˌendʒɪn] *n* теплово́й дви́гатель

heater [ˈhi:tə] *n* 1) нагревáтельный прибóр; обогревáтель; грéлка; радиáтор; калори́фер; кипяти́льник; печь 2) *sl.* винтóвка, пистолéт

heath [hi:θ] *n* 1) степь, пу́стошь, порóсшая вéреском 2) вéреск

heath-cock [ˈhi:θkɒk] *n* тéтерев-косáч

heathen [ˈhi:ðn] **1.** *n* 1) язы́чник 2) вáрвар, нéуч

2. *a* язы́ческий

heathendom [ˈhi:ðndəm] *n* язы́чество, язы́ческий мир

heathenish [ˈhi:ðənɪʃ] *a* 1) язы́ческий 2) вáрварский; грубый, жестóкий

heathenism [ˈhi:ðənɪzəm] *n* 1) язы́чество 2) вáрварство

heather [ˈheðə] *n* вéреск ◇ ~ mixture пёстрая шерстянáя ткань

heathery [ˈheðərɪ] *a* порóсший, изоби́лующий вéреском

heath-hen [ˈhi:θhen] *n* тетёрка

Heath Robinson [ˌhi:θˈrɒbɪnsən] *a разг.* остроу́мное, но бесполéзное (*по имени известного английского карикатуриста*)

heathy [ˈhi:θɪ] *a* 1) вéресковый 2) = heathery

heating [ˈhi:tɪŋ] **1.** *pres. p. от* heat 2

2. *n* 1) нагревáние; подогревáние; продолжи́тельность нагрéва 2) отоплéние 3) накáливание 4) *рáдио* накáл

3. *a* 1) горячи́тельный 2) отопи́тельный; согревáющий; ~ apparatus нагревáтельный прибóр

heating plant [ˌhi:tɪŋˈplɑ:nt] *n* отопи́тельная установка

heat-lightning [ˌhi:tˈlaɪtnɪŋ] *n* зарни́ца

heatproof [ˈhi:tpru:f] *a* теплостóйкий, жаропрóчный

heat-prostration [ˌhi:tprɒˈstreɪʃn] *n* теплово́й удáр

heat-resistant [ˌhi:trɪˈzɪstənt] = heatproof

heat-resisting [ˌhi:trɪˈzɪstɪŋ] = heatproof

heat-spot [ˈhi:tspɒt] *n* весну́шка

heatstroke [ˈhi:tstrəʊk] *n* теплово́й удáр

heat-treat [ˈhi:ttri:t] *v* 1) пастеризовáть (*молокó и т. п.*) 2) *тех.* подвергáть терми́ческой обрабóтке

heat treatment [ˌhi:tˈtri:tmənt] *n тех.* терми́ческая обрабóтка

heat wave [ˈhi:tweɪv] *n* 1) *физ.* теплова́я волнá 2) полосá, перúод си́льной жары́

heave [hi:v] **1.** *n* 1) подъём 2) вздымáние; поднимáние и опускáние 3) рвóтное движéние 4) *геол.* горизонтáльное смещéние, сдвиг; вздувáние *или* вспу́чивание (*почвы*) 5) *pl* запáл (*у лошадéй*)

2. *v* (hove, heaved [-d]) 1) поднимáть, перемещáть (*тяжести*); to ~ coal грузи́ть у́голь 2) испускáть, с трудóм издавáть (*звук*); to ~ a sigh (a groan) тяжелó вздохну́ть (простонáть) 3) *разг.* бросáть, швыря́ть; to ~ overboard брóсить зá борт 4) вздымáться; поднимáться и опускáться (*о вóлнах; о груди*) 5) поднимáть, тяну́ть (*я́корь, канáт*); ~ ho! *мор.* рáзом!, дру́жно!, взя́ли! 6) дéлать уси́лия, напрягáться; ту́житься (*при рвóте*) 7) поворáчивать(ся); идти́ (*о су́дне*); to ~ ahead продви́нуть(ся) вперёд; to ~ astern подáться назáд (*о су́дне*); the ship hove out of the harbour су́дно вы́шло из гáвани ◇ to ~ in (*или* into) sight показáться на горизóнте; to ~ to *мор.* лечь в дрейф; останови́ть (*су́дно*)

heaven [ˈhevn] *n* 1) (H.) провидéние, Бог 2) (*обыкн. pl*) нéбо, небесá ◇ the seventh ~ верх блажéнства; in the seventh ~ на седьмóм нéбе; ~ forbid! Бóже упаси́!; by ~! ей-бóгу!; good ~s Бóже мой!; o Бóже!; ~ knows a) неизвéстно; б) ей-бóгу (*усилéние*); for ~'s sake! рáди Бóга (*как протéст*)

heavenly [ˈhevnlɪ] *a* 1) небéсный; ~ body небéсное свети́ло; *астр.* небéсное тéло 2) божéственный, небéсный, свящéнный; неземнóй 3) *разг.* восхити́тельный, изуми́тельный

heaven-sent [ˌhevnˈsent] *a* счастли́вый, благоприя́тный

heaver [ˈhi:və] *n* 1) гру́зчик 2) *тех.* вáга, рычáг 3) *мор.* драёк

heavily [ˈhevɪlɪ] *adv* 1) тяжелó; to breathe ~ тяжелó дышáть 2) си́льно; to be punished ~ понести́ сурóвое наказáние; it is raining ~ идёт си́льный дождь; to weigh ~ with smb. имéть большóе значéние для когó-л.; to be ~ in debt быть пó уши в долгáх 3) тя́гостно, тяжелó; to take smth. ~ тяжелó переживáть что-л.

heaviness [ˈhevɪnəs] *n* 1) тя́жесть 2) медли́тельность; инéртность 3) гру́зность; неуклю́жесть 4) депрéссия, подáвленность

heavy [ˈhevɪ] **1.** *a* 1) тяжёлый; ~ armament тяжёлое вооружéние 2) оби́льный, бу́йный (*о растительности*); ~ crop оби́льный, хорóший урожáй; ~ foliage густáя листвá; ~ beard густáя бородá; ~ layer *горн.* мóщный слой 3) *служит для усиления*: ~ eater люби́тель поéсть; обжóра; ~ smoker зая́длый кури́льщик 4) си́льный (*о бу́ре, дожде, грозе, росе и т. п.*); густóй (*о тумане*) 5) бу́рный (*о мóре*) 6) покры́тый ту́чами, мрáчный (*о нéбе*) 7) мóщный, кру́пный 8) тóлстый (*о материи, брóне и т. п.*) 9) тяжёлый, тру́дный; ~ work тяжёлая, тру́дная рабóта 10) серьёзный, опáсный; ~ wound тяжёлое ранéние; ~ cold a) си́льная простýда; б) си́льный нáсморк 11) нагру́женный, обременённый (with) 12) тяжёлый, мрáчный, печáльный; with a ~ heart с тяжёлым сéрдцем; ~ villain мрáчный злодéй 13) тру́дный (*для чтéния, понимáния*); тяжеловéсный (*о стиле*) 14) плóхо соображáющий, тупóй; ску́чный 15) сóнный, осоловéлый, отупéвший 16) *театр.* мрáчный; резонёрствующий; to play the part of the ~ father игрáть роль брюзгли́вого, приди́рчивого отцá 17) плóхо подня́вшийся (*о тéсте*); плóхо пропечённый (*о хлебе и т. п.*); ~ bread сырóй хлеб 18) вя́зкий, гли́нистый (*о почве*) 19) тяжёлый, обремени́тельный; высóкий (*о ценé, налóге и т. п.*); ~ casualties *воен.* больши́е потéри 20) грýбый (*о чертах лица́*) 21) тяжеловáтый; неуклю́жий 22) *хим.* слаболету́чий ◇ to have a ~ hand a) быть неуклю́жим; б) быть стрóгим; ~ swell вáжная персóна; to come the ~ father читáть нравоучéния

2. *adv редк.* = heavily; time hangs ~ врéмя тя́нется мéдленно, ску́чно

3. *n* 1) злодéй 2) *театр.* роль степéнного, серьёзного человéка *или* резонёра 3) = heavyweight 4) тяжелая машина, тяжёлое ору́дие *и т. п.*

heavy-duty [ˌhevɪˈdju:tɪ] *a* 1) *тех.* тяжёлого ти́па, для тяжёлого режи́ма рабóты; сверхмóщный, высокопроизводи́тельный 2) облагáемый высóкой пóшлиной

heavy-handed [ˌhevɪˈhændɪd] *a* 1) нелóвкий; неуклю́жий 2) жестóкий, деспоти́ческий 3) тяжеловéсный (*о стиле и т. п.*)

heavy-headed [ˌhevɪˈhedɪd] *a* 1) тупоголóвый 2) сóнный; вя́лый

heavyhearted [ˌhevɪˈhɑ:tɪd] *a* печáльный, уны́лый

heavy hydrogen [ˌhevɪˈhaɪdrɪdʒən] *n физ.* дейтéрий

heavy-laden [ˌhevɪˈleɪdn] *a* 1) тяжелó нагру́женный 2) подáвленный

heavy metal [ˌhevɪˈmetl] *n разг.* хéви-мéтал, грóмкая, ритми́чная рок-му́зыка

heavy water [ˌhevɪˈwɔ:tə] *n хим.* тяжёлая водá

heavyweight [ˈhevɪweɪt] *n* 1) *спорт.* тяжеловéс 2) *разг.* вáжная, влия́тельная персóна

hebdomad [ˈhebdɒmæd] *n книжн.* 1) недéля 2) что-л., состоя́щее из семи́ предмéтов

hebdomadal [hebˈdɒmədl] *a книжн.* еженедéльный

Hebe [ˈhi:bɪ] *n греч. миф.* Гéба

hebetate [ˈhebɪteɪt] *v* притупля́ть(ся)

hebetude [ˈhebɪtjud] *n книжн.* тупоу́мие, ту́пость

Hebraic [hɪˈbreɪɪk] *a* древнееврéйский

Hebrew [ˈhi:bru:] **1.** *n* 1) иудéй, еврéй 2) древнееврéйский язы́к 3) иври́т

2. *a* 1) (древне)еврéйский, иудéйский 2) относя́щийся к иври́ту

Hecate [ˈhekətɪ] *n греч. миф.* Гекáта

hecatomb ['hekətu:m] *n греч. рел.* гекато́мба

heck I [hek] *n диал.* щеко́лда

heck II [hek] *n, int эвф. вместо* hell

heckle ['hekl] *v* 1) прерыва́ть ора́тора крити́ческими замеча́ниями, вы́криками, вопро́сами 2) = hackle II, 2

hectare ['hekteə] *n* гекта́р

hectic ['hektɪk] **1.** *a* 1) *разг.* возбуждённый, лихора́дочный; беспоко́йный; to lead a ~ life вести́ беспоря́дочный о́браз жи́зни 2) чахо́точный

2. *n* 1) чахо́точный румя́нец 2) *редк.* чахо́точный больно́й

hectogram(me) ['hektəgræm] *n* гектогра́мм

hectograph ['hektəgrɑ:f] *n* гекто́граф

hector ['hektə] **1.** *n* зади́ра; грубия́н; хулига́н

2. *v* задира́ть; груби́ть, оскорбля́ть; хулига́нить

hectowatt ['hektəwɒt] *n эл.* гектова́тт

he'd [hi:d (*полная форма*); hɪd, ɪd (*редуцированные формы*)] *сокр. разг.* = he had, he would

hedge [hedʒ] **1.** *n* 1) (жива́я) и́згородь; огра́да; dead ~ плетéнь 2) прегра́да, препя́тствие 3) ни к чему́ не обя́зывающее заявлéние

2. *v* 1) огора́живать и́згородью (*часто* ~ off, ~ in) 2) ограни́чивать, свя́зывать; меша́ть, препя́тствовать; окружа́ть (*трудностями и т. п.*) 3) огражда́ть, страхова́ть себя́ от всевозмо́жных потéрь 4) уклоня́ться, увиливать от пря́мого отвéта, оставля́ть лазéйку

hedge-bill ['hedʒbɪl] = hedging-bill

hedgehog ['hedʒhɒg] *n* 1) ёж; *амер. тж.* дикобра́з 2) неужи́вчивый человéк 3) *бот.* колю́чая семенна́я коро́бочка 4) *воен.* перено́сное про́волочное загражде́ние, ёж

hedgehop ['hedʒhɒp] *ав. разг.* **1.** *n* брéющий полёт

2. *v* лета́ть на брéющем полёте

hedgehopper ['hedʒhɒpə] *n ав. разг.* штурмови́к

hedge hopping ['hedʒhɒpɪŋ] *n ав. разг.* брéющий полёт

hedgerow ['hedʒrəʊ] *n* 1) жива́я и́згородь 2) *с.-х.* полезащи́тная полоса́

hedge-school ['hedʒsku:l] *n ист.* шко́ла на откры́том во́здухе (*в Ирландии*)

hedge sparrow ['hedʒ,spærəʊ] *n* завиру́шка (*птица*)

hedging-bill ['hedʒɪŋbɪl] *n* садо́вый нож

hedonism ['hi:dnɪzəm] *n* 1) *филос.* гедони́зм 2) жа́жда наслаждéний

hedonist ['hi:dnɪst] *n* 1) *филос.* приве́рженец гедони́зма 2) человéк, любя́щий наслаждéния

hedonistic [,hi:də'nɪstɪk] *a* 1) *филос.* гедонисти́ческий 2) любя́щий наслаждéния

heebie-jeebies [,hɪbɪ'dʒi:bɪz] *n pl sl.* нéрвное возбуждéние; при́ступ раздражéния

heed [hi:d] **1.** *n* внима́ние, осторо́жность; to give (*или* to pay) ~ to smth., smb. обраща́ть внима́ние на что-л., кого́-л.; to take no ~ of danger (of what is said) не обраща́ть внима́ния на опа́сность (на то, что говоря́т)

2. *v* обраща́ть внима́ние; внима́тельно следи́ть (*за чем-л.*)

heedful ['hi:dfl] *a* внима́тельный, забо́тливый

heedless ['hi:dləs] *a* невнима́тельный, небрéжный; необду́манный

hee-haw ['hi:hɔ:] **1.** *n* 1) крик осла́ 2) гро́мкий хо́хот

2. *v* 1) крича́ть (*об осле*) 2) гро́мко хохота́ть, «ржать»

heel I [hi:l] **1.** *n* 1) пя́тка; пята́; the iron ~ желéзная пята́, и́го; at (*или* on, upon) smb.'s ~s по пята́м, слéдом за кем-л.; to turn on one's ~(s) а) кру́то поверну́ться (и уйти́); б) бесцеремо́нно поверну́ться к кому́-л. спино́й 2) пя́тка (*чулка или носка*); за́дник (*ботинка*); out at ~s а) с про́дранными пя́тками; б) бéдно одéтый; нужда́ющийся, бéдный 3) каблу́к; down at ~(s), down at the ~ а) со сто́птанными каблука́ми; б) бéдно *или* неря́шливо одéтый; в) жа́лкий 4) за́дний шип подко́вы 5) шпо́ра (*петуха*) 6) оста́ток (*чего-л. — корка сыра, хлеба и т. п.*) 7) *разг.* обма́нщик; подлéц, мерза́вец 8) грань, верши́на, ребро́ 9) *стр.* ни́жняя часть сто́йки *или* стропи́льной ноги́ ◇ to clap (*или* to lay) by the ~s арестова́ть, посади́ть в тюрьму́; to bring to ~ подчини́ть; заста́вить повинова́ться; to dig one's ~s in укрепи́ться, укрепи́ть своё положéние; to come to ~ а) идти́ слéдом за хозя́ином (*о собаке*); б) подчини́ться; to show a clean pair of ~s, to take to one's ~s удира́ть, улепётывать; to cool (*или* to kick) one's ~s (зря) дожида́ться

2. *v* 1) прибива́ть каблуки́, набо́йки 2) присту́кивать каблука́ми (*в танце*) 3) уда́рить пя́ткой (*в футболе, регби*) 4) слéдовать по пята́м 5) *sl.* снабжа́ть (*особ. деньгами*)

heel II [hi:l] *мор.* **1.** *n* крен

2. *v* крени́ть(ся); килева́ть, кренгова́ть

heel-and-toe [,hi:lən'təʊ] *a*: ~ walk спорти́вная ходьба́

heeled I [hi:ld] **1.** *p. p. от* heel I, 2

2. *a* 1) подко́ванный; *перен.* во всеору́жии 2) *sl.* снабжённый деньга́ми

heeled II [hi:ld] *p. p. от* heel II, 2

heeler ['hi:lə] *n амер.* подру́чный парти́йного бо́сса

heeling I ['hi:lɪŋ] **1.** *pres. p. от* heel II, 2

2. *n мор.* крен

heeling II ['hi:lɪŋ] *pres. p. от* heel I, 2

heel-piece ['hi:lpi:s] *n* 1) набо́йка 2) конéц, концо́вка

heel-plate ['hi:lpleɪt] *n* металли́ческая подко́вка на каблукé

heeltap ['hi:ltæp] *n* 1) набо́йка 2) оста́ток вина́ в бока́ле; no ~s! пить до дна!

heft [heft] **1.** *n диал.* 1) вес, тя́жесть 2) бо́льшая часть

2. *v* 1) приподнима́ть, поднима́ть 2) определя́ть вес, взвéшивать

hefty ['heftɪ] *a разг.* 1) дю́жий, здоровéнный 2) оби́льный, изря́дный; a ~ sum of money поря́дочная су́мма дéнег 3) тяжёлый

Hegelian [hɪ'geɪlɪən] **1.** *a* гегелья́нский

2. *n* гегелья́нец

hegemonic [,hegə'mɒnɪk] *a* руководя́щий, гла́вный

hegemony [hɪ'gemənɪ] *n* гегемо́ния; руково́дство, госпо́дство

heifer ['hefə] *n* тёлка; нéтель

heigh [heɪ] *int* эй! (*оклик*); ай да!, ба! (*выражает вопрос, поощрение*)

heigh-ho [,heɪ'həʊ] *int* о-хо-хо́!, э-э́х! (*восклицание, выражающее досаду, скуку и т. п.*)

height [haɪt] *n* 1) высота́, вышина́; рост; to rise to a great ~ подня́ться на большу́ю высоту́ 2) возвы́шенность, холм 3) верх, вы́сшая стéпень (*чего-л.*); высо́ты (*знаний и т. п.*); in the ~ of smth. в разга́ре чего́-л.; dressed in the ~ of fashion одéтый по послéдней мо́де

heighten ['haɪtn] *v* 1) повыша́ть(ся); уси́ливать(ся) 2) преувели́чивать

heinous ['heɪnəs] *a* отврати́тельный, гну́сный, ужа́сный

heir [eə] *n* наслéдник; ~ apparent бесспо́рный наслéдник; престолонаслéдник; ~ presumptive предполага́емый наслéдник; to fall ~ to smb. стать чьим-л. наслéдником

heir-at-law [,eərət'lɔ:] *n* наслéдник по зако́ну

heirdom ['eədəm] *n* наслéдование

heiress ['eərəs] *n* наслéдница

heirloom ['eəlu:m] *n* 1) фами́льная вещь 2) фами́льная черта́; наслéдие

heist [haɪst] *n амер. sl.* ограблéние

held [held] *past и p. p. от* hold I, 2

heliacal [hɪ'laɪəkl] *a астр.* 1) со́лнечный 2) совпада́ющий с восхо́дом *или* захо́дом со́лнца

helical ['helɪkl] *a* 1) спира́льный 2) *тех.* винтово́й, геликоида́льный

helices ['helɪsi:z] *pl от* helix

Helicon ['helɪkən] *n* 1) *греч. миф.* Гелико́н, оби́тель муз 2) (h.) гелико́н (*духовой инструмент*)

helicopter ['helɪkɒptə] **1.** *n* вертолёт, гелико́птер

2. *v* перевози́ть на вертолёте

helio- ['hi:lɪəʊ-] *в сложных словах* гелио-; *напр.*: helioscope гелиоско́п

heliocentric [,hi:lɪəʊ'sentrɪk] *a* гелиоцентри́ческий

heliograph ['hi:lɪəgrɑ:f] *n* 1) гелио́граф 2) гелиогравю́ра

heliogravure [,hi:lɪəgrə'vjʊə] = heliograph 2)

heliophilous [,hi:lɪ'ɒfɪləs] *a бот.* светолюби́вый

heliophobic [,hi:lɪəʊ'fəʊbɪk] *a бот.* светобоязли́вый

heliotherapy [,hi:lɪəʊ'θerəpɪ] *n мед.* гелиотерапи́я

heliotrope ['hi:lɪətrəʊp] *n бот.* гелиотро́п

heliport ['helɪpɔ:t] *n* вертолётная ста́нция, вертодро́м

helium ['hi:lɪəm] *n хим.* ге́лий

helix ['hi:lɪks] *n* (*pl* helices) 1) спира́ль, спира́льная ли́ния, винтова́я ли́ния 2) *анат.* завито́к ушно́й ра́ковины 3) *тех.* винт 4) *зоол.* ули́тка 5) *архит.* волю́та, завито́к

hell [hel] *n* 1) ад 2) иго́рный дом, прито́н ◇ a ~ of a way черто́вски далеко́; a ~ of a noise а́дский шум; go to ~! пошёл к чёрту!; like ~ а) си́льно; стреми́тельно; изо всех сил; б) чёрта с два!; you're coming, aren't you? — Like ~ I will! вы ведь придёте? — И не поду́маю!; to ride ~ for leather нести́сь во весь опо́р; there will be ~ to pay ≅ хлопо́т не оберёшься; to give smb. ~ руга́ть кого́-л. на чём свет стои́т; всы́пать кому́-л. по пе́рвое число́; come ~ or high water ≅ что бы то ни́ было; что бы ни случи́лось

he'll [hi:l (*полная форма*); hɪl, ɪl (*редуцированные формы*)] *сокр. разг.* = he will

hellbender ['hel,bendə] *n амер. разг.* 1) гуля́ка; кути́ла 2) попо́йка, дебо́ш

hell-bent [,hel'bent] *a разг.* 1) одержи́мый (*чем-л.*); добива́ющийся любо́й ценой (on — *чего-л.*) 2) безрассу́дный, опроме́тчивый 3) мча́щийся во весь опо́р

hellcat ['helkæt] *n* ве́дьма, мегера

hellebore ['helɪbɔ:] *n бот.* 1) моро́зник 2) чемери́ца

Hellene ['heli:n] *n* э́ллин, грек

Hellenic [he'li:nɪk] **1.** *a* э́ллинский, гре́ческий

2. *n* 1) гре́ческий язы́к 2) *pl* труды́ по гре́ческой филоло́гии

Hellenism ['helɪnɪzəm] *n* эллини́зм

Hellenist ['helɪnɪst] *n* эллини́ст

hellhole ['helhəʊl] *n* 1) а́дская бе́здна 2) *разг.* га́дкое помеще́ние 3) *разг.* прито́н

hellhound ['helhaʊnd] *n* 1) це́рбер 2) дья́вол; и́зверг

hellion ['heljən] *n амер. разг.* 1) беспоко́йный челове́к 2) непослу́шный, шаловли́вый ребёнок, озорни́к

hellish ['helɪʃ] *a* 1) а́дский 2) бесчелове́чный; зло́бный 3) проти́вный, отврати́тельный

hello [he'ləʊ] = hallo

helluva ['heləvə] *a амер. разг.* черто́вский, а́дский

helm I [helm] **1.** *n* 1) руль; корми́ло 2) рулево́е колесо́; штурва́л, ру́мпель; the man at the ~ рулево́й; ко́рмчий; to answer the ~ слу́шаться руля́ 3) власть, управле́ние; ~ of state бразды́ правле́ния

2. *v* направля́ть, вести́; руководи́ть

helm II [helm] *n уст.* шлем

helmet ['helmɪt] *n* 1) шлем, ка́ска 2) тропи́ческий шлем

helminth ['helmɪnθ] *n* глист, кише́чный червь

helminthic [hel'mɪnθɪk] **1.** *a* относя́щийся к глиста́м

2. *n* глистого́нное сре́дство

helmsman ['helmzmən] *n* рулево́й; ко́рмчий

helot ['helət] *n др.-греч. ист.* ило́т, раб

help [help] **1.** *n* 1) по́мощь; can I be of any ~ to you? могу́ я Вам чем-л. помо́чь? 2) помо́щник; your advice was a great ~ ваш сове́т мне о́чень помо́г 3) служа́нка, прислу́га; mother's ~ бо́нна 4) сре́дство, спасе́ние; there's no ~ for it э́тому нельзя́ помо́чь 5) = helping 2, 2)

2. *v* 1) помога́ть; ока́зывать по́мощь, соде́йствие; спосо́бствовать; it can't be ~ed *разг.* ничего́ не поде́лаешь, ничего́ не попи́шешь; can't ~ it ничего́ не могу́ поде́лать 2) раздава́ть, угоща́ть; передава́ть (*за столом*); ~ yourself бери́те, пожа́луйста (са́ми), угоща́йтесь, не церемо́ньтесь; may I ~ you to some meat? позво́льте вам предложи́ть мя́са 3) (*с модальными глаголами* can, could) избежа́ть, удержа́ться; she can't ~ thinking of it она́ не мо́жет не ду́мать об э́том; I could not ~ laughing я не мог удержа́ться от сме́ха; я не мог не засмея́ться; don't be longer than you can ~ не остава́йтесь до́льше, чем на́до ▭ ~ **down** помо́чь сойти́; ~ **in** помо́чь войти́; ~ **into** а) помо́чь войти́; б) помо́чь наде́ть, пода́ть; ~ **off** а) помо́чь снять *что-л.* (*об одежде*); б) помо́чь отде́латься от; ~ **on** а) помога́ть; продвига́ть (*дело*); б): ~ me on with my overcoat помоги́те мне наде́ть пальто́; ~ **out** а) помо́чь вы́йти; б) помо́чь в затрудне́нии, вы́ручить; в) разли́ть (*суп*); разложи́ть, положи́ть (*второе*); ~ **over** вы́ручить, помо́чь в затрудне́нии; ~ **up** помо́чь встать, подня́ться

helper ['helpə] *n* 1) помо́щник 2) подру́чный 3) *ж.-д.* вспомога́тельный парово́з

helpful ['helpfl] *a* поле́зный

helping ['helpɪŋ] **1.** *pres p от* help 2

2. *n* 1) по́мощь 2) по́рция

helpless ['helpləs] *a* 1) беспо́мощный 2) беззащи́тный 3) неуме́лый

helpline ['helplaɪn] *n* телефо́н дове́рия, слу́жба э́кстренной психологи́ческой по́мощи

helpmate ['helpmeɪt] *n* 1) помо́щник, това́рищ; подру́га 2) муж, супру́г; жена́, супру́га

helter-skelter ['heltə,skeltə] **1.** *n* 1) спира́льная го́рка (*аттракцион*) 2) сумато́ха, беспоря́док

2. *adv* беспоря́дочно, как попа́ло

helve [helv] *n* 1) черено́к; ру́чка, рукоя́ть 2) = helve-hammer

helve-hammer ['helv,hæmə] *n* рыча́жный мо́лот

Helvetian [hel'vi:ʃən] **1.** *a* швейца́рский

2. *n* швейца́рец; швейца́рка

Helvetic [hel'vetɪk] *a* швейца́рский

hem I [hem] **1.** *n* 1) подру́бочный шов, рубе́ц; подши́вка 2) кайма́; кро́мка 3) *архит.* выступа́ющее ребро́ на волю́те иони́ческой капите́ли

2. *v* 1) подруба́ть 2) окаймля́ть ▭ ~ **about**, ~ **in**, ~ **round** окружа́ть; ~med in by the enemy окружённый врага́ми

hem II [hem] **1.** *int* гм!

2. *v* произноси́ть «гм», пока́шливать, запина́ться; to ~ and haw = to hum and haw [*см.* hum I, 2, 3)]

he-man ['hi:mæn] *n разг.* настоя́щий мужчи́на

hematic [hɪ'mætɪk] = haematic

hematite ['hi:mətaɪt] = haematite

hemisphere ['hemɪsfɪə] *n* 1) полуша́рие; the Northern (Southern) ~ се́верное (ю́жное) полуша́рие 2) сфе́ра, о́бласть (*знаний и т. п.*) 3) *анат.* полуша́рие головно́го мо́зга и мозже́чка

hemispheric(al) [,hemɪ'sferɪk(l)] *a* полусфери́ческий

hemistich ['hemɪstɪk] *n* полусти́шие

hemline ['hemlaɪn] *n* ни́жний край оде́жды, подо́л (*особ. платья, юбки*)

hemlock ['hemlɒk] *n* 1) *бот.* болиголо́в (кра́пчатый) 2) нарко́тик *или* яд из болиголо́ва 3) *бот.* тсу́га

hemoglobin [,hi:mə'gləʊbɪn] *амер.* = haemoglobin

hemolysis [hi:'mɒləsɪs] *амер.* = haemolysis

hemorrhage ['hemərɪdʒ] *амер.* = haemorrhage

hemorrhoids ['hemərɔɪdz] *амер.* = haemorrhoids

hemp [hemp] *n* 1) конопля́ 2) пенька́ 3) гаши́ш; марихуа́на

hempen ['hempən] *a* пенько́вый, конопля́ный

hemstitch ['hemstɪtʃ] **1.** *n* ажу́рная стро́чка; мере́жка

2. *v* де́лать ажу́рную стро́чку, мере́жку

hen [hen] *n* 1) ку́рица 2) *pl* дома́шняя пти́ца 3) тетёрка; куропа́тка 4) *шутл.* же́нщина ◇ like a ~ with one chicken хлопотли́во; ≅ как ку́рица с яйцо́м

-hen [-hen] *в сложных словах означает самку птицы; напр.*: peahen па́ва

henbane ['henbeɪn] *n бот.* белена́ (чёрная)

hence [hens] *adv* 1) с э́тих пор; three years ~ че́рез три го́да, три го́да спустя́ 2) сле́довательно 3) *уст.* отсю́да ◇ to go ~ умере́ть

henceforth [,hens'fɔ:θ] *adv* с э́того вре́мени, впредь

henceforward [hens'fɔ:wəd] = henceforth

henchman ['hentʃmən] *n* 1) приве́рженец 2) креату́ра; при́хвостень; приспе́шник 3) *ист.* оруженосец; паж

hen-coop ['henku:p] *n* клётка для кур; куря́тник

hendecagon [hen'dekəgən] *n геом.* одиннадцатиуго́льник

hen harrier ['hen,hærɪə] *n* лунь (*птица*)

hen-hearted [,hen'hɑ:tɪd] *a* трусли́вый, малоду́шный

hen-house ['henhaʊs] *n* куря́тник

henna ['henə] **1.** *n* 1) *бот.* хна 2) хна (*краска*)

2. *v* кра́сить во́лосы хно́й

hennery ['henərı] *n* 1) птицефе́рма 2) куря́тник

hen-party ['hen,pɑ:tı] *n* *шутл.* «деви́чник», же́нская компа́ния

henpeck ['henpek] *v* *разг.* держа́ть му́жа под башмако́м

hen-roost ['henru:st] *n* насе́ст

henry ['henrı] *n* *эл.* ге́нри (*единица индуктивности*)

hepatic [hı'pætık] *a* 1) *мед.* печёночный 2) де́йствующий на пе́чень 3) красно-вато-кори́чневый

hepatite ['hepətaıt] *n* *мин.* гепати́т

hepatitis [,hepə'taıtıs] *n* *мед.* гепати́т, воспале́ние пе́чени

heptagon ['heptəgən] *n* семиуго́льник

heptane ['hepteın] *n* *хим.* гепта́н

heptarchy ['heptɑ:kı] *n* 1) гепта́рхия, правле́ние, осуществля́емое семью́ ли́цами; страна́, управля́емая семью́ ли́цами 2) *ист.* сою́з семи́ короле́вств а́нглов и са́ксов

Heptateuch ['heptətju:k] *n* *рел.* пе́рвые семь книг Ве́тхого заве́та

her I [hɜ:] *pron pers.* *косв. падеж от* she

her II [hɜ:] *pron poss.* (*употр. атрибутивно*; *ср.* hers) её; свой; принадлежа́щий ей; ~ book её кни́га

herald ['herəld] **1.** *n* 1) ве́стник; предве́стник 2) *ист.* геро́льд; глаша́тай ◇ Heralds' College геральди́ческая пала́та

2. *v* 1) возвеща́ть, объявля́ть 2) предвеща́ть

heraldic [hə'rældık] *a* геральди́ческий

heraldry ['herəldrı] *n* гера́льдика, гербове́дение

herb [hɜ:b] *n* трава́, расте́ние (*особ. лекарственное*)

herbaceous [hə'beıʃəs] *a* травяно́й; травяни́стый; ~ border цвето́чный борду́р

herbage ['hɜ:bıdʒ] *n* 1) *собир.* тра́вы; травяно́й покро́в 2) *юр.* пра́во па́стбища

herbal ['hɜ:bl] *a* травяно́й; ~ tea отва́р из трав

herbalist ['hɜ:bəlıst] *n* 1) торго́вец лече́бными тра́вами 2) знато́к трав; ле́карь, врачу́ющий тра́вами, тра́вник

herbaria [hɜ:'beərıə] *pl от* herbarium

herbarium [hɜ:'beərıəm] *n* (*pl* -s [-z], -ria) герба́рий

herbicide ['hɜ:bısaıd] *n* *с.-х.* гербици́д

herbivorous [hɜ:'bıvərəs] *a* травоя́дный

Herculean [,hɜ:kjʊ'li:ən] *a* 1) геркуле́сов 2) геркуле́совский; исполи́нский 3) о́чень тру́дный *или* опа́сный; ~ task сложне́йшая зада́ча

Hercules ['hɜ:kjʊli:z] *n* 1) *римск. миф.* Геркуле́с 2) геркуле́с, сила́ч

herd [hɜ:d] **1.** *n* 1) ста́до; гурт 2) *пренебр.* ста́до, толпа́ 3) пасту́х 4) *attr.* ста́дный; the ~ instinct ста́дное чу́вство

2. *v* 1) ходи́ть ста́дом; толпи́ться 2) быть вме́сте, подружи́ться; примкну́ть (with) 3) собира́ть вме́сте 4) пасти́

herdsman ['hɜ:dzmən] *n* 1) пасту́х 2) скотово́д

here [hıə] *adv* 1) здесь, тут; ~ and there там и сям; разбро́санно; ~, there and everywhere повсю́ду 2) сюда́; come ~ иди́те сюда́ 3) вот; ~ is your book вот ва́ша кни́га; ~ you (*или* we) are! *разг.* вот, пожа́луйста!; вот то, что вам ну́жно; ~ we are (again)! вот и мы! 4) в э́тот моме́нт; ~ the speaker paused в э́тот моме́нт ора́тор останови́лся 5): my friend ~ was a witness of the accident вот мой друг ви́дел всё со́бственными глаза́ми ◇ ~'s to you, ~'s how! (за) ва́ше здоро́вье!; same ~ я то́же; я согла́сен; то же могу́ сказа́ть о себе́; ~ goes! что ж, начнём!; присту́пим!, пое́хали!; neither ~ nor there ≅ ни к селу́ ни к го́роду; ~ today and gone tomorrow ≅ «перелётная пти́ца»

hereabouts [,hıərə'baʊts] *adv* побли́зости; где́-то ря́дом

hereafter [,hıər'ɑ:ftə] **1.** *adv* 1) в бу́дущем 2) зате́м, да́льше (*в статье, книге и т. п.*) 3) в потусторо́ннем ми́ре

2. *n* 1) бу́дущее, гряду́щее 2) потусторо́нний мир

hereby [,hıə'baı] *adv* *канц.* 1) сим, э́тим, настоя́щим; при сём; ~ I promise настоя́щим я обязу́юсь 2) таки́м о́бразом

hereditary [hə'redətrı] *a* 1) насле́дственный; передава́емый по насле́дству, насле́дуемый 2) традицио́нный (*в данной семье*)

heredity [hə'redətı] *n* насле́дственность

herein [,hıər'ın] *adv* в э́том; здесь, при сём (*в документах*)

hereinafter [,hıərın'ɑ:ftə] *adv* ни́же, в дальне́йшем (*в документах*)

hereof [,hıər'ɒv] *adv* 1) об э́том 2) отсю́да, из э́того (*в документах*)

heresy ['herəsı] *n* е́ресь

heretic ['herətık] *n* ерети́к

heretical [hə'retıkl] *a* ерети́ческий

hereto [,hıə'tu:] *adv* к э́тому, к тому́ (*в документах*)

heretofore [,hıətʊ'fɔ:] *adv* *книжн.* пре́жде, до э́того

hereupon [,hıərə'pɒn] *adv* *книжн.* 1) вслед за э́тим, по́сле э́того 2) всле́дствие э́того; всле́дствие чего́

herewith [,hıə'wıð] *adv* 1) настоя́щим (*сообщается и т. п.*); при сём (*прилагается*) 2) посре́дством э́того

heritable ['herıtəbl] *a* насле́дственный; насле́дуемый; ~ disease насле́дственная боле́знь

heritage ['herıtıdʒ] *n* насле́дство; насле́дие

heritor ['herıtə] *n* *уст.* насле́дник

hermaphrodite [hɜ:'mæfrədaıt] *n* гермафроди́т; обоепо́лое существо́

Hermes ['hɜ:mi:z] *n* *греч. миф.* Герме́с

hermetic [hɜ:'metık] *a* гермети́ческий; пло́тно закры́тый ◇ ~ art алхи́мия

hermetically [hɜ:'metıklı] *adv* пло́тно, гермети́чески

hermit ['hɜ:mıt] *n* отше́льник; пусты́нник

hermitage ['hɜ:mıtıdʒ] *n* хи́жина отше́льника; уединённое жили́ще

hermit crab [,hɜ:mıt'kræb] *n* рак-отше́льник

hernia ['hɜ:nıə] *n* (*pl тж.* -niae) *мед.* гры́жа

herniae ['hɜ:nı,i:] *pl от* hernia

hero ['hıərəʊ] *n* (*pl* -oes [-əʊz]) 1) геро́й 2) геро́й, гла́вное де́йствующее лицо́ (*романа, пьесы и т. п.*) 3) геро́й, полубо́г (*в античной литературе*)

Herod ['herəd] *n* *библ.* И́род

heroic [hı'rəʊık] **1.** *a* 1) герои́ческий, геро́йский 2) *лит.* герои́ческий, эпи́ческий; ~ verse пятисто́пный рифмо́ванный ямб (*в английской поэзии*); александри́йский стих (*во французской поэзии*); гекза́метр (*в греческой и латинской поэзии*) 3) высокопа́рный, напы́щенный (*о языке*) 4) опа́сный, риско́ванный (*о методе лечения*) 5) бо́льше челове́ческого ро́ста (*о статуе и т. п.*)

2. *n* *pl* высокопа́рный, напы́щенный язы́к

heroin ['herəʊın] *n* герои́н

heroine ['herəʊın] *n* 1) герои́ня 2) герои́ня, гла́вное де́йствующее лицо́ (*романа, пьесы и т. п.*)

heroism ['herəʊ,ızəm] *n* герои́зм, геро́йство, до́блесть

heroize ['herəʊ,aız] *v* 1) героизи́ровать, наделя́ть герои́ческими черта́ми 2) изобража́ть из себя́ геро́я

heron ['herən] *n* ца́пля

heronry ['herənrı] *n* гнездо́вье ца́пель

hero worship ['hıərəʊwɜ:ʃıp] *n* 1) преклоне́ние пе́ред геро́ями 2) культ киноактёров, спортсме́нов *и т. п.*

hero-worship ['hıərəʊwɜ:ʃıp] *v* 1) преклоня́ться пе́ред геро́ями 2) восторга́ться (*актёрами, спортсменами и т. п.*)

herpes ['hɜ:pi:z] *n* *мед.* лиша́й; ге́рпес

herring ['herıŋ] *n* сельдь, селёдка; kippered ~ копчёная сельдь

herringbone ['herıŋbəʊn] **1.** *n* 1) вы́шивка «ёлочкой» 2) рису́нок «в ёлочку» (*на ткани*) 3) кла́дка кирпича́ «в ёлку»

2. *a* име́ющий вид ко́лоса, шевро́на; «в ёлочку»

hers [hɜ:z] *pron poss.* (*абсолютная форма*; *не употр. атрибутивно*; *ср.* her II) её; свой; принадлежа́щий ей; this book is ~ э́та кни́га её

herself [hɜ:'self] *pron* 1) *emph.* сама́; she did it ~ она́ э́то сде́лала сама́; (all) by ~ (совсе́м) одна́, без чьей-л. по́мощи 2) *refl.* себя́, само́ё себя́; -сь; себе́; she burnt ~ она́ обожгла́сь; she came to ~ она́ пришла́ в себя́ ◇ she is not ~ today сего́дня она́ сама́ не своя́

hertz [hɜ:ts] *n* *физ.* герц

Hertzian ['hɜ:tsıən] *a*: ~ wave *физ.* электромагни́тная волна́

he's [hi:z] *сокр. разг.* = he is, he has

hesitancy ['hezıtənsı] *n* колеба́ние; нереши́тельность

hesitant ['hezıtənt] *a* колеблю́щийся; нереши́тельный

hesitate ['hezıteıt] *v* 1) колеба́ться; не реша́ться; I ~ to affirm (я) бою́сь утвержда́ть 2) стесня́ться; do not ~ to ask me спра́шивайте меня́, не стесня́йтесь 3) запина́ться ◇ he who ~s is lost ≅ промедле́ние сме́рти подо́бно

hesitatingly [ˈhezɪteɪtɪŋlɪ] *adv* нереши́тельно

hesitation [ˌhezɪˈteɪʃn] *n* 1) колеба́ние, сомне́ние 2) нереши́тельность; неохо́та 3) запина́ние, заика́ние

hesitative [ˈhezɪteɪtɪv] *a* проявля́ющий колеба́ние, колеблю́щийся

Hesperian [hesˈpɪərɪən] *a поэт.* за́падный

Hesperus [ˈhespərəs] *n* вече́рняя звезда́, *особ.* Вене́ра

Hessian [ˈhesɪən] **1.** *a* ге́ссенский, из Ге́ссена ◇ ~ boots *ист.* высо́кие сапоги́; ботфо́рты

2. *n* 1) *ист.* ге́ссенский наёмник 2) *амер.* наёмник, прода́жный челове́к 3) (h.) дерю́га, мешо́чная ткань

hetero [ˈhetərəʊ] *разг.* = heterosexual

heterodox [ˈhetərəʊdɒks] *a книжн.* неортодокса́льный; ерети́ческий

heterodoxy [ˈhetərəʊdɒksɪ] *n книжн.* неортодокса́льность; е́ресь

heterodyne [ˈhetərəʊdaɪn] *радио* **1.** *a* гетероди́нный

2. *v* накла́дывать колеба́ния

heterogeneity [ˌhetərəʊdʒəˈni:ətɪ] *n* гетероге́нность, разноро́дность

heterogeneous [ˌhetərəʊˈdʒi:nɪəs] *a* гетероге́нный, разноро́дный

heterosexual [ˌhetərəʊˈsekʃʊəl] **1.** *a* гетеросексуа́льный

2. *n* челове́к, испы́тывающий полово́е влече́ние к ли́цам противополо́жного по́ла

heterosexuality [ˌhetərəʊseksʃʊˈælətɪ] *n* гетеросексуали́зм, полово́е влече́ние к ли́цам противополо́жного по́ла

het up [ˌhetˈʌp] *a разг.* возбуждённый, в не́рвном состоя́нии; to get ~ about smth. вы́йти из себя́, вспыли́ть

heuristic [hjʊˈrɪstɪk] **1.** *n* эври́стика

2. *a* эвристи́ческий

hew [hju:] *v* (hewed [-d]; hewed, hewn) 1) руби́ть, разруба́ть; to ~ one's way проруба́ть, прокла́дывать себе́ доро́гу 2) сруба́ть (*часто* ~ down, ~ off) 3) высека́ть, вытёсывать (*часто* ~ out); to ~ out a career for oneself сде́лать карье́ру 4) *горн.* отбива́ть (*часто* ~ off)

hewer [ˈhju:ə] *n* 1) дровосе́к 2) каменотёс 3) *горн.* забо́йщик 4) подёнщик ◇ ~s of wood and drawers of water а) *библ.* ру́бящие дрова́ и че́рпающие во́ду; б) выполня́ющие чёрную рабо́ту

hewn [hju:n] *p. p. от* hew

hex [heks] *амер.* **1.** *n* 1) заклина́ние; ча́ры 2) ве́дьма, колду́нья, ворожея́

2. *v* 1) колдова́ть, занима́ться чёрной ма́гией 2) заколдо́вывать

hexagon [ˈheksəgən] *n* шестиуго́льник

hexagonal [hekˈsægənl] *a* шестиуго́льный

hexahedron [ˌheksəˈhi:drən] *n* шестигра́нник

hexameter [hekˈsæmɪtə] *n* гекза́метр

hey [heɪ] *int* эй! (*оклик*); ну! (*выража́ет вопрос, радость, изумление*)

heyday [ˈheɪdeɪ] *n* зени́т, расцве́т, лу́чшая пора́; in the ~ of youth в расцве́те мо́лодости; in the ~ of one's glory в зени́те сла́вы

H-hour [ˈeɪtʃˌaʊə] *n воен.* час «Ч», вре́мя нача́ла опера́ции

hi [haɪ] *int* 1) *амер. разг.* приве́т!, салю́т!, здоро́во! 2) = hey

hiatus [haɪˈeɪtəs] *n* (*pl* -ses [-sɪz]) 1) пробе́л, про́пуск 2) *лингв.* хиа́тус, зия́ние

hibernal [haɪˈbɜ:nl] *a* зи́мний

hibernate [ˈhaɪbəneɪt] *v* 1) находи́ться в зи́мней спя́чке (*о животных*) 2) быть в безде́йствии 3) зимова́ть

hibernation [ˌhaɪbəˈneɪʃn] *n* 1) зи́мняя спя́чка 2) безде́йствие

Hibernian [haɪˈbɜ:nɪən] *поэт.* **1.** *a* ирла́ндский

2. *n* ирла́ндец; ирла́ндка

hibiscus [haɪˈbɪskəs] *n бот.* гиби́скус

hic [hɪk] *int* ик!

hiccough [ˈhɪkʌp] = hiccup

hiccup [ˈhɪkʌp] **1.** *n* ико́та; (the) ~s при́ступ ико́ты

2. *v* ика́ть

hick [hɪk] *n амер. разг.* 1) провинциа́л, дереве́нщина 2) *attr.* провинциа́льный; ~ town захолу́стный городи́шко

hickory [ˈhɪkərɪ] *n бот.* ги́кори

hickory-shirt [ˈhɪkərɪʃɜ:t] *n амер.* руба́шка из гру́бой хлопчатобума́жной тка́ни в у́зкую поло́ску *или* кле́тку

hid [hɪd] *past и p. p. от* hide II, 2

hidalgo [hɪˈdælgəʊ] *n* (*pl* -os [-əʊz]) *ист.* (г)ида́льго

hidden [ˈhɪdn] *p. p. от* hide II, 2

hide I [haɪd] **1.** *n* 1) шку́ра, ко́жа 2) *разг.* ко́жа (*челове́ка*); to save one's ~ спаса́ть свою́ шку́ру

2. *v* 1) содра́ть шку́ру 2) *разг.* вы́пороть, спусти́ть шку́ру

hide II [haɪd] **1.** *n* укры́тие; (охо́тничья) заса́да; тайни́к

2. *v* (hid; hid, hidden) пря́тать(ся); скрыва́ть(ся); to ~ one's feelings скрыва́ть свои́ чу́вства; to ~ one's head пря́таться, не пока́зываться (*особ. от стыда*); скрыва́ть своё униже́ние

hide III [haɪd] *n ист.* наде́л земли́ для одно́й семьи́ (≅ *100 акрам*)

hide-and-(go-)seek [ˌhaɪdn(gəʊ)ˈsi:k] *n* (игра́ в) пря́тки

hideaway [ˈhaɪdəweɪ] = hideout

hidebound [ˈhaɪdbaʊnd] *a* 1) с у́зким кругозо́ром, недалёкий 2) ограни́ченный, ограни́ченного де́йствия 3) си́льно исхуда́вший (*о скоте*)

hideous [ˈhɪdɪəs] *a* 1) отврати́тельный, стра́шный, ужа́сный 2) *разг.* ужа́сный, си́льный

hideout [ˈhaɪdaʊt] *n разг.* укры́тие; убе́жище

hiding I [ˈhaɪdɪŋ] **1.** *pres. p. от* hide I, 2

2. *n разг.* по́рка; to give smb. a good ~ вы́пороть, отколоти́ть кого́-л. как сле́дует

hiding II [ˈhaɪdɪŋ] **1.** *pres. p. от* hide II, 2

2. *n*: in ~ в бега́х, скрыва́ясь; to go into ~ скрыва́ться

hiding-place [ˈhaɪdɪŋpleɪs] *n* потаённое ме́сто; убе́жище; тайни́к

hie [haɪ] *v уст., поэт.* спеши́ть; торопи́ться

hierarch [ˈhaɪrɑ:k] *n церк.* 1) иера́рх 2) архиепи́скоп

hierarchy [ˈhaɪrɑ:kɪ] *n* 1) иера́рхия 2) *церк.* священнонача́лие, теокра́тия

hieratic [haɪˈrætɪk] *a* иерати́ческий, свяще́нный (*особ. о древнеегипетских письменах*)

hieroglyph [ˈhaɪrəglɪf] *n* иеро́глиф

hieroglyphic [ˌhaɪrəˈglɪfɪk] **1.** *a* иероглифи́ческий

2. *n pl* иеро́глифы

hi-fi [ˈhaɪfaɪ] *n разг.* 1) *см.* high fidelity 2) аппарату́ра для высокото́чного воспроизведе́ния зву́ка

higgle [ˈhɪgl] *v* торгова́ться

higgledy-piggledy [ˌhɪgldɪˈpɪgldɪ] **1.** *n* по́лный беспоря́док

2. *a* беспоря́дочный, сумбу́рный

3. *adv* как придётся, в беспоря́дке

high [haɪ] **1.** *a* 1) высо́кий 2) высото́й в, име́ющий *таку́ю-то* высоту́; one inch ~ высото́й в оди́н дюйм 3) находя́щийся на высоте́, в вышине́ 4) благоро́дный, возвы́шенный; ~ ideals благоро́дные идеа́лы 5) вы́сший; гла́вный; верхо́вный; ~ official вы́сший чино́вник; H. Command верхо́вное кома́ндование 6) большо́й, си́льный; интенси́вный; ~ wind си́льный ве́тер; ~ colour румя́нец 7) вы́сший, лу́чший; ~ quality вы́сшее ка́чество; ~ opinion высо́кая оце́нка 8) превосхо́дный, бога́тый, роско́шный; ~ feeding роско́шный стол 9) весёлый, ра́достный; ~ spirits весёлое, припо́днятое настрое́ние; to have a ~ time хорошо́ повесели́ться, хорошо́ провести́ вре́мя 10) высо́кий, дорого́й; at a ~ cost по высо́кой цене́ 11) кра́йний, стоя́щий на кра́йних пози́циях; ~ Tory кра́йний консерва́тор 12) *разг.* пья́ный 13) *разг.* опьянённый нарко́тиками, «забалде́вший» 14) высо́кий, ре́зкий (*о звуке*) 15) (находя́щийся) в са́мом разга́ре; ~ summer разга́р ле́та; ~ noon са́мый по́лдень; at ~ noon то́чно в по́лдень 16) подпо́рченный, с душко́м (*о мясе*) 17) с высо́ким содержа́нием (*чего-л.*) 18) *фон.* ве́рхний, ве́рхнего подъёма ◇ ~ antiquity глубо́кая дре́вность; ~ and dry а) устаре́вший; отста́вший (*от времени и т. п.*); б) вы́брошенный, вытащенный на бе́рег (*о судне*); ~ and low (лю́ди) вся́кого зва́ния [*ср. тж.* high 2 ◇]; ~ and mighty высокоме́рный, надме́нный; to mount (*или* to ride) the ~ horse, to ride one's ~ horse, to be on one's ~ horse ва́жничать, вести́ себя́ высокоме́рно; with a ~ hand высокоме́рно; ~ road а) больша́я доро́га, шоссе́; б) столбова́я доро́га, прямо́й путь (*к чему-л.*); (it is) ~ time давно́ пора́; са́мая пора́; ~ words гне́вные слова́; разгово́р в повы́шенном то́не

2. *adv* 1) высоко́; to aim ~ ме́тить высокó 2) сúльно, интенсúвно; the wind blows ~ вéтер сúльно дýет 3) роскóшно; to live ~ жить в рóскоши, жить богáто, на ширóкую нóгу 4) на высóких нóтах; рéзко ◇ ~ and low повсюду, вездé [*ср. тж.* high 1 ◇]; to play ~ *карт.* игрáть по большóй; ходúть с крýпной кáрты; to run ~ а) подымáться, вздымáться (*о мóре*); б) возбуждáться; passions ran ~ стрáсти разгорéлись

3. *n* 1) вы́сшая тóчка; мáксимум 2) стáршая кáрта, находя́щаяся на рукáх 3) *sl.* состоя́ние наркотúческого опьянéния 4) *амер. разг.* срéдняя шкóла

high altar [ˌhaɪ'ɔ:ltə] *n церк.* глáвный престóл

highball ['haɪbɔ:l] *n амер.* 1) *разг.* вúски с сóдой и льдом 2) *ж.-д.* сигнáл отправлéния

highbinder ['haɪˌbaɪndə] *n амер.* 1) *разг.* мошéнник, интригáн; шантажúст 2) хулигáн, бандúт

high-blown ['haɪbləʊn] *a* 1) сúльно раздýтый 2) напы́щенный

highboard ['haɪbɔ:d] *n спорт.* вы́шка для прыжкóв в вóду

highboard diver [ˌhaɪbɔ:d'daɪvə] *n спорт.* прыгýн с вы́шки

highboard diving [ˌhaɪbɔ:d'daɪvɪŋ] *n спорт.* прыжкú с вы́шки

highborn ['haɪbɔ:n] *a* знáтного происхождéния

highboy ['haɪbɔɪ] *n амер.* высóкий комóд

highbred ['haɪbred] *a* 1) порóдистый 2) хорошó воспúтанный

highbrow ['haɪbraʊ] *разг.* **1.** *n* 1) интеллектуáл; человéк, претендýющий на интеллектуáльность, утончённость 2) далёкий от жúзни учёный, интеллигéнт

2. *a* высокомéрный

high chair [ˌhaɪ'tʃeə] *n* высóкий дéтский стýльчик

High Church [ˌhaɪ'tʃɜ:tʃ] *n* высóкая цéрковь (*направление в англиканской церкви, тяготеющее к католицизму; противоп.* Low Church)

high-class [ˌhaɪ'klɑ:s] *a* высóкого клáсса; первоклáссный

high-coloured [ˌhaɪ'kʌləd] *a* 1) румя́ный 2) я́ркий 3) живóй (*об описании*) 4) преувелúченный, приукрáшенный

High Court (of Justice) [ˌhaɪ'kɔ:t(əv'dʒʌstɪs)] *n* Высóкий суд правосýдия (*входит в состав Верховного суда в Англии*)

high day ['haɪdeɪ] *n* прáздник, прáздничный день

higher ['haɪə] **1.** *a* 1) *сравн. ст. от* high 1; 2) вы́сший; ~ education вы́сшее образовáние

2. *adv сравн. ст. от* high 2

higher court [ˌhaɪə'kɔ:t] *n* суд вы́сшей инстáнции

higher-up [ˌhaɪər'ʌp] *n разг.* 1) стáрший по чúну; занимáющий бóлее высóкое положéние 2) запрáвила

high explosive [ˌhaɪɪk'spləʊsɪv] *n* 1) бризáнтное взры́вчатое веществó 2) *attr.*: ~ bomb фугáсная бóмба

highfalutin(g) [ˌhaɪfə'lu:tɪn (-ɪŋ)] *разг.* **1.** *n* напы́щенность

2. *a* напы́щенный

high fashion [ˌhaɪ'fæʃn] *n* высóкая мóда; дорогáя мóдная одéжда

high fidelity [ˌhaɪfɪ'delətɪ] *n радио* высóкая тóчность воспроизведéния звýка

high-flier [ˌhaɪ'flaɪə] = high-flyer

high-flown [ˌhaɪ'fləʊn] *a* высóкий, высокопáрный, напы́щенный (*о стиле и т. п.*)

high-flyer [ˌhaɪ'flaɪə] *n* 1) честолю́бец 2) сторóнник высóкой цéркви (*см.* High Church)

high frequency [ˌhaɪ'fri:kwənsɪ] **1.** *n эл.* высóкая частотá

2. *a* коротковóлнóвый; высокочастóтный

high grade ['haɪgreɪd] *n* 1) высóкое кáчество 2) крутóй подъём

high-grade [ˌhaɪ'greɪd] *a* высокосóртный, высокопроцéнтный; высококáчественный; богáтый (*о руде*)

high-handed [ˌhaɪ'hændɪd] *a* своевóльный; влáстный, повелúтельный; высокомéрный

high-hat ['haɪhæt] *разг.* **1.** *n* 1) цилúндр 2) вáжная персóна 3) занóсчивый человéк

2. *v* относúться высокомéрно, с пренебрежéнием (*к кому-л.*)

high-hearted [ˌhaɪ'hɑ:tɪd] *a* мýжественный, хрáбрый

high jump ['haɪdʒʌmp] *n* 1) *спорт.* прыжóк в высотý 2) *разг.* сурóвое наказáние

high jumper ['haɪdʒʌmpə] *n спорт.* прыгýн в высотý

highland ['haɪlənd] *n* 1) плоскогóрье, нагóрье 2) *pl* гóрная мéстность; гóрная странá; the Highlands сéвер и сéверо-зáпад Шотлáндии

Highlander ['haɪləndə] *n* 1) гóрец 2) шотлáндский гóрец 3) солдáт шотлáндского полкá

high-level [ˌhaɪ'levl] *a* 1) (происходя́щий) на вы́сшем ýровне 2) высокопостáвленный

high life ['haɪlaɪf] *n* жизнь в рóскоши

highlight ['haɪlaɪt] **1.** *n* 1) световóй эффéкт (*в живописи, фотографии*) 2) основнóй момéнт, факт ◇ to be in (*или* to hit) the ~ быть в цéнтре внимáния

2. *v* 1) выдвигáть на пéрвый план; придавáть большóе значéние 2) я́рко освещáть

highlighter ['haɪlaɪtə] *n* косметúческое срéдство (*для маскировки дефектов кожи*)

high living ['haɪlɪvɪŋ] = high life

highly ['haɪlɪ] *adv* 1) óчень, весьмá, чрезвычáйно, сúльно 2) благоприя́тно; благосклóнно 3) высóкó; a ~ paid worker высокооплáчиваемый рабóчий 4): ~ descended аристократúческого происхождéния; ~ connected со свя́зями в верхáх, с вúдными людьми́ *и т. п.*

high-minded [ˌhaɪ'maɪndɪd] *a* 1) благорóдный, возвы́шенный; великодýшный 2) *уст.* гóрдый, надмéнный

high-necked [ˌhaɪ'nekt] *a* закры́тый (*о платье и т. п.*)

highness ['haɪnəs] *n* 1) высóкая стéпень *или* большóй размéр (*чего-л.*) 2) высотá; возвы́шенность 3) (H.) высóчество (*титул*)

high-octane [ˌhaɪ'ɒkteɪn] *a хим.* высокооктáновый (*о бензине*)

high-pitched [ˌhaɪ'pɪtʃt] *a* 1) высóкий, пронзúтельный (*о звуке*) 2) высóкий и крутóй (*о крыше*) 3) возвы́шенный (*о стиле и т. п.*)

high-powered [ˌhaɪ'paʊəd] *a* 1) мóщный, большóй мóщности 2) влия́тельный, вáжный; энергúчный

high-pressure [ˌhaɪ'preʃə] *a* 1) имéющий *или* испóльзующий высóкое давлéние 2) *метео* имéющий высóкое барометрúческое давлéние 3) окáзывающий давлéние *или* нажúм

high priest [ˌhaɪ'pri:st] *n* первосвящéнник

high-priority [ˌhaɪpraɪ'ɒrətɪ] *a* первоочереднóй; ~ call срóчный вы́зов

high profile [ˌhaɪ'prəʊfaɪl] *n* желáние быть на видý, показáть себя́

high-ranker [ˌhaɪ'ræŋkə] *n* высокопостáвленное лицó; человéк, занимáющий высóкий пост *или* положéние

high-ranking [ˌhaɪ'ræŋkɪŋ] *a* высокопостáвленный

high relief [ˌhaɪrɪ'li:f] *n* горельéф

high-rise ['haɪraɪz] **1.** *a* высóтный; многоэтáжный

2. *n* высóтное *или* многоэтáжное здáние

high-risk [ˌhaɪ'rɪsk] *a* авантюристúческий; чрезвычáйно рискóванный

highroad ['haɪrəʊd] *n* 1) = highway 1) *и* 2); 2) прямóй, сáмый лёгкий путь; ~ to fame (to success) прямóй путь к слáве (к успéху)

high-rolling [ˌhaɪ'rəʊlɪŋ] *n амер. разг.* промáтывание дéнег, средств

high school [ˌhaɪ'sku:l] *n* срéдняя шкóла

high sea(s) [ˌhaɪ'si:(z)] *n* откры́тое мóре за предéлами территориáльных вод

high-sounding [ˌhaɪ'saʊndɪŋ] *a* пы́шный, грóмкий

high speed [ˌhaɪ'spi:d] *n* максимáльная скóрость, бы́стрый ход

high-speed [ˌhaɪ'spi:d] *a* 1) быстрохóдный, скоростнóй 2) быстрорéжущий (*о стали*)

high-spirited [ˌhaɪ'spɪrɪtɪd] *a* 1) в хорóшем настроéнии, весёлый 2) пы́лкий, горя́чий, рéзвый 3) отвáжный, мýжественный

highspot ['haɪspɒt] *n sl.* важнéйшая чертá, знаменáтельное собы́тие *и т. п.*

high street ['haɪstri:t] *n* глáвная ýлица гóрода

high-strung [ˌhaɪ'strʌŋ] *a* чувствúтельный; легкó возбудúмый; нéрвный

hight [haɪt] *a уст., поэт., шутл.* назывáемый, именýемый

hightail ['haɪteɪl] *v амер. разг.* мчáться со всех ног, на высóкой скóрости

high tea [ˌhaɪˈti:] *n* пло́тный у́жин с ча́ем

high tech [ˌhaɪˈtek] **1.** *n* совреме́нная техноло́гия

2. *a* относя́щийся к совреме́нной техноло́гии

high tide [ˌhaɪˈtaɪd] *n мор.* по́лная вода́; прили́в

high-toned [ˌhaɪˈtəʊnd] *a* 1) возвы́шенный, благоро́дный (*тж. ирон.*) 2) *амер. разг.* мане́рный, с прете́нзиями; то́нный

high treason [ˌhaɪˈtri:zn] *n* госуда́рственная изме́на

high-up [ˈhaɪʌp] *разг.* **1.** *n* ва́жная персо́на, кру́пная фигу́ра, туз

2. *a* высокопоста́вленный

high water [ˌhaɪˈwɔ:tə] *n* 1) = high tide 2) па́водок

high-water mark [ˌhaɪˈwɔ:təmɑ:k] *n* 1) у́ровень по́лной воды́ 2) вы́сшее достиже́ние; вы́сшая то́чка (*чего-л.*)

highway [ˈhaɪweɪ] *n* 1) больша́я доро́га; автостра́да; автомагистра́ль; шоссе́ 2) гла́вный путь; торго́вый путь 3) прямо́й путь (*к чему-л.*); столбова́я доро́га

Highway Code [ˌhaɪweɪˈkəʊd] *n* пра́вила доро́жного движе́ния (*в Великобрита́нии*)

highwayman [ˈhaɪweɪmən] *n* разбо́йник (с большо́й доро́ги)

hijack [ˈhaɪdʒæk] **1.** *v* 1) угоня́ть самолёт, занима́ться возду́шным пира́тством 2) останови́ть (*автомобиль и т. п.*) с це́лью грабежа́; соверши́ть налёт

2. *n* 1) уго́н самолёта 2) ограбле́ние, налёт

hijacker [ˈhaɪdʒækə] *n* 1) банди́т, налётчик 2) возду́шный пира́т

hijacking [ˈhaɪdʒækɪŋ] *n* 1) ограбле́ние, нападе́ние, налёт 2) уго́н самолёта, возду́шное пира́тство

hike [haɪk] **1.** *n* 1) *разг.* дли́тельная прогу́лка; экску́рсия; путеше́ствие пешко́м; похо́д 2) *амер. воен.* марш 3) *амер. разг.* подъём, повыше́ние (*цен и т. п.*)

2. *v* 1) путеше́ствовать, ходи́ть пешко́м 2) бродя́жничать 3) *амер. воен.* марширова́ть 4) *амер. разг.* поднима́ть, повыша́ть (*цены и т. п.*)

hilarious [hɪˈleərɪəs] *a* шу́мный, весёлый

hilarity [hɪˈlærətɪ] *n* весе́лье; весёлость

Hilary (term) [ˈhɪlərɪ(tɜ:m)] *n* зи́мний триме́стр (*в некоторых англ. университетах*)

hill [hɪl] **1.** *n* 1) холм, возвыше́ние, возвы́шенность 2) ку́ча

2. *v* 1) насыпа́ть ку́чу 2) оку́чивать (*растение; часто* ~ up)

hillbilly [ˈhɪlbɪlɪ] *n амер. разг.* 1) *пренебр.* жи́тель го́рных райо́нов за́падных и ю́жных шта́тов, «дереве́нщина» 2) *attr.* дереве́нский; ~ music наро́дная му́зыка

hilling [ˈhɪlɪŋ] **1.** *pres. p. от* hill 2

2. *n с.-х.* оку́чивание

hillock [ˈhɪlək] *n* 1) хо́лмик, буго́р 2) *горн.* ку́ча поро́ды; отва́л пусто́й поро́ды

hillside [ˈhɪlsaɪd] *n* склон горы́ *или* холма́

hilly [ˈhɪlɪ] *a* холми́стый

hilt [hɪlt] *n* рукоя́тка; эфе́с; (up) to the ~ а) по са́мую рукоя́тку; б) по́лностью, до конца́, вполне́ ◇ to live up to the ~ жить по́лной жи́знью

him [hɪm (*полная форма*); ɪm (*редуцированная форма*)] *pron pers. косв. падеж от* he

himself [hɪmˈself] *pron* 1) *refl.* себя́; -ся; себе́; he hurt ~ он уши́бся; he came to ~ он пришёл в себя́ 2) *emph.* сам; he says so ~ он сам э́то говори́т; he has done it all by ~ он сде́лал всё сам, без посторо́нней по́мощи ◇ he is not ~ он сам не свой; Richard is ~ again ≅ жив кури́лка

hind I [haɪnd] *n* са́мка оле́ня

hind II [haɪnd] *n* 1) батра́к, рабо́тник на фе́рме 2) *уст.* крестья́нин; *презр.* дереве́нщина

hind III [haɪnd] *a* за́дний; ~ leg за́дняя нога́

hinder I [ˈhaɪndə] *a* за́дний

hinder II [ˈhɪndə] *v* 1) меша́ть, препя́тствовать 2) быть поме́хой

Hindi [ˈhɪndi:] **1.** *n* язы́к хи́нди

2. *a* относя́щийся к языку́ хи́нди

hindmost [ˈhaɪndməʊst] *a* 1) са́мый за́дний; после́дний 2) са́мый отдалённый

Hindoo [ˌhɪnˈdu:] = Hindu

hindquarters [ˌhaɪndˈkwɔ:təz] *n pl* за́дняя часть (*туши*)

hindrance [ˈhɪndrəns] *n* поме́ха, препя́тствие; you are more of a ~ than a help вы бо́льше меша́ете, чем помога́ете

hindsight [ˈhaɪndsaɪt] *n* 1) непредусмотри́тельность 2) *воен.* прице́л

Hindu [ˌhɪnˈdu:] **1.** *n* инду́с

2. *a* инду́сский

Hinduism [ˈhɪndu:ɪzəm] *n* индуи́зм

Hindustani [ˌhɪndʊˈstɑ:nɪ] **1.** *n* язы́к хиндуста́ни

2. *a* инди́йский, относя́щийся к И́ндии

hinge [hɪndʒ] **1.** *n* 1) пе́тля (*напр., дверная*); шарни́р; крюк 2) сте́ржень, суть; кардина́льный пункт (*чего-л.*) ◇ off the ~s в беспоря́дке; в расстро́йстве

2. *v* 1) враща́ться (*вокруг чего-л.*); зави́сеть (on — от) 2) висе́ть, враща́ться на петля́х 3) прикрепля́ть на петля́х

hint [hɪnt] **1.** *n* 1) намёк; gentle ~ то́нкий намёк; to drop (*или* to let fall, to throw out) a ~ намекну́ть; to take a ~ поня́ть (намёк) с полусло́ва 2) сове́т; ~s on housekeeping сове́ты по хозя́йству 3) налёт, оттёнок; not a ~ of surprise ни те́ни удивле́ния

2. *v* намека́ть (at — на)

hinterland [ˈhɪntəlænd] *n* 1) райо́ны вглубь от прибре́жной полосы́ *или* грани́цы 2) *воен.* глубо́кий тыл

hip I [hɪp] *n* 1) бедро́; бок 2) *архит.* конёк, ребро́ кры́ши; ва́льма ◇ to have (*или* to get) a person on the ~ держа́ть кого́-л. в рука́х; име́ть пе́ред кем-л. преиму́щество; ~ and thigh беспоща́дно

hip II [hɪp] *n* плод, я́года шипо́вника

hip III [hɪp] (*сокр. от* hypochondria) *уст.* **1.** *n* меланхо́лия, уны́ние; to have the ~ хандри́ть

2. *v* поверга́ть в уны́ние

hip IV [hɪp] *int*: ~, ~, hurrah! ура́!, ура́!, ура́!

hip V [hɪp] *a sl.* 1) следя́щий за нови́нками джа́за, мо́ды *и т. п.* 2) зна́ющий; понима́ющий толк (*в чём-л.*)

hip bath [ˈhɪpbɑ:θ] *n* сидя́чая ва́нна

hipbone [ˈhɪpbəʊn] *n анат.* та́зовая кость

hipped [hɪpt] *a амер. разг.* 1) поме́шанный (на *чём-л.*); ~ on philately увлечённый филатели́ей 2) меланхоли́чный 3) оби́женный

hippie [ˈhɪpɪ] *n* хи́ппи

hippo [ˈhɪpəʊ] *n* (*pl* -os [-əʊz]) *разг. сокр. от* hippopotamus

hippocampi [ˌhɪpəˈkæmpaɪ] *pl от* hippocampus

hippocampus [ˌhɪpəˈkæmpəs] *n* (*pl* -pi) *зоол.* морско́й конёк

hippodrome [ˈhɪpədrəʊm] *n* 1) ипподро́м 2) конце́ртный *или* танцева́льный зал 3) цирк, аре́на

hippopotami [ˌhɪpəˈpɒtəmaɪ] *pl от* hippopotamus

hippopotamus [ˌhɪpəˈpɒtəməs] *n* (*pl* -es [-ɪz], -mi) гиппопота́м

hippy [ˈhɪpɪ] = hippie

hip roof [ˈhɪpru:f] *n* шатро́вая кры́ша, ва́льмовая кры́ша

hipster [ˈhɪpstə] *n разг.* 1) фана́т джа́за 2) челове́к, презира́ющий усло́вности, хи́пстер, би́тник

hire [ˈhaɪə] **1.** *n* 1) наём; прока́т; to let out on ~ сдава́ть внаём, дава́ть напрока́т 2) пла́та за наём; to work for ~ рабо́тать по на́йму

2. *v* нанима́ть; снима́ть; брать напрока́т □ ~ out а) сдава́ть внаём, дава́ть напрока́т; б) нанима́ться (*в прислуги, официантки и т. п.*)

hired [ˈhaɪəd] *a* 1) наёмный; ~ girl *амер.* рабо́тница на фе́рме; прислу́га, дома́шняя рабо́тница 2) взя́тый напрока́т

hireling [ˈhaɪəlɪŋ] *n презр.* наёмник, наймит

hire purchase [ˌhaɪəˈpɜ:tʃəs] *n* поку́пка в рассро́чку

hire system [ˌhaɪəˈsɪstəm] = hire purchase

hirsute [ˈhɜ:sju:t] *a* волоса́тый, косма́тый

his [hɪz (*полная форма*); ɪz (*редуцированная форма*)] *pron poss.* его́, свой; принадлежа́щий ему́; ~ pen его́ ру́чка

Hispanic [hɪˈspænɪk] *a* 1) испа́нский 2) португа́льский 3) латиноамерика́нский

hispid [ˈhɪspɪd] *a бот., зоол.* покры́тый жёсткими волоска́ми *или* щети́нками; колю́чий

hiss [hɪs] **1.** *n* шипе́ние; свист

2. *v* 1) шипе́ть; свисте́ть 2) осви́стывать 3) прошипе́ть, сказа́ть шёпотом, зло ▭ ~ **away**, ~ **down**, ~ **off**, ~ **out** прогна́ть сви́стом

hist [s:t, hɪst] *int уст.* ти́ше!, тс!

histamine [ˈhɪstəmi:n] *n мед.* гистами́н

histology [hɪsˈtɒlədʒɪ] *n* гистоло́гия

historian [hɪˈstɔ:rɪən] *n* исто́рик

historic [hɪˈstɒrɪk] *a* 1) истори́ческий; име́ющий истори́ческое значе́ние 2) *грам.*: ~ present истори́ческое настоя́щее, настоя́щее вре́мя, употреблённое вме́сто проше́дшего

historical [hɪˈstɒrɪkl] *a* истори́ческий; истори́чески устано́вленный; относя́щийся к исто́рии, свя́занный с исто́рией; ~ film истори́ческий фильм; ~ picture истори́ческая карти́на

historicity [ˌhɪstəˈrɪsətɪ] *n* истори́чность

historiographer [hɪˌstɒrɪˈɒgrəfə] *n* историо́граф

historiography [hɪˌstɒrɪˈɒgrəfɪ] *n* историогра́фия

history [ˈhɪstrɪ] *n* 1) про́шлое, исто́рия; the inner ~ of smth. подоплёка чего́-л.; that's ancient ~! э́то ста́рая исто́рия!, э́то де́ло про́шлое! 2) исто́рия, истори́ческая нау́ка; modern ~ но́вая исто́рия 3) истори́ческая пье́са

histrionic [ˌhɪstrɪˈɒnɪk] *a* 1) сцени́ческий, актёрский 2) театра́льный, наи́гранный; неесте́ственный; лицеме́рный

histrionics [ˌhɪstrɪˈɒnɪks] *n pl* 1) театра́льность, неесте́ственность 2) театра́льное представле́ние, спекта́кль 3) театра́льное иску́сство

hit [hɪt] **1.** *n* 1) уда́р, толчо́к 2) успе́х, уда́ча; to make a ~ with smb. привести́ кого́-л. в восто́рг 3) спекта́кль, фильм, рома́н *и т. п.*, по́льзующийся успе́хом; «гвоздь» сезо́на; бестсе́ллер; хит; мо́дный шля́гер; the film was quite a ~ фильм име́л большо́й успе́х 4) популя́рный исполни́тель, люби́мец пу́блики 5) вы́пад, саркасти́ческое замеча́ние (at); that's a ~ at me э́то по моему́ а́дресу 6) попада́ние; уда́чная попы́тка

2. *v* (hit) 1) ударя́ть (on — по); поража́ть; to ~ below the belt а) *спорт.* нанести́ уда́р ни́же по́яса; б) нанести́ преда́тельский уда́р; в) воспо́льзоваться свои́м преиму́ществом; to ~ a man when he's down бить лежа́чего 2) бо́льно задева́ть, задева́ть за живо́е; to be badly ~ понести́ тяжёлый уро́н, си́льно пострада́ть 3) уда́риться (*тж.* against, upon — о, обо); the car ~ a tree маши́на вре́залась в де́рево 4) попада́ть в цель 5) *разг.* находи́ть; напа́сть, натолкну́ться (*часто* ~ on, ~ off, ~ upon); we ~ the right road мы напа́ли на ве́рную доро́гу; to ~ a likeness улови́ть схо́дство 6) *разг.* достига́ть, добира́ться 7) *амер. sl.* огра́бить *или* уби́ть ▭ ~ **back** дава́ть сда́чи; ~ **off** а) то́чно изобрази́ть немно́гими штриха́ми, слова́ми; улови́ть схо́дство; б) импровизи́ровать; ~ **out** наноси́ть си́льные уда́ры ◇ to ~ it а) пра́вильно угада́ть, попа́сть в то́чку; б) *амер.* дви́гаться, путеше́ствовать с большо́й быстрото́й; to ~ it off with smb. ла́дить с кем-л.; to ~ the (right) nail on the head пра́вильно угада́ть, попа́сть в то́чку; to ~ the hay отпра́виться на боково́ю; to ~ smb.'s fancy порази́ть чьё-л. воображе́ние; to ~ the bottle пристрасти́ться к буты́лке; to ~ the drink *ав. жарг.* а) сесть на́ воду; б) упа́сть в мо́ре; ~ or miss науга́д, наудачу́; ко́е-ка́к; to ~ the road *амер. sl.* шля́ться; переезжа́ть с ме́ста на ме́сто, бродя́жничать, смота́ться, смы́ться; to ~ the roof *амер.* разозли́ться

hit-and-miss [ˌhɪtnˈmɪs] = hit-or-miss

hit-and-run [ˌhɪtnˈrʌn] *a*: ~ driver води́тель, кото́рый скрыва́ется, сбив пешехо́да

hitch [hɪtʃ] **1.** *n* 1) зацё́пка; заде́ржка; запи́нка; поме́ха, препя́тствие; without a ~ ≅ без сучка́, без задо́ринки 2) остано́вка (*работающего механизма*) 3) толчо́к, рыво́к 4) *мор.* пётля, у́зел; строп 5) *разг.* пое́здка на попу́тной маши́не 6) *амер. sl.* срок слу́жбы (*в армии*)

2. *v* 1) зацепля́ть(ся), прицепля́ть(ся) (on, to); сцепля́ть, скрепля́ть 2) привя́зывать, запряга́ть (*лошадь*) 3) подвига́ть толчка́ми, подта́лкивать; подтя́гивать (*часто* ~ up; to) 4) *разг.* = hitchhike 5) прихра́мывать, ковыля́ть 6) *амер.* жени́ться ▭ ~ **up** подтя́гивать (*брюки и т. п.*)

hitched [hɪtʃt] **1.** *p. p. от* hitch 2

2. *a разг.* жена́тый; заму́жняя

hitchhike [ˈhɪtʃhaɪk] *v* путеше́ствовать беспла́тно на попу́тных маши́нах

hither [ˈhɪðə] **1.** *adv книжн.* сюда́; ~ and thither туда́ и сюда́; ~ and yon(d) в разли́чных направле́ниях

2. *a уст.* бли́жний, располо́женный бли́же

hitherto [ˌhɪðəˈtu:] *adv книжн.* до настоя́щего вре́мени, до сих пор

Hitlerism [ˈhɪtlərɪzəm] *n* гитлери́зм

Hitlerite [ˈhɪtləraɪt] *n* ги́тлеровец, фаши́ст

hit or miss [ˌhɪtɔ:ˈmɪs] *adv* науга́д; ко́е-ка́к

hit-or-miss [ˌhɪtɔ:ˈmɪs] *a* случа́йный; сде́ланный ко́е-ка́к, нето́чный

hit parade [ˈhɪtpəˌreɪd] *n разг.* хит-пара́д, спи́сок са́мых популя́рных пласти́нок *или* пе́сен

hive [haɪv] **1.** *n* 1) у́лей 2) рой пчёл 3) людско́й мураве́йник

2. *v* 1) сажа́ть (пчёл) в у́лей 2) дава́ть прию́т 3) рои́ться 4) запаса́ть 5) жить вме́сте, о́бществом; ~ **off** *разг.* а) уйти́ без предупрежде́ния; б) отдели́ться, раздели́ться (from)

hives [haɪvz] *n pl* крапи́вница

ho [həʊ] *int* эй! (*оклик; выражает тж. удивление, радость и т. п.*); what ho! эй, там!

hoar [hɔ:] *книжн.* **1.** *n* 1) и́ней; и́зморозь 2) седина́; ста́рость

2. *a* 1) седо́й 2) се́рый, серова́тый

hoard I [hɔ:d] **1.** *n* запа́с, скры́тые запа́сы де́нег, продово́льствия *и т. п.*; что-л. нако́пленное, припря́танное

2. *v* запаса́ть; копи́ть, накопля́ть, храни́ть (*часто* ~ up); та́йно храни́ть

hoard II [hɔ:d] = hoarding II

hoarding I [ˈhɔ:dɪŋ] *pres. p. от* hoard I, 2

hoarding II [ˈhɔ:dɪŋ] *n* 1) щит для накле́йки объявле́ний и афи́ш 2) вре́менный забо́р вокру́г стро́ящегося зда́ния

hoarfrost [ˌhɔ:ˈfrɒst] *n* и́ней; и́зморозь

hoarse [hɔ:s] *a* хри́плый, охри́пший

hoarsen [ˈhɔ:sn] *v* охри́пнуть

hoary [ˈhɔ:rɪ] *a* 1) седо́й 2) дре́вний; почте́нный 3) *бот.* покры́тый бе́лым пушко́м

hoax [həʊks] **1.** *n* обма́н; мистифика́ция, ро́зыгрыш

2. *v* подшути́ть; мистифици́ровать, разы́грывать

hob [hɒb] *n* 1) по́лка в ками́не для подогрева́ния пи́щи 2) гвоздь *или* крюк, на кото́рый набра́сывается кольцо́ (*в игре*) 3) *тех.* червя́чная фре́за

hobble [ˈhɒbl] **1.** *n* 1) прихра́мывающая похо́дка 2) запи́нка, зами́нка (*в речи*), негла́дкая речь 3) пу́ты 4) *редк.* затрудни́тельное положе́ние

2. *v* 1) хрома́ть, прихра́мывать; ковыля́ть 2) запина́ться, спотыка́ться 3) стрено́жить (*лошадь*)

hobbledehoy [ˌhɒbldɪˈhɔɪ] *n разг.* неуклю́жий подро́сток

hobble skirt [ˈhɒblskɜ:t] *n* у́зкая ю́бка

hobby I [ˈhɒbɪ] *n* 1) конёк, хо́бби, люби́мое заня́тие, страсть; to ride (*или* to mount) a ~ сесть на своего́ (люби́мого) конька́ 2) = hobbyhorse 1); 3) *уст.* лоша́дка, по́ни 4) велосипе́д ста́рой констру́кции

hobby II [ˈhɒbɪ] *n зоол.* чегло́к

hobbyhorse [ˈhɒbɪhɔ:s] *n* 1) лоша́дка, па́лочка с лошади́ной голово́й (*игрушка*); конь-кача́лка; конь на карусе́ли 2) люби́мое заня́тие, конёк; излю́бленная те́ма (*разговора*)

hobgoblin [ˌhɒbˈgɒblɪn] *n* 1) домово́й; чертёнок 2) пу́гало

hobnail [ˈhɒbneɪl] *n* сапо́жный гвоздь с большо́й шля́пкой

hobnob [ˈhɒbnɒb] *v* 1) пить вме́сте, води́ть компа́нию 2) води́ть дру́жбу, якша́ться

hobo [ˈhəʊbəʊ] *амер.* **1.** *n* (*pl* -os, -oes [-əʊz]) 1) хо́бо, стра́нствующий рабо́чий 2) бродя́га

2. *v* 1) перебира́ться с ме́ста на ме́сто в по́исках рабо́ты 2) бродя́жничать

Hobson's choice [ˌhɒbsnzˈtʃɔɪs] *n* вы́бор без вы́бора, отсу́тствие вы́бора, принуди́тельный ассортиме́нт

hock I [hɒk] = hough

hock II [hɒk] *n* рейнве́йн (*тж.* H.)

hock III [hɒk] *амер. разг.* **1.** *n* закла́д

2. *v* закла́дывать (*вещь*)

hockey [ˈhɒkɪ] *n* хокке́й; field ~ хокке́й на траве́, травяно́й хокке́й; ice ~ хокке́й с ша́йбой; Russian ~ ру́сский хокке́й, хокке́й с мячо́м

hockey-stick [ˈhɒkɪstɪk] *n* (хокке́йная) клю́шка

hocus [ˈhəʊkəs] *v* 1) обма́нывать 2)

одурма́нивать, опа́ивать (*наркотиками*) 3) подме́шивать нарко́тики

hocus-pocus [ˌhəʊkəs'pəʊkəs] 1. *n* фо́кус-по́кус; надува́тельство

2. *v* проде́лывать фо́кус, надува́ть, обма́нывать

hod [hɒd] *n* 1) *стр.* лото́к (*для подноса кирпичей, извести*) 2) коры́то (*для извести*), твори́ло 3) ведёрко для у́гля

hodden ['hɒdn] *n* гру́бая некра́шеная шерстяна́я мате́рия

Hodge [hɒdʒ] *n* (*употр. нарицательно*) батра́к; деревенщина

hodgepodge ['hɒdʒpɒdʒ] = hotchpotch

hodiernal [ˌhɒdɪ'ɜ:nl] *a книжн.* сего́дняшний, относя́щийся к сего́дняшнему дню

hodman ['hɒdmæn] *n* 1) подру́чный ка́менщика 2) литерату́рный подёнщик 3) помо́щник, подру́чный

hodometer [hɒ'dɒmɪtə] = odometer

hoe [həʊ] 1. *n* 1) моты́га 2) ковш (*экскаватора*)

2. *v* моты́жить, разрыхля́ть (*землю*); опа́лывать моты́гой

hoecake ['həʊkeɪk] *n амер.* кукуру́зная лепёшка

hog [hɒg] 1. *n* 1) бо́ров 2) *разг.* свинья́, ме́рзкий, жа́дный челове́к, скупердя́й 3) бара́шек, о́тнятый от ма́тери (*до первой стрижки*) ◇ to go the whole ~ а) де́лать *что-л.* основа́тельно; доводи́ть *что-л.* до конца́; б) идти́ на всё

2. *v* 1) *разг.* заграба́стать, прибра́ть к рука́м 2) выгиба́ть спи́ну

hogback ['hɒgbæk] *n* 1) круто́й го́рный хребе́т 2) *геол.* изоклина́льный гре́бень

hog cholera [ˌhɒg'kɒlərə] *n амер.* чума́ свине́й

hogget ['hɒgɪt] = hog 1, 3)

hoggin ['hɒgɪn] *n* кру́пный песо́к, гра́вий

hogging ['hɒgɪŋ] 1. *pres. p. от* hog 2

2. *n тех.* проги́б, вы́гиб; коробле́ние

hoggish ['hɒgɪʃ] *a* 1) свиноподо́бный 2) сви́нский, жа́дный, эгоисти́чный

Hogmanay ['hɒgməneɪ] *n шотл.* 1) кану́н Но́вого го́да; нового́днее пра́зднество 2) нового́дний пода́рок

hog's back ['hɒgzbæk] = hogback

hogshead ['hɒgzhed] *n* 1) больша́я бо́чка 2) хо́гсхед (*мера жидкости* ≅ *238 л*)

hogwash ['hɒgwɒʃ] *n* 1) *разг.* ерунда́, вздор; пуста́я болтовня́; чушь, бред соба́чий (*в газете*) 2) по́йло для свине́й; помо́и

hoi(c)k [hɔɪk] *разг.* 1. *n* ре́зкое движе́ние, толчо́к

2. *v* 1) рвану́ть вверх 2) *ав.* кру́то взлете́ть с земли́ *или* воды́, сде́лать го́рку

hoick(s) [hɔɪk(s)] *int* ату́!

hoist [hɔɪst] 1. *n* 1) подня́тие; подъём; to give smb. a ~ подсади́ть кого́-л., помо́чь взобра́ться 2) во́рот, лебёдка 3) подъёмник, лифт

2. *v* поднима́ть (*парус, флаг, груз*)

hoity-toity [ˌhɔɪtɪ'tɔɪtɪ] 1. *a разг.* 1) надме́нный 2) оби́дчивый; раздражи́тельный 3) игри́вый, ре́звый

2. *int ирон.* скажи́те пожа́луйста!

hokey ['həʊkɪ] *a амер. sl.* сентимента́льный; фальши́вый, нeíскренний

hokey-pokey [ˌhəʊkɪ'pəʊkɪ] *n разг.* 1) = hocus-pocus 1; 2) *ист.* дешёвое моро́женое

hokum ['həʊkəm] *n амер. разг.* 1) *театр., кино* дешёвая эффе́ктная сце́на, ре́плика *и т. п.* 2) ора́торский приём, рассчи́танный на дешёвый эффе́кт 3) обма́н, жу́льничество

hold I [həʊld] 1. *n* 1) владе́ние; захва́т; to take (*или* to get, to catch, to seize, to lay) ~ of smth. схвати́ть что-л., ухвати́ться за что-л.; to let go (*или* to lose) one's ~ of smth. вы́пустить что-л. из рук 2) то, за что мо́жно ухвати́ться; захва́т, ушко́; опо́ра 3) власть, влия́ние (*часто* on, over); to have a ~ over a person ока́зывать влия́ние на кого́-л. 4) *спорт.* захва́т (*в борьбе, боксе*) 5) спосо́бность понима́ния; понима́ние 6) *муз.* ферма́та

2. *v* (held) 1) держа́ть 2) уде́рживать, сохраня́ть (*позицию и т. п.*) 3) содержа́ть в себе́, вмеща́ть; this room ~s a hundred persons э́та ко́мната вмеща́ет сто челове́к 4) занима́ть (*пост, должность и т. п.*); to ~ a rank име́ть зва́ние, чин; to ~ office занима́ть пост 5) владе́ть, име́ть; to ~ land владе́ть землёй 6) занима́ть (*мысли*); овладева́ть (*вниманием*); to ~ smb. in thrall плени́ть, очарова́ть кого́-л.; to ~ the stage затми́ть остальны́х актёров; прикова́ть к себе́ внима́ние зри́телей 7) вы́держивать, не поддава́ться 8) проводи́ть (*собрание*); устра́ивать (*мероприятие*); to ~ an event проводи́ть состяза́ние 9) пра́здновать, отмеча́ть 10) вести́ (*разговор*) 11) уде́рживать, заде́рживать; держа́ть (*в тюрьме*) 12) име́ть си́лу (*о законе*); остава́ться в си́ле (*о принципе, обещании; тж.* ~ good) 13) держа́ться (*о погоде*) 14) полага́ть, счита́ть; I ~ it good я счита́ю, что э́то хорошо́; I ~ him to be wrong я счита́ю, что он непра́в; to ~ smb. responsible возлага́ть на кого́-л. отве́тственность; to ~ smb. in esteem уважа́ть кого́-л.; to ~ smb. in contempt презира́ть кого́-л. 15) сде́рживать, остана́вливать; to ~ one's tongue молча́ть; ~ your noise! переста́нь(те) шуме́ть! 16) резерви́ровать (*места и т. п.*) ▭ ~ **back** а) сде́рживать(ся); возде́рживаться (from); б)ута́ивать; to ~ back the truth скрыть пра́вду; в) ме́шкать; колеба́ться; г) уде́рживать, вычита́ть (*из зарплаты и т. п.*); ~ **by** держа́ться (*решения*); слу́шаться (*совета*); ~ **down** а) держа́ть в подчине́нии; б) *разг.* удержа́ть, не потеря́ть; to ~ down a job не потеря́ть ме́сто, удержа́ться в до́лжности; ~ **forth** а) предлага́ть; to ~ forth a hope пода́ть наде́жду; б) *пренебр.* рассужда́ть, разглаго́льствовать; ~ **in** сде́рживать(ся); ~ **off** а) откла́дывать; б) держа́ть(ся) поо́даль; в) заде́рживаться; the rain held off till the evening дождь пошёл то́лько ве́чером; ~ **on** а) держа́ться за *что-л.*; б) продолжа́ть де́лать *что-л.*, упо́рствовать в *чём-л.*; в): ~ on a minute! *разг.* останови́сь на мину́тку!; ~ **out** а) протя́гивать; предлага́ть; to ~ out hope дава́ть наде́жду; б) вы́держивать, держа́ться до конца́; в) хвата́ть; how long will our supplies ~ out? на ско́лько нам хва́тит на́ших запа́сов?; ~ **over** а) откла́дывать, ме́длить; б) сохраня́ть, откла́дывать (*про запас*); в) *амер.* переходи́ть в но́вый соста́в сена́та; ~ **to** а) держа́ться, приде́рживаться (*мнения и т. п.*); б) наста́ивать; to ~ smb. to his promise тре́бовать от кого́-л. выполне́ния обеща́ния; to ~ to terms наста́ивать на выполне́нии усло́вий; ~ **up** а) подде́рживать, подпира́ть; б) держа́ть пря́мо, высо́ко (*голову и т. п.*); в) выставля́ть, пока́зывать; to ~ up to derision выставля́ть на посме́шище; г) остана́вливать, заде́рживать; д) остана́вливать с це́лью грабежа́; ~ **with** а) (*обыкн. в отриц. форме*) одобря́ть; б) соглаша́ться; держа́ться одина́ковых взгля́дов ◇ to ~ cheap не дорожи́ть; презира́ть; ~ hard! стой!; подожди́!; to ~ it against smb. име́ть прете́нзии к кому́-л., име́ть что-л. про́тив кого́-л.; to ~ one's hand возде́рживаться; ~ your horses ≅ ле́гче на поворо́тах; не волну́йтесь, не торопи́тесь; to ~ water быть логи́чески после́довательным; it won't ~ water э́то не вы́держивает никако́й кри́тики; to ~ out on smb. утаи́ть от кого́-л.

hold II [həʊld] *n мор.* трюм

holdall ['həʊldɔ:l] *n* 1) портпле́д; веще́вой мешо́к 2) су́мка *или* я́щик для инструме́нта

holdback ['həʊldbæk] *n* препя́тствие, поме́ха; заде́ржка, зами́нка

holder ['həʊldə] *n* 1) ру́чка, рукоя́тка 2) облада́тель при́за, почётного зва́ния 3) аренда́тор 4) владе́лец, держа́тель (*векселя и т. п.*) 5) *тех.* патро́н, держа́вка, обо́йма; штати́в

-holder [-həʊldə] *в сложных словах означает* держа́тель; *напр.*: cigarette-~ мундшту́к

holdfast ['həʊldfɑ:st] *n* 1) кре́пкая хва́тка 2) скоба́, крюк, захва́т, закре́па 3) *тех.* а́нкерная плита́ 4) столя́рные тиски́

holding ['həʊldɪŋ] 1. *pres. p. от* hold I, 2

2. *n* 1) уча́сток земли́, *особ.* арендо́ванный; small ~s приуса́дебные уча́стки 2) владе́ние (*акциями и т. п.*) 3) вклад; *pl* вкла́ды, авуа́ры 4) уде́рживание, закрепле́ние

holding capacity [ˌhəʊldɪŋkə'pæsətɪ] *n* ёмкость, вмести́мость

holding company [ˌhəʊldɪŋ'kʌmpənɪ] *n* компа́ния, владе́ющая контро́льными паке́тами а́кций други́х компа́ний; компа́ния-держа́тель; компа́ния-учреди́тель

holdover ['həʊldˌəʊvə] *n амер.* 1) пережи́ток 2) должностно́е лицо́, перейзбранное на но́вый срок; актёр, с кото́рым продлён контра́кт *и т. п.* 3) *амер.* сена́тор, переи́збранный на но́вый срок

holdup ['həʊldʌp] *n* 1) остано́вка, заде́ржка, зато́р (*в движении*) 2) налёт; ограбле́ние (*на улице, дороге*)

hold-up man [,həʊldʌp'mæn] *n* разбо́йник, банди́т

hole [həʊl] **1.** *n* 1) дыра́; отве́рстие; in ~s изно́шенный до дыр 2) я́ма, я́мка 3) нора́ 4) лу́нка для мяча́ (*в играх*) 5) *разг.* лачу́га 6) *разг.* дыра́; захолу́стье 7) *разг.* затрудни́тельное положе́ние; in a ~ в тру́дном положе́нии; *амер.* в долгу́ 8) отду́шина, душни́к, кана́л для во́здуха 9) *ав.* возду́шная я́ма 10) *тех.* ра́ковина, свищ (*в отливке*) 11) *горн.* шурф, сква́жина, шпур ◇ to pick ~s (in) придира́ться; to make a ~ in smth. си́льно опустоши́ть что-л. (*напр., запасы, сбережения*)

2. *v* 1) продыря́вить; просверли́ть; проби́ть 2) проры́ть 3) *спорт.* загна́ть в лу́нку (*шар*) 4) загна́ть в нору́ (*зверя*) 5) бури́ть сква́жину □ ~ **up** а) быть в зи́мней спя́чке; б) *разг.* отси́живаться, пря́таться от люде́й

hole-and-corner [,həʊlən'kɔ:nə] *a разг.* та́йный, секре́тный, де́лающийся укра́дкой

hole-in-the wall [,həʊlɪnðə'wɔ:l] *n* 1) лавчо́нка 2) *разг.* подпо́льная ви́нная ла́вка

holer ['həʊlə] *n горн.* забо́йщик, бури́льщик

holey ['həʊlɪ] *a* дыря́вый

holiday ['hɒlədeɪ] **1.** *n* 1) (*часто pl*) о́тпуск; a month's ~ ме́сячный о́тпуск; busman's ~ *разг.* о́тпуск, проведённый на рабо́те; to take a ~ уйти́ в о́тпуск 2) *pl* кани́кулы 3) пра́здник, день о́тдыха, выходно́й день 4) *attr.* пра́здничный, каникуля́рный; ~ time (*или* season) куро́ртный сезо́н; вре́мя ле́тних отпуско́в; ~ camp ке́мпинг; туристи́ческий ла́герь

2. *v* отдыха́ть, проводи́ть о́тпуск

holidaymaker ['hɒlədeɪ,meɪkə] *n* 1) гуля́ющий; отдыха́ющий 2) экскурса́нт; тури́ст; отпускни́к

holiness ['həʊlɪnəs] *n* 1) свя́тость; пра́ведность; благоче́стие 2) (H.) святе́йшество (*титулование папы*)

holism ['həʊl,ɪzəm] *n* холи́зм, идеалисти́ческая филосо́фия це́лостности

holistic [həʊ'lɪstɪk] *a* це́лостный

holla ['hɒlə] **1.** *int* эй!

2. *n* о́клик, о́крик; крик

holland ['hɒlənd] *n* холст; полотно́; brown ~ небелёное суро́вое полотно́

Hollander ['hɒləndə] *n* 1) голла́ндец; голла́ндка 2) голла́ндский кора́бль

Hollands ['hɒləndz] *n* голла́ндский джин, голла́ндская во́дка

holler ['hɒlə] *амер. разг.* **1.** *v* 1) крича́ть, шуме́ть 2) вскри́кнуть; оклика́ть

2. *n* крик, вскрик

hollo ['hɒləʊ] = holla

hollow ['hɒləʊ] **1.** *n* 1) пустота́; впа́дина, углубле́ние; по́лость; дыра́ 2) дупло́ 3) лощи́на, ложби́на

2. *a* 1) пусто́й; по́лый; пустоте́лый; ~ tree дупли́стое де́рево 2) впа́лый, ввали́вшийся 3) глухо́й (*о звуке*) 4) голо́дный; то́щий 5) пусто́й, несерьёзный 6) неи́скренний; ло́жный; ~ sympathy показно́е сочу́вствие

3. *adv разг.* вполне́, соверше́нно; to beat ~ а) разби́ть на́голову; изби́ть; б) перещеголя́ть

4. *v* выда́лбливать, выка́пывать (*часто* ~ out)

hollow-eyed ['hɒləʊaɪd] *a* с ввали́вшимися *или* глубоко́ сидя́щими глаза́ми

hollowware ['hɒləʊweə] *n* глубо́кая посу́да из фарфо́ра, чугуна́ *и т. п.* (*котелки, миски, кувшины и т. п.*)

holly ['hɒlɪ] *n бот.* па́дуб

hollyhock ['hɒlɪhɒk] *n бот.* шток-ро́за ро́зовая

Hollywood ['hɒlɪwʊd] *n* Голливу́д, америка́нская кинематогра́фия, кинопромы́шленность

holm I [həʊm] *n бот.* дуб ка́менный

holm II [həʊm] *n* 1) речно́й острово́к 2) по́йма

holme [həʊm] = holm II

holm oak ['həʊməʊk] = holm I

holocaust ['hɒləkɔ:st] *n* 1) уничтоже́ние, истребле́ние; бо́йня; резня́; nuclear ~ я́дерная катастро́фа 2) всесожже́ние, по́лное сжига́ние же́ртвы огнём

hologram ['hɒləgræm] *n физ.* гологра́мма

holograph ['hɒləgrɑ:f] **1.** *n* собственнору́чно напи́санный докуме́нт

2. *a* собственнору́чный

holography [hɒ'lɒgrəfɪ] *n физ.* гологра́фия

holster ['həʊlstə] *n* кобура́

holt I [həʊlt] *n поэт.* 1) ро́ща 2) леси́стый холм

holt II [həʊlt] *n* 1) убе́жище 2) нора́ (*особ. выдры*)

holus-bolus [,həʊləs'bəʊləs] *adv разг.* одни́м глотко́м, сра́зу, целико́м

holy ['həʊlɪ] *a* 1) свяще́нный, свято́й; H. Week страстна́я неде́ля; H. Writ Свяще́нное писа́ние (*Библия*) 2) пра́ведный, безгре́шный

Holy Ghost [,həʊlɪ'gəʊst] = Holy Spirit

Holy Land [,həʊlɪ'lænd] *n* свяще́нная земля́

Holy Office ['həʊlɪ,ɒfɪs] *n ист.* свята́я пала́та (*официальное название инквизиции*)

holy order [,həʊlɪ'ɔ:də] *n* 1) ранг в церко́вной иера́рхии 2) *pl* церемо́ния посвяще́ния в ранг церко́вной иера́рхии

Holy Spirit [,həʊlɪ'spɪrɪt] *n* свято́й дух

holystone ['həʊlɪstəʊn] **1.** *n* мя́гкий песча́ник; пе́мза

2. *v* чи́стить па́лубу песча́ником, пе́мзой

homage ['hɒmɪdʒ] *n* 1) почте́ние, уваже́ние; to do (*или* to pay, to render) ~ а) свиде́тельствовать почте́ние; б) отдава́ть до́лжное; in a kind of ~ отдава́я дань 2) *ист.* принесе́ние феода́льной прися́ги

Homburg ['hɒmbɜ:g] *n* хо́мбург (*мужская фетровая шляпа*)

home [həʊm] **1.** *n* 1) дом; жили́ще; at ~ до́ма, у себя́; to make one's ~ посели́ться; make yourself at ~ бу́дьте как до́ма 2) семья́, семе́йный круг; дома́шний оча́г 3) о́тчий дом, ро́дина; at ~ and abroad на ро́дине и за грани́цей 4) метропо́лия 5) прию́т; an orphans' ~ сиро́тский прию́т 6) ро́дина, ме́сто распростране́ния (*растений, животных*) 7) ме́сто зарожде́ния, колыбе́ль 8) фи́ниш 9) дом (*в играх*) ◇ to be not at ~ to anyone не принима́ть никого́; to be (*или* to feel) at ~ in French (English *etc.*) хорошо́ владе́ть францу́зским (англи́йским *и т. п.*) языко́м

2. *a* 1) дома́шний; ~ economics домово́дство 2) семе́йный, родно́й 3) вну́тренний; оте́чественный (*о товарах*); ~ market вну́тренний ры́нок; ~ trade вну́тренняя торго́вля; H. Office министе́рство вну́тренних дел; H. Secretary мини́стр вну́тренних дел 4) относя́щийся к метропо́лии 5) *спорт.* сы́гранный на своём по́ле 6): ~ position *тех.* исхо́дное положе́ние

3. *adv* 1) до́ма 2) домо́й 3) в цель, в то́чку 4) до конца́, до отка́за; ту́го, кре́пко ◇ to bring smth. ~ to smb. убеди́ть кого́-л.; заста́вить кого́-л. поня́ть, почу́вствовать (*что-л.*); to bring a crime ~ to smb. уличи́ть кого́-л. в преступле́нии; to bring oneself (*или* to come, to get) ~ опра́виться (*после денежных затруднений*); заня́ть пре́жнее положе́ние; to come ~ to а) доходи́ть (*до сердца*); найти́ о́тклик в душе́; б) доходи́ть (*до сознания*), быть поня́тным; nothing to write ~ about та́к себе, ничего́ осо́бенного; to touch (*или* to hit) ~ заде́ть за живо́е

4. *v* 1) возвраща́ться домо́й (*особ. о почтовом голубе*) 2) посыла́ть, направля́ть домо́й 3) предоставля́ть жильё; жить (*у кого-л.*)

homebody ['həʊmbɒdɪ] *n* домосе́д; домосе́дка

homebred [,həʊm'bred] *a* 1) доморо́щенный 2) просто́й, без ло́ска

home brew [,həʊm'bru:] *n* 1) дома́шнее пи́во 2) не́что примити́вное

homecoming ['həʊmkʌmɪŋ] *n* 1) возвраще́ние домо́й, на ро́дину 2) *амер.* ежего́дная встре́ча выпускнико́в (*университета, колледжа*)

Home Counties [,həʊm'kaʊntɪz] *n pl* гра́фства, окружа́ющие Ло́ндон

homecraft ['həʊmkrɑ:ft] *n* куста́рный про́мысел

home farm ['həʊmfɑ:m] *n* фе́рма при уса́дьбе

home front [,həʊm'frʌnt] *n* 1) рабо́та в тылу́ 2) рабо́тающие в тылу́

homegrown [,həʊm'grəʊn] *a* 1) оте́чественного произво́дства, ме́стный 2) доморо́щенный

Home Guard [,həʊm'gɑ:d] *n ист.* 1) отря́ды ме́стной оборо́ны, ополче́ние (*в Англии*) 2) ополче́нец (*в Англии*)

home help [,həʊm'help] *n* помо́щница по хозя́йству, *обыкн.* социа́льный рабо́тник, обслу́живающий больны́х и пожилы́х люде́й

home-keeping ['həʊm,ki:pɪŋ] **1.** *a* 1) домосе́дливый 2) веду́щий дома́шнее хозя́йство

2. *n* 1) домосе́дство 2) домово́дство

homeland ['həʊmlænd] *n* оте́чество, ро́дина

homeless ['həʊmləs] *a* бездо́мный, бесприю́тный; ~ boy беспризо́рник

homelike ['həʊmlaɪk] *a* 1) дома́шний, ую́тный 2) дру́жеский

homeliness ['həʊmlɪnəs] *n* 1) простота́, обы́денность; безыску́сственность 2) *амер.* невзра́чность 3) дома́шний ую́т

homely ['həʊmlɪ] *a* 1) просто́й, обы́денный; скро́мный, безыску́сственный; ~ fare проста́я пи́ща 2) *амер.* некраси́вый, невзра́чный 3) дома́шний, ую́тный 4) иску́сный, хоро́ший (*о хозя́йке и т. п.*)

homemade [,həʊm'meɪd] *a* 1) дома́шнего изготовле́ния, куста́рный; самоде́льный 2) оте́чественного произво́дства

home-maker ['həʊmmeɪkə] *n* хозя́йка до́ма; мать семе́йства

homer ['həʊmə] *n* почто́вый го́лубь

Homeric [həʊ'merɪk] *a* 1) гоме́ровский 2) гомери́ческий

home rule [,həʊm'ru:l] *n* 1) самоуправле́ние, автоно́мия 2) (H. R.) *ист.* го́мруль

homesick ['həʊmsɪk] *a* тоску́ющий по до́му, по ро́дине

homesickness ['həʊmsɪknəs] *n* тоска́ по ро́дине, ностальги́я

homespun ['həʊmspʌn] **1.** *a* 1) домотка́ный 2) гру́бый, просто́й

2. *n* домотка́ная мате́рия

homestead ['həʊmsted] *n* 1) уса́дьба; фе́рма 2) *амер.* уча́сток (поселе́нца)

homesteader ['həʊmstedə] *n* *амер.* владе́лец уча́стка, поселе́нец

home straight [,həʊm'streɪt] *n* 1) фи́нишная пряма́я (*на ипподро́ме и т. п.*) 2) заключи́тельная часть (*чего-л.*)

home stretch [,həʊm'stretʃ] *амер.* = home straight

home team ['həʊmti:m] *n* *спорт.* кома́нда хозя́ев по́ля

home thrust [,həʊm'θrʌst] *n* 1) уда́чный уда́р 2) е́дкое замеча́ние; уда́чный отве́т

home truth [,həʊm'tru:θ] *n* неприя́тная пра́вда о себе́

homeward ['həʊmwəd] **1.** *a* веду́щий, иду́щий к до́му

2. *adv* домо́й, к до́му

homeward-bound ['həʊmwəd,baʊnd] *a* возвраща́ющийся, отплыва́ющий домо́й (*о корабле́*)

homewards ['həʊmwədz] = homeward 2

homework ['həʊmwɜ:k] *n* 1) дома́шняя рабо́та, дома́шнее зада́ние 2) тща́тельная подгото́вка (*к выступле́нию, собра́нию и т. п.*) 3) надо́мная рабо́та

homey ['həʊmɪ] = homy

homicidal [,hɒmɪ'saɪdl] *a* 1) убийственный, смертоно́сный 2) одержи́мый мы́слью об уби́йстве (*о душевнобольно́м*)

homicide ['hɒmɪsaɪd] *n* *юр.* 1) уби́йство; justifiable ~ уби́йство при смягча́ющих вину́ обстоя́тельствах 2) уби́йца

homily ['hɒməlɪ] *n* 1) про́поведь 2) поуче́ние, нота́ция

homing I ['həʊmɪŋ] **1.** *pres. p.* *от* home 4

2. *a* 1) возвраща́ющийся домо́й 2) приводно́й; ~ device *ра́дио* приводно́е устро́йство; радиоко́мпас 3) самонаводя́щийся; ~ missile самонаводя́щийся снаря́д

homing II ['həʊmɪŋ] *n* 1) возвраще́ние домо́й 2) приво́д, наведе́ние (*самолётов, раке́т*)

homing pigeon ['həʊmɪŋpɪdʒən] *n* почто́вый го́лубь

hominid ['hɒmənɪd] *n* *зоол.* челове́к (*в систе́ме живо́тного ми́ра*), homини́д

hominoid ['hɒmənɔɪd] *a* *зоол.* человекообра́зный

hominy ['hɒmənɪ] *n* *амер.* мамалы́га

homo ['həʊməʊ] *n* (*pl* -os [-əʊz]) *разг.* го́мик, гомосексуали́ст

homoeopath ['həʊmjəʊpæθ] *n* гомеопа́т

homoeopathic [,həʊmjəʊ'pæθɪk] *a* гомеопати́ческий

homoeopathy [,həʊmɪ'ɒpəθɪ] *n* гомеопа́тия

homogeneity [,həʊməʊdʒe'ni:ətɪ] *n* *спец.* одноро́дность; гомоге́нность

homogeneous [,həʊməʊ'dʒi:nɪəs] *a* *спец.* одноро́дный (*тж. грам.*); гомоге́нный

homogenize [hə'mɒdʒənaɪz] *v* *спец.* гомогенизи́ровать

homograph ['hɒməgrɑ:f] *n* *лингв.* омо́граф

homologate [hə'mɒləgeɪt] *v* *книжн.* признава́ть; подтвержда́ть 2) соглаша́ться; допуска́ть

homologous [hə'mɒləgəs] *a* 1) соотве́тственный 2) *биол.* гомологи́ческий

homonym ['hɒmənɪm] *n* 1) *лингв.* омо́ним 2) тёзка; однофами́лец

homophone ['hɒməfəʊn] *n* *лингв.* омофо́н

homosexual [,həʊməʊ'sekʃʊəl] **1.** *n* гомосексуали́ст

2. *a* гомосексуа́льный

homosexuality [,həʊməʊsekʃʊ'ælətɪ] *n* гомосексуали́зм

homuncule [hɒ'mʌŋkjʊl] = homunculus

homunculi [hɒ'mʌŋkʊlaɪ] *pl* *от* homunculus

homunculus [hɒ'mʌŋkjʊləs] *n* (*pl* -li) челове́чек, ка́рлик, лилипу́т

homy ['həʊmɪ] *a* дома́шний, напомина́ющий родно́й дом

honcho ['hɒntʃəʊ] *n* (*pl* -os [-əʊz]) *амер. sl.* нача́льник, шеф, босс

Honduran [hɒn'djʊərən] **1.** *a* гондура́сский

2. *n* гондура́сец

hone [həʊn] **1.** *n* 1) осело́к, точи́льный ка́мень 2) *тех.* хонингова́льная голо́вка

2. *v* 1) точи́ть 2) *тех.* хонингова́ть

honest ['ɒnɪst] *a* 1) че́стный; to be quite ~ about it открове́нно говоря́ 2) правди́вый, и́скренний 3) настоя́щий, по́длинный, нефальсифици́рованный 4) *уст.* целому́дренная, нра́вственная; an ~ girl поря́дочная де́вушка; to make an ~ woman of smb. жени́ться на соблазнённой де́вушке; ≅ «прикры́ть грех» зако́нным бра́ком

honestly ['ɒnɪstlɪ] *adv* 1) че́стно 2) и́скренне, правди́во

honesty ['ɒnəstɪ] *n* 1) че́стность; ~ is the best policy че́стность — лу́чшая поли́тика 2) правди́вость 3) *бот.* лу́нник

honey ['hʌnɪ] **1.** *n* 1) мёд 2) сла́дость 3) *ласк.* ми́лый; ми́лая; голу́бчик; голу́бушка

2. *v* *амер.* 1) говори́ть вкра́дчиво; подли́зываться 2) льсти́ть

honeybee ['hʌnɪbi:] *n* (рабо́чая) пчела́

honey buzzard ['hʌnɪ,bʌzəd] *n* осое́д (*пти́ца*)

honeycomb ['hʌnɪkəʊm] **1.** *n* 1) медо́вые со́ты 2) *тех.* ра́ковины, со́товые пузыри́ (*в мета́лле*)

2. *a* со́товый; сотови́дный; ноздрева́тый, яче́истый

3. *v* 1) продыря́вить, изрешети́ть 2) подточи́ть, ослаби́ть

honeydew ['hʌnɪdju:] *n* 1) *с.-х.* медвя́ная роса́ 2) *поэт.* некта́р 3) соуси́рованный таба́к 4) *амер.* муска́тная ды́ня

honeyed ['hʌnɪd] *a* 1) сла́дкий, медо́вый 2) льсти́вый; ~ words медоточи́вые ре́чи

honeymoon ['hʌnɪmu:n] **1.** *n* медо́вый ме́сяц; to go for a ~ отпра́виться в сва́дебное путеше́ствие

2. *v* проводи́ть медо́вый ме́сяц

honey-mouthed ['hʌnɪmaʊðd] *a* сладкоречи́вый, медоточи́вый, льсти́вый

honeysuckle ['hʌnɪsʌkl] *n* *бот.* жи́молость

honied ['hʌnɪd] = honeyed

honk [hɒŋk] **1.** *n* 1) крик ди́ких гусе́й 2) автомоби́льный гудо́к, сигна́л автомоби́ля

2. *v* 1) крича́ть (*о ди́ких гу́сях*) 2) *авто* сигна́лить

honky ['hɒŋkɪ] *n* *амер. sl.* *през.* бе́лый (*обы́кн. употр. чёрными*)

honor, honorable ['ɒnə, 'ɒnərəbl] *амер.* = honour, honourable

honoraria [,ɒnə'reərɪə] *pl* *от* honorarium

honorarium [,ɒnə'reərɪəm] *n* (*pl* -riums [-rɪəmz], -ria) гонора́р

honorary ['ɒnrərɪ] *a* 1) почётный; an ~ office почётная до́лжность 2) неопла́чиваемый; рабо́тающий на обще́ственных нача́лах

honorific [,ɒnə'rɪfɪk] *a* 1) почётный 2) выража́ющий почте́ние, почти́тельный

honour ['ɒnə] **1.** *n* 1) честь, че́стность; сла́ва; in ~ в честь; on (*или* upon) my ~ че́стное сло́во; point of ~ вопро́с че́сти 2) че́стность, благоро́дство 3) почёт, уваже́ние, почте́ние; to give (*или* to pay) ~ to smb. ока́зывать кому́-л. уваже́ние, почте́ние; to show ~ to one's parents уважа́ть свои́х роди́телей 4) *pl* награ́ды, по́чести; ордена́; military ~s во́инские по́чести; the last (*или* funeral) ~s после́дние по́чести 5) (H.) *в обращении* (*преим. к судье*): your H. ва́ша честь 6) кто́-л. (что-л.), де́лающий (-ее) честь (*школе, семье и т. п.*) 7) хоро́шая репута́ция, до́брое и́мя 8) (же́нская) честь, доброде́тель 9) *pl унив.* отли́чие при сда́че экза́мена; to pass an examination with ~s отли́чно сдать экза́мен 10) *карт.* козырно́й онёр ◇ ~ bright че́стное сло́во; ~s of war почётные усло́вия сда́чи; to do the ~s of the house исполня́ть обя́занности хозя́йки *или* хозя́ина, принима́ть госте́й; may I have the ~ (of your company at dinner, *etc.*) окажи́те мне честь (отобе́дать со мной *и т. п.*)

2. *v* 1) почита́ть, чтить 2) удоста́ивать (with) 3) *фин.* акцепти́ровать (*тратту*); оплати́ть (*чек*) 4) выполня́ть (*обязательства*), соблюда́ть (*условия*)

honourable ['ɒnərəbl] *a* 1) почётный; ~ duty почётная обя́занность; to earn ~ mention получи́ть благода́рность в прика́зе 2) благоро́дный, че́стный 3) уважа́емый; почте́нный; достопочте́нный 4) (*часто* H.) почте́нный (*форма обращения к детям знати, к судьям*); the ~ gentleman почте́нный джентльме́н (*форма упоминания члена английского парламента и американского конгресса*); Right H. достопочте́нный (*форма обращения к высшей знати, членам тайного совета и т. п.*)

honoured ['ɒnəd] *a* 1) уважа́емый 2) заслу́женный

hooch [hu:tʃ] *n амер. sl.* спиртно́е, спиртно́й напи́ток, добы́тый незако́нным путём; самого́н

hood [hʊd] 1. *n* 1) капюшо́н; ка́пор 2) верх (*экипажа*) 3) *амер.* капо́т двигателя 4) кры́шка, чехо́л; колпа́к 5) хохоло́к (*птицы*)

2. *v* 1) покрыва́ть капюшо́ном, колпачко́м 2) закрыва́ть, скрыва́ть

hoodie ['hʊdɪ] *n шотл.* се́рая воро́на

hoodlum ['hu:dləm] *n* хулига́н; га́нгстер

hoodoo ['hu:du:] *амер.* 1. *n* 1) неуда́ча, невезе́ние 2) челове́к *или* вещь, принося́щие несча́стье

2. *v* принос́ить несча́стье; заколдова́ть, сгла́зить

hoodwink ['hʊdwɪŋk] *v* ввести́ в заблужде́ние; обману́ть, провести́

hooey ['hu:ɪ] *n sl.* чушь, ерунда́

hoof [hu:f] 1. *n* (*pl* hoofs [-fs], hooves) 1) копы́то 2) копы́тное живо́тное 3) *шутл.* нога́ (*человека*) ◇ on the ~ живо́й *или* живьём (*о скоте*); meat on the ~ запа́с убо́йного скота́

2. *v* 1) бить копы́том 2) *разг.* уво́лить, вы́гнать (*часто* ~ out) ◇ to ~ it а) идти́ пешко́м, то́пать; б) танцева́ть, отпля́сывать

hook [hʊk] 1. *n* 1) крюк; крючо́к 2) криво́й нож; серп 3) баго́р 4) круто́й изги́б; излу́чина реки́ 5) хук, коро́ткий боково́й уда́р ле́вой (*в боксе*) 6) лову́шка, западня́ 7) *sl.* вор, жу́лик; уголо́вный престу́пник 8) *тех.* заце́пка, захва́тка ◇ by ~ or by crook пра́вдами и непра́вдами; ≅ не мытьём, так ка́таньем; ~, line and sinker целико́м, по́лностью; on one's own ~ самостоя́тельно, на свой риск; to take (*или* to sling) one's ~ смы́ться, удра́ть

2. *v* 1) зацепля́ть, прицепля́ть 2) застёгивать(ся) (on, up — на *крючок*) 3) лови́ть, пойма́ть (*рыбу*) 4) подцепи́ть; пойма́ть на у́дочку; заполучи́ть; завербова́ть 5) сгиба́ть в ви́де крюка́ 6) *sl.* красть □ ~ in заполучи́ть; заста́вить согласи́ться на *что-л.*; ~ out вы́ведать ◇ to ~ in *sl.* смы́ться, удра́ть

hookah ['hʊkə] *n* кальа́н

hook and eye [,hʊkənd'aɪ] *n* крючо́к (*застёжка*)

hooked [hʊkt] 1. *p. p. от* hook 2

2. *a* 1) крючкова́тый, криво́й 2) име́ющий крючо́к *или* крючки́ 3) *амер.* (с)вя́занный крючко́м 4) *разг.* употребля́ющий нарко́тики

hooker ['hʊkə] *n* рыболо́вное су́дно

hookey ['hʊkɪ] *n амер.*: to play ~ *sl.* безде́льничать, прогу́ливать (*занятия в школе и т. п.*)

hook-nosed [,hʊk'nəʊzd] *a* с крючкова́тым *или* орли́ным но́сом

hookup ['hʊkʌp] 1. *n* 1) соедине́ние, сцепле́ние 2) *разг.* установле́ние отноше́ний; конта́кт, свя́зи 3) *тех.* лаборато́рная схе́ма, монта́жная схе́ма 4) *радио разг.* одновре́ме́нная переда́ча одно́й програ́ммы по не́скольким ста́нциям; to speak over the (radio) ~ выступа́ть одновре́ме́нно по двум *или* бо́лее радиоста́нциям

2. *v радио разг.* вре́менно переключа́ть две *или* бо́лее радиоста́нции на одну́ програ́мму

hookworm ['hʊkwɜ:m] *n* немато́да (*глист*)

hooky ['hʊkɪ] = hookey

hooligan ['hu:lɪgən] *n* хулига́н

hooliganism ['hu:lɪgənɪzəm] *n* хулига́нство

hoop I [hu:p] 1. *n* 1) о́бруч, обод 2) воро́та (*в крокете*) 3) *тех.* обо́йма, бу́гель, кольцо́ 4) *pl* фи́жмы; криноли́н ◇ to go (*или* to jump) through the ~(s) пройти́ че́рез тяжёлое испыта́ние

2. *v* 1) скрепля́ть о́бручем; набива́ть о́бручи 2) окружа́ть; свя́зывать; сжима́ть

hoop II [hu:p] = whoop

hooper ['hu:pə] *n* бо́нда́рь; боча́р

hooping-cough ['hu:pɪŋkɒf] = whooping-cough

hoopla ['hu:plə] *n* 1) игра́ «ко́льца» (*набрасывание колец на разыгрываемые предметы*) 2) *sl.* сумато́ха, суета́ 3) *sl.* бред, чепуха́

hoopoe ['hu:pu:] *n* удо́д (*птица*)

hoop-skirt ['hu:pskɜ:t] *n* криноли́н; фи́жмы

hooray [hʊ'reɪ] = hurrah

hoot [hu:t] 1. *n* 1) у́ханье, крик совы́ 2) гудо́к (*автомобиля, парохода*) 3) кри́ки, ги́канье ◇ I don't give (*или* care) a ~ (*или* two ~s) мне на э́то наплева́ть

2. *v* 1) у́хать (*о сове*) 2) гуде́ть, свисте́ть (*о гудке, сирене*) 3) крича́ть (at — на); улюлю́кать, ги́кать; to ~ with laughter *разг.* гро́мко, оглуши́тельно смея́ться □ ~ **after** гна́ться за *кем-л.* с кри́ками; ~ **away** выгоня́ть кри́ками, ги́каньем; ~ **down** заста́вить замолча́ть кри́ками; ~ **off**, ~ **out** = ~ away

hootch [hu:tʃ] = hooch

hooter ['hu:tə] *n* гудо́к, сире́на

hoots ['hu:ts] *int шотл.* ах ты!, тьфу! (*выражает нетерпение, досаду*)

hoover ['hu:və] 1. *n* пылесо́с (*по названию фирмы Гувер*)

2. *v* пылесо́сить

hooves [hu:vz] *pl от* hoof 1

hop I [hɒp] 1. *n* 1) прыжо́к, припры́гивание; скачо́к 2) *разг.* та́нцы, танцу́льки 3) *ав. разг.* перелёт; полёт ◇ to catch smb. on the ~ заста́ть кого́-л. врасплох

2. *v* 1) пры́гать, скака́ть на одно́й ноге́ 2) подпры́гивать 3) перепры́гивать (*часто* ~ over) 4) вска́кивать (*на ходу*); to ~ on a bus вскочи́ть на ходу́ в авто́бус 5) хрома́ть 6) *шутл.* пляса́ть, танцева́ть □ ~ **along** пры́гать на одно́й ноге́; ~ **off** *ав.* отрыва́ться от земли́; взлета́ть ◇ to ~ it *sl.* удира́ть, убега́ть

hop II [hɒp] 1. *n* 1) *бот.* хмель 2) *амер. sl.* о́пиум, нарко́тик

2. *v* 1) класть хмель в пи́во 2) собира́ть хмель

hop-bine ['hɒpbaɪn] *n* выю́щийся сте́бель хме́ля

hope [həʊp] 1. *n* наде́жда (of); vague ~s сму́тные наде́жды; to be past (*или* beyond) ~ быть в безнадёжном положе́нии; to pin one's ~s on smb., smth. возлага́ть наде́жды на кого́-л., что-л.; he is the ~ of his school шко́ла возлага́ет на него́ больши́е наде́жды

2. *v* 1) наде́яться (for — на); I ~ so наде́юсь, что э́то так; I ~ not наде́юсь, что э́того не бу́дет; to ~ against hope наде́яться вопреки́ всему́; to ~ for the best наде́яться на лу́чшее, на благоприя́тный исхо́д 2) упова́ть, предвкуша́ть (for)

hope chest ['həʊptʃest] *n амер.* сунду́к с прида́ным

hoped-for ['həʊptfɔ:] *a* жела́нный; long ~ долгожда́нный

hopeful ['həʊpfl] 1. *a* 1) наде́ющийся; to feel ~ наде́яться 2) подаю́щий наде́жды; многообеща́ющий

2. *n* челове́к, подаю́щий наде́жды; a young ~! *шутл., ирон.* далеко́ пойдёт!

hopefully ['həʊpflɪ] *adv* с наде́ждой; ~ it won't rain наде́юсь, дождя́ не бу́дет

hopefulness ['həʊpflnəs] *n* 1) оптими́зм 2) наде́жда

hopeless ['həʊpləs] *a* 1) отча́явшийся 2) безнадёжный 3) неисправи́мый; ~ liar зая́длый лгун

hopelessness ['həʊpləsnəs] *n* безнадёжность; безвы́ходность; отча́яние

hop-garden ['hɒp,gɑ:dn] *n с.-х.* хме́льник

hophead ['hɒphed] *n sl.* 1) *амер.* нарко́ман 2) *австрал.* пья́ница

hop-o'-my-thumb [,hɒpəmɪ'θʌm] *n* ка́рлик; ма́льчик с па́льчик

hopper I ['hɒpə] *n* 1) прыгу́н 2) пры́гающее насеко́мое, *особ.* блоха́ 3) ваго́н *или* вагоне́тка с опроки́дывающимся ку́зовом; самосва́л; ваго́н с откидны́м дном, хо́ппер 4) *стр.* фраму́га 5) *тех.* загру́зочная воро́нка, бу́нкер

hopper II ['hɒpə] = hop-picker 1)

hop-picker ['hɒppɪkə] *n* 1) сбо́рщик хме́ля 2) хмелеубо́рочная маши́на

hopping ['hɒpɪŋ] *a* 1) ска́чущий 2) ме́чущийся 3) взбешённый; ~ mad *разг.* вне себя́ от я́рости

hopple ['hɒpl] *v* 1) стрено́жить (*лошадь*) 2) помеша́ть; запу́тать

hopscotch ['hɒpskɒtʃ] *n* де́тская игра́ «кла́ссы»

hop-yard ['hɒpjɑ:d] = hop-garden

horary ['hɔ:rərɪ] *a уст.* 1) дли́щийся час; дли́щийся недо́лго 2) ежеча́сный

horde [hɔ:d] 1. *n* 1) по́лчище; ба́нда, ша́йка; fascist ~s фаши́стские по́лчища 2) компа́ния; вата́га; шу́мная толпа́; ~s of people то́лпы наро́да 3) ста́я; рой (*насеко́мых*); a ~ of insects ту́ча насеко́мых 4) орда́; the golden H. *ист.* Золота́я орда́

2. *v* 1) жить ско́пом 2) собира́ться ку́чами, то́лпами

horizon [hə'raɪzn] *n* 1) горизо́нт; apparent (*или* visible) ~ *астр.* ви́димый горизо́нт; rational (*или* true, celestial) ~ *астр.* и́стинный горизо́нт; sensible ~ *астр.* каса́тельный горизо́нт 2) кругозо́р 3) *геол.* я́рус, отложе́ние одного́ во́зраста

horizontal [,hɒrɪ'zɒntl] 1. *n* горизонта́ль

2. *a* горизонта́льный; ~ fire *воен.* насти́льный ого́нь; ~ bar *спорт.* перекла́дина; ~ labour union *амер.* профсою́з, объединя́ющий рабо́чих одно́й специа́льности

hormone ['hɔ:moun] *n физиол.* гормо́н

horn [hɔ:n] 1. *n* 1) рог 2) *pl* ро́жки (*улитки*); у́сики (*насекомого*) 3) рог (*материал*) 4) духово́й инструме́нт; рожо́к; охо́тничий рог 5) ру́пор; звукоприёмник (*звукоуловителя*) 6) гудо́к, сире́на автомоби́ля 7) *тех.* вы́ступ; шкво́рень; кроншт́ейн 8) *геогр.* мыс 9) *attr.* рогово́й; ~ spectacles очки́ в рогово́й опра́ве ◇ between (*или* on) the ~s of a dilemma ≅ ме́жду двух огне́й; в затрудни́тельном положе́нии; to draw in one's ~s присмире́ть; стушева́ться; ретирова́ться; уме́рить свой пыл; to toot one's own ~ *амер.* бахва́литься, занима́ться самореkла́мой

2. *v* 1) среза́ть рога́ 2) бода́ть; забода́ть 3) *уст.* наста́вить рога́ ▭ ~ in *разг.* а) вме́шиваться; б) вла́мываться, ввали́ваться без приглаше́ния

hornbeam ['hɔ:nbi:m] *n бот.* граб

hornblende ['hɔ:nblend] *n мин.* рогова́я обма́нка

hornbook ['hɔ:nbuk] *n* 1) *ист.* а́збука (*в рамке под тонкой роговой пластинкой*) 2) азы́, а́збука

horned [hɔ:nd] 1. *p. p. от* horn 2

2. *a* рога́тый; ~ cattle рога́тый скот

hornet ['hɔ:nɪt] *n зоол.* ше́ршень ◇ to stir up a nest of ~s, to bring a ~s' nest about one's ears потрево́жить оси́ное гнездо́

hornlike ['hɔ:nlaɪk] *a* рогоподо́бный, рогови́дный

hornpipe ['hɔ:npaɪp] *n* 1) хо́рнпайп (*название английского матросского танца*) 2) хо́рнпайп (*старинный музыкальный инструмент*)

hornrimmed [,hɔ:n'rɪmd] *a* в рогово́й опра́ве

horny ['hɔ:nɪ] *a* 1) рогово́й 2) име́ющий рога́ 3) мозо́листый; гру́бый 4) *sl.* сексуа́льно возбуждённый

horny-handed ['hɔ:nɪ,hændɪd] *a* с мозо́листыми рука́ми

horologe ['hɒrəlɒdʒ] *n уст.* часы́

horology [hə'rɒlədʒɪ] *n* 1) иску́сство измере́ния вре́мени 2) часово́е де́ло

horoscope ['hɒrəskəup] *n* гороско́п; to cast a ~ соста́вить гороско́п

horrendous [hɒ'rendəs] *a* устраша́ющий, вселя́ющий у́жас

horrent ['hɒrənt] *a поэт.* ощети́нившийся; угрожа́ющий

horrible ['hɒrəbl] *a* 1) стра́шный, ужа́сный, внуша́ющий у́жас 2) *разг.* проти́вный, отврати́тельный

horrid ['hɒrɪd] *a* 1) ужа́сный, потряса́ющий, ужаса́ющий 2) *разг.* проти́вный, ме́рзкий, отта́лкивающий

horrific [hɒ'rɪfɪk] *a* ужаса́ющий

horrify ['hɒrɪfaɪ] *v* 1) ужаса́ть; страши́ть 2) шоки́ровать

horripilation [hɒ,rɪpɪ'leɪʃn] *n книжн.* гуси́ная ко́жа, мура́шки

horror ['hɒrə] *n* 1) у́жас; the ~s of war у́жасы войны́ 2) отвраще́ние (of) 3) *разг.* мра́чное настрое́ние; при́ступ стра́ха 4) *разг.* что-л. неле́пое, смешно́е; he is a perfect ~! он неле́пейшее существо́! 5) *attr.*: a ~ film (novel) фильм (рома́н) у́жасов ◇ the ~s припа́док бе́лой горя́чки

horror-stricken, horror-struck ['hɒrə-strɪkən, -strʌk] *a* поражённый у́жасом, в у́жасе

hors de combat [,ɔ:də'kɒmbɑ:] *фр. a predic.* вы́шедший из стро́я (*в результате ранения и т. п.*)

hors d'oeuvre [,ɔ:'dɜ:v] *n* заку́ска

horse [hɔ:s] 1. *n* 1) ло́шадь; конь; to take ~ сесть на ло́шадь; е́хать верхо́м; riding ~ верхова́я ло́шадь; to ~! по ко́ням! 2) *собир.* кавале́рия, ко́нница 3) конь (*гимнастический снаряд*) 4) ра́ма; стано́к; ко́злы 5) *sl.* герои́н 6) *горн.* включе́ние пусто́й поро́ды в руде́ 7) *attr.* ко́нный; ко́нский; лошади́ный; *перен.* гру́бый; ~ artillery ко́нная артилле́рия ◇ dark ~ а) «тёмная лоша́дка» (*скаковая лошадь, о достоинствах которой мало известно; тж. перен. — о человеке*); б) *амер. полит.* неожи́данно вы́двинутый, неизве́стный ра́нее кандида́т (*на выборах*); don't look a gift ~ in the mouth *посл.* дарёному коню́ в зу́бы не смо́трят; ~ opera *амер.* ковбо́йский (теле)фи́льм; straight from the ~'s mouth ≅ из пе́рвых рук, из первоисто́чника

2. *v* 1) поставля́ть лошаде́й 2) сади́ться на ло́шадь; е́хать верхо́м ▭ ~ around *разг.* вози́ться, шуме́ть, дура́читься

horseback ['hɔ:sbæk] 1. *n* спина́ ло́шади; on ~ верхо́м

2. *adv амер.* верхо́м

horsebean ['hɔ:sbi:n] *n бот.* ко́нский боб

horse-block ['hɔ:sblɒk] *n* подста́вка (*для посадки на лошадь*)

horsebox ['hɔ:sbɒks] *n* 1) ваго́н для лошаде́й 2) клеть для погру́зки лошаде́й на кора́бль

horsebreaker ['hɔ:s,breɪkə] *n* объе́здчик лошаде́й

horse breeder ['hɔ:s,bri:də] *n* коннозаво́дчик; конево́д

horse breeding ['hɔ:s,bri:dɪŋ] *n* конево́дство

horse chestnut [,hɔ:s'tʃesnʌt] *n* ко́нский кашта́н (*дерево и плод*)

horsecloth ['hɔ:sklɒθ] *n* попо́на

horse-collar ['hɔ:s,kɒlə] *n* хому́т

horse-comb ['hɔ:skəum] *n* скребни́ца

horse coper ['hɔ:s,kəupə] = horse dealer

horse dealer ['hɔ:s,di:lə] *n* торго́вец лошадьми́, бары́шник

horse-drawn ['hɔ:sdrɔ:n] *a* на ко́нной тя́ге

horseflesh ['hɔ:sfleʃ] *n* кони́на

horsefly ['hɔ:sflaɪ] *n* слепе́нь

Horse Guards ['hɔ:sgɑ:dz] *n pl* 1) Короле́вская ко́нная гва́рдия; Конногварде́йский полк 2) *ист.* штаб команди́ра Конногварде́йского полка́ (*в Лондоне*)

horsehair ['hɔ:sheə] *n* 1) ко́нский во́лос 2) волосяна́я борто́вка 3) *attr.* из ко́нского во́лоса

horse latitudes [,hɔ:s'lætɪtju:dz] *n pl мор.* «ко́нские широ́ты» (*широты 30—35° — штилевая полоса северного и южного полушарий во всех океанах*)

horselaugh ['hɔ:slɑ:f] *n* гро́мкий, гру́бый хо́хот, го́гот, ржа́ние

horseleech ['hɔ:sli:tʃ] *n* 1) ко́нская пия́вка 2) вымога́тель

horseless ['hɔ:sləs] *a* безлоша́дный

horse mackerel ['hɔ:s,mækrəl] *n* ставри́да

horseman ['hɔ:smən] *n* 1) вса́дник; нае́здник; ездо́к 2) кавалери́ст 3) ко́нюх

horsemanship ['hɔ:smənʃɪp] *n* иску́сство верхово́й езды́

horse-marine ['hɔ:smə,ri:n] *n* челове́к на неподходя́щей рабо́те *или* не на своём ме́сте ◇ tell that to the ~s! ≅ расска́зывай(те) э́то кому́-нибудь друго́му!; ври бо́льше!

horseplay ['hɔ:spleɪ] *n* гру́бое развлече́ние; гру́бые шу́тки

horsepower ['hɔ:spauə] *n тех.* лошади́ная си́ла

horse-race ['hɔ:sreɪs] *n* ска́чки; бега́

horseradish ['hɔ:srædɪʃ] *n* хрен

horse sense ['hɔ:ssens] *n разг.* грубова́тый здра́вый смысл

horseshoe ['hɔ:sʃu:] **1.** *n* подко́ва; что-л., име́ющее фо́рму подко́вы

2. *v* подко́вывать лошаде́й

horse-soldier ['hɔ:s,səʊldʒə] *n* кавалери́ст

horsetail ['hɔ:steɪl] *n* 1) хвост ло́шади 2) же́нская приче́ска «ко́нский хвост» 3) *бот.* хвощ (лесно́й) 4) *ист.* бунчу́к

horse-trade ['hɔ:streɪd] *n* обсужде́ние усло́вий сде́лки, сопровожда́емое взаи́мными усту́пками

horsewhip ['hɔ:swɪp] **1.** *n* хлыст

2. *v* отхлеста́ть

horsewoman ['hɔ:swʊmən] *n* вса́дница; нае́здница

horsey ['hɔ:sɪ] = horsy

horsing ['hɔ:sɪŋ] **1.** *pres. p. от* horse 2

2. *n* 1) ко́нский ремо́нт 2) слу́чка 3) по́рка

horsy ['hɔ:sɪ] *a* ко́нский; лошади́ный; име́ющий отноше́ние к лошадя́м, ко́нскому де́лу *или* ска́чкам

hortative ['hɔ:tətɪv] *a* увещева́ющий; наստави́тельный

hortatory ['hɔ:tətərɪ] = hortative

horticultural [,hɔ:tɪ'kʌltʃrəl] *a* садо́вый; ~ crops садо́вые культу́ры

horticulture ['hɔ:tɪkʌltʃə] *n* садово́дство; огоро́дничество

horticulturist [,hɔ:tɪ'kʌltʃərɪst] *n* садово́д

hosanna [həʊ'zænə] *библ.* **1.** *n* оса́нна, сла́ва

2. *int* оса́нна!, сла́ва!

hose I [həʊz] **1.** *n* рука́в, кишка́ (*для поливки*); шланг; брандспо́йт

2. *v* полива́ть из шла́нга

hose II [həʊz] *n собир.* 1) чулки́; чуло́чные изде́лия 2) *ист.* рейту́зы, штаны́, пло́тно обтя́гивающие но́ги

hosepipe ['həʊzpaɪp] *n* шланг, рука́в

hosier ['həʊzɪə] *n* торго́вец трикота́жными изде́лиями

hosiery ['həʊzɪərɪ] *n* 1) чуло́чные изде́лия, трикота́ж 2) магази́н трикота́жных изде́лий (*чулок, белья*)

hospice ['hɒspɪs] *n* 1) гости́ница (*особ. монастырская*) 2) прию́т, богаде́льня 3) *ист.* странноприи́мный дом 4) хо́спис

hospitable [hɒ'spɪtəbl] *a* 1) гостеприи́мный 2) восприи́мчивый, откры́тый; ~ to new ideas легко́ воспринима́ющий всё но́вое, отклика́ющийся на всё но́вое

hospital ['hɒspɪtl] *n* 1) больни́ца, го́спиталь; to be in ~ лежа́ть в больни́це 2) *уст.* богаде́льня; благотвори́тельное заведе́ние 3) *attr.* госпита́льный, больни́чный; санита́рный

hospitaler ['hɒspɪtlə] *амер.* = hospitaller

hospitality [,hɒspɪ'tælətɪ] *n* гостеприи́мство, раду́шие

hospitalize ['hɒspɪtlaɪz] *v* госпитализи́ровать, помеща́ть в больни́цу

hospitaller ['hɒspɪtlə] *n ист.* госпиталье́р, член ры́царского о́рдена госпиталье́ров

hospital ship ['hɒspɪtlʃɪp] *n* госпита́льное су́дно, плаву́чий го́спиталь

hospital train ['hɒspɪtltreɪn] *n* санита́рный по́езд

host I [həʊst] *n* 1) мно́жество; толпа́; сонм 2) *уст.* во́йско, во́инство ◇ the ~s of heaven а) небе́сные свети́ла; б) а́нгелы, си́лы небе́сные

host II [həʊst] **1.** *n* 1) хозя́ин; to act as ~ принима́ть госте́й 2) содержа́тель, хозя́ин гости́ницы; трakти́рщик 3) *биол.* хозя́ин (*паразитирующего организма*) 4) *радио, тлв.* веду́щий 5) *attr.*: ~ country страна́-устрои́тельница (*конференций и т. п.*); ~ team *спорт.* хозя́ева по́ля ◇ to reckon without one's ~ недооцени́ть возмо́жное сопротивле́ние; просчита́ться

2. *v* 1) принима́ть госте́й 2) вести́ програ́мму (*по радио, телевидению*)

host III [həʊst] *n церк.* го́стия

hostage ['hɒstɪdʒ] *n* 1) зало́жник 2) зало́г

hostel ['hɒstl] *n* 1) общежи́тие 2) турба́за (*тж.* youth ~) 3) *уст.* гости́ница

hostel(l)er ['hɒstlə] *n* 1) студе́нт, живу́щий в общежи́тии 2) тури́ст, остана́вливающийся на турба́зах

hostelry ['hɒstlrɪ] *n уст., книжн.* гости́ница, постоя́лый двор

hostess ['həʊstɪs] *n* 1) хозя́йка 2) хозя́йка гости́ницы 3) распоряди́тельница *или* ста́ршая официа́нтка (*в ресторане*) 4) бортпроводни́ца, стюарде́сса 5) дежу́рная по этажу́ (*в гостинице*)

hostile ['hɒstaɪl] *a* 1) неприя́тельский, вра́жеский 2) вражде́бный (to); ~ feelings неприя́зненные чу́вства

hostility [hɒ'stɪlətɪ] *n* 1) вражде́бность; вражде́бный акт 2) *pl* вое́нные де́йствия; to open hostilities нача́ть вое́нные де́йствия 3) вну́треннее сопротивле́ние, неприя́тие (*чего-л.*)

hostler ['ɒslə] *n* 1) *ист.* ко́нюх (*на постоялом дворе*) 2) *амер. ж.-д.* ремо́нтный сле́сарь

hot [hɒt] **1.** *a* 1) горя́чий; жа́ркий; накалённый; boiling ~ кипя́щий 2) о́стрый, пря́ный 3) разгорячённый, возбуждённый 4) пы́лкий; стра́стный 5) стра́стно увлека́ющийся (on); темпера́ментный 6) раздражённый; возбуждённый; to get ~ разгорячи́ться, раздражи́ться 7) похотли́вый, сладостра́стный 8) све́жий; ~ scent све́жий, горя́чий след; ~ copy (*или* news) *разг.* после́дние изве́стия; ~ from the press то́лько что отпеча́танный 9) бли́зкий к це́ли 10) *амер. sl.* то́лько что укра́денный *или* незако́нно приобретённый 11) *sl.* уси́ленно разы́скиваемый поли́цией 12) опа́сный (для жи́зни) 13) высокорадиоакти́вный; ~ laboratory лаборато́рия для иссле́дования радиоакти́вных веще́ств 14) *амер. разг.* забо́ристый 15) *амер. разг.* бедо́вый 16) ре́зкий, крича́щий (*о цвете*) ◇ to get into ~ water попа́сть в беду́, в затрудни́тельное положе́ние; to make a place too ~ for smb. вы́курить кого́-л.; ~ number *амер.* популя́рный но́мер (*песенка и т. п.*); not so ~ та́к себе, не ахти́ что; ~ stuff а) отли́чный рабо́тник, игро́к, исполни́тель *и т. п.*; б) опа́сный челове́к; в) неприли́чный анекдо́т; порнографи́ческая литерату́ра; г) распу́тница, шлю́ха; ~ potato щекотли́вая те́ма; злободне́вный вопро́с; to drop smth. like a ~ potato отказа́ться, отступи́ться от чего́-л.; ~ money *фин.* «горя́чие де́ньги» (*капитал, вывозимый за границу из опасения его обесценения и т. п.*); спекуляти́вный иностра́нный капита́л; ~ war откры́тая, настоя́щая война́

2. *adv* горячо́, жа́рко *и пр.* [*см.* 1]

3. *v разг. см.* heat 2

hot air [,hɒt'eə] *n разг.* пустая болтовня́; бахва́льство

hotbed ['hɒtbed] *n* 1) парни́к 2) рассадник, оча́г

hot-blooded [,hɒt'blʌdɪd] *a* 1) пы́лкий, стра́стный 2) вспы́льчивый

hotchpot ['hɒtʃpɒt] = hotchpotch

hotchpotch ['hɒtʃpɒtʃ] *n* 1) смесь, вся́кая вся́чина 2) рагу́ из мя́са и овоще́й; овощно́й суп на бара́ньем бульо́не

hot dog ['hɒtdɒg] *n разг.* хот до́г, бутербро́д с горя́чей соси́ской

hotel [,həʊ'tel] *n* оте́ль, гости́ница

hotelier [həʊ'telɪeɪ] *n* хозя́ин гости́ницы, оте́ля

hotfoot [,hɒt'fʊt] **1.** *adv* стремгла́в, поспе́шно; to come (*или* to follow) ~ on smb. сле́довать за кем-л. по пята́м

2. *v разг.* мча́ться, нести́сь

hothead ['hɒthed] *n* горя́чая голова́ (*о человеке*)

hotheaded [,hɒt'hedɪd] *a* горя́чий; вспы́льчивый; опроме́тчивый

hothouse ['hɒthaʊs] *n* 1) оранжере́я, тепли́ца 2) благоприя́тная обстано́вка, благода́тная по́чва 3) *тех.* суши́льня 4) *attr.* тепли́чный; ~ plant тепли́чное расте́ние

hot line ['hɒtlaɪn] *n* пряма́я телефо́нная связь ме́жду гла́вами прави́тельств, «горя́чая ли́ния»

hotplate ['hɒtpleɪt] *n* 1) электри́ческая *или* га́зовая пли́тка 2) плита́ ку́хонного очага́

hotpot ['hɒtpɒt] *n* тушёное мя́со с овоща́ми

hot-pressing ['hɒt,presɪŋ] *n тех.* 1) горя́чее прессова́ние 2) сатини́рование

hot rod ['hɒtrɒd] *n* 1) (ста́рый) автомоби́ль с форси́рованным дви́гателем 2) води́тель-лиха́ч

hotshot ['hɒtʃɒt] *амер. разг.* **1.** *n* большо́й челове́к, ши́шка; дарови́тый, перспекти́вный ма́лый

2. *a* энерги́чный, пробивно́й

hot-spirited [,hɒt'spɪrɪtɪd] *a* пы́лкий; вспы́льчивый

hotspur ['hɒtspɜ:] *n* горя́чий, вспы́льчивый, необу́зданный челове́к; сорвиголова́

hot-tempered ['hɒt,tempəd] *a* вспы́льчивый

Hottentot ['hɒtntɒt] *n* готтенто́т

hotti, hotty ['hɒtɪ] *разг.* = hot-water bottle

hot-water bottle [,hɒt'wɔ:təbɒtl] *n* гре́лка

hot well ['hɒt,wel] *n* 1) горя́чий исто́чник 2) *тех.* резервуа́р горя́чей воды́

hough [hɒk] **1.** *n* поджи́лки, коле́нное сухожи́лие

2. *v* подреза́ть поджи́лки

hound [haʊnd] **1.** *n* 1) соба́ка; охо́тничья соба́ка, *особ.* го́нчая; the ~s сво́ра го́нчих; to follow (the) ~s, to ride to ~s охо́титься верхо́м с соба́ками 2) *разг.* негодя́й; «соба́ка» 3) оди́н из игроко́в в игре́ «hare and ~s» [*см.* hare]

2. *v* 1) трави́ть, подверга́ть пресле́дованиям 2) трави́ть (*собаками*) 3) натра́вливать (at, on, upon) ▭ ~ **down** вы́ловить, разыска́ть; ~ **out** изгоня́ть, выгоня́ть с позо́ром

hour ['aʊə] *n* 1) час; at an early ~ ра́но; to keep early (*или* good) ~s ра́но встава́ть и ра́но ложи́ться; to keep late (*или* bad) ~s по́здно встава́ть и по́здно ложи́ться; pay by the ~ почасова́я опла́та 2) определённое вре́мя дня; dinner ~ обе́денное вре́мя; office ~s часы́ рабо́ты (*в учреждении, конторе и т. п.*); peak (rush) ~s часы́ пик; the off ~s свобо́дные часы́; after ~s по́сле рабо́ты; по́сле закры́тия магази́нов *и т. п.*; out of ~s в нерабо́чее вре́мя ◇ the question of the ~ актуа́льный (*или* злободне́вный) вопро́с; till all ~s до петухо́в, до рассве́та

hour-circle [,aʊə'sɜ:kl] *n астр.* небе́сный меридиа́н

hourglass ['aʊəglɑ:s] *n* песо́чные часы́ (*рассчитанные на один час*)

hour hand ['aʊəhænd] *n* часова́я стре́лка

houri ['hʊərɪ] *n* гу́рия, де́ва ра́я (*в исламе и восточной мифологии*)

hourly ['aʊəlɪ] **1.** *a* 1) ежеча́сный 2) постоя́нный; ча́стый 3) почасово́й (*о плате*)

2. *adv* 1) ежеча́сно 2) постоя́нно; ча́сто

house 1. *n* [haʊs, *pl* 'haʊzɪz] 1) дом; жили́ще; зда́ние 2) религио́зное бра́тство; монасты́рь 3) ко́лледж университе́та; пансио́н при шко́ле 4) семья́, род; дом, дина́стия 5) дом; семья́; хозя́йство; to keep ~ вести́ хозя́йство; to keep the ~ сиде́ть до́ма 6) (торго́вая) фи́рма 7) (the H.) *разг.* (ло́ндонская) би́ржа 8) (*тж.* the H.) пала́та (*парламента*); a parliament of two ~s двухпала́тный парла́мент; lower ~ ни́жняя пала́та; upper ~ ве́рхняя пала́та; H. of Commons пала́та о́бщин; H. of Lords пала́та ло́рдов; H. of Representatives пала́та представи́телей, ни́жняя пала́та конгре́сса США; third ~ *амер. разг.* кулуа́ры конгре́сса; to enter the H. стать чле́ном парла́мента; to divide the ~ *парл.* провести́ поимённое голосова́ние 9) теа́тр; пу́блика, зри́тели; appreciative ~ отзы́вчивая пу́блика, аудито́рия; to bring down the (whole) ~ вы́звать гром аплодисме́нтов; full ~ аншла́г 10) представле́ние; сеа́нс; the first ~ starts at five o'clock пе́рвый сеа́нс начина́ется в пять часо́в 11) гости́ница, постоя́лый двор 12) *амер.* борде́ль 13) (the H.) *ист. разг.* рабо́тный дом 14) *мор.* ру́бка 15) *attr.* дома́шний, ко́мнатный ◇ ~ and home дом, дома́шний ую́т; on the ~ за счёт предприя́тия, беспла́тно; a drink on the ~ беспла́тная вы́пивка; to set (*или* to put) one's ~ in order привести́ в поря́док свои́ дела́; like a ~ on fire а) бы́стро и легко́; б) успе́шно, прекра́сно

2. *v* [haʊz] 1) предоставля́ть жили́ще; обеспе́чивать жильём 2) посели́ть, приюти́ть 3) *воен.* расквартиро́вывать 4) жить (*в доме*) 5) помеща́ть, убира́ть (*вещи, имущество и т. п.*) 6) *с.-х.* убира́ть (*хлеб*); загоня́ть (*скот*) 7) вмеща́ть(ся), помеща́ть(ся)

house-agent ['haʊseɪdʒənt] *n* жили́щный аге́нт, комиссионе́р по прода́же и сда́че внаём домо́в

house arrest ['haʊsərest] *n* дома́шний аре́ст; under ~ под дома́шним аре́стом

houseboat ['haʊsbəʊt] *n* 1) плаву́чий дом; ло́дка *или* ба́рка, приспосо́бленная для жилья́ 2) экскурсио́нное су́дно

housebound ['haʊsbaʊnd] *a* привя́занный к до́му, не име́ющий возмо́жности уйти из до́ма (*из-за болезни и т. п.*)

houseboy ['haʊsbɔɪ] *n* ма́льчик, слуга́

housebreak ['haʊsbreɪk] *v* соверша́ть кра́жу со взло́мом

housebreaker ['haʊsbreɪkə] *n* 1) взло́мщик, громи́ла 2) рабо́чий по сно́су домо́в

housebreaking ['haʊs,breɪkɪŋ] *n* грабёж со взло́мом

house-builder ['haʊs,bɪldə] *n* 1) строи́тельный рабо́чий, те́хник 2) *pl* фи́рма по строи́тельству жилы́х домо́в

housecoat ['haʊskəʊt] *n* же́нский хала́т, капо́т

housecraft ['haʊskrɑ:ft] *n* домово́дство

house-dog ['haʊsdɒg] *n* сторожево́й пёс

housefather ['haʊsfɑ:ðə] *n* 1) глава́ семьи́ 2) заве́дующий пансио́ном в специа́льной шко́ле *или* прию́те

house flag ['haʊsflæg] *n* флаг пароходства

housefly ['haʊsflaɪ] *n* ко́мнатная му́ха

houseful ['haʊsfʊl] *n* по́лный дом; ~ of furniture в кварти́ре те́сно от ме́бели, в до́ме всё заста́влено

household ['haʊshəʊld] **1.** *n* 1) семья́, домоча́дцы 2) дома́шнее хозя́йство 3) (the ~) короле́вский двор 4) *pl* второсо́ртная мука́, мука́ гру́бого помо́ла

2. *a* дома́шний, семе́йный; ~ appliances бытова́я те́хника; ~ word знако́мое сло́во; ходя́чее выраже́ние ◇ ~ gods ла́ры и пена́ты; бо́ги-храни́тели дома́шнего очага́

householder ['haʊshəʊldə] *n* 1) съёмщик до́ма *или* кварти́ры 2) глава́ семьи́

household troops [,haʊshəʊld'tru:ps] *n* короле́вская гва́рдия, короле́вские во́йска́

housekeeper ['haʊski:pə] *n* 1) эконо́мка; домоправи́тельница; дома́шняя рабо́тница 2) дома́шняя хозя́йка

housekeeping ['haʊski:pɪŋ] *n* дома́шнее хозя́йство; домово́дство

houseless ['haʊsləs] *a* бездо́мный; не име́ющий кро́ва

housemaid ['haʊsmeɪd] *n* го́рничная (*особ. убирающая комнаты*); убо́рщица (*в частном доме*)

housemaster ['haʊsmɑ:stə] *n* заве́дующий пансио́ном при шко́ле

housemother ['haʊsmʌðə] *n* 1) мать семе́йства; глава́ семьи́ (*о женщине*) 2) заве́дующая пансио́ном в специа́льной шко́ле *или* прию́те

house party ['haʊspɑ:tɪ] *n* компа́ния госте́й, проводя́щая не́сколько дней в за́городном до́ме

house-physician ['haʊsfɪ,zɪʃn] *n* врач, живу́щий при больни́це

house-proud ['haʊspraʊd] *a* увлека́ющийся созда́нием ую́та, веде́нием дома́шнего хозя́йства; ~ woman домови́тая же́нщина, хоро́шая хозя́йка

houseroom ['haʊsru:m] *n* жила́я пло́щадь; кварти́ра; жильё; to give ~ to smth. найти́ ме́сто (в до́ме) для чего́-л.; to give ~ to smb. приюти́ть кого́-л.

house sparrow ['haʊsspærəʊ] *n* воробе́й (обыкнове́нный)

house surgeon ['haʊs,sɜ:dʒən] *n* ста́рший хиру́рг, живу́щий при больни́це

house-to-house [,haʊstə'haʊs] *a* сплошно́й, проводи́мый с обхо́дом всех домо́в; ~ canvassing обхо́д избира́телей (*с целью агитации за кандидата*)

housetop ['haʊstɒp] *n* кры́ша ◇ to proclaim from the ~s а) *библ.* провозглаша́ть на кро́влях; б) провозглаша́ть во всеуслы́шание

housetrain ['haʊstreɪn] *v* 1) приуча́ть живо́тных не па́чкать в до́ме 2) *разг.* воспи́тывать челове́ка

house-trained ['haʊstreɪnd] *a* 1) приу́ченный не па́чкать в до́ме (*о животном*) 2) *разг.* благовоспи́танный

housewarm ['haʊswɔ:m] *v* пра́здновать новосе́лье

housewarming ['haʊs,wɔ:mɪŋ] *n* пра́зднование новосе́лья

housewife ['haʊswaɪf] *n* (*pl* -wives) 1) хозя́йка 2) дома́шняя хозя́йка 3) ['hʌzɪf] рабо́чая шкату́лка *или* нессе́ср (*с принадлежностями для шитья*); иго́льник

housewifely ['haʊs,waɪflɪ] *a* хозя́йственный, эконо́мный; домови́тый

housewifery ['haʊswɪfərɪ] *n* дома́шнее хозя́йство; домово́дство

housewives ['haʊswaɪvz] *pl от* housewife

housework ['haʊswɜ:k] *n* рабо́та по до́му

housing I ['haʊzɪŋ] **1.** *pres. p. от* house 2

2. *n* 1) *собир.* жили́ща, дома́, жильё 2) снабже́ние жили́щем; жили́щный вопро́с 3) жили́щное строи́тельство 4) укры́тие, убе́жище 5) ни́ша; вы́емка; гнездо́; паз 6) *тех.* ко́рпус, стани́на; кожу́х, футля́р 7) *стр.* тепля́к 8) *attr.*: a ~ list спи́сок кандида́тов на пра́во получе́ния кварти́р в муниципа́льных дома́х; ~ estate жило́й масси́в

housing II ['haʊzɪŋ] *n* попо́на; вальтра́п (*часть сбруи*)

hove [həʊv] *past u p. p. от* heave 2

hovel ['hɒvl] *n* 1) лачу́га, хиба́ра; шала́ш 2) ни́ша (*для статуи*) 3) наве́с

hover ['hɒvə] *v* 1) пари́ть (*о птице*; *тж.* ~ over, ~ about); нависа́ть (*об облаках*) 2) верте́ться, болта́ться (around, about — вокру́г, о́коло) 3) быть, находи́ться вблизи́; ждать побли́зости; to ~ between life and death быть ме́жду жи́знью и сме́ртью 4) колеба́ться, не реша́ться, ме́шкать

hovercraft ['hɒvəkrɑ:ft] *n* тра́нспортное сре́дство на возду́шной поду́шке

how [haʊ] 1. *adv* 1) *inter.* как?, каки́м о́бразом?; ~ did you do it? как вы э́то сде́лали?; ~ comes it?, ~ come?, ~ is it? *разг.* как э́то получа́ется?, почему́ так выхо́дит?; ~ so? как так? 2) *inter.* ско́лько?; ~ old is he? ско́лько ему́ лет?; ~ much is milk? ско́лько сто́ит молоко́? 3) *conj.* что; tell him ~ to do it расскажи́(те) ему́, как э́то де́лать; ask him ~ he does it спроси́(те) его́, как он э́то де́лает 4) *emph.* как!; ~ funny! как смешно́!; как стра́нно! ◇ and ~! *амер.* ещё бы!; о́чень да́же (*часто ирон.*); ~ do you do? здра́вствуйте!; как пожива́ете?; ~ are you? как пожива́ете?; ~ about...? как насчёт...?; ~ about going for a walk? не пойти́ ли нам погуля́ть?; it was a swell party, and ~! вот э́то была́ вечери́нка!; here's ~! (за) ва́ше здоро́вье!

2. *n разг.* спо́соб, ме́тод; the ~ of it как э́то де́лается

how-do-you-do [,haʊdjʊ'du:] *n разг.* щекотли́вое *или* затрудни́тельное положе́ние

howdy ['haʊdɪ] *int амер. разг.* приве́т! здоро́во!

how d'ye do [,haʊdɪ'du:] = how-do-you-do

however [haʊ'evə] 1. *adv* 1) как бы ни 2) *разг.* как, каки́м о́бразом

2. *cj* одна́ко, тем не ме́нее, несмотря́ на (э)то

howitzer ['haʊɪtsə] *n воен.* га́убица

howl [haʊl] 1. *n* 1) вой, завыва́ние; стон; рёв 2) *радио* рёв, вой

2. *v* выть, завыва́ть, стона́ть (*о ветре*); реве́ть, гро́мко пла́кать ▭ ~ down заглуша́ть (*воем, криком и т. п.*)

howler ['haʊlə] *n* 1) *разг.* глупе́йшая, вопию́щая оши́бка 2) *зоол.* реву́н (*обезьяна*) 3) пла́кальщик, пла́кальщица 4) *тех.* реву́н

howling ['haʊlɪŋ] 1. *pres. p. от* howl 2

2. *a* 1) во́ющий 2) уны́лый 3) огро́мный (*об успехе и т. п.*); вопию́щий; ~ shame а) стыд и срам; б) вопию́щая несправедли́вость

howsoever [,haʊsəʊ'evə] *adv* как бы ни

hoy I [hɔɪ] *n* 1) небольшо́е берегово́е су́дно 2) ба́ржа́

hoy II [hɔɪ] *int* эй!

hoyden ['hɔɪdn] *n* 1) шумли́вая, крикли́вая деви́ца 2) девчо́нка-сорване́ц

hub [hʌb] *n* 1) ступи́ца (*колеса*), вту́лка 2) центр внима́ния, интере́са, де́ятельности; ~ of the universe пуп земли́ ◇ the H. *амер. шутл. г.* Бо́стон

hubble-bubble ['hʌblbʌbl] *n* 1) примити́вный кальа́н 2) бу́лькающий звук, бу́льканье 3) болтовня́, бессвя́зный разгово́р

hubbub ['hʌbʌb] *n* 1) шум, гам, гул голосо́в 2) сумя́тица, неразбери́ха

hubby ['hʌbɪ] *n* (*сокр. от* husband) *разг.* муженёк

hubcap ['hʌbkæp] *n тех.* колпа́к (*на диск колеса*)

hubris ['hju:brɪs] *n* спесь; высокоме́рие

huckaback ['hʌkəbæk] *n* льняно́е *или* бума́жное полотно́ (*для полотенец и т. п.*)

huckleberry ['hʌklbərɪ] *n* черни́ка

huckster ['hʌkstə] 1. *n* 1) торга́ш; бары́шник; корыстолюби́вый челове́к 2) состави́тель рекла́мных ра́дио- и телевизио́нных переда́ч 3) мелочно́й торго́вец 4) комиссионе́р, ма́клер

2. *v* 1) торгова́ться; бары́шничать 2) вести́ мелочну́ю торго́влю 3) ло́вко реклами́ровать, навя́зывать (*товар*)

huddle ['hʌdl] 1. *n* 1) толпа́ 2) гру́да, ку́ча 3) *амер. разг.* та́йное совеща́ние; to go into a ~ вступа́ть в сго́вор 4) су́толока, сумато́ха

2. *v* 1) прижима́ться, жа́ться 2) съёживаться, свёртываться кала́чиком (*обыкн.* ~ together, ~ up) 3) сва́ливать в ку́чу 4) загоня́ть, зата́лкивать

hue [hju:] *n* цвет, отте́нок

hue and cry [,hju:ən'kraɪ] *n* 1) пого́ня; кри́ки «лови́!, держи́!»; вы́крики (against) 2) *ист.* объявле́ние о ро́зыске и пои́мке престу́пника

huff [hʌf] 1. *n* 1) припа́док раздраже́ния, гне́ва; to be in (*или* to get into) a ~ прийти́ в я́рость 2) фук, фу́канье (*в шашках*)

2. *v* 1) раздража́ть, выводи́ть из себя́ 2) задира́ть; запу́гивать; принужда́ть угро́зами (into; out of) 3) оскорбля́ть(ся), обижа́ть(ся) 4) дуть, шу́мно дыша́ть 5) фу́кнуть (*шашку*)

huffish ['hʌfɪʃ] *a* раздражи́тельный; капри́зный; оби́дчивый

huffy ['hʌfɪ] *a* 1) самодово́льный, надме́нный 2) = huffish

hug [hʌg] 1. *n* 1) кре́пкое объя́тие; to give smb. a ~ обня́ть кого́-л. 2) захва́т, хва́тка (*в борьбе*)

2. *v* 1) кре́пко обнима́ть, сжима́ть в объя́тиях 2) держа́ться (*чего-л.*) 3) быть приве́рженным, скло́нным (*к чему-л.*) 4) выража́ть благоскло́нность (*кому-л.*) 5): to ~ oneself on (*или* for, over) smth. поздра́вить себя́ с чем-л., быть дово́льным собо́й

huge [hju:dʒ] *a* огро́мный, грома́дный, гига́нтский

hugely ['hju:dʒlɪ] *adv* о́чень, весьма́

hugeness ['hju:dʒnəs] *n* огро́мность; обши́рность

hugger-mugger ['hʌgə,mʌgə] 1. *n* 1) та́йна; in ~ тайко́м 2) беспоря́док

2. *a* 1) та́йный 2) беспоря́дочный

3. *adv* 1) та́йно 2) беспоря́дочно, ко́е-ка́к

4. *v* 1) скрыва́ть; де́лать тайко́м 2) замя́ть (*дело*) 3) де́лать беспоря́дочно, ко́е-ка́к

Huguenot ['hju:gənəʊ] *n ист.* гуген́от

huh [hə] *int* хм!, гм! (*выражает удивление, неодобрение и т. п.*)

hulk [hʌlk] *n* 1) бло́кшив, ко́рпус ста́рого корабля́, непригодного к пла́ванию 2) большо́е неповоро́тливое су́дно 3) *мор.* киле́ктор 4) большо́й неуклю́жий челове́к

hulking ['hʌlkɪŋ] *a разг.* грома́дный, неуклю́жий, неповоро́тливый

hull I [hʌl] 1. *n* шелуха́, скорлупа́

2. *v* очища́ть от шелухи́, шелуши́ть, лущи́ть

hull II [hʌl] 1. *n* 1) ко́рпус (*корабля, танка*); ~ down с ко́рпусом, скры́тым за горизо́нтом; ~ out с ко́рпусом, ви́димым над горизо́нтом 2) о́стов, карка́с 3) *ав.* фюзеля́ж

2. *v* попа́сть снаря́дом в ко́рпус корабля́

hullabaloo [,hʌləbə'lu:] *n* (*pl* -os [-u:z]) крик, гам, шум, гвалт

hulled I [hʌld] 1. *p. p. от* hull I, 2

2. *a* очи́щенный, лущёный

hulled II [hʌld] *p. p. от* hull II, 2

hullo ['hʌləʊ] *int* алло́!, приве́т!

hum I [hʌm] 1. *n* 1) жужжа́ние, гуде́ние; гул 2) *разг.* дурно́й за́пах, вонь

2. *v* 1) жужжа́ть, гуде́ть 2) напева́ть с закры́тым ртом, мурлы́кать 3) говори́ть запина́ясь, мя́млить; to ~ and haw а) запина́ться, мя́млить; б) не реша́ться, колеба́ться 4) *разг.* развива́ть бу́рную де́ятельность; he makes things ~ у него́ рабо́та кипи́т 5) *разг.* ду́рно па́хнуть, воня́ть

hum II [hʌm] *сокр. от* humbug 1, 1)

hum III [hʌm] *int* гм!

human ['hju:mən] 1. *a* 1) челове́ческий, людско́й; the ~ race челове́ческий род; ~ rights права́ челове́ка 2) сво́йственный челове́ку; it's ~ to err челове́ку сво́йственно ошиба́ться

2. *n* челове́к, челове́ческое существо́; сме́ртный

humane [hjʊ'meɪn] *a* 1) гума́нный, челове́чный; H. Society о́бщество спаса́ния утопа́ющих 2) гуманита́рный

humaneness [hjʊ'meɪnnəs] *n* доброта́, челове́чность, гума́нность

humanism ['hju:mənɪzəm] *n* гумани́зм

humanist ['hju:mənɪst] *n* 1) гумани́ст 2) специали́ст в о́бласти гуманита́рных нау́к

humanitarian [hjʊ,mænɪ'teərɪən] 1. *n* 1) гумани́ст 2) филантро́п

2. *a* 1) гума́нный 2) гуманита́рный

humanity [hjʊ'mænətɪ] *n* 1) челове́чество, род челове́ческий 2) лю́ди, людска́я ма́сса 3) человеколю́бие, гума́нность, челове́чность 4) *pl* гума́нные де́йствия, посту́пки 5) челове́ческая приро́да 6): the humanities а) гуманита́рные нау́ки; б) класси́ческие языки́; класси́ческая литерату́ра

humanize ['hju:mənaɪz] *v* 1) очелове́чивать; смягча́ть; облагора́живать 2) де́лать *или* станови́ться гума́нным

humankind [,hju:mən'kaɪnd] *n* челове́чество

humanly ['hju:mənlɪ] *adv* 1) в преде́лах челове́ческих сил; all that is ~ possible всё, что в челове́ческих си́лах 2) по-челове́чески; с челове́ческой то́чки зре́ния 3) гума́нно, челове́чно

humanoid ['hju:mənɔɪd] *a* человекоподо́бный

humble ['hʌmbl] 1. *a* 1) скро́мный; засте́нчивый, ро́бкий 2) просто́й, скро́мный, бе́дный; in ~ circumstances в стеснённых обстоя́тельствах 3) поко́рный; смире́нный; a ~ request поко́рная про́сьба

2. *v* унижа́ть; смиря́ть

humble-bee ['hʌmblbi:] *n* шмель

humble pie [,hʌmbl'paɪ] *n* оби́да, униже́ние

humbly ['hʌmblɪ] *adv* 1) скро́мно, смире́нно; засте́нчиво, ро́бко 2) скро́мно, бе́дно

humbug ['hʌmbʌg] 1. *n* 1) обма́н; притво́рство 2) (*часто как int*) вздор, чепуха́; глу́пость 3) обма́нщик, хвасту́н 4) мя́тная конфе́та

2. *v* обма́нывать, надува́ть; to ~ into smth. обма́ном вовлека́ть во что-л.; to ~ out of smth. обма́ном лиша́ть чего́-л.

humdinger [,hʌm'dɪŋə] *n sl.* 1) па́рень что на́до 2) отли́чная вещи́ца

humdrum ['hʌmdrʌm] 1. *n* 1) о́бщее ме́сто, бана́льность 2) ску́чный челове́к

2. *a* ску́чный, бана́льный

humectant [hju:'mektənt] *n* увлажни́тель, увлажня́ющее вещество́

humeral ['hju:mərəl] *a анат.* плечево́й

humeri ['hju:məraɪ] *pl от* humerus

humerus ['hju:mərəs] *n* (*pl* -ri) *анат.* плечева́я кость

humid ['hju:mɪd] *a* сыро́й, вла́жный

humidifier [hjʊ'mɪdɪfaɪə] *n* увлажни́тель (во́здуха)

humidify [hjʊ'mɪdɪfaɪ] *v* увлажня́ть

humidity [hjʊ'mɪdətɪ] *n* сы́рость, вла́жность; вла́га

humidor ['hju:mɪdɔ:] *n* ка́мера для сохране́ния определённого проце́нта вла́жности (*сигар и т. п.*)

humify ['hju:mɪfaɪ] *v с.-х.* утучня́ть (*почву*)

humiliate [hjʊ'mɪlɪeɪt] *v* унижа́ть

humiliating [hjʊ'mɪlɪeɪtɪŋ] *a* унизи́тельный, оскорби́тельный

humiliation [hjʊ,mɪlɪ'eɪʃn] *n* униже́ние

humility [hjʊ'mɪlətɪ] *n* 1) поко́рность, смире́ние 2) скро́мность

hummel ['hʌml] *a шотл.* безро́гий, комо́лый

humming ['hʌmɪŋ] 1. *pres. p. от* hum I, 2

2. *a* 1) жужжа́щий, гудя́щий 2) *разг.* энерги́чный, де́ятельный

hummingbird ['hʌmɪŋbɜ:d] *n зоол.* коли́бри

humming top ['hʌmɪŋtɒp] *n* волчо́к (*игрушка*)

hummock ['hʌmək] *n* 1) хо́лмик; приго́рок; возвы́шенность 2) ледяно́й торо́с

humor ['hju:mə] *амер.* = humour

humoresque [,hju:mə'resk] *n муз.* юмор́еска

humorist ['hju:mərɪst] *n* 1) шутни́к, весельча́к 2) юмори́ст

humorous ['hju:mərəs] *a* 1) смешно́й, заба́вный, коми́ческий 2) юмористи́ческий

humour ['hju:mə] 1. *n* 1) ю́мор; чу́вство ю́мора (*тж.* sense of ~) 2) настрое́ние; скло́нность; нрав; in the ~ for скло́нный к; in good (bad *или* ill) ~ в хоро́шем (плохо́м) настрое́нии; out of ~ не в ду́хе; when the ~ takes him когда́ ему́ взду́мается 3): cardinal ~s *мед. ист.* основны́е «со́ки» в органи́зме челове́ка (*кровь, флегма, жёлчь, чёрная жёлчь или меланхолия*)

2. *v* потака́ть (*кому-л.*); ублажа́ть

humourist ['hju:mərɪst] = humorist

humous ['hju:məs] *a* перегно́йный, гу́мусный; ~ soil перегно́йная по́чва

hump [hʌmp] 1. *n* 1) горб 2) бугр́ор, приго́рок 3) реша́ющий, крити́ческий моме́нт; to get over the ~ преодоле́ть основны́е тру́дности 4) *разг.* дурно́е настрое́ние; to get the ~ приуны́ть; to give smb. the ~ нагна́ть тоску́ на кого́-л., испо́ртить кому́-л. настрое́ние

2. *v* 1) *разг.* подня́ть и понести́; *австрал.* взвали́ть на́ спину (*узел и т. п.*) 2) го́рбить(ся) 3) *разг.* приводи́ть *или* приходи́ть в дурно́е настрое́ние

humpback ['hʌmpbæk] *n* 1) горб 2) горбу́н

humpbacked ['hʌmpbækt] *a* горба́тый

humph [mm, hʌmf] *int* гм! (*выражает сомнение или недовольство*)

humpty-dumpty [,hʌmptɪ'dʌmptɪ] *n* ни́зенький толстя́к, коротышка; Шалта́й-Болта́й

humpy I ['hʌmpɪ] *a* 1) горба́тый 2) бугри́стый, неро́вный

humpy II ['hʌmpɪ] *n австрал.* хи́жина

humus ['hju:məs] *n* гу́мус, перегно́й; чернозём

Hun [hʌn] *n* 1) *ист.* гунн 2) *презр.* не́мец 3) ва́рвар,ванда́л

hunch [hʌntʃ] 1. *n* 1) подозре́ние; предчу́вствие; on a ~ интуити́вно; to have a ~ подозрева́ть; дога́дываться 2) горб 3) то́лстый кусо́к, ломо́ть; a ~ of bread ломо́ть хле́ба

2. *v* 1) го́рбить(ся), суту́лить(ся) (*часто* ~ up) 2) сгиба́ть

hunchback ['hʌntʃbæk] *n* горбу́н

hundred ['hʌndrəd] 1. *num. card.* 1) сто; about a (*или* one) ~ о́коло ста 2) но́ль-но́ль; we'll meet at nine ~ hours мы встре́тимся в 9.00 (де́вять но́ль-но́ль) ◇ one ~ per cent (на) сто проце́нтов; вполне́; a ~ to one наверняка́, сто про́тив одного́; the ~ and one odd chances большо́й риск; a ~ and one things to do ≅ хлопо́т по́лон рот

2. *n* 1) число́ сто; со́тня; ~s of people ма́сса наро́ду 2) *ист.* о́круг (*часть графства в Англии*)

hundredfold ['hʌndrədfəʊld] 1. *a* стокра́тный

2. *adv* во́ сто кра́т

hundred-percenter ['hʌndrədpə,sentə] *n амер.* 1) ура́-патрио́т; стопроце́нтный америка́нец 2) отли́чный па́рень; отли́чная де́вушка

hundredth ['hʌndrədθ] 1. *num. ord.* со́тый

2. *n* со́тая часть

hundredweight ['hʌndrədweɪt] *n* (*pl тж. без измен.*) це́нтнер (*в Англии 112 фунтов = 50, 8 кг, в США 100 фунтов = 45,3 кг*)

hung [hʌŋ] *past и p. p. от* hang 2

Hungarian [hʌŋ'geərɪən] 1. *a* венге́рский

2. *n* 1) венгр; венге́рка 2) венге́рский язы́к

hunger ['hʌŋgə] 1. *n* 1) го́лод; голода́ние 2) си́льное жела́ние, жа́жда (*чего-л.*; for, after)

2. *v* 1) голода́ть, быть голо́дным 2) принужда́ть го́лодом (into; out of) 3) си́льно жела́ть, жа́ждать (for, after)

hunger march ['hʌŋgəmɑ:tʃ] *n* голо́дный похо́д

hunger marcher ['hʌŋgəmɑ:tʃə] *n* уча́стник голо́дного похо́да

hunger strike ['hʌŋgəstraɪk] *n* (тюре́мная) голодо́вка

hung over [,hʌŋ'əʊvə] *a разг.* страда́ющий с перепо́ю, с похме́лья

hungry ['hʌŋgrɪ] *a* 1) голо́дный; голода́ющий 2) си́льно жела́ющий, жа́ждущий (*чего-л.*; for) 3) ску́дный, неплодоро́дный (*о почве*)

hunk [hʌŋk] = hunch 1, 3)

hunkers ['hʌŋkəz] *n pl разг.*: on one's ~ а) на ко́рточках; б) в ужа́сном положе́нии

hunks [hʌŋks] *n разг.* скря́га

hunky-dory [,hʌŋkɪ'dɔ:rɪ] *a амер. разг.* первокла́ссный, превосхо́дный

hunt [hʌnt] 1. *n* 1) охо́та 2) гру́ппа охо́тников с го́нчими, охо́та 3) охо́тничье уго́дье 4) по́иски (*чего-л.*; for); to be on the ~ for smth. упо́рно иска́ть что-л.

2. *v* 1) охо́титься (*особ. с гончими*) 2) трави́ть, гнать, пресле́довать (*зверя и т. п.*) ▭ ~ **after** гоня́ться; иска́ть, ры́скать; ~ **away** прогоня́ть; ~ **down** а) вы́следить; пойма́ть; б) затрави́ть; в) пресле́довать; ~ **for** иска́ть, добива́ться; ~ **out**, ~ **up** отыска́ть; *перен.* откопа́ть

hunter ['hʌntə] *n* 1) охо́тник 2) гу́нтер (*спортивная верховая лошадь*) 3) охо́тничья соба́ка 4) иска́тель 5) карма́нные часы́ с кры́шкой

hunter's moon ['hʌntəzmu:n] *n* полнолу́ние по́сле осе́ннего равноде́нствия

hunting ['hʌntɪŋ] **1.** *pres. p. от* hunt 2

2. *n* 1) охо́та 2) *attr.* охо́тничий

hunting box ['hʌntɪŋbɒks] *n* охо́тничий до́мик

hunting-crop ['hʌntɪŋkrɒp] *n* охо́тничий хлыст

hunting ground ['hʌntɪŋgraʊnd] *n* охо́тничье уго́дье ◇ happy ~(s) а) рай, счастли́вая загро́бная жизнь (*первоначально в представлении американских индейцев*); б) ме́сто, изоби́лующее ди́чью; ≅ рай для охо́тников

hunting horn ['hʌntɪŋhɔ:n] *n* охо́тничий рог

hunting season ['hʌntɪŋ,si:zn] *n* охо́тничий сезо́н

hunting whip ['hʌntɪŋwɪp] = hunting-crop

huntress ['hʌntrəs] *n книжн.* 1) же́нщина-охо́тник 2) боги́ня охо́ты

huntsman ['hʌntsmən] *n* 1) охо́тник 2) е́герь

hunt the slipper [,hʌntðə'slɪpə] *n* ту́фля по кру́гу (*игра*)

hurdle ['hɜ:dl] **1.** *n* 1) перено́сная заго́родка; плете́нь 2) *спорт.* препя́тствие, барье́р; to clear the ~ взять (*или* преодоле́ть, перейти́ че́рез) барье́р 3) (the ~s) *pl* = hurdle-race 4) препя́тствие, затрудне́ние

2. *v* 1) огражда́ть плетнём (*тж.* ~ off) 2) переска́кивать че́рез барье́р 3) уча́ствовать в барье́рном бе́ге 4) преодолева́ть препя́тствия, затрудне́ния

hurdler ['hɜ:dlə] *n спорт.* барьери́ст

hurdle-race ['hɜ:dlreɪs] *n спорт.* 1) барье́рный бег 2) ска́чки с препя́тствиями

hurdling ['hɜ:dlɪŋ] **1.** *pres. p. от* hurdle 2

2. *n спорт.* барье́рный бег

hurdy-gurdy ['hɜ:dɪgɜ:dɪ] *n* 1) стари́нный стру́нный музыка́льный инструме́нт 2) *разг.* шарма́нка

hurl [hɜ:l] **1.** *n* си́льный бросо́к

2. *v* 1) броса́ть (с си́лой); швыря́ть; to ~ oneself бро́ситься (at, upon — на); to ~ reproaches at smb. осыпа́ть кого́-л. упрёками 2) *спорт.* мета́ть 3) разража́ться (*бранью, угрозами*)

hurley ['hɜ:lɪ] = hurling

hurling ['hɜ:lɪŋ] *n* 1) ирла́ндский хокке́й на траве́ 2) клю́шка для ирла́ндского хокке́я на траве́

hurly-burly ['hɜ:lɪbɜ:lɪ] *n* сумя́тица, смяте́ние, переполо́х

hurrah, hurray [hə'rɑ:, hə'reɪ] **1.** *int* ура́!

2. *n* ура́ ◇ ~'s nest *амер.* по́лный беспоря́док; кутерьма́; неразбери́ха

3. *v* крича́ть «ура́!»

hurricane ['hʌrɪkən] *n* 1) урага́н; тропи́ческий цикло́н 2) взрыв, вспы́шка, бу́ря 3) *attr.* урага́нный, штормово́й; ~ deck *мор.* лёгкая навесна́я па́луба; штормово́й мо́стик

hurricane lamp ['hʌrɪkənlæmp] *n* фона́рь «мо́лния»

hurried ['hʌrɪd] **1.** *p. p. от* hurry 2

2. *a* торопли́вый, бы́стрый, поспе́шный; to have a ~ meal на́спех перекуси́ть; to write a few ~ lines черкну́ть не́сколько строк

hurry ['hʌrɪ] **1.** *n* 1) торопли́вость, поспе́шность; in a ~ а) второпя́х; б) *разг.* охо́тно, легко́; to be in a ~ торопи́ться, спеши́ть; to be in no ~ де́йствовать не спеша́; he won't do that again in a ~ ему́ тепе́рь не ско́ро захо́чется повтори́ть э́то; no ~ не к спе́ху 2) нетерпе́ние, нетерпели́вое жела́ние (*сделать что-л.*)

2. *v* 1) торопи́ть; торопи́ться (*обыкн.* ~ along, ~ up); ~ up! скоре́е!, живе́е!, пошеве́ливайся! 2) де́лать в спе́шке; поспе́шно посыла́ть, отправля́ть *и т. п.* ▭ **~ away, ~ off** а) поспе́шно уе́хать; б) поспе́шно увезти́, унести́; **~ over** сде́лать ко́е-ка́к; **~ through** сде́лать ко́е-ка́к, второпя́х; the business was hurried through де́ло бы́ло сде́лано второпя́х, на́спех

hurry-scurry [,hʌrɪ'skʌrɪ] **1.** *n* сумато́ха; суета́

2. *adv* на́спех, ко́е-ка́к

hurry-up ['hʌrɪʌp] *a амер. разг.* спе́шный; ~ repairs сро́чный ремо́нт

hurst [hɜ:st] *n* 1) хо́лмик, буго́р 2) о́тмель, ба́нка 3) ро́ща; леси́стый холм

hurt [hɜ:t] **1.** *n* 1) поврежде́ние; боль; ра́на 2) вред, уще́рб 3) оби́да

2. *v* (hurt) 1) причини́ть боль; повреди́ть; ушиби́ть 2) причиня́ть вред, уще́рб 3) задева́ть, обижа́ть, де́лать бо́льно; to ~ smb.'s feelings заде́ть, оби́деть кого́-л. 4) боле́ть; my hand still ~s рука́ всё ещё боли́т ◇ nothing ~s like the truth ≅ пра́вда глаза́ ко́лет

hurtful ['hɜ:tfl] *a* вре́дный, па́губный

hurtle ['hɜ:tl] *v* 1) пролета́ть, нести́сь со сви́стом, шу́мом 2) броса́ть с си́лой, швыря́ть 3) ста́лкиваться (*обыкн.* ~ together); ната́лкиваться с тре́ском, си́лой (against — на)

husband ['hʌzbənd] **1.** *n* муж, супру́г

2. *v* эконо́мно вести́ хозя́йство, эконо́мить, бере́чь

husbandly ['hʌzbəndlɪ] *a* 1) супру́жеский, му́жнин 2) *уст.* бережли́вый, эконо́мный

husbandry ['hʌzbəndrɪ] *n* 1) се́льское хозя́йство, земледе́лие; хлебопа́шество 2) эконо́мия, бережли́вость

hush [hʌʃ] **1.** *n* тишина́; молча́ние

2. *v* 1) водворя́ть тишину́ 2) успока́ивать(ся); утиха́ть ▭ **~ up** зама́лчивать, скрыва́ть; замя́ть

3. *int* ти́ше!, тс!

hushaby ['hʌʃəbaɪ] *int* ба́ю-ба́й

hush-hush [,hʌʃ'hʌʃ] *a разг.* не подлежа́щий разглаше́нию, секре́тный; ~ show *ирон.* сугу́бо секре́тное де́ло *или* совеща́ние

hush money ['hʌʃmʌnɪ] *n* взя́тка за молча́ние

husk [hʌsk] **1.** *n* 1) шелуха́, оболо́чка 2) *амер.* листова́я обёртка поча́тка куку́рузы 3) что-л. вне́шнее, нано́сное

2. *v* очища́ть от шелухи́, лущи́ть

husky I ['hʌskɪ] **1.** *a* 1) си́плый, охри́пший 2) покры́тый шелухо́й 3) сухо́й 4) *разг.* ро́слый, си́льный, кре́пкий

2. *n разг.* ро́слый, си́льный, кре́пкий челове́к; здоровя́к

husky II ['hʌskɪ] *n* (эскимо́сская) ла́йка (*порода собак*)

hussar [hʊ'zɑ:] *n* гуса́р

Hussite ['hʌsaɪt] *n ист.* гуси́т

hussy ['hʌsɪ] *n* 1) де́рзкая девчо́нка 2) шлю́ха, потаску́шка

hustings ['hʌstɪŋz] *n pl* 1) *парл.* избира́тельная камп́ания 2) трибу́на на предвы́борном ми́тинге 3) *ист.* трибу́на, с кото́рой до 1872 г. объявля́лись кандида́ты в парла́мент

hustle ['hʌsl] **1.** *n* 1) толкотня́, су́толока 2) эне́ргия; бе́шеная де́ятельность 3) *разг.* обма́н, моше́нничество; афе́ра

2. *v* 1) толка́ть(ся), тесни́ть(ся); to ~ through the crowded streets проти́скиваться сквозь толпу́ 2) понужда́ть, торопи́ть сде́лать (*что-л.*; into); to be ~d into a decision быть вы́нужденным спе́шно приня́ть реше́ние 3) торопи́ться, суети́ться 4) де́йствовать бы́стро и энерги́чно (*часто* ~ up) 5) *sl.* моше́нничать, обма́нывать 6) *sl.* занима́ться проститу́цией ▭ **~ away** оттесни́ть, отбро́сить

hustler ['hʌslə] *n sl.* 1) энерги́чный, беззасте́нчивый челове́к; пробивно́й деле́ц 2) проститу́тка

hut [hʌt] **1.** *n* 1) хи́жина, лачу́га, хиба́р(к)а 2) бара́к 3) *attr.* бара́чный; ~ barracks *воен.* каза́рмы бара́чного ти́па

2. *v* 1) жить в бара́ках 2) размеща́ть по бара́кам

hutch [hʌtʃ] *n* 1) кле́тка для кро́ликов *и т. п.* 2) за́кром 3) *пренебр.* хи́жина, хиба́р(к)а 4) *горн.* рудни́чная вагоне́тка 5) цисте́рна для промы́вки руды́ 6) *тех.* бу́нкер

hutment ['hʌtmənt] *n* 1) посёлок из не́скольких хи́жин 2) размеще́ние в бара́ках, хи́жинах *и т. п.*

huzzy ['hʌzɪ] = hussy

hyacinth ['haɪəsɪnθ] *n бот., мин.* гиаци́нт

hyaena [haɪ'i:nə] = hyena

hyaline ['haɪəlɪn] *a* 1) *поэт.* криста́льно чи́стый; прозра́чный 2) *спец.* стеклови́дный, гиали́новый

hyalite ['haɪəlaɪt] *n мин.* бесцве́тный опа́л, гиали́т

hyaloid ['haɪəlɔɪd] *n анат.* стеклови́дный

hybrid ['haɪbrɪd] **1.** *n* 1) гибри́д, по́месь 2) что-л., соста́вленное из разноро́дных элеме́нтов

2. *a* 1) гибри́дный 2) разноро́дный; сме́шанный

hybridization [,haɪbrɪdaɪ'zeɪʃn] *n биол.* гибридиза́ция, скре́щивание

hybridize ['haɪbrɪdaɪz] *v биол.* скрéщивать(ся)

Hyde Park [,haɪd'pɑ:k] *n* Гáйд-Парк (*парк в Лондоне*)

hydra ['haɪdrə] *n* 1) (H.) *греч. миф.* гúдра 2) *зоол.* гúдра 3) зло, с котóрым трýдно борóться

hydrangea [haɪ'dreɪndʒə] *n бот.* гортéнзия (древовúдная)

hydrant ['haɪdrənt] *n* водоразбóрный кран, гидрáнт

hydrate ['haɪdreɪt] *n хим.* гидрáт, гидрóкись; ~ of lime гашёная úзвесть; ~ of sodium каустúческая сóда

hydraulic [haɪ'drɔ:lɪk] *a* гидравлúческий

hydraulics [haɪ'drɔ:lɪks] *n pl* (*употр. как sing*) гидрáвлика

hydride ['haɪdraɪd] *n хим.* водорóдистое соединéние элемéнта

hydro ['haɪdrəʊ] *n* (*pl* -os [-əʊz]) *разг.* водолечéбница

hydrocarbon [,haɪdrəʊ'kɑ:bən] *n хим.* углеводорóд

hydrocephalus [,haɪdrə'sefələs] *n мед.* гидроцефáлия, водя́нка головнóго мóзга

hydrochloric acid [,haɪdrəʊklɒrɪk-'æsɪd] *n хим.* солянáя кислотá

hydrocyanic [,haɪdrəʊsaɪ'ænɪk] *a хим.* цианистоводорóдный; ~ acid синúльная кислотá

hydrodynamics [,haɪdrəʊdaɪ'næmɪks] *n pl* (*употр. как sing*) гидродинáмика

hydroelectric [,haɪdrəʊɪ'lektrɪk] *a* гидроэлектрúческий

hydrofluoric [,haɪdrəʊflʊ'ɒrɪk] *a*: ~ acid фтористоводорóдная (*или* плавикóвая) кислотá

hydrofoil ['haɪdrəʊfɔɪl] *n* 1) сýдно на подвóдных крыльях 2) подвóдное крылó

hydrogen ['haɪdrədʒən] *n хим.* 1) водорóд; heavy ~ тяжёлый водорóд, дейтéрий 2) *attr.* водорóдный

hydrogen bomb ['haɪdrədʒənbɒm] = H-bomb

hydrogenous [haɪ'drɒdʒənəs] *a* гидрогéнный, водорóдный, содержáщий водорóд

hydrography [haɪ'drɒgrəfɪ] *n* гидрогрáфия

hydrology [haɪ'drɒlədʒɪ] *n* гидролóгия

hydrolysis [haɪ'drɒləsɪs] *n хим.* гидрóлиз

hydromechanics [,haɪdrəʊmɪ'kænɪks] *n pl* (*употр. как sing*) гидромехáника

hydrometer [haɪ'drɒmɪtə] *n* 1) гидрóметр, водомéр 2) *физ.* ареóметр

hydropathic [,haɪdrəʊ'pæθɪk] *a* водолечéбный

hydropathy [haɪ'drɒpəθɪ] *n* водолечéние

hydrophobia [,haɪdrəʊ'fəʊbɪə] *n мед.* водобоя́знь, бéшенство

hydrophone ['haɪdrəfəʊn] *n мор.* гидрофóн, шумопеленгáтор

hydrophyte ['haɪdrəfaɪt] *n бот.* вóдное растéние, гидрофúт

hydropic [haɪ'drɒpɪk] *a мед.* водя́ночный, отёчный

hydroplane ['haɪdrəʊpleɪn] *n* 1) глиссер 2) гидросамолёт, гидроплáн

hydroponics [,haɪdrəʊ'pɒnɪks] *n pl* (*употр. как sing*) *с.-х.* гидропóника

hydrosphere ['haɪdrəʊsfɪə] *n* гидросфéра

hydrostatic [,haɪdrəʊ'stætɪk] *a* гидростатúческий

hydrostatics [,haɪdrəʊ'stætɪks] *n pl* (*употр. как sing*) гидростáтика

hydrotherapy [,haɪdrəʊ'θerəpɪ] *n* гидротерапúя, водолечéние

hydrous ['haɪdrəs] *a хим., мин.* вóдный, содержáщий вóду

hydroxide [haɪ'drɒksaɪd] *n хим.* гидрóкись, гидрáт óкиси

hyena [haɪ'i:nə] *n* гиéна

hygiene ['haɪdʒi:n] *n* гигиéна

hygienic(al) [haɪ'dʒi:nɪk(l)] *a* 1) гигиенúческий 2) здорóвый, полéзный

hygienics [haɪ'dʒi:nɪks] *n pl* (*употр. как sing*) прúнципы гигиéны; гигиéна

hygrometer [haɪ'grɒmɪtə] *n* гигрóметр

hygroscopic [,haɪgrə'skɒpɪk] *a* гигроскопúческий

hylic ['haɪlɪk] *a* материáльный, вещéственный

Hymen ['haɪmen] *n миф.* Гименéй

hymen ['haɪmen] *n анат.* дéвственная плевá, гимéн

hymeneal [,haɪme'ni:əl] *a книжн.* брáчный

hymn [hɪm] **1.** *n* церкóвный гимн

2. *v* петь гúмны; славослóвить

hymnal ['hɪmnəl] **1.** *n* сбóрник церкóвных гúмнов

2. *a* относя́щийся к гúмнам

hymnbook ['hɪmbʊk] = hymnal 1

hype I [haɪp] *sl.* **1.** *n* 1) беззастéнчивая реклáма, обрабóтка покупáтелей 2) обмáн, надувáтельство

2. *v* 1) крикли́во реклами́ровать, раздувáть, расхвáливать (*обыкн. незаслуженно*) 2) обмáнывать, надувáть

hype II [haɪp] *n sl.* 1) наркомáн 2) шприц для введéния наркóтиков

hyped up [,haɪpt'ʌp] *a sl.* возбуждённый наркóтиками

hyperactive [,haɪpər'æktɪv] *a* чрезмéрно актúвный

hyperactivity [,haɪpəræk'tɪvətɪ] *n* чрезмéрная актúвность

hyperbola [haɪ'pɜ:bələ] *n* (*pl* -lae, -s [-z]) *мат.* гипéрбола

hyperbolae [haɪ'pɜ:bəli:] *pl от* hyperbola

hyperbole [haɪ'pɜ:bəlɪ] *n* преувеличéние; гипéрбола

hyperbolical [,haɪpə'bɒlɪkl] *a* преувелúченный; гиперболúческий

hyperborean [,haɪpəbɔ:'rɪən] *книжн.* **1.** *a* сéверный, гиперборéйский

2. *n* жúтель Крáйнего Сéвера, северя́нин

hypercritical [,haɪpə'krɪtɪkl] *a* слúшком стрóгий, придúрчивый

hypermarket ['haɪpəmɑ:kɪt] *n* большóй магазúн самообслýживания с автостоя́нкой (*обыкн. в пригороде*)

hypermetric(al) [,haɪpə'metrɪk(l)] *a* имéющий лúшний слог (*о стихе*)

hyperon ['haɪpə,rɒn] *n физ.* гиперóн

hyperphysical [,haɪpə'fɪzɪkl] *n книжн.* сверхъестéственный

hypersensitive [,haɪpə'sensətɪv] *a* чрезмéрно чувствúтельный

hypersonic [,haɪpə'sɒnɪk] *a* сверхзвуковóй, ультразвуковóй; ~ speed сверхзвуковáя скóрость

hypertension [,haɪpə'tenʃn] *n* гипертонúя, повы́шенное кровянóе давлéние

hyperthermia [,haɪpə'θɜ:mɪə] *n мед.* высóкая температýра, сúльная лихорáдка

hypertrophy [haɪ'pɜ:trəfɪ] *n* гипертрофúя

hyphen ['haɪfn] **1.** *n* дефúс, соединúтельная чёрточка

2. *v* писáть чéрез дефúс

hyphenate ['haɪfəneɪt] **1.** *v* = hyphen 2

2. *n разг. неодобр.* американец инострáнного происхождéния (*напр.*: Irish-American америкáнец ирлáндского происхождéния *и т. п.*)

hyphenated ['haɪfəneɪtɪd] **1.** *p. p. от* hyphenate 1

2. *a* 1) напúсанный чéрез дефúс 2): a ~ American = hyphenate 2

hypnoses [hɪp'nəʊsi:z] *pl от* hypnosis

hypnosis [hɪp'nəʊsɪs] *n* (*pl* -oses) гипнóз

hypnotic [hɪp'nɒtɪk] **1.** *a* 1) гипнотúческий 2) снотвóрный

2. *n* 1) снотвóрное (срéдство) 2) человéк, поддающийся гипнóзу 3) загипнотизúрованный человéк

hypnotism ['hɪpnətɪzəm] *n* гипнотúзм

hypnotist ['hɪpnətɪst] *n* гипнотизёр

hypnotize ['hɪpnətaɪz] *v* гипнотизúровать

hypo I ['haɪpəʊ] *сокр. от* hyposulphite

hypo II ['haɪpəʊ] *разг.* = hypodermic 2

hypochondria [,haɪpəʊ'kɒndrɪə] *n* ипохóндрия

hypochondriac [,haɪpəʊ'kɒndrɪæk] **1.** *n* ипохóндрик

2. *a* страдáющий ипохóндрией

hypocrisy [hɪ'pɒkrəsɪ] *n* лицемéрие, притвóрство

hypocrite ['hɪpəkrɪt] *n* лицемéр, ханжá

hypocritical [,hɪpə'krɪtɪkl] *a* лицемéрный, притвóрный, хáнжеский

hypodermic [,haɪpəʊ'dɜ:mɪk] **1.** *a мед.* подкóжный; ~ syringe (*или* needle) шприц для подкóжных впры́скиваний

2. *n* 1) подкóжное впры́скивание 2) = ~ syringe 3) лекáрство, вводúмое под кóжу

hypophyses [haɪ'pɒfɪsi:z] *pl от* hypophysis

hypophysis [haɪ'pɒfɪsɪs] *n* (*pl* -ses) *анат.* гипóфиз

hyposulphite [,haɪpəʊ'sʌlfaɪt] *n* гипосульфúт

hypotension [ˌhaɪpə'tenʃn] *n* гипотони́я, пони́женное кровяно́е давле́ние

hypotenuse [haɪ'pɒtənju:z] *n геом.* гипотену́за

hypothec [haɪ'pɒθək] *n* ипоте́ка; закладна́я

hypothecate [haɪ'pɒθəkeɪt] *v* закла́дывать (*недвижимость*)

hypothermia [ˌhaɪpəʊ'θɜ:mɪə] *n мед.* гипотерми́я

hypotheses [haɪ'pɒθəsi:z] *pl от* hypothesis

hypothesis [haɪ'pɒθəsɪs] *n* (*pl* -ses) гипо́теза, предположе́ние

hypothesize [haɪ'pɒθəsaɪz] *v* стро́ить гипо́тезу

hypothetical [ˌhaɪpəʊ'θetɪkl] *a* гипотети́ческий, предположи́тельный

hypsometric [ˌhɪpsəʊ'metrɪk] *a геод.* гипсометри́ческий

hyssop ['hɪsəp] *n бот.* иссо́п (апте́чный)

hysteresis [ˌhɪstə'ri:sɪs] *n физ.* гистере́зис, запа́здывание, отстава́ние фаз

hysteria [hɪ'stɪərɪə] *n* истери́я

hysteric [hɪ'sterɪk] = hysterical

hysterical [hɪ'sterɪkl] *a* истери́ческий, истери́чный

hysterics [hɪ'sterɪks] *n pl* исте́рика, истери́ческий припа́док

I

I, i [aɪ] *n* (*pl* Is, I's [aɪz]) 9-*я буква англ. алфавита*

I [aɪ] *pron pers.* 1) я; *косв. п.* me меня́, мне *и т. д.*; *косв. п. употр. в разговорной речи тж. как им. п.*; it's me э́то я; I am ready я гото́в; he saw me он ви́дел меня́; give me the book да́йте мне кни́гу; listen to me, please пожа́луйста, послу́шайте меня́; you can get it from me вы мо́жете получи́ть э́то у меня́; I poured me a glass of water я нали́л себе́ стака́н воды́; write to me in English напиши́те мне по-англи́йски 2) *уст., поэт. имеет возвратное значение, напр.*: I laid me down я улёгся

iamb ['aɪæm] = iambus

iambi [aɪ'æmbaɪ] *pl от* iambus

iambic [aɪ'æmbɪk] *стих.* **1.** *n* ямби́ческий стих

2. *a* ямби́ческий

iambus [aɪ'æmbəs] *n* (*pl* -bi, -es [-ɪz]) *стих.* ямб

I-beam ['aɪbi:m] *n тех.* двутавро́вая ба́лка

Iberian [aɪ'bɪərɪən] *ист.* **1.** *a* ибери́йский

2. *n* 1) ибе́р 2) язы́к дре́вних ибе́ров

ibex ['aɪbeks] *n* (*pl* ibices) *зоол.* ка́менный козёл

ibices ['aɪbɪsi:z] *pl от* ibex

ibidem [ɪ'bɪdem] *лат. adv* там же, в том же ме́сте

ibis ['aɪbɪs] *n зоол.* и́бис

ice [aɪs] **1.** *n* 1) лёд; to keep smth. on ~ храни́ть в холоди́льнике; *перен.* откла́дывать на бо́лее по́здний срок 2) моро́женое ◇ to break the ~ сде́лать пе́рвый шаг; положи́ть нача́ло (*знакомству, разговору*); to cut no ~ а) не име́ть значе́ния; б) ничего́ не доби́ться; straight off the ~ а) све́жий, то́лько что полу́ченный (*о провизии*); б) неме́дленно; незамедли́тельно; (to skate) on thin ~ рискова́ть

2. *v* 1) замора́живать; примора́живать 2) покрыва́ться льдом 3) покрыва́ть са́харной глазу́рью □ ~ up обледене́ть; ~d up затёртый льда́ми

ice age ['aɪseɪdʒ] *n* леднико́вый пери́од (*тж.* Ice Age)

ice axe ['aɪsæks] *n* ледору́б, ледо́вый топо́р (*альпинистов*)

ice bag ['aɪsbæg] *n мед.* пузы́рь для льда

iceberg ['aɪsbɜ:g] *n* 1) а́йсберг 2) холо́дный, бесчу́вственный челове́к

iceblink ['aɪsblɪŋk] *n* ледо́вый о́тблеск

iceboat ['aɪsbəʊt] *n* 1) бу́ер (*парусные сани*) 2) ледоко́л

icebound ['aɪsbaʊnd] *a* 1) ско́ванный льдом (*о реке и т. п.*) 2) затёртый льда́ми (*о корабле и т. п.*)

icebox ['aɪsbɒks] *n* 1) *амер.* рефрижера́тор 2) холоди́льник; ле́дник

icebreaker ['aɪsbreɪkə] *n* ледоко́л

ice bucket ['aɪsbʌkɪt] *n* ведёрко со льдом (*для охлаждения напитков*)

ice-cold [,aɪs'kəʊld] *a* холо́дный как лёд, ледяно́й

ice cream ['aɪskri:m] *n* моро́женое

ice-drift ['aɪsdrɪft] *n* 1) дрейф льда 2) торо́сы, нагроможде́ние плаву́чего льда

ice field ['aɪsfi:ld] *n* ледяно́е по́ле, сплошно́й лёд

ice floe ['aɪsfləʊ] *n* плаву́чая льди́на

ice hockey ['aɪs,hɒkɪ] *n* хокке́й на льду

icehouse ['aɪshaʊs] *n* 1) ле́дник, льдохрани́лище 2) ледяно́е жили́ще, *особ.* эскимо́сов

Icelander ['aɪsləndə] *n* исла́ндец; исла́ндка

Icelandic [aɪs'lændɪk] **1.** *a* исла́ндский

2. *n* исла́ндский язы́к

ice lolly [,aɪs'lɒlɪ] *n* моро́женое на па́лочке

iceman ['aɪsmæn] *n* 1) аркти́ческий путеше́ственник 2) альпини́ст 3) моро́женщик 4) *амер.* продаве́ц, развозчик льда

ice pack ['aɪspæk] *n* 1) ледяно́й пак, па́ковый лёд, торо́сисый лёд 2) пузы́рь со льдом

ice-rink ['aɪsrɪŋk] *n* като́к

ice-run ['aɪsrʌn] *n* ледяна́я го́рка (*для катания на санках*)

icescape ['aɪsskeɪp] *n* поля́рный ландша́фт

ice show ['aɪsʃəʊ] *n* бале́т на льду

ice yacht ['aɪsjɒt] *n* бу́ер

ichneumon [ɪk'nju:mən] *n зоол.* 1) ихневмо́н, фарао́нова мышь, мангу́ста 2) нае́здник (*насекомое*; *тж.* ~ fly)

ichor ['aɪkɔ:] *n* 1) *греч. миф.* ихо́р (*кровь богов*) 2) *мед.* ихо́р, су́кровица; злока́чественный гной

ichthyography [,ɪkθɪ'ɒgrəfɪ] *n* ихтиогра́фия

ichthyoid ['ɪkθɪɔɪd] *a* рыбоподо́бный

ichthyologist [,ɪkθɪ'ɒlədʒɪst] *n* ихтио́лог

ichthyology [,ɪkθɪ'ɒlədʒɪ] *n* ихтиоло́гия

ichthyophagous [,ɪkθɪ'ɒfəgəs] *a* рыбоя́дный

ichthyosaurus [,ɪkθɪə'sɔ:rəs] *n* ихтиоза́вр

icicle ['aɪsɪkl] *n* сосу́лька

icily ['aɪsɪlɪ] *adv* хо́лодно (*тж. перен.*)

icing ['aɪsɪŋ] **1.** *pres. p. от* ice 2

2. *n* 1) са́харная глазу́рь 2) покрыва́ние са́харной глазу́рью 3) замора́живание 4) обледене́ние (*самолёта, корабля*)

icky ['ɪkɪ] *a разг.* ли́пкий; проти́вный, неприя́тный

icon ['aɪkɒn] *n* ико́на

iconic [aɪ'kɒnɪk] *a* портре́тный

iconoclast [aɪ'kɒnəklæst] *n* 1) челове́к, боря́щийся с традицио́нными ве́рованиями, предрассу́дками 2) *ист.* иконобо́рец

iconography [,aɪkə'nɒgrəfɪ] *n* иконогра́фия

iconoscope [aɪ'kɒnəskəʊp] *n тлв.* иконоско́п

iconostases [,aɪkə'nɒstəsi:z] *pl от* iconostasis

iconostasis [,aɪkə'nɒstəsɪs] *n* (*pl* -ses) *церк.* иконоста́с

icteric [ɪk'terɪk] *a* страда́ющий желту́хой, желту́шный

icterus ['ɪktərəs] *n мед.* желту́ха

ictus ['ɪktəs] *n* 1) *стих.* ритми́ческое *или* метри́ческое ударе́ние 2) *мед.* уда́р пу́льса 3) *мед.* вспы́шка боле́зни

icy ['aɪsɪ] *a* 1) ледяно́й, холо́дный (*тж. перен.*); ~ welcome холо́дный приём 2) покры́тый льдом

I'd [aɪd] *сокр. разг.* = I would, I should, I had

ide [aɪd] *n зоол.* язь

idea [aɪ'dɪə] *n* 1) иде́я; мысль; that's the ~ вот и́менно!; вот э́то мысль! 2) поня́тие, представле́ние; we hadn't the slightest ~ of it мы не име́ли ни мале́йшего представле́ния об э́том; to give an ~ of smth. дать не́которое представле́ние о чём-л.; this is not my ~ of a good book я не счита́ю э́ту кни́гу интере́сной 3) план, наме́рение; he is full of new ~s у него́ мно́го но́вых пла́нов 4) воображе́ние, фанта́зия; what an ~! что за фанта́зия!; what's the big ~? *разг.* э́то ещё что?; а э́то заче́м?

ideal [aɪ'dɪəl] **1.** *n* идеа́л

2. *a* 1) идеа́льный, соверше́нный 2) вообража́емый, мы́сленный; нереа́льный

idealism [aɪ'dɪəlɪzəm] *n* идеали́зм

idealist [aɪ'dɪəlɪst] *n* идеали́ст

idealistic [aɪ,dɪə'lɪstɪk] *a* идеалисти́ческий

ideality [,aɪdɪ'ælətɪ] *n* 1) идеа́льность 2) (*обыкн. pl*) что-л. вообража́емое, нереа́льное

idealization [aɪ,dɪəlaɪ'zeɪʃn] *n* идеализа́ция

idealize [aɪ'dɪəlaɪz] *v* 1) идеализи́ровать 2) приде́рживаться идеалисти́ческих взгля́дов

ideally [aɪˈdɪəlɪ] *adv* 1) идеа́льно, превосхо́дно 2) умозри́тельно, в воображе́нии

ideate [ˈaɪdɪeɪt] *v книжн.* 1) формирова́ть поня́тия 2) представля́ть; вызыва́ть в воображе́нии

ideation [ˌaɪdɪˈeɪʃn] *n книжн.* спосо́бность к формирова́нию и восприя́тию иде́й

idée fixe [ˌi:deɪˈfɪks] *фр. n* навя́зчивая иде́я, идефи́кс

idem [ˈaɪdəm] *лат. n* тот же а́втор; та же кни́га

identic [aɪˈdentɪk] *a* 1) = identical 2): ~ note аналоги́чная, тожде́ственная но́та (*посланная одновременно нескольким государствам*)

identical [aɪˈdentɪkl] *a* 1) одина́ковый, иденти́чный, тожде́ственный (with) 2) тот же са́мый (*об одном предмете*); the ~ room where Shakespeare was born та са́мая ко́мната, в кото́рой роди́лся Шекспи́р

identification [aɪˌdentɪfɪˈkeɪʃn] *n* 1) отождествле́ние 2) опозна́ние; установле́ние ли́чности 3) выясне́ние; ~ of enemy units *воен.* установле́ние нумера́ции часте́й проти́вника 4) солидариза́ция, подде́ржка (with) 5) *attr.* опознава́тельный; ~ parade процеду́ра опозна́ния подозрева́емого (*стоящего в ряду других лиц*); ~ disc (*или* disk, tag) *воен.* ли́чный знак

identifier [aɪˈdentɪfaɪə] *n вчт.* идентифика́тор

identify [aɪˈdentɪfaɪ] *v* 1) узнава́ть, распознава́ть; опознава́ть, устана́вливать ли́чность; to ~ oneself назва́ть себя́, предъяви́ть удостовере́ние ли́чности 2) устана́вливать то́ждество (with) 3) отождествля́ть; солидаризи́роваться (with)

Identikit [aɪˈdentɪkɪt] *n* портре́т (*преступника и т. п.*), соста́вленный по описа́нию

identity [aɪˈdentətɪ] *n* 1) по́длинность 2) ли́чность, индивидуа́льность 3) тожде́ственность, иденти́чность 4) *мат.* то́ждество 5) *attr.* опознава́тельный, ли́чный; ~ card удостовере́ние ли́чности

ideogram, ideograph [ˈɪdɪəgræm, ˈɪdɪəgrɑ:f] *n* идеогра́мма (*условный значок, символ в идеографическом письме*)

ideographic [ˌɪdɪəˈgræfɪk] *a* идеографи́ческий

ideological [ˌaɪdɪəˈlɒdʒɪkl] *a* идеологи́ческий

ideologist [ˌaɪdɪˈɒlədʒɪst] *n* идео́лог

ideology [ˌaɪdɪˈɒlədʒɪ] *n* идеоло́гия, мировоззре́ние

ides [aɪdz] *n pl* и́ды (*в др.-рим. календаре*)

idiocy [ˈɪdɪəsɪ] *n* 1) идиоти́зм 2) *разг.* идио́тство

idiolect [ˈɪdɪəlekt] *n* индивидуа́льный слова́рный запа́с; is this word part of your ~? вы ча́сто употребля́ете э́то сло́во?

idiom [ˈɪdɪəm] *n* 1) идио́ма, идиомати́ческое выраже́ние 2) язы́к, диале́кт, го́вор; local ~ ме́стное наре́чие 3) сре́дство выраже́ния (*обычно в искусстве*)

idiomatic [ˌɪdɪəˈmætɪk] *a* 1) идиомати́ческий; характе́рный для да́нного языка́ 2) бога́тый идио́мами 3) своеобра́зный, характе́рный для да́нного худо́жника, музыка́нта *и т. п.* (*о стиле, манере*)

idiosyncrasy [ˌɪdɪəʊˈsɪŋkrəsɪ] *n* 1) черта́ хара́ктера, осо́бенность скла́да, сти́ля 2) *мед.* идиосинкрази́я

idiosyncratic [ˌɪdɪəʊsɪŋˈkrætɪk] *a* идиосинкрази́ческий

idiot [ˈɪdɪət] *n* 1) *разг.* дура́к; a drivelling ~ кру́глый дура́к 2) идио́т

idiot board, idiot card [ˈɪdɪətbɔ:d, ˈɪdɪətkɑ:d] *n разг.* телесуфлёр, телешпарга́лка (*крупно написанный текст для выступающего*)

idiotic [ˌɪdɪˈɒtɪk] *a* идио́тский, дура́цкий

idle [ˈaɪdl] **1.** *a* 1) лени́вый, пра́здный 2) неза́нятый; нерабо́тающий; безрабо́тный; to lie ~ быть без употребле́ния, быть неиспо́льзованным; to stand ~ не рабо́тать (*о фабрике, заводе*) 3) пусто́й, неоснова́тельный; ~ talk пуста́я болтовня́ 4) бесполе́зный, тще́тный 5) *тех.* безде́йствующий, холосто́й 6) *эл.* безва́ттный, реакти́вный (*о токе*)

2. *v* 1) рабо́тать вхолосту́ю (*о моторе и т. п.*) 2) лени́ться, безде́льничать (*часто* ~ about); to ~ away one's time проводи́ть вре́мя в безде́лье

idle-headed [ˌaɪdlˈhedɪd] *a* пустоголо́вый, глу́пый

idleness [ˈaɪdlnəs] *n* пра́здность, лень, безде́лье; безде́йствие; to live in ~ вести́ пра́здный о́браз жи́зни

idler [ˈaɪdlə] *n* 1) лентя́й, безде́льник 2) *тех.* направля́ющий *или* холосто́й шкив, ва́лик, ро́лик, блок

idling [ˈaɪdlɪŋ] **1.** *pres. p. от* idle 2

2. *n* 1) безде́лье 2) *тех.* рабо́та на холосто́м ходу́

idly [ˈaɪdlɪ] *adv* лени́во; пра́здно; to stand by ~ остава́ться безуча́стным

idol [ˈaɪdl] *n* 1) и́дол 2) куми́р

idolater [aɪˈdɒlətə] *n* 1) идолопокло́нник 2) обожа́тель, покло́нник

idolatry [aɪˈdɒlətrɪ] *n* 1) идолопокло́нство 2) поклоне́ние, обожа́ние

idolize [ˈaɪdlaɪz] *v* 1) боготвори́ть, де́лать куми́ром 2) поклоня́ться и́долам

idyll [ˈɪdl] *n* иди́ллия

idyllic [ɪˈdɪlɪk] *a* иделли́ческий

idyllize [ˈɪdɪlaɪz] *v* создава́ть иди́ллию

if [ɪf] **1.** *cj* 1) е́сли (*с гл. в изъявительном наклонении*); I shall see him if he comes е́сли он придёт, я его́ уви́жу 2) е́сли бы (*с гл. в сослагательном наклонении*); if only I knew е́сли бы я то́лько знал (*сейчас*); if only I had known е́сли бы я то́лько знал (*тогда*) 3) *вводит косвенный вопрос или придаточное дополнительное предложение*: do you know if he is here? вы не зна́ете, здесь ли он?; I don't know if he is here я не зна́ю, здесь ли он 4): even if да́же е́сли (бы); I will do it, even if it takes me the whole day я сде́лаю э́то, да́же е́сли э́то займёт це́лый день 5) *с гл. в отриц. форме выражает удивление, негодование и т. п.*; well, ~ I haven't left my umbrella in the train! поду́мать то́лько, я оста́вил зо́нтик в по́езде! 6) хотя́; it was thoughtless if well meaning э́то бы́ло неосторо́жно, хотя́ сде́лано из лу́чших побужде́ний ◇ as if как бу́дто, бу́дто; as if you didn't know (как) бу́дто вы не зна́ли; if only хотя́ бы то́лько; то́лько бы; he may show up if only to see you он мо́жет появи́ться здесь, хотя́ бы то́лько для того́, что́бы повида́ть вас; if and when когда́ и где придётся; if not е́сли не; ина́че; if anything е́сли уж на то пошло́, во вся́ком слу́чае, скоре́е... чем

2. *n* усло́вие; неуве́ренность; предположе́ние; if he wins, and it's a big if, he will be the first Englishman to win for 20 years е́сли он и победи́т, в чём я о́чень сомнева́юсь, он бу́дет пе́рвым англича́нином, победи́вшим за после́дние 20 лет ◇ if ifs and ans were pots and pans ≅ е́сли бы да кабы́

iffy [ˈɪfɪ] *a разг.* неопределённый

igloo [ˈɪglu:] *n* и́глу (*эскимосская хижина из затвердевшего снега*)

igneous [ˈɪgnɪəs] *a* 1) о́гненный; огнево́й 2) *геол.* изве́рженный, пироге́нный, вулкани́ческого происхожде́ния

ignis fatuus [ˌɪgnɪsˈfætjʊəs] *n* 1) блужда́ющий огонёк 2) обма́нчивая наде́жда

ignite [ɪgˈnaɪt] *v* 1) зажига́ть 2) загора́ться, воспламеня́ться 3) *спец.* раскаля́ть до свече́ния 4) *хим.* прока́ливать

igniter [ɪgˈnaɪtə] *n тех.* воспламени́тель

ignition [ɪgˈnɪʃn] *n* 1) *спец.* воспламене́ние; вспы́шка; запа́л 2) *авто* зажига́ние 3) *хим.* прока́ливание 4) *attr.* запа́льный

ignoble [ɪgˈnəʊbl] *a* 1) ни́зкий, по́длый; посты́дный; ~ peace позо́рный мир; ~ purposes ни́зменные це́ли 2) *уст.* ни́зкого происхожде́ния

ignominious [ˌɪgnəˈmɪnɪəs] *a* бесче́стный, посты́дный; унизи́тельный; ~ defeat позо́рное пораже́ние

ignominy [ˈɪgnəmɪnɪ] *n* 1) бесче́стье, позо́р 2) *уст.* ни́зкое, посты́дное поведе́ние; ни́зость

ignoramus [ˌɪgnəˈreɪməs] *n* (*pl* -es [-ɪz]) неве́жда

ignorance [ˈɪgnərəns] *n* 1) неве́жество 2) неве́дение, незна́ние (of); to do smth. from (*или* through) ~ сде́лать что-л. по неве́дению

ignorant [ˈɪgnərənt] *a* 1) неве́жественный 2) несве́дущий, не зна́ющий (of, in; that); I was ~ of the time я не знал, кото́рый час 3) *разг.* невоспи́танный, неотёсанный

ignore [ɪgˈnɔ:] *v* 1) игнори́ровать; пренебрега́ть 2) *юр.* отклоня́ть (*иск, жалобу*)

ikebana [ˌi:keɪˈbɑ:nə] *n* икеба́на, япо́нское иску́сство аранжиро́вки цвето́в

ikon ['aɪkɒn] = icon

il- [ɪl-] *pref см.* in- I *и* II

ileus ['ɪlɪəs] *n мед.* кишéчная непроходи́мость, зáворот кишóк

ilex ['aɪleks] *n бот.* пáдуб

ilia ['ɪlɪə] *pl от* ilium

iliac ['ɪlɪæk] *a анат.* подвздóшный; ~ passion = ileus

ilium ['ɪlɪəm] *n* (*pl* -ia) *анат.* подвздóшная кость

ilk [ɪlk] *n шотл.*: of that ~ а) из мéста, назвáние котóрого совпадáет с фами́лией; Guthrie of that ~ Гýтри из гóрода Гýтри; б) *разг.* тогó же рóда, клáсса *и т. п.*; and others of that ~ и други́е тогó же рóда

ill [ɪl] **1.** *a* 1) *predic.* больнóй, нездорóвый; to be ~ быть больны́м; to fall (*или* to be taken) ~ заболéть 2) (worse; worst) дурнóй, плохóй; ~ fame дурнáя слáва; ~ success неудáча 3) (worse; worst) злой, врéдный, ги́бельный; he had ~ luck емý не повезлó ◇ as ~ luck would have it как назлó

2. *n* 1) зло, вред 2) *pl* несчáстья; the ~s of life жи́зненные невзгóды

3. *adv* 1) плóхо, хýдо; дýрно; неблагоприя́тно; to behave ~ плóхо вести́ себя́; ~ at ease не по себé; to go ~ with smb. быть неблагоприя́тным, ги́бельным, врéдным для когó-л.; to take a thing ~ оби́деться на что-л. 2) едвá ли, с трудóм; I can ~ afford it я с трудóм могý себé э́то позвóлить

ill-advised [,ɪləd'vaɪzd] *a* неблагоразýмный; необдýманный, опромéтчивый, неразýмный

ill-affected [,ɪlə'fektɪd] *a* нерасполóженный, неблагожелáтельный (towards)

illation [ɪ'leɪʃn] *n лог.* вы́вод, заключéние

illative [ɪ'leɪtɪv] *a* выражáющий заключéние, заключи́тельный

ill blood [,ɪl'blʌd] *n* неприя́знь, враждéбность

ill-bred [,ɪl'bred] *a* дýрно воспи́танный; невоспи́танный, грýбый

ill breeding [,ɪl'bri:dɪŋ] *n* дурны́е манéры, невоспи́танность, грýбость

ill-conditioned [,ɪlkən'dɪʃnd] *a* 1) дурнóго нрáва, сварли́вый 2) дурнóй, злой 3) в плохóм состоя́нии; в плохóм положéнии 4) *с.-х.* худóй, неупи́танный (*о скоте*) 5) *ком.* некондициóнный

ill-considered [,ɪlkən'sɪdəd] = ill-advised

ill-disposed [,ɪldɪ'spəʊzd] *a* 1) недоброжелáтельный (towards) 2) склóнный к дурнóму; злой 3) в плохóм настроéнии, не в дýхе

illegal [ɪ'li:gl] *a* 1) нелегáльный; ~ strike *амер.* забастóвка, не соглáсованная с профсою́зом 2) незакóнный

illegality [,ɪli:'gælɪtɪ] *n* 1) нелегáльность 2) незакóнность

illegibility [ɪ,ledʒə'bɪlətɪ] *n* неразбóрчивость, неудобочитáемость

illegible [ɪ'ledʒəbl] *a* нечёткий, неразбóрчивый, неудобочитáемый (*о почерке*)

illegitimacy [,ɪlə'dʒɪtəməsɪ] *n* 1) незакóнность 2) незаконнорождённость

illegitimate [,ɪlə'dʒɪtəmət] **1.** *a* 1) незаконнорождённый 2) незакóнный 3) логи́чески непрáвильный (*о выводе*)

2. *v* объявля́ть незакóнным

ill-fated [,ɪl'feɪtɪd] *a* несчастли́вый; злополýчный; злосчáстный

ill-favoured [,ɪl'feɪvəd] *a* 1) некраси́вый 2) неприя́тный, проти́вный

ill-feeling [,ɪl'fi:lɪŋ] *n* 1) неприя́знь; враждéбность 2) чýвство оби́ды

ill-founded [,ɪl'faʊndɪd] *a* необоснóванный

ill-gotten [,ɪl'gɒtn] *a* добы́тый *или* нáжитый нечéстным путём ◇ ~, ill-spent *посл.* ≅ чужóе добрó впрок нейдёт

ill-humoured [,ɪl'hju:məd] *a* в дурнóм настроéнии; со сквéрным харáктером

illiberal [ɪ'lɪbrəl] *a* 1) непросвещённый; ограни́ченный 2) нетерпи́мый (*к чужому мнению*) 3) скупóй

illicit [ɪ'lɪsɪt] *a* незакóнный; недозвóленный, запрещённый

illimitable [ɪ'lɪmɪtəbl] *a* неограни́ченный, беспредéльный

illinium [ɪ'lɪnɪəm] *n хим.* илли́ний

illiquid [ɪ'lɪkwɪd] *a эк.* неликви́дный

illiteracy [ɪ'lɪtərəsɪ] *n* негрáмотность; безгрáмотность

illiterate [ɪ'lɪtərət] **1.** *n* 1) негрáмотный (человéк) 2) нéуч, невéжда

2. *a* 1) негрáмотный; безгрáмотный 2) необразóванный

ill-judged [,ɪl'dʒʌdʒd] *a* 1) неразýмный, неблагоразýмный 2) несвоеврéменный, поспéшный

ill-luck [,ɪl'lʌk] *n* невезéние, неудáча

ill-mannered [,ɪl'mænəd] *a* невоспи́танный, грýбый

ill-natured [,ɪl'neɪtʃəd] *a* дурнóго нрáва, злóбный; грýбый

illness ['ɪlnəs] *n* нездорóвье; болéзнь

illogical [ɪ'lɒdʒɪkəl] *a* нелоги́чный

illogicality [ɪ,lɒdʒɪ'kælətɪ] *n* нелоги́чность

ill-omened [,ɪl'əʊmend] *a* предвещáющий дурнóе, зловéщий, злополýчный

ill-placed [,ɪl'pleɪst] *a* 1) неудáчно располóженный 2) неумéстный

ill-sorted [,ɪl'sɔ:tɪd] *a* неудáчно подóбранный

ill-starred [,ɪl'stɑ:d] *a* роди́вшийся под несчастли́вой звездóй, несчастли́вый

ill-suited [,ɪl'sju:tɪd] *a* непригóдный, неподходя́щий

ill-tempered [,ɪl'tempəd] *a* со сквéрным харáктером; раздражи́тельный, брюзгли́вый

ill-timed [,ɪl'taɪmd] *a* несвоеврéменный, неподходя́щий

ill-treat [ɪl'tri:t] *v* плóхо обращáться

ill-treatment [ɪl'tri:tmənt] *n* дурнóе обращéние

illume [ɪ'lu:m] *поэт. см.* illumine

illuminate [ɪ'lu:mɪneɪt] *v* 1) освещáть, озаря́ть 2) иллюмини́ровать, устрáивать иллюминáцию 3) украшáть рýкопись цветны́ми рисýнками; раскрáшивать 4) проливáть свет, разъясня́ть 5) просвещáть

illuminati [ɪ,lu:mɪ'nɑ:ti:] *n pl* (*часто ирон.*) эруди́ты, интеллектуáлы

illuminating [ɪ'lu:mɪneɪtɪŋ] **1.** *pres. p. от* illuminate

2. *a* 1) освети́тельный, освещáющий; ~ gas освети́тельный газ 2) разъясня́ющий

illumination [ɪ,lu:mɪ'neɪʃn] *n* 1) освещéние 2) (*обыкн. pl*) иллюминáция 3) *pl* украшéния и рисýнки в рýкописи; раскрáска 4) я́ркость 5) *эл.* освещённость 6) озарéние 7) *attr.* освети́тельный; ~ engineering освети́тельная тéхника

illuminative [ɪ'lu:mɪnətɪv] *a* 1) освещáющий 2) поучи́тельный

illumine [ɪ'lu:mɪn] *v книжн.* 1) освещáть 2) оживля́ть, озаря́ть

ill-use **1.** *n* [,ɪl'ju:s] плохóе обращéние

2. *v* [,ɪl'ju:z] плóхо обращáться (*с кем-л.*)

illusion [ɪ'lu:ʒn] *n* 1) иллю́зия; to indulge in ~s предавáться иллю́зиям; to have no ~s about smb. (smth.) не обольщáться на чей-л. счёт (по какóму-л. пóводу) 2) обмáн чувств; мирáж; optical ~ обмáн зрéния 3) прозрáчная кисея́, тюль

illusionist [ɪ'lu:ʒənɪst] *n* 1) иллюзиони́ст, фóкусник 2) мечтáтель, фантазёр 3) *филос.* привéрженец иллюзиони́зма

illusive [ɪ'lu:sɪv] = illusory

illusory [ɪ'lu:sərɪ] *a* обмáнчивый, при́зрачный, иллюзóрный

illustrate ['ɪləstreɪt] *v* 1) иллюстри́ровать; a well-illustrated book хорошó иллюстри́рованная кни́га 2) служи́ть примéром 3) поясня́ть, иллюстри́ровать (*примерами, цитатами и т. п.*)

illustration [,ɪləs'treɪʃn] *n* 1) иллюстрáция, рисýнок 2) примéр, пояснéние 3) иллюстри́рование

illustrative ['ɪləstreɪtɪv] *a* иллюстрати́вный; поясни́тельный

illustrious [ɪ'lʌstrɪəs] *a* знамени́тый; прослáвленный, извéстный

ill will [,ɪl'wɪl] *n* недоброжелáтельность; враждéбность (to, towards)

ill-wisher [,ɪl'wɪʃə] *n* недоброжелáтель

illy ['ɪlɪ] *амер.* = ill 3

I'm [aɪm] *сокр. разг.* = I am

image ['ɪmɪdʒ] **1.** *n* 1) óбраз; изображéние 2) стáтуя (*святого*); и́дол 3) икóна 4) óбраз, харáктер; óблик 5) и́мидж, «лицó» (*организации и т. п.*); прести́ж, репутáция (*фирмы*) 6) отражéние (*в зеркале*) 7) подóбие; to be the spitting ~ of smb. *разг.* походи́ть на когó-л. как две кáпли воды́; быть тóчной кóпией когó-л. 8) метáфора, óбраз; to speak in ~s говори́ть óбразно 9) представлéние (*о чём-л.*), поня́тие 10) *attr.*: ~ fault *тлв.* искажéние изображéния; ~ effect *опт.* зеркáльный эффéкт

2. *v* 1) изображáть, создавáть изображéние 2) отражáть, отображáть 3) вызывáть в воображéнии, представля́ть себé 4) символизи́ровать

image-building ['ɪmɪdʒ,bɪldɪŋ] *n* пропаганди́стская кампáния для создáния репута́ции (*политического деятеля, партии и т. п.*)

imagery ['ɪmɪdʒərɪ] *n* 1) *иск. собир.* о́бразы 2) скульпту́ра, резьба́ 3) о́бразность

imaginable [ɪ'mædʒɪnəbl] *a* вообрази́мый

imaginary [ɪ'mædʒɪnrɪ] *a* 1) вообража́емый; нереа́льный 2) мни́мый

imagination [ɪ,mædʒɪ'neɪʃn] *n* 1) воображе́ние; фанта́зия 2) тво́рческая фанта́зия 3) (мы́сленный) о́браз

imaginative [ɪ'mædʒɪnətɪv] *a* 1) одарённый бога́тым воображе́нием 2) о́бразный; бога́тый поэти́ческими о́бразами; ~ literature худо́жественная литерату́ра

imagine [ɪ'mædʒɪn] *v* 1) вообража́ть, представля́ть себе́ 2) ду́мать, предполага́ть, полага́ть 3) дога́дываться, понима́ть

imagines [ɪ'meɪdʒɪni:z] *pl от* imago

imago [ɪ'meɪgəʊ] *n* (*pl* -gines, -os [-əʊz]) 1) има́го (*последняя стадия развития насекомого*) 2) о́браз

imam [ɪ'mɑ:m] *n* има́м

imbalance [ɪm'bæləns] *n* 1) отсу́тствие равнове́сия, неусто́йчивость 2) несоотве́тствие

imbecile ['ɪmbəsi:l] **1.** *n* 1) слабоу́мный 2) *разг.* дура́к, болва́н, глупе́ц

2. *a* 1) слабоу́мный 2) *разг.* неразу́мный, глу́пый

imbecility [,ɪmbə'sɪlətɪ] *n* 1) слабоу́мие 2) *разг.* глу́пость 3) неспосо́бность

imbed [ɪm'bed] = embed

imbibe [ɪm'baɪb] *v* 1) пить (*особ. спиртные напитки*) 2) усва́ивать; ассимили́ровать; to ~ ideas воспринима́ть иде́и 3) впи́тывать, поглоща́ть, вса́сывать; вдыха́ть

imbrex ['ɪmbreks] *n* (*pl* imbrices) *стр.* желобча́тая черепи́ца

imbricate ['ɪmbrɪkeɪt] *v* *стр.* класть внахлёстку

imbrication [,ɪmbrɪ'keɪʃn] *n* 1) *стр.* укла́дка внахлёстку 2) *архит.* орна́мент в ви́де чешуи́

imbrices ['ɪmbrɪsi:z] *pl от* imbrex

imbroglio [ɪm'brəʊlɪəʊ] *n* (*pl* -os [-əʊz]) пу́таница; запу́танная, сло́жная ситуа́ция

imbrue [ɪm'bru:] *v* *книжн.* запятна́ть, обагри́ть (in, with); to ~ one's hands with blood обагри́ть ру́ки кро́вью

imbue [ɪm'bju:] *v* 1) вдохну́ть, внуши́ть, всели́ть; наполня́ть (*чувством*); he is ~d with prejudices он по́лон предрассу́дков 2) насыща́ть, напи́тывать, пропи́тывать 3) окра́шивать (*ткань*); пропи́тывать краси́телем (*ткань, дерево*); мори́ть (*дерево*)

imitate ['ɪmɪteɪt] *v* 1) подража́ть, стара́ться быть похо́жим 2) имити́ровать, копи́ровать; передра́знивать 3) имити́ровать, подде́лывать 4) *биол.* принима́ть окра́ску *или* пова́дки други́х органи́змов

imitation [,ɪmɪ'teɪʃn] *n* 1) подража́ние, имити́рование, копи́рование; to give an ~ of smb. передра́знивать кого́-л.; in ~ of smb. в подража́ние кому́-л. 2) имита́ция; подде́лка, суррога́т 3) *attr.* подде́льный, иску́сственный; ~ leather иску́сственная ко́жа; ~ jewelry бижуте́рия, иску́сственные драгоце́нности

imitative ['ɪmɪtətɪv] *a* 1) подража́тельный; ~ arts изобрази́тельные иску́сства; ~ word звукоподража́тельное сло́во 2) подража́тельный, неоригина́льный 3) подде́льный, иску́сственный

imitator ['ɪmɪteɪtə] *n* подража́тель, имита́тор

immaculacy [ɪ'mækjʊləsɪ] *n* 1) чистота́; незапя́тнанность 2) безукори́зненность, безупре́чность

immaculate [ɪ'mækjʊlət] *a* 1) незапя́тнанный; чи́стый 2) безукори́зненный, безупре́чный 3) *зоол.* непятни́стый ◊ the I. Conception *рел.* Непоро́чное зача́тие

immanence, -cy ['ɪmənəns, -sɪ] *n* 1) постоя́нное, неотъе́млемое сво́йство 2) *филос.* имманéнтность

immanent ['ɪmənənt] *a* 1) прису́щий, постоя́нный 2) *филос.* имманéнтный

immaterial [,ɪmə'tɪərɪəl] *a* 1) несуще́ственный, нева́жный 2) невеще́ственный; бестеле́сный, духо́вный

immature [,ɪmə'tjʊə] *a* 1) недоразви́вшийся 2) недоста́точно ра́звитый (*для своего возраста*) 3) незре́лый, неспе́лый 4) *геол.* ю́ный (*о цикле эрозии*); молодо́й (*о форме*)

immaturity [,ɪmə'tjʊərətɪ] *n* незре́лость

immeasurability [ɪ,meʒərə'bɪlətɪ] *n* неизмери́мость, безме́рность

immeasurable [ɪ'meʒərəbl] *a* неизмери́мый, безме́рный; несме́тный

immediacy [ɪ'mi:dɪəsɪ] *n* 1) непосре́дственность 2) незамедли́тельность, безотлага́тельность

immediate [ɪ'mi:dɪət] *a* 1) неме́дленный, безотлага́тельный, спе́шный; to take ~ action приня́ть сро́чные ме́ры, де́йствовать незамедли́тельно 2) ближа́йший; my ~ neighbours мои́ ближа́йшие сосе́ди; the ~ postwar years пе́рвые послевое́нные го́ды; in our ~ time в пережива́емое на́ми вре́мя 3) непосре́дственный, прямо́й; ~ contagion *мед.* конта́ктное зараже́ние

immediately [ɪ'mi:dɪətlɪ] **1.** *adv* 1) неме́дленно, то́тчас же 2) непосре́дственно

2. *cj* как то́лько; you may leave ~ he comes мо́жете уйти́, как то́лько он придёт

immedicable [ɪ'medɪkəbl] *a* неизлечи́мый

immemorial [,ɪmə'mɔ:rɪəl] *a* 1) незапа́мятный; from time ~ с незапа́мятных времён 2) дре́вний

immense [ɪ'mens] *a* 1) огро́мный, безме́рный 2) необъя́тный 3) *разг.* великоле́пный, замеча́тельный

immensely [ɪ'menslɪ] *adv* *разг.* о́чень, чрезвыча́йно, безме́рно

immensity [ɪ'mensətɪ] *n* безме́рность, необъя́тность

immerse [ɪ'mɜ:s] *v* 1) погружа́ть, окуна́ть 2) поглоща́ть, занима́ть (*мысли, внимание*); to ~ oneself in погрузи́ться, с голово́й уйти́ в 3) вовлека́ть, запу́тывать; ~d in debt запу́тавшийся в долга́х

immersion [ɪ'mɜ:ʃn] *n* 1) погруже́ние; оса́дка 2) *церк.* креще́ние 3) *астр.* вступле́ние в тень

immigrant ['ɪmɪgrənt] **1.** *n* иммигра́нт; переселе́нец

2. *a* 1) переселя́ющийся 2) иммигра́нтский

immigrate ['ɪmɪgreɪt] *v* 1) иммигри́ровать 2) переселя́ть (*в другую страну*)

immigration [,ɪmɪ'greɪʃn] *n* иммигра́ция

imminence ['ɪmɪnəns] *n* приближе́ние (*чего-л.*); угро́за, опа́сность

imminent ['ɪmɪnənt] *a* бли́зкий, надвига́ющийся, грозя́щий, нави́сший (*об опасности и т. п.*)

immiscible [ɪ'mɪsəbl] *a* не поддаю́щийся смеше́нию, несме́шивающийся

immitigable [ɪ'mɪtəgəbl] *a* 1) не поддаю́щийся облегче́нию, смягче́нию 2) неумоли́мый

immixture [ɪ'mɪkstʃə] *n* 1) сме́шивание 2) уча́стие, прича́стность (in — в, к)

immobile [ɪ'məʊbaɪl] *a* недви́жимый; неподви́жный

immobility [,ɪməʊ'bɪlətɪ] *a* неподви́жность

immobilize [ɪ'məʊbəlaɪz] *v* 1) де́лать неподви́жным; лиша́ть подви́жности; остана́вливать; ско́вывать, свя́зывать 2) *мед.* фикси́ровать, наложи́ть лубо́к, ши́ну 3) изыма́ть из обраще́ния (*монету*)

immoderate [ɪ'mɒdərət] *a* 1) неуме́ренный, чрезме́рный, изли́шний 2) несде́ржанный

immodest [ɪ'mɒdɪst] *a* 1) нескро́мный 2) неприли́чный, непристо́йный, бессты́дный

immodesty [ɪ'mɒdəstɪ] *n* 1) нескро́мность 2) неприли́чие, непристо́йность, бессты́дство

immolate ['ɪməʊleɪt] *v* 1) приноси́ть в же́ртву 2) *книжн.* же́ртвовать (*чем-л.*)

immolation [,ɪməʊ'leɪʃn] *n* 1) жертвоприноше́ние 2) же́ртва (*тж. перен.*)

immoral [ɪ'mɒrəl] *a* амора́льный, безнра́вственный; распу́щенный, распу́тный

immorality [,ɪmə'rælətɪ] *n* 1) амора́льность, безнра́вственность; распу́щенность 2) амора́льный посту́пок

immortal [ɪ'mɔ:tl] **1.** *a* бессме́ртный; неувяда́емый, ве́чный; ~ glory (*или* fame) неувяда́емая сла́ва

2. *n pl* (the ~s) бессме́ртные (*о греческих и римских богах*)

immortality [,ɪmɔ:'tælətɪ] *n* бессме́ртие, ве́чность

immortalization [ɪ,mɔ:təlaɪ'zeɪʃn] *n* увекове́чение

immortalize [ɪ'mɔ:tlaɪz] *v* обессме́ртить, увекове́чить

immortelle [,ɪmɔ:'tel] *n* *бот.* иммортéль, бессме́ртник

immovability [ɪ,mu:və'bɪlətɪ] *n* 1) неподви́жность 2) непоколеби́мость 3) спокóйствие, бесстрáстие, невозмути́мость

immovable [ɪ'mu:vəbl] **1.** *a* 1) недви́жимый, неподви́жный; стационáрный 2) непоколеби́мый, стóйкий 3) спокóйный, бесстрáстный, невозмути́мый 4) не подлежáщий изменéнию, неизмéнный 5) *юр.* недви́жимый; ~ property недви́жимое имýщество

2. *n pl* недви́жимое имýщество, недви́жимость

immune [ɪ'mju:n] *a* 1) невосприи́мчивый (*к какой-л. болезни*); иммýнный 2) освобождённый, свобóдный (*от чего-л.*) 3) неприкосновéнный

immunity [ɪ'mju:nətɪ] *n* 1) невосприи́мчивость (*к какой-л. болезни*); иммунитéт 2) освобождéние (*от платежа, налога и т. п.*) 3) неприкосновéнность (*дипломатическая и т. п.*)

immunization [ˌɪmjʊnaɪ'zeɪʃn] *n* иммунизáция

immunize ['ɪmjʊnaɪz] *v* иммунизи́ровать

immunodeficiency [ˌɪmjʊnəʊdɪ'fɪʃnsɪ] *n* иммунодефици́т

immunology [ˌɪmjʊ'nɒlədʒɪ] *n* иммунолóгия

immunotherapy [ˌɪmju:nəʊ'θerəpɪ] *n мед.* иммунотерапи́я

immure [ɪ'mjʊə] *v* 1) *книжн.* заточи́ть; to ~ oneself заперéться в четырёх стенáх 2) *стр.* замурóвывать; задéлывать в клáдку 3) *редк.* окружáть стенáми

immurement [ɪ'mjʊəmənt] *n* 1) *книжн.* заточéние 2) замурóвывание 3) захоронéние в стенé

immutability [ɪˌmju:tə'bɪlətɪ] *n* неизмéнность, непрелóжность

immutable [ɪ'mju:təbl] *a* неизмéнный, непрелóжный

imp [ɪmp] *n* 1) пострелёнок (*о ребёнке*) 2) чертёнок, бесёнок

impact 1. *n* ['ɪmpækt] 1) удáр, толчóк; и́мпульс 2) столкновéние, колли́зия 3) влия́ние, воздéйствие

2. *v* [ɪm'pækt] 1) плóтно сжимáть 2) прóчно укрепля́ть 3) ударя́ть(ся); стáлкиваться

impair [ɪm'peə] *v* 1) ослабля́ть, уменьшáть 2) ухудшáть (*качество*); пóртить, повреждáть; to ~ one's health пóртить своё здорóвье 3) наноси́ть ущéрб

impaired [ɪm'peəd] **1.** *p. p. от* impair

2. *a* 1) замéдленный, ослáбленный; ~ development задéржанное разви́тие (*о с.-х. культурах*) 2) ухýдшенный

impairment [ɪm'peəmənt] *n* ухудшéние; повреждéние

impale [ɪm'peɪl] *v* 1) прокáлывать, пронзáть (on, upon, with); to ~ oneself upon smth. наколóться, напорóться на что-л. 2) *ист.* сажáть нá кол 3) *редк.* обноси́ть частокóлом

impalpability [ɪmˌpælpə'bɪlətɪ] *n* неулови́мость, неразличи́мость

impalpable [ɪm'pælpəbl] *a* 1) трýдный для понимáния; неулови́мый, неразличи́мый; ~ distinctions неулови́мые, óчень тóнкие разли́чия 2) неосязáемый, неощути́мый; мельчáйший

impanel [ɪm'pænl] = empanel

impark [ɪm'pɑ:k] *v* 1) помещáть в парк (*диких животных*) 2) испóльзовать (*территорию*) под парк

impart [ɪm'pɑ:t] *v* 1) сообщáть, передавáть (*знания, новости*) 2) давáть, придавáть

impartial [ɪm'pɑ:ʃl] *a* беспристрáстный, справедли́вый; непредвзя́тый

impartiality [ˌɪmpɑ:ʃɪ'ælətɪ] *n* беспристрáстие, справедли́вость

impartible [ɪm'pɑ:tɪbl] *a* недели́мый (*об имении*)

impassable [ɪm'pɑ:səbl] *a* непроходи́мый, непроéзжий

impasse [æm'pɑ:s] *n* 1) тупи́к 2) тупи́к, безвы́ходное положéние

impassibility [ˌɪmpæsɪ'bɪlətɪ] *n* 1) нечувстви́тельность (*к боли и т. п.*) 2) бесстрáстность; бесчýвственность

impassible [ɪm'pæsɪbl] *a* 1) нечувстви́тельный (*к боли и т. п.*) 2) бесстрáстный; бесчýвственный

impassion [ɪm'pæʃn] *v* внушáть страсть; глубокó волновáть

impassioned [ɪm'pæʃnd] **1.** *p. p. от* impassion

2. *a* охвáченный стрáстью; стрáстный, пы́лкий; ~ plea стрáстная мольбá

impassive [ɪm'pæsɪv] *a* 1) бесстрáстный, невозмути́мый; безмятéжный 2) = impassible 1)

impassivity [ˌɪmpæ'sɪvətɪ] *n* бесстрáстие, невозмути́мость

impaste [ɪm'peɪst] *v* 1) *жив.* писáть, гýсто наклáдывая крáски 2) меси́ть, превращáть в мáссу

impatience [ɪm'peɪʃns] *n* 1) нетерпéние 2) раздражи́тельность; нетерпи́мость

impatient [ɪm'peɪʃnt] *a* 1) нетерпели́вый (*часто* at, with) 2) нетéрпящий (*чего-л.*); раздражи́тельный; ~ of reproof не тéрпящий порицáния 3) беспокóйный; нетерпели́во ожидáющий (for) 4) нетерпи́мый (of)

impeach [ɪm'pi:tʃ] *v* 1) предъявля́ть обвинéние в госудáрственном преступлéнии 2) возбуждáть дéло (*против высшего должностного лица*) об отстранéнии от дóлжности; осуществля́ть процéсс импи́чмента 3) обвиня́ть (of, with) 4) брать под сомнéние; бросáть тень; to ~ smb.'s motives подвергáть сомнéнию чьи-л. намéрения

impeachment [ɪm'pi:tʃmənt] *n* 1) привлечéние к судý (*особ.* за госудáрственное преступлéние) 2) импи́чмент 3) обвинéние

impeccability [ɪmˌpekə'bɪlətɪ] *n* 1) непогреши́мость 2) безупрéчность

impeccable [ɪm'pekəbl] *a* 1) непогреши́мый 2) безупрéчный; an ~ record безупрéчный послужнóй спи́сок

impecunious [ˌɪmpɪ'kju:nɪəs] *a* нуждáющийся, безденéжный, бéдный

impedance [ɪm'pi:dns] *n эл.* пóлное сопротивлéние, импедáнс

impede [ɪm'pi:d] *v* препя́тствовать, мешáть, задéрживать; затрудня́ть (*общение, уличное движение, переговоры и т. п.*); his load ~d him нóша обременя́ла егó

impediment [ɪm'pedɪmənt] *n* 1) препя́тствие, помéха, задéржка; an ~ in one's speech заикáние 2) *юр.*, *церк.* препя́тствие к брáку 3) заикáние, дефéкт рéчи

impedimenta [ɪmˌpedɪ'mentə] *n pl* войсковóе имýщество

impedimental [ɪmˌpedɪ'mentl] *a* препя́тствующий, задéрживающий

impel [ɪm'pel] *v* 1) приводи́ть в движéние 2) побуждáть, принуждáть (to)

impellent [ɪm'pelənt] **1.** *n* побуди́тельная, дви́жущая си́ла

2. *a* побуждáющий, дви́гающий

impeller [ɪm'pelə] *n тех.* импéллер, лóпастное колесó, крыльчáтка

impend [ɪm'pend] *v* (*обыкн. pres. p.*) 1) надвигáться, приближáться 2) нависáть, виcéть над, угрожáть (over); the danger ~ing over us угрожáющая нам опáсность 3) нависáть, свисáть (over)

impendence [ɪm'pendns] *n* бли́зость, угрóза (*чего-л.*)

impendent [ɪm'pendnt] *a* надвигáющийся, грозя́щий; немину́емый

impending [ɪm'pendɪŋ] **1.** *pres. p. от* impend

2. *a* предстоя́щий, немину́емый, грозя́щий; an ~ storm надвигáющаяся бýря

impenetrability [ɪmˌpenɪtrə'bɪlətɪ] *n* непроходи́мость *и пр.* [*см.* impenetrable]

impenetrable [ɪm'penɪtrəbl] *a* 1) непроходи́мый, недостýпный 2) непроницáемый; непрогля́дный, беспросвéтный; ~ darkness кромéшная тьма 3) непоня́тный, непостижи́мый 4) не поддающийся воздéйствию; a mind ~ by (*или* to) new ideas кóсный ум

impenitence [ɪm'penɪtəns] *n* нераскáянность

impenitent [ɪm'penɪtənt] *a* нераскáявшийся; нераскáянный; закоренéлый

imperatival [ɪmˌperə'taɪvl] *a грам.* повели́тельный, относя́щийся к повели́тельному наклонéнию

imperative [ɪm'perətɪv] **1.** *n* 1) *грам.* повели́тельное наклонéние, императи́в 2) *филос.* императи́в

2. *a* 1) обя́зывающий, императи́вный; настоя́тельный 2) повели́тельный, влáстный 3): ~ mood *грам.* повели́тельное наклонéние

imperceptible [ˌɪmpə'septəbl] *a* неощути́мый, незамéтный, незначи́тельный

imperfect [ɪm'pɜ:fɪkt] **1.** *a* 1) несовершéнный, дефéктный, с изъя́ном 2) непóлный, незавершённый 3) *грам.*: ~ tense = 2

2. *n грам.* прошéдшее несовершéнное врéмя, имперфéкт

imperfection [ˌɪmpə'fekʃn] *n* 1) несовершéнство; неполнотá 2) недостáток, дефéкт

imperial [ɪm'pɪərɪəl] **1.** *a* 1) импéрский 2) *ист.* относя́щийся к Британской импéрии 3) императóрский 4) верхóвный, вы́сший 5) величéственный; великолéпный 6) устано́вленный, станда́ртный (*об английских мерах*); ~ gallon англи́йский галло́н (= *4,54 л*)

2. *n* 1) эспаньо́лка (*бородка*) 2) *ист.* форма́т бума́ги (*762 мм × 559 мм*) 3) империа́л, второ́й эта́ж дилижа́нса *и т. п.*

imperialism [ɪm'pɪərɪəlɪzəm] *n* 1) империали́зм 2) импе́рская систе́ма *или* поли́тика

imperialist [ɪm'pɪərɪəlɪst] *n* 1) империали́ст 2) сторо́нник импе́рии 3) *attr.* империалисти́ческий; импе́рский

imperialistic [ɪm,pɪərɪə'lɪstɪk] *a* 1) империалисти́ческий 2) импе́рский

imperil [ɪm'perəl] *v* подверга́ть опа́сности

imperious [ɪm'pɪərɪəs] *a* 1) повели́тельный, вла́стный; высокоме́рный 2) настоя́тельный, насу́щный; ~ want насу́щная необходи́мость

imperishability [ɪm,perɪʃə'bɪlətɪ] *n* неруши́мость; ве́чность

imperishable [ɪm'perɪʃəbl] *a* 1) неруши́мый; непреходя́щий, ве́чный 2) непо́ртящийся

impermanent [ɪm'pɜ:mənənt] *a* 1) непостоя́нный, мимолётный 2) неусто́йчивый

impermeability [ɪm,pɜ:mɪə'bɪlətɪ] *n* непроница́емость; гермети́чность

impermeable [ɪm'pɜ:mɪəbl] *a* 1) непроница́емый; гермети́ческий; ~ to water водонепроница́емый 2) *тех.* уплотня́ющий, пло́тный (*о шве*)

impermissible [,ɪmpə'mɪsəbl] *a* недопусти́мый, непозволи́тельный

impersonal [ɪm'pɜ:snl] *a* 1) обезли́ченный, безли́кий 2) бескоры́стный; объекти́вный, беспристра́стный 3) безли́чный (*тж. грам.*); не относя́щийся к определённому лицу́

impersonality [ɪm,pɜ:sə'nælətɪ] *n* 1) безли́кость 2) беспристра́стность

impersonate [ɪm'pɜ:səneɪt] *v* 1) выдава́ть себя́ (*за кого-л.*) 2) исполня́ть роль 3) олицетворя́ть, воплоща́ть

impersonation [ɪm,pɜ:sə'neɪʃn] *n* 1) перевоплоще́ние 2) исполне́ние ро́ли 3) олицетворе́ние, воплоще́ние

impersonator [ɪm'pɜ:səneɪtə] *n* 1) арти́ст-имита́тор 2) созда́тель (*роли*)

impertinence [ɪm'pɜ:tɪnəns] *n* 1) де́рзость, на́глость, наха́льство 2) неуме́стность

impertinent [ɪm'pɜ:tɪnənt] *a* 1) де́рзкий, на́глый, наха́льный 2) неуме́стный

imperturbability [,ɪmpətɜ:bə'bɪlətɪ] *n* невозмути́мость, споко́йствие

imperturbable [,ɪmpə'tɜ:bəbl] *a* невозмути́мый, споко́йный

impervious [ɪm'pɜ:vɪəs] *a* 1) неотзы́вчивый, невоспри́имчивый, глухо́й (*к мольбам и т. п.*); ~ to criticism не реаги́рующий на кри́тику 2) непроница́емый; непроходи́мый (to); ~ to water водонепроница́емый

impetigo [,ɪmpɪ'taɪgəʊ] *n мед.* импети́го

impetuosity [ɪm,petjʊ'ɒsətɪ] *n* стреми́тельность, импульси́вность; пы́лкость; запа́льчивость

impetuous [ɪm'petʃʊəs] *a* 1) стреми́тельный, поры́вистый; бу́рный 2) импульси́вный; пы́лкий

impetus ['ɪmpɪtəs] *n* 1) ине́рция дви́жущегося те́ла 2) толчо́к, и́мпульс, сти́мул; to give an ~ to smth. стимули́ровать что-л.

impiety [ɪm'paɪətɪ] *n* 1) отсу́тствие на́божности, благоче́стия 2) неуваже́ние, непочти́тельность

impinge [ɪm'pɪndʒ] *v* 1) ударя́ться, ста́лкиваться (on, upon, against) 2) посяга́ть; наруша́ть, вторга́ться; to ~ upon smb.'s rights покуша́ться, посяга́ть на чьи-л. права́

impingement [ɪm'pɪndʒmənt] *n* 1) уда́р, столкнове́ние 2) покуше́ние (*на чьи-л. права*)

impious ['ɪmpɪəs] *a* 1) нечести́вый 2) непочти́тельный

impish ['ɪmpɪʃ] *a* прока́зливый; злой; ~ laughter ехи́дный смех

implacability [ɪm,plækə'bɪlətɪ] *n* неумоли́мость; непримири́мость

implacable [ɪm'plækəbl] *a* неумоли́мый; непримири́мый

implant 1. *v* [ɪm'plɑ:nt] 1) насажда́ть; вселя́ть, внедря́ть (*часто* in) 2) внуша́ть (*часто* in) 3) сажа́ть (*растения*) 4) *мед.* вживля́ть

2. *n* ['ɪmplɑ:nt] *мед.* вживлённая ткань *и т. п.*

implantation [,ɪmplɑ:n'teɪʃn] *n* 1) насажде́ние; внедре́ние 2) поса́дка (*растений*) 3) *мед.* импланта́ция, переса́дка

implement 1. *n* ['ɪmplɪmənt] 1) ору́дие; инструме́нт, прибо́р 2) *pl* принадле́жности, фурниту́ра

2. *v* ['ɪmplɪment] 1) выполня́ть, осуществля́ть; обеспе́чивать выполне́ние; to ~ a decision проводи́ть постановле́ние в жизнь 2) снабжа́ть инструме́нтами

implementation [,ɪmplɪmen'teɪʃn] *n* осуществле́ние, выполне́ние

implicate ['ɪmplɪkeɪt] *v* 1) вовлека́ть, впу́тывать; to be ~d in a crime быть заме́шанным в преступле́нии 2) заключа́ть в себе́, подразумева́ть 3) *редк.* спу́тывать

implication [,ɪmplɪ'keɪʃn] *n* 1) вовлече́ние 2) заме́шанность, прича́стность, соуча́стие 3) то, что подразумева́ется; подте́кст; смысл; by ~ ко́свенно; the ~ of events смысл, значе́ние собы́тий

implicit [ɪm'plɪsɪt] *a* 1) подразумева́емый, не вы́раженный пря́мо, скры́тый; ~ denial молчали́вый отка́з; ~ function *мат.* нея́вная фу́нкция 2) безогово́рочный, по́лный; ~ faith слепа́я ве́ра

implicitly [ɪm'plɪsɪtlɪ] *adv* 1) ко́свенным о́бразом 2) без колеба́ний, безогово́рочно

implode [ɪm'pləʊd] *v* взрыва́ть(ся)

implore [ɪm'plɔ:] *v* умоля́ть, заклина́ть

imploringly [ɪm'plɔ:rɪŋlɪ] *adv* умоля́юще; с мольбо́й

imply [ɪm'plaɪ] *v* 1) подразумева́ть, предполага́ть 2) означа́ть, зна́чить; содержа́ть намёк; with all that it implies со все́ми вытека́ющими из э́того после́дствиями; what does he ~? что он име́ет в виду́?

impolicy [ɪm'pɒləsɪ] *n* 1) нетакти́чность 2) неразу́мная поли́тика

impolite [,ɪmpə'laɪt] *a* неве́жливый, неучти́вый

impolitic [ɪm'pɒlətɪk] *a* неполити́чный; неразу́мный, беста́ктный

imponderable [ɪm'pɒndərəbl] 1. *a* 1) не поддаю́щийся учёту; незначи́тельный; неощути́мый; неулови́мый 2) невесо́мый, о́чень лёгкий

2. *n* (*обыкн. pl*) не́что невесо́мое; что-л. неулови́мое; что-л., не име́ющее реа́льных основа́ний

import I 1. *n* ['ɪmpɔ:t] 1) и́мпорт, ввоз 2) *pl* и́мпортные, ввози́мые това́ры; ~s and exports ввоз и вы́воз; статьи́ и́мпорта и экспорта

2. *v* [ɪm'pɔ:t] 1) импорти́ровать, ввози́ть (into) 2) вноси́ть, привноси́ть; to ~ personal feelings вкла́дывать ли́чные чу́вства

import II 1. *n* ['ɪmpɔ:t] 1) смысл, значе́ние, суть 2) ва́жность, значи́тельность; a question of great ~ о́чень ва́жный вопро́с

2. *v* [ɪm'pɔ:t] 1) выража́ть, означа́ть, подразумева́ть 2) име́ть значе́ние, быть ва́жным; that does not ~ э́то не име́ет значе́ния

importable [ɪm'pɔ:təbl] *a* ввози́мый

importance [ɪm'pɔ:tns] *n* 1) ва́жность, значи́тельность; a position of ~ отве́тственный пост 2) значе́ние; to attach ~ to smth. счита́ть что-л. ва́жным; придава́ть значе́ние чему́-л.; of no ~ не име́ющий значе́ния 3) ва́жничанье, зано́счивость

important [ɪm'pɔ:tnt] *a* 1) ва́жный, значи́тельный, суще́ственный 2) ва́жничающий, напы́щенный; to look ~ напуска́ть на себя́ ва́жный вид

importation [,ɪmpɔ:'teɪʃn] *n* 1) ввоз, и́мпорт; импорти́рование 2) и́мпортные това́ры

importer [ɪm'pɔ:tə] *n* импортёр

importunate [ɪm'pɔ:tjʊnət] *a* 1) насто́йчивый; доку́чливый, назо́йливый 2) спе́шный, безотлага́тельный

importune [,ɪmpə'tju:n] *v* 1) докуча́ть; назо́йливо домога́ться; надоеда́ть про́сьбами 2) пристава́ть (*о проститутке*)

importunity [,ɪmpə'tju:nətɪ] *n* назо́йливость; постоя́нное пристава́ние с про́сьбами

impose [ɪm'pəʊz] *v* 1) облага́ть (*пошлиной, налогом и т. п.*); налага́ть (*обязательство*; on, upon) 2) навяза́ть(ся) (on, upon) 3) обману́ть; обма́ном прода́ть, всучи́ть (on, upon) 4) *полигр.* спуска́ть (*полосу*); заключа́ть (*печатную форму*)

imposing [ɪm'pəʊzɪŋ] 1. *pres. p. от* impose

2. *a* производя́щий си́льное впечатле́ние; внуши́тельный, импоза́нтный

imposition [ˌɪmpəˈzɪʃn] *n* 1) наложе́ние, возложе́ние 2) навя́зывание 3) обложе́ние, нало́г 4) обма́н 5) *школ.* дополни́тельная рабо́та (*наказание за провинность*) 6) *полигр.* спуск (*полосы набора, формы*)

impossibility [ɪmˌpɒsəˈbɪlətɪ] *n* невозмо́жность *и пр.* [*см.* impossible]

impossible [ɪmˈpɒsəbl] *a* 1) невозмо́жный, невыполни́мый 2) невероя́тный 3) *разг.* невыноси́мый, возмути́тельный

impost [ˈɪmpəʊst] *n* 1) *ист.* нало́г, по́дать; дань 2) *стр.* пята́ а́рки *или* сво́да

impostor [ɪmˈpɒstə] *n* 1) самозва́нец 2) обма́нщик, моше́нник

imposture [ɪmˈpɒstʃə] *n* обма́н, жу́льничество

impotence [ˈɪmpətəns] *n* 1) бесси́лие, сла́бость 2) *мед.* импоте́нция

impotent [ˈɪmpətənt] *a* 1) бесси́льный, сла́бый 2) *мед.* импоте́нтный

impound [ɪmˈpaʊnd] *v* 1) конфискова́ть 2) загоня́ть (*скот*) 3) заключа́ть, запира́ть 4) запру́живать (*воду*)

impoverish [ɪmˈpɒvərɪʃ] *v* 1) доводи́ть до бе́дности, до обнища́ния, лиша́ть средств 2) истоща́ть (*почву*) 3) подрыва́ть (*здоровье*) 4) обедня́ть, де́лать ску́чным, неинтере́сным; to ~ life обедня́ть жизнь

impoverished [ɪmˈpɒvərɪʃt] 1. *p. p. от* impoverish

2. *a* 1) истощённый; ~ soil истощённая по́чва 2) убо́гий, жа́лкий; an ~ existence убо́гое существова́ние

impoverishment [ɪmˈpɒvərɪʃmənt] *n* обедне́ние, обнища́ние *и пр.* [*см.* impoverish]

impracticability [ɪmˌpræktɪkəˈbɪlətɪ] *n* неприменимость *и пр.* [*см.* impracticable]

impracticable [ɪmˈpræktɪkəbl] *a* 1) невыполни́мый, неисполни́мый, неосуществи́мый 2) неприменимый, него́дный к употребле́нию, бесполе́зный 3) непроходи́мый, непрое́зжий; недосту́пный 4) непода́тливый, упря́мый; несгово́рчивый

impractical [ɪmˈpræktɪkl] = unpractical

imprecate [ˈɪmprɪkeɪt] *v* проклина́ть, призыва́ть несча́стья на *чью-л.* го́лову

imprecation [ˌɪmprɪˈkeɪʃn] *n* прокля́тие

imprecatory [ˈɪmprɪkeɪtərɪ] *a* проклина́ющий, призыва́ющий несча́стье

impregnability [ɪmˌpregnəˈbɪlətɪ] *n* 1) непристу́пность; неуязви́мость 2) непоколеби́мость

impregnable [ɪmˈpregnəbl] *a* 1) непристу́пный; неуязви́мый 2) непоколеби́мый, сто́йкий

impregnate 1. *a* [ɪmˈpregnət] = impregnated

2. *v* [ˈɪmpregneɪt] 1) наполня́ть, насыща́ть (with) 2) *тех.* пропи́тывать (with) 3) внедря́ть; вводи́ть 4) оплодотворя́ть, де́лать бере́менной

impregnated [ˈɪmpregneɪtɪd] *a* 1) насы́щенный, пропи́танный (with) 2) оплодотворённый 3) бере́менная

impregnation [ˌɪmpregˈneɪʃn] *n* 1) оплодотворе́ние; зача́тие 2) пропи́тывание 3) *горн.* вкра́пленность

impresario [ˌɪmpreˈsɑːrɪəʊ] *n* (*pl* -os [-əʊz]) антрепренёр, импреса́рио

imprescriptible [ˌɪmprɪˈskrɪptəbl] *a юр.* неотъе́млемый

impress I 1. *n* [ˈɪmpres] 1) отпеча́ток, о́ттиск 2) ште́мпель, печа́ть 3) впечатле́ние, след, отпеча́ток, печа́ть (*чего-л.*); a work bearing an ~ of genius рабо́та, нося́щая печа́ть ге́ния

2. *v* [ɪmˈpres] 1) производи́ть впечатле́ние, поража́ть; to ~ smb. favourably произвести́ благоприя́тное впечатле́ние на кого́-л. 2) внуша́ть, внедря́ть, запечатлева́ть (*в сознании*); ~ on him that he must... внуши́те ему́, что он до́лжен... 3) отпеча́тывать; печа́тать 4) клейми́ть, штемпелева́ть, штампова́ть (on); to ~ a mark upon smth. отти́снуть, отпеча́тать знак на чём-л.

impress II [ɪmˈpres] *v ист.* 1) *воен.* вербова́ть си́лой 2) реквизи́ровать (*имущество и т. п.*)

impressible [ɪmˈpresəbl] *a* впечатли́тельный, восприи́мчивый

impression [ɪmˈpreʃn] *n* 1) впечатле́ние; strong ~ си́льное впечатле́ние; to make (*или* to produce) an ~ произвести́ впечатле́ние; to be under the ~ быть под впечатле́нием 2) представле́ние, мне́ние, предположе́ние; we are under the ~ that nothing can be done at present нам ка́жется, что сейча́с ничего́ нельзя́ сде́лать; a wrong ~ неве́рное представле́ние 3) о́ттиск, отпеча́ток 4) печа́ть, печа́тание; тисне́ние 5) изда́ние (*книги*); перепеча́тка, допеча́тка (*без изменений*) 6) *полигр.* тира́ж; заво́д 7) *жив.* грунт, фон (*картины*)

impressionability [ɪmˌpreʃnəˈbɪlətɪ] *n* впечатли́тельность, восприи́мчивость

impressionable [ɪmˈpreʃnəbl] *a* впечатли́тельный, восприи́мчивый

impressionism [ɪmˈpreʃnɪzəm] *n иск.* импрессиони́зм

impressionistic [ɪmˌpreʃəˈnɪstɪk] *a иск.* импрессиони́стский

impressive [ɪmˈpresɪv] *a* производя́щий глубо́кое впечатле́ние; впечатля́ющий; вырази́тельный; ~ speech я́ркая речь

imprest [ˈɪmprest] *n* ава́нс, подотчётная су́мма

imprimatur [ˌɪmprɪˈmɑːtə] *n* 1) разреше́ние на печа́тание кни́ги, *особ.* церко́вной 2) са́нкция, одобре́ние

imprimis [ɪmˈpraɪmɪs] *лат. adv* во-пе́рвых

imprint 1. *n* [ˈɪmprɪnt] 1) отпеча́ток (*тж. перен.*); штамп; the ~ of cares следы́ забо́т 2) *полигр.* выходны́е све́дения, выходны́е да́нные (*тж.* publisher's *или* printer's ~)

2. *v* [ɪmˈprɪnt] 1) оставля́ть след; запечатлева́ть (on, in) 2) отпеча́тывать (on, with)

imprinting [ɪmˈprɪntɪŋ] *n* импри́нтинг

imprison [ɪmˈprɪzn] *v* заключа́ть в тюрьму́; лиша́ть свобо́ды

imprisonment [ɪmˈprɪznmənt] *n* заключе́ние (*в тюрьму*); лише́ние свобо́ды

improbability [ɪmˌprɒbəˈbɪlətɪ] *n* невероя́тность; неправдоподо́бие

improbable [ɪmˈprɒbəbl] *a* невероя́тный; неправдоподо́бный

improbity [ɪmˈprəʊbətɪ] *n* 1) нече́стность, бесче́стность 2) бесче́стный посту́пок

impromptu [ɪmˈprɒmptjuː] 1. *n* экспро́мт; импровиза́ция

2. *a* импровизи́рованный

3. *adv* без подгото́вки, экспро́мтом

improper [ɪmˈprɒpə] *a* 1) непристо́йный, неприли́чный 2) неподходя́щий, неуме́стный 3) непра́вильный; ло́жный; ~ practice а) непра́вильная (*или* оши́бочная) пра́ктика; б) несоверше́нный приём

impropriety [ˌɪmprəˈpraɪətɪ] *n* 1) наруше́ние обы́чаев, этике́та, прили́чий 2) непра́вильность 3) неуме́стность

improvable [ɪmˈpruːvəbl] *a* поддаю́щийся усоверше́нствованию, улучше́нию

improve [ɪmˈpruːv] *v* 1) улучша́ть(ся); соверше́нствовать(ся); to ~ in health поправля́ться; to ~ in looks вы́глядеть лу́чше 2) воспо́льзоваться, испо́льзовать наилу́чшим о́бразом; to ~ the occasion (*или* the opportunity) испо́льзовать удо́бный слу́чай ▭ ~ on, upon улучша́ть, усоверше́нствовать

improved [ɪmˈpruːvd] 1. *p. p. от* improve

2. *a* усоверше́нствованный; ~ techniques бо́лее передова́я те́хника; техни́ческие усоверше́нствования

improvement [ɪmˈpruːvmənt] *n* 1) улучше́ние, усоверше́нствование (on, upon) 2) мелиора́ция 3) *pl амер.* удо́бства (*в квартире, доме*) 4) *pl амер.* перестро́йка, перестано́вка (*в квартире, доме*)

improver [ɪmˈpruːvə] *n* 1) тот, кто *или* то, что улучша́ет 2) практика́нт, стажёр

improvidence [ɪmˈprɒvɪdəns] *n* 1) непредусмотри́тельность 2) расточи́тельность

improvident [ɪmˈprɒvɪdənt] *a* 1) непредусмотри́тельный 2) расточи́тельный

improvisation [ˌɪmprəvaɪˈzeɪʃn] *n* импровиза́ция

improvisator [ɪmˈprɒvɪzeɪtə] *n* импровиза́тор

improvise [ˈɪmprəvaɪz] *v* 1) импровизи́ровать 2) на́скоро устро́ить, смастери́ть

imprudence [ɪmˈpruːdns] *n* 1) неблагоразу́мие, опроме́тчивость; неосторо́жность 2) опроме́тчивый посту́пок

imprudent [ɪmˈpruːdnt] *a* неблагоразу́мный, опроме́тчивый; неосторо́жный

impudence [ˈɪmpjʊdəns] *n* де́рзость, на́глость; бессты́дство; none of your ~! *разг.* я не потерплю́ ва́шей на́глости!

impudent [ˈɪmpjʊdənt] *a* де́рзкий, наха́льный; бессты́дный

impugn [ɪm'pju:n] *v* оспáривать, опровергáть; стáвить под сомнéние

impugnment [ɪm'pju:nmənt] *n книжн.* оспáривание; опровержéние

impuissant [ɪm'pwi:sɒnt] *a* бесси́льный, слáбый

impulse ['ɪmpʌls] *n* 1) толчóк, побуждéние; to give an ~ to trade способствовать разви́тию торгóвли 2) *физ.* и́мпульс 3) поры́в; и́мпульс; to act on ~ поддавáться поры́ву 4) *attr.*: ~ turbine *тех.* акти́вная турби́на

impulsion [ɪm'pʌlʃn] *n* побуждéние; и́мпульс

impulsive [ɪm'pʌlsɪv] *a* 1) импульси́вный 2) побуждáющий; ~ force дви́жущая си́ла

impunity [ɪm'pju:nətɪ] *n* безнакáзанность; with ~ а) безнакáзанно; б) без вредá для себя́

impure [,ɪm'pjʊə] *a* 1) смéшанный, с при́месью, неоднорóдный 2) нечи́стый; гря́зный 3) непристóйный, аморáльный

impurity [ɪm'pjʊərətɪ] *n* 1) загрязнéние, грязь 2) при́месь

imputation [,ɪmpjʊ'teɪʃn] *n* 1) вменéние в винý, обвинéние (of) 2) пятнó, тень (*на чьей-л. репутации*); to cast an ~ on smb.'s character запятнáть чью-л. репутáцию

impute [ɪm'pju:t] *v* 1) припи́сывать *кому-л.*, относи́ть на *чей-л.* счёт 2) вменя́ть (*обыкн.* в винý, *редк.* в заслýгу)

in [ɪn] **1.** *prep* 1) *в пространственном значении указывает на*: а) *нахождение внутри или в пределах чего-л.* в(о), на, у; in London в Лóндоне; in the British Isles на Бритáнских островáх; in the building в помещéнии, в здáнии; in the yard во дворé; in a car в автомаши́не; in the ocean в океáне; in the sky на нéбе; in the cosmos во вселéнной; в кóсмосе; in a crowd в толпé; in (the works *или* books of) G. B. Shaw в произведéниях Бернáрда Шóу, у Бернáрда Шóу; to be smothered in smoke быть окýтанным ды́мом; б) *вхождение или внесение в пределы или внутрь чего-л., проникновение в какую-л. среду* в, на; to arrive in a country (a city) приéхать в странý (в большóй гóрод); to put (*или* to place) smth. in one's pocket положи́ть что-л. в кармáн; to take smth. in one's hand взять что-л. в рýку [*ср.* to take in hand а) забрáть в свои́ рýки; б) взя́ться за *что-л.*; взять на себя́ ответственность]; to throw in the fire брóсить в огóнь; to whisper in smb.'s ear шептáть комý-л. нá ухо; to go down in the slope спусти́ться в забóй; to be immersed in a liquid быть погружённым в жи́дкость; to look in a mirror посмотрéть(ся) в зéркало; to be absorbed in work, task, *etc.* быть погружённым в рабóту, выполнéние задáния *и т. п.* 2) *употр. в оборотах, указывающих на*: а) *часть суток, время года, месяц и т. п.* в(о); *существительные в сочетании с* in *в данном значении передаются тж. наречиями*; in the evening вéчером; in January в январé; in spring веснóй; in the spring в э́ту (ту) веснý, э́той (той) веснóй; in 1995 в 1995 годý; in the twentieth century в двадцáтом вéке; б) *промежуток времени, продолжительность* в, во врéмя, в течéние, чéрез; in an hour чéрез час; в течéние чáса; she's coming in a couple of weeks онá приéдет недéли чéрез две 3) *употр. в оборотах, указывающих на условия, окружающую обстановку, цель или иные обстоятельства, сопутствующие действию или состоянию* в(о), при, с, на; *существительные в сочетании с* in *в данном значении передаются тж. наречиями*; in a favourable position в благоприя́тном положéнии; in a difficulty в затрудни́тельном положéнии; in debt в долгý; in smb.'s absence в чьё-л. отсýтствие; in waiting в ожидáнии; in one's line в чьей-л. компетéнции; in the wake of smb., smth. вслед за кем-л., чем-л., по пятáм за кем-л.; in smb.'s place на чьём-л. мéсте; in general use во всеóбщем употреблéнии; in fruit покры́тый плодáми (*о дереве*); in tropical heat в тропи́ческую жарý; in the rain под дождём; in the dark в темнотé; in the cold на хóлоде; in the wind на ветрý; in a thunderstorm в бýрю; in a snowdrift в метéль; to live in comfort жить с удóбствами; in search of smth. в пóисках чегó-л.; in smb.'s behalf в чьих-л. интерéсах 4) *употр. в оборотах, указывающих на физическое или душевное состояние человека* в, на; *существительные в сочетании с* in *в данном значении передаются тж. наречиями*; blind in one eye слепóй на оди́н глаз; small in stature небольшóго рóста; slight in build невзрáчный на вид; in a depressed (nervous) condition в подáвленном (нéрвном) состоя́нии; in perplexity в замешáтельстве; in a fury (*или* a rage) в бéшенстве; in astonishment в изумлéнии; in distress в бедé; to be in good (bad) health быть здорóвым (больны́м) 5) *употр. в оборотах, выражающих ограничение свободы, передвижения и т. п.* в, на, под; in chains (*или* fetters, stocks *и т. п.*) в окóвах; to be (to put) in prison, gaol, jail, dungeon быть в тюрьмé, в темни́це (посади́ть в тюрьмý); to be in custody быть под арéстом; to be in smb.'s custody находи́ться на чьём-л. попечéнии, под чьим-л. наблюдéнием, охрáной *и т. п.* 6) *употр. в оборотах, указывающих на способ или средство, с помощью которых осуществляется действие*; *тж. перен.* в, на, с, по; *передаётся тж. тв. падежом*; *существительные в сочетании с* in *в данном значении передаются тж. наречиями*; to cut in two перерéзать попoлáм; to go (to come, to arrive) in ones and twos идти́ (приходи́ть, прибывáть) поодинóчке и пáрами; in dozens дю́жинами; in Russian, in English, *etc.* по-рýсски, по-англи́йски *и т. п.*; falling in folds пáдающий склáдками (*об одежде, драпировке*); to take medicine in water (milk, syrup) принимáть лекáрство с водóй (с молокóм, в сирóпе); to drink smb.'s health in a cup of ale вы́пить э́ля за здорóвье когó-л. 7) *употр. в оборотах, указывающих на материал, из которого что-л. сделано или с помощью которого делается* в, из; *передаётся тж. тв. падежом*; to write in ink, *etc.* писáть черни́лами *и т. п.*; a statue in marble стáтуя из мрáмора; to build in wood стрóить из дéрева; in colour в крáсках 8) *употр. в оборотах, указывающих на внешнее оформление, одежду, обувь и т. п.* в; to be in white быть в бéлом (плáтье); in full plumage в пóлной парáдной фóрме, во всём блéске; in decorations в орденáх 9) *указывает на принадлежность к группе или организации*; *на род деятельности или должность* в, на; *передаётся тж. тв. падежом*; to be in politics занимáться полити́кой; in the diplomatic service на дипломати́ческой рабóте; in smb.'s service у когó-л. на слýжбе 10) *указывает на занятость каким-л. делом в ограниченный отрезок времени* в, при; в то врéмя как, во врéмя; *причастия в сочетании с* in *в данном значении передаются тж. деепричастием*; in bivouac на бивáке; in battle в бою́; in crossing the river при перехóде чéрез рéку; in turning over the pages of a book перели́стывая страни́цы кни́ги 11) *выражает отношение глагола к косвенному дополнению, существительного к его определению и т. п.* в(о), над; *передаётся тж. различными падежами*; to believe in smth. вéрить во что-л.; to share in smth. принимáть учáстие в чём-л.; the latest thing in electronics *разг.* послéднее слóво в электрóнике; there's little sense in what he proposes мáло смы́сла в том, что он предлагáет; a lecture in anatomy лéкция по анатóмии; to be strong (weak) in geography успевáть (отставáть) по геогрáфии; to differ (to coincide) in smth. различáться (совпадáть) в чём-л.; to change (to grow, to diminish) in size (volume) изменя́ться (расти́, уменьшáться) в размéре (объёме); rich (poor) in quality хорóшего (плохóго) кáчества; rich (poor) in iron (copper, oxygen, *etc.*) богáтый (бéдный) желéзом (мéдью — *о руде*, кислорóдом — *о воздухе и т. п.*) 12) *указывает на соотношение двух величин, отношение длины, ширины и т. п.* в, на, из; *передаётся тж. тв. падежом*; seven in number числóм семь; four feet in length and two feet in width четы́ре фýта в длинý и два фýта в ширинý; there is not one in a hundred из цéлой сóтни едвá ли оди́н найдётся ◇ in opposition прóтив, вопреки́; in so much that настóлько, что; in that так как, по той причи́не, что; he has it in him он спосóбен на э́то

2. *adv* 1) внутрь, в кóмнату, в дом *и т. п.*; to come in войти́ 2) дóма, в контóре, на слýжбе *и т. п.*; he is not in егó нет дóма *и т. п.*, он вы́шел 3) внутри́; she was locked in её зáперли в кóмнате *и*

т. п. 4) в пре́ссе, на страни́цах газе́ты *и т. п.*; is the advertisement in? опублико́вано ли э́то объявле́ние? 5) с вну́тренней стороны́; a coat with furry side in пальто́ на меху́ 6) в мо́де; в нали́чии; long skirts are in now тепе́рь в мо́де дли́нные ю́бки; strawberries are not yet in клубни́ка ещё не поступи́ла в прода́жу 7) у вла́сти; the Democrats got in к вла́сти пришли́ демокра́ты 8) у платфо́рмы, на ста́нции; the train was already in по́езд уже́ стоя́л у платфо́рмы ◇ in and out а) то внутрь, то нару́жу; б) снару́жи и внутри́; в) попереме́нно, с колеба́ниями [*ср.* in-and-out]; he is always in and out of hospital он то и де́ло попада́ет в больни́цу; to have it in for smb. име́ть зуб на кого́-л.; to drop (*или* to go) in on smth. принима́ть уча́стие в чём-л.; to be in for smth. а) быть под угро́зой чего́-л.; we are in for a storm грозы́ не минова́ть; б) дать согла́сие приня́ть уча́стие; I am in for the competition я бу́ду уча́ствовать в ко́нкурсе; to be well in with smb. быть в хоро́ших отноше́ниях с кем-л., по́льзоваться чьим-л. расположе́нием

3. *n*: the ins полити́ческая па́ртия у вла́сти; ins and outs а) все вхо́ды и вы́ходы; б) все углы́ и закоу́лки; в) прави́тельство и оппозицио́нные па́ртии; г) дета́ли, подро́бности

4. *a* 1) располо́женный внутри́; the in part вну́тренняя часть 2) напра́вленный внутрь; the in door дверь, открыва́ющаяся вовну́трь 3) прибыва́ющий; the in boat возвраща́ющийся из пла́вания кора́бль 4) находя́щийся у вла́сти; the in party пра́вящая па́ртия 5) мо́дный; the in word to use мо́дное слове́чко 6) для у́зкого кру́га; in jokes шу́тки, поня́тные то́лько посвящённым

in- I [ɪn-] (*часто* il- *перед* l; im- *перед* b, m, p; ir- *перед* r) *pref соответствует русскому* в-, при-, внутри-; inborn, imborn врождённый, прирождённый; to inlay вкла́дывать, вставля́ть *и т. п.*

in- II [ɪn-] (*часто* il- *перед* l; im- *перед* b, m, p; ir- *перед* r) *pref* не-, без-; *напр.*: active де́ятельный — inactive безде́ятельный; legal зако́нный — illegal незако́нный *и т. п.*

inability [,ɪnə'bɪlətɪ] *n* неспосо́бность; невозмо́жность; ~ to pay неплатёжеспосо́бность

in absentia [,ɪnəb'sentɪə] *лат. adv* в отсу́тствие; зао́чно

inaccessibility [,ɪnəksesə'bɪlətɪ] *n* недосту́пность; непристу́пность

inaccessible [,ɪnək'sesəbl] *a* недосту́пный, недосяга́емый; непристу́пный

inaccuracy [ɪn'ækjərəsɪ] *n* 1) нето́чность 2) оши́бка

inaccurate [ɪn'ækjərət] *a* 1) нето́чный 2) непра́вильный, оши́бочный

inaction [ɪn'ækʃn] *n* безде́йствие; пасси́вность, ине́ртность

inactive [ɪn'æktɪv] *a* безде́ятельный; ине́ртный; безде́йствующий

inactivity [,ɪnæk'tɪvətɪ] *n* безде́ятельность; ине́ртность

inadaptability [,ɪnədæptə'bɪlətɪ] *n* 1) неприспосо́бленность; уме́ние приспосо́бля́ться 2) неприменимость

inadequacy [ɪn'ædɪkwəsɪ] *n* несоотве́тствие тре́бованиям; недоста́точность; несоразме́рность; неполноце́нность

inadequate [ɪn'ædɪkwət] *a* не отвеча́ющий тре́бованиям; недоста́точный; несоразме́рный; неадеква́тный; неполноце́нный

inadhesive [,ɪnəd'hi:sɪv] *a* некле́йкий, неприста́ющий

inadmissible [,ɪnəd'mɪsəbl] *a* недопусти́мый, неприе́млемый

inadvertence, -cy [,ɪnəd'vɜ:tns, -sɪ] *n* 1) невнима́тельность; небре́жность; by ~ по неосторо́жности 2) неумы́шленность 3) недосмо́тр, оплo̍шность; due to ~ по недосмо́тру

inadvertent [,ɪnəd'vɜ:tnt] *a* 1) ненаме́ренный, неумы́шленный, нечая́нный 2) невнима́тельный; небре́жный

inadvisable [,ɪnəd'vaɪzəbl] *a* нецелесообра́зный; неразу́мный

inalienable [ɪn'eɪlɪənəbl] *a книжн.* неотчужда́емый; неотъе́млемый

inalterable [ɪn'ɒltərəbl] *a* неизме́нный; не поддаю́щийся измене́нию

inamorata [ɪn,æmə'rɑ:tə] *n* 1) любо́вница 2) возлю́бленная

inamorato [ɪn,æmə'rɑ:təʊ] *n* 1) любо́вник 2) возлю́бленный

in-and-in [,ɪnənd'ɪn] *a* внутриро́дственный; ~ breeding = inbreeding; ~ marriage брак ме́жду кро́вными ро́дственниками

in-and-out [,ɪnənd'aʊt] *adv* 1) то внутрь, то нару́жу; he was ~ all the time он то приходи́л, то уходи́л 2) снару́жи и изнутри́; *перен.* доскона́льно; to know smb. ~ ≅ знать кого́-л. как облу́пленного

inane [ɪ'neɪn] *a* 1) глу́пый, бессмы́сленный 2) пусто́й; бессодержа́тельный

inanimate [ɪn'ænɪmət] *a* 1) неодушевлённый, неживо́й; ~ matter неоргани́ческое вещество́; ~ nature нежива́я приро́да 2) безжи́зненный, ску́чный

inanimation [ɪn,ænɪ'meɪʃn] *n* 1) неодушевлённость 2) безжи́зненность

inanition [,ɪnə'nɪʃn] *n* 1) истоще́ние, изнуре́ние 2) = inanity

inanity [ɪ'nænətɪ] *n* пустота́; бессодержа́тельность; глу́пость, бессмы́сленность

inappellable [,ɪnə'peləbl] *a юр.* не подлежа́щий обжа́лованию

inapplicable [,ɪnə'plɪkəbl] *a* непримени́мый; неприго́дный; несоотве́тствующий

inapposite [ɪn'æpəzɪt] *a* неподходя́щий, неуме́стный

inappreciable [,ɪnə'pri:ʃəbl] *a* 1) незаме́тный; неулови́мый; неощути́мый; незначи́тельный, не принима́емый в расчёт 2) неоцени́мый, бесце́нный

inapprehensible [,ɪnæprɪ'hensəbl] *a* непостижи́мый, непоня́тный

inapproachable [,ɪnə'prəʊtʃəbl] *a* непристу́пный; недосту́пный, недостижи́мый

inappropriate [,ɪnə'prəʊprɪət] *a* неуме́стный, неподходя́щий, несоотве́тствующий

inapt [ɪn'æpt] *a* 1) неподходя́щий, неуме́стный; ~ remark замеча́ние, не относя́щееся к де́лу 2) неиску́сный, неуме́лый

inaptitude [ɪn'æptɪtju:d] *n* 1) неспосо́бность; неуме́ние 2) несоотве́тствие

inarch [ɪn'ɑ:tʃ] *v* привива́ть (*растение*) сближе́нием

inarm [ɪn'ɑ:m] *v поэт.* обнима́ть; заключа́ть в объя́тия

inarticulate [,ɪnɑ:'tɪkjʊlət] *a* 1) нечленоразде́льный, невня́тный 2) молчали́вый; немо́й; ~ animal бесслове́сное живо́тное 3) *анат.* несочленённый

inartificial [,ɪnɑ:tɪ'fɪʃl] *a книжн.* 1) непodде́льный, натура́льный 2) есте́ственный, безыску́сственный

inartistic [,ɪnɑ:'tɪstɪk] *a* 1) нехудо́жественный 2) лишённый худо́жественного вку́са

inasmuch as [,ɪnəz'mʌtʃəz] *adv* поско́льку, так как; ввиду́ того́, что

inattention [,ɪnə'tenʃn] *n* невнима́тельность; невнима́ние

inattentive [,ɪnə'tentɪv] *a* невнима́тельный; неучти́вый

inaudibility [ɪn,ɔ:də'bɪlətɪ] *n* невня́тность

inaudible [ɪn'ɔ:dəbl] *a* неслы́шный, невня́тный

inaugural [ɪ'nɔ:gjʊrəl] **1.** *a* вступи́тельный; ~ address а) речь на торже́ственном откры́тии (*выставки, музея и т. п.*); б) инаугурацио́нная речь, речь президе́нта при вступле́нии в до́лжность

2. *n* = ~ address

inaugurate [ɪ'nɔ:gjəreɪt] *v* 1) торже́ственно вводи́ть в до́лжность 2) открыва́ть (*памятник, выставку и т. п.*) 3) начина́ть; to ~ a new era ознаменова́ть но́вую э́ру

inauguration [ɪ,nɔ:gjə'reɪʃn] *n* 1) инаугура́ция, торже́ственное вступле́ние в до́лжность (*особ. президента США*) 2) торже́ственное откры́тие 3) *attr.*: I. Day день вступле́ния в до́лжность но́вого президе́нта США

inauspicious [,ɪnɔ:'spɪʃəs] *a* злове́щий; предвеща́ющий дурно́е; неблагоприя́тный

in-between [,ɪnbɪ'twi:n] **1.** *n* посре́дник **2.** *a* промежу́точный, перехо́дный; ~ tints отте́нки, промежу́точные тона́

inboard ['ɪnbɔ:d] *мор.* **1.** *a* располо́женный, находя́щийся внутри́ корабля́ **2.** *adv* внутри́ корабля́

inborn [,ɪn'bɔ:n] *a* врождённый, прирождённый; приро́дный

inbound ['ɪnbaʊnd] *a* прибыва́ющий, возвраща́ющийся из пла́вания, из-за грани́цы *и т. п.*

inbreathe [,ɪn'bri:ð] *v* 1) вдыха́ть 2) вдохну́ть (*в кого-л. энергию, силы и т. п.*), вдохновля́ть

inbred [,ɪn'bred] *a* 1) = inborn 2) рождённый от роди́телей, состоя́щих в кро́вном родстве́ ме́жду собо́й

inbreeding ['ınbri:dıŋ] *n* инбри́динг, близкоро́дственное размноже́ние

inbuilt ['ınbılt] *a* встро́енный

incalculable [ın'kælkjʊləbl] *a* 1) несчётный, неисчисли́мый 2) непредви́денный 3) ненадёжный, неусто́йчивый

in-calf [ın'kɑ:f] *a* сте́льная (*о корове*)

incandesce [,ınkæn'des] *v* накаля́ть(ся) добела́

incandescence [,ınkæn'desns] *n* нака́л, нака́ливание; бе́лое кале́ние

incandescent [,ınkæn'desnt] *a* 1) раскалённый, накалённый добела́; получа́емый от ламп нака́ливания (*о свете*); ~ lamp ла́мпа нака́ливания 2) сверка́ющий, ослепи́тельный

incantation [,ınkæn'teıʃn] *n* 1) заклина́ние, маги́ческая фо́рмула 2) колдовство́; ча́ры

incapability [ın,keıpə'bılətı] *n* неспосо́бность

incapable [ın'keıpəbl] *a* неспосо́бный (of — к, на); ~ of telling a lie неспосо́бный на ложь; ~ of improvement не поддаю́щийся улучше́нию ◇ drunk and ~ мертве́цки пья́н(ый)

incapacious [,ınkə'peıʃəs] *a* 1) те́сный, невмести́тельный 2) у́зкий, ограни́ченный

incapacitate [,ınkə'pæsıteıt] *v* 1) де́лать неспосо́бным *или* неприго́дным (for, from); to ~ smb. for work (*или* from working) сде́лать кого́-л. нетрудоспосо́бным 2) *воен.* выводи́ть из стро́я 3) лиша́ть пра́ва; to be ~d from voting быть лишённым пра́ва го́лоса

incapacity [,ınkə'pæsətı] *n* 1) неспосо́бность (for) 2) *юр.* неправоспосо́бность

incarcerate [ın'kɑ:səreıt] *v* заключа́ть в тюрьму́

incarceration [ın,kɑ:sə'reıʃn] *n* 1) заключе́ние в тюрьму́ 2) *мед.* ущемле́ние (*грыжи*)

incarnadine [ın'kɑ:nədaın] *поэт.* **1.** *a* 1) а́лый, цве́та кро́ви 2) ро́зовый

2. *v* окра́шивать в а́лый цвет

incarnate 1. *a* [ın'kɑ:nət] воплощённый; олицетворённый; virtue ~ воплощённая доброде́тель

2. *v* ['ınkɑ:neıt] 1) воплоща́ть, олицетворя́ть 2) осуществля́ть

incarnation [,ınkɑ:'neıʃn] 1) воплоще́ние, олицетворе́ние 2) зажива́ние; грануля́ция

incase [ın'keıs] = encase

incautious [ın'kɔ:ʃəs] *a* неосторо́жный, опроме́тчивый

incendiarism [ın'sendıərızəm] *n* 1) поджо́г 2) подстрека́тельство

incendiary [ın'sendıərı] **1.** *n* 1) *pl воен.* зажига́тельные сре́дства 2) поджига́тель 3) подстрека́тель

2. *a* 1) *воен.* зажига́тельный 2) свя́занный с поджо́гом 3) подстрека́ющий, се́ющий рознь

incense I ['ınsens] **1.** *n* 1) ла́дан, фимиа́м 2) *attr.*: ~ burner кури́льница

2. *v* кади́ть; кури́ть фимиа́м

incense II [ın'sens] *v* приводи́ть в я́рость

incensory ['ınsensərı] *n* кади́льница, кади́ло

incentive [ın'sentıv] **1.** *n* побужде́ние, сти́мул

2. *a* побуди́тельный; ~ wage *амер.* прогресси́вная систе́ма за́работной пла́ты

inception [ın'sepʃn] *n книжн.* нача́ло

inceptive [ın'septıv] *a* 1) нача́льный; начина́ющий; начина́ющийся, зарожда́ющийся 2): ~ verb *грам.* начина́тельный глаго́л

incertitude [ın'sɜ:tıtju:d] *n* неуве́ренность; неопределённость

incessant [ın'sesnt] *a* непрекраща́ющийся, непреры́вный, непреста́нный

incest ['ınsest] *n* кровосмеше́ние

incestuous [ın'sestjʊəs] *a* 1) кровосмеси́тельный 2) вино́вный в кровосмеше́нии

inch [ıntʃ] **1.** *n* 1) дюйм (= *2,5 см*) 2) *pl* высота́, рост; a man of your ~es челове́к ва́шего ро́ста 3) небольшо́е коли́чество, расстоя́ние *и т. п.*; not to yield an ~ не уступи́ть ни на йо́ту ◇ ~ by ~ ма́ло-пома́лу; by ~es а) = ~ by ~; б) почти́; чуть не; the car missed him by ~es он чуть не попа́л под маши́ну; every ~ а) вполне́, целико́м; б) вы́литый; настоя́щий; с головы́ до ног; he is every ~ a soldier он настоя́щий солда́т; to beat (*или* to flog) smb. within an ~ of his life изби́ть кого́-л. до полусме́рти

2. *v* дви́гаться ме́дленно *или* осторо́жно

inchest [ın'tʃest] *v* упако́вывать в я́щики

inchmeal ['ıntʃmi:l] *adv* дюйм за дю́ймом; ма́ло-пома́лу; постепе́нно

inchoate [ın'kəʊət] **1.** *a* 1) то́лько что на́чатый 2) зача́точный; рудимента́рный

2. *v* нача́ть, положи́ть нача́ло

inchoative [ın'kəʊətıv] *грам.* **1.** *a* начина́тельный

2. *n* начина́тельный глаго́л

incidence ['ınsıdəns] *n* 1) сфе́ра де́йствия, охва́т; what is the ~ of the tax? кто подлежи́т обложе́нию э́тим нало́гом 2) *спец.* паде́ние, накло́н, скос; angle of ~ у́гол паде́ния

incident ['ınsıdənt] **1.** *n* 1) слу́чай, случа́йность; происше́ствие, инциде́нт; frontier ~ пограни́чный инциде́нт 2) *эвф.* инциде́нт (*война, восстание, атомный взрыв и т. п.*) 3) эпизо́д (*в поэме, пьесе*) 4) *юр.* обя́занности *или* привиле́гии, свя́занные с пребыва́нием в како́й-л. до́лжности

2. *a* 1) сво́йственный, прису́щий (to) 2) *физ.* па́дающий (upon — на)

incidental [,ınsı'dentl] **1.** *a* 1) случа́йный, несуще́ственный, побо́чный; ~ expenses побо́чные расхо́ды 2) сво́йственный, прису́щий (to) ◇ ~ music музыка́льное сопровожде́ние (*фильма и т. п.*)

2. *n* 1) эпизо́д, побо́чная ли́ния сюже́та 2) (*обыкн. pl*) ме́лкие расхо́ды

incidentally [,ınsı'dentlı] *adv* 1) ме́жду про́чим; be it said ~ разреши́те, ме́жду про́чим, заме́тить 2) случа́йно, несуще́ственно 3) в да́нном слу́чае

incinerate [ın'sınəreıt] *v* сжига́ть; превраща́ть в пе́пел, испепеля́ть

incineration [ın,sınə'reıʃn] *n* сжига́ние; крема́ция

incinerator [ın'sınəreıtə] *n* 1) мусоросжига́тельная печь 2) печь для крема́ции

incipience [ın'sıpıəns] *n* нача́ло, зарожде́ние; in ~ в заро́дыше

incipient [ın'sıpıənt] *a* начина́ющийся, зарожда́ющийся; нача́льный; ~ cancer *мед.* рак в нача́льной ста́дии

incise [ın'saız] *v* 1) де́лать разре́з; надреза́ть 2) выреза́ть; насека́ть, гравирова́ть

incision [ın'sıʒn] *n* 1) разре́з, надре́з; насе́чка 2) ко́лкость, ре́зкость

incisive [ın'saısıv] *a* 1) ре́зкий; о́стрый, ко́лкий; язви́тельный 2) ре́жущий

incisor [ın'saızə] *n* резе́ц, пере́дний зуб

incite [ın'saıt] *v* 1) возбужда́ть; подстрека́ть 2) побужда́ть

incitement [ın'saıtmənt] *n* 1) подстрека́тельство 2) побужде́ние, сти́мул

incivility [,ınsə'vılətı] *n* неве́жливость, неучти́вость

inclemency [ın'klemənsı] *n* 1) суро́вость (*климата, погоды*) 2) неприве́тливость, жёсткость (*характера и т. п.*)

inclement [ın'klemənt] *a* 1) суро́вый, холо́дный (*о климате, погоде*) 2) суро́вый, недо́брый, жёсткий (*о человеке*)

inclinable [ın'klaınəbl] *a* 1) скло́нный, располо́женный 2) благоприя́тный

inclination [,ınklı'neıʃn] *n* 1) накло́нность, скло́нность, влече́ние, предрасположе́ние (for, to); she showed no ~ to leave она́ не собира́лась уходи́ть; to follow one's ~s де́лать то, что нра́вится 2) наклоне́ние, накло́н, укло́н, отко́с, скат 3) отклоне́ние, склоне́ние (*магнитной стрелки*)

incline [ın'klaın] **1.** *n* накло́нная пло́скость; накло́н, скат

2. *v* 1) (*обыкн. pass.*) располага́ть (to — к); I am ~d to think я скло́нен ду́мать 2) *pass.* име́ть тенде́нцию, скло́нность; the door is ~d to bang э́та дверь ве́чно хло́пает; he's ~d to colds он располо́жен к просту́де 3) быть располо́женным, склоня́ться; I ~ to think so я скло́нен к э́той мы́сли 4) наклоня́ть(ся), склоня́ть(ся) ◇ to ~ one's ear to smb. слу́шать кого́-л. благоскло́нно

inclined [ın'klaınd] **1.** *p. p. от* incline 2

2. *a* 1) располо́женный, скло́нный; ~ to corpulence предрасполо́женный к полноте́ 2) накло́нный; ~ plane накло́нная пло́скость

inclinometer [,ınklı'nɒmıtə] *n спец.* креноме́р, уклономе́р, угломе́р

inclose [ın'kləʊz] = enclose

include [ɪn'klu:d] *v* 1) заключа́ть, содержа́ть в себе́ 2) включа́ть

including [ɪn'klu:dɪŋ] **1.** *pres. p. от* include

2. *prep* включа́я, в том числе́

inclusion [ɪn'klu:ʒn] *n* 1) включе́ние; присоедине́ние 2) *геол.* инклю́зия

inclusive [ɪn'klu:sɪv] *a* включа́ющий в себя́, содержа́щий; ~ terms цена́, в кото́рую включены́ все услу́ги (*в гостинице и т. п.*)

incoagulability [,ɪnkəʊægjʊlə'bɪlətɪ] *n* несвёртываемость (*крови*)

incoagulable [,ɪnkəʊ'ægjʊləbl] *a* несвёртываемый, несвёртывающийся (*о крови и т. п.*)

incog [ɪn'kɒg] *разг. сокр. от* incognito

incognita [ɪn'kɒgnɪtə] *n ж. к* incognito

incognito [ɪn'kɒgnɪtəʊ] **1.** *n* (*pl* -os [-əʊz]) инко́гнито

2. *a* инко́гнито, живу́щий под чужи́м и́менем

3. *adv* инко́гнито, под чужи́м и́менем

incognizant [ɪn'kɒgnɪzənt] *a* не зна́ющий; не име́ющий никако́го представле́ния (of)

incoherence [,ɪnkəʊ'hɪərəns] *n* несвя́зность, бессвя́зность, непосле́довательность

incoherent [,ɪnkəʊ'hɪərənt] *a* 1) говоря́щий нескла́дно, бестолко́во 2) несвя́зный, бессвя́зный, непосле́довательный; to be ~ говори́ть бессвя́зно 3) *горн.* ры́хлый, несцементи́рованный

incombustible [,ɪnkəm'bʌstəbl] *a* негорю́чий, невоспламеня́емый, огнесто́йкий

income ['ɪnkʌm] *n* (периоди́ческий, *обыкн.* годово́й) дохо́д, прихо́д; за́работок

incomer ['ɪn,kʌmə] *n* 1) входя́щий; воше́дший; вновь прише́дший 2) прише́лец; иммигра́нт 3) пре́емник

income tax ['ɪnkəmtæks] *n* подохо́дный нало́г; graduated ~ прогресси́вный подохо́дный нало́г

incoming ['ɪn,kʌmɪŋ] **1.** *n* 1) прихо́д, прибы́тие 2) *pl* дохо́ды

2. *a* 1) входя́щий, поступа́ющий; ~ mail входя́щая по́чта 2) наступа́ющий; сле́дующий; the ~ year наступа́ющий год 3) вступа́ющий (*в права, должность и т. п.*); ~ tenant но́вый аренда́тор 4) поступа́ющий (*о платеже*)

incommensurability [,ɪnkəmenʃərə'bɪlətɪ] *n* несоизмери́мость; несоразме́рность; непропорциона́льность

incommensurable [,ɪnkə'menʃərəbl] *a* несоизмери́мый; несоразме́рный; непропорциона́льный

incommensurate [,ɪnkə'menʃərət] *a* 1) несоотве́тствующий 2) несоизмери́мый (with, to — с); несоразме́рный

incommode [,ɪnkə'məʊd] *v* беспоко́ить, стесня́ть; меша́ть

incommodious [,ɪnkə'məʊdɪəs] *a* неудо́бный; те́сный

incommunicable [,ɪnkə'mju:nɪkəbl] *a* несообща́емый; непередава́емый

incommunicado [,ɪnkəmju:nɪ'kɑ:dəʊ] *a* 1) лишённый обще́ния с людьми́, отре́занный от вне́шнего ми́ра; to hold ~ а) держа́ть взаперти́; б) держа́ть в тюрьме́ без пра́ва перепи́ски 2) находя́щийся в одино́чном заключе́нии

incommunicative [,ɪnkə'mju:nɪkətɪv] *a* необщи́тельный, за́мкнутый

incommutable [,ɪnkə'mju:təbl] *a* 1) неразме́нный 2) неизме́нный

incompact [,ɪnkəm'pækt] *a* непло́тный, некомпа́ктный

incomparable [ɪn'kɒmpərəbl] *a* 1) несравне́нный, бесподо́бный 2) несравни́мый (with, to — с)

incompatibility [,ɪnkəmpætə'bɪlətɪ] *n* несовмести́мость; несоотве́тствие

incompatible [,ɪnkəm'pætəbl] *a* несовмести́мый; несочета́ющийся

incompetence [ɪn'kɒmpɪtəns] *n* 1) некомпете́нтность; неспосо́бность 2) *юр.* неправоспосо́бность 3) *мед.* недоста́точность

incompetent [ɪn'kɒmpɪtənt] *a* 1) некомпете́нтный, несве́дущий; неспосо́бный; неуме́лый 2) *юр.* неправоспосо́бный; ~ witness лицо́, не спосо́бное быть свиде́телем 3) *геол.* непро́чный, сла́бый (*о пласте*)

incomplete [,ɪnkəm'pli:t] *a* 1) непо́лный 2) несоверше́нный, дефе́ктный 3) незавершённый, незако́нченный

incomprehensible [ɪn,kɒmprɪ'hensəbl] *a* непоня́тный, непостижи́мый

incomprehension [ɪn,kɒmprɪ'henʃn] *n* непонима́ние

incompressible [,ɪnkəm'presəbl] *a* несжима́емый, несжима́ющийся

incomputable [,ɪnkəm'pju:təbl] *a* неисчисли́мый, бесчи́сленный

inconceivability [,ɪnkənsi:və'bɪlətɪ] *n* непостижи́мость

inconceivable [,ɪnkən'si:vəbl] *a* 1) непостижи́мый, невообрази́мый 2) *разг.* невероя́тный, необыча́йный

inconclusive [,ɪnkən'klu:sɪv] *a книжн.* 1) неубеди́тельный 2) нереша́ющий; неоконча́тельный; незавершённый; ~ vote голосова́ние, не да́вшее результа́та

incondensable [,ɪnkən'densəbl] *a* несжима́емый, неконденси́рующийся

incondite [ɪn'kɒndɪt] *a* 1) пло́хо соста́вленный; пу́таный 2) неотде́ланный, неотшлифо́ванный; гру́бый

incongruity [,ɪnkɒŋ'gru:ətɪ] *n* 1) неуме́стность 2) несоотве́тствие, несовмести́мость

incongruous [ɪn'kɒŋgrʊəs] *a* 1) неуме́стный, неле́пый 2) несоотве́тственный, несовмести́мый (with)

inconsecutive [,ɪnkən'sekjʊtɪv] *a* непосле́довательный

inconsequence [ɪn'kɒnsɪkwəns] *n* непосле́довательность; неуме́стность

inconsequent [ɪn'kɒnsɪkwənt] *a* 1) не относя́щийся к де́лу; неуме́стный 2) непосле́довательный

inconsequential [ɪn,kɒnsɪ'kwenʃl] *a* 1) несуще́ственный, незначи́тельный 2) = inconsequent

inconsiderable [,ɪnkən'sɪdərəbl] *a* незначи́тельный, нева́жный; не заслу́живающий внима́ния

inconsiderate [,ɪnkən'sɪdərət] *a* 1) необду́манный; неосмотри́тельный, опроме́тчивый 2) невнима́тельный к други́м; to be ~ of others ни с кем не счита́ться

inconsistency [,ɪnkən'sɪstənsɪ] *n* несовмести́мость, несообра́зность *и пр.* [*см.* inconsistent]

inconsistent [,ɪnkən'sɪstənt] *a* 1) непосле́довательный, противоре́чащий, не согласу́ющийся 2) несовмести́мый, несообра́зный (with) 3) = inconstant

inconsolable [,ɪnkən'səʊləbl] *a* безуте́шный; неуте́шный; ~ distress безуте́шное го́ре

inconsonant [ɪn'kɒnsənənt] *a* несозву́чный, негармони́рующий (with, to)

inconspicuous [,ɪnkən'spɪkjʊəs] *a* не привлека́ющий внима́ния, незаме́тный, неприме́тный; to make oneself as ~ as possible стара́ться не привлека́ть к себе́ внима́ния

inconstancy [ɪn'kɒnstənsɪ] *n* непостоя́нство, изме́нчивость

inconstant [ɪn'kɒnstənt] *a* непостоя́нный, неусто́йчивый, изме́нчивый

inconsumable [,ɪnkən'sju:məbl] *a* 1) неистреби́мый 2) не предназна́ченный для потребле́ния

incontestable [,ɪnkən'testəbl] *a* неоспори́мый, неопровержи́мый; ~ evidence неопровержи́мое доказа́тельство

incontinence [ɪn'kɒntɪnəns] *n* 1) *мед.* недержа́ние 2) невозде́ржанность (*особ. половая*) 3) несде́ржанность

incontinent [ɪn'kɒntɪnənt] *a* 1) *мед.* страда́ющий недержа́нием 2) невозде́ржанный (*особ. в половом отношении*) 3) несде́ржанный (of)

incontrovertible [,ɪnkɒntrə'vɜ:təbl] *a* неоспори́мый, неопровержи́мый, несомне́нный, бесспо́рный; evidence неопровержи́мое доказа́тельство

inconvenience [,ɪnkən'vi:nɪəns] **1.** *n* неудо́бство, беспоко́йство

2. *v* причиня́ть неудо́бство, беспоко́ить

inconvenient [,ɪnkən'vi:nɪənt] *a* неудо́бный; беспоко́йный, затрудни́тельный; нело́вкий; ~ time неудо́бное вре́мя; if not ~ to you е́сли вас не затрудни́т

inconversable [,ɪnkən'vɜ:səbl] *a* неразгово́рчивый, необщи́тельный

inconversant [,ɪnkən'vɜ:sənt] *a* несве́дущий; нео́пытный

inconvertible [,ɪnkən'vɜ:təbl] *a* 1) не подлежа́щий свобо́дному обме́ну, неконверти́руемый; ~ currency неконверти́руемая, необрати́мая валю́та 2) не поддаю́щийся превраще́нию

incoordinate [,ɪnkəʊ'ɔ:dɪneɪt] *a* некоордини́рованный, несогласо́ванный

incoordination [,ɪnkəʊɔ:dɪ'neɪʃn] *n* отсу́тствие координа́ции, несогласо́ванность

incorporate **1.** *a* [ɪn'kɔ:pərət] 1) соединённый, объединённый; неразде́льный 2) = incorporated

2. *v* [ɪn'kɔ:pəreɪt] 1) соединя́ть(ся), объединя́ть(ся); включа́ть (в соста́в) 2)

смешивать(ся) (with) 3) принимать, включать в число членов 4) регистрировать, оформить в качестве юридического лица (*фирму и т. п.*)

incorporated [ɪnˈkɔ:pəreɪtɪd] *a* зарегистрированный как корпорация; акционерный

incorporation [ɪn,kɔ:pəˈreɪʃn] *n* 1) объединение 2) корпорация 3) регистрация, оформление в качестве юридического лица (*фирмы и т. п.*)

incorporeal [,ɪnkɔ:ˈpɔ:rɪəl] *a* бестелесный; невещественный

incorrect [,ɪnkəˈrekt] *a* 1) неправильный, неверный 2) некорректный 3) неточный; ~ tuning *радио* неточная настройка

incorrigible [ɪnˈkɒrɪdʒəbl] *a* неисправимый; ~ liar неисправимый лгун

incorrodible [,ɪnkəˈrəʊdəbl] *a тех.* некорродируемый, нержавеющий

incorruptible [,ɪnkəˈrʌptəbl] *a* 1) неподкупный 2) непортящийся

increase 1. *n* [ˈɪnkri:s] 1) возрастание, рост; увеличение, прибавление, размножение; to be on the ~ расти, увеличиваться 2) прирост, прибавка; an ~ in pay прибавка к зарплате

2. *v* [ɪnˈkri:s] возрастать, увеличивать(ся); расти; усиливать(ся); to ~ one's pace ускорять шаг; to ~ by 10% увеличиться на 10%

increasingly [ɪnˈkri:sɪŋlɪ] *adv* всё больше и больше

incredibility [ɪn,kredəˈbɪlətɪ] *n* неправдоподобие, невероятность

incredible [ɪnˈkredəbl] *a* 1) неправдоподобный, невероятный 2) *разг.* неслыханный, потрясающий; ~ difficulties неимоверные трудности

incredulity [,ɪnkrəˈdju:lətɪ] *n* недоверчивость, скептицизм

incredulous [ɪnˈkredjʊləs] *a* недоверчивый, скептический; ~ looks (smiles) скептические взгляды (улыбки)

incremation [,ɪnkrɪˈmeɪʃn] *n редк.* кремация

increment [ˈɪnkrɪmənt] *n* 1) возрастание, увеличение 2) приращение, прирост; прибавка 3) прибыль 4) *ритор.* нарастание 5) *мат.* бесконечно малое приращение; инкремент; дифференциал

increscent [ɪnˈkresnt] *a* нарастающий; ~ moon нарастающая луна

incriminate [ɪnˈkrɪmɪneɪt] *v* 1) обвинять в преступлении, инкриминировать 2) изобличать

incriminatory [ɪnˈkrɪmɪnətərɪ] *a* обвинительный

incrustation [,ɪnkrʌsˈteɪʃn] *n* 1) образование коры, корки 2) кора, корка *и т. п.* 3) инкрустация

incubate [ˈɪnkjʊbeɪt] *v* 1) высиживать, выводить (*цыплят*); сидеть (*на яйцах*) 2) разводить, выращивать (*бактерии и т. п.*) 3) вынашивать (*мысль, идею*)

incubation [,ɪnkjʊˈbeɪʃn] *n* 1) высиживание (*цыплят*); инкубация (*тж.* artificial ~) 2) разведение, выращивание (*бактерий и т. п.*) 3) *мед.* инкубационный период

incubative [ˈɪnkjʊbeɪtɪv] = incubatory

incubator [ˈɪnkjʊbeɪtə] *n* 1) *мед.* инкубатор, кувез 2) *с.-х.* инкубатор

incubatory [ˈɪnkjʊbeɪtərɪ] *a* 1) инкубаторный 2) инкубационный

incubi [ˈɪnkjʊbaɪ] *pl от* incubus

incubus [ˈɪnkjʊbəs] *n* (*pl тж.* -bi) 1) демон, злой дух 2) кошмар 3) непосильное бремя, страшный груз (*забот и т. п.*)

incudes [ɪnˈkju:di:z] *pl от* incus

inculcate [ˈɪnkʌlkeɪt] *v* внедрять, внушать, прививать, вселять (on, upon, in)

inculcation [,ɪnkʌlˈkeɪʃn] *n* внедрение, насаждение, внушение

inculpate [ˈɪnkʌlpeɪt] *v книжн.* 1) обвинять; порицать 2) изобличать

inculpation [,ɪnkʌlˈpeɪʃn] *n* (*обыкн. юр.*) 1) обвинение 2) изобличение

inculpatory [ɪnˈkʌlpətərɪ] *a* (*обыкн. юр.*) обвинительный

incumbency [ɪnˈkʌmbənsɪ] *n* 1) *церк.* бенефиций 2) долг, обязанность 3) пребывание в должности

incumbent [ɪnˈkʌmbənt] *a* 1) возложенный (*об обязанности и т. п.*); it is ~ on you... на вас лежит обязанность, ваш долг... 2) занимающий определённый официальный пост; the ~ president нынешний президент

incunabula [,ɪnkjʊˈnæbjʊlə] *n pl* 1) инкунабулы (*первопечатные книги до 1500 г.*) 2) период зарождения, ранняя стадия

incur [ɪnˈkɜ:] *v* подвергаться (*чему-л.*); навлечь на себя; to ~ debts влезть в долги; to ~ losses а) потерпеть убытки; б) *воен.* понести потери

incurability [ɪn,kjʊərəˈbɪlətɪ] *n* 1) неизлечимость 2) неискоренимость

incurable [ɪnˈkjʊərəbl] 1. *a* 1) неизлечимый, неисцелимый 2) неискоренимый

2. *n* (*часто pl*) безнадёжный больной

incuriosity [ɪn,kjʊərɪˈɒsətɪ] *n* отсутствие любопытства

incurious [ɪnˈkjʊərɪəs] *a* 1) нелюбопытный; нелюбознательный 2) невнимательный, безразличный 3) лишённый интереса, новизны

incursion [ɪnˈkɜ:ʃn] *n* 1) вторжение, нашествие 2) внезапное нападение, налёт, набег 3) *геол.* наступление (*моря*)

incurvation [,ɪnkɜ:ˈveɪʃn] *n* 1) сгибание 2) изгиб, кривизна, выгиб

incurvature [ɪnˈkɜ:vətʃə] = incurvation

incurve [,ɪnˈkɜ:v] *v* 1) сгибаться (*внутрь*) 2) выгибать(ся); загибать (*внутрь*)

incus [ˈɪnkəs] *n* (*pl* incudes) *анат.* наковальня (*во внутреннем ухе*)

incuse [ɪnˈkju:z] 1. *n* чеканка, вычеканенное изображение

2. *a* выбитый, вычеканенный

3. *v* выбивать (*изображение на монете и т. п.*), чеканить

incut [ˈɪnkʌt] 1. *n* врезка, вставка

2. *a* врезанный, вставленный

indebted [ɪnˈdetɪd] *a* находящийся в долгу (*у кого-л.*); должный, обязанный (*кому-л.*; to); to be ~ to smb. быть обязанным кому-л.

indebtedness [ɪnˈdetɪdnəs] *n* 1) задолженность 2) сумма долга 3) чувство обязанности (*по отношению к кому-л.*; to)

indecency [ɪnˈdi:snsɪ] *n* неприличие; непристойность

indecent [ɪnˈdi:snt] *a* 1) неприличный; непристойный 2) *разг.* неподобающий; he left the party in ~ haste он ушёл с вечеринки с неприличной поспешностью 3) непорядочный

indecipherable [,ɪndɪˈsaɪfərəbl] *a* 1) не поддающийся расшифровке 2) неразборчивый, нечёткий

indecision [,ɪndɪˈsɪʒn] *n* нерешительность, колебание

indecisive [,ɪndɪˈsaɪsɪv] *a* 1) нерешающий, неоконча́тельный; an ~ answer неокончательный ответ 2) нерешительный, колеблющийся

indeclinable [,ɪndɪˈklaɪnəbl] *a грам.* несклоняемый

indecorous [ɪnˈdekərəs] *a* нарушающий приличия, некорректный, неблагопристойный

indecorum [,ɪndɪˈkɔ:rəm] *n* нарушение приличий, некорректность; to commit an ~ нарушить приличия

indeed [ɪnˈdi:d] *adv* 1) в самом деле, действительно; he is right ~ он, действительно, прав 2) *служит для усиления, подчёркивания*: very glad ~ очень, очень рад; yes, ~ да, да!; ну да!; I may, ~, be wrong допускаю, что я, может быть, неправ 3) неужели!; да ну!; ну и ну! (*выражает удивление, иронию, сомнение*)

indefatigable [,ɪndɪˈfætɪgəbl] *a* 1) неутомимый 2) неослабный

indefeasible [,ɪndɪˈfi:zəbl] *a книжн.* неотъемлемый; неоспоримый; ~ law непреложный закон

indefectible [,ɪndɪˈfektəbl] *a* 1) непортящийся, неизменяющийся 2) безупречный, совершенный

indefensible [,ɪndɪˈfensəbl] *a* 1) незащищённый; непригодный для обороны 2) не могущий быть оправданным; непростительный 3) недоказуемый

indefinable [,ɪndɪˈfaɪnəbl] *a* неопределимый, не поддающийся определению *или* объяснению

indefinably [,ɪndɪˈfaɪnəblɪ] *adv* расплывчато, неопределённо

indefinite [ɪnˈdefənət] *a* 1) неопределённый (*тж. грам.*); неясный 2) неограниченный

indefinitely [ɪnˈdefənətlɪ] *adv* 1) бесконечно, до бесконечности, на неопределённое время; to postpone ~ отложить на неопределённое время 2) неопределённо, неясно

indelible [ɪnˈdeləbl] *a* 1) неизгладимый; ~ impression неизгладимое впечатление 2) несмываемый; нестираемый; ~ pencil химический карандаш; ~ disgrace несмываемый позор

indelicacy [ɪn'delɪkəsɪ] *n* неделика́тность; нескро́мность; беста́ктность

indelicate [ɪn'delɪkət] *a* неделика́тный, нетакти́чный; беста́ктный

indemnification [ɪn,demnɪfɪ'keɪʃn] *n книжн.* возмеще́ние, компенса́ция

indemnify [ɪn'demnɪfaɪ] *v* 1) обезопа́сить, застрахова́ть (from, against — от) 2) освободи́ть (*от наказания, материальной ответственности*) (for — за) 3) компенси́ровать, возмеща́ть (for)

indemnity [ɪn'demnətɪ] *n* 1) возмеще́ние, компенса́ция 2) контрибу́ция 3) гара́нтия от убы́тков, поте́рь 4) освобожде́ние (*от наказания, материальной ответственности*); Act of I. зако́н об освобожде́нии от уголо́вной отве́тственности

indemonstrable [ɪn'demənstrəbl] *a* 1) не тре́бующий доказа́тельства 2) недоказу́емый

indent 1. *n* ['ɪndent] 1) о́рдер, официа́льное тре́бование, зака́з (*на товары и т. п.*) 2) докуме́нт с отрывны́м дублика́том 3) зазу́брина, зубе́ц; вы́емка, вы́рез 4) *полигр.* абза́ц, о́тступ 5) клеймо́, отпеча́ток

2. *v* [ɪn'dent] 1) начина́ть с кра́сной строки́; *полигр.* де́лать абза́ц, о́тступ 2) составля́ть докуме́нт с дублика́том (*особ.* отделённым ли́нией отре́за) 3) выпи́сывать о́рдер *или* тре́бование на това́ры, зака́зывать това́ры; to ~ for new machinery заказа́ть но́вое обору́дование 4) зазу́бривать; выда́лбливать, вырéзывать; насека́ть

identation [,ɪnden'teɪʃn] *n* 1) вырéзывание в ви́де зубцо́в 2) зубе́ц, вы́рез; изви́лина, углубле́ние бе́рега *и т. п.* 3) *полигр.* о́тступ, абза́ц 4) вда́вливание; вмя́тина; отпеча́ток

indented [ɪn'dentɪd] 1. *p. p. от* indent 2

2. *a* 1) зазу́бренный, зубча́тый; ~ coastline изре́занная берегова́я ли́ния 2) *полигр.* с о́тступом

indention [ɪn'denʃn] *n* 1) *полигр.* абза́ц, о́тступ 2) = indentation 1) *и* 2)

indenture [ɪn'dentʃə] *n* 1) = indent 1, 2); 2) соглаше́ние, контра́кт в двух экземпля́рах, *особ.* догово́р ме́жду ученико́м и хозя́ином; to take up one's ~ зако́нчить учени́чество, слу́жбу 3) вы́рез, зазу́брина

independence [,ɪndɪ'pendəns] *n* 1) незави́симость, самостоя́тельность 2) самостоя́тельный дохо́д; незави́симое состоя́ние; to live a life of ~ жить самостоя́тельно, незави́симо 3) *attr.*: I. Day День незави́симости (*4 июля — национальный праздник США*)

independency [,ɪndɪ'pendənsɪ] *n* 1) незави́симое госуда́рство 2) *редк.* = independence 3) (I.) = Congregationalism

independent [,ɪndɪ'pendənt] 1. *a* 1) незави́симый, самостоя́тельный; не зави́сящий (of — от); ~ statehood госуда́рственная незави́симость; to take an ~ stand име́ть свою́ то́чку зре́ния 2) непредубеждённый; ~ proof объекти́вное доказа́тельство; ~ witness беспристра́стный свиде́тель 3) име́ющий самостоя́тельный дохо́д; облада́ющий незави́симым состоя́нием 4) *полит.* незави́симый, не свя́занный с како́й-л. па́ртией

2. *n полит.* «незави́симый»

indescribable [,ɪndɪ'skraɪbəbl] *a* неопису́емый

indestructibility [,ɪndɪstrʌktə'bɪlətɪ] *n* неразруши́мость; the law of ~ of matter зако́н сохране́ния мате́рии

indestructible [,ɪndɪ'strʌktəbl] *a* неразруши́мый

indeterminable [,ɪndɪ'tɜ:mɪnəbl] *a* 1) неопредели́мый 2) неразреши́мый (*о споре и т. п.*)

indeterminate [,ɪndɪ'tɜ:mɪnət] *a* 1) неопределённый; неопредели́мый; нея́сный; сомни́тельный 2) нерешённый, неоконча́тельный

index ['ɪndeks] 1. *n* (*pl* -xes [-ksɪz], indices) 1) и́ндекс, указа́тель; ~ of cost of living и́ндекс прожи́точного ми́нимума 2) алфави́тный указа́тель; катало́г 3) *мат.* показа́тель сте́пени; коэффицие́нт 4) стре́лка (*на приборах*) 5) указа́тельный па́лец (*тж.* ~ finger) 6) алфави́тный и́ндекс (*выемка с буквами в обрезе справочного издания*) 7) *attr.*: ~ number а) поря́дковый но́мер; б) *эк.* и́ндекс

2. *v* 1) снабжа́ть указа́телем; the book is well ~ed кни́га име́ет хоро́ший указа́тель 2) составля́ть указа́тель, заноси́ть в указа́тель

Indian ['ɪndɪən] 1. *a* 1) инди́йский; ~ civilian *ист.* гражда́нский чино́вник в И́ндии 2) инде́йский (*относящийся к амер. индейцам*)

2. *n* 1) инди́ец 2) инде́ец (*Северной и Южной Америки*) 3) европе́ец, до́лго жи́вший в И́ндии 4) *разг.* язы́к любо́го пле́мени америка́нских инде́йцев

Indian blue [,ɪndɪən'blu:] *n* инди́го

Indian cane [,ɪndɪən'keɪn] *n* бамбу́к

Indian club [,ɪndɪən'klʌb] *n спорт.* булава́

Indian corn [,ɪndɪən'kɔ:n] *n* маи́с, кукуру́за

Indian ink [,ɪndɪən'ɪŋk] *n* тушь

Indian summer [,ɪndɪən'sʌmə] *n* 1) золота́я о́сень; «ба́бье ле́то» 2) ти́хий зака́т жи́зни 3) по́здняя любо́вь

India paper [,ɪndɪə'peɪpə] *n* кита́йская бума́га; то́нкая печа́тная бума́га

india rubber [,ɪndɪə'rʌbə] *n* 1) рези́нка (для стира́ния), ла́стик 2) (натура́льный) каучу́к

indicate ['ɪndɪkeɪt] *v* 1) пока́зывать, ука́зывать; he ~d that the interview was over он дал поня́ть, что интервью́ око́нчено 2) служи́ть при́знаком; означа́ть 3) тре́бовать, свиде́тельствовать о необходи́мости (*лечения, ухода и т. п.*); to ~ the use of penicillin тре́бовать примене́ния пеницилли́на 4) выража́ть кра́тко и я́сно 5) *авто* включи́ть сигна́л поворо́та 6) *тех.* измеря́ть мо́щность маши́ны индика́тором

indicated ['ɪndɪkeɪtɪd] 1. *p. p. от* indicate

2. *a* номина́льный, индика́торный; ~ horsepower индика́торная мо́щность

indication [,ɪndɪ'keɪʃn] *n* 1) указа́ние 2) симпто́м, знак 3) показа́ние, отсчёт (*прибора*) 4) показа́ния (*для применения данного средства*)

indicative [ɪn'dɪkətɪv] 1. *a* 1) ука́зывающий, пока́зывающий (of - на); to be ~ of smth. служи́ть при́знаком чего́-л. 2) *грам.* изъяви́тельный

2. *n грам.* изъяви́тельное наклоне́ние

indicator ['ɪndɪkeɪtə] *n* 1) индика́тор; turn ~ *авто* индика́тор направле́ния 2) указа́тель 3) счётчик 4) стре́лка (*циферблата и т. п.*)

indicatory [ɪn'dɪkətərɪ] *a* указа́тельный, ука́зывающий

indices ['ɪndɪsi:z] *pl от* index 1

indict [ɪn'daɪt] *v* предъявля́ть обвине́ние; to be ~ed for theft (*или* on a charge of theft) быть обвинённым в кра́же

indictable [ɪn'daɪtəbl] *a* подлежа́щий рассмотре́нию в суде́, подсу́дный; ~ offender уголо́вный престу́пник

indictee [,ɪndaɪ'ti:] *n* обвиня́емый (*на судебном процессе*), подсуди́мый

indictment [ɪn'daɪtmənt] *n* 1) предъявле́ние обвине́ния 2) обвини́тельный акт; обвине́ние; bill of ~ обвини́тельный акт для предвари́тельного предъявле́ния прися́жным; to bring in an ~ against smb. предъяви́ть кому́-л. обвине́ние

indie ['ɪndɪ] *n разг.* незави́симая компа́ния по произво́дству пласти́нок *или* фи́льмов

indifference [ɪn'dɪfrəns] *n* 1) безразли́чие, равноду́шие (to, towards); to treat smth., smb. with ~ относи́ться к чему́-л., кому́-л. равноду́шно 2) незначи́тельность, малова́жность; a matter of ~ незначи́тельное, несерьёзное де́ло; пустя́к 3) беспристра́стность

indifferent [ɪn'dɪfrənt] *a* 1) посре́дственный 2) безразли́чный, равноду́шный (to) 3) незаинтересо́ванный, беспристра́стный 4) незначи́тельный, малова́жный

indifferently [ɪn'dɪfrəntlɪ] *adv* 1) равноду́шно, безразли́чно 2) посре́дственно, скве́рно

indigence ['ɪndɪdʒəns] *n редк.* нужда́, бе́дность

indigenous [ɪn'dɪdʒənəs] *a книжн.* 1) тузе́мный, ме́стный 2) приро́дный, врождённый

indigent ['ɪndɪdʒənt] *a книжн.* нужда́ющийся, бе́дный

indigested [,ɪndɪ'dʒestɪd] *a* 1) бесфо́рменный; хаоти́ческий 2) непроду́манный, неусво́енный 3) непереváренный

indigestible [,ɪndɪ'dʒestəbl] *a* неудобовари́мый; труднопереváриваемый (*тж. перен.*)

indigestion [,ɪndɪ'dʒestʃən] *n мед.* несваре́ние; наруше́ние пищеваре́ния; диспепси́я

indigestive [,ɪndɪ'dʒestɪv] *a* 1) страда́ющий расстро́йством пищеваре́ния 2) вызыва́ющий расстро́йство пищеваре́ния

indignant [ɪn'dɪgnənt] *a* негоду́ющий, возмущённый (at *smth.* — *чем-то*; with *smb.* — *кем-то*)

indignantly [ɪn'dɪgnəntlɪ] *adv* негоду́юще; возмущённо

indignation [,ɪndɪg'neɪʃn] *n* 1) негодова́ние, возмуще́ние (at *smth.*; with *smb.*) 2) *attr.*: ~ meeting ма́ссовый ми́тинг проте́ста

indignity [ɪn'dɪgnətɪ] *n* пренебреже́ние; оскорбле́ние; униже́ние (*кого-*л.); унизи́тельность (*положения и т. п.*); to subject smb. to indignities подве́ргнуть кого́-л. оскорбле́ниям, оскорби́ть кого́-л.

indigo ['ɪndɪgəʊ] *n* (*pl* -os [-əʊz]) 1) инди́го (*растение и краска*) 2) цвет инди́го

indigo blue ['ɪndɪgəʊblu:] *n* си́не-фиоле́товый цвет

indirect [,ɪndə'rekt] *a* 1) непрямо́й; око́льный; ~ fire *воен.* ого́нь с закры́тых пози́ций; ~ light отражённый свет; ~ lighting отражённое освеще́ние; ~ elections непрямы́е, многостепе́нные вы́боры 2) ко́свенный; ~ taxation ко́свенное налогообложе́ние; ~ evidence ко́свенные ули́ки 3) укло́нчивый 4) побо́чный; an ~ result побо́чный, дополни́тельный результа́т 5) *грам.* ко́свенный; ~ speech ко́свенная речь; ~ object ко́свенное дополне́ние

indiscernible [,ɪndɪ'sɜ:nəbl] *a* неразличи́мый; неприме́тный

indiscipline [ɪn'dɪsɪplɪn] *n* недисциплини́рованность

indiscreet [,ɪndɪ'skri:t] *a* 1) несде́ржанный; нескро́мный; ~ remark беста́ктное замеча́ние 2) неблагоразу́мный; неосторо́жный

indiscrete [,ɪndɪ'skri:t] *a* нерасчленённый на ча́сти; компа́ктный, одноро́дный

indiscretion [,ɪndɪ'skreʃn] *n* 1) неблагоразу́мность, неосторо́жность 2) нескро́мность; неве́жливость, неучти́вость 3) неблагоразу́мный посту́пок; неве́жливое выска́зывание; to commit an ~ поступи́ть неблагоразу́мно

indiscriminate [,ɪndɪ'skrɪmɪnət] *a* 1) неразбо́рчивый, не де́лающий разли́чий; огу́льный; ~ arrests пова́льные аре́сты; ~ slaughter поголо́вное истребле́ние (*животных и т. п.*) 2) беспоря́дочный, сме́шанный

indiscrimination [,ɪndɪskrɪmɪ'neɪʃn] *n* 1) неуме́ние разбира́ться, различа́ть 2) неразбо́рчивость

indispensable [,ɪndɪ'spensəbl] *a* 1) необходи́мый (to, for), незамени́мый (*о человеке*) 2) обяза́тельный, не допуска́ющий исключе́ний (*о законе и т. п.*)

indispose [,ɪndɪ'spəʊz] *v* 1) де́лать непригóдным, неспосо́бным (for, to — к) 2) не располага́ть, восстана́вливать про́тив, отвраща́ть (to, for)

indisposed [,ɪndɪ'spəʊzd] **1.** *p. p. от* indispose

2. *a* 1) нездоро́вый, испы́тывающий недомога́ние; he is ~ он нездоро́в 2) нерасполо́женный; he is ~ to help us он не скло́нен помо́чь нам

indisposition [,ɪndɪspə'zɪʃn] *n* 1) недомога́ние; нездоро́вье 2) нежела́ние 3) нерасположе́ние, отвраще́ние (to, for)

indisputability [,ɪndɪspju:tə'bɪlətɪ] *n* неоспори́мость, бесспо́рность

indisputable [,ɪndɪs'pju:təbl] *a* неоспори́мый, бесспо́рный

indissoluble [,ɪndɪ'sɒljʊbl] *a* 1) нерастворимый, неразложи́мый 2) неразры́вный, неруши́мый, про́чный; the ~ bonds of friendship нерасторжи́мые у́зы дру́жбы

indistinct [,ɪndɪ'stɪŋkt] *a* 1) нея́сный, неотчётливый; сму́тный; ~ recollections сму́тные воспомина́ния 2) невня́тный; ~ speech невня́тная речь

indistinctive [,ɪndɪ'stɪŋktɪv] *a* неотличи́тельный, нехаракте́рный

indistinguishable [,ɪndɪ'stɪŋgwɪʃəbl] *a* неразличи́мый

indite [ɪn'daɪt] *v книжн.*, *шутл.* 1) сочиня́ть, выража́ть в слова́х 2) писа́ть

indium ['ɪndɪəm] *n хим.* и́ндий

indivertible [,ɪndɪ'vɜ:təbl] *a* неотврати́мый

individual [,ɪndɪ'vɪdʒʊəl] **1.** *a* 1) отде́льный, едини́чный, ча́стный; ~ peasant крестья́нин-единоли́чник; ~ fire *воен.* одино́чный ого́нь 2) характе́рный, осо́бенный; оригина́льный; she has an ~ style of dressing у неё своеобра́зный стиль в оде́жде 3) ли́чный, индивидуа́льный; ~ freedom (*или* liberty) свобо́да ли́чности

2. *n* 1) индиви́дуум; о́собь 2) ли́чность, челове́к; private ~ *юр.* ча́стное лицо́ 3) *разг.* челове́к, осо́ба; agreeable ~ прия́тный челове́к

individualism [,ɪndɪ'vɪdʒʊəlɪzəm] *n* 1) индивидуали́зм (*мировоззрение*) 2) индивидуали́зм, эгои́зм

individualistic [,ɪndɪvɪdʒʊə'lɪstɪk] *a* индивидуалисти́ческий

individuality [,ɪndɪvɪdʒʊ'ælətɪ] *n* 1) индивидуа́льность; a man of marked ~ незау́рядная ли́чность 2) (*обыкн. pl*) индивидуа́льная черта́, осо́бенность 3) *филос.* отде́льное бытие́

individualize [,ɪndɪ'vɪdʒʊəlaɪz] *v* 1) индивидуализи́ровать, придава́ть индивидуа́льный хара́ктер 2) подро́бно, дета́льно определя́ть

individually [,ɪndɪ'vɪdʒʊəlɪ] *adv* 1) ли́чно 2) необы́чно, оригина́льно 3) в отде́льности, поодино́чке

indivisibility [,ɪndɪvɪzə'bɪlətɪ] *n* недели́мость

indivisible [,ɪndɪ'vɪzəbl] *a* недели́мый

Indo-Chinese [,ɪndəʊtʃaɪ'ni:z] *a* индокита́йский

indocile [ɪn'dəʊsaɪl] *a* 1) непоко́рный, непослу́шный 2) трудновоспиту́емый

indoctrinate [ɪn'dɒktrɪneɪt] *v* 1) *неодобр.* внуша́ть (*мысли, мнение*; with); настра́ивать кого́-л. (against) 2) знако́мить с како́й-л. тео́рией, каки́м-л. уче́нием

indoctrination [ɪn,dɒktrɪ'neɪʃn] *n* внуше́ние иде́й; идеологи́ческая обрабо́тка

Indo-European [,ɪndəʊjʊərə'pi:ən] *a* индоевропе́йский

indolence ['ɪndələns] *n* ле́ность; пра́здность; вя́лость

indolent ['ɪndələnt] *a* 1) лени́вый; пра́здный; вя́лый 2) *мед.* безболе́зненный

indomitable [ɪn'dɒmɪtəbl] *a* неукроти́мый; упря́мый; упо́рный; ~ temper необу́зданный хара́ктер

Indonesian [,ɪndəʊ'ni:zɪən] **1.** *a* индонези́йский

2. *n* 1) индонези́ец; индонези́йка 2) индонези́йский язы́к

indoor [,ɪn'dɔ:] *a* находя́щийся *или* происходя́щий в помеще́нии; ко́мнатный, дома́шний; ~ games а) ко́мнатные и́гры; б) и́гры в спорти́вном за́ле; ~ aerial *радио* ко́мнатная анте́нна

indoors [,ɪn'dɔ:z] *adv* внутри́ до́ма; в помеще́нии; to stay (*или* to keep) ~ остава́ться до́ма, не выходи́ть

indorsation [,ɪndɔ:'seɪʃn] = endorsement

indorse [ɪn'dɔ:s] = endorse

indraft ['ɪndrɑ:ft] *амер.* = indraught

indraught ['ɪndrɑ:ft] *n* 1) втя́гивание 2) пото́к, устремлённый внутрь, прито́к

indrawn [,ɪn'drɔ:n] *a* втя́нутый; напра́вленный внутрь

indubitable [ɪn'dju:bɪtəbl] *a* несомне́нный; очеви́дный, бесспо́рный

induce [ɪn'dju:s] *v* 1) убежда́ть, побужда́ть, склоня́ть, заставля́ть; to ~ smb. to do smth. заста́вить кого́-л. сде́лать что-л. 2) вызыва́ть; стимули́ровать; an illness ~d by overwork боле́знь, вы́званная переутомле́нием 3) *эл.* индукти́ровать 4) *лог.* выводи́ть умозаключе́ние (путём инду́кции)

induced [ɪn'dju:st] **1.** *p. p. от* induce

2. *a* вы́нужденный; ~ draft *тех.* форси́рованная тя́га

inducement [ɪn'dju:smənt] *n* 1) побужде́ние, побужда́ющий моти́в; сти́мул 2) прима́нка

induct [ɪn'dʌkt] *v* 1) официа́льно вводи́ть в до́лжность 2) уса́живать, водворя́ть (into) 3) вводи́ть (*в курс дел*); посвяща́ть; вовлека́ть 4) *амер.* призыва́ть на вое́нную слу́жбу 5) = induce 3)

inductance [ɪn'dʌktəns] *n эл.* индукти́вность; (само)инду́кция

inductee [,ɪndʌk'ti:] *n амер.* призывни́к

inductile [ɪn'dʌktaɪl] *a* нетягу́чий, неко́вкий (*о металле*)

induction [ɪn'dʌkʃn] *n* 1) официа́льное введе́ние в до́лжность 2) *мед.* стимуля́ция (*особ. родов*) 3) *лог.* инду́кция, индукти́вный ме́тод 4) *амер.* призы́в на вое́нную слу́жбу 5) *эл.* инду́кция 6) *тех.* впуск

induction coil [ɪn'dʌkʃnkɔɪl] *n эл.* индукцио́нная кату́шка, инду́ктор

induction valve [ɪn'dʌkʃnvælv] *n тех.* впускно́й кла́пан

inductive [ɪn'dʌktɪv] *a* 1) *лог.* индукти́вный 2) *эл.* индукцио́нный; индукти́вный

inductor [ɪn'dʌktə] *n эл.* индýктор

indue [ɪn'dju:] = endue

indulge [ɪn'dʌldʒ] *v* 1) доставля́ть удовóльствие; he ~d the company with a song он достáвил всем удовóльствие своúм пéнием 2) позволя́ть себé удовóльствие; давáть себé вóлю (*в чём-л.*); to ~ in bicycling увлекáться ездóй на велосипéде; to ~ in a cigar (in a nap) с удовóльствием вы́курить сигáру (вздремнýть) 3) быть снисходúтельным; потвóрствовать, баловáть, потакáть; you can't ~ every creature на всех не угодúшь 4) *разг.* сúльно пить; I'm afraid he ~s too much я боюсь, что он злоупотребля́ет спиртны́м 5) *ком.* дать отсрóчку платежá по вéкселю

indulgence [ɪn'dʌldʒəns] *n* 1) потвóрство, потакáние; поблáжка 2) потвóрство своúм желáниям, потакáние своúм слáбостям 3) снисхождéние, снисходúтельность; терпúмость; Declaration of I. *ист.* деклара́ция религиóзной терпúмости (*в Англии в 1672 г.*) 4) *церк.* индульгéнция, отпущéние грехóв 5) привилéгия, мúлость 6) *ком.* отсрóчка платежá

indulgent [ɪn'dʌldʒənt] *a* 1) потвóрствующий; ~ parents родúтели, балýющие своúх детéй 2) снисходúтельный; терпúмый

indulgently [ɪn'dʌldʒəntlɪ] *adv* снисходúтельно; мúлостиво

indumentum [,ɪndjʊ'mentəm] *n* 1) оперéние 2) волосянóй покрóв

indurate ['ɪndjʊreɪt] *v* 1) дéлать(ся) твёрдым, отвердевáть 2) дéлать(ся) бесчýвственным, чёрствым

induration [,ɪndjʊ'reɪʃn] *n* 1) отвердéние, затвердéние 2) чёрствость, ожесточéние

industrial [ɪn'dʌstrɪəl] **1.** *a* 1) промы́шленный, индустриáльный; ~ goods промы́шленные издéлия; ~ classes промы́шленные рабóчие; ~ area промы́шленный райóн; ~ relations отношéния, возникáющие в процéссе производства; the ~ revolution промы́шленная революция 2) произвóдственный; ~ union *амер.* произвóдственный профсою́з; ~ accident несчáстный слýчай на произвóдстве; ~ sanitation фабрúчно-заводскáя санитарúя; ~ school а) ремéсленное учúлище; б) ремéсленная шкóла для беспризóрных детéй *или* правонарушúтелей 3) употребля́емый для промы́шленных цéлей, техни́ческий; ~ crops *с.-х.* техни́ческие культýры; ~ plant техни́ческое растéние; ~ wood пиломатериáлы; ~ tractor трáктор-тягáч ◇ ~ action забастóвочное движéние; забастóвка

2. *n* 1) промы́шленный рабóчий 2) промы́шленник 3) *pl* áкции промы́шленных предприя́тий

industrialist [ɪn'dʌstrɪəlɪst] *n* промы́шленник, предпринимáтель; фабрикáнт

industrialization [ɪn,dʌstrɪəlaɪ'zeɪʃn] *n* индустриализáция

industrially [ɪn'dʌstrɪəlɪ] *adv* 1) в промы́шленном отношéнии; с индустриáльной тóчки зрéния 2) промы́шленным путём

industrious [ɪn'dʌstrɪəs] *a* трудолюбúвый, усéрдный, прилéжный

industry ['ɪndəstrɪ] *n* 1) óтрасль промы́шленности 2) промы́шленность, индýстрия; home ~ а) отéчественная промы́шленность; б) кустáрный прóмысел; large-scale ~ крýпная промы́шленность 3) трудолю́бие, прилежáние, усéрдие 4) *разг.* изучéние (*вопроса*), рабóта (*над темой*)

indwell [ɪn'dwel] *v* (indwelt) *книжн.* 1) постоя́нно пребывáть, не покидáть, не оставля́ть (*о мыслях и т. п.*) 2) проживáть, населя́ть

indwelling [ɪn'dwelɪŋ] *книжн.* **1.** *pres. p. от* indwell

2. *n* пребывáние (*где-л.*)

3. *a* живýщий; постоя́нно пребывáющий

indwelt [ɪn'dwelt] *past и p. p. от* indwell

inearth [ɪn'ɜ:θ] *v поэт.* зарывáть в зéмлю, хоронúть

inebriate 1. *n* [ɪ'ni:brɪət] пья́ница, алкогóлик

2. *a* [ɪ'ni:brɪɪt] пья́ный, опьянéвший

3. *v* [ɪ'ni:brɪeɪt] опьянять (*тж. перен.*)

inebriation [ɪ,ni:brɪ'eɪʃn] *n* опьянéние

inebriety [,ɪni:'braɪətɪ] *n* 1) опьянéние 2) алкоголúзм

inedibility [ɪn,edə'bɪlətɪ] *n* несъедóбность

inedible [ɪn'edəbl] *a* несъедóбный; ~ fat *тех.* техни́ческий жир

inedited [ɪn'edɪtɪd] *a* 1) неопубликóванный 2) неотредактúрованный

ineducable [ɪn'edjʊkəbl] *a* не поддающийся обучéнию *или* дрессирóвке

ineffable [ɪn'efəbl] *a* невыразúмый, несказáнный; ~ joy несказáнная рáдость

ineffaceable [,ɪnɪ'feɪsəbl] *a* неизгладúмый

ineffective [,ɪnɪ'fektɪv] *a* 1) безрезультáтный, напрáсный, неэффектúвный 2) неспосóбный, неумéлый 3) невыразúтельный, невпечатля́ющий (*о произведениях искусства*)

ineffectual [,ɪnɪ'fektʃʊəl] *a* 1) безрезультáтный, бесплóдный; неудáчный 2) слáбый, невáжный; ~ teacher плохóй преподавáтель

inefficacious [,ɪnefɪ'keɪʃəs] *a* недействúтельный, неэффектúвный

inefficiency [,ɪnɪ'fɪʃnsɪ] *n* 1) неспосóбность, неумéлость 2) неэффектúвность, недéйственность

inefficient [,ɪnɪ'fɪʃnt] *a* 1) плóхо дéйствующий, неэффектúвный; непроизводúтельный 2) неспосóбный, неумéлый

inelaborate [,ɪnɪ'læbərət] *a* незамысловáтый, простóй, незатéйливый

inelastic [,ɪnɪ'læstɪk] *a* неэластúчный, негúбкий; ~ timetable жёсткое расписáние

inelasticity [,ɪnɪlæ'stɪsətɪ] *n* неэластúчность, негúбкость

inelegance [ɪn'elɪgəns] *n* неэлегáнтность *и пр.* [*см.* inelegant]

inelegant [ɪn'elɪgənt] *a* 1) неэлегáнтный, неизя́щный; безвкýсный 2) неотдéланный (*о стиле*)

ineligible [ɪn'elɪdʒəbl] *a* 1) не могýщий быть úзбранным (*на какой-л. пост*) 2) нежелáтельный (*о женихе или невесте*) 3) неподходя́щий, негóдный (*особ. для военной службы*)

ineluctable [,ɪnɪ'lʌktəbl] *a* неизбéжный, неотвратúмый

inept [ɪ'nept] *a* 1) неспосóбный 2) глýпый 3) неподходя́щий, неумéстный 4) *юр.* недействúтельный

ineptitude [ɪ'neptɪtju:d] *n* 1) неспосóбность, неумéлость 2) глýпость 3) неумéстность

inequality [,ɪnɪ'kwɒlətɪ] *n* 1) нерáвенство; рáзница 2) неодинáковость; разлúчие; несхóдство 3) измéнчивость, непостоя́нство 4) (*обыкн. pl*) нерóвность (*поверхности*) 5) *мат.* нерáвенство

inequilateral [ɪn,i:kwɪ'lætrəl] *a* неравносторóнний

inequitable [ɪn'ekwɪtəbl] *a* несправедлúвый, пристрáстный

inequity [ɪn'ekwətɪ] *n* несправедлúвость

ineradicable [,ɪnɪ'rædɪkəbl] *a* неискоренúмый

inerrancy [ɪn'erənsɪ] *n книжн.* непогрешúмость

inerrant [ɪn'erənt] *a книжн.* непогрешúмый, безгрéшный

inert [ɪ'nɜ:t] *a* 1) инéртный, неактúвный; нейтрáльный 2) бездéятельный, вя́лый; кóсный

inertia [ɪ'nɜ:ʃə] *n* 1) *физ.* инéрция; сúла инéрции 2) инéртность, вя́лость; кóсность 3) *attr.*: ~ selling посы́лка незакáзанного товáра в надéжде, что получáтель егó не вернёт

inertness [ɪ'nɜ:tnəs] *n* инéртность

inescapable [,ɪnɪ'skeɪpəbl] *a* неизбéжный, неотвратúмый

inessential [,ɪnɪ'senʃl] *a* несущéственный; невáжный

inessentials [,ɪnɪ'senʃlz] *n pl* то, что не явля́ется предмéтом пéрвой необходúмости; предмéты рóскоши

inestimable [ɪn'estɪməbl] *a* не поддающийся оцéнке; неоценúмый, бесцéнный

inevitability [ɪn,evɪtə'bɪlətɪ] *n* неизбéжность

inevitable [ɪn'evɪtəbl] *a* 1) неизбéжный, неминýемый 2) *разг.* неизмéнный; tourists with their ~ cameras турúсты со своúми неизмéнными фотоаппарáтами

inexact [,ɪnɪg'zækt] *a* нетóчный

inexactitude [,ɪnɪg'zæktɪtju:d] *n* нетóчность ◇ terminological ~s *эвф.* ложь

inexcusable [,ɪnɪk'skju:zəbl] *a* непростúтельный, непозволúтельный

inexhaustibility [,ɪnɪgzɔ:stə'bɪlətɪ] *n* неистощúмость *и пр.* [*см.* inexhaustible]

inexhaustible [,ɪnɪg'zɔ:stəbl] *a* 1) неистощúмый, неисчерпáемый; ~ fertility неистощúмое плодорóдие (*почвы*) 2) неутомúмый

inexorable [ɪn'eksərəbl] *a* неумоли́мый, безжа́лостный; непрекло́нный; непоколеби́мый

inexpediency [,ɪnɪk'spi:dɪənsɪ] *n* нецелесообра́зность; неблагоразу́мие

inexpedient [,ɪnɪk'spi:dɪənt] *a* нецелесообра́зный; неблагоразу́мный

inexpensive [,ɪnɪk'spensɪv] *a* недорого́й, дешёвый

inexperience [,ɪnɪk'spɪərɪəns] *n* нео́пытность

inexpert [ɪn'ekspɜ:t] *a* 1) неиску́сный, неуме́лый 2) нео́пытный, несве́дущий

inexpiable [ɪn'ekspɪəbl] *a* 1) неискупи́мый 2) неумоли́мый

inexplicable [,ɪnɪk'splɪkəbl] *a* необъясни́мый; непоня́тный

inexplicit [,ɪnɪk'splɪsɪt] *a* неопределённый, нея́сно вы́раженный, непоня́тный

inexpressible [,ɪnɪk'spresəbl] **1.** *a* невырази́мый; неопису́емый

2. *n pl шутл.* штаны́

inexpressive [,ɪnɪk'spresɪv] *a* невырази́тельный

inexpugnable [,ɪnɪks'pʌgnəbl] *a книжн.* непристу́пный; неодоли́мый

in extenso [,ɪnek'stensəʊ] *лат. adv* по́лностью, в несокращённом ви́де

inextinguishable [,ɪnɪk'stɪŋgwɪʃəbl] *a* неугаси́мый; неукрати́мый; непрекраща́ющийся; ~ laughter безу́держный смех

in extremis [,ɪnek'stri:mɪs] *лат. adv* 1) в моме́нт сме́рти 2) в кра́йнем слу́чае

inextricable [,ɪnɪk'strɪkəbl] *a* 1) неразреши́мый; безвы́ходный; ~ difficulties непреодоли́мые тру́дности 2) не могу́щий быть распу́танным; сло́жный, запу́танный; ~ connection неразры́вная связь

infallibility [ɪn,fælə'bɪlətɪ] *n* непогреши́мость *и пр.* [*см.* infallible]

infallible [ɪn'fæləbl] *a* 1) безоши́бочный; непогреши́мый; none of us is ~ всем нам сво́йственно ошиба́ться 2) надёжный, ве́рный

infamous ['ɪnfəməs] *a* 1) име́ющий дурну́ю репута́цию; по́льзующийся дурно́й сла́вой 2) позо́рный; посты́дный, бесче́стный; ~ conduct а) посты́дное поведе́ние; б) наруше́ние профессиона́льной э́тики (*особ. врачом*); ~ lie ни́зкая ложь 3) *разг.* скве́рный, па́костный 4) *юр.* лишённый гражда́нских прав вслéдствие совершённого преступле́ния

infamy ['ɪnfəmɪ] *n* 1) бесче́стье, позо́р; дурна́я сла́ва; to hold smb. up to ~ опозо́рить кого́-л. 2) посты́дное, бесче́стное поведе́ние 3) ни́зость, по́длость 4) *юр.* лише́ние гражда́нских прав вслéдствие совершённого преступле́ния

infancy ['ɪnfənsɪ] *n* 1) ра́ннее де́тство, младе́нчество 2) ра́нняя ста́дия разви́тия; пери́од становле́ния; in the ~ of mankind на заре́ челове́чества 3) *юр.* несовершенноле́тие

infant ['ɪnfənt] **1.** *n* 1) младе́нец, ребёнок 2) *юр.* несовершенноле́тний (*моложе 18 лет в Англии; моложе 21 года в США*)

2. *a* 1) де́тский 2) нача́льный, зача́точный; зарожда́ющийся; ~ industry но́вая о́трасль промы́шленности

infanta [ɪn'fæntə] *n ист.* инфа́нта

infante [ɪn'fæntɪ] *n ист.* инфа́нт

infanticide [ɪn'fæntɪsaɪd] *n* детоуби́йство, *особ.* уби́йство новорождённого

infantile, infantine ['ɪnfəntaɪl, -taɪn] *a* 1) младе́нческий, инфанти́льный; ~ sickness де́тская боле́знь; infantile paralysis *мед.* полиомиели́т, де́тский парали́ч 2) нача́льный; в пе́рвой ста́дии

infantry ['ɪnfəntrɪ] *n* 1) пехо́та 2) *attr.* пехо́тный

infantryman ['ɪnfəntrɪmən] *n* пехоти́нец

infant school ['ɪnfəntsku:l] *n* шко́ла для малыше́й (*от 5 до 7 лет; государственная; существует самостоятельно или в составе общей начальной школы*)

infarct ['ɪnfɑ:kt] *n* инфа́ркт

infatuate [ɪn'fætjʊeɪt] *v* вскружи́ть го́лову, свести́ с ума́; внуши́ть безрассу́дную страсть

infatuated [ɪn'fætjʊeɪtɪd] **1.** *p. p. от* infatuate

2. *a* ослеплённый, влюблённый до безу́мия; поглупе́вший от любви́

infatuation [ɪn,fætjʊ'eɪʃn] *n* 1) слепо́е увлече́ние 2) стра́стная влюблённость; безрассу́дная страсть (for)

infect [ɪn'fekt] *v* заража́ть (*тж. перен.*)

infection [ɪn'fekʃn] *n* 1) зараже́ние, инфе́кция; зара́за 2) зарази́тельность 3) па́губное, разлага́ющее влия́ние

infectious [ɪn'fekʃəs] *a* 1) инфекцио́нный, зара́зный 2) зарази́тельный; ~ laughter зарази́тельный смех

infective [ɪn'fektɪv] = infectious; ~ matter зара́зное нача́ло

infelicitous [,ɪnfə'lɪsɪtəs] *a* 1) неуда́чный, неуме́стный; ~ remark неуме́стное замеча́ние 2) несчастли́вый, несча́стный

infelicity [,ɪnfə'lɪsətɪ] *n* 1) неуда́чное выраже́ние, неуме́стное замеча́ние; the infelicities of style стилисти́ческие погре́шности 2) несча́стье, неуда́ча

infer [ɪn'fɜ:] *v* 1) заключа́ть, де́лать заключе́ние, вы́вод 2) означа́ть, подразумева́ть

inferable [ɪn'fɜ:rəbl] *a* возмо́жный в ка́честве вы́вода, заключе́ния

inference ['ɪnfrəns] *n* 1) вы́вод, заключе́ние 2) подразумева́емое; предположе́ние; a mere ~ всего́ лишь предположе́ние

inferential [,ɪnfə'renʃl] *a* вы́веденный *или* полу́ченный путём выведе́ния

inferior [ɪn'fɪərɪə] **1.** *n* подчинённый; мла́дший по чи́ну; стоя́щий ни́же (*по развитию, уму и т. п.*); your ~s ва́ши подчинённые

2. *a* 1) ни́зший (*по положению, чину*; to) 2) ху́дший (*по качеству*); плохо́й; of ~ quality плохо́го ка́чества; to be ~ to smb. уступа́ть кому́-л. (*в чём-л.*) 3) ни́жний, располо́женный ни́же 4) *полигр.* подстро́чный

inferiority [ɪn,fɪərɪ'ɒrətɪ] *n* 1) бо́лее ни́зкое положе́ние, досто́инство, ка́чество; his ~ in conversation его́ неуме́ние подде́рживать разгово́р 2) *attr.*: ~ complex *психол.* ко́мплекс неполноце́нности

infernal [ɪn'fɜ:nl] *a* 1) а́дский 2) дья́вольский, бесчелове́чный 3) *разг.* прокля́тый, чёртов

inferno [ɪn'fɜ:nəʊ] *n* (*pl* -os [-əʊz]) ад

inferrable [ɪn'fɜ:rəbl] = inferable

infertile [ɪn'fɜ:taɪl] *a* неплодоро́дный; беспло́дный

infertility [,ɪnfə'tɪlətɪ] *n* неплодоро́дие; беспло́дие

infest [ɪn'fest] *v* кише́ть; наводня́ть

infestation [,ɪnfe'steɪʃn] *n* инва́зия (*заражение паразитами*)

infidel ['ɪnfɪdl] **1.** *n* 1) атеи́ст, неве́рующий 2) язы́чник; неве́рный

2. *a* 1) язы́ческий; неве́рный 2) неве́рующий

infidelity [,ɪnfɪ'delətɪ] *n* 1) неве́рность (*особ.* супру́жеская) 2) неве́рие; безбо́жие; атеи́зм; язы́чество

infield ['ɪnfi:ld] *n* 1) часть по́ля у воро́т (*в крикете*) 2) земля́, прилега́ющая к уса́дьбе 3) па́хотная земля́, обраба́тываемая земля́

infighting ['ɪnfaɪtɪŋ] *n* 1) скры́тая *или* вну́тренняя борьба́ 2) бой с бли́жней диста́нции (*в боксе*)

infiltrate ['ɪnfɪltreɪt] *n* 1) проника́ть в тыл проти́вника; внедря́ться (*в какую-л. организацию*) 2) пропуска́ть (*жидкость*) че́рез фильтр; фильтрова́ть 3) проса́чиваться; проника́ть (*тж. перен.*)

infiltration [,ɪnfɪl'treɪʃn] *n* 1) проникнове́ние в тыл проти́вника; внедре́ние (*в какую-л. организацию*) 2) инфильтра́ция; проса́чивание, проникнове́ние (*тж. перен*) 3) *хим.* фильтра́т 4) *мед.* инфильтра́т

infiltree [,ɪnfɪl'tri:] *n* наруши́тель грани́цы

infinite ['ɪnfɪnət] **1.** *n* 1) (the I.) Бог 2) (the ~) бесконе́чность, бесконе́чное простра́нство 3) *разг.* ма́сса, мно́жество

2. *a* 1) бесконе́чный, безграни́чный; о́чень большо́й; ~ series *мат.* бесконе́чный ряд; ~ space бесконе́чное простра́нство 2) (*с сущ. во мн. ч.*) несме́тный, бесчи́сленный 3) *грам.* нели́чный

infinitesimal [,ɪnfɪnɪ'tesɪml] *мат.* **1.** *n* бесконе́чно ма́лая величина́

2. *a* бесконе́чно ма́лый

infinitival [ɪn,fɪnɪ'taɪvl] *a грам.* инфинити́вный, относя́щийся к неопределённой фо́рме глаго́ла

infinitive [ɪn'fɪnətɪv] *грам.* **1.** *n* инфинити́в, неопределённая фо́рма глаго́ла

2. *a* инфинити́вный, неопределённый

infinitude [ɪn'fɪnɪtju:d] *n книжн.* 1) бесконе́чность 2) бесконе́чно большо́е число́, коли́чество (of)

infinity [ɪn'fɪnətɪ] *n* бесконе́чность; безграни́чность

infirm [ɪn'fɜ:m] *a* 1) не́мощный, дря́хлый 2) слабово́льный, слабохара́ктерный; нереши́тельный; ~ of purpose нереши́тельный; нецелеустремлённый 3) неусто́йчивый

infirmary [ɪn'fɜːmərɪ] *n* изоля́тор; лазаре́т

infirmity [ɪn'fɜːmətɪ] *n* 1) не́мощь, дря́хлость 2) физи́ческий *или* мора́льный недоста́ток 3) слабохара́ктерность; ~ of purpose нереши́тельность, сла́бость во́ли

infix ['ɪnfɪks] 1. *n грам.* и́нфикс
2. *v* 1) вста́вить, укрепи́ть (in — в *чём-л.*) 2) внуша́ть (*мысли, идеи*)

inflame [ɪn'fleɪm] *v* 1) взволнова́ть(ся); возбуди́ть(ся) 2) *мед.* воспаля́ть(ся) 3) *мед.* вызыва́ть воспале́ние 4) воспламеня́ться, вспы́хивать, загора́ться

inflammability [ɪn,flæmə'bɪlətɪ] *n* 1) воспламеня́емость 2) возбуди́мость

inflammable [ɪn'flæməbl] 1. *a* 1) легко́ воспламеня́ющийся; горю́чий; highly ~ огнеопа́сный; ~ mixture горю́чая смесь 2) легко́ возбуди́мый, вспы́льчивый
2. *n* горю́чее вещество́

inflammation [,ɪnflə'meɪʃn] *n* 1) воспламене́ние 2) *мед.* воспале́ние

inflammatory [ɪn'flæmətərɪ] *a* 1) возбужда́ющий; подстрека́тельский 2) *мед.* воспали́тельный

inflatable [ɪn'fleɪtəbl] *a* надувно́й

inflate [ɪn'fleɪt] *v* 1) надува́ть, наполня́ть га́зом, во́здухом; нака́чивать 2) надува́ться (*от важности*; with) 3) *эк.* вызыва́ть инфля́цию 4) взви́нчивать, вздува́ть (*цены*)

inflated [ɪn'fleɪtɪd] 1. *p. p. от* inflate
2. *a* наду́тый, напы́щенный; ~ style напы́щенный сти́ль

inflation [ɪn'fleɪʃn] *n* 1) надува́ние, наполне́ние во́здухом, га́зом 2) *эк.* инфля́ция 3) взду́тие, взду́тость; ~ of dough подъём те́ста

inflationary [ɪn'fleɪʃnərɪ] *a эк.* инфляцио́нный

inflect [ɪn'flekt] *v* 1) *муз.* модули́ровать (*о голосе*) 2) *грам.* изменя́ть оконча́ние сло́ва 3) сгиба́ть, гнуть; вогну́ть 4) *физ.* отклоня́ть (*луч света*)

inflection [ɪn'flekʃn] *n* 1) сгиба́ние; изги́б 2) *грам.* фле́ксия; измене́ние фо́рмы сло́ва 3) модуля́ция, интона́ция

inflective [ɪn'flektɪv] *a грам.* изменя́емый, склоня́емый, спряга́емый

inflexibility [ɪn,fleksə'bɪlətɪ] *n* 1) неги́бкость; жёсткость; несгиба́емость 2) непреклóнность, непоколеби́мость

inflexible [ɪn'fleksəbl] *a* 1) неги́бкий, негну́щийся, несгиба́емый 2) непрекло́нный, непоколеби́мый; ~ will непрекло́нная во́ля; ~ courage несгиба́емое му́жество

inflexion [ɪn'flekʃn] = inflection

inflexional [ɪn'flekʃnl] *a лингв.* флекти́вный (*о языке*)

inflict [ɪn'flɪkt] *v* 1) наноси́ть (*удар, рану*; upon); причиня́ть (*боль, страдание, убыток*; on, upon) 2) налага́ть (*наказание*; on, upon) 3) навя́зывать; to ~ oneself (*или* one's company) upon навяза́ться

infliction [ɪn'flɪkʃn] *n* 1) причине́ние (*страдания*) 2) наложе́ние (*наказания*) 3) наказа́ние 4) страда́ние; огорче́ние

in-flight [,ɪn'flaɪt] *a* происходя́щий в во́здухе; ~ refuelling *ав.* дозапра́вка в во́здухе

inflorescence [,ɪnflə'resns] *n бот.* 1) цветорасположе́ние 2) соцве́тие, цвете́ние

inflow ['ɪnfləʊ] *n* 1) впаде́ние; втека́ние 2) прито́к; наплы́в

influence ['ɪnfluəns] 1. *n* 1) влия́ние, де́йствие, возде́йствие (on, upon, over — на); a person of ~ влия́тельное лицо́; to exercise one's ~ пусти́ть в ход своё влия́ние; under the ~ of smth. под влия́нием чего́-л. 2) лицо́, фа́ктор, ока́зывающие влия́ние; environment is an ~ on character среда́ влия́ет на формирова́ние хара́ктера; to have ~ with быть авторите́том для, ока́зывать влия́ние на; I have little ~ with him я для него́ не авторите́т
2. *v* ока́зывать влия́ние, влия́ть

influent ['ɪnfluənt] 1. *n* прито́к
2. *a* втека́ющий, впада́ющий

influential [,ɪnflʊ'enʃl] *a* влия́тельный, ва́жный; considerations ~ in reaching an agreement соображе́ния, ва́жные для достиже́ния соглаше́ния

influenza [,ɪnflʊ'enzə] *n мед.* инфлюэ́нца, грипп

influx ['ɪnflʌks] *n* 1) наплы́в (*туристов и т. п.*) 2) втека́ние, впаде́ние (*притока в реку*)

info ['ɪnfəʊ] *разг.* = information

inform [ɪn'fɔːm] *v* 1) сообща́ть, информи́ровать, уведомля́ть (of, about, on) 2) доноси́ть (against — на *кого-л.*) 3) *книжн.* наполня́ть (*чувством и т. п.*); одушевля́ть; ~ed with life по́лный жи́зни

informal [ɪn'fɔːml] *a* 1) неофициа́льный; неформа́льный; без соблюде́ния форма́льностей; ~ visit неофициа́льный визи́т; ~ dress повседне́вная оде́жда 2) непринуждённый

informality [,ɪnfɔː'mælətɪ] *n* 1) несоблюде́ние устано́вленных форма́льностей, отступле́ние от фо́рмы 2) отсу́тствие церемо́ний

informant [ɪn'fɔːmənt] *n* 1) осведоми́тель; доно́счик 2) информа́нт, носи́тель языка́

informatics [,ɪnfə'mætɪks] *n pl* (*употр. как sing*) информа́тика

information [,ɪnfə'meɪʃn] *n* 1) информа́ция, сообще́ния, све́дения (on, about); "Information" «Спра́вки» (*вывеска*); to turn in ~ дать све́дения, информа́цию 2) зна́ния, осведомлённость; a mine of ~ кла́дезь зна́ний; ходя́чая энциклопе́дия 3) обвине́ние, жа́лоба (*поданные в суд*; against); to lay ~ against smb. пода́ть жа́лобу в суд на кого́-л. 4) *attr.*: ~ officer *воен.* офице́р по информа́ции; ~ agency *воен.* о́рган разве́дки; ~ desk спра́вочный стол; ~ theory тео́рия информа́ции

informative [ɪn'fɔːmətɪv] *a* информацио́нный, информи́рующий; информати́вный, поучи́тельный; содержа́щий информа́цию; ~ book содержа́тельная кни́га

informed [ɪn'fɔːmd] 1. *p. p. от* inform
2. *a* 1) осведомлённый; please keep me ~ пожа́луйста, держи́те меня́ в ку́рсе де́ла 2) зна́ющий, образо́ванный

informer [ɪn'fɔːmə] *n* 1) осведоми́тель, доно́счик 2) информа́тор

info(r)mercial [,ɪnfə'mɜːʃl] *n* коро́ткий рекла́мный телевизио́нный фильм (*обыкн. по кабельному телевидению*)

infra ['ɪnfrə] *лат. adv* ни́же; see ~ ch. VII смотри́ ни́же VII главу́

infra- [ɪnfrə-] *pref* ниже-, под-; инфра-

infraction [ɪn'frækʃn] *n* наруше́ние (*правила, закона и т. п.*)

infra dig [,ɪnfrə'dɪg] *a predic.* (*сокр. от лат.* infra dignitatem) *разг.* ни́же (*чьего-л.*) досто́инства; унизи́тельный; недосто́йный

infrangible [ɪn'frændʒəbl] *a* 1) неразложи́мый; недели́мый 2) неруши́мый; ненаруши́мый

infrared [,ɪnfrə'red] *a физ.* инфракра́сный; ~ rays инфракра́сные лучи́

infrastructure ['ɪnfrə,strʌktʃə] *n* инфраструкту́ра

infrequent [ɪn'friːkwənt] *a* не ча́сто случа́ющийся, ре́дкий

infringe [ɪn'frɪndʒ] *v* 1) наруша́ть (*закон, обещание, авторское право и т. п.*) 2) посяга́ть (*на чьи-л. права и т. п.*; on, upon)

infringement [ɪn'frɪndʒmənt] *n* 1) наруше́ние (*закона, обещания, авторского права и т. п.*) 2) посяга́тельство (*на права, свободу и т. п.*; on, upon)

infundibular [,ɪnfʌn'dɪbjʊlə] *a* воронкообра́зный

infuriate [ɪn'fjʊərɪeɪt] *v* приводи́ть в я́рость, бе́шенство; разъяря́ть

infuse [ɪn'fjuːz] *v* 1) вселя́ть, возбужда́ть (*чувство и т. п.*); придава́ть (*храбрость и т. п.*); to ~ with hope вселя́ть наде́жду 2) зава́ривать, наста́ивать (*чай, травы*) 3) влива́ть (into) 4) наста́иваться (*о чае и т. п.*)

infusible [ɪn'fjuːzəbl] *a спец.* непла́вкий, тугопла́вкий

infusion [ɪn'fjuːʒn] *n* 1) насто́й, насто́йка; наста́ивание 2) (внутриве́нное) влива́ние 3) внуше́ние (*надежды*); прида́ние (*храбрости*) 4) при́месь

infusoria [,ɪnfjʊ'zɔːrɪə] *n pl зоол.* инфузо́рии

infusorial earth [ɪnfjʊ,zɔːrɪəl'ɜːθ] *n спец.* кизельгу́р

ingathering ['ɪn,gæðərɪŋ] *n* сбор (*особ. урожая*)

ingeminate [ɪn'dʒemɪneɪt] *v книжн.* повторя́ть, тверди́ть

ingenious [ɪn'dʒiːnɪəs] *a* 1) изобрета́тельный, иску́сный; ~ structure замыслова́тая констру́кция 2) остро́умный, оригина́льный (*об ответе и т. п.*)

ingénue ['ænʒeɪnjuː] *фр. n театр.* инженю́

ingenuity [ˌɪndʒəˈnju:ətɪ] *n* изобретáтельность, искýсность, мастерствó; the ~ of man человéческая изобретáтельность

ingenuous [ɪnˈdʒenjʊəs] *a* бесхи́тростный; простодýшный

ingest [ɪnˈdʒest] *v* 1) *спец.* глотáть, проглáтывать 2) впи́тывать (*знания*), усвáивать

inglenook [ˈɪŋglnʊk] *n* местéчко у огня́,ками́на

inglorious [ɪnˈglɔ:rɪəs] *a* 1) бесслáвный, позóрный, посты́дный 2) без(ыз)вéстный; незамéтный

ingoing [ˌɪnˈgəʊɪŋ] *a* входя́щий; вновь прибывáющий; the ~ Administration нóвое прави́тельство; ~ tenant нóвый жилéц

ingot [ˈɪŋgət] *n* сли́ток, болвáнка; чýшка; брусóк метáлла; gold ~ сли́ток зóлота

ingraft [ɪnˈgrɑ:ft] = engraft

ingrain [ˌɪnˈgreɪn] *a* 1) окрáшенный в пря́же, волокнé 2) = ingrained 1)

ingrained [ˌɪnˈgreɪnd] *a* 1) прóчно укорени́вшийся, застарéлый; закоренéлый 2) проникáющий, пропи́тывающий; ~ dirt въéвшаяся грязь 3) *геол.* вкрáпленный

ingratiate [ɪnˈgreɪʃɪeɪt] *v refl.* снискáть (*чьё-л.*) расположéние; to ~ oneself with smb. втерéться к комý-л. в довéрие

ingratiating [ɪnˈgreɪʃɪeɪtɪŋ] *a* льсти́вый, заи́скивающий; ~ smile заи́скивающая улы́бка

ingratiatingly [ɪnˈgreɪʃɪeɪtɪŋlɪ] *adv* заи́скивающе; льсти́во

ingratitude [ɪnˈgrætɪtju:d] *n* неблагодáрность

ingravescent [ˌɪŋgrəˈvesnt] *a мед.* постепéнно ухудшáющийся (*о болезни*)

ingredient [ɪnˈgri:dɪənt] *n* составня́я часть, ингредиéнт

ingress [ˈɪngres] *n* 1) вход, дóступ 2) прáво вхóда

in-group [ˈɪngru:p] *n* ýзкий круг заинтересóванных лиц

ingrowing [ˌɪnˈgrəʊɪŋ] *a* врастáющий

ingrowth [ˌɪnˈgrəʊθ] *n* врастáние внутрь

inguinal [ˈɪŋgwɪnl] *a анат.* паховóй, пáховый

ingulf [ɪnˈgʌlf] = engulf

ingurgitate [ɪnˈgɜ:dʒɪteɪt] *v* жáдно глотáть; *перен.* поглощáть

inhabit [ɪnˈhæbɪt] *v* жить, обитáть, населя́ть

inhabitable [ɪnˈhæbɪtəbl] *a* пригóдный для жилья́

inhabitancy [ɪnˈhæbɪtnsɪ] *n* проживáние (*где-л.*; *особ. в течение срока, достаточного для получения известных прав*)

inhabitant [ɪnˈhæbɪtənt] *n* жи́тель, обитáтель

inhabitation [ɪnˌhæbɪˈteɪʃn] *n* 1) жи́тельство, проживáние 2) жили́ще, жильё; местожи́тельство

inhabited [ɪnˈhæbɪtɪd] *a* населённый; ~ locality населённый пункт

inhalation [ˌɪnhəˈleɪʃn] *n* 1) вдыхáние 2) *мед.* ингаля́ция

inhale [ɪnˈheɪl] *v* 1) вдыхáть 2) затя́гиваться (*табачным дымом*)

inhaler [ɪnˈheɪlə] *n* 1) ингаля́тор 2) респирáтор; противогáз 3) воздýшный фильтр

inharmonic [ˌɪnhɑ:ˈmɒnɪk] *a* нарушáющий гармóнию

inharmonious [ˌɪnhɑ:ˈməʊnɪəs] *a* негармони́чный, нестрóйный, несогласóванный

inhere [ɪnˈhɪə] *v* 1) быть прису́щим (in) 2) принадлежáть, быть неотъéмлемым (*о правах и т. п.*; in)

inherence, -cy [ɪnˈherəns, -sɪ] *n* неотдели́мость, неотъéмлемость

inherent [ɪnˈherənt] *a* 1) прису́щий, неотъéмлемый 2) прирождённый, врождённый, свóйственный (in); an ~ sense of humour врождённое чýвство ю́мора

inherit [ɪnˈherɪt] *v* 1) наслéдовать, получи́ть в наслéдство 2) унаслéдовать, переня́ть 3) быть наслéдником

inheritable [ɪnˈherɪtəbl] *a* 1) наслéдственный 2) имéющий правá наслéдства

inheritance [ɪnˈherɪtəns] *n* 1) наслéдство; *перен. тж.* наслéдие 2) наслéдование; унаслéдование; by ~ по наслéдству 3) наслéдственность

inherited [ɪnˈherɪtɪd] *a* унаслéдованный; ~ quality врождённое кáчество

inheritor [ɪnˈherɪtə] *n* наслéдник

inheritress, inheritrix [ɪnˈherɪtrɪs, -trɪks] *n* наслéдница

inhesion [ɪnˈhi:ʒn] *n книжн.* прису́щность

inhibit [ɪnˈhɪbɪt] *v* 1) препя́тствовать, мешáть 2) сдéрживать, подавля́ть; тормози́ть; to ~ one's desire to do smth. подави́ть в себé желáние сдéлать что-л.; his presence ~s me егó присýтствие скóвывает меня́ 3) запрещáть (*делать что-л.*; from) 4) *церк.* лишáть прáва отправля́ть слýжбы (from)

inhibition [ˌɪnhɪˈbɪʃn] *n* 1) *психол.* задéржка, подавлéние, торможéние 2) сдéрживание, подавлéние (*чувств и т. п.*) 3) воспрещéние, запрещéние 4) *церк.* лишéние прáва отправлéния слýжбы

inhibitor [ɪnˈhɪbɪtə] *n* 1) *хим.* замедли́тель реáкции 2) *биол.* веществó, задéрживающее рост

inhibitory [ɪnˈhɪbɪtərɪ] *a* 1) *психол.* задéрживающий, подавля́ющий, тормозя́щий 2) препя́тствующий 3) запрещáющий, запрети́тельный

inhospitable [ˌɪnhɒˈspɪtəbl] *a* 1) негостеприи́мный 2) сурóвый; ~ coast сурóвый, неласковый бéрег

in-house [ˌɪnˈhaʊz] *a* внýтренний, внутривéдомственный, внутрифи́рменный

inhuman [ɪnˈhju:mən] *a* 1) бесчеловéчный, жестóкий, бесчýвственный 2) нечеловéческий, не свóйственный человéку

inhumane [ˌɪnhjʊˈmeɪn] *a* негумáнный; жестóкий

inhumanity [ˌɪnhjʊˈmænətɪ] *n* бесчеловéчность, жестóкость

inhumation [ˌɪnhjʊˈmeɪʃn] *n книжн.* предáние земле́, погребéние

inhume [ɪnˈhju:m] *v книжн.* предавáть земле́, погребáть

inimical [ɪˈnɪmɪkl] *a* 1) враждéбный, недружелю́бный (to) 2) неблагоприя́тный; ~ bacteria врéдные бактéрии

inimitable [ɪˈnɪmɪtəbl] *a* неподражáемый; несравнéнный; непревзойдённый

iniquitous [ɪˈnɪkwɪtəs] *a* ужасáюще несправедли́вый; чудóвищный

iniquity [ɪˈnɪkwətɪ] *n* беззакóние, зло; несправедли́вость; lost in ~ погря́зший в порóке

initial [ɪˈnɪʃl] **1.** *a* начáльный; первоначáльный; ~ cost первоначáльная стóимость; ~ expenditure предвари́тельные расхóды; ~ word аббревиатýра из начáльных букв (*напр.* UNO ООН)

2. *n* 1) начáльная бýква 2) *pl* инициáлы

3. *v* 1) (по)стáвить инициáлы 2) парафи́ровать (*в международном праве*); to ~ a document парафи́ровать докумéнт

initially [ɪˈnɪʃlɪ] *adv* сначáла, вначáле; в начáльной стáдии

initiate 1. *n* [ɪˈnɪʃɪət] лицó, при́нятое в óбщество (*организацию и т. п.*); лицó, посвящённое в тáйну (*таинство и т. п.*)

2. *a* [ɪˈnɪʃɪət] при́нятый (*в общество и т. п.*); посвящённый (*в тайну и т. п.*)

3. *v* [ɪˈnɪʃɪeɪt] 1) начáть, приступáть, положи́ть начáло; to ~ measures приступи́ть к проведéнию мероприя́тий 2) принимáть в члéны óбщества, клýба *и т. п.* (*обыкн.* into) 3) вводи́ть (*в должность и т. п.*; *обыкн.* in, into); знакóмить; посвящáть (*в тайну и т. п.*; *обыкн.* in, into)

initiation [ɪˌnɪʃɪˈeɪʃn] *n* 1) основáние, учреждéние 2) введéние (*в общество*; into); посвящéние (*в тайну*; in) 3) *attr.* вступи́тельный; ~ fee *амер.* вступи́тельный взнос (*в профсоюз, клуб*)

initiative [ɪˈnɪʃətɪv] **1.** *n* 1) почи́н; инициати́ва; on one's own ~ по сóбственной инициати́ве; to take the ~ прояви́ть инициати́ву 2) *юр.* прáво законодáтельной инициати́вы

2. *a* 1) начáльный; ввóдный 2) инициати́вный, сдéлавший почи́н, положи́вший начáло

initiatory [ɪˈnɪʃɪətrɪ] *a* 1) начáльный; ввóдный 2) относя́щийся к посвящéнию; ~ rite обря́д посвящéния

inject [ɪnˈdʒekt] *v* 1) впры́скивать, вводи́ть, впускáть (into) 2) *тех.* вбры́згивать; вдувáть 3) вставля́ть (*замечание и т. п.*)

injection [ɪnˈdʒekʃn] *n* 1) впры́скивание, инъéкция, вливáние 2) лекáрство для впры́скивания 3) *тех.* впрыск; вдувáние

injector [ɪnˈdʒektə] *n тех.* инжéктор; форсýнка

injudicious [ˌɪndʒʊˈdɪʃəs] *a* неблагоразýмный, необдýманный, несвоеврéменный

Injun ['ɪndʒən] *n амер. разг.* инде́ец ◇ honest ~! че́стное сло́во!
injunction [ɪn'dʒʌŋkʃn] *n* 1) предписа́ние, прика́з 2) *юр.* суде́бный запре́т
injurant ['ɪndʒʊrənt] *n* вещество́, вре́дное для органи́зма
injure ['ɪndʒə] *v* 1) ушиби́ть, ра́нить 2) испо́ртить, повреди́ть (*что-л.*); причини́ть уще́рб 3) оскорби́ть; оби́деть; to ~ smb.'s pride уни́зить кого́-л.
injured ['ɪndʒəd] 1. *p. p. от* injure
2. *a* 1) ра́неный, травми́рованный; повреждённый; the dead and the ~ уби́тые и ра́неные 2) оби́женный, оскорблённый; in an ~ voice с оби́дой в го́лосе
injurious [ɪn'dʒʊərɪəs] *a* 1) вре́дный; ~ to health вре́дный для здоро́вья 2) оскорби́тельный; клеветни́ческий 3) несправедли́вый
injury ['ɪndʒərɪ] *n* 1) ра́на, ушиб, тра́вма 2) вред, уще́рб; поврежде́ние, по́рча; to do smb. an ~ причиня́ть вред кому́-л. 3) *уст.* оскорбле́ние; оби́да
injustice [ɪn'dʒʌstɪs] *n* несправедли́вость; to do smb. an ~ быть несправедли́вым к кому́-л.
ink [ɪŋk] 1. *n* 1) черни́ла; to write in ~ писа́ть черни́лами 2) типогра́фская кра́ска (*тж.* printer's ~) 3) чёрная жи́дкость, выпуска́емая карака́тицей
2. *v* 1) ме́тить черни́лами (*обыкн.* in, over) 2) па́чкать черни́лами 3) покрыва́ть типогра́фской кра́ской
ink-bottle ['ɪŋk,bɒtl] *n* черни́льница
inker ['ɪŋkə] *n полигр.* ва́лик для нанесе́ния кра́ски
ink-eraser ['ɪŋkɪ,reɪzə] *n* черни́льный ла́стик
inkhorn ['ɪŋkhɔ:n] *n* 1) *ист.* черни́льница из ро́га 2) *attr.*: ~ term вы́чурное, зау́мное сло́во
inkle ['ɪŋkl] *n редк.* тесьма́, ле́нта (*для отделки*)
inkling ['ɪŋklɪŋ] *n* намёк (*на что-л.*), сла́бое представле́ние (*о чём-л.*); I have no ~ of what is happening я поня́тия не име́ю, что происхо́дит
ink-pad ['ɪŋkpæd] *n* штемпельная поду́шечка
ink-pencil ['ɪŋk,pensl] *n* хими́ческий (*или* черни́льный) каранда́ш
ink-pot ['ɪŋkpɒt] *n* черни́льница
ink-roller ['ɪŋk,rəʊlə] = inker
inkstand ['ɪŋkstænd] *n* пи́сьменный прибо́р; черни́льница
inkwell ['ɪŋkwel] *n* черни́льница (*в парте, в письменном приборе*)
inky ['ɪŋkɪ] *a* 1) черни́льный, цве́та черни́л; ~ darkness кроме́шная тьма 2) покры́тый черни́лами, в черни́лах; черни́льный
inlaid [,ɪn'leɪd] *past и p. p. от* inlay 2
inland 1. *n* ['ɪnlənd] вну́тренняя часть страны́; террито́рия, удалённая от мо́ря *или* грани́цы
2. *a* ['ɪnlənd] 1) располо́женный внутри́ страны́; удалённый от мо́ря *или* грани́цы 2) вну́тренний; ~ waters вну́тренние во́ды; ~ trade вну́тренняя торго́вля; ~ revenue вну́тренние бюдже́тные поступле́ния
3. *adv* [ɪn'lænd] 1) внутрь, вглубь 2) внутри́ страны́
inlander ['ɪnləndə] *n* жи́тель вну́тренних райо́нов страны́
in-laws ['ɪnlɔ:z] *n pl разг.* родня́ со стороны́ жены́ *или* му́жа
inlay 1. *n* ['ɪnleɪ] 1) инкруста́ция; моза́ичная рабо́та 2) *мед.* пло́мба
2. *v* [,ɪn'leɪ] (inlaid) 1) вкла́дывать, вставля́ть, выстила́ть; to ~ a floor настила́ть парке́т 2) покрыва́ть инкруста́цией, моза́икой
inlet ['ɪnlət] *n* 1) у́зкий, морско́й зали́в, фио́рд, небольша́я бу́хта 2) вста́вка (*в платье*) 3) *тех.* впуск, вход; входно́е *или* вво́дное отве́рстие 4) *эл.* ввод 5) *attr.* впускно́й; ~ pipe впускна́я труба́; ~ sluice впускно́й шлюз
inly ['ɪnlɪ] *adv поэт.* 1) вну́тренне; в се́рдце 2) глубоко́, и́скренне
inlying [,ɪn'laɪɪŋ] *a* лежа́щий внутри́, вну́тренний
inmate ['ɪnmeɪt] *n* 1) заключённый (*в тюрьме*), больно́й (*в госпитале*) *и т. п.* 2) жиле́ц, обита́тель
in memoriam [,ɪnmɪ'mɔ:rɪəm] *prep* в па́мять, па́мяти
inmost ['ɪnməʊst] *a* 1) лежа́щий глубоко́ внутри́ 2) глубоча́йший, са́мый сокрове́нный
inn [ɪn] *n* гости́ница, тракти́р; постоя́лый двор ◇ the Inns of Court четы́ре юриди́ческие корпора́ции, гото́вящие адвока́тов (the Inner Temple, the Middle Temple, Lincoln's Inn, Gray's Inn)
innards ['ɪnədz] *n pl разг.* вну́тренности (*особ. желудок и кишечник*)
innate [,ɪ'neɪt] *a* врождённый, приро́дный
innavigable [ɪ'nævɪgəbl] *a* несудохо́дный
inner ['ɪnə] *a* 1) вну́тренний 2) та́йный, сокрове́нный; ~ meaning скры́тый смысл; ~ life духо́вный мир ◇ the ~ man а) душа́, вну́треннее «я»; б) *шутл.* желу́док; to refresh one's ~ man замори́ть червячка́, пое́сть
innermost ['ɪnəməʊst] = inmost
inner tire ['ɪnətaɪə] *n* ка́мера (*автомобильная, велосипедная*)
inning ['ɪnɪŋ] *амер.* = innings
innings ['ɪnɪŋz] *n* (*pl без измен.*) 1) *спорт.* пода́ча, о́чередь пода́чи мяча́ (*в крикете, бейсболе*) 2) пери́од нахожде́ния у вла́сти (*политической партии, лица*) ◇ good ~ сча́стье, уда́ча; long ~ до́лгая жизнь; you had your ~ ва́ше вре́мя прошло́
innkeeper ['ɪn,ki:pə] *n* хозя́ин гости́ницы, постоя́лого двора́
innocence ['ɪnəsəns] *n* 1) неви́нность, чистота́ 2) невино́вность 3) простота́, простоду́шие, наи́вность 4) безвре́дность
innocent ['ɪnəsənt] 1. *n* 1) неви́нный младе́нец; massacre (*или* slaughter) of the ~s а) *библ.* избие́ние младе́нцев; б) *парл. sl.* отме́на обсужде́ния законопрое́ктов ввиду́ недоста́тка вре́мени 2) проста́к
2. *a* 1) неви́нный, чи́стый 2) невино́вный (of) 3) наи́вный, простоду́шный 4) безвре́дный; ~ amusements безоби́дные развлече́ния 5) *разг.* лишённый (*чего-л.*); windows ~ of glass о́кна без стёкол 6) *мед.* незлока́чественный, доброка́чественный (*о новообразовании*)
innocuous [ɪ'nɒkjʊəs] *a* безвре́дный; безоби́дный; ~ snake неядови́тая змея́; to render ~ а) обезвре́дить; б) выхола́щивать (*содержание*)
innominate [ɪ'nɒmɪnət] *a* безымя́нный, не име́ющий назва́ния
innovate ['ɪnəʊveɪt] *v* 1) вводи́ть но́вшества 2) производи́ть переме́ны (in)
innovation [,ɪnəʊ'veɪʃn] *n* нововведе́ние, но́вшество; нова́торство
innovator ['ɪnəveɪtə] *n* нова́тор; рационализа́тор
innovatory [,ɪnə'veɪtərɪ] *a* нова́торский; рационализа́торский
innoxious [ɪ'nɒkʃəs] = innocuous
innuendo [,ɪnjʊ'endəʊ] *n* (*pl* -oes [-əʊz]) ко́свенный намёк; инсинуа́ция
innumerable [ɪ'nju:mərəbl] *a* неисчисли́мый, бессчётный, бесчи́сленный
innutrition [,ɪnjʊ'trɪʃn] *n* недоста́ток пита́ния
inobservant [,ɪnəb'zɜ:vənt] *a* 1) невнима́тельный 2) наруша́ющий (*постановления, правила и т. п.*)
inoccupation ['ɪn,ɒkjʊ'peɪʃn] *n* неза́нятость, безде́лье
inoculate [ɪ'nɒkjʊleɪt] *v* 1) де́лать (предохрани́тельную) приви́вку 2) *бот.* привива́ть 3) привива́ть (*новые идеи и т. п.*)
inoculation [ɪ,nɒkjʊ'leɪʃn] *n* 1) приви́вка, инокуля́ция 2) *бот.* приви́вка глазко́м, окулиро́вка
inoculative [ɪ'nɒkjʊlətɪv] *a мед.* приви́вочный; ~ material приви́вочный материа́л
inoculum [ɪ'nɒkjʊləm] *n мед.* приви́вочный материа́л
inodorous [ɪn'əʊdərəs] *a* без за́паха, не име́ющий за́паха
inoffensive [,ɪnə'fensɪv] *a* 1) необи́дный 2) безоби́дный, безвре́дный
inofficious [,ɪnə'fɪʃəs] *a* 1) неде́йствующий 2) *юр.* противоре́чащий мора́льному до́лгу
inoperable [ɪn'ɒpərəbl] *a мед.* неопера́бельный
inoperative [ɪn'ɒpərətɪv] *a* 1) неде́йствующий; безде́ятельный 2) не име́ющий си́лы (*о законе*)
inopportune [ɪn'ɒpətju:n] *a* несвоевре́менный, неподходя́щий
inordinate [ɪn'ɔ:dɪnət] *a* 1) неуме́ренный; чрезме́рный 2) несде́ржанный 3) беспоря́дочный
inorganic [,ɪnɔ:'gænɪk] *a* 1) неоргани́ческий; ~ nutrition *бот.* минера́льное пита́ние 2) не явля́ющийся органи́ческой ча́стью (*чего-л.*), не свя́занный вну́тренне, чу́ждый
inornate [,ɪnɔ:'neɪt] *a* незамыслова́тый, просто́й

inosculate [ɪ'nɒskjʊleɪt] *v* 1) соедини́ть(ся), сраста́ться (*о кровено́сных сосу́дах;* with) 2) переплета́ть(ся), соедини́ть(ся) (*о волокна́х*)

inpatient ['ɪnpeɪʃnt] *n* стациона́рный больно́й; *разг.* лежа́чий больно́й

inpayments ['ɪn,peɪmənts] *n pl* поступле́ние извне́

in-plant training [,ɪnplɑ:nt'treɪnɪŋ] *n* повыше́ние квалифика́ции по ме́сту рабо́ты

in propria persona [ɪn,prəʊprɪəpз:'səʊnə] *лат. adv* со́бственной персо́ной, самоли́чно

input ['ɪnpʊt] *n вчт.* 1) входны́е да́нные; исхо́дные да́нные 2) вво́дное устро́йство 3) ввод (да́нных) 4) предоставле́ние сведе́ний, да́нных *и т. п.*

inquest ['ɪnkwest] *n юр.* дозна́ние, сле́дствие; grand ~ = grand jury [*см.* jury I, 1)]

inquietude [ɪn'kwaɪɪtju:d] *n* беспоко́йство

inquire [ɪn'kwaɪə] *v* 1) спра́шивать, узнава́ть 2) наводи́ть спра́вки, добива́ться сведе́ний; to ~ closely допы́тываться ▭ **~ about, ~ after, ~ for** осведомля́ться, спра́шивать о *ком-л.*, о *чём-л.*; **~ into** иссле́довать; разузнава́ть; выясня́ть, рассле́довать

inquiring [ɪn'kwaɪərɪŋ] *a* 1) вопроша́ющий; ~ look вопроша́ющий взгляд 2) любозна́тельный, пытли́вый

inquiry [ɪn'kwaɪrɪ] *n* 1) рассле́дование, сле́дствие; court of ~ *воен.* сле́дственная коми́ссия; to hold an ~ вести́ рассле́дование 2) вопро́с; запро́с; расспра́шивание; наведе́ние спра́вок; to make inquiries about smb., smth. наводи́ть спра́вки о ком-л., чём-л.; on ~ наведя́ спра́вки 3) иссле́дование 4) *ком.* спрос

inquiry agent [ɪn'kwaɪrɪ,eɪdʒənt] *n* ча́стный детекти́в

inquisition [,ɪŋkwɪ'zɪʃn] *n* 1) муче́ние, пы́тка 2) рассле́дование, сле́дствие 3) (the I.) *ист.* инквизи́ция

inquisitional [,ɪŋkwɪ'zɪʃnəl] *a* 1) сле́дственный 2) инквизицио́нный; инквизи́торский

inquisitive [ɪn'kwɪzətɪv] *a* 1) назо́йливо любопы́тный 2) пытли́вый, любозна́тельный

inquisitor [ɪn'kwɪzɪtə] *n* 1) суде́бный сле́дователь 2) *ист.* инквизи́тор

inquisitorial [ɪn,kwɪzə'tɔ:rɪəl] *a* 1) = inquisitional 2); 2) = inquisitive 1)

inroad ['ɪnrəʊd] *n* 1) (*ча́сто pl*) вторже́ние, посяга́тельство; to make ~s on smb.'s time посяга́ть на чьё-л. вре́мя 2) набе́г, наше́ствие

inrush ['ɪnrʌʃ] *n* 1) на́тиск, напо́р (*хлы́нувшей воды́*); an ~ of tourists наплы́в тури́стов 2) внеза́пный обва́л 3) внеза́пное вторже́ние

ins [ɪnz] *n pl:* ~ and outs *см.* in 3

insalivate [ɪn'sælɪveɪt] *v физиол.* сме́шивать (пи́щу) со слюно́й

insalubrious [,ɪnsə'lu:brɪəs] *a* нездоро́вый, вре́дный для здоро́вья (*о кли́мате, ме́стности*)

insalubrity [,ɪnsə'lu:brətɪ] *n* вре́дность (*для здоро́вья*)

insane [ɪn'seɪn] *a* 1) душевнобольно́й, ненорма́льный 2) *разг.* безу́мный, безрассу́дный

insanitary [ɪn'sænətərɪ] *a* антисанита́рный

insanity [ɪn'sænətɪ] *n* умопомеша́тельство; безу́мие

insatiability [ɪn,seɪʃə'bɪlətɪ] *n* ненасы́тность; жа́дность

insatiable [ɪn'seɪʃəbl] *a* ненасы́тный; жа́дный (of)

insatiate [ɪn'seɪʃɪət] *a* ненасы́тный

inscribe [ɪn'skraɪb] *v* 1) надпи́сывать, впи́сывать (in, on) 2) выреза́ть, начерта́ть на де́реве, ка́мне *и т. п.* (*и́мя, по́дпись*) 3) посвяща́ть (to — *кому́-л.*) 4) *геом.* впи́сывать (*фигу́ру*)

inscribed [ɪn'skraɪbd] *a фин.:* ~ stock именны́е *или* зарегистри́рованные це́нные бума́ги

inscription [ɪn'skrɪpʃn] *n* 1) на́дпись 2) кра́ткое посвяще́ние

inscriptive [ɪn'skrɪptɪv] *a* сде́ланный в ви́де на́дписи

inscrutability [ɪn,skru:tə'bɪlətɪ] *n* непостижи́мость, зага́дочность

inscrutable [ɪn'skru:təbl] *a* 1) непостижи́мый, зага́дочный; ~ smile зага́дочная улы́бка 2) непроница́емый; ~ face (*или* expression) непроница́емое выраже́ние лица́

insect ['ɪnsekt] *n* 1) насеко́мое 2) ничто́жество

insect-eater ['ɪnsekt,i:tə] *n* насекомоя́дное (*живо́тное или расте́ние*)

insecticide [ɪn'sektɪsaɪd] *n* сре́дство от насеко́мых, инсектици́д

insectivorous [,ɪnsek'tɪvərəs] *a зоол.* насекомоя́дный

insect-net ['ɪnsektnet] *n* сачо́к для ло́вли ба́бочек

insectology [,ɪnsek'tɒlədʒɪ] *n* прикладна́я энтомоло́гия

insect-powder ['ɪnsekt,paʊdə] *n* порошо́к от насеко́мых

insecure [,ɪnsɪ'kjʊə] *a* 1): ~ of неуве́ренный, сомнева́ющийся; ~ of the future неуве́ренный в бу́дущем 2) небезопа́сный; опа́сный 3) ненадёжный; непро́чный

insecurity [,ɪnsɪ'kjʊərətɪ] *n* 1) небезопа́сность; опа́сное положе́ние 2) ненадёжность

inseminate [ɪn'semɪneɪt] *v* оплодотворя́ть

insemination [ɪn,semɪ'neɪʃn] *n* оплодотворе́ние; artificial ~ иску́сственное оплодотворе́ние *или* осемене́ние

insensate [ɪn'senseɪt] *a* 1) неодушевлённый 2) бесчу́вственный 3) неразу́мный; бессмы́сленный; ~ cruelty бессмы́сленная жесто́кость

insensibility [ɪn,sensə'bɪlətɪ] *n* 1) нечувстви́тельность 2) поте́ря созна́ния, обморочное состоя́ние 3) бесчу́вственность; безразли́чие

insensible [ɪn'sensəbl] *a* 1) потеря́вший созна́ние; не сознаю́щий (of, to) 2) нечувстви́тельный, невосприи́мчивый; ~ to colours не различа́ющий цвета́ 3) неотзы́вчивый, безразли́чный 4) неощути́мый, незаме́тный; by ~ degrees незаме́тно

insensibly [ɪn'sensəblɪ] *adv* незаме́тно, постепе́нно

insensitive [ɪn'sensətɪv] *a* нечувстви́тельный, лишённый чувстви́тельности; невосприи́мчивый, равноду́шный

insentient [ɪn'senʃənt] *a* бесчу́вственный; неодушевлённый; ~ substance нежива́я мате́рия

inseparability [ɪn,sepərə'bɪlətɪ] *n* неразде́льность; неразлу́чность

inseparable [ɪn'sepərəbl] **1.** *a* 1) неотдели́мый, неразделимый; неразлу́чный 2) *грам.* не существу́ющий как отде́льное сло́во, не отдели́мый (*напр., о пре́фиксах* dis-, re- *и т. п.*)

2. *n pl* неразлу́чные друзья́

insert 1. *n* ['ɪnsз:t] вста́вка, вкла́дыш; вкле́йка; *тех.* вту́лка

2. *v* [ɪn'sз:t] 1) вставля́ть (in, into — во *что-л.*; between — ме́жду *чем-л.*); to ~ a word вставля́ть сло́во; to ~ a key in a lock вста́вить ключ в замо́к 2) помеща́ть (*в газе́те*) 3) вноси́ть исправле́ния, дополне́ния (*в ру́копись*); наноси́ть (*на ка́рту*) 4) *эл.* включа́ть (*в цепь*)

insertion [ɪn'sз:ʃn] *n* 1) вставле́ние, вкла́дывание; включе́ние 2) вста́вка (*в ру́кописи, в корректу́ре*) 3) объявле́ние (*в газе́те*) 4) проши́вка 5) *тех.* прокла́дка; вста́вка 6) *анат.* ме́сто прикрепле́ния (*му́скулов*)

inset 1. *n* ['ɪnset] 1) вкла́дка; вкле́йка (*в кни́ге*) 2) вста́вка (*в пла́тье и т. п.*)

2. *v* [ɪn'set] вставля́ть; вкла́дывать

inseverable [ɪn'sevərəbl] *a* 1) неотдели́мый, неразъедини́мый; неразры́вный 2) неразлу́чный

inshore [,ɪn'ʃɔ:] **1.** *a* прибре́жный

2. *adv* бли́зко к бе́регу; у бе́рега; по направле́нию к бе́регу (*со стороны́ мо́ря*); ~ of the bank ме́жду бе́регом и о́тмелью

inside [,ɪn'saɪd] **1.** *n* 1) вну́тренняя сторона́; вну́тренняя часть; вну́тренность; изна́нка; to bolt on the ~ запира́ть изнутри́ 2) сторона́ тротуа́ра, удалённая от мостово́й 3) вну́тренняя сторона́ (*поворо́та доро́ги*) 4) середи́на; the ~ of a week середи́на неде́ли 5) *разг.* вну́тренности (*особ.* желу́док и кише́чник); a pain in the ~ боль в желу́дке 6) *разг.* нутро́; душа́; сокрове́нные мы́сли и чу́вства 7) пассажи́р внутри́ дилижа́нса, о́мнибуса, авто́буса *и т. п.* (*не на империа́ле*) 8) *амер. разг.* секре́тные сведе́ния; све́дения из первоисто́чника (*тж.* ~ information) 9) *спорт.* полусре́дний напада́ющий; ~ left (right) ле́вый (пра́вый) полусре́дний 10) *амер. разг.* та́йный аге́нт предпринима́теля ◇ to get on the ~ *амер.* войти́ в курс де́ла, узна́ть всю подного́тную; стать свои́м челове́ком [*ср.* insider]

2. *a* 1) вну́тренний; ~ track а) *спорт.* вну́тренняя бегова́я доро́жка; б) *ж.-д.* вну́тренний путь; в) прямо́й *или* кратча́йший путь к успе́ху 2) скры́тый, секре́тный; ~ facts подного́тная

3. *adv* 1) внутрь, внутри́ 2): ~ of *разг.* в преде́лах; ~ of a week в преде́лах неде́ли

4. *prep* внутри́; в

inside out [ˌɪnˈsaɪdaʊt] *adv* наизна́нку; to turn ~ вы́вернуть наизна́нку (*что-л.*)

insider [ˌɪnˈsaɪdə] *n* 1) член о́бщества *или* организа́ции, непосторо́нний челове́к; свой челове́к 2) хорошо́ осведомлённый, информи́рованный челове́к

insidious [ɪnˈsɪdɪəs] *a* хи́трый, кова́рный; незаме́тно подкра́дывающийся *или* подстерега́ющий; ~ disease кова́рная боле́знь

insight [ˈɪnsaɪt] *n* 1) проница́тельность; спосо́бность проникнове́ния в суть (into); to gain an ~ into smb.'s character пости́чь чью-л. ду́шу 2) интуи́ция; понима́ние

insignia [ɪnˈsɪgnɪə] *n pl* 1) зна́ки отли́чия, ордена́ 2) зна́ки разли́чия 3) значки́ 4) эмбле́ма

insignificance, -cy [ˌɪnsɪgˈnɪfɪkəns, -sɪ] *n* 1) незначи́тельность; малова́жность 2) бессодержа́тельность

insignificant [ˌɪnsɪgˈnɪfɪkənt] *a* 1) незначи́тельный, несуще́ственный; пустяко́вый; ничто́жный 2) ничего́ не выража́ющий, бессодержа́тельный

insignificantly [ˌɪnsɪgˈnɪfɪkəntlɪ] *adv* незначи́тельно; с ничто́жным эффе́ктом *или* результа́том

insincere [ˌɪnsɪnˈsɪə] *a* неи́скренний, лицеме́рный

insincerity [ˌɪnsɪnˈserətɪ] *n* неи́скренность, лицеме́рие

insinuate [ɪnˈsɪnjʊeɪt] *v* 1) внуша́ть исподво́ль, намёками 2) *refl.* проника́ть, пробира́ться (into); *перен.* вкра́дываться, втира́ться; to ~ oneself into smb.'s favour втере́ться к кому́-л. в дове́рие 3) незаме́тно, постепе́нно вводи́ть (*во что-л.*)

insinuatingly [ɪnˈsɪnjʊeɪtɪŋlɪ] *adv* 1) неопределённо, намёками, тума́нно 2) вкра́дчиво

insinuation [ɪnˌsɪnjʊˈeɪʃn] *n* 1) инсинуа́ция 2) нашёптывание, намёки

insipid [ɪnˈsɪpɪd] *a* 1) ску́чный, неинтере́сный, бесцве́тный; вя́лый, безжи́зненный 2) безвку́сный, пре́сный

insipidity [ˌɪnsɪˈpɪdətɪ] *n* 1) бесцве́тность; вя́лость, безжи́зненность 2) безвку́сие; пре́сность

insipidness [ɪnˈsɪpɪdnəs] = insipidity

insist [ɪnˈsɪst] *v* настаива́ть (*на чём-л.*), насто́йчиво утвержда́ть (on, upon) ▭ ~ on насто́йчиво тре́бовать

insistence, -cy [ɪnˈsɪstəns, -sɪ] *n* 1) насто́йчивость; упо́рство 2) насто́йчивое тре́бование

insistent [ɪnˈsɪstənt] *a* 1) насто́йчивый; настоя́тельный (*о требовании и т. п.*) 2) тре́бующий внима́ния, привлека́ющий внима́ние

in situ [ɪnˈsɪtjuː] *лат. adv* на ме́сте нахожде́ния

insobriety [ˌɪnsəʊˈbraɪətɪ] *n* невоздéржанность, *особ.* пья́нство

insolation [ˌɪnsəʊˈleɪʃn] *n* 1) освеще́ние (*предмета*) луча́ми со́лнца *или* како́го-л. иску́сственного исто́чника све́та, инсоля́ция 2) перегре́в на со́лнце

insole [ˈɪnsəʊl] *n* сте́лька

insolence [ˈɪnsələns] *n* оскорби́тельное высокоме́рие; на́глость, де́рзость

insolent [ˈɪnsələnt] *a* оскорби́тельный; на́глый, де́рзкий

insolubility [ɪnˌsɒljʊˈbɪlətɪ] *n* 1) нераствори́мость 2) неразреши́мость

insoluble [ɪnˈsɒljʊbl] *a* 1) нераствори́мый 2) неразреши́мый

insolvency [ɪnˈsɒlvənsɪ] *n* банкро́тство, несостоя́тельность

insolvent [ɪnˈsɒlvənt] **1.** *n* несостоя́тельный должни́к; банкро́т

2. *a* несостоя́тельный; неплатёжеспосо́бный

insomnia [ɪnˈsɒmnɪə] *n* бессо́нница

insomuch [ˌɪnsəʊˈmʌtʃ] *adv*: ~ as (*или* that) насто́лько... что

insouciance [ɪnˈsuːsɪəns] *n* 1) беззабо́тность; безмяте́жность 2) безразли́чие

inspect [ɪnˈspekt] *v* 1) внима́тельно осма́тривать, при́стально рассма́тривать; изуча́ть 2) инспекти́ровать, производи́ть (о)смо́тр; обсле́довать

inspection [ɪnˈspekʃn] *n* 1) (о)смо́тр; освиде́тельствование; инспекти́рование 2) официа́льное рассле́дование; эксперти́за 3) *attr.* инспекцио́нный; ~ tour инспе́кторский объе́зд 4) *attr.* приёмный, приёмочный; ~ certificate акт техни́ческого осмо́тра; приёмочный акт; ~ board приёмная коми́ссия (*по приёмке оборудования, товаров*)

inspector [ɪnˈspektə] *n* 1) инспе́ктор; ревизо́р; контролёр 2) наблюда́тель 3) надзира́тель 4) *амер.* приёмщик; бракóвщик

inspectoral [ɪnˈspektərəl] = inspectorial

inspectorate [ɪnˈspektərət] *n* 1) инспе́кция; штат контролёров 2) до́лжность инспе́ктора, контролёра 3) райо́н, обслу́живаемый инспе́ктором, контролёром

inspectorial [ˌɪnspekˈtɔːrɪəl] *a* инспе́кторский, ревизио́нный

inspiration [ˌɪnspəˈreɪʃn] *n* 1) вдохнове́ние; to draw (*или* to get, to derive) ~ че́рпать вдохнове́ние 2) вдохновля́ющая иде́я; вдохнови́тель; she had a sudden ~ её осени́ла блестя́щая иде́я 3) влия́ние, стимули́рование, воодушевле́ние 4) вдыха́ние

inspirator [ˈɪnspɪreɪtə] *n тех.* 1) инже́ктор 2) респира́тор

inspire [ɪnˈspaɪə] *v* 1) внуша́ть, вселя́ть (*чувство и т. п.*) 2) вдохновля́ть, воодушевля́ть 3) инспири́ровать, та́йно внуша́ть 4) вдыха́ть

inspired [ɪnˈspaɪəd] **1.** *p. p. от* inspire

2. *a* инспири́рованный; ~ article инспири́рованная статья́

inspirit [ɪnˈspɪrɪt] *v* вдохну́ть (*мужество и т. п.*); воодушеви́ть; ободри́ть

inspissate [ɪnˈspɪseɪt] *v книжн.* сгуща́ть(ся), конденси́ровать(ся)

instability [ˌɪnstəˈbɪlətɪ] *n* 1) непостоя́нство 2) неусто́йчивость

install [ɪnˈstɔːl] *v* 1) *тех.* устана́вливать; монти́ровать; собира́ть 2) официа́льно вводи́ть в до́лжность (in) 3) помеща́ть, водворя́ть; устра́ивать; уса́живать (in); to ~ oneself by the fireplace устро́иться у ками́на

installation [ˌɪnstəˈleɪʃn] *n* 1) *тех.* устано́вка; сбо́рка; air conditioning ~ устано́вка для кондициони́рования во́здуха 2) введе́ние в до́лжность 3) водворе́ние, устро́йство на ме́сто 4) *pl* сооруже́ния

instalment [ɪnˈstɔːlmənt] *n* 1) очередно́й взнос (*при рассрочке*); to pay by (*или* in) ~s выпла́чивать частя́ми, периоди́ческими взно́сами 2) отде́льный вы́пуск; a book in six ~s кни́га, вы́шедшая шестью́ вы́пусками 3) часть, па́ртия (*товаров*) 4) *attr.*: ~ selling прода́жа в рассро́чку; to buy (to sell) on the ~ plan покупа́ть (продава́ть) в рассро́чку

instance [ˈɪnstəns] **1.** *n* 1) приме́р, отде́льный слу́чай; in this ~ в э́том слу́чае 2) тре́бование, настоя́ние; про́сьба; at the ~ of smb. по чье́й-л. про́сьбе 3) *юр.* инста́нция; a court of first ~ суд пе́рвой инста́нции ◊ for ~ наприме́р; in the first ~ пре́жде всего́; в пе́рвую о́чередь; снача́ла, сперва́

2. *v* приводи́ть в ка́честве приме́ра

instancy [ˈɪnstənsɪ] *n* настоя́тельность; спе́шность; безотлага́тельность

instant [ˈɪnstənt] **1.** *n* мгнове́ние, моме́нт; at that very ~ в (э́)тот са́мый моме́нт; the ~ как то́лько; the ~ you call как то́лько вы позовёте; on the ~ то́тчас, неме́дленно; this ~ сейча́с же

2. *a* 1) неме́дленный; безотлага́тельный; ~ relief мгнове́нное облегче́ние 2) раствори́мый (*кофе, чай и т. п.*) 3) не тре́бующий дли́тельного приготовле́ния; ~ cake mix кекс-полуфабрика́т 4) настоя́тельный; to be in ~ need of smth. испы́тывать настоя́тельную нужду́ в чём-л. 5) *уст.* теку́щий, теку́щего ме́сяца

instantaneous [ˌɪnstənˈteɪnɪəs] *a* мгнове́нный; неме́дленный; ~ decision мгнове́нное реше́ние

instantiate [ɪnˈstænʃɪeɪt] *v* подтвержда́ть, иллюстри́ровать приме́рами

instantly [ˈɪnstəntlɪ] *adv* неме́дленно, то́тчас

instate [ɪnˈsteɪt] *v* 1) вводи́ть в до́лжность 2) обеспе́чивать, добива́ться (*прав и т. п.*)

instauration [ˌɪnstɔːˈreɪʃn] *n книжн.* реставра́ция

instead [ɪnˈsted] *adv* вме́сто; взаме́н; ~ of this вме́сто э́того; ~ of going вме́сто того́, что́бы пойти́; ~ of him вме́сто него́; this will do ~ э́то годи́тся взаме́н

instep [ˈɪnstep] *n* подъём (*ноги, ботинка*)
instep-raiser [ˈɪnstep,reɪzə] *n мед.* супинатор
instigate [ˈɪnstɪgeɪt] *v* 1) провоцировать; раздувать 2) побуждать, подстрекать (to)
instigation [,ɪnstɪˈgeɪʃn] *n* подстрекательство
instigator [ˈɪnstɪgeɪtə] *n* подстрекатель; ~ of war поджигатель войны
instil(l) [ɪnˈstɪl] *v* 1) исподволь внушать; вселять (*надежду, страх и т. п.*) 2) вливать по капле (into) 3) *мед.* пускать по капле
instillation [,ɪnstɪˈleɪʃn] *n* 1) постепенное внушение (*чего-л.*) 2) вливание по капле
instilment [ɪnˈstɪlmənt] = instillation
instinct I [ˈɪnstɪŋkt] *n* инстинкт, природное чутьё; интуиция
instinct II [ɪnˈstɪŋkt] *a predic.*: ~ with (пре)исполненный (*жизни, красоты и т. п.*)
instinctive [ɪnˈstɪŋktɪv] *a* инстинктивный, бессознательный
institute [ˈɪnstɪtju:t] **1.** *n* 1) общество, организация для научной, общественной *и др.* работы; научное учреждение 2) институт 3) *pl юр.* основы права, институции 4) установленный закон, обычай 5) *амер.* краткосрочные курсы, серия лекций
2. *v* 1) устанавливать; вводить; учреждать, основывать 2) начинать, назначать (*расследование и т.п.*) 3) назначать, устраивать (*на должность и т.п.*)
institution [,ɪnstɪˈtju:ʃn] *n* 1) установление, учреждение 2) общество; учреждение; ведомство 3) учебное заведение (*тж.* educational ~) 4) нечто установленное (*закон, обычай, система*) 5) *разг.* воплощение какого-л. свойства (*о человеке*); кто-л., чьё имя стало нарицательным 6) *шутл.* непременный атрибут (*чего-л.*) 7) *церк.* назначение священником; облечение духовной властью 8) *церк.* орден (*монашеский*)
instruct [ɪnˈstrʌkt] *v* 1) учить, обучать (in) 2) инструктировать 3) инф.рмировать, с.общать 4) *юр.* давать материал (*адвокату*); поручать ведение дела 5) отдавать приказ 6) *амер.* давать наказ (*депутату*)
instruction [ɪnˈstrʌkʃn] *n* 1) обучение (in) 2) инструктаж 3) директива; *pl* наставления, предписания, указания, инструкции 4) *pl юр.* поручение (*адвокату*) ведения дела; наказ (*судьи*) присяжным; under the ~ по поручению 5) *амер.* наказ (*делегатам*) голосовать за определённого кандидата 6) *вчт.* команда; инструкция, программа
instructional [ɪnˈstrʌkʃnəl] *a* учебный; ~ film учебный фильм
instructive [ɪnˈstrʌktɪv] *a* поучительный
instructor [ɪnˈstrʌktə] *n* 1) инструктор, руководитель 2) преподаватель, учитель 3) *амер.* преподаватель высшего учебного заведения
instructress [ɪnˈstrʌktrəs] *ж. к* instructor
instrument 1. *n* [ˈɪnstrəmənt] 1) орудие; инструмент; прибор, аппарат 2) музыкальный инструмент 3) орудие; ~ of aggression орудие агрессии; economic (financial) ~s экономические (финансовые) рычаги; he is a mere ~ in their hands он слепое орудие в их руках 4) *юр.* документ; акт; ratification ~s ратификационные грамоты; ~ of surrender акт о капитуляции 5) *attr.* связанный с приборами; ~ board *тех.* распределительная доска; ~ room аппаратная, аппаратный зал (*на телеграфе*); ~ shed инвентарный сарай; ~ flying *ав.* слепой полёт, полёт по приборам
2. *v* [ˈɪnstrəment] 1) *муз.* инструментовать 2) оборудовать приборами 3) практически осуществлять, проводить в жизнь
instrumental [,ɪnstrəˈmentl] *a* 1) служащий орудием, средством (*для чего-л.*); способствующий (*чему-л.*); to be ~ in smth. способствовать чему-л. 2) *муз.* инструментальный 3) производимый с помощью инструментов; ~ errors погрешности прибора; ~ landing *ав.* слепая посадка, посадка по приборам 4) *грам.*: ~ case творительный *или* инструментальный падеж
instrumentalist [,ɪnstrəˈmentlɪst] *n* инструменталист; музыкант
instrumentality [,ɪnstrəmenˈtælətɪ] *n* посредство, содействие; by the ~ of... через посредство..., посредством...
instrumentation [,ɪnstrəmenˈteɪʃn] *n* 1) *муз.* инструментовка 2) оборудование инструментами; пользование приборами 3) осуществление, проведение в жизнь 4) *тех.* оснащение инструментами
insubordinate [,ɪnsəˈbɔ:dɪnət] *a* не подчиняющийся дисциплине; непокорный
insubordination [,ɪnsəbɔ:dəˈneɪʃn] *n* ослушание, неподчинение, неповиновение; непокорность
insubstantial [,ɪnsəbˈstænʃl] *a* 1) непрочный 2) неосновательный; ~ accusation необоснованное обвинение 3) нереальный, иллюзорный
insufferable [ɪnˈsʌfərəbl] *a* невыносимый; нетерпимый
insufficiency [,ɪnsəˈfɪʃnsɪ] *n* недостаточность
insufficient [,ɪnsəˈfɪʃnt] *a* недостаточный; несоответствующий; неудовлетворительный; неполный
insufflate [ˈɪnsəfleɪt] *v* вдувать
insufflation [,ɪnsəˈfleɪʃn] *n* вдувание
insufflator [ˈɪnsəfleɪtə] *n* 1) *мед.* аппарат для вдувания 2) *тех.* инжектор для горения
insular [ˈɪnsjʊlə] *a* 1) островной 2) изолированный 3) замкнутый, сдержанный 4) ограниченный, недалёкий
insularity [,ɪnsjʊˈlærətɪ] *n* 1) островное положение 2) замкнутость, сдержанность
insulate [ˈɪnsjʊleɪt] *v* 1) *эл.* изолировать 2) *тех.* разобщать 3) изолировать; отделить от окружающих; to ~ oneself отгородиться 4) *уст.* образовывать остров, окружать водой
insulated [ˈɪnsjʊleɪtɪd] **1.** *p. p. от* insulate
2. *a* изолированный; ~ wire изолированный провод
insulating [ˈɪnsjʊleɪtɪŋ] **1.** *pres. p. от* insulate
2. *a* изоляционный, изолирующий; ~ tape изоляционная лента
insulation [,ɪnsjʊˈleɪʃn] *n* 1) изоляция 2) изоляционный материал
insulator [ˈɪnsjʊleɪtə] *n* 1) *эл.* изолятор; непроводник 2) изоляционный материал
insulin [ˈɪnsjʊlɪn] *n фарм.* инсулин
insult 1. *n* [ˈɪnsʌlt] 1) оскорбление; обида; выпад 2) *мед.* инсульт
2. *v* [ɪnˈsʌlt] оскорблять, наносить оскорбление; обижать
insuperability [ɪn,sju:pərəˈbɪlətɪ] *n* непреодолимость
insuperable [ɪnˈsju:pərəbl] *a* непреодолимый; ~ difficulty непреодолимая трудность
insupportable [,ɪnsəˈpɔ:təbl] *a* 1) невыносимый, нестерпимый 2) неоправданный, необоснованный; ~ claim необоснованное притязание
insurance [ɪnˈʃʊərəns] *n* 1) страхование; social ~ социальное страхование 2) страховая премия; сумма страхования 3) подстраховка, мера предосторожности 4) *attr.* страховой; ~ policy (fee) страховой полис (взнос)
insurant [ɪnˈʃʊərənt] *n* застрахованный
insure [ɪnˈʃʊə] *v* 1) страховать(ся), застраховывать(ся) 2) обеспечивать, гарантировать 3) подстраховаться, принять меры предосторожности
insurer [ɪnˈʃʊərə] *n* 1) страховщик, страхователь 2) страховое общество
insurgent [ɪnˈsɜ:dʒənt] **1.** *n* 1) повстанец, инсургент 2) мятежник, бунтовщик
2. *a* 1) восставший 2) мятежный
insurmountable [,ɪnsəˈmaʊntəbl] *a* непреодолимый
insurrection [,ɪnsəˈrekʃn] *n* 1) восстание 2) мятеж, бунт
insurrectional, insurrectionary [,ɪnsəˈrekʃnəl, -ʃnərɪ] *a* 1) повстанческий 2) мятежный
insurrectionist [,ɪnsəˈrekʃnɪst] *n* 1) участник восстания, повстанец 2) мятежник
insusceptibility [,ɪnsəseptəˈbɪlətɪ] *n* невосприимчивость, нечувствительность
insusceptible [,ɪnsəˈseptəbl] *a* невосприимчивый; нечувствительный; недоступный (*чувству*); ~ of medical treatment не поддающийся лечению

inswept ['ınswept] *a тех.* обтека́емый; сигарообра́зный

intact [ın'tækt] *a* 1) неповреждённый, це́лый 2) нетро́нутый

intaglio [ın'tɑ:lıəʊ] **1.** *n* 1) инта́лия, глубоко́ вы́резанное изображе́ние на отшлифо́ванном ка́мне *или* мета́лле 2) *полигр.* глубо́кая печа́ть (*тж.* ~ printing)

2. *v* выреза́ть, гравирова́ть

intake ['ınteık] *n* 1) приёмное, впускно́е *или* вса́сывающее устро́йство; вса́сывание 2) поглоще́ние, потребле́ние; the annual ~ годово́е потребле́ние 3) набо́р, о́бщее число́ уча́щихся, при́нятых в уче́бное заведе́ние (*в данном году*) 4) о́бщее число́ зачи́сленных на слу́жбу *или* завербо́ванных на рабо́ту 5) ре́крут 6) (*преим. сев.*) разрабо́танный уча́сток земли́ (*среди пустоши и болот*) 7) *горн.* вентиляцио́нная вы́работка 8) *метал.* ли́тник

intangibility [ın,tændʒə'bılətı] *n* 1) неосяза́емость 2) неулови́мость; непостижи́мость

intangible [ın'tændʒəbl] **1.** *a* 1) неосяза́емый 2) неулови́мый; непостижи́мый

2. *n* не́что неулови́мое, непостижи́мое

integer ['ıntıdʒə] *n* 1) *мат.* це́лое число́ 2) не́что це́лое

integral ['ıntıgrəl] **1.** *n мат.* интегра́л

2. *a* 1) це́лый; по́лный, це́льный; всеобъе́млющий 2) неотъе́млемый, суще́ственный 3) *мат.* интегра́льный

integrality [,ıntı'grælətı] *n* це́лостность, полнота́

integrant ['ıntıgrənt] **1.** *n* неотъе́млемая часть це́лого

2. *a* 1) составля́ющий элеме́нт це́лого 2) интегри́рующий

integrate ['ıntıgreıt] **1.** *a* 1) составно́й 2) по́лный, це́лый

2. *v* 1) составля́ть це́лое; объединя́ть; укрупня́ть 2) придава́ть зако́нченный вид 3) осуществля́ть ра́совую интегра́цию 4) *мат.* интегри́ровать

integration [,ıntı'greıʃn] *n* 1) объедине́ние в одно́ це́лое; интегра́ция; укрупне́ние; school ~ десегрега́ция школ 2) *мат.* интегри́рование

integrator ['ıntıgreıtə] *n* 1) тот, кто интегри́рует 2) интегри́рующее устро́йство

integrity [ın'tegrətı] *n* 1) прямота́, че́стность, чистота́; a man of ~ це́льная нату́ра 2) нетро́нутость, неприкоснове́нность; це́лостность; полнота́; territorial ~ территориа́льная це́лостность

integument [ın'tegjʊmənt] *n* нару́жный покро́в, оболо́чка, *особ.* ко́жа, скорлупа́, шелуха́, кора́

integumentary [ın,tegjʊ'mentərı] *a* покро́вный

intellect ['ıntəlekt] *n* 1) интелле́кт, ум, рассу́док 2) умне́йший челове́к; the ~s of the age вели́кие умы́ эпо́хи

intellection [,ıntə'lekʃn] *n* де́ятельность ума́, мышле́ние

intellective [,ıntə'lektıv] *a* у́мственный, мысли́тельный

intellectual [,ıntə'lektjʊəl] **1.** *a* 1) интеллектуа́льный, у́мственный; ~ effort уси́лие ума́; the ~ facilities у́мственные спосо́бности; ~ development духо́вное разви́тие 2) мы́слящий, разу́мный

2. *n* 1) мы́слящий челове́к; интеллиге́нт; интеллектуа́л 2) (the ~s) *pl* интеллиге́нция 3) тво́рческий рабо́тник

intellectuality [ıntə,lektjʊ'ælətı] *n* интеллектуа́льность

intelligence [ın'telıdʒəns] *n* 1) ум, рассу́док, интелле́кт 2) смышлёность, бы́строе понима́ние; поня́тливость (*животных*) 3) све́дения, информа́ция 4) разве́дка 5) мы́слящее существо́ 6) *attr.* разве́дывательный; ~ department (*или* service) разве́дывательная слу́жба, разве́дка 7) *attr.* у́мственный; ~ test испыта́ние у́мственных спосо́бностей; ~ quotient [*сокр.* I. Q. (test)] коэффицие́нт у́мственного разви́тия (*применяется в армии и школах Англии и США*)

intelligencer [ın'telıdʒənsə] *n* 1) осведоми́тель 2) та́йный аге́нт; шпио́н

intelligent [ın'telıdʒənt] *a* 1) у́мный, разу́мный, понима́ющий 2) поня́тливый, смышлёный

intelligentsia [ın,telı'dʒentsıə] *n* интеллиге́нция

intelligibility [ın,telıdʒə'bılətı] *n* поня́тность, вразуми́тельность

intelligible [ın'telıdʒəbl] *a* поня́тный, вразуми́тельный

intemperance [ın'tempræns] *n* 1) несде́ржанность 2) невозде́ржанность, пристра́стие к спиртны́м напи́ткам

intemperate [ın'tempərət] *a* 1) несде́ржанный 2) невозде́ржанный; скло́нный к изли́шествам, *особ.* к злоупотребле́нию спиртны́ми напи́тками

intend [ın'tend] *v* 1) намерева́ться, име́ть в виду́; what do you ~ to do (*или* doing)? что вы наме́рены де́лать?; was it ~ed? э́то бы́ло сде́лано наме́ренно?; I didn't ~ to hurt you я не хоте́л причини́ть вам боль; I ~ed him to come я рассчи́тывал на то, что он придёт; I ~ed to have gone я намерева́лся пойти́ (*но не пошёл*) 2) предназнача́ть (for); this portrait is ~ed for you а) э́тот портре́т предназнача́ется для вас; б) *ирон.* э́тот портре́т до́лжен изобража́ть вас 3) зна́чить, подразумева́ть; what do you ~ by your words? что зна́чат ва́ши слова́?

intended [ın'tendıd] **1.** *p. p. от* intend

2. *n разг.* су́женый (*жених*); су́женая (*невеста*)

intense [ın'tens] *a* 1) си́льный; ~ cold си́льный хо́лод; ~ pain си́льная боль 2) интенси́вный, напряжённый 3) си́льно чу́вствующий; впечатли́тельный; ~ longing пы́лкое жела́ние; ~ hatred жгу́чая не́нависть; ~ interest живо́й интере́с

intensification [ın,tensıfı'keıʃn] *n* усиле́ние, интенсифика́ция

intensify [ın'tensıfaı] *v* уси́ливать(ся)

intension [ın'tenʃn] *n* 1) напряже́ние, уси́лие 2) напряжённость, интенси́вность; си́ла

intensity [ın'tensətı] *n* 1) интенси́вность, напряжённость; си́ла, эне́ргия; ~ of emotions си́ла чувств; нака́л страсте́й 2) я́ркость, глубина́ (*краски и т. п.*) 3) *эл.* напряжённость (*поля*)

intensive [ın'tensıv] *a* 1) интенси́вный, напряжённый 2) *грам.* усили́тельный ◇ ~ care unit of a hospital отделе́ние реанима́ции

intent [ın'tent] **1.** *n* наме́рение, цель; with good (evil) ~ с до́брыми (дурны́ми) наме́рениями; divine ~ боже́ственное провиде́ние ◇ to all ~s and purposes а) факти́чески, в су́щности, действи́тельно, на са́мом де́ле; б) во всех отноше́ниях

2. *a* 1) по́лный реши́мости; насто́йчиво стремя́щийся (on — к *чему-л.*); скло́нный (on — к *чему-л.*); to be ~ on going стреми́ться пойти́ 2) погружённый (*во что-л.*); за́нятый (*чем-л.*); she is ~ on her task она́ поглощена́ свои́м де́лом 3) внима́тельный, при́стальный; ~ look при́стальный взгляд

intention [ın'tenʃn] *n* 1) наме́рение, стремле́ние, цель; за́мысел; done without ~ сде́лано неумы́шленно 2) *pl разг.* наме́рение жени́ться; he has ~s у него́ серьёзные наме́рения (*жениться*) 3) *филос.* поня́тие, иде́я 4) *мед.*: first ~ заживле́ние (*раны*) первичным натяже́нием (*тж.* healing by first ~)

intentional [ın'tenʃənl] *a* наме́ренный, умы́шленный

inter [ın'tɜ:] *v* предава́ть земле́, хорони́ть

inter- [,ıntə-] *pref* 1) меж-, между-, среди́; interstellar межзвёздный 2) пере-; intersect перекре́щиваться; interwoven вплетённый, переплетённый 3) взаимо-; interplay взаимоде́йствие, взаимосвя́зь; interchange обме́н

interact [,ıntər'ækt] *v* взаимоде́йствовать; находи́ться во взаимоде́йствии, де́йствовать, влия́ть друг на дру́га

interaction [,ıntər'ækʃn] *n* взаимоде́йствие; by ~ ко́свенно

inter alia [,ıntər'eılıə] *лат. adv* ме́жду про́чим

interallied [,ıntərə'laıd] *a* (меж)сою́знический

interatomic [,ıntərə'tɒmık] *a* внутриа́томный

interbreed [,ıntə'bri:d] *v* скре́щивать(ся) (*о разных породах*)

intercalary [ın'tɜ:klərı] *a* 1) приба́вленный для согласова́ния календаря́ с со́лнечным го́дом (*день 29 февраля*); ~ year високо́сный год 2) вста́вленный, интерполи́рованный

intercalate [ın'tɜ:kəleıt] *v* прибавля́ть, вставля́ть [*см.* intercalary]

intercalation [ın,tɜ:kə'leıʃn] *n* 1) вста́вка, прибавле́ние 2) *геол.* просло́йка, внедре́ние

intercede [,ıntə'si:d] *v* вступа́ться, хода́тайствовать (for — за; with — пе́ред); соде́йствовать примире́нию; to ~ for mercy хода́тайствовать о поми́ловании (*кого-л.*)

intercellular [ˌɪntəˈseljʊlə] *a биол.* межклéточный

intercept 1. *n* [ˈɪntəsept] 1) *мат.* отрéзок прямóй 2) *воен.* перехвáт

2. *v* [ˌɪntəˈsept] 1) перехвати́ть 2) прерывáть, выключáть (*свет, ток, воду*) 3) остана́вливать, задéрживать; отрезáть, прегради́ть путь, помешáть; to ~ a view заслони́ть вид 4) *мат.* отделя́ть (*отрезок, дугу*)

interception [ˌɪntəˈsepʃn] *n* 1) перехвáтывание; перехвáт 2) преграждéние; прегрáда 3) подслу́шивание (*телефонных разговоров*)

interceptor [ˌɪntəˈseptə] *n ав.* истреби́тель-перехвáтчик

intercession [ˌɪntəˈseʃn] *n* заступни́чество, ходáтайство; посрéдничество

intercessor [ˌɪntəˈsesə] *n* засту́пник, ходáтай; посрéдник

intercessory [ˌɪntəˈsesərɪ] *a* заступни́ческий, ходáтайствующий

interchain [ˌɪntəˈtʃeɪn] *v* скóвывать, свя́зывать однóй цéпью

interchange 1. *n* [ˈɪntətʃeɪndʒ] 1) (взаи́мный) обмéн; an ~ of views обмéн мнéниями 2) чередовáние, смéна 3) *attr.*: ~ point *ж.-д.* обмéнный пункт

2. *v* [ˌɪntəˈtʃeɪndʒ] 1) обмéниваться 2) заменя́ть(ся) 3) чередовáть(ся)

interchangeable [ˌɪntəˈtʃeɪndʒəbl] *a* 1) взаимозаменя́емый; равнозна́чный 2) череду́ющийся

intercity [ˌɪntəˈsɪtɪ] *a* междугорóдный

intercollegiate [ˌɪntəkəˈliːdʒət] *a* межуниверситéтский

intercolonial [ˌɪntəkəˈləʊnɪəl] *a* межколониáльный

intercom [ˈɪntəkɒm] *n разг.* 1) внутрéнняя телефóнная *или* селéкторная связь (*в самолёте, танке и т. п.*) 2) *attr.*: ~ switch рычáг селéктора

intercommunicate [ˌɪntəkəˈmjuːnɪkeɪt] *v* 1) общáться, имéть связь 2) сообщáться (мéжду собóй)

intercommunication [ˌɪntəkəmjuːnɪˈkeɪʃn] *n* 1) общéние, сношéние 2) собесéдование 3) связь 4) *attr.*: ~ service *воен.* слу́жба свя́зи

intercommunion [ˌɪntəkəˈmjuːnɪən] *n* 1) тéсное общéние 2) взаимодéйствие

intercommunity [ˌɪntəkəˈmjuːnətɪ] *n* 1) óбщность 2) совмéстное владéние (*чем-л.*)

interconnect [ˌɪntəkəˈnekt] *v* свя́зывать(ся)

interconnection [ˌɪntəkəˈnekʃn] *n* 1) взаи́мная связь; соединéние 2) *эл.* объединéние (энергосистéм), кустовáние

interconnexion [ˌɪntəkəˈnekʃn] = interconnection

intercontinental [ˌɪntəkɒntɪˈnentl] *a* межконтинентáльный; ~ ballistic missile межконтинентáльный баллисти́ческий реакти́вный снаря́д

interconvertible [ˌɪntəkənˈvɜːtɪbl] *a* взаимозаменя́емый; равноцéнный

intercostal [ˌɪntəˈkɒstl] *a* 1) *анат.* межрёберный 2) *мор.* интеркостéльный

intercourse [ˈɪntəkɔːs] *n* 1) общéние, общéственные свя́зи *или* отношéния 2) половы́е сношéния 3) связь, сношéния (*между странами*)

intercrop [ˌɪntəˈkrɒp] *v с.-х.* сажáть *или* сéять в междуря́дьях

intercross [ˌɪntəˈkrɒs] *v* 1) взаи́мно пересекáться 2) скрéщивать(ся) (*о разных породах*)

interdental [ˌɪntəˈdentl] *a лингв.* межзу́бный

interdepartmental [ˌɪntədiːpɑːtˈmentl] *a* межвéдомственный

interdepend [ˌɪntədɪˈpend] *v* зави́сеть друг от дру́га

interdependence [ˌɪntədɪˈpendəns] *n* взаи́мная зави́симость, взаимозави́симость; взаимосвя́зь

interdependent [ˌɪntədɪˈpendənt] *a* зави́сящий оди́н от другóго, взаимозави́симый

interdict 1. *n* [ˈɪntədɪkt] 1) запрещéние, запрéт 2) *церк.* отлучéние; интерди́кт 3) *шотл. юр.* судéбный запрéт

2. *v* [ˌɪntəˈdɪkt] 1) запрещáть 2) лишáть прáва пóльзования 3) отрешáть от дóлжности 4) удéрживать (*от чего-л.*) 5) *воен.* препя́тствовать (*огнём и т. п.*)

interdiction [ˌɪntəˈdɪkʃn] *n* 1) запрещéние 2) *церк.* отлучéние 3) *воен.* воспрещéние 4) *attr.*: ~ fire *воен.* огóнь на воспрещéние

interdictory [ˌɪntəˈdɪktərɪ] *a* запрети́тельный, запрещáющий; воспрещáющий

interest [ˈɪntrəst] **1.** *n* 1) интерéс, заинтересóванность; to lose ~ потеря́ть интерéс; to show ~ прояви́ть интерéс; to arouse ~ возбуждáть интерéс; to take (an) ~ in smb., smth. интересовáться кем-л., чем-л., проявля́ть интерéс к кому́-л., чему́-л. 2) увлечéние (*чем-л.*); интерéс (*к чему-л.*); her chief ~ is music онá увлекáется тóлько му́зыкой 3) вы́года, преиму́щество, пóльза; to look after one's own ~s забóтиться о сóбственной вы́годе; in the ~(s) of truth в интерéсах справедли́вости; it is to my ~ to do so сдéлать э́то в мои́х интерéсах 4) *pl*: (vested) ~s капиталовложéния 5) дóля (*в чём-л.*); учáстие в при́былях 6) процéнты (*на капитал*); simple (compound) ~ просты́е (слóжные) процéнты; rate of ~ процéнт, процéнтная стáвка, нóрма процéнта; ~ will start to run... начислéние процéнтов начнётся с...; to return with ~ верну́ть с процéнтами; *перен.* верну́ть с лихвóй 7) гру́ппа лиц, имéющих óбщие интерéсы; the landed ~ землевладéльцы 8) вáжность, значéние; a matter of no little ~ дéло немаловáжное 9) влия́ние (with — на *кого-л.*)

2. *v* интересовáть, заинтересóвывать

interested [ˈɪntrəstɪd] **1.** *p. p. от* interest 2

2. *a* 1) заинтересóванный; an ~ listener внимáтельный слу́шатель 2) пристрáстный, предубеждённый 3) корыстный; ~ motives коры́стные моти́вы; материáльная заинтересóванность

interesting [ˈɪntrəstɪŋ] **1.** *pres. p. от* interest 2

2. *a* интерéсный ◇ to be in an ~ condition *уст.* быть в интерéсном положéнии

interfere [ˌɪntəˈfɪə] *v* 1) вмéшиваться (in); don't ~ in his affairs не вмéшивайтесь в егó делá; he is always interfering он всегдá во всё вмéшивается; to ~ with smb.'s independence покушáться на чью-л. незави́симость 2) служи́ть препя́тствием, мешáть, быть помéхой 3) надоедáть, докучáть (with); don't ~ with me не мешáйте, не надоедáйте мне 4) *эвф.* изнаси́ловать (with) 5) вреди́ть; to ~ with smb.'s health вреди́ть чьему́-л. здорóвью 6) стáлкиваться, противорéчить друг дру́гу; pleasure must not be allowed to ~ with business развлечéние не должнó мешáть дéлу; ≅ дéлу врéмя, потéхе час 7) *физ.* интерфери́ровать 8) засекáться (*о лошади*) 9) *амер.* оспáривать (*чьи-л.*) правá на патéнт

interference [ˌɪntəˈfɪərəns] *n* 1) вмешáтельство; ~ with mailbags досмóтр, вскры́тие мешкóв с почтóвыми отправлéниями 2) препя́тствие, помéха 3) *физ.* интерферéнция 4) *радио* помéхи 5) *вет.* засéчка 6) *амер.* столкновéние одноврéменно заявля́емых прав на патéнт 7) *attr. физ.* интерференциóнный; ~ fringes интерференциóнная полосá

interferometer [ˌɪntəfəˈrɒmɪtə] *n физ.* интерферóметр

interflow 1. *n* [ˈɪntəfləʊ] слия́ние

2. *v* [ˌɪntəˈfləʊ] сливáться, соединя́ться

interfluent [ˈɪntəfluːənt] *a* 1) сливáющийся 2) протекáющий мéжду

interfuse [ˌɪntəˈfjuːz] *v* перемéшивать(ся), смéшивать(ся) (with)

interfusion [ˌɪntəˈfjuːʒən] *n* 1) перемéшивание 2) смесь

interim [ˈɪntərɪm] **1.** *n* промежу́ток врéмени; in the ~ тем врéменем; в промежу́тке; minister at ~ врéменно исполня́ющий обя́занности мини́стра

2. *a* врéменный, промежу́точный; ~ certificate врéменное удостоверéние

interior [ɪnˈtɪərɪə] **1.** *n* 1) внутрéнность, внутрéнняя сторонá 2) внутрéнние райóны страны́; глубóкий тыл 3) вну́тренние делá (госудáрства); the Department of the I. министéрство внутрéнних дел (*в США и Канаде*); Secretary of the I. мини́стр вну́тренних дел (*в США*) 4) интерьéр (*тж. жив., театр.*) 5) вну́тренний мир, су́щность (*кого-л.*)

2. *a* вну́тренний

interjacent [ˌɪntəˈdʒeɪsnt] *a* лежáщий мéжду, промежу́точный; перехóдный; ~ payment авáнс; ~ government врéменное прави́тельство

interjaculate [ˌɪntəˈdʒækjʊleɪt] *v* вставля́ть (замечáние); перебивáть (восклицáниями)

interject [ˌɪntəˈdʒekt] *v* вставля́ть (замечáние)

interjection [ˌɪntəˈdʒekʃn] *n* 1) восклица́ние 2) *грам.* междоме́тие

interlace [ˌɪntəˈleɪs] *v* переплета́ть(ся), сплета́ть(ся)

interlacement [ˌɪntəˈleɪsmənt] *n* сплете́ние, переплете́ние

interlard [ˌɪntəˈlɑ:d] *v* уснаща́ть, пересыпа́ть (*речь, письмо иностранными словами и т. п.*)

interleaf [ˈɪntəli:f] *n* прокла́дка из бе́лой бума́ги (ме́жду листа́ми кни́ги)

interleave [ˌɪntəˈli:v] *v* 1) прокла́дывать бе́лую бума́гу (ме́жду листа́ми кни́ги) 2) прокла́ивать

interlibrary [ˌɪntəˈlaɪbrərɪ] *a* межбиблиоте́чный; ~ exchange system межбиблиоте́чный абонеме́нт

interline 1. *n* [ˈɪntəlaɪn] *полигр.* шпон
2. *v* [ˌɪntəˈlaɪn] 1) впи́сывать ме́жду строк 2) *полигр.* вставля́ть шпо́ны

interlinear [ˌɪntəˈlɪnɪə] *a* 1) междустро́чный 2) подстро́чный

interlineation [ˌɪntəlɪnɪˈeɪʃn] *n* припи́ска, вста́вка ме́жду строк

interlink [ˌɪntəˈlɪŋk] *v* те́сно свя́зывать; сцепля́ть

interlock [ˌɪntəˈlɒk] *v* 1) соединя́ть(ся), сцепля́ть(ся); смыка́ться 2) *тех.* блоки́ровать

interlocution [ˌɪntələˈkju:ʃn] *n* бесе́да, диало́г

interlocutor [ˌɪntəˈlɒkjʊtə] *n* собесе́дник

interlocutory [ˌɪntəˈlɒkjʊtərɪ] *a* 1) нося́щий хара́ктер бесе́ды, диало́га 2) предвари́тельный; ~ decree *юр.* предвари́тельное постановле́ние

interlocutress, interlocutrix [ˌɪntəˈlɒkjʊtrəs, -trɪks] *n* собесе́дница

interlope [ˌɪntəˈləʊp] *v* 1) вме́шиваться в чужи́е дела́ 2) занима́ться контраба́ндой

interloper [ˈɪntələʊpə] *n* челове́к, вме́шивающийся в чужи́е дела́

interlude [ˈɪntəlu:d] *n* 1) антра́кт 2) промежу́точный эпизо́д 3) *муз.* интерлю́дия

intermarriage [ˌɪntəˈmærɪdʒ] *n* 1) брак ме́жду людьми́ ра́зных рас, национа́льностей *и т. п.* 2) брак ме́жду ро́дственниками

intermarry [ˌɪntəˈmærɪ] *v* 1) породни́ться; смеша́ться путём бра́ка (*о расах, племенах*) 2) вступи́ть в брак (*о родственниках*)

intermaxillary [ˌɪntəmækˈsɪlərɪ] *a анат.* межчелюстно́й

intermedia [ˌɪntəˈmi:dɪə] *pl от* intermedium

intermediary [ˌɪntəˈmi:dɪərɪ] 1. *n* посре́дник
2. *a* 1) посре́днический 2) промежу́точный

intermediate [ˌɪntəˈmi:dɪət] 1. *n* промежу́точное звено́
2. *a* 1) промежу́точный; ~ product полупроду́кт; I. examination экза́мен, предше́ствующий выпускно́му (*в некоторых университетах*) 2) вспомога́тельный; ~ agent вспомога́тельное сре́дство 3) сре́дний

intermediate-range [ˌɪntəˈmi:dɪətreɪndʒ] *a*: ~ ballistic missile баллисти́ческая раке́та сре́дней да́льности

intermediation [ˌɪntəmi:dɪˈeɪʃn] *n* посре́дничество

intermediator [ˌɪntəˈmi:dɪeɪtə] *n* посре́дник

intermedium [ˌɪntəˈmi:djəm] *n* (*pl* -dia, -diums [-djəmz]) 1) сре́дство сообще́ния, переда́чи 2) связу́ющее звено́, посре́дство

interment [ɪnˈtɜ:mənt] *n* погребе́ние

intermezzi [ˌɪntəˈmetsɪ] *pl от* intermezzo

intermezzo [ˌɪntəˈmetsəʊ] *n* (*pl* -zi, -zos [-tsəʊz]) 1) интерме́дия 2) *муз.* интерме́ццо

interminable [ɪnˈtɜ:mɪnəbl] *a* бесконе́чный, ве́чный

intermingle [ˌɪntəˈmɪŋgl] *v* сме́шивать(ся), переме́шивать(ся) (with)

intermission [ˌɪntəˈmɪʃn] *n* 1) переры́в, па́уза, остано́вка; without ~ беспреры́вно 2) антра́кт; *школ.* переме́на 3) *мед.* переры́в, перебо́й (*пульса*)

intermit [ˌɪntəˈmɪt] *v* останови́ть(ся) на вре́мя, прерва́ть(ся)

intermittent [ˌɪntəˈmɪtnt] *a* перемежа́ющийся; скачкообра́зный; преры́вистый; an ~ pulse пульс с перебо́ями; ~ contact *тех.* преры́вистый конта́кт

intermix [ˌɪntəˈmɪks] *v* сме́шивать(ся), переме́шивать(ся)

intermixture [ˌɪntəˈmɪkstʃə] *n* смеше́ние; смесь; при́месь

intern I [ˈɪntɜ:n] *n амер.* студе́нт медици́нского ко́лледжа *или* молодо́й врач, рабо́тающий в больни́це и живу́щий при ней

intern II [ɪnˈtɜ:n] *v* интерни́ровать

internal [ɪnˈtɜ:nl] 1. *a* 1) вну́тренний; ~ aerial *радио* ко́мнатная анте́нна; ~ evidence *юр.* доказа́тельство, лежа́щее в само́м докуме́нте; ~ security units *воен.* ча́сти во́йск вну́тренней охра́ны; ~ war междоусо́бная война́; ~ student студе́нт университе́тского ко́лледжа 2) душе́вный, сокрове́нный
2. *n pl* 1) сво́йства, ка́чества 2) *анат.* вну́тренние о́рганы

internal-combustion engine [ɪnˌtɜ:nlkəmbʌstʃnˈendʒɪn] *n* дви́гатель вну́треннего сгора́ния

internally [ɪnˈtɜ:nlɪ] *adv* вну́тренне; he shuddered ~ он вну́тренне содрогну́лся

international [ˌɪntəˈnæʃnəl] 1. *a* междунаро́дный, интернациона́льный; ~ law междунаро́дное пра́во; ~ civil servant сотру́дник междунаро́дной организа́ции; ~ salute *мор.* «салю́т на́ции» (*21 выстрел*)
2. *n* 1) уча́стник междунаро́дных спорти́вных состяза́ний 2) междунаро́дное состяза́ние

Internationale [ˌɪntənæʃəˈnɑ:l] *n* Интернациона́л (*гимн*)

internationalism [ˌɪntəˈnæʃnəlɪzəm] *n* интернационали́зм

internationalist [ˌɪntəˈnæʃnəlɪst] *n* интернационали́ст

internationalize [ˌɪntəˈnæʃnəlaɪz] *v* де́лать интернациона́льным; ста́вить под контро́ль разли́чных госуда́рств (*о территории, стране*)

internecine [ˌɪntəˈni:saɪn] *a* 1) междоусо́бный 2) смертоно́сный, разруши́тельный

internee [ˌɪntɜ:ˈni:] *n* интерни́рованный

internist [ɪnˈtɜ:nɪst] *n* 1) терапе́вт 2) *амер.* врач о́бщей пра́ктики

internment [ɪnˈtɜ:nmənt] *n* 1) интерни́рование 2) *attr.*: ~ camp ла́герь для интерни́рованных

interoffice [ˌɪntərˈɒfɪs] *a*: ~ telephone вну́тренний телефо́н, коммута́тор

interosculation [ˌɪntərɒskjʊˈleɪʃn] *n* 1) взаимопроникнове́ние 2) *биол.* о́бщность при́знаков (*особ. видов*)

interpellate [ɪnˈtɜ:pəleɪt] *v парл.* интерпелли́ровать, де́лать запро́с

interpellation [ɪnˌtɜ:pəˈleɪʃn] *n парл.* интерпелля́ция, запро́с

interpenetrate [ˌɪntəˈpenɪtreɪt] *v* 1) глубоко́ проника́ть, наполня́ть собо́ю 2) взаимопроника́ть

interpenetrative [ˌɪntəˈpenɪtrətɪv] *a* взаимопроника́юший

interphone [ˈɪntəfəʊn] *амер.* = intercom

interplanetary [ˌɪntəˈplænɪtərɪ] *a* межплане́тный

interplay [ˈɪntəpleɪ] *n* взаимоде́йствие

Interpol [ˈɪntəpɒl] *n* Интерпо́л, междунаро́дная кримина́льная поли́ция

interpolate [ɪnˈtɜ:pəleɪt] *v* 1) интерполи́ровать; де́лать вста́вки в текст чужо́й ру́кописи (*умышленно или ошибочно*) 2) вставля́ть слова́, замеча́ния 3) *мат.* интерполи́ровать

interpolation [ɪnˌtɜ:pəˈleɪʃn] *n* интерполя́ция *и пр.* [*см.* interpolate]

interposal [ˌɪntəˈpəʊzl] = interposition

interpose [ˌɪntəˈpəʊz] *v* 1) вставля́ть, вводи́ть, ста́вить ме́жду 2) прерыва́ть (*замечанием, вводными словами*) 3) выдвига́ть, выставля́ть; to ~ an objection вы́двинуть возраже́ние 4) станови́ться ме́жду, вкли́ниваться 5) вме́шиваться

interposition [ˌɪntəpəˈzɪʃn] *n* 1) введе́ние ме́жду 2) вмеша́тельство, посре́дничество 3) нахожде́ние

interpret [ɪnˈtɜ:prɪt] *v* 1) объясня́ть, толкова́ть, интерпрети́ровать; понима́ть (*как*) 2) переводи́ть (*устно*); быть перево́дчиком (*устным*)

interpretation [ɪnˌtɜ:prɪˈteɪʃn] *n* 1) толкова́ние, объясне́ние, интерпрета́ция; to put a wide ~ on smth. дава́ть чему́-л. (сли́шком) широ́кое толкова́ние 2) перево́д (*устный*) 3) *воен.* дешифри́рование

interpretative [ɪnˈtɜ:prɪtətɪv] *a* толкова́тельный, объясни́тельный

interpreter [ɪnˈtɜ:prɪtə] *n* 1) интерпрета́тор, истолкова́тель 2) перево́дчик (*устный*)

interpretress [ɪnˈtɜ:prɪtrəs] *ж. к* interpreter

interregna [ˌɪntəˈregnə] *pl от* interregnum

interregnum [ˌɪntəˈregnəm] *n* (*pl* -na, -nums [-nəms]) 1) междуца́рствие 2) интерва́л, переры́в

interrelation [ˌɪntərɪˈleɪʃn] *n* взаимоотноше́ние, соотноше́ние, взаимосвя́зь

interrelationship [ˌɪntərɪˈleɪʃnʃɪp] *n* взаи́мная связь, взаи́мное родство́; соотнесённость

interrogate [ɪnˈterəgeɪt] *v* 1) спра́шивать 2) допра́шивать

interrogation [ɪnˌterəˈgeɪʃn] *n* 1) вопро́с; note (*или* mark, point) of ~ вопроси́тельный знак 2) допро́с; ~ under duress допро́с с примене́нием физи́ческого принужде́ния 3) *attr.* вопроси́тельный; ~ point, ~ mark вопроси́тельный знак

interrogative [ˌɪntəˈrɒgətɪv] *a* вопроси́тельный; ~ pronoun *грам.* вопроси́тельное местоиме́ние

interrogator [ɪnˈterəgeɪtə] *n* 1) опра́шивающий 2) сле́дователь

interrogatory [ˌɪntəˈrɒgətərɪ] **1.** *n* 1) допро́с 2) опро́сный лист (*для показаний*) 3) вопро́с

2. *a* вопроси́тельный

interrupt [ˌɪntəˈrʌpt] *v* 1) прерыва́ть 2) препя́тствовать, меша́ть, прегражда́ть; to ~ the view from the window заслоня́ть вид из окна́ 3) вме́шиваться (*в разговор и т. п.*)

interrupter [ˌɪntəˈrʌptə] *n эл.* прерыва́тель

interruption [ˌɪntəˈrʌpʃn] *n* 1) переры́в; прерыва́ние 2) за́минка; заде́ржка 3) наруше́ние, поме́ха, препя́тствие; ~ of telephone communication наруше́ние телефо́нной свя́зи

intersect [ˌɪntəˈsekt] *v* 1) дели́ть на ча́сти 2) пересека́ть(ся); перекре́щивать(ся); скре́щивать(ся)

intersection [ˌɪntəˈsekʃn] *n* 1) пересече́ние 2) перекрёсток 3) то́чка *или* ли́ния пересече́ния

intersex [ˈɪntəseks] *n* 1) гермафроди́т 2) одина́ковый вне́шний вид ю́ношей и де́вушек (*причёски, брюки, обувь и т. п.*)

intersidereal [ˌɪntəsaɪˈdɪərɪəl] *a* межзвёздный

interspace 1. *n* [ˈɪntəspeɪs] промежу́ток (*пространства, времени*), интерва́л

2. *v* [ˌɪntəˈspeɪs] 1) де́лать промежу́тки, отделя́ть промежу́тками 2) заполня́ть промежу́тки

interspecific [ˌɪntəspɪˈsɪfɪk] *a биол.* межвидово́й

intersperse [ˌɪntəˈspɜːs] *v* 1) разбра́сывать, рассыпа́ть (among, between — среди́, ме́жду) 2) пересыпа́ть, усыпа́ть, усе́ивать 3) разнообра́зить 4) вставля́ть в промежу́тки

interstate [ˌɪntəˈsteɪt] *a* находя́щийся ме́жду шта́тами; включа́ющий ра́зные шта́ты; относя́щийся к ра́зным шта́там; свя́зывающий отде́льные шта́ты (*США, Австралии*), междушта́тный; ~ commerce торго́вые отноше́ния ме́жду шта́тами

interstellar [ˌɪntəˈstelə] *a* межзвёздный; ~ space ship косми́ческий кора́бль; ~ space межзвёздное простра́нство

interstice [ɪnˈtɜːstɪs] *n* промежу́ток; щель, расще́лина

interstitial [ˌɪntəˈstɪʃl] *a* 1) образу́ющий тре́щины, ще́ли 2) *мед.* промежу́точный; внутритканево́й

intertill [ˌɪntəˈtɪl] *v с.-х.* пропа́хивать, обраба́тывать междуря́дья

intertribal [ˌɪntəˈtraɪbl] *a* межплеменно́й

intertrigo [ˌɪntəˈtraɪgəʊ] *n* (*pl* -os [-əʊz]) *мед.* опре́лость

intertwine [ˌɪntəˈtwaɪn] *v* 1) сплета́ть(ся), переплета́ть(ся) 2) закру́чиваться, скру́чиваться

intertwist [ˌɪntəˈtwɪst] = intertwine

interval [ˈɪntəvl] *n* 1) промежу́ток, расстоя́ние, интерва́л; at ~s а) с промежу́тками; б) вре́мя от вре́мени; в) здесь и там 2) па́уза, переры́в, переме́на; антра́кт 3) *муз.* интерва́л 4) сте́пень разли́чия (*между сортами, видами и т. п.*)

intervale [ˈɪntəveɪl] *n амер.* доли́на вдоль реки́ (*с плодородной наносной почвой*)

intervene [ˌɪntəˈviːn] *v* 1) происходи́ть, име́ть ме́сто (*за какой-л. период времени*); some years ~d с тех пор прошло́ не́сколько лет 2) вме́шиваться; вступа́ться (in) 3) находи́ться, лежа́ть ме́жду 4) яви́ться поме́хой, помеша́ть; if nothing ~s е́сли ничего́ не случи́тся 5) *юр.* вступа́ть в де́ло

intervention [ˌɪntəˈvenʃn] *n* 1) вмеша́тельство; surgical ~ хирурги́ческое вмеша́тельство 2) интерве́нция 3) посре́дничество

interventionist [ˌɪntəˈvenʃnɪst] *n* 1) сторо́нник интерве́нции 2) интерве́нт

interview [ˈɪntəvjuː] **1.** *n* 1) собесе́дование при приёме на рабо́ту, поступле́нии в уче́бное заведе́ние *и т. п.* 2) интервью́ (*в газете*) 3) делово́е свида́ние, встре́ча, бесе́да; интервью́; to obtain (to grant) an ~ получи́ть (дать) интервью́

2. *v* име́ть бесе́ду, интервью́; интервьюи́ровать

interviewee [ˌɪntəvjʊˈiː] *n* интервьюи́руемый, даю́щий интервью́

interviewer [ˈɪntəvjuːə] *n* интервьюе́р

intervocalic [ˌɪntəvəʊˈkælɪk] *a лингв.* интервока́льный

interweave [ˌɪntəˈwiːv] *v* (interwove; interwoven) 1) votка́ть, votка́ть 2) сплета́ть, переплета́ть (with); вплета́ть

interwove [ˌɪntəˈwəʊv] *past от* interweave

interwoven [ˌɪntəˈwəʊvn] *p. p. от* interweave

interzonal [ˌɪntəˈzəʊnl] *a* межзона́льный

intestacy [ɪnˈtestəsɪ] *n* 1) отсу́тствие завеща́ния 2) иму́щество, насле́дство, оста́вленное без завеща́ния

intestate [ɪnˈtesteɪt] **1.** *n* челове́к, сконча́вшийся без завеща́ния

2. *a* уме́рший без завеща́ния; he died ~ он у́мер, не оста́вив завеща́ния

intestinal [ɪnˈtestɪnl] *a анат.* кише́чный

intestine [ɪnˈtestɪn] *n* (*обыкн. pl*) кишки́, кише́чник; small (large) ~ то́нкая (то́лстая) кишка́

intimacy [ˈɪntɪməsɪ] *n* 1) те́сная связь, бли́зость, инти́мность 2) половы́е сноше́ния

intimate I [ˈɪntɪmət] **1.** *n* бли́зкий друг

2. *a* 1) бли́зкий, те́сный; хорошо́ знако́мый; ~ friends задуше́вные друзья́; ~ knowledge of smth. хоро́шее зна́ние чего́-л. 2) инти́мный, ли́чный; ~ details инти́мные подро́бности 3) инти́мный (*об отношениях*) 4) вну́тренний; сокрове́нный; ~ talk разгово́р по душа́м; ~ feelings сокрове́нные чу́вства 5) основа́тельный, глубо́кий (*о знаниях*) 6) одноро́дный (*о смеси*)

intimate II [ˈɪntɪmeɪt] *v* 1) объявля́ть, ста́вить в изве́стность 2) намека́ть, подразумева́ть; ме́льком упомина́ть

intimation [ˌɪntɪˈmeɪʃn] *n* 1) указа́ние, сообще́ние 2) намёк

intimidate [ɪnˈtɪmɪdeɪt] *v* пуга́ть; запу́гивать, устраша́ть

intimidation [ɪnˌtɪmɪˈdeɪʃn] *n* 1) запу́гивание; устраше́ние 2) страх, запу́ганность

intimity [ɪnˈtɪmətɪ] *n* инти́мность

intitule [ɪnˈtɪtjuːl] *v* (*особ. р. р.*) *юр.* озагла́вливать

into [ˈɪntuː, ˈɪntʊ, ˈɪntə] *prep* 1) *указывает на движение или направление внутрь, в сферу или область чего-л.* в(о), на; to go ~ the house войти́ в дом; to fall, to dive, *etc.* ~ the river упа́сть, нырну́ть *и т. п.* в ре́ку; to walk ~ the square вы́йти на пло́щадь; to climb high ~ the mountains забра́ться высоко́ в го́ры; to vanish ~ a crowd исче́знуть в толпе́; to fall ~ a mistake впасть в оши́бку; to work oneself ~ smb.'s favour втере́ться в чьё-л. дове́рие 2) *указывает на достижение какого-л. предмета, столкновение с каким-л. предметом* в(о); to walk ~ smb., smth. натолкну́ться (набрести́) на кого́-л., что-л. 3) *указывает на движение во времени* в, к; her reflections shifted ~ the past она́ мы́сленно верну́лась к про́шлому; looking ~ the future а) загля́дывая в бу́дущее; б) взгляд в бу́дущее 4) *указывает на включение в категорию, список и т. п.* в; to enter ~ a list включи́ть в спи́сок 5) *указывает на переход в новую форму, иное качество или состояние* в(о), на, до; to turn water ~ ice превраща́ть в лёд; to grow ~ manhood (womanhood) стать взро́слым мужчи́ной (взро́слой же́нщиной); to transmute water power ~ electric power превраща́ть эне́ргию воды́ в электри́ческую эне́ргию; to put (*или* to lick) ~ shape а) придава́ть фо́рму; б) приводи́ть в поря́док; to divide (to cut, to break, *etc.*) ~ so many portions дели́ть (разреза́ть, разбива́ть *и т. д.*) на сто́лько-то часте́й; to work oneself ~ a rage довести́ себя́ до бе́шенства; to lapse ~ silence погрузи́ться в молча́ние; to plunge ~ a reverie впасть в задумчивость; to be persuaded ~ doing smth. дать себя уговорить сделать что-л.

in-toed ['ıntəʊd] *a* с пальцами ног, обращёнными внутрь; косолапый

intolerable [ın'tɒlərəbl] *a* невыносимый, нестерпимый; недопустимый

intolerance [ın'tɒlərəns] *n* нетерпимость

intolerant [ın'tɒlərənt] *a* нетерпимый; ~ of smth. не терпящий (*или* не выносящий) чего-л.

intonate ['ıntəʊneıt] = intone

intonation [,ıntə'neıʃn] *n* 1) интонация; модуляция (*голоса*) 2) произнесение нараспев; пение речитативом 3) зачин (*в церковной музыке*)

intone [ın'təʊn] *v* 1) исполнять речитативом; произносить нараспев 2) интонировать, модулировать (*голос*) 3) запевать, петь первые слова

in toto [ın'təʊtəʊ] *лат. adv* в целом

intoxicant [ın'tɒksıkənt] 1. *n* опьяняющий напиток

2. *a* опьяняющий

intoxicate [ın'tɒksıkeıt] *v* 1) напоить допьяна 2) опьянять, возбуждать 3) *мед.* отравлять

intoxication [ın,tɒksı'keıʃn] *n* 1) *мед.* интоксикация, отравление 2) опьянение; упоение

intra- ['ıntrə-] *pref* внутри-; intracranial внутричерепной; intramuscular внутримышечный; intranuclear внутриядерный; intravenous внутривенный; intraurban (внутри)городской; intraurban traffic городской транспорт

intractability [ın,træktə'bılətı] *n* 1) неподатливость; несговорчивость 2) трудность (*воспитания, обработки почвы, лечения болезни и т. п.*)

intractable [ın'træktəbl] *a* 1) неподатливый; непокорный 2) трудновоспитуемый 3) труднообрабатываемый 4) трудноизлечимый

intramolecular [,ıntrəməʊ'lekjʊlə] *a* внутримолекулярный

intramural [,ıntrə'mjʊərəl] *a* 1) находящийся *или* происходящий в стенах (*или* в пределах) города, дома *и т. п.* 2) очный (*об обучении*)

intramuscular [,ıntrə'mʌskjʊlə] *a* внутримышечный

intransigent [ın'trænsıdʒənt] 1. *n* 1) бескомпромиссный человек 2) политический деятель, не идущий на компромисс 3) непримиримый республиканец

2. *a* непримиримый, непреклонный

intransitive [ın'trænsətıv] *a грам.* непереходный (*о глаголе*)

intransmissible [,ıntrɑ:ns'mısəbl] *a* не передаваемый (*на расстояние*)

intrant ['ıntrənt] *n* 1) вступающий (*в должность, во владение имуществом и т. п.*) 2) поступающий (*в высшее учебное заведение*)

intranuclear [,ıntrə'nju:klıə] *a* внутриядерный

intraocular [,ıntrə'ɒkjʊlə] *a* внутриглазной; ~ tension (*или* pressure) внутриглазное давление

intrauterine [,ıntrə'ju:təraın] *a* внутриматочный

intravenous [,ıntrə'vi:nəs] *a* внутривенный

intrepid [ın'trepıd] *a* неустрашимый, бесстрашный, отважный

intrepidity [,ıntrə'pıdətı] *n* неустрашимость, отвага

intricacy ['ıntrıkəsı] *n* 1) запутанность, сложность; путаница 2) лабиринт

intricate ['ıntrıkət] *a* запутанный, сложный, замысловатый; затруднительный

intrigant ['ıntrıgənt] = intriguant

intrigante [,ıntrı'gɑ:nt] = intriguante

intriguant ['ıntrıgənt] *n* интриган

intriguante [,ıntrı'gɑ:nt] *n* интриганка

intrigue [ın'tri:g] 1. *n* 1) интрига, тайные происки 2) *уст.* интрижка (*любовная связь*)

2. *v* 1) интриговать, строить козни (against — против) 2) заинтересовать, заинтриговать 3) *уст.* иметь интрижку (with)

intriguing [ın'tri:gıŋ] 1. *pres. p. от* intrigue 2

2. *a* 1) интригующий, строящий козни 2) интригующий, ставящий в тупик 3) увлекательный, занимательный

intrinsic [ın'trınsık] *a* 1) существенный 2) внутренний, присущий, свойственный; ~ value внутренняя ценность

intro- ['ıntrəʊ-, 'ıntrə-] *pref* в-, интро-; introspection интроспекция; intromission впуск

introduce [,ıntrə'dju:s] *v* 1) представлять, знакомить; let me ~ my brother to you позвольте представить вам моего брата 2) вносить на рассмотрение (*законопроект и т. п.*) 3) вводить в употребление; привносить; применять 4) вводить; вставлять (into) 5) предварять, предпосылать

introduction [,ıntrə'dʌkʃn] *n* 1) введение; внесение 2) нововведение 3) (официальное) представление; letter of ~ рекомендательное письмо 4) предисловие, введение 5) введение (*в научную дисциплину*) 6) предуведомление 7) *муз.* интродукция

introductory [,ıntrə'dʌktərı] *a* вступительный, вводный, предварительный

introit ['ıntrɔıt] *n церк.* псалом *или* антифон (*пропетый или произнесённый перед литургией*)

introspect [,ıntrəʊ'spekt] *v* 1) смотреть внутрь; вникать 2) заниматься самонаблюдением, самоанализом

introspection [,ıntrəʊ'spekʃn] *n психол.* интроспекция, самонаблюдение, самоанализ

introspective [,ıntrəʊ'spektıv] *a психол.* интроспективный

introversion [,ıntrəʊ'vɜ:ʃn] *n психол.* сосредоточенность на самом себе

introvert 1. *n* ['ıntrəʊvɜ:t] 1) *психол.* человек, сосредоточенный на своём внутреннем мире 2) робкий, застенчивый человек

2. *v* [,ıntrəʊ'vɜ:t] *психол.* сосредоточиваться на самом себе

intrude [ın'tru:d] *v* 1) вторгаться, входить без приглашения *или* разрешения (into); am I intruding? я не помешаю? 2) навязывать(ся), быть назойливым (upon); to ~ oneself (one's views) upon a person навязывать себя (свои взгляды) кому-л. 3) внедрять(ся)

intruder [ın'tru:də] *n* 1) навязчивый, назойливый человек; незваный гость 2) *юр.* человек, незаконно присваивающий чужое владение *или* чужие права; самозванец 3) *ав.* самолёт вторжения; самолёт-нарушитель (*тж.* ~ aircraft)

intrusion [ın'tru:ʒn] *n* 1) вторжение, появление без приглашения (into); unpardonable ~ бесцеремонное вторжение 2) навязывание себя, своих мнений *и т. п.* (upon) 3) *юр.* узурпирование чужого владения *или* прав 4) *геол.* интрузия, внедрение

intrusive [ın'tru:sıv] *a* 1) назойливый, навязчивый 2) *геол.* интрузивный, плутонический (*о породах*)

intrust [ın'trʌst] *амер.* = entrust

intubation [,ıntjʊ'beıʃn] *n мед.* интубация

intuit [ın'tju:ıt] *v* знать, постигать интуитивно

intuition [,ıntjʊ'ıʃn] *n* интуиция

intuitional [,ıntjʊ'ıʃnəl] *a* интуитивный

intuitionalism [,ıntjʊ'ıʃnəlızəm] *n филос.* интуитивизм

intuitive [ın'tju:ətıv] *a* 1) = intuitional 2) обладающий интуицией

intuitivism [ın'tju:ətı,vızəm] = intuitionalism

intumescence [,ıntjʊ'mesns] *n* опухание, припухлость; распухание

intussusception [,ıntəsə'sepʃn] *n* 1) *физиол.* инвагинация 2) восприятие (*идей, впечатлений и т. п.*)

inunction [ı'nʌŋkʃn] *n* 1) *мед.* втирание; мазь 2) *церк.* помазание

inundate ['ınʌndeıt] *v* 1) затоплять, наводнять 2) осыпать; наполнять; to ~ with enquiries засыпать вопросами; he was ~d with invitations он получил массу приглашений

inundation [,ınʌn'deıʃn] *n* 1) наводнение 2) наплыв, скопление; an ~ of tourists наплыв туристов

inurbane [,ınɜ:'beın] *a* 1) неизящный, лишённый изысканности, городского лоска 2) невежливый

inure [ı'njʊə] *v* 1) приучать; to ~ oneself приучить себя 2) *юр.* вступать в силу, становиться действительным 3) служить, идти на пользу; to ~ to the benefit of humanity служить человечеству

inurement [ı'njʊəmənt] *n* приучение; практика; привычка

inurnment [ɪ'nɜ:nmənt] *n* погребе́ние пра́ха в у́рне (*после кремации*)

in utero [ɪn'ju:tərəʊ] *лат. adv* во чре́ве

inutile [ɪ'nju:tɪl] *a* бесполе́зный

in vacuo [ɪn'vækjʊəʊ] *лат. adv* в пустоте́; в ва́кууме

invade [ɪn'veɪd] *v* 1) вторга́ться; захва́тывать, оккупи́ровать 2) овладе́ть, нахлы́нуть (*о чувстве*); fear ~d her mind её охвати́л страх 3) поража́ть (*о болезни*) 4) посяга́ть (*на чьи-л. права*)

invader [ɪn'veɪdə] *n* 1) захва́тчик, оккупа́нт 2) посяга́тель

invalid I ['ɪnvəli:d] **1.** *n* больно́й; инвали́д

2. *a* 1) больно́й; нетрудоспосо́бный 2) предназна́ченный для больны́х; an ~ diet дие́та для больно́го; ~ food диети́ческое пита́ние

3. *v* 1) освобожда́ть(ся) от вое́нной слу́жбы по инвали́дности; to be ~ed out of the army быть демобилизо́ванным по состоя́нию здоро́вья 2) де́лать(ся) инвали́дом

invalid II [ɪn'vælɪd] *a* не име́ющий зако́нной си́лы, недействи́тельный; to declare a marriage ~ расто́ргнуть брак

invalidate [ɪn'vælɪdeɪt] *v* лиша́ть зако́нной си́лы, де́лать недействи́тельным; своди́ть на не́т

invalidation [ɪn,vælɪ'deɪʃn] *n* аннули́рование, лише́ние зако́нной си́лы

invalidity [,ɪnvə'lɪdətɪ] *n* 1) недействи́тельность 2) не́мощь, дря́хлость

invaluable [ɪn'væljʊəbl] *a* неоцени́мый, бесце́нный

invar [ɪn'vɑ:] *n* инва́р, сплав желе́за с ни́келем

invariability [ɪn,veərɪə'bɪlətɪ] *n* неизме́нность, неизменя́емость

invariable [ɪn'veərɪəbl] *a* 1) неизме́нный, неизменя́емый; усто́йчивый 2) *мат.* постоя́нный

invariant [ɪn'veərɪənt] *мат.* **1.** *n* инвариа́нт

2. *a* инвариа́нтный

invasion [ɪn'veɪʒn] *n* 1) посяга́тельство (*на чьи-л. права*) 2) вторже́ние, наше́ствие; набе́г 3) *мед.* инва́зия 4) *attr.*: ~ ground forces *воен.* сухопу́тные войска́ вторже́ния; ~ fleet вое́нно-морски́е си́лы вторже́ния

invasive [ɪn'veɪsɪv] *a* захва́тнический; агресси́вный

invective [ɪn'vektɪv] *n* 1) обличи́тельная речь; вы́пад; инвекти́ва 2) (*обыкн. pl*) руга́тельства, брань; a stream of ~s пото́к руга́тельств

inveigh [ɪn'veɪ] *v* я́ростно напада́ть, поноси́ть, руга́ть (against)

inveigle [ɪn'vi:gl] *v* зама́нивать, завлека́ть; соблазня́ть; to ~ smb. into doing smth. обма́ном побуди́ть кого́-л. сде́лать что-л.

inveiglement [ɪn'vi:glmənt] *n* зама́нивание; собла́зн, обольще́ние

invent [ɪn'vent] *v* 1) изобрета́ть, де́лать откры́тие 2) вы́думывать, фабрикова́ть, сочиня́ть 3) приду́мывать; to ~ an excuse (explanation) приду́мать отгово́рку (объясне́ние)

invention [ɪn'venʃn] *n* 1) изобрета́тельность 2) изобрете́ние 3) вы́думка, измышле́ние 4) *муз.* инве́нция

inventive [ɪn'ventɪv] *a* изобрета́тельный; нахо́дчивый

inventor [ɪn'ventə] *n* 1) изобрета́тель 2) вы́думщик, фантазёр

inventory ['ɪnvəntərɪ] **1.** *n* 1) о́пись, инвента́рь 2) това́ры, предме́ты, внесённые в инвента́рь 3) *амер.* переучёт това́ра; инвентариза́ция, прове́рка инвентаря́; to make (*или* to draw) up an ~ произвести́ инвентариза́цию

2. *v* составля́ть о́пись, вноси́ть в инвента́рь

inveracity [,ɪnvə'ræsətɪ] *n* лжи́вость; несоотве́тствие и́стине

Inverness [,ɪnvə'nes] *n* плащ с капюшо́ном без рукаво́в (*по названию местности в Шотландии*)

inverse [,ɪn'vɜ:s] **1.** *n* противополо́жность; обра́тный поря́док

2. *a* обра́тный, перевёрнутый; противополо́жный; ~ ratio (*или* proportion) *мат.* обра́тная пропорциона́льность

inversely [,ɪn'vɜ:slɪ] *adv* обра́тно; обра́тно пропорциона́льно

inversion [ɪn'vɜ:ʃn] *n* 1) перестано́вка; перевёртывание; измене́ние норма́льного поря́дка на обра́тный 2) *грам.* инве́рсия 3) *геол.* обра́тное напластова́ние 4) *биол.* инве́рсия (*генов*) 5) гомосексуали́зм

invert 1. *n* ['ɪnvɜ:t] 1) гомосексуали́ст 2) *архит.* обра́тный свод

2. *v* [ɪn'vɜ:t] 1) перевёртывать, перевора́чивать, опроки́дывать 2) переставля́ть, меня́ть поря́док 3) *хим.* инверти́ровать

invertebrate [ɪn'vɜ:tɪbrət] **1.** *n* беспозвоно́чное живо́тное

2. *a* 1) беспозвоно́чный (*о животном*) 2) бесхребе́тный, бесхара́ктерный

inverted [ɪn'vɜ:tɪd] **1.** *p. p. от* invert 2

2. *a* 1) опроки́нутый; перевёрнутый; ~ flight *ав.* полёт на спине́ 2) обра́тный; ~ order of words *грам.* инве́рсия, обра́тный поря́док слов 3) *хим.* инверти́рованный

inverted commas [ɪn,vɜ:tɪd'kɒməz] *n pl* кавы́чки

inverter [ɪn'vɜ:tə] *n эл.* инве́ртер, обра́тный преобразова́тель

invest [ɪn'vest] *v* 1) помеща́ть, вкла́дывать де́ньги, капита́л (in) 2) *разг.* покупа́ть *что-л.* 3) облека́ть (*полномочиями и т. п.*; with, in) 4) одева́ть, облача́ть (in, with); ~ed with mystery оку́танный та́йной 5) *воен.* окружа́ть, блоки́ровать

investigate [ɪn'vestɪgeɪt] *v* 1) иссле́довать, изуча́ть 2) рассле́довать; разузнава́ть; наводи́ть спра́вки

investigation [ɪn,vestɪ'geɪʃn] *n* 1) (нау́чное) иссле́дование 2) рассле́дование, сле́дствие

investigative [ɪn'vestɪgətɪv] *a* иссле́довательский

investigator [ɪn'vestɪgeɪtə] *n* 1) иссле́дователь, испыта́тель 2) сле́дователь

investigatory [ɪn'vestɪgeɪtərɪ] = investigative

investiture [ɪn'vestɪtʃə] *n* 1) инвеститу́ра, форма́льное введе́ние в до́лжность, во владе́ние 2) облаче́ние, одея́ние 3) награжде́ние, пожа́лование

investment [ɪn'vestmənt] *n* 1) инвести́ция; вклад 2) (капитало)вложе́ние, помеще́ние де́нег, инвести́рование 3) предприя́тие *или* бума́ги, в кото́рые вло́жены де́ньги 4) оде́жда, облаче́ние 5) облече́ние полномо́чиями, вла́стью *и т. п.* 6) *воен.* оса́да, блока́да 7) *attr.*: ~ bank *амер.* инвестицио́нный банк; ~ goods това́ры произво́дственного назначе́ния; ~ outlet сфе́ра примене́ния капита́ла

investor [ɪn'vestə] *n* вкла́дчик [*см.* invest 1)]

inveteracy [ɪn'vetərəsɪ] *n* закорене́лость (*привычки*); застаре́лость (*болезни*)

inveterate [ɪn'vetərət] *a* глубоко́ вкорени́вшийся, закосне́лый, застаре́лый; закорене́лый; ~ smoker зая́длый кури́льщик; ~ liar враль

invidious [ɪn'vɪdɪəs] *a* вызыва́ющий вражде́бное чу́вство; оскорбля́ющий несправедли́востью, возмути́тельный; ненави́стный; ~ comparison оби́дное сравне́ние

invigilate [ɪn'vɪdʒəleɪt] *v* следи́ть за экзамену́ющимися во вре́мя экза́мена

invigorate [ɪn'vɪgəreɪt] *v* 1) дава́ть си́лы, укрепля́ть 2) подба́дривать

invigorative [ɪn'vɪgərətɪv] *a* подкрепля́ющий, бодря́щий, стимули́рующий

invincibility [ɪn,vɪnsə'bɪlətɪ] *n* непобеди́мость

invincible [ɪn'vɪnsəbl] *a* непобеди́мый

inviolability [ɪn,vaɪələ'bɪlətɪ] *n* неруши́мость; неприкоснове́нность

inviolable [ɪn'vaɪələbl] *a* неруши́мый; неприкоснове́нный

inviolate [ɪn'vaɪələt] *a* ненару́шенный; неосквернённый

invisibility [ɪn,vɪzə'bɪlətɪ] *n* неви́димость; неразличи́мость

invisible [ɪn'vɪzəbl] *a* 1) неви́димый, незри́мый; неразличи́мый; незаме́тный; ~ man челове́к-неви́димка; ~ exports (imports) *эк.* неви́димый э́кспорт (и́мпорт); he is ~ его́ нельзя́ ви́деть (*он не принимает*) 2) иску́сно сде́ланный; ~ mending худо́жественная што́пка ◊ ~ green голубова́то- *или* желтова́то-зелёный цвет; the I. Empire *амер.* ку-клукс-кла́н

invitation [,ɪnvɪ'teɪʃn] *n* 1) приглаше́ние (to — на); admission by ~ only вход то́лько по пригласи́тельным биле́там; to send out ~s рассыла́ть приглаше́ния 2) *attr.* пригласи́тельный; ~ card пригласи́тельный биле́т

invitational [,ɪnvɪ'teɪʃnəl] *a* пригласи́тельный

invite [ɪn'vaɪt] **1.** *v* 1) приглаша́ть, проси́ть 2) побужда́ть (*к чему-л.*); to ~

questions (opinions) просить задавать вопросы (высказать своё мнение) 3) навлекать на себя 4) привлекать, манить; to ~ attention привлекать внимание

2. *n разг.* приглашение

invitee [,ɪnvaɪ'ti:] *n разг.* приглашённый

inviting [ɪn'vaɪtɪŋ] **1.** *pres. p. от* invite 1

2. *a* привлекательный, притягательный, соблазнительный, манящий

in vitro [ɪn'vi:trəʊ] *лат. adv биол.* в пробирке, искусственно

in vivo [ɪn'vi:vəʊ] *лат. adv биол.* на живом организме, в естественных условиях

invocation [,ɪnvəʊ'keɪʃn] *n* 1) заклинание, мольба 2) *поэт.* призыв, обращение к музе 3) *юр.* вызов (*в суд*)

invocatory [ɪn'vɒkətərɪ] *a* призывный, призывающий

invoice ['ɪnvɔɪs] **1.** *n* счёт, фактура

2. *v* выписать счёт, фактуру

invoke [ɪn'vəʊk] *v* 1) вызывать духов 2) призывать, взывать 3) умолять

involucre ['ɪnvəlu:kə] *n* 1) *анат.* оболочка 2) *бот.* обвёртка соцветия

involuntary [ɪn'vɒləntərɪ] *a* 1) невольный, ненамеренный 2) непроизвольный

involute ['ɪnvəlu:t] **1.** *a* 1) закрученный; спиральный 2) *бот.* свёрнутый внутрь; скрученный 3) сложный, запутанный; an ~ plot сложная интрига

2. *n мат.* эвольвента, развёртка

3. *v мат.* возводить в степень

involution [,ɪnvə'lu:ʃn] *n* 1) закручивание спиралью 2) затейливость, запутанность (*о механизме, рисунке и т. п.*) 3) *мат.* возведение в степень

involve [ɪn'vɒlv] *v* 1) запутывать; впутывать, вовлекать; затрагивать; ~d in debt запутавшийся в долгах; to ~ the rights of smb. затрагивать чьи-л. права 2) вызывать, (по)влечь за собой 3) включать в себя (in); подразумевать, предполагать 4) завёртывать, окутывать (in) 5) закручивать (спиралью) 6) *мат.* возводить в степень

involved [ɪn'vɒlvd] **1.** *p. p. от* involve

2. *a* запутанный, сложный; ~ mechanism сложный механизм; ~ reasoning туманная аргументация

involvement [ɪn'vɒlvmənt] *n* 1) запутанность; затруднительное положение 2) денежные затруднения 3) вовлечение; участие (*в чём-л.*)

invulnerability [ɪn,vʌlnərə'bɪlətɪ] *n* неуязвимость

invulnerable [ɪn'vʌlnərəbl] *a* неуязвимый

inward ['ɪnwəd] **1.** *a* 1) направленный внутрь, обращённый внутрь 2) внутренний 3) умственный, духовный

2. *adv* 1) внутрь 2) внутренне

3. *n pl разг.* внутренности

inwardly ['ɪnwədlɪ] *adv* 1) внутри; внутрь 2) внутренне, в уме, в душе, про себя

inwardness ['ɪnwədnəs] *n* 1) истинная природа, сущность 2) внутренняя сила; духовная сторона

inwards ['ɪnwədz] = inward 2

inweave [,ɪn'wi:v] *v* (inwove; inwoven) 1) воткать, заткать 2) сплетать, вплетать

inwove [,ɪn'wəʊv] *past от* inweave

inwoven [,ɪn'wəʊvən] *p. p. от* inweave

inwrought [,ɪn'rɔ:t] *a* 1) узорчатый (*о ткани;* with) 2) вотканный в материю (*об узоре;* on, in) 3) тесно связанный, сплетённый (with)

iodide ['aɪədaɪd] *n хим.* йодид, соль йодистоводородной кислоты

iodine ['aɪədi:n] *n* йод

iodize ['aɪədaɪz] *v* подвергать действию йода

ion ['aɪən] *n физ.* ион

Ionic [aɪ'ɒnɪk] *a* ионический

ionic [aɪ'ɒnɪk] *a физ.* ионный; ~ composition of the atmosphere ионная структура атмосферы

ionium [aɪ'əʊnɪəm] *n хим.* ионий

ionize ['aɪənaɪz] *v хим.* ионизировать

ionosphere [aɪ'ɒnəsfɪə] *n* ионосфера

ionospheric [aɪ,ɒnə'sferɪk] *a* относящийся к ионосфере; ~ data данные о состоянии ионосферы

iontophoresis [aɪ,ɒntəfə'ri:sɪs] *n мед.* ионтофорез

iota [aɪ'əʊtə] *n* 1) йота (*9-я буква греческого алфавита*) 2) йота, мельчайшая доля, частица; not to care an ~ совсем не интересоваться, ни в грош не ставить

IOU [,aɪəʊ'ju:] *n* долговая расписка с надписью IOU (*по созвучию с I owe you я должен вам*)

ipecac ['ɪpɪkæk] *сокр. от* ipecacuanha

ipecacuanha [,ɪpɪkækjʊ'ænə] *n фарм.* ипекакуана, рвотный корень

ipsissima verba [ɪp,sɪsɪmə'vɜ:bə] *лат. n pl* наиподлиннейшие слова

ipso facto [,ɪpsəʊ'fæktəʊ] *лат. adv* 1) в силу самого факта, по одной этой причине 2) в связи с этим

ir- [ɪ-] *pref* (*в словах, корни которых начинаются с* r) не-; irrational неразумный; нерациональный; irrelevant неуместный, не относящийся к делу

Iraki [ɪ'rɑ:kɪ] = Iraqi

Irani [ɪ'rɑ:nɪ] *a* иранский; персидский

Iranian [aɪ'reɪnɪən] **1.** *a* иранский; персидский

2. *n* 1) житель Ирана, иранец; иранка 2) персидский язык

Iraqi [ɪ'rɑ:kɪ] **1.** *n* житель Ирака

2. *a* иракский

irascibility [ɪ,ræsə'bɪlətɪ] *n* раздражительность, вспыльчивость

irascible [ɪ'ræsəbl] *a* раздражительный, вспыльчивый

irate [aɪ'reɪt] *a* гневный, разгневанный, сердитый

ire ['aɪə] *n книжн.* гнев, ярость

ireful ['aɪəfl] *a* гневный

iridescence [,ɪrɪ'desns] *n* радужность; переливчатость

iridescent [,ɪrɪ'desnt] *a* радужный, похожий на радугу; переливчатый

iris ['aɪrɪs] *n* 1) *анат.* радужная оболочка (*глаза*) 2) *бот.* ирис, касатик 3) радуга 4) *attr.:* ~ diaphragm *опт.* ирисовая диафрагма

Irish ['aɪrɪʃ] **1.** *a* ирландский ◇ ~ bridge каменный открытый водосток (*поперёк дороги*)

2. *n* 1) (the ~) *pl собир.* ирландцы, ирландский народ 2) ирландский язык 3) сорт виски 4) сорт полотна ◇ to get smb.'s ~ up рассердить, разозлить кого-л.

Irishism ['aɪrɪʃ,ɪzəm] *n* ирландское слово *или* выражение, ирландизм

Irishman ['aɪrɪʃmən] *n* ирландец

Irishwoman ['aɪrɪʃ,wʊmən] *n* ирландка

iritis [aɪ'raɪtɪs] *n мед.* воспаление радужной оболочки глаза

irk [ɜ:k] *v* утомлять, надоедать, раздражать

irksome ['ɜ:ksəm] *a* утомительный, скучный; надоедливый

iron ['aɪən] **1.** *n* 1) *хим.* железо (*элемент*) 2) чёрный металл, *напр.*, железо, сталь, чугун; as hard as ~ твёрдый как сталь (*тж. перен.*) 3) железное изделие 4) утюг 5) клюшка с железной головкой (*для гольфа*) 6) *pl* оковы, кандалы; in ~s в кандалах 7) (*обыкн. pl*) стремя 8) *мед.* препарат железа ◇ to have (too) many ~s in the fire а) заниматься многими делами одновременно; б) пустить в ход различные средства (*для достижения цели*)

2. *a* 1) железный; сделанный из железа 2) сильный, крепкий, твёрдый 3) суровый; жестокий; a man of ~ железный человек, человек железной воли ◇ ~ man *амер. sl.* серебряный доллар; ~ rations *воен.* неприкосновенный запас (*продовольствия*); ~ age а) железный век; б) жестокий век; ~ curtain железный занавес; an ~ fist in a velvet glove ≅ мягко стелет, да жёстко спать

3. *v* 1) утюжить, гладить 2) покрывать железом ▭ ~ out сглаживать, улаживать

iron-bark ['aɪənbɑ:k] *n* вид эвкалипта с крепкой корой

ironbound ['aɪənbaʊnd] *a* 1) окованный железом 2) суровый, непоколебимый 3) скалистый (*о береге*)

ironclad ['aɪənklæd] **1.** *a* 1) покрытый бронёй, бронированный 2) жёсткий, твёрдый; нерушимый

2. *n уст.* броненосец

iron-fall ['aɪənfɔ:l] *n* падение метеорита

iron-foundry ['aɪən,faʊndrɪ] *n* чугунолитейный завод

iron grey [,aɪən'greɪ] **1.** *a* серо-стальной

2. *n* серо-стальной цвет

ironhanded [,aɪən'hændɪd] *a* жестокий, деспотичный; непоколебимый

ironic(al) [aɪ'rɒnɪk(l)] *a* иронический

ironing ['aɪənɪŋ] **1.** *pres. p. от* iron 3

2. *n* 1) утюжка, глаженье 2) платье, бельё для глаженья

ironing board ['aɪənɪŋbɔ:d] *n* гладильная доска

iron lung [ˈaɪənlʌŋ] *n мед.* аппара́т для иску́сственного дыха́ния

ironmaster [ˈaɪən,mɑ:stə] *n* фабрика́нт желе́зных изде́лий

ironmonger [ˈaɪən,mʌŋgə] *n* торго́вец желе́зными, скобяны́ми изде́лиями

ironmongery [ˈaɪən,mʌŋgərɪ] *n* желе́зные изде́лия, скобяно́й това́р

iron mould [ˈaɪənməʊld] *n* ржа́вое *или* черни́льное пятно́ (*на ткани*)

iron-shod [ˈaɪənʃɒd] *a* оби́тый желе́зом; подко́ванный, ко́ваный

ironside [ˈaɪənsaɪd] *n* 1) отва́жный, реши́тельный челове́к 2) (Ironsides) *pl ист.* ко́нница Кро́мвеля, «железнобо́кие»

ironstone [ˈaɪənstəʊn] *n* желе́зная руда́, бу́рый железня́к

ironware [ˈaɪənweə] *n* желе́зный, скобяно́й това́р

ironwork [ˈaɪənwɜ:k] *n* 1) желе́зное изде́лие 2) желе́зная часть констру́кции

ironworker [ˈaɪən,wɜ:kə] *n* рабо́чий-металли́ст

ironworks [ˈaɪənwɜ:ks] *n pl* (*употр. как sing и как pl*) чугунолите́йный заво́д; предприя́тие чёрной металлу́ргии

irony [ˈaɪrənɪ] *n* иро́ния; the ~ of fate иро́ния судьбы́; the irony of it is that... парадо́кс в том, что...; по злой иро́нии судьбы́... ◇ Socratic ~ сократи́ческий ме́тод веде́ния спо́ра

irradiate [ɪˈreɪdɪeɪt] *v* 1) освеща́ть, озаря́ть; облуча́ть 2) *физ.* испуска́ть лучи́ 3) разъясня́ть, пролива́ть свет; распространя́ть (*знания и т. п.*)

irradiation [ɪ,reɪdɪˈeɪʃn] *n* 1) освеще́ние, озаре́ние 2) блеск, сия́ние, лучи́стость, лучеза́рность 3) *физ.* иррадиа́ция

irrational [ɪˈræʃnəl] **1.** *a* 1) неразу́мный, нерациона́льный; нелоги́чный; ~ fear безрассу́дный страх 2) неразу́мный, не одарённый ра́зумом 3) *мат.* иррациона́льный

2. *n мат.* иррациона́льное число́

irrationality [ɪ,ræʃəˈnælətɪ] *n* 1) неразу́мность, нелоги́чность; абсу́рдность 2) *мат.* иррациона́льность

irreclaimable [,ɪrɪˈkleɪməbl] *a* 1) него́дный для обрабо́тки (*о земле*) 2) неисправи́мый

irreconcilable [ɪˈrekənsaɪləbl] *a* 1) непримири́мый (*о человеке*) 2) противоречи́вый, несовмести́мый

irrecoverable [,ɪrɪˈkʌvərəbl] *a* непоправи́мый, невозврати́мый

irrecusable [,ɪrɪˈkju:zəbl] *a* неоспори́мый, неопровержи́мый

irredeemable [,ɪrɪˈdi:məbl] *a* 1) неисправи́мый, безнадёжный, безысхо́дный 2) не подлежа́щий вы́купу, невыкупа́емый (*об акциях*) 3) не подлежа́щий обме́ну, неразме́нный (*о бумажных деньгах*)

irredenta [,ɪrɪˈdentə] *ит. a* невоссоединённый

irredentist [,ɪrɪˈdentɪst] *n ист.* член *или* сторо́нник па́ртии ирреденти́стов (*программным требованием которой было воссоединение Италии по этнографическому и лингвистическому признаку*)

irreducible [,ɪrɪˈdju:səbl] *a* 1) не поддаю́щийся превраще́нию (*в иное состояние и т. п.*) 2) *мед.* не поддаю́щийся улучше́нию *или* приведе́нию в пре́жнее состоя́ние 3) *мат.* несократи́мый, несокраща́емый 4) минима́льный 5) непреодоли́мый

irrefragable [ɪˈrefrəgəbl] *a* неоспори́мый, неопровержи́мый, бесспо́рный; ~ answer исче́рпывающий отве́т

irrefrangible [,ɪrɪˈfrændʒɪbl] *a* 1) ненаруши́мый 2) *опт.* непреломля́емый

irrefutable [ɪˈrefju:təbl] *a* неопровержи́мый

irregular [ɪˈregjʊlə] **1.** *a* 1) нестанда́ртный; несимметри́чный; неро́вный (*о поверхности*); неравноме́рный 2) непра́вильный; наруша́ющий пра́вила; незако́нный; ~ child внебра́чный ребёнок 3) беспоря́дочный, распу́щенный 4) *воен.* нерегуля́рный 5) *грам.* непра́вильный

2. *n* (*обыкн. pl*) нерегуля́рные войска́, ча́сти

irregularity [ɪ,regjʊˈlærətɪ] *n* 1) неро́вность 2) беспоря́дочность, распу́щенность; ~ of living ненорма́льный о́браз жи́зни 3) непра́вильность, наруше́ние но́рмы (симме́трии, поря́дка *и т. п.*)

irrelative [ɪˈrelətɪv] *a* 1) безотноси́тельный (to); абсолю́тный 2) = irrelevant

irrelevance [ɪˈreləvəns] *n* 1) неуме́стность 2) не относя́щийся к де́лу, неуме́стный вопро́с *и т. п.*

irrelevant [ɪˈreləvənt] *a* неуме́стный; не относя́щийся к де́лу

irreligious [,ɪrɪˈlɪdʒəs] *a* нерелигио́зный; неве́рующий

irremeable [ɪˈremɪəbl] *a* безвозвра́тный; исче́знувший

irremediable [,ɪrɪˈmi:dɪəbl] *a* 1) непоправи́мый 2) неизлечи́мый, неисцели́мый

irremovability [ɪrɪ,mu:vəˈbɪlətɪ] *n* несменя́емость

irremovable [,ɪrɪˈmu:vəbl] *a* 1) несменя́емый (*по должности*) 2) неустрани́мый; постоя́нный

irreparable [ɪˈrepərəbl] *a* непоправи́мый; ~ loss безвозвра́тная утра́та; ~ injury непоправи́мый уще́рб

irrepatriable [,ɪrɪˈpætrɪəbl] *n* челове́к, не подлежа́щий репатриа́ции

irreplaceable [,ɪrɪˈpleɪsəbl] *a* незамени́мый; невосстанови́мый; невозмести́мый

irrepressible [,ɪrɪˈpresəbl] **1.** *a* 1) неукроти́мый, неугомо́нный 2) неудержи́мый

2. *n разг.* неугомо́нный, неуёмный челове́к

irreproachable [,ɪrɪˈprəʊtʃəbl] *a* безукори́зненный, безупре́чный

irresistibility [ɪrɪ,zɪstəˈbɪlətɪ] *n* неотрази́мость

irresistible [,ɪrɪˈzɪstəbl] *a* неотрази́мый, непреодоли́мый; неопровержи́мый; ~ proof неопровержи́мое доказа́тельство

irresolute [ɪˈrezəlu:t] *a* нереши́тельный, колеблю́щийся

irresolution [ɪ,rezəˈlu:ʃn] *n* нереши́тельность, колеба́ние

irresolvable [,ɪrɪˈzɒlvəbl] *a* 1) неразложи́мый (*на части*) 2) неразреши́мый

irrespective [,ɪrɪsˈpektɪv] *a* безотноси́тельный, незави́симый (of — от); ~ of age незави́симо от во́зраста

irresponsibility [,ɪrɪspɒnsəˈbɪlətɪ] *n* безотве́тственность

irresponsible [,ɪrɪˈspɒnsəbl] *a* 1) неотве́тственный, не несу́щий отве́тственности; ~ child ребёнок, не отвеча́ющий за свои́ посту́пки 2) безотве́тственный 3) невменя́емый

irresponsive [,ɪrɪˈspɒnsɪv] *a* 1) не отвеча́ющий, не реаги́рующий; to be ~ не отвеча́ть, не реаги́ровать 2) неотзы́вчивый; невосприи́мчивый

irretention [,ɪrɪˈtenʃn] *n* неспосо́бность к запомина́нию; ~ of memory сла́бая па́мять

irretentive [,ɪrɪˈtentɪv] *a* не могу́щий удержа́ть в па́мяти

irretraceable [,ɪrɪˈtreɪsəbl] *a* непросле́живаемый

irretrievable [,ɪrɪˈtri:vəbl] *a* непоправи́мый, невозмести́мый, невосполни́мый

irreverence [ɪˈrevrəns] *n* непочти́тельность

irreverent [ɪˈrevrənt] *a* непочти́тельный

irreversible [,ɪrɪˈvɜ:səbl] *a* 1) необрати́мый 2) неотменя́емый; наруши́мый, непрело́жный; ~ decision оконча́тельное реше́ние 3) *тех.* нереверси́вный

irrevocability [ɪ,revəkəˈbɪlətɪ] *n* неотменя́емость, бесповоро́тность

irrevocable [ɪˈrevəkəbl] *a* неотменя́емый, оконча́тельный; безвозвра́тный; ~ mistake непоправи́мая оши́бка

irrigate [ˈɪrɪgeɪt] *v* 1) ороша́ть 2) *мед.* промыва́ть

irrigation [,ɪrɪˈgeɪʃn] *n* 1) ороше́ние, иррига́ция 2) *мед.* промыва́ние; спринцева́ние 3) *attr.*: ~ engineering мелиора́ция

irrigative [ˈɪrɪgeɪtɪv] *a* ороси́тельный, ирригацио́нный

irritability [,ɪrɪtəˈbɪlətɪ] *n* 1) раздражи́тельность 2) *физиол.* раздражи́мость; возбуди́мость (*органа*)

irritable [ˈɪrɪtəbl] *a* 1) раздражи́тельный 2) боле́зненно чувстви́тельный 3) *физиол.* раздражи́мый, воспринима́ющий раздраже́ние (*об органе*)

irritant [ˈɪrɪtənt] **1.** *n* 1) раздражи́тель, раздража́ющее сре́дство 2) *воен.* отравля́ющее вещество́ раздража́ющего де́йствия

2. *a* вызыва́ющий раздраже́ние

irritate I [ˈɪrɪteɪt] *v* 1) раздража́ть, серди́ть 2) *мед.* вызыва́ть раздраже́ние, воспале́ние 3) *физиол.* вызыва́ть де́ятельность о́ргана посре́дством раздраже́ния

irritate II [ˈɪrɪteɪt] *v юр.* де́лать недействи́тельным, аннули́ровать

irritating I [ˈɪrɪteɪtɪŋ] **1.** *pres. p. от* irritate I

2. *a* раздража́ющий, вызыва́ющий раздраже́ние

irritating II ['ɪrɪteɪtɪŋ] *pres. p. от* irritate II

irritation [ˌɪrɪ'teɪʃn] *n* 1) раздраже́ние, гнев 2) *физиол., мед.* раздраже́ние; возбужде́ние

irritative ['ɪrɪteɪtɪv] *a* раздража́ющий

irruption [ɪ'rʌpʃn] *n* внеза́пное вторже́ние, набе́г, наше́ствие

is [ɪz (*полная форма*); z, s (*редуцированные формы*)] *3-е л. ед. ч. настоящего времени гл.* to be

Isabel ['ɪzəbel] = Isabella 1)

Isabella [ˌɪzə'belə] *n* 1) изабе́лла (*сорт винограда*) [*см. тж. Список имён*] 2) серова́то-жёлтый цвет

Isaiah [aɪ'zaɪə] *n библ.* Иса́й(я)

ischemia [ɪs'ki:mɪə] *n мед.* ишеми́я

isinglass ['aɪzɪŋglɑ:s] *n* 1) ры́бий клей; желати́н 2) *разг.* слюда́ (*тж.* ~-stone)

Islam ['ɪzlɑ:m] *n* исла́м

Islamic [ɪz'læmɪk] *a* мусульма́нский, относя́щийся к исла́му, ислами́стский

Islamite ['ɪzləmaɪt] 1. *n* мусульма́нин

2. *a* мусульма́нский, ислами́стский

island ['aɪlənd] 1. *n* 1) о́стров 2) что́-л. изоли́рованное; street (*или* safety) ~ острово́к безопа́сности (*для пешеходов*) 3) *анат.* острово́к (*обособленная группа клеток*)

2. *v* 1) образо́вывать о́стров; окружа́ть водо́й 2) изоли́ровать

islander ['aɪləndə] *n* островитя́нин, жи́тель о́строва

isle [aɪl] *n* о́стров (*поэт.; в прозе обыкн. с именем собственным; напр.*, I. of Wight о-в Уа́йт)

islet ['aɪlət] *n* острово́к

ism ['ɪzəm] *n пренебр.* доктри́на, уче́ние; направле́ние

isn't ['ɪznt] *сокр. разг.* = is not

isobar ['aɪsəʊbɑ:] *n* изоба́ра

isochronal [aɪ'sɒkrənl] = isochronous

isochronous [aɪ'sɒkrənəs] *a* изохро́нный

isoclinal [ˌaɪsəʊ'klaɪnl] *a геогр.* изоклина́льный

isocline ['aɪsəʊklaɪn] *n геогр.* изоклина́ль

isolate ['aɪsəleɪt] *v* 1) изоли́ровать, отделя́ть, обособля́ть; подверга́ть каранти́ну 2) *хим.* выделя́ть

isolated ['aɪsəleɪtɪd] 1. *p. p. от* isolate

2. *a* отде́льный, изоли́рованный; ~ sentence предложе́ние, вы́рванное из конте́кста; ~ case едини́чный слу́чай

isolation [ˌaɪsə'leɪʃn] *n* 1) изоля́ция 2) уедине́ние; to live in ~ вести́ уединённый о́браз жи́зни 3) *attr.*: ~ hospital инфекцио́нная больни́ца; ~ period каранти́н

isolationism [ˌaɪsə'leɪʃnɪzəm] *n* изоляциони́зм

isolator ['aɪsəleɪtə] *n* изоля́тор

isosceles [aɪ'sɒsəli:z] *a мат.* равнобе́дренный

isotherm ['aɪsəʊθɜ:m] *n* изоте́рма

isothermal [ˌaɪsəʊ'θɜ:ml] *a* изотерми́ческий

isotope ['aɪsətəʊp] *n* изото́п

Israel ['ɪzreɪl] *n* евре́йский наро́д, евре́и

Israeli [ɪz'reɪlɪ] 1. *n* израильтя́нин; израильтя́нка

2. *a* изра́ильский

Israelite ['ɪzrɪəlaɪt] *ист.* 1. *n* израильтя́нин, евре́й

2. *a* изра́ильский, евре́йский

issuance ['ɪʃʊəns] *n* вы́ход, вы́пуск *и пр.* [*см.* issue 2]

issue ['ɪʃu:] 1. *n* 1) вы́пуск; изда́ние; today's ~ сего́дняшний но́мер (*газеты и т. п.*) 2) *фин.* эми́ссия 3) (*обыкн. pl*) дохо́ды, при́были 4) вытека́ние, излия́ние, истече́ние; выделе́ние; an ~ of blood кровотече́ние 5) вы́ход, выходно́е отве́рстие; у́стье реки́ 6) спо́рный вопро́с, предме́т спо́ра, разногла́сие; пробле́ма; national ~ вопро́с госуда́рственного значе́ния; trivial ~s пустяки́; the ~ of the day актуа́льная пробле́ма; ~ of fact *юр.* спо́рный вопро́с, когда́ оди́н из тя́жущихся отрица́ет то, что друго́й утвержда́ет как факт; ~ of law *юр.* возраже́ние правово́го поря́дка; to be at ~ а) быть в ссо́ре; расходи́ться во мне́ниях; б) быть предме́том спо́ра, обсужде́ния; the point at ~ предме́т обсужде́ния, спо́ра; the question at ~ is вопро́с (*или* де́ло) состои́т в том; to join (*или* to take) ~ а) приступи́ть к пре́ниям; заспо́рить (with — с *кем-л.*, on — о *чём-л.*); б) *юр.* нача́ть тя́жбу; в) приня́ть реше́ние, предло́женное друго́й стороно́й; to bring an ~ to a close разреши́ть вопро́с 7) исхо́д, результа́т (*чего-л.*); in the ~ в результа́те, в ито́ге; в коне́чном счёте; to await the ~ ожида́ть результа́та 8) пото́мок; пото́мство; де́ти; without male ~ не име́ющий сынове́й 9) *мед. уст.* выделе́ние; bloody ~s кровяни́стые выделе́ния 10): government ~ казённого образца́ [*см. тж.* G I]

2. *v* 1) выходи́ть, вытека́ть, исходи́ть 2) выпуска́ть, издава́ть; пуска́ть в обраще́ние (*деньги и т. п.*) 3) выходи́ть (*об издании*) 4) выдава́ть, отпуска́ть (*провизию, паёк, обмундирование*) 5) происходи́ть, получа́ться в результа́те (from — *чего-л.*); име́ть результа́том, конча́ться (in — *чем-л.*); the game ~d in a tie игра́ око́нчилась с ра́вным счётом 6) издава́ть (*приказ*) 7) *редк.* роди́ться, происходи́ть (*от кого-л.*)

isthmus ['ɪsməs] *n* 1) перешéек 2) *анат., бот.* у́зкая соедини́тельная часть (*чего-л.*); су́женное ме́сто

it [ɪt] 1. *pron* 1) *pers.* (*косв. п. без измен.*) он, она́, оно́ (*о предметах и животных*); here is your paper, read it вот ва́ша газе́та, чита́йте её 2) *demonstr.* э́то; who is it? кто э́то?; кто там?; it's me, it is I э́то я 3) *impers.*: it is raining идёт дождь; it is said говоря́т; it is known изве́стно 4) *в качестве подлежащего заменяет какое-л. подразумеваемое понятие*: it (= the season) is winter тепе́рь зима́; it (= the distance) is 6 miles to Oxford до О́ксфорда 6 миль; it (= the scenery) is very pleasant here здесь о́чень хорошо́; it is in vain напра́сно; it is easy to talk like that легко́ так говори́ть 5) *в качестве дополнения образует вместе с глаголами (как переходными, так и непереходными) разговорные идиомы; напр.*: to face it out не дать себя́ запуга́ть; to foot it а) идти́ пешко́м; б) танцева́ть; to lord it разы́грывать ло́рда, ва́жничать; to cab it е́здить, е́хать в экипа́же, в такси́

2. *n разг.* 1) идеа́л; после́днее сло́во (*чего-л.*); верх соверше́нства; «изю́минка»; in her new dress she was it в своём но́вом пла́тье она́ была́ верх соверше́нства; she has it в ней что́-то есть, она́ привлека́ет внима́ние 2) *в детских играх* тот, кто во́дит

Italian [ɪ'tæljən] 1. *a* италья́нский ◇ ~ warehouse магази́н бакале́йных (*особ.* италья́нских) това́ров

2. *n* 1) италья́нец; италья́нка 2) италья́нский язы́к

Italianize [ɪ'tæljənaɪz] *v* итальянизи́ровать; подража́ть италья́нцам

Italic [ɪ'tælɪk] *a ист.* итали́йский; ~ order *архит.* рома́нский о́рдер

italic [ɪ'tælɪk] *полигр.* 1. *a* курси́вный; ~ type курси́в

2. *n pl* курси́в; ~s supplied курси́в мой (*примечание автора*)

italicize [ɪ'tælɪsaɪz] *v* 1) выделя́ть курси́вом 2) подчёркивать (*в рукописи*); выделя́ть подчёркиванием 3) подчёркивать, уси́ливать

itch [ɪtʃ] 1. *n* 1) зуд 2) чесо́тка 3) зуд, жа́жда (*чего-л.*), непреодоли́мое жела́ние (*чего-л.*); an ~ for money (gain) жа́жда де́нег (нажи́вы); an ~ to go away нетерпели́вое жела́ние уйти́

2. *v* 1) чеса́ться, зуде́ть 2) испы́тывать зуд, непреодоли́мое жела́ние ◇ my fingers ~ to give him a thrashing у меня́ ру́ки че́шутся поколоти́ть его́; scratch him where he ~es уступи́ его́ сла́бостям

itching ['ɪtʃɪŋ] 1. *pres. p. от* itch 2

2. *a* зудя́щий

itch-mite ['ɪtʃmaɪt] *n* чесо́точный клещ

itchy ['ɪtʃɪ] *a* вызыва́ющий зуд; зудя́щий

item ['aɪtəm] 1. *n* 1) ка́ждый отде́льный предме́т (*в списке и т. п.*); пункт, пара́граф, статья́ (*счёта, расхода*); вопро́с (*на повестке заседания*); но́мер (*программы и т. п.*); to answer a letter ~ by ~ отвеча́ть на письмо́ по пу́нктам 2) газе́тная заме́тка; но́вость, сообще́ние

2. *v* запи́сывать по пу́нктам

3. *adv* та́кже, то́же, ра́вным о́бразом

itemize ['aɪtəmaɪz] *v* 1) перечисля́ть по пу́нктам; уточня́ть, детализи́ровать 2) *тех.* классифици́ровать, составля́ть специфика́цию

iterance ['ɪtərəns] = iteration

iterant ['ɪtərənt] *a* повторя́ющийся

iterate ['ɪtəreɪt] *v* повторя́ть

iteration [ˌɪtə'reɪʃn] *n* повторе́ние

iterative ['ɪtərətɪv] *a* повторя́ющийся

itineracy [aɪ'tɪnərəsɪ] = itinerancy

itinerancy [aɪ'tɪnərənsɪ] *n* 1) стра́нствование; переéзд с мéста на мéсто 2) объéзд (*округа и т. п.*) с цéлью произнесéния речéй, прóповедей *и т. п.*

itinerant [aɪ'tɪnərənt] **1.** *n* 1) тот, кто чáсто переезжáет с мéста на мéсто; бродяга 2) тот, кто объезжáет свой óкруг (*о судье, проповеднике*)

2. *a* 1) стрáнствующий; ~ musicians стрáнствующие музыкáнты 2) объезжáющий свой óкруг

itinerary [aɪ'tɪnrərɪ] **1.** *n* 1) маршрýт, путь 2) путевы́е замéтки 3) путеводи́тель

2. *a* путевóй, дорóжный

itinerate [aɪ'tɪnəreɪt] *v* 1) стрáнствовать 2) объезжáть свой óкруг (*о судье, проповеднике*)

itineration [aɪ,tɪnə'reɪʃn] = itinerancy

it's [ɪts] *сокр. разг.* = it is

its [ɪts] *pron poss.* (*о предметах и животных*) егó, её; свой; принадлежáщий емý, ей

itself [ɪt'self] *pron* (*pl* themselves; *о предметах и животных*) 1) *refl.* себя́; -ся, -сь; себé; the light went out of ~ свет погáс; by ~ самó, отдéльно; in ~ самó по себé, по своéй прирóде; of ~ самó по себé, без свя́зи с другúми явлéниями 2) *emph.* сам, самó, самá; she is kindness ~ онá самá добротá; even the well ~ was empty дáже в колóдце нé было ни кáпли воды́

itsy-bitsy [,ɪtsɪ'bɪtsɪ] *a пренебр.* незначи́тельный, пустя́чный

I've [aɪv] *сокр. разг.* = I have

ivied ['aɪvɪd] *a* зарóсший, порóсший плющóм

ivory ['aɪvərɪ] *n* 1) слонóвая кость; fossil ~ мáмонтовая кость 2) цвет слонóвой кóсти 3) *pl* предмéты из слонóвой кóсти; игрáльные кóсти, билья́рдные шары́, клáвиши 4) (*тж. pl*) *sl.* зýбы; to show one's ivories смея́ться, скáлить зýбы 5) *attr.* сдéланный из слонóвой кóсти 6) *attr.* цвéта слонóвой кóсти ◇ ~ tower бáшня из слонóвой кóсти

ivory black [,aɪvərɪ'blæk] *n* слонóвая кость (*чёрная краска*)

ivory nut ['aɪvərɪnʌt] *n* слонóвый орéх

ivory-white [,aɪvərɪ'waɪt] *a* цвéта слонóвой кóсти

ivy ['aɪvɪ] *n бот.* плющ (обыкновéнный)

ivy-bush ['aɪvɪbʊʃ] *n* 1) вéтка плющá 2) = bush I, 1, 5)

izard ['ɪzɑ:d] *n* зáмша

J

J, j [dʒeɪ] *n* (*pl* Js, J's [dʒeɪz]) *10-я буква англ. алфавита*

jab [dʒæb] **1.** *n* 1) толчо́к; внеза́пный уда́р 2) *воен.* уда́р 3) *разг.* уко́л; приви́вка

2. *v* 1) пиха́ть, ты́кать 2) вонза́ть, втыка́ть (into) 3) ударя́ть; пронза́ть; коло́ть (*штыком*); пырну́ть ▭ ~ **out** выта́лкивать

jabber ['dʒæbə] **1.** *n* 1) болтовня́; трескотня́ 2) бормота́ние; тараба́рщина

2. *v* 1) болта́ть, тарато́рить, треща́ть 2) говори́ть бы́стро и невня́тно, бормота́ть

jabot ['ʒæbəʊ] *n* гофриро́ванная *или* кружевна́я отде́лка на ли́фе; жабо́

jacinth ['dʒæsɪnθ] *n мин.* гиаци́нт

jack I [dʒæk] **1.** *n* 1) *тех.* домкра́т, лебёдка, подъёмник; рыча́г; клин 2) *карт.* вале́т 3) *эл.* гнездо́, розе́тка, кле́мная коло́дка 4) = jackstone 5) (*тж.* J.) челове́к, па́рень; every man ~ ка́ждый (челове́к); J. and Gill (*или* Jill) па́рень и де́вушка; a good J. makes a good Jill у хоро́шего му́жа жена́ хоро́шая 6) *sl.* детекти́в, сы́щик 7) *амер. sl.* де́ньги; to make one's ~ хорошо́ зарабо́тать 8) верхола́з 9) приспособле́ние для перевора́чивания ве́ртела 10) молода́я щу́ка 11) *тех.* ко́злы; сто́йка 12) колпа́к на дымово́й трубе́ 13) *мин.* ци́нковая обма́нка 14) бури́льный молото́к, перфора́тор 15) компенса́тор 16) = jack tar 17) (*тж.* J.) рабо́тник, поде́нщик ◇ J. of all trades на все ру́ки ма́стер; to be J. of all trades and master of none за всё бра́ться и ничего́ не уме́ть; J. out of office безрабо́тный; J. at a pinch челове́к, гото́вый неме́дленно услужи́ть; to raise ~ *амер.* шуме́ть, сканда́лить; on one's ~ *sl.* а) самостоя́тельно; б) сам по себе́

2. *v* поднима́ть домкра́том (*часто* ~ up) ▭ ~ **in**, ~ **up** *sl.* а) бро́сить, оста́вить; to ~ up one's job бро́сить рабо́ту; б): ~ed up изму́ченный; изнурённый

jack II [dʒæk] *n мор.* гюйс, флаг

jack III [dʒæk] *n ист.* 1) мех (*для вина и т. п.*); black ~ высо́кая пивна́я кру́жка (*из кожи*) 2) солда́тская ко́жаная ку́ртка без рукаво́в

Jack-a-dandy [,dʒækə'dændɪ] *n* щёголь, франт, де́нди

jackal ['dʒækɔ:l] **1.** *n* 1) шака́л 2) челове́к, де́лающий для друго́го чёрную, неприя́тную рабо́ту

2. *v* исполня́ть чёрную, неприя́тную рабо́ту

jackanapes ['dʒækəneɪps] *n уст.* 1) наха́л; вы́скочка 2) де́рзкий *или* бо́йкий ребёнок 3) щёголь, фат

jackaroo [,dʒækə'ru:] *n австрал. разг.* но́вый рабо́чий, новичо́к (*на овцеводческой ферме*)

jackass ['dʒækæs] *n* 1) осёл 2) осёл, дура́к, болва́н

jackboot ['dʒækbu:t] *n* 1) сапо́г вы́ше коле́на; *ист.* ботфо́рт 2) гру́бое давле́ние, наси́лие; си́мвол угнете́ния

jackdaw ['dʒækdɔ:] *n* га́лка ◇ ~ in peacock's feathers воро́на в павли́ньих пе́рьях

jacket ['dʒækɪt] **1.** *n* 1) ку́ртка; френч; жаке́т; Norfolk ~ тужу́рка с по́ясом; Eton ~ коро́ткая чёрная ку́ртка (*преим.* шко́льника) 2) *ист.* камзо́л 3) *тех.* чехо́л, кожу́х (*машины*), руба́шка (*парового котла*) 4) кожура́ (*картофеля*); шелуха́; potatoes boiled in their ~s карто́фель в мунди́ре 5) шку́ра (*животного*) 6) па́пка, обло́жка; суперобло́жка (*тж.* dust ~); конве́рт для грампласти́нки ◇ to dress down (*или* to trim, to warm, to dust) smb.'s ~ вздуть, поколоти́ть кого́-л.

2. *v* 1) надева́ть жаке́т, ку́ртку 2) надева́ть чехо́л, кожу́х

jacketed ['dʒækɪtɪd] **1.** *p. p. от* jacket 2

2. *a* 1) оде́тый в жаке́т, ку́ртку 2) *тех.* обши́тый снару́жи, закры́тый кожухо́м

jacket potato [,dʒækɪtpə'teɪtəʊ] *n* карто́фель в мунди́ре

Jack Frost [,dʒæk'frɒst] *n* Моро́з Кра́сный Нос; ма́тушка зима́

jackhammer ['dʒæk,hæmə] *n амер.* пневмати́ческий бури́льный молото́к; пневмоперфора́тор

Jack-in-office ['dʒækɪn,ɒfɪs] *n* ва́жничающий, самонаде́янный чино́вник

jack-in-the-box ['dʒækɪnðəbɒks] *n* 1) попрыгу́нчик (*игрушечная фигурка, выскакивающая из коробки, когда открывается крышка*) 2) род фейерве́рка 3) *тех.* винтово́й домкра́т

Jack Ketch [,dʒæk'ketʃ] *n* пала́ч

jackknife ['dʒæknaɪf] **1.** *n* большо́й складно́й нож

2. *v* скла́дываться вдвое

jack-lift ['dʒæklɪft] *n* грузоподъёмная теле́жка

jack light ['dʒæklaɪt] *n амер.* 1) фона́рь ти́па «летучая мышь» 2) электри́ческий фона́рик

jack-o'-lantern [,dʒækə'læntən] *n* 1) блужда́ющий огонёк 2) фона́рь из ты́квы с проре́занными отве́рстиями в ви́де глаз, но́са и рта

jack plane ['dʒækpleɪn] *n тех.* шерхе́бель, руба́нок; струг

jackpot ['dʒækpɒt] *n* 1) куш; са́мый кру́пный вы́игрыш в лотере́е 2) *карт.* банк 3) *амер. sl.* затрудни́тельное положе́ние ◇ to hit the ~ *разг.* а) сорва́ть куш; б) доби́ться сногсшиба́тельного успе́ха

jackrabbit ['dʒækræbɪt] *n* америка́нский за́яц

jack-screw ['dʒækskru:] *n* (винтово́й) домкра́т

jacksnipe ['dʒæksnaɪp] *n* 1) га́ршнеп 2) бека́с

jackstaff ['dʒækstɑ:f] *n мор.* гюйс-што́к

jackstone ['dʒækstəʊn] *n* 1) га́лька 2) *pl* (*употр. как sing*) игра́ в ка́мешки

jackstraw ['dʒækstrɔ:] *n* 1) чу́чело 2) ничто́жество 3) *pl* игра́ ти́па бирю́лек ◇ not to care a ~ ни во что не ста́вить

jack tar ['dʒæk,tɑ:] *n* матро́с

jack towel ['dʒæk,taʊəl] *n* полоте́нце (*общего пользования, на ролике*)

Jacobean [,dʒækəʊ'bi:ən] *a* относя́щийся к эпо́хе англи́йского короля́ Я́кова I (*1603—25 гг.*)

Jacobin ['dʒækəbɪn] *n* 1) *уст.* доминика́нец (*монах*) 2) *ист.* якоби́нец

jacobin ['dʒækəbɪn] *n* хохла́тый го́лубь

Jacobinic(al) [,dʒækə'bɪnɪk(l)] *a ист.* якоби́нский

Jacobite ['dʒækəbaɪt] *n ист.* якоби́т

Jacob's ladder [,dʒeɪkəbz'lædə] *n* 1) *бот.* льня́нка обыкнове́нная 2) *мор.* скок-ва́нты; вант-тра́п 3) *библ.* ле́стница Иа́кова 4) *разг.* крута́я ле́стница

Jacob's staff [,dʒeɪkəbz'stɑ:f] *n* 1) астроля́бия; градшто́к 2) *библ.* по́сох Иа́кова

jaconet ['dʒækənet] *n* лёгкая бума́жная ткань ти́па бати́ста

Jacquard loom [,dʒækɑ:d'lu:m] *n* жакка́рдовый тка́цкий стано́к

jactation [dʒæk'teɪʃn] = jactitation

jactitation [,dʒæktɪ'teɪʃn] *n* 1) *мед.* су́дорожное подёргивание; мета́ние (*в бреду*) 2) *уст.* ло́жное заявле́ние о я́кобы состоя́вшемся бра́ке

jade I [dʒeɪd] **1.** *n* 1) кля́ча 2) *пренебр.* шлю́ха 3) ве́дьма, негодни́ца

2. *v* 1) зае́здить (*лошадь*) 2) *разг.* изму́чить(ся); преврати́ться в кля́чу

jade II [dʒeɪd] *n* 1) *мин.* жаде́йт 2) желтова́то-зелёный цвет

jaded ['dʒeɪdɪd] **1.** *p. p. от* jade I, 2

2. *a* 1) изнурённый, изму́ченный 2) пресы́тившийся

Jaeger ['jeɪgə] *n* е́геровская ткань, шерстяно́й трикота́ж для белья́

jag I [dʒæg] **1.** *n* 1) о́стрый вы́ступ, зубе́ц; о́страя верши́на (*утёса*) 2) зазу́брина 3) дыра́, проре́ха (*в пла́тье*)

2. *v* 1) кромса́ть, порва́ть 2) де́лать зазу́брины, выреза́ть зубца́ми

jag II [dʒæg] *n* 1) *sl.* попо́йка, вы́пивка; to have a ~ on быть вы́пивши, «нагрузи́ться»; a crying ~ пья́ная исте́рика 2) *диал.* небольшо́й воз (*се́на, дров*)

jagg [dʒæg] = jag II

jagged I 1. [dʒægd] *p. p. от* jag I, 2

2. *a* ['dʒægɪd] зубча́тый, зазу́бренный; неро́вно ото́рванный

jagged II ['dʒægɪd] *a амер.* пья́ный

jaggy ['dʒægɪ] = jagged I, 2

jaguar ['dʒægjʊə] *n* ягуа́р

jail [dʒeɪl] **1.** *n* 1) тюрьма́ 2) тюре́мное заключе́ние; to break ~ бежа́ть из тюрьмы́

2. *v* заключа́ть в тюрьму́

jailbird ['dʒeɪlbɜ:d] *n* аре́ста́нт; уголо́вник; закорене́лый престу́пник

jailbreak ['dʒeɪlbreɪk] *n* побе́г из тюрьмы́

jail delivery [,dʒeɪldɪ'lɪvərɪ] *n* 1) отпра́вка из тюрьмы́ на суд 2) освобожде́ние из тюрьмы́ 3) *амер.* побе́г заключённых

jailer ['dʒeɪlə] *n* тюре́мщик

jail-fever ['dʒeɪl,fi:və] *n* сыпня́к

Jain [dʒaɪn] *n* член инду́сской се́кты джа́йна (*близкой к буддизму*)

jake [dʒeɪk] *a австрал. sl.* подходя́щий; что на́до

jalap ['dʒæləp] *n* слаби́тельное из мексика́нского расте́ния яла́пы

jal(l)opy ['dʒæləpɪ] *n разг.* полуразвали́вшийся ве́тхий автомоби́ль, «консе́рвная ба́нка»

jalousie ['ʒælʊzi:] *n* жалюзи́, што́ры; ста́вни

jam I [dʒæm] **1.** *n* 1) сжа́тие, сжима́ние 2) защемле́ние 3) загроможде́ние, да́вка; traffic ~ «про́бка», зато́р (*в уличном движении*) 4) *разг.* затрудни́тельное *или* нело́вкое положе́ние 5) *тех.* заеда́ние, остано́вка, перебо́и 6) *радио* поме́ха при приёме и переда́че ◇ ~ session *разг.* джем-се́йшен, исполне́ние джа́зом импровиза́ций и экспро́мтов

2. *v* 1) зажима́ть, сжима́ть; жать, дави́ть; to ~ on the brakes ре́зко тормози́ть 2) защемля́ть, прищемля́ть; he ~med his fingers in the door он прищеми́л па́льцы две́рью 3) *тех.* заеда́ть, закли́ниваться; остана́вливать(ся) (*о машине и т. п.*) 4) загроможда́ть; запру́живать 5) впи́хивать, вти́скивать (into) 6) набива́ть(ся) битко́м 7) *радио* искажа́ть переда́чу; меша́ть рабо́те друго́й ста́нции; глуши́ть 8) *разг.* импровизи́ровать (*о джазе*) ▭ ~ **through** *амер.* прота́скивать; to ~ a bill through протащи́ть законопрое́кт ◇ to ~ tomorrow ≅ «корми́ть за́втраками»

jam II [dʒæm] *n* варе́нье; джем ◇ real ~ *разг.* ≅ па́льчики обли́жешь; удово́льствие, наслажде́ние; money for ~ *разг.* больша́я уда́ча; ве́рные де́ньги

jama(h) ['dʒɑ:mə] *n* дли́нная хлопчатобума́жная оде́жда мусульма́н

Jamaica [dʒə'meɪkə] *n* (яма́йский) ром [*см. тж. Список географических названий*]

jamb [dʒæm] *n* 1) ко́ся́к (*двери, окна*) 2) (*обыкн. pl*) боковы́е сте́нки ками́на 3) *ист.* ножны́е ла́ты 4) подста́вка, упо́р 5) *геол.* масси́в пусто́й поро́ды, пересека́ющий жи́лу поле́зного ископа́емого

jamboree [,dʒæmbə'ri:] *n* 1) весе́лье; пра́зднество, пиру́шка 2) слёт (*особ. бойска́утов*)

jamjar ['dʒæmdʒɑ:] *n* ба́нка (для) варе́нья

jammer ['dʒæmə] *n радио* ста́нция акти́вных поме́х

jamming ['dʒæmɪŋ] **1.** *pres. p. от* jam I, 2

2. *n* 1) зато́р, «про́бка» (*в уличном движении*) 2) *тех.* заеда́ние; защемле́ние; зажима́ние 3) *радио* взаи́мные поме́хи радиоста́нций при приёме 4) *разг.* глуше́ние радиопереда́чи 5) *attr.*: ~ station ста́нция глуше́ния радиопереда́ч; ~ war война́ в эфи́ре; заглуше́ние радиопереда́ч

jam-up ['dʒæmʌp] *n* зато́р, «про́бка» (*в уличном движении*)

Jane, jane [dʒeɪn] *n sl.* бабёнка

jangle ['dʒæŋgl] **1.** *n* ре́зкий звук; гул, гам, сли́тный шум голосо́в; нестро́йный звон колоколо́в

2. *v* 1) издава́ть ре́зкие, нестро́йные зву́ки; нестро́йно звуча́ть 2) шу́мно, ре́зко говори́ть

janissary ['dʒænɪsərɪ] = janizary

janitor ['dʒænɪtə] *n* 1) привра́тник, швейца́р 2) дво́рник, убо́рщик, сто́рож

janizary ['dʒænɪzərɪ] *n ист.* янычáр

Jansenism ['dʒænsnɪzəm] *n ист.* янсени́зм

January ['dʒænjʊərɪ] *n* 1) янва́рь 2) *attr.* янва́рский

Janus ['dʒeɪnəs] *n римск. миф.* Я́нус

Jap [dʒæp] *разг. см.* Japanese

japan [dʒə'pæn] **1.** *n* 1) чёрный лак (*особ. японский*) 2) лакиро́ванное япо́нское изде́лие

2. *v* лакирова́ть, покрыва́ть чёрным ла́ком

Japanese [,dʒæpə'ni:z] **1.** *a* япо́нский; ~ lantern япо́нский фона́рик; ~ varnish tree ла́ковое де́рево

2. *n* 1) япо́нец; япо́нка; the ~ *pl собир.* япо́нцы 2) япо́нский язы́к

jape [dʒeɪp] **1.** *n* шу́тка

2. *v* шути́ть

Japhetic [dʒeɪ'fetɪk] *a лингв.* яфети́ческий

japonic [dʒə'pɒnɪk] = Japanese 1

jar I [dʒɑ:] **1.** *n* 1) неприя́тный, ре́зкий *или* дребезжа́щий звук 2) сотрясе́ние, дрожа́ние, дребезжа́ние 3) потрясе́ние; неприя́тный эффе́кт; the news gave me a nasty ~ я был неприя́тно поражён э́тим сообще́нием 4) дисгармо́ния 5) несогла́сие; ссо́ра 6) *тех.* вибра́ция

2. *v* 1) издава́ть неприя́тный, ре́зкий звук; дребезжа́ть 2) вызыва́ть дрожа́ние, дребезжа́ние (upon, against); сотряса́ть 3) раздража́ть, коро́бить, де́йствовать на не́рвы (upon); to ~ (up)on a person раздража́ть кого́-л. 4) дисгармони́ровать, ста́лкиваться (*часто* ~ with); our opinions always ~red на́ши мне́ния всегда́ расходи́лись 5) ссо́риться 6) *тех.* вибри́ровать 7) *горн.* бури́ть уда́рным бу́ром

jar II [dʒɑ:] *n* 1) ба́нка; кувши́н; кру́жка 2) содержи́мое ба́нки 3) *разг.* кру́жка пи́ва 4) *эл.*: Leyden ~ ле́йденская ба́нка 5) *уст.* ме́ра жи́дкости (= *8 пинтам* = *4,54 л*)

jar III [dʒɑ:] *n разг.*: on the ~ приотќрытый (*о двери и т. п.*)

jardinière [,ʒɑ:dɪnɪ'eə] *n* жардинье́рка

jargon I ['dʒɑ:gən] *n* 1) жарго́н 2) непоня́тный язы́к, тараба́рщина

jargon II ['dʒɑ:gən] *n мин.* разнови́дность цирко́ния

jargonelle [,dʒɑ:gə'nel] *n* гру́ша-скороспе́лка

jargonize ['dʒɑ:gənaɪz] *v* употребля́ть в разгово́ре жарго́нные выраже́ния *или* профессиона́льные те́рмины

jarring ['dʒɑ:rɪŋ] *a* 1) ре́зкий, неприя́тный на слух 2) раздража́ющий

jasmin(e) ['dʒæzmɪn] *n* жасми́н ◇ ~ tea жасми́новый чай

jasper ['dʒæspə] *n мин.* я́шма

jaundice ['dʒɔ:ndɪs] **1.** *n* 1) *мед.* желту́ха, разли́тие жёлчи 2) жёлчность; недоброжела́тельство; предвзя́тость 3) за́висть, ре́вность

2. *v* 1) вызыва́ть разли́тие жёлчи 2) (*обыкн. p. p.*) вызыва́ть ре́вность, за́висть

jaundiced ['dʒɔ:ndɪst] **1.** *p. p. от* jaundice 2

2. *a* 1) жёлчный; to take a ~ view взгляну́ть предвзя́то, при́страстно (*на что-л.*) 2) *мед.* поражённый желту́хой 3) жёлтый, жёлтого цве́та

jaunt [dʒɔ:nt] **1.** *n* увесели́тельная прогу́лка *или* пое́здка; to go on a ~ отпра́виться в увесели́тельную пое́здку

2. *v* предпринима́ть увесели́тельную прогу́лку *или* пое́здку

jauntily ['dʒɔ:ntɪlɪ] *adv* 1) небре́жно 2) ве́село; беспе́чно

jaunting car ['dʒɔ:ntɪŋkɑ:] *n* двухколёсная коля́ска с четырьмя́ сиде́ньями спи́нками друг к дру́гу

jaunty ['dʒɔ:ntɪ] *a* 1) весёлый, бо́йкий 2) самодово́льный; небре́жно-развя́зный 3) беспе́чный

Javanese [,dʒɑ:və'ni:z] **1.** *a* ява́нский

2. *n* 1) ява́нец; ява́нка; the ~ *pl собир.* ява́нцы 2) ява́нский язы́к

javelin ['dʒævəlɪn] *n* 1) мета́тельное копьё, дро́тик 2) соревнова́ния по мета́нию копья́ 3) *attr.*: ~ formation *ав.* эшелони́рованная коло́нна звеньев

javelin-throwing ['dʒævəlɪn,θrəʊɪŋ] *n* мета́ние копья́

jaw [dʒɔ:] **1.** *n* 1) че́люсть 2) *pl* рот,

пасть 3) *pl* у́зкий вход (*долины, залива*) 4) *разг.* болтли́вость; to have a ~ поболта́ть 5) *разг.* ску́чное нравоуче́ние 6) *тех.* захва́т, зажи́м, щека́ (*тисков*) 7) *pl тех.* тиски́, клещи́ 8) *attr.*: ~ clutch, ~ coupling *тех.* кулачко́вая му́фта ◇ hold (*или* stop) your ~! *груб.* (по)придержи́ язы́к!; заткни́ гло́тку!, замолчи́!

2. *v разг.* 1) говори́ть (*особ.* до́лго и ску́чно); пережёвывать одно́ и то́ же 2) чита́ть нравоуче́ние, отчи́тывать

jawbone ['dʒɔ:bəʊn] *n* 1) челюстна́я кость 2) *разг.* креди́т

jawbreaker ['dʒɔ:ˌbreɪkə] *n разг.* тру́дно произноси́мое сло́во; ≅ язы́к слома́ешь

jaw vice ['dʒɔ:vaɪs] *n тех.* тиски́

jay [dʒeɪ] *n* 1) со́йка (*птица*) 2) глу́пый болту́н; балабо́лка 3) проста́к

jaywalk ['dʒeɪwɔ:k] *v* неосторо́жно переходи́ть у́лицу

jaywalker ['dʒeɪˌwɔ:kə] *n* неосторо́жный пешехо́д

jazz [dʒæz] **1.** *n* 1) джаз 2) та́нец, исполня́емый под джа́зовую му́зыку 3) *sl.* брехня́, болтовня́, чушь; all that ~ и тому́ подо́бное 4) *амер. разг.* жи́вость, эне́ргия 5) я́ркие кра́ски; пестрота́ 6) *attr.* джа́зовый 7) *attr.* крича́щий, гру́бый

2. *v* 1) исполня́ть джа́зовую му́зыку 2) танцева́ть под джаз 3) *амер. груб.* совокупля́ться □ ~ **up** подба́дривать, де́йствовать возбужда́юще

jazz band ['dʒæzbænd] *n* джаз-ба́нд, джаз-орке́стр

jazzman ['dʒæzmæn] *n* джа́зовый музыка́нт, джазме́н

jazzy ['dʒæzɪ] *a* 1) = jazz 1, 6); 2) живо́й, оживлённый 3) пёстрый, я́ркий

jealous ['dʒeləs] *a* 1) ревни́во оберега́ющий (of — *что-л.*); to be ~ of one's traditions забо́титься о сохране́нии тради́ций (*чьей-л. семьи, общества и т. п.*) 2) ревни́вый; ревну́ющий; to be ~ ревнова́ть; to be ~ of one's wife ревнова́ть жену́ 3) зави́стливый, зави́дующий; to be ~ of another fellow's good fortune зави́довать уда́че друго́го 4) ре́вностный, забо́тливый

jealousy ['dʒeləsɪ] *n* 1) ре́вность; ревни́вость 2) подозри́тельность 3) за́висть

jean [dʒi:n] *n* джи́нсовая ткань

jeans [dʒi:nz] *n pl* джи́нсы

jeep [dʒi:p] *n* 1) *авто* джип 2) небольшо́й разве́дывательный самолёт 3) *воен. разг.* новобра́нец, новичо́к

jeer I [dʒɪə] **1.** *n* 1) презри́тельная насме́шка, глумле́ние 2) язви́тельное замеча́ние, ко́лкость

2. *v* насмеха́ться, глуми́ться, высме́ивать, зло подшу́чивать (at — над)

jeer II [dʒɪə] *n* (*обыкн. pl*) *мор.* гарде́ль

jeez [dʒi:z] *int sl.* ого́!; бог ты мой!; чёрт побери́!

jehad [dʒɪ'hæd] = jihad

Jehovah [dʒɪ'həʊvə] *n библ.* Иегова́; ~'s Witnesses свиде́тели Иегови́ (*название секты протестантской церкви*)

jejune [dʒɪ'dʒu:n] *a* 1) ограни́ченный, пусто́й 2) ску́чный; сухо́й, неинтере́сный 3) беспло́дный (*о почве*) 4) то́щий, ску́дный; ~ diet голо́дная дие́та

jejunum [dʒɪ'dʒu:nəm] *n анат.* то́щая кишка́

jell [dʒel] *разг.* **1.** *n см.* jelly 1, 1) *и* 2)

2. *v* 1) = jelly 2; 2) выкристаллизо́вываться, устана́вливаться; public opinion has ~ed on that question по э́тому вопро́су существу́ет определённая то́чка зре́ния; the conversation wouldn't ~ разгово́р не кле́ился

jellify ['dʒelɪfaɪ] = jelly 2

jelly ['dʒelɪ] **1.** *n* 1) желе́ 2) сту́день 3) *горн. жарг.* гелигни́т ◇ to reduce smb. to ~ стере́ть кого́-л. в порошо́к

2. *v* 1) превраща́ть в желе́, в сту́день 2) застыва́ть

jellyfish ['dʒelɪfɪʃ] *n* 1) *зоол.* меду́за 2) *разг.* бесхара́ктерный, мягкоте́лый челове́к

jelly-like ['dʒelɪlaɪk] *a* студени́стый, желеобра́зный

jemmy ['dʒemɪ] *n* 1) воровско́й лом «фо́мка»; отми́чка 2) *sl.* бара́нья голова́ (*кушанье*)

jennet ['dʒenɪt] *n* низкоро́слая испа́нская ло́шадь

je ne sais quoi [ʒənəseɪ'kwɑ:] *фр. n* не́что необъясни́мое (*букв.* не зна́ю что)

jenny ['dʒenɪ] *n* 1) *текст. ист.* пряди́льная маши́на периоди́ческого де́йствия 2) *иногда прибавляется к названиям животных для указания женского рода, напр.*: ~-ass осли́ца 3) *тех.* лебёдка; подъёмный кран

jenny-ass ['dʒenɪæs] *n* осли́ца

jenny-wren ['dʒenɪren] *n зоол.* крапи́вник

jeopard ['dʒepəd] *амер.* = jeopardize

jeopardize ['dʒepədaɪz] *v* подверга́ть опа́сности, рискова́ть; to ~ one's life рискова́ть жи́знью

jeopardy ['dʒepədɪ] *n* 1) опа́сность, риск; to be in ~ быть в опа́сности, to put in ~ ста́вить под угро́зу, подверга́ть опа́сности 2) *юр.* подсу́дность

jerboa [dʒɜ:'bəʊə] *n* (африка́нский) тушка́нчик

jeremiad [ˌdʒerɪ'maɪəd] *n* иеремиа́да; се́тования, жа́лобы

Jericho ['dʒerɪkəʊ] *n библ.* Иерихо́н ◇ go to ~! убира́йся к чёрту!

jerk I [dʒɜ:k] **1.** *n* 1) ре́зкое движе́ние, толчо́к; to get a ~ on поторопи́ться, поспеши́ть 2) су́дорожное подёргивание, вздра́гивание; the ~s конву́льсии 3) *pl разг.* упражне́ния; physical ~s заря́дка, гимна́стика 4) *амер. разг.* тупи́ца 5) *attr.* уха́бистый (*о дороге*)

2. *v* 1) ре́зко толка́ть, дёргать 2) дви́гаться ре́зкими толчка́ми 3) говори́ть отры́висто □ ~ **off** *амер. груб.* мастурби́ровать

jerk II [dʒɜ:k] *v* вя́лить мя́со дли́нными то́нкими куска́ми

jerked I [dʒɜ:kt] *p. p. от* jerk I, 2

jerked II [dʒɜ:kt] **1.** *p. p. от* jerk II

2. *a* вя́леный; ~ beef вя́леное мя́со

jerkin ['dʒɜ:kɪn] *n* 1) безрука́вка 2) *ист.* коро́ткая (*обыкн.* ко́жаная) мужска́я ку́ртка

jerkwater ['dʒɜ:kˌwɔ:tə] *a амер. разг.*: ~ town захолу́стный, захолу́стный городи́шко

jerky I ['dʒɜ:kɪ] **1.** *a* 1) дви́гающийся ре́зкими толчка́ми; тря́ский 2) отры́вистый

2. *n амер.* тря́ский безрессо́рный экипа́ж *или* ваго́н

jerky II ['dʒɜ:kɪ] *n* вя́леное мя́со

jeroboam [ˌdʒerə'bəʊəm] *n* больша́я ча́ша, больша́я ви́нная буты́ль (= *4—12 бутылкам обыкновенного размера*)

jerque [dʒɜ:k] *v* проверя́ть судовы́е докуме́нты и груз

jerrican ['dʒerɪkən] *n воен.* кани́стра

Jerry ['dʒerɪ] *n sl.* не́мец; неме́цкий солда́т *или* самолёт

jerry ['dʒerɪ] *n sl.* ночно́й горшо́к

jerry-building ['dʒerɪbɪldɪŋ] *n* 1) возведе́ние непро́чных постро́ек из плохо́го материа́ла (*со спекулятивными целями*) 2) непро́чная постро́йка

jerry-built ['dʒerɪbɪlt] *a* постро́енный на ско́рую ру́ку, ко́е-ка́к

jerrymander ['dʒerɪmændə] = gerrymander

jersey ['dʒɜ:zɪ] *n* 1) фуфа́йка, вя́заная ко́фта 2) то́нкая шерстяна́я пря́жа; джерсо́вая ткань, джерсе́ 3) джерсе́йская поро́да моло́чного скота́

jess [dʒes] **1.** *n* (*обыкн. pl*) 1) пу́ты на нога́х ручно́го со́кола 2) пу́ты

2. *v* надева́ть пу́ты на со́кола

jessamine ['dʒesəmɪn] = jasmin(e)

jest [dʒest] **1.** *n* 1) шу́тка, остро́та; in ~ в шу́тку 2) насме́шка, высме́ивание 3) объе́кт насме́шек, посме́шище; standing ~ постоя́нный объе́кт шу́ток ◇ many a true word is spoken in ~ *посл.* ≅ в ка́ждой шу́тке есть до́ля пра́вды

2. *v* 1) шути́ть 2) насмеха́ться, высме́ивать

jest-book ['dʒestbʊk] *n* собра́ние шу́ток, анекдо́тов

jester ['dʒestə] *n* 1) шут 2) шутни́к

jesting ['dʒestɪŋ] **1.** *pres. p. от* jest 2

2. *a* 1) шу́точный, шутли́вый; a ~ remark шутли́вое замеча́ние, шу́тка 2) лю́бящий шу́тку; с ю́мором; a ~ fellow шутни́к

Jesuit ['dʒezjʊɪt] *n* 1) иезуи́т 2) двули́чный челове́к, лицеме́р

Jesuitic(al) [ˌdʒezjʊ'ɪtɪk(l)] *a* 1) иезуи́тский 2) кова́рный, лицеме́рный

Jesuitism ['dʒezjʊɪtɪzəm] *n* иезуи́тство, лицеме́рие; казуи́стика

Jesuitry ['dʒezjʊɪtrɪ] = Jesuitism

Jesus ['dʒi:zəs] *n библ.* Иису́с ◇ by ~ ей-бо́гу; ~ Christ! бо́же!, чёрт возьми́!

jet I [dʒet] *n* 1) *мин.* гага́т, чёрный янта́рь 2) блестя́щий чёрный цвет

jet II [dʒet] **1.** *n* 1) струя́ (*воды, газа и т. п.*); a ~ of ink shot onto the paper черни́ла бры́знули на бума́гу 2) *тех.* жиклёр, форсу́нка, па́трубок 3) реакти́вный дви́гатель 4) *разг.* реакти́вный самолёт 5) *attr.* реакти́вный; ~ engine реакти́вный дви́гатель ◇ at the first ~ по пе́рвому побужде́нию

2. *v* 1) выпуска́ть струёй 2) бры́згать, бить струёй 3) *разг.* лета́ть на реакти́вном самолёте

jet-black [ˌdʒet'blæk] *a* чёрный как смоль

jet-fighter ['dʒetˌfaɪtə] *n* реакти́вный истреби́тель

jet lag ['dʒetˌlæg] *n* наруше́ние су́точного ри́тма органи́зма в связи́ с перелётом че́рез не́сколько часовы́х поясо́в (*на реактивном самолёте*)

jet plane ['dʒetpleɪn] *n* реакти́вный самолёт

jet port ['dʒetpɔ:t] *n* аэропо́рт для реакти́вных самолётов

jet-propelled [ˌdʒetprə'peld] *a* с реакти́вным дви́гателем; ~ plane реакти́вный самолёт; ~ projectile реакти́вный снаря́д

jet propulsion [ˌdʒetprə'pʌlʃn] *n* реакти́вное движе́ние

jetsam ['dʒetsəm] *n* груз, това́ры, сбро́шенные с корабля́ при ава́рии (и прибитые к бе́регу) [*ср.* flotsam]

jet set ['dʒetset] *n разг.* эли́та, сли́вки о́бщества; у́зкий круг бога́тых путеше́ственников (*летающих на реактивных самолётах*)

jetstone ['dʒetstəʊn] *n мин.* чёрный турмали́н

jettison ['dʒetɪsən] 1. *n* выбра́сывание (*груза*) за́ борт во вре́мя бе́дствия

2. *v* 1) выбра́сывать (*груз*) за́ борт 2) *ав.* сбра́сывать (*грузы*) 3) отде́лываться (*от какой-л. помехи*) 4) отверга́ть (*что-л.*); to ~ a bill отка́зываться от законопрое́кта вследствие затрудни́тельности его́ проведе́ния

jetton ['dʒetən] *n* жето́н

jetty I ['dʒetɪ] = jet-black

jetty II ['dʒetɪ] *n* 1) мол, при́стань 2) вы́ступ зда́ния; э́ркер, закры́тый балко́н

jeu d'esprit [ˌʒɜ:de'spri:] *фр. n* (*pl* jeux d'esprit) остро́та

jeunesse dorée [ʒɜ:ˌnesdɔ:'reɪ] *фр. n* «золота́я молодёжь»

jeux d'esprit [ˌʒɜ:de'spri:] *pl от* jeu d'esprit

Jew [dʒu:] *n* евре́й, иуде́й

jewel ['dʒu:əl] 1. *n* 1) драгоце́нный ка́мень 2) ка́мень (*в часах*) 3) ювели́рное изде́лие; *pl* драгоце́нности 4) сокро́вище (*тж. перен.*)

2. *v* 1) (*обыкн. p. p.*) украша́ть драгоце́нными камня́ми 2) вставля́ть ка́мни (*в часовой механизм*)

jewel-box ['dʒu:əlbɒks] *n* футля́р для ювели́рных изде́лий

jewel-case ['dʒu:əlkeɪs] = jewel-box

jewel-house ['dʒu:əlhaʊs] *n* сокро́вищница брита́нской коро́ны

jeweller ['dʒu:ələ] *n* ювели́р

jewellery, jewelry ['dʒu:əlrɪ] *n* драгоце́нности; ювели́рные изде́лия

Jewess ['dʒu:es] *n* евре́йка, иуде́йка

Jewish ['dʒu:ɪʃ] *a* евре́йский, иуде́йский; he is ~ он евре́й

Jewry ['dʒʊərɪ] *n* 1) евре́и 2) евре́йство 3) *ист.* ге́тто, евре́йский кварта́л

Jew's harp [ˌdʒu:z'hɑ:p] *n* 1) расчёска, обёрнутая в папиро́сную бума́гу и испо́льзуемая как музыка́льный инструме́нт 2) варга́н (*муз. инструмент*)

Jew's pitch ['dʒu:zpɪtʃ] *n мин.* пек, разнови́дность биту́ма

Jezebel ['dʒezəbl] *n* 1) *библ.* Иезаве́ль 2) распу́тница

jib I [dʒɪb] 1. *n* 1) *мор.* кли́вер 2) *тех.* уко́сина, стрела́ грузоподъёмного кра́на ◇ the cut of one's ~ *мор. разг.* вне́шность челове́ка, мане́ра одева́ться *и т. п.*

2. *v мор.* переноси́ть (*парус*); перекидываться (*о парусе*)

jib II [dʒɪb] 1. *n* норови́стая ло́шадь

2. *v* внеза́пно остана́вливаться, упира́ться; топта́ться на ме́сте (*обыкн. о лошади и т. п.*; *тж. перен.*) ▭ ~ at a) колеба́ться (*сделать что-л.*); б) выка́зывать нерасположе́ние к *чему-л., кому-л.*

jibber ['dʒɪbə] = jib II, 1

jib-boom ['dʒɪbbu:m] *n мор.* утле́гарь

jib-crane ['dʒɪbkreɪn] *n тех.* кран-уко́сина

jib door ['dʒɪbˌdɔ:] *n* 1) потайна́я дверь 2) *стр.* скры́тая дверь

jibe I [dʒaɪb] = gibe

jibe II [dʒaɪb] = jib I, 2 *и* gybe

jibe III [dʒaɪb] *v разг.* 1) соглаша́ться 2) согласова́ться; соотве́тствовать; his words and actions do not ~ у него́ слова́ расхо́дятся с де́лом

jiffy ['dʒɪf(ɪ)] *n разг.* миг, мгнове́ние; wait (half) a ~ подожди́те мину́тку; in a ~ ми́гом, одни́м ду́хом

jig I [dʒɪg] 1. *n* джи́га (*танец*) ◇ the ~ is up де́ло — швах; пришло́ вре́мя держа́ть отве́т

2. *v* 1) танцева́ть джи́гу 2) бы́стро дви́гаться взад и вперёд

jig II [dʒɪg] 1. *n* 1) *тех.* зажи́мное приспособле́ние; сбо́рочное приспособле́ние; конду́ктор; шабло́н 2) *полигр.* ма́трица 3) *стр.* ба́лка 4) *текст.* ро́ликовая краси́льная маши́на 5) *горн.* отса́дочная маши́на 6) прима́нка (*в рыбной ловле и т. п.*); блесна́

2. *v* 1) промыва́ть руду́ 2) сортирова́ть

jigger I ['dʒɪgə] *n* 1) *мор.* хват-та́ли; выносна́я биза́нь 2) джи́ггер (*короткая клюшка — в гольфе*) 3) *разг.* подста́вка для киёв 4) ме́рный стака́нчик (*для разливания спиртных напитков*) 5) рабо́чий, промыва́ющий руду́; сортиро́вщик 6) *горн.* отса́дочная маши́на 7) *радио* трансформа́тор затуха́ющих колеба́ний 8) = jig II, 1, 4); 9) гонча́рный круг ◇ not worth a ~ ≅ яйца́ вы́еденного не сто́ит

jigger II ['dʒɪgə] *n* 1) танцо́р, исполня́ющий джи́гу 2) ку́кольник (*в кукольном театре*)

jigger III ['dʒɪgə] = chigoe

jigger IV ['dʒɪgə] *v* (*тк. pass.*): well, I'm ~ed! *разг.* ≅ чёрт меня́ побери́!

jigger-mast [ˌdʒɪgə'mɑ:st] *n мор.* джи́ггер(-ма́чта)

jiggery-pokery [ˌdʒɪgərɪ'pəʊkərɪ] *n разг.* 1) плу́тни, ко́зни 2) вздор, ерунда́, чепуха́

jiggle ['dʒɪgl] 1. *n* пока́чивание; тря́ска

2. *v* пока́чивать(ся); трясти́(сь)

jigsaw ['dʒɪgsɔ:] *n тех.* ажу́рная пила́; маши́нная но́жовка ◇ ~ puzzle составна́я карти́нка-зага́дка

jihad [dʒɪ'hæd] *n* 1) газава́т, свяще́нная война́ (*против немусульман*) 2) кампа́ния про́тив чего́-л., (кресто́вый) похо́д

Jim Crow [ˌdʒɪm'krəʊ] *n амер.* 1) *презр.* негр 2) *attr.*: ~ car осо́бый ваго́н для не́гров; ~ policy поли́тика дискримина́ции не́гров в США

jim-dandy [ˌdʒɪm'dændɪ] *a разг.* потря́сный, шика́рный

jimjams ['dʒɪmdʒæmz] *n pl разг.* 1) бе́лая горя́чка 2) мандра́ж; мура́шки по те́лу

jimmy ['dʒɪmɪ] *амер.* 1. *n* 1) *горн.* теле́жка для транспортиро́вки угля́ 2) = jemmy 1)

2. *v* взла́мывать ло́мом

Jimsonweed ['dʒɪmsənwi:d] *n бот.* дурма́н

jingle ['dʒɪŋgl] 1. *n* 1) звон, звя́канье; побря́кивание 2) созву́чие, аллитера́ция 3) ирла́ндская *или* австрали́йская кры́тая двухколёсная пово́зка

2. *v* 1) звене́ть, звя́кать 2) изоби́ловать созву́чиями, аллитера́циями

jingo ['dʒɪŋgəʊ] 1. *n* (*pl* -oes [-əʊz]) ура́-патрио́т, шовини́ст; джинго́ист ◇ by ~! чёрт побери́!

2. *a* шовинисти́ческий

jingoism ['dʒɪŋgəʊɪzəm] *n* ура́-патриоти́зм, агресси́вный шовини́зм; джинго́изм

jink [dʒɪŋk] 1. *n* 1) уклоне́ние, уло́вка, увёртка 2) *pl*: high ~s шу́мное, бу́рное весе́лье

2. *v* 1) увёртываться, уклоня́ться, избега́ть 2) *воен. разг.* уйти́ от огня́ зени́тной артилле́рии

jinn [dʒɪn] *pl от* jinnee

jinnee [dʒɪ'ni:] *n* (*pl* jinn, *часто употр. как sing*) *миф.* джин

jinny ['dʒɪnɪ] *n горн.* 1) отка́тная лебёдка 2) накло́нный путь для вагоне́ток с рудо́й

jinrick(i)sha [dʒɪn'rɪkʃə] = ricksha(w)

jinx [dʒɪŋks] *n разг.* челове́к *или* вещь, принося́щие несча́стье

jitney ['dʒɪtnɪ] *амер. разг.* 1. *n* 1) пять це́нтов 2) дешёвое маршру́тное такси́ *или* авто́бус

2. *a* дешёвый, третьесо́ртный

3. *v* е́хать в дешёвом маршру́тном такси́ *или* авто́бусе

jitter ['dʒɪtə] 1. *v разг.* не́рвничать; трепета́ть

2. *n тлв.* дрожа́ние изображе́ния

jitterbug ['dʒɪtəbʌg] 1. *n* 1) джи́ттербаг (*танец, популярный в 1940-х годах*) 2) тот, кто танцу́ет джи́ттербаг 3) псих, паникёр

2. *v* танцева́ть джи́ттербаг

jitters [ˈdʒɪtəz] *n pl* (the ~) *разг.* не́рвное возбужде́ние; испу́г; to have the ~ перепуга́ться; it gave me the ~ я весь затря́сся

jittery [ˈdʒɪtərɪ] *a разг.* пугли́вый; не́рвный

jiu-jitsu [dʒju:ˈdʒɪtsu:] = ju-jitsu

jive [dʒaɪv] **1.** *n* 1) джайв (*танец типа рок-н-ролла*) 2) джаз, джа́зовая му́зыка 3) болтовня́ 4) жарго́н джа́зовых музыка́нтов

2. *v* 1) танцева́ть под джа́зовую му́зыку 2) болта́ть чепуху́

Job [dʒəʊb] *n* 1) *библ.* Ио́в 2) многострада́льный, терпели́вый челове́к ◇ to be as patient as ~ ≅ облада́ть а́нгельским терпе́нием; this would try the patience of ~ от э́того хоть у кого́ терпе́ние ло́пнет; ~'s news плоха́я весть, печа́льные но́вости; ~'s comforter челове́к, кото́рый под ви́дом утеше́ния то́лько усугубля́ет чьё-л. го́ре

job I [dʒɒb] **1.** *n* 1) рабо́та, труд; сде́льная рабо́та; by the ~ сде́льно, поуро́чно (*об оплате*) 2) ме́сто, слу́жба; out of ~ без рабо́ты 3) *разг.* зада́ние; уро́к 4) *тех.* дета́ль, изде́лие, обраба́тываемый предме́т 5) *sl.* кра́жа; an inside ~ *амер.* кра́жа *и т. п.*, совершённая кем-л. из свои́х 6) испо́льзование своего́ положе́ния в ли́чных це́лях; his appointment was a ~ он получи́л назначе́ние по проте́кции 7) ло́шадь *или* экипа́ж, взя́тые напрока́т 8) *полигр.* акциде́нция 9) *attr.* на́нятый на определённую рабо́ту; наёмный; ~ classification *амер.* основна́я ста́вка (*зарплаты рабочего*); ~ evaluation *амер.* разря́д (*для установления зарплаты рабочего*) ◇ a ~ of work нелёгкая работёнка; a bad ~ безнадёжное де́ло; неуда́ча; to make the best of a bad ~ му́жественно переноси́ть невзго́ды; a good ~ а) хорошо́ вы́полненная рабо́та; б) хоро́шие дела́ (*положение вещей*); *ирон.* хоро́шенькое де́ло; to make a good ~ of it сде́лать что-л. хорошо́; a good ~ you made of it! хоро́шеньких дел вы натвори́ли!; ~ lot а) па́ртия разро́зненных това́ров, продаю́щихся о́птом; б) ве́щи, ку́пленные по дешёвке с це́лью перепрода́жи; в) разро́зненная колле́кция; on the ~ а) в де́йствии, в движе́нии; б) о́чень занято́й; в) гото́вый на всё; just the ~ то са́мое, как раз то́, что тре́буется; to lie down on the ~ рабо́тать ко́е-ка́к; to do smb.'s ~, to do the ~ for smb. *разг.* погуби́ть кого́-л.; to put up a ~ on smb. *амер.* сыгра́ть с кем-л. шу́тку

2. *v* 1) рабо́тать нерегуля́рно, случа́йно 2) рабо́тать сде́льно 3) нанима́ть на сде́льную рабо́ту 4) спекули́ровать, бары́шничать; быть ма́клером 5) злоупотребля́ть свои́м положе́нием; to ~ smb. into a post устро́ить кого́-л. на ме́сто по проте́кции 6) де́йствовать недобросо́вестно (*при заключении сделок и т. п.*) 7) *амер. разг.* обма́нывать, надува́ть 8) брать *или* дава́ть внаём лошаде́й, экипа́жи

job II [dʒɒb] **1.** *n* внеза́пный уда́р, толчо́к

2. *v* 1) коло́ть, вонза́ть; пронза́ть; пырну́ть (at) 2) толкну́ть; уда́рить 3) си́льно дёрнуть ло́шадь за удила́

jobation [dʒəʊˈbeɪʃn] *n разг.* дли́нное ску́чное нравоуче́ние, вы́говор

jobber [ˈdʒɒbə] *n* 1) (биржево́й) ма́клер, комиссионе́р 2) *амер.* опто́вый торго́вец 3) *амер. пренебр.* бро́кер 4) челове́к, занима́ющийся случа́йной рабо́той 5) челове́к, рабо́тающий сде́льно 6) предпринима́тель, даю́щий лошаде́й и экипа́жи напрока́т

jobbery [ˈdʒɒbərɪ] *n* 1) испо́льзование служе́бного положе́ния в коры́стных *или* ли́чных це́лях 2) сомни́тельные опера́ции; спекуля́ция

jobbing I [ˈdʒɒbɪŋ] **1.** *pres. p. от* job I, 2

2. *n* 1) случа́йная, нерегуля́рная рабо́та 2) сде́льная рабо́та 3) *тех.* ме́лкий ремо́нт 4) торго́вля а́кциями; биржева́я игра́; спекуля́ция

3. *a* случа́йный, нерегуля́рный (*о работе и т. п.*) ◇ ~ shop ремо́нтная мастерска́я

jobbing II [ˈdʒɒbɪŋ] *pres. p. от* job II, 2

jobholder [ˈdʒɒb,həʊldə] *n* 1) челове́к, име́ющий постоя́нную рабо́ту 2) *амер.* госуда́рственный слу́жащий

jobless [ˈdʒɒbləs] *a* безрабо́тный

jobmaster [ˈdʒɒb,mɑ:stə] *n* 1) *ист.* извозопромы́шленник 2) рабо́тник, выполня́ющий акциде́нтные типогра́фские рабо́ты

job-work [ˈdʒɒb,wɜ:k] *n* сде́льная рабо́та

Jock [dʒɒk] *n* 1) *воен. жарг.* шотла́ндский солда́т 2) (j.) *разг. см.* jockey 1, 1)

jockey [ˈdʒɒkɪ] **1.** *n* 1) жоке́й 2) *шотл. ист.* менестре́ль 3) обма́нщик, плут

2. *v* обма́нывать, надува́ть; to ~ for position не стесня́ться в сре́дствах для достиже́ния це́ли ▭ ~ into склони́ть обма́ном к *чему-л.*; ~ out обма́ном получи́ть, вы́манить *что-л.*

jockey cap [ˈdʒɒkɪ,kæp] *n* жоке́йская ша́почка

jocko [ˈdʒɒkəʊ] *n* (*pl* -os [-əʊz]) *разг.* шимпанзе́; обезья́на

jockstrap [ˈdʒɒkstræp] *n спорт.* банда́ж

jocose [dʒəʊˈkəʊs] *a* шутли́вый; игри́вый

jocosity [dʒəʊˈkɒsətɪ] *n* шутли́вость; игри́вость

jocular [ˈdʒɒkjʊlə] *a* шутли́вый; коми́ческий; заба́вный, весёлый; юмористи́ческий

jocularity [,dʒɒkjʊˈlærətɪ] *n* 1) весёлость 2) шу́тка

jocund [ˈdʒɒkənd] *a книжн.* 1) весёлый, живо́й; жизнера́достный 2) прия́тный

jocundity [dʒəˈkʌndətɪ] *n книжн.* 1) весёлость, жизнера́достность 2) прия́тность

jodhpurs [ˈdʒɒdpəz] *n pl* брю́ки для верхово́й езды́

Joe Blow [dʒəʊˈbləʊ] *n амер. воен. жарг.* солда́т

joey [ˈdʒəʊɪ] *n австрал.* детёныш (*преим.* кенгуру́)

jog [dʒɒg] **1.** *n* 1) толчо́к; подта́лкивание, встря́хивание 2) ме́дленная, тря́ская езда́; ме́дленная ходьба́; трусца́ 3) *амер.* неро́вность, изло́м пове́рхности *или* ли́нии 4) поме́ха, лёгкое препя́тствие

2. *v* 1) е́хать ме́дленно 2) бе́гать трусцо́й (*для поддержания спорт. формы*) 3) е́хать, дви́гаться подпры́гивая, подска́кивая; трясти́сь; труси́ть 4) ме́дленно, но упря́мо (про)дви́гаться вперёд (*часто* ~ on, ~ along) 5) продолжа́ть (*путь, работу и т. п.*; on, along) 6) толка́ть, трясти́; подтолкну́ть; to ~ smb.'s memory напо́мнить кому́-л., не дать кому́-л. забы́ть (*что-л.*) 7) слегка́ подта́лкивать ло́ктем (*особ. чтобы привлечь внимание к чему-л.*)

joggle I [ˈdʒɒgl] **1.** *n* потря́хивание, встря́хивание; лёгкий толчо́к

2. *v* 1) трясти́; подта́лкивать; толка́ть 2) трясти́сь, дви́гаться лёгкими толчка́ми

joggle II [ˈdʒɒgl] **1.** *n тех.* соедини́тельный вы́ступ; паз, шпунт

2. *v* соединя́ть шипо́м, шпунто́м, у́шками *и т. п.*

joggly [ˈdʒɒglɪ] *a* неро́вный (*о почерке*)

jogtrot [ˈdʒɒgtrɒt] *n* 1) рысца́ 2) однообра́зие, рути́на 3) *attr.* однообра́зный, ну́дный

john [dʒɒn] *n амер. разг.* сорти́р

John Bull [,dʒɒnˈbʊl] *n* Джон Булль (*прозвище типичного англичанина*)

John Collins [,dʒɒnˈkɒlɪnz] *n разг.* джин с лимо́ном и са́харом

John Doe [,dʒɒnˈdəʊ] *n юр.* (*употр. нарицательно*) вообража́емый исте́ц в суде́бном проце́ссе; ~ and Richard Roe исте́ц и отве́тчик (*взамен имён истинных юридических лиц*)

John Dory [,dʒɒnˈdɔ:rɪ] *n* со́лнечник (*рыба*)

johnny [ˈdʒɒnɪ] *n разг.* 1) (*обыкн.* J.) ма́лый, па́рень 2) презервати́в

johnnycake [ˈdʒɒnɪkeɪk] *n* лепёшка (*амер.* — *маисовая, австрал.* — *пшеничная*)

Johnny-jump-up [,dʒɒnɪˈdʒʌmpʌp] *n* америка́нская лесна́я фиа́лка

Johnny Raw [,dʒɒnɪˈrɔ:] *n sl.* 1) нови́чо́к 2) *воен.* новобра́нец

John-o'-Groat's(-House) [,dʒɒnəˈgrəʊts(haʊs)] *n* се́вер Шотла́ндии; from ~ to Land's End от се́вера до ю́га А́нглии; от кра́я до кра́я (*страны*)

John Q. Public [,dʒɒnkju:ˈpʌblɪk] *n* Джон Кью Па́блик (*прозвище среднего американца*)

Johnsonese, Johnsonian [,dʒɒnsəˈni:z, dʒɒnˈsəʊnɪən] *n* тяжёлый, напы́щенный стиль, изобилу́ющий латини́змами (*как у писателя XVIII в. Сэмюэля Джонсона*)

join [dʒɔɪn] **1.** *v* 1) соединя́ть(ся); to ~ forces соедини́ть си́лы, объедини́ть уси́лия; to ~ hands а) бра́ться за́ руки; (идти́) рука́ об руку; б) объединя́ться, де́йствовать сообща́ 2) присоедини́ть(ся); I'll ~ you in your walk я пройду́сь с ва́ми 3) объедини́ться (*с кем-л.*); войти́ в компа́нию; вступи́ть в чле́ны (*общества и т. п.*); to ~ a club стать чле́ном клу́ба; to ~ a library записа́ться в библиоте́ку; to ~ (in) with smb. присоедини́ться к кому́-л. 4) сно́ва заня́ть своё ме́сто, возврати́ться; to ~ one's regiment, one's ship верну́ться в полк, на кора́бль (*после отпуска, перерыва в службе и т. п.*) 5) соединя́ться, слива́ться; the stream ~s the river руче́й впада́ет в ре́ку 6) грани́чить; the two estates ~ э́ти два име́ния грани́чат друг с дру́гом ▭ ~ **up** а) поступи́ть на вое́нную слу́жбу; б) (with) объединя́ть(ся) ◇ to ~ battle вступи́ть в бой; завяза́ть сраже́ние; вступи́ть в борьбу́

2. *n* соедине́ние; то́чка, ли́ния, пло́скость соедине́ния

joinder ['dʒɔɪndə] *n* (*преим. юр.*) объедине́ние, соедине́ние; сою́з

joiner ['dʒɔɪnə] *n* 1) столя́р 2) *разг.* член не́скольких клу́бов, организа́ций *и т. п.*

joinery ['dʒɔɪnərɪ] *n* 1) столя́рная рабо́та; столя́рное ремесло́ 2) столя́рные изде́лия 3) столя́рная мастерска́я

joint [dʒɔɪnt] **1.** *n* 1) ме́сто соедине́ния; соедине́ние; стык 2) *анат.* суста́в, сочлене́ние; to put abone into ~ again впра́вить вы́вих; out of ~ вы́вихнутый; *перен.* прише́дший в расстро́йство; не в поря́дке 3) часть разру́бленной ту́ши: нога́, лопа́тка *и т. п.*; dinner from the ~ мясно́й обе́д 4) *разг.* ме́сто, помеще́ние; (eating) ~ заку́сочная, столо́вая 5) *разг.* прито́н 6) *sl.* сигаре́та с марихуа́ной 7) *бот.* у́зел (*у растения*) 8) *полигр.* ру́бчик (*переплёта*); о́тстав 9) *геол.* тре́щина, отде́льность, ли́ния клива́жа 10) *тех.* соедине́ние; паз, шов, шарни́р; angle ~ соедине́ние под угло́м 11) *тех.*, *стр.* у́зел фе́рмы

2. *a* 1) объединённый, о́бщий, совме́стный; to take ~ actions де́йствовать сообща́; ~ efforts о́бщие уси́лия; ~ authors соа́вторы; ~ committee а) объединённый комите́т; б) коми́ссия из представи́телей ра́зных организа́ций; ~ possession совме́стное владе́ние, совладе́ние; ~ responsibility солида́рная отве́тственность; ~ heir сонасле́дник; J. Staff геншта́б; J. Chiefs of Staff *амер.* объединённый комите́т нача́льников штабо́в; ~ stock акционе́рный капита́л; ~ resolution *амер.* совме́стное постановле́ние обе́их пала́т конгре́сса, кото́рое име́ет си́лу зако́на по́сле утвержде́ния президе́нтом 2) комбини́рованный; ~ traffic комбини́рованное движе́ние по ре́льсовым и безре́льсовым путя́м

3. *v* 1) сочленя́ть; соединя́ть при по́мощи вставны́х часте́й, коле́н 2) разнима́ть, расчленя́ть 3) *стр.* расшива́ть швы кирпи́чной кла́дки

jointer ['dʒɔɪntə] *n* 1) *тех.* фуга́нок; фугова́льный стано́к 2) *стр.* инструме́нт для расши́вки швов

jointly ['dʒɔɪntlɪ] *adv* совме́стно, сообща́

joint-pin ['dʒɔɪntpɪn] *n тех.* ось шарни́ра

jointress ['dʒɔɪntrəs] *n юр.* вдова́, владе́ющая вы́деленной ей по насле́дству ча́стью иму́щества

joint-stock company [,dʒɔɪntstɒk-'kʌmpənɪ] *n* акционе́рное о́бщество, компа́ния

jointure ['dʒɔɪntʃə] **1.** *n* име́ние, иму́щество, запи́санное на жену́ (*на случай смерти мужа*), вдо́вья часть насле́дства

2. *v* закрепи́ть часть иму́щества, насле́дства за жено́й, назна́чить вдо́вью часть

jointuress ['dʒɔɪntʃərəs] = jointress

joist [dʒɔɪst] *n* 1) брус, ба́лка; стропи́ло 2) *attr.* ба́лочный; ~ ceiling потоло́к на деревя́нных ба́лках, ба́лочное перекры́тие

joke [dʒəʊk] **1.** *n* 1) шу́тка; остро́та; it is no ~ де́ло серьёзное; э́то не шу́тка; to have one's ~, to make a ~ пошути́ть; to make a ~ of smth. свести́ что-л. к шу́тке 2) смешно́й слу́чай 3) объе́кт шу́ток, посме́шище ◇ the ~ was on him э́то он оста́лся в дурака́х

2. *v* 1) шути́ть 2) подшу́чивать, дразни́ть

joker ['dʒəʊkə] *n* 1) шутни́к 2) *sl.* челове́к, па́рень 3) джо́кер (*в покере*) 4) *амер.* двусмы́сленная фра́за *или* статья́ в зако́не 5) непредви́денное обстоя́тельство, так и́ли ина́че влия́ющее на ход де́ла ◇ the ~ in the pack ≅ неожи́данная пробле́ма

joky ['dʒəʊkɪ] *a разг.* шутли́вый; шу́точный

jollier ['dʒɒlɪə] *n разг.* весельча́к, заба́вник

jollification [,dʒɒlɪfɪ'keɪʃn] *n* увеселе́ние, пра́зднество

jollify ['dʒɒləfaɪ] *v* 1) весели́ть(ся) 2) слегка́ опьяня́ть

jollity ['dʒɒlətɪ] *n* 1) весе́лье, увеселе́ние 2) *pl* пра́зднество

jolly ['dʒɒlɪ] **1.** *a* 1) весёлый, ра́достный; лю́бящий весёлую компа́нию 2) подвы́пивший, навеселе́ 3) *разг.* прия́тный; замеча́тельный, восхити́тельный, преле́стный (*тж. ирон.*); ~ weather чуде́сная пого́да; a ~ mess I am in в хоро́шенькую переде́лку я попа́л ◇ the ~ god Вакх, Ба́хус

2. *adv разг.* о́чень, чрезвыча́йно; ~ fine о́чень хорошо́; you'll be ~ late вы поря́дком опа́здываете; ~ well коне́чно, непреме́нно; you'll ~ well have to do it a всё-таки вам придётся сде́лать э́то

3. *n* 1) *sl.* вечери́нка 2) *sl.* солда́т морско́й пехо́ты 3) *сокр. от* jollyboat

4. *v* 1) *разг.* обраща́ться ла́сково, добива́ться (*чего-л.*) ла́ской, ле́стью (*часто* ~ along, ~ up) 2) подшу́чивать

jollyboat ['dʒɒlɪbəʊt] *n* судова́я шлю́пка

jolt [dʒəʊlt] **1.** *n* 1) толчо́к; тря́ска 2) потрясе́ние, уда́р

2. *v* 1) трясти́, встря́хивать, подбра́сывать 2) встрево́жить, потрясти́ 3) дви́гаться подпры́гивая, трясти́сь (*по неровной дороге*)

jolterhead ['dʒəʊltəhed] *n* о́лух, болва́н

jolty ['dʒəʊltɪ] *a* тря́ский

Jonah ['dʒəʊnə] *n* 1) *библ.* Ио́на 2) челове́к, принося́щий несча́стье

Jonathan ['dʒɒnəθən] *n* джоната́н (*сорт десертных яблок*)

jongleur [ʒɔ:ŋ'glɜ:] *фр. n ист.* средневеко́вый бродя́чий пев́ец, менестре́ль

jonquil ['dʒɒŋkwɪl] *n* 1) нарци́сс 2) бле́дно-жёлтый, па́левый цвет 3) разнови́дность канаре́йки

jorum ['dʒɔ:rəm] *n* больша́я кру́жка, ча́ша, *особ.* ча́ша с пу́ншем

josh [dʒɒʃ] *амер.* **1.** *n* доброду́шная шу́тка; мистифика́ция

2. *v* подшу́чивать; мистифици́ровать; разы́грывать

joskin ['dʒɒskɪn] *n sl.* неотёсанный челове́к; дереве́нщина

joss [dʒɒs] *n* 1) кита́йский и́дол 2) амуле́т, талисма́н

josser ['dʒɒsə] *n* 1) *sl.* проста́к, тупи́ца 2) *разг.* па́рень 3) *австрал.* свяще́нник

joss house ['dʒɒshaʊs] *n* кита́йский храм, кумі́рня

joss sticks ['dʒɒsstɪks] *n pl* паху́чие па́лочки для воскуре́ния в кита́йских хра́мах во вре́мя моли́твы

jostle ['dʒɒsl] **1.** *n* 1) толчо́к; столкнове́ние 2) толкотня́, да́вка

2. *v* толка́ть(ся), тесни́ть(ся); пиха́ть; отта́лкивать; to ~ for power (локтя́ми) пробива́ть себе́ доро́гу к вла́сти ▭ ~ **against** натолкну́ться на; ~ **away**, ~ **from** вы́толкнуть, оттолкну́ть; ~ **through** прота́лкиваться; проти́скиваться

jot [dʒɒt] **1.** *n* йо́та; ничто́жное коли́чество; not a ~ ни на йо́ту

2. *v* кра́тко записа́ть; бе́гло наброса́ть (*обыкн.* ~ down)

jotter ['dʒɒtə] *n* записна́я кни́жка, блокно́т

jotting ['dʒɒtɪŋ] **1.** *pres. p. от* jot 2

2. *n* (*обыкн. pl*) па́мятка, набро́сок, кра́ткая за́пись

joule [dʒu:l] *n эл.* джо́уль

jounce [dʒaʊns] *v* ударя́ть(ся); трясти́(сь)

journal ['dʒɜ:nl] **1.** *n* 1) газе́та; журна́л 2) дневни́к; журна́л (*тж. бухг.*); the Journals *парл.* протоко́лы заседа́ний; ship's ~ *мор.* судово́й журна́л 3) *тех.* ше́йка ва́ла, ца́пфа

2. *a поэт.* дневно́й

journal box ['dʒɜ:nlbɒks] *n ж.-д.* бу́кса

journalese [,dʒɜ:nə'li:z] *n* газе́тный штамп

journalism ['dʒɜ:nə,lɪzəm] *n* 1) профе́ссия журнали́ста 2) журнали́стика

journalist ['dʒɜ:nəlɪst] *n* 1) журнали́ст, газе́тный сотру́дник 2) реда́ктор газе́ты *или* журна́ла

journalistic [,dʒɜ:nə'lɪstɪk] *a* журнальный

journey ['dʒɜ:nɪ] **1.** *n* 1) поездка, путешествие (*преим. сухопутное*); to be (*или* to go) on a ~ путешествовать; to take a ~ предпринять путешествие; two days' ~ from here в двух днях езды отсюда 2) рейс 3) *горн.* состав вагонеток

2. *v* совершать поездку, путешествие, рейс; путешествовать

journeyman ['dʒɜ:nɪmən] *n* 1) квалифицированный рабочий *или* ремесленник, работающий по найму (*в отличие от ученика и мастера*) 2) *уст.* подёнщик 3) наёмник

journeywork ['dʒɜ:nɪwɜ:k] *n* 1) работа по найму 2) подённая работа; подёнщина

joust [dʒaʊst] *ист.* **1.** *n* рыцарский поединок (*часто pl*); турнир

2. *v* биться на поединке *или* турнире

Jove [dʒəʊv] *n римск. миф.* Юпитер; by ~! а) клянусь Юпитером!; ей-богу!; б) боже милостивый!; в) вот так так!

jovial ['dʒəʊvɪəl] *a* весёлый; общительный

joviality [,dʒəʊvɪ'ælətɪ] *n* весёлость, общительность

Jovian ['dʒəʊvɪən] *a* 1) подобный Юпитеру; величественный 2) относящийся к планете Юпитер

jowl [dʒaʊl] *n* 1) челюсть; челюстная кость 2) толстые щёки и двойной подбородок 3) подгрудок (*у скота*); зоб (*у птиц*); бородка (*индюка, петуха*) 4) голова (*лосося, осетра*)

jowly ['dʒaʊlɪ] *a* мордастый, толстомордый

joy [dʒɔɪ] **1.** *n* 1) радость; веселье; to wish smb. ~ поздравлять кого-л. 2) что-л., вызывающее восторг, восхищение 3) *разг.* удовольствие; he got no ~ он удовольствия не получил

2. *v поэт.* радовать(ся); веселить(ся)

joyful ['dʒɔɪfl] *a* радостный, счастливый; довольный

joyless ['dʒɔɪləs] *a* безрадостный

joyous ['dʒɔɪəs] = joyful

joyride ['dʒɔɪraɪd] *n разг.* (увеселительная) поездка на автомашине *или* самолёте (*без разрешения владельца*)

joystick ['dʒɔɪstɪk] *n* 1) ручка *или* рычаг управления (*самолёта*) 2) джойстик, ручка управления (*напр., в видеоигре*)

jubilance ['dʒu:bɪləns] *n* ликование

jubilant ['dʒu:bɪlənt] *a* ликующий; торжествующий

jubilate 1. *n* [,dʒu:bɪ'lɑ:tɪ] 1) радостный порыв; ликование 2) (J.) *церк.* 100-й псалом 3) (J.) *церк.* третье воскресенье после Пасхи

2. *v* ['dʒu:bɪleɪt] ликовать; торжествовать

jubilation [,dʒu:bɪ'leɪʃn] *n* ликование

jubilee ['dʒu:bɪli:] *n* празднество; юбилей (*преим.* 50-летний); to hold a ~ праздновать; silver ~ двадцатипятилетний юбилей; golden ~ золотая свадьба; Diamond J. а) шестидесятилетний юбилей; б) *ист.* шестидесятилетие царствования королевы Виктории

Judaic [dʒʊ'deɪɪk] *a* иудейский, еврейский

Judaism ['dʒu:deɪɪzəm] *n* 1) иудаизм 2) иудеи, евреи

Judas ['dʒu:dəs] *n* 1) *библ.* Иуда 2) предатель 3) (j.) отверстие, глазок в двери (*для подсматривания*)

Judas-coloured ['dʒu:dəs,kʌləd] *a* рыжий

Judas hole ['dʒu:dəshəʊl] = Judas 3)

Judas tree ['dʒu:dəstri:] *n бот.* багряник

judder ['dʒʌdə] **1.** *n* сильная вибрация

2. *v* сильно трястись; вибрировать

judge ['dʒʌdʒ] **1.** *n* 1) судья; J. Advocate General а) правительственный консультант по военному судопроизводству; б) *амер.* начальник военно-юридического управления; ~ advocate военный прокурор 2) арбитр, эксперт; третейский судья 3) ценитель, знаток; a ~ of art ценитель искусства

2. *v* 1) судить; выносить приговор 2) считать, полагать; составить себе мнение, приходить к выводу; to ~ by appearances судить по внешности 3) быть арбитром, решать 4) оценивать; to ~ horses давать оценку лошадям 5) осуждать, порицать

judge-made ['dʒʌdʒmeɪd] *a*: ~ law прецедентное право

judgematic(al) [dʒʌdʒ'mætɪk(l)] *a разг.* рассуждающий здраво; рассудительный

judgement ['dʒʌdʒmənt] *n* 1) рассудительность; умение правильно разбираться; good ~ трезвое суждение, трезвый расчёт; to show good ~ судить здраво; poor ~ недальновидность; to sit in ~ критиковать 2) мнение, взгляд; in my ~ you are wrong на мой взгляд (по-моему, по моему мнению), вы не правы; private ~ личный взгляд (*независимый от принятых, особ. в религиозных вопросах*) 3) приговор, решение суда; заключение суда в отношении правильности процедуры; ~ reserved *юр.* отсрочка решения суда после окончания судебного разбирательства; to pass (*или* to give, to render) ~ on smb. выносить приговор кому-л. 4) (*часто шутл.*) наказание, (божья) кара 5) *attr.*: ~ creditor (debtor) кредитор (должник), признанный таковым по постановлению суда ◇ to disturb the ~ сбить с толку

Judgement Day ['dʒʌdʒməntdeɪ] *n рел.* судный день; день страшного суда

judgement-seat ['dʒʌdʒməntsi:t] *n* 1) судейское место 2) суд, трибунал

Judges ['dʒʌdʒɪz] *n pl* (*употр. как sing*) *библ.* Книга судей

judgmatic(al) [dʒʌdʒ'mætɪk(l)] = judgematic(al)

judgment ['dʒʌdʒmənt] = judgement

judicature ['dʒu:dɪkətʃə] *n* 1) отправление правосудия; юрисдикция 2) судоустройство 3) судьи 4) суд; Supreme Court of J. Верховный суд Англии

judicial [dʒʊ'dɪʃl] *a* 1) судебный, законный; ~ murder «убийство по суду» (*вынесенный по закону, но несправедливый смертный приговор*) 2) судейский 3) способный разобраться; рассудительный; беспристрастный

judicial separation [dʒʊ,dɪʃlsepə'reɪʃn] *n* постановление суда о раздельном жительстве супругов, судебное разлучение

judiciary [dʒʊ'dɪʃərɪ] **1.** *a* = judicial 1); ~ law судебное право

2. *n* = judicature 3)

judicious [dʒʊ'dɪʃəs] *a* здравомыслящий, рассудительный

judo ['dʒu:dəʊ] *n спорт.* дзюдо

Judy ['dʒu:dɪ] *n sl.* женщина, баба

jug I [dʒʌg] **1.** *n* 1) кувшин 2) *разг.* тюрьма

2. *v* 1) *кул.* тушить (*зайца, кролика*) 2) *разг.* посадить в тюрьму

jug II [dʒʌg] *n* щёлканье (*соловья и др. птиц*)

jugate ['dʒu:gɪt] *a бот.* парный; ребристый

jugful ['dʒʌgfʊl] *n* кувшин (*чего л.*); мера ёмкости ◇ not by a ~ *амер.* ни за что; ни в коем случае; далеко не

jugged [dʒʌgd] *a* зубчатый

Juggernaut ['dʒʌgənɔ:t] *n* 1) (j.) многотонный грузовик 2) (j.) сокрушительная сила (*оружие большой разрушительной силы, мощный танк и т. п.*) 3) *инд. миф.* Джаггернаут (*одно из воплощений бога Вишну*)

juggins ['dʒʌgɪnz] *n разг. или шутл.* дурак; простак

juggle ['dʒʌgl] **1.** *n* 1) фокус, ловкость рук, трюк 2) ловкая проделка, обман, плутовство; извращение слов, фактов

2. *v* 1) показывать фокусы, жонглировать 2) надувать, обманывать; to ~ a person out of his money выманить у кого-л. деньги ▭ ~ with а) искажать, передёргивать (*факты, слова*); б) обманывать

juggler ['dʒʌglə] *n* 1) фокусник; жонглёр 2) обманщик, плут

jugglery ['dʒʌglərɪ] *n* 1) жонглирование; показывание фокусов; ловкость рук 2) обман, плутовство; извращение фактов

jug-handled ['dʒʌg,hændld] *a амер.* односторонний; пристрастный; несправедливый

Jugoslav(ian) [,ju:gəʊ'slɑ:v(ɪən)] **1.** *n* житель Югославии; югослав

2. *a* югославский

jugular ['dʒʌgjʊlə] *анат.* **1.** *a* шейный; ~ vein яремная вена

2. *n* яремная вена

jugulate ['dʒʌgjʊleɪt] *v* 1) перерезать горло 2) задушить 3) оборвать (*болезнь*) сильнодействующими средствами

juice [dʒu:s] *n* 1) сок 2) сущность, основа (*чего-л.*) 3) *разг.* электрический ток; электроэнергия 4) *разг.* бензин; горючее; step on the ~! дай газ! 5) *attr.*: ~

road *амер.* *разг.* электри́ческая желе́зная доро́га

juicer [ˈdʒu:sə] *n* соковыжима́лка

juicy [ˈdʒu:sɪ] *a* 1) со́чный 2) *разг.* вы́годный, при́быльный 3) *разг.* колори́тный, со́чный; ~ story скабрёзный *или* пика́нтный анекдо́т 4) *разг.* сексуа́льно привлека́тельный, соблазни́тельный

ju-jitsu [dʒʊˈdʒɪtsu:] *n* джиу-джи́тсу

juju [ˈdʒu:dʒu:] *n* 1) ча́ры, заклина́ние 2) амуле́т; фети́ш 3) табу́, запреще́ние

jujube [ˈdʒu:dʒu:b] *n* 1) ю́юба (*дерево и плод*) 2) лека́рственная лепёшка, табле́тка с при́вкусом ю́юбы 3) пат, мармела́д

juke [dʒu:k] *n* *амер.* *разг.* дешёвый рестора́н *или* да́нсинг, где танцу́ют под му́зыку автомати́ческого прои́грывателя (*тж.* juke-joint)

juke-box [ˈdʒu:kbɒks] *n* прои́грыватель-автома́т (*в кафе, дансинге и т. п.*)

julep [ˈdʒu:lɪp] *n* 1) сиро́п, в кото́ром даю́т лека́рство 2) *амер.* напи́ток из ви́ски *или* коньяка́ с водо́й, са́харом, льдом и мя́той

Julian [ˈdʒu:lɪən] *a* юлиа́нский

julienne [ˌdʒu:lɪˈen] *n* жулье́н

July [dʒʊˈlaɪ] *n* 1) ию́ль 2) *attr.* ию́льский

jumbal [ˈdʒʌmbəl] = jumble II

jumble I [ˈdʒʌmbl] **1.** *n* беспоря́дочная смесь, ку́ча; пу́таница, беспоря́док

2. *v* 1) сме́шивать(ся), переме́шивать(ся) в беспоря́дке (*тж.* ~ up, ~ together) 2) дви́гаться в беспоря́дке; толка́ться 3) трясти́сь

jumble II [ˈdʒʌmbl] *n* сла́дкая сдо́бная пы́шка

jumble sale [ˈdʒʌmblseɪl] *n* дешёвая распрода́жа подержанных веще́й на благотвори́тельном база́ре

jumble-shop [ˈdʒʌmblʃɒp] *n* ла́вка, где продаю́тся са́мые разнообра́зные дешёвые това́ры

jumbo [ˈdʒʌmbəʊ] *n* (*pl* -os [-əʊz]) большо́й неуклю́жий челове́к, живо́тное *или* вещь

jumbo jet [ˈdʒʌmbəʊdʒet] *n* гига́нтский аэро́бус, реакти́вный ла́йнер

jumbuck [ˈdʒʌmbʌk] *n* *австрал.* *разг.* овца́

jump I [dʒʌmp] **1.** *n* 1) прыжо́к; скачо́к; long (*или* broad) ~ прыжо́к в длину́; high ~ прыжо́к в высоту́; running ~ прыжо́к с разбе́га; standing ~ прыжо́к с ме́ста 2) вздра́гивание, движе́ние испу́га *и т. п.*; the ~s *разг.* подёргивания; бе́лая горя́чка; to give smb. the ~s де́йствовать кому́-л. на не́рвы 3) ре́зкое повыше́ние (*цен, температуры и т. п.*); to take a ~ подня́ться в цене́ 4) ускоре́ние 5) разры́в, ре́зкий перехо́д 6) *разг.* преиму́щество; to get (*или* to have) the ~ on smb. in smth. получи́ть преиму́щество пе́ред кем-л. в чём-л. 7) *геол.* дислока́ция жи́лы, сброс 8) *вчт.* кома́нда перехо́да ◇ on the ~ *разг.* прово́рный; де́ятельный; о́чень занято́й

2. *v* 1) пры́гать; скака́ть; to ~ for joy пры́гать от ра́дости 2) вска́кивать; подпры́гивать, подска́кивать 3) вздра́гивать; you made me ~ when you came in so suddenly ваш неожи́данный прихо́д испуга́л меня́; my heart ~ed у меня́ се́рдце ёкнуло 4) стреми́тельно поднима́ться по служе́бной ле́стнице 5) перепры́гивать, переска́кивать (*тж.* ~ over); to ~ (over) a stream перепры́гнуть че́рез руче́й; to ~ from one subject to another переска́кивать с одно́й те́мы на другу́ю 6) повыша́ться, подска́кивать (*о температуре, ценах и т. п.*); the prices ~ed це́ны подскочи́ли 7) переска́кивать, пропуска́ть; to ~ a chapter (ten pages) in a book пропусти́ть главу́ (де́сять страни́ц) в кни́ге 8) соска́кивать; to ~ the track а) сходи́ть (*с рельсов*); the train ~ed the track по́езд сошёл с ре́льсов; б) оказа́ться на ло́жном пути́ 9) заста́вить пры́гать; трясти́; he ~ed his horse он заста́вил ло́шадь пры́гнуть; don't ~ the camera не трясн́те фотоаппара́т 10) вскочи́ть (*в трамвай и т. п.*); to ~ a train вскочи́ть в по́езд 11) захва́тывать (*что-л.*), завладева́ть (*чем-л. в отсутствие владельца*); to ~ a (mining) claim завладе́ть чужи́м (го́рным) уча́стком 12) дёргать, ныть (*о зубе и т. п.*) 13) брать (*в шашках*); to ~ a man взять ша́шку 14) подбра́сывать, кача́ть; to ~ a baby on one's knees кача́ть ребёнка на коле́нях 15) (*обыкн. p. p.*) поджа́ривать *или* туши́ть (*картофель и т. п.*), встря́хивая вре́мя от вре́мени 16) избежа́ть, не сде́лать (*чего-л.*); to ~ bail не яви́ться в суд по́сле освобожде́ния под зало́г 17) бури́ть вручну́ю 18) *тех.* сва́ривать впри́тык 19) раскова́ть; оса́живать мета́лл 20) *охот.* поднима́ть, вспу́гивать (*дичь*) 21) *кино* смеща́ться, искажа́ться (*об изображении*) ▭ ~ **about** а) подпры́гивать, подска́кивать (*от радости, боли*); б) быть беспоко́йным; ~ **at** а) бро́ситься к *кому-л.*, обнима́ть *кого-л.*; б) охо́тно принима́ть, ухвати́ться за *что-л.*; to ~ at an offer ухвати́ться за предложе́ние; ~ **down** а) спры́гнуть, соскочи́ть; б) помо́чь спры́гнуть (*ребёнку и т. п.*); ~ **in** бы́стро вскочи́ть, впры́гнуть; ~ **into** а) вскочи́ть, впры́гнуть; to ~ into one's clothes бы́стро, на́спех оде́ться; б): to ~ smb. into smth. обма́ном заста́вить кого́-л. сде́лать что-л.; he was ~ed into buying the house его́ обма́ном заста́вили купи́ть э́тот дом; ~ **off** соскочи́ть; to ~ off a chair соскочи́ть со сту́ла; ~ **on** а) *разг.* обскака́ть кого́-л.; б) вспры́гнуть, вскочи́ть; to ~ on to a chair вскочи́ть на стул; в) неожи́данно набра́сываться на *кого-л.*; ~ **out** вы́скочить; ~ **together** = ~ with; ~ **up** вска́кивать; ~ up! влеза́йте!, сади́тесь! (*в экипаж и т. п.*); ~ **upon** = ~ on; ~ **with** согласо́вываться, соотве́тствовать, совпада́ть ◇ ~ to it! дава́й-дава́й!, потора́пливайся!; to ~ the gun де́йствовать преждевре́менно, без подгото́вки; to ~ in the lake замолча́ть, заткну́ться; to ~ at the bait попа́сться на у́дочку; to ~ the queue пройти́ без о́череди; to ~ to it де́йствовать бы́стро и энерги́чно

jumped-up [ˌdʒʌmptˈʌp] *a* *разг.* *пренебр.* неда́вно вы́бившийся в лю́ди; самоуве́ренный, наха́льный; ≅ из молоды́х, да ра́нний

jumper I [ˈdʒʌmpə] *n* 1) пры́гу́н; скаку́н 2) *эл.* перемы́чка; соедини́тельный про́вод 3) *тех.* ручно́й бур; шля́мбур 4) (J.) *ист.* член англи́йской се́кты мето-ди́стов-прыгуно́в 5) пры́гающее насеко́мое (*блоха, кузнечик и т. п.*) 6) *амер.* са́нки, сала́зки 7) *амер.* захва́тчик чужо́го земе́льного уча́стка 8) *ав.* парашюти́ст 9) *воен.* появля́ющаяся мише́нь

jumper II [ˈdʒʌmpə] *n* 1) дже́мпер 2) матро́сская руба́ха 3) *амер.* (*обыкн. pl*) де́тский комбинезо́н 4) рабо́чая блу́за 5) сарафа́н, надева́емый на блу́зу 6) ма́лица

jumping jack [ˈdʒʌmpɪŋdʒæk] *n* дёргающаяся фигу́рка на ни́точке (*игрушка*)

jumping-off ground [ˌdʒʌmpɪŋˈɒfgraʊnd] *n* *воен.* плацда́рм

jumping-off place [ˌdʒʌmpɪŋˈɒfpleɪs] *n* 1) *воен.* плацда́рм; исхо́дное положе́ние для наступле́ния 2) *амер.* отдалённое ме́сто; ≅ край све́та; it's ~ э́то у чёрта на кули́чках 3) *амер.* положе́ние, из кото́рого нет вы́хода, тупи́к

jumping-rope [ˈdʒʌmpɪŋrəʊp] *n* *амер.* скака́лка, пры́галка

jump seat [ˈdʒʌmpsi:t] *n* *амер.* откидно́е сиде́нье (*в автомобиле*)

jump-welding [ˈdʒʌmpˌweldɪŋ] *n* *тех.* сва́рка впри́тык

jumpy [ˈdʒʌmpɪ] *a* 1) не́рвный, раздражи́тельный 2) де́йствующий на не́рвы 3) ска́чущий (*о ценах*)

junction [ˈdʒʌŋkʃən] *n* 1) ме́сто, то́чка соедине́ния *или* пересече́ния; скреще́ние 2) узлова́я ста́нция, железнодоро́жный у́зел, узлово́й пункт; *ж.-д.* стык доро́г 3) соедине́ние 4) скре́щивание (*дорог*); распу́тье; перекрёсток 5) слия́ние (*рек*)

junction board [ˈdʒʌŋkʃənbɔ:d] *n* *тлф.* коммута́тор

junction call [ˈdʒʌŋkʃənkɔ:l] *n* *тлф.* при́городный разгово́р

juncture [ˈdʒʌŋktʃə] *n* 1) положе́ние дел; стече́ние обстоя́тельств; at this ~ а) в э́тот моме́нт, в э́той фа́зе; б) при подо́бной конъюнкту́ре; at a critical ~ в крити́ческий моме́нт 2) соедине́ние; ме́сто соедине́ния 3) *тех.* шов, спай, стык

June [dʒu:n] *n* 1) ию́нь 2) *attr.* ию́ньский

jungle [ˈdʒʌŋgl] *n* 1) джу́нгли 2) густы́е за́росли, де́бри 3) *амер.* *sl.* прито́н 4) *attr.* свя́занный с джу́нглями; живу́щий в джу́нглях ◇ law of the ~ зако́н джу́нглей

jungle- [ˈdʒʌŋgl-] *в сложных словах, в названиях животных* обита́ющий в джу́нглях; *напр.*: ~-bear медве́дь-губа́ч

jungle fever [ˈdʒʌŋglˌfi:və] *n* тропи́ческая лихора́дка

jungly [ˈdʒʌŋglɪ] *a* покры́тый джу́нглями

junior [ˈdʒu:nɪə] **1.** *a* мла́дший; мла́дший из двух лиц, нося́щих одну́ фами лию (*в семье, учреждении и т. п.*); Edward Smith ~ Э́двард Смит мла́дший; ~ partner мла́дший компаньо́н, партнёр; ~ leader *воен.* мла́дший команди́р

2. *n* 1) мла́дший; the ~s мла́дшие; he is my ~ by three years, he is three years my ~ он моло́же меня́ на 3 го́да 2) подчинённый (*по службе*) 3) *юр.* ба́рристер ни́же ра́нга короле́вского адвока́та 4) *амер. разг.* сыно́к 5) *амер.* студе́нт предпосле́днего ку́рса 6) *спорт.* юнио́р

junior college [ˌdʒu:nɪəˈkɒlɪdʒ] *n амер.* ко́лледж с двухгоди́чным непо́лным обуче́нием

juniority [ˌdʒu:nɪˈɒrətɪ] *n* положе́ние мла́дшего *или* подчинённого

juniper [ˈdʒu:nɪpə] *n* можжеве́льник

junk I [dʒʌŋk] **1.** *n* 1) (нену́жный) хлам, отбро́сы; ути́ль; ста́рое желе́зо, би́тое стекло́ 2) *sl.* нарко́тик, *особ.* герои́н 3) *мор.* во́рса 4) чурба́н, коло́да 5) *мор.* солони́на 6) «спермаце́товый мешо́к» (*полость в голове кашалота*)

2. *v* 1) разреза́ть, дели́ть на куски́ 2) выбра́сывать как нену́жное

junk II [dʒʌŋk] *n* джо́нка

junk bottle [ˈdʒʌŋkˌbɒtl] *n амер.* по́ртерная буты́лка (*из толстого зелёного стекла*)

junker [ˈjʊŋkə] *нем. n ист.* ю́нкер

junket [ˈdʒʌŋkɪt] **1.** *n* 1) сла́дкий творо́г с муска́тным оре́хом и сли́вками 2) пиру́шка, пра́зднество 3) *амер.* увеселительная пое́здка *или* банке́т на казённый счёт

2. *v* 1) пирова́ть 2) *амер.* устра́ивать увесели́тельную пое́здку на казённый счёт

junketing [ˈdʒʌŋkɪtɪŋ] **1.** *pres. p. от* junket 2

2. *n амер.* пикни́к *или* банке́т на казённый счёт

junk food [ˈdʒʌŋkfʊd] *n разг.* нездоро́вая пи́ща (*хот дог, жареный хрустящий картофель и т. п.*)

junkman [ˈdʒʌŋkmən] *n амер.* старьёвщик

junk shop [ˈdʒʌŋkʃɒp] *n* 1) ла́вка старьёвщика 2) ла́вка ста́рых корабе́льных веще́й, материа́лов

junky [ˈdʒʌŋkɪ] *n разг.* наркома́н

Juno [ˈdʒu:nəʊ] *n* 1) *римск. миф.* Юно́на 2) вели́чественная краса́вица

junta [ˈdʒʌntə] *n полит.* ху́нта

junto [ˈdʒʌntəʊ] = junta

Jupiter [ˈdʒu:pɪtə] *n римск. миф., астр.* Юпи́тер; by ~! а) кляну́сь Юпи́тером!; ей-бо́гу!; б) бо́же ми́лостивый!; в) вот так та́к!

jura [ˈdʒʊərə] *pl от* jus

Jurassic [dʒʊˈræsɪk] *a геол.* ю́рский; ~ period ю́рский пери́од, ю́ра

jurat I [ˈdʒʊəræt] *n* ста́рший член муниципалите́та (*в некоторых английских городах*)

jurat II [ˈdʒʊəræt] *n юр.* засвиде́тельствование аффида́вита

juratory [ˈdʒu:rətərɪ] *a* кля́твенный

juridical [dʒʊˈrɪdɪkl] *a* юриди́ческий; зако́нный; суде́бный; ~ days прису́тственные дни в суде́

jurisconsult [ˈdʒʊərɪskənˌsʌlt] *n* юри́ст (*особ. специализирующийся по гражданскому и международному праву*)

jurisdiction [ˌdʒʊərɪsˈdɪkʃn] *n* 1) отправле́ние правосу́дия; юрисди́кция 2) подсу́дность; подве́домственность 3) подве́домственная о́бласть; сфе́ра полномо́чий; it doesn't lie within my ~ э́то не вхо́дит в мою́ компете́нцию

jurisprudence [ˈdʒʊərɪsˌpru:dns] *n* 1) юриспруде́нция, законове́дение; правове́дение; medical ~ суде́бная медици́на 2) суде́бная пра́ктика

jurisprudent [ˈdʒʊərɪsˌpru:dnt] **1.** *a* све́дущий в зако́нах

2. *n* юри́ст

jurist [ˈdʒʊərɪst] *n* 1) знато́к зако́нов 2) а́втор юриди́ческих трудо́в 3) *амер.* адвока́т 4) юри́ст 5) студе́нт юриди́ческого факульте́та

juristic(al) [dʒʊəˈrɪstɪk(l)] *a* юриди́ческий; зако́нный

juror [ˈdʒʊərə] *n* 1) прися́жный заседа́тель 2) челове́к, принёсший прися́гу, кля́тву 3) член жюри́

jury I [ˈdʒʊərɪ] *n* 1) прися́жные; petty (*или* common, trial) ~ 12 прися́жных, вынося́щих пригово́р по гражда́нским и уголо́вным дела́м; coroner's ~ поня́тые при рассле́довании слу́чаев скоропости́жной *или* наси́льственной сме́рти; grand ~ большо́е жюри́ (*присяжные, решающие вопрос о подсудности данного дела*); packed ~ *разг.* специа́льно подо́бранный соста́в прися́жных; special ~ прися́жные для вынесе́ния пригово́ра по осо́бо ва́жному де́лу 2) жюри́ (*по присуждению наград и т. п.*)

jury II [ˈdʒʊərɪ] *a мор.* вре́менный, авари́йный

jury box [ˈdʒʊərɪbɒks] *n* ме́сто в суде́, отведённое для прися́жных

juryman [ˈdʒʊərɪmən] *n* 1) прися́жный 2) член жюри́

jury-mast [ˈdʒʊərɪmɑ:st] *n мор.* авари́йная ма́чта

jury-rig [ˈdʒʊərɪrɪg] *n мор.* 1) вре́менное па́русное вооруже́ние 2) авари́йное устро́йство

jus [dʒʌs] *n* (*pl* jura) *n юр.* 1) зако́н, свод зако́нов; ~ civile гражда́нское пра́во; ~ gentium междунаро́дное пра́во 2) зако́нное пра́во

jussive [ˈdʒʌsɪv] *a грам.* повели́тельный

just [dʒʌst] **1.** *a* 1) справедли́вый, беспристра́стный 2) обосно́ванный; име́ющий основа́ния; заслу́женный; ~ fear справедли́вое опасе́ние; a ~ reward заслу́женная награ́да 3) ве́рный, то́чный; ~ proportion ве́рное соотноше́ние, пра́вильная пропо́рция

2. *adv* 1) то́чно, как раз, и́менно; it is ~ what I said э́то как раз то́, что я сказа́л; ~ so то́чно так; соверше́нно ве́рно; ~ in time как раз во́время; ~ then и́менно тогда́; ~ the other way about (*или* round) как раз наоборо́т 2) то́лько что; he has ~ come он то́лько что пришёл 3) *разг.* совсе́м, пря́мо, про́сто; it's ~ splendid э́то пря́мо великоле́пно 4) едва́; I ~ caught the train я едва́, е́ле-е́ле поспе́л на по́езд ◇ ~ about *разг.* почти́ что; приме́рно; ~ in case на вся́кий слу́чай; ~ now а) сейча́с; б) то́лько что; ~ like that то́чно тако́й же

justice [ˈdʒʌstɪs] *n* 1) справедли́вость; to do him ~ he is very clever на́до отда́ть ему́ справедли́вость, он о́чень у́мный челове́к; he did ~ to your dinner он отда́л до́лжное ва́шему обе́ду; in ~ to smb. отдава́я до́лжное кому́-л. 2) правосу́дие, юсти́ция; to administer ~ отправля́ть правосу́дие; to bring smb. to ~ отда́ть кого́-л. под суд 3) судья́; J. of the Peace мирово́й судья́; Lord Chief J. of England лорд — гла́вный судья́ (*в Англии*) ◇ to do ~ to oneself по́лностью вы́явить свои́ спосо́бности *или* уме́ние; показа́ть себя́ с лу́чшей стороны́; poetic(al) ~ идеа́льная справедли́вость

justiceship [ˈdʒʌstɪsʃɪp] *n* 1) зва́ние, до́лжность судьи́ 2) срок слу́жбы судьи́

justiciable [dʒʌsˈtɪʃɪəbl] *a* подлежа́щий юрисди́кции

justiciary [dʒʌsˈtɪʃɪərɪ] **1.** *n* суде́йский чино́вник

2. *a* суде́бный, суде́йский

justifiable [ˈdʒʌstɪfaɪəbl] *a* могу́щий быть опра́вданным; позволи́тельный; зако́нный; ~ homicide *юр.* уби́йство при смягча́ющих вину́ обстоя́тельствах; уби́йство в це́лях самозащи́ты; ~ claims зако́нные тре́бования

justification [ˌdʒʌstɪfɪˈkeɪʃn] *n* 1) оправда́ние 2) опра́вдывающие обстоя́тельства 3) *полигр.* вы́ключка строки́

justificative [ˈdʒʌstɪfɪkeɪtɪv] *a* оправда́тельный, подтвержда́ющий невино́вность

justificatory [ˈdʒʌstɪfɪkeɪtərɪ] = justificative

justify [ˈdʒʌstɪfaɪ] *v* 1) опра́вдывать; находи́ть оправда́ние; извиня́ть; объясня́ть; to ~ one's action объясни́ть свой посту́пок; she was justified in acting that way у неё бы́ли все основа́ния де́йствовать подо́бным о́бразом 2) подтвержда́ть; to ~ bail *юр.* подтвержда́ть под прися́гой свою́ кредитоспосо́бность в ка́честве поручи́теля 3) *полигр.* вы́ключить строку́

justly [ˈdʒʌstlɪ] *adv* 1) справедли́во 2) зако́нно

jut [dʒʌt] **1.** *n* вы́ступ

2. *v* выдава́ться, выступа́ть (*часто* ~ out, ~ forth)

jute [dʒu:t] *n* джут

juvenescence [ˌdʒu:vɪˈnesns] *n* 1) ю́ность 2) перехо́д от о́трочества к ю́ности

juvenescent [ˌdʒu:vɪ'nesnt] *a* 1) становя́щийся ю́ношей 2) о́троческий 3) молоде́ющий

juvenile ['dʒu:vənaɪl] **1.** *a* 1) ю́ный; ю́ношеский; ~ labour труд подро́стков; ~ offender (*или* delinquent) малоле́тний престу́пник; ~ delinquency престу́пность несовершенноле́тних; ~ court суд по дела́м несовершенноле́тних 2) предназна́ченный для ю́ношества; ~ books кни́ги для ю́ношества 3) *пренебр.* мальчи́шеский

2. *n* 1) ю́ноша, подро́сток 2) *pl разг.* кни́ги для ю́ношества 3) актёр, исполня́ющий ро́ли молоды́х люде́й

juvenilia [ˌdʒu:və'nɪlɪə] *n pl* ю́ношеские произведе́ния

juvenility [ˌdʒu:və'nɪlətɪ] *n* 1) ю́ность, мо́лодость 2) ю́ношество

juxtapose [ˌdʒʌkstə'pəʊz] *v* 1) помеща́ть бок о́ бок, ря́дом; накла́дывать друг на дру́га 2) сопоставля́ть

juxtaposition [ˌdʒʌkstəpə'zɪʃn] *n* 1) непосре́дственное сосе́дство, соприкоснове́ние; наложе́ние 2) сопоставле́ние

K

K, k [keɪ] *n* (*pl* Ks, K's [keɪz]) *11-я бу́ква англ. алфави́та*

kabbala [kə'bɑ:lə] = cabbala

kadi ['kɑ:dɪ] = cadi

kaf(f)ir ['kæfə] *n* 1) кафр 2) *южно-афр. пренебр.* чёрный

kaftan ['kæftæn] = caftan

kail [keɪl] = kale

kailyard ['keɪljɑ:d] *n* 1) = kaleyard 2) *attr.*: ~ school, ~ novelists писа́тели (*конца́ XIX — нача́ла XX вв.*), широко́ применя́вшие ме́стный диале́кт при описа́нии шотла́ндского наро́дного бы́та

kaiser ['kaɪzə] *n ист.* ка́йзер

kakemono [,kækɪ'məʊnəʊ] *n* (*pl* -os [-əʊz]) какемо́но (*свёртывающаяся насте́нная карти́на*)

kale [keɪl] *n* 1) капу́ста листова́я 2) капу́ста кормова́я 3) суп из капу́сты, овощно́й суп 4) *амер. sl.* де́ньги

kaleidoscope [kə'laɪdəskəʊp] *n* калейдоско́п

kaleidoscopic(al) [kə,laɪdə'skɒpɪk(l)] *a* калейдоскопи́ческий

kalends ['kælendz] = calends

kaleyard ['keɪljɑ:d] *n шотл.* огоро́д

kali ['kælɪ] *n хим.* 1) о́кись ка́лия 2) пота́ш

kamikaze [,kæmɪ'kɑ:zɪ] *n ист.* 1) япо́нский самолёт-камика́дзе 2) пило́т-сме́ртник, камика́дзе

kanaka [kə'nækə] *n* 1) кана́к (*жи́тель тихоокеа́нских о-вов, преим. Гава́йских*) 2) тузе́мный рабо́чий са́харных планта́ций (*в Австра́лии*)

kangaroo [,kæŋgə'ru:] *n* 1) кенгуру́ 2) *pl разг.* а́кции западноавстрали́йских рудни́ков 3) *pl разг.* биржевики́, спекули́рующие на э́тих а́кциях ◇ ~ closure *парл.* пра́ктика, позволя́ющая председа́телю коми́ссии допуска́ть обсужде́ние лишь не́которых попра́вок к законопрое́кту; ~ court инсцениро́вка суда́; незако́нное суде́бное разбира́тельство

Kantian ['kæntɪən] *a филос.* кантиа́нский

Kantianism ['kæntɪənɪzəm] *n филос.* кантиа́нство

kaoliang [,kɑ:əʊlɪ'æŋ] *n* гаоля́н (*кита́йское и́ли восточноазиа́тское со́рго*)

kaolin ['keɪəlɪn] *n* каоли́н

kapellmeister [kə'pelmaɪstə] *n* капельме́йстер, дирижёр

kapok ['keɪpɒk] *n* капо́к (*расти́тельный пух*)

kappa ['kæpə] *n* ка́ппа (*деся́тая бу́ква гре́ческого алфави́та*)

kaput [kə'pʊt] *a predic. sl.* уничто́женный; разорённый; потерпе́вший неуда́чу

karate [kə'rɑ:tɪ] *n* карате́

karma ['kɑ:mə] *n* ка́рма

karri ['kærɪ] *n бот.* эвкали́пт разноцве́тный

kar(r)oo [kə'ru:] *n* сугли́нистое высо́кое плато́ в Ю́жной А́фрике, безво́дное в сухо́е вре́мя го́да

kartell [kɑ:'tel] = cartel

katabatic [,kætə'bætɪk] *a метео* напра́вленный кни́зу (*о движе́нии во́здуха*)

kathode ['kæθəʊd] = cathode

katydid ['keɪtɪdɪd] *n* кузне́чик североамерика́нский

kauri ['kaʊrɪ] *n бот.* ага́тис новозела́ндский

kayak ['kaɪæk] *n* 1) каяк (*эскимо́сская ло́дка*) 2) байда́рка

kayo [,keɪ'əʊ] *n разг.* нока́ут

Kazakh [kə'zæh] **1.** *n* 1) каза́х; каза́шка 2) каза́хский язы́к

2. *a* каза́хский

kebab [kɪ'bæb] *n* кеба́б

keck [kek] *v* 1) рыга́ть; де́лать уси́лия, что́бы вы́рвало 2) испы́тывать отвраще́ние ▭ ~ at с отвраще́нием отка́зываться (*от пи́щи и т. п.*)

kedgeree [,kedʒə'ri:] *n* 1) инди́йское блю́до из ри́са, яи́ц и лу́ка 2) блю́до из ры́бы, ри́са, яи́ц *и т. п.*

keek [ki:k] *диал.* **1.** *n* тот, кто подгля́дывает

2. *v* подгля́дывать

keeker ['ki:kə] *n разг.* тот, кто подгля́дывает, шпио́нит

keeking-glass ['ki:kɪŋglɑ:s] *n разг.* зе́ркало

keel I [ki:l] **1.** *n* 1) киль (*су́дна*); on an even ~ *мор.* на ро́вный киль; *перен.* ро́вно, споко́йно; to play down a ~ нача́ть постро́йку корабля́ 2) *поэт.* кора́бль 3) *зоол.* грудна́я кость, киль

2. *v* килева́ть ▭ ~ over опроки́дывать(ся); *разг.* неожи́данно упа́сть

keel II [ki:l] *n* 1) плоскодо́нное су́дно для перево́зки у́гля 2) ме́ра ве́са для у́гля́ (≅ *21 то́нна*)

keelhaul ['ki:lhɔ:l] *v* 1) *мор. ист.* килева́ть (*протаскивать под ки́лем в наказа́ние*) 2) де́лать стро́гий вы́говор; отчи́тывать

keelson ['kelsn] = kelson

keen I [ki:n] *a* 1) си́льно жела́ющий (*чего́-л.*), стремя́щийся (*к чему́-л.*); to be (dead) ~ on smth. *разг.* си́льно жела́ть чего́-л.; (о́чень) люби́ть что-л., (стра́стно) увлека́ться чем-л.; he is ~ on opera он увлека́ется о́перой; I am not very ~ on cricket я не осо́бенный люби́тель кри́кета 2) ре́вностный, энерги́чный; a ~ man of business энерги́чный делово́й челове́к, спосо́бный деле́ц; a ~ sportsman стра́стный спортсме́н 3) то́нкий, о́стрый (*слух и т. п.*) 4) си́льный, глубо́кий (*о чу́вствах*); ~ pleasure большо́е удово́льствие 5) проница́тельный (*ум, взгляд*) 6) о́стрый 7) ре́зкий, пронзи́тельный; си́льный; a ~ wind ре́зкий ве́тер 8) жесто́кий, треску́чий (*моро́з*) 9) си́льный, интенси́вный; ~ pain о́страя боль; ~ hunger си́льный го́лод; ~ appetite хоро́ший аппети́т; ~ interest живо́й интере́с 10) ни́зкий, сни́женный (*о це́нах*) 11) стро́гий, ре́зкий (*о кри́тике и т. п.*) 12) тру́дный, напряжённый; ~ contest тру́дное состяза́ние; ~ competition *эк.* си́льная конкуре́нция

keen II [ki:n] *ирл.* **1.** *n* плач, причита́ние по поко́йнику

2. *v* причита́ть, голоси́ть

keen-witted [,ki:n'wɪtɪd] *a* сообрази́тельный

keep [ki:p] **1.** *v* (kept) 1) держа́ть, не отдава́ть; you may ~ the book for a month мо́жете держа́ть э́ту кни́гу ме́сяц; to ~ hold of smth. не отдава́ть, держа́ть что-л. 2) храни́ть; сохраня́ть; бере́чь 3) заде́рживать; to ~ the children after school заде́рживать ученико́в по́сле заня́тий 4) соблюда́ть (*пра́вило, догово́р и т. п.*), сдержа́ть (*сло́во, обеща́ние*); повинова́ться (*зако́ну*) 5) содержа́ть, име́ть; to ~ a shop име́ть магази́н; to ~ a garden име́ть сад 6) содержа́ть, обеспе́чивать; to ~ a family содержа́ть семью́ 7) вести́ (*дневни́к, счета́, кни́ги и т. п.*) 8) управля́ть, вести́; to ~ house вести́ хозя́йство 9) име́ть в прода́же; do they ~ postcards here? здесь продаю́тся откры́тки? 10) *с после́дующим сло́жным дополне́нием означа́ет* заставля́ть (*что-л. де́лать*); he kept me waiting он заста́вил меня́ ждать; I won't ~ you long я вас до́лго не задержу́ 11) продолжа́ть де́лать (*что-л.*); ~ moving! проходи́те!, не заде́рживайтесь!; he kept laughing the whole evening он весь ве́чер не перестава́л смея́ться 12) сохраня́ть новизну́, све́жесть; не устарева́ть; the matter will ~ till tomorrow с э́тим мо́жно подожда́ть до за́втра; it's only good news that ~s то́лько до́брые ве́сти мо́гут ждать; meat will ~ in the cellar мя́со в по́гребе не испо́ртится 13) скрыва́ть,ута́ивать; to ~ a secret не выдава́ть та́йну; you are ~ing smth. from me вы что́-то от меня́ скрыва́ете 14) держа́ться, сохраня́ться; остава́ться (*в изве́стном положе́нии, состоя́нии и т. п.*); the weather ~s fine де́ржится хоро́шая пого́да; to ~ one's bed остава́ться в посте́ли, не встава́ть с посте́ли 15) охраня́ть, защища́ть; to ~ the town against the enemy защищáть гóрод от врагá; to ~ the goal стоя́ть в ворóтах (*о вратаре*) 16) содержáть (*любовницу*) 17) сдéрживать; to ~ (in) one's feelings сдéрживать свои́ чу́вства 18) имéть в услужéнии, в распоряжéнии; to ~ a cook имéть пóвара 19) прáздновать, справля́ть; to ~ one's birthday справля́ть день рождéния 20) *разг.* жить; where do you ~? где вы обретáетесь?; how are you ~ing? как поживáете? 21) *разг.* проводи́ть заня́тия; функциони́ровать; рабóтать (*об учреждении*); school ~s today сегóдня в шкóле есть заня́тия □ ~ **at** а) дéлать (что-л.) с упóрством, настóйчиво; he kept hard at work for a week он упóрно рабóтал цéлую недéлю; б) заставля́ть (*кого-л.*) дéлать (*что-л.*); в) приставáть с прóсьбами; ~ **away** а) держáть(ся) в отдалéнии; не подпускáть бли́зко; остерегáться; б) пря́тать; ~ knives away from children пря́чьте ножи́ от детéй; ~ **back** а) держáться в сторонé; б) удéрживать, задéрживать; в) скрывáть; he kept the news back он утаи́л э́ту нóвость; ~ **down** а) подавля́ть (*восстание; чувство*); держáть в подчинéнии; б) задéрживать рост, мешáть разви́тию; to ~ down prices не допускáть повышéния цен; в) не вставáть, продолжáть сидéть *или* лежáть; г): he can't ~ down his food егó всё врéмя рвёт; ~ **from** удéрживать(ся), воздéрживаться от *чего-л.*; what kept you from doing it? почему́ вы э́того не сдéлали?; he kept his anxiety from showing он старáлся не вы́дать своегó волнéния; ~ **in** а) сдéрживать (*свои чувства и т. п.*); б) не выпускáть; заставля́ть сидéть дóма (*больного*); to be kept in быть остáвленным пóсле урóков, без обéда (*о школьнике*); в) поддéрживать; to ~ in fire поддéрживать огóнь; to ~ in with smb. оставáться в хорóших отношéниях с кем-л.; ~ **off** держáть(ся) в отдалéнии; не подпускáть; ~ off! назáд!; ~ off the subject! не касáйтесь э́того вопрóса!; ~ off the grass! не ходи́те по травé!; ~ your mind off this не ду́майте об э́том, вы́киньте э́то из головы́; ~ **on** а) продолжáть (*делать что-л.*); to ~ on reading продолжáть читáть; б): to ~ on fire поддéрживать огóнь; в) сохраня́ть в прéжнем положéнии; he was kept on at his old job егó остáвили на прéжней рабóте; г) не снимáть; оставля́ть; to ~ on one's hat не снимáть шля́пы; д) докучáть, надоедáть (at); е) брани́ть (at); to ~ on at a person *разг.* беспрестáнно брани́ть когó-л.; ~ **out** а) не допускáть, не впускáть; не позволя́ть (of); to ~ children out of mischief не давáть дéтям шали́ть; б) оставáться в сторонé, не вмéшиваться (of); to ~ out of smb.'s way избегáть когó-л.; to ~ out of smth. избегáть чегó-л.; ~ **to** придéрживаться; держáться *чего-л.*; ~ to the right! держи́тесь прáвой стороны́!; to ~ to the subject держáться тéмы; ~ **under** а) держáть в подчинéнии; б) препя́тствовать (*росту, развитию, распространению*); to ~ the prices under препя́тствовать повышéнию цен; ~ **up** а) держáться на прéжнем у́ровне (*о ценах и т. п.*); б) держáться бóдро; в) поддéрживать в дóлжном поря́дке; г) поддéрживать; to ~ up a correspondence поддéрживать перепи́ску; д) не давáть заснýть; е) соблюдáть, придéрживаться; to ~ up old traditions соблюдáть *или* поддéрживать стáрые тради́ции; ж) быть хорошó осведомлённым, быть в ку́рсе; to ~ up on international law хорошó знать междунарóдное прáво; з) продолжáть; ~ it up! не останáвливайтесь!, продолжáйте!; ~ **up with** smb. держáться наравнé с кем-л., не отставáть ◇ to ~ company а) составля́ть компáнию, сопровождáть; б) дружи́ть; to ~ covered *воен.* держáть на прицéле; to ~ (smb.) going а) сохрани́ть (чью-л.) жизнь; б) помóчь (комý-л.) материáльно; to ~ oneself to oneself быть зáмкнутым, необщи́тельным; сторони́ться людéй, избегáть óбщества; to ~ up with the Joneses жить не ху́же людéй; to ~ watch дежу́рить

2. *n* 1) содержáние, пи́ща, прокóрм; to earn one's ~ зарабóтать на пропитáние 2) запáс кóрма для скотá 3) глáвная бáшня (*средневекового замка*) 4) *тех.* контрбу́кса ◇ in good (in low) ~ в хорóшем (в плохóм) состоя́нии; for ~s *разг.* а) навсегдá; б) совершéнно

keeper ['ki:pə] *n* 1) храни́тель; стóрож; смотри́тель 2) владéлец (*кафе и т. п.*) 3) лесни́к, охраня́ющий заповéдник 4) игрóк, охраня́ющий ворóтца (*в крикете*) 5) *разг.* вратáрь 6) хорошó сохраня́ющийся продýкт; milk is a bad ~ молокó бы́стро прокисáет 7) санитáр (*в доме для умалишённых*) 8) *физ.* я́корь магни́та 9) кольцó, надéтое сверх другóго 10) *тех.* контргáйка 11) держáтель (*напр., облигаций*)

-keeper [-,ki:pə] *в сложных словах означает* содержáтель, предпринимáтель; *напр.*: innkeeper хозя́ин гости́ницы; shopkeeper лáвочник

keeping ['ki:pɪŋ] 1. *pres. p. от* keep 1

2. *n* 1) хранéние 2) охрáна, присмóтр; to be in safe ~ быть в надёжных рукáх; быть в пóлной безопáсности; in smb.'s ~ на чьём-л. попечéнии 3) владéние; содержáние 4) гармóния, соглáсие; to be in (out of) ~ with smth. (не) согласóвываться, (не) гармони́ровать с чем-л. 5) *attr.* хорошó сохраня́ющийся; ~ apples хорошó сохраня́ющиеся я́блоки

keeping room ['ki:pɪŋru:m] *n диал.* гости́ная, óбщая кóмната

keepsake ['ki:pseɪk] *n* подáрок, сувени́р на пáмять

kef [kef] *n* 1) состоя́ние опьянéния, кайф (*обыкн. от курения наркотиков*) 2) бездéлье

kefir ['kefə] *n* кефи́р

keg [keg] *n* бочóнок (*ёмкостью до 10 галлонов*)

keif [keɪf] = kef

keloid ['ki:lɔɪd] *n мед.* келóид

kelp [kelp] *n* 1) бу́рая вóдоросль, *преим.* ламинáрия 2) золá э́тих вóдорослей, из котóрой добывáется йод

kelpie, kelpy ['kelpɪ] *n шотл. миф.* злой водянóй (*заманивающий корабли и топящий людей*)

kelson ['kelsn] *n мор.* ки́льсон

Kelt [kelt] = Celt

Keltic ['keltɪk] = Celtic

Kelvin (scale) ['kelvɪn(skeɪl)] *n физ.* шкалá абсолю́тной температу́ры

kemp [kemp] *n* грýбая шерсть

ken [ken] 1. *n* кругозóр; круг знáний; beyond my ~ вы́ше моегó понимáния; за предéлами мои́х познáний

2. *v шотл.* (kent) 1) узнавáть (*по виду*) 2) знать

kennel I ['kenl] 1. *n* 1) конурá 2) (*часто pl*) собáчий питóмник, псáрня 3) хибáрка, лачýга; хи́жина 4) свóра собáк (*охотничьих*) 5) ли́сья норá

2. *v* 1) загоня́ть в конурý 2) держáть в конурé 3) жить в конурé

kennel II ['kenl] *n* сток, водостóчная канáва

kent [kent] *past и p. p. от* ken 2

Kentish ['kentɪʃ] *a* кéнтский ◇ ~ fire а) продолжи́тельные аплодисмéнты; б) гул неодобрéния; ~ rag твёрдый строи́тельный известня́к

kentledge ['kentlɪdʒ] *n мор.* постоя́нный баллáст

Kenyan ['kenjən] *a* относя́щийся к Кéнии

kepi ['keɪpɪ] *n* кéпи

kept [kept] 1. *past и p. p. от* keep 1

2. *a*: ~ woman содержáнка

keratin ['kerətɪn] *n* керати́н, роговóе веществó

keratoid ['kerətɔɪd] *a* роговóй

kerb [kɜ:b] *n* (кáменная) обóчина, край тротуáра ◇ on the ~ вне би́ржи (*о сделках, совершающихся после закрытия биржи*)

kerbstone ['kɜ:bstəʊn] *n* бордю́рный кáмень ◇ ~ broker внебиржевóй мáклер; ~ market а) у́личный ры́нок; б) неофициáльный ры́нок цéнных бумáг; чёрный ры́нок

kerchief ['kɜ:tʃɪf] *n* 1) платóк (*головной*); косы́нка, шарф 2) *поэт.* носовóй платóк

kerchiefed, kerchieft ['kɜ:tʃɪft] *a* покры́тый платкóм, косы́нкой, шáрфом

kerf [kɜ:f] *n* 1) зарýбка, надрýб, пропи́л на дéреве (*при валке деревьев*) 2) *горн.* вруб

kerfuffle [kə'fʌfl] *n разг.* суетá, суматóха, волнéние

kermis ['kɜ:mɪs] *n* 1) я́рмарка-карнавáл (*в Нидерландах*) 2) *амер.* благотвори́тельный базáр

kern(e) [kɜ:n] *n* 1) *ист.* легковооружённый ирлáндский пехоти́нец 2) мужи́к, деревéнщина

kernel ['kɜ:nl] *n* 1) зернó, зёрнышко 2) сердцеви́на (*плода*); ядрó (*ореха*) 3) суть 4) *филос.* рационáльное зернó 5) *метал.* стéржень

kerosene, kerosine ['kerəsi:n] *n* кероси́н

kersey ['kɜ:zɪ] *n* 1) грýбая шерстянáя

матéрия 2) *pl* брю́ки из тако́й матéрии

kerseymere [ˈkɜ:zɪmɪə] *n* 1) кашеми́р (*тонкая шерстяная ткань*) 2) *pl* брю́ки из кашеми́ра

kestrel [ˈkestrəl] *n* пустельга́ (*птица*)

ketch [ketʃ] *n* кеч (*небольшое двухмачтовое судно*)

ketchup [ˈketʃəp] *n* кéтчуп

kettle [ˈketl] *n* 1) металли́ческий ча́йник 2) *уст.* котёл, котело́к 3) коро́бка ко́мпаса 4) *горн.* бадья́ ◇ a pretty ~ of fish запу́танное, неприя́тное положéние; ≅ хоро́шенькое дéльце

kettledrum [ˈketldrʌm] *n* 1) лита́вра 2) *шутл.* зва́ный чай (*во второй половине дня*)

key I [ki:] **1.** *n* 1) ключ (*от замка, двери*); false ~ отмы́чка 2) га́ечный ключ 3) ключ (*для завода часов и т. п.*) 4) кла́виша; *pl* клавиату́ра (*рояля, пишущей машинки и т. п.*) 5) основно́й при́нцип 6) ключева́я пози́ция (*обеспечивающая контроль, доступ и т. п.*) 7) ключ, разга́дка (*к решению вопроса и т. п.*) 8) ключ, код 9) подстро́чный перево́д; сбо́рник решéний зада́ч; ключ к упражнéниям 10) *муз.* ключ; тона́льность; major (minor) ~ мажо́рный (мино́рный) тон; all in the same ~ моното́нно, однообра́зно 11) тон, высота́ го́лоса; to speak in a high (low) ~ гро́мко (ти́хо) разгова́ривать 12) *тех.* клин; шпо́нка; чека́ 13) *эл.* ключ; кно́пка; рыча́жный переключа́тель; telegraph ~ телегра́фный ключ 14) *attr.* основно́й, ключево́й; веду́щий, кома́ндный; гла́вный; ~ industries веду́щие о́трасли промы́шленности; ~ problem основна́я, узлова́я пробле́ма; ~ actor *амер.* веду́щий актёр 15) *attr.*: ~ line *амер.* заголо́вок в одну́ строку́; ~ map ко́нтурная ка́рта ◇ to hold the ~s of smth. держа́ть что-л. в свои́х рука́х, держа́ть что-л. под контро́лем; golden (*или* silver) ~ взя́тка, по́дкуп; the power of the ~s па́пская власть; to have (*или* to get) the ~ of the street *шутл.* оста́ться на ночь без кро́ва; быть выставленным за дверь

2. *v* 1) запира́ть на ключ 2) испо́льзовать усло́вные обозначéния (*в объявлениях*) 3) *тех.* закли́нивать; закрепля́ть шпо́нкой (*часто* ~ in, ~ on) 4) *муз.* настра́ивать (*тж.* ~ up) 5) приводи́ть в соотвéтствие 6) *тлф., радио* рабо́тать ключо́м ▭ ~ **up** а) возбужда́ть, взви́нчивать (*кого-л.*); б) придава́ть реши́мость, смéлость; в) повыша́ть (*спрос и т. п.*)

key II [ki:] *n* о́тмель, риф

keyboard [ˈki:bɔ:d] *n* 1) клавиату́ра 2) *эл.* коммута́тор, коммутацио́нная панéль 3) *вчт.* кла́вишная панéль

keyed [ki:d] **1.** *p. p. от* key I, 2

2. *a* 1) снабжённый ключа́ми *или* кла́вишами 2) *муз.* настро́енный в определённой тона́льности (*тж.* ~ up) 3) взви́нченный, взволно́ванный (*тж.* ~ up)

keyhole [ˈki:həʊl] *n* замо́чная сква́жина; to spy through the ~ подсма́тривать в замо́чную сква́жину; to listen at the ~ подслу́шивать у двéри

keyless [ˈki:ləs] *a* 1) без ключа́ 2) заводя́щийся без ключа́ (*о часах*)

key money [ˈki:mʌnɪ] *n* 1) зада́ток *или* ава́нс (*при снятии квартиры*) 2) дополни́тельная пла́та, взима́емая при продлéнии сро́ка арéнды

keynote [ˈki:nəʊt] **1.** *n* 1) преоблада́ющий тон, основна́я мысль; лейтмоти́в; основно́й при́нцип 2) *муз.* основна́я но́та ключа́, тона́льность 3) *attr.* веду́щий, основно́й; ~ address (*или* speech) а) выступлéние, заостря́ющее внима́ние на основны́х вопро́сах; б) основно́й докла́д (*на съезде, конференции*)

2. *v* задава́ть тон, дава́ть устано́вку (*на съезде и т. п.*); излага́ть директи́вы, полити́ческую ли́нию *и т. п.*

keynoter [ˈki:ˌnəʊtə] *n* основно́й докла́дчик (*на съезде, конференции*)

key point [ˈki:pɔɪnt] *n воен.* ва́жный (*в тактическом отношении*) пункт

keypunch [ˈki:pʌntʃ] *n* кла́вишный перфора́тор

key-ring [ˈki:rɪŋ] *n* кольцо́ для ключéй

keystone [ˈki:stəʊn] *n* 1) краеуго́льный ка́мень, основно́й при́нцип 2) *архит.* замко́вый ка́мень (*свода или арки*)

keystroke [ˈki:strəʊk] *n* нажа́тие кла́виши *или* кно́пки

keyway [ˈki:weɪ] *n* кно́почный паз

key-winding [ˈki:ˌwaɪndɪŋ] *a* заводя́щийся ключо́м

key word [ˈki:wɜ:d] *n* 1) ключево́е сло́во 2) колонти́тул 3) легéнда (*пояснение условных обозначений на карте*) 4) *вчт.* дескри́птор

khaki [ˈkɑ:kɪ] **1.** *n* 1) ха́ки (*материя защитного цвета*) 2) (полева́я) воéнная фо́рма

2. *a* защи́тного цвéта; цвéта ха́ки

khalifa [kɑ:ˈli:fə] = caliph

khalifate [ˈkælɪfeɪt] = caliphate

khamsin [ˈkæmsɪn] *n* хамси́н (*сухой знойный ветер в Египте*)

khan [kɑ:n] *n* хан

khanate [ˈkɑ:neɪt] *n* 1) ха́нство 2) власть ха́на

Khedive [kɪˈdi:v] *n ист.* хеди́в

kibble [ˈkɪbl] **1.** *n горн.* бадья́

2. *v* 1) поднима́ть поро́ду на повéрхность (*в бадье*) 2) дроби́ть

kibbutz [kɪˈbʊts] *n* (*pl* -tzim [-ˈtsi:m]) кибу́ц

kibe [kaɪb] *n* боля́чка на отморо́женном мéсте (*особ.* на пя́тке) ◇ to tread on one's ~ наступи́ть на люби́мую мозо́ль

kibitz [ˈkɪbɪts] *v разг.* вмéшиваться не в своё дéло; дава́ть непро́шенные совéты

kibitzer [ˈkɪbɪtsə] *n разг.* 1) непро́шеный совéтчик (*особ. при игре в карты*) 2) назо́йливый человéк; надоéда

kibosh [ˈkaɪbɒʃ] *n sl.* вздор, чепуха́ ◇ to put the ~ on положи́ть конéц, поко́нчить; прико́нчить

kick I [kɪk] **1.** *n* 1) уда́р ного́й, копы́том; пино́к; to get the ~ а) получи́ть пино́к; б) быть уво́ленным 2) уда́р, толчо́к; отска́кивание 3) *разг.* удово́льствие, прия́тное возбуждéние; to get a ~ out of smth. находи́ть удово́льствие в чём-л.; for the ~ of it, for ~s на потéху 4) *разг.* энéргия, жи́зненная си́ла; he has no ~ left он вы́дохся 5) *разг.* мо́да; си́льное увлечéние *чем-л.* 6) отда́ча (*ружья*) 7) *разг.* футболи́ст; good (bad) ~ хоро́ший (плохо́й) футболи́ст 8) *разг.* крéпость (*вина и т. п.*) 9) *амер. разг.* протéст ◇ more ~s than halfpence бо́льше неприя́тностей, чем вы́годы

2. *v* 1) ударя́ть ного́й 2) брыка́ть(ся); ляга́ть(ся) 3) *разг.* проти́виться, проявля́ть стропти́вость, недово́льство, жа́ловаться (*тж.* ~ against, ~ at) 4) *амер. sl.* изба́виться (*от привычки к наркотикам*) 5) вы́гнать, вы́ставить; to ~ downstairs спусти́ть с лéстницы; вышвырнуть 6) быть недово́льным собо́й 7) *спорт.* бить по мячу́, заби́ть гол 8) высоко́ подпры́гивать (*о мяче*) 9) отдава́ть (*о ружье*) 10) *амер. sl.* умерéть (*часто* ~ in) ▭ ~ **about** *разг.* а) перебра́сывать(ся); б) разбра́сывать; в) гру́бо обраща́ться; ~ **around** а) = ~ about; б) *sl.* рассма́тривать со всех сторо́н; в) éздить, путешéствовать; ~ **away** прогна́ть, вы́гнать (*часто с позором*); ~ **back** а) (от)плати́ть той же монéтой; б) *авто* отдава́ть наза́д; в) *разг.* отдава́ть (*часть незаконно полученных денег под нажимом и т. п.*); г) *разг.* возвраща́ть (*краденое*); ~ **in** а) взлома́ть (*дверь и т. п.*); ворва́ться; б) *амер. sl.* плати́ть свою до́лю; в) *амер. sl.* загну́ться, окочу́риться; ~ **off** а) *спорт.* вводи́ть мяч в игру́ уда́ром с цéнтра; б) *разг.* начина́ть; в) сбро́сить (*туфли и т. п.*); г) *амер. sl.* отки́нуть копы́та, умерéть; ~ **out** а) вы́швырнуть пинка́ми; б) вы́гнать; уво́лить; ~ **up** а) поднима́ть (*скандал, шум и т. п.*); to ~ up a row (a fuss, a dust) поднима́ть, устра́ивать сканда́л (шум, спор); б) швыря́ть вверх уда́ром ноги́; поднима́ть; to ~ up dust поднима́ть пыль нога́ми; to ~ up the heels брыка́ться (*о лошади*) ◇ to ~ the beam а) оказа́ться бо́лее лёгкой (*из двух чашек весов*); б) не имéть вéса, значéния; потеря́ть значéние, влия́ние; to ~ up one's heels танцева́ть; весели́ться; to ~ over the traces вы́йти из повиновéния, взбунтова́ться; to ~ upstairs дать почётную отста́вку; изба́виться (*от кого-л., назначив на более высокую должность*)

kick II [kɪk] *n* вда́вленное дно буты́лки

kickback [ˈkɪkbæk] *n* 1) *тех.* отда́ча 2) *разг.* пла́та бо́ссу, ма́стеру *и т. д.*, «комиссио́нные» 3) бу́рная реа́кция 4) *разг.* возвращéние ча́сти укра́денных дéнег (*под нажимом*)

kicker [ˈkɪkə] *n* 1) брыкли́вая ло́шадь 2) *амер. sl.* критика́н; скандали́ст 3) футболи́ст 4) *тех.* эжéктор, сбра́сыватель

kickoff [ˈkɪkɒf] *n* 1) *спорт.* введéние

мячá в игрý (*с центра*) 2) *разг.* начáло; for a ~ с сáмого начáла

kickshaw ['kɪkʃɔ:] *n* 1) *уст.* лáкомство (*обыкн. пренебр.*) 2) безделýшка, пустячóк

kick-starter ['kɪk‚stɑ:tə] *n* ножнóй стáртер (*мотоцикла и т. п.*)

kick-up ['kɪkʌp] *n разг.* 1) шум, скандáл 2) пирýшка, вечерúнка

kid I [kɪd] **1.** *n* 1) козлёнок 2) лáйка (*кожа*) 3) *pl* лáйковые перчáтки 4) *разг.* ребёнок; малы́ш 5) *attr.* лáйковый; ~ gloves лáйковые перчáтки 6) *attr. разг.* молодóй, млáдший; ~ sister млáдшая сестрá ◇ with (*или* in) ~ gloves мя́гко, осторóжно; ~s' stuff *sl.* ≅ и младéнцу я́сно

2. *v* котúться, ягнúться

kid II [kɪd] *разг. v* обмáнывать, надувáть; высмéивать

Kidderminster (carpet) ['kɪdəmɪnstə(‚kɑ:pɪt)] *n* киддермúнстерский ковёр (*двухцветный*)

kiddle ['kɪdl] *n* перемёт

kiddy ['kɪdɪ] *n разг.* ребёнок; малы́ш

kid-glove [‚kɪd'glʌv] *a* 1) деликáтный, мя́гкий 2) избегáющий чёрной рабóты ◇ ~ affair официáльный приём, банкéт; ~ diplomacy тóнкая дипломáтия

kidnap ['kɪdnæp] *v* 1) насúльно *или* обмáном похúтить (*кого-л.*) 2) укрáсть ребёнка

kidnapper ['kɪdnæpə] *n* похитúтель (*людей, особ. детей*)

kidney ['kɪdnɪ] *n* 1) *анат.* пóчка 2) (*обыкн. pl*) *кул.* пóчки 3) род, тип, харáктер; a man of that ~ человéк такóго склáда; they are both of the same ~ ≅ однúм мúром мáзаны; одногó пóля я́года 4) *attr. анат.* пóчечный 5) *attr.* похóжий на пóчку

kidney bean ['kɪdnɪbi:n] *n* фасóль (обыкновéнная)

kidskin ['kɪdskɪn] *n* лáйка (*кожа*)

kif [ki:f] = kef

kike [kaɪk] *n амер. sl. презр.* еврéй

kilderkin ['kɪldəkɪn] *n* бочóнок (*ёмкостью 16—18 галлонов*)

kill [kɪl] **1.** *v* 1) убивáть 2) бить, рéзать (*скот*) 3) губúть, разрушáть 4) *разг.* перенапрягáться 5) сúльно рассмешúть, уморúть; it nearly ~ed me я чуть не ýмер сó смеху 6) *разг.* сúльно поразúть, восхитúть; dressed (*или* dolled up) to ~ шикáрно, умопомрачúтельно одéтый 7) отключáть, выключáть, снимáть напряжéние 8) *разг.* уничтожáть, стирáть (*строку, абзац и т. п. из файла*) 9) *разг.* причиня́ть (*боль и т. п.*) 10) убивáть, трáтить пóпусту (*время*) 11) уничтожáть; ликвидúровать; to ~ a bill провалúть законопроéкт; to ~ a novel раскритиковáть ромáн 12) *разг.* осушúть, прикóнчить (*бутылку вина и т. п.*) 13) ослáбить эффéкт; нейтрализовáть (*краску и т. п.*); заглушúть; the drums ~ed the strings барабáны заглушúли стрýнные инструмéнты; to ~ an engine заглушúть двúгатель 14) *спорт.* гасúть, срезáть (*мяч*) 15) *метал.* выдéрживать плáвку в вáнне; раскисля́ть сталь 16) давáть определённое колúчество мя́са при убóе; these pigs do not ~ well свúньи э́той порóды даю́т мáло мя́са при убóе ▭ ~ **off** а) избáвиться; б) уничтóжить; ~ **out** уничтожáть, искореня́ть ◇ to ~ by inches мýчить

2. *n* 1) убúйство 2) добы́ча (*на охоте*); plentiful ~ богáтая добы́ча 3) *воен. разг.* уничтожéние протúвника

kill-devil ['kɪl‚devl] *n* искýсственная примáнка; бле́сна

killer ['kɪlə] *n* 1) убúйца 2) *амер.* бандúт, гáнгстер 3) *разг.* что-л. потрясáющее, сногсшибáтельное

killer whale [‚kɪlə'weɪl] *n зоол.* дельфúн-косáтка

killing ['kɪlɪŋ] **1.** *pres. p. от* kill 1

2. *n* 1) убúйство 2) убóй 3) *разг.* большáя прúбыль

3. *a* 1) *разг.* уморúтельный 2) *разг.* восхитúтельный, умопомрачúтельный 3) *разг.* убúйственный 4) смертéльный

killjoy ['kɪldʒɔɪ] *n* человéк, отравля́ющий другúм удовóльствие; брюзгá

kill-time ['kɪltaɪm] *n* бессмы́сленное, пустóе заня́тие

kiln [kɪln] **1.** *n тех.* печь для óбжига и для сýшки

2. *v* обжигáть (*кирпич, известь и т. п.*)

kiln-drying ['kɪln‚draɪɪŋ] *n* искýсственная сýшка

kilo ['ki:ləʊ] = kilogram(me)

kilo- ['kɪləʊ-] *в сложных словах переводится* кило-

kilocycle ['kɪləʊsaɪkl] *n радио* килогéрц

kilogram(me) ['kɪləgræm] *n* килогрáмм

kilometer ['kɪləmi:tə] *амер.* = kilometre

kilometre ['kɪləmi:tə] *n* киломéтр

kilowatt ['kɪləwɒt] *n* киловáтт

kilt [kɪlt] **1.** *n* 1) ю́бка шотлáндского гóрца *или* солдáта шотлáндского полкá 2) ю́бка в склáдку

2. *v* 1) подбирáть, подтыкáть подóл 2) собирáть в склáдки

kilter ['kɪltə] *n* поря́док, испрáвность; in (out of) ~ в поря́дке (в беспоря́дке)

kiltie ['kɪltɪ] *n* 1) шотлáндский солдáт в национáльном костю́ме 2) *pl*: ~s шотлáндские вóйскá

kimono [kɪ'məʊnəʊ] *n* (*pl* -os [-əʊz]) кимонó

kin [kɪn] **1.** *n* 1) родня́, рóдственники; родствó; near of ~ а) состоя́щий в блúзком родствé; б) рóдственный; схóдный, подóбный; next of ~ ближáйший (-ие) рóдственник(и) 2) род, семья́; to come of good ~ быть из хорóшей семьú

2. *a predic.* рóдственный; we are ~ мы сроднú; ~ to рóдственный; подóбный, похóжий

kinchin ['kɪntʃɪn] *n sl.* ребёнок

kind I [kaɪnd] *n* 1) род; вид; порóда; human ~ человéческий род 2) сорт, разновúдность; разря́д; класс; what ~ of man is he? что он за человéк?; all ~s of things всевозмóжные вéщи; of a better ~ лýчшего сóрта; усовершéнствованного тúпа 3) отличúтельный прúзнак; прирóда, кáчество; to act after one's ~ быть вéрным себé (*в поступках*); to differ in degree but not in ~ отличáться стéпенью, но не кáчеством ◇ a ~ of ≅ нéчто врóде, чтó-то врóде; all of a ~ все одинáковые; two of a ~ два одинáковых предмéта; coffee of a ~ сквéрный кóфе; nothing of the ~ ничегó подóбного; I ~ of expected it я э́того отчáсти ждал; to pay in ~ платúть натýрой, товáрами; in ~ такúм же (*или* подóбным) óбразом; to repay (*или* to pay back, to answer) in ~ отплатúть той же монéтой; the worst ~ *амер.* чрезвычáйно, крáйне

kind II [kaɪnd] *a* дóбрый, сердéчный, любéзный; how ~ of you! как мúло с вáшей стороны́!; with ~ regards с сердéчным привéтом (*в письме*); be so ~ as to shut the door бýдьте так добры́, закрóйте дверь

kindergarten ['kɪndə‚gɑ:tn] *n* дéтский сад

kindergartener ['kɪndə‚gɑ:tnə] *n* 1) воспитáтель в дéтском садý 2) ребёнок, посещáющий дéтский сад

kindhearted [‚kaɪnd'hɑ:tɪd] *a* мягкосердéчный, дóбрый

kindle ['kɪndl] *v* 1) зажигáть 2) загорéться, зажéчься, вспы́хнуть (*тж. перен.*); her eyes ~s with happiness её глазá светúлись счáстьем 3) воспламеня́ть, возбуждáть; to ~ smb.'s interest вызывáть чей-л. интерéс; to ~ smb.'s anger возбуждáть чей-л. гнев

kindliness ['kaɪndlɪnəs] *n* 1) добротá 2) дóбрый постýпок

kindling ['kɪndlɪŋ] **1.** *pres. p. от* kindle

2. *n* 1) зажигáние, разжигáние 2) (*тж. pl*) растóпка; лучúна для растóпки

kindling-wood ['kɪndlɪŋwʊd] *n* растóпка, щепá

kindly ['kaɪndlɪ] **1.** *a* 1) дóбрый, доброжелáтельный 2) прия́тный, благоприя́тный (*о климате, почве и т. п.*)

2. *adv* 1) доброжелáтельно, любéзно; to speak ~ говорúть доброжелáтельно, теплó 2) (*в формулах вежливости; часто ирон.*): ~ let me know бýдьте добры́, дáйте мне знать; will you ~ do this for me? бýдьте добры́ сдéлать э́то для меня́; ~ leave me alone окажúте мне любéзность, остáвьте меня́ одногó 3) (благо)прия́тно; легкó; to act ~ дéйствовать мя́гко (*о лекарстве*) 4) естéственно, легкó, с удовóльствием; she took ~ to her new job онá легкó спрáвилась со своéй нóвой рабóтой

kindness ['kaɪndnəs] *n* 1) добротá; доброжелáтельность 2) дóброе дéло; одолжéние; любéзность; to do a personal ~ сдéлать лúчное одолжéние

kindred ['kɪndrɪd] **1.** *n* 1) род; клан; рóдственники 2) крóвное родствó 3) схóдство харáктеров

2. *a* 1) рóдственный; ~ languages рóдственные языкú 2) схóдный; rain and ~ phenomena дождь и схóдные с ним явлéния прирóды ◇ ~ spirit ≅ роднáя душá

kine [kaɪn] *уст., поэт. pl от* cow I

kinematic [ˌkɪnɪ'mætɪk] *a физ.* кинематический

kinematics [ˌkɪnɪ'mætɪks] *n pl* (*употр. как sing*) кинематика

kinescope ['kɪnəskəʊp] *n тлв.* 1) кинескоп 2) записанная на плёнку телепередача

kinetic [kaɪ'netɪk] *a физ.* кинетический; ~ energy кинетическая энергия

kinetics [kaɪ'netɪks] *n pl* (*употр. как sing*) кинетика

king [kɪŋ] **1.** *n* 1) король; царь; монарх; K.'s speech тронная речь короля 2) царь, властитель; ~ of beasts царь зверей; ~ of metals золото 3) король, магнат; a railroad ~ железнодорожный магнат 4) (K.) Бог, Всевышний 5) *бот.* главный стебель (*растения*) 6) *шахм., карт.* король 7) дамка (*в шашках*) ◇ K.'s English литературный английский язык; the K.'s peace общественный порядок; ~ for a day ≅ калиф на час; K.'s messenger дипломатический курьер; the K.'s coat военный мундир; K.'s Bench *ист.* суд королевской скамьи; K.'s Bench Division отделение королевской скамьи (*Высокого суда правосудия в Великобритании*)

2. *v* 1) управлять, править 2) вести себя, как король; повелевать; to ~ it over smb. повелевать (*или* командовать) кем-л. 3) сделать королём

kingbolt ['kɪŋbəʊlt] *n* ось, шкворень

king crab ['kɪŋkræb] *n зоол.* краб камчатский

kingcraft ['kɪŋkrɑ:ft] *n уст.* искусство правления

kingcup ['kɪŋkʌp] *n бот.* калужница болотная

kingdom ['kɪŋdəm] *n* 1) королевство; царство 2) царство, мир; animal ~ животное царство 3) область, сфера; царство (*духа и т. п.*) ◇ ~ come *sl.* загробный мир; till ~ come *sl.* навсегда, навеки; to wait till ~ come очень долго ждать

kingfisher ['kɪŋˌfɪʃə] *n* зимородок (*птица*)

kinglet ['kɪŋlət] *n* 1) *презр.* царёк 2) королёк (*птица*)

kingly ['kɪŋlɪ] **1.** *a* 1) королевский; царственный 2) величественный

2. *adv редк.* по-королевски; по-царски; царственно

kingmaker ['kɪŋˌmeɪkə] *n* влиятельное лицо, определяющее выбор кандидатов на политические должности

King of Arms [ˌkɪŋəv'ɑ:mz] *n* герольдмейстер

kingpin ['kɪŋpɪn] *n* 1) кегля, стоящая в середине 2) важное лицо; главная фигура 3) = kingbolt

king's evil [ˌkɪŋz'i:vl] *n уст.* золотуха

kingship ['kɪŋʃɪp] *n* 1) королевский сан 2) царствование

king-size ['kɪŋsaɪz] *a* 1) длиннее (*чем стандартный размер*) 2) необычный, выдающийся

Kingston valve ['kɪŋstənvælv] *n мор.* кингстон

kink [kɪŋk] **1.** *n* 1) перекручивание, петля (*в верёвке, проводе*); узел (*в кручёной нитке*) 2) загиб, изгиб 3) крутой завиток (*волос*) 4) *разг.* странность, заскок 5) судорога 6) *горн.* отклонение жилы

2. *v* 1) перекрутить(ся), образовать узел, запутать(ся) 2) чудить, проявлять странности

kinky ['kɪŋkɪ] 1) *разг.* извращённый 2) *разг.* бьющий на эффект (*об одежде*); соблазнительный 3) странный, эксцентричный 4) курчавый (*о волосах*)

kino ['ki:nəʊ] *n* камедь тропических деревьев (*применяется в медицине как вяжущее средство*)

kinsfolk ['kɪnzfəʊk] *n* (*употр. с гл. во мн. ч.*) родственники, родня

kinship ['kɪnʃɪp] *n* 1) родство 2) сходство, подобие

kinsman ['kɪnzmən] *n* (кровный) родственник, родич

kinswoman ['kɪnzˌwʊmən] *n* (кровная) родственница

kintal ['kɪntl] *уст.* = quintal

kiosk ['ki:ɒsk] *n* 1) киоск 2) телефонная будка 3) *австрал.* кафе, буфет (*в парке и т. п.*) 4) беседка (*в Турции, Иране*)

kip I [kɪp] *n* шкура молодого *или* небольшого животного (*телячья, овечья и т. п.*)

kip II [kɪp] *sl.* **1.** *n* 1) короткий сон 2) ночлежка 3) койка; постель 4) бордель

2. *v* спать

kip-house, kip-shop ['kɪpˌhaʊs, -ʃɒp] *n* публичный дом, бордель

kipper ['kɪpə] **1.** *n* 1) копчёная рыба (*особ. селёдка*) 2) лосось-самец во время нереста 3) *sl.* парень, человек

2. *v* солить и коптить рыбу

Kirghiz ['kɜ:gɪz] **1.** *n* (*pl* -es [-ɪz] *или без измен.*) 1) киргиз; киргизка 2) киргизский язык

2. *a* киргизский

kirk [kɜ:k] *n шотл.* церковь; the K. of Scotland пресвитерианская церковь Шотландии

kismet ['kɪzmet] *n* судьба, рок

kiss [kɪs] **1.** *n* 1) поцелуй; лобзание; to give a ~ on the cheek поцеловать в щёку; to steal (*или* to snatch) a ~ сорвать поцелуй; to blow smb. a ~ послать кому-л. воздушный поцелуй 2) лёгкое прикосновение, лёгкий удар друг о друга (*бильярдных шаров*) 3) безе (*пирожное*) ◇ ~ of life способ искусственного дыхания (*вдувание воздуха изо рта в рот*)

2. *v* 1) целовать(ся), поцеловать(ся); to ~ away tears поцелуями осушить слёзы; to ~ one's hand to smb. послать кому-л. воздушный поцелуй 2) слегка коснуться один другого (*о бильярдных шарах*) ▭ ~ off *sl.* а) прогнать, уволить; б) отдать концы, умереть ◇ to ~ the book целовать Библию при принесении присяги в суде; to ~ the cup пригубить (*чашу*); пить, выпивать; to ~ the dust (*или* the ground) а) быть повéрженным во прах; пасть ниц; потерпеть поражение; б) быть убитым; в) унижаться, пресмыкаться; to ~ goodbye to а) примириться с потерей; б) поцеловать на прощание

kiss-curl ['kɪskɜ:l] *n* локон, завиток (*у виска*)

kisser ['kɪsə] *n* 1) тот, кто целует 2) *sl.* рот 3) *sl.* лицо

kiss-in-the-ring [ˌkɪsɪnðə'rɪŋ] *n* старинная игра (*в которой поймавший целует пойманную*)

kiss-me-quick [ˌkɪsmɪ'kwɪk] *n* 1) дамская шляпка в виде капора (*мода 50-х годов XIX в.*) 2) локон (*на висках*) 3) анютины глазки (*цветы*)

kit I [kɪt] **1.** *n* 1) сумка с инструментом; комплект деталей *или* набор инструментов 2) снаряжение, обмундирование, экипировка; hunting ~ костюм для охоты 3) ранец, сумка, вещевой мешок 4) *воен.* личное обмундирование и снаряжение 5) кадушка, чан ◇ the whole ~ (and caboodle) вся компания

2. *v* экипировать (*обыкн.* ~ out, ~ up)

kit II [kɪt] *n* (*сокр. от* kitten 1) котёнок

kitbag ['kɪtbæg] *n* вещевой мешок

kitcat ['kɪtkæt] *n* портрет несколько меньше поясного (*тж.* ~ portrait)

kitchen ['kɪtʃən] *n* 1) кухня 2) *attr.* кухонный; ~ unit комплект кухонной мебели

kitchen cabinet [ˌkɪtʃən'kæbɪnət] *n* 1) неофициальные советники главы правительства 2) кухонный буфет

kitchener ['kɪtʃənə] *n* 1) кухонная плита 2) повар (*особ.* в монастыре)

kitchenette [ˌkɪtʃə'net] *n* «китченетт», маленькая кухонька (*обыкн. в жилой комнате*)

kitchen garden [ˌkɪtʃən'gɑ:dn] *n* огород

kitchen herbs ['kɪtʃənhɜ:bz] *n* пряности (*травы*)

kitchen-maid ['kɪtʃənmeɪd] *n* судомойка

kitchen midden [ˌkɪtʃən'mɪdn] *n* 1) *археол.* холм, образовавшийся из кухонных отбросов и утвари первобытного человека 2) мусорная яма, помойка

kitchen police [ˌkɪtʃənpə'li:s] *n воен. разг.* наряд на кухню

kitchen-range ['kɪtʃənreɪndʒ] *n* плита

kitchen-sink [ˌkɪtʃən'sɪŋk] *n* 1) раковина на кухне 2) *attr.* натуралистический; ~ drama бытовая пьеса

kitchen-stuff ['kɪtʃənstʌf] *n* 1) продукты для кухни, *особ.* овощи 2) кухонные отбросы

kitchenware ['kɪtʃənweə] *n* кухонные принадлежности

kite [kaɪt] **1.** *n* 1) воздушный змей; to fly a ~ а) запускать змея; б) пускать пробный шар; прощупать общественное мнение [*см. тж.* 4)]; to knock higher than a ~ *амер.* а) запустить очень высоко; б) делать (*что-л.*) с необычайной силой 2) *зоол.* коршун 3) *sl.* самолёт 4) *sl.* дутый вексель; to fly a ~ пытаться получи́ть де́ньги под фикти́вные векселя́ [*см. тж.* 1)] 5) *уст.* хи́щник; моше́нник; шу́лер 6) = kite balloon

2. *v* 1) *разг.* лета́ть, пари́ть в во́здухе 2) *sl.* получа́ть де́ньги по фикти́вным векселя́м

kite balloon [ˈkaɪtbəˌluːn] *n* зме́йковый аэроста́т

kiteflying [ˈkaɪtˌflaɪŋ] *n* 1) получе́ние де́нег по фикти́вным векселя́м 2) зонди́рование по́чвы

kith [kɪθ] *n*: ~ and kin знако́мые и родня́

kitsch [kɪtʃ] *n* ки(т)ч, ма́ссовая проду́кция, рассчи́танная на ни́зкие вку́сы

kitten [ˈkɪtn] **1.** *n* котёнок ◇ to have ~s *разг.* не́рвничать, беспоко́иться

2. *v* коти́ться

kittenish [ˈkɪtnɪʃ] *a* игри́вый как котёнок

kittle [ˈkɪtl] **1.** *a* оби́дчивый, тру́дный ◇ ~ cattle тру́дные, капри́зные лю́ди

2. *v* 1) щекота́ть 2) озада́чивать, ста́вить в тупи́к

kitty I [ˈkɪtɪ] *n* котёнок

kitty II [ˈkɪtɪ] *n карт.* банк

kiwi [ˈkiːwiː] *n* 1) *зоол.* ки́ви, бескры́л (*нелетающая птица*) 2) (K.) *разг.* новозела́ндский солда́т 3) (K.) член новозела́ндской сбо́рной 4) ки́ви (*фрукт*; *тж.* ~ fruit)

klaxon [ˈklæksən] *n авто уст.* кла́ксо́н

Kleenex [ˈkliːneks] *n* бума́жный носово́й плато́к

kleptomania [ˌkleptəʊˈmeɪnɪə] *n* клептома́ния

kleptomaniac [ˌkleptəʊˈmeɪnɪæk] *n* клептома́н

kloof [kluːf] *n южно-афр.* уще́лье

kludge [klʌdʒ] *n вчт. жарг.* 1) клудж 2) ляп (*в программе*)

kluxer [ˈklʌksə] *n амер. разг.* член ку-клукс-кла́на

klystron [ˈklaɪstrɒn] *n тлв.* клистро́н

knack I [næk] *n* 1) (профессиона́льная) ло́вкость, уме́ние, сноро́вка; to have the ~ of a thing де́лать что-л. ло́вко, име́ть сноро́вку 2) привы́чка

knack II [næk] *n* ре́зкий звук; треск

knacker I [ˈnækə] *n* 1) ску́пщик (*старых лошадей на мясо, домов на слом и т. п.*) 2) ста́рая ло́шадь, кля́ча 3) живодёр; ~'s yard живодёрня

knacker II [ˈnækə] *n* 1) что-л., производя́щее ре́зкий звук 2) *pl* кастанье́ты

knackered [ˈnækəd] *a sl.* измо́танный, истощённый, измоча́ленный

knackery [ˈnækərɪ] *n* живодёрня

knacky [ˈnækɪ] *a* ло́вкий, уме́лый

knag [næg] *n* сук; наро́ст, свиль

knaggy [ˈnægɪ] *a* сучкова́тый

knap I [næp] *v* 1) бить щёбень; дроби́ть ка́мень 2) отчека́нивать слова́

knap II [næp] *n* 1) верши́на холма́; гре́бень горы́ 2) холм

knapsack [ˈnæpsæk] *n* ра́нец; рюкза́к

knapweed [ˈnæpwiːd] *n бот.* василёк (чёрный)

knar [nɑː] *n* у́зел, ши́шка, наро́ст на де́реве

knarred, knarry [nɑːd, ˈnɑːrɪ] *a* сучкова́тый, сукова́тый, узлова́тый

knave [neɪv] *n* 1) моше́нник, плут 2) *карт.* вале́т 3) *разг.* прия́тель 4) *уст.* (ма́льчик-)слуга́

knavery [ˈneɪvərɪ] *n* моше́нничество, плутовство́

knavish [ˈneɪvɪʃ] *a* моше́ннический

knead [niːd] *v* 1) заме́шивать, меси́ть (*тесто, глину*) 2) сме́шивать в о́бщую ма́ссу 3) масси́ровать, растира́ть

kneading machine [ˈniːdɪŋməˌʃiːn] *n* тестомеша́лка

kneading-trough [ˈniːdɪŋˌtrɒf] *n* квашня́

knee [niː] **1.** *n* 1) коле́но; up to one's ~s по коле́но 2) *тех.* коле́но 3) *мор.* кни́ца 4) *стр.* подко́с, полураско́с 5) наколе́нник 6) *attr.* коле́нный ◇ to give (*или* to offer) a ~ to smb. а) помога́ть кому́-л.; ока́зывать кому́-л. подде́ржку; б) *спорт.* быть чьим-л. секунда́нтом (*в боксе*); it is on the ~s of the gods ≅ одному́ бо́гу изве́стно; неве́домо, неизве́стно; to bring smb. to his ~s поста́вить кого́-л. на коле́ни; to go on one's ~s to smb. упра́шивать, умоля́ть кого́-л.; to bend (*или* to bow) the ~ преклони́ть коле́на; on one's (bended) ~s уни́женно; to learn smth. at one's mother's ~s ≅ впита́ть с молоко́м ма́тери

2. *v* 1) уда́рить коле́ном; каса́ться коле́ном 2) *разг.* вытя́гиваться на коле́нях (*о брюках*) 3) станови́ться на коле́ни

knee-bend [ˈniːbend] *n* сгиба́ние коле́н (*гимнастика*)

kneeboot [ˈniːbuːt] *n* высо́кий сапо́г

knee-breeches [ˈniːˌbrɪtʃɪz] *n pl* бри́джи

kneecap [ˈniːkæp] *n* 1) *анат.* коле́нная ча́шка 2) наколе́нник

knee-deep [ˌniːˈdiːp] *a* по коле́но

knee-high [ˌniːˈhaɪ] *a* (высото́й) по коле́но; ~ to a mosquito (*или* a grasshopper, a duck, *etc.*) *шутл.* о́чень ма́ленький, кро́шечный; ≅ от горшка́ два вершка́

kneehole [ˈniːhəʊl] *n* промежу́ток ме́жду ту́мбами (*у письменного стола*)

kneejerk [ˈniːdʒɜːk] *n мед.* коле́нный рефле́кс

knee-joint [ˈniːdʒɔɪnt] *n* 1) *анат.* коле́нный суста́в 2) *тех.* коле́нно-рыча́жное соедине́ние

kneel [niːl] *v* (knelt, kneeled [-d]) 1) преклоня́ть коле́ни, станови́ться на коле́ни (*тж.* ~ down) 2) стоя́ть на коле́нях (to, before — пе́ред)

knee-length [ˈniːleŋθ] *a* длино́й до коле́н

kneeling position [ˌniːlɪŋpəˈzɪʃn] *n воен.* положе́ние для стрельбы́ с коле́на

kneepan [ˈniːpæn] = kneecap 1)

knees-up [ˈniːzʌp] *n разг.* весёлая вечери́нка, попо́йка

knell [nel] **1.** *n* 1) похоро́нный звон 2) дурно́е предзнаменова́ние; предзнаменова́ние сме́рти, ги́бели

2. *v* 1) звони́ть при похорона́х 2) звуча́ть злове́ще, предвеща́ть (*гибель*)

knelt [nelt] *past и p. p. от* kneel

knew [njuː] *past от* know 1

Knickerbocker [ˈnɪkəbɒkə] *n* жи́тель Нью-Йо́рка

knickerbockers [ˈnɪkəbɒkəz] *n pl* бри́джи

knickers [ˈnɪkəz] *n* 1) да́мские пантало́ны 2) *амер. см.* knickerbockers

knick-knack [ˈnɪknæk] *n* безделу́шка

knick-knackery [ˈnɪkˌnækərɪ] *n* безделу́шки, украше́ния; мишура́

knife [naɪf] **1.** *n* (*pl* knives) 1) нож; to put a ~ into smb. заре́зать кого́-л. 2) *хир.* ска́льпель; the ~ а) нож хиру́рга; б) хирурги́ческая опера́ция; to go under the ~ подве́ргнуться опера́ции 3) *тех.* струг, скребо́к, резе́ц 4) *attr.* ножево́й ◇ before you can say ~ неме́дленно, момента́льно; ≅ и а́хнуть не успе́л; to get one's ~ into smb. нанести́ уда́р кому́-л., зло́бно напа́сть на кого́-л.; беспоща́дно критикова́ть кого́-л.; ~ and fork еда́; a good (poor) ~ and fork хоро́ший (плохо́й) едо́к; to play a good ~ and fork ≅ упи́сывать за о́бе щеки́, есть с аппети́том; you could cut it with a ~ э́то не́что реа́льное; э́то вполне́ ощути́мо

2. *v* 1) ре́зать ножо́м 2) уда́рить, заколо́ть ножо́м 3) *sl.* нанести́ преда́тельский уда́р кандида́ту свое́й па́ртии (*голосуя на выборах за его противника*)

knife-board [ˈnaɪfbɔːd] *n* доска́ для чи́стки ноже́й

knife-edge [ˈnaɪfedʒ] *n* 1) остриё ножа́ 2) опо́рная при́зма (*весов и т. п.*)

knife grinder [ˈnaɪfˌgraɪndə] *n* 1) точи́льщик 2) точи́льный ка́мень, точи́ло

knife rest [ˈnaɪfrest] *n* 1) подста́вка для ножа́ и ви́лки 2) *воен.* рога́тка

knife switch [ˈnaɪfswɪtʃ] *n эл.* руби́льник

knight [naɪt] **1.** *n* 1) (име́ющий) зва́ние «knight» (*ниже баронета, наследственное дворянское звание с титулом Sir*) 2) кавале́р одного́ из вы́сших англи́йских орденов́; K. of the Garter кавале́р о́рдена Подвя́зки 3) ры́царь; ви́тязь 4) *шахм.* конь 5) вса́дник (*член сословия всадников в Древнем Риме*) ◇ ~ of the pen журнали́ст; ~ of the brush худо́жник; ~ of fortune авантюри́ст; ~ of the road *разг.* а) разбо́йник; б) коммивояжёр; в) бродя́га; г) шофёр такси́; д) води́тель грузовика́

2. *v* дава́ть зва́ние «knight»; возводи́ть в ры́царское досто́инство

knightage [ˈnaɪtɪdʒ] *n собир.* 1) ры́царство 2) спи́сок лиц, име́ющих ры́царское зва́ние

knight-errant [ˌnaɪtˈerənt] *n* (*pl* knights errant) 1) стра́нствующий ры́царь 2) донкихо́т, мечта́тель

knight-errantry [ˌnaɪtˈerəntrɪ] *n* 1) стра́нствование в по́исках приключе́ний 2) донкихо́тство

knighthood [ˈnaɪthʊd] *n* 1) ры́царство 2) ры́царское зва́ние, дворя́нство

knightly ['naɪtlɪ] *поэт.* **1.** *a* ры́царский; благоро́дный

2. *adv* (по-)ры́царски, благоро́дно

knit [nɪt] *v* (knitted, knit) 1) вяза́ть (*чулки и т. п.*) 2): to ~ one's (*или* the) brows хму́рить бро́ви, нахму́риться 3) объединя́ть(ся) (*на основе общих интересов и т. п.*) 4) сра́щивать(ся), сраста́ться; the broken bone ~ted well сло́манная кость хорошо́ срosла́сь 5) соединя́ть(ся), скрепля́ть(ся); mortar ~s bricks together известко́вый раство́р скрепля́ет кирпичи́ ▭ ~ **in** вяза́ть ни́тками не́скольких цвето́в, ввя́зывать; to ~ in blue with white wool сме́шивать си́нюю и бе́лую ше́рсть при вяза́нии; ~ **up** а) свя́зывать; поднима́ть спу́щенные пе́тли; што́пать; б) заключа́ть, зака́нчивать (*спор и т. п.*)

knitted ['nɪtɪd] **1.** *past и p. p. от* knit

2. *a* 1) вя́заный; трикота́жный 2) спа́янный, кре́пкий

knitter ['nɪtə] *n* 1) вяза́льщик; вяза́льщица 2) = knitting-machine

knitting ['nɪtɪŋ] **1.** *pres. p. от* knit

2. *n* 1) вяза́ние 2) вя́заные ве́щи, трикота́ж

knitting-machine ['nɪtɪŋmə,ʃi:n] *n* трикота́жная *или* вяза́льная маши́на

knitting-needle ['nɪtɪŋ,ni:dl] *n* вяза́льная игла́, трикота́жная игла́; спи́ца

knitwear ['nɪtweə] *n* вя́заные ве́щи, трикота́жные изде́лия

knitwork ['nɪtwɜ:k] *n* 1) вяза́ние 2) трикота́жные изде́лия

knives [naɪvz] *pl от* knife 1

knob [nɒb] **1.** *n* 1) ши́шка, вы́пуклость 2) шарообра́зная ру́чка (*двери и т. п.*) 3) набалда́шник 4) небольшо́й кусо́к (*угля, сахара, масла и т. п.*) 5) *амер.* хо́лмик 6) *тех.* ру́чка; голо́вка; кно́пка 7) *разг.* голова́, башка́ ◇ with ~s on *разг.* а) ещё как; б) в довершение

2. *v* выпя́чиваться, выдава́ться

knobble ['nɒbl] *n* ши́шечка

knobby ['nɒbɪ] *a* 1) узлова́тый, шишкова́тый 2) *амер.* холми́стый

knobstick ['nɒbstɪk] *n* 1) дуби́нка; кисте́нь 2) *уст.* штрейкбре́хер

knock [nɒk] **1.** *n* 1) уда́р 2) стук (*особ. в дверь*); to give a ~ постуча́ться (*в дверь*) 3) *тех.* детона́ция 4) *разг.* пода́ча мяча́ (*в крикете*) 5) *амер. разг.* ре́зкая кри́тика; *pl* приди́рки, напа́дки ◇ to get the ~ а) потерпе́ть пораже́ние; б) быть уво́ленным; в) *театр.* быть пло́хо при́нятым пу́бликой; to take the ~ разори́ться

2. *v* 1) ударя́ть(ся), бить; стуча́ть(ся); колоти́ть; to ~ to pieces разби́ть вдре́безги; to ~ at (*или* on) the door стуча́ть в дверь 2) сбива́ть; to ~ the nuts сбива́ть оре́хи (*с дерева*) 3) *sl.* ре́зко критикова́ть; придира́ться 4) *sl.* поража́ть, ошеломля́ть 5) *sl.* *груб.* тра́хать (*тж.* ~ off) ▭ ~ **about** а) бить, колоти́ть; б) стра́нствовать, шата́ться, ры́скать (по све́ту); в) вести́ беспу́тный о́браз жи́зни; ~ **against** натолкну́ться, неожи́данно встре́титься; ~ **back** а) *sl.* жрать; б) *sl.* опроки́дывать (*кружку пива и т. п.*); в) *sl.* огоро́шить; г) *австрал. разг.* отверга́ть; ~ **down** а) сбить с ног, *тж.* сбить вы́стрелом; б) слома́ть; разру́шить, снести́ (*дом*); в) продава́ть с аукцио́на; г) опроки́нуть, разби́ть (*довод и т. п.*); д) разобра́ть на ча́сти (*машину при транспортировке и т. п.*); е) *разг.* понижа́ть це́ны; ж) *амер. sl.* прикарма́нить (*деньги*); ~ **in**, ~ **into** вбива́ть; to ~ into one соедини́ть; ~ **off** а) сбива́ть, сшиба́ть; б) *разг.* ко́нчить рабо́ту; ~ off work прекрати́ть рабо́ту; в) уме́ньшить ско́рость; г) *разг.* бы́стро сде́лать, состря́пать; д) сба́вить, сбить (*цену*); удержа́ть (*сумму*); е) *разг.* стащи́ть, укра́сть; ж) *sl.* прико́нчить (*кого-л.*); з) стряхну́ть, смахну́ть; ~ **out** а) уда́рить, свали́ть с ног; to ~ the bottom out of smb. вы́бить по́чву из-под ног у *кого-л.*; б) *спорт.* нокаути́ровать; в) *спорт.* одоле́ть, победи́ть; г) *sl.* удиви́ть, ошеломи́ть; д) *разг.* изнуря́ть, истоща́ть (*силы*); е) *разг.* наброса́ть, соста́вить на ско́рую ру́ку, состря́пать (*план, статью и т. п.*); ж) вы́бить (*трубку*); з) *австрал., амер. sl.* зарабо́тать ба́бки; ~ **together** а) ста́лкиваться; б) на́спех скола́чивать; ~ **under** покори́ться; ~ **up** а) на́спех, ко́е-ка́к устра́ивать, скола́чивать; б) уда́ром подбро́сить вверх; в) сдава́ть, слабе́ть; г) утомля́ть; ослабля́ть; to be ~ed up утоми́ться; д) подня́ть, разбуди́ть сту́ком; е) *амер. sl.* сде́лать бере́менной; обрюха́тить ◇ to ~ home вбива́ть про́чно; вдолби́ть, довести́ до созна́ния; to ~ on the head а) оглуши́ть; уби́ть; б) положи́ть коне́ц; to ~ smb. off his pins ошеломи́ть кого́-л.; to ~ one's head against a brick wall би́ться голово́й об сте́нку; вести́ бесполе́зную борьбу́; to ~ (smb.) into a cocked hat а) исколошма́тить (кого́-л.); б) одоле́ть (кого́-л.); нанести́ пораже́ние (кому́-л.); в) разби́ть (*доводы и т. п.*); г) превзойти́, затми́ть; to ~ smb. into the middle of next week а) ≅ всы́пать кому́-л. по пе́рвое число́; б) потрясти́, ошеломи́ть кого́-л.; to ~ the spots off а) победи́ть, уничто́жить; б) исколоти́ть

knockabout ['nɒkəbaʊt] **1.** *n* 1) *австрал.* наёмный рабо́чий (*на ферме и т. п.*) 2) дешёвое представле́ние; гру́бый фарс 3) актёр, уча́ствующий в тако́м представле́нии 4) *амер.* небольша́я я́хта

2. *a* 1) шу́мный, гру́бый (*о зрелище*) 2) доро́жный, рабо́чий (*об одежде*) 3) *австрал.* наёмный, выполня́ющий вре́менную рабо́ту (*на ферме и т. п.*)

knockdown ['nɒkdaʊn] **1.** *n* 1) *спорт.* нокда́ун 2) *разг.* кре́пкое пи́во 3) сниже́ние (*цены*) ◇ a ~ and drag-out *амер.* отча́янная дра́ка

2. *a* 1) сокруши́тельный (*об ударе*); сногсшиба́тельный 2) разбо́рный (*о мебели и т. п.*) ◇ ~ price са́мая ни́зкая, кра́йняя цена́

knocker ['nɒkə] *n* 1) дверно́й молото́к, дверно́е кольцо́; сигна́льный молото́к 2) тот, кто стучи́т 3) *pl sl.* *груб.* си́ськи, буфера́ ◇ up to the ~ *разг.* а) в соверше́нстве; б) в хоро́шем состоя́нии; в) по после́дней мо́де

knocker-up [,nɒkər'ʌp] *n ист.* челове́к, в обя́занности кото́рого вхо́дит буди́ть рабо́чих по утра́м

knock-out ['nɒkaʊt] *n* 1) сшиба́ющий с ног уда́р 2) *спорт.* нока́ут (*тж.* ~ blow) 3) соглаше́ние ме́жду уча́стниками аукцио́на не набавля́ть це́ны 4) *разг.* выдаю́щийся челове́к; необыкнове́нная вещь 5) *амер. разг.* огро́мный, сногсшиба́тельный успе́х; сенса́ция 6) *амер. разг.* краса́вчик 7) *метал.* вы́бивка ◇ ~ dose уда́рная до́за (*лекарства*); ~ drops нарко́тик, добавля́емый в вино́ (*чтобы привести кого-л. в бессознательное состояние*); ~ price кра́йне ни́зкая цена́

knoll [nəʊl] *n* холм; буго́р

knot [nɒt] **1.** *n* 1) у́зел; to make (*или* to tie) a ~ завяза́ть у́зел; to tie in a ~ завяза́ть узло́м 2) бант 3) *мор.* у́зел (*мера скорости = 1,87 км в час*) 4) гру́ппа, ку́чка (*людей*); to gather in ~s собира́ться гру́ппами, ку́чками 5) сою́з, у́зы; the nuptial ~ бра́чные у́зы; to tie the ~ вы́йти за́муж; жени́ться 6) о́пухоль, ши́шка 7) *бот.* у́зел, наро́ст (*у растений*); сучо́к, свиль (*на древесине*) 8) *тех.* свищ 9) затрудне́ние, загво́здка 10) гла́вный вопро́с; основна́я (сюже́тная) ли́ния ◇ gordian ~ го́рдиев у́зел; to cut the ~ разруби́ть (го́рдиев) у́зел; to tie oneself (up) in *или* into a ~ попа́сть в затрудни́тельное положе́ние; at a rate of ~s *разг.* о́чень бы́стро

2. *v* 1) завяза́ть у́зел; завя́зывать узло́м; свя́зывать 2) спу́тывать(ся), запу́тывать(ся) 3) хму́рить (бро́ви) 4) де́лать бахрому́

knotgrass ['nɒtgrɑ:s] *n бот.* горе́ц пти́чий; спорыш

knothole ['nɒthəʊl] *n* отве́рстие в доске́ от вы́павшего сучка́

knotty ['nɒtɪ] *a* 1) узлова́тый; сучкова́тый 2) затрудни́тельный, сло́жный; ~ question тру́дный вопро́с

knout [naʊt] *n ист.* кнут

know [nəʊ] **1.** *v* (knew; known) 1) знать (*тж.* ~ of); име́ть представле́ние; to ~ about smth. знать о чём-л.; I ~ of a shop where you can buy it я зна́ю магази́н, где э́то мо́жно купи́ть; to get to ~ узна́ть; not that I ~ of наско́лько мне изве́стно — нет; to ~ what's what *разг.* знать толк в чём-л., понима́ть, что к чему́ 2) знать, име́ть определённые зна́ния; to ~ the law быть све́дущим в пра́ве; to ~ three languages знать три языка́ 3) узнава́ть, отлича́ть; I knew him at once я его́ то́тчас узна́л; to ~ one from another, to ~ two things apart отлича́ть одно́ от друго́го 4) уме́ть; to ~ how to write (read) уме́ть писа́ть (чита́ть) 5) испыта́ть, пережи́ть ◇ to ~ one's own business не вме́шиваться в чужи́е дела́; to ~ better (than that) а) быть осторо́жным, осмотри́тельным; б) прекра́сно понима́ть; I ~ better than to... я не так прост, что́бы...; not to ~ a person from

Adam не имéть ни малéйшего представлéния о ком-л.; not to ~ what from which не соображáть, что к чемý; her joy knew no bounds онá былá бесконéчно рáда; to ~ a good thing when one sees it разбирáться в чём-л.; понимáть, что хорошó и что плóхо; to ~ the time of day быть себé на умé; before you ~ where you are моментáльно, немéдленно; to ~ what one is about дéйствовать разýмно; быть себé на умé; who ~s? как знать?; not to ~ enough to get out of the rain плóхо соображáть

2. *n*: to be in the ~ *разг.* быть в кýрсе дéла; быть посвящённым в обстоятельства дéла; быть осведомлённым

know-all ['nəʊɔ:l] *n разг.* всезнáйка

know-how ['nəʊhaʊ] *n* 1) умéние, óпыт, сýмма знáний 2) «нóу-хáу», спóсоб передовóй технолóгии

knowing ['nəʊɪŋ] **1.** *pres. p. от* know 1

2. *n* 1) знáние; знакóмство (*с чем-л.*); there is no ~ what he will say неизвéстно, что он скáжет 2) понимáние; осознáние

3. *a* 1) лóвкий, хúтрый; проницáтельный; a ~ hand at the game искýсный игрóк 2) знáющий, понимáющий 3) *разг.* мóдный, щегольскóй 4) *разг.* преднамéренный

knowingly ['nəʊɪŋlɪ] *adv* 1) сознáтельно, намéренно 2) понимáюще 3) искýсно, лóвко, умéло

knowledge ['nɒlɪdʒ] *n* 1) знáние; познáния; эрудúция; to have a good ~ of English (medicine, *etc.*) хорошó знать англúйский язы́к (медицúну *и т. п.*); branches of ~ óтрасли наýки 2) осведомлённость; it came to my ~ мне стáло извéстно; to (the best of) my ~ наскóлько мне извéстно; not to my ~ наскóлько мне извéстно — нет; he did it without my ~ он сдéлал э́то без моегó вéдома 3) знакóмство; my ~ of Mr. B. is slight я мáло знакóм с Б. 4) извéстие; ~ of the victory soon spread вскóре распространúлось извéстие о побéде

knowledgeable ['nɒlɪdʒəbl] *a* 1) хорошó осведомлённый 2) ýмный

known [nəʊn] **1.** *p. p. от* know 1

2. *a* извéстный; ~ as... извéстный под úменем...

know-nothing ['nəʊ,nʌθɪŋ] *n* 1) невéжда 2) *филос.* агнóстик

knuckle ['nʌkl] **1.** *n* 1) сустáв пáльца 2) нóжка (*телячья, свиная*) 3) *pl* кастéт 4) *тех.* шарнúр, кулáк 5) *ж.-д.* кулáк, зуб (*автосцепки*) ◇ near the ~ непристóйный, на грáни неприлúчного (*о рассказе, шутке и т. п.*); to rap smb.'s ~s дать нагоня́й

2. *v* удáрить, стýкнуть, постучáть костя́шками пáльцев ▭ ~ **down** а) решúтельно взя́ться (*за что-л.*); to ~ down to one's work решúтельно приня́ться за дéло; б) уступúть, подчинúться; ~ **under** подчинúться, уступúть

knucklebone ['nʌklbəʊn] *n* 1) *анат.* бáбка 2) *pl* игрá в бáбки

knuckle-duster ['nʌkl,dʌstə] *n* кастéт

knuckle-joint ['nʌkldʒɔɪnt] *n* 1) сустáв пáльца 2) *тех.* шарнúр

knurl [nɜ:l] **1.** *n* 1) шúшка, вы́пуклость 2) *тех.* накáтка, насéчка

2. *v тех.* дéлать насéчку; накáтывать

knur(r) [nɜ:] *n* 1) ýзел, шúшка, нарóст на дéреве 2) деревя́нный мяч (*для некоторых игр*)

koala [kəʊ'ɑ:lə] *n зоол.* коáла, сýмчатый медвéдь (*тж.* ~ bear)

kodak ['kəʊdæk] *фото* **1.** *n* фотоаппарáт кóдак

2. *v* 1) снимáть кóдаком 2) бы́стро схвáтывать; я́рко опúсывать

koh-i-noor [,kəʊɪ'nʊə] *n* 1) кохинóр (*индийский бриллиант, собственность британской короны, весом в 106 1/4 карат*) 2) нéчто несравнéнное, великолéпное

kohl [kəʊl] *n* крáска для век, сурьмá

kohlrabi [,kəʊl'rɑ:bɪ] *n бот.* кольрáби

kola ['kəʊlə] = cola

kolinsky [kə'lɪnskɪ] *n зоол.* колонóк

kolkhoz [kɒl'kɔ:z] *n* колхóз

Komsomol ['kɒmsəmɒl] **1.** *n* комсомóл

2. *a* комсомóльский

koodoo ['ku:du:] *n зоол.* леснáя антилóпа, кудý

kook [ku:k] *sl.* **1.** *n амер.* псих, чóкнутый

2. *a* с закидóнами

kooky ['ku:kɪ] = kook 2

kopec(k), kopek ['kəʊpək] = copeck

kopje ['kɒpɪ] *n южно-афр.* хóлмик

Koran [kɔ:'rɑ:n] *n* Корáн

Koranic [kɔ:'rænɪk] *a* 1) находя́щийся в Корáне 2) оснóванный на Корáне

Korean [kə'rɪən] **1.** *a* корéйский

2. *n* 1) корéец; корея́нка; the ~s корéйцы 2) корéйский язы́к

kosher ['kəʊʃə] **1.** *n* 1) кошéрная пúща 2) магазúн, где продаётся кошéрная едá

2. *a* 1) кошéрный (*о еде*) 2) *разг.* прáвильный, úстинный, закóнный

koumiss ['ku:mɪs] = kumiss

kourbash ['kʊəbæʃ] *n* ремённая плеть; under the ~ под принуждéнием

kowtow [,kaʊ'taʊ] **1.** *n* 1) нúзкий поклóн 2) выражéние подобострáстия

2. *v* 1) дéлать нúзкий поклóн (*касаясь головой земли*) 2) раболéпствовать

kraal [krɑ:l] *n южно-афр.* краáль (*посёлок, деревня*)

K ration ['keɪ,ræʃn] *n амер. воен.* неприкосновéнный запáс

Kraut [kraʊt] *n sl. пренебр.* нéмец

Kremlin ['kremlɪn] *n* Кремль

Krishna ['krɪʃnə] *n* Крúшна

Krishnaism ['krɪʃnə,ɪzəm] *n* кришнаúзм, культ бóга Крúшны

krona ['krəʊnə] *n* крóна (*денежная единица Швеции и Исландии*)

krone ['krəʊnə] *n* крóна (*денежная единица Дании и Норвегии*)

krypton ['krɪptɒn] *n хим.* криптóн

kudos ['kju:dɒs] *n разг.* слáва; почёт

kudu ['ku:du:] = koodoo

Ku Klux Klan [,ku:klʌks'klæn] *n* ку-клукс-клáн

kukri ['kʊkrɪ] *n* большóй кривóй нож

kulak ['ku:læk] *n ист.* кулáк (*богатый крестьянин*)

kumiss ['ku:mɪs] *n* кумы́с

Kurd [kɜ:d] *n* курд; кýрдка

kybosh ['kaɪbɒʃ] = kibosh

kymograph ['kaɪməʊgrɑ:f] = cymograph

kyphosis [kaɪ'fəʊsɪs] *n мед.* кифóз, крýглая спинá, сгóрбленность

L

L, l [el] (*pl* Ls, L's [elz]) 1) *12-я буква англ. алфавита* 2) что-л., имéющее фóрму бýквы L

la [lɑ:] = lah

laager ['lɑ:gə] *южно-афр.* **1.** *n* 1) лáгерь, окружённый повóзками 2) *воен.* парк бронирóванных машин

2. *v* располагáться лáгерем, окружённым повóзками

lab [læb] *сокр. разг. от* laboratory

labefaction [,læbı'fækʃn] *n книжн.* ослаблéние; повреждéние

label ['leıbl] **1.** *n* 1) ярлы́к (*тж. перен.*); этикéтка; бирка 2) помéта (*в словаре*) 3) *архит.* слезни́к 4) *геод.* алидáда-высотомéр 5) *физ.* мéченый áтом

2. *v* 1) прикрепля́ть *или* наклéивать ярлы́к 2) относи́ть к какóй-л. категóрии; *перен.* приклéивать ярлы́к 3) *физ.* мéтить (*атом*)

labelled ['leıbld] **1.** *p. p. от* label 2

2. *a* маркирóванный

labial ['leıbıəl] **1.** *a* губнóй

2. *n фон.* губнóй звук (*тж.* ~ sound)

labialization [,leıbıəlaı'zeıʃn] *n фон.* лабиализáция

labiate ['leıbıeıt] *бот.* **1.** *a* губоцвéтный

2. *n* губоцвéтное растéние

labile ['leıbaıl] *a физ., хим.* лаби́льный; неустóйчивый

lability [leı'bılətı] *n* лаби́льность, неустóйчивость

labiodental ['leıbıəʊ'dentl] *фон.* **1.** *a* гýбно-зубнóй, лáбио-дентáльный

2. *n* гýбно-зубнóй, лáбио-дентáльный звук

labor ['leıbə] *амер.* = labour

laboratory [lə'bɒrətərı] *n* 1) лаборатóрия; hot ~ «горя́чая» лаборатóрия (*в которой производятся работы с опасностью для жизни*) 2) *амер. унив.* заня́тия в лаборатóрии 3) *метал.* рабóчее прострáнство пéчи 4) *attr.* лабораторный; ~ findings дáнные лабораторного исслéдования

laborious [lə'bɔ:rıəs] *a* 1) трýдный, тяжёлый, утоми́тельный; трудоёмкий 2) вы́мученный (*о стиле*) 3) трудолюби́вый, старáтельный

labour ['leıbə] **1.** *n* 1) труд; рабóта; задáние; уси́лие; forced ~ принуди́тельный труд 2) рабóчий класс; труд (*в противоп. капиталу*); L. and Capital труд и капитáл 3) родовы́е мýки; рóды; to be in ~ мýчиться рóдами, рожáть 4) *attr.* трудовóй; рабóчий; ~ force рабóчая си́ла; ~ hours рабóчее врéмя; ~ code кóдекс закóнов о трудé; ~ contract трудовóй договóр; ~ dispute трудовóй конфли́кт; ~ input количество затрáченного трудá; ~ legislation трудовóе законодáтельство 5) *attr.* лейбори́стский; ~ leader а) лейбори́стский ли́дер; б) руководи́тель тред-юниóна 6) *attr.:* ~ pains родовы́е схвáтки; ~ ward роди́льная палáта ◇ ~ of love а) безвозмéздный *или* бескоры́стный труд; б) люби́мое дéло; lost ~ тщéтные, бесполéзные уси́лия

2. *v* 1) труди́ться, рабóтать 2) прилагáть уси́лия, добивáться (for); to ~ for breath дышáть с трудóм; to ~ for peace добивáться ми́ра; he ~ed to understand what they were talking about он прилагáл уси́лия, чтóбы поня́ть, о чём они́ говори́ли 3) кропотли́во разрабáтывать, вдавáться в мéлочи; to ~ the point рассмáтривать вопрóс, вникáя во все детáли 4) подвигáться вперёд мéдленно, с трудóм (*обыкн.* ~ along, ~ through) 5) *мор.* испы́тывать кáчку 6) *уст., поэт.* обрабáтывать зéмлю 7) *уст.* мýчиться рóдами □ ~ **under** быть в затруднéнии, тревóге; страдáть (*от чего-л.*); to ~ under a delusion (*или* a mistake) находи́ться в заблуждéнии

labour camp ['leıbəkæmp] *n* исправи́тельно-трудовóй лáгерь

Labour Day ['leıbədeı] *n амер.* День трудá (*первый понедельник сентября*)

laboured ['leıbəd] **1.** *p. p. от* labour 2

2. *a* 1) трýдный, затруднённый; достáвшийся с трудóм; ~ breathing затруднённое дыхáние 2) вы́мученный; тяжеловéсный (*о стиле, шутке и т. п.*)

labourer ['leıbərə] *n* неквалифици́рованный рабóчий; чернорабóчий; general ~ разнорабóчий

Labour Exchange ['leıbəıks,tʃeındʒ] *n* би́ржа трудá

labouring ['leıbərıŋ] **1.** *pres. p. от* labour 2

2. *a* 1) рабóчий, трудя́щийся; ~ man рабóчий 2) затруднённый; ~ breath затруднённое дыхáние

Labourist ['leıbərıst] = Labourite

Labourite ['leıbəraıt] *n* лейбори́ст, член лейбори́стской пáртии

labour market ['leıbə,mɑ:kıt] *n* ры́нок трудá; спрос и предложéние трудá

Labour Party ['leıbə,pɑ:tı] *n* лейбори́стская пáртия

labour-saving ['leıbə,seıvıŋ] *a* дающий эконóмию в трудé; рационализáторский

labour union ['leıbə,ju:nıən] *n амер.* профсою́з

laburnum [lə'bɜ:nəm] *n бот.* золотóй дождь (обыкновéнный)

labyrinth ['læbərınθ] *n* 1) лаби́ринт 2) трýдное, безвы́ходное положéние

labyrinthine [,læbə'rınθaın] *a* 1) подóбный лаби́ринту 2) запýтанный

lac I [læk] *n* прирóдный лак, неочи́щенный шеллáк

lac II [læk] *инд. n* сто ты́сяч (*обыкн. рупий*)

lace [leıs] **1.** *n* 1) кру́жево 2) шнурóк, тесьмá 3) галýн (*обыкн.* gold ~, silver ~) 4) *разг.* конья́к *или* ликёр, подбáвленный в кóфе *и т. п.*

2. *v* 1) шноровáть; to ~ up one's shoes шнуровáть боти́нки 2) стя́гиваться корсéтом (*тж.* ~ in) 3) подбавля́ть спиртны́е напи́тки (*в кофе и т. п.*); coffee ~d with brandy кóфе с конья́кóм 4) украшáть, отдéлывать, окаймля́ть (*галуном, кружевом и т. п.*) 5) *разг.* бить, хлестáть, стегáть, порóть 6) расцвéчивать □ ~ **into** *разг* а) набрáсываться, нападáть; б) рéзко критиковáть ◇ to ~ smb.'s jacket изби́ть когó-л.

lace boots ['leısbu:ts] *n pl* боти́нки на шнуркáх

Lacedaemonian [,læsədı'məʊnıən] **1.** *a* спартáнский

2. *n* спартáнец

lacerate ['læsəreıt] *v* 1) разрывáть, раздирáть 2) терзáть, мýчить; калéчить

lacerated ['læsəreıtıd] **1.** *p. p. от* lacerate

2. *a* 1) рвáный 2) *бот.* зазу́бренный

laceration [,læsə'reıʃn] *n* 1) разрывáние 2) терзáние, мýка 3) разры́в; рвáная рáна

lace-ups [,leıs'ʌps] *n pl разг.* боти́нки на шнуровкáх

laches ['lætʃız] *n* 1) *юр.* необоснóванное промедлéние с предъявлéнием и́ска 2) нерадивость; небрéжность; престýпная халáтность

lachrymal ['lækrıməl] **1.** *a* слёзный; ~ gland *анат.* слёзная железá

2. *n* слезни́ца (*сосуд; тж.* ~ vase)

lachrymatory [,lækrı'meıtərı] **1.** *a* слезоточи́вый (*о газе*)

2. *n* = lachrymal 2

lachrymose ['lækrıməʊs] *a книжн.* 1) слезли́вый, плакси́вый 2) плáчущий, пóлный слёз

lacing ['leısıŋ] **1.** *pres. p. от* lace 2

2. *n* 1) шнур; шнурóвка 2) шнуровáние 3) обшивáние, отдéлка кру́жевом 4) добавлéние конья́кá, ликёра *и т. п.* в кóфе

lack [læk] **1.** *n* недостáток, нуждá; отсýтствие (*чего-л.*); ~ of balance неуравновéшенность; ~ of capacity отсýтствие спосóбностей; ~ of land безземéлье; for ~ of из-за отсýтствия, из-за недостáтка в; no ~ of smth. оби́лие чегó-л.

2. *v* 1) испы́тывать недоста́ток, нужда́ться; не име́ть 2) не хвата́ть, недостава́ть; he is ~ing in common sense ему́ не хвата́ет здра́вого смы́сла ▭ ~ **for** нужда́ться (*в чём-л.*); you shall never ~ for money ты никогда́ не бу́дешь нужда́ться в деньга́х

lackadaisical [ˌlækəˈdeɪzɪkl] *a* 1) вя́лый, апати́чный 2) то́мный

lack-all [ˈlækɔ:l] *n* несча́стный, обездо́ленный челове́к; горемы́ка

lacker [ˈlækə] = lacquer

lackey [ˈlækɪ] **1.** *n* лаке́й

2. *v* 1) раболе́пствовать, лаке́йствовать 2) прислу́живать

lacking [ˈlækɪŋ] **1.** *pres. p. от* lack 2

2. *a* 1) недостаю́щий 2) *разг.* у́мственно отста́лый

lackland [ˈlæklænd] *a* безземе́льный

lacklustre [ˈlækˌlʌstə] *a* 1) ту́склый, безжи́зненный 2) без бле́ска; ~ eyes ту́склые без бле́ска глаза́

laconic(al) [ləˈkɒnɪk(l)] *a* лакони́чный, кра́ткий; немногосло́вный

lacquer [ˈlækə] **1.** *n* 1) лак; политу́ра; глазу́рь 2) *собир.* лак, лакиро́ванные изде́лия

2. *v* покрыва́ть ла́ком, лакирова́ть; покрыва́ть глазу́рью

lacquey [ˈlækɪ] *уст.* = lackey

lacrosse [ləˈkrɒs] *n спорт.* лакро́сс

lactation [lækˈteɪʃn] *n* 1) выделе́ние молока́, лакта́ция 2) кормле́ние гру́дью

lacteal [ˈlæktɪəl] *a* мле́чный, моло́чный

lactescent [lækˈtesənt] *a* 1) похо́жий на молоко́ 2) выделя́ющий мле́чный сок (*о растениях*)

lactic [ˈlæktɪk] *a хим.* моло́чный

lactiferous [lækˈtɪfərəs] *a* выделя́ющий молоко́ *или* мле́чный сок

lactometer [lækˈtɒmɪtə] *n* лакто́метр

lactose [ˈlæktəʊs] *n* лакто́за, моло́чный са́хар

lacuna [ləˈkju:nə] *n* (*pl* -ae, -s [-s]) 1) пустота́ 2) пробе́л, про́пуск, лаку́на 3) *анат.* впа́дина, углубле́ние, лаку́на

lacunae [ləˈkju:ni:] *pl от* lacuna

lacustrine [ləˈkʌstraɪn] *a книжн.* озёрный; ~ age *ист.* эпо́ха сва́йных постро́ек

lacy [ˈleɪsɪ] *a* кружевно́й; похо́жий на кру́жево

lad [læd] *n* 1) ма́льчик; ю́ноша; паренёк; one of the ~s свой па́рень 2) *разг.* па́рень (*о взрослом мужчине*) 3) *разг.* лихо́й па́рень

ladder [ˈlædə] **1.** *n* 1) ле́стница (*приставная, верёвочная*); *мор.* трап 2) спусти́вшаяся пе́тля (*на чулке*) ◇ ~ of success сре́дство дости́чь успе́ха; to climb the ~ де́лать карье́ру; to get one's foot on the ~ положи́ть нача́ло (*карьере и т. п.*); to kick away (*или* down) the ~ (by which one rose) отверну́ться от тех, кто помо́г дости́чь успе́ха; to be high on the executive ~ занима́ть высо́кий администрати́вный пост

2. *v* спуска́ться (*о петле на чулке*)

laddie [ˈlædɪ] *n разг.* мальчуга́н, паренёк

lade [leɪd] *v* (laded [-ɪd]; laded, laden) 1) грузи́ть, нагружа́ть, погружа́ть 2) че́рпать, выче́рпывать

laden [ˈleɪdn] **1.** *p. p. от* lade

2. *a* 1) гружёный, нагружённый; a tree heavily ~ with fruit де́рево, сгиба́ющееся под тя́жестью плодо́в; a table ~ with food стол, уста́вленный я́ствами 2) обременённый, пода́вленный (with — *чем-л.*) 3) *с.-х.* налито́й (*о зерне*)

ladies [ˈleɪdɪz] *n* 1) *pl от* lady 2) (L.) *употр. с гл. в ед. ч. разг.* же́нская убо́рная

ladies-in-waiting [ˌleɪdɪzɪnˈweɪtɪŋ] *pl от* lady-in-waiting

ladies' man [ˈleɪdɪzmæn] = lady's man

lading [ˈleɪdɪŋ] **1.** *pres. p. от* lade

2. *n* 1) груз, фрахт 2) погру́зка

ladle [ˈleɪdl] **1.** *n* ковш, черпа́к; soup ~ разлива́тельная ло́жка, поло́вник; foundry ~ лите́йный ковш

2. *v* че́рпать; разлива́ть ▭ ~ **out** а) раздава́ть; to ~ out honours раздава́ть награ́ды б) выче́рпывать; разлива́ть

lady [ˈleɪdɪ] *n* 1) ле́ди, да́ма; госпожа́; a great ~ зна́тная, ва́жная да́ма; young ~ ба́рышня; a ~ of easy virtue же́нщина лёгкого поведе́ния; a ~ of pleasure куртиза́нка; fine ~ све́тская да́ма; *ирон.* же́нщина, ко́рчащая из себя́ аристокра́тку 2) (L.) ле́ди (*титул знатной дамы*); my ~ миле́ди 3) *в сложных словах придаёт значение женского пола* (*напр.*, ~-doctor же́нщина-врач; ~-cat *шутл.* ко́шка) 4) *разг.* жена́; неве́ста; мать; your good ~ ва́ша супру́га; my (his) young ~ *разг.* моя́ (его́) неве́ста; the old ~ а) мать, стару́шка; б) жена́ 5) хозя́йка до́ма 6) *ист.* да́ма се́рдца, возлю́бленная ры́царя ◇ Our L. *церк.* Богоро́дица, Богома́терь; the Old L. of Threadneedle Street Англи́йский банк; extra ~ *театр., кино* стати́стка

ladybeetle [ˈleɪdɪˌbi:tl] = ladybird

ladybird [ˈleɪdɪbɜ:d] *n* (бо́жья) коро́вка

ladybug [ˈleɪdɪbʌg] *амер.* = ladybird

lady-chair [ˈleɪdɪtʃɛə] *n* сиде́нье, образу́емое сплете́нием четырёх рук (*для переноски раненых*)

ladycow [ˈleɪdɪkaʊ] = ladybird

Lady Day [ˈleɪdɪdeɪ] *n церк.* Благове́щение (*25 марта*)

lady-fern [ˈleɪdɪfɜ:n] *n бот.* кочедыжник же́нский

lady help [ˈleɪdɪhelp] *n* эконо́мка благоро́дного происхожде́ния (*к которой относятся как к члену семьи*)

ladyhood [ˈleɪdɪhʊd] *n* зва́ние, положе́ние ле́ди

lady-in-waiting [ˌleɪdɪɪnˈweɪtɪŋ] *n* (*pl* ladies-in-waiting) фре́йлина (короле́вы)

lady-killer [ˈleɪdɪˌkɪlə] *n разг.* сердцее́д

ladylike [ˈleɪdɪlaɪk] *a* 1) име́ющая вид, мане́ры ле́ди; воспи́танная; изы́сканная 2) изне́женный, женоподо́бный

ladylove [ˈleɪdɪlʌv] *n* возлю́бленная

lady's bedstraw [ˌleɪdɪzˈbedstrɔ:] *n бот.* подмаре́нник

lady's finger [ˈleɪdɪzˌfɪŋgə] *n* 1) *бот.* я́звенник 2) виногра́д «да́мские па́льчики»

ladyship [ˈleɪdɪʃɪp] *n* ти́тул, зва́ние ле́ди; your ~ ва́ша ми́лость

lady's-maid [ˈleɪdɪzmeɪd] *n* го́рничная, камери́стка

lady's man [ˈleɪdɪzmæn] *n* кавале́р, да́мский уго́дник

lady-smock [ˈleɪdɪsmɒk] *n бот.* серде́чник лугово́й

lady's purse [ˈleɪdɪzpɜ:s] *n бот.* пасту́шья су́мка

lady's slipper [ˌleɪdɪzˈslɪpə] *n бот.* вене́рин башмачо́к

lag I [læg] **1.** *n* 1) отстава́ние; запа́здывание 2) *спец.* сдвиг фаз

2. *v* отстава́ть (*тж.* ~ behind); запа́здывать; ме́дленно тащи́ться, волочи́ться

lag II [læg] *sl.* **1.** *n* 1) ка́торжник 2) срок ка́торги *или* ссы́лки

2. *v* 1) ссыла́ть на ка́торгу 2) заде́рживать, аресто́вывать

lag III [læg] **1.** *n* 1) боча́рная клёпка 2) пла́нка 3) полоса́ во́йлока (*для обшивки*)

2. *v* 1) обшива́ть пла́нками 2) покрыва́ть изоля́цией

lagan [ˈlægən] *n юр.* затону́вший груз

lager (beer) [ˈlɑ:gə(bɪə)] *n* лёгкое пи́во

laggard [ˈlægəd] **1.** *n* неповоро́тливый челове́к; у́валень

2. *a* медли́тельный, вя́лый

lagging I [ˈlægɪŋ] *n эл.* сдвиг фаз

lagging II, III [ˈlægɪŋ] *pres. p. от* lag I, 2 *и* II, 2

lagging IV [ˈlægɪŋ] **1.** *pres. p. от* lag III, 2

2. *n* 1) обши́вка; теплова́я изоля́ция 2) *стр.* оба́пол

lagoon [ləˈgu:n] *n* лагу́на

lah [lɑ:] *n муз.* ля

laic(al) [ˈleɪɪk(l)] **1.** *a* све́тский, мирско́й

2. *n книжн.* миря́нин

laicize [ˈleɪɪsaɪz] *v* секуляризи́ровать

laid [leɪd] *past и p. p. от* lay IV, 1

laid paper [ˌleɪdˈpeɪpə] *n* бума́га верже́

lain [leɪn] *p. p. от* lie II, 1

lair [leə] **1.** *n* 1) ло́говище, берло́га; at ~ в берло́ге 2) приста́нище 3) заго́н для скота́ (*по дороге на рынок, на бойню*) 4) *шотл.* моги́ла

2. *v* 1) лежа́ть в берло́ге 2) помеща́ть в заго́н (*скот*)

laird [leəd] *n шотл.* поме́щик

laissez-aller [ˌleɪseɪˈæleɪ] *фр. n* неограни́ченная свобо́да; по́лное отсу́тствие принужде́ния

laissez-faire [ˌleɪseɪˈfeə] *фр. n* 1) невмеша́тельство; непротивле́ние; попусти́тельство 2) *attr.*: ~ policy поли́тика невмеша́тельства

laity [ˈleɪətɪ] *n собир.* 1) миря́не, све́тские лю́ди 2) непрофессиона́лы, профа́ны

lake I [leɪk] *n* о́зеро; The Lakes = lake country; The Great Lakes Вели́кие озёра (*Верхнее, Гурон, Мичиган, Эри и Онтарио*)

lake II [leɪk] *n* кра́сочный лак

lake country [ˈleɪk,kʌntrɪ] *n* райо́н озёр (*в Англии*), озёрный край

lake dwelling [ˈleɪk,dwelɪŋ] *n* доистори́ческая сва́йная постро́йка (*на озере*)

lakeland [ˈleɪklənd] = lake country

lake-lawyer [ˈleɪk,lɔːjə] *n амер.* нали́м

lakelet [ˈleɪklɪt] *n* озерко́

lake poets [ˈleɪkpəʊɪts] *n pl* поэ́ты «Озёрной шко́лы» (*Вордсворт, Кольридж, Соути*)

laker [ˈleɪkə] *n* поэ́т «Озёрной шко́лы»

lakh [lɑːk] = lac II

laky I [ˈleɪkɪ] *a* озёрный; изоби́лующий озёрами

laky II [ˈleɪkɪ] *a* 1) бле́дно-мали́новый, цвета кра́сочного ла́ка 2) *мед.* ла́ковый (*о крови*)

Lallan [ˈlælən] *n* диале́кт ю́жной ча́сти Шотла́ндии

lam I [læm] *sl.* **1.** *n* поспе́шное бе́гство; on the ~ в поспе́шном бе́гстве; to take it on the ~ удира́ть

2. *v* удира́ть

lam II [læm] *v sl.* бить, колоти́ть (*обыкн. тростью*)

lama I [ˈlɑːmə] *n* ла́ма (*буддийский монах*)

lama II [ˈlɑːmə] = llama

lamasery [ˈlɑːməsərɪ] *n* ламаи́стский монасты́рь

lamb [læm] **1.** *n* 1) ягнёнок, бара́шек; ове́чка; *перен.* а́гнец; like a ~ безро́потно, поко́рно 2) мя́со молодо́го бара́шка 3) *разг.* проста́к 4) *sl.* нео́пытный игро́к на би́рже

2. *v* ягни́ться

lambaste [læmˈbeɪst] *v разг.* 1) бить, колоти́ть 2) суро́во критикова́ть

lambency [ˈlæmbənsɪ] *n* сверка́ние, блеск

lambent [ˈlæmbənt] *a* 1) игра́ющий, колыха́ющий (*о свете, пламени*); светя́щийся, сия́ющий 2) блестя́щий, сверка́ющий, лучи́стый, искромётный; ~ eyes лучи́стые глаза́; ~ wit блестя́щий ум

Lambeth [ˈlæmbəθ] *n* Ло́ндонская резиде́нция архиепи́скопа Кентербери́йского (*тж.* ~ Palace)

lambkin [ˈlæmkɪn] *n* ягнёночек

lamblike [ˈlæmlaɪk] *a* кро́ткий, безотве́тный

lambrequin [ˈlæmbəkɪn] *n* ламбреке́н

lambskin [ˈlæmskɪn] *n* 1) овчи́на 2) мерлу́шка

lambswool, lamb's-wool [ˈlæmzwʊl] *n* то́нкая ове́чья шерсть; поя́рок

lame I [leɪm] **1.** *a* 1) хромо́й; уве́чный; парализо́ванный, *особ.* пло́хо владе́ющий ного́й *или* нога́ми; to be ~ of (*или* in) one leg хрома́ть на одну́ но́гу 2) неубеди́тельный, неудовлетвори́тельный; ~ excuse неуда́чная, сла́бая отгово́рка 3) непра́вильный, «хрома́ющий» (*о стиле, размере*) ◇ ~ under the hat глу́пый, несообрази́тельный; ~ duck а) неуда́чник; «несча́стненький», кале́ка б) *бирж.* банкро́т; разори́вшийся ма́клер; в) *амер.* неперeи́збранный член (*конгресса и т. п.*); г) *амер.* президе́нт, заверша́ющий второ́й, после́дний срок на своём посту́ (*в период до передачи его преемнику*)

2. *v* уве́чить, кале́чить

lame II [leɪm] *n* то́нкая металли́ческая пласти́нка

lamé [lɑːmeɪ] *n* ламе́ (*парчовая ткань для вечерних туалетов*)

lamella [ləˈmelə] *n* (*pl* -lae) 1) пласти́нка; то́нкий слой (*кости, ткани*) 2) *тех.* ла́мель

lamellae [ləˈmeliː] *pl от* lamella

lameness [ˈleɪmnəs] *n* хромота́

lament [ləˈment] **1.** *n* 1) го́рестное стена́ние; жа́лобы 2) элеги́я; жа́лобная, похоро́нная песнь

2. *v* 1) опла́кивать (for, over); the late ~ed поко́йник, уме́рший 2) стена́ть, пла́кать; сокруша́ться; горева́ть 3) го́рько жа́ловаться; се́товать

lamentable [ˈlæməntəbl] *a* 1) приско́рбный; плаче́вный 2) ско́рбный, печа́льный 3) *презр.* жа́лкий, ничто́жный

lamentation [,læmenˈteɪʃn] *n* го́рестная жа́лоба, плач ◇ Lamentations *библ.* плач Иереми́и

lamina [ˈlæmɪnə] *n* (*pl* -nae) 1) то́нкая пласти́нка, то́нкий слой; лист 2) *геол.* пло́скость отслое́ния

laminae [ˈlæmɪniː] *pl от* lamina

laminar [ˈlæmɪnə] *a* пласти́нчатый, ламина́рный

laminate [ˈlæmɪneɪt] *v* 1) расщепля́ть(ся) на то́нкие сло́и 2) прока́тывать (*металл*) в то́нкие листы́ 3) покрыва́ть то́нкими металли́ческими пласти́нками 4) выраба́тывать пластма́ссу из бума́ги, древе́сных опи́лок, тряпья́ *и т. п.*

laminated [ˈlæmɪneɪtɪd] **1.** *p. p. от* laminate

2. *a* листово́й; пласти́нчатый; слои́стый

lamination [,læmɪˈneɪʃn] *n* 1) расслое́ние 2) плю́щение; раска́тывание 3) *геол.* слои́стость; то́нкое напластова́ние

Lammas [ˈlæməs] *n ист.* пра́здник урожа́я (*1 августа*)

lamp [læmp] **1.** *n* 1) ла́мпа; фона́рь; свети́льник; red ~ а) кра́сный фона́рь как сигна́л опа́сности (*на железной дороге*); б) фона́рь у кварти́ры врача́ *или* апте́ки 2) све́точ; to hand (*или* to pass) on the ~ не дава́ть уга́снуть; передава́ть зна́ния, тради́ции, продолжа́ть де́ло 3) *поэт.* свети́ло ◇ to rub the ~ легко́ осуществи́ть своё жела́ние; to smell of the ~ быть вы́мученным (*о слоге, стихах и т. п.*)

2. *v* 1) *поэт.* свети́ть 2) освеща́ть 3) *амер. разг.* тара́щить глаза́

lampblack [ˈlæmpblæk] *n* 1) ла́мповая ко́поть, са́жа 2) чёрная кра́ска из ла́мповой са́жи

lamp-burner [ˈlæmp,bɜːnə] *n* ла́мповая горе́лка

lamp-chimney [ˈlæmp,tʃɪmnɪ] *n* ла́мповое стекло́ (*для керосиновой и т. д. лампы*)

lamp-holder [ˈlæmp,həʊldə] *n* патро́н (ла́мпы)

lampion [ˈlæmpɪən] *n* лампио́н, цветно́й (*стеклянный или бумажный*) фона́рик

lamplight [ˈlæmplaɪt] *n* свет ла́мпы, иску́сственное освеще́ние; by ~ при иску́сственном освеще́нии

lamplighter [ˈlæmp,laɪtə] *n уст.* фона́рщик ◇ like a ~ о́чень бы́стро; to run like a ~ ≅ бежа́ть как угоре́лый; бежа́ть сломя́ го́лову, бежа́ть без огля́дки

lampoon [læmˈpuːn] **1.** *n* зла́я сати́ра, памфле́т; па́сквиль **2.** *v* писа́ть памфле́ты, па́сквили

lampooner [læmˈpuːnə] *n* памфлети́ст; пасквиля́нт

lampoonist [læmˈpuːnɪst] = lampooner

lamppost [ˈlæmppəʊst] *n* фона́рный столб ◇ between you and me and the ~ ме́жду на́ми говоря́

lamprey [ˈlæmprɪ] *n* мино́га

lampshade [ˈlæmpʃeɪd] *n* абажу́р; плафо́н

lamp-socket [ˈlæmp,sɒkɪt] = lamp-holder

Lancastrian [læŋˈkæstrɪən] **1.** *a* 1) ланкаши́рский 2) *ист.* ланка́стерский

2. *n* 1) уроже́нец Ланкаши́ра 2) *ист.* сторо́нник ланка́стерской дина́стии

lance [lɑːns] **1.** *n* 1) пи́ка; копьё 2) острога́ 3) ланце́т 4) (*обыкн. pl*) ула́н

2. *v* 1) пронза́ть пи́кой, копьём 2) *поэт.* броса́ться в ата́ку 3) *мед.* вскрыва́ть ланце́том

lance corporal [,lɑːnsˈkɔːprəl] *n* мла́дший капра́л

lance knight [ˈlɑːnsnaɪt] *n ист.* ландскне́хт

lanceolate [ˈlɑːnsɪəleɪt] *a бот.* копьеви́дный, ланцетови́дный, ланце́тный

lancer [ˈlɑːnsə] *n* 1) ула́н 2) *pl* лансье́ (*старинный танец*)

lance sergeant [,lɑːnsˈsɑːdʒənt] *n* мла́дший сержа́нт

lancet [ˈlɑːnsɪt] *n* ланце́т

lancet arch [,lɑːnsɪtˈɑːtʃ] *n* стре́льчатая а́рка

lancet window [,lɑːnsɪtˈwɪndəʊ] *n* стре́льчатое окно́

lancinating [ˈlɑːnsɪneɪtɪŋ] *a* о́стрый, стреля́ющий (*о боли*)

land [lænd] **1.** *n* 1) земля́, су́ша; dry ~ су́ша; on ~ на су́ше; travel by ~ путеше́ствовать по су́ше; to make the ~ *мор.* приближа́ться к бе́регу 2) по́чва; fat (poor) ~ плодоро́дная (ску́дная) по́чва; to go (*или* to work) on the ~ стать фе́рмером 3) страна́; госуда́рство 4) земе́льная со́бственность; *pl* поме́стья 5) *воен.* по́ле наре́за 6) *шотл.* дохо́дный дом; 7) *южно-афр.* обраба́тываемый па́хотный уча́сток 8) *тех.* у́зкая фа́ска 9) *attr.* сухопу́тный; назе́мный; ~ plants назе́мные расте́ния, эмбриофи́ты; ~ ice материко́вый лёд 10) *attr.* земе́льный; ~ rent земе́льная ре́нта ◇ to see how the ~ lies вы́яснить, как обстоя́т дела́; to see ~ а) уви́деть, к чему́ кло́нится де́ло; б) быть бли́зко к поста́вленной це́ли; the ~ of

Nod *шутл.* ца́рство сна; со́нное ца́рство; ~ of cakes (*или* of the thistle) Шотла́ндия; the ~ of the Rose А́нглия (*роза — национальная эмблема Англии*); the ~ of the golden fleece Австра́лия

2. *v* 1) выса́живать(ся) (на бе́рег); пристава́ть к бе́регу, прича́ливать 2) *ав.* приземля́ться, де́лать поса́дку 3) вы́тащить на бе́рег (*рыбу*) 4) *разг.* приводи́ть (*к чему-л.*); ста́вить в то и́ли ино́е положе́ние; to ~ smb. in difficulty (*или* trouble) поста́вить кого́-л. в затрудни́тельное положе́ние; to be nicely ~ed быть в затрудни́тельном положе́нии 5) *разг.* попа́сть, угоди́ть; to ~ a blow on the ear, on the nose, *etc.* уда́рить по́ уху, по́ носу *и т. п.* 6) прибыва́ть (*куда-л.*); достига́ть (*какого-л. места*) 7) доби́ться (*чего-л.*); вы́играть; to ~ a prize получи́ть приз

land agent [ˈlænd,eɪdʒənt] *n* 1) управля́ющий име́нием 2) аге́нт по прода́же земе́льных уча́стков

landau [ˈlændɔ:] *n* 1) ландо́ 2) автомоби́ль с открыва́ющимся ве́рхом

land bank [ˈlændbæŋk] *n* земе́льный банк

land breeze [ˈlæn*d*bri:z] *n* берегово́й ве́тер, бриз

landed [ˈlændɪd] **1.** *p. p. от* land 2

2. *a* земе́льный; ~ proprietor землевладе́лец

landfall [ˈlændfɔ:l] *n* 1) *мор.* подхо́д к бе́регу 2) о́ползень, обва́л 3) *ав.* приземле́ние, поса́дка

land-forces [ˈlænd,fɔ:sɪz] *n pl* сухопу́тные во́йска́

land-grabber [ˈlænd,græbə] *n* 1) челове́к, незако́нно *или* обма́ном захва́тывающий чью-л. зе́млю 2) *ирл.* челове́к, беру́щий уча́сток вы́селенного аренда́тора

land grant [ˈlæn*d*grɑ:nt] *n амер.* отво́д земе́льного уча́стка для постро́йки желе́зной доро́ги *или* для нужд сельскохозя́йственного ко́лледжа

landgrave [ˈlæn*d*greɪv] *n ист.* ландгра́ф

landholder [ˈlænd,həʊldə] *n* владе́лец *или* аренда́тор земе́льного уча́стка

land-hunger [ˈlænd,hʌŋgə] *n* земе́льный го́лод, нехва́тка земе́льных уча́стков

land-hungry [ˈlænd,hʌŋgrɪ] *a* малоземе́льный; безземе́льный

landing [ˈlændɪŋ] **1.** *pres. p. от* land 2

2. *n* 1) вы́садка на бе́рег 2) ме́сто вы́садки 3) *воен.* вы́садка деса́нта 4) *ав.* поса́дка, приземле́ние; ме́сто поса́дки; soft ~ мя́гкая поса́дка 5) ле́стничная площа́дка 6) *attr.* деса́нтный; ~ party деса́нтный отря́д; ~ operation вы́садка деса́нта 7) *attr.* поса́дочный; ~ fee пла́та за поса́дку самолёта

landing craft [ˈlændɪŋkrɑ:ft] *n собир.* деса́нтные суда́, деса́нтные плаву́чие сре́дства

landing field [ˈlændɪŋfi:ld] *n* поса́дочная площа́дка; аэродро́м

landing gear [ˈlændɪŋgɪə] *n* 1) *ав.* шасси́ 2) *шутл.* но́ги

landing ground [ˈlændɪŋgraund] = landing place 2)

landing mark [ˈlændɪŋmɑ:k] *n ав.* поса́дочный знак

landing net [ˈlændɪŋnet] *n* 1) рыболо́вный сачо́к 2) *воен.* деса́нтная сеть

landing place [ˈlændɪŋpleɪs] *n* 1) ме́сто вы́садки, при́стань 2) *ав.* поса́дочная площа́дка

landing stage [ˈlændɪŋsteɪdʒ] *n* при́стань

landing strip [ˈlændɪŋstrɪp] *n ав.* взлётно-поса́дочная полоса́

landing troops [ˈlændɪŋtru:ps] *n pl* деса́нтные войска́

landjobber [ˈlænd,dʒɒbə] *n* спекуля́нт земе́льными уча́стками

landlady [ˈlæn*d*leɪdɪ] *n* 1) владе́лица до́ма *или* кварти́ры, сдава́емых внаём 2) хозя́йка гости́ницы, меблиро́ванных ко́мнат, пансио́на 3) *редк.* поме́щица ◇ to hang the ~ съе́хать тайко́м с кварти́ры, не заплати́в

landless [ˈlændləs] *a* 1) безземе́льный 2) безбре́жный (*о море*)

landlocked [ˈlæn*d*lɒkt] *a* окружённый су́шей; закры́тый (*о заливе, гавани*) 2) пресново́дный (*о рыбе*)

landloper [ˈlænd,ləʊpə] *n шотл.* бродя́га

landlord [ˈlæn*d*lɔ:d] *n* 1) поме́щик, землевладе́лец, лендло́рд 2) владе́лец до́ма *или* кварти́ры, сдава́емых внаём 3) хозя́ин гости́ницы, пансио́на

landlordism [ˈlæn*d*lɔ:dɪzəm] *n* систе́ма (кру́пного) ча́стного землевладе́ния

landlubber [ˈlænd,lʌbə] *n мор.* сухопу́тный жи́тель; новичо́к в морско́м де́ле, «сухопу́тная кры́са»

landmark [ˈlæn*d*mɑ:k] *n* 1) броса́ющийся в глаза́ объе́кт ме́стности, ориенти́р 2) межево́й знак, ве́ха 3) поворо́тный пункт, ве́ха (*в истории*) 4) берегово́й знак

landmine [ˈlæn*d*maɪn] *n воен.* фуга́с

landocracy [lænˈdɒkrəsɪ] *n шутл.* земе́льная аристокра́тия, агра́рии

land office [ˈlænd,ɒfɪs] *n амер.* госуда́рственная конто́ра, регистри́рующая земе́льные сде́лки

land-office building [,lænd,ɒfɪsˈbɪldɪŋ] *n амер. разг.* дохо́дное, процвета́ющее де́ло

land-on [,lændˈɒn] *v ав.* де́лать поса́дку, приземля́ться

landowner [ˈlænd,əʊnə] *n* землевладе́лец

landowning [ˈlænd,əʊnɪŋ] **1.** *n* землевладе́ние

2. *a* землевладе́льческий

land power [ˈlænd,paʊə] *n* 1) вое́нная мощь 2) мо́щная вое́нная держа́ва

landrail [ˈlændreɪl] *n зоол.* дерга́ч, коросте́ль

land rover [ˈlænd,rəʊvə] *n* легково́й автомоби́ль «вездехо́д», лендро́вер

landscape [ˈlæn*d*skeɪp] *n* 1) ландша́фт, пейза́ж 2) *attr.*: ~ sketch *топ.* перспекти́вный чертёж ме́стности

landscape architect [,læn*d*skeɪpˈɑ:kɪtekt] = landscape gardener

landscape architecture [,læn*d*skeɪpˈɑ:kɪtektʃə] = landscape gardening

landscape gardener [,læn*d*skeɪpˈgɑ:dnə] *n* садо́вник-декора́тор

landscape gardening [,læn*d*skeɪpˈgɑ:dnɪŋ] *n* садо́во-па́рковая архитекту́ра; декорати́вное садово́дство

landscape painter [ˈlæn*d*skeɪp,peɪntə] *n* пейзажи́ст

landslide [ˈlæn*d*slaɪd] *n* 1) о́ползень, обва́л 2) ре́зкое измене́ние в распределе́нии голосо́в ме́жду па́ртиями; внуши́тельная побе́да (*на выборах*)

landslip [ˈlæn*d*slɪp] = landslide 1)

landsman [ˈlæn*d*zmən] *n* 1) сухопу́тный жи́тель, не моря́к 2) нео́пытный моря́к

land-surveyor [ˈlændsə,veɪə] *n*земле-ме́р

landtag [ˈlɑ:nttɑ:k] *нем. n* ландта́г

land tax [ˈlændtæks] *n* земе́льный нало́г

land-tenure [ˈlænd,tenjʊə] *n* землевладе́ние

land waiter [ˈlænd,weɪtə] *n* контролёр э́кспортно-и́мпортных опера́ций на тамо́жне (*в Англии*)

landward(s) [ˈlændwəd(z)] *adv* к бе́регу

land wind [ˈlændwɪnd] = land breeze

lane [leɪn] *n* 1) у́зкая доро́га, тропи́нка, *особ.* ме́жду (живы́ми) и́згородями 2) у́зкая у́лочка, переу́лок; ~s and alleys закоу́лки 3) ряд (*движения машин*); полоса́ доро́ги (*для соблюдения рядности*) 4) бегова́я доро́жка 5) доро́жка для пла́вания *или* спорти́вной гре́бли 6) морско́й путь 7) тра́сса полёта 8) прохо́д (*между рядами*); to make a ~ for smb. дать доро́гу кому́-л. 9) доро́га с односторо́нним движе́нием 10) *разг.* го́рло (*тж.* red ~, narrow ~) 11) разво́ды ме́жду льди́нами ◇ it is a long ~ that has no turning *посл.* ≅ и несча́стьям быва́ет коне́ц

lang syne [,læŋˈsaɪn] *шотл.* **1.** *n* старина́, бы́лые дни

2. *adv* давны́м-давно́, в старину́, встарь

language [ˈlæŋgwɪdʒ] *n* 1) язы́к; finger ~ язы́к же́стов, язы́к глухонемы́х 2) речь 3) *разг.* брань (*тж.* bad ~); I won't have any ~ here прошу́ не выража́ться 4) стиль; язы́к писа́теля; the ~ of Shakespeare язы́к Шекспи́ра ◇ to speak the same ~ ≅ говори́ть на одно́м языке́; приде́рживаться одина́ковых взгля́дов

languid [ˈlæŋgwɪd] *a* 1) апати́чный; то́мный 2) вя́лый; ~ stream ме́дленно теку́щий руче́й; ~ attempt сла́бая попы́тка 3) ску́чный

languish [ˈlæŋgwɪʃ] **1.** *n* то́мный вид, то́мность

2. *v* 1) слабе́ть, ча́хнуть; вя́нуть 2) томи́ться; изныва́ть; тоскова́ть (for) 3) принима́ть печа́льный, то́мный вид 4) уменьша́ться, ослабева́ть

languishing [ˈlæŋgwɪʃɪŋ] 1. *pres. p. от* languish 2
2. *a* 1) слáбый, вя́лый 2) печáльный, тóмный; a ~ look тóмный взгляд
languor [ˈlæŋgə] *n* 1) слáбость, вя́лость; апати́чность; устáлость 2) томлéние; тóмность 3) отсу́тствие жи́зни, движéния; застóй
languorous [ˈlæŋgərəs] *a* 1) вя́лый; апати́чный; устáлый 2) тóмный 3) ду́шный, тяжёлый (*об атмосфере*)
laniard [ˈlænjəd] = lanyard
lanital [ˈlænɪtəl] *n* искýсственная шерсть
lank [læŋk] *a* 1) глáдкий, невью́щийся (*о волосах*) 2) высóкий и тóнкий; худощáвый 3) дли́нный и мя́гкий (*о траве и т. п.*)
lanky [ˈlæŋkɪ] *a* долговя́зый
lanolin [ˈlænəlɪn] *n* ланоли́н
lansquenet [ˈlænskɪnet] *n ист.* ландскнéхт (*тж. как название карточной игры*)
lantern I [ˈlæntən] *n* 1) фонáрь; dark ~ потайнóй фонáрь 2) световáя кáмера маякá 3) *архит.* фонáрь вéрхнего свéта (*тж.* ~ light) ◇ ~ lecture лéкция с диапозити́вами; ~ jaws впáлые щёки; худóе лицó; ~ parking *разг.* автомоби́льная стоя́нка под откры́тым нéбом
lantern II [ˈlæntən] *n тех.* цéвочное колесó
lanthanum [ˈlænθənəm] *n хим.* лантáн
lanyard [ˈlænjəd] *n* 1) *мор.* трóсовый тáлреп 2) *воен.* вытяжнóй шнур 3) ремéнь (*бинокля*)
Laodicean [ˌleɪəʊdɪˈsiːən] *a* безразли́чный, индифферéнтный (*в вопросах религии или политики*)
Laotian [ˈlaʊʃn] 1. *n* лаóсец, лаóска
2. *a* лаóсский
lap I [læp] *n* 1) колéни; the boy sat on (*или* in) his mother's ~ мáльчик сидéл у мáтери на колéнях 2) полá, фáлда; подóл 3) ущéлье 4) мóчка (*уха*) ◇ in nature's ~ на лóне прирóды; in the ~ of luxury в рóскоши; in the ~ of gods ≅ однομý бóгу извéстно; in Fortune's ~ ≅ в полосé удáч; ~ supper ýжин из сáндвичей и салáтов, сервиру́емый не за óбщим столóм
lap II [læp] 1. *n* 1) *спорт.* часть, пáртия игры́; круг, рáунд, этáп, тур (*в состязании*); заéзд; дистáнция 2) *текст.* рулóн (*ткани*) 3) круг, оборóт канáта, ни́ти (*на катушке и т. п.*) 4) *тех.* перекры́тие ◇ ~ of honour *спорт.* круг почёта
2. *v* 1) завёртывать, склáдывать, свёртывать; окýтывать 2) охвáтывать, окружáть; the house is ~ped in woods дом окружён лéсом; to be ~ped in luxury жить в рóскоши 3) *тех.* перекрывáть внáпуск, соединя́ть внахлёстку ▭ ~ over перекрывáть, выходи́ть за предéлы (*чего-л.*)
lap III [læp] 1. *n* 1) лакáние 2) (жáдный) глотóк 3) плеск (*волн*) 4) жи́дкая пи́ща (*для собак*); слáбый напи́ток; «помóи»
2. *v* 1) лакáть 2) жáдно пить, глотáть, поглощáть (*обыкн.* ~ up, ~ down) 3) упивáться; to ~ up compliments упивáться комплимéнтами 4) плескáться о бéрег (*о волнах*)
lap IV [læp] *тех.* 1. *n* 1) полировáльный *или* шлифовáльный круг 2) прити́р
2. *v* 1) полировáть, шлифовáть 2) притирáть; доводи́ть
laparoscopy [ˌlæpəˈrɒskəpɪ] *n мед.* лапароскопи́я
lap-board [ˈlæpbɔːd] *n* доскá (на колéнях), заменя́ющая стол
lapdog [ˈlæpdɒg] *n* кóмнатная собáчка, болóнка
lapel [ləˈpel] *n* отворóт, лáцкан (*пиджака и т. п.*)
lapidary [ˈlæpɪdərɪ] 1. *a* 1) грани́льный 2) вы́гравированный на кáмне 3) крáткий, лапидáрный
2. *n* грани́льщик драгоцéнных камнéй
lapidate [ˈlæpɪdeɪt] *v* поби́ть камня́ми
lapidify [ləˈpɪdɪfaɪ] *v* превращáть в кáмень
lapis lazuli [ˌlæpɪsˈlæzjʊlɪ] *n* ля́пис-лазу́рь, лазури́т
lap joint [ˈlæpdʒɔɪnt] *n тех.* соединéние внахлёстку
Laplander [ˈlæplændə] = Lapp 1)
Lapp [læp] 1) саáм; саáмка; лопáрь; лопáрка 2) язы́к саáми
lappet [ˈlæpɪt] *n* 1) склáдка; лáцкан 2) мóчка ýха 3) борóдка (*петуха, индюка*)
Lappish [ˈlæpɪʃ] 1. *a* саáмский; лопáрский
2. *n* язы́к саáми
lapse [læps] 1. *n* 1) упущéние; (несерьёзная) оши́бка; опи́ска (*тж.* ~ of the pen); ля́псус; ~ of memory провáл пáмяти 2) падéние, прегрешéние; ~ from virtue грехопадéние 3) течéние, ход (*времени*); with the ~ of time со врéменем 4) промежу́ток врéмени 5) *юр.* прекращéние, недействи́тельность прáва на владéние *и т. п.*; ~ of time истечéние срóка дáвности 6) *метео* падéние температу́ры, понижéние давлéния
2. *v* 1) пасть (*морально*) 2) впадáть (*в отчаяние и т. п.*); to ~ into illness заболéть 3) соверши́ть снóва какóй-л. просту́пок, приня́ться за стáрое 4) теря́ть си́лу, истекáть (*о праве*); переходи́ть в други́е ру́ки; to ~ to the Crown перейти́ в казну́ (*в Англии*) 5) течь, проходи́ть (*о времени*) 6) проходи́ть, пáдать (*об интересе и т. п.*)
lapsed [læpst] 1. *p. p. от* lapse 2
2. *a* бы́вший, бы́лой
lapsus [ˈlæpsəs] *лат. n* ля́псус, оши́бка; ~ calami опи́ска; ~ linguae оговóрка; ~ memoriae провáл пáмяти
lapwing [ˈlæpwɪŋ] *n* чи́бис
larboard [ˈlɑːbəd] *n мор.* лéвый борт су́дна
larcenous [ˈlɑːsənəs] *a* 1) ворóвскóй 2) винóвный в воровствé
larceny [ˈlɑːsənɪ] *n* воровствó
larch [lɑːtʃ] *n* 1) *бот.* ли́ственница 2) древеси́на ли́ственницы
lard [lɑːd] 1. *n* лярд; свинóе сáло
2. *v* 1) шпиговáть; смáзывать сáлом 2) уснащáть, пересыпáть (*речь — метафорами, иностранными словами и т. п.*)
larder [ˈlɑːdə] *n* кладовáя (*для мяса и т. п.*)
lardy [ˈlɑːdɪ] *a* жи́рный, сáльный
lares [ˈlɑːreɪz] *n pl римск. миф., поэт.* лáры; Lares and Penates лáры и пенáты; *перен.* ую́т, домáшний очáг
large [lɑːdʒ] 1. *a* 1) большóй; ~ dog большáя собáка 2) большóй (*больше обычного*); ~ memory обши́рная пáмять 3) широ́кий (*о взглядах, толковании, понимании*) 4) кру́пный; ~ businessman кру́пный предпринимáтель 5) многочи́сленный (*о населении и т. п.*), значи́тельный; оби́льный; ~ majority значи́тельное большинствó; ~ meal оби́льная едá 6) *уст.* щéдрый; великоду́шный; ~ heart великоду́шие 7) *мор.* попу́тный, благоприя́тный (*о ветре*) ◇ ~ fruits сéмечковые и кóсточковые плоды́; as ~ as life a) в натурáльную величину́; б) во всей красé; в) *шутл.* сóбственной персóной
2. *adv* 1) широкó; простра́нно 2) кру́пно (*писать, печатать*) 3) хвастли́во; напы́щенно
3. *n* 1): at ~ а) на свобóде; на простóре; he will soon be at ~ он скóро бу́дет на свобóде; б) простра́нно, подрóбно, детáльно; to go into the question at ~ входи́ть в подрóбное рассмотрéние вопрóса; to talk at ~ говори́ть простра́нно; в) во всём объёме, целикóм; popular with the people at ~ популя́рный средú широ́ких слоёв; г) без определённой цéли; свобóдный; д) *амер.* имéющий широ́кие полномóчия; ambassador at ~ *см.* ambassador 1), representative at ~ *амер.* член конгрéсса, представля́ющий не отдéльный óкруг, а ряд округóв *или* весь штат; е) в óбщем смы́сле, неконкрéтно; promises made at ~ неопределённые, нея́сные обещáния 2): in ~ в большóм масштáбе
largehearted [ˌlɑːdʒˈhɑːtɪd] *a* 1) великоду́шный 2) терпи́мый, благожелáтельный
large intestine [ˌlɑːdʒɪnˈtestɪn] *n анат.* тóлстая кишкá
largely [ˈlɑːdʒlɪ] *adv* 1) в значи́тельной стéпени; he is ~ to blame э́то в значи́тельной стéпени егó винá 2) оби́льно, щéдро 3) в широ́ком масштáбе; на широ́кую нóгу
large-minded [ˌlɑːdʒˈmaɪndɪd] *a* с широ́кими взгля́дами; терпи́мый
largeness [ˈlɑːdʒnəs] *n* 1) большóй размéр 2) широтá взгля́дов 3) великоду́шие
large-scale [ˌlɑːdʒˈskeɪl] 1. *n* кру́пный масштáб; on a ~ в кру́пном масштáбе
2. *a* 1) крупномасштáбный (*о карте*) 2) широ́кий, мáссовый (*о жилищном строительстве и т. п.*)
largess(e) [lɑːˈdʒes] *n* 1) щéдрый дар 2) щéдрость
largo [ˈlɑːgəʊ] *n муз.* лáрго

lariat [ˈlærɪət] **1.** *n* 1) арка́н, лассо́ 2) верёвка (*для привязывания лошади*)

2. *v* лови́ть арка́ном

lark I [lɑ:k] *n* жа́воронок ◇ to rise with the ~ встава́ть чуть свет, с петуха́ми

lark II [lɑ:k] *разг.* **1.** *n* шу́тка, прока́за; заба́ва, весе́лье; to have a ~ позаба́виться; for a ~ шу́тки ра́ди; what a ~! (как) заба́вно!

2. *v* 1) шути́ть, забавля́ться 2) брать препя́тствия (*на лошади*); to ~ the hedge перескочи́ть че́рез и́згородь ▭ ~ **about** шу́мно резви́ться

larkspur [ˈlɑ:kspɜ:] *n бот.* жи́вокость, шпо́рник

larky [ˈlɑ:kɪ] *a* лю́бящий пошути́ть, позаба́виться; прока́зливый; весёлый

larrikin [ˈlærɪkɪn] *австрал.* **1.** *n* (молодо́й) хулига́н

2. *a* гру́бый, шу́мный, бу́йный

larrup [ˈlærəp] *v разг.* бить, колоти́ть

larva [ˈlɑ:və] *n* (*pl* -vae) личи́нка

larvae [ˈlɑ:vi:] *pl от* larva

larval [ˈlɑ:vl] *a* личи́ночный; in the ~ stage в ста́дии личи́нки

laryngitis [ˌlærɪnˈdʒaɪtɪs] *n мед.* ларинги́т

laryngology [ˌlærɪŋˈgɒlədʒɪ] *n* ларинголо́гия

laryngoscope [ləˈrɪŋgəskəʊp] *n* ларингоско́п

larynx [ˈlærɪŋks] *n* горта́нь, гло́тка

Lascar [ˈlæskə] *n* матро́с-инди́ец

lascivious [ləˈsɪvɪəs] *a* сладостра́стный, похотли́вый

laser [ˈleɪzə] *n физ.* ла́зер, опти́ческий ква́нтовый генера́тор

lash [læʃ] **1.** *n* 1) плеть; бич; реме́нь (*кнута*) 2) уда́р хлысто́м, бичо́м, плётью; the ~ по́рка 3) (*сокр. от* eyelash) ресни́ца 4) ре́зкий упрёк; кри́тика; to be under the ~ подве́ргнуться ре́зкой кри́тике

2. *v* 1) хлеста́ть, стега́ть, ударя́ть; *перен.* бичева́ть; высме́ивать 2) возбужда́ть, доводи́ть (to, into — до *бешенства и т. п.*) 3) нести́сь, мча́ться; ри́нуться 4) свя́зывать (*обыкн.* ~ together); привя́зывать (to, down, on) ▭ ~ **out** а) внеза́пно лягну́ть; уда́рить; набро́ситься; б) разрази́ться бра́нью; в) сори́ть деньга́ми

lasher [ˈlæʃə] *n* запру́да, водосли́в, плоти́на

lashing [ˈlæʃɪŋ] **1.** *pres. p. от* lash 2

2. *n* 1) по́рка 2) верёвка, верёвки (*связывающие что-л.*) 3) упрёки, брань

lashings [ˈlæʃɪŋs] *n pl разг.* ма́сса, оби́лие (of — *чего-л.*)

lash-up [ˈlæʃʌp] *n разг.* вре́менное приспособле́ние

lass [læs] *n шотл.* 1) *поэт.* де́вушка; де́вочка 2) служа́нка 3) *поэт.* возлю́бленная

lassie [ˈlæsɪ] *n шотл.* 1) *разг.* = lass 1) *и* 3); 2) девчу́шка 3) ми́лочка (*в обращении*)

lassitude [ˈlæsɪtju:d] *n* уста́лость; апа́тия

lasso [ləˈsu:] **1.** *n* (*pl* -os [-əʊz]) лассо́, арка́н

2. *v* лови́ть арка́ном, лассо́

last I [lɑ:st] **1.** *a* 1) *превосх. ст. от* late 1; 2) после́дний; ~ but not least а) хотя́ и после́дний, но не ме́нее ва́жный; б) не са́мый ху́дший; ~ but one предпосле́дний 3) са́мый совреме́нный; the ~ word in science после́днее сло́во в нау́ке; the ~ thing in hats са́мая мо́дная шля́па 4) про́шлый; ~ year про́шлый год; в про́шлом году́ 5) еди́нственный, после́дний; our ~ chance наш после́дний шанс 6) са́мый неподходя́щий; нежела́тельный; he is the ~ person I want to see его́ я ме́ньше всего́ хоте́л бы ви́деть 7) оконча́тельный 8) кра́йний, чрезвыча́йный; of the ~ importance чрезвыча́йной ва́жности ◇ on one's ~ legs *разг.* при после́днем издыха́нии; в по́лном изнеможе́нии

2. *adv* 1) *превосх. ст. от* late 2 2) по́сле всех; he came ~ он пришёл после́дним 3) в после́дний раз; when did you see him ~? когда́ вы его́ ви́дели в после́дний раз? 4) на после́днем ме́сте, в конце́ (*при перечислении и т. п.*)

3. *n* 1) что-л. после́днее по вре́мени; as I said in my ~ как я сообща́л в после́днем письме́; when my ~ was born когда́ роди́лся мой мла́дший (сын); to breathe one's ~ испусти́ть после́дний вздох, умере́ть 2) коне́ц; the ~ of *амер.* коне́ц (*года, месяца и т. п.*); at ~ наконе́ц; at long ~ в конце́ концо́в; to the ~ до конца́; to hold on to the ~ держа́ться до конца́; I shall never hear the ~ of it э́то никогда́ не ко́нчится; to see the ~ of smb., smth. а) ви́деть кого́-л., что-л. в после́дний раз; б) поко́нчить с кем-л., чем-л.

last II [lɑ:st] **1.** *v* 1) хвата́ть, быть доста́точным (*тж.* ~ out); it will ~ (out) the winter э́того хва́тит на́ зиму; this money will ~ me three weeks мне хва́тит э́тих де́нег на три неде́ли 2) продолжа́ться; дли́ться 3) сохраня́ться; выде́рживать (*о здоровье, силе*); носи́ться (*о ткани, обуви и т. п.*); he will not ~ till morning он не доживёт до утра́

2. *n* вы́держка; выно́сливость

last III [lɑ:st] **1.** *n* коло́дка (*сапожная*) ◇ to measure smb.'s foot by one's own ~ ≅ ме́рить кого́-л. на свой арши́н; to stick to one's ~ занима́ться свои́м де́лом, не вме́шиваться в чужи́е дела́

2. *v* натя́гивать на коло́дку

last IV [lɑ:st] *n* ласт (*мера, различная для разного груза: 10 квартеров зерна, 12 мешков шерсти, 12 дюжин кож, 24 бочонка пороха и т. п.; как весовая единица = ок. 4000 англ. фунтов*)

lasting [ˈlɑ:stɪŋ] **1.** *pres. p. от* last II, 1

2. *a* дли́тельный, постоя́нный; про́чный; ~ peace про́чный мир; ~ food консерви́рованный проду́кт

lastly [ˈlɑ:stlɪ] *adv* наконе́ц (*при перечислении*); в заключе́ние

last-mentioned [ˌlɑ:stˈmenʃənd] *a* 1) вышеупомя́нутый 2) после́дний из упомя́нутых

last-named [ˌlɑ:stˈneɪmd] = last-mentioned

latch [lætʃ] **1.** *n* 1) щеко́лда; запо́р; защёлка; задви́жка; the door is on the ~ дверь на задви́жке 2) америка́нский замо́к

2. *v* запира́ть(ся) ▭ ~ **on** (*обыкн.* to) *разг.* а) прицепи́ться (*к кому-л.*), таска́ться (*за кем-л.*); б) поня́ть (*особ.* шу́тку), усе́чь

latch-key [ˈlætʃki:] *n* 1) ключ от америка́нского замка́ 2) отмы́чка ◇ to win one's ~ ≅ стать взро́слым, получи́ть относи́тельную свобо́ду от роди́телей

late [leɪt] **1.** *a* (later, latter; latest, last) 1) по́здний; запозда́лый; I was ~ (for breakfast) я опозда́л (к за́втраку) 2) созрева́ющий *или* цвету́щий в конце́ сезо́на; ~ strawberries по́здняя клубни́ка 3) уме́рший, поко́йный; the ~ president поко́йный (*редк.* бы́вший) президе́нт 4) пре́жний, бы́вший 5) неда́вний, после́дний; of ~ years за после́дние го́ды; my ~ illness моя́ неда́вняя боле́знь ◇ a ~ developer ребёнок с запозда́лым разви́тием

2. *adv* (later; latest, last) 1) по́здно; to sit ~ засиде́ться; ложи́ться по́здно; I arrived ~ for the train я опозда́л на по́езд; better ~ than never лу́чше по́здно, чем никогда́ 2) неда́вно, за после́днее вре́мя (*тж.* of ~)

lateen [ləˈti:n] *a* треуго́льный, лати́нский (*о парусе*); ~ sail треуго́льный па́рус

lately [ˈleɪtlɪ] *adv* неда́вно; за после́днее вре́мя

latency [ˈleɪtnsɪ] *n* скры́тое состоя́ние

lateness [ˈleɪtnəs] *n* опозда́ние, запозда́лость

latent [ˈleɪtnt] *a* скры́тый, лате́нтный, в скры́том состоя́нии; ~ heat *физ.* скры́тая теплота́; ~ partner *юр.* негла́сный уча́стник торго́вого предприя́тия; ~ period а) *мед.* инкубацио́нный пери́од; б) *физиол.* вре́мя от моме́нта раздраже́ния до реа́кции

later [ˈleɪtə] (*сравн. ст. от* late) **1.** *a* бо́лее по́здний; at a ~ date поздне́е; впосле́дствии; in ~ life в бо́лее по́зднем во́зрасте; during the ~ twenties в конце́ 20-х годо́в

2. *adv* по́зже; ~ on по́сле, поздне́е; ка́к-нибудь пото́м

lateral [ˈlætrəl] **1.** *a* 1) бокова́я; горизонта́льный 2) побо́чный, втори́чный 3) *фон.* бокова́я (*о звуке*)

2. *n* 1) бокова́я часть; ответвле́ние 2) *фон.* латера́льный сона́нт

lateral thinking [ˌlætrəlˈθɪŋkɪŋ] *n* нестанда́ртное мышле́ние

latest [ˈleɪtɪst] *a* (*превосх. ст. от* late) са́мый по́здний; (са́мый) после́дний; the ~ fashion са́мая после́дняя мо́да; the ~ news после́дние изве́стия; at the ~ са́мое по́зднее

latex [ˈleɪteks] *n* ла́текс, мле́чный сок (*каучуконосов*)

lath [lɑ:θ] *стр.* **1.** *n* 1) пла́нка; дра́нка; ре́йка 2) *attr.*: ~ fence тын, плете́нь

2. *v* прибива́ть ре́йки, пла́нки

lathe [leɪð] **1.** *n* 1) тока́рный стано́к 2) *attr.*: ~ tool тока́рный резе́ц

2. *v* обраба́тывать на тока́рном станке́

lather ['lɑ:ðə] **1.** *n* 1) мы́льная пе́на 2) пе́на, мы́ло (*на лошади*) ◇ a good ~ is half a shave *посл.* ≅ хоро́шее нача́ло полде́ла откача́ло

2. *v* 1) намы́ливать(ся); мы́литься 2) взмы́ливаться (*о лошади*) 3) *разг.* бить, колоти́ть, поро́ть

lathery ['lɑ:ðərɪ] *a* 1) намы́ленный 2) взмы́ленный 3) пусто́й, вы́мышленный, нереа́льный

lathing ['lɑ:θɪŋ] *n стр.* 1) обрешётка (*крыши*) 2) се́тка (*под штукатурку*)

lathy ['lɑ:θɪ] *a* долговя́зый; худо́й

Latin ['lætɪn] **1.** *n* лати́нский язы́к; classical (late) ~ класси́ческая (по́здняя) лати́нь; low (*или* vulgar) ~ вульга́рная лати́нь; dog ~ ло́маная лати́нь ◇ thieves' ~ воровско́й жарго́н

2. *a* лати́нский; рома́нский; ~ Church за́падная це́рковь, ри́мско-католи́ческая це́рковь; the ~ languages рома́нские языки́

latinize ['lætɪnaɪz] *v* 1) латинизи́ровать 2) переводи́ть на лати́нь 3) вноси́ть черты́ католици́зма 4) употребля́ть латини́змы

latitude ['lætɪtju:d] *n* 1) *геогр., астр.* широта́; in the ~ of 40°S. на 40° ю́жной широты́ 2) (*обыкн. pl*) райо́ны, ме́стности (*определённой широты*); low ~s тропи́ческие широ́ты 3) свобо́да, терпи́мость; ~ of thought свобо́да, широта́ взгля́дов 4) обши́рность; a wide ~ широ́кие полномо́чия 5) *фото* широта́; широ́тная характери́стика (*фотоматериала*)

latitudinarian [,lætɪtju:dɪ'neərɪən] **1.** *n* веротерпи́мый челове́к; челове́к широ́ких взгля́дов

2. *a* допуска́ющий отклоне́ния от до́гмы; веротерпи́мый

latrine [lə'tri:n] *n* отхо́жее ме́сто (*особ. в лагере*); обще́ственная убо́рная; гальюн (*на корабле*)

latter ['lætə] *a* (*сравн. ст. от* late 1) 1) после́дний (*из двух названных; противоп.* the former) 2) неда́вний; in these ~ days в на́ше вре́мя; the ~ half of the week втора́я полови́на неде́ли ◇ ~ end коне́ц; смерть

latter-day [,lætə'deɪ] *a* совреме́нный, нове́йший

latterly ['lætəlɪ] *adv* 1) к концу́, под коне́ц 2) неда́вно

lattermost ['lætəməʊst] *a* после́дний

lattice ['lætɪs] **1.** *n* 1) решётка 2) *хим.* простра́нственная решётка 3) *attr.* решётчатый; ~ frame решётчатая констру́кция

2. *v* ста́вить решётку; обноси́ть решёткой

latticed ['lætɪst] *a* решётчатый

Latvian ['lætvɪən] **1.** *a* латви́йский; латы́шский

2. *n* 1) латы́ш; латы́шка 2) латы́шский язы́к

laud [lɔ:d] **1.** *n* 1) *книжн.* хвала́ 2) *церк.* часы́ пе́ред обе́дней

2. *v* хвали́ть, прославля́ть, превозноси́ть; *церк.* сла́вить

laudable ['lɔ:dəbl] *a* 1) похва́льный 2) *мед.* доброка́чественный (*о гное*)

laudanum ['lɔ:dnəm] *n* насто́йка о́пия

laudation [lɔ:'deɪʃn] *n* панеги́рик, восхвале́ние

laudative ['lɔ:dətɪv] = laudatory

laudatory ['lɔ:dətərɪ] *a* хвале́бный, похва́льный

laugh [lɑ:f] **1.** *n* 1) смех, хо́хот; on the ~ смея́сь; to have the ~ of (*или* on) smb. вы́смеять того́, кто смея́лся над тобо́й; to have a good ~ at smb. от души́ посмея́ться над кем-л.; to give a ~ рассмея́ться; to raise a ~ вы́звать смех; to raise (*или* to turn) the ~ against smb. поста́вить кого́-л. в смешно́е положе́ние 2) *разг.* шу́тка, смешно́й слу́чай; that's a ~ ну и смехота́

2. *v* 1) смея́ться; рассмея́ться; to ~ at smb., smth. смея́ться над кем-л., чем-л.; to ~ to scorn вы́смеять; to ~ oneself into fits (*или* convulsions) смея́ться до упа́ду; he ~ed his pleasure он рассмея́лся от удово́льствия 2) со сме́хом сказа́ть, произнести́; he ~ed a reply он отве́тил со сме́хом; 3) вы́смеять □ ~ **away** рассе́ять, прогна́ть сме́хом (*скуку, опасения*); ~ **down** засмея́ть; заглуши́ть сме́хом (*речь и т. п.*); ~ **off** отшути́ться, отде́латься сме́хом (*от чего-л.*); ~ **out**: to ~ smb. out of smth. насме́шкой отучи́ть кого́-л. от чего́-л.; ~ **over** обсужда́ть в шутли́вом то́не ◇ to ~ on the wrong side of one's mouth (*или* face) от сме́ха перейти́ к слеза́м; огорчи́ться, опеча́литься; he ~s best who ~s last *посл.* хорошо́ смеётся тот, кто смеётся после́дним; to ~ out of court вы́смеять

laughable ['lɑ:fəbl] *a* смешно́й; смехотво́рный, заба́вный; ~ incident заба́вное происше́ствие

laughing ['lɑ:fɪŋ] **1.** *pres. p. от* laugh 2

2. *a* 1) смею́щийся, улыба́ющийся; весёлый 2) смешно́й; it is no (*или* not a) ~ matter э́то не шу́тка; смея́ться не́чему

laughing gas ['lɑ:fɪŋgæs] *n* веселя́щий газ

laughing jackass [,lɑ:fɪŋ'dʒækæs] *n* зимоpо́док-хохоту́н (*птица*)

laughingstock ['lɑ:fɪŋstɒk] *n* посме́шище; to make a ~ of smb. вы́ставить кого́-л. на посме́шище

laughter ['lɑ:ftə] *n* смех, хо́хот; shrill ~ зво́нкий смех; to roar with ~ пока́тываться со́ смеху

launch I [lɔ:ntʃ] **1.** *v* 1) броса́ть, мета́ть; to ~ a blow нанести́ уда́р 2) запуска́ть (*ракету и т. п.*); выпуска́ть (*снаряд*); катапульти́ровать 3) спуска́ть су́дно на́ воду 4) начина́ть, пуска́ть в ход, предпринима́ть; to ~ an offensive предприня́ть, нача́ть наступле́ние; to ~ an attack нача́ть ата́ку; to ~ a campaign разверну́ть кампа́нию; to ~ a program разрабо́тать програ́мму 5) горячо́ выска́зать, разрази́ться □ ~ **into** с жа́ром, энтузиа́змом пусти́ться (*во что-л.*); to ~ into an argument пусти́ться в спор; to ~ smb. into business помо́чь кому́-л. сде́лать делову́ю карье́ру; to ~ into eternity *поэт.* отпра́вить(ся) на тот свет; ~ **out** а) пуска́ться (*в путь, в предприятие*); to ~ out on smth. нача́ть что-л. де́лать; б) сори́ть деньга́ми

2. *n* спуск су́дна на́ воду

launch II [lɔ:ntʃ] *n* 1) мото́рная ло́дка, ка́тер; pleasure ~ прогу́лочная ло́дка 2) барка́с

launcher ['lɔ:ntʃə] *n воен.* 1) пускова́я устано́вка 2) лета́тельная устано́вка 3) гранатомёт

launch(ing) pad ['lɔ:ntʃɪŋpæd] *n* ста́ртовая, пускова́я платфо́рма (*в космонавтике*)

launder ['lɔ:ndə] *v* 1) стира́ть и гла́дить (*бельё*) 2) *разг.* «отмыва́ть» незако́нно на́житые де́ньги 3) стира́ться (*хорошо, плохо — о ткани*)

launderette [,lɔ:ndə'ret] *n* пра́чечная самообслу́живания

laundress ['lɔ:ndres] *n* пра́чка

laundry ['lɔ:ndrɪ] *n* 1) пра́чечная 2) бельё для сти́рки *или* из сти́рки

laureate ['lɔ:rɪət] **1.** *n* 1) лауреа́т; Nobel Prize L. лауреа́т но́белевской пре́мии 2) (L). придво́рный поэ́т

2. *a* 1) уве́нчанный лавро́вым венко́м 2) лавро́вый; ~ wreath лавро́вый вено́к

laurel ['lɒrəl] **1.** *n* 1) *бот.* лавр благоро́дный 2) (*обыкн. pl*) ла́вры, по́чести; to rest (*или* to repose, to retire) on one's ~s почи́ть на ла́врах; to reap (*или* to win) one's ~s стяжа́ть ла́вры, дости́чь сла́вы; to look to one's ~s стреми́ться сохрани́ть своё пе́рвенство

2. *v* венча́ть лавро́вым венко́м

laurelled ['lɒrəld] **1.** *p. p. от* laurel 2

2. *a* уве́нчанный лавро́вым венко́м, ла́врами; знамени́тый

laurel oak [,lɒrəl'əʊk] *n* дуб лавроли́стный

lava ['lɑ:və] *n* ла́ва

lavatory ['lævətərɪ] *n* убо́рная, туале́т

lavatory paper ['lævətərɪ,peɪpə] *n* туале́тная бума́га

lave [leɪv] *v поэт.* 1) мыть 2) омыва́ть (*о ручье, потоке*)

lavement ['leɪvmənt] *n мед.* промыва́ние, кли́зма

lavender ['lævəndə] *n* 1) *бот.* лава́нда 2) вы́сушенные ли́стья, цветы́ лава́нды; to lay up in ~ а) перекла́дывать лава́ндой (*для аромата*); б) приберега́ть на бу́дущее (*вре́мя*); в) *разг.* закла́дывать, отдава́ть в зало́г 3) бле́дно-лило́вый цвет

lavender water ['lævəndə,wɔ:tə] *n* лава́ндовая вода́

laverock ['lævərək] *поэт. см.* lark I

lavish ['lævɪʃ] **1.** *a* 1) (of, in) ще́дрый; расточи́тельный; he is never ~ of praise он не щедр на похвалы́ 2) оби́льный; чрезме́рный

2. *v* 1) быть ще́дрым; to ~ care upon one's children окружа́ть забо́той свои́х дете́й 2) расточа́ть

lavishness ['lævɪʃnəs] *n* 1) ще́дрость; расточи́тельность; 2) оби́лие

law I [lɔ:] *n* 1) зако́н; to go beyond the ~ соверши́ть противозако́нный посту́пок; to keep within the ~ приде́рживаться зако́на; in ~ по зако́ну, зако́нно 2) *юр.* пра́во; юриспруде́нция; merchant ~ торго́вое пра́во; private ~ гражда́нское пра́во; to read ~ изуча́ть пра́во; ~ and order правопоря́док; to hold good in ~ быть юриди́чески обосно́ванным 3) профе́ссия юри́ста; to follow the (*или* to go in for) ~ избра́ть профе́ссию юри́ста; to practise ~ быть юри́стом 4) (the ~) *разг.* поли́ция, полице́йский 5) суд, суде́бный проце́сс; to be at ~ with smb. быть в тя́жбе с кем-л.; to go to ~ пода́ть в суд; нача́ть суде́бный проце́сс; to have (*или* to take) the ~ of smb. привле́чь кого́-л. к суду́; to take the ~ into one's own hands распра́виться без суда́ 6) зако́н (*приро́ды, нау́чный*); the ~ of gravity зако́н всеми́рного тяготе́ния 7) пра́вило; the ~s of tennis пра́вила игры́ в те́ннис 8) *спорт.* преиму́щество, предоставля́емое проти́внику (*в состязании и т. п.*); *перен.* переды́шка; отсро́чка; побла́жка 9) *рел.* за́поведи 10) *attr.* зако́нный; юриди́ческий; правово́й; ~ school юриди́ческая шко́ла; юриди́ческий факульте́т ◇ he is a ~ unto himself для него́ не существу́ет никаки́х зако́нов, кро́ме со́бственного мне́ния; necessity (*или* need) knows no ~ *посл.* нужда́ не зна́ет зако́на; to give (the) ~ to smb. навяза́ть кому́-л. свою́ во́лю

law II [lɔ:] = lawk(s)

law-abiding ['lɔ:ə,baɪdɪŋ] *a* законопослу́шный, подчиня́ющийся зако́нам, уважа́ющий зако́ны

law-book ['lɔ:bʊk] *n* ко́декс, свод зако́нов

law-breaker ['lɔ:,breɪkə] *n* правонаруши́тель, престу́пник

law-court ['lɔ:kɔ:t] *n* суд

lawful ['lɔ:fl] *a* зако́нный; ~ age гражда́нское совершенноле́тие

lawgiver ['lɔ:,gɪvə] *n* законода́тель

lawk(s) ['lɔ:k(s)] *int диал. разг.* неу́жто?

lawless ['lɔ:ləs] *a* 1) беззако́нный 2) необу́зданный

law-list ['lɔ:lɪst] *n* ежего́дный юриди́ческий спра́вочник

lawmaker ['lɔ:,meɪkə] = lawgiver

lawmaking ['lɔ:,meɪkɪŋ] **1.** *n* изда́ние зако́нов, законода́тельство

2. *a* законода́тельный

lawman ['lɔ:mæn] *n амер.* суде́бный исполни́тель, *особ.* шери́ф *или* полице́йский

lawn I [lɔ:n] *n* бати́ст

lawn II [lɔ:n] *n* лужа́йка, газо́н

lawn hockey [,lɔ:n'hɒkɪ] *n* хокке́й на траве́

lawn mower ['lɔ:n,məʊə] *n* газонокоси́лка

lawn party ['lɔ:n,pɑ:tɪ] *амер. см.* garden party

lawn sprinkler ['lɔ:n,sprɪŋklə] *n* маши́на для поли́вки газо́нов

lawn tennis [,lɔ:n'tenɪs] *n спорт.* ла́ун-те́ннис

lawny I ['lɔ:nɪ] *a* бати́стовый

lawny II ['lɔ:nɪ] *a* зелёный, покры́тый траво́й

law-offender ['lɔ:ə,fendə] = law-breaker

law officer ['lɔ:,ɒfɪsə] *n* слу́жащий суде́бного ве́домства; ~s of the Crown юри́сты коро́ны (*генеральный прокурор и его заместитель*)

laws [lɔ:z] = lawk(s)

lawsuit ['lɔ:sju:t] *n* суде́бное де́ло; иск; тя́жба

law-term ['lɔ:,tɜ:m] *n* 1) юриди́ческий те́рмин 2) пери́од суде́бной се́ссии

law-violator ['lɔ:,vaɪəleɪtə] = law-breaker

law-writer ['lɔ:,raɪtə] *n* 1) а́втор, пи́шущий на правовы́е те́мы 2) перепи́счик в суде́

lawyer ['lɔ:jə] *n* юри́ст; адвока́т

lax [læks] *a* 1) сла́бый, вя́лый 2) непло́тный; ры́хлый 3) нето́чный, неопределённый 4) небре́жный, неря́шливый 5) расхля́банный, распу́щенный 6) *фон.* ненапряжённый 7) *мед.* скло́нный к поно́су (*о кишечнике*)

laxative ['læksətɪv] **1.** *n* слаби́тельное (сре́дство)

2. *a* слаби́тельный

laxity ['læksətɪ] *n* 1) сла́бость, вя́лость 2) расхля́банность, распу́щенность 3) неопределённость, нето́чность

lay I [leɪ] *a* 1) све́тский, мирско́й, недухо́вный 2) непрофессиона́льный; ~ opinion мне́ние неспециали́ста 3) *карт.* некозырно́й

lay II [leɪ] *n* 1) коро́ткая пе́сенка; коро́ткая балла́да 2) пе́ние птиц

lay III [leɪ] *past от* lie II, 1

lay IV [leɪ] **1.** *v* (laid) 1) класть, положи́ть (on) 2) *диал., неправ.* ложи́ться 3) класть я́йца, нести́сь 4) примя́ть (*посе́вы*); повали́ть; to ~ the dust приби́ть пыль 5) успока́ивать; to ~ an apprehension успоко́ить, рассе́ять опасе́ния 6) привести́ в определённое состоя́ние, положе́ние; to ~ open открыва́ть, обнажа́ть, оставля́ть незащищённым; to ~ one's plans bare раскры́ть свои́ пла́ны; to ~ oneself open to suspicions (accusation) навле́чь на себя́ подозре́ния (обвине́ние) 7) припи́сывать (*кому-л. что-л.*); предъявля́ть; обвиня́ть; to ~ claim предъявля́ть права́, притяза́ния; to ~ damages at взы́скивать убы́ток с; to ~ an information against smb. доноси́ть на кого́-л. 8) энерги́чно бра́ться (*за что-л.*); to ~ to one's oars нале́чь на вёсла 9) (*обыкн. pass*) происходи́ть, соверша́ться 10) возлага́ть (*надежды и т. п.*); придава́ть (*значение*) 11) накрыва́ть, стели́ть; to ~ the table, to ~ the cloth накры́ть на стол 12) *разг.* предлага́ть пари́, би́ться об закла́д; I ~ ten dollars that he will not come держу́ пари́ на де́сять до́лларов, что он не придёт 13) накла́дывать (*кра́ску*); покрыва́ть (*слоем*) 14) *груб.* переспа́ть (*с женщиной*) 15) прокла́дывать курс (*корабля*) 16) свива́ть, вить (*верёвки и т. п.*) ▭ ~ **about**: to ~ about one наноси́ть уда́ры напра́во и нале́во; ~ **aside** а) откла́дывать (*в сторону*); б) откла́дывать, приберега́ть; в) броса́ть, выбра́сывать; отка́зываться; г) *pass.* быть вы́веденным из стро́я; д) *pass.* быть прико́ванным к посте́ли, до́му; ~ **by** откла́дывать; ~ **down** а) класть, укла́дывать б) сложи́ть (*полномочия и т. п.*), оста́вить (*службу*); to ~ down the duties of office отказа́ться от до́лжности; в) соста́вить (*план*); г) закла́дывать (*здание, корабль*); д) устана́вливать, утвержда́ть; to ~ down the law устана́вливать, формули́ровать зако́н; е) плати́ть за прои́гранное пари́; ж) запаса́ть и храни́ть (*вино*) в по́гребе; з) отда́ть жизнь; и) покрыва́ть (with — *чем-л.*); засе́ивать (*травой, цветами и т. п.*); ~ **in** запаса́ть; ~ **into** *разг.* вы́пороть, всы́пать; ~ **off** а) освободи́ть *или* снять с рабо́ты (*гл. обр. временно*); б) *разг.* прекраща́ть, перестава́ть; ~ off! переста́нь!, отступи́сь!; в) *разг.* отдыха́ть; г) *амер. разг.* снима́ть, откла́дывать в сто́рону (*одежду*); ~ **on** а) подводи́ть, прокла́дывать (*газ, электричество и т. п.*); б) облага́ть (*налогом*); в) наноси́ть (*удары*); г) накла́дывать (*слой краски, штукатурки*); to ~ it on (thick) *разг.* преувели́чивать; хвати́ть че́рез край; ~ **out** а) выкла́дывать, выставля́ть; б) убра́ть и положи́ть на стол (*покойника*); в) *разг.* свали́ть, сбить с ног, вы́вести из стро́я; г) *разг.* уби́ть; д) плани́ровать, разбива́ть (*сад, участок*); е) тра́тить де́ньги; ж): to ~ oneself out (for; to *с inf.*) стара́ться; напряга́ть все си́лы; выкла́дываться; из ко́жи вон лезть; ~ **over** а) *амер.* откла́дывать (*заседание и т. п.*); прерва́ть путеше́ствие; задержа́ться; б) покрыва́ть (*слоем чего-л.*); в) *разг.* превосходи́ть, превыша́ть; получи́ть преиму́щество; ~ **up** а) откла́дывать, копи́ть; б) выводи́ть вре́менно из стро́я (*корабль и т. п.*); to ~ up for repairs поста́вить на ремо́нт; в) *pass.*: to be laid up лежа́ть больны́м ◇ to ~ under obligation обяза́ть; to ~ fast заключа́ть в тюрьму́; to ~ hands on а) схва́тывать, завладева́ть; присва́ивать; б) подня́ть ру́ку на *кого-л.*, уда́рить; to ~ hands on oneself наложи́ть на себя́ ру́ки, поко́нчить с собо́й; в) *церк.* рукополага́ть, посвяща́ть (*в сан*); to ~ one's shirt on ≅ би́ться об закла́д; дава́ть го́лову на отсече́ние; to ~ eyes on smth. уви́деть что-л.; to ~ it on smb. уда́рить кого́-л.; дать кому́-л. тумака́; to ~ on the table а) включи́ть в пове́стку дня (*законопроект и т. п.*); б) *амер.* снять с обсужде́ния (*предложение и т. п.*)

2. *n* 1) положе́ние, расположе́ние (*че-*

го-л.); направле́ние; очерта́ние (*берега*); релье́ф 2) *груб.* любо́вница, любо́вник 3) *разг.* по́прище, де́ло, рабо́та 4) *разг.* пари́

layabout ['leɪə,baʊt] *n* безде́льник

lay-by ['leɪbaɪ] *n* 1) придоро́жная площа́дка для стоя́нки автомоби́лей 2) *ж.-д.* ве́тка

lay-days ['leɪdeɪz] *n pl ком.* стоя́ночное, стали́йное вре́мя

layer I 1. *n* ['leɪə] 1) слой, пласт; насло́ение 2) *бот.* отво́док 3) разре́з (*чертежа*)

2. *v* ['leɪə] 1) насла́ивать, класть пласта́ми 2) *бот.* разводи́ть отво́дками

layer II ['leɪə] *n* 1) кла́дчик, укла́дчик 2) несу́шка; this hen is a good ~ э́та ку́рица хорошо́ несётся

layer-cake ['leɪəkeɪk] *n* слоёный пиро́г

layer-out ['leɪə,aʊt] *n* тот, кто обряжа́ет поко́йника

layette [leɪ'et] *n* прида́ное новорождённого

lay figure [,leɪ'fɪgə] *n* 1) манеке́н (*худо́жника*) 2) неправдоподо́бный персона́ж; нереа́льный о́браз 3) ничто́жество; челове́к, лишённый индивидуа́льности *или* значе́ния

laying ['leɪɪŋ] 1. *pres. p. от* lay IV, 1

2. *n* 1) пе́рвый слой штукату́рки 2) кла́дка яи́ц 3) вре́мя кла́дки яи́ц

layman ['leɪmən] *n* 1) миря́нин 2) непрофессиона́л; неспециали́ст 3) = lay figure 1)

layoff ['leɪɒf] *n* 1) увольне́ние из-за отсу́тствия рабо́ты (*временное*) 2) пери́од вре́менного увольне́ния 3) приостано́вка *или* сокраще́ние произво́дства 4) *attr.*: ~ pay выходно́е посо́бие; to get (*или* to receive) ~ pay получи́ть расчёт

layout ['leɪaʊt] *n* 1) расположе́ние; плани́ровка; план, разби́вка, разме́тка (*сада и т. п.*) 2) пока́з, вы́ставка; the ~ of goods вы́кладка това́ров 3) маке́т (*книги, газеты и т. п.*) 4) обору́дование; набо́р инструме́нтов 5) *разг.* угоще́ние; the dinner was a splendid ~ обе́д был великоле́пен

lay-over ['leɪ,əʊvə] *n* 1) остано́вка (*в пути*) 2) салфе́тка *или* доро́жка на ска́терти

layshaft ['leɪʃɑ:ft] *n тех.* промежу́точный вал

laystall ['leɪstɔ:l] *n* сва́лка

lay-up ['leɪʌp] *n* вы́вод из стро́я, просто́й (*машины и т. п.*)

lazaret [,læzə'ret] = lazaretto

lazaretto [,læzə'retəʊ] *n* (*pl тж.* -os [-əʊz]) 1) лепрозо́рий 2) каранти́нное су́дно *или* помеще́ние

laze [leɪz] *v* безде́льничать, лентя́йничать

laziness ['leɪzɪnəs] *n* ле́ность, лень

lazy ['leɪzɪ] *a* лени́вый

lazybones ['leɪzɪ,bəʊnz] *n разг.* лентя́й, лени́вец

lea I [li:] *n* 1) *поэт.* луг, по́ле 2) *с.-х.* пар, по́ле под па́ром

lea II [li:] *n текст.* едини́ца длины́ пря́жи

leach [li:tʃ] 1. *n* рапа́, насы́щенный раство́р пова́ренной со́ли

2. *v* выщела́чивать

lead I [led] 1. *n* 1) свине́ц; as heavy as ~ о́чень тяжёлый 2) графи́т, гри́фель 3) *мор.* лот; to heave (*или* to cast) the ~ *мор.* броса́ть лот; измеря́ть глубину́ ло́том 4) *pl* свинцо́вые по́лосы для покры́тия кры́ши; покры́тая свинцо́м кры́ша; пло́ская кры́ша 5) *pl полигр.* шпо́ны 6) грузи́ло, отве́с 7) пло́мба 8) *attr.* свинцо́вый ◇ hail of ~ град пуль; to get the ~ быть застре́ленным

2. *v* 1) *тех.* освинцо́вывать, покрыва́ть свинцо́м 2) *полигр.* разделя́ть шпо́нами

lead II [li:d] 1. *n* 1) руково́дство; инициати́ва; to take the ~ взять на себя́ инициати́ву, вы́ступить инициа́тором; руководи́ть 2) приме́р; указа́ния, директи́ва; to follow the ~ of smb. сле́довать чьему́-л. приме́ру; to give smb. a (*или* the) ~ поощри́ть, подбодри́ть кого́-л. приме́ром 3) пе́рвое ме́сто, веду́щее ме́сто в состяза́нии; to gain (*или* to have) the ~ заня́ть пе́рвое ме́сто; to have a ~ of three metres (five seconds) опереди́ть на три ме́тра (на пять секу́нд) 4) *спорт.* разры́в ме́жду ли́дером и бегуно́м, иду́щим за ним 5) ключ (к реше́нию чего́-л.); намёк 6) поводо́к, при́вязь 7) *эл.* подводя́щий про́вод 8) *театр., кино* гла́вная роль *или* её исполни́тель(ница) 9) газе́тная информа́ция, помещённая на ви́дном ме́сте 10) кра́ткое введе́ние к газе́тной статье́; вво́дная часть 11) *карт.* ход; to return smb.'s ~ а) ходи́ть в масть; б) подде́рживать чью-л. инициати́ву 12) трубопрово́д; кана́л 13) разво́дье (*во льдах*) 14) *тех.* опереже́ние, предваре́ние (*впуска пара и т. п.*) 15) *тех.* шаг (*спирали, винта*), ход (*поршня*) 16) *тех.* стрела́, уко́сина 17) *геол.* жи́ла; золотоно́сный песо́к 18) *воен.* упрежде́ние (*при ведении огня по движущейся цели*) ◇ blind ~ тупи́к

2. *v* (led) 1) вести́, приводи́ть; to ~ a child by the hand вести́ ребёнка за́ руку; the path ~s to the house доро́га ведёт к до́му; chance led him to London слу́чай привёл его́ в Ло́ндон 2) руководи́ть, управля́ть, кома́ндовать, возглавля́ть; to ~ an army кома́ндовать а́рмией; to ~ for the prosecution (defence) *юр.* возглавля́ть обвине́ние (защи́ту); to ~ an orchestra руководи́ть орке́стром 3) вести́, проводи́ть; to ~ a quiet life вести́ споко́йную жизнь 4) быть, идти́ пе́рвым, опережа́ть (*в состязании*); превосходи́ть; he ~s all orators он лу́чший ора́тор; as a teacher he ~s он лу́чше всех други́х учителе́й 5) *карт.* ходи́ть; to ~ hearts (spades *etc.*) ходи́ть с черве́й (с пик *и т. д.*) 6) приводи́ть (*к чему-л.*); to ~ nowhere ни к чему́ не приводи́ть 7) приводи́ть, склоня́ть (*к чему-л.*), заставля́ть; to ~ smb. to do smth. заста́вить кого́-л. сде́лать что-л.; what led you to think so? что заста́вило вас так ду́мать?; curiosity led me to look again любопы́тство заста́вило меня́ взгляну́ть сно́ва 8) *спорт.* направля́ть уда́р (*в боксе*) 9) *охот.* це́литься в летя́щую пти́цу 10) помеща́ть на ви́дном ме́сте в газе́те 11) *тех.* опережа́ть

▭ ~ **away** увле́чь, увести́; ~ **off** а) начина́ть, класть нача́ло; открыва́ть (*прения, бал*); б) *разг.* вы́йти из себя́; ~ **on** завлека́ть, увлека́ть; ~ **out of** выходи́ть, сообща́ться (*о комнатах*); ~ **to** приводи́ть к *каким-л.* результа́там; ~ **up to** а) постепе́нно подготовля́ть; б) наводи́ть разгово́р на *что-л.* ◇ to ~ by the nose води́ть на поводу́; держа́ть в подчине́нии; to ~ smb. a (pretty) dance заста́вить кого́-л. пому́читься; поводи́ть за́ нос, помане́жить кого́-л.; to ~ smb. up the garden path вводи́ть в заблужде́ние; завлека́ть; all roads ~ to Rome все доро́ги веду́т в Рим

leaded ['ledɪd] 1. *p. p. от* lead I, 2

2. *a* освинцо́ванный

leaden ['ledn] *a* 1) свинцо́вый 2) свинцо́вый, се́рый (*о небе, тучах и т. п.*) 3) тяжёлый, тя́жкий; ~ sleep тяжёлый сон 4) медли́тельный, неповоро́тливый; ине́ртный

leader ['li:də] *n* 1) руководи́тель, глава́, ли́дер; вождь; команди́р 2) *спорт.* ли́дер 3) ре́гент (*хора*); веду́щий музыка́нт, пе́рвая скри́пка (*оркестра*) 4) *амер.* дирижёр 5) передова́я (статья́); пе́рвое (*наиболее важное*) сообще́ние в после́дних изве́стиях 6) *кино* нача́льный *или* коне́чный ракко́рд 7) (*тж.* L. of the House) ли́дер пала́ты о́бщин (*член правительства, ответственный за прохождение через палату правительственных законопроектов*) 8) гла́вный побе́г, ростóк 9) *pl полигр.* пункти́р, пункти́рная ли́ния 10) пере́дняя ло́шадь (*в упряжке*) 11) *театр., кино* гла́вная роль; веду́щий актёр 12) *эл.* проводни́к 13) това́р, продава́емый по ни́зкой цене́ для привлече́ния покупа́телей 14) водосто́чная труба́

leaderette [,li:də'ret] *n* коро́ткая реда́кцио́нная заме́тка (*в газете*)

leadership ['li:dəʃɪp] *n* 1) руково́дство, руководя́щая роль; personal ~ единоли́чное руково́дство 2) превосхо́дство (*в какой-л. области*)

leader-writer ['li:də,raɪtə] *n* а́втор передови́ц

lead glance ['ledglɑ:ns] *n мин.* свинцо́вый блеск, галени́т

lead-in ['li:dɪn] *n* 1) введе́ние, вступле́ние; вво́дное сло́во, вступи́тельная речь 2) *эл., радио* ввод; вво́дный про́вод

leading ['li:dɪŋ] 1. *pres. p. от* lead II, 2

2. *a* 1) веду́щий; руководя́щий; передово́й, выдаю́щийся; ~ article передова́я статья́; ~ case суде́бный прецеде́нт; the ~ man (lady) исполни́тель(ница) гла́вной ро́ли; ~ light выдаю́щийся челове́к; ~ question а) наводя́щий вопро́с; б) основно́й вопро́с; ~ seaman ста́рший матро́с; ~ ship головно́й кора́бль; ~ writer выдаю-

щийся писатель 2) *тех.* двигательный, ходовой

3. *n* 1) руководство 2) указание, инструкция, директива ◇ men of light and ~ признанные авторитеты

leading strings ['li:dɪŋstrɪŋz] *n pl* 1) вожжи, помочи (*для детей*) 2) жёсткий контроль ◇ to be in ~ быть на поводу, быть несамостоятельным

lead line ['ledlaɪn] *n мор.* лотлинь

lead-lotion [,led'ləuʃn] *n* свинцовая примочка

lead-off ['li:d,ɒf] 1. *n* 1) *разг.* начало 2) игрок, начинающий игру

2. *a* начальный, начинающий

lead pencil [,led'pensl] *n* графитовый карандаш

leadsman ['ledzmən] *n мор.* лотовой

lead time ['li:dtaɪm] *n* 1) время на освоение новой продукции, на выполнение нового заказа 2) задержка, затягивание

lead up ['li:dʌp] *n* подготовка, введение

leaf [li:f] 1. *n* (*pl* leaves) 1) лист 2) листва; fall of the ~, ~ fall листопад; осень; *перен.* закат жизни; to come into ~ покрываться листьями, распускаться 3) листовой табак; чайный лист 4) страница, лист (*книги*); to turn over the leaves перелистывать страницы (*книги*) 5) лист металла (*особ. золота, серебра*) 6) створка (*дверей*); полотнище (*ворот*); опускная доска (*стола*); половинка (*ширмы*) 7) *attr.* листовой 8) *attr.* раздвижной; ~ bridge подъёмный, разводной мост 9) *attr.*: ~ litter опавшие листья ◇ leaves without figs ≅ пустые обещания; to turn over a new ~ начать новую жизнь, исправиться; to take a ~ out of smb.'s book следовать чьему-л. примеру, подражать кому-л.

2. *v* 1) покрываться листвой (*тж.* ~ out) 2) перелистывать, листать (*обыкн.* ~ through, ~ over)

leafage ['li:fɪdʒ] *n поэт.* листва

leaflet ['li:flət] *n* 1) листочек, листик; молодой лист 2) листовка; тонкая брошюра

leafstalk ['li:fstɔ:k] *n бот.* черешок листа

leafy ['li:fɪ] *a* 1) покрытый листьями; ~ shade тень от листвы 2) листовой

league I [li:g] *n* льё, лига (*мера длины*)

league II [li:g] 1. *n* 1) лига, союз; in ~ with smb. в союзе с кем-л. 2) *спорт.* класс (*команды*); A ~ класс A

2. *v* входить в союз; образовать союз; объединять(ся)

leaguer ['li:gə] *n* член лиги

leak [li:k] 1. *n* 1) течь; утечка; to start (*или* to spring) a ~ дать течь 2) утечка информации

2. *v* 1) пропускать воду, давать течь 2) просачиваться 3) просачиваться (*об информации*) 4) неофициально давать сведения (*прессе*) ▭ ~ out а) просочиться; б) обнаружиться, стать известным

leakage ['li:kɪdʒ] *n* 1) утечка, течь, просачивание; to spring (*или* to start) a ~ а) дать течь; б) испортиться 2) утечка (*секретной информации, сведений*) 3) *физ.* рассеяние

leaky ['li:kɪ] *a* 1) имеющий течь; ~ butter плохо отжатое масло 2) болтливый, не умеющий хранить секреты

leal [li:l] *a поэт., шотл.* лояльный, верный; честный ◇ the land of the ~ а) небо; б) Шотландия

lean I [li:n] 1. *a* 1) тощий, худой 2) постный (*о мясе*) 3) скудный; ~ years неурожайные годы 4) бедный (*о руднике*); убогий (*о руде*)

2. *n* постная часть мясной туши, постное мясо

lean II [li:n] 1. *v* (leaned [-d], leant) 1) наклонять(ся) (forward, over — вперёд, над) 2) прислоняться, опираться (on, against); ~ off the table! не облокачивайтесь на стол! 3) полагаться (on, upon — на); основываться (on, upon — на); to ~ on a friend's advice полагаться на совет друга 4) иметь склонность (to, towards); I rather ~ to your opinion я склоняюсь к вашему мнению ▭ ~ on оказывать давление, нажим ◇ to ~ over backwards удариться в другую крайность

2. *n* наклон

leaning ['li:nɪŋ] 1. *pres. p. от* lean II, 1

2. *n* 1) склонность (to, towards) 2) сочувствие, симпатия 3) *дор.* уклон

leant [lent] *past и p. p. от* lean II, 1

lean-to ['li:ntu:] *n* пристройка с односкатной крышей; навес

leap [li:p] 1. *n* 1) прыжок, скачок; a ~ in the dark прыжок в неизвестность; рискованное дело 2) резкое изменение (*цен и т. п.*) 3) препятствие; to clear (*или* to take) a ~ взять препятствие 4) *геол.* дислокация ◇ by ~s and bounds очень быстро

2. *v* (leapt, leaped [-t]) 1) прыгать, скакать; перепрыгивать; to ~ a fence перепрыгнуть через забор 2) резко подскочить (*о ценах и т. п.*) 3) сильно забиться (*о сердце*) 4) ухватиться, с радостью согласиться; to ~ at a proposal (opportunity *etc.*) ухватиться за предложение (*возможность и т. п.*)

leap day ['li:pdeɪ] *n* 29 февраля

leapfrog ['li:pfrɒg] 1. *n* чехарда

2. *v* 1) прыгать, перепрыгивать; попеременно опережать (over) 2) *воен.* двигаться перекатами

leapt [lept] *past и p. p. от* leap 2

leap year ['li:pjɪə] *n* високосный год

learn [lɜ:n] *v* (learnt, learned [lɜ:nt]) 1) учиться; учить (*что-л.*); to ~ by heart учить наизусть; to ~ by rote зубрить 2) научиться (*чему-л.*); to ~ to be more careful научиться быть более осторожным; to ~ one's lesson получить хороший урок 3) узнавать 4) *уст., sl.* учить (*кого-л.*)

learned 1. [lɜ:nd] *past и p. p. от* learn

2. *a* ['lɜ:nɪd] 1) учёный, эрудированный; my ~ friend мой учёный коллега 2) научный (*о журнале, обществе и т. п.*)

learner ['lɜ:nə] *n* учащийся; ученик; a quick (a slow) ~ способный (малоспособный) ученик; an advanced ~ продвинутый ученик

learning ['lɜ:nɪŋ] 1. *pres. p. от* learn

2. *n* 1) учение, изучение 2) учёность, эрудиция

learnt [lɜ:nt] *past и p. p. от* learn

lease I [li:s] 1. *n* 1) аренда, сдача внаём; наём; to take on ~ арендовать 2) договор об аренде 3) срок аренды ◇ to take (*или* to get, to have) a new ~ of (*амер.* on) life а) воспрянуть духом; б) выйти из ремонта (*о вещи*)

2. *v* сдавать *или* брать внаём, в аренду

lease II [li:s] *текст.* 1. *n* 1) нитераз-делитель

2. *v* разделять нити (*основы*); скрещивать нити

leasehold ['li:shəuld] 1. *n* 1) пользование на правах аренды; наём 2) арендованное имущество

2. *a* 1) арендованный 2) взятый на откуп

leaseholder ['li:shəuldə] *n* арендатор, съёмщик

leash [li:ʃ] 1. *n* 1) свора, привязь (*для борзых*); смычок (*для гончих*); to lead on a ~ вести на поводке; to hold in ~ *перен.* держать в узде; to strain at the ~ стремиться вырваться 2) *охот.* свора из трёх собак; *тж.* три собаки, три зайца *и т. п.*

2. *v* держать на привязи, на своре

least [li:st] 1. *a* (*превосх. ст. от* little 1) наименьший, малейший; there is not the ~ wind today сегодня ни малейшего ветерка

2. *adv* (*превосх. ст. от* little 2) менее всего, в наименьшей степени; I like that ~ of all мне это нравится менее всего; ~ privileged groups of population наиболее обездоленные слои общества

3. *n* минимальное количество, малейшая степень; at (the) ~ по крайней мере; not in the ~ ни в малейшей степени, ничуть; to say the ~ of it без преувеличения, мягко выражаясь ◇ ~ said soonest mended *посл.* ≅ чем меньше разговоров, тем лучше для дела

leastways ['li:stweɪz] *adv диал.* по крайней мере

leastwise ['li:stwaɪz] = leastways

leather ['leðə] 1. *n* 1) кожа (*выделанная*); Russia ~ юфть 2) ремень 3) кожаное изделие 4) футбольный мяч; мяч в крикете 5) *pl* краги 6) *attr.* кожаный; ~ gloves кожаные перчатки; ~ bottle бурдюк, мех, кожаный мешок ◇ (there is) nothing like ~ ≅ всяк кулик своё болото хвалит

2. *v* 1) крыть кожей 2) *разг.* пороть ремнём; колотить 3) *разг.* работать с напряжением

leatherback ['leðəbæk] *n* кожистая черепаха

leathercloth ['leðəklɪθ] *n* ткань, обработанная под кожу

leatherette [,leðə'ret] *n* искусственная кожа

leatherhead ['leðəhed] *n разг.* болван, тупица

leathering ['leðərɪŋ] 1. *pres. p. от* leather 2

2. *n* 1) *разг.* порка 2) *тех.* кожаная набивка

leathern ['leðən] *a* кожаный

leathery ['leðərɪ] *a* 1) похожий на кожу 2) жёсткий; ~ steak бифштекс, жёсткий как подошва

leave I [li:v] *n* 1) разрешение, позволение; by (*или* with) your ~ с вашего разрешения; I take ~ to say беру на себя смелость сказать 2) отпуск (*тж.* ~ of absence); on ~ в отпуске; on sick ~ в отпуске по болезни; paid ~ оплачиваемый отпуск; ~ without pay отпуск без сохранения содержания 3) *воен.* увольнение 4) отъезд, уход; прощание; to take one's ~ (of smb.) прощаться (с кем-л.) 5) *attr.*: ~ allowance *воен.* отпускное денежное содержание; ~ travel *воен.* поездка в отпуск *или* из отпуска ◇ French ~ уход без прощания, незаметный уход; to take French ~ уйти не прощаясь, незаметно, «по-английски»; to take ~ of one's senses потерять рассудок

leave II [li:v] *v* (left) 1) покидать 2) уезжать, переезжать; my sister has left for Moscow моя сестра уехала в Москву; when does the train ~? когда отходит поезд? 3) оставлять; he has left his gloves он оставил (забыл) свои перчатки; she left a bad impression она оставила о себе плохое впечатление; seven from ten ~s three 10 — 7 = 3; 4) покидать, бросать (*работу и т. п.*) 5) оставлять после смерти (*жену, детей и т. п.*) 6) завещать, оставлять (*наследство*); to be well left быть хорошо обеспеченным наследством 7) предоставлять; ~ it to me предоставьте это мне; nothing was left to accident всё было предусмотрено; всякая случайность была исключена 8) оставлять в том же состоянии; the story ~s him cold рассказ не трогает его; to ~ smth. unsaid (undone) не сказать (не сделать) чего-л.; some things are better left unsaid есть вещи, о которых лучше не говорить; ~ alone оставлять в покое; I should ~ that question alone if I were you на вашем месте я не касался бы этого вопроса 9) передавать, оставлять; to ~ a message for smb. оставлять кому-л. записку; просить передать что-л.; to ~ word for smb. велеть передать кому-л. (*что-л.*) 10) приводить в какое-л. состояние; the insult left him speechless оскорбление лишило его дара речи 11) проходить мимо 12) прекращать; it is time to ~ talking and begin acting пора перестать разговаривать и начать действовать;~ it at that! *разг.* оставьте!, довольно! ▭ ~ behind а) забывать (*где-л.*); б) оставлять позади; опережать; превосходить; ~ off а) переставать делать (*что-л.*), бросать привычку; to ~ off one's winter clothes перестать носить, снять тёплые вещи; to ~ off smoking бросить курить; б) останавливаться; where did we ~ off last time? на чём мы остановились в прошлый раз?; we left off at the end of chapter III мы остановились в конце третьей главы; ~ out а) пропускать, не включать; б) упускать; ~ over откладывать ◇ to ~ open оставить открытым (*вопрос и т. п.*); to ~ oneself wide open *амер.* подставить себя под удар; to ~ smth. in the air оставлять незаконченным (*мысль, речь и т. п.*); to ~ smb. to himself не вмешиваться в чьи-л. дела; it ~s much to be desired оставляет желать много лучшего; to be (*или* to get) (nicely) left *разг.* быть покинутым, обманутым, одурáченным

leave III [li:v] *v* покрываться листвой

leaved [li:vd] 1. *p. p. от* leave III

2. *a* покрытый листьями; имеющий листья

-leaved [-li:vd] *в сложных словах означает:* а) имеющий какие-л. листья; large-~ tree дерево с большими листьями; б) имеющий створки; two-~ door двустворчатая дверь

leaven ['levn] 1. *n* дрожжи, закваска; *перен.* воздействие, влияние ◇ the old ~ «старая закваска» (*о старых взглядах и т. п.*); they are both of the same ~ они оба из одного теста

2. *v* ставить на дрожжах, заквашивать; *перен.* подвергать действию (*чего-л.*); влиять

leaves [li:vz] *pl от* leaf 1

leave-taking ['li:v,teɪkɪŋ] *n* прощание

leavings ['li:vɪŋz] *n pl* остатки; отбросы

Lebanese [,lebə'ni:z] 1. *a* ливанский

2. *n* ливанец; ливанка; the ~ *pl собир.* ливанцы

lech [letʃ] *разг.* 1. *n* сильное желание, *особ.* похоть

2. *v* быть распущенным, похотливым

lecherous ['letʃərəs] *a* распутный

lechery ['letʃərɪ] *n* разврат

lecithin ['lesɪθɪn] *n хим.* лецитин

lectern ['lektən] *n* 1) *церк.* аналой 2) кафедра (*лектора, оратора*)

lection ['lekʃn] *n* 1) разночтение; вариант текста 2) *церк.* = lesson 1, 3)

lector ['lektɔ:] *n* 1) дьяк, дьячок, причетник 2) чтец

lecture ['lektʃə] 1. *n* 1) лекция; to deliver a ~ читать лекцию 2) нотация, наставление; to read (*или* to give) smb. a ~ отчитывать кого-л.

2. *v* 1) читать лекцию, лекции; to ~ on lexicology читать лекции по лексикологии 2) прочесть нотацию; выговаривать, отчитывать (on — за *что-л.*)

lecturer ['lektʃərə] *n* 1) лектор 2) преподаватель (*университета, колледжа*) 3) дьяк

led [led] *past и p. p. от* lead II, 2

ledge [ledʒ] *n* 1) планка, рейка 2) выступ, уступ; край, борт 3) риф; шельф; бар 4) *геол.* залежь; рудное тело; пласт 5) *тех.* ребóрда

ledger ['ledʒə] *n* 1) *бухг.* главная книга, гроссбух 2) *стр.* поперечная балка 3) надгробная плита

ledger bait ['ledʒəbeɪt] *n* наживка

lee [li:] 1. *n* 1) защита, укрытие; under (*или* in) the ~ of a house под защитой дома 2) подветренная сторона

2. *a* подветренный; ~ side подветренный борт судна (*противоп.* weather side); ~ shore подветренный берег

leech I [li:tʃ] 1. *n* 1) пиявка; to stick like a ~ пристать как пиявка 2) кровосос; вымогатель

2. *v* 1) ставить пиявки 2) приставать, привязываться

leech II [li:tʃ] *n мор.* боковая *или* задняя шкаторина (*паруса*)

leek [li:k] *n* лук-порей (*тж. и как национальная эмблема Уэльса*); wild ~ дикий лук; черемша ◇ to eat the (*или* one's) ~ проглотить обиду

leer [lɪə] 1. *n* косой, хитрый, злобный *или* плотоядный взгляд

2. *v* смотреть искоса; смотреть хитро, злобно *или* с вожделением (at)

leery ['lɪərɪ] *a* 1) хитрый 2) (of) осторожный, подозрительный

lees [li:z] *n pl* 1) осадок на дне; to drink (*или* to drain) to the ~ выпить до последней капли; *перен.* испить чашу до дна 2) остатки, отбросы ◇ there are ~ to every wine *посл.* ≅ и на солнце есть пятна; the ~ of life остаток жизни, старость

leeward ['li:wəd] 1. *n* подветренная сторона

2. *a* подветренный

3. *adv* в подветренную сторону

leeway ['li:weɪ] *n* 1) дрейф корабля в подветренную сторону; снос самолёта; to make ~ дрейфовать; *перен.* струсить; отклониться от намеченного пути 2) отставание; потеря времени; to make up ~ наверстать упущенное 3) *разг.* запас времени; to have ~ иметь в запасе время; to allow a little ~ предоставить небольшую отсрочку 4) относительная свобода действий

left I [left] *past и p. p. от* leave II

left II [left] 1. *a* левый; ~ bank левый берег

2. *adv* налево, слева; ~ turn!, *амер.* ~ face! *воен.* налево!; ~ about face! *воен.* через левое плечо кругом!

3. *n* 1) левая сторона; *воен.* левый фланг; to keep to the ~ держаться левой стороны 2) (the L.) (*употр. как pl*) *полит.* левые ◇ over the ~ *разг.* как раз наоборот

left-hand [,left'hænd] *a* 1) левый; ~ side левая сторона 2) сделанный левой рукой; ~ blow удар левой рукой 3) *тех.* с левым ходом (*о винте*)

left-handed [,left'hændɪd] *a* 1) делающий всё левой рукой; he is ~ он левша 2) сделанный левой рукой 3) неуклюжий 4) лицемерный; неискренний; сомнительный; ~ compliment сомнительный комплимент 5) движущийся против часовой стрелки ◇ ~ marriage морганатический брак

left-hander [,left'hændə] *n* 1) левша 2) удар левой рукой

leftist ['leftɪst] *n полит.* член левой партии, левый

left-luggage office ['left,lʌgɪdʒ'ɒfɪs] *n ж.-д.* камера хранения

leftmost ['leftməʊst] *a* крайний слева

leftover ['left,əʊvə] *n* 1) остаток 2) пережиток

leftward(s) ['leftwəd(z)] *adv* слева; влево

left wing ['leftwɪŋ] *n* 1) левое крыло политической партии 2) *спорт.* левое крыло команды

leg [leg] **1.** *n* 1) нога (*от бедра до ступни*); to keep one's ~s прочно держаться на ногах; устоять; to give smb. a ~ up помочь кому-л. взобраться, подсадить кого-л.; *перен.* помочь кому-л. преодолеть препятствие, трудности; to run off one's ~s сбиться с ног; to take to one's ~s удрать, улизнуть; to walk smb. off his ~s сильно утомить кого-л. ходьбой, прогулкой 2) голень 3) нога (*животного*); лапка (*птицы*) 4) искусственная нога, протез 5) штанина; ~ of a stocking паголенок 6) ножка, подпорка; подставка, стойка; *перен.* опора 7) *спорт.* этап (*эстафеты*) 8) этап, часть пути 9) *тех.* колено, угольник 10) *эл.* фаза 11) *мор.* галс 12) *мат.* сторона (*треугольника*) 13) *уст.* расшаркивание; to make a ~ расшаркиваться ◇ ~ and ~ равный счёт (*в состязании, игре*); to have the ~s of smb. бежать быстрее кого-л.; убежать от кого-л.; to stand on one's own ~s быть независимым; to set (*или* to put) smb. on his ~s а) поставить на ноги (*после болезни*); б) помочь кому-л. материально; to have by the ~ *амер.* поставить в затруднительное положение; to get a ~ in *разг.* втереться в доверие; to have not a ~ to stand on не иметь оправдания, извинения; your argument has not a ~ to stand on ваш довод не выдерживает критики; to pull smb.'s ~ морочить, одурачивать, мистифицировать кого-л.; stretch one's ~s according to the coverlet *посл.* ≅ по одёжке протягивай ножки

2. *v разг.:* to ~ it ходить; (у)бежать; отмахать

legacy ['legəsɪ] *n* наследство; наследие

legal ['li:gl] *a* 1) юридический, правовой; ~ aid bureau юридическая консультация; ~ profession профессия юриста; ~ advice совет юриста; ~ capacity правоспособность, дееспособность; ~ system законодательство 2) законный; узаконенный; легальный; ~ holiday *амер.* неприсутственный день

legalist ['li:gəlɪst] *n* законник

legality [lɪ'gælətɪ] *n* 1) законность; легальность 2) *pl* приверженность букве закона

legalize ['li:gəlaɪz] *v* узаконивать, легализовать

legate I ['legət] *n* легат, папский посол

legate II [lɪ'geɪt] *v* завещать

legatee [,legə'ti:] *n* наследник

legation [lɪ'geɪʃn] *n* 1) дипломатическая миссия 2) дипломатическое представительство

legato [lɪ'gɑ:təʊ] *adv муз.* легато

leg-bail ['leg,beɪl] *n разг.* бегство; to give ~ удрать

legend ['ledʒənd] *n* 1) легенда 2) легенда, надпись (*на монете, медали, гравюре и т. п.*) 3) *топ.* легенда

legendary ['ledʒəndərɪ] **1.** *a* легендарный

2. *n* сборник легенд

legerdemain [,ledʒədə'meɪn] *n* 1) ловкость рук, жонглёрство, фокусы 2) ловкий обман

legerity [lɪ'dʒerɪtɪ] *n* быстрота; проворство; лёгкость

leggings ['legɪŋz] *n pl* 1) рейтузы, лосины, леггинзы 2) гамаши, краги

leggy ['legɪ] *a* длинноногий

leghorn *n* 1) [le'gɔ:n] итальянская соломка; *тж.* шляпа из неё 2) ['leghɔ:n] леггорн (*порода кур*)

legibility [,ledʒə'bɪlətɪ] *n* чёткость, разборчивость (*почерка, шрифта*)

legible ['ledʒəbl] *a* разборчивый, чёткий

legion ['li:dʒən] *n* 1) легион; L. of Honour орден Почётного легиона (*во Франции*) 2) множество

legionary ['li:dʒənərɪ] **1.** *n* легионер

2. *a* легионерский

legionnaire [,li:dʒə'neə] *n* легионер

legislate ['ledʒɪsleɪt] *v* издавать законы, законодательствовать

legislation [,ledʒɪ'sleɪʃn] *n* 1) законодательство, законодательная деятельность 2) законы; labour ~ трудовое законодательство

legislative ['ledʒɪslətɪv] *a* законодательный

legislator ['ledʒɪsleɪtə] *n* 1) член законодательного органа 2) законодатель

legislature ['ledʒɪsleɪtʃə] *n* 1) законодательная власть 2) *амер.* законодательный орган штата

legist ['li:dʒɪst] *n* юрист

legitimacy [lɪ'dʒɪtɪməsɪ] *n* законность

legitimate 1. *a* [lɪ'dʒɪtəmət] 1) законнорождённый 2) законный, легальный; 3) правильный, разумный; ~ argument правильный довод; ~ claim законное требование, обоснованная претензия ◇ the ~ drama а) пьесы всеми признанного достоинства; б) драматический театр (*в противоп.* musical comedy)

2. *v* [lɪ'dʒɪtəmeɪt] 1) узаконивать; признавать законным 2) усыновлять (*внебрачного ребёнка*)

legitimation [lɪ,dʒɪtə'meɪʃn] *n* 1) узаконение 2) усыновление (внебрачного ребёнка)

legitimize [lɪ'dʒɪtəmaɪz] = **legitimate 2**

legman ['legmæn] *n* репортёр

leg-of-mutton [,legəv'mʌtn] *a* треугольный; ~ sail треугольный парус

leg-pull ['legpʊl] *n разг.* попытка одурачить кого-л., розыгрыш

leg-puller ['leg,pʊlə] *n амер. разг.* политический интриган

legume ['legju:m] *n* плод бобовых, боб

leguminous [le'gju:mɪnəs] *a бот.* бобовый; стручковый

lei [leɪ] *pl от* leu

leister ['li:stə] **1.** *n* острога

2. *v* бить острогой (*лососей*)

leisure ['leʒə] *n* 1) досуг, свободное время; at ~ на досуге; не спеша; to be at ~ быть свободным, незанятым; do it at your ~ сделайте это, когда вам будет удобно 2) *attr.* свободный; ~ time свободное время

leisured ['leʒəd] *a* 1) досужий, праздный 2) неторопливый

leisurely ['leʒəlɪ] **1.** *a* 1) медленный, неторопливый 2) досужий

2. *adv* не спеша, спокойно

leitmotif, leitmotive ['laɪtməʊ,ti:f] *n муз.* лейтмотив

lemma ['lemə] *n* (*pl* -s, lemata) 1) краткое введение (*в начале литературного произведения*); аннотация 2) заметка на полях 3) *мат.* лемма

lemming ['lemɪŋ] *n зоол.* лемминг, пеструшка

lemon ['lemən] *n* 1) лимон (*плод и дерево*) 2) лимонный цвет 3) *разг.* неприятный человек; негодная, бросовая вещь 4) *sl.* некрасивая девушка 5) *attr.* лимонного цвета ◇ to hand smb. a ~ *разг.* надуть, обмануть кого-л.; the answer's a ~ не выйдет, этот номер не пройдёт

lemonade [,lemə'neɪd] *n* лимонад

lemon-drop ['leməndrɒp] *n* лимонный леденец

lemon grass ['leməngrɑ:s] *n бот.* сорго лимонное

lemon squash [,lemən'skwɒʃ] *n* содовая (вода) с лимонным соком

lemon-squeezer ['lemən,skwi:zə] *n* соковыжималка для лимона

lemony ['lemənɪ] *a* лимонный

lemur ['li:mə] *n зоол.* лемур

lend [lend] *v* (lent) 1) давать взаймы, на время одалживать 2) ссужать деньги под проценты; to ~ long предоставлять долгосрочную ссуду 3) давать, предоставлять; придавать; to ~ probability to a story придавать правдоподобие рассказу; to ~ assistance (support) оказывать помощь (поддержку) 4) *refl.* прибегать (*к чему-л. обыкн. дурному*); to ~ oneself to dishonesty прибегнуть к подлости 5) *refl.* годиться (*только о вещах*) 6) *refl.* предаваться (*мечтам и т. п.*) ▭ ~ out а) одалживать; б) выдавать книги (*в библиотеке*) ◇ to ~ one's ears (*или* ear) выслушать; to ~ a (helping) hand помочь

lender ['lendə] *n* заимодавец, кредитор

lending library ['lendɪŋ,laɪbrərɪ] *n* библиотека с выдачей книг на дом

length [leŋθ] *n* 1) длина; at full ~ а)

во всю длину́; враста́жку; б) со всёми подро́бностями; the horse won by three ~s ло́шадь опереди́ла други́х на три ко́рпуса; to fall all one's ~ растяну́ться во весь рост 2) расстоя́ние; to keep at arm's ~ держа́ть на почти́тельном расстоя́нии 3) *спорт.* длина́ ко́рпуса 4) продолжи́тельность; протяже́ние; of some ~ дово́льно продолжи́тельный; in ~ of time со вре́менем; to speak at some ~ говори́ть до́лго; to draw out to a great ~ затяну́ть, растяну́ть (*доклад и т. п.*); ~ of work (service) стаж рабо́ты (слу́жбы) 5) отре́з; a ~ of dress fabric отре́з на пла́тье 6) *фон.* долгота́ (*звука или слога*) 7) отре́зок, кусо́к ◇ at ~ а) наконе́ц; б) подро́бно; to go all ~s (*или* any ~) идти́ на всё, ни перед чём не остана́вливаться; to go the ~ of doing smth. позво́лить себе́, осме́литься сде́лать что-л.; to go the whole ~ of it де́лать что-л. основа́тельно, доводи́ть до конца́; through the ~ and breadth (of) вдоль и поперёк, из кра́я в край

lengthen ['leŋθən] *v* 1) удлиня́ть(ся); увели́чивать(ся); to ~ out чрезме́рно затя́гивать 2) продолжа́ться, тяну́ться; постепе́нно переходи́ть; summer ~s into autumn ле́то постепе́нно перехо́дит в о́сень

lengthways ['leŋθweiz] *adv* в длину́; вдоль

lengthwise ['leŋθwaiz] = lengthways

lengthy ['leŋθi] *a* 1) высо́кий (*о человеке*) 2) о́чень дли́нный, растя́нутый, многосло́вный

lenience, -cy ['li:niəns, -si] *n* мя́гкость; снисходи́тельность; терпи́мость

lenient ['li:niənt] *a* мя́гкий; снисходи́тельный; терпи́мый

leninism ['leninizəm] *n* ленини́зм

leninist ['leninist] *a* ле́нинский

lenitive ['lenətiv] *мед.* **1.** *a* мягчи́тельный

2. *n* 1) мягчи́тельное, успока́ивающее сре́дство 2) лёгкое слаби́тельное

lenity ['lenəti] *n* 1) милосе́рдие 2) мя́гкость

lens [lenz] *n* (*pl* -es [-iz]) 1) ли́нза, чечеви́ца, опти́ческое стекло́; лу́па; объекти́в 2) *анат.* хруста́лик гла́за (*тж.* crystalline ~) 3) *геол.* чечевицеобра́зная за́лежь

Lent [lent] *n церк.* вели́кий пост

lent [lent] *past и p. p. от* lend

Lenten ['lentən] *a* 1) *церк.* великопо́стный 2) по́стный (*о пище*); пре́сный (*о хлебе*); ~ fare по́стная пи́ща

lenticular [len'tikjulə] *a* 1) *опт.* двояковы́пуклый; линзообра́зный 2) *анат.* относя́щийся к хруста́лику гла́за

lentil ['lentil] *n бот.* чечеви́ца

lent lily ['lent,lili] *n бот.* жёлтый нарци́сс

lentous ['lentəs] *a* ли́пкий, кле́йкий

Lent term ['lenttə:m] *n* весе́нний семе́стр

Leo ['li:əu] *n* Лев (*созвездие и знак зодиака*)

leonine ['li:əunain] *a* 1) (L.) леони́нский (*о стихе*) 2) льви́ный

leopard ['lepəd] *n* леопа́рд ◇ can the ~ change his spots? *посл.* ≅ горба́того моги́ла испра́вит

leopardess ['lepədes] *n* са́мка леопа́рда

leotard ['li:əta:d] *n* леота́рд (*трико акробата или танцовщика*)

leper ['lepə] *n* прокажённый

leporine ['lepərain] *a зоол.* за́ячий

leprechaun ['leprəkɔ:n] *n* эльф

leprosarium [,leprə'seəriəm] *n* лепрозо́рий

leprosy ['leprəsi] *n* 1) прока́за 2) мора́льное разложе́ние

leprous ['leprəs] *a* 1) прокажённый 2) сво́йственный прока́зе

lesbian ['lezbiən] **1.** *n* лесбия́нка

2. *a* 1) лесби́йский 2) (L.) лесбо́сский

lese-majesty [,li:z'mædʒəsti] *n* 1) госуда́рственное преступле́ние; госуда́рственная изме́на 2) оскорбле́ние вы́сшего госуда́рственного лица́

lesion ['li:ʒn] *n* 1) *юр.* убы́ток, вред 2) поврежде́ние, пораже́ние (*органа, ткани*)

less [les] **1.** *a* (*сравн. ст. от* little 1) ме́ньший (*о размере, продолжительности, числе и т. п.*); in a ~ (*или* lesser) degree в ме́ньшей сте́пени; of ~ importance ме́нее ва́жный ◇ no ~ a person than никто́ ино́й, как сам (*такой-то*)

2. *adv* (*сравн. ст. от* little 2) ме́ньше, ме́нее; в ме́ньшей сте́пени; ~ known ме́нее изве́стный; ~ developed слабора́звитый (*о стране и т. п.*)

3. *n* ме́ньшее коли́чество, ме́ньшая су́мма *и т. п.*; I cannot take ~ не могу́ взять ме́ньше ◇ none the ~ тем не ме́нее; in ~ than no time в мгнове́ние о́ка

4. *prep* без; a year ~ three days год без трёх дней

lessee [le'si:] *n* съёмщик, аренда́тор

lessen ['lesn] *v* 1) уменьша́ть(ся) 2) преуменьша́ть; недооце́нивать

lesser ['lesə] *a attr.* (*сравн. ст. от* little 1) ме́ньший; the ~ of two evils ме́ньшее из двух зол; the Lesser Bear *астр.* Ма́лая Медве́дица

lesson ['lesn] **1.** *n* 1) уро́к; to give (to take) ~s in English дава́ть (брать) уро́ки англи́йского языка́; let this be a ~ to you пусть э́то послу́жит вам уро́ком 2) нота́ция; to give (*или* to read) smb. a ~ проче́сть кому́-л. нота́цию; проучи́ть кого́-л. 3) *церк.* отры́вок из свяще́нного писа́ния, чита́емый во вре́мя слу́жбы

2. *v уст.* 1) дава́ть уро́к(и); обуча́ть 2) чита́ть нота́цию, поуча́ть

lessor [le'sɔ:] *n* сдаю́щий в аре́нду

lest [lest] *cj* что́бы не, как бы не; put down the address ~ you should forget it запиши́те а́дрес, что́бы не забы́ть; I was afraid ~ I should forget the address я боя́лся как бы не забы́ть а́дрес

let I [let] **1.** *v* (let) 1) позволя́ть, разреша́ть; will you ~ me smoke? вы разреши́те мне кури́ть? 2) пуска́ть, дава́ть, дава́ть возмо́жность; to ~ a fire (go) out дать огню́ поту́хнуть; to ~ loose вы́пустить, дать во́лю, свобо́ду; to ~ blood пуска́ть кровь; to ~ drop (*или* fall) а) роня́ть; б) неча́янно пророни́ть (*слово, замечание*); в) опуска́ть (*перпендикуляр*); to ~ go а) выпуска́ть из рук; б) отпуска́ть; в) допуска́ть; г) освобожда́ть; д) вы́кинуть из головы́; to ~ oneself go дать во́лю себе́, свои́м чу́вствам; to ~ smth. pass не обрати́ть внима́ния; прости́ть; to ~ things slide (*или* go hang) не обраща́ть внима́ния, относи́ться небре́жно; не интересова́ться; ≅ наплева́ть; to ~ slip the chance упусти́ть слу́чай; to ~ smb. know (*или* hear) дать знать, сообщи́ть кому́-л.; to ~ smb. see показа́ть, дать поня́ть кому́-л. 3) оставля́ть; не тро́гать; ~ me (him) be, let me (him) alone оста́вь(те) меня́ (его́) в поко́е; ~ my things alone не тро́гай(те) мои́х веще́й; we'll ~ it go at that на э́том мы остано́вимся; пусть бу́дет так 4) сдава́ть внаём; the house is to (be) ~ дом сдаётся (*надпись*) 5) *в повел. наклонении употребляется как вспомогательный глагол и выражает приглашение, приказание, разрешение, предположение, предостережение*: ~ us go идём(те); ~ you and me try now дава́йте попро́буем; ~ him try а) пусть он попро́бует; б) пусть то́лько попро́бует; ~ him do it at once пусть он сде́лает э́то неме́дленно; ~ him do what he likes пусть де́лает, что хо́чет; ~ AB be equal to CD пусть (*или* допу́стим, что) AB равно CD □ ~ by пропусти́ть; ~ **down** а) опуска́ть; б) разочарова́ть; в) подвести́; поки́нуть в беде́; г) уни́зить; урони́ть; повреди́ть репута́ции; to ~ smb. down easily (*или* gently) пощади́ть чьё-л. самолю́бие, отнести́сь мя́гко; д) удлини́ть (*платье и т. п.*); е) спусти́ть (*шину*); ~ **in** а) впуска́ть; to ~ oneself in войти́ в дом; б) обма́ном впу́тывать, вовлека́ть в беду́; to ~ oneself in for smth. впу́таться, ввяза́ться во что-л.; в) (on) дать до́ступ (*к информации и т. п.*); ~ **into** а) ввести́; посвяти́ть (*в тайну и т. п.*); б) руга́ть, брани́ть; в) изби́ть; ~ **off** а) разряди́ть ружьё, вы́стрелить; *перен. шутл.* вы́палить (*шутку и т. п.*); б) отпусти́ть без наказа́ния, прости́ть; ~ **on** *разг.* а) выдава́ть секре́т; доноси́ть на *кого-л.*; б) притворя́ться, де́лать вид; ~ **out** а) выпуска́ть; б) проговори́ться, проболта́ться; в) сде́лать ши́ре, вы́пустить (*о платье*); г) сдава́ть внаём; дава́ть напрока́т (*машину*); д) снима́ть подозре́ние, реабилити́ровать; е) *амер. разг.* зака́нчиваться (*о занятиях*); ~ **out at** *разг.* а) дра́ться; б) руга́ться; ~ **up** (on) *разг.* а) обраща́ться (*с кем-л.*) бо́лее мя́гко, стать мя́гче; б) рабо́тать ме́нее усе́рдно, не надрыва́ться ◇ to ~ one's tongue run away with one увле́чься, говори́ть не ду́мая; ~ George do it *амер.* пусть кто́-нибудь друго́й э́то сде́лает

2. *n* сда́ча внаём

let II [let] *уст.* **1.** *v* (letted [-id], let) меша́ть, препя́тствовать

2. *n* поме́ха; препя́тствие ◇ without ~ or hindrance без поме́х, беспрепя́тственно

let-alone [ˈletə,ləʊn] *n* 1) невмеша́тельство 2) *attr.*: ~ policy (principle) поли́тика (при́нцип) невмеша́тельства

letdown [ˈletdaʊn] *n* 1) разочарова́ние 2) упа́док; ухудше́ние; ослабле́ние 3) *ав.* приземле́ние

lethal [ˈli:θl] *a* 1) смерте́льный; смерто́носный; ~ chamber «ка́мера сме́рти» (*место, где усыпляют животных*) 2) фата́льный

lethargic(al) [ləˈθɑ:dʒɪk(l)] 1) вя́лый, со́нный; апати́чный 2) летарги́ческий

lethargy [ˈleθədʒɪ] *n* 1) вя́лость, апати́чность 2) летарги́я

Lethe [ˈli:θɪ] *n греч. миф.* Ле́та

Lethean [lɪˈθi:ən] *a*: ~ stream *греч. миф.* Ле́та, река́ забве́ния

lethiferous [li(:)ˈθɪfərəs] *a* смертоно́сный; смерте́льный

let-in [,letˈɪn] *a* вста́вленный

let-off [ˈletɒf] *n* проще́ние; освобожде́ние от (заслу́женного) наказа́ния

let-pass [ˈlet,pɑ:s] *n* про́пуск

Lett [let] *n* 1) латы́ш; латы́шка 2) латы́шский язы́к

letter [ˈletə] 1. *n* 1) бу́ква; capital ~ прописна́я бу́ква; small ~ строчна́я бу́ква 2) *pl разг.* сокращённое обозначе́ние учёной сте́пени, стоя́щее по́сле фами́лии 3) письмо́; посла́ние; ~ of advice извеще́ние; ави́зо; ~ of attorney дове́ренность; ~ of credit *фин.* аккредити́в; ~s credential, ~s of credence (of recall) *дип.* вери́тельные (отзывны́е) гра́моты; ~ of instruction директи́вное письмо́; ~s of administration суде́бное полномо́чие на управле́ние име́нием *или* иму́ществом уме́ршего; ~ of indemnity гаранти́йное письмо́ 4) то́чность, буква́льность; the ~ of the law бу́ква зако́на; to the ~ буква́льно; то́чно; the order was obeyed to the ~ прика́з был вы́полнен то́чно; in ~ and in spirit по фо́рме и по существу́ 5) *pl* литерату́ра; man of ~s писа́тель; the profession of ~s профе́ссия писа́теля 6) *pl* эруди́ция, образо́ванность 7) *полигр. собир.* ли́теры, шрифты́ ◇ to win one's ~ заслужи́ть пра́во быть чле́ном спорти́вной организа́ции и носи́ть её инициа́лы

2. *v* 1) помеча́ть бу́квами; надпи́сывать чертёж 2) вытисня́ть бу́квы, загла́вие (*на корешке книги*)

letter bomb [ˈletəbɒm] *n* бо́мба в конве́рте

letter box [ˈletəbɒks] *n* почто́вый я́щик

letter card [ˈletəkɑ:d] *n* письмо́-секре́тка

letter-carrier [ˈletə,kærɪə] *n* письмоно́сец, почтальо́н

lettered [ˈletəd] 1. *p. p. от* letter 2

2. *a* 1) начи́танный; (литерату́рно) образо́ванный 2) с тиснёными, вы́гравированными бу́квами, загла́вием 3) ли́терный, обозна́ченный бу́квами

letter-foundry [ˈletə,faʊndrɪ] *n* словоли́тня (*в типографии*)

letterhead [ˈletəhed] *n* печа́тный бланк (*учреждения или частного лица*)

lettering [ˈletərɪŋ] 1. *pres. p. от* letter 2

2. *n* 1) написа́ние бу́квами 2) на́дпись 3) тисне́ние (*буквами*)

letterless [ˈletəlɪs] *a* необразо́ванный; негра́мотный

letter-paper [ˈletə,peɪpə] *n* почто́вая бума́га

letter-perfect [,letəˈpɜ:fɪkt] *a театр.* твёрдо зна́ющий свою́ роль

letterpress [ˈletəpres] *n* текст в кни́ге (*в отличие от иллюстраций*)

letter-weight [ˈletəweɪt] *n* 1) почто́вые весы́ 2) пресс-папье́

Lettish [ˈletɪʃ] 1. *a* латы́шский

2. *n* латы́шский язы́к

lettuce [ˈletɪs] *n бот.* сала́т-лату́к

letup [ˈletʌp] *n разг.* 1) ослабле́ние 2) прекраще́ние; приостано́вка; it rained without ~ дождь не прекраща́лся ни на мину́ту

leu [ˈleɪu:] *n* (*pl* lei) лей, ле́я (*денежная единица Румынии*)

leucocyte [ˈlu:kəʊsaɪt] *n физиол.* лейкоци́т

lev [lef] *n* (*pl* leva) лев (*денежная единица Болгарии*)

leva [ˈlevɑ:] *pl от* lev

levant [ləˈvænt] *v* скры́ться, сбежа́ть, не уплати́в долго́в

Levanter [lɪˈvæntə] *n* 1) си́льный восто́чный ве́тер (*в районе Средиземного моря*) 2) = Levantine

Levantine [ˈlevəntaɪn] 1. *n* 1) жи́тель Лева́нта 2) су́дно, торгу́ющее с Лева́нтом

2. *a* леванти́йский

levee I [ˈlevɪ] *n* 1) *ист.* дневно́й приём при дворе́ с прису́тствием одни́х мужчи́н 2) *ист. амер.* приём (у главы́ госуда́рства) 3) приём (*гостей*)

levee II [ˈlevɪ] *амер.* 1. *n* 1) да́мба; гать 2) на́бережная 3) при́стань 4) берегово́й (намывно́й) вал реки́

2. *v* воздвига́ть да́мбы

level [ˈlevl] 1. *n* 1) пло́ская, горизонта́льная пове́рхность; равни́на 2) у́ровень; sea ~ у́ровень мо́ря 3) ступе́нь, у́ровень; on a ~ with на одно́м у́ровне с; to rise to higher ~s поднима́ться на бо́лее высо́кую ступе́нь; to find one's (own) ~ а) найти́ себе́ ра́вных; б) заня́ть подоба́ющее ме́сто; to bring smb. to his ~ сбить спесь с кого́-л., поста́вить кого́-л. на ме́сто 4) ватерпа́с, нивели́р; у́ровень (*инструмент*) 5) *горн.* эта́ж, горизо́нт; што́льня 6) *ав.* горизонта́льный полёт (*тж.* ~ flight); to give a ~ перейти́ в горизонта́льный полёт ◇ on the ~ че́стно, открове́нно; on the ~! че́стное сло́во!; to land on the street ~ *разг.* потеря́ть рабо́ту, оказа́ться на у́лице

2. *a* 1) горизонта́льный; пло́ский, ро́вный; располо́женный на одно́м у́ровне (*с чем-л. другим*); ~ road ро́вная доро́га; ~ crossing железнодоро́жный перее́зд 2) одина́ковый, равноме́рный; ~ life разме́ренный о́браз жи́зни; they are ~ in capacity у них одина́ковые спосо́бности 3) уравнове́шенный, споко́йный; to have a ~ head быть уравнове́шенным ◇ to do one's ~ best *разг.* прояви́ть ма́ксимум эне́ргии; сде́лать всё от себя́ зави́сящее

3. *adv* ро́вно, вро́вень; to fill the glass ~ with the top напо́лнить стака́н до краёв; the horses ran ~ with one another ло́шади бежа́ли голова́ в го́лову

4. *v* 1) выра́внивать; сгла́живать; to ~ to (*или* with) the ground сноси́ть с лица́ земли́; сровня́ть с землёй 2) определя́ть ра́зность высо́т; нивели́ровать 3) це́литься (at) 4) выдвига́ть (*обвинения и т. п.*), направля́ть (at, against — про́тив *кого-л.*) 5) ура́внивать; to ~ up (down) повыша́ть (понижа́ть) до како́го-л. у́ровня 6) *sl.* быть и́скренним, открове́нным □ ~ off а) выра́внивать, де́лать ро́вным; б) *ав.* выра́внивать самолёт (*перед посадкой*)

levelheaded [,levlˈhedɪd] *a* уравнове́шенный

leveller [ˈlevlə] *n* 1) сторо́нник (социа́льного) ра́венства 2) (L.) *ист.* ле́веллер, «уравни́тель» 3) *тех.* прави́льное приспособле́ние 4) *геод.* нивелиро́вщик

lever [ˈli:və] 1. *n* 1) рыча́г; ва́га; control ~ рукоя́тка, ру́чка управле́ния 2) плечо́ рычага́ 3) *мор.* га́ндшпуг 4) сре́дство возде́йствия

2. *v* поднима́ть, передвига́ть рычаго́м (*часто* ~ up, ~ along)

leverage [ˈli:vərɪdʒ] *n* 1) де́йствие рычага́ 2) уси́лие рычага́, вы́игрыш в си́ле при перево́де рычага́ 3) спо́соб, сре́дство для достиже́ния це́ли 4) систе́ма рычаго́в 5) *амер. фин.* испо́льзование креди́та для биржево́й игры́

leveret [ˈlevərət] *n* зайчо́нок

leviathan [ləˈvaɪəθən] *n* 1) *библ.* левиафа́н 2) грома́дина

levigate [ˈlevɪgeɪt] *v* 1) растира́ть в поро́шок 2) *хим.* отму́чивать

Levis [ˈli:vaɪz] *n pl* джи́нсы

levitate [ˈlevɪteɪt] *v* поднима́ть(ся) в во́здух

Leviticus [ləˈvɪtɪkəs] *n библ.* Леви́т (*3-я книга Ветхого завета*)

levity [ˈlevətɪ] *n* 1) легкомы́слие, ве́треность, непостоя́нство 2) лёгкость (*веса*)

levy [ˈlevɪ] 1. *n* 1) сбор, взима́ние (*податей, налогов*); обложе́ние (*налогом*), су́мма обложе́ния 2) набо́р ре́крутов; ~ in mass поголо́вный набо́р (всех мужчи́н, го́дных к вое́нной слу́жбе) 3) (*тж. pl*) новобра́нцы

2. *v* 1) взима́ть (*налог*); облага́ть (*налогом*) 2) набира́ть (*рекрутов*) ◇ to ~ war (upon, against) начина́ть войну́

lew [lef] = lev

lewd [lu:d] *a* 1) похотли́вый; распу́тный 2) непристо́йный

lewis [ˈlu:ɪs] *n тех.* во́лчья ла́па; а́нкерный болт

lewisite [ˈlu:ɪsaɪt] *n хим.* люизи́т

lex [leks] *лат. n* зако́н; ~ non scripta непи́саный зако́н; ~ scripta пи́саный зако́н

lexical ['leksɪkl] *a* 1) словáрный 2) лекси́ческий

lexicographer [,leksɪ'kɒgrəfə] *n* лексикóграф

lexicography [,leksɪ'kɒgrəfɪ] *n* лексикогрáфия

lexicology [,leksɪ'kɒlədʒɪ] *n* лексиколóгия

lexicon ['leksɪkən] *n* словáрь

ley [leɪ] = leu

Leyden jar ['laɪdn,dʒɑ:] *n эл.* лéйденская бáнка

liability [,laɪə'bɪlətɪ] *n* 1) ответственность 2) помéха 3) (*обыкн. pl*) обязáтельство, задóлженность, долг; ~ of indemnity обязáтельство возмести́ть убы́тки; to discharge a ~ вы́полнить обязáтельство; current liabilities краткосрóчные обязáтельства 4) подвéрженность, склóнность; ~ to disease склóнность к заболевáнию

liable ['laɪəbl] *a* 1) обя́занный (to *c inf.*); ответственный (for — за); ~ for military service военнообя́занный 2) подлежáщий (*чему-л.*); ~ to duty подлежáщий обложéнию 3) подвéрженный; достýпный; ~ to (catch) cold подвéрженный простýде; your article is ~ to misconstruction вáша статья́ мóжет быть превpáтно истолкóвана 4) вероя́тный, возмóжный; he is ~ to come at any moment он мóжет прийти́ в любýю минýту; difficulties are ~ to occur óчень возмóжно, что встрéтятся затруднéния

liaise [lɪ'eɪz] *v* 1) *разг.* поддéрживать связь 2) *воен.* служи́ть офицéром свя́зи

liaison [lɪ'eɪzn] *n* 1) *воен.* связь взаимодéйствия 2) (любóвная) связь 3) *кул.* заправка для сóуса *или* сýпа (*из муки и масла, муки и яиц и т. п.*) 4) *фон.* свя́зывание конéчного соглáсного с начáльным глáсным слéдующего слóва (*во французском языке*) 5) *attr.* свя́зывающий; ~ personnel *воен.* офицéры свя́зи

liaison officer [lɪ,eɪzn'ɒfɪsə] *n воен.* офицéр свя́зи

liana [lɪ'ɑ:nə] *n бот.* лиáна

liar ['laɪə] *n* лгун

lias ['laɪəs] *n геол.* лейáс, ни́жняя юра

libation [laɪ'beɪʃn] *n* возлия́ние; *шутл.* вы́пивка

libel ['laɪbl] **1.** *n* клеветá (*в печати*), диффамáция (upon — на *кого-л.*); criminal ~ преступный, уголóвно наказýемый пáсквиль

2. *v* клеветáть, писáть пáсквили

libeller ['laɪblə] *n* пасквилянт; клеветни́к

libellous ['laɪbləs] *a* клеветни́ческий

liber ['laɪbə] *n* луб, лы́ко

liberal ['lɪbrəl] **1.** *a* 1) щéдрый, оби́льный 2) великодýшный 3) свобóдный от предрассýдков; свободомы́слящий 4) небуквáльный, вóльный; ~ translation вóльный перевóд 5) гуманитáрный; ~ arts гуманитáрные наýки; ~ education гуманитáрное образовáние 6) (L.) *полит.* либерáльный

2. *n* 1) либерáл 2) (L.) *полит.* член пáртии либерáлов, либерáл

liberalism ['lɪbrəlɪzəm] *n* либерали́зм

liberality [,lɪbə'rælətɪ] *n* 1) щéдрость 2) ширротá взгля́дов, терпи́мость

liberalize ['lɪbərəlaɪz] *v* 1) дéлать(ся) либерáльным 2) расширя́ть кругозóр

liberal-minded [,lɪbrəl'maɪndɪd] *a* настрóенный либерáльно; придéрживающийся либерáльных взгля́дов

liberate ['lɪbəreɪt] *v* 1) освобождáть (from) 2) *sl.* воровáть 3) *хим.* выделя́ть

liberation [,lɪbə'reɪʃn] *n* 1) освобождéние 2) *хим.* выделéние

liberator ['lɪbəreɪtə] *n* освободи́тель; избави́тель

libertarian [,lɪbə'teərɪən] *n* 1) сторóнник предоставлéния широ́ких граждáнских прав 2) сторóнник доктри́ны о свобóде вóли

libertine ['lɪbəti:n] **1.** *n* 1) распýтник 2) вольнодýмец 3) *ист.* вольноотпýщенник

2. *a* 1) безнрáвственный, распýщенный 2) свободомы́слящий 3) *ист.* вольноотпýщенный

liberty ['lɪbətɪ] *n* 1) свобóда; ~ of the press свобóда печáти; at ~ свобóдный, на свобóде; you are at ~ t'ô fâŝê âñý çĥôîçê ё́ы óжете выбирáть, что угóдно; to set at ~ освободи́ть; to take the ~ (of doing *или* to do so and so) позвóлить себé (сдéлать тó-то) 2) *pl* привилéгии, вóльности 3) вóльность, бесцеремóнность; to take liberties with smb. позволя́ть себé вóльности 4) *мор.* увольнéние на бéрег

liberty boat [,lɪbətɪ'bəʊt] *n* 1) шлю́пка с матрóсами, увольня́емыми на бéрег 2) *разг.* автóбус для отпускникóв

liberty man ['lɪbətɪmæn] *n* матрóс, увольня́емый на бéрег

libidinous [lɪ'bɪdɪnəs] *a* 1) сладострáстный, чýвственный 2) возбуждáющий чýвственность

libido [lɪ'bi:dəʊ] *n* 1) либи́до; половóе влечéние 2) си́ла, стремлéние, энéргия

Libra ['li:brə] *n* Весы́ (*созвездие и знак зодиака*)

librarian [laɪ'breərɪən] *n* библиотéкарь

library ['laɪbrərɪ] *n* 1) библиотéка; free ~ бесплáтная библиотéка; walking ~ *шутл.* «ходя́чая энциклопéдия» 2) *attr.* библиотéчный; ~ reader а) читáтель библиотéки; б) аппарáт для чтéния микрофи́льмов; ~ stock библиотéчный фонд

libretti [lɪ'breti:] *pl от* libretto

libretto [lɪ'bretəʊ] *n* (*pl* -ti, -os [-əʊz]) либрéтто

Libyan ['lɪbɪən] **1.** *a* ливи́йский; *поэт.* африкáнский

2. *n* ливи́ец; ливи́йка

lice [laɪs] *pl от* louse 1, 1)

licence ['laɪsns] *n* 1) разрешéние, лицéнзия; патéнт; driving ~ водительские правá, разрешéние на прáво вождéния автомаши́ны 2) (изли́шняя) вóльность; злоупотреблéние свобóдой 3) отклонéние от прáвила, нóрмы (*в искусстве, литературе*); poetic ~ поэти́ческая вóльность 4) *attr.*: ~ plate номернóй знак на автомаши́не

license ['laɪsns] **1.** *v* разрешáть, давáть разрешéние (*на что-л.*); давáть прáво, патéнт, привилéгию

2. *n* = licence

licensed ['laɪsnst] **1.** *p. p. от* license 1

2. *a* 1) имéющий прáво, разрешéние, привилéгию, патéнт, лицéнзию (*на что-л.*); ~ victualler лицó, имéющее патéнт на торгóвлю спиртны́ми напи́тками; ~ vice узакóненный разврáт 2) привилегирóванный, при́знанный 3) дипломи́рованный

licensee [,laɪsn'si:] *n* лицó, имéющее разрешéние, патéнт

licenser ['laɪsnsə] *n* лицó, выдающее разрешéние, патéнт; ~ of the press цéнзор

licentiate [laɪ'senʃɪət] *n* лиценциáт; обладáтель диплóма

licentious [laɪ'senʃəs] *a* 1) распýщенный, безнрáвственный 2) *уст.* вóльный, не считáющийся с прáвилами

lichen ['laɪkən] *n* 1) *мед.* лишáй 2) *бот.* лишáйник

lichenous ['laɪkənəs] *a* покры́тый лишáйником

lich-gate ['lɪtʃgeɪt] *n* покóйницкая (*при церковном кладбище*)

licit ['lɪsɪt] *a* закóнный, не запрещённый

lick [lɪk] **1.** *v* 1) лизáть; обли́зывать; to ~ one's chops (*или* one's lips) обли́зываться, смаковáть, предвкушáть (*что-л.*) 2) слегкá касáться (*о волнах, пламени*) 3) *разг.* побивáть; превосходи́ть; to ~ (all) creation превзойти́ все ожидáния 4) *разг.* бить, колоти́ть 5) *разг.* спеши́ть; мчáться; to go as hard as one can ~ мчáться во весь опóр ◇ to ~ into shape придавáть фóрму, приéмлемый вид; приводи́ть в поря́док; to ~ smb.'s boots подхали́мничать, пресмыкáться перед кем-л.; to ~ the dust а) быть повéрженным нáземь; быть побеждённым; б) пресмыкáться, унижáться (*перед кем-л.*); to ~ a problem *амер.* разреши́ть задáчу; спрáвиться с задáчей; to ~ one's wounds «зали́зывать рáны»

2. *n* 1) обли́зывание 2) = salt-lick 3) *разг.* шаг; скóрость; at a great (*или* at full) ~ бы́стрым шáгом; с большóй скóростью 4) *разг.* незначи́тельное коли́чество, кусóчек (*чего-л.*) 5) *разг.* си́льный удáр ◇ a ~ and a promise рабóта, сдéланная спустя́ рукавá, кóе-кáк; to put in one's best ~s прилагáть все уси́лия, старáться

lickerish ['lɪkərɪʃ] *a* 1) распýтный 2) любя́щий лáкомства 3) лáкомый

licking ['lɪkɪŋ] **1.** *pres. p. от* lick 1

2. *n разг.* 1) пóрка; взбýчка 2) поражéние

lickspittle ['lɪk,spɪtl] *n* льстец; подхали́м

licorice ['lɪkərɪs] = liquorice

lid [lɪd] *n* 1) кры́шка, колпáк 2) вéко; to narrow one's ~s прищýриться 3) *зоол.* жáберная кры́шка; *биол.* оболóчка, покрышка 4) *sl.* шля́па; шлем 5) *разг.* (ре́зкое) ограниче́ние; запре́т; the ~ is on gambling аза́ртные и́гры запрещены́ ◇ to put the ~ on а) доверши́ть де́ло, положи́ть коне́ц; б) расстро́ить (*планы и т. п.*); to keep the ~ on (information, data, *etc.*) держа́ть (све́дения, да́нные *и т. п.*) в секре́те; to take the ~ off (information, data, *etc.*) откры́ть секре́т, сде́лать я́вным

lido [ˈli:dəʊ] *n* откры́тый пла́вательный бассе́йн

lie I [laɪ] **1.** *n* 1) ложь 2) обма́н, оши́бочное убежде́ние ◇ to give the ~ to smb. улича́ть, изоблича́ть кого́-л. во лжи; to give the ~ to smth. опроверга́ть что-л.; white ~ неви́нная ложь; ложь во спасе́ние; to swop ~s *разг.* поболта́ть, посплётничать

2. *v* 1) лгать; to ~ in one's throat (*или* teeth) бессты́дно лгать; to ~ like a gas-meter завира́ться 2) быть обма́нчивым 3): to ~ oneself into smth. прони́кнуть (*куда-л.*) обма́нным путём; to ~ oneself out of smth. вы́путаться из како́го-л. положе́ния с по́мощью лжи

lie II [laɪ] **1.** *v* (lay; lain) 1) лежа́ть; to ~ still (*или* motionless) лежа́ть споко́йно, без движе́ния; to ~ in ambush находи́ться в заса́де; to ~ in wait (for smb.) поджида́ть, подстерега́ть (кого́-л.) 2) находи́ться, заключа́ться (*в чём-л.*); относи́ться (*к кому-л.*); it ~s with you to decide it ва́ше де́ло реши́ть э́то; the blame ~s at your door э́то ва́ша вина́; as far as in me ~s наско́лько э́то в мое́й вла́сти, в мои́х си́лах 3) быть располо́женным; простира́ться; the road ~s before you доро́га простира́ется перед ва́ми; life ~s in front of you у вас вся жизнь впереди́ 4) *юр.* признава́ться зако́нным; the claim does not ~ э́то незако́нное тре́бование 5) *уст.* пробы́ть недо́лго; to ~ for the night *воен.* расположи́ться на ночлёг ▭ ~ **about** валя́ться, быть разбро́санным; ~ **back** отки́нуться (*на подушку и т. п.*); ~ **by** а) остава́ться без употребле́ния; б) безде́йствовать; в) отдыха́ть; ~ **down** а) ложи́ться; прилёчь; б) принима́ть без сопротивле́ния, поко́рно; to take (punishment, an insult, *etc.*) lying down принима́ть (наказа́ние, оскорбле́ние *и т. п.*) поко́рно, не обижа́ясь; to ~ down under (an insult) проглоти́ть (оскорбле́ние); ~ **in** а) валя́ться в посте́ли (*по утрам*); б) *уст.* лежа́ть в ро́дах; ~ **off** а) *мор.* стоя́ть на не́котором расстоя́нии от бе́рега *или* друго́го су́дна б) вре́менно прекрати́ть рабо́ту; ~ **out** ночева́ть вне до́ма; ~ **over** быть отло́женным (*до другого времени*); ~ **to** *мор.* лежа́ть в дре́йфе; ~ **under** находи́ться, быть под (*подозрением и т. п.*); ~ **up** а) *мор.* стоя́ть в до́ке; б) лежа́ть, не выходи́ть из ко́мнаты (*из-за недомогания*); в) стоя́ть в стороне́, отстраня́ться; ~ **with** лежа́ть (*на ком-л.; об ответственности*); it ~s with you to answer вам отвеча́ть за э́то ◇ to ~ out of one's money не получи́ть причита́ющихся де́нег; to ~ on the bed one has made *посл.* ≅ что посе́ешь, то и пожнёшь

2. *n* 1) положе́ние; направле́ние; the ~ of the ground релье́ф ме́стности; the ~ of the land а) *мор.* направле́ние на бе́рег; б) *перен.* положе́ние веще́й 2) ло́гово (*зверя*)

lie-abed [ˈlaɪəbed] *n* со́ня, лежебо́ка

lie detector [ˈlaɪdɪ,tektə] *n* «детéктор лжи» (*прибор для проверки правильности показаний*)

liege [li:dʒ] *ист.* **1.** *n* 1) ле́нник, васса́л; the ~s по́дданные 2) сеньо́р

2. *a* 1) васса́льный, ле́нный 2) сеньориа́льный; ~ lord сеньо́р

liege man [ˈli:dʒmæn] *n ист.* васса́л

lie-in [,laɪˈɪn] *n разг.* валя́ние в посте́ли (*по утрам*)

lien [ˈli:ən] *n* 1) пра́во наложе́ния аре́ста на иму́щество должника́ 2) зало́говое пра́во

lieu [lu:] *n*: in ~ of вме́сто

lieutenancy [lefˈtenənsɪ, *мор.* leˈtenənsɪ] *n* чин, зва́ние лейтена́нта

lieutenant [lefˈtenənt, *мор.* leˈtenənt] *n* 1) лейтена́нт 2) замести́тель

lieutenant colonel [lef,tenəntˈkɜ:nl] *n* подполко́вник

lieutenant commander [le,tenəntkəˈmɑ:ndə] *n мор.* капита́н-лейтена́нт

lieutenant general [lef,tenəntˈdʒenrəl] *n* 1) генера́л-лейтена́нт 2) *ист.* наме́стник

lieutenant governor *n* 1) [lef,tenəntˈgʌvnə] губерна́тор прови́нции (*в англ. колонии*) 2) [lju:,tenəntˈgʌvnə] *амер.* замести́тель губерна́тора (*штата*)

life [laɪf] *n* (*pl* lives) 1) жизнь; существова́ние; to enter upon ~ вступи́ть в жизнь; to come to ~ а) ожива́ть, приходи́ть в себя́ (*после обморока и т. п.*); б) осуществля́ться; to bring to ~ привести́ в чу́вство; my ~ for it! кляну́сь жи́знью!, даю́ го́лову на отсече́ние!; to take smb.'s ~ уби́ть кого́-л. 2) продолжи́тельность жи́зни; for ~ на всю жизнь; an appointment for ~ пожи́зненная до́лжность 3) срок слу́жбы *или* рабо́ты (*машины, учреждения*); долгове́чность 4) о́браз жи́зни; to lead a quiet ~ вести́ споко́йную жизнь; stirring ~ де́ятельная жизнь, за́нятость; ~ of movement жизнь на колёсах 5) о́бщество; обще́ственная жизнь; high ~ све́тское, аристократи́ческое о́бщество; to see ~, to see smth. of ~ повида́ть свет; позна́ть жизнь 6) эне́ргия, жи́вость, оживле́ние; to sing with ~ петь с воодушевле́нием; to put ~ into one's work рабо́тать с душо́й 7) нату́ра; натура́льная величина́ (*тж.* ~ size); to portray to the ~ то́чно передава́ть схо́дство 8) биогра́фия, жизнеописа́ние 9) *разг.* пожи́зненное заключе́ние 10) *attr.* пожи́зненный; для́щийся всю жизнь; ~ imprisonment (*или* sentence) пожи́зненное заключе́ние ◇ my dear ~ моя́ дорога́я; мой дорого́й; such is ~ такова́ жизнь, ничего́ не поде́лаешь; while there is ~ there is hope *посл.* пока́ челове́к жив, он наде́ется; upon my ~! че́стное сло́во!; for the ~ of me I can't do it хоть убе́й, не могу́ э́того сде́лать; ~ and death struggle борьба́ не на жизнь, а на́ смерть; to run for dear ~ бежа́ть изо все́х сил; he was ~ and soul of the party он был душо́й о́бщества

life assurance [ˈlaɪfə,ʃɔ:rəns] = life insurance

life belt [ˈlaɪfbelt] *n* спаса́тельный по́яс

lifeblood [ˈlaɪfblʌd] *n* 1) кровь 2) исто́чник жи́зненной си́лы

lifeboat [ˈlaɪfbəʊt] *n* спаса́тельная шлю́пка

life buoy [ˈlaɪfbɔɪ] *n* спаса́тельный буй; спаса́тельный круг

life estate [ˈlaɪfɪ,steɪt] *n юр.* иму́щество в пожи́зненном по́льзовании

life expectancy [ˈlaɪfɪk,spektənsɪ] *n* вероя́тная продолжи́тельность жи́зни

life-giving [ˈlaɪf,gɪvɪŋ] *a* живи́тельный, животво́рный, подде́рживающий жизнь; восстана́вливающий жи́зненные си́лы

lifeguard [ˈlaɪfgɑ:d] *n* 1) спаса́тель на во́дах 2) ли́чная охра́на

Life Guards [ˈlaɪfgɑ:dz] *n* лейб-гва́рдия

life insurance [ˈlaɪfɪn,ʃʊərəns] *n* страхова́ние жи́зни

life jacket [ˈlaɪf,dʒækɪt] *n* спаса́тельный жиле́т

lifeless [ˈlaɪflɪs] *a* 1) бездыха́нный; безжи́зненный 2) ску́чный ◇ he is ~ who is faultless *посл.* ≅ не ошиба́ется тот, кто ничего́ не де́лает

lifelike [ˈlaɪflaɪk] *a* сло́вно живо́й; о́чень похо́жий

lifeline [ˈlaɪflaɪn] *n* 1) спаса́тельный трос 2) жи́зненно ва́жный путь; жи́зненно ва́жная коммуника́ция; «доро́га жи́зни»

lifelong [ˈlaɪflɒŋ] *a* пожи́зненный; ~ friend друг на всю жизнь

life office [ˈlaɪf,ɒfɪs] *n* конто́ра по страхова́нию жи́зни

life preserver [ˈlaɪfprɪ,zɜ:və] *n* 1) тяжёлая дуби́нка *или* трость, на́литая свинцо́м 2) спаса́тельный по́яс

lifer [ˈlaɪfə] *n разг.* 1) приговорённый к пожи́зненному заключе́нию 2) челове́к, де́лающий карье́ру в а́рмии

lifesaver [ˈlaɪf,seɪvə] *n разг.* 1) спаси́тель 2) *австрал.* спаса́тель на во́дах

lifesaving [ˈlaɪf,seɪvɪŋ] *a* спаса́тельный; ~ service слу́жба спаса́ния на во́дах; ~ station спаса́тельная ста́нция

life-size(d) [,laɪfˈsaɪz(d)] *a* в натура́льную величину́

life span [ˈlaɪfspæn] *n* продолжи́тельность жи́зни; within the ~ of one generation в тече́ние жи́зни одного́ поколе́ния

lifetime [ˈlaɪftaɪm] *n* продолжи́тельность жи́зни; це́лая жизнь; in one's ~ на своём веку́; all in a ~ ≅ в жи́зни вся́кое быва́ет

lifework [ˌlaɪf'wɜ:k] *n* труд *или* дéло всей жи́зни

lift [lɪft] **1.** *n* 1) поднятие, подъём 2) подъёмная си́ла; поднимáемая тя́жесть 3) подъёмник, лифт 4) повышéние, продвижéние 5) возвы́шенность 6) воодушевлéние, подъём 7) *гидр.* водянóй столб; высотá напóра 8) *спорт.* поднятие (*тяжёлая атлетика, борьба*) 9) подъём партнёрши (*в балете, фигурном катании*) 10) *разг.* крáжа ◇ to give smb. a ~ а) подсади́ть, подвезти́ когó-л.; б) помóчь комý-л.

2. *v* 1) поднимáть; возвышáть; to ~ one's hand against smb. подня́ть рýку на когó-л.; to ~ up one's head а) подня́ть гóлову; б) прийти́ в себя́; to ~ (up) one's voice against протестовáть прóтив; not to ~ a finger и пáльцем не пошевельнýть 2) поднимáться (*тж. о тесте*); поднимáться на волнáх (*о корабле*) 3) воодушевля́ть 4) повышáть, давáть повышéние (*по службе*) 5) рассéиваться (*об облаках, тумане*) 6) снимáть (*палатки; перен. запрет, карантин и т. п.*); to ~ a minefield разминúровать ми́нное пóле 7) *разг.* красть 8) совершáть плагиáт 9) собирáть, снимáть (*урожай*); копáть (*картофель*) 10) дéлать пласти́ческую оперáцию 11) *амер.* ликвиди́ровать задóлженность, уплати́ть долги́ ▭ ~ **down** подня́ть и затéм опусти́ть вниз

lifter ['lɪftə] *n* подъёмное приспособлéние

lifting ['lɪftɪŋ] **1.** *pres. p. от* lift 2

2. *n* подъём, поднимáние; ~ of mines разминúрование

lift-off ['lɪftɒf] *n* старт косми́ческого корабля́

lift-truck ['lɪfttrʌk] *n* автопогрýзчик

ligament ['lɪgəmənt] *n анат.* свя́зка

ligature ['lɪgətʃə] **1.** *n* 1) *мед.* лигатýра; перевя́зка (*кровеносных сосудов*) 2) *муз.* лигатýра, ли́га 3) *полигр.* лигатýра, вязь 4) связь

2. *v мед.* перевя́зывать (*кровеносный сосуд*)

light I [laɪt] **1.** *n* 1) свет; освещéние; дневнóй свет; to see the ~ а) уви́деть свет, роди́ться; б) вы́йти из печáти; в) обрати́ться (*в какую-л. веру и т. п.*); г) поня́ть; убеди́ться; to stand in smb.'s ~ заслоня́ть свет; *перен.* мешáть, стоя́ть на дорóге; to stand in one's own ~ вреди́ть самомý себé 2) истóчник свéта; зажжённая свечá, лáмпа, фонáрь, фáра, мая́к *и т. п.* 3) *pl* иллюминáция 4) (*часто pl*) светофóр; to stop for the ~s останáвливаться у светофóра; to cross (to drive) against the ~s переходи́ть (проезжáть) на крáсный свет; green ~ *амер. разг.* «зелёная ýлица» 5) освещённость, ви́димость 6) огóнь, плáмя; to strike a ~ зажéчь спи́чку; will you give me a ~? позвóльте прикури́ть 7) аспéкт; интерпретáция; постанóвка вопрóса; in the ~ of these facts в свéте э́тих дáнных; I cannot see it in that ~ я не могý э́то рассмáтривать таки́м óбразом; to put smth. in a favourable ~ представить что-л. в вы́годном свéте; to throw a new ~ upon smth. предстáвить что-л. в инóм свéте 8) озарéние, просветлéние 9) отражéние душéвного волнéния, вдохновéния на лицé 10) *pl* (ýмственные) спосóбности; according to one's ~s в мéру свои́х сил, возмóжностей 11) *attr.* световóй; ~ therapy светолечéние; 12) свети́ло; знамени́тость 13) просвéт, окнó 14) (*обыкн. pl*) свéдения, информáция; we need more ~ on the subject нам нужны́ дополни́тельные свéдения по э́тому вопрóсу; to throw (*или* to shed) ~ upon smth. проливáть свет на что-л. ◇ by the ~ of nature интуити́вно; to bring to ~ выявля́ть, выясня́ть; выводи́ть на чи́стую вóду; to come to ~ обнарýжиться

2. *a* свéтлый; блéдный (*о цвете*); ~ brown свéтло-кори́чневый

3. *v* (lit, lighted [-ɪd] 1) зажигáть(ся) (*часто* ~ up) 2) освещáть (*часто* ~ up); свети́ть (*комý-л.*) ▭ ~ **up** а) закури́ть (*трубку и т. п.*); б) зажéчь свет; в) оживля́ть(ся), загорáться, свети́ться (*о лице, глазах*)

light II [laɪt] **1.** *a* 1) лёгкий; легковéсный; as ~ as a feather (*или* air) лёгкий как пёрышко; to give ~ weight обвéшивать 2) незначи́тельный; ~ rain (snow) небольшóй дождь (снег); a ~ attack of illness небольшóе недомогáние 3) *воен.* лёгкий, подви́жный; ~ artillery лёгкая артиллéрия; ~ automatic gun ручнóй пулемёт 4) некрéпкий (*о напитке*); лёгкий (*о пище*); ~ meal лёгкий зáвтрак, ýжин, лёгкая закýска *и т. п.* 5) несерьёзный, лёгкий (*о музыке и т. п.*) 6) пустóй; легкомы́сленный, несерьёзный; весёлый 7) чýткий (*о сне*); ~ sleep чýткий сон 8) нетрýдный, необремени́тельный; лёгкий; ~ work лёгкая рабóта; ~ punishment мя́гкое наказáние 9) *фон.* неудáрный (*о слоге, звуке*); слáбый (*об ударении*) 10) бы́стрый, лёгкий (*о движениях*) 11) чýвствующий головокружéние; ~ in the head в полубессознáтельном состоя́нии 12) ры́хлый, неплóтный (*о почве*) 13) *кул.* хорошó подня́вшийся, лёгкий, воздýшный (*о тесте*) 14) распýщенный ◇ ~ hand а) лóвкость; б) деликáтность, такти́чность

2. *adv* легкó; to tread ~ легкó ступáть; to travel ~ путешéствовать налегкé; to get off ~ легкó отдéлаться ◇ ~ come ~ go ≅ легкó нáжито, легкó прóжито

light III [laɪt] *v* (lit, lighted [-ɪd]) 1) неожи́данно натолкнýться, случáйно напáсть (on, upon); his eyes ~ed on a familiar face in the crowd он уви́дел знакóмое лицó в толпé 2) неожи́данно обрýшиться (*об ударе и т. п.*) 3) *уст.* сходи́ть (*обыкн.* ~ off, ~ down); опускáться, сади́ться (*на что-л.*); пáдать (on, upon)

light-bay [ˌlaɪt'beɪ] *a* булáный (*о лошади*)

lighten I ['laɪtn] *v* 1) освещáть 2) светлéть 3) сверкáть; it ~s сверкáет мóлния

lighten II ['laɪtn] *v* 1) дéлать(ся) бóлее лёгким; облегчáть 2) приноси́ть облегчéние 3) смягчáть (*наказание*)

lighter I ['laɪtə] *n* 1) зажигáлка (*тж.* cigar ~, cigarette ~) 2) освети́тель 3) *тех.* запáл

lighter II ['laɪtə] *мор.* **1.** *n* ли́хтер

2. *v* перевози́ть ли́хтером

lighterage ['laɪtərɪdʒ] *n* 1) разгрýзка *или* погрýзка судóв ли́хтером 2) ли́хтерный сбор

lighterman ['laɪtəmən] *n* матрóс на ли́хтере

lightface ['laɪtfeɪs] *n полигр.* свéтлый шрифт

light-fingered [ˌlaɪt'fɪŋgəd] *a* 1) лóвкий 2) воровáтый; нечи́стый нá руку

light-footed [ˌlaɪt'fʊtɪd] *a* быстронóгий, провóрный

light-handed [ˌlaɪt'hændɪd] *a* 1) лóвкий 2) такти́чный 3) с пусты́ми рукáми 4) не пóлностью укомплектóванный

light-head ['laɪthed] *n* легкомы́сленный человéк

light-headed [ˌlaɪt'hedɪd] *a* 1) чýвствующий головокружéние 2) бездýмный, легкомы́сленный; непостоя́нный 3) в состоя́нии брéда, ýмственного расстрóйства

lighthearted [ˌlaɪt'hɑ:tɪd] *a* беззабóтный, беспéчный, весёлый

light-heavyweight [ˌlaɪt'hevɪweɪt] *n* борéц *или* боксёр полутяжёлого вéса

light-heeled [ˌlaɪt'hi:ld] *a* быстронóгий

lighthouse ['laɪthaʊs] *n* мая́к

light housekeeping [ˌlaɪt'haʊsˌki:pɪŋ] *n* лёгкая рабóта по дóму; ведéние хозя́йства без приготовлéния пи́щи

lighting ['laɪtɪŋ] *n* 1) освещéние 2) освети́тельная аппаратýра

lightish I ['laɪtɪʃ] *a* довóльно свéтлый

lightish II ['laɪtɪʃ] *a* довóльно лёгкий

light-legged [ˌlaɪt'legd] = light-heeled

lightly I ['laɪtlɪ] *adv* 1) слегкá; чуть 2) несерьёзно; с лёгким сéрдцем; to take ~ не принимáть всерьёз 3) легкó, без уси́лий; to get off ~ легкó отдéлаться от наказáния 4) необдýманно, беспéчно 5) безразли́чно, пренебрежи́тельно

lightly II ['laɪtlɪ] *v шотл.* обращáться (*с кем-л.*) пренебрежи́тельно

light-minded [ˌlaɪt'maɪndɪd] *a* легкомы́сленный

lightness ['laɪtnəs] *n* 1) лёгкость 2) расторóпность 3) деликáтность 4) легкомы́слие

lightning ['laɪtnɪŋ] *n* мóлния; like ~, with (*или* at) ~ speed с быстротóй мóлнии, молниенóсно; summer (*или* heat) ~ зарни́ца

lightning arrester ['laɪtnɪŋəˌrestə] *n эл.* молниеотвóд; грозовóй разря́дник

lightning-bug ['laɪtnɪŋbʌg] *n* жук-светля́к

lightning conductor ['laɪtnɪŋkənˌdʌktə] *n* молниеотвóд

lightning-like ['laɪtnɪŋlaɪk] *a* молниенóсный

lightning rod ['laɪtnɪŋrɒd] = lightning conductor

lightning strike [ˌlaɪtnɪŋ'straɪk] *n* спонта́нная забасто́вка (*без предварительного объявления*)

light-o'-love [ˌlaɪtə'lʌv] *n* 1) ве́треная, капри́зная же́нщина 2) проститу́тка

light-resistant ['laɪtrɪˌzɪstənt] *a* светосто́йкий

lights [laɪts] *n pl* лёгкие (*свиные, бараньи и т. п., употребляемые в пищу*)

lightship ['laɪtʃɪp] *n* плаву́чий мая́к

lightsome I ['laɪtsəm] *a* све́тлый, нема́рчный

lightsome II ['laɪtsəm] *a* 1) лёгкий, прово́рный; грацио́зный 2) весёлый 3) легкомы́сленный

light-spectrum ['laɪtˌspektrəm] *n* опти́ческий спектр

light-tight ['laɪtˌtaɪt] *a* светонепроница́емый

lightweight ['laɪtweɪt] **1.** *n* 1) челове́к ни́же сре́днего ве́са, живо́тное *или* вещь ле́гче станда́ртного ве́са 2) *спорт.* лёгкий вес; боксёр *или* боре́ц лёгкого ве́са 3) несерьёзный, пове́рхностный челове́к

2. *a* 1) лёгкий; ~ gas-mask облегчённый противога́з 2) несерьёзный, пове́рхностный

light-year ['laɪtjɪə] *n астр.* светово́й год

ligneous ['lɪgnɪəs] *a* 1) *бот.* деревяни́стый 2) деревя́нный

lignite ['lɪgnaɪt] *n* лигни́т, бу́рый у́голь

lignum vitae [ˌlɪgnəm'vaɪtɪ] *n бот.* баку́т; желе́зное де́рево

likable ['laɪkəbl] = likeable

like I [laɪk] **1.** *a* 1) похо́жий, подо́бный; ~ question подо́бный вопро́с; in (a) ~ manner подо́бным о́бразом; it's just ~ you to do that э́то о́чень похо́же на вас; э́то как раз то, чего́ от вас мо́жно ожида́ть; it costs something ~ £50 э́то сто́ит о́коло 50 фу́нтов сте́рлингов; ~ nothing on earth ни на что не похо́жий, стра́нный 2) одина́ковый; ра́вный; ~ sum ра́вная су́мма; ~ dispositions одина́ковые хара́ктеры 3) *разг.* возмо́жный; вероя́тный; they are ~ to meet again они́, вероя́тно, ещё встре́тятся ◇ nothing ~ ничего́ похо́жего; there is nothing ~ home нет ме́ста лу́чше, чем дом; that's something ~ как раз то, что ну́жно; вот э́то прекра́сно!; something ~ a dinner! *разг.* замеча́тельный обе́д! ≅ вот э́то обе́д так обе́д!; what is he ~? что он собо́й представля́ет?, что он за челове́к?; ~ father ~ son, ~ master ~ man ≅ я́блоко от я́блони недалеко́ па́дает

2. *adv* 1) *уст.* подо́бно, так; ~ so вот так, таки́м о́бразом 2) *разг.* так сказа́ть, как бы; I had ~ to have fallen я чуть не упа́л 3) *разг.* возмо́жно, вероя́тно; ~ enough, as ~ as not о́чень возмо́жно; very ~ весьма́ вероя́тно

3. *prep:* ~ anything, ~ mad *разг.* стреми́тельно; изо всех сил; си́льно, чрезвыча́йно, ужа́сно; do not talk ~ that не говори́те так; to run ~ mad бежа́ть о́чень бы́стро, как угоре́лый

4. *n* не́что подо́бное, ра́вное, одина́ковое; and the ~ и тому́ подо́бное; did you ever hear the ~? слы́шали ли вы что-л. подо́бное?; we shall not look upon his ~ again тако́го челове́ка, как он, нам не вида́ть бо́льше; the ~s of us (them, *etc.*) *разг.* таки́е лю́ди, как мы (они́ *и т. п.*) ◇ ~ cures ~ ≅ клин кли́ном вышиба́ть; чем уши́бся, тем и лечи́сь

like II [laɪk] **1.** *v* 1) нра́виться, люби́ть; I ~ that! вот э́то мне нра́вится! (*шутливое выражение несогласия*), хоро́шенькое де́ло!; to ~ dancing люби́ть танцева́ть; she ~s him but does not love him он ей нра́вится, но она́ его́ не лю́бит; do as you ~ де́лайте, как вам уго́дно; I should (*или* would) ~ я хоте́л бы, мне хоте́лось бы 2) хоте́ть (*в отриц. предложениях*); I don't ~ to disturb you я не хочу́ вас беспоко́ить ◇ I ~ that! *ирон.* э́то мне нра́вится!

2. *n pl* скло́нности, влече́ния; ~s and dislikes пристра́стия и предубежде́ния; симпа́тии и антипа́тии

likeable ['laɪkəbl] *a* прия́тный, привлека́тельный, ми́лый

likelihood ['laɪklɪhʊd] *n* 1) вероя́тность; in all ~ по всей вероя́тности 2) *редк.* многообеща́ющая бу́дущность; a young man of great ~ молодо́й челове́к, подаю́щий больши́е наде́жды

likely ['laɪklɪ] **1.** *a* 1) вероя́тный, возмо́жный 2) подаю́щий наде́жды 3) подходя́щий 4) *амер.* краси́вый

2. *adv* вероя́тно (*обыкн.* most ~, very ~); as ~ as not весьма́ вероя́тно

like-minded [ˌlaɪk'maɪndɪd] *a* приде́рживающийся тако́го же мне́ния, тех же убежде́ний *и т. п.*

liken ['laɪkən] *v* 1) уподобля́ть (to); сра́внивать (*тж.* ~ together); привра́внивать (to, with) 2) *редк.* де́лать похо́жим, схо́жим, придава́ть схо́дство

likeness ['laɪknəs] *n* 1) схо́дство (between — ме́жду, to — с); подо́бие 2) обли́чье, личи́на, о́браз; in the ~ of... под ви́дом..., под личи́ной... 3) портре́т; to take smb.'s ~ писа́ть с кого́-л. портре́т; де́лать чью-л. фотогра́фию, фотографи́ровать кого́-л.; a good ~ схо́жий портре́т

likewise ['laɪkwaɪz] *adv* 1) та́кже; бо́лее того́ 2) подо́бно

liking ['laɪkɪŋ] **1.** *pres. p. от* like II, 1

2. *n* 1) вкус (to — к *чему-л.*); to smb.'s ~ по вку́су, по душе́ кому́-л. 2) симпа́тия, расположе́ние (for — к *кому-л.*)

lilac ['laɪlək] **1.** *n* сире́нь

2. *a* сире́невый

liliaceous [ˌlɪlɪ'eɪʃəs] *a бот.* лиле́йный

Lilliputian [ˌlɪlɪ'pju:ʃn] **1.** *n* 1) лилипу́т; ка́рлик

2. *a* ка́рликовый, кро́шечный

lilt [lɪlt] *n* **1.** 1) весёлая, жива́я пе́сенка 2) ритм (*песни, стиха*)

2. *v* 1) де́лать (*что-л.*) бы́стро, жи́во, ве́село 2) петь ве́село, жи́во

lily ['lɪlɪ] *n* 1) ли́лия 2) *attr.* лиле́йный, бе́лый

lily-livered [ˌlɪlɪ'lɪvəd] *a* трусли́вый

lily of the valley [ˌlɪlɪəvðə'vælɪ] *n* ла́ндыш

lily-white [ˌlɪlɪ'waɪt] *a* 1) лиле́йно-бе́лый, белосне́жный 2) безупре́чный 3) *амер.* предназна́ченный то́лько для бе́лых; не включа́ющий не́гров; ~ school сегреги́рованная шко́ла

limb I [lɪm] **1.** *n* 1) коне́чность, член (*тела*) 2) сук, ве́тка 3) отро́г горы́ 4) *разг.* не́слух; непослу́шный ребёнок; ~ of the devil (*или* of Satan) дья́вольское отро́дье 5) *грам.* член предложе́ния ◇ ~ of the law *шутл.* блюсти́тель поря́дка, страж зако́на (*полицейский, адвокат*); out on a ~ в тру́дном положе́нии, в опа́сности

2. *v* расчленя́ть

limb II [lɪm] *n* 1) *астр.* лимб, край ди́ска (*Солнца, Луны, планет*) 2) лимб, кругова́я шкала́ (*в угломерных приборах*) 3) *бот.* расши́ренная часть (*лепестка, листа*)

limbec(k) ['lɪmbek] = alembic

limber I ['lɪmbə] *воен.* **1.** *n* передо́к (*орудия*)

2. *v* брать (*орудие*) на передо́к

limber II ['lɪmbə] **1.** *a* 1) прово́рный 2) ги́бкий, мя́гкий; пода́тливый

2. *v* де́лать(ся) ги́бким, пода́тливым ▭ ~ **up** *спорт.* де́лать разми́нку

limbering-up ['lɪmbərɪŋˌʌp] *n спорт.* разми́нка

limbless ['lɪmləs] *a* лишённый коне́чностей, безру́кий, безно́гий

limbo ['lɪmbəʊ] *n* (*pl* -os [-əʊz]) 1) *рел.* лимб, преддве́рие а́да 2) пребыва́ние в забве́нии 3) заточе́ние, тюрьма́

lime I [laɪm] **1.** *n* 1) и́звесть; burnt (slaked) ~ негашёная (гашёная) и́звесть 2) пти́чий клей (*обыкн.* bird ~)

2. *v* 1) бели́ть и́звестью 2) скрепля́ть *или* удобря́ть и́звестью 3) *уст.* нама́зывать (*ветки дерева*) пти́чьим клеем для прима́нивания птиц

lime II [laɪm] *n бот.* лайм настоя́щий (*разновидность лимона*)

lime III [laɪm] *n* ли́па

lime juice ['laɪmdʒu:s] *n* сок ла́йма

limekiln ['laɪmkɪln] *n* печь для о́бжига и́звести

limelight ['laɪmlaɪt] **1.** *n* 1) друммо́ндов свет (*применяется для освещения сцены в театре*); свет ра́мпы 2) часть сце́ны у ра́мпы ◇ to be in the ~ быть в це́нтре внима́ния; быть на виду́

2. *v* 1) я́рко освеща́ть 2) привлека́ть внима́ние

lime-pit ['laɪmpɪt] *n* известняко́вый карье́р

limerick ['lɪmərɪk] *n* ли́мерик, шу́точное стихотворе́ние (*из пяти строк*)

limes [laɪmz] *n pl театр.* ра́мпа

limestone ['laɪmstəʊn] *n* известня́к

lime-tree ['laɪmtri:] = lime III

limewater ['laɪmˌwɔ:tə] *n* известко́вая вода́

Limey ['laɪmɪ] *n амер. пренебр.* англича́нин (*первонач.* англи́йский матро́с)

limit ['lɪmɪt] **1.** *n* 1) грани́ца, преде́л; superior ~ ма́ксимум; inferior ~ ми́нимум; to set the ~ устана́вливать преде́л; положи́ть коне́ц; to go beyond the ~ перейти́ грани́цы; to go the ~ *амер. разг.* впада́ть в кра́йность; переходи́ть все грани́цы; that's the ~! э́то перехо́дит все грани́цы!; э́то уж сли́шком!; she is the ~ она́ невыноси́ма; to the ~ *амер.* максима́льно, преде́льно 2) *мат.* преде́л 3) *тех.* преде́льный разме́р, до́пуск; интерва́л значе́ний 4) *юр.* срок да́вности ◇ off ~s *амер.* вход воспрещён; within ~s уме́ренно, в преде́лах возмо́жности

2. *v* 1) ограни́чивать; ста́вить преде́л 2) служи́ть грани́цей, преде́лом

limitary ['lɪmɪtərɪ] *a* 1) ограничи́тельный 2) ограни́ченный 3) пограни́чный

limitation [,lɪmɪ'teɪʃn] *n* 1) ограниче́ние; огово́рка 2) (*часто pl*) ограни́ченность; to have one's ~s быть ограни́ченным, недалёким; to know one's own ~s знать свои́ недоста́тки; пра́вильно оце́нивать свои́ скро́мные возмо́жности 3) *юр.* искова́я да́вность, срок да́вности

limitative ['lɪmɪtətɪv] *a* ограни́чивающий, лимити́рующий

limited ['lɪmɪtɪd] **1.** *p. p. от* limit 2

2. *a* ограни́ченный; ~ company *ком.* акционе́рное о́бщество с ограни́ченной отве́тственностью; ~ liability ограни́ченная отве́тственность; ~ monarchy конституцио́нная мона́рхия; ~ train (*или* express) курье́рский по́езд с ограни́ченным коли́чеством мест

limitless ['lɪmɪtləs] *a* безграни́чный, беспреде́льный

limitrophe ['lɪmɪtrəʊf] *a* лимитро́фный; пограни́чный

limm [lɪm] *v уст.* 1) писа́ть (*картину, портрет*) 2) украша́ть ру́копись рису́нками, винье́тками

limnetic [lɪm'netɪk] *a* пресново́дный

limnology [lɪm'nɒlədʒɪ] *n* лимноло́гия, озерове́дение

limo ['lɪməʊ] *n амер. разг.* лимузи́н

limousine [,lɪmə'zi:n] *n* лимузи́н

limp I [lɪmp] **1.** *n* хромота́, прихра́мывание; to walk with a ~ хрома́ть, прихра́мывать; to have a ~ хрома́ть

2. *v* 1) хрома́ть, прихра́мывать; идти́ с трудо́м 2) ме́дленно дви́гаться (*из-за повреждения — о пароходе, самолёте*)

limp II [lɪmp] *a* 1) мя́гкий, нежёсткий; ~ binding мя́гкий переплёт 2) сла́бый, безво́льный

limpet ['lɪmpɪt] *n* 1) *зоол.* блю́дечко (*моллюск*) 2) чино́вник, все́ми си́лами стара́ющийся удержа́ть своё ме́сто ◇ to stick like a ~ ≅ приста́ть как ба́нный лист

limpid ['lɪmpɪd] *a* прозра́чный (*тж. перен. о языке, стиле и т. п.*)

limpidity [lɪm'pɪdətɪ] *n* прозра́чность

limy ['laɪmɪ] *a* 1) известко́вый 2) кле́йкий

linage ['laɪnɪdʒ] *n* 1) число́ строк в печа́тной страни́це 2) постро́чная опла́та

linchpin ['lɪntʃpɪn] *n* чека́ (*колеса*)

linctus ['lɪŋktəs] *n* миксту́ра от ка́шля

linden ['lɪndən] *n* ли́па

line I [laɪn] **1.** *n* 1) ли́ния, черта́; штрих; ~ and colour ко́нтур и тона́ рису́нка; ~ of force *физ.* силова́я ли́ния; all along the ~ а) по всей ли́нии; б) во всех отноше́ниях 2) борозда́; морщи́на; to take ~s покрыва́ться морщи́нами 3) *муз.* но́тная лине́йка 4) очерта́ния, ко́нтур; ship's ~s обво́ды (ко́рпуса) корабля́ 5) (the L.) эква́тор; to cross the L. пересе́чь эква́тор 6) пограни́чная ли́ния, грани́ца; преде́л; to overstep the ~ of smth. перейти́ грани́цы чего́-л.; to draw the ~ провести́ грани́цу; положи́ть преде́л (at — *чему-л.*); on the ~ а) как раз посереди́не, на грани́це (*между чем-л.*); б) на у́ровне глаз зри́теля (*о картине*); to go over the ~ перейти́ (дозво́ленные) грани́цы, перейти́ преде́л; below the ~ ни́же но́рмы 7) ряд; *амер. тж.* о́чередь, хвост 8) строка́; drop me a few ~s черкни́те мне па́ру строк; to read between the ~s чита́ть ме́жду строк 9) *pl* стихи́ 10) *pl театр.* слова́ ро́ли, ре́плика 11) *школ.* гре́ческие *или* лати́нские стихи́, перепи́сываемые в ви́де наказа́ния 12) *pl* бра́чное свиде́тельство (*тж.* marriage ~s) 13) шнур; верёвка; *мор.* линь; clothes ~ а) верёвка для белья́; б) *мор.* бельево́й ле́ер 14) ле́са́ (*удочки*); to throw a good ~ быть хоро́шим рыболо́вом 15) ли́ния (*связи, железнодорожная, пароходная, трамвайная и т. п.*); hold the ~! не ве́шайте тру́бку, не разъединя́йте!; ~'s busy за́нято (*ответ телефонистки*); the ~ is bad пло́хо слы́шно; long-distance ~ междугоро́дная ли́ния 16) происхожде́ние, родосло́вная, генеало́гия; male (female) ~ мужска́я (же́нская) ли́ния 17) поведе́ние; о́браз де́йствий; to take a strong ~ де́йствовать энерги́чно 18) направле́ние, устано́вка; ~ of policy полити́ческий курс; on the usual ~s на обы́чных основа́ниях 19) заня́тие, род де́ятельности; специа́льность; it is not in (*или* out of) my ~ э́то вне мое́й компете́нции *или* интере́сов; what's his ~? чем он занима́ется?; ~ of business *театр.* актёрское амплуа́ 20) *ком.* па́ртия (*товаров*); the shop carries the best ~ of shoes в э́том магази́не продаётся са́мая лу́чшая о́бувь; first-class ~s первокла́ссные това́ры 21) *разг.* беззасте́нчивое преувеличе́ние, брехня́ 22) *воен.* развёрнутый строй; ли́ния фро́нта; ~ abreast (ahead) *мор.* строй фро́нта (кильва́тера); in ~ в развёрнутом строю́; 23) (the ~s) *pl* расположе́ние (войск); the enemy's ~s расположе́ние проти́вника 24) *тлв.* строка́ изображе́ния (*тж.* scan ~, scanning ~) 25) ли́ния (*мера длины* = 1/12 *дюйма*) ◇ all along the ~ во всём, во всех отноше́ниях; to be in ~ for smth. *амер.* быть на о́череди, име́ть шанс на что-л.; to be in ~ with smth. быть в согла́сии, соотве́тствовать чему́-л.; to come into ~ (with) соглаша́ться, де́йствовать в согла́сии; to bring smb. into ~ заста́вить кого́-л. согласи́ться; to get a ~ on smth. *амер.* добы́ть све́дения о чём-л.; to go down the ~ по́ртиться

2. *v* 1) проводи́ть ли́нии, линова́ть 2) покрыва́ть (*морщинами*) 3) выстра́ивать(ся) в ряд, в ли́нию; устана́вливать; to ~ a street with trees обсади́ть у́лицу дере́вьями 3) стоя́ть, тяну́ться вдоль (*чего-л.*; *тж.* ~ up) ▭ ~ **through** зачёркивать, вычёркивать; ~ **up** а) стро́ить(ся), выстра́ивать(ся) (в ли́нию); to ~ up in opposition дру́жно вы́ступить про́тив; б) станови́ться в о́чередь; в) размежёвываться; г) подыска́ть, подобра́ть; д): to ~ up votes собира́ть голоса́; е) присоединя́ться, солидаризи́роваться (with)

line II [laɪn] *v* 1) класть на подкла́дку 2) обива́ть (*чем-л.*) изнутри́ 3) *разг.* наполня́ть, набива́ть; to ~ one's pockets нажи́ться, разбогате́ть; to ~ one's stomach наби́ть желу́док 4) *тех.* выкла́дывать, облицо́вывать; футерова́ть

lineage ['lɪnɪɪdʒ] *n* 1) происхожде́ние, родосло́вная 2) = linage

lineal ['lɪnɪəl] *a* 1) происходя́щий по прямо́й ли́нии (of — от), насле́дственный, родово́й, фами́льный 2) лине́йный

lineament ['lɪnɪəmənt] *n* (*обыкн. pl*) 1) черты́ (*лица*); очерта́ния 2) отличи́тельная черта́ (*характера и т. п.*)

linear ['lɪnɪə] *a* 1) лине́йный; ~ equation *мат.* уравне́ние пе́рвой сте́пени; ~ measures ме́ры длины́ 2) подо́бный ли́нии, у́зкий и дли́нный

lined I [laɪnd] **1.** *p. p. от* line I, 2

2. *a* морщи́нистый, покры́тый морщи́нами

lined II [laɪnd] *p. p. от* line II

line drawing ['laɪn,drɔ:ɪŋ] *n* рису́нок перо́м *или* карандашо́м

line engraving ['laɪnɪn,greɪvɪŋ] *n* штрихова́я гравю́ра

lineman ['laɪnmən] *n* 1) лине́йный монтёр (*телефонный и т. п.*) 2) *ж.-д.* путево́й обхо́дчик 3) = linesman

line map ['laɪnmæp] *n* ко́нтурная ка́рта

linen ['lɪnɪn] **1.** *n* 1) (льняно́е) полотно́; холст, паруси́на 2) *собир.* бельё

2. *a* льняно́й

linen-draper ['lɪnɪn,dreɪpə] *n* торго́вец льняны́ми това́рами

line officer ['laɪn,ɒfɪsə] *n* строево́й офице́р

liner I ['laɪnə] *n* 1) ла́йнер, пассажи́рский парохо́д *или* самолёт, соверша́ющий регуля́рные ре́йсы 2) журнали́ст, получа́ющий постро́чную опла́ту

liner II ['laɪnə] *n* 1) *тех.* вкла́дыш, вту́лка, ги́льза 2) *горн.* обса́дная труба́ 3) *воен.* подшле́мник 4) *тех.* прокла́дка; подкла́дка; облицо́вка

linesman ['laɪnzmən] *n спорт.* судья́ на ли́нии

line-up ['laɪnʌp] *n* 1) строй 2) *спорт.* расположе́ние игроко́в пе́ред нача́лом игры́; соста́в кома́нды 3) расстано́вка сил

ling I [lɪŋ] *n зоол.* морска́я щу́ка

ling II [lɪŋ] *n бот.* ве́реск обыкнове́нный

linger ['lɪŋgə] *v* 1) заси́живаться (on,

over — над *чем-л.*); задéрживаться (*где-л.;* about, round); терять врéмя дáром 2) мéдлить, мéшкать; опáздывать 3) затягиваться (*о болезни*) 4) тянýться (*о времени*) 5) влачить жáлкое существовáние, мéдленно умирáть (*тж.* ~ out one's days *или* life)

lingerie ['lænʒəri:] *n* дáмское бельё

lingering ['lɪŋgərɪŋ] 1. *pres. p. от* linger

2. *a* 1) медлительный 2) томительный 3) затяжнóй (*о болезни, кризисе и т. п.*) 4) давнишний; дóлгий; ~ dream давнишняя мечтá

lingo ['lɪŋgəʊ] *n* (*pl* -oes [-əʊz]) *разг.* 1) инострáнный язык 2) специáльный малопонятный жаргóн; профессионáльная фразеолóгия

lingua franca [,lɪŋgwə'fræŋkə] *ит. n* 1) смéшанный язык из элемéнтов ромáнских, грéческого и востóчных языкóв, слýжащий для общéния в востóчном Средиземномóрье 2) смéшанный язык; широкó распространённый жаргóн

lingual ['lɪŋgwəl] *a* 1) *анат.* язычный; ~ bone подъязычная кость 2) *лингв.* языковóй

linguist ['lɪŋgwɪst] *n* лингвист, языковéд

linguistic [lɪŋ'gwɪstɪk] *a* лингвистический, языковéдческий

linguistics [lɪŋ'gwɪstɪks] *n pl* (*употр. как sing*) языкознáние, лингвистика

liniment ['lɪnəmənt] *n* жидкая мазь, линимéнт

lining I ['laɪnɪŋ] 1. *pres. p. от* line II

2. *n* 1) подклáдка; внýтренняя обивка 2) содержимое (*кошелька, желудка и т. п.*) 3) облицóвка (*камнем*); обклáдка; футерóвка 4) *горн.* креплéние, крепь

lining II ['laɪnɪŋ] 1. *pres. p. от* line I, 2

2. *n* выпрямлéние, вырáвнивание

link I [lɪŋk] 1. *n* 1) звенó (*цепи*); колéчко, лóкон 2) пéтля (*в вязанье*) 3) (связýющее) звенó; связь; соединéние 4) *pl* ýзы; ~s of brotherhood ýзы брáтства 5) *радио, тлв.* релéйная линия 6) зáпонка для манжéт 7) *геод.* звенó землемéрной цéпи (*как мера длины = 20 см*) 8) *тех.* шарнир; кулиса

2. *v* 1) соединять, связывать, смыкáть (together, to); сцеплять (*тж.* ~ up) 2) брать *или* идти пóд руку (*тж.* ~ one's arm through smb.'s arm) 3) быть связанным (on, to — с); примыкáть (on, to — к)

link II [lɪŋk] *n* фáкел

linkage ['lɪŋkɪdʒ] *n* 1) сцеплéние, соединéние 2) *хим.* связь 3) *эл.* потокосцеплéние, пóлный потóк индýкции

linkman ['lɪŋkmæn] *n* 1) *тлв., радио* ведýщий прогрáммы 2) *спорт.* полузащитник 3) посрéдник

links [lɪŋks] *n pl* 1) (*иногда как sing*) пóле для игры в гольф 2) *шотл.* дюны

linkup ['lɪŋkʌp] *n* 1) соединéние; ~ on the Elbe *ист.* встрéча на Эльбе 2) стыкóвка космических кораблéй

link-verb ['lɪŋkvɜ:b] *n грам.* глагóл-связка

linn [lɪn] *n шотл.* 1) водопáд 2) глубóкий оврáг, ущéлье

linnet ['lɪnɪt] *n* коноплянка (*птица*)

lino I ['laɪnəʊ] = linoleum

lino II ['laɪnəʊ] = linotype

linocut ['laɪnəʊkʌt] *n* линогравюра

linoleum [lɪ'nəʊlɪəm] *n* линóлеум

lino operator ['laɪnəʊ,ɒpəreɪtə] *n* линотипист

linotype ['laɪnəʊtaɪp] *полигр.* 1. *n* линотип; ~ operator = lino operator

2. *v* набирáть на линотипе

linseed ['lɪnsi:d] *n* 1) льнянóе сéмя 2) *attr.*: ~ cake льняные жмыхи; ~ oil льнянóе мáсло

linsey-woolsey [,lɪnzɪ'wʊlzɪ] *n* грýбая полушерстянáя ткань

lint [lɪnt] *n мед.* кóрпия

lintel ['lɪntl] *n* перемычка окнá *или* двéри

liny ['laɪnɪ] *a* 1) испещрённый линиями 2) морщинистый 3) тóнкий, худóй

lion ['laɪən] *n* 1) лев; American mountain ~ пýма 2) (L.) Лев (*созвездие и знак зодиака*) 3) знаменитость 4) (L.) национáльная эмблéма Великобритáнии 5) *pl* достопримечáтельности; to show (to see) the ~s покáзывать (осмáтривать) достопримечáтельности ◇ the ~'s share львиная дóля; ~ in the path (*или* in the way) *преим. ирон.* препятствие, опáсность; to put one's head in the ~'s mouth рисковáть

lioness ['laɪənəs] *n* львица

lionet ['laɪənɪt] *n* молодóй лев, львёнок

lionheart [,laɪən'hɑ:t] *n* смéлый человéк, храбрéц

lionhearted [,laɪən'hɑ:tɪd] *a* хрáбрый, неустрашимый

lion-hunter ['laɪən,hʌntə] *n* 1) охóтник на львов 2) человéк, гоняющийся за знаменитостями

lionize ['laɪənaɪz] *v* 1) носиться с кем-л. как со знаменитостью 2) осмáтривать *или* покáзывать достопримечáтельности

lip [lɪp] 1. *n* 1) губá; to put smth. to one's ~s попрóбовать что-л.; пригýбить; not a drop has passed his ~s он ничегó не пил, не ел; not a word has passed his ~s он не проронил ни слóва; to smack one's ~s облизываться, смаковáть, предвкушáть удовóльствие; to escape one's ~s сорвáться с языкá 2) край (*раны, сосуда, кратера*); выступ 3) *разг.* дéрзкая болтовня; дéрзость; none of your ~! без дéрзостей!; don't put on your (*или* any) ~ ну, ну, без нахáльства 4) *муз.* амбушюр 5) *гидр.* порóг

2. *a* 1) губнóй 2) неискренний, тóлько на словáх; ~ professions неискренние уверéния

3. *v* 1) касáться губáми; *поэт.* целовáть 2) слегкá касáться

lip-balm ['lɪp,bɑ:m] = lipsalve 1)

lip-deep ['lɪp,di:p] *a*повéрхностный; неискренний

lip gloss ['lɪpglɒs] *n* блеск для губ

lip-labour ['lɪp,leɪbə] *n* словá, повторяемые механически; пустáя болтовня

lip-language ['lɪp,læŋgwɪdʒ] = lipreading

lipped I [lɪpt] *a* 1) с нóсиком (*о сосуде*) 2) = labiate 1

lipped II [lɪpt] *p. p. от* lip 3

lippy ['lɪpɪ] *a разг.* 1) нáглый, нахáльный 2) болтливый

lip-read ['lɪpri:d] *v* читáть с губ

lipreading ['lɪp,ri:dɪŋ] *n* чтéние с губ (*особ. как метод обучения глухонемых*)

lipsalve ['lɪpsɑ:v] *n* 1) гигиеническая губнáя помáда, мазь для губ 2) лесть

lip service ['lɪp,sɜ:vɪs] *n* неискренние словоизлияния; пустые словá; to pay ~ to smth. признавáть что-л. тóлько на словáх; to pay ~ to smb. неискренне уверять когó-л. в прéданности

lipstick ['lɪpstɪk] *n* губнáя помáда

liquate ['lɪkweɪt] *v* плáвить

liquefaction [,lɪkwɪ'fækʃn] *n* сжижéние, ожижéние; разжижéние

liquefy ['lɪkwɪfaɪ] *v* превращáть в жидкое состояние; превращáться в жидкость

liquescent [lɪ'kwesnt] *a* переходящий в жидкое состояние; растворяющийся

liqueur [lɪ'kjʊə] *n* ликёр

liquid ['lɪkwɪd] 1. *a* 1) жидкий 2) *поэт.* водянóй, водянистый 3) прозрáчный, свéтлый 4) плáвный (*о звуках и т. п.*); ~ melody плáвная мелóдия 5) *фин.* быстро реализýемый, ликвидный (*о ценных бумагах*) 6) непостоянный, неустóйчивый (*о принципах, убеждениях*) ◇ ~ milk натурáльное молокó

2. *n* 1) жидкость 2) *фон.* плáвный звук [l, r]

liquidate ['lɪkwɪdeɪt] *v* 1) ликвидировать делá (*о фирме*) 2) выплатить (*долг*) 3) ликвидировать; уничтóжить; покóнчить (*с чем-л.*), избáвиться (*от чего-л.*)

liquidation [,lɪkwɪ'deɪʃn] *n* 1) ликвидáция дéла; to go into ~ обанкрóтиться 2) уплáта дóлга 3) ликвидáция; уничтожéние; избавлéние (*от чего-л.*)

liquidize ['lɪkwɪdaɪz] *v* смéшивать в миксере

liquidizer ['lɪkwɪdaɪzə] *n* миксер, смеситель (*для пищи*)

liquor ['lɪkə] 1. *n* 1) спиртнóй напиток; hard ~s крéпкие напитки; in ~, the worse for ~ подвыпивший, пьяный 2) напиток 3) отвáр (*мясной*) 4) жир, в котóром жáрилась рыба, бекóн 5) ['lɪkwɔ:] *мед.* вóдный раствóр лекáрства

2. *v* 1) смáзывать жиром (*сапоги и т. п.*) 2) *разг.* выпивáть (*обыкн.* ~ up)

liquorice ['lɪkərɪs] *n* лакричник (*растение*); солодкóвый кóрень, лакрица

liquorish ['lɪkərɪʃ] *a* 1) = lickerish 2) любящий выпить

lira ['lɪərə] *n* (*pl* lire) лира (*денежная единица Италии*)

lire ['lɪərə] *pl от* lira

lisp [lɪsp] 1. *n* 1) шепелявость 2) лéпет (*волн*); шóрох, шéлест

2. *v* 1) шепеля́вить 2) лепета́ть (*о детях*)

lissom(e) ['lɪsəm] *a* 1) ги́бкий 2) прово́рный, бы́стрый

list I [lɪst] **1.** *n* 1) спи́сок, пе́речень, рее́стр; инвента́рь; to enter in a ~ вноси́ть в спи́сок; to make a ~ составля́ть спи́сок; duty ~ расписа́ние дежу́рств 2) *pl* огоро́женное ме́сто; аре́на (*турнира, состязания*); to enter the ~s а) бро́сить вы́зов; б) приня́ть вы́зов; в) уча́ствовать в состяза́нии 3) кро́мка, каёмка; кайма́, оторо́чка, бордю́р; край 4) *архит.* ли́стель 5) *attr.* сде́ланный из каймы́, поло́с, обре́зков; ~ slippers ко́мнатные ту́фли из обре́зков (*кожи, материи*)

2. *v* 1) вноси́ть в спи́сок; составля́ть спи́сок; to ~ for service вноси́ть в спи́ски военнообя́занных 2) *см.* enlist 1)

list II [lɪst] *мор.* **1.** *n* крен, накло́н; to take a ~ накрени́ться

2. *v* крени́ться, накреня́ться

listed building [,lɪstɪd'bɪldɪŋ] *n* па́мятник архитекту́ры, охраня́емый госуда́рством

listen ['lɪsn] *v* 1) слу́шать; прислу́шиваться (to); ~ here! послу́шай!; ~ for smth. прислу́шиваться, стара́ться услы́шать 2) выслу́шивать со внима́нием 3) слу́шаться; уступа́ть (*просьбе, искушению*) ▭ ~ in а) *воен.* подслу́шивать радиопереда́чу *или* разгово́р по телефо́ну; б) слу́шать радиопереда́чу

listener ['lɪsnə] *n* 1) слу́шатель 2) радиослу́шатель

listener-in ['lɪsnər,ɪn] *n* 1) радиослу́шатель 2) *воен.* слуха́ч

listening ['lɪsnɪŋ] **1.** *pres. p. om* listen

2. *n* 1) слу́шание, прослу́шивание 2) *воен.* подслу́шивание

listening-in ['lɪsnɪŋ,ɪn] *n* 1) слу́шание по ра́дио 2) *воен.* подслу́шивание; перехва́т

lister ['lɪstə] *n амер. с.-х.* ли́стер

listless ['lɪstləs] *a* вя́лый, апати́чный, безразли́чный

lit I [lɪt] *past и p. p. om* light I, 3

lit II [lɪt] *past и p. p. om* light III

litany ['lɪtənɪ] *n церк.* лита́ния

liter ['li:tə] *амер.* = litre

literacy ['lɪtrəsɪ] *n* гра́мотность

literal ['lɪtrəl] **1.** *a* 1) то́чный 2) буква́льный, досло́вный 3) сухо́й, педанти́чный 4) бу́квенный; ~ error опеча́тка

2. *n* опеча́тка

literalism ['lɪtrəlɪzəm] *n* 1) буквали́зм 2) понима́ние сло́ва в его́ буква́льном значе́нии 3) то́чность изображе́ния; копи́рование приро́ды

literary ['lɪtrərɪ] *a* 1) литерату́рный; ~ property а́вторское пра́во 2) литерату́рно образо́ванный

literate ['lɪtrət] **1.** *a* 1) гра́мотный 2) образо́ванный

2. *n* 1) гра́мотный челове́к 2) образо́ванный челове́к

literati [,lɪtə'rɑ:ti:] *лат. n pl* 1) литера́торы, писа́тели 2) образо́ванные лю́ди

literatim [,lɪtə'rɑ:tɪm] *лат. adv* буква́льно, сло́во в сло́во

literature ['lɪtrətʃə] *n* литерату́ра

litharge ['lɪθɑ:dʒ] *n* глёт, о́кись свинца́

lithe [laɪð] *a* ги́бкий, пода́тливый

lithesome ['laɪðsəm] = lissom(e)

lithium ['lɪθɪəm] *n хим.* ли́тий

lithograph ['lɪθəʊgrɑ:f] **1.** *n* литогра́фия; литогра́фский о́ттиск

2. *v* литографи́ровать

lithographer [lɪ'θɒgrəfə] *n* лито́граф

lithographic [,lɪθəʊ'græfɪk] *a* литогра́фский, литографи́рованный

lithographically [,lɪθəʊ'græfɪklɪ] *adv* литогра́фским спо́собом

lithography [lɪ'θɒgrəfɪ] *n* литогра́фия

lithoprint ['lɪθəʊprɪnt] = lithograph 2

lithotomy [lɪ'θɒtəmɪ] *n мед.* камнесече́ние

Lithuanian [,lɪθjʊ'eɪnɪən] **1.** *a* лито́вский

2. *n* 1) лито́вец; лито́вка 2) лито́вский язы́к

litigant ['lɪtɪgənt] *юр.* **1.** *n* сторона́ (*в судебном процессе*)

2. *a* тя́жущийся

litigate ['lɪtɪgeɪt] *v* 1) суди́ться (*с кем-л.*); быть тя́жущейся стороно́й (*в судебном процессе*) 2) оспа́ривать (*на суде*)

litigation [,lɪtɪ'geɪʃn] *n* тя́жба; суде́бный проце́сс

litigious [lɪ'tɪdʒəs] *a* 1) сутя́жнический 2) спо́рный, подлежа́щий суде́бному разбира́тельству

litmus ['lɪtməs] *n хим.* 1) ла́кмус 2) *attr.* ла́кмусовый; ~ paper ла́кмусовая бума́га

litotes ['laɪtəʊti:z] *n ритор.* лито́та

litre ['li:tə] литр

litter ['lɪtə] **1.** *n* 1) разбро́санные ве́щи, бума́ги; сор, му́сор; беспоря́док 2) помёт (*свиньи, собаки*) 3) носи́лки 4) соло́менная *и т. п.* подсти́лка (*для скота*)

2. *v* 1) разбра́сывать в беспоря́дке (*вещи; тж.* ~ up); сори́ть 2) подстила́ть, настила́ть соло́му *и т. п.* (*обыкн.* ~ down) 3) пороси́ться, щени́ться *и т. п.*; производи́ть детёнышей

litter-bearer ['lɪtə,beərə] *n* санита́р-носи́льщик

litter bin ['lɪtəbɪn] *n* у́рна для му́сора

littery ['lɪtərɪ] *a* в беспоря́дке; захламлённый

little ['lɪtl] **1.** *a* (less, lesser; least) 1) ма́ленький; небольшо́й; ~ finger мизи́нец; ~ toe мизи́нец (*на ноге*); ~ ones а) де́ти; б) детёныши; the ~ people а) де́ти; б) э́льфы; ~ man мальчуга́н, малы́ш (*шутливое обращение*); ~ ways ма́ленькие, смешны́е сла́бости 2) коро́ткий (*о времени, расстоянии*); come a ~ way with me проводи́те меня́ немно́го 3) ма́лый, незначи́тельный; ~ things ме́лочи 4) ме́лочный, ограни́ченный; ничто́жный; ~ things amuse ~ minds ме́лочи занима́ют (лишь) ме́лкие умы́ ◇ to go but a ~ way не хвата́ть

2. *adv* (less; least) 1) немно́го, ма́ло; I like him ~ я его́ недолю́бливаю; a ~ немно́го; rest a ~ отдохни́те немно́го; ~ less (more) than немно́го ме́ньше (бо́льше), чем; to make ~ of smth. не принима́ть всерьёз, не придава́ть значе́ния 2) *с глаголами* know, dream, think *и т. п.* совсе́м не; ~ did he think that *или* he ~ thought that он и не ду́мал, что

3. *n* 1) небольшо́е коли́чество; немно́гое, ко́е-что́, пустя́к; ~ by ~ ма́ло-пома́лу, постепе́нно; ~ or nothing почти́ ничего́; not a ~ нема́ло; knows a ~ of everything зна́ет понемно́гу обо всём; in ~ а) в небольшо́м масшта́бе; б) *жив.* в миниатю́ре 2) коро́ткое, непродолжи́тельное вре́мя; after a ~ you will feel better ско́ро вам ста́нет лу́чше; for a ~ на коро́ткое вре́мя ◇ from ~ up *амер. разг.* с де́тства

little-go ['lɪtlgəʊ] *n разг.* пе́рвый экза́мен на сте́пень бакала́вра (*в Кембридже*)

littleness ['lɪtlnəs] *n* 1) ма́лая величина́, незначи́тельность 2) ме́лочность; ничто́жность

littoral ['lɪtərəl] **1.** *a* прибре́жный; примо́рский

2. *n* побере́жье; примо́рский райо́н

liturgy ['lɪtədʒɪ] *n* 1) литурги́я 2) ритуа́л церко́вной слу́жбы

livable ['lɪvəbl] = liveable

live I [lɪv] *v* 1) жить; существова́ть; обита́ть; to ~ to be old (seventy, eighty, *etc.*) дожи́ть до ста́рости (до семи́десяти, восьми́десяти *и т. д.*); to ~ to see smth. дожи́ть до чего́-л. 2) (on) пита́ться (*чем-л.*); to ~ on bread and water пита́ться хле́бом и водо́й; to ~ on others жить на чужи́е сре́дства 3) вести́ како́й-л. о́браз жи́зни; to ~ in a small way жить скро́мно; to ~ within (above, beyond) one's income (*или* means) жить (не) по сре́дствам; to ~ on one's salary жить на жа́лованье ▭ ~ **down** заглади́ть, искупи́ть (свои́м поведе́нием, о́бразом жи́зни); ~ **in** име́ть кварти́ру по ме́сту слу́жбы; ~ **off** жить за счёт (*чего-л., кого-л.*); to ~ off the soil жить на дохо́ды с земли́; ~ **out** а) пережи́ть; б) прожи́ть, протяну́ть (*о больном*); в) име́ть кварти́ру отде́льно от ме́ста слу́жбы; ~ **through** пережи́ть; ~ **up** to жить согла́сно (*принципам и т. п.*); быть досто́йным (*чего-л.*) ◇ as I ~ by bread!, as I ~ and breathe! че́стное сло́во!; to ~ on air не име́ть средств к существова́нию; to ~ it up прожига́ть жизнь; ~ and learn! ≅ век живи́, век учи́сь!

live II [laɪv] *a* 1) живо́й 2) *радио, тлв.* передаю́щийся непосре́дственно с ме́ста де́йствия (*без предварительной записи на плёнку или киноленту*); a ~ program репорта́ж с ме́ста собы́тий 3) живо́й, де́ятельный, энерги́чный, по́лный сил 4) жи́зненный; реа́льный; животрепе́щущий; ~ issue актуа́льный вопро́с 5) горя́щий, непога́сший; ~ coals горя́щие у́гли 6) де́йствующий; невзорва́вшийся, боево́й (*о патроне и т. п.*) 7) *эл.* под напряже́нием 8) переме́нный, меня́ющийся (*о нагрузке*) 9) я́ркий, нету́склый (*о цвете*) ◇ ~ weight живо́й вес; ~ wire энерги́чный челове́к, ого́нь

liveable ['lɪvəbl] *a* 1) го́дный, приго́дный для жилья́ 2) ужи́вчивый; общи́тельный

live farming ['laɪv,fɑ:mɪŋ] *n* животново́дческое хозя́йство

livelihood ['laɪvlɪhʊd] *n* сре́дства к жи́зни; to earn an honest ~ жить че́стным трудо́м; to pick up a scanty ~ е́ле перебива́ться

liveliness ['laɪvlɪnəs] *n* жи́вость, оживле́ние, весёлость

livelong ['lɪvlɒŋ] *a поэт.* це́лый, весь; ве́чный; the ~ day день-деньско́й

lively ['laɪvlɪ] **1.** *a* 1) оживлённый, весёлый; ~ with humour искря́щийся ю́мором 2) бы́стрый; бы́стро отска́кивающий (*о мяче*) 3) живо́й (*об описании и т. п.*) 4) я́ркий, си́льный (*о впечатлении, цвете и т. п.*) 5) све́жий (*о ветре*) ◇ to make things ~ for smb. доставля́ть кому́-л. неприя́тные мину́ты; зада́ть жа́ру кому́-л.

2. *adv* ве́село, оживлённо

liven ['laɪvn] *v разг.* оживи́ть(ся), развесели́ть(ся) (*тж.* ~ up)

live oak ['laɪv,əʊk] *n бот.* дуб вирги́нский

liver I ['lɪvə] *n* 1): good ~ а) хоро́ший, доброде́тельный челове́к; б) жуи́р; гуля́ка; loose ~ распу́щенный челове́к; close ~ скупе́ц 2) *амер.* жи́тель

liver II ['lɪvə] *n* 1) *анат.* пе́чень 2) печёнка (*пища*)

liver-coloured [,lɪvə'kʌləd] *a* тёмно-кашта́новый

liveried ['lɪvərɪd] *a* нося́щий livре́ю, в ливре́е

liverish ['lɪvərɪʃ] *a* 1) страда́ющий боле́знью пе́чени 2) жёлчный

Liverpudlian [,lɪvə'pʌdlɪən] *шутл.* **1.** *n* жи́тель Ливерпу́ля

2. *a* ливерпу́льский

liverwort ['lɪvəwз:t] *n бот.* печёночник

livery I ['lɪvərɪ] *a* 1) тёмно-кашта́новый 2) *разг.* = liverish

livery II ['lɪvərɪ] *n* 1) ливре́я 2) *ист.* костю́м чле́на ги́льдии 3) наря́д, убо́р; the ~ of spring весе́нний наря́д (*природы*) 4) *амер.* прока́т (*лошадей, экипажей, лодок и т. п.*); at ~ помещённый в пла́тную коню́шню (*о лошади*) 5) *юр.* ввод во владе́ние 6) пла́тная коню́шня 7) *attr.* ливре́йный; ~ servant ливре́йный лаке́й

liveryman ['lɪvərɪmən] *n* 1) член ги́льдии 2) содержа́тель пла́тной коню́шни; извозопромы́шленник

livery stable ['lɪvərɪ,steɪbl] *n* пла́тная коню́шня; изво́зчичий двор

lives [laɪvz] *pl от* life

livestock ['laɪvstɒk] *n* 1) (*обыкн. pl*) живо́й инвента́рь, дома́шний скот 2) *attr.:* ~ breeding племенно́е животново́дство; ~ capita поголо́вье скота́

livid ['lɪvɪd] *a* 1) *разг.* о́чень серди́тый, злой; ~ with wrath вне себя́ от я́рости 2) синева́то-багро́вый, серова́то-си́ний 3) ме́ртвенно-бле́дный

living I ['lɪvɪŋ] **1.** *pres. p. от* live I

2. *n* 1) сре́дства к существова́нию; to make one's ~ зараба́тывать на жизнь 2) *церк.* бенефи́ций, прихо́д 3) жизнь, о́браз жи́зни; plain ~ скро́мная, проста́я жизнь; standard of ~ у́ровень жи́зни 4) *attr.* жило́й; ~ quarters жило́е помеще́ние 5) *attr.:* ~ essentials предме́ты пе́рвой необходи́мости

living II ['lɪvɪŋ] **1.** *a* 1) живо́й; живу́щий, существу́ющий; the greatest ~ poet крупне́йший совреме́нный поэ́т 2) о́чень похо́жий; he is the ~ image of his father он ко́пия своего́ отца́, он вы́литый оте́ц 3) живо́й (*о языке*) ◇ ~ death жа́лкое существова́ние; within ~ memory на па́мяти живу́щих, на па́мяти ны́нешнего поколе́ния; the ~ theatre теа́тр (*в противоп. кино и телевидению*)

2. *n*: the ~ на́ши совреме́нники; he is still in the land of the ~ он ещё жив

living room ['lɪvɪŋrʊm] *n* гости́ная, о́бщая ко́мната

living space ['lɪvɪŋspeɪs] *n* 1) жи́зненное простра́нство 2) жила́я пло́щадь

lixiviate [lɪk'sɪvɪeɪt] *v* выщела́чивать

lixivium [lɪk'sɪvɪəm] *n* щёлок

lizard ['lɪzəd] *n* я́щерица

lizzie ['lɪzɪ] *n sl.* дешёвый автомоби́ль, *преим.* Форд (*тж.* tin ~)

'll [-l] *сокр. разг. от* will *и* shall: he'll = he will, they'll = they will *и т. д.*

llama ['lɑ:mə] *n зоол.* ла́ма

llano ['ljɑ:nəʊ] *n* (*pl* -os [-əʊz]) льяно́сы (*обширные равнины в Южной Америке*)

Lloyd's [lɔɪdz] *n* 1) Ллойд (*морское страховое объединение*) 2) реги́стр Ллойда (*тж.* ~ register)

lo [ləʊ] *int. уст.* вот!, смотри́!, слу́шай!; lo and behold! и вот!; и вдруг, о чу́до!

loach [ləʊtʃ] *n* голе́ц (*рыба*)

load [ləʊd] **1.** *n* 1) груз 2) па́ртия гру́за на ваго́н, су́дно *и т. п.* 3) бре́мя, тя́жесть; ~ of care бре́мя забо́т; to take a ~ off one's mind изба́виться от (гнету́щего) беспоко́йства *и т. п.;* that's a ~ off my mind ≅ то́чно ка́мень с души́ свали́лся 4) коли́чество рабо́ты, нагру́зка; a teaching ~ of twelve hours a week педагоги́ческая нагру́зка 12 часо́в в неде́лю 5) *pl разг.* оби́лие, мно́жество 6) *воен.* заря́д 7) *тех.* нагру́зка ◇ to have a ~ on *жарг.* «нагрузи́ться», нализа́ться; to get a ~ of *sl.* жа́дно слу́шать, подмеча́ть

2. *v* 1) грузи́ть, нагружа́ть; грузи́ться (*о корабле, вагонах*) 2) обременя́ть (*заботой*); нагружа́ть (*работой*); ~ more work on him дай ему́ побо́льше рабо́ты 3) отягоща́ть (*напр., желудок*); наеда́ться 4) осыпа́ть (*подарками, упрёками и т. п.*) 5) заряжа́ть (*оружие, плёнку в кинокамеру*); ~ quickly! заряжа́й! 6) налива́ть свинцо́м (*напр., трость*); to ~ the dice а) налива́ть свинцо́м игра́льные ко́сти; б) дава́ть *или* получа́ть незаслу́женное преиму́щество 7) подбавля́ть к вину́ спирт, нарко́тики 8) игра́ть нече́стно 9) насыща́ть; ~ed with fragrance насы́щенный арома́том (*о воздухе*) 10) *sl.* употребля́ть нарко́тики 11) *жив.* класть гу́сто (*краску*) ▭ ~ up а) грузи́ться; б) наеда́ться; напива́ться ◇ to be (*или* to get) ~ed *разг.* напи́ться, нализа́ться

loaded ['ləʊdɪd] **1.** *p. p. от* load 2

2. *a* 1) нагру́женный 2) *разг.* при деньга́х 3) *разг.* пья́ный 4) *амер. sl.* нака́чавшийся нарко́тиков 5) ве́ский, весо́мый; ~ word ве́ское сло́во 6): ~ dice игра́льные ко́сти, нали́тые свинцо́м; *перен.* нече́стно добы́тое преиму́щество 7): ~ question а) вопро́с, в кото́ром соде́ржится отве́т; б) провокацио́нный вопро́с

loader ['ləʊdə] *n* 1) погру́зочное приспособле́ние 2) заряжа́ющий (*в орудийном расчёте*) 3) гру́зчик

loading ['ləʊdɪŋ] **1.** *pres. p. от* load 2

2. *n* 1) погру́зка 2) груз, нагру́зка 3) *ком.* надба́вка 4) *эл.* нагру́женность

load line ['ləʊdlaɪn] *n* грузова́я ватерли́ния

load-on ['ləʊd,ɒn] *n разг.* вы́пивка; to get a ~ нализа́ться, напи́ться

load-shedding ['ləʊd,ʃedɪŋ] *n эл.* сброс нагру́зки; принуди́тельное отключе́ние в часы́ пик

loadstar ['ləʊdstɑ:] = lodestar

loadstone ['ləʊdstəʊn] = lodestone

loaf I [ləʊf] *n* (*pl* loaves) 1) буха́нка, карава́й; бу́лка 2) голова́ са́хару (*тж.* sugar-~) 3) коча́н (*капусты*) 4) *sl.* голова́; use your ~ ≅ пошевели́(те) мозга́ми ◇ loaves and fishes *библ.* земны́е бла́га; half a ~ is better than no bread *посл.* ≅ лу́чше хоть что́-нибудь, чем ничего́

loaf II [ləʊf] **1.** *n* безде́льничанье; to have a ~ безде́льничать

2. *v* 1) безде́льничать; зря теря́ть вре́мя; to ~ away one's time пра́здно проводи́ть вре́мя 2) слоня́ться, шата́ться

loafer ['ləʊfə] *n* 1) безде́льник 2) бродя́га 3) (L.) (*обыкн. pl*) лёгкие ко́жаные ту́фли ти́па мокаси́н

loaf-sugar ['ləʊf,ʃʊgə] *n* са́хар-рафина́д (голова́ми)

loam [ləʊm] *n* 1) сугли́нок (*тж.* clay ~) 2) плодоро́дная земля́; гли́на и песо́к с перегно́ем 3) гли́на для кирпиче́й; формо́вочная гли́на

loamy ['ləʊmɪ] *a* сугли́нистый; ме́ргельный

loan [ləʊn] **1.** *n* 1) заём; government ~ госуда́рственный заём 2) ссу́да; что-л. да́нное для вре́менного по́льзования (*напр., книга*); on ~ а) взаймы́; б) предоста́вленный для вы́ставки (*об экспонате*) 3) заи́мствование (*о слове, мифе, обычае*)

2. *v* дава́ть взаймы́, ссужа́ть

loan collection ['ləʊnkə,lekʃn] *n* колле́кция карти́н, вре́менно предоста́вленная владе́льцами для вы́ставки

loan show ['ləʊnʃəʊ] *n* вы́ставка карти́н, предоста́вленных музе́ю на определённый срок

loan-society ['ləʊnsə,saɪətɪ] *n* ка́сса взаимопо́мощи

loan translation ['ləʊntræns,leɪʃn] *n лингв.* ка́лька

loanword ['ləʊnwɜ:d] *n* заи́мствованное сло́во

loath [ləʊθ] *a predic.* несклóнный, нежела́ющий; неохо́тный; to be ~ to do smth. не хоте́ть сде́лать что-л.; nothing ~ охо́тно

loathe [ləʊð] *v* 1) чу́вствовать отвраще́ние 2) ненави́деть 3) *разг.* не люби́ть

loathful ['ləʊðfʊl] = loathsome

loathing ['ləʊðɪŋ] **1.** *pres. p. от* loathe
2. *n* 1) отвраще́ние; to be filled with ~ испы́тывать отвраще́ние 2) не́нависть

loathsome ['ləʊðsəm] *a* вызыва́ющий отвраще́ние; отврати́тельный, проти́вный

loath-to-depart ['ləʊθtədɪ'pɑ:t] *n* проща́льная песнь

loaves [ləʊvz] *pl от* loaf 1

lob [lɒb] **1.** *v* 1) высоко́ подбро́сить мяч (*в теннисе и т. п.*) 2) идти́ *или* бежа́ть тяжело́, неуклю́же (*тж.* ~ along)
2. *n* высоко́ подбро́шенный мяч (*в теннисе и т. п.*)

lobby ['lɒbɪ] **1.** *n* 1) вестибю́ль; приёмная; фойе́; холл; коридо́р 2) *парл.* кулуа́ры; division ~ коридо́р, куда́ чле́ны англи́йского парла́мента выхо́дят при голосова́нии 3) *полит.* ло́бби 4) ми́тинг пе́ред зда́нием парла́мента (*с подачей петиций и т. п.*) 5) (the ~) гру́ппа журнали́стов, добыва́ющая информа́цию в кулуа́рах парла́мента
2. *v* 1) пыта́ться возде́йствовать на чле́нов парла́мента *или* конгре́сса, «обраба́тывать» их 2) организо́вывать ми́тинг у зда́ния парла́мента (*для подачи петиций и т. п.*) □ ~ **through** «протолкну́ть» законопрое́кт (*усилиями лоббистов*)

lobbyist ['lɒbɪɪst] *n* 1) *полит.* лобби́ст, 2) журнали́ст, добыва́ющий информа́цию в кулуа́рах парла́мента

lobe [ləʊb] *n* 1) до́ля; ~ of the lung *анат.* лёгочная до́ля; ~ of the ear мо́чка у́ха 2) *тех.* кулачо́к

lobelia [ləʊ'bi:lɪə] *n бот.* лобе́лия

lobotomy [ləʊ'bɒtəmɪ] *n мед.* лоботоми́я

lobster ['lɒbstə] *n* 1) ома́р; red as a ~ ≅ кра́сный как рак 2) *sl.* неуклю́жий челове́к ◇ ~ shift = graveyard shift [*см.* graveyard ◇]

lobster-eyed ['lɒbstər,aɪd] *a* пучегла́зый

lobule ['lɒbju:l] *n* до́лька (*листа, плода*)

lobworm ['lɒbwɜ:m] *n зоол.* пескожи́л (*червь*)

local ['ləʊkl] **1.** *a* 1) ме́стный; ~ committee местко́м, ме́стный комите́т (*профсоюза*); ~ train при́городный по́езд; ~ engagement *воен.* бой ме́стного значе́ния; ~ war лока́льная война́; ~ board *амер.* участко́вая призывна́я коми́ссия; ~ defence *воен.* самооборо́на; Local Government Board департа́мент, ве́дающий ме́стным самоуправле́нием; ~ name а) назва́ние ме́стности; б) ме́стное назва́ние; ~ option (*или* veto) пра́во жи́телей о́круга контроли́ровать *или* запреща́ть прода́жу спиртны́х напи́тков; ~ examinations экза́мены, проводи́мые в шко́лах (на места́х) представи́телями университе́тов; ~ room *амер.* отде́л, реда́кция ме́стных новосте́й (*в газете*); ~ adverb *грам.* наре́чие ме́ста 2) распространённый в отде́льных места́х; части́чный, ча́стный (*обыкн.* quite ~, very ~); ~ anaesthesia ме́стная анестези́я; ~ armistice *воен.* ча́стное переми́рие
2. *n* 1) ме́стный жи́тель 2) при́городный по́езд *или* авто́бус 3) *разг.* ме́стный тракти́р 4) ме́стная анестези́я 5) *амер.* ме́стная организа́ция 6) ме́стные но́вости (*в газете*) 7) *pl* = local examinations [*см.* local 1, 1)]

locale [ləʊ'kɑ:l] *n* ме́сто де́йствия

localism ['ləʊkəlɪzəm] *n* 1) ме́стные интере́сы; ме́стный патриоти́зм; ме́стничество 2) *лингв.* ме́стное выраже́ние, провинциали́зм 3) у́зость интере́сов, провинциали́зм

locality [ləʊ'kælɪtɪ] *n* 1) ме́стность; райо́н, уча́сток; местоположе́ние; defended ~ *воен.* райо́н оборо́ны; inhabited (*или* populated) ~ населённый пункт 2) (*часто pl*) окре́стность; in the ~ of побли́зости от 3) *pl* населённые пу́нкты 4) при́знаки, характе́рные черты́ ме́стности; sense (*или* bump *разг.*) of ~ уме́ние ориенти́роваться

localize ['ləʊkəlaɪz] *v* 1) локализова́ть, ограни́чивать распростране́ние; to ~ infection ограни́чить распростране́ние инфе́кции 2) придава́ть специфи́чески ме́стный хара́ктер 3) относи́ть к определённому ме́сту 4) определя́ть местонахожде́ние

locally ['ləʊkəlɪ] *adv* 1) в определённом ме́сте 2) в ме́стном масшта́бе

locate [ləʊ'keɪt] *v* 1) определя́ть ме́сто, местонахожде́ние 2) располага́ть в определённом ме́сте; назнача́ть ме́сто (*для постройки и т. п.*) 3) поселя́ть(ся); to be ~d in жить в; быть располо́женным в

location [ləʊ'keɪʃn] *n* 1) определе́ние ме́ста (*чего-л.*); обнару́жение, нахожде́ние 2) размеще́ние; *воен.* дислока́ция 3) *кино* ме́сто нату́рных съёмок; on ~ на нату́ре (*о съёмках*) 4) райо́ны, отведённые для тузе́мцев (*в Южной Африке*) 5) поселе́ние (*на жительство*) 6) *юр.* сда́ча внаём 7) фе́рма (*в Австралии*)

locative ['lɒkətɪv] *грам.* **1.** *a* ме́стный
2. *n* ме́стный паде́ж

locator [ləʊ'keɪtə] *n амер.* землеме́р

loch [lɒk] *n шотл.* 1) о́зеро 2) у́зкий морско́й зали́в

loci ['ləʊsaɪ] *pl от* locus

lock I [lɒk] *n* 1) ло́кон; *pl* во́лосы 2) пучо́к (*волос*), клок (*шерсти*)

lock II [lɒk] **1.** *n* 1) замо́к (*тж. в оружии*); запо́р; затво́р; щеко́лда; under ~ and key за́пертый, под замко́м 2) шлюз; плоти́на; гать 3) *тех.* сто́пор, чека́ 4) *спорт.* захва́т «на ключ» (*приём в борьбе*) 5) зато́р (*в уличном движении*) 6) венерологи́ческая лече́бница (*тж.* L. Hospital) ◇ ~, stock and barrel целико́м, по́лностью; всё вме́сте взя́тое, гурто́м
2. *v* 1) запира́ть(ся) на замо́к 2) сжима́ть (*в объятиях, в борьбе*); сти́скивать (*зубы*) 3) тормози́ть; затормози́ться 4) соединя́ть, сплета́ть (*пальцы, руки*) 5) шлюзова́ть; to ~ up (down) проводи́ть су́дно по шлю́зам вверх (вниз) по реке́, кана́лу □ ~ **away** спря́тать под замо́к, запере́ть; ~ **in** запира́ть и не выпуска́ть из ко́мнаты *и т. п.*; ~ **out** а) запере́ть дверь и не впуска́ть; б) объявля́ть локау́т; ~ **up** а) запира́ть; б) сажа́ть в тюрьму́; заключа́ть в сумасше́дший дом; в) вложи́ть капита́л в тру́дно реализу́емые бума́ги; г) ута́ивать (*факты, сведения*) ◇ to ~ the stable door after the horse has been stolen ≅ хвати́ться сли́шком по́здно

lockage ['lɒkɪdʒ] *n* 1) шлюзовы́е сооруже́ния и механи́змы 2) прохожде́ние (*судна*) че́рез шлю́зы 3) шлюзово́й сбор

lock-chamber ['lɒk,tʃeɪmbə] *n* шлюзова́я ка́мера

locker ['lɒkə] *n* 1) запира́ющийся шка́фчик; я́щик; *мор. тж.* рунду́к 2) отделе́ние (*в холодильнике*) для хране́ния свежезаморо́женных проду́ктов ◇ not a shot in the ~ *разг.* ни гроша́ в карма́не; Davy Jones's ~ дно морско́е, моги́ла моряко́в

locker room ['lɒkəru:m] *n* раздева́лка (*на заводе, стадионе и т. п. со шкафчиками для личных вещей*)

locket ['lɒkɪt] *n* медальо́н

lockfast ['lɒkfɑ:st] *a шотл.* хорошо́, основа́тельно за́пертый

lock-gate [,lɒk'geɪt] *n* шлю́зные воро́та

Lock Hospital [,lɒk'hɒspɪtl] = lock II, 1, 6)

locking-finger ['lɒkɪŋ,fɪŋgə] = finger, 1, 2)

lockjaw ['lɒkdʒɔ:] *n мед.* сжа́тие че́люстей, три́зм че́люсти

lockkeeper ['lɒk,ki:pə] *n* нача́льник шлю́за

locknut ['lɒknʌt] *n* контрга́йка

lockout ['lɒkaʊt] *n* лока́ут

locksman ['lɒksmən] = lockkeeper

locksmith ['lɒksmɪθ] *n* сле́сарь

lockstitch ['lɒkstɪtʃ] *n текст.* закры́тый стежо́к; челно́чный стежо́к

lockup ['lɒkʌp] *n* 1) ареста́нтская ка́мера; *разг.* тюрьма́ 2) вре́мя закры́тия, прекраще́ния рабо́ты 3) мёртвый капита́л 4) *attr.* запира́емый, запира́ющийся; ~ shop ла́вка без жило́го помеще́ния

loco I ['ləʊkəʊ] **1.** *n амер.* 1) *бот.* астрага́л (*ядовитое растение*) 2) боле́знь скота́, вызыва́емая э́тим расте́нием (*тж.* ~ disease)
2. *a sl.* сумасше́дший; to go ~ сойти́ с ума́, спя́тить
3. *v sl.* свести́ с ума́

loco II ['ləʊkəʊ] *сокр. от* locomotive 1, 1)

locomobile [ˈləʊkə,məʊbaɪl] 1. *n* локомо́биль

2. *a* самодви́жущийся

locomotion [,ləʊkəˈməʊʃn] *n* 1) передвиже́ние; means of ~ сре́дства передвиже́ния 2) путеше́ствие

locomotive [ˈləʊkə,məʊtɪv] 1. *n* 1) локомоти́в, парово́з, теплово́з, электрово́з 2) *pl sl.* но́ги; to use one's ~s ≅ идти́ на свои́х на двои́х

2. *a* 1) дви́жущий(ся); ~ power дви́жущая си́ла; ~ faculty спосо́бность движе́ния 2) дви́гательный 3) локомоти́вный; ~ depot парово́зное депо́ 4) *шутл.* постоя́нно путеше́ствующий

locum [ˈləʊkəm] *разг.* = locum tenens

locum tenens [,ləʊkəmˈtenenz] *n* вре́менный замести́тель (*особ. о враче и священнике*)

locus [ˈləʊkəs] *n* (*pl* loci) 1) местоположе́ние; ~ sigilli ме́сто печа́ти (*на документе*) 2) *мат.* геометри́ческое ме́сто то́чек 3) *биол.* положе́ние ге́на на генети́ческой ка́рте *или* в хромосо́ме 4) траекто́рия

locust [ˈləʊkəst] *n*) саранча́ перелётная *или* обыкнове́нная 2) *распр.* цика́да 3) *бот.* псевдоака́ция, роби́ния-ложноака́ция; бе́лая ака́ция 4) *бот.* рожко́вое де́рево; honey ~ гледи́чия сла́дкая 5) *разг.* жа́дный, прожо́рливый челове́к 6) *attr.:* ~ beans плоды́ рожко́вого де́рева, цареградские стручки́, рожки́

locust-tree [ˈləʊkəsttri:] = locust 3) *и* 4)

locution [ləʊˈkju:ʃn] *n* выраже́ние, оборо́т ре́чи, идио́ма

lode [ləʊd] *n* 1) *геол.* (ру́дная) жи́ла; за́лежь 2) = lodestone

lodestar [ˈləʊdstɑ:] *n* 1) Поля́рная звезда́ 2) путево́дная звезда́

lodestone [ˈləʊdstəʊn] *n* магнети́т; магни́тный железня́к 2) что-л. притя́гивающее, привлека́тельное, «магни́т»

lodge [lɒdʒ] 1. *n* 1) до́мик; сторо́жка у воро́т; помеще́ние привра́тника, садо́вника *и т. п.* 2) охо́тничий до́мик 3) дом дире́ктора ко́лле́джа (*в Кембридже*) 4) ло́жа (*масонская*) 5) ме́стное отделе́ние не́которых профсою́зов (*напр., железнодорожников*) 6) ха́тка (*бобра*); нора́ (*выдры*) 7) пала́тка инде́йцев, вигва́м 8) *редк.* ло́жа (*в театре*) 9) *горн.* ру́дный двор

2. *v* 1) подава́ть (*жалобу, прошение;* with, in) 2) класть (*в банк*); дава́ть на хране́ние (with — *кому-л.;* in — *куда-л.*) 3) предъявля́ть (*обвинение*) 4) всади́ть (*пулю и т. п.*) 5) засе́сть, застря́ть (*о пуле и т. п.*) 6) дать помеще́ние, приюти́ть; посели́ть 7) квартирова́ть; вре́менно прожива́ть 8) приби́ть (*о ветре, ливне*) 9) поле́чь от ве́тра (*о посевах*) ▭ ~ out а) провести́ ночь в общежи́тии при вокза́ле (*о железнодорожном служащем*); б) не ночева́ть до́ма ◇ to ~ power with smb. (*или* in the hands of smb.) облека́ть кого́-л. вла́стью, полномо́чиями

lodgement [ˈlɒdʒmənt] *n* 1) жили́ще, кварти́ра; прию́т (*тж. перен.*); the idea found ~ in his mind мысль засе́ла в его́ мозгу́ 2) депони́рование де́нежной су́ммы 3) пода́ча (*жалобы и т. п.*) 4) скопле́ние (*чего-л.*); зато́р; a ~ of dirt in a pipe засоре́ние трубы́ 5) *воен.* закрепле́ние на захва́ченной пози́ции; to find (*или* to make) a ~ обоснова́ться, закрепи́ться 6) *воен. ист.* ложеме́нт 7) *горн.* водосбо́рник

logder [ˈlɒdʒə] *n* жиле́ц; to take in ~s сдава́ть ко́мнаты жильца́м

lodging [ˈlɒdʒɪŋ] 1. *pres. p. от* lodge 2

2. *n* 1) жили́ще 2) *pl* (*снимаемая или сдаваемая*) ко́мната, ко́мнаты; кварти́ра; dry ~ помеще́ние, сдава́емое без пита́ния 3) *pl* дом дире́ктора ко́лле́джа (*в Оксфорде*) 4) *attr.:* ~ allowance (*или* money) *воен.* кварти́рные де́ньги ◇ ~ turn *ж.-д.* ночна́я сме́на, ночно́е дежу́рство

lodging house [ˈlɒdʒɪŋhaʊs] *n* меблиро́ванные ко́мнаты; common ~ ночле́жный дом

lodgment [ˈlɒdʒmənt] = lodgement

loess [ˈləʊes] *n геол.* лёсс

loft [lɒft] 1. *n* 1) черда́к 2) сенова́л 3) хо́ры (*в церкви*) 4) *амер.* ве́рхний эта́ж (*торгового помещения, склада*) 5) голубя́тня 6) уда́р высоко́ вверх (*в гольфе*) 7) *мор.* плаз

2. *v* 1) посыла́ть мяч высоко́ вверх (*в гольфе*) 2) держа́ть голубе́й

loftiness [ˈlɒftɪnəs] *n* 1) больша́я высота́ 2) возвы́шенность (*идеалов и т. п.*) 3) вели́чественность; ста́тность 4) высокоме́рие, надме́нность

lofty [ˈlɒftɪ] *a* 1) *книжн.* о́чень высо́кий (*не о людях*) 2) высокоме́рный, надме́нный; горде́ливый 3) возвы́шенный (*об идеалах и т. п.*) 4) вели́чественный

log [lɒg] 1. *n* 1) бревно́; коло́да; поле́но; чурба́н; кряж 2) *мор.* лаг; to heave the ~ броса́ть лаг 3) = logbook 4) *геол.* разре́з бурово́й скважи́ны ◇ to keep the ~ rolling рабо́тать в бы́стром те́мпе; to split the ~ объясня́ть что-л.

2. *v* 1) *мор.* вноси́ть в ва́хтенный *и т. п.* журна́л 2) *мор.* проходи́ть по ла́гу (*расстояние*); развива́ть (ско́рость) по ла́гу 3) регистри́ровать (*особ. при помощи компьютера; тж.* ~ in) 4) рабо́тать на лесозаготовка́х ▭ ~ off выкорчёвывать

loganberry [ˈləʊgənbərɪ] *n бот.* лога́нова я́года (*гибрид малины с ежевикой*)

logarithm [ˈlɒgərɪðəm] *n* логари́фм

logbook [ˈlɒgbʊk] *n* 1) ва́хтенный журна́л; бортово́й журна́л (*самолёта*); журна́л радиоста́нции *и т. п.* 2) формуля́р (*автомашины, самолёта*)

log cabin [ˈlɒg,kæbɪn] *n* бреве́нчатый до́мик

log frame [ˈlɒgfreɪm] *n* лесопи́льная ра́ма

logged [lɒgd] 1. *p. p. от* log 2

2. *a* 1) отяжеле́вший; пропита́вшийся водо́й 2) стоя́чий (*о воде*); боло́тистый 3) расчи́щенный от ле́са

logger [ˈlɒgə] *n амер.* 1) лесору́б 2) лесопогру́зчик (*машина*)

loggerhead [ˈlɒgəhed] *n* 1) род морско́й черепа́хи 2) *уст.* болва́н ◇ to be at ~s with smb. пререка́ться, ссо́риться с кем-л.; быть в натя́нутых отноше́ниях с кем-л.; to fall (*или* to get, to go) to ~s дойти́ до дра́ки

logging [ˈlɒgɪŋ] 1. *pres. p. от* log 2

2. *n* загото́вка и транспортиро́вка ле́са

log hut [ˈlɒghʌt] = log cabin

logic [ˈlɒdʒɪk] *n* ло́гика

logical [ˈlɒdʒɪkl] *a* 1) логи́ческий 2) логи́чный, после́довательный

logician [ləʊˈdʒɪʃn] *n* ло́гик

logistical [ləʊˈdʒɪstɪkl] *a воен.* относя́щийся к ты́лу, тылово́й; ~ number но́мер, присва́иваемый гру́зу при автопере-во́зке; ~ support материа́льно-техни́ческое обеспе́чение

logistics [ləʊˈdʒɪstɪks] *n pl воен.* тыл и снабже́ние, материа́льно-техни́ческое обеспе́чение, рабо́та ты́ла

logogram [ˈlɒgəgræm] *n* знак *или* бу́ква, заменя́ющие сло́во; логогра́мма

logroll [ˈlɒgrəʊl] *v амер.* ока́зывать взаи́мные услу́ги (*в политике*); взаи́мно восхваля́ть (*в печати*)

logrolling [ˈlɒg,rəʊlɪŋ] *n амер.* взаи́мные услу́ги (*в политике*); взаи́мное восхвале́ние (*в печати*)

logwood [ˈlɒgwʊd] *n бот.* кампе́шевое де́рево

logy [ˈləʊgɪ] *a амер.* 1) тупо́й, тупоу́мный 2) медли́тельный, неповоро́тливый

loin [lɔɪn] *n* 1) *pl* поясни́ца 2) *кул.* филе́йная часть ◇ to gird up one's ~s *библ., поэт.* препоя́сать чре́сла, собра́ться с си́лами, приступи́ть (*к чему-л.*); sprung from smb.'s ~s порождённый кем-л. (*о потомстве и т. п.*)

loincloth [ˈlɔɪnklɒθ] *n* набе́дренная повя́зка

loir [ˈlɔɪə] *n зоол.* со́ня-полчо́к

loiter [ˈlɔɪtə] *v* 1) слоня́ться без де́ла 2) ме́длить, ме́шкать, копа́ться; отстава́ть ▭ ~ away тра́тить бесце́льно, попу́сту растра́чивать; to ~ away one's time безде́льничать, теря́ть да́ром вре́мя

loiterer [ˈlɔɪtərə] *n* 1) безде́льник 2) копу́ша

loll [lɒl] *v* сиде́ть развали́сь; стоя́ть (облокоти́сь) в лени́вой по́зе ▭ ~ out а) высо́вывать язы́к; б) высо́вываться (*о языке*)

Lollard [ˈlɒləd] *n ист.* лолла́рд

lollipop [ˈlɒlɪpɒp] *n* 1) леде не́ц на па́лочке 2) *pl* леденцо́вая караме́ль

lollop [ˈlɒləp] *v разг.* слоня́ться, идти́ лени́вой похо́дкой

Lombard [ˈlɒmbəd] 1. *n* 1) *ист.* ланго-ба́рд 2) ломба́рдец, жи́тель Ломба́рдии ◇ ~ Street фина́нсовый ры́нок, фина́нсовый мир А́нглии (*по названию улицы в лондонском Сити, на которой находится много банков*)

2. *a* ломба́рдский

Lombardy poplar [ˌlɒmbədɪ'pɒplə] *n* пирамида́льный то́поль

Londoner ['lʌndənə] *n* ло́ндонец

Londonism ['lʌndənɪzəm] *n* 1) ме́стное ло́ндонское выраже́ние 2) ло́ндонский обы́чай

lone [ləʊn] *a* 1) одино́кий (*о челове́ке*) 2) уединённый 3) *шутл.* незаму́жняя *или* овдове́вшая ◇ ~ wolf одино́кий волк (*о челове́ке*)

lone electron [ˌləʊnɪ'lektrɒn] *n* одино́чный электро́н

lonely ['ləʊnlɪ] *a* 1) одино́кий; томя́щийся одино́чеством; to feel ~ чу́вствовать себя́ одино́ким, испы́тывать чу́вство одино́чества 2) уединённый, пусты́нный

loner ['ləʊnə] *n* одино́кий челове́к; холостя́к; одино́чка

lonesome ['ləʊnsəm] *a* 1) = lonely 2) вызыва́ющий тоску́, уны́лый ◇ by (*или* on) ~ соверше́нно оди́н, без вся́кой подде́ржки

long I [lɒŋ] **1.** *a* 1) дли́нный; ~ measures ме́ры длины́; at ~ range на большо́м расстоя́нии; a ~ mile до́брая ми́ля; ~ waves *радио* дли́нные во́лны 2) до́лгий; ~ look до́лгий взгляд; ~ vacation ле́тние кани́кулы; a ~ farewell а) до́лгое проща́ние; б) проща́ние надо́лго 3) име́ющий *таку́ю-то* длину́ *или* продолжи́тельность; a mile ~ длино́й в одну́ ми́лю; an hour ~ продолжа́ющийся в тече́ние ча́са 4) ску́чный, многосло́вный 5) удлинённый, продолгова́тый 6) дли́тельный; давно́ существу́ющий; a ~ custom давни́шний, стари́нный обы́чай; a friendship (an illness) of ~ standing стари́нная дру́жба (застаре́лая боле́знь) 7) *фон., прос.* до́лгий (*о гла́сном зву́ке*) 8) *фин.* долгосро́чный 9) ме́дленный; медли́тельный; how ~ he is! как он копа́ется! 10) обши́рный, многочи́сленный; ~ family огро́мная семья́; ~ bill дли́нный, разду́тый счёт; ~ price непоме́рная цена́; ~ shillings хоро́ший за́работок ◇ ~ ears глу́пость; to make (*или* to pull) a ~ face помрачне́ть; to make a ~ nose показа́ть «нос»; ~ greens *амер. разг.* бума́жные де́ньги; «зелёные»; ~ head проница́тельность, предусмотри́тельность; ~ nine *амер. разг.* дешёвая сига́ра; ~ odds большо́е нера́венство ста́вок; нера́вные ша́нсы; L. Tom а) дальнобо́йная пу́шка; б) *разг.* дли́нная сига́ра; L. Parliament *ист.* До́лгий парла́мент; ~ in the teeth ста́рый; to get a ~ start over smb. значи́тельно опереди́ть кого́-л.; in the ~ run в конце́ концо́в

2. *adv* 1) давно́; до́лгое вре́мя (*перед, спустя*); ~ before задо́лго до; ~ after до́лгое вре́мя спустя́; ~ since уже́ давны́м-давно́ 2): his life ~ в тече́ние всей его́ жи́зни, всю его́ жизнь 3) до́лго; as ~ as пока́; stay for as ~ as you like остава́йтесь сто́лько, ско́лько вам бу́дет уго́дно; ~ live... да здра́вствует...

3. *n* 1) до́лгий срок, до́лгое вре́мя; for ~ надо́лго; before ~ ско́ро; вско́ре; will not take ~ не займёт мно́го вре́мени 2) *фон.* до́лгий гла́сный 3) (the ~s) = ~ vacation [*см.* I, 1, 2)] ◇ the ~ and the short of it коро́че говоря́, сло́вом

long II [lɒŋ] *v* 1) стра́стно жела́ть (*чего́-л.*), стреми́ться (to, for — к *чему́-л.*) 2) тоскова́ть

long ago ['lɒŋəˌgəʊ] **1.** *n* далёкое про́шлое; да́вние времена́

2. *a* давнопроше́дший, далёкий

long boat ['lɒŋbəʊt] *n мор.* барка́с

longbow ['lɒŋbəʊ] *n* большо́й лук (*ору́жие*) ◇ to draw (*или* to pull) the ~ расска́зывать небыли́цы; преувели́чивать

long-distance [ˌlɒŋ'dɪstəns] *a* 1) да́льний, отдалённый; ~ call междугоро́дный *или* междунаро́дный телефо́нный разгово́р; ~ telephone service междугоро́дное *или* междунаро́дное телефо́нное сообще́ние; ~ transmission да́льняя радиопереда́ча 2) долгосро́чный (*о прогно́зе пого́ды*)

long-drawn-out [ˌlɒŋdrɔ:n'aʊt] *a* затяну́вшийся, продолжи́тельный

longer ['lɒŋgə] *сравн. ст. от* long I, 1 *и* 2; wait a while ~ подожди́те ещё немно́го; I shall not wait (any) ~ не бу́ду бо́льше ждать

longeron ['lɒndʒərən] *n* (*обыкн. pl*) *ав.* лонжеро́н

longest ['lɒŋgɪst] *превосх. ст. от* long I, 1 *и* 2; (a week) at ~ са́мое бо́льшее (неде́лю)

longevity [lɒn'dʒevətɪ] *n* долгове́чность; долголе́тие, долгожи́тельство

longevous [lɒn'dʒi:vəs] *a* долгове́чный

longhair ['lɒŋˌheə] *n пренебр.* 1) хи́ппи 2) интеллектуа́л

longhand ['lɒŋhænd] *n* обыкнове́нное письмо́ (*противоп.* shorthand)

longheaded [ˌlɒŋ'hedɪd] *a* 1) проница́тельный, предусмотри́тельный, хи́трый 2) длинноголо́вый, долихоцефа́льный

long hundredweight [ˌlɒŋ'hʌndrədweɪt] *n* англи́йский це́нтнер (*112 фу́нтов 50, 8 кг*)

longing ['lɒŋɪŋ] **1.** *pres. p. от* long II

2. *n* си́льное, стра́стное жела́ние, стремле́ние

3. *a* си́льно, стра́стно жела́ющий; ~ look горя́щий жела́нием взгляд

longitude ['lɒndʒɪtju:d] *n* 1) *геогр.* долгота́ 2) *шутл.* длина́

longitudinal [ˌlɒndʒɪ'tju:dɪnl] *a* 1) продо́льный; ~ section продо́льное сече́ние 2) *геогр.* по долготе́

long jump ['lɒŋˌdʒʌmp] *n спорт.* прыжо́к в длину́

long-lived [ˌlɒŋ'lɪvd] *a* долгове́чный

long-liver [ˌlɒŋ'lɪvə] *n* долгожи́тель

long-play(er) [ˌlɒŋ'pleɪ(ə)] *n* долгоигра́ющая пласти́нка

long-playing [ˌlɒŋ'pleɪɪŋ] *a* долгоигра́ющий; ~ record долгоигра́ющая пласти́нка

long-primer [ˌlɒŋ'prɪmə] *n полигр.* ко́рпус

long-range [ˌlɒŋ'reɪndʒ] *a* да́льнего де́йствия; дальнобо́йный; ~ rocket раке́та да́льнего де́йствия; ~ thinking заблаговре́менное обду́мывание; ~ policy поли́тика да́льнего прице́ла; ~ planning перспекти́вное плани́рование

long-run ['lɒŋrʌn] *a* да́льний, далёкий; ~ objective коне́чная цель; ~ prospects отдалённые перспекти́вы

long-service pay ['lɒŋˌsɜ:vɪs'peɪ] *n* надба́вка за вы́слугу лет

longshoreman ['lɒŋʃɔ:mən] *n* 1) *амер.* до́кер 2) прибре́жный рыба́к 3) *разг.* челове́к, живу́щий случа́йной рабо́той на морски́х куро́ртах

long shot ['lɒŋʃɒt] *n* 1) риско́ванное предприя́тие, авантю́ра 2) риско́ванное пари́ 3) *кино* о́бщий план

longsighted [ˌlɒŋ'saɪtɪd] *a* 1) дальнозо́ркий 2) дальнови́дный

longspun ['lɒŋspʌn] *a* растя́нутый, ску́чный

long-standing [ˌlɒŋ'stændɪŋ] *a* давни́шний

long-suffering [ˌlɒŋ'sʌfərɪŋ] **1.** *n* долготерпе́ние

2. *a* долготерпели́вый, многострада́льный

long-term [ˌlɒŋ'tɜ:m] *a* долгосро́чный; дли́тельный; ~ bond (*или* note) обяза́тельство сро́ком не ме́нее чем на два го́да

long-time [ˌlɒŋ'taɪm] = long-term

long ton ['lɒŋtʌn] = gross ton

long-tongued [ˌlɒŋ'tʌŋd] *a* болтли́вый

longueurs [ˌlɔ:ŋ'gɜ:z] *фр. n pl* длинно́ты (*в кни́ге, фи́льме и т. п.*)

longways ['lɒŋweɪz] *adv* в длину́

long-winded [ˌlɒŋ'wɪndɪd] *a* 1) многоречи́вый; ску́чный 2) с хоро́шими лёгкими, могу́щий до́лго бежа́ть *или* крича́ть, не задыха́ясь

longwise ['lɒŋwaɪz] = longways

loo I [lu:] *n* му́шка (*карт. игра́*)

loo II [lu:] *n разг.* убо́рная, туале́т

looby ['lu:bɪ] *n* ду́рень; полоу́мный

loofah ['lu:fə] *n бот.* люфа́

look [lʊk] **1.** *n* 1) взгляд; to have (*или* to take) a ~ at посмотре́ть на; ознако́миться с; to cast a ~ бро́сить взгляд, посмотре́ть; to steal a ~ укра́дкой посмотре́ть 2) выраже́ние (*глаз, лица́*); a vacant ~ отсу́тствующий взгляд 3) вид, нару́жность; good ~s красота́; милови́дность; to lose one's ~s дурне́ть; I don't like the ~ of him мне не нра́вится его́ вид; affairs took on an ugly ~ дела́ пошли́ пло́хо ◇ upon the ~ в по́исках; not to have a ~ in with smb. быть ху́же, чем кто-л., не сравни́ться с кем-л.; new ~ но́вая мо́да (*о фасо́нах*)

2. *v* 1) смотре́ть, гляде́ть; осма́тривать; to ~ through blue-coloured (rose-coloured) glasses ви́деть всё в непривлека́тельном (привлека́тельном) све́те 2) быть внима́тельным, следи́ть; to ~ ahead смотре́ть вперёд (*в бу́дущее*); ~ ahead! береги́сь!; осторо́жно!; to ~ things in the face смотре́ть опа́сности в глаза́ 3) *как глаго́л-свя́зка в составно́м именно́м сказу́емом* вы́глядеть, каза́ться; to ~ well (ill) вы́глядеть хорошо́ (пло́хо); to ~ big принимать важный вид; to ~ like выглядеть как, походить на, быть похожим на; it ~s like rain(ing) похоже, что будет дождь; to ~ one's age выглядеть не старше своих лет; to ~ oneself again принять обычный вид, оправиться 4) рассчитывать (*на кого-л., что-л.*); you can ~ to me for support вы можете рассчитывать на мою поддержку 5) выражать (*взглядом, видом*); he ~ed his thanks весь его вид выражал благодарность 6) выходить на..., быть обращённым на...; my room ~s south моя комната выходит на юг ▭ ~ **about** a) оглядываться по сторонам; б) осматриваться, ориентироваться; ~ **after** a) присматривать за, заботиться о; б) следить глазами, взглядом; ~ **at** a) смотреть на *что-л.*, на *кого-л.*; б) посмотреть (в чём дело), проверить; one's way of ~ing at things чьи-л. взгляды; чья-л. манера смотреть на вещи; ~ **back** a) вспоминать, оглядываться на прошлое; б) оглядываться; ~ **down** a) смотреть свысока, презирать (on, upon); б) *ком.* падать (*в цене*); ~ **for** a) искать; б) ожидать, надеяться на; ~ **forward** to ожидать, очень хотеть; ~ **in** a) заглянуть к *кому-л.*; б) смотреть телепередачу; ~ **into** a) заглядывать; б) исследовать; ~ **on** a) смотреть как на; считать за; he ~s on you as a friend он считает вас другом; б) наблюдать; ~ **out** a) выглядывать (*откуда-л.*); б) быть настороже; ~ out! осторожнее!, берегись!; в) иметь вид, выходить (on, over — на *что-л.*); г) подыскивать; to ~ out for a house присматривать (для покупки) дом; ~ **over** a) просматривать; б) не заметить; в) простить; ~ **round** a) оглядываться кругом; б) взвесить всё (*прежде чем действовать*); ~ **through** a) просматривать *что-л.*; б) видеть *кого-л.* насквозь; в) смотреть в (*окно и т. п.*); г) делать вид, что не видишь; ~ **to** a) заботиться о, следить за; ~ to it that this doesn't happen again смотрите, чтобы это не повторилось; б) рассчитывать на; в) надеяться на; г) стремиться, быть направленным к *чему-л.*, на *что-л.*; иметь склонность к *чему-л.*; д) указывать на; the evidence ~s to acquittal судя по свидетельским показаниям, его оправдают; ~ **toward** = ~ to г); ~ **towards:** I ~ towards you *разг.* пью за ваше здоровье; ~ **up** a) искать (*что-л. в справочнике*); б) *разг.* навещать *кого-л.*; в) смотреть вверх, поднимать глаза; to ~ up and down смерить взглядом; to ~ up to smb. смотреть почтительно на кого-л.; уважать кого-л.; считаться с кем-л.; г) улучшаться (*о делах*); things are looking up положение улучшается; д) повышаться (*в цене*); ~ **upon** = ~ on a); he was ~ed upon as an authority на него смотрели как на авторитет, его считали авторитетом ◇ to ~ alive спешить, торопиться; ~ before you leap не будьте опрометчивы; ~ here! послушайте!; ~ sharp! живей! смотри(те) в оба!; to ~ at home обратиться к своей совести, заглянуть себе в душу; to ~ at him судя по его виду

looker ['lʊkə] *n* 1) *разг.* красавица 2) наблюдатель

looker-in ['lʊkər,ɪn] *n* (*pl* lookers-in) телезритель

looker-on ['lʊkər,ɒn] *n* (*pl* lookers-on) зритель, наблюдатель ◇ lookers-on see most of the game ≅ со стороны виднее

lookers-in ['lʊkəz,ɪn] *pl от* looker-in

lookers-on ['lʊkəz,ɒn] *pl от* looker-on

look-in ['lʊkɪn] *n* 1) короткий визит, короткое посещение 2) *разг.* шанс; to have a ~ иметь шансы на успех 3) взгляд мельком

looking-for ['lʊkɪŋfɔ:] *n* 1) поиски 2) ожидания, надежды

looking glass ['lʊkɪŋglɑ:s] *n* зеркало

lookout ['lʊkaʊt] *n* 1) бдительность, настороженность; to be on the ~ (for) быть настороже 2) наблюдательный пункт 3) наблюдатель; вахта; дозорные 4) вид; a wonderful ~ over the sea чудесный вид на море 5) *разг.* виды, шансы ◇ that's my ~ это моё дело

look-see ['lʊksi:] *n разг.* 1) беглый взгляд *или* просмотр 2) бинокль

loom I [lu:m] *n* ткацкий станок

loom II [lu:m] **1.** *n* 1) очертания (*неясные или преувеличенные*) 2) тень

2. *v* 1) неясно вырисовываться; маячить 2) принимать преувеличенные, угрожающие размеры (*тж.* ~ large)

loon I [lu:n] *n шотл. разг.* 1) неотёсанный человек, деревенщина 2) парень

loon II [lu:n] *n* 1) гагара 2) *разг.* псих, чокнутый

loony ['lu:nɪ] (*сокр. от* lunatic) *разг.* **1.** *n* сумасшедший, чокнутый, полоумный, псих

2. *a* сумасшедший, полоумный

loony bin ['lu:nɪbɪn] *n sl.* дурдом, психбольница

loop [lu:p] **1.** *n* 1) петля 2) *мед.* «петля», спираль (*внутриматочное противозачаточное средство*) 3) окружная железная дорога; обгонный путь 4) *ав.* мёртвая петля, петля Нестерова 5) петля (*фигурное катание*) 6) *эл.* виток 7) *кино* петля плёнки *или* фильма 8) цикл программы ЭВМ 9) *тех.* бугель, хомут, скоба, петля 10) *анат.* ганглий, нервный узел

2. *v* делать петлю, закреплять петлёй; to ~ the loop *ав.* делать мёртвую петлю, петлю Нестерова; to ~ the moon вращаться вокруг Луны

loop-aerial ['lu:p,eərɪəl] *n радио* рамочная антенна

loop hole ['lu:phəʊl] **1.** *n* 1) лазейка, увёртка 2) бойница, амбразура

2. *v* проделывать бойницы

loop-light ['lu:plaɪt] *n* маленькое, узкое окно

loop line ['lu:plaɪn] = loop, 1 3)

loopy ['lu:pɪ] *a* 1) *sl.* чокнутый 2) имеющий петли 3) *шотл.* хитрый

loose [lu:s] **1.** *a* 1) свободный; to break ~ вырваться на свободу; сорваться с цепи; to come ~ развязаться; отделиться; to let ~ a) освобождать; б) давать волю (*воображению, гневу и т. п.*) 2) ненатянутый; (to ride) with a ~ rein a) свободно пустить лошадь; б) (обращаться) мягко, без строгости 3) не(плотно) прикреплённый; болтающийся, шатающийся; расхлябанный; обвислый; ~ end свободный конец (*каната, троса и т. п.*); ~ leaf вкладной лист 4) просторный, широкий (*об одежде*) 5) неплотный (*о ткани*); рыхлый (*о почве*) 6) неточный, неопределённый, слишком общий; ~ translation a) вольный перевод; б) небрежный, неточный перевод 7) небрежный, неряшливый 8) распущенный человек; ~ morals распущенные нравы 9) несвязанный, плохо упакованный, не упакованный в ящик, коробку 10) откидной 11) *тех.* холостой ◇ ~ bowels «слабый кишечник»; at a ~ end a) без определённой работы, без дела; б) в беспорядке

2. *adv* свободно *и пр.* [*см.* 1]

3. *v* 1) освобождать, давать волю; to ~ one's hold of smth. выпустить что-л. из рук; wine ~d his tongue вино развязало ему язык 2) развязывать, отвязывать; распускать (*волосы*); открывать (*задвижку*) 3) ослаблять, делать просторнее (*пояс и т. п.*) 4) выстрелить (*тж.* ~ off) 5) *церк.* отпускать грехи

4. *n* 1) выход, проявление (*чувств и т. п.*); to give (a) ~ (to) дать волю (*чувству*); to give a ~ to one's tongue развязать язык ◇ to be on the ~ кутить, вести беспутный образ жизни

loose box ['lu:sbɒks] *n* денник (*для лошади*)

loose-leaf [,lu:s'li:f] *a* с отрывными листами (*о блокноте и т. п.*)

loosely ['lu:slɪ] *adv* свободно *и пр.* [*см.* loose 1]

loosen ['lu:sn] *v* 1) развязывать 2) расшатывать (*зуб и т. п.*) 3) разрыхлять 4) ослаблять(ся), становиться слабым; to ~ discipline ослаблять дисциплину 5) *мед.* вызывать действие (*кишечника*) 6) *тех.* отпускать ▭ ~ **up** a) *спорт.* делать разминку; б) *амер. разг.* становиться более разговорчивым, разговориться ◇ to ~ a person's tongue заставить кого-л. разговориться

loosener ['lu:snə] *n* слабительное

looseness ['lu:snəs] *n* 1) слабость *и пр.* [*см.* loose 1] 2) *мед.* слабый стул

loosestrife ['lu:sstraɪf] *n бот.* 1) вербейник 2) дербенник

loot [lu:t] **1.** *n* 1) добыча; награбленное 2) ограбление 3) незаконные доходы (*чиновников и т. п.*) 4) *sl.* деньги

2. *v* грабить; уносить добычу

loo-table ['lu:,teɪbl] *n* карточный стол

lop I [lɒp] **1.** *n* мелкие ветки, сучья (*особ. отрубленные*)

2. *v* 1) обрубать, подрезать ветви, сучья 2) очищать дерево от сучьев (*обыкн.* ~ off, ~ away) 3) обкорнать 4) отрубить 5) урезывать; сокращать

lop II [lɒp] *v* 1) свисать 2) двигаться

неуклюже, прихрамывая ▭ ~ **about** шататься, слоняться

lop III [lɒp] *n мор.* зыбь

lope [ləʊp] **1.** *n* 1) бег вприпрыжку, прыжки, скачки (*особ. о животных*)

2. *v* бежать вприпрыжку (*особ. о животных*)

lop-eared [,lɒp'ɪəd] *a* вислоухий

loppings ['lɒpɪŋz] *n pl* обрубленные сучья

loppy ['lɒpɪ] *a* (свободно) свисающий

lopsided [,lɒp'saɪdɪd] *a* 1) кривобокий; наклонённый, накренённый 2) односторонний; неравномерный; ~ development неравномерное, одностороннее развитие

loquacious [ləʊ'kweɪʃəs] *a* 1) болтливый, говорливый 2) *поэт.* журчащий

loquacity [ləʊ'kwæsətɪ] *n* болтливость

loquitur ['lɒkwɪtə] *лат. v* говорит (*ремарка*)

lor [lɔ:] *int разг.* (*сокр. от* lord 1): о ~! о боже! (*выражение удивления, досады и т. п.*)

lord [lɔ:d] **1.** *n* 1) господин, владыка, повелитель; властитель 2) феодальный сеньор; ~ of the manor владелец поместья, the ~ of the harvest а) фермер, которому принадлежит урожай; б) главный жнец; ~s of creation а) *поэт.* человеческий род; б) *шутл.* мужчины, сильный пол 3) лорд, пэр; член палаты лордов; the Lords spiritual епископы — члены палаты лордов; the Lords temporal светские члены палаты лордов; my ~ [mɪ'lɔ:d] милорд (*официальное обращение к пэрам, епископам, судьям верховного суда*) 4) Господь Бог (*обыкн.* the L.); our Lord Христос; the Lord's Day воскресенье; the Lord's Prayer Отче Наш (*молитва*); the Lord's Supper а) Тайная Вечеря; б) причастие, евхаристия; Lord's table алтарь 5): (the) Lords палата лордов 6) магнат, король (*промышленности*); the cotton ~s хлопчатобумажные магнаты 7) *поэт., шутл.* муж, супруг; ~ and master супруг и повелитель ◇ to act the ~ важничать; to live like a ~ как сыр в масле кататься

2. *v* 1) давать титул лорда 2) титуловать лордом 3): to ~ it строить, разыгрывать лорда, важничать; командовать, распоряжаться; to ~ it over smb. помыкать кем-л.; he will not be ~ed over он не позволит, чтобы им понукали

Lord Chancellor [,lɔ:d'tʃɑ:nsələ] *n* лорд-канцлер (*председатель палаты лордов и хранитель печати*)

Lord Lieutenant [,lɔ:dlef'tenənt] *n* 1) глава судебной и исполнительной власти в графстве 2) генерал-губернатор Ольстера (*Сев. Ирландия*) 3) *ист.* вице-король Ирландии (*до 1922 г.*)

lordliness ['lɔ:dlɪnəs] *n* 1) высокомерие 2) великолепие, пышность 3) великодушие

lordly ['lɔ:dlɪ] **1.** *a* 1) гордый, высокомерный, надменный 2) присущий лорду, барственный 3) роскошный, пышный 4) великодушный

2. *adv* 1) как подобает лорду, по-барски 2) гордо

Lord Mayor [,lɔ:d'meə] *n* лорд-мэр; ~'s Day 9 ноября (*день вступления в должность лондонского лорд-мэра*); ~'s show пышная процессия в день вступления лорд-мэра в должность

Lord Provost [lɔ:d'prɒvəst] *n* лорд-мэр (*некоторых больших шотландских городов*)

Lord Rector [,lɔ:d'rektə] *n* почётный ректор (*в шотландских университетах*)

lordship ['lɔ:dʃɪp] *n* 1): Your L. ≅ Ваша Светлость (*официальное обращение к лордам*) 2) поместье лорда, мэнор 3) (of, over) власть, владение (*чем-л.; особ. о феодальном лорде*)

lore I [lɔ:] *n* знания (*в определённой области*); профессиональные знания; bird ~ орнитология

lore II [lɔ:] *n зоол.* уздечка (*у птиц*)

lorgnette [lɔ:n'jet] *n* 1) лорнет 2) театральный бинокль

loricate ['lɒrɪkeɪt] *a зоол.* снабжённый защитным покровом, роговыми чешуйками *и т. п.*

lorikeet ['lɒrɪki:t] *n* небольшой попугай (*породы лори*)

lorn [lɔ:n] *a книжн.* покинутый, осиротелый, несчастный

lorry ['lɒrɪ] **1.** *n* 1) грузовой автомобиль, грузовик (*тж.* motor ~) 2) вагонетка 3) *ж.-д.* платформа

2. *v* путешествовать *или* перевозить на грузовиках, автомобилях

lorry-hop ['lɒrɪhɒp] *v разг.* путешествовать, пользуясь бесплатно попутными машинами

lory ['lɔ:rɪ] *n зоол.* лори (*попугай*)

lose [lu:z] *v* (lost) 1) терять, лишаться; утрачивать (*свойство, качество*); to ~ courage растеряться, оробеть; to ~ one's head сложить голову на плахе; *перен.* потерять голову; to ~ one's temper рассердиться, потерять самообладание; to be lost to (all) sense of duty (shame) (совершенно) потерять чувство долга (стыда); I've quite lost my cold у меня совсем прошёл насморк; to ~ altitude терять высоту (*о самолёте*); to ~ (all) track (of) потерять след, ориентацию 2) упустить, не воспользоваться; there is not a moment to ~ нельзя терять ни минуты; to ~ no time in doing smth. действовать немедленно 3) проигрывать; to ~ a bet проиграть пари 4) пропустить; опоздать; to ~ one's train опоздать на поезд 5) вызывать потерю, стоить (*чего-л.*); лишать (*чего-л.*); it will ~ me my place это будет стоить мне места 6) отставать (*о часах*) 7) *pass.* погибнуть; исчезнуть, пропасть; не существовать больше; the ship was lost on the rocks корабль разбился о скалы 8) недослышать; не разглядеть; to ~ the end of a sentence не услышать конца фразы 9) *refl.* заблудиться; to ~ oneself in smth. глубоко погрузиться во что-л.; углубиться во что-л. 10) забывать ◇ to ~ sleep over smth. лишиться сна из-за чего-л.; огорчаться по поводу чего-л., упорно думать о чём-л.; to ~ ground а) отставать; б) отступать; to be lost upon smb. пропасть даром, не достигнуть цели в отношении кого-л.; your kindness is lost upon him он не понимает, не ценит вашей доброты; my hints were not lost upon him он понял мои намёки

loser ['lu:zə] *n* 1) теряющий, проигрывающий; проигравший; to be a good ~ не унывать при проигрыше *или* поражении; to come off a ~ проиграть, остаться в проигрыше; to be a ~ by smth. потерять на чём-л.; потерпеть ущерб от чего-л. 2) *разг.* неудачник

losing ['lu:zɪŋ] **1.** *pres. p. от* lose

2. *n* 1) проигрыш 2) *pl* проигрыш в игре; потери при спекуляции *и т. п.*

3. *a* проигрышный; to play a ~ game идти на верный проигрыш

loss [lɒs] *n* 1) пропажа 2) потеря, утрата; ~ of one's eyesight потеря зрения; to have a ~, to meet with a ~ понести потерю 3) *pl воен.* потери; ~ of life потери в людях, потери убитыми; to suffer (*или* to sustain) ~es а) понести потери б) терпеть убытки 4) урон; проигрыш 5) убыток; ущерб; to sell at a ~ продавать в убыток; dead ~ чистый убыток; to make good a ~ возместить убыток 6) *тех.* угар; ~ in yarn *текст.* угар 7) *attr.*: ~ replacement *воен.* возмещение потерь ◇ to be at a ~ а) быть в затруднении, в недоумении; he was at a ~ for words он не мог найти слов; б) *охот.* потерять след

loss leader ['lɒsli:də] *n* товар, продаваемый с убытком с целью привлечения покупателей

lost [lɒst] **1.** *past и p. p. от* lose

2. *a* потерянный *и пр.* [*см.* lose]; ~ effort напрасное усилие; to give smb. up for ~ считать кого-л. погибшим ◇ the Lost and Found бюро находок; what's ~ is ~ ≅ что с возу упало, то пропало

lot [lɒt] **1.** *n* 1) *разг.* много, масса; a ~ (of), ~s of уйма, много; многие; ~s and ~s of громадное количество, масса 2) лот, вещь, продаваемая на аукционе *или* несколько предметов, продаваемых одновременно 3) жребий; *перен.* участь, доля, судьба; to cast (to draw) ~s бросать (тянуть) жребий; to settle by ~ решить жеребьёвкой; to cast (*или* to throw) in one's ~ with smb. связать, разделить (свою) судьбу с кем-л.; the ~ fell upon (*или* came to) me жребий пал на меня 4) (*особ. амер.*) участок (земли); across ~s напрямик, кратчайшим путём; parking ~ стоянка автомашин 5) партия (*изделий*); we'll send you the textbooks in three different ~s мы пошлём вам учебники тремя отдельными партиями 6) *разг.* группа, кучка (людей); компания 7) налог, пошлина 8) территория при киностудии ◇ a bad ~ дурной, плохой человек

2. *v* 1) делить, дробить на участки, части (*часто* ~ out) 2) *редк.* бросать жре́бий 3) сортирова́ть; разбива́ть на па́ртии (*для аукционной продажи*) 4) *амер. разг.* рассчи́тывать (on, upon — на *что-л.*)

3. *adv* гора́здо, намно́го; a ~ better (more) гора́здо лу́чше (бо́льше)

lota(h) ['ləʊtɑ:] *инд. n* небольшо́й ме́дный кувши́н (*шаровидной формы*)

loth [ləʊθ] = loath

Lothario [ləʊ'θɑ:rɪəʊ] *n* (*pl* -os [-əʊz]) пове́са, волоки́та (*тж.* gay ~)

lotion ['ləʊʃn] *n* 1) лосьо́н; жи́дкое космети́ческое сре́дство 2) *разг.* спиртно́й напи́ток

lotos ['ləʊtəs] = lotus

lottery ['lɒtərɪ] *n* лотере́я

lotto ['lɒtəʊ] *n* лото́

lotus ['ləʊtəs] *n бот.* ло́тос

lotus-eater ['ləʊtəs,i:tə] *n* 1) пра́здный мечта́тель 2) челове́к, живу́щий в своё удово́льствие

lotus-land ['ləʊtəslænd] *n* ска́зочная страна́ изоби́лия и пра́здности

loud [laʊd] 1. *a* 1) гро́мкий; зву́чный 2) шу́мный; шумли́вый; крикли́вый 3) ре́зкий (*о критике*) 4) крича́щий (*о красках, наряде и т. п.*) 5) развя́зный (*о манерах*)

2. *adv* гро́мко

loud-hailer [,laʊd'heɪlə] *n* мегафо́н; громкоговори́тель, ру́пор

loudly ['laʊdlɪ] *adv* 1) гро́мко, шу́мно; громогла́сно 2) крича́ще

loudmouth ['laʊdmaʊθ] *n разг.* крику́н

loudmouthed [,laʊd'maʊðd] *a разг.* гро́мкий, крикли́вый

loudspeaker [,laʊd'spi:kə] *n радио* громкоговори́тель, репроду́ктор

lough [lɒk] *n ирл.* о́зеро; зали́в

lounge [laʊndʒ] 1. *n* 1) холл *или* ко́мната для о́тдыха (*в отеле и т. п.*) 2) пра́здное времяпрепровожде́ние 3) лени́вая похо́дка 4) кре́сло; шезло́нг; дива́н 5) = lounge suit

2. *v* 1) сиде́ть развали́сь; стоя́ть, опира́ясь (*на что-л.*) 2) лени́во броди́ть, безде́льничать (*тж.* ~ about); to ~ away one's life (time) пра́здно проводи́ть жизнь (вре́мя)

lounger ['laʊndʒə] *n* безде́льник

lounge suit ['laʊndʒsu:t] *n* пиджа́чный костю́м

loupe [lu:p] *n* лу́па, увеличи́тельное стекло́

lour ['laʊə] *v* 1) смотре́ть угрю́мо, хму́риться 2) темне́ть, покрыва́ться ту́чами

louse 1. *n* [laʊs] 1) (*pl* lice) вошь 2) *sl.* (*pl* louses) отвра́тный тип

2. *v* [laʊz] иска́ть *или* вычёсывать вшей □ ~ up *sl.* испо́ртить, исковеркать

lousiness ['laʊzɪnəs] *n* вши́вость, завши́вленность

lousy ['laʊzɪ] *a* 1) вши́вый 2) *разг.* ни́зкий, отврати́тельный; парши́вый 3): ~ with smth. *разг.* по́лный, перепо́лненный чем-л.; to be ~ with ≅ кишмя́ кише́ть; ~ with money бога́тый

lout [laʊt] *n* неуклю́жий, неотёсанный челове́к, деревéнщина

loutish ['laʊtɪʃ] *a* гру́бый, неотёсанный

louver, louvre ['lu:və] *n* 1) *pl* жалюзи́ 2) ба́шенка на кры́ше для вентиля́ции (*в средневековой архитектуре*) 3) *спец.* жалюзи́йное отве́рстие

lovable ['lʌvəbl] *a* привлека́тельный, ми́лый

love [lʌv] 1. *n* 1) любо́вь, привя́занность; there's no ~ lost between them они́ недолю́бливают друг дру́га 2) влюблённость, любо́вь, страсть; cottage ~ ≅ рай в шалаше́; to be in ~ (with) быть влюблённым (в); to fall in ~ (with) влюби́ться (в); to fall out of ~ with smb. разлюби́ть кого́-л.; to make ~ to а) име́ть физи́ческую бли́зость с (*кем-л.*); б) *уст.* уха́живать за; 3) любо́вная интри́га; любо́вная исто́рия 4) предме́т любви́; дорого́й; дорога́я; возлю́бленный, возлю́бленная (*особ. в обращении* my ~) 5) *миф.* аму́р, купидо́н 6) что-л. привлека́тельное; a regular ~ of a kitten преле́стный котёнок 7) *спорт.* нуль; win by four goals to ~ вы́играть со счётом 4:0; ~ all счёт 0:0; ~ game «суха́я» ◇ for the ~ of ра́ди, во и́мя; for the ~ of Mike ≅ ра́ди бо́га; not for ~ or money, not for the ~ of Mike ни за что, ни за каки́е де́ньги, ни за каки́е коври́жки; to give (to send) one's ~ to smb. передава́ть (посыла́ть) приве́т кому́-л.; for ~ of the game из любви́ к иску́сству; to play for ~ игра́ть не на де́ньги; ~ and a cough cannot be hidden *посл.* любви́ да ка́шля не утаи́шь

2. *v* 1) люби́ть 2) хоте́ть, жела́ть; находи́ть удово́льствие (*в чём-л.*); I'd ~ to come with you я бы с удово́льствием пошёл с ва́ми

love affair ['lʌvə,feə] *n* рома́н, любо́вная интри́га, любо́вное похожде́ние

lovebird ['lʌvbɜ:d] *n* небольшо́й попуга́й

love child ['lʌvtʃaɪld] *n* дитя́ любви́ (*о внебрачном ребёнке*)

love-favour ['lʌv,feɪvə] *n* пода́рок в знак любви́

love-in ['lʌvɪn] *n разг.* сбо́рище хи́ппи

love-in-a-mist [,lʌvɪnə'mɪst] *n бот.* черну́шка дама́сская, ниге́лла

love-in-idleness [,lʌvɪn'aɪdlnəs] *n бот.* аню́тины гла́зки

Lovelace ['lʌvleɪs] *n* ловела́с, волоки́та (*по имени героя из романа Ричардсона «Кларисса Харлоу»*)

loveless ['lʌvləs] *a* нелю́бящий; нелюби́мый; без любви́ (*о браке*)

love-letter ['lʌv,letə] *n* любо́вное письмо́

love-lies-bleeding [,lʌvlaɪz'bli:dɪŋ] *n бот.* амара́нт хвоста́тый, шири́ца хвоста́тая

loveliness ['lʌvlɪnəs] *n* красота́; миловидность; очарова́ние, пре́лесть

lovelock ['lʌvlɒk] *n* ло́кон, спуска́ющийся на лоб *или* на щёку

lovelorn ['lʌvlɔ:n] *a* 1) страда́ющий от безнадёжной любви́ 2) поки́нутый (*любимым человеком*)

lovely ['lʌvlɪ] 1. *a* 1) краси́вый, прекра́сный; *разг.* восхити́тельный 2) *амер.* привлека́тельный, ми́лый

2. *n разг.* красо́тка (*на журнальной обложке*)

lovemaking ['lʌv,meɪkɪŋ] *n* 1) физи́ческая бли́зость 2) *уст.* уха́живание

love match ['lʌvmætʃ] *n* брак по любви́

lover ['lʌvə] *n* 1) любо́вник; возлю́бленный; *pl* влюблённые 2) люби́тель (*чего-л.*); покло́нник 3) приве́рженец; ~s of peace сторо́нники ми́ра 4) *уст.* друг, доброжела́тель

love seat ['lʌvsi:t] *n* кре́сло, вмеща́ющее двои́х

lovesick ['lʌvsɪk] *a* томя́щийся от любви́

love-story ['lʌv,stɔ:rɪ] *n* любо́вная исто́рия; расска́з, рома́н о любви́

loveworthy ['lʌv,wɜ:ðɪ] *a* досто́йный любви́

loving ['lʌvɪŋ] 1. *pres. p. om* love 2

2. *a* лю́бящий, не́жный, пре́данный

loving cup ['lʌvɪŋkʌp] *n* кругова́я ча́ша

low I [ləʊ] 1. *n* мыча́ние

2. *v* мыча́ть

low II [ləʊ] 1. *a* 1) ни́зкий, невысо́кий; ~ tide (*или* water) ма́лая вода́; отли́в 2) ни́зкого происхожде́ния 3) небольшо́й, недоста́точный; ~ wages ни́зкая за́работная пла́та; to be in ~ circumstances быть в стеснённых обстоя́тельствах 4) истощённый, опустошённый (*о запасах, кошельке*); ~ supply недоста́точное снабже́ние; in ~ supply дефици́тный 5) с глубо́ким вы́резом, с больши́м декольте́ (*о платье*) 6) пода́вленный; пони́женный; ~ spirits пода́вленность, уны́ние; to feel ~ чу́вствовать себя́ пода́вленным; to bring ~ подавля́ть; унижа́ть 7) ску́дный, непита́тельный (*о диете*) 8) ти́хий, негро́мкий (*о голосе*); ни́зкий (*о ноте*); ~ whisper ти́хий шёпот 9) вульга́рный, гру́бый; ни́зкий, по́длый; непристо́йный; ~ comedy коме́дия, грани́чащая с фа́рсом 10) плохо́й, скве́рный; to form a ~ opinion of smb. соста́вить себе́ плохо́е мне́ние о ко́м-л., быть невысо́кого мне́ния о ко́м-л. 11) сла́бый; ~ pulse сла́бый пульс; ~ visibility плоха́я ви́димость 12) *биол.* ни́зший; невысокоразвито́й ◇ Low Sunday *церк.* Фомино́ воскресе́нье (*первое после пасхи*); to lay ~ а) повали́ть, опроки́нуть; б) уни́зить; в) похорони́ть; to lie ~ а) лежа́ть мёртвым; б) быть уни́женным; в) притаи́ться, выжида́ть

2. *adv* 1) ни́зко; to bow ~ ни́зко кла́няться 2) уни́женно 3) в бе́дности; to live ~ жить бе́дно 4) сла́бо, ти́хо, чуть; to speak ~ говори́ть ти́хо; to burn ~ горе́ть сла́бо 5) по ни́зкой цене́, дёшево; to buy ~ купи́ть дёшево; to play ~ игра́ть по ни́зкой ста́вке

3. *n* 1) (са́мый) ни́зкий у́ровень 2) *метео* о́бласть ни́зкого барометри́ческого давле́ния 3) пе́рвая, ни́зшая переда́ча (*автомобиля*) 4) *карт.* мла́дший ко́зырь 5) *спорт.* са́мый ни́зкий счёт

lowborn [ˌləʊ'bɔːn] *a* ни́зкого происхожде́ния

lowbred [ˌləʊ'bred] *a* невоспи́танный, неотёсанный

lowbrow ['ləʊbraʊ] **1.** *n* малообразо́ванный челове́к

2. *a* 1) малообразо́ванный 2) непритяза́тельный

lowbrowed ['ləʊbraʊd] *a* 1) низколо́бый 2) нави́сший (*об утёсе*) 3) тёмный, мра́чный, с ни́зким вхо́дом (*о здании и т. п.*) 4) малообразо́ванный

Low Church [ləʊ'tʃɜːtʃ] *n* ни́зкая це́рковь (*направление в англиканской церкви противоп.* High Church)

Low Countries [ˌləʊ'kʌntrɪz] *n pl* Нидерла́нды, Бе́льгия и Люксембу́рг

lowdown [ˌləʊ'daʊn] *n разг.* подного́тная

low-down ['ləʊdaʊn] *разг.* **1.** *a* 1) ни́зкий, бесче́стный; to play a ~ trick сыгра́ть скве́рную, злу́ю шу́тку 2) гру́бый, вульга́рный

2. *adv*: to play it ~ вести́ себя́ бесче́стно, посты́дно

lower I ['ləʊə] **1.** *a* (*сравн. ст. от* low II 1) 1) ни́зший; ни́жний; ~ deck ни́жняя па́луба; the ~ deck кома́нда (*на английских судах*); ~ middle class ме́лкая буржуази́я; ~ orders ни́зшие сосло́вия, кла́ссы; ~ school пе́рвые четы́ре кла́сса в англи́йской сре́дней шко́ле; ~ boy учени́к одного́ из пе́рвых кла́ссов; L. House ни́жняя пала́та (*в двухпалатном парламенте*); ~ organization подве́домственная организа́ция; ~ regions ад, преиспо́дняя; *шутл.* подва́льный эта́ж; ку́хня, помеще́ние для слуг 2) неда́вний (*о времени*) ◇ L. Empire *ист.* Восто́чная Ри́мская импе́рия; Византи́я

2. *v* 1) спуска́ть (*шлюпку, парус, флаг*); опуска́ть (*глаза*) 2) снижа́ть(ся) (*о ценах, звуке и т. п.*) 3) понижа́ть 4) разжа́ловать 5) унижа́ть 6) уменьша́ть(ся) 7) *разг.* на́спех съесть, проглоти́ть; to ~ a glass of beer осуши́ть стака́н пи́ва; to ~ a sandwich проглоти́ть бутербро́д

lower II ['laʊə] = lour

lowering I ['laʊərɪŋ] **1.** *pres. p. от* lower II

2. *a* тёмный, мра́чный; ~ clouds мра́чные грозовы́е ту́чи

lowering II ['ləʊərɪŋ] *pres. p. от* lower I, 2

lowermost ['ləʊəməʊst] *a* са́мый ни́жний

low-flying [ˌləʊ'flaɪɪŋ] *a* летя́щий на ма́лой высоте́ (*о самолёте*)

low-grade [ˌləʊ'greɪd] **1.** *a* низкосо́ртный; низкопро́бный

2. *n* поло́гий укло́н

low ground ['ləʊgraʊnd] *n* ни́зменность, низи́на

lowland ['ləʊlənd] *n* (*обыкн. pl*) ни́зкая ме́стность, низи́на, доли́на; the Lowlands ю́жная, ме́нее гори́стая часть Шотла́ндии (*в противоп.* Highlands)

low life ['ləʊlaɪf] *n* жа́лкое существова́ние, дно жи́зни

lowlived ['ləʊlɪvd] *a* 1) жа́лкий, убо́гий 2) гру́бый, по́шлый

lowly ['ləʊlɪ] **1.** *a* 1) занима́ющий ни́зкое *или* скро́мное положе́ние 2) скро́мный; непритяза́тельный

2. *adv* скро́мно

low-minded [ˌləʊ'maɪndɪd] *a* по́шлый, вульга́рный

low-necked [ˌləʊ'nekt] *a* декольтиро́ванный, с ни́зким вы́резом (*о платье*)

low-paid [ˌləʊ'peɪd] *a* низкоопла́чиваемый

low-pitched [ˌləʊ'pɪtʃt] *a* 1) ни́зкого то́на, ни́зкий (*о звуке*) 2) поло́гий (*о крыше*) 3) с ни́зким потолко́м

low-powered [ˌləʊ'paʊəd] *a тех.* маломо́щный

low profile [ˌləʊ'prəʊfaɪl] *n* сде́ржанность, жела́ние остава́ться в тени́

low relief [ˌləʊrɪ'liːf] *n* барелье́ф

low-spirited [ˌləʊ'spɪrɪtɪd] *a* пода́вленный, уны́лый

low spirits [ˌləʊ'spɪrɪts] *n* депре́ссия

low-water mark [ˌləʊ'wɔːtə,mɑːk] *n* 1) ни́зшая то́чка отли́ва 2) преде́л (*чего-л.*); to be at ~ *разг.* быть соверше́нно без де́нег, быть на мели́

lox [lɒks] *n* жи́дкий кислоро́д

loyal ['lɔɪəl] *a* ве́рный, пре́данный; лоя́льный; верноподданный

loyalist ['lɔɪəlɪst] *n* верноподданный

loyalty ['lɔɪəltɪ] *n* ве́рность, пре́данность; лоя́льность

lozenge ['lɒzɪndʒ] *n* 1) ромб; ромбови́дная фигу́ра; косоуго́льник 2) лепёшка, табле́тка

LSD [ˌeles'diː] *n* ЛСД (*наркотик, вызывающий галлюцинации*)

L. s. d., l. s. d. [ˌeles'diː] *n* 1) фу́нты сте́рлингов, ши́ллинги и пе́нсы (*от лат.* librae, solidi, denarii) 2) *разг.* де́ньги; бога́тство; it is only a matter of ~ вопро́с то́лько в деньга́х

L-square ['elskweə] *n* уго́льник для черче́ния

lubber ['lʌbə] **1.** *n* 1) большо́й неуклю́жий челове́к, у́валень 2) = lout

2. *a* неуклю́жий

lubber-head ['lʌbəhed] *n* болва́н, тупи́ца

lubberly ['lʌbəlɪ] **1.** *a* неуклю́жий

2. *adv* неуклю́же, неуме́ло

lube [luːb] *n* маши́нное ма́сло (*тж.* ~ oil)

lubricant ['luːbrɪkənt] *n* сма́зочный материа́л, сма́зка

lubricate ['luːbrɪkeɪt] *v* 1) сма́зывать (*машину и т. п.*) 2) *разг.* «подма́зать» 3) *разг.* угоща́ть вино́м

lubrication [ˌluːbrɪ'keɪʃn] *n* сма́зка, сма́зывание (*машины*)

lubricator ['luːbrɪkeɪtə] *n* 1) сма́зчик 2) сма́зочный прибо́р; маслёнка

lubricity [luː'brɪsətɪ] *n* 1) сма́зывающая спосо́бность; масляни́стость 2) увёртливость, укло́нчивость; непостоя́нство 3) похотли́вость, развращённость

lubricous ['luːbrɪkəs] *a* 1) гла́дкий, ско́льзкий 2) увёртливый, укло́нчивый; непостоя́нный 3) похотли́вый

luce [luːs] *n* щу́ка (*взрослая особь*)

lucent ['luːsnt] *a книжн.* 1) светя́щийся; я́ркий 2) прозра́чный

lucerne [luː'sɜːn] *n бот.* люце́рна

lucid ['luːsɪd] *a* 1) я́сный, прозра́чный; ~ mind я́сный ум 2) поня́тный 3) я́сный; све́тлый; ~ interval а) пери́од я́сного созна́ния, све́тлый промежу́ток (*при психозе*); б) вре́менный просве́т в нена́стную пого́ду 4) *поэт.* я́ркий

lucidity [luː'sɪdətɪ] *n* 1) я́сность; прозра́чность 2) поня́тность 3) я́сное созна́ние, просве́т (*при психозе*) 4) *поэт.* я́ркость

Lucifer ['luːsɪfə] *n* 1) *миф.* Люцифе́р, сатана́ 2) *поэт.* у́тренняя звезда́, плане́та Вене́ра 3) (l.) *уст.* спи́чка ◇ as proud as ~ го́рдый как Люцифе́р

luck [lʌk] *n* 1) судьба́, слу́чай; bad (*или* hard, ill) ~ несча́стье, неуда́ча; good ~ счастли́вый слу́чай, уда́ча; rough ~ го́рькая до́ля; to try one's ~ рискну́ть, попыта́ть сча́стья; to push (*или* to stretch) one's ~ искуша́ть судьбу́; down on one's ~ а) удручённый невезе́нием; б) в несча́стье, в беде́; в) без де́нег; just my ~! мне, как всегда́, не везёт!; тако́е уж моё везе́ние! 2) сча́стье, уда́ча; a great piece of ~ большо́е сча́стье, больша́я уда́ча; a run of ~ полоса́ уда́чи; for ~! на сча́стье!; I am in (out of) ~ мне везёт (не везёт); if my ~ holds е́сли мне не изме́нит сча́стье; devil's own ~ необыкнове́нная уда́ча; ≅ чертовски повезло́; you are in ~'s way вам повезло́ ◇ as ill ~ would have it и как наро́чно, как на́зло́; as ~ would have it к сча́стью *или* к несча́стью, как повезёт, случа́йно; worse ~ к несча́стью

luckily ['lʌkɪlɪ] *adv* к сча́стью, по сча́стли́вой случа́йности

luckless ['lʌkləs] *a* несчастли́вый, неуда́чливый

lucky I ['lʌkɪ] *a* 1) счастли́вый, уда́чный; уда́чливый; ~ beggar (*или* devil) счастли́вец, счастли́вчик 2) принося́щий сча́стье 3) случа́йный

lucky II ['lʌkɪ] *n sl.*: to cut one's ~ удра́ть, убра́ться (во́время), смы́ться

lucky-bag [ˌlʌkɪ'bæg] = lucky dip

lucky dip [ˌlʌkɪ'dɪp] *n* род лотере́и (*мешок, откуда наудачу вытаскивают что-л.*)

lucrative ['luːkrətɪv] *a* при́быльный, вы́годный, дохо́дный

lucre ['luːkə] *n* при́быль, бары́ш (*всегда в плохом смысле*)

lucubrate ['luːkjʊbreɪt] *v книжн.* 1) рабо́тать, занима́ться по ноча́м 2) труди́ться усе́рдно 3) выпуска́ть тща́тельно отде́ланные литерату́рные произведе́ния

lucubration [ˌluːkjʊ'breɪʃn] *n книжн.* 1) напряжённая у́мственная рабо́та, заня́тия по ноча́м 2) тща́тельно отде́ланное литерату́рное произведе́ние

Lucullean, Lucullian [luː'kʌlɪən] *a*: ~ banquet Луку́ллов пир

Luddites ['lʌdaɪts] *n pl ист.* лудди́ты

ludicrous ['lu:dɪkrəs] *a* смешно́й, неле́пый, смехотво́рный

lues ['lju:i:z] *n мед.* си́филис

luff I [lʌf] **1.** *n мор.* пере́дняя шкато́рина (*паруса*)

2. *v* 1) *мор.* приводи́ть к ве́тру, идти́ в бейдеви́нд 2) *тех.* перемеща́ть по горизонта́ли

luff II [lʌf] *n амер., шутл.* лейтена́нт

Luftwaffe ['lʊftwæfə] *нем. n* лю́фтваффе (*воздушные силы гитлеровской Германии*)

lug I [lʌg] **1.** *n* 1) дёрганье 2) *pl амер.* ва́жничанье; to put on ~s а) наряжа́ться; б) ва́жничать, держа́ться высокоме́рно 3) волоче́ние

2. *v* 1) си́льно дёргать (at) 2) тащи́ть, волочи́ть □ ~ **away** увлека́ть за собо́й,ута́скивать; ~ **in**, ~ **into** вме́шивать; притя́гивать некста́ти; приплета́ть ни к селу́ ни к го́роду

lug II [lʌg] *n* 1) *шотл.* у́хо 2) ру́чка 3) *тех.* у́шко, проу́шина, глазо́к 4) *тех.* подве́ска 5) *тех.* вы́ступ, прили́в, утолще́ние; бобы́шка; кула́к 6) *тех.* хому́тик, зажи́м 7) (*особ. амер.*) *sl.* дереве́нщина; о́лух, ду́рень

luggage ['lʌgɪdʒ] *n* 1) бага́ж 2) *attr.* бага́жный; ~ space бага́жное отделе́ние; ~ van *ж.-д.* бага́жный ваго́н; ~ boot бага́жник (*автомобиля*)

luggage office ['lʌgɪdʒ,ɒfɪs] *n* ка́мера хране́ния багажа́

lugger ['lʌgə] *n* лю́ггер (*небольшое парусное судно*)

lugubrious [lə'gu:brɪəs] *a* печа́льный, мра́чный; тра́урный

lukewarm [,lu:k'wɔ:m] *a* 1) теплова́тый 2) не осо́бенно ре́вностный, равноду́шный, вя́лый

lull [lʌl] **1.** *n* вре́менное зати́шье; вре́менное успокое́ние (*боли*); переры́в (*в разговоре*)

2. *v* 1) успока́ивать (*боль*) 2) усыпля́ть (*подозрения*); рассе́ивать (*страхи*) 3) суме́ть внуши́ть (*что-л.*) 4) стиха́ть (*о буре, шуме, боли*) 5) убаю́кивать, ука́чивать (*ребёнка*)

lullaby ['lʌləbaɪ] *n* 1) колыбе́льная (пе́сня) 2) мя́гкие, успока́ивающие зву́ки (*журчание ручья и т. п.*)

lulu ['lu:lu:] *n sl.* потряса́ющая ли́чность; кла́ссная вещь

lumbago [lʌm'beɪgəʊ] *n мед.* люмба́го, простре́л

lumbar ['lʌmbə] *a анат.* поясни́чный

lumber I ['lʌmbə] **1.** *n* 1) нену́жные громо́здкие ве́щи, бро́шенная ме́бель *и т. п.*; хлам 2) *амер.* брёвна, пиломатериа́лы 3) ли́шний жир (*особ. у лошадей*)

2. *v* 1) загроможда́ть, сва́ливать в беспоря́дке (*часто* ~ up) 2) *амер.* вали́ть и пили́ть (*лес*)

lumber II ['lʌmbə] *v* 1) дви́гаться тяжело́, неуклю́же 2) громыха́ть (*обыкн.* ~ along, ~ by, ~ past)

lumber-camp ['lʌmbəkæmp] *n амер.* лесозагото́вки; посёлок на лесозагото́вках

lumberer ['lʌmbərə] *n амер.* лесору́б

lumbering I ['lʌmbərɪŋ] **1.** *pres. p. от* lumber I, 2

2. *n амер.* 1) ру́бка ле́са; лесоразрабо́тки 2) прода́жа ле́са

lumbering II ['lʌmbərɪŋ] **1.** *pres. p. от* luber II

2. *a* 1) дви́гающийся тяжело́, шу́мно; неуклю́жий 2) громыха́ющий

lumberjack ['lʌmbədʒæk] = lumberman

lumberman ['lʌmbəmən] *n* (*особ. амер.*) 1) лесору́б, дровосе́к 2) лесопромы́шленник; торго́вец ле́сом

luber-mill ['lʌmbəmɪl] *n амер.* лесопи́льный заво́д

lumber-room ['lʌmbərʊm] *n* чула́н

lumberyard ['lʌmbəjɑ:d] *n амер.* лесно́й склад

lumen ['lu:mɪn] *n физ.* лю́мен (*единица светового потока*)

luminary ['lu:mɪnərɪ] *n* 1) *книжн.* свети́ло 2) свети́ло, све́точ (*науки и. т. п.*)

luminescence [,lu:mɪ'nesns] *n* свече́ние, люминесце́нция

luminosity [,lu:mɪ'nɒsətɪ] *n* я́ркость све́та

luminous ['lu:mɪnəs] *a* 1) светя́щийся, све́тлый; ~ body светя́щееся те́ло; ~ intensity си́ла све́та; ~ efficiency светова́я отда́ча; the room was ~ with sunlight ко́мната была́ залита́ со́лнцем 2) прolива́ющий свет (*на что-л.*) 3) я́сный, поня́тный 4) просвещённый 5) блестя́щий (*об ораторе, писателе и т. п.*)

lummox ['lʌməks] *n амер. разг.* 1) у́валень 2) проста́к

lump I [lʌmp] **1.** *n* 1) глы́ба, ком; комо́к, кру́пный кусо́к; a ~ of sugar кусо́к са́хара; he is a ~ of selfishness он эгои́ст до мо́зга косте́й 2) *sl.* большо́е коли́чество, ку́ча; to take in (*или* by) the ~ брать о́птом, гурто́м; *перен.* рассма́тривать в це́лом 3) о́пухоль, ши́шка; буго́р, вы́ступ 4) *разг.* болва́н, дуби́на, чурба́н 5) рабо́чие на акко́рдной опла́те; систе́ма акко́рдной опла́ты 6) *attr.:* ~ sugar ко́лотый *или* пилёный са́хар 7) *attr.:* ~ sum а) о́бщая су́мма; б) де́нежная су́мма, выпла́чиваемая единовре́менно; в) кру́пная су́мма; on a ~ sum basis на акко́рдной опла́те ◇ ~ in the throat ком в го́рле

2. *v* 1) брать огу́лом, без разбо́ра; сме́шивать в ку́чу, в о́бщую ма́ссу (*обыкн.* ~ together, ~ with) 2) тяжело́ ступа́ть, идти́ (*обыкн.* ~ along); гру́зно сади́ться (*обыкн.* ~ down) ◇ to ~ it во́лей-нево́лей мири́ться с че́м-либо; to ~ large име́ть ва́жный вид

lump II [lʌmp] *v разг.* быть недово́льным ◇ like it or ~ it хо́чешь, не хо́чешь (, а придётся)

lumper ['lʌmpə] *n* 1) порто́вый гру́зчик 2) подря́дчик

lumping ['lʌmpɪŋ] **1.** *pres. p. от* lump I, 2

2. *a* 1) *разг.* большо́й 2) тяжёлый (*о поступи*); гру́зный 3) огу́льный

lumpish ['lʌmpɪʃ] *a* 1) тяжелове́сный, неуклю́жий 2) тупоу́мный 3) глыбообра́зный

lumpy ['lʌmpɪ] *a* комкова́тый; бугорча́тый; ~ sea неспоко́йное мо́ре

lunacy ['lu:nəsɪ] *n* 1) безу́мие; (умо)помеша́тельство; психо́з 2) *юр.* невменя́емость 3) больша́я глу́пость, глу́пый посту́пок

lunar ['lu:nə] *a* лу́нный; ~ distance лу́нное расстоя́ние (*расстояние Луны от Солнца, какой-л. звезды или планеты*); ~ module лу́нный мо́дуль, лу́нная ка́псула (*космонавтика*); ~ vehicle (*или* rover) луноxо́д; ~ packet портати́вный набо́р нау́чных прибо́ров для взя́тия проб и иссле́дования Луны́ ◇ ~ politics вопро́сы, не име́ющие практи́ческого значе́ния

lunar caustic [,lu:nə'kɔ:stɪk] *n хим.* ля́пис

lunarian [lu:'neərɪən] *n* 1) жи́тель Луны́ 2) астроно́м, изуча́ющий Луну́

lunate ['lu:neɪt] *a* в ви́де, в фо́рме полуме́сяца

lunatic ['lu:nətɪk] **1.** *a* сумасше́дший, безу́мный ◇ ~ fringe наибо́лее ре́вностные сторо́нники, фанати́чные приве́рженцы

2. *n* сумасше́дший, поме́шанный, душевнобольно́й

lunatic asylum ['lu:nətɪkə,saɪləm] *n* психиатри́ческая больни́ца; сумасше́дший дом

lunation [lu:'neɪʃn] *n* лу́нный ме́сяц

lunch [lʌntʃ] **1.** *n* 1) обе́д (*обычно в полдень в середине рабочего дня*), ленч; to have (*или* to take) ~ обе́дать (*в середине рабочего дня*) 2) лёгкая заку́ска

2. *v* 1 обе́дать (*в середине рабочего дня*) 2) *разг.* угоща́ть ле́нчем

lunch-box ['lʌntʃbɒks] *n* коро́бка для за́втрака (*школьника и т. п.*)

lunch counter ['lʌntʃ,kaʊntə] *n* буфе́т, буфе́тная сто́йка

luncheon ['lʌntʃən] *n* за́втрак (*обыкн. официальный*)

luncheonette [,lʌntʃə'net] *n амер.* 1) заку́сочная, кафе́ 2) лёгкая заку́ска

luncheon voucher ['lʌntʃən,vaʊtʃə] *n* тало́н на еду́ (*выдаётся предприятием рабочему*)

lunch-hour ['lʌntʃ,aʊə] *n* обе́денный переры́в

lunchroom ['lʌntʃrʊm] *n амер.* заку́сочная

lunette [lu:'net] *n* 1) *воен.* люне́т 2) *архит.* тимпа́н

lung [lʌŋ] *n анат.* лёгкое; the ~s лёгкие ◇ the ~s of London па́рки и скве́ры Ло́ндона и его́ окре́стностей; good ~s си́льный го́лос

lunge I [lʌndʒ] **1.** *n* 1) ко́рда 2) круг, по кото́рому гоня́ют ло́шадь на ко́рде

2. *v* гоня́ть на ко́рде

lunge II [lʌndʒ] **1.** *n* 1) толчо́к, стреми́тельное движе́ние 2) прыжо́к (вперёд) 3) вы́пад (*в фехтовании или при ударе*) 4) ныря́ние, погруже́ние

2. *v* 1) ри́нуться, устреми́ться 2) наноси́ть уда́р от плеча́ (*бокс*) 3) де́лать вы́пад

lung fever [ˌlʌŋˈfi:və] *n мед.* крупо́зное воспале́ние лёгких

lung-tester [ˈlʌŋˌtestə] *n* спиро́метр

lungwort [ˈlʌŋwɜ:t] *n бот.* лёгочная трава́, медуни́ца

lunik [ˈlu:nɪk] *русск. n* лу́нник

lupin(e) [ˈlu:pɪn] *n бот.* люпи́н

lupine [ˈlu:paɪn] *a* во́лчий

lupus [ˈlu:pəs] *n мед.* волча́нка, туберкулёз ко́жи

lurch I [lɜ:tʃ] **1.** *n* 1) ша́ткая похо́дка 2) крен (*судна*); to give a ~ накрени́ться

2. *v* 1) крени́ться 2) идти́ шата́ясь, поша́тываться

lurch II [lɜ:tʃ] *n:* to leave smb. in the ~ поки́нуть кого́-л. в беде́, в тяжёлом положе́нии

lurcher [ˈlɜ:tʃə] *n* 1) соба́ка-ище́йка (*помесь шотландской овчарки с борзой*) 2) *уст.* вори́шка; жу́лик, моше́нник 3) *уст.* шпио́н

lure [ljʊə] **1.** *n* 1) собла́зн; соблазни́тельность 2) *охот.* прима́нка

2. *v* 1) завлека́ть, соблазня́ть (*обыкн.* ~ away, ~ into, ~ to) 2) *охот.* прима́нивать, ва́бить

lurid [ˈljʊərɪd] *a* 1) о́гненный, пыла́ющий 2) сенсацио́нный 3) траги́ческий, стра́шный 4) грязнова́то-кори́чневый, бу́рый 5) ме́ртвенно-бле́дный ◇ to cast a ~ light on броса́ть злове́щий, мра́чный свет на *что-л.*

lurk [lɜ:k] **1.** *v* 1) остава́ться незаме́ченным; таи́ться 2) скрыва́ться в заса́де; пря́таться

2. *n* 1) *австрал. sl.* обма́н 2): on the ~ та́йно высма́тривая, подстерега́я

lurking-place [ˈlɜ:kɪŋpleɪs] *n* потаённое ме́сто; убе́жище

lurry [ˈlʌrɪ] = lorry

luscious [ˈlʌʃəs] *a* 1) сла́дкий, арома́тный, при́торный 2) *разг.* восхити́тельный 3) *разг.* сексапи́льный 4) перегру́женный (*о стиле*)

lush I [lʌʃ] *a* со́чный, бу́йный, пы́шный (*о растительности*)

lush II [lʌʃ] *sl.* **1.** *n* 1) спиртно́й напи́ток 2) пья́ница

2. *v* напива́ться

lust [lʌst] **1.** *n* 1) вожделе́ние, по́хоть 2) *ритор.* страсть (of, for — к *чему-л.*)

2. *v* стра́стно жела́ть; испы́тывать вожделе́ние; to ~ after power жа́ждать вла́сти

luster [ˈlʌstə] *амер.* = lustre I

lustful [ˈlʌstfl] *a* похотли́вый

lustra [ˈlʌstrə] *pl от* lustrum

lustration [lʌsˈtreɪʃn] *n* 1) очище́ние; принесе́ние очисти́тельной же́ртвы 2) *шутл.* омове́ние

lustre I [ˈlʌstə] *n* 1) гля́нец, блеск; лоск 2) сла́ва; to add (*или* to give) ~ to smth., to throw (*или* to shed) ~ on smth. прида́ть блеск чему́-л.; просла́вить что-л. 3) лю́стра

lustre II [ˈlʌstə] = lustrum

lustrous [ˈlʌstrəs] *a* 1) блестя́щий 2) глянцеви́тый

lustrum [ˈlʌstrəm] *лат. n* (*pl.* -tra, -trums [-trəmz]) пятиле́тие

lusty [ˈlʌstɪ] *a* здоро́вый, си́льный, кре́пкий

lute I [lu:t] *n* лю́тня

lute II [lu:t] **1.** *n* 1) зама́зка; масти́ка 2) *стр.* пра́вило

2. *v* зама́зывать зама́зкой

lutecium [lu:ˈti:ʃəm] = lutetium

lutestring [ˈlu:tstrɪŋ] *n уст.* люстри́н (*материя*)

Lutetian [lu:ˈti:ʃɪən] *a* пари́жский

lutetium [lu:ˈti:ʃəm] *n хим.* люте́ций

Lutheran [ˈlu:θərən] **1.** *a* лютера́нский

2. *n* лютера́нин; лютера́нка

luting [ˈlu:tɪŋ] **1.** *pres. p. от* lute II, 2

2. *n* 1) зама́зывание зама́зкой 2) = lute II, 1

lux [lʌks] *n физ.* люкс (*единица освещённости*)

luxate [lʌkˈseɪt] *v* вы́вихнуть

luxation [lʌkˈseɪʃn] *n* вы́вих

luxe [lʌks] *n:* de ~ роско́шный; edition de ~ роско́шное изда́ние

luxuriant [lʌgˈzjʊərɪənt] *a* 1) бу́йный, пы́шный, бога́тый (*о растительности и т. п.*); a ~ imagination бога́тое воображе́ние; ~ growth бу́йный рост 2) цвети́стый (*о стиле*)

luxuriate [lʌgˈzjʊərɪeɪt] *v* 1) купа́ться в ро́скоши 2) наслажда́ться (*чем-л.*), блаже́нствовать (in, on) 3) расти́ бу́йно, пы́шно

luxurious [lʌgˈzjʊərɪəs] *a* 1) роско́шный 2) лю́бящий ро́скошь, расточи́тельный

luxury [ˈlʌkʃərɪ] *n* 1) ро́скошь; to live in ~ жить в ро́скоши 2) предме́т ро́скоши 3) большо́е удово́льствие, наслажде́ние; the ~ of a good book удово́льствие, получа́емое от хоро́шей кни́ги

Lyceum [laɪˈsi:əm] *n* 1) лице́й 2) (l.) *амер. уст.* лекто́рий, чита́льня; организа́ция для устро́йства ле́кций-конце́ртов

lych-gate [ˈlɪtʃgeɪt] = lich-gate

lychnis [ˈlɪknɪs] *n бот.* ли́хнис

lye [laɪ] *n* щёлок

lying I [ˈlaɪɪŋ] **1.** *pres. p. от* lie I, 2

2. *a* ло́жный, лжи́вый, обма́нчивый; a ~ prophet лжепроро́к

3. *n* ложь; лжи́вость

lying II [ˈlaɪɪŋ] **1.** *pres. p. от* lie II, 1

2. *a* лежа́щий; лежа́чий

lying-in I [ˌlaɪɪŋˈɪn] *n* ро́ды

lying-in II [ˌlaɪɪŋˈɪn] *a* роди́льный; ~ hospital роди́льный дом

lymph [lɪmf] *n* 1) *физиол.* ли́мфа; animal ~ вакци́на 2) *поэт.* исто́чник чи́стой воды́

lymphatic [lɪmˈfætɪk] **1.** *a* 1) *физиол.* лимфати́ческий; ~ gland лимфати́ческая железа́ 2) худосо́чный 3) флегмати́чный, вя́лый, сла́бый

2. *n* лимфати́ческий сосу́д

lynch [lɪntʃ] *v* линчева́ть, расправля́ться самосу́дом

lynch law [ˈlɪntʃlɔ:] *n* зако́н *или* суд Ли́нча, самосу́д, линчева́ние

lynx [lɪŋks] *n* рысь

lynx-eyed [ˌlɪŋksˈaɪd] *a* с о́стрым зре́нием

Lyra [ˈlaɪrə] *n астр.* Ли́ра (*созвездие*)

lyre [ˈlaɪə] *n* ли́ра

lyrebird [ˈlaɪəbɜ:d] *n* пти́ца-ли́ра, лирохво́ст

lyric [ˈlɪrɪk] **1.** *a* лири́ческий; ~ poetry лири́ческая поэ́зия, ли́рика

2. *n* лири́ческое стихотворе́ние

lyrical [ˈlɪrɪkl] *a* лири́ческий

lyricism [ˈlɪrɪsɪzəm] *n* лири́зм

lyrics [ˈlɪrɪks] *n pl* лири́ческие стихи́, ли́рика

lyrist *n* 1) [ˈlaɪərɪst] игра́ющий на ли́ре 2) [ˈlɪrɪst] ли́рик

lysis [ˈlaɪsɪs] *n мед.* ли́зис

M

M, m [em] *n* (*pl* Ms, M's [emz]) *13-я буква англ. алфавита*

ma [mɑ:] *n* (*сокр. от* mamma I) *разг.* ма́ма

ma'am [mæm] *n* (*сокр. от* madam) 1) суда́рыня, госпожа́, мэм 2) мада́м (*обращение к королеве*)

mac [mæk] *разг. сокр. от* mackintosh

macabre [mə'kɑ:brə] *a* мра́чный, ужа́сный; dance ~ та́нец сме́рти

macaco [mə'keɪkəʊ] *n* лему́р

macadam [mə'kædəm] *n* ще́бень, щебёночное покры́тие

macadamize [mə'kædəmaɪz] *v* мости́ть щéбнем

macaque [mə'kæk] *n* мака́ка

macaroni [,mækə'rəʊnɪ] *n* (*pl* -s, -es [-ɪz]) макаро́ны

macaronic [,mækə'rɒnɪk] **1.** *a* макарони́ческий, шу́точный (*о стиле*)

2. *n pl* макарони́ческие стихи́ (*на ломаной латыни или с большой примесью иностранных слов*)

macaroon [,mækə'ru:n] *n* минда́льное пече́нье

macartney [mə'kɑ:tnɪ] *n* золоти́стый фаза́н

macassar [mə'kæsə] *n* макасса́ровое ма́сло (*тж.* ~ oil)

macaw I [mə'kɔ:] *n* а́ра (*попугай*)

macaw II [mə'kɔ:] *n* южноамерика́нская па́льма

Maccabeus [,mækə'bi:əs] *n библ.* Маккаве́й

mace I [meɪs] *n* 1) жезл 2) *ист.* булава́ 3) ма́зик (*в бильярде*) 4) деревя́нный молото́к для мягче́ния ко́жи

mace II [meɪs] *n* муска́тный «цвет» (*сушёная шелуха мускатного ореха*)

macédoine [,mæsɪ'dwɑ:n] *n кул.* маседуа́н

macerate ['mæsəreɪt] *v* 1) выма́чивать; разма́чивать 2) истоща́ть, изнуря́ть

maceration [,mæsə'reɪʃn] *n* 1) выма́чивание; разма́чивание 2) истоще́ние, изнуре́ние

machete [mə'tʃetɪ] *n* маче́те

machiavellian [mækɪə'velɪən] *a* неразбо́рчивый (*в средствах*); бессо́вестный

machicolation [mə,tʃɪkəʊ'leɪʃn] *n ист.* навесна́я бойни́ца

machinal [mə'ʃi:nl] *a* механи́ческий

machinate ['mækɪneɪt] *v* интригова́ть, стро́ить ко́зни

machination [,mækɪ'neɪʃn] *n* махина́ция, интри́га, ко́зни

machine [mə'ʃi:n] **1.** *n* 1) маши́на; стано́к 2) велосипе́д; автомоби́ль; самолёт 3) шве́йная маши́н(к)а 4) механи́зм 5) аппара́т (*организационный и т. п.*); state ~ госуда́рственный аппара́т; party ~ парти́йная маши́на 6) организа́ция *или* па́ртия, контроли́рующая полити́ческую жизнь страны́ 7) челове́к, рабо́тающий как маши́на *или* де́йствующий машина́льно 8) *attr.* маши́нный; ~ age век маши́н; ~ works машинострои́тельный заво́д; ~ translation маши́нный перево́д

2. *v* 1) шить (*на машине*) 2) печа́тать 3) подверга́ть механи́ческой обрабо́тке; обраба́тывать на станке́

machine code [mə'ʃi:nkəʊd] = machine language

machine-gun [mə'ʃi:ngʌn] **1.** *n* пулемёт

2. *v* обстре́ливать пулемётным огнём

machine-gunner [mə'ʃi:n,gʌnə] *n* пулемётчик

machine language [mə'ʃi:n,læŋgwɪdʒ] *n* маши́нный язы́к, язы́к программи́рования

machine-made [mə'ʃi:nmeɪd] *a* сде́ланный маши́нным *или* механи́ческим спо́собом

machine-minder [mə'ʃi:n,maɪndə] *n* рабо́чий у станка́

machinery [mə'ʃi:nərɪ] *n* 1) маши́нное обору́дование; маши́ны 2) механи́зм 3) дета́ли маши́н 4) структу́ра (*драмы, поэмы*) 5) аппара́т (*государственный и т. п.*)

machine-shop [mə'ʃi:nʃɒp] *n* механи́ческая мастерска́я; механи́ческий цех

machine-tool [mə'ʃi:ntu:l] *n* 1) стано́к 2) *attr.*: ~ plant станкострои́тельный заво́д

machinist [mə'ʃi:nɪst] *n* 1) сле́сарь; квалифици́рованный рабо́чий (*металлист или станочник*); меха́ник; рабо́чий у станка́ 2) машини́ст 3) машинострои́тель 4) швея́

Mach number ['mɑ:k,nʌmbə] *n ав.* число́ Ма́ха, число́ М

machtpolitik ['mɑ:htpɒlɪ,ti:k] *нем.* *n* поли́тика с пози́ции си́лы

macintosh ['mækɪntɒʃ] = mackintosh

mack [mæk] *разг. сокр. от* mackintosh

mackerel ['mækrəl] *n* 1) макре́ль; ску́мбрия 2) *attr.*: ~ sky не́бо бара́шками

mackintosh ['mækɪntɒʃ] *n* 1) макинто́ш, непромока́емое пальто́ 2) прорези́ненная мате́рия

macramé [mə'krɑ:mɪ] *n* макраме́

macro- ['mækrəʊ-] *в сложных словах означает* большо́й; необыкнове́нно большо́го разме́ра; дли́нный

macrobiosis [,mækrəʊbaɪ'ɒsɪs] *n* долголе́тие

macrocephalous [,mækrəʊ'sefələs] *a* с (ненорма́льно) большо́й голово́й

macrocosm ['mækrəʊkɒzəm] *n* макроко́см, вселе́нная

macrocrystalline [,mækrəʊ'krɪstəlaɪn] *a* крупнокристалли́ческий

macrograph ['mækrəʊgrɑ:f] *n* макросни́мок

macron ['mækrɒn] *n лингв.* знак долготы́ над гла́сным (*напр.*, ā)

macroscopic [,mækrəʊ'skɒpɪk] *a* макроскопи́ческий, ви́димый невооружённым гла́зом

macula ['mækjʊlə] *n* (*pl* -ae) пятно́

maculae ['mækjʊli:] *pl от* macula

maculate ['mækjʊleɪt] *v* покрыва́ть пя́тнами

maculated ['mækjʊleɪtɪd] *a* покры́тый пя́тнами

mad [mæd] **1.** *a* 1) сумасше́дший, безу́мный; to send smb. ~ свести́ с ума́ кого́-л. 2) стра́стно лю́бящий (*что-л.*); поме́шанный (after, for, on, about — на *чём-л.*); to run ~ after smth. быть без ума́ от чего́-л., увлека́ться чем-л. 3) обезу́меший, рассвирепе́вший (with — от *чего-л.*) 4) бе́шеный (*о животном*) 5) *разг.* рассе́рженный, раздоса́дованный (at, about — *чем-л.*); to get ~ рассерди́ться; вы́йти из себя́; don't be ~ at me не серди́тесь на меня́ 6) сумасбро́дный, безрассу́дный; a ~ venture безрассу́дное предприя́тие 7) бу́йно весёлый; we had a ~ time мы о́чень весели́лись ◇ like ~ как безу́мный; as ~ as a wet hen взбешённый; ~ as a hatter, ~ as a March hare ≅ совсе́м сумасше́дший, спя́тивший

2. *v* 1) *уст.* своди́ть с ума́ 2) *уст.* сходи́ть с ума́ 3) *амер.* выводи́ть из себя́

madam ['mædəm] *n* 1) мада́м, госпожа́, суда́рыня (*обыкн. как обращение*) 2) *разг.* же́нщина, лю́бящая повелева́ть; she's a bit of a ~ она́ лю́бит кома́ндовать 3) содержа́тельница публи́чного до́ма

madcap ['mædkæp] *n* 1) сумасбро́д 2) сорване́ц; сорвиголова́ 3) *attr.* сумасбро́дный; безотве́тственный

madden ['mædn] *v* 1) своди́ть с ума́ 2) сходи́ть с ума́ 3) раздража́ть; доводи́ть до бе́шенства

madder ['mædə] *n* 1) *бот.* маре́на (краси́льная) 2) крапп (*краситель из марены*)

made [meɪd] **1.** *past и p. p. от* make 1

2. *a* 1) изгото́вленный 2) иску́сственный; ~ ground насыпно́й грунт 3) приду́манный; ~ excuse неправдоподо́бное объясне́ние 4) сбо́рный, составно́й; ~ dish ассорти́ (*сборное блюдо*) 5) доби́вшийся успе́ха; ~ man а) челове́к, занима́ющий про́чное положе́ние; б) физи́чески сформирова́вшийся челове́к ◇ ~

for (пря́мо) со́зданный для *чего-л.*, иде́ально подходя́щий к *чему-л.*

Madeira [mə'dɪərə] *n* маде́ра (*вино*) [*см. тж. Список географических названий*]

mademoiselle [,mædəmwə'zel] *n* 1) мадемуазе́ль, незаму́жняя францу́женка *или* друга́я иностра́нка (*перед собств. именем с прописной буквы*) 2) гуверна́нтка-францу́женка

made up [,meɪd'ʌp] *a* 1) иску́сственный 2) гото́вый (*об одежде*) 3) вы́думанный; вы́мышленный 4) загримиро́ванный; с густы́м сло́ем кра́ски на лице́

madhouse ['mædhaʊs] *n разг.* сумасше́дший дом

madia ['meɪdɪə] *n* 1) *бот.* ма́дия 2) *attr.*: ~ oil ма́сло из семя́н ма́дии

madid ['mædɪd] *a* мо́крый, вла́жный, сыро́й

madly ['mædlɪ] *adv* 1) безу́мно 2) *разг.* кра́йне; чрезвыча́йно

madman ['mædmən] *n* сумасше́дший; безу́мец; сумасбро́д

madness ['mædnəs] *n* 1) сумасше́ствие, безу́мие 2) бе́шенство

madonna [mə'dɒnə] *n* мадо́нна

madonna lily [mə'dɒnə,lɪlɪ] *n* бе́лая ли́лия

madrasah [mə'dræsə] *n* медресе́ (*высшая духовная школа мусульман*)

madrepore ['mædrɪpɔ:] *n* камени́стый кора́лл

madrono [mə'drəʊnə] *n бот.* земляни́чное де́рево, земляни́чник

madwoman ['mæd,wʊmən] *n* сумасше́дшая; безу́мная

Maecenas [maɪ'si:næs] *n* мецена́т

maelstrom ['meɪlstrɒm] *n* водоворо́т, вихрь (*тж. перен.*)

maenad ['mi:næd] *n греч. миф.* мена́да

maestoso [,maɪs'təʊsəʊ] *adv муз.* маэсто́зо, вели́чественно

maestri ['maɪstrɪ] *pl от* maestro

maestro ['maɪstrəʊ] *n* (*pl тж.* -ri) маэ́стро

Mae West [meɪ'west] *n* надувна́я спаса́тельная ку́ртка лётчиков

maffick ['mæfɪk] *v* бу́рно пра́здновать, беснова́ться (*от радости*)

Mafia ['mæfɪə] *n* ма́фия

mafic ['mæfɪk] *a геол.* мафи́ческий, тёмный (*о породе*)

Mafiosi [,mæfɪ'əʊsi:] *pl от* Mafioso

Mafioso [,mæfɪ'əʊsəʊ] *n* (*pl* -si) член ма́фии, мафио́зо

mag I [mæg] *n sl.* (моне́та в) полпе́нни

mag II [mæg] *разг.* **1.** *n* 1) болтовня́ 2) болту́н(ья)

2. *v* болта́ть

mag III [mæg] *разг. сокр. от* magazine II *и* magneto

magazine I [,mægə'zi:n] *n* 1) склад боеприпа́сов; веще́вой склад 2) порохово́й по́греб 3) магази́нная коро́бка (*винтовки*); магази́н (*для патронов*) 4) *кино* боби́на 5) *фото* кассе́та 6) *тех.* магази́н 7) *attr. тех., воен.* магази́нный; ~ case магази́нная коро́бка

magazine II [,mægə'zi:n] *n* (периоди́ческий) журна́л

magazine rifle [mægə'zi:n,raɪfl] *n* магази́нная винто́вка

mage [meɪdʒ] *n уст.* 1) маг, волше́бник 2) мудре́ц

magenta [mə'dʒentə] *n* фукси́н, кра́сная анили́новая кра́ска

maggot ['mægət] *n* 1) личи́нка (*особ.* мясно́й *и* сы́рной мух) 2) блажь, причу́да; to have a ~ in one's brain (*или* head) име́ть причу́ды 3) челове́к с причу́дами ◇ to act the ~ отлы́нивать от рабо́ты

magi ['meɪdʒaɪ] *pl от* magus

magic ['mædʒɪk] **1.** *n* 1) ма́гия, волшебство́ 2) очарова́ние

2. *a* волше́бный, маги́ческий

magical ['mædʒɪkl] = magic 2

magic eye [,mædʒɪk'aɪ] *n радио* «маги́ческий глаз», индика́тор настро́йки

magician [mə'dʒɪʃn] *n* 1) волше́бник, чаро́дей, заклина́тель 2) фо́кусник

magisterial [,mædʒɪs'tɪərɪəl] *a* 1) дикта́торский, повели́тельный 2) авторите́тный 3) суде́бный, суде́йский

magistracy ['mædʒɪstrəsɪ] *n* 1) до́лжность судьи́ 2) *собир.* магистрату́ра

magistral ['mædʒɪstrəl] **1.** *a* 1) преподава́тельский, учи́тельский; the ~ staff преподава́тельский соста́в (*школы и т. п.*) 2) *мед.* специа́льно пока́занный, пропи́санный 3) *воен. ист.* гла́вный, магистра́льный (*о линиях укреплений*)

2. *n воен.* магистра́ль, магистра́льная ли́ния

magistrate ['mædʒɪstreɪt] *n* 1) госуда́рственный чино́вник 2) судья́ (*преим. мировой*); судья́ полице́йского суда́

magma ['mægmə] *n геол.* ма́гма

Magna C(h)arta [,mægnə'kɑ:tə] *n ист.* Вели́кая ха́ртия во́льностей (*1215 г.*)

magnanimous [mæg'nænɪməs] *a* великоду́шный

magnate ['mægneɪt] *n* магна́т; oil ~ нефтяно́й коро́ль

magnesia [mæg'ni:ʃə] *n мед.* о́кись ма́гния, жжёная магне́зия

magnesium [mæg'ni:zɪəm] *n хим.* ма́гний

magnet ['mægnɪt] *n* 1) магни́т 2) притяга́тельная си́ла

magnetic [mæg'netɪk] *a* 1) магни́тный; ~ declination магни́тное склоне́ние; ~ needle магни́тная стре́лка; ~ storm магни́тная бу́ря 2) притя́гивающий, привлека́тельный; магнети́ческий

magnetics [mæg'netɪks] *n pl* (*употр. как sing*) *физ.* магнети́зм

magnetism ['mægnətɪzəm] *n* 1) магнети́зм 2) магни́тные сво́йства 3) ли́чное обая́ние, привлека́тельность

magnetite ['mægnətaɪt] *n мин.* магнети́т, магни́тный железня́к

magnetize ['mægnətaɪz] *v* 1) намагни́чивать(ся) 2) привлека́ть 3) гипнотизи́ровать

magneto [mæg'ni:təʊ] *n* (*pl* -os [-əʊz]) *эл.* магне́то; инду́ктор

magnetometer [,mægnɪ'tɒmɪtə] *n* магнито́метр

magneton ['mægnɪ,tɒn] *n физ.* магнето́н

magnetron ['mægnətrɒn] *n физ.* магнетро́н

magnification [,mægnɪfɪ'keɪʃn] *n* 1) увеличе́ние 2) усиле́ние

magnificence [mæg'nɪfɪsəns] *n* великоле́пие

magnificent [mæg'nɪfɪsənt] *a* 1) великоле́пный, вели́чественный 2) *разг.* изуми́тельный, прекра́сный

magnifier ['mægnɪfaɪə] *n* 1) увеличи́тельное стекло́, лу́па 2) *радио* усили́тель

magnify ['mægnɪfaɪ] *v* 1) увели́чивать 2) преувели́чивать 3) *уст.* восхваля́ть

magnifying glass ['mægnɪfaɪɪŋglɑ:s] *n* увеличи́тельное стекло́, лу́па

magniloquence [mæg'nɪləkwəns] *n* высокопа́рность

magniloquent [mæg'nɪləkwənt] *a* высокопа́рный

magnitude ['mægnɪtju:d] *n* 1) величина́, разме́ры 2) ва́жность; значи́тельность; of the first ~ первостепе́нной ва́жности

magnolia [mæg'nəʊlɪə] *n* магно́лия

magnum ['mægnəm] *n* больша́я ви́нная буты́лка (*2 кварты ≅ 2 1/4 л*)

magnum opus [,mægnəm'əʊpəs] *лат. n* выдаю́щееся произведе́ние иску́сства

magpie ['mægpaɪ] *n* 1) соро́ка 2) болту́н(ья) 3) «бара́хо́льщик» 4) *воен.* второ́е кольцо́ мише́ни с круга́ми 5) попада́ние во вне́шний, предпосле́дний круг мише́ни 6) *sl.* полпе́нни

magus ['meɪgəs] *n* (*pl* magi) маг, волхв

Magyar ['mægjɑ:] **1.** *a* венге́рский, мадья́рский

2. *n* 1) венгр; мадья́р; венге́рка; мадья́рка 2) венге́рский язы́к

Maharaja(h) [,mɑ:hə'rɑ:dʒə] *n* магара́джа

Maharanee [,mɑ:hə'rɑ:nɪ] *n* магара́ни (*супруга магараджи*)

maharishi [,mɑ:hə'rɪʃɪ] *n* гу́ру, духо́вный руководи́тель

mahogany [mə'hɒgənɪ] *n* 1) кра́сное де́рево 2) коричнева́то-кра́сный цвет 3) обе́денный стол; to put (*или* to stretch, to have) one's knees (*или* feet) under smb.'s ~ обе́дать у кого́-л., по́льзоваться чьим-л. гостеприи́мством; жить на че́й-л. счёт 4) *attr.* сде́ланный из кра́сного де́рева; ~ furniture ме́бель кра́сного де́рева 5) *attr.* коричнева́то-кра́сный (*о цвете*)

Mahomet [mə'hɒmɪt] *n* Магоме́т

Mahometan [mə'hɒmɪtən] = Mohammedan

mahout [mə'haʊt] *n* пого́нщик слоно́в

maid [meɪd] **1.** *n* 1) служа́нка, го́рничная; прислу́га 2) *поэт.* де́ва, деви́ца, де́вушка; old ~ ста́рая де́ва; ~ of honour а) фре́йлина; б) *амер.* ≅ подру́жка неве́сты; в) род ватру́шки

2. *v* служи́ть го́рничной, рабо́тать прислу́гой

maiden ['meɪdn] **1.** *n* 1) деви́ца, де́вушка 2) *шутл.* ста́рая де́ва 3) *ист.* род гильоти́ны

2. *a* 1) незаму́жняя 2) относя́щийся к незаму́жней же́нщине *или* к деви́честву же́нщины; де́ви́чий, деви́ческий; ~ name де́вичья фами́лия 3) де́вственный, нетро́нутый; ~ horse ло́шадь, не бра́вшая при́за; ~ sword меч, ещё не обагрённый кро́вью; ~ over *спорт.* игра́ (в крике́т), в кото́рой не откры́т счёт; ~ assize *юр.* се́ссия уголо́вного суда́, на рассмотре́ние кото́рой не вы́несено уголо́вных дел 4) пе́рвый; ~ attempt пе́рвая попы́тка; ~ battle пе́рвый бой; ~ flight пе́рвый полёт (*самолёта*); ~ voyage пе́рвое пла́вание, пе́рвый рейс (*нового корабля*); ~ speech пе́рвая речь (*нового члена парламента, академии и т. п.*)

maidenhair ['meɪdnheə] *n бот.* адиа́нтум

maidenhead ['meɪdnhed] *n* 1) деви́чество 2) де́вственность, непоро́чность

maidenhood ['meɪdnhʊd] *n* деви́чество

maidenish ['meɪdnɪʃ] *a* 1) де́ви́чий 2) стародеви́ческий

maidenlike ['meɪdnlaɪk] **1.** *a* де́ви́чий, деви́ческий; скро́мный

2. *adv* как подоба́ет де́вушке; скро́мно

maidenly ['meɪdnlɪ] = maidenlike 2

maid-of-all-work [ˌmeɪdɒvɔ:l'wɜ:k] *n* прислу́га, выполня́ющая всю рабо́ту, «прислу́га за всё»

maidservant ['meɪdˌsɜ:vnt] *n* служа́нка; прислу́га

mail I [meɪl] **1.** *n* 1) кольчу́га (*тж.* coat of ~); *распр.* броня́ 2) *зоол.* щито́к (*черепахи*); скорлупа́ (*рака*)

2. *v* покрыва́ть кольчу́гой, броне́й

mail II [meɪl] **1.** *n* 1) по́чта 2) по́чта, почто́вая корреспонде́нция 3) почто́вый по́езд 4) *уст.* мешо́к с по́чтой 5) *attr.* почто́вый

2. *v* посыла́ть по по́чте; сдава́ть на по́чту

mail-boat ['meɪlbəʊt] *n* почто́вый парохо́д

mailbox ['meɪlbɒks] *n амер.* почто́вый я́щик

mail-car ['meɪlkɑ:] *n* почто́вый ваго́н

mail-cart ['meɪlkɑ:t] *n уст.* 1) почто́вая каре́та 2) де́тская коля́ска

mail-clad ['meɪlklæd] *a* оде́тый в кольчу́гу, броню́

mail-coach ['meɪlkəʊtʃ] = mail-cart 1)

mailed I [meɪld] **1.** *p. p. от* mail I, 2

2. *a* 1) защищённый броне́й, брониро́ванный 2) покры́тый чешу́йками 3) пятни́стый ◇ the ~ fist брониро́ванный кула́к

mailed II [meɪld] *p. p. от* mail II, 2

mailer ['meɪlə] *n* 1) отправи́тель 2) маши́на для автомати́ческого адресова́ния почто́вых отправле́ний 3) конте́йнер для по́чты

mailing-list ['meɪlɪŋlɪst] *n* спи́сок адреса́тов (*которым регулярно отправляются рефераты, рекламные проспекты и т. п.*)

maillot [mæ'jəʊ] *фр. n* 1) трико́ (*акробатов, танцоров*) 2) купа́льный костю́м

mailman ['meɪlmæn] *n амер.* почтальо́н

mail order [ˌmeɪl'ɔ:də] *n* зака́з на вы́сылку това́ра по по́чте

mail-order [ˌmeɪl'ɔ:də] *a*: ~ firm (*или* house) фи́рма «зака́зы това́ров по́чтой»

mail-plane ['meɪlpleɪn] *n* почто́вый самолёт

mail train ['meɪltreɪn] *n* почто́вый по́езд

maim [meɪm] *v* кале́чить, уве́чить

main I [meɪn] **1.** *n* 1) магистра́ль 2) *поэт.* откры́тое мо́ре, океа́н 3) = mainmast ◇ in the ~ а) в основно́м; б) бо́льшей ча́стью; г) гла́вным о́бразом

2. *a* 1) гла́вный; основно́й; the ~ features основны́е черты́; ~ line гла́вная железнодоро́жная ли́ния, магистра́ль; the ~ point гла́вный пункт; ~ dressing station *воен.* гла́вный перевя́зочный пункт 2) хорошо́ разви́той, си́льный (*физически*)

main II [meɪn] *n* 1) число́ очко́в, кото́рое игра́ющий в ко́сти называ́ет пе́ред броско́м 2) петуши́ный бой

main deck ['meɪndek] *n* ве́рхняя па́луба

mainframe ['meɪnfreɪm] *n вчт.* 1) больша́я ЭВМ 2) центра́льный проце́ссор

mainland ['meɪnlənd] *n* 1) матери́к 2) (M.) большо́й о́стров (*среди группы небольших — об Оркнейских и Шетландских о-вах*) 3) *attr.* континента́льный

mainline ['meɪnlaɪn] *v sl.* вводи́ть нарко́тик внутриве́нно

mainly ['meɪnlɪ] *adv* 1) бо́льшей ча́стью 2) гла́вным о́бразом

mainmast ['meɪnmɑ:st] *n мор.* грот-ма́чта

mainspring ['meɪnsprɪŋ] *n* 1) ходова́я пружи́на (*часового механизма*) 2) *воен.* спускова́я пружи́на, боева́я пружи́на 3) гла́вная дви́жущая си́ла; исто́чник

mainstay ['meɪnsteɪ] *n* 1) гла́вная подде́ржка, опо́ра, опло́т 2) *мор.* гро́та-штаг

mainstream ['meɪnstri:m] *n* основно́е направле́ние, гла́вная ли́ния (*в искусстве, литературе и т. п.*)

maintain [meɪn'teɪn] *v* 1) подде́рживать; уде́рживать; сохраня́ть; to ~ one's composure сохраня́ть споко́йствие, остава́ться хладнокро́вным; to ~ one's health подде́рживать своё здоро́вье 2) содержа́ть; to ~ a family содержа́ть семью́ 3) ока́зывать подде́ржку, защища́ть, отста́ивать 4) утвержда́ть; he ~ed that he was right он утвержда́л, что он прав 5) *тех.* обслу́живать; содержа́ть в испра́вности

maintained school [meɪnˌteɪnd'sku:l] *n* субсиди́руемая шко́ла (*содержится на средства местных органов народного образования*)

maintenance ['meɪntənəns] *n* 1) подде́ржка, поддержа́ние; сохране́ние 2) содержа́ние; сре́дства к существова́нию 3) утвержде́ние 4) *юр. уст.* неправоме́рная подде́ржка одно́й из тя́жущихся сторо́н 5) *тех.* ухо́д, содержа́ние в испра́вности; теку́щий ремо́нт 6) *тех.* эксплуата́ция; эксплуатацио́нные расхо́ды (включа́я теку́щий ремо́нт) 7) *attr.* ремо́нтный; ~ crew кома́нда техни́ческого обслу́живания

maintop ['meɪntɒp] *n мор.* грот-ма́чта

main yard ['meɪnjɑ:d] *n мор.* грот-ре́и

maiolica [mə'jɒlɪkə] = majolica

maison(n)ette [ˌmeɪzə'net] *n* небольшо́й дом *или* небольша́я кварти́ра

maître d'hôtel [ˌmeɪtrədəʊ'tel] *фр. n* метрдоте́ль

maize [meɪz] *n* кукуру́за; маи́с

majestic [mə'dʒestɪk] *a* вели́чественный

majesty ['mædʒəstɪ] *n* 1) вели́чественность; вели́чие; велича́вость 2) (M.) вели́чество (*титул*)

Majlis [mædʒ'lɪs] *n* меджли́с

majolica [mə'dʒɒlɪkə] *n* майо́лика

major I ['meɪdʒə] *n* майо́р

major II ['meɪdʒə] **1.** *a* 1) бо́льший, бо́лее ва́жный 2) гла́вный; ~ forces *воен.* гла́вные си́лы; ~ reconstruction коренна́я перестро́йка; ~ league *спорт.* вы́сшая ли́га 3) *муз.* мажо́рный 4) совершенноле́тний 5) ста́рший (*ставится после фамилии старшего брата, если братья учатся в одной школе*)

2. *n* 1) совершенноле́тний 2) *амер.* профили́рующая дисципли́на (*в колледже*) 3) *лог.* гла́вная посы́лка (*в силлогизме*)

3. *v амер.* специализи́роваться по како́му-л. предме́ту (*в колледже*)

major-domo [ˌmeɪdʒə'dəʊməʊ] *n* (*pl* -os [-əʊz]) мажордо́м; дворе́цкий

majorette [ˌmeɪdʒə'ret] = drum majorette

major-general [ˌmeɪdʒə'dʒenrəl] *n* генера́л-майо́р

majority [mə'dʒɒrətɪ] *n* 1) большинство́; to gain (*или* to carry) the ~ получи́ть большинство́ голосо́в; to win by a handsome (narrow) ~ получи́ть значи́тельное (незначи́тельное) большинство́ голосо́в; in the ~ в большинстве́ 2) совершенноле́тие (*в Англии — 21 год*); he attained his ~ он дости́г совершенноле́тия 3) чин, зва́ние майо́ра 4) *attr.*: ~ leader *амер. полит.* руководи́тель большинства́ (*в сенате и т. п.*); ~ rule волеизъявле́ние большинства́; при́нцип подчине́ния меньшинства́ большинству́ ◇ to join the (great) ~ умере́ть

majuscule ['mædʒəskju:l] *n* прописна́я бу́ква (*в средневековых рукописях*)

make [meɪk] **1.** *v* (made) 1) де́лать; соверша́ть; сде́лать 2) *со сложным дополнением означает* заставля́ть, побужда́ть; ~ him repeat it заста́вь(те) его́ повтори́ть э́то; to ~ smb. understand дать кому́-л. поня́ть; to ~ oneself understood объясня́ть(ся) (*на иностранном языке*); to ~ smth. grow выра́щивать что-л. 3) производи́ть (*шум и т. п.*) 4) назнача́ть (*на должность*) 5) создава́ть (*фильм и* *т. п.*) 6) составля́ть (*завещание, документ*) 7) составля́ть, равня́ться; 2 and 3 ~ 5 два плюс три равня́ется пяти́ 8) получа́ть, приобрета́ть, добыва́ть (*деньги, средства*); зараба́тывать; to ~ money зараба́тывать де́ньги; to ~ one's living зараба́тывать на жизнь 9) гото́вить, приготовля́ть; to ~ a fire разжига́ть костёр; to ~ tea зава́ривать чай 10) напра́виться 11) *разг.* успе́ть, поспе́ть (*на поезд и т. п.*) 12) *амер.* производи́ть (*в чин*) 13) станови́ться; де́латься; he will ~ a good musician из него́ вы́йдет хоро́ший музыка́нт; he was made to be an actor он прирождённый актёр 14) *с рядом существительных образует фразовый глагол, соответствующий по значению существительному, напр.*: to ~ haste спеши́ть; to ~ fun высме́ивать; to ~ an answer (*или* a reply) отвеча́ть; to ~ a pause останови́ться; to ~ war воева́ть; вести́ войну́; to ~ a journey путеше́ствовать; to ~ progress развива́ться; де́лать успе́хи; to ~ start начина́ть; to ~ a mistake (*или* a blunder) ошиба́ться; (с)де́лать оши́бку 15) счита́ть, определя́ть, предполага́ть; what do you ~ the time? кото́рый, по-ва́шему, час?; what am I to ~ of your behaviour? как я до́лжен понима́ть ва́ше поведе́ние? 16) вести́ себя́ как...; стро́ить из себя́; to ~ an ass (*или* a fool) of oneself (с)валя́ть дурака́; (по)ста́вить себя́ в глу́пое положе́ние; оскандáлиться; to ~ a beast of oneself вести́ себя́ как ското́на 17) есть; to ~ a good breakfast хорошо́ поза́втракать; to ~ a light meal перекуси́ть 18) *sl.* сожи́тельствовать 19) *карт.* тасова́ть □ ~ **after** *уст.* пресле́довать; пуска́ться вслед; ~ **against** говори́ть не в по́льзу *кого-л.*; ~ **away with** изба́виться, отде́латься от *чего-л.*, *кого-л.*; уби́ть *кого-л.*; ~ away with oneself поко́нчить с собо́й, соверши́ть самоуби́йство; ~ **back** верну́ться, возврати́ться; ~ **for** а) спосо́бствовать, соде́йствовать; б) направля́ться; в) напада́ть; набра́сываться; г) поддержа́ть (*чьё-л. мнение*); ~ **off** убежа́ть, удра́ть; ~ **out** а) уви́деть, различи́ть; б) разобра́ть; в) поня́ть; г) де́лать вид; притворя́ться; дать поня́ть; д) *разг.* справля́ться (*с чем-л.*); преуспева́ть; how did he ~ out at the examination? как он сдал экза́мен?; е) составля́ть (*документ*); выпи́сывать (*счёт, чек*); ж) дока́зывать; з) жить, существова́ть; ~ **over** а) передава́ть; же́ртвовать; б) переде́лывать; ~ **up** а) пополня́ть, возмеща́ть, компенси́ровать; навёрстывать; б) составля́ть, собира́ть; комплектова́ть; в) мири́ться; let us ~ it up дава́йте забу́дем э́то, дава́йте поми́римся; г) устра́ивать, ула́живать; д) шить; крои́ть; е) вы́думывать; ж) гримирова́ть(ся); з) подкра́ситься, подма́заться; и) подходи́ть, приближа́ться; к) *полигр.* верста́ть; л) подли́зываться, подхали́мничать; to ~ up to smb. заи́скивать, лебези́ть пе́ред кем-л. ◇ to ~ the best of *см.* best 2 ◇; to ~ a clean sweep of *см.* sweep 1 ◇; to ~ a dead set at а) напа́сть на; б) приста́ть с ножо́м к го́рлу к; to ~ it а) доби́ться успе́ха, дости́чь це́ли; б) *sl.* сожи́тельствовать; to ~ good а) сдержа́ть сло́во; б) вознагради́ть, компенси́ровать (*за потерю*); в) доказа́ть, подтверди́ть; г) *амер.* преуспева́ть; to ~ nothing of smth. а) счита́ть что-л. пустяко́м; легко́ относи́ться к чему́-л.; б) ничего́ не поня́ть в чём-л.; to ~ oneself at home быть как до́ма; to ~ a poor mouth прибедня́ться; to ~ sure а) убежда́ться; удостове́риться; б) обеспе́чить; to ~ time out *амер.* поспеши́ть, помча́ться

2. *n* 1) произво́дство, рабо́та; изде́лие; our own ~ на́шего произво́дства 2) проду́кция, вы́работка 3) проце́сс становле́ния; разви́тие 4) склад хара́ктера 5) конститу́ция, сложе́ние 6) *карт.* тасова́ние 7) *карт.* объявле́ние ко́зыря 8) вид, фо́рма, фасо́н, ма́рка; стиль; тип, моде́ль; do you like the ~ of that coat? вам нра́вится фасо́н э́того пальто́? ◇ to be on the ~ *разг.* а) занима́ться чем-л. исключи́тельно с коры́стной це́лью; б) де́лать карье́ру

make-believe [ˈmeɪkbɪˌliːv] 1. *n* 1) притво́рство 2) игра́, в кото́рой де́ти вообража́ют себя́ кем-л. 3) воображе́ние, фанта́зия 4) вы́думщик, фантазёр

2. *a* 1) вообража́емый; вы́думанный 2) притво́рный

3. *v* де́лать вид, притворя́ться

makepeace [ˈmeɪkpiːs] *n* миротво́рец; примири́тель

maker [ˈmeɪkə] *n* 1) тот, кто де́лает *что-л.* 2) (our M., the M.) Созда́тель, Бог, Творе́ц 3) *уст.* поэ́т 4) *юр.* векселеда́тель

makeshift [ˈmeɪkʃɪft] *n* 1) заме́на; паллиати́в; вре́менное приспособле́ние 2) *attr.* вре́менный; импровизи́рованный

make-up [ˈmeɪkʌp] *n* 1) грим; косме́тика; she had a rich ~ она́ была́ си́льно накра́шена 2) *полигр.* вёрстка 3) нату́ра, склад (*ума, характера*) 4) соста́в, структу́ра, строе́ние 5) вы́думка 6) *attr.*: ~ room грим-убо́рная (*актёра*); ~ man а) гримёр; б) верста́льщик

makeweight [ˈmeɪkweɪt] *n* 1) дове́сок, доба́вка 2) *тех.* противове́с

making [ˈmeɪkɪŋ] 1. *pres. p. от* make 1

2. *n* 1) созда́ние, становле́ние; in the ~ в проце́ссе созда́ния, разви́тия 2) произво́дство, изготовле́ние 3) рабо́та, ремесло́ 4) фо́рма 5) *pl* за́работок 6) *pl* зада́тки; to have the ~s of (an actor, *etc.*) у него́ зада́тки (актёра *и т. п.*) 7) *pl амер., австрал. разг.* бума́га и таба́к для свёртывания сигаре́т ◇ to be the ~ соде́йствовать успе́ху

mal- [mæl-] *pref* 1) пло́хо; плохо́й; to maltreat ду́рно, жесто́ко обраща́ться 2) не-, без-; maladroit нело́вкий; беста́ктный

malacca (cane) [məˈlækə(keɪn)] *n* кори́чневая трость (*из ротанга*)

malachite [ˈmæləkaɪt] *n* малахи́т

malacology [ˌmæləˈkɒlədʒɪ] *n* малаколо́гия (*наука о моллюсках*)

maladaptive [ˌmæləˈdæptɪv] *a* неадеква́тный, пло́хо приспосо́бленный

maladjustment [ˌmæləˈdʒʌstmənt] *n* 1) непра́вильная регулиро́вка 2) неуме́ние приспосо́биться к окружа́ющей обстано́вке

maladministration [ˌmælədmɪnɪˈstreɪʃn] *n* плохо́е управле́ние

maladroit [ˌmæləˈdrɔɪt] *a* нело́вкий; беста́ктный

malady [ˈmælədɪ] *n* боле́знь; расстро́йство

Malaga [ˈmæləgə] *n* мала́га (*вино*)

Malagasy [ˌmæləˈgæsɪ] 1. *a* малагаси́йский

2. *n* 1) малагаси́ец; малагаси́йка 2) малагаси́йский язы́к

malaise [mæˈleɪz] *n* недомога́ние

malapert [ˈmæləpɜːt] *уст.* 1. *n* де́рзкий, бессты́дный челове́к

2. *a* де́рзкий, бессты́дный

malapropos [ˌmælæprəˈpəʊ] 1. *adv* некста́ти, не во́время

2. *a* сде́ланный *или* ска́занный некста́ти

3. *n* соверше́нный некста́ти посту́пок; ска́занное некста́ти сло́во

malaria [məˈleərɪə] *n* маляри́я

malarial [məˈleərɪəl] *a* маляри́йный; ~ district маляри́йный райо́н

malaria-ridden [məˈleərɪəˌrɪdn] *a* маляри́йный (*о местности*)

malarious [məˈleərɪəs] = malarial

malarkey [məˈlɑːkɪ] *n разг.* небыли́ца, вы́думка, чепуха́

malax [ˈmæləks] *v* размина́ть, размягча́ть; сме́шивать

malaxate [ˈmælækseɪt] = malax

Malay [məˈleɪ] 1. *a* мала́йский

2. *n* 1) мала́ец; мала́йка 2) мала́йский язы́к

Malayan [məˈleɪən] = Malay

malcontent [ˈmælkənˌtent] 1. *n* недово́льный челове́к; оппозиционе́р

2. *a* недово́льный; находя́щийся в оппози́ции

mal de mer [ˌmældəˈmeə] *фр. n* морска́я боле́знь

male [meɪl] 1. *n* 1) мужчи́на 2) саме́ц

2. *a* 1) мужско́й; ~ beast саме́ц; ~ bee тру́тень; ~ cat кот; ~ dog кобе́ль; ~ fern мужско́й па́поротник; ~ pigeon го́лубь-саме́ц 2) *тех.* входя́щий в другу́ю дета́ль, охва́тываемый; ~ pipe вдви́нутая труба́; ~ pin шип; ~ screw винт; ~ thread нару́жная резьба́

male- [ˈmælɪ-] *pref* зло-; maledictory злоязы́чный, проклина́ющий

malediction [ˌmælɪˈdɪkʃən] *n* прокля́тие

maledictory [ˌmælɪˈdɪktərɪ] *a* злоязы́чный, проклина́ющий

malefactor [ˈmælɪfæktə] *n* престу́пник, злоде́й

malefic [məˈlefɪk] *a книжн.* зловре́дный; па́губный

maleficent [məˈlefɪsənt] *a книжн.* 1)

пáгубный (to — для); вредонóсный 2) престýпный

malevolence [mə'levələns] *n* злорáдство; недоброжелáтельность, злóба

malevolent [mə'levələnt] *a* злорáдный, недоброжелáтельный, злóбный; ~ fate злáя судьбá

malfeasance [mæl'fi:zns] *n юр.* 1) злодеяние 2) должностнóе преступлéние

malfeasant [mæl'fi:znt] *юр.* **1.** *a* престýпный, беззакóнный

2. *n* причинúтель зла, *особ.* лицó, злоупотребляющее служéбным положéнием

malformation [,mælfɔ:'meıʃn] *n* неправúльное образовáние *или* формировáние, порóк развúтия; урóдство

malformed [,mæl'fɔ:md] *a* урóдливый, бесфóрменный, плóхо сформирóванный

malfunction [,mæl'fʌŋkʃn] *тех.* **1.** *n* неисправная рабóта; неправúльное срабáтывание; аварúйный режúм

2. *v* не срабáтывать

malic ['mælık] *a хим.*: ~ acid яблочная кислотá

malice ['mælıs] *n* 1) злóба; to bear ~ (to) таúть злóбу (прóтив *когó-л.*), злóбствовать 2) *юр.* злой ýмысел

malicious [mə'lıʃəs] *a* 1) злóбный 2) злонамéренный

malign [mə'laın] **1.** *a* 1) пáгубный; врéдный; дурнóй 2) *мед.* злокáчественный 3) злóбный, злой

2. *v* клеветáть, злословить

malignancy [mə'lıgnənsı] *n* 1) пáгубность, зловрéдность 2) *мед.* злокáчественность 3) злóбность

malignant [mə'lıgnənt] *a* 1) *мед.* злокáчественный; болезнетвóрный; ~ bacteria врéдные бактéрии, болезнетвóрные бактéрии 2) зловрéдный 3) злóстный, злóбный

malignity [mə'lıgnıtı] = malignancy

malinger [mə'lıŋgə] *v* притворяться больным, симулúровать болéзнь

malingerer [mə'lıŋgərə] *n* симулянт

mall [mɔ:l] *n* (тенúстое) мéсто для гуляния

mallard ['mælɑ:d] *n* дúкая ýтка

malleable ['mælıəbl] *a* 1) кóвкий; тягýчий 2) подáтливый; устýпчивый

mallemuck ['mælımʌk] *n* альбатрóс; буревéстник

mallet ['mælıt] *n* деревянный молотóк; колотýшка

malleus ['mælıəs] *n анат.* молотóчек *(ушная косточка)*

mallow ['mæləʊ] *n бот.* мáльва, просвúрник

malm [mɑ:m] *n геол.* 1) (M.) мальм, вéрхняя юра 2) мéргель, известкóвый песóк

malmsey ['mɑ:mzı] *n* мальвáзия *(вино)*

malnutrition [,mælnjʊ'trıʃn] *n* недоедáние, недостáточное *или* неправúльное питáние

malodorous [mæl'əʊdərəs] *a* зловóнный, вонючий

malposition [,mælpə'zıʃn] *n мед.* неправúльное положéние плодá

malpractice [,mæl'præktıs] *n юр.* 1) престýпная небрéжность врачá при лечéнии больнóго 2) противозакóнное дéйствие 3) злоупотреблéние довéрием

malt [mɔ:lt] **1.** *n* 1) сóлод 2) *разг.* солодóвый напúток 3) *attr.* солодóвый

2. *v* 1) солодúть 2) солодéть

Maltese [,mɔ:l'ti:z] **1.** *a* мальтúйский

2. *n* 1) мальтúец; the ~ *pl собир.* мальтúйцы 2) язы́к жúтелей *о-ва* Мáльта

maltha ['mælθə] *n мин.* мáльта, чёрная смолúстая нефть

malt-house ['mɔ:lthaʊs] *n* солодóвня

maltose ['mɔ:ltəʊs] *n хим.* мальтóза, солодóвый сáхар

maltreat [,mæl'tri:t] *v* 1) дýрно, жестóко обращáться 2) помыкáть *(кем-л.)*

maltreatment [,mæl'tri:tmənt] *n* дурнóе обращéние

maltster ['mɔ:ltstə] *n* солодóвник

malty ['mɔ:ltı] *a* 1) солодóвый 2) *sl.* пья́ный

malvaceous [mæl'veıʃəs] *a бот.* мáльвовый

malversation [,mælvɜ:'seıʃn] *n книжн.* 1) злоупотреблéние *(по службе)* 2) присвоéние обществéнных *или* государственных сумм

mam [mæm] *n разг.* мáма

mama [mə'mɑ:] = mamma I

mamba ['mæmbə] *n зоол.* мáмба *(африканская ядовитая змея)*

mamelon ['mæmələn] *n* бугорóк, хóлмик

Mameluke ['mæmılu:k] *n ист.* мам(е)лю́к

mamma I [mə'mɑ:] *n детск.* мáма

mamma II ['mæmə] *n* (*pl* -mae) *анат.* груднáя (*или* молóчная) железá

mammae ['mæmi:] *pl от* mamma II

mammal ['mæml] *n* млекопитáющее

mammalia [mæ'meılјə] *n pl* млекопитáющие

mammalogy [mə'mælədʒı] *n* маммолóгия, учéние о млекопитáющих

mammary ['mæmərı] *a* относящийся к груднóй (*или* молóчной) железé

mammilla [mæ'mılə] *n* (*pl* -lae) *анат.* груднóй сосóк

mammillae [mæ'mıli:] *pl от* mammilla

mammography [mæ'mɒgrəfı] *n* маммогрáфия, мастогрáфия

Mammon ['mæmən] *n* мамóна, дéньги, богáтство

Mammonish ['mæmənıʃ] *a* сребролюбúвый

mammoth ['mæməθ] **1.** *n* мáмонт

2. *a* громáдный, гигáнтский

mammy ['mæmı] *n* 1) *детск.* мáмочка 2) *амер.* няня-негритянка 3) *амер.* стáрая негритянка

man [mæn] **1.** *n* (*pl* men) 1) мужчúна 2) человéк 3) человéческий род, человéчество 4) мýжественный человéк 5) (*обыкн. pl*) рабóчий 6) слугá, человéк; I'm your ~ *разг.* я к вáшим услýгам, я соглáсен 7) *ист.* вассáл 8) *pl* солдáты, рядовы́е; матрóсы 9) муж; ~ and wife муж и женá 10) *разг.* приятель; любóвник 11) пéшка, шáшка *(в игре)* 12) *в устойчивых сочетаниях*: а) *как представитель профессии*: ~ of law адвокáт, юрúст; ~ of letters писáтель, литерáтор; учёный; ~ of office чинóвник; ~ of the pen литерáтор; б) *как обладатель определённых качеств*: ~ of character человéк с харáктером; ~ of courage хрáбрый, мýжественный человéк; ~ of decision решúтельный человéк; ~ of distinction (*или* mark, note) выдающийся, знаменúтый человéк; ~ of family знáтный человéк; *амер.* семéйный человéк; ~ of genius гениáльный человéк; ~ of ideas изобретáтельный, находчивый человéк; ~ of pleasure сластолю́бец; ~ of principle принципиáльный человéк; ~ of no principles беспринцúпный человéк; ~ of no scruples недобросóвестный, бессóвестный человéк; ~ of sense здравомы́слящий, разýмный человéк; ~ of straw а) солóменное чýчело; б) ненадёжный человéк; в) подставнóе, фиктúвное лицó; г) воображáемый протúвник; ~ of taste человéк со вкýсом; ~ of worth достóйный, почтéнный человéк; *сочетания типа* family ~, self-made ~, medical ~, leading ~, *etc. см. под* family, self-made, medical, leading, *etc.* 13) (the M.) *амер. sl.* полúция ◇ to be one's own ~ а) быть незавúсимым, самостоятельным; свобóдно распоряжáться собóй; б) прийтú в себя, быть в нóрме; держáть себя в рукáх; ~ in (*амер.* on) the street заурядный человéк, обывáтель; ~ about town свéтский человéк; прожигáтель жúзни; ~ of the world а) человéк, умудрённый жúзненным óпытом; б) свéтский человéк; good ~! здорóво!, здрáвствуй!; ~ and boy с ю́ных лет; to a ~ все до одногó; все без исключéния; as one ~ как одúн (человéк), в унисóн; every ~ to his own taste ≅ на вкус на цвет товáрищей нет

2. *v* 1) *воен., мор.* укомплектóвывать лúчным состáвом; занимáть людьмú; стáвить людéй *(к орудию и т. п.)*; посадúть людéй *(на корабль и т. п.)* 2) занять *(позиции)*; стать *(к орудиям и т. п.)* 3) подбодрять; to ~ oneself мужáться, брать себя в рýки 4) *охот.* приручáть

-man [-mən] *в сложных словах означает занятие, профессию; напр.*: fisherman рыбáк; postman почтальóн

mana ['mɑ:nə] *n* 1) власть; авторитéт; престúж 2) сверхъестéственная *или* магúческая сúла

manacle ['mænəkl] **1.** *n* (*обыкн. pl*) 1) нарýчники, ручны́е кандалы́ 2) пýты; препятствие

2. *v* надевáть нарýчники

manage ['mænıdʒ] *v* 1) руководúть, управлять, завéдовать; стоять во главé; to ~ a household вестú домáшнее хозяйство 2) справляться, ухитряться, сумéть (сдéлать) (*часто ирон.*); he ~d to muddle it он умудрúлся напýтать; he can just ~ он кóе-кáк свóдит концы́ с концáми 3) умéть обращáться *(с чем-л.)*; владéть *(оружием и т. п.)* 4) усмирять, укрощáть; выезжáть *(лошадь)*; прáвить *(лошадьми)* 5) *разг.* съедáть; can you ~

another slice? мо́жет быть, съеди́те ещё кусо́чек?

manageable ['mænɪdʒəbl] *a* 1) поддаю́щийся управле́нию 2) поддаю́щийся дрессиро́вке; послу́шный, сми́рный; a ~ horse вы́езженная ло́шадь 3) сгово́рчивый, пода́тливый 4) выполни́мый

managed ['mænɪdʒd] 1. *p. p. от* manage

2. *a*: ~ economy регули́руемая эконо́мика

management ['mænɪdʒmənt] *n* 1) управле́ние; заве́дование 2) (the ~) правле́ние; дире́кция, администра́ция 3) уме́ние владе́ть (*инструментом*); уме́ние справля́ться (*с работой*) 4) осторо́жное, бе́режное, чу́ткое отноше́ние (*к людям*) 5) хи́трость, уло́вка; it took a good deal of ~ to make him do it потре́бовалось мно́го уло́вок, что́бы заста́вить его́ сде́лать э́то

manager ['mænɪdʒə] *n* 1) управля́ющий, заве́дующий; дире́ктор 2) хозя́ин; good (bad) ~ хоро́ший (плохо́й) хозя́ин 3) *парл.* представи́тель одно́й из пала́т, уполномо́ченный вести́ перегово́ры по вопро́су, каса́ющемуся обе́их пала́т 4) импреса́рио, ме́неджер

manageress [,mænɪdʒə'res] *n* заве́дующая; управи́тельница

managerial [,mænə'dʒɪərɪəl] *a* дире́кторский, относя́щийся к управле́нию, администрати́вный; high ~ competence уме́лое руково́дство

managing ['mænɪdʒɪŋ] 1. *pres. p. от* manage

2. *a* 1) руководя́щий, веду́щий; ~ director дире́ктор-распоряди́тель 2) делово́й, энерги́чный 3) *уст.* эконо́мный, бережли́вый

man-at-arms [,mænət'ɑ:mz] *n* (*pl* men-at arms) *ист.* тяжеловооружённый вса́дник

manatee [,mænə'ti:] *n зоол.* ламанти́н

man-carried ['mæn,kærɪd] *a* перено́сный

man-child ['mæntʃaɪld] *n* (*pl* men-children) ма́льчик

manciple ['mænsɪpl] *n* эконо́м (*особ. в колледже*)

Mancunian [mæŋ'kju:nɪən] 1. *a* манче́стерский

2. *n* жи́тель Манче́стера

mandamus [mæn'deɪməs] *n юр.* суде́бный прика́з должностно́му лицу́ о выполне́нии тре́бования истца́

mandarin I ['mændərɪn] *n* 1) (M.) мандари́нское наре́чие кита́йского языка́ 2) *ист.* мандари́н (*китайский чиновник*) 3) ко́сный, отста́лый руководи́тель

mandarin II ['mændərɪn] *n* 1) мандари́н (*плод*) 2) ора́нжевый цвет

mandarine ['mændəri:n] = mandarin II

mandatary ['mændətərɪ] *n ист.* мандата́рий, держа́тель манда́та

mandate ['mændeɪt] 1. *n* 1) манда́т 2) нака́з (*избирателей*)

2. *v ист.* передава́ть (*страну*) под манда́т друго́го госуда́рства

mandated ['mændeɪtɪd] 1. *p. p. от* mandate 2

2. *a* подманда́тный

mandatory ['mændətərɪ] 1. *a* 1) манда́тный 2) обяза́тельный, принуди́тельный; ~ sentence оконча́тельный пригово́р

2. *n* = mandatary

mandible ['mændɪbl] *n* ни́жняя че́люсть (*млекопитающих и рыб*); жва́ло, манди́була (*насекомых*)

mandolin [,mændə'lɪn] *n* мандоли́на

mandoline [,mændə'li:n] = mandolin

mandrake ['mændreɪk] *n бот.* мандраго́ра

mandrel ['mændrəl] *n* 1) *тех.* опра́вка 2) *тех.* серде́чник 3) *тех.* пробо́йник 4) *горн.* кайла́

mandril ['mændrɪl] = mandrel

mandrill ['mændrɪl] *n* мандри́л (*обезьяна*)

mane [meɪn] *n* гри́ва

man-eater ['mæn,i:tə] *n* 1) людое́д 2) *зоол.* аку́ла-людое́д

manège, manege [mæ'neɪʒ] *n* 1) мане́ж 2) иску́сство верхово́й езды́ 3) вы́ездка ло́шади

manful ['mænfl] *a* му́жественный; сме́лый, реши́тельный

manganese ['mæŋgəni:z] *n* ма́рганец

mange [meɪndʒ] *n вет.* чесо́тка

mangel(-wurzel) ['mæŋgl('wɜ:zl)] *n* кормова́я свёкла

manger ['meɪndʒə] *n* я́сли, корму́шка ◇ dog in the ~ ≅ соба́ка на се́не

mangle I ['mæŋgl] 1. *n* 1) *уст.* като́к (*для белья*) 2) *тех.* кала́ндр

2. *v уст.* ката́ть (*бельё*)

mangle II ['mæŋgl] *v* 1) руби́ть, кромса́ть 2) искажа́ть, по́ртить (*цитату, текст и т. п.*) 3) кале́чить

mango ['mæŋgəʊ] *n* (*pl* -oes, -os [-əʊz]) 1) ма́нговое де́рево 2) ма́нго (*плод*) 3) марино́ванные о́вощи

mangold ['mæŋgəʊld] = mangel(-wurzel)

mangonel ['mæŋgənl] *n ист.* балли́ста

mangrove ['mæŋgrəʊv] *n бот.* ма́нгровое де́рево

mangy ['meɪndʒɪ] *a* 1) чесо́точный, парши́вый 2) гря́зный, запу́щенный; поно́шенный; ни́щенский, убо́гий

manhandle ['mænhændl] *v* 1) тащи́ть, передвига́ть вручну́ю 2) *sl.* гру́бо обраща́ться; избива́ть

manhole ['mænhəʊl] *n* 1) лаз, люк; горлови́на 2) смотрово́е отве́рстие

manhood ['mænhʊd] *n* 1) возмужа́лость, зре́лость, зре́лый во́зраст 2) му́жественность 3) мужска́я полова́я поте́нция 4) мужско́е населе́ние страны́ 5) *attr.*: ~ suffrage избира́тельное пра́во для всех взро́слых мужчи́н

man-hour ['mænaʊə] *n* челове́ко-ча́с

manhunt ['mænhʌnt] *n* полице́йская обла́ва, пресле́дование (*особ. беглеца*)

mania ['meɪnɪə] *n* ма́ния

maniac ['meɪnɪæk] 1. *n* манья́к

2. *a* поме́шанный; маниака́льный

maniacal [mə'naɪəkl] *a* маниака́льный

manicure ['mænɪkjʊə] 1. *n* 1) маникю́р 2) = manicurist

2. *v* де́лать маникю́р

manicurist ['mænɪkjʊərɪst] *n* маникю́рша

manifest ['mænɪfest] 1. *a* очеви́дный, я́вный; я́сный

2. *v* 1) я́сно пока́зывать; де́лать очеви́дным, обнару́живать; проявля́ть 2) дока́зывать, служи́ть доказа́тельством 3) обнару́живаться, проявля́ться 4) появля́ться (*о привидении*) 5) обнаро́довать; изда́ть мани́фест 6) *мор.* заноси́ть в деклара́цию судово́го гру́за

3. *n мор.* мани́фест, деклара́ция судово́го гру́за

manifestation [,mænɪfe'steɪʃn] *n* 1) проявле́ние 2) манифеста́ция 3) обнаро́дование

manifesto [,mænɪ'festəʊ] *n* (*pl* -os, -oes [-əʊz]) мани́фест

manifold ['mænɪfəʊld] 1. *n* 1) многообра́зие 2) ко́пия (*через копирку*) 3) *тех.* трубопрово́д; колле́ктор

2. *a книжн.* разнообра́зный, разноро́дный; многочи́сленный

3. *v* размножа́ть (*документ в копиях*)

manikin ['mænɪkɪn] *n* 1) челове́чек; ка́рлик 2) манеке́н

Manil(l)a [mə'nɪlə] *n* 1) мани́льская сига́ра [*см. тж. Список географических названий*] 2) мани́льская пенька́ (*тж.* ~ hemp)

manioc ['mænɪɒk] *n бот.* мани́ока, тапио́ка

maniple ['mænɪpl] *n ист.* мани́пула (*подразделение римского легиона*)

manipulate [mə'nɪpjʊleɪt] *v* 1) манипули́ровать; уме́ло обраща́ться; (уме́ло) управля́ть (*станком и т. п.*) 2) возде́йствовать, влия́ть (*на кого-л., что-л.*); to ~ the voters обраба́тывать избира́телей 3) подтасо́вывать (*факты, счета и т. п.*)

manipulation [mə,nɪpjʊ'leɪʃn] *n* 1) манипуля́ция; обраще́ние 2) махина́ция, подтасо́вка

manipulator [mə'nɪpjʊleɪtə] *n* 1) мотори́ст, машини́ст, опера́тор 2) *тех.* манипуля́тор 3) *тлф.* передаю́щий ключ

mankind *n* 1) [mæn'kaɪnd] челове́чество; челове́ческий род 2) ['mænkaɪnd] мужчи́ны, мужско́й пол

manlike ['mænlaɪk] *a* 1) мужско́й, подоба́ющий мужчи́не 2) мужеподо́бный (*о женщине*)

manliness ['mænlɪnəs] *n* му́жественность

manly ['mænlɪ] *a* 1) му́жественный, отва́жный 2) мужеподо́бный (*о женщине*)

man-made [,mæn'meɪd] *a* иску́сственный, со́зданный рука́ми челове́ка; ~ noise *радио* иску́сственные, промы́шленные поме́хи; ~ fibre иску́сственное, синтети́ческое волокно́; ~ satellite иску́сственный спу́тник Земли́

manna ['mænə] *n* 1) *библ.* ма́нна небе́сная 2) ма́нна (*слабительное*) 3) *бот.* ма́нник

manned [mænd] 1. *p. p. от* man 2

2. *a* 1) укомплектóванный людьмú; ~ spaceship космúческий корáбль с людьмú на бортý 2) пилотúруемый (*человеком*)

mannequin [ˈmænɪkɪn] *n* 1) манекéн 2) манекéнщица

manner [ˈmænə] *n* 1) стиль, худóжественная манéра; ~ and matter фóрма и содержáние 2) *pl* (хорóшие) манéры; умéние держáть себя; to have no ~s не умéть себя вестú; he has fair ~s у негó изя́щные манéры 3) манéра (*говорить, действовать*); in proper legal ~ в установленной закóном фóрме 4) *pl* обычаи, нрáвы; comedy of ~s комéдия нрáвов 5) спóсоб, мéтод; óбраз дéйствий; ~ of life (of thought) óбраз жúзни (мыслей) 6) *уст.* сорт, род; what ~ of man is he? что он за человéк?, какóй он человéк? ◇ all ~ of... всевозмóжные...; after a ~ кáк-нибудь; by no ~ of means ни в кóем слýчае; by any ~ of means какúм бы то нú было óбразом; in a ~ до нéкоторой стéпени; в нéкотором смысле; in a ~ of speaking так сказáть; in a promiscuous ~ случáйно, наудáчу; no ~ of... никакóй...; to have no ~ of right не имéть никакóго прáва; to the ~ born а) прирождённый, сóзданный (*для чего-л.*); б) привыкший с пелёнок

mannered [ˈmænəd] *a* вычурный, манéрный (*о стиле; об артисте*)

-mannered [-mænəd] *в сложных словах означает*: имéющий *такие-то* манéры; *напр.*: well-~ с хорóшими манéрами; ill-~ с плохúми манéрами

mannerism [ˈmænərɪzəm] *n* 1) манéра, осóбенность (*присущая кому-л.*) 2) манéрность 3) *иск.* маньерúзм

mannerist [ˈmænərɪst] *n* *иск.* маньерúст

mannerless [ˈmænələs] *a* дýрно воспúтанный, невéжливый

mannerliness [ˈmænəlɪnəs] *n* вéжливость, воспúтанность, хорóшие манéры

mannerly [ˈmænəlɪ] *a* вéжливый, воспúтанный, с хорóшими манéрами

manning [ˈmænɪŋ] **1.** *pres. p. от* man 2

2. *n* 1) (у)комплектовáние лúчным состáвом 2) *attr.* укомплектóванный; ~ table штáтное расписáние

mannish [ˈmænɪʃ] *a* 1) мужеподóбная, неженственная (*о женщине*) 2) свóйственный мужчúне

manoeuvrability [mə,nu:vərəˈbɪlətɪ] *n* *воен.* манёвренность; подвúжность

manoeuvre [məˈnu:və] **1.** *n* 1) манёвр 2) *pl* *воен.*, *мор.* манёвры 3) интрúга

2. *v* 1) *воен.*, *мор.* проводúть манёвры 2) *воен.* маневрúровать, перебрáсывать войскá 3) маневрúровать, лóвкостью добивáться (*чего-л.*); to ~ smb. into an awkward position (сумéть) постáвить когó-л. в затруднúтельное положéние

man-of-war [,mænəvˈwɔ:] *n* (*pl* men-of-war) воéнный корáбль; ~'s man воéнный моря́к

manometer [məˈnɒmɪtə] *n* манóметр

manor [ˈmænə] *n* (феодáльное) помéстье

manor-house [ˈmænəhaʊs] *n* помéщичий дом

manorial [məˈnɔ:rɪəl] *a* манориáльный, относя́щийся к помéстью

man-o'-war [,mænəˈwɔ:] = man-of-war

manpower [ˈmænpaʊə] *n* 1) рабóчая сúла 2) живáя сúла 3) лúчный состáв; людскúе ресýрсы, кáдры

manqué [ˈmɒŋkeɪ] *фр.* *a* неудáвшийся, несостоя́вшийся (*актёр и т. п.*)

mansard [ˈmænsɑ:d] *n* *архит.* мансáрдная крыша; мансáрда

manse [mæns] *n* дом (шотлáндского) пáстора

mansion [ˈmænʃn] *n* 1) большóй особня́к, большóй дом; дворéц 2) *pl* многоквартúрный дом

Mansion House [,mænʃnˈhaʊs] *n* резидéнция лорд-мэ́ра Лóндона

mansion-house [,mænʃnˈhaʊs] *n* помéщичий дом; дворéц

man-size(d) [ˈmænsaɪz(d)] *a* 1) большóй; для взрóслого человéка 2) *разг.* трýдный

manslaughter [ˈmæn,slɔ:tə] *n* 1) человекоубúйство 2) *юр.* простóе убúйство; непредумышленное убúйство

mantel [ˈmæntl] *n* 1) = mantelpiece 1); 2) = mantelshelf 3) *тех.* кожýх, обшúвка

mantel-board [ˈmæntlbɔ:d] *n* деревя́нная пóлочка над камúном

mantelet [ˈmæntlɪt] *n* 1) мантúлья 2) *воен. ист.* мантелéт, щит

mantelpiece [ˈmæntlpi:s] *n* 1) облицóвка камúна; камúнная доскá 2) = mantelshelf

mantelshelf [ˈmæntlʃelf] *n* камúнная пóлка

mantilla [mænˈtɪlə] *n* мантúлья

mantis [ˈmæntɪs] *n* (*pl* -ses [-sɪz]) *зоол.* богомóл (*насекомое*)

mantle [ˈmæntl] **1.** *n* 1) накúдка; мáнтия 2) покрóв 3) *тех.* кожýх, покрышка 4) калúйная сéтка (*газового фонаря*)

2. *v* 1) покрывáть; окýтывать; укрывáть 2) покрывáться пéной, нáкипью 3) краснéть (*о лице*); приливáть к щекáм (*о крови*) 4) расправля́ть крылья

mantlet [ˈmæntlɪt] = mantelet

mantra [ˈmæntrə] *n* заклинáние, мáнтра

mantrap [ˈmæntræp] *n* ловýшка, западня́, капкáн (*особ. на человека*)

manual [ˈmænjʊəl] **1.** *n* 1) руковóдство; наставлéние; спрáвочник, указáтель; учéбник; field ~ боевóй устáв 2) *воен.* приёмы орýжием 3) клавиатýра (*оргáна*)

2. *a* ручнóй; с ручным управлéнием; ~ labour физúческий труд; ~ worker рабóтник физúческого трудá; ~ alphabet áзбука глухонемых; ~ exercise = manual 1, 2): ~ (fire) engine ручнóй пожáрный насóс

manufactory [,mænjʊˈfæktərɪ] *n* 1) фáбрика 2) мастерскáя; цех 3) *ист.* мануфактýра

manufacture [,mænjʊˈfæktʃə] **1.** *n* 1) произвóдство; изготовлéние; обрабóтка; steel (cloth) ~ стальнóе (сукóнное) произвóдство; of home (foreign) ~ отéчественного (инострáнного) произвóдства 2) *pl* издéлия, фабрикáты 3) *пренебр.* фабрикáция, штампóвка (*книг, картин и т. п.*)

2. *v* 1) производúть, выделывать, изготовля́ть; обрабáтывать, перерабáтывать 2) (*обыкн. пренебр.*) дéлать по шаблóну, штамповáть (*книги и т. п.*)

manufactured goods [mænjʊ,fæktʃədˈgʊdz] *n pl* фабрикáты, промышленные товáры

manufacturer [,mænjʊˈfæktʃərə] *n* 1) фабрикáнт, завóдчик; промышленник, предпринимáтель 2) изготовúтель, производúтель

manufacturing [,mænjʊˈfæktʃərɪŋ] **1.** *pres. p. от* manufacture 2

2. *n* 1) произвóдство; выделка; обрабóтка 2) обрабáтывающая промышленность

3. *a* 1) промышленный; ~ town фабрúчный гóрод; ~ water промышленные стóчные вóды 2) произвóдственный; ~ cost стóимость произвóдства

manuka [mæˈnu:kə] *n* манýка, чáйное дéрево

manumission [,mænjʊˈmɪʃn] *n* *ист.* 1) освобождéние (*от рабства*); предоставлéние вóльной (*крепостному*) 2) отпускнáя, вóльная (грáмота)

manumit [,mænjʊˈmɪt] *v* 1) *ист.* отпускáть на вóлю 2) освобождáть

manure [məˈnjʊə] **1.** *n* навóз, удобрéние

2. *v* удобря́ть, унавóживать (*землю*)

manuscript [ˈmænjʊskrɪpt] **1.** *n* рýкопись

2. *a* рукопúсный

Manx [mæŋks] **1.** *a* 1) с *о-ва* Мэн 2): ~ cat бесхвóстая кóшка (*разновидность домашней кошки*)

2. *n* 1) язык жúтелей *о-ва* Мэн 2) (*употр. как pl*): the ~ жúтели *о-ва* Мэн

Manxman [ˈmæŋksmən] *n* урожéнец *о-ва* Мэн

many [ˈmenɪ] **1.** *a* (more; most) мнóгие, многочúсленные; мнóго; how ~? скóлько?; are there ~ guests coming to dinner? мнóго ли гостéй придёт к обéду?; for ~ a long day в течéние дóлгого врéмени; as ~ стóлько же; as ~ as three years цéлых три гóда; not so ~ as мéньше чем; to be one too ~ *шутл.* быть лúшним; to be one too ~ for smb. *разг.* а) быть сильнéе, искýснее когó-л.; б) быть выше чьегó-л. понимáния; быть слúшком трýдным для когó-л.

2. *n* мнóжество, мнóгие; a good ~ порядочное колúчество, довóльно мнóго; a great ~ громáдное колúчество; велúкое мнóжество; the ~ мнóжество, большинствó

many-sided [,menɪˈsaɪdɪd] *a* многосторóнний

many-stage [,menɪˈsteɪdʒ] *a* многоступéнчатый, многокаскáдный

Maori [ˈmaʊrɪ] *n* 1) (*pl* -s [-z] *или без измен.*) мáори 2) язык мáори

map [mæp] **1.** *n* 1) кáрта (*географиче-*

ская или звёздного неба) 2) план 3) *sl.* ли́чность, лицо́ ◇ off the ~ а) пре́данный забве́нию; устаре́лый; б) несуще́ственный, незначи́тельный; on the ~ а) существу́ющий; б) занима́ющий ва́жное *или* ви́дное положе́ние; значи́тельный, суще́ственный, ва́жный; to put on the ~ просла́вить, сде́лать изве́стным; to put oneself on the ~ а) появи́ться; б) вы́двинуться

2. *v* наноси́ть на ка́рту, черти́ть ка́рту; производи́ть съёмку ме́стности ▭ ~ out составля́ть план, плани́ровать; to ~ out one's time распредели́ть своё вре́мя

maple ['meɪpl] *n* 1) клён 2) *attr.* кленóвый

maple-leaf ['meɪplli:f] *n* кленóвый лист *(тж. как эмблема Канады)*

map-maker ['mæp,meɪkə] *n* картóграф

mapping ['mæpɪŋ] **1.** *pres. p. от* map 2

2. *n* нанесе́ние на ка́рту; вычéрчивание карт; картогра́фия; топографи́ческая съёмка

map range [,mæp'reɪndʒ] *n воен.* горизонта́льная да́льность *(по карте)*

maquette [mə'ket] *n* маке́т

maquillage [,mækɪ'ɑ:ʒ] *фр. n* 1) макия́ж, косме́тика 2) примене́ние косме́тики

Maquis [mæ'ki:] *n (pl без измен.)* маки́ *(название французских партизан во второй мировой войне)*

mar [mɑ:] **1.** *n* ушй́б, синя́к

2. *v* уда́рить, повреди́ть, пóртить, искажа́ть ◇ to make or ~ ≅ ли́бо пан, ли́бо пропа́л

marabou ['mærəbu:] *n зоол.* марабу́

marabout ['mærəbu:t] *n* 1) мараб́ут *(мусульманский отшельник)* 2) надгрóбный па́мятник на моги́ле марабу́та

maraca [mə'rækə] *n (часто pl)* мара́кас, погрему́шка *(в оркестре)*

marasmus [mə'ræzməs] *n* мара́зм; óбщее истоще́ние, увяда́ние (органи́зма)

Marathon ['mærəθən] *n* марафóнский бег *(тж. ~ race)*

maraud [mə'rɔ:d] *v* мародёрствовать

marauder [mə'rɔ:də] *n* мародёр

marauding [mə'rɔ:dɪŋ] **1.** *pres. p. от* maraud

2. *n* мародёрство

3. *а* мародёрский, хи́щнический

marble ['mɑ:bl] **1.** *n* 1) мра́мор 2) *pl* коллéкция скульпту́р из мра́мора 3) *pl* дéтская игра́ в ша́рики 4) *attr.* мра́морный; *перен.* крéпкий, твёрдый; бéлый как мра́мор; холóдный, бесчу́вственный

2. *v* распи́сывать под мра́мор

marbled ['mɑ:bld] **1.** *p. p. от* marble 2

2. *а* кра́пчатый, под мра́мор; ~ edges кра́пчатый обре́з *(книги)*

marble-topped [,mɑ:bl'tɒpt] *а*: ~ table стол с мра́морной доскóй *или* мра́морным вéрхом

marcel [mɑ:'sel] **1.** *n* горя́чая зави́вка волóс

2. *v* завива́ть вóлосы щипца́ми

March [mɑ:tʃ] *n* 1) март 2) *attr.* ма́ртовский

march I [mɑ:tʃ] **1.** *n* 1) *воен.* марш; похóдное движе́ние; су́точный перехóд *(тж.* day's ~) 2) (the ~) ход, разви́тие *(событий)*; успéхи *(науки и т. п.)* 3) *муз.* марш 4) *спорт.* марширóвка 5) *attr.* ма́ршевый, похóдный; ~ formation похóдный поря́док

2. *v* 1) маршировáть; дви́гаться похóдным поря́дком 2) вести́ стрóем 3) уводи́ть; заставля́ть уйти́ ▭ ~ **ahead** идти́ вперёд; ~ **away** уводи́ть; ~ **off** выступа́ть, уходи́ть; отводи́ть; ~ **on** продвига́ться вперёд; ~ **out** выступа́ть; выходи́ть; ~ **past** проходи́ть церемониа́льным ма́ршем

march II [mɑ:tʃ] **1.** *n (обыкн. pl)* грани́ца; пограни́чная *или* спóрная полоса́

2. *v* грани́чить

marching I ['mɑ:tʃɪŋ] **1.** *pres. p. от* march I, 2

2. *n* 1) *воен.* похóдное движе́ние, движе́ние похóдным поря́дком 2) маршировка; строева́я подготóвка 3) *attr.* похóдный; во вре́мя похóда; ~ fire стрельба́ с хóду *(во время атаки)*; ~ orders а) прика́з на марш; б): to give smb. his ~ orders *разг.* увóлить когó-л.

marching II ['mɑ:tʃɪŋ] *pres. p. от* march II, 2

marchioness [,mɑ:ʃə'nes] *n* марки́за

marchpane ['mɑ:tʃpeɪn] *уст. см.* marzipan

march past ['mɑ:tʃpɑ:st] *n* прохожде́ние церемониа́льным ма́ршем

Mardi Gras [,mɑ:dɪ'grɑ:s] *n* втóрник на ма́сляной недéле *(в некоторых католических странах)*

mare [meə] *n* кобы́ла

mare's-nest ['meəznest] *n* иллю́зия, нéчто несуществу́ющее ◇ to find a ~ ≅ попа́сть па́льцем в нéбо

margarine [,mɑ:dʒə'ri:n] *n* маргари́н

marge I [mɑ:dʒ] *поэт. см.* margin 1, 1) *и* 2)

marge II [mɑ:dʒ] *разг. см.* margarine

margin ['mɑ:dʒɪn] **1.** *n* 1) край; полоса́, грань; бéрег; опу́шка *(леса)*; предéл; on the ~ of poverty на гра́ни нищеты́ 2) пóле *(страницы)* 3) запа́с *(денег, времени и т. п.)*; ~ of safety *тех.* надёжность; коэффицие́нт безопа́сности, запа́с прóчности 4) ра́зница мéжду себестóимостью и продáжной ценóй; при́быль 5) *бирж.* гаранти́йный взнос ◇ by a narrow ~ едва́, éле, с трудóм

2. *v* 1) оставля́ть запа́с 2) дéлать замéтки на поля́х 3) окаймля́ть

marginal ['mɑ:dʒɪnl] *а* 1) (напи́санный) на поля́х (кни́ги) 2) находя́щийся на краю́ *(чего-л.)* 3) незначи́тельный, несуще́ственный; ~ member of Parliament член парла́мента, и́збранный незначи́тельным большинствóм 4) малорента́бельный 5) предéльный; ~ production costs предéльные издéржки произвóдства 6) *мед.* маргина́льный

marginalia [,mɑ:dʒɪ'neɪlɪə] *n pl* 1) замéтки на поля́х (кни́ги) 2) *полигр.* маргина́лии, боковýшки

marginalize ['mɑ:dʒɪnəlaɪz] *v* не придава́ть осóбого значе́ния

margrave ['mɑ:greɪv] *n ист.* маркгра́ф

margravine ['mɑ:grəvi:n] *n* жена́ маркгра́фа

marguerite [,mɑ:gə'ri:t] *n бот.* маргари́тка

marigold ['mærɪgəʊld] *бот. n* 1) ба́рхатцы 2) ногóтки

marihuana [,mærɪ'wɑ:nə] = marijuana

marijuana [,mærɪ'wɑ:nə] *n* марихуа́на *(наркотик)*

marimba [mə'rɪmbə] *n* мари́мба *(музыкальный инструмент)*

marina [mə'ri:nə] *n* га́вань *(иногда с гостиницами и т. п.)* для прогу́лочных катерóв, экскурсиóнных судóв *и т. п.*

marinade [,mærɪ'neɪd] **1.** *n* марина́д

2. *v* маринова́ть; соли́ть

marine [mə'ri:n] **1.** *n* 1) морскóй флот 2) солда́т морскóй пехóты; the ~s морска́я пехóта 3) *жив.* морскóй пейза́ж, мари́на ◇ tell that to the ~s = tell that to the horse-marines [*см.* horse-marine ◇]

2. *а* 1) морскóй 2) судовóй; ~ stores а) подéржанные корабéльные принадлéжности; б) судовы́е припа́сы 3) воéнно-морскóй

mariner ['mærɪnə] *n* моря́к, матрóс; master ~ капита́н торгóвого су́дна

marionette [,mærɪə'net] *n* марионéтка

marital ['mærɪtl] *а* 1) супру́жеский, бра́чный 2) му́жнин, принадлежа́щий му́жу

maritime ['mærɪtaɪm] *а* 1) морскóй 2) примóрский; ~ station береговáя ста́нция

marjoram ['mɑ:dʒərəm] *n бот.* майора́н

mark I [mɑ:k] *n* 1) ма́рка *(денежная единица Германии)* 2) ма́рка *(старинная английская монета)*

mark II [mɑ:k] **1.** *n* 1) мéтка; знак; ~ of interrogation вопроси́тельный знак 2) пятнó, шрам, рубéц 3) след, отпеча́ток 4) балл, отмéтка; оцéнка *(знаний)* 5) при́знак, показа́тель, знак 6) штамп, штéмпель; фабри́чная ма́рка, фабри́чное клеймó 7) крест *(вместо подписи неграмотного, напр.*: John Smith — his ~*)* 8) цель, мишéнь; to hit (to miss) the ~ попа́сть в цель (промахну́ться); far from (*или* wide of) the ~ а) ми́мо цéли; б) неумéстно; не по существу́; beside the ~ некста́ти 9) грани́ца, предéл; нóрма; у́ровень; above the ~ вы́ше при́нятой *(или установленной)* нóрмы; below the ~ не на высотé *(положения)*; up to the ~ а) на дóлжной высотé; б) в хорóшем состоя́нии, в дóбром здра́вии; within the ~ в предéлах при́нятой (*или* установлéнной) нóрмы 10) извéстность; to make one's ~ вы́двинуться, отличи́ться; сдéлать карьéру; приобрести́ извéстность; of ~ извéстный *(о человеке)* 11) *(обыкн.* M.) модéль, нóмер модéли *(автомобиля и т. п.)* 12) ориенти́р, вéха 13) *спорт.* ли́ния ста́рта, старт; to get off the ~ стартова́ть, взять старт 14) *ист.* рубéж; ма́рка *(пограничная область)* ◇ (God) save the ~ с позволе́ния сказа́ть; бóже упаси; easy *(амер.* soft) ~ а) лёгкая добы́ча; же́ртва; б) дове́рчивый челове́к, проста́к

2. *v* 1) ста́вить знак; штампова́ть, штемпелева́ть; маркирова́ть; ме́тить *(бельё)* 2) отмеча́ть; обознача́ть 3) оставля́ть след, пятно́, рубе́ц 4) ста́вить балл, отме́тку *(на школьной работе)* 5) запи́сывать *(очки в игре)* 6) (по)ста́вить це́ну *(на товаре)* 7) обраща́ть внима́ние, замеча́ть, запомина́ть; ~ my words! по́мни(те) мои́ слова́!; запо́мни(те) мои́ слова́! 8) характеризова́ть, отмеча́ть 9) отмеча́ть, ознамено́вывать 10) *спорт.* опека́ть *(игрока)* 11) (за)регистри́ровать биржеву́ю сде́лку *(с включением её в официальную котировку)* ▭ ~ **down** а) сни́зить це́ну; занижа́ть *(оценку)*; б) запи́сывать; ~ **off** отделя́ть; проводи́ть грани́цы; разграни́чивать; ~ **out** а) выделя́ть, предназнача́ть; б) размеча́ть; расставля́ть указа́тельные зна́ки; ~ **up** а) повы́сить це́ну; б) размеча́ть *(текст и т. п.)*; в) вести́ счёт ◇ to ~ time а) *воен.* обознача́ть шаг на ме́сте; б) топта́ться на ме́сте; выжида́ть

mark-down ['mɑ:kdaʊn] *n* 1) сниже́ние цены́ 2) *ком.* величина́ ски́дки *(с первоначальной цены)*

marked [mɑ:kt] **1.** *p. p. от* mark II, 2

2. *a* 1) име́ющий каки́е-л. зна́ки, ве́хи; заме́ченный, отме́ченный 2) заме́тный, я́вный; strongly ~ я́рко вы́раженный; ~ difference заме́тная ра́зница; ~ disadvantage я́вный уще́рб; я́вно невы́годное положе́ние; a ~ man а) челове́к, за кото́рым следя́т; б) ви́дный, изве́стный челове́к 3) краплёный *(о картах)*

marker ['mɑ:kə] *n* 1) указа́тель; ориентиро́вочный знак; ве́ха 2) маркёр 3) клеймо́вщик; клеймо́вщица 4) *школ.* лицо́, отмеча́ющее прису́тствующих ученико́в; преподава́тель, проверя́ющий пи́сьменные рабо́ты 5) закла́дка *(в книге)* 6) *амер.* мемориа́льная доска́ 7) *горн.* маркиру́ющий горизо́нт ◇ not a ~ to (*или* on) *разг.* ничто́ по сравне́нию с; ≅ в подмётки не годи́тся

market ['mɑ:kɪt] **1.** *n* 1) ры́нок, база́р 2) спрос; to find a (ready) ~ по́льзоваться спро́сом; there's no ~ for these goods на э́ти това́ры нет спро́са 3) сбыт; to come into the ~ поступи́ть в прода́жу; to put on the ~ пусти́ть в прода́жу; to be on the ~ продава́ться 4) торго́вля; brisk ~ бо́йкая торго́вля; hours of ~ часы́ торго́вли 5) ры́ночные це́ны; the ~ rose це́ны подняли́сь; to play the ~ спекули́ровать на би́рже 6) *амер.* (специализи́рованный) продово́льственный магази́н 7) (the M.) О́бщий ры́нок 8) *attr.* ры́ночный; ~ research обобще́ние да́нных о конъюнкту́ре ры́нка ◇ to bring one's eggs (*или* hogs) to a bad (*или* the wrong) ~ просчита́ться; потерпе́ть неуда́чу; to be on the long side of the ~ приде́рживать това́р в ожида́нии повыше́ния цен

2. *v* 1) привезти́ на ры́нок; купи́ть *или* прода́ть на ры́нке 2) продава́ть; сбыва́ть; находи́ть ры́нок сбы́та

marketability [,mɑ:kɪtə'bɪlətɪ] *n* това́рность, го́дность для прода́жи

marketable ['mɑ:kɪtəbl] *a* 1) го́дный для прода́жи, ходово́й *(о товаре)* 2) това́рный; ры́ночный; ~ surplus of grain това́рный хлеб

market-day ['mɑ:kɪtdeɪ] *n* база́рный день

marketeer [,mɑ:kɪ'tɪə] *n* 1) сторо́нник вступле́ния в О́бщий ры́нок 2) купе́ц, торго́вец

market garden [,mɑ:kɪt'gɑ:dn] *n* огоро́д *(для выращивания овощей на продажу)*

marketing ['mɑ:kɪtɪŋ] **1.** *pres. p. от* market 2

2. *n* 1) торго́вля, сбыт 2) ма́ркетинг, изуче́ние усло́вий ры́нка 3) предме́ты торго́вли

market-place ['mɑ:kɪtpleɪs] *n* база́рная, ры́ночная пло́щадь

market-price [,mɑ:kɪt'praɪs] *n* ры́ночная цена́

marking ['mɑ:kɪŋ] **1.** *pres. p. от* mark II, 2

2. *n* 1) маркиро́вка; разме́тка, отме́тка 2) клейм(л)е́ние 3) ме́тка *(на белье)* 4) расцве́тка; окра́ска

markka ['mɑ:kə] *n* ма́рка *(денежная единица Финляндии)*

marksman ['mɑ:ksmən] *n* ме́ткий стрело́к

marksmanship ['mɑ:ksmənʃɪp] *n* ме́ткая стрельба́

mark-up ['mɑ:kʌp] *n* 1) повыше́ние цены́ (на това́р) 2) *ком.* нац́енка *(в розничной торговле)*

marl [mɑ:l] **1.** *n геол.* ме́ргель; рухля́к; известко́вая гли́на; нечи́стый известня́к

2. *v* удобря́ть зе́млю ме́ргелем

marline ['mɑ:lɪn] *n мор.* марли́нь

marmalade ['mɑ:məleɪd] *n* джем, конфитю́р (*особ.* апельси́нный); пови́дло

marmoreal [mɑ:'mɔ:rɪəl] *a поэт.* мра́морный; подо́бный мра́мору

marmoset ['mɑ:məzet] *n* обезья́нка, марты́шка

marmot ['mɑ:mət] *n зоол.* суро́к

maroon I [mə'ru:n] **1.** *n* 1) тёмно-бордо́вый цвет 2) бура́к *(в фейерверке)*

2. *a* тёмно-бордо́вого цве́та

maroon II [mə'ru:n] **1.** *n* 1) *ист.* маро́н *(беглый раб-негр в Вест-Индии и Гвиане)* 2) челове́к, вы́саженный на необита́емом о́строве

2. *v* 1) выса́живать на необита́емом о́строве 2) оста́вить в безвы́ходном положе́нии

marplot ['mɑ:plɒt] *n книжн.* 1) тот, кто расстра́ивает пла́ны 2) поме́ха

marque [mɑ:k] *n*: letter(s) of ~ *мор. ист.* ка́перское свиде́тельство

marquee [mɑ:'ki:] *n* больша́я пала́тка, шатёр

marquess ['mɑ:kwɪs] *n* марки́з *(английский)*

marquetry ['mɑ:kɪtrɪ] *n* маркетри́, инкруста́ция по де́реву

marquis ['mɑ:kwɪs] *n* марки́з *(неанглийский)*

marquise [mɑ:'ki:z] *n* марки́за *(неанглийская)*

marquisette [,mɑ:kwɪ'zet] *n* маркизе́т

marram (grass) ['mærəm(grɑ:s)] *n бот.* песколю́б, песча́ный тростни́к

marriage ['mærɪdʒ] *n* 1) брак; заму́жество; жени́тьба; ~ of convenience брак по расчёту; to contract a ~ заключа́ть брак; to give in ~ выдава́ть за́муж 2) сва́дьба 3) те́сное едине́ние, те́сный сою́з 4) *реакт.* стыко́вка ступе́ней раке́ты; соедине́ние 5) *карт.* марья́ж 6) *attr.* бра́чный; ~ licence разреше́ние на брак; ~ bonds бра́чные у́зы; ~ lines свиде́тельство о бра́ке; ~ articles (*или* settlement) бра́чный контра́кт, каса́ющийся иму́щества; закрепле́ние определённого иму́щества за (бу́дущей) жено́й

marriageable ['mærɪdʒəbl] *a* взро́слый, дости́гший бра́чного во́зраста

married ['mærɪd] **1.** *p. p. от* marry

2. *a* 1) жена́тый; заму́жняя 2) бра́чный, супру́жеский

marrieds ['mærɪdz] *n pl* супру́ги, супру́жеская па́ра; young ~ молоды́е супру́ги

marrow ['mærəʊ] *n* 1) *бот.* кабачо́к (*тж.* vegetable ~) 2) ко́стный мозг 3) су́щность ◇ to the ~ of one's bones до мо́зга косте́й; до глубины́ души́

marrowbone ['mærəʊbəʊn] *n* 1) мозгова́я кость 2) суть, су́щность 3) *pl шутл.* коле́ни; to bring smb. down to his ~s поста́вить кого́-л. на коле́ни, заста́вить покори́ться; to go (*или* to get) down on one's ~s стать на коле́ни 4) *pl разг.* кулаки́ ◇ to ride in the ~ coach е́хать «на свои́х (на) двои́х»

marrowfat ['mærəʊfæt] *n* горо́х мозгово́й

marrow squash [,mærəʊ'skwɒʃ] *n бот.* кабачо́к

marrowy ['mærəʊɪ] *a* 1) костномозгово́й; напо́лненный мо́згом 2) си́льный, кре́пкий 3) содержа́тельный

marry ['mærɪ] *v* 1) жени́ть (to); выдава́ть за́муж (to); жени́ться; выходи́ть за́муж 2) соединя́ть; сочета́ть 3) *мор.* сплёснивать ▭ ~ **off** жени́ть; выдава́ть за́муж ◇ ~ in haste and repent at leisure ≅ жени́ться на ско́рую ру́ку, да на до́лгую му́ку

marrying ['mærɪɪŋ] **1.** *pres. p. от* marry

2. *a* собира́ющийся *или* наме́ренный жени́ться; he is not a ~ man он о жени́тьбе не помышля́ет

Mars [mɑ:z] *n* 1) *римск. миф.* Марс 2) *астр.* Марс *(планета)*

Marsala [mɑ:'sɑ:lə] *n* марсала́ *(вино)*

Marseillaise [,mɑ:seɪ'eɪz] *n* Марселье́за

marsh [mɑ:ʃ] *n* боло́то, топь

marshal ['mɑ:ʃl] **1.** *n* 1) (M.) *воен.* ма́ршал 2) о́бер-церемоний́мейстер 3) *амер.* суде́бный исполни́тель *(соответствует шерифу в Англии)* 4) нача́льник полицейского участка 5) *амер.* начальник пожарной команды

2. *v* 1) выстраивать *(войска, процессию)* 2) располагать в определённом порядке *(факты)*; размещать *(гостей на банкете и т. п.)* 3) торжественно вести, вводить (in) 4) *ж.-д.* сортировать товарные вагоны

marshalling yard [ˈmɑːʃlɪŋjɑːd] *n ж.-д.* сортировочная станция

marsh gas [ˈmɑːʃgæs] *n* болотный газ, метан

marsh harrier [ˈmɑːʃ,hærɪə] *n зоол.* камышовый (*или* болотный) лунь

marshland [ˈmɑːʃlænd] *n* болотистая местность

marsh mallow [mɑːʃˈmæləʊ] *n бот.* алтей аптечный

marsh marigold [mɑːʃˈmærɪgəʊld] *n бот.* калужница болотная

marshy [ˈmɑːʃɪ] *a* болотистый, топкий; болотный

marsupial [mɑːˈsjuːpɪəl] *зоол.* **1.** *n* сумчатое животное

2. *a* сумчатый

mart [mɑːt] *n* 1) торговый центр 2) аукционный зал 3) рынок

marten [ˈmɑːtɪn] *n* куница

martial [ˈmɑːʃl] *a* 1) военный; ~ law военное положение 2) воинственный; ~ spirit воинственный дух

Martian [ˈmɑːʃn] *n* марсианин

martin [ˈmɑːtɪn] *n* городская ласточка

martinet [,mɑːtɪˈnet] *n* сторонник строгой дисциплины

martingale [ˈmɑːtɪngeɪl] *n* 1) мартингал *(часть упряжи)* 2) *карт.* удваивание ставки при проигрыше

Martini [mɑːˈtiːnɪ] *n* мартини

Martinmas [ˈmɑːtɪnməs] *n церк.* Мартынов день *(11 ноября)*

martyr [ˈmɑːtə] **1.** *n* мученик; мученица; страдалец; страдалица; he was a ~ to gout он страдал подагрой; to make a ~ of oneself а) мучиться, принимать на себя муки; б) строить из себя мученика

2. *v* мучить; замучить

martyrdom [ˈmɑːtədəm] *n* 1) мученичество 2) мука

martyrize [ˈmɑːtəraɪz] *v* мучить

marvel [ˈmɑːvl] **1.** *n* 1) чудо; диво; he's a perfect ~ он необыкновенный человек, он чудо 2) замечательная вещь; прекрасный пример

2. *v книжн.* удивляться, изумляться; восхищать(ся) (at)

marvellous [ˈmɑːvləs] **1.** *a* изумительный, удивительный; необыкновенный

2. *n* (the ~) чудесное; непостижимое

Marxism [ˈmɑːksɪzəm] *n* марксизм

Marxist [ˈmɑːksɪst] **1.** *n* марксист

2. *a* марксистский

marzipan [ˈmɑːzɪpæn] *n* марципан

mascara [mæˈskɑːrə] *n* краска, тушь для ресниц и бровей

mascot [ˈmæskət] *n* талисман; человек *или* вещь, приносящие счастье

masculine [ˈmɑːskjʊlɪn] **1.** *n грам.* 1) мужской род 2) слово мужского рода

2. *a* 1) мужской 2) мужественный 3) мужеподобная *(о женщине)*

masculinity [,mæskjʊˈlɪnətɪ] *n* мужественность

maser [ˈmeɪzə] *n физ.* мазер

mash I [mæʃ] **1.** *n* 1) пойло из отрубей 2) (картофельное) пюре 3) сусло 4) мешанина; месиво 5) *спец.* пульпа 6) *тех.* затор

2. *v* 1) раздавливать, разминать 2) заваривать *(солод)* кипятком

mash II [mæʃ] *разг.* **1.** *n* 1) увлечение 2) объект увлечения ◇ ~ note любовная записка, письмо с объяснением в любви

2. *v* увлекать, завлекать

mashed potatoes [,mæʃtpəˈteɪtəʊz] *n pl* картофельное пюре

masher I [ˈmæʃə] *n* 1) картофелемялка 2) пресс, давилка *(для фруктов и т. п.)*

masher II [ˈmæʃə] *n разг.* 1) щёголь, фат 2) донжуан, сердцеед 3) *амер.* мужчина, грубо пристающий к женщине

mask [mɑːsk] **1.** *n* 1) маска 2) защитная *или* предохранительная маска 3) противогаз 4) слепок, посмертная маска 5) личина; to assume (*или* to put on, to wear) a ~ притворяться, скрывать свои истинные намерения; to throw off the ~ сбросить личину 6) *уст.* маска, участник *или* участница маскарада 7) морда зверя *(как охотничий трофей)*

2. *v* 1) надевать маску 2) маскировать, скрывать 3) *воен.* маскировать; to ~ the fire загораживать обстрел

masked [mɑːskt] **1.** *p. p. от* mask 2

2. *a* 1) в маске; переодетый, (за)маскированный; ~ ball бал-маскарад 2) *воен.* замаскированный 3) *мед.* бессимптомный; скрытый

masker [ˈmɑːskə] = masquer

masochism [ˈmæsəkɪzəm] *n* мазохизм

mason [ˈmeɪsn] **1.** *n* 1) каменщик; каменотёс; ~'s rule правило каменщика 2) (M.) масон

2. *v* строить из камня *или* кирпича, вести кладку

Masonic [məˈsɒnɪk] *a* масонский

masonry [ˈmeɪsnrɪ] *n* 1) каменная кладка 2) (M.) масонство

masque [mɑːsk] *n* театр масок

masquer [ˈmɑːskə] *n* участник бала-маскарада *или* театра масок

masquerade [,mæskəˈreɪd] **1.** *n* маскарад

2. *v* 1) участвовать в маскараде; надевать маскарадный костюм 2) притворяться; выдавать себя за *кого-л.*

Mass, mass I [mæs] *n* месса, обедня

mass II [mæs] **1.** *n* 1) масса 2) груда; множество; in the ~ в целом; he is a ~ of bruises он весь в синяках 3) (the ~) большая часть *(чего-л.)* 4) *pl* народные массы 5) *физ.* масса 6) *воен.* массирование; сосредоточение; ~ of manoeuvre манёвренный кулак; ударная группа 7) *attr.* массовый; a ~ meeting массовый митинг; ~ production поточное (*или* серийное) производство

2. *v* 1) собирать(ся) в кучу 2) *воен.* массировать, сосредоточивать

massacre [ˈmæsəkə] **1.** *n* резня; избиение, бойня; ~ of St. Bartholomew *ист.* Варфоломеевская ночь

2. *v* устраивать резню

massage [ˈmæsɑːʒ] **1.** *n* массаж

2. *v* массировать, делать массаж

massage parlour [ˈmæsɑːʒ,pɑːlə] *n* 1) массажный кабинет 2) *эвф.* бордель

masseur [mæˈsɜː] *n* массажист

masseuse [mæˈsɜːz] *n* массажистка

massicot [ˈmæsɪkət] *n* массикот, окись свинца *(жёлтая краска)*

massif [ˈmæsiːf] *n* горный массив

massive [ˈmæsɪv] *a* 1) массивный, солидный; тяжёлый, плотный 2) крупный, большой 3) массированный, массовый 4) массовый 5) огромный; ~ success грандиозный успех; ~ program широкая программа

mass media [,mæsˈmiːdɪə] = media II, 2)

mass-produce [,mæsprəˈdjuːs] *v* производить, выпускать серийно

mass-spectrograph [,mæsˈspektrəʊgrɑːf] *n физ.* масс-спектрограф

mass-spectrometer [,mæsspekˈtrɒmɪtə] *n физ.* масс-спектрометр

massy [ˈmæsɪ] *a* солидный, массивный

mast I [mɑːst] *n с.-х.* плодокорм

mast II [mɑːst] **1.** *n* 1) мачта 2) *attr.* мачтовый ◇ to serve (*или* to sail) before the ~ служить простым матросом

2. *v* ставить мачту

mastectomy [mæˈstektəmɪ] *n мед.* мастэктомия, ампутация молочной железы

-masted [-mɑːstɪd] *в сложных словах* мачтовый; three-~ трёхмачтовый

master [ˈmɑːstə] **1.** *n* 1) хозяин, владелец; господин; ~ of the house глава семьи; to be ~ of smth. а) владеть, обладать чем-л.; б) осуществлять контроль над чем-л.; to be one's own ~ быть самостоятельным, независимым; to be ~ of oneself прекрасно владеть собой, держать себя в руках 2) капитан торгового судна (*тж.* ~ mariner) 3) (школьный) учитель 4) глава колледжа *(в Оксфорде и Кембридже)* 5) специалист, знаток своего дела; ~ of sports мастер спорта; ~ of fence а) искусный фехтовальщик; б) спорщик; to make oneself ~ of smth. добиться совершенства в чём-л., овладеть чем-л. 6) мастер; квалифицированный рабочий 7) магистр *(учёная степень)*; *напр.*: M. of Arts (*сокр.* M. A.) магистр искусств, магистр гуманитарных наук 8) (the M.) Христос 9) великий художник, мастер; old ~s а) старые мастера *(великие художники XIII — XVII вв.)*; б) картины старых мастеров 10) мастер, господин *(в обращении к юноше; ставится перед именем или фамилией старшего сына, напр.*: M. John, M. Jones*)* 11) *спец.* оригинал; образец 12) первый оригинал *(в звукозаписи)* 13) *attr.* главный, ведущий; руководящий;

основно́й; контро́льный; ~ form *тех.* копи́р; шабло́н; ~ station *радио* веду́щая *или* задаю́щая радиопеленга́торная ста́нция

2. *v* 1) одоле́ть, спра́виться; подчини́ть себе́ 2) преодолева́ть (*тру́дности*) 3) владе́ть, овладева́ть (*языко́м, музыка́льным инструме́нтом и т. п.*) 4) руководи́ть, управля́ть

master-builder [ˌmɑ:stəˈbɪldə] *n* строи́тель-подря́дчик

masterful [ˈmɑ:stəfl] *a* 1) вла́стный, деспоти́ческий 2) мастерско́й

master-hand [ˈmɑ:stəhænd] *n* ма́стер, прекра́сный специали́ст

master-key [ˈmɑ:stəki:] *n* отмы́чка; *перен.* универса́льное сре́дство

masterly [ˈmɑ:stəlɪ] **1.** *a* мастерско́й; соверше́нный

2. *adv* ма́стерски

mastermind [ˈmɑ:stəmaɪnd] **1.** *n* 1) выдаю́щийся ум 2) руководи́тель, вдохнови́тель (*особ. та́йный, неофициа́льный*)

2. *v* управля́ть, руководи́ть (*особ.* та́йно)

Master of Ceremonies [ˌmɑ:stərəv ˈserəmənɪz] *n* 1) конферансье́ 2) веду́щий телепереда́чи 3) церемониймéйстер

Master of the Horse [ˌmɑ:stərəvðə ˈhɔ:s] *n* шталме́йстер

masterpiece [ˈmɑ:stəpi:s] *n* шеде́вр

mastership [ˈmɑ:stəʃɪp] *n* 1) мастерство́ 2) главе́нство 3) до́лжность учи́теля, дире́ктора *и т. п.*

master-spirit [ˈmɑ:stəˌspɪrɪt] *n* челове́к выдаю́щегося ума́

master-stroke [ˈmɑ:stəstrəʊk] *n* у́мный шаг; ло́вкий ход

master-switch [ˌmɑ:stəˈswɪtʃ] *n* гла́вный, о́бщий выключа́тель

mastery [ˈmɑ:stərɪ] *n* 1) госпо́дство, власть; ~ of the air госпо́дство в во́здухе 2) мастерство́; соверше́нное владе́ние (*предме́том*); his ~ of the piano его́ необыкнове́нная игра́ на фортепиа́но

mast-head I [ˈmɑ:sthed] *мор.* **1.** *n* топ ма́чты

2. *v* 1) посыла́ть на топ ма́чты (*в нака́зание*) 2) поднима́ть на сте́ньгах

mast-head II [ˈmɑ:sthed] *n* 1) назва́ние газе́ты (на пе́рвой страни́це) 2) фла́говый заголо́вок, све́дения о газе́те, её реда́кторах, сто́имости подпи́ски *и т. п.* (на пе́рвой страни́це)

mastic [ˈmæstɪk] *n* 1) масти́ка 2) смола́ масти́кового де́рева 3) масти́ковое де́рево 4) бле́дно-жёлтый цвет

masticate [ˈmæstɪkeɪt] *v* жева́ть

mastication [ˌmæstɪˈkeɪʃn] *n* 1) жева́ние 2) *спец.* пластика́ция

masticatory [ˈmæstɪkətərɪ] *a* жева́тельный; ~ stomach жева́тельный желу́док

mastiff [ˈmæstɪf] *n* масти́фф (*англи́йский дог*)

mastitis [mæˈstaɪtɪs] *n мед.* воспале́ние моло́чных желёз, грудни́ца, масти́т

mastodon [ˈmæstədɒn] *n* мастодо́нт

masturbation [ˌmæstəˈbeɪʃn] *n* мастурба́ция

masurium [məˈzu:rɪəm] *n хим.* мазу́рий

mat I [mæt] **1.** *n* 1) мат; цино́вка; полови́к; ко́врик 2) клеёнка, подсти́лка, подста́вка (*под блю́до, ла́мпу и т. п.*) 3) что.-л. запу́танное, перепу́танное; a ~ of hair спу́танные во́лосы; колту́н 4) рого́жа 5) паспарту́ ◇ to leave (a person) on the ~ отказа́ться приня́ть (посети́теля); to have smb. on the ~ распека́ть кого́-л.; ≃ вы́звать кого́-л. на ковёр

2. *v* 1) спу́тываться, сбива́ться 2) устила́ть цино́вками, стлать цино́вки; прикрыва́ть (*расте́ние на зи́му*) рого́жей

mat II [mæt] = matt

matador [ˈmætədɔ:] *n* матадо́р

match I [mætʃ] *n* 1) спи́чка; to strike a ~ заже́чь спи́чку 2) *воен.* запа́льный фити́ль; огнепрово́д

match II [mætʃ] **1.** *n* 1) состяза́ние, матч 2) равноси́льный, досто́йный проти́вник; he is more than a ~ for me он сильне́е (иску́снее *и т. п.*) меня́; to meet (*или* to find) one's ~ встре́тить досто́йного проти́вника 3) челове́к *или* вещь, подходя́щие под па́ру; ро́вня; па́ра; he has no ~ ему́ нет ра́вного 4) брак; па́ртия; he (she) is a good ~ он (она́) хоро́шая па́ртия; to make a ~ жени́ться; вы́йти за́муж

2. *v* 1) подходи́ть (под па́ру), соотве́тствовать; these colours don't ~ э́ти цвета́ пло́хо сочета́ются, не гармони́руют; a bonnet with ribbons to ~ шля́па с подо́бранными (в тон) ле́нтами 2) подбира́ть под па́ру, под стать, сочета́ть 3) противопоставля́ть; to ~ one's strength against smb. else's поме́риться си́лами с кем-л. 4) противостоя́ть; состяза́ться 5) *уст.* жени́ть; выдава́ть за́муж; (со)сва́тать 6) спа́ривать(ся), случа́ть(ся) 7) *тех.* подгоня́ть; выра́внивать

match-board [ˈmætʃbɔ:d] *n стр.* шпунтова́я доска́

match-box [ˈmætʃbɒks] *n* спи́чечная коро́бка

matchless [ˈmætʃləs] *a* несравне́нный, бесподо́бный, непревзойдённый

matchlock [ˈmætʃlɒk] *n воен. ист.* фити́льный замо́к

matchmaker [ˈmætʃˌmeɪkə] *n* 1) сват; сва́ха 2) *спорт.* антрепренёр

match-making [ˈmætʃmeɪkɪŋ] *n* 1) сватовство́ 2) *спорт.* организа́ция ма́тчей

match-point [ˌmætʃˈpɔɪnt] *n спорт.* очко́, реша́ющее исхо́д ма́тча

matchwood [ˈmætʃwʊd] *n* 1) древеси́на, го́дная для произво́дства спи́чек 2) спи́чечная соло́мка; to break into ~ ме́лко щепа́ть ◇ to make ~ of smth. разби́ть вдре́безги что-л.; to make ~ of smb. разгроми́ть кого́-л.

mate I [meɪt] *шахм.* **1.** *n* мат; fool's ~ мат со второ́го хо́да

2. *v* сде́лать мат

3. *int* мат!

mate II [meɪt] **1.** *n* 1) това́рищ 2) друг, прия́тель (*в обраще́нии*) 3) саме́ц; са́мка 4) *разг.* супру́г(а) 5) *мор.* помо́щник капита́на (*в торго́вом фло́те*) 6) напа́рник, помо́щник; the cook's ~ помо́щник ко́ка 7) *тех.* сопряжённая дета́ль

2. *v* 1) спа́ривать(ся) (*о пти́цах, живо́тных*) 2) сочета́ть(ся) бра́ком 3) *тех.* сопряга́ть 4) зацепля́ть(ся) (*о зу́бчатых колёсах*)

matelote [ˈmætələʊt] *фр. n* 1) *кул.* матело́т 2) матло́т (*матро́сский та́нец*)

mater [ˈmeɪtə] *n школ. жарг. шутл.* мать

material [məˈtɪərɪəl] **1.** *n* 1) материа́л; вещество́ 2) мате́рия, ткань 3) *pl* принадле́жности; writing ~s пи́сьменные принадле́жности 4) (*ча́сто pl*) фа́кты, да́нные, материа́л

2. *a* 1) материа́льный; веще́ственный; ~ world материа́льный мир 2) теле́сный, физи́ческий (*в противоп. духо́вному*); ~ needs физи́ческие потре́бности 3) иму́щественный, де́нежный; ~ losses фина́нсовые поте́ри; убы́тки 4) суще́ственный, ва́жный; ~ witness *юр.* ва́жный свиде́тель

materialism [məˈtɪərɪəlɪzəm] *n* материали́зм

materialist [məˈtɪərɪəlɪst] **1.** *n* материали́ст

2. *a* = materialistic

materialistic [məˌtɪərɪəˈlɪstɪk] *a* материалисти́ческий

materiality [məˌtɪərɪˈælətɪ] *n* 1) материа́льность 2) *юр.* ва́жность, суще́ственность

materialization [məˌtɪərɪəlaɪˈzeɪʃn] *n* 1) материализа́ция 2) осуществле́ние, претворе́ние в жизнь

materialize [məˈtɪərɪəlaɪz] *v* 1) материализова́ть(ся) 2) осуществля́ть(ся); претворя́ть(ся) в жизнь (*о пла́нах и т. п.*)

materially [məˈtɪərɪəlɪ] *adv* 1) суще́ственным о́бразом 2) материа́льно, веще́ственно 3) факти́чески

matériel [məˌtɪərɪˈel] *фр. n воен.* материа́льная часть; боева́я те́хника

maternal [məˈtɜ:nl] *a* 1) матери́нский 2) с матери́нской стороны́; ~ uncle дя́дя по ма́тери

maternity [məˈtɜ:nətɪ] *n* 1) матери́нство 2) *attr.*: ~ hospital (*или* home) роди́льный дом; ~ nurse акуше́рка; ~ benefit посо́бие роже́нице; ~ leave о́тпуск по бере́менности и ро́дам

matey [ˈmeɪtɪ] *разг.* **1.** *a* общи́тельный, компане́йский, дру́жественный (with)

2. *n* дружи́ще, прия́тель (*в обраще́нии*)

mathematical [ˌmæθəˈmætɪkl] *a* математи́ческий

mathematician [ˌmæθəməˈtɪʃn] *n* матема́тик

mathematics [ˌmæθəˈmætɪks] *n pl* (*употр. как sing*) матема́тика

maths [mæθs] *сокр. разг. см.* mathematics

matin [ˈmætɪn] *n* 1) *поэт.* у́треннее щебета́ние птиц 2) *pl церк.* (за)у́треня

matinée ['mætıneı] *n* 1) дневно́й спекта́кль *или* конце́рт 2) *attr.*: ~ idol актёр, име́ющий большо́й успе́х у же́нщин

matriarchy ['meıtrıɑ:kı] *n* матриарха́т

matric [mə'trık] *сокр. разг. см.* matriculation

matrices ['meıtrısi:z] *pl от* matrix

matricide ['meıtrısaıd] *n* 1) матереуби́йство 2) матереуби́йца

matriculant [mə'trıkjʊlənt] *n* абитурие́нт

matriculate [mə'trıkjʊleıt] **1.** *v* приня́ть *или* быть при́нятым в вы́сшее уче́бное заведе́ние

2. *n* при́нятый в вы́сшее уче́бное заведе́ние

matriculation [mə,trıkjʊ'leıʃn] *n* 1) зачисле́ние в вы́сшее уче́бное заведе́ние 2) вступи́тельные экза́мены в вы́сшее уче́бное заведе́ние

matrimonial [,mætrı'məʊnıəl] *a* супру́жеский; матримониа́льный

matrimony ['mætrımənı] *n* 1) брак, супру́жество 2) *карт.* марья́ж

matrix ['meıtrıks] *n* (*pl.* -es [-ız], -rices) 1) *спец.* ма́трица; фо́рма 2) *биол.* межклёточное вещество́ тка́ни 3) *анат.* ма́тка 4) *геол.* матери́нская поро́да; цементи́рующая среда́ 5) *стр.* раство́р, вя́жущее вещество́

matron ['meıtrən] *n* 1) заму́жняя же́нщина; мать семе́йства, матро́на 2) эконо́мка; кастеля́нша; сестра́-хозя́йка (*больницы и т. п.*); заве́дующая хозя́йством (*школы и т. п.*)

matronal ['meıtrənl] *a* подоба́ющий почте́нной же́нщине

matronly ['meıtrənlı] = matronal

matron-of-honour [,meıtrənəv'ɒnə] *n* заму́жняя подру́жка неве́сты (*на сва́дьбе*)

matt [mæt] **1.** *a* ма́товый, неполиро́ванный, ту́склый

2. *n* ма́товая отде́лка, пове́рхность *или* кра́ска

3. *v* 1) де́лать ма́товым (*стекло, золото*) 2) де́лать ту́склым (*краски*)

matted I ['mætıd] **1.** *p. p. от* mat 1, 2

2. *a* 1) покры́тый цино́вками, полови́ками 2) спу́танный (*о волосах*)

matted II ['mætıd] **1.** *p. p. от* mat II *и* matt 3

2. *a* ма́товый

matter ['mætə] **1.** *n* 1) вещество́ 2) *филос.* мате́рия 3) материа́л 4) вопро́с, де́ло; it is a ~ of common knowledge э́то общеизве́стно; a ~ of dispute предме́т спо́ра, спо́рный вопро́с; a ~ of life and death вопро́с жи́зни и сме́рти, жи́зненно ва́жный вопро́с; it is a ~ of a few hours (days, weeks, *etc.*) э́то де́ло не́скольких часо́в (дней, неде́ль *и т. п.*); a ~ of taste (habit, *etc.*) де́ло вку́са (привы́чки *и т. п.*); money ~s де́нежные дела́; as ~s stand при существу́ющем положе́нии (дел); what's the ~? в чём де́ло?, что случи́лось?; what's the ~ with you? что с ва́ми? 5) предме́т (*обсуждения и т. п.*) 6) су́щность; содержа́ние; form and ~ фо́рма и содержа́ние 7) *мед.* гной 8) по́вод (of, for) 9) *полигр.* ру́копись; оригина́л ◇ in the ~ of... что каса́ется...; for that ~, for the ~ of that что каса́ется э́того; в э́том отноше́нии; ко́ли на то́ пошло́; no ~ безразли́чно; всё равно́, нева́жно; no ~ what несмотря́ ни на что́; что бы ни́ было

2. *v* 1) име́ть значе́ние; it doesn't ~ э́то не име́ет значе́ния; нева́жно, ничего́ 2) гнои́ться

matter of course [,mætərəv'kɔ:s] *n* де́ло есте́ственное, само́ собо́й разуме́ющееся; я́сное де́ло

matter-of-course [,mætərəv'kɔ:s] *a* есте́ственный; само́ собо́й разуме́ющийся

matter of fact [,mætərəv'fækt] *n* реа́льная действи́тельность, факт; не вызыва́ющее сомне́ний обстоя́тельство; as a ~ а) факти́чески, на са́мом де́ле; б) в су́щности; со́бственно говоря́

matter-of-fact [,mætərəv'fækt] *a* 1) сухо́й, прозаи́чный; лишённый фанта́зии 2) практи́чный

matting I ['mætıŋ] **1.** *pres. p. от* mat I, 2

2. *n* цино́вка, полови́к; рого́жа; *собир.* цино́вки

matting II ['mætıŋ] *pres. p. от* mat II *и* matt 3

mattock ['mætək] *n* моты́га; киркомоты́га

mattress ['mætrəs] *n* 1) матра́ц, тюфя́к 2) *стр.* фаши́нный тюфя́к

maturate ['mætʃʊreıt] *v мед.* созре́ть; нагнои́ться

maturation [,mætʃʊ'reıʃn] *n* 1) созрева́ние; достиже́ние по́лного разви́тия 2) *мед.* нарыва́ние, нагное́ние

mature [mə'tʃʊə] **1.** *a* 1) зре́лый; спе́лый; вы́держанный 2) созре́вший, гото́вый (*для чего-л.*) 3) тща́тельно обду́манный, проду́манный 4) подлежа́щий опла́те (*ввиду наступившего срока — о векселе*)

2. *v* 1) созре́ть, вполне́ разви́ться 2) доводи́ть до зре́лости, до по́лного разви́тия; to ~ schemes подро́бно разрабо́тать пла́ны 3) наступа́ть (*о сроке платежа*)

maturity [mə'tʃʊərətı] *n* 1) зре́лость, достиже́ние по́лного разви́тия 2) завершённость 3) *ком.* срок платежа́ по ве́кселю

matutinal [,mætjʊ'taınl] *a* 1) у́тренний 2) ра́нний

maty ['meıtı] = matey

matzo ['mɒtsə] *n* (*pl* -os [-əz], matzoth) маца́

matzoth ['mɒtsət] *pl от* matzo

maud [mɔ:d] *n* 1) се́рый полоса́тый плед (*шотландских пастухов*) 2) доро́жный плед

maudlin ['mɔ:dlın] **1.** *a* 1) сентимента́льный 2) плакси́вый, слезли́вый во хмелю́

2. *n* слезли́вая сентимента́льность

maul [mɔ:l] **1.** *n* кува́лда

2. *v* 1) жесто́ко избива́ть, калечи́ть; терза́ть; badly ~ed by a bear си́льно помя́тый медве́дем 2) неуме́ло *или* гру́бо обраща́ться 3) жесто́ко критикова́ть

mauler ['mɔ:lə] *n* 1) мучи́тель, истяза́тель 2) *спорт. sl.* боксёр

maulstick ['mɔ:lstık] *n жив.* мушта́бель

maun [mɔ:n] *шотл.* = must I

maunder ['mɔ:ndə] *v* 1) говори́ть бессвя́зно; бормота́ть 2) де́йствовать *или* дви́гаться лени́во, как во сне □ ~ **about**, ~ **along** броди́ть, шата́ться

Maundy ['mɔ:ndı] *n рел.* 1) ми́лостыня, раздава́емая на страстно́й неде́ле (*тж.* ~ money) 2) *attr.*: ~ week страстна́я неде́ля; ~ Thursday вели́кий четве́рг (*на страстной неделе*)

Mauser ['maʊzə] *n* ма́узер

mausoleum [,mɔ:sə'li:əm] *n* мавзоле́й

mauve [məʊv] *a* розова́то-лило́вый

maven ['meıvn] *n амер. разг.* знато́к, специали́ст

maverick ['mævərık] *n* 1) *амер.* неклеймёный телёнок 2) челове́к с незави́симым мне́нием; инакомы́слящий; диссиде́нт

mavis ['meıvıs] *n поэт.* пе́вчий дрозд

maw [mɔ:] *n* 1) живо́т, брю́хо; *перен. тж.* утро́ба 2) сычу́г 3) пасть

mawkish ['mɔ:kıʃ] *a* 1) сентимента́льный, слезли́вый, слаща́вый 2) проти́вный на вкус; прито́рный

mawseed ['mɔ:si:d] *n* семена́ о́пийного ма́ка

maxi ['mæksı] *n разг.* ма́кси

maxi- ['mæksı-] *в сложных словах указывает на большую длину, большой размер и т. п.* ма́кси-; ~-coat ма́кси-пальто́; ~-skirt ма́кси-ю́бка

maxilla [mæk'sılə] *n* (*pl* -lae) (ве́рхняя) че́люсть (*позвоночных животных*)

maxillae [mæk'sıli:] *pl от* maxilla

maxillary [mæk'sılərı] *a* (верхне)челюстно́й

Maxim ['mæksım] *n* станко́вый пулемёт систе́мы Ма́ксима (*тж.* ~ machine-gun)

maxim ['mæksım] *n* 1) сенте́нция, афори́зм 2) пра́вило поведе́ния; при́нцип

maxima ['mæksımə] *pl от* maximum

maximize ['mæksımaız] *v* 1) увели́чивать до кра́йности, до преде́ла 2) придава́ть огро́мное значе́ние

maximum ['mæksıməm] **1.** *n* (*pl тж.* -ima) ма́ксимум; максима́льное значе́ние; вы́сшая сте́пень

2. *a* максима́льный

maxwell ['mækswəl] *n эл.* ма́ксвелл

May [meı] *n* 1) май 2) (m.) цвето́к боя́рышника 3) *поэт.* расцве́т жи́зни 4) *pl* ма́йские экза́мены (*в Кембридже*) 5) *pl* гребны́е го́нки (*в Кембридже — после майских экзаменов*) 6) *attr.* ма́йский 7) *attr.* первома́йский

may I [meı] *v* (might) *модальный, недостаточный глагол* 1) мочь, име́ть возмо́жность; быть вероя́тным; it ~ be so возмо́жно, что э́то так; he ~ arrive tomorrow возмо́жно, что он прие́дет за́втра; the train ~ be late по́езд мо́жет опозда́ть; по́езд, возмо́жно, опозда́ет 2) *выражает просьбу или разрешение*: ~ I come and see you? могу́ ли я зайти́ повида́ть вас?; you ~ go if you choose вы мо́жете идти́, е́сли хоти́те 3) *в восклицательных предложениях выражает пожелание*: ~ theirs be a happy meeting! пусть их встре́ча бу́дет счастли́вой! 4) *в вопросительных предложениях употр. для смягчения резкости задаваемого вопроса или для выражения неуверенности*: who ~ that be? кто бы э́то мог быть? 5) *употр. как вспомогательный глагол для образования сложной формы сослагательного наклонения*: whoever he ~ be he has no rights to speak like that кто бы он ни́ был, он не име́ет пра́ва говори́ть подо́бным о́бразом ◇ be that as it ~ а) как бы то ни́ было; б) будь что бу́дет!

may II ['meɪ] *n поэт.* де́ва

May-apple ['meɪ,æpl] *n бот.* подофи́л, мандраго́ра

maybe ['meɪbɪ] *adv* мо́жет быть

May-bug ['meɪbʌg] *n* ма́йский жук

May Day ['meɪdeɪ] *n* пра́здник Пе́рвого ма́я

mayday ['meɪdeɪ] *n ав., мор.* радиосигна́л бе́дствия

mayflower ['meɪ,flaʊə] *n* цвето́к, распуска́ющийся в ма́е: ма́йник, ла́ндыш, боя́рышник

mayfly ['meɪflaɪ] *n* 1) *зоол.* подёнка, му́ха-одноднéвка 2) иску́сственная нажи́вка рыболо́ва

mayhem ['meɪhem] *n юр.* нанесе́ние уве́чья

Maying ['meɪɪŋ] *n* пра́зднование Пе́рвого ма́я; пра́зднование наступле́ния весны́ (*в Англии*)

mayonnaise [,meɪə'neɪz] *n* 1) майоне́з 2) ры́ба *или* мя́со под майоне́зом

mayor [meə] *n* мэр

mayoralty ['meərəltɪ] *n* 1) до́лжность мэ́ра 2) срок пребыва́ния в до́лжности мэ́ра

mayoress [,meər'es] *n* 1) жена́ мэ́ра 2) же́нщина-мэ́р

maypole ['meɪpəʊl] *n* 1) ма́йское де́рево (*украшенный цветами столб, вокруг которого танцуют 1 мая в Англии*) 2) *разг.* верзи́ла, каланча́

May-queen ['meɪkwi:n] *n* короле́ва ма́я (*в майских играх*)

mayweed ['meɪwi:d] *n бот.* пупа́вка полева́я; рома́шка непаху́чая

mazarine [,mæzə'ri:n] **1.** *n* тёмно-си́ний цвет

2. *a* тёмно-си́ний

maze [meɪz] **1.** *n* 1) лабири́нт 2) пу́таница

2. *v* ста́вить в тупи́к, приводи́ть в замеша́тельство

mazer ['meɪzə] *n ист.* ча́ша, ку́бок (*из дерева с серебряными украшениями*)

mazurka [mə'zɜ:kə] *n* мазу́рка

mazy ['meɪzɪ] *a* запу́танный

M-day ['emdeɪ] *n амер.* день нача́ла мобилиза́ции

me I [mi:] *pron pers. косв. п. от* I

me II [mi:] *n муз.* ми

mead I [mi:d] *n* мёд (*напиток*)

mead II [mi:d] *n поэт.* луг

meadow ['medəʊ] *n* луг, луговина

meadow-grass ['medəʊgrɑ:s] *n бот.* мя́тлик лугово́й

meadowy ['medəʊɪ] *a* 1) лугово́й 2) бога́тый луга́ми (*о местности*)

meagre ['mi:gə] *a* 1) недоста́точный; ску́дный, небольшо́й 2) бе́дный содержа́нием; ограни́ченный 3) худо́й; то́щий 4) по́стный

meal I [mi:l] **1.** *n* 1) мука́ кру́пного помо́ла 2) *амер.* кукуру́зная мука́

2. *v* 1) посыпа́ть муко́й, обва́ливать в муке́ 2) перема́лывать, превраща́ть в муку́

meal II [mi:l] *n* приня́тие пи́щи; еда́

mealies ['mi:lɪz] *n pl южно-афр.* маи́с

mealiness ['mi:lɪnəs] *n* 1) мучни́стость 2) рассы́пчатость (*картофеля*)

meals-on-wheels [,mi:lzɒn'wi:lz] *n* сто́лик для заку́сок (*на колёсиках*)

meal-ticket ['mi:ltɪkɪt] *n* 1) тало́н на обе́д 2) исто́чник дохо́дов

mealtime ['mi:ltaɪm] *n* вре́мя приня́тия пи́щи (*обеда, ужина и т. п.*)

meal-worm ['mi:lwɜ:m] *n зоол.* хруща́к мучно́й

mealy ['mi:lɪ] *a* 1) мучно́й, мучни́стый 2) ры́хлый; рассы́пчатый (*о картофеле*) 3) бле́дный, мучни́стый 4) = mealy-mouthed

mealy-bug ['mi:lɪbʌg] *n зоол.* мучни́стый черве́ц

mealy-mouthed [,mi:lɪ'maʊðd] *a* сладкоречи́вый, неи́скренний

mean I [mi:n] *a* 1) скупо́й, ска́редный 2) ни́зкий, по́длый, нече́стный 3) посре́дственный; плохо́й; сла́бый; no ~ abilities хоро́шие спосо́бности 4) бе́дный, убо́гий, жа́лкий 5) ни́зкого происхожде́ния 6) *разг.* приди́рчивый, недоброжела́тельный 7) *амер.* тру́дный, неподдаю́щийся 8) *разг.* скро́мный, смуща́ющийся; to feel ~ а) чу́вствовать себя́ нело́вко; б) чу́вствовать себя́ нездоро́вым

mean II [mi:n] **1.** *n* 1) середи́на; the golden (*или* happy) ~ золота́я середи́на 2) *мат.* сре́днее число́

2. *a* сре́дний; ~ line *мат.* биссектри́са; ~ time сре́днее со́лнечное вре́мя; ~ water норма́льный у́ровень воды́; меже́нь; ~ yield сре́дний урожа́й ◇ in the ~ time тем вре́менем; ме́жду тем

mean III [mi:n] *v* (meant) 1) намерева́ться; име́ть в виду́; I didn't ~ to offend you я не хоте́л вас оби́деть; to ~ business *разг.* а) бра́ться (*за что-л.*) серьёзно, реши́тельно; б) говори́ть всерьёз; to ~ mischief а) име́ть дурны́е наме́рения; б) предвеща́ть дурно́е; to ~ well (ill) име́ть до́брые (дурны́е) наме́рения; he ~s well by us он жела́ет нам добра́ 2) ду́мать, подразумева́ть; what do you ~ by that? а) что вы э́тим хоти́те сказа́ть?; б) почему́ вы поступа́ете так?; what did you ~ by looking at me like that? в чём де́ло? Почему́ ты на меня́ так посмотре́л? 3) предназнача́ть(ся); to ~ it be used предназнача́ть (что-л.) для по́льзования 4) означа́ть; предвеща́ть; this ~s trouble э́то предвеща́ет беду́ 5) зна́чить, означа́ть, име́ть значе́ние

meander [mɪ'ændə] **1.** *n* 1) *pl* изви́лина (*дороги, реки*) 2) *архит.* меа́ндр (*орнамент*)

2. *v* 1) броди́ть без це́ли (*тж.* ~ along) 2) извива́ться (*о реке, дороге*)

meanie ['mi:nɪ] *n разг.* 1) по́длый, ни́зкий челове́к 2) жа́дина, скупердя́й

meaning ['mi:nɪŋ] **1.** *pres. p. от* mean III

2. *n* значе́ние; смысл; ва́жность; with ~ многозначи́тельно

3. *a* зна́чащий; (много)значи́тельный, вырази́тельный

meaningful ['mi:nɪŋfl] *a* многозначи́тельный, вырази́тельный

meaningless ['mi:nɪŋləs] *a* бессмы́сленный

meaningly ['mi:nɪŋlɪ] *adv* 1) многозначи́тельно 2) созна́тельно, наро́чно

meanly ['mi:nlɪ] *adv* 1) по́дло, ни́зко 2) ску́по, ме́лочно 3) ску́дно, бе́дно

meanness ['mi:nnəs] *n* 1) ни́зость, по́длость 2) убо́жество, посре́дственность

means [mi:nz] *n pl* 1) (*часто употр. как sing*) сре́дство; спо́соб; the ~ of communication сре́дства сообще́ния; the ~ of circulation *эк.* сре́дства обраще́ния; the ~ of payment *эк.* платёжные сре́дства; the ~ and instruments of production ору́дия и сре́дства произво́дства; by all ~ а) любы́м спо́собом; б) любо́й цено́й; в) коне́чно, пожа́луйста; by any ~ каки́м бы то ни́ было о́бразом; by ~ of... посре́дством...; by no ~ а) нико́им о́бразом; ни в ко́ем слу́чае; б) ниско́лько, отню́дь не; it is by no ~ cheap э́то отню́дь не дёшево 2) сре́дства, состоя́ние, бога́тство; ~ of subsistence сре́дства к существова́нию; a man of ~ челове́к со сре́дствами, состоя́тельный челове́к 3) *attr.*: ~ test прове́рка нужда́емости

mean-spirited [,mi:n'spɪrɪtɪd] *a* по́длый; ни́зкий; ~ fellow подле́ц

meant [ment] *past и p. p. от* mean III

meantime [,mi:n'taɪm] **1.** *adv* = meanwhile

2. *n* промежу́ток вре́мени

meanwhile ['mi:nwaɪl] *adv* тем вре́менем; ме́жду тем

measles ['mi:zlz] *n pl* (*употр. как sing*) 1) корь 2) *вет.* финно́з

measly ['mi:zlɪ] *a* 1) *разг.* презре́нный; него́дный; жа́лкий 2) корево́й 3) заражённый трихи́нами *или* фи́ннами (*о мясе*)

measurable ['meʒərəbl] *a* измери́мый; in the ~ future в недалёком бу́дущем; within ~ distance of поблизости от

measurably ['meʒərəblɪ] *adv* до изве́стной сте́пени, в изве́стной ме́ре

measure ['meʒə] **1.** *n* 1) ме́ра; едини́ца измере́ния; dry (linear, liquid, square, *etc.*) ~s ме́ры сыпу́чих тел (длины́, жи́дкостей, пло́щади *и т. п.*); full (short) ~

по́лная (непо́лная) ме́ра; to give good ~ а) дать по́лную ме́ру; б) возда́ть по́лной ме́рой 2) ме́рка; made to ~ сши́тый по ме́рке; сде́ланный на зака́з; to take smb.'s ~ а) снима́ть ме́рку с кого́-л.; б) присма́триваться к кому́-л.; определя́ть чей-л. хара́ктер 3) преде́л, сте́пень; to set ~s to smth. ограни́чивать что-л.; ста́вить преде́л чему́-л.; beyond (*или* out of) ~ чрезме́рно; чрезвыча́йно; in some (*или* in a) ~ до не́которой сте́пени, отча́сти; to give a ~ of hope до не́которой сте́пени обнадёжить, всели́ть каку́ю-то наде́жду; a limited ~ of success непо́лный, относи́тельный успе́х 4) масшта́б, мери́ло, крите́рий; ~ of value мери́ло сто́имости 5) ме́ра, мероприя́тие; to take (drastic) ~s приня́ть (реши́тельные, круты́е) ме́ры 6) *мат.* дели́тель; greatest common ~ о́бщий наибо́льший дели́тель 7) *полигр.* ширина́ столбца́ 8) *прос.* метр, разме́р 9) *муз.* такт 10) *уст.* та́нец 11) *pl геол.* пласты́ определённой геологи́ческой форма́ции; свита ◇ ~ for ~ ≅ ме́ра за ме́ру; о́ко за о́ко; to get the ~ of smb. раскуси́ть кого́-л.

2. *v* 1) измеря́ть, ме́рить 2) име́ть разме́ры; the house ~s 60 feet long дом име́ет 60 фу́тов в длину́ 3) снима́ть ме́рку; to ~ a person with one's eye сме́рить кого́-л. взгля́дом 4) оце́нивать, определя́ть (*характер и т. п.*) 5) отмеря́ть, отсчи́тывать (*тж.* ~ off) 6) соразмеря́ть; регули́ровать; to ~ one's acts (by) соразмеря́ть свои́ посту́пки (с) 7) поме́риться си́лами (with, against — с) 8) *поэт.* покрыва́ть (*расстояние*) ▭ ~ **off** отмеря́ть; ~ **out** отмеря́ть; выдава́ть по ме́рке; распределя́ть; ~ **up** (to, with) а) достига́ть (*уровня*); б) соотве́тствовать, отвеча́ть (*требованиям*) ◇ to ~ one's length растяну́ться во весь рост

measured ['meʒəd] **1.** *p. p. от* measure 2

2. *a* 1) изме́ренный; ~ mile ме́рная ми́ля 2) разме́ренный, ритми́чный; ~ tread ме́рная по́ступь 3) обду́манный, взве́шенный; сде́ржанный, неторопли́вый (*о речи*)

measureless ['meʒələs] *a* безме́рный; безграни́чный, неизмери́мый

measurement ['meʒəmənt] *n* 1) измере́ние (*действие*) 2) (*обыкн. pl*) разме́ры 3) систе́ма мер 4) *attr.*: ~ goods *ком.* обме́рные гру́зы (*плата за транспортировку которых зависит от их объёма*)

measurer ['meʒərə] *n* измери́тельный прибо́р, измери́тель

meat [mi:t] *n* 1) мя́со 2) пи́ща для размышле́ний; содержа́ние, суть; a book full of ~ содержа́тельная кни́га 3) мя́коть (*плода*), ядро́ (*ореха*) *и т. п.* 4) *уст.* пи́ща; еда́; at ~ за едо́й, за столо́м; after ~ по́сле еды́ ◇ green ~ зе́лень, о́вощи; to be ~ and drink to smb. доставля́ть большо́е удово́льствие кому́-л.; ≅ хле́бом не корми́; one man's ~ is another man's poison *посл.* что поле́зно одному́, то вре́дно друго́му

meat-ball ['mi:tbɔ:l] *n* фрикаде́лька

meat-chopper ['mi:t,tʃɒpə] *n* мясору́бка

meat-fly ['mi:tflaɪ] *n* мясна́я му́ха

meat-grinder ['mi:t,graɪndə] *амер.* = meat-chopper

meatman ['mi:tmən] *n* мясни́к

meat-offering ['mi:t,ɒfərɪŋ] *n библ.* жертвоприноше́ние пи́щи

meat-packing ['mi:t,pækɪŋ] *n* мясоконсе́рвное де́ло; ~ industry мясоконсе́рвная промы́шленность

meat-safe ['mi:tseɪf] *n* холоди́льник, рефрижера́тор

meaty ['mi:tɪ] *a* 1) мяси́стый 2) мясно́й 3) даю́щий пи́щу уму́, содержа́тельный (*о книге, разговоре*)

meccano [mɪ'kɑ:nəʊ] *n* констру́ктор (*детская игрушка*)

mechanic [mɪ'kænɪk] *n* 1) меха́ник 2) *уст.* реме́сленник; мастерово́й

mechanical [mɪ'kænɪkl] *a* 1) маши́нный; механи́ческий; ~ engineer инжене́р-меха́ник; ~ engineering машинострое́ние 2) механи́ческий; автомати́ческий 3) техни́ческий; ~ skill техни́ческий на́вык 4) машина́льный 5) *филос.* механисти́ческий

mechanician [,mekə'nɪʃən] *n* 1) констру́ктор, машинострои́тель 2) *редк.* меха́ник

mechanics [mɪ'kænɪks] *n pl* (*употр. как sing*) меха́ника

mechanism ['mekənɪzəm] *n* 1) механи́зм, аппара́т, устро́йство 2) те́хника (*исполнения*) 3) *филос.* механици́зм

mechanization [,mekənaɪ'zeɪʃn] *n* механиза́ция; моториза́ция

mechanize ['mekənaɪz] *v* механизи́ровать; моторизова́ть

Mechlin ['meklɪn] *n* браба́нтское кру́жево (*тж.* ~ lace)

medal [medl] *n* меда́ль; о́рден

medalled ['medld] *a* 1) награждённый меда́лью *или* о́рденом 2) укра́шенный, уве́шанный меда́лями *или* орденами

medallion [mə'dæljən] *n* медальо́н

medallist ['medlɪst] *n* 1) медали́ст 2) медалье́р

meddle ['medl] *v* вме́шиваться (with, in — во *что-л.*); сова́ться не в своё де́ло

meddler ['medlə] *n* беспоко́йный, надое́дливый, вме́шивающийся во всё челове́к

meddlesome ['medlsəm] *a* вме́шивающийся не в свои́ дела́, надое́дливый

Medea [mə'dɪə] *n греч. миф.* Меде́я

media I ['mi:dɪə] *n* (*pl* -ae) 1) *фон.* зво́нкий согла́сный 2) *анат.* сре́дняя оболо́чка сте́нки кровено́сного сосу́да

media II ['mi:dɪə] *n* 1) *pl от* medium 1; 2) (the ~) сре́дства ма́ссовой информа́ции

mediae ['mi:dɪi:] *pl от* media I

mediaeval [,medɪ'i:vl] = medieval

medial ['mi:dɪəl] *a* 1) среди́нный 2) сре́дний; ~ alligation *мат.* вычисле́ние сре́дних

median ['mi:dɪən] **1.** *a* среди́нный

2. *n* 1) *анат.* среди́нная арте́рия 2) *мат.* медиа́на

mediastina [,mi:dɪə'staɪnə] *pl от* mediastinum

mediastinum [,mi:dɪə'staɪnəm] *n* (*pl* -stina) *анат.* средосте́ние

mediate 1. *a* ['mi:dɪɪt] 1) опосре́дствованный 2) промежу́точный

2. *v* ['mi:dɪeɪt] 1) посре́дничать (*часто* between) 2) занима́ть промежу́точное положе́ние 3) служи́ть связу́ющим звено́м

mediation [,mi:dɪ'eɪʃn] *n* 1) посре́дничество 2) *attr.*: ~ board конфли́ктная коми́ссия (*на предприятии*)

mediator ['mi:dɪeɪtə] *n* 1) посре́дник, примири́тель 2) (M.) Иису́с Христо́с 3) *фарм., муз.* медиа́тор

mediatorial [,mi:dɪə'tɔ:rɪəl] *a* посре́днический

mediatory ['mi:dɪətərɪ] = mediatorial

mediatrices ['mi:dɪeɪtrɪsi:z] *pl от* mediatrix

mediatrix ['mi:dɪeɪtrɪks] *n* (*pl* -trices) посре́дница, примири́тельница

medic ['medɪk] *n разг.* (студе́нт-)ме́дик

medicable ['medɪkəbl] *a* излечи́мый, поддаю́щийся излече́нию

Medicaid ['medɪkeɪd] *n* федера́льная систе́ма медици́нской по́мощи неиму́щим (*в США*)

medical ['medɪkl] **1.** *a* 1) враче́бный, медици́нский; ~ aid медици́нская по́мощь; the ~ profession медици́нские рабо́тники, врачи́; ~ school а) медици́нская шко́ла; б) вы́сшее медици́нское уче́бное заведе́ние; ~ garden сад для выра́щивания лека́рственных расте́ний; ~ history а) исто́рия боле́зни; б) исто́рия медици́ны; ~ jurisprudence суде́бная медици́на; ~ man врач; ~ examination (*или* inspection) медици́нский осмо́тр; ~ assessor суде́бно-медици́нский экспе́рт; ~ service медици́нское обслу́живание; ~ society медици́нское о́бщество 2) терапевти́ческий; ~ ward терапевти́ческое отделе́ние больни́цы

2. *n разг.* студе́нт-ме́дик

medical certificate ['medɪklsə,tɪfɪkət] *n* 1) спра́вка о состоя́нии здоро́вья 2) медици́нское свиде́тельство

medicament [mə'dɪkəmənt] *n* лека́рство, медикаме́нт

Medicare ['medɪkeə] *n* федера́льная програ́мма медици́нской по́мощи преста́релым (*в США*)

medicate ['medɪkeɪt] *v* 1) лечи́ть лека́рствами 2) насыща́ть, пропи́тывать лека́рством

medication [,medɪ'keɪʃn] *n* медикаменто́зное лече́ние

medicative ['medɪkətɪv] *a* лече́бный, целе́бный; ~ herb лека́рственная, лече́бная трава́

medicinal [mə'dɪsnl] *a* лека́рственный, лече́бный, целе́бный

medicine ['medsn] *n* 1) медици́на, *особ.* терапи́я; to practise ~ занима́ться врачéбной прáктикой, быть практикýющим врачóм 2) лекáрство; a ~ for (headache, cold, *etc.*) лекáрство от (головнóй бóли, простýды *и т. п.*) 3) колдовствó, мáгия 4) талисмáн, амулéт ◇ to take one's ~ а) понести заслýженное наказáние; б) покорúться неизбéжности, стóйко перенести что-л. неприятное; в) «принять», глотнýть спиртнóго

medicine bag ['medsnbæg] *n* санитáрная сýмка

medicine chest ['medsntʃest] *n* домáшняя аптéчка; ящик с медикамéнтами

medicine dropper ['medsn,drɒpə] *n* пипéтка

medicine glass ['medsnglɑ:s] *n* мензýрка

medicine-man ['medsnmæn] *n* знáхарь, шамáн

medico ['medɪkəʊ] *n* (*pl* -os [-əʊz]) *шутл.* 1) дóктор 2) студéнт-мéдик

medieval [,medɪ'i:vl] *a* средневекóвый

medievalism [,medɪ'i:vlɪzəm] *n* 1) медиевúстика, искýсство, религия, филосóфия срéдних векóв 2) увлечéние средневекóвьем

medievalist [,medɪ'i:vlɪst] *n* медиевúст, специалúст по истóрии срéдних векóв

mediocre [,mi:dɪ'əʊkə] *a* посрéдственный; заурядный

mediocrity [,mi:dɪ'ɒkrətɪ] *n* 1) посрéдственность; заурядность 2) бездáрный, заурядный человéк, посрéдственность

meditate ['medɪteɪt] *v* 1) размышлять, обдýмывать (on, upon) 2) созерцáть 3) замышлять, затевáть 4) намеревáться; планúровать

meditation [,medɪ'teɪʃn] *n* 1) размышлéние, раздýмье 2) созерцáние

meditative ['medɪtətɪv] *a* созерцáтельный; задýмчивый

Mediterranean [,medɪtə'reɪnɪən] **1.** *a* 1) средиземномóрский; the ~ area бассéйн Средизéмного мóря 2) (m.) удалённый от берегóв мóря 3) (m.) внýтренний (*о море*)

2. *n*: the ~ Средизéмное мóре

medium ['mi:dɪəm] **1.** *n* (*pl* -s [-z], -dia) 1) середúна, промежýточная ступéнь; happy ~ золотáя середúна 2) срéдство, спóсоб; ~ of circulation дéньги, срéдство обращéния; through (*или* by) the ~ of... чéрез посрéдство... 3) *физ.* средá 4) обстанóвка, услóвия (*жизни*) 5) *жив.* растворúтель (*краски*) 6) агéнт, посрéдник; посрéдничество 7) (*pl* -s) мéдиум (*у спиритов*)

2. *a* 1) срéдний; промежýточный; ~ wave *радио* волнá срéдней длины (*от 100 до 800 метров*) 2) умéренный 3) *воен.* среднекалúберный

medlar ['medlə] *n бот.* мушмулá германская

medley ['medlɪ] **1.** *n* 1) смесь; мéсиво, мешанúна 2) смéшанное óбщество; разношёрстная толпá 3) *муз.* попуррú 4) «рáзное», «мозáика» (*раздел в газете или в журнале*)

2. *a* смéшанный, разнорóдный, пёстрый

3. *v уст.* смéшивать, перемéшивать

medulla [me'dʌlə] *n* 1) мозговóй слой (*почки и т. п.*) 2) *бот.* сердцевúна 3) кóстный мозг 4) продолговáтый мозг

medullary [me'dʌlərɪ] *a* 1) *анат.* мозговóй, медуллярный 2) *бот.* сердцевúнный

medusa [mə'dju:zə] *n* (*pl* -ae, -s [-z]) *зоол.* медýза

medusae [mə'dju:zi:] *pl от* medusa

meed [mi:d] *n поэт., уст.* 1) нагрáда 2) заслýженная похвалá

meek [mi:k] *a* крóткий, мягкий; смирéнный

meekness ['mi:knəs] *n* крóтость, мягкость

meerschaum ['mɪəʃəm] *n* 1) *мин.* морскáя пéнка 2) пéнковая трýбка

meet [mi:t] **1.** *v* (met) 1) встречáть 2) встречáться, собирáться; we seldom ~ мы рéдко вúдимся 3) пересекáться, перекрéщиваться (*о дорогах и т. п.*) 4) впадáть (*о реке*) 5) знакóмиться; please ~ Mr. X позвóльте познакóмить вас с мистером X 6) собирáться, встречáться 7) удовлетворять, соотвéтствовать (*желаниям, требованиям*); to ~ the case отвечáть предъявленным трéбованиям, соотвéтствовать; that ~s my problem э́то разрешáет мой затруднéния 8) оплáчивать; to ~ a bill оплатúть счёт; he has many expenses to ~ он несёт большúе расхóды 9) дрáться на дуэ́ли 10) сходúться; my waistcoat won't ~ мой жилéт не схóдится 11) опровергáть (*доводы и т. п.*) ▭ ~ together собирáться, сходúться; ~ with а) испытáть, подвéргнуться; б) встрéтиться с; наткнýться на; в) найтú ◇ to ~ one's ear дойтú до слýха; быть слышным; well met! *уст.* добрó пожáловать!; рад нáшей встрéче!

2. *n* 1) мéсто сбóра (*охотников, велосипедистов и т. п.*) 2) *амер. спорт.* соревновáние, встрéча

meeting ['mi:tɪŋ] **1.** *pres. p. от* meet 1

2. *n* 1) собрáние, заседáние, мúтинг; to address the ~ обратúться с рéчью к собрáнию 2) встрéча 3) дуэ́ль 4) *спорт.* встрéча, игрá 5) *ж.-д.* разъéзд 6) *тех.* стык, соединéние 7) *attr.* встрéчный; ~ engagement *амер.* встрéчный бой; ~ point мéсто встрéчи

meetinghouse ['mi:tɪŋhaʊs] *a* молúтвенный дом (*особ. у квакеров*)

mega- ['megə-] = megalo-

megabuck ['megəbʌk] *n амер. разг.* миллиóн дóлларов

megabyte ['megəbaɪt] *n вчт.* мегабáйт

megacycle ['megə,saɪkl] = megahertz

megahertz ['megəhɜ:ts] *n физ.* мегагéрц (= *1 миллиону герц*)

megalith ['megəlɪθ] *n археол.* мегалúт

megalo- ['megələʊ-] *в сложных словах означает*: а) *большой размер, грандиозность и т. п.*; б) *в физической терминологии меру, в миллион раз большую, чем основная мера*

megalomania [,megələʊ'meɪnɪə] *n* мегаломáния, мáния велúчия

megalopolis [,megə'lɒpəlɪs] *n* мегапóлис, гóрод-гигáнт

megaphone ['megəfəʊn] *n* мегафóн

megascopic [,megə'skɒpɪk] *a* 1) увелúченный 2) вúдимый невооружённым глáзом

megastar ['megəstɑ:] *n* звездá пéрвой величины (*об артисте и т. п.*)

megatherium [,megə'θɪərɪəm] *n палеонт.* мегатéрий

megaton ['megətʌn] *n* мегатóнна (= *1 миллиону тонн*)

megawatt ['megəwɒt] *n эл.* мегавáтт (= *1 миллиону ватт*)

megger ['megə] *n эл.* мéггер

megilp [mə'gɪlp] *n жив.* мастúчный лак (*растворитель для масляных красок*)

megohm ['megəʊm] *n эл.* мегóм (= *1 миллиону омов*)

megrim ['mi:grɪm] *n* 1) *уст.* мигрéнь 2) прúхоть, капрúз, причýда 3) *pl* уны́ние 4) *pl вет.* кóлер (*лошадей*); вертячка, ценурóз (*овец*)

Meissen ['maɪsən] *n* мáйсеновский фарфóр

melamine ['meləmi:n] *n хим.* меламúн

melancholia [,melən'kəʊlɪə] *n* меланхóлия

melancholic [,melən'kɒlɪk] *a* подвéрженный меланхóлии; меланхолúческий

melancholy ['melənkəlɪ] **1.** *n* уны́ние, подáвленность; грусть, меланхóлия

2. *a* 1) мрáчный, подáвленный 2) грýстный; наводящий уны́ние

mélange [meɪ'lɑ:nʒ] *фр. n* 1) смесь 2) *текст.* мелáнж

melanin ['melənɪn] *n* меланúн

meld I [meld] *v карт.* объявлять и предъявлять комбинáцию (*в канасте и т. п.*)

meld II [meld] *v амер.* сливáться, объединяться (*особ. о предприятиях*)

mêlée ['meleɪ] *n* рукопáшная схвáтка; свáлка

melinite ['melɪnaɪt] *n* мелинúт (*взрывчатое вещество*)

meliorate ['mi:lɪəreɪt] *v* 1) *книжн.* улучшáть(ся) 2) мелиорúровать

melioration [,mi:lɪə'reɪʃn] *n* 1) *книжн.* улучшéние 2) мелиорáция

meliorative ['mi:lɪərətɪv] *a* 1) *книжн.* улучшáющий 2) мелиоратúвный

melliferous [mə'lɪfərəs] *a* медонóсный

mellifluence [mə'lɪfluəns] *n* медоточúвость

mellifluent [mə'lɪfluənt] = mellifluous

mellifluous [mə'lɪfluəs] *a* медоточúвый; сладкозвýчный; ласкáющий слух

mellow ['meləʊ] **1.** *a* 1) мягкий, сóчный, густóй (*о голосе, цвете и т. п.*) 2) умудрённый óпытом, смягчúвшийся с годáми (*о человеке, характере*) 3) *разг.* подвы́пивший 4) спéлый; зрéлый, слáдкий и сóчный (*о фруктах*) 5) приятный на вкус; вы́держанный (*о вине*) 6) плодорóдный, жúрный; ры́хлый (*о почве*)

2. *v* 1) смягчáть(ся) 2) дéлать(ся) спéлым, сóчным; созревáть 3) станови́ться вы́держанным (*о вине*) 4) разрыхля́ть(ся) (*о почве*)

mellowness ['meləʊnəs] *n* 1) мя́гкость, со́чность 2) добросерде́чность 3) спе́лость, зре́лость 4) вы́держанность (*о вине*)

melodic [mə'lɒdɪk] *a* мелоди́ческий, мелоди́чный

melodious [mə'ləʊdɪəs] *a* 1) мелоди́чный 2) мя́гкий, не́жный, певу́чий

melodist ['melədɪst] *n* 1) компози́тор 2) певе́ц

melodize ['melədaɪz] *v* 1) сочиня́ть мело́дии 2) де́лать мелоди́чным

melodrama ['melə,drɑ:mə] *n* 1) мелодра́ма 2) театра́льность (*в манерах*)

melodramatic [,melədrə'mætɪk] *a* 1) мелодрамати́ческий 2) аффекти́рованный, напы́щенный (*о манерах и т. п.*)

melody ['melədɪ] *n* 1) мело́дия 2) мелоди́чность

melon ['melən] *n* 1) ды́ня 2) = water~ 3) *амер. ком. разг.* тантье́ма; кру́пный дополни́тельный дивиде́нд; дивиде́нд в фо́рме беспла́тных а́кций; to cut (*или* to slice) the ~ а) распределя́ть дополни́тельные дивиде́нды ме́жду па́йщиками; б) распределя́ть кру́пные вы́игрыши ме́жду игрока́ми

Melpomene [mel'pɒmənɪ] *n греч. миф.* Мельпоме́на

melt [melt] **1.** *v* 1) та́ять 2) пла́вить(ся), раста́пливать(ся) 3) раство-ря́ть(ся) 4) смягча́ть(ся); тро́гать; умиля́ться 5) слабе́ть, уменьша́ться; исчеза́ть 6) (незаме́тно) переходи́ть (*в другую форму*; into) 7) *разг.* тра́тить (*деньги*); разме́нивать (*банковый билет*) ▭ ~ **away** а) растая́ть; б) улету́чиваться, исчеза́ть из ви́ду; ~ **down** расплавля́ть; растворя́ть

2. *n* 1) распла́вленный мета́лл 2) пла́вка

melted butter ['meltɪd,bʌtə] *n* топлёное ма́сло

melted cheese ['meltɪdtʃi:z] *n* пла́вленый сыр

melting ['meltɪŋ] **1.** *pres. p. от* melt 1

2. *n* 1) пла́вка, плавле́ние 2) та́яние, распуска́ние

3. *a* 1) пла́вкий 2) плави́льный 3) та́ющий (во рту) 4) не́жный, мя́гкий; чувстви́тельный; she is in the ~ mood она́ гото́ва распла́каться 5) тро́гательный

melting house ['meltɪŋhaʊs] *n* плави́льня

melting point ['meltɪŋpɔɪnt] *n* то́чка плавле́ния

melting pot ['meltɪŋpɒt] *n* ти́гель ◇ to go into the ~ подве́ргнуться коренно́му измене́нию

melton ['meltən] *n* мельто́н (*род сукна*)

mem. [mem] *сокр. от* memorandum

member ['membə] *n* 1) член (*в разн. знач.*); M. of Parliament член парла́мента; ~ of sentence *грам.* член предложе́ния; ~ of equation *мат.* член уравне́ния; ~s of armed forces ли́чный соста́в вооружённых сил 2) уча́стник, партнёр; представи́тель; ~s of the press (of the ruling class) представи́тели пре́ссы (пра́вящего кла́сса) 3) *тех.* элеме́нт конструкции 4) *attr.*: ~ state госуда́рство-член (*ООН и т. п.*) ◇ unruly ~ ≅ язы́к без косте́й

membership ['membəʃɪp] *n* 1) чле́нство; зва́ние чле́на 2) коли́чество чле́нов 3) рядовы́е чле́ны (*партии, профсоюза*) 4) *attr.* чле́нский; ~ card чле́нский биле́т; ~ fee чле́нский взнос

membrane ['membreɪn] *n* 1) плева́, оболо́чка; перепо́нка; плёнка 2) *тех.* мембра́на, диафра́гма 3) мездра́

membraneous, membranous ['membreɪnəs, 'membrənəs] *a* перепо́нчатый; плёночный

memento [mə'mentəʊ] *n* (*pl* -oes, -os [-əʊz]) 1) напомина́ние 2) суве́нир

memento mori [mə,mentəʊ'mɔ:rɪ] *лат.* *n* напомина́ние о сме́рти (*букв.* «по́мни о сме́рти»)

memo ['meməʊ] *n* (*pl* -os [-əʊz]) *разг. сокр. от* memorandum

memoir ['memwɑ:] *n* 1) кра́ткая (авто)биогра́фия 2) *pl* мемуа́ры, воспомина́ния 3) нау́чная статья́; *pl* учёные запи́ски (*общества*)

memoirist ['memwɑ:rɪst] *n* а́втор мемуа́ров *или* биогра́фии

memorability [,memərə'bɪlətɪ] *n* 1) достопа́мятность 2) не́что достопа́мятное

memorable ['memərəbl] *a* 1) (досто)па́мятный, незабве́нный, незабыва́емый 2) легко́ запомина́ющийся

memoranda [,memə'rændə] *pl от* memorandum

memorandum [,memə'rændəm] *n* (*pl* -da, -s [-z]) 1) заме́тка; па́мятная запи́ска 2) дипломати́ческая но́та; мемора́ндум 3) докладна́я запи́ска

memorial [mə'mɔ:rɪəl] **1.** *n* 1) па́мятник; мемориа́л 2) *pl* ле́топись; хро́ника 3) подро́бное изложе́ние фа́ктов в пети́ции 4) запи́ска; заме́тка 5) *церк.* поминове́ние 6) *ком.* мемориа́л 7) *дип.* мемора́ндум, па́мятная запи́ска

2. *a* мемориа́льный; па́мятный, устра́иваемый в па́мять; M. Day *амер.* день па́мяти па́вших в во́йнах (*последний понедельник мая*)

memorialist [mə'mɔ:rɪəlɪst] *n* 1) мемуари́ст 2) состави́тель пети́ции

memorialize [mə'mɔ:rɪəlaɪz] *v* 1) увекове́чивать па́мять 2) подава́ть пети́цию

memorize ['meməraɪz] *v* 1) запомина́ть, зау́чивать наизу́сть 2) увекове́чивать па́мять

memory ['memərɪ] *n* 1) па́мять; in ~ of smb., smth. в па́мять кого́-л., чего́-л.; to the best of my ~ наско́лько я по́мню; if my ~ serves me right, if my ~ does not fail me е́сли па́мять мне не изменя́ет; within living ~ на па́мяти ны́нешнего поколе́ния 2) воспомина́ние; he has left a sad ~ behind он оста́вил по себе́ недо́брую па́мять 3) *тех.* маши́нная па́мять, запомина́ющее устро́йство, накопи́тель информа́ции 4) *тех.* за́пись, регистра́ция

memory bank ['memərɪbæŋk] *n вчт.* банк па́мяти

men [men] *pl от* man 1

menace ['menəs] **1.** *n* 1) угро́за; опа́сность 2) *шутл.* надое́да, чи́стое наказа́ние (*о ребёнке и т. п.*); зану́да

2. *v* угрожа́ть, грози́ть

ménage [me'nɑ:ʒ] *n* 1) домоча́дцы, дома́шние 2) дома́шнее хозя́йство; веде́ние хозя́йства

menagerie [mɪ'nædʒərɪ] *n* звери́нец (*особ.* бродя́чий)

men-at-arms [,menət'ɑ:mz] *pl от* man-at-arms

men-children ['men,tʃɪldrən] *pl от* man-child

mend [mend] **1.** *n* 1) зашто́панная ды́рка, заде́ланная тре́щина *и т. п.* 2) улучше́ние (*здоровья, дел*); to be on the ~ идти́ на попра́вку, улучша́ться

2. *v* 1) исправля́ть, чини́ть; што́пать; лата́ть; ремонти́ровать (*дорогу и т. п.*) 2) поправля́ть(ся) (*о здоровье*) 3) улучша́ть(ся); that won't ~ matters э́то де́лу не помо́жет ◇ to ~ the fire подбро́сить то́плива; to ~ one's pace приба́вить ша́гу; to ~ one's ways испра́виться; it is never too late to ~ *посл.* испра́виться никогда́ не по́здно

mendacious [men'deɪʃəs] *a* лжи́вый; ло́жный

mendacity [men'dæsətɪ] *n* лжи́вость; ложь

mender ['mendə] *n* ремо́нтный ма́стер

mendicancy ['mendɪkənsɪ] *n* ни́щенство; попроша́йничество

mendicant ['mendɪkənt] **1.** *n* 1) ни́щий; попроша́йка 2) *ист.* мона́х ни́щенствующего о́рдена

2. *a* ни́щий, ни́щенствующий

mendicity [men'dɪsətɪ] *n* ни́щенство

mending ['mendɪŋ] **1.** *pres. p. от* mend 2

2. *n* 1) почи́нка; што́пка; ремо́нт 2) ве́щи для почи́нки, почи́нка 3) улучше́ние, исправле́ние

menfolk ['menfəʊk] *n pl* 1) мужчи́ны 2) мужска́я часть семьи́

menhir ['menhɪə] *n археол.* менги́р

menial ['mi:nɪəl] *пренебр.* **1.** *n* 1) слуга́; лаке́й 2) подхали́м

2. *a* раболе́пный; лаке́йский; ~ work чёрная рабо́та

meningitis [,menɪn'dʒaɪtɪs] *n мед.* менинги́т

menisci [mə'nɪsaɪ] *pl от* meniscus

meniscus [mə'nɪskəs] *n* (*pl* menisci) *физ., анат.* мени́ск

men-of-war [,menəv'wɔ:] *pl от* man-of-war

menology [mə'nɒlədʒɪ] *n* месяцесло́в, календа́рь, че́тьи мине́и

menopause ['menəʊpɔ:z] *n мед.* климактери́ческий пери́од, менопа́уза

menorah [mə'nɔ:rə] *n рел.* мено́ра, семисве́чник (*символ иудаизма*)

menses ['mensi:z] *n pl физиол.* менструа́ции

menstrua ['menstrʊə] *pl от* menstruum

menstrual ['menstruəl] *a* 1) *физиол.* менструа́льный 2) *астр.* ежеме́сячный

menstruate ['menstrueɪt] *v физиол.* менструи́ровать

menstruation [ˌmenstru'eɪʃn] *n физиол.* менструа́ции

menstruum ['menstruəm] *n* (*pl* -rua, -s [-z]) *хим.* раствори́тель

mensurable ['menʃərəbl] *a* 1) измери́мый 2) *муз.* ритми́чный

mensural ['menʃərəl] *a* 1) ме́рный, разме́ренный 2) *муз.* мензура́льный

mensuration [ˌmenʃə'reɪʃn] *n* измере́ние

menswear ['menzweə] *n* мужско́е пла́тье

mental I ['mentl] **1.** *a* 1) у́мственный; ~ defective у́мственно отста́лый ребёнок 2) психи́ческий; ~ affection душе́вная боле́знь; ~ house (*или* home) психиатри́ческая больни́ца; ~ strain у́мственное напряже́ние; your troubles are purely ~ ва́ши несча́стья — чи́стое воображе́ние; ~ patient (*или* case) душевнобольно́й; ~ specialist психиа́тр; ~ nurse сиде́лка в психиатри́ческой больни́це 3) произво-ди́мый в уме́, мы́сленный; ~ arithmetic (*или* calculations) счёт в уме́; ~ reservation мы́сленная огово́рка 4) *разг.* ненорма́льный, чо́кнутый; поме́шанный

2. *n разг.* ненорма́льный, псих

mental II ['mentl] *a* подборо́дочный

mentality [men'tælətɪ] *n* 1) склад ума́ 2) ум; интелле́кт 3) умонастрое́ние

mentally ['mentəlɪ] *adv* 1) у́мственно; ~ alert облада́ющий живы́м умо́м, восприи́мчивый 2) мы́сленно

mentation [men'teɪʃn] *n* 1) у́мственный проце́сс; проце́сс мышле́ния 2) умонастрое́ние

menthol ['menθɒl] *n хим.* ментол

mention ['menʃn] **1.** *n* упомина́ние; ссы́лка (на); to make ~ of smb., smth. упомяну́ть кого́-л., что-л.; honourable ~ а) похва́льный о́тзыв; б) *воен.* благода́рность в прика́зе

2. *v* упомина́ть; ссыла́ться на; don't ~ it а) не сто́ит (благода́рности); б) ничего́, пожа́луйста (*в ответ на извинение*); not to ~ не говоря́ уже́ о

mentor ['mentɔ:] *n* наста́вник, руководи́тель, воспита́тель, Ме́нтор

menu ['menju:] *n* меню́

Mephistophelean [ˌmefɪstə'fi:lɪən] *a* мефисто́фельский

mephitis [mɪ'faɪtɪs] *n* злово́ние, ядови́тые испаре́ния; миа́змы

mercantile ['mɜ:kəntaɪl] *a* 1) торго́вый; комме́рческий; ~ law торго́вое законода́тельство; ~ marine торго́вый флот; ~ system *эк.* систе́ма меркантили́зма 2) меркант́ильный; торга́шеский; ме́лочно расчётливый

mercenary ['mɜ:snərɪ] **1.** *a* 1) коры́стный; торга́шеский 2) наёмный

2. *n* наёмник

mercer ['mɜ:sə] *n* торго́вец шёлком и ба́рхатом

mercerize ['mɜ:səraɪz] *v текст.* мерсеризова́ть

mercery ['mɜ:sərɪ] *n* 1) шёлковый *или* ба́рхатный това́р 2) торго́вля шёлковым и ба́рхатным това́ром

merchandise ['mɜ:tʃəndaɪz] **1.** *n* това́ры

2. *v* торгова́ть

merchant ['mɜ:tʃənt] **1.** *n* 1) купе́ц 2) *амер.*, *шотл.* ла́вочник 3) *разг.* тип, субъе́кт

2. *a* 1) торго́вый, комме́рческий; ~ service торго́вый флот; ~ ship = merchantman; ~ prince кру́пный оптови́к, «коро́ль» 2) = merchantable

merchantable ['mɜ:tʃəntəbl] *a* приго́дный для торго́вли; ходово́й (*о товаре*)

merchantman ['mɜ:tʃəntmən] *n* торго́вое су́дно, «купе́ц»

merciful ['mɜ:sɪfl] *a* 1) милосе́рдный, ми́лостивый 2) сострада́тельный 3) благоприя́тный 4) мя́гкий (*о наказании*)

merciless ['mɜ:sɪləs] *a* безжа́лостный; беспоща́дный

mercurial [mɜ:'kjuərɪəl] **1.** *a* 1) живо́й, подви́жный; де́ятельный 2) непостоя́нный 3) рту́тный

2. *n* рту́тный препара́т

mercuriality [ˌmɜ:kjuərɪ'ælətɪ] *n* жи́вость, подви́жность

mercurialize [mɜ:'kjuərɪəlaɪz] *v* лечи́ть рту́тью

Mercury ['mɜ:kjurɪ] *n* 1) *римск. миф.* Мерку́рий 2) *астр.* плане́та Мерку́рий 3) *шутл.* посо́л; ве́стник (*тж. в названиях газет*)

mercury ['mɜ:kjurɪ] *n* 1) ртуть 2) рту́тный столб; the ~ is rising а) температу́ра повыша́ется; б) дела́ (*настроение и т. п.*) улучша́ются; в) возбужде́ние растёт; атмосфе́ра накаля́ется 3) рту́тный препара́т 4) *бот.* проле́ска 5) *attr.* рту́тный

mercy ['mɜ:sɪ] *n* 1) ми́лость; поща́да; поми́лование; to beg for ~ проси́ть поща́ды; to have ~ on (*или* upon) smb. щади́ть, ми́ловать кого́-л. 2) милосе́рдие; сострада́ние; sisters of ~ сёстры милосе́рдия; to be left to the tender ~ (*или* mercies) of smb. *ирон.* быть о́тданным на ми́лость кого́-л. (*обыкн.* жесто́кого челове́ка) 3) уда́ча, сча́стье; that's a ~! э́то пря́мо сча́стье!; thankful for small mercies дово́льный ма́лым 4) *attr.*: ~ killing эйтана́зия, умерщвле́ние неизлечи́мых больны́х; ~ flight доста́вка по во́здуху в больни́цу ра́неных и больны́х ◇ at the ~ of во вла́сти

mere I [mɪə] *n уст.*, *поэт.* о́зеро; пруд; во́дное простра́нство

mere II [mɪə] *a* 1) просто́й, не бо́лее чем; a ~ child could do it да́же ребёнок мог сде́лать э́то 2) я́вный; су́щий; a ~ trifle су́щий пустя́к; a ~ nobody по́лное ничто́жество

merely ['mɪəlɪ] *adv* то́лько; про́сто; еди́нственно; I ~ asked his name я то́лько спроси́л, как его́ зову́т

meretricious [ˌmerə'trɪʃəs] *a книжн.* 1) показно́й; мишу́рный 2) распу́тный

merganser [mɜ:'gænsə] *n* кроха́ль (*птица*)

merge [mɜ:dʒ] *v* 1) слива́ть(ся), соединя́ть(ся) 2) поглоща́ть

merger ['mɜ:dʒə] *n* 1) слия́ние, объедине́ние (*компаний, предприятий*) 2) поглоще́ние

meridian [mə'rɪdɪən] **1.** *n* 1) *геогр.* меридиа́н 2) *уст.* зени́т 3) *уст.* по́лдень 4) вы́сшая то́чка; расцве́т (*жизни*)

2. *a* 1) полу́денный; находя́щийся в зени́те 2) вы́сший, кульминацио́нный

meridional [mə'rɪdɪənl] **1.** *a* 1) ю́жный 2) меридиона́льный

2. *n* южа́нин (*особ. из южной Франции*)

meringue [mə'ræŋ] *n кул.* мере́нга

merino [mə'ri:nəu] *n* (*pl* -os [-əuz]) 1) мерино́с (*порода овец*) 2) мерино́совая шерсть 3) *attr.* мерино́совый; ~ sheep мерино́с

merit ['merɪt] **1.** *n* 1) заслу́га; to make a ~ of smth. ста́вить что-л. себе́ в заслу́гу; Order of M. о́рден «За заслу́ги» 2) досто́инство 3) *pl* ка́чества; to judge on the ~s of the case (question, *etc.*) суди́ть по существу́ де́ла (вопро́са *и т. п.*)

2. *v* заслужи́ть, быть досто́йным

meritocracy [ˌmerɪ'tɒkrəsɪ] *n* 1) высокоинтеллектуа́льные лю́ди, тала́нтливые профессиона́лы 2) систе́ма, при кото́рой у вла́сти стоя́т таки́е лю́ди

meritocrat ['merɪtəukræt] *n* челове́к, дости́гший положе́ния в о́бществе благодаря́ свои́м спосо́бностям

meritorious [ˌmerɪ'tɔ:rɪəs] *a* 1) досто́йный награ́ды 2) похва́льный

merle [mɜ:l] *n шотл.*, *поэт.* чёрный дрозд

merlin ['mɜ:lɪn] *n зоол.* кре́чет

merlon ['mɜ:lən] *n* зубе́ц (*крепостной стены*)

mermaid ['mɜ:meɪd] *n* руса́лка, сире́на; ная́да

merman ['mɜ:mæn] *n* водяно́й; трито́н

Merovingian [ˌmerəu'vɪndʒɪən] *ист.* **1.** *a* относя́щийся к фра́нкской дина́стии Мерови́нгов (*VI — VIII вв. н. э.*)

2. *n pl* Мерови́нги

merrily ['merɪlɪ] *adv* ве́село, оживлённо

merriment ['merɪmənt] *n* весе́лье, оживле́ние; развлече́ние

merry I ['merɪ] *a* 1) весёлый, оживлённый; ра́достный; to make ~ весели́ться, пирова́ть 2) смешно́й; to make ~ over (*или* with, about) smb., smth. потеша́ться над кем-л., чем-л. 3) *разг.* навеселе́, подвы́пивший

merry II ['merɪ] *n* чере́шня

merry-andrew ['merɪændru:] *n* шут, фигля́р, га́ер

merry dancers ['merɪda:nsəz] *n шотл.* се́верное сия́ние

merry-go-round ['merɪgəuˌraund] *n* 1) карусе́ль 2) вихрь (*удовольствий и т. п.*)

merrymaker ['merɪˌmeɪkə] *n* весельча́к; заба́вник

merrymaking ['merɪˌmeɪkɪŋ] *n* весе́лье, поте́ха; пра́зднество

merry-meeting [ˈmerɪ,mi:tɪŋ] *n* пиру́шка

merrythought [ˈmerɪθɔ:t] *n* ду́жка, ви́лочка (*грудная кость птицы*)

mesa [ˈmeɪsə] *n амер. геол.* столо́вая гора́

mésalliance [meˈzælɪəns] *фр. n* нера́вный брак, мезалья́нс

mescaline [ˈmeskəli:n] *n* мескали́н (*наркотик*)

mesentery [ˈmesəntərɪ] *n анат.* брыже́йка

mesh [meʃ] **1.** *n* 1) пе́тля, яче́йка се́ти; отве́рстие, очко́ (*решета, грохота*) 2) *pl* се́ти 3) *pl* западня́, лову́шка, се́ти 4) *тех.* зацепле́ние 5) *attr.*: ~ stockings кручёная се́тка (*чулки*)

2. *v* 1) *тех.* зацепля́ть(ся); сцепля́ть(ся) 2) пойма́ть в се́ти; опу́тывать сетя́ми 3) запу́тываться в сетя́х

meshy [ˈmeʃɪ] *a* се́тчатый; яче́истый

mesial [ˈmi:zɪəl] *a анат.* сре́дний, среди́нный, медиа́льный

mesmeric [mezˈmerɪk] *a* гипноти́ческий

mesmerism [ˈmezmə,rɪzəm] *n* 1) гипноти́зм 2) гипно́з

mesmerist [ˈmezmərɪst] *n* гипнотизёр

mesmerize [ˈmezməraɪz] *v* 1) гипнотизи́ровать 2) очаро́вывать, зачаро́вывать

mesolithic [mezəʊˈlɪθɪk] *a* относя́щийся к эпо́хе мезоли́та

meson [ˈmi:zɒn] *n физ.* мезо́н

mesosphere [ˈmesəʊsfɪə] *n* мезосфе́ра

mesotron [ˈmesəʊtrɒn] *n физ.* мезотро́н

Mesozoic [,mesəʊˈzəʊɪk] *a геол.* мезозо́йский

mess I [mes] **1.** *n* 1) беспоря́док; кутерьма́, пу́таница; to make a ~ of things напу́тать; напо́ртить; провали́ть всё де́ло; in a ~ а) в беспоря́дке; вверх дном; б) в грязи́ 2) неприя́тность; to get into a ~ попа́сть в беду́; to be in a ~ быть в беде́, име́ть неприя́тности; to clear up the ~ вы́яснить недоразуме́ние 3) грязь, экскреме́нты (*домашних животных*)

2. *v* 1) производи́ть беспоря́док; па́чкать, грязни́ть 2) по́ртить де́ло (*часто* ~ up) 3) *разг.* испражня́ться ▭ ~ **about**, ~ **around** а) вози́ться с *чем-л.*; пу́таться с *кем-л.*; б) *разг.* дёргать *кого-л.*, пристава́ть к *кому-л.*; в) ло́дырничать

mess II [mes] **1.** *n* 1) гру́ппа люде́й, пита́ющихся за о́бщим столо́м 2) о́бщий стол, о́бщее пита́ние (*в армии и флоте*) 3) столо́вая (*в учебном заведении*); *мор.* старши́нская кают-компа́ния 4) блю́до, ку́шанье; похлёбка 5) болту́шка, ме́сиво (*для животных*) 6) *attr.* столо́вый; ~ allowance столо́вые де́ньги; ~ kit *амер.* котело́к и столо́вый прибо́р (*для солдат, туристов*)

2. *v* обе́дать совме́стно, за о́бщим столо́м, столова́ться вме́сте (with, together)

message [ˈmesɪdʒ] **1.** *n* 1) сообще́ние, донесе́ние; письмо́; посла́ние; про́поведь; send me a ~ извести́те меня́; to leave a ~ for smb. проси́ть переда́ть что-л. кому́-л. 2) официа́льное прави́тельственное посла́ние; *амер.* посла́ние президе́нта конгре́ссу (*тж.* the President's ~ to Congress) 3) поруче́ние; ми́ссия 4) иде́я (*книги и т. п.*); to get the ~ *разг.* поня́ть, усе́чь

2. *v* 1) посыла́ть сообще́ние, донесе́ние 2) передава́ть сигна́лами, сигнализи́ровать 3) телеграфи́ровать

message center [ˈmesɪdʒ,sentə] *n воен.* пункт сбо́ра (и отпра́вки) донесе́ний

messenger [ˈmesndʒə] *n* 1) посы́льный; курье́р; связно́й; special ~ на́рочный, курье́р 2) *ист.* ве́стник, гоне́ц 3) *уст.* предве́стник 4) *эл., ж.-д.* несу́щий трос

messenger-pigeon [,mesndʒəˈpɪdʒən] *n* 1) почто́вый го́лубь 2) *воен.* го́лубь свя́зи

Messiah [məˈsaɪə] *n рел.* мессия

Messieurs [meɪˈsjз:z] *pl от* Monsieur

mess jacket [ˈmes,dʒækɪt] *n* тужу́рка, фо́рменная ку́ртка

messmate [ˈmesmeɪt] *n* 1) однока́шник; сотрапе́зник 2) *мор.* това́рищ по кают-компа́нии

mess-room [ˈmesrʊm] = mess II 1, 3)

Messrs [ˈmesəz] *n pl* (*сокр. от* Messieurs) господа́ (*ставится перед фамилиями владельцев фирмы, напр.*, Messrs Chapman & Hall)

messuage [ˈmeswɪdʒ] *n юр.* уса́дьба

messy [ˈmesɪ] *a* 1) неря́шливый, гря́зный 2) беспоря́дочный

mestizo [meˈsti:zəʊ] *n* (*pl* -os, -oes [-əʊz]) мети́с

met [met] *past и p. p. от* meet 1

metabolic [,metəˈbɒlɪk] *a* относя́щийся к обме́ну веще́ств; ~ disease наруше́ние обме́на веще́ств; ~ disturbance расстро́йство обме́на веще́ств

metabolism [məˈtæbə,lɪzəm] *n* метаболи́зм, обме́н веще́ств

metacarpi [,metəˈkɑ:paɪ] *pl от* metacarpus

metacarpus [,metəˈkɑ:pəs] *n* (*pl* -pi) *анат.* пясть

metachrosis [,metəˈkrəʊsɪs] *n биол.* спосо́бность меня́ть окра́ску

metagalaxy [ˈmetə,gæləksɪ] *n астр.* метагала́ктика

metagenesis [,metəˈdʒenɪsɪs] *n биол.* метагене́з

metal [ˈmetl] **1.** *n* 1) мета́лл 2) распла́вленное стекло́, стекломасса 3) *pl* ре́льсы; the train left (*или* jumped) the ~s по́езд сошёл с ре́льсов 4) щёбень 5) *ж.-д.* балла́ст 6) *полигр.* гарт 7) *attr.* металли́ческий ◇ heavy ~ а) тяжёлая артилле́рия; б) ве́ские аргуме́нты

2. *v* 1) покрыва́ть, обшива́ть мета́ллом 2) мости́ть, шосси́ровать щёбнем 3) *ж.-д.* балласти́ровать

metalled road [ˈmetldrəʊd] *n* шоссе́

metallic [meˈtælɪk] *a* металли́ческий

metalliferous [,metəˈlɪfərəs] *a* рудоно́сный; содержа́щий мета́лл

metalline [ˈmetəlaɪn] *a* 1) металли́ческий 2) содержа́щий мета́лл

metallization [,metəlaɪˈzeɪʃn] *n тех.* металлиза́ция

metallize [ˈmetə,laɪz] *v тех.* металлизи́ровать

metallography [,metəˈlɒgrəfɪ] *n* металлогра́фия

metalloid [ˈmetə,lɔɪd] *n хим.* металло́ид

metallurgical [,metəˈlз:dʒɪkl] *a* металлурги́ческий; ~ engineering металлу́ргия; ~ furnace металлурги́ческая печь

metallurgist [meˈtælədʒɪst] *n* металлу́рг

metallurgy [meˈtælədʒɪ] *n* металлу́ргия

metalwork [ˈmetlwз:k] *n* 1) металлообрабо́тка 2) *собир.* металли́ческие изде́лия

metalworker [ˈmetl,wз:kə] *n* металли́ст

metamerism [meˈtæmə,rɪzəm] *n хим., зоол.* метамери́я

metamorphose [,metəˈmɔ:fəʊz] *v* подверга́ть(ся) метаморфо́зе (into); изменя́ть(ся)

metamorphoses [,metəˈmɔ:fəsi:z] *pl от* metamorphosis

metamorphosis [,metəˈmɔ:fəsɪs] *n* (*pl* -ses) метаморфо́з(а)

metaphor [ˈmetəfə] *n* мета́фора

metaphorical [,metəˈfɒrɪkl] *a* метафори́ческий

metaphrase [ˈmetəfreɪz] **1.** *n* 1) досло́вный перево́д 2) нахо́дчивый отве́т

2. *v* переводи́ть досло́вно

metaphysical [,metəˈfɪzɪkl] *a* метафизи́ческий

metaphysician [,metəfɪˈzɪʃn] *n* метафи́зик

metaphysics [,metəˈfɪzɪks] *n pl* (*часто употр. как sing*) метафи́зика

metaplasia [,metəˈpleɪzɪə] *n физиол.* метаплази́я

metasomatism [,metəˈsəʊmətɪzəm] *n геол.* метасомати́зм

metastases [meˈtæstəsi:z] *pl от* metastasis

metastasis [meˈtæstəsɪs] *n* (*pl* -ses) *мед.* метаста́з

metatarsi [,metəˈtɑ:saɪ] *pl от* metatarsus

metatarsus [,metəˈtɑ:səs] *n* (*pl* -si) *анат.* плюсна́

metatheses [meˈtæθəsi:z] *pl от* metathesis

metathesis [meˈtæθəsɪs] *n* (*pl* -ses) 1) *лингв.* метате́за 2) *хим.* обме́н, реа́кция обме́на

metcast [ˈmetkɑ:st] *n* прогно́з пого́ды

mete I [mi:t] *n* грани́ца; пограни́чный знак; ~s and bounds *юр.* грани́цы, преде́лы

mete II [mi:t] *v* 1) *книжн.* отмеря́ть, распределя́ть, назнача́ть (*часто* ~ out); to ~ out a punishment назна́чить наказа́ние 2) *поэт., библ.* измеря́ть

metempsychoses [,metempsaɪˈkəʊsi:z] *pl от* metempsychosis

metempsychosis [,metempsaɪˈkəʊsɪs] *n* (*pl* -ses) *рел.* метемпсихо́з

meteor [ˈmi:tɪə] *n* 1) метео́р 2) атмосфе́рное явле́ние

meteoric [,mi:tɪˈɒrɪk] *a* 1) метеорологи́ческий; атмосфери́ческий 2) метеори́ческий, метео́рный 3) сверкну́вший как метео́р; ослепи́тельный

meteorite ['mi:tɪəraɪt] *n* метеори́т

meteorograph ['mi:tɪərəgrɑ:f] *n* метеоро́граф

meteorological [,mi:tɪərə'lɒdʒɪkl] *a* метеорологи́ческий; атмосфери́ческий; ~ message метеосво́дка

meteorology [,mi:tɪə'rɒlədʒɪ] *n* 1) метеороло́гия 2) метеорологи́ческие усло́вия (*района, страны*)

meter ['mi:tə] *n* 1) измери́тель; счётчик; измери́тельный прибо́р; to read the gas (electric) ~ снима́ть показа́ния га́зового (электри́ческого) счётчика 2) *амер.* = metre

meterage ['mi:tərɪdʒ] *n* 1) измере́ние (*при помощи измерительного прибора*) 2) показа́ния измери́тельного прибо́ра

metering ['mi:tərɪŋ] *n* 1) измере́ние 2) сня́тие показа́ний прибо́ров

mete-wand ['mi:twɒnd] *n* мери́ло, крите́рий

methane ['mi:θeɪn] *n хим.* мета́н, боло́тный газ

method ['meθəd] *n* 1) ме́тод, спо́соб; приём 2) *pl* мето́дика (*наука*) 3) систе́ма; поря́док 4) *бот.*, *зоол.* классифика́ция

methodical [mə'θɒdɪkl] *a* 1) методи́ческий, методи́чный 2) системати́ческий

Methodist ['meθədɪst] *n рел.* методи́ст

methodize ['meθədaɪz] *v* приводи́ть в систе́му, в поря́док

methodology [,meθə'dɒlədʒɪ] *n* методоло́гия

Methuselah [mə'θju:zələ] *n библ.* Мафусаи́л

methyl ['meθl] *n хим.* 1) мети́л 2) *attr.* мети́ловый; ~ alcohol мети́ловый спирт

meticulous [mə'tɪkjʊləs] *a* 1) тща́тельный, скрупулёзный; дото́шный 2) щепети́льный

métier ['meɪtɪeɪ] *фр. n* заня́тие, профе́ссия, ремесло́

metis [meɪ'ti:s] *n* (*pl без измен.*) мети́с

metonymy [me'tɒnəmɪ] *n лит.* метони́мия

metope ['metəʊp] *n архит.* мето́п

metre ['mi:tə] *n* 1) метр (*мера*) 2) разме́р, ритм, метр (*в стихосложении, музыке*)

metric ['metrɪk] *a* метри́ческий; ~ system десяти́чная (*или* метри́ческая) систе́ма мер

metrical ['metrɪkl] *a* 1) *прос.* метри́ческий 2) измери́тельный 3) = metric

metrication [,metrɪ'keɪʃn] *n* введе́ние метри́ческой систе́мы, перехо́д на метри́ческую систе́му

metrician [mɪ'trɪʃn] *n* знато́к ме́трики (*стихотворной*)

metrics ['metrɪks] *n pl* (*употр. как sing*) *прос.* ме́трика

metritis [mɪ'traɪtɪs] *n* метри́т (*воспаление матки*)

metro ['metrəʊ] *n* (*pl* -os [-əʊz]) метрополите́н, метро́

metrology [mɪ'trɒlədʒɪ] *n* 1) метроло́гия 2) систе́ма мер и весо́в

metronome ['metrənəʊm] *n* метроно́м

metronymic [,metrəʊ'nɪmɪk] *a* образо́ванный от и́мени ма́тери *или* пре́дка по матери́нской ли́нии [*ср.* patronymic 1]

metropolis [mə'trɒpəlɪs] *n* 1) столи́ца; the ~ Ло́ндон 2) метропо́лия 3) центр делово́й *или* культу́рной жи́зни

metropolitan [,metrə'pɒlɪtən] **1.** *a* 1) столи́чный; ~ borough муниципа́льный райо́н (*в Лондоне*) 2) относя́щийся к метропо́лии; ~ power метропо́лия (*по отношению к своим колониям*) 3) относя́щийся к митрополи́ту

2. *n* 1) жи́тель столи́цы *или* метропо́лии 2) архиепи́скоп; митрополи́т

mettle ['metl] *n* 1) хара́ктер, темпера́мент 2) пыл, рети́вость; horse of ~ горя́чая ло́шадь; to be on one's ~ рва́ться в бой, проявля́ть пыл, рети́вость 3) хра́брость; to put (*или* to set) smb. on his ~ а) испыта́ть чьё-л. му́жество; б) заста́вить кого́-л. сде́лать всё, что в его́ си́лах; воодушеви́ть

mettled ['metld] *a* рети́вый, горя́чий; сме́лый

mettlesome ['metlsəm] *a* сме́лый; рья́ный

mew I [mju:] *n* ча́йка

mew II [mju:] **1.** *n* клётка (*для сокола, ястреба*)

2. *v* сажа́ть в клётку ▭ ~ up заключа́ть в тюрьму́; запира́ть

mew III [mju:] **1.** *n* мя́уканье; мя́у

2. *v* мя́укать

mewl [mju:l] *v* 1) хны́кать, ныть 2) мя́укать

mews [mju:z] *n* коню́шни; изво́зчичий двор

Mexican ['meksɪkən] **1.** *a* мексика́нский

2. *n* мексика́нец; мексика́нка

mezzanine ['metsəni:n] *n* 1) *архит.* антресо́ли 2) *театр.* помеще́ние под сце́ной 3) *амер. театр.* бельэта́ж

mezzo-soprano [,metsəʊsə'prɑ:nəʊ] *n* ме́ццо-сопра́но

mezzotint ['metsəʊtɪnt] *n полигр.* ме́ццо-ти́нто

mho [məʊ] *n эл.* мо, си́менс (*единица проводимости*)

mi [mi:] = me II

miaou, miaow [mɪ'aʊ] **1.** *n* мя́уканье

2. *v* мя́укать

miasma [mɪ'æzmə] *n* (*pl* -s [-z], -ta) *уст.* миа́змы, вре́дные испаре́ния

miasmal [mɪ'æzml] *a* миазмати́ческий

miasmata [mɪ'æzmətə] *pl от* miasma

mica ['maɪkə] *n* 1) слюда́ 2) *attr.* слюдяно́й

mice [maɪs] *pl от* mouse 1

micelle [mɪ'sel, maɪ'sel] *n биол.* мице́лла

Michaelmas ['mɪklməs] *n* 1) Миха́йлов день (*29 сентября*) 2) *attr.*: ~ daisy а́стра; ~ term а) осе́нний триме́стр (*в университете, колледже*); б) *юр.* осе́нняя суде́бная се́ссия

mickey ['mɪkɪ] *n*: to take the ~ out of smb. *sl.* дразни́ть кого́-л., издева́ться над кем-л.

Mickey Finn [,mɪkɪ'fɪn] *n sl.* кре́пкий алкого́льный напи́ток, к кото́рому подме́шан нарко́тик *или* слаби́тельное

micro- ['maɪkrəʊ-] *в сложных словах означает*: а) ма́ленький; необыкнове́нно ма́ленького разме́ра; *напр.*: microorganism микроорганизм; б) *в физической терминологии* в миллио́н раз ме́ньше, чем основна́я ме́ра; *напр.*: microsecond микросеку́нда (*миллионная часть секунды*)

microbe ['maɪkrəʊb] *n* микро́б

microbiology [,maɪkrəʊbaɪ'ɒlədʒɪ] *n* микробиоло́гия

microcephaly [,maɪkrəʊ'sefəlɪ] *n* микроцефа́лия

microclimate ['maɪkrəʊ,klaɪmət] *n* микрокли́мат

microcomputer ['maɪkrəʊkəm,pju:tə] *n* микрокомпью́тер; микрокалькуля́тор

microcopy ['maɪkrəʊ,kɒpɪ] *n* микрофотоко́пия; микрофи́льм

microcosm ['maɪkrəʊkɒzəm] *n* 1) что-л. в миниатю́ре 2) микроко́см, микроми́р

microdot ['maɪkrəʊdɒt] *n* микрофотосни́мок

microelectronics [,maɪkrəʊɪlek'trɒnɪks] *n* микроэлектро́ника

microelement ['maɪkrəʊ,elɪmənt] *n* микроэлеме́нт

microfiche ['maɪkrəʊfi:ʃ] *n* (*pl* -s [-ɪz], *тж. без измен.*) *вчт.* микрофи́ша

microfilm ['maɪkrəʊfɪlm] *n* микрофи́льм

microfilming ['maɪkrəʊfɪlmɪŋ] *n* микросъёмка

microform ['maɪkrəʊfɔ:m] *n вчт.* микрофо́рма

micrograph ['maɪkrəʊgrɑ:f] *n* 1) микросни́мок 2) микро́граф

micrography [maɪ'krɒgrəfɪ] *n* микрогра́фия

micrometer [maɪ'krɒmɪtə] *n* микро́метр

micron ['maɪkrɒn] *n* микро́н

microorganism [,maɪkrəʊ'ɔ:gənɪzəm] *n* микроорганизм

microphone ['maɪkrəfəʊn] *n* микрофо́н

microphyte ['maɪkrəfaɪt] *n бот.* микроскопи́ческое расте́ние

microprocessor ['maɪkrəʊ,prəʊsesə] *n вчт.* микропроце́ссор

microprogram ['maɪkrəʊ,prəʊgræm] *n вчт.* микропрогра́мма

microreader ['maɪkrəʊ,ri:də] *n* аппара́т для чте́ния микрофотоко́пий

microscope ['maɪkrəskəʊp] *n* микроско́п

microscopic(al) [,maɪkrə'skɒpɪk(l)] *a* микроскопи́ческий

microscopy [maɪ'krɒskəpɪ] *n* микроскопи́я

microsecond ['maɪkrəʊ,sekənd] *n* микросеку́нда

microsurgery [ˈmaɪkrəʊ,sɜːdʒərɪ] *n* микрохирургия

microtome [ˈmaɪkrəʊtəʊm] *n мед.* микротóм

microtomy [maɪˈkrɒtəmɪ] *n мед.* приготовлéние гистологи́ческих срéзов

microwave [ˈmaɪkrəweɪv] *элн.* **1.** *a* микроволнóвый; ~ region диапазóн сантимéтровых волн; ~ transmitter ультракоротковолнóвый передáтчик

2. *n* 1) *pl* микровóлны; сантиметрóвые вóлны; дециметрóвые вóлны 2) микроволнóвая печь (*тж.* ~ oven)

micturition [,mɪktjʊəˈrɪʃn] *n книжн.* мочеиспускáние

mid [mɪd] *a* срéдний, серéдинный; in ~ air (высокó) в вóздухе; in ~ course в пути́; from ~ June to ~ August с середи́ны ию́ня до середи́ны áвгуста

mid- [mɪd-] *pref* в середи́не; mid-January в середи́не январá; mid-ocean откры́тый океáн

midday [,mɪdˈdeɪ] *n* 1) пóлдень 2) *attr.* полднéвный, полýденный

midden [ˈmɪdn] *n* кýча мýсора; навóзная кýча

middle [ˈmɪdl] **1.** *n* 1) середи́на; in the ~ of a) в середи́не (*чего-л.*); б) во врéмя (*какого-л. дела, занятия*) 2) *разг.* тáлия 3) *грам.* медиáльный *или* срéдний залóг (*тж.* ~ voice) 4) подáча мячá в центр пóля (*футбол*) ◇ in the ~ of nowhere неизвéстно, в какóм мéсте; непоня́тно, где

2. *a* срéдний; ~ age (*или* years) зрéлые гóды; the M. Ages срéдние векá; the upper (lower) ~ class крýпная (мéлкая) буржуази́я; the ~ reaches of the Danube срéднее течéние Дунáя; ~ finger срéдний пáлец; ~ school шкóла вторóй ступéни ◇ ~ watch *мор.* ночнáя вáхта (*с 24 ч. до 4 ч.*); the ~ way умéренная пози́ция; ≅ золотáя середи́на

3. *v* 1) помести́ть в середи́ну 2) подáть мяч на середи́ну пóля (*в футболе*)

middle-aged [,mɪdlˈeɪdʒd] *a* срéдних лет

middlebrow [ˈmɪdlbraʊ] *n разг.* человéк невысóкого полёта, обывáтель

middleman [ˈmɪdlmæn] *n* комиссионéр; посрéдник

middlemost [ˈmɪdlməʊst] *a редк.* ближáйший к цéнтру, центрáльный

middle-of-the-road [,mɪdləvðəˈrəʊd] *a* (*часто полит.*) умéренный; центри́стский

middle-sized [,mɪdlˈsaɪzd] *a* срéдний, срéднего размéра

middleweight [ˈmɪdlweɪt] *n* 1) срéдний вес 2) борéц *или* боксёр срéднего вéса (*68—71 кг*)

middling [ˈmɪdlɪŋ] **1.** *pres. p. от* middle 3

2. *a* 1) срéдний 2) второсóртный; посрéдственный 3) *разг.* снóсный (*о здоровье*)

3. *adv* срéдне; тáк себе, снóсно; ~ good довóльно хорóший

middlings [ˈmɪdlɪŋz] *n pl* 1) товáр срéднего кáчества, второсóртный товáр (*особ. о муке*) 2) *горн.* нечи́стый концентрáт

middy [ˈmɪdɪ] *разг. сокр. от* midshipman

midge [mɪdʒ] *n* 1) *разг.* мóшка; комáр 2) = midget 2)

midget [ˈmɪdʒɪt] *n* 1) кáрлик, лилипýт 2) óчень мáленькое существó *или* вещь 3) *фото* миниатю́ра 4) *attr.* миниатю́рный; ~ car малолитрáжный автомоби́ль

midi [ˈmɪdɪ] *n* ми́ди

midi- [ˈmɪdɪ-] *в сложных словах указывает на среднюю длину, средний размер и т. п.* ми́ди-; ~-coat ми́ди-пальтó; ~-skirt ми́ди-ю́бка

midland [ˈmɪdlənd] **1.** *n* 1) (the Midlands) *pl* центрáльные грáфства (*Англии*) 2) внýтренняя часть страны́

2. *a* 1) центрáльный; удалённый от мóря 2) внýтренний (*о море*)

midmost [ˈmɪdməʊst] *a* находя́щийся в сáмой середи́не

midnight [ˈmɪdnaɪt] *n* 1) пóлночь 2) непроглядная тьма; as black (*или* as dark) as ~ óчень тёмный 3) *attr.* полунóчный; полнóчный

midrib [ˈmɪdrɪb] *n бот.* глáвная жи́лка (*листа*)

midriff [ˈmɪdrɪf] *n анат.* диафрáгма, грудобрю́шная преграда

midship [ˈmɪdʃɪp] *n мор.* ми́дель, срéднее сечéние

midshipman [ˈmɪdʃɪpmən] *n* корабéльный гардемари́н; *амер.* гардемари́н, курсáнт воéнно-морскóго учи́лища

midships [ˈmɪdʃɪps] = amidships

midst [mɪdst] **1.** *n* середи́на; in the ~ of средí; in our ~, in the ~ of us в нáшей средé; средí нас

2. *prep поэт. см.* amid

midstream [,mɪdˈstriːm] *n* середи́на реки́

midsummer [,mɪdˈsʌmə] *n* 1) середи́на лéта 2) *разг.* лéтнее солнцестоя́ние 3) *attr.*: M. day Ивáнов день (*24 июня*); ~ madness *разг.* умопомешáтельство; чи́стое безýмие

midterm [,mɪdˈtɜːm] *n* (*обыкн. pl*) *амер. разг.* экзáмены в середи́не семéстра (*в университете; тж.* ~ exams)

midway [,mɪdˈweɪ] *adv* на полпути́, на полдорóге

midweek [,mɪdˈwiːk] *n* 1) середи́на недéли 2) (M.) средá (*в употреблении квакеров*)

midwife [ˈmɪdwaɪf] *n* акушéрка; повивáльная бáбка

midwifery [,mɪdˈwɪfərɪ] *n* акушéрство

midwinter [,mɪdˈwɪntə] *n* 1) середи́на зимы́ 2) зи́мнее солнцестоя́ние

midyear [ˈmɪdjɪə] *n амер. разг.* экзáмен в середи́не учéбного гóда; *pl* зи́мняя экзаменациóнная сéссия (*в университете*)

mien [miːn] *n книжн.* 1) ми́на, выражéние лицá 2) вид, нарýжность 3) манéра держáть себя́

miff [mɪf] *разг.* **1.** *n* 1) лёгкая ссóра, размóлвка 2) вспы́шка раздражéния; to get a ~ надýться

2. *v* (*часто pass.*) оби́деть, расстрóить

might I [maɪt] *v модальный глагол* 1) *past от* may I: she said she ~ arrive at six онá сказáла, что мóжет приéхать в шесть 2) *выражает сомнение, предположение, неуверенность* (*с простым инфинитивом относится к настоящему и будущему, с перфектным инфинитивом — к прошедшему*): we ~ see her again, or we ~ not возмóжно, мы её ещё уви́дим, а мóжет быть и нет; the car nearly hit me. I ~ have been killed. I had a narrow escape автомоби́ль чуть бы́ло не наéхал на меня́. Я мог бы поги́бнуть, чýдом уцелéл 3) *в вопр. предложениях выражает просьбу в вежливой форме*: ~ I keep your book for a day or two? — Yes, you may могý я подержáть Вáшу кни́гу день и́ли два? — Мóжете 4) *выражает желательность или упрёк*: you ~ write letters to your mother once a month at least Вы могли́ бы писáть Вáшей мáтери хотя́ бы раз в мéсяц 5) *употр. как вспомогательный глагол с простым или с перфектным инфинитивом для образования сложной формы сослагательного наклонения, относящегося к настоящему (будущему) или к прошедшему времени*: if it were summer now, our friends ~ invite us to come to their country place éсли бы сейчáс бы́ло лéто, друзья́ могли́ бы пригласи́ть нас к себé на дáчу; but for the TV, we ~ not have known about it éсли бы не телеви́дение, мы бы не знáли об э́том

might II [maɪt] *n* 1) могýщество; мощь 2) энéргия; си́ла; with ~ and main изо всéх си́л

might-have been [ˈmaɪtəvbiːn] *n* 1) упýщенная возмóжность 2) неудáчник 3) *attr.* неосуществи́вшийся, несбы́вшийся

mightily [ˈmaɪtɪlɪ] *adv* 1) мóщно, си́льно 2) *разг.* чрезвычáйно, óчень; to be ~ pleased быть стрáшно довóльным

mightiness [ˈmaɪtɪnəs] *n* 1) мóщность 2) вели́чие 3) (M.): Your M. вáше высóчество, вáша свéтлость (*титул; часто шутл. или ирон.*)

mightn't [ˈmaɪtnt] *сокр. разг.* = might not

mighty [ˈmaɪtɪ] **1.** *a* 1) могýщественный; мóщный 2) *разг.* громáдный

2. *adv разг.* чрезвычáйно, óчень; that is ~ easy э́то óчень легкó; he thinks himself ~ clever он считáет себя́ óчень ýмным

mignonette [,mɪnjəˈnet] *n* 1) резедá 2) францýзское крýжево

migraine [ˈmiːgreɪn] *n* мигрéнь

migrant [ˈmaɪgrənt] **1.** *a* 1) кочýющий 2) перелётный (*о птице*)

2. *n* 1) переселéнец 2) перелётная пти́ца

migrate [maɪˈgreɪt] *v* 1) мигри́ровать; переселя́ться 2) совершáть перелёт (*о птицах*)

migration [maɪˈgreɪʃn] *n* 1) миграция; переселение 2) перелёт (*птиц*)

migratory [ˈmaɪgrətərɪ] *a* 1) = migrant 1; 2) *мед.* блуждающий

mikado [mɪˈkɑːdəʊ] *n* (*pl* -os [-əʊz]) *ист.* микадо

mike I [maɪk] *sl.* **1.** *n*: to do (*или* to have) a ~ бездельничать

2. *v* слоняться, бездельничать; отлынивать от работы

mike II [maɪk] *n разг.* микрофон

mil [mɪl] *n* мил, одна тысячная дюйма

milady [mɪˈleɪdɪ] *n* миледи (*преим. во фр. употреблении*)

milage [ˈmaɪlɪdʒ] = mileage

Milanese [ˌmɪləˈniːz] **1.** *a* миланский

2. *n* (*pl без измен.*) миланец, житель Милана

milch [mɪltʃ] *a* молочный (*о скоте*); ~ cow дойная корова (*тж. перен.*)

mild [maɪld] *a* 1) тихий, мягкий, кроткий (*о человеке*) 2) мягкий; умеренный 3) неострый (*о пище*); слабый (*о пиве, лекарстве, табаке и т. п.*) 4): ~ steel мягкая (*или* малоуглеродистая) сталь

mild-cured [ˌmaɪldˈkjʊəd] *a* малосольный

mildew [ˈmɪldjuː] **1.** *n* 1) *бот.* милдью, ложномучнистая роса 2) плесень (*на коже, бумаге*)

2. *v бот.* поражать *или* быть поражённым милдью

mildewy [ˈmɪldjuːɪ] *a бот.* поражённый милдью

mile [maɪl] *n* миля; English (*или* statute) ~ английская миля (= *1609 м*); Admiralty (*или* geographical, nautical, sea) ~ морская миля (= *1853 м*) ◇ ~s easier (better) в тысячу раз легче (лучше); not a hundred ~s away неподалёку, вблизи; to stand (*или* to stick) out a ~ быть очевидным, бросаться в глаза

mileage [ˈmaɪlɪdʒ] *n* 1) расстояние в милях; число (пройденных) миль 2) проездные деньги (*для командировочных и т. п., из расчёта расстояния в милях*) 3) *разг.* польза, выгода

milepost [ˈmaɪlpəʊst] *n* мильный столб

miler [ˈmaɪlə] *n* бегун *или* скаковая лошадь на милю

milestone [ˈmaɪlstəʊn] *n* 1) мильный камень *или* столб 2) этап, веха

milfoil [ˈmɪlfɔɪl] *n бот.* тысячелистник

milieu [ˈmiːljɜː] *n* (*pl тж.* -ieux) окружение, окружающая обстановка

milieux [ˈmiːljɜː] *pl от* milieu

militancy [ˈmɪlɪtənsɪ] *n* воинственность

militant [ˈmɪlɪtənt] **1.** *a* 1) активный, боевой; ~ trade union боевой профсоюз 2) воинствующий, воинственный

2. *n* 1) борец, активист; a trade union ~ профсоюзный активист 2) боец

militarily [ˈmɪlɪtrəlɪ] *adv* 1) воинственно 2) с военной точки зрения; в военном отношении 3) с помощью войск, применяя военную силу

militarism [ˈmɪlɪtərɪzəm] *n* милитаризм

militarist [ˈmɪlɪtərɪst] *n* 1) милитарист 2) *pl* военщина

militarization [ˌmɪlɪtəraɪˈzeɪʃn] *n* милитаризация

militarize [ˈmɪlɪtəraɪz] *v* милитаризировать

military [ˈmɪlɪtərɪ] **1.** *a* военный, воинский; ~ age призывной возраст; ~ bearing военная выправка; ~ chest войсковая касса, казна; ~ engineering военно-инженерное дело; ~ establishment вооружённые силы; ~ execution приведение в исполнение приговора военного суда; ~ information разведывательные данные; ~ oath воинская присяга; ~ post полевая почта; ~ rank воинское звание; ~ school (*или* academy) военная школа, военное училище; ~ service военная служба; ~ testament (*или* will) устное завещание военнослужащего ◇ ~ pit волчья яма

2. *n* 1) (the ~) военные, военнослужащие; военщина 2) войска, военная сила 3) (*без артикля*) *груб.* солдатня; солдафоны

militate [ˈmɪlɪteɪt] *v* 1) свидетельствовать, говорить против (*об уликах, фактах*; against) 2) препятствовать (against)

militia [məˈlɪʃə] *n* 1) народное ополчение; милиционная армия (*в Англии*) 2) милиция

militiaman [məˈlɪʃəmən] *n* 1) ополченец; солдат милиционной армии 2) милиционер

milk [mɪlk] **1.** *n* 1) молоко 2) *бот.* млечный сок, латекс 3) *attr.* молочный ◇ the ~ of human kindness добросердечие, симпатия, доброта (*часто ирон.*); ~ for babes несложная книга, статья *и т. п.*; ~ and honey ≅ молочные реки, кисельные берега

2. *v* 1) доить 2) давать молоко (*о скоте*) 3) извлекать выгоду (*из чего-л.*); эксплуатировать 4) *разг.* перехватывать (*телеграфные, телефонные сообщения*)

milk and water [ˌmɪlkənˈwɔːtə] *n* 1) разбавленное молоко 2) бессодержательный разговор; бессодержательная книга; «вода»

milk-and-water [ˌmɪlkənˈwɔːtə] *a* 1) безвкусный, водянистый; слабый, пустой 2) безвольный, бесхарактерный; безликий; ~ girl ≅ «кисейная барышня»

milk bar [ˈmɪlkbɑː] *n* кафе-молочная, молочный бар

milk-brother [ˈmɪlkˌbrʌðə] *n* молочный брат

milker [ˈmɪlkə] *n* 1) дояр; доярка 2) доильная машина 3) молочная корова

milk float [ˈmɪlkfləʊt] *n* тележка для развозки молока

milk gauge [ˈmɪlkgeɪdʒ] *n* лактометр

milking machine [ˈmɪlkɪŋməˌʃiːn] *n* доильная машина

milk-livered [ˈmɪlkˌlɪvəd] *a* трусливый

milkmaid [ˈmɪlkmeɪd] *n* доярка

milkman [ˈmɪlkmən] *n* продавец *или* разносчик молока

milk shake [ˈmɪlkʃeɪk] *n* молочный коктейль

milksop [ˈmɪlksɒp] *n* 1) бесхарактерный человек, «тряпка», «баба» 2) *уст.* кусок хлеба, размоченный в молоке

milk sugar [ˈmɪlkˌʃʊgə] *n хим.* молочный сахар, лактоза

milk tooth [ˈmɪlktuːθ] *n* молочный зуб

milkweed [ˈmɪlkwiːd] *n название многих растений, выделяющих млечный сок, напр.*, молочай

milk-white [ˈmɪlkwaɪt] *a* молочно-белый

milky [ˈmɪlkɪ] *a* молочный ◇ M. Way *астр.* Млечный Путь

mill I [mɪl] **1.** *n* 1) мельница 2) мельница; дробилка 3) фабрика, завод 4) (прокатный) стан 5) пресс (*для выжимания растительного масла*) 6) *тех.* фреза 7) = treadmill 8) *sl.* матч по боксу; кулачный бой 9) *sl.* тюрьма 10) *attr.* мельничный 11) *attr.* фабричный, заводской ◇ to go (*или* to pass) through the ~ пройти суровую школу; to put smb. through the ~ заставить кого-л. пройти суровую школу

2. *v* 1) молоть; рушить (*зерно*) 2) дробить, измельчать (*руду*) 3) обрабатывать на станке; фрезеровать; гуртить (*монету*) 4) двигаться кругом, кружить (*в толпе, стаде*), толпиться (*тж.* ~ about, ~ around) 5) выделывать (*кожу*); валять (*сукно*) 6) *sl.* бить, тузить 7) *sl.* отправить в тюрьму

mill II [mɪl] *n амер.* тысячная часть доллара

millboard [ˈmɪlbɔːd] *n* толстый (переплётный) картон

mill cake [ˈmɪlkeɪk] *n* жмых

milldam [ˈmɪldæm] *n* мельничная плотина

millenary [mɪˈlenərɪ] **1.** *n* 1) тысячелетие 2) тысячелетняя годовщина

2. *a* тысячелетний

millennia [mɪˈlenɪə] *pl от* millennium

millennial [mɪˈlenɪəl] *a* тысячелетний

millennium [mɪˈlenɪəm] *n* (*pl* -s [-z], -nia) 1) тысячелетие 2) золотой век

millepede [ˈmɪlɪpiːd] = millipede

miller [ˈmɪlə] *n* 1) мельник 2) фрезеровщик 3) фрезерный станок

miller's thumb [ˈmɪləzˌθʌm] *n* подкаменщик (*рыба*)

millesimal [mɪˈlesɪml] **1.** *a* тысячный

2. *n* тысячная часть

millet [ˈmɪlɪt] *n* 1) просо 2) *attr.* просяной, из проса

mill-hand [ˈmɪlhænd] *n* фабричный *или* заводской рабочий

milliard [ˈmɪlɪɑːd] *num. card.*, *n* миллиард

milligram(me) [ˈmɪlɪgræm] *n* миллиграмм

millimetre [ˈmɪlɪˌmiːtə] *n* миллиметр

milliner [ˈmɪlɪnə] *n* модистка

millinery [ˈmɪlɪnərɪ] *n* 1) дамские шляпы 2) производство дамских шляп; торговля дамскими шляпами

milling [ˈmɪlɪŋ] **1.** *pres. p. от* mill I, 2

2. *n* помол *и пр.* [*см.* mill I, 2]

3. *a* 1) мукомольный 2) *разг.* толпящийся, толкущийся

milling cutter [ˈmɪlɪŋˌkʌtə] *n* фреза

milling machine ['mılıŋmə,ʃi:n] *n* фрéзерный станóк

million ['mıljən] **1.** *num. card.* миллиóн; ten ~ books дéсять миллиóнов книг; the total is four ~ итогó четы́ре миллиóна

2. *n* 1) числó миллиóн 2): the ~ а) мнóжество, мáсса; б) основнáя мáсса населéния

millionaire [,mıljə'neə] *n* миллионéр

millipede ['mılıpi:d] *n зоол.* многонóжка

millpond ['mılpɒnd] *n* мéльничный пруд; запрýда у мéльницы

millrace ['mılreıs] *n* 1) потóк воды́, приводя́щий в движéние мéльничное колесó 2) мéльничный лотóк

millstone ['mılstəʊn] *n* 1) жёрнов 2) брéмя <> between the upper and the nether ~ в безвы́ходном положéнии; ≅ мéжду мóлотом и наковáльней; to see far into a ~, to look through a ~ обладáть сверхъестéственной проницáтельностью (*обыкн. ирон.*); to have (*или* to fix) a ~ about one's neck ≅ надéть кáмень на шéю

millstream ['mılstri:m] = millrace 1)

mill wheel ['mılwi:l] *n* мéльничное колесó

millwright ['mılraıt] *n* 1) монтáжник 2) слéсарь-монтёр 3) *редк.* констрýктор

milord [mı'lɔ:d] *n* милóрд (*преим. во фр. употреблении*)

milquetoast ['mılktəʊst] *n амер.* рóбкий, застéнчивый человéк

milt [mılt] **1.** *n* 1) семенники́ (*рыб*), молóки 2) селезёнка

2. *v* оплодотворя́ть икрý

milter ['mıltə] *n* ры́ба-самéц (*во время нереста*)

mime [maım] **1.** *n* 1) пантоми́ма 2) мим (*представление у древних греков и римлян*) 3) мим, мими́ст

2. *v* 1) исполня́ть роль в пантоми́ме 2) изображáть мими́чески 3) подражáть, имити́ровать, передрáзнивать 4) исполня́ть под фоногрáмму

mimeograph ['mımıəgrɑ:f] *n* 1) мимеóграф 2) óттиск мимеóграфа

mimesis [mı'mi:sıs] = mimicry 2)

mimetic [mı'metık] *a* 1) подражáтельный 2) *биол.* обладáющий мимикри́ей

mimic ['mımık] **1.** *a* 1) подражáтельный; переи́мчивый 2) ненастоя́щий 3) *биол.* относя́щийся к мимикри́и

2. *v* 1) имитáтор 2) мим, мими́ческий актёр 3) подражáтель, «обезья́на»

3. *v* 1) пароди́ровать; передрáзнивать; обезья́нничать 2) подражáть; имити́ровать 3) *биол.* принимáть защи́тную окрáску

mimicry ['mımıkrı] *n* 1) имити́рование 2) *биол.* мимикри́я

miminy-piminy [,mımını'pımını] *a* жемáнный

mimosa [mı'məʊzə] *n бот.* мимóза

minaret [,mınə'ret] *n* минарéт

minatory ['mınətərı] *a* угрожáющий

mince [mıns] **1.** *v* 1) кроши́ть, руби́ть (*мясо*); пропускáть чéрез мясорýбку 2) говори́ть, держáться жемáнно 3) семени́ть ногáми 4) смягчáть, выражáть в мя́гкой фóрме <> not to ~ matters (*или* one's words) говори́ть пря́мо, без обинякóв

2. *n* фарш

mincemeat ['mınsmi:t] *n* начи́нка из изю́ма, миндаля́, сáхара *и пр.* (*для пирога*) <> to make ~ of ≅ преврати́ть в котлéту; разби́ть, уничтóжить (*противника*)

mince pie [,mıns'paı] *n* слáдкий пирожóк [*см.* mincemeat]

mincing machine ['mınsıŋmə,ʃi:n] *n* мясорýбка

mind [maınd] **1.** *n* 1) рáзум; ум; ýмственные спосóбности; to live with one's own ~ жить свои́м умóм; the great ~s of the world вели́кие умы́ человéчества; on one's ~ в мы́слях, на умé 2) рассýдок, ум; to be in one's right ~ быть в здрáвом умé; out of one's ~ помéшанный, не в своём умé 3) пáмять; воспоминáние; to have (*или* to bear, to keep) in ~ пóмнить, имéть в видý; to bring to ~ напóмнить; to go (*или* to pass) out of ~ вы́скочить из пáмяти 4) мнéние; мысль; взгляд; to be of one (*или* a) ~ (with) быть одногó и тогó же мнéния (с); to be of the same ~ а) быть единодýшным, придéрживаться одногó мнéния; б) оставáться при своём мнéнии; to speak one's ~ говори́ть откровéнно; to change (*или* to alter) one's ~ передýмать; to my ~ по моемý мнéнию; it was not to his ~ он так не считáл, он не был с э́тим соглáсен; to have an open ~ быть объекти́вным, непредубеждённым; to read smb.'s ~ читáть чужи́е мы́сли 5) внимáние; to put one's ~ to smth. обрати́ть внимáние на что-л. 6) намéрение, желáние; I have a great (*или* good) ~ to do it у меня́ большóе желáние э́то сдéлать; to know one's own ~ не колебáться, твёрдо знать, чегó хóчешь; to be in two ~s колебáться, находи́ться в нереши́тельности 7) дух, душá; ~'s eye духóвное óко, мы́сленный взгляд; deep in one's ~ (глубокó) в душé <> many men, many ~s, no two ~s think alike ≅ скóлько голóв, стóлько умóв; to make up one's ~ реши́ть(ся); to make up one's ~ to smth. смири́ться с чем-л.

2. *v* 1) (*в вопр. или отриц. предложении, а также в утверд. ответе*) возражáть, имéть (*что-л.*) прóтив; do you ~ my smoking? вы не бýдете возражáть, éсли я закурю́?; I don't ~ it a bit нет, ниcкóлько; yes, I ~ it very much нет, я óчень прóтив э́того; I shouldn't ~ я не прочь 2) пóмнить; ~ our agreement не забýдьте о нáшем соглашéнии; ~ and do what you're told не забýдьте сдéлать то, что вам велéли 3) забóтиться, занимáться (*чем-л.*); смотрéть (*за чем-л.*); to ~ the baby присмáтривать за ребёнком; please ~ the fire пожáлуйста, последи́те заками́ном 4) остерегáться, берéчься; ~ the step! осторóжно, там ступéнька! 5) *амер.*, *ирл.* слýшаться, прислýшиваться к совéтам <> never ~ ничегó; невáжно, не беспокóйтесь, не бедá; never ~ the cost (*или* the expense) не остáнавливайтесь пéред расхóдами; to ~ one's P's and Q's следи́ть за собóй, за свои́ми словáми, соблюдáть осторóжность *или* прили́чия; ~ your eye! ≅ держи́ ýхо вострó!

mind-bending ['maınd,bendıŋ] *a разг.* галлюциногéнный (*о наркотике*)

mind-blowing ['maınd,bləʊıŋ] *a sl.* 1) возбуждáющий; шоки́рующий 2) психодели́ческий (*о наркотике*)

minded ['maındıd] **1.** *p. p. от* mind 2

2. *a* располóженный, готóвый (*что-л. сделать*)

-minded [-'maındıd] *в сложных словах* а) *указывает на склад ума, характера*: double-~ а) двоедýшный; б) колéблющийся; evil-~ злонамéренный; high-~ великодýшный; low-~ ни́зкий; small-~ мéлочный; pure-~ чистосердéчный; б) *указывает на склонность, интерес к чему-л.*: medically-~ имéющий склóнность, проявля́ющий интерéс к медици́не

minder ['maındə] *n* человéк, присмáтривающий за *чем-л.*, забóтящийся о *ком-л.*

mindful ['maındfl] *a* 1) внимáтельный (*к обязанностям*); забóтливый 2) пóмнящий

mindless ['maındləs] *a* 1) глýпый, бессмы́сленный 2) не дýмающий (*о чём-л.*); не считáющийся (of — с *чем-л.*)

mind-read ['maındri:d] *v* читáть чужи́е мы́сли

mine I [maın] *pron poss.* (*абсолютная форма, не употр. атрибутивно*; *ср.* my) принадлежáщий мне; мой; моя́; моё; this is ~ э́то моё; a friend of ~ мой друг

mine II [maın] **1.** *n* 1) рудни́к; копь; шáхта; при́иск 2) разрéз, карьéр 3) зáлежь, пласт 4) истóчник (*сведений и т. п.*) 5) *воен.* ми́на; to lay a ~ for подвести́ ми́ну под 6) *ист.* подкóп

2. *v* 1) производи́ть гóрные рабóты, разрабáтывать рудни́к, добывáть (*руду и т. п.*) 2) подкáпывать, копáть под землёй; вести́ подкóп 3) мини́ровать; стáвить ми́ны 4) зарывáться в зéмлю, рыть нóрку (*о животных*) 5) подкáпываться (*под кого-л.*); подрывáть (*репутацию и т. п.*)

mine-clearing ['maın,klıərıŋ] *n воен.* размини́рование

mine-detector ['maındı,tektə] *n воен.* миноискáтель

minefield ['maınfi:ld] *n воен.* ми́нное пóле

minelayer ['maın,leıə] *n мор.* ми́нный загради́тель

miner ['maınə] *n* 1) горня́к; горнорабóчий; шахтёр; рудокóп 2) *воен.* минёр

mineral ['mınrəl] **1.** *n* 1) минерáл 2) рудá 3) *pl* полéзные ископáемые 4) *pl разг.* минерáльная водá

2. *a* 1) минерáльный; ~ oil нефть, нефтепродýкт 2) *хим.* неоргани́ческий

mineralize ['mınrəlaız] *v геол.* минерализовáть, насыщáть минерáльными солями

mineralogist [,mɪnə'rælədʒɪst] *n* минера́лог

mineralogy [,mɪnə'rælədʒɪ] *n* минерало́гия

Minerva [mɪ'nɜːvə] *n римск. миф.* Мине́рва

minesweeper ['maɪn,swiːpə] *n мор.* ми́нный тра́льщик

minethrower ['maɪn,θrəʊə] *n* миномёт

minever ['mɪnɪvə] = miniver

mineworker ['maɪn,wɜːkə] *n* шахтёр, горня́к

mingle ['mɪŋgl] *v* сме́шивать(ся); to ~ in (*или* with) the crowd смеша́ться с толпо́й; to ~ in society враща́ться в о́бществе; to ~ (their) tears *книжн.* пла́кать вме́сте

mingle-mangle [,mɪŋgl'mæŋgl] *n разг.* смесь, вся́кая вся́чина; пу́таница

mingy ['mɪndʒɪ] *a разг.* скупо́й, ме́лочный

mini ['mɪnɪ] *n разг.* ми́ни

mini- ['mɪnɪ-] *в сложных словах указывает на малый размер, малую длину и т. п.* ми́ни-; ~-coat ми́ни-пальто́; ~skirt ми́ни-ю́бка

miniate ['mɪnɪeɪt] *v* 1) кра́сить киново́рью 2) украша́ть цветны́ми рису́нками (*рукопись*)

miniature ['mɪnətʃə] **1.** *n* 1) миниатю́ра; in ~ в миниатю́ре 2) *полигр.* заста́вка 3) *кино* маке́т (*модели построек и т. п. в миниатюре*)

2. *a* миниатю́рный

3. *v* изобража́ть в миниатю́ре

miniaturist ['mɪnətʃərɪst] *n* миниатюри́ст

minibus ['mɪnɪbʌs] *n* микроавто́бус

minicab ['mɪnɪkæb] *n* ми́ни-такси́, такси́-малолитра́жка

minicomputer ['mɪnɪkəm,pjuːtə] *n* ми́ни-компью́тер, ми́ни-ЭВМ

minify ['mɪnɪfaɪ] *v* уменьша́ть, преуменьша́ть

minikin ['mɪnɪkɪn] *n* 1) ма́ленькая вещь; ма́ленькое существо́ 2) *полигр.* бриллиа́нт (*шрифт*)

minim ['mɪnɪm] *n* 1) *муз.* полови́нная но́та 2) 1/60 дра́хмы 3) мельча́йшая части́ца, о́чень ма́ленькая до́ля, ка́пля 4) безде́лица

minima ['mɪnɪmə] *pl от* minimum

minimal ['mɪnɪml] *a* 1) о́чень ма́ленький 2) минима́льный

minimize ['mɪnɪmaɪz] *v* 1) доводи́ть до ми́нимума 2) преуменьша́ть

minimum ['mɪnɪməm] *n* (*pl* minima) 1) ми́нимум; минима́льное коли́чество 2) *attr.* минима́льный; ~ wage а) минима́льная за́работная пла́та; б) за́работная пла́та, едва́ обеспе́чивающая прожи́точный ми́нимум

minimus ['mɪnɪməs] *a* мла́дший из бра́тьев

mining ['maɪnɪŋ] **1.** *pres. p. от* mine II, 2

2. *n* 1) го́рное де́ло; го́рная промы́шленность; разрабо́тка месторожде́ний поле́зных ископа́емых 2) *воен., мор.* ми́нное де́ло; мини́рование 3) *attr.* го́рный, ру́дный; ~ camp рудни́к; ~ claim зая́вка (*на открытие рудника*); ~ engineer го́рный инжене́р; ~ hole бурова́я сква́жина; ~ machine вру́бовая маши́на

minion ['mɪnjən] *n* 1) фавори́т, люби́мец; ~ of fortune ба́ловень судьбы́ 2) *презр.* креату́ра; ~s of the law тюре́мщики, полице́йские 3) *уст.* любо́вник 4) *полигр.* миньо́н (*шрифт*)

miniskirt ['mɪnɪskɜːt] *n* ми́ни-ю́бка

minister ['mɪnɪstə] **1.** *n* 1) мини́стр; the ~s прави́тельство 2) свяще́нник 3) *дип.* посла́нник; сове́тник посо́льства 4) исполни́тель, слуга́; ~ of vengeance ору́дие ме́сти

2. *v* 1) служи́ть; помога́ть, ока́зывать по́мощь, соде́йствие; спосо́бствовать 2) соверша́ть богослуже́ние

ministerial [,mɪnɪ'stɪərɪəl] *a* 1) *церк.* па́стырский 2) министе́рский; прави́тельственный; ~ changes измене́ния в соста́ве кабине́та; ~ cheers (cries) *парл.* во́згласы одобре́ния (вы́крики) на министе́рских скамья́х 3) соде́йствующий, спосо́бствующий

ministerialist [,mɪnɪ'stɪərɪəlɪst] *n* сторо́нник прави́тельства

ministration [,mɪnɪ'streɪʃn] *n* 1) (*обыкн. pl*) по́мощь 2) богослуже́ние 3) оказа́ние по́мощи

ministry ['mɪnɪstrɪ] *n* 1) министе́рство 2) (the ~) кабине́т мини́стров 3) срок пребыва́ния у вла́сти мини́стра *или* кабине́та 4) фу́нкции свяще́нника 5) (the ~) духове́нство; па́стырство

miniver ['mɪnɪvə] *n* мех горноста́я

mink [mɪŋk] *n* но́рка (*животное и мех*)

minnesinger ['mɪnɪ,sɪŋə] *n* миннези́нгер

minnow ['mɪnəʊ] *n* 1) голья́н (*рыба*) 2) ме́лкая рыбёшка, мелюзга́ 3) блесна́ ◇ to throw out a ~ to catch a whale ≅ рискну́ть пустяко́м ра́ди большо́го бары́ша; a Triton among (*или* of) the ~s ≅ велика́н среди́ пигме́ев

minor ['maɪnə] **1.** *a* 1) незначи́тельный; второстепе́нный; ~ repairs ме́лкий ремо́нт; of ~ interest не представля́ющий большо́го интере́са; ~ league *спорт.* ни́зшая ли́га 2) ме́ньший из двух; мла́дший из двух *или* из трёх бра́тьев (*учащихся в одной школе*); ~ court суд ни́зшей инста́нции 3) *муз.* мино́рный; *перен.* гру́стный, мино́рный

2. *n* 1) несовершенноле́тний подро́сток 2) *муз.* мино́рный ключ 3) *амер.* непрофили́рующий предме́т (*в университете, колледже*) 4) *лог.* ме́ньшая посы́лка в силлоги́зме 5) (M.) *рел. ист.* минори́т, франциска́нец

Minorca [mɪ'nɔːkə] *n* мино́рка (*порода кур*) [*см. тж. Список географических названий*]

Minorite ['maɪnəraɪt] *n рел. ист.* минори́т, франциска́нец

minority [maɪ'nɒrətɪ] *n* 1) меньшинство́; ме́ньшее число́; ме́ньшая часть 2) несовершенноле́тие ◇ ~ report осо́бое мне́ние *или* заявле́ние меньшинства́

minster ['mɪnstə] *n* 1) кафедра́льный собо́р 2) монасты́рская це́рковь

minstrel ['mɪnstrəl] *n* 1) менестре́ль; поэ́т; певе́ц 2) *pl* исполни́тели негритя́нских пе́сен (*загримированные неграми*)

minstrelsy ['mɪnstrəlsɪ] *n* 1) иску́сство менестре́лей 2) *собир.* менестре́ли 3) поэ́зия, пе́сни менестре́лей

mint I [mɪnt] *n бот.* мя́та

mint II [mɪnt] **1.** *n* 1) моне́тный двор 2) больша́я су́мма; большо́е коли́чество; ~ of money больша́я су́мма; ку́ча де́нег; ~ of trouble ку́ча неприя́тностей 3) исто́чник, происхожде́ние; ~ of intrigue расса́дник интри́г ◇ in ~ condition блестя́щий; как но́венький

2. *v* 1) чека́нить (*монету*) 2) создава́ть (*новое слово, выражение*) 3) *пренебр.* выду́мывать

mintage ['mɪntɪdʒ] *n* 1) чека́нка (*монеты*) 2) моне́ты одного́ вы́пуска 3) отпеча́ток (*на монете*) 4) по́шлина на пра́во чека́нки моне́ты 5) созда́ние, изобрете́ние; a word of new ~ неологи́зм

minuend ['mɪnjʊend] *n мат.* уменьша́емое

minuet [,mɪnjʊ'et] *n* менуэ́т

minus ['maɪnəs] **1.** *prep* 1) ми́нус; без; ten ~ four is six де́сять ми́нус четы́ре равня́ется шести́ 2) *разг.* лишённый (*чего-л.*); he came back ~ an arm он верну́лся (с войны́) без руки́

2. *n* 1) знак ми́нуса; ми́нус (*тж. перен.*) 2) *мат.* отрица́тельная величина́ 3) *воен.* недолёт

3. *a* отрица́тельный; ~ quantity *мат.* отрица́тельная величина́; ~ charge *эл.* отрица́тельный заря́д

minuscule ['mɪnəskjuːl] *n* мину́скул (*строчная буква в средневековых рукописях*)

minute I ['mɪnɪt] **1.** *n* 1) мину́та (*тж. астр., мат. 1/60 часть градуса*) 2) мгнове́ние; моме́нт; in a ~ ско́ро; to the ~ пунктуа́льно, мину́та в мину́ту ◇ up to the ~ ультрасовреме́нный

2. *v* рассчи́тывать вре́мя по мину́там

minute II ['mɪnɪt] **1.** *n* 1) заме́тка, коро́ткая за́пись; набро́сок 2) *pl* протоко́л (*собрания*); to keep the ~s вести́ протоко́л

2. *v* 1) набра́сывать на́черно 2) вести́ протоко́л □ ~ down запи́сывать

minute III [maɪ'njuːt] *a* 1) ме́лкий, мельча́йший 2) незначи́тельный; ме́лочный 3) подро́бный, дета́льный

minute-book ['mɪnɪtbʊk] *n* журна́л заседа́ний; кни́га протоко́лов

minute-glass ['mɪnɪtglɑːs] *n* мину́тные песо́чные часы́

minute guns ['mɪnɪtgʌnz] *n pl* ча́стые пу́шечные вы́стрелы (*сигнал бедствия или траурный салют*)

minute hand ['mɪnɪthænd] *n* мину́тная стре́лка

minutely I ['mɪnɪtlɪ] **1.** *a* ежемину́тный

2. *adv* ежемину́тно

minutely II [maɪ'nju:tlɪ] *adv* 1) подро́бно 2) то́чно

minuteman ['mɪnɪtmæn] *n амер.* 1) челове́к, всегда́ гото́вый к де́йствию, акти́вный де́ятель 2) (M.) *ист.* солда́т наро́дной мили́ции (*эпохи войны за независимость 1775—83 гг.*)

minutiae [maɪ'nju:ʃii:] *n pl* ме́лочи; дета́ли

minx [mɪŋks] *n* 1) де́рзкая девчо́нка; шалу́нья 2) коке́тка 3) *уст.* распу́тница

Miocene ['maɪəsi:n] *геол.* **1.** *n* миоце́н **2.** *a* миоце́новый

mirabelle [mɪrə'bel] *n бот.* мирабе́ль

miracle ['mɪrəkl] *n* 1) чу́до; to a ~ на ди́во, удиви́тельно хорошо́ 2) удиви́тельная вещь, выдающееся собы́тие 3) *театр. ист.* мира́кль (*тж.* ~ play)

miraculous [mɪ'rækjʊləs] *a* 1) чудотво́рный, чудоде́йственный; сверхъесте́ственный 2) удиви́тельный

mirador [mɪrə'dɔ:r] *n* бельведе́р, ба́шенка (*для обзора на крыше*)

mirage ['mɪrɑ:ʒ] *n* мира́ж

mire ['maɪə] **1.** *n* тряси́на, боло́то; грязь ◇ to find oneself (*или* to stick) in the ~ оказа́ться в затрудни́тельном положе́нии; to bring in (*или* to drag through) the ~ обли́ть гря́зью, вы́ставить на позо́р

2. *v* 1) завя́знуть в грязи́, в тряси́не (*тж.* ~ down) 2) испа́чкать, обры́згать гря́зью; *перен.* черни́ть 3) втяну́ть (*во что-л.*)

mirk [mɜ:k] = murk

mirror ['mɪrə] **1.** *n* 1) зе́ркало; false ~ криво́е зе́ркало 2) зерка́льная пове́рхность 3) отраже́ние

2. *v* отража́ть, отобража́ть

mirth [mɜ:θ] *n* весе́лье, ра́дость

mirthful ['mɜ:θfʊl] *a* весёлый, ра́достный

mirthless ['mɜ:θləs] *a* невесёлый, безра́достный, гру́стный

miry ['maɪrɪ] *a* 1) то́пкий 2) гря́зный

mis- [mɪs-] *pref присоединяется к глаголам и отглагольным существительным, придавая значение* непра́вильно, ло́жно; *напр.*: misunderstand непра́вильно поня́ть; misprint опеча́тка

misaddress [,mɪsə'dres] *v* 1) написа́ть непра́вильный а́дрес 2) непра́вильно (*часто* неучти́во) назва́ть *кого-л.*

misadventure [,mɪsəd'ventʃə] *n* 1) *юр.*: homicide by ~ непреднаме́ренное уби́йство; death by ~ смерть от несча́стного слу́чая 2) несча́стье, несча́стный слу́чай

misadvise [,mɪsəd'vaɪz] *v* дава́ть плохо́й *или* непра́вильный сове́т

misalliance [,mɪsə'laɪəns] = mésalliance

misanthrope ['mɪsnθrəʊp] *n* человеконенави́стник, мизантро́п

misanthropic(al) [,mɪsn'θrɒpɪk(l)] *a* человеконенави́стнический

misanthropy [mɪs'ænθrəpɪ] *n* мизантро́пия

misapplication [,mɪsæplɪ'keɪʃn] *n* 1) непра́вильное испо́льзование 2) злоупотребле́ние

misapply [,mɪsə'plaɪ] *v* 1) непра́вильно испо́льзовать 2) злоупотребля́ть

misapprehend [,mɪsæprɪ'hend] *v* поня́ть оши́бочно, преврáтно

misapprehension [,mɪsæprɪ'henʃn] *n* непра́вильное представле́ние; недоразуме́ние; to be under ~ быть в заблужде́нии

misappropriate [,mɪsə'prəʊprɪeɪt] *v* 1) незако́нно присво́ить 2) растра́тить, соверши́ть растра́ту

misappropriation [,mɪsəprəʊprɪ'eɪʃn] *n* 1) незако́нное присвое́ние 2) растра́та

misbecame [,mɪsbɪ'keɪm] *past от* misbecome

misbecome [,mɪsbɪ'kʌm] *v* (misbecame; misbecome) не подходи́ть, не прили́чествовать

misbegotten [,mɪsbɪ'gɒtn] *a* 1) рождённый вне бра́ка 2) скве́рный, никуда́ не го́дный

misbehave [,mɪsbɪ'heɪv] *v* ду́рно вести́ себя́

misbehaviour [,mɪsbɪ'heɪvjə] *n* дурно́е, недосто́йное поведе́ние; просту́пок

misbelief [,mɪsbɪ'li:f] *n* 1) е́ресь 2) ло́жное мне́ние; заблужде́ние

misbelieve [,mɪsbɪ'li:v] *v* 1) впада́ть в е́ресь 2) заблужда́ться

misbeliever [,mɪsbɪ'li:və] *n* ерети́к

miscalculate [,mɪs'kælkjʊleɪt] *v* ошиба́ться в расчёте; просчи́тываться

miscalculation [,mɪskælkjʊ'leɪʃn] *n* оши́бка в расчёте; просчёт

miscall [,mɪs'kɔ:l] *v* 1) неве́рно называ́ть 2) *диал.* обзыва́ть бра́нными слова́ми

miscarriage [mɪs'kærɪdʒ] *n* 1) вы́кидыш 2) недоста́вка по а́дресу 3) неуда́ча; оши́бка; ~ of justice суде́бная оши́бка

miscarry [mɪs'kærɪ] *v* 1) вы́кинуть; име́ть вы́кидыш 2) не доходи́ть по а́дресу 3) (по)терпе́ть неуда́чу

miscast [,mɪs'kɑ:st] *v* (miscast) поруча́ть актёру неподходя́щую роль; непра́вильно распределя́ть ро́ли

miscegenation [,mɪsɪdʒɪ'neɪʃn] *n* сме́шанные бра́ки; *особ.* бра́ки ме́жду бе́лыми и не́грами

miscellanea [,mɪsə'leɪnɪə] *n pl* 1) литерату́рная смесь; ра́зное (*рубрика*) 2) сбо́рник, альмана́х

miscellaneous [,mɪsə'leɪnɪəs] *a* 1) сме́шанный; разнообра́зный 2) разносторо́нний

miscellany [mɪ'selənɪ] *n* 1) смесь 2) сбо́рник, альмана́х

mischance [,mɪs'tʃɑ:ns] *n* неуда́ча; несча́стный слу́чай; by ~ к несча́стью, по несча́стной случа́йности

mischief ['mɪstʃɪf] *n* 1) озорство́, ша́лость; прока́зы; full of ~ озорно́й; бедо́вый 2) зло, беда́; the ~ of it is that беда́ в том, что; to make ~ ссо́рить, се́ять раздо́ры; вреди́ть; to keep out of ~ держа́ться пода́льше от греха́ 3) вред; поврежде́ние 4) *разг.* озорни́к, бедоку́р; the boy is a regular ~ э́тот мальчи́шка — настоя́щий прока́зник ◇ what the ~ do you want? како́го чёрта вам ну́жно?; why the ~? почему́, чёрт возьми́?

mischief-maker ['mɪstʃɪf,meɪkə] *n* интрига́н, смутья́н

mischievous ['mɪstʃɪvəs] *a* 1) вре́дный 2) озорно́й; непослу́шный

miscomprehend [,mɪskɒmprɪ'hend] *v* непра́вильно поня́ть

miscomprehension [,mɪskɒmprɪ'henʃn] *n* непра́вильное понима́ние, недоразуме́ние

misconceive [,mɪskən'si:v] *v* 1) непра́вильно поня́ть 2) име́ть непра́вильное представле́ние

misconception [,mɪskən'sepʃn] *n* 1) непра́вильное представле́ние 2) недоразуме́ние

misconduct 1. *n* [,mɪs'kɒndʌkt] 1) дурно́е поведе́ние, просту́пок 2) супру́жеская неве́рность 3) плохо́е исполне́ние свои́х обя́занностей; должностно́е преступле́ние

2. *v* [,mɪskən'dʌkt] 1) ду́рно вести́ себя́ 2) наруша́ть супру́жескую ве́рность 3) пло́хо исполня́ть свои́ обя́занности

misconstruction [,mɪskən'strʌkʃn] *n* неве́рное истолкова́ние

misconstrue [,mɪskən'stru:] *v* непра́вильно истолко́вывать

miscount [,mɪs'kaʊnt] **1.** *n* просчёт; непра́вильный подсчёт

2. *v* ошиба́ться при подсчёте; просчита́ться

miscreant ['mɪskrɪənt] *n* 1) негодя́й, злоде́й 2) *уст.* ерети́к

miscreate [,mɪskrɪ'eɪt] *v* уро́довать; искажа́ть

misdate [,mɪs'deɪt] *v* непра́вильно дати́ровать

misdeal [,mɪs'di:l] **1.** *n карт.* непра́вильная сда́ча

2. *v* (misdealt) 1) *карт.* ошиба́ться при сда́че 2) поступа́ть непра́вильно

misdealing [,mɪs'di:lɪŋ] **1.** *pres. p. от* misdeal 2

2. *n* нече́стный посту́пок; беспринци́пное поведе́ние

misdealt [,mɪs'delt] *past и p. p. от* misdeal 2

misdeed [,mɪs'di:d] *n* 1) преступле́ние; злодея́ние 2) оплошность, оши́бка

misdeem [,mɪs'di:m] *v поэт.* непра́вильно суди́ть, соста́вить непра́вильное мне́ние

misdemeanant [,mɪsdɪ'mi:nənt] *n юр.* лицо́, соверши́вшее суде́бно наказу́емый просту́пок

misdemeanour [,mɪsdɪ'mi:nə] *n* 1) просту́пок 2) *юр.* суде́бно наказу́емый просту́пок, преступле́ние

misdirect [,mɪsdə'rekt] *v* 1) адресова́ть непра́вильно 2) неве́рно, непра́вильно направля́ть 3) дава́ть непра́вильное напу́тствие заседа́телям (*в суде*)

misdirection [,mɪsdə'rekʃn] *n* непра́вильное указа́ние *или* руково́дство

misdoing [,mɪs'du:ɪŋ] *n* 1) злодея́ние 2) оплошность, оши́бка

misdoubt [mɪs'daʊt] *v* 1) сомнева́ться 2) име́ть дурны́е предчу́вствия 3) подозрева́ть

mise en scène [ˌmiːzɒn'seɪn] *фр. n* мизансце́на

misemploy [ˌmɪsɪm'plɔɪ] *v* непра́вильно испо́льзовать

miser ['maɪzə] *n* скупо́й, скупе́ц, скря́га

miserable ['mɪzərəbl] *a* 1) несча́стный 2) жа́лкий, убо́гий 3) печа́льный *(о новостях, событиях)* 4) плохо́й *(о концерте, исполнении)*; убо́гий *(о жилище и т. п.)*; ску́дный *(об обеде, угощении)*

miserably ['mɪzərəblɪ] *adv* 1) несча́стно *и пр.* [*см.* miserable] 2) о́чень, ужа́сно

miserere [ˌmɪzə'reərɪ] *n* 1) мольба́ о проще́нии, милосе́рдии 2) *церк.* «поми́луй мя, бо́же», мизере́ре *(псалом)*

misericord [mɪ'zerɪkɔːd] *n* 1) откидно́й стул на хо́рах *(церкви)* 2) кинжа́л *(для нанесения смертельного удара)*

miserliness ['maɪzəlɪnəs] *n* ску́пость, ска́редность

miserly ['maɪzəlɪ] *a* скупо́й, ска́редный

misery ['mɪzərɪ] *n* 1) страда́ние 2) *(обыкн. pl)* невзго́ды, несча́стья 3) нищета́, бе́дность 4) *разг.* ны́тик

misfeasance [ˌmɪs'fiːzəns] *n юр.* злоупотребле́ние вла́стью

misfire [ˌmɪs'faɪə] **1.** *n* 1) осе́чка 2) *тех.* пропуск вспы́шки; перебо́й зажига́ния 3) неуда́ча, осе́чка, невезе́ние

2. *v* 1) дава́ть осе́чку; не взрыва́ться 2) *тех.* выпада́ть *(о вспышках)* 3) оказа́ться безрезульта́тным; бить ми́мо це́ли

misfit ['mɪsfɪt] **1.** *n* 1) челове́к, пло́хо приспосо́бленный к окружа́ющим усло́виям *или* к жи́зни; неуда́чник; челове́к не на своём ме́сте 2) пло́хо сидя́щее пла́тье 3) что-л. неуда́чное, неподходя́щее

2. *v* пло́хо сиде́ть *(о платье)*

misfortune [mɪs'fɔːtʃən] *n* беда́, неуда́ча, несча́стье; злоключе́ние ◇ ~s never come alone *(или* singly*)* *посл.* беда́ никогда́ не прихо́дит одна́; ≅ пришла́ беда́, отворя́й воро́та

misgave [mɪs'geɪv] *past от* misgive

misgive [mɪs'gɪv] *v* (misgave; misgiven) 1) внуша́ть недове́рие, опасе́ния, дурны́е предчу́вствия; my heart ~s me моё се́рдце предчу́вствует беду́ 2) *шутл.* дать осе́чку

misgiven [mɪs'gɪvn] *p. p. от* misgive

misgiving [mɪs'gɪvɪŋ] **1.** *pres. p. от* misgive

2. *n (часто pl)* опасе́ние, предчу́вствие дурно́го

misgovern [ˌmɪs'gʌvn] *v* пло́хо управля́ть

misguidance [mɪs'gaɪdns] *n* непра́вильное руково́дство

misguide [mɪs'gaɪd] *v* 1) непра́вильно направля́ть 2) вводи́ть в заблужде́ние

mishandle [ˌmɪs'hændl] *v* 1) пло́хо управля́ть 2) пло́хо обраща́ться

mishap ['mɪshæp] *n* неуда́ча, несча́стье

mishear [ˌmɪs'hɪə] *v* (misheard) ослы́шаться

misheard [ˌmɪs'hɜːd] *past и p. p. от* mishear

mishit 1. *n* ['mɪshɪt] про́мах

2. *v* [ˌmɪs'hɪt] (mishit) промахну́ться

mishmash ['mɪʃmæʃ] *n* смесь, пу́таница, мешани́на

misinform [ˌmɪsɪn'fɔːm] *v* непра́вильно информи́ровать; дезориенти́ровать, вводи́ть в заблужде́ние

misinformation [ˌmɪsɪnfə'meɪʃn] *n* дезинформа́ция

misinterpret [ˌmɪsɪn'tɜːprɪt] *v* неве́рно истолко́вывать *или* понима́ть

misinterpretation [ˌmɪsɪntɜːprɪ'teɪʃn] *n* неве́рное истолкова́ние *или* понима́ние

misjudge [ˌmɪs'dʒʌdʒ] *v* соста́вить себе́ непра́вильное сужде́ние; недооце́нивать

misjudgement [mɪs'dʒʌdʒmənt] *n* непра́вильное сужде́ние; недооце́нка

mislaid [mɪs'leɪd] *past и p. p. от* mislay

mislay [mɪs'leɪ] *v* (mislaid) положи́ть не на ме́сто, заложи́ть, затеря́ть

mislead [mɪs'liːd] *v* (misled) 1) вводи́ть в заблужде́ние 2) сбива́ть с пути́, толка́ть на дурно́й путь

misleading [mɪs'liːdɪŋ] **1.** *pres. p. от* mislead

2. *a* вводя́щий в заблужде́ние, обма́нчивый

misled [mɪs'led] *past и p. p. от* mislead

mismanage [ˌmɪs'mænɪdʒ] *v* пло́хо управля́ть *(чем-л.)*; по́ртить

mismatch [ˌmɪs'mætʃ] *v* не подходи́ть друг дру́гу *(особ. для вступления в брак)*

mismated [mɪs'meɪtɪd] *a* 1) несовмести́мые, не подходя́щие друг дру́гу *(особ. для семейной жизни)* 2) несочета́ющиеся *(о предметах)*

misname [ˌmɪs'neɪm] *v* неве́рно называ́ть

misnomer [ˌmɪs'nəʊmə] *n* непра́вильное употребле́ние и́мени *или* те́рмина

misogamy [mɪ'sɒgəmɪ] *n* отрица́ние бра́ка

misogyny [mɪ'sɒdʒənɪ] *n* женоненави́стничество

misplace [ˌmɪs'pleɪs] *v* 1) положи́ть, поста́вить не на ме́сто 2): to ~ one's confidence *(или* trust*)* дове́риться недосто́йному челове́ку

misprint 1. *n* ['mɪsprɪnt] опеча́тка

2. *v* [ˌmɪs'prɪnt] напеча́тать непра́вильно; сде́лать опеча́тку

misprize [ˌmɪs'praɪz] *v книжн.* презира́ть; недооце́нивать

mispronounce [ˌmɪsprə'naʊns] *v* непра́вильно произноси́ть

mispronunciation [ˌmɪsprənʌnsɪ'eɪʃn] *n* непра́вильное произноше́ние

misquotation [ˌmɪskwəʊ'teɪʃn] *n* непра́вильное цити́рование *или* -ая цита́та

misquote [ˌmɪs'kwəʊt] *v* непра́вильно цити́ровать

misread [ˌmɪs'riːd] *v* (misread [ˌmɪs'red]) 1) (про)чита́ть непра́вильно 2) непра́вильно истолко́вывать

misrepresent [ˌmɪsreprɪ'zent] *v* представля́ть в ло́жном све́те, искажа́ть

misrepresentation [ˌmɪsreprɪzen'teɪʃn] *n* искаже́ние

misrule [ˌmɪs'ruːl] **1.** *n* 1) плохо́е управле́ние 2) беспоря́док ◇ lord *(или* Abbot, Master*)* of M. глава́ рожде́ственских увеселе́ний *(в старой Англии)*

2. *v* пло́хо управля́ть

miss I [mɪs] **1.** *n* 1) про́мах, осе́чка 2) отсу́тствие, поте́ря *(чего-л.)* 3) *разг.* вы́кидыш ◇ a ~ is as good as a mile *посл.* ≅ про́мах есть про́мах; «чуть-чу́ть» не счи́тается; to give smb., smth. a ~ избега́ть кого́-л., чего́-л.; проходи́ть ми́мо кого́-л., чего́-л.

2. *v* 1) промахну́ться, не дости́чь це́ли *(тж. перен.)*; to ~ fire дать осе́чку; *перен.* потерпе́ть неуда́чу, не дости́чь це́ли 2) упусти́ть; пропусти́ть; не заме́тить; не услы́шать; to ~ a promotion не получи́ть повыше́ния; to ~ an opportunity упусти́ть возмо́жность; to ~ smb.'s words прослу́шать, не расслы́шать, пропусти́ть ми́мо уше́й чьи-л. слова́; to ~ the train опозда́ть на по́езд; I ~ed him at the hotel я не заста́л его́ в гости́нице; to ~ smb. in the crowd потеря́ть кого́-л. в толпе́; to ~ the bus а) опозда́ть на авто́бус; б) прозева́ть удо́бный слу́чай, проворо́нить что-л. 3) пропусти́ть, не посети́ть *(занятия, лекцию и т. п.)* 4) чу́вствовать отсу́тствие *(кого-л., чего-л.)*; скуча́ть *(по кому-л.)*; we ~ed you badly нам стра́шно не хвата́ло вас 5) обнару́жить отсу́тствие *или* пропа́жу; he won't be ~ed его́ отсу́тствия не заме́тят; when did you ~ your purse? когда́ вы обнару́жили, что у вас нет кошелька́? 6) избежа́ть; he just ~ed being killed он едва́ не́ был уби́т 7) пропусти́ть *(имя в списке)*, вы́пустить *(слово, букву при письме, чтении; тж.* ~ out*)* 8) = misfire 2, 2)

miss II [mɪs] *n* 1) мисс, ба́рышня 2) (M.) мисс *(обращение к девушке или незамужней женщине; при обращении к старшей дочери ставится перед фамилией —* M. Jones, *при обращении к остальным дочерям употр. только с именем —* M. Mary; *употр. тж. с девичьей фамилией замужней женщины, если она сохранила её в профессиональной деятельности; без фамилии и имени употр. тк. в просторечии)* 3) *шутл., пренебр.* де́вочка, деви́ца

missal ['mɪsl] *n церк.* служе́бник *(католический)*

missel thrush ['mɪslθrʌʃ] = mistle thrush

misshapen [ˌmɪs'ʃeɪpən] *a* уро́дливый, деформи́рованный

missile ['mɪsaɪl] *воен.* **1.** *n* 1) реакти́вный снаря́д; раке́та 2) *ист.* мета́тельный снаря́д

2. *a* 1) реакти́вный; раке́тный 2) мета́тельный

missilery ['mɪsaɪlrɪ] *n воен.* 1) раке́тная те́хника 2) ракетострое́ние

missing ['mɪsɪŋ] **1.** *pres. p. от* miss I, 2

2. *a* отсу́тствующий, недостаю́щий; ~ link недостаю́щее звено́; there is a page ~ здесь недостаёт страни́цы

3. *n* (the ~) *pl собир.* бе́з вести пропа́вшие

mission ['mɪʃn] **1.** *n* 1) поруче́ние, ми́ссия 2) призва́ние, предназначе́ние, цель *(жизни)* 3) командиро́вка 4) *воен.* (боева́я) зада́ча; зада́ние 5) ми́ссия, делега́ция 6) миссионе́рская организа́ция 7) миссионе́рская де́ятельность 8) ми́ссия, резиде́нция миссионе́ра 9) сбо́рник миссионе́рских про́поведей 10) *attr.* миссионе́рский; ~ style *амер.* стиль *(в архитектуре, мебели и т. п.)*, со́зданный по образца́м стари́нных испа́нских католи́ческих ми́ссий в Калифо́рнии

2. *v* 1) посыла́ть с поруче́нием 2) вести́ миссионе́рскую рабо́ту

missionary ['mɪʃnərɪ] **1.** *n* 1) миссионе́р; пропове́дник 2) посла́нец, посла́нник

2. *a* миссионе́рский

missioner ['mɪʃnə] = missionary

missis ['mɪsɪz] *n sl., шутл.* 1) ми́ссис; хозя́йка 2) (the ~) жена́, хозя́йка; how is your ~? как пожива́ет ва́ша жена́?

missive ['mɪsɪv] *n* 1) *шутл.* (дли́нное) письмо́, (простра́нное) посла́ние 2) официа́льное письмо́, посла́ние

misspell [,mɪs'spel] *v* (misspelt) де́лать орфографи́ческие оши́бки; писа́ть с орфографи́ческими оши́бками

misspelt [,mɪs'spelt] *past и p. p. от* misspell

misspend [,mɪs'spend] *v* (misspent) неразу́мно, зря тра́тить

misspent [,mɪs'spent] **1.** *past и p. p. от* misspend

2. *a* растра́ченный впусту́ю; ~ youth растра́ченная мо́лодость

misstate [,mɪs'steɪt] *v* де́лать непра́вильное, ло́жное заявле́ние

misstatement [,mɪs'steɪtmənt] *n* непра́вильное, ло́жное заявле́ние *или* показа́ние

misstep [,mɪs'step] *n* ло́жный шаг; оши́бка, оплошность

missus ['mɪsɪz] = missis

missy ['mɪsɪ] *n* ми́сси *(шутл., ласк., реже пренебр. обращение к молодой девушке)*

mist [mɪst] **1.** *n* 1) (лёгкий) ту,а́н; ды́мпка; мглР; па́см рность; Scotch ~ густо́й тума́н; и́зморось, ме́лкий морося́щий дождь 2) тума́н пе́ред глаза́ми

2. *v* 1) застила́ть тума́ном; затума́нивать(ся) 2) *(в безличных оборотах)*: it ~s, it is ~ing мороси́т

mistake [mɪ'steɪk] **1.** *n* оши́бка; недоразуме́ние, заблужде́ние; by ~ по оши́бке <> and no ~, make no ~ несомне́нно, бесспо́рно; непреме́нно, обяза́тельно

2. *v* (mistook; mistaken) 1) ошиба́ться; непра́вильно понима́ть; заблужда́ться; you are ~n вас непра́вильно по́няли, вы не по́няты [*ср. тж.* mistaken 2, 1)]; there is no mistaking his meaning нельзя́ не поня́ть, что он име́ет в виду́ 2) приня́ть *кого-л.* за друго́го *или что-л.* за друго́е (for); to ~ one's man *амер.* обману́ться в челове́ке 3) сде́лать непра́вильный вы́бор

mistaken [mɪ'steɪkən] **1.** *p. p. от* mistake 2

2. *a* 1) ошиба́ющийся, заблужда́ющийся; you are ~ вы ошиба́етесь [*ср. тж.* mistake 2, 1)] 2) оши́бочный; ~ identity *юр.* оши́бочное опозна́ние

mistakenly [mɪ'steɪkənlɪ] *adv* 1) оши́бочно 2) неуме́стно

mister ['mɪstə] **1.** *n* 1) ми́стер, господи́н 2) (*обыкн.* M.) ми́стер *(ставится перед фамилией или названием должности; в письменном обращении всегда* Mr.; *как обращение без фамилии употр. тк. в просторечии*: hey, mister! эй, ми́стер!)

2. *v*: don't ~ me не употребля́йте сло́ва «ми́стер», обраща́ясь ко мне

mistime [,mɪs'taɪm] *v* 1) сде́лать *или* сказа́ть не во́время, некста́ти 2) не попада́ть в такт 3) непра́вильно рассчита́ть вре́мя

mistle thrush ['mɪslθrʌʃ] *n* деря́ба *(птица)*

mistletoe ['mɪsltəʊ] *n бот.* оме́ла *(в Англии традиционное украшение дома на рождество)*

mistook [mɪ'stuk] *past от* mistake 2

mistral ['mɪstrəl] *n* мистра́ль *(холодный сев. ветер на юге Франции)*

mistranslate [,mɪstrænz'leɪt] *v* непра́вильно перевести́

mistranslation [,mɪstrænz'leɪʃn] *n* непра́вильный перево́д

mistreat [,mɪs'tri:t] *v* пло́хо обраща́ться

mistreatment [,mɪs'tri:tmənt] *n* плохо́е обраще́ние

mistress ['mɪstrəs] *n* 1) хозя́йка (до́ма) 2) повели́тельница, влады́чица; M. of the Adriatic *ист.* Вене́ция; you are your own ~ вы са́ми себе́ госпожа́; you are ~ of the situation вы хозя́йка положе́ния 3) (*сокр.* Mrs. ['mɪsɪz]) ми́ссис, госпожа́ *(ставится перед фамилией замужней женщины и полностью в этом случае никогда не пишется)* 4) учи́тельница; music ~ учи́тельница му́зыки 5) любо́вница; *поэт.* возлю́бленная

mistrial [,mɪs'traɪəl] *n юр.* 1) суде́бное разбира́тельство, в хо́де кото́рого допу́щены наруше́ния процессуа́льных норм 2) *амер.* суде́бный проце́сс, в кото́ром прися́жные не вы́несли единогла́сного реше́ния

mistrust [,mɪs'trʌst] **1.** *n* недове́рие; подозре́ние

2. *v* не доверя́ть; сомнева́ться, подозрева́ть

mistrustful [,mɪs'trʌstfl] *a* недове́рчивый

misty ['mɪstɪ] *a* 1) тума́нный 2) сму́тный, нея́сный; ~ idea сму́тное представле́ние 3) затума́ненный (слеза́ми)

misunderstand [,mɪsʌndə'stænd] *v* (misunderstood) непра́вильно поня́ть

misunderstanding [,mɪsʌndə'stændɪŋ] **1.** *pres. p. от* misunderstand

2. *n* 1) непра́вильное понима́ние 2) недоразуме́ние 3) размо́лвка

misunderstood [,mɪsʌndə'stʊd] *past и p. p. от* misunderstand

misuse 1. *n* [,mɪs'ju:s] 1) непра́вильное употребле́ние 2) плохо́е обраще́ние 3) злоупотребле́ние

2. *v* [,mɪs'ju:z] 1) непра́вильно употребля́ть 2) ду́рно обраща́ться 3) злоупотребля́ть

mite I [maɪt] *n* 1) *ист.* полу́шка, грош 2) скро́мная до́ля, ле́пта; let me offer my ~ позво́льте мне внести́ свою́ скро́мную ле́пту 3) ма́ленькая вещь *или* существо́; a ~ of a child малю́тка, кро́шка <> not a ~ ничу́ть, нисколько

mite II [maɪt] *n* клещ

Mithras ['mɪθræs] *n* Ми́тра *(древнеиранский бог солнца)*

mitigate ['mɪtɪgeɪt] *v* смягча́ть, уменьша́ть; умеря́ть *(жар, пыл)*; облегча́ть *(боль)*

mitigation [,mɪtɪ'geɪʃn] *n* смягче́ние, уменьше́ние

mitigatory ['mɪtɪ,geɪtərɪ] *a* 1) смягча́ющий 2) *мед.* мягчи́тельный, успокои́тельный

mitosis [maɪ'təʊsɪs] *n биол.* мито́з, кариокине́з

mitral ['maɪtrəl] *a* напомина́ющий по фо́рме ми́тру; ~ valve *анат.* митра́льный кла́пан се́рдца

mitre I ['maɪtə] **1.** *n* 1) *церк.* ми́тра 2) епи́скопский сан

2. *v* (по)жа́ловать ми́тру

mitre II ['maɪtə] *тех.* **1.** *n* 1) скос под угло́м в 45° 2) колпа́к на дымово́й трубе́, дефле́ктор

2. *v* ска́шивать, соединя́ть в ус, соединя́ть под угло́м в 45°

mitre-wheel ['maɪtəwi:l] *n тех.* кони́ческое зубча́тое колесо́

mitt [mɪt] *n* (*сокр. от* mitten) 1) мите́нка *(дамская перчатка без пальцев)* 2) *pl разг.* боксёрские перча́тки 3) *sl.* рука́; кула́к; to tip smb.'s ~ а) здоро́ваться с кем-л. за́ руку; б) уга́дывать чьи-л. наме́рения, пла́ны

mitten ['mɪtn] *n* 1) рукави́ца; ва́режка 2) *pl* = mitt 2); 3) = mitt 1); 4) *ист.* ла́тная перча́тка <> to get the ~ а) получи́ть отка́з *(о женихе)*; б) быть уво́ленным с рабо́ты; to give the ~ уво́лить; to handle without ~s не церемо́ниться; держа́ть в ежо́вых рукави́цах

mittimus ['mɪtɪməs] *n юр.* прика́з о заключе́нии в тюрьму́; о́рдер на аре́ст

mix [mɪks] **1.** *n* 1) сме́шивание 2) смесь *(особ. пищевой полуфабрикат)* 3) смеше́ние; беспоря́док, пу́таница 4) *кино* наплы́в

2. *v* 1) сме́шивать, меша́ть, приме́шивать 2) соединя́ть(ся), сме́шивать(ся); oil will not ~ with water ма́сло не соединя́ется с водо́й, не растворя́ется в воде́ 3) сочета́ть(ся); the colours ~ well э́ти цвета́ хорошо́ сочета́ются 4) обща́ться; враща́ться *(в обществе)*; сходи́ться; not to ~ well быть необщи́тельным челове́ком

5) *с.-х.* скрéщивать 6) *радио* микшúровать ▭ ~ **up** а) хорошó перемéшивать; б) спýтать, перепýтать; в) впýтывать; to be ~ed up быть замéшанным (in, with — *в чём-л.*)

mixed [mɪkst] **1.** *p. p. от* mix 2

2. *a* 1) смéшанный, перемéшанный 2) разнорóдный; ~ train товáро-пассажúрский пóезд; ~ crew смéшанная комáнда 3) смéшанный, для людéй обóего пóла; ~ school смéшанная шкóла; ~ bathing óбщий пляж 4) *разг.* одурéлый; одурмáненный 5) *фон.*: ~ vowel глáсный звук смéшанного ря́да

mixer [ˈmɪksə] *n* 1) смесúтель, мúксер, смéшивающий аппарáт *или* прибóр, мешáлка 2) общúтельный человéк (*тж.* good ~); bad ~ необщúтельный человéк 3) *радио* преобразовáтель частоты́

mix-in [ˈmɪksɪn] *n разг.* дрáка, потасóвка

mixture [ˈmɪkstʃə] *n* 1) смéшивание 2) смесь; without ~ без прúмеси 3) *мед.* микстýра

mix-up [ˈmɪksʌp] *n* 1) пýтаница, неразберúха 2) потасóвка

mizzle I [ˈmɪzl] **1.** *n* úзморозь

2. *v (в безличных оборотах)*: it ~s, it is mizzling моросúт

mizzle II [ˈmɪzl] *v sl.* смы́ться, улепетнýть

mnemonic [nɪˈmɒnɪk] *a* мнемонúческий

mnemonics [nɪˈmɒnɪks] *n pl (употр. как sing)* мнемóника

mo [məʊ] *n разг.* (*сокр. от* moment): wait a mo!, half a mo! подождúте минýтку!, однý минýтку!; in a mo сейчáс, одúн момéнт

moan [məʊn] **1.** *n* 1) стон 2) жáлоба; to make one's ~ жáловаться

2. *v* 1) стонáть 2) *разг.* жáловаться, ворчáть

moat [məʊt] **1.** *n* ров (с водóй)

2. *v* обносúть рвом

mob [mɒb] **1.** *n* 1) толпá, сбóрище 2) (the ~) *презр.* чернь 3) *разг.* (воровскáя) шáйка, бáнда

2. *v* 1) толпúться, окружáть 2) нападáть толпóй

mob cap [ˈmɒbkæp] *n* домáшний чепéц

mobile [ˈməʊbaɪl] **1.** *a* 1) подвижнóй, мобúльный; передвижнóй; ~ warfare манёвренная войнá; ~ broadcasting company (*или* team) передвижнáя радиовещáтельная *или* телевизиóнная бригáда 2) подвúжный, живóй; ~ mind живóй ум 3) измéнчивый

2. *n* 1) абстрáктная скульптýра из метáлла *или* пластúческих масс с подвижны́ми частя́ми 2) *амер.* жилóй автоприцéп (*тж.* ~ home)

mobility [məʊˈbɪlətɪ] *n* 1) подвúжность; мобúльность 2) непостоя́нство; измéнчивость

mobilization [ˌməʊbəlaɪˈzeɪʃn] *n* мобилизáция

mobilize [ˈməʊbəlaɪz] *v* 1) мобилизовáть(ся) 2) (с)дéлать подвúжным 3) пускáть (дéньги) в обращéние

mob law, mob rule [ˈmɒblɔː, ˈmɒbruːl] *n* самосýд

mobster [ˈmɒbstə] *n sl.* бандúт, гáнгстер

moccasin [ˈmɒkəsɪn] *n* 1) мокасúн 2) *зоол.* мокасúновая змея́ (*тж.* water ~)

mocha [ˈmɒkə] *n* кóфе мóкко (*тж.* ~ coffee)

mock [mɒk] **1.** *n* 1) посмéшище; to make a ~ of вышýчивать 2) осмея́ние; насмéшка 3) подражáние; парóдия

2. *a* 1) поддéльный; ~ marriage фиктúвный брак 2) притвóрный; мнúмый; лóжный 3) пародúйный ◇ ~ moon = paraselene; ~ sun = parhelion

3. *v* 1) насмехáться (at); высмéивать, осмéивать 2) передрáзнивать; пародúровать 3) сводúть на нéт *(усилия)*; дéлать бесполéзным, бесплóдным

mocker [ˈmɒkə] *n* насмéшник

mockery [ˈmɒkərɪ] *n* 1) издевáтельство, осмея́ние; насмéшка 2) парóдия 3) посмéшище 4) бесплóдная попы́тка

mock-heroic [ˌmɒkhəˈrəʊɪk] *лит.* **1.** *n* 1) ироикомúческий стиль 2) произведéние в ироикомúческом стúле

2. *a* ироикомúческий

mockingbird [ˈmɒkɪŋbɜːd] *n зоол.* пересмéшник

mock turtle soup [ˌmɒktɜːtlˈsuːp] *n* суп из теля́чьей головы́

mock-up [ˈmɒkʌp] *n* макéт *или* модéль в натурáльную величинý

mod [mɒd] *разг.* **1.** *a* ультрасоврéменный, стúльный, модéрновый

2. *n* ультрасоврéменный молодóй человéк; крутóй

modal [ˈməʊdl] *a* 1) касáющийся фóрмы *(а не существа)* 2) *филос.*, *лингв.* модáльный 3) *муз.* относя́щийся к тонáльности, лáдовый

modality [məʊˈdælətɪ] *n филос.*, *лингв.* модáльность

mode [məʊd] *n* 1) мéтод, спóсоб; ~ of production спóсоб произвóдства 2) óбраз дéйствий; ~ of life óбраз жúзни 3) мóда; обы́чай 4) фóрма, вид 5) *муз.* лад, тонáльность

model [ˈmɒdl] **1.** *n* 1) модéль, макéт; шаблóн 2) модéль, мáрка *(автомобиля и т. п.)* 3) образéц, эталóн 4) модéль (одéжды), фасóн; latest Paris ~s послéдние парúжские модéли 5) натýрщик; натýрщица 6) живáя модéль *(в магазине одежды)* 7) манекéн 8) *attr.* образцóвый, примéрный

2. *v* 1) моделúровать; лепúть 2) *тех.* формовáть 3) создавáть по образцý (*чего-л.*; after, on); to ~ oneself (up)on smb. брать когó-л. за образéц 4) быть натýрщиком, натýрщицей, живóй модéлью, манекéнщицей

model(l)er [ˈmɒdlə] *n* 1) лéпщик 2) модéльщик

model(l)ing [ˈmɒdlɪŋ] **1.** *pres. p. от* model 2

2. *n* 1) исполнéние по модéли 2) лепнáя рабóта 3) *тех.* формóвка

modem [ˈməʊdem] *n* мóдем

moderate 1. *n* [ˈmɒdərət] человéк, придéрживающийся умéренных взгля́дов *(особ. в политике)*, умéренный

2. *a* [ˈmɒdərət] 1) умéренный; вы́держанный *(о человеке)*; сдéржанный, воздéржанный; ~ in drinking трéзвый, воздéржанный 2) срéдний, посрéдственный *(о качестве)*; небольшóй *(о количестве, силе)*; невысóкий *(о цене)*; a man of ~ abilities человéк срéдних спосóбностей; ~ price доступная ценá

3. *v* [ˈmɒdəreɪt] 1) умеря́ть; смягчáть 2) сдéрживать, обýздывать; урезóнивать 3) становúться умéренным; смягчáться; стихáть *(о ветре)* 4) председáтельствовать 5) *уст.* выступáть в рóли арбúтра

moderation [ˌmɒdəˈreɪʃn] *n* 1) сдéрживание; регулúрование 2) умéренность; сдéржанность; in ~ умéренно; сдéржанно 3) вы́держка, рóвность *(характера)* 4) *физ.* замедлéние; ~ of neutrons замедлéние нейтрóнов 5) (Moderations) *pl* пéрвый публúчный экзáмен на стéпень бакалáвра *(в Оксфорде)*

moderato [ˌmɒdəˈrɑːtəʊ] *a*, *adv муз.* модерáто

moderator [ˈmɒdəreɪtə] *n* 1) арбúтр; посрéдник 2) председáтель собрáния; ведýщий телепрогрáммы 3) *амер.* председáтель городскóго собрáния 4) экзаменáтор *(на публичном экзамене в Оксфорде или Кембридже)* 5) *тех.* регуля́тор 6) *физ.* замедлúтель *(ядерных реакций)*

modern [ˈmɒdn] **1.** *a* соврéменный; нóвый; ~ age соврéменная эпóха; ~ languages нóвые языкú; ~ school шкóла без преподавáния классúческих языкóв; development on ~ lines модернизáция

2. *n* 1) человéк нóвого врéмени 2) (the ~s) *pl* соврéменные писáтели, худóжники *и т. п.*

modernism [ˈmɒdənɪzəm] *n* 1) модернúзм; новéйшие течéния 2) *лингв.* неологúзм

modernist [ˈmɒdənɪst] *n* модернúст

modernistic [ˌmɒdəˈnɪstɪk] *a иск.* модернúстский

modernity [mɒˈdɜːnətɪ] *n* соврéменность, соврéменный харáктер

modernize [ˈmɒdənaɪz] *v* модернизúровать; осовремéнить

modest [ˈmɒdɪst] *a* 1) скрóмный; умéренный; to be in ~ circumstances жить на скрóмные срéдства 2) застéнчивый, стеснúтельный 3) благопристóйный; сдéржанный

modesty [ˈmɒdəstɪ] *n* 1) скрóмность; умéренность 2) застéнчивость, стеснúтельность 3) благопристóйность; сдéржанность

modi [ˈməʊdaɪ] *pl от* modus

modicum [ˈmɒdɪkəm] *n* 1) óчень мáлое колúчество, чýточка 2) небольшúе срéдства

modifiable [ˈmɒdɪfaɪəbl] *a* поддающийся изменéнию

modification [ˌmɒdɪfɪˈkeɪʃn] *n* 1) видоизменéние; изменéние; модификáция 2) *pl* попра́вки; незначи́тельные отклоне́ния 3) *лингв.* перегласо́вка, умля́ут; графи́ческое обозначе́ние умля́ута

modificatory ['mɒdɪfɪkeɪtərɪ] *a* видоизменя́ющий; модифици́рующий

modifier ['mɒdɪˌfaɪə] *n* 1) *спец.* модифика́тор 2) *грам.* определе́ние

modify ['mɒdɪfaɪ] *v* 1) смягча́ть; умеря́ть 2) видоизменя́ть 3) *лингв.* видоизменя́ть че́рез умля́ут 4) *грам.* определя́ть

modish ['məʊdɪʃ] *a* 1) мо́дный 2) гоня́ющийся за мо́дой

modiste [məʊ'di:st] *n* 1) моди́стка 2) портни́ха

Mods [mɒdz] *разг. сокр. от* moderation 5)

mods [mɒdz] *сокр. от* modern 2, 2)

modulate ['mɒdjʊleɪt] *v* 1) модули́ровать 2) *радио* понижа́ть частоту́ 3) *муз.* переходи́ть из одно́й тона́льности в другу́ю

modulation [ˌmɒdjʊ'leɪʃn] *n* модуля́ция

module ['mɒdju:l] *n* 1) *спец.* мо́дуль 2) мо́дульный отсе́к, автоно́мный отсе́к (*в косми́ческом корабле*)

moduli ['mɒdjʊlaɪ] *pl от* modulus

modulus ['mɒdjʊləs] *n* (*pl* -li) *мат.* мо́дуль

modus ['məʊdəs] *n* (*pl* modi) спо́соб; ~ vivendi а) о́браз жи́зни; б) вре́менное соглаше́ние (*спо́рящих сторо́н*); ~ operandi о́браз де́йствия

Mogul ['məʊgl] 1. *n* 1) (m.) *разг.* ва́жная персо́на 2) монго́л 3) моғо́л; пото́мок завоева́телей И́ндии; the Great (*или* the Grand) ~ Вели́кий Мого́л

2. *a* 1) монго́льский 2) относя́щийся к Вели́ким Мого́лам

mohair ['məʊheə] *n* 1) шерсть анго́рской козы́ 2) мохе́р

Mohammed [məʊ'hæmɪd] *n* Муха́ммед, Магомет

Mohammedan [məʊ'hæmɪdən] 1. *a* магомета́нский, мусульма́нский

2. *n* магомета́нин, мусульма́нин; магомета́нка, мусульма́нка

Mohawk ['məʊhɔ:k] *n* 1) инде́ец-мога́вк 2) *спорт.* мо́ухок (*элеме́нт в фигу́рном ката́нии*) 3) = Mohock

Mohican [məʊ'hi:kən] *n* инде́ец из пле́мени могика́н

Mohock ['məʊhɒk] *n ист.* хулига́н, *преим.* из золото́й молодёжи (*в нача́ле XVIII в. в Ло́ндоне*)

moiety ['mɔɪətɪ] *n книжн.* полови́на; до́ля

moil [mɔɪl] *уст.* 1. *n* тяжёлая рабо́та

2. *v* выполня́ть тяжёлую рабо́ту (*особ. в выраже́нии* to toil and ~)

moire [mwɑ:] *n* муа́р (*ткань*)

moiré ['mwɑ:reɪ] *a* муа́ровый

moist [mɔɪst] *a* 1) сыро́й; вла́жный; ~ colours акваре́льные кра́ски (*в тю́биках*) 2) дождли́вый

moisten ['mɔɪsn] *v* 1) увлажня́ть; сма́чивать 2) станови́ться мо́крым, сыры́м, увлажня́ться; her eyes ~ed её глаза́ увлажни́лись

moisture ['mɔɪstʃə] *n* вла́жность, сы́рость; вла́га

moisturize ['mɔɪstʃəraɪz] *v* увлажня́ть (*особ. ко́жу космети́ческими сре́дствами*)

moke [məʊk] *n sl.* 1) осёл 2) дура́к

molar I ['məʊlə] 1. *n* коренно́й зуб

2. *a* коренно́й

molar II ['məʊlə] *a хим.* мо́льный, моля́рный

molasses [məʊ'læsɪz] *n pl* (*употр. как sing*) мела́сса, чёрная па́тока

mold I, II, III [məʊld] *амер.* = mould I, II *и* III

Moldavian [mɒl'deɪvɪən] 1. *a* молда́вский

2. *n* 1) молдава́нин; молдава́нка 2) молда́вский язы́к

mole I [məʊl] *n* ро́динка

mole II [məʊl] 1. *n* 1) крот 2) *разг.* аге́нт, внедри́вшийся в иностра́нную разве́дку

2. *v* копа́ть, рыть (*под землёй*)

mole III [məʊl] *n* мол; да́мба

mole IV [məʊl] *n хим.* моль, грамм-моле́кула

molecular [mə'lekjʊlə] *a* молекуля́рный

molecule ['mɒlɪkju:l] *n* моле́кула

mole-eyed ['məʊlaɪd] *a* 1) с ма́ленькими гла́зками (*как у крота́*) 2) подслепова́тый

molehill ['məʊlhɪl] *n* крото́вина

moleskin ['məʊlskɪn] *n* 1) кро́товый мех 2) *текст.* молески́н 3) *pl* молески́новые брю́ки

molest [mə'lest] *v* пристава́ть; досажда́ть

molestation [ˌməʊle'steɪʃn] *n* пристава́ние; назо́йливость

molestful [mə'lestfl] *a* надое́дливый, назо́йливый

moll [mɒl] *n sl.* 1) любо́вница га́нгстера 2) проститу́тка

mollification [ˌmɒlɪfɪ'keɪʃn] *n* смягче́ние, успокое́ние

mollify ['mɒlɪfaɪ] *v* смягча́ть, успока́ивать

mollusc ['mɒləsk] *n зоол.* моллю́ск

molluscous [mɒ'lʌskəs] *a* 1) *зоол.* моллю́сковый 2) бесхара́ктерный, мягкоте́лый

mollycoddle ['mɒlɪˌkɒdl] 1. *n* 1) не́женка 2) *разг.* «тря́пка», «ба́ба»

2. *v* изне́живать, балова́ть

Molly Maguire [ˌmɒlɪmə'gwaɪə] *n ист.* член та́йного ирла́ндского о́бщества, боро́вшегося про́тив высо́кой аре́ндной пла́ты

Moloch ['məʊlɒk] *n* 1) *миф.* Моло́х (*тж. перен.*) 2) (m.) *зоол.* моло́х

molt [məʊlt] = moult

molten ['məʊltən] *a* 1) распла́вленный 2) лито́й

molybdenite [mə'lɪbdɪnaɪt] *n мин.* молибде́новый блеск, молибдени́т

molybdenum [mə'lɪbdənəm] *n хим.* молибде́н

mom [mɒm] *n амер. разг.* ма́ма

moment ['məʊmənt] *n* 1) моме́нт, миг, мгнове́ние, мину́та; at (*или* for) the ~ в да́нную мину́ту; not for a ~ никогда́; this ~ а) неме́дленно; б) то́лько что; to the (very) ~ то́чно в ука́занный срок; a man of the ~ челове́к, влия́тельный в да́нное вре́мя 2) ва́жность, значе́ние; a decision of great ~ ва́жное реше́ние; it is of no ~ э́то не име́ет значе́ния 3) *физ.* моме́нт

momenta [məʊ'mentə] *pl от* momentum

momentarily ['məʊməntərəlɪ] *adv* 1) на мгнове́ние 2) ежемину́тно 3) неме́дленно

momentary ['məʊməntərɪ] *a* 1) момента́льный 2) преходя́щий, кратковре́менный

momently ['məʊməntlɪ] *adv книжн.* 1) с мину́ты на мину́ту 2) ежемину́тно 3) на мгнове́ние

momentous [məʊ'mentəs] *a* ва́жный, име́ющий ва́жное значе́ние

momentum [məʊ'mentəm] *n* (*pl* momenta) 1) *физ.* коли́чество движе́ния; механи́ческий моме́нт, ине́рция (*дви́жущегося те́ла*); кинети́ческая эне́ргия 2) толчо́к, и́мпульс; *перен.* дви́жущая си́ла; to grow in ~ уси́ливаться; to gather (*или* to achieve) ~ уси́ливаться, расти́; нара́щивать темп

monac(h)al ['mɒnəkl] *a* мона́шеский; монасты́рский

monad ['mɒnæd] *n* 1) *филос.* мона́да 2) *хим.* одновале́нтный элеме́нт 3) *биол.* одноклё́точный органи́зм

monandry [mɒ'nændrɪ] *n* мона́ндрия, одному́жество

monarch ['mɒnək] *n* 1) мона́рх 2) царь, магна́т 3) *зоол.* ба́бочка-данаи́да

monarchal [mə'nɑ:kl] = monarchic(al)

monarchic(al) [mə'nɑ:kɪk(l)] *a* монархи́ческий

monarchist ['mɒnəkɪst] *n* монархи́ст

monarchy ['mɒnəkɪ] *n* мона́рхия

monastery ['mɒnəstərɪ] *n* монасты́рь (*мужско́й*)

monastic [mə'næstɪk] 1. *a* монасты́рский; мона́шеский

2. *n* мона́х

Monday ['mʌndeɪ] *n* понеде́льник ◇ Black ~ *школ.* «чёрный понеде́льник», пе́рвый день заня́тий по́сле кани́кул; ~ feeling нежела́ние рабо́тать (*по́сле воскресе́нья*)

Mondayish ['mʌndeɪɪʃ] *a разг.* чу́вствующий лень по́сле воскре́сного о́тдыха

mondial ['mɒndɪəl] *a книжн.* мирово́й, всеми́рный

monetary ['mʌnɪtərɪ] *a* 1) моне́тный; де́нежный; ~ unit де́нежная едини́ца 2) валю́тный; International M. Fund Междунаро́дный валю́тный фонд

monetize ['mʌnɪtaɪz] *v* 1) устана́вливать металли́ческое содержа́ние де́нег 2) пуска́ть (*де́ньги*) в обраще́ние 3) перечека́нивать в моне́ту

money ['mʌnɪ] *n* 1) (*тк. sing*) де́ньги; to make ~ а) зараба́тывать де́ньги; б) разбогате́ть; in the ~ *разг.* бога́тый 2) (*pl* -eys, -ies [-z]) *юр.* де́нежные су́ммы 3) *pl* моне́тные систе́мы, валю́ты 4) вы́игрыш (на ска́чках); his horse took first ~

его́ ло́шадь пришла́ пе́рвой ◇ for my ~ по моему́ мне́нию; ~ for jam (*или* old rope) де́ньги, полу́ченные ни за что́; ~ makes ~ де́ньги к деньга́м

moneybags ['mʌnɪbægz] *n pl разг.* 1) бога́тство 2) (*употр. как sing*) «де́нежный мешо́к», бога́ч; скупе́ц

money-bill ['mʌnɪbɪl] *n* фина́нсовый законопрое́кт

money box ['mʌnɪbɒks] *n* копи́лка

money changer ['mʌnɪ,tʃeɪndʒə] *n* 1) меня́ла 2) автома́т для разме́на де́нег

moneyed ['mʌnɪd] *a* 1) бога́тый 2) де́нежный; ~ assistance материа́льная подде́ржка; the ~ interest де́нежные магна́ты; фина́нсовые круги́

money-grubber ['mʌnɪ,grʌbə] *n разг.* стяжа́тель

money-grubbing ['mʌnɪ,grʌbɪŋ] *разг.* **1.** *n* стяжа́тельство

2. *a* стяжа́тельский; стяжа́тельный

moneylender ['mʌnɪ,lendə] *n* ростовщи́к

moneyless ['mʌnɪləs] *a* не име́ющий де́нег, нужда́ющийся в деньга́х, безде́нежный

money-maker ['mʌnɪ,meɪkə] *n* 1) стяжа́тель 2) при́быльное, вы́годное де́ло

money market ['mʌnɪ,mɑːkɪt] *n* де́нежный ры́нок; валю́тный ры́нок

money order ['mʌnɪ,ɔːdə] *n* де́нежный почто́вый перево́д

money-spinner ['mʌnɪ,spɪnə] *n разг.* де́нежное, при́быльное де́ло; нашуме́вшая кни́га, пье́са, прино́сящая хоро́шие де́ньги

money's-worth ['mʌnɪzwɜːθ] *n* что-л. име́ющее реа́льную це́нность, опра́вдывающее затра́ту

moneywort ['mʌnɪwɜːt] *n бот.* верба́йник, лугово́й чай

monger ['mʌŋgə] *n* 1) *в сложных словах имеет значение* торго́вец, распростра́ни́тель; fishmonger торго́вец ры́бой; newsmonger спле́тник 2) *редк.* продаве́ц, торго́вец

Mongol ['mɒŋgl] **1.** *n* 1) монго́л; монго́лка 2) монго́льский язы́к

2. *a* монго́льский

Mongolian [mɒŋ'gəʊlɪən] = Mongol

Mongoloid ['mɒŋgəlɔɪd] *a* монголо́идный

mongoose ['mɒŋguːs] *n зоол.* мангу́ста

mongrel ['mʌŋgrəl] **1.** *n* 1) дворня́жка 2) ублю́док; по́месь, полукро́вка

2. *a* нечистокро́вный, сме́шанный

monicker ['mɒnɪkə] *n sl.* и́мя; кли́чка

monies ['mʌnɪz] *pl от* money 2)

moniker ['mɒnɪkə] = monicker

monism ['mɒnɪzəm] *n филос.* мони́зм

monistic [mɒ'nɪstɪk] *a филос.* монисти́ческий

monition [mə'nɪʃn] *n* 1) *книжн.* наставле́ние; предостереже́ние 2) вы́зов в суд 3) *церк.* увеща́ние

monitor ['mɒnɪtə] **1.** *n* 1) наста́вник, сове́тник 2) ста́рший учени́к, наблюда́ющий за поря́дком в мла́дшем кла́ссе; ста́роста кла́сса 3) *радио, тлв.* контролёр переда́чи 4) *тлв.* монито́р (*тж.* ~ screen) 5) лицо́, веду́щее радиоперехва́т 6) *физ.* дози́метр 7) *зоол.* вара́н 8) *мор.* монито́р 9) *тех.* гидромонито́р

2. *v* 1) наставля́ть, сове́товать 2) *радио, тлв.* контроли́ровать, проверя́ть (*качество передачи и т. п.*) 3) вести́ радиоперехва́т 4) *физ.* вести́ дозиметри́ческий контро́ль

monitorial [,mɒnɪ'tɔːrɪəl] *a* 1) увещева́тельный, наста́вительный 2) *школ.* входя́щий в обя́занности ста́росты

monitory ['mɒnɪtərɪ] **1.** *a книжн.* предостерега́ющий

2. *n церк.* увещева́тельное посла́ние (*тж.* ~ letter)

monk [mʌŋk] *n* мона́х

monkery ['mʌŋkərɪ] *n разг.* 1) монасты́рская жизнь; мона́шество 2) *собир.* мона́хи, мона́шество

monkey ['mʌŋkɪ] **1.** *n* (*pl* -s [-z]) 1) обезья́на 2) *шутл.* шалу́н, прока́зник 3) *sl.* 500 фу́нтов сте́рлингов; *амер.* 500 до́лларов 4) *тех.* копро́вая ба́ба 5) теле́жка подъёмного кра́на 6) *sl.* закладна́я ◇ to put smb.'s ~ up разозли́ть кого́-л.; to have a ~ on one's back *sl.* быть наркома́ном; to make a ~ of сде́лать посме́шищем

2. *v* 1) передра́знивать 2) по́ртить; неуме́ло обраща́ться (with, about) 3) вме́шиваться, сова́ться 4) подшу́чивать, дура́читься; забавля́ться (around, about)

monkey-bread ['mʌŋkɪbred] *n* 1) баоба́б (*дерево*) 2) плод баоба́ба

monkey business ['mʌŋkɪ,bɪznəs] *n разг.* 1) валя́ние дурака́, бессмы́сленная рабо́та 2) шутли́вая вы́ходка

monkeyish ['mʌŋkɪɪʃ] *a* 1) обезья́ний 2) шаловли́вый

monkey jacket ['mʌŋkɪ,dʒækɪt] *n* коро́ткая матро́сская ку́ртка, бушла́т

monkey nut ['mʌŋkɪnʌt] *n* земляно́й оре́х, ара́хис

monkey-puzzle ['mʌŋkɪ,pʌzl] *n бот.* арауна́рия чили́йская

monkeyshine ['mʌŋkɪʃaɪn] *амер.* (*обыкн. pl*) = monkey business 2)

monkey tricks ['mʌŋkɪ,trɪks] *n pl разг.* ша́лости, прока́зы

monkey wrench ['mʌŋkɪrentʃ] *n* 1) *тех.* разводно́й га́ечный ключ 2) поме́ха, препя́тствие; to throw a ~ into smth. меша́ть; ≅ вставля́ть па́лки в колёса

monkhood ['mʌŋkhʊd] *n* мона́шество

monkish ['mʌŋkɪʃ] *a* мона́шеский

monks'-hood ['mʌŋkshʊd] *n бот.* акони́т, боре́ц

mono- ['mɒnəʊ-] *в сложных словах* моно-, одно-, едино-; monosemantic однозна́чный

monobasic [,mɒnəʊ'beɪsɪk] *a хим.* одноосно́вный

monochromatic [,mɒnəkrəʊ'mætɪk] *a* однокра́сочный, одноцве́тный, монохрома́тический

monochrome ['mɒnəkrəʊm] **1.** *n* однокра́сочное изображе́ние

2. *a* монохро́мный, одноцве́тный, однокра́сочный

monocle ['mɒnəkl] *n* моно́кль

monocline ['mɒnəklaɪn] *n геол.* флексу́ра, моноклина́льная скла́дка

monocotyledon [,mɒnəʊkɒtə'liːdn] *n бот.* односемядо́льное расте́ние

monocracy [mə'nɒkrəsɪ] *n* единовла́стие, единодержа́вие

monocular [mɒ'nɒkjʊlə] **1.** *a* 1) монокуля́рный 2) *редк.* одногла́зый

2. *n опт.* монокуля́р

monoculture ['mɒnəʊ,kʌltʃə] *n* монокульту́ра

monodrama ['mɒnəʊ,drɑːmə] *n* монодра́ма, пье́са для одного́ актёра

monody ['mɒnədɪ] *n* 1) о́да для одного́ го́лоса (*в древнегреческой трагедии*) 2) погреба́льная песнь

monoecious [mɒ'niːʃəs] *a* 1) *бот.* однодо́мный 2) *зоол.* двупо́лый

monogamic [mə'nɒgəmɪk] *a* монога́мный

monogamy [mə'nɒgəmɪ] *n* монога́мия, единобра́чие

monogram ['mɒnəgræm] *n* моногра́мма

monograph ['mɒnəgrɑːf] **1.** *n* моногра́фия

2. *v* писа́ть моногра́фию

monographer [mə'nɒgrəfə] *n* а́втор моногра́фии

monographic [,mɒnə'græfɪk] *a* монографи́ческий

monogyny [mə'nɒdʒənɪ] *n* единожёнство

monokini [,mɒnəʊ'kiːnɪ] *n* моноки́ни, же́нский купа́льный костю́м, состоя́щий из коро́теньких тру́сиков

monolith ['mɒnəlɪθ] *n* моноли́т

monolithic [,mɒnə'lɪθɪk] *a* моноли́тный

monologue ['mɒnəlɒg] *n* моноло́г

monomania [,mɒnəʊ'meɪnɪə] *n мед.* монома́ния

monomaniac [,mɒnəʊ'meɪnɪæk] *n* манья́к

monomark ['mɒnəʊmɑːk] *n эк.* усло́вный фи́рменный знак (*из букв и цифр*)

monomer ['mɒnəmə] *n хим.* мономе́р

monometallic [,mɒnəʊme'tælɪk] *a фин.* монометалли́ческий

monomial [mɒ'nəʊmɪəl] *мат.* **1.** *n* одночле́н

2. *a* одночле́нный

mononucleosis [,mɒnəʊnjuːklɪ'əʊsɪs] *n мед.* мононуклео́з

monophase ['mɒnəfeɪz] *a эл.* однофа́зный

monophthong ['mɒnəfθɒŋ] *n фон.* монофто́нг

monophthongize ['mɒnəfθɒŋgaɪz] *v фон.* монофтонгизи́ровать

monoplane ['mɒnəpleɪn] *n* монопла́н

monopolist [mə'nɒpəlɪst] *n* 1) монополи́ст 2) сторо́нник систе́мы монопо́лий

monopolize [mə'nɒpəlaɪz] *v* 1) монополизи́ровать 2) завладе́ть; to ~ the conversation завладе́ть разгово́ром, не дава́ть никому́ сказа́ть сло́ва

monopoly [mə'nɒpəlɪ] *n* монопо́лия

monorail ['mɒnəʊreɪl] *n* моноре́льс;

однорéльсовая (подвеснáя) желéзная дорóга

monosyllabic [,mɒnəʊsɪ'læbɪk] *a* однослóжный

monosyllable ['mɒnəʊ,sɪləbl] *n* однослóжное слóво; to speak in ~s отвечáть однослóжно, нелюбéзно

monotheism ['mɒnəʊθi:,ɪzəm] *n* монотеи́зм, единобóжие

monotheistic [,mɒnəʊθi:'ɪstɪk] *n* монотеисти́ческий

monotint ['mɒnətɪnt] *n* рисýнок *или* гравю́ра в однý крáску

monotone ['mɒnətəʊn] **1.** *n* 1) монотóнность 2) монотóнное чтéние

2. *a* = monotonous

monotonous [mə'nɒtənəs] *a* монотóнный; однообрáзный; скýчный

monotony [mə'nɒtənɪ] *n* 1) монотóнность 2) однообрáзие; скýка

monotype ['mɒnəʊtaɪp] *n* 1) *полигр.* монoти́п 2) *биол.* моноти́п, еди́нственный вид рóда

monoxide [mə'nɒksaɪd] *n хим.* однóокись

Monroeism [mən'rəʊɪzəm] *n амер. ист.* доктри́на Монрó

Monsieur [mə'sjɜ:] *n* (*pl* Messieurs) месьé, господи́н

Monsignor [mɒn'si:njə] *n* (*pl* -ri) монсеньóр (*ти́тул представи́теля католи́ческого духовéнства*)

Monsignori [mɒnsi:'njɔ:rɪ] *pl от* Monsignor

monsoon [,mɒn'su:n] *n* 1) муссóн 2) сезóн дождéй

monster ['mɒnstə] **1.** *n* 1) чудóвище; *перен. тж.* и́зверг 2) урóд

2. *a* испол́инский, громáдный

monstrance ['mɒnstrəns] *n церк.* дарохрани́тельница

monstrosity [mɒn'strɒsətɪ] *n* 1) чудóвищность; урóдство 2) чудóвище, урóдливая вещь

monstrous ['mɒnstrəs] *a* 1) чудóвищный 2) урóдливый; безобрáзный 3) громáдный, испол́инский 4) *разг.* нелéпый, абсýрдный 5) звéрский; жестóкий, отврати́тельный, ужáсный

montage [mɒn'tɑ:ʒ] *n* 1) *кино* монтáж 2) фотомонтáж

montane ['mɒnteɪn] *a* 1) гори́стый 2) гóрный (*о жи́телях*)

Montenegrin [,mɒntɪ'ni:grɪn] **1.** *n* черногóрец

2. *a* черногóрский

month [mʌnθ] *n* мéсяц ◇ a ~ of Sundays *шутл.* дóлгий срок, цéлая вéчность; in a ~ of Sundays ≅ пóсле дóждичка в четвéрг

monthly ['mʌnθlɪ] **1.** *a* (еже)мéсячный; ~ wage мéсячное жáлованье

2. *adv* ежемéсячно; раз в мéсяц

3. *n* 1) ежемéсячный журнáл 2) *pl* менструáции

monticule ['mɒntɪkju:l] *n* 1) хóлмик 2) паразити́ческий кóнус (*вулкáна*)

monument ['mɒnjʊmənt] *n* пáмятник; монумéнт; the M. колóнна в Лóндоне в пáмять пожáра 1666 г.

monumental [,mɒnjʊ'mentl] *a* 1) колоссáльный, огрóмный; ~ achievement необыкновéнное достижéние; ~ ignorance вопию́щее невéжество 2) монументáльный; являю́щийся пáмятником; увековéчивающий 3) относя́щийся к пáмятнику

monumentalize [,mɒnjʊ'mentəlaɪz] *v* увековéчивать

moo [mu:] **1.** *n* (*pl* -s [-z]) мычáние

2. *v* мычáть

mooch [mu:tʃ] *v разг.* 1) лентя́йничать; слоня́ться; прогýливать (*урóки*) 2) жить на чужóй счёт; попрошáйничать 3) воровáть

mood I [mu:d] *n* настроéние; расположéние дýха; a ~ of anxiety тревóжное настроéние; to be in the ~ for smth. быть располóженным к чемý-л.; in no ~ не располóжен, не в настроéнии (*сдéлать что-л.*); a man of ~s человéк настроéния

mood II [mu:d] *n* 1) *грам.* наклонéние 2) *муз.* лад, тонáльность

moody ['mu:dɪ] *a* 1) легкó поддаю́щийся перемéнам настроéния 2) уны́лый, угрю́мый; в дурнóм настроéнии

moolah ['mu:lə] *n sl.* дéньги, деньжáта, бáбки

moon [mu:n] **1.** *n* 1) лунá 2) *астр.* спýтник (*планéты*) 3) лýнный мéсяц 4) *поэт. см.* month 5) лýнный свет ◇ to be over the ~ быть в востóрге; to cry for the ~ трéбовать невозмóжного; to bay the ~ ла́ять на лунý, занимáться бессмы́сленным дéлом

2. *v* 1) бродíть, двíгаться, дéйствовать как во сне (*тж.* ~ about, ~ along, ~ around) 2) проводи́ть врéмя в мечтáниях (*обы́кн.* ~ away)

moonbeam ['mu:nbi:m] *n* лýнный луч

moon blindness ['mu:n,blaɪndnəs] *n мед.* кури́ная слепотá

mooncalf ['mu:nkɑ:f] *n* идиóт; дурачóк

moon-eye ['mu:naɪ] *n* 1) *вет.* периоди́ческое воспалéние глаз (*у лóшади*) 2) = moon blindness

moon-eyed ['mu:naɪd] *a* 1) страдáющий кури́ной слепотóй 2) с широкó раскры́тыми глазáми, с крýглыми глазáми (*от стрáха и т. п.*)

moonfaced ['mu:nfeɪst] *a* круглоли́цый

moon-lander ['mu:n,lændə] *n* летáтельный аппарáт *или* космонáвт, осуществля́ющий посáдку на Лунý

moonlight ['mu:nlaɪt] **1.** *n* 1) лýнный свет 2) *attr.* при лýнном свéте; ~ flit (*или* flitting) *разг.* тáйный отъéзд с квартíры нóчью, чтóбы не плати́ть за неё

2. *v разг.* рабóтать по совмести́тельству

moonlighter ['mu:nlaɪtə] *n* 1) *pl ист.* члéны Ирлáндской земéльной ли́ги, уничтожáвшие по ночáм, в знак протéста, посéвы и скот англи́йских помéщиков 2) *разг.* совмести́тель

moonlit ['mu:nlɪt] *a* зали́тый лýнным свéтом

moonquake ['mu:nkweɪk] *n* «лунотрясéние», сейсми́ческие явлéния на Лунé

moonrise ['mu:nraɪz] *n* вoсхóд луны́

moon rover ['mu:n,rəʊvə] *n* лунохóд

moonscape ['mu:nskeɪp] *n* лýнный ландшáфт

moonset ['mu:nset] *n* захóд луны́

moonshine ['mu:nʃaɪn] *n* 1) лýнный свет 2) фантáзия; вздор 3) *амер. разг.* самогóн; контрабáндный спирт

moonshiner ['mu:nʃaɪnə] *n амер. разг.* 1) самогóнщик 2) контрабанди́ст, ввозя́щий спирт

moonship ['mu:nʃɪp] *n* косми́ческий корáбль на Лунý

moon shot ['mu:nʃɒt] *n* пуск ракéты в стóрону Луны́

moonstone ['mu:nstəʊn] *n мин.* лýнный кáмень

moonstruck ['mu:nstrʌk] *a* помéшанный

moon walker ['mu:nwɔ:kə] = moon rover

moony ['mu:nɪ] *a* 1) рассéянный, мечтáтельный; апати́чный 2) похóжий на лунý; крýглый 3) *sl.* подвы́пивший

Moor [mʊə] *n* 1) марокка́нец; марокка́нка 2) *ист.* мавр; маврита́нка

moor I [mʊə] *n* 1) вéресковая пýстошь 2) охóтничье угóдье

moor II [mʊə] *v* причáлить; пришвартовáть(ся); стать на я́корь

moorage ['mʊərɪdʒ] *n* 1) мéсто причáла 2) плáта за стоя́нку сýдна

moorcock ['mʊəkɒk] *см.* moor game

moorfowl ['mʊəfaʊl] = moor game

moor game ['mʊəgeɪm] *n* куропáтка шотлáндская (moorcock самéц, moorhen сáмка)

moorhen ['mʊəhen] *см.* moor game

mooring ['mʊərɪŋ] *n мор.* 1) постанóвка на мёртвый я́корь; швартóвка 2) *pl* мéсто стоя́нки 3) *pl* мёртвые якоря́; швартóвы

mooring mast ['mʊərɪŋmɑ:st] *n ав.* причáльная мáчта (*для дирижáблей*)

Moorish ['mʊərɪʃ] *a* мавритáнский

moorland ['mʊələnd] *n* мéстность, порóсшая вéреском, верещáтник

Moorman ['mʊəmən] *n* мусульмáнин (*в Индии*)

moose [mu:s] *n* (*pl без измен.*) америкáнский лось

moot [mu:t] **1.** *n* 1) *ист.* собрáние свобóдных грáждан для обсуждéния дел всей общи́ны 2) учéбный судéбный процéсс (*в юриди́ческих шкóлах*)

2. *a* спóрный

3. *v* стáвить вопрóс на обсуждéние; обсуждáть

mop I [mɒp] **1.** *n* 1) швáбра 2) кóсмы, копнá (*вóлос*) 3) мытьё швáброй

2. *v* 1) мыть пол швáброй, подтирáть (*тж.* ~ out) 2) вытирáть (*слёзы, пот*); to ~ dry вытирáть нáсухо; to ~ one's brow вытирáть пот со лбá ▭ ~ up а) вытирáть; осушáть; б) *разг.* поглощáть (*пи́щу*); в) *разг.* прикáнчивать, убивáть; раздéлаться; г) *воен.* очищáть (*захвáченную террито́рию от проти́вника*) ◇ to ~ the earth (*или* the ground, the floor) with smb. имéть когó-л. в пóлном подчинéнии, унижáть когó-л.

mop II [mɒp] 1. *n*: ~s and mows гримáсы, ужи́мки

2. *v*: to ~ and mow гримáсничать

mope [məʊp] 1. *n* (the ~s) *pl* хандрá; to have a fit of the ~s хандри́ть

2. *v* хандри́ть; быть в подáвленном состоя́нии, быть ко всемý безучáстным (*чáсто* ~ by oneself, ~ about)

moped ['məʊped] *n* мопéд

mope-eyed ['məʊpaɪd] *a уст.* близорýкий

moppet ['mɒpɪt] *n ласк.* ребёнок; малю́тка

moraine [mə'reɪn] *n геол.* морéна

moral ['mɒrəl] 1. *n* 1) поучéние, морáль; to draw the ~ извлекáть морáль, урóк 2) *pl* нрáвы; нрáвственность; морáльное состоя́ние 3) *pl* э́тика ◇ the very ~ of smb. тóчная кóпия, вы́литый портрéт когó-л.

2. *a* 1) морáльный, нрáвственный; эти́ческий; духóвный; ~ code нрáвственные нóрмы; ~ philosophy э́тика 2) добродéтельный, высоконрáвственный; ~ life добродéтельная жизнь 3) духóвный; внýтренний; ~ certainty внýтренняя увéренность; отсýтствие сомнéния 4) нравоучи́тельный

morale [mə'rɑ:l] *n* морáльное состоя́ние; боевóй дух; national ~ национáльное самосознáние; to undermine the ~ внести́ разложéние, деморализовáть

moralist ['mɒrəlɪst] *n* 1) морали́ст 2) добродéтельный, высоконрáвственный человéк

morality [mə'rælətɪ] *n* 1) морáль 2) нрáвственное поведéние 3) нравоучéние; copybook ~ прописнáя морáль 4) *pl* оснóвы морáли; э́тика 5) *театр. ист.* моралитé

moralize ['mɒrəlaɪz] *v* 1) морализи́ровать 2) поучáть; исправля́ть нрáвы 3) извлекáть морáль, урóк

morally ['mɒrəlɪ] *adv* 1) морáльно; нрáвственно 2) в нрáвственном отношéнии 3) добродéтельно 4) по всей ви́димости; в сýщности, факти́чески

morass [mə'ræs] *n книжн.* болóто, тряси́на (*чáсто перен.*)

moratoria [,mɒrə'tɔ:rɪə] *pl от* moratorium

moratorium [,mɒrə'tɔ:rɪəm] *n* (*pl* -s [-z], -ria) 1) моратóрий; отсрóчка по платежáм и финáнсовым обязáтельствам 2) срок дéйствия моратóрия

moratory ['mɒrətərɪ] *a* даю́щий отсрóчку платежá

Moravian [mə'reɪvɪən] 1. *a* 1) морáвский 2) *рел. ист.* относя́щийся к морáвским брáтьям

2. *n* 1) жи́тель Морáвии 2) *pl рел. ист.* морáвские брáтья

morbid ['mɔ:bɪd] *a* 1) болéзненный; нездорóвый 2) болéзненно впечатли́тельный; нездорóвый (*психи́чески*); ~ imagination болéзненное воображéние 3) патологи́ческий; ~ anatomy патологи́ческая анатóмия; ~ growth *мед.* новообразовáние 4) ужáсный, отврати́тельный

morbidity [mɔ:'bɪdətɪ] *n* 1) болéзненность 2) заболевáемость

morbific [mɔ:'bɪfɪk] *a* болезнетвóрный

morbilli [mɔ:'bɪlɪ] *n pl* 1) корь 2) пя́тна, сыпь

mordancy ['mɔ:dənsɪ] *n* язви́тельность; кóлкость

mordant ['mɔ:dnt] 1. *a* 1) кóлкий, язви́тельный, саркасти́ческий 2) éдкий, разъедáющий; вызывáющий коррóзию 3) закрепля́ющий крáску

2. *n* 1) протрáвка (*при гравировáнии*) 2) протрáва (*при крашéнии*); мори́лка

mordent ['mɔ:dnt] *n муз.* трель

more [mɔ:] 1. *a* 1) *сравн. ст. от* much 1 *и* many 1; 2) бóльший, бóлее многочи́сленный; he has ~ ability than his predecessors у негó бóльше умéния, чем у егó предшéственников 3) добáвочный, ещё (*употр. с числи́тельным или неопределённым местоимéнием*); two ~ cruisers were sunk ещё два крéйсера бы́ли потóплены; bring some ~ water принеси́те ещё воды́

2. *adv* 1) *сравн. ст. от* much 2; 2) бóльше; бóлее; you should walk ~ вам нáдо бóльше гуля́ть 3) *слýжит для образовáния сравн. ст. многослóжных прилагáтельных и нарéчий*: ~ powerful бóлее мóщный 4) ещё; опя́ть, снóва; once ~ ещё раз ◇ ~ or less бóлее и́ли мéнее, приблизи́тельно; the ~ ... the ~ чем бóльше..., тем бóльше; the ~ he has the ~ he wants чем бóльше он имéет, тем бóльше он хóчет; the ~ the better чем бóльше, тем лýчше; neither ~ nor less than ни бóльше, ни мéньше как; не чтó инóе, как; all the ~ so тем бóлее; never ~ никогдá; he is no ~ егó нет в живы́х

3. *n* бóльшее коли́чество; дополни́тельное коли́чество ◇ what is ~ вдобáвок, бóльше тогó; hope to see ~ of you надéюсь чáще вас ви́деть; we saw no ~ of him мы егó бóльше не ви́дели; there is ~ to come э́то ещё не всё

moreen [mɔ:'ri:n] *n* плóтная (полу)шерстянáя ткань (*для портьéр*)

morel I [mə'rel] *n* сморчóк (*гриб*; *тж.* petty ~)

morel II [mə'rel] *n бот.* чёрный паслён

moreover [mɔ:r'əʊvə] *adv* сверх тогó, крóме тогó

mores ['mɔ:reɪz] *n pl* нрáвы; обы́чаи

Moresque [mɔ:'resk] *a* мавритáнский (*о сти́ле*)

morganatic [,mɔ:gə'nætɪk] *a* морганати́ческий

morgue [mɔ:g] *n* 1) морг, покóйницкая 2) отдéл хранéния спрáвочного материáла в редáкции газéты; отдéл хранéния некролóгов извéстных лиц, напи́санных ещё при их жи́зни

moribund ['mɒrɪbʌnd] *a* умирáющий

Mormon ['mɔ:mən] *n* мормóн

morn [mɔ:n] *n поэт.* ýтро

morning ['mɔ:nɪŋ] *n* 1) ýтро; good ~ с дóбрым ýтром; здрáвствуйте 2) *поэт.* ýтренняя заря́ 3) рáнний периóд, начáло (*чегó-л.*); the ~ of life ýтро жи́зни 4) *attr.* ýтренний; ~ coat визи́тка; ~ gown халáт; ~ watch *мор.* ýтренняя вáхта (*с 4 до 8 ч.*)

morning glory [,mɔ:nɪŋ'glɔ:rɪ] *n бот.* вьюнóк, ипомéя

morning star [,mɔ:nɪŋ'stɑ:] *n* ýтренняя звездá, Венéра

morocco [mə'rɒkəʊ] 1. *n* (*pl* -os [-əʊz]) сафья́н

2. *a* сафья́новый

moron ['mɔ:rɒn] *n* слабоýмный, идиóт

morose [mə'rəʊs] *a* мрáчный, угрю́мый, зáмкнутый

morpheme ['mɔ:fi:m] *n лингв.* морфéма

Morpheus ['mɔ:fju:s] *n греч. миф.* Морфéй; in the arms of ~ в объя́тиях Морфéя, спя́щий

morphia ['mɔ:fɪə] = morphine

morphine ['mɔ:fi:n] *n* мóрфий

morphinism ['mɔ:fɪnɪzəm] *n* морфини́зм, наркомáния

morphologic(al) [,mɔ:fə'lɒdʒɪk(l)] *a* морфологи́ческий

morphology [mɔ:'fɒlədʒɪ] *n* морфолóгия

morris ['mɒrɪs] *n* нарóдный тáнец в костю́мах гербев легéнды о Рóбин Гýде (*тж.* ~ dance)

morrow ['mɒrəʊ] *n* 1) *книжн.* зáвтра, зáвтрашний день 2) *книжн.* врéмя, наступи́вшее непосрéдственно пóсле (*какóго-л.*) собы́тия; on the ~ of вслед за (*чем-л.*), по окончáнии (*чегó-л.*) 3) *уст.* ýтро

morse [mɔ:s] *n зоол.* морж

Morse (code) [,mɔ:s('kəʊd)] *n* áзбука Мóрзе

morsel ['mɔ:sl] *n* 1) кусóчек 2) вкýсное блю́до

mortal ['mɔ:tl] 1. *a* 1) смéртный; not a ~ man ни живóй души́ 2) смертéльный; ~ agony предсмéртная агóния 3) жестóкий, беспощáдный; ~ enemy смертéльный враг 4) *разг.* ужáсный; in a ~ hurry в ужáсной спéшке 5) *разг.* дли́нный, нескончáемый ◇ ~ sin смéртный грех

2. *n* человéк, смéртный

mortality [mɔ:'tælətɪ] *n* 1) смертéльность 2) смéртность 3) падёж (*скотá*) 4) *редк.* человéчество, смéртные (*род человéческий*) 5) *attr.*: ~ tables статисти́ческие табли́цы смéртности

mortally ['mɔ:təlɪ] *adv* смертéльно

mortar I ['mɔ:tə] 1. *n* 1) стýпка, стýпа 2) *воен.* морти́ра; миномёт

2. *v* 1) толóчь в стýп(к)е 2) *воен.* обстрéливать миномётным огнём

mortar II ['mɔ:tə] 1. *n* известкóвый раствóр; строи́тельный раствóр

2. *v* скрепля́ть известкóвым раствóром

mortarboard ['mɔ:təbɔ:d] *n* 1) головнóй убóр с квадрáтным вéрхом (*у англи́йских студéнтов и профессорóв*) 2) *стр.* сóкол

mortgage ['mɔ:gɪdʒ] 1. *n* заклáд; ипотéка; закладнáя

2. *v* 1) заклáдывать 2) ручáться (*слóвом*)

mortgagee [,mɔ:gɪ'dʒi:] *n* залогодержа́тель, кредито́р по закладно́й

mortgager, mortgagor ['mɔ:gɪdʒə, ,mɔ:gɪ'dʒɔ:] *n* закла́дчик, должни́к по закладно́й

mortice ['mɔ:tɪs] = mortise

mortician [mɔ:'tɪʃn] *n амер.* владе́лец похоро́нного бюро́; гробовщи́к

mortification [,mɔ:tɪfɪ'keɪʃn] *n* 1) смире́ние; подавле́ние; ~ of the flesh умерщвле́ние пло́ти 2) униже́ние; го́рькое чу́вство оби́ды, разочарова́ния 3) *мед.* омертве́ние; гангре́на

mortify ['mɔ:tɪfaɪ] *v* 1) обижа́ть, унижа́ть 2) подавля́ть (*страсти, чувства и т. п.*); умерщвля́ть (*плоть*) 3) *мед.* омертве́ть, гангрени́ровать

mortise ['mɔ:tɪs] *тех.* **1.** *n* 1) паз, гнездо́, про́резь 2) *attr.*: ~ chisel долото́

2. *v* соединя́ть вру́бкой; долби́ть (*дерево*)

mortmain ['mɔ:tmeɪn] *n юр.* владе́ние недви́жимостью (*принадлежащей церковным, благотворительным учреждениям и т. п.*) без пра́ва отчужде́ния, «мёртвая рука́»

mortuary ['mɔ:tjʊərɪ] **1.** *n* 1) поко́йницкая, морг 2) *ист.* взнос насле́дников прихо́дскому свяще́ннику на помин души́ поко́йника

2. *a* похоро́нный, погреба́льный; ~ urn у́рна с пра́хом

Mosaic [məʊ'zeɪɪk] *a библ.* Моисе́ев; ~ Law Моисе́евы зако́ны

mosaic [məʊ'zeɪɪk] **1.** *n* 1) моза́ика 2) что-л., соста́вленное из ра́зных часте́й (*напр.*, попурри́)

2. *a* моза́ичный

3. *v* выкла́дывать моза́икой; де́лать моза́ичную рабо́ту

moselle [məʊ'zel] *n* мозельве́йн, мо́зельское (вино́)

Moses ['məʊzɪz] *n библ.* Моисе́й

mosey ['məʊzɪ] *v sl.* шата́ться, слоня́ться

Moslem ['mɒzlem] = Muslim

mosque [mɒsk] *n* мече́ть

mosquito [mə'ski:təʊ] *n* (*pl* -oes [-əʊz]) 1) моски́т; кома́р 2) *attr.* противомоски́тный

mosquito craft [mə'ski:təʊkrɑ:ft] *n мор.* торпе́дный ка́тер; *собир.* торпе́дные катера́

mosquito net [mə'ski:təʊnet] *n* противомоски́тная се́тка, накома́рник

moss [mɒs] **1.** *n* 1) мох 2) *разг.* плау́н; лиша́йник 3) *диал.* торфяно́е боло́то

2. *v* покрыва́ть мхом

mossback ['mɒsbæk] *n амер.* 1) (M.) *разг.* челове́к, скрыва́вшийся (*особ.* в боло́тах) от слу́жбы в а́рмии южа́н (*во время американской гражданской войны*) 2) *разг.* кра́йний консерва́тор; старомо́дный челове́к

mossberry ['mɒsbərɪ] *n бот.* клю́ква (обыкнове́нная)

moss-grown ['mɒsgrəʊn] *a* 1) поро́сший мхом 2) устаре́вший, старомо́дный

moss rose ['mɒsrəʊz] *n* ро́за столи́стная, му́скусная

moss-trooper ['mɒs,tru:pə] *n* 1) *ист.* разбо́йник (*на шотландской границе в XVII в.*) 2) банди́т

mossy ['mɒsɪ] *a* 1) мши́стый, покры́тый мхом 2) мши́стый, пуши́стый

most I [məʊst] **1.** *a* 1) *превосх. ст. от* much 1 *и* many 1; 2) наибо́льший; ~ people большинство́ люде́й; for the ~ part гла́вным о́бразом; бо́льшей ча́стью

2. *adv* 1) *превосх. ст. от* much 2; 2) бо́льше всего́; what ~ annoys me... что бо́льше, сильне́е всего́ раздража́ет меня́... 3) весьма́, в вы́сшей сте́пени; his speech was ~ convincing его́ речь была́ весьма́, о́чень убеди́тельна 4) *служит для образования превосх. ст. многосложных прилагательных и наречий*: ~ beautiful са́мый краси́вый ◇ at ~ са́мое бо́льшее; не бо́льше чем; ten at ~ са́мое бо́льшее де́сять, не бо́льше десяти́; this is at ~ a makeshift э́то не бо́льше, чем паллиати́в

3. *n* наибо́льшее коли́чество, бо́льшая часть; this is the ~ I can do э́то са́мое бо́льшее, что я могу́ сде́лать; at the ~ са́мое бо́льшее; ~ of them большинство́ из них ◇ ~ and least *поэт.* все без исключе́ния; to make the ~ of smth. а) испо́льзовать наилу́чшим о́бразом; б) расхва́ливать, преувели́чивать досто́инства *и пр.*

most II [məʊst] *adv амер. разг.* (*сокр. от* almost) почти́

mostly ['məʊstlɪ] *adv* по бо́льшей ча́сти, гла́вным о́бразом; обыкнове́нно, обы́чно

mot [məʊ] *фр. n* (*pl* -s [-z]) остро́та; ~ juste то́чное выраже́ние

mote [məʊt] *n* 1) пыли́нка 2) пя́тнышко ◇ to see a ~ in thy brother's eye а) *библ.* ви́деть сучо́к в глазу́ бра́та своего́; б) преувели́чивать чужи́е недоста́тки

motel [məʊ'tel] *n* моте́ль, автопансиона́т

motet [məʊ'tet] *n* моте́т, песнопе́ние

moth [mɒθ] *n* 1) моль 2) мотылёк

mothball ['mɒθbɔ:l] *n* нафтали́новый *или* камфа́рный ша́рик (*от моли*)

moth-eaten ['mɒθi:tn] *a* 1) изъе́денный мо́лью 2) устаре́вший; изно́шенный

mother ['mʌðə] **1.** *n* 1) мать; ма́тушка; мама́ша; M. Superior мать-настоя́тельница 2) нача́ло, исто́чник 3) *attr.*: ~ tongue а) родно́й язы́к; б) праязы́к ◇ every ~'s son of (you, them, *etc.*) все без исключе́ния, все до одного́; ~ wit приро́дный ум; здра́вый смысл; смека́лка

2. *v* 1) быть ма́терью, роди́ть 2) относи́ться по-матери́нски; охраня́ть, леле́ять 3) усыновля́ть; брать на воспита́ние 4) порожда́ть, вызыва́ть к жи́зни 5) припи́сывать а́вторство; this novel was ~ed on (*или* upon) Miss X. э́тот рома́н приписа́ли мисс X.

mother country ['mʌðə,kʌntrɪ] *n* 1) ро́дина 2) метропо́лия (*по отношению к колониям*)

mothercraft ['mʌðəkrɑ:ft] *n* уме́ние воспи́тывать дете́й

motherhood ['mʌðəhʊd] *n* матери́нство

mothering ['mʌðərɪŋ] *n* матери́нская ла́ска, забо́та

Mothering Sunday ['mʌðərɪŋ,sʌndeɪ] *n* матери́нское воскресе́нье (*четвёртое воскресенье Великого поста*)

mother-in-law ['mʌðərɪnlɔ:] *n* (*pl* mothers-in-law) 1) тёща 2) свекро́вь

motherland ['mʌðəlænd] *n* ро́дина, отчи́зна

motherless ['mʌðəlɪs] *a* лишённый ма́тери

motherly ['mʌðəlɪ] **1.** *a* матери́нский

2. *adv* по-матери́нски

mother missile ['mʌðə,mɪsaɪl] *n* раке́та-носи́тель, ста́ртовая ступе́нь (*многоступенчатой ракеты*)

mother of pearl [,mʌðərəv'pɜ:l] *n* перламу́тр

mother-of-pearl [,mʌðərəv'pɜ:l] *a* перламу́тровый

mother of thousands [,mʌðərəv'θaʊzndz] *n бот.* камнело́мка, цимбаля́рия

mother ship ['mʌðəʃɪp] *n мор.* 1) плаву́чая ба́за 2) косми́ческий кора́бль-носи́тель

mothers-in-law ['mʌðəzɪnlɔ:] *pl от* mother-in-law

mother's mark ['mʌðəzmɑ:k] *n* роди́мое пятно́

mothproof ['mɒθpru:f] *a* защищённый от мо́ли

motif [məʊ'ti:f] *n* 1) основна́я те́ма, гла́вная мысль, лейтмоти́в 2) кружевно́е украше́ние (*на платье*)

motile ['məʊtaɪl] *a биол.* спосо́бный передвига́ться, подви́жный

motion ['məʊʃn] **1.** *n* 1) движе́ние; in ~ дви́гаясь, в движе́нии, на ходу́; to set (*или* to put) in ~ пусти́ть; привести́ в движе́ние (*тж. перен.*) 2) телодвиже́ние; жест; похо́дка 3) ход (*машины и т. п.*) 4) побужде́ние; of one's own ~ по со́бственному побужде́нию 5) предложе́ние (*на собрании*); ~ for adjournment *парл.* предложе́ние о прекраще́нии пре́ний 6) де́йствие (кише́чника) 7) *pl* кал 8) *юр.* хода́тайство 9) *уст.* марионе́тка ◇ to go through the ~s де́лать вид, притворя́ться, что де́лаешь что-л.

2. *v* пока́зывать же́стом

motional ['məʊʃnl] *a* дви́гательный

motionless ['məʊʃnləs] *a* неподви́жный, без движе́ния; в состоя́нии поко́я

motion picture [,məʊʃn'pɪktʃə] *n* кинокарти́на, кинофи́льм

motivate ['məʊtɪveɪt] *v* 1) служи́ть моти́вом *или* причи́ной 2) побужда́ть; стимули́ровать 3) (*преим. pass.*) мотиви́ровать

motivation [,məʊtɪ'veɪʃn] *n* 1) побужде́ние; дви́жущая си́ла 2) мотивиро́вка; мотива́ция

motive ['məʊtɪv] **1.** *n* 1) по́вод, моти́в, побужде́ние; driving ~ дви́жущая си́ла 2) = motif 1)

2. *a* 1) дви́жущий; ~ power (*или* force) дви́жущая си́ла; эне́ргия 2) двига́тельный

3. *v* = motivate

motiveless ['məʊtɪvləs] *a* не име́ющий основа́ний; немотиви́рованный; беспо́чвенный

motivity [məʊ'tɪvətɪ] *n физ.* двига́тельная си́ла

motley ['mɒtlɪ] **1.** *a* разноцве́тный; пёстрый (*тж. перен.*); ~ horde вся́кий сброд

2. *n* 1) попурри́, вся́кая вся́чина 2) *ист.* шутовско́й костю́м; man of ~ шут ◇ to wear ~ быть шуто́м

moto-cross ['məʊtəʊkrɒs] *n* мотокро́сс

motor ['məʊtə] **1.** *n* 1) дви́гатель; мото́р 2) автомоби́ль 3) мото́рная ло́дка 4) *анат.* дви́гательный му́скул; дви́гательный нерв

2. *a* 1) дви́жущий, дви́гательный 2) автомоби́льный, мото́рный; ~ show вы́ставка автомоби́лей 3) *анат.* дви́гательный, мото́рный

3. *v* е́хать *или* везти́ на автомоби́ле

motorable ['məʊtərəbl] *a* автомоби́льный (*о дороге*)

motor bicycle [,məʊtə'baɪsɪkl] *n* 1) = motorcycle 1; 2) = moped

motor bike ['məʊtəbaɪk] *разг. см.* motor bicycle

motorboat ['məʊtəbəʊt] *n* мото́рная ло́дка; мото́рный ка́тер

motor bus ['məʊtəbʌs] *n* авто́бус

motorcade ['məʊtəkeɪd] *n* 1) автоколо́нна 2) верени́ца автомоби́лей; автомоби́льный корте́ж

motor car ['məʊtəkɑ:] *n* 1) легково́й автомоби́ль 2) *амер.* мото́рный ваго́н (*трамвая, электропоезда*)

motorcycle ['məʊtə,saɪkl] **1.** *n* мотоци́кл

2. *v* води́ть мотоци́кл; занима́ться мотоцикле́тным спо́ртом

motorcyclist ['məʊtə,saɪklɪst] *n* мотоцикли́ст

motordrome ['məʊtədrəʊm] *n* автодро́м; мотодро́м

motored ['məʊtəd] **1.** *p. p. от* motor 3

2. *a* снабжённый мото́ром; име́ющий мото́р

motoring ['məʊtərɪŋ] **1.** *pres. p. от* motor 3

2. *n* 1) автомоби́льное де́ло 2) автомоби́льный спорт

motorist ['məʊtərɪst] *n* автомобили́ст

motorization [,məʊtəraɪ'zeɪʃn] *n* моториза́ция

motorize ['məʊtəraɪz] *v* 1) *воен.* моторизова́ть 2) *спец.* переводи́ть на электри́ческий приво́д

motorman ['məʊtəmən] *n* вагоновожа́тый; машини́ст (*электропоезда*)

motor mouth ['məʊtəmaʊθ] *n амер. sl.* балабо́лка, болту́н

motorpool ['məʊtəpu:l] *n* объединённый автопа́рк

motor rally [,məʊtə'rælɪ] *n* автопробе́г, автора́лли

motor ship ['məʊtəʃɪp] *n* теплохо́д

motor-spirit ['məʊtə,spɪrɪt] *n* автомоби́льный бензи́н

motor vehicle [,məʊtə'vi:ɪkl] *n* автомоби́ль

motorway ['məʊtəweɪ] *n* автостра́да, автомагистра́ль

motory ['məʊtərɪ] *a* дви́жущий, вызыва́ющий движе́ние

mottle ['mɒtl] **1.** *n* кра́пинка, пя́тнышко

2. *v* испещря́ть; кра́пать

mottled ['mɒtld] **1.** *p. p. от* mottle 2

2. *a* 1) кра́пчатый, испещрённый; пёстрый 2) полови́нчатый (*о чугуне*)

motto ['mɒtəʊ] *n* (*pl* -oes [-əʊz]) 1) деви́з, ло́зунг 2) эпи́граф

mouch [mu:tʃ] = mooch

moufflon ['mu:flɒn] *n зоол.* муфло́н

mould I [məʊld] **1.** *n* 1) (лите́йная) фо́рма, изло́жница, му́льда 2) лека́ло; шабло́н 3) ма́трица 4) *стр.* опа́лубка для бето́на 5) фо́рмочка для пу́динга, желе́ *и т. п.* 6) хара́ктер; people of a special ~ лю́ди осо́бого скла́да

2. *v* 1) отлива́ть в фо́рму; формова́ть 2) лепи́ть; to ~ out of clay вы́лепить из гли́ны 3) де́лать по шабло́ну 4) формирова́ть (*характер, политику и т. п.*); создава́ть ▭ ~ into превраща́ть в; ~ on, ~ upon формирова́ть по образцу́ *чего-л.*

mould II [məʊld] **1.** *n* пле́сень; пле́сенный грибо́к

2. *v* 1) покрыва́ться пле́сенью; пле́сневеть 2) остава́ться без употребле́ния

mould III [məʊld] *n* 1) взрыхлённая земля́ 2) перегно́й, гу́мус

mouldboard ['məʊldbɔ:d] *n с.-х.* отва́л плу́га

moulder I ['məʊldə] *n* 1) лите́йщик, формо́вщик 2) созда́тель; творе́ц 3) *тех.* стол для формо́вки

moulder II ['məʊldə] *v* 1) рассыпа́ться, разруша́ться (*часто* ~ away) 2) разлага́ться, загнива́ть; распада́ться

moulding ['məʊldɪŋ] *n* 1) *тех.* формо́вка, отли́вка 2) *архит.* лепно́е украше́ние 3) баге́т

mouldy ['məʊldɪ] *a* 1) запле́сневе́лый, покры́тый пле́сенью 2) устаре́вший; обветша́лый 3) *разг.* парши́вый, скве́рный

moult [məʊlt] **1.** *n* ли́нька (*животных*)

2. *v* линя́ть (*о животных*)

mound I [maʊnd] **1.** *n* на́сыпь; холм; курга́н; моги́льный холм

2. *v* де́лать на́сыпь; насыпа́ть холм

mound II [maʊnd] *n* держа́ва (*эмблема*)

mount I [maʊnt] **1.** *n* 1) подло́жка, карто́н *или* холст, на кото́рый накле́ена карти́на *или* ка́рта; паспарту́ 2) ло́шадь под седло́м 3) опра́ва (*камня*) 4) предме́тное стекло́ (*для микроскопического среза*) 5) *воен.* устано́вка (*для орудия*)

2. *v* 1) взбира́ться, восходи́ть, поднима́ться; to ~ the throne взойти́ на престо́л 2) сади́ться на ло́шадь *или* на велосипе́д, в маши́ну 3) посади́ть на ло́шадь 4) снабжа́ть верховы́ми лошадьми́ 5) расти́, увели́чиваться; the excitement was ~ing волне́ние уси́ливалось 6) поднима́ться, повыша́ться (*о цене*) 7): his colour ~ed, a blush ~ed to his face кровь бро́силась ему́ в лицо́ 8) устана́вливать на возвыше́нии (*о статуе и т. п.*), водружа́ть; to ~ a gun *воен.* устана́вливать ору́дие на лафе́т 9) монти́ровать; to ~ a picture накле́ивать карти́ну на карто́н; to ~ a specimen приготовля́ть препара́т для иссле́дования (*под микроскопом*); to ~ jewels вставля́ть драгоце́нные ка́мни в опра́ву 10) продви́нуться по слу́жбе, заня́ть бо́лее высо́кое положе́ние 11) *зоол.* покры́ть (*о самце*)

mount II [maʊnt] *n* 1) холм; гора́ (*уст., кроме названий, напр.*: Mount Everest гора́ Эвере́ст) 2) бугоро́к (*на ладони*)

mountain ['maʊntɪn] *n* 1) гора́ 2) ма́сса, ку́ча, мно́жество 3) (the M.) *фр. ист.* «Гора́», па́ртия монтанья́ров 4) *attr.* го́рный; наго́рный ◇ to make a ~ out of a molehill ≅ де́лать из му́хи слона́; преувели́чивать

mountain ash ['maʊntɪn,æʃ] *n бот.* 1) ряби́на америка́нская 2) ряби́на обыкнове́нная

mountaineer [,maʊntɪ'nɪə] **1.** *n* 1) альпини́ст 2) го́рец

2. *v* соверша́ть восхожде́ния на го́ры, занима́ться альпини́змом, ла́зить по гора́м

mountaineering [,maʊntɪ'nɪərɪŋ] **1.** *pres. p. от* mountaineer 2

2. *n* альпини́зм

mountainous ['maʊntɪnəs] *a* 1) гори́стый 2) грома́дный

mountebank ['maʊntɪbæŋk] *n* 1) шарлата́н, обма́нщик 2) фигля́р; шут

mounted ['maʊntɪd] **1.** *p. p. от* mount I, 2

2. *a* 1) ко́нный; ~ police ко́нная поли́ция 2) моторизо́ванный 3) смонти́рованный, устано́вленный 4): ~ gem драгоце́нный ка́мень в опра́ве

mounting ['maʊntɪŋ] **1.** *pres. p. от* mount I, 2

2. *n* 1) устано́вка, монта́ж 2) поса́дка на ло́шадь *или* в маши́ну 3) наби́вка (*чучела*) 4) монта́ж 5) опра́ва

mourn [mɔ:n] *v* 1) се́товать, опла́кивать 2) носи́ть тра́ур 3) печа́литься, горева́ть, скорбе́ть

mourner ['mɔ:nə] *n* 1) прису́тствующий на похорона́х 2) пла́кальщик

mournful ['mɔ:nfl] *a* печа́льный, ско́рбный; тра́урный; мра́чный

mourning ['mɔ:nɪŋ] **1.** *pres. p. от* mourn

2. *n* 1) скорбь, печа́ль 2) плач, рыда́ние 3) тра́ур; to go into ~ наде́ть тра́ур; in ~ а) в тра́уре; б) *разг.* гря́зный (*о ногтях*); в) подби́тый (*о глазе*) 4) *attr.* тра́урный

mouse 1. *n* [maʊs] (*pl* mice) 1) мышь 2) *sl.* подби́тый глаз

2. *v* [maʊz] 1) лови́ть мыше́й 2) вы́искивать, высле́живать (*тж.* ~ around, ~ about, ~ along) ▭ ~ **out** *амер.* разню́хать, разузна́ть

mouser ['maʊzə] *n* мышело́в

mousetrap ['maʊstræp] *n* мышело́вка

mousse [mu:s] *n кул.* мусс

mousseline [mu:'sli:n] *n* мусли́н

moustache [mə'stɑ:ʃ] *n* усы́

mousy ['maʊsɪ] *a* 1) похо́жий на мышь 2) ро́бкий, ти́хий 3) мыши́ного цве́та

mouth 1. *n* [maʊθ, *pl* maʊðz] 1) рот; уста́; by ~, by word of ~ у́стно; from ~ to ~ из уст в уста́ 2) го́рлышко (*буты́лки*); ду́ло, жерло́ 3) вход (*в га́вань, пеще́ру*) 4) у́стье (*реки́, ша́хты*) 5) *тех.* у́стье, зев, отве́рстие; выходно́й па́трубок; растру́б; ру́пор 6) *разг.* наха́льство 7) *разг.* болтли́вость ◇ to keep one's ~ shut держа́ть язы́к за зуба́ми; to open one's ~ too wide а) ожида́ть сли́шком мно́гого; б) запра́шивать (*сли́шком высо́кую це́ну*); to take the words out of smb.'s ~ предвосхи́тить чьи-л. слова́; to put words into smb.'s ~ а) подсказа́ть кому́-л., что на́до говори́ть; б) припи́сывать кому́-л. каки́е-л. слова́; to have a good (bad) ~ хорошо́ (пло́хо) слу́шаться узды́ (*о ло́шади*); to give ~ ла́ять

2. *v* [maʊð] 1) говори́ть торже́ственно; изрека́ть 2) произноси́ть чётко и гро́мко 3) грима́сничать 4) брать (пи́щу) в рот 5) приуча́ть ло́шадь к узде́

mouther ['maʊðə] *n* 1) напы́щенный ора́тор 2) хвасту́н

mouth-filling ['maʊθ,fɪlɪŋ] *a* напы́щенный

mouthful ['maʊθfʊl] *n* 1) по́лный рот (*чего-л.*); кусо́к; глото́к 2) небольшо́е коли́чество 3) труднопроизноси́мое сло́во, фра́за *и т. п.* ◇ to say a ~ *амер.* сказа́ть что-л. ва́жное, потряса́ющее

mouth organ ['maʊθ,ɔ:gən] *n* губна́я гармо́ника

mouthpiece ['maʊθpi:s] *n* 1) мундшту́к 2) микрофо́н 3) ру́пор, глаша́тай; ора́тор (*от гру́ппы*); вырази́тель (*мне́ния, интере́сов и т. п.*)

mouthy ['maʊðɪ] *a* 1) болтли́вый, многосло́вный 2) напы́щенный

movable ['mu:vəbl] 1. *a* 1) подвижно́й; перено́сный, разбо́рный, передвижно́й 2) дви́жимый (*об иму́ществе*) 3) *церк.* переходя́щий (*о пра́зднике*)

2. *n pl* дви́жимость, дви́жимое иму́щество

move [mu:v] 1. *n* 1) движе́ние, переме́на ме́ста; to make a ~ а) отправля́ться; б) встава́ть из-за стола́ [*см. тж.* 3) *и* 5)]; to get a ~ on *разг.* спеши́ть, торопи́ться, поторапливаться; (to be) on the ~ (быть) на нога́х, в движе́нии 2) перее́зд (*на другу́ю кварти́ру*) 3) посту́пок, шаг; to make a ~ предприня́ть что-л.; нача́ть де́йствовать [*см. тж.* 1) *и* 5)] 4) а́кция, де́йствие; foreign-policy ~s внешнеполити́ческие а́кции 5) ход (*в игре́*); to make a ~ сде́лать ход [*см. тж.* 1) *и* 3)]

2. *v* 1) дви́гать(ся); передвига́ть(ся); to ~ a piece *шахм.* де́лать ход 2) приводи́ть в движе́ние, принима́ть ме́ры; побужда́ть (*к чему́-л.*) 3) развива́ться (*о собы́тиях*); идти́, подвига́ться (*о дела́х*) 4) переезжа́ть; переселя́ться; to ~ house переезжа́ть на другу́ю кварти́ру 5) враща́ться (*напр., в литерату́рных круга́х*) 6) тро́гать, растро́гать 7) волнова́ть; вызыва́ть (*каки́е-л. чу́вства, эмо́ции*; to); to ~ to anger (to laughter) рассерди́ть (рассмеши́ть); to ~ to tears довести́ до слёз 8) вызыва́ть де́йствие (*кише́чника*); де́йствовать (*о кише́чнике*) 9) вноси́ть (*предложе́ние, резолю́цию*); де́лать заявле́ние, обраща́ться (*в суд и т. п.*); хода́тайствовать (for) 10) переходи́ть в други́е ру́ки; продава́ться 11) управля́ть; манипули́ровать ▭ ~ **about** переходи́ть, переезжа́ть; переноси́ть с ме́ста на ме́сто; ~ **away** а) удаля́ть(ся); уезжа́ть; б) отодвига́ть; ~ **back** а) пя́титься; б) идти́ за́дним хо́дом; подава́ть наза́д; в) таба́нить; ~ **down** опуска́ть, спуска́ть; ~ **for** хода́тайствовать о *чём-л.*; ~ **in** а) въезжа́ть (*в кварти́ру*); б) вводи́ть (*войска́ и т. п.*); в) вдвига́ть; ~ **off** а) уезжа́ть; отъезжа́ть; б) отодвига́ть; ~ **on** пройти́, идти́ да́льше; ~ **out** а) съезжа́ть (*с кварти́ры*); б) оста́вить (*рабо́ту, пост*); ~ **over** отстрани́ться, отодви́нуться; ~ **up** пододви́нуть; to ~ up reserves *воен.* подтя́гивать резе́рвы ◇ to ~ heaven and earth сде́лать всё возмо́жное; пусти́ть всё в ход

moveless ['mu:vləs] *a* неподви́жный; ~ countenance невозмути́мое выраже́ние лица́

movement ['mu:vmənt] *n* 1) движе́ние, перемеще́ние, передвиже́ние 2) ход (*механи́зма*) 3) жест, телодвиже́ние 4) перее́зд, переселе́ние 5) движе́ние (*обще́ственное*) 6) *муз.* темп; ритм 7) часть музыка́льного произведе́ния 8) разви́тие де́йствия, дина́мика (*литерату́рного произведе́ния*) 9) де́йствие кише́чника 10) *ком.* измене́ние; оживле́ние; upward (downward) ~ повыше́ние (пониже́ние) цен 11) передвиже́ние, перебро́ска (*войск*)

mover ['mu:və] *n* 1) дви́гатель, дви́жущая си́ла; prime ~ перви́чный дви́гатель; исто́чник эне́ргии 2) инициа́тор, а́втор (*идеи и т. п.*)

movie ['mu:vɪ] *n разг.* 1) кинофи́льм 2) (the ~s) *pl* кино́ 3) (the ~s) *pl* кинопромы́шленность

moviegoer ['mu:vɪ,gəʊə] *n* кинозри́тель

moviehouse ['mu:vɪhaʊs] *n амер. разг.* кинотеа́тр

moviemaker ['mu:vɪ,meɪkə] *n* кинопромы́шленник; киномагна́т

moving ['mu:vɪŋ] 1. *pres. p. от* move 2

2. *a* 1) дви́жущий(ся); подвижно́й 2) тро́гательный, волну́ющий

moving pictures [,mu:vɪŋ'pɪktʃəz] *n pl* кино́

moving staircase [,mu:vɪŋ'steəkeɪs] *n* эскала́тор

moviola [,mu:vɪ'ɒlə] *n амер. кино* муви́ола, звукомонта́жный аппара́т

mow I [məʊ] *амер., диал.* 1. *n* 1) стог, скирда́ 2) сенова́л

2. *v* скирдова́ть, стогова́ть

mow II [məʊ] *v* (mowed [-d]; mowed, mown) коси́ть; жать ▭ ~ **down** коси́ть (*об эпиде́мии и т. п.*)

mower ['məʊə] *n* 1) косе́ц 2) коси́лка

mowing machine ['məʊɪŋmə,ʃi:n] *n* коси́лка, сенокоси́лка

mown [məʊn] *p. p. от* mow II

Mr. ['mɪstə] *сокр. от* mister 1, 2)

Mrs. ['mɪsɪz] *сокр. от* mistress 3)

much [mʌtʃ] 1. *a* (more; most) мно́го; ~ snow мно́го сне́га; ~ time мно́го вре́мени; ~ water has flown under the bridge since that time ≅ мно́го воды́ утекло́ с тех по́р ◇ to be too ~ for оказа́ться не по си́лам *кому́-л.*

2. *adv* (more; most) 1) о́чень; I am ~ obliged to you я вам о́чень благода́рен 2) (*при прил. в сравн. или превосх. ст.*) гора́здо, значи́тельно; ~ more natural гора́здо есте́ственнее; ~ better намно́го лу́чше 3) почти́, приблизи́тельно; ~ (about) the same почти́ (одно́ и) то́ же, почти́ тако́й же ◇ not ~ отню́дь нет; ни в ко́ем слу́чае

3. *n* мно́гое; we have ~ to be thankful for мы должны́ быть благода́рны за мно́гое; this ~ is certain уж э́то-то то́чно ◇ ~ of a size (a height, *etc.*) почти́ того́ же разме́ра (той же высоты́ *и т. п.*); to make ~ of а) высоко́ цени́ть; быть высо́кого мне́ния; б) носи́ться *с кем-л., чем-л.*; he is not ~ of a scholar он не сли́шком образо́ванный челове́к; ~ of a muchness почти́ (одно́ и) то́ же; ~ will have more *посл.* ≅ де́ньги к деньга́м

mucilage ['mju:sɪlɪdʒ] *n* кле́йкое вещество́ (*расте́ний*); расти́тельный клей

muck [mʌk] 1. *n* 1) наво́з 2) перегно́й, гу́мус 3) *разг.* грязь; дрянь, ме́рзость; to make a ~ of smth. испо́ртить, изга́дить что-л. 4) *горн.* отби́тая, неу́бранная поро́да

2. *v* 1) *разг.* (ис)по́ртить (*тж.* ~ up) 2) па́чкать 3) унаво́живать 4) *горн.* убира́ть, отки́дывать поро́ду ▭ ~ **about** *разг.* слоня́ться; ~ **in**: to ~ in (with smb.) дели́ться (с кем-л.) иму́ществом, жильём *и т. п.*

mucker ['mʌkə] *n* 1) *sl.* друг, това́рищ 2) *амер. sl.* грубия́н, хам 3) *sl.* тяжёлое паде́ние; *перен.* больша́я неуда́ча; to come a ~ а) тяжело́ упа́сть; б) попа́сть в беду́; влипну́ть; to go a ~ сли́шком мно́го истра́тить (on, over) 4) *горн.* убо́рщик (*поро́ды*); отка́тчик; породопогру́зочная маши́на

muck-rake ['mʌkreɪk] 1. *n* гра́бли для наво́за

2. *v* «разгреба́ть грязь», рассле́довать и

разоблачáть тёмные административные и полити́ческие махинáции

muckraker ['mʌkreɪkə] *n* «разгребáтель грязи» (*человек, расследующий и разоблачающий коррупцию и тёмные политические махинации официальных лиц*)

muckworm ['mʌkwɜ:m] *n* 1) навóзный червь 2) скря́га

mucky ['mʌkɪ] *a* 1) грязный 2) проти́вный

mucous ['mju:kəs] *a* сли́зистый; ~ membrane сли́зистая оболóчка

mucus ['mju:kəs] *n* слизь

mud [mʌd] *n* 1) грязь; сля́коть; ил, ти́на; to stick in the ~ завя́знуть в грязи́; *перен.* отстáть от вéка; to throw (*или* to fling) ~ (at) забросáть гря́зью; (о)порóчить 2) *спец.* шлам

mudbath ['mʌdbɑ:θ] *n мед.* грязевáя вáнна

mud box ['mʌdbɒks] *n тех.* грязеотстóйник

muddle ['mʌdl] **1.** *n* 1) неразбери́ха; беспоря́док; to make a ~ of smth. спу́тать, перепу́тать что-л. 2) пу́таница в головé

2. *v* 1) спу́тывать, пу́тать (*часто* ~ up, ~ together) 2) смущáть, сбивáть с тóлку 3) дéлать кóе-кáк; пóртить □ ~ away (one's time, money, *etc.*) зря трáтить (врéмя, дéньги *и т. п.*); ~ into ввязáться во *что-л.* по глу́пости *или* непредусмотри́тельности; ~ on дéйствовать наобу́м, без плáна; ~ through кóе-кáк довести́ дéло до концá

muddle-headed [,mʌdl'hedɪd] *a* бестолкóвый, тупóй

muddy ['mʌdɪ] **1.** *a* 1) гря́зный; запáчканный 2) непрозрáчный; му́тный 3) пу́таный, неясный 4) помути́вшийся (*о рассудке*) 5) ту́склый (*о свете*) 6) хри́плый (*о голосе*)

2. *v* 1) обры́згать гря́зью 2) мути́ть

mudfish ['mʌdfɪʃ] *n* ры́ба, зарывáющаяся в ил, и́льная ры́ба

mudflap ['mʌdflæp] *n авто* брызгови́к

mudguard ['mʌdgɑ:d] *n* крылó (*автомобиля, мотоцикла*), щит от гря́зи

mudlark ['mʌdlɑ:k] *n* у́личный мальчи́шка, беспризóрник

mudsill ['mʌdsɪl] *n стр.* лéжень

mudslinger ['mʌd,slɪŋə] *n разг.* клеветни́к

muezzin [mʊ'ezɪn] *n* муэдзи́н

muff I [mʌf] *n* 1) му́фта 2) *тех.* му́фта, ги́льза

muff II [mʌf] **1.** *n* 1) нескла́дный, неумéлый *или* глуповáтый человéк; «шля́па» 2) *спорт.* «мази́ла» 3) оши́бка, прóмах; неудáча

2. *v* 1) дéлать кóе-кáк, пóртить; пу́тать; to ~ one's lines *театр.* смáзать свою́ рéплику 2) *спорт.* промахну́ться, промáзать

muffin ['mʌfɪn] *n* 1) (горя́чая) бу́лочка, сдóба 2) *амер.* олáдья

muffineer [,mʌfɪ'nɪə] *n* 1) кры́тая посу́да для подáчи сдóбы горя́чей 2) сосу́д для посыпáния сдóбы сáхаром *и т. п.*

muffle ['mʌfl] **1.** *n тех.* 1) му́фель; глуши́тель 2) многоши́вный блок

2. *v* 1) заку́тывать, оку́тывать (*часто* ~ up) 2) глуши́ть, заглушáть (*звук*)

muffled ['mʌfld] **1.** *p. p. от* muffle 2

2. *a* 1) заглушённый; ~ curses прокля́тия, произнесённые сквозь зу́бы 2) уку́танный, заку́танный

muffler ['mʌflə] *n* 1) кашнé, шарф 2) рукави́ца; боксёрская перчáтка 3) *тех.* глуши́тель; шумоглуши́тель 4) *муз.* сурди́нка

mufti I ['mʌftɪ] *n* му́фтий

mufti II ['mʌftɪ] *n* штáтское плáтье; in ~ в штáтском

mug I [mʌg] **1.** *n* 1) кру́жка; ку́бок (*как приз*) 2) прохлади́тельный напи́ток 3) *груб.* мóрда, ры́ло, хáря; thinking ~ башкá 4) *груб.* рот; гримáса

2. *v разг.* 1) нападáть сзáди, схвати́в за гóрло (*с целью ограбления*) 2) гримáсничать 3) *театр.* переи́грывать 4) *амер.* фотографи́ровать (*преступников для полицейского архива*)

mug II [mʌg] *sl.* **1.** *n* 1) зубри́ла 2) экзáмен

2. *v* зубри́ть, уси́ленно готóвиться к экзáмену (*часто* ~ up)

mug III [mʌg] *n sl.* 1) простáк 2) новичóк (*в игре*) ◇ that's a ~'s game э́то для дуракóв; ≅ не на тогó напáли

mugful ['mʌgfʊl] *n* пóлная кру́жка (*чего-л.*)

mugger I ['mʌgə] *n* инди́йский крокоди́л

mugger II ['mʌgə] *n* 1) торгóвец гончáрными издéлиями 2) *sl.* граби́тель 3) *разг.* переи́грывающий актёр

mugging ['mʌgɪŋ] *n разг.* ограблéние на у́лице

muggins ['mʌgɪnz] *n* 1) *разг.* простáк 2) дéтская кáрточная игрá 3) род игры́ в доминó

muggy ['mʌgɪ] *a* сырóй и тёплый (*о погоде и т. п.*); уду́шливый, спёртый (*о воздухе*)

mug-house ['mʌghaʊs] *n разг.* пивнáя

mug-hunter ['mʌg,hʌntə] *n спорт. разг.* люби́тель призóв

mugwump ['mʌgwʌmp] *n амер.* 1) влия́тельное лицó, «ши́шка» 2) член пáртии, сохраня́ющий за собóй прáво голосовáть на вы́борах незави́симо от пáртии

mujahidin [,mu:dʒɑ:hɪ'di:n] *n pl* муджахéды

mulatto [mjʊ'lætəʊ] **1.** *n* (*pl* -os [-əʊz]) мулáт(ка)

2. *a* оли́вковый, брóнзовый (*о цвете*)

mulberry ['mʌlbərɪ] *n* 1) *бот.* шелкови́ца, ту́товое дéрево 2) ту́товая я́года 3) *attr.* багрóвый, тёмно-крáсный

mulch [mʌltʃ] *с.-х.* **1.** *n* му́льча

2. *v* мульчи́ровать

mulching ['mʌltʃɪŋ] *n с.-х.* мульчи́рование

mulct [mʌlkt] **1.** *n* штраф

2. *v* 1) штрафовáть 2) лишáть (*чего-л., часто обманом*); he was ~ed of £10 егó обжу́лили на 10 фу́нтов (стéрлингов)

mule I [mju:l] *n* 1) мул 2) упря́мец 3) гибри́д 4) *текст.* мюль-маши́на 5) *тех.* толкáч; тягáч

mule II [mju:l] *n* тáпочка, домáшняя ту́фля без зáдника

mule III [mju:l] = mewl

muleteer [,mju:lə'tɪə] *n* погóнщик му́лов

muliebrity [,mju:lɪə'ebrətɪ] *n книжн.* 1) жéнственность 2) изнéженность

mulish ['mju:lɪʃ] *a* упря́мый (как осёл)

mull I [mʌl] *разг.* **1.** *n* пу́таница; to make a ~ of smth. перепу́тать что-л.

2. *v* перепу́тать; спу́тать

mull II [mʌl] *v* обду́мывать, размышля́ть (over)

mull III [mʌl] *n* сорт тóнкого мусли́на

mull IV [mʌl] *n шотл.* мыс (*в геогр. названиях*)

mull V [mʌl] *v* подогревáть винó *или* пи́во с пря́ностями, вари́ть глинтвéйн

mullah ['mʌlə] *n* муллá

mullein ['mʌlɪn] *n бот.* коровя́к

mullet ['mʌlɪt] *n зоол.* кефáль

mulligatawny [,mʌlɪgə'tɔ:nɪ] *n* густóй óстрый суп с пря́ностями

mulligrubs ['mʌlɪgrʌbs] *n pl разг.* 1) хандрá 2) кóлики; резь

mullion ['mʌlɪən] *n стр.* срéдник

mullock ['mʌlək] *n австрал.* 1) отбрóсы, му́сор 2) *горн.* пустáя порóда

mulsh [mʌlʃ] = mulch

multangular [mʌl'tæŋgjʊlə] *a* многоугóльный

multeity [mʌl'ti:ətɪ] *n* многообрáзие; разнообрáзие

multi- ['mʌltɪ-] *в сложных словах* много-; мульти-; multiform многообрáзный

multi-access [,mʌltɪ'ækses] *n вчт.* мультидóступ

multicellular [,mʌltɪ'seljʊlə] *a* многоклéточный

multichannel [,mʌltɪ'tʃænl] *a* многокáнальный

multicolour ['mʌltɪ,kʌlə] **1.** *n* многокрáсочность

2. *a* цветнóй, многокрáсочный

multicoloured ['mʌltɪ,kʌləd] *a* цветнóй, многокрáсочный

multidimentional [,mʌltɪdaɪ'menʃənəl] *a* многомéрный, имéющий бóлее трёх измерéний

multiengined [,mʌltɪ'endʒɪnd] *a* многомотóрный

multifarious [,mʌltɪ'feərɪəs] *a* (многочи́сленный и) разнообрáзный

multifold ['mʌltɪfəʊld] *a* многокрáтный

multiform ['mʌltɪfɔ:m] *a* многообрáзный

multiformity [,mʌltɪ'fɔ:mətɪ] *n* многообрáзие; полиморфи́зм

multifunctional [,mʌltɪ'fʌŋkʃnəl] *a* многофункционáльный

multilateral [,mʌltɪ'lætrəl] *a* многосторóнний; M. Nuclear Force многосторóнние я́дерные си́лы

multimedia [ˌmʌltɪˈmiːdɪə] *a* с испо́льзованием разли́чных средств информа́ции, аудио- и видеоте́хники *и т. п.*; a ~ approach to learning испо́льзование разнообра́зных средств обуче́ния

multimillionaire [ˌmʌltɪmɪljəˈneə] *n* мультимиллионе́р

multinational [ˌmʌltɪˈnæʃnəl] *a* многонациона́льный

multipartite [ˌmʌltɪˈpɑːtaɪt] *a* разделённый на мно́го часте́й

multiped [ˈmʌltɪped] *n зоол.* многоно́жка; мокри́ца

multiphase [ˈmʌltɪfeɪz] *a эл.* многофа́зный

multiplane [ˈmʌltɪpleɪn] *n ав.* многопла́н

multiple [ˈmʌltɪpl] **1.** *a* 1) составно́й, сло́жный, име́ющий мно́го отде́лов, часте́й; ~ shop магази́н с филиа́лами 2) многокра́тный; многочи́сленный 3) *мат.* кра́тный

2. *n мат.* кра́тное число́; least common ~ о́бщее наиме́ньшее кра́тное

multiple voting [ˌmʌltɪplˈvəʊtɪŋ] *n* 1) систе́ма голосова́ния, при кото́рой избира́тель име́ет пра́во голосова́ть в не́скольких округа́х 2) незако́нное голосова́ние одни́м избира́телем в не́скольких округа́х

multiplex [ˈmʌltɪpleks] *a* 1) сло́жный 2) многокра́тный

multiplicand [ˌmʌltɪplɪˈkænd] *n мат.* мно́жимое

multiplication [ˌmʌltɪplɪˈkeɪʃn] *n* 1) *мат.* умноже́ние 2) увеличе́ние 3) *attr.*: ~ table табли́ца умноже́ния

multiplicity [ˌmʌltɪˈplɪsətɪ] *n* 1) сло́жность; разнообра́зие 2) многочи́сленность; a (*или* the) ~ of cases многочи́сленные слу́чаи

multiplier [ˈmʌltɪplaɪə] *n* 1) мно́житель 2) коэффицие́нт

multiply [ˈmʌltɪplaɪ] *v* 1) *мат.* умножа́ть, мно́жить 2) увели́чивать(ся) 3) размножа́ть(ся)

multiprocessing [ˌmʌltɪˈprəʊsesɪŋ] *n вчт.* многопроце́ссорная обрабо́тка

multiprogramming [ˌmʌltɪˈprəʊgræmɪŋ] *n вчт.* мультипрограмми́рование

multipurpose [ˌmʌltɪˈpɜːpəs] *a* универса́льный; многоцелево́й; ко́мплексный

multistage [ˈmʌltɪsteɪdʒ] *a* 1) многоступе́нчатый; ~ rocket многоступе́нчатая раке́та 2) многока́мерный 3) многоэта́жный

multistorey [ˌmʌltɪˈstɔːrɪ] *a* многоэта́жный

multisyllable [ˈmʌltɪˌsɪləbl] *n* многосло́жное сло́во

multitude [ˈmʌltɪtjuːd] *n* 1) мно́жество; большо́е число́; ма́сса 2) толпа́; the ~ ма́ссы

multitudinous [ˌmʌltɪˈtjuːdɪnəs] *a* 1) многочи́сленный 2) обши́рный (*о водных просторах*)

multi-user [ˌmʌltɪˈjuːzə] *n вчт.* компью́тер со мно́гими по́льзователями

multiversity [ˌmʌltɪˈvɜːsətɪ] *n* университе́т с многочи́сленными факульте́тами, отделе́ниями

multivocal [mʌlˈtɪvəkl] *a* многозна́чный

multure [ˈmʌltʃə] *n шотл., уст.* пла́та нату́рой за помо́л

mum I [mʌm] *разг.* **1.** *int* ти́ше!, тс!; ~'s the word! (об э́том) ни гугу́!, э́то секре́т!

2. *a predic.* молчали́вый; to keep ~ пома́лкивать; to sit ~ сиде́ть мо́лча

mum II [mʌm] *v* уча́ствовать в (рожде́ственской) пантоми́ме

mum III [mʌm] = mummy II

mumble [ˈmʌmbl] **1.** *n* бормота́ние

2. *v* 1) бормота́ть 2) с трудо́м жева́ть

mumbo jumbo [ˌmʌmbəʊˈdʒʌmbəʊ] *n* (*pl* -os [-əʊz]) и́дол не́которых западноафрика́нских племён; *перен.* предме́т суеве́рного поклоне́ния; фети́ш

mummer [ˈmʌmə] *n* 1) уча́стник рожде́ственской пантоми́мы 2) *пренебр.* фигля́р, «актёр»

mummery [ˈmʌmərɪ] *n* 1) *пренебр.* смешно́й ритуа́л, «представле́ние» 2) рожде́ственская пантоми́ма; маскара́д

mummification [ˌmʌmɪfɪˈkeɪʃn] *n* мумифика́ция; высыха́ние, превраще́ние в му́мию

mummify [ˈmʌmɪfaɪ] *v* мумифици́ровать; ссыха́ться, превраща́ться в му́мию

mummy I [ˈmʌmɪ] *n* 1) му́мия 2) мя́гкая бесфо́рменная ма́сса; to beat (*или* to smash) to a ~ преврати́ть в бесфо́рменную ма́ссу 3) кори́чневая кра́ска, му́мия

mummy II [ˈmʌmɪ] *n разг.* ма́ма

mumpish [ˈmʌmpɪʃ] *a* наду́тый, не в ду́хе

mumps [mʌmps] *n pl* (*употр. как sing*) 1) сви́нка (*болезнь*) 2) при́ступ плохо́го настрое́ния; to have the ~ хандри́ть

munch [mʌntʃ] *v* жева́ть, ча́вкать

mundane [mʌnˈdeɪn] *a* све́тский; мирско́й, земно́й

municipal [mjʊˈnɪsɪpl] *a* 1) муниципа́льный; городско́й; ~ buildings обще́ственные зда́ния 2) самоуправля́ющийся

municipality [mjʊˌnɪsɪˈpælətɪ] *n* 1) го́род, име́ющий самоуправле́ние 2) муниципалите́т

municipalize [mjʊˈnɪsɪpəlaɪz] *v* муниципализи́ровать

munificence [mjʊˈnɪfɪsəns] *n* необыкнове́нная ще́дрость

munificent [mjʊˈnɪfɪsənt] *a* необыча́йно ще́дрый

muniment [ˈmjuːnɪmənt] *n* (*обыкн. pl*) гра́мота, докуме́нт о права́х, привиле́гиях *и т. п.*

munition [mjʊˈnɪʃn] **1.** *n* (*обыкн. pl*) вое́нное иму́щество; снаряже́ние (*оружие, боеприпасы и т. п.*)

2. *v* снабжа́ть (а́рмию снаряже́нием)

munitioner [mjʊˈnɪʃnə] *n* рабо́чий вое́нного заво́да

munition factory [mjʊˈnɪʃnˌfæktrɪ] *n* вое́нный заво́д

murage [ˈmjʊərɪdʒ] *n ист.* ме́стный сбор на стро́ительство *или* ремо́нт городско́й стены́

mural [ˈmjʊərəl] **1.** *a* стенно́й; ~ painting фре́сковая жи́вопись

2. *n* фре́ска

murder [ˈmɜːdə] **1.** *n* уби́йство ◇ ~ will out *посл.* ≅ ши́ла в мешке́ не утаи́шь; to cry blue ~ крича́ть карау́л; вопи́ть, ора́ть

2. *v* 1) убива́ть, соверша́ть уби́йство 2) *разг.* губи́ть плохи́м исполне́нием (*муз. произведение и т. п.*); кове́ркать (*иностранный язык*)

murderer [ˈmɜːdərə] *n* уби́йца

murderess [ˈmɜːdəres] *n* уби́йца (*о женщине*)

murderous [ˈmɜːdərəs] *a* 1) смертоно́сный; уби́йственный 2) крова́вый; жесто́кий; ~ war кровопроли́тная война́

mure [mjʊə] *v уст.* 1) окружа́ть стено́й 2) замуро́вывать

muriatic [ˌmjʊərɪˈætɪk] *a хим.* соляноки́слый; ~ acid соля́ная кислота́

murk [mɜːk] **1.** *n* темнота́, мрак; ~ of rain пелена́ дождя́

2. *a уст.* тёмный, мра́чный

murky [ˈmɜːkɪ] *a* 1) тёмный, мра́чный; па́смурный 2) сомни́тельный, тёмный

murmur [ˈmɜːmə] **1.** *n* 1) журча́ние; шо́рох (*листьев*); жужжа́ние (*пчёл*) 2) приглушённый шум голосо́в; шёпот 3) *мед.* шум (*в сердце*) 4) ворча́ние; ро́пот; without a ~ безро́потно

2. *v* 1) журча́ть; шелесте́ть; жужжа́ть 2) шепта́ть 3) ропта́ть, ворча́ть (at, against — на)

murmurous [ˈmɜːmərəs] *a* 1) журча́щий 2) ворча́щий, ворчли́вый

murphy [ˈmɜːfɪ] *n sl.* карто́фель

murrain [ˈmʌrɪn] *n* 1) я́щур 2) чума́ (*рогатого скота*) ◇ a ~ on you! *уст. груб.* ≅ чтоб ты сдох!

murrey [ˈmʌrɪ] *уст.* **1.** *a* багро́вый, тёмно-кра́сный

2. *n* тёмно-кра́сный цвет

muscadine [ˈmʌskədaɪn] *n* муска́тный виногра́д

muscat [ˈmʌskət] *n* муска́т (*виноград и вино*)

muscatel [ˌmʌskəˈtel] = muscat

muscle [ˈmʌsl] **1.** *n* му́скул, мы́шца; *перен.* си́ла; a man of ~ сила́ч

2. *v*: ~ in *амер. разг.* вторга́ться, врыва́ться си́лой

muscology [mʌsˈkɒlədʒɪ] *n* бриоло́гия (*наука о мхах*)

muscovado [ˌmʌskəˈvɑːdəʊ] *n* (*pl* -os [-əʊz]) неочи́щенный тростнико́вый са́хар

Muscovite [ˈmʌskəvaɪt] **1.** *n* 1) москви́ч(ка) 2) *уст.* ру́сский; ру́сская

2. *a уст.* ру́сский

Muscovy [ˈmʌskəvɪ] *n ист.* Моско́вское госуда́рство ◇ ~ duck = musk duck

muscular [ˈmʌskjʊlə] *a* 1) му́скульный; мы́шечный 2) му́скулистый; си́льный

muscularity [ˌmʌskjʊˈlærətɪ] *n* 1) мускулату́ра 2) му́скулистость

musculature [ˈmʌskjʊlətʃə] *n* мускулату́ра

muse I [mju:z] *n* 1) (M.) *греч. миф.* Му́за 2) (the ~) му́за, вдохнове́ние

muse II [mju:z] **1.** *v книжн.* 1) размышля́ть (on, upon); заду́мываться 2) заду́мчиво смотре́ть

2. *n уст.* размышле́ние; заду́мчивость

musette [mjʊ'zet] *n* 1) *муз.* мюзе́т, волы́нка 2) пастора́льная мело́дия 3) *амер. воен.* вещево́й мешо́к (*тж.* ~ bag)

museum [mjʊ'zi:əm] *n* музе́й

museum piece [mjʊ'zi:əmpi:s] *n* музе́йный экспона́т; музе́йная ре́дкость (*тж. перен.*)

mush I [mʌʃ] *n* 1) что-л. мя́гкое 2) *амер.* маисовая ка́ша 3) *разг.* слаща́вость, сентиме́нты 4) вздор, чепуха́ 5) (радио)поме́хи ◇ to make a ~ спу́тать

mush II [mʌʃ] *амер.* **1.** *n* путеше́ствие с соба́ками (*по снегу*)

2. *v* путеше́ствовать с соба́ками (*по снегу*)

mush III [mʌʃ] *n разг.* зо́нтик

mushroom ['mʌʃrʊm] **1.** *n* 1) гриб 2) бы́стро возни́кшее учрежде́ние, но́вый дом *и т. п.* 3) *разг.* вы́скочка 4) *разг.* же́нская соло́менная шля́па с опу́щенными поля́ми 5) *attr.* грибно́й; похо́жий на грибы́; ~ growth бы́стрый рост, бы́строе разви́тие; ~ settlement бы́стро вы́росший посёлок; ~ cloud грибови́дное о́блако (*при атомном взрыве*)

2. *v* собира́ть грибы́; ходи́ть по грибы́ ▭ ~ out = ~ up; ~ **up** а) расти́ как грибы́; б) бы́стро распространя́ться

mushy ['mʌʃɪ] *a* 1) мя́гкий 2) по́ристый 3) *разг.* сентимента́льный, слаща́вый

music ['mju:zɪk] *n* 1) му́зыка; to ~ под му́зыку 2) музыка́льное произведе́ние; музыка́льные произведе́ния 3) но́ты; he plays without ~ он игра́ет без нот 4) *уст.* орке́стр, хор

musical ['mju:zɪkl] **1.** *a* 1) музыка́льный; ~ comedy опере́тта; музыка́льная коме́дия 2) мелоди́чный; ~ voice мелоди́чный го́лос

2. *n* мю́зикл; музыка́льный фильм; музыка́льная коме́дия

musical box ['mju:zɪklbɒks] *n* музыка́льная шкату́лка

music case ['mju:zɪkkeɪs] *n* па́пка для нот

music hall ['mju:zɪkhɔ:l] *n* 1) мю́зик-хо́лл 2) конце́ртный зал

musician [mjʊ'zɪʃn] *n* 1) музыка́нт; оркестра́нт 2) компози́тор

music master ['mju:zɪk,mɑ:stə] *n* преподава́тель му́зыки

music mistress ['mju:zɪk,mɪstrəs] *n* преподава́тельница му́зыки

musicologist [,mju:zɪ'kɒlədʒɪst] *n* музыкове́д

music paper ['mju:zɪk,peɪpə] *n* но́тная бума́га

music rack ['mju:zɪkræk] = music stand

music stand ['mju:zɪkstænd] *n* пюпи́тр (*для нот*)

music stool ['mju:zɪkstu:l] *n* враща́ющийся табуре́т (*для играющего на рояле*)

musk [mʌsk] *n* 1) му́скус 2) му́скусный за́пах

musk deer ['mʌskdɪə] *n* му́скусный оле́нь

musk duck ['mʌskdʌk] *n* му́скусная у́тка

muskeg ['mʌskeg] *n амер.* 1) озёрное боло́то 2) жи́дкая торфяна́я по́чва

musket ['mʌskɪt] *n ист.* мушке́т

musketeer [,mʌskə'tɪə] *n ист.* мушкетёр

musketry ['mʌskɪtrɪ] *n воен.* 1) *ист.* мушкетёры 2) руже́йный ого́нь 3) стрелко́вое де́ло 4) стрелко́вая подгото́вка

musk-ox ['mʌskɒks] *n* овцебы́к, му́скусный бык

muskrat ['mʌskræt] *n* 1) онда́тра 2) мех онда́тры

muskshrew ['mʌskʃru:] *n* вы́хухоль

musky ['mʌskɪ] *a* му́скусный

Muslim ['mʊzləm] **1.** *n* мусульма́нин; мусульма́нка

2. *a* мусульма́нский

muslin ['mʌzlɪn] *n* 1) мусли́н 2) *амер.* мitка́ль ◇ a bit of ~ же́нщина, де́вушка

musquash ['mʌskwɒʃ] = muskrat

muss [mʌs] *амер. разг.* **1.** *n* 1) пу́таница, беспоря́док 2) ссо́ра

2. *v* приводи́ть в беспоря́док, па́чкать; пу́тать (*обыкн.* ~ up)

mussel ['mʌsl] *n зоол.* ми́дия

Mussulman ['mʌslmən] **1.** *n* (*pl тж.* -s) мусульма́нин

2. *a* мусульма́нский

must I 1. *v* [mʌst (*полная форма*); məst (*редуцированная форма*)] *модальный, недостаточный глагол выражает:* 1) *долженствование, обязанность:* I ~ go home я до́лжен идти́ домо́й; you ~ do as you are told вы должны́ де́лать так, как вам говоря́т; if you ~, you ~ е́сли на́до, так на́до; what ~ be, will be чему́ быть, того́ не минова́ть 2) *необходимость:* one ~ eat to live ну́жно есть, что́бы жить 3) *уверенность, очевидность:* you ~ be aware of this вы, коне́чно, зна́ете об э́том; you ~ have heard about it вы, должно́ быть, об э́том слы́шали 4) *запрещение* (*в отриц. форме*): you ~ not go there вам нельзя́ ходи́ть туда́ 5) *непредвиденную случайность:* just as I was getting better what ~ I do but break my leg и на́до же мне бы́ло слома́ть себе́ но́гу как раз тогда́, когда́ я на́чал поправля́ться ◇ I ~ away я до́лжен е́хать

2. *n* [mʌst] *разг.* настоя́тельная необходи́мость; тре́бование; it is a rigid ~ э́то обяза́тельно ну́жно сде́лать

must II [mʌst] *n* пле́сень

must III [mʌst] *n* муст, виногра́дное су́сло

must IV [mʌst] *n* пери́од «охо́ты» (*у самцов слонов и верблюдов*)

mustache [mə'stɑ:ʃ] *амер.* = moustache

mustang ['mʌstæŋ] *n* 1) муста́нг 2) *амер. мор. разг.* офице́р, выслужившийся из матро́сов

mustard ['mʌstəd] *n* 1) горчи́ца 2) *sl.* то, что придаёт остроту́ *или* пика́нтность 3) *attr.* горчи́чный; ~ oil горчи́чное ма́сло ◇ as keen as ~ горя́чий, по́лный энтузиа́зма

mustard gas ['mʌstədgæs] *n* ипри́т, горчи́чный газ

mustard plaster ['mʌstəd,plɑ:stə] *n* горчи́чник

mustard-pot ['mʌstədpɒt] *n* горчи́чница

musteline ['mʌsteli:n] *a:* ~ family *зоол.* семе́йство куни́ц

muster ['mʌstə] **1.** *n* 1) сбор, смотр; осмо́тр, освиде́тельствование; перекли́чка; to pass ~ а) пройти́ осмо́тр; б) вы́держать испыта́ния; оказа́ться го́дным; to stand ~ выстра́иваться на перекли́чку 2) скопле́ние, о́бщее число́ (*людей или вещей*) 3) = muster roll

2. *v* 1) собира́ть(ся) 2) проверя́ть ▭ ~ **in** вербова́ть, набира́ть (*войска*); ~ **out** увольня́ть, демобилизова́ть; ~ **up** собира́ть; to ~ up courage собра́ть всё своё му́жество; to ~ up one's strength собра́ться с си́лами

muster-out ['mʌstəraʊt] *n* увольне́ние из а́рмии

muster roll ['mʌstərəʊl] *n воен.* спи́сок ли́чного соста́ва; *мор.* судова́я роль

mustn't ['mʌsnt] *сокр. разг.* = must not

musty ['mʌstɪ] *a* 1) запле́сневе́лый; проки́сший; за́тхлый 2) устаре́лый; ко́сный

mutability [,mju:tə'bɪlətɪ] *n* переме́нчивость, изме́нчивость

mutable ['mju:təbl] *a* изме́нчивый, переме́нчивый, непостоя́нный

mutagen ['mju:tədʒən] *n биол.* мутаге́н

mutant ['mju:tnt] *биол.* **1.** *a* мута́нтный

2. *n* мута́нт

mutate [mjʊ'teɪt] *v* 1) видоизменя́ть(ся) 2) *фон.* подверга́ть(ся) умля́уту

mutation [mjʊ'teɪʃn] *n* 1) измене́ние, переме́на 2) превра́тность 3) *биол.* мута́ция; мута́нт 4) *фон.* перегласо́вка, умля́ут

mutch [mʌtʃ] *n диал.* чепчик, чепе́ц

mute [mju:t] **1.** *a* 1) немо́й 2) безмо́лвный, молчали́вый, безгла́сный; ~ as a fish нем как ры́ба; to stand ~ of malice *юр.* отка́зываться отвеча́ть на вопро́сы суда́ 3) *лингв.:* ~ letter непроизноси́мая бу́ква (*как* k, e *в слове* knife); ~ consonant взрывно́й согла́сный

2. *n* 1) немо́й (челове́к) 2) *театр. уст.* стати́ст 3) наёмный уча́стник похоро́нной проце́ссии 4) *лингв.* непроизноси́мая бу́ква; взрывно́й согла́сный 5) *муз.* сурди́н(к)а

3. *v муз.* надева́ть сурди́н(к)у

muted ['mju:tɪd] **1.** *p. p. от* mute 3

2. *a* 1) приглушённый; with ~ strings под сурди́нку 2) приглушённый, нея́ркий (*о свете*)

muteness ['mju:tnəs] *n* немота́

mutilate ['mju:tɪleɪt] *v* 1) увечить, кале́чить, уро́довать 2) искажа́ть (*текст, смысл и т. п.*)

mutilation [,mju:tı'leıʃn] *n* 1) уве́чье 2) искаже́ние

mutineer [,mju:tı'nıə] *n* уча́стник мятежа́; мяте́жник

mutinous ['mju:tınəs] *a* мяте́жный

mutiny ['mju:tənı] **1.** *n* мяте́ж (*гл. обр. военный или против военных властей*); восста́ние; the M. *ист.* восста́ние сипа́ев

2. *v* подня́ть мяте́ж; взбунтова́ться (against)

mutism ['mju:tızəm] *n мед.* немота́; заде́ржка ре́чи

mutt [mʌt] *n sl.* 1) остоло́п, дура́к, болва́н 2) собачо́нка

mutter ['mʌtə] **1.** *n* 1) бормота́ние 2) ворча́ние 3) отдалённые раска́ты (*грома*)

2. *v* 1) бормота́ть 2) ворча́ть (against, at — на) 3) говори́ть ти́хо, невня́тно; говори́ть по секре́ту 4) глу́хо грохота́ть

mutton ['mʌtn] *n* 1) бара́нина 2) *шутл.* овца́, бара́н 3) *attr.* бара́ний ◊ let's return to our ~s вернёмся к на́шим бара́нам, вернёмся к те́ме на́шего разгово́ра; ~ dressed like lamb молодя́щаяся стару́шка

mutton-bird ['mʌtnbз:d] *n австрал.* буреве́стник тонкоклю́вый

mutton chop [,mʌtn'tʃɒp] *n* 1) бара́нья отбивна́я 2) *pl* ба́чки

muttonhead ['mʌtnhed] *n разг.* болва́н, осёл, дура́к

mutton-headed ['mʌtn,hedıd] *a разг.* глу́пый, ме́дленно сообража́ющий

muttony ['mʌtnı] *a* похо́жий на бара́нину, с за́пахом *или* со вку́сом бара́нины

mutual ['mju:tʃʊəl] *a* 1) обою́дный, взаи́мный; ~ relations взаимоотноше́ния; ~ help (*или* aid) взаимопо́мощь; ~ association (society) ассоциа́ция (общество) взаимопо́мощи; ~ understanding взаимопонима́ние; ~ admiration society *ирон.* о́бщество взаи́много восхвале́ния 2) о́бщий, совме́стный; our ~ friend наш о́бщий друг; ~ wall сме́жная стена́ (*между соседними зданиями*)

mutualism ['mju:tʃʊəlızəm] *n* 1) *биол.* мутуали́зм, взаимовы́годный симбио́з 2) *филос.* мютюэли́зм

mutuality [,mju:tʃʊ'ælətı] *n* обою́дность; взаи́мность; взаи́мная зави́симость

mutually ['mju:tʃʊəlı] *adv* взаи́мно; обою́дно

muz(z) [mʌz] *n разг.* зубри́ла

muzzle ['mʌzl] **1.** *n* 1) мо́рда, ры́ло 2) намо́рдник 3) *воен.* ду́ло, ду́льный срез, жерло́ 4) *тех.* сопло́; наса́док 5) *воен. разг.* респира́тор; противога́з 6) *attr.* ду́льный; ~ velocity нача́льная ско́рость (*пули*)

2. *v* 1) надева́ть намо́рдник 2) заставить молча́ть

muzzle-loader ['mʌzl,ləʊdə] *n* ору́жие *или* ору́дие, заряжа́ющееся с ду́ла

muzzle-sight ['mʌzlsaıt] *n воен.* му́шка

muzzy ['mʌzı] *a* 1) сби́тый с то́лку 2) одуре́вший (*от вина*); подвы́пивший 3) нея́сный, расплы́вчатый

my [maı] *pron poss.* (*употр. атрибутивно*; *ср.* mine 1) мой, моя́, моё, мои́; принадлежа́щий мне ◊ my!, my aunt!, my eye(s)!, my stars!, my world!, my goodness!, my lands! *восклицания, выражающие удивление*; my Lady миле́ди; my Lord мило́рд; my dear fellow! дорого́й (мой)!

myalgia [maı'ældʒə] *n мед.* миальги́я, мы́шечная боль

myall ['maıəl] *n* австрали́йская ака́ция

mycelium [maı'si:lıəm] *n бот.* мице́лий, грибни́ца

Mycenaean [,maısə'ni:ən] *a иск. ист.* мике́нский

mycology [maı'kɒlədʒı] *n* миколо́гия

mycosis [maı'kəʊsıs] *n мед.* мико́з

myelitis [,maıə'laıtıs] *n мед.* миели́т

Mynheer [mə'nıə] *n* 1) минхе́р, господи́н (*перед фамилией голландца*) 2) (m.) голла́ндец

myocarditis [,maıəʊkɑ:'daıtıs] *n мед.* миокарди́т

myope ['maıəʊp] *n* близору́кий челове́к

myopia [maı'əʊpıə] *n* близору́кость

myopic [maı'ɒpık] *a* близору́кий

myriad ['mırıəd] *книжн.* **1.** *n* 1) несме́тное число́, мириа́ды 2) де́сять ты́сяч

2. *a* бесчи́сленный, несме́тный

myrmidon ['mз:mıdən] *n* 1) (M.) *греч. миф.* мирмидо́нец 2) *презр.* прислу́жник, клевре́т; ~s of the law блюсти́тели зако́на, прислу́жники вла́сти (*полицейские, судебные пристава, бейлифы*)

myrrh [mз:] *n* ми́рра

myrtle ['mз:tl] *n бот.* мирт

myself [maı'self] *pron* 1) *refl.* себя́, меня́ самого́; -ся; себе́; I have hurt ~ я уши́бся 2) *emph.* сам; I saw it ~ я э́то сам ви́дел ◊ I am not ~ мне не по себе́; я сам не свой

mysterious [mı'stıərıəs] *a* таи́нственный; непостижи́мый

mystery ['mıstrı] *n* 1) та́йна; to make a ~ of де́лать секре́т из 2) детекти́вный рома́н, расска́з *и т. п.* (*тж.* ~ story) 3) *церк.* та́инство 4) *театр. ист.* мисте́рия (*тж.* ~ play) 5) *attr.* по́лный тайн; ~ novel детекти́вный рома́н

mystery-ship ['mıstrıʃıp] *n мор. ист.* (противоло́дочное) су́дно-ловушка

mystic ['mıstık] **1.** *a* 1) мисти́ческий; та́йный 2) *поэт.* таи́нственный

2. *n* ми́стик

mystical ['mıstıkl] = mystic 1

mysticism ['mıstısızəm] *n* мистици́зм

mystification [,mıstıfı'keıʃn] *n* мистифика́ция

mystify ['mıstıfaı] *v* 1) мистифици́ровать 2) озада́чивать; вводи́ть в заблужде́ние 3) окружа́ть таи́нственностью

mistique [mı'sti:k] *n* 1) таи́нственность 2) та́йны мастерства́, изве́стные лишь немно́гим

myth [mıθ] *n* 1) миф 2) вы́мысел, вы́думка 3) мифи́ческое *или* вы́думанное лицо́; несуществу́ющая вещь

mythical ['mıθıkl] *a* 1) мифи́ческий, легенда́рный 2) фантасти́ческий, вы́мышленный

mythicize ['mıθısaız] *v* 1) создава́ть миф, превраща́ть в миф 2) объясня́ть с то́чки зре́ния мифоло́гии

mythological [,mıθə'lɒdʒıkl] *a* мифологи́ческий; мифи́ческий, легенда́рный ◊ ~ message *ав.* сво́дка пого́ды, метеорологи́ческий бюллете́нь

mythology [mı'θɒlədʒı] *n* 1) мифоло́гия 2) ми́фы; сбо́рник ми́фов

N

N, n [en] *n* (*pl* Ns, N's [enz]) 1) *14-я буква англ. алфавита* 2) = en 2); 3) *мат.* неопределённая величина́; to the nth a) до n-ых (*или* любы́х) преде́лов; б) безграни́чно

nab [næb] *v sl.* 1) пойма́ть, схвати́ть на ме́сте преступле́ния 2) арестова́ть 3) укра́сть, стащи́ть

nabob ['neɪbɒb] *n ист.* набо́б

nacelle [nə'sel] *n* 1) гондо́ла дирижа́бля 2) каби́на самолёта 3) корзи́на аэроста́та

nacre ['neɪkə] *n* перламу́тр

nacr(e)ous ['neɪkrɪəs] *a* перламу́тровый

nadir ['neɪdɪə] *n* 1) *астр.* нади́р 2) са́мый ни́зкий у́ровень, кра́йний упа́док; to be at the ~ of one's hope теря́ть вся́кую наде́жду

naevi ['ni:vaɪ] *pl от* naevus

naevus ['ni:vəs] *n* (*pl* naevi) роди́мое пятно́

naff [næf] *v sl.* сма́тываться, ума́тывать; ~ off! вали́ отсю́да!

nag I [næg] *n* 1) *разг.* ло́шадь; a wretched ~ кля́ча 2) небольша́я верхова́я лоша́дка; по́ни

nag II [næg] 1. *n* приди́рки, (постоя́нное) ворча́ние

2. *v* 1) изводи́ть, надоеда́ть, раздража́ть 2) придира́ться, ворча́ть, «пили́ть» (at) 3) боле́ть, ныть

nagger ['nægə] *n* приди́ра, ворчу́н; ворчу́нья; сварли́вая же́нщина

nagging ['nægɪŋ] 1. *pres. p. от* nag II, 2

2. *a* 1) ворчли́вый; приди́рчивый 2) но́ющий; ~ pain но́ющая боль

3. *n* ворча́ние; нытьё

naiad ['naɪæd] *n* (*pl* -s[-z], -es[-i:z]) *миф.* ная́да

naif [naɪ'i:f] = naive

nail [neɪl] 1. *n* 1) гвоздь 2) но́готь 3) ко́готь 4) *attr.*: ~ file пи́лка для ногте́й; ~ polish (*или* varnish) лак для ногте́й ◇ a ~ in smb.'s coffin что-л., ускоря́ющее чью-л. смерть, ги́бель; (as) hard as ~s a) жесто́кий; бесчу́вственный; б) выно́сливый, закалённый; в) в фо́рме (*о спортсмене*); right as ~s a) соверше́нно пра́вильно; б) в по́лном поря́дке; в) соверше́нно здоро́вый; to pay (down) on the ~ распла́чиваться сра́зу; pay on the ~! ≅ де́ньги на бо́чку!

2. *v* 1) забива́ть гво́зди; прибива́ть (*гвоздями*); to have one's boots ~ed отда́ть подби́ть сапоги́ 2) прико́вывать (*внимание и т. п.*) 3) *разг.* схвати́ть, пойма́ть; забра́ть, арестова́ть; the police have ~ed the thief поли́ция задержа́ла во́ра 4) *разг.* обнару́жить, «накры́ть»; to be ~ed going off without leave попа́сться при попы́тке уйти́ без разреше́ния □ ~ **down** a) прибива́ть, закола́чивать; б) пойма́ть на́ слове; to ~ smb. down прижа́ть кого́-л. к стене́; to ~ smb. down to his promise тре́бовать от кого́-л. выполне́ния обеща́ния; в) закрепи́ть, подкрепи́ть (*успех, достижение*); ~ **on** прибива́ть (to); ~ **together** (на́скоро) сколачи́вать; ~ **up** закола́чивать ◇ to ~ to the barndoor выставля́ть на поруга́ние; ≅ пригвожда́ть к позо́рному столбу́; to ~ smb. to the wall прижа́ть кого́-л. к стене́; to ~ to the counter опрове́ргнуть, разоблачи́ть (*ложь, клевету*)

nail-brush ['neɪlbrʌʃ] *n* щёточка для ногте́й

naildrawer ['neɪl,drɔ:ə] *n* гвоздодёр

nailed-up ['neɪld,ʌp] *a* сде́ланный ко́е-как, сколо́ченный на́спех

nailer ['neɪlə] *n* 1) гвозда́рь, гвозди́льщик 2) *разг.* ма́стер (at — в *чём-л.*) 3) *разг.* великоле́пный экземпля́р

nailery ['neɪlərɪ] *n* гвозди́льная фа́брика

nailhead ['neɪlhed] *n* шля́пка гвоздя́

nailing ['neɪlɪŋ] 1. *pres. p. от* nail 2

2. *a разг.* замеча́тельный, потряса́ющий

nailscissors ['neɪlsɪzəz] *n pl* но́жницы для ногте́й

nainsook ['neɪnsʊk] *n* на́нсук (*ткань*)

naïve, naive [naɪ'i:v] *a* 1) наи́вный; простоду́шный 2) безыску́сственный

naïveté, naïvety, naivety [naɪ'i:vəteɪ, naɪ'i:vətɪ] *n* 1) наи́вность; простоду́шие 2) безыску́сственность 3) наи́вное замеча́ние, -ая ре́плика

naked ['neɪkɪd] *a* 1) го́лый, наго́й; обнажённый; ~ sword обнажённый меч, -ая шпа́га 2) я́вный, откры́тый; the ~ truth го́лая пра́вда; ~ facts го́лые фа́кты 3) незащищённый, беззащи́тный 4) голосло́вный 5) лишённый (*листвы, растительности, мебели и т. п.*); ~ room необста́вленная ко́мната 6) *эл.* го́лый, неизоли́рованный ◇ with the ~ eye невооружённым гла́зом

namby-pamby [,næmbɪ'pæmbɪ] 1. *n* 1) размазня́, хлю́пик; сентимента́льный челове́к 2) жема́нство; сентимента́льность; a writer of ~ сентимента́льный писа́тель

2. *a* 1) сла́бый, бесси́льный 2) сентимента́льный; жема́нный

name [neɪm] 1. *n* 1) и́мя (*тж.* Christian ~, given ~, first ~); фами́лия (*тж.* family ~, surname); by ~ по и́мени; to know by ~ a) знать по и́мени; знать ли́чно ка́ждого; б) знать понаслы́шке; by (*или* of, under) the ~ of под и́менем; in ~ only то́лько номина́льно; in the ~ of a) во и́мя; in the ~ of common sense во и́мя здра́вого смы́сла; б) от и́мени; и́менем; in the ~ of the law и́менем зако́на; in one's own ~ от своего́ и́мени; to put one's ~ down for a) вы́ставить свою́ кандидату́ру на (*какой-л. пост*); б) приня́ть уча́стие в (*сборе денег и т. п.*); подписа́ться под (*воззванием и т. п.*); without a ~ a) безымя́нный; б) неподдаю́щийся описа́нию (*о поступке*) 2) фами́лия, род; the last of his ~ после́дний из ро́да 3) (*обыкн. pl*) брань; to call ~s руга́ть(ся) 4) назва́ние, наименова́ние, обозначе́ние 5) (выдаю́щийся) челове́к; ли́чность; the great ~s of history истори́ческие ли́чности 6) репута́ция; bad (*или* ill) ~ плоха́я репута́ция; to make (*или* to win) a good ~ for oneself завоева́ть до́брое и́мя; he has ~ for honesty он изве́стен свое́й че́стностью; people of ~ изве́стные лю́ди 7) пусто́й звук; there is only the ~ of friendship between them их дру́жба — одно́ назва́ние; virtuous in ~ лицеме́р 8) *грам.* и́мя существи́тельное; common ~ и́мя нарица́тельное ◇ to take smb.'s ~ in vain ссыла́ться на кого́-л. без вся́ких основа́ний; спекули́ровать чьим-л. и́менем; not to have a penny to one's ~ не име́ть ни гроша́ за душо́й; to give a dog a bad ~ and hang him счита́ть кого́-л. плохи́м, потому́ что о нём идёт дурна́я сла́ва

2. *v* 1) называ́ть, дава́ть и́мя; to ~ after, *амер.* to ~ for называ́ть в честь (*кого-л.*) 2) называ́ть, обраща́ться по и́мени; перечисля́ть поимённо 3) ука́зывать, назнача́ть; to ~ the day назнача́ть день (*особ.* сва́дьбы) 4) упомина́ть; приводи́ть в ка́честве приме́ра 5) назнача́ть (*на должность*) 6) *парл.* призыва́ть к поря́дку

name-child ['neɪm,tʃaɪld] *n* челове́к, на́званный в честь кого́-л.

name day ['neɪmdeɪ] *n* имени́ны

nameless ['neɪmləs] *a* 1) безымя́нный, неизве́стный; анони́мный 2) невырази́мый; несказа́нный 3) отврати́тельный, гну́сный 4) незаконнорождённый

namely ['neɪmlɪ] *adv* а и́менно, то́ есть

name-part ['neɪm,pɑ:t] *n* загла́вная роль в пье́се

nameplate ['neɪmpleɪt] *n* 1) доще́чка, табли́чка с и́менем (*на дверях*) 2) фи́рменная доще́чка

namesake ['neɪmseɪk] *n* 1) тёзка 2) = name-child

name story ['neɪm,stɔ:rɪ] *n* расска́з, по кото́рому на́зван сбо́рник

nance [næns] *разг. см.* nancy

nancy ['nænsɪ] *n sl.* 1) изнéженный, жéнственный мужчи́на, «девчóнка» (*тж.* Miss N.) 2) гомосексуали́ст

nanism ['nænɪzəm] *n* нани́зм, кáрликовый рост

nankeen, nankin [næŋ'ki:n, næn'kɪn] *n* 1) нáнка (*ткань*) 2) желтовáтый цвет 3) *pl* нáнковые брю́ки

nanny I ['nænɪ] *n детск.* ня́нюшка, ня́нечка

nanny II ['nænɪ] = nanny goat

nanny goat ['nænɪgəʊt] *n* козá

nap I [næp] **1.** *n* дремóта; корóткий сон; to take (*или* to have, to snatch) a ~ вздремнýть; to steal a ~ вздремнýть украдкой

2. *v* дремáть; вздремнýть ◇ to be caught ~ping быть застúгнутым врасплóх

nap II [næp] **1.** *n* 1) ворс (*на сукне*) 2) пушóк (*на чём-л.*)

2. *v* ворси́ть

nap III [næp] *n сокр. от* napoleon 3): to go ~ on smth. рискнýть, постáвить всё на кáрту

napalm ['neɪpɑ:m] *n* 1) напáлм 2) *attr.* напáлмовый; ~ bomb напáлмовая бóмба

nape [neɪp] *n* заты́лок; зáдняя часть шéи (*обыкн.* ~ of the neck)

naphtha ['næfθə] *n хим.* лигрои́н

naphthalene ['næfθəli:n] *n* нафтали́н

napkin ['næpkɪn] *n* 1) салфéтка 2) подгýзник; пелёнка

napkin-ring ['næpkɪnrɪŋ] *n* кольцó для салфéтки

napless ['næpləs] *a* 1) не имéющий вóрса, без вóрса 2) потёртый, понóшенный

napoleon [nə'pəʊlɪən] *n* 1) *ист.* наполеондóр (*французская золотая монета = 20 франкам*) 2) *pl ист.* высóкие сапоги́ 3) наполеóн (*карточная игра*) 4) слоёное пирóжное, наполеóн

Napoleonic [nə,pəʊlɪ'ɒnɪk] *a* наполеóновский

nappe [næp] *n геол.* покрóв

nappy ['næpɪ] *n разг. см.* napkin 2)

narcissi [nɑ:'sɪsaɪ] *pl от* narcissus

narcissism [nɑ:'sɪs,ɪzəm] *n* самовлюблённость, самолюбовáние

narcissist [nɑ:'sɪsɪst] *n* самовлюблённый человéк

narcissus [nɑ:'sɪsəs] *n* (*pl* -es [-ɪz], -si) *бот.* нарци́сс

narcosis [nɑ:'kəʊsɪs] *n* наркóз

narcotic [nɑ:'kɒtɪk] **1.** *n* 1) наркóтик; снотвóрное 2) наркомáн

2. *a* наркоти́ческий; усыпля́ющий

narcotism ['nɑ:kə,tɪzəm] *n* 1) наркóз 2) наркомáния

narcotization [,nɑ:kətaɪ'zeɪʃn] *n мед.* наркотизáция

narcotize ['nɑ:kətaɪz] *v* 1) *мед.* усыпля́ть; подвергáть дéйствию наркóза 2) притупля́ть (*боль*)

nark [nɑ:k] *sl.* **1.** *n* «легáвый» (*полицейский агент, сыщик, шпик*)

2. *v* 1) доноси́ть 2) раздражáть, приводи́ть в бéшенство ◇ ~ it! заткни́ глóтку!

narrate [nə'reɪt] *v* расскáзывать, повествовáть

narration [nə'reɪʃn] *n* 1) расскáз, повествовáние 2) пересказ; перечислéние (*событий и т. п.*) 3) ди́кторский текст в кинофи́льме

narrative ['nærətɪv] **1.** *n* 1) расскáз; пóвесть 2) изложéние фáктов 3) *иск.* сюжéтно-темати́ческая карти́на

2. *a* повествовáтельный

narrator [nə'reɪtə] *n* 1) расскáзчик 2) ди́ктор; актёр, читáющий текст от áвтора

narrow ['nærəʊ] **1.** *a* 1) ýзкий; a ~ street ýзкая ýлица 2) тéсный; ограни́ченный; небольшóй; a ~ circle of friends ýзкий круг друзéй; within ~ bounds в ýзких рáмках; in the ~est sense в сáмом ýзком смы́сле; ~ circumstances, ~ means стеснённые обстоя́тельства 3) трýдный; ~ victory побéда, достáвшаяся с трудóм; to have a ~ escape (*или* squeak) с трудóм избежáть опáсности; быть на волосóк от *чего-л.* 4) с незначи́тельным перевéсом; ~ majority незначи́тельное большинствó 5) подрóбный; тщáтельный, тóчный; ~ examination стрóгий осмóтр; тщáтельное обслéдование ◇ the ~ seas Ла-Мáнш и Ирлáндское мóре; the ~ bed (*или* home, house) моги́ла

2. *n* (*обыкн. pl*) ýзкая часть (*пролива, перевала и т. п.*); тесни́на

3. *v* сýживать(ся), уменьшáть(ся); she ~ed her lids онá прищýрилась ▭ ~ down свести́ к; to ~ an argument down свести́ спор к нéскольким пýнктам

narrow-gauge [,nærəʊ'geɪdʒ] *n ж.-д.* ýзкая колея́

narrow gauge [,nærəʊ'geɪdʒ] *a* 1) *ж.-д.* узкоколéйный 2) *разг.* ограни́ченный

narrow goods [,nærəʊ'gʊdz] *n pl* текстильная галантерéя

narrowly ['nærəʊlɪ] *adv* 1) ýзко, тéсно 2) чуть; he ~ escaped drowning он чуть не утонýл 3) подрóбно, тóчно; при́стально; to look at a thing ~ при́стально рассмáтривать что-л.

narrow-minded [,nærəʊ'maɪndɪd] *a* ограни́ченный, недалёкий, ýзкий; с предрассýдками

narrowness ['nærəʊnəs] *n* ýзость; ограни́ченность

narwhal ['nɑ:wəl] *n зоол.* нарвáл

nary ['neərɪ] *n разг., диал.* нискóлько, ни кáпли; ни еди́ного

nasal ['neɪzl] **1.** *a* 1) носовóй 2) гнусáвый

2. *n фон.* носовóй звук

nasality [neɪ'zælətɪ] *n фон.* носовóй харáктер звýка

nasalization [,neɪzəlaɪ'zeɪʃn] *n фон.* назализáция

nasalize ['neɪzəlaɪz] *v* 1) говори́ть в нос 2) *фон.* произноси́ть в нос, назализи́ровать

nascency ['næsnsɪ] *n книжн.* рождéние, возникновéние

nascent ['næsnt] *a книжн.* рождáющийся, возникáющий; появля́ющийся, образýющийся; в стáдии возникновéния

nastily ['nɑ:stɪlɪ] *adv* гáдко, мéрзко

nasturtium [nə'stɜ:ʃəm] *n бот.* настýрция, капуци́н

nasty ['nɑ:stɪ] *a* 1) отврати́тельный, гáдкий, проти́вный, мéрзкий; ~ job проти́вная, гря́зная рабóта; ~ sight ужáсное, омерзи́тельное зрéлище 2) опáсный, угрожáющий; ~ fall серьёзное падéние; ~ illness тяжёлая болéзнь; ~ cut опáсный порéз; ~ sea бýрное мóре; things look ~ for me дéло принимáет для меня́ дурнóй оборóт 3) злóбный; своенрáвный; ~ remark ядови́тое замечáние; to turn ~ разозли́ться; don't be ~ не зли́тесь; to play a ~ trick on smb. сдéлать комý-л. гáдость 4) неприя́тный, сквéрный; ~ weather сквéрная погóда; ~ soil сыра́я пóчва 5) непристóйный, гря́зный; a ~ story непристóйный анекдóт ◇ to leave a ~ taste in the mouth надóлго остáвить чýвство омерзéния; a ~ one неприя́тность

natal ['neɪtl] *a* относя́щийся к рождéнию; ~ day день рождéния; ~ place мéсто рождéния

natality [neɪ'tælətɪ] *n* рождáемость; естéственный прирóст населéния

natation [nə'teɪʃn] *n книжн.* плáвание; искýсство плáвания

natatorial, natatory [,neɪtə'tɔ:rɪəl, 'neɪtətərɪ] *a книжн.* 1) плáвательный; плáвающий 2) относя́щийся к плáванию

natatorium [,neɪtə'tɔ:rɪəm] *n амер.* плáвательный бассéйн, *особ.* закры́тый

nates ['neɪti:z] *n pl анат.* я́годицы

nation ['neɪʃn] *n* 1) нарóд, нáция; нарóдность 2) нáция, госудáрство, странá; peaceloving ~s миролюби́вые стрáны; most favoured ~ *ком.* наибóлее благоприя́тствуемая нáция 3): the ~ *амер.* а) нáша странá, США (*тж.* this ~); б) америкáнцы 4) (the ~s) *pl библ.* язы́чники, неевréи 5) *ист.* земля́чество (*в средневековом университете*)

national ['næʃnəl] **1.** *a* 1) национáльный, нарóдный; ~ assembly национáльное собрáние; ~ economy нарóдное хозя́йство; ~ minority национáльное меньшинствó; ~ convention *амер.* национáльный парти́йный съезд 2) госудáрственный; ~ anthem госудáрственный гимн; ~ bank госудáрственный банк; ~ park *амер.* заповéдник; национáльный парк; ~ enterprise госудáрственное предприя́тие; ~ forces вооружённые си́лы страны́; N. Service вóинская *или* трудовáя пови́нность; ~ government *амер.* центрáльное прави́тельство; ~ team *спорт.* сбóрная страны́, национáльная сбóрная

2. *n* (*часто pl*) 1) пóдданный (*или* граждани́н) какóго-л. госудáрства; enemy ~s пóдданные враждéбного госудáрства 2) соотéчественник, согражданйн

nationalism ['næʃnəl,ɪzəm] *n* 1) патриоти́зм 2) национали́зм 3) стремлéние к национáльной незави́симости

nationalist ['næʃnəlɪst] **1.** 1) борéц за незави́симость своéй рóдины 2) национали́ст

2. *a* 1) национа́льно-освободи́тельный 2) националисти́ческий

nationalistic [ˌnæʃnə'lɪstɪk] = nationalist 2

nationality [ˌnæʃə'nælətɪ] *n* 1) национа́льность; национа́льная принадле́жность 2) на́ция, наро́д 3) гражда́нство, по́дданство 4) национа́льные черты́ 5) национа́льные чу́вства

nationalization [ˌnæʃnəlaɪ'zeɪʃn] *n* национализа́ция

nationalize ['næʃnəlaɪz] *v* 1) национализи́ровать 2) превраща́ть в на́цию 3) натурализова́ть, принима́ть в по́дданство

nationally ['næʃnəlɪ] *adv* 1) с общенациона́льной (*или* общегосуда́рственной) то́чки зре́ния 2) в национа́льном ду́хе 3) в масшта́бе всей страны́

nationhood ['neɪʃnhʊd] *n* 1) ста́тус госуда́рства, госуда́рственность 2) ста́тус на́ции

nationwide [ˌneɪʃn'waɪd] *a* 1) общенациона́льный 2) общенаро́дный, всенаро́дный

native ['neɪtɪv] **1.** *a* 1) родно́й; one's ~ land отчи́зна, ро́дина 2) тузе́мный; ме́стный; ~ customs ме́стные обы́чаи; to go ~ переня́ть обы́чаи и о́браз жи́зни тузе́мцев (*о европейцах*) 3) прирождённый, приро́дный; ~ liberty иско́нная свобо́да; his ~ modesty его́ врождённая скро́мность 4) *биол.* абориге́нный 5) просто́й, есте́ственный 6) чи́стый, саморо́дный (*о металлах и т. п.*) 7): ~ soil *геол.* «матери́к», подпо́чва

2. *n* 1) уроже́нец (of) 2) тузе́мец 3) ме́стное расте́ние *или* живо́тное

native-born [ˌneɪtɪv'bɔːn] *a* 1) коренно́й (*о жителе*) 2) тузе́мный

nativity [nə'tɪvətɪ] *n* 1) (the N.) *рел.* Рождество́ 2) *жив.* Рождество́ Христо́во (*как сюжет, картина*) 3) рожде́ние 4) гороско́п

natrium ['neɪtrɪəm] *n хим.* на́трий

natron ['neɪtrən] *n хим.* о́кись на́трия, натр

natter ['nætə] *v разг.* 1) болта́ть 2) ворча́ть, жа́ловаться; придира́ться

natterjack ['nætədʒæk] *n зоол.* жа́ба камышо́вая

natty ['nætɪ] *a разг.* 1) аккура́тный, опря́тный 2) ло́вкий, иску́сный

natural ['nætʃrəl] **1.** *a* 1) есте́ственный, приро́дный; ~ power си́лы приро́ды; ~ resources приро́дные бо́гатства; ~ weapons есте́ственное ору́жие (*кулаки, зубы и т. п.*); ~ selection *биол.* есте́ственный отбо́р; ~ phenomena явле́ния приро́ды 2) настоя́щий, натура́льный; ~ food натура́льные (пищевы́е) проду́кты; ~ flowers живы́е цветы́; ~ teeth «свои́» зу́бы 3) есте́ственный, обы́чный; to die a ~ death умере́ть есте́ственной сме́ртью; the term of one's ~ life вся жизнь; for the rest of one's ~ (life) до конца́ свои́х дней 4) есте́ственный, относя́щийся к естествозна́нию; ~ history есте́ственная исто́рия; ~ philosophy *уст.* фи́зика; натурфилосо́фия; ~ science есте́ственные нау́ки; ~ dialectics диале́ктика приро́ды 5) ди́кий, некультиви́рованный; необрабо́танный; ~ growth ди́кая расти́тельность; ~ steel незакалённая сталь 6) обы́чный, норма́льный; поня́тный; ~ mistake поня́тная, есте́ственная оши́бка 7) непринуждённый, есте́ственный; it comes ~ to him а) э́то получа́ется у него́ есте́ственно; б) э́то легко́ ему́ даётся; he is a very ~ person он о́чень непосре́дственный челове́к 8) прису́щий; врождённый; a ~ comedian прирождённый ко́мик; with the bravery ~ to him с прису́щей ему́ хра́бростью 9) о́чень похо́жий, как живо́й (*о портрете и т. п.*) 10) земно́й, физи́ческий; ~ world реа́льный мир 11) внебра́чный, незаконнорождённый; ~ child внебра́чный ребёнок; ~ son побо́чный сын

2. *n* 1) *разг.* са́мое подходя́щее; са́мый подходя́щий челове́к (*для чего-л.*); he is a ~ for art он со́здан для иску́сства 2) *уст.* идио́т от рожде́ния; дурачо́к 3) *муз.* бека́р, знак бека́ра 4) *муз.* ключ C ◇ it's a ~! превосхо́дно!

naturalism ['nætʃrəˌlɪzəm] *n* натурали́зм

naturalist ['nætʃrəlɪst] **1.** *n* 1) естествоиспыта́тель 2) натурали́ст (*в искусстве*) 3) владе́лец зоомагази́на; продаве́ц живо́тных, чу́чел

2. *a* = naturalistic

naturalistic [ˌnætʃrə'lɪstɪk] *a* натуралисти́ческий

naturalization [ˌnætʃrəlaɪ'zeɪʃn] *n* 1) натурализа́ция 2) акклиматиза́ция (*растений, животных*) 3) ассимиля́ция но́вых слов в языке́ 4) проникнове́ние но́вых обы́чаев в жизнь

naturalize ['nætʃtrəlaɪz] *v* 1) натурализова́ть(ся) (*об иностранце*) 2) акклиматизи́ровать(ся) (*о животном или растении*) 3) ассимили́ровать, заи́мствовать; this word was ~d in English in the 18th century э́то сло́во вошло́ в англи́йский язы́к в XVIII ве́ке 4) *филос.* рационализи́ровать 5) занима́ться естествозна́нием

naturally ['nætʃrəlɪ] *adv* 1) есте́ственно; свобо́дно, легко́ 2) как и сле́довало ожида́ть, разуме́ется 3) коне́чно 4) по приро́де, от рожде́ния

nature ['neɪtʃə] *n* 1) су́щность, основно́е сво́йство, хара́ктер, приро́да; the ~ of gases сво́йства га́зов 2) приро́да (*при олицетворении — с прописной буквы*); N.'s engineering рабо́та сил приро́ды 3) род, сорт; класс; тип; it was in the ~ of a command э́то бы́ло не́что вро́де приказа́ния; things of this ~ подо́бные ве́щи 4) нату́ра, хара́ктер, нрав; good ~ доброду́шие; ill ~ плохо́й хара́ктер 5) нату́ра; естество́; органи́зм; against ~ противоесте́ственный; by ~ по приро́де, от рожде́ния; by (*или* in, from) the ~ of things (*или* of the case) неизбе́жно; in the course of ~ при есте́ственном хо́де веще́й 6) приро́дное, первобы́тное состоя́ние 7) *иск.* нату́ра; to draw from ~ рисова́ть с нату́ры ◇ to pay one's debt to ~ отда́ть дань приро́де, умере́ть; to ease ~ отпра́вить есте́ственные на́добности

nature study ['neɪtʃəˌstʌdɪ] *n* 1) изуче́ние приро́ды 2) *школ.* природове́дение

naturopathy [ˌneɪtʃə'rɒpəθɪ] *n мед.* лече́ние есте́ственными сре́дствами (*без лекарств и т. п.*)

naught [nɔːt] **1.** *n уст., поэт.* ничто́; all for ~ зря, да́ром; to bring to ~ свести́ на не́т; разру́шить (*планы, замыслы*); to come to ~ свести́сь к нулю́; to set at ~ ≅ ни в грош не ста́вить; пренебрега́ть; относи́ться с пренебреже́нием 2) = nought 3)

2. *a predic. уст., книжн.* ничто́жный, бесполе́зный

naughtness ['nɔːtɪnəs] *n* 1) непослуша́ние; озорство́ 2) *уст.* испо́рченность

naughty ['nɔːtɪ] *a* 1) непослу́шный, капри́зный, шаловли́вый; озорно́й 2) *разг.* сомни́тельный, риско́ванный; ~ story пика́нтная исто́рия 3) *уст.* дурно́й, га́дкий; испо́рченный

nausea ['nɔːsɪə] *n* 1) тошнота́; морска́я боле́знь 2) отвраще́ние

nauseate ['nɔːsɪeɪt] *v* 1) вызыва́ть *или* чу́вствовать тошноту́ 2) вызыва́ть *или* чу́вствовать отвраще́ние

nauseous ['nɔːsɪəs] *a* тошнотво́рный, отврати́тельный

nautical ['nɔːtɪkl] *a* 1) морско́й; ~ mile морска́я ми́ля (= *1853,6 м*) 2) морехо́дный

nautically ['nɔːtɪklɪ] *adv* по-моря́цки, по-фло́тски

nautili ['nɔːtɪlaɪ] *pl от* nautilus

nautilus ['nɔːtɪləs] *n* (*pl* -es [-ɪz], -li) *зоол.* кора́блик (*моллюск*)

naval ['neɪvl] *a* (во́енно-)морско́й, фло́тский; ~ architect кораблестро́итель; ~ communications морски́е коммуника́ции; ~ forces во́енно-морски́е си́лы; ~ officer а) морско́й офице́р; б) *амер.* тамо́женный чино́вник; ~ service во́енно-морска́я слу́жба; ~ stores шки́перское иму́щество

nave I [neɪv] *n архит.* неф, кора́бль (*церкви*)

nave II [neɪv] *n* 1) ступи́ца (*колеса*) 2) *тех.* вту́лка

navel ['neɪvl] *n* 1) пупо́к, пуп 2) центр, середи́на (*чего-л.*)

navel-cord ['neɪvlkɔːd] = navel-string

navel-string ['neɪvlstrɪŋ] *n* пупови́на

navigability [ˌnævɪgə'bɪlətɪ] *n* 1) судохо́дность (*водного пути*) 2) морехо́дность, морехо́дные ка́чества (*судна*)

navigable ['nævɪgəbl] *a* 1) судохо́дный 2) морехо́дный, облада́ющий морехо́дными ка́чествами 3) лётный, досту́пный для полётов 4) управля́емый (*об аэростате*)

navigate ['nævɪgeɪt] *v* 1) пла́вать (*на судне*); лета́ть (*на самолёте*) 2) вести́ (*корабль, судно*); управля́ть (*самолётом*) 3) *разг.* проводи́ть (*мероприятия*); направля́ть (*переговоры*); to ~ a bill through Parliament провести́ законопрое́кт в парла́менте

navigating officer ['nævɪgeɪtɪŋˌɒfɪsə] *n ав., мор.* шту́рман

navigation [ˌnævɪˈgeɪʃn] *n* 1) морехо́дство, судохо́дство; навига́ция; inland ~ речно́е судохо́дство 2) кораблевожде́ние (*наука*); самолётовожде́ние; аэронавига́ция 3) морско́е *или* возду́шное путеше́ствие; пла́вание

navigator [ˈnævɪgeɪtə] *n* 1) мореплава́тель 2) *мор., ав.* шту́рман

navvy [ˈnævɪ] *n* 1) землеко́п, чернорабо́чий; mere ~'s work механи́ческая рабо́та 2) землечерпа́лка, экскава́тор ◇ to work like a ~ ≅ рабо́тать как вол

navy [ˈneɪvɪ] *n* 1) (*часто* the N.) вое́нно-морско́й флот, вое́нно-морски́е си́лы; the Royal N. вое́нно-морски́е си́лы Великобрита́нии 2) *поэт.* эска́дра, флоти́лия 3) морско́е ве́домство 4) *attr.* вое́нно-морско́й; N. Department *амер.* вое́нно-морско́е министе́рство

navy blue [ˌneɪvɪˈbluː] *n* тёмно-си́ний цвет

navy-blue [ˌneɪvɪˈbluː] *a* тёмно-си́ний

navy list [ˌneɪvɪˈlɪst] *n* спи́сок корабле́й и кома́ндного соста́ва вое́нно-морско́го фло́та

navy yard [ˈneɪvɪjɑːd] *n* 1) вое́нная верфь 2) судострои́тельный *или* судоремо́нтный заво́д вое́нно-морско́го фло́та

nay [neɪ] 1. *n* 1) го́лос про́тив (*при голосовании*); the ~s have it большинство́ про́тив 2) отрица́тельный отве́т, отка́з; запреще́ние; he will not take ~ он не при́мет отка́за; to say smb. ~ отка́зывать *или* противоре́чить кому́-л.; yea and ~ и да и нет

2. *adv* 1) да́же; бо́лее того́; ма́ло того́; I have weighty, ~, unanswerable reasons у меня́ есть ве́ские, бо́лее того́, бесспо́рные основа́ния 2) *уст.* нет

naysaid [ˈneɪˌsed] *past и p. p. от* naysay

naysay [ˈneɪˌseɪ] *v* (naysaid) *амер.* отрица́ть, отка́зывать

naze [neɪz] *n геогр.* нос, (скали́стый) мыс

Nazi [ˈnɑːtsɪ] 1. *n* наци́ст, фаши́ст

2. *a* наци́стский, фаши́стский

Naziism, Nazism [ˈnɑːtsɪˌɪzəm, ˈnɑːtsˌɪzəm] *n* наци́зм, фаши́зм

Neanderthal [nɪˈændətɑːl] *палеонт.* 1. *n* неандерта́лец

2. *a* неандерта́льский

neap [niːp] 1. *n* квадрату́рный прили́в (*самый низкий, к концу 1-й и 3-й четвертей Луны*; *тж.* ~ tide)

2. *v* 1) убыва́ть (*о приливе*) 2) *pass.*: ~ed ship су́дно, оказа́вшееся на мели́ при отли́ве

Neapolitan [nɪəˈpɒlɪtən] 1. *a* неаполита́нский

2. *n* неаполита́нец; неаполита́нка

near [nɪə] 1. *a* 1) близлежа́щий, бли́жний; the man ~est to you ваш ближа́йший сосе́д 2) ближа́йший (*о времени*); the ~ future ближа́йшее бу́дущее 3) бли́зкий; те́сно свя́занный; ~ relation ближа́йший ро́дственник; ~ akin (to) ро́дственный по хара́ктеру; one's ~est and dearest родны́е и бли́зкие; ~ to one's heart заве́тный; a very ~ concern of mine де́ло, о́чень бли́зкое моему́ се́рдцу 4) бли́зкий; схо́дный; приблизи́тельно пра́вильный; ~ translation бли́зкий к оригина́лу перево́д; ~ resemblance бли́зкое схо́дство; ~ guess почти́ пра́вильная дога́дка 5) ле́вый (*о ноге лошади, колесе экипажа, лошади в упряжке*); the ~ foreleg ле́вая пере́дняя нога́ 6) доста́вшийся с трудо́м; тру́дный; кропотли́вый; ~ victory побе́да, доста́вшаяся с трудо́м; ~ work кропотли́вая рабо́та 7) кратча́йший, пря́мой (*о пути*) 8) скупо́й, прижи́мистый; ме́лочный

2. *adv* 1) по́дле; бли́зко, побли́зости, недалеко́; о́коло (*по месту или времени*); to come (*или* to draw) ~ приближа́ться; to come ~er the end приближа́ться к концу́; who comes ~ him in wit? кто мо́жет сравни́ться с ним в остроу́мии? 2) почти́ 3) *уст.* чуть не, едва́ не; I came ~ forgetting я чуть не забы́л; he ~ died with fright он чуть не у́мер от стра́ха; that will go ~ to killing him э́то мо́жет уби́ть его́ ▭ ~ by а) ря́дом, бли́зко; б) вско́ре; ~ upon почти́ (что) (*о возрасте, времени*) ◇ far and ~ повсю́ду; as ~ as I can guess наско́лько я могу́ догада́ться; ~ at hand а) под руко́й; тут, бли́зко; б) ≅ не за гора́ми; на носу́; ско́ро

3. *prep* 1) во́зле, у, о́коло (*о месте*); we live ~ the river мы живём у реки́ 2) к, о́коло, почти́ (*о времени, возрасте и т. п.*); it is ~ dinner-time ско́ро обе́д; the portrait does not come ~ the original портре́т не похо́ж на оригина́л ◇ to sail ~ the wind а) *мор.* идти́ в круто́й бейдеви́нд; б) поступа́ть риско́ванно

4. *v* приближа́ться; подходи́ть; to ~ the land приближа́ться к бе́регу; to be ~ing one's end умира́ть, конча́ться

near-beer [ˈnɪəbɪə] *n* безалкого́льное пи́во

nearby [ˌnɪəˈbaɪ] 1. *a* бли́зкий, сосе́дний

2. *adv* побли́зости, неподалёку

nearly [ˈnɪəlɪ] *adv* 1) почти́; приблизи́тельно; о́коло 2) бли́зко; ~ related а) в бли́зком родстве́; б) име́ющий непосре́дственное отноше́ние ◇ not ~ совсе́м не, отню́дь не

near miss [ˌnɪəˈmɪs] *n* непрямо́е, нето́чное попада́ние; попада́ние близ це́ли (*особ. о бомбах*); it was a ~ ≅ чуть-чу́ть не попа́л; ещё немно́жко и удало́сь бы

nearness [ˈnɪənəs] *n* бли́зость

nearside [ˈnɪəsaɪd] 1. *n* ле́вая сторона́ (*транспортного средства, животного и т. п.*)

2. *a* ле́вый; the ~ back light of a car ле́вая за́дняя фа́ра автомоби́ля

nearsighted [ˌnɪəˈsaɪtɪd] *a амер.* близору́кий

nearsightedness [ˌnɪəˈsaɪtɪdnəs] *n амер.* близору́кость

neat I [niːt] *a* 1) чи́стый, аккура́тный, опря́тный; ~ handwriting аккура́тный по́черк; to keep smth. as ~ as a pin содержа́ть что-л. в абсолю́тном поря́дке 2) изя́щный; ~ dress скро́мное, но изя́щное пла́тье; ~ figure изя́щная, стро́йная фигу́ра 3) чёткий, я́сный; разбо́рчивый 4) я́сный, то́чный; лакони́чный; отто́ченный (*о стиле, языке и т. п.*) 5) хорошо́ сде́ланный; to make a ~ job of it хорошо́, иску́сно что-л. сде́лать 6) иску́сный, ло́вкий 7) неразба́вленный (*особ. о спиртных напитках*); ~ juice натура́льный сок 8) *амер. sl.* отли́чный, замеча́тельный

neat II [niːt] *n* (*pl без измен.*) *уст.* 1) вол, коро́ва, бык 2) *собир.* кру́пный рога́тый скот

neat-handed [ˈniːtˌhændɪd] *a* ло́вкий, иску́сный

neat-herd [ˈniːthɜːd] *n уст.* пасту́х

neatly [ˈniːtlɪ] *adv* 1) аккура́тно, опря́тно 2) чётко, я́сно 3) иску́сно, ло́вко

neatness [ˈniːtnəs] *n* 1) аккура́тность, опря́тность; чистопло́тность 2) чёткость 3) иску́сность, ло́вкость

neb [neb] *n диал.* 1) клюв; ры́льце, нос 2) ко́нчик (*пера, карандаша и т. п.*)

nebula [ˈnebjʊlə] *n* (*pl тж.* -lae) 1) *астр.* тума́нность 2) *мед.* помутне́ние рогово́й оболо́чки (*глаза*)

nebulae [ˈnebjʊliː] *pl от* nebula

nebulizer [ˈnebjʊlaɪzə] *n* распыли́тель

nebulosity [ˌnebjʊˈlɒsətɪ] *n* 1) о́блачность; тума́нность 2) нея́сность, нечёткость (*мысли, выражения и т. п.*); расплы́вчатость

nebulous [ˈnebjʊləs] *a* 1) сму́тный, нея́сный 2) о́блачный; тума́нный

necessarian [ˌnesəˈseərɪən] = necessitarian

necessarily [ˈnesəsrəlɪ] *adv* 1) обяза́тельно, непреме́нно 2) неизбе́жно

necessary [ˈnesəsrɪ] 1. *a* 1) необходи́мый, ну́жный 2) неизбе́жный 3) вы́нужденный, поднево́льный

2. *n* 1) (*обыкн. pl*) необходи́мое; the necessaries (of life) предме́ты пе́рвой необходи́мости 2) (the ~) *разг.* де́ньги

necessitarian [nəˌsesɪˈteərɪən] *филос.* 1. *n* детермини́ст

2. *a* детермини́стский

necessitarianism [nəˌsesɪˈteərɪənɪzəm] *n филос.* детермини́зм

necessitate [nəˈsesɪteɪt] *v* 1) де́лать необходи́мым; неизбе́жно влечь за собо́й 2) *амер.* вынужда́ть

necessitous [nəˈsesɪtəs] *a книжн.* нужда́ющийся, бе́дный; to be in ~ circumstances быть в о́чень стеснённых обстоя́тельствах

necessity [nəˈsesɪtɪ] *n* 1) необходи́мость; настоя́тельная потре́бность; of ~ по необходи́мости; there is no ~ нет никако́й необходи́мости; under the ~ вы́нужденный 2) нужда́, бе́дность, нищета́; to be in great ~ нужда́ться 3) неизбе́жность 4) *pl* предме́ты пе́рвой необходи́мости ◇ ~ is the mother of invention *посл.* ≅ голь на вы́думки хитра́; нужда́ — мать изобрета́тельности; to make a virtue of ~ ≅ сама́ захоте́ла, когда́ нужда́ повеле́ла; де́лать вид, что де́йствуешь доброво́льно

neck [nek] 1. *n* 1) шéя; to break one's ~ свернýть себé шéю; to get it in the ~ *разг.* получи́ть по шée; получи́ть здорóвую взбýчку; пострадáть 2) вóрот, воротни́к 3) гóрлышко (*бутылки и т. п.*); горлови́на 4) шéйка (*скрипки и т. п.*) 5) *геогр.* перешéек; косá; ýзкий проли́в 6) *геол.* нэк; цилиндри́ческий интрузи́в 7) *анат.* шéйка 8) *тех.* шéйка, кольцевáя канáвка 9) *тех.* горлови́на 10) *стр.* шéйка колóнны 11) *разг.* нáглость 12) *attr.* шéйный ◇ up to the ~ по гóрло, пó уши; ~ and crop а) совершéнно, совсéм, пóлностью; б) бы́стро, стреми́тельно; немéдленно; throw him out ~ and crop! гони́те егó в шéю!; ~ and ~ *спорт.* головá в гóлову; ~ or nothing ≅ всё и́ли ничегó; ли́бо пан, ли́бо пропáл; to stick one's ~ out стáвить себя́ под удáр; to breathe down smb.'s ~ стоя́ть у когó-л. над душóй; to risk one's ~ рисковáть головóй

2. *v разг.* обнимáться, целовáться

neckband ['nekbænd] *n* 1) вóрот (*рубашки*); воротничóк (*блузки*) 2) лéнта (*на шее*)

neckcloth ['nekklɒθ] *n уст.* гáлстук, шéйный платóк

neckerchief ['nekətʃɪf] *n уст.* шéйный платóк; косы́нка; шарф

necking ['nekɪŋ] 1. *pres. p. от* neck 2

2. *n* 1) *архит.* обвя́зка колóнны 2) *разг.* обнимáние, нéжничанье

necklace ['nekləs] *n* ожерéлье

necklet ['neklət] *n* 1) ожерéлье 2) горжéтка, боá

neckline ['neklaɪn] *n* вы́рез (*у плáтья*)

neckmould ['nekməʊld] *n архит.* астрагáл на шéйке колóнны

neck-piece ['nekpi:s] *n* часть одéжды, котóрую нóсят на плечáх (*шарфик, горжетка, меховой воротник и т. п.*)

necktie ['nektaɪ] *n* гáлстук

neckwear ['nekweə] *n собир.* гáлстуки, воротни́чки *и т. п.*

neck-yoke ['nekjəʊk] *n* хомýт

necrologist [ne'krɒlədʒɪst] *n* áвтор некролóгов

necrology [ne'krɒlədʒɪ] *n* 1) спи́сок умéрших 2) некролóг

necromancer ['nekrəʊmænsə] *n* некромáнт; колдýн, чародéй

necromancy ['nekrəʊmænsɪ] *n* некромáнтия; чёрная мáгия

necromantic [,nekrəʊ'mæntɪk] *a* 1) занимáющийся некромáнтией 2) колдовскóй

necrophagous [ne'krɒfəgəs] *a* питáющийся пáдалью

necrophilia [,nekrəʊ'fɪlɪə] *n* некрофили́я

necropolis [ne'krɒpəlɪs] *n* (*pl* -ses [-sɪz]) некрóполь, клáдбище

necropsy [ne'krɒpsɪ] *n* вскры́тие трýпа

necrose ['nekrəʊs] *v мед.* 1) омертвевáть 2) вызывáть омертвéние

necrosis [ne'krəʊsɪs] *n мед.* некрóз, омертвéние

nectar ['nektə] *n* 1) цветóчный сок; медóк 2) *миф.* нектáр; *перен.* чудéсный напи́ток 3) газирóванная фруктóвая водá

nectariferous [,nektə'rɪfərəs] *a бот.* нектаронóсный, медонóсный

nectarine ['nektəri:n] 1. *n* нектари́н, глáдкий пéрсик

2. *a поэт.* упои́тельный как нектáр

nectary ['nektərɪ] *n бот.* нектáрник

neddy ['nedɪ] *n разг.* осёл, óслик

née [neɪ] *a* урождённая; Mrs. Brown, ~ Johnston ми́ссис Брáун, урождённая Джóнстон

need [ni:d] 1. *n* 1) нáдобность, необходи́мость, нуждá; to be in ~ of, to feel the ~ of, to have ~ of нуждáться в *чём-л.*; the house is in ~ of repair дом трéбует ремóнта; if ~ be (*или* were) éсли нýжно, éсли потрéбуется; in case of ~ в слýчае необходи́мости 2) *pl* потрéбности; нýжды, запрóсы; to meet the ~s удовлетворя́ть потрéбности 3) недостáток, нехвáтка 4) бéдность, нуждá; to be in ~ нуждáться 5) бедá, несчáстье; in an hour of ~ в трýдную минýту

2. *v* 1) нуждáться (*в чём-л.*); имéть нáдобность, потрéбность; what he ~s is a good thrashing он заслýживает хорóшей взбýчки 2) трéбоваться; the book ~s correction кни́га трéбует исправлéния; it ~s to be done with care э́то нáдо сдéлать осторóжно 3) нуждáться, бéдствовать 4) (*как модальный глагол в вопросительных и отрицательных предложениях*) быть дóлжным, обя́занным; you ~ not trouble yourself вам нéчего (самомý) беспокóиться; I ~ not have done it мне не слéдовало э́того дéлать; must I go there? — No, you ~ not нýжно ли мне тудá идти́? — Нет, не нýжно

needfull ['ni:dfl] 1. *a* нýжный, необходи́мый; потрéбный, насýщный (to, for)

2. *n* (the ~) 1) необходи́мое; to do the ~ сдéлать то, что необходи́мо 2) *разг.* дéньги

needle ['ni:dl] 1. *n* 1) игóлка, иглá; ~'s eye игóльное ушкó; to ply one's ~ занимáться шитьём, шить 2) спи́ца, крючóк (*для вязания*) 3) стрéлка (*компаса, измерительного прибора*) 4) иглá (*хирургическая*) 5) гравировáльная иглá 6) обели́ск 7) остроконéчная верши́на, утёс 8) шпиль; готи́ческая иглá 9) иглá (*хвоя*) 10) игóльчатый кристáлл 11) (the ~) *sl.* дурнóе настроéние; раздражéние; to have (*или* to get) the ~ быть в дурнóм настроéнии; нéрвничать; to give smb. the ~ раздражáть когó-л. 12) *attr.* игóльный, игóльчатый 13) *attr.* швéйный ◇ to look for a ~ in a haystack (*или* in a bundle, in a bottle of hay) искáть игóлку в стóге сéна; занимáться безнадёжным дéлом; as sharp as ~ óстрый, проницáтельный; наблюдáтельный

2. *v* 1) *разг.* язви́ть; раздражáть 2) *разг.* подстрекáть 3) шить, зашивáть иглóй 4) проти́скиваться, проникáть (*сквозь что-л.*) 5) *амер. разг.* подбавля́ть спирт (*к пиву*) 6) *мед.* снимáть катарáкту

needle-bath ['ni:dlbɑ:θ] *n мед.* игóльчатый душ

needle-bearing ['ni:dl,beərɪŋ] *n тех.* игóльчатый подши́пник

needle-case ['ni:dlkeɪs] *n* игóльник

needlecraft ['ni:dlkrɑ:ft] *n* искýсство рукодéлия

needlefish ['ni:dlfɪʃ] *n зоол.* иглá-ры́ба, морскáя иглá

needleful ['ni:dlfʊl] *n* длинá ни́тки, вдевáемой в игóлку

needle game ['ni:dlgeɪm] *n спорт.* óстрая игрá

needle-lace ['ni:dlleɪs] *n* игóльное крýжево

needle match ['ni:dlmætʃ] = needle game

needlepoint ['ni:dlpɔɪnt] *n* 1) остриё иглы́ 2) = needle-lace 3) вы́шивка гáрусом по канвé

needle-shaped ['ni:dlʃeɪpt] *a* иглообрáзный

needless ['ni:dləs] *a* ненýжный, изли́шний; бесполéзный; ~ enmity бессмы́сленная враждá; ~ to say... не прихóдится и говори́ть..., не говоря́ ужé о..., разумéется

needletime ['ni:dltaɪm] *n* радиоконцéрт звукозáписи; эфи́рное врéмя для передáчи звукозáписи

needlewoman ['ni:dl,wʊmən] *n* швея́; рукодéльница

needlework ['ni:dlwɜ:k] *n* шитьё; вышивáние, рукодéлие

needments ['ni:dmənts] *n pl* всё необходи́мое (*особ.* для путешéствия)

needs [ni:dz] *adv часто ирон.*: he ~ must go, he must ~ go емý непремéнно нáдо идти́ ◇ ~ must when the devil drives ≅ прóтив рожнá не попрёшь

needy ['ni:dɪ] *a* 1) нуждáющийся, бéдствующий 2) ни́щенский, убóгий

ne'er [neə] *adv* (*сокр. от* never) *поэт.* никогдá ◇ ~ a... ни оди́н...

ne'er-do-well ['neədu,wel] 1. *n* бездéльник; негóдник

2. *a* никудá не гóдный

nefarious [nɪ'feərɪəs] *a* 1) бесчéстный; ни́зкий; ~ purposes гнýсные цéли 2) нечести́вый

negate [nɪ'geɪt] *v* 1) сводить на нет, дéлать недействи́тельным 2) отвергáть 3) отрицáть (*существование чего-л.*)

negation [nɪ'geɪʃn] *n* 1) отрицáние 2) ничтó, фи́кция

negative ['negətɪv] 1. *a* 1) отрицáтельный; негати́вный; to give smb. a ~ answer отвéтить комý-л. отрицáтельно; a ~ approach to life пессимисти́ческий взгляд на жизнь; ~ quantity *мат.* отрицáтельная величинá; the ~ sign знак ми́нус; ~ voice гóлос прóтив; возражéние 2) безрезультáтный, не дáвший ожидáемого результáта; a ~ test óпыт, дáвший отрицáтельный результáт 3) недоброжелáтельный; неконструкти́вный; ~ criticism недоброжелáтельная кри́тика 4) *фото* негати́вный, обрáтный (*об изображении*)

2. *n* 1) отрица́ние; отрица́тельный отве́т, факт; in the ~ отрица́тельно; the answer is in the ~ отве́т отрица́тельный; two ~s make an affirmative ми́нус на ми́нус даёт плюс 2) *фото* негати́в 3) отрица́тельная черта́ хара́ктера *и т. п.* 4) отка́з, несогла́сие 5) *грам.* отрица́ние, отрица́тельная части́ца 6) *мат.* отрица́тельная величина́ 7) *эл.* отрица́тельный по́люс, като́д

3. *v* 1) отверга́ть, отклоня́ть, не утвержда́ть (*предложенного кандидата*); налага́ть ве́то 2) опроверга́ть 3) отрица́ть; возража́ть 4) нейтрализова́ть (*действие чего-л.*) 5) де́лать тще́тным, своди́ть на нет

negativism ['negətɪvɪzəm] *n* 1) скло́нность к отрица́нию; кра́йний скептици́зм 2) *мед. филос.* негативи́зм

negativity [,negə'tɪvətɪ] *n* отрица́тельность

negatory ['negətərɪ] *a книжн.* негати́вный, отрица́тельный

neglect [nɪ'glekt] 1. *n* 1) пренебреже́ние; небре́жность; the ~ of one's children отсу́тствие забо́ты о де́тях; ~ of one's duty хала́тное отноше́ние к свои́м обя́занностям 2) запу́щенность, забро́шенность; in a state of ~ в запу́щенном состоя́нии

2. *v* 1) пренебрега́ть (*чем-л.*); не забо́титься (*о чём-л.*) 2) упуска́ть, не де́лать (*чего-л.*) ну́жного; не выполня́ть своего́ до́лга; he ~ed to tell us about it он забы́л (*или* не счёл ну́жным) рассказа́ть нам об э́том 3) не обраща́ть внима́ния (*на кого-л., что-л.*); he ~ed my remark он пропусти́л моё замеча́ние ми́мо уше́й 4) запуска́ть, забра́сывать

neglectful [nɪ'glektfl] *a* 1) невнима́тельный (*к кому-л., чему-л.*); небре́жный 2) неради́вый, беззабо́тный

neglige ['neglɪʒeɪ] *n* пеньюа́р, да́мский хала́т; дома́шнее пла́тье

negligee ['neglɪʒeɪ] = neglige

negligence ['neglɪdʒəns] *n* 1) небре́жность; хала́тность; culpable (*или* criminal) ~ *юр.* престу́пная небре́жность 2) нера́шливость; the ~ of one's dress нера́шливость в оде́жде

negligent ['neglɪdʒənt] *a* 1) небре́жный; ~ in his dress нера́шливый в оде́жде 2) хала́тный, беспе́чный; неради́вый; ~ of one's duties невнима́тельный к свои́м обя́занностям

negligible ['neglɪdʒəbl] *a* незначи́тельный, не принима́емый в расчёт; ~ quantity а) незначи́тельное коли́чество; б) челове́к, с кото́рым мо́жно не счита́ться; by a ~ margin совсе́м незначи́тельно, ненамно́го

negotiable [nɪ'gəʊʃɪəbl] *a* 1) могу́щий служи́ть предме́том перегово́ров 2) могу́щий служи́ть предме́том сде́лки, могу́щий быть ку́пленным, переусту́пленным (*о векселе и т. п.*) 3) проходи́мый, досту́пный (*о вершинах, дорогах и т. п.*)

negotiant [nɪ'gəʊʃɪənt] *n* негоциа́нт, купе́ц; опто́вый торго́вец, соверша́ющий кру́пные сде́лки

negotiate [nɪ'gəʊʃɪeɪt] *v* 1) вести́ перегово́ры, догова́риваться (with); обсужда́ть усло́вия; to ~ a loan (terms of peace) догова́риваться об усло́виях за́йма (ми́ра) 2) устра́ивать, ула́живать 3) преодолева́ть (*препятствие*); переби-ра́ться, переправля́ться 4) соверши́ть торго́вую сде́лку, прода́ть; переуступи́ть *или* реализова́ть (*вексель и т. п.*)

negotiated peace [nɪ,gəʊʃɪeɪtɪd'pi:s] *n* мир, дости́гнутый в результа́те перегово́ров

negotiation [nɪ,gəʊʃɪ'eɪʃn] *n* 1) перегово́ры; обсужде́ние усло́вий; ~s are under way веду́тся перегово́ры; to conduct ~s вести́ перегово́ры 2) переусту́пка *или* реализа́ция (*векселя и т. п.*) 3) преодоле́ние (*затруднений*)

negotiator [nɪ'gəʊʃɪeɪtə] *n* 1) лицо́, веду́щее перегово́ры 2) посре́дник

Negress ['ni:gres] *n часто пренебр.* негритя́нка

Negrillo [ne'grɪləʊ] *n* (*pl* -os, -oes [-əʊz]) негр ка́рликового пле́мени; пигме́й

Negrito [ne'gri:təʊ] *n* (*pl* -os [-əʊz]) негрито́с (*Малайского архипелага*)

Negro ['ni:grəʊ] 1. *n* (*pl* -oes [-əʊz]) *часто пренебр.* негр, негритя́нка

2. *a* 1) негритя́нский; тёмноко́жий 2) чёрный, тёмный

negrohead ['ni:grəʊhed] *n* 1) сорт тёмного, кре́пкого, пропи́танного па́токой табака́ 2) низкосо́ртная рези́на

Negroid ['ni:grɔɪd] *a* негро́идный

Negrophobia [,ni:grəʊ'fəʊbɪə] *n* негроненави́стничество, негрофо́бия

Negus ['ni:gəs] *n ист.* не́гус (*император Эфиопии*)

negus ['ni:gəs] *n* не́гус (*род глинтвейна*)

neigh [neɪ] 1. *n* ржа́ние

2. *v* ржать

neighbour ['neɪbə] 1. *n* 1) сосе́д, сосе́дка 2) находя́щийся ря́дом предме́т; a falling tree brought down its ~ па́дая, де́рево повали́ло и сосе́днее 3) бли́жний; duty to one's ~ долг по отноше́нию к своему́ бли́жнему 4) *attr.* бли́жний; сосе́дний; сме́жный

2. *v* 1) грани́чить; находи́ться у са́мого кра́я (upon); the wood ~s upon the lake лес подхо́дит к са́мому о́зеру 2) быть в дру́жеских (*или* добрососе́дских) отноше́ниях, дружи́ть (with — с *кем-л.*)

neighbourhood ['neɪbəhʊd] *n* 1) окру́га, райо́н, окре́стности; we live in a healthy ~ мы живём в здоро́вой ме́стности; the laughing-stock of the whole ~ посме́шище всей окру́ги 2) сосе́дство, бли́зость; in the ~ of а) по сосе́дству с, поблизости от; б) о́коло, приблизи́тельно; in the ~ of £100 приблизи́тельно 100 фу́нтов сте́рлингов 3) сосе́ди 4) сосе́дские отноше́ния; good ~ добрососе́дские отноше́ния 5) *attr.* ме́стный

neighbourhood unit ['neɪbəhʊd,ju:nɪt] *n* жило́й райо́н во вновь плани́руемых города́х

neighbouring ['neɪbərɪŋ] 1. *pres. p. от* neighbour 2

2. *a* сосе́дний, сме́жный

neighbourly ['neɪbəlɪ] *a* добрососе́дский, дру́жеский; общи́тельный, приве́тливый

neighbourship ['neɪbəʃɪp] *n уст.* 1) сосе́дство, бли́зость 2) сосе́дские отноше́ния

neither ['naɪðə] 1. *pron neg.* ни оди́н (*из двух*); никто́; ~ of you knows никто́ из вас не зна́ет; вы о́ба не зна́ете

2. *a* ни тот, ни друго́й; ~ statement is true ни то, ни друго́е утвержде́ние не ве́рно; he took ~ side он не стал ни на ту, ни на другу́ю сто́рону

3. *adv* та́кже не; if you do not go, ~ shall I е́сли вы не пойдёте, я то́же не пойду́

neither... nor ['naɪðə...nɔ:] *cj* ни... ни...; he neither knows nor cares знать не зна́ет и забо́титься не хо́чет; neither here nor there ≅ ни к селу́, ни к го́роду, некста́ти

nek [nek] *n южно-афр.* го́рный прохо́д, перева́л

nekton ['nektən] *n биол.* некто́н

nelly ['nelɪ] *n* ду́рень, бе́столочь ◇ not on your ~ *sl.* ни в ко́ем ра́зе

nelson ['nelsən] *n спорт.* не́льсон (*борьба*)

nemeses ['neməsi:z] *pl от* Nemesis 2)

Nemesis ['neməsɪs] *n* 1) *греч. миф.* Немези́да 2) (n.) (*pl* -ses) возме́здие, неизбе́жная распла́та

nenuphar ['nenjʊfɑ:] *n бот.* кувши́нка

neocene ['ni:əʊsi:n] *геол.* 1. *n* неоце́н

2. *a* неоце́новый

neoclassic(al) [,ni:əʊ'klæsɪk(l)] *a* неоклассичесќий

neocolonialism [,ni:əʊkə'ləʊnɪəlɪzəm] *n* неоколониали́зм

neolithic [,ni:əʊ'lɪθɪk] *a* неолити́ческий; ~ age неолити́ческий век, неоли́т

neologism [nɪ'ɔlə,dʒɪzəm] *n* 1) неологи́зм 2) употребле́ние *или* введе́ние неологи́змов

neologize [nɪ'ɔlədʒaɪz] *v* вводи́ть но́вые слова́

neology [nɪ'ɔlədʒɪ] = neologism

neon ['ni:ɔn] *n* 1) *хим.* нео́н 2) *attr.* нео́новый; ~ lamp, ~ arc, ~ tube нео́новая ла́мпа; ~ sign нео́новая вы́веска, рекла́ма

neonatal ['ni:əʊneɪtl] *a мед.* относя́щийся к новорождённому

neonate ['ni:əʊneɪt] *n мед.* новорождённый

neophyte ['ni:əʊfaɪt] *n* 1) *рел.* неофи́т, новообращённый 2) нови́чо́к

neoplasm ['ni:əʊ,plæzəm] *n мед.* неопла́зма, новообразова́ние; о́пухоль

neoplasty ['ni:əʊ,plæstɪ] *n мед.* пласти́ческая опера́ция

neoteric [,ni:əʊ'terɪk] *a книжн.* 1) неда́вний 2) нове́йший, совреме́нный, housmóдный

neotropical [,ni:əʊ'trɔpɪkl] *a геогр., биол.* неотропи́ческий, распространённый в Центра́льной и Ю́жной Аме́рике

Neozoic [ˌni:əʊ'zəʊɪk] *a геол.* неозо́йский, относя́щийся к мезозо́йской и кайнозо́йской э́рам

Nepalese [ˌnepə'li:z] = Nepali

Nepali [nɪ'pɔ:lɪ] **1.** *n* (*pl без измен.*, -lis [-lɪz]) непа́лец; непа́лка

2. *a* непа́льский, относя́щийся к Непа́лу

nepenthe(s) [nɪ'penθɪ, (-θi:z)] *n поэт.* сна́добье, даю́щее успокое́ние *или* забве́ние

nephew ['nefju:] *n* племя́нник

nephology [ne'fɒlədʒɪ] *n* нефоло́гия (*наука об облаках*)

nephrite ['nefraɪt] *n мин.* нефри́т

nephritic [nɪ'frɪtɪk] *a мед.* по́чечный, нефрити́ческий

nephritis [nɪ'fraɪtɪs] *n мед.* нефри́т

ne plus ultra [ˌneɪplʊs'ʊltrɑ:] *лат. n* 1) верх соверше́нства 2) вы́сшая то́чка

nepotism ['nepəˌtɪzəm] *n* кумовство́, семе́йственность; непоти́зм

nepotist ['nepətɪst] *n* челове́к, ока́зывающий проте́кцию свои́м ро́дственникам

Neptune ['neptju:n] *n миф., астр.* Непту́н

Neptunian [nep'tju:nɪən] *a* 1) *геол.* океани́ческий, морско́й, во́дный 2) *астр.* относя́щийся к плане́те Непту́н

neptunium [nep'tju:nɪəm] *n хим.* непту́ний

nereid ['nɪərɪɪd] *n* 1) *миф.* нере́ида 2) *зоол.* нере́ида, ко́льчатый морско́й червь

Nero ['nɪərəʊ] *n ист.* Неро́н

nervate ['nɜ:veɪt] *a бот.* с жи́лками

nervation [nɜ:'veɪʃn] *n бот.* нерва́ция, жилкова́ние

nerve [nɜ:v] **1.** *n* 1) нерв 2) прису́тствие ду́ха, му́жество, хладнокро́вие; to lose one's ~ оробе́ть, потеря́ть самооблада́ние; to have the ~ (to do smth.) име́ть му́жество (сде́лать что-л.) [*см. тж.* 4)] 3) си́ла, эне́ргия; to strain every ~ напряга́ть все си́лы; приложи́ть все уси́лия 4) *разг.* на́глость, наха́льство, де́рзость; to have the ~ (to do smth.) име́ть наха́льство, на́глость (сде́лать что-л. [*см. тж.* 2)] 5) (*обыкн. pl*) не́рвы, нерво́зность; не́рвная систе́ма; iron (*или* steel) ~s желе́зные не́рвы; a fit (*или* an attack) of ~s не́рвный припа́док; to get on one's ~s де́йствовать на не́рвы, раздража́ть; to suffer from ~s страда́ть расстро́йством не́рвной систе́мы; to steady one's ~s успоко́ить не́рвы; a war of ~s война́ не́рвов, психологи́ческая война́ 6) *бот.* жи́лка 7) *attr.* не́рвный; ~ cell не́рвная кле́тка

2. *v* придава́ть си́лу, бо́дрость *или* хра́брость; to ~ oneself (up) собра́ться с си́лами, с ду́хом

nerve centre ['nɜ:vˌsentə] *n* не́рвный центр

nerve gas ['nɜ:vgæz] *n* газ не́рвно-паралити́ческого де́йствия

nerveless ['nɜ:vləs] *a* 1) сла́бый, бесси́льный, вя́лый 2) *анат.* не име́ющий не́рвной систе́мы 3) *бот.* не име́ющий жи́лок

nerve-racking ['nɜ:vˌrækɪŋ] *a* раздража́ющий, де́йствующий на не́рвы

nerve-strain ['nɜ:vstreɪn] *n* не́рвное перенапряже́ние; эмоциона́льный нака́л

nervine ['nɜ:vi:n] *мед.* **1.** *a* успока́ивающий не́рвы; успокои́тельный

2. *n* успокои́тельное сре́дство; сре́дство, успока́ивающее не́рвы

nervism ['nɜ:vɪzəm] *n физиол.* нерви́зм

nervous ['nɜ:vəs] *a* 1) не́рвный; ~ system не́рвная систе́ма 2) беспоко́ящийся (*о чём-л.*); не́рвничающий; взволно́ванный; I felt very ~ (about it) я о́чень волнова́лся (из-за э́того); don't be ~ не волну́йтесь 3) нерви́рующий, де́йствующий на не́рвы 4) боязли́вый, ро́бкий; I'm ~ of meeting them я бою́сь встре́чи с ни́ми

nervy ['nɜ:vɪ] *a* 1) *разг.* не́рвный, возбуждённый; легко́ возбуди́мый 2) *амер.* самоуве́ренный; сме́лый 3) *поэт.* си́льный

nescience ['nesɪəns] *n* 1) *книжн.* незна́ние, неве́дение 2) *филос.* агности́цизм

nescient ['nesɪənt] **1.** *n филос.* агно́стик

2. *a книжн.* не зна́ющий, не ве́дающий (of — *чего-л.*)

ness [nes] *n* мыс, нос (*только в геогр. названиях*)

nest [nest] **1.** *n* 1) гнездо́ 2) ую́тный уголо́к, гнёздышко 3) прито́н; ~ of thieves воровско́й прито́н 4) вы́водок 5) гру́ппа, набо́р одноро́дных предме́тов (*напр., ящичков, вставленных один в другой*); a ~ of narrow alleys лабири́нт у́зких переу́лков ◇ to foul one's own ~ га́дить в со́бственном до́ме

2. *v* 1) вить гнездо́; гнезди́ться 2): to go ~ing охо́титься за гнёздами 3) *тех.* вставля́ть (*в гнездо*); вмонти́ровать

nestegg ['nesteg] *n* 1) по́дкладень (*яйцо, оставляемое в гнезде для привлечения наседки*); *перен.* прима́нка 2) де́ньги, отло́женные на чёрный день; пе́рвая су́мма, отло́женная для како́й-л. определённой це́ли

nestle ['nesl] *v* 1) ую́тно, удо́бно устро́иться, примости́ться (in, into, among) 2) прильну́ть, прижа́ться (against, to, close to — к) 3) юти́ться; укрыва́ться 4) прижа́ть к груди́, обхвати́ть ▭ ~ down = 1)

nestling ['nesflɪŋ] **1.** *pres. p. от* nestle

2. *n* птене́ц, пте́нчик; малы́ш

net I [net] *n* 1) сеть; тенёта 2) се́тка (*для волос и т. п.*) 3) се́ти, западня́ 4) паути́на

2. *v* 1) расставля́ть се́ти (*тж. перен.*); лови́ть сетя́ми 2) покрыва́ть се́тью, сетя́ми; огражда́ть сетя́ми 3) попа́сть в се́тку (*о мяче*) 4) заби́ть (*мяч, гол*) 5) плести́, вяза́ть се́ти 6) покрыва́ть се́тью (*железных дорог, радиостанций и т. п.*)

net II [net] **1.** *a* чи́стый, не́тто (*о весе, доходе*); ~ profit чи́стая при́быль, чи́стый дохо́д; ~ cash нали́чные де́ньги; нали́чный расчёт без ски́дки; ~ cost себесто́имость; ~ efficiency *тех.* практи́ческий коэффицие́нт поле́зного де́йствия; ~ load *тех.* поле́зный груз

2. *n* чи́стый дохо́д

3. *v* 1) получа́ть чи́стый дохо́д 2) приноси́ть чи́стый дохо́д

netful ['netfl] *n* по́лная сеть

nether ['neðə] *a уст., шутл.* ни́жний, бо́лее ни́зкий; ~ garments брю́ки; the ~ man но́ги ◇ hard as a ~ millstone твёрд как креме́нь; ~ world (*или* regions) ад

Netherlander ['neðələndə] *n* нидерла́ндец, голла́ндец; нидерла́ндка, голла́ндка

Netherlandish ['neðələndɪʃ] *a* нидерла́ндский, голла́ндский

netting I ['netɪŋ] **1.** *pres. p. от* net I, 2

2. *n* 1) плете́ние сете́й 2) ло́вля сетя́ми 3) сеть, се́тка

netting II ['netɪŋ] *pres. p. от* net II, 3

nettle ['netl] **1.** *n* крапи́ва ◇ to be on ~s ≅ сиде́ть как на иго́лках; to grasp the ~ реши́тельно бра́ться за тру́дное де́ло; grasp the ~ and it won't sting you *посл.* ≅ сме́лого пу́ля бои́тся

2. *v* 1) раздража́ть, уязвля́ть, серди́ть 2) обжига́ть крапи́вой

nettle fish ['netlfɪʃ] *n* меду́за

nettle rash ['netlræʃ] *n мед.* крапи́вница, крапи́вная лихора́дка

network ['netwɜ:k] **1.** *n* 1) сеть, се́тка; плетёнка 2) сеть (*железных дорог, каналов и т. п.*) 3) соо́бщество 4) *тех.* решётчатая систе́ма 5) радиотрансляцио́нная сеть, телевизио́нная сеть; сетево́е веща́ние 6) *эл.* цепь, схе́ма

2. *v* 1) передава́ть по радио- *или* телевизио́нной се́ти 2) создава́ть сеть (*железных дорог, каналов и т. п.*)

network announcer ['netwɜ:kəˌnaʊnsə] *n амер.* ди́ктор

neural ['njʊərəl] *a анат.* не́рвный, относя́щийся к не́рвной систе́ме

neuralgia [njʊ'rældʒə] *n* невралги́я

neuralgic [njʊ'rældʒɪk] *a* невралги́ческий

neurasthenia [ˌnjʊərəs'θi:nɪə] *n* неврастени́я

neurasthenic [ˌnjʊərəs'θenɪk] **1.** *a* неврастени́ческий

2. *n* неврасте́ник

neuritis [njʊ'raɪtɪs] *n мед.* неври́т

neurologist [njʊ'rɒlədʒɪst] *n* невро́лог

neurology [njʊ'rɒlədʒɪ] *n* невроло́гия

neuroma [njʊ'rəʊmə] *n* (*pl* -mata, -s [-z]) *мед.* невро́ма

neuromata [njʊ'rəʊmətə] *pl от* neuroma

neuron ['njʊərɒn] *n анат.* нейро́н, не́рвная кле́тка

neuropath ['njʊərəpæθ] *n* страда́ющий не́рвной боле́знью; неврасте́ник, невропа́т

neuropathist [njʊ'rɒpəθɪst] *n* невропато́лог

neuroses [njʊ'rəʊsi:z] *pl от* neurosis

neurosis [njʊ'rəʊsɪs] *n* (*pl* -ses) невро́з; anxiety ~ невро́з стра́ха

neurosurgery [ˌnjʊərəʊ'sɜ:dʒərɪ] *n* нейрохирурги́я

neurotic [njʊ'rɒtɪk] **1.** *a* не́рвный; невроти́ческий

2. *n* неврасте́ник, невро́тик

neuter ['nju:tə] **1.** *a* 1) *грам.* сре́дний, сре́днего ро́да 2) *грам.* неперехо́дный (*о глаголе*) 3) *бот.* беспо́лый 4) *биол.* недора́звитый, беспло́дный 5) *вет.* кастри́рованный 6) *редк.* = neutral 1; to stand ~ остава́ться нейтра́льным

2. *n* 1) *грам.* сре́дний род; существи́тельное, прилага́тельное, местоиме́ние сре́днего ро́да 2) *грам.* неперехо́дный глаго́л 3) *биол.* беспо́лое насеко́мое 4) *вет.* кастри́рованное живо́тное 5) челове́к, занима́ющий нейтра́льную пози́цию

neutral ['nju:trəl] **1.** *a* 1) нейтра́льный; to be (*или* to remain) ~ соблюда́ть нейтралите́т 2) беспристра́стный; ~ opinion непредвзя́тое мне́ние 3) нейтрали́стский; не уча́ствующий в бло́ках 4) безуча́стный 5) нея́сный, нечёткий, неопределённый 6) споко́йный, нея́ркий, нейтра́льный; ~ colour (*или* tint) нейтра́льный, серова́тый *или* се́ро-голубо́й цвет 7) *биол.* беспо́лый

2. *n* 1) нейтра́льное госуда́рство 2) граждани́н *или* су́дно нейтра́льного госуда́рства 3) челове́к, занима́ющий нейтра́льную пози́цию 4) неопределённый, серова́тый *или* се́ро-голубо́й цвет

neutralism ['nju:trəˌlɪzəm] *n* 1) нейтралите́т 2) нейтрали́зм, поли́тика неприсоедине́ния к бло́кам

neutralist ['nju:trəlɪst] **1.** *n* сторо́нник нейтралите́та

2. *a* сохраня́ющий нейтралите́т; ~ state госуда́рство, сохраня́ющее нейтралите́т, не уча́ствующее в бло́ках

neutrality [njʊ'trælətɪ] *n* нейтралите́т; armed ~ вооружённый нейтралите́т

neutralization [ˌnju:trəlaɪ'zeɪʃn] *n* 1) нейтрализа́ция 2) *воен.* подавле́ние огнём

neutralize ['nju:trəlaɪz] *v* 1) нейтрализова́ть 2) уравнове́шивать, сбаланси́ровать 3) объявля́ть нейтра́льной зо́ной 4) обезвре́живать; уничтожа́ть 5) *воен.* подави́ть огнём

neutrino [njʊ'tri:nəʊ] *n физ.* нейтри́но

neutron ['nju:trɒn] *n физ.* нейтро́н

névé ['neveɪ] *фр. n* фирн, зерни́стый лёд

never ['nevə] *adv* 1) никогда́; one ~ knows никогда́ нельзя́ зара́нее знать 2) ни ра́зу; ~ before никогда́ ещё; well, I ~!, I ~ did! (*подразумевается* hear *или* see the like) никогда́ ничего́ подо́бного не ви́дел *или* не слы́шал! 3) *разг. для усиления отрицания*: he answered ~ a word он ни сло́ва не отве́тил; ~ a one ни оди́н; ~ fear не беспоко́йтесь, бу́дьте уве́рены; I'll do it, ~ fear не беспоко́йтесь, я э́то сде́лаю; there's room enough for a company be it ~ so large ме́ста дово́льно, как бы велико́ о́бщество ни бы́ло 4) *разг.* коне́чно, нет; не мо́жет быть; your were ~ such a fool as to lose your money! не мо́жет быть, что́бы тебя́ угора́здило потеря́ть де́ньги! ◇ ~ so как бы ни; ~ say die не отча́ивайтесь

never-ceasing [ˌnevə'si:zɪŋ] *a* непрекраща́ющийся

never-dying [ˌnevə'daɪɪŋ] *a* неумира́ющий, бессме́ртный

never-ending [ˌnevər'endɪŋ] *a* непрекраща́ющийся, бесконе́чный

never-fading [ˌnevə'feɪdɪŋ] *a* неувяда́ющий, неувяда́емый

nevermore [ˌnevə'mɔ:] *adv* никогда́ бо́льше, никогда́ впредь

never-never [ˌnevə'nevə] *n* 1) (the ~) *разг.* поку́пка в рассро́чку; to buy smth. on the ~ купи́ть что-л. в рассро́чку 2) уто́пия, несбы́точная мечта́

nevertheless [ˌnevəðə'les] **1.** *adv* несмотря́ на, одна́ко

2. *cj* тем не ме́нее

never-to-be-forgotten [ˌnevətəbɪfə'gɒtn] *a* незабве́нный, незабыва́емый

new [nju:] **1.** *a* 1) но́вый; ~ discovery но́вое откры́тие 2) ино́й, друго́й; обновлённый; he became a ~ man он стал совсе́м други́м челове́ком; ~ Parliament вновь и́збранный парла́мент 3) неда́вний, неда́внего происхожде́ния; неда́вно приобретённый 4) све́жий; ~ milk парно́е молоко́; ~ wine молодо́е вино́; ~ potatoes молодо́й карто́фель 5) вновь обнару́женный, вновь откры́тый, но́вый; ~ planet но́вая плане́та 6) дополни́тельный; ~ test (ещё оди́н) дополни́тельный о́пыт 7) незнако́мый; неприву́чный; нео́пытный; the horse is ~ to the plough э́та ло́шадь не привы́кла к плу́гу; she is ~ to the work она́ ещё не знако́ма с э́той рабо́той; a boy ~ from school ма́льчик, то́лько что око́нчивший шко́лу 8) совреме́нный, нове́йший; передово́й; новомо́дный; ~ fashions после́дние мо́ды 9) *пренебр.* новоя́вленный; he is a ~ rich он неда́вно разбогате́л, он из нувори́шей ◇ ~ soil целина́, новь; the N. World Но́вый свет, Аме́рика; there is nothing ~ under the sun ≅ ничто́ не но́во под луно́й; tomorrow is a ~ day ≅ у́тро ве́чера мудрене́е

2. *adv уст.* (*в современном употреблении в сложных словах*) 1) неда́вно, то́лько что 2) за́ново

newblown ['nju:bləʊn] *a* то́лько что расцве́тший

newborn ['nju:bɔ:n] *a* 1) новорождённый 2) возрождённый

newbuilt ['nju:bɪlt] *a* 1) вновь вы́строенный 2) перестро́енный

newcome ['nju:kʌm] **1.** n = newcomer

2. *a* вновь прибы́вший

newcomer ['nju:ˌkʌmə] *n* 1) вновь прибы́вший 2) прише́лец 3) незнако́мец

New Deal [ˌnju:'di:l] *n ист.* 1) «Но́вый курс» (*политика президента Рузвельта*) 2) прави́тельство Ру́звельта

newel ['nju:əl] *n архит.* 1) коло́нна *или* сте́ржень винтово́й ле́стницы 2) сто́йка пери́л (*в конце лестничного марша*)

newfallen ['nju:ˌfɔ:lən] *a* свежевы́павший, то́лько что вы́павший (*о снеге*)

newfangled [ˌnju:'fæŋgld] *a пренебр.* новомо́дный

new-fashioned [ˌnju:'fæʃənd] *a* 1) = newfangled 2) но́вого фасо́на, но́вой моде́ли

newfledged ['nju:fledʒd] *a* то́лько что опери́вшийся

newfound ['nju:faʊnd] *a* вновь обретённый

Newfoundland ['nju:fndlənd] *n* ньюфаундле́нд, соба́ка-водола́з [*см. тж. Список географических названий*]

Newfoundland dog ['nju:fndlənd,dɒg] = Newfaundland

Newfoundlander [ˌnju:fnd'lændə] *n* 1) жи́тель Ньюфаундле́нда 2) су́дно, принадлежа́щее Ньюфаундле́нду 3) = Newfoundland

New Frontier [ˌnju:'frʌntɪə] *n амер.* «Но́вые рубежи́» (*политика президента Кеннеди*)

Newgate ['nju:geɪt] *n ист.* Ньюге́йтская тюрьма́ (*в Лондоне*)

new growth [ˌnju:'grəʊθ] *n* о́пухоль, новообразова́ние

newish ['nju:ɪʃ] *a* дово́льно но́вый

new-laid [ˌnju:'leɪd] *a* свежеснесённый (*о яйцах*)

newly ['nju:lɪ] *adv* 1) неда́вно; ~ arrived вновь прибы́вший; the ~ weds новобра́чные, молодожёны 2) за́ново, вновь 3) по-ино́му, по-но́вому

new-made [ˌnju:'meɪd] *a* 1) неда́вно сде́ланный 2) за́ново сде́ланный, переде́ланный

Newmarket ['nju:ˌmɑ:kɪt] *n* 1) дли́нное пальто́ в обтя́жку 2) ньюма́ркет (*карточная игра*)

Newmarket coat [ˌnju:ˌmɑ:kɪt'kəʊt] = Newmarket 1)

new-minted [ˌnju:'mɪntɪd] *a* 1) то́лько что отчека́ненный (*о монете*); блестя́щий, новёхонький 2) получи́вший но́вое значе́ние, приобре́тший но́вый смысл (*о слове, выражении*)

new moon [ˌnju:'mu:n] *n* 1) молодо́й ме́сяц 2) новолу́ние

newness ['nju:nəs] *n* новизна́

new pence ['nju:pens] *pl* от new penny

new penny ['nju:ˌpenɪ] *n* (*pl* new pennies, new pence) но́вый пе́нни (*монета, введённая в Англии в 1971 г. в связи с переходом на десятичную систему*)

news [nju:z] *n pl* (*употр. как sing*) 1) изве́стия, сообще́ния печа́ти, ра́дио *и т. п.*; latest ~ после́дние изве́стия; foreign ~ сообще́ния из-за грани́цы 2) но́вость, но́вости, изве́стие; what is the ~? что но́вого?; that is no ~ э́то уже́ всем изве́стно; нашли́ чем удиви́ть 3) *attr.*: ~ release сообще́ние для печа́ти; ◇ bad ~ travels quickly, ill ~ flies fast *посл.* ≅ худы́е ве́сти не лежа́т на ме́сте; no ~ (is) good ~ *посл.* отсу́тствие весте́й — (само́ по себе́) неплоха́я весть; to be in the ~ попа́сть на страни́цы газе́т; оказа́ться в це́нтре внима́ния

news agency [ˈnju:z,eɪdʒənsɪ] *n* информациóнное агéнтство

newsagent [ˈnju:z,eɪdʒənt] *n* газéтный киоскёр

newsboy [ˈnju:zbɔɪ] *n* газéтчик, продавéц газéт (*мальчик или подросток*)

newscast [ˈnju:zkɑ:st] *n* передáча послéдних извéстий (*по радио, телевидению*)

newscaster [ˈnju:zkɑ:stə] = newsreader

news cinema [ˈnju:z,sɪnəmə] *n* кинотеáтр хроникáльно-документáльных фи́льмов

news conference [,nju:zˈkɒnfrəns] *n* пресс-конферéнция

news dealer [ˈnju:z,di:lə] *амер.* = newsagent

news department [ˈnju:zdɪ,pɑ:tmənt] *n* информациóнный отдéл; отдéл печáти

newsflash [ˈnju:zflæʃ] *n радио* экстренное сообщéние

newshawk [ˈnju:zhɔ:k] *n разг.* репортёр

newsletter [ˈnju:z,letə] *n* информациóнный бюллетéнь (*торговой фирмы и т. п.*); реклáмный проспéкт

newsman [ˈnju:zmæn] *n* 1) корреспондéнт, репортёр, журнали́ст 2) газéтчик, продавéц газéт

newsmonger [ˈnju:z,mʌŋgə] *n* сплéтник; сплéтница

newspaper [ˈnju:s,peɪpə] *n* 1) газéта 2) *attr.* газéтный

newspaperese [,nju:speɪpəˈri:z] *n* газéтный стиль; стиль, свóйственный журнали́стам и репортёрам

newspaperman [ˈnju:speɪpə,mæn] *n* журнали́ст

Newspeak [ˈnju:spi:k] *n* уклóнчивый, обтекáемый язы́к (*особ. язык политической пропаганды*)

newsprint [ˈnju:zprɪnt] *n* газéтная бумáга

newsreader [ˈnju:zri:də] *n* 1) ди́ктор послéдних извéстий 2) рáдио- *или* телекомментáтор

newsreel [ˈnju:zri:l] *n* кинохрóника, хроникáльный фильм; киножурнáл

newsroom [ˈnju:zru:m] *n* 1) отдéл новостéй (*в редакции газеты*) 2) читáльный зал, где мóжно получи́ть газéты и журнáлы

newsservice [ˈnju:z,sɜ:vɪs] *n* агéнтство печáти, информациóнное агéнтство

news sheet [ˈnju:zʃi:t] *n* 1) листóвка 2) = newsletter

newsstand [ˈnju:zstænd] *n* газéтный ларёк, киóск

new star [,nju:ˈstɑ:] = nova

news-theatre [ˈnju:z,θɪətə] *n* кинотеáтр хроникáльно-документáльных фи́льмов

new style [,nju:ˈstaɪl] *n* нóвый стиль (*григорианский календарь*)

newsvendor [ˈnju:z,vendə] *n* продавéц газéт, газéтчик

newsy [ˈnju:zɪ] **1.** *a разг.* 1) богáтый новостя́ми *или* сплéтнями 2) любопы́тный

2. *n амер.* = newsboy

newt [nju:t] *n зоол.* тритóн

Newtonian [njʊˈtəʊnɪən] **1.** *a* ньютóнов **2.** *n* послéдователь Нью́тона

New Year [,nju:ˈjɪə] *n* 1) Нóвый год; a Happy ~! с Нóвым гóдом! 2) *attr.* новогóдний; ~ party встрéча Нóвого гóда

New Year's [,nju:ˈjɪəz] *a* новогóдний; ~ eve канýн Нóвого гóда; ~ Day пéрвое января́

next [nekst] **1.** *a* 1) ближáйший; сосéдний; the house ~ to ours сосéдний дом; мой ~ neighbour мой ближáйший сосéд; ~ door (to) по сосéдству, ря́дом [*ср.* ◇]; he lives ~ door он живёт в сосéднем дóме 2) слéдующий; ~ charter слéдующая главá 3) слéдующий; бýдущий; ~ year в бýдущем годý; not till ~ time *шутл.* бóльше не бýду до слéдующего рáза ◇ ~ door to почти́, чуть ли не [*ср.* 1)]; it is ~ door to madness э́то безýмие какóе-то; ~ to nothing почти́ ничегó; the ~ man пéрвый встрéчный; любóй; вся́кий другóй

2. *adv* 1) потóм, затéм, пóсле; he ~ proceeded to write a letter затéм он начáл писáть письмó; what ~? а что дáльше?; что ещё мóжет за э́тим послéдовать? 2) в слéдующий раз, снóва; when I see him ~ когдá я егó опя́ть уви́жу

3. *prep разг.* ря́дом, óколо; the chair ~ the fire стул óколоками́на; she loves him ~ her own child онá лю́бит егó (почти́) как своегó ребёнка

4. *n* слéдующий *или* ближáйший (*человек или предмет*); ~, please! слéдующий, пожáлуйста!; I will tell you in my ~ я расскажý вам в слéдующем письмé; to be concluded in our ~ окончáние слéдует

next-best [,nekstˈbest] *a* уступáющий лишь сáмому лýчшему

next-door [,nekstˈdɔ:] *a* ближáйший, сосéдний; he is my ~ neighbour он живёт ря́дом со мной; ~ to почти́; it is ~ to crime э́то почти́ преступлéние [*ср.* next door, *см.* next 1, 1) *и* ◇]

nexus [ˈneksəs] *n* (*pl без измен.*, -ses [-ɪz]) 1) цепь, ряд (*событий и т. п.*); the cash ~ дéнежные отношéния; causal ~ причи́нная зави́симость 2) связь; ýзы; звенó 3) *грам.* нéксус

Niagara [naɪˈægərə] *n* потóк; водопáд ◇ to shoot ~ реши́ться на отчáянный шаг

nib [nɪb] **1.** *n* 1) кóнчик, остриё перá; (металли́ческое) перó 2) *pl* дроблёные бóбы какáо 3) клюв (*птицы*) 4) вы́ступ, клин, остриё 5) *тех.* пáлец, шип

2. *v* 1) вставля́ть перó в рýчку 2) *ист.* чини́ть (гуси́ное) перó

nibble [ˈnɪbl] **1.** *n* 1) обгрызáние; откýсывание 2) небольшóе коли́чество еды́ 3) клёв 4) *вчт.* полубáйт, полбáйта

2. *v* 1) обгрызáть; откýсывать, покýсывать (at); щипáть (*траву*) 2) есть мáленькими кусóчками 3) клевáть (*о рыбах*) 4) не решáться, колебáться (at); to ~ at an offer раздýмывать над предложéнием 5) придирáться (at)

niblick [ˈnɪblɪk] *n* клю́шка (*для игры в гольф*)

nibs [nɪbz] *n*: his ~ *шутл.* егó ми́лость (*о важной персоне*)

nice [naɪs] *a* 1) хорóший, прия́тный, ми́лый, слáвный (*тж. ирон.*); a ~ boy хорóший пáрень; ~ weather хорóшая погóда; a ~ home хорóшенький дóмик; a ~ state of affairs! хорóшенькое положéние дел!; here is a ~ mess I am in! в хорóшенькую передéлку я попáл! 2) любéзный, дóбрый, внимáтельный; таkти́чный 3) изя́щный, сдéланный со вкýсом; элегáнтный 4) изы́сканный (*о манерах, стиле*) 5) слáдкий, вкýсный 6) óстрый; тóнкий; a ~ ear тóнкий слух; ~ judg(e)ment тóнкое, прáвильное суждéние; a ~ observer внимáтельный, тóнкий наблюдáтель; a ~ shade of meaning тóнкий оттéнок значéния; a ~ taste in literature хорóший, тóнкий литератýрный вкус 7) тóнкий, трéбующий большóй тóчности *или* деликáтности; a ~ question щекотли́вый вопрóс; negotiations needing ~ handling переговóры, трéбующие осторóжного и тóнкого подхóда 8) тóчный, тóнкий, чувстви́тельный (*о механизме*); weighed in the ~st scales взвéшено на сáмых тóчных весáх 9) аккурáтный; тщáтельный; подрóбный, скрупулёзный 10) разбóрчивый; привередли́вый; приди́рчивый; щепети́льный; he is ~ in his food он привередли́в в едé 11): ~ and *в соединении с другим прилагательным часто означает* довóльно; it is ~ and warm today сегóдня довóльно теплó; the train is going ~ and fast пóезд идёт довóльно бы́стро 12) *уст.* своенрáвный, глýпый

nice-looking [,naɪsˈlʊkɪŋ] *a* привлекáтельный, милови́дный

nicely [ˈnaɪslɪ] *adv* 1) хорошó; хорошéнько; she is getting on ~ а) у неё всё в поря́дке; б) онá поправля́ется; it will suit me ~ э́то мне как раз подойдёт 2) ми́ло, любéзно; прия́тно 3) тóнко, деликáтно

nicety [ˈnaɪsətɪ] *n* 1) тóнкость, тóнкое разли́чие 2) тóчность; пунктуáльность; аккурáтность; to a ~ тóчно; впóру, вполнé, как слéдует 3) слóжность, замысловáтость; a point of great ~ óчень слóжный момéнт 4) *pl* тóнкости, детáли 5) изя́щество; утончённость 6) разбóрчивость; привередли́вость; приди́рчивость; щепети́льность ◇ an exchange of niceties обмéн любéзностями

niche [ni:ʃ] **1.** *n* 1) ни́ша; *перен.* убéжище 2) надлежáщее, подходя́щее мéсто

2. *v* 1) помести́ть в ни́шу 2) *refl.* найти́ себé убéжище; удóбно устрóиться

Nick [nɪk] *n* чёрт, дья́вол (*обыкн.* Old ~)

nick [nɪk] **1.** *n* 1) зарýбка, засéчка, зазýбрина; нарéзка 2) трéщина; щель; прорéз 3) тóчный момéнт; крити́ческий момéнт; in the (very) ~ of time как раз вóвремя; в сáмый послéдний момéнт 4) *sl.* каталáжка, тюрьмá; (полицéйский) учáсток 5) *тех.* сужéние, шéйка

2. *v* 1) де́лать ме́тку, зару́бку 2) разреза́ть; подреза́ть 3) поспе́ть во́время; to ~ the train поспе́ть на по́езд 4) попа́сть в то́чку, угада́ть (*обыкн.* ~ it) 5) *sl.* пойма́ть (*престу́пника*) 6) *sl.* укра́сть, стащи́ть 7) *sl.* обману́ть, наду́ть ▭ ~ **down** а) вести́ счёт, де́лая наре́зки; б) записа́ть *что-л.*; в) *разг.* заруби́ть на носу́; ~ **in** а) сократи́ть путь, сре́зав у́гол; б) бы́стро заня́ть чьё-л. ме́сто

nickel [ˈnɪkl] **1.** *n* 1) *хим.* ни́кель 2) моне́та в 5 це́нтов ◇ ~ nurser *амер.* скупе́ц, скря́га; N.! *амер.* о чём заду́мались?

2. *v* никелирова́ть

nickelage [ˈnɪklɪdʒ] = nickel-plating

nickeloden [ˌnɪkəˈləʊdɪən] *n амер. разг.* автомати́ческий прои́грыватель (*в рестора́не и т. п.*)

nickel-plating [ˌnɪklˈpleɪtɪŋ] *n тех.* никелирова́ние, никелиро́вка

nickel silver [ˌnɪklˈsɪlvə] *n* не́йзильбер

nicker I [ˈnɪkə] *n sl.* фунт сте́рлингов

nicker II [ˈnɪkə] *v диал.* 1) ржать 2) хохота́ть, гогота́ть

nicknack [ˈnɪknæk] = knick-knack

nickname [ˈnɪkneɪm] **1.** *n* 1) про́звище, кли́чка 2) уменьши́тельное и́мя

2. *v* дава́ть про́звище, кли́чку

nicotine [ˈnɪkəti:n] *n* никоти́н

nicotinism [ˈnɪkəti:nɪzəm] *n* отравле́ние никоти́ном

nictate [ˌnɪkˈteɪt] = nictitate

nictation [nɪkˈteɪʃn] = nictitation

nictitate [ˈnɪktɪteɪt] *v* мига́ть, морга́ть

nictitating membrane [ˌnɪktɪteɪtɪŋˈmembreɪn] *n* мига́тельная перепо́нка (*у птиц*)

nictitation [ˌnɪktɪˈteɪʃn] *n* мига́ние

nicy [ˈnaɪsɪ] *n детск.* конфе́тка, ледене́ц

niddle-noddle [ˈnɪdlˌnɒdl] **1.** *a* трясу́щийся

2. *v* 1) кива́ть 2) = nid-nod

nidi [ˈnaɪdaɪ] *pl от* nidus

nidificate [ˈnɪdɪfɪkeɪt] = nidify

nidify [ˈnɪdɪfaɪ] *v* вить гнездо́

nid-nod [ˈnɪdnɒd] *v* клева́ть но́сом

nidus [ˈnaɪdəs] *лат. n* (*pl* nidi, -es [-ɪz]) 1) *зоол.* гнездо́ (*не́которых насеко́мых*) 2) расса́дник боле́зней, оча́г зара́зы

niece [ni:s] *n* племя́нница

nielli [nɪˈeli:] *pl от* niello

niello [nɪˈeləʊ] *ит. n* (*pl* -li, -os [-əʊz]) 1) чернь (*на мета́лле*) 2) рабо́та че́рнью по серебру́ 3) изде́лие с че́рнью

nielloed [nɪˈeləʊd] *a* черне́ный

nifty [ˈnɪftɪ] *разг.* **1.** *n* остроу́мное замеча́ние; о́строе словцо́

2. *a* 1) ло́вкий, уме́лый 2) мо́дный, щегольско́й; сти́льный 3) воню́чий

nig [nɪg] *v* обтёсывать ка́мни

niggard [ˈnɪgəd] **1.** *n* скупе́ц, скря́га

2. *a уст.* скупо́й

niggardly [ˈnɪgədlɪ] **1.** *a* 1) скупо́й, ска́редный 2) ску́дный

2. *adv* 1) ску́по 2) ску́дно

nigger [ˈnɪgə] *n* 1) *презр.* негр, черно-ма́зый 2) шокола́дно-кори́чневый цвет ◇ ~ heaven *амер.* галёрка; work like a ~ ≅ рабо́тать как вол; a ~ in the woodpile скры́тая причи́на; та́йное обстоя́тельство

niggle [ˈnɪgl] *v* 1) занима́ться пустяка́ми, разме́ниваться на ме́лочи 2) придира́ться по пустяка́м 3) раздража́ть, надоеда́ть

niggling [ˈnɪglɪŋ] **1.** *pres. p. от* niggle

2. *a* 1) ме́лочный; пустя́чный 2) надое́дливый, раздража́ющий

nigh [naɪ] *уст., поэт.* **1.** *a* бли́зкий, бли́жний

2. *adv* 1) бли́зко; ря́дом 2) почти́

night [naɪt] *n* 1) ночь; ве́чер; ~ after ~, ~ by ~ ка́ждую ночь; all ~ (long) в тече́ние всей но́чи; всю ночь напролёт; at ~ а) но́чью; б) ве́чером; by ~ а) в тече́ние но́чи; б) под покро́вом но́чи; o'(= on) ~s *разг.* по ноча́м; ~ fell наступи́ла ночь; far into the ~ далеко́ за́ полночь; to have a good (bad) ~ хорошо́ (пло́хо) спать ночь; ~ out а) ночь, проведённая вне до́ма (*особ.* в развлече́ниях); б) выходно́й ве́чер прислу́ги; to have a (*или* the) ~ out а) прокути́ть всю ночь; б) име́ть выходно́й ве́чер (*о прислу́ге*); to have a ~ off име́ть свобо́дный ве́чер; last ~ вчера́ ве́чером 2) темнота́, мрак; to go forth into the ~ исче́знуть во мра́ке но́чи; the ~ of ignorance по́лное неве́жество 3) *attr.* ночно́й, вече́рний; ~ duty ночно́е дежу́рство; ~ stop остано́вка на́ ночь (*во вре́мя путеше́ствия*) ◇ ~ and day всегда́, непреста́нно; to make a ~ of it прокути́ть всю ночь напролёт; the small ~ пе́рвые часы́ по́сле полу́ночи (*1, 2 часа́ но́чи*)

night binoculars [ˈnaɪtbɪˌnɒkjʊləz] *n pl* ночно́й бино́кль

night-bird [ˈnaɪtbɜ:d] *n* 1) ночна́я пти́ца 2) ночно́й гуля́ка, полуно́чник 3) ночна́я пти́чка (*проститу́тка*)

night blindness [ˈnaɪtˌblaɪndnəs] = nyctalopia

nightcap [ˈnaɪtkæp] *n* 1) *ист.* ночно́й колпа́к 2) стака́нчик спиртно́го на́ ночь 3) *амер. спорт.* после́днее соревнова́ние дня

night-cart [ˈnaɪtkɑ:t] *n* ассенизацио́нная теле́га

nightclothes [ˈnaɪtkləʊðz] *n* ночно́е бельё

nightclub [ˈnaɪtklʌb] **1.** *n* ночно́й клуб

2. *v* посеща́ть ночны́е клу́бы

nightdress [ˈnaɪtdres] *n* ночна́я руба́шка (*же́нская или де́тская*)

nightfall [ˈnaɪtfɔ:l] *n* су́мерки; наступле́ние но́чи

night-fighter [ˈnaɪtˌfaɪtə] *n ав.* ночно́й истреби́тель

night-flower [ˈnaɪtˌflaʊə] *n* ночно́й цвето́к

night-fly [ˈnaɪtflaɪ] *n* ночно́й мотылёк, -а́я ба́бочка

night-flying [ˈnaɪtˌflaɪɪŋ] *n ав.* ночны́е полёты

night-glass [ˈnaɪtglɑ:s] *n* ночно́й бино́кль

nightgown [ˈnaɪtgaʊn] = nightdress

night-hag [ˈnaɪthæg] *n* 1) ве́дьма 2) кошма́р

nighthawk [ˈnaɪthɔ:k] *n* 1) вор, орý-дующий по ноча́м 2) ночно́й такси́ст 3) челове́к, рабо́тающий по ноча́м 4) = nightjar

nightie [ˈnaɪtɪ] *n разг.* ночну́шка, ночна́я руба́шка

nightingale [ˈnaɪtɪŋgeɪl] *n* солове́й

night-intruder [ˌnaɪtɪnˈtru:də] *n ав.* ночно́й бомбардиро́вщик

nightjar [ˈnaɪtdʒɑ:] *n* козодо́й (*пти́ца*)

nightlife [ˈnaɪtlaɪf] *n* 1) ночна́я жизнь (*го́рода*) 2) ночны́е развлече́ния (*в каба́ре, клу́бах и т. п.*)

night-light [ˈnaɪtlaɪt] *n* ночни́к

night-line [ˈnaɪtlaɪn] *n* у́дочка с прима́нкой, поста́вленная на́ ночь

nightlong [ˌnaɪtˈlɒŋ] **1.** *a* продолжа́ющийся всю ночь

2. *adv* в тече́ние всей но́чи, всю ночь

nightly [ˈnaɪtlɪ] **1.** *a* 1) ночно́й 2) ежено́щный; случа́ющийся ка́ждую ночь

2. *adv* но́чью, по ноча́м; ежено́щно

nightman [ˈnaɪtmən] *n разг.* 1) ассениза́тор 2) ночно́й сто́рож

nightmare [ˈnaɪtmeə] *n* 1) кошма́р, стра́шный сон 2) *разг.* у́жас, кошма́р 3) *миф.* инку́б; ве́дьма, кото́рая ду́шит спя́щих

nightmarish [ˈnaɪtmeərɪʃ] *a* кошма́рный

night-nurse [ˈnaɪtnɜ:s] *n* ночна́я сиде́лка

night-piece [ˈnaɪtpi:s] *n* ночна́я сце́на, изобража́ющая ночь *или* ве́чер

night-porter [ˌnaɪtˈpɔ:tə] *n* ночно́й портье́; ночно́й вахтёр

night-rider [ˈnaɪtˌraɪdə] *n амер.* ко́нный налётчик

night-robe [ˈnaɪtrəʊb] = nightdress

nights [naɪts] *adv разг.* 1) по ноча́м, ноча́ми, но́чью 2) по вечера́м, ве́чером

night safe [ˌnaɪtˈseɪf] *n* ночно́й сейф (*специа́льный контейне́р в нару́жной стене́ ба́нка, в кото́рый мо́жно положи́ть де́ньги, когда́ банк закры́т*)

night school [ˈnaɪtsku:l] *n* вече́рняя шко́ла; вече́рние ку́рсы

nightshade [ˈnaɪtʃeɪd] *n бот.* паслён; black ~ чёрный паслён; deadly ~ белладо́нна, со́нная о́дурь; woody ~ сла́дко-го́рький паслён

night shift [ˈnaɪtʃɪft] *n* ночна́я сме́на

nightshirt [ˈnaɪtʃɜ:t] *n* (*мужска́я*) ночна́я руба́шка, ночна́я руба́ха

night soil [ˈnaɪtsɔɪl] *n* нечисто́ты (*вывози́мые но́чью*)

nightspot [ˈnaɪtspɒt] = nightclub

nightstick [ˈnaɪtstɪk] *n амер.* дуби́нка, кото́рой полице́йский вооружён но́чью

nightsuit [ˈnaɪtsu:t] *n* пижа́ма

nighttime [ˈnaɪttaɪm] *n* ночно́е вре́мя, ночь; in the ~ но́чью

night-walker [ˈnaɪtˌwɔ:kə] *n* 1) луна́тик 2) проститу́тка 3) ночно́й бродя́га

night-watch [ˈnaɪtwɒtʃ] *n* 1) ночно́й дозо́р, ночна́я ва́хта; in the ~es в бессо́нные часы́ но́чи 2) ночно́й дозо́рный

night watchman [ˌnaɪtˈwɒtʃmən] *n* ночно́й сто́рож

night-wear ['naɪtweə] *n собир.* ночно́е бельё

nightwork ['naɪtwɜ:k] *n* ночна́я *или* ве́черняя рабо́та

nighty ['naɪtɪ] = nightie

nighty night ['naɪtɪ,naɪt] *int разг.* споко́йной но́чи

nigrescence [naɪ'gresəns] *n* 1) чернота́ 2) почерне́ние

nigrescent [naɪ'gresənt] *a* 1) чернова́тый 2) черне́ющий, темне́ющий

nigritude ['nɪgrɪtju:d] *n* чернота́; темнота́

nihilist ['naɪlɪst] *n* нигили́ст

nihilistic [,naɪ'lɪstɪk] *a* нигилисти́ческий

nihility [naɪ'hɪlətɪ] *n книжн.* 1) небытие́ 2) не́что несуществу́ющее

nihilizm ['naɪlɪzəm] *n* нигили́зм

nil [nɪl] *n* ничего́, ноль (*особ. при счёте в игре*); they won two ~ они́ вы́играли со счётом два — ноль

nilgai ['nɪlgaɪ] *n* зоол. антило́па нильга́у

Nilotic [naɪ'lɒtɪk] *a* ни́льский

nimbi ['nɪmbaɪ] *pl от* nimbus

nimble ['nɪmbl] *a* 1) прово́рный, ло́вкий, шу́стрый; лёгкий (*в движениях*) 2) живо́й, подви́жный, ги́бкий (*об уме*) 3) сообрази́тельный 4) бы́стрый, нахо́дчивый (*об ответе*)

nimbus ['nɪmbəs] *n* (*pl* -bi, -es [-ɪz]) 1) нимб, сия́ние, орео́л 2) *метео* дождево́е о́блако

niminy-piminy [,nɪmənɪ'pɪmənɪ] *a* жема́нный, чо́порный, мане́рный

nincompoop ['nɪŋkəmpu:p] *n* 1) простофи́ля, дурачо́к 2) бесхара́ктерный челове́к

nine [naɪn] 1. *num. card.* де́вять ◇ ~ days' wonder зло́ба дня, кратковре́менная сенса́ция; ~ men's morris *название старинной английской игры, напоминающей шашки*; ~ times out of ten обы́чно, почти́ всегда́; ~ tenths почти́ всё

2. *n* 1) девя́тка 2) *pl* девя́тый но́мер (*размер перчаток и т. п.*) 3) *амер. спорт.* кома́нда из 9 челове́к (*в бейсболе*) ◇ the N. *миф.* де́вять муз; up to the ~s в вы́сшей сте́пени; to crack smb. up to the ~s превозноси́ть кого́-л. до небе́с; dressed up to the ~s разоде́тый в пух и прах

ninefold ['naɪnfəʊld] 1. *a* девятикра́тный

2. *adv* в де́вять раз бо́льше

ninepins ['naɪnpɪnz] *n pl* ке́гли

nineteen [,naɪn'ti:n] *num. card.* девятна́дцать ◇ to talk (*или* to go) ~ to the dozen говори́ть без конца́, без у́молку, треща́ть

nineteenth [,naɪn'ti:nθ] 1. *num. ord.* девятна́дцатый

2. *n* 1) девятна́дцатая часть 2) (the ~) девятна́дцатое число́

nineties ['naɪntɪz] *n pl* 1) (the ~) девяно́стые го́ды 2) девяно́сто лет; во́зраст ме́жду девяно́ста и ста года́ми

ninetieth ['naɪntɪəθ] 1. *num. ord.* девяно́стый

2. *n* девяно́стая часть

ninety ['naɪntɪ] 1. *num. card.* девяно́сто; ~-one девяно́сто оди́н; ~-two девяно́сто два *и т. д.* ◇ ~-nine out of a hundred почти́ всё (*или* все)

2. *n* девяно́сто (*единиц, штук*)

ninny ['nɪnɪ] *n* дурачо́к, простофи́ля

ninny-hammer ['nɪnɪ,hæmə] = ninny

ninth ['naɪnθ] 1. *num. ord.* девя́тый

2. *n* 1) девя́тая часть 2) девя́тое число́

ninthly ['naɪnθlɪ] *adv* в-девя́тых

niobium [naɪ'əʊbɪəm] *n хим.* нио́бий

Nip [nɪp] *n* (*сокр. от* Nipponese) *презр.* япо́шка

nip [nɪp] 1. *n* 1) щипо́к; уку́с 2) отку́шенный кусо́к 3) (небольшо́й) глото́к 4) ко́лкость, е́дкое замеча́ние; приди́рка, оби́дный упрёк 5) похолода́ние; ре́зкий холо́дный ве́тер; a cold ~ in the air в во́здухе чу́вствуется моро́зец 6) ре́зкое возде́йствие (*мороза, ветра на растения*) 7) сжа́тие (*судна во льдах*) 8) *тех.* тиски́; захва́т 9) *горн.* разда́вливание целико́в, зава́л ◇ ~ and tuck *амер.* а) голова́ в го́лову; вро́вень; б) борьба́ с ра́вными ша́нсами; to freshen the ~ опохмеля́ться; to take a ~ пропусти́ть рю́мочку

2. *v* (nipped [-t], nipt) 1) ущипну́ть; щипа́ть; укуси́ть; тя́пнуть (*о собаке*); прищеми́ть; сжима́ть (*судно во льдах*) 2) поби́ть, повреди́ть (*ветром, морозом*) 3) отпива́ть (*спиртное*) ма́ленькими глотка́ми 4) *амер. sl.* укра́сть, стащи́ть, стяну́ть 5) *амер. sl.* схвати́ть, арестова́ть 6) *тех.* откуси́ть, отре́зать 7) *тех.* захвати́ть, зажа́ть □ ~ **along** бы́стро идти́; ~ **away** *разг.* ускользну́ть, удра́ть; ~ **in**(to) вме́шиваться в (*разговор*); проти́скиваться, прота́лкиваться вперёд; ~ **off** а) оши́пывать; б) отщипну́ть, откуси́ть; в) удра́ть; ~ **on ahead** а) стара́ться перегна́ть; б) забега́ть вперёд ◇ to ~ in the bud пресе́чь в ко́рне; подави́ть в заро́дыше

Nipper ['nɪpə] *n амер. презр.* япо́шка

nipper ['nɪpə] *n* 1) тот, кто куса́ется, куса́ка; то, что куса́ется, щи́плется 2) *разг.* мальчуга́н 3) *pl* острогу́бцы, куса́чки; щипцы́ (*тж.* a pair of ~s) 4) *pl* пенсне́ 5) клешня́ (*рака, краба*) 6) пере́дний зуб, резе́ц (*лошади*) 7) *pl амер. sl.* кандалы́

nipping ['nɪpɪŋ] 1. *pres. p. от* nip 2

2. *a* щи́плющий; ~ frost си́льный моро́з

nipple ['nɪpl] *n* 1) сосо́к (*груди*) 2) со́ска 3) буго́р; со́пка 4) пузы́рь (*в стекле, металле*) 5) *тех.* ни́ппель; соедини́тельная га́йка 6) *тех.* па́трубок 7) *воен.* боёк уда́рника

nipplewort ['nɪplwɜ:t] *n бот.* борода́вник

Nipponese [,nɪpə'ni:z] 1. *a* япо́нский

2. *n* япо́нец; япо́нка; the ~ *pl собир.* япо́нцы

nippy ['nɪpɪ] 1. *a разг.* 1) прово́рный 2) моро́зный; ре́зкий (*о ветре*); ~ weather холо́дная пого́да

2. *n уст.* официа́нтка, подава́льщица

nipt [nɪpt] *past и p. p. от* nip 2

nirvana [nɪə'vɑ:nə] *n* нирва́на

Nisei, nisei [,ni:'seɪ] *n* америка́нец япо́нского происхожде́ния

nisi ['naɪsaɪ] *cj юр.* е́сли не; decree (order, rule) ~ постановле́ние (прика́з, пра́вило), вступа́ющее в си́лу с определённого сро́ка, е́сли оно́ не отменено́ до э́того вре́мени

nisi prius [,naɪsaɪ'praɪəs] *n юр.*: trial at ~ слу́шание гражда́нских дел выездно́й се́ссии суда́

nit [nɪt] *n* 1) гни́да 2) *sl.* крети́н, идио́т

niton ['naɪtɒn] *n хим.* нито́н, радо́н

nit-picker ['nɪt,pɪkə] *n разг.* «блохоло́в», приди́ра

nitrate ['naɪtreɪt] *хим.* 1. *n* нитра́т, соль *или* эфи́р азо́тной кислоты́

2. *v* нитрова́ть

nitration [naɪ'treɪʃn] *n хим.* нитра́ция; нитрова́ние

nitre ['naɪtə] *n хим.* сели́тра

nitric ['naɪtrɪk] *a хим.* азо́тный; ~ acid азо́тная кислота́; ~ oxide о́кись азо́та

nitrification [,naɪtrɪfɪ'keɪʃn] *n спец.* нитрифика́ция

nitrify ['naɪtrɪfaɪ] *v спец.* 1) нитрифици́ровать 2) превраща́ть в сели́тру

nitrite ['naɪtraɪt] *n хим.* нитри́т, соль *или* эфи́р азо́тистой кислоты́

nitrogen ['naɪtrədʒən] *n хим.* азо́т

nitrogenous [naɪ'trɒdʒənəs] *a хим.* азо́тный, азо́тистый

nitroglycerine [,naɪtrəʊ'glɪsərɪn] *n спец.* нитроглицери́н

nitrometer [naɪ'trɒmɪtə] *n хим.* нитроме́тр

nitrous ['naɪtrəs] *a хим.* азо́тистый; ~ acid азо́тистая кислота́; ~ oxide веселя́щий газ, за́кись азо́та

nitty ['nɪtɪ] *a* вши́вый

nitwit ['nɪtwɪt] *n разг.* дура́к, ничто́жество, простофи́ля

nitwitted ['nɪt,wɪtɪd] *a разг.* глу́пый

nival ['naɪvl] *a* сне́жный; расту́щий под сне́гом

nix I [nɪks] *int sl.* шу́хер!, осторо́жно!

nix II [nɪks] *sl.* 1. *n* ничего́; нуль

2. *adv* нет; не

nix III [nɪks] *n миф.* водяно́й; речно́й эльф

nixie ['nɪksɪ] *n миф.* руса́лка

Nizam [nɪ'zɑ:m] *n* 1) *ист.* низа́м (*титул правителя Хайдарабада*) 2) (n.) (*pl без измен.*) солда́т туре́цкой а́рмии

no [nəʊ] 1. *adv* 1) нет; no, I cannot нет, не могу́ 2) не (*при сравн. ст.* = not any, not at all); he is no better today сего́дня ему́ (ниско́лько) не лу́чше; I can wait no longer я не могу́ до́льше ждать; no sooner had he arrived than he fell ill едва́ он успе́л прие́хать, как заболе́л; no less than а) не ме́нее, чем; б) ни бо́льше, ни ме́ньше как; no more не́чего, ничего́ бо́льше; нет (бо́льше); I have no more to say мне не́чего бо́льше сказа́ть; he is no more его́ нет в живы́х, он у́мер; he cannot come, no more can I он не мо́жет прийти́, как и я

2. *pron neg.* 1) никако́й (= not any; *перед существительным передаётся обыкн. словом* нет); he has no reason to be offended у него́ нет (никако́й) причи́ны обижа́ться 2) не (= not a); he is no fool он неглу́п, он не дура́к; no such thing ничего́ подо́бного; no doubt несомне́нно; no wonder неудиви́тельно 3) *означает запрещение, отсутствие*; no smoking! кури́ть воспреща́ется!; no compromise! никаки́х компроми́ссов!; no special invitations осо́бых приглаше́ний не бу́дет; no trumps! без ко́зыря!; no two ways about it а) друго́го вы́хода нет; б) не мо́жет быть двух мне́ний насчёт э́того; by no means нико́им о́бразом; коне́чно, нет 4) *с отглагольным существительным или герундием означает невозможность*: there's no knowing what may happen нельзя́ знать, что мо́жет случи́ться; there is no telling what he is up to никогда́ не зна́ешь, что он замышля́ет ◇ no end of о́чень мно́го, мно́жество; we had no end of good time мы превосхо́дно провели́ вре́мя; no cross, no crown *посл.* ≅ без труда́ нет плода́; го́ря боя́ться, сча́стья не вида́ть; no flies on him его́ не проведёшь; no man никто́; no man's land а) *ист.* бесхо́зная земля́; б) *воен.* «ничья́ земля́», простра́нство ме́жду транше́ями проти́вников; no matter безразли́чно, нева́жно; no odds нева́жно, не име́ет значе́ния; in no time о́чень бы́стро, в мгнове́ние о́ка

3. *n* (*pl* noes [nəʊz]) 1) отрица́ние; two noes make a yes два отрица́ния равны́ утвержде́нию 2) отка́з; he will not take no for an answer он не при́мет отка́за 3) *pl* голосу́ющие про́тив; the noes have it большинство́ про́тив

Noah ['nəʊə] *n библ.* Ной; ~'s Ark Но́ев ковче́г

nob I [nɒb] *sl.* 1. *n* 1) голова́, башка́ 2) козырно́й вале́т (*в некоторых карт. играх*)

2. *v* нанести́ уда́р в го́лову (*в боксе*)

nob II [nɒb] *n sl.* ва́жная пти́ца, ши́шка

nobble ['nɒbl] *v sl.* 1) испо́ртить ло́шадь (*перед состязанием*) 2) подкупи́ть 3) обману́ть 4) укра́сть 5) пойма́ть (*преступника и т. п.*)

nobby ['nɒbɪ] *a sl.* изя́щный; мо́дный; шика́рный; крича́щий

Nobelist [nəʊ'belɪst] *n амер.* лауреа́т Но́белевской пре́мии

nobiliary [nəʊ'bɪlɪərɪ] *a* дворя́нский; the ~ particle, the ~ prefix дворя́нская приста́вка к и́мени

nobility [nəʊ'bɪlətɪ] *n* 1) благоро́дство, великоду́шие; вели́чие (*ума и т. п.*) 2) дворя́нство; родова́я знать; the ~ класс дворя́н; титуло́ванная аристокра́тия (*в Англии; в отличие от* gentry — нетитуло́ванного дворя́нства)

noble I ['nəʊbl] 1. *a* 1) титуло́ванный, зна́тный 2) прекра́сный, замеча́тельный; превосхо́дный 3) благоро́дный; великоду́шный 4) велича́ственный, велича́вый; ста́тный 5) благоро́дный (*о металле*) 6) *хим.* ине́ртный (*о газе*)

2. *n* 1) = nobleman 2) *ист.* нобль (*старинная англ. золотая монета*)

noble II ['nəʊbl] *n амер. sl.* руководи́тель штрейкбре́херов

noble fir [,nəʊbl'fɜ:] *n бот.* пи́хта благоро́дная

nobleman ['nəʊblmən] *n* дворяни́н; титуло́ванное лицо́; пэр (*в Англии*)

noble-minded [,nəʊbl'maɪndɪd] *a* великоду́шный, благоро́дный

noble-mindedness [,nəʊbl'maɪndɪdnəs] *n* великоду́шие, благоро́дство

nobleness ['nəʊblnəs] *n* благоро́дство *и пр.* [*см.* noble I, 1]

noblesse [nəʊ'bles] *фр. n* дворя́нство (*особенно иностранное*) ◇ ~ oblige положе́ние обя́зывает

noblewoman ['nəʊbl,wʊmən] *n* дворя́нка; супру́га пэ́ра, ле́ди

nobly ['nəʊblɪ] *adv* 1) благоро́дно 2) прекра́сно, превосхо́дно

nobody ['nəʊbədɪ] 1. *pron neg.* никто́

2. *n* 1) ничто́жество; «пусто́е ме́сто»; a mere ~ по́лное ничто́жество; a titled ~ титуло́ванное ничто́жество 2) челове́к, не име́ющий ве́са в о́бществе ◇ ~ home *амер.* ≅ не все до́ма, ви́нтика не хвата́ет

nock [nɒk] 1. *n* зару́бка, вы́емка на конце́ лу́ка *или* на стреле́ (*для тетивы*)

2. *v* 1) де́лать зару́бки 2) натя́гивать тетиву́

noctambulant [nɒk'tæmbjʊlənt] 1. *a* сомнамбули́ческий

2. *n* = noctambulist

noctambulist [nɒk'tæmbjʊlɪst] *n* сомна́мбула, луна́тик

noctambulizm [nɒk'tæmbjʊlɪzəm] *n* сомнамбули́зм, лунати́зм

noctiflorous [nɒk'tɪflɔ:rəs] *a бот.* цвету́щий но́чью

noctilucous [nɒk'tɪljʊkəs] *a* светя́щийся но́чью, фосфоресци́рующий

noctovision [,nɒktə'vɪʒən] *n* 1) спосо́бность ви́деть в темноте́ 2) телеви́дение в инфракра́сных луча́х

nocturnal [nɒk'tɜ:nl] 1. *a* ночно́й; ~ emission *физиол.* поллю́ция

2. *n астр.* пасса́жный инструме́нт

nocturne ['nɒktɜ:n] *n* 1) *муз.* ноктю́рн 2) *жив.* ночна́я сце́на

nocuous ['nɒkjʊəs] *a книжн.* 1) вре́дный 2) ядови́тый

nod [nɒd] 1. *n* 1) киво́к; to give smth. the ~ одо́брить что-л. 2) клева́ние но́сом; дремо́та ◇ to get the ~ *амер.* получи́ть одобре́ние; to give (to get) smth. on the ~ *амер.* дать (получи́ть) что-л. в креди́т; a ~ is as good as a wink (to a blind horse) ≅ а) намёк поня́тен; б) уме́йте поня́ть намёк

2. *v* 1) кива́ть голово́й (*в знак согласия, приветствия и т. п.*) 2) дрема́ть, клева́ть но́сом; to catch smb. ~ding заста́ть кого́-л. врасплóх 3) наклоня́ться, кача́ться (*о деревьях*) 4) прозева́ть (*что-л.*) 5) покоси́ться, грози́ть обва́лом (*о зданиях*) ▭ ~ **off** *разг.* а) засну́ть; б) прозева́ть, проморга́ть; ~ **through** *разг.* одо́брить без обсужде́ния ◇ Homer sometimes ~s *посл.* на вся́кого мудреца́ дово́льно простоты́; ка́ждый мо́жет ошиби́ться

nodal ['nəʊdl] *a* центра́льный; узлово́й

noddle ['nɒdl] *разг.* 1. *n* башка́, голова́

2. *v* кива́ть *или* кача́ть голово́й

noddy ['nɒdɪ] *n* 1) праста́к, дура́к 2) глупы́ш (*птица*)

node [nəʊd] *n* 1) *бот.* у́зел 2) *физ., филос.* узлово́й пункт 3) *мед.* наро́ст, утолще́ние 4) *астр.* то́чка пересече́ния орби́т 5) *мат.* то́чка пересече́ния двух ли́ний

nodi ['nəʊdaɪ] *pl от* nodus

nodical ['nəʊdɪkl] *n астр.* относя́щийся к то́чке пересече́ния орби́т

nodose ['nəʊdəs] *a* узлова́тый

nodosity [nəʊ'dɒsətɪ] *n* 1) узлова́тость 2) утолще́ние

nodular, nodulated ['nɒdjʊlə, -leɪtɪd] *a* 1) узелко́вый, узлова́тый, желва́чный 2) *геол.* почкови́дный; ~ ore почкови́дная руда́

nodule ['nɒdju:l] *n* 1) узело́к 2) *мед.* узелко́вое утолще́ние 3) *геол.* ру́дная по́чка; желва́к; конкре́ция, дру́за; валу́н, га́лька 4) *бот.* наро́ст на расте́нии, кап

nodulose, nodulous ['nɒdjʊləʊs, -ləs] *a* узлова́тый

nodus ['nəʊdəs] *n* (*pl* nodi) 1) у́зел 2) затрудне́ние, сло́жное сплете́ние обстоя́тельств; у́зел (*интриги*)

Noel [nəʊ'el] *n* рождество́ (*в песнях и гимнах*)

noetic [nəʊ'etɪk] *a* 1) относя́щийся к уму́ 2) интеллектуа́льный, воспринима́емый то́лько умо́м; абстра́ктный 3) предаю́щийся абстра́ктным рассужде́ниям

nog I [nɒg] *n* 1) деревя́нный клин *или* гвоздь; на́гель 2) *горн.* распо́рка рудни́чной кре́пи

nog II [nɒg] *n* 1) род кре́пкого пи́ва 2) = eggnog

noggin ['nɒgɪn] *n* 1) ма́ленькая кру́жка 2) че́тверть пи́нты (*мера жидкости* = *0,12—0,14 л*) 3) *sl.* башка́, голова́

no go [,nəʊ'gəʊ] *n* безвы́ходное положе́ние; тупи́к; it's ~ ничего́ не выхо́дит; э́тот но́мер не пройдёт [*см. тж.* go 2, 3)]

no good [,nəʊ'gʊd] *n амер.* нестоя́щий челове́к, -ая вещь

nohow ['nəʊhaʊ] *adv* 1) *амер.* ника́к, нико́им о́бразом 2) *диал.* та́к себе; to feel (to look) ~ чу́вствовать себя́ (вы́глядеть) нева́жно

noil [nɔɪl] *n текст.* гребенно́й оче́с, очёски, уга́р гребнечеса́ния

noise [nɔɪz] 1. *n* 1) шум; гам; гро́хот; гвалт 2) то́лки, разгово́ры; to make a ~ about smth. поднима́ть шум из-за чего́-л. 3) звук (*обыкн. неприятный*) 4) поме́ха, поме́хи; atmospheric ~ атмосфе́рные поме́хи 5) *attr.*: ~ pollution шумово́е загрязне́ние окружа́ющей среды́ ◇ a big ~ ва́жная персо́на, «ши́шка»; to be a lot of

~ *амер.* быть болтуно́м, пустоме́лей; to make a ~ in the world производи́ть сенса́цию; ≅ быть у всех на уста́х

2. *v* 1) (*обыкн. pass.*) разглаша́ть; распространя́ть; обнаро́довать 2) *редк.* шуме́ть, крича́ть

noise-killer ['nɔɪz,kɪlə] *n* шумоглуши́тель

noiseless ['nɔɪzləs] *a* 1) беззву́чный, безмо́лвный 2) бесшу́мный, ти́хий

noiseproof ['nɔɪzpru:f] *a* защищённый от шу́ма, поме́х; не пропуска́ющий шу́ма

noisette [nwɑ:'zet] *n* (*обыкн. pl.*) те́фте́ли

noisome ['nɔɪsəm] *a книжн.* 1) вре́дный; нездоро́вый 2) зловонный 3) отврати́тельный

noisy ['nɔɪzɪ] *a* 1) шу́мный 2) шумли́вый; галдя́щий 3) крича́щий, я́ркий (*о цвете, костюме и т. п.*)

nolens volens [,nəʊlenz'vəʊlenz] *лат.* = willy-nilly

noli me tangere [,nəʊlɪmeɪ'tæŋgərɪ] *лат.* (*букв.*: не прикаса́йся ко мне) *n* 1) недотро́га 2) *бот.* недотро́га 3) *мед.* волча́нка и не́которые други́е ко́жные боле́зни

nolle prosequi [,nɒlɪ'prɒsɪkwaɪ] *лат. n юр.* отка́з истца́ от и́ска *или* от ча́сти его́

no-load ['nəʊləʊd] *n тех.* холосто́й ход, нулева́я нагру́зка

nomad ['nəʊmæd] 1. *n* 1) коче́вник 2) стра́нник; бродя́га

2. *a* = nomadic

nomadic [nəʊ'mædɪk] *a* 1) кочево́й, кочу́ющий 2) бродя́чий

nomadism ['nɒmədɪzəm] *n* кочево́й о́браз жи́зни

nomadize ['nɒmədaɪz] *v* кочева́ть, вести́ кочево́й о́браз жи́зни

nom de plume [,nɒmdə'plu:m] *фр. n* (*pl* noms de plume) литерату́рный псевдони́м

nomenclative [nəʊ'meŋklətɪv] *a* 1) терминологи́ческий 2) номенклату́рный

nomenclature [nəʊ'meŋklətʃə] *n* 1) терминоло́гия 2) номенклату́ра

nominal ['nɒmɪnl] *a* 1) номина́льный 2) ничто́жный, незначи́тельный; ~ sentence усло́вный пригово́р 3) именно́й; поимённый 4) *эк.* номина́льный; нарица́тельный; ~ price номина́льная цена́ 5) *грам.* именно́й

nominalism ['nɒmɪnəlɪzəm] *n филос.* номинали́зм

nominally ['nɒmɪnəlɪ] *adv* номина́льно

nominate ['nɒmɪneɪt] *v* 1) выставля́ть, предлага́ть кандида́та (*на выборах*) 2) назнача́ть (*на должность*) 3) называ́ть (*дату и т. п.*) 4) *уст.* именова́ть

nominating ['nɒmɪneɪtɪŋ] 1. *pres. p. от* nominate

2. *a*: ~ convention *амер.* собра́ние по выдвиже́нию кандидату́р на вы́борные до́лжности

nomination [,nɒmɪ'neɪʃn] *n* 1) назначе́ние (*на должность*) 2) выставле́ние кандида́та (*на выборах*) 3) пра́во назначе́ния *или* выставле́ния кандида́та (*при выборах на должность*) 4) *attr.*: ~ day день, когда́ происхо́дит выдвиже́ние кандида́тов; Nominations Committee комите́т по выставле́нию кандидату́р (*в ООН*)

nominatival ['nɒmənətɪvl] *a грам.* относя́щийся к имени́тельному падежу́

nominative ['nɒmənətɪv] 1. *n грам.* 1) имени́тельный паде́ж 2) сло́во в имени́тельном падеже́

2. *a* 1) *грам.* имени́тельный 2) назна́ченный (на до́лжность)

nominator ['nɒmɪneɪtə] *n* лицо́, предлага́ющее кандида́та (*при выборах*) *или* назнача́ющее на до́лжность

nominee [,nɒmɪ'ni:] *n* кандида́т, предло́женный на каку́ю-л. до́лжность *или* вы́двинутый на вы́борах

noms de plume [,nɒmdə'plu:m] *pl от* nom de plume

non- [nɒn-] *pref означает отрицание или отсутствие, напр.*: nonconductor непроводни́к — conductor проводни́к; nonessential несуще́ственный — essential суще́ственный

nonabstainer [,nɒnəb'steɪnə] *n* челове́к, употребля́ющий спиртно́е, пью́щий

nonacceptance [,nɒnək'septəns] *n* непри́ятие

nonaccess [,nɒn'ækses] *n* невозмо́жность полово́го обще́ния (*юр. термин в исках об отцовстве*)

nonaddictive [,nɒnə'dɪktɪv] *a* не вызыва́ющий привыка́ния (*о наркотике и т. п.*)

nonaffiliated [,nɒnə'fɪlɪeɪtɪd] *a*: ~ union *амер.* профсою́з, не входя́щий ни в одно́ профсою́зное объедине́ние

nonage ['nəʊnɪdʒ] *n* 1) *юр. ист.* несовершенноле́тие 2) ю́ность; *перен.* незре́лость

nonagenarian [,nəʊnədʒə'neərɪən] 1. *n* челове́к в во́зрасте ме́жду 89 и 100 года́ми; 90-ле́тний (стари́к, -яя стару́ха)

2. *a* в во́зрасте ме́жду 89 и 100 года́ми

nonaggression pact [nɒnə,greʃn'pækt] *n* догово́р, пакт о ненападе́нии

nonaggressive [,nɒnə'gresɪv] *a* неагресси́вный

nonalcoholic [,nɒnælkə'hɒlɪk] *a* безалко́гольный

nonaligned [,nɒnə'laɪnd] *a полит.* неприсоедини́вшийся; ~ countries неприсоедини́вшиеся стра́ны

nonalignment [,nɒnə'laɪnmənt] *n полит.* неприсоедине́ние к бло́кам *или* вое́нным группиро́вкам

nonambiguous [,nɒnæm'bɪgjʊəs] *a* недвусмы́сленный, я́сный

nonappearance [,nɒnə'pɪərəns] *n юр.* нея́вка (*в суд, на соревнования и т. п.*)

nonary ['nəʊnərɪ] 1. *n* гру́ппа из девяти́, девя́тка

2. *a* девятери́чный (*о системе счисления*)

nonattendance [,nɒnə'tendəns] *n* непосеще́ние (*занятий и т. п.*)

nonbeliever [,nɒnbɪ'li:və] *n* 1) неве́рующий 2) ске́птик

nonbelligerence [,nɒnbə'lɪdʒərəns] *n* неуча́стие в войне́

nonbelligerent [,nɒnbə'lɪdʒrənt] *a* невою́ющий, не находя́щийся в состоя́нии войны́

noncapital I ['nɒn,kæpɪtl] *a юр.* не кара́емый сме́ртной ка́знью (*о преступлении*)

noncapital II ['nɒn,kæpɪtl] *a мор.* нелине́йный, нелине́йного кла́сса (*о корабле*)

nonce [nɒns] *n*: for the ~ специа́льно для да́нного слу́чая; в да́нное вре́мя; вре́менно

nonceword ['nɒnswɜ:d] *n* сло́во, обра́зованное то́лько для да́нного слу́чая

nonchalance ['nɒnʃələns] *n* 1) бесстра́стность; безразли́чие 2) беззабо́тность; беспе́чность; небре́жность

nonchalant ['nɒnʃələnt] *a* 1) бесстра́стный; безразли́чный 2) беззабо́тный; беспе́чный; небре́жный

nonclaim ['nɒnkleɪm] *n юр.* просро́чка в предъявле́нии и́ска

nonclassified [nɒn'klæsɪfaɪd] *a* откры́тый, незасекре́ченный, без гри́фа секре́тности (*в документе, информации и т. п.*)

noncom [,nɒn'kɒm] *n* (*сокр. от* noncommissioned officer) *воен. разг.* сержа́нт

noncombatant [,nɒn'kɒmbətənt] *воен.* 1. *n* нестроево́й солда́т, сержа́нт, офице́р

2. *a* нестроево́й, тылово́й; не уча́ствующий в боевы́х опера́циях; ~ corps нестроевы́е ча́сти

noncommissioned officer [,nɒnkəmɪʃənd'ɒfɪsə] *n* сержа́нт, у́нтер-офице́р

noncommittal [,nɒnkə'mɪtl] 1. *n* уклончивость

2. *a* укло́нчивый

noncommunicable [,nɒnkə'mju:nɪkəbl] *a* незара́зный

noncompliance [,nɒnkəm'plaɪəns] *n* 1) неподчине́ние 2) несогла́сие (with — с *чем-л.*) 3) несоблюде́ние (with — *чего-л.*)

non compos (mentis) [,nɒn'kɒmpəs('mentɪs)] *a юр.* невменя́емый

nonconducting [,nɒnkən'dʌktɪŋ] *a физ.* непроводя́щий

nonconductor [,nɒnkən'dʌktə] *n физ.* непроводни́к; диэле́ктрик

nonconformist [,nɒnkən'fɔ:mɪst] *n* 1) *церк.* секта́нт, диссиде́нт, раско́льник 2) инакомы́слящий, диссиде́нт

nonconformity [,nɒnkən'fɔ:mətɪ] *n* 1) непринадле́жность к госуда́рственной це́ркви, раско́л 2) неподчине́ние 3) несоотве́тствие 4) *собир.* диссиде́нты

noncontent [,nɒnkən'tent] *n* 1) недово́льный; несогла́сный 2) голосу́ющий про́тив предложе́ния (*в палате лордов*)

noncooperation [,nɒnkəʊɒpə'reɪʃn] *n* поли́тика бойко́та, неповинове́ния, отка́з от сотру́дничества

nondelivery [,nɒndɪ'lɪvərɪ] *n* недоста́вка (*газет и т. п.*); непоста́вка (*товара и т. п.*)

nondescript ['nɒndɪskrɪpt] 1. *n* челове́к *или* предме́т неопределённого ви́да

2. *a* неопределённого ви́да, трудноопредели́мый, невзра́чный

nondimensional [,nɒndaɪ'menʃnəl] *a* безразме́рный

nondissemination [,nɒndɪsemɪ'neɪʃn] *n* отка́з от распростране́ния я́дерного ору́жия; запреще́ние передава́ть я́дерное ору́жие

nondurable [,nɒn'djʊərəbl] *a* 1) недолговре́менный, недолгове́чный 2) *эк.* недли́тельного по́льзования (*о товарах*)

none [nʌn] 1. *pron neg.* 1) никто́, ничто́; ни оди́н; he has three daughters, ~ are (*или* is) married у него́ три до́чери, ни одна́ не вы́шла за́муж 2) никако́й ◇ ~ but никто́ кро́ме, то́лько; ~ of that! переста́нь!

2. *adv* ниско́лько, совсе́м не, во́все не; I slept ~ that night *амер.* в ту ночь я совсе́м не спал ◇ I am ~ the better for it мне от э́того не ле́гче; ~ the less тем не ме́нее, всё же

noneffective [,nɒnɪ'fektɪv] 1. *a* недействи́тельный, неприго́дный

2. *n* солда́т *или* матро́с, него́дный к строево́й слу́жбе (*вследствие ранения и т. п.*)

nonentity [nɒ'nentətɪ] *n* 1) ничто́жество, «пусто́е ме́сто» (*о человеке*) 2) небытие́ 3) несуществу́ющая вещь, фи́кция

nones [nəʊnz] *n pl* но́ны (*в древнеримском календаре 5-е число месяца, но 7-е число марта, мая, июля, октября*)

nonessential [,nɒnɪ'senʃl] 1. *a* несуще́ственный

2. *n* 1) пустя́к 2) незначи́тельный челове́к

nonesuch ['nʌnsʌtʃ] = nonsuch

nonet [nəʊ'net] *n муз.*ноне́т

nonetheless [,nʌnðə'les] *adv* тем не ме́нее, всё же

nonevent [,nɒnɪ'vent] *n* несуще́ственное собы́тие, собы́тие сомни́тельной ва́жности

nonexistent [,nɒnɪg'zɪstənt] *a* несуществу́ющий

nonexpendable [,nɒnɪks'pendəbl] *a* *тех.* не расхо́дующийся при употребле́нии

nonfeasance [,nɒn'fi:zns] *n юр.* невыполне́ние обяза́тельства, до́лга

nonferrous [,nɒn'ferəs] *a* цветно́й (*о металле*)

nonfiction [,nɒn'fɪkʃn] *n* биографи́ческое, публицисти́ческое *и т. п.* произведе́ние; документа́льная литерату́ра

nonflammable [,nɒn'flæməbl] *a* негорю́чий, невоспламеня́ющийся

nonfreezing [,nɒn'fri:zɪŋ] *a* незамерза́ющий; морозосто́йкий

nonfulfil(l)ment [,nɒnfʊl'fɪlmənt] *n* невыполне́ние

nongovernmental [,nɒngʌvən'mentl] *a* неправи́тельственный

nonindependent [,nɒnɪndɪ'pendənt] *a* зави́симый, несамостоя́тельный; ~ country зави́симая страна́

noninductive [,nɒnɪn'dʌktɪv] *a эл.* неиндукти́вный; безындукцио́нный

noninterference [,nɒnɪntə'fɪərəns] *n* невмеша́тельство

nonintervention [,nɒnɪntə'venʃn] *n* невмеша́тельство

noniron [,nɒn'aɪən] *a* не тре́бующий гла́женья (*о ткани*)

nonius ['nəʊnɪəs] *n тех.* но́ниус, верньё́р

nonlending [,nɒn'lendɪŋ] *a* без вы́дачи книг на́ дом (*о библиотеке*)

nonmember [nɒn'membə] *n* нечле́н (*ассоциации, клуба и т. п.*)

nonmetal [,nɒn'metl] *n* неметалли́ческий элеме́нт

nonmoral [,nɒn'mɒrəl] *a* 1) не относя́щийся к вопро́сам мора́ли; не свя́занный с мора́лью и э́тикой 2) амора́льный

nonnuclear [,nɒn'nju:klɪə] *a* нея́дерный, не применя́ющий я́дерного ору́жия; ~ country страна́, не име́ющая я́дерного ору́жия

no-no ['nəʊ,nəʊ] *n разг.* не́что невозмо́жное *или* непозволи́тельное

nonobservance [,nɒnəb'zɜ:vns] *n* несоблюде́ние (*правил и т. п.*); наруше́ние (*приказа и т. п.*)

nonpareil [,nɒnpə'reɪl] 1. *n* 1) верх соверше́нства (*о человеке, предмете*) 2) *полигр.* нонпаре́ль

2. *a* бесподо́бный, несравне́нный

nonpartisan [,nɒnpɑ:tɪ'zæn] *a* 1) стоя́щий вне па́ртии; беспарти́йный 2) беспристра́стный

nonparty [nɒn'pɑ:tɪ] *a* беспарти́йный

nonpayment [,nɒn'peɪmənt] *n* неупла́та; неплатёж

nonpersistent [,nɒnpə'sɪstənt] *a* нестойкий; ~ gas несто́йкий газ, несто́йкое отравля́ющее вещество́

nonperson ['nɒn,pɜ:sn] *n* «пусто́е ме́сто», челове́к, не стоя́щий внима́ния

nonplus [,nɒn'plʌs] 1. *n* замеша́тельство, затрудни́тельное положе́ние; at a ~ в тупике́

2. *v* приводи́ть в замеша́тельство; ста́вить в тупи́к, в затрудни́тельное положе́ние

nonpolitical [,nɒnpə'lɪtɪkl] *a* 1) неполити́ческий 2) не занима́ющийся поли́тикой; не уча́ствующий в полити́ческой борьбе́

nonpollution [,nɒnpə'lu:ʃn] *n* систе́ма санита́рно-техни́ческих мер (*против загрязнения воздуха и т. п.*)

nonproductive [,nɒnprə'dʌktɪv] *a* 1) непроизводя́щий 2) непроизводи́тельный; непродукти́вный

nonprofessional [,nɒnprə'feʃnəl] *a* непрофессиона́льный, не тре́бующий специа́льной профессиона́льной подгото́вки, люби́тельский

nonproliferation [,nɒnprəʊlɪfə'reɪʃn] *n* 1) нераспростране́ние я́дерного ору́жия 2) *attr.*: ~ treaty догово́р о нераспростране́нии я́дерного ору́жия

nonprosequitur [,nɒnprəʊ'sekwɪtə] *n* *юр.* отка́з в и́ске вслéдствие нея́вки истца́ в суд

nonresident [,nɒn'rezɪdənt] 1. *n* челове́к, не прожива́ющий постоя́нно в одно́м ме́сте; владе́лец, не прожива́ющий в своём поме́стье; свяще́нник, не прожива́ющий в своём прихо́де

2. *a* 1) не прожива́ющий по ме́сту слу́жбы (*о враче, священнике и т. п.*) 2) не тре́бующий прожива́ния по ме́сту слу́жбы (*о должности*)

nonresistance [,nɒnrɪ'zɪstəns] *n* непротивле́ние; пасси́вное подчине́ние

nonresistant [,nɒnrɪ'zɪstənt] 1. *n* непротивле́нец

2. *a* не ока́зывающий сопротивле́ния, несопротивля́ющийся

nonrigid [,nɒn'rɪdʒɪd] *a* 1) эласти́чный 2) *спец.* мя́гкий, нежёсткий (*о конструкции*)

nonsense ['nɒnsəns] 1. *n* 1) вздор, ерунда́, чепуха́, бессмы́слица; clotted (*или* flat) ~ соверше́нная ерунда́; to talk ~ говори́ть глу́пости, нести́ чушь 2) абсу́рд, абсу́рдность 3) сумасбро́дство; бессмы́сленные посту́пки

2. *int* ерунда́!, вздор!, глу́пости!, чушь!

nonsensical [nɒn'sensɪkl] *a* бессмы́сленный, неле́пый, глу́пый

nonsexual [nɒn'sekʃʊəl] *a биол.* 1) беспо́лый 2) неполово́й

nonskid [,nɒn'skɪd] *a* нескользя́щий, небуксу́ющий

nonsmoker [,nɒn'sməʊkə] *n* 1) некуря́щий 2) ваго́н *или* купе́ для некуря́щих

nonstandard [,nɒn'stændəd] *a* не соотве́тствующий устано́вленным но́рмам, нестанда́ртный

nonstarter [,nɒn'stɑ:tə] *n* 1) нестарту́ющий, не уча́ствующий в соревнова́ниях (*об участнике забега, заезда и т. п.*; *тж. о лошади*) 2) *разг.* неуда́чник, невезу́чий челове́к

nonstick [,nɒn'stɪk] *a* 1) не прилипа́ющий, не пригора́ющий 2) антипригарный, не допуска́ющий пригора́ния

nonstop [,nɒn'stɒp] 1. *n* 1) по́езд, авто́бус *и т. п.*, иду́щий без остано́вок 2) безостано́вочный пробе́г

2. *a* 1) безостано́вочный 2) *ав.* беспоса́дочный

3. *adv* без поса́дки; to fly ~ лете́ть без поса́дки

nonsuch ['nɒnsʌtʃ] *n* верх соверше́нства, образе́ц

nonsuit [,nɒn'su:t] 1. *n* прекраще́ние и́ска

2. *v* отка́зывать в и́ске; прекраща́ть де́ло

non-U [,nɒn'ju:] *a разг.* не при́нятый в вы́сшем о́бществе, претенцио́зно-по́шлый, меща́нский

nonunion I [,nɒn'ju:nɪən] *a* не состоя́щий чле́ном профсою́за; to employ ~ labour принима́ть на рабо́ту не чле́нов профсою́за

nonunion II [,nɒn'ju:nɪən] *n мед.* несраста́ние (*перелома*)

nonunionist [,nɒn'ju:nɪənɪst] *n* не член профсою́за

nonunionized [,nɒn'ju:nɪənaɪzd] *a* 1)

не являющийся членом профсоюза 2) не имеющий профсоюзной организации (*о предприятии*)

nonuser [nɒn'ju:zə] *n юр.* неиспользование лицом права, могущее повлечь за собой его утрату

nonviolence [ˌnɒn'vaɪələns] *n* отказ от применения насильственных методов

nonvoting [ˌnɒn'vəʊtɪŋ] *a* 1) не имеющий права голоса 2) не участвующий в выборах

noodle I ['nu:dl] *n* 1) балда, простак, дурень, олух 2) *sl.* голова, башка

noodle II ['nu:dl] *n* (*обыкн. pl*) лапша

nook [nʊk] *n* 1) укромный уголок, закоулок 2) угол 3) глухое, удалённое место 4) бухточка

noon [nu:n] *n* 1) полдень 2) зенит, расцвет 3) *поэт.* полночь

noonday ['nu:ndeɪ] *n* 1) полдень, время около полудня 2) расцвет, время наибольшего подъёма, процветания 3) *attr.* полуденный

no one ['nəʊwʌn] *pron neg.* никто

noontide ['nu:ntaɪd] *n* 1) полдень, время около полудня 2) зенит, расцвет 3) *attr.* полуденный

noontime ['nu:ntaɪm] *n* полдень

noose [nu:s] **1.** *n* 1) петля; аркан; лассо 2) ловушка, силок 3) *шутл.* узы супружества 4) казнь через повешение ◇ to put one's neck in the ~ ≅ самому в петлю лезть

2. *v* 1) поймать арканом, силком; заманить в ловушку 2) завязать петлёй

nopal ['nəʊpəl] *n* мексиканский кактус

nope ['nəʊp] *adv разг.* нет

nor [nɔ:] *cj* 1) *употр. для выражения отрицания в последующих отриц. предложениях, если в первом содержится* not, never *или* no и... не, также... не; you don't seem to be well. Nor am I вы, по-видимому, нездоровы, и я тоже (нездоров) 2) *употр. для усиления утверждения в отриц. предложении, следующем за утвердительным* также, тоже... не; we are young, ~ are they old мы молоды, и они также не стары 3): neither... ~ ни... ни; neither hot ~ cold ни жарко ни холодно 4) (*вместо* neither *в конструкции* neither nor) ни; ~ he ~ I was there ни его, ни меня не было там 5) *поэт.* (*при опущении предшествующего* neither) ни; thou ~ I have made the world ни ты, ни я не создали мира

nor'- [nɔ:-] *в сложных словах означает* северо-; *напр.*: nor'east северо-восток; nor'west северо-запад

Nordic ['nɔ:dɪk] *этн.* **1.** *a* северный, нордический, скандинавский

2. *n* представитель нордической расы

Norfolk Howard [ˌnɔ:fək'haʊəd] *n sl.* клоп

Norfolk jacket [ˌnɔ:fək'dʒækɪt] *n* широкая мужская куртка (*с поясом*)

norland ['nɔ:lənd] *n* северный район

norm [nɔ:m] *n* 1) образец, стандарт, критерий 2) норма (*выработки*)

normal ['nɔ:ml] **1.** *a* 1) нормальный, обыкновенный; обычный 2) психически нормальный 3) средний, стандартный 4) *геом.* перпендикулярный

2. *n* 1) нормальное состояние 2) нормальный тип, образец, размер 3) *геом.* нормаль, перпендикуляр 4) нормальная температура 5) *хим.* нормальный раствор

normalcy ['nɔ:mlsɪ] = normality

normality [nɔ:'mælətɪ] *n* нормальность, обычное состояние

normalization [ˌnɔ:məlaɪ'zeɪʃn] *n* 1) нормализация 2) стандартизация

normalize ['nɔ:məlaɪz] *v* 1) нормализовать; упорядочивать 2) нормировать; стандартизировать

normal school ['nɔ:mlsku:l] *n* педагогическое училище

Norman ['nɔ:mən] **1.** *n* 1) нормандец 2) *ист.* норманн 3) = ~ French [*см.* 2, 2)]

2. *a* 1) нормандский 2) *ист.* норманнский; the ~ Conquest завоевание Англии норманнами (*1066 г.*); ~ French норманнский диалект французского языка; ~ style английская архитектура XII в.

normative ['nɔ:mətɪv] *a* нормативный

Norn [nɔ:n] *n* (*обыкн. pl*) Норна (*богиня судьбы в скандинавской мифологии*)

Norse [nɔ:s] **1.** *n* 1) норвежский язык; Old ~ древнескандинавский язык 2) (the ~) *собир.* скандинавы; норвежцы

2. *a* 1) норвежский 2) древнескандинавский

Norseman ['nɔ:smən] *n* 1) норвежец 2) древний скандинав

north [nɔ:θ] *n* 1) север; *мор.* норд 2) (*обыкн.* the N.) северная часть страны (*Англии — к северу от залива Хамбер; США — севернее р. Огайо*); северный район города 3) (*обыкн.* the N.) северные страны; Арктика 4) норд, северный ветер

2. *a* 1) северный 2) обращённый к северу

3. *adv* к северу, на север, в северном направлении; ~ about *мор.* северным путём, огибая Шотландию; ~ of к северу от; lies ~ and south тянется (в направлении) с севера на юг

northeast [ˌnɔ:θ'i:st, *мор.* nɔ:r'i:st] **1.** *n* северо-восток; *мор.* норд-ост

2. *a* северо-восточный

3. *adv* к северо-востоку, на северо-восток

northeaster [ˌnɔ:θ'i:stə, *мор.* nɔ:r'i:stə] *n* сильный северо-восточный ветер, норд-ост

northeasterly [ˌnɔ:θ'i:stəlɪ, *мор.* nɔ:r'i:stəlɪ] **1.** *a* 1) расположенный к северо-востоку от 2) дующий с северо-востока

2. *adv* в северо-восточном направлении

northeastern [ˌnɔ:θ'i:stən] *a* северо-восточный

northeastward [ˌnɔ:θ'i:stwəd] **1.** *adv* в северо-восточном направлении; к северо-востоку

2. *a* расположенный на северо-востоке

3. *n* северо-восток

northeastwards [ˌnɔ:θ'i:stwədz] = northeastward 1

norther ['nɔ:ðə] *n* сильный северный ветер (*дующий осенью и зимой на юге США*)

northerly ['nɔ:ðəlɪ] **1.** *a* 1) северный (*о ветре*) 2) направленный, обращённый к северу

2. *adv* к северу

northern ['nɔ:ðn] **1.** *a* 1) северный 2) дующий с севера

2. *n* северянин, житель севера

northerner ['nɔ:ðənə] *n* 1) северянин; житель севера 2) (N.) житель северных штатов США

northern lights [ˌnɔ:ðn'laɪts] *n pl* северное сияние

northernmost ['nɔ:ðnməʊst] *a* самый северный

northing ['nɔ:ðɪŋ] *n мор.* 1) нордовая разность широт 2) дрейф на север

Northland ['nɔ:θlənd] *n* 1) *поэт.* север, северные страны; северные районы (*страны*) 2) Скандинавский полуостров

north light(s) ['nɔ:θlaɪt(s)] *n* (*pl*) = northern lights

Northman ['nɔ:θmən] *n* 1) житель Скандинавии, *особ.* Норвегии 2) *ист.* древний скандинав, норманн

north-polar [ˌnɔ:θ'pəʊlə] *a* северный, полярный, арктический

Northumbrian [nɔ:'θʌmbrɪən] **1.** *a* нортумбрский

2. *n* 1) житель древней Нортумбрии *или* современного Нортумберленда 2) северный диалект англо-саксонского языка 3) современный нортумберлендский диалект английского языка

northward ['nɔ:θwəd] **1.** *adv* к северу, на север

2. *a* расположенный к северу от; обращённый на север

3. *n* северное направление

northwardly ['nɔ:θwədlɪ] **1.** *adv* к северу, на север

2. *a* 1) направленный на север; расположенный на севере 2) северный (*о ветре*)

northwards ['nɔ:θwədz] = northward 1

northwest [ˌnɔ:θ'west, *мор.* nɔ:'west] **1.** *n* северо-запад; *мор.* норд-вест

2. *a* северо-западный

3. *adv* к северо-западу, на северо-запад

northwester [ˌnɔ:θ'westə, *мор.* nɔ:-'westə] *n* сильный северо-западный ветер, норд-вест

northwesterly [ˌnɔ:θ'westəlɪ, *мор.* nɔ:-'westəlɪ] **1.** *a* 1) расположенный к северо-западу от 2) дующий с северо-запада

2. *adv* в северо-западном направлении

northwestern [ˌnɔ:θ'westən] *a* северо-западный

northwestward [ˌnɔ:θ'westwəd] **1.** *adv* в северо-западном направлении; к северо-западу

2. *a* располо́женный на се́веро-за́паде
3. *n* се́веро-за́пад

northwestwards [ˌnɔ:θ'westwədz] = northwestward 1

norwards ['nɔ:wədz] = northward 1

Norwegian [nɔ:'wi:dʒn] 1. *a* норве́жский

2. *n* 1) норве́жец; норве́жка 2) норве́жский язы́к

nor'wester [ˌnɔ:'westə] *n* 1) = northwester 2) стака́н кре́пкого вина́ 3) [nɔ:'westə] *мор.* зюйдве́стка

nose [nəʊz] 1. *n* 1) нос; to blow one's ~ сморка́ться; to speak through one's (*или* the) ~ гнуса́вить; говори́ть в нос 2) обоня́ние, чутьё; to have a good ~ име́ть хоро́шее чутьё; to follow one's ~ а) идти́ пря́мо вперёд; б) руково́дствоваться ню́хом, чутьём, инсти́нктом 3) за́пах, арома́т (*чая, табака, сена*); буке́т (*вина*) 4) но́сик (*чайника*); го́рлышко 5) нос, пере́дняя часть (*лодки, самолёта, машины*) 6) *sl.* осведоми́тель, доно́счик ◇ on the ~ *амер.* то́чно; ≅ тю́телька в тю́тельку; to count (*или* to tell) ~s подсчи́тывать число́ прису́тствующих, голоса́, число́ свои́х сторо́нников *и т. п.*; to bite smb.'s ~ off огрызну́ться, ре́зко отве́тить кому́-л.; to make smb.'s ~ swell вызыва́ть си́льную за́висть *или* ре́вность; to pay through the ~ плати́ть бе́шеную це́ну; перепла́чивать; to wipe smb.'s ~ обма́нывать, надува́ть кого́-л.; to cut off one's ~ to spite one's face в поры́ве зло́сти де́йствовать во вред самому́ себе́; причиня́ть вред себе́, жела́я досади́ть друго́му; as plain as the ~ on one's face соверше́нно я́сно; to turn up one's ~ at относи́ться с презре́нием к; задира́ть нос пе́ред *кем-л.*

2. *v* 1) обоня́ть, ню́хать 2) разню́хать, вы́ведать (*тж.* ~ out) 3) вы́искивать, высле́живать (after, for) 4) тере́ться но́сом 5) осторо́жно продвига́ться вперёд (*о судне*) 6) сова́ть (свой) нос (into) ▭ ~ **about** вынюхивать, вы́ве́дывать; ~ **on** *sl.* доноси́ть; ~ **out** а) = 2); б) победи́ть с небольши́м преиму́ществом; ~ **over** *ав.* капоти́ровать; ~ **up** *ав.* задира́ть нос (*самолёта*)

nosebag ['nəʊzbæg] *n* 1) то́рба (*для лошади*) 2) *sl.* противога́з 3) *sl.* корзи́нка *или* су́мка с за́втраком

noseband ['nəʊzbænd] *n* перено́сье, нахра́пник (*уздечки*)

nosebleed ['nəʊzbli:d] *n* кровотече́ние из носу

nosedive ['nəʊzdaɪv] 1. *n* 1) *ав.* пики́рование, пике́; to fall into a ~ пики́ровать 2) ре́зкое паде́ние (*цен и т. п.*)

2. *v ав.* пики́ровать

nosegay ['nəʊzgeɪ] *n* буке́тик цвето́в

nose-heavy ['nəʊzˌhevɪ] *a ав.* перетяжелённый на́ нос

noseless ['nəʊzləs] *a* безно́сый

nose-over [ˌnəʊz'əʊvə] *n ав.* капоти́рование

nosepiece ['nəʊzpi:s] *n* 1) = noseband 2) револьве́рная голо́вка микроско́па 3) *тех.* наконе́чник, сопло́ 4) брандспо́йт

noser ['nəʊzə] *n* 1) си́льный встре́чный ве́тер 2) *sl.* челове́к, кото́рый всю́ду суёт свой нос 3) *sl.* доно́счик

noserag ['nəʊzræg] *n sl.* носово́й плато́к

nosering ['nəʊzrɪŋ] *n* ноздрево́е кольцо́ (*для быков, волов*)

nosewarmer ['nəʊzˌwɔ:mə] *n разг.* носогре́йка

nosey ['nəʊzɪ] = nosy

no-show ['nəʊʃəʊ] *n* нея́ви́вшийся пассажи́р (*самолёта, корабля и т. п.*), неприбы́вший гость (*в отель и т. п.*)

nosing ['nəʊzɪŋ] *n* предохрани́тельная око́вка (*углов, ступенек и т. п.*)

nosogenic [ˌnɒsəʊ'dʒenɪk] *a мед.* патоге́нный, болезнетво́рный

nosology [nɒ'sɒlədʒɪ] *n мед.* нозоло́гия

nostalgia [nɒ'stældʒə] *n* 1) тоска́ по про́шлому 2) тоска́ по ро́дине, ностальги́я

nostalgic [nɒ'stældʒɪk] *a* 1) тоску́ющий по про́шлому; вызыва́ющий тоску́ по про́шлому 2) тоску́ющий по ро́дине, страда́ющий ностальги́ей; вызыва́ющий ностальги́ю

nostril ['nɒstrəl] *n* ноздря́

nostrum ['nɒstrəm] *n* 1) патенто́ванное сре́дство; секре́тное лека́рственное сре́дство 2) излю́бленный приём (*политической партии*); панаце́я от всех бед

nosy ['nəʊzɪ] *a* 1) *разг.* любопы́тный; проны́рливый; to get ~ пронюха́ть 2) облада́ющий то́нким обоня́нием, хоро́шим чутьём 3) носа́тый; длинноно́сый 4) ду́рно па́хнущий, сопре́вший (*о сене и т. п.*) 5) арома́тный (*о чае и т. п.*) ◇ N. Parker челове́к, кото́рый всю́ду суёт свой нос

not [nɒt] *adv* 1) не, нет, ни (*в соединении с вспомогательными и модальными глаголами принимает в разг. речи форму* n't [nt]: isn't, don't, didn't, can't *и т. п.*); I know ~ *уст.* (= I do ~ know) я не зна́ю; it is cold, is it ~ (*или* isn't it)? хо́лодно, не пра́вда ли?; it is ~ cold, is it? не хо́лодно, пра́вда?; ~ a few мно́гие; нема́ло; ~ too well дово́льно скве́рно 2) *для усиления*: he won't pay you, ~ he! о́н-то вам не запла́тит, э́то уж пове́рьте!; I won't go there, ~ I я́-то уж не пойду́ туда́ ◇ ~ at all а) ниско́лько, ничу́ть; б) не сто́ит (благода́рности); ~ a bit (of it) ниско́лько; ~ but, ~ but that, ~ but what хотя́; не то что́бы; ~ half о́чень, си́льно; ещё как!; ~ for the world ни за что́ на све́те; ~ in the least ниско́лько; ~ on your life ни в ко́ем слу́чае; ~ to speak of не говоря́ уже́ о

nota bene [ˌnəʊtə'benɪ] *лат.* 1. *v imp.* обрати́ осо́бое внима́ние

2. *n* нотабе́не

notability [ˌnəʊtə'bɪlətɪ] *n* 1) изве́стность; значи́тельность, ва́жность 2) знамени́тость; изве́стный, знамени́тый челове́к

notable ['nəʊtəbl] 1. *a* 1) достопримеча́тельный, выдаю́щийся 2) заме́тный; значи́тельный

2. *n* 1) выдаю́щийся челове́к 2) *ист.* нота́бль 3) *pl ист.* аристокра́тия, знать, зна́тные ли́ца

notably ['nəʊtəblɪ] *adv* 1) исключи́тельно, осо́бенно, в осо́бенности 2) весьма́, заме́тно

notarial [nəʊ'teərɪəl] *a* нотариа́льный

notarize ['nəʊtəraɪz] *v амер.* заве́рить, засвиде́тельствовать нотариа́льно

notary ['nəʊtərɪ] *n* нота́риус

notation [nəʊ'teɪʃn] *n* 1) нота́ция, изображе́ние усло́вными зна́ками, ци́фрами, бу́квами *и т. п.*; musical ~ но́тная за́пись; scale of ~ *мат.* систе́ма счисле́ния 2) совоку́пность усло́вных зна́ков, применя́емых для сокращённого выраже́ния каки́х-л. поня́тий; phonetic ~ фонети́ческая транскри́пция 3) *амер.* запи́сывание 4) *амер.* за́пись; примеча́ние

notch [nɒtʃ] 1. *n* 1) вы́емка, ме́тка, зару́бка (*особ. на бирке*); зазу́брина; боро́здка, желобо́к, уто́р (*бочки*); зубе́ц (*храповика*); пропи́л, проре́з, вы́рез, паз 2) *разг.* сте́пень; у́ровень; prices have reached the highest ~ це́ны дости́гли вы́сшего у́ровня; he is a ~ above the others он значи́тельно вы́ше други́х 3) *амер.* тесни́на, уще́лье; го́рный перева́л

2. *v* заруба́ть, де́лать ме́тку; проре́зать

notched wheel ['nɒtʃtwi:l] *n тех.* храпови́к, храпово́е колесо́

note [nəʊt] 1. *n* 1) (*обыкн. pl*) заме́тка, за́пись; to take ~s of a lecture запи́сывать ле́кцию; he spoke without ~s он говори́л не по бума́жке 2) запи́ска 3) (дипломати́ческая) но́та 4) примеча́ние; сно́ска 5) банкно́т, ба́нковый биле́т 6) распи́ска; ~ of hand, promissory ~ просто́й ве́ксель 7) внима́ние; to take ~ of smth. обрати́ть внима́ние на что-л.; приня́ть что-л. к све́дению; worthy of ~ досто́йный внима́ния 8) *муз.* но́та 9) *поэт.* му́зыка, мело́дия 10) *муз.* кла́виша 11) звук, пе́ние; крик; the raven's ~ крик (*или* ка́рканье) во́рона 12) но́тка, тон; there's a ~ of assurance in his voice в его́ го́лосе слы́шится уве́ренность; to change one's ~ перемени́ть тон, заговори́ть по-ино́му; to strike the right (a false) ~ взять ве́рный (неве́рный) тон 13) сигна́л, знак; a ~ of warning предупрежде́ние 14) знак (*тж. полигр.*); ~ of interrogation (exclamation) вопроси́тельный (восклица́тельный) знак 15) зна́мение, си́мвол, знак 16) репута́ция; изве́стность; a man of ~ выдаю́щийся челове́к 17) отличи́тельный при́знак; the most essential ~ of our time наибо́лее хара́ктерный при́знак на́шего вре́мени 18) *редк.* клеймо́, печа́ть ◇ to compare ~s обме́ниваться мне́ниями, впечатле́ниями

2. *v* 1) замеча́ть, обраща́ть внима́ние, отмеча́ть 2) де́лать заме́тки, запи́сывать (*тж.* ~ down) 3) составля́ть коммента́рии; анноти́ровать 4) упомина́ть 5) ука́зывать, обознача́ть

notebook ['nəʊtbʊk] *n* записна́я кни́жка; тетра́дь

notecase ['nəʊtkeɪs] *n* бума́жник

noted [ˈnəʊtɪd] 1. *p. p. от* note 2

2. *a* знамени́тый, изве́стный; выдаю́щийся

notedly [ˈnəʊtɪdlɪ] *adv* в значи́тельной сте́пени; заме́тно

noteless [ˈnəʊtləs] *a* 1) незаме́тный 2) немузыка́льный

notepaper [ˈnəʊt,peɪpə] *n* почто́вая бума́га

note shaver [ˈnəʊt,ʃeɪvə] *n амер.* ростовщи́к

noteworthy [ˈnəʊt,wɜ:ðɪ] *a* заслу́живающий внима́ния; достопримеча́тельный

nothing [ˈnʌθɪŋ] 1. *pron neg.* ничто́, ничего́; ~ but то́лько; ничего́ кро́ме; ~ but the truth ничего́, кро́ме пра́вды; ~ else than не что́ ино́е, как; all to ~ всё ни к чему́; to come to ~ ко́нчиться ниче́м; не име́ть после́дствий; for ~ зря, без по́льзы; да́ром; из-за пустяка́; to get smth. for ~ получи́ть что-л. да́ром; ~ to ничто́ по сравне́нию с; my losses are ~ to yours вы потеря́ли гора́здо бо́льше, чем я; to have ~ to do with не каса́ться, не име́ть никако́го отноше́ния к; не име́ть ничего́ о́бщего с; to make ~ of smth. а) ника́к не испо́льзовать что-л.; б) не поня́ть чего́-л.; в) пренебрега́ть чем-л., легко́ относи́ться к чему́-л.; to have ~ on smb. а) не име́ть преиму́ществ пе́ред кем-л.; б) не име́ть прете́нзий к кому́-л.; в) не име́ть компрома́та на кого́-л.; next to ~ почти́ ничего́; о́чень ма́ло ◇ to say ~ of не говоря́ уже́ о; ~ to it (*или* in it) а) неве́рно *или* несуще́ственно; б) про́сто, легко́ (*сделать и т. п.*); в) ничу́ть не лу́чше; ~ very much ничего́ осо́бенного; no ~ реши́тельно ничего́; ~ doing ничего́ не вы́йдет, но́мер не пройдёт; to be for ~ in не игра́ть никако́й ро́ли в; не ока́зывать никако́го влия́ния на; there is ~ for it but ничего́ друго́го (не остаётся), как; there was ~ for it but to tell the truth пришло́сь сказа́ть пра́вду; ~ venture ~ have *посл.* ≅ волко́в боя́ться — в лес не ходи́ть; кто не риску́ет, тот ничего́ не добива́ется

2. *n* 1) пустяки́, ме́лочи; a mere ~ пустя́к; the little ~s of life ме́лочи жи́зни 2) небытие́, нереа́льность 3) ноль; пусто́е ме́сто 4) *мат.* ноль

3. *adv* ниско́лько, совсе́м нет; it differs ~ from э́то ниско́лько не отлича́ется от; ~ less than пря́мо-таки; про́сто-на́просто ◇ there is ~ like нет ничего́ лу́чше; there is ~ like a good rest са́мое лу́чшее — хорошо́ отдохну́ть

nothingarian [,nʌθɪŋˈeərɪən] *n* челове́к, не ве́рящий ни во что

nothingness [ˈnʌθɪŋnəs] *n* 1) ничто́, небытие́ 2) несуще́ственность; пустяки́ 3) ничто́жество

notice [ˈnəʊtɪs] 1. *n* 1) внима́ние; to bring (*или* to call) to smb.'s ~ а) привлека́ть чьё-л. внима́ние к; б) доводи́ть до све́дения кого́-л.; to come to smb.'s ~ стать изве́стным кому́-л.; to come into ~ привле́чь внима́ние; to take ~ а) наблюда́ть, примеча́ть; б) реаги́ровать на окружа́ющий мир (*о ребёнке*); to take no ~ of smb., smth. не замеча́ть кого́-л., чего́-л., не обраща́ть внима́ния на кого́-л., что-л.; to your ~ на ва́ше усмотре́ние 2) извеще́ние, уведомле́ние; предупрежде́ние; to give smb. a month's (a week's) ~ предупреди́ть кого́-л. (*часто* об увольне́нии) за ме́сяц (за неде́лю); to give ~ а) извеща́ть, уведомля́ть; б) предупрежда́ть о предстоя́щем увольне́нии; ~ to quit а) предупрежде́ние о необходи́мости освободи́ть кварти́ру; б) предупрежде́ние об увольне́нии; at (*или* on) short ~ то́тчас же; at a moment's ~ неме́дленно; until further ~ до осо́бого распоряже́ния; впредь до но́вого уведомле́ния 3) обозре́ние, реце́нзия 4) заме́тка, объявле́ние; афи́ша; obituary ~ объявле́ние о сме́рти; кра́ткий некроло́г

2. *v* 1) замеча́ть, обраща́ть внима́ние 2) отмеча́ть, упомина́ть; he was ~d in the report о нём упомяну́ли в докла́де 3) предупрежда́ть; уведомля́ть 4) дава́ть обзо́р, рецензи́ровать

noticeable [ˈnəʊtɪsəbl] *a* 1) заме́тный, приме́тный 2) досто́йный внима́ния

noticeably [ˈnəʊtɪsəblɪ] *adv* заме́тно, значи́тельно

notice-board [ˈnəʊtɪsbɔ:d] *n* доска́ для объявле́ний

notifiable [ˈnəʊtɪfaɪəbl] *a* подлежа́щий регистра́ции (*об инфекционной болезни*)

notification [,nəʊtɪfɪˈkeɪʃn] *n* 1) извеще́ние, сообще́ние; предупрежде́ние; уведомле́ние; нотифика́ция 2) объявле́ние 3) регистра́ция (*смерти и т. п.*) 4) (N.) *амер.* извеще́ние кандида́тов в президе́нты и вице-президе́нты о выдвиже́нии их кандидату́р

notify [ˈnəʊtɪfaɪ] *v* 1) извеща́ть, уведомля́ть (of, that) 2) объявля́ть; доводи́ть до всео́бщего све́дения 3) дава́ть све́дения 4) регистри́ровать

notion [ˈnəʊʃn] *n* 1) поня́тие; представле́ние; иде́я; to have no ~ of smth. не име́ть ни мале́йшего представле́ния о чём-л. 2) взгляд, мне́ние; то́чка зре́ния 3) наме́рение; I have no ~ of resigning я не собира́юсь подава́ть в отста́вку 4) изобрете́ние; остроу́мное приспособле́ние, -ый прибо́р 5) *pl* необходи́мые ме́лочи: ни́тки, була́вки *и пр.*; галантере́я 6) *attr.*: ~ department галантере́йный отде́л

notional [ˈnəʊʃnəl] *a* 1) вообража́емый 2) *филос.* умозри́тельный; отвлечённый; теорети́ческий 3) *лингв.* зна́чимый, смыслово́й 4) с причу́дами, стра́нный

notionalist [ˈnəʊʃnəlɪst] *n* 1) мысли́тель 2) теоре́тик

notoriety [,nəʊtəˈraɪətɪ] *n* 1) дурна́я сла́ва 2) *редк.* изве́стность; знамени́тость 3) челове́к, по́льзующийся дурно́й сла́вой

notorious [nəʊˈtɔ:rɪəs] *a* 1) по́льзующийся дурно́й сла́вой; печа́льно изве́стный; отъя́вленный; пресло́вутый 2) (обще)изве́стный; it is ~ that... хорошо́ изве́стно, что...

no-trump [,nəʊˈtrʌmp] *карт.* 1. *n* бескозы́рная игра́

2. *a* бескозы́рный

notwithstanding [,nɒtwɪðˈstændɪŋ] 1. *prep* несмотря́ на, вопреки́; this ~ несмотря́ на э́то

2. *adv* тем не ме́нее, одна́ко

3. *cj* хотя́

nougat [ˈnu:gɑ:] *n* нуга́

nought [nɔ:t] *n* 1) ноль; ~s and crosses кре́стики и но́лики (*игра*) 2) ничто́; to bring to ~ а) разоря́ть; б) своди́ть на не́т; to come to ~ сойти́ на не́т; не име́ть (никако́го) успе́ха; for ~ да́ром; зря, без по́льзы; из-за пустяка́; to set at ~ ни во что́ не ста́вить 3) ничто́жество (*о человеке*)

noun [naʊn] *n грам.* и́мя существи́тельное

nourish [ˈnʌrɪʃ] *v* 1) пита́ть, корми́ть 2) удобря́ть (*землю*) 3) пита́ть, леле́ять (*надежду и т. п.*)

nourishing [ˈnʌrɪʃɪŋ] 1. *pres. p. от* nourish

2. *a* пита́тельный

nourishment [ˈnʌrɪʃmənt] *n* 1) пита́ние 2) пи́ща; подде́ржка

nous [naʊs] *n* 1) *разг.* здра́вый смысл; смётка, сообрази́тельность 2) *филос.* ум; ра́зум; интелле́кт

nouveau riche [,nu:vəʊˈri:ʃ] *фр. n* (*pl* nouveaux riches) нувори́ш, бога́тый вы́скочка

nouveaux riches [,nu:vəʊˈri:ʃ] *pl от* nouveau riche

nova [ˈnəʊvə] *n* (*pl* -ae, -s [-z]) *астр.* но́вая звезда́

novae [ˈnəʊvi:] *pl от* nova

novation [nəʊˈveɪʃn] *n* 1) *юр.* нова́ция, заме́на существу́ющего обяза́тельства но́вым 2) нововведе́ние, но́вшество

novel I [ˈnɒvl] *n* 1) рома́н; problem ~ пробле́мный рома́н 2) нове́лла 3) *pl* сбо́рник нове́лл 4) *юр.* нове́лла, дополни́тельное узаконе́ние

novel II [ˈnɒvl] *a* но́вый, непривы́чный, оригина́льный

novel III [ˈnɒvl] *n* но́вый хлеб, зерно́ но́вого урожа́я

novelese [,nɒvəˈli:z] *n пренебр.* язы́к и стиль дешёвых рома́нов

novelette [,nɒvəˈlet] *n* 1) по́весть; расска́з; нове́лла 2) *пренебр.* бульва́рный рома́н

novelettish [,nɒvəˈletɪʃ] *a* сентимента́льный

novelise [ˈnɒvəlaɪz] = novelize I

novelist [ˈnɒvəlɪst] *n* (писа́тель-)романи́ст

novelize I [ˈnɒvəlaɪz] *v* придава́ть (*произведению*) фо́рму рома́на

novelize II [ˈnɒvəlaɪz] *v* 1) обновля́ть 2) вводи́ть но́вшество

novelty [ˈnɒvltɪ] *n* 1) новизна́ 2) но́вость, нови́нка, но́вшество; нововведе́ние 3) *pl* ме́лкие дешёвые това́ры но́вого образца́ (*игрушки, украшения и т. п.*), нови́нки 4) *attr.*: ~ store магази́н нови́нок

novel-writer [ˈnɒvl,raɪtə] *n* романи́ст

November [nəʊˈvembə] *n* 1) ноя́брь 2) *attr.* ноя́брьский

novercal [nəʊ'vɜ:kl] *a книжн.* мáчехин, присýщий, свóйственный мáчехе

novice ['nɒvɪs] *n* 1) *церк.* пóслýшник, пóслýшница 2) *церк.* новообращённый 3) начинáющий, новичóк

noviciate, novitiate [nəʊ'vɪʃɪət] *n* 1) *церк.* пóслушничество 2) *церк.* пóслýшник, пóслýшница 3) ученúчество, перúод ученúчества

now [naʊ] **1.** *adv* 1) тепéрь, сейчáс 2) тóтчас же, сию же минýту 3): just ~ a) в настоя́щий момéнт; б) тóлько что 4) тогдá, в то врéмя (*в повествовании*); it was ~ clear that... тогдá стáло я́сно, что... <> ~ and again, ~ and then врéмя от врéмени; ~... ~... то... то...; ~ hot, ~ cold то жáрко, то хóлодно; ~ (then)! а) ну; б) скорéй!; давáйте!; ~ then так вот, итáк

2. *cj* когдá, раз; I need not stay, ~ you are here мне нéчего оставáться, раз вы здесь; ~ you mention it I do remember тепéрь, когдá вы упомянýли об э́том, я припоминáю

3. *n* настоя́щее врéмя; дáнный момéнт; before ~ рáньше; by ~ к э́тому врéмени; ere ~ *поэт.* прéжде; till ~, up to ~ до сих пор; from ~ on (*или* onwards) в дальнéйшем, впредь; as from ~ с сегó числá, с настоя́щего врéмени

nowaday ['naʊədeɪ] *a* тепéрешний

nowadays ['naʊədeɪz] **1.** *adv* в нáше врéмя; в нáши дни; тепéрь

2. *n* настоя́щее врéмя

noway(s) ['nəʊweɪ(z)] = nowise

nowhere ['nəʊweə] *adv* нигдé; никудá; this will take us ~ э́то ни к чемý не приведёт, э́то нам ничегó не даст <> ~ near ни кáпли, нискóлько; to be (*или* to come in) ~ а) не попáсть в спúсок учáстников финáла; б) безнадёжно отстáть; в) потерпéть поражéние; г) *амер.* растеря́ться, не найтú отвéта; to come from ~ а) появúться неизвéстно откýда; б) неожúданно добúться успéха

no-win [,nəʊ'wɪn] *a* безнадёжный (*о положении*)

nowise ['nəʊwaɪz] *adv* никóим óбразом, ни в кóем слýчае; вóвсе нет

noxious ['nɒkʃəs] *a* врéдный, пáгубный; ядовúтый; ~ plants ядовúтые растéния

noyau ['nwaɪəʊ] *n* ликёр (*на персиковых косточках*)

nozzle ['nɒzl] *n* 1) *тех.* наконéчник; насáдка; соплó; форсýнка; выпускнóе отвéрстие; пáтрубок 2) *sl.* нос; рыло

n't [nt] *разг. см.* not

nth [enθ] *a мат.* э́нный <> to the ~ degree в вы́сшей стéпени, предéльно

nuance [nju:'ɑ:ns] *n* нюáнс, оттéнок

nub [nʌb] *n* 1) *разг.* суть, соль (*дела, рассказа*) 2) = nubble 3) шúшка; утолщéние

nubbin ['nʌbɪn] *n амер.* 1) кусóчек, комóчек 2) небольшóй незрéлый початóк кукурýзы

nubble ['nʌbl] *n* небольшóй комóк, кусóк (*особ. угля*)

nubbly ['nʌblɪ] *a* 1) узловáтый; шишковáтый 2) кусковóй; в кускáх

nubia ['nju:bɪə] *n* лёгкий жéнский шерстянóй шарф

Nubian ['nju:bɪən] **1.** *a* нубúйский **2.** *n* нубúец

nubile ['nju:baɪl] *a* 1) достúгший брáчного вóзраста (*о девушке*) 2) брáчный (*о возрасте*)

nubility [nju:'bɪlətɪ] *n* брáчный вóзраст

nuchal ['nju:kl] *a* зaты́лочный

nuciferous [nju:'sɪfərəs] *a бот.* орехоплóдный

nucivorous [nju:'sɪvərəs] *a зоол.* питáющийся орéхами

nuclear ['nju:klɪə] *a* 1) я́дерный; ~ energy я́дерная, áтомная энéргия, внутрия́дерная энéргия; ~ fallout радиоактúвные осáдки; ~ fission я́дерное делéние; ~ fusion сúнтез, слия́ние я́дер; ~ fuel я́дерное тóпливо; ~ physics я́дерная фúзика; ~ reactor я́дерный реáктор; ~ state (*или* power) я́дерная держáва; ~ test испытáние я́дерного орýжия; ~ weapon я́дерное орýжие; ~ diplomacy я́дерная дипломáтия; ~ disarmament я́дерное разоружéние; ~ waste радиоактúвные отхóды; ~ winter я́дерная зимá; ~ umbrella я́дерный зóнтик 2) *биол.* содержáщий ядрó

nuclear family [,nju:klɪə'fæmlɪ] *n* мáлая, нуклеáрная семья́

nuclear-free [,nju:klɪə'fri:] *a* безъя́дерный

nuclearization [,nju:klɪəraɪ'zeɪʃn] *n* оснащéние я́дерным орýжием

nucleate ['nju:klɪeɪt] **1.** *v* образóвывать ядрó

2. *a* = nuclear 2)

nuclei ['nju:klɪaɪ] *pl от* nucleus

nucleonics [,nju:klɪ'ɒnɪks] *n pl* (*употр. как sing*) нуклеóника, я́дерная фúзика и тéхника

nucleus ['nju:klɪəs] *n* (*pl* -lei) 1) ядрó; центр; ~ of a story суть расскáза 2) *физ.* ядрó (*атома*) 3) *бот.* кóсточка (*плода*); ядрó (*ореха*) 4) *биол.* ядрó (*клетки*) 5) *биол.* ядрó центрáльной нéрвной систéмы

nude [nju:d] **1.** *n* 1) обнажённая фигýра (*в живописи, скульптуре*) 2) (the ~) обнажённое тéло; in the ~ в гóлом вúде 3) *pl* тóнкие чулкú, «паутúнка»

2. *a* 1) нагóй; обнажённый; гóлый 2) неприкры́тый, я́сный; ~ fact очевúдный факт; ~ statement недвусмы́сленное, я́сное заявлéние 3) телéсного цвéта 4) *бот.* лишённый лúстьев 5) *зоол.* лишённый волóс, пéрьев, чешуú *и т. п.*

nudge [nʌdʒ] **1.** *n* лёгкий толчóк лóктем; to give a ~ подтолкнýть

2. *v* слегкá подтáлкивать лóктем (*особ. чтобы привлечь чьё-л. внимание*)

nudist ['nju:dɪst] *n* нудúст

nudity ['nju:dətɪ] *n* наготá

nuff said, nuf sed ['nʌfsed] *int амер. sl.* (*испорч.* enough said) достáточно; я понимáю; договорúлись

nugatory ['nju:gətərɪ] *a книжн.* 1) бесполéзный, тщéтный, пустя́чный 2) недействúтельный

nugget ['nʌgɪt] *n* саморóдок (*золота*)

nuisance ['nju:sns] *n* 1) досáда; неприя́тность; what a ~! какáя досáда! 2) надоéдливый человéк; to make a ~ of oneself надоедáть 3) помéха, неудóбство; public ~ нарушéние общéственного поря́дка

nuke [nju:k] *разг.* **1.** *n* я́дерное орýжие **2.** *v* уничтóжить я́дерным орýжием

null [nʌl] *a* 1) недействúтельный; ~ and void потеря́вший закóнную сúлу (*о договоре*); to render ~ аннулúровать 2) несуществýющий, нулевóй 3) нехарактéрный, невыразúтельный

nullah ['nʌlə] *n инд.* 1) вы́сохшее рýсло 2) ущéлье, образовáвшееся от потóка

nullification [,nʌlɪfɪ'keɪʃn] *n* аннулúрование, уничтожéние

nullify ['nʌlɪfaɪ] *v* аннулúровать; дéлать недействúтельным; сводúть к нулю́; сводúть на нéт

nullity ['nʌlətɪ] *n* 1) *юр.* недействúтельность; ~ of marriage недействúтельность брáка 2) ничтóжность 3) ничтóжество (*о человеке*) 4) *attr.*: ~ suit дéло о признáнии недействúтельным (*документа, брака и т. п.*)

numb [nʌm] **1.** *a* 1) онемéлый, оцепенéлый 2) окоченéлый (*от холода*)

2. *v* вызывáть онемéние *или* окоченéние, *перен.* поражáть, ошеломля́ть

number ['nʌmbə] **1** *n* 1) *мат.* сýмма, числó, цúфра; science of ~s арифмéтика 2) числó, колúчество; a ~ of нéкоторое колúчество; in ~ чúсленно, колúчеством; out of (*или* without) ~ мнóжество, без числá 3) *pl* большóе колúчество; многочúсленность; in (great) ~s а) в большóм колúчестве; б) значúтельными сúлами; ~s of people мнóго нарóду 4) нóмер; motor car's ~ нóмер автомашúны; call ~ шифр (*книги, плёнки и т. п.*) 5) нóмер (*программы*) 6) вы́пуск, нóмер, экземпля́р (*журнала и т. п.*); back ~ а) стáрый нóмер (*газеты, журнала*); б) нéчто устарéвшее; в) человéк, отстáвший от жúзни 7) грýппа, компáния; among our ~ из нáшей среды́ 8) *грам.* числó 9) *разг.* что-л. замéтное, бросáющееся в глазá; кто-л., привлекáющий внимáние, вызывáющий симпáтию; an attractive little ~ очаровáтельная девчýшка 10) *прос.* ритм, размéр 11) *pl прос.* стихú <> ~ one (*или* No. 1) а) своё «я»; сóбственная персóна; б) первоклáссный, сáмый глáвный; problem No. 1 сáмая вáжная проблéма; his ~ goes up он умирáет, егó пéсенка спéта, емý кры́шка

2. *v* 1) причисля́ть, зачисля́ть; to be ~ed with быть причúсленным к 2) чúслиться, быть в числé (among, in) 3) нумеровáть 4) насчúтывать; the population ~s 5000 населéние составля́ет 5000 человéк 5) считáть, пересчúтывать; his days are ~ed егó дни сочтены́ 6) *воен.* рассчúтываться; to ~ off дéлать перекли́чку по номерáм

numberless ['nʌmbələs] *a* 1) бесчúсленный, неисчислúмый 2) не имéющий нóмера

numberplate ['nʌmbəpleɪt] *n авто* номернóй знак

numb-fish ['nʌmfɪʃ] *n зоол.* электри́ческий скат

numbness ['nʌmnəs] *n* нечувстви́тельность

numdah ['nʌmdɑ:] *n инд.* 1) расши́тый во́йлочный ко́врик 2) = numnah

numerable ['nju:mərəbl] *a* исчисли́мый, поддаю́щийся счёту

numeral ['nju:mrəl] **1.** *n* 1) ци́фра; the Arabic (Roman) ~s ара́бские (ри́мские) ци́фры 2) *грам.* и́мя числи́тельное

2. *a* числово́й; цифрово́й

numerate ['nju:mərət] **1.** *a* разбира́ющийся в матема́тике, в то́чных нау́ках

2. *v редк.* счита́ть, подсчи́тывать

numeration [,nju:mə'reɪʃn] *n* 1) исчисле́ние, счёт; decimal ~ десяти́чная систе́ма счисле́ния 2) нумера́ция

numerator ['nju:məreɪtə] *n* 1) *мат.* числи́тель 2) вычисли́тель 3) *тех.* нумера́тор, счётчик 4) счётчик (*при перепи́си населе́ния*)

numerical [njʊ'merɪkl] *a* числово́й; цифрово́й

numerically [njʊ'merɪklɪ] *adv* 1) с по́мощью цифр, в ци́фрах; expressed ~ вы́раженный в ци́фрах 2) чи́сленно, в числово́м отноше́нии

numerous ['nju:mərəs] *a* многочи́сленный

numerously ['nju:mərəslɪ] *adv* в большо́м коли́честве

numismatic [,nju:mɪz'mætɪk] *a* нумизмати́ческий

numismatics [,nju:mɪz'mætɪks] *n pl* (*употр. как sing*) нумизма́тика

numismatist [nju:'mɪzmətɪst] *n* нумизма́т

nummary, nummulary ['nʌmərɪ, 'nʌmjʊlərɪ] *a* де́нежный, моне́тный

numnah ['nʌmnɑ:] *инд. n* потни́к (*под седло́м*)

numskull ['nʌmskʌl] *n* о́лух, ду́рья башка́, тупи́ца

nun [nʌn] *n* 1) мона́хиня 2) *зоол.* лазо́ревка

nun-bird ['nʌnbɜ:d] *n* вдо́вушка (*пти́ца*)

nun-buoy ['nʌnbɔɪ] *n мор.* кони́ческий буй

nunciature ['nʌnsɪətʃə] *n* до́лжность ну́нция

nuncio ['nʌnsɪəʊ] *n* (*pl* -os [-əʊz]) па́пский ну́нций

nuncupate ['nʌŋkjʊpeɪt] *v* де́лать у́стное завеща́ние (*в прису́тствии свиде́телей*); объявля́ть свою́ во́лю

nuncupative [nʌŋ'kju:pətɪv] *a* слове́сный, у́стный (*о завеща́нии*)

nundinal ['nʌndɪnəl] *a* ры́ночный

nunnery ['nʌnərɪ] *n* же́нский монасты́рь

nun's veiling ['nʌnz,veɪlɪŋ] *n* вуа́ль (*то́нкая шерстяна́я ткань*)

nuptial ['nʌpʃl] **1.** *a* бра́чный, сва́дебный

2. *n* (*обыкн. pl*) сва́дьба

nurse [nɜ:s] **1.** *n* 1) сиде́лка; медици́нская сестра́; male ~ а) санита́р; б) брат милосе́рдия 2) ня́ня, ня́нька; at ~ на попече́нии ня́ни; to put out to ~ отда́ть на попече́ние ня́ни 3) *уст.* корми́лица, ма́мка 4) *перен.* колыбе́ль; the ~ of liberty колыбе́ль свобо́ды 5) ня́нченье, пе́стование 6) де́рево, поса́женное для того́, что́бы дать тень други́м дере́вьям 7) *зоол.* рабо́чая пчела́; -ий мураве́й

2. *v* 1) ня́нчить 2) быть сиде́лкой; уха́живать (*за больны́м*) 3) лечи́ть (*на́сморк, просту́ду*) 4) корми́ть гру́дью, выка́рмливать (*ребёнка*) 5) брать грудь (*о ребёнке*), соса́ть 6) *pass.* расти́ть (*в каки́х-л. усло́виях*); he was ~d in poverty он вы́рос в бе́дности 7) ласка́ть 8) выра́щивать (*расте́ние*) 9) леле́ять (*мысль, наде́жду*); пита́ть, таи́ть (*зло́бу*); to ~ a grievance against smb. быть в оби́де на кого́-л. 10) обха́живать; стара́ться задо́брить; to ~ the public угожда́ть пу́блике; to ~ the constituency обраба́тывать избира́тельный о́круг (*с це́лью доби́ться избра́ния*) 11) бере́чь; to ~ a car осторо́жно води́ть маши́ну 12) эконо́мно хозя́йничать

nurse-child ['nɜ:stʃaɪld] *n* пито́мец, приёмыш

nurse-dietitian [,nɜ:sdaɪ'tɪʃn] *n* диетсестра́

nurseling ['nɜ:slɪŋ] = nursling

nursemaid ['nɜ:smeɪd] *n* ня́ня

nurse-pond ['nɜ:spɒnd] *n* садо́к (*для рыб*)

nursery ['nɜ:srɪ] *n* 1) де́тская (*ко́мната*) 2) я́сли (*для дете́й*) 3) расса́дник, пито́мник 4) инкуба́тор 5) садо́к (*для рыб*)

nursery garden ['nɜ:srɪ,gɑ:dn] *n* пито́мник, садово́дство

nursery governess ['nɜ:srɪ,gʌvnəs] *n* бо́нна; воспита́тельница

nurserymaid ['nɜ:srɪmeɪd] *n* ня́ня

nurseryman ['nɜ:srɪmən] *n* владе́лец пито́мника; садо́вник в пито́мнике

nursery rhymes ['nɜ:srɪraɪmz] *n pl* де́тские стишки́; прибау́тки

nursery school ['nɜ:srɪsku:l] *n* де́тский сад

nursery transplant ['nɜ:srɪtræns,plɑ:nt] *n с.-х.* са́женец

nursing bottle ['nɜ:sɪŋ,bɒtl] *n* рожо́к (*де́тский*)

nursing centre ['nɜ:sɪŋ,sentə] *n* де́тская консульта́ция

nursing home ['nɜ:sɪŋhəʊm] *n* ча́стная лече́бница

nursling ['nɜ:slɪŋ] *n* 1) грудно́й ребёнок 2) пито́мец 3) люби́мец 4) молодо́е живо́тное *или* расте́ние

nurture ['nɜ:tʃə] **1.** *n* 1) воспита́ние; обуче́ние 2) выра́щивание 3) пита́ние; пи́ща

2. *v* 1) воспи́тывать; обуча́ть 2) выра́щивать; вына́шивать (*план и т. п.*) 3) пита́ть

nut [nʌt] **1.** *n* 1) оре́х 2) *тех.* га́йка; му́фта 3) *sl.* башка́, котело́к; to be off one's ~ спя́тить 4) чуда́к; сумасбро́д 5) *sl.* дурачо́к, «псих» 6) *sl.* поме́шанный, свихну́вшийся (*на чём-л.*) 7) *sl.* фат, щёголь 8) *pl* ме́лкий у́голь ◇ ~s and bolts основны́е элеме́нты (*чего́-л.*); осно́вы, азы́; a hard ~ to crack а) «кре́пкий оре́шек»; «не по зуба́м»; тру́дная зада́ча; б) тру́дный челове́к; ~s! великоле́пно!; to be ~s about (*или* on) smth. помеша́ться на чём-л.; not for ~s совсе́м не, ниско́лько; she cannot sing for ~s она́ совсе́м не уме́ет петь

2. *v* 1) собира́ть оре́хи; to go ~ting отпра́виться по оре́хи 2) *sl.* шевели́ть мозга́ми; to ~ out smth. обмозгова́ть что-л.

nutation [nju:'teɪʃn] *n* 1) наклоне́ние, пока́чивание (*головы́*); киво́к 2) *астр., бот.* нута́ция

nut-brown ['nʌtbraʊn] *a* оре́хового, кори́чневого цве́та

nutcase ['nʌtkeɪs] *n sl.* псих; идио́т

nutcracker ['nʌt,krækə] *n* 1) (*обыкн. pl*) щипцы́ для оре́хов 2) оре́ховка (*пти́ца*)

nut-gall ['nʌtgɔ:l] *n* черни́льный оре́х

nuthatch ['nʌthætʃ] *n зоол.* по́ползень

nuthouse ['nʌthaʊs] *n sl.* психу́шка, сумасше́дший дом

nutlet ['nʌtlət] *n* оре́шек

nutmeg ['nʌtmeg] *n* муска́тный оре́х

nut-oil ['nʌt,ɔɪl] *n* оре́ховое ма́сло

nut-pine ['nʌtpaɪn] *n* сосна́ италья́нская, пи́ния

nutria ['nju:trɪə] *n* ну́трия (*живо́тное и мех*)

nutrient ['nju:trɪənt] **1.** *n* пита́тельное вещество́

2. *a* пита́тельный

nutriment ['nju:trɪmənt] *n* пи́ща; корм

nutrition [njʊ'trɪʃn] *n* 1) пита́ние 2) пи́ща

nutritionist [njʊ'trɪʃnɪst] *n* 1) дието́лог; диетвра́ч 2) диетсестра́

nutritious [njʊ'trɪʃəs] *a* пита́тельный

nutritive ['nju:trətɪv] **1.** *n* пита́тельное вещество́

2. *a* 1) пита́тельный 2) пищево́й

nutshell ['nʌtʃel] *n* оре́ховая скорлупа́ ◇ in a ~ кра́тко, в двух слова́х

nutting ['nʌtɪŋ] **1.** *pres. p. от* nut 2

2. *n* сбор оре́хов

nut-tree ['nʌt,tri:] *n* оре́шник

nutty ['nʌtɪ] *a* 1) име́ющий вкус оре́ха; вку́сный 2) интере́сный, пика́нтный 3) *разг.* наря́дный, щегольско́й 4) *sl.* увлека́ющийся (upon) 5) *sl.* рехну́вшийся

nutwood ['nʌtwʊd] *n* 1) оре́шник 2) оре́ховое де́рево (*древеси́на*)

nuzzle ['nʌzl] *v* 1) ты́кать(ся), тере́ться но́сом 2) ры́ть(ся) ры́лом 3) сова́ть нос (at, against, into) 4) прижа́ться; приюти́ться, прикорну́ть

nyctalopia [,nɪktə'ləʊpɪə] *n мед.* никтало́пия, кури́ная слепота́

nylghau ['nɪlgɒ] = nilgai

nylon ['naɪlɒn] **1.** *n* 1) нейло́н 2) нейло́новые чулки́

2. *a* нейло́новый

nymph [nɪmf] *n* 1) *миф.* ни́мфа 2) *поэт.* краси́вая, изя́щная де́вушка 3) ку́колка, ни́мфа, личи́нка (*насеко́мого*)

O

O, o I [əʊ] *n* (*pl* Os, O's, Oes [əʊz]) 1) *15-я буква англ. алфавита* 2) нуль, ничто́

O II [əʊ] = oh; O my!, O dear me! бо́же мой!

O' [əʊ-] *pref перед ирландскими именами, напр.*: O'Connor O'Ко́ннор

o' [ə-] 1) *сокр. от* of; six o'clock шесть часо́в 2) *сокр. от* on; to sleep o'nights спать по ноча́м

oaf [əʊf] *n* (*pl* oafs [-s], oaves) 1) неотёсанный, неуклю́жий челове́к, нескладёха 2) уро́дливый *или* глу́пый ребёнок; дурачо́к 3) *миф.* ребёнок, подменённый э́льфами

oafish ['əʊfɪʃ] *a* 1) неуклю́жий, нескла́дный 2) придурковáтый

oak [əʊk] *n* 1) дуб; dyer's (*или* black) ~ краси́льный дуб 2) древеси́на ду́ба 3) изде́лия из ду́ба (*напр.*, ме́бель *и т. п.*) 4) вено́к из дубо́вых ли́стьев 5) *унив. разг.* нару́жная дверь 6) (the Oaks) *pl* Э́псомские ска́чки для трёхле́тних кобы́л 7) *attr.* дубо́вый

oak apple ['əʊk,æpl] *n* черни́льный оре́шек; *pl* га́ллы, наро́сты на ли́стьях ду́ба

oaken ['əʊkən] *a* дубо́вый

oakery ['əʊkərɪ] *n* дубня́к, дубра́ва; ме́стность, поро́сшая дубняко́м

oak-gall ['əʊkgɔ:l] = oak apple

oaklet ['əʊklɪt] *n* молодо́й дуб, дубо́к

oakling ['əʊklɪŋ] = oaklet

oak-nut ['əʊknʌt] = oak apple

oak-tree ['əʊktri:] = oak 1)

oakum ['əʊkəm] *n* па́кля; to pick ~ щипа́ть па́клю

oak wood ['əʊkwʊd] *n* 1) дубра́ва, дубо́вая ро́ща 2) = oak 2)

oaky ['əʊkɪ] *a* дубо́вый, кре́пкий

oar [ɔ:] **1.** *n* 1) весло́; to pull a good ~ хорошо́ грести́; to rest (*или* to lie) on one's ~s суши́ть вёсла; *перен.* безде́йствовать, почи́ть на ла́врах; ~s! *мор.* суши́ вёсла! 2) гребе́ц; a good ~ хоро́ший гребе́ц ◇ to have an ~ in every man's boat постоя́нно лезть не в своё де́ло; to put in one's ~, to put one's ~ in вме́шиваться (*в разговор, чужие дела и т. п.*)

2. *v* грести́

oarage ['ɔ:rɪdʒ] *n* 1) гре́бля 2) компле́кт вёсел

oared [ɔ:d] **1.** *p. p. от* oar 2

2. *a* вёсельный, вёсельный

oarer ['ɔ:rə] = oarsman

oarsman ['ɔ:zmən] *n* гребе́ц

oarsmanship ['ɔ:zmənʃɪp] *n* уме́ние грести́, иску́сство гре́бли

oases [əʊ'eɪsi:z] *pl от* oasis

oasis [əʊ'eɪsɪs] *n* (*pl* oases) оа́зис

oast [əʊst] *n* печь для су́шки хме́ля *или* со́лода

oast house ['əʊsthaʊs] *n* хмелесуши́лка

oat [əʊt] *n* 1) *бот.* овёс 2) *pl* овёс, овся́ная крупа́; овся́ная ка́ша 3) *поэт.* свире́ль из сте́бля овся́ной соло́мы; пасту́ший рожо́к 4) *attr.* овся́ный, овсяно́й ◇ to feel one's ~s а) быть весёлым, оживлённым; б) чу́вствовать свою си́лу; to smell one's ~s напря́чь после́дние си́лы (*при приближении к цели*); to sow one's wild ~s перебеси́ться, остепени́ться

oatcake ['əʊtkeɪk] *n* овся́ная лепёшка

oaten ['əʊtn] *a уст.* 1) овся́ный, овсяно́й 2) из овся́ной соло́мы

oat flakes ['əʊt,fleɪks] *n pl* геркуле́с, овся́ные хло́пья

oath [əʊθ]; *pl* əʊðz] *n* 1) кля́тва; прися́га; on ~ под прися́гой; ~ of allegiance прися́га на ве́рность; во́инская прися́га; ~ of office прися́га при вступле́нии в до́лжность; to make (*или* to take, to swear) an ~ дать кля́тву; to put smb. on ~, to administer the ~ to smb. привести́ кого́-л. к прися́ге; on my ~! кляну́сь!, че́стное сло́во! 2) божба́ 3) богоху́льство; прокля́тия, руга́тельства

oath-breaker ['əʊθ,breɪkə] *n* клятвопресту́пник; наруши́тель прися́ги

oath-breaking ['əʊθ,breɪkɪŋ] *n* наруше́ние кля́твы *или* прися́ги

oatmeal ['əʊtmi:l] *n* 1) овся́ная мука́, толокно́ 2) овся́нка, овся́ная ка́ша

oaves [əʊvz] *pl от* oaf

obduracy ['ɒbdjʊrəsɪ] *n* 1) упря́мство 2) закосне́лость; чёрствость; ожесточе́ние

obdurate ['ɒbdjʊrət] *a* 1) упря́мый 2) закосне́лый; чёрствый; ожесточённый

obedience [ə'bi:dɪəns] *n* послуша́ние; повинове́ние, подчине́ние; поко́рность ◇ in ~ to согла́сно, в соотве́тствии с

obedient [ə'bi:dɪənt] *a* послу́шный; поко́рный; your ~ servant ваш поко́рный слуга́ (*в официальном письме*)

obedientiary [ə,bi:dɪ'enʃərɪ] *n* мона́х (*выполняющий какое-л. послушание*)

obeisance [əʊ'beɪsns] *n* 1) revera*нс; почти́тельный покло́н 2) почте́ние, уваже́ние; to do (*или* to pay) ~ to smb. вы́разить почте́ние кому́-л.

obeli ['ɒbəlaɪ] *pl от* obelus

obelisk ['ɒbəlɪsk] *n* 1) обели́ск 2) *полигр.* знак — *или* знак ÷ (*ставится в рукописях против сомнительного слова*) 3) *полигр.* знак ссы́лки, кре́стик

obelize ['ɒbəlaɪz] *v* отмеча́ть кре́стиком

obelus ['ɒbələs] *n* (*pl* -li) = obelisk

obese [əʊ'bi:s] *a* ту́чный, страда́ющий ожире́нием

obesity [əʊ'bi:sətɪ] *n* ту́чность, ожире́ние

obey [ə'beɪ] *v* повинова́ться, подчиня́ться; слу́шаться; выполня́ть приказа́ние; to ~ the law подчиня́ться зако́ну; to ~ the rule сле́довать пра́вилу

obfuscate ['ɒbfʌskeɪt] *v книжн.* 1) затемня́ть (*свет, вопрос и т. п.*) 2) сбива́ть с то́лку; тума́нить рассу́док

obi ['əʊbɪ] *n* о́би (*широкий яркий шёлковый пояс к кимоно*)

obiter ['ɒbɪtə] *лат. adv* ме́жду про́чим, мимохо́дом; ~ dictum а) *юр.* неофициа́льное мне́ние; б) случа́йное замеча́ние

obituarist [ə'bɪtʃʊərɪst] *n* а́втор некроло́га

obituary [ə'bɪtʃʊərɪ] **1.** *n* 1) некроло́г 2) спи́сок уме́рших

2. *a* 1) погреба́льный, похоро́нный 2) некрологи́ческий; ~ notice некроло́г

object I ['ɒbdʒɪkt] *n* 1) предме́т; вещь 2) объе́кт (*изучения и т. п.*) 3) цель; to fail (to succeed) in one's ~ не дости́чь (дости́чь) це́ли 4) *грам.* дополне́ние 5) *филос.* объе́кт (*в противоп. субъекту*) 6) *разг.* несура́зный челове́к, неле́пая вещь *и т. п.*; what an ~ you look in that hat! ну и вид же у тебя́ в э́той шля́пе! ◇ no ~ не име́ет значе́ния; money (time) no ~ опла́та (часы́ рабо́ты) по соглаше́нию (*в объявлениях*); distance no ~ расстоя́ние не име́ет значе́ния (*в объявлениях*)

object II [əb'dʒekt] *v* 1) возража́ть, протестова́ть (to, against); I ~ to smoking я возража́ю про́тив куре́ния 2) не люби́ть, не переноси́ть

object-finder ['ɒbdʒɪkt,faɪndə] *n фото* видоиска́тель

object-glass ['ɒbdʒɪktglɑ:s] *n опт.* объекти́в

objectify [əb'dʒektɪfaɪ] *v* воплоща́ть

objection [əb'dʒekʃn] *n* 1) возраже́ние, проте́ст; to take ~ возража́ть; to raise no ~ не возража́ть; to lodge an ~ заяви́ть проте́ст; there is no ~ to his leaving ничто́ не препя́тствует его́ отъе́зду 2) неодобре́ние, нелюбо́вь 3) недоста́ток, дефе́кт

objectionable [əb'dʒekʃnəbl] *a* 1) вызыва́ющий возраже́ния; нежела́тельный; спо́рный; an ~ plan неприе́млемый план; to be least ~ встреча́ть ме́ньше всего́ возраже́ний 2) предосуди́тельный 3) непри́ятный, неудо́бный; an ~ smell отврати́тельный за́пах

objective [əb'dʒektɪv] **1.** *n* 1) цель; стремле́ние 2) *воен.* объе́кт (*наступле-*

ния) 3) *грам.* объе́ктный *или* ко́свенный паде́ж 4) *опт.* объекти́в

2. *a* 1) *филос.* объекти́вный; реа́льный, действи́тельный; ~ method индукти́вный ме́тод 2) объекти́вный, беспристра́стный 3) предме́тный; веще́ственный; ~ table предме́тный сто́лик (*микроскопа*) 4) *грам.* относя́щийся к дополне́нию; ~ case объе́ктный (*или* ко́свенный) паде́ж 5) целево́й; ~ point *воен.* цель движе́ния, объе́кт де́йствий; *перен.* коне́чная цель

objectivism [əb'dʒektɪvɪzəm] *n* 1) стремле́ние к объекти́вности 2) *филос.* призна́ние существова́ния объекти́вной реа́льности 3) объективи́зм

objectivity [ˌɒbdʒek'tɪvətɪ] *n* объекти́вность

object language ['ɒbdʒɪkt,læŋgwɪdʒ] *n* 1) изуча́емый иностра́нный язы́к 2) *вчт.* выходно́й язы́к

objectless ['ɒbdʒɪktləs] *a* беспредме́тный, бесце́льный

object lesson ['ɒbdʒɪkt,lesn] *n* 1) уро́к с демонстра́цией нагля́дных посо́бий 2) нагля́дное доказа́тельство, нагля́дный приме́р

objector [əb'dʒektə] *n* возража́ющий, тот, кто возража́ет

objurgate ['ɒbdʒəgeɪt] *v* *книжн.* брани́ть, упрека́ть

objurgation [ˌɒbdʒə'geɪʃn] *n* *книжн.* упрёк, вы́говор

objurgatory [ɒb'dʒɜ:gətərɪ] *a* *книжн.* укори́зненный

oblate ['ɒbleɪt] *a* 1) *церк.* посвяти́вший себя́ (*монашеской жизни и т. п.*) 2) *геом.* сплю́щенный (*у полюсов*)

oblation [ə'bleɪʃn] *n* 1) же́ртва; жертвоприноше́ние 2) поже́ртвование на це́рковь *или* благотвори́тельные дела́ 3) (O.) *церк.* евхари́стия, причаще́ние

oblational [ə'bleɪʃnəl] *a* же́ртвенный

oblatory ['ɒblətərɪ] = oblational

obligate ['ɒblɪgeɪt] *v* обя́зывать (*обыкн. pass.*)

obligation [ˌɒblɪ'geɪʃn] *n* 1) принуди́тельная си́ла, обяза́тельность (*закона, договора и т. п.*); of ~ обяза́тельный 2) обя́занность; долг; to be under an ~ to smb. быть в долгу́ пе́ред кем-л. 3) обяза́тельство; to undertake (*или* to assume) ~s принима́ть обяза́тельства; to repay an ~ отплати́ть тем же (*напр., гостеприимством за гостеприимство и т. п.*) 4) чу́вство до́лга, призна́тельности

obligatory [ə'blɪgətərɪ] *a* 1) обяза́тельный 2) обя́зывающий

oblige [ə'blaɪdʒ] *v* 1) обя́зывать; свя́зывать обяза́тельством; принужда́ть, заставля́ть; to be ~d to do smth. быть обя́занным *или* вы́нужденным сде́лать что-л. 2): to be ~d быть благода́рным; I am much ~d (to you) о́чень (вам) призна́телен 3) де́лать одолже́ние, угожда́ть; ~ me by closing the door закро́йте, пожа́луйста, дверь; will you ~ us with a song? не споёте ли вы нам?

obligee [ˌɒblɪ'dʒi:] *n* *юр.* лицо́, по отноше́нию к кото́рому при́нято обяза́тельство; кредито́р

obliging [ə'blaɪdʒɪŋ] 1. *pres. p. от* oblige

2. *a* обяза́тельный, услу́жливый, любе́зный; ~ neighbours ми́лые сосе́ди

obligingly [ə'blaɪdʒɪŋlɪ] *adv* любе́зно, услу́жливо; ве́жливо

obligor [ˌɒblɪ'gɔ:] *n* *юр.* лицо́, приня́вшее на себя́ обяза́тельство; должни́к, дебито́р

oblique [ə'bli:k] 1. *a* 1) косо́й, накло́нный; ~ fire *воен.* косоприце́льный ого́нь 2) око́льный; непрямо́й 3) *геом.* непрямо́й, о́стрый *или* тупо́й (*угол*); накло́нный (*о плоскости*) 4) *грам.* ко́свенный; ~ case ко́свенный паде́ж; ~ oration (*или* narration, speech) ко́свенная речь

2. *v* *воен.* продвига́ться вкось

obliquity [ə'blɪkwətɪ] *n* 1) косо́е направле́ние 2) отклоне́ние от прямо́го пути́, от но́рмы 3) *тех.* скос; ко́нусность 4) *астр.* наклоне́ние (*орбиты*)

obliterate [ə'blɪtəreɪt] *v* 1) вычёркивать, стира́ть; уничтожа́ть 2) изгла́живать(ся); time ~s sorrow ≅ вре́мя — лу́чший ле́карь; со вре́менем го́ре прохо́дит

obliteration [əˌblɪtə'reɪʃn] *n* 1) вычёркивание, стира́ние; уничтоже́ние 2) забве́ние

oblivion [ə'blɪvɪən] *n* 1) забве́ние; to fall (*или* to sink) into ~ быть пре́данным забве́нию; быть забы́тым 2) забы́вчивость 3) поми́лование; амни́стия

oblivious [ə'blɪvɪəs] *a* 1) забы́вчивый; непо́мнящий, забыва́ющий (of) 2) рассе́янный; не обраща́ющий внима́ния 3) даю́щий забве́ние

oblong ['ɒblɒŋ] 1. *a* продолгова́тый; удлинённый

2. *n* продолгова́тая фигу́ра, продолгова́тый предме́т

obloquy ['ɒbləkwɪ] *n* 1) позо́р 2) злосло́вие, поноше́ние; оскорбле́ние

obnoxious [əb'nɒkʃəs] *a* неприя́тный, проти́вный, несно́сный

oboe ['əʊbəʊ] *n* гобо́й

oboist ['əʊbəʊɪst] *n* гобои́ст

obscene [əb'si:n] *a* непристо́йный, непотре́бный, неприли́чный; гря́зный

obscenity [əb'senətɪ] *n* 1) непристо́йность 2) руга́тельство, неприли́чное сло́во

obscurant [əb'skjʊrənt] *n* мракобе́с, обскура́нт

obscurantism [ˌɒbskjʊ'ræntɪzəm] *n* мракобе́сие, обскуранти́зм

obscurantist [ˌɒbskjʊ'ræntɪst] 1. *n* = obscurant

2. *a* обскуранти́стский

obscuration [ˌɒbskjʊ'reɪʃn] *n* 1) помраче́ние 2) *астр.* затме́ние

obscure [əb'skjʊə] 1. *a* 1) непоня́тный; невразуми́тельный 2) нея́сный, сму́тный, неотчётливый 3) мра́чный, тёмный; ту́склый 4) скры́тый, уединённый 5) незаме́тный; неизве́стный, безве́стный 6) ту́склый, блёклый (*о цвете*)

2. *v* 1) затемня́ть; *перен.* затушёвывать 2) де́лать нея́сным (*о значении слова и т. п.*) 3) загора́живать; to ~ the light загора́живать свет 4) затмева́ть; to ~ smb.'s fame затми́ть чью-л. сла́ву

obscurity [əb'skjʊərətɪ] *n* 1) нея́сность, непоня́тность 2) мрак; тьма, темнота́ 3) неизве́стность, безве́стность; незаме́тность; to live in ~ жить в неизве́стности; to sink (*или* to lapse) into ~ быть пре́данным забве́нию 4) что-л. нея́сное; непоня́тный челове́к; a story full of obscurities расска́з, в кото́ром мно́го непоня́тного

obsecration [ˌɒbsɪ'kreɪʃn] *n* про́сьба, мольба́

obsequial [ɒb'si:kwɪəl] *a* похоро́нный, погреба́льный

obsequies ['ɒbsəkwɪz] *n pl* по́хороны; погреба́льный обря́д

obsequious [əb'si:kwɪəs] *a* раболе́пный, подобостра́стный; to be ~ to (*или* with) smb. уго́дничать, расша́ркиваться пе́ред кем-л.

observable [əb'zɜ:vəbl] *a* 1) заме́тный, различи́мый 2) тре́бующий соблюде́ния (*чего-л.*) 3) поддаю́щийся наблюде́нию 4) досто́йный внима́ния

observance [əb'zɜ:vns] *n* 1) соблюде́ние (*закона, обычая и т. п.*; of) 2) обря́д, ритуа́л 3) *уст.* почте́ние

observant [əb'zɜ:vnt] 1. *a* 1) наблюда́тельный, внима́тельный 2) исполня́ющий (*законы, предписания и т. п.*); соблюда́ющий религио́зный ритуа́л 3) исполни́тельный

2. *n* (O.) франциска́нец са́мого стро́гого то́лка

observation [ˌɒbzə'veɪʃn] *n* 1) наблюде́ние; to keep under ~ держа́ть под наблюде́нием; he was sent to hospital for ~ его́ положи́ли в больни́цу для клини́ческого иссле́дования 2) наблюда́тельность; a man of little ~ ненаблюда́тельный челове́к 3) (*обыкн. pl*) результа́ты нау́чных наблюде́ний 4) замеча́ние, выска́зывание; to make an ~ сде́лать замеча́ние 5) соблюде́ние (*законов, правил и т. п.*) 6) определе́ние координа́т по высоте́ со́лнца 7) *attr.* наблюда́тельный; ~ car а) ваго́н с больши́ми о́кнами (*для туристов*); б) *ж.-д.* служе́бный ваго́н для прове́рки состоя́ния пути́; ~ satellite *воен.* разве́дывательный спу́тник; ~ post *воен.* наблюда́тельный пункт

observational [ˌɒbzə'veɪʃnəl] *a* наблюда́тельный

observatory [əb'zɜ:vətrɪ] *n* 1) обсервато́рия 2) наблюда́тельный пункт

observe [əb'zɜ:v] *v* 1) наблюда́ть, следи́ть (*за чем-л.*); замеча́ть 2) соблюда́ть (*законы и т. п.*); to ~ good manners быть о́чень ве́жливым; to ~ silence храни́ть молча́ние; to ~ the time быть пунктуа́льным; to ~ a birthday отмеча́ть, пра́здновать день рожде́ния 3) вести́ нау́чные наблюде́ния 4) заме́тить, сказа́ть; allow me to ~ разреши́те мне заме́тить; it will be ~d прихо́дится, на́до отме́тить

observer [əb'zɜ:və] *n* 1) наблюда́тель 2) соблюда́ющий (*что-л.*; of); an ~ of his promises человéк, всегдá выполняющий обещáния 3) обозревáтель (*в газете*) 4) лётчик-наблюдáтель

obsess [əb'ses] *v* завладéть, преслéдовать, мýчить (*о навязчивой идее и т. п.*); овладéть, обуя́ть (*о страхе*)

obsession [əb'seʃn] *n* 1) одержи́мость (*желанием и т. п.*) 2) навя́зчивая идéя

obsidian [əb'sɪdɪən] *n мин.* обсидиáн, вулкани́ческое стеклó

obsolescence [,ɒbsə'lesns] *n* устаревáние

obsolescent [,ɒbsə'lesnt] *a* выходя́щий из употреблéния; устаревáющий, отживáющий

obsolete ['ɒbsəli:t] *a* 1) вы́шедший из употреблéния; устарéлый 2) атрофи́рованный

obstacle ['ɒbstəkl] *n* 1) препя́тствие, помéха; to throw ~s in smb.'s way чини́ть препя́тствия комý-л.; to surmount (*или* to overcome) ~s преодолевáть препя́тствия 2) *attr.*: ~ course *спорт.* полосá препя́тствий

obstacle-race ['ɒbstəklreɪs] *n* бег *или* скáчки с препя́тствиями

obstetric(al) [əb'stetrɪk(l)] *a* родовспомогáтельный; акушéрский

obstetrician [,ɒbstə'trɪʃn] *n* акушéр; акушéрка

obstetrics [əb'stetrɪks] *n pl* (*употр. как sing.*) акушéрство

obstinacy ['ɒbstɪnəsɪ] *n* упря́мство; настóйчивость, упóрство

obstinate ['ɒbstɪnət] *a* 1) упря́мый; настóйчивый, упóрный 2) трудноизлечи́мый

obstipation [,ɒbstɪ'peɪʃn] *n мед.* си́льный запóр

obstreperous [əb'strepərəs] *a* шýмный, беспокóйный; бýйный

obstruct [əb'strʌkt] *v* 1) заграждáть, преграждáть, загромождáть (*проход*); препя́тствовать (*продвижению*); to ~ the traffic препя́тствовать движéнию трáнспорта 2) затрудня́ть, мешáть; заслоня́ть; to ~ the light загорáживать свет; to ~ the view заслоня́ть вид 3) *парл.* устрáивать обстрýкцию 4) *мед.* затрудня́ть проходи́мость; вызывáть запóр

obstruction [əb'strʌkʃn] *n* 1) затруднéние *или* преграждéние прохóда, продвижéния 2) заграждéние, помéха; препя́тствие; policy of ~ поли́тика препя́тствий и помéх 3) *парл.* обстрýкция 4) *мед.* непроходи́мость; закýпорка 5) *мед.* запóр

obstructionism [əb'strʌkʃnɪzəm] *n парл.* обструкциони́зм

obstructionist [əb'strʌkʃnɪst] *n парл.* обструкциони́ст

obstructive [əb'strʌktɪv] **1.** *a* 1) препя́тствующий *и пр.* [*см.* obstruct] 2) *парл.* обструкциóнный

2. *n* = obstructionist

obtain [əb'teɪn] *v* 1) получáть; добывáть; приобретáть; to ~ a prize получи́ть приз; to ~ a commission *воен.* быть произведённым в офицéры 2) достигáть, добивáться 3) существовáть, быть при́знанным; применя́ться; these views no longer ~ э́ти взгля́ды устарéли; the same rule ~s regarding... то же прáвило отнóсится и к...

obtainable [əb'teɪnəbl] *a* достýпный, достижи́мый

obtest [əb'test] *v уст.* 1) призывáть (нéбо) в свидéтели; заклинáть 2) протестовáть

obtrude [əb'tru:d] *v* 1) навя́зывать(ся) (on, upon); to ~ one's opinions upon smb. навя́зывать своё мнéние комý-л.; to ~ oneself навя́зываться 2) высóвывать, выставля́ть (on, upon)

obtruncate [əb'trʌŋkeɪt] *v* обрезáть; срезáть верхýшку

obtrusion [əb'tru:ʒn] *n* навя́зывание

obtrusive [əb'tru:sɪv] *a* 1) выступáющий, торчáщий 2) навя́зчивый, назóйливый

obturate ['ɒbtjʊreɪt] *v* 1) затыкáть, закрывáть 2) уплотня́ть 3) *спец.* обтюри́ровать

obturator ['ɒbtjʊreɪtə] *n* 1) зaты́чка, прóбка, приспособлéние для закры́тия отвéрстий 2) *тех.* уплотня́ющее устрóйство 3) затвóр съёмочного аппарáта 4) *спец.* обтюрáтор

obtuse [əb'tju:s] *a* 1) тупóй, глýпый; бестолкóвый 2) тупóй; ~ angle тупóй ýгол 3) тупóй (*о боли*); заглушённый, приглушённый (*о звуке*)

obverse ['ɒbvɜ:s] **1.** *n* 1) лицевáя сторонá (*особ. монеты, медали*), лицó; перéдняя *или* вéрхняя сторонá 2) дополнéние, составнáя часть

2. *a* 1) лицевóй, обращённый нарýжу 2) дополни́тельный, явля́ющийся составнóй чáстью

obviate ['ɒbvɪeɪt] *v* избегáть; устраня́ть; избавля́ться (*от опасности и т. п.*)

obvious ['ɒbvɪəs] *a* очеви́дный, я́вный, я́сный; for an ~ reason по вполнé поня́тной причи́не; an ~ question самó собóй напрáшивающийся вопрóс

obviously ['ɒbvɪəslɪ] *adv* очеви́дно, я́вно, я́сно

ocarina [,ɒkə'ri:nə] *n муз.* окари́на

occasion [ə'keɪʒn] **1.** *n* 1) собы́тие; this festive ~ э́тот прáздник 2) оснoвáние, причи́на; пóвод; to give ~ to служи́ть оснoвáнием для 3) слýчай, раз; on rare ~s рéдко; on several ~s нéсколько раз; not the ~ for rejoicing нéчему рáдоваться; on ~ при слýчае, иногдá; on the ~ of... по слýчаю... 4) благоприя́тный слýчай, возмóжность; to profit by the ~ воспóльзоваться предостáвленной возмóжностью; to choose one's ~ вы́брать подходя́щий момéнт ◇ to rise to the ~ быть на высотé положéния

2. *v* служи́ть пóводом, давáть пóвод; вызывáть; причиня́ть

occasional [ə'keɪʒənəl] *a* 1) случáющийся врéмя от врéмени, иногдá 2) случáйный, рéдкий; ~ visitor случáйный посети́тель 3) приурóченный к определённому собы́тию; сдéланный для определённой цéли; ~ ode óда на какóе-л. собы́тие

occasionalism [ə'keɪʒnəlɪzəm] *n филос.* окказионали́зм

occasionally [ə'keɪʒnəlɪ] *adv* и́зредка, врéмя от врéмени; подчáс, порóй

Occident ['ɒksɪdənt] *n поэт.* Зáпад; стрáны Зáпада

occidental [,ɒksɪ'dentl] **1.** *a* зáпадный **2.** *n* (O.) урожéнец *или* жи́тель Зáпада

Occidentalism [,ɒksɪ'dentəlɪzəm] *n* обы́чаи, нрáвы, идеáлы *и т. п.* зáпадных нарóдов

occipital [ɒk'sɪpɪtl] *a анат.* заты́лочный

occiput ['ɒksɪpʌt] *n анат.* заты́лок

occlude [ə'klu:d] *v* 1) преграждáть, закрывáть (*отверстие, проход*); закýпоривать 2) смыкáться (*о зубах*)

occlusion [ə'klu:ʒn] *n* 1) преграждéние 2) *хим.* окклю́зия 3) при́кус зубóв 4) *мед.* закýпорка; непроходи́мость

occult **1.** *a* ['ɒkʌlt] 1) тáйный, сокровéнный 2) таи́нственный, тёмный, оккýльтный ◇ the ~ оккýльтные наýки

2. *v* [ə'kʌlt] *астр.* заслоня́ть, затемня́ть

occulting light [ə'kʌltɪŋ,laɪt] *n* затмевáющийся огóнь маякá

occultism ['ɒkʌltɪzəm] *n* оккульти́зм

occupancy ['ɒkjʊpənsɪ] *n* 1) заня́тие; завладéние 2) врéменное владéние; арéнда 3) врéмя владéния

occupant ['ɒkjʊpənt] *n* 1) жи́тель; жилéц; оби́тáтель 2) врéменный владéлец; арендáтор 3) занимáющий какýю-л. дóлжность 4) *юр.* лицó, присвóившее себé имýщество, не имéющее владéльца 5) оккупáнт

occupation [,ɒkjʊ'peɪʃn] *n* 1) заня́тие; род заня́тий, профéссия 2) зáнятость; men out of ~ безрабóтные 3) заня́тие, завладéние 4) заня́тие, оккупáция; army of ~ оккупациóнная áрмия 5) врéменное пóльзование (*домом и т. п.*); пери́од прожи́вания 6) *attr.*: ~ bridge (road) мост (дорóга) чáстого пóльзования

occupational [,ɒkjʊ'peɪʃənəl] *a* профессионáльный; ~ hazards риск, свя́занный с харáктером рабóты; ~ deferment отсрóчка от призы́ва по рóду рабóты; ~ disease профессионáльное заболевáние; ~ therapy трудотерапи́я

occupier ['ɒkjʊpaɪə] *n* 1) жилéц 2) арендáтор; врéменный владéлец 3) оккупáнт

occupy ['ɒkjʊpaɪ] *v* 1) занимáть (*дом, квартиру*); арендовáть 2) занимáть (*пространство, время*); the garden occupies 5 acres под сáдом зáнято 5 áкров земли́ 3) занимáть (*пост*) 4) захвáтывать, завладевáть; оккупи́ровать 5) занимáть (*мысли, ум*); to ~ oneself with smth., to be occupied in smth. занимáться чем-л.

occur [ə'kɜ:] *v* 1) случáться, происходи́ть; to ~ again повторя́ться 2) встречáться, попадáться 3) приходи́ть на ум (to); it ~red to me мне пришлó в гóлову 4) *геол.* залегáть

occurrence [ə'kʌrəns] *n* 1) слу́чай, происше́ствие; an everyday ~ обы́чное явле́ние; strange ~ стра́нное происше́ствие 2) местонахожде́ние; распростране́ние; of frequent (rare) ~ ча́сто (ре́дко) встреча́ющийся 3) *геол.* месторожде́ние, залега́ние

ocean ['əʊʃn] *n* 1) океа́н 2) (*часто pl*) огро́мное простра́нство; огро́мное коли́чество, мно́жество, ма́сса, (це́лое) мо́ре; an ~ of tears мо́ре слёз; ~s of money (time) у́йма де́нег (вре́мени) 3) *attr.* океа́нский; относя́щийся к океа́ну; ~ bed дно океа́на; ~ deeps *геол.* абисса́льные глуби́ны; ~ lane океа́нский путь

oceanaria [,əʊʃə'neərɪə] *pl от* oceanarium

oceanarium [,əʊʃə'neərɪəm] *n* (*pl тж.* -ria) океана́рий

oceangoing ['əʊʃn,gəʊɪŋ] *a* океа́нский (*о пароходе*)

Oceanian [,əʊsɪ'ɑːnɪən] **1.** *a* относя́щийся к Океа́нии

2. *n* жи́тель Океа́нии, жи́тель тихоокеа́нских острово́в; полинези́ец

oceanic [,əʊʃɪ'ænɪk] *a* 1) океа́нский, океани́ческий 2) (O.) = Oceanian 1

oceanography [,əʊʃə'nɒgrəfɪ] *n* океаногра́фия

ocelot ['ɒsəlɒt] *n зоол.* оцело́т

ochlocracy [ɒ'klɒkrəsɪ] *n* охлокра́тия

ochre ['əʊkə] *n* 1) о́хра 2) бле́дный коричнева́то-жёлтый цвет 3) *sl.* зо́лото, де́ньги

o'clock [ə'klɒk] *adv*: what ~ is it? кото́рый час?; it is six ~ шесть часо́в

octa- ['ɒktə-] *pref* восьми-

octagon ['ɒktəgən] *n* восьмиуго́льник

octagonal [ɒk'tægnəl] *a* восьмиуго́льный

octahedral [,ɒktə'hiːdrəl] *a* восьмигра́нный

octahedron [,ɒktə'hiːdrən] *n* восьмигра́нник, октаэ́др

octal ['ɒktl] *a* окта́льный, восьмигра́нный

octane ['ɒkteɪn] *n хим.* 1) окта́н 2) *attr.* окта́новый; ~ number (*или* value) окта́новое число́

octangular [ɒk'tæŋgjʊlə] = octagonal

octant ['ɒktənt] *n* 1) окта́нт (*угломерный инструмент*) 2) восьма́я часть кру́га, дуга́ в 45°

octarchy ['ɒktɑːkɪ] *n* окта́рхия (*правление, осуществляемое восемью лицами*)

octave ['ɒktɪv] *n* 1) *муз.* окта́ва 2) *прос.* восьмисти́шие, окта́ва 3) *церк.* восьмо́й день по́сле пра́здника; неде́ля, сле́дующая за пра́здником 4) набо́р из восьми́ предме́тов 5) восьма́я пози́ция (*в фехтовании*) 6) ви́нная бо́чка (*ёмкостью около 61 л*)

octavo [ɒk'teɪvəʊ] *n* (*pl* -os [-əʊz]) форма́т (*книги*) в 1/8 до́лю листа́

octennial [ɒk'tenɪəl] *a* 1) восьмиле́тний 2) происходя́щий раз в во́семь лет

octet(te) [ɒk'tet] *n* 1) *муз.* окте́т 2) *прос.* пе́рвые во́семь строк соне́та

octillion [ək'tɪlɪən] *n мат.* миллио́н в восьмо́й сте́пени (*единица с 48 нулями*)

October [ɒk'təʊbə] *n* 1) октя́брь 2) *attr.* октя́брьский

octodecimo [,ɒktəʊ'desɪməʊ] *n* (*pl* -os [-əʊz]) форма́т (*книги*) в 1/18 до́лю листа́

octogenarian [,ɒktəʊdʒə'neərɪən] **1.** *a* восьмидесятиле́тний

2. *n* восьмидесятиле́тний стари́к, -ая стару́ха

octonarian [,ɒktəʊ'neərɪən] *прос.* **1.** *a* восьмисто́пный

2. *n* восьмисто́пный стих

octopus ['ɒktəpəs] *n* осьмино́г, спрут

octoroon [,ɒktə'ruːn] *n* цветно́й, цветна́я (*с 1/8 негритянской крови*)

octosyllabic [,ɒktəʊsɪ'læbɪk] **1.** *a* восьмисло́жный

2. *n* восьмисло́жный стих

octosyllable ['ɒktəʊ,sɪləbl] **1.** *n* восьмисло́жное сло́во

2. *a* = octosyllabic 1

octuple ['ɒktjʊpl] *a* восьмикра́тный; восьмери́чный

ocular ['ɒkjʊlə] **1.** *n* окуля́р

2. *a* 1) глазно́й; окуля́рный 2) нагля́дный (*о доказательстве и т. п.*)

oculist ['ɒkjʊlɪst] *n* окули́ст

odalisque ['əʊdəlɪsk] *n* одали́ска

odd [ɒd] **1.** *a* 1) необы́чный, стра́нный, эксцентри́чный; how ~! как стра́нно!; the ~ thing is досто́йно удивле́ния 2) случа́йный; ~ job случа́йная рабо́та; ~ man (*или* lad, hand) челове́к, выполня́ющий случа́йную рабо́ту; разнорабо́чий [*ср. тж.* ◇] 3) ли́шний; доба́вочный, остаю́щийся (*сверх суммы или определённого количества*); three pounds ~ три с ли́шним фу́нта; три фу́нта, не счита́я ши́ллингов и пе́нсов; twenty ~ years два́дцать с ли́шним лет; forty ~ сверх сорока́, со́рок с ли́шним; ~ money сда́ча, ме́лочь 4) нечётный; ~ and (or) even чёт (и́ли) не́чет; ~ houses дома́ с нечётными номера́ми; ~ months ме́сяцы, име́ющие 31 день 5) непа́рный, разро́зненный; ~ volumes разро́зненные тома́; ~ player запасно́й игро́к 6) неза́нятый, свобо́дный; ~ moments мину́ты досу́га; at ~ times а) на досу́ге, ме́жду де́лом; б) вре́мя от вре́мени ◇ the ~ man реша́ющий го́лос [*ср. тж.* 2)]; ~ man out а) игро́к, оста́вшийся без па́ры; тре́тий ли́шний; б) стра́нный челове́к; не тако́й, как все; чужо́й среди́ свои́х

2. *n* 1) *карт.* реша́ющая взя́тка (*в висте*) 2) доба́вочный уда́р (*гандикап в гольфе*)

oddball ['ɒdbɔːl] *n разг.* чуда́к, челове́к с заско́ками, оригина́л

odd-come-short [,ɒdkʌm'ʃɔːt] *n* 1) оста́ток 2) *pl* оста́тки, обры́вки, хлам

odd-come-shortly [,ɒdkʌm'ʃɔːtlɪ] *n* ближа́йший день; one of these odd-come-shortlies вско́ре

Oddfellow ['ɒdfeləʊ] *n* член та́йного бра́тства (*типа масонского ордена*)

oddish ['ɒdɪʃ] *a* стра́нный, чудакова́тый; эксцентри́чный

oddity ['ɒdətɪ] *n* 1) стра́нность, чудакова́тость 2) чуда́к 3) причу́дливая вещь; из ря́да вон выходя́щий слу́чай

oddly ['ɒdlɪ] *adv* стра́нно; ~ enough как э́то ни стра́нно

oddments ['ɒdmənts] *n pl* оста́тки; разро́зненные предме́ты

odds [ɒdz] *n pl* 1) ша́нсы; the ~ are that he will do it вероя́тнее всего́, что он э́то сде́лает; long (short) ~ нера́вные (почти́ ра́вные) ша́нсы; ~ on ша́нсы на вы́игрыш вы́ше, чем у проти́вника 2) преиму́щество; гандика́п; the ~ are in our favour переве́с на на́шей стороне́; to give (to receive) ~ предоставля́ть (получа́ть) преиму́щество 3) нера́венство; ра́зница; with heavy ~ against them а) про́тив значи́тельно превосходя́щих сил; б) в исключи́тельно неблагоприя́тных усло́виях; to make ~ even устрани́ть разли́чия 4) разногла́сие; to be at ~ with smb. не ла́дить с кем-л., ссо́риться с кем-л. (about — из-за *чего-л.*); to be at ~ with smth. не гармони́ровать с чем-л., не соотве́тствовать чему́-л. ◇ by long ~ значи́тельно, реши́тельно; by all ~ несомне́нно; it makes no ~ не составля́ет никако́й ра́зницы; несуще́ственно; what's the ~? а) в чём ра́зница?; како́е э́то име́ет значе́ние?; б) *спорт.* како́й счёт?; ~ and ends оста́тки; обре́зки; обры́вки; хлам; случа́йные предме́ты; вся́кая вся́чина; to shout the ~ хва́стать

odds-on [,ɒdz'ɒn] *n* вы́игрышная пози́ция; благоприя́тное положе́ние

ode [əʊd] *n* о́да

odea [əʊ'diːə] *pl от* odeum

odeum [əʊ'diːəm] *n* (*pl* -s [-z], odea) 1) *др.-греч.* одео́н 2) конце́ртный, зри́тельный зал

Odin ['əʊdɪn] *n сканд. миф.* О́дин

odious ['əʊdɪəs] *a* одио́зный; гну́сный, отврати́тельный; he finds it ~ ему́ э́то прети́т

odium ['əʊdɪəm] *n* 1) не́нависть; отвраще́ние; to bring ~ on, to expose to ~ вы́звать недоброжела́тельное отноше́ние; сде́лать ненави́стным 2) позо́р; to bear the ~ of... нести́ позо́р... 3) одио́зность

odometer [əʊ'dɒmɪtə] *n* одо́метр

odontic [əʊ'dɒntɪk] *a мед.* зубно́й

odontoid [əʊ'dɒntɔɪd] *a* зубови́дный

odontology [,ɒdɒn'tɒlədʒɪ] *n мед.* одонтоло́гия

odor ['əʊdə] *амер.* = odour

odoriferous [,əʊdə'rɪfərəs] *a* 1) души́стый, благово́нный; благоуха́ющий 2) *редк.* воню́чий

odorous ['əʊdərəs] *поэт. см.* odoriferous 1)

odour ['əʊdə] *n* 1) за́пах; арома́т, благоуха́ние 2) душо́к, при́вкус, налёт 3) сла́ва, репута́ция; to be in good ~ with smb. быть в ми́лости у кого́-л.; to be in bad (*или* ill) ~ with smb. быть непопуля́рным среди́ кого́-л.; быть в неми́лости у кого́-л.

odourless ['əʊdələs] *a* без зáпаха, непáхнущий

Odysseus [ə'dɪsjuːs] *n греч. миф.* Одиссéй

odyssey ['ɒdəsɪ] *n* одиссéя (*тж. перен.*)

oecumenical [,iːkjʊ'menɪkl] *a* 1) *книжн.* всеми́рный 2) *церк.* вселéнский; экумени́ческий; ~ council вселéнский собóр

oedema [ɪ'diːmə] *n* (*pl* -ata) *мед.* отёк

oedemata [ɪ'diːmətə] *pl от* oedema

Oedipus ['iːdɪpəs] *a греч. миф.* Эди́п; ~ complex эди́пов кóмплекс

o'er ['əʊə] *поэт. см.* over 1, 2

oersted ['ɜːstɪd] *n эл.* э́рстед (*единица напряжённости магнитного поля*)

oesophagi [iː'sɒfəgaɪ] *pl от* oesophagus

oesophagus [iː'sɒfəgəs] *n* (*pl* -gi, -es [-ɪz]) *анат.* пищевóд

oestrogen ['iːstrədʒən] *n* эстрогéн

oestrum, oestrus ['iːstrəm, 'iːstrəs] *n* 1) *зоол.* тéчка 2) óвод 3) и́мпульс, побуждéние

of [ɒv (*полная форма*); əv (*редуцированная форма*)] *prep* 1) *указывает на принадлежность; передаётся род. падежом*: the house of my ancestors дом мои́х прéдков; articles of clothing предмéты одéжды 2) *указывает на авторство; передаётся род. падежом*: the works of Shakespeare произведéния Шекспи́ра 3) *указывает на объект действия; передаётся род. падежом*: a creator of a new trend in art создáтель нóвого направлéния в искýсстве; in search of dictionary в пóисках словаря́; a lover of poetry люби́тель поэ́зии 4) *указывает на деятеля; передаётся род. падежом*: the deeds of our heroes пóдвиги нáших герóев 5) *указывает на отношение части и целого; передаётся род. разделительным*: a pound of sugar фунт сáхару; some of us нéкоторые из нас; a Member of Congress *амер.* член конгрéсса 6) *указывает на содержимое какого-л. вместилища; передаётся род. падежом*: a glass of milk стакáн молокá; a pail of water ведрó воды́ 7) *указывает на материал, из которого что-л. сделано* из; a dress of silk плáтье из шёлка; a wreath of flowers венóк из цветóв 8) *указывает на качество, свойство, возраст; передаётся род. падежом*: a man of his word человéк слóва; a girl of ten дéвочка лет десяти́; a man of talent талáнтливый человéк 9) *указывает на причину* от; из-за; в результáте, по причи́не; he died of pneumonia он ýмер от воспалéния лёгких; he did it of necessity он сдéлал э́то по необходи́мости 10) *указывает на источник* от, у; I learned it of him я узнáл э́то от негó; he asked it of me он спроси́л э́то у меня́ 11) *указывает на происхождение* из; he comes of a worker's family он из рабóчей семьи́ 12) *указывает на направление, положение в пространстве, расстояние* от; south of Moscow к ю́гу от Москвы́; within 50 miles of London в 50 ми́лях от Лóндона 13) *указывает на объект избавления* от; to cure of a disease (*или* illness) вы́лечить от болéзни; to get rid of a cold избáвиться от простýды 14) *указывает на объект лишения; передаётся род. падежом*: the loss of power потéря влáсти 15) *указывает на количество единиц измерения* в; a farm of 100 acres фéрма плóщадью в 100 áкров; a fortune of 1000 pounds состоя́ние в 1000 фýнтов 16) *указывает на тему разговора, рассуждения и т. п.* о, об, относи́тельно; I have heard of it я слы́шал об э́том; the news of the victory весть о побéде 17) *указывает на время*: of an evening вéчером; of late недáвно 18) *указывает на предмет опасений, подозрений и т. п.* в; to suspect of theft подозревáть в воровствé; to accuse of a lie обвиня́ть во лжи; to be guilty of bribery быть винóвным во взя́точничестве; to be sure of smth. быть увéренным в чём-л. 19) *указывает на вкус, запах и т. п.; передаётся тв. падежом*: to smell of flowers пáхнуть цветáми; he reeks of tobacco от негó рази́т табакóм 20): it is nice of you э́то любéзно с вáшей стороны́; it is clever of him to go there умнó, что он тудá поéхал 21) *вводит приложение*: the city of New York гóрод Нью-Йóрк; by the name of John по и́мени Джон 22) *употр. в неразложимых словосочетаниях с предшествующим определяющим существительным*: a fool of a man глýпый человéк, прóсто дýрень; the devil of a worker не рабóтник, а прóсто дья́вол; a beauty of a girl красáвица; a mouse of a woman похóжая на мы́шку жéнщина 23) *указывает на выделение лица или предмета из множества аналогичных лиц или предметов*: holy of holies святáя святы́х; he of all men кто угóдно, но не он; that he of all men should do it! мéньше всегó я ожидáл э́того от негó!

off [ɒf] **1.** *adv указывает на*: 1) *удаление, отделение*: I must be ~ я дóлжен уходи́ть; ~ you go!, be ~!, get ~!, ~ with you! убирáйтесь!, уходи́те!; they are ~ они́ отпрáвились; to run ~ убежáть; to keep ~ держáться в отдалéнии; держáться в сторонé; my hat is ~ у меня́ слетéла шля́па; the cover is ~ кры́шка снятá; the gilt is ~ позолóта сошлá; *перен.* наступи́ло разочаровáние 2) *расстояние*: a long way ~ далекó; five miles ~ за пять миль; в пяти́ ми́лях 3) *прекращение, окончание действия, аннулирование, отмену*: to break ~ negotiations прервáть переговóры; to cut ~ supplies прекрати́ть снабжéние; the strike is ~ забастóвка окóнчилась; the concert is ~ концéрт отменён 4) *перерыв в работе*: Sunday is her day ~ в воскресéнье у неё выходнóй; they are ~ till the first они́ свобóдны до пéрвого числá 5) *завершение действия*: to pay ~ вы́платить (*до конца*); to drink ~ вы́пить (*до дна*); to polish ~ отполировáть; to finish ~ покóнчить 6) *избавление*: to throw ~ reserve осмелéть, расхрабри́ться 7) *выключение, разъединение какого-л. аппарата или механизма*: to switch ~ the light вы́ключить свет; the radio was ~ the whole day рáдио бы́ло вы́ключено весь день 8) *отсутствие, невозможность получения*: the dish is ~ э́того блю́да ужé нет (*хотя оно числится в меню*) 9) *снятие предмета одежды*: take ~ your coat! сними́те пальтó!; hats ~! шáпки долóй! ◇ to be badly ~ óчень нуждáться; to be comfortably ~ хорошó зарабáтывать; быть хорошó обеспéченным

2. *prep указывает на*: 1) *расстояние* от; a mile ~ the road на расстоя́нии ми́ли от дорóги; ~ the beaten track в сторонé от большóй дорóги; *перен.* оригинáльно, необы́чно; ~ the coast неподалёку от бéрега; the street ~ the Strand ýлица, идýщая от Стрэ́нда 2) *удаление с поверхности* с; take your hands ~ the table убери́ рýки со столá; they pushed me ~ my seat они́ столкнýли меня́ с моегó мéста; to fall ~ a ladder (tree, horse) упáсть с лéстницы (дéрева, лóшади) 3) *отклонение от нормы, привычного состояния*: ~ one's balance потеря́вший равновéсие (*тж. перен.*); ~ one's food без аппети́та; he is ~ smoking он брóсил кури́ть; ~ the point а) далекó от цéли; б) не относя́щийся к дéлу; ~ the mark а) ми́мо цéли (*о выстреле*); б) не относя́щийся к дéлу 4) *неучастие в чём-л.*: he is ~ gambling он не игрáет в азáртные и́гры ◇ ~ the cuff без подготóвки

3. *a* 1) дáльний, бóлее удалённый; an ~ road отдалённая дорóга 2) прáвый; the ~ hind leg зáдняя прáвая ногá; the ~ side прáвая сторонá; *мор.* борт корабля́, обращённый к откры́тому мóрю 3) маловероя́тный; on the ~ chance *разг.* на вся́кий слýчай 4) свобóдный (*о времени, часах*); an ~ day выходнóй, свобóдный день 5) второстепéнный; an ~ street переýлок; боковáя ýлица; that is an ~ issue э́то второстепéнный вопрóс 6) сня́тый, отделённый; the wheel is ~ колесó сня́то, соскочи́ло 7) неурожáйный (*о годе*); мёртвый (*о сезоне*) 8) не совсéм здорóвый; I am feeling rather ~ today я сегóдня невáжно себя́ чýвствую 9) несвéжий; the fish is a bit ~ ры́ба не совсéм свéжая 10) низкосóртный; ~ grade ни́зкого кáчества 11) *спорт.* располóженная спрáва, противополóжная той, на котóрой стои́т бэ́тсмен (*о стороне крикетного поля*)

4. *n* 1) *разг.* свобóдное врéмя; in one's ~ на досýге 2) *спорт.* прáвая сторонá пóля (*противоположная той, на которой стоит бэтсмен, в крикете*)

5. *v разг.* 1) прекращáть (*переговоры и т. п.*); идти́ на попя́тный 2): to ~ it уйти́, смы́ться

6. *int* прочь!, вон!

offal ['ɒfl] *n* 1) требухá; потрохá 2) пáдаль 3) отбрóсы 4) дешёвая ры́ба 5) óтруби

offbalance [,ɒf'bæləns] *a* 1) неуравновéшенный, несбалансирóванный 2) потеря́вший равновéсие

offbeat [ˌɒf'bi:t] *a разг.* непривы́чный, необы́чный, эксцентри́чный

offblack ['ɒfblæk] *a* не совсéм чёрный (*об оттенке*)

offcast ['ɒfkɑ:st] 1. *a* отвéргнутый; отбрóшенный

2. *n* отвéрженный

off chance ['ɒftʃɑ:ns] *n* нéкоторый шанс; ничтóжный шанс

off colour [ˌɒf'kʌlə] *a* 1) необы́чного цвéта 2) имéющий нездорóвый вид; to look ~ плóхо вы́глядеть 3) дýрно настрóенный 4) неисправный, дефéктный 5) рискóванный, сомни́тельный; непристóйный; ~ joke непристóйная шýтка 6) небезупрéчный; his reputation is a trifle ~ у негó не совсéм безукори́зненная репутáция 7) хýдшего кáчества; нечи́стой воды́ (*о бриллиантах*)

off-day ['ɒfdeɪ] *n разг.* неудáчный день

offence [ə'fens] *n* 1) простýпок; нарушéние (*чего-л.*; against); правонарушéние; преступлéние; criminal ~ уголóвное преступлéние; an ~ against the law нарушéние закóна 2) оби́да, оскорблéние; to cause (*или* to give) ~ (to) оскорби́ть, нанести́ оби́ду; to take ~ (at) обижáться (на); a just cause of ~ все основáния, чтóбы оби́деться; I meant no ~, no ~ was meant я не хотéл никогó оби́деть; quick to take ~ оби́дчивый; without ~ не в оби́ду будь скáзано; без намéрения оскорби́ть 3) *воен.* нападéние; наступлéние 4) *библ.* кáмень преткновéния

offend [ə'fend] *v* 1) обижáть, оскорбля́ть; задевáть; to ~ smb.'s sense of justice оскорби́ть чьё-л. чýвство справедли́вости; to be ~ed быть оби́женным (by, at — *чем-л.*; by, with — *кем-л.*) 2) вызывáть раздражéние, отвращéние 3) погреши́ть (*против чего-л.*); соверши́ть простýпок; нарýшить (*закон*; against); to ~ against custom нарýшить обы́чай

offender [ə'fendə] *n* 1) правонаруши́тель, престýпник; first ~ совершивший преступлéние впервы́е; old ~ рецидиви́ст 2) оби́дчик, оскорби́тель

offensive [ə'fensɪv] 1. *n* наступлéние; наступáтельная операция; to act on the ~ наступáть; to take (*или* to go into) the ~ перейти́ в наступлéние; *перен.* заня́ть наступáтельную (*или* агресси́вную) пози́цию; peace ~ акти́вная борьбá за мир

2. *a* 1) оскорби́тельный, оби́дный; ~ language оскорблéния 2) отврати́тельный, проти́вный; ~ sight отврати́тельное зрéлище 3) наступáтельный, агресси́вный; ~ stroke удáр по проти́внику; ~ war наступáтельная войнá

offer ['ɒfə] 1. *n* 1) предложéние; to keep one's ~ open остáвить своё предложéние в си́ле 2) предложéние цены́ 3) попы́тка ◇ (goods) on ~ в продáже

2. *v* 1) предлагáть; выражáть готóвность; to ~ one's hand а) протянýть рýку; б) сдéлать предложéние, предложи́ть рýку (и сéрдце); to ~ an opinion вы́разить мнéние; to ~ an apology извини́ться; to ~ a free pardon обещáть пóлное прощéние; to ~ hope внуши́ть надéжду; to ~ prospects of smth. сули́ть, обещáть что-л.; to ~ no other prospect than не сули́ть ничегó инóго крóме; to ~ battle предлагáть бой 2) выдвигáть, предлагáть внимáнию 3) предлагáть для продáжи по определённой ценé; предлагáть определённую цéну 4) приноси́ть (*жертву*; *тж.* ~ up); возноси́ть (*молитвы*); to ~ prayers моли́ться 5) случáться, явля́ться; as chance (*или* opportunity, occasion) ~s при слýчае; to take the first opportunity that ~s воспóльзоваться пéрвой же предстáвившейся возмóжностью 6) пытáться; прóбовать; to ~ resistance окáзывать сопротивлéние; to ~ to strike пытáться удáрить

offering ['ɒfərɪŋ] 1. *pres. p. от* offer 2

2. *n* 1) пожéртвование 2) жéртва; жертвоприношéние 3) подношéние, приношéние 4) предложéние

offertory ['ɒfətərɪ] *n церк.* 1) дароприношéние 2) пожéртвования; дéньги, сóбранные во врéмя слýжбы

offhand [ˌɒf'hænd] 1. *a* 1) бесцеремóнный; ~ manner бесцеремóнная манéра 2) импровизи́рованный, сдéланный без подготóвки, экспрóмтом

2. *adv* 1) бесцеремóнно 2) экспрóмтом; тóтчас

offhanded [ˌɒf'hændɪd] = offhand 1

offhandedly [ˌɒf'hændɪdlɪ] *adv* небрéжно; бесцеремóнно

off-hour [ˌɒf'aʊə] *a* внеурóчный, нерабóчий (*о времени*); ~ job рабóта по совмести́тельству

office ['ɒfɪs] *n* 1) контóра, óфис, бюрó, канцеля́рия; to be in the ~ служи́ть в контóре, в канцеля́рии; recruiting ~ призывнóй пункт; inquiry ~ спрáвочное бюрó; our London ~ наш филиáл в Лóндоне 2) *амер.* кабинéт врачá; dentist's ~ зубоврачéбный кабинéт 3) слýжба, дóлжность; an ~ under Government мéсто на государственной слýжбе; an honorary ~ почётная дóлжность; to hold ~ занимáть пост; to leave (*или* to resign) ~ уйти́ с дóлжности; to take (*или* to enter upon) ~ вступáть в дóлжность; to get (*или* to come) into ~ приня́ть делá, приступи́ть к исполнéнию служéбных обя́занностей 4) власть; полномóчия; срок полномóчий; to be in ~ быть у влáсти; to win ~ победи́ть на вы́борах, прийти́ к влáсти 5) (O.) вéдомство, министéрство; управлéние; Home O. Министéрство внýтренних дел (*Великобритании*); Head O. глáвное управлéние 6) обя́занность, долг; фýнкция; it is my ~ to open the mail в мои́ обя́занности вхóдит вскрывáть пóчту 7) (*обыкн. pl*) услýга; good ~s любéзность, одолжéние; ill ~ плохáя услýга 8) церкóвная слýжба; обря́д; O. for the Dead заупокóйная слýжба; the O. of the Mass обéдня; the last ~s похорóнный обря́д 9) *pl* слýжбы при дóме (*кладовые и т. п.*) 10) *sl.* намёк, знак; to give (to take) the ~ сдéлать (поня́ть) намёк 11) *attr.*: ~ block большóе администрати́вное здáние; ~ hours часы́ рабóты учреждéния

office-bearer ['ɒfɪsˌbeərə] *n* чинóвник, должностнóе лицó

office boy ['ɒfɪsbɔɪ] *n* рассы́льный, посы́льный

office copy ['ɒfɪsˌkɒpɪ] *n* завéренная кóпия докумéнта

officeholder ['ɒfɪsˌhəʊldə] = office-bearer

officer ['ɒfɪsə] 1. *n* 1) офицéр; *pl* офицéры, офицéрский состáв; ~ of the day дежýрный офицéр; billeting ~ квартирьéр 2) *мор.* капитáн на торгóвом сýдне; first ~ стáрший помóщник; mercantile marine ~s комáндный состáв торгóвого флóта 3) полицéйский 4) чинóвник, должностнóе лицó; слýжащий; член правлéния (*общества, клуба и т. п.*); ~ of the court судéбный исполни́тель *или* судéбный при́став; the great ~s of state вы́сшие санóвники госудáрства; medical ~, ~ of health санитáрный инспéктор

2. *v* (*обыкн. pass.*) 1) обеспéчивать, укомплектóвывать офицéрским состáвом; the regiment was well ~ed полк был хорошó укомплектóван офицéрским состáвом 2) комáндовать

office seeker ['ɒfɪsˌsi:kə] *n* претендéнт на дóлжность

official [ə'fɪʃl] 1. *a* 1) служéбный; свя́занный с исполнéнием служéбных обя́занностей; ~ duties служéбные обя́занности 2) формáльный, «казённый»; ~ circumlocution бюрократи́ческая волоки́та; ~ red tape волоки́та; бюрократи́зм; канцеля́рщина 3) официáльный; ~ representative официáльный представи́тель; ~ statement официáльное заявлéние 4) при́нятый в медици́не и фармакопéе

2. *n* должностнóе лицó; (крýпный) чинóвник; слýжащий (*государственный, банковский и т. п.*)

officialdom [ə'fɪʃldəm] *n* 1) чинóвничество 2) бюрократи́зм

officialese [əˌfɪʃə'li:z] *n пренебр.* 1) канцеля́рский стиль; стиль официáльных докумéнтов 2) чинóвничий, бюрократи́ческий жаргóн

officialism [ə'fɪʃəˌlɪzəm] *n* 1) = officialdom 2); 2) чинóвничье самодовóльство

officialize [ə'fɪʃəlaɪz] *v* придавáть официáльный харáктер

officially [ə'fɪʃəlɪ] *adv* официáльно, формáльно

officiant [ə'fɪʃɪənt] *n* свящéнник, совершáющий богослужéние

officiary [ə'fɪʃɪərɪ] *a* присвáиваемый по дóлжности (*о титуле*)

officiate [ə'fɪʃɪeɪt] *v* 1) исполня́ть обя́занности; to ~ as host быть за хозя́ина 2) совершáть богослужéние

officinal [ˌɒfɪ'si:nl] *a* 1) патентóванный, готóвый (*о лекарстве*) 2) лекáрственный (*о траве*) 3) = official 1, 4)

officious [ə'fɪʃəs] *a* 1) назóйливый; навя́зчивый; вмéшивающийся не в свои́ дела́; пыта́ющийся кома́ндовать 2) официо́зный; неофициа́льный

offing [ˈɒfɪŋ] *n* взмо́рье; мо́ре, ви́димое с бе́рега до горизо́нта; in the ~ а) на значи́тельном расстоя́нии, но в виду́ бе́рега; б) невдалеке́; в) в недалёком бу́дущем; to keep a good ~ держа́ться в виду́ бе́рега, не приближа́ясь к нему́ ◇ to gain (*или* to get) an ~ получи́ть возмо́жность

offish [ˈɒfɪʃ] *a разг.* 1) холо́дный, сде́ржанный в обраще́нии, чо́порный 2) нелюди́мый, за́мкнутый

off-key [ˌɒfˈki:] *a* 1) фальши́вый (*о звуке*); неесте́ственный 2) не вя́жущийся (*с чем-л.*)

off-licence [ˈɒfˌlaɪsns] *n* 1) ви́нный магази́н, где спиртны́е напи́тки продаю́тся на вы́нос 2) пате́нт на прода́жу спиртны́х напи́тков на вы́нос

off limits [ˈɒfˌlɪmɪts] *n* «вход воспрещён» (*надпись*)

off-load [ˌɒfˈləʊd] *v* 1) разгружа́ть 2) изба́виться от чего́-л. (*особ. отдав ненужное другому*)

off-position [ˈɒfpəˌzɪʃn] *n тех.* положе́ние выключе́ния

offprint [ˈɒfprɪnt] *n* отде́льный о́ттиск (*статьи и т. п.*)

offreckoning [ˈɒfˌreknɪŋ] *n* (*обыкн. pl*) вы́чет

off-road [ˈɒfrəʊd] *a* 1) бездоро́жный, находя́щийся вдали́ от доро́г 2) вездехо́дный (*о транспорте*)

offscourings [ˈɒfˌskaʊərɪŋz] *n pl* отбро́сы, подо́нки (*тж. перен.*)

offscreen [ˌɒfˈskri:n] *a* 1) *кино* зака́дровый 2) та́йный, закули́сный

off-season [ˌɒfˈsi:zn] *n* сезо́нное зати́шье (*в бизнесе, на курорте и т. п.*)

offset 1. *n* [ˈɒfset] 1) побе́г, отво́док 2) о́тпрыск, пото́мок 3) возмеще́ние, вознагражде́ние 4) противове́с, контра́ст 5) отро́г 6) ответвле́ние, отво́д (*трубы*) 7) *полигр.* офсе́т 8) *attr. полигр.* офсе́тный; ~ printing офсе́тная печа́ть

2. *v* [ˌɒfˈset] 1) возмеща́ть, вознагражда́ть; компенси́ровать 2) своди́ть бала́нс 3) *полигр.* печа́тать офсе́тным спо́собом

offshoot [ˈɒfʃu:t] *n* 1) ответвле́ние, отво́док, боково́й отро́сток 2) бокова́я ветвь (*рода*)

offshore [ˌɒfˈʃɔ:] **1.** *a* 1) находя́щийся на расстоя́нии от бе́рега 2) дви́гающийся в направле́нии от бе́рега; an ~ wind ве́тер с бе́рега 3) произведённый за грани́цей (*о товаре и т. п.*)

2. *adv* в откры́том мо́ре

off side [ˌɒfˈsaɪd] *n спорт.* офса́йд, (положе́ние) вне игры́

offspring [ˈɒfsprɪŋ] *n* 1) о́тпрыск, пото́мок 2) проду́кт, результа́т, плод

offstage [ˌɒfˈsteɪdʒ] *a* 1) *театр.* закули́сный 2) скры́тый

off-street [ˌɒfˈstri:t] *a* не на (гла́вной) у́лице; ~ parking (unloading) стоя́нка (разгру́зка) автомаши́н на боково́й у́лице, во дворе́ *и т. п.*

off-the-cuff [ˌɒfðəˈkʌf] *a разг.* неподгото́вленный, импровизи́рованный (*о речи, выступлении и т. п.*)

off-the-peg [ˌɒfðəˈpeg] *a* гото́вый (*об одежде*)

off-the-shelf [ˌɒfðəˈʃelf] *a* 1) гото́вый; ~ items гото́вые изде́лия 2) име́ющийся в прода́же, в нали́чии

off-time [ˌɒfˈtaɪm] *n* 1) вре́мя спа́да делово́й акти́вности 2) свобо́дное вре́мя, выходно́й

off-white [ˌɒfˈwaɪt] *a* не совсе́м бе́лый (*об оттенке*)

off year [ˈɒfjɪə] *n* 1) год, когда́ не прово́дятся всео́бщие *или* президе́нтские вы́боры 2) год ни́зкой делово́й акти́вности 3) *attr.*: ~ elections промежу́точные вы́боры

oft [ɒft] *adv поэт.* ча́сто; many a time and ~ неоднокра́тно

oft- [ɒft-] *в соединении с причастием означает* ча́сто, *напр.*: oft-recurring ча́сто повторя́ющийся; oft-told неоднокра́тно (рас)ска́занный *и т. п.*

often [ˈɒfn] *adv* ча́сто; мно́го раз; ~ and ~ весьма́ ча́сто; more ~ than not о́чень ча́сто, почти́ всегда́; once too ~ сли́шком ча́сто

oftentimes [ˈɒfntaɪmz] *adv* ча́сто; мно́го раз

oft-recurring [ˌɒftrɪˈkɜ:rɪŋ] *a* ча́сто повторя́ющийся

ofttimes [ˈɒfttaɪmz] *поэт. см.* oftentimes

ogam [ˈɒgəm] = ogham

ogee [ˈəʊdʒi:] *n* 1) *архит.* си́нус, гусёк, стре́лка (*свода*) 2) S-обра́зная крива́я

ogham [ˈɒgəm] *n* о́гам (*древний ирландский и кельтский алфавит*)

ogive [ˈəʊdʒaɪv] *n архит.* стре́лка (*свода*); стре́льчатый свод

ogle [ˈəʊgl] **1.** *n* влюблённый взгляд

2. *v* не́жно погля́дывать; стро́ить гла́зки

ogre [ˈəʊgə] *n* 1) велика́н-людое́д 2) ужа́сный челове́к, чудо́вище

ogress [ˈəʊgrɪs] *n* велика́нша-людое́дка

oh [əʊ] *int* о!, ах!, ох!, ой!; oh, what a lie! кака́я ложь!; oh, how boring! ах, как ску́чно!; oh, my leg! ой, я ушиб но́гу!

ohm [əʊm] *n эл.* ом

oho [əʊˈhəʊ] *int* ого́!

oil [ɔɪl] **1.** *n* 1) ма́сло (*обыкн. растительное или минеральное*); ~ of vitriol купоро́сное ма́сло; fixed ~s жи́рные масла́; volatile ~s эфи́рные масла́ 2) *амер.* нефть 3) жи́дкая сма́зка 4) (*обыкн. pl*) ма́сляная кра́ска; to paint in ~(s) писа́ть ма́слом 5) *разг.* карти́на, напи́санная ма́слом 6) *attr.* ма́сляный; нефтяно́й ◇ ~ of birch ≅ берёзовая ка́ша, по́рка; to pour ~ on troubled waters умиротворя́ть; успока́ивать волне́ние; to pour ~ on flames подлива́ть ма́сла в ого́нь

2. *v* 1) сма́зывать; to ~ the wheels сма́зать колёса; *перен.* ула́дить де́ло (*взяткой и т. п.*); to ~ smb.'s hand (*или* fist) «подма́зать», дать кому́-л. взя́тку 2) пропи́тывать ма́слом

oil-bearing [ˈɔɪlˌbeərɪŋ] *a* нефтено́сный

oilcake [ˈɔɪlkeɪk] *n* жмых

oilcan [ˈɔɪlkæn] *n тех.* ручна́я маслёнка

oilcar [ˈɔɪlkɑ:] *n ж.-д.* цисте́рна

oilcloth [ˈɔɪlklɒθ] *n* клеёнка; лино́леум; прома́сленная ткань

oilcoat [ˈɔɪlkəʊt] *n* дождеви́к

oilcolour [ˈɔɪlˌkʌlə] *n* (*обыкн. pl*) ма́сляная кра́ска

oil-derrick [ˈɔɪlˌderɪk] *n* нефтяна́я вы́шка

oiled [ɔɪld] **1.** *p. p. от* oil 2

2. *a* пропи́танный ма́слом, прома́сленный ◇ well ~ изря́дно вы́пивший

oil engine [ˈɔɪlˌendʒɪn] *n тех.* нефтяно́й дви́гатель

oiler [ˈɔɪlə] *n* 1) *тех.* маслёнка 2) нефтеналивно́е су́дно; та́нкер 3) *амер.* = oil well 4) = oilskin 3); 5) сма́зчик 6) маслоде́л 7) маслоторго́вец 8) = oil engine

oilfield [ˈɔɪlˌfi:ld] *n* 1) месторожде́ние не́фти 2) нефтяно́й про́мысел

oil-filler [ˈɔɪlˌfɪlə] *n тех.* маслоналивно́й па́трубок

oilfuel [ˈɔɪlfjʊəl] *n* жи́дкое то́пливо

oil gland [ˈɔɪlglænd] *n* са́льная железа́

oilhole [ˈɔɪlhəʊl] *n тех.* сма́зочное отве́рстие

oilman [ˈɔɪlmæn] *n* 1) москате́льщик 2) сма́зчик 3) *амер.* нефтепромы́шленник

oil-meal [ˈɔɪlmi:l] = oilcake

oil paint [ˈɔɪlpeɪnt] = oilcolour

oil painting [ˈɔɪlˌpeɪntɪŋ] *n* 1) карти́на, напи́санная ма́сляными кра́сками 2) жи́вопись ма́сляными кра́сками

oil-paper [ˈɔɪlˌpeɪpə] *n* прома́сленная бума́га; воща́нка

oilplant [ˈɔɪlplɑ:nt] *n* масли́чное расте́ние

oil-press [ˈɔɪlpres] *n* маслобо́йный пресс

oil-producing [ˈɔɪlprəˌdju:sɪŋ] *a* нефтедобыва́ющий

oil seal [ˈɔɪlsi:l] *n тех.* са́льник

oilskin [ˈɔɪlskɪn] *n* 1) то́нкая клеёнка 2) непромока́емый плащ 3) *pl* непромока́емый костю́м 4) *мор.* дождево́е пла́тье 5) *attr.* клеёнчатый

oil slick [ˈɔɪlslɪk] *n* нефтяно́е пятно́

oil-stained [ˈɔɪlsteɪnd] *a* пропи́танный не́фтью

oilstone [ˈɔɪlstəʊn] *n* осело́к для пра́вки с ма́слом

oil tanker [ˈɔɪlˌtæŋkə] *n* та́нкер, нефтево́з

oil tar [ˈɔɪltɑ:] *n* дёготь

oil well [ˈɔɪlwel] *n* нефтяна́я сква́жина

oily [ˈɔɪlɪ] *a* 1) ма́сляный, масляни́стый, жи́рный 2) еле́йный, льсти́вый, вкра́дчивый

ointment [ˈɔɪntmənt] *n* мазь, притира́ние

O. K. [əʊˈkeɪ] *разг.* **1.** *n* одобре́ние

2. *a predic.* всё в поря́дке; хорошо́; пра́вильно

3. *v* (*past u p. p.* O. K.'d [-d]) одобря́ть (*устно или письменно*)

4. *int* хорошо́!, ла́дно!, есть!, идёт!

okay [əʊ'keɪ] = O. K.

okey dokey [ˌəʊkɪ'dəʊkɪ] *амер.* = O. K. 4

Okie ['əʊkɪ] *n амер.* стра́нствующий сельскохозя́йственный рабо́чий (*преим. из штата Оклахома*)

old [əʊld] **1.** *a* (older, elder; oldest, eldest) 1) ста́рый; ~ people старики́; ~ age ста́рость; to grow (*или* to get) ~ ста́риться 2) до́лго испо́льзовавшийся *или* употребля́вшийся 3) поно́шенный, потрёпанный; обветша́лый 4) ста́рый, вы́держанный (*о вине*) 5) ста́рческий, старообра́зный 6) занима́вшийся дли́тельное вре́мя (*чем-л.*); о́пытный; an ~ hand (at smth.) о́пытный челове́к (*в чём-л.*); ~ campaigner ста́рый служа́ка, ветера́н; *перен.* быва́лый челове́к 7) закорене́лый (*тж.* ~ in, ~ at); ~ offender закорене́лый престу́пник 8) относя́щийся к про́шлому, да́вний; ~ times да́вние времена́ 9) стари́нный, давни́шний; an ~ family стари́нный род; of the ~ school старомо́дный 10) *при вопросе о возрасте и при указании возраста*: how ~ is he? ско́лько ему́ лет?; he is ten years ~ ему́ де́сять лет 11) *разг. придаёт ласкательное или усилительное значение существительному*: ~ boy дружи́ще [*ср. тж.* 12)]; ~ thing голу́бушка, дружо́к; the ~ man а) старина́; б) *мор.* капита́н; в) «стари́к» (*муж или отец*); г) шеф, босс; the ~ woman «стару́шка» (*обыкн. о жене*); ~ lady (*в обращении в третьем лице*) а) мать; б) жена́; to have a high ~ time хорошо́ повесели́ться 12) бы́вший, пре́жний; ~ boy бы́вший учени́к шко́лы [*ср. тж.* 11)] ◇ ~ year а) ста́рый год; б) уходя́щий год; ~ as the hills старо́, как мир; о́чень ста́рый; an ~ shoe *шутл.* ста́рая кало́ша; an ~ head on young shoulders му́дрость не по во́зрасту; ~ bones *шутл.* а) ста́рость; she wouldn't make ~ bones она́ не доживёт до ста́рости; б) стари́к; стару́ха; the ~ country ро́дина, оте́чество; ~ man of the sea челове́к, от кото́рого тру́дно отде́латься; прилипа́ла; O. Harry, O. Gentleman, O. Nick дья́вол; to come the ~ soldier over smb. поуча́ть кого́-л.

2. *n* 1) (the ~) *pl собир.* старики́; ~ and young все 2) про́шлое; of ~ пре́жде, в пре́жнее вре́мя; from of ~ и́сстари; in the days of ~ в старину́; men of ~ лю́ди пре́жних времён

old-age [ˌəʊld'eɪdʒ] *a* свя́занный со ста́ростью; ста́рческий; ~ pension пе́нсия по ста́рости

old clothes man [ˌəʊld'kləʊðzmæn] *n* старьёвщик

old clothes shop [ˌəʊld'kləʊðzʃɒp] *n* ла́вка поде́ржанных веще́й, ла́вка старьёвщика

olden ['əʊldən] *a уст.* ста́рый, было́й; бо́лее ра́ннего пери́ода

old-established [ˌəʊldɪs'tæblɪʃt] *a* давно́ устано́вленный, давни́шний

oldfangled [ˌəʊld'fæŋgld] = old-fashioned

old-fashioned [ˌəʊld'fæʃnd] *a* 1) устаре́лый; старомо́дный 2) стари́нный

Old Glory [ˌəʊld'glɔ:rɪ] *n* госуда́рственный флаг США

old gold ['əʊldgəʊld] *a* цве́та ста́рого зо́лота

old hat ['əʊldhæt] *a разг.* устаре́лый

oldish ['əʊldɪʃ] *a* староватый

old-maidish [ˌəʊld'meɪdɪʃ] *a* староде́вический

old-man's beard [ˌəʊldmænz'bɪəd] *n бот.* 1) ломоно́с виноградноли́стный 2) луизиа́нский мох

oldster ['əʊldstə] *n разг.* пожило́й челове́к

old-time [ˌəʊld'taɪm] *a* стари́нный, пре́жних времён

old-timer [ˌəʊld'taɪmə] *n* 1) старожи́л; ветера́н 2) старомо́дный челове́к 3) старомо́дная вещь

Old World [ˌəʊld'wɜ:ld] *n* Ста́рый Свет, восто́чное полуша́рие

old-world ['əʊldwɜ:ld] *a* стари́нный, дре́вний, относя́щийся к старине́

oleaginous [ˌəʊlɪ'ædʒɪnəs] *a* 1) масляни́стый; жи́рный 2) еле́йный

oleander [ˌəʊlɪ'ændə] *n бот.* олеа́ндр

oleaster [ˌəʊlɪ'æstə] *n бот.* 1) ди́кая масли́на 2) лох узколи́стный

oleograph ['əʊlɪəgrɑ:f] *n* олеогра́фия

oleomargarine [ˌəʊlɪəmɑ:dʒə'ri:n] *n* олеомаргари́н

olericulture ['ɒlərɪˌkʌltʃə] *n* овощево́дство, выра́щивание овоще́й, огоро́дничество

oleum ['əʊlɪəm] *n хим.* о́леум

olfactory [ɒl'fæktərɪ] **1.** *a* обоня́тельный; ~ organ о́рган обоня́ния, нос

2. *n* (*обыкн. pl*) о́рган(ы) обоня́ния

olid ['ɒlɪd] *a книжн.* злово́нный

oligarch ['ɒlɪgɑ:k] *n* олига́рх

oligarchic(al) [ˌɒlɪ'gɑ:kɪk(l)] *a* олигархи́ческий

oligarchy ['ɒlɪgɑ:kɪ] *n* олига́рхия

olio ['əʊlɪəʊ] *n* (*pl* -os [-əʊz]) 1) мя́со, тушёное с овоща́ми 2) смесь, вся́кая вся́чина 3) *муз.* попурри́

olivaceous [ˌɒlɪ'veɪʃəs] *a* оли́вковый, оли́вкового цве́та

olivary ['ɒlɪvərɪ] *a анат.* име́ющий фо́рму масли́ны, ова́льный

olive ['ɒlɪv] **1.** *n* 1) масли́на, оли́ва (*дерево и плод*) 2) = olive branch 3) оли́вковый цвет 4) древеси́на оли́вкового де́рева 5) застёжка *или* пу́говица ова́льной фо́рмы 6) *pl* «оли́вки» (*блюдо из мяса и зелени*)

2. *a* оли́вковый, оли́вкового цве́та

olive branch ['ɒlɪvbrɑ:ntʃ] *n* 1) оли́вковая, масли́чная ветвь (*как символ мира*); to hold out the ~ де́лать ми́рные предложе́ния; пыта́ться ула́дить де́ло ми́ром 2) (*обыкн. pl*) *шутл.* де́ти

olive crown ['ɒlɪvkraʊn] *n* оли́вковый вено́к (*победителя*)

olive oil ['ɒlɪvɔɪl] *n* оли́вковое, прова́нское ма́сло

olive tree ['ɒlɪvtri:] *n* оли́ва, масли́на (*дерево*)

olivet(te) ['ɒlɪvet] = olive 1, 5)

olive wood ['ɒlɪvwʊd] *n* 1) древеси́на оли́вкового де́рева 2) оли́вковая ро́ща

ology ['ɒlədʒɪ] *n* (*обыкн. pl*) *шутл.* нау́ка, нау́ки

Olympiad [ə'lɪmpɪæd] *n* олимпиа́да

Olympian [ə'lɪmpɪən] **1.** *a* 1) олимпи́йский 2) вели́чественный; снисходи́тельный; ~ calm олимпи́йское споко́йствие

2. *n* гре́ческий бог, обита́тель Оли́мпа; *перен.* олимпи́ец

Olympic [ə'lɪmpɪk] *a* 1) олимпи́йский; ~ games олимпи́йские и́гры 2): ~ green *мин.* медя́нка; изумру́дная *или* малахи́товая зе́лень

Olympus [ə'lɪmpəs] *n греч. миф.* Оли́мп

ombre ['ɒmbə] *n карт.* ло́мбер

ombrometer [ɒm'brɒmɪtə] *n* дождеме́р, плювио́метр

ombudsman ['ɒmbʊdzmən] *n парл.* чино́вник, рассма́тривающий прете́нзии гра́ждан к прави́тельственным слу́жащим (*тж.* Parliamentary Commissioner)

omega ['əʊmɪgə] *n* 1) оме́га (*последняя буква греческого алфавита*) 2) коне́ц, заверше́ние [*см. тж.* alpha ◇]

omelet(te) ['ɒmlət] *n* омле́т, я́ичница; savoury ~ омле́т с души́стыми тра́вами; sweet ~ омле́т с варе́ньем *или* с са́харом ◇ you can't make an ~ without breaking eggs *посл.* ≅ лес ру́бят — ще́пки летя́т

omen ['əʊmen] **1.** *n* предзнаменова́ние, знак, приме́та; to be of good (ill) ~ служи́ть хоро́шим (дурны́м) предзнаменова́нием

2. *v* служи́ть предзнаменова́нием, предвеща́ть

omertà [ˌəʊmeə'tɑ:] *ит. n* оме́рта, зако́н молча́ния (*особ. принятый у мафии*)

ominous ['ɒmɪnəs] *a* злове́щий, угрожа́ющий

omissible [əʊ'mɪsəbl] *a* тако́й, кото́рым мо́жно пренебре́чь, несуще́ственный

omission [əʊ'mɪʃn] *n* 1) про́пуск; пробе́л 2) упуще́ние, оплошность

omit [əʊ'mɪt] *v* 1) пропуска́ть, не включа́ть 2) пренебрега́ть, упуска́ть; to ~ doing (*или* to do) smth. не сде́лать чего́-л.

omnibus ['ɒmnɪbəs] **1.** *n* 1) о́мнибус 2) *книжн.* авто́бус 3) объёмистый сбо́рник, одното́мник (*тж.* ~ volume)

2. *a* охва́тывающий не́сколько предме́тов *или* пу́нктов; an ~ bill законопрое́кт, объединя́ющий разли́чные вопро́сы; ~ box *театр.* о́чень больша́я ло́жа; ~ edition по́лное собра́ние сочине́ний; an ~ resolution о́бщая резолю́ция по ря́ду вопро́сов; ~ train пассажи́рский по́езд, иду́щий со все́ми остано́вками

omnicompetent [ˌɒmnɪ'kɒmpɪtənt] *a* облада́ющий все́ми полномо́чиями

omnidirectional [ˌɒmnɪdɪ'rekʃnəl] *a* де́йствующий по всем направле́ниям; не имеющий определённого направления действия

omnifarious [,ɒmnɪ'feərɪəs] *a* всевозмо́жный; разнообра́зный; ~ reading бессисте́мное чте́ние

omniparity [,ɒmnɪ'pærətɪ] *a* всео́бщее ра́венство

omnipotent [ɒm'nɪpətənt] *a* всемогу́щий

omnipresent [,ɒmnɪ'preznt] *a* вездесу́щий

omnirange [,ɒmnɪ'reɪndʒ] *n* всенапра́вленный радиомая́к

omniscient [ɒm'nɪsɪənt] *a* всеве́дущий

omnium gatherum [,ɒmnɪəm'gæðərəm] *n разг.* 1) мешани́на, смесь; вся́кая вся́чина 2) сме́шанное, пёстрое о́бщество

omnivorous [ɒm'nɪvərəs] *a* 1) всея́дный; всепожира́ющий 2) жа́дно поглоща́ющий всё; an ~ reader чита́тель, глота́ющий кни́ги одну́ за друго́й

omphalocele ['ɒmfələ,si:l] *n мед.* пупо́чная гры́жа

omul ['ɒmju:l] *n зоол.* о́муль

on [ɒn] **1.** *prep* 1) *в пространственном значении указывает на*: а) *нахождение на поверхности какого-л. предмета* на; the cup is on the table ча́шка на столе́; the picture hangs on the wall карти́на виси́т на стене́; he has a blister on the sole of his foot у него́ волды́рь на ступне́; б) *нахождение около какого-л. водного пространства* на, у; the town lies on lake Michigan го́род нахо́дится на о́зере Мичига́н; a house on the river дом у реки́; в) *направление* на; the boy threw the ball on the floor ма́льчик бро́сил мяч на́ пол; the door opens on a lawn дверь выхо́дит на лужа́йку; on the right напра́во; on the North на се́вере; г) *способ передвижения* в, на; on a truck на грузовике́; on a train в по́езде 2) *во временном значении указывает на*: а) *определённый день недели, определённую дату, точный момент* в; on Tuesday во вто́рник; on another day в друго́й день; on the 5th of December 5-го декабря́; on Christmas eve в кану́н рождества́; on the morning of the 5th of December у́тром 5-го декабря́; on time во́время; б) *последовательность, очерёдность наступления действий* по, по́сле; on my return I met many friends по возвраще́нии я встре́тил мно́го друзе́й; on examining the box closer I found it empty внима́тельно осмотре́в я́щик, я убеди́лся, что в нём ничего́ нет; payable on demand опла́та по тре́бованию; в) *одновременность действий* во вре́мя, в тече́ние; on my way home по пути́ домо́й 3) *указывает на цель, объект действия* по, на; he went on business он отпра́вился по де́лу; on errand а) на посы́лках; б) по поруче́нию; they rose on their enemies они́ подняли́сь на свои́х враго́в 4) *указывает на состояние, процесс, характер действия* в, на; on fire в огне́; the dog is on the chain соба́ка на цепи́; on sale в прода́же 5) *указывает на основание, причину, источник* из, на, в, по, у; it is all clear on the evidence всё я́сно из показа́ний; on good authority из достове́рного исто́чника; on that ground на э́том основа́нии; I heard it on some air show я слы́шал э́то в како́й-то радиопостано́вке; he borrowed money on his friend он за́нял де́ньги у своего́ дру́га 6) в (*составе, числе*); on the commission (delegation) в соста́ве коми́ссии (делега́ции); on the jury в числе́ прися́жных; on the list в спи́ске 7) о, об, относи́тельно, каса́тельно, по; we talked on many subjects мы говори́ли о мно́гом; my opinion on that question моё мне́ние по э́тому вопро́су; a book on phonetics кни́га по фоне́тике; a joke on me шу́тка на мой счёт; I congratulate you on your success поздравля́ю вас с успе́хом 8) *указывает на направление действия; передаётся дат. падежом*: he turned his back on them он поверну́лся к ним спино́й; she smiled on me она́ мне улыбну́лась 9) за (*что-л.*), на (*что-л.*); to live on £5 a week жить на 5 фу́нтов в неде́лю; she got it on good terms она́ получи́ла э́то на вы́годных усло́виях; to buy smth. on the cheap *разг.* купи́ть по дешёвке; to live on one's parents быть на иждиве́нии роди́телей; interest on capital проце́нт на капита́л; tax on imports нало́г на и́мпорт ◇ on high вверху́, на высоте́

2. *adv указывает на*: 1) *наличие какой-л. одежды на ком-л.*: what had he on? во что он был оде́т?; she had a green hat on на ней была́ зелёная шля́па 2) *движение* да́льше, да́лее, вперёд; to send one's luggage on посла́ть бага́ж вперёд, зара́нее; on and on не остана́вливаясь 3) *продолжение или развитие действия*: to walk on продолжа́ть идти́; go on! продолжа́й(те)!; there is a war on идёт война́ 4) *отправную точку или момент*: from this day on с э́того дня 5) *идущие в театре* (*кинотеатре*) *пьесы* (*фильмы*): Macbeth is on tonight сего́дня идёт «Макбе́т»; what is on in London this spring? каки́е пье́сы иду́т э́той весно́й в Ло́ндоне? 6) *приближение к какому-л. моменту* к; he is getting on in years он старе́ет; he is going on for thirty ему́ ско́ро испо́лнится три́дцать; it is on for ten o'clock вре́мя приближа́ется к десяти́ (часа́м) 7) *включение, соединение* (*об аппарате, механизме*): turn on the gas! включи́ газ!; the light is on свет гори́т, включён ◇ on and off (*или* off and on) вре́мя от вре́мени, иногда́; and so on и так да́лее; to be on to smb. а) раскуси́ть кого́-л.; б) связа́ться с кем-л. (*по телефону и т. п.*); в) придира́ться к кому́-л.; г) напа́сть на след кого́-л.

3. *a* 1) *спорт.* располо́женная сле́ва, та, на кото́рой стои́т бэ́тсмен (*о стороне крикетного поля*) 2) *амер. разг.* зна́ющий та́йну, секре́т 3) *разг.* жела́ющий приня́ть уча́стие (*особ.* в риско́ванном де́ле) 4) *разг.* уда́чный, хоро́ший; it is one of my on days я сего́дня в хоро́шей фо́рме

4. *n спорт.* ле́вая сторона́, та, на кото́рой стои́т бэ́тсмен (*о стороне крикетного поля*)

onager ['ɒnədʒə] *n* (*pl* -s [-z], -gri) *зоол.* она́гр

onagri ['ɒnəgraɪ] *pl от* onager

once [wʌns] **1.** *adv* 1) (оди́н) раз; ~ again (*или* more) ещё раз; ~ and again а) не́сколько раз; б) иногда́, и́зредка; ~ every day раз в день; ~ (and) for all раз (и) навсегда́; ~ in a while (*или* way) иногда́, и́зредка; ~ or twice не́сколько раз; more than ~ не раз, неоднокра́тно; not ~ ни ра́зу, никогда́ 2) не́когда, когда́-то; одна́жды; ~ (upon a time) ≅ жил-бы́л (*начало сказок*); I was ~ very fond of him я когда́-то о́чень люби́л его́ 3) *служит для усиления*: (if) ~ you hesitate you are lost сто́ит вам заколеба́ться, и вы пропа́ли; when ~ he understands сто́ит ему́ то́лько поня́ть; he never ~ offered to help me он да́же не предложи́л помо́чь мне ◇ all at ~ неожи́данно; at ~ а) сра́зу; do it at ~, please сде́лайте э́то неме́дленно, пожа́луйста; б) в то же вре́мя, вме́сте с тем; at ~ stern and tender стро́гий и вме́сте с тем не́жный

2. *n* оди́н раз; for (this) ~ на э́тот раз, в ви́де исключе́ния; ~ is enough for me одного́ ра́за с меня вполне доста́точно

3. *a редк.* пре́жний, тогда́шний; my ~ master мой пре́жний учи́тель *или* хозя́ин

once-over ['wʌns,əʊvə] *n разг.* бе́глый (*предварительный*) осмо́тр; бы́стрый, но внима́тельный взгляд; to give smb., smth. the ~ бе́гло осмотре́ть кого́-л., что-л.

oncer ['wʌnsə] *n разг.* прихожа́нин, кото́рый хо́дит в це́рковь по воскресе́ньям

oncological [,ɒŋkə'lɒdʒɪkl] *a* онкологи́ческий

oncology [ɒŋ'kɒlədʒɪ] *n* онколо́гия

oncoming ['ɒn,kʌmɪŋ] **1.** *n* приближе́ние; the ~ of spring наступле́ние весны́

2. *a* 1) надвига́ющийся, приближа́ющийся; the ~ traffic встре́чное движе́ние 2) предстоя́щий, бу́дущий; the ~ visit предстоя́щий визи́т

ondatra [ɒn'dætrə] *n зоол.* онда́тра

one [wʌn] **1.** *num. card.* 1) оди́н; ~ hundred сто, со́тня; ~ in a thousand оди́н на ты́сячу; ре́дкостный 2) но́мер оди́н, пе́рвый; room ~ ко́мната но́мер оди́н; volume ~ пе́рвый том 3): I'll meet you at ~ я встре́чу тебя́ в час; Pete will be ~ in a month Пи́ту че́рез ме́сяц испо́лнится год ◇ too many сли́шком мно́го; ~ or two немно́го, не́сколько

2. *n* 1) едини́ца, число́ оди́н; write down two ~s напиши́те две едини́цы 2) оди́н, одино́чка; ~ by ~ поодино́чке; they came by ~s and twos приходи́ли по одному́ и по́ двое; it is difficult to tell ~ from the other тру́дно отличи́ть одного́ от друго́го 3) *употр. как слово-заместитель* а) *во избежание повторения ранее упомянутого существительного*: I am through with this book, will you let me have another ~? я ко́нчил э́ту кни́гу, не дади́те ли вы мне другу́ю?; б) *в знач.* «челове́к»: he is the ~ I mean он тот са́мый (челове́к), кото́рого я име́ю в виду́; the little ~s де́ти; the great ~s and the little ~s больши́е и ма́лые; my little ~ дитя́ моё (*в обращении*); the great ~s of the earth вели́кие ми́ра сего́; a ~ for smth. *разг.* энтузиа́ст в како́м-л. де́ле ◇ at ~ в согла́сии; заодно́; all in ~ всё вме́сте; to be made ~ пожени́ться, повенча́ться; I for ~ что каса́ется меня́; ~ up (down) to smb. одно́ очко́ (оди́н гол *и т. п.*) в чью-л. (не в чью-л.) по́льзу

3. *a* 1) еди́нственный; there is only ~ way to do it есть еди́нственный спо́соб э́то сде́лать 2) еди́ный; to cry out with ~ voice единоду́шно воскли́кнуть; ~ and undivided еди́ный и недели́мый 3) одина́ковый, тако́й же; to remain for ever ~ остава́ться всегда́ сами́м собо́й 4) неопределённый, како́й-то; at ~ time I lived in Moscow одно́ вре́мя (пре́жде) я жил в Москве́; ~ fine morning в одно́ прекра́сное у́тро

4. *pron indef.* 1) не́кто, не́кий, кто́-то; I showed the ring to ~ Jones я показа́л кольцо́ не́коему Джо́нсу; ~ came running кто́-то вбежа́л 2) *употр. в неопределённо-личных предложениях*: ~ never knows what may happen никогда́ не зна́ешь, что мо́жет случи́ться; if ~ wants a thing done ~ had best do it himself е́сли хо́чешь, что́бы де́ло бы́ло сде́лано, сде́лай его́ сам; ~ must observe the rules ну́жно соблюда́ть пра́вила ◇ in the year ~ о́чень давно́; ≅ при царе́ Горо́хе

one-aloner [,wʌnə'ləʊnə] *n* соверше́нно одино́кий челове́к, одино́чка

one-armed [,wʌn'ɑ:md] *n* однору́кий ◇ ~ bandit игра́льный автома́т

one-decker ['wʌn,dekə] *n* однопа́лубное су́дно

one-eyed [,wʌn'aɪd] *a* 1) одногла́зый; криво́й 2) = one-horse 4); 3) *амер. sl.* нече́стный, недобросо́вестный

one-figure ['wʌn,fɪgə] *n* однозна́чное число́

onefold ['wʌnfəʊld] *a* 1) просто́й, несло́жный 2) просто́й, простоду́шный, и́скренний

one-handed [,wʌn'hændɪd] *a* 1) однору́кий 2) сде́ланный одно́й руко́й; рассчи́танный на рабо́ту одно́й руко́й

one-horse [,wʌn'hɔ:s] *a* 1) име́ющий одну́ ло́шадь; одноко́нный 2) в одну́ лошади́ную си́лу 3) маломо́щный 4) *разг.* бе́дный; второстепе́нный, незначи́тельный; ме́лкий; захолу́стный; ~ town захолу́стный городи́шко

one-idea'd, one-ideaed [,wʌnaɪ'dɪəd] *a* 1) одержи́мый одно́й иде́ей 2) у́зкий (*о мировоззрении*); ограни́ченный (*о человеке*)

one-legged [,wʌn'legɪd] *a* 1) одноно́гий 2) односторо́нний, однобо́кий; полови́нчатый

one-liner [,wʌn'laɪnə] *n разг.* остро́та

one-man [,wʌn'mæn] *a* 1) одино́чный; относя́щийся к одному́ челове́ку 2) производи́мый одни́м челове́ком; ~ show представле́ние с одни́м де́йствующим лицо́м; теа́тр одного́ актёра; ~ business единоли́чное предприя́тие (*или* де́ло) 3) одноме́стный

oneness ['wʌnnəs] *n* 1) одино́чество 2) исключи́тельность 3) согла́сие 4) еди́нство; то́ждество

one-night stand [,wʌnnaɪt'stænd] *n* 1) еди́нственное представле́ние *и т. п.* в да́нном ме́сте 2) *разг.* бли́зость, любо́вь на одну́ ночь

one-off [,wʌn'ɒf] *a разг.* одноразо́вый, однора́зового употребле́ния

one-piece [,wʌn'pi:s] *a* состоя́щий из одного́ предме́та (*об одежде*)

oner ['wʌnə] *n sl.* 1) оди́н фунт сте́рлингов 2) ре́дкий челове́к *или* предме́т

onerous ['əʊnərəs] *a* обремени́тельный; затрудни́тельный, тя́гостный; ~ duties тя́гостные обя́занности

oneself [wʌn'self] *pron* 1) *refl.* себя́; -ся; себе́; to excuse ~ извиня́ться 2) *emph.* сам, (самому́) себе́; (самого́) себя́; one must not live for ~ only ну́жно жить и для други́х, а не то́лько для себя́; there are things one can't do for ~ есть ве́щи, кото́рые нельзя́ сде́лать для самого́ себя́

one-sided [,wʌn'saɪdɪd] *a* 1) пристра́стный, несправедли́вый 2) однобо́кий, односторо́нний; кривобо́кий; ~ street у́лица, застро́енная дома́ми то́лько с одно́й стороны́ 3) односторо́нний, ограни́ченный (*о человеке*)

onetime ['wʌntaɪm] *a* бы́вший; было́й, про́шлый

onetrack [,wʌn'træk] *a* 1) у́зкий, ограни́ченный; ~ mind ограни́ченный челове́к 2) *ж.-д.* одноколе́йный

one up [,wʌn'ʌp] *a разг.* име́ющий преиму́щество; находя́щийся в вы́годном положе́нии

one-upmanship [,wʌn'ʌpmənʃɪp] *n разг.* уме́ние перещеголя́ть други́х

one-way [,wʌn'weɪ] *a* односторо́нний (*о связи, движении и т. п.*); ~ street у́лица с односторо́нним движе́нием

onfall ['ɒnfɔ:l] *n* нападе́ние

onflow ['ɒnfləʊ] *n* тече́ние

ongoings ['ɒn,gəʊɪŋz] = goings-on

onhanger ['ɒn,hæŋə] = hanger-on

onion ['ʌnjən] **1.** *n* 1) лук; лу́ковица 2) *sl.* голова́; to be off one's ~ потеря́ть го́лову, спя́тить ◇ to know one's ~s хорошо́ знать своё де́ло; знать что-л. назубо́к

2. *v* 1) приправля́ть лу́ком 2) натира́ть себе́ глаза́ лу́ком (*чтобы вызвать слёзы*)

onionskin ['ʌnjənskɪn] *n* 1) лу́ковичная шелуха́ 2) то́нкая гла́дкая бума́га

oniony ['ʌnjənɪ] *a* лу́ковый; лу́ковичный

onlay ['ɒnleɪ] *n* накла́дка; отде́лка

on-licence ['ɒn,laɪsəns] *n* пате́нт на прода́жу спиртны́х напи́тков распи́вочно (*не на вынос*)

onlooker ['ɒn,lʊkə] *n* зри́тель, наблюда́тель ◇ the ~ sees most of the game *посл.* со стороны́ видне́е

only ['əʊnlɪ] **1.** *a* еди́нственный; an ~ son еди́нственный сын; one and ~ оди́н еди́нственный; уника́льный

2. *adv* то́лько, исключи́тельно; еди́нственно ◇ ~ just то́лько что; to be ~ just in time едва́ поспе́ть; ~ not чуть не, едва́ не, почти́; I am ~ too pleased я о́чень рад; if ~ е́сли бы то́лько

3. *cj разг.* но; то́лько; I would do it with pleasure, ~ I am too busy я сде́лал бы э́то с удово́льствием, но я сли́шком за́нят; ~ that за исключе́нием того́, что; е́сли бы не то, что

onomastics [,ɒnə'mæstɪks] *n pl* онома́стика

onomatopoeia [,ɒnəʊmætə'pi:ə] *n лингв.* звукоподража́ние, ономатопе́я (*напр.*, cuckoo, buzz)

onomatopoeic [,ɒnəʊmætə'pi:ɪk] *a* звукоподража́тельный

on-position ['ɒnpə,zɪʃn] *n тех.* положе́ние включе́ния

onrush ['ɒnrʌʃ] *n* ата́ка, на́тиск

onscreen [,ɒn'skri:n] *a* появля́ющийся на теле- *или* киноэкра́нах

onset ['ɒnset] *n* 1) на́тиск, ата́ка, нападе́ние; ~ of wind поры́в ве́тра 2) нача́ло; at the first ~ сра́зу же

onslaught ['ɒnslɔ:t] *n* бе́шеная ата́ка, нападе́ние

onto ['ɒntʊ] *prep* на; to get ~ a horse сесть на ло́шадь; the boat was driven ~ the rocks ло́дку вы́бросило на ска́лы

ontogenesis, ontogeny [,ɒntəʊ'dʒenɪsɪs, ɒn'tɒdʒɪnɪ] *n биол.* онтогене́з

ontology [ɒn'tɒlədʒɪ] *n филос.* онтоло́гия

onus ['əʊnəs] *n* бре́мя; отве́тственность; долг

onward ['ɒnwəd] **1.** *a* продвига́ющийся, иду́щий вперёд; прогресси́вный; ~ movement движе́ние вперёд

2. *adv* вперёд, впереди́, да́лее

onwards ['ɒnwədz] = onward 2

onyx ['ɒnɪks] *n мин.* о́никс

oodles ['u:dlz] *n pl разг.* огро́мное коли́чество, мно́жество; ~ of money ку́ча де́нег

oof [u:f] *n sl.* де́ньги, бога́тство

oolite ['əʊəlaɪt] *n геол.* ооли́т

oolitic [,əʊə'lɪtɪk] *a геол.* ооли́товый

oology [əʊ'ɒlədʒɪ] *n* ооло́гия, коллекциони́рование *или* изуче́ние пти́чьих яи́ц

oolong ['u:lɒŋ] *n* сорт чёрного кита́йского ча́я

oops [ʊps] *int разг.* оп!; ой!, ох!

ooze [u:z] **1.** *n* 1) ме́дленное тече́ние; проса́чивание, выделе́ние вла́ги 2) луби́льный отва́р, дуби́льная жи́дкость 3) ли́пкая грязь; ил, ти́на

2. *v* 1) ме́дленно течь; ме́дленно вытека́ть; сочи́ться 2) утека́ть, убыва́ть; исчеза́ть; his strength ~d away си́лы поки́нули его́; the secret ~d out секре́т откры́лся

oozy ['u:zɪ] *a* 1) и́листый, ти́нистый 2) выделя́ющий вла́гу

opacity [əʊ'pæsətɪ] *n* 1) непрозра́чность; acoustic ~ звуконепроница́емость

2) затенённость, темнота́ 3) нея́сность, сму́тность (*мысли, образа*)

opal ['əupl] *n* 1) *мин.* опа́л 2) *attr.* опа́ловый; с моло́чным отте́нком; ~ glass ма́товое стекло́

opalescent [,əupə'lesnt] *a* опа́ловый, име́ющий моло́чный отли́в

opalesque [,əupə'lesk] = opalescent

opaline 1. *n* ['əupəli:n] 1) *мин.* опали́н 2) ма́товое стекло́

2. *a* ['əupəlaın] = opalescent

opaque [əu'peık] **1.** *a* 1) непрозра́чный, светонепроница́емый; тёмный 2) тупо́й, глухо́й

2. *n* (the ~) темнота́, мрак

op art ['ɒpɑ:t] *n разг.* «оп-арт» (*разновидность абстрактного искусства, основанная на оптическом эффекте*)

ope [əup] *поэт. см.* open 3

open ['əupən] **1.** *a* 1) откры́тый; in the ~ air на откры́том во́здухе; to break (*или* to throw) ~ распахну́ть (*дверь, окно*); to tear ~ распеча́тывать (*письмо, пакет*); with ~ eyes с откры́тыми глаза́ми; *перен.* сознáтельно, учи́тывая все после́дствия 2) откры́тый, непересечённый (*о местности*); ~ field откры́тое по́ле; ~ space незагоро́женное ме́сто 3) незакры́вшийся; ~ wound откры́тая ра́на 4) *спорт.* незащищённый 5) всем изве́стный, публи́чный; ~ scandal публи́чный сканда́л, ~ contempt я́вное презре́ние 6) раскры́тый, развёрнутый; they had the map open on the table ка́рта была́ разло́жена у них на столе́ 7) откры́тый, открове́нный; и́скренний; че́стный; an ~ countenance откры́тое лицо́; to be ~ with smb. быть открове́нным с кем-л. 8) непредубеждённый, свобо́дный от предрассу́дков; to be ~ to smth. поддава́ться чему́-л., быть восприи́мчивым к чему́-л. 9) откры́тый, досту́пный; an ~ port откры́тый порт; ~ market во́льный ры́нок; ~ season сезо́н охо́ты; trial in ~ court откры́тый суде́бный проце́сс; ~ letter откры́тое письмо́ (*в газете и т. п.*); ~ champion победи́тель в откры́том состяза́нии 10) неза́нятый; the post is still ~ ме́сто ещё не за́нято 11) нерешённый, незавершённый; ~ question откры́тый вопро́с 12): ~ boat беспа́лубное су́дно 13) свобо́дный от льда (*река, порт*); ~ water вода́, очи́стившаяся от льда; ~ ice лёд, не меша́ющий навига́ции 14) ще́дрый; гостеприи́мный; to welcome with ~ arms встреча́ть с распростёртыми объя́тиями; an ~ house откры́тый дом; an ~ hand ще́драя рука́ 15) неморо́зный (*о погоде, зиме*); ~ weather (winter) мя́гкая пого́да (зима́) 16) *фон.* откры́тый (*о слоге, звуке*) ◇ he is an ~ book его́ легко́ поня́ть; to force an ~ door ломи́ться в откры́тую дверь; ~ verdict *юр.* призна́ние нали́чия преступле́ния без установле́ния престу́пника; the ~ door *эк.* поли́тика откры́тых двере́й; the O. University заочный университе́т (*основанный в Лондоне в 1971 г., в котором обучение проводится с помощью специальных радио- и телевизионных программ*)

2. *n* 1) (the ~) откры́тое простра́нство *или* перспекти́ва; откры́тое мо́ре; in the ~ на откры́том во́здухе; to come out into the ~ привле́чь к себе́ внима́ние; откры́то заяви́ть (*о своих взглядах и т. п.*) 2) откры́тый чемпиона́т

3. *v* 1) открыва́ть(ся); раскрыва́ть(ся); to ~ an abscess вскрыва́ть нары́в; to ~ the bowels очи́стить кише́чник; to ~ a prospect открыва́ть перспекти́ву (*или* бу́дущее); to ~ the door to smth. *перен.* откры́ть путь чему́-л.; сде́лать что-л. возмо́жным; to ~ the mind расши́рить кругозо́р; to ~ one's mind (*или* heart) to smb. подели́ться свои́ми мы́слями с кем-л. 2) открыва́ть, осно́вывать; to ~ an account откры́ть счёт (*в банке*) 3) начина́ть(ся); to ~ the ball открыва́ть бал; *перен.* начина́ть де́йствовать; брать на себя́ инициати́ву; to ~ the debate откры́ть пре́ния; the story ~s with a wedding расска́з начина́ется с описа́ния сва́дьбы □ ~ into сообща́ться с (*о комнатах*); вести́ в (*о двери*); ~ on выходи́ть, открыва́ться на; ~ out развёртывать(ся); раскрыва́ть(ся); to ~ out one's arms открыва́ть объя́тия; to ~ out the wings расправля́ть кры́лья; ~ up а) сде́лать(ся) досту́пным; раскрыва́ть(ся); обнару́живаться; to ~ up relations устана́вливать отноше́ния; to ~ up opportunities предоставля́ть возмо́жности; б) разоткрове́нничаться, в) увели́чивать ско́рость автомоби́ля ◇ to ~ ground а) вспа́хивать *или* вска́пывать зе́млю; б) подгота́вливать по́чву; начина́ть де́йствовать

open-air [,əupən'eə] *a* происходя́щий на откры́том во́здухе; an ~ life жизнь на откры́том во́здухе

open-and-shut [,əupənən'ʃʌt] *a* элемента́рный, очеви́дный

open-armed [,əupən'ɑ:md] *a* с распростёртыми объя́тиями; an ~ welcome раду́шный приём

opencast ['əupənkɑ:st] *a горн.* добы́тый откры́тым спо́собом; ~ mining откры́тые го́рные рабо́ты

open-eared [,əupən'ıəd] *a* внима́тельно слу́шающий

opener ['əupənə] *n* 1) консе́рвный нож 2) *разг.* пе́рвый но́мер програ́ммы *и т. п.*

open-eyed [,əupən'aıd] *a* 1) с широко́ раскры́тыми (*от удивления*) глаза́ми 2) бди́тельный

open-faced [,əupən'feıst] *a* име́ющий откры́тое лицо́

openhanded [,əupən'hændıd] *a* ще́дрый

openhearted [,əupən'hɑ:tıd] *a* 1) с откры́той душо́й, чистосерде́чный 2) великоду́шный

opening ['əupənıŋ] **1.** *pres. p. от* open 3

2. *n* 1) отве́рстие; щель 2) расще́лина; прохо́д (*в горах*) 3) удо́бный слу́чай, благоприя́тная возмо́жность; to give smb. an ~ помо́чь кому́-л. сде́лать карье́ру 4) нача́ло; вступле́ние; вступи́тельная часть 5) откры́тие (*выставки, конференции, театрального сезона и т. п.*) 6) *шахм.* дебю́т 7) *юр.* предвари́тельное изложе́ние де́ла защи́тником 8) *амер.* вы́рубка (*в лесу*) 9) вака́нсия 10) кана́л; проли́в

3. *a* 1) нача́льный, пе́рвый; the ~ day of the exhibition день откры́тия вы́ставки; the ~ night премье́ра (*пьесы, фильма*) 2) вступи́тельный, открыва́ющий 3) исхо́дный

openly ['əupənlı] *adv* 1) откры́то, публи́чно 2) открове́нно

open-minded [,əupən'maındıd] *a* 1) с широ́ким кругозо́ром 2) непредубеждённый 3) восприи́мчивый

openmouthed [,əupən'mauðd] *a* 1) рази́нув(ший) рот от удивле́ния 2) жа́дный

openness ['əupənnəs] *n* 1) открове́нность; прямота́ 2) очеви́дность

openwork ['əupənwɜ:k] *n* 1) ажу́рная ткань; стро́чка; мере́жка 2) *горн.* откры́тые рабо́ты, откры́тая разрабо́тка 3) *attr.* ажу́рный; ~ stockings ажу́рные чулки́

opera ['ɒprə] *n* 1) о́пера 2) (*обыкн.* the ~) о́перное иску́сство

operable ['ɒpərəbl] *a* 1) де́йствующий 2) *мед.* опера́бельный

opera-cloak ['ɒprəkləuk] *n* манто́ (*для выездов*); наки́дка

opera glasses ['ɒprə,glɑ:sız] *n pl* театра́льный бино́кль

opera hat ['ɒprəhæt] *n* шапокля́к, складно́й цили́ндр

opera house ['ɒprəhaus] *n* о́перный теа́тр

operand ['ɒpərænd] *n мат.* объе́кт (де́йствия), опера́нд

operate ['ɒpəreıt] *v* 1) рабо́тать; де́йствовать; to ~ under a theory де́йствовать на основа́нии како́й-л. тео́рии; to ~ on one's own де́йствовать на свой страх и риск 2) управля́ть, заве́довать 3) ока́зывать влия́ние, де́йствовать (on, upon) 4) *хир.* опери́ровать (on) 5) производи́ть опера́ции (*стратегические, финансовые*) 6) приводи́ть(ся) в движе́ние; управля́ть(ся); to ~ a car води́ть маши́ну 7) разраба́тывать, эксплуати́ровать

operated ['ɒpəreıtıd] **1.** *p. p. от* operate

2. *a* управля́емый; remotely ~ с дистанцио́нным управле́нием

operatic [,ɒpə'rætık] *a* о́перный; an ~ singer о́перный пе́вец

operating ['ɒpəreıtıŋ] **1.** *pres. p. от* operate

2. *a* 1) операцио́нный; ~ knife хирурги́ческий нож; ~ table операцио́нный стол; ~ surgeon опера́тор, опери́рующий хиру́рг 2) теку́щий; ~ costs теку́щие расхо́ды; эксплуатацио́нные расхо́ды 3) рабо́чий (*о режиме и т. п.*); ~ personnel техни́ческий, обслу́живающий персона́л

operating room ['ɒpəreıtıŋru:m] *n* операцио́нная

operating theatre ['ɒpəreıtıŋ,θıətə] *n*

операционная (*для показательных операций*)

operation [,ɒpə'reıʃn] *n* 1) действие; работа; приведение в действие; to come into ~ начать действовать; to call into ~ привести в действие; in ~ в действии; in full ~ на полном ходу 2) процесс 3) операция (*хирургическая*) 4) *воен.* операция, боевые действия 5) торговая *или* финансовая операция 6) проведение опыта, эксперимента 7) *мат.* действие 8) разработка, эксплуатация 9) *attr.* эксплуатационный; ~ costs расходы по эксплуатации

operational [,ɒpə'reıʃnəl] *a* 1) операционный 2) оперативный; ~ efficiency (высокая) оперативность 3) относящийся к действию, работе; ~ costs расходы по эксплуатации (*оборудования и т. п.*) 4) действующий; работающий; to become ~ вступать в силу

operational research [,ɒpəreıʃnəlrı'sɜ:tʃ] *n мат.* исследование операций

operative ['ɒpərətıv] **1.** *a* 1) действующий; действительный; действенный; to become ~ входить в силу (*о законе*) 2) оперативный; ~ part of a resolution резолютивная часть решения 3) *хир.* операционный; оперативный; ~ treatment хирургическое вмешательство 4) действующий, работающий, движущий; ~ condition исправное, рабочее состояние

2. *n* 1) рабочий, *особ.* квалифицированный 2) *амер.* частный детектив

operatize ['ɒpərətaız] *v* написать оперу по какому-л. произведению

operator ['ɒpəreıtə] *n* 1) оператор; механик; ~'s position рабочее место 2) телефонист; телеграфист; радист; связист 3) биржевой маклер *или* делец; smooth (*или* slick) ~ *разг.* ловкий делец 4) *хир.* оператор 5) *амер.* владелец предприятия *или* его управляющий 6) то, что оказывает действие ◇ big ~s *амер.* крупные чиновники; высокие должностные лица

operetta [,ɒpə'retə] *n* оперетта

ophidian [ɒ'fıdıən] *зоол.* **1.** *a* 1) относящийся к отряду змей 2) змеевидный, змееподобный

2. *n* змея

ophiolatry [,ɒfı'ɒlətrı] *n* змеепоклонство

ophite ['ɒfaıt] *n мин.* офит

ophthalmia [ɒf'θælmıə] *n мед.* офтальмия

ophthalmic [ɒf'θælmık] *a мед.* глазной

ophthalmologist [,ɒfθæl'mɒlədʒıst] *n* офтальмолог

ophthalmology [,ɒfθæl'mɒlədʒı] *n* офтальмология

opiate ['əʊpıət] **1.** *n* 1) опиат; наркотик 2) успокаивающее *или* снотворное средство

2. *a* 1) содержащий опиум 2) снотворный, наркотический

3. *v* 1) смешивать с опиумом 2) усыплять 3) притуплять

opine [əʊ'paın] *v* высказывать мнение, полагать

opinion [ə'pınjən] *n* 1) мнение, взгляд; to be of ~ that полагать, что; to have no settled ~s не иметь определённых взглядов; to have no ~ of быть невысокого мнения о; in my ~ по моему мнению, по-моему; to act up to one's ~s действовать согласно своим убеждениям 2) мнение, заключение специалиста; counsel's ~ мнение адвоката о деле; to have the best ~ обратиться к лучшему специалисту (*врачу и т. п.*); to have (*или* to get) another ~ приглашать ещё одного специалиста 3) *юр.* судебное решение 4) *attr.*: ~ giver выразитель общественного мнения; ~ makers лица, формирующие общественное мнение; ~ poll опрос общественного мнения ◇ ~s differ *посл.* о вкусах не спорят; a matter of ~ спорный вопрос

opinionated [ə'pınjəneıtıd] *a* чрезмерно самоуверенный; упрямый; своевольный

opium ['əʊpıəm] *n* опиум, опий

opium den ['əʊpıəmden] *n* притон курильщиков опиума

opium-eater ['əʊpıəm,i:tə] *n* курильщик опиума

opium joint ['əʊpıəmdʒɔınt] *амер.* = opium den

opodeldoc [,ɒpəʊ'deldɒk] *n фарм.* оподельдок

opossum [ə'pɒsəm] *n зоол.* опоссум; сумчатая крыса [*см. тж.* possum]

oppidan ['ɒpıdən] *n* 1) *редк.* горожанин 2) ученик Итонского колледжа, живущий на частной квартире

oppo ['ɒpəʊ] *n разг.* коллега, друг

opponent [ə'pəʊnənt] **1.** *n* оппонент, противник

2. *a* 1) расположенный напротив, противоположный 2) враждебный

opportune ['ɒpətju:n] *a* своевременный, благоприятный; подходящий; an ~ moment подходящий момент; ~ rain своевременный дождь

opportunism [,ɒpə'tju:nızəm] *n* оппортунизм

opportunist [,ɒpə'tju:nıst] **1.** *n* оппортунист

2. *a* оппортунистический

opportunity [,ɒpə'tju:nətı] *n* удобный случай; благоприятная возможность; to take the ~ (of) воспользоваться случаем; to lose an ~ упустить возможность *или* случай

oppose [ə'pəʊz] *v* 1) противопоставлять (with, against) 2) оказывать сопротивление, сопротивляться, противиться; препятствовать; мешать; to ~ the resolution отклонить резолюцию 3) находиться в оппозиции; выступать против

opposed [ə'pəʊzd] **1.** *p. p. от* oppose

2. *a* 1) противоположный, противный 2) встречающий сопротивление; ~ landing *мор.* высадка десанта с боем 3) враждебный (to) ◇ as ~ to по сравнению с, в противоположность

opposite ['ɒpəzıt] **1.** *a* 1) расположенный, находящийся напротив, противоположный 2) противоположный; обратный; ~ poles *эл.* разноимённые полюсы ◇ ~ number лицо, занимающее такую же должность в другом учреждении, государстве *и т. п.*; партнёр, коллега

2. *n* противоположность; direct (*или* exact) ~ прямая противоположность

3. *adv* напротив; the house ~ дом напротив

4. *prep* 1) против, напротив 2) на; the cheque was made ~ my name чек был выписан на моё имя

opposition [,ɒpə'zıʃn] *n* 1) сопротивление, противодействие; вражда 2) оппозиция; His Majesty's ~ *парл.* оппозиция Его Величества 3) контраст, противоположность; противоположение 4) *астр.* противостояние 5) *attr.* относящийся к оппозиции; the ~ benches *парл.* скамьи оппозиции

oppositionist [,ɒpə'zıʃnıst] *n* оппозиционер

oppress [ə'pres] *v* 1) притеснять, угнетать 2) удручать, угнетать; to feel ~ed with the heat томиться от жары

oppression [ə'preʃn] *n* 1) притеснение, угнетение, гнёт 2) угнетённость; подавленность

oppressive [ə'presıv] *a* 1) деспотический; ~ legislation жестокие законы; ~ domination деспотизм, жестокий гнёт 2) гнетущий, угнетающий, тягостный; ~ weather душная, знойная погода

oppressiveness [ə'presıvnəs] *n* гнетущая атмосфера

oppressor [ə'presə] *n* угнетатель, притеснитель

opprobrious [ə'prəʊbrıəs] *a* 1) оскорбительный; ~ language ругательства 2) позорящий

opprobrium [ə'prəʊbrıəm] *n* позор; посрамление

oppugn [ə'pju:n] *v книжн.* 1) возражать (*против чего-л.*), оспаривать 2) нападать; вести борьбу 3) сопротивляться

oppugnant [ə'pʌgnənt] *a книжн.* противодействующий; противоборствующий

opt [ɒpt] *v* выбирать; he ~ed for the natural sciences он выбрал естественные науки ▭ ~ out не принимать участия; устраняться, уклоняться (*от работы и т. п. — обыкн. о хиппи*); to ~ out of society стать хиппи

optative ['ɒptətıv] *грам.* **1.** *n* оптатив

2. *a* оптативный, желательный; ~ mood оптатив

optic ['ɒptık] **1.** *a* глазной, зрительный

2. *n шутл.* глаз

optical ['ɒptıkl] *a* зрительный, оптический; ~ illusion оптический обман; ~ disc *тех.* стробоскоп

optician [ɒp'tıʃn] *n* оптик

optics ['ɒptıks] *n pl* (*употр. как sing*) оптика

optima ['ɒptımə] *pl от* optimum

optimism ['ɒptɪmɪzəm] *n* оптимизм

optimist ['ɒptɪmɪst] *n* оптимист

optimistic(al) [,ɒptɪ'mɪstɪk(l)] *a* оптимистичный, оптимистический

optimum ['ɒptɪməm] *n* (*pl тж.* -ma) 1) наиболее благоприятные условия 2) *attr.* оптимальный; to have an ~ effect давать максимальный эффект

option ['ɒpʃn] *n* 1) выбор, право выбора *или* замены; I have no ~ у меня нет выбора; local ~ право жителей города *или* округа голосованием разрешать *или* запрещать что-л. (*напр.*, *продажу спиртных напитков и т. п.*) 2) предмет выбора 3) *юр.* оптация 4) *ком.* опцион; сделка с премией

optional ['ɒpʃnəl] *a* необязательный; факультативный

optophone ['ɒptəfəʊn] *n* оптофон (*прибор для чтения печатного текста слепыми*)

opulence ['ɒpjʊləns] *n* изобилие, богатство; состоятельность

opulent ['ɒpjʊlənt] *a* 1) богатый, состоятельный 2) обильный; пышный; ~ vegetation пышная растительность 3) напыщенный (*о стиле*)

opuntia [əʊ'pʌnʃɪə] *n бот.* опунция

opus ['əʊpəs] *n* музыкальное произведение; опус

opuscule [ə'pʌskju:l] *n* небольшое литературное *или* музыкальное произведение

or I [ɔ:] *cj* или; or else иначе; make haste or else you will be late торопитесь, иначе вы опоздаете; or so приблизительно, что-нибудь вроде этого

or II [ɔ:] *n геральд.* золотой *или* жёлтый цвет

orach(e) ['ɒrɪtʃ] *n бот.* лебеда

oracle ['ɒrəkl] *n* 1) место, где вещали оракулы (*в Древней Греции*) 2) предсказание, прорицание 3) оракул 4) непреложная истина 5) божественное вдохновение *или* откровение ◇ to work the ~ нажать тайные пружины; использовать влияние

oracular [ɒ'rækjʊlə] *a* 1) пророческий 2) двусмысленный; неясный, загадочный 3) претендующий на непогрешимость; догматический

oracy ['ɔ:rəsɪ] *n* владение устной речью

oral ['ɔ:rəl] **1.** *a* 1) устный; словесный 2) *мед.* стоматический, оральный

2. *n разг.* устный экзамен

orally ['ɔ:rəlɪ] *adv* 1) устно 2) *мед.* для приёма внутрь (*о лекарстве*); not to be taken ~ наружное (*о лекарстве*)

Orange ['ɒrɪndʒ] *n ист.* 1) Оранская династия 2) *attr.*: ~ lodge Оранжистская ложа [*см.* Orangeman]

orange ['ɒrɪndʒ] **1.** *n* 1) апельсин; blood ~ апельсин-королёк 2) апельсиновое дерево 3) оранжевый цвет ◇ ~s and lemons *название детской песенки и игры*; Blenheim ~ сорт крупных десертных яблок

2. *a* оранжевый ◇ ~ book отчёт министерства земледелия (*в оранжевом переплёте*)

orangeade [,ɒrɪndʒ'eɪd] *n* оранжад (*напиток*)

orange blossom ['ɒrɪndʒ,blɒsəm] *n* 1) померанцевый цвет 2) флёрдоранж (*украшение невесты*)

orange-fin ['ɒrɪndʒfɪn] *n* молодая форель

orange lily ['ɒrɪndʒ,lɪlɪ] *n бот.* красная лилия

Orangeman ['ɒrɪndʒmən] *n ист.* оранжист (*член Ирландской ультрапротестантской партии*)

orange melon ['ɒrɪndʒ,melən] *n бот.* дыня цукатная

orange peel ['ɒrɪndʒpi:l] *n* 1) апельсиновая корка 2) апельсинный цукат

orangery ['ɒrɪndʒərɪ] *n* 1) апельсиновый сад *или* -ая плантация 2) оранжерея (*для выращивания апельсиновых деревьев*)

orange-tip ['ɒrɪndʒtɪp] *n* бабочка-белянка

orangutan, orangoutang [ɔ:'ræŋətæn] *n зоол.* орангутанг

orate [ɔ:'reɪt] *v шутл.* произносить речь, ораторствовать, разглагольствовать

oration [ə'reɪʃn] *n* 1) речь (*особ.* торжественная) 2) *грам.*: direct (indirect) ~ прямая (косвенная) речь

orator ['ɒrətə] *n* 1) оратор; he is no ~ он плохой оратор 2): public ~ официальный представитель университета, выступающий на торжественных церемониях (*в Кембридже и Оксфорде*)

oratorical [,ɒrə'tɒrɪkl] *a* 1) ораторский 2) риторический

oratorio [,ɒrə'tɔ:rɪəʊ] *n* (*pl* -os [-əʊz]) *муз.* оратория

oratory I ['ɒrətərɪ] *n* 1) красноречие; ораторское искусство, риторика 2) разглагольствование

oratory II ['ɒrətərɪ] *n* часовня, молельня

orb [ɔ:b] **1.** *n* 1) держава (*королевская регалия*) 2) шар; сфера 3) *поэт.* небесное светило 4) *поэт.* глаз, глазное яблоко 5) *архит.* глухая аркада 6) орбита; круг, оборот

2. *v* заключить в круг *или* в шар

orbed [ɔ:bd] **1.** *p. p. от* orb 2

2. *a* округлый, шарообразный, сферический

orbicular [ɔ:'bɪkjʊlə] *a книжн.* 1) сферический, шаровой, круглый; ~ muscle *анат.* кольцевой мускул 2) завершённый

orbit ['ɔ:bɪt] **1.** *n* 1) орбита; to put (*или* to place) in ~ вывести на орбиту; to go into ~ выйти на орбиту 2) сфера, размах деятельности 3) *анат.* глазная впадина

2. *v* 1) выходить на орбиту 2) вращаться по орбите 3) выводить на орбиту

orbital ['ɔ:bɪtl] *a* 1) орбитальный; ~ station орбитальная станция; ~ transfer перелёт с одной орбиты на другую 2) *анат.*, *зоол.* глазной 3): ~ road кольцевая дорога

orbiting ['ɔ:bɪtɪŋ] **1.** *n* движение по орбите; вывод на орбиту

2. *a* орбитальный

Orcadian [ɔ:'keɪdɪən] **1.** *a* оркнейский

2. *n* уроженец, житель Оркнейских островов

orchard ['ɔ:tʃəd] *n* фруктовый сад

orcharding ['ɔ:tʃədɪŋ] *n* плодоводство

orchardman ['ɔ:tʃədmən] *a* плодовод

orchestic [ɔ:'kestɪk] *a* танцевальный

orchestics [ɔ:'kestɪks] *n pl* (*употр. как sing*) танцевальное искусство

orchestra ['ɔ:kɪstrə] *n* 1) оркестр 2) место для оркестра *или* хора 3) *амер.* партер (*тж.* ~ chairs, ~ stalls) 4) орхестра (*место хора в др.-греч. театре*)

orchestral [ɔ:'kestrəl] *a* оркестровый

orchestrate ['ɔ:kɪstreɪt] *v* оркестровать, инструментовать

orchestration [,ɔ:kɪ'streɪʃn] *n* оркестровка, инструментовка

orchestrion [ɔ:'kestrɪən] *n муз.* оркестрион

orchid ['ɔ:kɪd] *n бот.* орхидея

orchidaceous [,ɔ:kɪ'deɪʃəs] *a* орхидейный

orchil ['ɔ:kɪl] *n* орсель (*красная или фиолетовая краска из мхов*)

orchis ['ɔ:kɪs] *n бот.* ятрышник

ordain [ɔ:'deɪn] *v* 1) посвящать в духовный сан 2) *юр.* устанавливать в законодательном порядке; предписывать 3) предопределять

ordeal [ɔ:'di:l] *n* 1) суровое испытание 2) *ист.* «суд божий» (*испытание огнём и водой*)

order ['ɔ:də] **1.** *n* 1) порядок; последовательность; ~ of priorities очерёдность (*мероприятий и т. п.*); in alphabetical (chronological) ~ в алфавитном (хронологическом) порядке; in ~ of size (importance, *etc.*) по размеру (по степени важности *и т. п.*) 2) приказ, распоряжение; предписание; O. in Council закон, издаваемый от имени английского короля и тайного совета и прошедший через парламент без обсуждения; ~ of the day *воен.* приказ по части *или* соединению [*см. тж.* 14)]; one's ~s *амер. воен.* полученные распоряжения; under the ~s of... под командой... 3) порядок, спокойствие; to keep ~ соблюдать порядок; to call to ~ призвать к порядку [*см. тж.* 14)]; ~!, ~! *парл.* к порядку! 4) слой общества; социальная группа; the lower ~s простой народ 5) род, сорт; уровень; свойство; talent of another ~ талант иного порядка 6) заказ; made to ~ сделанный на заказ; on ~ заказанный, но не доставленный; repeat ~ повторный заказ; ~s on hand *эк.* портфель заказов 7) строй, государственное устройство; social ~ общественный строй 8) *зоол.*, *бот.* отряд; подкласс 9) рыцарский *или* религиозный орден 10) *pl церк.* духовный сан; to be in (to take) ~s быть (стать) духовным лицом; to confer ~s рукополагать 11) *архит.* ордер 12) знак отличия, орден 13) *мат.* порядок; степень 14) порядок (*ведения собрания и* *т. п.*); регла́мент; уста́в; ~ of business пове́стка дня; ~ of the day а) пове́стка дня; б) мо́да, мо́дное тече́ние (*в искусстве, литературе и т. п.*) [*см. тж.* 2)]; to call to ~ *амер.* откры́ть (*собрание*) [*см. тж.* 3)]; on a point of ~ к поря́дку веде́ния собра́ния; to be in ~ быть прие́млемым по процеду́ре 15) *воен.* строй, боево́й поря́док; close (extended) ~ со́мкнутый (расчленённый) строй; marching ~ а) походный поря́док; б) похо́дная фо́рма; parade ~ строй для пара́да 16) о́рдер; разреше́ние; про́пуск; admission by ~ вход по пропуска́м 17) о́рдер; cheque to (a person's) ~ *фин.* о́рдерный чек 18) поря́док, испра́вность; to get out of ~ испо́ртиться; in bad ~ в неиспра́вности; to put in ~ привести́ в поря́док 19) хоро́шее физи́ческое состоя́ние; his liver is out of ~ у него́ больна́я пе́чень 20) *амер.* зака́з порцио́нного блю́да (*в ресторане*) ◇ tall (*или* large) ~ тру́дная зада́ча, тру́дное де́ло; in ~ *амер.* надлежа́щим о́бразом; in ~ that с тем, что́бы; in ~ to для того́, что́бы; of the ~ of приме́рно; in short ~ бы́стро; *амер.* неме́дленно, то́тчас же; to be under ~s *воен.* дожида́ться назначе́ния

2. *v* 1) прика́зывать; предпи́сывать; распоряжа́ться 2) направля́ть; to be ~ed abroad быть напра́вленным за грани́цу; to ~ smb. out of the country вы́слать кого́-л. за преде́лы страны́ 3) зака́зывать 4) приводи́ть в поря́док 5) назнача́ть, пропи́сывать (*лекарство и т. п.*) 6) предопределя́ть ▭ ~ **about** кома́ндовать, помыка́ть

order book [ˈɔːdəbʊk] *n* 1) кни́га зака́зов 2) *воен.* кни́га прика́зов и распоряже́ний

order form [ˈɔːdəfɔːm] *n* бланк зака́за, бланк тре́бования

orderliness [ˈɔːdəlɪnəs] *n* 1) аккура́тность, поря́док 2) подчине́ние зако́нам

orderly [ˈɔːdəlɪ] **1.** *n* 1) санита́р 2) *воен.* дневальный, ордина́рец 3) *воен.* связно́й 4) убо́рщик у́лиц (*тж.* street ~)

2. *a* 1) организо́ванный 2) регуля́рный, методи́чный; пра́вильный; ~ rundown постепе́нное свёртывание, система́тическое сокраще́ние 3) дисциплини́рованный; споко́йный; благонра́вный, хоро́шего поведе́ния 4) аккура́тный, опря́тный 5) дежу́рный; ~ book = order book 2); ~ man *воен.* а) дневальный; б) санита́р (*в госпитале*); ~ officer дежу́рный офице́р

orderly room [ˈɔːdəlɪruːm] *n воен.* канцеля́рия подразделе́ния

order paper [ˈɔːdə,peɪpə] *n* пове́стка дня (*в письменном или отпечатанном виде*; *особ. в парламенте*)

ordinal [ˈɔːdɪnl] *грам.* **1.** *a* поря́дковый

2. *n* поря́дковое числи́тельное

ordinance [ˈɔːdɪnəns] *n* 1) ука́з, декре́т 2) постановле́ние муниципалите́та 3) обря́д, та́инство

ordinarily [ˈɔːdnrəlɪ] *adv* обы́чно; обыкнове́нным, обы́чным путём

ordinary [ˈɔːdnərɪ] **1.** *a* 1) обы́чный, обыкнове́нный; ордина́рный; просто́й; in an ~ way при обы́чных обстоя́тельствах; ~ people просты́е лю́ди; ~ seaman матро́с 2-го кла́сса; ~ call ча́стный разгово́р (*по телефону*) 2) зауря́дный, посре́дственный

2. *n* 1) *юр.* постоя́нный член суда́ 2) (the O.) *церк.* архиепи́скоп, епи́скоп *и т. п.*, исполня́ющие обя́занности судьи́ 3) *церк.* тре́бник; уста́в церко́вной слу́жбы 4) (O.) судья́-ордина́рий (*один из пяти судей сессионного суда в Шотландии*) 5) *ист.* таве́рна с о́бщим столо́м за твёрдую пла́ту 6) столо́вая, где подаю́т дежу́рные блю́да 7) *амер.* таве́рна ◇ Surgeon in O. to the King лейб-ме́дик; professor in ~ ордина́рный профе́ссор; in ~ постоя́нный; out of the ~ необы́чный

ordination [,ɔːdɪˈneɪʃn] *n* посвяще́ние в духо́вный сан, рукоположе́ние

ordnance [ˈɔːdnəns] *n* 1) артиллери́йские ору́дия, артилле́рия; материа́льная часть артилле́рии; артиллери́йско-техни́ческое и вещево́е снабже́ние; naval ~ морска́я артилле́рия 2) *attr.* артиллери́йский 3) *attr.*: ~ survey а) госуда́рственная топографи́ческая слу́жба; б) вое́нно-топографи́ческая съёмка

ordonnance [ˈɔːdənəns] *n архит.*, *лит.* архитекто́ника

ordure [ˈɔːdjʊə] *n* 1) наво́з; отбро́сы; грязь 2) грязь, распу́тство 3) скверносло́вие 4) непристо́йность

ore [ɔː] *n* 1) руда́ 2) *поэт.* (драгоце́нный) мета́лл 3) *attr.* ру́дный; ~ mining горнору́дное де́ло

oread [ˈɔːrɪæd] *n греч. миф.*ореа́да (*нимфа гор*)

ore body [ˈɔː,bɒdɪ] *n геол.* ру́дное те́ло

ore-dressing [ˈɔː,dresɪŋ] *n* обогаще́ние руд; механи́ческая обрабо́тка поле́зных ископа́емых

organ [ˈɔːgən] *n* 1) *муз.* орга́н; American ~ фисгармо́ния; street ~ арма́нка 2) о́рган; ~s of speech о́рганы ре́чи 3) *шутл.* пе́нис 4) печа́тный о́рган; газе́та; ~s of public opinion газе́ты, ра́дио, телеви́дение 5) о́рган, учрежде́ние; governmental ~s прави́тельственные о́рганы 6) *уст.* го́лос (*певца*)

organ-blower [ˈɔːgən,bləʊə] *n* раздува́льщик мехо́в (*у органа*)

organdie, organdy [ˈɔːgəndɪ] *n* то́нкая кисея́, органди́

organ-grinder [ˈɔːgən,graɪndə] *n* шарма́нщик

organic [ɔːˈgænɪk] *a* 1) органи́ческий; входя́щий в органи́ческую систе́му 2) организо́ванный; систематизи́рованный; согласо́ванный; взаимозави́симый; ~ whole еди́ное це́лое 3) натура́льный, вы́ращенный без хими́ческих удобре́ний; ~ food натура́льные пищевы́е проду́кты 4) конституцио́нный, основно́й; ~ law основно́й зако́н, конститу́ция; ~ act *амер.* зако́н об образова́нии но́вой «террито́рии» *или* превраще́нии «террито́рии» в штат

organism [ˈɔːgənɪzəm] *n* органи́зм

organist [ˈɔːgənɪst] *n* органи́ст

organization [,ɔːgənaɪˈzeɪʃn] *n* 1) устро́йство; формирова́ние, организа́ция 2) организа́ция 3) органи́зм 4) *амер.* избра́ние гла́вных должностны́х лиц и коми́ссии конгре́сса 5) *амер.* парти́йный аппара́т 6) *attr.* организацио́нный

organize [ˈɔːgənaɪz] *v* 1) организо́вывать, устра́ивать 2) проводи́ть организацио́нные мероприя́тия; to ~ the House избира́ть гла́вных должностны́х лиц и коми́ссии конгре́сса 3) де́лать(ся) органи́ческим, превраща́ть(ся) в живу́ю ткань

organized [ˈɔːgənaɪzd] **1.** *p. p. от* organize

2. *a* 1) организо́ванный; ~ labour чле́ны профсою́за 2): ~ matter жива́я мате́рия

organizer [ˈɔːgənaɪzə] *n* организа́тор

organ-loft [ˈɔːgənlɒft] *n* галере́я в це́ркви для орга́на, хо́ры

organotherapy [,ɔːgənəʊˈθerəpɪ] *n мед.* органотерапи́я

organ-player [ˈɔːgən,pleɪə] = organist

orgasm [ˈɔːgæzəm] *n* орга́зм

orgeat [ˈɔːʒæt] *n* орша́д (*напиток*)

orgy [ˈɔːdʒɪ] *n* 1) о́ргия; разгу́л 2) *разг.* мно́жество, ма́сса (*развлечений и т. п.*); a regular ~ of parties and concerts бесконе́чные вечера́ и конце́рты

oriel [ˈɔːrɪəl] *n архит.* 1) углубле́ние, алько́в 2) закры́тый балко́н, э́ркер

orient **1.** *n* [ˈɔːrɪənt] 1) (the O.) *поэт.* Восто́к, стра́ны Восто́ка 2) вы́сший сорт же́мчуга

2. *a* [ˈɔːrɪənt] 1) *поэт.* восто́чный 2) вы́сшего ка́чества (*о жемчуге*) 3) *уст.* восходя́щий, поднима́ющийся; the ~ sun восходя́щее со́лнце 4) *уст.* блестя́щий, я́ркий

3. *v* [ˈɔːrɪent] 1) ориенти́ровать; определя́ть местонахожде́ние (*по компасу*); to ~ oneself ориенти́роваться 2) стро́ить зда́ние фаса́дом на восто́к

oriental [,ɔːrɪˈentl] **1.** *a* восто́чный, азиа́тский

2. *n* (O.) жи́тель Восто́ка

orientalism [,ɔːrɪˈentəlɪzəm] *n* 1) ориентали́зм; культу́ра, нра́вы, обы́чаи жи́телей Восто́ка 2) востокове́дение, ориентали́стика

orientalist [,ɔːrɪˈentəlɪst] *n* востокове́д, ориентали́ст

orientalize [,ɔːrɪˈentəlaɪz] *v* придава́ть *или* приобрета́ть восто́чный *или* азиа́тский хара́ктер

orientate [ˈɔːrɪənteɪt] = orient 3

orientation [,ɔːrɪenˈteɪʃn] *n* ориентиро́вка, ориента́ция, ориенти́рование

oriented [ˈɔːrɪentɪd] **1.** *p. p. от* orient 3

2. *как компонент сложных слов* свя́занный с чем-л.; занима́ющийся чем-л.; space-oriented для испо́льзования в косми́ческих усло́виях

orifice [ˈɒrəfɪs] *n* 1) отве́рстие 2) у́стье; вы́ход; прохо́д 3) *тех.* сопло́, наса́док, жиклёр

origami [ˌɒrɪ'gɑːmɪ] *n* ориrа́ми

origan, origanum ['ɒrɪgən, ə'rɪgənəm] *n бот.* души́ца обыкнове́нная

origin ['ɒrɪdʒɪn] *n* 1) исто́чник; нача́ло 2) происхожде́ние; of humble ~ незна́тного происхожде́ния

original [ə'rɪdʒənəl] **1.** *n* 1) по́длинник, оригина́л; in the ~ в оригина́ле 2) первоисто́чник 3) чуда́к, оригина́л

2. *a* 1) первонача́льный; исхо́дный; the ~ edition пе́рвое изда́ние; ~ sin *рел.* первоpо́дный грех 2) тво́рческий, самобы́тный; ~ scientist учёный-нова́тор 3) оригина́льный, но́вый, све́жий 4) по́длинный; the ~ picture по́длинник карти́ны

originality [əˌrɪdʒə'nælətɪ] *n* 1) оригина́льность; самобы́тность 2) новизна́, све́жесть 3) по́длинность

originally [ə'rɪdʒnəlɪ] *adv* 1) первонача́льно 2) по происхожде́нию 3) оригина́льно

originate [ə'rɪdʒəneɪt] *v* 1) дава́ть нача́ло, порожда́ть; создава́ть; to ~ a new style in music созда́ть но́вый стиль в му́зыке 2) брать нача́ло, происходи́ть, возника́ть (from, in — от *чего-л.*; from, with — от *кого-л.*); with whom did the idea ~? у кого́ зароди́лась э́та мысль?

origination [əˌrɪdʒə'neɪʃn] *n* 1) нача́ло, происхожде́ние 2) порожде́ние

originative [ə'rɪdʒənətɪv] *a* 1) даю́щий нача́ло, порожда́ющий 2) тво́рческий, созида́тельный

originator [ə'rɪdʒəneɪtə] *n* 1) а́втор; созда́тель, изобрета́тель 2) инициа́тор

orinasal [ˌɔːrɪ'neɪzl] *a* ротоносово́й; ~ vowel *фон.* назализо́ванный гла́сный

oriole ['ɔːrɪəʊl] *n* и́волга

Orion [ə'raɪən] *n астр.* созве́здие Орио́на

orison ['ɒrɪzən] *n* (*обыкн. pl*) *уст.* моли́тва

orlop ['ɔːlɒp] *n мор.* 1) ни́жняя па́луба 2) *ист.* ку́брик

orlop deck ['ɔːlɒpdek] = orlop

ormolu ['ɔːməluː] *n* 1) сплав ме́ди, о́лова и свинца́ для золоче́ния; позоло́тная бро́нза; порошкообра́зное зо́лото для золоче́ния 2) золочёная бро́нза 3) ме́бель с украше́ниями из золочёной бро́нзы

ornament **1.** *n* ['ɔːnəmənt] 1) украше́ние, орна́мент (*тж. перен.*); he is an ~ to his profession он де́лает честь свое́й профе́ссии 2) (*обыкн. pl*) церко́вная у́тварь, ри́зы

2. *v* ['ɔːnəment] украша́ть

ornamental [ˌɔːnə'mentl] **1.** *a* слу́жащий украше́нием, орнамента́льный; декорати́вный

2. *n* 1) декорати́вное расте́ние 2) *pl* безделу́шки, украше́ния

ornamentation [ˌɔːnəmen'teɪʃn] *n* 1) украше́ние (*де́йствие*) 2) *собир.* украше́ния

ornate [ɔː'neɪt] *a* 1) бога́то укра́шенный 2) витиева́тый (*о сти́ле*)

ornery ['ɔːnərɪ] *a амер. разг.* 1) отврати́тельный, ме́рзкий 2) плохо́го ка́чества

ornithic [ɔː'nɪθɪk] = ornithological

ornithological [ˌɔːnɪθə'lɒdʒɪkl] *a* орнитологи́ческий

ornithologist [ˌɔːnɪ'θɒlədʒɪst] *n* орнито́лог

ornithology [ˌɔːnɪ'θɒlədʒɪ] *n* орнитоло́гия

ornithorhyncus [ˌɔːnɪθəʊ'rɪŋkəs] *n зоол.* утконо́с

orogeny [ɒ'rɒdʒənɪ] *n геол.* горообразова́ние, орогене́зис

orography [ɒ'rɒgrəfɪ] *n* орогра́фия

oroide ['əʊrəʊɪd] *n* золоти́стый сплав ме́ди и ци́нка

orotund ['ɒrəʊtʌnd] *a* 1) зву́чный, полнозву́чный 2) высокопа́рный, напы́щенный; претенцио́зный

orphan ['ɔːfn] **1.** *n* сирота́

2. *a* сиро́тский

3. *v* де́лать сиroто́й; лиша́ть роди́телей

orphanage ['ɔːfənɪdʒ] *n* 1) прию́т для сиро́т 2) сиро́тство

orphanhood ['ɔːfnhʊd] *n* сиро́тство

Orphean [ɔː'fiːən] *a* чару́ющий, как му́зыка Орфе́я; сладкозву́чный

Orpheus ['ɔːfjuːs] *n греч. миф.* Орфе́й

Orphic ['ɔːfɪk] *a* 1) мисти́ческий, таи́нственный 2) орфи́ческий

orpin(e) ['ɔːpɪn] *n бот.* за́ячья капу́ста

orrery ['ɒrərɪ] *n* моде́ль плане́тной систе́мы, планета́рий

orris ['ɒrɪs] *n* 1) *бот.* каса́тик флоренти́йский 2) фиа́лковый ко́рень

orris-powder ['ɒrɪsˌpaʊdə] *n* порошо́к из фиа́лкового ко́рня

orrisroot ['ɒrɪsruːt] = orris 2)

orthodox ['ɔːθədɒks] *a* 1) ортодокса́льный; правове́рный; общепри́нятый 2) (O.) *рел.* правосла́вный

orthodoxy ['ɔːθədɒksɪ] *n* 1) ортодокса́льность 2) (O.) *рел.* правосла́вие

orthoepy ['ɔːθəʊepɪ] *n лингв.* орфоэ́пия

orthogenesis [ˌɔːθəʊ'dʒenɪsɪs] *n биол.* ортогене́з

orthogonal [ɔː'θɒgənl] *a* прямоуго́льный, ортогона́льный

orthographic(al) [ˌɔːθə'græfɪk(l)] *a* орфографи́ческий

orthography [ɔː'θɒgrəfɪ] *n* орфогра́фия, правописа́ние

orthop(a)edic [ˌɔːθəʊ'piːdɪk] *a мед.* ортопеди́ческий

orthop(a)edics [ˌɔːθə'piːdɪks] *n pl* (*употр. как sing*) *мед.* ортопе́дия

orthop(a)edist [ˌɔːθə'piːdɪst] *n* ортопе́д

orthoptic [ɔː'θɒptɪk] *a* относя́щийся к норма́льному зре́нию

ortolan ['ɔːtələn] *n* садо́вая овся́нка (*пти́ца*)

oryx ['ɒrɪks] *n зоол.* антило́па бе́йза, сернобы́к

oscillate ['ɒsɪleɪt] *v* 1) кача́ть(ся) 2) вибри́ровать; колеба́ться (*тж. перен.*)

oscillation [ˌɒsɪ'leɪʃn] *n* 1) кача́ние; вибра́ция, колеба́ние 2) *attr.* колеба́тельный; ~ frequency частота́ колеба́ний

oscillator ['ɒsɪleɪtə] *n* 1) *тех.* осцилля́тор, вибра́тор 2) *ра́дио* гетероди́н; излуча́тель

oscillatory ['ɒsɪlətərɪ] *a* колеба́тельный; ~ circuit *ра́дио* колеба́тельный ко́нтур

oscillograph [ə'sɪləgrɑːf] *n* осцилло́граф

oscillotron [ə'sɪlətrɒn] *n* осциллографи́ческая электро́нно-лучева́я тру́бка

osculant ['ɒskjʊlənt] *a* 1) *мат.* соприкаса́ющийся; самокаса́ющийся 2) *биол.* промежу́точный

oscular ['ɒskjʊlə] *a* 1) *анат.* ротово́й 2) *шутл.* целова́льный

osculate ['ɒskjʊleɪt] *v* 1) *шутл.* целова́ться, лобыза́ться 2) соприкаса́ться

osculation [ˌɒskjʊ'leɪʃn] *n* 1) *шутл.* лоб(ы)за́ние, поцелу́й 2) соприкоснове́ние

osier ['əʊzɪə] *n* 1) и́ва 2) лоза́ (*и́вы*) 3) *attr.* и́вовый

osier bed ['əʊzɪəbed] *n* ивня́к

Osiris [əʊ'saɪrɪs] *n еги́пт. миф.* Ози́рис

osmium ['ɒzmɪəm] *n хим.* о́смий

osmose, osmosis ['ɒsməʊs, ɒz'məʊsɪs] *n физ.* о́смос

osmotic [ɒz'mɒtɪk] *a физ.* осмоти́ческий

osseous ['ɒsɪəs] *a* 1) кости́стый 2) костяно́й

ossicle ['ɒsɪkl] *n анат.* ко́сточка

ossification [ˌɒsɪfɪ'keɪʃn] *n* окостене́ние

ossify ['ɒsɪfaɪ] *v* 1) превраща́ть(ся) в кость; костене́ть 2) станови́ться ко́сным, консервати́вным

ossuary ['ɒsjʊərɪ] *n* 1) склеп; пеще́ра с костя́ми 2) кремацио́нная у́рна

osteitis [ˌɒstɪ'aɪtɪs] *n мед.* ости́т

ostensible [ɒ'stensəbl] *a* 1) слу́жащий предло́гом; мни́мый; показно́й; ~ purpose официа́льная цель 2) очеви́дный, я́вный

ostensory [ɒ'stensərɪ] *n церк.* дарохрани́тельница

ostentation [ˌɒsten'teɪʃn] *n* показно́е проявле́ние (*чего-л.*); хвастовство́; выставле́ние напока́з

ostentatious [ˌɒsten'teɪʃəs] *a* показно́й; нарочи́тый

osteography [ˌɒstɪ'ɒgrəfɪ] *n* остеогра́фия

osteology [ˌɒstɪ'ɒlədʒɪ] *n* остеоло́гия

osteomyelitis [ˌɒstɪəʊmaɪə'laɪtɪs] *n мед.* остеомиели́т

ostler ['ɒslə] *n* ко́нюх (*на постоя́лом дворе́*)

ostracism ['ɒstrəˌsɪzəm] *n* 1) острaки́зм 2) изгна́ние из о́бщества

ostracize ['ɒstrəsaɪz] *v* 1) подверга́ть острaки́зму 2) изгоня́ть из о́бщества

ostreiculture ['ɒstrɪɪkʌltʃə] *n* разведе́ние у́стриц

ostrich ['ɒstrɪtʃ] *n* стра́ус ◊ the digestion of an ~ ≅ «лужёный» желу́док;

~ policy полúтика, оснóванная на самообмáне

ostrich-farm [ˈɒstrɪtʃfɑːm] *n* фéрма, где развóдят стрáусов

ostrich-plume [ˈɒstrɪtʃpluːm] *n* стрáусовое перó; стрáусовые пéрья

Ostrogoth [ˈɒstrəʊgɒθ] *n ист.* остгóт

other [ˈʌðə] **1.** *a* 1) другóй, инóй; some ~ time кáк-нибудь в другóй раз; ~ things being equal при прóчих рáвных услóвиях; the ~ world потусторóнний мир, «тот свет»; ~ times, ~ manners (*тж.* ~ days, ~ ways) инúе временá — инúе нрáвы 2) дополнúтельный, другóй; a few ~ examples нéсколько дополнúтельных примéров 3) (*с сущ. во мн. ч.*) остальнúе; the ~ students остальнúе студéнты ◇ the ~ day на днях, недáвно

2. *pron indef.* другóй; no ~ than никтó другóй, как; someone (something) or ~ ктó-нибудь (чтó-нибудь); one or ~ of us will be there ктó-л. из нас бýдет там; some day (*или* some time) or ~ когдá-нибудь, рáно úли пóздно; you are the man of all ~s for the work вы сáмый подходя́щий человéк для э́того дéла; think of ~s не будь эгоúстом

3. *adv* ина́че; I can't do ~ than accept я не могý не приня́ть

otherness [ˈʌðənəs] *n* различúе, отлúчие; непохóжесть

otherwhence [ˈʌðəwens] *adv редк.* из другóго мéста

otherwhere(s) [ˈʌðəweə(z)] *adv поэт.* в другóм мéсте; в другóе мéсто

otherwise [ˈʌðəwaɪz] **1.** *adv* 1) ина́че, инúм спóсобом; инúм óбразом; по-другóму; how could it be ~? рáзве моглó быть ина́че?; unless ~ qualified крóме слýчаев, оговорённых осóбо 2) в другúх отношéниях 3) úли же, в протúвном слýчае; go at once, ~ you will miss your train идúте немéдленно, ина́че опоздáете на пóезд

2. *a* инóй, другóй; tracts agricultural and ~ пáхотные и прóчие зéмли

otherwise-minded [ˈʌðəwaɪzˌmaɪndɪd] *a* инакомы́слящий

otherworldly [ˌʌðəˈwɜːldlɪ] *a* 1) не от мúра сегó 2) духóвный 3) потусторóнний

otic [ˈəʊtɪk] *a анат.* ушнóй; слуховóй

otiose [ˈəʊtɪəʊs] *n* 1) бесполéзный, ненýжный 2) *уст.* прáздный, ленúвый

otioseness [ˈəʊtɪəʊsnəs] *n* 1) бесполéзность, тщéтность 2) *уст.* прáздность

otitis [əʊˈtaɪtɪs] *n мед.* отúт

otologist [əʊˈtɒlədʒɪst] *n* специалúст по ушны́м болéзням

otology [əʊˈtɒlədʒɪ] *n* отолóгия

otophone [ˈəʊtəfəʊn] *n* отофóн (*прибóр для тугоухих*)

otoscope [ˈəʊtəskəʊp] *n мед.* отоскóп

otter [ˈɒtə] *n* 1) вы́дра 2) мех вы́дры 3) рыболóвная снасть (*рéйка-поплавок с многочисленными крючками с наживкой*)

otter-dog [ˈɒtədɒg] *n* собáка для охóты на выдр

otter-hound [ˈɒtəhaʊnd] = otter-dog

otto [ˈɒtəʊ] = attar

Ottoman [ˈɒtəmən] **1.** *n* оттомáн, тýрок

2. *a* оттомáнский, турéцкий

ottoman [ˈɒtəmən] *n* оттомáнка, тахтá, дивáн

oubliette [ˌuːblɪˈet] *n* потайнáя, подзéмная темнúца с люком

ouch [aʊtʃ] *int* ай!, ой!

ought I [ɔːt] *разг. см.* nought

ought II [ɔːt] *v модальный глагол выражает*: 1) *долженствование*: I ~ to go there мне слéдовало бы пойтú тудá 2) *упрёк*: you ~ to have written to her тебé слéдовало написáть ей (а ты э́того не сдéлал) 3) *вероятность*: the telegram ~ to reach him within two hours он, вероя́тно, полýчит телегрáмму не пóзже, чем чéрез два часá

ounce I [aʊns] *n* 1) ýнция (= *28,3 г*) 2) кáпля, чýточка; he hasn't got an ~ of sense у негó нет ни кáпли здрáвого смы́сла ◇ an ~ of practice is worth a pound of theory ≅ день прáктики стóит гóда теóрии

ounce II [aʊns] *n зоол.* úрбис

our [ˈaʊə] *pron poss.* (*употр. атрибутивно; ср.* ours) наш

ours [ˈaʊəz] *pron poss.* (*абсолютная форма, не употр. атрибутивно; ср.* our) наш; ~ is a large family нáша семья́ большáя; this garden is ~ э́тот сад наш; it is no business of ~ э́то не нáше дéло; Jones of ~ Джóунз из нáшего полкá

ourself [ˌaʊəˈself] *pron emph.* мы (*в речи короля, научных статьях и т. п.*)

ourselves [ˌaʊəˈselvz] *pron* 1) *refl.* себя́, -ся; себé; we shall only harm ~ мы тóлько повредúм себé 2) *emph.* сáми; let us do it ~ давáйте сдéлаем э́то сáми

ousel [ˈuːzl] = ouzel

oust [aʊst] *v* 1) выгоня́ть, занимáть (*чьё-л.*) мéсто; вытесня́ть 2) *юр.* выселя́ть

ouster [ˈaʊstə] *n* 1) *юр.* выселéние, отня́тие имýщества (*особ. незаконное*) 2) (*особ. амер.*) сня́тие с дóлжности; увольнéние

out [aʊt] **1.** *adv* 1) вне, снарýжи; нарýжу; вон; *передаётся тж. приставкой* вы-; he is ~ он вы́шел, егó нет дóма; the chicken is ~ цыплёнок вы́лупился; the book is ~ кнúга вы́шла из печáти; the eruption is ~ all over him сыпь вы́ступила у негó по всемý тéлу; the floods are ~ рекá вы́шла из берегóв; ~ at sea в откры́том мóре; ~ with him! вон егó!; ~ and home тудá и обрáтно; the ball is ~ мяч за предéлами пóля; the secret is ~ тáйна раскры́та; ~ with it! выклáдывайте! (*что у вас есть, что вы хотели сказать и т. п.*); to have an evening ~ провестú вéчер вне дóма (*в кино, ресторане и т. п.*) 2) *придаёт действию характер завершённости*: to pour ~ вы́лить; to fill ~ а) заполня́ть(ся); б) расширя́ть(ся) 3) *означает окончание, завершение действия чего-л.*: before the week is ~ до концá недéли 4) *означает истощение, прекращение действия чего-л.*: the money is ~ дéньги кóнчились; the fire (candle) is ~ огóнь (свéчка) потýх(ла); the lease is ~ срок арéнды истёк 5) *означает уклонение от какой-л. нормы, правил, истины*: crinolines are ~ криналúны вы́шли из мóды; my watch is five minutes ~ мои часы́ «врут» на 5 минýт; to be ~ быть без сознáния, потеря́ть сознáние ◇ ~ and about поправúвшийся пóсле болéзни; ~ and away несравнéнно, намнóго, горáздо; ~ and in = in and ~ [*см.* in 2 ◇]; ~ and ~ а) вполнé; б) несомнéнно; to be ~ for (*или* to) всéми сúлами стремúться к *чему-л.*; she is ~ for compliments онá напрáшивается на комплимéнты; to be ~ with smb. быть с кем-л. в ссóре, не в ладáх

2. *prep*: ~ of *указывает на*: а) *положение вне другого предмета* вне, за, из; he lives ~ of town он живёт за гóродом; б) *движение за какие-л. пределы* из; they moved ~ of town онú вы́ехали из гóрода; she took the money ~ of the bag онá вы́нула дéньги из сýмки; в) *материал, из которого сделан предмет* из; this table is made ~ of different kinds of wood э́тот стол сдéлан из разлúчных порóд дéрева; г) *соотношение части и целого* из; five pupils ~ of thirty were absent отсýтствовало пять ученикóв из тридцатú; a scene ~ of a play сцéна из пьéсы; д) *причину, основание действия* из-за, вслéдствие; ~ of envy из зáвисти; ~ of necessity по необходúмости; е) *отсутствие какого-л. предмета или признака*: без, вне; ~ of money без дéнег; ~ of work без рабóты; ~ of time несвоеврéменно; не в такт; ~ of use неупотребúтельный, вы́шедший из употреблéния; ~ of health больнóй; ~ of mind из пáмяти вон; забы́тый ◇ to be done ~ of smth. быть лишённым чегó-л. (*обманным путём*); to be ~ of it а) не учáствовать в чём-л.; не быть допýщенным к чемý-л.; б) избáвиться от чегó-л.; в) быть непрáвильно информúрованным; you're absolutely ~ of it вы совершéнно не в кýрсе дéла; to be ~ of one's mind быть не в своём умé

3. *a* 1): ~ match выезднóй матч 2) крáйний, отдалённый 3) внéшний, нарýжный 4) бóльше обы́чного; ~ size óчень большóй размéр 5) *тех.* выключенный

4. *n* 1) *разг.* вы́ход; лазéйка; to leave no ~ to smb. не остáвить лазéйки для когó-л. 2) (the ~s) *pl парл.* оппозúция 3) *полигр.* прóпуск 4) *амер. разг.* недостáток ◇ at (*амер.* on) the ~s в натя́нутых, плохúх отношéниях

5. *int уст.* вон!; ~ upon you! а) стыдúтесь!; б) вон!

6. *v разг.* 1) выгоня́ть; ~ that man! вы́ставьте э́того человéка! 2) гасúть, тушúть (*фонарь, лампу и т. п.*) 3) *спорт.* нокаутúровать; he was ~ed in the first round егó нокаутúровали в пéрвом рáунде 4) *спорт.* удалúть с пóля 5) отправля́ться на прогу́лку, экску́рсию *и т. п.* ◊ ~ with it вы́сказать всё, что ду́маешь

out- [aʊt-] *pref* 1) *придаёт глаголам значение* а) *превосходства* пере-; to outshout перекрича́ть; to outrun перегна́ть; б) *завершённости* вы-; to outspeak выска́зывать(ся) 2) *существительным и прилагательным придаёт значение* а) *выхода, проявления*: outburst взрыв чувств *и т. п.*; б) *отдалённости*: outhouse надво́рное строе́ние; outlying отдалённый

outage [ˈaʊtɪdʒ] *n* 1) просто́й; остано́вка рабо́ты 2) утру́ска, уте́чка 3) выпускно́е отве́рстие

out-and-out [ˌaʊtnˈaʊt] *a* соверше́нный, по́лный; ~ war тота́льная война́

out-and-outer [ˌaʊtnˈaʊtə] *n* 1) еди́нственный в своём ро́де; что-л., не име́ющее подо́бного *или* ра́вного 2) экстреми́ст; максимали́ст

out-argue [aʊtˈɑ:gju:] *v* переспо́рить

outback [ˈaʊtbæk] *n австрал.* малонаселённый, необжито́й райо́н

outbade [aʊtˈbeɪd] *past от* outbid

outbalance [ˌaʊtˈbæləns] *v* 1) превосходи́ть 2) переве́шивать

outbid [ˌaʊtˈbɪd] *v* (outbid, outbade; outbid, outbidden) 1) перебива́ть це́ну 2) превзойти́, перещеголя́ть

outbidden [ˌaʊtˈbɪdn] *p. p. от* outbid

outboard [ˈaʊtbɔ:d] *adv* за бо́ртом; бли́же к бо́рту

outbound [ˈaʊtbaʊnd] *a* 1) уходя́щий в да́льнее пла́вание *или* за грани́цу (*о корабле*) 2) отправля́емый за грани́цу, э́кспортный

outbrave [ˌaʊtˈbreɪv] *v* 1) превосходи́ть хра́бростью 2) относи́ться пренебрежи́тельно *или* вызыва́юще 3) не побоя́ться, прояви́ть му́жество; to ~ the storm не побоя́ться грозы́

outbreak [ˈaʊtbreɪk] **1.** *n* 1) взрыв, вспы́шка (*гнева*) 2) (внеза́пное) нача́ло (*войны, болезни и т. п.*); вспы́шка (*эпидемии*); ма́ссовое появле́ние (*с.-х. вредителей*); ~ of hostilities нача́ло вое́нных де́йствий 3) восста́ние; возмуще́ние 4) *геол.* вы́брос, вы́ход пласта́ на пове́рхность

2. *v поэт.* = break out [*см.* break I, 2]

outbuild [aʊtˈbɪld] *v* (outbuilt) 1) стро́ить прочне́е, лу́чше 2) чрезме́рно застра́ивать

outbuilding [ˈaʊtˌbɪldɪŋ] = outhouse

outbuilt [aʊtˈbɪlt] *past и p. p. от* outbuild

outburst [ˈaʊtbɜ:st] *n* взрыв, вспы́шка; ~ of tears пото́к слёз

outcast [ˈaʊtkɑ:st] **1.** *n* 1) изгна́нник, па́рия 2) бездо́мный челове́к *или* живо́тное

2. *a* 1) и́згнанный, отве́рженный 2) бездо́мный 3) бро́шенный, поки́нутый

outclass [ˌaʊtˈklɑ:s] *v* 1) *спорт.* име́ть бо́лее высо́кий разря́д 2) оста́вить далеко́ позади́; превзойти́

outcollege [ˈaʊtˌkɒlɪdʒ] *a* живу́щий не в ко́лле́дже, а на ча́стной кварти́ре

outcome [ˈaʊtkʌm] *n* результа́т, после́дствие, исхо́д

outcrop [ˈaʊtkrɒp] **1.** *n* 1) *геол.* обнаже́ние поро́д 2) выявле́ние; вспы́шка; внеза́пное проявле́ние

2. *v* 1) *геол.* обнажа́ться, выходи́ть на пове́рхность 2) случа́йно выявля́ться, обнару́живаться

outcry [ˈaʊtkraɪ] **1.** *n* 1) гро́мкий крик; вы́крик 2) (обще́ственный) проте́ст

2. *v* 1) гро́мко крича́ть, выкри́кивать 2) протестова́ть 3) перекрича́ть

outdance [aʊtˈdɑ:ns] *v* протанцева́ть до́льше други́х; танцева́ть лу́чше други́х

outdare [aʊtˈdeə] *v* 1) превосходи́ть де́рзостью, сме́лостью 2) броса́ть вы́зов

outdated [ˌaʊtˈdeɪtɪd] *a* устаре́лый, устаре́вший

outdid [ˌaʊtˈdɪd] *past от* outdo

outdistance [ˌaʊtˈdɪstəns] *v* обогна́ть; перегна́ть

outdo [ˌaʊtˈdu:] *v* (outdid; outdone) превзойти́; преодоле́ть

outdone [ˌaʊtˈdʌn] *p. p. от* outdo

outdoor [ˈaʊtdɔ:] *a* 1) находя́щийся *или* соверша́ющийся вне до́ма, на откры́том во́здухе; ~ games и́гры на откры́том во́здухе; to lead an ~ life проводи́ть мно́го вре́мени на откры́том во́здухе; an ~ theatre теа́тр на откры́том во́здухе 2) проводи́мый вне стен учрежде́ния; ~ speaking выступле́ние вне парла́мента; ~ pickup внестуди́йная радиопереда́ча 3) вне́шний, нару́жный; ~ aerial *радио* нару́жная анте́нна ◊ ~ hands обве́тренные ру́ки

outdoors [ˌaʊtˈdɔ:z] **1.** *adv* на откры́том во́здухе; на у́лице

2. *n* двор, у́лица; the ~ lighted на у́лице посветле́ло ◊ all ~ *амер.* весь мир, всё

outdrive [aʊtˈdraɪv] *v* (outdrove; outdriven) обогна́ть

outdriven [aʊtˈdrɪvn] *p. p. от* outdrive

outdrove [aʊtˈdrəʊv] *past от* outdrive

outer [ˈaʊtə] **1.** *a* 1) вне́шний, нару́жный; ~ coverings нару́жные покро́вы; ~ space косми́ческое простра́нство вне земно́й атмосфе́ры; the ~ world а) вне́шний, материа́льный мир, б) вне́шний мир, о́бщество, лю́ди; the ~ man вне́шний вид, костю́м; ~ garments ве́рхняя оде́жда; the ~ wood опу́шка ле́са 2) отдалённый от це́нтра; the ~ suburbs да́льние предме́стья 3) физи́ческий (*в противоп. психическому*) 4) *филос.* объекти́вный

2. *n воен.* 1) бе́лое по́ле мише́ни, «молоко́» 2) попада́ние в бе́лое по́ле мише́ни, в «молоко́»

outermost [ˈaʊtəməʊst] *a* са́мый да́льний от середи́ны, от це́нтра

outerwear [ˈaʊtəweə] *n* ве́рхняя оде́жда

outface [ˌaʊtˈfeɪs] *v* 1) смути́ть, сконфу́зить при́стальным *или* де́рзким взгля́дом 2) держа́ться на́гло, вызыва́юще

outfall [ˈaʊtfɔ:l] *n* 1) у́стье 2) водоотво́д; кана́ва, жёлоб

outfield [ˈaʊtfi:ld] *n* 1) *спорт.* да́льняя часть по́ля (*в крикете*); игроки́, находя́щиеся в да́льней ча́сти по́ля 2) отдалённое по́ле 3) неизве́данная, неизу́ченная о́бласть

outfight [ˌaʊtˈfaɪt] *v* побежда́ть (*в бою, соревновании и т. п.*)

outfit [ˈaʊtfɪt] **1.** *n* 1) оде́жда, по́лный компле́кт оде́жды 2) снаряже́ние (*для экспедиции*); экипиро́вка; camping ~ тури́стское снаряже́ние 3) агрега́т; обору́дование, принадле́жности, набо́р (прибо́ров, инструме́нтов); a carpenter's ~ инструме́нты пло́тника 4) *разг.* гру́ппа; компа́ния; экспеди́ция; анса́мбль; *воен.* часть, подразделе́ние 5) учрежде́ние, предприя́тие; a publishing ~ изда́тельство ◊ mental ~ у́мственный бага́ж

2. *v* 1) снаряжа́ть, экипирова́ть 2) обмундирова́ть 3) снабжа́ть обору́дованием

outfitter [ˈaʊtfɪtə] *n* 1) поставщи́к снаряже́ния, обмундирова́ния 2) ро́зничный торго́вец, продаю́щий оде́жду, галантере́ю *и т. п.*; a gentleman's ~ торго́вец принадле́жностями мужско́го туале́та

outflank [ˌaʊtˈflæŋk] *v* 1) *воен.* охва́тывать с фла́нга, обходи́ть фланг, выходи́ть во фланг (*противника*) 2) перехитри́ть; обойти́

outflow **1.** *n* [ˈaʊtfləʊ] истече́ние; вы́ход; уте́чка; an ~ of bad language пото́к руга́тельств; ~ of capital *эк.* уте́чка (*или* вы́воз) капита́ла

2. *v* [ˌaʊtˈfləʊ] истека́ть, вытека́ть

outfox [ˌaʊtˈfɒks] *v разг.* перехитри́ть

outgeneral [ˌaʊtˈdʒenrəl] *v* превзойти́ в вое́нном иску́сстве

outgiving [ˌaʊtˈgɪvɪŋ] **1.** *n* заявле́ние, выска́зывание

2. *a* открове́нный, несде́ржанный

outgo **1.** *n* [ˈaʊtgəʊ] (*pl* -oes [-əʊz]) 1) расхо́д, изде́ржки 2) ухо́д, вы́ход; отъе́зд, отправле́ние

2. *v* [ˌaʊtˈgəʊ] (outwent; outgone) *уст.* превосходи́ть, опережа́ть

outgoing [ˌaʊtˈgəʊɪŋ] **1.** *pres. p. от* outgo 2

2. *a* 1) дружелю́бный; общи́тельный; отзы́вчивый 2) уходя́щий; уезжа́ющий, отбыва́ющий; ~ tenant жиле́ц, выезжа́ющий из кварти́ры 3) исходя́щий (*о бумагах, почте*)

3. *n pl* изде́ржки

outgone [ˌaʊtˈgɒn] *p. p. от* outgo 2

outgrew [ˌaʊtˈgru:] *past от* outgrow

outgrow [ˌaʊtˈgrəʊ] *v* (outgrew; outgrown) 1) выраста́ть (*из платья*) 2) отде́лываться с во́зрастом (*от дурной привычки и т. п.*) 3) перераста́ть; my family has ~n our house дом стал те́сен для мое́й разро́сшейся семьи́

outgrown [ˌaʊtˈgrəʊn] *p. p. от* outgrow

outgrowth [ˈaʊtgrəʊθ] *n* 1) наро́ст 2) отро́сток 3) о́тпрыск 4) проду́кт, результа́т

out-Herod [ˌaʊtˈherəd] *v* превзойти́ И́рода в жесто́кости (*тж.* to ~ Herod)

outhouse [ˈaʊthaʊs] *n* 1) надво́рное строе́ние, слу́жбы 2) крыло́ зда́ния; фли́гель 3) *амер.* убо́рная во дворе́

outing [ˈaʊtɪŋ] *n* за́городная прогу́лка, экску́рсия, пикни́к; to go for an ~ отпра́виться на прогу́лку (*или* экску́рсию, пикни́к)

out-jockey [aʊtˈdʒɒkɪ] *v* перехитри́ть, превзойти́ ло́вкостью

outlaid [ˌaʊtˈleɪd] *past и p. p. от* outlay 2

outlander [ˈaʊtˌlændə] *n* чужезе́мец, чужестра́нец

outlandish [aʊtˈlændɪʃ] *a* 1) замо́рский, чужестра́нный, чужезе́мный 2) стра́нный; дико́винный, необы́чайный 3) нелéпый, чудно́й 4) глухо́й (*о местности*)

outlast [ˌaʊtˈlɑːst] *v* 1) продолжа́ться до́льше, чем (*что-л.*) 2) пережи́ть (*что-л.*) 3) прожи́ть; he will not ~ six months он не протя́нет и шести́ ме́сяцев

outlaw [ˈaʊtlɔː] 1. *n* 1) челове́к вне зако́на; изго́й, изгна́нник; бегле́ц 2) граби́тель, разбо́йник 3) организа́ция, объя́вленная вне зако́на 4) *разг.* рабо́чий, попа́вший в «чёрный спи́сок»

2. *a* незако́нный; ~ strike забасто́вка, не согласо́ванная с профсою́зом

3. *v* 1) объявля́ть (*кого-л.*) вне зако́на; изгоня́ть из о́бщества 2) лиша́ть зако́нной си́лы

outlawry [ˈaʊtlɔːrɪ] *n* объявле́ние вне зако́на, изгна́ние из о́бщества

outlay 1. *n* [ˈaʊtleɪ] изде́ржки, расхо́ды; ~ on (*или* for) scientific research расхо́ды на нау́чные иссле́дования

2. *v* [ˌaʊtˈleɪ] (outlaid) тра́тить

outlet [ˈaʊtlet] *n* 1) выпускно́е *или* выходно́е отве́рстие 2) вы́ход, отду́шина 3) сток, вытека́ние 4) ры́нок сбы́та; ~ for investment сфе́ра примене́ния капита́ла 5) торго́вая то́чка; retail ~ ро́зничная торго́вая то́чка 6) *тех.* ште́псельная розе́тка

outlier [ˈaʊtˌlaɪə] *n* 1) челове́к, прожива́ющий не по ме́сту слу́жбы 2) посторо́нний 3) *геол.* оста́нец тектони́ческого покро́ва; хо́лмик-свиде́тель

outline [ˈaʊtlaɪn] 1. *n* 1) (*часто pl*) очерта́ние, ко́нтур; а́брис; in ~ а) в о́бщих черта́х; б) ко́нтурный (*о рисунке*) 2) набро́сок; эски́з; о́черк 3) схе́ма, план, конспе́кт 4) *pl* осно́вы; основны́е при́нципы 5) *attr.* ко́нтурный; an ~ map ко́нтурная ка́рта

2. *v* 1) нарисова́ть ко́нтур 2) обрисова́ть, наме́тить в о́бщих черта́х; сде́лать набро́сок

outlive [ˌaʊtˈlɪv] *v* 1) пережи́ть (*кого-л., что-л.*); to ~ one's capacity быть не в состоя́нии да́лее выполня́ть (*работу и т. п.*) 2) вы́жить

outlook [ˈaʊtlʊk] *n* 1) ви́ды на бу́дущее; a good ~ for trade хоро́шие перспекти́вы разви́тия торго́вли 2) то́чка зре́ния 3) кругозо́р 4) наблюде́ние 5) вид, перспекти́ва 6) наблюда́тельный пункт

outlying [ˈaʊtˌlaɪɪŋ] *a* удалённый, далёкий; отдалённый

outmanoeuvre [ˌaʊtməˈnuːvə] *v* 1) получи́ть преиму́щество бо́лее иску́сным маневри́рованием 2) перехитри́ть

outmatch [ˌaʊtˈmætʃ] *v* превосходи́ть, затмева́ть

outmoded [ˌaʊtˈməʊdɪd] *a* вы́шедший из мо́ды, старомо́дный; устаре́вший

outmost [ˈaʊtməʊst] = outermost

outness [ˈaʊtnəs] *n* вне́шний мир; объекти́вная действи́тельность

outnumber [ˌaʊtˈnʌmbə] *v* превосходи́ть чи́сленно

out-of-date [ˌaʊtəvˈdeɪt] *a* устаре́лый; старомо́дный

out-of-door(s) [ˌaʊtəvˈdɔː(z)] 1. *a* = outdoor

2. *adv* = outdoors 1

3. *n* = outdoors 2

out-of-pocket [ˌaʊtəvˈpɒkɪt] *a* 1) тре́бующий опла́ты нали́чными 2) расточи́тельный

out-of-print [ˌaʊtəvˈprɪnt] *a* ре́дкий (*о книге*); ~ books букинисти́ческие кни́ги

out-of-the-way [ˌaʊtəvðəˈweɪ] *a* 1) отдалённый; далёкий; тру́дно находи́мый 2) малоизве́стный; ~ items of information малоизве́стные све́дения 3) стра́нный, необы́чный

out-of-work [ˌaʊtəvˈwɜːk] 1. *a* безрабо́тный, не име́ющий рабо́ты

2. *n* безрабо́тный

outpace [aʊtˈpeɪs] *v* опережа́ть, идти́ быстре́е

out-patient [ˈaʊtˌpeɪʃnt] *n* 1) амбулато́рный больно́й 2) *attr.* амбулато́рный; ~ hospital поликли́ника; ~ treatment амбулато́рное лече́ние

outperform [ˌaʊtpəˈfɔːm] *v* де́лать лу́чше, чем друго́й

outplay [ˌaʊtˈpleɪ] *v* обыгра́ть

outpoint [ˌaʊtˈpɔɪnt] *v спорт.* победи́ть по очка́м

outpost [ˈaʊtpəʊst] *n* 1) аванпо́ст 2) отдалённое поселе́ние 3) *pl* (*амер. sing*) *воен.* сторожево́е охране́ние; сторожева́я заста́ва

outpour 1. *n* [ˈaʊtpɔː] 1) пото́к 2) излия́ние (*чувств*)

2. *v* [ˌaʊtˈpɔː] 1) вылива́ть 2) излива́ть (*душу, чувства*)

outpouring [ˌaʊtˈpɔːrɪŋ] 1. *pres. p. от* outpour 2

2. *n* (*обыкн. pl*) излия́ние (*чувств*)

output [ˈaʊtpʊt] *n* 1) проду́кция; проду́кт; вы́пуск; вы́работка; the literary ~ of the year литерату́рная проду́кция за́ год 2) *тех.* производи́тельность; мо́щность, отда́ча; пропускна́я спосо́бность; ёмкость 3) *горн.* добы́ча 4) *мат.* ито́г, результа́т

outrage [ˈaʊtreɪdʒ] 1. *n* 1) гру́бое нару́шение зако́на *или* чужи́х прав; произво́л; an ~ against humanity преступле́ние про́тив челове́чества 2) наси́лие 3) поруга́ние; оскорбле́ние, надруга́тельство 4) *разг.* возмути́тельный слу́чай, посту́пок; what an ~! како́е безобра́зие!

2. *v* 1) преступа́ть, наруша́ть зако́н 2) производи́ть наси́лие 3) оскорби́ть; надруга́ться; to ~ public opinion оскорби́ть обще́ственное мне́ние

outrageous [aʊtˈreɪdʒəs] *a* 1) неисто́вый, жесто́кий 2) возмути́тельный; оскорби́тельный; вопию́щий, сканда́льный

outran [ˌaʊtˈræn] *past от* outrun

outrange [ˌaʊtˈreɪndʒ] *v* 1) *воен.* име́ть бо́льшую дальнобо́йность 2) перегна́ть (*судно в состязании*)

outrank [ˌaʊtˈræŋk] *v* 1) име́ть бо́лее высо́кий ранг *или* чин; быть ста́рше в зва́нии 2) превосходи́ть

outré [ˈuːtreɪ] *фр. a* 1) эксцентри́чный, экстрава́гантный; an ~ dress экстрава́гантный костю́м 2) преувели́ченный

outridden [ˌaʊtˈrɪdn] *p. p. от* outride

outride [ˌaʊtˈraɪd] *v* (outrode; outridden) 1) перегна́ть, опереди́ть 2) вы́держать, сто́йко перенести́ (*шторм; несчастье и т. п.*)

outrider [ˈaʊtˌraɪdə] *n* 1) верхово́й, сопровожда́ющий экипа́ж 2) мотоцикли́ст (почётного) эско́рта

outrigger [ˈaʊtˌrɪgə] *n* 1) *мор.* утле́гарь 2) аутри́гер (*шлюпка с выносными уключинами*) 3) *стр.* консо́льная ба́лка 4) валёк (*для постромок*) 5) выносна́я стрела́ (*подъёмного крана*)

outright 1. *a* [ˈaʊtraɪt] 1) по́лный, соверше́нный; he gave an ~ denial он наотре́з отказа́лся; an ~ rogue отъя́вленный моше́нник; to be the ~ winner одержа́ть по́лную побе́ду 2) прямо́й, откры́тый

2. *adv* [aʊtˈraɪt] 1) вполне́, соверше́нно; до конца́ 2) сра́зу 3) раз навсегда́ 4) откры́то, пря́мо

outrival [ˌaʊtˈraɪvl] *v* превзойти́

outrode [ˌaʊtˈrəʊd] *past от* outride

outrun [ˌaʊtˈrʌn] *v* (outran; outrun) 1) перегна́ть; опереди́ть; обогна́ть 2) убежа́ть (*от кого-л.*) 3) преступа́ть преде́лы *или* грани́цы

outrunner [ˈaʊtˌrʌnə] *n* 1) скорохо́д 2) пристяжна́я ло́шадь 3) соба́ка-вожа́к (*в упряжке*)

outsail [aʊtˈseɪl] *v* перегна́ть (*о судне*)

outsat [aʊtˈsæt] *past и p. p. от* outsit

outsell [ˌaʊtˈsel] *v* (outsold) продава́ться лу́чше *или* доро́же, чем друго́й това́р

outset [ˈaʊtset] *n* 1) отправле́ние, нача́ло; at the ~ внача́ле; from the ~ с са́мого нача́ла 2) у́стье ша́хты, возвыша́ющееся над по́чвой 3) *полигр.* бокови́к; заголо́вок, помещённый на поля́х страни́цы

outshine [ˌaʊtˈʃaɪn] *v* (outshone) затми́ть

outshone [ˌaʊtˈʃɒn] *past и p. p. от* outshine

outside [ˌaʊtˈsaɪd] 1. *n* 1) нару́жная часть *или* сторона́; вне́шняя пове́рхность; the ~ of an omnibus империа́л о́мнибуса; on the ~ снару́жи 2) нару́жность, вне́шность; rough ~ гру́бая вне́шность 3) вне́шний мир; объекти́вная реа́льность; from ~ извне́; impressions from the ~ впечатле́ния вне́шнего ми́ра 4): at the (very) ~ *разг.* са́мое бо́льшее; в кра́йнем слу́чае 5) *pl* нару́жные листы́ (*в стопе бумаги*) 6) пассажи́р импери́ала

2. *a* 1) нару́жный, вне́шний; ~ repairs нару́жный ремо́нт; ~ work рабо́та на во́здухе; ~ broadcast внестуди́йная радиопереда́ча 2) вне́шний; посторо́нний; ~ help по́мощь извне́; ~ expert специали́ст, приглашённый со стороны́; ~ broker ма́клер, не явля́ющийся чле́ном би́ржи 3) наибо́льший, преде́льный, кра́йний; ~ limit кра́йний преде́л; ~ prices кра́йние це́ны 4) кра́йний; находя́щийся с кра́ю; ~ seat кра́йнее ме́сто; ~ left (right) *спорт.* ле́вый (пра́вый) кра́йний напада́ющий 5) *амер.* незначи́тельный; ~ chance ничто́жный шанс ◇ ~ interest хо́бби

3. *adv* 1) снару́жи, извне́; нару́жу; put those flowers ~ вы́ставьте (из ко́мнаты) э́ти цветы́ 2) на (откры́том) во́здухе; на дворе́ 3) *sl.* на свобо́де (*не в тюрьме*) 4) *мор.* в откры́том мо́ре ◇ come ~! выходи́! (*вызов на драку*)

4. *prep* 1) вне, за преде́лами (*тж.* ~ of); ~ the door за две́рью; ~ the city limits за городско́й черто́й 2) кро́ме (*тж.* ~ of); no one knows it ~ one or two persons никто́ э́того не зна́ет, за исключе́нием одного́ и́ли двух челове́к ◇ ~ of a horse *разг.* верхо́м; to get ~ of *разг.* а) съесть, вы́пить; б) пости́чь; разобра́ться (*в вопросе и т. п.*)

outsider [,aʊt'saɪdə] *n* 1) посторо́нний (челове́к), не принадлежа́щий к да́нному учрежде́нию, кру́гу, па́ртии; посторо́ннее лицо́; сторо́нний наблюда́тель 2) неспециали́ст, люби́тель; профа́н 3) *разг.* невоспи́танный челове́к 4) *спорт.* аутса́йдер

outsit [,aʊt'sɪt] *v* (outsat) пересиде́ть (*других гостей*); засиде́ться

outsize [,aʊt'saɪz] *a* бо́льше станда́ртного разме́ра (*особ. о готовом платье*); нестанда́ртный

outskirts ['aʊtskɜ:ts] *n pl* 1) окра́ина, предме́стья (*города*) 2) опу́шка (*леса*)

outsmart [,aʊt'smɑ:t] *v разг.* перехитри́ть

outsold [,aʊt'səʊld] *psst и p. p. от* outsell

outspeak [aʊt'spi:k] *v* (outspoke; outspoken) 1) говори́ть лу́чше, вырази́тельнее, гро́мче (*кого-л.*) 2) вы́сказать(ся)

outspoke [aʊt'spəʊk] *past от* outspeak

outspoken [aʊt'spəʊkən] **1.** *p. p. от* outspeak

2. *a* 1) вы́сказанный; вы́раженный 2) и́скренний, открове́нный, прямо́й; ~ criticism че́стная кри́тика

outspread [,aʊt'spred] **1.** *a* распростёртый, расстила́ющийся; разо́стланный

2. *v* (outspread) 1) распространя́ть(ся) 2) простира́ть(ся)

outstanding [,aʊt'stændɪŋ] *a* 1) выдаю́щийся, знамени́тый; ~ characteristics характе́рные черты́ *или* осо́бенности 2) выступа́ющий (*над чем-л.*) 3) неупла́ченный; просро́ченный; ~ debt невыпла́ченный долг, непога́шенная задо́лженность 4) невы́полненный; остаю́щийся неразрешённым, спо́рным; a good deal of work still ~ рабо́ты ещё непоча́тый край

outstay [,aʊt'steɪ] *v* 1) = outsit 2) вы́держать, вы́стоять

outstep [aʊt'step] *v* переступа́ть (грани́цы); выходи́ть за преде́лы

outstretched [,aʊt'stretʃt] *a* 1) протя́нутый 2) растяну́вшийся, растя́нутый; with ~ arms с распростёртыми объя́тиями

outstrip [,aʊt'strɪp] *v* 1) обгоня́ть, опережа́ть 2) превосходи́ть (*в чём-л.*)

outtalk [aʊt'tɔ:k] *v* заговори́ть (*кого-л.*); не дать сказа́ть сло́ва (*другому*)

out-to-out [,aʊttʊ'aʊt] *n тех.* наибо́льший габари́тный разме́р

out-top [aʊt'tɒp] *v* 1) быть вы́ше (*кого-л., чего-л.*) 2) превосходи́ть

out-turn ['aʊttɜ:n] = output 1), 2) *и* 3)

outvalue [aʊt'vælju:] *v* сто́ить доро́же

outvie [aʊt'vaɪ] *v* превзойти́ в состяза́нии

outvoice [aʊt'vɔɪs] *v* перекрича́ть

outvote [,aʊt'vəʊt] *v* 1) име́ть переве́с голосо́в 2) забаллоти́ровать

outvoter [,aʊt'vəʊtə] *n парл.* избира́тель, не живу́щий в да́нном избира́тельном о́круге

outwalk [,aʊt'wɔ:k] *v* идти́ да́льше *или* быстре́е (*кого-л.*)

outward ['aʊtwəd] **1.** *a* 1) напра́вленный нару́жу 2) вне́шний, нару́жный; пове́рхностный; ~ form вне́шность; ~ things окружа́ющий мир; to ~ seeming су́дя по вне́шности 3) ви́димый ◇ the ~ man а) те́ло; б) *шутл.* оде́жда

2. *n* 1) вне́шний вид, вне́шность 2) вне́шний мир

3. *adv* нару́жу, за преде́лы

outward-bound [,aʊtwəd'baʊnd] *a мор.* уходя́щий в пла́вание *или* за грани́цу (*о корабле*)

outwardly ['aʊtwədlɪ] *adv* вне́шне, снару́жи, на вид

outwardness ['aʊtwədnəs] *n* объекти́вное существова́ние

outwards ['aʊtwədz] = outward 3

outwear [,aʊt'weə] *v* (outwore; outworn) 1) изна́шивать 2) (*обыкн. p. p.*) истоща́ть (*терпение*) 3) быть про́чнее, носи́ться до́льше (*о вещи*) 4) устарева́ть

outweigh [,aʊt'weɪ] *v* 1) быть тяжеле́е, превосходи́ть в ве́се 2) переве́шивать; быть бо́лее влия́тельным, ва́жным *и т. п.*

outwent [,aʊt'went] *past от* outgo 2

outwit [,aʊt'wɪt] *v* перехитри́ть; провести́ (*кого-л.*)

outwore [,aʊt'wɔ:] *past от* outwear

outwork **1.** *n* ['aʊtwɜ:k] 1) *воен.* вне́шнее укрепле́ние 2) рабо́та вне мастерско́й, вне заво́да *и т. п.*; надо́мная рабо́та

2. *v* [aʊt'wɜ:k] рабо́тать лу́чше и быстре́е (*чем кто-л.*)

outworker ['aʊt,wɜ:kə] *n* надо́мник; надо́мница

outworn **1.** [,aʊt'wɔ:n] *p. p. от* outwear

2. *a* ['aʊtwɔ:n] 1) изно́шенный; негóдный к употребле́нию 2) устаре́лый (*о понятиях*); ~ quotations изби́тые цита́ты 3) изнурённый

ouzel ['u:zl] *n* дрозд (*особ.* чёрный)

ova ['əʊvə] *pl от* ovum

oval ['əʊvl] **1.** *a* ова́льный

2. *n* ова́л

ovariotomy [əʊ,veərɪ'ɒtəmɪ] *n мед.* овариотоми́я

ovary ['əʊvərɪ] *n* 1) *анат.* яи́чник 2) *бот.* за́вязь

ovate ['əʊveɪt] *бот.* = oval 1

ovation [əʊ'veɪʃn] *n* ова́ция, бу́рные аплодисме́нты

oven ['ʌvn] *n* 1) духово́й шкаф, духо́вка 2) *attr.*: ~ loss упёк

ovenbird ['ʌvnbɜ:d] *n* печни́к (*птица*)

over ['əʊvə] **1.** *prep* 1) *указывает на взаимное положение предметов*: а) над, вы́ше; ~ our heads над на́шими голова́ми; сверх, вы́ше на́шего понима́ния; *разг.* не посове́товавшись с на́ми; б) че́рез; a bridge ~ the river мост че́рез ре́ку; в) по ту сто́рону, за, че́рез; a village ~ the river дере́вня по ту сто́рону реки́; he lives ~ the way он живёт че́рез доро́гу; г) у, при, за; they were sitting ~ the fire они́ сиде́ли у ками́на 2) *указывает на характер движения*: а) че́рез, о; he jumped ~ the ditch он перепры́гнул че́рез кана́ву; to flow ~ the edge бежа́ть че́рез край; to stumble ~ a stone споткну́ться о ка́мень; б) пове́рх, на; he pulled his hat ~ his eyes он надви́нул шля́пу на глаза́; в) по, по всей пове́рхности; ~ the whole country, all ~ the country по всей стране́; snow is falling ~ the north of England на се́вере А́нглии идёт снег 3) *указывает на промежуток времени, в течение которого происходило действие* за, в тече́ние; he packed ~ two hours он собра́лся за́ два часа́; to stay ~ the whole week остава́ться в тече́ние всей неде́ли 4) *указывает на количественное или числовое превышение* свы́ше, сверх, бо́льше; ~ two years бо́льше двух лет; ~ five millions свы́ше пяти́ миллио́нов; she is ~ fifty ей за пятьдеся́т 5) *указывает на превосходство в положении, старшинство и т. п.* над; a general is ~ a colonel генера́л ста́рше по чи́ну, чем полко́вник; they want a good chief ~ them им ну́жен хоро́ший нача́льник; he is ~ me in the office он мой нача́льник по слу́жбе 6) *указывает на источник, средство и т. п.* че́рез, че́рез посре́дство, по; I heard it ~ the radio я слы́шал э́то по ра́дио 7) относи́тельно, каса́тельно; to talk ~ the matter говори́ть относи́тельно э́того де́ла ◇ she was all ~ him она́ не зна́ла, как угоди́ть ему́

2. *adv* 1) *указывает на движение через что-л., передаётся приставками* пере-, вы-; to jump ~ перепры́гнуть; to swim ~ переплы́ть; to boil ~ *разг.* убега́ть (*о молоке и т. п.*) 2) *указывает на повсеместность или всеохватывающий* *характер действия или состояния*: hills covered all ~ with snow холмы́, сплошь покры́тые сне́гом; paint the wall ~ покра́сь всю сте́ну 3) *указывает на доведение действия до конца*; *передаётся приставкой* про-; to read the story ~ прочита́ть расска́з до конца́; to think ~ проду́мать 4) *указывает на окончание, прекращение действия*: the meeting is ~ собра́ние око́нчено; it is all ~ всё ко́нчено; всё пропа́ло 5) сно́ва, вновь, ещё раз; the work is badly done, it must be done ~ рабо́та сде́лана пло́хо, её ну́жно переде́лывать 6) вдоба́вок, сверх, сли́шком, чересчу́р; I paid my bill and had five shillings ~ я заплати́л по счёту, и у меня́ ещё оста́лось пять ши́ллингов; he is ~ polite он чрезвыча́йно любе́зен; children of fourteen and ~ де́ти четы́рнадцати лет и ста́рше 7) *имеет усилительное значение*: ~ there вон там; let him come ~ here пу́сть-ка он придёт сюда́; take it ~ to the post office отнеси́-ка э́то на по́чту; hand it ~ to them переда́й-ка им э́то ▭ ~ against а) про́тив, напро́тив; б) по сравне́нию с ◇ ~ and ~ (again) мно́го раз, сно́ва и сно́ва; ~ and above а) в добавле́ние, к тому́ же; б) с лихво́й; it can stand ~ э́то мо́жет подожда́ть; that is Tom all ~ э́то так характе́рно для То́ма, э́то так похо́же на То́ма

3. *n* 1) изли́шек, припла́та 2) *воен.* перелёт (*снаряда*) 3) *радио* перехо́д на приём

4. *a* 1) ве́рхний 2) вышестоя́щий 3) изли́шний, избы́точный 4) чрезме́рный

over- ['əʊvə-] *pref* сверх-, над-, чрезме́рно, пере-

overabundance [,əʊvərə'bʌndəns] *n* сверхизоби́лие; избы́ток

overabundant [,əʊvərə'bʌndənt] *a* избы́точный

overact [,əʊvər'ækt] *v* переи́грывать (*роль*); утри́ровать, шаржи́ровать

over-active [,əʊvər'æktɪv] *a* сверхакти́вный

overage I [,əʊvər'eɪdʒ] *a* перееро́сший

overage II ['əʊvərɪdʒ] *n* избы́ток, изли́шек; an ~ was disclosed бы́ли обнару́жены изли́шки

overall 1. *n* ['əʊvərɔ:l] рабо́чий хала́т; спецоде́жда; *pl* широ́кие рабо́чие брю́ки; комбинезо́н

2. *a* [,əʊvər'ɔ:l] 1) по́лный, о́бщий, преде́льный; ~ dimensions габари́тные разме́ры; ~ housing *стр.* тепля́к 2) всео́бщий; всеобъе́млющий; всеохва́тывающий; ~ planning генера́льное плани́рование

3. *adv* [,əʊvər'ɔ:l] 1) повсю́ду; повсеме́стно 2) по́лностью, в о́бщем и це́лом

overanxious [,əʊvər'æŋkʃəs] *a* 1) сли́шком обеспоко́енный; пани́чески настро́енный 2) о́чень стара́тельный

overarch [,əʊvər'ɑ:tʃ] *v* 1) покрыва́ть сво́дом 2) образо́вывать свод, а́рку

overarm ['əʊvərɑ:m] *n* сажёнки (*способ плавания*)

overate [,əʊvər'et] *past от* overeat

overawe [,əʊvər'ɔ:] *v* держа́ть в благогове́йном стра́хе; внуша́ть благогове́йный страх

overbalance [,əʊvə'bæləns] **1.** *n* переве́с; избы́ток

2. *v* 1) вы́вести из равнове́сия 2) потеря́ть равнове́сие и упа́сть 3) переве́шивать, превосходи́ть

overbear [,əʊvə'beə] *v* (overbore; overborne) 1) подавля́ть; he overbore all my arguments его́ до́воды оказа́лись убеди́тельнее мои́х; он меня́ переубеди́л 2) переси́ливать; превозмога́ть 3) превосходи́ть

overbearing [,əʊvə'beərɪŋ] **1.** *pres. p. от* overbear

2. *a* вла́стный, повели́тельный; an ~ manner вла́стная мане́ра

overblew [,əʊvə'blu:] *past от* overblow

overblouse ['əʊvə,blaʊz] *n* блу́за пове́рх ю́бки *или* брюк

overblow [,əʊvə'bləʊ] *v* (overblew, overblown) 1) раздува́ть, растя́гивать 2) пронести́сь, минова́ть (*о буре, опасности и т. п.*)

overblown [,əʊvə'bləʊn] **1.** *p. p. от* overblow

2. *a* 1) непоме́рно разду́тый 2) нача́вший увяда́ть (*о цветке*) 3) со следа́ми увяда́ния (*о женской красоте*) 4) пронёсшийся (*о буре и т. п.*)

overboard ['əʊvəbɔ:d] *adv* за́ борт; за бо́ртом; man ~! челове́к за бо́ртом!; to throw ~ выбра́сывать за́ борт ◇ to throw smb. ~ переста́ть подде́рживать кого́-л.

overboil [,əʊvə'bɔɪl] *v* перекипе́ть; *разг.* убежа́ть (*о молоке и т. п.*)

overbold [,əʊvə'bəʊld] *a* 1) сли́шком сме́лый, де́рзкий 2) опроме́тчивый

overbook [,əʊvə'bʊk] *v* продава́ть бо́льше биле́тов, чем име́ется поса́дочных мест

overbore [,əʊvə'bɔ:] *past от* overbear

overborne [,əʊvə'bɔ:n] *p. p. от* overbear

overbought [,əʊvə'bɔ:t] *past и p. p. от* overbuy

overbrim [,əʊvə'brɪm] *v* переполня́ть(ся); перелива́ть(ся) че́рез край

overbuild [,əʊvə'bɪld] *v* (overbuilt) 1) надстра́ивать 2) (чрезме́рно) застра́ивать

overbuilt [,əʊvə'bɪlt] *past и p. p. от* overbuild

overburden [,əʊvə'bɜ:dn] *v* 1) перегружа́ть 2) отягоща́ть

overbuy [,əʊvə'baɪ] *v* (overbought) покупа́ть в сли́шком большо́м коли́честве

overcame [,əʊvə'keɪm] *past от* overcome

over-capitalize [,əʊvə'kæpɪtəlaɪz] *v* определя́ть капита́л (*компании и т. п.*) сли́шком высоко́

overcast 1. *n* ['əʊvəkɑ:st] сплошна́я о́блачность; облака́, ту́чи

2. *a* [,əʊvə'kɑ:st] 1) покры́тый облака́ми; мра́чный, хму́рый (*о небе*) 2) печа́льный, угрю́мый

3. *v* [,əʊvə'kɑ:st] (overcast) 1) покрыва́ть(ся), закрыва́ть(ся); затемня́ть 2) темне́ть 3) запошива́ть (*край*); сшива́ть че́рез край

overcharge [,əʊvə'tʃɑ:dʒ] **1.** *v* 1) назнача́ть завы́шенную це́ну 2) перегружа́ть 3) загромажда́ть дета́лями, преувели́чивать (*в описании и т. п.*) 4) *эл.* перезаряжа́ть 5) *тех.* перегружа́ть 6) *воен.* заряжа́ть уси́ленным заря́дом

2. *n* 1) завы́шенная цена́; запро́с 2) *эл.* перезаря́д

overcloud [,əʊvə'klaʊd] *v* 1) застила́ть(ся) облака́ми 2) омрача́ть(ся)

overcoat ['əʊvəkəʊt] *n* 1) пальто́ 2) шине́ль

overcoating ['əʊvə,kəʊtɪŋ] *n* материа́л на пальто́

over-colour [,əʊvə'kʌlə] *v* сгуща́ть кра́ски; преувели́чивать

overcome [,əʊvə'kʌm] *v* (overcame; overcome) 1) поборо́ть, победи́ть; превозмо́чь; преодоле́ть; to ~ smb. взять верх над кем-л. 2) *pass.* истощи́ть, лиши́ть самооблада́ния; ~ by hunger истощённый го́лодом; ~ by (*или* with) drink пья́ный 3) охвати́ть, обуя́ть (*о чувстве*)

overcrop [,əʊvə'krɒp] *v* истоща́ть зе́млю

overcrow [,əʊvə'krəʊ] *v* торжествова́ть (*над соперником и т. п.*)

overcrowd [,əʊvə'kraʊd] *v* 1) переполня́ть (*помещение и т. п.*) 2) толпи́ться

overcrowded [,əʊvə'kraʊdɪd] *a* перепо́лненный; to live in ~ conditions жить в тесноте́

overcrowding [,əʊvə'kraʊdɪŋ] *n* перенаселе́ние; перенаселённость

overdevelop [,əʊvədɪ'veləp] *v* 1) чрезме́рно развива́ть 2) *фото* передержа́ть (*при проявлении*)

overdid [,əʊvə'dɪd] *past от* overdo

overdo [,əʊvə'du:] *v* (overdid; overdone) 1) заходи́ть сли́шком далеко́; «переборщи́ть», перестара́ться, переусе́рдствовать (*тж.* to ~ it) [*ср. тж.* ◇] 2) утри́ровать; преувели́чивать 3) пережа́ривать ◇ to ~ it (*или* things) переутоми́ться; work hard but don't ~ it рабо́тайте усе́рдно, но не переутомля́йтесь [*ср. тж.* 1)]

overdone [,əʊvə'dʌn] *p. p. от* overdo

2. *a* [,əʊvə'dʌn] 1) преувели́ченный, утри́рованный 2) пережа́ренный

overdose 1. *n* ['əʊvədəʊs] сли́шком больша́я, вре́дная до́за; передозиро́вка (*лекарства*)

2. *v* [,əʊvə'dəʊs] дава́ть сли́шком большу́ю, вре́дную до́зу

overdraft ['əʊvədrɑ:ft] *n* 1) превыше́ние креди́та (*в банке*) 2) = overdraught

overdrank [,əʊvə'dræŋk] *past от* overdrink

overdraught ['əʊvədrɑ:ft] *n тех.* ве́рхнее дутьё

overdraw [,əʊvə'drɔ:] *v* (overdrew; overdrawn) 1) превы́сить креди́т (*в банке*) 2) преувели́чивать

overdrawn [,əʊvə'drɔ:n] *p. p. от* overdraw

overdress [,əʊvə'dres] *v* одева́ться сли́шком наря́дно

overdrew [,əʊvə'dru:] *past от* overdraw

overdrink [,əʊvə'drɪŋk] *v* (overdrank; overdrunk) 1) сли́шком мно́го пить; вы́пить бо́льше друго́го 2) перепи́ться

overdrive [,əʊvə'draɪv] *v* (overdrove; overdriven) 1) переутомля́ть, изнуря́ть 2) загна́ть (*лошадь*)

overdriven [,əʊvə'drɪvn] *p. p. от* overdrive

overdrove [,əʊvə'drəʊv] *past от* overdrive

overdrunk [,əʊvə'drʌŋk] *p. p. от* overdrink

overdue [,əʊvə'dju:] *a* 1) запозда́лый; the train is ~ по́езд запа́здывает; it is long ~ давно́ пора́ 2) просро́ченный (*о векселе, долге и т. п.*)

overdye [,əʊvə'daɪ] *v* 1) перекра́сить в друго́й цвет 2) сде́лать сли́шком тёмным

overeat [,əʊvər'i:t] *v refl.* (overate; overeaten) переда́ть, объеда́ться

overeaten [,əʊvər'i:tn] *p. p. от* overeat

overemployment [,əʊverɪm'plɔɪmənt] *n эк.* сверхза́нятость, чрезме́рная за́нятость

overestimate 1. *n* [,əʊvər'esɪmɪt] 1) сли́шком высо́кая оце́нка 2) разду́тая сме́та

2. *v* [,əʊvər'estimeɪt] 1) переоце́нивать 2) составля́ть разду́тую сме́ту

overexpose [,əʊvərɪk'spəʊz] *v фото* передержа́ть (*при съёмке*)

overexposure [,əʊvərɪk'spəʊʒə] *n фото* передéржка (*при съёмке*)

overextended [,əʊvərɪk'stendɪd] *a* 1) затя́нутый, растя́нутый 2) чрезме́рно разду́тый

overfall ['əʊvəfɔ:l] *n* 1) водосли́в 2) *мор.* быстрина́

overfed [,əʊvə'fed] *past и p. p. от* overfeed

overfeed [,əʊvə'fi:d] *v* (overfed) 1) перека́рмливать 2) объеда́ться, переда́ть

overfill [,əʊvə'fɪl] *v* переполня́ть

overflow 1. *n* ['əʊvəfləʊ] 1) избы́ток; an ~ of population перенаселе́ние 2) перелива́ние че́рез край 3) разли́в; наводне́ние

2. *v* [,əʊvə'fləʊ] 1) перелива́ться че́рез край 2) залива́ть, затопля́ть; разлива́ться (*о реке*) 3) выходи́ть за преде́лы; the crowds ~ed the barriers толпа́ хлы́нула за барье́ры 4) переполня́ть; быть перепо́лненным; to ~ with kindness быть преиспо́лненным доброты́

overflowing [,əʊvə'fləʊɪŋ] 1. *pres. p. от* overflow 2

2. *a* 1) лью́щийся че́рез край; бью́щий че́рез край 2) перепо́лненный

overfreight [,əʊvə'freɪt] = overload

overfulfil [,əʊvəfʊl'fɪl] *v* перевыполня́ть

overfulfilment [,əʊvəfʊl'fɪlmənt] *n* перевыполне́ние

overfull [,əʊvə'fʊl] *a* 1) перепо́лненный 2) чрезме́рно повы́шенный; ~ employment *эк.* чрезме́рно высо́кий у́ровень за́нятости

overgarment ['əʊvə,gɑ:mənt] *n амер.* ве́рхняя оде́жда

overgild [,əʊvə'gɪld] *v* (overgilded [-ɪd], overgilt) позолоти́ть

overgilt [,əʊvə'gɪlt] *past и p. p. от* overgild

overgrew [,əʊvə'gru:] *past от* overgrow

overground I ['əʊvəgraʊnd] *a* надзе́мный ◇ still ~ *разг.* ещё жив

overground II [,əʊvə'graʊnd] *a* измельчённый до пы́ли

overgrow [,əʊvə'grəʊ] *v* (overgrew; overgrown) 1) расти́ сли́шком бы́стро 2) зараста́ть (*преим. pass.*); the garden is ~n with weeds сад заро́с сорняка́ми 3) перераста́ть (*что-л.*); выраста́ть (*из чего-л.*); to ~ one's clothes выраста́ть из пла́тья

overgrown [,əʊvə'grəʊn] 1. *p. p. от* overgrow

2. *a* 1) перерóсший 2) расту́щий без ухо́да, неподстри́женный (*о растениях*) 3) заро́сший

overgrowth ['əʊvəgrəʊθ] *n* 1) чрезме́рно бы́стрый рост 2) разраста́ние 3) *мед.* гипертрофи́я

overhang 1. *n* ['əʊvəhæŋ] вы́ступ, свес

2. *v* [,əʊvə'hæŋ] (overhung) выступа́ть над *чем-л.*, нависа́ть (*тж. перен.*); выдава́ться, све́шиваться; overhung with creepers покры́тый вью́щимися расте́ниями

overhaul 1. *n* ['əʊvəhɔ:l] 1) тща́тельный осмо́тр 2) капита́льный ремо́нт (*тж.* major ~) 3) пересмо́тр 4) *attr.*: ~ base ремо́нтная ба́за

2. *v* [,əʊvə'hɔ:l] 1) разбира́ть, тща́тельно осма́тривать (*часто с целью ремонта*); to ~ the state of accounts произвести́ реви́зию бухгалте́рии; to be ~ed by a doctor быть на осмо́тре у врача́ 2) капита́льно ремонти́ровать; перестра́ивать, реконструи́ровать 3) догоня́ть, догна́ть

overhead 1. *a* [,əʊvə'hed] 1) ве́рхний 2) возду́шный; надзе́мный; ~ wire возду́шный про́вод; ~ railway надзе́мная желе́зная доро́га; ~ road эстака́да; ~ irrigation дождева́ние; ~ crane мостово́й кран 3) *ком.* накладно́й; ~ charges (*или* costs, expenses) накладны́е расхо́ды

2. *adv* [,əʊvə'hed] наверху́, над голово́й; в ве́рхнем этаже́; на не́бе

3. *n* ['əʊvəhed] (*обыкн. pl*) накладны́е расхо́ды

overhear [,əʊvə'hɪə] *v* (overheard) 1) подслу́шивать 2) нечá янно услы́шать

overheard [,əʊvə'hɜ:d] *past и p. p. от* overhear

overheat [,əʊvə'hi:t] 1. *n* перегре́в

2. *v* перегрева́ть(ся)

overhung [,əʊvə'hʌŋ] *past и p. p. от* overhang 2

overindulgence [,əʊvərɪn'dʌldʒəns] *n* чрезме́рное увлече́ние, злоупотребле́ние

overissue [,əʊvər'ɪsju:] 1. *n* 1) *фин.* чрезме́рная эми́ссия 2) нераспро́данные экземпля́ры тиража́; чрезме́рный вы́пуск

2. *v* выпуска́ть сверх дозво́ленного коли́чества (*акции, банкноты и т. п.*)

overjoy [,əʊvə'dʒɔɪ] *v* осчастли́вить, о́чень обра́довать

overjoyed [,əʊvə'dʒɔɪd] 1. *p. p. от* overjoy

2. *a* вне себя́ от ра́дости, о́чень дово́льный, счастли́вый (at)

overjump [,əʊvə'dʒʌmp] *v* 1) перепры́гивать, переска́кивать 2) пропуска́ть, игнори́ровать

overkill ['əʊvəkɪl] 1. *n* 1) *воен.* примене́ние средств пораже́ния избы́точной мо́щности 2) вы́ход за ра́мки дозво́ленного *или* разу́много

2. *v воен.* применя́ть сре́дства пораже́ния избы́точной мо́щности

overknee [,əʊvə'ni:] *a* вы́ше коле́н

overlabour [,əʊvə'leɪbə] *v* 1) переутомля́ть рабо́той 2) сли́шком тща́тельно отде́лывать

overladen [,əʊvə'leɪdn] *a* перегру́женный

overlaid [,əʊvə'leɪd] *past и p. p. от* overlay I, 2

overlain [,əʊvə'leɪn] *p. p. от* overlie

overland 1. *a* ['əʊvəlænd] сухопу́тный; проходя́щий цели́ком *или* бо́льшей ча́стью по су́ше

2. *adv* [,əʊvə'lænd] по су́ше; на су́ше

overlap 1. *v* [,əʊvə'læp] 1) части́чно покрыва́ть; заходи́ть оди́н за друго́й; перекрыва́ть 2) части́чно совпада́ть; his duties and mine ~ мы выполня́ем одни́ и те же обя́занности

2. *n* ['əʊvəlæp] 1) совпаде́ние 2) *тех.* нахлёстка; перекры́тие

overlapping [,əʊvə'læpɪŋ] 1. *n* паралле́ли́зм, дубли́рование; повторе́ние

2. *a* паралле́льный, части́чно дубли́рующий

overlay I 1. *n* ['əʊvəleɪ] 1) покры́шка; салфе́тка; покрыва́ло 2) *полигр.* припра́вка 3) *шотл.* га́лстук

2. *v* [,əʊvə'leɪ] (overlaid) 1) покрыва́ть (*краской и т. п.*) 2) перекрыва́ть 3) *неправ. вм.* overlie

overlay II [,əʊvə'leɪ] *past от* overlie

overleaf [,əʊvə'li:f] *adv* на обра́тной стороне́ листа́ *или* страни́цы

overleap [,əʊvə'li:p] *v* 1) перепры́гивать; переска́кивать 2) пропуска́ть ◇ to ~ oneself переоце́нивать свои́ возмо́жности

overlie [,əʊvə'laɪ] *v* (overlay; overlain) 1) лежа́ть на *чём-л.*, над *чем-л.* 2) задуши́ть (*ребёнка*) во вре́мя сна, заспа́ть

overling ['əʊvəlɪŋ] *n* влия́тельное *или* высокопоста́вленное лицо́

overlive [,əʊvə'lɪv] *v* 1) пережи́ть 2) прожига́ть жизнь

overload 1. *n* ['əʊvələʊd] перегру́зка

2. *v* [,əʊvə'ləʊd] перегружа́ть

overlook [,əʊvə'lʊk] *v* 1) не заме́тить, прогляде́ть; не обрати́ть внима́ния; упуска́ть и́з виду, не учи́тывать; игнори́ровать; to ~ an offence проща́ть, не взыскивать за просту́пок *или* оби́ду 2) обозрева́ть; смотре́ть све́рху (*на что-л.*); a view ~ing the town вид на го́род све́рху 3) возвыша́ться (*над городом, местностью и т. п.*) 4) выходи́ть на, в; my windows ~ the garden мои́ о́кна выхо́дят в сад 5) надзира́ть; смотре́ть (*за чем-л.*) 6) сгла́зить

overlooker [,əʊvə'lʊkə] *n* надзира́тель; надсмо́трщик

overlord ['əʊvəlɔ:d] **1.** *n* сюзере́н; верхо́вный влады́ка; повели́тель, господи́н

2. *v* доминировать; госпо́дствовать

overly ['əʊvəlɪ] *adv* (*обыкн. амер., шотл.*) чрезме́рно; ~ cautious сли́шком осторо́жный

overman I ['əʊvəmæn] *n* 1) деся́тник, бригади́р 2) арби́тр 3) *филос.* «сверхчелове́к»

overman II [,əʊvə'mæn] *v* нанима́ть сли́шком мно́го рабо́чих; раздува́ть шта́ты

overmantel ['əʊvə,mæntl] *n* резно́е украше́ние над ками́ном

overmasted [,əʊvə'mɑ:stəd] *a* име́ющий сли́шком высо́кие *или* сли́шком тяжёлые ма́чты

overmaster [,əʊvə'mɑ:stə] *v* 1) покори́ть, подчини́ть себе́ 2) овладе́ть всеце́ло

overmastering [,əʊvə'mɑ:stərɪŋ] **1.** *pres. p. от* overmaster

2. *a* непреодоли́мый; an ~ passion непреодоли́мая страсть

overmatch [,əʊvə'mætʃ] *v* превосходи́ть си́лой, уме́нием

overmature [,əʊvəmə'tjʊə] *a* перезре́лый; ~ forest перестойный лес

overmeasure [,əʊvə'meʒə] *n* 1) прида́ча, изли́шек 2) при́пуск

overmuch [,əʊvə'mʌtʃ] *adv* чрезме́рно, сли́шком мно́го; to praise ~ расхва́ливать; захва́ливать

overnice [,əʊvə'naɪs] *a* 1) сли́шком разбо́рчивый; приди́рчивый 2) изощрённый

overnight [,əʊvə'naɪt] **1.** *a* 1) ночно́й, продолжа́ющийся всю ночь; an ~ journey ночно́е путеше́ствие 2) происходи́вший накану́не ве́чером *или* но́чью; an ~ conversation разгово́р накану́не ве́чером

2. *adv* 1) с ве́чера (и всю ночь); всю ночь; to stay ~ ночева́ть 2) бы́стро, ско́ро; вдруг, неожи́данно; to rise to fame ~ внеза́пно приобрести́ изве́стность

overpaid [,əʊvə'peɪd] *past и p. p. от* overpay

overpass 1. *n* ['əʊvəpɑ:s] эстака́да

2. *v* [,əʊvə'pɑ:s] 1) переходи́ть, проходи́ть, пересека́ть 2) преодолева́ть 3) превосходи́ть, превыша́ть 4) оставля́ть без внима́ния, проходи́ть ми́мо

overpast [,əʊvə'pɑ:st] *a predic.* проше́дший, про́шлый

overpay [,əʊvə'peɪ] *v* (overpaid) перепла́чивать

overpeopled [,əʊvə'pi:pld] *a* перенаселённый

over-persuade [,əʊvəpə'sweɪd] *v* переубежда́ть; склоня́ть (*к чему-л.*)

overplay [,əʊvə'pleɪ] *v* 1) переи́грывать (*об актёре*) 2) придава́ть чрезме́рное значе́ние, раздува́ть ◇ to ~ one's hand а) переоцени́ть свои́ возмо́жности; б) погуби́ть де́ло, преувели́чив его́ значе́ние

overplus ['əʊvəplʌs] *n* изли́шек, избы́ток

overpoise 1. *n* ['əʊvəpɔɪz] переве́с

2. *v* [,əʊvə'pɔɪz] переве́шивать

overpopulated [,əʊvə'pɒpjʊleɪtɪd] *a* перенаселённый

overpopulation [,əʊvəpɒpjʊ'leɪʃn] *n* перенаселённость

overpower [,əʊvə'paʊə] *v* пересили́вать, брать верх; подавля́ть; the heat ~ed me жара́ одоле́ла меня́

overpowering [,əʊvə'paʊərɪŋ] **1.** *pres. p. от* overpower

2. *a* непреодоли́мый, подавля́ющий; неодоли́мый; ~ beauty неотрази́мая красота́

overpraise [,əʊvə'preɪz] *v* перехва́ливать, захва́ливать

overpressure ['əʊvəpreʃə] *n* 1) чрезме́рное давле́ние; избы́точное давле́ние 2) сли́шком большо́е у́мственное *или* не́рвное напряже́ние

overprint [,əʊvə'prɪnt] **1.** *v* 1) печа́тать пове́рх рису́нка (*на марке*) *или* те́кста 2) печа́тать сверх тиража́

2. *n* 1) о́ттиск 2) штамп на ма́рке

overprize [,əʊvə'praɪz] *v* переоце́нивать

overproduce [,əʊvəprə'dju:s] *v* перепроизводи́ть

overproduction [,əʊvəprə'dʌkʃn] *n* перепроизво́дство

overproof [,əʊvə'pru:f] *a* вы́ше устано́вленного гра́дуса (*о спирте и т. п.*)

overran [,əʊvə'ræn] *past от* overrun

overreach 1. *n* ['əʊvəri:tʃ] 1) обма́н; хи́трость 2) засе́чка (*у лошади*)

2. *v* [,əʊvə'ri:tʃ] 1) достига́ть; распространя́ть(ся); выходи́ть за преде́лы 2) перехитри́ть; to ~ oneself просчита́ться, обману́ться 3) дости́чь незако́нным, моше́нническим путём 4) овладе́ть (*аудиторией и т. п.*) 5) *refl.* растяну́ть сухожи́лие; засека́ться (*о лошади*) ◇ to ~ oneself взять на себя́ непоси́льную зада́чу; зарва́ться

overrefine [,əʊvərɪ'faɪn] *v* вдава́ться в изли́шние то́нкости

overrent [,əʊvə'rent] *v* брать сли́шком высо́кую аре́ндную *или* кварти́рную пла́ту

overridden [,əʊvə'rɪdn] *p. p. от* override

override [,əʊvə'raɪd] *v* (overrode; overridden) 1) отверга́ть, не принима́ть во внима́ние 2) брать верх, переве́шивать 3) перее́хать, задави́ть 4) попира́ть (нога́ми) 5) зае́здить (*лошадь*)

overriding [,əʊvə'raɪdɪŋ] **1.** *pres. p. от* override

2. *a* основно́й, первостепе́нный

overripe [,əʊvə'raɪp] *a* перезре́лый, пересто́йный; ~ wood перестойный лес

overrode [,əʊvə'rəʊd] *past от* override

overrotten [,əʊvə'rɒtn] *a* перегни́вший

overrule [,əʊvə'ru:l] *v* 1) отверга́ть, отклоня́ть предложе́ние 2) аннули́ровать, счита́ть недействи́тельным 3) госпо́дствовать, верхове́нствовать 4) брать верх

overrun [,əʊvə'rʌn] **1.** *v* (overran; overrun) 1) кише́ть 2) зараста́ть (*сорняками*) 3) опустоша́ть (*страну — о неприятеле*) 4) переходи́ть дозво́ленные грани́цы *или* устано́вленные сро́ки 5) *полигр.* перебра́сывать 6) *авто* дви́гаться накато́м 7) перелива́ться че́рез край; наводня́ть

2. *n* перерасхо́д; превыше́ние сто́имости

oversaw [,əʊvə'sɔ:] *past от* oversee

oversea(s) [,əʊvə'si:(z)] **1.** *a* замо́рский, заокеа́нский; загран́ичный; ~ trade вне́шняя торго́вля; ~ contingents войска́, находя́щиеся вне метропо́лии; ~ service слу́жба радиовеща́ния для зарубе́жных стран, веща́ние на заграни́цу

2. *adv* за́ морем, че́рез мо́ре; за грани́цей, за грани́цу; to go ~ е́хать за́ море; пересе́чь океа́н

oversee [,əʊvə'si:] *v* (oversaw; overseen) 1) надзира́ть, наблюда́ть 2) подсма́тривать 3) случа́йно увиде́ть

overseen [,əʊvə'si:n] *p. p. от* oversee

overseer ['əʊvəsɪə] *n* надзира́тель; надсмо́трщик; ~ of the poor *уст.* прихо́дский попечи́тель по призре́нию бе́дных

oversell [,əʊvə'sel] *v* (oversold) продава́ть сверх свои́х запа́сов (*товары и т. п.*)

overset [,əʊvə'set] *v* (overset) 1) наруша́ть поря́док; to ~ one's plans наруша́ть пла́ны 2) поверга́ть в смуще́ние, расстро́йство 3) опроки́дывать(ся)

oversew ['əʊvəsəʊ] *v* (oversewed [-d]; oversewed, oversewn) сшива́ть че́рез край

oversewn ['əʊvəsəʊn] *p. p. от* oversew

oversexed [,əʊvə'sekst] *a* гиперсексуа́льный

overshadow [,əʊvə'ʃædəʊ] *v* 1) затмева́ть 2) затемня́ть 3) омрача́ть

overshoe ['əʊvəʃu:] *n* гало́ша; бо́т(ик)

overshoot ['əʊvəʃu:t] *v* (overshot) 1) промахну́ться (*при стрельбе*); to ~ the mark взять вы́ше *или* да́льше це́ли; *перен.* зайти́ сли́шком далеко́; «пересоли́ть» [*см. тж.* 3)] 2) стреля́ть лу́чше (*кого-л.*) 3) превыша́ть, превосходи́ть; to ~ the mark превы́сить, превзойти́ (*определённый*) у́ровень [*см. тж.* 1)] ◇ to ~ oneself а) = to ~ the mark [*см. тж.* 1)]; б) стать же́ртвой со́бственной глу́пости; to ~ one's stop прое́хать свою́ остано́вку

overshot [,əʊvə'ʃɒt] *past и p. p. от* overshoot

overside ['əʊvəsaɪd] *мор.* **1.** *a* грузя́щийся че́рез борт; ~ delivery вы́грузка на друго́е су́дно

2. *adv* че́рез борт; за́ борт

oversight [ˈəʊvəsaɪt] *n* 1) недосмо́тр, оплошность 2) надзо́р, присмо́тр

oversimplify [ˌəʊvəˈsɪmplɪfaɪ] *v* упроща́ть; понима́ть сли́шком упрощённо

oversize(d) [ˌəʊvəˈsaɪz(d)] *a* 1) бо́льше обы́чного разме́ра 2) *тех.* завы́шенного габари́та

overslaugh [ˈəʊvəslɔ:] *v* 1) *воен.* освобожда́ть от до́лжности в связи́ с повыше́нием 2) *амер. воен.* обходи́ть при присвое́нии очередны́х зва́ний 3) *амер.* меша́ть, чини́ть препя́тствия

oversleep [ˌəʊvəˈsli:p] *v* (overslept) проспа́ть, заспа́ться (*тж.* ~ oneself)

oversleeve [ˈəʊvəsli:v] *n* нарука́вник

overslept [ˌəʊvəˈslept] *past и p. p. от* oversleep

oversmoke [ˌəʊvəˈsməʊk] *v* 1) сли́шком мно́го кури́ть 2) *refl.* накури́ться (*до одуре́ния*)

oversold [ˌəʊvəˈsəʊld] *past и p. p. от* oversell

overspend [ˌəʊvəˈspend] *v* (overspent) 1) тра́тить сли́шком мно́го; сори́ть деньга́ми 2) расстро́ить своё состоя́ние *или* здоро́вье (*тж.* ~ oneself)

overspent [ˌəʊvəˈspent] *past и p. p. от* overspend

overspill [ˈəʊvəspɪl] *n* 1) то, что про́лито 2) (эмигри́рующий) избы́ток населе́ния

overspread [ˌəʊvəˈspred] *v* (overspread) 1) простира́ть; разбра́сывать; распространя́ть 2) покрыва́ть

overstate [ˌəʊvəˈsteɪt] *v* преувели́чивать

overstatement [ˌəʊvəˈsteɪtmənt] *n* преувеличе́ние

overstay [ˌəʊvəˈsteɪ] *v* загости́ться, засиде́ться; to ~ one's welcome злоупотребля́ть чьим-л. гостеприи́мством

overstep [ˌəʊvəˈstep] *v* 1) переступи́ть, перешагну́ть 2) переходи́ть грани́цы

overstock 1. *n* [ˈəʊvəstɒk] изли́шний запа́с, избы́ток (*това́ра*)

2. *v* [ˌəʊvəˈstɒk] де́лать сли́шком большо́й запа́с; затова́ривать (*магази́н, ры́нок*)

overstrain 1. *n* [ˈəʊvəstreɪn] чрезме́рное напряже́ние

2. *v* [ˌəʊvəˈstreɪn] переутомля́ть, перенапряга́ть; to ~ oneself переутомля́ться; this argument is greatly ~ed э́то сли́шком натя́нутый аргуме́нт

overstrung [ˌəʊvəˈstrʌŋ] *a* сли́шком напряжённый (*о не́рвах и т. п.*)

oversubscribe [ˌəʊvəsəbˈskraɪb] *v* превы́сить наме́ченную су́мму (*при подпи́ске и т. п.*); подписа́ться на бо́льшую су́мму, чем тре́буется

overt [əʊˈvɜ:t] *a* 1) откры́тый; неприкры́тый 2) я́вный, очеви́дный, нескрыва́емый

overtake [ˌəʊvəˈteɪk] *v* (overtook; overtaken) 1) догна́ть, наверста́ть; to ~ arrears а) погаша́ть задо́лженность; б) наверста́ть упу́щенное 2) засти́гнуть врасплóх; disaster overtook him его́ пости́гло несча́стье 3) овладева́ть; to be ~n by terror быть охва́ченным у́жасом; ~n in (*или* with) drink пья́ный

overtaken [ˌəʊvəˈteɪkən] *p. p. от* overtake

overtask [ˌəʊvəˈtɑ:sk] *v* перегружа́ть рабо́той; дава́ть непоси́льное зада́ние

overtax [ˌəʊvəˈtæks] *v* 1) перенапряга́ть; обременя́ть; to ~ smb.'s patience злоупотребля́ть чьим-л. терпе́нием

over-the-counter [ˌəʊvəðəˈkaʊntə] *a* *амер.* продава́емый в ро́зницу; ~ drugs патенто́ванные лека́рства

overthrew [ˌəʊvəˈθru:] *past от* overthrow 2

overthrow 1. *n* [ˈəʊvəθrəʊ] пораже́ние; ниспроверже́ние; сверже́ние; низверже́ние

2. *v* [ˌəʊvəˈθrəʊ] (overthrew; overthrown) 1) сверга́ть; побежда́ть; уничтожа́ть 2) опроки́дывать

overthrown [ˌəʊvəˈθrəʊn] *p. p. от* overthrow 2

overtime [ˈəʊvətaɪm] 1. *n* 1) сверхуро́чные часы́; сверхуро́чное вре́мя; to be on ~ рабо́тать сверхуро́чно 2) пла́та за сверхуро́чную рабо́ту 3) *амер. спорт.* дополни́тельное вре́мя

2. *adv* сверхуро́чно; to work ~ рабо́тать сверхуро́чно

3. *v* (*обыкн. фото*) передержа́ть

overtly [ˈəʊvɜ:tlɪ] *adv* откры́то, публи́чно; открове́нно

overtone [ˈəʊvətəʊn] *n* 1) *муз.* оберто́н 2) (*обыкн. pl*) но́тка, намёк, подте́кст

overtook [ˌəʊvəˈtʊk] *past от* overtake

overtop [ˌəʊvəˈtɒp] *v* 1) быть вы́ше, возвыша́ться 2) превыша́ть; превосходи́ть; затмева́ть

overtrain [ˌəʊvəˈtreɪn] *v* *спорт.* перетренирова́ть(ся)

overtrump [ˌəʊvəˈtrʌmp] *v* перекрыва́ть ста́ршим ко́зырем

overture [ˈəʊvətjʊə] *n* 1) *муз.* уверту́ра 2) (*обыкн. pl*) попы́тка (*примире́ния, завя́зывания знако́мства*); инициати́ва (*перегово́ров, заключе́ния догово́ров и т. п.*); peace ~s ми́рные предложе́ния; to make ~s to smb. а) де́лать попы́тки к примире́нию; б) пыта́ться завяза́ть знако́мство; де́лать ава́нсы

overturn 1. *n* [ˈəʊvətɜ:n] пораже́ние; ниспроверже́ние; сверже́ние; переворо́т

2. *v* [ˌəʊvəˈtɜ:n] 1) опроки́дывать(ся); па́дать 2) ниспроверга́ть, сверга́ть 3) уничтожа́ть; опроверга́ть; to ~ a theory опрове́ргнуть тео́рию

overvalue [ˌəʊvəˈvælju:] 1. *n* переоце́нка

2. *v* переоце́нивать, сли́шком высоко́ оце́нивать; придава́ть сли́шком большо́е значе́ние

overview [ˈəʊvəvju:] *n* (бе́глый) обзо́р (*де́ятельности и т. п.*)

overwatched [ˌəʊvəˈwɒtʃt] *a* изнурённый чрезме́рным бо́дрствованием *или* бессо́нницей

overweening [ˌəʊvəˈwi:nɪŋ] *a* высокоме́рный, самонаде́янный; ~ ambition чрезме́рное тщесла́вие

overweight 1. *n* [ˈəʊvəweɪt] 1) изли́шек ве́са, избы́точный вес 2) переве́с, преоблада́ние

2. *a* [ˌəʊvəˈweɪt] ве́сящий бо́льше но́рмы; тяжеле́е обы́чного; ~ luggage опла́чиваемый изли́шек багажа́

3. *v* [ˌəʊvəˈweɪt] (*обыкн. p. p.*) перегружа́ть; обременя́ть; ~ed with packages нагру́женный свёртками

overwhelm [ˌəʊvəˈwelm] *v* 1) овладева́ть, переполня́ть (*о чу́встве*; with) 2) потряса́ть, ошеломля́ть, поража́ть; his kindness quite ~ed me его́ доброта́ меня́ про́сто порази́ла 3) забра́сывать (*вопро́сами и т. п.*) 4) зава́ливать 5) залива́ть, затопля́ть 6) подавля́ть; сокруша́ть, разбива́ть (*непри́ятеля*) 7) губи́ть, разоря́ть

overwhelming [ˌəʊvəˈwelmɪŋ] 1. *pres. p. от* overwhelm

2. *a* 1) непреодоли́мый; ~ pressure сокруши́тельный на́тиск 2) подавля́ющий; ~ majority подавля́ющее большинство́ 3) несме́тный

overwhelmingly [ˌəʊvəˈwelmɪŋlɪ] *adv* о́чень, чрезвыча́йно; в подавля́ющем большинстве́ слу́чаев; ~ grateful нескaза́нно благода́рен; ~ important чрезвыча́йно ва́жный

overwind [ˌəʊvəˈwaɪnd] *v* перекрути́ть заво́д (*часо́в и т. п.*)

overwinter [ˌəʊvəˈwɪntə] *v* перезимова́ть

overwork [ˌəʊvəˈwɜ:k] 1. *n* 1) чрезме́рная *или* сверхуро́чная рабо́та 2) перегру́зка, перенапряже́ние; переутомле́ние

2. *v* 1) сли́шком мно́го рабо́тать; переутомля́ться (*тж.* ~ oneself) 2) переутомля́ть

overwrite [ˌəʊvəˈraɪt] *v* (overwrote; overwritten) 1) сли́шком мно́го писа́ть (*о чём-л.*) 2) *refl.* исписываться (*о писа́теле и т. п.*)

overwritten [ˌəʊvəˈrɪtn] *p. p. от* overwrite

overwrote [ˌəʊvəˈrəʊt] *past от* overwrite

overwrought [ˌəʊvəˈrɔ:t] *a* 1) возбуждённый (*о не́рвах*) 2) переутомлённый рабо́той 3) перегру́женный дета́лями 4) сли́шком тща́тельно отде́ланный

oviduct [ˈəʊvɪdʌkt] *n* *анат.* яйцево́д; фалло́пиева труба́

oviform [ˈəʊvɪfɔ:m] *a* яйцеви́дный, яйцеобра́зный, ова́льный

ovine [ˈəʊvaɪn] *a* ове́чий

oviparous [əʊˈvɪpərəs] *a* яйценóсный

oviposit [ˌəʊvɪˈpɒzɪt] *v* *зоол.* откла́дывать я́йца

ovipositor [ˌəʊvɪˈpɒzɪtə] *n* *зоол.* яйцекла́д

ovoid [ˈəʊvɔɪd] *a* яйцеви́дный, яйцеобра́зный

ovule [ˈɒvju:l] *n* 1) *бот.* семяпо́чка 2) *биол.* яйцева́я кле́тка, неоплодотворённое яйцо́

ovum [ˈəʊvəm] *n* (*pl* ova) *биол.* яйцо́

owe [əʊ] *v* 1) быть до́лжным (*кому́-л.*); быть в долгу́ (*перед кем-л.*) 2) быть обя́занным; we ~ to Newton the principle of gravitation открытием закона тяготения мы обязаны Ньютону

owing [ˈəuɪŋ] **1.** *pres. p. от* owe

2. *a* 1) должный, причитающийся, оставшийся неуплаченным; how much is ~ to you? сколько вам ещё причитается? 2) *редк.* обязанный (*кому-л.*) 3): ~ to (*употр. как prep*) по причине, вследствие, благодаря

owl [aul] *n* 1) сова 2) *разг.* олух 3) полуночник ◇ ~ train *амер.* ночной поезд; ~ car *амер.* а) ночной трамвай; б) ночное такси

owlet [ˈaulət] *n* молодая сова, совёнок

owlish [ˈaulɪʃ] *a* похожий на сову

owl-light [ˈaullaɪt] *n* сумерки

own [əun] **1.** *a* (*после притяжательных местоимений и существительных в possessive case*) 1) свой собственный; to love truth for its ~ sake любить правду ради неё самой; name your ~ price назовите свою цену; to make one's ~ clothes шить самой себе; he is his ~ man он сам себе хозяин 2) собственный, оригинальный; it was his ~ idea это была его собственная идея 3) родной; my ~ father мой родной отец 4) любимый; farewell my ~ прощай, дорогой ◇ to come into one's ~ получить должное; to hold one's ~ сохранять свои позиции, своё достоинство, самообладание; стоять на своём; the patient is holding his ~ больной борется с недугом; I have nothing of my ~ у меня ничего нет (*никакой собственности*); on one's ~ самостоятельно, на собственную ответственность, по собственной инициативе

2. *v* 1) владеть; иметь, обладать; to ~ lands владеть землёй 2) признавать(ся); to ~ a child признавать своё отцовство; to ~ one's faults признавать свои недостатки; to ~ to smth. признаваться в чём-л.; to ~ to the theft признаваться в краже ▭ ~ **up** *разг.* а) откровенно признаваться; б) безропотно подчиняться

owner [ˈəunə] *n* 1) владелец; собственник, хозяин 2) (the ~) *мор. жарг.* командир корабля

ownerless [ˈəunələs] *a* 1) бесхозный 2) беспризорный

ownership [ˈəunəʃɪp] *n* 1) собственность; владение 2) право собственности

ox [ɒks] *n* (*pl* oxen) 1) бык 2) *всякий представитель семейства быков*: вол, буйвол, бизон *и т. п.* ◇ the black ox а) старость; б) несчастье; the black ox has trod on my foot меня постигло несчастье; you cannot flay the same ox twice *посл.* с одного вола двух шкур не дерут

oxalic [ɒkˈsælɪk] *a хим.* щавелевый

oxbow [ˈɒksbəu] *n* 1) ярмо 2) старица, слепой рукав реки; заводь

Oxbridge [ˈɒksbrɪdʒ] *n* Оксфорд и Кембридж (*в отличие от новых университетов*)

oxcart [ˈɒkskɑ:t] *n* повозка, запряжённая волами

ox-driver [ˈɒks,draɪvə] *n* погонщик волов

oxen [ˈɒksn] *n pl* 1) *pl от* ox 2) *собир.* рогатый скот

oxer [ˈɒksə] = oxfence

oxeye [ˈɒksaɪ] *n* 1) бычий *или* воловий глаз 2) *архит.* круглое *или* овальное окно 3) большая синица

oxeyed [ˈɒksaɪd] *a* волоокий, большеглазый

oxfence [ˈɒksfens] *n* изгородь для рогатого скота

oxford [ˈɒksfəd] *n* 1) полуботинок (*тж.* O. shoe) 2) (O.) *attr.* оксфордский; O. man человек, получивший образование в Оксфордском университете; O. gray серый, стальной цвет

oxherd [ˈɒkshɜ:d] *n* пастух

oxhide [ˈɒkshaɪd] *n* воловья шкура

oxidate [ˈɒksɪdeɪt] = oxidize

oxidation [,ɒksɪˈdeɪʃn] *n хим.* окисление

oxide [ˈɒksaɪd] *n хим.* окись, окисел

oxidization [,ɒksɪdaɪˈzeɪʃn] = oxidation

oxidize [ˈɒksɪdaɪz] *v хим.* окислять(ся); оксидировать

Oxonian [ɒkˈsəunɪən] **1.** *n* студент (*тж.* бывший) Оксфордского университета

2. *a* оксфордский

oxtail [ˈɒksteɪl] *n* 1) воловий хвост 2) *attr.*: ~ soup суп из бычьих хвостов

oxter [ˈɒkstə] *шотл.* **1.** *n* подмышка; внутренняя часть плеча

2. *v* 1) поддерживать, взявши за руки *или* подмышки 2) обнимать, сжимать в объятиях

oxygen [ˈɒksɪdʒən] *n* 1) *хим.* кислород 2) *attr.* кислородный; ~ mask кислородная маска; ~ cutting *тех.* кислородная резка

oxygenate [ˈɒksɪdʒəneɪt] *v* окислять; насыщать кислородом

oxygenize [ˈɒksɪdʒənaɪz] = oxygenate

oxygenous [ˈɒksɪdʒənəs] *a* кислородный

oxygon [ˈɒksɪgɒn] *n* остроугольный треугольник

oxymoron [,ɒksɪˈmɔ:rɒn] *n ритор.* оксюморон

oyster [ˈɔɪstə] *n* устрица ◇ close (*или* dumb) as an ~ ≅ нем как рыба

oyster bank [ˈɔɪstəbæŋk] *n* устричная отмель; устричный садок

oyster bed [ˈɔɪstəbed] = oyster bank

oyster farm [ˈɔɪstəfɑ:m] *n* устричный садок

ozocerite, ozokerite [əuˈzəukəraɪt] *n мин.* озокерит

ozone [ˈəuzəun] *n хим.* озон

ozonize [ˈəuzənaɪz] *v хим.* озонировать

P

P, p [piː] *n* (*pl* Ps, P's [piːz]) *16-я буква англ. алфавита* ◇ to mind one's P's and Q's быть осторо́жным, осмотри́тельным в свои́х посту́пках и слова́х

pa [pɑː] *n* (*сокр. от* papa) *разг.* па́па, па́почка

pabular(y) [ˈpæbjʊlə(rɪ)] *a* пищево́й, съестно́й; кормово́й

pabulum [ˈpæbjʊləm] *n* пи́ща (*преим. перен.*); mental ~ пи́ща для ума́

pace I [peɪs] **1.** *n* 1) шаг; длина́ ша́га 2) ско́рость, темп; ~ of development те́мпы разви́тия; to accelerate the ~ ускоря́ть те́мпы; to go the ~ мча́ться; *перен.* прожига́ть жизнь; to keep ~ with идти́ наравне́ с, не отстава́ть от; to set the ~ задава́ть темп (*в гребле и т. п.*); *перен.* задава́ть тон 3) шаг, похо́дка, по́ступь; to put on ~ приба́вить ша́гу; to mend one's ~ ускоря́ть шаг; ~ of the warp *текст.* ход осно́вы 4) аллю́р (*лошади*) 5) и́ноходь 6) возвыше́ние на полу́; площа́дка; широ́кая ступе́нька (*лестницы*) ◇ to put smb. through his ~s, to try smb.'s ~s подве́ргнуть кого́-л. испыта́нию; «прощу́пывать» кого́-л.

2. *v* 1) шага́ть; расха́живать 2) задава́ть темп, вести́ (*в состязании*) 3) измеря́ть шага́ми (*тж.* ~ out) 4) идти́ и́ноходью (*о лошади*)

pace II [ˈpeɪsɪ] *лат. adv* с позволе́ния (*кого-л.*)

pacemaker [ˈpeɪs,meɪkə] *n* 1) задаю́щий темп, ли́дер (*забега и т. п.*) 2) *мед.* электрокардиостимуля́тор

pacer [ˈpeɪsə] *n* 1) инохо́дец 2) = pacemaker

pacha [ˈpɑːʃə] = pasha

pachyderm [ˈpækɪdɜːm] *n* *зоол.* толстоко́жее (живо́тное)

pachydermatous [,pækɪˈdɜːmətəs] *a* *зоол.* толстоко́жий

pacific [pəˈsɪfɪk] **1.** *a* 1) ми́рный, миролюби́вый 2) споко́йный, ти́хий 3) (P.) тихоокеа́нский

2. *n* (the P.) Ти́хий океа́н

pacification [,pæsɪfɪˈkeɪʃn] *n* 1) умиротворе́ние, успокое́ние 2) усмире́ние ◇ Edict of P. *ист.* На́нтский эди́кт

pacificator [pəˈsɪfɪkeɪtə] *n* миротво́рец

pacificatory [pəˈsɪfɪkətrɪ] *a* 1) примири́тельный 2) успокои́тельный

pacificist [pəˈsɪfɪsɪst] = pacifist

pacifism [ˈpæsɪfɪzəm] *n* пацифи́зм

pacifist [ˈpæsɪfɪst] *n* пацифи́ст

pacify [ˈpæsɪfaɪ] *v* 1) умиротворя́ть, успока́ивать; укроща́ть (*гнев*) 2) восстана́вливать поря́док *или* мир 3) усмиря́ть

pack [pæk] **1.** *n* 1) паке́т, па́чка; свя́зка, ки́па, вьюк 2) *воен.* снаряже́ние, вы́кладка, ра́нец 3) (*обыкн. пренебр.*) гру́ппа; ба́нда; moneyed ~ ку́чка богаче́й; ~ of crooks ба́нда жу́ликов 4) (*обыкн. пренебр.*) мно́жество, ма́сса; ~ of lies сплошна́я ложь 5) коло́да (*карт*) 6) сво́ра (*гончих*); ста́я (*волков и т. п.*); ~ of submarines *воен.* подразделе́ние подво́дных ло́док 7) *мед.* тампо́н 8) коли́чество загото́вленных в тече́ние сезо́на консе́рвов (*рыбных, фруктовых*) 9) *мед.* обёртывание в мо́крые про́стыни 10) простыня́ для обёртывания 11) *горн.* закла́дка 12) = pack ice 13) *ком.* ки́па (*мера веса*) 14) *стр.* бу́товая кла́дка 15) *attr.* упако́вочный; ~ paper обёрточная бума́га 16) *attr.* вью́чный

2. *v* 1) упако́вывать(ся), запако́вывать(ся), укла́дывать ве́щи; тюкова́ть (*часто* ~ up) 2) (легко́) укла́дываться, (хорошо́) поддава́ться упако́вке 3) заполня́ть, набива́ть, переполня́ть (*пространство*; with) 4) уплотня́ть(ся), ску́чивать(ся) 5) консерви́ровать 6) *разг.* носи́ть при себе́ (*оружие и т. п.*) 7) сво́рить (*гончих*) 8) собира́ться ста́ями (*о волках*) 9) навью́чивать (*лошадь*) 10) *мед.* завёртывать в (мо́крые) про́стыни (*пациента*) 11) заполня́ть свои́ми сторо́нниками (*собрание, съезд и т. п.*); подбира́ть соста́в прися́жных (*для вынесения противозаконного решения*) □ ~ off выпрова́живать, прогоня́ть; ~ up а) *разг.* испо́ртиться, вы́йти из стро́я (*о механизме*); б) *разг.* прекраща́ть (*работу и т. п.*); в) упако́вывать(ся); г) умере́ть ◇ to send smb ~ing вы́проводить, прогна́ть кого́-л.; to ~ a thing up поко́нчить с чем-л.; ~ it in (*или* up) прекрати́!, переста́нь!

package [ˈpækɪdʒ] **1.** *n* 1) тюк; ки́па; посы́лка; ме́сто (*багажа*) 2) паке́т, свёрток, па́чка (*сигарет*) 3) упако́вка, упако́вочная та́ра; *перен.* упако́вка, вне́шнее оформле́ние 4) соглаше́ние по не́скольким вопро́сам, заключённое на осно́ве взаи́мных усту́пок, паке́т соглаше́ний (*тж.* ~ deal) 5) расхо́ды по упако́вке 6) по́шлина с това́рных тюко́в 7) *разг.* = package holiday

2. *v* упако́вывать; оформля́ть, обрамля́ть

package holiday [,pækɪdʒˈhɒlɪdeɪ] *n* ко́мплексная туристи́ческая пое́здка *или* экску́рсия (*с одновременной оплатой полного обслуживания, включая проезд, гостиницу, питание, посещение зрелищных мероприятий и т. п.*)

packager [ˈpækɪdʒə] *n* *амер.* *радио, тлв.* состави́тель програ́ммы

pack animal [ˈpæk,ænɪml] *n* вью́чное живо́тное

packed [pækt] **1.** *p. p. от* pack 2

2. *a* 1) упако́ванный 2) уплотнённый, слежа́вшийся 3) ску́ченный, перепо́лненный 4) тенденцио́зно подо́бранный (*о суде, собрании и т. п.*) 5) краплёный, подтасо́ванный (*о картах*)

packer [ˈpækə] *n* 1) упако́вщик (*особ. на пищевом комбинате*) 2) (*преим. амер.*) загото́витель; экспортёр пищевы́х проду́ктов (*особ. мясных*) 3) *амер.* рабо́чий (мясо)консе́рвного заво́да 4) маши́на для упако́вки 5) *разг.* шу́лер

packet [ˈpækɪt] *n* 1) паке́т, свя́зка 2) = packet-boat 3) гру́ппа, ку́ча, ма́сса 4) *sl.* ку́ча де́нег, куш 5) *воен. жарг.* пу́ля; снаря́д; to stop (*или* to catch) a ~ быть ра́ненным *или* уби́тым (пу́лей, оско́лком *и т. п.*)

packet-boat [ˈpækɪtbəʊt] *n* почто́во-пассажи́рское су́дно, пакетбо́т

packhorse [ˈpækhɔːs] *n* вью́чная ло́шадь

pack ice [ˈpækaɪs] *n* па́ковый лёд, пак

packing [ˈpækɪŋ] **1.** *pres. p. от* pack 2

2. *n* 1) упако́вка; укла́дка; уку́порка; I must do my ~ я до́лжен собра́ть ве́щи, уложи́ться; ~ not included цена́ без упако́вки, без та́ры 2) упако́вочный материа́л 3) *тех.* наби́вка (*сальника и т. п.*); прокла́дка; уплотне́ние 4) консерви́рование 5) *attr.* упако́вочный; ~ materials та́рные материа́лы, та́ра

packing case [ˈpækɪŋkeɪs] *n* я́щик (*для упаковки*)

packing needle [ˈpækɪŋ,niːdl] *n* упако́вочная, кулева́я игла́

packing sheet [ˈpækɪŋʃiːt] *n* 1) упако́вочный холст 2) *мед.* простыня́ для вла́жного обёртывания

packman [ˈpækmən] *n* разно́счик

pack-running [ˈpæk,rʌnɪŋ] *n* ста́дность

packsaddle [ˈpæk,sædl] *n* вью́чное седло́

packthread [ˈpækθred] *n* бечёвка, шпага́т

pack train [ˈpæktreɪn] *n* вью́чный обо́з

pact [pækt] *n* пакт, догово́р, соглаше́ние; non-aggression ~ догово́р о ненапа́дении; to enter into a ~ заключи́ть догово́р

pad I [pæd] **1.** *n* 1) мя́гкая прокла́дка *или* наби́вка 2) блокно́т промока́тельной, почто́вой, рисова́льной бума́ги; бюва́р 3) ште́мпельная поду́шечка 4) поду́шечка (*на подошве некоторых животных*) 5) поду́шка; поду́шечка; sanitary ~ *мед.* гигиени́ческая поду́шечка 6) мя́гкое седло́; седёлка 7) ла́па (*зайца и* *т. п.*) 8) турнюр 9) *бот.* плавающий лист (*кувшинки и т. п.*) 10) *тех.* подкладка, буртик; прилив 11) *стр.* грунтовка

2. *v* 1) подбивать *или* набивать волосом *или* ватой; подкладывать что-л. мягкое (*тж.* ~ out) 2) перегружать пустыми словами, излишними подробностями (*рассказ, речь и т. п.; обыкн.* ~ out) 3) раздувать (*штаты и т. п.*) 4) *стр.* грунтовать

pad II [pæd] *v* путешествовать пешком

padded [ˈpædɪd] **1.** *p. p. от* pad I, 2

2. *a* 1) подбитый, обитый; ~ cell палата, обитая войлоком (*в психиатрической больнице*) 2): ~ bills раздутые счета

padding [ˈpædɪŋ] **1.** *pres. p. от* pad I, 2

2. *n* 1) набивка, набивочный материал 2) литературный материал, вставляемый для заполнения места, «вода»; многословие 3) *текст.* грунтование 4) *тех.* наваривание подушки

paddle I [ˈpædl] **1.** *n* 1) байдарочное весло; весло для каноэ; double ~ двухлопастное весло 2) лопасть *или* лопатка (*гребного колеса*) 3) лопатка (*для размешивания*); валёк (*для стирки белья*) 4) *зоол.* плавник; ласт; плавательная пластинка 5) затвор (*шлюза*) 6) гребок, фаза гребка (*веслом*)

2. *v* 1) грести байдарочным веслом; плыть на байдарке 2) медленно грести 3) передвигаться при помощи гребных колёс ◇ to ~ one's own canoe ни от кого не зависеть; действовать независимо

paddle II [ˈpædl] *v* 1) шлёпать по воде, плескаться 2) играть, перебирать руками (in, on, about) 3) ковылять (*о ребёнке*)

paddle-boat [ˈpædlbəʊt] *n* колёсный пароход

paddle box [ˈpædlbɒks] *n* кожух гребного колеса

paddle wheel [ˈpædlwi:l] *n* гребное колесо

paddling pool [ˈpædlɪŋpu:l] *n* «лягушатник» (*мелкая часть бассейна для детей*)

paddock [ˈpædək] *n* 1) выгул, загон (*особ. при конном заводе*) 2) падок (*при ипподроме*) 3) *австрал.* огороженный участок земли

Paddy [ˈpædɪ] *n разг.* Пэдди (*шутливое прозвище ирландца*)

paddy I [ˈpædɪ] *n* рис-падди, необрушенный рис

paddy II [ˈpædɪ] *n разг.* приступ гнева, ярость

paddywhack [ˈpædɪwæk] = paddy II

Padishah [ˈpɑ:dɪʃɑ:] *n* падишах

padlock [ˈpædlɒk] **1.** *n* висячий замок

2. *v* запирать на висячий замок

padre [ˈpɑ:drɪ] *n* 1) католический священник 2) *разг.* полковой *или* судовой священник

padrone [pəˈdrəʊnɪ] *ит. n* (*pl* -ni) 1) капитан (*средиземноморского торгового судна*) 2) хозяин гостиницы 3) предприниматель, эксплуатирующий уличных музыкантов, нищенствующих детей, рабочих-эмигрантов

padroni [pəˈdrəʊni:] *pl от* padrone

Padshah [ˈpɑ:dʃɑ:] = Padishah

paean [ˈpi:ən] *n др.-греч.* пеан; победная песнь

paederasty [ˈpedəræstɪ] = pederasty

paediatrician [ˌpi:dɪəˈtrɪʃn] *n* педиатр

paediatrics [ˌpi:dɪˈætrɪks] *n pl* (*употр. как sing*) педиатрия

paedology [pi:ˈdɒlədʒɪ] *n* педология

paedophilia [ˌpi:dəʊˈfɪlɪə] *n* педофилия

paeon [ˈpi:ən] *n прос.* пеон

pagan [ˈpeɪgən] **1.** *n* 1) язычник 2) неверующий, атеист

2. *a* языческий

pagandom [ˈpeɪgəndəm] *n* языческий мир, язычество

paganish [ˈpeɪgənɪʃ] *a* языческий

paganism [ˈpeɪgənɪzəm] *n* язычество

paganize [ˈpeɪgənaɪz] *v* 1) обращать в язычество 2) придавать языческий характер

page I [peɪdʒ] **1.** *n* 1) страница 2) эпизод; яркое событие (*в жизни и т. п.*) 3) *полигр.* полоса

2. *v* нумеровать страницы

page II [peɪdʒ] **1.** *n* 1) паж 2) мальчик-слуга 3) *амер.* служитель (*в законодательном собрании*)

2. *v* 1) сопровождать в качестве пажа 2) вызывать (*кого-л.*), громко выкликая фамилию; ~ Dr. Jones! вызовите доктора Джоунза!

pageant [ˈpædʒənt] *n* 1) пышное зрелище; пышная процессия 2) карнавальное шествие; маскарад 3) инсценировка, живая картина (*представляющая исторический эпизод*) 4) показное, бессодержательное зрелище, пустой блеск 5) *ист.* подвижная сцена (*для представления мистерий*)

pageantry [ˈpædʒəntrɪ] *n* 1) пышное зрелище, великолепие, блеск; шик; помпа 2) пустая видимость; фикция, блеф

page boy [ˈpeɪdʒbɔɪ] *n* 1) = page II 1, 1) *и* 2); 2) длинная женская стрижка с загнутыми внутрь концами волос

paginal [ˈpædʒɪnl] *a* (по)страничный; ~ reference ссылка на страницу

paginate [ˈpædʒɪneɪt] *v* нумеровать страницы

pagination [ˌpædʒɪˈneɪʃn] *n* нумерация страниц, пагинация

pagoda [pəˈgəʊdə] *n* 1) пагода 2) лёгкая постройка, киоск для продажи газет, табака *и т. п.* (*напоминающие по форме пагоду*) 3) пагода (*название старинной индийской золотой монеты с изображением пагоды*)

pagoda-tree [pəˈgəʊdətri:] *n* индийская смоковница ◇ to shake the ~ быстро разбогатеть

pagurian [pəˈgjʊərɪən] *зоол.* **1.** *n* рак-отшельник

2. *a* ракообразный, относящийся к семейству раков-отшельников

pah I [pɑ:] *int* тьфу!, фу!

pah II [pɑ:] *n* укреплённая туземная деревня (*в Новой Зеландии*)

paid [peɪd] **1.** *past и p. p. от* pay I, 2

2. *a* оплачиваемый; нанятый; ~ employee платный агент, наймит

paid-in [ˌpeɪdˈɪn] *a* платящий членские взносы (*о члене организации*)

paid-up [ˌpeɪdˈʌp] *a* 1) оплаченный, выплаченный; ~ capital оплаченная часть акционерного капитала 2) платящий членские взносы; состоящий в организации

pail [peɪl] *n* ведро; бадья; кадка

pailful [ˈpeɪlfʊl] *n* полное ведро

paillasse [ˈpælɪæs] = palliasse

paillette [pælˈjet] *n* 1) фольга, подкладываемая под эмаль 2) блёстка

pain [peɪn] **1.** *n* 1) боль, страдание 2) страдание, огорчение, горе; to be in ~ испытывать боль, страдать 3) *pl* старания, труды; усилия; to take ~s, to be at ~s прилагать усилия; брать на себя труд, стараться; to save one's ~s экономить свои силы 4) *pl* родовые схватки ◇ ~s and penalties наказания и взыскания; on (*или* under) ~ of death под страхом смертной казни; to have one's labour for one's ~s напрасно потрудиться; to give smb. a ~ (in the neck) докучать кому-л.; раздражать кого-л.; a ~ in the neck надоедливый человек *или* предмет

2. *v* 1) мучить, огорчать 2) причинять боль; болеть; my tooth doesn't ~ me now сейчас зуб у меня не болит

pained [peɪnd] **1.** *p. p. от* pain 2

2. *a* 1) огорчённый; обиженный 2) страдальческий; he looked ~ его лицо выражало страдание

painful [ˈpeɪnfl] *a* 1) причиняющий боль, болезненный 2) тягостный, мучительный, тяжёлый; ~ problem наболевший вопрос 3) неприятный; ~ surprise неприятная неожиданность

painkiller [ˈpeɪnˌkɪlə] *n* болеутоляющее средство

painless [ˈpeɪnləs] *a* безболезненный

painstaking [ˈpeɪnzˌteɪkɪŋ] **1.** *n* старание, усердие

2. *a* 1) старательный, усердный 2) тщательный, кропотливый; ~ job трудоёмкая работа

paint [peɪnt] **1.** *n* 1) краска; окраска 2) *pl* краски; a box of ~s набор красок 3) *шутл., уст.* румяна

2. *v* 1) красить, окрашивать; расписывать (*стену и т. п.*) 2) писать красками, заниматься живописью 3) описывать, изображать; to ~ in bright colours описывать яркими красками; представить в розовом свете; приукрасить 4) *шутл., уст.* краситься, румяниться □ ~ in вписывать красками; ~ out закрашивать (*надпись и т. п.*) ◇ to ~ the lily заниматься бесплодным делом; to ~ the town red устроить попойку, загулять

paintbox [ˈpeɪntbɒks] *n* коробка красок

paintbrush [ˈpeɪntbrʌʃ] *n* кисть

painted [ˈpeɪntɪd] **1.** *p. p. от* paint 2

2. *a* 1) покрашенный; разукрашенный 2) притворный

painted lady [ˌpeɪntɪd'leɪdɪ] *n* репейница (*бабочка*)

painter I ['peɪntə] *n* 1) живописец, художник 2) маляр ◇ ~'s colic *мед.* отравление свинцом

painter II ['peɪntə] *n мор.* (носовой) фалинь

painting ['peɪntɪŋ] 1. *pres. p. om* paint 2

2. *n* 1) живопись 2) роспись; картина 3) окраска 4) малярное дело

painty ['peɪntɪ] *a* 1) свежевыкрашенный; a ~ smell запах краски 2) перегруженный красками (*о картине*) 3) размалёванный

pair [peə] 1. *n* 1) пара; in ~s парами 2) вещь, состоящая из двух частей; парные предметы; пара; a ~ of scissors (spectacles, compasses, scales) ножницы (очки, циркуль, весы); a ~ of socks (shoes, gloves) пара носков (ботинок, перчаток) 3) (супружеская) чета; жених с невестой 4) пара животных; пара лошадей; a coach and ~ карета, запряжённая парой лошадей 5): ~ of stairs (*или* of steps) марш, этаж 6) *pl* партнёры (*в картах*) 7) *парл.* два члена противных партий, не участвующие в голосовании по взаимному соглашению 8) смена, бригада (*рабочих*) 9) *attr.* парный

2. *v* 1) располагать(ся) парами; подбирать под пару 2) соединять(ся) по двое 3) сочетать(ся) браком 4) спаривать(ся), случать 5) *парл.* договариваться о неучастии в голосовании (*о двух членах противных партий*) ▭ ~ off a) разделять(ся) на пары; уходить парами; б) *разг.* жениться, выйти замуж (with)

-pair [-peə] *в сложных словах означает* комната; one- (two-, three-) ~ front (back) комната на втором (третьем, четвёртом) этаже, выходящая на улицу (во двор)

pair-horse ['peəhɔ:s] *a* парный, для парной упряжки

pair oar ['peərɔ:] *n спорт.* двойка распашная

pajamas [pə'dʒɑ:məz] *амер.* = pyjamas

Pakistani [ˌpɑ:kɪ'stɑ:nɪ] 1. *n* пакистанец; пакистанка

2. *a* пакистанский

pal [pæl] *разг.* 1. *n* товарищ, приятель

2. *v* дружить, подружиться (*обыкн.* ~ up; with, to — с *кем-л.*)

palace ['pæləs] *n* 1) дворец, чертог 2) официальная резиденция (*короля, высокопоставленного духовного лица*) 3) роскошное здание; особняк 4) *attr.* дворцовый; ~ revolution (*или* coup) дворцовый переворот

paladin ['pælədɪn] *n ист.* паладин

Palaeogene ['pælɪədʒi:n] *n геол.* палеоген

palaeographer [ˌpælɪ'ɒgrəfə] *n* палеограф

palaeography [ˌpælɪ'ɒgrəfɪ] *n* палеография

palaeolithic [ˌpælɪəʊ'lɪθɪk] *a* палеолитический; the P. age палеолит

palaeontologist [ˌpælɪɒn'tɒlədʒɪst] *n* палеонтолог

palaeontology [ˌpælɪɒn'tɒlədʒɪ] *n* палеонтология

Palaeozoic [ˌpælɪəʊ'zəʊɪk] *геол.* 1. *a* палеозойский

2. *n* палеозой, палеозойская эра

palaestra [pə'li:strə] *n др.-греч.* палестра

palais ['pæleɪ] *n разг.* дансинг

palankeen, palanquin [ˌpælən'ki:n] *n* паланкин, носилки

palatable ['pælətəbl] *a* 1) вкусный, аппетитный 2) приятный

palatal ['pælətl] 1. *a* 1) нёбный 2) *фон.* палатальный

2. *n фон.* палатальный звук

palatalization [ˌpælətəlaɪ'zeɪʃn] *n фон.* смягчение, палатализация

palatalize ['pælətəlaɪz] *v фон.* смягчать, палатализовать

palate ['pælət] *n* 1) *анат.* нёбо 2) вкус 3) склонность, интерес

palatial [pə'leɪʃl] *a* 1) дворцовый 2) роскошный, великолепный

palatinate [pə'lætɪnət] *n ист.* палатинат; пфальцграфство

palatine I ['pælətaɪn] *n* (P.) *ист.* пфальцграф (*тж.* Count *или* Earl P.); County P. пфальцграфство

palatine II ['pælətaɪn] *a анат.* 1. нёбный; ~ bones нёбные кости

2. *n pl* нёбные кости

palaver [pə'lɑ:və] 1. *n* 1) совещание, переговоры 2) пустая болтовня 3) лесть; лживые слова 4) *разг.* дело

2. *v* 1) болтать 2) льстить; заговаривать зубы

pale I [peɪl] 1. *n* 1) частокол; ограда 2) кол; свая 3) граница, черта, пределы; рамки (*поведения*); beyond (within) the ~ of smth. за пределами (в пределах) чего-л. 4) *геральд.* широкая вертикальная полоса посредине щита 5) *ист.* черта оседлости 6): the (English) P. *ист.* часть Ирландии, подвластная Англии

2. *v* обносить палисадом, оградой, частоколом; огораживать

pale II [peɪl] 1. *a* 1) бледный 2) слабый, тусклый (*о свете, цвете и т. п.*)

2. *v* 1) бледнеть 2) тускнеть 3) заставить побледнеть; бледнить

paleaceous [ˌpeɪlɪ'eɪʃəs] *a* мякинный, похожий на мякину

paled I [peɪld] 1. *p. p. om* pale I, 2

2. *a* огорóженный (*частоколом*)

paled II [peɪld] *p. p. om* pale II, 2

paleface ['peɪlfeɪs] *n* бледнолицый, человек белой расы (*в романах из жизни американских индейцев*)

Palestinian [ˌpælə'stɪnɪən] 1. *a* палестинский

2. *n* палестинец; палестинка

palestra [pə'lestrə] = palaestra

paletot ['pæltəʊ] *n* свободное, широкое пальто

palette ['pælət] *n* палитра

palette knife ['pælətnaɪf] *n жив.* мастихин

palfrey ['pɔ:lfrɪ] *n уст.* верховая лошадь (*преим.* дамская)

Pali ['pɑ:lɪ] *n* пали (*индийский диалект; тж. язык священных книг буддистов*)

palimpsest ['pælɪmpsest] *n ист.* палимпсест

palindrome ['pælɪndrəʊm] *n лит.* палиндром

paling I ['peɪlɪŋ] 1. *pres. p. om* pale I, 2

2. *n* 1) палисад, забор, частокол 2) кол; колья

paling II ['peɪlɪŋ] *pres. p. om* pale II, 2

palingenesis [ˌpælɪn'dʒenəsɪs] *n биол.* палингенез(ис)

palinode ['pælɪnəʊd] *n* 1) *стих.* палинодия 2) отречение, отказ от своих слов, взглядов

palisade [ˌpælɪ'seɪd] 1. *n* 1) частокол, палисад 2) *амер. pl* ряд базальтовых столбов

2. *v* обносить частоколом

palisander [ˌpælɪ'sændə] *n бот.* палисандр; палисандровое дерево

palish ['peɪlɪʃ] *a* бледноватый

pall I [pɔ:l] 1. *n* 1) покров (*на гробе*) 2) мантия, облачение 3) завеса, пелена; покров

2. *v* 1) покрывать, окутывать покровом 2) затемнять

pall II [pɔ:l] *v* 1) надоедать (*обыкн.* ~ on) 2) пресыщать(ся)

palladia [pə'leɪdɪə] *pl om* palladium I

palladium I [pə'leɪdɪəm] *n* (*pl* -dia) защита, оплот; залог безопасности

palladium II [pə'leɪdɪəm] *n хим.* палладий

pallet I ['pælət] *n* 1) соломенный тюфяк 2) убогое ложе

pallet II ['pælət] *n* 1) = palette 2) *тех.* паллет, поддон; шпатель; плита (*конвейера*) 3) якорь телеграфного аппарата

pallia ['pælɪə] *pl om* pallium

palliasse ['pælɪæs] *n* соломенный тюфяк

palliate ['pælɪeɪt] *v* 1) временно облегчать (*боль, болезнь*) 2) извинять, смягчать (*преступление, вину*) 3) покрывать, замалчивать

palliation [ˌpælɪ'eɪʃn] *n* 1) временное облегчение (*боли, болезни*) 2) оправдание (*преступления*)

palliative ['pælɪətɪv] 1. *a* 1) паллиативный 2) смягчающий

2. *n* 1) паллиатив, полумера 2) смягчающее обстоятельство

pallid ['pælɪd] *a* (мертвенно-)бледный

pallidness ['pælɪdnəs] *n* ужасающая бледность

pallium ['pælɪəm] *n* (*pl* -lia) 1) шерстяной плащ архиепископа (*католической церкви*) 2) *ист.* паллий (*верхняя одежда у древних греков*) 3) *зоол.* мантия (*моллюсков*)

pall-mall [ˌpæl'mæl] *n* пел-мел (*старинная игра в шары*)

pallor ['pælə] *n* бледность

pally ['pælɪ] *a разг.* 1) дру́жеский, дру́жественный 2) общи́тельный

palm I [pɑ:m] **1.** *n* 1) ладо́нь 2) *мор.* ла́па (*якоря*) 3) ло́пасть (*весла*) ◇ to have an itching ~ быть взя́точником; быть корыстолюби́вым, жа́дным; in the ~ of one's hand под чьим-л. контро́лем *или* влия́нием

2. *v* 1) пря́тать в руке́ (*карты и т. п.*) 2) тро́гать ладо́нью, гла́дить 3) подкупа́ть ▭ ~ off всуча́ть; сбыва́ть, подсо́вывать (on, upon — *кому-л.*)

palm II [pɑ:m] *n* 1) па́льма, па́льмовое де́рево 2) па́льмовая ветвь; *перен.* побе́да, триу́мф; to bear (*или* to carry) the ~ получи́ть па́льму пе́рвенства; одержа́ть побе́ду; to yield the ~ уступи́ть па́льму пе́рвенства; призна́ть себя́ побеждённым 3) ве́точка ве́рбы *и т. п.* 4) *attr.* па́льмовый ◇ P. Sunday *церк.* ве́рбное воскресе́нье

palmaceous [pæl'meɪʃəs] *a бот.* па́льмовый

Palma Christi [,pælmə'krɪstɪ] *n бот.* клещеви́на

palmar ['pælmə] *a анат.* ладо́нный

palmary ['pælmərɪ] *a* заслу́живающий па́льму пе́рвенства, превосхо́дный

palmate ['pælmeɪt] *a* 1) *бот.* ла́пчатый, па́льчатый 2) *зоол.* снабжённый пла́вательной перепо́нкой

palm cat ['pɑ:mkæt] = palm civet

palm civet ['pɑ:msɪvɪt] *n зоол.* па́льмовая куни́ца, странно́хвост

palmcrist ['pɑ:mkrɪst] = Palma Christi

palmer ['pɑ:mə] *n* 1) пало́мник 2) личи́нка ба́бочки-медве́дицы

palmetto [pæl'metəʊ] *n* (*pl* -os [-əʊz]) *бот.* пальме́тто, ка́рликовая па́льма ◇ P. State *амер. шутливое название штата Южная Каролина*

palm grease ['pɑ:mgri:s] = palm oil 2)

palmiped(e) ['pælmɪpəd (-pi:d)] *зоол.* **1.** *a* лапчатоно́гий

2. *n* лапчатоно́гая пти́ца

palmist ['pɑ:mɪst] *n* хирома́нт

palmistry ['pɑ:mɪstrɪ] *n* хирома́нтия

palmitic [pæl'mɪtɪk] *a хим.* пальмити́новый

palm oil ['pɑ:mɔɪl] *n* 1) па́льмовое ма́сло 2) *разг.* взя́тка

palm-tree ['pɑ:mtri:] = palm II, 1)

palm worm ['pɑ:mwɜ:m] = palmer 2)

palmy ['pɑ:mɪ] *a* 1) *поэт.* па́льмовый; изоби́лующий па́льмами 2) счастли́вый, цвету́щий; (one's) ~ days пери́од расцве́та

palmyra [pæl'maɪrə] *n бот.* па́льма-пальми́ра

palp [pælp] *n зоол.* щу́пальце

palpability [,pælpə'bɪlətɪ] *n* 1) осяза́емость 2) очеви́дность

palpable ['pælpəbl] *a* 1) осяза́емый, ощути́мый 2) очеви́дный, я́вный

palpal ['pælpəl] *a зоол.* осяза́тельный

palpate [pæl'peɪt] *v* 1) *мед.* пальпи́ровать 2) ощу́пывать

palpation [pæl'peɪʃn] *n* 1) *мед.* пальпа́ция 2) ощу́пывание

palpi ['pælpaɪ] *pl от* palpus

palpitate ['pælpɪteɪt] *v* 1) би́ться, пульси́ровать 2) трепета́ть; дрожа́ть (*от страха, радости и т. п.*; with)

palpitating ['pælpɪteɪtɪŋ] **1.** *pres. p. от* palpitate

2. *a* 1) животрепе́щущий; ~ interest животрепе́щущий интере́с 2) трепе́щущий

palpitation [,pælpɪ'teɪʃn] *n* 1) тре́пет, дрожь 2) си́льное сердцебие́ние; пульса́ция

palpus ['pælpəs] *n* (*pl* -pi) = palp

palsgrave ['pɔ:lzgreɪv] *n ист.* пфальцгра́ф

palstave ['pɔ:lsteɪv] *n археол.* пальста́б (*вид бронзового топора*)

palsy ['pɔ:lzɪ] **1.** *n* 1) парали́ч 2) парали́чное дрожа́ние 3) состоя́ние по́лной беспо́мощности

2. *v* 1) парализова́ть; разбива́ть параличо́м 2) де́лать беспо́мощным

palter ['pɔ:ltə] *v* 1) криви́ть душо́й; плутова́ть, хитри́ть; to ~ with facts подтасо́вывать *или* искажа́ть фа́кты 2) торгова́ться 3) занима́ться пустяка́ми

paltry ['pɔ:ltrɪ] *a* 1) пустяко́вый, ничто́жный, ме́лкий, незначи́тельный 2) жа́лкий, презре́нный

paludal [pə'lu:dl] *a* 1) боло́тный; боло́тистый 2) маляри́йный

paly I ['peɪlɪ] *a геральд.* разделённый по вертика́ли

paly II ['peɪlɪ] *a поэт.* бле́дный; бледнова́тый

pampas ['pæmpəs] *n pl* пампа́сы

pampas grass ['pæmpəsgrɑ:s] *n бот.* трава́ пампа́сная

pamper ['pæmpə] *v* балова́ть, изне́живать

pampero [pæm'peərəʊ] *n* (*pl* -os [-əʊz]) пампе́ро (*холодный ветер, дующий в пампасах*)

pamphlet ['pæmflət] *n* 1) брошю́ра 2) памфле́т 3) техни́ческий проспе́кт

pamphleteer [,pæmflə'tɪə] **1.** *n* памфлети́ст

2. *v* 1) писа́ть брошю́ры 2) полемизи́ровать

Pan [pæn] *n* 1) *греч. миф.* Пан 2) язы́чество

pan [pæn] **1.** *n* 1) кастрю́ля; ми́ска; таз; сковорода́; про́тивень 2) ча́шка (*весов*) 3) унита́з 4) по́лка (*в кремнёвом ружье*) 5) котлови́на 6) *геол.* подпо́чвенный пласт; ортште́йн 7) *амер. sl.* лицо́ 8) *тех.* лото́к, поддо́н; коры́то 9) небольша́я плаву́чая (бли́нчатая) льди́на 10) *кино* панорами́рование

2. *v* 1) *разг.* зада́ть жа́ру, подве́ргнуть ре́зкой кри́тике 2) промыва́ть (*золотоносный песок*) 3) гото́вить *или* подава́ть в кастрю́ле 4) *кино* панорами́ровать ▭ ~ out а) преуспева́ть; удава́ться, устра́иваться; the business did not ~ out де́ло не вы́горело, не удало́сь б) намыва́ть зо́лото; в) дава́ть зо́лото (*о песке*)

panacea [,pænə'sɪə] *n* панаце́я, универса́льное сре́дство

panache [pə'næʃ] *n* 1) рисо́вка, щегольство́ 2) плюма́ж, султа́н

panada [pə'nɑ:də] *n* хле́бный пу́динг

panama ['pænəmɑ:] *n* 1) пана́ма (*шляпа; тж.* ~ hat) 2) пана́ма, кру́пное моше́нничество

Panamanian [,pænə'meɪnɪən] **1.** *a* пана́мский

2. *n* жи́тель Пана́мы

Pan-American [,pænə'merɪkən] *a* панамерика́нский

panatella [,pænə'telə] *n* дли́нная то́нкая сига́ра

pancake ['pænkeɪk] **1.** *n* 1) блин; ола́дья; flat as a ~ соверше́нно пло́ский 2) *ав. жарг.* поса́дка с парашюти́рованием

2. *v ав. жарг.* парашюти́ровать

panchromatic [,pænkrəʊ'mætɪk] *a фото* панхромати́ческий

pancratium [pæn'kreɪʃɪəm] *n др.-греч.* состяза́ние по борьбе́ и бо́ксу

pancreas ['pæŋkrɪəs] *n анат.* поджелу́дочная железа́

panda ['pændə] *n* па́нда, коша́чий медве́дь; giant ~ гига́нтская па́нда

Pandean [pæn'di:ən] *a греч. миф.*: ~ pipe свире́ль Па́на

pandect ['pændekt] *n* (*обыкн. pl*) 1) свод зако́нов 2) *ист.* Юстиниа́новы панде́кты

pandemic [pæn'demɪk] *мед.* **1.** *n* пандеми́я

2. *a* пандеми́ческий

pandemonium [,pændə'məʊnɪəm] *n* 1) ад кроме́шный, столпотворе́ние 2) смяте́ние, шум, сканда́л 3) обита́лище де́монов; ад

pander ['pændə] **1.** *n* 1) сво́дник 2) посо́бник

2. *v* 1) потво́рствовать (to — *чему-л.*) 2) сво́дничать

pandit ['pændɪt] = pundit

Pandora's box [pæn,dɔ:rəz'bɒks] *n греч. миф.* я́щик Пандо́ры, исто́чник вся́ческих бед

pandowdy [pæn'daʊdɪ] *n амер.* я́блочный пу́динг *или* пиро́г

pane [peɪn] *n* 1) око́нное стекло́ 2) кле́тка (*в узоре*) 3) грань (*бриллианта, гайки*) 4) *тех.* боёк молотка́ 5) = panel 1, 1)

panegyric [,pænə'dʒɪrɪk] **1.** *n* панеги́рик, похвала́

2. *a* хвалё́бный

panegyrical [,pænə'dʒɪrɪkl] *a* хвалё́бный, панегири́ческий

panegyrist [,pænə'dʒɪrɪst] *n* панегири́ст

panegyrize ['pænədʒəraɪz] *v* восхваля́ть

panel ['pænl] **1.** *n* 1) пане́ль, филёнка 2) *тех.* щит управле́ния; распредели́тельный щит; прибо́рная пане́ль 3) вста́вка в пла́тье друго́го материа́ла *или* цве́та 4) уча́стники диску́ссии *или* виктори́ны (*в радио- или телепередаче*) 5) *ист.* спи́сок враче́й страховы́х касс 6) спи́сок прися́жных (заседа́телей); присяжные заседатели 7) *шотл. юр.* подсудимый 8) личный состав, персонал; комиссия; группа специалистов, экспертов *и т.п.* 9) тонкая доска для живописи; панно 10) фотоснимок длинного узкого формата 11) выставочная витрина 12) полоса пергамента 13) *тех.* кессон, ящик

2. *v* 1) обшивать панелями, филёнками 2) отделывать полосой другого материала *или* цвета 3) составлять список присяжных (заседателей); включать в список присяжных (заседателей) 4) *шотл.* предъявлять обвинение

panel game ['pænlgeɪm] *n* теле- *или* радиовикторина

panelling ['pænlɪŋ] **1.** *pres. p. от* panel 2

2. *n* панельная обшивка

panful ['pænful] *n* полная кастрюля *и пр.* [*см.* pan I 1)]

pang [pæŋ] *n* 1) внезапная острая боль 2) *pl* угрызения (совести)

pangolin [pæŋ'gəulɪn] *n зоол.* ящер

panhandle ['pæn,hændl] **1.** *n* 1) *амер.* длинный узкий выступ территории между двумя другими территориями 2) ручка кастрюли ◇ P. State *амер. шутливое название штата Западная Виргиния*

2. *v амер. разг.* просить милостыню, попрошайничать

panhandler ['pæn,hændlə] *n амер. разг.* нищий, попрошайка

panic I ['pænɪk] **1.** *n* 1) паника 2) *амер. жарг.* забава, шутка

2. *a* панический

3. *v* 1) пугать, наводить панику 2) *амер. жарг.* приводить в восторг (*публику*); вызывать смех, насмешки

panic II ['pænɪk] *n бот.* щетинник итальянский, могар, просо итальянское

panicky ['pænɪkɪ] *a разг.* панический

panicle ['pænɪkl] *n бот.* метёлка

panicmonger ['pænɪk,mʌŋgə] *n* паникёр

panic-stricken ['pænɪk,strɪkən] *a* охваченный паникой

paniculate [pə'nɪkjulеɪt] *a бот.* метельчатый

panjandrum [pæn'dʒændrəm] *n ирон.* важная персона, «шишка»

panmixia [pən'mɪksɪə] *n биол.* беспорядочное скрещивание

pannage ['pænɪdʒ] *n* 1) право выпаса свиней в лесу 2) плата за право выпаса свиней в лесу 3) плодокорм (*жёлуди, каштаны, орехи*)

panne [pæn] *n* панбархат

pannier ['pænɪə] *n* 1) корзина (*особ. на вьючном животном*); короб 2) панье (*часть юбки*); кринолин 3) *ист.* плетёный щит (*лучника*)

pannikin ['pænɪkɪn] *n* жестяная кружка; кастрюлька; мисочка ◇ to be off one's ~ сойти с ума, спятить

panoplied ['pænəplɪd] *a* во всеоружии

panoply ['pænəplɪ] *n* доспехи (*часто перен.*)

panopticon [pæn'ɒptɪkən] *n* круглая тюрьма с помещением для смотрителя в центре

panorama [,pænə'rɑ:mə] *n* панорама

panoramic [,pænə'ræmɪk] *a* панорамный

panpipe ['pænpaɪp] *n* свирель

pansy ['pænzɪ] **1.** *n* 1) анютины глазки 2) *разг.* гомосексуалист

2. *a* женоподобный

pant [pænt] **1.** *v* 1) часто и тяжело дышать, задыхаться 2) пыхтеть 3) страстно желать, тосковать (for, after — о *чём-л.*) 4) трепетать, сильно биться (*о сердце*) 5) говорить задыхаясь; выпаливать (*обыкн.* ~ out)

2. *n* 1) одышка; тяжёлое, затруднённое дыхание 2) пыхтение 3) биение (*сердца*)

pantaloon [,pæntə'lu:n] *n* 1) *pl* (*особ. амер.*) брюки; *редк.* кальсоны 2) (*тж. pl*) *ист.* панталоны в обтяжку 3) *pl* рейтузы 4) (P.) Панталоне (*персонаж итальянской комедии*) 5) (P.) второй клоун

pantechnicon [pæn'teknɪkən] *n* 1) фургон для перевозки мебели (*тж.* ~ van) 2) склад для хранения мебели

pantheism ['pænθɪɪzəm] *n* пантеизм

pantheist ['pænθɪɪst] *n* пантеист

pantheistic(al) [,pænθɪ'ɪstɪk(l)] *a* пантеистический

pantheon ['pænθɪən] *n* пантеон

panther ['pænθə] *n зоол.* 1) пантера; леопард; барс 2) *амер.* пума; кугуар, ягуар

pantie girdle [,pæntɪ'gɜ:dl] *n* дамский пояс-трусы

panties ['pæntɪz] *n pl разг.* трусики (*детские или женские*)

pantile ['pæntaɪl] *n стр.* желобчатая черепица

panto ['pæntəu] *n разг. сокр. от* pantomime 1

panto- ['pæntəu-] *pref* все-, обще-, панто-

pantograph ['pæntəugrɑ:f] *n* 1) пантограф (*прибор для пересъёмки чертежей и рисунков в другом масштабе*) 2) *эл.* пантограф, токоприёмник

pantomime ['pæntəmaɪm] **1.** *n* 1) пантомима 2) представление для детей (*на Рождестве в Англии*); пьеса-сказка 3) язык жестов; to express oneself in ~ объясняться жестами 4) *ист.* мимический актёр; мим (*в Древнем Риме*)

2. *v* объясняться жестами

pantomimic [,pæntə'mɪmɪk] *a* пантомимический

pantry ['pæntrɪ] *n* 1) буфетная (*для посуды и т.п.*) 2) кладовая (*для провизии*)

pantryman ['pæntrɪmæn] *n* буфетчик

pants [pænts] *n pl* (*сокр. от* pantaloons) *разг.* 1) кальсоны 2) *амер.* брюки, штаны ◇ with one's ~ down застигнутый в самый неподходящий момент

panzer ['pænsə] *воен.* **1.** *n pl* бронетанковые войска

2. *a* бронированный; (броне)танковый; ~ troops бронетанковые войска

pap I [pæp] *n* 1) кашка, пюре (*для детей или больных*) 2) полужидкая масса, паста, эмульсия 3) лёгкое чтиво 4) *амер. разг.* доходы *или* привилегии, получаемые от государственной службы

pap II [pæp] *n* 1) *уст.* сосок (*груди*) 2) *тех.* круглая бобышка

papa [pə'pɑ:] *n детск.* папа

papacy ['peɪpəsɪ] *n* папство

papal ['peɪpl] *a* папский

paparazzi [,pæpə'rætsɪ] *pl от* paparazzo

paparazzo [,pæpə'rætsəu] *n* (*pl* -zi) фотограф, старающийся запечатлеть известных людей

papaveraceous [pə,peɪvə'reɪʃəs] *a бот.* маковый, из семейства маковых

papaverous [pə'peɪvərəs] *a* маковый

papaya [pə'paɪə] *n* 1) папайя, дынное дерево 2) плод дынного дерева

paper ['peɪpə] **1.** *n* 1) бумага; correspondence ~ писчая бумага высокого качества; ruled ~ линованная бумага; section ~ бумага в клетку; rotogravure ~ *полигр.* бумага для глубокой печати 2) газета 3) документ; меморандум; *pl* личные *или* служебные документы, to send in one's ~s подать в отставку; first ~s *амер.* первые документы, подаваемые уроженцем другой страны, ходатайствующим о принятии в гражданство США 4) *собир.* векселя, банкноты, кредитные бумаги; бумажные деньги 5) экзаменационный билет 6) письменная работа 7) обои 8) научный доклад; статья; диссертация; working ~ рабочий доклад 9) бумажный пакет; a ~ of needles пакетик иголок 10) *театр. жарг.* пропуск, контрамарка 11) *театр. жарг.* контрамарочник(и) 12) *pl* папильотки ◇ on ~ а) в письменной форме; б) в теории

2. *a* 1) бумажный; ~ money (*или* currency) бумажные деньги; ~ work а) канцелярская работа; б) проверка документации, письменных работ *и т.п.* 2) существующий только на бумаге 3) газетный; ~ war (*или* warfare) газетная война 4) тонкий как бумага

3. *v* 1) оклеивать обоями, бумагой 2) завёртывать в бумагу 3) *театр. жарг.* заполнять театр контрамарочниками

paperback ['peɪpəbæk] *n* книга в бумажной обложке

paper-backed ['peɪpəbækt] *a* в мягкой бумажной обложке (*о книге*)

paperboy ['peɪpəbɔɪ] *n* продавец газет

paper chase ['peɪpətʃeɪs] *n* игра «заяц и собаки», в которой убегающие оставляют за собой бумагу как след

paper clip ['peɪpəklɪp] *n* скрепка для бумаг

paper cutter ['peɪpə,kʌtə] *n* 1) = paper knife 2) *полигр.* бумагорезальная машина

paper fastener ['peɪpə,fɑ:snə] = paper clip

paperhanger ['peɪpə,hæŋə] *n* обойщик

paperhanging ['peɪpə,hæŋɪŋ] *n* 1) окле́йка ко́мнаты обо́ями 2) *pl* обо́и

paper knife ['peɪpənaɪf] *n* разрезно́й нож, нож для бума́ги

paper mill ['peɪpəmɪl] *n* бума́жная фа́брика

paper stainer ['peɪpə,steɪnə] *n* 1) фабрика́нт обо́ев 2) *шутл.* бумагомара́тель

paper tiger [,peɪpə'taɪgə] *n* «бума́жный тигр», неопа́сный проти́вник

paperweight ['peɪpəweɪt] *n* пресс-папье́

papery ['peɪpərɪ] *a* похо́жий на бума́гу, то́нкий

papier mâché ['pæpɪeɪ'mæʃeɪ] *n* папье́-маше́

papilionaceous [pə,pɪlɪə'neɪʃəs] *a бот.* мотылько́вый

papilla [pə'pɪlə] *n* (*pl* -lae) *анат., зоол., бот.* сосо́чек, бугоро́к

papillae [pə'pɪli:] *pl от* papilla

papillary [pə'pɪlərɪ] *a* сосковидный

papillate [pə'pɪleɪt] *a* покры́тый сосо́чками; сосковидный

papillose ['pæpɪləʊs] *a* покры́тый сосо́чками; бугорча́тый, борода́вчатый

papist ['peɪpɪst] *n* папи́ст

papistic(al) [pə'pɪstɪk(l)] *a* папи́стский

papistry ['peɪpɪstrɪ] *n* папи́зм

papoose [pə'pu:s] *n* ребёнок (*североамериканских индейцев*)

pappose ['pæpəʊs] *a бот.* снабжённый хохолко́м

pappus ['pæpəs] *n бот.* хохоло́к

pappy ['pæpɪ] *a* 1) кашицеобра́зный 2) мя́гкий, не́жный

paprika ['pæprɪkə] *n* па́прика, стручко́вый (*или* кра́сный) пе́рец

Papuan ['pæpʊən] **1.** *a* папуа́сский

2. *n* папуа́с; папуа́ска

papula ['pæpjʊlə] *n* (*pl* -lae) *мед.* па́пула, узело́к

papulae ['pæpjʊli:] *pl от* papula

papular ['pæpjʊlə] *a мед.* папулёзный

papule ['pæpju:l] = papula

papulose, papulous ['pæpjʊləʊs, -ləs] *a мед.* папулёзный; бугорко́вый

papyraceous [,pæpɪ'reɪʃəs] *a бот.* похо́жий на бума́гу, бумагообра́зный

papyri [pə'paɪraɪ] *pl от* papyrus

papyrus [pə'paɪrəs] *n* (*pl* -ri) папи́рус

par I [pɑ:] *n* 1) норма́льное состоя́ние; on a ~ в сре́днем; I feel below (*или* under) ~ я себя́ пло́хо чу́вствую; up to ~ в норма́льном состоя́нии 2) ра́венство; on a ~ наравне́; на одно́м у́ровне (with) 3) номина́льная цена́, номина́л; at ~ по номина́льной цене́, по номина́лу; above (below) ~ вы́ше (ни́же) номина́льной сто́имости 4) *эк.* парите́т (*обыкн.* ~ of exchange)

par II [pɑ:] *n* (*сокр. от* paragraph) *разг.* газе́тная заме́тка

par III [pɑ:] = parr

parable ['pærəbl] *n* при́тча, иносказа́ние ◇ to take up one's ~ *уст.* нача́ть рассужда́ть

parabola [pə'ræbələ] *n геом.* пара́бола

parabolic [,pærə'bɒlɪk] *a* 1) *геом.* параболи́ческий 2) = parabolical 1)

parabolical [,pærə'bɒlɪkl] *a* 1) иносказа́тельный, метафори́ческий 2) *редк.* = parabolic 1)

paraboloid [pə'ræbəlɔɪd] *n геом.* параболо́ид

paracentric(al) [,pærə'sentrɪk(l)] *a* парацентри́ческий

parachronism [pə'rækrənɪzəm] *n* парахрони́зм, хронологи́ческая оши́бка (*отнесение какого-л. события к более позднему времени*)

parachute ['pærəʃu:t] **1.** *n* 1) парашю́т 2) *attr.* парашю́тный; ~ jump прыжо́к с парашю́том; ~ landing а) приземле́ние с парашю́том; б) вы́броска парашю́тного деса́нта; ~ troops парашю́тно-деса́нтные войска́

2. *v* парашюти́ровать; спуска́ться с парашю́том; сбра́сывать с парашю́том; to ~ to safety спасти́сь с парашю́том

parachute jumper ['pærəʃu:t,dʒʌmpə] = parachutist

parachutist ['pærəʃu:tɪst] *n* парашюти́ст

Paraclete ['pærəkli:t] *n рел.* паракле́т, засту́пник, утеши́тель

parade [pə'reɪd] **1.** *n* 1) пара́д 2) *воен.* плац 3) проце́ссия 4) выставле́ние напока́з; to make a ~ of smth. выставля́ть что-л. напока́з, щеголя́ть, кичи́ться чем-л. 5) ме́сто для гуля́нья 6) гуля́ющая пу́блика 7) пока́з; a mannequin ~ пока́з мод 8) *воен.* построе́ние ◇ programme ~ програ́мма переда́ч (*объявляемая на текущий день*)

2. *v* 1) *воен.* стро́ить(ся); проходи́ть стро́ем; марширова́ть 2) ше́ствовать; разгу́ливать; to ~ the streets гуля́ть по у́лицам 3) выставля́ть напока́з

parade ground [pə'reɪdgraʊnd] *n* уче́бный плац

paradigm ['pærədaɪm] *n* 1) приме́р, образе́ц 2) *лингв.* паради́гма

paradisaic(al) ['pærədɪ'seɪk(l)] = paradisiac(al)

paradise ['pærədaɪs] *n* 1) рай (*тж. перен.*) 2) *разг.* галёрка, раёк (*в театре*) ◇ fool's ~ при́зрачное сча́стье; to live in a fool's ~ жить иллю́зиями

paradisiac(al), paradisic(al) [,pærə'dɪzɪæk (,pærədɪ'saɪəkl), -'dɪzɪk(l)] *a* ра́йский

parados ['pærədɒs] *n воен. ист.* ты́льный тра́верс

paradox ['pærədɒks] *n* парадо́кс

paradoxical [,pærə'dɒksɪkl] *a* парадокса́льный

paraffin ['pærəfɪn] **1.** *n* 1) *хим.* парафи́н 2) кероси́н 3) *attr.* парафи́новый

2. *v* покрыва́ть *или* пропи́тывать парафи́ном

paraffin oil ['pærəfɪnɔɪl] *n* 1) нефть парафи́нового основа́ния 2) кероси́н

paragon ['pærəgən] *n* 1) образе́ц (*совершенства, добродетели*) 2) алма́з, бриллиа́нт ве́сом в 100 кара́т и бо́лее 3) *полигр.* параго́н

paragraph ['pærəgrɑ:f] **1.** *n* 1) абза́ц; to begin a new (*или* fresh) ~ нача́ть с но́вой строки́ 2) *полигр.* корректу́рный знак, тре́бующий абза́ца 3) пара́граф, пункт 4) газе́тная заме́тка

2. *v* 1) разделя́ть на абза́цы 2) писа́ть *или* помеща́ть ма́ленькие заме́тки

paragraphic(al) [,pærə'græfɪk(l)] *a* состоя́щий из пара́графов, пу́нктов *или* отде́льных заме́ток

Paraguayan [,pærə'gwaɪən] **1.** *a* парагва́йский

2. *n* парагва́ец; парагва́йка

parakeet ['pærəki:t] *n зоол.* длиннохво́стый попуга́й

paralinguistics [,pærəlɪŋ'gwɪstɪks] *n* паралингви́стика

parallax ['pærəlæks] *n астр.* паралла́кс

parallel ['pærəlel] **1.** *n* 1) паралле́ль; соотве́тствие, анало́гия; in ~ паралле́льно; to draw a ~ between проводи́ть паралле́ль ме́жду 2) паралле́льная ли́ния 3) *геогр.* паралле́ль 4) *эл.* паралле́льное соедине́ние 5) *полигр.* знак ‖

2. *a* 1) паралле́льный (to) 2) подо́бный, аналоги́чный; ~ instance подо́бный слу́чай

3. *v* 1) соотве́тствовать 2) проводи́ть паралле́ль (*между чем-л.*); сра́внивать (with) 3) находи́ть паралле́ль (*чему-л.*) 4) быть паралле́льным, проходи́ть паралле́льно; the road ~s the river доро́га прохо́дит паралле́льно реке́ 5) *эл.* (при-) соединя́ть паралле́льно, шунти́ровать

parallelepiped [,pærəlelə'paɪped] *n геом.* параллелепи́пед

parallelism ['pærəlelɪzəm] *n* паралле-ли́зм

parallelogram [,pærə'leləgræm] *n геом.* параллелогра́мм

paralogism [pə'rælədʒɪzəm] *n* паралоги́зм, непра́вильное умозаключе́ние

paralogize [pə'rælədʒaɪz] *v* де́лать ло́жное умозаключе́ние

paralyse ['pærəlaɪz] *v* парализова́ть (*тж. перен.*)

paralyses [pə'ræləsi:z] *pl от* paralysis

paralysis [pə'ræləsɪs] *n* (*pl* -yses) парали́ч

paralytic [,pærə'lɪtɪk] **1.** *a* 1) парали́чный 2) бесси́льный

2. *n* парали́тик

paramagnetic [,pærəmæg'netɪk] *a эл.* парамагни́тный

paramatta [,pærə'mætə] *n* лёгкая полушерстяна́я ткань

parameter [pə'ræmɪtə] *n мат., тех.* пара́метр

paramilitary [,pærə'mɪlɪtərɪ] *a* военизи́рованный, полувое́нный

paramo ['pærəməʊ] *n* (*pl* -os [-əʊz]) безле́сное плоского́рье (*в Южной Америке*)

paramount ['pærəmaʊnt] *a* 1) первостепе́нный; of ~ importance первостепе́нной ва́жности; his influence became ~ его́ влия́ние сде́лалось преоблада́ющим; ~ arm *воен.* основно́й род войск 2) верхо́вный; вы́сший

paramour ['pærəmʊə] *n уст.* любо́вник; любо́вница

parang ['pɑ:ræŋ] *n* пара́нг, большо́й мала́йский нож

paranoia [ˌpærəˈnɔɪə] *n мед.* паранойя, параноидная шизофрения

parapack [ˈpærəpæk] *n* ранец парашюта

parapet [ˈpærəpɪt] *n* 1) парапет, перила 2) *воен.* бруствер

paraph [ˈpæræf] *дип.* **1.** *n* параф, инициалы *или* росчерк в подписи

2. *v* парафировать, подписывать инициалами

paraphernalia [ˌpærəfəˈneɪlɪə] *n pl* 1) принадлежности 2) личное имущество 3) убранство

paraphrase [ˈpærəfreɪz] **1.** *n* 1) пересказ 2) парафраза

2. *v* 1) пересказывать 2) парафразировать

paraphrastic [ˌpærəˈfræstɪk] *a* парафрастический

paraplegia [ˌpærəˈpliːdʒə] *n мед.* параплегия

parapsychology [ˌpærəsaɪˈkɒlədʒɪ] *n* парапсихология

paraselenae [ˌpærəsɪˈliːniː] *pl от* paraselene

paraselene [ˌpærəsɪˈliːnɪ] *n* (*pl* -nae) *астр.* парселена, ложная луна

parasite [ˈpærəsaɪt] *n* 1) *биол.* паразит 2) паразит, тунеядец 3) *фон.* паразитический звук

parasitic(al) [ˌpærəˈsɪtɪk(l)] *a* паразитический, паразитный

parasiticide [ˌpærəˈsɪtɪsaɪd] *n* средство для уничтожения паразитов

parasitism [ˈpærəsaɪtɪzəm] *n* паразитизм

parasitize [ˈpærəsaɪtaɪz] *v биол.* паразитировать

parasol [ˈpærəsɒl] *n* 1) небольшой зонтик (*от солнца*) 2) *ав.* парасоль 3) *воен.* авиационное прикрытие войск

parataxis [ˌpærəˈtæksɪs] *n грам.* паратаксис, бессоюзное сочинение *или* подчинение

parathyroid [ˌpærəˈθaɪrɔɪd] *n анат.* околощитовидная железа

paratrooper [ˈpærətruːpə] *n воен.* парашютист-десантник

paratroops [ˈpærətruːps] *n pl воен.* парашютно-десантные части

paratyphoid [ˌpærəˈtaɪfɔɪd] *n мед.* паратиф

paravane [ˈpærəveɪn] *n мор.* параван

par avion [ˌpɑːræˈvjɔːŋ] *фр. adv* авиапочтой; авиа

parboil [ˈpɑːbɔɪl] *v* обваривать кипятком, слегка отваривать

parbuckle [ˈpɑːbʌkl] **1.** *n* 1) приспособление для подъёма *или* спуска бочек 2) *мор.* двойной подъёмный строп

2. *v мор.* поднимать двойным стропом

parcel [ˈpɑːsl] **1.** *n* 1) пакет, свёрток; тюк, узел 2) посылка 3) участок (*земли*) 4) партия (*товара*) 5) *уст.* часть; part and ~ неотъемлемая часть 6) группа, кучка; a ~ of scamps шайка негодяев

2. *adv уст.* частично

3. *v* 1) завёртывать в пакет 2) делить на части, дробить (*обыкн.* ~ out) 3) *мор.* класть клетневину

parcelling [ˈpɑːslɪŋ] **1.** *pres. p. от* parcel 3

2. *n* 1) раздел, распределение; ~ of land раздел земли 2) *мор.* накладывание клетневины

parcel post [ˈpɑːslpəʊst] *n* почтово-посылочная служба

parcenary [ˈpɑːsɪnərɪ] *n юр.* сонаследование

parcener [ˈpɑːsɪnə] *n юр.* сонаследник

parch [pɑːtʃ] *v* 1) иссушать, палить, жечь (*о солнце*) 2) пересыхать (*о языке, горле*); запекаться (*о губах*) 3) слегка поджаривать, подсушивать ▭ ~ up высыхать, сохнуть

parched [pɑːtʃt] **1.** *p. p. от* parch

2. *a* 1) сожжённый, опалённый, пересохший 2) *разг.* томимый, мучимый жаждой; ~ wayfarer томимый жаждой путник

parching [ˈpɑːtʃɪŋ] **1.** *pres. p. от* parch

2. *a* палящий

parchment [ˈpɑːtʃmənt] *n* 1) пергамент 2) рукопись на пергаменте 3) пергаментная бумага 4) кожура кофейного боба 5) *attr.* пергаментный

parcook [ˈpɑːkʊk] *v* слегка проварить, наполовину сварить

pardon [ˈpɑːdn] **1.** *n* 1) прощение, извинение, I beg your ~ извините 2) *юр.* помилование; general ~ амнистия; to issue ~ for smb. помиловать кого-л. 3) *ист.* индульгенция

2. *v* 1) прощать, извинять; ~ me прошу прощения, извините меня 2) (по)миловать; оставлять без наказания

pardonable [ˈpɑːdnəbl] *a* простительный

pardoner [ˈpɑːdnə] *n ист.* продавец индульгенций

pare [peə] *v* 1) срезать корку, кожуру; чистить; очищать 2) подрезать (*ногти*) 3) урезывать, сокращать (*часто* ~ away, ~ down)

paregoric [ˌpærəˈgɒrɪk] *мед. ист.* **1.** *a* болеутоляющий

2. *n* болеутоляющее средство

parenchyma [pəˈreŋkɪmə] *n анат., бот.* паренхима

parent [ˈpeərənt] *n* 1) родитель; родительница 2) приёмный отец; приёмная мать 3) праотец; предок 4) животное *или* растение, от которого произошли другие 5) источник, причина (*зла и т. п.*) 6) *attr.* родительский 7) *attr.* исходный, являющийся источником; ~ rock *геол.* материнская, маточная порода; ~ plant *с.-х.* исходное растение (*при гибридизации*) ◇ ~ state метрополия

parentage [ˈpeərəntɪdʒ] *n* 1) происхождение, линия родства, родословная 2) отцовство; материнство

parental [pəˈrentl] *a* 1) родительский; отцовский; материнский (*о чувстве*) 2) являющийся источником

parent company [ˈpeərəntˌkʌmpənɪ] *n эк.* материнская компания

parentheses [pəˈrenθəsiːz] *pl от* parenthesis

parenthesis [pəˈrenθəsɪs] *n* (*pl* -theses) 1) *грам.* вводное слово *или* предложение 2) (*обыкн. pl*) круглые скобки 3) интермедия, вставной эпизод; интервал

parenthesize [pəˈrenθəsaɪz] *v* 1) вставлять (*вводное слово*) 2) заключать в скобки

parenthetic(al) [ˌpærənˈθetɪk(l)] *a* 1) вводный, заключённый в скобки 2) изобилующий вводными предложениями 3) вставленный мимоходом 4) *шутл.* кривой (*о ногах и т. п.*)

paresis [pəˈriːsɪs] *n мед.* парез, полупаралич

par excellence [pɑːˈeksəlɑːns] *фр. adv* по преимуществу; главным образом; в особенности

parget [ˈpɑːdʒɪt] **1.** *n* 1) штукатурка 2) гипс

2. *v* 1) штукатурить 2) украшать лепкой

parget(t)ing [ˈpɑːdʒɪtɪŋ] **1.** *pres. p. от* parget 2

2. *n* (орнаментная) штукатурка

parhelia [pɑːˈhiːlɪə] *pl от* parhelion

parhelion [pɑːˈhiːlɪən] *n* (*pl* lia) *астр.* паргелий, ложное солнце

pariah [pəˈraɪə] *n* пария; отверженный

pariah dog [pəˈraɪədɒg] *n* бродячая собака

Parian [ˈpeərɪən] **1.** *a* паросский; ~ marble паросский мрамор

2. *n* род фарфора

paries [ˈpeərɪiːz] *n* (*pl* -etes) *биол.* стенка (полости органа, лабиринта)

parietal [pəˈraɪətl] *a анат.* 1) париетальный, пристеночный 2) теменной

parietes [pəˈraɪɪtiːz] *pl от* paries

pari-mutuel [ˌpærɪˈmjuːtʃʊəl] *фр. n* тотализатор

paring [ˈpeərɪŋ] **1.** *pres. p. от* pare

2. *n* 1) подрезание, срезывание 2) *pl* обрезки, кожура, корка, шелуха; очистки

pari passu [ˌpærɪˈpæsuː] *лат. adv* 1) с одинаковой скоростью 2) наравне и одновременно

Paris [ˈpærɪs] *n греч. миф.* Парис [*см. тж. Список географических названий*]

Paris doll [ˈpærɪsdɒl] *n* манекен; кукла, на которой демонстрируется модель одежды

parish [ˈpærɪʃ] *n* 1) церковный приход 2) прихожане 3) *амер.* (гражданский) округ в штате Луизиана 4) *attr.* приходский; ~ clerk псаломщик ◇ to go on the ~ получать пособие по бедности; ~ lantern *шутл.* луна

parishioner [pəˈrɪʃnə] *n* прихожанин; прихожанка

parish register [ˌpærɪʃˈredʒɪstə] *n* приходская метрическая книга

Parisian [pəˈrɪzɪən] **1.** *a* парижский

2. *n* парижанин; парижанка

parity I [ˈpærətɪ] *n* 1) равенство 2) параллелизм, аналогия; соответствие; by ~ of reasoning по аналогии 3) *эк.* паритет

parity II [ˈpærətɪ] *n биол.* спосо́бность к деторожде́нию

park [pɑːk] **1.** *n* 1) парк (*тж. автомобильный, артиллерийский и т. п.*) 2) запове́дник (*тж.* national ~) 3) ме́сто стоя́нки автомоби́лей 4) *амер.* высокого́рная доли́на 5) у́стричный садо́к

2. *v* 1) ста́вить на (дли́тельную) стоя́нку (*автомобиль и т. п.*) 2) *разг.* оставля́ть (*вещи*) 3) *воен.* ста́вить па́рком (*артиллерию*) (*тж.* to ~ guns) 4) разбива́ть парк, огора́живать под парк (*землю*) <> to ~ oneself *разг.* сади́ться

parka [ˈpɑːkə] *n* па́рка (*одежда эскимосов*)

parkin [ˈpɑːkɪn] *n* пря́ник из овся́ной муки́ на па́токе

parking [ˈpɑːkɪŋ] **1.** *pres. p. от* park 2

2. *n* 1) стоя́нка; no ~ (allowed) стоя́нка автотра́нспорта запрещена́ (*надпись*) 2) *амер.* газо́н (с дере́вьями), иду́щий по середи́не у́лицы

parking lot [ˈpɑːkɪŋlɒt] *n амер.* ме́сто стоя́нки автотра́нспорта

parkway [ˈpɑːkweɪ] *n амер.* па́рковая доро́га; раздели́тельная полоса́ с зелёными насажде́ниями

parky [ˈpɑːkɪ] *a разг.* холо́дный (*о погоде*)

parlance [ˈpɑːləns] *n* язы́к, мане́ра говори́ть *или* выража́ться; in legal ~ на юриди́ческом языке́; in common ~ в просторе́чии

parlay [ˈpɑːlɪ] *амер.* **1.** *n* пари́; ста́вка (*в азартных играх*)

2. *v* держа́ть пари́; де́лать ста́вку (*в азартных играх*)

parley [ˈpɑːlɪ] **1.** *n* перегово́ры (*особ. воен.*); to beat (*или* to sound) a ~ *воен.* дава́ть сигна́л бараба́нным бо́ем *или* зву́ком трубы́ о жела́нии вступи́ть в перегово́ры

2. *v* 1) вести́ перегово́ры, догова́риваться; обсужда́ть 2) говори́ть (*на иностранном языке*)

parleyvoo [ˌpɑːlɪˈvuː] (*испорч. фр.* parlez-vous) *шутл.* **1.** *n* 1) францу́зский язы́к 2) францу́з

2. *v* болта́ть по-францу́зски

parliament I [ˈpɑːləmənt] *n* 1) парла́мент 2) *attr.* парла́ментский

parliament II [ˈpɑːləmənt] *n* имби́рный пря́ник

parliamentarian [ˌpɑːləmenˈteərɪən] **1.** *n* 1) парламента́рий 2) знато́к парла́ментской пра́ктики 3) *ист.* сторо́нник парла́мента (*в Англии в XVII в.*)

2. *a* парла́ментский

parliamentarism [ˌpɑːləˈmentərɪzəm] *n* парламентари́зм

parliamentary [ˌpɑːləˈmentərɪ] *a* парла́ментский, парламента́рный; old ~ hand о́пытный парламента́рий; ~ language язы́к, допусти́мый в парла́менте <> ~ train *ист.* устано́вленный парла́ментом дешёвый по́езд, в кото́ром пла́та за ми́лю не превыша́ла одного́ пе́нса

parliament-cake [ˈpɑːləmənt̮keɪk] = parliament II

parlor [ˈpɑːlə] (*обыкн. амер.*) = parlour

parlour [ˈpɑːlə] *n* 1) гости́ная, о́бщая ко́мната (*в квартире*) 2) приёмная (*в гостинице и т. п.*) 3) *амер.* зал, ателье́, кабине́т; beauty (hairdresser's) ~ космети́ческий кабине́т (парикма́херская); photographer's ~ фотоателье́ 4) отде́льный кабине́т (*в ресторане*)

parlour boarder [ˈpɑːləˌbɔːdə] *n* шко́льник-пансионе́р, живу́щий в семье́ хозя́ина пансио́на

parlour car [ˈpɑːləkɑː] *n амер. ж.-д.* сало́н-ваго́н

parlourmaid [ˈpɑːləmeɪd] *n ист.* го́рничная

parlous [ˈpɑːləs] *уст., шутл.* **1.** *a* 1) опа́сный, риско́ванный 2) о́чень хи́трый, вре́дный

2. *adv* о́чень, ужа́сно

parly [ˈpɑːlɪ] *разг. сокр. от* parliamentary train [*см.* parliamentary <>]

Parmesan [ˌpɑːmɪˈzæn] *n* пармеза́н (*сыр*)

Parnassian [pɑːˈnæsɪən] *лит.* **1.** *a* парна́сский

2. *n* парна́сец

Parnassus [pɑːˈnæsəs] *n греч. миф.* Парна́с

parochial [pəˈrəʊkɪəl] *a* 1) прихо́дский 2) у́зкий, ограни́ченный; ме́стнический; ~ interests у́зкие, ме́стнические интере́сы

parochialism [pəˈrəʊkɪəlɪzəm] *n* ограни́ченность интере́сов, у́зость; ме́стничество

parodist [ˈpærədɪst] *n* пароди́ст

parody [ˈpærədɪ] **1.** *n* паро́дия

2. *v* пароди́ровать

parol [pəˈrəʊl] *юр.* **1.** *a* 1) да́нный у́стно 2) не содержа́щийся в докуме́нте за печа́тью

2. *n* у́стное показа́ние, заявле́ние

parole [pəˈrəʊl] **1.** *n* 1) освобожде́ние заключённого под че́стное сло́во 2) че́стное сло́во, обеща́ние (*тж.* ~ of honour) 3) обяза́тельство пле́нных не уча́ствовать в вое́нных де́йствиях 4) *воен.* паро́ль 5) *attr.*: ~ system *амер.* систе́ма, по кото́рой заключённые освобожда́ются на изве́стных усло́виях досро́чно <> on ~ освобождённый под че́стное сло́во

2. *v* освобожда́ть под че́стное сло́во

parolee [ˌpærəˈliː] *n* освобождённый под че́стное сло́во

paronomasia [ˌpærənəˈmeɪzɪə] *n* парономази́я, каламбу́р, игра́ слов

paronym [ˈpærənɪm] *n лингв.* 1) паро́ним 2) *редк.* омофо́н

paroquet [ˈpærəkɪt] = parakeet

parotid [pəˈrɒtɪd] *анат.* **1.** *n* околоу́шная железа́

2. *a* околоу́шный

parotitis [ˌpærəˈtaɪtɪs] *n мед.* воспале́ние околоу́шных желёз, эпидеми́ческий пароти́т, сви́нка

paroxysm [ˈpærəksɪzəm] *n* парокси́зм, припа́док, при́ступ (*болезни, смеха и т. п.*)

paroxysmal [ˌpærəkˈsɪzməl] *a* появля́ющийся парокси́змами; су́дорожный

parpen [ˈpɑːpən] *n архит.* перевя́зка ка́менной кла́дки

parquet [ˈpɑːkeɪ] **1.** *n* 1) парке́т 2) *амер.* пере́дние ряды́ парте́ра 3) *attr.* парке́тный <> ~ circle *амер.* за́дние ряды́ парте́ра, амфитеа́тр

2. *v* настила́ть парке́т

parquetry [ˈpɑːkɪtrɪ] *n* парке́т

parr [pɑː] *n* молодо́й ло́сось

parrel [ˈpærəl] *n мор.* бейфу́т

parricidal [ˌpærɪˈsaɪdl] *a* отцеуби́йственный

parricide [ˈpærɪsaɪd] *n* 1) отцеуби́йство; матереуби́йство 2) отцеуби́йца; матереуби́йца 3) изме́нник ро́дины 4) изме́на ро́дине

parrot [ˈpærət] **1.** *n* попуга́й

2. *v* 1) повторя́ть как попуга́й (*тж.* ~ it) 2) учи́ть (*кого-л.*) бессмы́сленно повторя́ть (*что-л.*)

parrotry [ˈpærətrɪ] *n* бессмы́сленное повторе́ние чужи́х слов

parry [ˈpærɪ] **1.** *n* пари́рование, отраже́ние уда́ра, увёртка (*тж. спорт.*)

2. *v* отража́ть, пари́ровать (*удар*); to ~ a question уклоня́ться от отве́та, отвеча́ть на вопро́с вопро́сом

parse [pɑːz] *v* де́лать граммати́ческий разбо́р

parsimonious [ˌpɑːsɪˈməʊnɪəs] *a* 1) бережли́вый, эконо́мный 2) скупо́й

parsimony [ˈpɑːsɪmənɪ] *n* 1) бережли́вость, эконо́мия; to exercise ~ of phrase быть скупы́м на слова́ 2) ску́пость, скря́жничество

parsing [ˈpɑːzɪŋ] **1.** *pres. p. от* parse

2. *n* граммати́ческий разбо́р

parsley [ˈpɑːslɪ] *n бот.* петру́шка

parsnip [ˈpɑːsnɪp] *n бот.* пастерна́к

parson [ˈpɑːsn] *n* 1) прихо́дский свяще́нник, па́стор 2) *разг.* свяще́нник, пропове́дник <> ~'s nose кури́ная гу́зка [*ср.* pope's nose; *см.* pope I, <>]

parsonage [ˈpɑːsənɪdʒ] *n* дом прихо́дского свяще́нника, пастора́т

parsonic [pɑːˈsɒnɪk] *a* па́сторский

part [pɑːt] **1.** *n* 1) часть, до́ля; for the most ~ бо́льшей ча́стью; in ~ части́чно, ча́стью; one's ~ in a conversation чьё-л. выска́зывание в разгово́ре 2) *тех.* дета́ль, часть 3) часть те́ла, член, о́рган; the (private) ~s половы́е о́рганы 4) часть (*книги*), том, се́рия, вы́пуск 5) уча́стие, до́ля в рабо́те; обя́занность, де́ло; to take (*или* to have) ~ in smth. уча́ствовать в чём-л.; it was not my ~ to interfere не моё бы́ло де́ло вме́шиваться; to do one's ~ (с)де́лать своё де́ло 6) роль; to play (*или* to act) a ~ а) игра́ть роль; б) притворя́ться 7) *муз.* па́ртия, го́лос 8) сторона́ (*в споре и т. п.*); for my ~ с мое́й стороны́, что каса́ется меня́; on the ~ of smb. с чьей-л. стороны́; to take the ~ of smb., to take ~ with smb. стать на чью-л. сто́рону 9) *pl* края́, ме́стность; in foreign ~s в чужи́х края́х; in these ~s в э́тих места́х, здесь; in all ~s of the world повсю́ду в ми́ре, во всём ми́ре 10) *pl* спосо́бности; a man of (good) ~s спосо́бный челове́к 11) *амер.* пробо́р (*в волосах*) 12) *грам.*: ~ of speech часть ре́чи; ~ of sentence член предложе́ния 13) *архит.* 1/30 часть мо́дуля ◇ to have neither ~ nor lot in smth. не име́ть ничего́ о́бщего с чем-л.; in good ~ без оби́ды; благосклóнно; ми́лостиво; in bad (*или* evil) ~ с оби́дой; неблагосклóнно; to take smth. in good ~ не оби́деться; to take smth. in bad (*или* evil) ~ оби́деться

2. *adv* ча́стью, отча́сти; части́чно

3. *v* 1) разделя́ть(ся); отделя́ть(ся); расступа́ться; разрыва́ть(ся); разнима́ть; разлуча́ть(ся); let us ~ friends расста́немся друзья́ми 2) *разг.* расстава́ться (*с деньгами и т. п.*); плати́ть; he won't ~ он не запла́тит 3) расчёсывать, разделя́ть на пробо́р 4) *уст.* дели́ть (*между кем-л.*) ▭ ~ **from** расста́ться (*или* распроща́ться) с *кем-л.*; ~ **with** а) = ~ from; б) отдава́ть, передава́ть *что-л.*; в) отпуска́ть (*прислугу*)

partake [pɑ:'teɪk] *v* (partook; partaken) 1) принима́ть уча́стие (in, of — в *чём-л.*); разделя́ть (with — с *кем-л.*) 2) отве́дать, съесть, вы́пить (of — *что-л.*) 3) име́ть при́месь (*чего-л.*); отдава́ть (*чем-л.*); the vegetation ~s of a tropical character э́та расти́тельность напомина́ет тропи́ческую

partaken [pɑ:'teɪkən] *p. p. от* partake

partaker [pɑ:'teɪkə] *n* уча́стник

partaking [pɑ:'teɪkɪŋ] *n* уча́стие

parted ['pɑ:tɪd] **1.** *p. p. от* part 3

2. *a* 1) разделённый; ~ lips полуоткры́тый рот 2) разлучённый

parterre [pɑ:'teə] *n* 1) цветни́к 2) *амер.* за́дние ряды́ парте́ра, амфитеа́тр 3) парте́р

parthenogenesis [ˌpɑ:θənəʊ'dʒenəsɪs] *n биол.* партеногене́з

Parthian ['pɑ:θɪən] *a ист.* парфя́нский; ~ shot (*или* shaft, arrow) парфя́нская стрела́ (*замечание и т. п., прибере́гаемое к моменту ухода*)

parti [pɑ:'ti:] *фр. n* па́ртия (*в браке*)

partial ['pɑ:ʃl] *a* 1) части́чный, непо́лный; ча́стный 2) пристра́стный 3): ~ to неравноду́шный (к *чему-л., кому-л.*); he is very ~ to sport он о́чень лю́бит спорт

partiality [ˌpɑ:ʃɪ'ælətɪ] *n* 1) пристра́стие 2) скло́нность (for — к)

partible ['pɑ:tɪbl] *a* 1) дели́мый 2) подлежа́щий деле́нию (*особ. о наследстве*)

participant [pɑ:'tɪsɪpənt] *n* уча́стник

participate [pɑ:'tɪsɪpeɪt] *v* 1) уча́ствовать (in) 2) разделя́ть (in — *что-л.*, with — с *кем-л.*) 3) по́льзоваться (in — *чем-л.*) 4) *книжн.* име́ть о́бщее (of — с *чем-л.*)

participating country [pɑ:ˌtɪsɪpeɪtɪŋ 'kʌntrɪ] *n* страна́-уча́стница (*договора, конференции и т. п.*)

participation [pɑ:ˌtɪsɪ'peɪʃn] *n* уча́стие; соуча́стие

participator [pɑ:'tɪsɪpeɪtə] *n* уча́стник

participial [ˌpɑ:tɪ'sɪpɪəl] *a грам.* прича́стный; дееприча́стный

participle ['pɑ:tɪsɪpl] *n грам.* прича́стие; дееприча́стие

particle ['pɑ:tɪkl] *n* 1) части́ца; крупи́ца; ~ of dust пыли́нка 2) *грам.* неизменя́емая части́ца; су́ффикс; пре́фикс 3) статья́ (*документа*)

parti-coloured [ˌpɑ:tɪ'kʌləd] *a* пёстрый, разноцве́тный

particular [pə'tɪkjʊlə] **1.** *a* 1) осо́бый, исключи́тельный; заслу́живающий осо́бого внима́ния; it is of no ~ importance осо́бой ва́жности э́то не представля́ет; he is a ~ friend of mine он мой бли́зкий друг; for no ~ reason без осо́бого основа́ния; ~ qualities осо́бенности 2) специфи́ческий, осо́бый, осо́бенный 3) подро́бный, дета́льный, обстоя́тельный 4) тща́тельный; to be ~ in one's speech тща́тельно подбира́ть выраже́ния; о́чень следи́ть за свое́й ре́чью 5) индивидуа́льный, ча́стный, отде́льный; ~ goals конкре́тные це́ли 6) разбо́рчивый, привере́дливый; ~ about what (*или* ~ as to what) one eats разбо́рчивый в еде́

2. *n* 1) ча́стность; подро́бность, дета́ль; in ~ в ча́стности, в осо́бенности; to go into ~s вдава́ться в подро́бности 2) *pl* подро́бный отчёт; to give all the ~s дава́ть подро́бный отчёт ◇ London ~ *разг.* ло́ндонский тума́н

particularism [pə'tɪkjʊlərɪzəm] *n* 1) исключи́тельная приве́рженность (*к кому-л., чему-л.*) 2) *полит.* партикуляри́зм

particularistic [pəˌtɪkjʊlə'rɪstɪk] *a* ча́стный, у́зкий; ~ interests у́зкие интере́сы

particularity [pəˌtɪkjʊ'lærətɪ] *n* 1) осо́бенность, специ́фика, подро́бность 2) тща́тельность; обстоя́тельность 3) *редк.* разбо́рчивость

particularize [pə'tɪkjʊləraɪz] *v* подро́бно остана́вливаться (*на чём-л.*), вдава́ться в подро́бности

particularized [pə'tɪkjʊləraɪzd] *a* специализи́рованный; осо́бый

particularly [pə'tɪkjʊləlɪ] *adv* 1) о́чень, чрезвыча́йно; осо́бенно, в осо́бенности 2) осо́бенно, осо́бым о́бразом 3) индивидуа́льно, ли́чно; в отде́льности; generally and ~ в о́бщем и в ча́стности 4) подро́бно, дета́льно

parting ['pɑ:tɪŋ] **1.** *pres. p. от* part 3

2. *n* 1) расстава́ние, разлу́ка; отъе́зд; проща́ние; at ~ на проща́ние 2) пробо́р (*в волосах*) 3) разделе́ние; разветвле́ние; at the ~ of the ways на распу́тье (*часто перен.*) 4) *уст.* смерть 5) *тех.* отделе́ние; отреза́ние (*резцом*) 6) *геол.* отде́льность, разделя́ющая пласты́; прósлоек

3. *a* 1) проща́льный 2) уходя́щий, умира́ющий; угаса́ющий; ~ day день, клоня́щийся к ве́черу 3) разделя́ющий; разветвля́ющийся, расходя́щийся (*о доро́ге*)

parti pris [ˌpɑ:tɪ'pri:] *фр. n* предвзя́тое мне́ние

partisan I [ˌpɑ:tɪ'zæn] **1.** *n* 1) приве́рженец, сторо́нник 2) партиза́н

2. *a* 1) партиза́нский 2) узкопарти́йный 3) фанати́чный; слепо ве́рящий (*чему-л.*)

partisan II [ˌpɑ:tɪ'zæn] *n ист.* протаза́н, алеба́рда

partisanship [ˌpɑ:tɪ'zænʃɪp] *n* приве́рженность

partite ['pɑ:taɪt] *a бот., зоол.* до́льный, разде́льный

partition [pɑ:'tɪʃn] **1.** *n* 1) расчлене́ние; разделе́ние 2) разде́л 3) часть, подразделе́ние 4) отделе́ние (*в шкафу, сумке и т. п.*) 5) перегоро́дка, перебо́рка

2. *v* 1) дели́ть 2) расчленя́ть, разделя́ть 3) ста́вить перегоро́дку ▭ ~ **off** отделя́ть, отгора́живать перегоро́дкой

partitionist [pɑ:'tɪʃnɪst] *n* сторо́нник разделе́ния страны́

partitive ['pɑ:tətɪv] **1.** *a* 1) *грам.* раздели́тельный, партити́вный; ~ genitive роди́тельный раздели́тельный 2) дро́бный; ча́стный

2. *n грам.* раздели́тельное сло́во

partly ['pɑ:tlɪ] *adv* 1) ча́стью, части́чно 2) отча́сти, до не́которой сте́пени

partner ['pɑ:tnə] **1.** *n* 1) компаньо́н; партнёр; па́йщик; secret (*или* sleeping, dormant) ~ компаньо́н, не уча́ствующий акти́вно в де́ле и не изве́стный клиенту́ре; silent ~ компаньо́н, не уча́ствующий акти́вно в де́ле, но изве́стный; predominant ~ «гла́вный компаньо́н» (*Англия как часть Великобритании*) 2) уча́стник; соуча́стник (in, of — в *чём-л.*); това́рищ (*по делу, работе*; with) 3) контраге́нт 4) партнёр (*в танцах, игре*); напа́рник 5) супру́г(а) 6) *pl мор.* пя́ртнерс (*мачты*)

2. *v* 1) быть партнёром 2) де́лать (*чьим-л.*) партнёром; ста́вить в па́ру (with — с *кем-л.*)

partnership ['pɑ:tnəʃɪp] *n* 1) уча́стие; сотру́дничество; working ~ те́сное сотру́дничество, совме́стное де́йствие 2) това́рищество, компа́ния 3) компаньо́ны

partook [pɑ:'tʊk] *past от* partake

part-owner ['pɑ:tˌəʊnə] *n* совладе́лец

partridge ['pɑ:trɪdʒ] *n зоол.* (се́рая) куропа́тка

partridge-wood ['pɑ:trɪdʒwʊd] *n* кра́сное де́рево (*древесина некоторых тропических деревьев*)

part-song ['pɑ:tsɒŋ] *n муз.* вока́льное произведе́ние для трёх *или* бо́лее голосо́в

part time [ˌpɑ:t'taɪm] *n* непо́лный рабо́чий день

part-time ['pɑ:ttaɪm] *a*: ~ worker рабо́чий, за́нятый непо́лный рабо́чий день

part-timer [ˌpɑ:t'taɪmə] = part-time worker [*см.* part-time]

parturient [pɑ:'tjʊərɪənt] *a* 1) разреша́ющаяся от бре́мени, рожа́ющая 2) свя́занный с ро́дами; родово́й; послеродово́й; ~ infection роди́льная горя́чка

parturifacient [pɑ:ˌtjʊərɪ'feɪʃənt] *n мед.* сре́дство, вызыва́ющее *или* облегча́ющее ро́ды

parturition [ˌpɑ:tjʊ'rɪʃn] *n книжн.* ро́ды

party ['pɑ:tɪ] **1.** *n* 1) отря́д, кома́нда;

гру́ппа; па́ртия 2) приём госте́й; зва́ный ве́чер, вечери́нка; to give a ~ устро́ить вечери́нку 3) компа́ния 4) па́ртия; to join a ~ вступи́ть в па́ртию 5) уча́стник; to be a ~ to smth. уча́ствовать, принима́ть уча́стие в чём-л. 6) *юр.* сторона́; the parties to a contract догова́ривающиеся сто́роны 7) *шутл.* челове́к, осо́ба, субъе́кт; an old ~ with spectacles старика́шка в очка́х 8) сопровожда́ющие ли́ца; the minister and his ~ мини́стр и сопровожда́ющие его́ ли́ца ◇ ~ girl досту́пная де́вушка; же́нщина лёгкого поведе́ния

2. *a* парти́йный; ~ affiliation парти́йная принадле́жность; ~ card парти́йный биле́т; ~ leader вождь, ли́дер па́ртии; ~ man (*или* member) член па́ртии; ~ membership парти́йность, принадле́жность к па́ртии; ~ local (*или* unit) ме́стная, низова́я парти́йная организа́ция; ~ nucleus парти́йная яче́йка

party-coloured [,pɑ:tɪ'kʌləd] = parti-coloured

party-goer ['pɑ:tɪgəʊə] *n* непреме́нный уча́стник вечеро́в, завсегда́тай вечери́нок

partying ['pɑ:tɪɪŋ] *n* гуля́нка; пикни́к

party line ['pɑ:tɪlaɪn] *n* 1) ли́ния па́ртии; полити́ческий курс 2) о́бщий телефо́нный про́вод у не́скольких абоне́нтов 3) *амер.* грани́ца ме́жду ча́стными владе́ниями

party wall [,pɑ:tɪ'wɔ:l] *n стр.* брандма́уэр

parvenu ['pɑ:vənju:] *n* вы́скочка, парвеню́

pas [pɑ:] *фр. n* 1) па (*в танцах*) 2) пе́рвенство, преиму́щество; to give the ~ уступи́ть пе́рвенство; to take the ~ име́ть преиму́щество (of — пе́ред *кем-л.*)

paschal ['pæskl] *a* 1) относя́щийся к евре́йской па́схе 2) пасха́льный

pas de deux [,pɑ:də'dɜ:] *фр. n* па-де-де́, бале́тный но́мер, исполня́емый двумя́ партнёрами

pasha ['pɑ:ʃə] *n ист.* паша́; ~ of three tails (of two tails, of one tail) трёх- (двух-, одно)бунчу́жный паша́, паша́ 1-го (2-го, 3-го) ра́нга (*по числу бунчуков*)

pashm ['pʌʃm] *n* подшёрсток кашми́рской козы́ (*употребляется для шалей*)

pasque-flower ['pæskflaʊə] *n бот.* простре́л, сон-трава́

pasquinade [,pæskwɪ'neɪd] *n* па́сквиль

pass [pɑ:s] **1.** *v* 1) дви́гаться вперёд; проходи́ть, проезжа́ть (by — ми́мо *чего-л.*; along — вдоль *чего-л.*; across, over — че́рез *что-л.*); протека́ть, минова́ть 2) обгоня́ть, опережа́ть 3) пересека́ть; переходи́ть, переезжа́ть (*через что-л.*); переправля́ть(ся); to ~ a mountain range перевали́ть че́рез хребе́т 4) перевози́ть 5) передава́ть; read this and ~ it on прочти́те (э́то) и переда́йте да́льше; to ~ the word передава́ть приказа́ние; to ~ money under the table to smb. дать кому́-л. взя́тку 6) превыша́ть, выходи́ть за преде́лы; he has ~ed sixteen ему́ уже́ бо́льше шестна́дцати; it ~es my comprehension э́то вы́ше моего́ понима́ния; it ~es belief э́то невероя́тно 7) быть при́нятым, получа́ть одобре́ние (*законодательного органа*); the bill ~ed the Commons пала́та о́бщин утверди́ла законопрое́кт 8) вы́держать, пройти́ (*испытание*); удовлетворя́ть (*требованиям*); to ~ the tests пройти́ испыта́ние; to ~ standards удовлетворя́ть но́рмам 9) проводи́ть (*рукой*); he ~ed his hand across his forehead он провёл руко́й по́ лбу 10) пропусти́ть, протяну́ть (*верёвку*) 11) вы́держать экза́мен (in — по *какому-л. предмету*) 12) ста́вить зачёт; пропуска́ть (*экзаменующегося*) 13) принима́ть (*закон, резолюцию и т. п.*) 14) пропуска́ть; опуска́ть 15) проходи́ть (*о времени*); time ~es rapidly вре́мя бы́стро лети́т 16) происходи́ть, случа́ться, име́ть ме́сто; I saw (heard) what was ~ing я ви́дел (слы́шал), что происходи́ло; whether or not this comes to ~ суждено́ ли э́тому случи́ться и́ли нет 17) быть в обраще́нии, име́ть хожде́ние (*о деньгах*); this coin will not ~ э́ту моне́ту не при́мут 18) пуска́ть в обраще́ние 19) проводи́ть (*время, лето и т. п.*); to ~ the time, to make time ~ корота́ть вре́мя 20) *карт.*, *спорт.* пасова́ть 21) *спорт.* де́лать вы́пад (*в фехтовании*) 22) превраща́ться, переходи́ть (*из одного состояния в другое*); it has ~ed into a proverb э́то вошло́ в погово́рку 23) исчеза́ть; прекраща́ться; the pain ~ed боль прошла́; to ~ out of sight исчеза́ть и́з виду; to ~ out of use выходи́ть из употребле́ния 24) конча́ться, умира́ть (*обыкн.* ~ hence, ~ from among us, *etc.*) 25) *мед.* име́ть (стул), испуска́ть (мочу́) 26) де́лать замеча́ние, выска́зывать (*суждение*) (on, upon) 27) выноси́ть (*решение, приговор*; upon, on) 28) быть вы́несенным (*о приговоре*); the verdict ~ed for the plaintiff реше́ние бы́ло вы́несено в по́льзу истца́ 29) не объявля́ть (*дивиденды*) 30) переходи́ть (*в другие руки и т. п.*; into, to) 31) произноси́ть; few words ~ed бы́ло ма́ло ска́зано 32) мелькну́ть, появи́ться; a change ~ed over his countenance у него́ измени́лось выраже́ние лица́ 33) проходи́ть незаме́ченным, сходи́ть; but let that ~ не бу́дем об э́том говори́ть; that won't ~ э́то недопусти́мо 34): ~ your eyes (*или* glance) over this letter просмотри́те э́то письмо́ 35) дава́ть (*слово, клятву, обещание*); to ~ one's word обеща́ть; руча́ться, поручи́ться (for) ▭ ~ **away** а) исчеза́ть, прекраща́ться, проходи́ть; б) сконча́ться; умере́ть; в) проходи́ть, истека́ть (*о времени*); ~ **by** а) проходи́ть ми́мо; б) оставля́ть без внима́ния, пропуска́ть; to ~ by in silence обходи́ть молча́нием; ~ **for** счита́ться, слыть *кем-л.*; ~ **in** умере́ть (*тж.* ~ in one's checks); ~ **into** превраща́ться в, переходи́ть в; де́латься; ~ **off** а) постепе́нно прекраща́ться, проходи́ть (*об ощущениях и т. п.*); б) хорошо́ пройти́ (*о мероприятии, событии*); в) сбыва́ть, подсо́вывать; выдава́ть (for, as — за *кого-л.*); he ~ed himself off as a doctor он выдава́л себя́ за до́ктора; г) оставля́ть без внима́ния, пропуска́ть ми́мо уше́й; д) отвлека́ть внима́ние от *чего-л.*; е) пронести́сь, пройти́ (*о дожде, буре*); ж) *разг.* сдать (*экзамен*); ~ **on** а) проходи́ть да́льше; ~ on, please! проходи́те!, не остана́вливайтесь!; б) *эвф.* умере́ть; в) передава́ть да́льше; г) выноси́ть (*решение*); д) переходи́ть (*к другому вопросу и т. п.*); ~ **out** а) *разг.* теря́ть созна́ние; б) *разг.* умере́ть; в) успе́шно пройти́ (*курс обучения*); г) раздава́ть, распространя́ть (*что-л.*); ~ **over** а) пропуска́ть, оставля́ть без внима́ния; обходи́ть молча́нием (*тж.* ~ over in silence); б) *эвф.* умере́ть; в) проходи́ть; переправля́ться; г) передава́ть; д) *хим.* дистилли́роваться; ~ **round** а) передава́ть друг дру́гу; пусти́ть по кру́гу; to ~ round the hat пусти́ть ша́пку по кру́гу, устро́ить сбор поже́ртвований; б) обма́тывать; обводи́ть; to ~ a rope round a cask обмота́ть бочо́нок кана́том; ~ **through** а) проходи́ть че́рез *что-л.*, испы́тывать, пережива́ть; they are ~ing through times of troubles они́ пережива́ют беспоко́йное вре́мя; б) пересека́ть; переходи́ть; в) пропуска́ть, просе́ивать, проце́живать сквозь *что-л.*; г) продева́ть; д) пронза́ть; ~ **up** *разг.* отка́зываться (от *чего-л.*); отверга́ть (*что-л.*) ◇ to ~ by the name of... быть изве́стным под и́менем..., называ́ться...; to ~ by on the other side не оказа́ть по́мощи, не прояви́ть сочу́вствия; to ~ on the torch передава́ть зна́ния, тради́ции; to ~ water мочи́ться

2. *n* 1) прохо́д; путь (*тж. перен.*) 2) сда́ча экза́мена без отли́чия; посре́дственная оце́нка 3) про́пуск 4) беспла́тный биле́т; контрама́рка 5) беспла́тный прое́зд 6) *карт.*, *спорт.* пас 7) *спорт.* вы́пад (*в фехтовании*) 8) фо́кус 9) пасс (*движение рук гипнотизёра*) 10) (крити́ческое) положе́ние; to bring to ~ соверша́ть, осуществля́ть; to come to ~ произойти́, случи́ться; things have come to a pretty ~ дела́ при́няли скве́рный оборо́т 11) уще́лье, дефиле́; перева́л 12) фарва́тер, проли́в, судохо́дное ру́сло (*особ. в устье реки*) 13) прохо́д для ры́бы в плоти́не 14) *воен.* увольни́тельная (запи́ска); *амер.* краткосро́чный о́тпуск 15) *метал.* кали́бр, руче́й валка́ ◇ ~ in review *воен.* прохожде́ние торже́ственным ма́ршем; to hold the ~ защища́ть своё де́ло; to make a ~ at smb. *разг.* заи́грывать, пристава́ть к кому́-л.

passable ['pɑ:səbl] *a* 1) сно́сный, удовлетвори́тельный 2) проходи́мый; прое́зжий; судохо́дный 3) име́ющий хожде́ние

passage I ['pæsɪdʒ] **1.** *n* 1) прохожде́ние; прохо́д, прое́зд, перехо́д 2) перее́зд; рейс (*морской или воздушный*); пое́здка (*по морю*); a rough ~ перее́зд, перехо́д по бу́рному мо́рю; to book (*или* to pay, to take) one's ~ взять биле́т на парохо́д 3) перелёт (*птиц*); bird of ~ перелётная пти́ца (*тж. перен.*) 4) путь, доро́га, прохо́д, перева́л, перепра́ва 5) коридо́р, пасса́ж; галере́я; пере́дняя 6) вход, вы́ход; пра́во прохо́да; no ~ прое́зд закры́т, прохо́да нет (*надпись*); he was refused a ~ его́ не пропусти́ли 7) перехо́д, превраще́ние 8) ме́сто, отры́вок (*из книги и т. п.*) 9) *муз.* пасса́ж 10) проведе́ние, утвержде́ние (*закона*) 11) *pl* разгово́р; сты́чка; to have stormy ~s with smb. име́ть кру́пный разгово́р с кем-л. 12) *анат.* прохо́д, прото́к 13) ход, тече́ние (*событий, времени*) 14) происше́ствие, собы́тие, эпизо́д 15) *attr.*: ~ days *мор.* дни, проведённые в мо́ре ◇ ~ of (*или* at) arms сты́чка, столкнове́ние

2. *v* соверша́ть перее́зд; пересека́ть (*море, канал и т. п.*)

passage II [ˈpæsɪdʒ] *v* 1) принима́ть впра́во *или* вле́во, дви́гаться бо́ком (*о лошади или всаднике*) 2) заставля́ть (*лошадь*) принима́ть впра́во *или* вле́во

passage boat [ˈpæsɪdʒbəʊt] *n* паро́м

passageway [ˈpæsɪdʒweɪ] *n* 1) коридо́р, прохо́д; пасса́ж 2) *горн.* отка́точная вы́работка 3) *тех.* перепускно́й кана́л; уравни́тельный кана́л

passant [ˈpæsnt] *a геральд.* иду́щий с по́днятой пра́вой пере́дней ла́пой и смотря́щий впра́во (*о животном*)

passbook [ˈpɑːsbʊk] *n* 1) ба́нковская расчётная кни́жка 2) *амер.* забо́рная кни́жка

pass check [ˈpɑːstʃek] = pass-out

pass degree [ˌpɑːsdɪˈgriː] *n* дипло́м без отли́чия

passé [ˈpɑːseɪ] *фр. a* 1) устаре́лый, устаре́вший 2) поблёкший

passementerie [ˈpæsməntrɪ] *фр. n* отде́лка басо́ном, би́сером, галуно́м

passenger [ˈpæsɪndʒə] *n* 1) пассажи́р; седо́к 2) *разг.* сла́бый игро́к спорти́вной кома́нды 3) неспосо́бный член (*организации и т. п.*) 4) *attr.* пассажи́рский; ~ car легково́й автомоби́ль

passenger pigeon [ˌpæsɪndʒəˈpɪdʒən] *n зоол.* стра́нствующий го́лубь

passe-partout [ˌpæspɑːˈtuː] *n* 1) отмы́чка 2) карто́нная ра́мка; паспарту́

passer [ˈpɑːsə] *n* 1) = passerby 2) челове́к, сда́вший экза́мены без отли́чия 3) контролёр гото́вой проду́кции; брако́вщик

passerby [ˌpɑːsəˈbaɪ] *n* (*pl* passersby) прохо́жий, прое́зжий

passerine [ˈpæsəraɪn] *зоол.* 1. *a* воробьи́ный; относя́щийся к воробьи́ным

2. *n* пти́ца из отря́да воробьи́ных

passersby [ˌpɑːsəzˈbaɪ] *pl от* passerby

pas seul [pɑːˈsɜːl] *фр. n* со́льный бале́тный но́мер; со́льный та́нец

passible [ˈpæsɪbl] *a* спосо́бный чу́вствовать *или* страда́ть

passim [ˈpæsɪm] *лат. adv* повсю́ду, везде́; в ра́зных места́х (*употр. при ссылке на автора и т. п.*)

passing [ˈpɑːsɪŋ] 1. *pres. p. от* pass 1

2. *n* 1) прохожде́ние 2) протека́ние, полёт; the ~ of time тече́ние вре́мени 3) брод 4) *эвф.* смерть ◇ in ~ мимохо́дом; ме́жду про́чим

3. *a* 1) проходя́щий, мимолётный, мгнове́нный 2) бе́глый, случа́йный; a ~ reference упомина́ние мимохо́дом

4. *adv уст.* о́чень, чрезвыча́йно; ~ rich чрезвыча́йно бога́тый

passing bell [ˈpɑːsɪŋbel] *n* похоро́нный звон

passingly [ˈpɑːsɪŋlɪ] *adv* 1) мимохо́дом 2) *уст.* о́чень

passing note [ˈpɑːsɪŋnəʊt] *n муз.* перехо́дная но́та

passing track [ˈpɑːsɪŋtræk] *n ж.-д.* разъездно́й путь

passion [ˈpæʃn] 1. *n* 1) страсть, стра́стное увлече́ние (for — *чем-л., кем-л.*) 2) вспы́шка гне́ва; to fall (*или* to fly) into a ~ вспыли́ть, прийти́ в я́рость 3) взрыв чувств; си́льное душе́вное волне́ние; she burst into a ~ of tears она́ разрыда́лась; a ~ of grief при́ступ го́ря 4) предме́т стра́сти 5) пыл, стра́стность, энтузиа́зм 6) (the P.) *рел.* стра́сти госпо́дни, кре́стные му́ки 7) *attr. рел.*: P. Sunday 5-е воскресе́нье вели́кого поста́; P. Week страстна́я неде́ля, 6-я неде́ля вели́кого поста́

2. *v поэт.* чу́вствовать *или* выража́ть страсть

passional I [ˈpæʃnl] *n* мартироло́г

passional II [ˈpæʃnl] *a книжн.* стра́стный

passionary [ˈpæʃnərɪ] = passional I

passionate [ˈpæʃnət] *a* 1) вспы́льчивый, горя́чий; необу́зданный 2) стра́стный, пы́лкий; ~ interest жгу́чий интере́с 3) влюблённый

passionflower [ˈpæʃnˌflaʊə] *n бот.* страстоцве́т, пассифло́ра

passionless [ˈpæʃnləs] *a* бесстра́стный, невозмути́мый

passion play [ˈpæʃnpleɪ] *n ист.* мисте́рия, представля́ющая стра́сти госпо́дни

passivation [ˌpæsɪˈveɪʃn] *n тех.* пассива́ция, пове́рхностная протра́вка, декапи́рование

passive [ˈpæsɪv] 1. *a* 1) пасси́вный, ине́ртный; безде́ятельный 2) поко́рный 3) *грам.* страда́тельный (*о залоге*) 4) *фин.* беспроце́нтный; ~ balance пасси́вное са́льдо; ~ bonds *амер.* беспроце́нтные облига́ции

2. *n грам.* страда́тельный зало́г; пасси́вная фо́рма

passivity [pæˈsɪvətɪ] *n* 1) пасси́вность, ине́ртность; безде́ятельность 2) поко́рность

passkey [ˈpɑːskiː] *n* 1) ключ от америка́нского замка́ 2) отмы́чка 3) *attr.*: ~ man вор-взло́мщик

passman [ˈpɑːsmæn] *n* получа́ющий дипло́м *или* сте́пень без отли́чия

pass-out [ˈpɑːsaʊt] *n* контрама́рка (*для обратного входа*)

pass-out check [ˌpɑːsaʊtˈtʃek] *амер.* = pass-out

Passover [ˈpɑːsˌəʊvə] *n* 1) евре́йская па́сха 2) пасха́льный а́гнец

passport [ˈpɑːspɔːt] *n* 1) па́спорт 2) ли́чные ка́чества, даю́щие до́ступ куда́-л. *или* явля́ющиеся сре́дством достиже́ния чего́-л.

password [ˈpɑːswɜːd] *n* паро́ль; про́пуск

past [pɑːst] 1. *n* 1) про́шлое; проше́дшее; it is now a thing of the ~ э́то де́ло про́шлого; a man with a ~ челове́к с (дурны́м) про́шлым 2) (*обыкн.* the ~) *грам.* проше́дшее вре́мя

2. *a* 1) про́шлый, мину́вший; истёкший; for some time ~ (за) после́днее вре́мя; his prime is ~ его́ мо́лодость прошла́ 2) *грам.* проше́дший; ~ participle прича́стие проше́дшего вре́мени

3. *adv* ми́мо; he walked ~ он прошёл ми́мо; the years flew ~ го́ды пролете́ли

4. *prep* 1) ми́мо; he ran ~ the house он пробежа́л ми́мо до́ма 2) за, по ту сто́рону; the station is ~ the river ста́нция нахо́дится за реко́й 3) по́сле, за; it is ~ two тепе́рь тре́тий час; he stayed till ~ two o'clock бы́ло бо́льше двух, когда́ он ушёл; half ~ two полови́на тре́тьего; the train is ~ due по́езд опозда́л; he is ~ sixty ему́ за шестьдеся́т 4) свы́ше, сверх; за преде́лами (достижи́мого); ~ the wit of man вы́ше челове́ческого разуме́ния; he is ~ cure он неизлечи́м; it is ~ endurance э́то нестерпи́мо

paste [peɪst] 1. *n* 1) пастила́, халва́ *и т.п.* 2) те́сто (*сдобное*) 3) клей; клейстер 4) *кул.* паште́т 5) страз 6) мя́тая гли́на 7) па́ста; масти́ка 8) *эл.* акти́вная ма́сса (*для аккумуляторных пластин*) 9) *sl.* уда́р кулако́м

2. *v* 1) накле́ивать, прикле́ивать *или* скле́ивать кле́йстером; обкле́ивать (with) 2) *sl.* изби́ть, исколоти́ть ▭ ~ up раскле́ивать; to ~ up notices раскле́ивать объявле́ния

pasteboard [ˈpeɪstbɔːd] *n* 1) карто́н 2) *разг.* визи́тная ка́рточка 3) игра́льная ка́рта 4) железнодоро́жный биле́т 5) *attr.* карто́нный; *перен.* непро́чный, ху́дкий 6) *attr.* фальши́вый

pastel [ˈpæstl] *n* 1) пасте́ль 2) *бот.* ва́йда 3) си́няя кра́ска из ва́йды 4) *attr.* пасте́льный; ~ shades блёклые кра́ски

paster [ˈpeɪstə] *n* 1) рабо́чий, накле́ивающий ярлыки́ 2) *амер.* поло́ска клейко́й бума́ги (*особ. для заклеивания фамилии в избирательном списке*)

pastern [ˈpæstən] *n* ба́бка (*лошади*)

pasteurization [ˌpɑːstʃəraɪˈzeɪʃn] *n* пастериза́ция

pasteurize [ˈpɑːstʃəraɪz] *v* 1) пастеризова́ть (*молоко*) 2) де́лать приви́вку по ме́тоду Пасте́ра (*преим. от бешенства*)

pasteurizer [ˈpɑːstʃəraɪzə] *n* пастериза́тор, аппара́т для пастериза́ции

pasticcio, pastiche [pɑːˈstɪtʃəʊ, pæˈstiːʃ] *n* смесь; попурри́; стилиза́ция (*особ. литературная*)

pastil [ˈpæstl] *n* 1) кури́тельная арома́тическая свеча́ 2) лепёшка, табле́тка

pastime [ˈpɑːstaɪm] *n* прия́тное времяпрепровожде́ние, развлече́ние; игра́

pastiness [ˈpeɪstɪnəs] *n* кле́йкость, ли́пкость

past master [ˌpɑːstˈmɑːstə] *n* (непревзойдённый) ма́стер (in — в *чём-л.*)

pastor [ˈpɑːstə] *n* 1) па́стор 2) духо́вный па́стырь 3) ро́зовый скворе́ц

pastoral [ˈpɑːstrəl] **1.** *a* 1) пасту́шеский; ~ industry овцево́дство 2) пастора́льный

2. *n* 1) пастора́ль 2) *церк.* посла́ние

pastorale [ˌpæstəˈrɑːl] *n* (*pl* -li, -s [-z]) *муз.* пастора́ль

pastorali [ˌpæstəˈrɑːliː] *pl от* pastorale

pastorate [ˈpɑːstərət] *n* 1) пастора́т 2) *собир.* па́сторы

pastorship [ˈpɑːstəʃɪp] = pastorate 1)

pastry [ˈpeɪstrɪ] *n* конди́терские изде́лия (*пиро́жные, пече́нье и т. п.*)

pastry-cook [ˈpeɪstrɪkʊk] *n* конди́тер

pasturable [ˈpɑːstʃʊrəbl] *a* па́стбищный

pasturage [ˈpɑːstʃərɪdʒ] *n* 1) па́стбище 2) подно́жный корм 3) пастьба́

pasture [ˈpɑːstʃə] **1.** *n* 1) па́стбище, вы́гон 2) подно́жный корм

2. *v* пасти́(сь)

pasty I [ˈpæstɪ] *n* пиро́г (*особ. с мя́сом*)

pasty II [ˈpeɪstɪ] *a* 1) тестообра́зный; вя́зкий 2) бле́дный, одутлова́тый; нездоро́вый (*о цве́те лица́*)

pasty-faced [ˈpeɪstɪfeɪst] = pasty II, 2)

Pat [pæt] *n разг.* Пэт (*шутли́вое про́звище ирла́ндца*)

pat I [pæt] **1.** *n* 1) похло́пывание; хло́панье, шлёпанье 2) хлопо́к, шлепо́к (*звук*) 3) кусо́к, кружо́чек сби́того ма́сла

2. *v* шлёпать, похло́пывать; to ~ smb. on the back похло́пать кого́-л. по спине́, вы́разить кому́-л. одобре́ние

pat II [pæt] **1.** *adv* 1) бы́стро, свобо́дно; с гото́вностью; to know a lesson off ~ хорошо́ знать уро́к 2) кста́ти; «в то́чку»; своевре́менно; уда́чно; the story came ~ to the occasion расска́з оказа́лся о́чень кста́ти ◇ to stand ~ (*обыкн. амер.*) а) не меня́ть свое́й пози́ции, держа́ться своего́ реше́ния; проводи́ть свою́ ли́нию; б) не меня́ть карт в по́кере

2. *a* подходя́щий; уме́стный; уда́чный; своевре́менный

pat III [pæt] *n*: on one's ~ *австрал. sl.* самостоя́тельно; по со́бственной инициати́ве

patch [pætʃ] **1.** *n* 1) запла́та 2) повя́зка (*на глазу́*) 3) кусо́чек накле́енного пла́стыря 4) пятно́ непра́вильной фо́рмы 5) му́шка (*на лице́*) 6) обры́вок, клочо́к, лоску́т 7) небольшо́й уча́сток земли́; a ~ of potatoes уча́сток под карто́фелем 8) обры́вок, отры́вок 9) *геол.* включе́ние поро́ды ◇ a purple ~ (*в литерату́рном произведе́нии*) а) я́ркое ме́сто; б) цвети́стый, безвку́сный отры́вок; not a ~ on smth. *разг.* ничто́ в сравне́нии с чем-л.

2. *v* лата́ть; ста́вить запла́ты; hills ~ed with snow холмы́, места́ми покры́тые сне́гом ▭ ~ **up** а) чини́ть на ско́рую руку; заде́лывать; подправля́ть; б) ула́живать (*ссо́ру*)

patchouli [ˈpætʃʊlɪ] *n* пачу́ли (*расте́ние и духи́*)

patch pocket [ˌpætʃˈpɒkɪt] *n* накладно́й карма́н

patchwork [ˈpætʃwɜːk] *n* 1) пэ́чворк, лоску́тная рабо́та; одея́ло, ко́врик *и т. п.* из разноцве́тных лоскуто́в 2) мешани́на; ерала́ш 3) *attr.* сши́тый из лоскуто́в, лоску́тный, пёстрый

patchy [ˈpætʃɪ] *a* 1) неоднoро́дный, пёстрый, разношёрстный 2) испещрённый пя́тнами, пятни́стый 3) обры́вочный, случа́йный (*о зна́ниях*)

pate [peɪt] *n разг.* 1) голова́, башка́ 2) маку́шка 3) ум, рассу́док

pâté [ˈpæteɪ] *n* паштéт

patella [pəˈtelə] *n* (*pl* -lae) *анат.* коле́нная ча́шечка

patellae [pəˈteliː] *pl от* patella

paten [ˈpætn] *n* 1) *церк.* ди́скос 2) металли́ческий кружо́к, диск

patency [ˈpeɪtnsɪ] *n* 1) я́вность, очеви́дность 2) *мед.* раскры́тое состоя́ние

patent [ˈpeɪtnt] **1.** *a* 1) я́вный, очеви́дный 2) патенто́ванный 3) со́бственного изобрете́ния; остроу́мный, оригина́льный 4) откры́тый; досту́пный

2. *n* [*тж.* ˈpætnt] 1) пра́во (*на что-л.*), получа́емое благодаря́ пате́нту; исключи́тельное пра́во 2) пате́нт; дипло́м; *ист.* жа́лованная гра́мота 3) запатенто́ванный предме́т, изобрете́ние 4) *амер.* пожа́лование земли́ прави́тельством 5) *attr.*: ~ office бюро́ пате́нтов; ~ right *амер.* пате́нт

3. *v* [*тж.* ˈpætnt] патентова́ть; брать пате́нт (*на что-л.*)

patentee [ˌpeɪtnˈtiː] *n* владе́лец пате́нта

patenting [ˈpeɪtntɪŋ] **1.** *pres. p. от* patent 3

2. *n* 1) патентова́ние 2) *метал.* зака́лка в свинцо́вой ва́нне

patent leather [ˌpeɪtntˈleðə] *n* лакиро́ванная ко́жа, лак

patent-leather [ˌpeɪtəntˈleðə] *a* лакиро́ванный

patently [ˈpeɪtntlɪ] *adv* я́вно, очеви́дно; откры́то

pater [ˈpeɪtə] *n разг., шутл.* оте́ц

patera [ˈpætərə] *n* (*pl* -ae) *архит.* пате́ра, кру́глый орна́мент (*в ви́де таре́лки*)

paterae [ˈpætəriː] *pl от* patera

paterfamilias [ˌpeɪtəfəˈmɪlɪæs] *n шутл.* оте́ц семе́йства, хозя́ин до́ма

paternal [pəˈtɜːnl] *a* 1) оте́ческий 2) отцо́вский 3) ро́дственный по отцу́; ~ aunt тётка со стороны́ отца́ ◇ ~ legislation изли́шне ме́лочное законода́тельство

paternalism [pəˈtɜːnəlɪzəm] *n* 1) патернали́зм 2) оте́ческое попече́ние

paternity [pəˈtɜːnətɪ] *n* 1) отцо́вство 2) происхожде́ние по отцу́; the ~ of the child is unknown неизве́стно, кто оте́ц ребёнка 3) а́вторство; исто́чник

paternoster [ˌpætəˈnɒstə] *n* 1) «О́тче наш» (*моли́тва*) 2) чётки 3) *тех.* но́рия, элева́тор 4) закля́тие; маги́ческая фо́рмула 5) *attr.*: ~ line рыболо́вная ле́са́ с ря́дом крючко́в

path [pɑːθ, *pl* pɑːðz] *n* 1) тропи́нка; тропа́; доро́жка 2) га́ревая *или* бегова́я доро́жка 3) путь; стезя́; to enter on (*или* to take) the ~ вступи́ть на путь; to cross smb.'s ~ стать кому́-л. попере́к доро́ги 4) ли́ния поведе́ния *или* де́йствия 5) траекто́рия

pathetic [pəˈθetɪk] *a* 1) тро́гательный; жа́лостный 2) жа́лкий 3) *уст.* патети́ческий ◇ the ~ fallacy прида́ние си́лам приро́ды свойств живы́х суще́ств; ~ strike забасто́вка солида́рности

pathetics [pəˈθetɪks] *n pl* (*употр. как sing*) пате́тика

pathfinder [ˈpɑːθˌfaɪndə] *n* 1) иссле́дователь (*малоизу́ченной страны́*); землепрохо́дец; следопы́т 2) *ав.* самолёт наведе́ния 3) указа́тель ку́рса (*в радиолока́ции*) 4) *мед.* зонд, щуп

pathless [ˈpɑːθləs] *a* 1) бездоро́жный, непроходи́мый 2) непроторённый; неиссле́дованный

pathological [ˌpæθəˈlɒdʒɪkl] *a* патологи́ческий

pathologist [pəˈθɒlədʒɪst] *a* пато́лог

pathology [pəˈθɒlədʒɪ] *n* патоло́гия

pathos [ˈpeɪθɒs] *n* 1) па́фос 2) что-л., вызыва́ющее грусть, печа́ль *или* сострада́ние 3) чувстви́тельность

pathway [ˈpɑːθweɪ] *n* 1) тропа́; тропи́нка; доро́жка; доро́га, путь 2) *pl мед.* проводя́щие пути́

patience [ˈpeɪʃns] *n* 1) терпе́ние, терпели́вость; I have no ~ with him он меня́ выво́дит из терпе́ния; I am out of ~ with him я потеря́л с ним вся́кое терпе́ние 2) насто́йчивость 3) *карт.* пасья́нс; to play ~ раскла́дывать пасья́нс ◇ the ~ of Job ≅ а́нгельское терпе́ние

patient [ˈpeɪʃnt] **1.** *a* 1) терпели́вый; he is ~ under adversity он терпели́во перено́сит несча́стье 2) упо́рный; насто́йчивый 3) те́рпящий, допуска́ющий (of); the facts are ~ of various interpretations фа́кты допуска́ют разли́чное толкова́ние

2. *n* пацие́нт, больно́й

patina [ˈpætɪnə] *n* па́тина (*налёт на бро́нзе*), чернь

patio [ˈpætɪəʊ] *n* (*pl* -os [-əʊz]) вну́тренний дво́рик; па́тио

patois [ˈpætwɑː] *n* (*pl* patois [-wɑːz]) ме́стный го́вор

patriarch [ˈpeɪtrɪɑːk] *n* 1) глава́ ро́да, о́бщины, семьи́; старе́йшина, патриа́рх 2) родонача́льник; основа́тель 3) *церк.* патриа́рх 4) почтённый ста́рец

patriarchal [ˌpeɪtrɪˈɑːkl] *a* 1) патриарха́льный 2) *церк.* патриа́рший 3) почте́нный

patriarchate [ˈpeɪtrɪɑːkət] *n церк.* 1) резиде́нция патриа́рха; патриа́рхия 2) патриа́ршество

patriarchy [ˈpeɪtrɪɑːkɪ] *n* 1) патриарха́т 2) = patriarchate 1)

patrician [pəˈtrɪʃn] **1.** *n* 1) *ист.* патри́ций 2) аристокра́т

2. *a* 1) *ист.* патрициа́нский 2) аристократи́ческий

patricidal [ˌpætrɪˈsaɪdl] = parricidal

patricide [ˈpætrɪsaɪd] *n* 1) отцеубийство 2) отцеубийца

patrimonial [ˌpætrɪˈməʊnɪəl] *a* родовой, наследственный

patrimony [ˈpætrɪmənɪ] *n* 1) родовое, наследственное имение, вотчина 2) наследство 3) наследие 4) церковная собственность

patriot [ˈpeɪtrɪət] *n* патриот

patriotic [ˌpætrɪˈɒtɪk] *a* патриотический; the Great P. War Великая Отечественная война

patriotism [ˈpætrɪətɪzəm] *n* патриотизм

patristic [pəˈtrɪstɪk] *a* принадлежащий «отцам церкви»

patrol [pəˈtrəʊl] **1.** *n* 1) патрулирование 2) *воен.* дозор; разъезд; патруль; on ~ в дозоре 3) *attr.* патрульный, дозорный; сторожевой; ~ dog сторожевая собака; ~ wagon (*обыкн. амер.*) тюремная карета

2. *v* 1) патрулировать; охранять 2) стоять на страже; надзирать 3) *ав.* барражировать

patrol bomber [pəˈtrəʊlˌbɒmə] *n* *воен.* патрульный бомбардировщик

patrol car [pəˈtrəʊlkɑː] *n* дежурный полицейский автомобиль, имеющий радиосвязь с участком

patrolman [pəˈtrəʊlmən] *n* *амер.* полицейский

patron [ˈpeɪtrən] *n* 1) покровитель, патрон, шеф; заступник 2) постоянный покупатель, клиент; постоянный посетитель 3) *церк.* имеющий право назначать священников

patronage [ˈpætrənɪdʒ] *n* 1) покровительство, попечительство, шефство; заступничество 2) покровительственное отношение 3) *церк.* право назначать на должность священников 4) частная финансовая поддержка (*учреждений, предприятий, отдельных лиц и т. п.*) 5) клиентура; постоянные покупатели *или* посетители

patroness [ˌpeɪtrəˈnes] *n* покровительница, патронесса; заступница

patronize [ˈpætrənaɪz] *v* 1) относиться свысока, покровительственно, снисходительно 2) покровительствовать, опекать 3) быть постоянным покупателем *или* посетителем 4) оказывать частную финансовую поддержку (*учреждениям, предприятиям, отдельным лицам и т. п.*)

patronymic [ˌpætrəˈnɪmɪk] **1.** *a* 1) образованный от имени отца *или* предка по отцовской линии 2) указывающий на происхождение (*о префиксе или суффиксе, как напр.*: Mac-, O', -son)

2. *n* 1) фамилия, образованная от имени предка; родовое имя 2) отчество

patsy [ˈpætsɪ] *n* *амер. sl.* простофиля, «лопух»

patten [ˈpætn] *n* 1) *ист.* деревянный башмак; башмак на толстой деревянной подошве, закреплённой металлическим кольцом (*для ходьбы по грязи*) 2) *стр.* база колонны

patter I [ˈpætə] **1.** *n* 1) *разг.* речитативные вставки в песню; реприза 2) говорок; скороговорка 3) условный язык, жаргон

2. *v* 1) бормотать (*часто молитвы*) 2) говорить скороговоркой; тараторить

patter II [ˈpætə] **1.** *n* 1) стук (*дождевых капель*) 2) топотание, лёгкий топот

2. *v* 1) барабанить, стучать (*о дождевых каплях*) 2) топотать, семенить (*о ребёнке*)

pattern [ˈpætn] **1.** *n* 1) рисунок, узор (*на материи и т. п.*) 2) система, структура; ~ of life образ жизни; ~ of trade структура *или* характер торговли, система торговых связей 3) выкройка; to take a ~ of скопировать; снять выкройку с *чего-л.* 4) образец, пример 5) модель, шаблон 6) образчик 7) *метал.* модель (*для литья*) 8) *амер.* отрез, купон на платье 9) стиль, характер (*литературного произведения и т. п.*) 10) *attr.* образцовый, примерный

2. *v* 1) делать по образцу, копировать (after, on, upon) 2) украшать узором 3) *редк.* следовать примеру (by)

patternmaker [ˈpætnmeɪkə] *n* *метал.* модельщик

patty [ˈpætɪ] *n* пирожок; лепёшечка

pattypan [ˈpætɪpæn] *n* форма для пирожков

paucity [ˈpɔːsətɪ] *n* 1) малочисленность, малое количество 2) недостаточность

paunch [pɔːntʃ] *n* 1) живот, пузо; брюшко 2) первый желудок, рубец (*у жвачных*)

paunchy [ˈpɔːntʃɪ] *a* с брюшком

pauper [ˈpɔːpə] *n* 1) бедняк, нищий 2) *ист.* живущий на пособие по бедности

pauperism [ˈpɔːpərɪzəm] *n* нищета, пауперизм

pauperization [ˌpɔːpəraɪˈzeɪʃn] *n* пауперизация

pauperize [ˈpɔːpəraɪz] *v* доводить до нищеты

pause [pɔːz] **1.** *n* 1) замешательство; to give ~ to приводить в замешательство; at ~ в нерешительности, неподвижно; молча 2) пауза, перерыв; остановка; перемена, передышка 3) *муз.* фермата 4) *лит.* цезура

2. *v* 1) делать паузу, останавливаться (on, upon); to ~ upon smth. задержаться на чём-л.; to ~ upon a note продлить ноту 2) находиться в нерешительности; медлить

pave [peɪv] *v* 1) мостить, замащивать 2) выстилать (*пол*) 3) устилать, усеивать (*цветами и т. п.*) ◇ to ~ the way прокладывать путь, подготовлять почву (for, to — для *проведения чего-л.*)

pavement [ˈpeɪvmənt] *n* 1) тротуар, панель 2) пол, выложенный мозаикой *и т. п.* 3) *амер.* мостовая 4) дорожное покрытие 5) *горн.* почва ◇ on the ~ без пристанища, на улице

pavement artist [ˈpeɪvməntˌɑːtɪst] *n* 1) художник, рисующий на тротуаре (*чтобы заработать на жизнь*) 2) *амер.* художник, выставляющий на тротуаре свои картины для продажи

paver [ˈpeɪvə] *n* 1) мостильщик 2) камень, кирпич *и т. п.* для мощения 3) *стр.* дорожный бетоноукладчик

pavilion [pəˈvɪlɪən] **1.** *n* 1) палатка, шатёр 2) павильон; беседка 3) летний концертный *или* танцевальный зал 4) корпус (*больничный, санаторный*)

2. *v* 1) укрывать(ся) (*в павильоне, палатке и т. п.*) 2) строить павильоны; разбивать палатки

paving [ˈpeɪvɪŋ] **1.** *pres. p. от* pave

2. *n* 1) мостовая; дорожное покрытие 2) материал для мостовой 3) *attr.*: ~ stone булыжник; брусчатка

pavonine [ˈpævəʊnaɪn] *a* 1) павлиний 2) радужный

paw [pɔː] **1.** *n* 1) лапа 2) *разг.* рука; почерк

2. *v* 1) трогать, скрести лапой 2) бить копытом (*о лошади*) 3) *разг.* хватать руками, лапать, шарить (*часто* ~ over)

pawky [ˈpɔːkɪ] *a* *шотл.* 1) иронический 2) хитрый, лукавый

pawl [pɔːl] **1.** *n* 1) *тех.* собачка; предохранитель 2) *мор* пал (*у шпиля*)

2. *v* *тех.* выключать посредством собачки

pawn I [pɔːn] *n* *шахм.* пешка (*тж. перен.*)

pawn II [pɔːn] **1.** *n* 1) залог, заклад; in (*или* at) ~ в закладе

2. *v* 1) закладывать, отдавать в залог 2) ручаться; to ~ one's word давать слово; to ~ one's life ручаться жизнью

pawnbroker [ˈpɔːnbrəʊkə] *n* ростовщик, ссужающий деньги под залог; at the ~'s в ломбарде

pawnee [pɔːˈniː] *n* *юр.* залогодержатель

pawnshop [ˈpɔːnʃɒp] *n* ломбард

pax [pæks] **1.** *n* мир; символ мира

2. *int* *школ. жарг.* мир!, перемирие!; чур-чура!, чур меня!; тише!

pay I [peɪ] **1.** *n* 1) плата, выплата, уплата 2) жалованье, заработная плата; *воен.* денежное содержание, денежное довольствие; what is the ~? какое жалованье?; in the ~ of smb. на жалованье у кого-л., нанятый кем-л.; take-home ~ *амер. разг.* зарплата, получаемая рабочим на руки (*после вычетов*); call ~ гарантированный минимум зарплаты (*при вынужденном простое*) 3) расплата, возмездие 4) плательщик долга; good ~ *разг.* исправный плательщик 5) *attr.* *амер.* платный 6) *attr.* рентабельный, выгодный для разработки; промышленный (*о месторождении*)

2. *v* (paid) 1) платить (for — за *что-л.*) 2) уплачивать (*долг, налог*); оплачивать (*работу, счёт*) 3) оказывать, обращать (*внимание*; to — на); свидетельствовать (*почтение*); делать (*комплимент*); to ~ serious consideration обращать серьёзное внимание; ~ attention to what I tell you слу́шайте, что я вам говорю́; he ~s attention (*или* his addresses, court) to her он уха́живает за ней 4) наноси́ть (*визит*); he went to ~ his respects to them он пошёл засвиде́тельствовать им своё почте́ние 5) окупа́ться, быть вы́годным; приноси́ть дохо́д; it will never ~ to work this mine разрабо́тка э́того рудника́ не оку́пится; the shares ~ 5 per cent а́кции прино́сят 5% дохо́да 6) поплати́ться; who breaks ~s ≅ сам завари́л ка́шу, сам и расхлёбывай; вино́вный до́лжен поплати́ться 7) вознагражда́ть, отпла́чивать; возмеща́ть □ ~ away = ~ out a); ~ **back** а) возвраща́ть (*деньги*); б) отпла́чивать; ~ **down** плати́ть нали́чными; ~ **for** а) опла́чивать; окупа́ть; it has been paid for за э́то бы́ло упла́чено; б) поплати́ться; ~ **in** вноси́ть на теку́щий счёт; ~ **off** а) распуска́ть (*команду корабля*); увольня́ть (*рабочих*); б) распла́чиваться сполна́; рассчи́тываться с *кем-л.*; покрыва́ть (*долг*); окупи́ться; to ~ off handsomely приноси́ть изря́дные бары́ши, дава́ть большу́ю при́быль; в) отплати́ть, отомсти́ть; г) *мор.* уклоня́ться, ува́ливаться под ве́тер; ~ **out** а) *мор.* (*past и p. p. тж.* payed) трави́ть; б) отпла́чивать; в) выпла́чивать; ~ **up** а) выпла́чивать сполна́ (*недоимку и т. п.*); б) выпла́чивать во́время ◇ to ~ for a dead horse плати́ть за что-л., потеря́вшее свою́ це́ну; броса́ть де́ньги на ве́тер; to ~ one's way жить по сре́дствам; to ~ one's last respects отда́ть после́дний долг (*покойному*)

pay II [peɪ] *v мор.* смоли́ть

payable ['peɪəbl] *a* 1) подлежа́щий упла́те 2) могу́щий быть упла́ченным 3) дохо́дный, вы́годный; промы́шленный (*о рудном месторождении и т. п.*)

pay-as-you-earn [,peɪəzjʊ'ɜ:n] *n* сбор нало́гов посре́дством вы́четов из за́работной пла́ты

pay-box ['peɪbɒks] *n* театра́льная ка́сса

payday ['peɪdeɪ] *n* день платежа́, платёжный день; день вы́платы жа́лованья

pay-desk ['peɪdesk] = pay-office

pay dirt ['peɪdɜ:t] *n амер. горн.* бога́тая ру́дная полоса́; бога́тая струя́ в ро́ссыпи

payee [,peɪ'i:] *n* получа́тель (*денег*); предъяви́тель че́ка (*или* ве́кселя)

pay-envelope ['peɪenvələʊp] *амер.* = pay-packet

payer ['peɪə] *n* плате́льщик

paying I ['peɪɪŋ] 1. *pres. p. от* pay I, 2
2. *a* вы́годный, дохо́дный; ~ well произво́дительная нефтяна́я сква́жина

paying II ['peɪɪŋ] *pres. p. от* pay II

paying capacity [,peɪɪŋkə'pæsətɪ] *n* платёжеспосо́бность

payload ['peɪləʊd] *n* поле́зная нагру́зка; final ~ поле́зная нагру́зка после́дней ступе́ни (*многоступенчатой ракеты*)

paymaster ['peɪmɑ:stə] *n* касси́р, казначе́й

Paymaster General [,peɪmɑ:stə'dʒenrəl] *n* гла́вный казначе́й

payment ['peɪmənt] *n* 1) упла́та, платёж, пла́та; взнос; interest ~ вы́плата проце́нтов 2) вознагражде́ние; возме́здие

payoff ['peɪɒf] *n sl.* 1) вы́плата; компенса́ция 2) вре́мя вы́платы 3) развя́зка (*событий и т. п.*) 4) распла́та

pay-office ['peɪɒfɪs] *n воен.* выплатно́й пункт

pay-out ['peɪaʊt] *n* вы́плата

pay-packet ['peɪpækɪt] *n* конве́рт с за́работной пла́той; полу́чка

pay phone ['peɪfəʊn] *n* телефо́н-автома́т

payroll ['peɪrəʊl] *n* платёжная ве́домость; to be off the ~ быть безрабо́тным *или* уво́ленным ◇ ~ stuffer пла́тный писа́ка

paysage [peɪ'zɑ:ʒ] *фр. n* пейза́ж

pay-sheet ['peɪʃi:t] = payroll

pay station ['peɪsteɪʃn] *амер.* = pay phone

pea [pi:] *n* 1) горо́х, горо́шина; split ~s лущёный горо́х 2) = pea jacket ◇ as like as two ~s ≅ как две ка́пли воды́

pea-brain ['pi:breɪn] *n разг.* тупи́ца, болва́н

peace [pi:s] *n* 1) споко́йствие, тишина́, обще́ственный поря́док (*тж.* the ~); ~ of mind споко́йствие ду́ха; ~! ти́ше!; замолчи́те!; to hold one's ~ а) молча́ть; б) соблюда́ть споко́йствие; in ~ в поко́е; to keep the ~ сохраня́ть мир; соблюда́ть поря́док 2) мир, поко́й; may he rest in ~! мир пра́ху его́! 3) (*обыкн.* P.) ми́рный догово́р 4) мир; ~ of the world мир во всём ми́ре; ~ with honour почётный мир; at ~ with в ми́ре с; to make ~ а) заключа́ть мир; б) мири́ть(ся); to make one's ~ with smb. мири́ться с кем-л. 5) *attr.* ми́рный; ~ treaty ми́рный догово́р; ~ movement движе́ние сторо́нников ми́ра; ~ campaigner боре́ц за мир, сторо́нник ми́ра; ~ establishment *воен.* шта́ты ми́рного вре́мени ◇ to be sworn of the ~ быть назна́ченным мировы́м судьёй; commission of the ~ а) пате́нт за зва́ние мирово́го судьи́; б) колле́гия мировы́х су́дей

peaceable ['pi:səbl] *a* миролюби́вый, ми́рный

Peace Corps ['pi:skɔ:] *n амер.* «Ко́рпус ми́ра» (*организация, посылающая молодых добровольцев в развивающиеся страны*)

peaceful ['pi:sfl] *a* ми́рный, споко́йный; ~ way ми́рный путь

peacelover ['pi:slʌvə] *n* сторо́нник ми́ра

peace-loving ['pi:slʌvɪŋ] *a* миролюби́вый

peacemaker ['pi:smeɪkə] *n* 1) примири́тель, миротво́рец 2) *шутл.* револьве́р 3) *шутл.* вое́нное су́дно *и т. п.*

peace-minded ['pi:smaɪndɪd] *a* миролюби́вый

peacenik ['pi:snɪk] *n амер. sl.* проти́вник войны́ (*особ. во Вьетнаме*)

peace offering ['pi:s,ɒfərɪŋ] *n* 1) умилостиви́тельная же́ртва 2) искупи́тельная же́ртва

peace-officer ['pi:s,ɒfɪsə] *n* блюсти́тель поря́дка (*полицейский, шериф*)

peace pipe ['pi:spaɪp] *n* тру́бка ми́ра

peacetime ['pi:staɪm] *n* 1) ми́рное вре́мя 2) *attr.* относя́щийся к ми́рному вре́мени; ми́рного вре́мени; ~ industries гражда́нские о́трасли промы́шленности; ~ strength чи́сленность а́рмии ми́рного вре́мени

peach I [pi:tʃ] *n* 1) пе́рсик 2) пе́рсиковое де́рево 3) пе́рсиковый цвет 4) *разг.* «пе́рвый сорт» 5) *разг.* красо́тка 6) *attr.* пе́рсиковый

peach II [pi:tʃ] *v разг.* я́бедничать, доноси́ть (against, on, upon — на *сообщника*)

peach-coloured ['pi:tʃ,kʌləd] *a* пе́рсикового цве́та

pea-chick ['pi:tʃɪk] *n* молодо́й павли́н *или* -а́я па́ва

peach stone ['pi:tʃstəʊn] *n мин.* хлори́товый сла́нец

peach-tree ['pi:tʃtri:] *n* пе́рсиковое де́рево

peachy ['pi:tʃɪ] *a* 1) пе́рсиковый, похо́жий на пе́рсик 2) *разг.* прия́тный, превосхо́дный, отли́чный

pea coal ['pi:kəʊl] *n* «горо́шек» (*вид антрацита*)

pea coat ['pi:kəʊt] = pea jacket

peacock ['pi:kɒk] 1. *n* 1) павли́н 2) *attr.* павли́ний ◇ proud as a ~ спеси́вый; ва́жный как павли́н

2. *v* 1) ва́жничать, чва́ниться; задава́ться 2) ва́жно расха́живать; пози́ровать

peacock blue [,pi:kɒk'blu:] *n* перели́вчатый си́ний цвет

peacockery [pi:'kɒkərɪ] *n* чва́нство; позёрство

peafowl ['pi:faʊl] *n* павли́н; па́ва

peahen ['pi:hen] *n* па́ва

pea jacket ['pi:,dʒækɪt] *n мор.* бушла́т

peak I [pi:k] *n* 1) пик; остроконе́чная верши́на; остриё 2) козырёк (*кепки, фуражки*) 3) ко́нчик (*бороды*) 4) *мор.* концево́й отсе́к; за́дний нок-бе́нзельный у́гол (*паруса*) 5) гре́бень (*волны*) 6) вы́сшая то́чка, ма́ксимум; кульминацио́нный пункт 7) верши́на (*кривой*) 8) *тех.* ма́ксимум (*нагрузки*) ◇ ~ hour час пик

peak II [pi:k] *v* 1) *мор.* отопи́ть (*рей*) 2) брать «на валёк» (*вёсла*) 3) поднима́ть хвост пря́мо вверх (*о ките*)

peak III [pi:k] *v* ча́хнуть, слабе́ть; to ~ and pine ча́хнуть и томи́ться

peaked I [pi:kt] *a* остроконе́чный; ~ cap фура́жка, ке́пка

peaked II [pi:kt] 1. *p. p. от* peak III
2. *a* осу́нувшийся, измождённый

peaked III [pi:kt] *p. p. от* peak II

peaky I ['pi:kɪ] = peaked I

peaky II ['pi:kɪ] *a* 1) = peaked II, 2; 2) бле́дный, бледноли́цый

peal [pi:l] 1. *n* 1) звон колоколо́в; трезво́н 2) подбо́р колоколо́в 3) раска́т (*грома*); гро́хот (*орудий*); ~ of laughter взрыв сме́ха

2. *v* 1) раздава́ться, греме́ть, трезво́нить 2) возвеща́ть трезво́ном (*часто* ~ out); to ~ smb.'s fame труби́ть о чьей-л. сла́ве

peanut ['pi:nʌt] *n* 1) ара́хис, земляно́й оре́х 2) *pl разг.* гроши́, бесце́нок; to get smth. for ~s купи́ть что-л. за бесце́нок 3) *attr.* ара́хисовый ◇ it is not ~s э́то не ме́лочь; ~ politician *амер.* ме́лкий, прода́жный политика́н

pear [peə] *n* 1) гру́ша 2) гру́шевое де́рево

pearl [pɜ:l] **1.** *n* 1) же́мчуг; Venetian ~ иску́сственный же́мчуг 2) *pl* жемчу́жное ожере́лье 3) перламу́тр 4) жемчу́жина, перл 5) ка́пля росы́; слеза́ 6) крупи́нка, зёрнышко 7) *полигр.* перл (*шрифт в 5 пунктов*) 8) *attr.* жемчу́жный; перламу́тровый ◇ to cast ~s before swine мета́ть би́сер пе́ред сви́ньями

2. *v* 1) *поэт.* осыпа́ть, украша́ть жемчу́жными ка́плями; ~ed with dew покры́тый жемчу́жными ка́плями росы́ 2) *поэт.* окра́шивать в перламу́тровые, жемчу́жные тона́ 3) ру́шить (*ячмень и т. п.*) 4) добыва́ть же́мчуг 5) *поэт.* выступа́ть жемчу́жными ка́плями 6) де́лать похо́жим на же́мчуг ▭ ~ off отсе́ивать

pearl-ash ['pɜ:læʃ] = potash

pearl barley ['pɜ:lbɑ:lɪ] *n* перло́вая крупа́

pearl button ['pɜ:lbʌtn] *n* перламу́тровая пу́говица

pearl diver ['pɜ:ldaɪvə] *n* иска́тель, лове́ц же́мчуга; водола́з, добыва́ющий же́мчуг

pearler ['pɜ:lə] = pearl fisher

pearl fisher ['pɜ:lfɪʃə] *n* лове́ц же́мчуга

pearl fishery ['pɜ:l,fɪʃərɪ] *n* добыва́ние же́мчуга

pearl oyster ['pɜ:lɔɪstə] *n* жемчу́жница (*моллюск*)

pearl-powder ['pɜ:lpaʊdə] *n* жемчу́жные бели́ла (*косметика*)

pearl sago ['pɜ:lseɪgəʊ] *n* са́го (*крупа*)

pearl shell ['pɜ:lʃel] *n* жемчу́жная ра́ковина

pearl type ['pɜ:ltaɪp] = pearl 1, 7)

pearl-white ['pɜ:lwaɪt] = pearl-powder

pearly ['pɜ:lɪ] *a* 1) жемчу́жный; похо́жий на же́мчуг 2) жемчу́жного цве́та 3) укра́шенный же́мчугом

pear-shaped ['peəʃeɪpt] *a* грушеви́дный

peart [pɪət] *a амер.* в хоро́шем расположе́нии ду́ха, весёлый, оживлённый

pear-tree ['peətri:] *n* гру́шевое де́рево

peasant ['peznt] *n* 1) крестья́нин 2) *attr.* крестья́нский, се́льский; ~ woman крестья́нка

peasantry ['pezntrɪ] *n* крестья́нство

pease [pi:z] *уст. pl от* pea

peashooter ['pi:ʃu:tə] *n* игру́шечное (духово́е) ружьё

pea soup [,pi:'su:p] *n* горо́ховый суп

pea-souper [,pi:'su:pə] *n разг.* густо́й жёлтый тума́н

pea-soupy [,pi:'su:pɪ] *a разг.* густо́й и жёлтый (*о тумане*)

peat [pi:t] *n* 1) торф 2) брике́т то́рфа 3) *attr.* торфяно́й

peatbog ['pi:tbɒg] *n* торфя́ни́к, торфяно́е боло́то

peat coal ['pi:tkəʊl] *n* торфяно́й у́голь

peatery ['pi:tərɪ] *n* торфя́ни́к

peatman ['pi:tmən] *n* 1) рабо́чий-торфя́ни́к 2) продаве́ц то́рфа

peatmoss ['pi:tmɒs] *n* торфяно́й мох, сфа́гнум

peaty ['pi:tɪ] *a* торфяно́й; похо́жий на торф

pebble ['pebl] **1.** *n* 1) голы́ш, га́лька 2) го́рный хруста́ль, употребля́емый для очко́в 3) ли́нза из го́рного хрусталя́ ◇ not the only ~ on the beach ≅ на нём, на ней *и т. п.* свет кли́ном не сошёлся

2. *v* мости́ть булы́жником; посыпа́ть га́лькой

pebblestone ['peblstəʊn] = pebble 1, 1)

pebbly ['peblɪ] *a* покры́тый га́лькой

pecan [pɪ'kæn] *n бот.* оре́х пека́н

peccability [,pekə'bɪlətɪ] *n* гре́шность, грехо́вность

peccable ['pekəbl] *a* гре́шный, грехо́вный

peccadillo [,pekə'dɪləʊ] *n* (*pl* -oes, -os [-əʊz]) грешо́к; пустя́чный просту́пок

peccancy ['pekənsɪ] *n* 1) гре́шность, грехо́вность 2) грех, прегреше́ние; просту́пок

peccant ['pekənt] *a книжн.* 1) гре́шный, грехо́вный 2) вызыва́ющий боле́знь; нездоро́вый, вре́дный 3) непра́вильный; the ~ string детони́рующая струна́

peccary ['pekərɪ] *n* пе́кари (*разновидность американской дикой свиньи*)

peck I [pek] *n* ме́ра сыпу́чих тел (= $^1/_4$ *бушеля или 9,08 л*) ◇ a ~ of smth. большо́е коли́чество чего́-л.; a ~ of troubles ма́сса неприя́тностей

peck II [pek] **1.** *n* 1) клево́к 2) торопли́вый *или* небре́жный поцелу́й 3) *sl.* пи́ща, еда́

2. *v* 1) клева́ть (at), долби́ть клю́вом; to ~ a hole продолби́ть ды́рку 2) чмо́кнуть 3) *разг.* отщи́пывать (*пищу*); ма́ло есть 4) копа́ть кирко́й (*обыкн.* ~ up, ~ down)

pecker ['pekə] *n* 1) пти́ца, кото́рая долби́т (*обыкн. в сложных словах, напр.*: wood-~ дя́тел) 2) *амер. груб.* член ◇ keep your ~ up! не ве́шай но́са!

peckish ['pekɪʃ] *a разг.* 1) голо́дный; to feel ~ проголода́ться 2) *амер.* раздража́тельный

Pecksniff ['peksnɪf] *n* еле́йный лицеме́р (*по имени персонажа из романа Диккенса «Мартин Чезлвит»*)

pectin ['pektɪn] *n хим.* пекти́н

pectinate, pectinated ['pektɪnɪt, 'pektɪneɪtɪd] *a бот., зоол.* гребе́нчатый

pectoral ['pektərəl] **1.** *n* 1) *pl* грудны́е плавники́ 2) нагру́дное украше́ние

2. *a* 1) грудно́й; относя́щийся к грудно́й кле́тке 2) де́йствующий на о́рганы грудно́й кле́тки 3) нагру́дный; *церк.* напе́рсный 4) иду́щий от души́; субъекти́вный, вну́тренний

peculate ['pekjʊleɪt] *v* присва́ивать, растра́чивать обще́ственные де́ньги

peculation [,pekjʊ'leɪʃn] *n* растра́та, казнокра́дство

peculator ['pekjʊleɪtə] *n* растра́тчик, казнокра́д, расхити́тель

peculiar [pɪ'kju:lɪə] **1.** *a* 1) стра́нный, эксцентри́чный; he has ~ ways он со стра́нностями 2) принадлежа́щий *или* сво́йственный исключи́тельно (to — *кому-л., чему-л.*); ли́чный, со́бственный; индивидуа́льный; my own ~ property моё ли́чное иму́щество 3) специфи́ческий; осо́бенный, своеобра́зный; необы́чный; a point of ~ interest моме́нт, представля́ющий осо́бый интере́с; ~ properties осо́бенности ◇ P. People *рел.* «и́збранный наро́д»

2. *n* 1) ли́чная со́бственность 2) осо́бая привиле́гия

peculiarity [pɪ,kju:lɪ'ærətɪ] *n* 1) стра́нность 2) ли́чное ка́чество; сво́йство; хара́ктерная черта́ 3) специфи́чность; осо́бенность

peculiarly [pɪ'kju:lɪəlɪ] *adv* 1) осо́бенно; бо́льше обы́чного 2) стра́нно 3) ли́чно; he is ~ interested in that affair он ли́чно заинтересо́ван в э́том де́ле

pecuniary [pɪ'kju:nɪərɪ] *a* 1) де́нежный; ~ aid де́нежная по́мощь 2) пресле́дующий материа́льные интере́сы; и́щущий вы́годы 3) облага́емый штра́фом

pedagogic(al) [,pedə'gɒdʒɪk(l)] *a* педагоги́ческий

pedagogics [,pedə'gɒdʒɪks] *n pl* (*употр. как sing*) педаго́гика

pedagogue ['pedəgɒg] *n уст., пренебр.* 1) учи́тель, педаго́г 2) педа́нт

pedagogy ['pedəgɒdʒɪ] *n* педаго́гика

pedal ['pedl] **1.** *n* педа́ль; ножно́й ры́ча́г

2. *a* 1) педа́льный 2) *анат., зоол.* ножно́й

3. *v* 1) нажима́ть педа́ли, рабо́тать педа́лями 2) е́хать на велосипе́де

pedant ['pednt] *n* 1) педа́нт 2) доктринёр

pedantic [pɪ'dæntɪk] *a* педанти́чный

pedantry ['pedntrɪ] *n* педанти́чность, педанти́зм

peddle ['pedl] *v* 1) торгова́ть вразно́с 2) подде́рживать (*идеи*), пропове́довать (*образ жизни и т. п.*) 3) продава́ть нелега́льно (*наркотики*) 4) занима́ться пустя́ками, разме́ниваться на ме́лочи

peddler ['pedlə] *n* 1) нелега́льный торго́вец нарко́тиками 2) *амер.* = pedlar

peddlery ['pedlərɪ] = pedlary

peddling ['pedlɪŋ] **1.** *pres. p. от* peddle

2. *n* мелочна́я торго́вля

3. *a* 1) ме́лочный 2) пустяко́вый, несуще́ственный

pederast ['pedəræst] *n* педера́ст

pederasty ['pedəræstɪ] *n* педера́стия

pedestal ['pedɪstl] **1.** *n* 1) пьедеста́л, подно́жие, подста́вка, цо́коль 2) основа́ние, ба́за (*колонны*) 3) ту́мба у письменного стола́ ◇ to put (*или* to set) smb. on a ~ возводи́ть кого́-л. на пьедеста́л, превозноси́ть, возвели́чивать кого́-л.

2. *v* ста́вить, водружа́ть на пьедеста́л

pedestrian [pə'destrɪən] **1.** *a* 1) прозаи́ческий, ску́чный 2) пе́ший, пешехо́дный; ~ crossing ме́сто перехо́да пешехо́дов че́рез у́лицу

2. *n* 1) пешехо́д 2) уча́стник соревнова́ний по спорти́вной ходьбе́

pediatrics [ˌpi:dɪ'ætrɪks] *амер.* = paediatrics

pedicel ['pedɪsəl] *n бот.* стебелёк, (цвето)но́жка

pedicellate ['pedɪsəleɪt] *a бот.* стебелько́вый, стеблево́й

pedicle ['pedɪkl] = pedicel

pedicular [pɪ'dɪkjʊlə] *a* вши́вый

pediculous [pɪ'dɪkjʊləs] = pedicular

pedicure ['pedɪkjʊə] **1.** *n* 1) педикю́р 2) педикю́рша

2. *v* де́лать педикю́р

pedigree ['pedɪgri:] *n* 1) родосло́вная, генеало́гия 2) *attr.* племенно́й (*о скоте*) 3) происхожде́ние; этимоло́гия (*слова*) 4) *разг.* «исто́рия жи́зни» (*человека, предмета, идеи и т. п.*)

pedigreed ['pedɪgri:d] *a* поро́дистый

pediment ['pedɪmənt] *n архит.* фронто́н

pedlar ['pedlə] *n* 1) коробе́йник, разно́счик 2) разно́счик сплётен, сплётник ◇ ~'s French воровско́й жарго́н

pedlary ['pedlərɪ] *n* 1) торго́вля вразно́с 2) това́ры у́личного торго́вца; ме́лкий това́р

pedology I [pɪ'dɒlədʒɪ] = paedology

pedology II [pɪ'dɒlədʒɪ] *n* почвове́дение

pedometer [pɪ'dɒmɪtə] *n* шагоме́р

peduncle [pɪ'dʌŋkl] *n бот.* цветоно́жка; плодоно́жка

peduncular, pedunculate [pɪ'dʌŋkjʊlə, -lɪt] *a бот.* снабжённый но́жкой, стебелько́м

pee [pi:] *разг.* **1.** *n* 1) мочеиспуска́ние 2) моча́

2. *v* 1) мочи́ться 2) испуска́ть мочу́, мочи́ться кро́вью *и т. п.*

peek [pi:k] **1.** *n* взгляд укра́дкой; бы́стрый взгляд

2. *v* загля́дывать (*обыкн.* ~ in); выгля́дывать (*обыкн.* ~ out)

peekaboo [ˌpi:kə'bu:] *n* «ку-ку́» (*игра в прятки с ребёнком*)

peel I [pi:l] **1.** *n* ко́рка, ко́жица, шелуха́

2. *v* 1) снима́ть ко́рку, ко́жицу, шелуху́; очища́ть (*фрукты, овощи*) 2) шелуши́ться, лупи́ться, сходи́ть (*о коже; тж.* ~ off) 3) *разг.* раздева́ть(ся)

peel II [pi:l] *n ист.* четырёхуго́льная ба́шня на грани́це А́нглии и Шотла́ндии

peel III [pi:l] *n* пе́карская лопа́та

peeler I ['pi:lə] *n* инструме́нт *или* маши́на для удале́ния шелухи́, коры́ *и т. п.*; шелуши́льная маши́на

peeler II ['pi:lə] *n уст. sl., диал.* полице́йский

peeling ['pi:lɪŋ] **1.** *pres. p. от* peel I, 2

2. *n* 1) ко́рка, ко́жа, шелуха́; potato ~s карто́фельные очи́стки 2) отсла́ивание

peep I [pi:p] **1.** *n* 1) взгляд укра́дкой; to get a ~ of уви́деть; to have (*или* to take) a ~ at smth. взгляну́ть на что-л. 2) пе́рвое появле́ние; про́блеск; ~ of day (*или* of dawn, of morning) рассве́т 3) сква́жина, щель ◇ without a ~ с ме́ста в карье́р, сра́зу же, с хо́ду

2. *v* 1) загля́дывать; смотре́ть прищу́рясь (at, into); смотре́ть сквозь ма́ленькое отве́рстие (through); подгля́дывать 2) прогля́дывать, появля́ться, выгля́дывать (*о солнце*) 3) проявля́ться (*о качестве и т. п.; часто* ~ out) □ ~ into загля́дывать, заходи́ть (*куда-л.*); ~ out выгля́дывать

peep II [pi:p] **1.** *n* писк; чири́канье

2. *v* чири́кать; пища́ть

peeper ['pi:pə] *n* 1) подсма́тривающий; соглята́тай 2) (*обыкн. pl*) *разг.* глаза́, гляде́лки 3) *амер. sl.* ча́стный детекти́в

peephole ['pi:phəʊl] *n* глазо́к; смотрово́е отве́рстие *или* -а́я щель

Peeping Tom ['pi:pɪŋtɒm] *n* 1) чрезме́рно любопы́тный челове́к 2) *воен. жарг.* радиолока́тор

peep show ['pi:pʃəʊ] *n* кинетоско́п

peer I [pɪə] **1.** *n* 1) пэр, лорд 2) ро́вня, ра́вный; you will not find his ~ вы не найдёте ра́вного ему́; without ~ несравне́нный; to be tried by one's ~s быть суди́мым ра́вными (себе́ по ра́нгу)

2. *v* де́лать пэ́ром

peer II [pɪə] *v* 1) вгля́дываться, всма́триваться (at, into, through) 2) пока́зываться, прогля́дывать, выгля́дывать (*о солнце*)

peerage ['pɪərɪdʒ] *n* 1) сосло́вие пэ́ров; знать 2) зва́ние пэ́ра 3) кни́га пэ́ров

peeress [ˌpɪər'es] *n* супру́га пэ́ра, ле́ди

peerless ['pɪələs] *a* несравне́нный, бесподо́бный

peeve [pi:v] *разг.* **1.** *n* 1) раздраже́ние, раздражённое состоя́ние 2) доса́да ◇ my pet ~ ≅ люби́мая мозо́ль, больно́е ме́сто

2. *v* (*обыкн. p. p.*) раздража́ть, надоеда́ть

peeved [pi:vd] **1.** *p. p. от* peeve 2

2. *a разг.* раздражённый

peevish ['pi:vɪʃ] *a* 1) сварли́вый, раздражи́тельный, брюзгли́вый 2) капри́зный, неужи́вчивый 3) свиде́тельствующий о дурно́м хара́ктере, настрое́нии *и т. п.* (*о замечании, взгляде и т. п.*)

peewit ['pi:wɪt] *n зоол.* чи́бис, пи́галица

peg [peg] **1.** *n* 1) ко́лышек; деревя́нный гвоздь 2) заты́чка, вту́лка (*бочки*) 3) коло́к (*музыкального инструмента*) 4) ве́шалка; крючо́к (*вешалки*) 5) *разг.* деревя́нная нога́ 6) *тех.* на́гель, шпи́лька, штифт, чека́ 7) джин с со́довой водо́й 8) *разг.* зуб 9) *разг.* нога́ ◇ a ~ to hang a thing on предло́г, заце́пка, те́ма (*для речи и т. п.*); to take smb. down a ~ or two осади́ть кого́-л., сбить спесь с кого́-л.; to come down a ~ сба́вить тон; a round ~ in a square hole, a square ~ in a round hole челове́к не на своём ме́сте; to buy (clothes) off the ~ покупа́ть гото́вое (пла́тье)

2. *v* 1) прикрепля́ть ко́лышком (*обыкн.* ~ down, ~ in, ~ out) 2) *бирж.* иску́сственно подде́рживать це́ну на одно́м у́ровне; охраня́ть от колеба́ний (*курс, цену*) 3) *разг.* швыря́ть, броса́ть 4) протыка́ть □ ~ at *разг.* це́литься во *что-л.*; броса́ть камня́ми в; ~ away упо́рно, насто́йчиво добива́ться; упо́рно рабо́тать, корпе́ть (at); ~ down а) свя́зывать, стесня́ть, ограни́чивать; б) закрепля́ть ко́лышками; ~ in(to) вбива́ть, вкола́чивать; ~ on = ~ away; ~ out а) *sl.* умере́ть; б) уби́ть шар (*в крокете в конце игры*); в) отмеча́ть ко́лышками (*участок*)

pegamoid ['pegəmɔɪd] *n* пегамо́ид (*искусственная кожа*)

Pegasus ['pegəsəs] *n* 1) *греч. миф.* Пега́с 2) поэти́ческое вдохнове́ние

pegging ['pegɪŋ] **1.** *pres. p. от* peg 2

2. *n* 1) ко́лья; материа́л для ко́льев 2) закрепле́ние ко́льями *или* ко́лышками 3): ~ of prices иску́сственное поддержа́ние цен на определённом у́ровне

pegmatite ['pegmətaɪt] *n мин.* пегмати́т

peg-top ['pegtɒp] *n* юла́, волчо́к (*игрушка*)

peignoir ['peɪnwɑ:] *n* пеньюа́р

pejorative [pɪ'dʒɒrətɪv] *a* уничижи́тельный

Pekinese, Pekingese I [ˌpi:kɪ'ni:z, ˌpi:kɪŋ'i:z] **1.** *a* пеки́нский

2. *n* жи́тель Пеки́на

Pekinese, Pekingese II [ˌpi:kɪ'ni:z, pi:kɪŋ'i:z] *n* кита́йский мопс, пекине́с (*порода собак*)

pekoe ['pi:kəʊ] *n* вы́сший сорт чёрного ча́я

pelage ['pelɪdʒ] *n* мех, шку́ра, шерсть (*животных*)

pelagian [pɪ'leɪdʒɪən] **1.** *a* пелаги́ческий, морско́й

2. *n* живо́тные и расте́ния, населя́ющие откры́тое мо́ре

pelagic [pə'lædʒɪk] *a* пелаги́ческий (*о фациях*), морско́й, океани́ческий; ~ sealing охо́та на тюле́ней в откры́том мо́ре

pelargonium [ˌpelə'gəʊnɪəm] *n бот.* пеларго́ния, гера́нь

pelerine ['peləri:n] *n* пелери́на

pelf [pelf] *n презр., шутл.* де́ньги, презре́нный мета́лл; бога́тство

pelican ['pelɪkən] *n зоол.* пелика́н ◇ ~ crossing пешехо́дный перехо́д, регули́руемый пешехо́дами

pelisse [pe'li:s] *n ист.* 1) дли́нная манти́лья; рото́нда 2) де́тское пальто́ 3) гуса́рский ме́нтик

pellagra [pə'lægrə] *n мед.* пелла́гра

pellet ['pelɪt] **1.** *n* 1) ша́рик, ка́тышек (*из бумаги, хлеба и т. п.*) 2) пилю́ля 3) дроби́нка; пу́лька

2. *v* обстре́ливать (*бумажными катышками и т. п.*)

pellicle ['pelɪkl] *n* ко́жица, плева́, плёнка

pell-mell [,pel'mel] 1. *n* пу́таница; меша́нина; неразбери́ха

2. *a* беспоря́дочный

3. *adv* 1) очертя́ го́лову 2) беспоря́дочно, впереме́шку, как попа́ло

pellucid [pe'lu:sɪd] *a* 1) прозра́чный 2) я́сный, поня́тный

pelt I [pelt] *n* 1) шку́ра; ко́жа 2) *шутл.* челове́ческая ко́жа

pelt II [pelt] 1. *n* 1) броса́ние, швыря́ние 2) си́льный уда́р 3) стук дождя́, гра́да ◇ at full ~ по́лным хо́дом

2. *v* 1) броса́ть (*в кого-л.*), забра́сывать (*камнями, грязью*); обстре́ливать 2) обру́шиться (*на кого-л. с упрёками и т. п.*) 3) колоти́ть, бараба́нить (*о граде и т. п.*); лить (*о дожде*) 4) спеши́ть; бро́ситься, ри́нуться

peltate ['pelteɪt] *a бот.* щитови́дный

pelting ['peltɪŋ] 1. *pres. p. om* pelt II, 2

2. *a* проливно́й; ~ rain проливно́й дождь

peltry ['peltrɪ] *n* 1) меха́, пушни́на 2) шку́рка пушно́го зве́ря

pelves ['pelvi:z] *pl om* pelvis

pelvic ['pelvɪk] *a анат.* та́зовый; ~ girdle та́зовый по́яс

pelvis ['pelvɪs] *n* (*pl* -ves) *анат.* 1) таз 2) по́чечная лоха́нка

Pembroke table [,pembrʊk'teɪbl] *n* раскладно́й стол

pemphigus ['pemfɪgəs] *n мед.* пузырча́тка, пе́мфигус

pen I [pen] 1. *n* 1) перо́ (*писчее*); ру́чка с перо́м; рейсфе́дер (*чертёжный*); ball point ~ ша́риковая ру́чка; fountain ~ автору́чка 2) литерату́рный труд; to live by one's ~ жить литерату́рным трудо́м; to put ~ to paper взя́ться за перо́, нача́ть писа́ть 3) литерату́рный стиль; fluent ~ бо́йкое перо́ 4) писа́тель; the best ~s of the day лу́чшие совреме́нные писа́тели

2. *v* 1) писа́ть перо́м 2) писа́ть, сочиня́ть

pen II [pen] 1. *n* 1) небольшо́й заго́н (*для скота, птицы*) 2) небольша́я огоро́женная площа́дка *и т. п.*; ~ for the accomodation of submarines *мор.* укры́тие для подво́дных ло́док 3) планта́ция, фе́рма (*на Ямайке*) 4) помеще́ние для аресто́ванных при полице́йском уча́стке

2. *v* (penned [-d], pent) 1) запира́ть, заключа́ть (*часто* ~ up, ~ in) 2) загоня́ть (*скот*)

pen III [pen] *n* са́мка ле́бедя

penal ['pi:nl] *a* 1) уголо́вный; кара́тельный; ~ servitude *ист.* ка́торжные рабо́ты 2) уголо́вно наказу́емый (*о преступлении*) 3) граби́тельский (*о налогах, сборах и т. п.*)

penalize ['pi:nəlaɪz] *v* 1) де́лать наказу́емым; нака́зывать; штрафова́ть 2) ста́вить в невы́годное положе́ние 3) *спорт.* штрафова́ть

penalty ['penltɪ] *n* 1) наказа́ние; взыска́ние; штраф; on (*или* under) ~ of под стра́хом (*такого-то наказания*) 2) распла́та 3) *спорт.* штраф, наказа́ние, пена́льти 4) *attr.* наказу́емый; ~ envelope *амер.* специа́льный конве́рт для прави́тельственной корреспонде́нции (*использование которого для других целей карается законом*) 5) *attr. спорт.* штрафно́й; ~ area штрафна́я площа́дка; ~ goal гол, заби́тый с пена́льти; ~ kick одиннадцатиметро́вый штрафно́й уда́р

penance ['penəns] 1. *n* 1) наказа́ние, ка́ра 2) *рел.* епитимья́

2. *v рел.* налага́ть епитимью́

pen and ink [,penən'ɪŋk] *n* 1) пи́сьменные принадле́жности 2) литерату́рная рабо́та 3) рису́нок перо́м

pen-and-ink [,penən'ɪŋk] *a* сде́ланный перо́м (*о рисунке*); напи́санный перо́м; пи́сьменный

penates [pe'nɑ:teɪz] *n pl римск. миф.* пена́ты

pence [pens] *pl om* penny 1)

penchant ['pɑ:ŋʃɑ:ŋ] *n* скло́нность (for — к *чему-л., кому-л.*); a slight ~ ма́ленькое увлече́ние

pencil ['pensl] 1. *n* 1) каранда́ш; in ~ (напи́санный) карандашо́м 2) кисть (*живописца*) 3) *опт.* (сходя́щийся) пучо́к луче́й 4) мане́ра, стиль (*живописца*)

2. *v* рисова́ть, писа́ть карандашо́м; вычё́рчивать

pencil case ['penslkeɪs] *n* пена́л

pencilled ['pensld] 1. *p. p. om* pencil 2

2. *a* 1) то́нко очё́рченный 2) подрисо́ванный, подведённый

pencil sharpener ['pensl,ʃɑ:pnə] *n* точи́лка для карандаше́й

pencraft ['penkrɑ:ft] *n* 1) иску́сство письма́ 2) литерату́рный стиль

pendant ['pendənt] 1. *n* 1) подве́ска; висю́лька; куло́н, брело́к 2) *архит.* орна́ментная отде́лка в ви́де подве́ски 3) *мор.* вы́мпел 4) *мор.* шке́нтель 5) па́ра (*к какому-л. предмету*), дополне́ние

2. *a* = pendent 2

pendency ['pendənsɪ] *n* состоя́ние неопределённости, нерешённость

pendent ['pendənt] 1. *n* = pendant 1

2. *a* 1) вися́чий, свиса́ющий; нависа́ющий 2) нерешённый, ожида́ющий реше́ния 3) *грам.* незако́нченный (*о предложении*)

pendente lite [pen,dentɪ'laɪtɪ] *лат. adv юр.* в проце́ссе рассмотре́ния де́ла

pending ['pendɪŋ] 1. *a* незако́нченный, ожида́ющий реше́ния; a suit was then ~ в то вре́мя шла тя́жба; patent ~ пате́нт зая́влен (*заявка на патент сделана*)

2. *prep* 1) в продолже́ние; в тече́ние; ~ these negotiations пока́ продолжа́ются э́ти перегово́ры 2) (вплоть) до; в ожида́нии; ~ the completion of the agreement до заключе́ния соглаше́ния; ~ his return в ожида́нии его́ возвраще́ния

pen-driver ['pen,draɪvə] *n презр.* клерк; канцеляри́ст; писа́ка

pendulous ['pendjʊləs] *a* 1) подвесно́й; вися́чий (*о гнезде, цветке*) 2) кача́ющийся

pendulum ['pendjʊləm] *n* 1) ма́ятник; the swing of the ~ а) кача́ние ма́ятника; б) чередова́ние стоя́щих у вла́сти полити́ческих па́ртий; the ~ of public opinion swung in his favour обще́ственное мне́ние измени́лось в его́ по́льзу; the ~ swung положе́ние измени́лось 2) неусто́йчивый челове́к *или* предме́т

Penelope [pə'neləpɪ] *n греч. миф.* Пенело́па; (*нарицательно тж.*) ве́рная жена́

peneplain ['pi:nɪpleɪn] *n геол.* пенепле́н, преде́льная равни́на

penes ['pi:ni:z] *pl om* penis

penetrability [,penətrə'bɪlətɪ] *n* проница́емость

penetrable ['penətrəbl] *a* проница́емый

penetralia [,penə'treɪlɪə] *n pl* святи́лище; тайники́

penetrate ['penətreɪt] *v* 1) проника́ть внутрь, проходи́ть сквозь, прони́зывать 2) входи́ть, проходи́ть (into, through, to) 3) пропи́тывать (*чем-л.*; with) 4) глубо́ко тро́гать; охва́тывать (with) 5) постига́ть, понима́ть; вника́ть (*во что-л.*)

penetrating ['penətreɪtɪŋ] 1. *pres. p. om* penetrate

2. *a* 1) прозорли́вый, с о́стрым умо́м 2) проница́тельный; о́стрый (*о взгляде и т. п.*) 3) пронзи́тельный, ре́зкий (*о звуке*) 4) проника́ющий

penetration [,penə'treɪʃn] *n* 1) проника́ние; проникнове́ние 2) проница́емость 3) проница́тельность; острота́ (*взгляда и т. п.*) 4) *тех.* глубина́ разруше́ния (*коррозией*); пробивна́я спосо́бность 5) *воен.* проры́в; вторже́ние

penetrative ['penətrətɪv] *a* 1) проника́ющий 2) пронзи́тельный, ре́зкий (*о звуке*) 3) проница́тельный

pen-feather ['penfeðə] *n* махово́е перо́

pen friend ['penfrend] *n* знако́мый *или* друг по перепи́ске

penguin ['peŋgwɪn] *n зоол.* пингви́н

penholder ['penhəʊldə] *n* ру́чка (*для пера*)

penicillin [,penə'sɪlɪn] *n фарм.* пенициллúн

peninsula [pə'nɪnsjʊlə] *n* полуо́стров; the P. Пирене́йский полуо́стров

peninsular [pə'nɪnsjʊlə] 1. *a* полуостровно́й

2. *n* жи́тель полуо́строва

penis ['pi:nɪs] *n* (*pl* penes) *анат.* пе́нис, мужско́й полово́й о́рган

penitence ['penɪtəns] *n* раска́яние, покая́ние

penitent ['penɪtənt] 1. *a* раска́ивающийся; ка́ющийся

2. *n* ка́ющийся гре́шник

penitential [,penɪ'tenʃl] *a* покая́нный

penitentiary [,penɪ'tenʃərɪ] 1. *n* 1) *амер.* исправи́тельный дом 2) *церк.* пенитенциа́рий

2. *a* 1) исправи́тельный 2) *юр.* пенитенциа́рный

penknife ['pennaɪf] *n* перочи́нный но́жик

penman ['penmən] *n* 1) каллигра́ф,

писéц; he is a good ~ у негó хорóший пóчерк 2) писáтель

penmanship [ˈpenmənʃɪp] *n* 1) каллигрáфия, чистописáние 2) пóчерк 3) стиль *или* манéра писáтеля

penmate [ˈpenmeɪt] *n* собрáт по перý

pen name [ˈpenneɪm] *n* литератýрный псевдони́м

pennant [ˈpenənt] *n* 1) = pennon 2) = pendant 1, 3); 3) *амер.* знáмя (*приз в состязании*)

pennies [ˈpenɪz] *pl от* penny

penniless [ˈpenɪləs] *a* 1) без грошá, бездéнежный 2) нуждáющийся; бéдный

pennon [ˈpenən] *n* флажóк (*часто с длинным узким полотнищем; иногда треугольной формы*); флаг; вы́мпел

penn'orth [ˈpenəθ] *разг. см.* pennyworth

penny [ˈpenɪ] *n* 1) (*pl* pence — *о денежной сумме, пишется слитно с числительным от* twopence *до* elevenpence; pennies — *об отдельных монетах*) пéнни, пенс (*условное обозначение после цифр* = d., *от* denarius, *напр.*, 6d шесть пéнсов) 2) (*pl* pennies) *амер. разг.* монéта в 1 цент ◇ to turn a useful ~ (by) неплóхо зарабáтывать (*чем-л.*); to turn an honest ~ а) чéстно зарабáтывать; б) подрабáтывать (*тж.* to turn a ~); not a ~ to bless oneself with ни грошá за душóй; pennies from heaven неожи́данная при́быль; the ~ drops *разг.* наконéц понятно, дошлó; not a ~ the worse ниско́лько не хýже; a ~ for your thoughts! о чём задýмались?; a ~ saved is a ~ gained *посл.* пéнни сбережённое — всё равнó, что пéнни зарабóтанное; a pretty ~ куш; a ~ soul never came to twopence *посл.* ≅ мéлочный человéк никогдá не дости́гнет успéха; in for a ~, in for a pound *посл.* ≅ назвáлся груздём — полезáй в кýзов

penny-a-line [ˌpenɪəˈlaɪn] *a* низкопрóбный (*о произведении*); халтýрный

penny-a-liner [ˌpenɪəˈlaɪnə] *n* наёмный писáка

penny dreadful [ˌpenɪˈdredfl] *n* низкопрóбный юмористи́ческий *или* приключéнческий ромáн в дешёвом издáнии

penny-in-the-slot (machine) [ˈpenɪɪn ðəslɒt(məˌʃi:n)] *n* автомáт для продáжи штýчных товáров (*в который опускают пенни*); торгóвый автомáт

penny post [ˈpenɪpəʊst] *n ист.* почтóвая оплáта в 1 пéнни

pennyroyal [ˌpenɪˈrɔɪəl] *n бот.* 1) мя́та болóтная 2) *амер.* блохóвник

pennyweight [ˈpenɪweɪt] *n* пéннивейт (*мера веса* = *1,555 г*)

penny wise [ˌpenɪˈwaɪz] *a* мéлочный ◇ ~ and pound foolish экономный в мелочáх и расточи́тельный в крýпном

pennywort [ˈpenɪwɜ:t] *n бот.* водолю́б; щитоли́стник

pennyworth, penny-worth [ˈpenəθ] *n* 1) коли́чество товáра, котóрое мóжно купи́ть на 1 пéнни 2) *attr.* грошóвый ◇ a good (bad) ~ вы́годная (невы́годная) сдéлка; not a ~ ни чýточки; to get one's ~ *разг.* а) получи́ть сполнá; б) получáть нагоня́й

penology [pi:ˈnɒlədʒɪ] *n* пенолóгия, наýка о наказáниях и тю́рьмах

pensée [pɑ:ŋˈseɪ] *фр. n* мáксима, изречéние; афори́зм

pensile [ˈpensaɪl] *a* 1) вися́чий (*о гнезде и т. п.*); свисáющий 2) стрóящий вися́чие гнёзда (*о птице*)

pension 1. *n* 1) [ˈpenʃn] пéнсия; посóбие 2) [ˈpɑ:ŋsjɔ:ŋ] пансиóн

2. *v* [ˈpenʃn] назначáть пéнсию; субсиди́ровать ▭ ~ off увольня́ть на пéнсию

pensionable [ˈpenʃnəbl] *a* 1) имéющий прáво на пéнсию 2) даю́щий прáво на пéнсию; ~ age пенсиóнный вóзраст

pensionary [ˈpenʃnərɪ] 1. *n* 1) пенсионéр 2) наёмник

2. *a* пенсиóнный

pensioner [ˈpenʃnə] *n* 1) пенсионéр 2) студéнт, оплáчивающий обучéние и содержáние (*в Кембриджском университете*) 3) *уст.* наёмник

pensive [ˈpensɪv] *a* 1) задýмчивый 2) печáльный

penstock [ˈpenstɒk] *n* 1) шлюз, шлю́зный затвóр 2) *тех.* напóрный трубопровóд; турби́нный водовóд

pen-swan [ˈpenswɒn] = pen III

pent [pent] 1. *past и p. p. от* pen II, 2

2. *a* заключённый, зáпертый

penta- [pentæ-] *pref* пяти-

pentachord [ˈpentəkɔ:d] *n муз.* пентахóрд

pentad [ˈpentæd] *n* 1) числó пять 2) грýппа из пяти́ 3) промежýток врéмени в пять дней *или* пять лет 4) *хим.* пятивалéнтный элемéнт

pentagon [ˈpentəgən] *n* 1) пятиугóльник 2) (the P.) Пентагóн, здáние министéрства оборóны США; министéрство оборóны США; *перен.* америкáнская воéнщина

pentagonal [penˈtægənl] *n* пятиугóльный

pentagram [ˈpentəgræm] *n* пентагрáмма

pentahedral [ˌpentəˈhi:drəl] *a геом.* пятигрáнный

pentahedron [ˌpentəˈhi:drən] *n геом.* пентáэдр, пятигрáнник

pentameter [penˈtæmɪtə] *n прос.* пентáметр

pentangular [penˈtæŋgjʊlə] *a* пятиугóльный

pentasyllable [ˌpentəˈsɪləbl] *n* пятислóжное слóво

Pentateuch [ˈpentətju:k] *n библ.* пятикни́жие

pentathlon [penˈtæθlən] *n спорт.* пятибóрье

Pentecost [ˈpentɪkɒst] *n церк.* пятидеся́тница, трóицын день

penthouse [ˈpenthaʊs] *n* 1) фешенéбельная кварти́ра на кры́ше небоскрёба 2) тент; навéс над дверя́ми

pentode [ˈpentəʊd] *n эл.* пятиэлектрóдная лáмпа, пентóд

pent-up [ˌpentˈʌp] *a* сдéрживаемый; ~ fury сдéрживаемый гнев

penult(imate) [pəˈnʌlt(ɪmət)] *грам.* 1. *a* предпослéдний

2. *n* предпослéдний слог

penumbra [pəˈnʌmbrə] *n* полутéнь, полусвéт

penurious [pəˈnjʊərɪəs] *a* 1) бéдный, скýдный 2) скупóй

penury [ˈpenjərɪ] *n* 1) бéдность, нуждá 2) недостáток, отсýтствие (of)

penwiper [ˈpenwɪpə] *n* перочи́стка

peon I [pju:n] *инд. n* 1) пехоти́нец 2) полицéйский 3) вестовóй

peon II [ˈpi:ən] *n* батрáк, подёнщик, пеóн (*в Южной Америке*)

peonage [ˈpi:ənɪdʒ] *n* подневóльный труд пеóнов; батрáчество; кабалá

peony [ˈpɪənɪ] *n бот.* пиóн

people [ˈpi:pl] 1. *n* 1) нарóд, нáция 2) (*употр. как pl*) лю́ди; населéние; жи́тели; young ~ молодёжь; country ~ деревéнские жи́тели; ~ say that говоря́т, что 3) (*употр. как pl*) сви́та; слýги; слýжащие, подчинённые 4) (*употр. как pl*) родны́е, рóдственники; роди́тели (*обыкн.* my ~, his ~ *и т. п.*) 5) (*употр. как pl*) прихожáне 6) (P.) *амер. юр.* общéственное обвинéние, госудáрство (*как обвиняющая сторона на процессе*)

2. *v* 1) заселя́ть, населя́ть 2) расти́ (*о населении*)

pep [pep] *разг.* 1. *n* бóдрость дýха, энéргия, жи́вость ◇ ~ talk крáткая бесéда, поднимáющая настроéние

2. *v* уси́ливать, подгоня́ть, оживля́ть, стимули́ровать, вселя́ть бóдрость дýха (*обыкн.* ~ up)

pepper [ˈpepə] 1. *n* 1) пéрец 2) острóтá; éдкость 3) вспы́льчивость 4) жи́вость; энéргия, темперáмент

2. *v* 1) пéрчи́ть 2) усыпáть, усéивать 3) осыпáть, забрáсывать (*камнями, вопросами и т. п.*) 4) брани́ть, распекáть; «задáть пéрцу»

pepper-and-salt [ˌpeprənˈsɔ:lt] 1. *n* крáпчатая шерстянáя матéрия

2. *a* 1) крáпчатый 2) с прóседью (*о волосах*)

pepperbox [ˈpepəbɒks] *n* 1) = pepper pot 2) *разг.* вспы́льчивый человéк

pepper-caster, pepper-castor [ˈpepəˌkɑ:stə] = pepper pot 1)

peppercorn [ˈpepəkɔ:n] *n* зёрнышко пéрца, перчи́нка ◇ ~ rent номинáльная арéндная плáта

peppermint [ˈpepəmɪnt] *n* 1) *бот.* пéречная мя́та 2) мя́тная лепёшка

pepper pot [ˈpepəpɒt] *n* 1) пéречница 2) вест-и́ндское пря́ное кýшанье из мя́са *или* ры́бы и óвощей

peppery [ˈpepərɪ] *a* 1) напéрченный, напéрчённый; óстрый, éдкий 2) вспы́льчивый, раздражи́тельный

peppy [ˈpepɪ] *a разг.* энерги́чный; бóдрый, живóй; в хорóшем настроéнии

pepsin [ˈpepsɪn] *n физиол.* пепси́н

peptic [ˈpeptɪk] 1. *a физиол.* 1) пищевари́тельный; ~ ulcer *мед.* я́зва желýдка и двенадцатипéрстной кишки́ 2) пепси́новый

2. *n pl шутл.* пищевари́тельные о́рганы

peptone ['peptəʊn] *n физиол.* пепто́н

per [pɜ:] *prep* 1) по, че́рез, посре́дством; ~ post (rail, steamer, carrier) по по́чте (по желе́зной доро́ге, парохо́дом, че́рез посы́льного) 2) согла́сно (*обыкн.* as ~); as ~ usual *шутл.* по обыкнове́нию 3) за, на, в, с (*ка́ждого*); 60 miles ~ hour 60 миль в час; a shilling ~ man по ши́ллингу с челове́ка; how much are eggs ~ dozen? почём дю́жина яи́ц? 4) *в лати́нских выраже́ниях*: ~ capita [pə'kæpɪtə] на челове́ка, на ду́шу; за ка́ждого; ~ contra [pə'kɒntrə] на друго́й стороне́ счёта; с друго́й стороны́; ~ diem [pə'di:em] в день; ~ annum [pər'ænəm] в год, ежего́дно; ~ mensem [pə'mensəm] в ме́сяц; ~ saltum [pə'sæltəm] сра́зу, одни́м ма́хом

perambulate [pə'ræmbjʊleɪt] *v* 1) ходи́ть взад и вперёд, расха́живать 2) обходи́ть грани́цы (*владе́ний и т. п.*); объезжа́ть (*террито́рию с це́лью прове́рки, инспекти́рования и т. п.*) 3) ката́ть коля́ску 4) е́хать в де́тской коля́ске

perambulation [pə,ræmbjʊ'leɪʃn] *n* 1) ходьба́, прогу́лка 2) обхо́д (*осо́б. грани́ц*); пое́здка с це́лью осмо́тра и инспекти́рования

perambulator [pə'ræmbjʊleɪtə] *n* де́тская коля́ска

percale [pə'keɪl] *n текст.* перка́ль

perceive [pə'si:v] *v* 1) воспринима́ть, понима́ть, осознава́ть; постига́ть 2) ощуща́ть; чу́вствовать, различа́ть

per cent [pə'sent] *n* проце́нт, на со́тню, %; three ~ три проце́нта

percentage [pə'sentɪdʒ] *n* 1) проце́нт; проце́нтное отноше́ние; проце́нтное содержа́ние; проце́нтное отчисле́ние 2) *разг.* часть, до́ля; коли́чество

percentagewise [pə'sentɪdʒwaɪz] *adv* в проце́нтном отноше́нии

percept ['pɜ:sept] *n филос.* объе́кт *или* результа́т перце́пции

perceptibility [pə,septə'bɪlətɪ] *n* ощути́мость, воспринима́емость

perceptible [pə'septəbl] *a* ощути́мый, заме́тный; различи́мый, воспринима́емый

perception [pə'sepʃn] *n* 1) восприя́тие, ощуще́ние 2) осозна́ние, понима́ние 3) *филос.* перце́пция 4) *юр.* завладе́ние, получе́ние

perceptional [pə'sepʃnl] *a филос.* перцепцио́нный

perceptive [pə'septɪv] *a* воспринима́ющий, восприи́мчивый

perceptivity [,pɜ:sep'tɪvətɪ] *n* восприи́мчивость; поня́тливость

perch I [pɜ:tʃ] **1.** *n* 1) жердь, шест, ве́ха 2) насе́ст 3) высо́кое *или* про́чное положе́ние 4) дрога́ (*в теле́ге*) 5) ме́ра длины́ (= *5,03 м*); square ~ ме́ра пло́щади (= *25,3 м²*) 6) *архит.* карни́з, вы́ступ ◇ come off your ~ не задира́йте но́са; to hop the ~ умере́ть; to knock a person off his ~ а) нанести́ пораже́ние кому́-л.; б) погуби́ть кого́-л.; в) сбить спесь с кого́-л.

2. *v* 1) сади́ться (*о пти́це*) 2) усе́сться, взгромозди́ться; опере́ться (*обо что-л.*) 3) сажа́ть на насе́ст 4) (*обыкн. p. p.*) помеща́ть высоко́; town ~ed on a hill го́род, располо́женный на холме́

perch II [pɜ:tʃ] *n* о́кунь

perchance [pə'tʃɑ:ns] *adv уст., поэт.* 1) случа́йно 2) быть мо́жет, возмо́жно

perchloric [pə'klɔ:rɪk] *a*: ~ acid *хим.* хло́рная кислота́

percipient [pə'sɪpɪənt] **1.** *a* воспринима́ющий, спосо́бный воспринима́ть

2. *n* 1) челове́к, спосо́бный легко́ воспринима́ть 2) перципие́нт (*в телепа́тии*)

percolate ['pɜ:kəleɪt] *v* 1) проце́живать, фильтрова́ть; перколи́ровать 2) проса́чиваться, проника́ть сквозь

percolation [,pɜ:kə'leɪʃn] *n* 1) проце́живание, фильтрова́ние 2) проса́чивание

percolator ['pɜ:kəleɪtə] *n* 1) проце́живатель; фильтрова́льная маши́на; фильтр 2) си́течко в кофе́йнике 3) кофе́йник с си́течком, перколя́тор

percuss [pə'kʌs] *v мед.* высту́кивать

percussion [pə'kʌʃn] *n* 1) *собир. муз.* уда́рные инструме́нты 2) *мед.* высту́кивание, перку́ссия 3) столкнове́ние (*двух тел*), уда́р; сотрясе́ние 4) *attr.* уда́рный; взрывно́й; ~ action уда́рное де́йствие (*снаряда*); ~ cap писто́н, уда́рный ка́псюль; ~ fuze взрыва́тель уда́рного де́йствия; ~ instrument *муз.* уда́рный инструме́нт

percussive [pə'kʌsɪv] *a* уда́рный

percutaneous [,pɜ:kjʊ'teɪnɪəs] *a* подко́жный (*о впры́скивании и т. п.*)

perdition [pə'dɪʃn] *n* 1) ги́бель; поги́бель 2) *рел.* ве́чные му́ки 3) прокля́тие

perdu(e) [pɜ:'dju:] *a predic.* притаи́вшийся; to lie ~ а) *уст.* лежа́ть в заса́де; б) прита́иться; в) стара́ться не быть в це́нтре внима́ния

perdurable [pə'djʊərəbl] *a книжн.* постоя́нный; ве́чный; о́чень про́чный

peregrinate ['perəgrɪneɪt] *v уст., шутл.* путеше́ствовать, стра́нствовать

peregrination [,perəgrɪ'neɪʃn] *n уст., шутл.* путеше́ствие, стра́нствие

peregrin(e) ['perəgrɪn] **1.** *n зоол.* обыкнове́нный со́кол, сапса́н (*тж.* ~ falcon)

2. *a уст.* чужезе́мный; привезённый из-за грани́цы

peremptory [pə'remptrɪ] *a* 1) безапелляцио́нный, не допуска́ющий возраже́ния; безоговоро́чный 2) повели́тельный, вла́стный 3) догмати́ческий; доктринёрский 4) *юр.* императи́вный; абсолю́тный; оконча́тельный

perennial [pə'renɪəl] **1.** *a* 1) для́щийся кру́глый год 2) *бот.* многоле́тний 3) ве́чный, неувяда́емый; ~ problem иско́нная пробле́ма 4) не пересыха́ющий ле́том

2. *n бот.* многоле́тнее расте́ние

perennially [pə'renɪəlɪ] *adv* всегда́, ве́чно; постоя́нно

perestroika [,perə'strɔɪkə] *русск. n* перестро́йка

perfect **1.** *a* ['pɜ:fɪkt] 1) соверше́нный, идеа́льный, безупре́чный; безукори́зненный 2) то́чный; абсолю́тный, по́лный; ~ fifth *муз.* чи́стая кви́нта; ~ square то́чный квадра́т; a ~ stranger совсе́м чужо́й челове́к; in ~ sincerity вполне́ открове́нно, с по́лной открове́нностью; ~ competition *эк.* свобо́дная конкуре́нция 3) зако́нченный, це́льный 4) *грам.* перфе́ктный 5) хорошо́ подгото́вленный; дости́гший соверше́нства 6) настоя́щий, и́стинный

2. *n* ['pɜ:fɪkt] *грам.* перфе́кт

3. *v* [pə'fekt] 1) соверше́нствовать; улучша́ть 2) заверша́ть, зака́нчивать, выполня́ть

perfectibility [pə,fektɪ'bɪlətɪ] *n* спосо́бность к соверше́нствованию

perfectible [pə'fektəbl] *a* спосо́бный к соверше́нствованию

perfection [pə'fekʃn] *n* 1) соверше́нство, безупре́чность; to ~ в соверше́нстве 2) вы́сшая ступе́нь, верх (*чего-л.*; of) 3) зако́нченность 4) заверше́ние 5) соверше́нствование

perfectionism [pə'fekʃnɪzəm] *n* 1) стремле́ние добива́ться соверше́нства во всём 2) *филос.* ве́ра в достижи́мость мора́льного *или* религио́зного соверше́нства

perfectly ['pɜ:fɪktlɪ] *adv* 1) соверше́нно, вполне́ 2) отли́чно; ~ well отли́чно

perfidious [pə'fɪdɪəs] *a* вероло́мный, преда́тельский

perfidy ['pɜ:fədɪ] *n* вероло́мство, изме́на, преда́тельство

perforate ['pɜ:fəreɪt] *v* 1) просве́рливать *или* пробива́ть отве́рстия, перфори́ровать, пробура́вливать 2) проника́ть (into, through)

perforated ['pɜ:fəreɪtɪd] **1.** *p. p. от* perforate

2. *a* перфори́рованный, продыря́вленный, просверлённый

perforation [,pɜ:fə'reɪʃn] *n* 1) перфора́ция, просве́рливание, пробива́ние отве́рстий, пробура́вливание 2) отве́рстие 3) *мед.* прободе́ние, перфора́ция

perforator ['pɜ:fəreɪtə] *n* 1) перфора́тор; бура́в, сверло́ 2) сверли́льный стано́к 3) дыропробивно́й стано́к

perforce [pə'fɔ:s] *уст.* **1.** *adv* по необходи́мости, во́лей-нево́лей

2. *n*: of (*или* by) ~ по необходи́мости

perform [pə'fɔ:m] *v* 1) исполня́ть, выполня́ть (*обеща́ние, приказа́ние и т. п.*); соверша́ть 2) представля́ть; игра́ть, исполня́ть (*пье́су, роль и т. п.*) 3) де́лать трю́ки (*о дрессиро́ванных живо́тных*) 4) *спорт.* выступа́ть

performance [pə'fɔ:məns] *n* 1) исполне́ние, выполне́ние; сверше́ние 2) де́йствие; посту́пок; по́двиг 3) *театр.* представле́ние; спекта́кль 4) *разг.* «сце́на», «спекта́кль», рабо́та на пу́блику 5) *тех.* характери́стика (*рабо́ты маши́ны и т. п.*); эксплуатацио́нные ка́чества 6) *тех.* производи́тельность; коэффицие́нт полёзного действия 7) *ав.* лётные данные, лётные качества 8) трюки

performer [pəˈfɔ:mə] *n* исполнитель

performing [pəˈfɔ:mɪŋ] **1.** *pres. p. от* perform

2. *a* 1) исполнительский; ~ arts исполнительские виды искусства (*музыка, театр и т. п.*) 2) дрессированный, учёный (*о животном*)

perfume [ˈpɜ:fju:m] **1.** *n* 1) благоухание, аромат; запах 2) духи

2. *v* душить (*духами и т. п.*); делать благоуханным

perfumed [ˈpɜ:fju:md] **1.** *p. p. от* perfume 2

2. *a* 1) надушенный 2) душистый; благоуханный

perfumer [pəˈfju:mə] *n* парфюмер

perfumery [pəˈfju:mərɪ] *n* парфюмерия

perfunctory [pəˈfʌŋktrɪ] *a* поверхностный, невнимательный, небрежный, формальный; ~ inspection поверхностный, беглый осмотр; in a ~ manner небрежно

perfuse [pəˈfju:z] *v* 1) обрызгивать (with) 2) заливать (*светом и т. п.*)

pergameneous [ˌpɜ:gəˈmi:nɪəs] *a* пергаментный

pergola [ˈpɜ:gələ] *n* беседка *или* крытая аллея из вьющихся растений

perhaps [pəˈhæps, pərˈæps, præps] *adv* может быть, возможно

peri [ˈpɪərɪ] *n* 1) *миф.* пери 2) красавица

perianth [ˈperɪænθ] *n бот.* околоцветник

periapt [ˈperɪæpt] *n* амулет

pericardia [ˌperɪˈkɑ:dɪə] *pl от* pericardium

pericarditis [ˌperɪkɑ:ˈdaɪtɪs] *n мед.* перикардит

pericardium [ˌperɪˈkɑ:dɪəm] *n* (*pl* -dia) *анат.* околосердечная сумка, перикард(ий)

pericarp [ˈperɪkɑ:p] *n бот.* перикарпий, околоплодник

pericrania [ˌperɪˈkreɪnɪə] *pl от* pericranium

pericranium [ˌperɪˈkreɪnɪəm] *n* (*pl* -nia) 1) *анат.* надкостница черепа 2) *шутл.* череп; мозг; ум

peridot [ˈperɪdɒt] *n мин.* перидот, оливин

perigee [ˈperɪdʒi:] *n астр.* перигей

perihelia [ˌperɪˈhi:lɪə] *pl от* perihelion

perihelion [ˌperɪˈhi:lɪən] *n* (*pl* -lia) *астр.* перигелий

peril [ˈperəl] **1.** *n* опасность; риск; at the ~ of one's life с опасностью для жизни; at one's ~ на свой собственный риск

2. *v* подвергать опасности

perilous [ˈperələs] *a* опасный, рискованный

perilune [ˈperɪlu:n] *n астр.* периселений

perimeter [pəˈrɪmɪtə] *n* 1) *геом.* периметр 2) внешняя граница лагеря *или* укрепления 3) *attr.* круговой

perimorph [ˈperɪmɔ:f] *n геол.* периморфоза

perinatal [ˌperɪˈneɪtl] *a мед.* перинатальный

perinea [ˌperɪˈni:ə] *pl от* perineum

perineum [ˌperɪˈni:əm] *n* (*pl* -nea) *анат.* промежность

period [ˈpɪərɪəd] **1.** *n* 1) период; промежуток времени; a ~ of years определённый период времени 2) время, эпоха; our own ~ наша эпоха, наше время; the girl of the ~ тип современной девушки 3) урок (*в школе*) 4) менструация 5) *грам.* период, большое сложное законченное предложение 6) *pl* риторическая речь 7) пауза в конце периода; точка; to put a ~ to smth. поставить точку; положить конец чему-л. 8) *мат., астр., геол.* период

2. *a* относящийся к определённому периоду (*о мебели, платье и т. п.*)

periodic I [ˌpɪərɪˈɒdɪk] *a* 1) периодический; ~ law периодический закон химических элементов Менделеева 2) циклический 3) риторический (*о стиле*)

periodic II [ˌpɜ:raɪˈɒdɪk] *a*: ~ acid *хим.* йодная кислота

periodical [ˌpɪərɪˈɒdɪkl] **1.** *a* периодический; появляющийся через определённые промежутки времени; выпускаемый через определённые промежутки времени

2. *n* периодическое издание, журнал

periodically [ˌpɪərɪˈɒdɪklɪ] *adv* 1) через определённые промежутки времени; периодически 2) время от времени

periodicity [ˌpɪərɪəˈdɪsətɪ] *n* 1) периодичность, частота 2) *физиол.* менструация

periostea [ˌperɪˈɒstɪə] *pl от* periosteum

periosteum [ˌperɪˈɒstɪəm] *n* (*pl* -tea) *анат.* надкостница

periostitis [ˌperɪɒsˈtaɪtɪs] *n мед.* периостит, воспаление надкостницы

peripatetic [ˌperɪpəˈtetɪk] **1.** *a* 1) внештатный (*об учителе, преподающем специальный предмет в нескольких школах*) 2) странствующий 3) (*обыкн.* P.) *филос.* аристотелевский, перипатетический

2. *n* 1) внештатный работник (*особ. учитель*) 2) *шутл.* странник; странствующий торговец 3) *филос.* перипатетик

peripeteia, peripetia [ˌperɪpəˈti:ə] *n* перипетия

peripheral [pəˈrɪfrəl] *a* 1) частный, второстепенный; ~ issue частный вопрос 2) периферийный, окружной; ~ speed окружная скорость 3) *тех.* подсобный, вспомогательный

periphery [pəˈrɪfərɪ] *n* 1) периферия, окружность 2) окраина

periphrases [pəˈrɪfrəsi:z] *pl от* periphrasis

periphrasis [pəˈrɪfrəsɪs] *n* (*pl* -ses) перифраз(а)

periphrastic [ˌperɪˈfræstɪk] *a* 1) изобилующий перифразами; околичный; иносказательный 2) *грам.*: ~ conjugation спряжение с помощью вспомогательного глагола

peripteral [pəˈrɪptərəl] *a* окружённый колоннами (*особ. об античном храме*)

periscope [ˈperɪskəʊp] *n* перископ

perish [ˈperɪʃ] *v* 1) погибать, умирать 2) портить(ся), терять свои качества (*о продуктах и т. п.*) 3) (*обыкн. pass.*) губить; изнурять; we were ~ed with hunger (cold *etc.*) мы страдали от голода (холода *и т. п.*)

perishable [ˈperɪʃəbl] **1.** *a* 1) скоропортящийся 2) тленный, бренный, непрочный

2. *n pl* скоропортящийся товар *или* груз

perisher [ˈperɪʃə] *n sl.* несносный тип, зануда

perishing [ˈperɪʃɪŋ] **1.** *pres. p. от* perish

2. *a разг.* 1) отъявленный 2) ужасный, сковывающий (*о холоде*); in ~ cold в ужасном холоде

peristalsis [ˌperɪˈstælsɪs] *n физиол.* перистальтика

peristaltic [ˌperɪˈstæltɪk] *a физиол.* перистальтический

peristyle [ˈperɪstaɪl] *n архит.* перистиль

periton(a)eum [ˌperɪtəʊˈni:əm] *n* (*pl* -nea) *анат.* брюшина

peritonea [ˌperɪtəʊˈni:ə] *pl от* periton(a)eum

peritoneal [ˌperɪtəʊˈni:əl] *a анат.* брюшинный

peritonitis [ˌperɪtəʊˈnaɪtɪs] *n мед.* воспаление брюшины, перитонит

periwig [ˈperɪwɪg] *n* парик

periwigged [ˈperɪwɪgd] *a* в парике, носящий парик

periwinkle I [ˈperɪwɪŋkl] *n бот.* барвинок малый

periwinkle II [ˈperɪwɪŋkl] *n зоол.* литорина (*моллюск*)

perjure [ˈpɜ:dʒə] *v refl. юр.* 1) лжесвидетельствовать 2) нарушать клятву

perjured [ˈpɜ:dʒəd] **1.** *p. p. от* perjure

2. *a* виновный в клятвопреступлении, клятвопреступный

perjurer [ˈpɜ:dʒərə] *n* клятвопреступник, лжесвидетель

perjury [ˈpɜ:dʒərɪ] *n юр.* 1) лжесвидетельство 2) нарушение клятвы

perk I [pɜ:k] *v* вскидывать голову с бойким *или* нахальным видом □ ~ up а) воспрянуть духом, оживиться; б) прихорашиваться; в) подаваться вперёд; г) задирать нос, задаваться

perk II [pɜ:k] *разг.* (*обыкн. pl*) *сокр. от* perquisite

perky [ˈpɜ:kɪ] *a* 1) дерзкий; самоуверенный, наглый 2) весёлый, бойкий

perlustrate [pɜ:ˈlʌstreɪt] *v* перлюстрировать

perm [pɜ:m] *n разг.* (*сокр. от* permanent wave) «перманент»

permafrost [ˈpɜ:məfrɒst] *n* вечная мерзлота

permalloy [ˈpɜ:məlɔɪ] *n метал.* пермаллой

permanence [ˈpɜ:mənəns] *n* неизме́нность, про́чность, постоя́нство

permanency [ˈpɜ:mənənsɪ] *n* 1) = permanence 2) постоя́нная рабо́та, постоя́нная организа́ция *и т. п.*

permanent [ˈpɜ:mənənt] *a* 1) постоя́нный, неизме́нный; долговре́менный; перманéнтный; P. Secretary непреме́нный секрета́рь; ~ wave зави́вка «перманéнт»; ~ way *ж.-д.* ве́рхнее строе́ние пути́; ~ teeth коренны́е зу́бы; ~ repair теку́щий ремо́нт 2) оста́точный; ~ set оста́точная деформа́ция

permanently [ˈpɜ:mənəntlɪ] *adv* постоя́нно, надо́лго, перманéнтно

permanganate [pəˈmæŋgəneɪt] *n хим.* перманганáт, соль марганцо́вой кислоты́

permanganic [ˌpɜ:mæŋˈgænɪk] *a хим.*: ~ acid марганцо́вая кислота́

permeability [ˌpɜ:mɪəˈbɪlətɪ] *n* проница́емость

permeable [ˈpɜ:mɪəbl] *a* проница́емый

permeance [ˈpɜ:mɪəns] *n эл.* магни́тная проводи́мость

permeate [ˈpɜ:mɪeɪt] *v* 1) проника́ть, проходи́ть сквозь, пропи́тывать 2) распространя́ться (among, through, into)

permeation [ˌpɜ:mɪˈeɪʃn] *n* проника́ние

Permian [ˈpɜ:mɪən] *a геол.* пе́рмский

permissibility [pəˌmɪsəˈbɪlətɪ] *n* позволи́тельность, допусти́мость

permissible [pəˈmɪsəbl] *a* позволи́тельный, допусти́мый

permission [pəˈmɪʃn] *n* позволе́ние, разреше́ние

permissive [pəˈmɪsɪv] *a* 1) снисходи́тельный, терпи́мый, либера́льный; не стро́гий в вопро́сах мора́ли, *особ.* полово́й 2) дозволя́ющий; позволя́ющий, разреша́ющий 3) рекоменду́ющий (но не предпи́сывающий в обяза́тельном поря́дке); факультати́вный, необяза́тельный

permissiveness [pəˈmɪsɪvnəs] *n* вседозво́ленность

permit 1. *n* [ˈpɜ:mɪt] 1) про́пуск 2) разреше́ние

2. *v* [pəˈmɪt] 1) позволя́ть, разреша́ть, дава́ть разреше́ние; I may be ~ted я позво́лю себе́, я беру́ на себя́ сме́лость 2) позволя́ть, дава́ть возмо́жность; the words hardly ~ doubt по́сле э́тих слов едва́ ли мо́жно сомнева́ться в том...; weather ~ting е́сли пого́да бу́дет благоприя́тствовать 3) допуска́ть (of)

permittance [pəˈmɪtəns] *n* 1) *уст.* разреше́ние, позволе́ние 2) электри́ческая ёмкость

permittivity [ˌpɜ:mɪˈtɪvətɪ] *n эл.* 1) диэлектри́ческая постоя́нная; диэлектри́ческая проница́емость 2) уде́льная ёмкость

permutation [ˌpɜ:mjʊˈteɪʃn] *n* 1) переста́новка 2) *лингв.* перемеще́ние, метате́за

permute [pəˈmju:t] *v* переставля́ть; меня́ть поря́док

pern [pɜ:n] *n* осое́д (*пти́ца*)

pernicious [pəˈnɪʃəs] *a* па́губный, вре́дный; ~ habits вре́дные привы́чки; ~ anaemia злока́чественная анеми́я

pernickety [pəˈnɪkətɪ] *a разг.* 1) придо́рчивый, разбо́рчивый, привере́дливый 2) суетли́вый 3) то́нкий, тре́бующий осторо́жности и тща́тельности; щекотли́вый

perorate [ˈperəreɪt] *v* 1) де́лать заключе́ние в ре́чи, резюми́ровать 2) разглаго́льствовать

peroration [ˌperəˈreɪʃn] *n* 1) заключе́ние, заключи́тельная часть ре́чи 2) разглаго́льствование

peroxide [pəˈrɒksaɪd] *n хим.* 1) пе́рекись водоро́да 2) пе́рекись

perpendicular [ˌpɜ:pənˈdɪkjʊlə] 1. *n* 1) перпендикуля́р; out of the ~ невертика́льный, не под прямы́м угло́м 2) вертика́льное, прямо́е положе́ние 3) *разг.* заку́сывание сто́я, еда́ сто́я; приём а-ля фурше́т

2. *a* 1) перпендикуля́рный 2) почти́ вертика́льный, круто́й 3) *шутл.* стоя́чий

perpendicularity [ˌpɜ:pəndɪkjʊˈlærətɪ] *n* перпендикуля́рность

perpetrate [ˈpɜ:pətreɪt] *v* 1) соверша́ть (*преступле́ние, оши́бку и т. п.*) 2) *шутл.* сотвори́ть; to ~ a pun сочини́ть каламбу́р

perpetration [ˌpɜ:pəˈtreɪʃn] *n* 1) соверше́ние (*преступле́ния*) 2) преступле́ние 3) *шутл.* творе́ние

perpetrator [ˈpɜ:pətreɪtə] *n* наруши́тель, престу́пник

perpetual [pəˈpetʃʊəl] *a* 1) ве́чный, бесконе́чный; ~ motion «ве́чное движе́ние», перпе́туум-мо́биле 2) пожи́зненный; бессро́чный 3) *разг.* беспреста́нный, непрекраща́ющийся; постоя́нный; нескончаемый; this ~ nagging э́то ве́чное нытьё

perpetuate [pəˈpetʃʊeɪt] *v* увекове́чивать; сохраня́ть навсегда́

perpetuation [pəˌpetʃʊˈeɪʃn] *n* увекове́чение; сохране́ние навсегда́

perpetuity [ˌpɜ:pəˈtju:ətɪ] *n* 1) ве́чность, бесконе́чность; in (*или* to, for) ~ навсегда́; наве́чно 2) пожи́зненная ре́нта 3) владе́ние на неограни́ченный срок

perplex [pəˈpleks] *v* 1) ста́вить в тупи́к, приводи́ть в недоуме́ние; смуща́ть; ошеломля́ть, сбива́ть с то́лку 2) запу́тывать, усложня́ть

perplexedly [pəˈpleksədlɪ] *adv* недоуме́нно; растéрянно

perplexity [pəˈpleksətɪ] *n* 1) недоуме́ние; расте́рянность; смуще́ние 2) затрудне́ние, диле́мма

perquisite [ˈpɜ:kwɪzɪt] *n* 1) при́работок; случа́йный дохо́д 2) привиле́гия, прерогати́ва 3) чаевы́е 4) то, что по испо́льзовании перехо́дит в распоряже́ние подчинённых, слуг

perron [ˈperən] *n архит.* нару́жная ле́стница подъе́зда, крыльцо́

perry [ˈperɪ] *n* гру́шевый сидр

per se [ˌpɜ:ˈseɪ] *лат. adv* само́ по себе́; по су́ти

perse [pɜ:s] *a* серова́то-си́ний

persecute [ˈpɜ:sɪkju:t] *v* 1) пресле́довать, подверга́ть гоне́ниям (*особ. за убежде́ния*) 2) докуча́ть, надоеда́ть

persecution [ˌpɜ:sɪˈkju:ʃn] *n* 1) пресле́дование, гоне́ние 2) *attr.*: ~ complex (*или* mania) ма́ния пресле́дования

persecutor [ˈpɜ:sɪkju:tə] *n* пресле́дователь, гони́тель

Perseus [ˈpɜ:sju:s] *n греч. миф.* Персе́й

perseverance [ˌpɜ:sɪˈvɪərəns] *n* насто́йчивость, сто́йкость, упо́рство

persevere [ˌpɜ:sɪˈvɪə] *v* сто́йко, упо́рно продолжа́ть, упо́рно добива́ться (in, with)

persevering [ˌpɜ:sɪˈvɪərɪŋ] 1. *pres. p. от* persevere

2. *a* упо́рный, сто́йкий

Persian [ˈpɜ:ʃn] 1. *a* перси́дский; ира́нский; ~ carpet (*или* rug) перси́дский ковёр ◇ ~ blinds жалюзи́

2. *n* 1) перс; персия́нка; the ~s *pl собир.* пе́рсы 2) перси́дский язы́к

persiennes [ˌpɜ:sɪˈenz] *n pl* жалюзи́

persiflage [ˈpɜ:sɪflɑ:ʒ] *n* подшу́чивание; лёгкая шу́тка

persilicic [ˌpɜ:sɪˈlɪsɪk] *a мин.* ки́слый (*об изверженных породах*)

persimmon [pəˈsɪmən] *n бот.* хурма́

persist [pəˈsɪst] *v* 1) упо́рствовать, насто́йчиво, упо́рно продолжа́ть (in); he ~ed in his opinion он упо́рно стоя́л на своём 2) уде́рживаться, сохраня́ться, продолжа́ть существова́ть; устоя́ть; the tendency still ~s э́та тенде́нция всё ещё существу́ет

persistence, -cy [pəˈsɪstəns, -sɪ] *n* 1) упо́рство, насто́йчивость 2) выно́сливость; живу́честь 3) постоя́нство; продолжи́тельность 4) сохране́ние эффе́кта по́сле устране́ния причи́ны, вы́звавшей его́; ~ of vision ине́рция зри́тельного восприя́тия

persistent [pəˈsɪstənt] *a* 1) упо́рный, насто́йчивый 2) сто́йкий; усто́йчивый; постоя́нный; to enjoy a ~ superiority про́чно уде́рживать превосхо́дство 3) *бот* неопада́ющий (*о листве*) 4) *зоол.* непреры́вно возобновля́ющийся (*о рогах, зубах и т. п.*)

persnickety [pəˈsnɪkətɪ] *разг. см.* pernickety

person [ˈpɜ:sn] *n* 1) челове́к; ли́чность, осо́ба; субъе́кт; in (one's own) ~ ли́чно, со́бственной персо́ной; not a single ~ ни еди́ной живо́й души́, никого́ 2) вне́шность, о́блик; he has a fine ~ он краси́в 3) де́йствующее лицо́; персона́ж 4) *грам.* лицо́ 5) юриди́ческое лицо́ 6) *зоол.* о́собь

persona [pəˈsəʊnə] *n* (*pl* -nae) 1) о́браз, со́зданный для пу́блики, и́мидж 2) де́йствующее лицо́, персона́ж 3): ~ (non) grata *дип.* персо́на (нон) гра́та

personable [ˈpɜ:snəbl] *a* краси́вый, с привлека́тельной вне́шностью; представи́тельный

personae [pəˈsəʊni:] *pl от* persona

personage [ˈpɜ:snɪdʒ] *n* 1) выда́ющаяся ли́чность; (ва́жная) персо́на 2) персона́ж, де́йствующее лицо́ 3) челове́к; осо́ба

personal [ˈpɜːsnəl] **1.** *a* 1) ли́чный, персона́льный; ~ income ли́чный дохо́д; ~ discussion обсужде́ние путём ли́чного обще́ния; ~ opinion ли́чное мне́ние; ~ injury claim *юр.* иск о возмеще́нии ли́чного уще́рба 2) задева́ющий, затра́гивающий ли́чность; ~ remarks замеча́ния, име́ющие це́лью заде́ть *или* оби́деть кого́-л.; to become ~ задева́ть кого́-л., переходи́ть на ли́чности 3) *грам.* ли́чный; ~ pronoun ли́чное местоиме́ние ◇ ~ property (*или* estate) *юр.* дви́жимое иму́щество

2. *n* (*обыкн. pl*) *амер.* све́тская хро́ника в газе́те

personalia [ˌpɜːsəˈneɪlɪə] *n pl* 1) расска́зы, воспомина́ния *и т. п.* о чьей-л. ли́чной жи́зни 2) ли́чные ве́щи

personality [ˌpɜːsəˈnælətɪ] *n* 1) ли́чные сво́йства, осо́бенности хара́ктера 2) (изве́стная) ли́чность; персо́на; де́ятель 3) ли́чность, индивидуа́льность 4) (*обыкн. pl*) вы́пад(ы) (*против кого-л.*) ◇ ~ cult культ ли́чности

personalize [ˈpɜːsnəlaɪz] *v* 1) олицетворя́ть; воплоща́ть 2) относи́ть на свой счёт

personally [ˈpɜːsnəlɪ] *adv* 1) ли́чно, персона́льно, со́бственной персо́ной, сам 2) что каса́ется меня́ (его́ *и т. п.*); ~ I differ from you что каса́ется меня́, то я расхожу́сь с ва́ми во мне́нии

personalty [ˈpɜːsnltɪ] *n юр.* дви́жимое иму́щество, дви́жимость

personate [ˈpɜːsəneɪt] *v* 1) игра́ть роль 2) выдава́ть себя́ за *кого-л.*

personation [ˌpɜːsəˈneɪʃn] *n* 1) вы́дача себя́ за друго́го 2) воплоще́ние

personification [pəˌsɒnɪfɪˈkeɪʃn] *n* 1) персонифика́ция, олицетворе́ние 2) воплоще́ние (of)

personify [pəˈsɒnɪfaɪ] *v* 1) персонифици́ровать, олицетворя́ть 2) воплоща́ть

personnel [ˌpɜːsəˈnel] *n* 1) персона́л, ли́чный соста́в; ка́дры (*предприятия, учреждения*) 2) *attr.*: ~ management руково́дство ка́драми; ~ department отде́л ка́дров *или* ли́чного соста́ва; ~ bomb оско́лочная бо́мба; ~ mine противопехо́тная ми́на; ~ shelter укры́тие для ли́чного соста́ва; ~ target жива́я цель

perspective [pəˈspektɪv] **1.** *n* 1) перспекти́ва 2) вид (вдаль) 3) ви́ды на бу́дущее

2. *a* перспекти́вный; ~ geometry аксономе́трия

perspicacious [ˌpɜːspɪˈkeɪʃəs] *a* проница́тельный

perspicacity [ˌpɜːspɪˈkæsətɪ] *n* проница́тельность

perspicuity [ˌpɜːspɪˈkjuːətɪ] *n* я́сность, поня́тность

perspicuous [pəˈspɪkjʊəs] *a* 1) я́сный, поня́тный 2) я́сно выража́ющий свои́ мы́сли

perspiration [ˌpɜːspəˈreɪʃn] *n* 1) пот, испа́рина 2) поте́ние

perspire [pəsˈpaɪə] *v* поте́ть; быть в испа́рине

persuadable [pəˈsweɪdəbl] *a* поддаю́щийся убежде́нию

persuade [pəˈsweɪd] *v* 1) убежда́ть (that, of — в *чём-л.*); уреза́нивать; I am ~d that it is true я убеждён, что э́то ве́рно 2) склони́ть, уговори́ть (into) 3) отговори́ть (from, out of — от *чего-л.*)

persuader [pəˈsweɪdə] *n* 1) убежда́ющий, угова́ривающий 2) *sl.* «сре́дство убежде́ния» (*револьвер, нож и т. п.*)

persuasion [pəˈsweɪʒn] *n* 1) убежде́ние 2) убеди́тельность 3) мне́ние, убежде́ние 4) религио́зные убежде́ния 5) вероисповеда́ние, се́кта; religious ~ религио́зная се́кта 6) *разг.* гру́ппа, компа́ния; the male ~ мужска́я компа́ния

persuasive [pəˈsweɪsɪv] **1.** *a* убеди́тельный

2. *n* побужде́ние, моти́в

persuasiveness [pəˈsweɪsɪvnəs] *n* убеди́тельность

pert [pɜːt] *a* 1) де́рзкий; наха́льный; развя́зный 2) элега́нтный (*о платье и т. п.*)

pertain [pəˈteɪn] *v* 1) принадлежа́ть, име́ть отноше́ние (to — к *чему-л.*) 2) быть сво́йственным 3) подходи́ть, подоба́ть

pertinacious [ˌpɜːtɪˈneɪʃəs] *a* упря́мый, неусту́пчивый

pertinacity [ˌpɜːtɪˈnæsətɪ] *n* упря́мство, неусту́пчивость

pertinence, -cy [ˈpɜːtɪnəns, -sɪ] *n* 1) уме́стность (*замечания и т. п.*) 2) связь, отноше́ние; it is of no ~ to us э́то нас не каса́ется

pertinent [ˈpɜːtɪnənt] **1.** *a* 1) уме́стный; подходя́щий 2) име́ющий отноше́ние; относя́щийся к де́лу; ~ remark замеча́ние по существу́

2. *n* (*обыкн. pl*) принадле́жности

perturb [pəˈtɜːb] *v* 1) возмуща́ть, приводи́ть в смяте́ние, наруша́ть (споко́йствие) 2) волнова́ть, беспоко́ить, смуща́ть

perturbation [ˌpɜːtəˈbeɪʃn] *n* 1) волне́ние, расстро́йство, смяте́ние 2) *астр.* пертурба́ция, возмуще́ние

pertussis [pəˈtʌsɪs] *n мед.* коклю́ш

peruke [pəˈruːk] *n ист.* пари́к

perusal [pəˈruːzl] *n* 1) внима́тельное чте́ние; прочте́ние 2) *редк.* рассма́тривание

peruse [pəˈruːz] *v* 1) внима́тельно прочи́тывать 2) внима́тельно рассма́тривать (*лицо человека и т. п.*)

Peruvian [pəˈruːvɪən] **1.** *a* перуа́нский ◇ ~ bark хи́нная ко́рка

2. *n* перуа́нец; перуа́нка

perv [pɜːv] *n sl.* 1) челове́к с сексуа́льными извраще́ниями 2) *австрал.* чу́вственный взгляд

pervade [pəˈveɪd] *v* распространя́ться, охва́тывать; пропи́тывать; наполня́ть собо́й

pervasion [pəˈveɪʒn] *n* распростране́ние *и пр.* [*см.* pervade]

pervasive [pəˈveɪsɪv] *a* проника́ющий, распространя́ющийся повсю́ду; всеобъе́млющий, глубо́кий (*о влиянии и т. п.*)

perverse [pəˈvɜːs] *a* 1) упря́мый, упо́рствующий (*особ.* в свое́й неправоте́); несгово́рчивый, капри́зный 2) непра́вильный; превра́тный; оши́бочный (*о приговоре и т. п.*)

perversion [pəˈvɜːʃn] *n* 1) извраще́ние; искаже́ние 2) извращённость

perversity [pəˈvɜːsətɪ] *n* 1) упря́мство, своенра́вие; несгово́рчивость 2) извращённость; поро́чность

perversive [pəˈvɜːsɪv] *a* извраща́ющий

pervert **1.** *n* [ˈpɜːvɜːt] 1) отсту́пник, ренега́т 2) извращённый челове́к; челове́к, страда́ющий сексуа́льными извраще́ниями

2. *v* [pəˈvɜːt] 1) совраща́ть, развраща́ть 2) извраща́ть

perverted [pəˈvɜːtɪd] **1.** *p. p. от* pervert 2

2. *a* 1) извращённый; искажённый; by a ~ logic ло́гике вопреки́ 2) страда́ющий сексуа́льными извраще́ниями

pervertible [pəˈvɜːtəbl] *a* поддаю́щийся совраще́нию

pervious [ˈpɜːvjəs] *a* 1) проходи́мый, проница́емый (to); пропуска́ющий (*влагу и т. п.*) 2) поддаю́щийся (*влиянию и т. п.*); восприи́мчивый

peseta [pəˈseɪtə] *n* песе́та (*испанская денежная единица и монета*)

pesky [ˈpeskɪ] *a амер. разг.* надое́дливый, доку́чливый; доса́дный

peso [ˈpeɪsəʊ] *n* (*pl* -os [-əʊz]) пе́со (*латиноамериканская денежная единица*)

pessary [ˈpesərɪ] *n мед.* песса́рий, ма́точное кольцо́

pessimism [ˈpesəmɪzəm] *n* пессими́зм

pessimist [ˈpesəmɪst] *n* пессими́ст

pessimistic [ˌpesəˈmɪstɪk] *a* пессимисти́ческий

pest [pest] *n* 1) что-л. надое́дливое; надое́дливый челове́к; ~s of society туне́ядцы, парази́ты 2) *с.-х.* парази́т, вреди́тель 3) *уст.* мор, чума́

pester [ˈpestə] *v* докуча́ть, надоеда́ть, донима́ть

pesthole [ˈpesthəʊl] *n* оча́г зара́зы, эпиде́мии

pest house [ˈpesthaʊs] *n уст.* больни́ца для зара́зных больны́х; чумно́й бара́к

pesticide [ˈpestɪsaɪd] *n с.-х.* пестици́д, (хими́ческое) сре́дство для борьбы́ с вреди́телями

pestiferous [pesˈtɪfərəs] *a* 1) распространя́ющий зара́зу; зловО́нный 2) вре́дный, опа́сный 3) *разг.* надое́дливый, доку́чливый; ~ fellow надое́дливый челове́к

pestilence [ˈpestɪləns] *n* 1) (бубо́нная) чума́; мор 2) эпиде́мия, пове́трие

pestilent [ˈpestɪlənt] *a* 1) смерто́носный; ядови́тый 2) па́губный, вре́дный; тлетво́рный 3) *разг.* назо́йливый, надое́дливый, неприя́тный

pestilential [ˌpestɪˈlenʃl] *a* 1) чумно́й, распространя́ющий зара́зу 2) тлетво́рный, па́губный 3) *разг.* отврати́тельный; these ~ flies give me no peace э́ти ме́рзкие му́хи не даю́т мне поко́я

pestle ['pesl] 1. *n* пéстик (*ступки*) 2. *v* толóчь в стýпе

pet I [pet] 1. *n* 1) люби́мое живóтное; люби́мая вещь 2) люби́мец, бáловень 3) *attr.* ручнóй, кóмнатный (*о животном*) 4) *attr.* люби́мый; ~ name ласкáтельное и́мя; ~ corn *шутл.* люби́мая мозóль

2. *v* 1) баловáть, ласкáть 2) обнимáться, целовáться

pet II [pet] *n* оби́да, раздражéние; дурнóе настроéние; to be in a ~ серди́ться, дýться; быть в дурнóм настроéнии

petal ['petl] *n бот.* лепестóк

petard [pe'tɑ:d] *n* 1) *ист.* петáрда 2) петáрда; хлопýшка (*род фейерверка*)

peter I ['pi:tə] *v*: ~ out иссякáть, истощáться; беднéть, уменьшáться (*о запасах*)

peter II ['pi:tə] *n sl.* 1) кáмера (*тюремная*) 2) сейф

peterman ['pi:təmən] *n sl.* взлóмщик сéйфов

Peter's fish ['pi:təzfɪʃ] *n зоол.* пи́кша

petersham ['pi:təʃəm] *n* плóтная рéпсовая лéнта (*для шляп*)

Peter's pence ['pi:təz,pens] *n pl ист.* «лéпта св. Петрá» (*ежегодная подать в папскую казну*)

petiole ['petɪəʊl] *n бот.* черешóк (*листа*)

petite [pə'ti:t] *фр. a* мáленького рóста, изя́щная (*о женщине*)

petition [pɪ'tɪʃn] 1. *n* 1) прóсьба, мольбá 2) моли́тва 3) пети́ция 4) *юр.* прошéние, ходáтайство; a ~ in bankruptcy заявлéние о банкрóтстве

2. *v* 1) обращáться с пети́цией; подавáть прошéние, ходáтайствовать 2) проси́ть, умоля́ть

petitionary [pɪ'tɪʃnərɪ] *a* содержáщий прóсьбу, просúтельный

petitioner [pɪ'tɪʃnə] *n* 1) проси́тель; подáтель пети́ции 2) *юр.* истéц

petrel ['petrəl] *n зоол.* буревéстник

petrifaction [,petrɪ'fækʃn] *n* 1) окаменéние 2) окаменéлость 3) оцепенéние

petrify ['petrɪfaɪ] *v* 1) приводи́ть в оцепенéние, поражáть, ошеломля́ть 2) превращáть(ся) в кáмень, окаменевáть 3) остолбенéть, оцепенéть

petrochemistry [,petrəʊ'kemɪstrɪ] *n* нефтехи́мия

petrography [pə'trɒgrəfɪ] *n* петрогрáфия

petrol ['petrəl] 1. *n* 1) бензи́н; газоли́н; мотóрное тóпливо; to draw ~ заправля́ться горю́чим 2) *attr.* бензи́новый; ~ consumption расхóд горю́чего

2. *v* чи́стить бензи́ном

petrolatum [,petrə'leɪtəm] *n амер.* вазели́н

petroleum [pə'trəʊlɪəm] *n* 1) нефть 2) *attr.* нефтянóй

petrolic [pə'trɒlɪk] *a* полýченный из нéфти

petroliferous [,petrəʊ'lɪfərəs] *a геол.* нефтенóсный

petrology [pə'trɒlədʒɪ] *n* петролóгия

petrous ['petrəs] *a* окаменéлый, затвердéвший, твёрдый как кáмень

petticoat ['petɪkəʊt] *n* 1) (ни́жняя) ю́бка; дéтская ю́бочка 2) *sl.* жéнщина, дéвушка; *pl* жéнский пол 3) *эл.* ю́бка изоля́тора 4) *attr.* жéнский; ~ influence *разг.* жéнское влия́ние; ~ government ≅ бáбье цáрство ◇ I have known him since he was in ~s ≅ я знáю егó с пелёнок

pettifog ['petɪfɒg] *v* 1) занимáться крючкотвóрством, кля́узами; сутя́жничать 2) вздóрить из-за пустякóв

pettifogger ['petɪfɒgə] *n* крючкотвóр, кля́узник

pettifogging ['petɪfɒgɪŋ] 1. *pres. p. от* pettifog

2. *a* 1) занимáющийся крючкотвóрством 2) мéлкий, ничтóжный; мéлочный

pettish ['petɪʃ] *a* оби́дчивый; раздражи́тельный

pettitoes ['petɪtəʊz] *n pl* свины́е нóжки (*кушанье*)

petto ['petəʊ] *ит. n*: in ~ в секрéте, в тáйне, тайкóм

petty ['petɪ] *a* 1) мéлкий, незначи́тельный, маловáжный; ~ cash мéлкие статьи́ (*прихода, расхода*) 2) мéлочный; ýзкий; ограни́ченный 3) мéлкий, небольшóй; ~ bourgeoisie мéлкая буржуази́я; ~ farmer мéлкий фéрмер; ~ warfare мáлая войнá

petty jury [,petɪ'dʒʊərɪ] *n юр.* мáлое жюри́, суд из 12 прися́жных

petty officer [,petɪ'ɒfɪsə] *n* старшинá (*во флоте*)

petulance ['petjʊləns] *n* раздражéние; раздражи́тельность, нетерпели́вость; outburst of ~ вспы́шка раздражéния

petulant ['petjʊlənt] *a* раздражи́тельный, нетерпели́вый, оби́дчивый

petunia [pə'tju:nɪə] *n* 1) *бот.* петýния 2) *attr.* тёмно-лилóвый, тёмно-фиолéтовый

petuntse [pə'tʊntsə] *n мин.* китáйский кáмень

pew [pju:] *n* 1) церкóвная скамья́ со спи́нкой 2) постоя́нное отгорóженное мéсто в цéркви (*занимаемое каким-л. важным лицом и его семьёй*) 3) *разг.* сидéнье, стул; take a ~ сади́тесь ◇ in the right church but in the wrong ~ ≅ в óбщем прáвильно, но невéрно в детáлях

pewit ['pi:wɪt] = peewit

pew-rent ['pju:rent] *n* плáта за мéсто в цéркви

pewter ['pju:tə] *n* 1) сплав óлова со свинцóм; сплав на оловя́нной оснóве 2) оловя́нная посýда; оловя́нная крýжка 3) *sl.* приз (*в виде пивной кружки и т. п.*)

pfennig, pfenning ['fenɪg, 'fenɪŋ] *n* пфéнниг (*немецкая монета = 0,01 марки*)

phaeton ['feɪtn] *n* фаэтóн

phagocyte ['fægəʊsaɪt] *n биол.* фагоци́т

phalange ['fælændʒ] = phalanx 3)

phalanges [fə'lændʒɪ:z] *pl от* phalanx 3)

phalanx ['fælæŋks] *n* (*pl* -xes [-ksɪz]) 1) фалáнга 2) фалансте́р 3) (*pl обыкн.* -nges) *анат.* фалáнга, сустáв пáльца

phalli ['fælaɪ] *pl от* phallus

phallus ['fæləs] *n* (*pl тж.* -li) фáллос

phanerogam ['fænərəʊgæm] *n бот.* явнобрáчное растéние

phanerogamic, phanerogamous [,fænərəʊ'gæmɪk, ,fænə'rɒgəməs] *a бот.* явнобрáчный

phantasm ['fæntæzəm] *n* 1) иллю́зия 2) фантóм, при́зрак

phantasmagoria [,fæntæzmə'gɒrɪə] *n* фантасмагóрия

phantasmagoric [,fæntæzmə'gɒrɪk] *a* фантасмагори́ческий

phantasmal [fæn'tæzməl] *a* при́зрачный

phantasy ['fæntəsɪ] = fantasy

phantom ['fæntəm] *n* 1) фантóм, при́зрак 2) иллю́зия 3) *attr.* при́зрачный, иллюзóрный

Pharaoh ['feərəʊ] *n ист.* фараóн

Pharisaic(al) [,færɪ'seɪɪk(l)] *a* фарисéйский, xáнжеский

Pharisaism ['færɪseɪ,ɪzəm] *n* фарисéйство

Pharisee ['færɪsi:] *n* фарисéй, ханжá

pharmaceutical [,fɑ:mə'su:tɪkl] *a* фармацевти́ческий; ~ scales аптéкарские весы́

pharmaceutics [,fɑ:mə'su:tɪks] *n pl* (*употр. как sing*) фармацéвтика

pharmaceutist [,fɑ:mə'su:tɪst] *n* фармацéвт

pharmacologist [,fɑ:mə'kɒlədʒɪst] *n* фармакóлог

pharmacology [,fɑ:mə'kɒlədʒɪ] *n* фармаколóгия

pharmacopoeia [,fɑ:məkə'pi:ə] *n* фармакопéя

pharmacy ['fɑ:məsɪ] *n* 1) фармаци́я 2) аптéка

pharos ['feərɒs] *n* маяк

pharyngitis [,færən'dʒaɪtɪs] *n мед.* фаринги́т

pharynx ['færɪŋks] *n анат.* глóтка, зев

phase [feɪz] 1. *n* 1) перúод, стáдия 2) фáза 3) аспéкт, сторонá; a ~ of the subject сторонá вопрóса 4) *геол.* фáция; разнови́дность

2. *v* фази́ровать ▭ ~ in постепéнно вводи́ть; ~ out постепéнно сокращáть

phasic ['feɪzɪk] *a* фáзный, стади́йный

pheasant ['feznt] *n* фазáн

phenol ['fi:nɒl] *n хим.* фенóл, карбóловая кислотá

phenology [fə'nɒlədʒɪ] *n* фенолóгия

phenomena [fə'nɒmɪnə] *pl от* phenomenon

phenomenal [fə'nɒmɪnl] *a* феномéнальный, необыкновéнный

phenomen(al)ism [fə'nɒmɪn(əl),ɪzəm] *n филос.* феноменали́зм

phenomenon [fə'nɒmɪnən] *n* (*pl* -ena) 1) явлéние, фенóмен 2) необыкновéнное явлéние; фенóмен; infant ~ вундерки́нд, чýдо-ребёнок 3) *филос.* объéкт чýвственного восприя́тия

phenotype ['fi:nəʊtaɪp] *n биол.* феноти́п

phew [fju:] *int* фу!; ну и нý!

phi [faɪ] *n* фита́ (*греческая буква Ф*)

phial ['faɪəl] *n* склянка, пузырёк

philander [fɪ'lændə] *v* флиртова́ть; волочи́ться

philanderer [fɪ'lændərə] *n* волоки́та, донжуа́н

philanthrope ['fɪlənθrəʊp] = philanthropist

philanthropic [,fɪlən'θrɒpɪk] *a* филантропи́ческий

philanthropist [fɪ'lænθrəpɪst] *n* филантро́п

philanthropize [fɪ'lænθrəpaɪz] *v* 1) занима́ться филантро́пией 2) покрови́тельствовать (*кому-л.*)

philanthropy [fɪ'lænθrəpɪ] *n* филантро́пия

philatelic [,fɪlə'telɪk] *a* филателисти́ческий

philatelist [fɪ'lætəlɪst] *n* филатели́ст

philately [fɪ'lætəlɪ] *n* филатели́я

philharmonic [,fɪlɑ:'mɒnɪk] **1.** *a* 1) лю́бящий му́зыку 2) филармони́ческий, музыка́льный (*об обществе*)

2. *n* филармо́ния

philhellenic [,fɪlhe'li:nɪk] *a* проэллинский

philippic [fɪ'lɪpɪk] *n* фили́ппика, обличи́тельная речь

Philippine ['fɪləpi:n] *a* филиппи́нский

Philistine ['fɪlɪstaɪn] **1.** *n* 1) *библ.* филисти́млянин ◇ to fall among ~s ≅ попа́сть в переде́лку, попа́сть в тяжёлое положе́ние 2) (*обыкн.* р.) фили́стер, обыва́тель, мещани́н

2. *a* фили́стерский, обыва́тельский, меща́нский

Philistinism ['fɪlɪstɪnɪzəm] *n* фили́стерство, меща́нство

phillumenist [fɪ'lu:mənɪst] *n* филумени́ст

philobiblic [,fɪləʊ'bɪblɪk] *a* лю́бящий кни́ги

philogynist [fɪ'lɒdʒənɪst] *n* женолю́б

philological [,fɪləʊ'lɒdʒɪkl] *a* филологи́ческий

philologist [fɪ'lɒlədʒɪst] *n* фило́лог

philology [fɪ'lɒlədʒɪ] *n* филоло́гия

Philomel, Philomela ['fɪləʊmel, ,fɪləʊ'mi:lə] *n поэт.* филоме́ла, солове́й

philoprogenitive [,fɪləʊprəʊ'dʒenətɪv] *a* 1) плодови́тый 2) чадолюби́вый

philosopher [fə'lɒsəfə] *n* 1) фило́соф; natural ~ фи́зик; естествоиспыта́тель 2) челове́к с филосо́фским подхо́дом к жи́зни ◇ ~s' stone филосо́фский ка́мень

philosophic [,fɪlə'sɒfɪk] = philosophical

philosophical [,fɪlə'sɒfɪkl] *a* филосо́фский

philosophize [fə'lɒsəfaɪz] *v* филосо́фствовать; теоретизи́ровать

philosophy [fə'lɒsəfɪ] *n* 1) филосо́фский подхо́д к жи́зни 2) филосо́фия

philtre ['fɪltə] *n* любо́вный напи́ток, привoро́тное зе́лье

phiz [fɪz] *n* (*сокр. от* physiognomy) *разг.* 1) лицо́, физионо́мия, фи́зия 2) выраже́ние лица́

phlebitis [flɪ'baɪtɪs] *n мед.* воспале́ние ве́ны, флеби́т

phlebotomy [flɪ'bɒtəmɪ] *n мед.* кровопуска́ние

phlegm [flem] *n* 1) мокро́та, слизь 2) флегма, флегмати́чность; хладнокро́вие, бесстра́стие

phlegmatic [fleg'mætɪk] *a* флегмати́чный, вя́лый

phlegmon ['flegmɒn] *n мед.* флегмо́на

phloem ['fləʊɪm] *n бот.* флоэ́ма

phlogistic [flɒ'dʒɪstɪk] *a мед.* воспали́тельный

phlox [flɒks] *n бот.* флокс

phobia ['fəʊbɪə] *n мед.* невро́з стра́ха, фо́бия

Phoebe ['fi:bɪ] *n* 1) *греч. миф.* Фе́ба 2) *поэт.* луна́

Phoebus ['fi:bəs] *n* 1) *греч. миф.* Феб 2) *поэт.* со́лнце

Phoenician [fə'nɪʃn] **1.** *a* финики́йский

2. *n* 1) финики́янин; финики́янка 2) финики́йский язы́к

phoenix ['fi:nɪks] *n* 1) *миф.* фе́никс 2) образе́ц соверше́нства, чу́до

phonal ['fəʊnəl] *a* голосово́й

phone I [fəʊn] *n лингв.* фо́на

phone II [fəʊn] (*сокр. от* telephone) *разг.* **1.** *n* телефо́н; on the ~ у телефо́на; by (*или* over) the ~ по телефо́ну; to get smb. on the ~ дозвони́ться к кому́-л. по телефо́ну; to hang up the ~ пове́сить тру́бку

2. *v* звони́ть по телефо́ну

phone book ['fəʊnbʊk] = telephone directory

phoneme ['fəʊni:m] *n лингв.* фоне́ма

phonemic [fəʊ'ni:mɪk] *a лингв.* фонемати́ческий

phonetic [fə'netɪk] *a* фонети́ческий

phonetician [,fəʊnɪ'tɪʃn] *n* фонети́ст

phoneticize [fəʊ'netɪsaɪz] *v* транскриби́ровать фонети́чески

phonetics [fə'netɪks] *n pl* (*употр. как sing*) фоне́тика

phoney ['fəʊnɪ] *разг.* **1.** *a* ло́жный, подде́льный; фальши́вый; ду́тый

2. *n* 1) жу́лик, обма́нщик 2) обма́н; подде́лка

phonic ['fɒnɪk] *a* 1) акусти́ческий, звуково́й 2) голосово́й

phonics ['fɒnɪks] *n pl* (*употр. как sing*) 1) примене́ние фонети́ческих ме́тодов при обуче́нии чте́нию 2) аку́стика

phonogram ['fəʊnəgræm] *n* 1) фоногра́мма; звукоза́пись 2) телефонограмма

phonograph ['fəʊnəgrɑ:f] *n* 1) фоно́граф 2) *амер.* граммофо́н, патефо́н

phonographic [,fəʊnə'græfɪk] *a* фонографи́ческий

phonography [fəʊ'nɒgrəfɪ] *n* 1) стенографи́ческая за́пись по фонети́ческой систе́ме 2) фоногра́фия

phonological [,fəʊnə'lɒdʒɪkl] *a* фонологи́ческий

phonology [fəʊ'nɒlədʒɪ] *n* фоноло́гия

phonometer [fəʊ'nɒmɪtə] *n* фоно́метр

phonopathy [fəʊ'nɒpəθɪ] *n мед.* расстро́йство о́рганов ре́чи

phonoscope ['fəʊnəʊskəʊp] *n* фоноско́п

phony ['fəʊnɪ] = phoney

phosgene ['fɒzdʒi:n] *n хим.* фосге́н

phosphate ['fɒsfeɪt] *n хим.* фосфа́т, соль фо́сфорной кислоты́

phosphide ['fɒsfaɪd] *n хим.* фосфи́д

phosphite ['fɒsfaɪt] *n хим.* фосфи́т

Phosphor ['fɒsfə] *n поэт.* у́тренняя звезда́

phosphorate ['fɒsfəreɪt] *v хим.* насыща́ть фо́сфором, соединя́ть с фо́сфором

phosphor bronze ['fɒsfəbrɒnz] *n метал.* фо́сфористая бро́нза

phosphoresce [,fɒsfə'res] *v* фосфоресци́ровать, свети́ться

phosphorescence [,fɒsfə'resns] *n* фосфоресце́нция, свече́ние

phosphorescent [,fɒsfə'resnt] *a* фосфоресци́рующий

phosphoric [fɒs'fɒrɪk] *a* 1) фосфори́ческий; фосфоресци́рующий 2) *хим.* фо́сфорный

phosphorite ['fɒsfəraɪt] *n мин.* фосфори́т

phosphorous ['fɒsfərəs] *a хим.* фо́сфористый

phosphorus ['fɒsfərəs] *n хим.* фо́сфор

phot [fəʊt] *n физ.* фот (*единица освещённости, яркости*)

photic ['fəʊtɪk] *a* светово́й, относя́щийся к све́ту

photo ['fəʊtəʊ] *n* (*pl* -os [-əʊz]) *сокр. разг. от* photograph 1

photoactive [,fəʊtəʊ'æktɪv] *a* светочувстви́тельный

photobiotic [,fəʊtəʊbaɪ'ɒtɪk] *a биол.* спосо́бный жить то́лько при све́те

photocell ['fəʊtəʊsel] *n* фотоэлеме́нт

photochemistry [,fəʊtəʊ'kemɪstrɪ] *n* фотохи́мия

photochromy ['fəʊtəʊkrəʊmɪ] *n* цветна́я фотогра́фия, фотохро́мия

photoconductivity [,fəʊtəʊkɒndʌk'tɪvətɪ] *n* фотопроводи́мость

photocopier ['fəʊtəʊ,kɒpɪə] *n* фотокопирова́льное устро́йство

photoelectric [,fəʊtəʊɪ'lektrɪk] *a* фотоэлектри́ческий; ~ cell фотоэлеме́нт

photoelectricity [,fəʊtəʊɪlek'trɪsətɪ] *n* фотоэлектри́чество

photofinish [,fəʊtəʊ'fɪnɪʃ] *n спорт.* фотофи́ниш

photogenic [,fəʊtəʊ'dʒenɪk] *a* 1) фотоге́ничный 2) *биол.* фосфоресци́рующий

photograph ['fəʊtəgrɑ:f] **1.** *n* фотографи́ческий сни́мок, фотогра́фия

2. *v* 1) фотографи́ровать, снима́ть 2) выходи́ть на фотогра́фии (*хорошо, плохо*); I always ~ badly я всегда́ пло́хо выхожу́ на фотогра́фиях

photographer [fə'tɒgrəfə] *n* фото́граф

photographic [,fəʊtə'græfɪk] *a* фотографи́ческий

photography [fə'tɒgrəfɪ] *n* фотографи́рование, фотогра́фия

photogravure [,fəʊtəʊgrə'vjʊə] **1.** *n* фотогравю́ра

2. *v* фотогравировать

photojournalism [,fəʊtəʊ'dʒɜ:nəlɪzəm] *n* фотожурнали́стика
photolithography [,fəʊtəʊlɪ'θɒgrəfɪ] *n* фотолитогра́фия
photolysis [fəʊ'tɒlɪsɪs] *n хим.* фото́лиз
photomechanical [,fəʊtəʊmɪ'kænɪkl] *a* фотомехани́ческий
photomechanics [,fəʊtəʊmɪ'kænɪks] *n pl* (*употр. как sing*) фотомеха́ника
photometer [fəʊ'tɒmɪtə] *n* фото́метр
photometric [,fəʊtəʊ'metrɪk] *a* фотометри́ческий
photometry [,fəʊ'tɒmətrɪ] *n* фотоме́трия
photomicrograph [,fəʊtəʊ'maɪkrəʊgrɑ:f] *n* микрофотографи́ческий сни́мок, микрофотогра́фия
photomicrography [,fəʊtəʊmaɪ'krɒgrəfɪ] *n* микрофотогра́фия, микрофотографи́рование
photomontage [,fəʊtəʊmɒn'tɑ:ʒ] *n* фотомонта́ж
photon ['fəʊtɒn] *n физ.* фото́н
photo-offset [,fəʊtəʊ'ɒfset] *n полигр.* фотоофсе́т
photophobia [,fəʊtəʊ'fəʊbɪə] *n мед.* светобоя́знь, фотофо́бия
photoplay ['fəʊtəʊpleɪ] *n* 1) фильм-спекта́кль 2) сцена́рий
photoprint ['fəʊtəʊprɪnt] *n* фотогравю́ра
photosensitive [,fəʊtəʊ'sensətɪv] *a* светочувстви́тельный
photosphere ['fəʊtəʊsfɪə] *n астр.* фотосфе́ра
Photostat ['fəʊtəʊstæt] *n* фотоста́т
photosynthesis [,fəʊtəʊ'sɪnθəsɪs] *n биол.* фотоси́нтез
phototelegraphy [,fəʊtəʊtɪ'legrəfɪ] *n* фототелеграфи́я
phototherapy [,fəʊtəʊ'θerəpɪ] *n* светолече́ние
phototransistor [,fəʊtəʊtræn'zɪstə] *n* фототранзи́стор
phototube [fəʊtəʊ'tju:b] *n* фотоэлеме́нт
phototype ['fəʊtəʊtaɪp] *n полигр.* фототи́пия
photozincography [,fəʊtəʊzɪŋ'kɒgrəfɪ] *n полигр.* фотоцинкогра́фия
phrasal verb [,freɪzl'vɜ:b] *n грам.* фра́зовый глаго́л
phrase [freɪz] **1.** *n* 1) фра́за, выраже́ние; оборо́т; идиомати́ческое выраже́ние 2) язы́к, стиль; in simple ~ просты́ми слова́ми, просты́м языко́м 3) *pl* пусты́е слова́ 4) *муз.* фра́за
2. *v* 1) выража́ть (слова́ми); thus he ~d it вот как он э́то вы́разил 2) *муз.* фрази́ровать
phrase book ['freɪzbʊk] *n* 1) разгово́рник 2) (двуязы́чный) фразеологи́ческий слова́рь
phrasemonger ['freɪz,mʌŋgə] *n* фразёр
phraseological [,freɪzɪə'lɒdʒɪkl] *a* фразеологи́ческий
phraseology [,freɪzɪ'ɒlədʒɪ] *n* 1) фразеоло́гия 2) язы́к, слог
phrenetic [frə'netɪk] **1.** *a* 1) исступлённый, неи́стовый; маниака́льный, безу́мный 2) фанати́чный
2. *n* манья́к, безу́мец
phrenic ['frenɪk] *a анат.* относя́щийся к диафра́гме, грудобрю́шный
phrenological [,frenə'lɒdʒɪkl] *a* френологи́ческий
phrenologist [frə'nɒlədʒɪst] *n* френо́лог
phrenology [frə'nɒlədʒɪ] *n* френоло́гия
Phrygian ['frɪdʒɪən] **1.** *a* фриги́йский; ~ cap фриги́йский колпа́к
2. *n* фриги́ец
phthisic(al) ['θaɪsɪk(l)] *a мед.* туберкулёзный; чахо́точный
phthisis ['θaɪsɪs] *n мед.* туберкулёз; чахо́тка
phut [fʌt] **1.** *n* свист, треск
2. *adv*: to go ~ *разг.* ло́пнуть; потерпе́ть крах, неуда́чу; ко́нчиться ниче́м
phyla ['faɪlə] *pl от* phylum
phylactery [fɪ'læktərɪ] *n* 1) *рел.* филакте́рия 2) амуле́т, талисма́н ◇ to make broad one's ~ (*или* phylacteries) выставля́ть напока́з свою́ на́божность
phyllophagous [fɪ'lɒfəgəs] *a* листоя́дный
phylloxera [fɪ'lɒksərə] *n зоол.* филлоксе́ра
phylogenesis [,faɪləʊ'dʒenəsɪs] *n биол.* филогене́з
phylum ['faɪləm] *n* (*pl* phyla) *биол.* тип
physic ['fɪzɪk] *уст.* **1.** *n* 1) лека́рство (*обыкн.* слаби́тельное) 2) медици́на
2. *v* дава́ть лека́рство (*обыкн.* слаби́тельное)
physical ['fɪzɪkl] *a* физи́ческий, материа́льный, теле́сный; ~ chemistry физи́ческая хи́мия; ~ culture (training) физи́ческая культу́ра (подгото́вка); ~ examination враче́бный (*или* медици́нский) осмо́тр; ~ exercise моцио́н; ~ jerks *разг.* заря́дка; ~ therapy физиотерапи́я
physician [fɪ'zɪʃn] *n* 1) врач, до́ктор 2) (*не*) цели́тель
physicist ['fɪzɪsɪst] *n* фи́зик
physics ['fɪzɪks] *n pl* (*употр. как sing*) фи́зика
physiocrat ['fɪzɪəʊkræt] *n ист.* физиокра́т
physiognomic(al) [,fɪzɪə'nɒmɪk(l)] *a* физиономи́ческий
physiognomist [,fɪzɪ'ɒnəmɪst] *n* физиономи́ст
physiognomy [,fɪzɪ'ɒnəmɪ] *n* 1) физионо́мия, лицо́; *редк.* о́блик 2) *груб.* ро́жа, фи́зия 3) физиогно́мика
physiographer [,fɪzɪ'ɒgrəfə] *n* физио́граф
physiographic [,fɪzɪə'græfɪk] *a* физиографи́ческий
physiography [,fɪzɪ'ɒgrəfɪ] *n* физи́ческая геогра́фия; физиогра́фия
physiologic(al) [,fɪzɪə'lɒdʒɪk(l)] *a* физиологи́ческий
physiologist [,fɪzɪ'ɒlədʒɪst] *n* физио́лог
physiology [,fɪzɪ'ɒlədʒɪ] *n* физиоло́гия
physiotherapy [,fɪzɪəʊ'θerəpɪ] *n* физиотерапи́я
physique [fɪ'zi:k] *n* телосложе́ние, конститу́ция; физи́ческие да́нные
phytogenesis [,faɪtəʊ'dʒenəsɪs] *n биол.* фитогене́з
phytophagous [faɪ'tɒfəgəs] *a* растениея́дный
pi I [paɪ] *n* 1) пи (*греч. буква* π) 2) *мат.* π (= *3,1415926*)
pi II [paɪ] *a sl.* на́божный, религио́зный ◇ pi jaw нравоуче́ние
piaffe [pɪ'æf] *v* идти́ ме́дленной ры́сью
pia mater [,paɪə'meɪtə] *n анат.* мя́гкая оболо́чка мо́зга
pianette [pjæ'net] *n* ма́ленькое пиани́но
pianino [pjæ'ni:nəʊ] *n* (*pl* -os [-əʊz]) пиани́но
pianissimo [,pi:ə'nɪsɪməʊ] *adv, n муз.* пиани́ссимо
pianist ['pi:ənɪst] *n* пиани́ст; пиани́стка
piano I [pɪ'ænəʊ] *n* (*pl* -os [-əʊz]) фортепья́но
piano II ['pjɑ:nəʊ] *adv, n муз.* пиа́но
pianoforte [pɪ,ænəʊ'fɔ:tɪ] = piano I
Pianola [,pi:ə'nəʊlə] *n муз.* пиано́ла
piano organ [pɪ'ænəʊ,ɔ:gən] *n* вид шарма́нки
piano-player [pɪ'ænəʊ,pleɪə] *n* 1) пиани́ст 2) пиано́ла
piaster [pɪ'æstə] *амер.* = piastre
piastre [pɪ'æstə] *n* пиа́стр (*монета в Турции и в некоторых других странах*)
piazza [pɪ'ætsə] *n* 1) (база́рная) пло́щадь (*особ. в Италии*) 2) *амер.* вера́нда
pibroch ['pi:brɒk] *n муз.* вариа́ции для волы́нки
pic [pɪk] *n разг.* фильм
pica I ['paɪkə] *n мед.* извращённый аппети́т, геофа́гия
pica II ['paɪkə] *n полигр.* ци́церо
picador [,pɪkə'dɔ:] *n* пикадо́р
picaresque [,pɪkə'resk] *a* авантю́рный, плутовско́й (*обыкн. о романе*)
picaroon [,pɪkə'ru:n] **1.** *n* 1) плут, моше́нник; вор 2) пира́т 3) пира́тский кора́бль
2. *v* 1) жить плутовство́м 2) соверша́ть пира́тские набе́ги
picayune [,pɪkə'ju:n] *амер.* **1.** *n* 1) *ист. название серебряной монеты* (= *5 центам*) 2) ничто́жество 3) пустяко́вая вещь
2. *a* 1) ни́зкий, презре́нный 2) пустяко́вый, ерундо́вый
piccalilli [,pɪkə'lɪlɪ] *n* о́стрые пи́кули с пря́ностями
piccaninny [,pɪkə'nɪnɪ] **1.** *n пренебр.* негритёнок
2. *a уст.* о́чень ма́ленький
piccolo ['pɪkələʊ] *n* (*pl* -os [-əʊz]) *муз.* пи́кколо, ма́лая фле́йта
pick I [pɪk] *n* 1) кирка́; кайла́ 2) *разг.* плектр 3) остроконе́чный инструме́нт 4) *полигр.* грязь, остаю́щаяся на ли́терах (*при печатании*)
pick II [pɪk] **1.** *v* 1) выбира́ть, отбира́ть, подбира́ть; to ~ one's words тща́тельно подбира́ть слова́ 2) собира́ть, снима́ть (*плоды*); срыва́ть (*цветы,*

фрукты); подбирать (зерно — о птицах) 3) ковырять; сковыривать; to ~ one's teeth ковырять в зубах 4) обгладывать (кость) 5) есть (маленькими кусочками), отщипывать 6) *амер.* перебирать струны (банджо и т. п.) 7) чистить (ягоды); очищать, обдирать; ощипывать (птицу) 8) искать, выискивать; to ~ one's way (*или* one's steps) выбирать дорогу (чтобы не попасть в грязь); to ~ a quarrel with smb. выискивать повод для ссоры с кем-л. 9) разрыхлять (киркой) 10) расщипывать; to ~ to pieces распарывать; *перен.* раскритиковать; разнести в пух и прах 11) клевать (зёрна) ▭ ~ at а) неохотно есть, «клевать»; б) придираться; в) ворчать, пилить; г) вертеть в руках, теребить; трогать; ~ off а) отрывать, сдирать; б) стрелять, тщательно прицеливаясь; подстрелить; в) перестрелять (одного за другим); ~ on а) придираться; докучать, дразнить; б) выбирать, отбирать; ~ out а) выбирать; б) различать; в) подбирать по слуху (мотив); г) оттенять; д) понимать, схватывать (значение); е) выдёргивать; ~ over отбирать (лучшие экземпляры); выбирать; ~ up а) поднимать, подбирать; б) подхватить, подцепить (болезнь); в) подвезти, подбросить (кого-л.); г) познакомиться (with — с *кем-л.*); подцепить (кого-л.); д) выздоравливать; восстанавливать силы; е) улучшаться (о погоде); ж) набирать скорость; разгоняться; з) арестовать, забрать; и) поймать (прожектором, по радио и т. п.); к) находить (ошибки); л) завязать *или* возобновить дружбу (with — с *кем-л.*); м) взять на себя оплату (счёта и т. п.); н): to ~ oneself up подняться после падения; о) прибирать (комнату) ◇ to ~ and choose тщательно выбирать; to ~ holes (*или* hole) in а) долбить, просверливать, протыкать *и т. п.*; б) критиковать, выискивать недостатки; to ~ a lock открывать замок отмычкой

2. *n* 1) выбор; to take one's ~ сделать выбор 2) право выбора 3) что-л. отборное, лучшая часть (чего-л.); the ~ of the basket (*или* of the bunch) лучшая часть чего-л.; the ~ of the army цвет армии, отборные войска 4) удар (чем-л. острым)

pick-a-back ['pɪkəbæk] *adv* на спине, за плечами

pickaninny [,pɪkə'nɪnɪ] = piccaninny

pickax(e) ['pɪkæks] 1. *n* киркомотыга

2. *v* разрыхлять киркомотыгой

picked [pɪkt] 1. *p. p. от* pick II, 1

2. *a* 1) отобранный, подобранный; собранный 2) отборный; ~ troops отборные войска 3) *диал.* остроконечный

picker ['pɪkə] *n* 1) кирка, мотыга; кайла 2) *горн.* забурник 3) *горн.* породоотборочная машина 4) *текст.* трепальная машина 5) *текст.* гонок 6) сборщик (хлопка, фруктов и т. п.) 7) сортировщик 8) тряпичник; мусорщик

pickerel ['pɪkrəl] *n* молодая щука, щучка, щурёнок

picket ['pɪkɪt] 1. *n* 1) пикет 2) пикетчик 3) кол 4) *воен.* сторожевая застава

2. *v* 1) выставлять пикет(ы); расставлять заставы *и т. п.* 2) пикетировать 3) обносить частоколом 4) привязывать к колу

picket line ['pɪkɪtlaɪn] *n* пикеты, заслон пикетчиков

picking ['pɪkɪŋ] 1. *pres. p. от* pick II, 1

2. *n* 1) *pl* мелкая пожива 2) воровство; ~ and stealing мелкая кража 3) *pl* остатки, объедки 4) собирание, отбор; сбор 5) разборка, сортировка

pickle ['pɪkl] 1. *n* 1) (*обыкн. pl*) соленье, маринад, пикули; солёные *или* маринованные огурцы 2) рассол; уксус для маринада 3) *разг.* неприятное положение; плачевное состояние; to be in a pretty ~ попасть в беду 4) *разг.* шалун, озорник 5) *тех.* протрава 6) *амер. sl.* опьянение ◇ to have a rod in ~ (for) держать розгу наготове; the one in a ~ is the one who's got to tickle ≅ это не моя забота; пусть беспокоится тот, кого это касается

2. *v* 1) солить, мариновать 2) *тех.* травить кислотой; протравлять, декапировать

pickled ['pɪkld] 1. *p. p. от* pickle 2

2. *a* 1) солёный; маринованный 2) *sl.* пьяный

picklock ['pɪklɒk] *n* 1) взломщик 2) отмычка

pick-me-up ['pɪkmɪʌp] *n* 1) возбуждающее средство; возбуждающий напиток; тоник 2) что-л. поднимающее настроение

pickpocket ['pɪk,pɒkɪt] *n* вор-карманник

pickup ['pɪkʌp] *n* 1) *sl.* случайное знакомство 2) *авто* пикап 3) *радио* адаптер, звукосниматель 4) *радио* подхватывание (волны, сигнала) 5) *с.-х.* пикап, подборщик (хлеба) 6) *тех.* захватывающее приспособление 7) *тлв.* передающая трубка 8) *физ.* ускорение 9) что-л. полученное по случаю; удачная покупка 10) *разг. см.* pick-me-up 11) *разг.* улучшение; восстановление

Pickwickian [pɪk'wɪkɪən] *a*: in a ~ sense не буквально, не прямо; не совсем ясно

picky ['pɪkɪ] *a разг.* разборчивый; придирчивый

picnic ['pɪknɪk] 1. *n* 1) пикник 2) *разг.* приятное времяпрепровождение; удовольствие; no ~ нелёгкое дело 3) *attr.*: ~ hamper корзина с провизией для пикника

2. *v* участвовать в пикнике

picnicker ['pɪknɪkə] *n* участник пикника

picric ['pɪkrɪk] *a хим.* пикриновый; ~ acid пикриновая кислота

pictography [pɪk'tɒgrəfɪ] *n* пиктография

pictorial [pɪk'tɔ:rɪəl] 1. *a* 1) живописный; изобразительный; ~ art живопись 2) иллюстрированный 3) яркий, живой (о стиле и т. п.)

2. *n* иллюстрированное периодическое издание

picture ['pɪktʃə] 1. *n* 1) картина; изображение; рисунок 2) портрет 3) что-л. очень красивое, картинка 4) представление, мысленный образ 5) кинокадр 6): moving ~s, the ~s кино 7) *разг., часто ирон.* воплощение, олицетворение (здоровья, отчаяния и т. п.); he is the (very) ~ of health он олицетворение, воплощение здоровья 8) *разг.* копия; she is a ~ of her mother она вылитая мать ◇ out of (*или* not in) the ~ дисгармонирующий; to pass from the ~ сойти со сцены; to put (*или* to keep) smb. in the ~ держать кого-л. в курсе дела; to get the ~ уловить, схватить сущность (чего-л.)

2. *v* 1) изображать на картине 2) представлять себе (*тж.* ~ to oneself) 3) описывать, обрисовывать, живописать

picture book ['pɪktʃəbʊk] *n* (детская) книжка с картинками

picture card ['pɪktʃəkɑ:d] *n* 1) *карт.* фигурная карта, фигура 2) художественная открытка

picture gallery ['pɪktʃə,gælərɪ] *n* картинная галерея

picture palace ['pɪktʃə,pæləs] *n уст.* кинотеатр

picture postcard [,pɪktʃə'pəʊstkɑ:d] *n* художественная открытка

picture show [,pɪktʃə'ʃəʊ] *n амер. разг.* 1) кинотеатр 2) кинофильм

picturesque [,pɪktʃə'resk] *a* 1) живописный 2) колоритный 3) яркий, образный (о языке)

picture theatre [,pɪktʃə'θɪətə] = picture palace

picture writing ['pɪktʃə,raɪtɪŋ] *n* пиктографическое, рисуночное письмо

piddle ['pɪdl] *v* 1) *разг.* мочиться 2) заниматься пустяками

piddling ['pɪdlɪŋ] 1. *pres. p. от* piddle

2. *a разг.* мелкий, пустячный, ничтожный

pidgin English [,pɪdʒɪn'ɪŋglɪʃ] *n* пиджин-инглиш, англо-китайский гибридный язык

pie I [paɪ] *n* 1) пирог; пирожок 2) *амер.* торт, сладкий пирог; Eskimo ~ эскимо (мороженое) ◇ ~ in the sky *амер.* пирог на том свете; ≅ журавль в небе; as easy as ~ ≅ проще простого

pie II [paɪ] *n* 1) *полигр.* груда смешанного шрифта (*тж.* printer's ~) 2) хаос, ералаш

pie III [paɪ] *n ист.* самая мелкая индийская монета (*1/12 анны*)

piebald ['paɪbɔ:ld] 1. *a* 1) пегий (о лошади) 2) пёстрый; разношёрстный

2. *n* пегая лошадь; пегое животное

piece [pi:s] 1. *n* 1) кусок, часть; a ~ of water пруд, озерко; ~ by ~ по кускам, постепенно, частями 2) отдельный предмет, штука; a ~ of furniture мебель (отдельная вещь, напр. стул, стол и т. п.); a ~ of plate посудина; by the ~ поштучно, сдельно 3) монета (*тж.* a ~ of money) 4) картина; литературное *или* музыка́льное произведе́ние (*обыкн.* коро́ткое); пье́са; a ~ of art худо́жественное произведе́ние; a ~ of music музыка́льное произведе́ние; a ~ of poetry стихотворе́ние; a dramatical ~ дра́ма, драмати́ческое произведе́ние; a museum ~ музе́йная вещь *или* ре́дкость (*тж. перен.*) 5) образе́ц, приме́р; a ~ of impudence образе́ц на́глости 6) ша́хматная фигу́ра 7) шту́ка, кусо́к, определённое коли́чество; ~ of wallpaper руло́н обо́ев 8) уча́сток (*земли*) 9) *пренебр.* же́нщина, ба́ба (*тж.* a ~ of goods) 10) *амер. sl.* до́ля, пай (*в предприятии и т. п.*) 11) обло́мок, обры́вок; a ~ of paper клочо́к бума́ги; in ~s разби́тый на ча́сти; to ~s на ча́сти, вдре́безги [*см. тж.* ◇] 12): a ~ of luck уда́ча; a ~ of news но́вость; a ~ of information сообще́ние; a ~ of work (*отдельно выполненная*) рабо́та, произведе́ние 13) *воен.* ору́дие, огнево́е сре́дство; винто́вка; пистоле́т 14) бочо́нок вина́ 15) вста́вка, запла́та 16) *тех.* дета́ль; обраба́тываемое изде́лие ◇ of a (*или* of one) ~ with a) одного́ и того́ же ка́чества с; б) в согла́сии с *чем-л.*; в) образу́ющий еди́ное це́лое с *чем-л.*; all to ~s a) вдре́безги; б) изму́ченный, в изнеможе́нии; в) совершённо, по́лностью, с нача́ла до конца́ [*см. тж.* 11]; to go to ~s пропа́сть, поги́бнуть

2. *v* 1) соединя́ть в одно́ це́лое, собира́ть из кусо́чков; комбини́ровать 2) чини́ть, лата́ть (*платье*; *тж.* ~ up) 3) прису́чивать (*нить*) □ ~ **down** надставля́ть (*одежду*); ~ **on** прила́живать (to — к *чему-л.*); ~ **out** восполня́ть; ~ **together** соединя́ть; ~ **up** *разг.* чини́ть, лата́ть

pièce de résistance [pɪˌesdərəˈzɪstɑːŋs] *фр. n* (*pl* pièces de résistance) 1) са́мое лу́чшее, гла́вная достопримеча́тельность (*коллекции и т. п.*) 2) основно́е, гла́вное блю́до

piece-goods [ˈpiːsgʊdz] *n pl* шту́чный това́р; тка́ни в куска́х

piecemeal [ˈpiːsmiːl] **1.** *adv* 1) на куски́, на ча́сти 2) по частя́м, постепе́нно (*тж.* by ~); to work ~ рабо́тать сде́льно

2. *a* 1) части́чный, постепе́нный 2) сде́ланный по частя́м; ~ action несогласо́ванные де́йствия

piece rate [ˈpiːsreɪt] *a* сде́льный (*об оплате*)

pièces de résistance [pɪˌesdərəˈzɪstɑːŋs] *pl от* pièce de résistance

piecework [ˈpiːswɜːk] *n* сде́льная рабо́та, сде́льщина; шту́чная рабо́та

pieceworker [ˈpiːsˌwɜːkə] *n* сде́льщик

piecrust [ˈpaɪkrʌst] *n* ко́рочка пирога́ ◇ promises are like ~, made to be broken *посл.* ≅ обеща́ния для того́ и даю́т, что́бы их не выполня́ть

pied [paɪd] *a* пёстрый; разноцве́тный

pieman [ˈpaɪmən] *n* пиро́жник; продаве́ц пирого́в

pieplant [ˈpaɪplɑːnt] *n амер.* реве́нь

pier [pɪə] *n* 1) *мор.* пирс 2) мол; волноло́м; да́мба 3) бык (*моста*) 4) усто́й, столб, контрфо́рс 5) просте́нок

pierage [ˈpɪərɪdʒ] *n* пла́та за по́льзование ме́стом шварто́вки

pierce [pɪəs] *v* 1) пронза́ть, протыка́ть, прока́лывать 2) пробура́вливать, просве́рливать; пробива́ть отве́рстие 3) прони́зывать (*о холоде, взгляде и т. п.*) 4) постига́ть; проника́ть (*в тайны и т. п.*; through, into) 5) прорыва́ться, проходи́ть (*сквозь что-л.*)

piercer [ˈpɪəsə] *n тех.* пробо́йник; бородо́к; ши́ло; бура́в

piercing [ˈpɪəsɪŋ] **1.** *pres. p. от* pierce

2. *n* 1) просве́рливание 2) буре́ние 3) *тех.* диа́метр в свету́

3. *a* 1) пронзи́тельный; о́стрый; ре́зкий; ~ dissonance ре́зкий диссона́нс 2) прони́зывающий (*о взгляде, холоде*) 3) проница́тельный 4) *воен.* бронебо́йный

pier glass [ˈpɪəglɑːs] *n* трюмо́

Pierian [paɪˈɪərɪən] *a др.-греч.* пиери́йский, относя́щийся к му́зам; ~ spring исто́чник вдохнове́ния

pierrette [pɪəˈret] *n* Пьере́тта

pierrot [ˈpɪərəʊ] *n* Пьеро́

pietism [ˈpaɪətɪzəm] *n* 1) ло́жное, притво́рное благоче́стие, ха́нжество́ 2) *рел.* пиети́зм

pietist [ˈpaɪətɪst] *n* пиети́ст

piety [ˈpaɪətɪ] *n* 1) благоче́стие, на́божность 2) почти́тельность к роди́телям, к ста́ршим

piezochemistry [ˌpiːzəʊˈkemɪstrɪ] *n* пьезохи́мия

piezoelectricity [ˌpiːzəʊɪlekˈtrɪsətɪ] *n* пьезоэлектри́чество

piezometer [ˌpiːəˈzɒmɪtə] *n* пьезо́метр

piffle [ˈpɪfl] *разг.* **1.** *n* болтовня́, вздор

2. *v* 1) болта́ть пустяки́ 2) де́йствовать необду́манно; глу́по поступа́ть

pig [pɪg] **1.** *n* 1) (молода́я) свинья́; подсви́нок; поросёнок; in ~ супоро́сая (*о свинье*) 2) свини́на; порося́тина 3) *разг.* свинья́, наха́л 4) *разг.* неря́ха, грязну́ля 5) *тех.* болва́нка, чу́шка; бруско́к 6) *sl* полице́йский 7) до́лька, ло́мтик (*апельсина*) 8) *ав. жарг.* аэроста́т загражде́ния ◇ to make a ~ of oneself объеда́ться, обжира́ться; to buy a ~ in a poke ≅ покупа́ть кота́ в мешке́; ~s might fly *шутл.* ≅ быва́ет, что коро́вы лета́ют

2. *v* 1) порос́иться 2) *разг.* жа́дно есть 3): to ~ it жить те́сно и неую́тно, юти́ться

pigeon [ˈpɪdʒən] **1.** *n* 1) го́лубь 2) проста́к, шля́па; to pluck a ~ обобра́ть простака́ ◇ that's my (his, *etc.*) ~ э́то уж моё (его́ *и т. д.*) де́ло; little ~s can carry great messages *посл.* ≅ мал, да уда́л; ~'s milk «пти́чье молоко́»

2. *v* надува́ть, обма́нывать

pigeon-breasted [ˌpɪdʒənˈbrestɪd] *a* с кури́ной гру́дью (*о человеке*)

pigeongram [ˈpɪdʒəngræm] *n* сообще́ние, по́сланное с почто́вым го́лубем

pigeon-hearted [ˌpɪdʒənˈhɑːtɪd] *a* трусли́вый, ро́бкий

pigeonhole [ˈpɪdʒənhəʊl] **1.** *n* 1) отделе́ние для бума́г (*в секретере, письменном столе и т. п.*) 2) голуби́ное гнездо́

2. *v* 1) раскла́дывать (*бумаги*) по я́щикам 2) класть под сукно́, откла́дывать в до́лгий я́щик 3) классифици́ровать, приклéивать ярлыки́

pigeon pair [ˈpɪdʒənpeə] *n* ма́льчик и де́вочка (*близнецы или единственные дети в семье*)

pigeonry [ˈpɪdʒənrɪ] *n* голубя́тня

pigeon-toed [ˈpɪdʒəntəʊd] *a* с па́льцами ног, обращёнными внутрь

piggery [ˈpɪgərɪ] *n* свина́рник, хлев

piggish [ˈpɪgɪʃ] *a* 1) свино́й, похо́жий на свинью́ 2) сви́нский, гря́зный 3) жа́дный 4) упря́мый

piggy [ˈpɪgɪ] *n разг.* 1) сви́нка, поросёнок 2) игра́ в чижи́

piggy-wiggy [ˌpɪgɪˈwɪgɪ] *n* 1) сви́нка, поросёнок 2) грязну́ля, поросёнок (*о ребёнке*)

pigheaded [ˌpɪgˈhedɪd] *a* упря́мый

pig iron [ˈpɪgˌaɪən] *n* чугу́н в чу́шках *или* штыка́х

pigling [ˈpɪglɪŋ] *n* поросёнок

pigment [ˈpɪgmənt] *n* пигме́нт

pigmental, pigmentary [pɪgˈmentl, ˈpɪgmɪntərɪ] *a* пигме́нтный

pigmentation [ˌpɪgmenˈteɪʃn] *n* пигмента́ция

pigmy [ˈpɪgmɪ] = pygmy

pignut [ˈpɪgnʌt] *n* земляно́й кашта́н

pigpen [ˈpɪgpen] = pigsty

pigskin [ˈpɪgskɪn] *n* 1) свина́я ко́жа 2) *разг.* седло́ 3) *амер. разг.* футбо́льный мяч

pigsticking [ˈpɪgˌstɪkɪŋ] *n* охо́та на кабано́в с копьём

pigsty [ˈpɪgstaɪ] *n* свина́рник, хлев

pig's wash [ˈpɪgzwɒʃ] = pigswill

pigswill [ˈpɪgswɪl] *n* помо́и

pigtail [ˈpɪgteɪl] *n* 1) коси́чка, коса́ 2) таба́к, свёрнутый в тру́бочку

pigwash [ˈpɪgwɒʃ] = pigswill

pigweed [ˈpɪgwiːd] *n бот.* марь, амара́нт

pike I [paɪk] *n* щу́ка

pike II [paɪk] **1.** *n* 1) пи́ка, копьё 2) наконе́чник стрелы́ 3) пик (*в местных геогр. названиях*) 4) *диал.* кирка́ 5) шип, колю́чка 6) ви́лы

2. *v* закáлывать пи́кой

pike III [paɪk] *n* 1) заста́ва, где взима́ется подоро́жный сбор 2) подоро́жный сбор

pikelet [ˈpaɪklət] *n диал.* бу́лочка, пы́шка

piker [ˈpaɪkə] *n* 1) осторо́жный *или* ро́бкий (бирже́вой) игро́к 2) скря́га

pikestaff [ˈpaɪkstɑːf] *n* 1) дре́вко пи́ки 2) по́сох ◇ plain as a ~ ≅ я́сный как день, очеви́дный

pilaff [ˈpiːlæf] = pilau

pilaster [pɪˈlæstə] *n архит.* пиля́стр

pilau, pilaw [piːˈlaʊ] *n* пила́в, плов

pilch [pɪltʃ] *n уст.* флане́левая пелёнка *или* флане́левый подгу́зник

pilchard [ˈpɪltʃəd] *n зоол.* сарди́на

pile I [paɪl] **1.** *n* 1) ку́ча, гру́да, шта́бель; сто́лбик (*монет*); ки́па (*бумаг*); па́чка, свя́зка, паке́т 2) огро́мное зда́ние; грома́да зда́ний 3) *разг.* мно́жество, большо́е коли́чество 4) *разг.* состоя́ние;

to make one's ~ нажи́ть состоя́ние 5) *эл.* батаре́я 6) я́дерный реа́ктор (*тж.* atomic ~) 7) погреба́льный костёр (*тж.* funeral ~)

2. *v* 1) скла́дывать, сва́ливать в ку́чу; to ~ arms *воен.* составля́ть винто́вки в ко́злы 2) накопля́ть (*часто* ~ up) 3) нагружа́ть; зава́ливать; громозди́ть (on, upon) ▭ ~ in *разг.* забира́ться (*куда-л.*); ~ up а) нагроможда́ть(ся); б) нака́пливать; в) *разг.* разби́ть автомаши́ну; г) *ав.* разби́ть самолёт при взлёте *или* поса́дке; д) *разг.* наскочи́ть на мель (*о корабле*) ◇ to ~ it on *разг.* преувели́чивать; «залива́ть»

pile II [paɪl] **1.** *n* сва́я, столб, кол

2. *v* вбива́ть, вкола́чивать сва́и

pile III [paɪl] *n* 1) ворс 2) шерсть, во́лос, пух

pile IV [paɪl] *n* 1) *pl разг.* геморро́й 2) геморроида́льная ши́шка

pile V [paɪl] *n уст.* обра́тная сторона́ моне́ты; cross or ~ орёл и́ли ре́шка

piled I, II [paɪld] *p. p. от* pile I, 2 *и* II, 2

piled III [paɪld] *a* ворси́стый (*о ткани*)

pile driver ['paɪl,draɪvə] *n тех.* копёр

pile-dwelling ['paɪl,dwelɪŋ] *n* сва́йная постро́йка

pilfer ['pɪlfə] *v* ворова́ть, таска́ть; стяну́ть

pilferage ['pɪlfərɪdʒ] *n* ме́лкая кра́жа

pilferer ['pɪlfərə] *n* ме́лкий жу́лик

pilgrim ['pɪlgrɪm] *n* пилигри́м, пало́мник, стра́нник ◇ P. Fathers *ист.* англи́йские колони́сты, посели́вшиеся в Аме́рике в 1620 г.

pilgrimage ['pɪlgrɪmɪdʒ] **1.** *n* 1) пало́мничество 2) *разг.* стра́нствие, дли́тельное путеше́ствие; *перен.* челове́ческая жизнь

2. *v* пало́мничать

pill I [pɪl] **1.** *n* 1) пилю́ля 2) (the ~) *разг.* противозача́точная пилю́ля 3) *разг.* неприя́тный челове́к 4) *разг.* ядро́; пу́ля; ша́рик; мяч; баллотиро́вочный шар 5) *pl* билья́рд ◇ a ~ to cure an earthquake жа́лкая полуме́ра; a bitter ~ to swallow го́рькая пилю́ля, тя́гостная необходи́мость; to sugar (*или* sweeten) the ~ подсласти́ть пилю́лю

2. *v* 1) дава́ть пилю́ли 2) *разг.* забаллоти́ровать

pill II [pɪl] *v* 1) *уст.* гра́бить, мародёрствовать 2) *разг.* обобра́ть, обста́вить

pillage ['pɪlɪdʒ] **1.** *n* грабёж, мародёрство

2. *v* гра́бить, мародёрствовать

pillar ['pɪlə] **1.** *n* 1) столб, коло́нна; сто́йка, опо́ра 2) столп, опо́ра; оплот; ~s of society столпы́ о́бщества 3) *горн.* цели́к 4) *мор.* пи́ллерс ◇ Pillars of Hercules Геркуле́совы столбы́, Гибралта́рский проли́в; from ~ to post а) от одно́й тру́дности к друго́й, от одного́ де́ла к друго́му; б) туда́-сюда́

2. *v* подпира́ть, подде́рживать; украша́ть коло́ннами

pillar box ['pɪləbɒks] *n* стоя́чий почто́вый я́щик

pillbox ['pɪlbɒks] *n* 1) коро́бочка для пилю́ль 2) ма́ленькая же́нская шля́пка (*без полей, с плоским верхом*) 3) *воен.* долговре́менное огнево́е сооруже́ние

pillion ['pɪljən] *n* 1) за́днее сиде́нье (*мотоцикла*) 2) *уст.* да́мское седло́; седе́льная поду́шка

pilliwinks ['pɪlɪwɪŋks] *n ист.* ору́дие пы́тки для сти́скивания па́льцев

pillock ['pɪlək] *n sl.* о́лух, болва́н, дура́к

pillory ['pɪlərɪ] **1.** *n ист.* позо́рный столб; to be in the ~ быть посме́шищем; to put (*или* to set) in the ~ пригвозди́ть к позо́рному столбу́, сде́лать посме́шищем

2. *v* 1) *ист.* поста́вить, пригвозди́ть к позо́рному столбу́ 2) вы́ставить на осмея́ние

pillow ['pɪləʊ] **1.** *n* 1) поду́шка 2) *тех.* подши́пник, вкла́дыш; подкла́дка, поду́шка ◇ to take counsel of one's ~ ≅ у́тро ве́чера мудрене́е; отложи́ть реше́ние до утра́

2. *v* 1) класть го́лову на *что-л.* 2) служи́ть поду́шкой 3) подложи́ть поду́шку

pillowcase ['pɪləʊkeɪs] *n* на́волочка

pillowsham ['pɪləʊʃæm] *n* наки́дка (*на подушку*)

pillow slip ['pɪləʊslɪp] = pillowcase

pillow talk ['pɪləʊtɔ:k] *n* инти́мный разгово́р в посте́ли

pillowy ['pɪləʊɪ] *a* мя́гкий; пода́тливый

pillule ['pɪlju:l] = pilule

pilose ['paɪləʊs] *a бот., зоол.* волоси́стый, мохна́тый, шерсти́стый

pilot ['paɪlət] **1.** *n* 1) *ав.* пило́т, лётчик 2) ло́цман 3) о́пытный проводни́к 4) *уст.* ко́рмчий 5) *амер. ж.-д.* скотосбра́сыватель 6) *тех.* вспомога́тельный кла́пан, механи́зм 7) *attr.*: ~ plant о́пытный заво́д, о́пытная устано́вка; ~ model о́пытная моде́ль 8) *attr.* ло́цманский; шту́рманский; ~ boat ло́цманский ка́тер; ~ chart *ав.* аэронавигацио́нная ка́рта ◇ to drop the ~ отве́ргнуть ве́рного сове́тчика

2. *v* 1) вести́, управля́ть; пилоти́ровать; to ~ one's way прокла́дывать себе́ доро́гу 2) быть проводнико́м

pilotage ['paɪlətɪdʒ] *n* 1) *ав.* пилоти́рование, пилота́ж 2) прово́дка судо́в; ло́цманское де́ло 3) ло́цманский сбор

pilot balloon ['paɪlətbə,lu:n] *n* 1) *метео* шар-пило́т 2) про́бный шар

pilot-cloth ['paɪlətklɒθ] *n* то́лстое си́нее сукно́

pilot engine ['paɪlət,endʒɪn] *n* 1) вспомога́тельный дви́гатель 2) *ж.-д.* снегоочисти́тель

pilot-film ['paɪlətfɪlm] *n тлв.* телепанора́ма (*обзор передач с демонстрацией отрывков*)

pilot fish ['paɪlətfɪʃ] *n зоол.* ры́ба-ло́цман

pilothouse ['paɪləthaʊs] *n мор.* рулева́я ру́бка

pilous ['paɪləs] = pilose

pilule ['pɪlju:l] *n* (небольша́я) пилю́ля

pimento [pɪ'mentəʊ] *n* (*pl* -os [-əʊz]) стручко́вый (кра́сный) пе́рец

pi-meson [,paɪ'mi:zɒn] *n физ.* пи-мезо́н

pimp [pɪmp] **1.** *n* сво́дник

2. *v* сво́дничать

pimpernel ['pɪmpənel] *n бот.* о́чный цвет (полево́й)

pimping I ['pɪmpɪŋ] *pres. p. от* pimp 2

pimping II ['pɪmpɪŋ] *a* 1) ма́ленький; жа́лкий 2) боле́зненный, сла́бый

pimple ['pɪmpl] *n* прыщ, па́пула, у́горь

pimpled, pimply ['pɪmpld, 'pɪmplɪ] *a* прыщева́тый, прыща́вый

pin [pɪn] **1.** *n* 1) була́вка; шпи́лька; прище́пка; кно́пка; *редк.* гвоздь 2) бро́шка, значо́к 3) ке́гля 4) *pl разг.* но́ги; he is quick on his ~s он бы́стро бе́гает; he is weak on his ~s он пло́хо де́ржится на нога́х 5) *муз.* коло́к 6) бочо́нок в 4 1/12 галло́на 7) шпиль 8) ска́лка 9) пробо́йник 10) *тех.* па́лец; штифт, болт; шкво́рень, ось; ца́пфа; ше́йка; чека́; шплинт 11) *эл.* штырь; вы́вод ◇ in (a) merry ~ в весёлом настрое́нии; ~s and needles колотьё в коне́чностях (*после онемения*); to be on ~s and needles сиде́ть как на иго́лках; I don't care a ~ мне наплева́ть; not a ~ to choose between them они́ похо́жи как две ка́пли воды́; not worth a row of ~s никуда́ не годи́тся; you might have heard a ~ fall ≅ слы́шно бы́ло, как му́ха пролети́т

2. *v* 1) прика́лывать (*обыкн.* ~ up; to, on); скрепля́ть була́вкой (*обыкн.* ~ together) 2) прока́лывать; пробива́ть 3) пригвожда́ть 4) прижима́ть (*к стене и т. п.*; against) ▭ ~ down а) свя́зывать (*кого-л. обещанием и т. п.*); б) припере́ть к сте́нке; в) дать то́чное объясне́ние (*чему-л.*) ◇ to ~ smth. on smb. возлага́ть на кого́-л. вину́ за что-л.; to ~ one's faith (*или* hopes) on smb., smth. сле́по полага́ться на кого́-л., что-л.

pinafore ['pɪnəfɔ:] *n* 1) пере́дник (*особ.* де́тский), фа́ртук 2) пла́тье-сарафа́н

pinaster [paɪ'næstə] *n* примо́рская сосна́

pince-nez [,pæns'neɪ] *n* пенсне́

pincer movement ['pɪnsə,mu:vmənt] *n воен.* двойно́й охва́т, захва́т в клещи́

pincers ['pɪnsəz] *n pl* 1) (*тж.* a pair of ~) клещи́; щипцы́; щи́пчики; пинце́т 2) клешни́ 3) = pincer movement

pincette [pæŋ'set] *n* щи́пчики, пинце́т

pinch [pɪntʃ] **1.** *n* 1) щипо́к 2) щепо́тка (*соли и т. п.*) 3) кра́йняя нужда́; стеснённое положе́ние; at (*или* in) a ~, if it comes to the ~ в слу́чае нужды́, в кра́йнем слу́чае; to feel the ~ быть в стеснённом положе́нии; ~ of poverty тиски́ нужды́ 4) *sl.* аре́ст 5) *sl.* кра́жа 6) суже́ние, сжа́тие 7) *геол.* выкли́нивание 8) лом; рыча́г (*тж.* ~ bar) 9) *attr.*: ~ pennies эконо́мия на ка́ждой копе́йке

2. *v* 1) ущипну́ть; прищеми́ть; ущеми́ть 2) сда́вливать, сжима́ть; жать (*напр., об обуви*) 3): to be ~ed with cold (hunger) иззя́бнуть (изголода́ться) 4) *sl.* укра́сть; огра́бить 5) *sl.* арестова́ть, «заца́пать» 6) ограни́чивать, стесня́ть 7) скупи́ться 8) *с.-х.* пасынкова́ть, пинци́ровать 9) *мор.* идти́ о́чень кру́то к ве́тру 10) вымога́ть (*де́ньги*) ◇ that is where the shoe ~es ≅ вот в чём загво́здка

pinchbeck ['pɪntʃbek] **1.** *n* 1) томпа́к 2) фальши́вые драгоце́нности, подде́лка

2. *a* подде́льный, показно́й

pinchers ['pɪntʃəz] = pincers 1)

pincushion ['pɪn,kʊʃn] *n* поду́шечка для була́вок

Pindaric [pɪn'dærɪk] *др.-греч.* **1.** *a* пиндари́ческий

2. *n* (*обыкн. pl*) пиндари́ческие стихи́, о́ды

pine I [paɪn] *n* 1) сосна́ 2) = pineapple 3) *attr.* сосно́вый; ~ bath хво́йная ва́нна

pine II [paɪn] *v* 1) ча́хнуть, томи́ться; изнемога́ть, изныва́ть, иссыха́ть (*тж.* ~ away) 2) жа́ждать (*чего-л.*), тоскова́ть (for, after — по *чему-л.*)

pineal ['pɪnɪəl] *a анат.* шишкови́дный

pineapple ['paɪnæpl] *n* 1) анана́с 2) *воен. жарг.* ручна́я грана́та, «лимо́нка»

pine-cone ['paɪnkəʊn] *n* сосно́вая ши́шка

pine-needle ['paɪn,ni:dl] *n* (*обыкн. pl*) сосно́вая хво́я

pinery ['paɪnərɪ] *n* 1) сосня́к, сосно́вый бор 2) анана́сная тепли́ца

pine-tree ['paɪntri:] = pine I, 1)

pinfold ['pɪnfəʊld] **1.** *n* заго́н для скота́

2. *v* держа́ть (скот) в заго́не

ping [pɪŋ] **1.** *n* 1) свист (*пу́ли*) 2) гуде́ние (*комара́*) 3) стук от уда́ра

2. *v* 1) свисте́ть 2) гуде́ть 3) ударя́ться со сту́ком

ping-pong ['pɪŋpɒŋ] *n* насто́льный те́ннис, пинг-по́нг

pinguid ['pɪŋgwɪd] *a* 1) жи́рный, масляни́стый (*обыкн. шутл.*) 2) бога́тый, плодоро́дный (*о по́чве*)

pinhead ['pɪnhed] *n* 1) була́вочная голо́вка 2) ме́лочь 3) *разг.* тупи́ца, дура́к

pinhole ['pɪnhəʊl] *n* 1) була́вочное отве́рстие 2) *тех.* отве́рстие под штифт

pinion I ['pɪnjən] *n тех.* шестерня́, ма́лое зубча́тое колесо́ па́ры

pinion II ['pɪnjən] **1.** *n* 1) оконе́чность пти́чьего крыла́ 2) *поэт.* крыло́; махово́е перо́

2. *v* 1) подреза́ть кры́лья 2) свя́зывать (*ру́ки*) 3) кре́пко привя́зывать

pinioned ['pɪnjənd] *a* крыла́тый

pink I [pɪŋk] **1.** *n* 1) ро́зовый цвет 2) *бот.* гвозди́ка 3) (the ~) верх, вы́сшая сте́пень; in the ~ *разг.* в прекра́сном состоя́нии (*о здоро́вье*); the ~ of perfection верх соверше́нства 4) кра́сный камзо́л охо́тника на лиси́цу 5) охо́тник в кра́сном камзо́ле 6) уме́ренный радика́л

2. *a* 1) ро́зовый 2) либера́льничающий

pink II [pɪŋk] *v* 1) протыка́ть, прока́лывать 2) украша́ть ды́рочками, фесто́нами, зубца́ми (*тж.* ~ out)

pink III [pɪŋk] *v* рабо́тать с детона́цией (*о дви́гателе*)

pink IV [pɪŋk] *n* молодо́й ло́сось

pink V [pɪŋk] *n мор. ист.* пи́нка

pinkeye ['pɪŋkaɪ] *n мед., вет.* о́стрый инфекцио́нный конъюнктиви́т

pinking scissors ['pɪŋkɪŋ,sɪzəz] = pinking shears

pinking shears ['pɪŋkɪŋʃɪəz] *n* фесто́нные но́жницы

pinkish ['pɪŋkɪʃ] *a* розова́тый

Pinkster ['pɪŋkstə] *n амер. церк.* Тро́ицын день

pinkster flower ['pɪŋkstə,flaʊə] *n амер. бот.* ро́зовая аза́лия

pinky ['pɪŋkɪ] = pinkish

pin money ['pɪn,mʌnɪ] *n* 1) *уст.* де́ньги 2) де́ньги на ме́лкие расхо́ды, «на була́вки», кото́рые муж даёт жене́

pinna ['pɪnə] *n* (*pl* pinnae) *анат.* ушна́я ра́ковина

pinnace ['pɪnəs] *n мор. ист.* пина́с, полубарка́с

pinnacle ['pɪnəkl] **1.** *n* 1) верши́на; кульминацио́нный пункт 2) остроконе́чная ба́шенка, бельведе́р, шпиц

2. *v* 1) возноси́ть 2) украша́ть ба́шенками

pinnae ['pɪni:] *pl от* pinna

pinnate, pinnated ['pɪneɪt, 'pɪneɪtɪd] *a бот.* пе́ристый

pinniped ['pɪnɪped] *зоол.* **1.** *a* ластоно́гий

2. *n* ластоно́гое живо́тное

pinnothere ['pɪnəθɪə] *n зоол.* раку́шковый краб

pinnule ['pɪnju:l] *n* дио́птр (*угломе́рного инструме́нта*)

pinny ['pɪnɪ] *n детск.* пере́дничек

pinoc(h)le ['pi:nʌkl] *n амер.* ка́рточная игра́, напомина́ющая бе́зик

pinole [pɪ'nəʊlɪ] *n амер.* ку́шанье из поджа́ренного ма́иса с са́харом *и т. п.*

pinpoint ['pɪnpɔɪnt] **1.** *n* 1) остриё була́вки 2) что-л. о́чень ма́ленькое, незначи́тельное

2. *a воен.* то́чный, прице́льный; with ~ accuracy с большо́й то́чностью

3. *v воен.* 1) засека́ть цель 2) бомбарди́ровать то́чечную цель

pinprick ['pɪnprɪk] *n* 1) була́вочный уко́л 2) ме́лкая неприя́тность, доса́да

pint [paɪnt] *n* 1) пи́нта (*ме́ра ёмкости; в А́нглии = 0,57 л; в США = 0,47 л для жи́дкостей и 0,55 л для сыпу́чих тел*) 2) *разг.* кру́жка пи́ва 3) *разг.* кру́жка, *особ.* молока́ ◇ to make a ~ measure hold a quart стара́ться сде́лать что-л. невозмо́жное

pinta ['paɪntə] *n разг.* кру́жка молока́

pintado [pɪn'tɑ:dəʊ] *n* (*pl* -os [-əʊz]) *зоол.* 1) ка́пский голубо́к (*тж.* ~ bird, ~ petrel) 2) цеса́рка

pintail ['pɪnteɪl] *n зоол.* 1) шилохво́сть 2) рябо́к белобрю́хий

pintle ['pɪntl] *n* 1) *тех.* вертика́льная ось; штифт; шкво́рень; штырь 2) *мор.* рулево́й крюк

pinto ['pɪntəʊ] *a амер.* пе́гий, пятни́стый

pinup ['pɪnʌp] **1.** *n* 1) фотогра́фия красо́тки, кинозвезды́, вы́резанная из журна́ла и прикреплённая на сте́ну *и т. п.* 2) красо́тка, кинозвезда́ *и т. п.*, запечатлённая на э́той фотогра́фии

2. *a* хоро́шенькая, очарова́тельная (*о же́нщине*)

piny ['paɪnɪ] *a* сосно́вый; поро́сший со́снами

pioneer [,paɪə'nɪə] **1.** *n* 1) инициа́тор; нова́тор, зачина́тель 2) пионе́р, пе́рвый поселе́нец *или* иссле́дователь 3) сапёр 4) пионе́р (*член пионе́рской организа́ции*) 5) *attr.* пе́рвый; ~ work нововведе́ние; нова́торство 6) *attr. воен.* сапёрный; ~ tools ша́нцевый инструме́нт 7) *attr. горн.*: ~ well разве́дочная сква́жина

2. *v* 1) прокла́дывать путь, быть пионе́ром 2) вести́, руководи́ть

pious ['paɪəs] *a* 1) на́божный, благочести́вый; религио́зный 2) ха́нжеский ◇ ~ fraud ложь во спасе́ние

pip I [pɪp] *n* типу́н (*пти́чья боле́знь*) ◇ to have the ~ чу́вствовать себя́ пло́хо, быть не в свое́й таре́лке; быть в плохо́м настрое́нии

pip II [pɪp] *n* ко́сточка, зёрнышко (*плода́*)

pip III [pɪp] *n* 1) очко́ (*в ка́ртах, домино́*) 2) звёздочка (*на пого́нах*)

pip IV [pɪp] *v разг.* 1) подстрели́ть, ра́нить 2) победи́ть; разру́шить (*чьи-л.*) пла́ны 3) забаллоти́ровать 4) провали́ть (*на экза́мене*) ▭ ~ out умере́ть ◇ to ~ at the post нанести́ пораже́ние в после́дний моме́нт

pip V [pɪp] **1.** *n* высо́кий коро́ткий звук радиосигна́ла

2. *v* пища́ть, чири́кать

pipage ['paɪpɪdʒ] *n* 1) перека́чка по трубопрово́ду (*не́фти, га́за и т. п.*) 2) пла́та, взима́емая за перека́чку по трубопрово́ду

pipe [paɪp] **1.** *n* 1) труба́, трубопрово́д; the ~s радиа́тор 2) курительная тру́бка 3) свире́ль; ду́дка; свисто́к 4) *pl* волы́нка 5) *pl* дыха́тельные пути́ 6) пе́ние, свист (*птиц и т. п.*) 7) *мор.* бо́цманская ду́дка 8) бо́чка (*для вина́ или ма́сла; тж. ме́ра ≅ 491 л*) 9) *уст.* го́лос, *особ.* пе́ние 10) *метал.* уса́дочная ра́ковина ◇ to smoke the ~ of peace вы́курить тру́бку ми́ра; помири́ться; King's (*или* Queen's) ~ *ист.* печь для сжига́ния контраба́ндного табака́; to hit the ~ *амер.* кури́ть о́пиум; put that in your ~ and smoke it ≅ намота́йте себе́ э́то на ус

2. *v* 1) игра́ть на свире́ли 2) пуска́ть по труба́м 3) снабжа́ть труба́ми 4) передава́ть по ра́дио (*му́зыку и т. п.*) 5) *мор.* вызыва́ть ду́дкой, свиста́ть 6) пища́ть (*о челове́ке*) 7) петь (*о пти́це*) 8) свисте́ть (*о ве́тре и т. п.*) 9) покрыва́ть са́харной глазу́рью (*торт и т. п.*) 10) отде́лывать ка́нтом (*пла́тье*) 11) призыва́ть свире́лью; прима́нивать ва́биком ▭ ~ away *мор.* дава́ть сигна́л к отплы́тию; ~ down *разг.* сба́вить тон, стать ме́нее самоуве́ренным; ~ up заигра́ть; запе́ть; заговори́ть

pipeclay ['paɪpkleɪ] **1.** *n* 1) бе́лая тру́бочная гли́на (*употр. тж. для чи́стки* *снаряжения)* 2) *воен. разг.* увлечéние внéшним вúдом, вы́правкой 3) *attr.* сдéланный из бéлой глúны

2. *v* белúть трýбочной глúной

pipe dream ['paɪpdri:m] *n* несбы́точная мечтá; план, пострóенный на лескé

pipe-fish ['paɪpfɪʃ] *n зоол.* морскáя иглá

pipefitter ['paɪp,fɪtə] *n* слéсарь-водопровóдчик

pipeful ['paɪpfʊl] *n* пóлная трýбка *(табаку)*

pipe-laying ['paɪp,leɪɪŋ] *n* 1) проклáдка труб 2) *амер.* политúческие интрúги, махинáции

pipeline ['paɪplaɪn] *n* 1) трубопровóд; нефтепровóд 2) истóчник информáции; diplomatic ~s дипломатúческие канáлы 3) систéма снабжéния ◇ in the ~ в рабóте, в разрабóтке

piper ['paɪpə] *n* 1) волы́нщик, дýдочник, игрóк на свирéли 2) запалённая лóшадь 3) *горн.* суфлёр ◇ to pay the ~ нестú расхóды, расплáчиваться; he who pays the ~ calls the tune *посл.* кто плáтит, тот и распоряжáется

pipette [pɪ'pet] **1.** *n* пипéтка

2. *v* кáпать из пипéтки

piping ['paɪpɪŋ] **1.** *pres. p. от* pipe 2

2. *n* 1) игрá *(на дудке и т. п.)* 2) насвúстывание; писк 3) пéние *(птиц)* 4) сáхарный узóр *(на торте)* 5) кант *(на платье)* 6) трубопровóд; трýбы, систéма труб 7) *метал.* усáдочная рáковина; образовáние усáдочных рáковин

3. *a* пронзúтельный, писклúвый ◇ ~ hot ≅ a) с пы́лу, с жáру, óчень горя́чий; б) совершéнно нóвый *или* свéжий; the ~ time(s) of peace мúрные временá

pipit ['pɪpɪt] *n* конёк, щеврúца *(птица)*

pipkin ['pɪpkɪn] *n* глúняный горшóчек, мúсочка

pippin ['pɪpɪn] *n* 1) пепúн *(сорт яблок)* 2) *разг.* кумúр

pippin-faced ['pɪpɪnfeɪst] *a* с крýглым крáсным лицóм

pip-squeak ['pɪpskwi:k] *n разг.* 1) что-л. незначúтельное, презрéнное 2) ничтóжная лúчность

pipy ['paɪpɪ] *a* 1) трýбчатый 2) рéзкий, зы́чный

piquancy ['pi:kənsɪ] *n* пикáнтность, остротá

piquant ['pi:kənt] *a* пикáнтный *(тж. перен.)*

pique [pi:k] **1.** *n* задéтое самолюбие; обúда, досáда, раздражéние

2. *v* 1) уколóть, задéть *(самолюбие)* 2) возбуждáть *(любопытство)* 3) *ав.* пикúровать ◇ to ~ oneself on smth. гордúться, чвáниться чем-л.

piqué ['pi:keɪ] *n* пикé *(ткань)*

piquet I [pɪ'ket] *n карт.* пикéт

piquet II ['pɪkɪt] = picket

piracy ['paɪrəsɪ] *n* 1) пирáтство 2) нарушéние áвторского прáва 3) *геол.* перехвáт однóй рекú другóй

piragua [pɪ'rægwə] *n* пирóга *(лодка)*

pirate ['paɪrət] **1.** *n* 1) пирáт 2) пирáтское сýдно 3) нарушúтель áвторского прáва 4) *attr.*: ~ radio station радиостáнция, рабóтающая на чужóй волнé

2. *v* 1) самовóльно переиздавáть, нарушáть áвторское прáво 2) занимáться пирáтством; грáбить; обкрáдывать

piratical [paɪ'rætɪkl] *a* пирáтский; ~ edition незакóнно переúзданная кнúга

pirn [pɜ:n] *n текст.* цéвка, шпýлька

pirogue [pɪ'rəʊg] = piragua

pirouette [,pɪrʊ'et] **1.** *n* пируэ́т

2. *v* дéлать пируэ́ты

pis aller [,pi:z'æleɪ] *n фр.* крáйнее срéдство

piscatorial, piscatory [,pɪskə'tɔ:rɪəl, 'pɪskətərɪ] *a* 1) рыболóвный 2) рыбáцкий

Pisces ['paɪsi:z] *n pl* Ры́бы *(созвездие и знак зодиака)*

pisciculture ['pɪsɪkʌltʃə] *n* рыбовóдство

pisciculturist [,pɪsɪ'kʌltʃərɪst] *n* рыбовóд

piscina [pɪ'si:nə] *n* *(pl* -nae, -s [-z]) 1) *церк.* умывáльница *(в ризнице)* 2) ры́бный садóк 3) *др.-рим.* плáвательный бассéйн в бáне

piscinae [pɪ'si:ni:] *pl от* piscina

piscine I ['pɪsi:n] *n* плáвательный бассéйн

piscine II ['pɪsaɪn] *a* ры́бный

piscivorous [pɪ'sɪvərəs] *a* рыбоя́дный

pish [pɪʃ] **1.** *int* тьфу!; фи!

2. *v* фы́ркать

pishogue [pɪ'ʃəʊg] *ирл. n* колдовствó; заклинáние

pisiform ['pɪsɪfɔ:m] *a* имéющий фóрму горóшины; горохови́дный; ~ bone *анат.* горохови́дная кость

pismire ['pɪsmaɪə] *n диал.* муравéй

pisolite ['paɪsəlaɪt] *n мин.* пизолúт, горóховый кáмень, оолúт

piss [pɪs] *груб.* **1.** *n* мочá ◇ to take the ~ издевáться

2. *v* 1) мочúться 2) облúть мочóй ◇ ~ off! провáливай!

piss artist [,pɪs'ɑ:tɪst] *n груб.* 1) пья́ница 2) болтýн, трепáч

pissed [pɪst] **1.** *p. p. от* piss 2

2. *a груб.* пья́ный

pissed off ['pɪstɒf] *a груб.* 1) раздражённый, обозлённый 2) подáвленный, расстрóенный

piss-pot ['pɪspɒt] *n груб.* ночнóй горшóк

pistachio [pɪ'stɑ:ʃɪəʊ] *n* *(pl* -os [-əʊz]) 1) *бот.* фистáшковое дéрево 2) фистáшка *(плод)* 3) фистáшковый цвет

pistil ['pɪstɪl] *n бот.* пéстик

pistillate ['pɪstɪleɪt] *a бот.* пéстиковый, пéстичный

pistol ['pɪstl] **1.** *n* пистолéт; револьвéр 2) *attr.* пистолéтный; ~ club стрелкóвый клуб *или* кружóк

2. *v* стреля́ть из пистолéта *или* револьвéра

pistole [pɪ'stəʊl] *n ист.* пистóль *(исп. золотая монета)*

pistol-shot ['pɪstlʃɒt] *n* пистолéтный вы́стрел

piston ['pɪstən] *n* 1) *тех.* пóршень; плýнжер 2) пистóн, клáпан *(в медных духовых инструментах)*

piston-rod ['pɪstənrɒd] *n тех.* поршневóй шток, шатýн

pit I [pɪt] **1.** *n* 1) я́ма; углублéние; впáдина; air ~ воздýшная я́ма 2) шáхта, копь; карьéр, шурф; open ~ карьéр, откры́тая разрабóтка 3) вóлчья я́ма; западня́ 4) óспина, рябúна *(на коже)* 5) *анат.* я́мка, впáдина; the ~ of the stomach подлóжечная я́мка; in the ~ of the stomach под лóжечкой 6) мéсто для оркéстра *(в театре)* 7) *ист.* партéр *(особ. задние ряды за креслами)* 8) (the ~) преиспóдняя *(тж.* the ~ of hell) 9) заправочно-ремóнтный пункт *(в автомобильных гонках)* 10) *амер.* отдéл товáрной бúржи 11) *sl.* кóйка, постéль 12) арéна для петушúных боёв 13) *attr.* шáхтный; ~ mouth ýстье шáхты; ~ wood *горн.* крепёжный лес ◇ to dig a ~ for smb. рыть комý-л. я́му

2. *v* 1) противостоя́ть (against); to ~ one's strength against an enemy сразúться с врагóм; to ~ oneself against heavy odds борóться с огрóмными трýдностями 2) стрáвливать *(петухов)* 3) *(особ. p. p.)* покрывáть(ся) я́мками; ~ted with smallpox рябóй 4) рыть я́мы; дéлать я́мки 5) склáдывать в я́му *(для хранения; особ. об овощах и т. п.)*

pit II [pɪt] *амер.* **1.** *n* фруктóвая кóсточка

2. *v* вынимáть кóсточки

pit-a-pat [,pɪtə'pæt] **1.** *adv*: to go ~ затрепетáть *(о сердце)*; his feet went ~ нóги у негó подкосúлись

2. *n* биéние, трéпет, лёгкий стук

pitch I [pɪtʃ] **1.** *n* смолá; вар; дёготь; пек

2. *v* смолúть

pitch II [pɪtʃ] **1.** *n* 1) *спорт.* часть крúкетного пóля мéжду лúниями подающих 2) стéпень, ýровень, напряжéние 3) уклóн, скат, наклóн, покáтость, ýгол наклóна 4) высотá *(тона, звука и т. п.)*; absolute ~ a) абсолю́тная высотá тóна; б) абсолю́тный слух; the noise rose to a deafening ~ шум сдéлался оглушúтельным 5) падéние; килевáя кáчка *(судна)*; the ship gave a ~ корáбль зары́лся нóсом 6) бросóк 7) *разг.* пáртия товáра 8) обы́чное мéсто *(уличного торговца и т. п.)* 9) *спорт.* подáча 10) *тех.* шаг *(резьбы, зубчатого зацепления, воздушного винта)*; мóдуль; питч 11) наклóн самолёта относúтельно поперéчной осú 12) *геол.* падéние *(пласта)*

2. *v* 1) разбивáть *(палатки, лагерь)*; располагáться лáгерем; to ~ one's tent a) разбúть палáтку; б) поселúться *(где-л.)* 2) бросáть; кидáть 3) *спорт.* подавáть 4) стáвить *(крикетные воротца и т. п.)* 5) придавáть определённую окрáску; to ~ it strong преувелúчивать; the description is ~ed too high описáние преувелúчено 6) пáдать (on, into); погружáться 7) подвергáться килевóй кáчке (*о корабле*) 8) *муз.* дава́ть основно́й тон 9) *разг.* расска́зывать (*басни*) 10) мости́ть брусча́ткой 11) *тех.* зацепля́ть (*о зубцах*) ▭ ~ **in** *разг.* энерги́чно бра́ться за *что-л.*, налега́ть на *что-л.*; ~ **into** *разг.* а) набра́сываться; напада́ть; б) набро́ситься (*на еду и т. п.*); ~ **upon** вы́брать, останови́ться на чём-л.

pitch-black [ˌpɪtʃ'blæk] *a* чёрный как смоль

pitchblende ['pɪtʃblend] *n мин.* уранини́т, ура́новая смо́лка, смоляна́я обма́нка

pitch-dark [ˌpɪtʃ'dɑːk] = pitch-black

pitched I [pɪtʃt] **1.** *p. p. от* pitch II, 2
2. *a* 1): a high ~ voice высо́кий го́лос 2): the roof is ~ кры́ша сли́шком крута́ 3): ~ battle зара́нее подгото́вленное сраже́ние на определённом уча́стке

pitched II [pɪtʃt] *p. p. от* pitch I, 2

pitcher I ['pɪtʃə] *n* кувши́н ◇ little ~s have long ears ≅ а) де́ти лю́бят подслу́шивать; б) сте́ны име́ют у́ши; the ~ goes often to the well (but is broken at last) *посл.* пова́дился кувши́н по́ воду ходи́ть (тут ему́ и го́лову сломи́ть)

pitcher II ['pɪtʃə] *n* 1) *спорт.* подаю́щий мяч 2) у́личный торго́вец (*торгующий на определённом месте*) 3) ка́менный брусо́к

pitchfork ['pɪtʃfɔːk] **1.** *n* 1) ви́лы 2) камерто́н ◇ it rains ~s *амер.* льёт как из ведра́; идёт проливно́й дождь
2. *v* 1) взбра́сывать ви́лами 2) неожи́данно назна́чить на высо́кую до́лжность

pitch indicator ['pɪtʃˌɪndɪkeɪtə] *n ав.* указа́тель продо́льного кре́на

pitchman ['pɪtʃmən] *амер.* = pitcher II, 2

pitch pine ['pɪtʃpaɪn] *n* смоли́стая сосна́

pitch-pipe ['pɪtʃpaɪp] *n* камерто́н-ду́дка

pitchy ['pɪtʃɪ] *a* 1) смоли́стый 2) смоляно́й 3) чёрный как смоль

piteous ['pɪtɪəs] *a* жа́лкий, жа́лобный, досто́йный сожале́ния

pitfall ['pɪtfɔːl] *n* 1) лову́шка, западня́ 2) во́лчья я́ма 3) ры́твина

pith [pɪθ] **1.** *n* 1) сердцеви́на (*растения*) 2) суть, су́щность (*часто* the ~ and marrow of) 3) си́ла, эне́ргия 4) *уст.* спинно́й мозг
2. *v* 1) извлека́ть сердцеви́ну (*из растений*) 2) забива́ть (скот) посре́дством прока́лывания спинно́го мо́зга

pithecanthrope [ˌpɪθɪ'kænθrəʊp] *n* питека́нтроп

pithecoid [pɪ'θiːkɔɪd] *a* антропо́идный

pith fleck ['pɪθflek] *n* червото́чина

pithily ['pɪθɪlɪ] *adv* в то́чку, по существу́

pithless ['pɪθləs] *a* 1) бессодержа́тельный 2) бесхребе́тный; сла́бый, вя́лый 3) без сердцеви́ны

pithy ['pɪθɪ] *a* 1) с сердцеви́ной; гу́бчатый 2) си́льный, энерги́чный 3) содержа́тельный; сжа́тый (*о стиле*)

pitiable ['pɪtɪəbl] *a* 1) жа́лкий, несча́стный 2) ничто́жный

pitiful ['pɪtɪfl] *a* 1) жа́лостный 2) жа́лкий, ничто́жный, презре́нный, несча́стный; ~ move жа́лкий манёвр 3) *уст.* сострада́тельный, жа́лостливый

pitiless ['pɪtɪləs] *a* безжа́лостный

pitman ['pɪtmən] *n* 1) (*pl* pitmen) шахтёр; углеко́п; подзе́мный рабо́чий 2) (*pl* -s [-z]) *амер. тех.* шату́н; соедини́тельная тя́га

pittance ['pɪtns] *n* 1) ску́дное вспомоществова́ние *или* жа́лованье; жа́лкие гроши́ (*обыкн.* a mere ~) 2) небольша́я часть *или* небольшо́е коли́чество

pitter-patter ['pɪtəpætə] = pit-a-pat

pittite ['pɪtaɪt] *n* зри́тель после́дних рядо́в парте́ра

pituitary [pɪ'tjuːɪtərɪ] *a* сли́зистый; ~ body (*или* gland) *анат.* гипо́физ

pity ['pɪtɪ] **1.** *n* 1) жа́лость, сострада́ние, сожале́ние; for ~'s sake! умоля́ю вас!; to take (*или* to have) ~ сжа́литься (on — над *кем-л.*) 2) печа́льный факт; it is a ~ жаль; it is a thousand pities о́чень жаль; more's the ~ тем ху́же; what a ~!, the ~ of it! как жа́лко!
2. *v* жале́ть, соболе́зновать

pitying ['pɪtɪɪŋ] **1.** *pres. p. от* pity 2
2. *a* выража́ющий *или* испы́тывающий жа́лость, сожале́ние

pityingly ['pɪtɪɪŋlɪ] *adv* с жа́лостью, с сожале́нием

pivot ['pɪvət] **1.** *n* 1) то́чка враще́ния, то́чка опо́ры 2) сте́ржень, (коро́ткая) ось; шкво́рень 3) основно́й пункт, центр
2. *v* 1) верте́ться; враща́ться (*тж. перен.*; upon) 2) наде́ть на сте́ржень

pivotal ['pɪvətl] *a* 1) центра́льный; осево́й 2) кардина́льный, основно́й; центра́льный

pix [pɪks] *n pl разг.* фотогра́фии

pixie ['pɪksɪ] *n* эльф, фе́я

pixilated ['pɪksɪleɪtɪd] *a* 1) одержи́мый, со стра́нностями 2) пья́ный

pixy ['pɪksɪ] = pixie

pizazz [pə'zæz] *n sl.* энтузиа́зм, эне́ргия

pizza ['piːtsə] *n* пи́цца

pizzeria [ˌpiːtsə'riːə] *n* пиццери́я

pizzicato [ˌpɪtsɪ'kɑːtəʊ] *adv*, *n муз.* пиццика́то

placability [ˌplækə'bɪlətɪ] *n* кро́тость, незлопа́мятность; благоду́шие

placable ['plækəbl] *a* кро́ткий, незлопа́мятный; благоду́шный

placard ['plækɑːd] **1.** *n* афи́ша, плака́т
2. *v* 1) раскле́ивать (*объявления*) 2) испо́льзовать плака́ты для рекла́мы

placate [plə'keɪt] *v* умиротворя́ть; успока́ивать

placatory [plə'keɪtərɪ] *a* задабрива́ющий; умиротворя́ющий

place [pleɪs] **1.** *n* 1) ме́сто; to give ~ to smb. уступи́ть ме́сто кому́-л.; to take the ~ of smb. заня́ть чьё-л. ме́сто, замести́ть кого́-л.; in ~ а) на ме́сте; б) уме́стный; out of ~ а) не на ме́сте; б) неуме́стный [*ср. тж.* 9)] 2) го́род, месте́чко, селе́ние; what ~ do you come from? отку́да вы ро́дом? 3) жили́ще; уса́дьба; за́городный дом; резиде́нция; summer ~ ле́тняя резиде́нция; come down to my ~ tonight приходи́ ко мне сего́дня ве́чером 4) пло́щадь (*в названиях, напр.*, Gloucester P.) 5) положе́ние, ме́сто; to know one's ~ знать своё ме́сто; to keep smb. in his ~ не дава́ть кому́-л. зазнава́ться 6) сиде́нье, ме́сто (*в экипаже, за столом и т. п.*); six ~s were laid стол был накры́т на шесть прибо́ров; to engage (*или* to secure) ~s заказа́ть биле́ты 7) ме́сто в кни́ге, страни́ца, отры́вок 8) ме́сто, то́чка на пове́рхности; a sore ~ on his arm ме́сто на руке́, кото́рое боли́т 9) до́лжность, слу́жба; out of ~ безрабо́тный [*ср. тж.* 1)] 10) (*тк. sing*) обя́занность; it is his ~ to hire staff э́то его́ обя́занность набира́ть штат 11) *спорт.* одно́ из пе́рвых мест (*в состязании*); to get a ~ прийти́ к фи́нишу в числе́ пе́рвых 12) *мат.*: calculated to five decimal ~s с то́чностью до одно́й стоты́сячной ◇ in ~ of вме́сто; in the first (in the second) ~ во-пе́рвых (во-вторы́х); in the next ~ зате́м; to take ~ случа́ться, име́ть ме́сто; there is no ~ like home ≅ в гостя́х хорошо́, а до́ма лу́чше; another ~ *парл.* пала́та ло́рдов
2. *v* 1) помеща́ть, размеща́ть; ста́вить, класть; to ~ in the clearest light по́лностью освети́ть (*вопрос, положение и т. п.*) 2) определя́ть ме́сто, положе́ние, да́ту; относи́ть к определённым обстоя́тельствам 3) определя́ть на до́лжность, устра́ивать 4) возлага́ть (*надежды и т. п.*); to ~ confidence in smb. дове́риться кому́-л. 5) сбыва́ть (*товар*) 6) де́лать зака́з; to ~ a call *амер.* заказа́ть разгово́р по телефо́ну 7) помеща́ть де́ньги, капита́л 8) *спорт.* определя́ть за́нятые места́ в соревнова́нии 9) *спорт.* присуди́ть второ́е *или* тре́тье призово́е ме́сто; to be ~d прийти́ к фи́нишу в числе́ пе́рвых трёх 10) *амер. спорт.* присуди́ть второ́е ме́сто (*на скачках*)

placebo [plə'siːbəʊ] *n* (*pl* -os, -oes [-əʊz]) безвре́дное лека́рство, пропи́сываемое для успоко́ения больно́го

place card ['pleɪskɑːd] *n* ка́рточка на официа́льном приёме, ука́зывающая ме́сто го́стя за столо́м

place-holder ['pleɪsˌhəʊldə] *n* должностно́е лицо́, госуда́рственный слу́жащий

place-hunter ['pleɪsˌhʌntə] *n* карьери́ст

placeman ['pleɪsmən] *n* 1) должностно́е лицо́, чино́вник (*обыкн. пренебр.*) 2) карьери́ст

placement ['pleɪsmənt] *n* 1) размеще́ние, помеще́ние; ~ of furniture расстано́вка ме́бели 2) определе́ние на до́лжность

place-name ['pleɪsneɪm] *n* географи́ческое назва́ние

placenta [plə'sentə] *n* (*pl* -s [-z], -tae) 1) *анат.* плаце́нта 2) *бот.* семяно́сец

placentae [plə'sentiː] *pl от* placenta

place of arms [ˌpleɪsəv'ɑːmz] *n воен.* плацда́рм

placer ['pleɪsə] *n* (золото́й) при́иск, ро́ссыпь

placet ['pleɪset] *лат.* **1.** *n* го́лос «за»
2. *int* за!; non ~! про́тив!

placid ['plæsɪd] *a* 1) спокóйный, мúрный 2) безмятéжный

placidity [plə'sɪdətɪ] *n* 1) спокóйствие 2) безмятéжность

placket ['plækɪt] *n* 1) разрéз в ю́бке (*для застёжки*) 2) кармáн в ю́бке

placket-hole ['plækɪthəʊl] = placket 1)

plafond [plæ'fɔːŋ] *фр. n архит.* 1) потолóк 2) плафóн

plage [plɑːʒ] *n* пляж

plagiarism ['pleɪdʒərɪzəm] *n* плагиáт

plagiarist ['pleɪdʒərɪst] *n* плагиáтор

plagiarize ['pleɪdʒəraɪz] *v* занимáться плагиáтом

plague [pleɪg] **1.** *n* 1) чумá, моровáя я́зва; мор; the ~ бубóнная чумá 2) бéдствие, бич, наказáние; a ~ of rats нашéствие крыс 3) *разг.* неприя́тность, досáда; беспокóйство ◇ ~ on him! чтоб емý пýсто бы́ло!

2. *v* 1) зачумля́ть 2) *разг.* досаждáть, надоедáть, беспокóить

plaguesome ['pleɪgsəm] *a разг.* неприя́тный, досáдный, надоéдливый

plague-spot ['pleɪgspɒt] *n* 1) чумнóе пятнó 2) зачумлённая мéстность 3) истóчник зарáзы; прúзнак морáльного разложéния

plaguy ['pleɪgɪ] *разг.* **1.** *a* неприя́тный, досáдный; чертóвский

2. *adv* чертóвски, óчень

plaice [pleɪs] *n* кáмбала

plaid [plæd] *n* 1) *текст.* шотлáндка 2) плед

plain I [pleɪn] **1.** *a* 1) я́сный, я́вный, очевúдный; to make it ~ вы́явить, разъяснúть; the ~ truth (*или* fact) is that... дéло прóсто в том, что..., совершéнно очевúдно, что... 2) простóй; поня́тный; ~ writing разбóрчивый пóчерк 3) незамысловáтый, обыкновéнный; ~ water обыкновéнная водá; ~ card нефигýрная игрáльная кáрта; ~ clothes штáтское плáтье; ~ work простóе шитьё (*в отличие от вышивания*) 4) простóй, скрóмный (*о пище и т. п.*) 5) некрасúвый 6) прямóй, откровéнный; ~ dealing прямотá, чéстность; to be ~ with smb. говорúть комý-л. неприя́тную прáвду 7) простóй, незнáтный; ~ folk простонарóдье 8) одноцвéтный, без узóра (*о материи*) 9) незашифрóванный 10) глáдкий; рóвный (*о местности*) ◇ ~ sailing а) *мор.* плáвание по локсодрóмии; б) лёгкий, простóй путь; it will be all ~ sailing ≅ всё пойдёт как по мáслу

2. *n* 1) равнúна 2) прямáя пéтля (*в вязании*)

3. *adv* 1) откровéнно 2) я́сно, разбóрчиво, отчётливо

plain II [pleɪn] *v уст., поэт.* сéтовать, жáловаться, плáкаться; хны́кать

plain-clothes man [pleɪn,kləʊðz'mæn] *n* сы́щик; переодéтый полицéйский; шпик

plainly ['pleɪnlɪ] *adv* прямо, откровéнно

plainness ['pleɪnnəs] *n* 1) простотá; поня́тность 2) очевúдность 3) прямотá 4) некрасúвость

plainsman ['pleɪnzmən] *n* жúтель равнúн

plainspoken [,pleɪn'spəʊkən] *a* откровéнный, прямóй

plaint [pleɪnt] *n* 1) *юр.* исковóе заявлéние 2) *поэт.* сéтование, плач, стенáние

plaintiff ['pleɪntɪf] *n юр.* истéц

plaintive ['pleɪntɪv] *a* жáлобный, заунывный, гóрестный

plait [plæt] **1.** *n* 1) косá (*волос*) 2) склáдка (*на платье*)

2. *v* 1) заплетáть, плестú 2) заклáдывать склáдки

plan [plæn] **1.** *n* 1) план; проéкт 2) зáмысел, намéрение; предположéние 3) спóсоб дéйствий 4) схéма, диагрáмма, чертёж

2. *v* 1) составля́ть план, планúровать, проектúровать 2) стрóить плáны; надéяться 3) намеревáться; затевáть

plane I [pleɪn] **1.** *n* 1) проéкция 2) плóскость (*тж. перен.*); on a new ~ на нóвой оснóве 3) *разг.* самолёт 4) *ав.* несýщая повéрхность; крылó (*самолёта*) 5) ýровень (*развития, знаний и т. п.*) 6) *горн.* уклóн, брéмсберг 7) грань (*кристалла*)

2. *a* плóский; плоскостнóй

3. *v* 1) путешéствовать самолётом 2) *ав.* скользúть; планúровать 3) парúть

plane II [pleɪn] **1.** *n* 1) *тех.* рубáнок; струг; калёвка 2) *стр.* гладúлка, мастерóк

2. *v* 1) строгáть; скоблúть; вырáвнивать 2) *полигр.* выколáчивать (*форму*) ▭ ~ away, ~ down сострýгивать

plane III [pleɪn] *n* платáн

plane geometry [,pleɪndʒɪ'ɒmətrɪ] *n* планимéтрия

planer ['pleɪnə] *n* 1) *тех.* продóльно-строгáльный станóк 2) строгáльщик (*рабочий*) 3) *полигр.* выколотка 4) *дор.* дорóжный утю́г

planet ['plænɪt] *n* планéта; major (minor) ~s большúе (мáлые) планéты

plane table ['pleɪn,teɪbl] *геод.* **1.** *n* мéнзула

2. *v* производúть мéнзульную съёмку

planetaria [,plænə'teərɪə] *pl от* planetarium

planetarium [,plænə'teərɪəm] *n* (*pl* -ria) планетáрий

planetary ['plænətərɪ] *a* 1) планéтный, планетáрный; ~ system сóлнечная систéма 2) земнóй, мирскóй 3) блуждáющий

planetoid ['plænətɔɪd] *n астр.* мáлая планéта, астерóид

plane tree ['pleɪntriː] = plane III

planet-stricken ['plænɪt,strɪkən] = planet-struck

planet-struck ['plænɪtstrʌk] *a* охвáченный пáникой, запýганный

plangent ['plændʒənt] *a* протя́жный; заунывный

planish ['plænɪʃ] *v* 1) прáвить; выправля́ть, рихтовáть (*металл*) 2) шлифовáть, полировáть, лощúть; накáтывать (*фотографии*)

plank [plæŋk] **1.** *n* 1) (обшивнáя) доскá, плáнка 2) пункт прогрáммы

2. *v* 1) настилáть; выстилáть, обшивáть доскáми 2) *амер. разг.* подавля́ть сúлой (down — *когó-л., чтó-л.*) 3) *амер. разг.* выклáдывать дéньги, платúть (*обыкн.* ~ down, ~ out) 4) *амер.* жáрить ры́бу *или* птúцу, нанúзывая её на пáлочки

plank-bed ['plæŋkbed] *n* нáры

planking ['plæŋkɪŋ] **1.** *pres. p. от* plank 2

2. *n* 1) обшúвка доскáми 2) *собир.* дóски

plankton ['plæŋktən] *n биол.* планктóн

planless ['plænləs] *a* бесплáновый, бессистéмный

planned [plænd] **1.** *p. p. от* plan 2

2. *a* плáновый; планúрованный; планомéрный; ~ production плáновое производство

planner ['plænə] *n* 1) планирóвщик; проектирóвщик 2) плановúк 3) топóграф

planoconcave [,pleɪnəʊ'kɒnkeɪv] *a* плóско-вóгнутый (*о линзе*)

planoconvex [,pleɪnəʊ'kɒnveks] *a* плóско-вы́пуклый (*о линзе*)

plant I [plɑːnt] **1.** *n* 1) растéние; сáженец; in ~ растýщий; в сокý 2) *собир.* урожáй 3) *разг.* подбрóшенная улúка 4) пóза, позúция

2. *v* 1) сажáть (*растения*); засáживать (with); насаждáть (*сад*) 2) прóчно стáвить, устанáвливать (in, on); to ~ a standard водрузúть знáмя; to ~ oneself стать, заня́ть позúцию 3) пускáть (*рыбу*) для разведéния 4) ввестú (*своего человека в организацию*); подсадúть (*осведомителя в тюремную камеру*) 5) внушáть (*мысль*) 6) наносúть (*удар*) 7) *sl.* подбрáсывать (*инкриминирующие материалы*) 8) оснóвывать (*колонию и т. п.*); заселя́ть; поселя́ть 9) хоронúть 10) внедря́ть, насаждáть (in) 11) всáживать, втыкáть ▭ ~ on *разг.* подсóвывать, всýчивать; ~ out высáживать в грунт

plant II [plɑːnt] *n* 1) завóд, фáбрика; ~ and equipment *эк.* оснóвной капитáл (*в промышленности*) 2) оборýдование, установка; комплéкт машúн 3) агрегáт

plantain ['plæntɪn] *n* подорóжник

plantar ['plæntə] *a анат.* подóшвенный

plantation [plɑːn'teɪʃn] *n* 1) плантáция 2) насаждéние 3) *ист.* колонизáция 4) *ист.* колóния 5) *attr.*: ~ song *ист.* песнь америкáнских нéгров-рабóв

planted [plɑːntɪd] **1.** *p. p. от* plant I, 2

2. *a* 1) посáженный, насáженный 2) засáженный 3): ~ informer специáльно подóсланный осведомúтель

planter ['plɑːntə] *n* 1) *с.-х.* сажáльщик 2) плантáтор 3) я́щик для кóмнатных растéний; кáдка для пáльмы 4) *с.-х.* сажáлка

plantigrade ['plæntɪgreɪd] *зоол.* **1.** *a* стопоходя́щий

2. *n* стопоходя́щее живóтное

plant louse [ˌplɑːnt'laʊs] *n* тля

plant pathology [ˌplɑːntpə'θɒlədʒɪ] *n* фитопатоло́гия

plaque [plæk] *n* 1) металли́ческий *или* фарфо́ровый диск, таре́лка (*как стенное украшение*) 2) доще́чка, пласти́нка с фами́лией *или* назва́нием учрежде́ния; memorial ~ мемориа́льная доска́ 3) *мед.* бля́шка 4) почётный значо́к

plash I [plæʃ] **1.** *n* 1) плеск, всплеск 2) лу́жа

2. *v* плеска́ть(ся)

plash II [plæʃ] *v* сплета́ть; плести́

plasm ['plæzəm] = plasma

plasma ['plæzmə] *n* 1) *физиол.* пла́зма 2) *биол.* протопла́зма 3) *мин.* гелиотро́п, зелёный халцедо́н

plaster ['plɑːstə] **1.** *n* 1) штукату́рка; ~ of Paris гипс 2) пла́стырь

2. *v* 1) штукату́рить 2) нама́зывать; покрыва́ть 3) накла́дывать пла́стырь 4) *sl.* обстре́ливать 5) гру́бо льсти́ть (*тж.* ~ with praise)

plastered ['plɑːstəd] **1.** *p. p. от* plaster 2

2. *a sl.* пья́ный; to get ~ напи́ться, наклю́каться

plasterer ['plɑːstərə] *n* штукату́р

plastic ['plæstɪk] **1.** *a* 1) пласти́ческий; ~ art скульпту́ра; иску́сство ва́яния; ~ surgery пласти́ческая (*или* восстанови́тельная) хирурги́я; ~ flow *тех.* пласти́ческая деформа́ция 2) пласти́чный, ги́бкий; ~ clay а) сугли́нок; б) гли́на для ле́пки, горше́чная гли́на; ~ material пластма́сса 3) лепно́й; скульпту́рный 4) послу́шный, пода́тливый

2. *n* 1) (*обыкн. pl*) пластма́сса 2) пласти́чность

Plasticine ['plæstɪsiːn] *n* пластили́н

plasticity [plæ'stɪsətɪ] *n* пласти́чность, ги́бкость

plastron ['plæstrən] *n* 1) пластро́н, мани́шка 2) вста́вка 3) ни́жний щит черепа́хи 4) *ист.* ла́тный нагру́дник

plat I [plæt] *амер.* **1.** *n* 1) (небольшо́й) уча́сток земли́ 2) план *или* съёмка в горизонта́льной прое́кции 3) *горн.* ру́дный двор

2. *v* снима́ть план

plat II [plæt] = plait 1, 1) *и* 2, 1)

plat III [plɑː] *n* блю́до с едо́й

platan ['plætən] = plane III

platband ['plætbænd] *n* 1) *стр.* нали́чник (*двери*); притолока 2) *архит.* гла́дкий по́яс

plat du jour [ˌplɑːduː'ʒʊə] *фр. n* блю́до, рекоменду́емое как лу́чшее (*на данный день*)

plate [pleɪt] **1.** *n* 1) таре́лка 2) металли́ческая *или* деревя́нная таре́лка для сбо́ра поже́ртвований (*в церкви*) 3) столо́вое серебро́; металли́ческая (*преим. серебряная или золотая*) посу́да 4) пласти́нка; доще́чка; доще́чка с фами́лией (*на двери*) 5) вкле́йка, иллюстра́ция на отде́льном листе́ 6) фотопласти́нка 7) плита́, лист, полоса́ (*металла*); листова́я сталь 8) гравю́ра, эста́мп 9) призово́й ку́бок 10) ска́чки на приз 11) вставна́я че́люсть 12) *полигр.* печа́тная фо́рма; гальваноклише́; стереоти́п 13) *амер. эл.* ано́д (*лампы*) 14) *стр.* мауэрла́т ◇ to hand smth. on a ~ преподнести́ что-л. в гото́вом ви́де, ≅ на блю́дечке

2. *v* 1) обшива́ть металли́ческим листо́м; накла́дывать серебро́, зо́лото; луди́ть 2) *тех.* плакирова́ть 3) *полигр.* изготовля́ть гальваноклише́ *или* стереоти́п 4) плю́щить (*металл*), раско́вывать в листы́

plateau ['plætəʊ] *n* (*pl* -s [-z], -x) плато́, пло́ская возвы́шенность, плоского́рье

plateaux ['plætəʊz] *pl от* plateau

plate-basket ['pleɪtˌbɑːskɪt] *n* корзи́нка для ви́лок, ноже́й *и т. п.*

plateful ['pleɪtfʊl] *n* по́лная таре́лка

plate glass [ˌpleɪt'glɑːs] *n* зерка́льное стекло́

platelayer ['pleɪtˌleɪə] *n* путево́й рабо́чий

plate-mark ['pleɪtmɑːk] *n* проби́рное клеймо́, про́ба

platen ['plætn] *n* 1) *полигр.* ти́гель 2) ва́лик (*пишущей машины*) 3) стол (*станка*); сто́лик (*прибора*)

plate powder ['pleɪtˌpaʊdə] *n* 1) порошо́к для чи́стки серебра́ 2) пласти́нчатый по́рох

plater I ['pleɪtə] *n* луди́льщик

plater II ['pleɪtə] *n* ло́шадь, пока́зываемая на ска́чках при ко́нном заво́де (*особ.* с це́лью прода́жи)

plate-rack ['pleɪtræk] *n* суши́лка для посу́ды

platform ['plætfɔːm] *n* 1) платфо́рма; помо́ст; raised ~ возвыше́ние 2) трибу́на; сце́на 3) платфо́рма, перро́н 4) площа́дка (*трамвая, железнодорожного вагона*) 5) платфо́рма (*обуви*) 6) полити́ческая платфо́рма, пози́ция 7) оруди́йная платфо́рма 8) *attr.*: ~ ticket перро́нный биле́т; ~ car ваго́н-платфо́рма

platform boots [ˌplætfɔːm'buːts] *n pl* сапоги́ на платфо́рме

platform shoes [ˌplætfɔːm'ʃuːz] *n pl* ту́фли на платфо́рме

plating ['pleɪtɪŋ] **1.** *pres. p. от* plate 2

2. *n* 1) покры́тие мета́ллом; никелиро́вка, золоче́ние, серебре́ние 2) листова́я обши́вка

platinize ['plætɪnaɪz] *v* покрыва́ть пла́тиной, платини́ровать

platinoid ['plætɪnɔɪd] *n* платино́ид (*сплав меди, цинка, никеля и вольфрама*)

platinum ['plætɪnəm] *n* 1) пла́тина 2) *attr.* пла́тиновый; ~ metal мета́лл пла́тиновой гру́ппы; ~ black пла́тиновая чернь; ~ blonde о́чень све́тлая блонди́нка

platitude ['plætɪtjuːd] *n* бана́льность, пло́скость, по́шлость

platitudinous [ˌplætɪ'tjuːdɪnəs] *a* пло́ский, по́шлый, бана́льный

Plato ['pleɪtəʊ] *n* Плато́н

Platonic [plə'tɒnɪk] **1.** *a* 1) платони́ческий 2) ограни́чивающийся слова́ми, теорети́ческий

2. *n* 1) учени́к Плато́на 2) *pl разг.* платони́ческие разгово́ры; платони́ческая любо́вь

platoon [plə'tuːn] *n* 1) *воен.* взвод 2) отря́д, гру́ппа

platter ['plætə] *n* 1) большо́е пло́ское блю́до 2) *разг.* граммофо́нная пласти́нка

platypus ['plætɪpəs] *n зоол.* утконо́с

plaudit ['plɔːdɪt] *n* (*обыкн. pl*) 1) рукоплеска́ния, аплодисме́нты 2) гро́мкое, восто́рженное выраже́ние одобре́ния

plausibility [ˌplɔːzə'bɪlətɪ] *n* 1) правдоподо́бие; вероя́тность 2) благови́дность 3) уме́ние внуша́ть дове́рие

plausible ['plɔːzəbl] *a* 1) правдоподо́бный; вероя́тный; ~ argument (вполне́) состоя́тельный до́вод 2) благови́дный 3) уме́ющий внуша́ть дове́рие

play [pleɪ] **1.** *n* 1) игра́; заба́ва; to be at ~ игра́ть; they are at ~ они́ игра́ют; out of ~ вне игры́ 2) мане́ра игры́, игра́ 3) пье́са, дра́ма; представле́ние, спекта́кль; to go to the ~ идти́ в теа́тр 4) де́йствие, де́ятельность; to bring (*или* to call) into ~ приводи́ть в де́йствие, пуска́ть в ход; to come into ~ нача́ть де́йствовать; in full ~ в де́йствии, в разга́ре 5) свобо́да, просто́р; to give free ~ to one's imagination дать по́лный просто́р своему́ воображе́нию 6) движе́ние 7) аза́ртная игра́ 8) перели́вы, игра́; ~ of colours перели́вы кра́сок; ~ of the waves плеск волн 9) *тех.* зазо́р; игра́; люфт; свобо́дный ход; шата́ние (*части механизма, прибора*) ◇ fair ~ че́стная игра́; че́стность; foul ~ по́длое поведе́ние; обма́н; a ~ on words игра́ слов, каламбу́р; in ~ в шу́тку; to make a ~ for сде́лать всё возмо́жное, что́бы доби́ться своего́

2. *v* 1) игра́ть, резви́ться, забавля́ться; the cat ~s with its tail ко́шка игра́ет со свои́м хвосто́м 2) игра́ть на музыка́льном инструме́нте; he ~s the violin он игра́ет на скри́пке 3) исполня́ть (*музыкальное произведение*); the boy ~ed a concerto ма́льчик исполня́л конце́рт 4) приводи́ть в де́йствие, пуска́ть; to ~ a record поста́вить пласти́нку; the engine was ~ed off запусти́ли мото́р 5) игра́ть (*в кино, театре*); she ~ed Juliet она́ игра́ла роль Джулье́тты 6) дава́ть представле́ние (*о труппе*) 7) игра́ть роль (*кого-л.*), быть (*кем-л.*); to ~ the man поступа́ть, как подоба́ет мужчи́не; to ~ the fool изобража́ть дурачка́ 8) сыгра́ть (*шутку*), разыгра́ть; he ~ed a practical joke on us он над на́ми подшути́л 9) игра́ть в аза́ртные и́гры 10) игра́ть (*на чём-л.*), воспо́льзоваться (*чем-л.*); to ~ in favour of smb., smth. благоприя́тствовать кому́-л., чему́-л. 11) игра́ть (*во что-л., на что-л.*), уча́ствовать в игре́; to ~ tennis игра́ть в те́ннис; I ~ed him for championship я игра́л с ним на зва́ние чемпио́на 12) подходи́ть для игры́, быть в хоро́шем состоя́нии; the ground ~s well спорти́вная площа́дка в хоро́шем состоя́нии; the piano ~s well у э́того роя́ля хоро́ший звук; the drama ~s well э́та дра́ма о́чень сцени́чна 13) принима́ть в игру́ (*игрока*) 14) ходи́ть (*шашкой, картой*) 15) *спорт.* отбива́ть, подава́ть (*мяч*) 16) порха́ть, носи́ться; танцева́ть; butterflies ~ among flowers среди́ цвето́в порха́ют ба́бочки 17) бить (*о фонтане*); перелива́ться, игра́ть; мелька́ть; lightning ~s in the sky в не́бе сверка́ет мо́лния; a smile ~ed on his lips на его́ губа́х игра́ла улы́бка 18) притворя́ться, прики́дываться 19) направля́ть (*свет и т. п.*; on, over, along — на *что-л.*); обстре́ливать (on, upon); to ~ a searchlight upon a boat напра́вить прожéктор на ло́дку; to ~ guns upon the fort обстре́ливать форт; to ~ a hose полива́ть водо́й из пожа́рного рукава́ 20) дать (вре́мя) (*рыбе*) хорошо́ клю́нуть 21) *разг.* поступа́ть, де́йствовать; to ~ fair поступа́ть че́стно; to ~ foul поступа́ть нече́стно, жу́льничать 22) свобо́дно владе́ть; to ~ a good stick хорошо́ дра́ться на шпа́гах; to ~ a good knife and fork упи́сывать за о́бе щёки; есть с аппети́том 23) *тех.* име́ть люфт ▭ ~ **along** поды́грывать, подда́кивать; ~ **around** а) манипули́ровать, подтасо́вывать; б) *разг.* заводи́ть любо́вную интри́жку; ~ **down** преуменьша́ть (*что-л.*); ~ **off** а) натра́вливать (against — на); to ~ off one against another стра́вливать кого́-л. в свои́х интере́сах, противопоставля́ть одно́ (*или* одного́) друго́му; б) сыгра́ть повто́рную па́ртию по́сле ничье́й; ~ **on** игра́ть (на *чьих-л. чувствах*); ~ **out**: to be ~ed out выдыха́ться; ~ **up** а) разы́грывать (*кого-л.*); б) капри́зничать, пристава́ть; в) стара́ться игра́ть как мо́жно лу́чше; г) *амер.* реклами́ровать; д) вести́ себя́ му́жественно, герои́чески; ~ **upon** = ~ on; ~ **up to** поды́грывать; *перен.* подли́зываться ◇ to ~ upon words каламбу́рить; to ~ for time оття́гивать вре́мя, пыта́ться вы́играть вре́мя; to ~ hell (*или* the devil, the mischief) разруша́ть, губи́ть; to ~ one's cards well испо́льзовать обстоя́тельства наилу́чшим о́бразом; to ~ one's hand for all it is worth по́лностью испо́льзовать обстоя́тельства; пусти́ть в ход все сре́дства; to ~ into the hands of smb. сыгра́ть на́ руку кому́-л.; to ~ it low on smb. *разг.* по́дло поступи́ть по отноше́нию к кому́-л.; to ~ politics вести́ полити́ческую игру́; to ~ safe де́йствовать наверняка́; to ~ ball сотру́дничать; to ~ both ends against the middle в со́бственных интере́сах натра́вливать друг на дру́га сопе́рничающие гру́ппы

playable ['pleɪəbl] *a* го́дный, подходя́щий для игры́ (*о площадке*)

playact ['pleɪækt] *v* 1) быть актёром 2) притворя́ться, игра́ть (*обыкн. о детях*) 3) лома́ть коме́дию

playactor ['pleɪ,æktə] *n* 1) актёр, комедиа́нт 2) неи́скренний челове́к

playbill ['pleɪbɪl] *n* 1) театра́льная афи́ша 2) *амер.* театра́льная програ́мма

playboy ['pleɪbɔɪ] *n* пове́са, прожига́тель жи́зни

play-by-play [,pleɪbaɪ'pleɪ] *a амер.*: ~ story репорта́ж по ра́дио (*о состязании, матче*)

play-day ['pleɪdeɪ] *n* пра́здник, нерабо́чий день; день, свобо́дный от заня́тий в шко́ле

played-out [,pleɪd'aʊt] *a разг.* 1) измо́танный, вы́дохшийся 2) устаре́вший, бо́льше ни на что не го́дный

player ['pleɪə] *n* 1) спортсме́н; игро́к 2) музыка́нт 3) актёр 4) картёжник 5) пле́йер

playfellow ['pleɪ,feləʊ] = playmate

play-field ['pleɪfi:ld] = playing field

playful ['pleɪfl] *a* игри́вый, весёлый, шутли́вый, шаловли́вый

playgame ['pleɪgeɪm] *n* де́тская игра́, пустяки́, ерунда́

playgoer ['pleɪ,gəʊə] *n* театра́л

playground ['pleɪgraʊnd] *n* площа́дка для игр; спорти́вная площа́дка

playhouse ['pleɪhaʊs] *n* теа́тр (*драматический*)

playing card ['pleɪɪŋkɑ:d] *n* игра́льная ка́рта

playing field ['pleɪɪŋfi:ld] *n спорт.* игрова́я площа́дка, футбо́льное по́ле *и т. п.*

playlet ['pleɪlət] *n* небольша́я пье́са

playmate ['pleɪmeɪt] *n* друг де́тства, това́рищ де́тских игр

play-off ['pleɪɒf] *n спорт.* повто́рная игра́ по́сле ничье́й

plaything ['pleɪθɪŋ] *n* игру́шка (*тж. перен.*)

playtime ['pleɪtaɪm] *n* 1) вре́мя игр и развлече́ний 2) *амер.* вре́мя нача́ла спекта́кля

playwright ['pleɪraɪt] *n* драмату́рг

plaza ['plɑ:zə] *n* (ры́ночная) пло́щадь

plea [pli:] *n* 1) мольба́; про́сьба 2) призы́в; peace ~ призы́в к ми́ру 3) *юр.* иск по суду́ 4) оправда́ние, ссы́лка, предло́г; до́вод; a ~ was advanced бы́ло вы́двинуто предложе́ние; on the ~ of под предло́гом

pleach [pli:tʃ] *v* сплета́ть (*особ. ветви*)

plead [pli:d] *v* (pleaded [-ɪd], pled]) 1) проси́ть, умоля́ть (with — *кого-л.*, for — о *чём-л.*) 2) защища́ть (*в суде*) 3) *юр.* ссыла́ться (на *что-л.*), приводи́ть (*что-л.*) в оправда́ние; to ~ in justification of smth. служи́ть оправда́нием чего́-л. (*в суде*) 4) *юр.* отвеча́ть на обвине́ние; to ~ (not) guilty (не) призна́ть себя́ вино́вным (to — в *чём-л.*) 5) обраща́ться с про́сьбой, хода́тайствовать

pleader ['pli:də] *n* 1) адвока́т; мла́дший из двух адвока́тов одно́й стороны́ 2) проси́тель; хода́тай

pleading ['pli:dɪŋ] **1.** *pres. p. от* plead

2. *n* 1) *pl юр.* состяза́тельные бума́ги (*которыми обмениваются стороны на предварительной стадии судебного разбирательства*) 2) засту́пничество, хода́тайство; мольба́

3. *a* умоля́ющий, проси́тельный

pleasant ['pleznt] *a* 1) прия́тный 2) ми́лый, сла́вный 3) *уст.* шутли́вый

pleasantly ['plezntlɪ] *adv* 1) любе́зно 2) ве́село, прия́тно

pleasantness ['plezntnəs] *n* прия́тность

pleasantry ['plezntrɪ] *n* 1) шу́тка; шутли́вое замеча́ние; коми́ческая вы́ходка 2) шутли́вость

please [pli:z] *v* 1) нра́виться; do as you ~ де́лайте, как хоти́те 2) *разг.* получа́ть удово́льствие; I shall be ~d to do it я с удово́льствием сде́лаю э́то 3) угожда́ть, доставля́ть удово́льствие; ра́довать; she is a hard person to ~ ей тру́дно угоди́ть 4) хоте́ть, изво́лить; it ~d him to do so ему́ бы́ло уго́дно э́то сде́лать; let him say what he ~s пусть (он) говори́т, что уго́дно; (may it) ~ your honour с ва́шего разреше́ния; е́сли вам бу́дет уго́дно; ~! пожа́луйста!, бу́дьте добры́! ◇ if you ~ (*особ. ирон.*) с ва́шего позволе́ния, е́сли вы разреши́те

pleasing ['pli:zɪŋ] **1.** *pres. p. от* please

2. *a* 1) прия́тный, доставля́ющий удово́льствие 2) нра́вящийся, привлека́тельный 3) услу́жливый, уго́дливый

pleasurable ['pleʒərəbl] *a* доставля́ющий удово́льствие; прия́тный

pleasure ['pleʒə] **1.** *n* 1) удово́льствие; развлече́ние; with ~ с удово́льствием; to take ~ in smth. находи́ть удово́льствие в чём-л. 2) *книжн.* во́ля, соизволе́ние; жела́ние; what is your ~? что вам уго́дно?; I shall not consult his ~ я не бу́ду счита́ться с его́ жела́ниями; at ~ по жела́нию; during smb.'s ~ так до́лго, как кому́-л. уго́дно 3) наслажде́ние; man of ~ жуи́р, сибари́т 4) *attr.* увесели́тельный; ~ car спорти́вный автомоби́ль для прогу́лок; ~ trip увесели́тельная пое́здка

2. *v* 1) доставля́ть удово́льствие; удовлетворя́ть (*особ. сексуально*) 2) находи́ть удово́льствие (in) 3) *разг.* иска́ть развлече́ний

pleasure-boat ['pleʒəbəʊt] *n* ло́дка; я́хта; прогу́лочный ка́тер

pleasure-ground ['pleʒəgraʊnd] *n* 1) площа́дка для игр 2) сад, парк

pleat [pli:t] **1.** *n* скла́дка (*на платье*)

2. *v* де́лать скла́дки; плиссирова́ть

pleb [pleb] *n през.* плебе́й, простолюди́н

plebeian [plə'bi:ən] **1.** *n* плебе́й

2. *a* плебе́йский

plebiscite ['plebɪsaɪt] *n* плебисци́т

pled [pled] *амер., шотл., диал. past и p. p. от* plead

pledge [pledʒ] **1.** *n* 1) обе́т; обеща́ние; under ~ of secrecy с обяза́тельством сохране́ния та́йны 2) зало́г; закла́д; to put in ~ заложи́ть; to take out of ~ вы́купить из закла́да; ~ of love (*или* of union) зало́г любви́, сою́за (*ребёнок*) 3) поручи́тельство 4) дар, пода́рок 5) тост 6): to take the ~ дать заро́к воздержа́ния от спиртны́х напи́тков 7) *полит.* публи́чное обеща́ние ли́дера па́ртии приде́рживаться определённой поли́тики

2. *v* 1) отдава́ть в зало́г, закла́дывать 2) свя́зывать обеща́нием; дава́ть торже́ственное обеща́ние; заверя́ть; to ~ one's word (*или* one's honour) руча́ться, дава́ть сло́во 3) пить за (*чьё-л.*) здоро́вье

pledgee [ˌpledʒ'i:] *n* залогодержа́тель

pledget ['pledʒɪt] *n* 1) тампо́н 2) компре́сс

Pleiad ['plaɪəd] *n* (*pl* -ds [-dz], -des) 1) *pl астр.* Плея́ды 2) (*тж.* p.) плея́да

Pleiades ['plaɪədi:z] *pl от* Pleiad

Pleistocene ['plaɪstəʊsi:n] *n геол.* плейстоце́н

plena ['pli:nə] *pl от* plenum

plenary ['pli:nərɪ] *a* 1) по́лный, неограни́ченный, безогово́рочный; ~ powers неограни́ченные, широ́кие полномо́чия 2) плена́рный (*о заседании и т. п.*)

plenipotentiary [ˌplenɪpə'tenʃərɪ] **1.** *a* 1) полномо́чный 2) неограни́ченный, абсолю́тный; ~ power неограни́ченная власть

2. *n* полномо́чный представи́тель

plenishing ['plenɪʃɪŋ] *n* (*обыкн. pl*) *шотл.* дома́шняя у́тварь и ме́бель

plenitude ['plenɪtju:d] *n книжн.* полнота́; изоби́лие; in the ~ of one's power в расцве́те сил

plenteous ['plentɪəs] *a поэт.* 1) оби́льный 2) урожа́йный, плодоро́дный

plentiful ['plentɪfl] *a* 1) оби́льный, изоби́льный; examples are ~ за приме́рами далеко́ ходи́ть не прихо́дится 2) бога́тый (*чем-л.*)

plenty ['plentɪ] **1.** *n* 1) (из)оби́лие; доста́ток; horn of ~ рог изоби́лия 2) мно́жество; избы́ток; ~ of мно́го; to have ~ of time располага́ть вре́менем; there was food in ~ запа́сов пи́щи бы́ло доста́точно

2. *a разг.* оби́льный; многочи́сленный

3. *adv разг.* вполне́; дово́льно; изря́дно, доста́точно

plenum ['pli:nəm] *n* (*pl* -s [-z], -na) 1) пле́нум 2) *физ.* заполне́ние; запо́лненность

pleonasm ['pli:ənæzəm] *n лингв.* плеона́зм

pleonastic [pli:ə'næstɪk] *a* изли́шний, многосло́вный

plethora ['pleθərə] *n* 1) изоби́лие, большо́й избы́ток 2) *мед.* полнокро́вие

plethoric [ple'θɒrɪk] *a* 1) полнокро́вный 2) бью́щий че́рез край

pleura ['plʊərə] *n* (*pl* -ae) *анат.* пле́вра

pleurae ['plʊəri:] *pl от* pleura

pleurisy ['plʊərəsɪ] *n мед.* плеври́т

pleuritic [plʊ'rɪtɪk] *a мед.* плеври́тный

Plexiglass ['pleksɪglɑ:s] *n* плексигла́с, органи́ческое стекло́

plexor ['pleksə] *n мед.* молото́чек для высту́кивания

plexus ['pleksəs] *n* 1) *анат.* сплете́ние (*нервов и т. п.*) 2) переплете́ние, запу́танность

pliability [ˌplaɪə'bɪlətɪ] *n* 1) ги́бкость, пласти́чность, ко́вкость 2) = pliancy 2)

pliable ['plaɪəbl] *a* 1) = pliant 1); 2) легко́ поддаю́щийся влия́нию; усту́пчивый, сгово́рчивый (*часто в отрицательном смысле*)

pliancy ['plaɪənsɪ] *n* 1) ги́бкость 2) пода́тливость, усту́пчивость, сгово́рчивость

pliant ['plaɪənt] *a* 1) ги́бкий 2) пода́тливый, усту́пчивый, мя́гкий

plica ['plaɪkə] *n* (*pl* plicae) 1) *анат.* скла́дка 2) *мед.* колту́н

plicae ['plaɪsi:] *pl от* plica

plicate, plicated ['plaɪkeɪt, plɪ'keɪtɪd] *a бот., зоол.* скла́дчатый

plication [plɪ'keɪʃn] *n* 1) скла́дка 2) *pl геол.* скла́дки

pliers ['plaɪəz] *n pl* щипцы́; клещи́; плоскогу́бцы

plight I [plaɪt] *уст.* **1.** *n* 1) обяза́тельство 2) помо́лвка

2. *v* 1) свя́зывать обеща́нием 2) помо́лвить; ~ed lovers помо́лвленные

plight II [plaɪt] *n* состоя́ние, положе́ние (*обыкн.* плохо́е, затрудни́тельное); his affairs were in a terrible ~ его́ дела́ находи́лись в ужа́сном состоя́нии

Plimsoll line ['plɪmsllaɪn] *n мор.* грузова́я ма́рка (*на торговых судах*)

plimsolls ['plɪmslz] *n pl* лёгкие парусі́новые ту́фли на рези́новой подо́шве

Plimsoll's mark ['plɪmslzmɑ:k] = Plimsoll line

plinth [plɪnθ] *n стр.* 1) пли́нтус 2) цо́коль; постаме́нт

Pliocene ['plaɪəʊsi:n] *n геол.* плиоце́н

pliofilm ['plaɪəʊfɪlm] *n* плиофи́льм (*прозрачный материал, идущий на плащи, обёртку и т. п.*)

plissé ['pli:seɪ] *n* плиссе́

plod [plɒd] **1.** *n* 1) тяжёлая похо́дка 2) тяжёлый путь 3) тяжёлая рабо́та

2. *v* 1) брести́, тащи́ться (on, along) 2) упо́рно рабо́тать, корпе́ть (at)

plodder ['plɒdə] *n* 1) тру́женик, работя́га 2) флегмати́чный, ску́чный челове́к

plodding ['plɒdɪŋ] **1.** *pres. p. от* plod 2

2. *a* 1) ме́дленный и тяжёлый (*о походке*) 2) трудолюби́вый, усі́дчивый

plonk I [plɒŋk] **1.** *v* 1) бро́сить поспе́шно *или* небре́жно 2) бро́сить тяжело́, с шу́мом (down)

2. *n* звук шлепка́, хлопка́

plonk II [plɒŋk] *n разг.* дешёвое *или* плохо́е вино́

plop [plɒp] **1.** *n* 1) звук от паде́ния в во́ду без вспле́ска 2) паде́ние в во́ду

2. *adv* 1) без вспле́ска 2) внеза́пно

3. *v* бултыхну́ть(ся), хло́пнуть(ся), шлёпнуться

4. *int* бултых!, шлёп!

plosion ['pləʊʒn] *n фон.* пло́зия, взрыв

plosive ['pləʊsɪv] *фон.* **1.** *a* взрывно́й (*о согласном звуке*)

2. *n* взрывно́й звук

plot [plɒt] **1.** *n* 1) уча́сток земли́; деля́нка 2) фа́була, сюже́т 3) за́говор; интри́га 4) *амер.* план, чертёж; набро́сок; гра́фик, диагра́мма

2. *v* 1) составля́ть план 2) наноси́ть (*на план*); черти́ть, выче́рчивать кривую *или* диагра́мму 3) составля́ть за́говор; интригова́ть, плести́ интри́ги ▭ ~ out дели́ть на уча́стки, распределя́ть

plotter ['plɒtə] *n* 1) загово́рщик; интрига́н 2) построи́тель кривы́х (*прибор*)

plotting paper ['plɒtɪŋˌpeɪpə] *n* миллиметро́вая бума́га

plough [plaʊ] **1.** *n* 1) плуг 2) снегоочисти́тель 3) вспа́ханное по́ле, па́шня 4) (the P.) *астр.* Больша́я Медве́дица 5) *разг.* прова́л (*на экзамене*) 6) *эл.* токоснима́тель ◇ to put one's hand to the ~ взя́ться за рабо́ту

2. *v* 1) паха́ть 2) борозди́ть 3) поддава́ться вспа́шке; the land ~s hard after the drought по́сле за́сухи зе́млю тру́дно паха́ть 4) пробива́ть, прокла́дывать с трудо́м (*тж.* ~ through); to ~ one's way прокла́дывать себе́ путь 5) *разг.* прова́ли́ть(ся) (*на экзамене*) 6) рассека́ть (*волны*) ▭ ~ back а) перепаха́ть; б) превраща́ть в капита́л (*о прибылях*); ~ through продвига́ться с трудо́м; ~ under а) выкорчёвывать; б) зары́ть; ~ up распа́хивать ◇ to ~ a lonely furrow ≅ одино́ко сле́довать свои́м со́бственным путём; to ~ the sand(s) ≅ перелива́ть из пусто́го в поро́жнее; зря труди́ться; занима́ться бесполе́зным де́лом

plough-land ['plaʊlænd] *n* па́хотная земля́

ploughman ['plaʊmən] *n* па́харь

ploughshare ['plaʊʃeə] *n с.-х.* плу́жный ле́мех

plough-tail ['plaʊteɪl] *n* рукоя́тка плу́га; at the ~ за плу́гом на полевы́х рабо́тах ◇ from the ~ «от сохи́»

plover ['plʌvə] *n зоол.* ржа́нка, зуёк

plow [plaʊ] *амер.* = plough

ploy [plɔɪ] *n разг.* уло́вка, хи́трость

pluck [plʌk] **1.** *n* 1) сме́лость, отва́га; му́жество 2) дёрганье, дёргающее уси́лие 3) ли́вер; потроха́ 4) *разг.* прова́л (*на экзамене*)

2. *v* 1) срыва́ть, собира́ть (*цветы*) 2) выдёргивать (*волос, перо*) 3) ощи́пывать (*птицу*) 4) щипа́ть, перебира́ть (*струны*) 5) обира́ть; обма́нывать, to ~ a pigeon обобра́ть простака́ 6) *разг.* прова́ливать (*на экзамене*) ▭ ~ at дёргать; хвата́ть(ся); ~ up: to ~ up one's heart (*или* courage, spirits) собира́ться с ду́хом, набра́ться хра́брости

plucky ['plʌkɪ] *a* сме́лый, отва́жный; реши́тельный

plug [plʌg] **1.** *n* 1) про́бка; заты́чка; сто́пор 2) *эл.* ште́псельная ви́лка 3) *разг.* рекла́ма 4) прессо́ванный таба́к (*для жевания*) 5) (пожа́рный) кран 6) *геол.* экструзи́вный бисмали́т 7) *воен.* затво́р 8) *амер. разг.* цили́ндр (*шляпа*) 9) *амер. разг.* кля́ча 10) *sl.* пу́ля

2. *v* 1) затыка́ть, заку́поривать (*часто* ~ up); законопа́чивать 2) *sl.* застрели́ть, подстрели́ть 3) *разг.* назо́йливо реклами́ровать 4) *разг.* популяризи́ровать, вводи́ть в мо́ду (*о песне*) 5) *разг.* корпе́ть (*часто* ~ away) ▭ ~ in вставля́ть в ште́псель; to ~ in the wireless set включи́ть ра́дио; ~ up заку́поривать

plug-chain ['plʌgtʃeɪn] *n* цепо́чка сто́пора ва́нны, умыва́льника *и т. п.*

plug-hat ['plʌghæt] = plug 1, 8)

plug-switch ['plʌgswɪtʃ] *n* ште́псельный выключа́тель

plug-ugly ['plʌg,ʌglɪ] *n амер. sl.* хулиган

plum I [plʌm] *n* 1) слива; French ~ чернослив 2) сливовое дерево 3) тёмно-фиолетовый цвет 4) изюм 5) лакомый кусочек; нечто самое лучшее; «сливки»; to pick (*или* to take) the ~s отобрать самое лучшее 6) *разг.* доходное место; выгодный заказ 7) *attr.* сливовый

plum II [plʌm] *a диал.* полный, тучный

plumage ['plu:mɪdʒ] *n* оперение, перья

plumb [plʌm] **1.** *n* 1) отвес; out of ~ не вертикально 2) лот, грузило

2. *a* 1) вертикальный, отвесный 2) абсолютный, явный

3. *adv* 1) точно, как раз 2) отвесно 3) *амер. sl.* совершенно, окончательно, совсем; ~ crazy абсолютно ненормальный; ~ gone ≅ как в воду канул; I ~ forgot я начисто забыл

4. *v* 1) ставить по отвесу, устанавливать вертикально 2) измерять глубину, бросать лот 3) вскрывать; проникать (*в тайну и т. п.*) 4) обеспечивать водопроводом, отоплением (*квартиру, здание и т. п.*) 5) работать водопроводчиком

plumbaginous [plʌm'bædʒɪnəs] *a* графитовый

plumbago [plʌm'beɪgəʊ] *n* (*pl* -os [-əʊz]) *мин.* графит

plumbeous ['plʌmbɪəs] *a* свинцовый, свинцового цвета

plumber ['plʌmə] *n* 1) водопроводчик 2) паяльщик

plumbery ['plʌmərɪ] *n* 1) водопроводное дело 2) паяльная мастерская

plumbic ['plʌmbɪk] *a хим.* свинцовый, содержащий свинец

plumbing ['plʌmɪŋ] **1.** *pres. p. от* plumb 4

2. *n* 1) водопровод, водопроводная система 2) водопроводное дело 3) прокладка труб 4) измерение глубины (*океана*) 5) *разг.* уборная

plumb line ['plʌmlaɪn] *n* отвес

plumbum ['plʌmbəm] *n* свинец

plum cake ['plʌmkeɪk] *n* кекс с изюмом

plum duff [,plʌm'dʌf] *n* пудинг с изюмом

plume [plu:m] **1.** *n* 1) перо 2) плюмаж, султан 3) струйка, завиток; a ~ of smoke дымок ◇ in borrowed ~s ≅ «ворона в павлиньих перьях»

2. *v* 1) украшать плюмажем 2) чистить клювом (*перья*); охорашиваться ◇ to ~ oneself on smth. кичиться чем-л.

plumelet ['plu:mlɪt] *n* пёрышко

plummet ['plʌmɪt] *n* 1) свинцовый отвес; гирька отвеса 2) лот; грузило (*удочки*) 3) тяжесть, груз (*забот и т. п.*)

plummy ['plʌmɪ] *a* 1) изобилующий сливами 2) *разг.* хороший, сочный (*о голосе*) 3) *разг.* выгодный; завидный

plumose ['plu:məʊs] *a* оперённый; перистый

plump I [plʌmp] **1.** *a* полный; пухлый, округлый

2. *v* 1) вскармливать (*тж.* ~ up) 2) толстеть, полнеть (*тж.* ~ out, ~ up)

plump II [plʌmp] **1.** *a разг.* прямой, решительный, безоговорочный (*об отказе и т. п.*)

2. *adv разг.* 1) внезапно; he fell ~ into the water он бултыхнулся в воду 2) прямо, без обиняков

3. *n* тяжёлое падение

4. *v* 1) бухать(ся) 2) голосовать только за одного (*кандидата* — for) 3) бухнуть, ляпнуть (out)

plumper ['plʌmpə] *n* голосующий только за одного (*кандидата*)

plum pudding [,plʌm'pʊdɪŋ] *n* 1) рождественский пудинг 2) пудинг с изюмом

plum-tree ['plʌmtri:] = plum I, 2)

plumule ['plu:mju:l] *n* 1) *бот.* первичная листовая почка 2) пёрышко

plumy ['plu:mɪ] *a* 1) перистый 2) покрытый *или* украшенный перьями

plunder ['plʌndə] **1.** *n* 1) грабёж 2) награбленное добро, добыча 3) *разг.* барыш

2. *v* грабить (*особ. на войне*); воровать; расхищать

plunderage ['plʌndərɪdʒ] *n* 1) грабёж 2) хищение товаров на корабле 3) добыча

plunge [plʌndʒ] **1.** *n* 1) ныряние 2) погружение ◇ to take the ~ сделать решительный шаг

2. *v* 1) нырять 2) окунать(ся); погружать(ся) 3) бросаться, врываться (into); to ~ into a difficulty попасть в трудное положение 4) ввергать (in, into); to ~ one's family into poverty довести свою семью до нищеты 5) бросаться вперёд (*о лошади*) 6) *разг.* азартно играть; влезать в долги □ ~ **down** круто спускаться (*о дороге и т. п.*); ~ **up** круто подниматься (*о дороге и т. п.*)

plunge-bath ['plʌndʒbɑ:θ] *n* глубокая ванна

plunger ['plʌndʒə] *n* 1) *тех.* плунжер, скалка, скальчатый поршень 2) *разг.* азартный игрок 3) ныряльщик; водолаз 4) *разг.* кавалерист

plunging ['plʌndʒɪŋ] **1.** *pres. p. от* plunge 2

2. *a воен.* навесный (*огонь*)

plunk [plʌŋk] **1.** *n* 1) звон; перебор (*струн*) 2) *амер.* сильный удар

2. *v* 1) перебирать струны 2) звенеть (*о струнах*) 3) *амер.* сильно ударять 4) *амер.* бухнуть(ся); шлёпнуть(ся)

pluperfect [,plu:'pɜ:fɪkt] *грам.* **1.** *n* давнопрошедшее время

2. *a* давнопрошедший, предпрошедший

plural ['plʊərəl] **1.** *a* 1) многочисленный; ~ offices несколько должностей по совместительству; ~ vote подача голоса одним лицом в нескольких избирательных округах 2) *грам.* множественный

2. *n грам.* 1) слово, стоящее во множественном числе 2) множественное число

pluralism ['plʊərəlɪzəm] *n* 1) совместительство 2) *филос., полит.* плюрализм

plurality [plʊə'rælətɪ] *n* 1) множественность 2) совместительство (*часто о священнике, обслуживающем несколько приходов*) 3) множество 4) *амер.* относительное большинство голосов 5) большинство голосов

plus [plʌs] **1.** *n* 1) знак плюс 2) добавочное количество 3) преимущество 4) положительная величина; to total all the ~es подвести итог 5) *арт.* перелёт

2. *a* 1) добавочный, дополнительный 2) *ком.*: on the ~ side of the account на приходе счёта 3) *мат., эл.* положительный

3. *prep* плюс

plus fours [,plʌs'fɔ:z] *n pl* брюки гольф

plush [plʌʃ] **1.** *n* 1) плюш; плис 2) *pl* плисовые штаны

2. *a* 1) плюшевый; плисовый 2) = plushy

plushy ['plʌʃɪ] *a разг.* роскошный, шикарный

Pluto ['plu:təʊ] *n* 1) *астр.* планета Плутон 2) *римск. миф.* Плутон

plutocracy [plu:'tɒkrəsɪ] *n* плутократия

plutocrat ['plu:təʊkræt] *n* плутократ

Plutonian [plu:'təʊnɪən] *a* 1) плутонов, адский 2) = Plutonic 1)

plutonic [plu:'tɒnɪk] *a* 1) *геол.* плутонический, глубинный 2) (P.) = Plutonian 1)

plutonium [plu:'təʊnɪəm] *n хим.* плутоний

pluvial ['plu:vɪəl] *a* 1) дождевой 2) *геол.* плювиальный

pluviometer [,plu:vɪ'ɒmɪtə] *n* дождемер

pluvious ['plu:vɪəs] *a* дождливый

ply I [plaɪ] *n* 1) сгиб, складка, слой 2) прядь (*троса*) 3) оборот, петля, виток (*верёвки и т. п.*) 4) уклон; склонность, способность, жилка; to take a ~ взять уклон, направление

ply II [plaɪ] *v* 1) усердно работать (*чем-л.*); to ~ one's oars налегать на вёсла 2) заниматься (*работой, ремеслом*) 3) потчевать, усиленно угощать; to ~ with knowledge прививать знания 4) засыпать, забрасывать (*вопросами*) 5) курсировать (between — между, from... to — от... до); to ~ a voyage совершать рейс (*о корабле*) 6) стоять в ожидании нанимателя, покупателя; искать покупателей 7) *мор.* лавировать

Plymouth Rock [,plɪməθ'rɒk] *n* плимутрок (*порода кур*)

plywood ['plaɪwʊd] *n* (клеёная) фанера

pneumatic [njʊ'mætɪk] **1.** *a* пневматический; воздушный; ~ hammer пневматический молот

2. *n* пневматическая шина

pneumatics [njʊ'mætɪks] *n pl* (*употр. как sing*) пневматика

pneumonia [njʊ'məʊnɪə] *n мед.* воспаление лёгких, пневмония

pneumonic [njʊ'mɒnɪk] *a мед.* пневмони́ческий; ~ plague лёгочная чума́

poach I [pəʊtʃ] *v* 1) браконье́рствовать, незако́нно охо́титься; вторга́ться в чужи́е владе́ния 2) вме́шиваться; to ~ in other people's business вме́шиваться в чужи́е дела́; to ~ on smb.'s preserves вме́шиваться в ли́чную жизнь кого́-л. 3) перенима́ть (*чужие идеи*); захва́тывать не по пра́вилам (*преим. в состязании*) 4) тяжело́ ступа́ть; вя́знуть 5) разрыва́ть копы́тами 6) де́латься изры́той (*о почве*) 7) мять (*глину*)

poach II [pəʊtʃ] *v* 1) вари́ть (*яйца*) без скорлупы́ в кипятке́ 2) вари́ть (*рыбу и т. п.*) в небольшо́м коли́честве воды́

poached egg ['pəʊtʃteg] *n* яйцо́-пашо́т

poacher I ['pəʊtʃə] *n* браконье́р

poacher II ['pəʊtʃə] *n* сосу́д для ва́рки яи́ц без скорлупы́

poachy ['pəʊtʃɪ] *a* вла́жный, сыро́й, то́пкий (*о почве*)

pochard ['pɒtʃəd] *n зоол.* нырок красноголо́вый

pochette [pɒ'ʃet] *n* же́нская су́мка-конве́рт

pock [pɒk] *n* 1) о́спина, ряби́нка 2) вы́боина, щерби́на

pocket ['pɒkɪt] **1.** *n* 1) карма́н; карма́шек 2) де́ньги; empty ~s безде́нежье; deep ~ бога́тство; to be out of ~ а) быть в убы́тке, потеря́ть, прогада́ть; б) не име́ть де́нег; to be in ~ а) быть в вы́игрыше, вы́гадать; б) име́ть де́ньги, быть при деньга́х; to put one's hand in one's ~ раскоше́ливаться 3) райо́н, зо́на, оча́г; ~ of unemployment оча́г безрабо́тицы 4) вы́боина (*на дорожной поверхности*) 5) *горн., геол.* карма́н, гнездо́ 6) лу́за (*бильярда*) 7) возду́шная я́ма 8) мешо́к (*особ. как мера*) 9) ларь, бу́нкер 10) *attr.* карма́нный ◇ in smb.'s ~ в рука́х у кого́-л.; to keep hands in ~s ло́дырничать; to be in one another's ~ быть вы́нужденным не расстава́ться; торча́ть друг у дру́га на глаза́х

2. *v* 1) класть в карма́н 2) присва́ивать, прикарма́нивать 3) терпели́во сноси́ть; to ~ an insult проглоти́ть оби́ду 4) подавля́ть (*гнев и т. п.*) 5) загоня́ть в лу́зу (*в бильярде*) 6) *амер.* заде́рживать подписа́ние законопрое́кта до закры́тия се́ссии конгре́сса; «класть под сукно́»

pocket-book ['pɒkɪtbʊk] *n* 1) записна́я кни́жка 2) бума́жник 3) *амер.* пло́ская да́мская су́мочка 4) кни́га небольшо́го форма́та

pocket camera ['pɒkɪt,kæmərə] *n* карма́нный, портати́вный, малогабари́тный фотоаппара́т

pocketful ['pɒkɪtfʊl] *n* по́лный карма́н (*чего-л.*)

pocketknife ['pɒkɪtnaɪf] *n* карма́нный нож

pocket-money ['pɒkɪt,mʌnɪ] *n* де́ньги на ме́лкие расхо́ды, карма́нные де́ньги, ме́лочь

pocket piece ['pɒkɪtpi:s] *n* моне́тка, кото́рую на сча́стье но́сят в карма́не

pocket pistol ['pɒkɪt,pɪstl] *n* 1) карма́нный пистоле́т 2) *шутл.* карма́нная фля́жка (*для спиртного*)

pocket-size ['pɒkɪtsaɪz] *a* карма́нного разме́ра; небольшо́го форма́та; миниатю́рный

pocket veto [,pɒkɪt'vi:təʊ] *n амер.* заде́ржка президе́нтом подписа́ния законопрое́кта до закры́тия се́ссии конгре́сса

pockety ['pɒkətɪ] *a* ду́шный, за́тхлый

pockmark ['pɒkmɑ:k] = pock 1)

pockmarked ['pɒkmɑ:kt] *a* рябо́й

pocky ['pɒkɪ] = pockmarked

poco ['pəʊkəʊ] *adv муз.* немно́го, ма́ло

pococurante [,pəʊkəʊkjʊ'ræntɪ] **1.** *a* равноду́шный, безразли́чный

2. *n* равноду́шный, безразли́чный челове́к

pod I [pɒd] **1.** *n* 1) стручо́к; шелуха́, лузга́, кожура́ 2) ко́кон (*шелковичного червя*) 3) ве́рша (*для угрей*) 4) *ав., косм.* отделя́емый грузово́й отсе́к ◇ in ~ *разг.* бере́менная

2. *v* 1) покрыва́ться стручка́ми 2) лущи́ть (*горох*)

pod II [pɒd] *n* 1) небольшо́е ста́до (*китов, моржей*) 2) ста́йка (*птиц*)

podagra [pɒ'dægrə] *n* пода́гра

podagric [pɒ'dægrɪk] *a* подагри́ческий

podded ['pɒdɪd] **1.** *p. p. от* pod I, 2

2. *a* 1) стручко́вый 2) *разг.* состоя́тельный

podge [pɒdʒ] *n разг.* толстя́к-короты́шка

podgy ['pɒdʒɪ] *a* 1) призе́мистый и то́лстый 2) по́лный, пу́хлый (*о лице и т. п.*)

podia ['pəʊdɪə] *pl от* podium

podiatry [pəʊ'daɪətrɪ] *n амер.* лече́ние заболева́ний ног

podium ['pəʊdɪəm] *n* (*pl* podia) 1) возвыше́ние (*для дирижёра и т. п.*) 2) *ист.* по́диум

poem ['pəʊɪm] *n* 1) поэ́ма; стихотворе́ние 2) что-л. прекра́сное, поэти́чное

poet ['pəʊɪt] *n* поэ́т; Poets' Corner а) часть Вестми́нстерского абба́тства, где похоро́нены выдаю́щиеся поэ́ты; б) *шутл.* отде́л поэ́зии (*в газете*)

poetaster [,pəʊɪ'tæstə] *n* рифмоплёт

poetess [,pəʊɪ'tes] *n* поэте́сса

poetic(al) [pəʊ'etɪk(l)] *a* 1) поэти́ческий 2) стихотво́рный 3) поэти́чный, возвы́шенный

poeticize [pəʊ'etɪsaɪz] *v* поэтизи́ровать

poetics [pəʊ'etɪks] *n pl* (*употр. как sing*) поэ́тика

poetize ['pəʊɪtaɪz] *v* 1) балова́ться стиха́ми 2) писа́ть стихи́ 3) = poeticize 4) воспева́ть в стиха́х

poetry ['pəʊətrɪ] *n* 1) поэ́зия; стихи́ 2) поэти́чность

po-faced [,pəʊ'feɪst] *a* напы́щенный, самодово́льный, тупо́й

poignancy ['pɔɪnjənsɪ] *n* 1) ре́зкость (*боли*) 2) мучи́тельность 3) проница́тельность, острота́ 4) острота́, е́дкость, пика́нтность

poignant ['pɔɪnjənt] *a* 1) ре́зкий (*о боли*) 2) го́рький, мучи́тельный 3) живо́й (*об интересе*) 4) проница́тельный, о́стрый; ~ wit о́стрый ум 5) о́стрый, е́дкий, пика́нтный

poignantly ['pɔɪnjəntlɪ] *adv* 1) о́стро, ко́лко, е́дко 2) мучи́тельно

point [pɔɪnt] **1.** *n* 1) остриё, о́стрый коне́ц; ко́нчик; наконе́чник 2) то́чка; four ~ six (4.6) четы́ре и шесть деся́тых (4,6); full ~ то́чка (*знак препинания*); exclamation ~ *амер.* восклица́тельный знак 3) осо́бенность 4) моме́нт (*времени*); at this ~ he went out в э́тот моме́нт он вы́шел; at the ~ of death при́ сме́рти 5) то́чка, ме́сто, пункт; *амер.* ста́нция; a ~ of departure пункт отправле́ния 6) очко́; to give ~s to дава́ть не́сколько очко́в вперёд; *перен.* ≅ заткну́ть за́ пояс 7) пункт, моме́нт, вопро́с; де́ло; fine ~ дета́ль, ме́лочь, то́нкость; ~ of honour де́ло че́сти; on this ~ на э́тот счёт 8) преиму́щество, досто́инство; he has got ~s у него́ есть досто́инства; singing was not his strong ~ он не был силён в пе́нии 9) гла́вное, суть; смысл, «соль» (*рассказа, шутки*); that is just the ~ в э́том-то и де́ло; he does not see my ~ он не понима́ет меня́; to come to the ~ дойти́ до гла́вного, до су́ти де́ла; there is no ~ in doing that не име́ет смы́сла де́лать э́то; the ~ is that... де́ло в том, что... 10) деле́ние шкалы́ 11) *ж.-д.* перо́ *или* остря́к (*стрелочного перевода*); стре́лочный перево́д 12) мыс, выступа́ющая морска́я коса́; стре́лка 13) ответвле́ние оле́ньего ро́га; a buck of eight ~s оле́нь с рога́ми, име́ющими во́семь ответвле́ний 14) стать́я (*животного*); *pl* экстерье́р (*животного*) 15) *полигр.* пункт 16) *охот.* сто́йка (*собаки*); to come to (*или* to make) a ~ де́лать сто́йку [*ср. тж.* ◇] 17) *воен.* головно́й *или* ты́льный дозо́р 18) *ист.* едини́ца продово́льственной *или* промтова́рной ка́рточки; free from ~s ненорми́рованный 19) *мор.* румб 20) *мор.* ре́дька (*оплетённый конец снасти*) 21) *ист.* шнуро́к с наконе́чником (*заменявший пуговицы*) 22) верши́на горы́ 23) (гравирова́льная) игла́, резе́ц (*гравёра*) 24) вид кру́жева 25) *attr.*: ~s verdict *спорт.* присужде́ние побе́ды по очка́м (*в боксе и т. д.*) ◇ ~ of view то́чка зре́ния; at the ~ of the sword си́лой ору́жия; at all ~s а) во всех отноше́ниях; б) повсю́ду; armed at all ~s во всеору́жии; at ~ гото́вый (*к чему-л.*); to be on the ~ of doing smth. собира́ться сде́лать что-л.; to carry one's ~ отстоя́ть свои́ пози́ции; доби́ться своего́; to gain one's ~ дости́чь це́ли; off the ~ некста́ти; to the ~ а) кста́ти, уме́стно; б) вплоть до (of); in ~ подходя́щий; in ~ of в отноше́нии; to make a ~ доказа́ть положе́ние [*ср. тж.* 16)]; to make a ~ of smth. счита́ть что-л. обяза́тельным для себя́; not to put too fine a ~ upon it говоря́ напрями́к

2. *v* 1) пока́зывать па́льцем; ука́зывать (*тж.* ~ out; at, to) 2) направля́ть (*оружие*; at); наводи́ть, це́литься, прице́ливаться 3) быть напра́вленным 4) говори́ть, свиде́тельствовать (to — о) 5) (за)точи́ть, (за)остри́ть; наточи́ть 6) чини́ть (*карандаш*) 7) оживля́ть; придава́ть остроту́ 8) ста́вить зна́ки препина́ния 9) де́лать сто́йку (*о собаке*) 10) *стр.* расшива́ть швы ▭ ~ **off** отделя́ть то́чкой; ~ **out** ука́зывать; пока́зывать; обраща́ть (чьё-л.) внима́ние

point-blank [,pɔɪnt'blæŋk] **1.** *a* 1) *воен.* горизонта́льный (*о выстреле*) 2) реши́тельный, ре́зкий, категори́ческий

2. *adv* 1) *воен.* прямо́й наво́дкой, в упо́р 2) пря́мо, реши́тельно, ре́зко, категори́чески, наотре́з

point-duty ['pɔɪnt,dju:tɪ] *n* обя́занности регулиро́вщика (*движения*)

pointed ['pɔɪntɪd] **1.** *p. p. от* point 2

2. *a* 1) остроконе́чный; ~ arch стре́льчатая а́рка, готи́ческая а́рка; the ~ style готи́ческий стиль 2) о́стрый, заострённый 3) ко́лкий, крити́ческий (*о замечании*) 4) подчёркнутый; соверше́нно очеви́дный 5) напра́вленный про́тив (*о высказывании, эпиграмме и т. п.*) 6) наведённый (*об оружии*)

pointedly ['pɔɪntɪdlɪ] *adv* 1) о́стро 2) по существу́ 3) стара́ясь подчеркну́ть; многозначи́тельно

pointer ['pɔɪntə] *n* 1) указа́тель 2) стре́лка (*часов, весов и т. п.*) 3) ука́зка 4) *разг.* своевре́менный намёк, указа́ние 5) по́йнтер (*порода собак*) 6) *pl астр.* две звезды́ Большо́й Медве́дицы, находя́щиеся на одно́й ли́нии с Поля́рной звездо́й 7) *воен.* наво́дчик

pointful ['pɔɪntful] *a* уме́стный; подходя́щий

pointillism ['pɔɪntɪlɪzəm] *n иск.* пуантили́зм

pointing ['pɔɪntɪŋ] **1.** *pres. p. от* point 2

2. *n* 1) *стр.* расши́вка швов 2) указа́ние (*направления, места и т. п.*) 3) пунктуа́ция, расстано́вка зна́ков препина́ния 4) *разг.* намёк

pointless ['pɔɪntləs] *a* 1) тупо́й, незаострённый 2) бессмы́сленный; бесце́льный 3) *спорт.* с неоткры́тым счётом

pointsman ['pɔɪntsmən] *n* 1) *ж.-д.* стре́лочник 2) постово́й полице́йский, регулиро́вщик

poise [pɔɪz] **1.** *n* 1) уравнове́шенность; самооблада́ние 2) равнове́сие 3) поса́дка головы́; оса́нка 4) состоя́ние нереши́тельности, колеба́ние

2. *v* 1) уравнове́шивать 2) баланси́ровать; держа́ть равнове́сие 3) держа́ть (*голову*) 4) висе́ть в во́здухе, пари́ть 5) подня́ть для броска́ (*копьё, пику*) 6) *редк.* взве́шивать, обду́мывать

poison ['pɔɪzn] **1.** *n* яд, отра́ва (*тж. перен.*) ◇ to hate like ~ смерте́льно ненави́деть

2. *a* 1) ядови́тый 2) отравля́ющий

3. *v* 1) отравля́ть 2) по́ртить, развраща́ть

poisoner ['pɔɪznə] *n* отрави́тель

poison gas [,pɔɪzn'gæs] *n* ядови́тый газ

poisoning ['pɔɪznɪŋ] **1.** *pres. p. от* poison 3

2. *n* 1) отравле́ние 2) по́рча, развраще́ние

poisonous ['pɔɪznəs] *a* 1) ядови́тый 2) *разг.* отврати́тельный, проти́вный

poison-pen letter [,pɔɪzn'penletə] *n* анони́мное оскорби́тельное *и т. п.* письмо́

poke I [pəuk] **1.** *n* 1) толчо́к, тычо́к 2) поля́ козырько́м (*у женской шляпы*) 3) *амер. разг.* лентя́й, ло́дырь; копу́ша

2. *v* 1) сова́ть, пиха́ть, ты́кать, толка́ть (*тж.* ~ in, ~ up, ~ down, *etc.*) 2) протыка́ть (*тж.* ~ through) 3) меша́ть (*кочергой*); шурова́ть (*топку*) 4) идти́ *или* иска́ть (*что-л.*) о́щупью (*тж.* ~ about, ~ around) 5) *sl. груб.* переспа́ть (*с кем-л.*) ▭ ~ **about** любопы́тствовать; ~ **into** иссле́довать, разузнава́ть; ~ **through** проткну́ть; ~ **up** а) сова́ть, пиха́ть; толка́ть; б) *разг.* запира́ть (*в тесном помещении*) ◇ to ~ one's nose into other people's business *разг.* сова́ть нос в чужи́е дела́; to ~ fun at smb. подшу́чивать над кем-л.; to ~ one's head суту́литься

poke II ['pəuk] *n диал.* мешо́к

poker I ['pəukə] **1.** *n* 1) кочерга́ 2) прибо́р для выжига́ния по де́реву

2. *v* выжига́ть по де́реву

poker II ['pəukə] *n* по́кер (*карточная игра*)

poker face ['pəukəfeɪs] *n* бесстра́стное, ничего́ не выража́ющее лицо́

poker-faced ['pəukəfeɪst] *a* с непроница́емым, ка́менным лицо́м

pokerwork ['pəukəwз:k] *n* выжига́ние по де́реву, ко́же *и т. п.*

pokey ['pəukɪ] *n амер. sl.* тюрьма́

poky ['pəukɪ] *a* 1) те́сный, убо́гий; a ~ hole of a place захолу́стье, дыра́ 2) незначи́тельный, ме́лкий, се́рый 3) неря́шливый, неопря́тный (*об одежде*) 4) *амер.* медли́тельный, вя́лый

polar ['pəulə] *a* 1) поля́рный 2) по́люсный 3) диаметра́льно противополо́жный

polar bear [,pəulə'beə] *n* бе́лый медве́дь

polar circle [,pəulə'sз:kl] *n* поля́рный круг

polar fox [,pəulə'fɒks] *n* песе́ц

polarity [pəu'lærətɪ] *n* 1) *физ.* поля́рность 2) по́лная противополо́жность

polarization [,pəuləraɪ'zeɪʃn] *n физ.* поляриза́ция

polarize ['pəuləraɪz] *v* 1) *физ.* поляризова́ть 2) придава́ть определённое направле́ние

polar lights [,pəulə'laɪts] *n* се́верное сия́ние

polder ['pəuldə] *n* по́льдер

Pole [pəul] *n* поля́к; по́лька; the ~s *pl собир.* поля́ки

pole I [pəul] **1.** *n* 1) столб, шест, жердь; кол, ве́ха 2) баго́р 3) ды́шло 4) ме́ра длины́ (= *5,029 м*) ◇ under bare ~s *мор.* без парусо́в; up the ~ *sl.* а) не в своём уме́; б) в затрудни́тельном положе́нии

2. *v* 1) подпира́ть шеста́ми 2) отта́лкивать(ся) шесто́м *или* вёслами

pole II [pəul] *n* 1) по́люс; unlike ~s *физ.* разноимённые по́люсы 2) *attr.* по́люсный; ~ extension *эл.* по́люсный нако-не́чник, по́люсный башма́к ◇ to be ~s apart быть диаметра́льно противополо́жным

pole-axe ['pəulæks] **1.** *n* 1) боево́й топо́р, берды́ш; секи́ра, алеба́рда 2) реза́к мясника́

2. *v* 1) убива́ть бердышо́м *и т. п.* 2) ре́зать (*скот*)

polecat ['pəulkæt] *n зоол.* хорёк (*или* хорь) чёрный

pole jump ['pəuldʒʌmp] = pole vault

pole-jump ['pəuldʒʌmp] = pole-vault

pole-jumping ['pəul,dʒʌmpɪŋ] = pole-vaulting

polemic [pə'lemɪk] **1.** *a* полеми́ческий

2. *n* 1) поле́мика, спор, диску́ссия 2) *pl* полемизи́рование; иску́сство поле́мики

polemical [pə'lemɪkl] = polemic 1

polenta [pəu'lentə] *n* поле́нта (*каша из кукурузы, ячменя*)

polestar ['pəulstɑ:] *n* 1) Поля́рная звезда́ 2) путево́дная звезда́

pole vault ['pəulvɔ:lt] *n* прыжо́к с шесто́м

pole-vault ['pəulvɔ:lt] *v* пры́гать с шесто́м

pole-vaulting ['pəul,vɔ:ltɪŋ] *n* прыжки́ с шесто́м

police [pə'li:s] **1.** *n* 1) поли́ция; military ~ вое́нная поли́ция 2) (*употр. с гл. во мн. ч.*) полице́йские 3) *воен.* наря́д 4) *амер. воен.* убо́рка, поддержа́ние чистоты́ 5) *attr.* полице́йский; ~ constable полице́йский; ~ power *амер.* охра́на госуда́рственного правово́го поря́дка

2. *v* 1) охраня́ть 2) обеспе́чивать поли́цией (*город, район*) 3) подде́рживать поря́док (*в стране*) 4) контроли́ровать 5) *амер. воен.* чи́стить, приводи́ть в поря́док

police-court [pə'li:skɔ:t] *n* полице́йский суд

police-magistrate [pə,li:s'mædʒɪstreɪt] *n* председа́тель полице́йского суда́

policeman [pə'li:smən] *n* полице́йский, полисме́н

police-office [pə'li:sɒfɪs] *n* полице́йское управле́ние (*города*)

police-officer [pə'li:s,ɒfɪsə] *n* полице́йский

police station [pə'li:s,steɪʃn] *n* полице́йский уча́сток

policlinic [,pɒlɪ'klɪnɪk] *n* поликли́ника (*при больнице*)

policy I ['pɒləsɪ] *n* 1) поли́тика; peace ~ поли́тика ми́ра, ми́рная поли́тика; for reasons of ~ по полити́ческим соображе́ниям; tough ~ твёрдая поли́тика 2) поли́тика, ли́ния поведе́ния, устано́вка, курс 3) благоразу́мие, полити́чность;

хи́трость, ло́вкость 4) *шотл.* парк (*вокруг усадьбы*)

policy II [ˈpɒləsɪ] *n* страхово́й по́лис

policyholder [ˈpɒləsɪ,həʊldə] *n* держа́тель страхово́го по́лиса

policy-making [ˈpɒləsɪ,meɪkɪŋ] *n* разрабо́тка, формули́рование *или* проведе́ние (определённого) полити́ческого ку́рса

polio [ˈpəʊlɪəʊ] *n разг.* 1) *сокр. от* poliomyelitis 2) больно́й полиомиели́том

poliomyelitis [,pəʊlɪəʊmaɪəˈlaɪtɪs] *n* полиомиели́т, де́тский парали́ч

Polish [ˈpəʊlɪʃ] **1.** *a* по́льский

2. *n* по́льский язы́к

polish [ˈpɒlɪʃ] **1.** *n* 1) политу́ра; лак; масти́ка (*для полов*) 2) гля́нец 3) полиро́вка, шлифо́вка; чи́стка 4) лоск, изы́сканность 5) отде́лка, соверше́нство (*слога и т. п.*)

2. *v* 1) полирова́ть, шлифова́ть, наводи́ть лоск, гля́нец 2) станови́ться гла́дким, шлифо́ванным 3) чи́стить (*обувь*) 4) отёсывать, де́лать изы́сканным; отде́лывать, отта́чивать (*слог и т. п.*) (*тж.* ~ up) ▭ ~ **off** а) поко́нчить, бы́стро спра́виться (*с чем-л.*); to ~ off a bottle of sherry распи́ть буты́лку хе́реса; б) изба́виться (*от конкурента и т. п.*)

polished [ˈpɒlɪʃt] **1.** *p. p. от* polish 2

2. *a* 1) (от)полиро́ванный; гла́дкий, блестя́щий 2) изы́сканный; элега́нтный; ~ manners изы́сканные мане́ры 3) безупре́чный

polite [pəˈlaɪt] *a* 1) ве́жливый, любе́зный, учти́вый, обходи́тельный; благовоспи́танный; the ~ thing *разг.* благовоспи́танность; to do the ~ *разг.* стара́ться вести́ себя́ благовоспи́танно 2) изя́щный; утончённый; ~ letters (*или* literature) изя́щная литерату́ра, беллетри́стика; ~ learning класси́ческое образова́ние 3) изы́сканный (*об обществе, компании*)

politely [pəˈlaɪtlɪ] *adv* ве́жливо, любе́зно

politeness [pəˈlaɪtnəs] *n* ве́жливость, учти́вость

politesse [,pɒlɪˈtes] *фр. n* официа́льная ве́жливость

politic [ˈpɒlətɪk] *a* 1) расчётливый, обду́манный 2) проница́тельный, благоразу́мный (*о человеке*) 3) ло́вкий, хи́трый, полити́чный

political [pəˈlɪtɪkl] **1.** *a* 1) полити́ческий; ~ science полити́ческие нау́ки; ~ policy полити́ческий курс; ~ writer публици́ст; ~ realities полити́ческая действи́тельность 2) госуда́рственный; ~ machinery госуда́рственный аппара́т 3) (узко)парти́йный

2. *n* полити́ческий заключённый, политзаключённый

political economy [pə,lɪtɪklɪˈkɒnəmɪ] *n* политэконо́мия

politically [pəˈlɪtɪklɪ] *adv* 1) с госуда́рственной *или* полити́ческой то́чки зре́ния 2) расчётливо, обду́манно, хи́тро

politician [,pɒlɪˈtɪʃn] *n* 1) поли́тик; госуда́рственный де́ятель 2) *амер. презр.* политика́н

politicize [pəˈlɪtɪsaɪz] *v* 1) придава́ть полити́ческий хара́ктер 2) обсужда́ть полити́ческие вопро́сы; рассужда́ть о поли́тике 3) занима́ться поли́тикой

politico [pəˈlɪtɪkəʊ] *n разг.* политика́н

politics [ˈpɒlətɪks] *n pl* (*тж. употр. как sing*) 1) поли́тика; полити́ческая жизнь 2) полити́ческие убежде́ния; what are his ~? каковы́ его́ полити́ческие убежде́ния? 3) полити́ческая де́ятельность; to go into ~ посвяти́ть себя́ полити́ческой де́ятельности 4) *амер.* полити́ческие махина́ции

polity [ˈpɒlətɪ] *n* 1) госуда́рственное устро́йство, о́браз *или* фо́рма правле́ния 2) госуда́рство

polk [pɒlk] *v* танцева́ть по́льку

polka [ˈpɒlkə] *n* по́лька (*танец*)

polka dot [ˈpɒlkədɒt] *n* узо́р «в горо́шек»

poll I [pɒl] *n* «по́пка» (*обычная кличка попугая*)

poll II [pəʊl] **1.** *n* 1) голосова́ние; баллотиро́вка; by ~ голосова́нием; exclusion from the ~ лише́ние пра́ва го́лоса; public opinion ~ опро́с обще́ственного мне́ния 2) подсчёт голосо́в 3) число́ голосо́в; heavy (light) ~ высо́кий (ни́зкий) проце́нт уча́стия в вы́борах 4) спи́сок избира́телей 5) регистра́ция избира́телей 6) (*обыкн. pl*) помеще́ние для голосова́ния, избира́тельный пункт; to go to the ~s а) идти́ на вы́боры (*голосовать*); б) выставля́ть свою́ кандидату́ру (*на выборах*) 7) голова́; маку́шка; заты́лок 8) комо́лое живо́тное

2. *v* 1) проводи́ть голосова́ние; подсчи́тывать голоса́; the constituency was ~ed to the last man все до после́днего челове́ка уча́ствовали в вы́борах 2) получа́ть голоса́; he ~ed a large majority он получи́л подавля́ющее большинство́ голосо́в 3) проводи́ть опро́с обще́ственного мне́ния 4) голосова́ть (*тж.* ~ one's vote) 5) подреза́ть верху́шку (*дерева*) 6) (*особ. p. p.*) среза́ть рога́ 7) *уст.* стричь во́лосы

pollack [ˈpɒlək] *n* са́йда (*рыба*)

pollard [ˈpɒləd] **1.** *n* 1) безро́гое живо́тное; оле́нь, сбро́сивший рога́ 2) подстри́женное де́рево 3) о́труби (*с мукой*)

2. *v* подстрига́ть (де́рево)

poll-beast [ˈpəʊlbi:st] = poll II, 1, 8)

poll-cow [ˈpəʊlkaʊ] *n* безро́гая, комо́лая коро́ва

pollen [ˈpɒlən] **1.** *n бот.* пыльца́

2. *v* опыля́ть

pollinate [ˈpɒləneɪt] *v бот.* опыля́ть

pollination [,pɒləˈneɪʃn] *n бот.* опыле́ние

polling [ˈpəʊlɪŋ] **1.** *pres. p. от* poll II, 2

2. *n* голосова́ние

polling-booth [ˈpəʊlɪŋbu:ð] *n* каби́на для голосова́ния

pollock [ˈpɒlək] = pollack

poll-ox [ˈpəʊlɒks] *n* безро́гий вол

poll parrot [ˈpɒl,pærət] *n* 1) говоря́щий станда́ртными фра́зами, без конца́ повторя́ющий зау́ченные фра́зы 2) по́пка, попуга́й

poll tax [ˈpəʊltæks] *n* поду́шный нало́г

pollutant [pəˈlu:tnt] *n спец.* загрязня́ющий аге́нт

pollute [pəˈlu:t] *v* 1) загрязня́ть 2) оскверня́ть 3) развраща́ть

pollution [pəˈlu:ʃn] *n* 1) загрязне́ние 2) оскверне́ние 3) *физиол.* поллю́ция

polly [ˈpɒlɪ] *n австрал., амер.* поли́тик

polo [ˈpəʊləʊ] *n спорт.* по́ло

polo mallet [ˈpəʊləʊ,mælɪt] = polo-stick

polonaise [,pɒləˈneɪz] *n* полоне́з (*танец и музыкальная форма*)

polo neck [ˈpəʊləʊnek] *n* во́рот «по́ло» (*высокий отворачивающийся воротник, плотно прилегающий к шее*)

polonium [pəˈləʊnɪəm] *n хим.* поло́ний

polony [pəˈləʊnɪ] *n* варёно-копчёная свина́я колбаса́

polo-stick [ˈpəʊləʊstɪk] *n* клю́шка для игры́ в по́ло

poltergeist [ˈpɒltəgaɪst] *n* полтерге́йст

poltroon [pɒlˈtru:n] *n* трус

poltroonery [pɒlˈtru:nərɪ] *n* тру́сость

poly- [ˈpɒlɪ-] *в сложных словах означает* много-, поли-; polysemantic полисеманти́чный, многозна́чный

polyadelphous [,pɒlɪəˈdelfəs] *a бот.* многобра́чный

polyandry [,pɒlɪˈændrɪ] *n* полиа́ндрия, многому́жие

polyanthus [,pɒlɪˈænθəs] *n бот.* 1) первоцве́т высо́кий 2) нарци́сс константино́польский, нарци́сс таце́тта

polyatomic [,pɒlɪəˈtɒmɪk] *a* многоа́томный

polychromatic [,pɒlɪkrəˈmætɪk] *a* полихромати́ческий, многоцве́тный, многокра́сочный

polychrome [ˈpɒlɪkrəʊm] **1.** *a* = polychromatic

2. *n* раскра́шенная ста́туя, ва́за *и т. п.*

polyclinic [ˈpɒlɪ,klɪnɪk] *n* 1) кли́ника 2) больни́ца о́бщего ти́па

polyester [,pɒlɪˈestə] *n* полиэ́стр

polygamous [pəˈlɪgəməs] *a* полига́мный, многобра́чный

polygamy [pəˈlɪgəmɪ] *n* полига́мия; многобра́чие

polyglot [ˈpɒlɪglɒt] **1.** *n* полигло́т

2. *a* многоязы́чный; говоря́щий на мно́гих языка́х

polygon [ˈpɒlɪgən] *n* многоуго́льник

polygonal [pəˈlɪgənl] *a* многоуго́льный

polygraph [ˈpɒlɪgrɑ:f] *n* 1) дете́ктор лжи 2) *мед.* полигра́ф

polygyny [pəˈlɪdʒənɪ] *n* полигини́я, многожёнство

polyhedra [,pɒlɪˈhi:drə] *pl от* polyhedron

polyhedral [,pɒlɪˈhi:drəl] *a* многогра́нный

polyhedron [,pɒlɪˈhi:drən] *n* (*pl* -ra, -s [-z]) многогра́нник

polymath [ˈpɒlɪmæθ] *n* 1) широкообразо́ванный челове́к 2) кру́пный учёный

polymer [ˈpɒlɪmə] *n хим.* полиме́р

polymeric [ˌpɒlɪ'merɪk] *a хим.* полиме́рный

polymerization [ˌpɒlɪmərаɪ'zeɪʃn] *n хим.* полимериза́ция

polymerize ['pɒlɪməraɪz] *v хим.* полимеризи́ровать(ся)

polymorphism [ˌpɒlɪ'mɔːfɪzəm] *n* полимorфи́зм

polymorphous [ˌpɒlɪ'mɔːfəs] *a* полимо́рфный

Polynesian [ˌpɒlɪ'niːzɪən] **1.** *a* полинези́йский

2. *n* полинези́ец; полинези́йка

polynia [pə'lɪnjə] *n* полынья́

polynomial [ˌpɒlɪ'nəʊmɪəl] *мат.* **1.** *a* многочле́нный

2. *n* многочле́н

polyp ['pɒlɪp] *n зоол., мед.* поли́п

polyphonic [ˌpɒlɪ'fɒnɪk] *a* 1) *муз.* полифони́ческий, многоголо́сный 2) многозву́чный 3) соотве́тствующий не́скольким зву́кам (*о букве в разных положениях*)

polyphony [pə'lɪfənɪ] *n муз.* полифони́я, многоголо́сие

polypi ['pɒlɪpaɪ] *pl от* polypus

polypody ['pɒlɪpəʊdɪ] *n бот.* сладкоко́рень

polypoid, polypous ['pɒlɪpɔɪd, -pəs] *a зоол., мед.* полипообра́зный

polypus ['pɒlɪpəs] *n* (*pl* -pi, -es [-ɪz]) *мед.* поли́п

polysemantic [ˌpɒlɪsɪ'mæntɪk] *a* полисеманти́ческий, многозна́чный

polysemy [pə'lɪsɪmɪ] *n* полисеми́я, многозна́чность

polyspast ['pɒlɪspæst] *n тех.* та́ли, полиспа́ст

polystyrene [ˌpɒlɪ'staɪriːn] *n хим.* полистиро́л

polysyllabic [ˌpɒlɪsɪ'læbɪk] *a грам.* многосло́жный

polysyllable ['pɒlɪˌsɪləbl] *n грам.* многосло́жное сло́во

polytechnic [ˌpɒlɪ'teknɪk] **1.** *a* политехни́ческий

2. *n* политехникум

polytheism ['pɒlɪθiˌɪzəm] *n* политеи́зм, многобо́жие

polyvalent [ˌpɒlɪ'veɪlənt] *a хим.* многовале́нтный

polyzonal [ˌpɒlɪ'zəʊnl] *a* многозона́льный

pom [pɒm] *n* 1) *сокр. от* Pomeranian 2; 2) = pommy

pomace ['pʌmɪs] *n* 1) я́блочные вы́жимки (*при изготовлении сидра*) 2) ры́бные оста́тки, тук (*после отжимания жира, используемые в качестве удобрения*) 3) жмыхи́

pomade [pəʊ'meɪd] **1.** *n* пома́да (*для волос*)

2. *v* пома́дить (*волосы*)

pomander [pəʊ'mændə] *n ист.* 1) арома́тический ша́рик (*как средство против заразы*) 2) золото́й, серебряный *и т. п.* кру́глый футля́рчик, в кото́ром носи́ли арома́тический ша́рик

pomatum [pəʊ'meɪtəm] = pomade

pomegranate ['pɒmɪgrænət] *n* 1) грана́т (*плод*) 2) грана́товое де́рево

pomelo ['pʃmələʊ] *n* (*pl* -os [-əʊz]) *амер.* гре́йпфрут

Pomeranian [ˌpɒmə'reɪnɪən] **1.** *a* помера́нский

2. *n* шпиц (*собака; тж.* ~ dog)

pomiculture ['pəʊmɪkʌltʃə] *n* плодово́дство

pommel 1. *n* ['pɒml] 1) голо́вка (*эфеса шпаги*) 2) пере́дняя лука́ (*седла*)

2. *v* ['pʌml] бить, колоти́ть, раскола́чивать; размина́ть (*напр., кожу*)

pommy ['pɒmɪ] *n австрал. sl. презр.* англича́нин, иммигри́ровавший в Австра́лию

pomology [pə'mɒlədʒɪ] *n* помоло́гия

pomp [pɒmp] *n* по́мпа, великоле́пие, пы́шность

pompadour ['pɒmpəduə] *n* 1) высо́кая приче́ска с ва́ликом 2) све́тло-ро́зовый отте́нок

pompier (ladder) ['pɒmpɪə(lædə)] *n* пожа́рная ле́стница

pom-pom ['pɒmpɒm] *n* счетверённая малокали́берная зени́тная артиллери́йская устано́вка

pompon ['pɒmpɒn] *n* помпо́н

pomposity [pɒm'pɒsətɪ] *n* помпе́зность; напы́щенность

pompous ['pɒmpəs] *a* 1) напы́щенный 2) высокопа́рный (*о слоге*) 3) *уст.* пы́шный, великоле́пный

ponce [pɒns] *n sl.* 1) сутенёр 2) гомосексуали́ст

ponceau ['pɒnsəʊ] *n* пунцо́вый цвет, цвет кра́сного ма́ка

poncho ['pɒntʃəʊ] *n* (*pl* -os [-əʊz]) по́нчо

pond [pɒnd] **1.** *n* 1) пруд; водоём, бассе́йн; запру́да 2) *шутл.* мо́ре, океа́н

2. *v* 1) запру́живать 2) образо́вывать пруд

pondage ['pɒndɪdʒ] *n* ёмкость пруда́ *или* резервуа́ра

ponder ['pɒndə] *v* обду́мывать, взве́шивать, размышля́ть (on, upon, over)

ponderability [ˌpɒndərə'bɪlətɪ] *n книжн.* весо́мость

ponderable ['pɒndərəbl] *книжн.* **1.** *a* 1) весо́мый 2) могу́щий быть оценённым, взве́шенным; предви́димый

2. *n pl* то, что мо́жно зара́нее взве́сить, предусмотре́ть

ponderosity [ˌpɒndə'rɒsətɪ] *n* 1) вес, тя́жесть 2) тяжелове́сность

ponderous ['pɒndərəs] *a* 1) тяжёлый, громо́здкий, уве́систый 2) тяжелове́сный 3) ску́чный, тягу́чий; a ~ speech ску́чный, ну́дный докла́д

pone [pəʊn] *n амер.* 1) кукуру́зная лепёшка 2) сдо́ба

pong [pɒŋ] *разг.* **1.** *n* неприя́тный за́пах, вонь

2. *v* воня́ть

pongee [pɒn'dʒiː] *n текст.* эпо́нж

pongo ['pɒŋgəʊ] *n* (*pl* -os [-əʊz]) 1) орангута́нг 2) *мор. жарг.* солда́т

poniard ['pɒnjəd] **1.** *n* кинжа́л

2. *v* зака́лывать кинжа́лом

pontiff ['pɒntɪf] *n* 1) па́па ри́мский (*тж.* supreme ~, sovereign ~) 2) *уст.* епи́скоп 3) *уст.* первосвяще́нник ◇ the ~s of science жрецы́ нау́ки

pontifical [pɒn'tɪfɪkl] **1.** *a* 1) па́пский 2) претенду́ющий на непогреши́мость; догмати́ческий 3) епископа́льный; епи́скопский

2. *n* 1) архиере́йский обря́дник 2) *pl* епи́скопское *или* кардина́льское облаче́ние

pontificate [pɒn'tɪfɪkət] *n* 1) понтифика́т, первосвяще́нство 2) срок пребыва́ния в до́лжности па́пы *или* архиепи́скопа

pontoon I [pɒn'tuːn] *n* 1) понто́н; понто́нный мост, наплавно́й мост (*тж.* ~ bridge) 2) плашко́ут 3) кессо́н

pontoon II [pɒn'tuːn] *n карт.* два́дцать одно́

pony ['pəʊnɪ] **1.** *n* 1) по́ни, малоро́слая ло́шадь; Jerusalem ~ *шутл.* осёл 2) небольшо́й стака́нчик для вина́ или пи́ва, сто́пка 3) *pl sl.* скаковы́е ло́шади 4) *sl.* 25 фу́нтов сте́рлингов 5) *амер. разг.* подстро́чник, шпарга́лка

2. *a* 1) ма́ленький, ма́лого разме́ра; ~ size ма́лого разме́ра, уме́ньшенного габари́та 2) *тех.* вспомога́тельный, дополни́тельный

3. *v амер. разг.* отвеча́ть уро́к по шпарга́лке, переводи́ть, по́льзуясь подстро́чником ▭ ~ up *разг.* распла́чиваться, опла́чивать счёт

ponytail ['pəʊnɪteɪl] *n* же́нская приче́ска «ко́нский хвост»

pooch [puːtʃ] *n амер. sl.* соба́ка, дворня́жка

pood [puːd] *n* пуд

poodle ['puːdl] *n* 1) пу́дель 2) лаке́й, подхали́м

poof [pʊf] *n sl. презр.* 1) женоподо́бный мужчи́на 2) гомосексуали́ст

poofter ['pʊftə] = poof

pooh [puː] *int* уф!; тьфу!

Pooh-Bah [ˌpuː'bɑː] *n* занима́ющий не́сколько должносте́й; совмести́тель (*по имени персонажа в комической опере У. Гилберта «Микадо»*)

pooh-pooh [ˌpuː'puː] *v* относи́ться с пренебреже́нием *или* презре́нием (*к чему-л.*)

pool I [puːl] *n* 1) о́мут; за́водь 2) лу́жа; прудо́к 3) *спорт.* (пла́вательный) бассе́йн (*тж.* swimming ~) 4) *гидр.* бьеф 5) *геол.* нефтяна́я за́лежь

pool II [puːl] **1.** *n* 1) о́бщий фонд; объединённый резе́рв; о́бщий котёл 2) бюро́, объедине́ние; a typing ~ машинопи́сное бюро́ 3) совоку́пность ста́вок (*в картах, на скачках*), пу́лька (*в карточной игре*) 4) пул (*соглашение картельного типа между конкурентами*); stock market ~ биржево́е объедине́ние 5) пул (*род бильярдной игры*)

2. *v* 1) объединя́ть в о́бщий фонд, скла́дываться; to ~ interests де́йствовать сообща́ 2) *австрал. sl.* вовлека́ть обма́ном в како́е-л. мероприя́тие *и т. п.*

pooled [puːld] **1.** *p. p. от* pool II, 2
2. *a* ~ experiences коллекти́вный о́пыт
poolroom [ˈpuːlruːm] *n амер.* 1) ме́сто, где заключа́ют пари́ (*перед скачками, спортивными состязаниями и т. п.*) 2) помеще́ние для игры́ в пул
poop I [puːp] *мор.* **1.** *n* полую́т; корма́
2. *v* 1) захлёстывать корму́ (*о волне*) 2) черпну́ть кормо́й (*о судне*)
poop II [puːp] *sl. см.* nincompoop
poop III [puːp] = pope II
poop IV [puːp] *v амер. разг.* изма́тывать, изнуря́ть
poor [pɔː] **1.** *a* 1) бе́дный, неиму́щий, малоиму́щий 2) бе́дный (in — *чем-л.*) 3) ни́зкий, плохо́й, скве́рный (*об урожае; о качестве*) 4) жа́лкий, невзра́чный 5) несча́стный; ~ fellow! бедня́га! 6) ску́дный, жа́лкий, плохо́й; ничто́жный; убо́гий; in my ~ opinion *шутл.* по моему́ скро́мному мне́нию; a ~ £ 1 a week жа́лкий фунт сте́рлингов в неде́лю 7) неплодоро́дный (*о почве*) 8) недоста́точный, непита́тельный (*о пище*) ◇ to take a ~ view of smth. относи́ться неприя́зненно *или* пессимисти́чески к чему́-л.
2. *n* (the ~) *pl собир.* бе́дные, бедняки́, беднота́, неиму́щие
poor box [ˈpɔːbɒks] *n* кру́жка для сбо́ра на бе́дных
poorhouse [ˈpɔːhaʊs] *n ист.* богаде́льня; рабо́тный дом
poor law [ˈpɔːlɔː] *n ист.* зако́н о бе́дных
poorly [ˈpɔːlɪ] **1.** *adv* ску́дно, пло́хо, жа́лко; неуда́чно
2. *a predic.* нездоро́вый; I feel rather ~ мне нездоро́вится
poor-rate [ˈpɔːreɪt] *n уст.* нало́г в по́льзу бе́дных
poor-spirited [ˌpɔːˈspɪrɪtɪd] *a* ро́бкий, трусли́вый
poove [puːv] = poof
pop I [pɒp] **1.** *n* 1) отры́вистый звук (*хлопушки и т. п.*) 2) *разг.* шипу́чий напи́ток 3) вы́стрел
2. *v* 1) хло́пать, выстре́ливать (*о пробке*) 2) *разг.* внеза́пно спроси́ть, огоро́шить вопро́сом 3) поджа́ривать кукуру́зные зёрна 4) тре́скаться (*о каштанах в огне и т. п.*) 5) *разг.* пали́ть, стреля́ть (*тж.* ~ off) 6) *sl.* закла́дывать 7) *sl.* принима́ть (*наркотик и т. п.*) ▭ ~ in а) всу́нуть; б) внеза́пно появи́ться; ~ off *разг.* а) умере́ть (*тж.* ~ off the hooks); б) внеза́пно уйти́; ~ out а) внеза́пно удали́ться, отпра́виться; б) внеза́пно пога́снуть; ~ up неожи́данно возни́кнуть ◇ to ~ the question сде́лать предложе́ние
3. *adv* с шу́мом, внеза́пно; to go ~ а) хло́пнуть, вы́стрелить; б) внеза́пно умере́ть; в) разори́ться
4. *int* хлоп
pop II [pɒp] *n разг.* популя́рный конце́рт
pop III [pɒp] *n амер. разг.* 1) па́па 2) папа́ша (*в обращении*)
pop-art [ˈpɒpɑːt] *n* поп-а́рт; иску́сство в сти́ле «поп»
popcorn [ˈpɒpkɔːn] *n амер.* жа́реные кукуру́зные зёрна; возду́шная кукуру́за; по́пкорн
pope I [pəʊp] *n* 1) па́па ри́мский 2) свяще́нник; поп ◇ ~'s eye жи́рная часть бара́ньей ноги́; ~'s head метла́ для обмета́ния потолка́; ~'s nose *разг.* гу́зка (*жа́реной*) пти́цы [*ср.* parson's nose]; P. Joan *название карточной игры*
pope II [pəʊp] **1.** *n* пах
2. *v* уда́рить в пах
popery [ˈpəʊpərɪ] *n пренебр.* папи́зм, католици́зм
pop-eyed [ˌpɒpˈaɪd] *a разг.* 1) пучегла́зый, с глаза́ми навы́кате 2) с широко́ откры́тыми глаза́ми, напу́ганный, удивлённый
popgun [ˈpɒpgʌn] *n* 1) пуга́ч (*игрушка*) 2) *пренебр.* плохо́е ружьё
popinjay [ˈpɒpɪndʒeɪ] *n* 1) фат, хлыщ, щёголь 2) *уст.* попуга́й 3) *ист.* мише́нь для стрельбы́ в ви́де попуга́я
popish [ˈpəʊpɪʃ] *a пренебр.* папи́стский
poplar [ˈpɒplə] *n* то́поль; black ~ чёрный то́поль, осоко́рь
poplin [ˈpɒplɪn] *n* попли́н (*ткань*)
popliteal [ˌpɒplɪˈtiːəl] *a анат.* подколе́нный
poppa [ˈpɒpə] = pop III
poppet [ˈpɒpɪt] *n* 1) *ласк.* кро́шка, малы́шка (*особ. как обращение* my ~) 2) *тех.* за́дняя ба́бка станка́ 3) = poppet-valve
poppet-head [ˈpɒpɪthed] = poppet 2)
poppet-valve [ˈpɒpɪtvælv] *n тех.* таре́льчатый кла́пан
poppied [ˈpɒpɪd] *a* 1) поро́сший ма́ком 2) снотво́рный, со́нный
popple [ˈpɒpl] **1.** *n* плеска́ние, плеск
2. *v* 1) плеска́ться, волнова́ться 2) вскипа́ть, бурли́ть
poppy [ˈpɒpɪ] *n бот.* 1) мак 2) *attr.* ма́ковый
poppycock [ˈpɒpɪkɒk] *n sl.* вздор, чепуха́
pops [pɒps] *n pl* 1) «поп»-орке́стр; конце́рт «поп»-му́зыки 2) пе́сенки в сти́ле «поп», «по́псы»
popshop [ˈpɒpʃɒp] *n разг.* ломба́рд
popster [ˈpɒpstə] *n* люби́тель джа́зовой му́зыки
popsy [ˈpɒpsɪ] *n разг.* ку́колка, красо́точка (*о молодой женщине*)
populace [ˈpɒpjʊləs] *n* 1) просто́й наро́д; ма́ссы 2) *презр.* чернь, сброд
popular [ˈpɒpjʊlə] *a* 1) наро́дный; ~ majority большинство́ наро́да, населе́ния; ~ pressure давле́ние наро́дных масс 2) популя́рный; he is ~ with his pupils он по́льзуется любо́вью свои́х ученико́в 3) общераспространённый; широко́ изве́стный; ~ newspapers газе́ты с больши́м тиражо́м 4) общедосту́пный; at ~ prices по общедосту́пным це́нам
popularity [ˌpɒpjʊˈlærɪtɪ] *n* популя́рность
popularization [ˌpɒpjʊləraɪˈzeɪʃn] *n* популяриза́ция
popularize [ˈpɒpjʊləraɪz] *v* 1) популяризи́ровать 2) излага́ть в общедосту́пной фо́рме
popularly [ˈpɒpjʊləlɪ] *adv* 1) всем наро́дом, всенаро́дно 2) популя́рно
populate [ˈpɒpjʊleɪt] *v* населя́ть; заселя́ть
population [ˌpɒpjʊˈleɪʃn] *n* 1) (наро-до)населе́ние; жи́тели; ~ at large всё населе́ние 2) заселе́ние 3) *attr.*: ~ control ограниче́ние рожда́емости; ~ pressure перенаселённость; ~ explosion стреми́тельный рост (народо)населе́ния, демографи́ческий взрыв
populist [ˈpɒpjʊlɪst] *n* 1) *ист.* попули́ст (*в США*) 2) *ист.* наро́дник (*в России*)
populous [ˈpɒpjʊləs] *a* густонаселённый; (много)лю́дный
porbeagle [ˈpɔːbiːgl] *n зоол.* се́льдевая аку́ла
porcelain [ˈpɔːslɪn] *n* 1) фарфо́р 2) фарфо́ровое изде́лие 3) *attr.* фарфо́ровый; *перен.* хру́пкий; изя́щный; ~ clay фарфо́ровая гли́на, каоли́н
porcellaneous [ˌpɔːsəˈleɪnɪəs] *a* фарфо́ровый
porch [pɔːtʃ] *n* 1) подъе́зд, крыльцо́ 2) по́ртик; кры́тая галере́я 3) *амер.* вера́нда; балко́н
porcine [ˈpɔːsaɪn] *a* 1) свино́й 2) сви́нский; свинопод́обный
porcupine [ˈpɔːkjʊpaɪn] *n* 1) *зоол.* дикобра́з 2) *текст.* ножево́й бараба́н
pore I [pɔː] *n* 1) по́ра 2) сква́жина ◇ at every ~ весь, с головы́ до ног
pore II [pɔː] *v* 1) сосредото́ченно изуча́ть (over); poring over books погрузи́вшись, углуби́вшись в кни́ги 2) размышля́ть, обду́мывать (upon) 3) *уст.* сосредото́ченно разгля́дывать (at, in, over)
poriferous [pɔːˈrɪfərəs] *a* по́ристый, име́ющий мно́го пор
pork [pɔːk] *n* 1) свини́на 2) *амер. sl.* «корму́шка»; прави́тельственные дота́ции, привиле́гии *и т. п.*, предоставля́емые по полити́ческим соображе́ниям 3) *attr.* сде́ланный из свини́ны, свино́й
pork barrel [ˈpɔːkˌbærəl] *n амер. sl.* «казённый пиро́г» (*мероприятие, проводимое правительством для завоевания популярности и т. п.*)
porker [ˈpɔːkə] *n* отко́рмленная на убо́й свинья́ (*особ.* молода́я)
porkling [ˈpɔːklɪŋ] *n* молода́я *или* небольша́я свинья́
pork pie [ˌpɔːkˈpaɪ] *n* пиро́г со свини́ной
porkpie hat [ˌpɔːkpaɪˈhæt] *n* шля́па с кру́глой пло́ской тульёй и за́гнутыми кве́рху поля́ми
porky [ˈpɔːkɪ] *a* 1) *разг.* то́лстый, жи́рный 2) жи́рный, са́льный
porn [pɔːn] *n разг.* порногра́фия
porno [ˈpɔːnəʊ] *разг.* **1.** *n* порногра́фия
2. *a* порнографи́ческий
pornographic [ˌpɔːnəˈgræfɪk] *a* порнографи́ческий

pornography [pɔː'nɒgrəfɪ] *n* порногра́фия

porosity [pɔː'rɒsətɪ] *n* по́ристость

porous ['pɔːrəs] *a* по́ристый, ноздрева́тый; гу́бчатый

porphyry ['pɔːfərɪ] *n мин.* порфи́р

porpoise ['pɔːpəs] **1.** *n* морска́я свинья́; бу́рый дельфи́н

2. *v ав. жарг.* подпры́гивать, ба́рсить, козли́ть

porridge ['pɒrɪdʒ] *n* 1) (овся́ная) ка́ша 2) *sl.* тюре́мное заключе́ние ◇ to keep one's breath to cool one's ~ пома́лкивать, не сова́ться с сове́том

porringer ['pɒrɪndʒə] *n* супова́я ча́шка, ми́сочка

port I [pɔːt] *n* 1) порт, га́вань; ~ of call (of destination) порт захо́да (назначе́ния); ~ of entry порт вво́за; free ~ во́льная га́вань, по́рто-фра́нко 2) прию́т, убе́жище 3) *attr.* порто́вый ◇ any ~ in a storm ≅ в беде́ любо́й вы́ход хоро́ш

port II [pɔːt] *n* 1) = porthole 2) *тех.* отве́рстие; прохо́д 3) *ист., шотл.* воро́та (*города*)

port III [pɔːt] **1.** *n* 1) *воен.* строева́я сто́йка с ору́жием 2) оса́нка, мане́ра держа́ться

2. *v воен.* держа́ть (*оружие*) в строево́й сто́йке; ~ arms! на грудь!

port IV [pɔːt] *мор.* **1.** *n* 1) ле́вый борт; (put the) helm to ~! ле́во руля́! 2) *attr.* ле́вый

2. *v* класть (руля́) нале́во

port V [pɔːt] *n* портве́йн

port VI [pɔːt] *n австрал.* 1) чемода́н *или* доро́жная су́мка 2) су́мка для поку́пок

portability [,pɔːtə'bɪlətɪ] *n* портати́вность

portable ['pɔːtəbl] **1.** *a* портати́вный, перено́сный, передвижно́й; съёмный, складно́й, разбо́рный; ~ engine локомоби́ль

2. *n* 1) портати́вная пи́шущая маши́нка 2) портати́вный (транзи́сторный) приёмник

portage ['pɔːtɪdʒ] **1.** *n* 1) во́лок 2) перено́ска, перево́зка; прово́з; тра́нспорт 3) сто́имость перево́зки

2. *v* переправля́ть во́локом

portal I ['pɔːtl] **1.** *n* 1) порта́л, гла́вный вход; воро́та 2) та́мбур (*дверей*) 3) *attr.* порта́льный; ~ crane порта́льный кран

portal II ['pɔːtl] *a*: ~ vein *анат.* воро́тная ве́на

portative ['pɔːtətɪv] = portable 1

portcullis [pɔːt'kʌlɪs] *n* опускна́я решётка (*в крепостных воротах*)

Porte [pɔːt] *n*: The (Sublime *или* Ottoman) ~ *ист.* Блиста́тельная (Высо́кая, Оттома́нская) По́рта (*название султанской Турции*)

portend [pɔː'tend] *v* предвеща́ть, предзнаменова́ть

portent ['pɔːtənt] *n* 1) предзнаменова́ние, зна́мение; ~s of war предве́стники войны́ 2) чу́до

portentous [pɔː'tentəs] *a* 1) предска́зывающий дурно́е; злове́щий 2) ва́жный, напы́щенный (*о человеке*) 3) удиви́тельный, необыкнове́нный

porter I ['pɔːtə] *n* привра́тник, швейца́р

porter II ['pɔːtə] *n* 1) носи́льщик; гру́зчик; ~'s knot напле́чная поду́шка гру́зчика 2) *амер.* проводни́к (*спального вагона*)

porter III ['pɔːtə] *n* по́ртер (*чёрное пиво*)

porterage ['pɔːtərɪdʒ] *n* 1) перено́ска гру́за 2) пла́та носи́льщику

porterhouse ['pɔːtəhaʊs] *n* (*преим. амер.*) 1) пивна́я; дешёвый рестора́н 2) *attr.*: ~ steak отбо́рная часть филе́я

portfire ['pɔːtfaɪə] *n* запа́л, огнепрово́дный шнур

portfolio [,pɔːt'fəʊlɪəʊ] *n* (*pl* -os [-əʊz]) 1) портфе́ль 2) па́пка, «де́ло» 3) до́лжность мини́стра; minister without ~ мини́стр без портфе́ля 4): investment (*или* security) ~ портфе́ль це́нных бума́г (*банка и т. п.*) 5) *attr.*: ~ investments *эк.* портфе́льные инвести́ции

porthole ['pɔːthəʊl] *n мор.* 1) (бортово́й) иллюмина́тор 2) оруди́йный порт 3) амбразу́ра (*башни*)

portico ['pɔːtɪkəʊ] *n* (*pl* -oes, -os [-əʊz]) *архит.* по́ртик, галере́я

portière [,pɔːtɪ'eə] *фр. n* портье́ра

portion ['pɔːʃn] **1.** *n* 1) часть, до́ля; наде́л 2) по́рция 3) уде́л, у́часть 4) прида́ное

2. *v* 1) дели́ть на ча́сти 2) наделя́ть, дава́ть прида́ное (with) 3) выделя́ть часть, до́лю ▭ ~ **out** производи́ть разде́л (*имущества*)

portionless ['pɔːʃnləs] *n* без прида́ного (*о невесте*)

Portland (cement) [,pɔːtlənd(sə'ment)] *n* портла́нд-цеме́нт

portliness ['pɔːtlɪnəs] *n* 1) ту́чность, полнота́ 2) соли́дность; представи́тельность

portly ['pɔːtlɪ] *a* 1) по́лный, доро́дный 2) *уст.* представи́тельный; оса́нистый

portmanteau [pɔː'tmæntəʊ] *n* (*pl* -s [-z], -x) чемода́н; доро́жная су́мка

portmanteau word [pɔː'tmæntəʊwɜːd] *n* языкова́я контамина́ция, сло́во-гибри́д (*искусственное слово, составленное из двух слов, напр.*: slanguage = slang + language)

portmanteaux [pɔː'tmæntəʊz] *pl от* portmanteau

portrait ['pɔːtrət] *n* 1) портре́т 2) изображе́ние; описа́ние

portraitist ['pɔːtrətɪst] *n* портрети́ст

portraiture ['pɔːtrɪtʃə] *n* 1) портре́тная жи́вопись 2) описа́ние, изображе́ние 3) портре́т 4) *собир.* портре́ты

portray [pɔː'treɪ] *v* 1) рисова́ть портре́т 2) изобража́ть; опи́сывать 3) изобража́ть на сце́не

portrayal [pɔː'treɪəl] *n* 1) рисова́ние (портре́та) 2) изображе́ние; описа́ние

portreeve ['pɔːtriːv] *n* 1) помо́щник мэ́ра (*в некоторых городах*) 2) *ист* мэр го́рода (*преим. Лондона*)

portress ['pɔːtrəs] *n* привра́тница

Portuguese [,pɔːtʃʊ'giːz] **1.** *a* португа́льский

2. *n* 1) португа́лец; португа́лка; the ~ *pl собир.* португа́льцы 2) португа́льский язы́к

pose I [pəʊz] **1.** *v* 1) пози́ровать 2) принима́ть по́зу, вид (*кого-л.*; as) 3) формули́ровать, излага́ть; ста́вить, предлага́ть (*вопрос, задачу*) 4) ста́вить в определённую по́зу (*натурщика*)

2. *n* по́за (*тж. перен.*)

pose II [pəʊz] *v* (по)ста́вить в тупи́к, озада́чить

poser ['pəʊzə] *n* тру́дный вопро́с, тру́дная зада́ча, пробле́ма

poseur [pəʊ'zɜː] *n* позёр

posh [pɒʃ] *разг.* **1.** *a* превосхо́дный, шика́рный

2. *v* име́ть шика́рный вид ▭ ~ **up** разоде́ться

posit ['pɒzɪt] *v* 1) класть в осно́ву до́водов, постули́ровать; утвержда́ть 2) ста́вить

position [pə'zɪʃn] **1.** *n* 1) положе́ние, местоположе́ние; ме́сто; расположе́ние, пози́ция; in (out of) ~ в пра́вильном (непра́вильном) ме́сте 2) обы́чное, пра́вильное ме́сто; the players were in ~ игроки́ бы́ли на свои́х места́х 3) отноше́ние, то́чка зре́ния; to define one's ~ on smth. определи́ть своё отноше́ние к чему́-л.; to take up the ~ (that) стать на то́чку зре́ния (что), утвержда́ть (что) 4) положе́ние, пози́ция; to put in a false ~ поста́вить в ло́жное положе́ние 5) положе́ние; до́лжность ◇ to be in a ~ to do smth. быть в состоя́нии, име́ть возмо́жность сде́лать что-л.

2. *v* 1) ста́вить, помеща́ть 2) определя́ть местоположе́ние

positional [pə'zɪʃənəl] *a* позицио́нный

positive ['pɒzətɪv] **1.** *a* 1) определённый, несомне́нный, то́чный 2) уве́ренный; I am ~ that this is so я уве́рен, что э́то так 3) самоуве́ренный 4) *разг.* абсолю́тный, в по́лном смы́сле сло́ва 5) *грам.* положи́тельный (*о степени*) 6) положи́тельный 7) позити́вный; ~ philosophy позитиви́зм 8) *мат.* положи́тельный; ~ sign знак плюс 9) *фото* позити́вный 10) *тех.* принуди́тельный (*о движении*)

2. *n* 1) *грам.* положи́тельная сте́пень 2) *фото* позити́в

positively ['pɒzətɪvlɪ] *adv* 1) положи́тельно, несомне́нно, с уве́ренностью 2) реши́тельно, категори́чески; безусло́вно

positivism ['pɒzətɪvɪzəm] *n филос.* позитиви́зм

positron ['pɒzɪtrɒn] *n физ.* позитро́н

posse ['pɒsɪ] *n* 1) отря́д (*полицейских*) 2) (*преим. амер.*) гру́ппа гра́ждан, со́бранная шери́фом (*для розыска преступника, подавления беспорядков и т. п.*)

possess [pə'zes] *v* 1) облада́ть, владе́ть; to be ~ed of smth. облада́ть чем-л.;

every human being ~ed of reason вся́кий разу́мный челове́к; to ~ oneself of smth. овладе́ть чем-л. 2) уде́рживать, сохраня́ть (*терпение и т. п.*); to ~ oneself (*или* one's soul, one's mind) владе́ть собо́й; запасти́сь терпе́нием 3) овладева́ть, захва́тывать (*о чувстве, настроении и т. п.*); to be ~ed by (*или* with) smth. быть одержи́мым чем-л.; you are surely ~ed вы с ума́ сошли́; what ~ed him to do it? что его́ дёрнуло сде́лать э́то? 4) облада́ть (*женщиной*)

possessed [pə'zest] 1. *p. p. от* possess

2. *a* одержи́мый; ненорма́льный; рехну́вшийся

possession [pə'zeʃn] *n* 1) владе́ние, облада́ние; in ~ of smth. владе́ющий чем-л.; in the ~ of smb., in smb.'s ~ в чьём-л. владе́нии; to take ~ of вступа́ть во владе́ние; овладе́ть 2) *pl* со́бственность; иму́щество; пожи́тки 3) (*часто pl*) владе́ния, зави́симая террито́рия 4) одержи́мость

possessive [pə'zesɪv] *a* 1) со́бственнический 2) *грам.* притяжа́тельный; ~ case притяжа́тельный паде́ж; ~ pronoun притяжа́тельное местоиме́ние

possessor [pə'zesə] *n* владе́лец, облада́тель

possessory [pə'zesərɪ] *a* относя́щийся к владе́нию; *юр.* владе́льческий

posset ['pɒsɪt] *n ист.* горя́чий напи́ток из молока́, вина́ и пря́ностей, по́ссет

possibility [,pɒsə'bɪlətɪ] *n* 1) возмо́жность, вероя́тность 2) (*обыкн. pl*) возмо́жности, перспекти́вы

possible ['pɒsəbl] 1. *a* 1) возмо́жный, вероя́тный; if ~ е́сли э́то возмо́жно; as early as ~ как мо́жно ра́ньше; ~ ore *геол.* возмо́жные, неразве́данные запа́сы руды́ 2) *разг.* сно́сный, терпи́мый

2. *n* 1) возмо́жный кандида́т *и т. п.* 2) (the ~) возмо́жное; the limits of the ~ преде́лы возмо́жного; to do one's ~ сде́лать всё возмо́жное

possibly ['pɒsəblɪ] *adv* 1) возмо́жно; мо́жет быть 2) по возмо́жности; how can I ~ do it? как я могу́ сде́лать э́то?

possum ['pɒsəm] *n разг.* опо́ссум ◇ to play ~ а) притворя́ться больны́м *или* мёртвым; б) прики́дываться не понима́ющим *или* не зна́ющим (*чего-л.*); to play ~ with a person обману́ть кого́-л.

post I [pəʊst] 1. *n* 1) столб, сто́йка, ма́чта, сва́я, подпо́рка 2) *спорт.* столб (*у ста́рта или фи́ниша*); starting ~ ста́ртовый столб; to be beaten on the ~ отста́ть на са́мую ма́лость 3) цели́к угля́ *или* руды́ 4) *геол.* мелкозерни́стый песча́ник ◇ as deaf as a ~ глухо́й как пень, соверше́нно глухо́й

2. *v* 1) выве́шивать, раскле́ивать (*афиши; обыкн.* ~ up); реклами́ровать с по́мощью афи́ш и плака́тов 2) обкле́ивать афи́шами *или* плака́тами (*стену и т. п.*) 3) объяви́ть о пропа́же бе́з вести, неприбы́тии в срок *или* ги́бели су́дна 4) *амер.* объявля́ть о запреще́нии вхо́да (*куда-л.*), охо́ты *и т. п.*; to ~ the property объявля́ть о запреще́нии вхо́да на террито́рию ча́стного владе́ния 5) включа́ть в вы́вешенные спи́ски имена́ не сда́вших экза́мены студе́нтов

post II [pəʊst] 1. *n* 1) по́чта 2) доста́вка по́чты; by return of ~ с обра́тной по́чтой 3) почто́вое отделе́ние 4) почто́вый я́щик 5) форма́т бума́ги (*писчей* = *15 1/2 д. × 19 д.*; *печатной — 15 1/2 д. × 19 1/2 д.*) 6) *attr.* почто́вый ◇ Job's ~ челове́к, принося́щий дурны́е ве́сти

2. *v* 1) отправля́ть по по́чте; опусти́ть в почто́вый я́щик 2) (*часто pass.*) осведомля́ть, дава́ть по́лную информа́цию (*тж.* ~ up); to be ~ed as to smth. быть в ку́рсе чего́-л. 3) *бухг.* переноси́ть (*запись*) в гроссбу́х (*тж.* ~ up) 4) спеши́ть, мча́ться 5) *ист.* е́хать на почто́вых

3. *adv* 1) поспе́шно 2) *ист.* на почто́вых лошадя́х

post III [pəʊst] 1. *n* 1) *воен.* пост 2) пост, до́лжность; положе́ние 3) *воен.* пози́ция; укреплённый у́зел; форт 4) торго́вое поселе́ние (*в колонии и т. п.*); trading ~ факто́рия 5) *амер. воен.* гарнизо́н; постоя́нная стоя́нка (*войск*) 6) *ж.-д.* блокпо́ст 7) *тех.* пульт управле́ния

2. *v* 1) располага́ть, расставля́ть, ста́вить (*солдат и т. п.*) 2) *воен.* назнача́ть на до́лжность

post- [pəʊst-] *pref* по́сле-, по-; ~-glacial *геол.* послеледнико́вый

postage ['pəʊstɪdʒ] *n* почто́вая опла́та, почто́вые расхо́ды; inland ~ вну́тренний почто́вый тари́ф

postage stamp ['pəʊstɪdʒstæmp] *n* почто́вая ма́рка

postal ['pəʊstl] 1. *a* почто́вый; ~ card *амер.* почто́вая откры́тка; ~ order де́нежный перево́д по по́чте; (Universal) P. Union Междунаро́дный почто́вый сою́з

2. *n амер.* откры́тка

post-bag ['pəʊstbæg] *n* су́мка почтальо́на

post-bellum [,pəʊst'beləm] *a* 1) послевое́нный 2) происходи́вший по́сле гражда́нской войны́ в США

postbox ['pəʊstbɒks] *n* почто́вый я́щик

post captain ['pəʊst,kæptɪn] *n мор.* 1) команди́р корабля́ в зва́нии кэ́птена 2) *амер.* капита́н 1 ра́нга 3) *ист.* команди́р корабля́ с 20 пу́шками и бо́льше

postcard ['pəʊstkɑ:d] *n* почто́вая откры́тка

post chaise ['pəʊstʃeɪz] *n ист.* почто́вая каре́та, дилижа́нс

post-coach ['pəʊstkəʊtʃ] = post chaise

postcode ['pəʊstkəʊd] *n* почто́вый и́ндекс

postdate ['pəʊst,deɪt] 1. *n* да́та, проста́вленная бо́лее по́здним число́м

2. *v* дати́ровать бо́лее по́здним число́м

postdiluvial [,pəʊstdaɪ'lu:vɪəl] *a* 1) *геол.* постделювиа́льный 2) = postdiluvian

postdiluvian [,pəʊstdaɪ'lu:vɪən] *a библ.* по́сле пото́па

poster ['pəʊstə] 1. *n* 1) объявле́ние, плака́т, афи́ша 2) раскле́йщик афи́ш

2. *v* 1) реклами́ровать 2) окле́ивать рекла́мами

poste restante [,pəʊst'restɒnt] *n* 1) «до востре́бования» (*надпись на конверте*) 2) отделе́ние на по́чте для корреспонде́нции до востре́бования

posterior [pɒ'stɪərɪə] 1. *a* 1) после́дующий; поздне́йший 2) за́дний

2. *n* зад, я́годицы

posteriority [pɒ,stɪərɪ'ɒrətɪ] *n* сле́дование (*за чем-л.*); поздне́йшее обстоя́тельство

posteriorly [pɒ'stɪərɪəlɪ] *adv* сза́ди

posterity [pɒ'sterətɪ] *n* 1) после́дующие поколе́ния 2) пото́мство

postern ['pɒstən] *n* 1) за́дняя дверь 2) бокова́я доро́га *или* боково́й вход 3) *attr.* за́дний

post exchange ['pəʊstɪks,tʃeɪndʒ] *n* гарнизо́нный магази́н для вое́нно-торго́вой слу́жбы

post-free [,pəʊst'fri:] *a, adv* без почто́вой опла́ты

postglacial [,pəʊst'gleɪʃl] *a геол.* послеледнико́вый

postgraduate [,pəʊst'grædʒʊət] 1. *n* аспира́нт

2. *a* 1) изуча́емый, проходи́мый по́сле оконча́ния университе́та; ~ courses ку́рсы усоверше́нствования 2) аспира́нтский; ~ studies аспиранту́ра

posthaste ['pəʊstheɪst] *adv* с большо́й поспе́шностью, сломя́ го́лову

post-horse ['pəʊsthɔ:s] *n ист.* почто́вая ло́шадь

post-house ['pəʊsthaʊs] *n ист.* почто́вая ста́нция

posthumous ['pɒstjʊməs] *a* 1) посме́ртный 2) рождённый по́сле сме́рти отца́

postie ['pəʊstɪ] *n разг.* 1) почтальо́н 2) же́нщина почтальо́н

postil(l)ion [pɒ'stɪlɪən] *n* форе́йтор

postman ['pəʊstmən] *n* почтальо́н

postmark ['pəʊstmɑ:k] 1. *n* почто́вый ште́мпель

2. *v* штемпелева́ть (*письмо*)

postmaster ['pəʊst,mɑ:stə] *n* почтме́йстер; нача́льник почто́вого отделе́ния

postmaster general [,pəʊstmɑ:stə 'dʒenrəl] *n* мини́стр почт

postmeridian [,pəʊstmə'rɪdɪən] *a* послеполу́денный

post meridiem [,pəʊstmə'rɪdɪəm] *adv* по́сле полу́дня (*обыкн. сокр.* p. m.)

postmistress ['pəʊst,mɪstrəs] *n* же́нщина—нача́льник почто́вого отделе́ния

postmortem [,pəʊst'mɔ:tem] 1. *n* 1) вскры́тие тру́па, аутопси́я 2) *разг.* обсужде́ние игры́ (*особ. карточной*) по́сле её оконча́ния

2. *a* посме́ртный

postnatal [,pəʊst'neɪtl] *a* происходя́щий по́сле рожде́ния, послеродово́й

postnuptial [,pəʊst'nʌpʃl] *a* происходя́щий по́сле заключе́ния бра́ка

post-obit [,pəʊst'ɒbɪt] 1. *n* обяза́тельство уплати́ть кредито́ру по получе́нии насле́дства

2. *a* вступа́ющий в си́лу по́сле сме́рти (*кого-л.*)

Post Office ['pəʊst,ɒfɪs] *n* министерство почт

post-office ['pəʊst,ɒfɪs] *n* 1) почта, почтовая контора; почтовое отделение; general ~ почтамт 2) *attr.* почтовый; ~ order денежный перевод; ~ box абонементный почтовый ящик; ~ savings-bank сберегательная касса при почтовом отделении

post-paid [,pəʊst'peɪd] *a* с оплаченными почтовыми расходами

postpone [pəʊst'pəʊn] *v* откладывать; отсрочивать

postponement [pəʊst'pəʊnmənt] *n* откладывание; отсрочка

postposition [,pəʊstpə'zɪʃn] *n* 1) *лингв.* постпозиция; энклитика; послелог 2) помещение позади

postpositive [,pəʊst'pɒzətɪv] *a лингв.* постпозитивный, постпозиционный, энклитический

post-postscript [,pəʊst'pəʊstskrɪpt] *n* второй постскриптум (*сокр.* P. P. S.)

postprandial [,pəʊst'prændɪəl] *a шутл.* послеобеденный

postscript ['pəʊstskrɪpt] *n* 1) постскриптум (*сокр.* P. S.) 2) *тлв.* комментарий к выпуску новостей 3) (любая) дополнительная информация

post-town ['pəʊsttaʊn] *n* город, имеющий почтамт

postulant ['pɒstjʊlənt] *n* кандидат (*особ. на поступление в религиозный орден*)

postulate 1. *n* ['pɒstjʊlət] 1) предварительное условие 2) постулат

2. *v* ['pɒstjʊleɪt] 1) постулировать, принимать без доказательства 2) (*обыкн. p. p.*) требовать; обусловливать, ставить условием

posture ['pɒstʃə] **1.** *n* 1) поза, положение; осанка 2) состояние (*духовное*); расположение духа, настроение 3) положение (*дел и т. п.*); the present ~ of affairs (настоящее) положение вещей

2. *v* 1) ставить в позу 2) позировать

postwar [,pəʊst'wɔ:] *a* послевоенный

posy ['pəʊzɪ] *n* 1) (маленький) букет цветов 2) *уст.* девиз (*на кольце и т. п.*)

pot [pɒt] **1.** *n* 1) горшок; котелок; банка; кружка 2) кофейник, чайник *и т. п.* 3) цветочный горшок 4) ночной горшок 5) содержимое горшка, котелка *и т. п.* 6) совокупность ставок (*на скачках, в картах*) 7) *разг.* крупная сумма; ~ (*или* ~s) of money большая сумма; куча денег 8) *спорт. жарг.* кубок, приз 9) *sl.* марихуана 10) *тех.* тигель 11) *геол.* купол 12) *attr.*: ~ flowers комнатные цветы ◇ a big ~ важная персона, «шишка»; to go to ~ а) вылететь в трубу, разориться, погибнуть; б) разрушиться; all gone to ~ ≅ всё пошло к чертям; to keep the ~ boiling (*или* on the boil) а) зарабатывать на пропитание; б) энергично продолжать; to make the ~ boil, to boil the ~ а) зарабатывать средства к жизни; б) подрабатывать, халтурить; the ~ calls the kettle black ≅ не смейся, горох, не лучше бобов; уж кто бы говорил, а ты бы помалкивал (*т. е.* сам тоже хорош)

2. *v* 1) класть в горшок *или* котелок 2) консервировать, заготовлять впрок 3) сажать ребёнка на горшок 4) загонять в лузу (*шар в бильярде*) 5) стрелять, застрелить (*на близком расстоянии*) 6) захватывать, завладевать 7) сажать в горшок (*цветы*)

potability [,pəʊtə'bɪlətɪ] *n* пригодность для питья

potable ['pəʊtəbl] **1.** *a* годный для питья; питьевой; ~ water питьевая вода

2. *n pl* напитки

potage [pɒ'tɑ:ʒ] *n* потаж, густой суп

potash ['pɒtæʃ] *n хим.* поташ, углекислый калий

potash-soap ['pɒtæʃsəʊp] *n* калиевое мыло, зелёное мыло

potassium [pə'tæsɪəm] *n хим.* 1) калий 2) *attr.* калийный

potation [pəʊ'teɪʃn] *n* 1) глоток 2) питьё 3) спиртной напиток 4) (*обыкн. pl*) пьянство

potato [pə'teɪtəʊ] *n* (*pl* -oes [-əʊz]) 1) картофелина; *pl* картофель 2) картофель (*растение*) 3) *разг.* дырка *обыкн.* на пятке чулка *или* носка 4) *attr.* картофельный ◇ small ~es а) пустяки; б) мелкие людишки; quite the ~ как раз то, что надо; not (quite) the clean ~ подозрительная личность, непорядочный человек

potato-box [pə'teɪtəʊbɒks] *n груб.* рот

potato-trap [pə'teɪtəʊtræp] = potato-box

potbelly [,pɒt'belɪ] *n* 1) большой живот, пузо 2) пузатый человек

potboiler ['pɒt,bɔɪlə] *n разг.* 1) халтура 2) халтурщик

potboy ['pɒtbɔɪ] *n* мальчик, прислуживающий в кабаке

poteen [pɒ'ti:n] *n* ирландский самогон

potency ['pəʊtnsɪ] *n* 1) сила, могущество 2) действенность, эффективность 3) потенция

potent ['pəʊtnt] *a* 1) сильный; мощный 2) убедительный 3) обладающий потенцией (*о мужчине*) 4) *книжн.* могущественный 5) сильнодействующий; крепкий (*о спиртных напитках*); ~ drug сильнодействующее лекарство

potentate ['pəʊtnteɪt] *n* властелин, монарх

potential [pə'tenʃl] **1.** *n* 1) возможность 2) потенциал 3) *эл.* потенциал, напряжение

2. *a* 1) потенциальный; возможный 2) *эл.*: ~ difference разность потенциалов

potentiality [pə,tenʃɪ'ælətɪ] *n* 1) потенциальность 2) *pl* потенциальные возможности

potentiate [pəʊ'tenʃɪeɪt] *v* 1) придавать силу 2) делать возможным

potentiometer [pə,tenʃɪ'ɒmɪtə] *n эл.* потенциометр

pot hat ['pɒthæt] *n разг.* котелок (*шляпа*)

potheen [pɒ'θi:n] = poteen

pother ['pɒðə] *книжн.* **1.** *n* шум; суматоха, волнение

2. *v* 1) волновать; беспокоить 2) волноваться, суетиться

potherb ['pɒthɜ:b] *n* зелень, коренья

pothole ['pɒthəʊl] *n* рытвина, выбоина

pothook ['pɒthʊk] *n* 1) крюк над очагом (*для котелка*) 2) крючок с длинной ручкой (*чтобы доставать из очага котелки и т. п.*) 3): ~s and hangers ≅ крючки и палочки (*в обучении письму*); каракули

pothouse ['pɒthaʊs] *n* пивная, кабак

pothunter ['pɒt,hʌntə] *n* 1) охотник, убивающий всякую дичь без разбора 2) *спорт.* любитель призов

potion ['pəʊʃn] *n* 1) доза лекарства *или* яда 2) зелье, снадобье; love ~ любовный напиток

pot luck [,pɒt'lʌk] *n* 1) всё, что имеется на обед; come and take ~ with us ≅ чем богаты, тем и рады, пообедайте с нами 2) возможность, шанс

potman ['pɒtmən] *n* подручный в кабаке

pot paper ['pɒt,peɪpə] *n* формат писчей бумаги (*12 1/2 × 15 д.*)

potpourri [,pəʊ'pʊrɪ] *n* 1) ароматическая смесь (*из сухих лепестков*) 2) попурри

pot roast ['pɒtrəʊst] *n* тушёное мясо (*обыкн. говядина*)

potsherd ['pɒtʃɜ:d] *n* черепок (*особ. найденный при раскопках*)

potshot ['pɒtʃɒt] *n* выстрел наугад

pot still ['pɒtstɪl] *n* перегонный куб

pott [pɒt] = pot paper

pottage ['pɒtɪdʒ] *n уст.* похлёбка

potted ['pɒtɪd] **1.** *p. p. от* pot 2

2. *a* консервированный; ~ meat мясные консервы 2) комнатный, выращиваемый в горшке (*о растении*) 3) *разг.* записанный на плёнку *или* пластинку

potter I ['pɒtə] *n* гончар; ~'s clay гончарная *или* горшечная глина; ~'s lathe (wheel) гончарный станок (круг) ◇ ~'s field кладбище для бедняков и бродяг

potter II ['pɒtə] *v* 1) работать лениво, лодырничать (*тж.* ~ about) 2) работать беспорядочно (at, in — над *чем-л.*) 3) бесцельно тратить время

pottery ['pɒtərɪ] *n* 1) гончарные изделия, керамика 2) гончарное дело 3) гончарная, гончарная мастерская

pottle ['pɒtl] *n* 1) корзинка (*для ягод*) 2) *уст.* сосуд, вместимостью около 1/2 галлона

potto ['pɒtəʊ] *n* (*pl* -os [-əʊz]) *зоол.* 1) западноафриканский лемур, потто 2) кинкажу, цепкохвостый медведь

potty I ['pɒtɪ] *детск. см.* pot 1, 4)

potty II ['pɒtɪ] *a sl.* 1) помешанный (about — на *чём-л.*) 2) мелкий, незначительный 3) лёгкий, пустячный

pot-valiant ['pɒt,væljənt] *a* храбрый во хмелю

pot valour ['pɒtvælə] *n* хмельной задор, пьяная удаль

pouch [paʊtʃ] **1.** *n* 1) сумка; мешочек 2) что-л. похожее на мешочек; ~es under the eyes мешки́ под глаза́ми 3) *воен.* патро́нная су́мка 4) мешо́к с по́чтой; diplomatic ~ мешо́к с дипломати́ческой по́чтой, вали́за дипкурье́ра 5) кисе́т 6) *шотл.* карма́н 7) *уст.* кошелёк

2. *v* 1) класть в су́мку 2) прикарма́нивать 3) висе́ть мешко́м 4) де́лать на́пуск (*на платье*) 5) *разг.* дава́ть на чай

pouched [paʊtʃt] 1. *p. p. от* pouch 2

2. *a* 1) с су́мкой *или* с карма́нами 2) *зоол.* су́мчатый

pouchy [ˈpaʊtʃɪ] *a* мешкова́тый

poulard [puːˈlɑːd] *n* пуля́рка

poult [pəʊlt] *n* птене́ц; цыплёнок, индюшо́нок *и т. п.*

poulterer [ˈpəʊltərə] *n* торго́вец дома́шней пти́цей

poultice [ˈpəʊltɪs] 1. *n* припа́рка

2. *v* ста́вить припа́рки

poultry [ˈpəʊltrɪ] *n* 1) дома́шняя пти́ца 2) *attr.*: ~ farm птицево́дческая фе́рма; ~ house пти́чник; ~ yard пти́чий двор

pounce I [paʊns] 1. *n* 1) внеза́пный прыжо́к, наско́к 2) ко́готь (*ястреба и т. п.*)

2. *v* 1) набра́сываться, налета́ть, обру́шиваться, внеза́пно атакова́ть (on, upon, at) 2) схвати́ть в ко́гти 3) ухвати́ться (upon — за), воспо́льзоваться (*ошибкой, промахом и т. п.*; upon) 4) придира́ться (upon)

pounce II [paʊns] 1. *n* порошкообра́зный сандара́к *или* у́голь

2. *v* 1) затира́ть сандара́ком 2) переводи́ть, копи́ровать (*узор*) у́гольным порошко́м

pounce III [paʊns] 1. *n* вы́тисненное *или* вы́резанное отве́рстие (*узора*)

2. *v* пробива́ть, просве́рливать

pound I [paʊnd] *n* 1) фунт (*англ.* = *453,6 г*) 2) фунт сте́рлингов (= *100 пенсам*) 3) фунт (*денежная единица Австралии до 1966 г., Египта и некоторых других стран*) ◇ ~ of flesh то́чное коли́чество, причита́ющееся по зако́ну

pound II [paʊnd] 1. *n* 1) заго́н (*для скота*) 2) тюрьма́

2. *v* 1) загоня́ть в заго́н 2) заключа́ть в тюрьму́

pound III [paʊnd] 1. *n* тяжёлый уда́р

2. *v* 1) бить, колоти́ть 2) толо́чь 3) бомбардирова́ть (at, on) 4) с трудо́м продвига́ться (along) 5) колоти́ться, си́льно би́ться (*о сердце*) ▭ ~ **out** а) расплю́щивать, распрямля́ть (*ударами*); б) колоти́ть (*по роялю*) ◇ to ~ one's gums болта́ть языко́м

poundage [ˈpaʊndɪdʒ] *n* 1) проце́нт с фу́нта сте́рлингов 2) отчисле́ние с при́былей, иду́щее на вы́плату жа́лованья 3) по́шлина с ве́са

pound cake [ˈpaʊndkeɪk] *n* торт, в кото́ром по фу́нту *или* по́ровну основны́х составны́х часте́й

pounder I [ˈpaʊndə] *n* предме́т ве́сом в оди́н фунт

pounder II [ˈpaʊndə] *n* 1) пе́стик 2) сту́пка; дроби́лка

-pounder [-paʊndə] *в сложных словах означает*: а) ве́сящий *столько-то* фу́нтов; б) со снаря́дом, ве́сящим *столько-то* фу́нтов (*о пушке*); *напр.*: one-~ 37-мм пу́шка; в) сто́ящий *столько-то* фу́нтов (*о предмете*); г) облада́ющий состоя́нием, ра́вным *стольким-то* фу́нтам

pour [pɔː] 1. *v* 1) ли́ть(ся), влива́ть(ся); it is ~ing (wet *или* with rain) льёт как из ведра́ 2) разлива́ть (*чай и т. п.*) 3) налива́ть (into) 4) *метал.* лить, отлива́ть ▭ ~ **forth** изверга́ть (*слова*); сы́пать (*словами*); ~ **in** а) вали́ть (*о дыме, о толпе*); б) сы́паться (*о новостях и т. п.*); letters ~ in from all quarters пи́сьма сы́плются отовсю́ду; ~ **out** а) налива́ть, разлива́ть (*чай, вино*); отлива́ть, вылива́ть; б) вали́ть нару́жу (*о толпе*); ~ **through** ли́ться сквозь (*о свете, жидкости*) ◇ to ~ cold water on smb. расхола́живать кого́-л.

2. *n* 1) ли́вень 2) *метал.* ли́тник

pourboire [pʊəˈbwɑː] *фр. n* чаевы́е

pouring [ˈpɔːrɪŋ] 1. *pres. p. от* pour 1

2. *a* 1) проливно́й (*о дожде*) 2) разлива́тельный

3. *n* 1) налива́ние, разлива́ние 2) *метал.* разли́вка; зали́вка

pourparler [pʊəˈpɑːleɪ] *фр. n* (*обыкн. pl*) предвари́тельные неофициа́льные перегово́ры

pout [paʊt] 1. *n* недово́льная грима́са; наду́тые гу́бы; to be in the ~s ду́ться

2. *v* наду́ть гу́бы

pouter [ˈpaʊtə] *n* 1) недово́льный, наду́тый челове́к 2) зоба́стый го́лубь

poverty [ˈpɒvətɪ] *n* 1) бе́дность, нужда́ 2) ску́дость; оскуде́ние ◇ ~ line черта́ бе́дности

poverty-stricken [ˈpɒvətɪˌstrɪkən] *a* бе́дный, бе́дствующий

powder [ˈpaʊdə] 1. *n* 1) порошо́к; пыль 2) пу́дра 3) по́рох; smokeless ~ безды́мный по́рох ◇ food for powder пу́шечное мя́со; to take a ~ *sl.* смы́ться; put more ~ into it! бей сильне́е! (*возглас болельщика*); smell of ~ боево́й о́пыт

2. *v* 1) пу́дрить(ся), припу́дривать 2) посыпа́ть (*порошком*); присыпа́ть 3) испещря́ть, усыпа́ть 4) превраща́ть в порошо́к, толо́чь 5) *диал.* соли́ть (*мясо*)

powdered [ˈpaʊdəd] 1. *p. p. от* powder 2

2. *a* 1) напу́дренный 2) порошкообра́зный; ~ milk сухо́е молоко́; ~ sugar са́харная пу́дра 3) испещрённый, усы́панный (*крапинками и т. п.*) 4) *диал.* солёный; ~ beef солони́на

powder flask [ˈpaʊdəflɑːsk] *n ист.* пороховни́ца

powder keg [ˈpaʊdəkeg] *n* порохова́я бо́чка (*тж. перен.*)

powder magazine [ˌpaʊdəmægəˈziːn] *n* порохово́й по́греб

powder mill [ˈpaʊdəmɪl] *n* порохово́й заво́д

powder monkey [ˈpaʊdəˌmʌŋkɪ] *n мор. ист.* ма́льчик, подносящий по́рох

powder puff [ˈpaʊdəpʌf] *n* пухо́вка

powder room [ˈpaʊdəruːm] *n* 1) да́мская туале́тная ко́мната 2) *мор.* заря́дный по́греб; *уст.* крюйт-ка́мера

powdery [ˈpaʊdərɪ] *a* 1) порошкообра́зный; похо́жий на пу́дру 2) рассы́пчатый 3) посы́панный порошко́м; припу́дренный

power [ˈpaʊə] 1. *n* 1) спосо́бность; возмо́жность; I will do all in my ~ я сде́лаю всё, что в мои́х си́лах; it is beyond my ~ э́то не в мое́й вла́сти; spending ~ покупа́тельная спосо́бность; speech ~ дар ре́чи 2) могу́щество, власть (*тж.* госуда́рственная); влия́ние, мощь; supreme ~ верхо́вная власть; the party in ~ па́ртия, стоя́щая у вла́сти 3) полномо́чие; the ~ of attorney дове́ренность 4) держа́ва; the Great Powers вели́кие держа́вы 5) *разг.* мно́го, мно́жество; a ~ of money ку́ча де́нег; a ~ of good мно́го по́льзы 6) си́ла; мо́щность, эне́ргия; производи́тельность; by ~ механи́ческой си́лой, при́водом от дви́гателя; without ~ с вы́ключенным дви́гателем; the mechanical ~s просты́е маши́ны 7) *опт.* си́ла увеличе́ния (*линзы и т. п.*) 8) *мат.* сте́пень; eight is the third ~ of two во́семь представля́ет собо́й два в тре́тьей сте́пени 9) божество́, бог; сверхъесте́ственные си́лы 10) *attr.* силово́й, энерге́тический; мото́рный; маши́нный 11) *attr.*: ~ politics поли́тика с пози́ции си́лы ◇ more ~ to your elbow! жела́ю успе́ха!; the ~s that be вла́сти предержа́щие, си́льные ми́ра сего́; merciful ~s! си́лы небе́сные!

2. *v* снабжа́ть силовы́м дви́гателем

powerboat [ˈpaʊəbəʊt] *n* мото́рный ка́тер, мото́рная шлю́пка

power circuit [ˈpaʊəsɜːkɪt] *n эл.* энерге́тическая сеть

power dive [ˈpaʊədaɪv] *n ав.* пики́рование с рабо́тающим мото́ром

powerful [ˈpaʊəfl] *a* 1) си́льный, могу́чий, мо́щный 2) могу́щественный, влия́тельный 3) сильноде́йствующий 4) ве́ский; значи́тельный; ~ evidence ве́ские доказа́тельства; ~ success кру́пный успе́х 5) я́ркий (*о речи, описании*)

powerhouse [ˈpaʊəhaʊs] *n* 1) электроста́нция 2) *разг.* о́чень энерги́чный челове́к

powerless [ˈpaʊələs] *a* бесси́льный

power plant [ˈpaʊəplɑːnt] *n* 1) силова́я устано́вка 2) электроста́нция

power-saw [ˈpaʊəsɔː] *n тех.* мотопила́

power-shovel [ˈpaʊəˌʃʌvl] *n* экскава́тор

power station [ˈpaʊəˌsteɪʃn] *n* электроста́нция

powwow [ˈpaʊwaʊ] 1. *n* 1) совеща́ние, конфере́нция; обсужде́ние 2) зна́харь, колду́н (*у североамериканских индейцев*) 3) церемо́ния заклина́ния (*у североамериканских индейцев*)

2. *v* 1) совеща́ться, разгова́ривать; обсужда́ть 2) занима́ться зна́харством

pox [pɒks] *n* 1) *мед.* боле́знь с высыпа́ниями на ко́же (*напр., оспа*) 2) *разг.* си́филис

poxy [ˈpɒksɪ] *a* 1) с высыпа́ниями на

ко́же 2) *sl.* ни́зкого ка́чества; никуды́шный

praam [prɑ:m] = pram I

practicability [ˌpræktɪkəˈbɪlətɪ] *n* 1) осуществи́мость 2) целесообра́зность 3) проходи́мость

practicable [ˈpræktɪkəbl] *a* 1) осуществи́мый, реа́льный; to the maximum ~ extent в максима́льно возмо́жных преде́лах 2) поле́зный; могу́щий быть испо́льзованным 3) проходи́мый, прое́зжий (*о доро́ге*) 4) *театр.* настоя́щий, недекорати́вный (*об окне, двери и т. п.*)

practical [ˈpræktɪkl] *a* 1) практи́ческий, утилита́рный; for all ~ purposes с чи́сто практи́ческой то́чки зре́ния 2) практи́чный, удо́бный; ~ shoes удо́бные ту́фли 3) факти́ческий 4) целесообра́зный, поле́зный 5) осуществи́мый, реа́льный ◇ ~ joke (гру́бая) шу́тка (*сыгранная с кем-л.*), ро́зыгрыш

practicality [ˌpræktɪˈkælətɪ] *n* практи́чность, практици́зм

practically [ˈpræktɪklɪ] *adv* 1) факти́чески, на де́ле, на пра́ктике; ~ speaking в су́щности 2) практи́чески 3) почти́; ~ no changes почти́ никаки́х измене́ний

practice [ˈpræktɪs] 1. *n* 1) пра́ктика; примене́ние; осуществле́ние на пра́ктике; established ~ установи́вшаяся пра́ктика; in ~ а) на пра́ктике, на де́ле; б) на пове́рку; to put in(to) ~ осуществля́ть 2) привы́чка, обы́чай; устано́вленный поря́док; it was then the ~ э́то бы́ло тогда́ при́нято; to put into ~ ввести́ в обихо́д, в обраще́ние 3) пра́ктика, упражне́ние, трениро́вка; to be out of ~ не упражня́ться, не име́ть пра́ктики 4) пра́ктика, де́ятельность (*юриста, врача*) 5) *воен.* уче́бная боева́я стрельба́ 6) (*обыкн. pl*) про́иски, интри́ги; corrupt ~s взя́точничество; discreditable ~s тёмные дела́; sharp ~ моше́нничество 7) *attr.* уче́бный, практи́ческий; о́пытный; ~ ground а) *воен.* уче́бный плац; б) *с.-х.* о́пытное по́ле; ~ march уче́бный марш ◇ ~ makes perfect *посл.* ≅ на́вык ма́стера ста́вит

2. *v амер.* = practise

practician [prækˈtɪʃn] *n* 1) пра́ктик 2) практику́ющий врач *или* юри́ст

practise [ˈpræktɪs] *v* 1) применя́ть, осуществля́ть; to ~ what one preaches жить согла́сно свои́м взгля́дам; to ~ smb.'s teachings сле́довать чьему́-л. уче́нию 2) практикова́ть(ся), упражня́ть(ся); тренирова́ть(ся) 3) занима́ться (*чем-л.*), практикова́ть ▭ ~ upon обма́нывать; злоупотребля́ть *чем-л.*

practised [ˈpræktɪst] 1. *p. p. от* practise

2. *a* о́пытный, уме́лый

practitioner [prækˈtɪʃnə] *n* практику́ющий врач *или* юри́ст; general ~ врач о́бщей пра́ктики (*терапевт и хирург*)

praepostor [pri:ˈpɒstə] *n* ста́роста (*в некоторых привилегированных частных средних школах*)

praetor [ˈpri:tə] *n др.-рим. ист.* пре́тор

praetorian [prɪˈtɔ:rɪən] *др.-рим. ист.* 1. *a* преториа́нский

2. *n* преториа́нец

pragmatic [prægˈmætɪk] *a* 1) практи́чный, практи́ческий 2) *филос.* прагмати́ческий 3) догмати́чный 4) *редк.* = pragmatical 1)

pragmatical [prægˈmætɪkl] *a* 1) назо́йливый, вме́шивающийся в чужи́е дела́ 2) *редк.* = pragmatic 1), 2) *и* 3)

pragmatism [ˈprægmətɪzəm] *n* 1) практи́чность, практици́зм 2) *филос.* прагмати́зм 3) назо́йливость 4) догмати́зм

prairie [ˈpreərɪ] *n* 1) пре́рия, степь 2) *attr.* степно́й, живу́щий в пре́рии

prairie chicken [ˈpreərɪˌtʃɪkɪn] *n зоол.* лугово́й те́терев

prairie dog [ˈpreərɪdɒg] *n зоол.* степна́я соба́чка

prairie hen [ˈpreərɪhen] *n* са́мка лугово́го те́терева

prairie schooner [ˈpreərɪˌsku:nə] *n амер. ист.* фурго́н переселе́нцев

prairie wolf [ˈpreərɪwʊlf] *n* койо́т, лугово́й волк

praise [preɪz] 1. *n* (по)хвала́; восхвале́ние; beyond ~ вы́ше вся́кой похвалы́; to sing the ~s of восхваля́ть

2. *v* хвали́ть; восхваля́ть; превозноси́ть; to ~ to the skies превозноси́ть до небе́с

praiseworthy [ˈpraɪzˌwɜ:ðɪ] *a* досто́йный похвалы́; похва́льный

Prakrit [ˈprɑ:krɪt] *n лингв.* пракри́т

praline [ˈprɑ:li:n] *n* пралине́ (*кондитерские изделия*)

pram I [prɑ:m] *n* плоскодо́нное су́дно, плашко́ут

pram II [præm] *n* де́тская коля́ска

prance [prɑ:ns] 1. *n* 1) скачо́к 2) го́рдая похо́дка 3) надме́нная мане́ра (держа́ться)

2. *v* 1) станови́ться на дыбы́, гарцева́ть 2) ходи́ть го́голем, ва́жничать, задава́ться 3) *разг.* танцева́ть; пры́гать

prancing [ˈprɑ:nsɪŋ] 1. *pres. p. от* prance 2

2. *a* 1) ска́чущий 2) ва́жный (*о походке, манере держаться*)

prandial [ˈprændɪəl] *a шутл.* обе́денный

prang [præŋ] *ав. жарг.* 1. *n* 1) бомбардиро́вка 2) ава́рия

2. *v* разбомби́ть; сбить (*самолёт*)

prank I [præŋk] *n* вы́ходка, прока́за, проде́лка, ша́лость; шу́тка; to play ~s а) отка́лывать шту́ки; б) капри́зничать (*о машине*)

prank II [præŋk] *v* украша́ть; наряжа́ть(ся), разряжа́ться (*часто* ~ out, ~ up)

prankish [ˈpræŋkɪʃ] *a* 1) шаловли́вый; озорно́й 2) шутли́вый

prase [preɪz] *n мин.* пра́зем, зеленова́тый кварц

praseodymium [ˌpreɪzɪəʊˈdɪmɪəm] *n хим.* празеоди́мий

prat [præt] *n sl.* 1) болва́н, ду́рень 2) зад, за́дница

prate [preɪt] 1. *n* пустосло́вие, болтовня́

2. *v* 1) болта́ть, нести́ чепуху́ 2) разба́лтывать

prater [ˈpreɪtə] *n* болту́н; болту́шка, болту́нья

pratfall [ˈprætfɔ:l] *n амер. sl.* 1) паде́ние на зад 2) по́лный прова́л

praties [ˈpreɪtɪz] *n pl ирл.* карто́фель

pratincole [ˈprætɪŋkəʊl] *n* тирку́шка лугова́я (*птица*)

pratique [ˈpræti:k] *n мор.* свиде́тельство о сня́тии каранти́на; разреше́ние на сообще́ние с бе́регом

prattle [ˈprætl] 1. *n* 1) ле́пет 2) болтовня́

2. *v* 1) лепета́ть 2) болта́ть

prattler [ˈprætlə] *n* 1) лепе́чущий ребёнок 2) болту́н

prawn [prɔ:n] 1. *n зоол.* пи́льчатая креве́тка

2. *v* лови́ть креве́ток

praxis [ˈpræksɪs] *n* 1) пра́ктика 2) обы́чай 3) приме́ры, упражне́ния (*по грамматике и т. п.*)

pray [preɪ] *v* 1) моли́ться 2) проси́ть, умоля́ть; ~! пожа́луйста!, прошу́ вас!

prayer I [preə] *n* 1) моли́тва 2) моле́бен 3) про́сьба; мольба́ ◇ not to have a ~ *амер.* не име́ть никаки́х ша́нсов (*на успех и т. п.*)

prayer II [ˈpreɪə] *n* проси́тель

prayer book [ˈpreəbʊk] *n* моли́твенник, тре́бник

prayerful [ˈpreəfʊl] *a* 1) богомо́льный 2) моли́твенный

prayer-mat [ˈpreəmæt] *n* моли́твенный ко́врик

praying [ˈpreɪɪŋ] 1. *pres. p. от* pray

2. *n* моле́ние ◇ he is beyond ~ он безнадёжен (*о больном или шутл. — о глупце*)

pre- [pri:-] *pref* до-, пред-, впереди́, зара́нее; *напр.*: prehistoric доистори́ческий; preheat предвари́тельно нагрева́ть

preach [pri:tʃ] *v* 1) пропове́довать 2) поуча́ть, чита́ть наставле́ния 3) выступа́ть в защи́ту (*чего-л.*) ▭ ~ down заговори́ть (*собеседника*), не дать сло́ва вы́молвить; ~ up восхваля́ть

preacher [ˈpri:tʃə] *n* пропове́дник

preachify [ˈpri:tʃɪfaɪ] *v разг.* чита́ть ну́дные про́поведи

preaching [ˈpri:tʃɪŋ] 1. *pres. p. от* preach

2. *n* 1) пропове́дование 2) про́поведь

preachment [ˈpri:tʃmənt] *n* (*обыкн. пренебр.*) про́поведь, нравоуче́ние

preachy [ˈpri:tʃɪ] *a разг.* лю́бящий пропове́довать, поуча́ть

preadolescent [ˌpri:ædəˈlesnt] 1. *a* предподро́стковый (*о возрасте*)

2. *n* ребёнок предподро́сткового во́зраста (*от 9 до 12 лет*)

preamble [prɪˈæmbl] 1. *n* 1) преа́мбула; вво́дная часть 2) предисло́вие, вступле́ние

2. *v* де́лать предисло́вие

prearrange [ˌpri:əˈreɪndʒ] *v* зара́нее подгота́вливать, плани́ровать

preaudience [ˌpri:ˈɔ:dɪəns] *n юр.* пра́во

(*адвоката*) быть вы́слушанным ра́ньше други́х

prebend ['prebənd] *n* 1) пребе́нда (*в католической церкви*) 2) земля́ *или* нало́г, даю́щие пребе́нду

prebendary ['prebəndrı] *n* пребенда́рий

precapitalist [,pri:'kæpıtlıst] *a* докапиталисти́ческий

precarious [prı'keərıəs] *a* 1) случа́йный; ненадёжный, сомни́тельный; to make a ~ living жить случа́йными дохо́дами, ко́е-ка́к перебива́ться 2) риско́ванный, опа́сный 3) необосно́ванный

precast [,pri:'kɑ:st] *a стр.* 1) заводско́го изготовле́ния 2) сбо́рного ти́па

precative ['prekətıv] *a* проси́тельный

precaution [prı'kɔ:ʃn] *n* 1) предосторо́жность; предусмотри́тельность; to take ~s against smth. приня́ть ме́ры предосторо́жности про́тив чего́-л. 2) *pl разг.* примене́ние противозача́точных средств 3) предостереже́ние

precautionary [prı'kɔ:ʃnərı] *a* предупреди́тельный; ~ measures ме́ры предосторо́жности

precede [prı'si:d] *v* 1) предше́ствовать, стоя́ть *или* идти́ пе́ред (*чем-л.*), впереди́ (*кого-л.*) 2) предпосыла́ть (by); расчища́ть путь (with, by — для *чего-л.*) 3) превосходи́ть (*по важности и т. п.*); занима́ть бо́лее высо́кое положе́ние (*по должности*); быть впереди́ (*в каком-л. отношении*)

precedence ['presıdəns] *n* 1) предше́ствование 2) пе́рвенство, превосхо́дство (*в знаниях и т. п.*); бо́лее высо́кое положе́ние (*по должности*); старшинство́; to take ~ of a) превосходи́ть; б) предше́ствовать

precedent 1. *n* ['presıdənt] прецеде́нт

2. *a* [prı'si:dnt] предше́ствующий; condition ~ предвари́тельное усло́вие

preceding [prı'si:dıŋ] 1. *pres. p. от* precede

2. *a* предше́ствующий

precentor [prı'sentə] *n* ре́гент хо́ра

precept ['pri:sept] *n* 1) наставле́ние, пра́вило, указа́ние; инстру́кция 2) за́поведь 3) *юр.* предписа́ние; прика́з

preceptive [prı'septıv] *a* настави́тельный

preceptor [prı'septə] *n* наста́вник

preceptorial [,pri:sep'tɔ:rıəl] *a* наста́внический

preceptress [prı'septrəs] *n* наста́вница

precession [prı'seʃn] *n астр.* преце́ссия (*тж.* ~ of the equinoxes)

pre-Christian [,pri:'krıstʃən] *a* дохристиа́нский

precinct ['pri:sıŋkt] *n* 1) огоро́женная террито́рия, прилега́ющая к зда́нию (*к церкви, колледжу и т. п.*) 2): a shopping ~ торго́вый центр 3) *pl* окре́стности 4) *pl* преде́л, грани́ца 5) *амер.* избира́тельный *или* полице́йский уча́сток, о́круг

preciosity [,preʃı'ɒsətı] *n* изы́сканность, утончённость, изощрённость (*языка, стиля*)

precious ['preʃəs] 1. *a* 1) драгоце́нный; ~ stone драгоце́нный ка́мень 2) дорого́й; люби́мый; a ~ friend you have been! *ирон.* хоро́ш друг! 3) мане́рно-изы́сканный 4) *разг. употр. для усиления*: do not be in such a ~ hurry не спеши́те так; he has got into a ~ mess он попа́л в весьма́ тру́дное положе́ние

2. *n* люби́мый; my ~ мой ми́лый

3. *adv разг.* о́чень, здо́рово; they took ~ little notice они́ и внима́ния не обрати́ли

precipice ['presəpıs] *n* 1) обры́в, про́пасть 2) опа́сное положе́ние

precipitance, -cy [prı'sıpıtəns, -sı] *n* 1) стреми́тельность 2) опроме́тчивость; to judge with ~ суди́ть опроме́тчиво

precipitant [prı'sıpıtənt] *a* 1) стреми́тельный 2) де́йствующий опроме́тчиво

precipitate 1. *n* [prı'sıpıtət] *хим.* оса́док

2. *a* [prı'sıpıtət] 1) стреми́тельный; поспе́шный 2) опроме́тчивый, неосмотри́тельный

3. *v* [prı'sıpıteıt] 1) низверга́ть, поверга́ть; броса́ть; вверга́ть; to ~ oneself броса́ться вниз голово́й 2) ускоря́ть, торопи́ть 3) *хим.* осажда́ть(ся); отму́чивать 4) *метео* выпада́ть (*об осадках*)

precipitation [prı,sıpı'teıʃn] *n* 1) низверже́ние 2) стреми́тельность 3) ускоре́ние, увеличе́ние (*темпа*) 4) *хим.* осажде́ние 5) *хим.* оса́док 6) *метео* выпаде́ние оса́дков; оса́дки; annual ~ годово́е коли́чество оса́дков

precipitous [prı'sıpıtəs] *a* круто́й; обры́вистый; отве́сный

précis ['preısi:] 1. *n* кра́ткое изложе́ние, консп́ект

2. *v* составля́ть консп́ект, кра́тко излага́ть

precise [prı'saız] *a* 1) то́чный; определённый 2) аккура́тный, пунктуа́льный 3) чёткий, я́сный 4) тща́тельный 5) педанти́чный; щепети́льный

precisely [prı'saıslı] *adv* 1) то́чно 2) и́менно, соверше́нно ве́рно (*как ответ*)

precisian [prı'sıʒn] *n* 1) формали́ст, педа́нт 2) *ист.* пурита́нин

precisianism [prı'sıʒnızəm] *n* формали́зм, педанти́зм

precision [prı'sıʒn] *n* 1) то́чность; чёткость; аккура́тность 2) ме́ткость 3) *attr.* то́чный, ме́ткий; ~ balance то́чные весы́; ~ instrument то́чный инструме́нт

preclude [prı'klu:d] *v* 1) предотвраща́ть, устраня́ть (from) 2) меша́ть (from); this will ~ me from coming э́то поме́шает мне прийти́

preclusion [prı'klu:ʒn] *n* 1) предотвраще́ние 2) препя́тствие, поме́ха

precocious [prı'kəʊʃəs] *a* 1) (*часто пренебр.*) ра́но разви́вшийся; не по года́м разви́той 2) преждевре́менный 3) *с.-х.* скороспе́лый

precocity [prı'kɒsətı] *n* ра́ннее разви́тие, скороспе́лость

precognition [,pri:kɒg'nıʃn] *n* 1) (сверхчу́вственное) предви́дение 2) *шотл. юр.* предвари́тельный допро́с свиде́телей

pre-Columbian [,pri:kə'lʌmbıən] *a* 1) предше́ствовавший откры́тию Колу́мбом Аме́рики, доколу́мбовый 2) стари́нный, допото́пный

preconceive [,pri:kən'si:v] *v* представля́ть себе́ зара́нее

preconceived [,pri:kən'si:vd] 1. *p. p. от* preconceive

2. *a* предвзя́тый; ~ notion предвзя́тое мне́ние

preconception [,pri:kən'sepʃn] *n* 1) предвзя́тое мне́ние; предубежде́ние 2) предрассу́док

preconcert [,pri:kən'sɜ:t] *v* усла́вливаться зара́нее

preconcerted [,pri:kən'sɜ:tıd] 1. *p. p. от* preconcert

2. *a* обусло́вленный зара́нее

precondition [,pri:kən'dıʃn] 1. *n* предвари́тельное *или* непреме́нное усло́вие, предпосы́лка

2. *v* зара́нее обусло́вить, оговори́ть

preconize ['pri:kənaız] *v* 1) оглаша́ть, объявля́ть 2) *церк.* оглаша́ть па́пский ука́з об утвержде́нии (*кого-л.*) еписко́пом

preconquest [prı'kɒŋkwest] *a ист.* догорма́ннский, относя́щийся к пери́оду до норма́ннского завоева́ния 1066 г.

preconscious [pri:'kɒnʃəs] *a психол.* предсозна́тельный

precontract [pri:'kɒntrækt] 1. *n* бо́лее ра́нний контра́кт (*как препятствие к заключению нового*)

2. *v* заключи́ть контра́кт зара́нее

precook [,pri:'kʊk] *v* проводи́ть предвари́тельную кулина́рную обрабо́тку (*продукта*)

precostal [pri:'kɒstl] *a анат.* предрёберный

precursor [prı'kɜ:sə] *n* 1) предте́ча, предше́ственник 2) предве́стник

precursory [prı'kɜ:sərı] *a* 1) предвеща́ющий (of); предше́ствующий 2) предвари́тельный

predacious [prı'deıʃəs] *a* хи́щный; хи́щнический

predate [pri:'deıt] *v* произойти́ до како́го-л. числа́

predator ['predətə] *n* хи́щник (*тж. перен.*)

predatory ['predətərı] *a* 1) хи́щный 2) граби́тельский

predawn [pri:'dɔ:n] *a* предУ́тренний, предрассве́тный

predecease [,pri:dı'si:s] 1. *n* смерть (*кого-л.*), предше́ствовавшая сме́рти друго́го

2. *v* умере́ть ра́ньше друго́го

predecessor ['pri:dısesə] *n* 1) предше́ственник 2) пре́док

predella [prı'delə] *n церк., иск.* преде́лла

pre-Depression [,pri:dı'preʃn] *a* предше́ствовавший экономи́ческому кри́зису 1929—33 гг.; ~ level докри́зисный у́ровень

predestination [pri:,destı'neıʃn] *n* предопределе́ние; судьба́

predestine [pri:ˈdestɪn] *v* предопределя́ть

predetermine [ˌpri:dɪˈtɜ:mɪn] *v* 1) повлия́ть (*на кого-л.*); напра́вить (*чьи-л.*) де́йствия *и т. п.* в определённую сто́рону 2) предопределя́ть, предреша́ть

predial [ˈpri:dɪəl] *a ист.* 1) земе́льный; се́льский; агра́рный 2) прикреплённый к земле́ (*о крепостном и т. п.*)

predicament [prɪˈdɪkəmənt] *n* 1) затрудни́тельное положе́ние; затрудне́ние; what a ~! кака́я доса́да! 2) *лог.* катего́рия

predicant [ˈpredɪkənt] **1.** *n* пропове́дник

2. *a* пропове́днический

predicate 1. *n* [ˈpredɪkət] 1) *грам.* сказу́емое, предика́т 2) *лог.* утвержде́ние

2. *v* [ˈpredɪkeɪt] 1) утвержда́ть (*тж. лог.*; of, about) 2) осно́вывать (*утверждение и т. п.*) на фа́ктах (on)

predication [ˌpredɪˈkeɪʃn] *n* 1) утвержде́ние (*тж. лог.*) 2) *грам.* предика́ция

predicative [prɪˈdɪkətɪv] *грам.* **1.** *a* предикати́вный

2. *n* предикати́вный член, именна́я часть составно́го сказу́емого

predict [prɪˈdɪkt] *v* предска́зывать

predictable [prɪˈdɪktəbl] *a* предсказу́емый

predicted [prɪˈdɪktɪd] **1.** *p. p. от* predict

2. *a*: ~ fire *воен.* стрельба́ по исчи́сленным да́нным

prediction [prɪˈdɪkʃn] *n* 1) предсказа́ние; прогно́з; проро́чество 2) *спец.* предваре́ние; предвычисле́ние

predictive [prɪˈdɪktɪv] *a* предска́зывающий; проро́ческий

predictor [prɪˈdɪktə] *n* 1) предсказа́тель 2) *воен.* прибо́р управле́ния артиллери́йским зени́тным огнём

predilection [ˌpri:dɪˈlekʃn] *n* пристра́стие, скло́нность (for — к *чему-л.*)

predispose [ˌpri:dɪˈspəʊz] *v* предрасполага́ть (to — к *чему-л.*)

predisposition [ˌpri:dɪspəˈzɪʃn] *n* предрасположе́ние, скло́нность

predominance [prɪˈdɒmɪnəns] *n* превосхо́дство, преоблада́ние, госпо́дство

predominant [prɪˈdɒmɪnənt] *a* преоблада́ющий, домини́рующий, госпо́дствующий (over — над)

predominantly [prɪˈdɒmɪnəntlɪ] *adv* преиму́щественно

predominate [prɪˈdɒmɪneɪt] *v* госпо́дствовать, преоблада́ть (over — над)

predoom [pri:ˈdu:m] *v* обрека́ть, осужда́ть зара́нее

preelection [ˌprɪɪˈlekʃn] *n* 1) предвари́тельные вы́боры 2) *attr.* предвы́борный

preeminence [prɪˈemɪnəns] *n* (огро́мное) превосхо́дство, преиму́щество

preeminent [prɪˈemɪnənt] *a* выдаю́щийся, превосходя́щий други́х

preempt [prɪˈempt] *v* 1) покупа́ть ра́ньше други́х 2) завладева́ть ра́ньше други́х 3) *амер.* приобрета́ть преиму́щественное пра́во на поку́пку госуда́рственной земли́

preemption [prɪˈempʃn] *n* 1) поку́пка пре́жде други́х 2) преиму́щественное пра́во на поку́пку (*амер.* на поку́пку госуда́рственной земли́)

preen [pri:n] *v* 1) чи́стить (*перья*) клю́вом 2) (*обыкн. refl.*) прихора́шиваться 3) горди́ться собо́й

preestablish [ˌpri:ɪsˈtæblɪʃ] *v* устана́вливать зара́нее

preexist [ˌpri:ɪgˈzɪst] *v* существова́ть до (*чего-л.*)

prefab [ˈpri:fæb] *разг. сокр. от* prefabricated house [*см.* prefabricated 2]

prefabricate [ˌpri:ˈfæbrɪkeɪt] *v* изготовля́ть заводски́м спо́собом

prefabricated [ˌpri:ˈfæbrɪkeɪtɪd] **1.** *p. p. от* prefabricate

2. *a* изгото́вленный заводски́м спо́собом; сбо́рный; ~ house сбо́рный, станда́ртный дом

preface [ˈprefəs] **1.** *n* 1) предисло́вие; вво́дная часть 2) проло́г

2. *v* 1) начина́ть (by, with); предпосыла́ть 2) снабжа́ть (*книгу и т. п.*) предисло́вием 3) де́лать предвари́тельные замеча́ния

prefatory [ˈprefətərɪ] *a* вступи́тельный, вво́дный, предвари́тельный

prefect [ˈpri:fekt] *n* 1) префе́кт 2) *школ.* ста́роста кла́сса, следя́щий за дисципли́ной

prefecture [ˈpri:fektʃə] *n* префекту́ра

prefer [prɪˈfɜ:] *v* 1) предпочита́ть 2) представля́ть, подава́ть (*прошение, жалобу*); выдвига́ть (*требование*) 3) повыша́ть (*в чине*); продвига́ть (*по службе*)

preferable [ˈprefrəbl] *a* предпочти́тельный

preferably [ˈprefrəblɪ] *adv* предпочти́тельно, лу́чше

preference I [ˈprefrəns] *n* 1) предпочте́ние; for ~ предпочти́тельно 2) то, чему́ отдаётся предпочте́ние; what are your ~s? что вы предпочита́ете? 3) льго́тная тамо́женная по́шлина; префере́нция 4) преиму́щественное пра́во на опла́ту (*особ. о долге*) 5) *attr.* привилегиро́ванный; ~ shares (*или* stock) привилегиро́ванные а́кции

preference II [ˈprefrəns] *n карт.* префера́нс

preferential [ˌprefəˈrenʃl] *a* 1) по́льзующийся предпочте́нием; предпочти́тельный; ~ shop *амер.* предприя́тие, администра́ция кото́рого обязу́ется по догово́ру с профсою́зом отдава́ть предпочте́ние чле́нам профсою́за (*при приёме на работу, повышении в должности и т. п.*) 2) *эк.* льго́тный, преференциа́льный (*о ввозных пошлинах*)

preferment [prɪˈfɜ:mənt] *n* продвиже́ние по слу́жбе, повыше́ние

preferred [prɪˈfɜ:d] **1.** *p. p. от* prefer

2. *a эк.* привилегиро́ванный; ~ share привилегиро́ванная а́кция

prefix 1. *n* [ˈpri:fɪks] 1) *грам.* пре́фикс, приста́вка 2) сло́во, стоя́щее пе́ред и́менем и ука́зывающее на зва́ние, положе́ние *и т. п.* (*напр.*, Dr., Sir *и т. п.*)

2. *v* [pri:ˈfɪks] 1) предпосыла́ть 2) приставля́ть спе́реди; прибавля́ть пре́фикс

preform [pri:ˈfɔ:m] *v* формирова́ть зара́нее

pregnable [ˈpregnəbl] *a* ненадёжно укреплённый, непристу́пный (*о крепости и т. п.*); уязви́мый

pregnancy [ˈpregnənsɪ] *n* 1) бере́менность 2) чрева́тость 3) бога́тство (*воображения и т. п.*); содержа́тельность

pregnant [ˈpregnənt] *a* 1) бере́менная 2) по́лный смы́сла, значе́ния; a ~ pause многозначи́тельная па́уза 3) бога́тый (*о воображении и т. п.*); содержа́тельный 4) чрева́тый (with)

preheat [ˌpri:ˈhi:t] *v* предвари́тельно нагрева́ть, подогрева́ть

prehensile [prɪˈhensaɪl] *a зоол.* це́пкий; приспосо́бленный для хвата́ния; хвата́тельный

prehension [prɪˈhenʃn] *n* 1) *зоол.* хвата́ние; схва́тывание, захва́тывание 2) спосо́бность схва́тывать, понима́ние

prehistoric [ˌpri:hɪˈstɒrɪk] *a* доистори́ческий

prehuman [ˌpri:ˈhju:mən] *a* существова́вший на земле́ до появле́ния челове́ка

prejudge [ˌpri:ˈdʒʌdʒ] *v* 1) составля́ть поспе́шное необосно́ванное сужде́ние 2) выноси́ть реше́ние до рассмотре́ния де́ла в суде́ *или* до проведе́ния надлежа́щего рассле́дования

prejudgement [ˌpri:ˈdʒʌdʒmənt] *n* предвзя́тость, предвзя́тое мне́ние

prejudice [ˈpredʒʊdɪs] **1.** *n* 1) предубежде́ние, предвзя́тое мне́ние; ~ in favour of smb. пристра́стное, незаслу́женно хоро́шее отноше́ние к кому́-л. 2) предрассу́док 3) уще́рб, вред; to the (*или* in) ~ of в уще́рб; without ~ to без уще́рба для (*кого-л.*, *чего-л.*)

2. *v* 1) наноси́ть уще́рб, причиня́ть вред 2) предубежда́ть (against — про́тив) 3) располага́ть (in favour of *smb.* — в *чью-л.* по́льзу)

prejudicial [ˌpredʒʊˈdɪʃl] *a* нанося́щий уще́рб, вре́дный, па́губный

prelacy [ˈpreləsɪ] *n* 1) епископа́льное управле́ние це́рковью 2) прела́тство

prelate [ˈprelət] *n* прела́т

prelect [prɪˈlekt] *v* чита́ть ле́кцию

prelection [prɪˈlekʃn] *n* ле́кция (*особ. в университете*)

prelector [prɪˈlektə] *n* ле́ктор (*особ. в университете*)

prelim [ˈpri:lɪm] *n разг.* 1) *сокр. от* preliminary examination [*см.* preliminary 2] 2) *полигр.* сбо́рный лист

preliminary [prɪˈlɪmɪnrɪ] **1.** *n* 1) (*часто pl*) подготови́тельное мероприя́тие 2) *pl* предвари́тельные перегово́ры; прелимина́рии 3) = ~ examination [*см.* 2]

2. *a* предвари́тельный; ~ examination вступи́тельный экза́мен

prelude [ˈprelju:d] **1.** *n* 1) вступле́ние 2) *муз.* прелю́дия

2. *v* 1) служи́ть вступле́нием 2) начина́ть (with)

prelusive [prɪ'lu:sɪv] *a* вступи́тельный

premarital [pri:'mærɪtl] *a* добра́чный

premature ['premətʃə] *a* 1) преждевре́менный; ~ death безвре́менная смерть 2) поспе́шный, непроду́манный

prematurity [ˌpremə'tʃʊərətɪ] *n* преждевре́менность

premeditate [pri:'medɪteɪt] *v* обду́мывать, проду́мывать зара́нее

premeditated [pri:'medɪteɪtɪd] **1.** *p. p. от* premeditate

2. *a* обду́манный зара́нее; преднаме́ренный

premeditation [pri:ˌmedɪ'teɪʃn] *n* преднаме́ренность

premier ['premɪə] **1.** *n* 1) премье́р-мини́стр 2) *амер.* госуда́рственный секрета́рь

2. *a* пе́рвый

première ['premɪeə] *n театр., кино* премье́ра

premise ['premɪs] **1.** *n* 1) *лог.* (пред)посы́лка 2) *pl* помеще́ние, дом (*с прилегающими пристройками и участком*); владе́ние 3) *pl юр.* вво́дная часть а́кта переда́чи правово́го ти́тула 4) *pl юр.* констати́рующая часть искового заявле́ния ◇ to be consumed (*или* drunk) on the ~s продаётся распи́вочно; to be drunk to the ~s ≅ допи́ться до чёртиков; to see smb. off the ~s выпроводить, спрова́дить кого́-л.

2. *v* предпосыла́ть (that)

premiss ['premɪs] = premise 1, 1)

premium ['pri:mɪəm] *n* 1) награ́да; пре́мия; to put a ~ on smth. поощря́ть что-л., подстрека́ть к чему́-л. 2) пла́та (*за обучение и т. п.*) 3) страхова́я пре́мия 4) *фин.* пре́мия; надба́вка ◇ at a ~ в большо́м почёте; в большо́м спро́се; о́чень мо́дный

premonition [ˌpremə'nɪʃn] *n* 1) предостереже́ние 2) предчу́вствие

premonitory [prɪ'mɒnɪtərɪ] *a* 1) предостерега́ющий 2) *мед.* продрома́льный

prenatal [ˌpri:'neɪtl] *a* 1) предродово́й; ~ care наблюде́ние за бере́менной же́нщиной; гигие́на бере́менной 2) внутриутро́бный

prentice ['prentɪs] *n уст.* подмасте́рье ◇ ~ hand а) неуме́лая рука́; б) нело́вкая попы́тка (*сделать что-л.*)

preoccupation [prɪˌɒkjʊ'peɪʃn] *n* 1) заня́тие (*места*) ра́ньше (*кого-л.*) 2) рассе́янность, озабо́ченность

preoccupied [prɪ'ɒkjʊpaɪd] **1.** *p. p. от* preoccupy

2. *a* 1) поглощённый мы́слями; озабо́ченный 2) ра́нее захва́ченный

preoccupy [prɪ'ɒkjʊpaɪ] *v* 1) занима́ть, поглоща́ть внима́ние 2) заня́ть, захвати́ть ра́ньше (*кого-л.*)

preordain [ˌpri:ɔ:'deɪn] *v* предопредели́ть

preordination [pri:ˌɔ:dɪ'neɪʃn] *n* предопределе́ние

prep [prep] *разг.* **1.** *n* 1) приготовле́ние уро́ков 2) *амер.* уча́щийся ча́стной сре́дней шко́лы (*готовящей к поступлению в колледж*)

2. *a* приготови́тельный

prepack [ˌpri:'pæk] *v* расфасова́ть (зара́нее)

prepackage [ˌpri:'pækɪdʒ] = prepack

prepacked [ˌpri:'pækt] *a* расфасо́ванный

prepaid [ˌpri:'peɪd] *past и p. p. от* prepay

preparation [ˌprepə'reɪʃn] *n* 1) приготовле́ние, подгото́вка; to make ~s for гото́виться к, проводи́ть подгото́вку к 2) препара́т 3) лека́рство 4) приготовле́ние уро́ков 5) *горн.* обогаще́ние

preparative [prɪ'pærətɪv] **1.** *a* приготови́тельный, подготови́тельный; подгота́вливающий

2. *n* приготовле́ние

preparatory [prɪ'pærətərɪ] **1.** *a* приготови́тельный, предвари́тельный, подготови́тельный **2.** *adv*: ~ to пре́жде чем, до того́ как

preparatory school [prɪ'pærətərɪsku:l] *n* 1) приготови́тельная шко́ла (*частная; для мальчиков 8—13 лет*) 2) *амер.* ча́стная сре́дняя шко́ла (*готовит к поступлению в колледж*)

prepare [prɪ'peə] *v* 1) пригота́вливать(ся); I am not ~d to say я ещё не могу́ сказа́ть 2) гото́вить (*обед, лекарство*); составля́ть (*смесь и т. п.*) 3) гото́вить(ся), подгота́вливать(ся)

prepared [prɪ'peəd] **1.** *p. p. от* prepare

2. *a* 1) подгото́вленный, гото́вый 2) *тех.* очи́щенный, предвари́тельно обрабо́танный

preparedness [prɪ'peədnəs] *n* гото́вность, подгото́вленность (*особ.* к войне́)

prepay [ˌpri:'peɪ] *v* (prepaid) 1) плати́ть вперёд 2) *эк.* франки́ровать

prepense [prɪ'pens] *a* предумы́шленный; of malice ~ *юр.* со злым у́мыслом

preplan [pri:'plæn] *v* предвари́тельно плани́ровать, намеча́ть зара́нее

preponderance [prɪ'pɒndərəns] *n* переве́с, превосхо́дство, преоблада́ние

preponderant [prɪ'pɒndərənt] *a* преоблада́ющий, име́ющий переве́с, превосхо́дство; ~ position госпо́дствующее положе́ние

preponderate [prɪ'pɒndəreɪt] *v* 1) переве́шивать, име́ть переве́с 2) превосходи́ть, превыша́ть (over — *что-л.*), преоблада́ть

preposition [ˌprepə'zɪʃn] *n грам.* 1) предло́г 2) препози́ция

prepositional [ˌprepə'zɪʃnəl] *a грам.* предло́жный

prepositive [pri:'pɒzətɪv] *a грам.* препозити́вный, препозицио́нный

prepossess [ˌpri:pə'zes] *v* 1) овладева́ть (*о чувстве, идее, мысли и т. п.*) 2) вдохновля́ть; внуша́ть (*чувство, мнение и т. п.*) 3) производи́ть благоприя́тное впечатле́ние; располага́ть к себе́; предрасполага́ть 4) име́ть предубежде́ние

prepossessing [ˌpri:pə'zesɪŋ] **1.** *pres. p. от* prepossess

2. *a* располага́ющий, прия́тный

prepossession [ˌpri:pə'zeʃn] *n* 1) предрасположе́ние 2) предвзя́тое отноше́ние; предубежде́ние

preposterous [prɪ'pɒstərəs] *a* несообра́зный, неле́пый, абсу́рдный

prepotency [prɪ'pəʊtnsɪ] *n* 1) преоблада́ние 2) *биол.* домини́рование (*признаков*)

prepotent [prɪ'pəʊtnt] *a* 1) могу́щественный 2) бо́лее си́льный 3) *биол.* преоблада́ющий, домина́нтный

preprandial [pri:'prændɪəl] *a книжн., шутл.* предобе́денный

preprint ['pri:prɪnt] *n* часть кни́ги *или* статья́ сбо́рника, опублико́ванная до вы́хода в свет всей кни́ги

preprocessor [pri:'prəʊsesə] *n вчт.* препроце́ссор, проце́ссор предвари́тельной обрабо́тки

preproduction [ˌpri:prə'dʌkʃn] *n тех.* 1) вы́пуск о́пытной се́рии 2) *attr.*: ~ model о́пытный образе́ц

prep school ['prepsku:l] = preparatory school

prepuce ['pri:pju:s] *n анат.* кра́йняя плоть

Pre-Raphaelite [pri:'ræfəlaɪt] *иск.* **1.** *n* прерафаэли́т

2. *a* прерафаэли́тский

prerequisite [pri:'rekwəzɪt] **1.** *n* предпосы́лка

2. *a* необходи́мый как усло́вие

prerogative [prɪ'rɒgətɪv] **1.** *n* прерогати́ва, исключи́тельное пра́во; привиле́гия

2. *a* облада́ющий прерогати́вой; ~ right преиму́щественное пра́во

presage ['presɪdʒ] **1.** *n* 1) предзнаменова́ние, предсказа́ние 2) предчу́вствие (*особ.* дурно́е)

2. *v* 1) предзнамено́вывать, предвеща́ть, предсказывать 2) предчу́вствовать (*особ.* дурно́е)

presbyopia [ˌprezbɪ'əʊpɪə] *n* пресбио́пия, ста́рческая дальнозо́ркость

presbyter ['prezbɪtə] *n* 1) старе́йшина (*в древней церкви*) 2) пресви́тер

Presbyterian [ˌprezbɪ'tɪərɪən] **1.** *n* пресвитериа́нин

2. *a* пресвитериа́нский

presbytery ['prezbɪtərɪ] *n церк.* 1) пресви́терия 2) часть це́ркви, где помеща́ется алта́рь 3) дом католи́ческого свяще́нника

preschool [ˌpri:'sku:l] *a* дошко́льный; ~ child дошко́льник, ребёнок дошко́льного во́зраста

prescience ['presɪəns] *n* предви́дение

prescient ['presɪənt] *a* наделённый да́ром предви́дения, предви́дящий

prescind [prɪ'sɪnd] *v* 1) абстраги́ровать 2) отвлека́ть внима́ние (from)

prescribe [prɪ'skraɪb] *v* 1) пропи́сывать (*лекарство;* to, for — *кому-л.*; for — про́тив *чего-л.*) 2) предпи́сывать 3) *юр.* приобрета́ть пра́во (*на что-л.*) по да́вности владе́ния

prescript ['pri:skrɪpt] *n* предписа́ние, постановле́ние

prescription [prɪ'skrɪpʃn] *n* 1) предписывание 2) предписáние, рекомендáция, установка 3) *мед.* рецéпт 4) *мед.* прописанное лекáрство 5) *юр.* прáво дáвности (*тж.* positive ~); negative ~ ограничéние срóка, в продолжéнии котóрого прáво имéет сѝлу 6) непѝсаный закóн

prescriptive [prɪ'skrɪptɪv] *a* 1) предписывающий 2) *лингв.* нормати́вный 3) оснóванный на прáве дáвности *или* дáвнем обы́чае

preselect [ˌpri:sɪ'lekt] *v* предварѝтельно отбирáть

preselection [ˌpri:sɪ'lekʃn] *n* предварѝтельный отбóр; предварѝтельный подбóр

preselector [ˌpri:sɪ'lektə] *n тех.* механѝзм предварѝтельного вы́бора

presence ['prezns] *n* 1) присýтствие; налѝчие 2) присýтствие, сосéдство, непосрéдственная блѝзость; óбщество (*какого-л. лица*); I was admitted to his ~ я был допýщен к немý; in this ~ в присýтствии э́того лицá; to be calm in the ~ of danger быть спокóйным пéред лицóм опáсности 3) осáнка, внéшний вид ◇ ~ of mind присýтствие дýха

presence chamber ['prezns,tʃeɪmbə] *n* приёмный зал

present I ['preznt] **1.** *n* 1) настоя́щее врéмя; at ~ в дáнное врéмя; for the ~ на э́тот раз, покá 2) *юр.*: these ~s сей докумéнт; know all men by these ~s настоя́щим объявля́ется 3): those (here) ~ присýтствующие 4) = ~ tense [*см.* 2, 4)]

2. *a* 1) присýтствующий, имéющийся налицó; to be ~ at присýтствовать на (*собрании и т. п.*); to be ~ to the imagination жить в воображéнии 2) тепéрешний, настоя́щий; совремéнный; существýющий; ~ boundaries существýющие границы 3) дáнный, э́тот сáмый; the ~ volume дáнная кни́га; the ~ writer пи́шущий э́ти стрóки 4) *грам.*: ~ tense настоя́щее врéмя; ~ participle причáстие настоя́щего врéмени ◇ ~ company excepted о присýтствующих не говоря́т; all ~ and correct a) *воен.* все налицó (*доклад начальнику*); б) всё в поря́дке

present II **1.** *n* ['preznt] подáрок; to make a ~ of smth. дари́ть что-л.

2. *v* [prɪ'zent] 1) подавáть; передавáть на рассмотрéние (*заявление, законопроект, прошение и т. п.*) 2) преподноси́ть; дари́ть (with); to ~ one's compliments (*или* regards) свидéтельствовать своё почтéние 3) давáть, покáзывать (*спектакль*); покáзывать (*актёра*) 4) представля́ть (to — *кому-л.*); to ~ oneself представля́ть, явля́ться 5) представля́ть, явля́ть собóй; they ~ed a different aspect они́ вы́глядели и́наче

present III [prɪ'zent] *воен.* **1.** *n* 1) взя́тие на караýл 2) взя́тие на прицéл

2. *v* 1) брать на караýл 2) цéлиться

presentable [prɪ'zentəbl] *a* прили́чный, респектáбельный, презентáбельный

presentation [ˌprezn'teɪʃn] *n* 1) презентáция, представлéние (to — *кому-л.*) 2) подношéние (*подарка*) 3) подáрок 4) *театр.* покáз; представлéние 5) *attr.*: ~ copy экземпля́р, подáренный áвтором

presentative [prɪ'zentətɪv] *a филос.* 1) интуити́вный 2) дáнный в ощущéнии

present-day [ˌpreznt'deɪ] *a* совремéнный

presentee [ˌprezn'ti:] *n* 1) получáтель подáрка 2) кандидáт (*на должность*) 3) лицó, представлéнное ко дворý

presenter [prɪ'zentə] *n* 1) подáтель, предъяви́тель 2) дари́тель 3) *радио, тлв.* ведýщий прогрáмму

presentiment [prɪ'zentɪmənt] *n* предчýвствие (*особ.* дурнóе)

presently ['prezntlɪ] *adv* 1) вскóре, немнóго врéмени спустя́ 2) (*преим. амер.*) тепéрь, сейчáс

presentment [prɪ'zentmənt] *n* 1) *юр.* сдéланное под прися́гой заявлéние прися́жных об извéстных им фáктах по дéлу 2) официáльная жáлоба епи́скопу 3) представлéние, покáз (*спектакля*) 4) изложéние, изображéние

preservation [ˌprezə'veɪʃn] *n* 1) сохранéние; предохранéние 2) сохрáнность; in (a state of) fair ~ хорошó сохрани́вшийся 3) консерви́рование 4) охрáна от браконье́рства

preservative [prɪ'zɜ:vətɪv] **1.** *a* предохраня́ющий, предохрани́тельный

2. *n* предохраня́ющее срéдство

preserve [prɪ'zɜ:v] **1.** *n* 1) (*обыкн. pl*) консéрвы, презéрвы; варéнье 2) охóтничий *или* рыболóвный заповéдник

2. *v* 1) сохраня́ть, охраня́ть, оберегáть; to ~ one's existence вы́жить, вы́стоять 2) храни́ть (*овощи, продукты*) 3) заготовля́ть впрок; консерви́ровать 4) охраня́ть от браконье́ров

preside [prɪ'zaɪd] *v* 1) председáтельствовать (at, over — на) 2) осуществля́ть контрóль, руковóдство

presidency ['prezɪdənsɪ] *n* 1) президéнтство 2) срок пребывáния на постý президéнта 3) *ист.* óкруг (*в Индии*)

president ['prezɪdənt] *n* 1) президéнт 2) дирéктор бáнка, компáнии *или* фи́рмы 3) рéктор (*университетского колледжа*) 4) *амер.* рéктор (*университета*) 5) председáтель 6) *ист.* губернáтор (*колонии*)

president-elect [ˌprezɪdəntɪ'lekt] *n* и́збранный, но ещё не вступи́вший в дóлжность президéнт

presidential [ˌprezɪ'denʃl] *a* президéнтский; ~ year *амер.* год вы́боров президéнта

presidentship ['presɪdəntʃɪp] *n* президéнтство

presidio [prɪ'sɪdɪəʊ] *n* (*pl* -os [-əʊz]) крéпость, форт

presidium [prɪ'sɪdɪəm] *n* прези́диум

press I [pres] **1.** *n* 1) надáвливание; give it a slight ~ слегкá нажми́те 2) пресс 3) *спорт.* жим, вы́жим штáнги 4) дáвка; свáлка 5) спéшка; there is a great ~ of work мнóго неотлóжной рабóты

2. *v* 1) жать, нажимáть, прижимáть 2) глáдить (*утюгом*) 3) дави́ть, выдáвливать, выжимáть; to ~ home *тех.* вы́жать до концá, до откáза 4) прессовáть; выдáвливать, штамповáть 5) торопи́ть, трéбовать немéдленных дéйствий; time ~es врéмя не тéрпит; nothing remains that ~es бóльше не остáлось ничегó спéшного 6) настáивать; to ~ the words настáивать на буквáльном значéнии слов; to ~ questions настóйчиво допы́тываться 7) тесни́ть(ся) (*тж.* ~ round, ~ up) 8) (*часто pass.*) стесня́ть, затрудня́ть; hard ~ed в трýдном положéнии; to be ~ed for money испы́тывать дéнежные затруднéния; to be ~ed for time располагáть незначи́тельным врéменем; óчень торопи́ться 9) навя́зывать (on, upon) 10) тревóжить, угнетáть, тяготи́ть (on) 11) *спорт.* жать, выжимáть штáнгу ▭ ~ **down** придáвливать, прижимáть; ~ **for** добивáться (*чего-л.*); стреми́ться (*к чему-л.*); ~ **forward** протáлкиваться; ~ **on** *разг.* спеши́ть; ~ **out** a) выжимáть; б) заутю́живать (*складку и т. п.*); ~ **to** понуждáть

press II [pres] *n* 1) печáтный станóк 2) печáть, печáтание; to correct the ~ прáвить подписнýю корректýру; to go to ~ идти́ в печáть, печáтаться 3) печáть, прéсса; to have a good ~ получи́ть благоприя́тные óтзывы в прéссе 4) типогрáфия

press III [pres] *ист.* **1.** *v* 1) вербовáть си́лой, наси́льно; to ~ into the service of *перен.* испóльзовать для 2) реквизи́ровать

2. *n* вербóвка си́лой

press agency ['pres,eɪdʒənsɪ] *n* газéтное агéнтство; агéнтство печáти

press agent ['pres,eɪdʒənt] *n* агéнт по печáти и реклáме

press bed ['presbed] *n* складнáя кровáть (*убирающаяся в шкаф*)

press box ['presbɒks] *n* местá для представи́телей печáти (*на состязаниях, спектаклях и т. п.*)

press button ['pres,bʌtn] = push button

press clipping ['pres,klɪpɪŋ] = press cutting

press conference ['pres,kɒnfrəns] *n* пресс-конферéнция

press corrector ['preskə,rektə] *n* коррéктор

press cutting ['pres,kʌtɪŋ] *n* 1) газéтная вы́резка 2) *attr.*: ~ agency бюрó вы́резок

press gallery ['pres,gælərɪ] *n* местá для представи́телей печáти (*в парламенте, на съезде и т. п.*)

press-gang ['presgæŋ] **1.** *n ист.* отря́д вербóвщиков

2. *v* наси́льно вербовáть

pressie ['prezɪ] *n разг.* подáрок, дар

pressing I ['presɪŋ] **1.** *pres. p. от* press I, 2

2. *a* 1) неотлóжный, спéшный 2) настоя́тельный; ~ demand óстрый, большóй спрос

3. *n* 1) сжáтие, прессовáние 2) *спорт.* прéссинг

pressing II ['presɪŋ] *pres. p. от* press III, 1

pressman ['presmæn] *n* 1) журнали́ст,

репортёр, газе́тчик 2) печа́тник 3) прессовщи́к; штампо́вщик

pressmark ['presmɑ:k] *n* шифр (*книги*)

press officer ['pres,ɒfɪsə] *n* осуществля́ющий связь с печа́тью, пресс-атташе́

press people ['pres,pi:pl] *n* журнали́сты, корреспонде́нты

press photographer [,presfə'tɒgrəfə] *n* фотокорреспонде́нт, фоторепортёр

press proof ['prespru:f] *n* *полигр.* сво́дка

press release ['presrɪ,li:s] *n* сообще́ние для печа́ти, пресс-коммюнике́

pressroom ['presru:m] *n* 1) ко́мната для журнали́стов, пресс-це́нтр 2) *полигр.* печа́тный цех

press-up ['presʌp] *n* отжима́ние на рука́х

pressure ['preʃə] *n* 1) давле́ние 2) сжа́тие, сти́скивание 3) давле́ние; возде́йствие, нажи́м; to act under ~ де́йствовать под давле́нием, недобро́вольно; to bring ~ to bear upon smb., to put ~ upon smb. ока́зывать давле́ние на кого́-л.; time ~ спе́шка; ~ of work загру́женность рабо́той 4) стеснённость, затрудни́тельные обстоя́тельства; financial ~ де́нежные затрудне́ния 5) гнёт 6) *уст.* отпеча́ток 7) *физ.* давле́ние; сжа́тие 8) *метео* атмосфе́рное давле́ние 9) *тех.* прессова́ние 10) *эл.* напряже́ние 11) *attr.*: ~ group влия́тельная гру́ппа, ока́зывающая давле́ние на поли́тику (*преим.* путём закули́сных интри́г) ◇ to work at high (low) ~ рабо́тать бы́стро, энерги́чно (вя́ло, с прохла́дцей)

pressure cooker ['preʃə,kʊkə] *n* (кастрю́ля-)скорова́рка

pressure-cooking ['preʃə,kʊkɪŋ] *n* приготовле́ние пи́щи в (кастрю́ле-)скорова́рке

pressure gauge ['preʃəgeɪdʒ] *n* мано́метр

pressure suit ['preʃəsu:t] *n* высо́тный компенси́рующий костю́м; скафа́ндр

pressurize ['preʃəraɪz] *v* 1) герметизи́ровать 2) *тех.* подде́рживать повы́шенное давле́ние 3) ока́зывать давле́ние, нажи́м

prestidigitation [,prestɪdɪdʒɪ'teɪʃn] *n* *книжн.* ло́вкость рук, пока́зывание фо́кусов

prestidigitator [,prestɪ'dɪdʒɪteɪtə] *n* *книжн.* фо́кусник

prestige [pre'sti:ʒ] *n* 1) прести́ж 2) *attr.*: ~ club клуб, принадле́жность к кото́рому создаёт прести́ж

presto ['prestəʊ] *adv, n* *муз.* пре́сто

presumable [prɪ'zju:məbl] *a* возмо́жный, вероя́тный

presumably [prɪ'zju:məblɪ] *adv* предположи́тельно; по-ви́димому

presume [prɪ'zju:m] *v* 1) предполага́ть, полага́ть; допуска́ть; счита́ть дока́занным 2) осме́ливаться, позволя́ть себе́ ▭ ~ **upon** а) сли́шком полага́ться на; б) злоупотребля́ть; to ~ upon a short acquaintance фамилья́рничать

presumedly [prɪ'zju:mɪdlɪ] *adv* предположи́тельно

presuming [prɪ'zju:mɪŋ] **1.** *pres. p. от* presume

2. *a* самонаде́янный

presumption [prɪ'zʌmpʃn] *n* 1) самонаде́янность 2) предположе́ние 3) основа́ние для предположе́ния; вероя́тность; there's a strong ~ against it э́то маловероя́тно 4) *юр.* презу́мпция; ~ of innocence презу́мпция невино́вности

presumptive [prɪ'zʌmptɪv] *a* предполага́емый; предположи́тельный; ~ evidence *юр.* опроверж́имое доказа́тельство

presumptuous [prɪ'zʌmptʃʊəs] *a* самонаде́янный; де́рзкий, наха́льный

presuppose [,pri:sə'pəʊz] *v* 1) предполага́ть 2) заключа́ть в себе́, включа́ть в себя́

presupposition [,pri:sʌpə'zɪʃn] *n* 1) предположе́ние 2) предпосы́лка

preteen [,pri:'ti:n] *a* предподро́стковый

pretence [prɪ'tens] *n* 1) отгово́рка; under the ~ of под предло́гом; под ви́дом 2) притво́рство; обма́н; on (*или* under) false ~s обма́нным путём; to make a ~ притворя́ться 3) прете́нзия; тре́бование; to make no ~ of smth. не претендова́ть на что-л. 4) претенцио́зность

pretend [prɪ'tend] *v* 1) прики́дываться, разы́грывать из себя́ 2) притворя́ться, де́лать вид; симули́ровать 3) претендова́ть (to — на *что-л.*) 4) ссыла́ться на, испо́льзовать в ка́честве предло́га 5) реши́ться, позво́лить себе́; to ~ to oneself убежда́ть себя́

pretended [prɪ'tendɪd] **1.** *p. p. от* pretend

2. *a* подде́льный, притво́рный, лицеме́рный

pretender [prɪ'tendə] *n* 1) претенде́нт (*на трон, титул и т. п.*); the Old (the Young) P. *ист.* ста́рший сын (внук) Ия́кова II 2) притво́рщик, симуля́нт

pretense [prɪ'tens] *амер.* = pretence

pretension [prɪ'tenʃn] *n* 1) прете́нзия, притяза́ние; предъявле́ние прав (to — на *что-л.*) 2) претенцио́зность

pretentious [prɪ'tenʃəs] *a* 1) мно́го о себе́ возомни́вший 2) показно́й

pretentiousness [prɪ'tenʃəsnəs] *n* претенцио́зность

preterhuman [,pri:tə'hju:mən] *a* нечелове́ческий, сверхчелове́ческий

preterit ['pretərɪt] *амер.* = preterite

preterite ['pretərɪt] *n* *грам.* фо́рма проше́дшего вре́мени, прете́рит

preterm [,pri:'tɜ:m] *a* роди́вшийся *или* появи́вшийся преждевре́менно

pretermission [,pri:tə'mɪʃn] *n* *книжн.* 1) упуще́ние, небре́жность; ~ of duty небре́жное отноше́ние к свои́м обя́занностям 2) переры́в, вре́менное прекраще́ние

pretermit [,pri:tə'mɪt] *v* *книжн.* 1) пропусти́ть, не упомяну́ть 2) пренебре́чь; бро́сить 3) прерва́ть

preternatural [,pri:tə'nætʃrəl] *a* сверхъесте́ственный; противоесте́ственный

pretext ['pri:tekst] **1.** *n* предло́г, отгово́рка; on (*или* under) the ~ of (*или* that) под тем предло́гом, что

2. *v* приводи́ть в ка́честве отгово́рки

pre-trial [,pri:'traɪəl] *n* *юр.* предвари́тельное слу́шание *или* разбира́тельство де́ла

prettify ['prɪtɪfaɪ] *v* принаряжа́ть, украша́ть

prettily ['prɪtɪlɪ] *adv* краси́во; привлека́тельно

pretty ['prɪtɪ] **1.** *a* 1) хоро́шенький, преле́стный, милови́дный 2) прия́тный; хоро́ший (*тж. ирон.*); a ~ business! хоро́шенькое де́ло! 3) *ирон.* значи́тельный, изря́дный; a ~ penny (*или* sum) кру́гленькая су́мма ◇ to be sitting ~ ло́вко, хорошо́ устро́иться

2. *n* 1): my ~! моя́ пре́лесть! (*в обращении*) 2) *pl* краси́вые ве́щи, пла́тья 3) *амер.* безделу́шка, хоро́шенькая вещи́ца

3. *adv* *разг.* дово́льно, доста́точно, в значи́тельной сте́пени (*тк. с прил. и нареч.*); ~ much почти́; в доста́точной сте́пени; I feel ~ sick about it мне э́то о́чень надое́ло; I'm feeling ~ well я вполне́ прили́чно себя́ чу́вствую; that is ~ much the same thing э́то почти́ то же са́мое

pretty-pretty ['prɪtɪ,prɪtɪ] **1.** *a* слаща́во краси́вый; just a ~ face ку́кольное ли́чико

2. *n* *pl* безделу́шки

pretzel ['pretsl] *n* кренделёк

prevail [prɪ'veɪl] *v* 1) торжествова́ть (over), одержа́ть побе́ду; достига́ть це́ли 2) преоблада́ть, госпо́дствовать, превали́ровать (over) 3) существова́ть, быть распространённым; бытова́ть ▭ ~ **(up)on** убеди́ть, уговори́ть

prevailing [prɪ'veɪlɪŋ] **1.** *pres. p. от* prevail

2. *a* 1) госпо́дствующий, превали́рующий; преоблада́ющий; ~ authorities вла́сти предержа́щие; ~ attitudes госпо́дствующие настрое́ния 2) широко́ распространённый

prevalence ['prevələns] *n* 1) широ́кое распростране́ние; распространённость 2) госпо́дство, преоблада́ние

prevalent ['prevələnt] *a* 1) (широко́) распространённый 2) преоблада́ющий; превали́рующий

prevaricate [prɪ'værɪkeɪt] *v* говори́ть укло́нчиво, уви́ливать, криви́ть душо́й

prevarication [prɪ,værɪ'keɪʃn] *n* увили́вание; укло́нчивость

prevaricator [prɪ'værɪkeɪtə] *n* лука́вый челове́к; челове́к, уклоня́ющийся от и́стины

prevenance ['prevənəns] *n* услу́жливость; предупреди́тельность

prevenient [prɪ'vi:nɪənt] *a* *книжн.* предваря́ющий; предвосхища́ющий

prevent [prɪ'vent] *v* 1) меша́ть, препя́тствовать (from — *чему-л.*); не допуска́ть 2) предотвраща́ть, предохраня́ть, предупрежда́ть

preventer [prɪ'ventə] *n* *мор.* предохрани́тель (*тросовый или цепной*); предохрани́тельный трос

prevention [prɪ'venʃn] *n* предотвраще́ние, предохране́ние, предупрежде́ние; ~ of accidents те́хника безопа́сности ◇ ~ is better than cure *посл.* профила́ктика лу́чше лече́ния

preventive [prɪ'ventɪv] **1.** *a* 1) предупреди́тельный; ~ measure предупреди́тельная ме́ра 2) *мед.* профилакти́ческий 3) превенти́вный; ~ detention *юр.* превенти́вное заключе́ние 4): P. Service слу́жба берегово́й охра́ны

2. *n* 1) предупреди́тельная ме́ра 2) *мед.* профилакти́ческое сре́дство

preview ['pri:vju:] *n* 1) предвари́тельное рассмотре́ние (*чего-л.*) 2) предвари́тельный закры́тый просмо́тр кинофи́льма, вы́ставки *и т. п.* 3) ано́нс, рекла́мный пока́з отры́вков из кинофи́льма

previous ['pri:vɪəs] **1.** *a* 1) предыду́щий; предше́ствующий (to); the ~ day накану́не; the ~ night накану́не ве́чером 2) преждевре́менный, поспе́шный, опроме́тчивый ◇ P. Examination пе́рвый экза́мен на сте́пень бакала́вра (*в Кембриджском университете*); ~ question *парл.* вопро́с о постано́вке на голосова́ние гла́вного пу́нкта обсужде́ния (*в Англии — с целью отклонения главного вопроса без голосования, в США — с целью сокращения прений и ускорения голосования*)

2. *adv*: ~ to до, пре́жде, ра́нее

previously ['pri:vɪəslɪ] *adv* зара́нее, предвари́тельно

previse [prɪ'vaɪz] *v книжн.* 1) предви́деть 2) предостерега́ть

prevision [prɪ'vɪʒn] *n* предви́дение

prewar [,pri:'wɔ:] *a* довое́нный

prey [preɪ] **1.** *n* 1) добы́ча; beast (bird) of ~ хи́щное живо́тное (хи́щная пти́ца) 2) же́ртва; to be (to become, to fall) a ~ to smth. быть (сде́латься) же́ртвой чего́-л.

2. *v* (*обыкн.* ~ on, ~ upon) 1) охо́титься, лови́ть 2) гра́бить 3) обма́нывать, вымога́ть 4) терза́ть, му́чить; his misfortune ~s on his mind несча́стье гнетёт его́

prezzie ['prezɪ] = pressie

price [praɪs] **1.** *n* 1) цена́; above (*или* beyond, without) ~ бесце́нный; at a ~ по дорого́й цене́ 2) це́нность 3) цена́, же́ртва; at any ~ любо́й цено́й, во что́ бы то ни ста́ло; not at any ~ ни за что́ 4) *attr.*: ~ formation *эк.* ценообразова́ние; ~ maintenance *эк.* установле́ние и подде́ржа́ние цен; to be a ~ leader *эк.* диктова́ть це́ны (*на рынке, бирже и т. п.*)

2. *v* назнача́ть це́ну, оце́нивать

price-boom ['praɪsbu:m] *n* высо́кий у́ровень цен

price current ['praɪs,kʌrənt] = price-list

price-cutting ['praɪs,kʌtɪŋ] *n* сниже́ние цен

priced [praɪst] **1.** *p. p. от* price 2

2. *a* оценённый; ~ catalogue катало́г с указа́нием цен

priceless ['praɪsləs] *a* 1) бесце́нный; неоцени́мый 2) *разг.* о́чень заба́вный; абсу́рдный, неле́пый

price level ['praɪs,levl] *n* у́ровень цен

price-list ['praɪslɪst] *n* прейскура́нт

price-ring ['praɪsrɪŋ] *n эк.* монополисти́ческое объедине́ние промы́шленников с це́лью повыше́ния цен

price-slashing ['praɪs,slæʃɪŋ] = price-cutting

price tag ['praɪstæg] *n* ярлы́к с указа́нием цены́

price-wave ['praɪsweɪv] *n* колеба́ние цен

pricey ['praɪsɪ] *a разг.* дорого́й

pricing ['praɪsɪŋ] **1.** *pres. p. от* price 2

2. *n* калькуля́ция цен

prick [prɪk] **1.** *n* 1) уко́л, проко́л 2) то́чка, след (*на поверхности от острого инструмента*) 3) о́страя боль (как) от уко́ла; the ~s of conscience угрызе́ния со́вести 4) *груб.* мужско́й полово́й о́рган 5) *презр.* ничто́жество 6) остриё, игла́ (*для прочистки*) 7) *бот.* шип, колю́чка, игла́ ◇ to kick against the ~s ≅ лезть на рожо́н; сопротивля́ться во вред себе́

2. *v* 1) (у)коло́ть(ся) 2) прока́лывать; просве́рливать, прочища́ть иглой (*отверстие*) 3) му́чить, терза́ть; my toe is ~ing with gout у меня́ подагри́ческая боль в па́льце ноги́; my conscience ~ed me меня́ му́чила со́весть 4) нака́лывать (*узор*) 5) *уст.* де́лать поме́тки (*в списке и т. п.*); to ~ smb. for sheriff назнача́ть кого́-л. шери́фом (*отмечая его имя в списке*) 6) *уст.* пришпо́ривать (*тж.* ~ on, ~ forward) ▭ ~ in, ~ off, ~ out выса́живать расса́ду; пикирова́ть се́янцы ◇ to ~ a (*или* the) bladder (*или* bubble) показа́ть пустоту́, ничто́жество (*кого-л., чего-л.*); to ~ up one's ears навостри́ть у́ши, насторожи́ться

prick-eared [,prɪk'ɪəd] *a* 1) с торча́щими вверх уша́ми, остроу́хий 2) с откры́тыми уша́ми (*прозвище пуритан XVII в.*)

prick-ears [,prɪk'ɪəz] *n pl* 1) остроконе́чные, стоя́чие у́ши 2) «у́шки на маку́шке»

pricker ['prɪkə] *n* 1) о́стрый инструме́нт, ши́ло, дыроко́л *и т. п.* 2) колю́чка, шип 3) боде́ц, стрека́ло

pricket ['prɪkɪt] *n* 1) годова́лый оле́нь 2) остриё, на кото́рое наса́живается свеча́

pricking ['prɪkɪŋ] **1.** *pres. p. от* prick 2

2. *n* 1) прока́лывание 2) пока́лывание

prickle ['prɪkl] **1.** *n* 1) шип, колю́чка; и́глы (*ежа, дикобраза и т. п.*) 2) ощуще́ние пока́лывания

2. *v* 1) испы́тывать пока́лывание, колотьё 2) коло́ть, прока́лывать

prickly ['prɪklɪ] *a* 1) име́ющий шипы́, колю́чки 2) колю́чий

prickly heat [,prɪklɪ'hi:t] *n мед.* тропи́ческий лиша́й; потни́ца

prickly pear [,prɪklɪ'peə] *n* опу́нция (*род кактуса*)

pricy ['praɪsɪ] = pricey

pride [praɪd] **1.** *n* 1) го́рдость; чу́вство го́рдости; to take (a) ~ in smth. а) горди́ться чем-л.; испы́тывать чу́вство го́рдости за что-л.; б) получа́ть удовлетворе́ние от чего́-л. 2) предме́т го́рдости 3) горды́ня; спесь; ~ of place а) высо́кое положе́ние; б) упоённость со́бственным положе́нием 4) чу́вство со́бственного досто́инства (*тж.* proper ~); false ~ чва́нство; тщесла́вие 5) верх, вы́сшая сте́пень; са́мое лу́чшее состоя́ние *или* положе́ние ◇ ~ of the morning тума́н *или* дождь на рассве́те; to put one's ~ in one's pocket, to swallow one's ~ подави́ть самолю́бие; проглоти́ть оби́ду

2. *v refl.* горди́ться (on, upon — *кем-л., чем-л.*)

priest [pri:st] *n* 1) свяще́нник 2) жрец

priestcraft ['pri:stkrɑ:ft] *n* (*обыкн. пренебр.*) вмеша́тельство духове́нства в све́тские дела́; интри́ги и ко́зни духове́нства

priestess [,pri:st'es] *n* жри́ца

priesthood ['pri:sthʊd] *n* 1) свяще́нство 2) духове́нство

priestling ['pri:stlɪŋ] *n пренебр.* по́пик, поп

priestly ['pri:stlɪ] *a* свяще́ннический; прили́чествующий духо́вному лицу́; ~ garb сута́на

priest-ridden ['pri:st,rɪdn] *a* находя́щийся под вла́стью духове́нства, испы́тывающий на себе́ тирани́ю це́ркви

prig I [prɪg] *n* педа́нт, формали́ст; ограни́ченный и самодово́льный челове́к

prig II [prɪg] *sl.* **1.** *n* вор

2. *v* ворова́ть

priggish ['prɪgɪʃ] *a* педанти́чный; самодово́льный

prill [prɪl] *n горн.* 1) самоpо́док; небольшо́й кусо́к руды́ 2) образе́ц, про́ба

prim [prɪm] **1.** *a* 1) чо́порный; натя́нутый 2) аккура́тный, подтя́нутый ◇ ~ and proper жема́нный; чо́порный

2. *v* 1) принима́ть стро́гий вид; напуска́ть ва́жность 2): to ~ one's lips поджима́ть гу́бы

prima ballerina [,pri:məbælə'ri:nə] *n* при́ма-балери́на

primacy ['praɪməsɪ] *n* 1) пе́рвенство 2) сан архиепи́скопа

prima donna [,pri:mə'dɒnə] *n* (*pl* prima donnas [-z]) примадо́нна

primaeval [praɪ'mi:vl] = primeval

prima facie [,praɪmə'feɪʃɪ] **1.** *a* осно́ванный на пе́рвом впечатле́нии; ~ evidence *юр.* доказа́тельство, доста́точное при отсу́тствии опроверже́ния; презу́мпция доказа́тельства

2. *adv* с пе́рвого взгля́да; по пе́рвому впечатле́нию

primage ['praɪmɪdʒ] *n мор.* 1) приба́вка к фра́хту (*за пользование грузовыми устройствами судна*) 2) *ист.* вознагражде́ние капита́ну с фра́хта

primal ['praɪml] *a* 1) примити́вный, первобы́тный 2) гла́вный, основно́й

primarily ['praɪmrəlɪ] *adv* 1) первонача́льно, сперва́, снача́ла, пре́жде всего́ 2) пе́рвым де́лом, гла́вным о́бразом

primary ['praɪmərɪ] **1.** *n* 1) что-л.,

име́ющее первостепе́нное значе́ние 2) *амер.* перви́чные, предвари́тельные вы́боры, голосова́ние для определе́ния кандида́та па́ртии на вы́борах 3) основно́й цвет 4) *астр.* плане́та, враща́ющаяся вокру́г со́лнца 5) *эл.* перви́чная обмо́тка (*трансформатора*) 6) *геол.* палеозо́йская э́ра

2. *a* 1) основно́й; важне́йший, гла́вный; ~ colours основны́е цвета́; the ~ planets плане́ты, враща́ющиеся вокру́г со́лнца; of ~ importance первостепе́нной ва́жности; ~ needs са́мые насу́щные потре́бности; ~ right приорите́т 2) первонача́льный, перви́чный; ~ school о́бщая нача́льная шко́ла (*для детей от 5 до 11 лет*); ~ rocks *геол.* перви́чные поро́ды; ~ products сырьё; ~ producing countries стра́ны, производя́щие сырьё 3) *биол.* простейший

primate [ˈpraımət] *n* 1) *зоол.* прима́т 2) архиепи́скоп

primatology [ˌpraıməˈtɒlədʒı] *n* примато́логия

prime I [praım] **1.** *n* 1) расцве́т; in the ~ of life во цве́те лет 2) лу́чшая часть, цвет 3) нача́ло; *поэт.* весна́; the ~ of the year весна́ 4) *церк.* зау́треня (*у католиков*) 5) пе́рвая пози́ция (*в фехтовании*) 6) *мат.* просто́е число́

2. *a* 1) основно́й, важне́йший; ~ advantage важне́йшее преиму́щество 2) превосхо́дный, лу́чший; in ~ condition в прекра́сном состоя́нии; ~ crop перво-кла́ссный урожа́й 3) гла́вный; P. Minister премье́р-мини́стр 4) первонача́льный, перви́чный; ~ cause первопричи́на; ~ cost *полит.-эк.* себесто́имость; ~ mover *тех.* перви́чный дви́гатель; *перен.* душа́ како́го-л. де́ла; ~ number *мат.* просто́е число́

prime II [praım] *v* 1) *воен.* воспламеня́ть; вставля́ть запа́л *или* взрыва́тель 2) заправля́ть (*двигатель*); залива́ть (*насос*) пе́ред пу́ском 3) накорми́ть до́сыта, напои́ть 4) зара́нее снабжа́ть информа́цией, инстру́кциями *и т. п.*; nата́скивать, учи́ть гото́вым отве́там 5) *жив.*, *стр.* грунтова́ть

primely [ˈpraımlı] *adv разг.* превосхо́дно

primer I [ˈpraımə] *n* 1) буква́рь; уче́бник для начина́ющих 2) *полигр.*: Great ~ шрифт в 18 пу́нктов; long ~ ко́рпус

primer II [ˈpraımə] *n* 1) *жив.*, *стр.* грунто́вка 2) *воен.* сре́дство воспламене́ния; ка́псюль, запа́л; детона́тор

primeval [praıˈmi:vl] *a* первобы́тный

primigravida [ˌpraımıˈgrævıdə] *n* (*pl* -dae) же́нщина, бере́менная пе́рвый раз

primigravidae [ˌpraımıˈgrævıdi:] *pl от* primigravida

priming [ˈpraımıŋ] **1.** *pres. p. от* prime II

2. *n* 1) *воен.* вставле́ние запа́ла *или* взрыва́теля 2) *тех.* запра́вка, зали́вка 3) *жив.*, *стр.* грунт, грунто́вка

primitive [ˈprımətıv] **1.** *a* 1) первобы́тный 2) примити́вный, просто́й, гру́бый 3) *лингв.* корнево́й; непроизво́дный 4) основно́й (*о цвете и т. п.*) 5) *геол.* первозда́нный

2. *n* 1) *жив.* примитиви́ст 2) *жив.* примити́в 3) первобы́тный челове́к 4) основно́й цвет

primitivism [ˈprımətıvızəm] *n* примитиви́зм

primness [ˈprımnəs] *n* чо́порность; жема́нство

primogenitor [ˌpraıməʊˈdʒenıtə] *n* (древне́йший) пре́док, пра́щур

primogeniture [ˌpraıməʊˈdʒenıtʃə] *n* 1) первоpо́дство 2) пра́во ста́ршего сы́на на насле́дование недви́жимости

primordial [praıˈmɔ:drəl] *a* 1) первобы́тный 2) изнача́льный, иско́нный

primp [prımp] *v* наряжа́ться, прихора́шиваться

primrose [ˈprımrəʊz] *n* 1) *бот.* первоцве́т, при́мула 2) *attr.* бле́дно-жёлтый ◇ P. Day 19-е апре́ля (*день памяти Дизраэли*); the ~ path путь наслажде́ний

primula [ˈprımjʊlə] *n бот.* первоцве́т, при́мула

primum mobile [ˌpraıməmˈməʊbılı] *лат. n* гла́вная дви́жущая си́ла

Primus [ˈpraıməs] *n* при́мус

primus inter pares [ˌpraıməsıntəˈpɑ:ri:z] *лат. n* пе́рвый среди́ ра́вных

prince [prıns] *n* 1) принц; P. of Wales принц Уэ́льский, насле́дник англи́йского престо́ла 2) князь 3) *уст.* госуда́рь, прави́тель 4) коро́ль, магна́т, кру́пный предпринима́тель *и т. п.* 5) выдаю́щийся де́ятель (*литературы, искусства и т. п.*) ◇ P. of Peace Христо́с; P. of the Church кардина́л; P. of Darkness (*или* of the air, of the world) сатана́; ~ Albert *амер.* длиннопо́лый сюрту́к, визи́тка; Hamlet without the P. of Denmark что-л., лишённое са́мого ва́жного, са́мой су́ти

princeling [ˈprınslıŋ] *n пренебр.* князёк

princely [ˈprınslı] *a* 1) ца́рственный 2) великоле́пный, роско́шный

princess I [ˌprınˈses] *n* принце́сса; княги́ня; княжна́; ~ royal [ˌprınsesˈrɔıəl] ста́ршая дочь англи́йского короля́

princess II [ˌprınˈses] *n* вид кро́вельной черепи́цы

principal [ˈprınsəpl] **1.** *n* 1) глава́, нача́льник; патро́н; принципа́л 2) ре́ктор университе́та; дире́ктор колле́джа *или* шко́лы 3) веду́щий актёр; веду́щая актри́са 4) *юр.* исполни́тель преступле́ния 5) *юр.* довери́тель 6) *эк.* основна́я су́мма, капита́л (*сумма, на которую начисляются проценты*) 7) *стр.* стропи́льная фе́рма

2. *a* 1) гла́вный, основно́й; ~ sum основно́й капита́л 2) веду́щий; ~ staff отве́тственные сотру́дники *или* рабо́тники 3) *грам.* гла́вный; ~ clause гла́вное предложе́ние; ~ parts of the verb основны́е фо́рмы глаго́ла

principality [ˌprınsəˈpælətı] *n* кня́жество; the P. Уэ́льс

principally [ˈprınsəplı] *adv* гла́вным о́бразом; преиму́щественно

principle [ˈprınsəpl] *n* 1) при́нцип; пра́вило; зако́н; as a matter of ~ в при́нципе; unanimity ~ при́нцип единогла́сия; in ~ в при́нципе; on ~ из при́нципа; on the ~ that исходя́ из того́, что; of ~ принципиа́льный; a question of ~ принципиа́льный вопро́с; a man of high(est) ~ высокопринципиа́льный челове́к; a man of no ~s беспринци́пный челове́к 2) первопричи́на; причи́на, исто́чник 3) *хим.* составна́я часть, элеме́нт 4) при́нцип устро́йства (*машины, механизма и т. п.*)

principled [ˈprınsəpld] *a* принципиа́льный; с твёрдыми усто́ями

prink [prıŋk] *v* 1) чи́стить пе́рья (*о птицах*) 2) наряжа́ть(ся), прихора́шивать(ся)

print [prınt] **1.** *n* 1) о́ттиск; отпеча́ток; след 2) шрифт, печа́ть; small (large, close) ~ ме́лкая (кру́пная, убо́ристая) печа́ть 3) печа́тание, печа́ть; in ~ а) в печа́ти; б) в прода́же (*о книге, брошюре и т. п.*); out of ~ распро́данный; разоше́дшийся; to get into ~ появи́ться в печа́ти 4) печа́тное изда́ние; газе́та 5) гравю́ра, эста́мп 6) *фото* отпеча́ток (*с негатива*) 7) набивна́я ткань, си́тец 8) штамп 9) *attr.* си́тцевый 10) *attr.* печа́тный; ~ hand письмо́ печа́тными бу́квами

2. *v* 1) печа́тать 2) писа́ть печа́тными бу́квами 3) *фото* отпеча́тывать(ся) (*тж.* ~ out, ~ off) 4) набива́ть (*ситец*) 5) запечатлева́ть

printable [ˈprıntəbl] *a* досто́йный напеча́тания, могу́щий быть напеча́танным

printed matter [ˈprıntıd,mætə] *n* 1) печа́тный материа́л 2) бандеро́ль

printer [ˈprıntə] *n* 1) печа́тник; типо́граф 2) *текст.* набо́йщик ◇ to spill ~'s ink печа́таться (*об авторе*); ~'s devil учени́к в типогра́фии

printery [ˈprıntərı] *n амер.* 1) типогра́фия 2) ситценаби́вная фа́брика

printing [ˈprıntıŋ] **1.** *pres. p. от* print 2

2. *n* 1) печа́тание, печа́ть 2) печа́тное изда́ние 3) тира́ж 4) печа́тное де́ло

printing-house [ˈprıntıŋhaʊs] *n* типогра́фия

printing-ink [ˈprıntıŋıŋk] *n полигр.* печа́тная кра́ска

printing-machine [ˈprıntıŋmə,ʃi:n] = printing-press

printing-office [ˈprıntıŋ,ɒfıs] *n* типогра́фия

printing-press [ˈprıntıŋpres] *n* печа́тная маши́на; печа́тный стано́к

print-seller [ˈprınt,selə] *n* продаве́ц гравю́р и эста́мпов

print-shop [ˈprıntʃɒp] *n* 1) типогра́фия 2) магази́н гравю́р и эста́мпов

print-works [ˈprıntwɜ:ks] *n pl* (*употр. как sing и как pl*) ситценаби́вная фа́брика

prior [ˈpraıə] **1.** *a* 1) пре́жний; предше́ствующий 2) бо́лее ва́жный, ве́ский; a ~ claim бо́лее ве́ская прете́нзия

2. *adv*: ~ to ра́ньше, пре́жде, до; ~ to my arrival до моего́ прие́зда

3. *n* настоя́тель, прио́р

prioress [ˌpraɪəˈres] *n* настоя́тельница

priority [praɪˈɒrətɪ] *n* 1) приорите́т, старшинство́; to consider smth. a ~ придава́ть чему́-л. большо́е значе́ние 2) поря́док сро́чности, очерёдности; order of ~ очерёдность; to take ~ of... а) предше́ствовать...; б) по́льзоваться преиму́ществом...

priory [ˈpraɪərɪ] *n* монасты́рь, приора́т

prise [praɪz] 1. *n* рыча́г

2. *v* поднима́ть, взла́мывать *или* передвига́ть посре́дством рычага́ (*обыкн.* ~ up)

prism [ˈprɪzəm] *n* при́зма

prismatic [prɪzˈmætɪk] *a* призмати́ческий

prison [ˈprɪzn] 1. *n* 1) тюрьма́ 2) *attr.* тюре́мный; ~ hospital тюре́мная больни́ца; ~ camp ла́герь военнопле́нных *или* политзаключённых

2. *v* 1) *поэт.* заключа́ть в тюрьму́ 2) ско́вывать, лиша́ть свобо́ды

prison-breaker [ˈprɪzn,breɪkə] *n* бежа́вший из тюрьмы́

prison-breaking [ˈprɪzn,breɪkɪŋ] *n* побе́г из тюрьмы́

prisoner [ˈprɪznə] *n* 1) заключённый, у́зник; аресто́ванный (*тж.* ~ at the bar); ~ on bail подсуди́мый, отпу́щенный на пору́ки; ~ of State госуда́рственный престу́пник; полити́ческий заключённый 2) подсуди́мый 3) (военно)пле́нный (*тж.* ~ of war) 4) челове́к, лишённый свобо́ды де́йствия; he is a ~ to his chair он прико́ван (боле́знью) к кре́слу ◇ ~ of conscience у́зник со́вести

prison-house [ˈprɪznhaʊs] *n поэт.* тюрьма́ (*часто перен.*)

prissy [ˈprɪsɪ] *a* ха́нжеский

pristine [ˈprɪsti:n] *a* 1) неиспо́рченный 2) чи́стый, нетро́нутый 3) дре́вний, первонача́льный

prithee [ˈprɪðɪ] *int* (*сокр. от* I pray thee) *уст.* прошу́

privacy [ˈprɪvəsɪ] *n* 1) уедине́ние, уединённость; ~ was impossible бы́ло невозмо́жно побы́ть одному́ 2) та́йна, секре́тность; in the ~ of one's thoughts в глубине́ души́

private [ˈpraɪvət] 1. *a* 1) ча́стный; ли́чный; ~ bill парла́ментский законопрое́кт, каса́ющийся отде́льных лиц *или* корпора́ций; ~ industry ча́стный се́ктор промы́шленности; ~ life ча́стная жизнь; ~ means ли́чное состоя́ние; ~ property ча́стная со́бственность; on ~ account на ча́стных нача́лах; ~ office ли́чный кабине́т; ~ (medical) practitioner частнопракти́кующий врач; ~ secretary ли́чный секрета́рь; ~ view закры́тый просмо́тр (*кинофильма, выставки и т. п.*) 2) та́йный, конфиденциа́льный; for one's own ~ ear по секре́ту; to keep a thing ~ держа́ть что-л. в та́йне 3) не находя́щийся на госуда́рственной слу́жбе, не занима́ющий официа́льного поста́; неофициа́льный; ~ member член парла́мента, не занима́ющий никако́го госуда́рственного поста́; ~ eye *разг.* ча́стный сы́щик 4) уединённый 5) рядово́й (*о солдате*)

2. *n* 1) рядово́й 2) *pl разг.* половы́е о́рганы 3): in ~ а) наедине́; конфиденциа́льно; б) в ча́стной жи́зни; в дома́шней обстано́вке; в) втихомо́лку, в душе́, в глубине́ души́

privateer [ˌpraɪvəˈtɪə] *n ист.* 1) ка́пер 2) капита́н *или* член экипа́жа ка́пера

privateering [ˌpraɪvəˈtɪərɪŋ] *ист.* 1. *n* ка́перство

2. *a* занима́ющийся ка́перством

privately [ˈpraɪvətlɪ] *adv* 1) ча́стным о́бразом 2) про себя́

privation [praɪˈveɪʃn] *n* 1) лише́ние, нужда́ 2) недоста́ток, отсу́тствие (of — *чего-л.*)

privative [ˈprɪvətɪv] *a* 1) ука́зывающий на отсу́тствие чего́-л.; отнима́ющий что-л. 2) *грам.* отрица́тельный (*об аффиксах и т. п.*)

privatize [ˈpraɪvətaɪz] *v* приватизи́ровать

privet [ˈprɪvɪt] *n бот.* бирючи́на

privilege [ˈprɪvəlɪdʒ] 1. *n* 1) привиле́гия; преиму́щество; честь; ~ of Parliament депута́тская неприкоснове́нность и не́которые други́е привиле́гии чле́нов парла́мента; bill of ~ пети́ция пэ́ра о том, что́бы его́ суди́л суд пэ́ров; writ of ~ прика́з об освобожде́нии из-под аре́ста привилегиро́ванного лица́, аресто́ванного по гражда́нскому де́лу; to listen to him was a ~ слу́шать его́ бы́ло исключи́тельным удово́льствием 2) *амер. эк.* преиму́щественное пра́во на поку́пку *или* прода́жу

2. *v* дава́ть привиле́гию; освобожда́ть (*от чего-л.*)

privileged [ˈprɪvəlɪdʒd] 1. *p. p. от* privilege 2

2. *a* привилегиро́ванный; least ~ наибо́лее обездо́ленный ◇ ~ communication а) све́дения, сообщённые пацие́нтом врачу́; б) све́дения, сообщённые адвока́ту его́ клие́нтом

privity [ˈprɪvətɪ] *n* 1) секре́тность, та́йна 2) осведомлённость; соуча́стие, прикоснове́нность (to); with (without) the ~ с (без) ве́дома

privy [ˈprɪvɪ] 1. *a* 1) посвящённый (to — во *что-л.*); ~ to a contract уча́ствующий в контра́кте 2) *уст.* та́йный, сокрове́нный; скры́тый; конфиденциа́льный; P. Council та́йный сове́т; ~ councillor (*или* counsellor) член та́йного сове́та 3) ча́стный; уединённый 4): ~ parts нару́жные половы́е о́рганы ◇ ~ purse а) су́ммы, ассигно́ванные на ли́чные расхо́ды короля́; б) храни́тель де́нег на ли́чные расхо́ды короля́

2. *n* 1) *уст., амер.* убо́рная 2) *юр.* заинтересо́ванное лицо́

prize I [praɪz] 1. *n* 1) вы́игрыш; нахо́дка, неожи́данное сча́стье 2) награ́да, приз, пре́мия; to win a ~ получи́ть приз 3) предме́т вожделе́ний; жела́нная добы́ча; the ~s of life бла́га жи́зни 4) *attr.* премиро́ванный, удосто́енный пре́мии, награ́ды; ~ poem стихотворе́ние, удосто́енное пре́мии; ~ fellowship стипе́ндия, назна́ченная за отли́чные успе́хи 5) *attr.* прекра́сный, досто́йный награ́ды (*тж. ирон.*)

2. *v* 1) высоко́ цени́ть 2) оце́нивать

prize II [praɪz] *n мор.* 1) приз; трофе́й, захва́ченное су́дно *или* иму́щество; to become a ~ (of) быть захва́ченным; to make (a) ~ of... захвати́ть...; to place in ~ рассма́тривать в ка́честве приза 2) *attr.* призово́й; ~ proceeding призово́е судопроизво́дство; naval ~ law морско́е призово́е пра́во

prize III [praɪz] = prise

prize court [ˈpraɪzkɔ:t] *n* призово́й суд

prizefight [ˈpraɪzfaɪt] *n* состяза́ние на приз (*в боксе*)

prizefighter [ˈpraɪzfaɪtə] *n* боксёр-профессиона́л

prizefighting [ˈpraɪzfaɪtɪŋ] *n* профессиона́льный бокс

prize-holder [ˈpraɪzhəʊldə] = prizeman

prizeman [ˈpraɪzmən] *n* челове́к, получи́вший пре́мию *или* приз; лауреа́т

prize money [ˈpraɪz,mʌnɪ] *n* призовы́е де́ньги

prize-ring [ˈpraɪzrɪŋ] *n спорт.* 1) ринг 2) = prizefighting

prizewinner [ˈpraɪz,wɪnə] *n* призёр; лауреа́т

pro [prəʊ] *разг. сокр. от* professional 1, 2) *и* 2

pro- [prəʊ-] *pref со значением*: а) *явля́ющийся сторонником* за, про-; pro-tariff-reform явля́ющийся сторо́нником тари́фных рефо́рм; б) *замещающий* вме́сто; pro-rector проре́ктор, замести́тель ре́ктора

proa [ˈprəʊə] *n* про́а (*малайское парусное судно*)

pro and con [ˌprəʊənd'kɒn] 1. *adv* за́ и про́тив

2. *n pl* аргуме́нты «за» и «про́тив»

probability [ˌprɒbəˈbɪlətɪ] *n* 1) вероя́тность; in all ~ по всей вероя́тности 2) правдоподо́бие

probable [ˈprɒbəbl] 1. *a* 1) вероя́тный, возмо́жный 2) предполага́емый 3) правдоподо́бный

2. *n* возмо́жный кандида́т, вероя́тный вы́бор *и т. п.*

probably [ˈprɒbəblɪ] *adv* вероя́тно

probate [ˈprəʊbeɪt] 1. *n* 1) официа́льное утвержде́ние завеща́ния 2) заве́ренная ко́пия завеща́ния

2. *v амер.* утвержда́ть завеща́ние

probation [prəˈbeɪʃn] *n* 1) *юр.* усло́вное освобожде́ние на пору́ки (*особ.* несовершенноле́тнего) престу́пника 2) испыта́тельный срок 3) испыта́ние; стажиро́вка 4) *церк.* по́слушничество; и́скус

probationary [prəˈbeɪʃnərɪ] *a* 1) испыта́тельный; ~ sentence усло́вный пригово́р; ~ ward *мед.* изоля́тор 2) находя́щийся на испыта́нии, подверга́ющийся испыта́нию

probationer [prəˈbeɪʃnə] *n* 1) испыту́емый; стажёр; кандида́т в чле́ны (*тж.* ~ member) 2) *юр.* престу́пник, напра́вленный на «испыта́ние» 3) *церк.* по́слушник

probation officer [prəˈbeɪʃn,ɒfɪsə] *n* инспе́ктор, наблюда́ющий за поведе́нием усло́вно осуждённых престу́пников

probative [ˈprəʊbətɪv] *a* 1) доказа́тельный; good ~ evidence доста́точное *или* ве́ское доказа́тельство 2) слу́жащий для испыта́ния

probe [prəʊb] **1.** *n* 1) *мед.* зонд 2) *тех.* зонд, щуп 3) зонди́рование 4) косми́ческая иссле́довательская раке́та; автомати́ческая нау́чно-иссле́довательская ста́нция 5) *амер.* рассле́дование

2. *v* 1) иссле́довать; рассле́довать (into) 2) *мед.* зонди́ровать

probity [ˈprəʊbətɪ] *n* че́стность; непо́дку́пность

problem [ˈprɒbləm] *n* 1) пробле́ма; вопро́с; зада́ча 2) сло́жная ситуа́ция 3) тру́дный слу́чай 4) *мат.*, *шахм.* зада́ча 5) *attr.* пробле́мный; ~ novel пробле́мный рома́н 6) *attr.*: ~ child тру́дный ребёнок

problematic(al) [ˌprɒbləˈmætɪk(l)] *a* проблемати́чный; сомни́тельный

problematically [ˌprɒbləˈmætɪklɪ] *adv* проблемати́чно; сомни́тельно

problem(at)ist [ˈprɒbləm(ət)ɪst] *n* тот, кто составля́ет *или* реша́ет зада́чи (*особ.* ша́хматные)

proboscidean, proboscidian [ˌprɒbəˈsɪdɪən] **1.** *a* хо́ботный

2. *n* хо́ботное живо́тное

proboscis [prəʊˈbɒsɪs] *n* 1) хо́бот 2) хобото́к (*насекомых*) 3) *шутл.* дли́нный *или* большо́й нос

procedural [prəʊˈsiːdʒrəl] *a* процеду́рный

procedure [prəʊˈsiːdʒə] *n* 1) о́браз де́йствия 2) технологи́ческий проце́сс 3) мето́дика проведе́ния (*опыта, анализа*) 4) *юр.*, *парл.* процеду́ра

proceed [prəˈsiːd] *v* 1) отправля́ться (да́льше) 2) возобновля́ть (*дело, игру и т. п.*; with, in); приступи́ть, перейти́ (to — к *чему-л.*, *тж.* с *inf.*); приня́ться (*за что-л.*); to ~ to go to bed отпра́виться спать; he ~ed to give me a good scolding он приня́лся меня́ брани́ть 3) де́йствовать, поступа́ть 4) продолжа́ть (говори́ть); please ~ продолжа́йте, пожа́луйста 5) пресле́довать суде́бным поря́дком (against) 6) получа́ть учёную сте́пень 7) происходи́ть; развива́ться; исходи́ть (from); from what direction did the shots ~? отку́да слы́шались вы́стрелы?

proceeding [prəˈsiːdɪŋ] **1.** *pres. p. от* proceed

2. *n* 1) посту́пок 2) пра́ктика; usual ~ обы́чная пра́ктика 3) рассмотре́ние де́ла в суде́, суде́бное разбира́тельство; судопроизво́дство (*тж.* legal ~s); to take (*или* to institute) legal ~s (against) нача́ть суде́бное пресле́дование 4) *pl* труды́, запи́ски (*научного об-ва*) 5) *pl* рабо́та (*комиссии*); заседа́ние

proceeds [ˈprəʊsiːdz] *n pl* дохо́д, вы́рученная су́мма

process I [ˈprəʊses] **1.** *n* 1) *тех.* технологи́ческий проце́сс, приём, спо́соб 2) проце́сс, ход разви́тия; changes are in ~ происхо́дят переме́ны 3) движе́ние, ход, тече́ние; in ~ of time с тече́нием вре́мени 4) *юр.* прика́з о вы́зове (*в суд*); судопроизво́дство 5) *анат.*, *зоол.*, *бот.* отро́сток 6) *полигр.* фотомехани́ческий спо́соб

2. *v* 1) *юр.* возбужда́ть проце́сс 2) подверга́ть (*какому-л. техническому*) проце́ссу; обраба́тывать 3) *полигр.* воспроизводи́ть фотомехани́ческим спо́собом 4) *вчт.* обраба́тывать

process II [prəʊˈses] *v* уча́ствовать в проце́ссии

processed cheese [ˌprəʊsestˈtʃiːz] *n* пла́вленый сыр

processing [ˈprəʊsesɪŋ] **1.** *pres. p. от* process I, 2

2. *n* 1) обрабо́тка; automatic data ~ автомати́ческая обрабо́тка да́нных 2) перерабо́тка проду́ктов 3) *attr.*: ~ industry обраба́тывающая промы́шленность

procession [prəˈseʃn] **1.** *n* проце́ссия; *перен.* *тж.* верени́ца, карава́н

2. *v* уча́ствовать в проце́ссии

processional [prəˈseʃnəl] **1.** *a* относя́щийся к проце́ссии

2. *n* 1) обря́довая церко́вная кни́га (*у католиков*) 2) церко́вный гимн

processionist [prəˈseʃnɪst] *n* уча́стник проце́ссии

processor [ˈprəʊsesə] *n* *вчт.* проце́ссор (*устройство или обрабатывающая программа*)

process server [ˈprəʊses,sɜːvə] *n* суде́бный курье́р

procès-verbal [prə,seɪveəˈbɑːl] *n* (*pl* -verbaux) протоко́л

procès-verbaux [prə,seɪveəˈbəʊ] *pl от* procès-verbal

proclaim [prəˈkleɪm] *v* 1) провозглаша́ть; объявля́ть; проклами́ровать 2) обнаро́довать, опублико́вывать 3) свиде́тельствовать, говори́ть (*о чём-л.*); his manners ~ed him a military man его́ мане́ры облича́ли в нём вое́нного 4) объявля́ть на чрезвыча́йном положе́нии 5) запреща́ть (*собрание и т. п.*); объявля́ть вне зако́на

proclamation [ˌprɒkləˈmeɪʃn] *n* 1) официа́льное объявле́ние, деклара́ция; провозглаше́ние 2) воззва́ние, проклама́ция

proclitic [prəʊˈklɪtɪk] *лингв.* **1.** *a* проклити́ческий

2. *n* прокли́тика

proclivity [prəʊˈklɪvətɪ] *n* скло́нность, накло́нность (to, towards; *тж.* с *inf.*)

proconsul [ˌprəʊˈkɒnsl] *n* 1) проко́нсул (*в Древнем Риме*) 2) губерна́тор коло́нии 3) замести́тель ко́нсула

proconsular [ˌprəʊˈkɒnsjʊlə] *a* проко́нсульский

proconsulate [ˌprəʊˈkɒnsjʊlət] *n* проко́нсульство

procrastinate [prəʊˈkræstɪneɪt] *v* откла́дывать (со дня́ на́ день), ме́шкать

procrastination [prəʊ,kræstɪˈneɪʃn] *n* откла́дывание со дня́ на́ день; промедле́ние

procreate [ˈprəʊkrɪeɪt] *v* 1) производи́ть пото́мство 2) порожда́ть

procreation [ˌprəʊkrɪˈeɪʃn] *n* 1) произведе́ние пото́мства 2) порожде́ние

Procrustean [prəʊˈkrʌstɪən] *a*: ~ bed *греч. миф.* прокру́стово ло́же

proctology [prɒkˈtɒlədʒɪ] *n* *мед.* проктоло́гия

proctor [ˈprɒktə] *n* 1) про́ктор, надзира́тель, инспе́ктор (*в Оксфордском и Кембриджском университетах*) 2) *амер.* надзира́тель, следя́щий за студе́нтами во вре́мя экза́менов *и т. п.* 3) пове́ренный (*особ. в церковном суде*) 4) про́ктор (*представитель низшего духовенства в конвокации*)

proctorial [prɒkˈtɔːrɪəl] *a* про́кторский

proctorship [ˈprɒktəʃɪp] *n* зва́ние, до́лжность про́ктора

proctoscope [ˈprɒktəskəʊp] *n* *мед.* ректоско́п

procumbent [prəʊˈkʌmbənt] *a* 1) лежа́щий ничко́м, распростёртый 2) *бот.* стелю́щийся; ползу́чий

procurable [prəˈkjʊərəbl] *a* досту́пный, могу́щий быть приобретённым

procuration [ˌprɒkjʊˈreɪʃn] *n* 1) *книжн.* приобрете́ние, получе́ние 2) веде́ние дел по дове́ренности 3) полномо́чие, дове́ренность 4) сво́дничество

procurator [ˈprɒkjʊreɪtə] *n* 1) *юр.* пове́ренный 2) *др.-рим.* прокура́тор

procure [prəˈkjʊə] *v* 1) достава́ть, доставля́ть; добыва́ть; обеспе́чивать 2) сво́дничать 3) *поэт.*, *уст.* производи́ть; причиня́ть

procurement [prəˈkjʊəmənt] *n* 1) приобрете́ние 2) поста́вка (*оборудования и т. п.*) 3) сво́дничество

procurer [prəˈkjʊərə] *n* 1) поставщи́к 2) сво́дник

procuress [prəˈkjʊərəs] *n* сво́дница, сво́дня

prod [prɒd] **1.** *n* 1) тычо́к, a ~ with a bayonet уко́л штыко́м 2) толчо́к, сти́мул 3) инструме́нт для прока́лывания; ши́ло, стрека́ло *и т. п.*

2. *v* 1) коло́ть; пронза́ть 2) подгоня́ть, побужда́ть

prodigal [ˈprɒdɪgl] **1.** *a* 1) расточи́тельный 2) ще́дрый; ~ of favours ще́дрый на ми́лости 3) чрезме́рный, оби́льный ◇ the ~ son *библ.* блу́дный сын

2. *n* мот, пове́са

prodigality [ˌprɒdɪˈgælətɪ] *n* 1) расточи́тельность, мотовство́ 2) ще́дрость 3) изоби́лие

prodigally [ˈprɒdɪglɪ] *adv* 1) расточи́тельно 2) бога́то, оби́льно

prodigious [prəˈdɪdʒəs] *a* 1) удиви́тельный, изуми́тельный 2) грома́дный, огро́мный 3) чудо́вищный

prodigy [ˈprɒdədʒɪ] *n* 1) одарённый челове́к; an infant ~ чу́до-ребёнок, вундерки́нд 2) чу́до 3) *attr.* необыкнове́нно одарённый; ~ violinist замеча́тельный скрипа́ч

prodrome [ˈprəʊdrəʊm] *n* 1) кни́га *или* статья́, явля́ющиеся введе́нием к бо́лее обши́рному труду́; введе́ние, вво́дная часть 2) *мед.* при́знак, предше́ствующий нача́лу заболева́ния; продрома́льное явле́ние

produce 1. *n* ['prɒdju:s] 1) проду́кция, изде́лия, проду́кт 2) результа́т

2. *v* [prə'dju:s] 1) предъявля́ть, представля́ть; to ~ reasons привести́ до́воды; to ~ one's ticket предъяви́ть биле́т 2) производи́ть, дава́ть; выраба́тывать; создава́ть; to ~ woollen goods выраба́тывать шерстяны́е изде́лия 3) вызыва́ть, быть причи́ной; hard work ~s success успе́х явля́ется результа́том упо́рного труда́ 4) *геом.* продолжа́ть (*линию*) 5) поста́вить (*пьесу, кинокартину*) 6) написа́ть, изда́ть (*книгу*)

producer [prə'dju:sə] *n* 1) производи́тель, поставщи́к, изготови́тель 2) режиссёр-постано́вщик; продю́сер 3) хозя́ин *или* дире́ктор теа́тра; владе́лец кинносту́дии 4) *тех.* (газо-)генера́тор 5): ~'s goods а) това́ры произво́дственного назначе́ния; б) *полит.-эк.* сре́дства произво́дства 6) *attr.* генера́торный

producible [prə'dju:səbl] *a* могу́щий быть произведённым; производи́мый

product ['prɒdʌkt] *n* 1) проду́кт; проду́кция; изде́лие, фабрика́т 2) результа́т, плоды́ 3) *мат.* произведе́ние 4) *хим.* проду́кт реа́кции

production [prə'dʌkʃn] *n* 1) производи́тельность; вы́работка, добы́ча 2) произво́дство; изготовле́ние; ~ on a commercial scale произво́дство в промы́шленном масшта́бе 3) проду́кция; изде́лия 4) (худо́жественное) произведе́ние; постано́вка (*пьесы, кинокартины*) 5) *attr.* произво́дственный; ~ standard но́рма вы́работки; ~ workers рабо́чие (*в отличие от служащих*)

productive [prə'dʌktɪv] *a* 1) производи́тельный, производя́щий; продукти́вный; ~ population часть населе́ния, за́нятая производи́тельным трудо́м; ~ capacity производи́тельность, произво́дственная мо́щность 2) плодоро́дный 3) плодови́тый 4) причиня́ющий, влеку́щий за собо́й (of) 5) плодотво́рный (*о влиянии*)

productivity [,prɒdʌk'tɪvətɪ] *n* производи́тельность, продукти́вность; вы́ход проду́кции, вы́работка; labour ~ производи́тельность труда́; ~ of land урожа́йность

proem ['prəʊem] *n* 1) предисло́вие, введе́ние, вступле́ние 2) нача́ло; прелю́дия

prof [prɒf] *разг. сокр. от* professor 1)

profanation [,prɒfə'neɪʃn] *n* профана́ция; осквернéние, опошле́ние

profane [prə'feɪn] 1. *a* 1) мирско́й; све́тский 2) нечести́вый, богоху́льный 3) язы́ческий 4) непосвящённый

2. *v* оскверня́ть; профани́ровать

profanity [prə'fænətɪ] *n* 1) профана́ция 2) богоху́льство

profess [prə'fes] *v* 1) откры́то признава́ть(ся), заявля́ть 2) претендова́ть (*на учёность и т. п.*; to) 3) притворя́ться, изобража́ть 4) испове́довать (*веру*) 5) занима́ться како́й-л. де́ятельностью, избра́ть свое́й профе́ссией 6) обуча́ть, преподава́ть 7) (*обыкн. pass.*) принима́ть в религио́зный о́рден

professed [prə'fest] 1. *p. p. от* profess

2. *a* 1) откры́тый, откры́то зая́вленный 2) мни́мый 3) приня́вший по́стриг (*о монахе*)

professedly [prə'fesɪdlɪ] *adv* я́вно, откры́то; по со́бственному призна́нию

profession [prə'feʃn] *n* 1) профе́ссия; the learned ~s богосло́вие, пра́во, медици́на; liberal ~s свобо́дные профе́ссии 2) ли́ца како́й-л. профе́ссии; the ~ *театр. жарг.* актёры 3) заявле́ние (*о своих чувствах и т. п.*) 4) (веро)испове́дание 5) вступле́ние в религио́зный о́рден; обе́т ◇ the oldest ~ *шутл.* проститу́ция

professional [prə'feʃnəl] 1. *a* 1) име́ющий профе́ссию *или* специа́льность; the ~ classes адвока́ты, учителя́ *и т. п.* 2) профессиона́льный

2. *n* 1) профессиона́л 2) спортсме́н-профессиона́л

professionalism [prə'feʃnəlɪzəm] *n* 1) профессионали́зм 2) профессионализа́ция

professionalize [prə'feʃnəlaɪz] *v* превраща́ть (*какое-л. занятие*) в профе́ссию

professionally [prə'feʃnəlɪ] *adv* профессиона́льно; как специали́ст; we consulted him ~ мы обрати́лись к нему́ как к специали́сту

professor [prə'fesə] *n* 1) профе́ссор (университе́та) 2) *амер.* преподава́тель (университе́та) 3) испове́дующий (*религию*)

professorate [prə'fesərət] *n* 1) профе́ссорство 2) *собир.* профессу́ра

professorial [,prɒfe'sɔ:rɪəl] *a* профе́ссорский

professoriate [,prɒfə'sɔ:rɪət] *n собир.* профессу́ра

professorship [prə'fesəʃɪp] *n* профе́ссорство

proffer ['prɒfə] 1. *n книжн.* предложе́ние

2. *v* предлага́ть

proficiency [prə'fɪʃnsɪ] *n* о́пытность; уме́ние, сноро́вка

proficient [prə'fɪʃnt] 1. *a* иску́сный, уме́лый, о́пытный

2. *n* знато́к, специали́ст

profile ['prəʊfaɪl] 1. *n* 1) про́филь 2) очерта́ние, ко́нтур 3) кра́ткий биографи́ческий о́черк 4) графи́ческое изображе́ние результа́тов опро́са *и т. п.* (*в виде диаграмм и т. п.*) 5) *тех.* вертика́льный разре́з, сече́ние 6) *attr. тех.* фасо́нный ◇ to keep a low ~ держа́ться незаме́тно, не привлека́ть к себе́ внима́ния

2. *v* 1) рисова́ть в про́филь; изобража́ть в про́филе, в разре́зе 2) поверну́ться в про́филь; поверну́ться бо́ком 3) *тех.* профили́ровать; обраба́тывать по шабло́ну

profiling machine ['prəʊfaɪlɪŋmə,ʃi:n] *n* копирова́льный стано́к

profit ['prɒfɪt] 1. *n* 1) по́льза, вы́года; to make a ~ on извле́чь вы́году из 2) (*часто pl*) при́быль, дохо́д; бары́ш, нажи́ва; gross (net) ~ валова́я (чи́стая) при́быль; at a ~ с при́былью 3) *attr.*: ~ margin разме́р при́были; ~ motive коры́сть; корыстолюби́вые побужде́ния

2. *v* 1) приноси́ть по́льзу, быть поле́зным; it ~s little to advise him бесполе́зно дава́ть ему́ сове́ты 2) по́льзоваться, извлека́ть по́льзу, воспо́льзоваться (by — *чем-л.*) 3) получа́ть при́быль

profitable ['prɒfɪtəbl] *a* 1) при́быльный, вы́годный, дохо́дный 2) поле́зный; благоприя́тный

profitably ['prɒfɪtəblɪ] *adv* вы́годно; с вы́годой, с при́былью

profiteer [,prɒfɪ'tɪə] 1. *n* спекуля́нт

2. *v* спекули́ровать

profiterole [prə'fɪtərəʊl] *n кул.* профитро́ль

profit-seeking ['prɒfɪt,si:kɪŋ] *n* стяжа́тельство, пого́ня за нажи́вой

profit sharing ['prɒfɪt,ʃeərɪŋ] *n* уча́стие рабо́чих и слу́жащих в при́былях

profligacy ['prɒflɪgəsɪ] *n* 1) распу́тство 2) расточи́тельность

profligate ['prɒflɪgət] 1. *a* 1) распу́тный 2) расточи́тельный

2. *n* 1) распу́тник 2) расточи́тель

proforma [prəʊ'fɔ:mə] 1. *a* форма́льный 2. *adv* форма́льно

profound [prə'faʊnd] 1. *a* 1) глубо́кий, основа́тельный; му́дрый 2) по́лный, абсолю́тный; ~ ignorance по́лное неве́жество 3) проникнове́нный 4) глубо́кий, ни́зкий (*поклон и т. п.*)

2. *n поэт.* глубина́, бе́здна

profoundness [prə'faʊndnəs] = profundity

profundity [prə'fʌndətɪ] *n* 1) (огро́мная) глубина́ 2) про́пасть

profuse [prə'fju:s] *a* 1) ще́дрый; расточи́тельный (in) 2) изоби́льный, бога́тый (*чем-л.*)

profusely [prə'fju:slɪ] *adv* оби́льно, ще́дро; чрезме́рно

profusion [prə'fju:ʒn] *n* 1) изоби́лие, бога́тство; избы́ток 2) чрезме́рная ро́скошь 3) ще́дрость, расточи́тельность

prog I [prɒg] *n разг.* 1) еда́, пи́ща 2) прови́зия на доро́гу *или* для пикника́ 3) пи́ща (*для ума*)

prog II [prɒg] *студ. жарг. см.* proctor 1)

progenitive [prəʊ'dʒenətɪv] *a* спосо́бный дать пото́мство

progenitor [prəʊ'dʒenɪtə] *n* 1) прароди́тель; основа́тель ро́да 2) предше́ственник 3) исто́чник, оригина́л 4) *физ.* исхо́дная части́ца

progenitress, progenitrix [prəʊ'dʒenɪtrəs, -trɪks] *n* прароди́тельница; основа́тельница ро́да

progeny ['prɒdʒənɪ] *n* 1) пото́мство; пото́мок 2) после́дователи, ученики́ 3) результа́т, исхо́д 4) *физ.* втори́чная части́ца

prognathous ['prɒgnəθəs] *a* 1) с выдаю́щимися че́люстями, прогнати́ческий 2) выдаю́щийся (*о челюсти*)

prognoses [prɒɡ'nəusi:z] *pl от* prognosis

prognosis [prɒɡ'nəusɪs] *n* (*pl* -ses) прогно́з

prognostic [prɒɡ'nɒstɪk] **1.** *a* слу́жащий предве́стником; предвеща́ющий

2. *n* 1) предве́стие, предзнаменова́ние; предве́стник 2) предвеща́ние, предсказа́ние

prognosticate [prɒɡ'nɒstɪkeɪt] *v* предска́зывать, предвеща́ть

prognostication [prɒɡ,nɒstɪ'keɪʃn] *n* 1) предзнаменова́ние 2) предсказа́ние, прогнози́рование

program(me) ['prəuɡræm] **1.** *n* 1) програ́мма 2) представле́ние, спекта́кль 3) план (*работы и т. п.*); what is the ~? *разг.* ну, чем займёмся?; a full ~ мно́жество заня́тий, дел *и т. п.* 4) програ́мма (*курса, лекций и т. п.*) 5) *attr.* програ́ммный

2. *v* 1) составля́ть програ́мму *или* план 2) программи́ровать

programme music ['prəuɡræm,mju:zɪk] *n* програ́ммная му́зыка

progress 1. *n* ['prəuɡrəs] 1) прогре́сс, разви́тие; движе́ние вперёд 2) достиже́ния, успе́хи; to make ~ де́лать успе́хи 3) *уст.* путеше́ствие короля́ по стране́ 4) тече́ние, ход, разви́тие; to be in ~ выполня́ться, быть в проце́ссе становле́ния, в разви́тии; changes are in ~ вво́дятся измене́ния; preparations are in ~ веду́тся приготовле́ния 5) продвиже́ние

2. *v* [prəu'ɡres] 1) прогресси́ровать, развива́ться; соверше́нствоваться 2) продвига́ться вперёд 3) де́лать успе́хи

progression [prəu'ɡreʃn] *n* 1) продвиже́ние, движе́ние 2) после́довательность (*событий и т. п.*) 3) *мат.* прогре́ссия

progressionist, progressist [prəu'ɡreʃnɪst, prəu'ɡresɪst] *n* прогресси́ст; челове́к, убеждённый в непреры́вности прогре́сса; сторо́нник прогре́сса; прогресси́вный челове́к

progressive [prəu'ɡresɪv] **1.** *a* 1) поступа́тельный (*о движении*); ~ rotation враща́тельно-поступа́тельное движе́ние 2) постепе́нный 3) прогресси́вный, передово́й 4) прогресси́рующий

2. *n* 1) прогресси́вный де́ятель 2) (P.) член прогресси́вной па́ртии

pro hac vice [,prəuha:k'vaɪsɪ] *лат. adv* для э́того слу́чая (то́лько)

prohibit [prəu'hɪbɪt] *v* 1) запреща́ть 2) препя́тствовать, меша́ть (from)

prohibition [,prəuɪ'bɪʃn] *n* 1) запреще́ние 2) *юр.* запрети́тельный суде́бный прика́з 3) (*обыкн.* P) запреще́ние прода́жи спиртны́х напи́тков, сухо́й зако́н

prohibitionist [,prəuɪ'bɪʃnɪst] *n* сторо́нник запреще́ния прода́жи спиртны́х напи́тков

prohibitive [prəu'hɪbɪtɪv] *a* 1) запрети́тельный 2) чрезме́рно, непоме́рно высо́кий (*о цене, издержках и т. п.*) 3) препя́тствующий, запреща́ющий

prohibitory [prəu'hɪbɪtərɪ] = prohibitive

project 1. *n* ['prɒdʒekt] 1) прое́кт, план; програ́мма (*строительства и т. п.*) 2) строи́тельный объе́кт, осуществля́емое строи́тельство 3) *студ.* внеауди-то́рная рабо́та

2. *v* [prə'dʒekt] 1) проекти́ровать; составля́ть прое́кт, план 2) выдава́ться, выступа́ть 3) броса́ть (*камень и т. п.*); выпуска́ть (*снаряд*) 4) броса́ть, отража́ть (*тень, луч света и т. п.*) 5) *refl.* перенести́сь мы́сленно (*в будущее и т.п.*)

projectile [prə'dʒektaɪl] **1.** *n* (реакти́вный) снаря́д; пу́ля

2. *a* мета́тельный

projection [prə'dʒekʃn] *n* 1) проекти́рование 2) прое́кт, план; намётка 3) прое́кция 4) *кино, тлв.* прое́кция изображе́ния 5) вы́ступ, выдаю́щаяся часть 6) мета́ние, броса́ние

projector [prə'dʒektə] *n* 1) проекцио́нный фона́рь 2) проже́ктор 3) проекти́ровщик; состави́тель прое́ктов, пла́нов 4) *уст.* прожектёр 5) *воен.* гранатомёт; огнемёт, газомёт

prolapse *мед.* **1.** *n* ['prəulæps] прола́пс, выпаде́ние (*какого-л. органа*)

2. *v* [prəu'læps] выпада́ть

prolapsus ['prəulæpsəs] = prolapse 1

prolate ['prəuleɪt] *a* 1) вы́тянутый (*подобно сфероиду*); растя́нутый 2) широко́ распространённый

prole [prəul] *пренебр.* = proletarian

prolegomena [,prəulə'ɡɒmɪnə] *n pl* введе́ние, предвари́тельные све́дения

proletarian [,prəulə'teərɪən] **1.** *n* пролета́рий

2. *a* пролета́рский

proletariat(e) [,prəulə'teərɪət] *n* пролетариа́т

proletary ['prəulətərɪ] = proletarian

pro-life [prəu'laɪf] *a* выступа́ющий про́тив або́ртов (*об организации, движении и т. п.*)

proliferate [prəu'lɪfəreɪt] *v* 1) *биол.* пролифери́ровать, размножа́ться, разраста́ться путём новообразова́ний 2) распространя́ться (*о знаниях и т. п.*) 3) бы́стро увели́чиваться

proliferation [prəu,lɪfə'reɪʃn] *n* 1) *биол.* пролифера́ция, размноже́ние, разраста́ние путём новообразова́ний 2) распростране́ние; ~ of nuclear weapons распростране́ние я́дерного ору́жия 3) бы́строе увеличе́ние; ~ of radio frequencies усиле́ние радиочасто́тности

proliferous [prəu'lɪfərəs] *a бот.* о́тпрысковый

prolific [prəu'lɪfɪk] *a* 1) плодови́тый 2) плодоро́дный 3) изоби́лующий (in, of — *чем-л.*)

prolificacy [prəu'lɪfɪkəsɪ] *n* 1) плодови́тость 2) плодоро́дность

prolix ['prəulɪks] *a* 1) многосло́вный; ну́дный, тягу́чий; ску́чный 2) (изли́шне) подро́бный

prolixity [prəu'lɪksətɪ] *n* многосло́вие; ну́дность, тягу́честь

prolocutor [prəu'lɒkjutə] *n* председа́тель (*особ.* церко́вного собо́ра)

prologize ['prəuləɡaɪz] *v* писа́ть *или* произноси́ть проло́г

prologue ['prəulɒɡ] *n* проло́г

prolong [prəu'lɒŋ] *v* 1) продлева́ть, отсро́чить, пролонги́ровать 2) продолжа́ть, протя́гивать да́льше

prolongation [,prəulɒŋ'ɡeɪʃn] *n* 1) продле́ние, отсро́чка, пролонга́ция 2) удлине́ние, продолже́ние (*линии и т. п.*)

prolonged [prəu'lɒŋd] **1.** *p. p. от* prolong

2. *a* затяну́вшийся, дли́тельный; ~ visit затяну́вшееся посеще́ние

prolusion [prəu'lju:ʒn] *n книжн.* 1) вступи́тельная статья́; предвари́тельные замеча́ния 2) предвари́тельная попы́тка, про́ба (сил)

promenade [,prɒmə'na:d] **1.** *n* 1) прогу́лка; гуля́нье 2) ме́сто для гуля́нья 3) *амер.* студе́нческий бал 4) *attr.*: ~ deck ве́рхняя па́луба; ~ concert конце́рт, во вре́мя кото́рого пу́блика мо́жет свобо́дно ходи́ть по за́лу, входи́ть и выходи́ть

2. *v* 1) прогу́ливаться; разгу́ливать 2) води́ть гуля́ть, выводи́ть на прогу́лку

Promethean [prəu'mi:θɪən] *a*: ~ fire промете́ев ого́нь

Prometheus [prəu'mi:θju:s] *n греч. миф.* Промете́й

prominence ['prɒmɪnəns] *n* 1) выдаю́щееся положе́ние; изве́стность; to gain ~ завоева́ть, сниска́ть изве́стность; to rise to ~ заня́ть ви́дное положе́ние 2) вы́ступ 3) вы́пуклость, неро́вность, возвыше́ние 4) = protuberance 2)

prominency ['prɒmɪnənsɪ] = prominence 1), 2) *и* 3)

prominent ['prɒmɪnənt] *a* 1) выступа́ющий; торча́щий 2) вы́пуклый, релье́фный 3) изве́стный, выдаю́щийся, ви́дный

promiscuity [,prɒmɪ'skju:ətɪ] *n* 1) беспоря́дочность, неразбо́рчивость (*в знакомствах, связях и т. п.*) 2) промискуите́т 3) разноро́дность, разношёрстность; смешанность

promiscuous [prə'mɪskjuəs] *a* 1) беспоря́дочный, неразбо́рчивый (*в знакомствах, связях и т. п.*) 2) *разг.* случа́йный 3) разноро́дный; разношёрстный; сме́шанный

promise ['prɒmɪs] **1.** *n* 1) обеща́ние; to give (*или* to make) a ~ обеща́ть; to keep one's ~ сдержа́ть обеща́ние, исполня́ть обе́щанное; to break (*или* to go back on) one's ~ не сдержа́ть обеща́ния 2) перспекти́ва; a young man of ~ многообеща́ющий молодо́й челове́к; a pupil of ~ in music учени́к, подаю́щий больши́е наде́жды в му́зыке; to give (*или* to show) ~ подава́ть наде́жды; to hold out ~s сули́ть, обеща́ть

2. *v* 1) обеща́ть 2) *разг.* уверя́ть; I ~ you уверя́ю вас 3) подава́ть наде́жды, сули́ть

promised ['prɒmɪst] **1.** *p. p. от* promise 2

2. *a* обещанный ◇ the ~ land *библ.* земля обетованная

promisee [ˌprɒmɪ'si:] *n юр.* кредитор по договору

promising ['prɒmɪsɪŋ] **1.** *pres. p. om* promise 2

2. *a* многообещающий, подающий надежды

promisor [ˌprɒmɪ'sɔ:] *n юр.* должник по договору

promissory ['prɒmɪsərɪ] *a* заключающий в себе обязательство; ~ note простой вексель

promo ['prəʊməʊ] *разг.* **1.** *n* (*pl* -os [-əʊz]) рекламный материал; объявление, рекламный фильм *или* ролик *и т.п.*

2. *a* рекламный

promontory ['prɒməntərɪ] *n* 1) *геогр.* мыс 2) *анат.* выступ

promote [prə'məʊt] *v* 1) выдвигать; продвигать; повышать в чине *или* звании; he was ~d to major (*или* to the rank of major) ему присвоили звание майора; to ~ legation to the status of an embassy преобразовать дипломатическую миссию в посольство 2) способствовать, помогать, поддерживать; содействовать распространению, развитию *и т. п.*; to ~ general welfare способствовать обеспечению общего благосостояния 3) поощрять, стимулировать; активизировать 4) рекламировать 5) *шахм.* продвигать (*пешку*) 6) переводить в следующий класс (*ученика*)

promoter [prə'məʊtə] *n* 1) тот, кто *или* то, что способствует (*чему-л.*); покровитель, патрон 2) подстрекатель 3) *хим.* промотор

promotion [prə'məʊʃn] *n* 1) продвижение; поощрение; содействие, стимулирование 2) продвижение по службе; повышение в звании; производство в чин 3) перевод (*ученика*) в следующий класс

promotion man [prə'məʊʃnmæn] *n* посредник, агент

prompt [prɒmpt] **1.** *a* 1) проворный, быстрый; исполнительный 2) быстро *или* немедленно сделанный; ~ assistance немедленная помощь 3) оплаченный *или* доставленный немедленно; for ~ cash за наличный расчёт

2. *adv* 1) быстро 2) точно; ровно; at six o'clock ~ ровно в шесть часов

3. *n* подсказка; напоминание

4. *v* 1) побуждать; толкать; внушать; вызывать (*мысль и т. п.*) 2) подсказывать 3) *театр.* суфлировать

promptbook ['prɒmptbʊk] *n* суфлёрский экземпляр пьесы

prompt box ['prɒmptbɒks] *n* суфлёрская будка

prompter ['prɒmptə] *n* 1) лицо, побуждающее к действию 2) суфлёр 3) *разг.* подсказчик

prompting ['prɒmptɪŋ] **1.** *pres. p. om* prompt **4.**

2. *n* побуждение

promptitude ['prɒmptɪtju:d] *n* быстрота, проворство; готовность; ~ in paying аккуратность в платежах

promptly ['prɒmptlɪ] *adv* 1) сразу, быстро 2) точно

prompt side ['prɒmptsaɪd] *n* 1) левая (*от актёра*) сторона сцены 2) *амер.* правая (*от актёра*) сторона сцены

promulgate ['prɒmlgeɪt] *v* 1) распространять, пропагандировать 2) объявлять, провозглашать, опубликовывать; обнародовать

promulgation [ˌprɒml'geɪʃn] *n* 1) распространение 2) обнародование; опубликование

prone [prəʊn] *a* 1) (лежащий) ничком; распростёртый; to fall ~ пасть ниц 2) (*обыкн. predic.*) склонный; he is ~ to prompt action он склонен к быстрым действиям; ~ to anger вспыльчивый 3) *уст.* наклонный, покатый

proneur [prəʊ'nɜ:] *фр. n* льстец

prong [prɒŋ] **1.** *n* 1) зубец (*вилки и т. п.*); зуб 2) заострённый инструмент 3) *с.-х.* вилка; вильчатый копач

2. *v* 1) поднимать, поворачивать вилами 2) протыкать

pronged [prɒŋd] **1.** *p. p. om* prong 2

2. *a* снабжённый зубцами, остриём *и т. п.*

pronominal [prəʊ'nɒmɪnl] *a грам.* местоименный

pronoun ['prəʊnaʊn] *n грам.* местоимение

pronounce [prə'naʊns] *v* 1) произносить, выговаривать 2) высказываться (on — о; for — за; against — против) 3) объявлять; декларировать; заявлять; to ~ a sentence объявить приговор; to ~ a curse (upon) проклинать

pronounceable [prə'naʊnsəbl] *a* удобопроизносимый

pronounced [prə'naʊnst] **1.** *p. p. om* pronounce

2. *a* 1) произнесённый, выговоренный 2) ясный, определённый, явный; ~ tendency явная тенденция

pronouncedly [prə'naʊnstlɪ] *adv* 1) определённо, явно 2) подчёркнуто; решительно

pronouncement [prə'naʊnsmənt] *n* 1) произнесение, объявление (*решения или приговора*) 2) официальное заявление; декларация

pronouncing [prə'naʊnsɪŋ] **1.** *pres. p. om* pronounce

2. *n* 1) произношение; произнесение 2) объявление, заявление 3) *attr.*: ~ dictionary орфоэпический словарь, словарь с указанием произношения

pronto ['prɒntəʊ] *adv разг.* быстро, без промедления

pronunciation [prəˌnʌnsɪ'eɪʃn] *n* 1) произношение; выговор 2) произнесение; фонетическая транскрипция

proof [pru:f] **1.** *n* 1) доказательство; this requires no ~ это не требует доказательства 2) *юр.* доказывание 3) испытание; проба; to put smth. to the ~ испытать что-л., подвергнуть что-л. испытанию 4) установленный градус крепости спирта; above (under) ~ выше (ниже) установленного градуса 5) корректура; гранка; пробный оттиск (*с гравюры*) 6) *мат.* проверка 7) *шотл. юр.* рассмотрение дела судьёй вместо суда присяжных 8) пробирка

2. *a* 1) непроницаемый (against); непробиваемый 2) установленной крепости (*о спирте*) 3) недоступный, не поддающийся (*лести и т. п.*)

3. *v* делать непроницаемым *и пр.* [*см.* 2]

-proof [-pru:f] *в сложных словах означает* устойчивый, непроницаемый, не поддающийся действию (*чего-л.*); waterproof водонепроницаемый

proofread ['pru:fri:d] *v* читать корректуру, гранки

proofreader ['pru:fri:də] *n* корректор; ~'s mark *полигр.* корректурный знак

proofreading ['pru:fri:dɪŋ] **1.** *pres. p. om* proofread

2. *n* читка корректуры

proof room ['pru:fru:m] *n* корректорская

proof sheet ['pru:fʃi:t] *n* корректурный оттиск, корректура

prop I [prɒp] **1.** *n* 1) подпорка; опора; стойка; подставка 2) опора, поддержка; he is the ~ of his parents он опора для своих родителей

2. *v* (*тж.* ~ up) 1) подпирать; снабжать подпорками 2) поддерживать, помогать

prop II [prɒp] *сокр. школ. жарг. см.* proposition 4)

prop III [prɒp] *сокр. разг. см.* propeller

prop IV [prɒp] *сокр. театр. разг. см.* property 4)

propaedeutic(al) [ˌprəʊpi:'dju:tɪk(l)] *a* пропедевтический, вводный

propaedeutics [ˌprəʊpi:'dju:tɪks] *n pl* (*употр. как sing*) пропедевтика, вводный курс

propaganda [ˌprɒpə'gændə] *n* пропаганда

propagandist [ˌprɒpə'gændɪst] *n* пропагандист

propagandize [ˌprɒpə'gændaɪz] *v* пропагандировать, вести пропаганду

propagate ['prɒpəgeɪt] *v* 1) размножать(ся); разводить; to ~ by seeds размножаться семенами 2) распространять(ся) 3) передавать по наследству (*качества, свойства*) 4) *физ.* передаваться через среду, распространять(ся)

propagation [ˌprɒpə'geɪʃn] *n* 1) размножение; разведение 2) распространение (*тж. физ.*); ~ of sound распространение звука

propel [prə'pel] *v* 1) продвигать вперёд; толкать; приводить в движение 2) двигать, стимулировать, побуждать

propellant [prə'pelənt] *n* 1) *воен.* метательное взрывчатое вещество 2) ракетное топливо

propellent [prə'pelənt] *a* 1) движущий, способный двигать 2) метательный

propeller [prə'pelə] *n* 1) движитель 2)

пропéллер; воздýшный *или* гребнóй винт 3) *attr.* двигáтельный; ~ turbine турбовинтовóй двигáтель

propelling [prə'pelɪŋ] **1.** *pres. p. от* propel

2. *a* движýщий; метáтельный

propensity [prəʊ'pensətɪ] *n* склóнность, расположéние (to — к *чемý-л.*), пристрáстие (for — к *чемý-л.*)

proper ['prɒpə] *a* 1) прáвильный, дóлжный; надлежáщий; подходя́щий; in the ~ way надлежáщим óбразом; in the ~ sense of the word в буквáльном смы́сле слóва 2) пристóйный, прили́чный; ~ behaviour хорóшее поведéние 3) присýщий, свóйственный (to) 4) тóчный, и́стинный 5) употреблённый в сóбственном смы́сле слóва; architecture ~ архитектýра в ýзком смы́сле слóва 6) *разг.* совершéнный, настоя́щий; he was in a ~ rage он был в совершéнном бéшенстве 7) *уст.* краси́вый 8) *уст.* сóбственный; with my ~ eyes свои́ми сóбственными глазáми 9) *грам.* сóбственный; ~ name (*или* noun) и́мя сóбственное

properly ['prɒpəlɪ] *adv* 1) дóлжным óбразом; как слéдует; прáвильно 2) сóбственно; в ýзком смы́сле слóва; ~ speaking сóбственно говоря́; стрóго говоря́ 3) пристóйно; прили́чно 4) *разг.* здóрово; хорошéнько

propertied ['prɒpətɪd] *a* имéющий сóбственность; имýщий; the ~ classes имýщие клáссы

property ['prɒpətɪ] *n* 1) имýщество; сóбственность; хозя́йство; a ~ земéльная сóбственность, помéстье; имéние; a man of ~ сóбственник; богáч 2) *юр.* прáво сóбственности 3) свóйство, кáчество; the chemical properties of iron хими́ческие свóйства желéза 4) (*обыкн. pl*) *театр.*, *кино* бутафóрия; реквизи́т 5) достоя́ние; the news soon became a common ~ извéстие вскóре стáло всеóбщим достоя́нием 6) *attr.* имýщественный; ~ qualification имýщественный ценз; ~ tax поимýщественный налóг

property-man ['prɒpətɪmæn] *n* бутафóр, реквизи́тор

property-master ['prɒpətɪ,mɑ:stə] = property-man

property-owning ['prɒpətɪ,əʊnɪŋ] *a* сóбственнический

property room ['prɒpətɪru:m] *n* бутафóрская, реквизи́торская

prophecy ['prɒfəsɪ] *n* прорóчество

prophesy ['prɒfəsaɪ] *v* прорóчить, предскáзывать

prophet ['prɒfɪt] *n* 1) прорóк; the Prophets кни́ги прорóков Вéтхого завéта 2) проповéдник (*идéй и т. п.*) 3) предсказáтель 4) *разг.* «жучóк» (*на скáчках*)

prophetess [,prɒfɪ'tes] *n* прорóчица

prophetic(al) [prəʊ'fetɪk(l)] *a* прорóческий

prophylactic [,prɒfə'læktɪk] **1.** *a* профилакти́ческий; предохрани́тельный

2. *n* 1) профилакти́ческое срéдство; профилакти́ческая мéра 2) (*осóб. амер.*) презервати́в

prophylaxes [,prɒfə'læksi:z] *pl от* prophylaxis

prophylaxis [,prɒfə'læksɪs] *n* (*pl* -xes) профилáктика

prophylaxy ['prɒfəlæksɪ] = prophylaxis

propinquity [prəʊ'pɪŋkwətɪ] *n* 1) бли́зость 2) подóбие; родствó

propitiate [prəʊ'pɪʃɪeɪt] *v* 1) примиря́ть, успокáивать, умиротворя́ть 2) умилостивля́ть

propitiation [prəʊ,pɪʃɪ'eɪʃn] *n* 1) примирéние, успокоéние, умиротворéние 2) *уст.* умилостиви́тельная, искупи́тельная жéртва

propitiator [prəʊ'pɪʃɪeɪtə] *n* умиротвори́тель; примири́тель

propitiatory [prəʊ'pɪʃɪətərɪ] *a* 1) примири́тельный, утешáющий 2) искупи́тельный, умилостиви́тельный

propitious [prə'pɪʃəs] *a* 1) благосклóнный 2) благоприя́тный; подходя́щий; ~ weather благоприя́тная погóда

propolis ['prɒpəlɪs] *n* прóполис, пчели́ный клей

propone [prə'pəʊn] *v шотл.* 1) излагáть 2) предлагáть на обсуждéние

proponent [prə'pəʊnənt] *n* 1) предлагáющий чтó-л. на обсуждéние 2) защи́тник, сторóнник

proportion [prə'pɔ:ʃn] **1.** *n* 1) пропóрция; коли́чественное (со)отношéние 2) прáвильное соотношéние, соразмéрность, пропорционáльность; in ~ to соразмéрно; соответ́ственно; out of ~ to несоразмéрно, несоизмери́мо; чрезмéрно 3) *pl* размéр(ы) 4) *мат.* пропóрция, тройнóе прáвило 5) часть, дóля

2. *v* 1) соразмеря́ть (to — с *чем-л.*) 2) распределя́ть

proportionable [prə'pɔ:ʃnəbl] = proportional 1

proportional [prə'pɔ:ʃnəl] **1.** *a* пропорционáльный; ~ representation систéма пропорционáльного представи́тельства

2. *n мат.* член пропóрции

proportionality [prə,pɔ:ʃə'nælətɪ] *n* пропорционáльность

proportionate [prə'pɔ:ʃnət] **1.** *a* соразмéрный; пропорционáльный (to)

2. *v* соразмеря́ть, дéлать пропорционáльным

proposal [prə'pəʊzl] *n* 1) предложéние; план 2) предложéние (*о брáке*) 3) *амер.* зая́вка (*на торгáх*)

propose [prə'pəʊz] *v* 1) предлагáть; вноси́ть предложéние; to ~ a riddle загадáть загáдку; the object I ~ to myself цель, котóрую я себé стáвлю 2) предполагáть, намеревáться; I ~ to make a journey this summer лéтом я намéрен путешéствовать 3) дéлать предложéние (*о брáке;* to) 4) представля́ть (*кандидáта на дóлжность*) 5) провозглашáть (*тост*); to ~ smb.'s health провозгласи́ть тост за когó-л.

proposer [prə'pəʊzə] *n* 1) создáтель теóрии 2) áвтор предложéния

proposition [,prɒpə'zɪʃn] *n* 1) предложéние; план, проéкт 2) утверждéние, заявлéние 3) *разг.* дéло, проблéма 4) *мат.* теорéма 5) предприя́тие 6) человéк, с котóрым ведýтся делá; he's a tough ~ с ним трýдно имéть дéло 7) *разг.* гнýсное предложéние (*жéнщине*)

propound [prə'paʊnd] *v* 1) предлагáть на обсуждéние 2) *юр.* предъявля́ть завещáние на утверждéние

propraetor [prəʊ'pri:tə] *n др.-рим.* пропрéтор

proprietary [prə'praɪətərɪ] **1.** *a* 1) сóбственнический; составля́ющий чью-л. сóбственность; чáстный; ~ rights правá сóбственности 2) патентóванный; ~ medicine патентóванное срéдство

2. *n* 1) прáво сóбственности 2) сóбственник, владéлец 3) класс сóбственников (*тж.* the ~ classes) 4) патентóванное срéдство

proprietor [prə'praɪətə] *n* сóбственник, владéлец; хозя́ин

proprietorship [prə'praɪətəʃɪp] *n* сóбственность

proprietress [prə'praɪətrəs] *n* сóбственница, владéлица; хозя́йка

propriety [prə'praɪətɪ] *n* 1) прáвильность, умéстность 2) пристóйность; the proprieties прили́чия 3) *уст.* прáво сóбственности

props [prɒps] *n pl* (*сокр. от* properties) *театр.*, *кино* реквизи́т, бутафóрия

proptosis [prɒp'təʊsɪs] *n мед.* проптóз

propulsion [prə'pʌlʃn] *n* 1) продвижéние, движéние вперёд; толчóк 2) дви́жущая си́ла (*тж. перен.*) 3) силовáя установка

propulsive [prə'pʌlsɪv] *a* приводя́щий в движéние; продвигáющий, побуждáющий; ~ force *реакт.* дви́жущая си́ла

pro rata [prəʊ'rɑ:tə] *лат. adv* в соответ́ствии, в пропóрции, пропорционáльно

prorate [,prəʊ'reɪt] **1.** *n* пропорционáльная дóля

2. *v* распределя́ть пропорционáльно

prorogation [,prəʊrəʊ'geɪʃn] *n* 1) переры́в в рабóте парлáмента по укáзу главы́ госудáрства 2) *уст.* отсрóчка

prorogue [prəʊ'rəʊg] *v* 1) назнáчить переры́в в рабóте парлáмента 2) *книжн.* отсрóчить, отложи́ть

prosaic [prəʊ'zeɪɪk] *a* 1) прозаи́ческий 2) прозаи́чный, скýчный; ~ speaker скýчный орáтор

prosaically [prəʊ'zeɪɪklɪ] *adv* прозаи́чно

prosaism ['prəʊzeɪɪzəm] *n* прозаи́зм

prosaist ['prəʊzeɪɪst] *n* 1) прозáик 2) скýчный, прозаи́ческий человéк

proscenia [prəʊ'si:nɪə] *pl от* proscenium

proscenium [prəʊ'si:nɪəm] *n* (*pl тж.* -ia) 1) авансцéна 2) *ист.* процéниум

proscribe [prəʊ'skraɪb] *v* 1) объявля́ть вне закóна; изгоня́ть; высылáть 2) осуди́ть и запрети́ть 3) *ист.* оглашáть (*фами́лии престýпников*)

proscription [prəʊ'skrɪpʃn] *n* 1) объявле́ние вне зако́на; изгна́ние; опа́ла 2) *ист.* проскри́пция

prose [prəʊz] **1.** *n* 1) про́за 2) проза́ичность; the ~ of existence про́за жи́зни 3) *attr.* проза́ичный

2. *v* 1) ску́чно говори́ть *или* писа́ть 2) писа́ть про́зой 3) излага́ть стихи́ про́зой

prosector [prəʊ'sektə] *n* прозе́ктор

prosecute ['prɒsɪkju:t] *v* 1) пресле́довать в суде́бном поря́дке; to ~ a claim for damages возбуди́ть иск об убы́тках 2) вести́, проводи́ть; выполня́ть; продолжа́ть (*занятие и т. п.*); to ~ an inquiry проводи́ть рассле́дование 3) выступа́ть в ка́честве обвини́теля

prosecution [,prɒsɪ'kju:ʃn] *n* 1) суде́бное пресле́дование 2) (the ~) обвине́ние (*сторона в судебном процессе*); to appear for the ~ выступа́ть от лица́ обвине́ния 3) *юр.* отста́ивание (*исковых требований*) 4) веде́ние; выполне́ние; рабо́та (of — над *чем-л.*); ~ of war веде́ние войны́

prosecutor ['prɒsɪkju:tə] *n* обвини́тель; public ~ прокуро́р; ~'s office прокурату́ра

proselyte ['prɒsəlaɪt] **1.** *n* новообращённый, прозели́т

2. *v амер.* = proselytize

proselytize ['prɒsəlɪtaɪz] *v* обраща́ть в свою́ ве́ру

prosify ['prəʊzɪfaɪ] *v* 1) излага́ть стихи́ про́зой 2) де́лать проза́ичным, обы́денным 3) писа́ть про́зой

prosit ['prəʊsɪt] *лат. int* пью (пьём) за Ва́ше здоро́вье!

prosody ['prɒsədɪ] *n* просо́дия

prosopopoeia [,prɒsəpəʊ'pi:jə] *n ритор.* просопопе́я; олицетворе́ние

prospect 1. *n* ['prɒspekt] 1) (*часто pl*) перспекти́ва; ви́ды, пла́ны на бу́дущее; in ~ в дальне́йшем, в перспекти́ве; what are your ~s for tomorrow? что вы собира́етесь де́лать за́втра?; no ~s of success никаки́х наде́жд на успе́х; a man of no ~s челове́к, не име́ющий наде́жд на бу́дущее 2) вид; панора́ма; перспекти́ва 3) предполага́емый клие́нт, подпи́счик *и т. п.* 4) *горн., геол.* изыска́ние, разве́дка

2. *v* [prə'spekt] 1) иссле́довать; де́лать изыска́ния; разве́дывать; to ~ for gold иска́ть зо́лото 2) быть перспекти́вной (*о шахте и т. п.*)

prospective [prə'spektɪv] *a* 1) относя́щийся к бу́дущему, каса́ющийся бу́дущего 2) бу́дущий; ожида́емый; предполага́емый; my ~ partner мой предполага́емый партнёр

prospector [prə'spektə] *n горн.* разве́дчик, изыска́тель; стара́тель; золотоиска́тель

prospectus [prə'spektəs] *n* (*pl* -es [-ɪz]) проспе́кт (*книги, издания, учебного заведения, акционерного общества и т. п.*)

prosper ['prɒspə] *v* 1) процвета́ть, преуспева́ть, благоде́нствовать 2) благоприя́тствовать

prosperity [prɒ'sperətɪ] *n* 1) процвета́ние, преуспева́ние 2) проспе́рити 3) *pl редк.* благоприя́тные обстоя́тельства

prosperous ['prɒspərəs] *a* 1) процвета́ющий 2) уда́чливый; успе́шный, уда́чный 3) состоя́тельный, зажи́точный 4) благоприя́тный; попу́тный (*о ветре*)

prostate ['prɒsteɪt] *n анат.* предста́тельная железа́, проста́та (*тж.* ~ gland)

prostheses [prɒs'θi:si:z] *pl от* prosthesis

prosthesis [prɒs'θi:sɪs] *n* (*pl* -ses) 1) проте́з 2) протези́рование 3) *грам.* проте́за

prosthetic [prɒs'θetɪk] *a* проте́зный; ~ appliance проте́з

prostitute ['prɒstɪtju:t] **1.** *n* 1) проститу́тка 2) наймит, прода́жный челове́к; челове́к, продающий свои́ убежде́ния

2. *v* 1) занима́ться проститу́цией 2) проституи́ровать

prostitution [,prɒstɪ'tju:ʃn] *n* 1) проститу́ция 2) проституи́рование

prostrate 1. *a* ['prɒstreɪt] 1) распростёртый; лежа́щий ничко́м 2) пове́рженный; по́пранный 3) изнеможённый, обесси́ленный; в прострации; ~ with grief уби́тый го́рем 4) *бот.* сте́лющийся

2. *v* [prɒ'streɪt] 1) поверга́ть ниц 2) *refl.* па́дать ниц; унижа́ться 3) истоща́ть (*о болезни, горе и т. п.*) 4) подчиня́ть, подавля́ть, унижа́ть

prostration [prɒ'streɪʃn] *n* 1) распростёртое положе́ние 2) изнеможе́ние; упа́док сил; простра́ция 3) пове́рженное состоя́ние

prostyle ['prəʊstaɪl] *n архит.* прости́ль

prosy ['prəʊzɪ] *a* 1) проза́ичный, ба́нальный; ску́чный 2) проза́ический

protactinium [,prəʊtæk'tɪnɪəm] *n хим.* протакти́ний

protagonist [prəʊ'tægənɪst] *n* 1) гла́вный геро́й; гла́вное де́йствующее лицо́ 2) актёр, игра́ющий гла́вную роль 3) побо́рник, сторо́нник, приве́рженец

protases ['prɒtəsi:z] *pl от* protasis

protasis ['prɒtəsɪs] *n* (*pl* -ses) *грам.* про́тазис

protean [prəʊ'ti:ən] *a* 1) подо́бный Проте́ю; многообра́зный, изме́нчивый 2) *амер. театр.* исполня́ющий не́сколько роле́й (*в одной пьесе*)

protect [prə'tekt] *v* 1) защища́ть (from — от, against — про́тив); огражда́ть; предохраня́ть 2) *эк.* проводи́ть поли́тику протекциони́зма 3) *фин.* акцептова́ть (*тратту, срочную через известный промежуток времени*)

protection [prə'tekʃn] *n* 1) защи́та, охра́на; огражде́ние; прикры́тие 2) покрови́тельство 3) *эк.* протекциони́зм 4) *разг.* вы́куп банди́там-вымога́телям 5) *разг.* де́ньги, дава́емые га́нгстерами поли́ции *или* должностно́му лицу́ (*тж.* ~ money) 6) охра́нная гра́мота; про́пуск; па́спорт 7): to live under the ~ of smb. *уст.* быть чьей-л. содержа́нкой

protectionism [prə'tekʃnɪzəm] *n эк.* протекциони́зм

protectionist [prə'tekʃnɪst] *n* сторо́нник протекциони́зма

protective [prə'tektɪv] *a* 1) защи́тный; прикрыва́ющий; ~ covering (device) защи́тное покры́тие (устро́йство); ~ barrage *воен.* загради́тельный ого́нь 2) *эк.* защи́тный, загради́тельный, защити́тельный; покрови́тельственный; ~ tariff покрови́тельственный тари́ф 3) *зоол.*, *бот.*: ~ colouration (*или* colouring) покрови́тельственная, защи́тная окра́ска

protector [prə'tektə] *n* 1) защи́тник 2) покрови́тель 3) *ист.* ре́гент А́нглии 4) (P.) *ист.* проте́ктор (*титул Оливера Кромвеля и его сына Ричарда; тж.* Lord P.) 5) защи́тное устро́йство; предохрани́тель; чехо́л 6) *авто* проте́ктор

protectorate [prə'tektərət] *n* протектора́т

protectorship [prə'tektəʃɪp] *n* 1) протектора́т 2) покрови́тельство; патрона́т

protectory [prə'tektərɪ] *n* заведе́ние для беспризо́рных дете́й и несоверше́ннолетних правонаруши́телей

protectress [prə'tektrəs] *n* защи́тница, покрови́тельница

protégé ['prɒtəʒeɪ] *n* протеже́

protégée ['prɒtəʒeɪ] *ж. к* protégé

protein ['prəʊti:n] *n хим.* протеи́н, бело́к

pro tem [prəʊ'tem] *разг. см.* pro tempore

pro tempore [prəʊ'tempərɪ] *лат. adv* на вре́мя, пока́

protest 1. *n* ['prəʊtest] 1) проте́ст; to enter (*или* to lodge, to make) a ~ заявля́ть проте́ст; under ~ вы́нужденно, про́тив во́ли 2) торже́ственное заявле́ние 3) опротестова́ние (*векселя*), проте́ст (*по векселю*)

2. *v* [prə'test] 1) протестова́ть, возража́ть; заявля́ть проте́ст (against, at, about) 2) опротесто́вывать (*вексель*) 3) торже́ственно заявля́ть; to ~ one's innocence заявля́ть о свое́й невино́вности 4) уверя́ть, говори́ть; I ~ I'm sick of the whole business уверя́ю вас, мне всё э́то надое́ло

Protestant ['prɒtɪstənt] *рел.* **1.** *n* протеста́нт

2. *a* протеста́нтский

Protestantism ['prɒtɪstəntɪzəm] *n рел.* протеста́нтство

Protestantize ['prɒtɪstəntaɪz] *v рел.* 1) обраща́ть в протеста́нтство 2) испове́довать протеста́нтство

protestation [,prɒtɪ'steɪʃn] *n* 1) торже́ственное заявле́ние (of — о; that) 2) проте́ст, возраже́ние (against)

Proteus ['prəʊtju:s] *n греч. миф.* Проте́й

protista [prəʊ'tɪstə] *n pl биол.* прати́сты, просте́йшие одноклéточные органи́змы

protocol ['prəʊtəʊkɒl] **1.** *n* 1) *дип.* протоко́л; прелимина́рные усло́вия догово́ра *или* соглаше́ния; дополни́тельное междунаро́дное соглаше́ние 2) пра́вила дипломати́ческого этике́та 3) протоко́л 4) (the P.) протоко́льный отде́л (*министерства иностранных дел и т. п.*)

2. *v* протоколи́ровать, вести́ протоко́л, заноси́ть в протоко́л

proton ['prəutɒn] *n физ.* прото́н

protoplasm ['prəutəuplæzəm] *n биол.* протопла́зма

protoplasmatic [ˌprəutəuplæz'mætɪk] = protoplasmic

protoplasmic [ˌprəutəu'plæzmɪk] *a биол.* протопла́зменный

protoplast ['prəutəuplæst] *n* 1) *биол.* протопла́ст 2) пе́рвый челове́к 3) прототи́п, прообра́з

protoplastic [ˌprəutəu'plæstɪk] *a* 1) *биол.* протопла́зменный 2) первообра́зный; первонача́льный

prototype ['prəutəutaɪp] *n* прототи́п

protoxide [prəu'tɒksaɪd] *n хим.* за́кись

protozoa [ˌprəutəu'zəuə] *n pl зоол.* протозо́а, просте́йшие одноклéточные живо́тные органи́змы

protozoology [ˌprəutəuzəu'ɒlədʒɪ] *n* протозооло́гия

protract [prə'trækt] *v* 1) тяну́ть; затя́гивать; ме́длить 2) черти́ть (*план*) 3) *редк.* растя́гивать

protracted [prə'træktɪd] 1. *p. p. от* protract

2. *a* затяну́вшийся; дли́тельный, затяжно́й

protractedly [prə'træktɪdlɪ] *adv* дли́тельно

protractile [prə'træktaɪl] *a зоол.* спосо́бный выдвига́ться (*хобот и т. п.*)

protraction [prə'trækʃn] *a* 1) проволо́чка, промедле́ние 2) нанесе́ние на план *или* чертёж; начерта́ние 3) де́йствие разгиба́тельной мы́шцы

protractor [prə'træktə] *n* 1) *тех.* транспорти́р; угломе́р 2) *анат.* разгиба́тельная мы́шца, протра́ктор 3) *хир.* инструме́нт для удале́ния из ра́ны иноро́дного те́ла

protrude [prə'tru:d] *v* 1) высо́вывать(ся) 2) выдава́ться, торча́ть

protruding [prə'tru:dɪŋ] 1. *pres. p. от* protrude

2. *a* 1) выдаю́щийся, выступа́ющий вперёд, торча́щий; ~ eyes глаза́ навы́кате 2) вы́сунутый нару́жу

protrusion [prə'tru:ʒn] *n* 1) вы́ступ 2) высо́вывание, выпя́чивание

protrusive [prə'tru:sɪv] *a* выдаю́щийся вперёд; выступа́ющий, торча́щий

protuberance [prə'tju:brəns] *n* 1) вы́пуклость 2) *анат.* бугоро́к, вы́ступ; *мед.* о́пухоль 3) *астр.* протубера́нец

protuberant [prə'tju:brənt] *a* вы́пуклый, выдаю́щийся вперёд

proud [praud] *a* 1) го́рдый; испы́тывающий зако́нную го́рдость; the ~ father счастли́вый оте́ц; to be ~ горди́ться (of, *тж. с inf.*) 2) го́рдый, надме́нный, высокоме́рный, самодово́льный 3) великоле́пный; гордели́вый, велича́вый 4) *поэт.* горя́чий, рети́вый; ~ steed рети́вый конь 5) подня́вшийся (*об уровне воды*); взду́вшийся; ~ sea вздыма́ющееся мо́ре 6): ~ flesh ма́сса избы́точных грануля́ций на ранево́й пове́рхности; ди́кое мя́со ◇ to do smb. ~ ока́зывать честь кому́-л.; you do me ~ вы ока́зываете мне честь

proudly ['praudlɪ] *adv* го́рдо; с го́рдостью; вели́чественно

proud-spirited [ˌpraud'spɪrɪtɪd] *a* го́рдый, надме́нный, зано́счивый

proud-stomached [ˌpraud'stʌməkt] *a* надме́нный, высокоме́рный, зано́счивый

prove [pru:v] *v* 1) дока́зывать; удостоверя́ть; подтвержда́ть 2) ока́зываться; the play ~d a success пье́са име́ла успе́х 3) *мат.* проверя́ть 4) *юр.* утвержда́ть (*завещание*) 5) *полигр.* де́лать про́бный о́ттиск 6) *уст.* испы́тывать, про́бовать

proven ['pru:vn] *a* дока́занный; not ~ *шотл. юр.* (преступле́ние) не дока́зано

provenance ['prɒvənəns] *n* происхожде́ние; исто́чник

Provençal [ˌprɒvɒn'sa:l] 1. *a* прованса́льский, прова́нский

2. *n* 1) прованса́лец 2) прованса́льский язы́к

provender ['prɒvɪndə] *n* 1) корм, фура́ж 2) *шутл.* пи́ща

provenience [prə'vi:nɪəns] *амер.* = provenance

proverb ['prɒvɜ:b] *n* 1) посло́вица 2) олицетворе́ние (*обыкн. чего-л. дурного*); he is a ~ for inaccuracy его́ неаккура́тность вошла́ в погово́рку 3): the Book of Proverbs *библ.* Кни́га при́тчей Соломо́новых ◇ to a ~ преде́льно, в вы́сшей сте́пени

proverbial [prə'vɜ:bɪəl] *a* воше́дший в погово́рку; общеизве́стный; провербиа́льный

provide [prə'vaɪd] *v* 1) снабжа́ть; обеспе́чивать; he has a large family to ~ for он соде́ржит большу́ю семью́ 2) принима́ть ме́ры (against — про́тив *чего-л.*); предусма́тривать (for) 3) предоставля́ть, дава́ть; his father ~d him with a good education оте́ц дал ему́ хоро́шее образова́ние 4) заготовля́ть, запаса́ть(ся); to ~ an excuse (зара́нее) пригото́вить извине́ние 5) ста́вить усло́вием (that)

provided [prə'vaɪdɪd] 1. *p. p. от* provide

2. *a* 1) обеспе́ченный, снабжённый 2) предусмо́тренный; ~ by the rules предусмо́тренный пра́вилами

3. *cj* (*часто* ~ that) при усло́вии, е́сли то́лько, в том слу́чае, е́сли

providence ['prɒvɪdəns] *n* 1) предусмотри́тельность 2) (P.) провиде́ние 3) бережли́вость

provident ['prɒvɪdənt] *a* 1) предусмотри́тельный; осторо́жный 2) расчётливый; бережли́вый

providential [ˌprɒvɪ'denʃl] *a* 1) провиденциа́льный; предопределённый 2) счастли́вый, благоприя́тный

providently ['prɒvɪdəntlɪ] *adv* 1) предусмотри́тельно, осторо́жно 2) расчётливо

provider [prə'vaɪdə] *n* 1) поставщи́к 2) корми́лец семьи́

providing I [prə'vaɪdɪŋ] *pres. p. от* provide

providing II [prə'vaɪdɪŋ] = provided 3

province ['prɒvɪns] *n* 1) о́бласть, прови́нция 2) *pl* прови́нция, перифери́я; the ~s вся страна́ за исключе́нием столи́цы 3) о́бласть (*знаний и т. п.*); сфе́ра де́ятельности, компете́нция; it is out of my ~ э́то вне мое́й компете́нции 4) архиепи́скопская епа́рхия ◇ the Provinces *ист.* Кана́да

provincial [prə'vɪnʃl] 1. *a* провинциа́льный; перифери́йный; ме́стный

2. *n* 1) провинциа́л 2) *церк.* архиепи́скоп

provincialism [prə'vɪnʃlɪzəm] *n* 1) провинциа́льность 2) провинциали́зм, областно́е выраже́ние

provinciality [prəˌvɪnʃɪ'ælətɪ] *n* провинциа́льность

provincialize [prə'vɪnʃlaɪz] *v* де́лать(ся) провинциа́льным

provision [prə'vɪʒn] 1. *n* 1) заготовле́ние, загото́вка 2) снабже́ние, обеспе́чение; to make ample ~ for one's family вполне́ обеспе́чить семью́ 3) *pl* прови́зия; запа́сы провиа́нта 4) положе́ние, усло́вие (*договора и т. п.*); постановле́ние; to agree on the following ~s прийти́ к соглаше́нию по сле́дующим пу́нктам; to make ~s предусма́тривать, постановля́ть 5) ме́ра предосторо́жности (for, against)

2. *v* снабжа́ть продово́льствием

provisional [prə'vɪʒənəl] 1. *a* 1) вре́менный; ~ government вре́менное прави́тельство 2) (P.) относя́щийся к экстреми́стской гру́ппе «вре́менные»

2. *n* (P.) член экстреми́стской гру́ппы «вре́менные», отколо́вшейся от Ирла́ндской республика́нской а́рмии

proviso [prə'vaɪzəu] *n* (*pl* -os, -oes [-əuz]) усло́вие; огово́рка (*в договоре*)

provisory [prə'vaɪzərɪ] *a* 1) усло́вный 2) вре́менный

provitamin [prəu'vaɪtəmɪn] *n* провитами́н

provocation [ˌprɒvə'keɪʃn] *n* 1) вы́зов; побужде́ние; подстрека́тельство 2) провока́ция 3) раздраже́ние

provocative [prə'vɒkətɪv] 1. *a* 1) вызыва́ющий, де́рзкий; соблазни́тельный 2) провокацио́нный 3) вызыва́ющий (of — *что-л.*); стимули́рующий; возбужда́ющий 4) раздража́ющий

2. *n* 1) возбуди́тель 2) возбужда́ющее сре́дство

provoke [prə'vəuk] *v* 1) провоци́ровать 2) вызыва́ть, возбужда́ть 3) серди́ть, раздража́ть 4) побужда́ть

provoking [prə'vəukɪŋ] 1. *pres. p. от* provoke

2. *a* раздража́ющий; доса́дный; неприя́тный; ~ behaviour вызыва́ющее поведе́ние; how ~! кака́я доса́да!, как доса́дно!

provost ['prɒvəst] *n* 1) ре́ктор (*в некоторых английских университетских колледжах*) 2) *церк.* настоя́тель кафедра́льного собо́ра 3) *шотл.* мэр 4) проре́ктор (*в американских университетах*) 5) *воен.* [prə'vəu] офице́р вое́нной поли́ции 6) *attr.* [prə'vəu] вое́нно-полице́йский; ~ marshal нача́льник вое́нной поли́ции; ~ prison вое́нная тюрьма́; ~ corps вое́нная поли́ция, полева́я жандарме́рия

prow [praʊ] *n* 1) нос (*судна, самолёта*) 2) *поэт.* кора́бль, чёлн

prowess ['praʊəs] *n* до́блесть, у́даль, отва́га

prowl [praʊl] **1.** *v* 1) кра́сться, броди́ть, ры́скать (*в поисках добычи; тж.* ~ about) 2) мародёрствовать 3) идти́ кра́дучись

2. *n*: on the ~ кра́дучись; to take a ~ round the streets пойти́ броди́ть по у́лицам

prowl car ['praʊlkɑ:] *n амер.* маши́на полице́йского патруля́

prowler ['praʊlə] *n* 1) бродя́га 2) вор 3) мародёр

proximate ['prɒksɪmət] *a* ближа́йший; непосре́дственный; сле́дующий

proxime accessit [,prɒksɪmɪæk'sesɪt] *лат. n* 1) второ́е ме́сто на экза́мене *и т. п.* 2) челове́к, заня́вший второ́е ме́сто

proximity [prɒk'sɪmətɪ] *n* бли́зость; ~ of blood бли́зкое родство́

proximo ['prɒksɪməʊ] *a ком.* сле́дующего ме́сяца; on the 10th ~ 10-го числа́ сле́дующего ме́сяца

proxy ['prɒksɪ] *n* 1) полномо́чие; переда́ча го́лоса; дове́ренность; by ~ по дове́ренности; to vote by ~ а) переда́ть свой го́лос; б) голосова́ть за друго́го (*по доверенности*) 2) замести́тель, дове́ренное лицо́, уполномо́ченный; to be (*или* to stand) ~ for smb. быть чьим-л. представи́телем, уполномо́ченным 3) *attr.* сде́ланный, совершённый, вы́данный по дове́ренности

prude [pru:d] *n* 1) ханжа́, блюсти́тель нра́вов 2) жема́нница; не в ме́ру щепети́льная, притво́рно стыдли́вая же́нщина

prudence ['pru:dns] *n* 1) благоразу́мие, предусмотри́тельность 2) осторо́жность, осмотри́тельность 3) расчётливость, бережли́вость

prudent ['pru:dnt] *a* 1) благоразу́мный, предусмотри́тельный 2) осторо́жный 3) расчётливый, бережли́вый

prudential [prʊ'denʃl] **1.** *a* продикто́ванный благоразу́мием, благоразу́мный

2. *n* 1) (*обыкн. pl*) благоразу́мное соображе́ние; благоразу́мный подхо́д 2) *амер.* администрати́вно-хозя́йственные вопро́сы (*учреждения и т. п.*)

prudery ['pru:dərɪ] *n* притво́рная стыдли́вость; изли́шняя щепети́льность

prudish ['pru:dɪʃ] *a* не в ме́ру щепети́льный, не в ме́ру стыдли́вый; ха́нжеский

prune I [pru:n] *n* 1) черносли́в 2) *разг.* глупе́ц; зану́да 3) краснова́то-лило́вый цвет ◇ ~s and prism(s) жема́нная мане́ра говори́ть

prune II [pru:n] *v* 1) обреза́ть; подреза́ть (*деревья и т. п.*) 2) сокраща́ть (*расходы и т. п.*) 3) удаля́ть (*всякого рода излишества*), упроща́ть (*обыкн.* ~ away, ~ down)

prunella [prʊ'nelə] *n* прюне́ль (*материя*)

prurience, -cy ['prʊərɪəns, -sɪ] *n* 1) похотли́вость 2) непреодоли́мое жела́ние, зуд

prurient ['prʊərɪənt] *a* похотли́вый

Prussian ['prʌʃn] **1.** *a* пру́сский ◇ P. blue берли́нская лазу́рь

2. *n* прусса́к

prussic acid [,prʌsɪk'æsɪd] *n* сини́льная кислота́

pry I [praɪ] **1.** *n* 1) любопы́тный (*шутл. тж.* Paul P.) 2) любопы́тство

2. *v* 1) подгля́дывать, подсма́тривать (*часто* ~ about, ~ into) 2) осма́тривать с изли́шним любопы́тством; любопы́тствовать 3) сова́ть нос (*в чужие дела; обыкн.* ~ into) ▭ ~ out допы́тываться, выве́дывать

pry II [praɪ] *амер.* = prise

psalm [sɑ:m] *n* псало́м

psalmist ['sɑ:mɪst] *n* псалмопе́вец

psalmody ['sæmədɪ] *n* пе́ние псалмо́в

psalter ['sɔ:ltə] *n* псалты́рь

psaltery ['sɔ:ltərɪ] *n* псалтерио́н (*древний муз. инструмент типа цитры*)

pseud [sju:d] *n разг.* позёр

pseud(o)- ['sju:dəʊ-] *pref* псевдо-, ложно-

pseudomorphism [,sju:dəʊ'mɔ:fɪzəm] *n мин.* псевдоморфи́зм

pseudonym ['sju:dənɪm] *n* псевдони́м

pseudonymous [sju:'dɒnɪməs] *a* пи́шущий *или* и́зданный под псевдони́мом

pshaw [pʃɔ:] **1.** *int* фи!, фу!, тьфу! (*выражает пренебрежение или нетерпение*)

2. *v* выража́ть пренебреже́ние, фы́ркать (*часто* ~ at)

psittacosis [,sɪtə'kəʊsɪs] *n мед.* попуга́йная боле́знь, пситтако́з

psora ['sɔːrə] *n мед.* 1) чесо́тка 2) = psoriasis

psoriasis [sə'raɪəsɪs] *n мед.* псориа́з

psych [saɪk] *v разг.* 1) психологи́чески подгото́виться (*к чему-л.*), собра́ться (*обыкн.* ~ up) 2) подверга́ть психоана́лизу ▭ ~ out сломи́ть во́лю; ока́зывать психи́ческое возде́йствие (*на кого-л.*)

Psyche ['saɪkɪ] *n греч. миф.* Психе́я

psyche I ['saɪkɪ] *n* душа́, дух

psyche II ['saɪkɪ] *n* высо́кое зе́ркало на но́жках, псише́

psychiatric(al) [,saɪkɪ'ætrɪk(l)] *a* психиатри́ческий

psychiatrist [saɪ'kaɪətrɪst] *n* психиа́тр

psychiatry [saɪ'kaɪətrɪ] *n* психиатри́я

psychic ['saɪkɪk] **1.** *a* 1) облада́ющий телепа́тией, телекине́зом *и т. п.* 2) психи́ческий 3) духо́вный

2. *n* ме́диум

psychical ['saɪkɪkl] *a* психи́ческий

psychics ['saɪkɪks] *n pl* (*употр. как sing*) психоло́гия

psycho ['saɪkəʊ] *n разг.* сумасше́дший, психопа́т, псих

psychoanalysis [,saɪkəʊə'næləsɪs] *n* психоана́лиз

psychoanalyst [,saɪkəʊ'ænəlɪst] *n* специали́ст по психоана́лизу, психоанали́тик

psychodrama ['saɪkəʊdrɑ:mə] *n мед.* психодра́ма (*метод групповой психотерапии*)

psychokinesis [,saɪkəʊkaɪ'ni:sɪs] *n спец.* психокине́з

psychological [,saɪkə'lɒdʒɪkl] *a* психологи́ческий; ~ moment са́мый удо́бный моме́нт

psychologist [saɪ'kɒlədʒɪst] *n* психо́лог

psychology [saɪ'kɒlədʒɪ] *n* психоло́гия

psychopath ['saɪkəʊpæθ] *n* психопа́т

psychoses [saɪ'kəʊsi:z] *pl от* psychosis

psychosis [saɪ'kəʊsɪs] *n* (*pl* -ses) психо́з

psychosomatic [,saɪkəʊsəʊ'mætɪk] *a* психосомати́ческий

psychotherapy [,saɪkəʊ'θerəpɪ] *n* психотерапи́я

ptarmigan ['tɑ:mɪgən] *n* бе́лая куропа́тка

pterodactyl [,terəʊ'dæktɪl] *n зоол.* птерода́ктиль

pterosaur ['terəsɔ:] *n зоол.* птероза́вр

ptisan [tɪ'zæn] *n* пита́тельный (*особ.* ячме́нный) отва́р

Ptolemaic [,tɒlə'meɪɪk] *a* птолеме́ев

ptomaine ['təʊmeɪn] *n* птомаи́н, тру́пный яд

pub [pʌb] *n* (*сокр. от* public house) *разг.* 1) пивна́я, каба́к; тракти́р 2) *австрал.* гости́ница

puberty ['pju:bətɪ] *n* полова́я зре́лость

pubescence [pjʊ'besns] *n* 1) полово́е созрева́ние 2) пушо́к (*на растениях*)

pubescent [pjʊ'besnt] *a* 1) достига́ющий *или* дости́гший полово́й зре́лости 2) *бот., зоол.* покры́тый пушко́м, волосика́ми

pubis ['pju:bɪs] *n анат.* лобко́вая кость

public ['pʌblɪk] **1.** *a* 1) обще́ственный; госуда́рственный; ~ man обще́ственный де́ятель; ~ office госуда́рственное, муниципа́льное *или* обще́ственное учрежде́ние; ~ officer (*или* official) госуда́рственный слу́жащий; ~ opinion обще́ственное мне́ние; ~ opinion poll опро́с населе́ния по како́му-л. вопро́су; ~ peace обще́ственный поря́док; ~ debt госуда́рственный долг 2) публи́чный, общедосту́пный; ~ library (lecture) публи́чная библиоте́ка (ле́кция); ~ road больша́я доро́га 3) откры́тый, гла́сный; ~ protest откры́тый проте́ст; to give smth. ~ utterance преда́ть что-л. гла́сности 4) коммуна́льный; ~ service коммуна́льные услу́ги; ~ utilities а) коммуна́льные сооруже́ния, предприя́тия; б) коммуна́льные услу́ги 5) наро́дный, общенаро́дный; ~ ownership общенаро́дное достоя́ние; ~ spirit дух патриоти́зма; гражда́нственность

2. *n* 1) наро́д; the British ~ англи́йский наро́д 2) пу́блика; обще́ственность; to appeal to the ~ обрати́ться, апелли́ровать к о́бществу; in ~ откры́то, публи́чно 3) *разг. см.* public house

publican ['pʌblɪkən] *n* 1) тракти́рщик 2) *австрал.* хозя́ин гости́ницы 3) *др.-рим.* откупщи́к 4) *библ.* мы́тарь

publication [ˌpʌblɪ'keɪʃn] *n* 1) опублико́вание, изда́ние 2) изда́ние (*кни́ги и т. п.*) 3) оглаше́ние; публика́ция

public enemy [ˌpʌblɪk'enəmɪ] *n* 1) социа́льно опа́сный элеме́нт 2) вра́жеская страна́

public health [ˌpʌblɪk'helθ] *n* здравоохране́ние

public house [ˌpʌblɪk'haʊs] *n* тракти́р, каба́к, пивна́я, таве́рна

publicist ['pʌblɪsɪst] *n* 1) аге́нт по рекла́ме 2) публици́ст, журнали́ст 3) *уст.* специали́ст по междунаро́дному пра́ву

publicity [pʌb'lɪsətɪ] *n* 1) рекла́ма 2) публи́чность, гла́сность; to give ~ to разглаша́ть *что-л.*; предава́ть *что-л.* гла́сности 3) *attr.*: ~ agent аге́нт по рекла́ме

publicize ['pʌblɪsaɪz] *v* 1) реклами́ровать 2) разглаша́ть; оглаша́ть 3) оповеща́ть; извеща́ть

publicly ['pʌblɪklɪ] *adv* публи́чно; откры́то

public relations [ˌpʌblɪkrɪ'leɪʃnz] *n* 1) обще́ственная информа́ция 2) *attr.* рекла́мный, относя́щийся к рекла́ме *или* информа́ции; ~ department а) пресс-бюро́; отде́л информа́ции; б) отде́л информа́ции комме́рческого предприя́тия; ~ officer слу́жащий отде́ла информа́ции; ~ man аге́нт по рекла́ме

public school [ˌpʌblɪk'sku:l] *n* 1) привилегиро́ванная ча́стная закры́тая сре́дняя шко́ла для ма́льчиков (*в А́нглии*) 2) беспла́тная сре́дняя шко́ла (*в США, Австра́лии и Шотла́ндии*)

publish ['pʌblɪʃ] *v* 1) печа́тать свои́ произведе́ния, печа́таться (*об а́вторе*) 2) публикова́ть; оглаша́ть 3) издава́ть, опублико́вывать 4) *амер.* пуска́ть в обраще́ние

publisher ['pʌblɪʃə] *n* 1) изда́тель 2) *амер.* владе́лец газе́ты

publishing ['pʌblɪʃɪŋ] 1. *pres. p. от* publish

2. *а*: ~ house (*или* office) изда́тельство

publishment ['pʌblɪʃmənt] *n амер. уст.* официа́льное объявле́ние (о предстоя́щем бракосочета́нии)

puce [pju:s] 1. *n* краснова́то-кори́чневый цвет

2. *а* красновато-кори́чневый

puck I [pʌk] *n* эльф, дух-прока́зник (*в фолькло́ре*)

puck II [pʌk] *n спорт.* ша́йба (*в хокке́е*)

pucka ['pʌkə] = pukka(h)

pucker ['pʌkə] 1. *n* 1) морщи́на 2) скла́дка; сбо́рка 3) *разг.* раздражённое состоя́ние; смуще́ние; растеря́нность; беспоко́йство

2. *v* 1) мо́рщить(ся) 2) де́лать скла́дки, собира́ть в сбо́рку

puckish ['pʌkɪʃ] *а* плутовско́й; прока́зливый

pud I [pʊd] *разг. см.* pudding

pud II [pʊd] *n разг.* ру́чка; ла́пка

puddening ['pʊdənɪŋ] *n мор.* кра́нец

pudding ['pʊdɪŋ] *n* 1) пу́динг 2) что-л., напомина́ющее пу́динг (*по фо́рме, консисте́нции*) 3) вид колбасы́; black ~ кровяна́я колбаса́ 4) = puddening ◇ ~ face *разг.* то́лстая кру́глая физионо́мия; in the ~ club *sl.* бере́менная; more praise than ~ ≅ из спаси́ба шу́бы не сошьёшь; благода́рность на слова́х; the proof of the ~ is in the eating ≅ не попро́буешь, не узна́ешь

pudding-head ['pʊdɪŋhed] *n разг.* о́лух, болва́н

pudding stone ['pʊdɪŋstəʊn] *n геол.* конгломера́т

puddingy ['pʊdɪŋɪ] *а* 1) похо́жий на пу́динг 2) тяжелове́сный; тупо́й

puddle ['pʌdl] 1. *n* 1) лу́жа 2) водонепроница́емая обкла́дка *или* обма́зка из гли́ны с гра́вием для дна прудо́в *и т. п.* 3) *разг.* грязь 4) *метал.* пу́длинговая кри́ца

2. *v* 1) меси́ть (*гли́ну*) 2) обкла́дывать (*дно кана́ла и т. п.*) сме́сью гли́ны и гра́вия 3) *метал.* пудлингова́ть 4) бара́хтаться в воде́ (*тж.* ~ about, ~ in) 5) па́чкать, грязни́ть; мара́ть 6) мути́ть (*во́ду*) 7) трамбова́ть 8) смуща́ть, сбива́ть с то́лку

puddling furnace [ˌpʌdlɪŋ'fɜ:nɪs] *n* пу́длинговая печь

puddly ['pʌdlɪ] *а* гря́зный, покры́тый лу́жами

pudency ['pju:dənsɪ] *n книжн.* стыдли́вость

pudenda [pju'dendə] *pl от* pudendum

pudendum [pju'dendəm] *n* (*pl* -da; *обыкн. pl*) *анат.* нару́жные же́нские половы́е о́рганы

pudge [pʌdʒ] *n разг.* толстя́к; коро́тышка

pudgy ['pʌdʒɪ] *а разг.* коро́тенький и то́лстый

pueblo ['pwebləʊ] *n* (*pl* -os [-əʊz]) 1) инде́йская дере́вня *или* поселе́ние, пуэ́бло 2) жи́тель инде́йской дере́вни

puerile ['pjʊəraɪl] *а* 1) незре́лый, легкомы́сленный; пусто́й 2) ребя́ческий

puerility [pjʊə'rɪlɪtɪ] *n* ребя́чество

puerperal [pju'ɜ:prəl] *а* роди́льный; ~ fever роди́льная горя́чка

Puerto Rican [ˌpwɜ:təʊ'ri:kən] 1. *а* пуэрторика́нский

2. *n* пуэрторика́нец; пуэрторика́нка

puff [pʌf] 1. *n* 1) дунове́ние (*ве́тра*) 2) поры́в, струя́ во́здуха 3) дымо́к, клуб ды́ма 4) сло́йка; jam ~ слоёный пирожо́к с варе́ньем 5) буф (*на пла́тье*) 6) незаслу́женная похвала́; ду́тая рекла́ма 7) пухо́вка 8) *амер.* стёганое пухо́вое одея́ло 9) *разг.* жизнь; in all my ~ за всю свою́ жизнь

2. *v* 1) дуть поры́вами 2) кури́ть 3) дыми́ть, пуска́ть клубы́ ды́ма 4) пыхте́ть; to ~ and blow (*или* pant) тяжело́ дыша́ть; to be ~ed запыха́ться 5) кичи́ться, ва́жничать 6) преувели́ченно расхва́ливать, реклами́ровать 7) пу́дрить(ся) ▭ ~ away а) дви́гаться, оставля́я за собо́й клубы́ ды́ма; б): to ~ away at a cigar попы́хивать сига́рой; ~ out а) задува́ть (*свечу́*); б) надува́ть, выпя́чивать; ~ed out with self-importance по́лный ча́нства; в) выбива́ться поры́вами, клуба́ми; ~ up а) поднима́ться клуба́ми (*о ды́ме и т. п.*); б): ~ed up самодово́льный, по́лный самомне́ния

puff adder ['pʌfˌædə] *n* африка́нская гадю́ка

puffball ['pʌfbɔ:l] *n* дождеви́к (*гриб*)

puffbox ['pʌfbɒks] *n* пу́дреница

puffed [pʌft] 1. *p. p. от* puff 2

2. *а* 1) с бу́фами (*о рукава́х*) 2) запыха́вшийся

puffery ['pʌfərɪ] *n* реклами́рование; ду́тая рекла́ма

puffin ['pʌfɪn] *n зоол.* тупи́к; топо́рик

puff pastry ['pʌfpeɪstrɪ] *n* слоёное те́сто

puffy ['pʌfɪ] *а* 1) одутлова́тый; отёкший; то́лстый 2) поры́вистый (*о ве́тре*) 3) запыха́вшийся; страда́ющий оды́шкой 4) напы́щенный, высокопа́рный; ~ style напы́щенный стиль 5) *редк.* наду́тый, ва́жный; кичли́вый

pug I [pʌg] *n* 1) мопс 2) = pug nose

pug II [pʌg] 1. *n* 1) мя́тая гли́на 2) обма́зка гли́ной

2. *v* мять гли́ну

pug III [pʌg] 1. *n* след зве́ря

2. *v* идти́ по следа́м, пресле́довать

pug IV [pʌg] *n sl.* боксёр

pug-dog ['pʌgdɒg] = pug I, 1)

puggaree ['pʌgərɪ] *n* 1) лёгкий инди́йский тюрба́н 2) шарф вокру́г шля́пы, спу́щенный сза́ди (*для защи́ты ше́и от со́лнца*)

pugilism ['pju:dʒɪlɪzəm] *n* кула́чный бой; бокс

pugilist ['pju:dʒɪlɪst] *n* 1) боксёр (*особ. профессиона́льный*) 2) я́ростный спо́рщик

pugilistic [ˌpju:dʒɪ'lɪstɪk] *а* кула́чный

pug mill ['pʌgmɪl] *n* глиномя́лка

pugnacious [pʌg'neɪʃəs] *а* драчли́вый

pugnacity [pʌg'næsətɪ] *n* драчли́вость

pug nose ['pʌgnəʊz] *n* курно́сый нос

pug-nosed [ˌpʌg'nəʊzd] *а* 1) курно́сый 2) с приплю́снутым но́сом

puisne ['pju:nɪ] 1. *а* 1) *юр.* мла́дший (*во во́зрасту или ра́нгу*); ~ judge рядово́й судья́, член суда́ 2) *уст.* = puny

2. *n* мла́дший судья́

puissance ['pwi:sɑ:ŋs] *n уст.* могу́щество

puissant ['pwi:sɒnt] *а книжн., уст.* могу́щественный; влия́тельный

puke [pju:k] *sl.* 1. *n* рво́та

2. *v* рвать, тошни́ть

pukka(h) ['pʌkə] *а* настоя́щий; первокла́ссный; полнове́сный

pulchritude ['pʌlkrɪtju:d] *n книжн.* красота́, милови́дность

pule [pju:l] *v книжн.* хны́кать; скули́ть; пища́ть

pull [pʊl] 1. *n* 1) тя́га, дёрганье; натяже́ние; тя́нущая си́ла; to give a ~ at the bell дёрнуть звоно́к 2) *разг.* преиму́щество (on, upon, over — пе́ред *кем-л.*) 3) *разг.* проте́кция, свя́зи, блат 4) привлека́тельность 5) глото́к; to have a ~ at the bottle глотну́ть, вы́пить (*спиртно́го*) 6) напряже́ние, уси́лие; a long ~ uphill тру́дный подъём в го́ру 7) шнуро́к, ру́чка (*звонка и т. п.*) 8) *полигр.* про́бный о́ттиск 9) уда́р весла́ 10) гре́бля; прогу́лка на ло́дке 11) затя́жка (*табачным дымом*) 12) растяже́ние 13) тя́га (*дымовой трубы*)

2. *v* 1) тяну́ть, тащи́ть; натя́гивать; to ~ a cart везти́ теле́жку; to ~ the horse натя́гивать пово́дья, во́жжи; the horse ~s ло́шадь натя́гивает пово́дья, во́жжи 2) дёргать; to ~ smb.'s hair дёргать кого́-л. за́ волосы; to ~ a bell звони́ть 3) выта́скивать, выдёргивать; to ~ a cork вы́тащить про́бку; he had two teeth ~ed ему́ удали́ли два зу́ба 4) растя́гивать; разрыва́ть; to ~ to pieces а) разорва́ть на куски́; б) раскритикова́ть, разнести́; he ~ed his muscle in the game во вре́мя игры́ он растяну́л мы́шцу 5) грести́, идти́ на вёслах; плыть (*о лодке с гребцами*); to ~ a good oar быть хоро́шим гребцо́м 6) вы́хватить, вы́тащить (*оружие*) 7) привлека́ть (*внимание*); получи́ть (*поддержку*) 8) рвать, собира́ть (*цветы, фрукты*) 9) тяну́ть, име́ть тя́гу; my pipe ~s badly моя́ тру́бка пло́хо тя́нет 10) *спорт.* отбива́ть мяч (*влево — в крикете, гольфе*) 11) *полигр.* де́лать о́ттиски 12) *разг.* соверши́ть, сде́лать (*что-л. незаконное*) 13) надвига́ть, натя́гивать; he ~ed his hat over his eyes он нахлобу́чил шля́пу на глаза́ 14) *разг.* де́лать обла́ву (*на игорные дома и т. п.*) 15) притя́гивать, прися́сывать ▭ ~ **about** а) гру́бо, бесцеремо́нно обраща́ться; б) таска́ть туда́ и сюда́; ~ **apart** а) разрыва́ть; б) придира́ться, критикова́ть; ~ **at** а) дёргать; б) затя́гиваться (*сигаретой и т. п.*); в) тяну́ть (*из бутылки*); ~ **back** а) оття́гивать; б) отступа́ть; в) *мор.* таба́нить; ~ **down** а) сноси́ть (*здание*); б) сбива́ть (*спесь*); в) *разг.* зараба́тывать (*деньги*); г) изнуря́ть, ослабля́ть; д) понижа́ть, снижа́ть (*в цене, чине и т. п.*); ~ **in** а) оса́живать (*лошадь*); б) зараба́тывать, загреба́ть; I don't know what you are ~ing in now не зна́ю, ско́лько вы тепе́рь зараба́тываете; в) отойти́, отъе́хать (*об автобусе и т. п.*); г) *разг.* арестова́ть; д) прибыва́ть (*о поезде и т. п.*); ~ **off** а) снима́ть, ста́скивать; б) доби́ться, несмотря́ на тру́дности; спра́виться с зада́чей; в) вы́играть (*приз, состязание*); г) отходи́ть, отъезжа́ть; the boat ~ed off from the shore ло́дка отча́лила от бе́рега; the horseman ~ed off the road вса́дник съе́хал с доро́ги; ~ **on** а) натя́гивать; б) продолжа́ть грести́; ~ **out** а) выта́скивать; the drawer won't ~ out я́щик не выдвига́ется; б) удаля́ть (*зубы*); в) вырыва́ть; выщи́пывать; г) удлиня́ть; д) удаля́ться; отходи́ть (*от станции — о поезде*); е) выходи́ть на вёслах; ж) *ав.* выходи́ть из пики́рования; ~ **over** а) подъе́хать к тротуа́ру *или* к кра́ю доро́ги; ~ **round** а) поправля́ться (*после болезни*); б) выле́чивать; the doctors tried in vain to ~ him round врачи́ безуспе́шно пыта́лись спасти́ его́; ~ **through** а) вы́жить; б) вы́лечить; в) спасти́(сь) от (*опасности и т. п.*), вы́путать(ся); преодоле́ть (*трудности и т. п.*); we shall ~ through somehow мы уж ка́к-нибудь вы́вернемся; ~ **together** а) рабо́тать дру́жно; б) *refl.* взять себя́ в ру́ки; встряхну́ться; собра́ться с ду́хом; ~ **up** а) остана́вливать(ся); б) оса́живать; де́лать вы́говор; в) сде́рживаться; to ~ oneself up собира́ться с си́лами; брать себя́ в ру́ки; г) идти́ впереди́ други́х *или* наравне́ с други́ми (*в состязаниях*) ◇ to ~ strings (*или* ropes, wires) нажима́ть та́йные пружи́ны; влия́ть на ход де́ла; быть скры́тым дви́гателем (*чего-л.*); to ~ one's weight исполня́ть свою́ до́лю рабо́ты; to ~ anchor сня́ться с я́коря, отпра́виться; to ~ a face (*или* faces) грима́сничать, стро́ить ро́жи; ~ devil!, ~ baker! поднажми́!, дава́й!, а ну ещё! (*возгласы одобрения на состязаниях*); to ~ the nose (о)дура́чить

pull-back ['pʊlbæk] *n* 1) препя́тствие; поме́ха 2) приспособле́ние для оття́гивания 3) *воен.* отхо́д

pulled [pʊld] **1.** *p. p. от* pull 2

2. *a*: ~ bread сухари́ из хле́бного мя́киша; ~ chicken ощи́панный цыплёнок; ~ figs прессо́ванный инжи́р, ви́нные я́годы

puller ['pʊlə] *n* 1) тот, кто та́щит 2) гребе́ц 3) приспособле́ние для выта́скивания (*клещи, штопор и т. п.*); инструме́нт для выта́скивания; съёмник 4) *ав.* самолёт с тя́нущим винто́м

pullet ['pʊlɪt] *n* моло́дка (*курица*)

pulley ['pʊlɪ] **1.** *n* шкив, блок; во́рот; driving ~ веду́щий шкив

2. *v* де́йствовать посре́дством бло́ка, шки́ва

pullicate ['pʌlɪkɪt] *n* 1) материа́л для цветны́х носовы́х платко́в 2) цветно́й носово́й плато́к

pull-in ['pʊlɪn] *n* заку́сочная на доро́ге, *особ.* для автомобили́стов

Pullman ['pʊlmən] *n* пу́льмановский спа́льный ваго́н (*тж.* ~ car)

pull-on ['pʊlɒn] **1.** *n* предме́т оде́жды без застёжек (*перчатки и т. п.*)

2. *a* натя́гиваемый, надева́емый без застёжек

pull-out ['pʊlaʊt] *n* 1) *ав.* вы́ход из пики́рования 2) *полигр.* вкле́йка большо́го форма́та

pullover ['pʊl,əʊvə] *n* пуло́вер, сви́тер

pullthrough ['pʊlθru:] *n* *воен.* проти́рка (*орудия*)

pullulate ['pʌljʊleɪt] *v* 1) праста́ть; размножа́ться 2) кише́ть 3) возника́ть, появля́ться (*о теориях и т. п.*)

pull-up ['pʊlʌp] *n* 1) натяже́ние (*проводов*) 2) *ав.* перехо́д к набо́ру высоты́ 3) = pull-in

pulmonary ['pʌlmənərɪ] *a* *анат.* лёгочный

pulp [pʌlp] **1.** *n* 1) мя́коть плода́ 2) мя́гкая бесфо́рменная ма́сса; каши́ца 3) *анат.* пу́льпа 4) бума́жная, древе́сная ма́сса 5) *тех.* шлам; пу́льпа; 6): ~ magazines *разг.* дешёвые журна́лы, публику́ющие сенсацио́нные расска́зы ◇ to beat smb. to a ~ изби́ть кого́-л. до полусме́рти; to be reduced to a ~ быть соверше́нно измо́чаленным, обесси́леть

2. *v* 1) превраща́ть(ся) в мя́гкую ма́ссу 2) очища́ть от шелухи́ (*кофейные зёрна и т. п.*)

pulpit ['pʊlpɪt] *n* 1) ка́федра (*проповедника*) 2) (the ~) де́ятельность пропове́дника 3) (the ~s) *pl* *собир.* пропове́дники

pulpiteer [,pʊlpɪ'tɪə] *пренебр.* **1.** *n* пропове́дник

2. *v* пропове́довать

pulpy ['pʌlpɪ] *a* мя́гкий, мяси́стый; со́чный

pulsar ['pʌlsɑ:] *n* *астр.* пульса́р

pulsate [pʌl'seɪt] *v* пульси́ровать, би́ться; вибри́ровать

pulsatile ['pʌlsətaɪl] *a* 1) пульси́рующий 2) *муз.* уда́рный (*об инструменте*)

pulsation [pʌl'seɪʃn] *n* пульса́ция

pulsatory [pʌl'seɪtərɪ] *a* пульси́рующий

pulse I [pʌls] **1.** *n* 1) пульс; пульса́ция; бие́ние; to feel the ~ щу́пать пульс; *перен.* разузнава́ть наме́рения, жела́ния, «прощу́пывать» 2) бие́ние (*жизни и т. п.*) 3) и́мпульс; толчо́к 4) чу́вство, настрое́ние 5) ритм уда́ров (*вёсел и т. п.*) 6) *муз.*, *прос.* ритм

2. *v* пульси́ровать, би́ться

pulse II [pʌls] *n* *бот.* *собир.* бобо́вые

pulverization [,pʌlvəraɪ'zeɪʃn] *n* 1) пульвериза́ция 2) превраще́ние в порошо́к

pulverize ['pʌlvəraɪz] *v* 1) растира́ть, размельча́ть; превраща́ть(ся) в порошо́к 2) распыля́ть(ся) 3) *разг.* сокруша́ть, разбива́ть (*доводы противника*)

pulverizer ['pʌlvəraɪzə] *n* 1) распыли́тель, пульвериза́тор 2) форсу́нка

pulverulent [pʌl'verʊlənt] *a* порошкообра́зный, пыливи́дный

pulwar [pʌl'wɔ:] *n* лёгкая инди́йская ло́дка

puma ['pju:mə] *n* *зоол.* пу́ма, кугуа́р

pumice ['pʌmɪs] **1.** *n* пе́мза

2. *v* чи́стить, шлифова́ть пе́мзой

pumice-stone ['pʌmɪsstəʊn] = pumice 1

pummel ['pʌml] *v* бить (*особ.* кулака́ми); тузи́ть

pump I [pʌmp] **1.** *n* насо́с; по́мпа

2. *v* 1) рабо́тать насо́сом; кача́ть; выка́чивать 2) нагнета́ть (*воздух и т. п.*) 3) пульси́ровать, колоти́ться, стуча́ть 4) (*обыкн. р. р.*) приводи́ть в изнеможе́ние (*тж.* ~ out) ▭ ~ **out** а) выка́чивать; б) выве́дывать, выспра́шивать (of); ~ **up** нака́чивать; to ~ up a tire нака́чивать ши́ну ◇ to ~ ship мочи́ться

pump II [pʌmp] *n* 1) ту́фля-ло́дочка 2) мужска́я ба́льная ту́фля (*обыкн.* лакиро́ванная)

pump-handle ['pʌmp,hændl] **1.** *n* ру́чка насо́са

2. *v* *разг.* до́лго трясти́ (*чью-л.*) ру́ку

pump iron ['pʌmpaɪən] *v* *разг.* занима́ться тяжёлой атле́тикой; быть штанги́стом

pumpkin ['pʌmpkɪn] *n* ты́ква (обыкнове́нная)

pumpkin-head ['pʌmpkɪnhed] *n разг.* о́лух, дура́к

pump room ['pʌmpru:m] *n* 1) насо́сное отделе́ние 2) зал для питья́ минера́льных вод на куро́ртах, бюве́т

pun [pʌn] **1.** *n* игра́ слов; каламбу́р

2. *v* каламбу́рить

Punch [pʌntʃ] *n* 1) Панч, Петру́шка; ~ and Judy Панч и Джу́ди (*персонажи кукольной комедии*) 2) «Панч» (*название английского юмористического журнала*) ◇ as pleased as ~ о́чень дово́льный; as proud as ~ о́чень го́рдый

punch I [pʌntʃ] **1.** *n* 1) уда́р кулако́м 2) *разг.* си́ла, эне́ргия; эффекти́вность

2. *v* 1) бить кулако́м 2) *амер.* гнать скот

punch II [pʌntʃ] **1.** *n* 1) компо́стер 2) *тех.* ке́рнер, пробо́йник; пуансо́н; ште́мпель 3) = punch press 4) *полигр.* пуансо́н

2. *v* проде́лывать *или* пробива́ть отве́рстия; компости́ровать; штампова́ть ▭ ~ in вбива́ть (*гвоздь и т. п.*); ~ out выбива́ть (*гвоздь и т. п.*)

punch III [pʌntʃ] *n* пунш

punch IV [pʌntʃ] *n* 1) ломова́я ло́шадь, тяжелово́з (*особ.* Suffolk ~) 2) корена́стый *или* по́лный челове́к небольшо́го ро́ста; коро́тышка

punchball ['pʌntʃbɔ:l] *n спорт.* подвесна́я гру́ша (*для тренировки боксёра*)

punch bowl ['pʌntʃbəʊl] *n* ча́ша для пу́нша

puncheon I ['pʌntʃən] *n ист.* больша́я бо́чка

puncheon II ['pʌntʃən] *n* 1) подпо́рка 2) *тех.* пуансо́н; чека́н; пробо́йник

puncher ['pʌntʃə] *n* 1) компо́стер 2) *амер.* ковбо́й 3) *тех.* пробо́йник; дырoко́л; перфора́тор; пневмати́ческий молото́к 4) *горн.* уда́рная вру́бовая маши́на

Punchinello [,pʌntʃɪ'neləʊ] *n* (*pl* -os [-əʊz]) Полишине́ль

punch press ['pʌntʃpres] *n* 1) дыропробивно́й пресс; штампова́льный пресс 2) *attr.*: ~ operator штампо́вщик; штампо́вщица

punchy ['pʌntʃɪ] *a* си́льный, энерги́чный; напо́ристый, пробивно́й

punctate(d) ['pʌŋkteɪt(ɪd)] *a бот., зоол.* пятни́стый

punctilio [pʌŋk'tɪlɪəʊ] *n* (*pl* -os [-əʊz]) форма́льность, педанти́чность; щепети́льность

punctilious [pʌŋk'tɪlɪəs] *a* педанти́чный, щепети́льный до мелоче́й

punctual ['pʌŋktʃʊəl] *a* пунктуа́льный, то́чный

punctuality [,pʌŋktʃʊ'ælətɪ] *n* пунктуа́льность, то́чность

punctuate ['pʌŋktʃʊeɪt] *v* 1) ста́вить зна́ки препина́ния 2) прерыва́ть, перемежа́ть; the audience ~d the speech by outbursts of applause собра́ние сопровожда́ло речь взры́вами аплодисме́нтов 3) подчёркивать, акценти́ровать

punctuation [,pʌŋktʃʊ'eɪʃn] *n* 1) пунктуа́ция 2) *attr.* пунктуацио́нный; ~ marks зна́ки препина́ния

puncture ['pʌŋktʃə] **1.** *n* 1) уко́л, проко́л; пу́нкция 2) проко́л (*особ. шины*) 3) *эл.* пробо́й (*изоляции*)

2. *v* 1) прока́лывать; пробива́ть отве́рстие 2) получа́ть проко́л; the tire ~d a mile from home ши́на ло́пнула в ми́ле от до́ма

punctured ['pʌŋktʃəd] **1.** *p. p. от* puncture 2

2. *a* проко́лотый; ко́лотый; ~ wound ко́лотая ра́на

pundit ['pʌndɪt] *n* 1) учёный инду́с, брами́н 2) *ирон.* учёный муж

pungency ['pʌndʒənsɪ] *n* острота́, е́дкость; ~ of pepper о́стрый вкус пе́рца; ~ of wit острота́, це́пкость ума́

pungent ['pʌndʒənt] *a* о́стрый, пика́нтный; е́дкий

Punic ['pju:nɪk] *a ист.* пуни́ческий; карфаге́нский ◇ ~ faith вероло́мство

punish ['pʌnɪʃ] *v* 1) нака́зывать; кара́ть; налага́ть взыска́ние 2) *разг.* причиня́ть поврежде́ния; наноси́ть уда́ры 3) гру́бо обраща́ться (*с кем-л.*) 4) *разг.* мно́го есть, навали́ться на еду́

punishable ['pʌnɪʃəbl] *a* наказу́емый, заслу́живающий наказа́ния

punishment ['pʌnɪʃmənt] *n* 1) наказа́ние 2) *воен.* взыска́ние 3) *разг.* суро́вое *или* гру́бое обраще́ние

punitive ['pju:nətɪv] *a* кара́тельный; ~ expedition кара́тельная экспеди́ция

Punjabi [pʌn'dʒɑ:bɪ] **1.** *a* панджа́бский

2. *n* 1) панджа́бец 2) панджа́би (*язык*)

punk [pʌŋk] *n* 1) никчёмный челове́к 2) что-л. нену́жное, никчемное; чепуха́ 3) *амер.* панк, «подо́нок», шпана́ 4) *амер.* пасси́вный гомосексуали́ст 5) *амер.* нео́пытный юне́ц; простофи́ля 6) гнило́е де́рево; гнилу́шка; гнильё; трут 7) *attr.* плохо́й

punnet ['pʌnɪt] *n* кру́глая корзи́нка (*для фруктов*)

punster ['pʌnstə] *n* остря́к; каламбури́ст

punt I [pʌnt] **1.** *n* плоскодо́нный я́лик, ма́лая шала́нда

2. *v* плыть (на плоскодо́нке), отта́лкиваясь шесто́м

punt II [pʌnt] *спорт.* **1.** *n* уда́р ного́й (*по мячу*); выбива́ние (*мяча*) из рук

2. *v* поддава́ть ного́й (*мяч*); выбива́ть (*мяч*) из рук

punt III [pʌnt] **1.** *n* ста́вка

2. *v* 1) *карт.* понти́ровать 2) *разг.* ста́вить ста́вку на ло́шадь

punter ['pʌntə] *n* 1) профессиона́льный игро́к; понтёр 2) *sl.* клие́нт проститу́тки

puny ['pju:nɪ] *a* 1) ма́ленький, сла́бый, хи́лый, тщеду́шный 2) незначи́тельный, ничто́жный

pup [pʌp] **1.** *n* 1) щено́к 2) тюленёнок; волчо́нок; лисёнок 3) самонадея́нный молодо́й челове́к; молокосо́с ◇ to sell smb. a ~ наду́ть кого́-л. при прода́же

2. *v* щени́ться

pupa ['pju:pə] *n* (*pl* -ae) *зоол.* ку́колка

pupae ['pju:pi:] *pl от* pupa

pupal ['pju:pl] *a*: ~ chamber ко́кон

pupate [pju:'peɪt] *v зоол.* оку́кливаться

pupation [pju:'peɪʃn] *n зоол.* образова́ние ку́колки, оку́кливание

pupil I ['pju:pl] *n* 1) учени́к; уча́щийся; воспи́танник 2) *юр.* малоле́тний; подопе́чный

pupil II ['pju:pl] *n* зрачо́к

pupil(l)age ['pju:pəlɪdʒ] *n* 1) учени́чество 2) малоле́тство, несовершенноле́тие

pupil(l)ary I ['pju:pələrɪ] *a* 1) учени́ческий 2) находя́щийся под опе́кой

pupil(l)ary II ['pju:pələrɪ] *a* зрачко́вый

puppet ['pʌpɪt] *n* 1) марионе́тка, ку́кла (*тж. перен.*) 2) *attr.* ку́кольный (*о театре*) 3) *attr.* марионе́точный (*о правительстве и т. п.*)

puppeteer [,pʌpɪ'tɪə] *n* арти́ст ку́кольного теа́тра; ку́кольник, куклово́д

puppet-play ['pʌpɪtpleɪ] *n* 1) ку́кольный спекта́кль 2) ку́кольный теа́тр

puppetry ['pʌpɪtrɪ] *n* 1) ку́клы 2) иску́сство ку́кольника 3) лицеме́рие; ха́нжество

puppet-show ['pʌpɪtʃəʊ] *n* ку́кольный теа́тр

puppy ['pʌpɪ] *n* 1) щено́к 2) молокосо́с; глу́пый юне́ц; самодово́льный фат

puppyism ['pʌpɪɪzəm] *n* фатовство́

purblind ['pɜ:blaɪnd] *a* 1) подслеповáтый 2) недальнови́дный; тупо́й

purchasable ['pɜ:tʃəsəbl] *a* 1) могу́щий быть ку́пленным 2) прода́жный, подку́пный

purchase ['pɜ:tʃəs] **1.** *n* 1) поку́пка; заку́пка; приобрете́ние 2) ку́пленная вещь, поку́пка 3) *юр.* приобрете́ние (*кроме наследования*) 4) механи́ческое приспособле́ние для подня́тия и перемеще́ния гру́зов (*напр.*, та́ли, рыча́г, во́рот *и т. п.*) 5) годово́й дохо́д с земли́; the land is bought at 20 years' ~ име́ние оку́пится в тече́ние 20 лет 6) це́нность, сто́имость (*тж. перен.*) 7) вы́игрыш в си́ле; преиму́щество 8) то́чка опо́ры; то́чка приложе́ния си́лы; to get a ~ with one's feet найти́ то́чку опо́ры для ног 9) *attr.*: ~ department отде́л снабже́ния; ~ tax *ист.* нало́г на поку́пки ◇ the man's life is not worth a day's ~ он и дня не проживёт

2. *v* 1) покупа́ть, закупа́ть; приобрета́ть 2) приобрести́, завоева́ть (*доверие*) 3) *тех.* тяну́ть лебёдкой; поднима́ть рычаго́м

purchaser ['pɜ:tʃəsə] *n* покупа́тель

purchasing power ['pɜ:tʃəsɪŋ,paʊə] *n эк.* покупа́тельная спосо́бность

purdah ['pɜ:də] *инд.* *n* 1) занаве́ска, отделя́ющая же́нскую полови́ну 2) затво́рничество же́нщин 3) полоса́тая мате́рия для занаве́сок

pure [pjʊə] *a* 1) чи́стый; беспри́месный 2) чистокро́вный 3) непоро́чный, целому́дренный 4) безупре́чный; ~ taste безупре́чный вкус 5) просто́й (*о стиле*); отчётливый; я́сный (*о звуке*) 6) чисте́йший, полне́йший; ~ imagination чисте́йшая вы́думка; ~ accident чи́стая случа́йность

purebred ['pjʊəbred] *a* чистокро́вный, поро́дистый

purée ['pjʊəreɪ] *n* суп-пюре́; пюре́

purely ['pjʊəlɪ] *adv* 1) чи́сто 2) исключи́тельно, соверше́нно, целико́м, вполне́

pure-minded [,pjʊə'maɪndɪd] *a* чи́стый душо́й

purgation [pɜ:'geɪʃn] *n* 1) очище́ние 2) *мед.* очище́ние кише́чника

purgative ['pɜ:gətɪv] **1.** *a* 1) очисти́тельный 2) слаби́тельный

2. *n* слаби́тельное (*лекарство*)

purgatorial [,pɜ:gə'tɔ:rɪəl] *a* очисти́тельный; искупи́тельный

purgatory ['pɜ:gətrɪ] **1.** *n* 1) *рел.* чисти́лище (*тж. перен.*) 2) *амер.* уще́лье

2. *a* очисти́тельный

purge [pɜ:dʒ] **1.** *n* 1) очище́ние; очи́стка 2) *полит.* чи́стка 3) слаби́тельное

2. *v* 1) очища́ть (of, from — от *чего-л.*); прочища́ть; счища́ть, удаля́ть (*что-л.*; *обыкн.* ~ away, ~ off, ~ out) 2) освобожда́ть, избавля́ть (of — от *кого-л.*) 3) *полит.* проводи́ть чи́стку 4) дава́ть слаби́тельное 5) сла́бить 6) *юр.* загла́живать преступле́ние, ликвиди́ровать после́дствия обвини́тельного пригово́ра искупле́нием вины́ и смире́нием; to ~ oneself of suspicion снять с себя́ подозре́ние

purification [,pjʊərɪfɪ'keɪʃn] *n* 1) очище́ние, очи́стка 2) *хим.* ректифика́ция, очи́стка

purificatory [,pjʊərɪfɪ'keɪtərɪ] *a* очисти́тельный

purifier ['pjʊərɪfaɪə] *n тех.*, *хим.* очисти́тель

purify ['pjʊərɪfaɪ] *v* 1) очища́ть(ся) (of, from — от *чего-л.*) 2) *церк.* соверша́ть обря́д очище́ния

purism ['pjʊərɪzəm] *n* пури́зм

purist ['pjʊərɪst] *n* пури́ст

puristic [pjʊ'rɪstɪk] *a* скло́нный к пури́зму; пуристи́ческий

Puritan ['pjʊərɪtən] **1.** *n* 1) пурита́нин 2) (p.) свято́ша

2. *a* (p.) пурита́нский

puritanic(al) [,pjʊərɪ'tænɪk(l)] *a* (*часто неодобр.*) пурита́нский

Puritanism ['pjʊərɪtənɪzəm] *n* 1) пурита́нство 2) (p.) стро́гие нра́вы

purity ['pjʊərətɪ] *n* 1) чистота́; white ~ безупре́чная белизна́ 2) непоро́чность 3) беспри́месность 4) про́ба (*драгоценных металлов*)

purl I [pɜ:l] **1.** *n* 1) галу́н; бахрома́; вы́шивка 2) вяза́ние с наки́дкой

2. *v* 1) нашива́ть галу́н 2) вяза́ть с наки́дкой

purl II [pɜ:l] **1.** *n* журча́ние

2. *v* журча́ть

purler ['pɜ:lə] *n разг.* паде́ние вниз головой; to come (*или* to take) a ~ упа́сть вниз голово́й

purlieu ['pɜ:lju:] *n* 1) *pl* грани́цы, преде́лы 2) излю́бленное ме́сто прогу́лок 3) *ист.* короле́вские лесны́е уго́дья, пе́реданные ча́стным владе́льцам 4) *pl* окре́стности, окра́ины; предме́стье, при́город

purlin ['pɜ:lɪn] *n стр.* обрешётина

purloin [pɜ:'lɔɪn] *v книжн.*, *шутл.* ворова́ть, похища́ть

purple ['pɜ:pl] **1.** *n* 1) пу́рпу́рный цвет, пу́рпур; ancient ~ багре́ц (*краска из багрянки*) 2) фиоле́товый цвет 3) порфи́ра 4) одея́ние *или* сан кардина́ла; to raise to the ~ сде́лать кардина́лом

2. *a* 1) пу́рпу́рный; багро́вый; to turn ~ with rage побагрове́ть от я́рости 2) фиоле́товый 3) пы́шный; изоби́лующий украше́ниями 4) *поэт.* порфироно́сный; ца́рский ◇ to be born in the ~ а) быть короле́вским о́тпрыском; б) быть зна́тного ро́да

3. *v* 1) окра́шивать в пу́рпу́рный цвет 2) багрове́ть

purple-fish ['pɜ:plfɪʃ] *n* багря́нка (*моллюск*)

purport 1. *n* ['pɜ:pət] 1) смысл, содержа́ние 2) *юр.* текст докуме́нта 3) *редк.* цель, наме́рение

2. *v* [pə'pɔ:t] 1) означа́ть; подразумева́ть; this letter ~s to be written by you письмо́ э́то напи́сано я́кобы ва́ми 2) *редк.* име́ть це́лью, претендова́ть

purpose ['pɜ:pəs] **1.** *n* 1) целеустремлённость, во́ля; wanting in ~ слабово́льный, нереши́тельный 2) результа́т; успе́х; to little ~ почти́ безрезульта́тно; to no ~ напра́сно, тще́тно; to some ~ не без успе́ха 3) наме́рение, цель, назначе́ние; novel with a ~ тенденцио́зный рома́н; of set ~ с у́мыслом, предумы́шленно; on ~ наро́чно; on ~ to... с це́лью...; to answer (*или* to serve) the ~ годи́ться, отвеча́ть це́ли; to the ~ кста́ти; к де́лу; beside the ~ нецелесообра́зно; sense of ~ целеустремлённость

2. *v* име́ть це́лью; намерева́ться; I ~ to go to Moscow я намерева́юсь отпра́виться в Москву́

purposeful ['pɜ:pəsfl] *a* 1) целеустремлённый; име́ющий наме́рение 2) умы́шленный; преднаме́ренный 3) по́лный значе́ния, ва́жный

purposeless ['pɜ:pəsləs] *a* 1) бесце́льный; бесполе́зный 2) непреднаме́ренный

purposely ['pɜ:pəslɪ] *adv* наро́чно, с це́лью; преднаме́ренно

purposive ['pɜ:pəsɪv] *a* 1) слу́жащий для определённой це́ли 2) наме́ренный 3) реши́тельный

purr [pɜ:] **1.** *n* мурлы́канье

2. *v* мурлы́кать

purree ['pʌrɪ] *n* жёлтое кра́сящее вещество́

purse [pɜ:s] **1.** *n* 1) кошелёк; to open one's ~ раскоше́ливаться; the public ~ казна́; to have a common ~ дели́ть по́ровну все расхо́ды 2) *амер.* да́мская су́мочка 3) мешо́к, су́мка (*тж. зоол.*); ~s under the eyes мешки́ под глаза́ми 4) де́нежный фонд; со́бранные сре́дства; приз, пре́мия; to make up a ~ собра́ть де́ньги (*по подписке*); to give (*или* to put up) a ~ присужда́ть пре́мию, дава́ть де́ньги 5) де́ньги, бога́тство, мошна́ (*тж.* fat ~, heavy ~, long ~); lean (*или* light, slender) ~ бе́дность 6) мотня́ (*в неводе*)

2. *v*: to ~ (up) one's mouth поджа́ть гу́бы

purse-bearer ['pɜ:sbeərə] *n* казначе́й

purse-proud ['pɜ:spraʊd] *a* го́рдый свои́м бога́тством; зазна́вшийся (*богач*)

purser ['pɜ:sə] *n* казначе́й, эконо́м (*на корабле*)

purse strings ['pɜ:sstrɪŋz] *n pl* ремешки́, кото́рыми в старину́ затя́гивался кошелёк ◇ to hold the ~ распоряжа́ться расхо́дами; to tighten (to loosen) the ~ скупи́ться, эконо́мить, сокраща́ть (не скупи́ться, увели́чивать) расхо́ды

purslane ['pɜ:slən] *n бот.* портула́к

pursuance [pə'sju:əns] *n* 1) выполне́ние; исполне́ние; in ~ of smth. выполня́я что-л., сле́дуя чему́-л., согла́сно чему́-л.; во исполне́ние чего́-л. 2) пресле́дование

pursuant [pə'sju:ənt] *adv*: ~ to соотве́тственно, согла́сно (*чему-л.*)

pursue [pə'sju:] *v* 1) пресле́довать; сле́довать неотсту́пно за; гна́ться; бежа́ть за; ill health ~d him till death плохо́е здоро́вье му́чило его́ всю жизнь 2) пресле́довать (*цель*); сле́довать по наме́ченному пути́; to ~ a scheme выполня́ть план, прое́кт, програ́мму; to ~ the policy of peace вести́, проводи́ть поли́тику ми́ра; to ~ pleasure иска́ть удово́льствий 3) занима́ться (*чем-л.*); име́ть профе́ссию 4) продолжа́ть (*обсуждение, занятие, поездку, путешествие*) 5) (*преим. шотл.*) *юр.* предъявля́ть иск

pursuer [pə'sju:ə] *n* 1) пресле́дователь; пресле́дующий 2) гони́тель 3) *шотл. юр.* исте́ц

pursuit [pə'sju:t] *n* 1) пресле́дование; пого́ня 2) заня́тие; daily ~s повседне́вные дела́, заня́тия 3) стремле́ние, по́иски; the ~ of happiness по́иски сча́стья; in ~ of в по́исках; в пого́не за, пресле́дуя

pursuit plane [pə'sju:tpleɪn] *n ав.* истреби́тель

pursuivant ['pɜ:sɪvənt] *n* 1) слу́жащий в колле́гии геро́льдии 2) *уст.* после́дователь

pursy I ['pɜ:sɪ] *a* 1) страда́ющий оды́шкой 2) ту́чный

pursy II ['pɜ:sɪ] *a* бога́тый, го́рдый свои́м бога́тством

purulent ['pjʊərʊlənt] *a* гно́йный, гноя́щийся

purvey [pə'veɪ] *v* 1) поставля́ть, снабжа́ть (*особ. провизией*) 2) заготовля́ть 3) быть поставщико́м

purveyance [pə'veɪəns] *n* 1) поста́вка, снабже́ние 2) запа́сы; провиа́нт 3) *ист.* реквизи́ция для нужд королéвского двора́

purveyor [pə'veɪə] *n* поставщи́к

purview ['pɜ:vju:] *n* 1) *юр.* содержа́ние зако́на; но́рмы зако́на; сфе́ра де́йствия зако́на 2) сфе́ра, компете́нция, о́бласть (де́йствия); грани́цы 3) кругозо́р

pus [pʌs] *n* гной

push [pʊʃ] **1.** *v* 1) толка́ть; подвига́ть; to ~ aside all obstacles устраня́ть, смета́ть все препя́тствия; to ~ a door to закры́ть дверь 2) нажима́ть 3) продвига́ть(ся); прота́лкивать(ся); выдвига́ть(ся); to ~ one's way проти́скиваться; прокла́дывать себе́ путь; to ~ one's claims выставля́ть свои́ притяза́ния; to ~ one's fortune вся́чески улучша́ть своё благосостоя́ние; to ~ oneself стара́ться вы́двинуться 4) реклами́ровать; to ~ one's wares реклами́ровать свои́ това́ры 5): to be ~ed for time (money) име́ть ма́ло вре́мени (де́нег) 6) притесня́ть; торопи́ть (*должника и т. п.*) 7) *разг.* продава́ть нарко́тики ▭ ~ **around** *разг.* помыка́ть (*кем-л.*); ~ **away** отта́лкивать; ~ **forward** а) торопи́ться; стреми́ться вперёд; б) продвига́ть; спосо́бствовать осуществле́нию; ~ **in** приближа́ться (*к берегу — о лодке и т. п.*); ~ **off** а) отта́лкиваться (*от берега*); б) отта́лкивать; в) *разг.* убира́ться, исчеза́ть; ~ **on** а) спеши́ть (*вперёд*); б) прота́лкивать, ускоря́ть; to ~ things on ускоря́ть ход собы́тий; ~ **out** а) выпуска́ть; б) дава́ть ростки́ (*о растении*); в) выступа́ть, выдава́ться вперёд; ~ **through** прота́лкивать(ся); пробива́ться; to ~ the matter through довести́ де́ло до конца́; ~ **upon**: to ~ smth. upon smb. навя́зывать что-л. кому́-л.

2. *n* 1) толчо́к; уда́р 2) давле́ние, нажи́м; напо́р; на́тиск; напряже́ние 3) уси́лие, энерги́чная попы́тка; to make a ~ приложи́ть большо́е уси́лие 4) *воен.* ата́ка 5) подде́ржка; проте́кция 6) крити́ческое положе́ние; реша́ющий моме́нт 7) *разг.* увольне́ние; to give the ~ увольня́ть; to get the ~ быть уво́ленным 8) *sl.* ша́йка, ба́нда (*воров, хулиганов*) 9) *тех.* нажи́мная кно́пка

push-ball ['pʊʃbɔ:l] *n спорт.* пушбо́л

push-bicycle ['pʊʃ,baɪsɪkl] *n* велосипе́д (*в противоположность мотоциклу*)

push button ['pʊʃ,bʌtn] *n* 1) нажи́мная кно́пка; кно́пка (*звонка и т. п.*) 2) *attr.* кно́почный (*об управлении*); ~ war «кно́почная» война́

pushcart ['pʊʃkɑ:t] *n* 1) ручна́я теле́жка 2) де́тский стул на колёсах 3) *attr.*: ~ man *амер.* у́личный торго́вец

pushchair ['pʊʃtʃeə] *n* де́тский складно́й стул на колёсиках

pusher ['pʊʃə] *n* 1) *разг.* торго́вец нарко́тиками 2) *разг.* пробивно́й тип, «толка́ч», де́йствующий ра́ди со́бственной вы́годы 3) толка́ч; толка́тель; эже́ктор; выбра́сыватель 4) *ав.* толка́ющий возду́шный винт 5) манёвро́вый парово́з

pushful ['pʊʃfl] *a* о́чень предприи́мчивый, сверхинициати́вный

pushing ['pʊʃɪŋ] **1.** *pres. p. от* push 1

2. *a* 1) предприи́мчивый, энерги́чный, инициати́вный 2) напо́ристый, пробивно́й

pushover ['pʊʃ,əʊvə] *n разг.* 1) пустяко́вое де́ло; несло́жная зада́ча 2) слабово́льный челове́к 3) сла́бый игро́к; сла́бый проти́вник

pushpin ['pʊʃpɪn] *n* 1) *амер.* кно́пка (*для прикрепления бумаги*) 2) *название детской игры*

push-pull [,pʊʃ'pʊl] *a радио* двухта́ктный

Pushtoo, Pushtu ['pʌʃtu:] *n* язы́к пушту́

push-up ['pʊʃʌp] = press-up

pusillanimity [,pju:sɪlə'nɪmətɪ] *n* малоду́шие, тру́сость

pusillanimous [,pju:sɪ'lænɪməs] *a* малоду́шный

puss [pʊs] *n разг.* 1) ко́шечка, ки́ска 2) (коке́тливая) де́вушка (*особ.* sly ~) 3) за́яц ◇ ~ in the corner игра́ в «свой сосе́ди»; P. in Boots Кот в Сапога́х

pussy I ['pʌsɪ] *a* гно́йный; гноеви́дный

pussy II ['pʊsɪ] *n* 1) *разг. см.* puss 1); 2) *sl. груб.* же́нские нару́жные половы́е о́рганы 3) серёжка на ве́рбе

pussycat ['pʊsɪkæt] *n* ко́шка, ко́шечка, ки́ска

pussyfoot ['pʊsɪfʊt] *v* 1) кра́сться по-коша́чьи 2) де́йствовать осторо́жно

pussy willow ['pʊsɪ,wɪləʊ] *n* ве́рба

pustular ['pʌstjʊlə] *a* прыща́вый

pustulate 1. *v* ['pʌstjʊ,leɪt] покрыва́ться прыща́ми

2. *a* ['pʌstjʊlət] покры́тый прыща́ми

pustule ['pʌstju:l] *n мед.* пу́стула, прыщ

pustulous ['pʌstjʊləs] = pustular

put I [pʊt] *v* (put) 1) класть, положи́ть; (по)ста́вить; ~ more sugar in your tea положи́ ещё са́хару в чай; to ~ a thing in its right place поста́вить вещь на ме́сто; to ~ smb. in charge of... поста́вить кого́-л. во главе́...; to ~ a child to bed уложи́ть ребёнка спать 2) помеща́ть; сажа́ть; to ~ to prison сажа́ть в тюрьму́; it's time he was ~ to school пора́ определи́ть его́ в шко́лу; to ~ a boy as apprentice определи́ть ма́льчика в учёнье; ~ yourself in his place поста́вь себя́ на его́ ме́сто; to ~ on the market выпуска́ть в прода́жу; he ~ his money into land он помести́л свои́ де́ньги в земе́льную со́бственность; ~ it out of your mind вы́кинь э́то из головы́ 3) приводи́ть (*в определённое состояние или положение*); to ~ in order приводи́ть в поря́док; to ~ an end to smth. прекрати́ть что-л.; to ~ a stop to smth. остановить что-л.; to ~ to sleep усыпи́ть; to ~ to the blush заста́вить покрасне́ть от стыда́, пристыди́ть; to ~ to shame пристыди́ть; to ~ to death предава́ть сме́рти, убива́ть, казни́ть; to ~ to flight обрати́ть в бе́гство; to ~ into a rage разгне́вать; to ~ a man wise (about, of, to) информи́ровать кого́-л. (о *чём-л.*), объясни́ть кому́-л. (*что-л.*); to ~ smb. at his ease приободри́ть, успоко́ить кого́-л.; to ~ the horse to the cart запряга́ть ло́шадь 4) оце́нивать, исчисля́ть, определя́ть (at — в); счита́ть; I ~ his income at £ 5,000 a year я определя́ю его́ годово́й дохо́д в 5000 фу́нтов сте́рлингов 5) выража́ть (*словами, в письменной форме*); излага́ть, переводи́ть (from... into — *с одного языка на другой*); класть (*слова на музыку*); to ~ it in black and white написа́ть чёрным по бе́лому; I don't know how to ~ it не зна́ю, как э́то вы́разить; I ~ it to you that... я говорю́ вам, что... 6) предлага́ть, ста́вить на обсужде́ние; to ~ a question зада́ть вопро́с; to ~ to vote поста́вить на голосова́ние 7) направля́ть; заставля́ть де́лать; to ~ a horse to (*или* at) a fence заста́вить ло́шадь взять барье́р; to ~ one's mind on (*или* to) a problem ду́мать над разреше́нием пробле́мы; to ~ smth. to use испо́льзовать что-л. 8) пододви́гать, прислони́ть; to ~ a glass to one's lips поднести́ стака́н к губа́м 9) приде́лать, приладить; to ~ a new handle to a knife приде́лать но́вую рукоя́тку к ножу́ 10) *спорт.* броса́ть, мета́ть; толка́ть 11) вса́живать, to ~ a knife into всади́ть нож в; to ~ a bullet through smb. застрели́ть кого́-л. 12) подверга́ть (to); to ~ to torture подве́ргнуть пы́тке; пыта́ть; to ~ to inconvenience причини́ть неудо́бство ▭ ~ **about** а) распространя́ть (*слух и т. п.*); б) *мор.* сде́лать поворо́т; лечь на друго́й галс; в) (*обыкн. p. p.*) волнова́ть, беспоко́ить; don't ~ yourself about не беспоко́йтесь; ~ **across** а) *разг.* успе́шно заверши́ть како́е-л. де́ло, «проверну́ть» (*что-л.*); б) обма́нывать, надува́ть (*кого-л.*); в) я́сно и поня́тно излага́ть (*мысли и т. п.*); г) перевози́ть, переправля́ть (*на лодке, пароме*); ~ **aside** а) откла́дывать (в сто́рону); б) копи́ть (*деньги*); в) стара́ться не замеча́ть; ~ **away** а) убира́ть; пря́тать; б) откла́дывать (*сбережения*); в) помеща́ть (*в тюрьму, сумасшедший дом и т. п.*); г) поглоща́ть; съеда́ть; выпива́ть; д) *разг.* убива́ть (*старое или больное животное*); е) оставля́ть (*привычку и т. п.*); отказа́ться (*от мысли и т. п.*); ~ **back** а) ста́вить на ме́сто; б) заде́рживать; в) передвига́ть наза́д (*стрелки часов*); г) *мор.* возвраща́ться (*в гавань, к берегу*); ~ **by** а) отстраня́ть; б) откла́дывать на чёрный день; в) избега́ть (*разговора*); г) стара́ться не замеча́ть; игнори́ровать; ~ **down** а) подавля́ть (*восстание и т. п.*); б) *разг.* осади́ть *или* уни́зить (*кого-л.*); в) запи́сывать; г) подпи́сываться на определённую су́мму; д) счита́ть; I ~ him down for a fool я счита́ю его́ глу́пым; е) запаса́ть (*что-л.*); ж) убива́ть (*старое или больное животное*); з) укла́дывать спать (*ребёнка*); и) *ав.* сни́зиться; соверши́ть поса́дку; к) сбить (*самолёт противника*); л) выса́живать, дава́ть возмо́жность вы́йти (*пассажирам*); м) опуска́ть, класть; н) уре́зывать (*расходы*); снижа́ть (*цены*); о) припи́сывать (*чему-л.*); ~ **forth** а) пуска́ть (*побеги*); б) *книжн.* пуска́ть в ход, в обраще́ние; в) *книжн.* напряга́ть (*силы*); испо́льзовать; г) пуска́ться (*в море*); ~ **forward** а) выдвига́ть, предлага́ть; б) передвига́ть вперёд (*о стрелках часов*); в) продвига́ть (*кого-л.*), соде́йствовать (*кому-л.*); ~ **in** а) предъявля́ть (*претензию*); подава́ть (*жалобу*); б) представля́ть (*документ*); в) вы́двинуть свою кандидату́ру, претендова́ть (for — на); г) проводи́ть вре́мя (*за каким-л. делом*); д) исполня́ть (*работу*); е) вставля́ть, всо́вывать; ж) вводи́ть (*в действие*); to ~ in the attack предпринима́ть наступле́ние; з) поста́вить (*у власти, на должность*); и) *мор.* заходи́ть в порт; к): to ~ in appearance (at) появи́ться; ~ **off** а) откла́дывать; he ~ off going to the dentist он отложи́л визи́т к зубно́му врачу́; б) отде́лываться; to ~ off with a jest отде́латься шу́ткой; в) меша́ть, отвлека́ть (*от чего-л.*); г) вызыва́ть отвраще́ние; her face quite ~s me off её лицо́ меня́ отта́лкивает; д) *мор.* отча́ливать; е) отбра́сывать (*страхи, сомнения и т. п.*); ~ **on** а) надева́ть; б) приводи́ть в де́йствие; to ~ the light on зажига́ть свет; в) испо́льзовать; применя́ть; to ~ on more trains пусти́ть бо́льше поездо́в; г) ста́вить (*на сцене*); to ~ a play on the stage поста́вить пье́су; д) передвига́ть вперёд (*стрелки часов*); е) принима́ть вид; напуска́ть на себя́; to ~ on airs and graces мане́рничать; ва́жничать; his modesty is all ~ on его́ скро́мность напускна́я; to ~ on an act *разг.* лома́ться, разы́грывать коме́дию; to ~ on a brave face де́лать вид, что всё в поря́дке; храбри́ться; ж) прибавля́ть(ся); to ~ on pace прибавля́ть ша́гу; to ~ it on повыша́ть це́ну; преувели́чивать (*свои чувства, боль и т. п.*); з) побужда́ть; to ~ smb. on doing smth. побужда́ть кого́-л. (с)де́лать что-л.; и) возлага́ть; to ~ the blame on smb. возлага́ть вину́ на кого́-л.; к) облага́ть (*налогом*); л): to ~ on make-up употребля́ть косме́тику; ~ **out** а) выводи́ть из себя́, смуща́ть, расстра́ивать; б) причиня́ть неудо́бство; he was very much ~ out by the late arrival of his guests по́здний прие́зд госте́й причини́л ему́ ма́ссу неудо́бств; в) туши́ть (*огонь*); г) вы́вихнуть (*плечо и т. п.*); д) расхо́довать, тра́тить (*силы*); е) дава́ть де́ньги под определённый проце́нт (at); ж): to ~ smb.'s eyes out вы́колоть глаза́ кому́-л.; з) вы́тянуть (*руку*); высо́вывать (*рожки — об улитке*); и) отдава́ть на́ сторону (*вещи — в стирку, в ремонт*); к) выгоня́ть; удаля́ть, устраня́ть; убира́ть; л) выходи́ть в мо́ре; м) выпуска́ть, издава́ть; н) выкла́дывать (*вещи*); о) *спорт.* запятна́ть; п) дава́ть побе́ги (*о растении*); р) *амер.* отправля́ться; ~ **over** а) успе́шно осуществи́ть (*постановку и т. п.*); б) *refl.* произвести́ впечатле́ние, доби́ться успе́ха у пу́блики; в) *амер.* откла́дывать; г) перепра́вить(ся); д) *амер.* дости́чь це́ли путём обма́на; ~ **through** а) вы́полнить, зако́нчить (*работу*); б) соедини́ть (*по телефону*); ~ **together** а) соединя́ть; сопоставля́ть; б) компили́ровать; в) собира́ть (*механизм*); ~ **up** а) стро́ить, воздвига́ть (*здание и т. п.*); б) повыша́ть (*цены*); в) принима́ть, дава́ть прию́т (*гостям*); г) остана́вливаться в гости́нице *и т. п.* (at); д) устра́ивать; to ~ up a fight устро́ить дра́ку; to ~ up a resistance ока́зывать сопротивле́ние; е) выставля́ть свою кандидату́ру (*на выборах*); ж) выдвига́ть чью-л. кандидату́ру (*на выборах*); з) вкла́дывать (*деньги*); и) пока́зывать, выставля́ть; выве́шивать (*объявление*); к) продава́ть с аукцио́на; л) убира́ть, пря́тать (*вещи и т. п.*); to ~ up a sword класть в но́жны (*меч*); м) вспугну́ть (*дичь*); н) терпе́ть; мири́ться, примири́ться (with — с); о) консерви́ровать; п) пакова́ть; р) ста́вить (*пьесу*); с) фабрикова́ть; т) возноси́ть (*молитвы*); у) поднима́ть; ~ **upon** а) обременя́ть; б) обма́нывать ◇ to ~ it across smb. а) провести́, обману́ть кого́-л.; б) нака́зывать кого́-л.; своди́ть счёты с кем-л.; to ~ two and two together сообрази́ть, сде́лать вы́вод из фа́ктов; to ~ smb. up to smth. а) открыва́ть кому́-л. глаза́ на что-л.; б) побужда́ть, подстрека́ть кого́-л. к чему́-л.; to ~ smb. up to the ways of the place знако́мить кого́-л. с ме́стными обы́чаями; to ~ smb. on his guard предостере́чь кого́-л.; to ~ smb. off his guard усыпи́ть чью-л. бди́тельность; to ~ one's name to ока́зывать подде́ржку

put II [pʊt] *n* мета́ние (*камня и т. п.*)

put III [pʌt] = putt

putative ['pju:tətɪv] *a* предполага́емый, мни́мый

putlog ['pʊtlɒg] *n стр.* па́лец строи́тельных лесо́в

put-off ['pʊtɒf] *n разг.* 1) уло́вка 2) откла́дывание

put-on ['pʊtɒn] *n разг.* обма́н, притво́рство

putrefaction [,pju:trɪ'fækʃn] *n* 1) гние́ние; разложе́ние; гни́лость 2) мора́льное разложе́ние

putrefactive [,pju:trɪ'fæktɪv] *a* вызыва́ющий гние́ние

putrefy ['pju:trɪfaɪ] *v* 1) гнить, разлага́ться (*о трупе*) 2) вызыва́ть гние́ние 3) разлага́ться (*морально*); подве́ргнуться де́йствию корру́пции

putrescence [pju:'tresns] *n* гние́ние

putrid ['pju:trɪd] *a* 1) гнило́й 2) воню́чий 3) испо́рченный 4) *sl.* ме́рзкий ◇ ~ fever сыпно́й тиф

putridity [pju:'trɪdətɪ] *n* 1) гниль; гни́лость 2) мора́льное разложе́ние, испо́рченность

putsch [pʊtʃ] *n* путч

putt [pʌt] **1.** *n* (лёгкий) уда́р, загоня́ющий мяч в лу́нку (*в гольфе*)

2. *v* гнать мяч в лу́нку (*в гольфе*)

puttee ['pʌtɪ] *n* 1) обмо́тка (*для ног*) 2) *амер.* кра́га

putter I ['pʌtə] *n* коро́ткая клю́шка (*для гольфа*)

putter II ['pʌtə] *амер.* = potter II

puttie ['pʌtɪ] = puttee

puttier ['pʌtɪə] *n* стеко́льщик

putting ['pʊtɪŋ] **1.** *pres. p. от* put I

2. *n спорт.* толка́ние; ~ the shot толка́ние ядра́

putting green ['pʌtɪŋgri:n] *n* ро́вная лужа́йка (*вокруг лунки в гольфе*)

putting-stone ['pʊtɪŋstəʊn] *n спорт.* ядро́

putty ['pʌtɪ] **1.** *n* (око́нная) зама́зка, шпатлёвка (*тж.* glazier's ~) 2) порошо́к, масти́ка *или* смесь для шлифо́вки *или* полиро́вки (*тж.* jeweller's ~) ◇ ~ medal незначи́тельная награ́да за незначи́тельные услу́ги

2. *v* зама́зывать зама́зкой; шпатлева́ть

put-up ['pʊtʌp] *a разг.* заду́манный, зара́нее сплани́рованный; сфабрико́ванный; a ~ affair (*или* job) махина́ция, суде́бная инсцениро́вка; подстро́енное де́ло

puzzle ['pʌzl] **1.** *n* 1) вопро́с, ста́вящий в тупи́к; зага́дка, головоло́мка 2) головоло́мка (*игрушка*); Chinese ~ кита́йская головоло́мка 3) недоуме́ние, затрудне́ние; замеша́тельство

2. *v* 1) приводи́ть в затрудне́ние, ста́вить в тупи́к; озада́чивать; to ~ one's brains over smth. лома́ть себе́ го́лову над чем-л.; би́ться над чем-л. 2) запу́тывать, усложня́ть □ ~ **out** распу́тать (*что-л.*), разобра́ться (в *чём-л.*)

puzzle-headed [,pʌzl'hedɪd] *a* запу́тавшийся; не разбира́ющийся в са́мых просты́х веща́х; сумбу́рный

puzzlement ['pʌzlmənt] *n* 1) замеша́тельство; смуще́ние 2) зага́дка

puzzle-pated [,pʌzl'peɪtɪd] = puzzle-headed

puzzler ['pʌzlə] *n* тру́дная зада́ча; тру́дный вопро́с

puzzling ['pʌzlɪŋ] **1.** *pres. p. от* puzzle 2

2. *a* приводя́щий в замеша́тельство; сбива́ющий с то́лку

pyaemia [paɪ'i:mɪə] *n мед.* пиеми́я

pyedog ['paɪdɒg] *n* бродя́чая соба́ка

pygm(a)ean [pɪg'mi:ən] *a* ка́рликовый

pygmy ['pɪgmɪ] *n* 1) пигме́й, ка́рлик 2) ничто́жество, пигме́й 3) *attr.* ка́рликовый 4) *attr.* незначи́тельный

pyjamas [pə'dʒɑ:məz] *n pl* пижа́ма

pylon ['paɪlən] *n* 1) *архит.* пило́н, опо́ра 2) *ав.* каба́нчик

pylori [paɪ'lɔ:raɪ] *pl от* pylorus

pylorus [paɪ'lɔ:rəs] *n* (*pl* -ri) *анат.* привра́тник желу́дка

pyorrhoea [,paɪə'rɪə] *n мед.* пиоре́я

pyramid ['pɪrəmɪd] **1.** *n* 1) пирами́да 2) что-л., напомина́ющее по фо́рме пирами́ду 3) *pl* пирами́да, игра́ на билья́рде в 15 шаро́в 4) *бирж.* прода́жа а́кций при повыше́нии ку́рса для поку́пки а́кций на бо́льшую су́мму

2. *v* 1) располага́ть в ви́де пирами́ды 2) *бирж.* продава́ть а́кции при повыше́-

нии ку́рса для поку́пки а́кций на бо́льшую су́мму 3) ста́вить на ка́рту, рискова́ть

pyramidal [pɪ'ræmɪdl] *a* пирамида́льный

pyre ['paɪə] *n* погреба́льный костёр

pyretic [paɪ'retɪk] *a* 1) лихора́дочный 2) жаропонижа́ющий

pyrites [paɪ'raɪti:z] *n* се́рный колчеда́н, пири́т

pyro-electricity [,paɪrəʊɪlek'trɪsətɪ] *n* пироэлектри́чество

pyromania [,paɪrəʊ'meɪnɪə] *n* пирома́ния

pyrometer [paɪ'rɒmɪtə] *n тех.* пиро́метр

pyrotechnic [,paɪrəʊ'teknɪk] *a* пиротехни́ческий; ~ pistol раке́тный пистоле́т

pyrotechnics [,paɪrəʊ'teknɪks] *n pl* (*употр. как sing*) пироте́хника

pyrotechnist [,paɪrəʊ'teknɪst] *n* пироте́хник

pyroxene [paɪ'rɒksi:n] *n мин.* пироксе́н

pyroxylin [paɪ'rɒksɪlɪn] *n хим.* пироксили́н

pyrrhic ['pɪrɪk] *n прос.* пирри́хий (*тж.* ~ foot)

Pyrrhic ['pɪrɪk] *a*: ~ victory пи́ррова побе́да

Pyrrhonism ['pɪrənɪzəm] *n* уче́ние гре́ческого фило́софа Пирро́на; скептици́зм

Pyrrhonist ['pɪrənɪst] *n* после́дователь Пирро́на; ске́птик

pyrrol [pɪ'rəʊl] *n хим.* пирро́л

Pythagoras' theorem [paɪ,θægərəs 'θɪərəm] *n мат.* пифаго́рова теоре́ма

Pythagorean [paɪ,θægə'ri:ən] **1.** *a* пифаго́ре́йский; ~ proposition = Pythagoras' theorem

2. *n* пифагоре́ец

Pythian ['pɪθɪən] *a др.-греч.* пифи́йский

python ['paɪθn] *n* 1) *зоол.* пито́н 2) *греч. миф.* Пифо́н 3) прорица́тель

pythoness ['paɪθənes] *n* пи́фия; прорица́тельница, вещу́нья

pyx [pɪks] **1.** *n* 1) *церк.* дарохрани́тельница 2) я́щик для про́бной моне́ты (*на моне́тном дворе́*); the trial of the ~ пробиро́вка, про́ба моне́т

2. *v* производи́ть про́бу (*моне́т*)

pyxides ['pɪksɪ,di:z] *pl от* pyxis

pyxis ['pɪksɪs] *n* (*pl* -ides) ма́ленький я́щичек (*для драгоце́нностей и т. п.*)

Q

Q, q [kju:] *n* (*pl* Qs, Q's [kju:z]) *17-я буква англ. алфавита* ◇ Q and reverse Q «восьмёрка» (*элемент фигурного катания*)

qua [kweɪ] *adv* в ка́честве

quack I [kwæk] **1.** *n* 1) кря́канье (*уток*) 2) *разг.* кря́ква, у́тка

2. *v* 1) кря́кать (*об утках*) 2) *разг.* треща́ть, болта́ть

quack II [kwæk] **1.** *n* 1) зна́харь; шарлата́н 2) *sl* ме́дик 3) *attr.* шарлата́нский; ~ doctor врач-шарлата́н; ~ medicine (*или* remedy) шарлата́нское сна́добье *или* сре́дство

2. *v* 1) лечи́ть сна́добьями 2) шарлата́нить, моше́нничать

quackery ['kwækərɪ] *n* шарлата́нство, зна́харство

quackle ['kwækl] *v* кря́кать

quack-quack [ˌkwæk'kwæk] *n детск.* кря-кря́, у́тка

quacksalver ['kwækˌsælvə] = quack II, 1

quad [kwɒd] *n* 1) *разг. сокр. от* quadrangle 2) *сокр. от* quadrat 3) *разг. сокр. от* quadruplets 4) четвёрка (*лошадей*) 5) *эл.* четвёрка (*скрученные вместе четыре изолированные жилы в кабелях связи*) 6) *воен. разг.* тяга́ч; счетверённая зени́тная пулемётная устано́вка

quadragenarian [ˌkwɒdrədʒə'neərɪən] **1.** *a* сорокале́тний

2. *n* сорокале́тний челове́к

Quadragesima [ˌkwɒdrə'dʒesɪmə] *n рел.* 1) воскресе́нье пе́рвой неде́ли Вели́кого поста́ (*тж.* ~ Sunday) 2) *уст.* Вели́кий пост

quadragesimal [ˌkwɒdrə'dʒesɪml] *a* 1) сорокадне́вный, дли́щийся со́рок дней (*особ. о Великом посте*) 2) *рел.* великопо́стный

quadrangle ['kwɒdræŋgl] *n* 1) четырёхуго́льник 2) четырёхуго́льный двор, окружённый зда́ниями

quadrangular [kwɒ'dræŋgjʊlə] *a* четырёхуго́льный

quadrant ['kwɒdrənt] *n* 1) *мат.* квадра́нт, че́тверть кру́га 2) *тех.* гита́ра, большо́й тре́нзель

quadrat ['kwɒdrət] *n полигр.* шпа́ция

quadrate 1. *n* ['kwɒdreɪt] 1) квадра́т 2) *анат.* квадра́тная кость

2. *a* ['kwɒdreɪt] квадра́тный, четырёхуго́льный (*преим. о мышце или кости*)

3. *v* [kwɒ'dreɪt] 1) де́лать квадра́тным 2) согласова́ть(ся); соотве́тствовать (with, to)

quadratic [kwɒ'drætɪk] *мат.* **1.** *a* квадра́тный; ~ equation квадра́тное уравне́ние, уравне́ние второ́й сте́пени

2. *n* = ~ equation [*см.* 1]

quadrature ['kwɒdrətʃə] *n мат., астр.* квадрату́ра; ~ of the circle квадрату́ра кру́га

quadrennial [kwɒ'drenɪəl] *a* 1) дли́щийся четы́ре го́да 2) происходя́щий раз в четы́ре го́да; ~ election вы́боры, происходя́щие ка́ждые четы́ре го́да

quadriga [kwɒ'dri:gə] *n* (*pl* -gae) *др.-рим.* квадри́га (*двухколёсная колесница, запряжённая четвёркой лошадей*)

quadrigae [kwɒ'dri:gi:] *pl от* quadriga

quadrilateral [ˌkwɒdrɪ'lætrəl] **1.** *n* четырёхуго́льник

2. *a* четырёхсторо́нний

quadrille [kwə'drɪl] *n* кадри́ль

quadrillion [kwɒ'drɪlɪən] *n мат.* 1) квадрильо́н, миллио́н в четвёртой сте́пени (*единица с 24 нулями*) 2) *амер.* ты́сяча в пя́той сте́пени (*единица с 15 нулями*)

quadripartite [ˌkwɒdrɪ'pɑ:taɪt] *a* состоя́щий из четырёх часте́й; разделённый на четы́ре ча́сти

quadripole ['kwɒdrɪpəʊl] *n радио* четырёхпо́люсник

quadrisyllable [ˌkwɒdrɪ'sɪləbl] *n* четырёхсло́жное сло́во

quadrivalent [ˌkwɒdrɪ'veɪlənt] *a хим.* четырёхвале́нтный

quadroon [kwɒ'dru:n] *n* квартеро́н (*родившийся от мулатки и белого*)

quadruped ['kwɒdrʊped] **1.** *n* четвероно́гое живо́тное (*особ.* млекопита́ющее)

2. *a* четвероно́гий

quadrupedal [kwɒ'dru:pɪdl] *a* четвероно́гий

quadruple ['kwɒdrʊpl] **1.** *n* учетверённое коли́чество

2. *a* 1) четверно́й; учетверённый (of, to); четырёхкра́тный 2) состоя́щий из четырёх часте́й 3) четырёхсторо́нний (*о соглашении*)

3. *v* учетверя́ть

quadruplets ['kwɒdrʊpləts] *n pl* че́тверо близнецо́в

quadruplicate 1. *n* [kwɒ'dru:plɪkət] 1): in ~ в четырёх экземпля́рах 2) *pl* четы́ре одина́ковых экземпля́ра

2. *a* [kwɒ'dru:plɪkət] учетверённый

3. *v* [kwɒ'dru:plɪkeɪt] учетверя́ть, множи́ть на четы́ре; де́лать в четырёх экземпля́рах

quads [kwɒdz] *разг. см.* quadruplets

quaere ['kwɪərɪ] *лат.* **1.** *n* вопро́с

2. *v* (*обыкн. imp.*) жела́тельно знать, спра́шивается; most interesting, but ~, is it true? э́то о́чень интере́сно, но, спра́шивается, ве́рно ли э́то?

quaestor ['kwi:stə] *n др.-рим.* кве́стор

quaff [kwɒf] *v книжн.* пить больши́ми глотка́ми; осуши́ть за́лпом

quag [kwæg] = quagmire 1)

quaggy ['kwægɪ] *a* 1) тряси́нный, то́пкий, боло́тистый 2) теку́щий по боло́тистой ме́стности 3) дря́блый (*о теле*)

quagmire ['kwægmaɪə] *n* 1) боло́то, тряси́на 2) затрудни́тельное положе́ние

quail I [kweɪl] *n* 1) (*pl без измен.*) пе́репел 2) *амер. унив. sl.* студе́нтка

quail II [kweɪl] *v* дро́гнуть; стру́сить, спасова́ть (at, before)

quail-call ['kweɪlkɔ:l] = quail-pipe

quail-pipe ['kweɪlpaɪp] *n* ду́дочка для прима́нивания перепело́в, мано́к

quaint [kweɪnt] *a* 1) прия́тный, привлека́тельный свое́й необы́чностью *или* старино́й; ~ old customs оригина́льные стари́нные обы́чаи 2) причу́дливый, эксцентри́чный

quake [kweɪk] **1.** *n* 1) дрожа́ние, дрожь 2) *разг.* землетрясе́ние

2. *v* 1) трясти́сь, дрожа́ть, кача́ться, колеба́ться (*о земле*) 2) дрожа́ть; to ~ with cold (fear, anger, weakness) дрожа́ть от хо́лода (стра́ха, гне́ва, сла́бости)

Quaker ['kweɪkə] *n* 1) ква́кер 2) (q.) = quaker gun 3) *attr.* ква́керский; Q. City *амер. уст.* Го́род ква́керов, Филаде́льфия

Quakeress ['kweɪkərəs] *n* ква́керша

quaker gun ['kweɪkəgʌn] *n амер. ист.* бутафо́рское ору́дие

Quakerish ['kweɪkərɪʃ] *a* ква́керский; по-ква́керски скро́мный

Quakerism ['kweɪkərɪzəm] *n* ква́керство

Quaker-meeting ['kweɪkəmi:tɪŋ] = Quakers' meeting

Quakers' meeting [ˌkweɪkəz'mi:tɪŋ] *n* 1) собра́ние ква́керов 2) собра́ние, на кото́ром ма́ло выступа́ют

quaking ['kweɪkɪŋ] *a* дрожа́щий, трясу́щийся ◇ ~ asp оси́на

quaking-grass ['kweɪkɪŋgrɑ:s] *n бот.* трясу́нка

quaky ['kweɪkɪ] *a* дрожа́щий, трясу́щийся

qualification [ˌkwɒlɪfɪ'keɪʃn] *n* 1) определе́ние, характери́стика (*деятельности, взглядов и т. п.*) 2) квалифика́ция; подгото́вленность; пра́во занима́ть каку́ю-л. до́лжность; a doctor's ~ профе́ссия врача́ 3) ограниче́ние, огово́рка 4) избира́тельный ценз 5) *спорт.* квалификацио́нные, отбо́рочные соревнова́ния

qualificatory ['kwɒlɪfɪkətərɪ] *a* 1) квалифици́рующий 2) ограни́чивающий

qualified ['kwɒlɪfaɪd] **1.** *p. p. от* qualify
2. *a* 1) компете́нтный 2) подходя́щий, приго́дный 3) ограни́ченный
qualifier ['kwɒlɪfaɪə] *n лингв.* определи́тель, уточни́тель
qualify ['kwɒlɪfaɪ] *v* 1) обуча́ть(ся) (*чему-л.*); приобрета́ть каку́ю-л. специа́льность 2) получа́ть пра́во (*на что-л.*); де́лать *или* стать правомо́чным (as, for); to ~ for the vote получи́ть пра́во го́лоса 3) определя́ть, квалифици́ровать; называ́ть (as) 4) *грам.* определя́ть 5) ослабля́ть, смягча́ть 6) разбавля́ть
qualifying ['kwɒlɪfaɪɪŋ] **1.** *pres. p. от* qualify
2. *a* квалификацио́нный; ~ examination экза́мен на получе́ние како́й-л. квалифика́ции
qualitative ['kwɒlɪtətɪv] *a* ка́чественный
quality ['kwɒlətɪ] *n* 1) ка́чество (*тж. филос.*); сорт; of good ~ высокосо́ртный 2) высо́кое ка́чество, досто́инство 3) сво́йство; осо́бенность; характе́рная черта́; to give a taste of one's ~ показа́ть себя́, свои́ спосо́бности *и т. п.* 4) тембр; the ~ of a voice тембр го́лоса 5) *уст.* положе́ние в о́бществе; people of ~, the ~ вы́сшие кла́ссы о́бщества, знать, господа́ (*противоп.* the common people); a lady of ~ зна́тная да́ма
qualm [kwɑ:m] *n* 1) при́ступ малоду́шия *или* растéрянности 2) (*обыкн. pl*) сомне́ние в свое́й право́те; ~s of conscience угрызе́ния со́вести 3) при́ступ дурноты́, тошноты́
qualmish ['kwɑ:mɪʃ] *a* 1) чу́вствующий при́ступ тошноты́ 2) испы́тывающий угрызе́ния со́вести
qualmishness ['kwɑ:mɪʃnəs] *n* тошнота́
quandary ['kwɒndərɪ] *n* затрудни́тельное положе́ние; затрудне́ние; недоуме́ние; to be in a ~ быть в затрудне́нии, не знать, как поступи́ть
quant [kwɒnt] *мор.* **1.** *n* шест для отта́лкивания
2. *v* отта́лкивать(ся) шесто́м
quanta ['kwɒntə] *pl от* quantum
quantify ['kwɒntɪfaɪ] *v* определя́ть коли́чество
quantitative ['kwɒntɪtətɪv] *a* коли́чественный
quantity ['kwɒntətɪ] *n* 1) коли́чество (*тж. филос.*); negligible ~ незначи́тельное коли́чество; величина́, кото́рой мо́жно пренебре́чь; *перен.* челове́к, с кото́рым не счита́ются; челове́к, не име́ющий ве́са 2) большо́е коли́чество; a ~ of мно́жество; in quantities в большо́м коли́честве 3) *фон.* долгота́ зву́ка, коли́чество зву́ка 4) *мат.* величина́; incommensurable quantities несоизмери́мые величи́ны; unknown ~ неизве́стное; *перен.* челове́к, о кото́ром ничего́ не изве́стно *или* де́йствия кото́рого нельзя́ предусмотре́ть
quantum ['kwɒntəm] *n* (*pl* -ta) 1) *физ.* квант 2) коли́чество, су́мма 3) до́ля, часть 4) *attr.* ква́нтовый; ~ theory ква́нтовая тео́рия; ~ number ква́нтовое число́
quarantine ['kwɒrənti:n] **1.** *n* 1) каранти́н 2) *юр. ист.* сорокадне́вный пери́од 3) *attr.*: ~ flag жёлтый каранти́нный флаг
2. *v* 1) подверга́ть каранти́ну 2) подверга́ть изоля́ции (*страну и т. п.*)
quark [kwɑ:k] *n физ.* кварк
quarrel I ['kwɒrəl] **1.** *n* ссо́ра, перебра́нка (with, between); по́вод к вражде́; раздо́ры; спор; to espouse another's ~ заступа́ться за кого́-л.; to seek (*или* to pick) a ~ with иска́ть по́вод для ссо́ры с; to make up a ~ помири́ться, переста́ть враждова́ть ◇ to find ~ in a straw быть придирчивым
2. *v* 1) ссо́риться (with — с *кем-л.*, about, for — из-за *чего-л.*) 2) придира́ться, спо́рить; оспа́ривать (*что-л.*); I would find difficulty to ~ with this statement тру́дно не согласи́ться с э́тим утвержде́нием ◇ to ~ with one's bread and butter броса́ть заня́тие, даю́щее сре́дства к существова́нию; идти́ про́тив со́бственных интере́сов
quarrel II ['kwɒrəl] *n ист.* стрела́ самостре́ла
quarrelsome ['kwɒrəlsəm] *a* вздо́рный, сварли́вый, приди́рчивый; драчли́вый
quarry I ['kwɒrɪ] **1.** *n* 1) каменоло́мня, откры́тая разрабо́тка, карье́р 2) исто́чник све́дений
2. *v* 1) разраба́тывать карье́р, добыва́ть (*камень из карьера*) 2) ры́ться (*в книгах и т. п.*); выи́скивать фа́кты, информа́цию (for)
quarry II ['kwɒrɪ] *n* 1) добы́ча; пресле́дуемый зверь 2) наме́ченная же́ртва
quart *n* 1) [kwɔ:t] ква́рта (*англ.* = *1/4 галлона* = *2 пинтам* = *1,14 л, амер.* = *0,95 л*); сосу́д ёмкостью в 1 ква́рту 2) [kɑ:t] ква́рта (*четвёртая позиция или фигура в фехтовании*) 3) [kɑ:t] *карт.* кварт (*четыре карты одной масти подряд в пикете*) ◇ to try to put a ~ into a pint pot ≅ стара́ться сде́лать невозмо́жное
quartan ['kwɔ:tn] *n мед.* четырёхдне́вная маляри́я, кварта́на
quarter ['kwɔ:tə] **1.** *n* 1) че́тверть (of); a ~ of a century че́тверть ве́ка; to divide into ~s раздели́ть на четы́ре ча́сти; for a ~ (of) the price, for ~ the price за че́тверть цены́ 2) кварта́л (*года*); *школ.* че́тверть; to be several ~s in arrears задолжа́ть за не́сколько кварта́лов (*квартирную плату и т. п.*) 3) че́тверть ча́са; a ~ to one, *амер.* a ~ of one без че́тверти час; a bad ~ of an hour не́сколько неприя́тных мину́т; неприя́тное пережива́ние 4) *амер.* (моне́та в) 25 це́нтов 5) кварта́л (*города*); residential ~ кварта́л жилы́х домо́в 6) страна́ све́та 7) ме́сто, сторона́; from every ~ со всех сторо́н; from no ~ ниотку́да, ни с чьей стороны́; we learned from the highest ~s мы узна́ли из авторите́тных исто́чников 8) *pl* кварти́ра, помеще́ние, жили́ще; at close ~s в те́сном сосе́дстве (*ср. тж.* ◇); to take up one's ~s with smb. посели́ться у кого́-л. *или* с кем-л. 9) *pl воен.* кварти́ры, каза́рмы; стоя́нка; *мор.* пост; to beat to ~s *мор.* бить сбор; to sound off ~s *мор.* бить отбо́й 10) *астр.* че́тверть (*Луны*); the first (the last) ~ пе́рвая (после́дняя) че́тверть (*Луны*) 11) че́тверть (*туши*); fore ~ лопа́тка; hind ~ за́дняя часть 12) поща́да; to ask for (*или* to cry) ~ проси́ть поща́ды; to give ~ пощади́ть жизнь (*сдавшегося на милость победителя*); no ~ to be given поща́ды не бу́дет 13) че́тверть (*мера сыпучих тел* = *2,9 гектолитра; мера веса* = *12,7 кг; мера длины: 1/4 ярда* = *22,86 см, 1/4 мили* = *402,24 м*) 14) *геральд.* че́тверть геральди́ческого щита́ 15) *мор.* че́тверть ру́мба; from what ~ does the wind blow? отку́да ду́ет ве́тер? 16) *мор.* кормова́я часть су́дна 17) приём, обхожде́ние 18) бег на че́тверть ми́ли 19) за́дник (*сапога*) 20) *стр.* деревя́нный четырёхгра́нный брус ◇ not a ~ so good as далеко́ не так хоро́ш, как; at close ~s в непосре́дственном соприкоснове́нии (*особ. с противником*) [*ср. тж.* 8)]; to come to close ~s а) вступи́ть в рукопа́шную; б) сцепи́ться в спо́ре; в) столкну́ться лицо́м к лицу́
2. *v* 1) дели́ть на четы́ре (ра́вные) ча́сти 2) *ист.* четвертова́ть 3) расквартиро́вывать (*особ. войска*); помеща́ть на кварти́ру; ста́вить на посто́й (on — к *кому-л.*) 4) квартирова́ть (at) 5) ры́скать по всем направле́ниям (*об охотничьих собаках*) 6) уступа́ть доро́гу, свора́чивать, что́бы разъе́хаться 7) *геральд.* дели́ть (щит) на че́тверти; помеща́ть в одно́й из четверте́й щита́ но́вый герб
quarterage ['kwɔ:tərɪdʒ] *n* 1) вы́плата (*пенсии и т. п.*) по кварта́лам 2) расквартирова́ние
quarterback ['kwɔ:təbæk] *n* защи́тник (*в американском футболе*)
quarter-bill ['kwɔ:təbɪl] *n мор.* боево́е расписа́ние
quarter binding ['kwɔ:tə,baɪndɪŋ] *n* переплёт с ко́жаным корешко́м
quarter day ['kwɔ:tədeɪ] *n* день, начина́ющий кварта́л го́да (*срок платежей в Англии: 25 марта, 24 июня, 29 сентября и 25 декабря*)
quarterdeck ['kwɔ:tədek] *n мор.* шка́нцы; ют
quarterly ['kwɔ:təlɪ] **1.** *n* журна́л, выходя́щий раз в три ме́сяца
2. *a* трёхме́сячный, кварта́льный
3. *adv* раз в кварта́л, раз в три ме́сяца
quartermaster ['kwɔ:tə,mɑ:stə] *n* 1) *воен.* квартирме́йстер; нача́льник (хозя́йственного) снабже́ния; интенда́нт; 2) *мор.* старшина́-рулево́й
quartern ['kwɔ:tn] *n* 1) *уст.* че́тверть пи́нты 2) че́тверть листа́ (*бумаги*)
quartern loaf [,kwɔ:tn'ləʊf] *n* четырёхфунто́вая буха́нка (*хлеба*)
quarter sessions ['kwɔ:tə,seʃnz] *n ист.* суд четвертны́х (кварта́льных) се́ссий
quartet(te) [kwɔ:'tet] *n муз.* кварте́т
quarto ['kwɔ:təʊ] *n* (*pl* -os [-əʊz])

(*сокр.* 4to) *полигр.* 1) ква́рто, форма́т в 1/4 до́лю листа́ 2) кни́га в 1/4 до́лю листа́

quartz [kwɔ:ts] *n мин.* кварц ◇ ~ clock ква́рцевые, сверхто́чные часы́

quasar ['kweɪzɑ:] *n астр.* кваза́р

quash [kwɒʃ] *v* 1) *юр.* аннули́ровать, отмени́ть 2) подавля́ть, сокруша́ть

quasi ['kweɪzaɪ] *adv* как бу́дто; ка́к бы, я́кобы; почти́

quasi- ['kweɪzaɪ-] *в сложных словах* квази-; полу-; a ~-independent position полунезави́симое положе́ние

quasi-conductor [,kweɪzaɪkən'dʌktə] *n физ.* полупроводни́к

Quasimodo [,kwɑ:zɪ'məʊdəʊ] *n рел.* Фомино́ воскресе́нье

quassia ['kwɒʃə] *n* 1) *бот.* ка́ссия 2) го́рький отва́р из ка́ссии

quatercentenary [,kwætəsen'ti:nərɪ] *n* четырёхсотле́тний юбиле́й; четырёхсотле́тие

quaternary [kwə'tɜ:nərɪ] **1.** *a* 1) состоя́щий из четырёх часте́й; четвертно́й 2) *геол.* четверти́чный

2. *n* 1) компле́кт из четырёх предме́тов; четвёрка 2) (Q.) *геол.* четверти́чный пери́од

quaternion [kwə'tɜ:nɪən] *n* 1) четвёрка, четы́ре 2) *мат.* кватернио́н

quatrain ['kwɒtreɪn] *n* четверости́шие

quattrocento [,kwætrəʊ'tʃentəʊ] *n иск.* кватроче́нто

quaver ['kweɪvə] **1.** *n* 1) *муз.* восьма́я но́та 2) трель 3) дрожа́ние го́лоса

2. *v* 1) дрожа́ть, вибри́ровать 2) выводи́ть тре́ли 3) произноси́ть дрожа́щим го́лосом

quavery ['kweɪvərɪ] *a* дрожа́щий

quay [ki:] *n* прича́л, на́бережная; сте́нка (*для причаливания судов*)

quayage ['ki:ɪdʒ] *n мор.* 1) сбор за стоя́нку у сте́нки 2) длина́ прича́льной ли́нии

quayside ['ki:saɪd] *n* при́стань

quean [kwi:n] *n* 1) *уст.* распу́тница 2) *шотл.* молода́я же́нщина, де́вушка

queasily ['kwi:zɪlɪ] *adv* 1) тошнотво́рно 2) в состоя́нии дурноты́ 3) привере́дливо

queasy ['kwi:zɪ] *a* 1) испы́тывающий тошноту́, недомога́ние 2) подве́рженный тошноте́ 3) щепети́льный; делика́тный 4) вызыва́ющий тошноту́ (*о пище*) 5) сла́бый (*о желудке*) 6) привере́дливый, разбо́рчивый

quebracho [keɪ'brɑ:tʃəʊ] *n* 1) квебра́хо (*очень твёрдая древесина некоторых южноамериканских деревьев*) 2) кора́ квебра́хо (*применяется в медицине и в качестве дубителя*)

queen [kwi:n] **1.** *n* 1) короле́ва; Q.'s head ма́рка с голово́й короле́вы 2) ма́тка (*у пчёл*) 3) *шахм.* ферзь 4) *карт.* да́ма; ~ of hearts а) да́ма черве́й; б) покори́тельница серде́ц 5) *sl.* гомосексуали́ст (*особ.* пасси́вный) 6) боги́ня, цари́ца; ~ of beauty короле́ва красоты́ ◇ Q. Anne is dead! ≅ откры́л Аме́рику! (*ответ на запоздавшую новость*); when Q. Anne was alive ≅ при царе́ Горо́хе

2. *v* 1) де́лать короле́вой 2) пра́вить (over); быть короле́вой; цари́ть (*тж.* ~ it) 3) *шахм.* проводи́ть пе́шку *или* проходи́ть в ферзи́

queenhood ['kwi:nhʊd] *n* 1) положе́ние короле́вы 2) пери́од ца́рствования короле́вы

queening ['kwi:nɪŋ] *pres. p. от* queen 2

queenly ['kwi:nlɪ] *a* подоба́ющий короле́ве, ца́рственный

queer [kwɪə] **1.** *a* 1) стра́нный, чудакова́тый, эксцентри́чный 2) сомни́тельный; подозри́тельный; something ~ about him с ним что́-то нела́дно; в нём есть что́-то стра́нное, подозри́тельное 3) *разг.* чу́вствующий недомога́ние, головокруже́ние *и т. п.* 4) *sl.* пья́ный 5) *sl. презр.* гомосексуа́льный 6) *sl.* подде́льный; подло́жный; ~ money фальши́вые де́ньги ◇ in Q. street а) в затрудни́тельном положе́нии; в беде́; б) в долга́х

2. *n sl. презр.* гомосексуали́ст

3. *v sl.* 1) по́ртить; to ~ a person's pitch ≅ подложи́ть свинью́ кому́-л.; расстро́ить чьи-л. пла́ны; to ~ oneself with smb. поста́вить себя́ в нело́вкое положе́ние пе́ред кем-л. 2) надува́ть, обма́нывать

quell [kwel] *v* 1) подавля́ть (*мятеж, оппозицию*) 2) успока́ивать, подавля́ть (*страх и т. п.*)

quench [kwentʃ] *v* 1) утоля́ть (*жажду*), удовлетворя́ть (*желание*) 2) гаси́ть, туши́ть 3) зака́ливать (*сталь*); бы́стро охлажда́ть 4) охлажда́ть (*пыл*) 5) подавля́ть (*желание, чувства*) 6) *sl.* заста́вить замолча́ть, заткну́ть рот

quencher ['kwentʃə] *n* 1) гаси́тель, туши́тель *и пр.* [*см.* quench] 2) *разг.* питьё

quenchless ['kwentʃləs] *a* неугаси́мый; неутоли́мый; a ~ flame ве́чный ого́нь

quenelle [kə'nel] *n кул.* кнель

quercitron ['kwɜ:sɪtrən] *n амер.* 1) дуб ба́рхатный 2) кора́ э́того де́рева 3) кверцитро́н (*жёлтая краска из бархатного дуба*)

querist ['kwɪərɪst] *n книжн.* задаю́щий вопро́сы

quern [kwɜ:n] *n* ручна́я ме́льница

querulous ['kwerʊləs] *a* постоя́нно недово́льный, жа́лующийся, ворчли́вый

query ['kwɪərɪ] **1.** *n* 1) вопро́с; I have heard the rumour, but ~ is it true? до меня́ дошёл э́тот слух, но, спра́шивается, ве́рен ли он? 2) сомне́ние 3) вопроси́тельный знак

2. *v* 1) спра́шивать (if, whether); осведомля́ться 2) выража́ть сомне́ние, подверга́ть сомне́нию (about; as to) 3) ста́вить вопроси́тельный знак

quest [kwest] **1.** *n* 1) по́иски; in ~ of в по́исках 2) иско́мый предме́т 3) отъе́зд ры́царя на по́иски приключе́ний (*в рыцарских романах*) 4) *уст.* дозна́ние; crowner's ~ (*неправ. вм.* coroner's inquest) дозна́ние ко́ронера

2. *v* 1) иска́ть дичь (*о собаках*); иска́ть пи́щу (*о животных*) 2) *поэт.* иска́ть; производи́ть по́иски, разы́скивать 3) производи́ть сбор подая́ний (*в католической церкви*)

question ['kwestʃən] **1.** *n* 1) вопро́с; ask me no ~s не задава́йте мне вопро́сов; to put a ~ to задава́ть вопро́с [*см. тж.* 2)]; indirect (*или* oblique) ~ ко́свенный вопро́с; leading ~ наводя́щий вопро́с 2) пробле́ма, де́ло, обсужда́емый вопро́с; the ~ is де́ло в том; that is not the ~ де́ло не в э́том; this is out of the ~ об э́том не мо́жет быть и ре́чи; it is merely a ~ of time э́то уже́ то́лько вопро́с вре́мени; it is only a ~ of (*doing smth.*) де́ло то́лько в том (*чтобы*); to come into ~ подверга́ться обсужде́нию; to go into the ~ заня́ться вопро́сом; the person (the matter) in ~ лицо́ (вопро́с), о кото́ром идёт речь; to put the ~ ста́вить на голосова́ние [*см. тж.* 1)] 3) сомне́ние; beyond all (*или* out of, past, without) ~ вне сомне́ния; to call in ~ подверга́ть сомне́нию; возража́ть; тре́бовать доказа́тельств; to make no ~ of не сомнева́ться; вполне́ допуска́ть 4) *ист.* пы́тка; to put to the ~ пыта́ть ◇ ~! а) бли́же к де́лу! (*обращение председателя собрания к выступающему*); б) э́то ещё вопро́с!; 64 dollar ~ са́мый тру́дный вопро́с

2. *v* 1) спра́шивать, задава́ть вопро́с; вопроша́ть 2) допра́шивать 3) подверга́ть сомне́нию, сомнева́ться; to ~ the honesty of smb. сомнева́ться в чье́й-л. че́стности 4) иссле́довать (*явления, факты*)

questionable ['kwestʃənəbl] *a* сомни́тельный; подозри́тельный; по́льзующийся плохо́й репута́цией

questioner ['kwestʃənə] *n* 1) тот, кто спра́шивает, ведёт допро́с *и пр.* [*см.* question 2] 2) интервьюе́р, корреспонде́нт

questionless ['kwestʃənləs] **1.** *a* несомне́нный; бесспо́рный

2. *adv* несомне́нно; бесспо́рно

question mark ['kwestʃənmɑ:k] *n* знак вопро́са, вопроси́тельный знак

question-master ['kwestʃən,mɑ:stə] *n* веду́щий радио- *или* телевиктори́ны

questionnaire [,kwestə'neə] *n* вопро́сник, анке́та

quetzal ['ketsl] *n* кетца́ль (*денежная единица Гватемалы*)

queue [kju:] **1.** *n* 1) о́чередь, хвост; to stand in a ~ стоя́ть в о́череди; to form a ~ организова́ть о́чередь; to jump the ~ получи́ть что-л. *или* пройти́ куда́-л. без о́череди 2) коси́чка (*парика*) 3) *attr.*: ~ jumper *разг.* тот, кто хо́чет получи́ть что-л. *или* пройти́ куда́-л. без о́череди

2. *v* 1) стоя́ть в о́череди, станови́ться в о́чередь (*часто* ~ up) 2) заплета́ть (в) ко́су

quibble ['kwɪbl] **1.** *n* 1) игра́ слов; каламбу́р 2) софи́зм, увёртка

2. *v* 1) уклоня́ться от су́ти вопро́са, уклоня́ться от прямо́го отве́та посре́дством софи́зма 2) *уст.* игра́ть слова́ми

quick [kwɪk] **1.** *a* 1) бы́стрый, прово́рный, живо́й; ~ to sympathize отзы́вчивый 2) бы́стрый, ско́рый; ~ step ско́рый шаг; ~ luncheon за́втрак на ско́рую ру́ку; ~ fire *воен.* бе́глый ого́нь; ~ march *воен.* форси́рованный марш; бы́стрый шаг; ~ time *воен.* строево́й, похо́дный шаг; ~ train ско́рый по́езд; to be ~ спеши́ть; do be ~! потороп́итесь! 3) сообрази́тельный, смышлёный; нахо́дчивый; a ~ child смышлёный ребёнок; ~ to learn бы́стро схва́тывающий 4) о́стрый (*о зрении, слухе, уме*); to have ~ wit име́ть о́стрый ум 5) *уст.* живо́й; ~ with child (*первонач.* with ~ child) бере́менная 6) плыву́чий, сыпу́чий; мя́гкий (*о породе*)

2. *adv* бы́стро; ско́ро; please come ~ иди́те скоре́й; now then, ~! жи́во!

3. *n* 1) наибо́лее чувстви́тельные уча́стки ко́жи (*напр., под ногтями*); *перен.* чу́вства; to cut (to bite) one's fingernails to the ~ сре́зать (обкуса́ть) но́гти до мя́са; to touch (*или* to wound, to sting) smb. to the ~ заде́ть за живо́е 2) (the ~) *pl собир.* живы́е; the ~ and the dead живы́е и мёртвые 3) жива́я и́згородь

quick bread [ˌkwɪk'bred] *n амер.* пече́нье из пре́сного те́ста

quick-change ['kwɪktʃeɪndʒ] *a*: ~ artist трансформа́тор (*артист*)

quicken I ['kwɪkən] *v* 1) оживля́ть(ся), ожива́ть 2) начина́ть чу́вствовать движе́ние плода́ (*при беременности*) 3) *уст.* разжига́ть (*огонь и т. п.*) 4) возбужда́ть, стимули́ровать 5) ускоря́ть(ся); his pulse ~ed его́ пульс участи́лся

quicken II ['kwɪkən] *n* ряби́на обыкнове́нная

quick-fence ['kwɪkfens] *n* жива́я и́згородь

quickfirer ['kwɪkˌfaɪərə] *n воен.* скоростре́льное ору́жие

quickfiring ['kwɪkˌfaɪərɪŋ] *a* скорострельный

quick-freeze [ˌkwɪk'fri:z] *v* (quick-froze; quick-frozen) бы́стро замора́живать (*продукты*); бы́стро замерза́ть (*о продуктах*)

quickie ['kwɪkɪ] *n разг.* 1) халту́ра, на́спех вы́пущенная, недоброка́чественная проду́кция (*гл. обр., литературная, театральная или кино*) 2) вы́пивка на ходу́

quicklime ['kwɪklaɪm] *n* негашёная и́звесть

quickly ['kwɪklɪ] *adv* бы́стро

quickness ['kwɪknəs] *n* быстрота́ *и пр.* [*см.* quick 1]

quicksand ['kwɪksænd] *n* плыву́н, зыбу́чий песо́к

quickset ['kwɪkset] *n* 1) черено́к (*особ. боярышника*) 2) жива́я и́згородь (*тж* ~ hedge)

quicksilver ['kwɪkˌsɪlvə] **1.** *n* ртуть ◇ to have ~ in one's veins быть о́чень живы́м, подви́жным челове́ком

2. *v* наводи́ть рту́тную амальга́му

quicktempered [ˌkwɪk'tempəd] *a* вспы́льчивый, раздражи́тельный

quickwitted [ˌkwɪk'wɪtɪd] *a* 1) нахо́дчивый, сообрази́тельный 2) остроу́мный

quid I [kwɪd] *n* кусо́к прессо́ванного табака́ для жева́ния

quid II [kwɪd] *n* (*pl без измен.*) *sl.* сове́рен *или* фунт сте́рлингов ◇ not the full ~ *австрал.* слабоу́мный

quiddity ['kwɪdətɪ] *n* 1) *филос.* су́щность 2) = quibble 1

quidnunc ['kwɪdnʌŋk] *n уст.* сплéтник

quid pro quo [ˌkwɪdprəʊ'kwəʊ] *лат. n* 1) услу́га за услу́гу, компенса́ция 2) квипрокво́, недоразуме́ние, осно́ванное на приня́тии одно́й ве́щи за другу́ю

quiescence, -cy [kwɪ'esns, -sɪ] *n* поко́й, неподви́жность

quiescent [kwɪ'esnt] *a* 1) находя́щийся в поко́е, неподви́жный; ~ load *тех.* стати́ческая *или* постоя́нная нагру́зка 2) молчали́вый

quiet ['kwaɪət] **1.** *a* 1) споко́йный; ти́хий, бесшу́мный; неслы́шный; keep ~ не шуми́те; ~!, ти́ше!, не шуме́ть!; the sea is ~ мо́ре споко́йно 2) споко́йный, мя́гкий (*о человеке*) 3) нея́ркий, не броса́ющийся в глаза́; ~ colours споко́йные цвета́ 4) споко́йный, скро́мный; a ~ dinner-party инти́мный обе́д; a ~ wedding скро́мная сва́дьба 5) ми́рный, споко́йный, ниче́м не наруша́емый; a ~ cup of tea ча́шка ча́ю, вы́питая на досу́ге, в тишине́ 6) та́йный, скры́тый; укро́мный; to keep smth. ~ ута́ивать, ума́лчивать; in a ~ corner в укро́мном уголке́

2. *n* тишина́, безмо́лвие; поко́й, споко́йствие; мир ◇ on the ~ (*сокр.* on the q. t.) тайко́м, втихомо́лку; под больши́м секре́том

3. *v* успока́ивать(ся); to ~ down утиха́ть, успока́иваться

quieten ['kwaɪətn] *v* успока́ивать(ся)

quietism ['kwaɪətɪzəm] *n филос.* квиети́зм

quietly ['kwaɪətlɪ] *adv* споко́йно, ти́хо

quietness ['kwaɪətnəs] *n* споко́йствие, тишина́, поко́й

quietude ['kwaɪətju:d] *n* поко́й, тишина́, мир

quietus [kwaɪ'i:təs] *n* 1) что-л. успока́ивающее *или* подавля́ющее 2) коне́ц, смерть; to get one's ~ умере́ть 3) *уст.* квита́нция, распи́ска в упла́те (до́лга)

quiff [kwɪf] *n* чёлка

quill [kwɪl] **1.** *n* 1) пти́чье перо́; ствол пера́ 2) (гуси́ное) перо́ для письма́ 3) игла́ дикобра́за 4) *муз.* свире́ль, ду́дка (*из тростника*) 5) сте́ржень поплавка́ (*удочки*) 6) зубочи́стка 7) перо́, употребля́емое как плектр 8) *текст.* уто́чная шпу́ля, уто́чный патро́н 9) *тех.* вту́лка; по́лый вал

2. *v* 1) гофрирова́ть, плои́ть 2) *текст.* перема́тывать уто́к

quill-driver ['kwɪlˌdraɪvə] *n шутл., пренебр.* щелкопёр, писе́ц, писа́ка

quillet ['kwɪlɪt] *уст. см.* quibble 1

quilling ['kwɪlɪŋ] **1.** *pres. p. от* quill 2

2. *n* рюш

quilt I [kwɪlt] **1.** *n* стёганое одея́ло

2. *v* 1) стега́ть; подбива́ть ва́той 2) зашива́ть в подкла́дку пла́тья, в по́яс *и т. п.* 3) *разг.* компили́ровать

quilt II [kwɪlt] *v австрал. sl.* дать затре́щину, си́льно уда́рить

quilted ['kwɪltɪd] *a* стёганый

quim [kwɪm] *n груб.* же́нские половы́е о́рганы

quinary ['kwaɪnərɪ] *a* пятери́чный, состоя́щий из пяти́

quince [kwɪns] *n бот.* айва́

quincentenary [ˌkwɪnsen'ti:nərɪ] *n* пятисотле́тний юбиле́й; пятисотле́тие

quincunx ['kwɪnkʌŋks] **1.** *n* расположе́ние по угла́м квадра́та с пя́тым предме́том посереди́не; расположе́ние в ша́хматном поря́дке

2. *v* располага́ть в ша́хматном поря́дке

quinine [kwɪ'ni:n] *n* хини́н

quininize ['kwɪni:naɪz] *v* хинизи́ровать

quinism ['kwɪnɪzəm] *n мед.* расстро́йство центра́льной не́рвной систе́мы от чрезме́рного употребле́ния хини́на

quinize ['kwɪnaɪz] = quininize

quinquagenarian [ˌkwɪŋkwədʒə'neərɪən] **1.** *a* пятидесятиле́тний

2. *n* челове́к пяти́десяти лет

quinquennia [kwɪŋ'kwenɪə] *pl от* quinquennium

quinquennial [kwɪŋ'kwenɪəl] **1.** *a* пятиле́тний

2. *n* пятиле́тие

quinquennium [kwɪŋ'kwenɪəm] *n* (*pl* -nia) пятиле́тие

quinquina [kwɪŋ'kwaɪnə] *n* хи́нное де́рево

quinquivalent [ˌkwɪŋkwɪ'veɪlənt] *a хим.* пятивале́нтный

quins [kwɪnz] *n pl разг. сокр. от* quintuplet 2

quinsy ['kwɪnzɪ] *n мед.* о́стрый, гно́йный тонзилли́т

quint *n* 1) [kɪnt] *карт.* квинт (*пять карт одной масти в пикете*) 2) [kwɪnt] *амер.* = quintuplet 3) [kɪnt] кви́нта (*пятая позиция в фехтовании*) 4) [kwɪnt] *муз.* кви́нта

quintain ['kwɪntən] *n ист.* столб с мише́нью для уда́ра копьём

quintal ['kwɪntl] *n* це́нтнер, квинта́л (*англ. = 50,8 кг; амер. = 45,36 кг; метрический = 100 кг*)

quintan ['kwɪntən] **1.** *n мед.* волы́нская лихора́дка (*с приступами через каждые четыре дня*)

2. *a* пятидне́вный (*о лихорадке*)

quintessence [kwɪn'tesns] *n* квинтэссе́нция; наибо́лее суще́ственное; the ~ of virtue (politeness) воплоще́ние доброде́тели (ве́жливости)

quintessential [ˌkwɪntɪ'senʃl] *a* явля́ющийся квинтэссе́нцией

quintet(te) [kwɪn'tet] *n муз.* квинте́т

quintuple ['kwɪntjʊpl] **1.** *a* 1) пятикра́тный 2) состоя́щий из пяти́ предме́тов, часте́й 3) *муз.* пятидо́льный

2. *v* увели́чивать(ся) в пять раз

quintuplet ['kwɪntjʊplət] *n* 1) набо́р из пяти́ предме́тов 2) *pl* пять близнецо́в

quip [kwɪp] **1.** *n* 1) остроу́мное замеча́ние *или* отве́т 2) саркасти́ческое замеча́ние; ко́лкость 3) увёртка, софи́зм

2. *v* де́лать ко́лкие замеча́ния; насмеха́ться

quire I [ˈkwaɪə] *n полигр.* 1) десть (*бумаги*) 2) (сфальцо́ванный) печа́тный лист; in ~s несброшюро́ванный, непереплетённый, в листа́х

quire II [ˈkwaɪə] = choir

quirk [kwɜ:k] *n* 1) причу́да, вы́верт 2) игра́ слов, каламбу́р 3) ро́счерк пера́, завито́к (*рисунка*) 4) *архит.* небольшо́й желобо́к; га́лтель

quirt [kwɜ:t] **1.** *n* ара́пник

2. *v* хлеста́ть, поро́ть ара́пником

quisle [ˈkwɪzl] *v* быть преда́телем, предава́ть ро́дину

quisling [ˈkwɪzlɪŋ] *n* кви́слинг, преда́тель

quit [kwɪt] **1.** *n амер.* увольне́ние (*с работы*)

2. *a predic.* свобо́дный, отде́лавшийся (*от чего-л., от кого-л.*); to get ~ of one's debts разде́латься с долга́ми; he was ~ for a cold in the head он отде́лался на́сморком

3. *v* (quitted [-ɪd], *амер. разг.* quit) 1) броса́ть (*работу, службу*) 2) *амер.* прекраща́ть; оставля́ть; to ~ music переста́ть занима́ться му́зыкой 3) покида́ть, оставля́ть; to ~ the army выходи́ть в отста́вку; to ~ hold of отпуска́ть, выпуска́ть (*из рук*) 4) *уст.* отпла́чивать; *редк.* погаша́ть (*долг*); to ~ love with hate плати́ть не́навистью за любо́вь; death ~s all scores смерть прекраща́ет все счёты 5) *уст.* вести́ себя́ ◇ to ~ a house съе́хать с кварти́ры, вы́ехать из до́ма

quitch [kwɪtʃ] *n бот.* пыре́й ползу́чий

quitch grass [ˈkwɪtʃgrɑ:s] = quitch

quitclaim [ˈkwɪtkleɪm] *юр.* **1.** *n* отка́з от пра́ва

2. *v* отказа́ться от пра́ва

quite [kwaɪt] *adv* 1) вполне́, соверше́нно, совсе́м; по́лностью; всецело́; I ~ agree я вполне́ согла́сен; she is ~ alone она́ совсе́м одна́; my watch is ~ right мои́ часы́ абсолю́тно пра́вильны 2) дово́льно; до не́которой сте́пени; бо́лее и́ли ме́нее; ~ a few дово́льно мно́го, поря́дочно; ~ a long time дово́льно до́лго 3) действи́тельно, в са́мом де́ле; she is ~ a beauty она́ настоя́щая краса́вица ◇ it is ~ the thing а) э́то и́менно то, что ну́жно; б) э́то то, что сейча́с мо́дно; ~ so! о да!, несомне́нно!

quits [kwɪts] *a predic:* to be ~ расквита́ться, быть в расчёте (*с кем-л.*); I will be ~ with him some day я ему́ когда́-нибудь отплачу́; to cry ~ а) предложи́ть мирову́ю, пойти́ на мирову́ю; б) расквита́ться; ~! (бу́дем) кви́ты!

quittance [ˈkwɪtns] *n уст., поэт.* 1) квита́нция 2) возмеще́ние, отпла́та 3) освобожде́ние (*от обязательства, платы и т. п.*)

quitter [ˈkwɪtə] *n* 1) челове́к без вы́держки, легко́ броса́ющий на́чатое де́ло; трус 2) прогу́льщик, ло́дырь

quiver I [ˈkwɪvə] **1.** *n* 1) дрожь, тре́пет 2) *редк.* дрожа́ние го́лоса

2. *v* 1) дрожа́ть ме́лкой дро́жью, трепета́ть; трясти́сь; колыха́ться 2) подра́гивать (*чем-л.*); the moth ~ed its wings у мотылька́ трепета́ли кры́лышки 3) вызыва́ть дрожь

quiver II [ˈkwɪvə] *n* колча́н; an arrow left in one's ~ *перен.* сре́дство, оста́вшееся про запа́с ◇ a ~ full of children *см.* quiverful 2)

quiverful [ˈkwɪvəfʊl] *n* 1) коли́чество стрел, кото́рое умеща́ется в колча́не 2) *шутл.* больша́я семья́

qui vive [ˌki:ˈvi:v] *n:* on the ~ настороже́

Quixote [ˈkwɪksət] *n* Дон-Кихо́т (*тж. перен.*)

quixotic [kwɪkˈsɒtɪk] *a* донкихо́тский

quixotics [kwɪkˈsɒtɪks] = quixotism

quixotism, quixotry [ˈkwɪksətɪzəm, -trɪ] *n* донкихо́тство

quiz I [kwɪz] *уст.* **1.** *n* 1) насме́шка; шу́тка; мистифика́ция 2) чуда́к 3) насме́шник

2. *v* 1) смотре́ть насме́шливо *или* с любопы́тством 2) насмеха́ться *или* подшу́чивать (*над чем-л.*)

quiz II [kwɪz] **1.** *n* 1) прове́рочные вопро́сы; опро́с; виктори́на 2) экза́мен 3) *attr.*: ~ program телевиктори́на, радиовиктори́на

2. *v* 1) производи́ть опро́с 2) проводи́ть прове́рочные испыта́ния

quizzee [kwɪˈzi:] *n амер. разг.* 1) уча́ствующий в опро́се 2) уча́стник прове́рочного испыта́ния

quizzical [ˈkwɪzɪkl] *a* 1) насме́шливый, шутли́вый; лука́вый 2) чудакова́тый, коми́чный

quizzing glass [ˈkwɪzɪŋglɑ:s] *n уст.* моно́кль

quoad [ˈkwəʊæd] *лат. prep* что каса́ется, по отноше́нию

quod [kwɒd] *sl.* **1.** *n* тюрьма́

2. *v* сажа́ть в тюрьму́

quoin [kɔɪn] *n* 1) вне́шний у́гол зда́ния 2) углово́й ка́мень кла́дки 3) *редк.* замо́к сво́да 4) *тех.* клин

quoit [kɔɪt] *n* 1) мета́тельное кольцо́ с о́стрыми края́ми 2) *pl* мета́ние коле́ц в цель (*игра*)

quondam [ˈkwɒndæm] *a* бы́вший

Quonset hut [ˈkwɒnsɪthʌt] *n амер.* сбо́рный дом из гофриро́ванного желе́за

quorum [ˈkwɔ:rəm] *n* кво́рум

quota [ˈkwəʊtə] *n* до́ля, часть, кво́та

quotable [ˈkwəʊtəbl] *a* 1) заслу́живающий цити́рования 2) допуска́ющий цити́рование

quotation [kwəʊˈteɪʃn] *n* 1) цити́рование 2) цита́та 3) *бирж.* котиро́вка, курс 4) цена́

quotation marks [kwəʊˈteɪʃnmɑ:ks] *n pl* кавы́чки

quote [kwəʊt] **1.** *v* 1) цити́ровать; ссыла́ться (*на кого-л.*); may I ~ you? мо́жно сосла́ться на вас? 2) открыва́ть кавы́чки; брать в кавы́чки 3) назнача́ть це́ну; дава́ть расце́нку; коти́ровать (at)

2. *n разг.* 1) цита́та 2) назна́ченная цена́ 3) *pl* кавы́чки

quoth [kwəʊθ] *v уст. 1-е и 3-е л. прошедшего времени:* ~ I (he, she) я (он, она́) сказа́л(а), (про)мо́лвил(а)

quotha [ˈkwəʊθə] *int уст. ирон.* действи́тельно!, не́чего сказа́ть!

quotidian [kwəʊˈtɪdɪən] **1.** *a* 1) ежедне́вный 2) бана́льный; ~ thought бана́льная мысль

2. *n* маля́рия с ежедне́вными при́ступами

quotient [ˈkwəʊʃnt] *n* 1) *мат.* ча́стное 2) коэффицие́нт

quotum [ˈkwəʊtəm] = quota

qwerty [ˈkwɜ:tɪ] *a* станда́ртно располо́женный (*о буквах на клавиатуре компьютера, пишущей машинки*)

R

R, r [ɑ:] *n* (*pl* Rs, R's [ɑ:z]) *18-ая буква англ. алфавита* ◇ the three R's *разг.* чтéние, письмó и арифмéтика (reading, (w)riting, (a)rithmetic)

rabbet ['ræbɪt] **1.** *n* 1) желобóк, фальц, шпунт, вы́рез 2) *стр.* окóнный притвóр, чéтверть 3) рудни́к

2. *v* шпунтовáть

rabbi ['ræbaɪ] *n* 1) равви́н 2) рáвви (*обращение*)

rabbin ['ræbɪn] *n* равви́н

rabbinate ['ræbɪnət] *n* 1) сан равви́на 2) *собир.* равви́ны

rabbinic(al) [rə'bɪnɪk(l)] *a* равви́нский

rabbit ['ræbɪt] **1.** *n* 1) крóлик 2) *разг.* плохóй, слáбый игрóк ◇ to breed like ~s бы́стро размножáться; Welsh ~ гренки́ с сы́ром [*см. тж.* rarebit]

2. *v* 1) охóтиться на крóликов (*тж.* to go ~ing) 2) *разг.* мнóго говори́ть, болтáть (on, away)

rabbit fever ['ræbɪt,fi:və] *n мед.* туляреми́я

rabbitfish ['ræbɪtfɪʃ] *n* химéра (*рыба*)

rabbit punch ['ræbɪtpʌntʃ] *n* удáр в заты́лок

rabbit-warren ['ræbɪt,wɒrən] *n* крóличий садóк

rabbity ['ræbɪtɪ] *a* 1) изоби́лующий крóликами 2) крóличий

rabble I ['ræbl] *n* 1) толпá 2) (the ~) *презр.* сброд, чернь

rabble II ['ræbl] *n метал.* механи́ческая мешáлка (*в печи*); кочергá

rabid ['ræbɪd] *a* 1) неи́стовый, я́ростный; ~ hatred безу́мная нéнависть 2) я́ростный, фанати́чный 3) бéшеный (*о собаке*)

rabidity [ræ'bɪdətɪ] *n* я́рость, бéшенство, неи́стовство; фанати́зм

rabies ['reɪbi:z] *n* бéшенство, водобоя́знь

raccoon [rə'ku:n] = racoon

race I [reɪs] **1.** *n* 1) состязáние в бéге, в скóрости; гóнки; Marathon ~ марафóнский бег 2) *pl* скáчки; obstacle ~s скáчки с препя́тствиями 3) гóнка, погóня; ~ for power борьбá за власть; armaments (*или* arms) ~ гóнка вооружéний 4) бы́строе движéние, бы́строе течéние (*в море, реке*); стреми́тельный потóк 5) (искусственное) ру́сло; быстротóк, подводя́щий канáл 6) *тех.* обóйма подши́пника; дорóжка качéния на кольцé подши́пника 7) *уст.* путь; жи́зненный путь; his ~ is nearly over егó жи́зненный путь почти́ окóнчен 8) *ав.* потóк, струя́ за винтóм 9) *attr.*: ~ reader радиокомментáтор по скáчкам

2. *v* 1) состязáться в скóрости (with) 2) учáствовать в скáчках (*о лошадях*) 3) игрáть на скáчках 4) мчáться 5) гнать (*лошадь, автомашину*); давáть пóлный газ (*двигателю*) ▭ ~ away промотáть на скáчках (*состояние и т. п.*) ◇ to ~ the bill through the House протащи́ть, провести́ законопроéкт в спéшном поря́дке чéрез парлáмент

race II [reɪs] *n* 1) рáса; the Mongolian ~ монгóльская рáса 2) род; племя́; нарóд; the human ~ человéчество, род человéческий; the feathered ~ *шутл.* пернáтые; the ~ of poets поэ́ты 3) происхождéние; of Oriental ~ востóчного происхождéния 4) порóда, сорт 5) осóбый аромáт, осóбый стиль; ~ of wine букéт винá

race III [reɪs] *n* кóрень (*особ. имбиря*)

racecard ['reɪskɑ:d] *n* прогрáмма скáчек

racecourse ['reɪskɔ:s] *n* 1) беговáя дорóжка, трек 2) скаковóй круг; ипподрóм

race hatred ['reɪs,heɪtrɪd] *n* рáсовая, национáльная враждá

racehorse ['reɪshɔ:s] *n* скаковáя лóшадь

raceme ['ræsi:m] *n бот.* кисть

race meeting ['reɪs,mi:tɪŋ] *n* день скáчек

racemose ['ræsɪməʊs] *a бот.* кистеобрáзный

racer ['reɪsə] *n* 1) скаковáя *или* беговáя лóшадь; гóночная я́хта, гóночный автомоби́ль *и т. п.* 2) *тех.* кольцó подши́пника (*качения*) 3) гóнщик 4) *зоол.* пóлоз

race suicide ['reɪs,su:ɪsaɪd] *n* вымирáние, вырождéние нарóда

racetrack ['reɪstræk] *n* 1) = racecourse 2) трек для мотогóнок

raceway ['reɪsweɪ] *n* канáл для воды, для вну́тренней проклáдки кáбелей *и т.п.*

rachitis [ræ'kaɪtɪs] *n мед.* рахи́т

racial ['reɪʃl] *a* рáсовый

racialism ['reɪʃəlɪzəm] = racism

racialist ['reɪʃəlɪst] *n* раси́ст

racing ['reɪsɪŋ] **1.** *pres. p. от* race I, 2

2. *n* 1) состязáние в скóрости 2) игрá на бегáх, на скáчках 3) *тех.* набирáние скóрости (*двигателем*); разнóс

racism ['reɪsɪzəm] *n* раси́зм

racist ['reɪsɪst] *n* раси́ст

rack I [ræk] **1.** *n* 1) подстáвка, пóлка; стеллáж; сéтка для вещéй (*в вагонах, автобусах и т. п.*) 2) вéшалка 3) кормýшка 4) стóйка; штати́в; рáма; каркáс; кóзлы 5) решётка ◇ ~ of bones *амер.* кóжа да кóсти

2. *v* 1) класть (*что-л.*) в сéтку, на пóлку (*вагона и т. п.*); to ~ hay класть сéно в я́сли; to ~ plates стáвить тарéлки на пóлку 2) *тех.* перемещáть при пóмощи зубчáтой рéйки

rack II [ræk] **1.** *n ист.* ды́ба; *перен.* пы́тка, мучéние; to be on the ~ му́читься; to put to the ~ подвергáть пы́тке, мучéниям

2. *v* 1) пытáть, му́чить 2) заставля́ть рабóтать сверх сил, изнуря́ть; истощáть; to ~ tenants драть с арендáторов *или* жильцóв непомéрно высóкую плáту ◇ to ~ one's brains (for) ломáть себé гóлову

rack III [ræk] *v* сцéживать винó (*часто* ~ off)

rack IV [ræk] *n* разорéние; ~ and ruin пóлное разорéние; to go to ~ and ruin разори́ться, поги́бнуть

rack V [ræk] **1.** *n* несу́щиеся облакá

2. *v* нести́сь (*об облаках*)

rack VI [ræk] **1.** *n* и́ноходь

2. *v* идти́ и́ноходью

racket I ['rækɪt] *n* 1) ракéтка (*для игры в теннис*) 2) *pl* род тéнниса

racket II ['rækɪt] **1.** *n* 1) шум, гам; to kick up (*или* to make) a ~ подня́ть шум, скандáл 2) разгу́льный óбраз жи́зни; to go on the ~ загуля́ть, окуну́ться в вихрь удовóльствий 3) *sl.* рэ́кет, шантáж, вымогáтельство; мошéнничество, обмáн 4) *разг.* заня́тие, рабóта ◇ to stand the ~ а) расплáчиваться; б) отвечáть (*за что-л.*); в) вы́держивать испытáние, бу́рю

2. *v* вести́ шу́мный, разгу́льный óбраз жи́зни (*часто* ~ about)

racketeer [,rækə'tɪə] *n* рэкети́р, (бандит-)вымогáтель

racketeering [,rækə'tɪərɪŋ] *n* банди́тизм; полити́ческий пóдкуп и террóр; вымогáтельство

rackety ['rækətɪ] *a* 1) шу́мный, беспоря́дочный 2) разгу́льный, беспу́тный; to lead a ~ life вести́ разгу́льную жизнь

racking I ['rækɪŋ] **1.** *pres. p. от* rack II, 2

2. *a* мучи́тельный; a ~ headache си́льная головнáя боль

racking II ['rækɪŋ] *pres. p. от* rack I, 2

racking III ['rækɪŋ] *pres. p. от* rack III

racking IV ['rækɪŋ] *pres. p. от* rack V, 2

rack rail ['rækreɪl] *n* зубчáтый рельс

rack railway ['ræk,reɪlweɪ] *n* зубчáтая желéзная дорóга

rack-rent ['rækrent] **1.** *n* непомéрно высóкая арéндная плáта

2. *v* взимáть непомéрно высóкую арéндную плáту

rack wheel ['rækwi:l] *n* зубчáтое колесó

racoon [rə'ku:n] *n* енот

racquet ['rækɪt] = racket I

racy ['reɪsɪ] *a* 1) яркий, живой, колоритный, сочный (*о речи, стиле*) 2) пикантный, непристойный, скабрёзный 3) характерный, специфический; сохранивший свои естественные качества; a ~ flavour характерный привкус; ~ of the soil а) сохранивший следы своего происхождения, характерный для определённой страны *или* народа; б) живой, энергичный

rad [ræd] *n sl.* радикал

radar ['reɪdɑ:] *n* 1) радиолокатор, радар; радиолокационная установка 2) радиолокация

raddle ['rædl] **1.** *n* красная *или* жжёная охра

2. *v* 1) красить охрой 2) метить (*овец*)

radial ['reɪdɪəl] *a* 1) радиальный; лучевой; лучеобразный 2) *анат.* лучевой

radian ['reɪdɪən] *n мат.* радиан

radiance, -cy ['reɪdɪəns, -sɪ] *n* 1) сияние 2) великолепие, блеск

radiant ['reɪdɪənt] **1.** *a* 1) светящийся, излучающий свет 2) сияющий, лучистый, лучезарный; a ~ face сияющее лицо; ~ eyes лучистые глаза 3) *физ.* лучистый; ~ energy лучистая энергия

2. *n* 1) *физ.* источник тепла, света 2) *астр.* источник дождя метеоров, радиант

radiate 1. *a* ['reɪdɪət] расходящийся лучами; изображённый в ореоле лучей

2. *v* ['reɪdɪeɪt] 1) излучать (*свет, тепло*); сиять (*тж. перен.*); she ~s health она пышет здоровьем 2) исходить из центра (*о лучах*); расходиться из центра подобно радиусам

radiation [,reɪdɪ'eɪʃn] *n* 1) излучение, лучеиспускание, радиация; atomic ~ атомная радиация 2) облучение 3) сияние 4) *attr.* лучевой; ~ sickness лучевая болезнь; ~ hazard опасность поражения лучевой болезнью

radiative ['reɪdɪətɪv] *a* излучающий

radiator ['reɪdɪeɪtə] *n тех.* 1) излучатель 2) радиатор; батарея (*отопления*)

radical ['rædɪkl] **1.** *n* 1) радикал 2) *хим.* радикал 3) *лингв.* корень (*слова*) 4) *мат.* знак корня, корень (*числа*)

2. *a* 1) коренной; основной 2) фундаментальный, полный; радикальный 3) радикальный, левый 4) *мат.* относящийся к корню числа; ~ sign знак корня 5) *лингв.* корневой 6) *бот.* растущий из корня, корневой

radicalism ['rædɪklɪzəm] *n* радикализм

radices ['reɪdɪsi:z] *pl от* radix

radicle ['rædɪkl] *n* 1) *бот.* корешок, зародышевый корень (*в семени*) 2) *анат.* корешок (*нерва, вены*)

radii ['reɪdɪaɪ] *pl* от radius

radio ['reɪdɪəʊ] **1.** *n* 1) радио; радиовещание 2) радиоприёмник 3) радиограмма

2. *v* передавать по радио; посылать радиограмму, радировать

radio- ['reɪdɪəʊ-] *в сложных словах* радио-

radioactive [,reɪdɪəʊ'æktɪv] *a* радиоактивный

radioactivity [,reɪdɪəʊæk'tɪvətɪ] *n* радиоактивность

radio aerial [,reɪdɪəʊ'eərɪəl] *n* радиоантенна

radio beacon ['reɪdɪəʊ,bi:kən] *n* радиомаяк

radio biology [,reɪdɪəʊbaɪ'ɒlədʒɪ] *n* радиобиология

radio(broad)cast [,reɪdɪəʊ('brɔ:d)kɑ:st] *v* передавать по радио, вести радиопередачу

radio-controlled [,reɪdɪəʊkən'trəʊld] *a* управляемый по радио

radio engineering [,reɪdɪəʊ,endʒɪ'nɪərɪŋ] *n* радиотехника

radiogenic [,reɪdɪəʊ'dʒenɪk] *a физ.* радиогенный; радиоактивного происхождения

radiogram ['reɪdɪəʊgræm] *n* 1) радиола 2) рентгеновский снимок 3) радиограмма

radio-gramophone [,reɪdɪəʊ'græməfəʊn] = radiogram 1)

radiograph ['reɪdɪəʊgrɑ:f] **1.** *n* = radiogram 2)

2. *v* делать рентгеновский снимок

radioisotope [,reɪdɪəʊ'aɪsəʊtəʊp] *n* радиоактивный изотоп

radiolocation [,reɪdɪəʊləʊ'keɪʃn] *n* радиолокация

radiolocator [,reɪdɪəʊləʊ'keɪtə] *n* радиолокатор

radiology [,reɪdɪ'ɒlədʒɪ] *n* радиология; рентгенология

radioman ['reɪdɪəʊmæn] *n* радист; радиотехник

radiometer [,reɪdɪ'ɒmɪtə] *n* радиометр

radio net(work) [,reɪdɪəʊ'net(wɜ:k)] *n* радиосеть

radionics [,reɪdɪ'ɒnɪks] *n* радиоэлектроника

radiophare ['reɪdɪəʊfeə] *n* радиомаяк

radiophone ['reɪdɪəʊfəʊn] *n* радиотелефон

radioscopy [,reɪdɪ'ɒskəpɪ] *n* радиоскопия, рентгеноскопия

radiosensitive [,reɪdɪəʊ'sensətɪv] *a мед.* чувствительный к облучению

radio show ['reɪdɪəʊʃəʊ] *n* радиопостановка

radiosonde ['reɪdɪəʊsɒnd] *n метео* радиозонд

radiospectroscopy [,reɪdɪəʊspek'trɒskəpɪ] *n* радиоспектроскопия, техника панорамного приёма (*электромагнитной энергии*)

radiotelegraph [,reɪdɪəʊ'telɪgrɑ:f] *n* радиотелеграф

radiotherapeutics [,reɪdɪəʊθerə'pju:tɪks] = radiotherapy

radiotherapy [,reɪdɪəʊ'θerəpɪ] *n* радиотерапия, рентгенотерапия

radiotrician [,reɪdɪəʊ'trɪʃn] *n* радиотехник

radish ['rædɪʃ] *n* редиска

radium ['reɪdɪəm] *n* 1) *хим.* радий 2) *attr.*: ~ therapy радиотерапия, лечение радием

radius ['reɪdɪəs] *n* (*pl* radii) 1) *мат.* радиус 2) округа, пределы; within a ~ of three miles from Oxford на 3 мили вокруг Оксфорда; within the ~ of knowledge в пределах наших знаний 3) *анат.* лучевая кость 4) спица (*колеса*) 5) лимб (*угломерного инструмента*) 6) *тех.* вылет (*стрелы крана*)

radix ['reɪdɪks] *n* (*pl* radices) 1) *мат.* основание системы счисления 2) корень 3) источник (*зла и т. п.*)

radon ['reɪdɒn] *n хим.* радон

rafale [rə'fɑ:l] *n воен.* огневой шквал

raff [ræf] **1.** *n* = riff-raff 1

2. *v* беспутничать

raffia ['ræfɪə] *n бот.* рафия

raffish ['ræfɪʃ] *a* 1) беспутный 2) вульгарный

raffle I ['ræfl] **1.** *n* лотерея

2. *v* 1) разыгрывать в лотерее (*часто* ~ off) 2) участвовать в лотерее

raffle II ['ræfl] *n* 1) мусор, хлам 2) свалка

raft I [rɑ:ft] **1.** *n* плот

2. *v* 1) переправлять(ся) на плоту *или* пароме 2) составлять *или* гнать плот; сплавлять (*лес*)

raft II [rɑ:ft] *n разг.* уйма, куча; множество; масса

rafter I ['rɑ:ftə] = raftsman

rafter II ['rɑ:ftə] **1.** *n стр.* стропило; балка

2. *v стр.* ставить стропила

rafting ['rɑ:ftɪŋ] **1.** *pres. p. от* raft I, 2

2. *n* лесосплав; сплотка леса

raftsman ['rɑ:ftsmən] *n* плотовщик

rag I [ræg] *n* 1) тряпка, лоскут 2) *pl* отрепья; лохмотья; in ~s а) разорванный; б) в лохмотьях; glad ~s *разг.* лучшее платье 3) *pl* тряпьё, ветошь, тряпичный утиль 4) *пренебр.* тряпка (*о театральном занавесе*); лоскут (*о парусе*); бумажки (*о деньгах*); листок (*о газете и т. п.*) 5) обрывок, клочок; there is not a ~ of evidence нет ни малейших улик 6) *attr.* тряпочный, тряпичный; a ~ doll тряпичная кукла ◇ he has not a ~ to his back у него совсем нет одежды; ему нечего носить

rag II [ræg] *sl.* **1.** *n* 1) грубые шутки; поддразнивание; розыгрыш; to say smth. for a ~ сказать что-л. с целью вывести кого-л. из себя 2) скандал; шум ◇ to get one's ~ out *разг.* разозлиться, выйти из себя

2. *v* 1) дразнить; разыгрывать 2) шуметь, скандалить

rag III [ræg] **1.** *n* крепкий известняк, крупнозернистый песчаник

2. *v* 1) дробить камни; дробить руду (*для сортировки*) 2) *тех.* снимать заусенцы

ragamuffin ['rægə,mʌfɪn] *n* оборванец; оборвыш

rag-and-bone man [,rægən'bəʊnmæn] *n* тряпичник, старьёвщик

rag baby ['ræg,beɪbɪ] *n* тряпичная кукла

rag-bag [ˈrægbæg] *n* 1) мешо́к для лоскуто́в 2) вся́кая вся́чина

rag bolt [ˈrægbəʊlt] *n тех.* а́нкерный болт, ёрш

rage [reɪdʒ] **1.** *n* 1) я́рость, гнев; при́ступ си́льного гне́ва; неи́стовство; to fly into a ~ прийти́ в я́рость 2) страсть, си́льное стремле́ние (for — к *чему-л.*) 3) пова́льное увлече́ние (*чем-л., кем-л.*); предме́т о́бщего увлече́ния; all the ~ после́дний крик мо́ды; bicycles were (all) the ~ then в те дни все помеша́лись на велосипе́дах

2. *v* 1) беси́ться, зли́ться (at, against) 2) бушева́ть, свире́пствовать (*о буре, эпидемии*) 3) *австрал. sl* кути́ть; весели́ться 4) *refl.*: to ~ itself out успоко́иться, зати́хнуть (*гл. обр. о буре*)

rag fair [ˈrægfeə] *n* бараго́лка, толку́чка

ragged I [ˈrægɪd] *a* 1) рва́ный, изо́рванный; поно́шенный 2) неро́вный, зазу́бренный; шерохова́тый 3) оде́тый в лохмо́тья; обо́рванный 4) нечёсаный, косма́тый 5) небре́жный, неотде́ланный (*о стиле*); ~ rhymes небре́жные ри́фмы 6) рва́ный (*о ране*)

ragged II [rægd] *p. p. от* rag II, 2

ragged III [rægd] *p. p. от* rag III, 2

ragged robin [ˌrægɪdˈrɒbɪn] *n бот.* дрёма, куку́шкин цвет

ragging I [ˈrægɪŋ] **1.** *pres. p. от* rag III, 2

2. *n горн.* дробле́ние руды́

ragging II [ˈrægɪŋ] *pres. p. от* rag II, 2

raging [ˈreɪdʒɪŋ] **1.** *pres. p. от* rage 2

2. *a* я́ростный, си́льный; ~ pain си́льная боль

raglan [ˈræglən] *n* пальто́-регла́н

ragman [ˈrægmən] = rag-and-bone man

ragout [ræˈguː] *n* рагу́

rag paper [ˈrægˌpeɪpə] *n* тряпи́чная бума́га

ragpicker [ˈrægˌpɪkə] *n* тряпи́чник, старьёвщик

rags-to-riches [ˌrægztəˈrɪtʃɪz] *a*: ~ story расска́з, в кото́ром герои́ня из бе́дной семьи́ стано́вится бога́той

ragtag [ˈrægtæg] *n* (*обыкн.* ~ and bobtail) *презр.* сброд, подо́нки о́бщества, шу́шера

ragtime [ˈrægtaɪm] *n* 1) ре́гтайм (*синкопированный танцевальный ритм*) 2) *attr. sl.* неле́пый, смехотво́рный; a ~ army разбо́лтанная а́рмия

ragweed [ˈrægwiːd] *n бот.* амбро́зия полыннoли́стная

ragwheel [ˈrægwiːl] *n тех.* цепно́е колесо́

ragwort [ˈrægwɜːt] = ragweed

rah [rɑː] *int амер. разг.* ура́!

rah-rah [ˈrɑːrɑː] *a амер. разг.* студе́нческий; по-студе́нчески шу́мный, весёлый; ~ boys студе́нты, предпочита́ющие заня́тиям весёлое времяпрепровожде́ние; весёлые безде́льники

raid [reɪd] **1.** *n* 1) набе́г, внеза́пное нападе́ние; рейд; to make a ~ upon the enemy's camp соверши́ть набе́г на ла́герь проти́вника; air ~ возду́шный налёт 2) обла́ва; a ~ on a gambling-den налёт (*полиции*) на иго́рный прито́н 3) *бирж.* попы́тка пони́зить ку́рсы путём прода́жи большо́го коли́чества це́нных бума́г

2. *v* 1) соверша́ть налёт, набе́г, обла́ву 2) гра́бить, опустоша́ть

raider [ˈreɪdə] *n* 1) уча́стник налёта, набе́га, обла́вы 2) *мор.* ре́йдер 3) *ав.* самолёт, уча́ствующий в возду́шном налёте

rail I [reɪl] *n* 1) попере́чина, перекла́дина; ре́йка, брусо́к 2) ве́шалка 3) пери́ла; огра́да; по́ручни 4) рельс 5) железнодоро́жный путь; by ~ по желе́зной доро́ге; off the ~s соше́дший с ре́льсов; *перен.* дезорганизо́ванный, вы́битый из колеи́ 6) *pl ком.* железнодоро́жные а́кции

2. *v* 1) прокла́дывать ре́льсы 2) обнести́ пери́лами, забо́ром, отгора́живать (*обыкн.* ~ in, ~ off) 3) перевози́ть *или* посыла́ть по желе́зной доро́ге

rail II [reɪl] *v* руга́ть(ся), брани́ть(ся) (at, against)

rail III [reɪl] *n* водяно́й пастушо́к (*птица*)

railage [ˈreɪlɪdʒ] *n* 1) железнодоро́жные перево́зки 2) опла́та железнодоро́жных перево́зок

railcar [ˈreɪlkɑː] *n* дрези́на, автомотри́са

railchair [ˈreɪltʃeə] *n ж.-д.* ре́льсовая поду́шка

railhead [ˈreɪlhed] *n* 1) вре́менный коне́чный пункт стро́ящейся желе́зной доро́ги 2) *воен.* ста́нция снабже́ния

railing I [ˈreɪlɪŋ] **1.** *pres. p. от* rail I, 2

2. *n* (*часто pl*) огра́да, пери́ла

railing II [ˈreɪlɪŋ] *pres. p. от* rail II

raillery [ˈreɪlərɪ] *n* доброду́шная насме́шка, шу́тка, подшу́чивание

rail mill [ˈreɪlmɪl] *n* рельсопрока́тный стан

railroad [ˈreɪlrəʊd] **1.** *n* (*особ. амер.*) = railway 1

2. *v* 1) перевози́ть *или* посыла́ть по желе́зной доро́ге 2) *амер. разг.* посади́ть в тюрьму́ по ло́жному обвине́нию 3) *разг.* ло́вко и бы́стро провернýть, протолкну́ть (*что-л., кого-л.*; to, into, through); to ~ a bill through Congress протащи́ть законопрое́кт в конгре́ссе 4) путеше́ствовать по желе́зной доро́ге 5) стро́ить желе́зную доро́гу

railroader [ˈreɪlrəʊdə] *n амер.* 1) железнодоро́жник 2) владе́лец желе́зной доро́ги

railrolling mill [ˌreɪlrəʊlɪŋˈmɪl] = rail mill

railway [ˈreɪlweɪ] **1.** *n* 1) желе́зная доро́га; железнодоро́жный путь 2) *attr.* железнодоро́жный; ~ mounting *воен.* железнодоро́жная ору́дийная устано́вка; ~ system железнодоро́жная сеть ◇ at ~ speed о́чень бы́стро

2. *v* 1) стро́ить желе́зную доро́гу 2) путеше́ствовать по желе́зной доро́ге

railway-yard [ˈreɪlweɪjɑːd] *n* сортиро́вочная ста́нция

raiment [ˈreɪmənt] *n уст.* оде́жда, одея́ние

rain [reɪn] **1.** *n* 1) дождь; ~ or shine при любо́й пого́де; *перен.* что бы то ни́ было; при всех усло́виях; to be caught in the ~ попа́сть под дождь, быть засти́гнутым дождём; to keep the ~ out укры́ться от дождя́ 2) (the ~s) пери́од тропи́ческих дожде́й 3) пото́ки; ручьи́ (*слёз*); град (*ударов и т. п.*) 4) *горн.* капёж ◇ right as ~ соверше́нно здоро́вый; в по́лном поря́дке

2. *v* 1) (*в безл. оборотах*): it ~s, it is ~ing идёт дождь 2) сы́пать(ся); ли́ться; blows ~ed upon him уда́ры сы́пались на него́ гра́дом ▭ ~ off (*амер.* out) помеша́ть чему́-л. (*о дожде*) ◇ it ~s cats and dogs ≅ дождь льёт как из ведра́; it never ~s but it pours *посл.* ≅ пришла́ беда́ — отворя́й ворота́

rainbow [ˈreɪnbəʊ] *n* 1) ра́дуга 2) *attr.* ра́дужный, многоцве́тный ◇ ~ hunt пого́ня за недосяга́емым

rainbow trout [ˌreɪnbəʊˈtraʊt] *n зоол.* ра́дужная форе́ль

rain check [ˈreɪntʃek] *n амер.* 1) биле́т, даю́щий пра́во прийти́ на стадио́н на игру́, перенесённую из-за дождя́ 2) обеща́ние приня́ть приглаше́ние ка́к-нибудь в друго́й раз

raincoat [ˈreɪnkəʊt] *n* непромока́емое пальто́, плащ

raindrop [ˈreɪndrɒp] *n* дождева́я ка́пля

rainfall [ˈreɪnfɔːl] *n* 1) ли́вень 2) коли́чество оса́дков

rain gauge [ˈreɪngeɪdʒ] *n метео* дождеме́р

rain glass [ˈreɪnglɑːs] *n* баро́метр

rainless [ˈreɪnləs] *a* засу́шливый; без дождя́

rainproof [ˈreɪnpruːf] *a* непроница́емый для дождя́; непромока́емый

rainstorm [ˈreɪnstɔːm] *n* ли́вень с урага́ном

raintight [ˈreɪntaɪt] = rainproof

rainwater [ˈreɪnˌwɔːtə] *n* дождева́я вода́

rainwear [ˈreɪnweə] *n* непромока́емая оде́жда

rain worm [ˈreɪnwɜːm] *n* дождево́й червь

rainy [ˈreɪnɪ] *a* 1) дождли́вый; ~ weather дождли́вая пого́да 2) дождево́й (*о туче, ветре*) ◇ for a ~ day на чёрный день

raise [reɪz] **1.** *n* 1) поднима́ть; to ~ one's glass to smb.'s health пить за чьё-л. здоро́вье; to ~ anchor снима́ться с я́коря; to ~ the eyebrows (удивлённо) поднима́ть бро́ви 2) воздвига́ть (*здание и т. п.*) 3) собира́ть (*налоги и т. п.*); to ~ money добыва́ть де́ньги; to ~ troops набира́ть войска́; to ~ a unit *воен.* сформирова́ть часть 4) ста́вить, поднима́ть (*вопрос*); to ~ a question поста́вить вопро́с; to ~ objections выдвига́ть возраже́ния; to ~ a claim предъяви́ть прете́нзию 5) вызыва́ть (*смех, сомнение, тревогу*) 6) выра́щивать (*растения*); разводи́ть (*птицу,* *скот*); расти́ть, воспи́тывать (*детей*) 7) повыша́ть (*в звании, должности*); to ~ a man to the peerage пожа́ловать кому́-л. ти́тул пэ́ра 8) *мат.* возводи́ть в сте́пень 9) ста́вить те́сто на дрожжа́х 10) *карт.* увели́чивать ста́вку 11) снять *или* прорва́ть (*блокаду и т. п.*) 12) вызыва́ть (*дух, тень*) 13) *разг.* найти́, разыска́ть (*нужного человека и т. п.*) 14) установи́ть конта́кт по ра́дио *или* телефо́ну (*с кем-л.*) 15) *мор.* уви́деть на горизо́нте (*землю, корабль и т. п.*) 16) *текст.* ворсова́ть, начёсывать 17) *горн.* добыва́ть, выдава́ть на-гора́ 18) запе́ть, нача́ть (*песню*); изда́ть (*крик*) 19) поднима́ть (*на защиту и т. п.*) ◇ to ~ hell, *амер.* to ~ a big smoke подня́ть шум, нача́ть буя́нить, сканда́лить; to ~ a check *амер.* подде́лать чек; to ~ from the dead воскреси́ть из мёртвых

2. *n* 1) *карт.* увеличе́ние ста́вки 2) (*особ. амер.*) приба́вка (*к зарплате*) 3) подъём 4) повыше́ние, подня́тие; увеличе́ние 5) *горн.* восстаю́щая вы́работка ◇ to make a ~ раздобы́ть, получи́ть взаймы́

raised [reɪzd] 1. *p. p. от* raise 1

2. *a* 1) поста́вленный на дрожжа́х 2) релье́фный, лепно́й

raisin ['reɪzn] *n* 1) (*обыкн. pl*) изю́м 2) изю́минка

raison d'être [,reɪzɔːŋ'detrə] *фр. n* разу́мное основа́ние, смысл (*существования чего-л.*)

raj [rɑːdʒ] *n ист.* англи́йское госпо́дство в И́ндии

raja(h) ['rɑːdʒə] *n ист.* ра́джа

Rajpoot, Rajput ['rɑːdʒpʊt] *n* раджпу́т

rake I [reɪk] 1. *n* 1) гра́бли; скребо́к 2) кочерга́ 3) лопа́точка крупье́ 4) о́чень худо́й челове́к, скеле́т; as lean (*или* thin) as a ~ худ как ще́пка

2. *v* 1) сгреба́ть, загреба́ть; заравнивать, подчища́ть гра́блями (*тж.* ~ level, ~ clean); чи́стить скребко́м 2) собира́ть (*обыкн.* ~ up, ~ together) 3) тща́тельно иска́ть, ры́ться (in, among — в *чём-л.*) 4) *воен., мор.* обстре́ливать продо́льным огнём, смета́ть 5) оки́дывать взгля́дом; озира́ть ▭ ~ in *разг.* загреба́ть (*деньги*); ~ out a) выгреба́ть; to ~ out the fire выгреба́ть у́голь, золу́; б) *разг.* вы́искивать, добыва́ть с трудо́м; ~ **up** a) растравля́ть (*старые раны*); don't ~ up the past не вороши́ про́шлое; б) сгреба́ть; to ~ up the fire шурова́ть у́голь в то́пке; загреба́ть жар ◇ to ~ over the coals де́лать вы́говор

rake II [reɪk] 1. *n* 1) отклоне́ние от перпендикуля́ра; укло́н от отве́сной ли́нии 2) пока́тый пол (*в театре и т. п.*) 3) *тех.* пере́дний у́гол (*резца*), у́гол укло́на 4) *тех.* скос 5) *мор.* накло́н (*мачты и т. п.*)

2. *v* отклоня́ться от отве́сной ли́нии

rake III [reɪk] 1. *n* пове́са, распу́тник

2. *v* вести́ распу́тный о́браз жи́зни, пове́сничать

rake-off ['reɪkɒf] *n разг.* комиссио́нные (*при незаконной сделке*); взя́тка

raker ['reɪkə] *n* 1) гра́бли 2) рабо́тающий гра́блями 3) *разг.* гребёнка

rakish I ['reɪkɪʃ] *a* распу́тный; распу́щенный

rakish II ['reɪkɪʃ] *a мор.* 1) быстрохо́дный 2) щегольско́й; лихо́й, у́харский

rale [rɑːl] *n мед.* хрип

rallicar(t) ['rælɪkɑː(t)] *n* рессо́рная двуко́лка для четверы́х

rally I ['rælɪ] 1. *n* 1) объедине́ние 2) оживле́ние (*на бирже, на рынке*) 3) восстановле́ние (*сил, энергии*) 4) съезд, собра́ние, слёт; ма́ссовый ми́тинг 5) *спорт.* автора́лли 6) бы́стрый обме́н уда́рами (*в теннисе*) 7) *воен.* сбор

2. *v* 1) вновь собира́ть(ся) *или* спла́чивать(ся) (*для совместных усилий*); возобновля́ть борьбу́ по́сле пораже́ния 2) овладева́ть собо́й, оправля́ться (*от страха, горя, болезни*) 3) *бирж.* оживля́ться (*о спросе*); кре́пнуть (*о ценах*)

rally II ['rælɪ] *v* шути́ть, иронизи́ровать (*над кем-л.*)

ram [ræm] 1. *n* 1) бара́н 2) (the R.) Ове́н (*созвездие и знак зодиака*) 3) *ав.* тара́н 4) *тех.* ба́ба (*молота*); гидравли́ческий тара́н 5) *метал.* коксовыта́лкиватель 6) *тех.* ползу́н, плу́нжер 7) подъёмник, силово́й цили́ндр

2. *v* 1) тара́нить 2) забива́ть, вкола́чивать; вти́скивать; to ~ into smb. вбива́ть кому́-л. в го́лову; to ~ it home убеди́ть, доказа́ть 3) трамбова́ть, утрамбо́вывать

Ramadan [,ræmə'dɑːn] *n рел.* рамада́н

ramble ['ræmbl] 1. *n* 1) прогу́лка, пое́здка (*без определённой цели*) 2) экску́рсия

2. *v* 1) броди́ть без це́ли, для удово́льствия 2) говори́ть бессвя́зно, переска́кивать с одно́й мы́сли на другу́ю 3) ползти́, ви́ться (*о растениях*)

rambler ['ræmblə] *n* 1) праздношата́ющийся; бродя́га 2) ползу́чее расте́ние, *особ.* вью́щаяся ро́за

rambling ['ræmblɪŋ] 1. *pres. p. от* ramble 2

2. *n* 1) слоня́ющийся; бродя́чий 2) бессвя́зный 3) разбро́санный; беспоря́дочно вы́строенный 4) ползу́чий (*о растении*)

rambunctious [ræm'bʌŋkʃəs] *a амер. разг.* 1) о́чень шу́мный 2) непоко́рный; бу́йный

ramie ['ræmiː] *n* 1) ра́ми, кита́йская крапи́ва 2) волокно́ из кита́йской крапи́вы

ramification [,ræmɪfɪ'keɪʃn] *n* 1) разветвле́ние; ответвле́ние; отро́сток 2) *собир.* ве́тви де́рева

ramify ['ræmɪfaɪ] *v* разветвля́ться

ramjet ['ræmdʒet] *n воен.* прямото́чный возду́шно-реакти́вный дви́гатель

rammer ['ræmə] *n* 1) трамбо́вка, ба́ба 2) *арт.* прибо́йник; шо́мпол

rammish ['ræmɪʃ] *a* 1) ду́рно па́хнущий 2) похотли́вый

rammy ['ræmɪ] *n шотл. sl.* дра́ка, схва́тка (*между бандами*)

ramose ['reɪməʊs] *a* ветви́стый

ramp I [ræmp] 1. *n* 1) скат, укло́н; накло́нная пло́скость; *мор.* аппаре́ль 2) *воен.* реакти́вная пускова́я устано́вка 3) *ж.-д.* остря́к (*рельса*) 4) *авто* борт 5) трап

2. *v* 1) стоя́ть на за́дних ла́пах (*о геральдическом животном*); принима́ть угрожа́ющую по́зу 2) неи́стовствовать, броса́ться, бушева́ть; угрожа́ть (*обыкн.* ~ about) 3) ползти́, ви́ться (*о растениях*)

ramp II [ræmp] *sl.* 1. *n* вымога́тельство, моше́нничество, грабёж (*особ. о дороговизне*)

2. *v* вымога́ть, гра́бить

rampage [ræm'peɪdʒ] 1. *n* си́льное возбужде́ние; неи́стовство, я́рость; бу́йство; to be (*или* to go) on the ~ неи́стовствовать

2. *v* быть в си́льном возбужде́нии, неи́стовствовать, бу́йствовать

rampageous [ræm'peɪdʒəs] *a* неи́стовый, бу́йный

rampant ['ræmpənt] 1. *a* 1) стоя́щий на за́дних ла́пах (*о геральдическом животном*) 2) си́льно распространённый, свире́пствующий (*о болезнях, пороках*) 3) неи́стовый, безу́держный 4) бу́йно разро́сшийся 5) *архит.* с усто́ями, располо́женными на ра́зных у́ровнях (*о своде*)

2. *n архит., стр.* 1) ползу́чий свод, ползу́чая а́рка 2) парапе́тная сте́нка 3) па́ндус

rampart ['ræmpɑːt] 1. *n* 1) (крепостно́й) вал 2) опло́т, защи́та

2. *v* защища́ть, укрепля́ть ва́лом

ramrod ['ræmrɒd] *n* 1) шо́мпол 2) *арт.* прибо́йник ◇ straight as a ~ ≅ сло́вно арши́н проглоти́л

ramshackle ['ræm,ʃækl] *a* ве́тхий, разва́ливающийся; a ~ house полуразвали́вшийся дом; a ~ empire прише́дшая в упа́док импе́рия

ran [ræn] *past от* run 2

ranch [rɑːntʃ] 1. *n* 1) ра́нчо; кру́пное фе́рмерское хозя́йство (*особ. в США и Канаде*) 2) *амер.* одноэта́жный дом

2. *v* 1) занима́ться скотово́дством 2) жить на фе́рме

rancher ['rɑːntʃə] *n* 1) хозя́ин ра́нчо 2) *амер.* совреме́нный одноэта́жный дом

rancid ['rænsɪd] *a* прого́рклый, проту́хший (*о жирах*)

rancidity [ræn'sɪdətɪ] *n* прого́ркость

rancidness ['rænsɪdnəs] = rancidity

rancorous ['ræŋkərəs] *a* зло́бный, вражде́бный

rancour ['ræŋkə] *n* зло́ба, затаённая вражда́

rand [rænd] *n* рант

randan I [ræn'dæn] *n* четырёхвесе́льная ло́дка при трёх гребца́х

randan II [ræn'dæn] *n sl.* попо́йка, кутёж; to go on the ~ кути́ть

random ['rændəm] 1. *n*: at ~ наугáд, наобу́м, науда́чу

2. *a* сде́ланный *или* вы́бранный науга́д, случа́йный; беспоря́дочный; ~ bullet шальна́я пу́ля

randy ['rændɪ] *a* 1) похотли́вый 2) *шотл.* гру́бый, крикли́вый

ranee ['rɑːniː] *n ист.* ра́ни, супру́га ра́джи

rang [ræŋ] *past om* ring II, 2

range [reɪndʒ] **1.** *n* 1) преде́л, амплиту́да; диапазо́н (*го́лоса*) 2) сфе́ра, о́бласть, круг; that is out of my ~ э́то не по мое́й ча́сти; в э́той о́бласти я не специали́ст 3) *воен.* да́льность; дальнобо́йность; досяга́емость 4) ряд, ли́ния (*домо́в*); цепь (*гор и т. д.*) 5) стре́льбище, полиго́н, тир 6) ку́хонная плита́ (*тж.* kitchen ~) 7)ареа́л, о́бласть распростране́ния (*расте́ния, живо́тного*); сфе́ра, зо́на 8) протяже́ние, простра́нство; ра́диус де́йствия; ~ of vision кругозо́р, по́ле зре́ния; (to be) in ~ of... быть в преде́лах досяга́емости... 9) *ав.* да́льность полёта 10) обши́рное па́стбище 11) ли́ния, направле́ние 12) *ра́дио* да́льность переда́чи 13) *ав.* отно́с бо́мбы 14) *мор.* створ 15) *attr. воен.*: ~ elevation устано́вка прице́ла; ~ table табли́ца да́льностей и прице́лов

2. *v* 1) колеба́ться в изве́стных преде́лах; prices ~ from a shilling to a pound це́ны коле́блются от ши́ллинга до фу́нта 2) простира́ться; тяну́ться (*обы́кн.* ~ along, ~ with); the path ~s with the brook доро́жка тя́нется вдоль ручья́ 3) *refl.* примыка́ть, присоединя́ться 4) броди́ть; стра́нствовать, скита́ться; ры́скать (*обы́кн.* over, through) 5) *полигр.* выра́внивать (*строку́*) 6) быть на одно́м у́ровне; относи́ться к числу́; he ~s with the great writers его́ мо́жно поста́вить в оди́н ряд с вели́кими писа́телями 7) *вое́н.* пристре́ливать цель по да́льности; определя́ть расстоя́ние до це́ли 8) выстра́ивать(ся) в ряд; ста́вить, располага́ть в поря́дке 9) классифици́ровать 10) *зоол., бот.* води́ться, встреча́ться в определённых грани́цах

rangé [rɑːŋ'ʒeɪ] *фр. a* 1) аккура́тный, лю́бящий поря́док 2) степе́нный, остепени́вшийся

range finder ['reɪndʒ,faɪndə] *n* 1) дальноме́рщик 2) *тех.* дальноме́р

range pole ['reɪndʒpəʊl] *n геод.* дальноме́рная ре́йка; ство́рная ве́ха

ranger ['reɪndʒə] *n* 1) смотри́тель короле́вского па́рка (*в А́нглии*) 2) лесни́чий 3) *pl* ко́нная поли́ция 4) *воен.* «ре́нджер», военнослу́жащий деса́нтного диверсио́нно-разве́дывательного подразделе́ния 5) бродя́га; скита́лец; стра́нник

rangy ['reɪndʒɪ] *a* 1) бродя́чий 2) стро́йный, му́скулистый (*о живо́тных*) 3) обши́рный; просто́рный 4) *австрал.* гори́стый, го́рный

rani ['rɑːnɪ] = ranee

rank I [ræŋk] **1.** *n* 1) зва́ние, чин; служе́бное положе́ние; of higher ~ вы́ше чи́ном, вышестоя́щий; honorary ~ почётное зва́ние; to hold ~ занима́ть до́лжность, име́ть чин 2) катего́рия, ранг, разря́д, сте́пень, класс; a poet of the highest ~ первокла́ссный поэ́т; to take ~ with быть в одно́й катего́рии с 3) высо́кое социа́льное положе́ние; persons of ~ аристокра́тия; ~ and fashion вы́сшее о́бщество 4) ряд 5) *воен.* шере́нга; to break ~s вы́йти из стро́я, нару́шить строй; to fall into ~ построи́ться (*о солда́тах и т. п.*) 6) стоя́нка такси́ ◇ the ~s, the ~ and file а) рядово́й и сержа́нтский соста́в а́рмии (*в противоп. офице́рскому*); б) рядовы́е чле́ны (*па́ртии и т. п.*); в) обыкнове́нные лю́ди, ма́сса; to rise from the ~s вы́двинуться из рядовы́х в офице́ры; to reduce to the ~s разжа́ловать в рядовы́е

2. *v* 1) занима́ть како́е-л. ме́сто; he ~s high as a lawyer (scholar) он ви́дный адвока́т (учёный); a general ~s with an admiral генера́л по чи́ну (*или* зва́нию) равня́ется адмира́лу 2) классифици́ровать, дава́ть определённую оце́нку; I ~ his abilities very high я высоко́ ценю́ его́ спосо́бности 3) стро́ить(ся) в шере́нгу, выстра́ивать(ся) в ряд, в ли́нию 4) *амер.* занима́ть пе́рвое *или* бо́лее высо́кое ме́сто; стоя́ть вы́ше други́х; a captain ~s a lieutenant капита́н по чи́ну (*или* зва́нию) вы́ше лейтена́нта

rank II [ræŋk] *a* 1) роско́шный, бу́йный (*о расти́тельности*) 2) заро́сший; a garden ~ with weeds сад, заро́сший со́рными тра́вами 3) прого́ркльй (*о ма́сле*) 4) отврати́тельный, проти́вный; гру́бый; цини́чный 5) я́вный, су́щий; отъя́вленный; ~ nonsense я́вная чушь 6) жи́рный, плодоро́дный (*о по́чве*)

ranker ['ræŋkə] *n* офице́р, выслужи́вшийся из рядовы́х

rankle ['ræŋkl] *v* терза́ть, му́чить (*об оби́де, ре́вности, за́висти*); the memory of the insult still ~s in his heart воспомина́ние об оскорбле́нии всё ещё гло́жет его́ се́рдце

ransack ['rænsæk] *v* 1) иска́ть; обы́скивать (*дом, ко́мнату*); ры́ться в по́исках потёрянного 2) очи́стить (*кварти́ру и т. п.*), огра́бить

ransom ['rænsəm] **1.** *n* 1) вы́куп; to hold smb. to ~ тре́бовать вы́куп за кого́-л.; a king's ~ огро́мная су́мма, большо́й куш 2) *церк.* искупле́ние

2. *v* 1) выкупа́ть, освобожда́ть за вы́куп 2) *церк.* искупа́ть

rant [rænt] **1.** *n* 1) напы́щенная речь; гро́мкие слова́; деклама́ция 2) шу́мная про́поведь 3) *диал.* кутёж

2. *v* 1) говори́ть напы́щенно; деклами́ровать 2) пропове́довать 3) *диал.* шу́мно весели́ться; гро́мко петь

ranter ['ræntə] *n* 1) пустосло́в 2) напы́щенный пропове́дник

ranunculi [rə'nʌŋkjʊlaɪ] *pl om* ranunculus

ranunculus [rə'nʌŋkjʊləs] *n* (*pl* -ses [-sɪz], -li) лю́тик

rap I [ræp] **1.** *n* 1) лёгкий уда́р; to get (to give) a ~ over (*или* on) the knuckles а) получи́ть (дать) по рука́м; б) получи́ть (сде́лать) вы́говор, замеча́ние 2) стук; a ~ on the window негро́мкий стук в окно́ 3) *sl.* отве́тственность (*за просту́пок*); наказа́ние; to take the ~ for smth. получи́ть срок *и т. п.* за что-л.; to beat the ~ *амер.* избежа́ть наказа́ния 4) *sl.* бесе́да, разгово́р

2. *v* 1) слегка́ ударя́ть 2) стуча́ть (at, on) 3) ре́зко критикова́ть 4) *sl.* разгова́ривать ▭ ~ out а) вы́крикнуть, испусти́ть крик; to ~ out an oath вы́ругаться; б) высту́кивать (*о ду́хах на спирити́ческом сеа́нсе и т. п.*); to ~ out a message высту́кивать сообще́ние

rap II [ræp] *n ист.* ме́лкая обесце́ненная моне́та (*в Ирла́ндии в XVIII в.*) ◇ not a ~ ≅ ни гроша́; I don't care a ~ мне на э́то наплева́ть; it does not matter a ~ э́то не име́ет никако́го значе́ния

rapacious [rə'peɪʃəs] *a* 1) жа́дный 2) прожо́рливый 3) хи́щный (*о живо́тных*)

rapacity [rə'pæsətɪ] *n* 1) жа́дность 2) прожо́рливость

rape I [reɪp] **1.** *n* 1) изнаси́лование 2) *поэт.* похище́ние; the ~ of Europa *греч. миф.* похище́ние Евро́пы

2. *v* 1) наси́ловать 2) *поэт.* похища́ть

rape II [reɪp] *n бот.* 1) рапс 2) капу́ста полева́я, суре́пица

rape III [reɪp] *n* вы́жимки виногра́да, испо́льзуемые для изготовле́ния у́ксуса

rape oil ['reɪpɔɪl] *n* суре́пное, ра́псовое ма́сло

rapid ['ræpɪd] **1.** *a* 1) бы́стрый, ско́рый; a ~ pulse учащённый пульс 2) крутой (*о скло́не*)

2. *n* (*обы́кн. pl*) поро́г реки́, стремни́на

rapid-fire [,ræpɪd'faɪə] *a* скорострéльный

rapidity [rə'pɪdətɪ] *n* быстрота́, ско́рость; ~ of fire *воен.* скоростре́льность

rapier ['reɪpɪə] *n* рапи́ра

rapier-thrust ['reɪpɪəθrʌst] *n* 1) уко́л, уда́р рапи́рой 2) ло́вкий вы́пад; остроу́мный, нахо́дчивый отве́т

rapine ['ræpaɪn] *n ритор.* 1) грабёж 2) похище́ние

rapist ['reɪpɪst] *n* наси́льник

rappee [ræ'piː] *n* сорт кре́пкого ню́хательного табака́

rapport [ræ'pɔː] *n* 1) связь, взаимоотноше́ния 2) взаимопонима́ние; согла́сие

rapprochement [ræ'prɒʃmɑːŋ] *фр. n* восстановле́ние *или* возобновле́ние дру́жественных отноше́ний (*особ. ме́жду госуда́рствами*)

rapscallion [ræp'skælɪən] *n уст., шутл.* моше́нник, безде́льник

rapt [ræpt] *a* 1) поглощённый (*мы́слью и т. п.*); he is ~ in reading он поглощён чте́нием; ~ attention сосредото́ченное внима́ние 2) восхищённый, увлечённый 3) похи́щенный 4) *рел.* взя́тый живы́м на не́бо

raptorial [ræp'tɔːrɪəl] *a* хи́щный (*о пти́цах, живо́тных*)

rapture ['ræptʃə] *n* 1) восто́рг, выраже́ние восто́рга; экста́з; to be in ~s, to go into ~s (over *или* about smth.) быть в восто́рге, приходи́ть в восто́рг (от чего́-л.) 2) похище́ние 3) *рел.* взя́тие живы́м на не́бо

rapturous ['ræptʃərəs] *a* восто́рженный

rara avis [ˌreərəˈeɪvɪs] *n* (*лат.* «ре́дкая пти́ца») ре́дкость, дико́винка, челове́к *или* вещь, ре́дко встреча́ющиеся

rare I [reə] **1.** *a* 1) ре́дкий, необы́чный, необыкнове́нный 2) исключи́тельно хоро́ший, замеча́тельный, превосхо́дный; to have a ~ time (*или* fun) здо́рово повесели́ться 3) ре́дкий, разрежённый; негусто́й; ~ gas *хим.* ине́ртный газ; the ~ atmosphere of the mountain tops разрежённый во́здух на го́рных верши́нах

2. *adv разг.* исключи́тельно; a ~ fine view исключи́тельно краси́вый вид

rare II [reə] *a* недожа́ренный, недова́ренный (*о мясе*); ~ eggs *уст.* я́йца всмя́тку

rarebit [ˈreəbɪt] *n* гренки́ с сы́ром (*тж.* Welsh rabbit)

raree-show [ˈreərɪʃəʊ] *n* 1) зре́лище 2) у́личное представле́ние 3) ку́кольный теа́тр; раёк (*ящик с передвижными картинками*)

rarefaction [ˌreərɪˈfækʃn] *n* 1) разреже́ние, разжиже́ние 2) разрежённость

rarefy [ˈreərɪfaɪ] *v* 1) разрежа́ть(ся), разжижа́ть(ся) 2) очища́ть, утонча́ть

rarely [ˈreəlɪ] *adv* 1) ре́дко, нечáсто 2) необыча́йно, исключи́тельно; we dined ~ мы исключи́тельно хорошо́ пообе́дали

rareness [ˈreənəs] *n* ре́дкостность; ре́дкость

rareripe [ˈreəraɪp] *амер.* **1.** *a* скороспе́лый, ра́нний

2. *n* скороспе́лка

rarity [ˈreərətɪ] *n* 1) ре́дкость 2) антиква́рная вещь 3) разрежённость (*воздуха*)

rascal [ˈrɑːskl] *n* 1) *шутл.* плут, шельме́ц (*особ. о ребёнке*); you lucky ~! ну и везу́чий ты шельме́ц! 2) моше́нник

rascaldom [ˈrɑːskldəm] *n* 1) моше́нничество 2) *собир.* моше́нники

rascality [rɑːsˈkælətɪ] *n* моше́нничество

rascally [ˈrɑːskəlɪ] *a* моше́ннический, нече́стный

rase [reɪz] = raze

rash I [ræʃ] *a* стреми́тельный; поспе́шный; опроме́тчивый, необду́манный, неосторо́жный

rash II [ræʃ] *n* сыпь

rash III [ræʃ] *n* шурша́ние

rasher [ˈræʃə] *n* то́нкий ло́мтик беко́на *или* ветчины́ (*для поджаривания*)

rashness [ˈræʃnəs] *n* стреми́тельность *и пр.* [*см.* rash I]

rasp [rɑːsp] **1.** *n* 1) дребезжа́ние; скре́жет; скребу́щий звук 2) *тех.* ра́шпиль

2. *v* 1) скрести́, тере́ть; подпи́ливать, соска́бливать, строга́ть (*обыкн.* ~ off, ~ away) 2) дребезжа́ть, издава́ть ре́зкий, скреже́щущий звук 3) говори́ть скрипу́чим го́лосом 4) раздража́ть, ре́зать у́хо 5) пили́кать (*на скрипке и т. п.*)

raspberry [ˈrɑːzbərɪ] *n* 1) мали́на 2) *разг.* пренебрежи́тельное фы́рканье

raspberry cane [ˈrɑːzbərɪkeɪn] *n* (*обыкн. pl*) кусты́ мали́ны, мали́нник

rasper [ˈrɑːspə] *n* 1) челове́к, рабо́тающий ра́шпилем 2) *тех.* большо́й ра́шпиль *или* тёрка 3) *разг.* неприя́тный, ре́зкий челове́к *или* хара́ктер

rasping [ˈrɑːspɪŋ] **1.** *pres. p. от* rasp 2

2. *n* (*обыкн. pl*) опи́лки (*обыкн.* металли́ческие)

rat I [ræt] **1.** *n* 1) кры́са 2) преда́тель; ренега́т; челове́к, покида́ющий организа́цию *и т. п.* в тяжёлое вре́мя 3) *разг.* мéрзкий тип 4) штрейкбре́хер 5): ~s! *sl.* вздор!, чепуха́! 6) *attr.* кры́синый, мыши́ный; ~ race мыши́ная возня́ ◇ like a drowned ~ промо́кший до косте́й; like a ~ in a hole в безвы́ходном положе́нии; to smell a ~ чу́ять недо́брое; подозрева́ть

2. *v* 1) истребля́ть крыс (*обыкн. собаками*) 2) *разг.* поки́нуть организа́цию *и т. п.* в тяжёлое вре́мя 3) преда́ть, вы́дать (*кого-л.*); to ~ on smb. преда́ть кого́-л., донести́ на кого́-л. 4) быть штрейкбре́хером 5) отре́чься, отказа́ться

rat II [ræt] = drat

ratable [ˈreɪtəbl] = rateable

ratafia [ˌrætəˈfɪə] *n* 1) минда́льный ликёр; нали́вка, пригото́вленная на фрукто́вых ко́сточках 2) минда́льное пече́нье

ratal [ˈreɪtəl] *n* су́мма обложе́ния

rataplan [ˌrætəˈplæn] **1.** *n* 1) бараба́нный бой 2) стук

2. *v* бить в бараба́н

rat-a-tat [ˌrætəˈtæt] = rat-tat

ratbag [ˈrætbæg] *n sl.* неприя́тный челове́к

ratcatcher [ˈrætˌkætʃə] *n* крысоло́в (*о человеке*)

ratchet wheel [ˈrætʃɪtwiːl] *n тех.* храпово́е колесо́, храпови́к

rate I [reɪt] **1.** *n* 1) но́рма; ста́вка, тари́ф; расце́нка, цена́; the ~ of wages per week ста́вка неде́льной за́работной пла́ты; ~ of exchange валю́тный курс; ~ of surplus value *полит.-эк.* но́рма приба́вочной сто́имости; average ~ of profit *полит.-эк.* сре́дняя но́рма при́были; at an easy ~ дёшево; легко́; to live at a high ~ жить на широ́кую но́гу 2) соотве́тственная часть; пропо́рция; коэффицие́нт, сте́пень, проце́нт; до́ля; mortality ~ сме́ртность 3) темп; ход; ско́рость; ~ of increase темп ро́ста, приро́ста; at the ~ of 40 miles an hour со ско́ростью 40 миль в час; ~ of fire *воен.* ско́рость стрельбы́, режи́м огня́; ~ of climb *ав.* скороподъёмность 4) ме́стный нало́г 5) разря́д, класс; сорт 6) паёк, по́рция 7) *тех.* расхо́д (*воды*) ◇ at any ~ во вся́ком слу́чае; по ме́ньшей ме́ре; at this (*или* that) ~ в тако́м слу́чае; при таки́х усло́виях

2. *v* 1) счита́ть; расце́нивать; рассма́тривать; he was ~d the best poet of his time его́ счита́ли лу́чшим поэ́том эпо́хи; I ~ his speech very high я счита́ю его́ речь о́чень уда́чной 2) оце́нивать, исчисля́ть, определя́ть, устана́вливать; the copper coinage was then ~d above it real value ме́дная моне́та сто́ила тогда́ вы́ше свое́й реа́льной сто́имости 3) (*преим. pass.*) облага́ть (ме́стным) нало́гом 4) *мор.* определя́ть класс, катего́рию (*корабля*)

rate II [reɪt] *v* брани́ть; задава́ть головомо́йку

rate III [reɪt] = ret

rateable [ˈreɪtəbl] *a* 1) подлежа́щий обложе́нию нало́гом, сбо́ром 2) пропорциона́льный

ratepayer [ˈreɪtpeɪə] *n* налогоплате́льщик

rater [ˈreɪtə] *n* руга́тель

-rater [-ˌreɪtə] *n в сложных словах*: first-rater я́хта пе́рвого разря́да; ten-rater я́хта водоизмеще́нием в 10 тонн

rat-face [ˈrætfeɪs] *n амер. sl.* хи́трый, опа́сный челове́к, продувна́я бе́стия

rathe [reɪð] *a поэт.* 1) у́тренний 2) ра́нний 3) бы́стрый, стреми́тельный

rather [ˈrɑːðə] *adv* 1) скоре́е, предпочти́тельно, лу́чше, охо́тнее; would you ~ take tea or coffee? что вы предпочита́ете: чай и́ли ко́фе?; I'd ~ you came tomorrow меня́ бо́льше устро́ило бы, е́сли бы вы пришли́ за́втра; he would ~ die than comply он скоре́е умрёт, чем согласи́тся 2) верне́е, скоре́е, пра́вильнее; this is not the result, ~ it is the cause э́то не результа́т, а скоре́е (*или* верне́е) причи́на; late last night or ~ early this morning вчера́ по́здно но́чью и́ли, пра́вильнее сказа́ть, сего́дня ра́но у́тром 3) до не́которой сте́пени, слегка́, не́сколько, пожа́луй, дово́льно; a ~ (*или* ~ a) surprising result дово́льно неожи́данный результа́т; I feel ~ better today мне сего́дня, пожа́луй, лу́чше; I know him ~ well я его́ дово́льно хорошо́ зна́ю 4) *разг.* (*в ответ на вопрос, предположение*) коне́чно, да; ещё бы!; do you know him? — Rather! вы его́ зна́ете? — Да, коне́чно!

rathe-ripe [ˈreɪðraɪp] = rareripe

rathskeller [ˈrɑːtsˌkelə] *n амер.* пивна́я *или* рестора́н в подва́льном этаже́

raticide [ˈrætɪsaɪd] *n* сре́дство про́тив крыс

ratification [ˌrætɪfɪˈkeɪʃn] *n юр.* ратифика́ция

ratify [ˈrætɪfaɪ] *v юр.* ратифици́ровать; скрепля́ть (*подписью, печатью*), утвержда́ть

ratine [ræˈtiːn] *n текст.* эпо́нж; букле́

rating I [ˈreɪtɪŋ] **1.** *pres. p. от* rate I, 2

2. *n* 1) ре́йтинг, оце́нка 2) положе́ние; класс, разря́д, ранг 3) *мор.* зва́ние *или* специа́льность рядово́го *или* старши́нского соста́ва; the ~s рядово́й и старши́нский соста́в 4) обложе́ние нало́гом; су́мма нало́га (*особ. городского*) 5) ре́йтинг ра́дио- *или* телепрогра́ммы 6) класс (*яхты*) 7) *тех.* (номина́льная) мо́щность; производи́тельность; номина́льная характери́стика

rating II [ˈreɪtɪŋ] **1.** *pres. p. от* rate II

2. *n* вы́говор, нагоня́й; to give smb. a severe ~ дать кому́-л. здоро́вый нагоня́й

ratio [ˈreɪʃɪəʊ] *n* (*pl* -os [-əʊz]) 1) *мат.* отноше́ние, пропо́рция; коэффицие́нт; соотноше́ние; ~ of exchange *эк.* (коли́чественное) менов́ое отноше́ние; in direct (in inverse) ~ пря́мо (обра́тно) пропорциона́льно 2) *тех.* переда́точное число́

ratiocinate [,rætı'ɒsıneıt] *v книжн.* рассужда́ть форма́льно, логи́чески; испо́льзовать силлоги́змы в рассужде́ниях

ratiocination [,rætıɒsı'neıʃn] *n книжн.* логи́ческое рассужде́ние с испо́льзованием силлоги́змов

ration ['ræʃn] **1.** *n* 1) паёк, по́рция, рацио́н 2) *pl* продово́льствие (*нормиро́ванное; преим. в а́рмии*)

2. *v* 1) норми́ровать (*проду́кты, промтова́ры*) 2) выдава́ть паёк; снабжа́ть продово́льствием

rational ['ræʃnəl] *a* 1) разу́мный; целесообра́зный, рациона́льный 2) *мат.* рациона́льный; ~ fraction рациона́льная фу́нкция

rationale [,ræʃə'nɑ:l] *n* 1) основна́я причи́на 2) разу́мное объясне́ние; логи́ческое обоснова́ние

rationalism ['ræʃnəlızəm] *n* рационали́зм

rationalist ['ræʃnəlıst] **1.** *n* рационали́ст

2. *a* = rationalistic

rationalistic [,ræʃnə'lıstık] *a* рационалисти́ческий

rationality [,ræʃə'nælətı] *n* 1) разу́мность, рациона́льность 2) норма́льность (*у́мственная*)

rationalization [,ræʃnəlaı'zeıʃn] *n* 1) рационализа́ция 2) рационалисти́ческое объясне́ние 3) *мат.* освобожде́ние от иррациона́льностей

rationalize ['ræʃnəlaız] *v* 1) дава́ть рационалисти́ческое объясне́ние 2) рационализи́ровать 3) *мат.* освобожда́ть от иррациона́льностей

rationalizer ['ræʃnəlaızə] *n* рационализа́тор

rationally ['ræʃnəlı] *adv* рациона́льно; разу́мно

ration book ['ræʃnbʊk] *n* продово́льственная *или* промтова́рная кни́жка, забо́рная кни́жка (*на нормиро́ванные това́ры*)

ration-card ['ræʃnkɑ:d] *n* продово́льственная *или* промтова́рная ка́рточка

rationing ['ræʃnıŋ] **1.** *pres. p. от* ration 2

2. *n* нормирова́ние проду́ктов *или* промтова́ров

ratlin(e) ['rætlın] *n* (*обыкн. pl*) *мор.* вы́бленка; вы́бленочный трос; линь

ratsbane ['rætsbeın] *n* 1) отра́ва для крыс; крыси́ный яд 2) *разг.* ядови́тое расте́ние

rat's-tail ['rætsteıl] *n* 1) крыси́ный хво́стик (*о коси́чке, верёвочке и т. п.*) 2) *attr.*: ~ file *тех.* то́нкий напи́льник

rattan [rə'tæn] *n* 1) *бот.* рота́нг (*па́льма*) 2) трость из рота́нга

rat-tat [,ræt'tæt] *n* (гро́мкий) стук в дверь

ratteen [ræ'ti:n] = ratine

ratten ['rætən] *v sl.* саботи́ровать; умы́шленно по́ртить обору́дование

ratter ['rætə] *n* 1) крысоло́в (*особ. о соба́ке*) 2) *sl.* преда́тель, изме́нник

rattle ['rætl] **1.** *n* 1) треск, гро́хот; дребезжа́ние; стук 2) де́тская погрему́шка 3) ко́льца на хвосте́ грему́чей змеи́ 4) шу́мная болтовня́, весе́лье, сумато́ха 5) *уст.* трещо́тка, болту́н, пустоме́ля 6) хрипе́ние; death ~ предсме́ртный хрип 7) трещо́тка (*ночно́го сто́рожа и т. п.*)

2. *v* 1) треща́ть, грохота́ть; греме́ть (*посу́дой, ключа́ми и т. п.*); дребезжа́ть; си́льно стуча́ть 2) дви́гаться, мча́ться *или* па́дать с гро́хотом (*обыкн.* ~ down, ~ over, ~ along, ~ past); the train ~d past по́езд с гро́хотом промча́лся ми́мо 3) прота́лкивать, продвига́ть (*билль в парла́менте и т. п.*) 4) говори́ть бы́стро, гро́мко; болта́ть (*обыкн.* ~ on, ~ away, ~ along); отбараба́нить (*уро́к, речь, стихи́, муз. пье́су; обыкн.* ~ out, ~ away, ~ over, ~ off) 5) *разг.* смуща́ть, волнова́ть, пуга́ть; to get ~d теря́ть споко́йствие, не́рвничать 6) *охот.* пресле́довать, гнать (*лису́ и т. п.*)

rattle-box ['rætlbɒks] *n* 1) де́тская погрему́шка 2) *бот.* погремо́к 3) *разг.* болту́н, трещо́тка, пустоме́ля

rattle-brain ['rætlbreın] *n* пустоголо́вый болту́н, пустоме́ля

rattle-brained ['rætlbreınd] *a* пустоголо́вый и крикли́вый

rattle-headed ['rætl,hedıd] = rattle-brained

rattle-pate ['rætlpeıt] = rattle-brain

rattle-pated ['rætl,peıtıd] = rattle-brained

rattler ['rætlə] *n* 1) что-л. грохо́чущее; ста́рый, громо́здкий экипа́ж; по́езд 2) *разг.* грему́чая змея́ 3) *sl.* необыча́йное происше́ствие, сенса́ция; не́что потряса́ющее

rattlesnake ['rætlsneık] *n* грему́чая змея́

rattletrap ['rætltræp] **1.** *n* 1) *разг.* ста́рая колыма́га (*об автомоби́ле и т. п.*) 2) *sl.* рот

2. *a разг.* расша́танный, дребезжа́щий, ве́тхий

rattling ['rætlıŋ] **1.** *pres. p. от* rattle 2

2. *a* 1) грохо́чущий, шу́мный 2) бы́стрый, энерги́чный (*о похо́дке, движе́ниях*); си́льный (*о ве́тре*) 3) *разг.* замеча́тельный; we had a ~ time мы великоле́пно провели́ вре́мя

rat-trap ['rættræp] *n* 1) крысоло́вка 2) безвы́ходное положе́ние 3) *sl.* рот, пасть

ratty ['rætı] *a* 1) крыси́ный 2) киша́щий кры́сами 3) *разг.* серди́тый, раздражи́тельный 4) *разг.* жа́лкий

raucous ['rɔ:kəs] *a* хри́плый

raunchy [rɔ:ntʃı] *a разг.* 1) гря́зный, поха́бный; похотли́вый 2) (*особ. амер.*) гру́бый; неря́шливый, гря́зный

ravage ['rævıdʒ] **1.** *n* 1) опустоше́ние, уничтоже́ние; ~ of weeds уничтоже́ние сорняко́в 2) (*обыкн. pl*) разруши́тельное де́йствие

2. *v* 1) опустоша́ть, гра́бить 2) разруша́ть, по́ртить

rave [reıv] **1.** *v* 1) бре́дить, говори́ть бессвя́зно 2) говори́ть восто́рженно, с энтузиа́змом (of, about) 3) неи́стовствовать (about, at, of, against); to ~ against one's fate проклина́ть судьбу́; to ~ oneself hoarse договори́ться до хрипоты́ 4) неи́стовствовать, реве́ть, выть, бушева́ть (*о мо́ре, ве́тре*); the storm ~d itself out бу́ря утихла

2. *n* 1) *разг.* восто́рженный о́тзыв (*о фи́льме, пье́се и т. п.*) 2) *sl.* стра́стное увлече́ние; страсть 3) *разг.* весёлое сбо́рище, вечери́нка 4) рёв, шум (*ве́тра, мо́ря*) 5) бред, бессвя́зная речь

ravel ['rævl] **1.** *n* 1) клубо́к, мото́к 2) пу́таница 3) обры́вок ни́тки

2. *v* 1) запу́тывать(ся) (*о ни́тках*) 2) усложня́ть (*вопро́с и т. п.*) 3) обтрёпываться (*о тка́ни*) ▭ ~ out а) разделя́ть на воло́кна; to ~ all this matter out распу́тать всё э́то де́ло; б) располза́ться, протира́ться

ravelin ['rævlın] *n воен.* равели́н

raven I ['reıvn] **1.** *n* во́рон

2. *a* чёрный с блестя́щим отли́вом; цве́та во́ронова крыла́

raven II ['rævn] *v* 1) ры́скать в по́исках добы́чи (after); набра́сываться (*на что-л.*) 2) пожира́ть 3) есть с жа́дностью; име́ть во́лчий аппети́т (for)

ravenous ['rævnəs] *a* 1) о́чень голо́дный, изголода́вшийся 2) жа́дный, прожо́рливый; a ~ appetite во́лчий аппети́т 3) хи́щный (*о живо́тных*)

raver ['reıvə] *n* 1) *разг.* люби́тель удово́льствий 2) распу́тник; распу́тница

rave-up ['reıvʌp] = rave 2, 3)

ravin ['rævın] *n поэт.* 1) грабёж 2) добы́ча

ravine [rə'vi:n] *n* уще́лье; овра́г, лощи́на; дефиле́

raving ['reıvıŋ] **1.** *pres. p. от* rave 1

2. *n* 1) бред 2) неи́стовство; рёв (*бу́ри*)

3. *a* бредово́й, бредо́вый; ~ madness бу́йное помеша́тельство

ravioli [,rævı'əʊlı] *n* равио́ли

ravish ['rævıʃ] *v* 1) (из)наси́ловать 2) приводи́ть в восто́рг, восхища́ть 3) *уст.* похища́ть

ravishing ['rævıʃıŋ] **1.** *pres. p. от* ravish

2. *a* восхити́тельный

ravishment ['rævıʃmənt] *n* 1) похище́ние (*обыкн. же́нщины*) 2) восто́рг, восхище́ние 3) *уст.* изнаси́лование

raw [rɔ:] **1.** *a* 1) сыро́й, недова́ренный; непропечённый, недожа́ренный 2) необрабо́танный; ~ material (*или* stuff) сырьё; ~ brick необожжённый кирпи́ч; ~ hide а) недублёная, сыромя́тная ко́жа; б) кнут из сыромя́тной ко́жи; ~ ore необогащённая руда́; ~ spirit неразба́вленный спирт; he drank it ~ он вы́пил (*спирт, ви́ски и т. п.*), не добавля́я воды́; ~ sugar нерафини́рованный са́хар; ~ silk шёлк-сыре́ц 3) необу́ченный; нео́пытный 4) ободранный, лишённый ко́жи, кровоточа́щий; чувстви́тельный (*о ра́не, ко́же*) 5) промо́зглый (*о пого́де*) 6) гру́бый, безвку́сный (*в худо́жествен-*

ном отношении) 7) *sl.* нечестный; a ~ deal нечестная сделка ◇ to come the ~ prawn *австрал. sl.* пытаться обмануть; to pull a ~ one *амер.* рассказать неприличный анекдот; ~ head and bloody bones изображение черепа с двумя скрещёнными костями; что-л. страшное *(особ. для детей)*

2. *n* 1) ссадина; больное место; to touch smb. on the ~ задеть кого-л. за живое 2) что-л. необработанное, сырое ◇ in the ~ а) в чистом виде; без прикрас; б) голый, обнажённый

3. *v* сдирать кожу

rawboned [ˌrɔːˈbəʊnd] *a* очень худой, костлявый

rawhide [ˈrɔːhaɪd] 1. *n* = raw hide [*см.* raw 1, 2)]

2. *a* сделанный из сыромятной кожи

rawness [ˈrɔːnəs] *n* 1) необработанность 2) неопытность 3) ссадина; больное место 4) промозглая сырость

ray I [reɪ] 1. *n* 1) луч 2) проблеск; not a ~ of hope ни малейшей надежды 3) *зоол.* луч *(в плавниках)* 4) *редк.* радиус

2. *v* 1) излучать(ся) 2) расходиться лучами 3) подвергать действию лучей; облучать

ray II [reɪ] *n* скат *(рыба)*

rayon [ˈreɪɒn] *n* искусственный шёлк, вискоза

raze [reɪz] *v* 1) разрушать до основания; сровнять с землёй; to ~ a town to the ground стереть город с лица земли 2) изглаживать; стирать, вычёркивать *(обыкн. перен.)* 3) скользить по поверхности, слегка касаться, задевать

razee [reɪˈziː] *ист.* 1. *n* корабль со срезанной верхней палубой

2. *v* 1) срезать верхнюю палубу *(корабля)* 2) сокращать

razor [ˈreɪzə] 1. *n* бритва

2. *v* брить

razorback [ˈreɪzəbæk] *n* 1) полосатик *(кит)* 2) острый хребет

razorbill [ˈreɪzəbɪl] *n зоол.* гагарка

razor-edge [ˌreɪzərˈedʒ] *n* 1) остриё бритвы, ножа; острый край *(чего-л.)* 2) острый горный кряж 3) опасное положение; to be on a ~ *(или* razor's edge) быть в опасности, на краю гибели 4) резкая грань; to keep on the ~ of smth. не преступать границы чего-л.

razor-strop [ˈreɪzəstrɒp] *n* ремень для правки бритв

razz [ræz] *v амер. sl.* дразнить, подшучивать; высмеивать, насмехаться

razzle-dazzle [ˌræzlˈdæzl] *n sl.* 1) суетня, суматоха 2) кутёж; to go on the ~ кутить

razzmatazz [ˌræzməˈtæz] *n разг.* 1) = razzle-dazzle 2) обман, надувательство

re I [reɪ] *n муз.* ре

re II [riː] *prep* 1) *юр.* в деле, по делу *(в наименовании судебных дел; тж.* in re) 2) *разг.* относительно, касательно; re your letter of the 2nd instant... касательно вашего письма от второго числа сего месяца...

re- [ˈriː-] *pref* снова, заново, ещё раз, обратно; recollect вновь собрать; re-form вновь формировать; reimport ввозить обратно; reread перечитывать; renew возобновлять

reach I [riːtʃ] 1. *n* 1) протягивание *(руки и т. п.)*; to make a ~ for smth. протянуть руку, потянуться за чем-л. 2) предел досягаемости, досягаемость; out of ~, beyond one's ~ вне досягаемости, недоступный; within easy ~ of the railway неподалёку от железной дороги; within ~ of one's hand под рукой 3) область влияния, охват; кругозор; сфера; such subtleties are beyond my ~ такие тонкости выше моего понимания 4) протяжение, пространство; a ~ of woodland широкая полоса лесов 5) плёс; колено реки 6) бьеф 7) *мор.* галс 8) радиус действия

2. *v* 1) протягивать, вытягивать *(часто* ~ out); to ~ one's hand across the table протянуть руку через стол 2) доставать; дотягиваться; брать *(часто* ~ for) 3) доезжать до; добираться до; the train ~es Oxford at six поезд приходит в Оксфорд в 6 часов 4) достигать, доходить; he is so tall that he ~es the ceiling он так высок, что достаёт до потолка; to ~ old age дожить до старости; as far as the eye can ~ насколько может охватить взор; the memory ~es back over many years в памяти сохраняется далёкое прошлое; your letter ~ed me yesterday ваше письмо дошло (только) вчера 5) достигать, добиваться 6) связаться *(с кем-л., напр., по телефону)*; устанавливать контакт; сноситься, сообщаться *(с кем-л.)* 7) трогать; оказывать влияние 8) передавать, подавать; ~ me the mustard, please передайте мне, пожалуйста, горчицу 9) застать, настигнуть; his letter ~ed me его письмо застало меня 10) *мор.* сделать галс 11) простираться 12) составлять *(сумму)* ▭ ~ **after** тянуться за чем-л.; *перен.* стремиться к чему-л.; ~ **out** (for) протягивать руку за чем-л., доставать что-л. *(с полки, со шкафа)*; he ~ed out for the dictionary он потянулся за словарём

reach II [riːtʃ] = retch 2

reachless [ˈriːtʃləs] *a* недостижимый

reach-me-down [ˈriːtʃmɪdaʊn] 1. *n* готовое платье

2. *a* готовый *(о платье)*

react [rɪˈækt] *v* 1) реагировать (to) 2) противодействовать; оказывать сопротивление, стремиться в обратном направлении *или* назад (against) 3) влиять, вызывать ответную реакцию (on, upon) 4) *хим.* вызывать реакцию 5) *воен.* производить контратаку

reactance [rɪˈæktəns] *n эл.* реактивное сопротивление

reaction I [rɪˈækʃn] *n* 1) реакция; what was his ~ to this news? как он реагировал на это?; to suffer a ~ сильно реагировать 2) влияние; воздействие (on) 3) противодействие; action and ~ действие и противодействие 4) обратное действие; реактивное действие; ~ propelled с реактивным двигателем 5) *радио* действие обратной связи 6) *воен.* контрудар 7) *attr.* реактивный

reaction II [rɪˈækʃn] *n полит.* реакция

reactionary I [rɪˈækʃnərɪ] *a* противодействующий, дающий обратную реакцию

reactionary II [rɪˈækʃnərɪ] *полит.* 1. *n* реакционер

2. *a* реакционный

reactionist [rɪˈækʃnɪst] = reactionary II, 1

reactive [rɪˈæktɪv] *a* 1) реагирующий 2) противодействующий, возвратный 3) *эл.* реактивный

reactivity [ˌrɪækˈtɪvətɪ] *n* реактивность

reactor [rɪˈæktə] *n* 1) реактор, атомный котёл 2) *эл.* стабилизатор

read I [riːd] 1. *v* (read) 1) читать; to ~ aloud, to ~ out (loud) читать вслух; to ~ smb. to sleep усыплять кого-л. чтением; to ~ oneself hoarse (stupid) дочитаться до хрипоты (одурения); to ~ to oneself читать про себя; to ~ a piece of music *муз.* разобрать пьесу; the bill was read *парл.* законопроект был предоставлен на обсуждение 2) толковать; объяснять; my silence is not to be read as consent моё молчание не следует принимать за согласие; it is intended to be read... это надо понимать в том смысле, что...; to ~ one's thoughts into a poet's words вкладывать собственный смысл в слова поэта; to ~ a riddle разгадать загадку; to ~ the cards гадать на картах; to ~ smb.'s mind *(или* thoughts) читать чужие мысли; to ~ smb.'s hand *(или* palm) гадать по руке 3) гласить; the passage quoted ~s as follows цитата гласит следующее 4) показывать *(о приборе и т. п.)*; the thermometer ~s three degrees above freezing point термометр показывает три градуса выше нуля 5) снимать показания *(прибора и т. п.)*; to ~ the electric meter снимать показания электрического счётчика; to ~ smb.'s blood pressure измерять кровяное давление 6) изучать; he is ~ing law он изучает право; to ~ for the Bar готовиться к адвокатуре ▭ ~ **off** *разг.* объяснять, выражать; his face doesn't ~ off его лицо ничего не выражает; ~ **out** а) читать вслух; б) *амер.* исключать из организации; ~ **up** специально изучать; to ~ up for examinations готовиться к экзаменам; ~ **with** заниматься с *кем-л.* ◇ to ~ smb. a lesson сделать выговор, внушение кому-л.; to ~ between the lines читать между строк; to ~ the time *(или* the clock) уметь определять время по часам *(о ребёнке)*

2. *n* 1) чтение; время, проведённое в чтении; to have a quiet ~ почитать в тишине 2) *разг.* чтиво

read II [red] 1. *past и p. p. от* read I, 1

2. *a (в сочетаниях)* начитанный, сведущий, знающий, образованный; he is poorly ~ in history он слабо знает историю

readability [ˌri:də'bɪlətɪ] *n* 1) удобочита́емость 2) чита́бельность

readable ['ri:dəbl] *a* 1) чёткий; удобочита́емый; a ~ handwriting разбо́рчивый по́черк 2) хорошо́ напи́санный, интере́сный

reader ['ri:də] *n* 1) чита́тель; люби́тель книг; he is not much of a ~ он не осо́бенно лю́бит чте́ние 2) хрестома́тия 3) преподава́тель (*университета*); ле́ктор 4) рецензе́нт 5) корре́ктор 6) чтец

readership ['ri:dəʃɪp] *n* 1) *собир.* чита́тели; чита́тельская ма́сса 2) до́лжность преподава́теля университе́та

readily ['redɪlɪ] *adv* 1) охо́тно, бы́стро, с гото́вностью 2) легко́, без труда́; the facts may ~ be ascertained фа́кты мо́жно легко́ установи́ть

readiness ['redɪnəs] *n* 1) гото́вность, охо́та 2) подгото́вленность; all is in ~ всё гото́во 3) нахо́дчивость, быстрота́, жи́вость

reading ['ri:dɪŋ] 1. *pres. p. от* read I, 1

2. *n* 1) чте́ние; close ~ внима́тельное чте́ние 2) начи́танность, зна́ния; a man of wide ~ начи́танный, широко́ образо́ванный челове́к 3) публи́чное чте́ние; ле́кция; penny ~ ле́кция с пла́той за вход в 1 пе́нни 4) показа́ние, отсчёт показа́ний измери́тельного прибо́ра 5) толкова́ние, понима́ние (*чего-л.*); what is your ~ of the facts? как вы понима́ете, толку́ете э́ти фа́кты? 6) чте́ние (*стадия прохождения законопроекта*) в парла́менте; first, second, third ~ пе́рвое, второ́е, тре́тье чте́ние 7) вариа́нт те́кста, разночте́ние

reading desk ['ri:dɪŋdesk] *n* пюпи́тр

reading glass ['ri:dɪŋglɑ:s] *n* увеличи́тельное стекло́

reading lamp ['ri:dɪnlæmp] *n* насто́льная ла́мпа

reading room ['ri:dɪŋru:m] *n* 1) чита́льный зал, чита́льня 2) корре́кторская

readjust [ˌri:ə'dʒʌst] *v* 1) переде́лывать, исправля́ть (за́ново), изменя́ть; сно́ва приводи́ть в поря́док 2) (за́ново) приспоса́бливать, пригоня́ть, прила́живать 3) подрегули́ровать

readjustee [ˌri:ədʒʌs'ti:] *n амер. разг.* челове́к, верну́вшийся по́сле до́лгого пребыва́ния в а́рмии и приспосо́бившийся вновь к гражда́нской жи́зни

readjustment [ˌri:ə'dʒʌstmənt] *n* 1) переде́лка, исправле́ние 2) приспособле́ние; регулиро́вка 3) реорганиза́ция; перегруппиро́вка

ready ['redɪ] 1. *a* 1) гото́вый, пригото́вленный; to get (*или* to make) ~ пригото́вля́ть 2) согла́сный, гото́вый (*на что-л.*); пода́тливый, скло́нный; he gave a ~ assent он охо́тно согласи́лся; he is ~ to go anywhere он гото́в пойти́ куда́ уго́дно 3) лёгкий, бы́стрый; прово́рный; to have a ~ answer for any question име́ть на всё гото́вый отве́т; ≅ не лезть за сло́вом в карма́н; to have a ~ wit быть нахо́дчивым; he is too ~ to suspect он страда́ет изли́шней подозри́тельностью; ~ solubility in water бы́страя раствори́мость в воде́ 4) име́ющийся под руко́й; ~ at hand, ~ to hand(s) находя́щийся под руко́й; тут же, под руко́й

2. *n* (the ~) 1) *sl.* нали́чные (де́ньги) 2) *воен.* положе́ние винто́вки нагото́ве; to have the gun at the ~ держа́ть ору́жие в положе́нии для стрельбы́

3. *v* гото́вить, подгота́вливать

ready-for-service [ˌredɪfə'sɜ:vɪs] = ready-made

ready-made [ˌredɪ'meɪd] *a* 1) гото́вый; ~ clothes гото́вое пла́тье; ~ shop магази́н гото́вого пла́тья 2) неоригина́льный, избитый

ready money [ˌredɪ'mʌnɪ] *n* нали́чные де́ньги

ready reckoner [ˌredɪ'rekənə] *n* (арифмети́ческие) табли́цы (*готовых расчётов*)

ready-to-cook [ˌredɪtə'kʊk] *a*: ~ food полуфабрика́ты

ready-to-serve [ˌredɪtə'sɜ:v] *a*: ~ food кулина́рные изде́лия

ready-to-wear [ˌredɪtə'weə] = ready-made

ready-witted [ˌredɪ'wɪtɪd] *a* сообрази́тельный, нахо́дчивый

reaffirm [ˌri:ə'fɜ:m] *v* вновь подтвержда́ть

reagent [rɪ'eɪdʒənt] *n хим.* реакти́в; реаге́нт

real I [rɪəl] 1. *a* 1) действи́тельный, настоя́щий, реа́льный, по́длинный, и́стинный, неподде́льный, несомне́нный; the ~ state of affairs действи́тельное положе́ние веще́й; the actor drank ~ wine on the stage актёр пил настоя́щее вино́ на сце́не 2) недви́жимый (*об имуществе*); ~ property недви́жимость 3) *филос.* объекти́вно существу́ющий; реа́льный 4) *мат.* веще́ственный; действи́тельный ◇ the ~ thing первокла́ссная вещь; the ~ Simon Pure не подде́лка, не́что настоя́щее

2. *n* (the ~) действи́тельность

3. *adv шотл., амер. разг.* о́чень, действи́тельно, совсе́м

real II [reɪ'ɑ:l] *n* реа́л (*старая испанская монета*)

realgar [rɪ'ælgə] *n мин.* реальга́р

realign [ˌri:ə'laɪn] *v* перестра́ивать

realignment [ˌri:ə'laɪnmənt] *n* перестро́йка

realism ['rɪəlɪzəm] *n* реали́зм

realist ['rɪəlɪst] 1. *n* реали́ст

2. *a* = realistic

realistic [rɪə'lɪstɪk] *a* 1) реалисти́чный; реалисти́ческий 2) практи́ческий, тре́звый; ~ politics тре́звая поли́тика

reality [rɪ'ælətɪ] *n* 1) действи́тельность, реа́льность; не́что реа́льное; objective ~ *филос.* объекти́вная реа́льность; in ~ действи́тельно, факти́чески, на са́мом де́ле 2) и́стинность; по́длинная су́щность 3) реали́зм 4) неподде́льность

realizable ['rɪəlaɪzəbl] *a* 1) могу́щий быть реализо́ванным; осуществи́мый 2) поддаю́щийся понима́нию *или* осозна́нию

realization [ˌrɪəlaɪ'zeɪʃn] *n* 1) осозна́ние, понима́ние; to have a true ~ of one's danger я́сно сознава́ть опа́сность 2) осуществле́ние; выполне́ние (*плана и т. п.*) 3) *ком.* реализа́ция, превраще́ние в де́ньги, прода́жа

realize ['rɪəlaɪz] *v* 1) представля́ть себе́; понима́ть (я́сно, в деталя́х) 2) осуществля́ть; выполня́ть (*план, намерение*) 3) *ком.* реализова́ть, превраща́ть в де́ньги, продава́ть

really ['rɪəlɪ] *adv* 1) действи́тельно, в са́мом де́ле 2) (*выражает интерес, удивление, сомнение и т. п.*) ра́зве?, вот как!, пра́во; ~ and truly да пра́во же; ~ ? вы так ду́маете?; не мо́жет быть!

realm [relm] *n* 1) (*особ. юр.*) короле́вство 2) о́бласть, сфе́ра; the ~ of imagination о́бласть фанта́зии, воображе́ния

realtor ['rɪəltə] *n амер.* аге́нт по прода́же недви́жимости

realty ['rɪəltɪ] *n юр.* недви́жимость

ream I [ri:m] *n* 1) стопа́ бума́ги (*480 листов*) 2) *pl* ма́сса, огро́мное коли́чество (*бумаги, напечатанного, написанного*); ~s of verses *пренебр.* ку́ча стихо́в

ream II [ri:m] *v* 1) *тех.* рассве́рливать, развёртывать 2) *горн.* расширя́ть сква́жину

reamer ['ri:mə] *n* 1) *тех.* развёртка 2) *горн.* инструме́нт для расшире́ния сква́жин

reanimate [ri:'ænɪmeɪt] *v* оживи́ть, верну́ть к жи́зни; вдохну́ть но́вую жизнь, воодушеви́ть

reanimation [ri:ænɪ'meɪʃn] *n* реанима́ция

reap [ri:p] *v* 1) жать, снима́ть урожа́й 2) пожина́ть плоды́ ◇ to ~ as one has sown ≅ что посе́ешь, то и пожнёшь; to ~ where one has not sown пожина́ть плоды́ чужо́го труда́

reaper ['ri:pə] *n* 1) жнец; жни́ца 2) жа́твенная маши́на, жа́тка

reaping-hook ['ri:pɪŋhʊk] *n* серп

reaping-machine ['ri:pɪŋməˌʃi:n] *n* жа́твенная маши́на, жа́тка

reappear [ˌri:ə'pɪə] *v* сно́ва появля́ться, пока́зываться

rear I [rɪə] *v* 1) расти́ть и воспи́тывать (*детей*) 2) выводи́ть, культиви́ровать, выра́щивать 3) станови́ться на дыбы́ (*обыкн.* ~ up) 4) воздвига́ть; сооружа́ть 5) поднима́ть (*голову, руку*); возвыша́ть (*голос*); возноси́ть

rear II [rɪə] *n* 1) за́дняя сторона́; at the ~ of the house позади́ до́ма 2) тыл; to bring up the ~, to follow in the ~ замыка́ть ше́ствие; to take in the ~ напада́ть с ты́ла 3) *разг.* я́годицы, зад 4) *разг.* отхо́жее ме́сто, убо́рная 5) огу́зок 6) *attr.* за́дний, располо́женный сза́ди; ты́льный; *воен.* тылово́й; ~ arch за́дняя лука́ седла́; ~ sight *воен.* прице́л; ~ party *воен.* ты́льная заста́ва

rear admiral [ˌrɪə'ædmrəl] *n* контр-адмира́л

rearer ['rɪərə] *n* 1) *с.-х.* культива́тор

2) инкуба́тор 3) задо́к (*телеги*) 4) норови́стая ло́шадь

rearguard ['rɪəgɑ:d] *n* 1) арьерга́рд 2) *attr.*: ~ action арьерга́рдный бой

rearm [rɪ'ɑ:m] *v* перевооружа́ть(ся)

rearmament [rɪ'ɑ:məmənt] *n* перевооруже́ние

rearmost ['rɪəməʊst] *a* са́мый за́дний, после́дний; ты́льный

rearmouse ['rɪəmaʊs] *n* лету́чая мышь

rearview mirror [,rɪəvju:'mɪrə] *n авто* зе́ркало за́дней обзо́рности

rearward ['rɪəwəd] 1. *n* тыл; замыка́ющая часть; арьерга́рд

2. *a* за́дний; тылово́й

3. *adv* = rearwards

rearwards ['rɪəwədz] *adv* наза́д, в тыл, в сто́рону ты́ла

reason ['ri:zn] 1. *n* 1) причи́на, по́вод, основа́ние; соображе́ние, моти́в; до́вод, аргуме́нт; оправда́ние; by ~ of по причи́не; из-за; by ~ of its general sense по своему́ о́бщему смы́слу; with (*или* not without) ~ не без основа́ния; he complains with ~ он име́ет все основа́ния жа́ловаться; to give ~s for smth. объясни́ть причи́ны чего́-л., сообщи́ть свои́ соображе́ния по по́воду чего́-л. 2) ра́зум, рассу́док; благоразу́мие; to bring to ~ образу́мить; to hear (*или* to listen to) ~ прислу́шаться к го́лосу ра́зума 3) здра́вый ум; to lose one's ~ сойти́ с ума́; bereft of ~ а) умалишённый; б) без созна́ния, без чувств

2. *v* 1) рассужда́ть (about, of, upon — о *чём-л.*) 2) убежда́ть, угова́ривать (into); to ~ out of smth. разубежда́ть в чём-л.; to ~ with smb. урезо́нивать кого́-л. 3) аргументи́ровать; дока́зывать 4) обсужда́ть ▭ ~ out проду́мать до конца́

reasonable ['ri:znəbl] *a* 1) (благо)разу́мный; рассуди́тельный 2) прие́млемый, сно́сный; недорого́й (*о цене*); уме́ренный 3) *уст.* облада́ющий ра́зумом

reasonably ['ri:znəblɪ] *adv* 1) разу́мно 2) уме́ренно 3) прие́млемо, сно́сно; дово́льно, доста́точно

reasoning ['ri:znɪŋ] 1. *pres. p. от* reason 2

2. *n* 1) рассужде́ние 2) объясне́ния; аргумента́ция; the pupils understood the teacher's ~ ученики́ по́няли объясне́ния учи́теля

3. *a* мы́слящий, спосо́бный рассужда́ть

reassert [,ri:ə'sɜ:t] *v* подтвержда́ть, вновь заявля́ть; заверя́ть

reassurance [,ri:ə'ʃʊərəns] *n* 1) увере́ние, завере́ние; успока́ивание; утеше́ние 2) восстано́вленное дове́рие 3) вновь обретённая уве́ренность, сме́лость

reassure [,ri:ə'ʃɔ:] *v* 1) восстанови́ть дове́рие 2) заверя́ть, уверя́ть, убежда́ть; успока́ивать, утеша́ть

Réaumur ['reɪəʊmjʊə] *n* 1) термо́метр Реомю́ра 2) *attr.*: ~ scale *физ.* температу́рная шкала́ Реомю́ра

reave [ri:v] *v* (reft) *уст.* 1) похища́ть (*обыкн.* ~ away, ~ from); отнима́ть 2) опустоша́ть, гра́бить

reaver ['ri:və] = reiver

rebate 1. *n* ['ri:beɪt] ски́дка, усту́пка

2. *v* [rɪ'beɪt] *уст.* 1) уменьша́ть, сбавля́ть, ослабля́ть (*силу, энергию*) 2) де́лать ски́дку, усту́пку 3) притупля́ть, тупи́ть

rebec(k) ['ri:bek] *n* стари́нная трёхстру́нная скри́пка

rebel 1. *n* ['rebl] 1) повста́нец 2) бунтовщи́к; мяте́жник 3) *attr.* мяте́жный; бунта́рский; повста́нческий

2. *v* [rɪ'bel] 1) восстава́ть (against) 2) протестова́ть, противоде́йствовать; ока́зывать сопротивле́ние 3) *разг.* возмуща́ться (against — *чем-л.*)

rebellion [rɪ'beljən] *n* 1) восста́ние; бунт; the Great R. гражда́нская война́ в А́нглии (*1642—60 гг.*) 2) сопротивле́ние 3) возмуще́ние

rebellious [rɪ'beljəs] *a* 1) мяте́жный; повста́нческий, бунту́ющий; бунта́рский 2) недисциплини́рованный; непослу́шный 3) упо́рный; не поддаю́щийся лече́нию (*о болезни*)

rebellow [rɪ'beləʊ] *v поэт.* отдава́ться гро́мким э́хом

rebound ['ri:baʊnd] 1. *n* 1) отско́к, отда́ча, рикоше́т; to hit on the ~ бить *или* ударя́ть рикоше́том 2) реа́кция, пода́вленность по́сле возбужде́ния; to take smb. on (*или* at) the ~ оказа́ть давле́ние на кого́-л., воспо́льзовавшись его́ сла́бостью

2. *v* [rɪ'baʊnd] 1) отска́кивать, рикоше́тировать 2) отпря́нуть, отступи́ть 3) *воен.* нака́тываться (*об орудиях*) 4) име́ть обра́тное де́йствие

rebuff [rɪ'bʌf] 1. *n* отпо́р, ре́зкий отка́з

2. *v* 1) дава́ть отпо́р; отка́зывать наотре́з 2) *воен.* отража́ть ата́ку

rebuild [ri:'bɪld] *v* (rebuilt) отстро́ить за́ново, восстанови́ть

rebuilt [ri:'bɪlt] *past и p. p. от* rebuild

rebuke [rɪ'bju:k] 1. *n* 1) упрёк; without ~ безупре́чный 2) вы́говор

2. *v* 1) упрека́ть 2) де́лать вы́говор

rebus ['ri:bəs] *n* ре́бус

rebut [rɪ'bʌt] *v* 1) опроверга́ть (*обвинение и т. п.*) 2) дава́ть отпо́р; отража́ть

rebuttal [rɪ'bʌtl] *n* опроверже́ние (*обвинения и т. п.*)

rebutter [rɪ'bʌtə] *n юр.* тре́тья состяза́тельная бума́га отве́тчика

recalcitrance, -cy [rɪ'kælsɪtrəns, -sɪ] *n* непоко́рность; упо́рство

recalcitrant [rɪ'kælsɪtrənt] 1. *a* непоко́рный; упо́рный; упо́рствующий в неподчине́нии (*чему-л.*)

2. *n* непоко́рный челове́к

recalcitrate [rɪ'kælsɪtreɪt] *v* упо́рствовать; сопротивля́ться

recall [rɪ'kɔ:l] 1. *n* 1) при́зыв верну́ться 2) воспомина́ние, па́мять 3) отзыва́ние, о́тзыв (*депутата, посла и т. п.*) 4) *воен.* сигна́л к возвраще́нию 5) *театр.* вы́зов исполни́теля на бис ◇ beyond (*или* past) ~ а) непоправи́мый; б) забы́тый

2. *v* 1) призыва́ть обра́тно 2) отзыва́ть (*депутата, должностное лицо*) 3) вспомина́ть; напомина́ть, воскреша́ть (*в памяти*) 4) выводи́ть (*из задумчивости*) 5) отменя́ть (*приказ и т. п.*) 6) брать обра́тно (*подарок, свои слова*) 7) *воен.* призыва́ть из запа́са

recant [rɪ'kænt] *v* отрека́ться; отка́зываться от своего́ мне́ния (*особ. публично*)

recantation [,ri:kæn'teɪʃn] *n* отрече́ние

recap ['ri:kæp] 1. *n разг. сокр. от* recapitulation

2. *v разг. сокр. от* recapitulate

recapitulate [,ri:kə'pɪtʃʊleɪt] *v* 1) повторя́ть, перечисля́ть 2) резюми́ровать, сумми́ровать; конспекти́ровать

recapitulation [,ri:kəpɪtʃʊ'leɪʃn] *n* кра́ткое повторе́ние; сумми́рование; вы́вод, резюме́

recapitulative [,ri:kə'pɪtʃʊlətɪv] *a* конспекти́вный; сумми́рующий

recapitulatory [,ri:kə'pɪtʃʊlətərɪ] = recapitulative

recaption [ri:'kæpʃn] *n юр.* изъя́тие ве́щи из чужо́го владе́ния в поря́дке самопо́мощи

recapture [ri:'kæptʃə] 1. *n* 1) взя́тие обра́тно 2) то, что взя́то обра́тно

2. *v* брать обра́тно

recast [,ri:'kɑ:st] 1. *n* 1) прида́ние (*чему-л.*) но́вой, испра́вленной фо́рмы 2) переде́лка

2. *v* (recast) 1) придава́ть но́вую фо́рму (*чему-л.*), исправля́ть; перестра́ивать (*предложение, абзац и т. п.*); to ~ a book переде́лать кни́гу 2) перераспределя́ть ро́ли (*в театре*); поста́вить пье́су с но́вым соста́вом исполни́телей 3) пересчи́тывать 4) *тех.* отлива́ть за́ново

recce ['rekɪ] *разг.* 1. *n* = reconnaissance

2. *v* = reconnoitre

recede I [rɪ'si:d] *v* возвраща́ть захва́ченное

recede II [rɪ'si:d] *v* 1) отступа́ть, удаля́ться; ретирова́ться; to ~ into the background а) отойти́ на за́дний план; б) теря́ть значе́ние, интере́с 2) отклоня́ться наза́д; быть сре́занным, пока́тым (*о лбе, подбородке*) 3) убыва́ть, идти́ на у́быль 4) отка́зываться (*от договорённости, от мнения*) 5) па́дать в цене́

receipt [rɪ'si:t] 1. *n* 1) получе́ние; on ~ по получе́нии 2) распи́ска в получе́нии; квита́нция 3) (*обыкн. pl*) прихо́д; ~s and expenses прихо́д и расхо́д 4) *уст.* реце́пт (*особ.* кулина́рный) 5) сре́дство для достиже́ния како́й-л. це́ли 6) сре́дство для излече́ния

2. *v* дать распи́ску в получе́нии; to ~ a bill расписа́ться на счёте

receipt-book [rɪ'si:tbʊk] *n* квитанцио́нная кни́жка

receivable [rɪ'si:vəbl] *a* могу́щий быть полу́ченным; го́дный к приня́тию

receive [rɪ'si:v] *v* 1) принима́ть; to ~ stolen goods укрыва́ть кра́денное 2) получа́ть 3) воспринима́ть 4) вмеща́ть 5) признава́ть пра́вильным, принима́ть 6) принима́ть (*гостей*)

received [rɪ'si:vd] **1.** *p. p. от* receive

2. *a* общепри́нятый, общепри́знанный, счита́ющийся пра́вильным, и́стинным

receiver [rɪ'si:və] *n* 1) получа́тель 2) телефо́нная тру́бка 3) *тех.* приёмный резервуа́р, реси́вер 4) ство́льная коро́бка (*винтовки*) 5) радиоприёмник 6) укрыва́тель кра́деного 7) *юр.* управля́ющий ко́нкурсной ма́ссой

receivership [rɪ'si:vəʃɪp] *n юр.* ста́тус лица́, назна́ченного управля́ть иму́ществом банкро́та *или* иму́ществом, являю́щимся предме́том суде́бного спо́ра

receiving-order [rɪ'si:vɪŋ,ɔ:də] *n* постановле́ние суда́ об откры́тии ко́нкурса

receiving-set [rɪ'si:vɪŋset] *n* радиоприёмник

recency ['ri:snsɪ] *n* новизна́, све́жесть

recension [rɪ'senʃn] *n* 1) просмо́тр и исправле́ние те́кста 2) просмо́тренный и испра́вленный текст

recent ['ri:snt] *a* неда́вний, после́дний; но́вый, све́жий, совреме́нный

recently ['ri:sntlɪ] *adv* неда́вно; на днях

receptacle [rɪ'septəkl] *n* 1) вмести́лище; приемник, храни́лище 2) коро́бка, я́щик; мешо́к; сосу́д 3) ште́псельная розе́тка, патро́н 4) *бот.* цветоло́же

reception [rɪ'sepʃn] *n* 1) приём (*тж. в члены*); приня́тие; warm ~ горя́чий приём; *ирон.* си́льное сопротивле́ние; the play met with a cold ~ пье́са была́ хо́лодно принята́ 2) приём (*гостей*); вечери́нка, встре́ча 3) *радио, тлв.* приём 4) восприя́тие 5) *редк.* приём, получе́ние 6) *attr.*: ~ camp (*или* centre) приёмный пункт (*для размещения беженцев, эвакуированных и т. п.*)

receptionist [rɪ'sepʃnɪst] *n* секрета́рь в приёмной (*у врача, фотографа и т. п.*)

reception-room [rɪ'sepʃnru:m] *n* гости́ная, приёмная

receptive [rɪ'septɪv] *a* 1) восприи́мчивый 2) рецепти́вный

receptivity [,ri:sep'tɪvɪtɪ] *n* 1) восприи́мчивость 2) *тех.* поглоща́ющая спосо́бность; ёмкость

receptor [rɪ'septə] *n биол.* реце́птор, реце́пторное не́рвное оконча́ние

recess [rɪ'ses] **1.** *n* 1) углубле́ние; ни́ша, алько́в; in the ~ в глубине́ 2) уединённое ме́сто; глухо́е ме́сто; укро́мный уголо́к; in the secret ~es of the heart в тайника́х, в глубине́ души́ 3) переры́в в заседа́ниях (*парламента, суда и т. п.*) 4) *амер.* (больша́я) переме́на в шко́ле 5) *анат., бот.* углубле́ние, я́мка 6) *тех.* проре́зь, вы́емка; вы́точка

2. *v* 1) де́лать углубле́ние 2) помеща́ть в укро́мном ме́сте 3) отодвига́ть наза́д 4) *амер.* де́лать переры́в (*в работе, заседании*) 5) *тех.* де́лать вы́емку, углубля́ть

recession [rɪ'seʃn] *n* 1) спад, сниже́ние (*цен, спроса на товары, деловой активности*) 2) удале́ние, ухо́д 3) отступа́ние (*моря, ледника*) 4) углубле́ние

recessional [rɪ'seʃnəl] *a* каникуля́рный

recessive [rɪ'sesɪv] *a* удаля́ющийся, отступа́ющий

réchauffé [rɪ'ʃəʊfeɪ] *фр. n* 1) разогре́тое ку́шанье 2) что-л., переде́ланное из ста́рого; перерабо́тка своего́ *или* чужо́го литерату́рного произведе́ния

recherché [rə'ʃeəʃeɪ] *a* отбо́рный; изы́сканный (*о вкусе, о блюдах и т. п.*)

recidivism [rɪ'sɪdɪvɪzəm] *n* рецидиви́зм

recidivist [rɪ'sɪdɪvɪst] *n* рецидиви́ст

recipe ['resəpɪ] *n* 1) реце́пт (*тж. кулинарный*) 2) сре́дство; спо́соб (*достигнуть чего-л.*)

recipience, -cy [rɪ'sɪpɪəns, -sɪ] *n* 1) получе́ние 2) восприи́мчивость

recipient [rɪ'sɪpɪənt] **1.** *n* 1) получа́тель 2) *тех.* приёмник

2. *a* 1) получа́ющий 2) восприи́мчивый

reciprocal [rɪ'sɪprəkl] **1.** *a* 1) отве́тный 2) взаи́мный, обою́дный 3) *грам.* взаи́мный (*о местоимениях*) 4) эквивале́нтный; соотве́тственный 5) *юр.* взаи́мный, двусторо́нний 6) *мат.* обра́тный

2. *n мат.* обра́тная величина́

reciprocate [rɪ'sɪprəkeɪt] *v* 1) отпла́чивать; to ~ smb.'s feeling отвеча́ть взаи́мностью (на чьё-л. чу́вство); to every attack he ~d with a blow на ка́ждое нападе́ние он отвеча́л уда́ром 2) обме́ниваться (*услугами, любезностями*) 3) дви́гать(ся) взад и вперёд; име́ть возвра́тно-поступа́тельное движе́ние

reciprocating engine [rɪ,sɪprəkeɪtɪŋ'endʒɪn] *n* поршнево́й дви́гатель

reciprocation [rɪ,sɪprə'keɪʃn] *n* 1) возвра́тно-поступа́тельное движе́ние 2) отве́тное де́йствие 3) взаи́мный обме́н (*услугами, любезностями*)

reciprocity [,resɪ'prɒsɪtɪ] *n* 1) взаи́мность 2) взаимоде́йствие 3) взаи́мный обме́н (*услугами и т. п.*) 4) *attr.*: ~ principle при́нцип обрати́мости

recital [rɪ'saɪtl] *n* 1) изложе́ние, повествова́ние 2) со́льный конце́рт; конце́рт из произведе́ний одного́ компози́тора 3) подро́бное перечисле́ние фа́ктов; расска́з, описа́ние 4) *юр.* деклърати́вная часть (*документа*)

recitation [,resɪ'teɪʃn] *n* 1) перечисле́ние (*фактов и т. п.*) 2) деклама́ция; публи́чное чте́ние 3) отры́вок *или* стихотворе́ние для зау́чивания 4) *амер.* отве́т ученика́; опро́с ученико́в 5) *attr.*: ~ room аудито́рия

recitative [,resɪtə'ti:v] *n* речитати́в

recite [rɪ'saɪt] *v* 1) деклами́ровать; повторя́ть по па́мяти 2) расска́зывать, излага́ть 3) перечисля́ть (*факты и т. п.*) 4) *амер.* отвеча́ть уро́к

reciter [rɪ'saɪtə] *n* 1) деклама́тор; чтец 2) чтец-деклама́тор (*книга*)

reck [rek] *v поэт., уст.* (*тк. в отриц. и вопр. предложениях*) обраща́ть внима́ние (*на что-л.*), принима́ть во внима́ние (of — *что-л.*); he ~ed not of the danger он и не ду́мал об опа́сности; it ~s him not what others think ему́ безразли́чно, что други́е ду́мают; what ~s him that..? како́е ему́ де́ло, что..?

reckless ['rekləs] *a* 1) безрассу́дный, опроме́тчивый 2) де́рзкий, отча́янный; ~ driving неосторо́жная езда́ 3) пренебрега́ющий (*чем-л.*); ~ of danger пренебрега́ющий опа́сностью; ~ of consequences не ду́мающий о после́дствиях

reckling ['reklɪŋ] *диал.* **1.** *n* 1) сла́бый, ма́ленький, нужда́ющийся в ухо́де детёныш 2) мла́дший ребёнок в семье́

2. *a* сла́бый, ча́хлый

reckon ['rekən] *v* 1) счита́ть; подсчи́тывать, исчисля́ть; подводи́ть ито́г (*обыкн.* ~ up); насчи́тывать 2) рассма́тривать, счита́ть за; ду́мать, предполага́ть, приде́рживаться мне́ния; to be ~ed (as) a clever person счита́ться у́мным челове́ком 3) полага́ться, рассчи́тывать (upon) 4) рассчи́тываться, распла́чиваться, своди́ть счёты (with — с *кем-л.*) 5) принима́ть во внима́ние (with); he is to be ~ed with с ним на́до счита́ться □ ~ **among**, ~ **in** причисля́ть к; ~ **up** подсчи́тывать

reckoner ['rekənə] *n* 1) = ready reckoner 2) челове́к, де́лающий подсчёты

reckoning ['rekənɪŋ] **1.** *pres. p. от* reckon

2. *n* 1) счёт, расчёт, вычисле́ние; by my ~ по моему́ расчёту; to make no ~ of smth. не принима́ть в расчёт что-л.; не придава́ть значе́ния чему́-л.; to be good at ~ хорошо́ счита́ть; to be out in one's ~ ошиби́ться в расчётах 2) счёт, *особ.* счёт в гости́нице 3) распла́та; the day of ~ а) срок распла́ты; б) час распла́ты, су́дный день 4) определе́ние местонахожде́ния *или* счисле́ние пути́ (*в штурманском деле*)

re-claim [,ri:'kleɪm] *амер.* = reclaim 1, 1)

reclaim [rɪ'kleɪm] **1.** *v* 1) тре́бовать обра́тно 2) поднима́ть (*целину, заброшенные земли*); проводи́ть мелиора́цию 3) исправля́ть; перевоспи́тывать; смягча́ть; цивилизова́ть; to ~ a drunkard отучи́ть пья́ницу пить 4) утилизи́ровать, испо́льзовать 5) регенери́ровать

2. *n*: it is beyond (*или* past) ~ э́то непоправи́мо

reclamation [,reklə'meɪʃn] *n* 1) исправле́ние 2) освое́ние (*неудобных, целинных, заброшенных земель*); мелиора́ция 3) утилиза́ция, испо́льзование отхо́дов 4) *ком.* реклама́ция, предъявле́ние прете́нзий

réclame [reɪ'klɑ:m] *n* 1) рекла́ма, реклами́рование 2) стремле́ние к изве́стности

recline [rɪ'klaɪn] *v* 1) облокачи́вать(ся); отки́дываться наза́д; опира́ться; to ~ against smth. полулежа́ть, опира́ясь на что-л.; сиде́ть, отки́нувшись на что-л. 2) отки́дывать (*голову*) 3) полага́ться (on — на)

recluse [rɪ'klu:s] **1.** *n* затво́рник; затво́рница; отше́льник; отше́льница

2. *a* живу́щий в уедине́нии; уединённый

recognition [ˌrekəg'nɪʃn] *n* 1) узнава́ние; опозна́ние 2) призна́ние; одобре́ние; to win (to receive, to meet with) ~ from the public завоева́ть (получи́ть) призна́ние пу́блики 3) официа́льное призна́ние (*независимости и суверенитета страны*)

recognizable ['rekəgnaɪzəbl] *a* могу́щий быть у́знанным

recognizance [rɪ'kɒgnɪzəns] *n* 1) обяза́тельство (*данное суду*) 2) зало́г 3) призна́ние

recognize ['rekəgnaɪz] *v* 1) узнава́ть 2) признава́ть; to ~ a new government призна́ть но́вое прави́тельство; to ~ smb. as lawful heir призна́ть кого́-л. зако́нным насле́дником 3) выража́ть призна́ние, одобре́ние 4) осознава́ть; to ~ one's duty понима́ть свой долг

recoil 1. *n* ['ri:kɔɪl] 1) отско́к; отда́ча, отка́т 2) у́жас; отвраще́ние (*к чему-л.*)

2. *v* [rɪ'kɔɪl] 1) отскочи́ть; отпря́нуть, отшатну́ться 2) испы́тывать у́жас (*перед чем-л.*); чу́вствовать отвраще́ние (from — к *чему-л.*) 3) отскочи́ть рикоше́том; his meanness ~ed upon his own head его́ по́длость оберну́лась про́тив него́ самого́ 4) отдава́ть (*о ружье*); отка́тываться (*об орудии*) 5) отступа́ть

recollect [ˌrikə'lekt] *v* 1) вновь собра́ть, объедини́ть 2) вспомина́ть, припомина́ть 3) *refl.* прийти́ в себя́, опо́мниться

recollection [ˌrekə'lekʃn] *n* 1) воспомина́ние; па́мять; within (outside) my ~ на (не на) мое́й па́мяти 2) *pl* мему́ары

recommend [ˌrekə'mend] *v* 1) рекомендова́ть; сове́товать 2) представля́ть (*к награде и т. п.*) 3) говори́ть в (*чью-л.*) по́льзу 4) поруча́ть (*чьему-л.*) попече́нию

recommendation [ˌrekəmen'deɪʃn] *n* 1) рекоменда́ция; сове́т 2) представле́ние (for — к *награде и т. п.*) 3) ка́чества, говоря́щие в по́льзу (*кого-л.*)

recommendatory [ˌrekə'mendətərɪ] *a* рекоменда́тельный

recommit [ˌri:kə'mɪt] *v парл.* возвраща́ть законопрое́кт в коми́ссию на втори́чное рассмотре́ние

recommitment [ˌri:kə'mɪtmənt] *n парл.* возвраще́ние законопрое́кта на втори́чное рассмотре́ние в коми́ссию

recommittal [ˌri:kə'mɪtl] = recommitment

recompense ['rekəmpens] **1.** *n* вознагражде́ние; компенса́ция

2. *v* вознагражда́ть; компенси́ровать; отпла́чивать

reconcilability [ˌrekənsaɪlə'bɪlətɪ] *n* 1) совмести́мость 2) *редк.* терпи́мость

reconcilable ['rekənsaɪləbl] *a* 1) совмести́мый 2) *редк.* примири́тельный

reconcile ['rekənsaɪl] *v* 1) примиря́ть (with, to); to ~ oneself, to become (*или* to be) ~d to one's lot смири́ться со свое́й судьбо́й 2) ула́живать (*ссору, спор*) 3) согласо́вывать (*мнения, заявления*)

reconcilement ['rekənsaɪlmənt] = reconciliation

reconciliation [ˌrekənsɪlɪ'eɪʃn] *n* 1) примире́ние 2) ула́живание 3) согласова́ние

recondite ['rekəndaɪt] *a* 1) тёмный, нея́сный; тру́дный для понима́ния; a ~ treatise зау́мный тракта́т 2) малопоня́тный, пи́шущий зау́мно (*о писателе*) 3) *уст.* спря́танный

recondition [ˌri:kən'dɪʃn] *v* 1) ремонти́ровать, переобору́довать, приводи́ть в испра́вное состоя́ние (*особ. судно*) 2) переде́лывать, перестра́ивать 3) восстана́вливать си́лы, здоро́вье

reconnaissance [rɪ'kɒnɪsəns] *n* 1) разве́дка; рекогносциро́вка 2) прощу́пывание, зонди́рование 3) *attr.* разве́дывательный

reconnoitre [ˌrekə'nɔɪtə] *v* производи́ть, вести́ разве́дку, разве́дывать

reconsider [ˌri:kən'sɪdə] *v* пересма́тривать (за́ново)

reconstruct [ˌri:kən'strʌkt] *v* 1) перестра́ивать, реконструи́ровать 2) восстана́вливать (*по данным*), воссоздава́ть

reconstruction [ˌri:kən'strʌkʃn] *n* 1) перестро́йка, реконстру́кция; реорганиза́ция 2) восстановле́ние, воссозда́ние 3) (R.) *амер. ист.* реконстру́кция Ю́га по́сле гражда́нской войны́ 4) что-л. перестро́енное 5) *attr.*: ~ area ме́стность, восстана́вливаемая по́сле войны́

reconversion [ˌri:kən'vɜ:ʃn] *n* возвраще́ние к усло́виям ми́рного вре́мени

record 1. *n* ['rekɔ:d] 1) за́пись; регистра́ция (*фактов*); ле́топись; мему́ары, расска́з о собы́тиях; to bear ~ to свиде́тельствовать, удостоверя́ть и́стинность (*фактов и т. п.*); a matter of ~ зарегистри́рованный факт; on ~ запи́санный, зарегистри́рованный; публи́чно изве́стный 2) протоко́л (*заседания и т. п.*); to enter on the ~s занести́ в протоко́л 3) официа́льный докуме́нт, за́пись, отчёт; off the ~ а) не подлежа́щий оглаше́нию (*в печати*); б) неофициа́льно, неофициа́льным путём 4): to keep to the ~ держа́ться су́ти де́ла; to travel out of the ~ вводи́ть что-л., не относя́щееся к де́лу 5) граммофо́нная пласти́нка; за́пись на граммофо́нной пласти́нке 6) *юр.* материа́лы суде́бного де́ла, пи́сьменное произво́дство по де́лу 7) фа́кты, да́нные (*о ком-л.*); характери́стика; to have a good (bad) ~ име́ть хоро́шую (плоху́ю) репута́цию; his ~ is against him его́ про́шлое говори́т про́тив него́; ~ of service послужно́й спи́сок; трудова́я кни́жка 8) реко́рд; to beat (*или* to break, to cut) the ~ поби́ть реко́рд 9) па́мятник; портре́т 10) *юр.* докуме́нт, даю́щий пра́во на владе́ние 11) *attr.* реко́рдный 12) *attr.*: (Public) R. Office Госуда́рственный архи́в

2. *v* [rɪ'kɔ:d] 1) запи́сывать, регистри́ровать; протоколи́ровать; заноси́ть в спи́сок, в протоко́л 2) запи́сывать на пласти́нку, на плёнку 3) увекове́чивать

record changer ['rekɔ:d, tʃeɪndʒə] *n* устро́йство для автомати́ческого перевора́чивания пласти́нок на прои́грывателе

recorder [rɪ'kɔ:də] *n* 1) звукозапи́сывающий аппара́т, *особ.* магнитофо́н 2) регистра́тор; протоколи́ст; учётчик 3) *тех.* регистри́рующий, самопи́шущий прибо́р 4) рико́рдер (*мировой судья с юрисдикцией по уголовным и гражданским делам в городах и городках, созывает суд четвертных сессий*) 5) род стари́нной фле́йты

record film ['rekɔ:dfɪlm] *n* документа́льный фильм

record-holder ['rekɔ:d, həʊldə] *n* облада́тель реко́рда, рекордсме́н

recording [rɪ'kɔ:dɪŋ] **1.** *pres. p. от* record 2

2. *n* регистра́ция, за́пись

3. *a* регистри́рующий, запи́сывающий

recordist [rɪ'kɔ:dɪst] *n* звукоопера́тор

record-player ['rekɔ:d, pleɪə] *n* прои́грыватель граммофо́нных пласти́нок

recordsman ['rekɔ:dzmən] *n* рекордсме́н

re-count 1. *n* ['ri:kaʊnt] пересчёт голосо́в при вы́борах

2. *v* [ˌri:'kaʊnt] пересчи́тывать (*особ.* голоса́ при вы́борах)

recount [rɪ'kaʊnt] *v* расска́зывать, излага́ть подро́бно

recoup [rɪ'ku:p] *v* 1) компенси́ровать, возмеща́ть; to ~ a person for loss (*или* damage) возмеща́ть кому́-л. убы́тки 2) *юр.* уменьша́ть присужда́емое истцу́ возмеще́ние

recoupment [rɪ'ku:pmənt] *n* 1) возмеще́ние (*убытков и т. п.*), компенса́ция 2) *юр.* уменьше́ние присужда́емого истцу́ возмеще́ния

recourse [rɪ'kɔ:s] *n* 1) обраще́ние за по́мощью; to have ~ to прибега́ть к по́мощи 2) прибе́жище; his last ~ will be... еди́нственным вы́ходом, после́дним прибе́жищем для него́ бу́дет...

re-cover [ˌri:'kʌvə] *v* сно́ва покрыва́ть, перекрыва́ть

recover [rɪ'kʌvə] *v* 1) обрета́ть сно́ва, возвраща́ть себе́, получа́ть обра́тно; to ~ control of one's temper овладе́ть собо́й; to ~ oneself приходи́ть в себя́; to ~ one's feet (*или* one's legs) встать (*после падения, болезни*) 2) выздора́вливать, оправля́ться (from); he is slowly ~ing from his illness он ме́дленно поправля́ется по́сле боле́зни; I haven't yet ~ed from my astonishment я ещё не пришёл в себя́ от удивле́ния; to ~ from the effects of a war опра́виться от после́дствий войны́ 3) *юр.* виндици́ровать; взы́скивать в суде́бном поря́дке; получа́ть возмеще́ние по суду́ 4) навёрстывать 5) *тех.* регенери́ровать; извлека́ть (*из скважин*); утилизи́ровать (*отходы*)

recovered [rɪ'kʌvəd] **1.** *p. p. от* recover

2. *a* вы́здоровевший

recovery [rɪ'kʌvərɪ] *n* 1) выздоровле́ние 2) восстановле́ние 3) возмеще́ние; возвраще́ние (*утраченного*) 4) *тех.* регенера́ция; извлече́ние (*мета́лла из руды́*); утилиза́ция (*отхо́дов*) 5) *горн.* добы́ча 6) *тех.* упру́гая деформа́ция 7) *ав.* вы́ход *или* вы́вод самолёта из што́пора

recreancy [ˈrekrɪənsɪ] *n книжн.* 1) тру́сость; малоду́шие 2) изме́на, отсту́пничество

recreant [ˈrekrɪənt] *книжн.* **1.** *n* 1) трус 2) отсту́пник, изме́нник

2. *a* 1) трусли́вый, малоду́шный 2) преда́тельский, отсту́пнический

re-create [ˌriːkrɪˈeɪt] *v* вновь создава́ть

recreate [ˈrekrɪeɪt] *v* 1) восстана́вливать си́лы, освежа́ть 2) *refl.* отдыха́ть, освежа́ться 3) занима́ть, развлека́ть 4) *refl.* развлека́ться

re-creation [ˌriːkrɪˈeɪʃn] *n* созда́ние за́ново

recreation [ˌrekrɪˈeɪʃn] *n* 1) восстановле́ние сил, освеже́ние 2) развлече́ние, о́тдых 3) переме́на (*ме́жду уро́ками*) 4) *attr.*: ~ centre клуб, дворе́ц культу́ры; ~ center *амер. воен.* ба́за о́тдыха; ~ ground площа́дка для игр

recreational [ˌrekrɪˈeɪʃnəl] *a* развлека́тельный, относя́щийся к сфе́ре развлече́ний; ~ facilities места́ о́тдыха и развлече́ний (*спортплоща́дки, бассе́йны и т. п.*)

recreative [ˈrekrɪeɪtɪv] *a* 1) восстана́вливающий си́лы, освежа́ющий 2) развлека́ющий, занима́ющий; заба́вный; занима́тельный

recrement [ˈrekrɪmənt] *n* 1) *редк.* отбро́сы, оста́тки 2) при́меси в руде́ 3) *физиол.* секре́торный проду́кт, кото́рый части́чно сно́ва вса́сывается в кровь

recriminate [rɪˈkrɪmɪneɪt] *v* обвиня́ть друг дру́га; отвеча́ть обвине́нием

recrimination [rɪˌkrɪmɪˈneɪʃn] *n* взаи́мное *или* встре́чное обвине́ние

recriminative [rɪˈkrɪmɪnətɪv] = recriminatory

recriminatory [rɪˈkrɪmɪnətərɪ] *a* отвеча́ющий обвине́нием на обвине́ние

recrudesce [ˌriːkruːˈdes] *v* 1) сно́ва открыва́ться, появля́ться *или* обостря́ться (*по́сле вре́менного улучше́ния — о ра́не, нары́ве, боле́зни*); рецидиви́ровать 2) сно́ва появля́ться, оживля́ться, распространя́ться

recrudescence [ˌriːkruːˈdesns] *n* 1) *мед.* рециди́в, но́вая вспы́шка; the ~ of influenza но́вая вспы́шка гри́ппа 2) втори́чное появле́ние, возобновле́ние; a ~ of civil disorder возобновле́ние беспоря́дков

recruit [rɪˈkruːt] **1.** *n* 1) призывни́к, новобра́нец 2) но́вый член (*па́ртии, о́бщества и т. п.*) 3) новичо́к (*ча́сто* raw ~)

2. *v* 1) вербова́ть (*новобра́нцев, но́вых чле́нов и т. п.*) 2) комплектова́ть (*часть*); пополня́ть (*ряды́, запа́сы*) 3) укрепля́ть (*здоро́вье*); take a holiday and try to ~ возьми́те о́тпуск и постара́йтесь попра́виться

recruitment [rɪˈkruːtmənt] *n* 1) набо́р новобра́нцев 2) пополне́ние, подкрепле́ние 3) восстановле́ние здоро́вья, попра́вка

recta [ˈrektə] *pl от* rectum

rectal [ˈrektl] *a анат.* прямокише́чный, ректа́льный

rectangle [ˈrektæŋgl] *n* прямоуго́льник

rectangular [rekˈtæŋgjʊlə] *a* прямоуго́льный; ~ co-ordinates прямоуго́льные координа́ты; ~ timber оканто́ванный пилёный лесоматериа́л

rectification [ˌrektɪfɪˈkeɪʃn] *n* 1) исправле́ние 2) *хим.* ректифика́ция, очище́ние 3) выпрямле́ние (*то́ка*) 4) *ра́дио* детекти́рование

rectifier [ˈrektɪfaɪə] *n* 1) *хим.* ректифика́тор, очисти́тель 2) *эл.* выпрями́тель 3) *ра́дио* дете́ктор

rectify [ˈrektɪfaɪ] *v* 1) исправля́ть; to ~ a chronometer выверя́ть хроно́метр 2) *хим.* ректифици́ровать, очища́ть 3) *эл.* выпрямля́ть (*ток*) 4) *ра́дио* детекти́ровать

rectilineal [ˌrektɪˈlɪnɪəl] *a* прямолине́йный

rectilinear [ˌrektɪˈlɪnɪə] = rectilineal

rectitude [ˈrektɪtjuːd] *n* 1) че́стность, прямота́; высо́кая нра́вственность 2) пра́вильность (*сужде́ний*)

recto [ˈrektəʊ] *n* (*pl* -os [-əʊz]) *полигр.* пра́вая страни́ца

rector [ˈrektə] *n* 1) прихо́дский свяще́нник; па́стор 2) ре́ктор

rectorial [rekˈtɔːrɪəl] *a* ре́кторский

rectorship [ˈrektəʃɪp] *n* до́лжность *или* зва́ние ре́ктора

rectory [ˈrektərɪ] *n* 1) дом прихо́дского свяще́нника, па́стора 2) до́лжность прихо́дского свяще́нника

rectum [ˈrektəm] *n* (*pl* -ta) *анат.* пряма́я кишка́

recumbency [rɪˈkʌmbənsɪ] *n* лежа́чее положе́ние

recumbent [rɪˈkʌmbənt] *a* лежа́чий; лежа́щий, отки́нувшийся (*на что-л.*)

recuperate [rɪˈkjuːpəreɪt] *v* 1) восстана́вливать си́лы, оправля́ться; выздора́вливать 2) *тех.* рекупери́ровать

recuperation [rɪˌkjuːpəˈreɪʃn] *n* 1) восстановле́ние сил; выздоровле́ние 2) *тех.* рекупера́ция 3) *эл.* возвраще́ние эне́ргии в сеть

recuperative [rɪˈkjuːpərətɪv] *a* 1) восстана́вливающий си́лы, укрепля́ющий 2) *тех.* рекуперати́вный

recuperator [rɪˈkjuːpəreɪtə] *n* 1) *тех.* рекупера́тор 2) *воен.* нака́тчик

recur [rɪˈkɜː] *v* 1) повторя́ться, происходи́ть вновь 2) возвраща́ться (to — к *чему́-л.*); сно́ва приходи́ть на ум; сно́ва возника́ть 3) обраща́ться, прибега́ть (to — к *чему́-л.*) 4) *мед.* рецидиви́ровать

recurrence [rɪˈkʌrəns] *n* 1) возвраще́ние, повторе́ние 2) возвра́т, рециди́в 3) *редк.* обраще́ние за по́мощью; to have ~ to... обраща́ться за по́мощью к...

recurrent [rɪˈkʌrənt] *a* 1) повторя́ющийся вре́мя от вре́мени, периоди́ческий; ~ expences теку́щие расхо́ды 2) *мед.* возвра́тный, рециди́вный; ~ fever возвра́тный тиф

recurring decimal [rɪˌkɜːrɪŋˈdesəml] *n мат.* периоди́ческая бесконе́чная десяти́чная дробь

recurve [riːˈkɜːv] *v* загиба́ть(ся) наза́д, в обра́тном направле́нии

recusancy [ˈrekjʊzənsɪ] *n* 1) неподчине́ние 2) *ист.* нонконформи́зм

recusant [ˈrekjʊzənt] **1.** *a* отка́зывающийся подчиня́ться зако́нам, вла́сти

2. *n ист.* нонконформи́ст

red [red] **1.** *a* 1) кра́сный, а́лый; багря́ный; ~ flag (*или* banner) кра́сный флаг 2) багро́вый; румя́ный; ~ cheeks румя́ные щёки; ~ eyes покрасне́вшие глаза́; get ~ покрасне́ть; to become ~ in the face побагрове́ть; ~ with anger побагрове́вший от гне́ва 3) ры́жий 4) окрова́вленный; ~ hands окрова́вленные ру́ки 5) *разг.* коммунисти́ческий *или* социалисти́ческий 6) (*обы́кн.* R.) ру́сский, сове́тский 7) кра́сный (*о вине́*) ◇ to see ~ обезу́меть, прийти́ в я́рость, в бе́шенство

2. *n* 1) кра́сный цвет 2) *разг.* «кра́сный»; коммуни́ст *или* социали́ст 3) кра́сный шар (*в билья́рде*); «кра́сный» (*в руле́тке*) 4) *бухг.* задо́лженность, долг; to be in the ~ а) быть убы́точным, приноси́ть дефици́т; б) име́ть задо́лженность, быть должнико́м; to go into the ~ приноси́ть дефици́т, станови́ться убы́точным 5) (the Reds) *pl амер.* инде́йцы 6) *sl.* зо́лото 7) кра́сный свет

redact [rɪˈdækt] *v* облека́ть в литерату́рную фо́рму, редакти́ровать, гото́вить к печа́ти

redaction [rɪˈdækʃn] *n* 1) редакти́рование 2) но́вое, пересмо́тренное изда́ние

redactor [rɪˈdæktə] *n* реда́ктор

red admiral [redˈædmrəl] *n* адмира́л (*ба́бочка*)

redan [rɪˈdæn] *n воен. ист.* реда́н

red bark [ˌredˈbɑːk] *n* кра́сная перуа́нская кора́ (*разнови́дность хи́нной коры́*)

red bilberry [ˌredˈbɪlbərɪ] *n* брусни́ка

red-blindness [ˈredˌblaɪndnəs] *n мед.* дальтони́зм, слепота́ на кра́сный цвет

red-blooded [ˌredˈblʌdɪd] *a* 1) си́льный, энерги́чный, хра́брый 2) по́лный собы́тий, захва́тывающий (*о рома́не и т. п.*)

red box [ˈredbɒks] *n* кра́сный ко́жаный я́щик для официа́льных бума́г чле́нов англи́йского прави́тельства

red brass [ˈredbrɑːs] *n* томпа́к, кра́сная лату́нь

redbreast [ˈredbrest] *n* мали́новка (*пти́ца*)

redbrick [ˈredbrɪk] *a* 1) «краснокирпи́чный» (*об университе́тах, осно́ванных в XIX—XX вв. и специализи́рующихся на техни́ческих дисципли́нах*) 2) сде́ланный из кра́сного кирпича́

redcap [ˈredkæp] *n* 1) вое́нный полице́йский 2) *амер.* носи́льщик

red cedar [ˌredˈsiːdə] *n* можжеве́льник вирги́нский

red cell [ˈredsel] *n* эритроци́т

red cent [ˌredˈsent] *n амер.* (ме́дная) моне́та в 1 цент ◇ I don't care a ~ (for) мне наплева́ть (на); not worth a ~ гроша́ ме́дного не сто́ит

redcoat ['redkəʊt] *n ист.* англи́йский солда́т

Red Crescent [,red'kresnt] *n* Кра́сный Полуме́сяц

Red Cross [,red'krɒs] *n* 1) Кра́сный Крест 2) (r.c.) крест св. Гео́ргия (*национальная эмблема Англии*)

red currant [,red'kʌrənt] *n* кра́сная сморо́дина

redd [red] *n диал.* приводи́ть в поря́док

red deer [,red'dɪə] *n зоол.* оле́нь благоро́дный

redden ['redn] *v* 1) окра́шивать(ся) в кра́сный цвет 2) красне́ть

reddening ['rednɪŋ] **1.** *pres. p. от* redden

2. *n* покрасне́ние

reddish ['redɪʃ] *a* красновáтый

reddle ['redl] *n* кра́сная *или* жжёная о́хра

rede [ri:d] *уст.* **1.** *n* 1) сове́т; рассужде́ние 2) план 3) расска́з; погово́рка, изрече́ние 4) объясне́ние, разга́дка

2. *v* 1) сове́товать 2) расска́зывать 3) объясня́ть, разга́дывать

redeem [rɪ'di:m] *v* 1) выкупа́ть (*заложенные вещи и т. п.*); выпла́чивать (*долг по закладной*) 2) искупа́ть (*грехи и т. п.*); to ~ an error испра́вить оши́бку 3) возмеща́ть 4) возвраща́ть; to ~ one's good name верну́ть себе́ до́брое и́мя 5) спаса́ть, избавля́ть, освобожда́ть (за вы́куп); to ~ a prisoner освободи́ть заключённого 6) выполня́ть (*обещание*)

redeemer [rɪ'di:mə] *n* 1) избави́тель, спаси́тель 2) (the R.) Спаси́тель (*о Христе*)

redemption [rɪ'dempʃn] *n* 1) вы́куп; вы́плата 2) искупле́ние 3) освобожде́ние; спасе́ние; beyond (*или* past) ~ без наде́жды на исправле́ние, улучше́ние

Red Ensign [red'ensaɪn] *n* флаг торго́вого фло́та Великобрита́нии

re-deploy [,ri:dɪ'plɔɪ] *v воен.* передислоци́ровать(ся)

re-deployment [,ri:dɪ'plɔɪmənt] *n воен.* передислока́ция

redeye ['redaɪ] *n амер. sl.* кре́пкое дешёвое ви́ски

red gum ['redgʌm] *n* 1) сыпь у дете́й, потни́ца 2) *бот.* эвкали́пт австрали́йский, кра́сное каме́дное де́рево

red-handed [,red'hændɪd] *a* 1) по́йманный на ме́сте преступле́ния; to be caught ~ быть по́йманным на ме́сте преступле́ния, быть захва́ченным с поли́чным 2) с окрова́вленными рука́ми

red hardness [red'hɑ:dnəs] *n метал.* красносто́йкость

red-headed ['redhedɪd] *a* рыжеволо́сый

red herring [,red'herɪŋ] *n* 1) копчёная селёдка 2) отвлека́ющий манёвр; to draw (*или* to track, to trail) a ~ across the path направля́ть по ло́жному сле́ду наме́ренно; отвлека́ть внима́ние от обсужда́емого вопро́са

red-hot [,red'hɒt] *a* 1) накалённый до́красна́ 2) разгорячённый, возбуждённый 3) све́жий, но́вый 4) горя́чий, пла́менный

red huckleberry [,red'hʌklbərɪ] = red bilberry

re-did [,ri:'dɪd] *past от* re-do

Red Indian [,red'ɪndɪən] *n презр.* (североамерика́нский) инде́ец, красноко́жий

redintegrate [re'dɪntɪgreɪt] *v* восстана́вливать (*цельность, единство*); воссоединя́ть

redistribute [,ri:dɪ'strɪbju:t] *v* перераспределя́ть

redistribution [,ri:dɪstrɪ'bju:ʃn] *n* перераспределе́ние, переде́л

red lamp [red'læmp] *n* 1) кра́сный фона́рь, горя́щий но́чью у кварти́ры до́ктора *или* у двере́й апте́ки 2) = red light 1); 3) *sl.* кра́сный фона́рь, публи́чный дом

red lane [,red'leɪn] *n детск.* го́рлышко (*ребёнка*)

red lead [,red'led] *n* свинцо́вый су́рик

red-legged [,red'legd] *a* красноно́гий; ~ partridge кра́сная куропа́тка

red-letter day [,red'letədeɪ] *n* кра́сный день в календаре́, пра́здничный *или* счастли́вый день

red light [,red'laɪt] *n* 1) кра́сный свет (*сигнал опасности на транспорте и т. п.*); to see the ~ предчу́вствовать приближе́ние опа́сности, беды́ *и т. п.* 2) = red lamp 3)

red-light [,red'laɪt] *a*: ~ district кварта́л публи́чных домо́в

redly ['redlɪ] *adv* красновáто

red man ['redmæn] *n амер. презр.* красноко́жий, (североамерика́нский) инде́ец

red meat [,red'mi:t] *n* чёрное мя́со (*баранина, говядина*)

redneck ['rednek] *n амер.* (*часто пренебр.*) бе́лый батра́к (*на юге США*)

red-necked [,red'nekt] *a* име́ющий кра́сную ше́ю

redness ['rednəs] *n* краснота́

re-do [,ri:'du:] *v* (re-did; re-done) де́лать вновь, переде́лывать

red ochre [,red'əʊkə] *n* кра́сная о́хра, гемати́т

redolence ['redələns] *n* благоуха́ние, арома́т

redolent ['redələnt] *a* 1) напомина́ющий, вызыва́ющий воспомина́ния (of — о *чём-л.*) 2) издаю́щий (си́льный) за́пах; арома́тный, благоуха́ющий; flowers ~ of springtime цветы́, распространя́ющие весе́ннее благоуха́ние

re-done [,ri:'dʌn] *p. p. от* re-do

re-double [,ri:'dʌbl] *v* 1) втори́чно удва́ивать(ся) 2) сложи́ть вче́тверо

redouble [,ri:'dʌbl] *v* 1) уси́ливать(ся), увели́чивать(ся), возраста́ть; to ~ one's efforts удва́ивать свои́ уси́лия 2) усугубля́ть(ся) 3) скла́дывать(ся) вдвое

redoubt [rɪ'daʊt] *n воен.* реду́т

redoubtable [rɪ'daʊtəbl] *a* 1) гро́зный, устраша́ющий, опа́сный 2) *амер.* хра́брый, до́блестный

redoubted [rɪ'daʊtɪd] *уст.* = redoubtable

redound [rɪ'daʊnd] *v* 1) спосо́бствовать, соде́йствовать, помога́ть (to — *чему-л.*); to ~ to smb.'s advantage благоприя́тствовать кому́-л., спосо́бствовать чьей-л. вы́годе; that ~s to his honour э́то де́лает ему́ честь 2) оберну́ться про́тив (upon — *кого-л.*); these crimes will ~ upon their authors э́ти преступле́ния паду́т на го́лову тех, кто их соверши́л

redout ['redaʊt] *n* прили́в кро́ви к голове́ (*при вращении*)

red-pencil [,red'pensl] *v* 1) подверга́ть цензу́ре 2) исправля́ть

redpoll ['redpəʊl] *n* 1) чечётка (*птица*) 2) *pl* кра́сный комо́лый скот (*порода*)

red rag [,red'ræg] *n* 1) «кра́сная тря́пка», не́что приводя́щее в бе́шенство (*как быка красный цвет*) 2) *sl.* язы́к

redress [rɪ'dres] **1.** *n* 1) возмеще́ние, удовлетворе́ние 2) исправле́ние; восстановле́ние

2. *v* 1) возмеща́ть, компенси́ровать; to ~ a wrong загла́живать оби́ду 2) исправля́ть; восстана́вливать; to ~ the balance восстана́вливать равнове́сие 3) *радио* выпрямля́ть 4) выра́внивать (*самолёт в полёте*)

red-rogue ['redrəʊg] *n sl.* золота́я моне́та

red rot [,red'rɒt] *n* красну́ха, кра́сная гниль (*древесины*)

redshank ['redʃæŋk] *n зоол.* тра́вник, красноко́жка ◇ to run like a ~ бежа́ть о́чень бы́стро

red-short ['redʃɔ:t] *a тех.* краснало́мкий

redskin ['redskɪn] *n амер. презр.* (североамерика́нский) инде́ец, красноко́жий

red soil [,red'sɔɪl] *n* краснозём

redstart ['redstɑ:t] *n зоол.* горихво́стка

red tape [,red'teɪp] *n* бюрократи́зм, канцеля́рщина, волоки́та

red-tape ['redteɪp] *a* бюрократи́ческий, канцеля́рский

reduce [rɪ'dju:s] *v* 1) понижа́ть, ослабля́ть, уменьша́ть, сокраща́ть; to ~ one's expenditure сокраща́ть свои́ расхо́ды; to ~ prices снижа́ть це́ны; to ~ the length of a skirt укороти́ть ю́бку; to ~ the term of imprisonment сократи́ть срок тюре́много заключе́ния; to ~ the temperature сни́зить температу́ру; to ~ the vitality понижа́ть жизнеспосо́бность 2) приводи́ть в определённое состоя́ние; своди́ть, приводи́ть (to — к); to ~ to begging довести́ до нищеты́; to ~ to silence заста́вить замолча́ть; to ~ to submission принуди́ть к повинове́нию; to ~ to an absurdity доводи́ть до абсу́рда; to ~ to elements разложи́ть на ча́сти 3) *мат.* превраща́ть (*именованные числа*); приводи́ть к о́бщему знамена́телю 4) понижа́ть в до́лжности *и т. п.*; to ~ to a lower rank *воен.* пони́зить в зва́нии 5) ослабить; вызвать похудение; he is greatly ~d by illness во время болезни он очень похудел 6) похудеть; to be ~d to a shadow (*или* to a skeleton) превратиться в тень (в скелет) 7) покорять, побеждать 8) *хим.* раскислять, восстанавливать 9) *мед.* вправлять (вывих); исправлять положение обломков кости

reduced [rɪ'dju:s] **1.** *p. p. от* reduce

2. *a* 1) уменьшенный, пониженный 2) стеснённый (*об обстоятельствах*) 3) покорённый

reducible [rɪ'dju:səbl] *a* допускающий уменьшение *и пр.* [*см.* reduce]

reducing agent [rɪ,dju:sɪŋ'eɪdʒənt] *n хим.* восстановитель

reducing gear [rɪ,dju:sɪŋ'gɪə] *n тех.* редукционная передача, редуктор

reduction [rɪ'dʌkʃn] *n* 1) снижение, понижение; уменьшение, сокращение; ~ of armaments сокращение вооружений 2) скидка 3) уменьшенная копия (*с картины и т. п.*) 4) (*преим. воен.*) понижение в должности *и т. п.*; ~ from rank (*или* to the ranks) разжалование; ~ in rank снижение в звании 5) превращение; изменение формы *или* состояния 6) покорение, подавление 7) *мед.* вправление (*вывиха*) 8) *хим.* восстановление 9) *мат.* приведение к общему знаменателю; сокращение 10) *тех.* обжатие 11) *метал.* выделение металла из руды; передел

reductionism [rɪ'dʌkʃnɪzəm] *n филос.* редукционизм, философия сведения высшего к низшему *и т. п.*; механицизм

redundance, -cy [rɪ'dʌndəns, -sɪ] *n* 1) чрезмерность; избыток 2) излишек рабочей силы 3) сокращение рабочих *или* служащих 4) многословие

redundant [rɪ'dʌndənt] *a* 1) излишний, чрезмерный 2) лишний 3) уволенный по сокращению штатов 4) многословный

reduplicate [rɪ'dju:plɪkeɪt] *v* 1) удваивать; повторять 2) *грам.* удваивать

reduplication [rɪ,dju:plɪ'keɪʃn] *n* 1) удвоение; повторение 2) *грам.* удвоение

reduplicative [rɪ'dju:plɪkətɪv] *a* удваивающийся

redwing ['redwɪŋ] *n зоол.* дрозд-белобровик

redwood ['redwʊd] *n* 1) красное дерево 2) *бот.* калифорнийское мамонтовое дерево

re-echo [rɪ'ekəʊ] **1.** *n* эхо, повторное эхо

2. *v* отдаваться эхом

reed [ri:d] **1.** *n* 1) тростник, камыш; тростниковые заросли 2) тростник *или* солома для крыш 3) *поэт.* стрела 4) свирель 5) буколическая поэзия 6) *муз.* язычок 7) *pl* язычковые музыкальные инструменты 8) *горн.* запальный шнур ◇ a broken ~ а) ненадёжный человек; б) непрочная вещь; to lean on a ~ полагаться на что-л. ненадёжное

2. *v* покрывать (*крыши*) тростником *или* соломой

reeded ['ri:dɪd] **1.** *p. p. от* reed 2

2. 1) заросший тростником 2) крытый тростником

re-edify [,ri:'edɪfaɪ] *v* 1) вновь строить, отстраивать 2) восстанавливать; возрождать (*надежды и т. п.*)

reedmace ['ri:dmeɪs] *n бот.* рогоз

reed pipe ['ri:dpaɪp] *n* 1) свирель 2) *муз.* язычковая трубка органа

reed-stop ['ri:dstɒp] *n муз.* органный регистр с язычковыми трубками

re-educate [,ri:'edjʊkeɪt] *v* перевоспитывать

re-education [,ri:edjʊ'keɪʃn] *n* перевоспитание

reedy ['ri:dɪ] *a* 1) заросший тростником 2) тростниковый 3) тонкий, стройный как тростник 4) пронзительный (*о голосе*)

reef I [ri:f] *n* 1) риф, подводная скала 2) рудная жила; золотоносный пласт

reef II [ri:f] **1.** *n* риф (*на парусе*); to let out a ~ а) отпускать риф; б) *разг.* распустить пояс (*после сытного обеда*); to take in a ~ а) брать риф; б) действовать осторожно; в) *разг.* затянуть, подтянуть пояс

2. *v мор.* брать рифы

reefer ['ri:fə] *n* 1) *sl.* сигарета с марихуаной 2) бушлат 3) матрос, берущий рифы 4) *мор.* курсант, гардемарин

reef knot ['ri:fnɒt] *n* рифовый узел

reefy ['ri:fɪ] *a* опасный из-за множества рифов

reek [ri:k] **1.** *n* 1) вонь, сильный неприятный запах 2) (*обыкн. шотл.*) дым 3) пар, испарение

2. *v* 1) неприятно пахнуть, вонять (of) 2) отдавать чем-л. неприятным; it ~s of murder тут пахнет убийством 3) испускать пар, испарения 4) дымить, куриться

Reekie ['ri:kɪ] *n*: Auld ~ *шотл. разг. г.* Эдинбург

reeky ['ri:kɪ] *a* 1) дымящийся, испускающий пар 2) дымный; закопчённый

reel I [ri:l] **1.** *n* 1) *текст.* катушка, шпулька, бобина 2) *тлв.* катушка для провода 3) *тех.* барабан, ворот, кабестан 4) *с.-х.* мотовило 5) рулетка 6) рулон (*киноплёнки или кинофильма*); часть (*кинофильма; обыкн. около 1000 футов*) ◇ off the ~ безостановочно, без перерыва

2. *v* 1) наматывать на катушку (*тж.* ~ in, ~ up); разматывать, сматывать (*тж.* ~ off) 2) рассказывать *или* читать быстро, без остановки, трещать (*тж.* ~ off)

reel II [ri:l] **1.** *n* 1) шатание, колебание 2) вихрь 3) рил (*быстрый шотландский танец*)

2. *v* 1) шататься, идти пошатываясь, спотыкаться 2) чувствовать головокружение 3) кружиться; вертеться; everything ~ed before his eyes всё завертелось у него перед глазами 4) танцевать рил 5) качаться; покачнуться, пошатнуться (*от удара, потрясения и т. п.*) 6) дрогнуть (*о войсках*); отступить

re-elect [,ri:ɪ'lekt] *v* переизбирать, избирать снова

re-election [,ri:ɪ'lekʃn] *n* переизбрание, вторичное избрание

re-engage [,ri:ɪn'geɪdʒ] *v* 1) *тех.* вновь сцеплять(ся), вновь включать 2) *воен.* снова вводить в бой 3) *воен.* оставаться на сверхсрочной службе; снова поступать на военную службу

reentrant [rɪ'entrənt] *геом.* **1.** *a* входящий

2. *n* входящий угол

reentry [rɪ'entrɪ] *n* 1) вход *или* возвращение в плотные слои атмосферы (*о космических кораблях и т. п.*) 2) *юр.* обратное завладение, восстановление владения недвижимостью

reestablish [,ri:ɪ'stæblɪʃ] *v* восстанавливать

reeve I [ri:v] *n* 1) *ист.* главный магистрат (*города или округа в Англии*) 2) *уст.* управляющий имением 3) церковный староста 4) председатель сельского *или* городского совета (*в Канаде*) 5) старший шахтёр

reeve II [ri:v] *v* (rove, reeved [-d]) *мор.* пропускать, проводить; быть пропущенным, проходить (*о тросе*)

refection [rɪ'fekʃn] *n книжн.* закуска

refectory [rɪ'fektərɪ] *n* трапезная (*в монастыре*); столовая (*в университете, школе*) ◇ ~ table длинный узкий стол

refer [rɪ'fɜ:] *v* 1) приписывать (*чему-л.*), объяснять (*чем-л.*) 2) посылать, отсылать (to — к *кому-л., чему-л.*); направлять (*за информацией и т. п.*); I was ~red to the secretary меня направили к секретарю; the asterisk ~s to the footnote звёздочка отсылает к подстрочному примечанию 3) ссылаться (to — на *кого-л.*, на *что-л.*) 4) передавать на рассмотрение 5) обращаться; he ~red to me for help он обратился ко мне за помощью 6) иметь отношение, относиться; his words ~red to me only его слова относились только ко мне 7) наводить справку, справляться; the speaker often ~red to his notes оратор часто заглядывал в текст 8) провалить на экзамене 9) говорить (*о чём-л.*), упоминать 10) относить (*к классу, периоду и т. п.*) ◇ ~ to drawer обратитесь к чекодателю (*отметка банка на неоплаченном чеке*)

referable [rɪ'fɜ:rəbl] *a* могущий быть приписанным *или* отнесённым (to — к *кому-л., чему-л.*)

referee [,refə'ri:] *n* 1) *спорт.* судья, рефери 2) третейский судья; арбитр

reference ['refrəns] **1.** *n* 1) передача на рассмотрение в другую инстанцию, арбитру *и т. п.* 2) полномочия, компетенция арбитра *или* инстанции; terms of ~ компетенция, ведение 3) отношение; in (*или* with) ~ to относительно, что касается [*ср. тж.* 4)]; without ~ to безотносительно к; независимо от 4) ссылка; сноска; with ~ to ссылаясь на [*ср. тж.* 3)]; to make ~ ссылаться 5) справка; a book of ~ спра́вочник 6) упомина́ние; намёк; to make no ~ to не упомяну́ть о *чём-л.* 7) рекоменда́ция; highest ~s required необходи́мы отли́чные рекоменда́ции 8) лицо́, даю́щее рекоменда́цию 9) этало́н 10) *attr.* спра́вочный; ~ book спра́вочник; ~ library спра́вочная библиоте́ка (*без выдачи книг на дом*); ~ point ориенти́р

2. *v* 1) снабжа́ть (*текст*) ссы́лками 2) находи́ть по ссы́лке, справля́ться

reference mark ['refrənsmɑ:k] *n полигр.* знак сно́ски

referenda [,refə'rendə] *pl от* referendum

referendary [,refə'rendərɪ] *n ист.* референда́рий; храни́тель печа́ти

referendum [,refə'rendəm] *n* (*pl тж.* -da) *полит.* рефере́ндум

referent ['refrənt] *n* рефере́нт, то, с чем соотно́сится мысль, си́мвол, знак

referred pain [rɪ,fɜ:d'peɪn] *n мед.* иррадии́рующая боль

refill 1. *n* ['ri:fɪl] 1) дополне́ние, пополне́ние; ~ of fuel запра́вка горю́чим 2) что-л., слу́жащее для перезапра́вки; two ~s for a ball-point pen два запасны́х сте́ржня для ша́риковой ру́чки; a ~ for a lipstick запасна́я па́лочка губно́й пома́ды

2. *v* [,ri:'fɪl] наполня́ть вновь; пополня́ть(ся) горю́чим

refine [rɪ'faɪn] *v* 1) очища́ть, рафини́ровать; повыша́ть ка́чество; облагора́живать 2) де́лать(ся) бо́лее изя́щным, утончённым 3) усоверше́нствовать (upon, on) 4) вдава́ться в то́нкости

refined [rɪ'faɪnd] **1.** *p. p. от* refine

2. *a* 1) очи́щенный, рафини́рованный; ~ oil рафини́рованное ма́сло; ~ salt очи́щенная, столо́вая соль; ~ sugar са́хар-рафина́д 2) утончённый, изя́щный, изы́сканный; ~ manners изя́щные мане́ры 3) усоверше́нствованный

refinement [rɪ'faɪnmənt] *n* 1) очище́ние, рафини́рование; обрабо́тка, отде́лка; повыше́ние ка́чества 2) утончённость, изя́щество; изы́сканность; ~ of cruelty утончённая жесто́кость 3) усоверше́нствование

refiner [rɪ'faɪnə] *n* 1) *метал.* пе́рвая рафини́рующая печь 2) кри́чный ма́стер 3) рафинёр (*в бумажном производстве*) 4) *рез.* рифа́йнер

refinery [rɪ'faɪnərɪ] *n* очисти́тельный заво́д; рафиниро́вочный заво́д; рафина́дный заво́д

refit 1. *n* ['ri:fɪt] 1) почи́нка, ремо́нт 2) переоборудова́ние (*корабля и т. п.*)

2. *v* [,ri:'fɪt] 1) переоборудова́ть (*корабль и т. п.*) 2) ремонти́ровать

refitment [,ri:'fɪtmənt] = refit 1, 2)

reflect [rɪ'flekt] *v* 1) отража́ть (*свет, тепло, звук*) 2) отража́ть(ся); дава́ть отраже́ние (*о зеркале и т. п.*) 3) отража́ть, изобража́ть (*в литературе и т. п.*) 4): to ~ credit upon smb. де́лать честь кому́-л. (*о поступке и т. п.*); to ~ discredit upon smb. позо́рить кого́-л. (*о поведении и т. п.*); such behaviour can only ~ discredit upon you тако́е поведе́ние то́лько позо́рит вас 5) размышля́ть, разду́мывать (on, upon) ▭ ~ **on**, ~ **upon** броса́ть тень; подверга́ть сомне́нию; to ~ upon smb.'s sincerity сомнева́ться в чье́й-л. и́скренности; your rude behaviour ~s only upon yourself ва́ше гру́бое поведе́ние вреди́т то́лько вам самому́

reflection [rɪ'flekʃn] *n* 1) отраже́ние; о́тблеск; о́тсве́т 2) отраже́ние, о́браз 3) размышле́ние, обду́мывание; разду́мье; on ~ поду́мав 4) порица́ние 5) тень, пятно́ 6) *физиол.* рефле́ксия

reflective [rɪ'flektɪv] *a* 1) отража́ющий 2) размышля́ющий, мы́слящий 3) заду́мчивый (*о виде*)

reflector [rɪ'flektə] *n физ., тех.* рефле́ктор, отража́тель

reflet [rə'fleɪ] *фр. n* перели́вчатая глазу́рь на гли́няной посу́де

reflex ['ri:fleks] **1.** *n* 1) о́тсве́т; о́тблеск 2) отраже́ние, о́браз 3) *жив.* рефле́кс 4) *физиол.* рефле́кс

2. *a* 1) рефлекто́рный; непроизво́льный 2) отражённый; представля́ющий собо́й реа́кцию 3) интроспекти́вный

reflex camera ['ri:fleks,kæmərə] *n* зерка́льный фотоаппара́т

reflexion [rɪ'flekʃn] = reflection

reflexive [rɪ'fleksɪv] *грам.* **1.** *a* возвра́тный

2. *n* 1) возвра́тный глаго́л 2) возвра́тное местоиме́ние

reflexology [,ri:flek'sɒlədʒɪ] *n* 1) *мед.* рефлексотерапи́я 2) *психол.* рефлексоло́гия

refluent ['reflʊənt] *a* отлива́ющий

reflux ['ri:flʌks] *n* отли́в

reforest [ri:'fɒrɪst] *v* восстана́вливать лесны́е масси́вы, насажда́ть леса́

reforestation [ri:,fɒrɪ'steɪʃn] *n* восстановле́ние лесны́х масси́вов, лесонасажде́ние

re-form [,ri:'fɔ:m] *v* 1) вновь формирова́ть, переде́лывать 2) *воен.* перестра́ивать(ся)

reform I [rɪ'fɔ:m] **1.** *n* 1) рефо́рма, преобразова́ние 2) исправле́ние, улучше́ние 3) *attr.*: R. Bill (*или* Act) рефо́рма избира́тельной систе́мы в А́нглии (*1831—32 гг.*)

2. *v* 1) улучша́ть(ся); реформи́ровать, преобразо́вывать 2) искореня́ть (*злоупотребления*) 3) исправля́ть(ся) (*о людях*)

reform II [,ri:'fɔ:m] = re-form

reformation [,refə'meɪʃn] *n* 1) преобразова́ние 2) исправле́ние (*моральное*) 3) (the R.) *ист.* Реформа́ция

reformative [rɪ'fɔ:mətɪv] *a* 1) реформи́рующий; преобразу́ющий 2) исправи́тельный

reformatory [rɪ'fɔ:mətərɪ] **1.** *n амер., ист.* исправи́тельное заведе́ние для малоле́тних престу́пников

2. *a* исправи́тельный

re-formed [,ri:'fɔ:md] *p. p. от* re-form

reformed [rɪ'fɔ:md] **1.** *p. p. от* reform I, 2

2. *a* 1) испра́вленный, преобразо́ванный 2) испра́вившийся ◇ R. Faith протестанти́зм

reformer [rɪ'fɔ:mə] *n* 1) преобразова́тель, реформа́тор 2) *ист.* де́ятель эпо́хи Реформа́ции 3) сторо́нник рефо́рмы избира́тельной систе́мы в А́нглии (*1831—32 гг.*)

reformist [rɪ'fɔ:mɪst] *n полит.* реформи́ст

refract [rɪ'frækt] *v физ.* преломля́ть (*лучи*)

refraction [rɪ'frækʃn] *n физ.* преломле́ние, рефра́кция

refractional [rɪ'frækʃnl] = refractive

refractive [rɪ'fræktɪv] *a* преломля́ющий; ~ medium преломля́ющая среда́

refractor [rɪ'fræktə] *n* рефра́ктор

refractory [rɪ'fræktrɪ] **1.** *n тех.* огнеупо́рный материа́л

2. *a* 1) упря́мый, непоко́рный 2) упо́рный (*о болезни*) 3) кре́пкий (*об организме*) 4) *тех.* тугопла́вкий, огнеупо́рный

refrain I [rɪ'freɪn] *v* 1) возде́рживаться (from — от *чего-л.*); удержа́ться (from — от *чего-л.*); he could not ~ from saying (going, *etc.*) он не мог не сказа́ть (не пойти́ *и т. п.*) 2) *уст.* сде́рживать; обу́здывать; уде́рживать (*кого-л., что-л.*)

refrain II [rɪ'freɪn] *n* припе́в, рефре́н

refrangible [rɪ'frændʒɪbl] *a* преломля́емый (*о лучах*)

refresh [rɪ'freʃ] *v* 1) подкрепля́ть(ся); to ~ oneself подкрепля́ться (*едой, питьём*) 2) за́ново снабжа́ть припа́сами 3) освежа́ть, оживля́ть; to ~ one's memory освежи́ть в па́мяти, вспо́мнить (*что-л.*) 4) охлажда́ть, освежа́ть

refresher [rɪ'freʃə] *n* 1) что-л. освежа́ющее; освежа́ющий напи́ток 2) дополни́тельный гонора́р адвока́ту (*в затянувшемся процессе*) 3) *разг.* вы́пивка 4) напомина́ние; па́мятка

refresher course [rɪ'freʃəkɔ:s] *n* ку́рсы повыше́ния квалифика́ции

refreshment [rɪ'freʃmənt] *n* 1) подкрепле́ние; восстановле́ние сил; о́тдых 2) что-л. освежа́ющее, восстана́вливающее си́лы 3) (*обыкн. pl*) заку́ска; освежа́ющий напи́ток 4) *attr.*: ~ room буфе́т (*на вокзале и т. п.*); ~ car ваго́н-рестора́н

refrigerant [rɪ'frɪdʒrənt] **1.** *n* 1) охлажда́ющее вещество́, охлади́тель 2) *мед.* жаропонижа́ющее сре́дство

2. *a* охлажда́ющий, холоди́льный

refrigerate [rɪ'frɪdʒəreɪt] *v* 1) охлажда́ть(ся); замора́живать 2) храни́ть в холо́дном ме́сте

refrigeration [rɪ,frɪdʒə'reɪʃn] *n* охлажде́ние; замора́живание

refrigerator [rɪ'frɪdʒəreɪtə] *n* 1) холоди́льник, рефрижера́тор 2) конденса́тор

refrigerator-car [rɪ,frɪdʒəreɪtə'kɑ:] *n* ваго́н-холоди́льник

refrigeratory [rɪ'frɪdʒərətərɪ] **1.** *n* 1) конденса́тор 2) рефрижера́тор

2. *a* холоди́льный

reft [reft] *past и p. p. от* reave

refuel [ˌri:ˈfju:əl] *v* попо́лнить запа́сы то́плива, дозапра́виться

refuge [ˈrefju:dʒ] **1.** *n* 1) убе́жище; *перен.* прибе́жище; to take (to give) ~ найти́ (дать) убе́жище; to take ~ in lying прибе́гнуть ко лжи; to take ~ in silence отма́лчиваться 2) утеши́тель, утеше́ние 3) «острово́к безопа́сности» (*на улицах с большим движением*)

2. *v редк.* 1) дава́ть убе́жище; *перен.* служи́ть прибе́жищем 2) находи́ть убе́жище

refugee [ˌrefjʊˈdʒi:] *n* 1) эмигра́нт 2) бе́женец

refulgence [rɪˈfʌldʒəns] *n* сия́ние, я́ркость

refulgent [rɪˈfʌldʒənt] *a* сия́ющий, сверка́ющий

refund 1. *n* [ˈri:fʌnd] 1) возвраще́ние (*денег*); возмеще́ние (*расходов*) 2) упла́та

2. *v* [rɪˈfʌnd] возвраща́ть, возмеща́ть

refusal [rɪˈfju:zl] *n* 1) отка́з; to take no ~ не принима́ть отка́за, быть насто́йчивым 2) пра́во пе́рвого вы́бора; to have (to give) the ~ of smth. име́ть (предоставля́ть) пра́во выбира́ть что-л. пе́рвым

re-fuse [ˌri:ˈfju:z] *v* вновь пла́вить; переплавля́ть

refuse I [rɪˈfju:z] *v* 1) отка́зывать, отверга́ть 2) отка́зываться 3) заарта́читься (*о лошади перед препятствием*)

refuse II [ˈrefju:s] **1.** *n* 1) отбро́сы, оста́тки; му́сор; вы́жимки, подо́нки; брак 2) *текст.* очёски, уга́р 3) *горн.* отва́л поро́ды

2. *a* него́дный; ничего́ не сто́ящий

refutable [rɪˈfju:təbl] *a* опровержи́мый

refutation [ˌrefjʊˈteɪʃn] *n* опроверже́ние

refute [rɪˈfju:t] *v* опроверга́ть

reg [redʒ] *разг.* = registration mark

regain [rɪˈgeɪn] *v* 1) получи́ть обра́тно; вновь приобрести́; to ~ one's health попра́виться; to ~ one's footing сно́ва встать на́ ноги 2) сно́ва дости́чь (*берега, дома*); возврати́ться 3) *воен.* сно́ва завладева́ть

regal [ˈri:gl] *a* 1) короле́вский, ца́рский 2) ца́рственный

regale [rɪˈgeɪl] **1.** *n* 1) пир; угоще́ние 2) изы́сканное блю́до

2. *v* 1) пирова́ть 2) угоща́ть, по́тчевать (with; *тж. ирон.*) 3) ласка́ть, услажда́ть (*слух, зрение*)

regalia I [rɪˈgeɪlɪə] *n pl* 1) *ист.* короле́вские права́ и привиле́гии 2) рега́лии

regalia II [rɪˈgeɪlɪə] *исп. n* больша́я сига́ра хоро́шего ка́чества

regality [ri:ˈgælətɪ] *n* 1) короле́вский суверените́т 2) *ист.* короле́вские привиле́гии

regally [ˈri:glɪ] *adv* по-ца́рски

regard [rɪˈgɑ:d] **1.** *n* 1) взгляд, взор (*пристальный, многозначительный*) 2) внима́ние, забо́та; ~ must be paid to... необходи́мо обрати́ть внима́ние на...; to pay no ~ to... не обраща́ть внима́ния на..., пренебрега́ть 3) уваже́ние, располо́жение; to have a great ~ for smb. быть о́чень располо́женным к кому́-л.; to have a high (low) ~ for smb., to hold smb. in high (low) ~ быть высо́кого (невысо́кого) мне́ния о ком-л.; out of ~ for smb. из уваже́ния к кому́-л. 4) отноше́ние; in (*или* with) ~ to относи́тельно; в отноше́нии; что каса́ется; in this ~ в э́том отноше́нии 5) *pl* покло́н, приве́т; give my best ~s (to) переда́йте мой серде́чный приве́т

2. *v* 1) смотре́ть на (*кого-л., что-л.*), разгля́дывать 2) принима́ть во внима́ние, счита́ться (*с кем-л., чем-л.*; *обыкн. в вопр. и отриц. предложениях*); he is much ~ed он по́льзуется больши́м уваже́нием; I do not ~ his opinion я не счита́юсь с его́ мне́нием; why do you so seldom ~ my wishes? почему́ вы так ре́дко счита́етесь с мои́ми жела́ниями? 3) рассма́тривать; счита́ть 4) относи́ться; I still ~ him kindly я по-пре́жнему отношу́сь к нему́ хорошо́ 5) каса́ться, име́ть отноше́ние (*к кому-л., чему-л.*); it does not ~ me э́то меня́ не каса́ется; as ~s что каса́ется

regardant [rɪˈgɑ:dənt] *a* 1) *геральд.* смотря́щий наза́д 2) *книжн.* при́стально наблюда́ющий

regardful [rɪˈgɑ:dfl] *a* внима́тельный, забо́тливый

regarding [rɪˈgɑ:dɪŋ] **1.** *pres. p. от* regard 2

2. *prep* относи́тельно, о

regardless [rɪˈgɑ:dləs] **1.** *a* не обраща́ющий внима́ния, не счита́ющийся (of)

2. *adv* 1) не обраща́я внима́ния, не ду́мая 2) невзира́я на; не счита́ясь с; ~ of danger не счита́ясь с опа́сностью

regatta [rɪˈgætə] *n* па́русные *или* гребны́е го́нки, рега́та

regelate [ˈri:dʒəleɪt] *v* смерза́ться

regency [ˈri:dʒənsɪ] *n* ре́гентство

regenerate 1. *a* [rɪˈdʒenərət] 1) возрождённый духо́вно 2) преобразо́ванный, улу́чшенный

2. *v* [rɪˈdʒenəreɪt] 1) сно́ва порожда́ть 2) перерожда́ть(ся); возрожда́ть(ся) духо́вно 3) *тех., хим.* регенери́ровать; восстана́вливать

regeneration [rɪˌdʒenəˈreɪʃn] *n* 1) духо́вное возрожде́ние 2) *тех., хим.* регенера́ция, рекупера́ция; восстановле́ние

regenerative [rɪˈdʒenərətɪv] *a* 1) возрожда́ющий, восстана́вливающий 2) *тех.* регенерати́вный, рекуперати́вный

regenerator [rɪˈdʒenəreɪtə] *n тех.* регенера́тор; восстанови́тель

regent [ˈri:dʒənt] *n* 1) ре́гент 2) *амер.* член правле́ния в не́которых америка́нских университе́тах

regicide [ˈredʒɪsaɪd] *n* 1) цареуби́йца 2) цареуби́йство

régie [reɪˈʒi:] *фр. n* госуда́рственная монопо́лия, *особ.* на таба́к и соль

regime, régime [reɪˈʒi:m] *n* 1) режи́м; строй 2) = regimen 1)

regimen [ˈredʒɪmən] *n* 1) *мед.* режи́м; дие́та 2) *уст.* правле́ние, систе́ма правле́ния

regiment [ˈredʒɪmənt] **1.** *n* 1) полк 2) (*часто pl*) ма́сса, мно́жество 3) *уст.* правле́ние

2. *v* 1) организо́вывать, распределя́ть по гру́ппам 2) стро́го регламенти́ровать жизнь; вводи́ть стро́гую дисципли́ну и единообра́зие 3) формирова́ть полк; своди́ть в полки́

regimental [ˌredʒɪˈmentl] *a* полково́й

regimentals [ˌredʒɪˈmentlz] *n pl* 1) полкова́я фо́рма 2) обмундирова́ние

regimentation [ˌredʒɪmenˈteɪʃn] *n* 1) сведе́ние в полк(и́); формирова́ние полко́в 2) распределе́ние по гру́ппам, катего́риям *и т. п.* 3) стро́гая регламента́ция жи́зни; стро́гая дисципли́на и единообра́зие

region [ˈri:dʒən] *n* 1) страна́; край; о́бласть; окру́га; *перен.* сфе́ра, о́бласть; in the ~ of а) поблизо́сти; б) в сфе́ре, в о́бласти 2) райо́н (*страны*) 3) *мед.* по́лость, часть те́ла; the abdominal ~ брюшна́я по́лость 4) слой (*атмосферы*)

regional [ˈri:dʒənəl] *a* областно́й; ме́стный; региона́льный; райо́нный

regisseur [ˌreɪʒɪˈsɜ:] *n* режиссёр, *особ.* постано́вщик бале́та

register [ˈredʒɪstə] **1.** *n* 1) журна́л (*записей*); официа́льный спи́сок; о́пись; рее́стр; метри́ческая кни́га; to be on the ~ *амер.* находи́ться под подозре́нием; быть взя́тым на заме́тку; ship's ~ судово́й реги́стр 2) за́пись (*в журнале и т. п.*) 3) *тех.* счётчик, счётный механи́зм; cash ~ ка́ссовый аппара́т 4) *муз.* реги́стр 5) засло́нка (*в печи и т. п.*) 6) *полигр.* приво́дка 7) *attr.*: ~ office = registry 1)

2. *v* 1) регистри́ровать(ся); заноси́ть в спи́сок; to ~ oneself а) вноси́ть своё и́мя в спи́сок избира́телей; б) зарегистри́роваться, отме́титься 2) посыла́ть заказно́е письмо́ *или* заказну́ю бандеро́ль 3) выража́ть; пока́зывать; his face ~ed no emotion его́ лицо́ остава́лось невозмути́мым 4) пока́зывать, отмеча́ть, регистри́ровать (*о приборе*) 5) запечатлева́ть(ся) 6) сдава́ть на хране́ние (*багаж*)

registered [ˈredʒɪstəd] **1.** *p. p. от* register 2

2. *a* зарегистри́рованный; отме́ченный; ~ letter заказно́е письмо́

registered nurse [ˌredʒɪstədˈnɜ:s] *n* дипломи́рованная медици́нская сестра́

registrant [ˈredʒɪstrənt] *n* лицо́, получи́вшее пате́нт (*на что-л.*)

registrar [ˌredʒɪˈstrɑ:] *n* 1) архива́риус 2) чино́вник-регистра́тор

registration [ˌredʒɪˈstreɪʃn] *n* 1) регистра́ция; за́пись 2) *воен.* пристре́лка (*тж.* ~ fire)

registration mark [ˌredʒɪˈstreɪʃnmɑ:k] *n авто* номерно́й знак

registry [ˈredʒɪstrɪ] *n* 1) регистрату́ра; отде́л за́писей а́ктов гражда́нского состоя́ния (*тж.* ~ office); servants' ~ бюро́ по прииска́нию мест для прислу́ги 2) регистра́ция; регистрацио́нная за́пись 3) журна́л за́писей, рее́стр

Regius [ˈri:dʒɪəs] *a*: ~ Professor профе́ссор, ка́федра кото́рого учреждена́ одни́м из англи́йских короле́й

regnal ['regnl] *a* относя́щийся к ца́рствованию короля́; ~ year год ца́рствования; ~ day день вступле́ния на престо́л

regnant ['regnənt] *a* 1) ца́рствующий 2) преоблада́ющий; широко́ распространённый

regorge [rɪ'gɔ:dʒ] *v* 1) изрыга́ть 2) течь обра́тно

regress 1. *n* ['ri:gres] 1) возвраще́ние; обра́тное движе́ние 2) регре́сс; упа́док

2. *v* [rɪ'gres] 1) дви́гаться обра́тно; регресси́ровать 2) *астр.* дви́гаться с восто́ка на за́пад

regression [rɪ'greʃn] *n* 1) = regress 1; 2) возвраще́ние в пре́жнее состоя́ние; возвраще́ние к бо́лее ра́нней ста́дии разви́тия

regressive [rɪ'gresɪv] *a* регресси́вный; обра́тный

regret [rɪ'gret] **1.** *n* 1) сожале́ние, го́ре 2) раска́яние, сожале́ние; to my ~ к моему́ сожале́нию 3) (*обыкн. pl*) извине́ния; to express ~ for smth. сожале́ть о чём-л., извиня́ться, проси́ть проще́ния за что-л.; he sent his ~s он присла́л свои́ извине́ния

2. *v* 1) сожале́ть, горева́ть (*о чём-л.*); I ~ to say к сожале́нию, до́лжен сказа́ть 2) раска́иваться

regretful [rɪ'gretfl] *a* 1) по́лный сожале́ния, опеча́ленный 2) раска́ивающийся, по́лный раска́яния

regrettable [rɪ'gretəbl] *a* приско́рбный

regroup [,ri:'gru:p] *v* перегруппиро́вывать

regrouping [,ri:'gru:pɪŋ] **1.** *pres. p. от* regroup

2. *n* перегруппиро́вка

regulable ['regjʊləbl] *a* регули́руемый

regular ['regjʊlə] **1.** *a* 1) пра́вильный, норма́льный; регуля́рный; системати́ческий; he keeps ~ hours, he is a ~ man он ведёт разме́ренный о́браз жи́зни 2) очередно́й, обы́чный 3) согла́сный с этике́том, форма́льный; официа́льный 4) квалифици́рованный; профессиона́льный 5) *грам.* пра́вильный 6) *разг.* настоя́щий, су́щий; a ~ fellow молоде́ц; сла́вный ма́лый 7) постоя́нный; ~ army регуля́рная а́рмия, постоя́нная а́рмия 8) мона́шеский; the ~ clergy чёрное духове́нство

2. *n* 1) (*обыкн. pl*) регуля́рные войска́ 2) *разг.* постоя́нный посети́тель *или* клие́нт 3) мона́х 4) *разг.* постоя́нный рабо́чий, сотру́дник *и т. п.* 5) *амер.* пре́данный сторо́нник (*какой-л. партии*)

regularity [,regjʊ'lærətɪ] *n* 1) пра́вильность, регуля́рность 2) непреры́вность 3) поря́док, систе́ма

regularize ['regjʊləraɪz] *v* де́лать пра́вильным, упоря́дочивать

regulate ['regjʊleɪt] *v* 1) регули́ровать, упоря́дочивать 2) приспоса́бливать (*к требованиям, условиям*); соразмеря́ть 3) выверя́ть, регули́ровать (*механизм и т. п.*)

regulation [,regjʊ'leɪʃn] *n* 1) регули́рование; приведе́ние в поря́док; ~ of currency *эк.* регули́рование средств обраще́ния 2) предписа́ние, пра́вило 3) *pl* уста́в; инстру́кция, обяза́тельные постановле́ния 4) *attr.* предпи́санный; устано́вленный; устано́вленного образца́; to exceed the ~ speed превыша́ть устано́вленную ско́рость; of the ~ size поло́женного разме́ра

regulative ['regjʊlətɪv] *a* регули́рующий

regulator ['regjʊleɪtə] *n* 1) тот, кто регули́рует; регулиро́вщик 2) *тех.* регуля́тор

regurgitate [rɪ'gɜ:dʒɪteɪt] *v* 1) хлы́нуть обра́тно 2) изверга́ть(ся); изрыга́ть

rehab ['ri:hæb] *разг. сокр. от* rehabilitation

rehabilitate [,ri:ə'bɪlɪteɪt] *v* 1) реабилити́ровать 2) восстана́вливать здоро́вье 3) восстана́вливать в права́х 4) ремонти́ровать; реконструи́ровать, восстана́вливать 5) *амер.* исправля́ть, перевоспи́тывать (*преступника*)

rehabilitation [,ri:əbɪlɪ'teɪʃn] *n* 1) реабилита́ция 2) восстановле́ние здоро́вья 3) восстановле́ние в права́х 4) ремо́нт; реконстру́кция, восстановле́ние

rehash 1. *n* ['ri:hæʃ] 1) что-л., переде́ланное за́ново из ста́рого; за́ново перерабо́танный материа́л 2) переде́лка (*чего-л. старого*) на но́вый лад

2. *v* [ri:'hæʃ] переде́лывать; перекра́ивать (по-но́вому); переска́зывать (*что-л. старое*) по-но́вому

rehear [,ri:'hɪə] *v* (reheard) 1) слу́шать втори́чно (*судебное дело*) 2) вновь слы́шать

reheard [,ri:'hɜ:d] *past и p. p. от* rehear

rehearsal [rɪ'hɜ:sl] *n* 1) повторе́ние; перечисле́ние 2) репети́ция; dress ~ генера́льная репети́ция 3) переска́з

rehearse [rɪ'hɜ:s] *v* 1) репети́ровать 2) повторя́ть; перечисля́ть 3) переска́зывать

reheat [,ri:'hi:t] *v* втори́чно нагрева́ть; подогрева́ть

rehouse [,ri:'haʊs] *v* переселя́ть в но́вые дома́

rehousing [,ri:'haʊzɪŋ] **1.** *pres. p. от* rehouse

2. *n* 1) переселе́ние в но́вый дом; предоставле́ние но́вого жилья́ 2) *attr.*: ~ problem пробле́ма обеспе́чения жи́телей трущо́б но́выми жили́щами

Reich [raɪk] *n ист.* рейх, герма́нское госуда́рство; Third ~ «тре́тья импе́рия», ги́тлеровский рейх

Reichstag ['raɪkstɑ:g] *n ист.* рейхста́г

reify ['reɪfaɪ] *v* материализова́ть, превраща́ть в не́что конкре́тное

reign [reɪn] **1.** *n* 1) ца́рствование; in the ~ of smb. в ца́рствование кого́-л. 2) власть; under the ~ под вла́стью; the ~ of law власть зако́на

2. *v* 1) ца́рствовать (over) 2) цари́ть, госпо́дствовать

reimburse [,ri:ɪm'bɜ:s] *v* возвраща́ть, возмеща́ть (*сумму*)

reimbursement [,ri:ɪm'bɜ:smənt] *n* компенса́ция, возмеще́ние

reimport [,ri:ɪm'pɔ:t] *v* ввози́ть обра́тно

rein [reɪn] **1.** *n* (*часто pl*) 1) по́вод, пово́дья; вожжа́; to draw ~ а) натяну́ть пово́дья; б) уме́ньшить ско́рость; останови́ть ло́шадь; *перен.* останови́ться, сократи́ть расхо́ды; to give a horse the ~(s) отпусти́ть пово́дья, отда́ть по́вод 2) узда́, сде́рживающее сре́дство; контро́ль; the ~s of government бразды́ правле́ния; a tight ~ стро́гая дисципли́на; to keep a tight ~ on smb. стро́го контроли́ровать, держа́ть в узде́ кого́-л.; to give ~ (*или* the ~s) to one's imagination (passions) дать во́лю воображе́нию (чу́вствам) 3) *тех.* рукоя́ть (*клещей и т. п.*)

2. *v* 1) пра́вить, управля́ть вожжа́ми 2) управля́ть, сде́рживать; держа́ть в узде́ (*тж.* ~ in) ▭ ~ **up** а) остана́вливать(ся); б) останови́ть, осади́ть (*лошадь*)

reincarnate 1. *v* [,ri:ɪn'kɑ:neɪt] перевоплоща́ть, воплоща́ть сно́ва

2. *a* [,ri:ɪn'kɑ:nət] перевоплощённый

reincarnation [,ri:ɪnkɑ:'neɪʃn] *n* перевоплоще́ние

reindeer ['reɪndɪə] *n* 1) се́верный оле́нь 2) *attr.* оле́ний; ~ moss (*или* lichen) оле́ний мох, я́гель

reinforce [,ri:ɪn'fɔ:s] *v* 1) уси́ливать; подкрепля́ть; укрепля́ть 2) *стр.* арми́ровать (*бетон*)

reinforced concrete [,ri:ɪnfɔ:st'kɒŋkri:t] *n* железобето́н

reinforcement [,ri:ɪn'fɔ:smənt] *n* 1) укрепле́ние 2) (*обыкн. pl*) *воен.* усиле́ние; подкрепле́ние; пополне́ние 3) *стр.* армату́ра (*железобетона*) 4) *attr.*: ~ bar *стр.* сте́ржень армату́ры

reinless ['reɪnləs] *a* 1) без вожже́й, без пово́дьев 2) без контро́ля, без управле́ния, без узды́

reinstate [,ri:ɪn'steɪt] *v* 1) восстана́вливать в пре́жнем положе́нии, в права́х (in, to) 2) восстана́вливать (поря́док) 3) поправля́ть, восстана́вливать (*здоровье*)

reinstatement [,ri:ɪn'steɪtmənt] *n* восстановле́ние *и пр.* [*см.* reinstate]

reinsurance [,ri:ɪn'ʃʊərəns] *n* перестрахова́ние, втори́чная страхо́вка

reinsure [,ri:ɪn'ʃʊə] *v* перестрахо́вывать, втори́чно страхова́ть

reinterment [,ri:ɪn'tɜ:mənt] *n* втори́чное захороне́ние; перено́с оста́нков на но́вое ме́сто захороне́ния

reissue [,ri:'ɪʃu:] *n* переизда́ние

reiterate [rɪ'ɪtəreɪt] *v* повторя́ть; де́лать сно́ва и сно́ва

reiteration [rɪ,ɪtə'reɪʃn] *n* 1) повторе́ние (*многократное*) 2) то, что повторя́ется

reiterative [rɪ'ɪtərətɪv] *a* повторя́ющийся

reive [ri:v] *v* (*особ. шотл.*) опустоша́ть, гра́бить

reiver ['ri:və] *n* граби́тель

reject 1. *n* ['ri:dʒekt] 1) при́знанный него́дным (*особ.* к вое́нной слу́жбе) 2) брако́ванное изде́лие

2. *v* [rɪ'dʒekt] 1) отбра́сывать, забрако́вывать 2) отверга́ть, отка́зывать; to ~ an offer отклоня́ть предложе́ние; отка́зываться от предложе́ния 3) изверга́ть, изрыга́ть

rejectamenta [rɪ,dʒektə'mentə] *лат. n pl* 1) отбро́сы 2) экскреме́нты

rejectee [,rɪdʒek'ti:] *n* него́дный к вое́нной слу́жбе

rejection [rɪ'dʒekʃn] *n* 1) отка́з; отклоне́ние, неприня́тие 2) отсортиро́вка, брако́вка; призна́ние него́дным 3) изверже́ние

rejector [rɪ'dʒektə] *n* 1) тот, кто отверга́ет, отка́зывает 2) *тех.* отража́тель 3) *эл.* загражда́ющий фильтр; *радио* фильтр-про́бка

rejig [,ri:'dʒɪg] *v* 1) переоборудовать 2) реорганизо́вывать

rejoice [rɪ'dʒɔɪs] *v* 1) ра́довать(ся), весели́ться; пра́здновать (*событие*); to ~ in (*или* at) smth. наслажда́ться чем-л., ра́доваться чему́-л. 2) *шутл.* облада́ть (in — *чем-л.*); he ~s in the name of Bloggs его́ зову́т Блогс

rejoicing [rɪ'dʒɔɪsɪŋ] 1. *pres. p. от* rejoice

2. *n* (*часто pl*) весе́лье; пра́зднование

rejoicingly [rɪ'dʒɔɪsɪŋlɪ] *adv* ра́достно, с ра́достью; ве́село

re-join [,ri:'dʒɔɪn] *v* сно́ва соединя́ть(ся), воссоединя́ть(ся)

rejoin [rɪ'dʒɔɪn] *v* 1) возвраща́ться к; to ~ the colours *воен.* переходи́ть из запа́са на действи́тельную слу́жбу 2) присоединя́ться, примкну́ть; you go on and I will ~ you later вы иди́те, а я приду́ немно́го погодя́ 3) отвеча́ть, возража́ть 4) *юр.* подава́ть втори́чное возраже́ние (*об ответчике*)

rejoinder [rɪ'dʒɔɪndə] *n* 1) отве́т, возраже́ние 2) *юр.* втори́чное возраже́ние отве́тчика

rejuvenate [rɪ'dʒu:vəneɪt] *v* омола́живать(ся)

rejuvenation [rɪ,dʒu:və'neɪʃn] *n* омоложе́ние; восстановле́ние сил, здоро́вья

rejuvenescence [,ri:dʒu:və'nesns] *n* 1) омола́живание; восстановле́ние здоро́вья и сил 2) *биол.* образова́ние кле́ток; формирова́ние но́вых тка́ней

rejuvenescent [,ri:dʒu:və'nesnt] *a* 1) молоде́ющий 2) придающий жи́зненную си́лу, жи́вость

relapse [rɪ'læps] 1. *n* повторе́ние; реци́див (*особ. мед.*)

2. *v* (сно́ва) впада́ть (*в какое-л. состояние*); (сно́ва, втори́чно) заболева́ть; (сно́ва) предава́ться (*пьянству и т. п.*); to ~ into silence сно́ва замолча́ть

relapsing fever [rɪ,læpsɪŋ'fi:və] *n мед.* возвра́тный тиф

relate [rɪ'leɪt] *v* 1) расска́зывать 2) (*обыкн. p. p.*) быть свя́занным, состоя́ть в родстве́; we are distantly ~d мы да́льние ро́дственники 3) устана́вливать связь, определя́ть соотноше́ние (to, with — ме́жду *чем-л.*) 4) относи́ться, име́ть отноше́ние

related [rɪ'leɪtɪd] 1. *p. p. от* relate

2. *a* 1) ро́дственный 2) свя́занный

relation [rɪ'leɪʃn] *n* 1) отноше́ние; связь, зави́симость; ~ of forces соотноше́ние сил; ~s of production *полит.-эк.* произво́дственные отноше́ния; industrial ~s трудовы́е отноше́ния в промы́шленности; Industrial Relations Act антипрофсою́зный зако́н «Об отноше́ниях в промы́шленности»; it is out of all ~ to, it bears no ~ to э́то не име́ет никако́го отноше́ния к 2) повествова́ние, изложе́ние; расска́з 3) *pl* половы́е сноше́ния 4) ро́дственник; ро́дственница 5) *редк.* родство́ ◇ in ~ to относи́тельно; что каса́ется

relational [rɪ'leɪʃnəl] *a* 1) относи́тельный 2) ро́дственный

relationship [rɪ'leɪʃnʃɪp] *n* 1) родство́ 2) отноше́ние, взаимоотноше́ние; связь

relatival [,relə'taɪvl] *a грам.* относи́тельный

relative ['relətɪv] 1. *n* 1) ро́дственник; ро́дственница; a remote ~ да́льний ро́дственник 2) *грам.* относи́тельное местоиме́ние (*тж.* ~ pronoun)

2. *a* 1) относи́тельный; сравни́тельный; ~ surplus value *полит.-эк.* относи́тельная приба́вочная сто́имость 2) (to) соотноси́тельный, взаи́мный, свя́занный оди́н с други́м 3) соотве́тственный 4) *грам.* относи́тельный

relatively ['relətɪvlɪ] *adv* 1) относи́тельно, по по́воду 2) относи́тельно, сравни́тельно 3) соотве́тственно

relativism ['relətɪvɪzəm] *n филос.* релятиви́зм

relativity [,relə'tɪvətɪ] *n* 1) относи́тельность 2) *физ.* тео́рия относи́тельности; special theory of ~ специа́льная тео́рия относи́тельности; general theory of ~ о́бщая тео́рия относи́тельности

relax [rɪ'læks] *v* 1) ослабля́ть(ся); уменьша́ть напряже́ние; расслабля́ть(ся); to ~ international tension смягчи́ть междунаро́дную напряжённость 2) смягча́ть(ся), де́лать(ся) ме́нее стро́гим 3) слабе́ть 4) де́лать(ся) ме́нее церемо́нным 5) де́лать переды́шку ◇ to ~ the bowels очи́стить кише́чник

relaxant [rɪ'læksnt] *n* релакса́нт

relaxation [,ri:læk'seɪʃn] *n* 1) ослабле́ние; расслабле́ние; уменьше́ние напряже́ния 2) о́тдых от рабо́ты, переды́шка; развлече́ние 3) смягче́ние 4) *юр.* части́чное *или* по́лное освобожде́ние (*от штрафа, налога и т. п.*)

relaxing [rɪ'læksɪŋ] 1. *pres. p. от* relax

2. *a* смягча́ющий, расслабля́ющий; ~ climate расслабля́ющий кли́мат

re-lay [,ri:'leɪ] *v* сно́ва класть; перекла́дывать

relay ['ri:leɪ] 1. *n* 1) сме́на (*особ. лошадей*) 2) сме́на (*рабочих*); to work in (*или* by) ~s рабо́тать посме́нно 3) *спорт.* эстафе́та 4) ['ri:,leɪ] *эл.* реле́; переключа́тель 5) *attr.*: ~ system систе́ма смен (*на предприятии*) 6) ['ri:,leɪ] *attr.*: ~ box *эл.* коро́бка реле́

2. *v* 1) передава́ть (*дальше*) 2) ['ri:,leɪ] *радио* ретрансли́ровать 3) сменя́ть, обеспе́чивать сме́ну

relay-race ['ri:leɪreɪs] *n* эстафе́тный бег, эстафе́тная го́нка

relay station ['ri:leɪsteɪʃn] *n радио* ретрансляцио́нная ста́нция

release [rɪ'li:s] 1. *n* 1) освобожде́ние (*из заключения*) 2) освобожде́ние, избавле́ние (*от забот, обязанностей и т. п.*) 3) *тех.* размыка́ющий автома́т; расцепля́ющий механи́зм 4) разреше́ние на публика́цию (*книги, сообщения*) *или* демонстра́цию (*фильма*) 5) опублико́ванный материа́л; сообще́ние для печа́ти (*см. тж.* press-release) 6) вы́пуск фи́льма (*на экран*) 7) но́вый фильм (*выпущенный на экран*) 8) оправда́тельный докуме́нт, распи́ска; докуме́нт о переда́че пра́ва *или* иму́щества 9) облегче́ние (*боли, страданий*) 10) *тех.* разъедине́ние, расцепле́ние 11) сбра́сывание (*авиабомбы*)

2. *v* 1) освобожда́ть, выпуска́ть на во́лю 2) избавля́ть (from) 3) отпуска́ть, выпуска́ть, пуска́ть; сбра́сывать (*авиабомбы*); to ~ an arrow from a bow пусти́ть стрелу́ из лука́ 4) разреша́ть публика́цию (*книги, сообщения*), демонстра́цию (*фильма и т. п.*) 5) выпуска́ть (*из печати и т. п.*); выпуска́ть фильм (*на экран*) 6) проща́ть (*долг*); отка́зываться (*от права*); передава́ть друго́му (*имущество*) 7) облегча́ть (*боль, страдания*) 8) *воен.* увольня́ть, демобилизова́ть 9) раскрыва́ть (*парашют*) 10) *тех.* разобща́ть, расцепля́ть

release gear [rɪ'li:sgɪə] *n ав.* бомбосбра́сыватель

relegate ['relɪgeɪt] *v* 1) переводи́ть в ни́зшую катего́рию; низводи́ть; *спорт.* переводи́ть в ни́зшую ли́гу 2) предава́ть забве́нию, сдава́ть в архи́в 3) ссыла́ть, высыла́ть 4) передава́ть (*дело, вопрос*) для реше́ния *или* исполне́ния 5) отсыла́ть, направля́ть; to ~ to the reserve перевести́ в запа́с 6) относи́ть (*к какому-л. классу*); классифици́ровать

relegation [,relɪ'geɪʃn] *n* 1) вы́сылка, изгна́ние 2) перево́д в ни́зшую катего́рию 3) переда́ча (*дела, вопроса*) для реше́ния *или* исполне́ния

relent [rɪ'lent] *v* смягча́ться

relentless [rɪ'lentləs] *a* 1) безжа́лостный, непрекло́нный, неумоли́мый 2) неослабева́ющий, неосла́бный; неуста́нный; неотсту́пный

relevance, -cy ['reləvəns, -sɪ] *n* уме́стность

relevant ['reləvənt] *a* уме́стный, относя́щийся к де́лу

reliability [rɪ,laɪə'bɪlətɪ] *n* 1) надёжность; про́чность 2) достове́рность 3) *attr.*: ~ trial про́бный, испыта́тельный пробе́г (*автомобиля и т. п.*)

reliable [rɪ'laɪəbl] *a* 1) надёжный 2) про́чный 3) заслу́живающий дове́рия, достове́рный; ~ information достове́рные све́дения

reliance [rɪ'laɪəns] *n* 1) дове́рие, уве́ренность (upon, on, in); to place (*или* to have, to feel) ~ in (*или* upon, on) smb., smth. наде́яться на кого́-л., что-л. 2) опо́ра, наде́жда

reliant [rɪ'laɪənt] *a* 1) уве́ренный 2) самоуве́ренный, самонаде́янный

relic ['relɪk] *n* 1) *геол.* рели́кт 2) *pl* мо́щи 3) след, оста́ток; пережи́ток 4) сувени́р 5) *pl* рели́квии 6) *pl* оста́нки

relict ['relɪkt] **1.** *n* 1) *геол.* рели́кт 2) *уст.* вдова́

2. *a геол.* рели́ктовый

reliction [rɪ'lɪkʃn] *n* 1) ме́дленное и постепе́нное отступа́ние воды́ с образова́нием су́ши 2) земля́, обнажённая отступи́вшим мо́рем

relief I [rɪ'li:f] *n* 1) облегче́ние (*боли, страдания, беспокойства*); по́мощь, утеше́ние; to bring (*или* to give) ~ принести́ облегче́ние 2) разнообра́зие, переме́на (*приятная*) 3) посо́бие по безрабо́тице; to put on ~ включи́ть в спи́сок для получе́ния посо́бия по безрабо́тице 4) сме́на (*дежурных, караульных*); освобожде́ние (*от обязанностей*); in the ~ при сме́не, во вре́мя сме́ны 5) подкрепле́ние 6) (*особ. юр.*) освобожде́ние (*от ответственности, уплаты штрафа и т. п.*) 7) *воен.* сня́тие оса́ды 8) *attr.*: ~ cut сокраще́ние посо́бия; ~ fund фонд по́мощи

relief II [rɪ'li:f] *n* 1) релье́ф (*изображение*); релье́фность; in ~ релье́фно, вы́пукло 2) чёткость, контра́ст; in ~ against the sky выступа́ющий на фо́не не́ба 3) релье́ф, хара́ктер ме́стности 4) *attr.* релье́фный; ~ work чека́нная рабо́та

reliefer [rɪ'li:fə] *n* получа́ющий посо́бие

relief-works [rɪ'li:fwɜ:ks] *n pl* обще́ственные рабо́ты для безрабо́тных

relieve I [rɪ'li:v] *v* 1) ока́зывать по́мощь, выруча́ть 2) облегча́ть, уменьша́ть (*тяжесть, давление*); ослабля́ть (*напряжение*) 3) освобожда́ть (от *чего-л.*); let me ~ you of your suitcase позво́льте мне понести́ ваш чемода́н; to ~ a person of his cash (*или* of his purse) *шутл.* обокра́сть кого́-л. 4) вноси́ть разнообра́зие, оживля́ть 5) сменя́ть (*на посту*) 6) *воен.* снима́ть оса́ду 7) освобожда́ть от до́лжности, увольня́ть; to ~ a person of his position лиши́ть кого́-л. ме́ста; освободи́ть кого́-л. от до́лжности 8) *тех.* деблоки́ровать ◇ to ~ one's feelings отвести́ ду́шу; to ~ oneself испражни́ться; помочи́ться

relieve II [rɪ'li:v] *v* 1) де́лать релье́фным 2) быть релье́фным; выступа́ть (*на фоне*)

relieving officer [rɪ,li:vɪŋ'ɒfɪsə] *n* попечи́тель, ве́дающий по́мощью бе́дным (*в приходе, районе*)

relievo [rɪ'li:vəʊ] = relief II

relight [,ri:'laɪt] *v* 1) сно́ва заже́чь 2) сно́ва загоре́ться

religion [rɪ'lɪdʒən] *n* 1) рели́гия; to get ~ *разг.* стать религио́зным 2) религио́зное уче́ние 3) мона́шество; to enter into ~ постри́чься в мона́хи; to be in ~ быть мона́хом 4) культ, святы́ня; to make a ~ of smth. счита́ть что-л. свое́й свяще́нной обя́занностью; сде́лать культ из чего́-л.

religioner [rɪ'lɪdʒənə] *n* 1) религио́зный челове́к 2) мона́х

religionism [rɪ'lɪdʒənɪzəm] *n* чрезме́рная на́божность

religious [rɪ'lɪdʒəs] **1.** *a* 1) религио́зный 2) ве́рующий, на́божный 3) мона́шеский 4) добросо́вестный, скрупулёзный 5) благогове́йный

2. *n* (*pl без измен.*) мона́х

religiousness [rɪ'lɪdʒəsnəs] *n* религио́зность

relinquish [rɪ'lɪŋkwɪʃ] *v* 1) сдава́ть, оставля́ть (*территорию и т. п.*) 2) броса́ть (*привычку*) 3) оставля́ть (*надежду*) 4) отка́зываться (*от права*); уступа́ть, передава́ть (*кому-л.*) 5) выпуска́ть; to ~ one's hold выпуска́ть из рук

reliquary ['relɪkwərɪ] *n* ра́ка, гробни́ца, ковче́г (*для мощей*)

reliquiae [rɪ'lɪkwii:] *лат. n pl* 1) рели́квии, оста́нки 2) *геол.* окамене́лости живо́тных и расте́ний

relish ['relɪʃ] **1.** *n* 1) удово́льствие, пристра́стие, вкус, скло́нность (for — к *чему-л.*); with great ~ с удово́льствием, с увлече́нием 2) (прия́тный) вкус, при́вкус, за́пах 3) привлека́тельность; to lose its ~ теря́ть свою́ пре́лесть 4) припра́ва, со́ус, гарни́р; заку́ска 5) чу́точка, ка́пелька, небольшо́е коли́чество ◇ hunger is the best ~ ≅ го́лод — лу́чший по́вар

2. *v* 1) получа́ть удово́льствие (*от чего-л.*), наслажда́ться, смакова́ть, находи́ть прия́тным; I do not ~ the prospect мне не улыба́ется э́та перспекти́ва 2) служи́ть припра́вой, придава́ть вкус, де́лать о́стрым 3) име́ть вкус, отзыва́ться (of — *чем-л.*)

reload [,ri:'ləʊd] *v* 1) перегружа́ть, нагружа́ть сно́ва 2) перезаряжа́ть

reluctance [rɪ'lʌktəns] *n* 1) неохо́та, нежела́ние; нерасположе́ние, отвраще́ние; with ~ неохо́тно 2) *эл.* магни́тное сопротивле́ние

reluctant [rɪ'lʌktənt] *a* 1) де́лающий (*что-л.*) с неохо́той; неохо́тный, вы́нужденный (*о согласии и т. п.*) 2) *редк.* сопротивля́ющийся; упо́рный, не поддаю́щийся (*лечению и т. п.*)

reluctantly [rɪ'lʌktəntlɪ] *adv* неохо́тно, с неохо́той, без жела́ния

reluctivity [,relʌk'tɪvətɪ] *n эл.* уде́льное магни́тное сопротивле́ние

relume [rɪ'lju:m] *v поэт.* 1) сно́ва зажига́ть 2) вновь освеща́ть

rely [rɪ'laɪ] *v* полага́ться, доверя́ть, быть уве́ренным (on, upon); to ~ on it that быть уве́ренным, что; you may ~ upon it that he will be early мо́жете положи́ться на то, что он бу́дет ра́но; ~ upon it бу́дьте уве́рены в э́том; уверя́ю вас

remade [,ri:'meɪd] *past и p. p. от* remake 1

remain [rɪ'meɪn] *v* 1) остава́ться; after the fire very little ~ed of the house по́сле пожа́ра от до́ма почти́ ничего́ не оста́лось 2) остава́ться, пребыва́ть в пре́жнем состоя́нии *или* на пре́жнем ме́сте; I ~ yours truly остаю́сь пре́данный вам (*в конце письма*); let it ~ as it is пусть всё остаётся как есть

remainder [rɪ'meɪndə] **1.** *n* 1) оста́ток; оста́тки 2) остальны́е; twenty people came in and the ~ stayed outside два́дцать челове́к вошли́, остальны́е оста́лись на у́лице 3) нераспро́данные оста́тки тиража́ кни́ги 4) *юр.* после́дующее иму́щественное пра́во

2. *v* распродава́ть оста́тки тиража́ кни́ги по дешёвой цене́

remains [rɪ'meɪnz] *n pl* 1) оста́ток; оста́тки 2) руи́ны, разва́лины 3) оста́нки, прах 4) посме́ртные произведе́ния

remake 1. [,ri:'meɪk] *v* (remade) переде́лывать, де́лать за́ново

2. ['ri:meɪk] *n* 1) что-л. переде́ланное, *особ.* пересня́тый фильм 2) переде́лывание, переде́лка

reman [,ri:'mæn] *v* 1) *воен., мор.* (вновь) укомплекто́вывать ли́чным соста́вом 2) *воен.* вновь заня́ть (*войсками, гарнизоном*) 3) подбодря́ть, вселя́ть му́жество

remand [rɪ'mɑ:nd] **1.** *n* 1) *юр.* возвраще́ние (*арестованного*) под стра́жу; a person on ~ подсле́дственный 2) аресто́ванный, оста́вленный под стра́жей (*для продолжения следствия*) 3) *воен.* отчисле́ние, исключе́ние из спи́сков

2. *v* 1) *юр.* взять вновь под стра́жу (*для продолжения следствия*) 2) *юр.* отсыла́ть (*дело*) обра́тно на доследова́ние 3) *воен.* отчисля́ть

remand home [rɪ,mɑ:nd'həʊm] *n* дом предвари́тельного заключе́ния для малоле́тних престу́пников

remark [rɪ'mɑ:k] **1.** *n* 1) замеча́ние; to make no ~ ничего́ не сказа́ть; to pass a ~ вы́сказать своё мне́ние 2) внима́ние, наблюде́ние 3) примеча́ние; поме́тка; ссы́лка

2. *v* 1) де́лать замеча́ние, выска́зываться (on, upon — о *чём-л.*) 2) замеча́ть, наблюда́ть, отмеча́ть

remarkable [rɪ'mɑ:kəbl] *a* 1) выдаю́щийся 2) замеча́тельный, удиви́тельный

remarkably [rɪ'mɑ:kəblɪ] *adv* замеча́тельно, удиви́тельно; в вы́сшей сте́пени; необыкнове́нно

remarry [,ri:'mærɪ] *v* вступи́ть в повто́рный брак

rematch ['ri:mætʃ] *n* отве́тный матч

remediable [rɪ'mi:dɪəbl] *a* поправи́мый, излечи́мый

remedial [rɪ'mi:dɪəl] *a* 1) лече́бный, излечи́вающий 2) корректи́вный (*о преподавании для отстающих, умственно или физически отсталых детей*); ~ English корректи́вный курс англи́йского языка́ 3) исправи́тельный; ~ measures исправи́тельные ме́ры 4) *тех.* ремо́нтный

remediless ['remɪdɪləs] *a* неисправи́мый, неизлечи́мый

remedy ['remədɪ] **1.** *n* 1) сре́дство от боле́зни, лека́рство 2) сре́дство, ме́ра (*против чего-л.*) 3) *юр.* сре́дство суде́бной защи́ты, сре́дство защи́ты пра́ва

2. *v* 1) исправля́ть 2) *редк.* вылечи́вать

remember [rɪ'membə] *v* 1) по́мнить, вспомина́ть; to ~ oneself опо́мниться 2) дари́ть; завеща́ть; дава́ть на чай; to ~ a child on its birthday посла́ть пода́рок ребёнку ко дню рожде́ния; to ~ smb. in one's will завеща́ть кому́-л. (*что-л.*) 3) передава́ть приве́т; ~ me to your father переда́йте приве́т ва́шему отцу́

remembrance [rɪ'membrəns] *n* 1) воспомина́ние; па́мять; in ~ of в па́мять о; to put in ~ напомина́ть 2) суве́ни́р, пода́рок на па́мять 3) *pl* приве́т (*через кого-л.*) 4) *attr.*: ~ card откры́тка с напомина́нием о чём-л.

remilitarization [,ri:mɪlɪtəraɪ'zeɪʃn] *n* ремилитариза́ция

remind [rɪ'maɪnd] *v* напомина́ть (of); he ~s me of his brother он напомина́ет мне своего́ бра́та; please ~ me to answer that letter пожа́луйста, напо́мни мне, что ну́жно отве́тить на то письмо́

reminder [rɪ'maɪndə] *n* напомина́ние; gentle ~ намёк

remindful [rɪ'maɪndfl] *a* напомина́ющий; вызыва́ющий воспомина́ния

reminisce [,remɪ'nɪs] *v* предава́ться воспомина́ниям, вспомина́ть про́шлое

reminiscence [,remɪ'nɪsns] *n* 1) воспомина́ние 2) черта, напомина́ющая что-л. 3) *pl* мемуа́ры, воспомина́ния; to write ~s писа́ть мемуа́ры

reminiscent [,remɪ'nɪsnt] *a* 1) вспомина́ющий; скло́нный к воспомина́ниям 2) напомина́ющий (of); вызыва́ющий воспомина́ния

remise [rɪ'mi:z] *v юр.* отка́зываться (*от права, имущества*)

remiss [rɪ'mɪs] *a* 1) нера́дивый, невнима́тельный; небре́жный 2) вя́лый, сла́бый 3) *тех.* растворённый, разжижённый

remissible [rɪ'mɪsɪbl] *a* прости́тельный, позволи́тельный

remission [rɪ'mɪʃn] *n* 1) освобожде́ние от наказа́ния, от упла́ты; отме́на *или* смягче́ние (*приговора*) 2) уменьше́ние, ослабле́ние (*боли*) 3) проще́ние; отпуще́ние (*грехов*)

remissive [rɪ'mɪsɪv] *a* 1) проща́ющий, освобожда́ющий 2) ослабля́ющий, уменьша́ющий

remit [rɪ'mɪt] *v* 1) возде́рживаться (*от наказания, взыскания долга*); снима́ть (*налог, штраф и т. п.*) 2) уменьша́ть(ся); смягча́ть(ся); ослабля́ть(ся) (*об усилиях и т. п.*); прекраща́ться 3) посыла́ть по по́чте (*деньги*); kindly ~ to Mr. N прошу́ (*или* про́сим) уплати́ть ми́стеру N 4) передава́ть на реше́ние како́му-л. авторите́тному лицу́ 5) *юр.* откла́дывать (*дело*); отсыла́ть обра́тно в ни́зшую инста́нцию 6) проща́ть; отпуска́ть (*грехи*)

remittance [rɪ'mɪtns] *n* 1) переводи́мые де́ньги, де́нежный перево́д 2) пересы́лка, перево́д де́нег; *воен.* перево́д де́нег по аттеста́ту

remittance man [rɪ'mɪtnsmæn] *n уст.* эмигра́нт, живу́щий на де́ньги, присыла́емые с ро́дины

remittee [rɪ,mɪt'i:] *n* получа́тель де́нежного перево́да; получа́тель де́нег по аттеста́ту

remittent [rɪ'mɪtnt] **1.** *a* перемежа́ющийся; ~ fever = 2

2. *n* перемежа́ющаяся лихора́дка

remitter [rɪ'mɪtə] *n* 1) отправи́тель де́нежного перево́да 2) *юр.* переда́ча в другу́ю инста́нцию

remnant ['remnənt] *n* 1) оста́ток (*пищи*) 2) отре́з, оста́ток (*ткани*) 3) след, пережи́ток 4) *attr.*: a ~ sale распрода́жа оста́тков

remodel [ri:'mɒdl] *v* переде́лывать; реконструи́ровать

remonstrance [rɪ'mɒnstrəns] *n* 1) увещева́ние 2) проте́ст; возраже́ние

remonstrant [rɪ'mɒnstrənt] **1.** *a* протесту́ющий, возража́ющий

2. *n* тот, кто протесту́ет, возража́ет

remonstrate ['remənstreɪt] *v* 1) протестова́ть, возража́ть (against) 2) убежда́ть, увещева́ть (with — *кого-л.*)

remontant [rɪ'mɒntənt] *a бот.* ремонта́нтный

remorse [rɪ'mɔ:s] *n* 1) угрызе́ние со́вести; раска́яние 2) сожале́ние, жа́лость; without ~ безжа́лостно, беспоща́дно, бессерде́чно

remorseful [rɪ'mɔ:sfl] *a* 1) по́лный раска́яния 2) по́лный сожале́ния

remorseless [rɪ'mɔ:sləs] *a* 1) безжа́лостный, беспоща́дный 2) не испы́тывающий раска́яния

remote [rɪ'məʊt] *a* 1) да́льний, далёкий, отдалённый (*во времени и пространстве*); уединённый; the ~ past далёкое про́шлое 2) далёкий, не име́ющий прямо́го отноше́ния; отли́чный 3) сла́бый; небольшо́й, незначи́тельный; ~ resemblance сла́бое схо́дство; not the ~st chance of success ни мале́йшего ша́нса на успе́х 4) равноду́шный (*о человеке*) 5) *тех.* дистанцио́нный; де́йствующий на расстоя́нии; ~ control дистанцио́нное управле́ние, телеуправле́ние

remount I [,ri:'maʊnt] *v* 1) сно́ва всходи́ть, поднима́ться (*по лестнице и т. п.*) 2) сно́ва сесть на ло́шадь 3) сно́ва монти́ровать 4) восходи́ть (*к более раннему периоду*)

remount II 1. *n* ['ri:maʊnt] 1) запасна́я ло́шадь 2) *воен.* ремо́нтная ло́шадь; ремо́нтные ло́шади, ко́нский ремо́нт, ко́нское пополне́ние

2. *v* [,ri:'maʊnt] 1) сно́ва сесть *или* сно́ва посади́ть на ло́шадь, велосипе́д *и т. п.* 2) *воен.* ремонти́ровать (*кавалерию*)

removability [rɪ,mu:və'bɪlɪtɪ] *n* 1) перемеща́емость; подви́жность 2) сменя́емость

removable [rɪ'mu:vəbl] *a* 1) передвига́емый; подвижно́й; съёмный 2) устрани́мый; сменя́емый 3) *тех.* сме́нный

removal [rɪ'mu:vl] *n* 1) перемеще́ние; пере́езд; ~ of furniture вы́воз ме́бели (*из дома*) 2) смеще́ние (*судьи и т. п.*) 3) устране́ние, удале́ние; снос 4) *горн.* вскры́ша; вы́емка

removal-van [rɪ'mu:vlvæn] *n* фурго́н для перево́зки ме́бели

remove [rɪ'mu:v] **1.** *n* 1) удале́ние, расстоя́ние, сте́пень отдале́ния; at many ~s на далёком расстоя́нии 2) ступе́нь, шаг, ста́дия; but one ~ from всего́ оди́н шаг до 3) продвиже́ние, перево́д (*на работе, в школе и т. п.*); he has not got his ~ он оста́лся на второ́й год 4) класс (*в некоторых английских школах*) 5) поколе́ние, коле́но; сте́пень родства́

2. *v* 1) передвига́ть; перемеща́ть; убира́ть, уноси́ть; to ~ oneself удали́ться 2) снима́ть; to ~ one's hat снять шля́пу (*для приветствия*) 3) отодвига́ть, убира́ть; to ~ one's hand убра́ть ру́ку; to ~ one's eyes отвести́ глаза́ 4) увольня́ть, смеща́ть 5) *разг.* убра́ть, устрани́ть (*кого-л.*) 6) устраня́ть, удаля́ть; to ~ all doubts уничто́жить все сомне́ния 7) стира́ть; выводи́ть (*пятна*) 8) *книжн.* переезжа́ть (from, to); she ~d to Glasgow она́ перее́хала в Гла́зго ◇ to ~ mountains го́ры свороти́ть

removed [rɪ'mu:vd] **1.** *p. p. от* remove 2

2. *a* 1) удалённый, отдалённый; несвя́занный; far ~ from далёкий от 2): once ~ двою́родный; twice ~ трою́родный

remover [rɪ'mu:və] *n* 1) перево́зчик ме́бели (*тж.* furniture ~) 2) пятновыводи́тель 3) *тех.* съёмник

remunerate [rɪ'mju:nəreɪt] *v* вознагражда́ть, опла́чивать, компенси́ровать

remuneration [rɪ,mju:nə'reɪʃn] *n* вознагражде́ние, опла́та, компенса́ция; за́работная пла́та

remunerative [rɪ'mju:nərətɪv] *a* 1) хорошо́ опла́чиваемый, вы́годный 2) вознагражда́ющий

renaissance [rə'neɪsns] *n* 1) (the R.) эпо́ха Возрожде́ния, Ренесса́нс 2) возрожде́ние, оживле́ние (*искусства и т. п.*) 3) (R.) *attr.* относя́щийся к эпо́хе Возрожде́ния; R. architecture архитекту́ра Возрожде́ния

renal ['ri:nl] *a* по́чечный

rename [,ri:'neɪm] *v* дать но́вое и́мя; переименова́ть

renascence [rɪ'næsns] *n* 1) возрожде́ние, оживле́ние, возобновле́ние 2) (R.) = renaissance 1)

renascent [rɪ'næsnt] *a* возрожда́ющийся; ~ enthusiasm но́вый энтузиа́зм

rencontre [ren'kɒntə] = rencounter 1

rencounter [ren'kaʊntə] **1.** *n* 1) случа́йная встре́ча; случа́йное столкнове́ние 2) дуэ́ль, сты́чка, столкнове́ние

2. *v* случа́йно ста́лкиваться, встреча́ться

rend [rend] *v* (rent) *книжн.* 1) отрыва́ть, отдира́ть (from, away, off) 2) рвать, раздира́ть, разрыва́ть; it ~s my heart у меня́ от э́того се́рдце разрыва́ется 3) расщепля́ть, раска́лывать ◇ to ~ one's hair рвать на себе́ во́лосы

render ['rendə] 1. *n* 1) опла́та; ~s in kind распла́та нату́рой 2) пе́рвый слой штукату́рки

2. *v* 1) приводи́ть в како́е-л. состоя́ние; to ~ active активизи́ровать; to be ~ed speechless with rage онеме́ть от я́рости; climbing ~s me giddy подъём вызыва́ет у меня́ головокруже́ние 2) воздава́ть, плати́ть, отдава́ть; to ~ good for evil плати́ть добро́м за зло 3) представля́ть; to ~ thanks приноси́ть благода́рность; to ~ an account for payment представля́ть счёт к опла́те; to ~ an account докла́дывать, дава́ть отчёт 4) ока́зывать (*по́мощь и т. п.*); to ~ a service оказа́ть услу́гу 5) воспроизводи́ть, изобража́ть, передава́ть 6) исполня́ть (*роль, музыка́льное произведе́ние и т. п.*) 7) переводи́ть (*на друго́й язы́к*) 8) топи́ть (*са́ло*) 9) *стр.* штукату́рить; обма́зывать 10) *уст.* сдава́ть(ся) (*ча́сто* ~ up) 11) *мор.* трави́ться; идти́ в раскру́т

rendering ['rendərɪŋ] 1. *pres. p. от* render 2

2. *n* 1) исполне́ние; изображе́ние; толкова́ние (*о́браза произведе́ния*) 2) перево́д, переда́ча 3) оказа́ние (*услу́ги, по́мощи и т. п.*) 4) вытáпливание (*са́ла*) 5) *стр.* штукату́рка без дра́ни, обма́зка

rendezvous ['rɒndɪvu:] 1. *n* (*pl без измен.*) 1) ме́сто свида́ния; ме́сто встреч 2) свида́ние 3) сбор войск *или* корабле́й в назна́ченном ме́сте

2. *v* встреча́ться в назна́ченном ме́сте

rendition [ren'dɪʃn] = rendering 2, 1) *и* 2)

renegade ['renɪgeɪd] 1. *n* 1) рене́гат, изме́нник; перебе́жчик 2) вероотсту́пник

2. *a* преда́тельский, изме́ннический

renew [rɪ'nju:] *v* 1) обновля́ть; восстана́вливать; реставри́ровать; заменя́ть но́вым 2) пополня́ть запа́с 3) возрожда́ть; возобновля́ть; to ~ correspondence возобнови́ть перепи́ску 4) повторя́ть 5) продли́ть срок де́йствия (*догово́ра об аре́нде и т. п.*) 6) оживи́ть, вы́звать вновь (*чу́вства и т. п.*)

renewal [rɪ'nju:əl] *n* 1) возобновле́ние, возрожде́ние, восстановле́ние 2) обновле́ние 3) заме́на изно́шенного обору́дования но́вым; капита́льный, восстанови́тельный ремо́нт 4) повторе́ние 5) пролонга́ция (*догово́ра*); продле́ние (*сро́ка*)

rennet I ['renɪt] *n* 1) *спец.* сычу́жныйферме́нт 2) *анат.* сычужо́к

rennet II ['renɪt] *n* ране́т (*сорт я́блок*)

renominate [rɪ'nɒmɪneɪt] *v* вновь вы́двинуть кандидату́ру

renounce [rɪ'naʊns] 1. *v* 1) отка́зываться (*от свои́х прав, тре́бований, привы́чек и т. п.*) 2) не признава́ть (*власть*); отверга́ть, отклоня́ть (*мне́ние и т. п.*) 3) отрека́ться (*от друзе́й*) 4) *карт.* де́лать рено́нс

2. *n карт.* рено́нс

renouncement [rɪ'naʊnsmənt] *n* отрече́ние; отка́з

renovate ['renəʊveɪt] *v* 1) восстана́вливать, подновля́ть, ремонти́ровать 2) освежа́ть, обновля́ть; восстана́вливать (*си́лы*)

renovation [ˌrenəʊ'veɪʃn] *n* 1) восстановле́ние, ремо́нт 2) освеже́ние, обновле́ние

renovator ['renəʊveɪtə] *n* 1) восстанови́тель 2) реставра́тор

renown [rɪ'naʊn] *n* сла́ва, изве́стность; a man of ~ знамени́тый челове́к

renowned [rɪ'naʊnd] *a* изве́стный, знамени́тый, просла́вленный

rent I [rent] 1. *past и p. p. от* rend

2. *n* 1) дыра́, проре́ха; про́резь; щель 2) разры́в (*в облака́х*) 3) рассе́лина, тре́щина 4) про́йма 5) несогла́сие, разры́в

rent II [rent] 1. *n* 1) аре́ндная пла́та; кварти́рная пла́та 2) ре́нта; ground ~ земе́льная ре́нта; ~ in kind натура́льная ре́нта 3) *амер.* наём, прока́т; пла́та за прока́т; for ~ внаём; напрока́т

2. *v* 1) брать в аре́нду, нанима́ть 2) сдава́ть в аре́нду 3) сдава́ться в аре́нду; the house ~s at £800 a month дом сдаётся за 800 фу́нтов в ме́сяц 4) *амер.* дава́ть *или* брать напрока́т

rentable ['rentəbl] *a* 1) могу́щий быть сда́нным в аре́нду 2) могу́щий приноси́ть ре́нтный дохо́д

rental ['rentl] *n* 1) су́мма аре́ндной пла́ты; ре́нтный дохо́д 2) *амер.* арендо́ванное зда́ние *и т. п.*

rent-boy ['rentbɒɪ] *n* молодо́й мужчи́на, торгу́ющий свои́м те́лом

renter ['rentə] *n* съёмщик; аренда́тор

rent-free [ˌrent'fri:] 1. *a* освобождённый от аре́ндной *или* кварти́рной пла́ты

2. *adv* с освобожде́нием от аре́ндной *или* кварти́рной пла́ты

rentier ['rɒntɪeɪ] *фр. n* рантье́

rent-roll ['rentrəʊl] *n* 1) спи́сок земе́ль и дохо́дов от их аре́нды 2) дохо́д, получа́емый от сда́чи в аре́нду

renumber [ˌri:'nʌmbə] *n* перенумерова́ть

renunciation [rɪˌnʌnsɪ'eɪʃn] *n* отка́з (*от пра́ва и т. п.*); (само)отрече́ние

renunciative [rɪ'nʌnsɪətɪv] = renunciatory

renunciatory [rɪ'nʌnsɪətərɪ] *a* содержа́щий отка́з, усту́пку, отрече́ние

reopen [ri:'əʊpən] *v* 1) открыва́ть(ся) вновь 2) возобнови́ть, нача́ть сно́ва

reorganization [ri:ˌɔ:gənaɪ'zeɪʃn] *n* реорганиза́ция, преобразова́ние

reorganize [ri:'ɔ:gənaɪz] *v* реорганизо́вывать, преобразо́вывать; to ~ a ministry реорганизова́ть министе́рство

rep I [rep] *n* репс (*ткань*)

rep II [rep] *школ. жарг. сокр. от* repetition 2)

rep III [rep] *разг. см.* repertory theatre

rep IV [rep] *n разг.* коммивояжёр

rep V [rep] *n амер. sl.* репута́ция

repaid [ri:'peɪd] *past и p. p. от* repay

repair I [rɪ'peə] 1. *n* 1) (*ча́сто pl*) ремо́нт; почи́нка; under ~ в ремо́нте; ~s done while you wait ремо́нт в прису́тствии зака́зчика; closed during ~s закры́то на ремо́нт 2) восстановле́ние; ~ of one's health восстановле́ние здоро́вья, сил 3) го́дность; испра́вность; in good ~ в хоро́шем состоя́нии; in bad ~, out of ~ в неиспра́вном состоя́нии; to keep in ~ содержа́ть в испра́вности 4) *attr.* запа́сный, запасно́й; ~ parts запасны́е ча́сти 5) *attr.* ремо́нтный; ~ shop ремо́нтная мастерска́я

2. *v* 1) ремонти́ровать; чини́ть, исправля́ть; to ~ a house ремонти́ровать дом; to ~ clothes чини́ть бельё 2) восстана́вливать; to ~ one's health восстанови́ть своё здоро́вье 3) возмеща́ть 4) исправля́ть; to ~ an injustice испра́вить несправедли́вость

repair II [rɪ'peə] *v книжн.* 1) отправля́ться, направля́ться; they ~ed homewards они́ напра́вились домо́й 2) ча́сто посеща́ть, навеща́ть 3) прибега́ть (to — к *чему́-л.*)

repairable [rɪ'peərəbl] *a* поддаю́щийся ремо́нту; the house is not ~ дом уже́ нельзя́ отремонти́ровать

repairer [rɪ'peərə] *n* специали́ст по ремо́нту, ремо́нтник, ма́стер; watch ~ часово́й ма́стер, часовщи́к; cabinet ~ ма́стер по ремо́нту ме́бели

reparable ['repərəbl] *a* поправи́мый, восстанови́мый; a ~ mistake поправи́мая оши́бка

reparation [ˌrepə'reɪʃn] *n* 1) возмеще́ние, компенса́ция 2) (*обыкн. pl*) возмеще́ние, репара́ции 3) загла́живание (*вины́ и т. п.*)

repartee [ˌrepɑ:'ti:] *n* 1) остроу́мие, нахо́дчивость 2) остроу́мный отве́т

repast [rɪ'pɑ:st] *n книжн.* 1) тра́пеза; пи́ршество; обе́д, у́жин *и т. п.* 2) еда́, пи́ща, съестно́е

repat [rɪ'pæt] *n разг.* 1) репатриа́нт 2) репатриа́ция

repatriable [ri:'pætrɪəbl] *a* подлежа́щий репатриа́ции

repatriate [ˌri:'pætrɪeɪt] 1. *n* репатриа́нт

2. *v* возвраща́ть на ро́дину, репатрии́ровать

repatriation [ˌri:pætrɪ'eɪʃn] *n* возвраще́ние на ро́дину, репатриа́ция

repay [rɪ'peɪ] *v* (repaid) 1) отдава́ть долг (to) 2) возвраща́ть; to ~ a visit отда́ть визи́т 3) отпла́чивать; вознагражда́ть; возмеща́ть; воздава́ть; I don't know how to ~ you for your kindness не зна́ю, как отблагодари́ть вас за ва́шу доброту́ 4) плати́ть вто́рично

repayable [rɪ'peɪəbl] *a* подлежа́щий упла́те, возмеще́нию

repayment [rɪ'peɪmənt] *n* 1) опла́та,

выплата, погашение (*долга и т. п.*) 2) возмещение, вознаграждение

repeal [rɪ'pi:l] **1.** *n* аннулирование, отмена (*закона и т. п.*)

2. *v* аннулировать, отменять (*закон и т. п.*)

repeat [rɪ'pi:t] **1.** *n* 1) повторение; то, что повторяется 2) исполнение на бис 3) повторение радиопрограммы *или* телепередачи 4) *муз.* повторение; знак повторения 5) *амер. унив. жарг.* студент-второгодник

2. *v* 1) повторять 2) *refl.* повторяться; he does nothing but ~ himself он только повторяется; history ~s itself история повторяется 3) говорить наизусть; to ~ one's lesson отвечать урок 4) передавать, рассказывать; to ~ a secret рассказать (*кому-л.*) секрет 5) (неоднократно) повторяться; вновь встречаться 6) отрыгиваться (*о пище*); onions ~ лук вызывает отрыжку 7) *амер.* незаконно голосовать на выборах несколько раз

repeated [rɪ'pi:tɪd] **1.** *p. p. от* repeat 2

2. *a* повторный; частый; on ~ occasions неоднократно

repeatedly [rɪ'pi:tɪdlɪ] *adv* повторно, несколько раз, неоднократно

repeater [rɪ'pi:tə] *n* 1) *амер. разг.* студент-второгодник 2) рецидивист 3) магазинная винтовка 4) репетир; часы с репетиром 5) *радио* трансляционный усилитель 6) *мат.* периодическая дробь 7) *амер.* незаконно голосующий несколько раз на выборах

repeating rifle [rɪ'pi:tɪŋ,raɪfl] *n* магазинная винтовка

repeating watch [rɪ'pi:tɪŋ,wɒtʃ] *n* часы с репетиром

repel [rɪ'pel] *v* 1) отгонять; отталкивать, отбрасывать, отражать; to ~ an attack отразить нападение 2) отвергать, отклонять; to ~ an offer отклонить предложение; to ~ an accusation отвергнуть обвинение 3) вызывать отвращение, неприязнь 4) отталкивать; water and oil ~ each other вода не смешивается с маслом 5) *амер. спорт. жарг.* победить

repellent [rɪ'pelənt] **1.** *n* репеллент, средство, отпугивающее насекомых *и т. п.*

2. *a* 1) вызывающий отвращение, отталкивающий; возмутительный 2) водоотталкивающий, водонепроницаемый (*о материале*)

repent I ['ri:pənt] *a* 1) *бот.* ползучий 2) *зоол.* пресмыкающийся

repent II [rɪ'pent] *v* раскаиваться; сокрушаться; сожалеть; you shall ~ this (*или* of this) вы раскаетесь в этом, вы пожалеете об этом; he has nothing to ~ of ему не в чем раскаиваться

repentance [rɪ'pentəns] *n* покаяние; раскаяние, сожаление

repentant [rɪ'pentənt] *a* 1) кающийся, раскаивающийся 2) выражающий раскаяние; ~ tears слёзы раскаяния

repercussion [,ri:pə'kʌʃn] *n* 1) отдача (*после удара*) 2) (*обыкн. pl*) отражение, влияние, последствия (*события и т. п.*) 3) отзвук; эхо

repertoire ['repətwɑ:] *n* репертуар

repertory ['repətərɪ] *n* 1) = repertoire 2) = repertory theatre 3) склад, хранилище; a ~ of useful information запас полезных сведений

repertory theatre ['repətərɪ,θɪətə] *n* театр с постоянной труппой и определённым репертуаром

repetend ['repɪtend] *n* 1) *мат.* период (*периодической дроби*) 2) *муз.* рефрен

repetition [,repə'tɪʃn] *n* 1) повторение 2) повторение наизусть; заучивание наизусть 3) отрывок, заученный наизусть *или* для заучивания наизусть 4) копия

repetition work [,repə'tɪʃnwɜ:k] *n тех.* массовое производство; серийное производство; шаблонная работа

repetitious [,repə'tɪʃəs] *a* без конца повторяющийся, скучный

repetitive [rɪ'petətɪv] = repetitious

rephrase [,ri:'freɪz] *v* перефразировать

repine [rɪ'paɪn] *v* роптать, жаловаться (at, against)

replace [rɪ'pleɪs] *v* 1) ставить *или* класть обратно на место 2) вернуть; восстановить; to ~ money borrowed вернуть занятые деньги 3) заменять, замещать (by, with); impossible to ~ незаменимый

replaceable [rɪ'pleɪsəbl] *a* заменимый

replacement [rɪ'pleɪsmənt] *n* 1) замещение, замена 2) замена, подмена (*о людях*); заменитель 3) *воен.* пополнение в личном составе; возмещение войскам материальных средств 4) *геол.* замещение (*руды*)

replan [rɪ'plæn] *v* планировать заново; переработать прежний план

replant [,ri:'plɑ:nt] *v* 1) пересаживать (*растение*) 2) снова засаживать (*растениями*)

replay [,ri:'pleɪ] *v* переигрывать (*матч и т. п.*)

replenish [rɪ'plenɪʃ] *v* снова наполнять, пополнять (with)

replenishment [rɪ'plenɪʃmənt] *n* повторное наполнение, пополнение

replete [rɪ'pli:t] *a* 1) наполненный, насыщенный; переполненный (with); пресыщенный; to be ~ (with) изобиловать 2) хорошо обеспеченный *или* снабжённый (with — *чем-л.*)

repletion [rɪ'pli:ʃn] *n* пресыщение, переполнение

replica ['replɪkə] *n* 1) *жив.* реплика, точная копия; репродукция 2) *тех.* модель; копир

replicate ['replɪkeɪt] *v* 1) повторять (*опыт и т. п.*) 2) *жив.* повторять, делать реплику, копировать

replication [,replɪ'keɪʃn] *n* 1) ответ, возражение 2) *юр.* ответ истца на возражение по иску 3) копирование 4) *жив.* копия, репродукция

reply [rɪ'plaɪ] **1.** *n* ответ; in ~ в ответ; in ~ to your letter в ответ на ваше письмо; ~ paid с оплаченным ответом

2. *v* 1) отвечать 2) *юр.* отвечать на возражение по иску ▭ ~ **for** отвечать за кого-л., за что-л.; ~ **to** отвечать на что-либо

report [rɪ'pɔ:t] **1.** *n* 1) отчёт (on — о); сообщение; доклад 2) *воен.* донесение; рапорт 3) молва, слух; the ~ goes говорят; ходит слух 4) репутация, слава 5) табель успеваемости 6) звук взрыва, выстрела

2. *v* 1) сообщать; рассказывать, описывать; it is ~ed а) сообщается; б) говорят 2) делать официальное сообщение; докладывать; представлять отчёт; to ~ a bill докладывать законопроект в парламенте перед третьим чтением; the Commission ~s tomorrow комиссия делает доклад завтра 3) доносить; (*воен. тж.*) рапортовать 4) жаловаться на, выставлять обвинение 5) являться; докладывать о прибытии; to ~ oneself заявлять о своём прибытии (to); to ~ for work являться на работу; to ~ to the police регистрироваться в полиции 6) составлять, давать отчёт (*для прессы*) 7) передавать что-л., сказанное другим лицом 8) быть подотчётным (*кому-л.*), быть под чьим-л. началом (to) 9) отзываться, высказывать мнение; to ~ (badly) well давать (не)благоприятный отзыв (*о чём-л.*) ◇ to ~ progress а) сообщать о положении дел; б) *парл.* прекращать прения по законопроекту; в) откладывать (*что-л.*); to move to ~ progress *парл.* предложение о прекращении дебатов (*часто с целью обструкции*)

reportage [rɪ'pɔ:tɪdʒ] *n* 1) репортаж 2) репортёрский стиль

report card [rɪ,pɔ:t'kɑ:d] = report 1, 5)

report centre [rɪ,pɔ:t'sentə] *n воен.* пункт сбора донесений

reported [rɪ'pɔ:tɪd] **1.** *p. p. от* report 2

2. *a грам.*: ~ speech косвенная речь

reporter [rɪ'pɔ:tə] *n* 1) репортёр; корреспондент 2) докладчик

reportorial [,rɪpɔ:'tɔ:rɪəl] *a амер.* репортёрский

reposal [rɪ'pəʊzl] *n книжн.* упование; оказание (*доверия*)

repose I [rɪ'pəʊz] *v книжн.* полагаться (*на кого-л., что-л.*); to ~ trust in (*или* on) smb. доверяться кому-л., полагаться на кого-л.

repose II [rɪ'pəʊz] **1.** *n* 1) отдых, передышка 2) сон; покой 3) тишина, спокойствие

2. *v* 1) отдыхать, ложиться отдохнуть (*тж.* to ~ oneself) 2) давать отдых; класть; to ~ one's head on the pillow положить голову на подушку 3) лежать, покоиться (on — на) 4) основываться, держаться (on — на) 5) останавливаться, задерживаться (on — на *событиях прошлого и т. п.*); his mind ~d on the past его мысли задержались на прошлом

reposeful [rɪ'pəʊzfl] *a* 1) спокойный 2) успокоительный

repository [rɪ'pɒzɪtərɪ] *n* 1) хранилище; вместилище; склад 2) доверенное лицо 3) склеп

repossess [,ri:pə'zes] *v* 1) снова вступáть во владéние 2) восстанáвливать во владéнии 3) изымáть неплатёж (*вещь, взятую в кредит или напрокат*)

repot [ri:ˈpɒt] *v* пересади́ть (*растение в другой горшок*)

repoussé [rəˈpu:seɪ] **1.** *n* 1) барельéф на метáлле 2) штампóванное издéлие

2. *a* рельéфный

repp [rep] = rep I

reprehend [ˌreprɪˈhend] *v* дéлать вы́говор; порицáть

reprehensible [ˌreprɪˈhensəbl] *a* достóйный порицáния, предосуди́тельный

reprehension [ˌreprɪˈhenʃn] *n* порицáние, осуждéние

represent [ˌreprɪˈzent] *v* 1) изображáть; отражáть; представля́ть в определённом свéте (as) 2) представля́ть, олицетворя́ть 3) символизи́ровать; означáть 4) излагáть, формули́ровать; объясня́ть 5) исполня́ть (*роль*) 6) быть представи́телем, представля́ть (*какое-л. лицо или организацию*)

representation [ˌreprɪzenˈteɪʃn] *n* 1) представлéние, изображéние 2) изображéние; óбраз 3) (*часто pl*) утверждéние, заявлéние 4) представлéние, спектáкль 5) представи́тельство 6) протéст

representative [ˌreprɪˈzentətɪv] **1.** *n* 1) образéц, типи́чный представи́тель 2) представи́тель; делегáт; уполномóченный 3) торгóвый агéнт 4) (R.) *амер.* член палáты представи́телей; House of Representatives палáта представи́телей

2. *a* 1) характéрный, показáтельный 2) представля́ющий, изображáющий; символизи́рующий 3) *полит.* представи́тельный

repress [rɪˈpres] *v* 1) подавля́ть (*восстание и т. п.*) 2) сдéрживать (*слёзы и т. п.*) 3) репресси́ровать

represser [rɪˈpresə] *n* 1) угнетáтель, тирáн 2) усмири́тель

repression [rɪˈpreʃn] *n* 1) подавлéние 2) сдéрживание (*чувств, импульсов*) 3) репрéссия

repressive [rɪˈpresɪv] *a* репресси́вный

repressor [rɪˈpresə] = represser

reprieve [rɪˈpri:v] **1.** *n* 1) отсрóчка приведéния в исполнéние (смéртного) приговóра 2) передышка, врéменное облегчéние

2. *v* 1) отклáдывать приведéние в исполнéние (смéртного) приговóра 2) дать человéку переды́шку, достáвить врéменное облегчéние

reprimand [ˈreprɪma:nd] **1.** *n* вы́говор, замечáние

2. *v* дéлать *или* объявля́ть вы́говор

reprint [ˌri:ˈprɪnt] **1.** *n* 1) переиздáние; перепечáтка; нóвое неизменённое издáние 2) отдéльный óттиск (*статьи и т. п.*)

2. *v* выпускáть нóвое издáние, переиздавáть; перепечáтывать

reprisal [rɪˈpraɪzl] *n* 1) отвéтная мéра 2) (*обыкн. pl*) репрессáлия

reprise [rɪˈpri:z] *n муз.* репри́за

repro [ˈri:prəʊ] *n разг.* репродýкция

reproach [rɪˈprəʊtʃ] **1.** *n* 1) упрёк; попрёк; укóр; to heap ~es on засыпáть упрёками 2) позóр; срам; to bring ~ on позóрить

2. *v* упрекáть, укоря́ть, попрекáть, брани́ть (with)

reproachful [rɪˈprəʊtʃfl] *a* 1) укори́зненный 2) заслýживающий упрёков; позóрный, недостóйный, посты́дный

reproachfully [rɪˈprəʊtʃflɪ] *adv* укори́зненно

reprobate [ˈreprəʊbeɪt] **1.** *n* 1) распýтник 2) негодя́й, подлéц 3) *рел.* нечести́вец

2. *a* 1) безнрáвственный, распýтный 2) пóдлый, ни́зкий 3) *рел.* отвéрженный, коснéющий в грехé

3. *v* 1) порицáть, осуждáть, кори́ть 2) *рел.* лишáть спасéния; не принимáть в своё лóно

reprobation [ˌreprəʊˈbeɪʃn] *n* порицáние, осуждéние

reprocess [ˌri:ˈprəʊses] *v* подвéргнуть перерабóтке *или* повтóрной обрабóтке

reproduce [ˌri:prəˈdju:s] *v* 1) воспроизводи́ть; to ~ a play возобнови́ть постанóвку 2) производи́ть, порождáть; to ~ oneself размножáться 3) дéлать кóпию 4) восстанáвливать; lobsters are able to ~ claws when these are torn off у рáков вновь отрастáют отóрванные клешни́

reproducer [ˌri:prəˈdju:sə] *n* 1) воспроизводи́тель 2) репродýктор, громкоговори́тель 3) воспроизводя́щее устрóйство; colour ~ цветовоспроизводя́щее устрóйство

reproduction [ˌri:prəˈdʌkʃn] *n* 1) воспроизведéние, возобновлéние 2) воспроизведéние, размножéние 3) кóпия, репродýкция 4) *эк.* воспроизвóдство; simple ~ простóе воспроизвóдство

reproductive [ˌri:prəˈdʌktɪv] *a* воспроизводи́тельный; ~ organs *биол.* óрганы размножéния

reprogram [ri:ˈprəʊgræm] *v вчт.* перепрограмми́ровать

reproof I [rɪˈpru:f] *n* порицáние; вы́говор, укóр, упрёк; with ~ с укори́зной

reproof II [ˌri:ˈpru:f] *v* снóва пропи́тывать водоотталкивающим состáвом

reprove [rɪˈpru:v] *v* порицáть; дéлать вы́говор, кори́ть; брани́ть

reps [reps] = rep I

reptile [ˈreptaɪl] **1.** *n* 1) пресмыкáющееся 2) раболéпный, пóдлый человéк, подхали́м

2. *a* 1) пресмыкáющийся 2) пóдлый, продáжный; the ~ press продáжная прéсса

reptilian [repˈtɪlɪən] **1.** *n* репти́лия, пресмыкáющееся

2. *a* 1) относя́щийся к репти́лиям, подóбный репти́лиям 2) пóдлый, ни́зкий

republic [rɪˈpʌblɪk] *n* 1) респýблика; People's ~ нарóдная респýблика 2) грýппа людéй с óбщими интерéсами; the ~ of letters литератýрный мир

republican [rɪˈpʌblɪkən] **1.** *a* 1) республикáнский 2) (R.) *амер.* республикáнский, свя́занный с республикáнской пáртией

2. *n* 1) республикáнец 2) (R.) *амер.* член республикáнской пáртии

republicanism [rɪˈpʌblɪkənɪzəm] *n* 1) республикáнство, республикáнский дух 2) республикáнская систéма правлéния

republish [ri:ˈpʌblɪʃ] *v* переиздáть, опубликовáть вновь

repudiate [rɪˈpju:dɪeɪt] *v* 1) отрекáться от (*чего-л.*) 2) отвергáть, не признавáть (*теорию и т. п.*) 3) откáзываться признáть (*что-л.*) *или* подчини́ться (*чему-л.*) 4) откáзываться от уплáты дóлга, от обязáтельства 5) дать развóд женé; откáзываться от ребёнка

repudiation [rɪˌpju:dɪˈeɪʃn] *n* 1) отрицáние; отречéние (*от чего-л.*) 2) откáз признáть *или* подчини́ться 3) откáз от уплáты дóлга, от выполнéния обязáтельств; аннули́рование долгóв 4) развóд, даваéмый мýжем женé

repugnance, -cy [rɪˈpʌgnəns, -sɪ] *n* 1) отвращéние, антипáтия; нерасположéние (to, against) 2) противорéчие, несовмести́мость; непослéдовательность (between, of, to, with)

repugnant [rɪˈpʌgnənt] *a* 1) проти́вный, отврати́тельный, невыноси́мый (to) 2) несовмести́мый, противорéчащий (with, to)

repulse [rɪˈpʌls] **1.** *n* 1) отпóр, отражéние; to suffer a ~ терпéть поражéние 2) откáз

2. *v* 1) отражáть, отбивáть (*атаку*) 2) отвергáть, опровергáть (*обвинения*) 3) оттáлкивать; не принимáть; to ~ a request откáзывать в прóсьбе

repulsion [rɪˈpʌlʃn] *n* 1) отвращéние, антипáтия 2) *физ.* оттáлкивание

repulsive [rɪˈpʌlsɪv] *a* 1) оттáлкивающий, омерзи́тельный 2) отражáющий; отвергáющий 3) *физ.*: ~ force си́ла оттáлкивания

repurchase [ri:ˈpɜ:tʃəs] *v ком.* покупáть вновь (*ранее проданный товар*)

repurify [ri:ˈpjʊərɪfaɪ] *v* очищáть вновь

reputable [ˈrepjʊtəbl] *a* почтéнный, достóйный уважéния

reputation [ˌrepjʊˈteɪʃn] *n* репутáция; слáва, дóброе и́мя; to have a ~ for wit слáвиться остроýмием; a person of ~ почтéнный человéк; a person of no ~ тёмная ли́чность; a scientist of worldwide ~ извéстный всемý ми́ру учёный, учёный с мировы́м и́менем

repute [rɪˈpju:t] **1.** *n* óбщее мнéние, репутáция; authors of ~ извéстные, знамени́тые писáтели; bad ~ дурнáя слáва; a firm of ~ извéстная фи́рма

2. *v* (*обыкн. pass.*) считáть, полагáть

reputed [rɪˈpju:tɪd] **1.** *p. p. от* repute 2

2. *a* 1) имéющий хорóшую репутáцию; извéстный 2) считáющийся (*кем-л.*); предполагáемый; his ~ father егó предполагáемый отéц; человéк, котóрого считáют егó отцóм

reputedly [ˈrepjʊtədlɪ] *adv* по óбщему мнéнию

request [rɪˈkwest] **1.** *n* 1) прóсьба; трéбование; at (*или* by) ~ по прóсьбе; to make a ~ обратиться с просьбой [*ср. тж.* 2)] 2) запрос; заявка; to make a ~ сделать заявку [*ср. тж.* 1)] 3) *ком.* спрос; in great ~ в большом спросе, популярный

2. *v* 1) просить разрешения, позволения; просить (*о чём-л.*) 2) предлагать, предписывать; I must ~ you to obey orders предлагаю вам выполнить приказания; your presence is ~ed immediately вас просят немедленно явиться 3) запрашивать

request programme [rɪ'kwest,prəʊgræm] *n* программа, составленная по заявкам зрителей

request stop [rɪ'kweststɒp] *n* остановка по требованию (*автобусная*)

requiem ['rekwɪəm] *n* реквием

require [rɪ'kwaɪə] *v* 1) приказывать, требовать; you are ~d to go there вам приказано отправиться туда 2) нуждаться (*в чём-л.*); требовать (*чего-л.*); it ~s careful consideration это требует тщательного рассмотрения

required [rɪ'kwaɪəd] **1.** *p. p. от* require **2.** *a* необходимый; обязательный

requirement [rɪ'kwaɪəmənt] *n* 1) требование; необходимое условие; what are his ~s? каковы его условия? 2) нужда; потребность; to meet the ~s удовлетворять потребности

requisite ['rekwɪzɪt] **1.** *n* необходимая вещь, принадлежность, всё необходимое; the ~s for a long journey всё необходимое для длительного путешествия

2. *a* требуемый, необходимый; the number of votes ~ for election необходимое для избрания число голосов

requisition [,rekwɪ'zɪʃn] **1.** *n* 1) требование, заявка; спрос; to be in ~ пользоваться спросом 2) официальное предписание 3) требование, условие 4) реквизиция (*особ. для армии*); to put in ~, to bring (*или* to call) into ~ а) реквизировать; б) пускать в оборот, использовать 5) *attr.*: ~ forms бланки заявок

2. *v* реквизировать

requital [rɪ'kwaɪtl] *n* 1) воздаяние; вознаграждение; компенсация; in ~ for (*или* of) smth. в качестве вознаграждения за что-л. 2) возмездие

requite [rɪ'kwaɪt] *v* 1) отплачивать (for — за *что-л.*; with — *чем-л.*); вознаграждать; to ~ like for like ≅ платить той же монетой 2) мстить, отомстить

reread [ri:'ri:d] *v* (reread [ri:'red]) перечитывать

reredos ['rɪədɒs] *n архит.* экран (*за алтарём*)

reroute [rɪ'ru:t] *v* изменять маршрут

rerun ['ri:rʌn] *n* повторный показ (*кино- или телефильма*)

resale ['ri:seɪl] *n* перепродажа

resat [rɪ'sæt] *v past и p. p. от* resit 2

rescind [rɪ'sɪnd] *v* аннулировать, отменять (*закон, договор и т. п.*)

rescission [rɪ'sɪʒn] *n* аннулирование, отмена

rescript ['ri:skrɪpt] *n* рескрипт

rescue ['reskju:] **1.** *n* 1) спасение; освобождение, избавление; to come (*или* to go) to the ~ помогать, приходить на помощь 2) *attr.* спасательный; ~ party спасательная экспедиция

2. *v* 1) спасать; избавлять, освобождать; выручать 2) *юр.* незаконно освобождать (*арестованного*) 3) *юр.* отнимать силой (*своё имущество, находящееся под арестом*)

rescuer ['reskju:ə] *n* спаситель, избавитель

research [rɪ'sɜ:tʃ] **1.** *n* 1) (*часто pl*) (научное) исследование; изучение; изыскание; исследовательская работа; to be engaged in ~ заниматься научно-исследовательской работой; his ~es have been fruitful его изыскания были плодотворными 2) тщательные поиски (after, for) 3) *attr.* исследовательский; ~ work (научно-)исследовательская работа

2. *v* исследовать; заниматься исследованиями (into)

researcher [rɪ'sɜ:tʃə] *n* исследователь

reseat [ri:'si:t] *v* 1) посадить *или* сесть снова 2) сделать новое сиденье к стулу 3) поставить новые кресла, ряды (*в театре и т. п.*) 4) *тех.* пригонять, притирать

resect [rɪ'sekt] *v хир.* произвести резекцию

resection [ri:'sekʃn] *n* 1) *хир.* резекция 2) *топ.* обратная засечка

reseda ['resɪdə] *n* 1) резеда 2) бледно-зелёный цвет

resell [,ri:'sel] *v* (resold) перепродавать

resemblance [rɪ'zembləns] *n* сходство; to bear (*или* to show) ~ иметь сходство, быть похожим; to have a strong ~ to smb. быть очень похожим на кого-л.

resemble [rɪ'zembl] *v* походить, иметь сходство

resent [rɪ'zent] *v* негодовать, возмущаться; обижаться

resentful [rɪ'zentfl] *a* 1) обиженный; возмущённый 2) обидчивый; ~ person обидчивый человек

resentment [rɪ'zentmənt] *n* негодование, возмущение; чувство обиды; to have (*или* to bear) no ~ against smb. не чувствовать обиды на кого-л., не таить злобы против кого-л.

reserpine ['resəpi:n] *n* резерпин

reservation [,rezə'veɪʃn] *n* 1) оставление, сохранение, резервирование 2) предварительный заказ (*мест на пароходе, в гостинице и т. п.*); to make a ~ забронировать (*место*) 3) заранее заказанное место (*на пароходе, в гостинице и т. п.*) 4) оговорка; without ~ безоговорочно; with a mental ~ мысленно сделав оговорку, подумав про себя 5) резервация (*в США, Канаде, Австралии, Бразилии, ЮАР*) 6) заповедник (*в США и Канаде*) 7) *юр.* сохранение какого-л. права

reserve [rɪ'zɜ:v] **1.** *n* 1) запас, резерв; the gold ~ золотой запас; in ~ в запасе; to keep a ~ иметь запас 2) оговорка, условие, исключение, изъятие; ограничение; without ~ безоговорочно, полностью [*ср. тж.* 9)] 3) сдержанность; скрытность; осторожность 4) *фин.* резервный фонд 5) (*тж. pl*) *воен.* резерв; запас 6) *воен.* резервит 7) *спорт.* запасной игрок 8) заповедник 9) умолчание; without ~ откровенно, ничего не скрывая [*ср. тж.* 2)] 10) *attr.* запасный, запасной, резервный 11) *attr.*: ~ price резервированная цена; низшая отправная цена (*ниже которой продавец отказывается продать свой товар на аукционе*)

2. *v* 1) сберегать, приберегать; откладывать; запасать; to ~ oneself for беречь свои силы для *чего-л.* 2) резервировать, бронировать, заказывать заранее; to ~ a seat а) заранее взять *или* заказать билет; б) занять *или* оставить место 3) откладывать (*на будущее*), переносить (*на более отдалённое время*) 4) предназначать (for); a great future is ~d for you вас ожидает большое будущее 5) *юр.* сохранять за собой (*право владения или контроля*); оговаривать; to ~ the right оговаривать право; сохранять право

reserved [rɪ'zɜ:vd] **1.** *p. p. от* reserve 2 **2.** *a* 1) скрытный, сдержанный, замкнутый, необщительный; осторожный 2) заказанный заранее; ~ seat а) нумерованное место; б) плацкарта; в) заранее взятый билет в театр (*и т. п.*) 3) резервный, запасный, запасной; ~ list список офицеров запаса

reservedly [rɪ'zɜ:vɪdlɪ] *adv* осторожно, сдержанно

reservist [rɪ'zɜ:vɪst] *n воен.* резервист

reservoir ['rezəvwɑ:] *n* 1) бассейн; водохранилище; водоём 2) резервуар, баллон; the ~ of a fountain pen баллон авторучки 3) запас, источник (*знаний, энергии и т. п.*); хранилище, сокровищница; ~ of strength источник силы

reset [,ri:'set] *v* (reset) 1) вновь устанавливать 2) (вновь) вставлять в оправу 3) вправлять (*вывихнутую руку и т. п.*) 4) *полигр.* набирать заново

resettle [,ri:'setl] *v* переселять(ся) (*о беженцах, эмигрантах и т. п.*)

resettlement [,ri:'setlmənt] *n* переселение

reshape [,ri:'ʃeɪp] *v* 1) придавать новый вид *или* иную форму 2) приобретать новый вид *или* иную форму; меняться

reshuffle [,ri:'ʃʌfl] **1.** *v* 1) перетасовывать 2) переставлять; перегруппировывать

2. *n* 1) перетасовка 2) перестановка; перегруппировка; a cabinet ~ перестановка в кабинете министров

reside [rɪ'zaɪd] *v* 1) проживать, жить (*где-л.*); пребывать, находиться (in, at) 2) принадлежать (*о правах и т. п.*; in — *кому-л.*) 3) быть присущим, свойственным (in)

residence ['rezɪdəns] *n* 1) проживание; пребывание; ~ is required а) должностное лицо должно жить по месту службы; б) учащийся должен жить при учéбном заведéнии; in ~ а) проживáющий по мéсту слýжбы; б) проживáющий по мéсту учёбы 2) местожительство; местопребывáние; резидéнция; to take up one's ~ посели́ться; to have one's ~ проживáть 3) врéмя, длительность пребывáния

residency ['rezɪdənsɪ] = residence

resident ['rezɪdənt] 1. *n* 1) постоя́нный жи́тель, жилéц; постоя́лец 2) неперелётная пти́ца 3) лицó, проживáющее по мéсту слýжбы, *особ.* ординáтор, живýщий при клúнике 4) резидéнт

2. *a* 1) проживáющий; постоя́нно живýщий 2) живýщий при учреждéнии; ~ physician врач, живýщий при больни́це; the ~ population постоя́нное населéние 3) присýщий (in) 4) неперелётный (*о птице*)

residential [ˌrezɪ'denʃl] *a* 1) жилóй (*о районе города*) 2) свя́занный с мéстом жи́тельства; ~ qualification ценз осéдлости 3): ~ rental *амер.* квартúрная плáта

residentiary [ˌrezɪ'denʃərɪ] *a* 1) относя́щийся к мéсту жи́тельства; свя́занный с мéстом жи́тельства 2) *церк.* обя́занный проживáть в своём прихóде

residua [rɪ'zɪdjʊə] *pl от* residuum

residual [rɪ'zɪdjʊəl] 1. *n* 1) остáток, остáточный продýкт 2) *мат.* остáток, рáзность 3) остáточные явлéния (*после болезни*)

2. *a* 1) остáточный 2) *мат.* остáвшийся пóсле вычитáния 3) остáвшийся необъяснённым (*об ошибке в вычислении*)

residuary [rɪ'zɪdjʊərɪ] *a* остáвшийся; остаю́щийся; ~ legatee *юр.* наслéдник имýщества, остáвшегося пóсле уплáты долгóв и налóгов

residue ['rezɪdju:] *n* 1) остáток 2) *юр.* наслéдство, очи́щенное от долгóв и налóгов 3) *спец.* осáдок; отстóй; веществó, остáвшееся пóсле сгорáния *или* выпáривания

residuum [rɪ'zɪdjʊəm] (*pl* -dua) = residue

resign I [rɪ'zaɪn] *v* 1) откáзываться (*от должности*); слагáть (*с себя обязанности*); уходи́ть в отстáвку 2) уступáть, передавáть (*обязанности, права*; to — *кому-л.*) 3) откáзываться (*от мысли и т. п.*); to ~ all hope остáвить вся́кую надéжду 4): to ~ oneself подчиня́ться, покоря́ться (to — *чему-л.*), примиря́ться (to — с *чем-л.*); to ~ oneself to the inevitable подчини́ться неизбéжности

resign II [ˌri:'saɪn] *v* вновь подпи́сывать

resignation [ˌrezɪg'neɪʃn] *n* 1) откáз от (*или* ухóд с) дóлжности; отстáвка 2) заявлéние об отстáвке; to send in one's ~ подáть прошéние об отстáвке 3) покóрность, смирéние; with ~ покóрно

resigned I [rɪ'zaɪnd] 1. *p. p. от* resign I

2. *a* покóрный, безрóпотный; смири́вшийся

resigned II [ˌri:'saɪnd] *p. p. от* resign II

resilience, -cy [rɪ'zɪlɪəns, -sɪ] *n* 1) упрýгость, эласти́чность 2) спосóбность бы́стро восстанáвливать физи́ческие и душéвные си́лы 3) *тех.* упрýгая деформáция; удáрная вя́зкость

resilient [rɪ'zɪlɪənt] *a* 1) упрýгий, эласти́чный 2) жизнерáдостный, неунывáющий

resin ['rezɪn] 1. *n* смолá; канифóль; камéдь

2. *v* 1) смоли́ть 2) канифóлить (*смычок*)

resinous ['rezɪnəs] *a* смоли́стый

resist [rɪ'zɪst] *v* 1) сопротивля́ться; проти́виться; препя́тствовать 2) противостоя́ть; устоя́ть прóтив (*чего-л.*); не поддавáться; to ~ disease не поддавáться болéзни; glass that ~s heat жаропрóчное стеклó 3) (*часто с отрицанием*) воздéрживаться (*от чего-л.*); he can never ~ making a joke он не мóжет не пошути́ть 4) окáзывать сопротивлéние, отбивáть, отбрáсывать; the enemy was ~ed неприя́тель был отби́т

resistance [rɪ'zɪstəns] *n* 1) сопротивлéние; противодéйствие; to offer ~ окáзывать сопротивлéние; line of least ~ ли́ния наимéньшего сопротивлéния 2) *спец.* сопротивлéние; ~ to wear сопротивлéние изнóсу, прóчность на изнóс 3) сопротивля́емость (*организма*) 4) = resistor

resistance movement [rɪˌzɪstəns'mu:vmənt] *n* движéние Сопротивлéния

resistant [rɪ'zɪstənt] *a* сопротивля́ющийся; стóйкий, прóчный

resistible [rɪ'zɪstəbl] *a* отрази́мый

resistive [rɪ'zɪstɪv] *a* могýщий оказáть сопротивлéние

resistivity [ˌrɪzɪs'tɪvətɪ] *n эл.* удéльное сопротивлéние

resistless [rɪ'zɪstlɪs] *a уст.* 1) непреодоли́мый 2) неспосóбный сопротивля́ться

resistor [rɪ'zɪstə] *n эл.* рези́стор; катýшка сопротивлéния

resit [ˌri:'sɪt] 1. *n* переэкзаменóвка

2. *v* (resat) держáть переэкзаменóвку

resite [ˌri:'saɪt] *v* перемещáть; передислоци́ровать

resold [ˌri:'səʊld] *past и p. p. от* resell

resole ['ri:səʊl] *v* стáвить нóвые подмётки

resoluble [rɪ'zɒljʊbl] *a* разложи́мый (into — на); раствори́мый

resolute ['rezəlu:t] *a* твёрдый, реши́тельный, непоколеби́мый

resolution [ˌrezə'lu:ʃn] *n* 1) реши́тельность, реши́мость, твёрдость (*характера*) 2) решéние, резолю́ция; to pass (*или* to carry, to adopt) a ~ выноси́ть резолю́цию 3) разрешéние (*проблемы, конфликта и т. п.*) 4) разложéние на составны́е чáсти (into); анáлиз 5) растворéние 6) разбóрка, демонтáж 7) развя́зка (*в литературном произведении*) 8) *мед.* рассáсывание; прекращéние воспали́тельных явлéний 9) *муз.* разрешéние, перехóд в консонáнс 10) *прос.* замéна дóлгого слóга двумя́ корóткими

resolve [rɪ'zɒlv] 1. *n* 1) решéние, намéрение; to make good ~s быть пóлным дóбрых намéрений 2) *амер.* резолю́ция, решéние 3) реши́тельность, смéлость, реши́мость

2. *v* 1) решáть(ся); принимáть решéние; he ~d (up) on making an early start он реши́л рáно отпрáвиться в путь 2) вынуждáть, побуждáть; events ~d them to leave собы́тия вы́нудили их уéхать 3) решáть голосовáнием; выноси́ть резолю́цию 4) распадáться, разлагáть(ся) (into — на); растворя́ть(ся) 5): to ~ (itself) into smth. а) превращáться во что-л.; б) своди́ться к чемý-л.; the question ~s itself into this вопрóс свóдится к э́тому 6) разрешáть (*сомнения и т. п.*) 7) *муз.* разрешáть(ся) в консонáнс 8) *мед.* рассáсывать(ся)

resolved [rɪ'zɒlvd] 1. *p. p. от* resolve 2

2. *a* реши́тельный, твёрдый

resolvent [rɪ'zɒlvənt] *n* 1) *мед.* противовоспали́тельное срéдство 2) *хим.* раствори́тель

resonance ['reznəns] *n* резонáнс

resonant ['reznənt] *a* 1) раздаю́щийся, звучáщий; звýчный 2) резони́рующий (with); с хорóшим резонáнсом; a ~ hall зал с хорóшей акýстикой

resonate ['resəneɪt] *v* резони́ровать

resonator ['rezəneɪtə] *n* резонáтор

resorption [rɪ'zɔ:pʃn] *n* резóрпция, поглощéние

resort I [rɪ'zɔ:t] *v* пересорти́ровать

resort II [rɪ'zɔ:t] 1. *n* 1) (чáсто) посещáемое мéсто; излю́бленное мéсто; курóрт (*тж.* health ~); summer ~ дáчное мéсто 2) прибéжище; утешéние; надéжда; спаси́тельное срéдство; as a last ~, in the last ~ в крáйнем слýчае; как послéднее срéдство 3) обращéние (*за помощью*; to — к); without ~ to force не прибегáя к наси́лию

2. *v* 1) прибегáть (*к чему-л.*), обращáться за пóмощью (to); to ~ to force (*или* to compulsion) прибéгнуть к наси́лию, принуждéнию 2) (чáсто) посещáть

resound [rɪ'zaʊnd] *v* 1) звучáть, раздавáться; оглашáть(ся) (with) 2) повторя́ть, отражáть (*звук*); отдавáться э́хом 3) гремéть; производи́ть сенсáцию 4) прославля́ть; to ~ smb.'s praises петь хвалý комý-л.

resource [rɪ'zɔ:s] *n* 1) (*обыкн. pl*) возмóжность, спóсоб, срéдство; to be at the end of one's ~s исчерпáть все возмóжности 2) (*обыкн. pl*) ресýрсы, срéдства, запáсы; natural ~s прирóдные богáтства 3) спóсоб времяпрепровождéния; развлечéние; reading is a great ~ in illness чтéние — хорóшее заня́тие во врéмя болéзни 4) находчивость, изобретáтельность; full of ~ изобретáтельный

resourceful [rɪ'zɔ:sfl] *a* нахóдчивый, изобретáтельный

resourcefulness [rɪ'zɔ:sflnəs] *n* нахóдчивость, изобретáтельность

respect [rɪ'spekt] 1. *n* 1) уважéние; to hold in ~, to pay ~ to уважáть [*ср. тж.* 2)]; to be held in ~ пóльзоваться уважéнием; to have ~ for one's promise держáть слóво; with (all due) ~ при всём моём уважéнии 2) отношéние, касáтельство; внимáние; to have ~ to а) касáться; б) принимáть во внимáние; to pay ~ to учи́тывать, принимáть во внимáние [*ср. тж.* 1)]; without ~ to безотноси́тельно, не принимáя во внимáние; in ~ of (*или* to), with ~ to что касáется; in all ~s во всех отношéниях; in ~ that учи́тывая, принимáя во внимáние 3) *pl* почтéние; my best ~s to him передáйте емý мой привéт; to pay one's ~s засвидéтельствовать своё почтéние <> ~ of persons лицеприя́тие; without ~ of persons невзирáя на ли́ца; to pay one's last ~s отдáть послéдний долг умéршему

2. *v* 1) уважáть; почитáть 2) соблюдáть, не нарушáть; to ~ the law уважáть закóн

respectability [rɪˌspektəˈbɪlətɪ] *n* 1) почтéнность, респектáбельность 2) *pl* свéтские прили́чия

respectable [rɪˈspektəbl] *a* 1) почтéнный, представи́тельный; респектáбельный 2) заслýживающий уважéния, достóйный 3) прили́чный, приéмлемый, снóсный 4) поря́дочный, значи́тельный (*о количестве и т. п.*)

respecter [rɪˈspektə] *n* уважáющий други́х, почти́тельный человéк <> he is no ~ of persons он беспристрáстный человéк; он не смóтрит на чины́ и звáния

respectful [rɪˈspektfl] *a* почти́тельный; вéжливый; at a ~ distance на почти́тельном расстоя́нии

respectfully [rɪˈspektflɪ] *adv* почти́тельно; yours ~ с уважéнием (*в письмах перед подписью*)

respectfulness [rɪˈspektflnəs] *n* почти́тельность

respecting [rɪˈspektɪŋ] 1. *pres. p. от* respect 2

2. *prep* относи́тельно

respective [rɪˈspektɪv] *a* соответствéнный; in their ~ places кáждый на своём мéсте

respectively [rɪˈspektɪvlɪ] *adv* соответствéнно; в укáзанном поря́дке

respiration [ˌrespəˈreɪʃn] *n* 1) дыхáние 2) вдох и вы́дох

respirator [ˈrespəreɪtə] *n* 1) респирáтор; противогáз 2) *мед.* аппарáт искýсственного дыхáния

respiratory [rɪˈspɪrətərɪ] *a* респирáторный, дыхáтельный

respire [rɪˈspaɪə] *v* 1) дышáть 2) отдышáться, перевести́ дыхáние 3) вздохнýть с облегчéнием; воспря́нуть дýхом

respite [ˈrespaɪt] 1. *n* 1) передь́шка 2) отсрóчка (*платежа, наказания, исполнения приговора и т. п.*)

2. *v* 1) дать отсрóчку; to ~ a condemned man отложи́ть казнь 2) достáвить врéменное облегчéние

resplendence, -cy [rɪˈsplendəns, -sɪ] *n* блеск, великолéпие

resplendent [rɪˈsplendənt] *a* 1) блестя́щий, сверкáющий 2) блистáтельный, великолéпный

respond [rɪˈspɒnd] *v* 1) отвечáть; 2) дéлать в отвéт, отвечáть; to ~ with a blow нанести́ отвéтный удáр 3) реаги́ровать, отзывáться (to); to ~ to kindness отзывáться на добротý; to ~ to treatment поддавáться лечéнию

respondent [rɪˈspɒndənt] 1. *a* 1) отвечáющий; реаги́рующий 2) отзы́вчивый 3) *юр.* выступáющий в кáчестве отвéтчика

2. *n юр.* отвéтчик

response [rɪˈspɒns] *n* 1) отвéт; in ~ to в отвéт на 2) отвéтное чýвство; óтклик, реáкция 3) *pl церк.* отвéтствия

responsibility [rɪˌspɒnsəˈbɪlətɪ] *n* 1) отвéтственность; a position of ~ отвéтственное положéние; on one's own ~ а) на свою́ отвéтственность; to take (*или* to assume) the ~ взять на себя́ отвéтственность; б) по сóбственной инициати́ве 2) обя́занность; обязáтельство 3) *амер.* платёжеспосóбность

responsible [rɪˈspɒnsəbl] *a* 1) отвéтственный, несýщий отвéтственность (to — пéред *кем-л.*); to be ~ for smth. а) быть отвéтственным за что-л.; б) быть инициáтором, áвтором чегó-л.; they are ~ for increased output благодаря́ им был увели́чен вы́пуск продýкции; в) быть причи́ной чегó-л.; a short circuit was ~ for the fire корóткое замыкáние стáло причи́ной пожáра 2) надёжный, достóйный довéрия 3) отвéтственный; вáжный; a ~ post отвéтственный пост 4) *амер.* платёжеспосóбный

responsive [rɪˈspɒnsɪv] *a* 1) легкó реаги́рующий; отзы́вчивый, чýткий 2) отвéтный

responsory [rɪˈspɒnsərɪ] *n церк.* респонсóрий (*песнопение*)

rest I [rest] 1. *n* 1) покóй; óтдых; сон; at ~ а) в состоя́нии покóя; б) неподви́жный; в) мёртвый; to go (*или* to retire) to ~ ложи́ться отдыхáть, спать; to take a ~ отдыхáть, спать; without ~ без óтдыха, без передь́шки; to set smb.'s mind at ~ успокáивать когó-л.; to set a question at ~ улáживать вопрóс; day of ~ день óтдыха, выходнóй день 2) вéчный покóй, смерть; he has gone to his ~ он ýмер; to lay to ~ хорони́ть 3) переры́в, пáуза; передь́шка 4) неподви́жность; to bring to ~ остана́вливать (*экипаж и т. п.*) 5) опóра; подстáвка, подпóрка; упóр; стóйка 6) *муз.* пáуза 7) мéсто, бáза óтдыха (*и т. п.*) 8) *прос.* цезýра 9) *тех.* сýппорт

2. *v* 1) отдыхáть; покóиться, лежáть; to ~ from one's labours отдыхáть от трудóв; never let your enemy ~ не давáйте покóя врагý 2) давáть óтдых, покóй; ~ your men for an hour дáйте лю́дям передохнýть часóк 3) оставáться спокóйным, не волновáться 4) держáть(ся), оснóвывать(ся), лежáть на; опирáться (on, upon, against); the argument ~s on rather a weak evidence дóвод довóльно слáбо обоснóван 5) класть, прислоня́ть; to ~ one's elbow on the table опирáться лóктем о стол 6) покóиться (*о взгляде*); останáвливаться, быть прикóванным (*о внимании, мыслях*; on, upon) 7) оставáться без изменéний; let the matter ~ не бýдем э́то трóгать, остáвим так, как есть; the matter cannot ~ here дéло должнó быть продóлжено 8) возлагáть (*ответственность и т. п. на кого-л.*) 9) *с.-х.* оставáться, находи́ться под пáром

rest II [rest] 1. *n* 1) (the ~) остáток; остальнóе; остальны́е, други́е; the ~ of us остальны́е; the ~ (*или* all the ~) of it и всё другóе, остальнóе, и прóчее; for the ~ что до остальнóго, что же касáется остальнóго 2) *фин.* резéрвный фонд

2. *v* 1) оставáться; this ~s a mystery э́то остаётся тáйной; you may ~ assured мóжете быть увéрены 2) быть возлóженным, лежáть (*об ответственности, вине и т. п.*); the blame ~s with them винá лежи́т на них; it ~s with you to decide за вáми прáво решéния; the next move ~s with you слéдующий шаг за вáми

restart [ˌriːˈstɑːt] *n спец.* повтóрный пуск, зáпуск *или* старт

restate [ˌriːˈsteɪt] *v* внóвь заяви́ть; формули́ровать инáче, *особ.* бóлее чётко

restaurant [ˈrestərɒnt] *n* ресторáн

restaurateur [ˌrestərəˈtɜː] *n* владéлец ресторáна

rest-cure [ˈrestkjʊə] *n* лечéние покóем

rest-day [ˈrestdeɪ] *n* день óтдыха

rested I [ˈrestɪd] 1. *p. p. от* rest I, 2

2. *a* отдохнýвший; to feel thoroughly ~ отли́чно отдохнýть

rested II [ˈrestɪd] *p. p. от* rest II, 2

restful [ˈrestfl] *a* 1) успокои́тельный; успокáивающий 2) спокóйный, ти́хий; a ~ life спокóйная жизнь

rest-harrow [ˈrestˌhærəʊ] *n бот.* стáльник

rest home [ˈresthəʊm] *n* 1) дом призрéния для престарéлых и инвали́дов 2) санатóрий для выздорáвливающих

rest-house [ˈresthaʊs] *n* гости́ница для путешéственников

resting-place [ˈrestɪŋpleɪs] *n* 1) мéсто óтдыха; one's last ~ моги́ла 2) лéстничная площáдка

restitution [ˌrestɪˈtjuːʃn] *n* 1) возвращéние (*утраченного*); восстановлéние 2) возмещéние убы́тков; реститýция; to make ~ возмести́ть убы́тки 3) *юр.* реститýция, восстановлéние первоначáльного правовóго положéния 4) *физ.* восстановлéние состоя́ния

restive [ˈrestɪv] *a* 1) беспокóйный 2) норови́стый (*о лошади*) 3) своенрáвный, упря́мый (*о человеке*)

restless [ˈrestləs] *a* 1) беспокóйный, неугомóнный 2) неспокóйный; тревóжный; ~ night бессóнная ночь

restlessness [ˈrestləsnəs] *n* неугомóнность; нетерпели́вость

restock [ˌriːˈstɒk] *v* пополня́ть запáсы

restoration [ˌrestəˈreɪʃn] *n* 1) восстановлéние; реконстрýкция 2) реставрáция; the R. *ист.* Реставрáция (*в 1660 г. в Англии*) 3) реставри́рованный объéкт *или* предмéт

restorative [rɪ'stɒrətɪv] **1.** *a* укрепля́ющий, тонизи́рующий

2. *n мед.* 1) укрепля́ющее, тонизи́рующее сре́дство 2) сре́дство для приведе́ния в созна́ние

restore [rɪ'stɔ:] *v* 1) восстана́вливать(ся) 2) реставри́ровать (*картину и т. п.*) 3) реконструи́ровать 4) восстана́вливать здоро́вье, подкрепля́ть си́лы; I feel completely ~d я чу́вствую себя́ соверше́нно здоро́вым 5) возрожда́ть (*обычаи, традиции и т. п.*) 6) возвраща́ть (на пре́жнее ме́сто); отдава́ть обра́тно; возмеща́ть

restorer [rɪ'stɔ:rə] *n* 1) реставра́тор 2) восстанови́тель; hair ~ сре́дство для раще́ния воло́с

restrain [rɪ'streɪn] *v* 1) сде́рживать, держа́ть в грани́цах; обу́здывать; уде́рживать (from); to ~ one's temper подавля́ть своё раздраже́ние; сде́рживаться 2) ограни́чивать 3) подверга́ть заключе́нию; заде́рживать; изоли́ровать; mad people have to be ~ed сумасше́дших прихо́дится изоли́ровать

restrained [rɪ'streɪnd] **1.** *p. p. от* restrain

2. *a* 1) сде́ржанный, уме́ренный 2) ограни́ченный

restraint [rɪ'streɪnt] *n* 1) сде́ржанность, самооблада́ние 2) ограниче́ние; стесне́ние; обузда́ние, сде́рживающее нача́ло *или* влия́ние; the ~s of poverty тиски́ нужды́; without ~ а) свобо́дно; б) без у́держу 3) стро́гость (*литературного стиля*) 4) ме́ра пресече́ния; заключе́ние (*в тюрьму, сумасшедший дом и т. п.*)

restrict [rɪ'strɪkt] *v* ограни́чивать; ста́вить преде́л; to ~ to a diet посади́ть на дие́ту

restricted [rɪ'strɪktɪd] **1.** *p. p. от* restrict

2. *a* у́зкий, ограни́ченный; a ~ application у́зкое примене́ние; ~ (publication) (изда́ние) для служе́бного по́льзования; ~ hotel гости́ница для ограни́ченного кру́га лиц; ~ area а) *авто* уча́сток пони́женной ско́рости движе́ния; б) запре́тная зо́на

restriction [rɪ'strɪkʃn] *n* ограниче́ние; without ~ без ограниче́ния; to impose ~s вводи́ть ограниче́ния; to lift ~s снима́ть ограниче́ния

restrictive [rɪ'strɪktɪv] *a* 1) ограничи́тельный 2) сде́рживающий

rest room ['restru:m] *n* 1) ко́мната о́тдыха, помеще́ние для о́тдыха 2) *амер.* убо́рная, туале́т (*в театре и т. п.*)

restructure [ri:'strʌktʃə] *v* реорганизо́вывать

result [rɪ'zʌlt] **1.** *n* 1) результа́т, исхо́д; сле́дствие; without ~ безрезульта́тно; as a ~ of в результа́те 2) результа́т вычисле́ния, ито́г

2. *v* 1) сле́довать, происходи́ть в результа́те, проистека́ть (from); nothing has ~ed from my efforts из мои́х уси́лий ничего́ не вы́шло 2) конча́ться, име́ть результа́том (in)

resultant [rɪ'zʌltənt] **1.** *a* 1) получа́ющийся в результа́те; проистека́ющий 2) *физ.* равноде́йствующий

2. *n физ.* равноде́йствующая (*тж.* ~ force)

resume [rɪ'zju:m] *v* 1) возобновля́ть, продолжа́ть (*после перерыва*); to ~ a story продолжа́ть пре́рванный расска́з; well, to ~ ита́к, продо́лжим 2) получа́ть, брать обра́тно; to ~ one's health попра́виться 3) *уст.* подводи́ть ито́г, резюми́ровать

résumé ['rezjʊmeɪ] *n* 1) резюме́; сво́дка; конспе́кт 2) *амер.* кра́ткая автобиогра́фия (*поступающего на работу и т. п.*)

resumption [rɪ'zʌmpʃn] *n* 1) возобновле́ние; продолже́ние (*после перерыва*) 2) возвраще́ние; получе́ние обра́тно

resumptive [rɪ'zʌmptɪv] *a* сумми́рующий, обобща́ющий

resurface [,ri:'sɜ:fɪs] *v* 1) перекла́дывать покры́тие доро́ги; вновь заасфальти́ровать 2) всплыва́ть на пове́рхность (*о подводной лодке*)

resurgence [rɪ'sɜ:dʒəns] *n* 1) возрожде́ние (*надежд и т. п.*) 2) восстановле́ние (*сил*)

resurgent [rɪ'sɜ:dʒənt] *a* 1) возрожда́ющийся (*о надеждах и т. п.*) 2) оправля́ющийся (*после поражения*); ожива́ющий 3) восста́вший

resurrect [,rezə'rekt] *v* 1) *разг.* воскреша́ть (*старый обычай, память о чём-л.*) 2) выка́пывать (*тело из могилы*) 3) воскреса́ть

resurrection [,rezə'rekʃn] *n* 1) воскресе́ние (*из мёртвых*); the R. *рел.* а) воскресе́ние Христа́; б) воскреше́ние мёртвых (*к судному дню*) 2) выка́пывание тру́пов 3) воскреше́ние (*обычая и т. п.*); восстановле́ние 4) *attr.*: ~ man = resurrectionist

resurrectionist [,rezə'rekʃnɪst] *n* похити́тель тру́пов

resuscitate [rɪ'sʌsɪteɪt] *v* 1) воскреша́ть, оживля́ть; приводи́ть в созна́ние 2) воскреса́ть, ожива́ть; приходи́ть в созна́ние

ret [ret] *v* мочи́ть (*лён, коноплю и т. п.*)

retail 1. *n* ['ri:teɪl] 1) ро́зничная прода́жа; at ~ в ро́зницу 2) *attr.* ро́зничный; ~ price ро́зничная цена́; ~ dealer ро́зничный торго́вец

2. *v* 1) ['ri:teɪl] продава́ть(ся) в ро́зницу 2) [rɪ'teɪl] распространя́ть, переска́зывать (*новости*); to ~ gossip передава́ть спле́тни

3. *adv* ['ri:teɪl] в ро́зницу

retailer *n* 1) ['ri:teɪlə] ро́зничный торго́вец, ла́вочник 2) [rɪ'teɪlə] спле́тник; болту́н

retain [rɪ'teɪn] *v* 1) уде́рживать; подде́рживать 2) сохраня́ть 3) по́мнить 4) приглаша́ть, нанима́ть (*особ. адвоката с предварительной оплатой услуг*)

retainer [rɪ'teɪnə] *n* 1) = retaining fee 2) *ист.* васса́л 3) слуга́

retaining fee [rɪ,teɪnɪŋ'fi:] *n* предвари́тельный гонора́р адвока́ту

retaining wall [rɪ,teɪnɪŋ'wɔ:l] *n стр.* подпо́рная сте́нка

retake ['ri:teɪk] *n* 1) пересъёмка 2) пересня́тый кадр

retaliate [rɪ'tælɪeɪt] *v* 1) отпла́чивать, отвеча́ть тем же са́мым; мстить 2) предъявля́ть встре́чное обвине́ние (upon — *кому-л.*) 3) применя́ть репресса́лии

retaliation [rɪ,tælɪ'eɪʃn] *n* 1) отпла́та, воздая́ние, возме́здие 2) репресса́лия

retaliatory [rɪ'tælɪətərɪ] *a* 1) отве́тный 2) репресси́вный; ~ tariff кара́тельный тари́ф

retard [rɪ'tɑ:d] *v* 1) заде́рживать, замедля́ть; тормози́ть (*развитие и т. п.*) 2) запа́здывать; отстава́ть

retardate [rɪ'tɑ:deɪt] *амер.* = retarded

retardation [,ri:tɑ:'deɪʃn] *n* 1) замедле́ние, заде́ржка, заде́рживание 2) поме́ха; препя́тствие 3) *мед.* ретарда́ция

retarded [rɪ'tɑ:dɪd] *a* у́мственно отста́лый

retardment [rɪ'tɑ:dmənt] = retardation

retch [retʃ] **1.** *n* рво́та, позы́вы на рво́ту

2. *v* рыга́ть; ту́житься (*при рвоте*)

retell [,ri:'tel] *v* (retold) пересказа́ть

retention [rɪ'tenʃn] *n* 1) уде́рживание, удержа́ние; сохране́ние 2) спосо́бность запомина́ния, па́мять 3) *мед.* задержа́ние, заде́ржка

retentive [rɪ'tentɪv] *a* 1) уде́рживающий, сохраня́ющий; ~ of хорошо́ заде́рживающий (*влагу и т. п.*) 2) хоро́ший (*о памяти*) 3) облада́ющий хоро́шей па́мятью

rethink [,ri:'θɪŋk] *v* (rethought) проду́мать за́ново; пересмотре́ть (*свою позицию и т. п.*), переду́мать

rethought [,ri:'θɔ:t] *past и p. p. от* rethink

reticence ['retɪsəns] *n* 1) скры́тность, молчали́вость 2) сде́ржанность 3) ума́лчивание

reticent ['retɪsənt] *a* 1) скры́тный 2) сде́ржанный 3) ума́лчивающий (*о чём-л.*)

reticle ['retɪkl] *n* се́тка, перекре́стье, крест визи́рных ни́тей (*оптического прибора*)

reticulate 1. *a* [rɪ'tɪkjʊlət] се́тчатый

2. *v* [rɪ'tɪkjʊleɪt] покрыва́ть се́тчатым узо́ром; образо́вывать се́тчатый узо́р

reticulated [rɪ'tɪkjʊleɪtɪd] **1.** *p. p. от* reticulate 2

2. *a* се́тчатый

reticulation [rɪ,tɪkjʊ'leɪʃn] *n* се́тчатый узо́р; се́тчатое строе́ние

reticule ['retɪkju:l] *n* 1) = reticle 2) *ист.* вя́заная су́мочка, ридикю́ль

retina ['retɪnə] *n* (*pl* -s [-z], -ae) *анат.* сетча́тка, се́тчатая оболо́чка (*глаза*)

retinae ['retɪni:] *pl от* retina

retinue ['retɪnju:] *n* сви́та

retire [rɪ'taɪə] **1.** *v* 1) оставля́ть (*должность*); уходи́ть в отста́вку, увольня́ть(ся) 2) удаля́ться, уходи́ть; to ~ from the world уйти́ от ми́ра 3) уедин́яться; to ~ into oneself уходи́ть в себя́ 4) ложи́ться спать, отходи́ть ко сну (*тж.* ~ to bed, for the night) 5) *воен.* отступа́ть; дать прика́з об отступле́нии 6) *эк.* изыма́ть из обраще́ния

2. *n воен.* прика́з об отступле́нии; сигна́л отхо́да; отбо́й

retired [rɪ'taɪəd] **1.** *p. p. от* retire 1

2. *a* 1) удали́вшийся от дел; отставно́й, в отста́вке; ушéдший на пе́нсию 2): ~ list спи́сок офице́ров, находя́щихся в отста́вке; ~ pay пе́нсия офице́рам, находя́щимся в отста́вке 3) уединённый; скры́тый 4) за́мкнутый, скры́тный

retiree [rɪ,taɪə'ri:] *n* отставни́к, офице́р в отста́вке

retirement [rɪ'taɪəmənt] *n* 1) отста́вка 2) вы́ход в отста́вку *или* на пе́нсию 3) уедине́ние; уединённая жизнь 4) *воен.* отступле́ние, отхо́д 5) *attr.*: ~ age пенсио́нный во́зраст

retiring [rɪ'taɪərɪŋ] **1.** *pres. p. от* retire 1

2. *a* 1) скро́мный, засте́нчивый 2) скло́нный к уедине́нию

retiring-room [rɪ'taɪərɪŋru:m] *n* убо́рная

retold [,ri:'təʊld] *past и p. p. от* retell

retool [,ri:'tu:l] *v* переобору́довать; оснаща́ть но́вой те́хникой

retort I [rɪ'tɔ:t] **1.** *n* 1) возраже́ние; ре́зкий отве́т; in ~ в отве́т [*см. тж.* ◇] 2) остроу́мная ре́плика, нахо́дчивый отве́т ◇ in ~ в отме́стку [*см. тж.* 1)]

2. *v* 1) ре́зко возража́ть; пари́ровать (*колкость*) 2) отвеча́ть на оскорбле́ние *или* оби́ду тем же; бить проти́вника его́ же ору́жием (*часто* against)

retort II [rɪ'tɔ:t] *хим.* **1.** *n* рето́рта

2. *v* перегоня́ть

retortion [rɪ'tɔ:ʃn] *n* 1) загиба́ние наза́д 2) *дип.* рето́рсия

retouch 1. *n* ['ri:tʌtʃ] ре́тушь; ретуши́рование

2. *v* [,ri:'tʌtʃ] 1) ретуши́ровать 2) де́лать popра́вки (*в картине, стихах и т. п.*) 3) подкра́шивать (*волосы, ресницы*)

retoucher ['ri:tʌtʃə] *n* ретушёр

retrace [rɪ'treɪs] *v* 1) возвраща́ться (по про́йденному пути́), to ~ one's steps верну́ться 2) восстана́вливать в па́мяти 3) проследи́ть (*процесс в развитии*)

retract [rɪ'trækt] *v* 1) брать наза́д (*слова и т. п.*), отрека́ться, отка́зываться (*от чего-л.*); отменя́ть 2) втя́гивать(ся); the cat ~s its claws ко́шка пря́чет ко́гти 3) *ав.* убира́ть шасси́

retractation [,ri:træk'teɪʃn] *n* отрече́ние, отка́з (*от своих слов и т. п.*)

retractile [rɪ'træktaɪl] *a* спосо́бный сокраща́ться, втя́гиваться, сократи́мый, втяжно́й

retractility [,ri:træk'tɪlətɪ] *n* спосо́бность сокраща́ться, втя́гиваться

retraction [rɪ'trækʃn] *n* 1) втя́гивание 2) стя́гивание, сокраще́ние 3) = retractation

retractive [rɪ'træktɪv] *a* 1) *анат.* сократи́тельный 2) втяжно́й

retractor [rɪ'træktə] *n анат.* сократи́тельная мы́шца

retraining [,ri:'treɪnɪŋ] *n* переподгото́вка

retranslate [,ri:træns'leɪt] *v* 1) вновь перевести́ 2) сде́лать обра́тный перево́д

retransmit [,ri:trænz'mɪt] *v радио* ретрансли́ровать

retread *авто* **1.** *n* ['ri:tred] но́вая покры́шка; но́вый проте́ктор

2. *v* [,ri:'tred] (retrod; retrodden) смени́ть покры́шку; возобновля́ть проте́ктор

retreat [rɪ'tri:t] **1.** *n* 1) отступле́ние; to intercept the ~ (of) отре́зать путь к отступле́нию; to make good one's ~ благополу́чно отступи́ть; *перен.* уда́чно отде́латься 2) *воен.* сигна́л к отступле́нию, отбо́й; to sound the ~ труби́ть отступле́ние, отбо́й; to beat a ~ бить отбо́й; *перен.* идти́ на попя́тный 3) уедине́ние 4) убе́жище; прию́т, приста́нище 5) *воен.* вече́рняя заря́; спуск фла́га 6) психиатри́ческая больни́ца; лече́бница для наркома́нов, алкого́ликов *и т. п.* 7) *горн.* отступа́ющая вы́емка

2. *v* 1) уходи́ть, отходи́ть; отступа́ть 2) удаля́ться 3) отбро́сить наза́д

retreating [rɪ'tri:tɪŋ] **1.** *pres. p. от* retreat 2

2. *a*: ~ chin сре́занный подборо́док; ~ forehead пока́тый лоб

retrench [rɪ'trentʃ] *v* сокраща́ть, уре́зывать (*расходы*); эконо́мить

retrenchment [rɪ'trentʃmənt] *n* 1) сокраще́ние (*расходов и т. п.*); эконо́мия 2) *воен. ист.* ретранше́мент

retrial [,ri:'traɪəl] *n* 1) *юр.* пересмо́тр суде́бного де́ла; повто́рное слу́шание де́ла 2) повто́рный экспериме́нт, но́вая про́ба

retribution [,retrɪ'bju:ʃn] *n* возме́здие, воздая́ние, ка́ра

retributive [rɪ'trɪbjʊtɪv] *a* кара́тельный, кара́ющий

retrievable [rɪ'tri:vəbl] *a* восстанови́мый; попра́вимый

retrieval [rɪ'tri:vl] *n* 1) возвраще́ние 2) исправле́ние

retrieve [rɪ'tri:v] **1.** *v* 1) (сно́ва) найти́; обрести́; верну́ть себе́; взять обра́тно 2) восстана́вливать в па́мяти 3) находи́ть и подава́ть (*дичь — о собаке*) 4) восстана́вливать; возвраща́ть в пре́жнее состоя́ние 5) исправля́ть (*ошибку*); загла́живать (*вину*) 6) реабилити́ровать, восстана́вливать; to ~ one's character восстанови́ть свою́ репута́цию 7) спаса́ть (*положение и т. п.*)

2. *n*: beyond (*или* past) ~ безвозвра́тно, непоправи́мо

retriever [rɪ'tri:və] *n* 1) охо́тничья поиско́вая соба́ка 2) *воен.* эвакуацио́нный тяга́ч

retro ['retrəʊ] *n кино* 1) стиль «ре́тро» 2) «ретроспекти́ва», пока́з фи́льмов одного́ режиссёра *или* фи́льмов на одну́ те́му

retroaction [,retrəʊ'ækʃn] *n* 1) обра́тная реа́кция; обра́тное де́йствие 2) *юр.* обра́тная си́ла (*закона*)

retrod [,ri:'trɒd] *past от* retread 2

retrodden [,ri:'trɒdn] *p. p. от* retread 2

retrofit ['retrəʊfɪt] *v* модифици́ровать (*автомобили, станки и т. п.*)

retrograde ['retrəʊgreɪd] **1.** *a* 1) напра́вленный наза́д 2) ретрогра́дный; реакцио́нный 3) *воен.* отступа́тельный

2. *v* 1) дви́гаться наза́д 2) регресси́ровать 3) ухудша́ться 4) *воен.* отступа́ть, отходи́ть

retrogress [,retrəʊ'gres] *v* 1) дви́гаться наза́д 2) регресси́ровать, ухудша́ться

retrogression [,retrəʊ'greʃn] *n* 1) обра́тное движе́ние 2) регре́сс, упа́док

retrogressive [,retrəʊ'gresɪv] *a* 1) возвраща́ющийся обра́тно 2) регресси́рующий, реакцио́нный

retrorocket ['retrəʊ,rɒkɪt] *n косм.* тормозна́я раке́та

retrospect ['retrəʊspekt] *n* взгляд наза́д, в про́шлое; in ~ ретроспекти́вно

retrospection [,retrəʊ'spekʃn] *n* размышле́ние о про́шлом; ретроспе́кция

retrospective [,retrəʊ'spektɪv] *a* 1) обращённый в про́шлое, ретроспекти́вный 2) относя́щийся к про́шлому 3) *юр.* име́ющий обра́тную си́лу

retroussé [rə'tru:seɪ] *a* вздёрнутый, курно́сый (*о носе*)

retroverted [,retrəʊ'vɜ:tɪd] *a* поверну́тый наза́д, за́гнутый

retry [,ri:'traɪ] *v* 1) сно́ва разбира́ть (*судебное дело*) 2) сно́ва про́бовать

rettery ['retərɪ] *n с.-х.* мочи́ло, ме́сто рассти́ла и мо́чки льна

return [rɪ'tɜ:n] **1.** *n* 1) возвраще́ние; обра́тный путь; by ~ of post обра́тной по́чтой 2) отда́ча, возвра́т; возмеще́ние; in ~ в опла́ту; в обме́н [*ср. тж.* 4)] 3) (*тж. pl*) оборо́т; дохо́д, при́быль; small profits and quick ~s небольша́я при́быль, но бы́стрый оборо́т 4) возраже́ние, отве́т; in ~ в отве́т [*ср. тж.* 2)] 5) официа́льный отчёт; ра́порт; tax ~ нало́говая деклара́ция (*подаваемая налогоплательщиком*) 6) (*обыкн. pl*) результа́т вы́боров 7) избра́ние (*в парламент и т. п.*) 8) отве́тная пода́ча (*в теннисе и т. п.*) 9) *pl* возвращённый, непро́данный това́р 10) *эл.* обра́тный про́вод; обра́тная сеть 11) *горн.* вентиляцио́нный про́сек *или* ходо́к 12) *attr.* обра́тный; ~ ticket биле́т в о́ба конца́; ~ match (*или* game) *спорт.* отве́тный матч, отве́тная игра́ ◇ many happy ~s (of the day) ≅ поздравля́ю с днём рожде́ния, жела́ю вам мно́гих лет жи́зни

2. *v* 1) возвраща́ться; идти́ обра́тно 2) возвраща́ть; отдава́ть, отпла́чивать; to ~ a ball отби́ть мяч (*в теннисе и т. п.*); to ~ a bow отве́тить на покло́н; to ~ smb.'s love (*или* affection) отвеча́ть кому́-л. взаи́мностью 3) вновь обраща́ться (*к чему-л.*); to ~ to old habits верну́ться к пре́жним привы́чкам 4) приноси́ть (*доход*) 5) отвеча́ть, возража́ть 6) дава́ть ответ, докладывать; официально заявлять; to ~ guilty *юр.* признать виновным; to ~ a soldier as killed внести солдата в список убитых 7) избирать (*в парламент*) ◇ to ~ like for like ≅ отплатить той же монетой

returnable [rɪ'tɜ:nəbl] *a* подлежащий возврату *или* обмену

returnee [,rɪtɜ:'ni:] *n* 1) солдат, вернувшийся с войны *или* со службы за границей; вернувшийся в свою часть (*после госпиталя*) 2) вернувшийся (*из поездки, ссылки и т. п.*)

returning officer [rɪ'tɜ:nɪŋ,ɒfɪsə] *n* уполномоченный по выборам

reunify [,ri:'ju:nɪfaɪ] *v* воссоединять

reunion [,ri:'ju:nɪən] *n* 1) воссоединение 2) встреча друзей; вечеринка; family ~ сбор всей семьи 3) примирение

reunite [,ri:jʊ'naɪt] *v* 1) (вос)соединять(ся) 2) собираться

rev [rev] *разг.* **1.** *n* оборот (*двигателя*)

2. *v*: ~ up увеличивать скорость, число оборотов; давать газ

revalue [,ri:'vælju:] *v* 1) *фин.* ревальвировать (*валюту*) 2) переоценивать

revamp [ri:'væmp] *v* 1) починять, поправлять, ремонтировать 2) *амер.* ставить новую союзку (*на сапог*)

revanche [rɪ'væntʃ] *n* реванш

revanchist [rɪ'væntʃɪst] **1.** *n* реваншист

2. *a* реваншистский

reveal I [rɪ'vi:l] *v* 1) открывать; разоблачать; to ~ a secret выдать секрет 2) показывать, обнаруживать; to ~ itself появиться, обнаружиться

reveal II [rɪ'vi:l] *n стр.* притолока; четверть (*окна или двери*)

reveille [rɪ'vælɪ] *n воен.* побудка, подъём, утренняя заря

revel ['revl] **1.** *n* 1) веселье 2) (*часто pl*) пирушка

2. *v* 1) пировать, бражничать; кутить 2) упиваться, наслаждаться (in)

revelation [,revə'leɪʃn] *n* 1) откровение; the Revelation(s) *библ.* Апокалипсис 2) открытие; раскрытие (*тайны и т. п.*); разоблачение

revelry ['revlrɪ] *n* 1) шумное веселье 2) пирушка, попойка

revenge [rɪ'vendʒ] **1.** *n* 1) мщение, месть, отмщение; to take (one's) ~ on (*или* upon) smb. отомстить кому-л.; in ~ в отместку 2) жажда мести 3) реванш; to give smb. his ~ дать кому-л. возможность отыграться

2. *v* мстить, отомстить; to ~ an insult отомстить за оскорбление; to ~ oneself отомстить (on, upon — *кому-л.*; for — за *что-л.*)

revengeful [rɪ'vendʒfl] *a* мстительный

revenger [rɪ'vendʒə] *n* мститель

revenue ['revənju:] *n* 1) годовой доход (*особ.* государственный) 2) *pl* доходные статьи 3) департамент государственных сборов 4) *attr.* таможенный; ~ cutter таможенное судно; ~ officer таможенный чиновник

reverberant [rɪ'vɜ:brənt] *a* 1) отражающийся (*о звуке и т. п.*) 2) звучащий, звучный

reverberate [rɪ'vɜ:bəreɪt] *v* 1) *физ.* отражать(ся) (*о звуке, свете, тепле*) 2) плавить (*в отражательной печи*)

reverberation [rɪ,vɜ:bə'reɪʃn] *n* 1) *физ.* отражение; реверберация 2) раскат (*грома*) 3) эхо, отзвук

reverberator [rɪ'vɜ:bəreɪtə] *n* 1) *спец.* рефлектор, отражатель 2) = reverberatory furnace

reverberatory furnace [rɪ'vɜ:bərətərɪ,fɜ:nɪs] *n метал.* отражательная печь

revere [rɪ'vɪə] *v* уважать; почитать, чтить; благоговеть

reverence ['revrəns] **1.** *n* 1) почтение; почтительность; благоговение; to hold in ~, to regard with ~ почитать 2) *уст.* поклон, реверанс 3): Your R. Ваше Преподобие (*обращение к священнику*)

2. *v* почитать, уважать

reverend ['revrənd] *a* 1) почтенный 2) (R.) преподобный (*титул священника*); the R. gentleman священник, о котором идёт речь; the Very R. (его) высокопреподобие (*о настоятеле собора*); the Right R. (его) преосвященство (*о епископе*); the Most R. (его) высокопреосвященство (*об архиепископе*)

2. *n разг.* священник, (его, их) преподобие

reverent ['revrənt] *a* почтительный, благоговейный

reverential [,revə'renʃl] = reverent

reverie ['revərɪ] *n* мечты; мечтания; to be lost in ~ мечтать; to indulge in ~ предаваться мечтам

revers [rɪ'vɪə] *n* отворот, лацкан

reversal [rɪ'vɜ:sl] *n* 1) полное изменение; полная перестановка 2) отмена; аннулирование; the ~ of judgement отмена решения суда 3) *тех.* реверсирование

reverse [rɪ'vɜ:s] **1.** *n* 1) (the ~) противоположное, обратное; quite the ~, very much the ~ совсем наоборот 2) перемена (*к худшему*) 3) неудача, превратность; to meet with a ~ потерпеть неудачу; to have (*или* to experience) ~s понести денежные потери 4) поражение, провал 5) задний *или* обратный ход; in ~, on the ~ задним ходом 6) обратная сторона (*монеты и т. п.*) 7) *тех.* реверсирование 8) механизм перемены хода

2. *a* обратный; перевёрнутый; противоположный; ~ side обратная сторона; ~ motion движение в обратную сторону; ~ fire *воен.* тыльный огонь

3. *v* 1) перевёртывать; вывёртывать; опрокидывать; to ~ arms *воен.* повернуть винтовку прикладом вверх 2) менять, изменять; positions are ~d позиции переменились; to ~ a policy круто изменить политику; to ~ the order поставить в обратном порядке 3) поворачивать(ся) в противоположном направлении 4) *тех.* дать задний *или* обратный ход (*машине*); реверсировать 5) аннулировать, отменять 6) кружиться в танце (*особ. в вальсе*) в левую сторону

reversible [rɪ'vɜ:səbl] *a* 1) обратимый 2) двусторонний (*о ткани*) 3) *тех.* с передним и задним ходом, реверсивный

reversion [rɪ'vɜ:ʃn] *n* 1) *юр.* возвращение имущества к первоначальному собственнику *или* его наследникам 2) *биол.* атавизм (*тж.* ~ to type) 3) возвращение (*к прежнему состоянию*) 4) страховка, выплачиваемая после смерти

reversionary [rɪ'vɜ:ʃnərɪ] *a* обратный, реверсивный

revert [rɪ'vɜ:t] *v* 1) возвращаться (*в прежнее состояние*) 2) возвращаться (*к ранее высказанной мысли*) 3) *юр.* переходить к прежнему владельцу 4) *биол.* проявлять атавистические признаки 5) повернуть назад; to ~ the eyes а) посмотреть назад; б) отвернуться, отвести глаза

revet [rɪ'vet] *v стр.* облицовывать, выкладывать камнем

revetment [rɪ'vetmənt] *n стр.* облицовка, обшивка; покрытие, одежда откосов

review [rɪ'vju:] **1.** *n* 1) обзор, обозрение; to pass in ~ рассматривать, обозревать [*ср. тж.* 3)] 2) просмотр, проверка 3) *воен.* смотр; парад; to pass in ~ делать смотр; пропускать торжественным маршем [*ср. тж.* 1)] 4) рецензия 5) периодическое издание с обзорами, рецензиями *и т. п.* 6) *школ.* повторение пройденного материала 7) *театр.* обозрение, ревю 8) *юр.* пересмотр (*судебного дела*)

2. *v* 1) обозревать; осматривать 2) просматривать, проверять 3) пересматривать, рассматривать 4) производить смотр (*войскам и т. п.*); принимать парад 5) рецензировать, делать (критический) обзор 6) повторять пройденный материал 7) *юр.* пересматривать (*судебное дело*)

reviewer [rɪ'vju:ə] *n* обозреватель; рецензент

revile [rɪ'vaɪl] *v* оскорблять; ругать(ся); поносить, бранить

revise [rɪ'vaɪz] **1.** *n полигр.* вторая корректура; сверка

2. *v* 1) проверять; исправлять 2) изменять, пересматривать; перерабатывать 3) перечитывать, просматривать (*перед экзаменом*)

revised [rɪ'vaɪzd] **1.** *p. p. от* revise 2

2. *a* исправленный; ~ edition пересмотренное и исправленное издание

reviser [rɪ'vaɪzə] *n* ревизионный корректор

revision [rɪ'vɪʒn] *n* 1) пересмотр, ревизия 2) проверка, осмотр 3) пересмотренное и исправленное издание

revisionism [rɪ'vɪʒnɪzəm] *n* ревизионизм

revisionist [rɪ'vɪʒnɪst] **1.** *n* ревизионист

2. *a* ревизионистский

revisit [,ri:'vɪzɪt] *v* снова посетить

revisory [rɪ'vaɪzərɪ] *a* ревизионный; ~ committee ревизионная комиссия

revival [rɪ'vaɪvl] *n* 1) возрождение; оживление; R. of Learning Возрождение,

Ренесса́нс (*в литературе*) 2) возобновле́ние (*постановки*) 3) возрожде́ние ве́ры 4) восстановле́ние (*сил, энергии*) 5) *attr.*: R. style *архит.* стиль Ренесса́нс

revive [rɪ'vaɪv] *v* 1) приходи́ть в себя́ 2) приводи́ть в чу́вство 3) оживáть, воскреса́ть (*о надеждах и т. п.*) 4) оживля́ть; возрожда́ть, воскреша́ть (*моду и т. п.*) 5) восстана́вливать, возобновля́ть; to ~ a play возобновля́ть постано́вку 6) восстана́вливать (*силы, энергию*)

reviver [rɪ'vaɪvə] *n* 1) тот, кто оживля́ет, возрожда́ет *и пр.* [*см.* revive] 2) *разг.* кре́пкий напи́ток

revivify [ri:'vɪvɪfaɪ] *v* возрожда́ть к жи́зни

revocable ['revəkəbl] *a* могу́щий быть отменённым; подлежа́щий отме́не

revocation [,revəʊ'keɪʃn] *n* отме́на, аннули́рование (*закона и т. п.*)

revoke [rɪ'vəʊk] **1.** *v* 1) отменя́ть, аннули́ровать (*закон, приказ и т. п.*) 2) брать наза́д (*обещание*) 3) *карт.* объявля́ть рено́нс при нали́чии тре́буемой ма́сти

2. *n карт.* рено́нс при нали́чии тре́буемой ма́сти

revolt [rɪ'vəʊlt] **1.** *n* 1) восста́ние, мяте́ж; in ~ восста́вший; охва́ченный восста́нием; to rise in ~ восстава́ть 2) проте́ст, бунт 3) отвраще́ние

2. *v* 1) восстава́ть (against) 2) проти́виться, восстава́ть 3) чу́вствовать отвраще́ние (at, from, against) 4) отта́лкивать, вызыва́ть отвраще́ние

revolted [rɪ'vəʊltɪd] **1.** *p. p. от* revolt 2

2. *a* восста́вший

revolting [rɪ'vəʊltɪŋ] **1.** *pres. p. от* revolt 2

2. *a* отврати́тельный; отта́лкивающий

revolution [,revə'lu:ʃn] *n* 1) револю́ция 2) переворо́т; palace ~ дворцо́вый переворо́т 3) крута́я ло́мка, круто́й перело́м 4) кругово́е враще́ние 5) по́лный оборо́т; цикл; ~s per minute число́ оборо́тов в мину́ту 6) периоди́ческое возвраще́ние; кругооборо́т; the ~ of the seasons сме́на времён го́да 7) севооборо́т 8) *attr.*: ~ counter *тех.* счётчик числа́ оборо́тов

revolutionary [,revə'lu:ʃənrɪ] **1.** *a* 1) революцио́нный; ~ ideas революцио́нные иде́и; ~ discoveries откры́тия, производя́щие переворо́т в нау́ке 2) враща́ющийся

2. *n* революционе́р

revolutionism [,revə'lu:ʃnɪzəm] *n* революцио́нность

revolutionist [,revə'lu:ʃnɪst] *n* революционе́р

revolutionize [,revə'lu:ʃənaɪz] *v* 1) революционизи́ровать 2) производи́ть коренну́ю ло́мку

revolve [rɪ'vɒlv] *v* 1) враща́ть(ся); верте́ть(ся) 2) периоди́чески возвраща́ться *или* сменя́ться 3) обду́мывать (*тж.* ~ in the mind)

revolver [rɪ'vɒlvə] *n* 1) револьве́р 2) *тех.* бараба́н

revolving [rɪ'vɒlvɪŋ] **1.** *pres. p. от* revolve

2. *a* 1) обраща́ющийся 2) враща́ющийся, поворо́тный; ~ door враща́ющаяся дверь

revue [rɪ'vju:] *n театр.* обозре́ние, ревю́

revulsion [rɪ'vʌlʃn] *n* 1) отвраще́ние 2) внеза́пное си́льное измене́ние (*чувств и т. п.*) 3) *мед.* отвлече́ние (*боли и т. п.*); отли́в (*крови*)

revulsive [rɪ'vʌlsɪv] *мед.* **1.** *a* отвлека́ющий

2. *n* отвлека́ющее сре́дство

reward [rɪ'wɔ:d] **1.** *n* 1) награ́да; вознагражде́ние; in ~ for smth. в награ́ду за что-л. 2) возда́яние; возме́здие 3) де́нежное вознагражде́ние (*за поимку преступника и т. п.*)

2. *v* награжда́ть; вознагражда́ть; воздава́ть до́лжное

rewarding [rɪ'wɔ:dɪŋ] **1.** *pres. p. от* reward 2

2. *a* сто́ящий

rewind [,ri:'waɪnd] *v* перема́тывать наза́д (*плёнку и т. п.*)

reword [,ri:'wɜ:d] *v* 1) выража́ть други́ми слова́ми; меня́ть формулиро́вку 2) повтори́ть

rewrite [,ri:'raɪt] *v* (rewrote; rewritten) 1) переписа́ть 2) переде́лать, перерабо́тать

rewritten [,ri:'rɪtn] *p. p. от* rewrite

rewrote [,ri:'rəʊt] *past от* rewrite

Rex [reks] *лат. n* пра́вящий коро́ль

Reynard ['renɑ:d] *n* Ре́йнеке-лис (*сказочный персонаж*)

rhapsode ['ræpsəʊd] *др.-греч. n* рапсо́д

rhapsodic(al) [ræp'sɒdɪk(l)] *a* восто́рженный; напы́щенный

rhapsodize ['ræpsədaɪz] *v* говори́ть *или* писа́ть напы́щенно (*обыкн.* ~ about, ~ on)

rhapsody ['ræpsədɪ] *n* 1) рапсо́дия 2) восто́рженная *или* напы́щенная речь

rhenium ['ri:nɪəm] *n хим.* ре́ний

rheostat ['ri:əstæt] *n эл.* реоста́т

rhesus ['ri:səs] *n зоол.* ре́зус

rhesus factor ['ri:səs,fæktə] *n биол.* ре́зус-фа́ктор

rhetor ['ri:tə] *n* 1) ри́тор 2) ора́тор, краснобáй

rhetoric ['retərɪk] *n* 1) рито́рика; ора́торское иску́сство 2) краснобáйство

rhetorical [rɪ'tɒrɪkl] *a* ритори́ческий

rhetorician [,retə'rɪʃn] *n* 1) ри́тор 2) краснобáй

rheumatic [rʊ'mætɪk] **1.** *a* ревмати́ческий

2. *n* 1) ревма́тик 2) *pl разг.* ревмати́зм

rheumaticky [rʊ'mætɪkɪ] *a разг.* ревмати́ческий

rheumatism ['ru:mətɪzəm] *n* ревмати́зм

rheumatiz ['ru:mətɪz] *диал.* = rheumatism

rhinestone ['raɪnstəʊn] *n* 1) го́рный хруста́ль 2) фальши́вый бриллиа́нт

Rhine wine [,raɪn'waɪn] *n* ре́йнское (вино́), рейнве́йн

rhinitis [raɪ'naɪtɪs] *n мед.* рини́т

rhino I ['raɪnəʊ] *n* (*pl* -os [-əʊz]) *разг. сокр. от* rhinoceros

rhino II ['raɪnəʊ] *n sl.* де́ньги

rhinoceros [raɪ'nɒsərəs] *n* (*pl тж. без измен.*) носоро́г

rhodium ['rəʊdɪəm] *n хим.* ро́дий

rhododendron [,rəʊdə'dendrən] *n бот.* рододе́ндрон

rhodonite ['rəʊdənaɪt] *n мин.* родони́т

rhomb [rɒm] *n* ромб

rhombi ['rɒmbaɪ] *pl от* rhombus

rhombic ['rɒmbɪk] *a* ромби́ческий

rhomboid ['rɒmbɔɪd] **1.** *a* ромбо́идный, ромбови́дный

2. *n* ромбо́ид

rhombus ['rɒmbəs] *n* (*pl* -es [-ɪz], -bi) ромб

rhubarb ['ru:bɑ:b] *n бот.* реве́нь

rhumb [rʌm] *n мор.* румб

rhyme [raɪm] **1.** *n* 1) ри́фма, рифмо́ванный стих; double (*или* female, feminine) ~ же́нская ри́фма; single (*или* male, masculine) ~ мужска́я ри́фма; imperfect ~ непо́лная ри́фма 2) (*часто pl*) рифмо́ванное стихотворе́ние 3) поэ́зия ◇ neither ~ nor reason ни скла́ду ни ла́ду; without ~ or reason ни с того́ ни с сего́

2. *v* 1) рифмова́ть (with, to — с) 2) писа́ть рифмо́ванные стихи́

rhymed [raɪmd] **1.** *p. p. от* rhyme 2

2. *a* рифмо́ванный

rhymer ['raɪmə] = rhymester

rhymester ['raɪmstə] *n пренебр.* рифмоплёт

rhyming ['raɪmɪŋ] **1.** *pres. p. от* rhyme 2

2. *a* рифму́ющий; рифму́ющийся; ~ dictionary слова́рь рифм

rhythm ['rɪðəm] *n* 1) ритм 2) разме́р (*стиха*) 3) ритми́чность; периоди́чность; цикли́чность

rhythmic(al) ['rɪðmɪk(l)] *a* ритми́ческий, ритми́чный, ме́рный

rial ['ri:ɑ:l] *n* риа́л (*денежная единица Ирана*)

riant ['raɪənt] *a редк.* улыба́ющийся, весёлый (*о лице, глазах*)

rib [rɪb] **1.** *n* 1) ребро́; false (*или* floating, asternal) ~ ло́жное ребро́ 2) *шутл.* жена́ 3) о́стрый край; ребро́ (*чего-л.*) 4) *мор.* шпанго́ут 5) ру́бчик (*в вязанье и т. п.*) 6) пру́тик зонта́ 7) *бот.* жи́лка листа́ 8) *стр.* ребро́ 9) *тех.* ребро́ (*жёсткости*) 10) *ав.* нервю́ра 11) *горн.* столб, цели́к

2. *v* 1) снабжа́ть рёбрами, укрепля́ть 2) *разг.* высме́ивать, подшу́чивать, дразни́ть

ribald ['rɪbld] **1.** *n* сквернесло́в; грубия́н

2. *a* гру́бый, непристо́йный; неприли́чный; скабрёзный

ribaldry ['rɪbldrɪ] *n* сквернесло́вие, гру́бость, непристо́йность

riband ['rɪbənd] = ribbon

ribbed [rɪbd] **1.** *p. p. от* rib 2

2. *a* 1) ребри́стый; ру́бчатый; рифлёный; с насе́чкой 2) полоса́тый

ribbing ['rɪbɪŋ] **1.** *pres. p. от* rib 2

2. *n* 1) рёбра; ребри́стость 2) укрепле́ние рёбрами 3) *разг.* подшу́чивание, высме́ивание

ribbon ['rɪbən] *n* 1) ле́нта; у́зкая поло́ска; typewriter ~ ле́нта для пи́шущей маши́нки 2) знак отли́чия, наши́вка; о́рденская ле́нта; red ~ ле́нта о́рдена Ба́ни 3) *pl* кло́чья; ~s of mist кло́чья тума́на; torn to ~s разо́рванный в кло́чья 4) *pl разг.* во́жжи; to handle (*или* to take) the ~s пра́вить лошадьми́ 5) *attr.* ле́нточный; из ле́нт(ы); ~ development *стр.* ле́нточная застро́йка

ribboned ['rɪbənd] *a* укра́шенный ле́нтами

riboflavin [ˌraɪbəʊ'fleɪvɪn] *n* рибофлави́н, витами́н B_2

ribosome ['raɪbəʊsəʊm] *n биол.* рибосо́ма

rice [raɪs] **1.** *n* 1) рис 2) *attr.* ри́совый; ~ field ри́совое по́ле

2. *v амер.* протира́ть че́рез си́то

riceflakes ['raɪsˌfleɪks] *n pl кул.* ри́совые хло́пья

rice paper ['raɪsˌpeɪpə] *n* ри́совая бума́га

rice-water ['raɪsˌwɔ:tə] *n* ри́совый отва́р

rich [rɪtʃ] **1.** *a* 1) бога́тый (in — *чем-л.*) 2) це́нный, дорого́й, роско́шный; a ~ suggestion це́нное предложе́ние 3) оби́льный, изоби́лующий; плодоро́дный; ~ soil ту́чная по́чва; ~ harvest бога́тый урожа́й; ~ in minerals бога́тый минера́лами 4) жи́рный; сдо́бный; ~ milk жи́рное молоко́; ~ dish пита́тельное блю́до; ~ cream густы́е сли́вки 5) мя́гкий, ни́зкий, глубо́кий (*о тоне*) 6) густо́й, интенси́вный, я́ркий (*о цвете*) 7) пря́ный; си́льный (*о запахе*) 8) со́чный (*о фруктах*) 9) *разг.* заба́вный (*о происшествии, мысли, предложении и т. п.*); that's ~! вот э́то заба́вно!

2. *n* (the ~) *pl собир.* богачи́, бога́тые

Richard Roe [ˌrɪtʃəd'rəʊ] *n юр.* отве́тчик в суде́бном проце́ссе (*употр. нарицательно о человеке, настоящее имя которого неизвестно*) [*см. тж.* John Doe]

riches ['rɪtʃɪz] *n pl* 1) бога́тство, оби́лие 2) бога́тства, сокро́вища; the ~ of the soil сокро́вища недр

richly ['rɪtʃlɪ] *adv* 1) бога́то, роско́шно 2) вполне́, основа́тельно; по́лностью; he ~ deserves punishment он вполне́ заслу́живает наказа́ния

richness ['rɪtʃnəs] *n* 1) бога́тство 2) плодоро́дие 3) сдо́бность, жи́рность (*пищи*) 4) я́ркость, жи́вость (*красок и т. п.*) 5) со́чность (*плода*)

Richter scale ['rɪktəskeɪl] *n* шкала́ Ри́хтера

rick I [rɪk] **1.** *n* стог; скирда́

2. *v* скла́дывать в стог

rick II [rɪk] = wrick

rickets ['rɪkɪts] *n* (*употр. как sing и как pl*) *мед.* рахи́т

rickety ['rɪkɪtɪ] *a* 1) ша́ткий, неусто́йчивый; ~ chair расша́танный стул; ~ house покоси́вшийся дом 2) расша́танный; хру́пкий (*о здоровье*) 3) рахити́чный

ricksha(w) ['rɪkʃɔ:] *n* ри́кша

ricochet ['rɪkəʃeɪ] **1.** *n* рикоше́т

2. *v* де́лать рикоше́т; бить рикоше́том

rictus ['rɪktəs] *n анат., зоол.* ротово́е отве́рстие

rid [rɪd] *v* (rid, *уст.* ridded [-ɪd]) освобожда́ть, избавля́ть (of — от *чего-л.*); to get ~ of smb., smth. отде́лываться, избавля́ться от кого́-л., чего́-л.

ridable ['raɪdəbl] *a* приго́дный для верхово́й езды́

riddance ['rɪdns] *n* избавле́ние; устране́ние; a good ~ избавле́ние (*от чего-л. неприятного*); good ~! тем лу́чше!; хорошо́, что изба́вились!; ≅ ска́тертью доро́га!

ridden ['rɪdn] *p. p. от* ride 2

-ridden [-'rɪdn] *в сложных словах означает* во вла́сти (*чего-л.*); одержи́мый (*чем-л.*); bedridden прико́ванный к посте́ли; fear-ridden охва́ченный стра́хом

riddle I ['rɪdl] **1.** *n* зага́дка; to talk in ~s говори́ть зага́дками

2. *v* 1) говори́ть зага́дками 2) разга́дывать (*загадки*)

riddle II ['rɪdl] **1.** *n* 1) решето́, гро́хот 2) экра́н; щит

2. *v* 1) изреше́чивать (*пулями*) 2) просе́ивать, грохоти́ть 3) подверга́ть суро́вой кри́тике; доказывать несостоя́тельность, неправоту́

ride [raɪd] **1.** *n* 1) прогу́лка, пое́здка, езда́ (*верхом, на машине, на велосипеде и т. п.*); to go for a ~ прокати́ться 2) доро́га, алле́я (*особ.* для верхово́й езды́) 3) аттракцио́н для ката́ния (*колесо обозрения, карусель и т. п.*) ◇ to take smb. for a ~ а) обману́ть, наду́ть, одура́чить кого́-л.; б) *амер.* уби́ть, прико́нчить кого́-л.

2. *v* (rode, ridden) 1) е́хать верхо́м; сиде́ть верхо́м (*на чём-л.*); to ~ full speed скака́ть во весь опо́р; to ~ a horse to death загна́ть ло́шадь; to ~ a joke to death *шутл.* зае́здить шу́тку 2) е́хать (*в автобусе, в трамвае, на велосипеде, в поезде и т. п.*) 3) ката́ть(ся); кача́ть(ся); to ~ a child on one's foot кача́ть ребёнка на ноге́ 4) уча́ствовать в верховы́х состяза́ниях; to ~ a race уча́ствовать в ска́чках 5) стоя́ть на я́коре; the ship ~s (at anchor) кора́бль стои́т на я́коре 6) пари́ть; плыть; скользи́ть; the moon was riding high луна́ плыла́ высоко́; the ship ~s the waves су́дно скользи́т по волна́м 7) *pass.* угнета́ть; одолева́ть (*о чувствах, сомнениях и т. п.*) 8) контроли́ровать; подавля́ть; терроризи́ровать 9) *разг.* жесто́ко критикова́ть 10) *разг.* издева́ться, дразни́ть, изводи́ть 11) быть приго́дным для верхово́й езды́ (*о грунте*) 12) пуска́ть на самотёк; не вме́шиваться; let it ~ пусть бу́дет как бу́дет 13) быть обусло́вленным (*чем-л.*); зави́сеть от (on) 14) ве́сить (*о жокее перед скачками*) 15) импровизи́ровать (*в джазе*) ▭ ~ at направля́ть(ся) на; to ~ one's horse at a fence вести́ ло́шадь на барье́р; ~ **down** а) нагоня́ть, настига́ть верхо́м; б) сшиби́ть с ног, задави́ть; ~ **out** а) благополу́чно перенести́ (*шторм — о корабле*); б) вы́йти из затрудни́тельного положе́ния ◇ to ~ for a fall а) нести́сь как безу́мный, неосторо́жно е́здить верхо́м; б) де́йствовать безрассу́дно; обрека́ть себя́ на неуда́чу; to ~ off on a side issue заговори́ть о второстепе́нном, что́бы увильну́ть от гла́вного (вопро́са); to ~ the whirlwind держа́ть в рука́х и направля́ть *что-л.* (*восстание и т. п.*)

rider ['raɪdə] *n* 1) нае́здник, вса́дница 2) седо́к 3) дополне́ние, попра́вка (*к документу*) 4) вы́вод, заключе́ние; *юр.* осо́бое мне́ние 5) *мат.* дополни́тельная зада́ча для прове́рки зна́ний уча́щегося; дополни́тельная теоре́ма, необходи́мая для доказа́тельства основно́й 6) *мор.* ри́дерс

riderless ['raɪdələs] *a* без вса́дника (*о лошади, потерявшей всадника*)

ridge [rɪdʒ] **1.** *n* 1) конёк (*крыши*) 2) гре́бень горы́; го́рный кряж, хребе́т; гряда́ гор; водоразде́л 3) подво́дная скала́ 4) гря́дка; гре́бень борозды́ 5) ру́бчик (*на материи*); то́лстая кро́мка; край, ребро́

2. *v* образо́вывать скла́дки *или* борозды́; топо́рщиться

ridged [rɪdʒd] **1.** *p. p. от* ridge 2

2. *a* 1) остроконе́чный, хребтообра́зный 2) конько́вый (*о крыше*)

ridgepole ['rɪdʒpəʊl] *n* растя́жка, распо́рка (*у палатки*)

ridgy ['rɪdʒɪ] = ridged 2

ridicule ['rɪdɪkju:l] **1.** *n* 1) осмея́ние; насме́шка; to hold up to ~ де́лать посме́шищем 2) смехотво́рность

2. *v* осме́ивать; высме́ивать, поднима́ть на́ смех

ridiculous [rɪ'dɪkjʊləs] *a* смехотво́рный, смешно́й, неле́пый; don't be ~ не бу́дь(те) посме́шищем, не де́лай(те) глу́постей

riding I ['raɪdɪŋ] **1.** *pres. p. от* ride 2

2. *n* 1) верхова́я езда́ 2) доро́га для верхово́й езды́

3. *a* верхово́й; для верхово́й езды́; ~ horse верхова́я ло́шадь

riding II ['raɪdɪŋ] *n* ра́йдинг (*административная единица графства Йоркшир; тж. избирательный округ в Канаде*)

riding-breeches ['raɪdɪŋˌbrɪtʃɪz] *n pl* бри́джи для верхово́й езды́, рейту́зы

riding-habit ['raɪdɪŋˌhæbɪt] *n* амазо́нка (*дамский костюм для верховой езды*)

riding-hag ['raɪdɪŋhæg] *n разг.* кошма́р

riding hall ['raɪdɪŋhɔ:l] *n* (кры́тый) мане́ж

riding master ['raɪdɪŋˌmɑ:stə] *n* 1) инстру́ктор по верхово́й езде́ 2) бере́йтор

Riesling ['ri:slɪŋ] *n* ри́слинг

rife [raɪf] *a predic.* 1) обы́чный, ча́стый; распространённый; to be (to grow *или* to wax) ~ быть (де́латься) обы́чным 2) изобилу́ющий (with); his language is ~ with maxims его́ язы́к изоби́лует изрече́ниями

riffle ['rɪfl] *n амер.* 1) поро́г (*на реке́*), стремни́на 2) рябь, зыбь 3) *тех.* желобо́к, кана́вка

riff-raff ['rɪfræf] 1. *n* (*обыкн.* the ~) подо́нки о́бщества, отбро́сы

2. *a разг.* никчёмный, никуды́шный

rifle ['raɪfl] 1. *n* 1) винто́вка, нарезно́е ору́жие 2) *pl воен.* стрелко́вая часть; стрелки́ 3) *attr.* руже́йный; стрелко́вый; винто́вочный; ~ company стрелко́вая ро́та

2. *v* 1) нареза́ть (*ствол оружия*) 2) стреля́ть из винто́вки 3) обша́ривать (*шкафы, помещение*) с це́лью грабежа́

rifle(-)green [,raɪfl'gri:n] *a* тёмно-зелёный (*цвета мундира английских стрелков*)

rifle-grenade [,raɪflgrɪ'neɪd] *n воен.* винто́вочная грана́та

rifleman ['raɪflmən] *n воен.* стрело́к; expert ~ отли́чный стрело́к

rifle-pit ['raɪflpɪt] *n воен.* стрелко́вая яче́йка, одино́чный око́пчик

rifle-range ['raɪflreɪndʒ] *n* тир, стре́льбище

rifle-shot ['raɪflʃɒt] *n* стрело́к (из винто́вки)

rifling ['raɪflɪŋ] 1. *pres. p. от* rifle 2

2. *n* наре́зка (*в оружии*)

rift [rɪft] 1. *n* 1) тре́щина; рассе́лина; щель; сква́жина; разры́в; просве́т (*в тучах и т. п.*) 2) разры́в, размо́лвка 3) уще́лье 4) поро́г, перека́т (*реки*) 5) *геол.* отде́льность, спа́йность, клива́ж ◇ a ~ in the lute а) пе́рвые при́знаки разла́да, отчужде́ния; б) нача́ло боле́зни

2. *v* раска́лывать(ся); отщепля́ть(ся)

rig I [rɪg] 1. *n* 1) *мор.* осна́стка; па́русное вооруже́ние, ранго́ут и такела́ж 2) *тех.* приспособле́ние, устро́йство; обору́дование 3) бурова́я вы́шка; бурово́й стано́к 4) борозда́ 5) вы́езд, упря́жка 6) *разг.* оде́жда, костю́м; мане́ра одева́ться; вне́шний вид челове́ка

2. *v* оснаща́ть, вооружа́ть (*судно*) □ ~ out *разг.* наряжа́ть; ~ged out разоде́тый; ~ up снаряжа́ть *или* стро́ить на́спех, из чего́ попа́ло

rig II [rɪg] 1. *n разг.* 1) проде́лка, уло́вка; плу́тни 2) моше́нничество; спекуляти́вная ску́пка това́ров

2. *v* де́йствовать нече́стно; моше́нничать; to ~ the market иску́сственно повыша́ть *или* понижа́ть це́ны

rigger ['rɪgə] *n* 1) специали́ст по сбо́рке самолётов 2) *мор.* такела́жник

rigging I ['rɪgɪŋ] 1. *pres. p. от* rig I, 2

2. *n* 1) *мор.* такела́ж, осна́стка, сна́сти 2) *разг.* снаряже́ние 3) *разг.* оде́жда, «тря́пки»

rigging II ['rɪgɪŋ] *pres. p. от* rig II, 2

right I [raɪt] 1. *n* 1) справедли́вость; пра́вильность; by ~(s) по справедли́вости; to do smb. ~ отда́ть кому́-л. до́лжное, справедли́вость; to be in the ~ быть пра́вым 2) пра́во; справедли́вое тре́бование (to); привиле́гия; human ~s права́ челове́ка; ~ to work пра́во на труд; ~s and duties права́ и обя́занности; by ~ of по пра́ву (*чего-л.*); всле́дствие (*чего-л.*); in one's own ~ по пра́ву (*благодаря титулу, образованию и т. п.*); within one's ~s в преде́лах свои́х полномо́чий; to reserve the ~ оставля́ть за собо́й пра́во; under a ~ in international law в соотве́тствии с но́рмами междунаро́дного пра́ва 3) (*обыкн. pl*) и́стинное положе́ние веще́й, действи́тельность; the ~s of the case положе́ние де́ла 4) *pl* поря́док; to set (*или* to put) to ~s навести́ поря́док; привести́ в поря́док; to be to ~s быть в поря́дке ◇ by ~ or wrong все́ми пра́вдами и непра́вдами

2. *a* 1) пра́вый, справедли́вый; to be ~ быть пра́вым 2) ве́рный, пра́вильный; ~ use of words пра́вильное употребле́ние слов; to do what is ~ поступа́ть пра́вильно; he is always ~ он всегда́ прав; ~ you are! *разг.* а) ве́рно!, ва́ша пра́вда!; б) идёт!, есть тако́е де́ло!; what is the ~ time? скажи́те мне то́чное вре́мя 3) и́менно тот, кото́рый ну́жен (*или* име́ется в виду́); подходя́щий, надлежа́щий; уме́стный; the ~ size ну́жный разме́р; the ~ man in the ~ place челове́к на своём ме́сте, челове́к, подходя́щий для да́нного де́ла; not the ~ Mr Jones не тот м-р Джо́унз 4) здоро́вый, в хоро́шем состоя́нии; испра́вный; to put ~ испра́вить; are you ~ now? удо́бно ли вам тепе́рь?; I feel all ~ я чу́вствую себя́ хорошо́; to be all ~ а) быть в поря́дке; б) чу́вствовать себя́ хорошо́; if it's all ~ with you е́сли э́то вас устра́ивает, е́сли вы согла́сны; it all came ~ всё ула́дилось 5) прямо́й (*о линии, об угле*); at the ~ angle под прямы́м угло́м ◇ on the ~ side of thirty моло́же 30 лет

3. *adv* 1) пря́мо; go ~ ahead иди́те пря́мо вперёд 2) *разг.* сра́зу же, тут же 3) соверше́нно, по́лностью; ~ to the end до са́мого конца́ 4) то́чно, как раз; ~ in the middle как раз в середи́не 5) пра́вильно, ве́рно; справедли́во; to get it ~ поня́ть пра́вильно; to get (*или* to do) a sum ~ ве́рно реши́ть зада́чу; to guess ~ пра́вильно угада́ть; to set (*или* to put) oneself ~ with smb. а) сниска́ть чью-л. благоскло́нность; б) помири́ться с кем-л. 6) надлежа́щим *или* до́лжным о́бразом 7) *уст.* о́чень; I know ~ well я о́чень хорошо́ зна́ю ◇ ~ away, ~ off сра́зу; неме́дленно; ~ off the bat *амер.* ≅ с ме́ста в карье́р; сра́зу же; ~ here а) как раз здесь; б) в э́ту мину́ту; ~ now в э́тот моме́нт; come ~ in *амер.* входи́те

4. *v* 1) выпрямля́ть(ся); исправля́ть(ся); to ~ oneself а) выпрямля́ться; б) реабилити́ровать себя́; to ~ a wrong испра́вить несправедли́вость; загла́дить оби́ду 2) защища́ть права́; to ~ the oppressed заступа́ться за угнетённых

right II [raɪt] 1. *n* 1) пра́вая сторона́; on the ~ спра́ва; to the ~ напра́во 2) (the Right) *собир. полит.* пра́вые

2. *a* 1) пра́вый 2) лицево́й, пра́вый (*о стороне материала*) 3) пра́вый, реакцио́нный

3. *adv* 1) напра́во; ~ and left а) напра́во и нале́во; б) во все сто́роны; ~ turn (*или* face)! *воен.* напра́во! (*команда*)

right-about ['raɪtəbaʊt] *n* 1) поворо́т обра́тно, в противополо́жную сто́рону 2) противополо́жное направле́ние 3) *attr.*: ~ face а) *воен.* поворо́т круго́м че́рез пра́вое плечо́; б) круто́й поворо́т, по́лная переме́на

right-and-left [,raɪtənd'left] 1. *n* 1) вы́стрел из обо́их ство́лов 2) *спорт.* уда́р обе́ими рука́ми

2. *a тех.* име́ющий пра́вый и ле́вый ход; с пра́вой и ле́вой резьбо́й

3. *adv* со всех сторо́н

right-angled ['raɪt,æŋgld] *a* прямоуго́льный

right-down ['raɪtdaʊn] *a разг.* соверше́нный; отъя́вленный

righten ['raɪtən] *v* исправля́ть

righteous ['raɪtʃəs] *a* 1) пра́ведный, доброде́тельный 2) справедли́вый; ~ indignation справедли́вое негодова́ние

righteousness ['raɪtʃəsnəs] *n* 1) пра́ведность; доброде́тельность 2) справедли́вость

rightful ['raɪtfl] *a* 1) зако́нный; ~ heir зако́нный насле́дник 2) принадлежа́щий по пра́ву 3) справедли́вый

right-hand [,raɪt'hænd] *a* 1) пра́вый; ~ man а) сосе́д спра́ва (*в строю*); б) «пра́вая рука́», ве́рный помо́щник 2) *тех.* с пра́вым хо́дом; с пра́вой наре́зкой

right-handed [,raɪt'hændɪd] *a* 1) по́льзующийся пра́вой руко́й 2) правосторо́нний

right-hander [,raɪt'hændə] *n* 1) тот, кто владе́ет пра́вой руко́й лу́чше, чем ле́вой 2) *разг.* уда́р пра́вой руко́й

rightist ['raɪtɪst] *n* пра́вый, реакционе́р

right-lined [,raɪt'laɪnd] *a* образо́ванный прямы́ми ли́ниями; прямолине́йный

rightly ['raɪtlɪ] *adv* 1) справедли́во 2) пра́вильно 3) до́лжным о́бразом

right-minded [,raɪt'maɪndɪd] *a* 1) благонаме́ренный 2) разу́мный

righto [,raɪt'əʊ] *int разг.* ла́дно!, идёт!

right-of-way [,raɪtəv'weɪ] *n* 1) пра́во прохо́да *или* прое́зда че́рез чужу́ю зе́млю 2) полоса́ отчужде́ния

rightward(s) ['raɪtwəd(z)] *adv* напра́во

right-wing ['raɪtwɪŋ] *a полит.* пра́вый, реакцио́нный

rigid ['rɪdʒɪd] *a* 1) жёсткий, негну́щийся, неги́бкий; твёрдый 2) неподви́жный; неподви́жно закреплённый 3) непрекло́нный, сто́йкий 4) стро́гий; суро́вый; ~ discipline суро́вая дисципли́на; ~ economy стро́гая эконо́мия 5) ко́сный

rigidity [rɪ'dʒɪdətɪ] *n* 1) жёсткость; твёрдость 2) сто́йкость; непрекло́нность 3) стро́гость

rigmarole ['rɪgmərəʊl] *n* 1) волоки́та, каните́ль, волы́нка 2) пуста́я болтовня́, вздор 3) *attr.* бессвя́зный

rigor ['raɪgɔ:] *n мед.* 1) озно́б 2) оцепене́ние; окочене́ние ◇ ~ mortis тру́пное окочене́ние

rigorism [ˈrɪɡərɪzəm] *n* 1) ригори́зм 2) высо́кие тре́бования (*к стилю*)

rigorous [ˈrɪɡərəs] *a* 1) стро́гий; неумоли́мый 2) то́чный; ~ scientific method то́чный нау́чный ме́тод 3) тща́тельный, скрупулёзный 4) суро́вый; ~ climate суро́вый кли́мат

rigour [ˈrɪɡə] *n* 1) стро́гость; неумоли́мость 2) *pl* стро́гие ме́ры 3) то́чность 4) тща́тельность 5) суро́вость

rig-out [ˈrɪɡaʊt] *n разг.* оде́жда, экипиро́вка

Riksdag [ˈrɪksdæɡ] *швед. n* риксда́г

rile [raɪl] *v разг.* 1) серди́ть, раздража́ть 2) *амер.* мути́ть (*воду и т. п.*)

rill [rɪl] *n* ручеёк; родни́к, исто́чник

rim [rɪm] **1.** *n* 1) ободо́к, край; о́бод (*колеса*); банда́ж (*обода*); опра́ва (*очков*) 2) скоба́, опо́рное кольцо́ 3) *мор.* во́дная пове́рхность

2. *v* 1) снабжа́ть ободко́м, о́бодом *и т. п.* 2) служи́ть о́бодом, обрамля́ть

rime I [raɪm] *уст.* = rhyme

rime II [raɪm] *поэт.* **1.** *n* и́ней; и́зморозь

2. *v* покрыва́ть и́неем

rimless [ˈrɪmləs] *a* не име́ющий о́бода *или* опра́вы; ~ eyeglasses пенсне́; очки́ без опра́вы

-rimmed [-rɪmd] *в сложных словах означает* в опра́ве; gold-~ spectacles очки́ в золото́й опра́ве

rimy [ˈraɪmɪ] *a* заиндеве́вший, моро́зный

rind [raɪnd] **1.** *n* 1) кожура́; ко́рка 2) кора́

2. *v* снима́ть кожуру́; очища́ть ко́жицу; сдира́ть кору́

rinderpest [ˈrɪndəpest] *n* чума́ рога́того скота́

ring I [rɪŋ] **1.** *n* 1) кольцо́ 2) о́бруч, ободо́к; опра́ва (*очков*) 3) круг; окру́жность 4) годи́чное кольцо́ (*дерева*); годи́чный слой (*древесины*) 5) цирково́я аре́на; выводно́й круг 6) (the ~) *собир.* профессиона́льные игроки́ на ска́чках, букме́керы 7) площа́дка (*для борьбы*), ринг 8) аре́на полити́ческой борьбы́ (*особ. во время выборов*) 9) ринг, объедине́ние (*часто* незако́нное) для совме́стного контро́ля над ры́нком, де́йствиями поли́тиков *и т. п.* 10) кли́ка; ша́йка, ба́нда 11) (the R.) бокс 12) *архит.* архиво́льт (*арки*) 13) *мор.* рым ◇ to run (*или* to make) ~s (a)round за́ пояс заткну́ть; намно́го опереди́ть, обогна́ть

2. *v* 1) очерти́ть круг; обводи́ть кружко́м 2) окружа́ть кольцо́м (*обыкн.* ~ in, ~ round, ~ about) 3) надева́ть кольцо́; окольцо́вывать (*птицу и т. п.*), продева́ть кольцо́ в нос (*животному*) 4) кружи́ть; ви́ться

ring II [rɪŋ] **1.** *n* 1) звон; звуча́ние; the ~ of his voice звук его́ го́лоса 2) *разг.* (телефо́нный) звоно́к; to give a ~ позвони́ть по телефо́ну 3) намёк (на); it has the ~ of truth about it э́то звучи́т правдоподо́бно 4) подбо́р колоколо́в (*в церкви*); бла́говест

2. *v* (rang, rung; rung) 1) звене́ть; звуча́ть; раздава́ться; to ~ true (false *или* hollow) звуча́ть и́скренне (фальши́во) 2) звони́ть; to ~ the alarm уда́рить в наба́т; to ~ the bell звони́ть (в ко́локол); to ~ a chime прозвони́ть (*о башенных часах*); to ~ a peal трезво́нить 3) звони́ть по телефо́ну 4) оглаша́ться (with); the air rang with shouts во́здух огласи́лся кри́ками □ ~ at звони́ть (*у дверей дома и т. п.*); ~ **down**: to ~ the curtain down дать звоно́к к спу́ску за́навеса; *перен.* положи́ть коне́ц (*чему-л.*) [*ср. тж.* ~ up в)]; ~ **for** тре́бовать *или* вызыва́ть звонко́м; ~ **in** а) *разг.* вводи́ть, представля́ть; б) ознамено́вывать колоко́льным звоно́м; ~ **off** дава́ть отбо́й (*по телефону*); ве́шать тру́бку; ~ off! *груб.* замолчи́(те)!, заткни́(те)сь!; ~ **out** а) прозвуча́ть; б) провожа́ть колоко́льным звоно́м; ~ **up** а) разбуди́ть звонко́м; б) звони́ть, вызыва́ть по телефо́ну; в): to ~ the curtain up дать звоно́к к подня́тию за́навеса; *перен.* нача́ть (*что-л.*) [*ср. тж.* ~ down]

ringbark [ˈrɪŋbɑ:k] *v* кольцева́ть, окольцо́вывать (*дерево*)

ringbolt [ˈrɪŋbəʊlt] *n мор.* рым-бо́лт

ringdove [ˈrɪŋdʌv] *n зоол.* вя́хирь, витю́тень

ringed [rɪŋd] **1.** *p. p. от* ring I, 2

2. *a* 1) отме́ченный кружко́м 2) с кольцо́м, в ко́льцах 3) обручённый (*с кем-л.*); жена́тый; заму́жняя

ringer [ˈrɪŋə] *n* 1) *амер. sl.* ло́шадь, незако́нно уча́ствующая в состяза́нии; спортсме́н, незако́нно уча́ствующий в ма́тче 2) *амер. sl.* челове́к, незако́нно голосу́ющий не́сколько раз 3) *амер. sl.* то́чная ко́пия (*кого-л.*) (*тж.* dead ~); he is a ~ for his father он вы́литый оте́ц 4) *разг.* первокла́ссная вещь; ма́стер своего́ де́ла 5) звона́рь 6) тот, кто звони́т

ring-fence [ˈrɪŋfens] *n* огра́да (*окружающая что-л. со всех сторон*)

ring-finger [ˈrɪŋˌfɪŋɡə] *n* безымя́нный па́лец (*особ. на левой руке*)

ringing I [ˈrɪŋɪŋ] *pres. p. от* ring I, 2

ringing II [ˈrɪŋɪŋ] **1.** *pres. p. от* ring II, 2

2. *n* 1) звон, трезво́н 2) вы́зов; посы́лка вы́зова *или* вызывно́го сигна́ла

3. *a* зво́нкий; зву́чный; гро́мкий; a ~ cheer гро́мкое ура́; a ~ frost треску́чий моро́з

ringleader [ˈrɪŋˌli:də] *n* глава́рь, вожа́к, зачи́нщик, коново́д

ringlet [ˈrɪŋlət] *n* 1) коле́чко 2) ло́кон

ringleted, ringlety [ˈrɪŋlətɪd, -tɪ] *a* завито́й, в ло́конах; курча́вый

ring-mail [ˈrɪŋmeɪl] *n* кольчу́га

ring-master [ˈrɪŋˌmɑ:stə] *n* инспе́ктор мане́жа (*в цирке*)

ring-net [ˈrɪŋnet] *n* сачо́к для ло́вли ба́бочек

ring ouzel [ˈrɪŋˌu:zl] *n зоол.* дрозд белозо́бый

ring-pull [ˈrɪŋpʊl] *a* открыва́ющийся с по́мощью кольца́ (*о консервной банке*)

ring road [ˈrɪŋrəʊd] *n* кольцева́я доро́га (*обыкн. вокруг города*)

ringtail [ˈrɪŋteɪl] *n зоол.* са́мка луня́

ringway [ˈrɪŋweɪ] *n* кольцева́я автодоро́га

ringworm [ˈrɪŋwɜ:m] *n мед.* стригу́щий лиша́й

rink [rɪŋk] **1.** *n* като́к; ске́тинг-ри́нк

2. *v* ката́ться на ро́ликах

rinse [rɪns] **1.** *n* 1) полоска́ние; to give a ~ прополоска́ть 2) оттёночная кра́ска для воло́с

2. *v* полоска́ть, промыва́ть (*часто* ~ out); to ~ out one's mouth вы́полоскать рот

rinsing [ˈrɪnsɪŋ] **1.** *pres. p. от* rinse 2

2. *n* 1) полоска́ние 2) *pl* вода́, оста́вшаяся по́сле полоска́ния; ополо́ски 3) *pl* оста́тки, после́дние ка́пли

riot [ˈraɪət] **1.** *n* 1) бунт; мятёж 2) наруше́ние обще́ственной тишины́ и поря́дка 3) разгу́л; необу́зданность; to run ~ а) вести́ себя́ бу́йно; б) свире́пствовать (*о болезни*); в) бу́йно разрасти́сь; the grass ran ~ in our garden трава́ бу́йно разросла́сь в на́шем саду́; г) дава́ть во́лю (*фантазии и т. п.*); his fancy ran ~ он дал во́лю своему́ воображе́нию 4) изоби́лие, бу́йство; a ~ of colour бога́тство кра́сок 5) (a ~) *разг.* взрыв восто́рга, энтузиа́зма *и т. п.* 6) *attr.*: R. Act зако́н об охра́не обще́ственного споко́йствия и поря́дка (*в Англии*); to read the R. Act а) предупреди́ть толпу́ о необходи́мости разойти́сь; б) *разг.* дать нагоня́й; ~ call *амер.* вы́зов подкрепле́ния для подавле́ния восста́ния

2. *v* 1) бунтова́ть; принима́ть уча́стие в бу́нте 2) бесчи́нствовать; наруша́ть обще́ственный поря́док 3) бу́йствовать, шуме́ть; предава́ться разгу́лу 4) растра́чивать по́пусту (*время, деньги*; *обыкн.* ~ away)

rioter [ˈraɪətə] *n* мятéжник; бунтовщи́к

riotous [ˈraɪətəs] *a* 1) мятéжный 2) бу́йный; шумли́вый; разгу́льный 3) оби́льный, пы́шный, бу́йный (*о растительности*)

rip I [rɪp] **1.** *n* разры́в, разре́з

2. *v* 1) разреза́ть, распа́рывать, рвать (*одним быстрым движением*; *тж.* ~ up) 2) рва́ться, поро́ться; cloth that ~s at once мате́рия, кото́рая легко́ рвётся 3) раска́лывать (*дрова*) 4) ло́паться, раска́лываться 5) распи́ливать вдоль воло́кон (*дерево*) 6) мча́ться, нести́сь вперёд (*о лодке, машине, автомобиле и т. п.*) □ ~ **off** а) сдира́ть; б) *разг.* вымога́ть; гра́бить; ~ **out** а) выдира́ть; вырыва́ть; б) испуска́ть (*крик*); в) отпуска́ть (*ругательство*); ~ **up** а) распа́рывать; б) вскрыва́ть; to ~ up old wounds береди́ть ста́рые ра́ны ◇ to let ~ а) мча́ться вовсю́; б) руга́ться, брани́ться; в) не меша́ть, не вме́шиваться; to let things ~ не вме́шиваться, не наруша́ть есте́ственный ход собы́тий; let her (*или* it) ~ а) приба́вь хо́ду!; б) не заде́рживай!

rip II [rɪp] *n* 1) распу́тник; негодя́й 2) кля́ча

riparian [raɪ'peərɪən] *a* прибре́жный

rip cord ['rɪpkɔ:d] *n* вытяжно́й трос (*парашюта*); разрывна́я верёвка (*аэростата*)

ripe [raɪp] *a* 1) спе́лый 2) зре́лый, возмужа́лый; of ~ age зре́лого во́зраста; persons of ~ years взро́слые лю́ди 3) вы́держанный; ~ cheese вы́держанный сыр 4) гото́вый (for); time is ~ for наступи́ло вре́мя для

ripen ['raɪpən] *v* 1) зреть; созрева́ть 2) спосо́бствовать созрева́нию; вы́держивать

ripeness ['raɪpnəs] *n* 1) зре́лость; спе́лость 2) зако́нченность

ripost(e) [rɪ'pɒst] **1.** *n* 1) бы́стрый, нахо́дчивый отве́т 2) отве́тный уда́р, уко́л (*в фехтовании*)

2. *v* 1) отвеча́ть бы́стро и нахо́дчиво 2) пари́ровать уда́р, уко́л (*в фехтовании*)

ripper ['rɪpə] *n* 1) *разг.* превосхо́дный челове́к; превосхо́дная вещь 2) = ripsaw 3) *стр.* рыхли́тель, ри́ппер ◇ Jack the R. *ист.* Джек-Потроши́тель

ripping ['rɪpɪŋ] **1.** *pres. p. от* rip I, 2

2. *a разг.* потряса́ющий, великоле́пный, превосхо́дный

3. *adv разг.* чрезвыча́йно; a ~ good story превосхо́днейшая исто́рия

ripple I ['rɪpl] **1.** *n* 1) рябь, зыбь 2) волни́стость (*волос*) 3) журча́ние; a ~ of laughter серебри́стый смех 4) пульса́ция

2. *v* 1) покрыва́ть(ся) ря́бью 2) струи́ться 3) журча́ть

ripple II ['rɪpl] **1.** *n* чеса́лка (*для льна*)

2. *v* чеса́ть (*лён*)

ripply ['rɪplɪ] *a* 1) покры́тый ря́бью 2) волни́стый

riprap ['rɪpræp] *n амер. стр.* ка́менная набро́ска

rip-roaring [,rɪp'rɔ:rɪŋ] *a* 1) шу́мный, бу́йный 2) первокла́ссный, отли́чный

ripsaw ['rɪpsɔ:] *n тех.* продо́льная пила́

ripsnorter ['rɪp,snɔ:tə] *n разг.* энерги́чный, де́ятельный челове́к; отли́чный челове́к; превосхо́дная вещь

rise [raɪz] **1.** *n* 1) повыше́ние, возвыше́ние, подъём, подня́тие; увеличе́ние; to be on the ~ поднима́ться (*о ценах и т. п.*); *перен.* идти́ в го́ру; the ~ to power прихо́д к вла́сти 2) возвы́шенность, холм; to look from the ~ смотре́ть с горы́ 3) приба́вка (*к жалованью*) 4) рост (*влияния*); приобрете́ние ве́са (*в обществе*); улучше́ние (*положения*) 5) восхо́д (*солнца, луны*) 6) движе́ние 7) вы́ход, подъём на пове́рхность 8) клёв 9) происхожде́ние, нача́ло; to take its ~ in smth. брать нача́ло в чём-л. 10) исто́к (*реки*) 11) *горн., геол.* восстаю́щая вы́работка; восста́ние (*пласта*) 12) *тех., стр.* стрела́ (*арки, провеса, подъёма*); вы́нос, прове́с (*провода*) 13) *лес.* сбег (*ствола, бревна*) ◇ to take (*или* to get) a ~ out of smb. раздразни́ть кого́-л., вы́вести кого́-л. из себя́; to give ~ to вызыва́ть, име́ть результа́том

2. *v* (rose; risen) 1) поднима́ться; встава́ть 2) возвыша́ться; to ~ above smth. а) возвыша́ться над чем-л.; б) быть вы́ше чего́-л.; to ~ above the prejudices быть вы́ше предрассу́дков 3) встава́ть, в(о)сходи́ть; the sun ~s со́лнце всхо́дит 4) закрыва́ться, прекраща́ть рабо́ту (*о съезде, сессии и т. п.*); Parliament will ~ next week се́ссия парла́мента закрыва́ется на бу́дущей неде́ле 5) поднима́ться (*о ценах, уровне и т. п.*); увели́чиваться 6) возраста́ть, уси́ливаться; the wind ~s ве́тер уси́ливается; her colour rose она́ покрасне́ла 7) продвига́ться (*по социальной лестнице*); приобрета́ть вес, влия́ние (*в обществе*) 8) поднима́ться на пове́рхность 9) расти́, поднима́ться (*о зданиях и т. п.*) 10) воскреса́ть (*из мёртвых*); Christ is ~n! Христо́с воскре́с! 11) поднима́ться, подходи́ть (*о тесте*) □ ~ to быть в состоя́нии спра́виться с *чем-л.* ◇ to ~ to the bait (*или* to the fly) попа́сться на у́дочку; to ~ to it отве́тить на вызыва́ющее замеча́ние; his gorge (*или* stomach) ~s он чу́вствует отвраще́ние; ему́ прети́т; to ~ in applause встреча́ть ова́цией; to ~ to the occasion оказа́ться на высоте́ положе́ния

risen ['rɪzn] *p. p. от* rise 2

riser ['raɪzə] *n* 1) тот, кто встаёт; he is an early ~ он встаёт ра́но 2) *стр.* по́дступень ле́стницы; подъём ступе́ни ле́стницы 3) *тех.* стоя́к 4) *эл.* колле́кторный гребешо́к *или* петушо́к 5) *ж.-д.* поду́шка 6) *метал.* вы́пор; при́быль (*отливки*)

risibility [,rɪzə'bɪlətɪ] *n* смешли́вость

risible ['rɪzəbl] *a* 1) смешно́й; смехотво́рный 2) смешли́вый

rising ['raɪzɪŋ] **1.** *pres. p. от* rise 2

2. *n* 1) восста́ние 2) встава́ние 3) восхо́д; the ~ of the sun восхо́д со́лнца 4) возвыше́ние, повыше́ние; подня́тие 5) пры́щик; о́пухоль

3. *a* 1) возраста́ющий 2) поднима́ющийся, восходя́щий 3) приближа́ющийся к определённому во́зрасту; ~ forty приближа́ющийся к сорока́ года́м, под со́рок 4) приобрета́ющий вес, влия́ние *и т. п.*; ~ lawyer (doctor) юри́ст (врач), начина́ющий приобрета́ть изве́стность

risk [rɪsk] **1.** *n* риск; at one's own ~ на свой страх и риск; at the ~ of one's life риску́я жи́знью; to take (*или* to run) ~s рискова́ть; at owner's ~ *ком.* на риск владе́льца

2. *v* 1) рискова́ть (*чем-л.*); to ~ one's health рискова́ть здоро́вьем 2) отва́живаться (*на что-л.*); to ~ failure не боя́ться пораже́ния; to ~ a stab in the back подставля́ть спи́ну под уда́р

riskiness ['rɪskɪnəs] *n* риско́ванность, опа́сность

risky ['rɪskɪ] *a* риско́ванный, опа́сный

risotto [rɪ'sɒtəʊ] *n* (*pl* -os [-əʊz]) *кул.* ризо́тто

risqué ['rɪskeɪ] *a* риско́ванный; сомни́тельный, непристо́йный (*об остроте, шутке*)

rissole ['rɪsəʊl] *n* 1) котле́та, тефте́ля 2) *амер.* пирожо́к с мясно́й *или* ры́бной начи́нкой, обжа́ренный в ма́сле

rite [raɪt] *n* обря́д, церемо́ния; ритуа́л; the ~s of hospitality обы́чаи гостеприи́мства

ritual ['rɪtʃʊəl] **1.** *n* 1) ритуа́л 2) *церк.* тре́бник

2. *a* обря́довый, ритуа́льный ◇ ~ talk арго́, жарго́н

ritualism ['rɪtʃʊəlɪzəm] *n* обря́дность

ritualist ['rɪtʃʊəlɪst] *n* приве́рженец обря́дности

ritzy ['rɪtsɪ] *a разг.* шика́рный, изы́сканный

rival ['raɪvl] **1.** *n* 1) сопе́рник; конкуре́нт; without a ~ а) не име́ющий сопе́рника; б) вне конкуре́нции 2) *воен.* проти́вник

2. *a* сопе́рничающий; конкури́рующий; ~ firms конкури́рующие фи́рмы

3. *v* сопе́рничать; конкури́ровать

rivalry ['raɪvlrɪ] *n* сопе́рничество; конкуре́нция; friendly ~ дру́жеское соревнова́ние

rive [raɪv] *v* (rived [-d]; rived, riven) раска́лывать(ся); расщепля́ть(ся); разруба́ть; разрыва́ть(ся); отрыва́ть(ся) (*тж.* ~ away, ~ off, ~ from)

riven ['rɪvn] **1.** *p. p. от* rive

2. *a поэт.* раско́лотый

river ['rɪvə] *n* 1) река́; пото́к; to cross the ~ а) перепра́виться че́рез ре́ку; б) преодоле́ть препя́тствие; в) умере́ть 2) *attr.* речно́й ◇ to sell down the ~ преда́ть *кого-л.*

riverbed ['rɪvəbed] *n* ру́сло реки́

river-horse ['rɪvə,hɔ:s] *n* 1) бегемо́т, гиппопота́м 2) *миф.* водяно́й

riverine ['rɪvəraɪn] *a* речно́й, прибре́жный

riverside ['rɪvəsaɪd] *n* 1) прибре́жная полоса́, бе́рег реки́ 2) *attr.* прибре́жный, находя́щийся на берегу́; ~ villa ви́лла на берегу́ реки́

rivet ['rɪvɪt] **1.** *n* заклёпка

2. *v* 1) клепа́ть, заклёпывать 2) прико́вывать (*взор, внимание*) (on, upon — к *чему-л.*)

riviera [,rɪvɪ'eərə] *n* ривье́ра

rivière [,rɪvɪ'eə] *n* ожере́лье (*обыкн. из нескольких нитей*)

rivulet ['rɪvjʊlət] *n* руче́й; рече́ушка

roach I [rəʊtʃ] *n зоол.* плотва́ (*тж.* European ~) ◇ as sound as a ~ ≅ здоро́в как бык

roach II [rəʊtʃ] *n мор.* вы́емка (*у паруса*)

roach III [rəʊtʃ] *разг. см.* cockroach

road [rəʊd] *n* 1) доро́га, путь, шоссе́; country ~ просёлочная доро́га; to be on the ~ быть в пути́ [*см. тж.* ◇] 2) у́лица, мостова́я, прое́зжая часть у́лицы; to cross the ~ перейти́ у́лицу 3) путь (*к чему-л.*), спо́соб (*достижения чего-л.*); no royal ~ to smth. нелёгкий спо́соб достиже́ния чего́-л. 4) *горн.* штрек 5) *амер.* желе́зная доро́га 6) (*обыкн. pl*) *мор.*

рейд 7) *attr.* доро́жный; ~ sign доро́жный знак ◇ to be on the ~ а) разъезжа́ть (*о коммивояжёре*); б) быть на гастро́лях, в турне́; в) бродя́жничать [*см. тж.* 1)]; to be in the ~, to get in smb.'s ~ стоя́ть поперёк доро́ги, меша́ть, препя́тствовать; one for the ~ после́дняя рю́мка, выпива́емая пе́ред ухо́дом, «посошо́к»

roadbed ['rəudbed] *n* полотно́ доро́ги

roadblock ['rəudblɒk] *n* 1) доро́жный контро́льно-пропускно́й пункт 2) доро́жное загражде́ние

road-book ['rəudbuk] *n* доро́жный спра́вочник, а́тлас автомоби́льных доро́г

road capacity [ˌrəudkə'pæsətɪ] *n* пропускна́я спосо́бность доро́ги

road clearance [ˌrəud'klɪərəns] *n авто* просве́т, кли́ренс

road hog ['rəudhɒg] *n разг.* неосторо́жный автомобили́ст, лиха́ч, наруши́тель доро́жных пра́вил

roadhouse ['rəudhaus] *n* придоро́жная заку́сочная, буфе́т

roadless ['rəudləs] *a* бездоро́жный

roadman ['rəudmən] *n* доро́жный рабо́чий

road metal ['rəudˌmetl] *n* щёбень, щебёнка

road roller ['rəudˌrəulə] *n* тяжёлый доро́жный като́к

road scraper ['rəudˌskreɪpə] *n тех.* скре́пер; гре́йдер

road show ['rəudʃəu] *n амер.* представле́ние гастроли́рующей тру́ппы (*особ. исполнителями поп-музыки*)

roadside ['rəudsaɪd] **1.** *n* край доро́ги, обо́чина

2. *a* придоро́жный

roadstead ['rəudsted] *n мор.* рейд

roadster ['rəudstə] *n* 1) ро́дстер (*автомобиль с открытым двухместным кузовом, складным верхом и откидным задним сиденьем*) 2) доро́жный велосипе́д; экипа́ж *или* ло́шадь для да́льних пое́здок 3) завзя́тый путеше́ственник (*по дорогам*) 4) кора́бль, стоя́щий на ре́йде

road test ['rəudtest] *v* испы́тывать автомаши́ну в есте́ственных усло́виях

Road up ['rəudˌʌp] *n* «прое́зд запрещён» (*дорожный знак*)

roadway ['rəudweɪ] *n* 1) шоссе́; мостова́я; прое́зжая часть доро́ги 2) полоса́ отчужде́ния (*дороги*); железнодоро́жное полотно́

roadworthy ['rəudˌwɜ:ðɪ] *a* 1) приго́дный для эксплуата́ции

roam [rəum] **1.** *n* стра́нствование, скита́ние

2. *v* броди́ть, стра́нствовать, скита́ться

roan I [rəun] **1.** *n* ча́лая ло́шадь

2. *a* ча́лый

roan II [rəun] *n* мя́гкая ове́чья ко́жа (*для переплётов*)

roar [rɔ:] **1.** *n* 1) рёв; шум 2) хо́хот; ~s of laughter взры́вы сме́ха, хо́хота

2. *v* 1) реве́ть, ора́ть; рыча́ть 2): to ~ with laughter хохота́ть во всё го́рло; to ~ with pain реве́ть от бо́ли 3) храпе́ть (*о больной лошади*) 4) прокрича́ть, прора́ть (*часто* ~ out)

roarer ['rɔ:rə] *n* 1) *разг.* крику́н, горлопа́н 2) *вет.* запалённая ло́шадь

roaring ['rɔ:rɪŋ] **1.** *pres. p. от* roar 2

2. *n* 1) рёв; свист; шум 2) *вет.* запа́л (*болезнь лошадей*)

3. *a* 1) шу́мный, бу́рный 2) живо́й; кипу́чий; ~ trade оживлённая торго́вля ◇ ~ drunk ≅ бу́йный во хмелю́

roast [rəust] **1.** *n* 1) жарко́е, жа́реное; (большо́й) кусо́к жа́реного мя́са 2) кусо́к мя́са для жарко́го 3) приготовле́ние жарко́го 4) *тех.* о́бжиг 5) жесто́кая кри́тика ◇ to rule the ~ задава́ть тон; возглавля́ть де́ло; верховоди́ть

2. *a* жа́реный; ~ beef ро́стбиф

3. *v* 1) жа́рить(ся); пе́чь(ся); гре́ть(ся) 2) *разг.* высме́ивать (*кого-л.*); издева́ться 3) *тех.* обжига́ть; выжига́ть; кальцини́ровать 4) жесто́ко критикова́ть

roaster ['rəustə] *n* 1) жаро́вня; ро́стер 2) суши́лка для ко́фе 3) *тех.* обжига́тельная печь 4) моло́чный поросёнок *или* молодо́й петушо́к (*для жаркого*)

roasting-jack ['rəustɪŋdʒæk] *n* ве́ртел

rob [rɒb] *v* 1) гра́бить; обкра́дывать 2) отнима́ть; лиша́ть (*чего-л.*); to ~ smb. of his rights лиши́ть кого́-л. прав 3) *горн.* вести́ очи́стные рабо́ты; хи́щнически выраба́тывать (бога́тую) руду́ ◇ to ~ the cradle совраща́ть младе́нца; to ~ Peter to pay Paul облагоде́тельствовать одного́ за счёт друго́го

robber ['rɒbə] *n* граби́тель, разбо́йник

robbery ['rɒbərɪ] *n* 1) кра́жа; грабёж 2) непоме́рно высо́кая цена́

robe [rəub] **1.** *n* 1) (*обыкн. pl*) ма́нтия; широ́кая оде́жда; the long ~ ма́нтия судьи́; ря́са свяще́нника; gentlemen of the (long) ~ су́дьи, юри́сты 2) *амер.* хала́т 3) *амер.* же́нское пла́тье 4) *поэт.* одея́ние 5) *амер.* мехова́я по́лость (*у саней*)

2. *v* облача́ть(ся); надева́ть

robin ['rɒbɪn] *n* 1) *зоол.* мали́новка (*тж.* ~ redbreast) 2) *sl.* пе́нни

Robin Goodfellow [ˌrɒbɪn'gudfeləu] *n* Ро́бин Гу́дфеллоу (*добрый и проказливый дух; персонаж английских народных сказаний*)

robot ['rəubɒt] *n* 1) ро́бот 2) автома́т; телемехани́ческое устро́йство 3) автомати́ческий сигна́л у́личного движе́ния 4) *attr.* автомати́ческий; ~ bomb управля́емая авиацио́нная бо́мба; ~ plane беспило́тный самолёт; ~ pilot автопило́т

robotize ['rəubɒtaɪz] *v* 1) автоматизи́ровать 2) превраща́ть в ро́бота

robust [rəu'bʌst] *a* 1) кре́пкий, здоро́вый; си́льный 2) здра́вый, я́сный (*об уме*) 3) тру́дный, тре́бующий уси́лий 4) твёрдый, не допуска́ющий возраже́ний (*о заявлении и т. п.*)

roc [rɒk] *n миф.* пти́ца Рух

rocambole ['rɒkəmbəul] *n бот.* лук-рокамбо́ль

rochet ['rɒtʃɪt] *n* 1) стиха́рь с у́зкими рукава́ми 2) пара́дная ма́нтия англи́йских пэ́ров

rock I [rɒk] *n* 1) го́рная поро́да 2) скала́, утёс 3) (the R.) Гибралта́р 4) ка́мень; булы́жник 5) опо́ра, не́что надёжное 6) причи́на опа́сности *или* прова́ла 7) леденцо́вая караме́ль 8) (*обыкн. pl*) *амер. sl.* де́ньги 9) *амер. sl.* бриллиа́нт 10) *pl груб.* я́йца 11) *attr.* го́рный; ка́менный ◇ on the ~s ≅ а) «на мели́»; в стеснённых обстоя́тельствах; б) на гра́ни разво́да; в) со льдом (*о напитке*)

rock II [rɒk] **1.** *v* 1) кача́ть(ся); колеба́ть(ся); трясти́(сь); he ~ed with laughter он затря́сся от сме́ха 2) ука́чивать, убаю́кивать 3) трево́жить, беспоко́ить, волнова́ть 4) танцева́ть рок-н-ро́лл 5) исполня́ть рок-му́зыку

2. *n* 1) кача́ние; колеба́ние 2) = rock'n'roll

rockabilly ['rɒkəˌbɪlɪ] *n* рокаби́лли (*разновидность рок-н-ролла*)

rock-and-roll [ˌrɒkən'rəul] = rock'n'roll

rock bottom [ˌrɒk'bɒtəm] *n* 1) твёрдое основа́ние 2) ни́жний преде́л

rock-bottom [ˌrɒk'bɒtəm] *a* о́чень ни́зкий (*о ценах*)

rock crystal [ˌrɒk'krɪstl] *n* го́рный хруста́ль

rock-drill ['rɒkdrɪl] *n тех.* перфора́тор

rocker ['rɒkə] *n* 1) кача́лка (*колыбели*) 2) кре́сло-кача́лка 3) ро́кер 4) покло́нник рок-му́зыки 5) лото́к (*для промывания золота*) 6) конёк с си́льно изо́гнутым по́лозом 7) = rocking-turn 8) *тех.* баланси́р, коромы́сло; кули́са, шату́н ◇ off one's ~ ≅ чо́кнутый, с приве́том, не все до́ма

rockery ['rɒkərɪ] = rock garden

rocket I ['rɒkɪt] **1.** *n* 1) раке́та 2) раке́тный дви́гатель 3) реакти́вный снаря́д 4) *attr.* раке́тный; реакти́вный; ~ projector реакти́вный гранатомёт; ~ airplane реакти́вный самолёт; самолёт, вооружённый раке́тами; ~ bomb управля́емая раке́та; ~ site ста́ртовая площа́дка (*для запуска ракет*)

2. *v* 1) стреля́ть раке́тами 2) взмыва́ть, взлета́ть

rocket II ['rɒkɪt] *n бот.* вече́рница, ночна́я фиа́лка

rocketeer [ˌrɒkɪ'tɪə] *n* 1) специали́ст по раке́тной те́хнике 2) сигна́льщик-раке́тчик

rocket-launcher ['rɒkɪtˌlɔ:ntʃə] *n воен.* 1) пускова́я устано́вка 2) реакти́вный гранатомёт

rocketry ['rɒkɪtrɪ] *n* раке́тная те́хника

rockfall ['rɒkfɔ:l] *n* камнепа́д, обва́л

rock garden ['rɒkˌgɑ:dn] *n* сад с декорати́вными ка́менными го́рками

rock-hewn [ˌrɒk'hju:n] *a* высеченный из ка́мня

Rockies ['rɒkɪz] *n pl амер. разг.* (*сокр. от* Rocky Mountains) Скали́стые го́ры

rocking chair ['rɒkɪŋtʃeə] *n* кре́сло-кача́лка

rocking-horse ['rɒkɪŋhɔ:s] *n* игру́шечный конь-кача́лка

rocking-turn ['rɒkɪŋtɜ:n] *n* «крюк» (*элемент в фигурном катании*)

rock'n'roll [ˌrɒkən'rəul] *n* рок-н-ро́лл

rock oil [ˈrɒkɔɪl] *n* нефть
rock salt [ˈrɒksɔːlt] *n* ка́менная соль
rock-tar [ˈrɒktɑː] *n* сыра́я нефть
rocky I [ˈrɒkɪ] *a* 1) скали́стый, камени́стый 2) кре́пкий, твёрдый, непоколеби́мый; неподатли́вый
rocky II [ˈrɒkɪ] *a разг.* 1) неусто́йчивый, кача́ющийся (*о предмете*) 2) пошатну́вшийся (*о здоровье, делах и т. п.*)
rococo [rəˈkəʊkəʊ] 1. *n* стиль рококо́
2. *a* 1) в сти́ле рококо́ 2) безвку́сно пы́шный, вы́чурный, претенцио́зный 3) устаре́вший
rod [rɒd] *n* 1) прут; сте́ржень; брус 2) жезл, ски́петр (*атрибут власти*); *перен.* власть, си́ла; тирани́я 3) ро́зга; *перен.* наказа́ние; the ~ по́рка ро́згами 4) у́дочка 5) ме́ра длины́ (≅ *5 м*) 6) па́лочка (*микроб*) 7) *анат.* па́лочка (*сетчатой оболочки глаза*) 8) *тех.* ре́йка, тя́га, шток; рыча́г; sounding ~ футшто́к 9) *амер. sl.* револьве́р ◇ to make a ~ for one's own back наказа́ть самого́ себя́; to rule with a ~ of iron управля́ть желе́зной руко́й; to spare the ~ and spoil the child ≅ пожале́ешь ро́згу, испо́ртишь ребёнка; баловство́м по́ртить ребёнка
rode [rəʊd] *past от* ride 2
rodent [ˈrəʊdnt] *n зоол.* грызу́н
rodeo [rəʊˈdeɪəʊ] *n* (*pl* -os [-əʊz]) 1) родео́, состяза́ние ковбо́ев 2) соревнова́ния мотоцикли́стов *и т. п.* 3) заго́н для клейме́ния скота́
rodomontade [ˌrɒdəmɒnˈtɑːd] 1. *n* хвастовство́, бахва́льство
2. *a* хвастли́вый
3. *v* бахва́литься
roe I [rəʊ] *n* (*pl тж. без измен.*) косу́ля
roe II [rəʊ] *n* 1) икра́ (*тж.* hard ~) 2) моло́ки (*тж.* soft ~) 3) кососло́й (*в древесине*)
roebuck [ˈrəʊbʌk] *n* саме́ц косу́ли
roentgen [ˈrɒntgən] *n физ.* рентге́н
Roentgen rays [ˌrɒntgənˈreɪz] *n pl* рентге́новы лучи́
rogation [rəʊˈgeɪʃn] *n* (*обыкн. pl*) моле́бствие
Roger [ˈrɒdʒə] *n* 1) *название английского деревенского танца* (*тж.* Sir ~ de Coverley) 2): the jolly ~ «Весёлый Ро́джер», пира́тский флаг (*череп и две скрещённые кости на чёрном фоне*)
roger [ˈrɒdʒə] 1. *int* 1) *радио* вас по́нял 2) *sl.* ла́дно, согла́сен
2. *v sl.* спать, жить (*с кем-л.*)
rogue [rəʊg] *n* 1) жу́лик, моше́нник; негодя́й 2) *шутл.* плути́шка, шалу́н; прока́зник; to play the ~ прока́зничать 3) ди́кое живо́тное, отби́вшееся от ста́да (*особ. слон*) 4) *с.-х.* сортова́я при́месь; иноро́дная культу́ра 5) *биол.* экземпля́р, обнару́живающий при́знаки дегенера́ции
roguery [ˈrəʊgərɪ] *n* 1) моше́нничество; жу́льничество 2) прока́зы; ша́лости
roguish [ˈrəʊgɪʃ] *a* 1) жуликова́тый 2) прока́зливый; шаловли́вый
roil [rɔɪl] *v* 1) мути́ть (*воду*); взба́лтывать 2) *амер. разг.* досажда́ть, серди́ть, раздража́ть
roily [ˈrɔɪlɪ] *a* му́тный
roister [ˈrɔɪstə] *v* бесчи́нствовать
roisterer [ˈrɔɪstərə] *n* гуля́ка, бра́жник
roistering [ˈrɔɪstərɪŋ] 1. *pres. p. от* roister
2. *n* бесчи́нство
3. *a* шу́мный; бу́йный
Roland [ˈrəʊlənd] *n ист.* Рола́нд ◇ a ~ for an Oliver досто́йный отве́т; to give smb. a ~ for an Oliver дать досто́йный отве́т, уда́чно пари́ровать
role [rəʊl] *n* роль
roll [rəʊl] 1. *n* 1) каче́ние; враще́ние; ка́чка; крен; the ~ of a ship бортова́я ка́чка 2) похо́дка вразва́лку 3) раска́т гро́ма *или* го́лоса; гро́хот бараба́на 4) *ав.* бо́чка, двойно́й переворо́т че́рез крыло́ 5) сви́ток; свёрток (*материи, бумаги и т. п.*); свя́зка (*соломы*) 6) руло́н; клубо́к; ва́лик (*причёска*) 7) *воен.* ска́тка 8) руле́т (*мясной и т. п.*) 9) бу́лочка 10) ка́тышек (*масла, воска*) 11) рее́стр, катало́г; спи́сок; ве́домость; to be on the ~s быть, состоя́ть в спи́ске; ~ of honour спи́сок уби́тых на войне́; the Rolls *ист.* суде́бный архи́в на Па́рк-Лейн; to call the ~ де́лать перекли́чку; вызыва́ть по спи́ску; to strike off the ~s лиша́ть адвока́та пра́ва пра́ктики 12) *тех.* вало́к (*прокатного стана*); вал, бараба́н, цили́ндр, ро́лик; вальцы́; като́к 13) *архит.* завито́к иони́ческой капите́ли 14) *амер. sl.* де́ньги, *особ.* па́чка де́нег
2. *v* 1) кати́ть(ся); верте́ть(ся); враща́ть(ся); to ~ downhill (с)кати́ться с горы́; to ~ in the mud валя́ться в грязи́; to ~ in money купа́ться в зо́лоте; to ~ one's eyes враща́ть глаза́ми; зака́тывать глаза́ 2) ката́ть, ска́тывать (*в шарик*) 3) свёртывать(ся); завёртывать (*тж.* ~ up); to ~ a cigarette скрути́ть папиро́су; to ~ oneself up заку́таться, заверну́ться (in — во *что-л.*); to ~ oneself in a rug заку́таться в плед; to ~ smth. in a piece of paper заверну́ть что-л. в бума́гу; to ~ wool into a ball смота́ть шерсть в клубо́к 4) ука́тывать (*дорогу и т. п.*); трамбова́ть (*катком*) 5) раска́тывать (*тесто*) 6) прока́тывать (*металл*); вальцева́ть, плю́щить 7) испы́тывать бортову́ю ка́чку 8) идти́ пока́чиваясь *или* вразва́лку (*часто* ~ along) 9) быть холми́стым (*о местности*) 10) пла́вно течь, кати́ть свои́ во́лны 11) колыха́ться (*о море*); нака́тываться (*о волнах*) 12) греме́ть, грохота́ть; произноси́ть гро́мко; to ~ one's r's раска́тисто произноси́ть звук «р» 13) *sl.* огра́бить (*беспомощную жертву*) 14) *амер. sl.* переверну́ть (*автомобиль*); переверну́ться (*об автомобиле*) □ ~ away а) отка́тывать(ся); б) рассе́иваться (*о тумане*); ~ back а) отка́тывать(ся) наза́д; б) *амер.* снижа́ть це́ны до пре́жнего у́ровня; ~ by а) проезжа́ть ми́мо; б) = ~ on; ~ in а) приходи́ть, сходи́ться в большо́м коли́честве; offers ~ed in предложе́ния так и посы́пались; б) *разг.* име́ть в большо́м коли́честве, изоби́ловать; be ~ing in money в де́ньгах купа́ться; ~ on проходи́ть (*о времени и т. п.*); ~ out а) раска́тывать; б) произноси́ть отчётливо, внуши́тельно; ~ over а) перека́тывать(ся); воро́чать(ся); б) опроки́нуть *кого-л.*; ~ round приходи́ть, возвраща́ться (*о временах года*); ~ up а) ска́тывать; свёртывать(ся); завёртывать; б) *разг.* подъе́хать, подкати́ть; в) *разг.* появи́ться внеза́пно, заяви́ться; г) *воен.* атакова́ть фла́нги; расширя́ть уча́сток проры́ва ◇ to ~ logs for smb. де́лать тяжёлую рабо́ту за кого́-л.
roll call [ˈrəʊlkɔːl] *n* перекли́чка
roll-collar [ˈrəʊlˌkɒlə] *n* воротни́к вокру́г ше́и (*у свитера и т. п.*)
rolled [rəʊld] 1. *p. p. от* roll 2
2. *a тех.* листово́й, прока́тный; ката́ный; ~ gold накладно́е зо́лото, позоло́та
roller [ˈrəʊlə] *n* 1) *тех.* враща́ющийся цили́ндр, вал; ро́лик; колёсико; бегуно́к 2) газонокоси́лка 3) бигуди́ 4) = roller-bandage 5) *мор.* ро́ульс 6) волна́, вал, буру́н 7) *зоол.* сизоворо́нка 8) *разг. см.* roll call 9) *attr. тех.* ро́ликовый; вальцо́вый; ~ bearing ро́ликовый подши́пник
roller-bandage [ˈrəʊləˌbændɪdʒ] *n* бинт, руло́н бинта́
roller coaster [ˈrəʊləˌkəʊstə] *n амер.* америка́нские го́ры (*аттракцион*)
roller skate [ˈrəʊləskeɪt] 1. *n* конёк на ро́ликах; pair of ~s, ~s ро́лики
2. *v* ката́ться на ро́ликах
roller towel [ˈrəʊləˌtaʊəl] *n* полоте́нце на ро́лике
rollick [ˈrɒlɪk] 1. *n* 1) шу́мное весе́лье 2) шальна́я вы́ходка
2. *v* весели́ться, резви́ться, шуме́ть
rollicking [ˈrɒlɪkɪŋ] 1. *pres. p. от* rollick 2
2. *a* 1) бесшаба́шный (*о людях*) 2) разуха́бистый (*о песнях и т. п.*)
rolling [ˈrəʊlɪŋ] 1. *pres. p. от* roll 2
2. *n* 1) бортова́я ка́чка 2) *тех.* ката́ние, прока́тывание, прока́тка
3. *a* холми́стый ◇ ~ drunk ≅ на нога́х не стои́т
rolling mill [ˈrəʊlɪŋmɪl] *n тех.* прока́тный стан
rolling pin [ˈrəʊlɪŋpɪn] *n* ска́лка
rolling stock [ˈrəʊlɪŋstɒk] *n ж.-д.* подвижно́й соста́в
rolling stone [ˈrəʊlɪŋstəʊn] *n* перекати́-по́ле (*о человеке*)
rollmop [ˈrəʊlmɒp] *n кул.* ральмо́пс
roll-on [ˈrəʊlɒn] *a* ша́риковый (*о флаконе дезодоранта и т. п.*)
roll-top desk [ˌrəʊltɒpˈdesk] *n* пи́сьменный стол-бюро́ с убира́ющейся кры́шкой
roly-poly [ˌrəʊlɪˈpəʊlɪ] 1. *n* 1) руле́т с варе́ньем (*тж.* ~ pudding) 2) *разг.* коро́тышка (*обыкн. о ребёнке*) 3) *амер.* неваля́шка (*игрушка*)
2. *a разг.* пу́хлый (*о ребёнке*)
Rom [rɒm] *n* (*pl* Roma) цыга́н
Roma [ˈrɒmə] *pl от* Rom

Romaic [rəʊ'meɪk] 1. *a* новогре́ческий 2. *n* новогре́ческий язы́к

Roman ['rəʊmən] 1. *n* 1) ри́млянин 2) като́лик 3) *полигр.* прямо́й све́тлый шрифт

2. *a* 1) ри́мский; лати́нский; ~ alphabet лати́нский алфави́т; ~ law *юр.* ри́мское пра́во; ~ letters (*или* type) *полигр.* прямо́й све́тлый шрифт; ~ nose ри́мский, орли́ный нос; ~ numerals ри́мские ци́фры 2) католи́ческий

Roman balance [,rəʊmən'bæləns] *n* безме́н

Roman Catholic [,rəʊmən'kæθəlɪk] 1. *n* като́лик

2. *a* ри́мско-католи́ческий

Roman Catholicism [,rəʊmənkə'θɒlɪsɪzəm] *n* католи́чество

Romance [rəʊ'mæns] 1. *n собир.* рома́нские языки́

2. *a* рома́нский

romance [rəʊ'mæns] 1. *n* 1) рома́нтика 2) романи́ческий эпизо́д, любо́вная исто́рия 3) рома́н (*героического или любовного жанра*; *противоп.* novel рома́н бытово́й) 4) ры́царский рома́н (*обыкн. в стихах*) 5) вы́думка, небыли́ца 6) *муз.* рома́нс

2. *v* 1) преувели́чивать; приукра́шивать действи́тельность 2) вы́думывать, фантази́ровать, сочиня́ть 3) уха́живать (*за кем-л.*)

romancer [rəʊ'mænsə] *n* 1) сочини́тель средневеко́вых рома́нов 2) фантазёр, вы́думщик

Romanes ['rɒmənes] *n* цыга́нский язы́к

Romanesque [,rəʊmə'nesk] *архит.* 1. *a* рома́нский (*о стиле*)

2. *n* рома́нский стиль

Romanian [rʊ'meɪnɪən] 1. *a* румы́нский

2. *n* 1) румы́н; румы́нка 2) румы́нский язы́к

Romanic [rəʊ'mænɪk] 1. *a* рома́нский 2. *n* рома́нские языки́

Romanism ['rəʊmənɪzəm] *n неодобр.* католици́зм, папи́зм

Romanist ['rəʊmənɪst] *n* 1) специали́ст по романи́стике, романи́ст 2) *неодобр.* като́лик

Romanize ['rəʊmənaɪz] *v* 1) романизи́ровать; латинизи́ровать 2) обраща́ть в католи́чество 3) переходи́ть в католи́чество

romantic [rəʊ'mæntɪk] 1. *a* 1) романти́чный; романти́ческий 2) фантасти́ческий (*о проекте и т. п.*) 3) вы́мышленный, вообража́емый

2. *n* 1) рома́нтик 2) *pl* высокопа́рные ре́чи; вы́спренные чу́вства

romanticism [rəʊ'mæntɪsɪzəm] *n* романти́зм

romanticist [rəʊ'mæntɪsɪst] *n* рома́нтик

Romany ['rɒmənɪ] 1. *n* 1) цыга́н; цыга́нка; the ~ *собир.* цыга́не 2) цыга́нский язы́к

2. *a* цыга́нский

Romish ['rəʊmɪʃ] *a неодобр.* ри́мско-католи́ческий, папи́стский

romp [rɒmp] 1. *n* 1) возня́, шу́мная игра́ 2) сорване́ц, сорвиголова́

2. *v* вози́ться, шу́мно игра́ть (*о детях*) ◇ to ~ home, to ~ in вы́играть с лёгкостью (*о лошади*)

romper ['rɒmpə] *n* (*обыкн. pl*) де́тский комбинезо́н

rondeau ['rɒndəʊ] *n прос.* рондо́

rondel ['rɒndl] = rondeau

rondo ['rɒndəʊ] *n* (*pl* -os [-əʊz] *муз.* ро́ндо

Röntgen rays [,rɒntgən'reɪz] = Roentgen rays

rood [ru:d] *n* 1) крест, распя́тие 2) че́тверть а́кра

rood-loft ['ru:dlɒft] *n* хо́ры в це́ркви

rood-screen ['ru:dskri:n] *n* перегоро́дка, отделя́ющая алта́рь от це́ркви

roof [ru:f] 1. *n* 1) кры́ша, кро́вля; *перен.* кров; under a ~ под кры́шей; under one's ~ в своём до́ме; under a ~ of foliage под се́нью листвы́; the ~ of the mouth нёбо; the ~ of heaven небосво́д; ~ of the world кры́ша ми́ра (*о высокой горной цепи*) 2) империа́л (*дилижанса и т. п.*) 3) *ав.* потоло́к 4) *горн.* потоло́к (*выработки*) 5) максима́льная цена́ ◇ to hit (*или* raise) the ~ *разг.* рассерди́ться

2. *v* 1) покрыва́ть (*тж.* ~ in, ~ over); служи́ть кры́шей, кро́вом 2) крыть, настила́ть кры́шу

roofer ['ru:fə] *n* 1) кро́вельщик 2) *разг.* письмо́, выража́ющее благода́рность за гостеприи́мство

roof garden ['ru:fgɑ:dn] *n* сад на кры́ше (до́ма)

roofing ['ru:fɪŋ] 1. *pres. p. от* roof 2

2. *n* 1) кро́вельный материа́л 2) покры́тие кры́ши; кро́вельные рабо́ты 3) кро́вля

roofless ['ru:fləs] *a* 1) без кры́ши 2) не име́ющий кро́ва; бездо́мный

roof rack ['ru:fræk] *n* бага́жник на кры́ше автомоби́ля

rook I [rʊk] *n шахм.* ладья́

rook II [rʊk] 1. *n* 1) грач 2) моше́нник, шу́лер

2. *v* обма́нывать; нече́стно игра́ть (*в карты*); выма́нивать де́ньги; обдира́ть (*покупателя*)

rookery ['rʊkərɪ] *n* 1) грачо́вник 2) ле́жбище (*тюленей, котиков и т. п.*) 3) пти́чий база́р 4) густонаселённый ве́тхий дом; «мураве́йник» 5) прито́н (*воровской, игорный*)

rookie ['rʊkɪ] *n sl.* 1) новобра́нец 2) *амер.* новичо́к в спорти́вной кома́нде

room [ru:m] 1. *n* 1) ме́сто, простра́нство; there is ~ for one more in the car в маши́не есть ме́сто ещё для одного́ челове́ка; to make ~ for потесни́ться, дать ме́сто; no ~ to turn in, no ~ to swing a cat не́где поверну́ться; ≅ я́блоку не́где упа́сть 2) ко́мната; но́мер (*в гостинице*) 3) *pl* помеще́ние; кварти́ра 4) возмо́жность; there is ~ for improvement могло́ бы быть и лу́чше; there is no ~ for dispute нет по́чвы для разногла́сий 5) прису́тствующие, компа́ния; to keep the whole ~ laughing развлека́ть всё о́бщество ◇ in the ~ of вме́сто; to prefer a man's ~ to his presence предпочита́ть не ви́деть кого́-л.

2. *v* 1) *амер.* жить на кварти́ре; занима́ть ко́мнату; to ~ with smb. жить с кем-л. (*в одной комнате*) 2) дать помеще́ние, размести́ть (*людей*)

room-and-pillar-system [,ru:mənd-'pɪləsɪstəm] *n горн.* ка́мерно-столбова́я систе́ма разрабо́тки

-roomed [-ru:md] *в сложных словах означает* состоя́щий из *стольких-то* ко́мнат; one-roomed однокомнатный; three-roomed трёхко́мнатный

roomer ['ru:mə] *n амер.* жиле́ц

roomette [ru:m'et] *n амер.* 1) купе́ спа́льного ваго́на 2) небольша́я спа́льня, сдаю́щаяся внаём

roomful ['ru:mfʊl] *n* по́лная ко́мната (*людей, гостей и т. п.*)

roominess ['ru:mɪnəs] *n* вмести́тельность, ёмкость

rooming house ['ru:mɪŋhaʊs] *n* меблиро́ванные ко́мнаты

roommate ['ru:mmeɪt] *n* това́рищ по ко́мнате

room service ['ru:m,sɜ:vɪs] *n* дополни́тельное обслу́живание номеро́в в гости́нице (*подача еды и т. п.*)

roomy ['ru:mɪ] *a* просто́рный, свобо́дный; вмести́тельный

roost [ru:st] 1. *n* 1) насе́ст; куря́тник; at ~ на насе́сте [*ср. тж.* 2)] 2) *разг.* спа́льня; посте́ль; to go to ~ удаля́ться на поко́й, ложи́ться спать; at ~ в посте́ли [*ср. тж.* 1)] ◇ to rule the ~ кома́ндовать, распоряжа́ться; задава́ть тон

2. *v* 1) уса́живаться на насе́ст 2) *разг.* устра́иваться на ночле́г

rooster ['ru:stə] *n* 1) пету́х 2) зади́ра, забия́ка

root I [ru:t] 1. *n* 1) ко́рень; to lay axe to ~ выкорчёвывать; to take (*или* to strike) ~ пуска́ть ко́рни, укореня́ться; to pull up by the ~s вырыва́ть с ко́рнем; подруби́ть под са́мый ко́рень; выкорчёвывать 2) са́женец 3) корнепло́ды 4) основа́ние, осно́ва; ~ of a mountain подно́жие горы́ 5) причи́на, исто́чник, ко́рень; the ~ of the matter су́щность вопро́са 6) прароди́тель, пре́док, основа́тель ро́да 7) *библ.* о́трпыск, пото́мок 8) *грам.* ко́рень 9) *мат.* ко́рень; square (*или* second) ~ квадра́тный ко́рень; cube (*или* third) ~ куби́ческий ко́рень 10) *attr.* коренно́й, основно́й; the ~ principle основно́й при́нцип ◇ ~ and branch основа́тельно, коренны́м о́бразом

2. *v* 1) рыть зе́млю ры́лом, подрыва́ть ко́рни (*о свинье*) 2) пусти́ть ко́рни; вкореня́ть(ся) 3) прико́вывать; пригвожда́ть; fear ~ed him to the ground страх прикова́л его́ к ме́сту 4) внедря́ть ▭ ~ away = ~ out a); ~ out, ~ up a) вырыва́ть с ко́рнем, уничтожа́ть; б) выи́скивать, иска́ть; ры́ться

root II [ru:t] *v амер. sl.* подде́рживать, поощря́ть, ободря́ть, «боле́ть» (for)

root crop ['ru:tkrɒp] *n* корнепло́д

rooted ['ru:tɪd] **1.** *p. p. от* root I, 2

2. *a* 1) укорени́вшийся; коренящийся (in — в *чём-л.*); про́чный 2) глубо́кий (*о чувстве*)

rooter I ['ru:tə] *n* доро́жный плуг

rooter II ['ru:tə] *n амер. sl.* боле́льщик

rootless ['ru:tləs] *a* без корне́й, не име́ющий корне́й

rootlet ['ru:tlɪt] *n* корешо́к

rooty I ['ru:tɪ] *a* корни́стый; с мно́жеством корне́й

rooty II ['ru:tɪ] *n воен. жарг.* хлеб, еда́

rope [rəʊp] **1.** *n* 1) кана́т; верёвка; трос; on the ~ свя́занные верёвкой (*об альпинистах*); the ~s кана́ты, огражда́ющие аре́ну *или* ринг 2) *амер.* лассо́ 3) ни́тка, вя́зка; a ~ of onion вя́зка лу́ка; a ~ of hair жгут воло́с; a ~ of pearls ни́тка же́мчуга; on the ~ в свя́зке (*об альпинистах*) 4) (the ~) верёвка (*на виселице*); пове́шение 5) *pl мор.* сна́сти, такела́ж; осна́стка 6) *attr.* кана́тный; верёвочный ◇ to know (*или* to learn) the ~s хорошо́ ориенти́роваться (*в чём-л.*); знать все ходы́ и вы́ходы; ~ of sand обма́нчивая про́чность; иллю́зия; give a fool ~ enough and he'll hang himself *посл.* дай дураку́ во́лю, он сам себя́ загу́бит

2. *v* 1) привя́зывать кана́том; свя́зывать верёвкой; to ~ a box перевяза́ть я́щик верёвкой 2) связа́ться друг с дру́гом верёвкой (*об альпинистах*) 3) тяну́ть на верёвке, кана́те 4) *амер.* лови́ть лассо́, арка́ном 5) умы́шленно отстава́ть, сде́рживать ло́шадь (*о жокее*) 6) густе́ть, станови́ться кле́йким (*о жидкости*) ▭ ~ in а) окружа́ть кана́том; б) зама́нивать, втя́гивать, вовлека́ть; to ~ smb. in втя́гивать кого́-л. в предприя́тие; ~ **into** = ~ in б); ~ **off** = ~ in а)

ropedancer ['rəʊp,dɑ:nsə] = ropewalker

rope-drive ['rəʊpdraɪv] *n тех.* кана́тная переда́ча

rope ladder [,rəʊp'lædə] *n* 1) верёвочная ле́стница 2) *мор.* штормтра́п

ropemanship ['rəʊpmənʃɪp] *n* 1) иску́сство хожде́ния по кана́ту 2) иску́сство альпини́зма

roper ['rəʊpə] *n* 1) кана́тный ма́стер 2) *амер.* ковбо́й

ropewalker ['rəʊp,wɔ:kə] *n* канатохо́дец, кана́тный пля́сун

ropeway ['rəʊpweɪ] *n* кана́тная доро́га

rope-yarn ['rəʊpjɑ:n] *n мор.* ка́болка

ropy ['rəʊpɪ] *a* тягу́чий, кле́йкий (*о жидкости*); ли́пкий

Roquefort ['rɒkfɔ:] *n* рокфо́р (*сорт сыра*)

roquet ['rəʊkɪ] **1.** *n* крокиро́вка

2. *v* крокирова́ть (*в крокете*)

rorqual ['rɔ:kwəl] *n зоол.* кит полоса́тик, ро́рквал

rorty ['rɔ:tɪ] *a sl.* отли́чный; шу́мный, весёлый

rosace ['rəʊzeɪs] *n* 1) = rose window 2) розе́тка (*орнамент*)

rosaceous [rəʊ'zeɪʃəs] *a* 1) *бот.* принадлежа́щий к семе́йству роз 2) напомина́ющий ро́зу

rosarian [rəʊ'zeɪrɪən] *n* люби́тель роз; розово́д

rosarium [rəʊ'zeərɪəm] *n* роза́рий

rosary ['rəʊzərɪ] *n* 1) моли́твы по чёткам 2) чётки 3) сад *или* гря́дка с ро́зами, роза́рий

roscoe ['rɒskəʊ] *n амер. sl.* «пу́шка», револьве́р, пистоле́т

rose I [rəʊz] **1.** *n* 1) ро́за (*тж. как эмблема Англии*) 2) ро́зовый цвет 3) *pl* румя́нец; she has ~s in her cheeks румя́нец игра́ет на её щека́х, она́ пы́шет здоро́вьем 4) розе́тка 5) се́тка (*ду́ша или лейки*); разбры́згиватель 6) = rose window 7) (the ~) *разг.* ро́жа, ро́жистое воспале́ние ◇ path strewn with ~s лёгкая, прия́тная жизнь; life is not all ~s в жи́зни не одни́ то́лько удово́льствия; under the ~ по секре́ту, тайко́м; втихомо́лку

2. *a* ро́зовый

3. *v редк.* де́лать ро́зовым, придава́ть ро́зовый отте́нок

rose II [rəʊz] *past от* rise 2

roseate ['rəʊzɪət] *a* 1) ро́зовый 2) све́тлый, ра́достный

rosebud ['rəʊzbʌd] *n* 1) буто́н ро́зы 2) краси́вая моло́денькая де́вушка 3) *амер.* дебюта́нтка 4) *attr.* похо́жий на (*или* све́жий как) буто́н ро́зы

rosebush ['rəʊzbʊʃ] *n* ро́зовый куст, куст роз

rose colour ['rəʊz,kʌlə] *n* 1) ро́зовый цвет 2) привлека́тельный вид 3) что-л. прия́тное

rose-coloured ['rəʊz,kʌləd] *a* 1) ро́зовый 2) ра́дужный; жизнера́достный 3) привлека́тельный

rose-coloured starling [,rəʊzkʌləd'stɑ:lɪŋ] *n зоол.* ро́зовый скворе́ц

rose diamond [,rəʊz'daɪəmənd] *n* бриллиа́нт, огранённый в ви́де ро́зочки

rose garden [,rəʊz'gɑ:dn] *n* роза́рий

rose-leaf ['rəʊzli:f] *n* лепесто́к ро́зы

rosemary ['rəʊzmərɪ] *n бот.* розмари́н

roseola [rəʊ'zi:ələ] *n мед.* 1) розео́ла 2) красну́ха

rose-rash ['rəʊzræʃ] = roseola

rosery ['rəʊzərɪ] = rose garden

rose-tree ['rəʊztri:] *n* ро́зовый куст

rosette [rəʊ'zet] *n* 1) розе́тка 2) ро́зочка

rose water ['rəʊz,wɔ:tə] *n* 1) ро́зовая вода́ 2) притво́рная чувстви́тельность; при́торная любе́зность; слаща́вость

rose window [,rəʊz'wɪndəʊ] *n архит.* кру́глое окно́-розе́тка

rosewood ['rəʊzwʊd] *n* палиса́ндровое де́рево, ро́зовое де́рево (*древесина*)

rosin ['rɒzɪn] **1.** *n* древе́сная смола́, канифо́ль

2. *v* натира́ть канифо́лью (*смычок*)

roster ['rəʊstə] *n* 1) *воен.* расписа́ние наря́дов, дежу́рств 2) спи́сок

rostra ['rɒstrə] *pl от* rostrum

rostral ['rɒstrəl] *a* 1) ростра́льный (*о колонне*) 2) *зоол.* относя́щийся к клю́ву; клювови́дный

rostrate(d) ['rɒstreɪt(ɪd)] *a* 1) *зоол.* име́ющий клюв 2) = rostral 1)

rostrum ['rɒstrəm] *n* (*pl* -ra, -s [-z]) 1) трибу́на; ка́федра 2) клюв 3) нос корабля́

rosy ['rəʊzɪ] *a* 1) ро́зовый; румя́ный; цвету́щий (*о человеке*) 2) я́сный, све́тлый; ра́дужный

rot [rɒt] **1.** *n* 1) гние́ние, гниль; труха́ 2) *sl.* вздор, неле́пость (*тж.* tommy ~); don't talk ~ не мели́те вздо́ра 3) полоса́ неуда́ч; a ~ set in начали́сь сплошны́е неуда́чи

2. *v* 1) гнить, по́ртиться 2) разлага́ться, загнива́ть (*об обществе*) 3) гнои́ть; по́ртить 4) *sl.* дразни́ть 5) *sl.* дура́читься, представля́ться, нести́ вздор 6) *с.-х.* мочи́ть (*лён, коноплю*) ▭ ~ **about** растра́чивать вре́мя; ~ **away** ги́бнуть; ~ **off** увяда́ть, отмира́ть

rota ['rəʊtə] *n* расписа́ние дежу́рств

rotary ['rəʊtərɪ] *a* враща́тельный; ротацио́нный; ~ engine ротацио́нная маши́на; ~ press *полигр.* рота́ция; ~ current *эл.* многофа́зный ток

Rotary club ['rəʊtərɪ,klʌb] *n* делово́й клуб «Ро́тари»; клуб деловы́х люде́й

rotate [rəʊ'teɪt] *v* 1) враща́ть(ся) 2) чередова́ть(ся); сменя́ть(ся) по о́череди

rotation [rəʊ'teɪʃn] *n* 1) враще́ние 2) чередова́ние; периоди́ческое повторе́ние; by (*или* in) ~ попереме́нно, по о́череди 3) севооборо́т (*тж.* ~ of crops)

rotational [rəʊ'teɪʃnəl] *a* 1) враща́ющийся 2) переме́нный, череду́ющийся

rotative [rəʊ'teɪtɪv] *a* 1) = rotational 2) враща́тельный

rotator [rəʊ'teɪtə] *n* 1) поворо́тное *или* враща́ющее устро́йство 2) *анат.* враща́ющая мы́шца

rotatory [rəʊ'teɪtərɪ] *a* 1) враща́тельный, коловра́тный 2) враща́ющий

rote I [rəʊt] *n* шум прибо́я

rote II [rəʊt] *n* механи́ческое запомина́ние; by ~ наизу́сть (*не понимая существа вопроса, дела и т. п.*)

rotisserie [rəʊ'tɪsərɪ] *n* 1) рестора́н, где мя́со жа́рится при пу́блике 2) приспособле́ние с ве́ртелом (*для жарения мяса*)

rotogravure [,rəʊtəʊgrə'vjʊə] *n* ротогравю́ра

rotor ['rəʊtə] *n* 1) *тех.* ро́тор 2) *ав.* несу́щий винт вертолёта

rotor plane ['rəʊtəpleɪn] *n* вертолёт

rotten ['rɒtn] *a* 1) гнило́й, прогни́вший; испо́рченный, ту́хлый 2) нра́вственно испо́рченный; разложи́вшийся 3) непро́чный, сла́бый 4) *sl.* неприя́тный, отврати́тельный, га́дкий; to feel ~ отврати́тельно себя́ чу́вствовать 5) сла́бый, вы́ветрившийся (*о горной породе*)

rottenness ['rɒtnnəs] *n* 1) гни́лость; испо́рченность 2) ни́зость, нече́стность

rotter ['rɒtə] *n sl.* дрянь (*о человеке*)

rotund [rəʊ'tʌnd] *a* 1) по́лный, то́лстый; кру́глый, пу́хлый 2) закруглённый (*о фразе*); высокопа́рный (*о стиле*) 3) зву́чный; полнозву́чный

rotunda [rəʊ'tʌndə] *n архит.* рото́нда

rotundity [rəʊ'tʌndətɪ] *n* полнота́, округлённость

rouble ['ru:bl] *n* рубль

roué ['ru:eɪ] *n* повéса, распýтник (*особ. немолодой*)

rouge I [ru:ʒ] **1.** *n* 1) румя́на 2) губнáя помáда

2. *v* 1) румя́ниться 2) крáсить гýбы 3) краснéть, заливáться румя́нцем

rouge II [ru:ʒ] *n* схвáтка вокрýг мячá (*в футболе*)

rouge-et-noir [ˌru:ʒeɪ'nwɑ:] *n* «крáсное и чёрное» (*азартная карточная игра*)

rough [rʌf] **1.** *a* 1) нерóвный, шершáвый; ухáбистый (*о дороге*); ~ country пересечённая мéстность; ~ edge зазýбренный край 2) космáтый, лохмáтый 3) грýбый, жёсткий (*о ткани*) 4) грýбый; ~ food грýбая пи́ща 5) грýбый, неотёсанный, грубовáтый; невéжливый, неделикáтный; a ~ customer а) грýбый человéк; б) трýдный субъéкт; ~ usage грýбое обращéние 6) тéрпкий 7) рéзкий, неприя́тный (*о звуке*) 8) бýрный (*о море*); рéзкий (*о ветре*); сурóвый (*о климате, погоде*); ~ passage переéзд по бýрному мóрю 9) беспокóйный, криминогéнный (*о районе города и т. п.*) 10) тяжёлый; ~ labour тяжёлый физи́ческий труд 11) трýдный, гóрький, неприя́тный; it is ~ on him э́то незаслýженно тяжёлая ýчасть для негó; to have a ~ time терпéть лишéния *или* плохóе обращéние 12) сурóвый, лишённый комфóрта (*о жизни*) 13) неотдéланный, необрабóтанный, черновóй; ~ copy черови́к; ~ draft эски́з, набрóсок 14) приблизи́тельный; ~ estimate приблизи́тельная оцéнка ◇ to take over a ~ road *амер.* а) давáть нагоня́й; б) (по)стáвить в тяжёлое положéние

2. *n* 1) (the ~) неприя́тная сторонá (*чего-л.*); трýдный перúод; to take the ~ with the smooth стóйко переноси́ть превра́тности судьбы́; спокóйно встречáть невзгóды 2) нерóвность (*местности*) 3) буя́н, грубия́н; хулигáн, головорéз 4) *спорт.* нерóвное пóле (*в гольфе*) 5) (the ~) незакóнченность, неотдéланность; in the ~ а) в незакóнченном ви́де; б) приблизи́тельно 6) черновóй набрóсок 7) шип (*в подкове*)

3. *adv* грýбо *и пр.* [*см.* 1]; to live ~ жить без удóбств; to treat ~ сурóво обходи́ться (*с кем-л.*)

4. *v* 1) ерóшить, лохмáтить 2) дéлать грýбым, шероховáтым 3) допускáть грýбость (*особ. в футболе*; *тж.* ~ up) 4) отдéлывать вчернé 5) подковáть на шипы́ 6) объезжáть (*лошадь*) ▭ ~ **in** набрáсывать, отдéлывать вчернé; ~ **out** черти́ть нáчерно; ~ **up** *амер. разг.* избивáть (*кого-л.*) ◇ to ~ it мири́ться с лишéниями, обходи́ться без (обы́чных) удóбств

roughage ['rʌfɪdʒ] *n* 1) грýбая пи́ща 2) грýбые кормá 3) грýбый, жёсткий материáл

rough-and-ready [ˌrʌfn'redɪ] *a* 1) грýбый, но эффекти́вный (*о методе, приёме и т. п.*) 2) сдéланный кóе-кáк, на скóрую рýку 3) грýбый, бесцеремóнный

rough-and-tumble [ˌrʌfn'tʌmbl] **1.** *n* 1) свáлка, дрáка 2) суматóха, неразбери́ха

2. *a* беспоря́дочный

roughcast ['rʌfkɑ:st] **1.** *n* 1) гáлечная штукатýрка 2) первоначáльный набрóсок; грýбая модéль

2. *a* 1) грýбо оштукатýренный 2) разрабóтанный вчернé (*о плане*)

3. *v* 1) штукатýрить с добавлéнием кáменной крóшки 2) набрáсывать (*план*), намечáть

rough-dry ['rʌfdraɪ] *a* высушенный, но не вы́глаженный (*о белье*)

roughen ['rʌfn] *v* дéлать(ся) грýбым, шероховáтым; грубéть

rough-hew [ˌrʌf'hju:] *v* грýбо обтёсывать

rough-hewn [ˌrʌf'hju:n] **1.** *p. p. от* rough-hew

2. *a* грýбый, неотёсанный

roughhouse ['rʌfhaʊs] *разг.* **1.** *n* скандáл, шум

2. *v* 1) обращáться плóхо 2) буя́нить, хулигáнить, скандáлить

roughly ['rʌflɪ] *adv* 1) нерóвно 2) грýбо; небрéжно 3) бýрно, рéзко 4) грýбо, невéжливо 5) приблизи́тельно; ~ speaking примéрно

roughneck ['rʌfnek] *n разг.* хулигáн, буя́н

roughness ['rʌfnəs] *n* 1) нерóвность; шершáвость 2) грýбость; неотдéланность 3) бýрность, рéзкость 4) грýбость, грубовáтость 5) тéрпкость

roughrider [ˌrʌf'raɪdə] *n* берéйтор

roughshod ['rʌfʃɒd] *a* подкóванный на шипы́ (*о лошади*) ◇ to ride ~ over дéйствовать деспоти́чески, самоупрáвствовать, не считáться (*с кем-л.*)

rough-spoken [ˌrʌf'spəʊkən] *a* выражáющийся грýбо, грýбый

roulade [rʊ'lɑ:d] *n* рулáда

rouleau ['ru:ləʊ] *n* (*pl* -s [-z], -leaux) 1) стóпка монéт, завёрнутых в бумáгу 2) *мед.* (монéтный) стóлбик из эритроци́тов (*в крови*)

rouleaux ['ru:ləʊz] *pl от* rouleau

roulette [rʊ'let] *n* рулéтка (*азартная игра*)

Roumanian [rʊ'meɪnɪən] = Romanian

round [raʊnd] **1.** *a* 1) крýглый; шарообрáзный; сфери́ческий; цилиндри́ческий; ~ back (*или* shoulders) сутýлость; ~ hand (*или* text) крýглый пóчерк; *полигр.* рондó; ~ timber кругля́к, крýглый лесоматериáл; ~ arch *архит.* полукрýглая áрка 2) пóлный, пýхлый 3) круговóй; ~ game игрá в кáрты, в котóрой принимáет учáстие неограни́ченное коли́чество игрокóв; ~ towel = roller towel; ~ trip (*или* tour, voyage) поéздка в óба концá 4) рóвный, крýглый (*о числах*); ~ dozen рóвно дю́жина 5) крýпный, значи́тельный (*о сумме*) 6) прямóй, откровéнный; грубовáтый, рéзкий; a ~ oath крéпкое ругáтельство; in ~ terms в си́льных выражéниях 7) бы́стрый, энерги́чный (*о движении*); a ~ trot крýпная рысь; at a ~ pace крýпным аллю́ром 8) округлённый (*о числах*) 9) закруглённый, закóнченный (*о фразе*); глáдкий, плáвный (*о стиле*) 10) мя́гкий, ни́зкий, бархати́стый (*о голосе*) 11) прия́тный (*о вине*) 12) *фон.* лабиализóванный

2. *n* 1) круг, окрýжность; очертáние, кóнтур 2) круговóе движéние; цикл 3) обхóд; прогýлка; to go the ~s идти́ в обхóд, совершáть обхóд; to go (*или* to make) the ~ of обходи́ть; to go for a good (*или* long) ~ предприня́ть дли́нную прогýлку; visiting ~s провéрка часовы́х; дозóр для свя́зи 4) цикл, ряд; the daily ~ круг ежеднéвных заня́тий 5) тур; рáунд; a new ~ of talks нóвый рáунд переговóров 6) рейс, маршрýт 7) (очереднáя) пóрция; to eat a ~ of sandwiches съесть пóрцию сáндвичей; he ordered another ~ of drinks он заказáл ещё по рю́мочке для всех 8) *воен.* патрóн; вы́стрел; óчередь; 20 ~s of ball cartridges 20 боевы́х патрóнов 9) ракéтный снаря́д; ballistic ~ баллисти́ческий снаря́д 10) лóмтик, кусóчек; ~ of toast крýглый лóмтик поджáренного хлéба; ~ of beef ссек говя́дины 11) ступéнька стремя́нки (*тж.* ~ of a ladder) 12) игрá, пáртия; тур ◇ ~ of cheers (*или* applause) взрыв аплодисмéнтов; to go the ~(s) передавáться из уст в устá (*о новостях и т. п.*)

3. *v* 1) округля́ть(ся) (*тж.* ~ off); to ~ a sentence закругли́ть фрáзу 2) огибáть, обходи́ть кругóм 3) округля́ть (*число*) 4) *фон.* лабиализи́ровать ▭ ~ **off** округля́ть(ся), закругля́ть(ся); to ~ off the evening with a dance закóнчить вéчер тáнцами; ~ **on** набрáсываться, нападáть (*на кого-л.*); рéзко критиковáть, распекáть; ~ **out** закругля́ть(ся), дéлать(ся) крýглым; ~ **to** *мор.* приводи́ть к вéтру; ~ **up** а) сгоня́ть (скот); б) окружáть, производи́ть облáву; ~ **upon** *см.* ~ on

4. *adv* 1) вокрýг; ~ about вокрýг (да óколо); he walked ~ the lake он обошёл всё óзеро 2) опя́ть, снóва; spring soon comes ~ скóро настýпит веснá; ~ and ~ снóва и снóва 3) обрáтно, в обрáтном направлéнии; наоборóт, кругóм; he turned ~ он повернýлся кругóм; we soon won them ~ мы скóро привлекли́ их на свою́ стóрону 4) кругóм, по крýгу; tea was then handed ~ потóм разнесли́ чай; is there enough coffee to go ~? кóфе на всех хвáтит? 5) по всей плóщади, окрýге; со всех сторóн; everyone for a mile ~ всё населéние в рáдиусе ми́ли 6) сплошь, целикóм; all (the) year ~ весь, цéлый год 7) крýжным путём; to go a long way ~ éхать крýжным путём 8): come ~ and see me заходи́те ко мне; we'll be ~ soon мы скóро придём 9) в обхвáте, в окрýжности; her waist is only 24 inches ~ объём её тáлии всегó 61 см

5. *prep* 1) вокрýг, кругóм; ~ the world вокрýг свéта; she had a blanket ~ her онá былá закýтана в одея́ло 2) за; об-; ~ the corner зá угол; за углóм; the traffic flowed ~ the obstruction маши́ны объезжáли препя́тствие 3) вокрýг, по; he looked ~ the room он осмотрéл кóмнату;

she walked ~ the museum она́ ходи́ла по музе́ю 4) о́коло, у; lakes ~ the town озёра вокру́г го́рода; shells burst ~ them ря́дом с ни́ми рвали́сь снаря́ды 5) о́коло, приблизи́тельно; it is ~ 5 o'clock сейча́с где́-то о́коло пяти́ часо́в; he was ready to pay ~ £2000 он гото́в был заплати́ть приме́рно две ты́сячи фу́нтов

roundabout ['raʊndəbaʊt] 1. *a* 1) око́льный; кру́жный; обходно́й 2) иноска́зательный 3) то́лстый, доро́дный

2. *n* 1) око́льный путь 2) карусе́ль 3) *амер.* коро́ткая мужска́я ку́ртка

roundel ['raʊndl] *n* 1) медальо́н, кружо́к 2) = rondeau

roundelay ['raʊndəleɪ] *n* коро́тенькая пе́сенка с припе́вом

rounders ['raʊndəz] *n pl* (*употр. как sing*) англи́йская лапта́

Roundhead ['raʊndhed] *n ист.* круглоголо́вый, purита́нин

roundhouse ['raʊndhaʊs] *n* 1) *амер.* парово́зное депо́ 2) *ист.* ареста́нтская 3) *мор.* кормова́я ру́бка

roundish ['raʊndɪʃ] *a* круглова́тый, окру́глый

roundly ['raʊndlɪ] *adv* 1) кру́гло 2) напрями́к, ре́зко, открове́нно 3) энерги́чно, основа́тельно; по́лностью, оконча́тельно 4) приблизи́тельно

round robin [,raʊnd'rɒbɪn] *n* 1) пети́ция с по́дписями, располо́женными кружко́м (*чтобы скрыть, кто подписался первым*) 2) *спорт.* соревнова́ния по кругово́й систе́ме

round-shouldered [,raʊnd'ʃəʊldəd] *a* суту́лый

roundsman ['raʊndzmən] *n* 1) торго́вый аге́нт, принима́ющий и доставля́ющий зака́зы 2) *амер.* полице́йский инспе́ктор

round table [,raʊnd'teɪbl] *n* «кру́глый стол», конфере́нция за кру́глым столо́м

round-table [,raʊnd'teɪbl] *a* (происходя́щий) за кру́глым столо́м; ~ talks перегово́ры за кру́глым столо́м

round-the-clock [,raʊndðə'klɒk] *a* круглосу́точный

roundtrip [,raʊnd'trɪp] *n* турне́, круи́з *и т. п.*

round-trip ticket [,raʊndtrɪp'tɪkɪt] *n амер.* биле́т туда́ и обра́тно

roundup ['raʊndʌp] *n* 1) заго́н скота́ (*для клеймения и т. п.*) 2) обла́ва 3) сбор; сбо́рище; a ~ of old friends встре́ча ста́рых друзе́й 4) сво́дка новосте́й (*по радио, в газете*); press ~ обзо́р печа́ти

rouse [raʊz] 1. *v* 1) буди́ть (*тж.* ~ from, ~ out of) 2) пробужда́ться (*тж.* ~ up) 3) побужда́ть (to); воодушевля́ть; возбужда́ть; to ~ oneself стряхну́ть лень, встряхну́ться 4) раздража́ть, выводи́ть из себя́ 5) вспу́гивать дичь

2. *n* 1) си́льная встря́ска 2) *воен.* подъём, побу́дка

rousing ['raʊzɪŋ] 1. *pres. p. от* rouse 1

2. *a* 1) воодушевля́ющий; возбужда́ющий; a ~ welcome горя́чий, восто́рженный приём 2) *разг.* порази́тельный

roustabout ['raʊstəbaʊt] *n* 1) подсо́бный рабо́чий 2) *амер.* рабо́чий (*на пристани, на пароходе*)

rout I [raʊt] 1. *n* разгро́м, пораже́ние; беспоря́дочное бе́гство; to put to ~ разгроми́ть на́голову, обрати́ть в бе́гство

2. *v* разби́ть на́голову; обраща́ть в бе́гство

rout II [raʊt] *n* 1) шу́мное сбо́рище, толпа́ 2) *юр.* незако́нное сбо́рище 3) *уст.* официа́льный приём, ра́ут

rout III [raʊt] *v* 1) рыть зе́млю ры́лом (*о свинье*) 2) выка́пывать, обнару́живать (*тж.* ~ out, ~ up) 3) поднима́ть с посте́ли (*тж.* ~ out, ~ up) 4) выгоня́ть 5) обы́скивать

route [ru:t] 1. *n* маршру́т, курс, путь, доро́га; en route [ɒn'ru:t] по пути́, по доро́ге; в пути́

2. *v* [*часто* raʊt] *воен.* направля́ть по определённому маршру́ту; устана́вливать маршру́т

route march ['ru:tmɑ:tʃ] *n воен.* движе́ние в похо́дном поря́дке

routine [,ru:'ti:n] *n* 1) заведённый поря́док; установи́вшаяся пра́ктика; определённый режи́м 2) рути́на; шабло́н 3) *воен.* распоря́док слу́жбы 4) *attr.* определённый, устано́вленный, обы́чный, шабло́нный; теку́щий (*об осмотре, ремонте и т. п.*)

rove I [rəʊv] 1. *n* стра́нствие

2. *v* 1) скита́ться; стра́нствовать; броди́ть 2) блужда́ть (*о взгляде, мыслях*)

rove II [rəʊv] *n* 1) *тех.* ша́йба 2) *текст.* ро́вница

rove III [rəʊv] *past и p. p. от* reeve II

rover ['rəʊvə] *n* 1) скита́лец; стра́нник 2) разбо́йник (*в крокете*)

row I [rəʊ] *n* 1) ряд; in a ~ а) в ряд; б) *разг.* подря́д; two Sundays in a ~ два воскресе́нья подря́д; in ~s ряда́ми 2) ряд домо́в, у́лица ◇ a hard ~ to hoe тру́дная зада́ча

row II [rəʊ] 1. *n* 1) гре́бля 2) прогу́лка на ло́дке; to go for a ~ ката́ться на ло́дке

2. *v* 1) грести́; to ~ a race уча́ствовать в соревнова́ниях по гре́бле 2) перевози́ть в ло́дке ▭ ~ **down** обойти́, перегна́ть (*о лодке*); ~ **out** уста́ть от гре́бли; ~ over легко́ победи́ть в го́нке ◇ to ~ smb. up Salt River *амер. sl.* «прокати́ть» кого́-л. на вы́борах; нанести́ пораже́ние

row III [raʊ] *разг.* 1. *n* 1) шум, гвалт; to make a ~ поднима́ть сканда́л, шум; протестова́ть; what's the ~? в чём де́ло? 2) спор; ссо́ра; сва́лка; to have a ~ with smb. поссо́риться с кем-л. 3) нагоня́й; to get into a ~ получи́ть нагоня́й

2. *v* 1) сканда́лить, шуме́ть 2) де́лать вы́говор; отчи́тывать

rowan ['rəʊən] *n* ряби́на (*тж.* ~ tree)

rowboat ['rəʊbəʊt] *амер.* = rowing boat

rowdy ['raʊdɪ] 1. *n* хулига́н, буя́н

2. *a* шу́мный; бу́йный

rowdyism ['raʊdɪɪzəm] *n* хулига́нство

rowel ['raʊəl] *n* колёсико шпо́ры

rower ['rəʊə] *n* гребе́ц

rowing I ['rəʊɪŋ] 1. *pres. p. от* row II, 2

2. *n* гре́бля

rowing II ['raʊɪŋ] 1. *pres. p. от* row III, 2

2. *n* нагоня́й, вы́говор

rowing boat ['rəʊɪŋbəʊt] *n* гребна́я шлю́пка

rowlock ['rɒlək] *n* уклю́чина

royal ['rɔɪəl] 1. *a* 1) короле́вский; ца́рский; R. Society Короле́вское (нау́чное) о́бщество; R. Standard короле́вский штанда́рт 2) (R.) англи́йский, брита́нский (*о флоте, войсках, авиации и т. п.*) 3) ца́рственный, велича́ственный 4) великоле́пный, роско́шный ◇ ~ blue чи́стый, я́ркий отте́нок си́него цве́та; R. Exchange зда́ние ло́ндонской би́ржи; ~ mast *мор.* бом-брам-сте́ньга; ~ road са́мый лёгкий путь (*к достижению чего-л.*)

2. *n* 1) *разг.* член короле́вской семьи́ 2) = ~ mast [*см.* 1 ◇] 3) = ~ stag 4) большо́й форма́т бума́ги (*тж.* ~ paper)

royalist ['rɔɪəlɪst] *n* 1) рояли́ст 2) *амер.* сторо́нник А́нглии (*во время войны за независимость США в 1775—83 гг.*) 3) *амер.* реакционе́р (*часто о магнате*) 4) *attr.* рояли́стский

royalistic [,rɔɪə'lɪstɪk] *a* рояли́стский

royal stag ['rɔɪəl,stæg] *n* благоро́дный оле́нь (*не моложе шести лет*)

royalty ['rɔɪəltɪ] *n* 1) короле́вское досто́инство; короле́вская власть 2) чле́н(ы) короле́вской семьи́ 3) (*обыкн. pl*) короле́вские привиле́гии и прерогати́вы 4) вели́чие, ца́рственность 5) а́вторский гонора́р (*процент с каждого проданного экземпляра*); отчисле́ние а́втору пье́сы (*за каждую постановку*); отчисле́ния владе́льцу пате́нта 6) аре́ндная пла́та за пра́во разрабо́тки недр

rub [rʌb] 1. *n* 1) натира́ние; растира́ние; give it a ~! потри́те! 2) стира́ние; the ~ of a brush чи́стка щёткой 3) натёртое ме́сто 4) *разг.* затрудне́ние, препя́тствие, поме́ха; ка́мень преткнове́ния; there is the ~ вот в чём загво́здка 5) нерoвность по́чвы (*мешающая игре*)

2. *v* 1) тере́ть(ся) (against — обо *что-л.*); to ~ one's hands потира́ть ру́ки 2) натира́ть, начища́ть (*тж.* ~ up) 3) втира́ть, натира́ть (on, over) 4) протира́ть 5) соприкаса́ться; задева́ть 6) натира́ть; to ~ sore натира́ть до кро́ви 7) стира́ть(ся); сна́шивать(ся) (*тж.* ~ away, ~ off) 8) копи́ровать рису́нок (*с меди или камня*), притира́я к нему́ бума́гу карандашо́м ▭ ~ **along** *разг.* а) ла́дить, ужива́ться; б) продвига́ться, пробира́ться с трудо́м; в) ко́е-ка́к перебива́ться; ~ **away** оттира́ть, стира́ть; ~ **down** а) вытира́ть до́суха; б) чи́стить ло́шадь; в) стира́ть шерохова́тости; г) точи́ть, шлифова́ть; ~ **in** а) втира́ть (*мазь*); б) постоя́нно тверди́ть (*о чём-л. неприятном*); don't ~ it in не растравля́йте ра́ну; ~ **off** стира́ть(ся); выводи́ть (*пятно*); ~ **out** а) стира́ть (рези́нкой); б) *амер. sl.* уби́ть, уничто́жить; ~ **through** пережи́ть, вы-

держать, перенести́ (*трудности*); ~ **together** тере́ть (*предметы*) друг о дру́га; ~ **up** а) начища́ть, полирова́ть; б) освежа́ть (*в памяти*); в) растира́ть (*краску*) ◇ to ~ the wrong way гла́дить про́тив ше́рсти; раздража́ть; to ~ smb.'s nose into the fact *амер.* ткнуть кого́-л. но́сом, указа́ть кому́-л. на факт

rub-a-dub [ˌrʌbə'dʌb] *n* бараба́нный бой; ≅ трам-там-та́м

rubber I ['rʌbə] **1.** *n* 1) рези́на; каучу́к 2) рези́нка, ла́стик 3) *разг.* презервати́в 4) *pl амер.* гало́ши 5) *pl* рези́новые изде́лия 6) массажи́ст; массажи́стка 7) напи́льник, точи́ло, осело́к *и т. п.* 8) *attr.* рези́новый; прорези́ненный

2. *v* 1) покрыва́ть рези́ной, прорези́нивать 2) *амер. разг.* вытя́гивать ше́ю, глазе́ть; любопы́тствовать

rubber II ['rʌbə] *n карт.* ро́ббер

rubber band [ˌrʌbə'bænd] *n* рези́нка (*для упаковки лекарств и т. п.*)

rubberized ['rʌbəraɪzd] *a* прорези́ненный; покры́тый рези́ной

rubberneck ['rʌbənek] *амер. разг.* **1.** *n* 1) зева́ка, любопы́тный челове́к (*особ. о туристе*) 2) *attr.*: ~ car, ~ auto, ~ bus автомоби́ль *или* авто́бус для тури́стов

2. *v* = rubber I, 2, 2)

rubber plant ['rʌbəplɑ:nt] *n* каучуконо́с

rubber stamp [ˌrʌbə'stæmp] *n* 1) штамп, печа́ть 2) штамп, стереоти́пная фра́за 3) челове́к без со́бственного мне́ния

rubber-stamp [ˌrʌbə'stæmp] *v* 1) ста́вить печа́ть 2) штампова́ть, механи́чески утвержда́ть (*решения и т. п.*)

rubber tree ['rʌbətri:] *n* каучу́ковое де́рево, каучуконо́с

rubbing ['rʌbɪŋ] **1.** *pres. p. от* rub 2

2. *n* 1) тре́ние; натира́ние 2) рису́нок, копи́рованный притира́нием [*см.* rub 2, 8)]; to take (*или* to make) ~s срисо́вывать, де́лать ко́пии

rubbish ['rʌbɪʃ] *n* 1) хлам, му́сор 2) вздор, ерунда́; oh, ~! чепуха́! 3) *sl.* де́ньги 4) *горн.* пуста́я поро́да; закла́дка

rubbishy ['rʌbɪʃɪ] *a* дрянно́й; никуда́ не го́дный; пустяко́вый; вздо́рный

rubble ['rʌbl] *n* 1) бут, булы́жник, рва́ный ка́мень 2) валу́н 3) *геол.* штыб

rube [ru:b] *n амер. разг.* дереве́нщина

rubefy ['ru:bɪfaɪ] *v* де́лать кра́сным; *мед.* вызыва́ть покрасне́ние

rubella [rʊ'belə] *n мед.* красну́ха

Rubicon ['ru:bɪkən] *n*: to pass (*или* to cross) the ~ перейти́ Рубико́н, сде́лать реши́тельный и необрати́мый шаг

rubicund ['ru:bɪkənd] *a* румя́ный

rubidium [rʊ'bɪdɪəm] *n хим.* руби́дий

rubify ['ru:bɪfaɪ] = rubefy

rubiginous [ru:'bɪdʒɪnəs] *a* ржа́вого цве́та

rubious ['ru:bɪəs] *a книжн.* руби́нового цве́та

ruble ['ru:bl] = rouble

rubric ['ru:brɪk] *n* 1) ру́брика; заголо́вок 2) *церк.* пра́вила богослуже́ния (*в требнике*) 3) пра́вило, указа́ния, поясне́ния

rubricate ['ru:brɪkeɪt] *v* 1) отмеча́ть (*или* выделя́ть) кра́сным цве́том 2) снабжа́ть подзаголо́вками 3) разбива́ть на абза́цы

ruby ['ru:bɪ] **1.** *n* 1) руби́н 2) я́рко-кра́сный цвет 3) кра́сное вино́ 4) *полигр.* руби́н (*кегль, шрифт размером 5 1/2 пунктов, амер. 3 1/2 пункта*)

2. *a* руби́новый, я́рко-кра́сный

3. *v* окра́шивать в я́рко-кра́сный цвет

ruche [ru:ʃ] *n* рюш

ruck I [rʌk] *n* 1) ма́сса, мно́жество 2) толпа́, толчея́ 3) *пренебр.* безли́кая ма́сса, чернь 4) *спорт.* спортсме́ны, далеко́ отста́вшие от ли́дера; ло́шади, оста́вшиеся за фла́гом

ruck II [rʌk] = ruckle

ruckle ['rʌkl] **1.** *n* скла́дка, морщи́на

2. *v* де́лать скла́дки, морщи́ны

rucksack ['rʌksæk] *n* рюкза́к, похо́дный мешо́к

ruckus ['rʌkəs] *n амер.* шум, гам

ruction ['rʌkʃn] *n разг.* 1) шум, гам, гвалт 2) (*обыкн. pl*) ссо́ра; дра́ка, сва́лка

rudbeckia [rʌd'bekɪə] *n бот.* рудбе́кия

rudder ['rʌdə] *n* 1) руль 2) *ав.* руль направле́ния; elevating ~ руль высоты́ 3) руководя́щий при́нцип

rudderless ['rʌdələs] *a* без руля́; *перен.* без руково́дства

rudderpost ['rʌdəpəʊst] *n* 1) *мор.* рудерпо́ст 2) *ав.* ось руля́ направле́ния

ruddiness ['rʌdɪnəs] *n* 1) краснота́ 2) румя́нец

ruddle ['rʌdl] **1.** *n* кра́сная *или* жжёная о́хра

2. *v* 1) кра́сить о́хрой 2) ме́тить (*овец*)

ruddock ['rʌdək] *n диал.* мали́новка (*птица*)

ruddy ['rʌdɪ] **1.** *a* 1) румя́ный; ~ health цвету́щее здоро́вье 2) кра́сный, краснова́тый 3) проклятый

2. *v* де́лать(ся) кра́сным

rude [ru:d] *a* 1) гру́бый; оскорби́тельный; to be ~ to smb. груби́ть кому́-л. 2) неве́жественный, невоспи́танный 3) гру́бо сде́ланный 4) необрабо́танный, сыро́й 5) неотде́ланный, неотшлифо́ванный 6) примити́вный, гру́бый 7) бу́рный (*о море*); внеза́пный; ~ shock внеза́пный уда́р; ~ reminder неожи́данное напомина́ние; ~ awakening си́льное разочарова́ние 8) си́льный, ре́зкий (*о звуке*) 9) *разг.* неприли́чный, гру́бый 10) кре́пкий (*о здоровье*)

rudeness ['ru:dnəs] *n* гру́бость *и пр.* [*см.* rude]

rudiment ['ru:dɪmənt] *n* 1) *pl* нача́тки, зача́тки; элемента́рные зна́ния 2) рудимента́рный о́рган

rudimentary [ˌru:dɪ'mentərɪ] *a* 1) элемента́рный 2) зача́точный, рудимента́рный, недора́звитый

rue I [ru:] **1.** *n* 1) раска́яние, сожале́ние 2) сострада́ние, жа́лость

2. *v* раска́иваться, сожале́ть; печа́литься, горева́ть; I ~d the day when... я про́клял тот день, когда́...

rue II [ru:] *n бот.* ру́та (души́стая)

rueful ['ru:fl] *a* 1) уны́лый, печа́льный; го́рестный; a ~ countenance гру́стная ми́на 2) жа́лкий; жа́лобный 3) по́лный сожале́ния, раска́яния

ruefully ['ru:flɪ] *adv* 1) печа́льно, уны́ло 2) с сожале́нием; с сочу́вствием

ruff I [rʌf] *n* 1) бры́жи; рюш 2) кольцо́ пе́рьев *или* ше́рсти вокру́г ше́и (*у птиц и животных*) 3) турухта́н (*птица*) 4) *тех.* гре́бень, кругово́й вы́ступ на валу́

ruff II [rʌf] *n* ёрш (*рыба*)

ruff III [rʌf] *карт.* **1.** *n* ко́зырь

2. *v* бить ко́зырем

ruffian ['rʌfɪən] *n* хулига́н, головоре́з, банди́т

ruffianism ['rʌfɪənɪzəm] *n* хулига́нство

ruffianly ['rʌfɪənlɪ] *a* хулига́нский

ruffle I ['rʌfl] **1.** *n* 1) кружевна́я гофриро́ванная манже́тка, обо́рка 2) сумато́ха, шум; сты́чка, ссо́ра; without ~ or excitement без суеты́, споко́йно 3) рябь 4) = ruff I, 2); 5) раздраже́ние, доса́да 6) *pl sl.* нару́чники

2. *v* 1) наруша́ть споко́йствие 2) гофрирова́ть, собира́ть в сбо́рки 3) ряби́ть (*воду*) 4) еро́шить (*волосы*); мо́рщить 5) раздража́ть, серди́ть; a man impossible to ~ челове́к, кото́рого невозмо́жно вы́вести из себя́ 6) *разг.* хорохо́риться, вести́ себя́ зано́счиво, задира́ть; to ~ it out чва́ниться, вести́ себя́ высокоме́рно 7) *разг.* пререка́ться

ruffle II ['rʌfl] *n* дробь бараба́на

rufous ['ru:fəs] *a* краснова́то-кори́чневый; ры́жий

rug [rʌg] *n* 1) ковёр, ко́врик 2) плед 3) мехова́я по́лость

Rugby ['rʌgbɪ] *n спорт.* ре́гби (*тж.* ~ football)

rugged ['rʌgɪd] *a* 1) неро́вный, негла́дкий, шерша́вый, шерохова́тый (*тж. перен.*); ~ verses неотде́ланные стихи́; ~ country, *амер.* ~ terrain пересечённая ме́стность; ~ coast изре́занный бе́рег 2) гру́бый; морщи́нистый; ~ features гру́бые, ре́зкие черты́ лица́ 3) ре́зкий, пронзи́тельный 4) суро́вый, стро́гий, прямо́й (*о человеке*) 5) тяжёлый, тру́дный (*о жизни*) 6) бу́рный, я́ростный 7) про́чный, масси́вный 8) *амер.* си́льный, кре́пкий

rugger ['rʌgə] *разг. см.* Rugby

rugose ['ru:gəʊs] *a спец.* морщи́нистый; скла́дчатый

rugous ['ru:gəs] = rugose

ruin ['ru:ɪn] **1.** *n* 1) разоре́ние; крах; to bring to ~ разори́ть, погуби́ть 2) ги́бель; круше́ние (*надежд и т. п.*) 3) (*часто pl*) разва́лины; руи́ны; in ~s в разва́линах 4) причи́на ги́бели

2. *v* 1) разоря́ть; to ~ oneself разори́ться 2) разруша́ть; по́ртить 3) (по)губи́ть; to ~ a girl обесче́стить де́вушку 4) *поэт.* ру́хнуть

ruination [ˌru:ɪ'neɪʃn] *n* (по)ги́бель; круше́ние; по́лное разоре́ние

ruinous ['ru:ɪnəs] *a* 1) разори́тельный

2) губи́тельный, разруши́тельный 3) разру́шенный, развали́вшийся

rule [ru:l] **1.** *n* 1) пра́вило; при́нцип; но́рма; it is a ~ with us у нас тако́е пра́вило; ~ of the road а) пра́вила (у́личного) движе́ния; б) *мор.* пра́вила расхожде́ния судо́в; ~ of three *мат.* тройно́е пра́вило; ~s of the game пра́вила игры́; ~s of decorum пра́вила прили́чия, пра́вила этике́та; as a ~ как пра́вило, обы́чно; by ~ по (устано́вленным) пра́вилам; hard and fast ~ твёрдое пра́вило; то́чный крите́рий; international ~s in force де́йствующие но́рмы междунаро́дного пра́ва; standing ~s постоя́нно де́йствующие пра́вила; to make ~s устана́вливать пра́вила; to make it a ~ взять за пра́вило; I make it a ~ to get up early я обы́чно ра́но встаю́ 2) правле́ние, власть; влады́чество, госпо́дство; the ~ of the people власть наро́да; the ~ of force власть си́лы 3) (масшта́бная) лине́йка; науго́льник; масшта́б 4) *полигр.* лине́йка; шпон 5) уста́в (*общества, ордена*) 6) постановле́ние, реше́ние суда́ *или* судьи́; ~ nisi *см.* nisi ◇ ~ of thumb а) практи́ческий спо́соб, ме́тод (*в отличие от научного*); б) приближённый подсчёт

2. *v* 1) управля́ть, пра́вить, властвова́ть; руководи́ть; госпо́дствовать 2) постановля́ть (that); устана́вливать пра́вило 3) линова́ть, графи́ть 4) стоя́ть на определённом у́ровне (*о ценах, курсах акций*) □ ~ out исключа́ть

ruler I ['ru:lə] *n* прави́тель

ruler II ['ru:lə] *n* лине́йка

ruling ['ru:lɪŋ] **1.** *pres. p. от* rule 2

2. *n* 1) управле́ние 2) постановле́ние; суде́бное реше́ние; постановле́ние судьи́

3. *a* госпо́дствующий, пра́вящий; преоблада́ющий; ~ passion гла́вная страсть; ~ prices де́йствующие це́ны

rum I [rʌm] *n* 1) ром 2) *амер.* спиртно́й напи́ток

rum II [rʌm] *a разг.* стра́нный, чудно́й; подозри́тельный; ~ fellow чуда́к; ~ start удиви́тельный слу́чай; he feels ~ ему́ не по себе́

Rumanian [rʊ'meɪnɪən] = Romanian

rumba ['rʌmbə] **1.** *n* ру́мба (*танец*)

2. *v* танцева́ть ру́мбу

rumble ['rʌmbl] **1.** *n* 1) громыха́ние, грохота́нье, гро́хот 2) ро́пот, недово́льство 3) *амер. sl.* дра́ка ме́жду ба́ндами 4) *амер.* откидно́е сиде́нье (*обыкн. в автомобилях старых моделей*; *тж.* ~ seat) 5) *ист.* сиде́нье, ме́сто для багажа́ *или* слуги́ позади́ экипа́жа

2. *v* 1) громыха́ть, грохота́ть 2) сказа́ть гро́мко (*тж.* ~ out, ~ forth) 3) урча́ть

rumble-tumble ['rʌmbl,tʌmbl] *n* 1) тря́ска 2) громо́здкий тря́ский экипа́ж

rumbustious [rʌm'bʌstʃəs] *a разг.* шумли́вый, шу́мный

rumen ['ru:men] *n* (*pl тж.* rumina) рубе́ц (*первый отдел желудка жвачных*)

rumina ['ru:mɪnə] *pl от* rumen

ruminant ['ru:mɪnənt] **1.** *a* 1) жва́чный 2) заду́мчивый

2. *n* жва́чное живо́тное

ruminate ['ru:mɪneɪt] *v* 1) разду́мывать, размышля́ть (over, of, on, about — о *чём-л.*) 2) жева́ть жва́чку

rumination [,ru:mɪ'neɪʃn] *n* 1) размышле́ние 2) жева́ние жва́чки

rummage ['rʌmɪdʒ] **1.** *n* 1) по́иски, о́быск 2) тамо́женный досмо́тр, осмо́тр (*судна*) 3) хлам, старьё

2. *v* 1) ры́ться, копа́ться, иска́ть (*обыкн.* ~ about, ~ in) 2) производи́ть тамо́женный досмо́тр 3) выла́вливать, выта́скивать (*обыкн.* ~ out, ~ up) 4) переры́ть, наде́лать беспоря́док

rummage sale ['rʌmɪdʒseɪl] *n амер.* распрода́жа случа́йных веще́й (*обыкн.* с благотвори́тельной це́лью)

rummer ['rʌmə] *n* ку́бок

rummy ['rʌmɪ] = rum II

rumormonger ['ru:mə,mʌŋgə] *n* распространи́тель слу́хов

rumour ['ru:mə] **1.** *n* слух, молва́, то́лки; ~s are about (*или* afloat), ~ has it (that) хо́дят слу́хи; there is a ~ говоря́т

2. *v* распространя́ть слу́хи; расска́зывать но́вости; it is ~ed that хо́дят слу́хи, что

rump [rʌmp] *n* 1) кресте́ц (*животного*) 2) огу́зок; гу́зка 3) (the R.) *ист.* «охво́стье», оста́тки До́лгого парла́мента

rumple ['rʌmpl] *v* 1) мять; приводи́ть в беспоря́док 2) еро́шить во́лосы

rump steak [,rʌmp'steɪk] *n* кусо́к вы́резки, ромште́кс

rumpus ['rʌmpəs] *n разг.* сумато́ха; шум, гам; ссо́ра

rumpus room ['rʌmpəsru:m] *n* ко́мната для игр и развлече́ний (*в квартире*)

rum-runner ['rʌm,rʌnə] *n амер. разг.* су́дно *или* лицо́, перевозя́щее контраба́ндой спиртны́е напи́тки

run [rʌn] **1.** *n* 1) бег, пробе́г; at a ~ бего́м [*см. тж.* ◇]; on the ~ а) на ходу́, в движе́нии; б) второпя́х; on the ~ all day весь день в беготне́; to be on the ~ отступа́ть, бежа́ть; we have the enemy on the ~ мы обрати́ли проти́вника в бе́гство; to keep smb. on the ~ не дава́ть кому́-л. останови́ться; to go for a ~ пробежа́ться; to give smb. a ~ дать пробежа́ться; to come down with a ~ бы́стро па́дать 2) коро́ткая пое́здка; прогу́лка; a ~ up to town кратковре́менная пое́здка в го́род 3) расстоя́ние, отре́зок пути́ 4) *ж.-д.* пробе́г (*паровоза, вагона*); прого́н 5) направле́ние; о́бщая тенде́нция; the ~ of the hills is N. E. холмы́ тя́нутся на се́веро-восто́к; the ~ of the market о́бщая тенде́нция ры́ночных цен 6) укло́н; тра́сса 7) рейс, маршру́т 8) пери́од вре́мени, полоса́; a ~ of luck полоса́ везе́ния, уда́чи; a long ~ of power до́лгое пребыва́ние у вла́сти 9) ход, рабо́та, де́йствие (*машины, мотора*) 10) пока́з, просмо́тр (*фильма, спектакля*) 11) спрос; ~ on the bank наплы́в в банк тре́бований о возвраще́нии вкла́дов; the book has a considerable ~ кни́га хорошо́ распродаётся 12) тира́ж 13) сре́дний тип *или* разря́д; the common ~ of men обыкнове́нные лю́ди 14) очко́ (*в крикете, бейсболе*) 15) *разг.* разреше́ние по́льзоваться (*чем-л.*), хозя́йничать (*где-л.*); to have the ~ of smb.'s books име́ть пра́во по́льзоваться чьи́ми-л. кни́гами 16) тропа́ (*проложенная животными*) 17) огоро́женное ме́сто (*для кур и т. п.*); заго́н *или* па́стбище для ове́ц 18) спусти́вшаяся петля́ на чулке́ 19) *муз.* рула́да 20) па́ртия (*изделий*) 21) ста́до живо́тных, кося́к ры́бы (*во время миграции*) 22) жёлоб, лото́к, труба́ *и т. п.* 23) длина́ (*трубы, провода*) 24) *амер.* руче́й, пото́к 25) *ав.* полёт; захо́д на цель 26) *горн.* бре́мсберг 27) *геол.* направле́ние ру́дной жи́лы 28) кормово́е заостре́ние (*корпуса*) 29) *тех.* пого́н, фра́кция (*напр., нефти*) ◇ at a ~ подря́д [*см. тж.* 1)]; in the long ~ в конце́ концо́в; в о́бщем; to go with a ~ ≅ идти́ как по ма́слу; to take the ~ for one's money получи́ть по́лное удово́льствие за свои́ де́ньги

2. *v* (ran; run) 1) бежа́ть; нести́сь; бе́гать 2) спаса́ться бе́гством, убега́ть; to ~ for it *разг.* иска́ть спасе́ния в бе́гстве 3) дви́гаться, передвига́ться (*обыкн. быстро*); things must ~ their course на́до предоста́вить собы́тия их есте́ственному хо́ду; to ~ before the wind *мор.* идти́ на фордеви́нд 4) кати́ться 5) враща́ться, рабо́тать, де́йствовать, нести́ нагру́зку (*о машине*); to leave the engine (of a motor car) ~ning не выключа́ть мото́ра 6) быть действи́тельным на изве́стный срок; the lease ~s for seven years аре́нда действи́тельна на семь лет 7) ходи́ть; курси́ровать; пла́вать 8) идти́ (*о пьесе, фильме*); the play ran for six months пье́са шла шесть ме́сяцев 9) тяну́ться, проходи́ть, простира́ться, расстила́ться; to ~ zigzag располага́ть(ся) зигзагообра́зно 10) тяну́ться, расти́, обвива́ться (*о растениях*) 11) уча́ствовать (*в соревнованиях, скачках, бегах*) 12) баллоти́роваться (*на пост*), выставля́ть (свою́) кандидату́ру на вы́борах (for) 13) течь, ли́ться, сочи́ться, струи́ться 14) лить, налива́ть 15) пла́вить, лить (*металл*); выпуска́ть мета́лл (*из печи*) 16) пролива́ть(ся) (*о крови*) 17) расплыва́ться (*о чернилах*); линя́ть (*о рисунке на материи*) 18) публикова́ть, печа́тать (*в газете и т. п.*) 19) *употр. как глагол-связка*: to ~ cold (по)холоде́ть; to ~ dry высыха́ть; иссяка́ть; to ~ mad сходи́ть с ума́; to ~ high а) подыма́ться (*о приливе*); б) волнова́ться (*о море*); в) возраста́ть (*о ценах*); г) разгора́ться (*о страстях*); to ~ low а) понижа́ться, опуска́ться; б) истоща́ться, иссяка́ть (*о пище, деньгах и т. п.*) 20) напра́вить движе́ние (*чего-л.*) 21) заста́вить дви́гаться; to ~ the car in the garage ввести́ автомоби́ль в гара́ж 22) управля́ть (*машиной, механизмом*); to ~ the vacuum cleaner чи́стить пылесо́сом, пылесо́сить 23) руководи́ть, управля́ть; вести́ (*дело, предприятие*); эксплуати́ровать; to ~ a hotel быть владе́льцем гости́ницы 24) содержа́ть (*транспортное средство*); I can't afford to ~ a car содержа́ть маши́ну мне не по карма́ну 25) перевози́ть; транспорти́ровать; поставля́ть 26) ввози́ть (*контрабанду*) 27) пуска́ть ло́шадь (*на бега или скачки*) 28) пресле́довать, трави́ть (*зверя*) 29) гнать, подгоня́ть 30) задолжа́ть, заплати́ть не сра́зу; to ~ (up) a bill задолжа́ть (at — *портному и т. п.*) 31) проходи́ть, бежа́ть, лете́ть (*о времени*); пронести́сь, промелькну́ть (*о мысли*); how fast the years ~ by! как бы́стро летя́т го́ды! 32) бы́стро распространя́ться (*об огне, пламени; о новостях*) 33) идти́ гла́дко; all my arrangements ran smoothly всё шло как по ма́слу 34) гласи́ть (*о документе, тексте*); this is how the verse ~s вот как звучи́т э́то стихотворе́ние 35) втыка́ть, вонза́ть (into); продева́ть (*нитку в иголку*) 36) прорыва́ть; пробива́ться сквозь; преодолева́ть (*препятствие*); to ~ the blockade прорва́ть блока́ду 37) прокла́дывать, проводи́ть; to ~ a line on a map провести́ ли́нию на ка́рте 38) спусти́ться (*о петле*); her stocking ran у неё на чулке́ спусти́лась петля́ 39): my nose is ~ning у меня́ из но́са течёт 40) смётывать (*платье и т. п.*) ▭ ~ **about** а) суети́ться, бе́гать взад и вперёд; б) игра́ть, резви́ться (*о детях*); ~ **across** а) (случа́йно) встре́титься с *кем-л.*, натолкну́ться на *кого-л.*; б) съе́здить, слета́ть, сходи́ть; ~ **after** а) пресле́довать; б) бе́гать, уха́живать за *кем-л.*; ~ **against** ста́лкиваться; ната́лкиваться на; to ~ one's head against a wall сту́кнуться голово́й об стену; *перен.* прошиби́ть лбом сте́ну; ~ **along** *разг.* убежа́ть; ~ **at** набра́сываться, наки́дываться на *кого-л.*; ~ **away** а) убега́ть (with — с *кем-л., чем-л.*); б) понести́ (*о лошади*); в) намно́го обогна́ть (*других участников соревнования*); ~ **away with** а) заста́вить потеря́ть самооблада́ние; his temper ran away with him он не суме́л сдержа́ться; б) увле́чься мы́слью; в) приня́ть необду́манное реше́ние; ~ **back** а) восходи́ть к (*определённому периоду*; to); б) просле́живать до (*источника, начала и т. п.*; to); в) перемота́ть наза́д (*плёнку и т. п.*); ~ **down** а) сбежа́ть; б) столкну́ться; в) остана́вливаться (*о машине, часах и т. п.*); г) догна́ть, насти́гнуть; д) переутомля́ть(ся); истоща́ть(ся), изнуря́ть(ся); е) пренебрежи́тельно отзыва́ться (*о ком-л.*); ж) (*обыкн. p. p.*) перее́хать, задави́ть; з) отыска́ть, разыска́ть; и) опроки́дывать; ~ **in** а) навести́ть, загляну́ть; б) *разг.* арестова́ть и посади́ть в тюрьму́; в) броса́ться врукопа́шную; г) *разг.* провести́ кандида́та (*на выборах*); д) *тех.* обка́тывать, производи́ть обка́тку; ~ **into** а) впада́ть в; to ~ into debt влеза́ть в долги́; б) налета́ть, ната́лкиваться (*на что-л.*); ста́лкиваться (*с чем-л.*); в) доходи́ть до, достига́ть; the book ran into five editions кни́га выдержала пять изда́ний; ~ **off** а) удира́ть, убега́ть; сбега́ть (with — с); б) реша́ть исхо́д го́нки; в) не производи́ть впечатле́ния; the scoldings ~ off him like water off a duck's back его́ руга́ют, а с него́ всё как с гу́ся вода́; г) отце́живать; спуска́ть (*воду*); д) строчи́ть стихи́; бо́йко деклами́ровать; е) отвлека́ться от предме́та (*разговора*); ~ **on** а) писа́ться сли́тно (*о буквах*); б) продолжа́ть(ся); тяну́ть(ся); в) говори́ть без у́молку; г) *полигр.* набира́ть «в подбо́р»; ~ **out** а) выбега́ть; б) истоща́ться; истека́ть (*о времени*); в) вытека́ть; г) зако́нчить го́нку; д) выдвига́ться, выступа́ть (*о строении и т. п.*); ~ **out of** истощи́ть свой запа́с; ~ **over** а) перелива́ться че́рез край; б) просма́тривать; повторя́ть; в) перее́хать, задави́ть (*кого-л.*); г) пробега́ть (*глазами; пальцами по клавишам и т. п.*); to ~ an eye over smth. оки́нуть взгля́дом, бе́гло просмотре́ть что-л.; д) съе́здить, сходи́ть; ~ **through** а) бе́гло прочи́тывать *или* просма́тривать; б) промота́ть (*состояние*); в) зачеркну́ть (*написанное*); г) прока́лывать; ~ **to** а) хвата́ть, быть доста́точным; the money won't ~ to a car э́тих де́нег не хва́тит на маши́ну; б) достига́ть (*суммы, цифры*); в): to ~ to extremes впада́ть в кра́йности; to ~ to fat превраща́ться в жир; *разг.* жире́ть, толсте́ть; to ~ to seed пойти́ в семена́; *перен.* переста́ть развива́ться; опусти́ться; пойти́ пра́хом; ~ **up** а) съе́здить, слета́ть *куда-л.* ненадо́лго; б) бы́стро расти́; увели́чиваться; в) доходи́ть (to — до); г) поднима́ть(ся); д) вздува́ть (*цены*); е) скла́дывать (*столбец цифр*); ж) возводи́ть спе́шно (*постройку*); ~ **upon** а) верте́ться вокру́г *чего-л.*, возвраща́ться к *чему-л.* (*о мыслях*); б) неожи́данно *или* внеза́пно встре́титься ◇ to ~ messages (*или* erands) быть на посы́лках; to ~ a temperature име́ть (повы́шенную) температу́ру; to ~ it close (*или* fine) име́ть в обре́з (*времени, денег и т. п.*); to ~ riot *см.* riot 1, 3); to ~ a thing close быть почти́ ра́вным (*по качеству и т. п.*); to ~ a person close а) быть чьим-л. опа́сным сопе́рником; б) быть почти́ ра́вным кому́-л.; to ~ a person off his legs загоня́ть кого́-л. до изнеможе́ния; to ~ too far заходи́ть сли́шком далеко́

runabout ['rʌnəbaʊt] **1.** *n* 1) небольшо́й автомоби́ль *или* самолёт 2) небольша́я мото́рная ло́дка 3) бродя́га; праздношата́ющийся

2. *a* скита́ющийся; бродя́чий

runaway ['rʌnəweɪ] **1.** *n* 1) бегле́ц 2) дезерти́р 3) ло́шадь, несу́щаяся закуси́в удила́ 4) побе́г 5) стреми́тельный, неудержи́мый рост

2. *a* 1) убежа́вший; бе́глый; ~ marriage сва́дьба уво́дом 2) понёсший (*о лошади*) 3) неудержи́мый, бы́стро расту́щий; вы́шедший из-под контро́ля; ~ inflation безу́держная инфля́ция 4) лёгкий, доста́вшийся легко́; ~ victory *спорт.* лёгкая побе́да

rundown ['rʌndaʊn] **1.** *n* 1) сокраще́ние чи́сленности, коли́чества 2) кра́ткое изложе́ние

2. *a* 1) захуда́лый, жа́лкий 2) уста́вший, истощённый 3) незаведённый (*о часах*)

rune [ru:n] *n лингв.* ру́на

rung I [rʌŋ] *n* 1) ступе́нька стремя́нки *или* приставно́й ле́стницы 2) спи́ца колеса́ 3) *attr.*: ~ ladder стремя́нка

rung II [rʌŋ] *past и p. p. от* ring II, 2

runic ['ru:nɪk] *a лингв.* руни́ческий

run-in ['rʌnɪn] *n разг.* схва́тка; ссо́ра

runlet ['rʌnlɪt] *n* ручеёк

runnel ['rʌnl] *n* 1) ручеёк 2) кана́ва, сток

runner ['rʌnə] *n* 1) бегу́н; уча́стник состяза́ния в бе́ге; a poor ~ плохо́й бегу́н; a fast ~ хоро́ший бегу́н 2) ползу́чее расте́ние; стелю́щийся побе́г (*с корнями*) 3) ус (*земляники, клубники*) 4) *тех.* бегуно́к; ходово́й ро́лик; рабо́чее колесо́ (*турбины*); ро́тор, ве́рхний жёрнов 5) посы́льный, гоне́ц, курье́р; рассы́льный 6) инкасса́тор 7) контрабанди́ст 8) быстрохо́дное су́дно; контрабандное су́дно 9) *мор.* ходово́й коне́ц (*снасти*) 10) по́лоз (*саней*) 11) ле́звие (*конька*) 12) доро́жка (*на столе, на полу*)

runner-up [,rʌnər'ʌp] *n* уча́стник состяза́ния, заня́вший второ́е ме́сто

running ['rʌnɪŋ] **1.** *pres. p. от* run 2

2. *n* 1) бе́ганье; бег(а́), беготня́ 2) ход, рабо́та (*машины, мотора и т. п.*) 3) веде́ние (*дела, хозяйства и т. п.*) ◇ to be in the ~ име́ть ша́нсы на вы́игрыш; to be out of the ~ не име́ть ша́нсов на вы́игрыш; to make the ~ а) доби́ться хоро́ших результа́тов (*о жокее, скаковой лошади*); б) доби́ться успе́ха, преуспева́ть; to make good one's ~ не отстава́ть; преуспева́ть; to take up the ~ а) вести́ (*в гонке*); б) брать инициати́ву в свои́ ру́ки

3. *a* 1) бегу́щий 2) бегово́й; ~ track (*или* path) бегова́я доро́жка 3) после́довательный, непреры́вный; ~ commentary радиорепорта́ж; ~ fire бе́глый ого́нь; ~ hand бе́глый по́черк 4) *predic.* после́довательный, иду́щий подря́д; four days ~ четы́ре дня подря́д 5) текучий, теку́щий, струя́щийся 6) теку́щий; ~ account теку́щий счёт 7): ~ eyes слезя́щиеся глаза́; ~ sore гноя́щаяся ра́на 8) пла́вный 9) ползу́чий, вью́щийся (*о растении*) 10) подвижно́й, рабо́тающий; ~ rigging *мор.* бегу́чий такела́ж

running board ['rʌnɪŋbɔ:d] *n* поднóжка (*автомобиля старой марки*)

running knot ['rʌnɪŋ,nɒt] *n* затяжно́й у́зел, уда́вка

running mate ['rʌnɪŋmeɪt] *n* 1) *амер.* кандида́т на пост вице-президе́нта 2) челове́к, кото́рого ча́сто ви́дят в компа́нии друго́го

running title ['rʌnɪŋ,taɪtl] *n полигр.* колонти́тул

runny ['rʌnɪ] *a* 1) теку́чий, жи́дкий 2) слезя́щийся

run-on ['rʌnɒn] **1.** *n полигр.* дополне́ние

2. *a* дополни́тельный

run-out ['rʌnaʊt] *n* 1) изнáшивание, изнóс 2) вы́ход, вы́пуск 3) движéние по инéрции 4) *тех.* диффýзор

runt [rʌnt] *n* 1) коротышка 2) низкорóслое живóтное 3) кáрликовое растéние

run-through ['rʌnθru:] *n* 1) *разг.* репетúция 2) просмóтр; прослýшивание

run-up ['rʌnʌp] *n* 1) подготóвка 2) разбéг 3) *ав.* захóд на цель 4) *тех.* пуск

runway ['rʌnweɪ] *n* 1) *ав.* взлётно-посáдочная полосá 2) спуск для гидросамолёта 3) *спорт.* дорóжка разбéга 4) тропá к водопóю 5) *тех.* подкрáновый путь; *ж.-д.* подъездной путь 6) лóже рекú 7) огорóженное мéсто (*для кур и т. п.*) 8) *театр.* ýзкая платфóрма, помóст, соединяющий сцéну с зáлом

rupee [,ru:'pi:] *n* рýпия (*денежная единица Индии, Пакистана, Шри-Ланки, Непала*)

rupiah [rʊ'pi:ə] *n* рýпия (*денежная единица Индонезии*)

rupture ['rʌptʃə] 1. *n* 1) прóрыв; пролóм 2) разры́в; ~ between friends ссóра друзéй 3) *мед.* гры́жа; прободéние; разры́в; перелóм; the ~ of a blood vessel разры́в кровенóсного сосýда 4) *эл.* пробóй (*изоляции*)

2. *v* 1) прорывáть (*оболочку*) 2) порывáть (*связь, отношения*) 3) *мед.* вызывáть гры́жу

rural ['rʊərəl] *a* сéльский, деревéнский; ~ economy сéльское хозя́йство

ruse [ru:z] *n* улóвка, хúтрость

rush I [rʌʃ] *n* 1) *бот.* тростнúк; камы́ш; сúтник 2) *уст.* совершéнный пустя́к, мéлочь; not to care a ~ быть равнодýшным; not to give a ~ for smth. не придавáть значéния чемý-л.; it's not worth a ~ ≅ грошá лóманого не стóит

rush II [rʌʃ] 1. *n* 1) стремúтельное движéние, бросóк; нáтиск, напóр; a ~ of customers наплы́в покупáтелей 2) *воен.* стремúтельная атáка 3) напряжéние, спéшка, суетá; in a ~ в спéшке 4) большóй спрос (for — на) 5) стремлéние (к *чему-л.*); погóня (за *чем-л.*); ~ for wealth погóня за богáтством; ~ of armaments гóнка вооружéний; gold ~ золотáя лихорáдка 6) прилúв (*крови и т. п.*) 7) *воен.* перебéжка 8) *амер. унив.* состязáние, соревновáние 9) *горн.* внезáпная осáдка крóвли 10) *attr.* спéшный, срóчный, трéбующий бы́стрых дéйствий; ~ work *амер.* напряжённая, спéшная рабóта; ~ meeting *амер.* нáспех сóзванное собрáние

2. *v* 1) бросáться, мчáться, нестúсь, устремля́ться (*тж. перен.*); an idea ~ed into my mind мне вдруг пришлó на ум; words ~ed to his lips словá так и посы́пались из егó уст 2) бы́стро доставля́ть 3) дéйствовать, выполня́ть слúшком поспéшно; to ~ to a conclusion дéлать поспéшный вы́вод; to ~ into an undertaking необдýманно бросáться в какóе-л. предприя́тие; to ~ into print слúшком поспéшно отдавáть в печáть; to ~ a bill through the House провестú в спéшном поря́дке законопроéкт чéрез парлáмент 4) стремúтельно тащúть, торопúть; подгоня́ть; to refuse to be ~ed откáзываться дéлать (*что-л.*) второпя́х 5) *воен.* брать стремúтельным нáтиском; to be ~ed подвéргнуться внезáпному нападéнию 6) *sl.* обдирáть (*покупателя*) 7) *амер. разг.* приударя́ть, ухáживать (за *кем-л.*) 8) нахлы́нуть (*о чувствах, воспоминаниях и т. п.*)

rush candle ['rʌʃ,kændl] = rushlight 1)

rush-hours ['rʌʃaʊəz] *n pl* часы́ пик

rushlight ['rʌʃlaɪt] *n* 1) свечá с фитилём из сердцевúны сúтника 2) слáбый свет; слáбый прóблеск (*разума и т. п.*)

rushy ['rʌʃɪ] *a* 1) порóсший камышóм, тростникóм 2) тростникóвый; камышóвый

rusk [rʌsk] *n* сухáрь

russet ['rʌsɪt] 1. *n* 1) красновáто-корúчневый цвет; желтовáто-корúчневый цвет 2) сорт желтовáто-корúчневых я́блок 3) *уст.* грýбая домоткáнная красновáто-корúчневая *или* сéрая ткань

2. *a* 1) красновáто-корúчневый; желтовáто-корúчневый 2) *уст.* деревéнский, простóй

Russia leather [,rʌʃə'leðə] *n* юфть

Russian ['rʌʃn] 1. *a* рýсский

2. *n* 1) рýсский; рýсская; the ~s *pl собир.* рýсские 2) рýсский язы́к

Russian salad [,rʌʃn'sæləd] *n кул.* салáт-оливьé; винегрéт

Russify ['rʌsɪfaɪ] *v* руссифицúровать

russule ['rʌsju:l] *n бот.* сыроéжка

rust [rʌst] 1. *n* 1) ржáвчина 2) ржáвчина (*болезнь растений*)

2. *v* 1) ржавéть, дéлаться ржáвым 2) дéлать ржáвым 3) пóртиться, притупля́ться, слабéть (*от бездействия*) 4) быть поражённым ржáвчиной (*о растениях*)

rustic ['rʌstɪk] 1. *a* 1) сéльский, деревéнский 2) простóй, простовáтый; грýбый 3) грýбо срабóтанный; неотёсанный; нескла́дный; ~ masonry клáдка из неотёсанного кáмня, рустóвка

2. *n* 1) сéльский жúтель, крестья́нин 2) грýбо отёсанный кáмень, руст

rusticate ['rʌstɪkeɪt] *v* 1) врéменно исключáть (*студента*) из университéта 2) удалúться в дерéвню, жить в дерéвне 3) прививáть простые, грýбые манéры; огрубля́ть 4) *стр.* рустовáть

rustication [,rʌstɪ'keɪʃn] *n* 1) врéменное исключéние (*студента*) из университéта 2) удалéние в дерéвню 3) *стр.* рустóвка

rusticity [rʌs'tɪsətɪ] *n* 1) безыскýсственность, простотá 2) деревéнские нрáвы

rustle ['rʌsl] 1. *n* шéлест, шóрох; шуршáние

2. *v* 1) шелестéть; шуршáть 2) красть (*скот*) 3) *амер. разг.* дéйствовать бы́стро и энергúчно

rustler ['rʌslə] *n* 1) угóнщик скотá 2) *амер. разг.* дéлец, энергúчный человéк

rustless ['rʌstləs] = rustproof

rustproof ['rʌstpru:f] *a* нержавéющий

rusty I ['rʌstɪ] *a* 1) заржáвленный, ржáвый 2) запýщенный; his French is a little ~ он немнóго забы́л францýзский язы́к 3) цвéта ржáвчины; порыжéвший (*о материи*) 4) устарéвший 5) хрúплый

rusty II ['rʌstɪ] *a* 1) норовúстый (*о лошади*) 2) *разг.* раздражúтельный, злой, сердúтый

rut I [rʌt] 1. *n* 1) колея́; боро́зда 2) привы́чка; что-л. обы́чное, привы́чное; to move in a ~ идтú по проторённой дорóжке 3) *тех.* жёлоб; фальц, вы́емка

2. *v* оставля́ть колéи; проводúть борозды

rut II [rʌt] *зоол.* 1. *n* охóта, половóе возбуждéние (*у самцов*)

2. *v* быть на охóте (*о самцах*)

rutabaga [,ru:tə'beɪgə] *n* брю́ква

ruth [ru:θ] *n уст.* жáлость, сострадáние

ruthenium [rʊ'θi:nɪəm] *n хим.* рутéний

ruthless ['ru:θləs] *a* безжáлостный, жестóкий

rutted I ['rʌtɪd] 1. *p. p. от* rut I, 2

2. *a* изрéзанный колея́ми

rutted II ['rʌtɪd] *p. p. от* rut II, 2

rutty ['rʌtɪ] = rutted I, 2

rye [raɪ] *n* 1) рожь 2) *амер.* хлéбная вóдка (*тж.* ~ whisky) 3) *attr.* ржанóй

rye bread ['raɪbred] *n* ржанóй хлеб

ryot ['raɪət] *n* индúйский крестья́нин, землéдéлец

ryegrass ['raɪgrɑ:s] *n бот.* райгрáс

S

S, s [es] (*pl* Ss, S's ['esɪz]) 1) *19-я буква англ. алфавита* 2) предме́т *или* ли́ния в ви́де бу́квы S; the river makes a great S река́ прихотли́во извива́ется

'S [z *после гласных и звонких согласных*, s *после глухих согласных*] *сокр. разг.* 1) = is *в форме Present Continuous, в функции глагола-связки в сложном сказуемом или в обороте* there is: he's (= he is) going to London one of these days он на днях е́дет в Ло́ндон; she's (= she is) gone она́ ушла́; it's (= it is) time to get up пора́ встава́ть; there's (= there is) no use не сто́ит 2) = has *в форме Present Perfect*: she's (= she has) taken it она́ взяла́ э́то 3) = us *в сочетании* let us: let's (= let us) have a look дава́йте посмо́трим 4) = does *в вопр. предл.*: what's (= what does) he say about it? что он говори́т по э́тому по́воду?

sabbath ['sæbəθ] *n* 1) *рел.* свяще́нный день отдохнове́ния (*воскресенье — у христиан, суббота — у иудеев, пятница — у мусульман*) 2) *книжн.* поко́й, отдохнове́ние 3) ша́баш ведьм (*тж.* witches ~)

sabbath school ['sæbəθsku:l] *n* воскре́сная шко́ла

sabbatic(al) [sə'bætɪk(l)] *a* 1) суббо́тний (*у иудеев*) 2) воскре́сный (*у христиан*) ◇ ~ year а) *библ.* ка́ждый седьмо́й год; б) *унив.* годи́чный о́тпуск (*преподавателя для научной работы или путешествий*)

saber ['seɪbə] *амер.* = sabre

sable I ['seɪbl] *n* 1) со́боль 2) собо́лий мех 3) *attr.* собо́лий

sable II ['seɪbl] *поэт.* **1.** *n* 1) чёрный цвет 2) *pl* тра́ур

2. *a* чёрный, тра́урный; мра́чный ◇ his ~ Majesty дья́вол, сатана́

sabot ['sæbəʊ] *n* деревя́нный башма́к; сабо́

sabotage ['sæbətɑ:ʒ] **1.** *n* 1) сабота́ж 2) диве́рсия; act of ~ диверсио́нный акт

2. *v* 1) саботи́ровать 2) организо́вывать диве́рсию 3) срыва́ть, расстра́ивать (*планы и т. п.*)

saboteur [,sæbə'tɜ:] *n* диверса́нт

sabre ['seɪbə] **1.** *n* 1) са́бля, ша́шка 2) кавалери́ст

2. *v* руби́ть са́блей

sabre-rattle ['seɪbərætl] *v* бряца́ть ору́жием

sabre-rattling ['seɪbərætlɪŋ] **1.** *pres. p. от* sabre-rattle

2. *n* бряца́ние ору́жием

sabretache ['sæbətæʃ] *n воен. ист.* та́шка

sabre-toothed [,seɪbə'tu:θt] *a зоол.* саблезу́бый; ~ tiger (ископа́емый) саблезу́бый тигр

sabulous ['sæbjʊləs] *a* песча́ный

sac [sæk] *n* 1) *биол.* мешо́чек, су́мка 2) сак (*пальто*)

saccate ['sækeɪt] *a биол.* мешкообра́зный

saccharic [sə'kærɪk] *a*: ~ acid *хим.* са́харная кислота́

saccharify [sə'kærɪfaɪ] *v хим.* превраща́ть в са́хар

saccharin ['sækərɪn] *n* сахари́н

saccharine I ['sækərɪn] = saccharin

saccharine II ['sækəri:n] *a* 1) са́харный; са́харистый 2) слаща́вый, при́торный

saccharose ['sækərəʊs] *n хим.* сахаро́за, тростнико́вый са́хар

sacciform ['sæksɪ,fɔ:m] *a биол.* мешкообра́зный

sacerdotal [,sæsə'dəʊtl] *a* свяще́ннический, жре́ческий

sacerdotalism [,sæsə'dəʊtəlɪzəm] *n* систе́ма госуда́рственного управле́ния, признаю́щая власть духове́нства

sachem ['seɪtʃəm] *n амер.* 1) вождь (*некоторых индейских племён или конфедерации индейских племён*) 2) полити́ческий босс

sack I [sæk] **1.** *n* 1) мешо́к, куль 2) свобо́дное же́нское пла́тье (*модное в XVIII в.*) 3) сак (*пальто*) 4) *амер. sl.* ко́йка; посте́ль ◇ to get the ~ быть уво́ленным; to give smb. the ~ уво́лить кого́-л.

2. *v* 1) класть *или* ссыпа́ть в мешо́к 2) *разг.* уво́лить

sack II [sæk] **1.** *n* разграбле́ние; to put to the ~ разгра́бить

2. *v* 1) гра́бить 2) отдава́ть на разграбле́ние (*побеждённый город*)

sack III [sæk] *n ист.* бе́лое сухо́е вино́, импорти́ровавшееся из Испа́нии и с Кана́рских острово́в

sackcloth ['sækklɒθ] *n* 1) холст; мешкови́на; дерю́га 2) власяни́ца

sackful ['sækfʊl] *n* по́лный мешо́к (*чего-л.*); ~s of grain по́лные мешки́ зерна́

sacking I ['sækɪŋ] **1.** *pres. p. от* sack I, 2

2. *n* 1) мешкови́на 2) насы́пка в мешки́

sacking II ['sækɪŋ] *pres. p. от* sack II, 2

sack race ['sækreɪs] *n* бег в мешка́х (*аттракцион*)

sacra ['seɪkrə] *pl от* sacrum

sacral ['seɪkrəl] *a* 1) *анат.* крестцо́вый 2) сакра́льный, обря́довый, ритуа́льный

sacrament ['sækrəmənt] *n* 1) свяще́нный си́мвол, знак 2) *церк.* та́инство 3) (the S.) *церк.* прича́стие (*тж.* Blessed *или* Holy ~) 4) кля́тва; обе́т

sacramental [,sækrə'mentl] *a* 1) сакрамента́льный, свяще́нный 2) кля́твенный

sacred ['seɪkrɪd] *a* 1) свяще́нный; свято́й; it's my ~ duty to do this мой свяще́нный долг сде́лать э́то; ~ music духо́вная му́зыка 2) посвящённый (to) 3) неприкоснове́нный

sacrifice ['sækrɪfaɪs] **1.** *n* 1) же́ртва; to make a ~ приноси́ть же́ртву; at the ~ of smth. поже́ртвовав чем-л.; the great (*или* last) ~ смерть в бою́ за ро́дину 2) жертвоприноше́ние 3) убы́ток; to sell at a ~ продава́ть себе́ в убы́ток

2. *v* 1) приноси́ть в же́ртву, же́ртвовать; to ~ oneself же́ртвовать собо́й 2) соверша́ть жертвоприноше́ние

sacrificial [,sækrɪ'fɪʃl] *a* же́ртвенный

sacrilege ['sækrəlɪdʒ] *n* святота́тство, кощу́нство

sacrilegious [,sækrə'lɪdʒəs] *a* святота́тственный, кощу́нственный

sacrist, sacristan ['sækrɪst, 'sækrɪstən] *n церк.* ри́зничий

sacristy ['sækrɪstɪ] *n* ри́зница

sacrosanct ['sækrəʊsæŋkt] *a* свяще́нный; неприкоснове́нный

sacrum ['seɪkrəm] *n* (*pl тж.* -ra) *анат.* кресте́ц

sad [sæd] *a* 1) печа́льный, уны́лый, гру́стный; a ~ mistake доса́дная оши́бка 2) *разг.* ужа́сный, отча́янный; ~ coward отча́янный трус; he writes ~ stuff он пи́шет ужа́сно 3) ту́склый, тёмный (*о краске*) 4) тяжёлый; с зака́лом (*о хлебе*) ◇ in ~ earnest соверше́нно серьёзно; ~ dog пове́са, шалопа́й; ~ sack *амер.* растя́па, неумёха

sadden ['sædn] *v* печа́лить(ся)

saddle ['sædl] **1.** *n* 1) седло́ 2) *кул.* седло́; ~ of mutton седло́ бара́шка 3) седлови́на (*горной цепи*) 4) седе́лка 5) *тех.* подкла́дка, башма́к; сала́зки; су́ппорт (*станка*); гнездо́ (*клапана*) 6) сою́зка (*башмака*); white shoes with brown ~s бе́лые ту́фли с кори́чневыми сою́зками 7) *геол.* антиклина́льная скла́дка ◇ to be in the ~ верхово́дить

2. *v* 1) седла́ть (*тж.* ~ up); сади́ться в седло́ 2) взва́ливать (upon); обременя́ть (with)

saddleback ['sædlbæk] *n* седлови́на (*горы*)

saddlebag ['sædlbæg] *n* седе́льный вьюк; перемётная сума́

saddle blanket ['sædl,blæŋkɪt] *n* потни́к

saddlebow ['sædlbəʊ] *n* седе́льная лука́

saddlecloth ['sædlklɒθ] *n* чепра́к
saddlefast ['sædlfɑ:st] *a* кре́пко де́ржа́щийся в седле́
saddlegirth ['sædlgɜ:θ] *n* подпру́га
saddle horse ['sædlhɔ:s] *n* верхова́я ло́шадь
saddlepin ['sædlpɪn] *n* опо́рная сто́йка седла́ (*у велосипеда и т. п.*)
saddler ['sædlə] *n* 1) седе́льный ма́стер, шо́рник 2) *амер.* верхова́я ло́шадь
saddlery ['sædlərɪ] *n* 1) седе́льное снаряже́ние 2) шо́рное де́ло 3) шо́рная мастерска́я
saddle shoes ['sædlʃu:z] *n pl* ту́фли с цветны́ми сою́зками
saddle spring ['sædlsprɪŋ] *n* седе́льный амортиза́тор (*у велосипеда и т. п.*)
saddletree ['sædltri:] *n* 1) карка́с сиде́нья (*велосипеда и т. п.*) 2) *бот.* тюльпа́нное де́рево
sadhu ['sɑ:du:] *n* свято́й челове́к, мудре́ц, аске́т (*в Индии*)
sadiron ['sæd,aɪən] *n* тяжёлый утю́г
sadism ['seɪdɪzəm] *n* сади́зм
sadist ['seɪdɪst] *n* сади́ст
sadness ['sædnəs] *n* печа́ль, уны́ние
sadomasochism [,seɪdəʊ'mæsəkɪzəm] *n* садомазохи́зм
safari [sə'fɑ:rɪ] *n* сафа́ри, охо́тничья экспеди́ция (*обыкн. в Восточной Африке*)
safe [seɪf] **1.** *n* 1) сейф, несгора́емый я́щик *или* шкаф 2) холоди́льник
2. *a* 1) невреди́мый; ~ and sound це́л(ый) и невреди́м(ый) 2) сохра́нный; в безопа́сности; now we are (can feel) ~ тепе́рь мы (мо́жем чу́вствовать себя́) в безопа́сности 3) безопа́сный, обеспе́чивающий безопа́сность; ~ method надёжный ме́тод; ~ place надёжное ме́сто; it is ~ to say мо́жно с уве́ренностью сказа́ть; I have got him ~ он не убежи́т; он не смо́жет сде́лать ничего́ дурно́го 4) ве́рный, надёжный; in ~ hands в надёжных рука́х 5) осторо́жный, осмотри́тельный ◇ as ~ as houses ≅ мо́жно положи́ться как на ка́менную стену́; соверше́нно надёжный; to be on the ~ side на вся́кий слу́чай; для бо́льшей ве́рности
safe-conduct [,seɪf'kɒndʌkt] *n* 1) охра́на, эско́рт 2) охра́нное свиде́тельство
safe deposit ['seɪfdɪ,pɒzɪt] *n* храни́лище; сейф
safeguard ['seɪfgɑ:d] **1.** *n* 1) гара́нтия; охра́на 2) предосторо́жность 3) охра́нное свиде́тельство 4) предохрани́тель; предохрани́тельное устро́йство 5) *воен.* охра́на, конво́й
2. *v* охраня́ть, гаранти́ровать (against)
safely ['seɪflɪ] *adv* 1) в сохра́нности 2) безопа́сно; благополу́чно; it may ~ be said мо́жно с уве́ренностью сказа́ть
safety ['seɪftɪ] *n* безопа́сность; надёжность; сохра́нность; with ~ безопа́сно, без ри́ска; in ~ в безопа́сности; to play for ~ избега́ть ри́ска; ~ first! соблюда́йте осторо́жность!; road ~ пра́вила безопа́сности у́личного движе́ния ◇ there is ~ in numbers *посл.* безопа́снее де́йствовать сообща́; ≅ оди́н в по́ле не во́ин
safety belt ['seɪftɪbelt] *n* 1) = seat belt 2) спаса́тельный по́яс
safety bolt ['seɪftɪbəʊlt] *n тех.* предохрани́тельный болт
safety-catch ['seɪftɪkætʃ] *n* предохрани́тель
safety curtain ['seɪftɪ,kɜ:tn] *n театр.* противопожа́рный асбе́стовый за́навес
safety film ['seɪftɪfɪlm] *n* безопа́сная, невоспламеня́ющаяся киноплёнка
safety fuse ['seɪftɪfju:z] *n* 1) *горн.* огнепрово́дный шнур 2) *эл.* пла́вкий предохрани́тель
safety glass ['seɪftɪglɑ:s] *n* небьющееся, безоско́лочное стекло́
safety island ['seɪftɪ,aɪlənd] *n* острово́к безопа́сности (*для пешеходов*)
safety lamp ['seɪftɪlæmp] *n* безопа́сная ла́мпа, рудни́чная ла́мпа
safety match ['seɪftɪmætʃ] *n* (безопа́сная) спи́чка
safety net ['seɪftɪnet] *n* предохрани́тельная се́тка (*для акробатов и т. п.*)
safety-nut ['seɪftɪnʌt] *n тех.* контргайка
safety pin ['seɪftɪpɪn] *n* безопа́сная, англи́йская була́вка
safety razor ['seɪftɪ,reɪzə] *n* безопа́сная бри́тва
safety strip ['seɪftɪstrɪp] *n* полоса́ безопа́сности (*вырубка для предупреждения распространения лесного пожара*)
safety valve ['seɪftɪvælv] *n* 1) предохрани́тельный кла́пан 2) вы́ход, отду́шина ◇ to sit on the ~ а) не дава́ть вы́хода страстя́м, чу́вствам *и т. п.*; б) проводи́ть поли́тику репре́ссий
safety zone ['seɪftɪzəʊn] *амер.* = safety island
saffron ['sæfrən] **1.** *n бот.* шафра́н
2. *a* шафра́нный, шафра́новый
sag [sæg] **1.** *n* 1) проги́б, прове́с 2) переко́с; оседа́ние 3) паде́ние цен 4) *тех.* стрела́ проги́ба *или* прове́са 5) *мор.* ува́ливание *или* дрейф под ве́тер; уклоне́ние от ку́рса
2. *v* 1) прогиба́ть(ся); the ceiling ~ged потоло́к прови́с 2) осе́сть; покоси́ться 3) свиса́ть; обвиса́ть; the dress ~s at the back пла́тье виси́т сза́ди 4) ослабева́ть, слабе́ть, спада́ть 5) па́дать в цене́ 6) *мор.* отклоня́ться от ку́рса; ува́ливаться под ве́тер
saga ['sɑ:gə] *n* са́га, сказа́ние
sagacious [sə'geɪʃəs] *a* 1) проница́тельный, дальнови́дный; прозорли́вый 2) здравомы́слящий; благоразу́мный 3) у́мный, поня́тливый (*о животном*)
sagacity [sə'gæsətɪ] *n* 1) проница́тельность; прозорли́вость 2) практи́ческий ум; здравомы́слие 3) сообрази́тельность, поня́тливость (*животных*)
sagamore ['sægəmɔ:] = sachem
sage I [seɪdʒ] *n бот.* шалфе́й
sage II [seɪdʒ] (*часто ирон.*) **1.** *n* мудре́ц
2. *a* му́дрый, глубокомы́сленный
sage-brush ['seɪdʒbrʌʃ] *n бот.* полы́нь
sage green [,seɪdʒ'gri:n] *a* серова́то-зелёный
sage tea ['seɪdʒti:] *n* насто́й шалфе́я
saggar, sagger ['sægə] *n* ка́псула для о́бжига керами́ческих изде́лий
sagittal ['sædʒɪtl] *a анат.* сагитта́льный
Sagittarius [,sædʒɪ'teərɪəs] *n* Стреле́ц (*созвездие и знак зодиака*)
sago ['seɪgəʊ] *n* (*pl* -os [-əʊz]) 1) са́го (*крупа*) 2) *attr.*: ~ palm са́говая па́льма
sahib ['sɑ:b] *n* 1) (S.) *ист.* ти́тул, прибавля́емый к имена́м высокопоста́вленных *или* должностны́х лиц (Raja S., the Colonel S.) 2) *разг.* саги́б, господи́н, хозя́ин (*почтительное обращение к европейцу в колониальной Индии*)
said [sed] **1.** *past и p. p. от* say 1
2. *a*: the ~ (вы́ше)упомя́нутый, (вы́ше)ука́занный; the ~ witness вышеука́занный свиде́тель; the ~ sum of money вышеупомя́нутая су́мма (*денег*)
sail [seɪl] **1.** *n* 1) па́рус(а́); to hoist (*или* to make) ~ ста́вить паруса́; *перен.* уходи́ть, убира́ться восвоя́си; it's time to hoist ~ пора́ уходи́ть (*или* идти́); to shorten ~ убавля́ть паруса́; *перен.* заме́длить ход; to strike ~ убра́ть паруса́; *перен.* призна́ть свою́ неправоту́; призна́ть себя́ побеждённым; (in) full ~ на всех паруса́х; under ~ под паруса́ми; to set ~ отправля́ться в пла́вание; to take in ~ а) убира́ть паруса́; б) уме́рить пыл; сба́вить спе́си 2) *собир.* па́русные суда́; a fleet of 30 ~ флоти́лия из 30 корабле́й 3) пла́вание; we went for a ~ мы отпра́вились ката́ться на па́русной ло́дке 4) па́русное су́дно; ~ ho! ви́ден кора́бль! 5) крыло́ ветряно́й ме́льницы
2. *v* 1) пла́вать, плыть, соверша́ть пла́вание; идти́ под паруса́ми 2) отплыва́ть 3) пла́вно дви́гаться, выступа́ть, «плыть»; ше́ствовать 4) управля́ть (*судном*) 5) пуска́ть (*кораблики*) 6) *ав.* пари́ть; плани́ровать ▭ ~ in приня́ть реши́тельные ме́ры, вмеша́ться; ~ into *разг.* набро́ситься, обру́шиться на *кого-л.* (*с бранью и т. п.*)
sailboard ['seɪlbɔ:d] *n* доска́ с па́русом для сёрфинга
sailboat ['seɪlbəʊt] *n* па́русная шлю́пка
sailcloth ['seɪlklɒθ] *n* паруси́на
sailer ['seɪlə] *n* па́русное су́дно; bad (good) ~ плохо́й (хоро́ший) ходо́к (*о парусном судне*)
sailing ['seɪlɪŋ] **1.** *pres. p. от* sail 2
2. *n* 1) пла́вание; морехо́дство 2) отхо́д, отплы́тие 3) кораблевожде́ние; навига́ция 4) па́русный спорт 5) *ав.* пари́ние; плани́рование
sailing craft ['seɪlɪŋkrɑ:ft] *n* па́русное су́дно
sailing master ['seɪlɪŋ,mɑ:stə] *n* шту́рман
sailing ship ['seɪlɪŋʃɪp] *n* па́русное су́дно, па́русник
sailing vessel ['seɪlɪŋ,vesl] = sailing ship

sailor ['seɪlə] *n* 1) матро́с, моря́к; freshwater ~ нович́ок, нео́пытный моря́к; ~ before the mast (рядово́й) матро́с 2) *attr.* матро́сский; ~ suit матро́ска; ~ hat да́мская соло́менная шля́па с ни́зкой тульёй и у́зкими *или* по́днятыми поля́ми ◇ to be a good (bad) ~ хорошо́ (пло́хо) переноси́ть ка́чку на мо́ре

sailorly ['seɪləlɪ] *a* характе́рный для моряка́

sailplane ['seɪlpleɪn] *n* планёр

sainfoin ['sænfɔɪn] *n бот.* эспарце́т

saint [seɪnt (*полная форма*); sənt, sɪnt, snt (*редуцированные формы*)] *n* свято́й

sainted ['seɪntɪd] *a* 1) свято́й 2) канонизи́рованный; причи́сленный к ли́ку святы́х

sainthood ['seɪnthʊd] *n* свя́тость

saintlike ['seɪntlaɪk] = saintly

saintly ['seɪntlɪ] *a* безгре́шный, свято́й, пра́ведный

saith [seθ] *уст. 3-е л. ед. ч. настоящего времени гл.* to say

sake I [seɪk] *n*: for the ~ of, for one's ~ ра́ди; do it for Mary's ~ сде́лайте э́то ра́ди Мэ́ри; for your own ~ ра́ди твое́й же по́льзы; for God's ~, for Heaven's ~ ра́ди бо́га, ра́ди всего́ свято́го; for conscience' ~ для успокое́ния со́вести; for old ~'s ~ в па́мять про́шлого; for the ~ of glory ра́ди сла́вы; for the ~ of making money из-за де́нег ◇ ~s alive! *амер.* вот тебе ра́з!, ну и ну!; вот э́то да!

sake II ['sɑːkɪ] *n* сакэ́, ри́совая во́дка

sal [sæl] *n хим., фарм.* соль

salaam [sə'lɑːm] **1.** *n* 1) селя́м (*восточное приветствие*) 2) ни́зкий покло́н, приве́тствие

2. *v* приве́тствовать (по восто́чному обы́чаю)

salable ['seɪləbl] = saleable

salacious [sə'leɪʃəs] *a* 1) похотли́вый, сладостра́стный 2) непристо́йный 3) вызыва́ющий вожделе́ние

salacity [sə'læsətɪ] *n* 1) похотли́вость, сладостра́стие 2) непристо́йность

salad ['sæləd] *n* 1) сала́т; винегре́т 2) сала́т, зе́лень

salad-bowl ['sælədbəʊl] *n* сала́тница

salad days ['sæləddeɪz] *n* пора́ ю́ношеской нео́пытности; зелёная ю́ность

salad-dressing ['sæləd,dresɪŋ] *n* запра́вка для сала́та

salad oil ['sælədɔɪl] *n* оли́вковое, прова́нское ма́сло; ма́сло для сала́та

salamander ['sæləmændə] *n* 1) *зоол.* салама́ндра 2) *метал.* козёл; на́стыль 3) жаро́вня

salami [sə'lɑːmɪ] *n кул.* саля́ми

sal ammoniac [,sælə'məʊnɪæk] *n* нашаты́рь

salaried ['sælərɪd] *a* 1) получа́ющий жа́лованье, находя́щийся на жа́лованье, окла́де; ~ personnel слу́жащие 2) шта́тный (*о должности*)

salary ['sælərɪ] *n* жа́лованье; окла́д

sale [seɪl] *n* 1) прода́жа; сбыт; to be for (*или* on) ~ продава́ться 2) (*тж. pl*) распрода́жа по сни́женной цене́ в конце́ сезо́на; bargain (*или* clearance) ~ распрода́жа по сни́женным це́нам 3) прода́жа с аукцио́на, с торго́в; to put up for ~ продава́ть с молотка́

saleable ['seɪləbl] *a* 1) по́льзующийся спро́сом; ходово́й (*о товаре*) 2) схо́дный (*о цене*)

sale of work [,seɪləv'wɜːk] *n* благотвори́тельный база́р, где продаются рукоде́лия прихожа́н

sale price ['seɪlpraɪs] *n* 1) *эк.* прода́жная цена́ 2) сни́женная цена́; to sell at ~ продава́ть по цене́ сезо́нной распрода́жи

saleroom ['seɪlruːm] *n* аукцио́нный зал

sales clerk ['seɪlzklɑːk] *n амер.* продаве́ц; продавщи́ца

saleslady ['seɪlzleɪdɪ] *амер. разг. см.* saleswoman

salesman ['seɪlzmən] *n* 1) продаве́ц 2) комиссионе́р 3) *амер.* коммивояжёр (*тж.* travelling ~)

salesmanship ['seɪlzmənʃɪp] *n* 1) уме́ние продава́ть, торгова́ть 2) уме́ние заинтересова́ть люде́й; уме́ние преподнести́ материа́л

salespeople ['seɪlz,piːpl] *n pl собир.* продавцы́

salesroom ['seɪlzruːm] *амер.* = saleroom

sales talk ['seɪlztɔːk] *n* 1) расхва́ливание своего́ това́ра 2) агита́ция в по́льзу своего́ предложе́ния *и т. п.*

sales tax ['seɪlztæks] *n* нало́г с оборо́та

saleswoman ['seɪlz,wʊmən] *n* продавщи́ца

Salic ['sælɪk] *a ист.* сали́ческий

salicylic [,sælɪ'sɪlɪk] *a хим.* салици́ловый; ~ acid салици́ловая кислота́

salience ['seɪlɪəns] *n* 1) вы́пуклость 2) вы́ступ; клин

salient ['seɪlɪənt] **1.** *a* 1) выдаю́щийся, выступа́ющий; ~ angle выступа́ющий у́гол, ребро́ 2) вы́пуклый, заме́тный; я́ркий, броса́ющийся в глаза́; the ~ points in his speech са́мые я́ркие места́ в его́ ре́чи

2. *n воен.* клин; вы́ступ

saline ['seɪlaɪn] **1.** *n* 1) солёное о́зеро; солёный исто́чник 2) солонча́к 3) *хим.* соль 4) соляно́й раство́р

2. *a* 1) соляно́й, солево́й 2) солёный

salinity [sə'lɪnətɪ] *n спец.* солёность

saliva [sə'laɪvə] *n* слюна́

salivary ['sælɪvərɪ] *a* слю́нный; ~ glands слю́нные же́лезы

salivate ['sælɪveɪt] *v* 1) выделя́ть слюну́ 2) вызыва́ть слюнотече́ние

salivation [,sælɪ'veɪʃn] *n* слюнотече́ние

sallow I ['sæləʊ] *n бот.* и́ва

sallow II ['sæləʊ] **1.** *a* желтова́тый, боле́зненный (*о цвете лица*)

2. *v* де́лать(ся) жёлтым, желте́ть

sally ['sælɪ] **1.** *n* 1) *воен.* вы́лазка 2) прогу́лка, экску́рсия 3) вспы́шка (*гнева и т. п.*) 4) остроу́мная ре́плика, острота́

2. *v* 1) отправля́ться (*обыкн.* ~ forth, ~ out) 2) *воен.* де́лать вы́лазку (*часто* ~ out)

Sally Lunn [,sælɪ'lʌn] *n разг.* сла́дкая бу́лочка

salmagundi [,sælmə'gʌndɪ] *n* 1) салмагу́нди (*мясной салат с анчоусами, яйцами и луком*) 2) смесь, вся́кая вся́чина

salmi ['sælmɪ] *n* рагу́ из ди́чи

salmon ['sæmən] **1.** *n* (*pl обыкн. без измен.*) ло́со́сь; сёмга; humpback ~ горбу́ша

2. *a* ора́нжево-ро́зовый, цве́та сомо́н

salmon-coloured ['sæmən,kʌləd] = salmon 2

salmonella [,sælmə'nelə] *n* (*pl* -ae) сальмоне́лла

salmonellae [,sælmə'neliː] *pl от* salmonella

salmon trout ['sæmən,traʊt] *n зоол.* ку́мжа, ло́со́сь-тайме́нь

salon ['sælɒn] *n* 1) гости́ная; приёмная 2) сало́н 3) (the S.) ежего́дная вы́ставка совреме́нного изобрази́тельного иску́сства в Пари́же

saloon [sə'luːn] *n* 1) зал 2) *авто* седа́н 3) сало́н, каю́т-компа́ния (*на пароходе*) 4) *амер.* салу́н, пите́йное заведе́ние; пивна́я 5) бар-сало́н (*в гостинице и т. п.*) 6) сало́н-ваго́н

saloon car, saloon carriage [sə'luːnkɑː, sə'luːn,kærɪdʒ] = saloon 6)

saloon deck [sə'luːndek] *n* пассажи́рская па́луба 1 кла́сса

saloon keeper [sə'luːn,kiːpə] *n амер.* тракти́рщик; владе́лец ба́ра

Salopian [sə'ləʊpɪən] *n* уроже́нец гра́фства Шро́пшир *или* го́рода Шру́сбери

salsify ['sælsəfɪ] *n бот.* козлоборо́дник

salt [sɔːlt] **1.** *n* 1) соль, пова́ренная соль; white ~ пищева́я соль; table ~ столо́вая соль; in ~ засо́ленный 2) *хим.* соль 3) «изю́минка», пика́нтность; остроу́мие 4) *pl мед.* ню́хательная соль (*тж.* smelling ~s); слаби́тельное; Epsom ~s англи́йская соль 5) быва́лый моря́к, морско́й волк (*часто* old ~) 6) соло́нка ◇ to sit above (below) the ~ а) сиде́ть на ве́рхнем (ни́жнем) конце́ стола́; б) занима́ть высо́кое (весьма́ скро́мное) положе́ние в о́бществе; to eat smb.'s ~ а) быть чьим-л. го́стем; б) быть нахле́бником у кого́-л.; быть в зави́симом положе́нии; to earn one's ~ не да́ром есть хлеб; to put ~ on smb.'s tail *шутл.* насы́пать со́ли на хвост; излови́ть, пойма́ть; the ~ of the earth а) *библ.* соль земли́; б) лу́чшие, досто́йнейшие лю́ди, гра́ждане; not worth one's ~ никчёмный, не сто́ящий того́, что́бы ему́ плати́ли; to take a story with a grain of ~ отнести́сь к расска́зу крити́чески, с недове́рием; I am not made of ~ ≅ не са́харный, не раста́ю

2. *a* 1) солёный; ~ as brine (*или* as a herring) о́чень солёный; ≅ одна́ соль; ~ water морска́я вода́; *перен.* слёзы 2) засо́ленный 3) солончако́вый; солевыно́сливый 4) жгу́чий, го́рький; ~ tears го́рькие слёзы 5) неприли́чный, непристо́йный; «солёный» 6) *sl.* сли́шком дорого́й

3. *v* 1) соли́ть 2) соли́ть, заса́ливать;

консерви́ровать 3) придава́ть остроту́, пика́нтность ▭ ~ away, ~ down а) соли́ть, заса́ливать; б) копи́ть, откла́дывать ◇ to ~ a mine иску́сственно повы́сить содержа́ние проб с це́лью вы́дать рудни́к за бо́лее бога́тый (*при прода́же*)

saltation [sæl'teɪʃn] *n* 1) пры́ганье, пля́ска 2) скачо́к, прыжо́к 3) неожи́данное измене́ние движе́ния, разви́тия

saltatory ['sæltətərɪ] *a* 1) пры́гающий, ска́чущий 2) скачкообра́зный, ре́зко меня́ющийся; ~ evolution скачкообра́зное разви́тие

salt beef ['sɔ:ltbi:f] *n* солони́на

salt-cake ['sɔ:ltkeɪk] *n хим.* сульфа́т на́трия

salt-cat ['sɔ:ltkæt] *n* прима́нка для голубе́й

saltcellar ['sɔ:lt,selə] *n* соло́нка

salted ['sɔ:ltɪd] 1. *p. p. от* salt 3

2. *a* 1) солёный 2) *разг.* о́пытный, закалённый, прожжённый

saltern ['sɔ:ltn] *n* солева́рня

salt-free [,sɔ:lt'fri:] *a* бессолево́й; ~ diet бессолева́я дие́та

salt-glaze ['sɔ:ltgleɪz] *n* обли́вка, глазу́рь

salt-horse ['sɔ:lthɔ:s] *sl. см.* salt beef

salting ['sɔ:ltɪŋ] 1. *pres. p. от* salt 3

2. *n* иску́сственное повыше́ние содержа́ния проб [*см.* salt 3 ◇]

salt junk ['sɔ:ltdʒʌŋk] *n мор. жарг.* солони́на

salt lick ['sɔ:ltlɪk] *n* 1) соляно́й уча́сток, привлека́ющий ди́ких живо́тных 2) лизуне́ц

salt marsh ['sɔ:ltmɑ:ʃ] *n* солонча́к; низи́на, затопля́емая морско́й водо́й

saltmine ['sɔ:ltmaɪn] *n* соляна́я ша́хта

saltpan ['sɔ:ltpæn] *n* 1) чрен для вы́парки рассо́ла, ва́рница 2) соляно́е о́зеро

saltpetre [,sɔ:lt'pi:tə] *n хим.* сели́тра

salt shaker ['sɔ:ltʃeɪkə] *n амер.* соло́нка с ды́рочками

salt-spoon ['sɔ:ltspu:n] *n* ло́жечка для со́ли

saltwater ['sɔ:lt,wɔ:tə] *a* морско́й

salt-works ['sɔ:ltwɜ:ks] = saltern

saltwort ['sɔ:ltwɜ:t] *n бот.* соля́нка, солеро́с; пота́шник

salty ['sɔ:ltɪ] *a* 1) солёный 2) непристо́йный; пика́нтный, «солёный»

salubrious [sə'lu:brɪəs] *a* здоро́вый, поле́зный для здоро́вья; целе́бный, цели́тельный; ~ climate здоро́вый кли́мат

salubrity [sə'lu:brətɪ] *n* 1) кре́пкое здоро́вье 2) усло́вия *или* сво́йства, благоприя́тные для здоро́вья

salutary ['sæljʊtərɪ] *a* цели́тельный; благотво́рный, поле́зный

salutation [,sælјʊ'teɪʃn] *n* приве́тствие

salutatory [sə'lјu:tətərɪ] *a* приве́тственный

salute [sə'lu:t] 1. *n* 1) приве́тствие 2) *воен.* отда́ние че́сти 3) салю́т 4) *уст., шутл.* поцелу́й

2. *v* 1) салютова́ть 2) *воен.* отдава́ть честь 3) приве́тствовать, здоро́ваться 4) встреча́ть; представа́ть (*пе́ред взгля́дом*); to ~ with a smile встреча́ть улы́бкой; a gloomy view ~d us нам предста́вилось мра́чное зре́лище 5) *уст.* целова́ть

salvage ['sælvɪdʒ] 1. *n* 1) спасе́ние иму́щества (*на мо́ре или от огня́*) 2) спасённое иму́щество; to make ~ (of) спаса́ть (*что-л.*) 3) подъём затону́вших судо́в 4) сбор и испо́льзование утильсырья́ 5) ути́ль 6) *воен.* трофе́и; сбор трофе́ев; эвакуа́ция подби́той в бою́ материа́льной ча́сти 7) вознагражде́ние за спасе́ние иму́щества

2. *v* 1) спаса́ть (*кора́бль, иму́щество*) 2) *воен.* собира́ть трофе́и; эвакуи́ровать подби́тую в бою́ материа́льную часть

salvation [sæl'veɪʃn] *n* спасе́ние

Salvation Army [sæl,veɪʃn'ɑ:mɪ] *n* А́рмия спасе́ния

Salvationist [sæl'veɪʃnɪst] *n* член А́рмии спасе́ния

salve I [sælv] 1. *n* 1) целе́бная мазь 2) сре́дство для успокое́ния; *поэт.* бальза́м

2. *v* 1) успока́ивать (*со́весть*), те́шить (*го́рдость*) *и т. п.* 2) *уст.* сма́зывать (*ма́зью*); врачева́ть 3) *уст.* смягча́ть (*боль*); to ~ difficulties сгла́живать тру́дности

salve II [sælv] = salvage 2, 1)

salver ['sælvə] *n* подно́с (*обыкн. металли́ческий*)

salvo I ['sælvəʊ] *n* (*pl* -os [-əʊz]) 1) огово́рка; with an express ~ с осо́бой огово́ркой 2) увёртка; отгово́рка 3) оправда́ние; утеше́ние

salvo II ['sælvəʊ] *n* (*pl* -oes, -os [-əʊz]) 1) залп, батаре́йная о́чередь 2) бо́мбовый залп 3) взрыв аплодисме́нтов

sal volatile [,sælvə'lætəlɪ] *n* ню́хательная соль

salvor ['sælvə] *n* 1) спаса́тельный кора́бль 2) челове́к, уча́ствующий в спасе́нии (*корабля́, иму́щества*)

samara ['sæmərə] *n бот.* крыла́тка

samarium [sə'meərɪəm] *n хим.* сама́рий

samba ['sæmbə] *n* са́мба (*брази́льский та́нец*)

Sambo ['sæmbəʊ] *n* (*pl* -os, -oes [-əʊz]) 1) *пренебр.* чёрный, негр 2) (s.) са́мбо (*пото́мок сме́шанного бра́ка инде́йцев и негро́в в Лати́нской Аме́рике*)

Sam Browne [,sæm'braʊn] *n* офице́рская портупе́я (*тж.* ~ belt)

same [seɪm] 1. *a* 1) тот (же) са́мый; одина́ковый; the ~ causes produce the ~ effects одни́ и те же причи́ны порожда́ют одина́ковые сле́дствия; the ~ observations are true of the others also э́ти же наблюде́ния верны́ и в отноше́нии други́х слу́чаев; they belong to the ~ family они́ принадлежа́т к одно́й и той же семье́; to say the ~ thing twice over повторя́ть одно́ и то́ же два́жды; to me she was always the ~ little girl для меня́ она́ остава́лась всё той же ма́ленькой де́вочкой; a symptom of the ~ nature аналоги́чный симпто́м; much the ~ почти́ тако́й же; the patient is much about the ~ состоя́ние больно́го почти́ не измени́лось; the very ~ то́чно тако́й же 2) вышеупомя́нутый; this ~ man was later her husband э́тот челове́к был пото́м её му́жем

2. *pron* одно́ и то́ же, то́ же са́мое; we must all say (do) the ~ мы все должны́ говори́ть (де́лать) одно́ и то́ же; he would do the ~ again он бы сно́ва сде́лал то́ же са́мое; the ~ to you! и тебе́ того́ же!

3. *adv* таки́м же о́бразом, так же; I see the ~ through your glasses as I do through mine в ва́ших очка́х я ви́жу так же, как и в свои́х; all the ~ а) (реши́тельно) всё равно́, (абсолю́тно) безразли́чно; it's all the ~ to me мне всё равно́; б) всё-таки; тем не ме́нее; thank you all the ~ всё же разреши́те поблагодари́ть вас; just the ~ а) таки́м же о́бразом; б) тем не ме́нее, всё-таки

samel ['sæməl] *a* пло́хо обожжённый, мя́гкий (*о черепи́це, кирпиче́ и т. п.*)

sameness ['seɪmnəs] *n* 1) одина́ковость, схо́дство, единообра́зие; то́ждество 2) однообра́зие

samite ['sæmaɪt] *n ист.* тяжёлый шёлк; парча́

samlet ['sæmlɪt] *n* молодо́й ло́сось

Sammy ['sæmɪ] *n sl.* Сэ́мми (*про́звище америка́нского солда́та во вре́мя пе́рвой мирово́й войны́*)

samp [sæmp] *n амер.* маи́совая крупа́ *или* ка́ша

sampan ['sæmpæn] *n* сампа́н, кита́йская ло́дка

samphire ['sæmfaɪə] *n бот.* кри́тмум морско́й

sample ['sɑ:mpl] 1. *n* 1) образе́ц, обра́зчик; book of ~s альбо́м образцо́в 2) про́ба 3) шабло́н, моде́ль

2. *v* 1) отбира́ть образцы́, брать обра́зчик *или* про́бу 2) про́бовать, испы́тывать

sampler ['sɑ:mplə] *n* 1) образе́ц вы́шивки 2) *тех.* моде́ль, шабло́н 3) *тех.* колле́ктор, пробоотбо́рщик

sampling ['sɑ:mplɪŋ] 1. *pres. p. от* sample 2

2. *n* отбо́р проб *или* образцо́в

Samson ['sæmsən] *n* 1) *библ.* Самсо́н 2) сила́ч

Samuel ['sæmjʊəl] *n библ.* Саму́и́л

samurai ['sæmʊraɪ] *n* (*pl без измен.*) самура́й

sanative ['sænətɪv] *a* целе́бный, оздоровля́ющий

sanatoria [,sænə'tɔ:rɪə] *pl от* sanatorium

sanatorium [,sænə'tɔ:rɪəm] *n* (*pl* -ria) санато́рий

sanatory ['sænətərɪ] = sanative

sanctified ['sæŋktɪfaɪd] 1. *p. p. от* sanctify

2. *a* 1) посвящённый; освящённый 2) ха́нжеский

sanctify ['sæŋktɪfaɪ] *v* 1) освяща́ть 2) очища́ть от греха́, поро́ка 3) санкциони́ровать

sanctimonious [,sæŋktɪ'məʊnɪəs] *a* ха́нжеский

sanctimony ['sæŋktɪmənɪ] *n* ха́нжество

sanction [ˈsæŋkʃn] **1.** *n* 1) сáнкция, утверждéние; ратификáция 2) одобрéние, поддéржка (*чего-л.*) 3) *юр.* предусмóтренная закóном мéра наказáния 4) (*обыкн. pl*) сáнкции, мéры воздéйствия

2. *v* 1) санкционúровать, утвердúть; ратифицúровать 2) одóбрить

sanctity [ˈsæŋktətɪ] *n* 1) святость 2) неприкосновéнность 3) *pl* свящéнные обязанности; свящéнный долг 4) святыня

sanctuary [ˈsæŋktʃʊərɪ] *n* 1) святúлище; храм 2) заповéдник; bird ~ птúчий заповéдник 3) убéжище; прибéжище; to break the ~ нарушáть неприкосновéнность убéжища; to seek ~ искáть убéжища

sanctum (sanctorum) [ˌsæŋktəm(sæŋkˈtɔːrəm)] *n* 1) *рел.* святáя святых 2) *разг.* рабóчий кабинéт

sand [sænd] **1.** *n* 1) песóк; грáвий 2) *pl* песчúнки; numberless as the ~(s) бесчúсленные, как песóк морскóй 3) *pl* пескú; пустыня 4) песóчный цвет 5) *pl* песчáный пляж; óтмель 6) песóк в песóчных часáх; *перен.* (*обыкн. pl*) врéмя; дни жúзни; the ~s are running out а) врéмя подхóдит к концý; б) дни сочтены; конéц блúзок 7) *амер. разг.* мýжество, стóйкость; выдержка ◇ built on ~ пострóенный на пескé, непрóчный; to throw ~ in the wheels *амер.* ≅ стáвить пáлки в колёса; создавáть искýсственные препятствия

2. *v* 1) чúстить *или* шлифовáть пескóм 2) посыпáть пескóм; зарывáть в песóк 3) подмéшивать песóк; to ~ the sugar подмéшивать песóк в сáхар

sandal I [ˈsændl] **1.** *n* 1) сандáлия 2) ремешóк (*сандалии и т. п.*)

2. *v* (*особ. p. p.*) надевáть сандáлии

sandal II [ˈsændl] = sandalwood

sandalwood [ˈsændlwʊd] *n* сандáловое дéрево

sandbag [ˈsændbæg] **1.** *n* 1) мешóк с пескóм 2) баллáстный мешóк 3) орýдие оглушéния жéртвы

2. *v* 1) защищáть мешкáми с пескóм 2) оглушáть удáром мешкá с пескóм 3) *амер.* заставлять, принуждáть; одолевáть

sandbank [ˈsændbæŋk] *n* песчáная óтмель, бáнка

sandbar [ˈsændbɑː] *n* нанóсный песчáный бар

sandbath [ˈsændbɑːθ] *n тех.* песчáная бáня

sandbed [ˈsændbed] *n* песчáное днó, рýсло

sandblast [ˈsændblɑːst] *тех.* **1.** *n* 1) струя пескá 2) пескострýйный аппарáт

2. *v* обдувáть песóчной струёй

sandbox [ˈsændbɒks] *n* 1) песóчница (*для детских игр*) 2) *тех.* песóчница 3) *ист.* песóчница с промокáтельным пескóм 4) литéйная фóрма с пескóм

sandboy [ˈsændbɔɪ] *n*: jolly (*или* happy) as a ~ жизнерáдостный, беззабóтный

sand crack [ˈsændkræk] *n* трéщина на копыте у лóшади

sand dune [ˈsænddjuːn] *n* дюна

sanded [ˈsændɪd] **1.** *p. p. от* sand 2

2. *a* 1) посыпанный, покрытый пескóм 2) смéшанный с пескóм

sand eel [ˌsændˈiːl] *n* песчáнка (*рыба*)

sandglass [ˈsændglɑːs] *n* песóчные часы

sand hill [ˈsændhɪl] *n* дюна

sandhog [ˈsændhɒg] *n амер. sl.* рабóчий на кессóнных *или* подзéмных рабóтах

sandman [ˈsændmæn] *n детск.* дрёма; the ~ is about *шутл.* ≅ дéтям порá спать

sand martin [ˈsænd,mɑːtɪn] *n* берегова́я лáсточка

sandpaper [ˈsænd,peɪpə] *n* наждáчная бумáга, шкýрка

sandpiper [ˈsænd,paɪpə] *n* песóчник (*птица*)

sandpit [ˈsændpɪt] *n* песчáный карьéр

sandshoes [ˈsændʃuːz] *n* пляжные тýфли

sandspout [ˈsændspaʊt] *n* песчáный смерч

sandstone [ˈsændstəʊn] *n* песчáник

sandstorm [ˈsændstɔːm] *n* песчáная бýря

sandwich [ˈsænwɪdʒ] **1.** *n* 1) сáндвич, бутербрóд; ham (egg, caviare, *etc.*) ~ бутербрóд с ветчинóй (яйцóм, икрóй *и т. п.*) 2) двухслóйный *или* многослóйный торт *и т. п.* 3) = sandwich man 4) *attr. тех.* многослóйный ◇ to ride (*или* to sit) ~ éхать (сидéть) стúснутым мéжду двумя сосéдями

2. *v* помещáть посерединé, вставлять (мéжду)

sandwich board [ˈsænwɪdʒbɔːd] *n* реклáмные щиты (*прикрепляемые спереди и сзади к несущему их человеку*)

sandwich man [ˈsænwɪdʒmæn] *n* человéк-реклáма [*см. тж.* sandwich board]

sandy [ˈsændɪ] *a* 1) песчáный; песóчный 2) рыжевáтый 3) непрóчный, зыбкий

sane [seɪn] *a* 1) нормáльный, в своём умé 2) здрáвый; здравомыслящий; разýмный

sanforize [ˈsænfəraɪz] *v* декатировáть (*ткань*)

sang [sæŋ] *past от* sing 1

sanguinary [ˈsæŋgwɪnərɪ] *a* 1) кровáвый, кровопролúтный 2) кровожáдный 3) *шутл.* проклятый

sanguine [ˈsæŋgwɪn] **1.** *a* 1) сангвинúческий, жизнерáдостный 2) оптимистúческий; ~ of success увéренный в успéхе 3) румяный 4) *поэт.* кровáво-крáсный

2. *n иск.* сангвúна

3. *v поэт.* окрáсить(ся) в кровáво-крáсный цвет

sanguineous [sæŋˈgwɪnɪəs] *a* 1) кровопролúтный 2) *мед.* кровянóй 3) кровáво-крáсный 4) полнокрóвный

sanguivorous [sæŋˈgwɪvərəs] *a* кровососýщий (*о насекомых*)

Sanhedrim [ˈsænədrɪm] = Sanhedrin

Sanhedrin [ˈsænədrɪn] *n ист.* синедриóн

sanies [ˈseɪnɪiːz] *n pl мед.* кровянúсто-гнóйные выделéния

sanitaria [ˌsænəˈteərɪə] *pl от* sanitarium

sanitarian [ˌsænəˈteərɪən] **1.** *n* 1) санитáрный врач 2) гигиенúст

2. *a* санитáрный

sanitarium [ˌsænəˈteərɪəm] *n* (*pl* -ia, -s [-z]) *амер.* = sanatorium

sanitary [ˈsænətərɪ] *a* санитáрный, гигиенúческий; ~ belt гигиенúческий пóяс; ~ engineering санитáрная тéхника; ~ towel (*амер.* napkin) гигиенúческий жéнский пакéт

sanitary ware [ˌsænətərɪˈweə] *n* сантехнúческая керáмика (*раковины, ванны и т. п.*)

sanitate [ˈsænɪteɪt] *v* 1) улучшáть санитáрное состояние 2) оборýдовать санýзел в помещéнии

sanitation [ˌsænɪˈteɪʃn] *n* 1) санитарúя 2) оздоровлéние, улучшéние санитáрных услóвий

sanitize [ˈsænɪtaɪz] *v* проводúть санобрабóтку, дезинфицúровать

sanity [ˈsænətɪ] *n* 1) нормáльная псúхика 2) здрáвый ум, здравомыслие

sank [sæŋk] *past от* sink 2

sans [sænz] *prep уст., шутл.* без; ~ teeth беззýбый

sansculotte [ˌsænzkjʊˈlɒt] *n* 1) *ист.* санкюлóт 2) ярый республикáнец, радикáл

Sanskrit [ˈsænskrɪt] **1.** *n* санскрúт

2. *a* санскрúтский

Santa Claus [ˌsæntəklɔːz] *n* Сáнта Клáус, дед-морóз, рождéственский дед

sap I [sæp] **1.** *n* 1) сок (*растений*); живúца 2) жúзненные сúлы; жизнеспосóбность 3) *поэт.* кровь 4) *бот.* зáболонь

2. *v* 1) лишáть сóка; сушúть 2) истощáть 3) стёсывать зáболонь

sap II [sæp] **1.** *n* 1) *воен.* сáпа, подкóп; крытая траншéя 2) подрыв

2. *v воен.* вестú сáпу(-ы), подкáпывать; подрывáть (*тж. перен.*)

sap III [sæp] *школ. жарг.* **1.** *n* 1) зубрúла 2) зубрёжка; скýчная рабóта; it is such a ~, it is too much a ~ скучнéйшее занятие

2. *v* корпéть (*над чем-л.*), зубрúть

sap IV [sæp] *n sl.* простáк, óлух, дурáк

sap-green [ˌsæpˈgriːn] *n* зелёная крáска из ягод крушúны

saphead [ˈsæphed] *n* 1) *воен.* головá сáпы 2) *sl.* óлух, дурáк

sapid [ˈsæpɪd] *a книжн.* 1) вкусный 2) интерéсный, содержáтельный

sapidity [səˈpɪdətɪ] *n книжн.* 1) вкус 2) содержáтельность

sapience [ˈseɪpɪəns] *n* мýдрость (*обыкн. ирон.*)

sapient [ˈseɪpɪənt] *a книжн.* мýдрый, мýдрствующий (*обыкн. ирон.*)

sapiential [ˌseɪpɪˈenʃl] *a книжн.* мýдрый, поучúтельный

sapless [ˈsæpləs] *a* 1) сухо́й, высо́хший 2) вя́лый, безжи́зненный 3) неинтере́сный, бессодержа́тельный

sapling [ˈsæplɪŋ] *n* 1) молодо́е де́ревце 2) молодо́е существо́ 3) борза́я однолётка

saponaceous [ˌsæpəˈneɪʃəs] *a* 1) мы́льный 2) *шутл.* елейный

saponify [səˈpɒnɪfaɪ] *v* *хим.* омыля́ть(ся)

sapor [ˈseɪpə] *n* вкус

sapper [ˈsæpə] *n* сапёр

sapphire [ˈsæfaɪə] **1.** *n* 1) сапфи́р 2) тёмно-си́ний цвет сапфи́ра

2. *a* тёмно-си́ний, цве́та сапфи́ра

sappy I [ˈsæpɪ] *a* 1) со́чный 2) си́льный, молодо́й; по́лный сил, в соку́

sappy II [ˈsæpɪ] *a sl.* глу́пый

saprogenic, saprogenous [ˌsæprəʊˈdʒenɪk, səˈprɒdʒɪnəs] *a* сапроге́нный, вызыва́ющий гние́ние; гни́лостный

saprophyte [ˈsæprəʊfaɪt] *a бот.* сапрофи́т

saprot [ˈsæprɒt] *n бот.* за́болонная гниль

sapwood [ˈsæpwʊd] *n бот.* за́болонь

saraband [ˈsærəbænd] *n* сараба́нда (*танец и музыкальная форма*)

Saracen [ˈsærəsən] *n ист.* сараци́н

Saracenic [ˌsærəˈsenɪk] *a ист.* сараци́нский

Saratoga [ˌsærəˈtəʊgə] *n амер.* большо́й чемода́н, доро́жный сунду́к (*тж.* ~ trunk)

sarcasm [ˈsɑːkæzəm] *n* сарка́зм

sarcastic [sɑːˈkæstɪk] *a* саркасти́ческий

sarcenet [ˈsɑːsnət] = sarsenet

sarcoma [sɑːˈkəʊmə] *n* (*pl* -ata) *мед.* сарко́ма

sarcomata [sɑːˈkəʊmətə] *pl от* sarcoma

sarcophagi [sɑːˈkɒfəgaɪ] *pl от* sarcophagus

sarcophagus [sɑːˈkɒfəgəs] *n* (*pl* -agi) саркофа́г

Sard [sɑːd] = Sardinian

sardine [ˌsɑːˈdiːn] *n* сарди́на ◇ packed like ~s ≅ (наби́ты) как се́льди в бо́чке

Sardinian [sɑːˈdɪnɪən] **1.** *a* сарди́нский

2. *n* 1) сарди́нец 2) сарди́нский диале́кт италья́нского языка́

sardonic [sɑːˈdɒnɪk] *a* сардони́ческий, зло́бный

sardonyx [ˈsɑːdənɪks] *n мин.* сардони́кс

sargasso [sɑːˈgæsəʊ] *n* (*pl* -os, -oes [-əʊz]) *бот.* сарга́ссовая во́доросль

sarge [sɑːdʒ] *n sl.* сержа́нт

sari [ˈsɑːrɪ] *n* са́ри (*индийская женская одежда*)

sarong [səˈrɒŋ] *n* саро́нг (*индонезийская национальная одежда*)

sarsenet [ˈsɑːsnət] *n* то́нкий подкла́дочный шёлк

sartor [ˈsɑːtə] *n шутл.* портно́й

sartorial [sɑːˈtɔːrɪəl] *a* портня́жный, портно́вский

sash I [sæʃ] **1.** *n* 1) куша́к, по́яс 2) о́рденская ле́нта

2. *v* украша́ть ле́нтой, по́ясом

sash II [sæʃ] *n* 1) око́нный переплёт 2) скользя́щая ра́ма в подъёмном окне́

sash door [ˈsæʃdɔː] *n* застеклённая дверь

sash frame [ˈsæʃfreɪm] = sash II, 2)

sash window [ˌsæʃˈwɪndəʊ] *n* подъёмное окно́

saskatoon [ˌsæskəˈtuːn] *n бот.* ирга́ ольхоли́стная (*тж.* ~ berry)

sass [sæs] *n амер. разг.* наха́льство

sassafras [ˈsæsəfræs] *n бот.* сассафра́с

Sassenach [ˈsæsənæk] *n ирл., шотл. презр.* англича́нин

sassy [ˈsæsɪ] *a амер. разг.* наха́льный

sat [sæt] *past и p. p. от* sit

Satan [ˈseɪtn] *n* сатана́

Satanic [səˈtænɪk] *a* сатани́нский

satchel [ˈsætʃəl] *n* су́мка, ра́нец (*для книг*)

sate [seɪt] *v* 1) насыща́ть 2) пресыща́ть

sateen [sæˈtiːn] *n* сати́н

sateless [ˈseɪtləs] *a поэт.* ненасы́тный

satellite [ˈsætəlaɪt] *n* 1) *астр.* спу́тник 2) иску́сственный спу́тник; manned ~ спу́тник с экипа́жем на борту́ 3) сопровожда́ющее лицо́ 4) приспе́шник, приве́рженец; сателли́т 5) зави́симое госуда́рство; госуда́рство-сателли́т (*тж.* ~ State)

satellite town [ˈsætəlaɪttaʊn] *n* го́род-спу́тник

satiable [ˈseɪʃəbl] *a* могу́щий быть удовлетворённым; могу́щий насы́титься

satiate [ˈseɪʃɪeɪt] **1.** *v* = sate

2. *a уст.* пресы́щенный

satiation [ˌseɪʃɪˈeɪʃn] *n* 1) насыще́ние 2) пресыще́ние

satiety [səˈtaɪətɪ] *n* 1) насыще́ние, сы́тость; to ~ до́сыта, до отва́ла; до отка́за 2) пресыще́ние

satin [ˈsætɪn] **1.** *n* 1) атла́с 2) *attr.* атла́сный

2. *v* сатини́ровать (*бумагу и т. п.*)

satinet [ˌsætɪˈnet] = satinette

satinette [ˌsætɪˈnet] *n текст.* сатине́т

satin paper [ˈsætɪnˌpeɪpə] *n* сатини́рованная бума́га

satinwood [ˈsætɪnwʊd] *n* атла́сное де́рево *или* его́ древеси́на

satiny [ˈsætɪnɪ] *a* атла́сный, шелкови́стый

satire [ˈsætaɪə] *n* 1) сати́ра 2) иро́ния, насме́шка (on, upon)

satiric [səˈtɪrɪk] *a* сатири́ческий

satirical [səˈtɪrɪkl] *a* 1) = satiric 2) насме́шливый, язви́тельный, саркасти́ческий

satirist [ˈsætərɪst] *n* сати́рик

satirize [ˈsætəraɪz] *v* высме́ивать

satis [ˈsætɪs] *лат. adv* доста́точно

satisfaction [ˌsætɪsˈfækʃn] *n* 1) удовлетворе́ние (at, with); to the ~ of smb. к чьему́-л. удовлетворе́нию; if you can prove it to my ~ е́сли вы мо́жете убеди́ть меня́ в э́том; it is a ~ to know that прия́тно знать, что 2) упла́та до́лга; компенса́ция; исполне́ние обяза́тельства; in ~ of в упла́ту; to make ~ возмеща́ть 3) сатисфа́кция; to demand ~ тре́бовать сатисфа́кции, вызыва́ть на дуэ́ль; to give ~ a) приня́ть вы́зов на дуэ́ль; б) принести́ извине́ния 4) распла́та (for); искупле́ние грехо́в

satisfactory [ˌsætɪsˈfæktərɪ] *a* 1) удовлетвори́тельный; доста́точный; прие́млемый 2) прия́тный, хоро́ший

satisfy [ˈsætɪsfaɪ] *v* 1) удовлетворя́ть; соотве́тствовать, отвеча́ть (*требованиям*); to rest satisfied удовлетвори́ться; не предпринима́ть дальне́йших шаго́в, не предъявля́ть но́вых тре́бований; to ~ the examiners вы́держать экза́мен удовлетвори́тельно 2) утоля́ть (*голод, любопытство и т. п.*) 3) погаша́ть (*долг*) 4) выполня́ть (*обязательство*) 5) убежда́ть (of — в; that); рассе́ивать сомне́ния; to ~ oneself убеди́ться; I am satisfied that я бо́льше не сомнева́юсь, что

satrap [ˈsætræp] *n* сатра́п

satrapy [ˈsætrəpɪ] *n* сатра́пия

saturate [ˈsætʃəreɪt] **1.** *v* 1) насыща́ть, пропи́тывать (*тж. перен.*); he is ~d with Greek history он поглощён изуче́нием исто́рии Дре́вней Гре́ции 2) *хим.* насыща́ть, сатури́ровать 3) насыща́ть до преде́ла, наводня́ть (*рынок*) 4) подавля́ть (*оборону противника*); подверга́ть масси́рованному уда́ру

2. *a книжн.* промо́кший, пропи́танный вла́гой

saturated [ˈsætʃəreɪtɪd] **1.** *p. p. от* saturate 1

2. *a* глубо́кий, интенси́вный (*о цвете*)

saturation [ˌsætʃəˈreɪʃn] *n* 1) насыще́ние, насы́щенность; to ~ до (по́лного) насыще́ния 2) *attr.* поглоти́тельный; ~ capacity поглоти́тельная спосо́бность

Saturday [ˈsætədeɪ] *n* суббо́та

Saturn [ˈsætɜːn] *n астр., римск. миф.* Сату́рн

saturnalia [ˌsætəˈneɪlɪə] *n pl* 1) (S.) *др.-рим.* сатурна́лии 2) (*часто употр. как sing*) разгу́л, вакхана́лия

saturnine [ˈsætənaɪn] *a* 1) мра́чный, угрю́мый 2) *уст.* свинцо́вый; ~ red су́рик

saturnism [ˈsætənɪzəm] *n мед.* отравле́ние свинцо́м, сатурни́зм

satyr [ˈsætə] *n* 1) сати́р 2) распу́тник, развра́тник

sauce [sɔːs] **1.** *n* 1) со́ус, подли́вка; припра́ва 2) то, что придаёт интере́с, остроту́, пика́нтность 3) *разг.* на́глость, де́рзость; none of your ~! не дерзи́! 4) *амер.* фрукто́вое пюре́, тушёные фру́кты *и т. п.* 5) *sl.* спиртно́е, спиртно́й напи́ток ◇ what's ~ for the goose is ~ for the gander *посл.* ме́рка, примени́мая к одному́, должна́ применя́ться и к друго́му

2. *v* 1) *разг.* дерзи́ть; вести́ себя́ на́гло 2) *уст.* приправля́ть со́усом 3) *уст.* придава́ть пика́нтность

sauce boat [ˈsɔːsbəʊt] *n* со́усник

saucebox [ˈsɔːsbɒks] *n* наха́л(ка)

saucepan [ˈsɔːspən] *n* кастрю́ля

saucer [ˈsɔːsə] *n* 1) блю́дце 2) поддо́нник 3) *attr.*: ~ eyes больши́е, кру́глые глаза́

saucy [ˈsɔːsɪ] *a* 1) де́рзкий, наха́льный 2) *разг.* наря́дный; мо́дный, сти́льный, шика́рный 3) непристо́йный, неприли́чный

sauerkraut [ˈsauəkraut] *n* ки́слая капу́ста

sauna [ˈsɔːnə] *n* фи́нская парна́я ба́ня, са́уна

saunter [ˈsɔːntə] **1.** *n* 1) прогу́лка 2) ме́дленная похо́дка

2. *v* прогу́ливаться, проха́живаться, флани́ровать

saurian [ˈsɔːrɪən] *a* относя́щийся к ископа́емым я́щерам

saury [ˈsɔːrɪ] *n* *зоол.* макрелещу́ка

sausage [ˈsɒsɪdʒ] *n* 1) колбаса́; соси́ска 2) *воен. разг.* аэроста́т наблюде́ния, «колбаса́»

sausage meat [ˈsɒsɪdʒmiːt] *n* колба́сный фарш

sausage-poisoning [ˈsɒsɪdʒ,pɔɪznɪŋ] *n* *мед.* отравле́ние колба́сным я́дом

sausage roll [ˈsɒsɪdʒrəul] *n* пирожо́к с мя́сом *или* соси́ской

sauté [ˈsəuteɪ] *n* соте́

savage [ˈsævɪdʒ] **1.** *a* 1) свире́пый, жесто́кий, беспоща́дный 2) ди́кий, первобы́тный 3) *разг.* взбешённый, разъярённый

2. *n* 1) дика́рь 2) жесто́кий челове́к 3) гру́бый, невоспи́танный челове́к, груби́ян

3. *v* 1) куса́ть, топта́ть (*о лошади*) 2) жесто́ко обходи́ться; ре́зко критикова́ть, разноси́ть

savagery [ˈsævɪdʒərɪ] *n* 1) ди́кость 2) жесто́кость, свире́пость

savanna(h) [səˈvænə] *n* сава́нна

savant [ˈsævnt] *n* (кру́пный) учёный

save [seɪv] **1.** *v* 1) спаса́ть; to ~ smb.'s life спасти́ кому́-л. жизнь; to ~ the situation спасти́ положе́ние 2) откла́дывать, копи́ть (*тж.* ~ up) 3) избавля́ть (*от чего-л.*); you have ~d me trouble вы изба́вили меня́ от хлопо́т 4) бере́чь, эконо́мить (*время, деньги, труд, силы и т. п.*); to ~ oneself бере́чь себя́; бере́чь си́лы; to ~ one's pains не труди́ться напра́сну 5) отбива́ть нападе́ние; спаса́ть (*ворота — в футболе и т. п.*) ▭ ~ **up** де́лать сбереже́ния; копи́ть ◇ to ~ one's pocket не тра́тить ли́шнего; to ~ one's breath промолча́ть, не тра́тить ли́шних слов

2. *n* предотвраще́ние проры́ва (*в футболе и т. п.*)

3. *prep, cj уст., поэт.* 1) за исключе́нием, кро́ме, без; all ~ him все, кро́ме него́; ~ and except исключа́я 2) е́сли бы не; he couldn't have done it ~ for your help он не смог бы э́того сде́лать, е́сли бы не ва́ша по́мощь

saveloy [ˈsævəlɔɪ] *n* варёно-копчёная колбаса́, сервела́т

saver [ˈseɪvə] *n* 1) бережли́вый челове́к 2) вещь, помога́ющая сбере́чь де́ньги, труд *и т. п.*; a washing machine is a ~ of time and strength стира́льная маши́на эконо́мит вре́мя и си́лы

savin [ˈsævɪn] *n* *бот.* можжеве́льник каза́чий

saving [ˈseɪvɪŋ] **1.** *pres. p. от* save 1

2. *a* 1) сберега́ющий 2) спаси́тельный; the ~ grace of humour спаси́тельная си́ла ю́мора 3) бережли́вый, эконо́мный 4) содержа́щий огово́рку; ~ clause статья́, содержа́щая огово́рку

3. *n* 1) спасе́ние 2) эконо́мия, сбереже́ние; at a ~ с вы́годой 3) *pl* сбереже́ния

4. *prep* исключа́я, кро́ме ◇ ~ your presence при всём уваже́нии к вам (*формула вежливости*); не при вас будь ска́зано

5. *cj* е́сли не счита́ть, исключа́я

savings account [ˈseɪvɪŋzə,kaunt] *n* счёт в сберега́тельном ба́нке

savings bank [ˈseɪvɪŋzbæŋk] *n* сберега́тельная ка́сса; сберега́тельный банк

savior [ˈseɪvjə] *амер.* = saviour

saviour [ˈseɪvjə] *n* 1) спаси́тель, избави́тель 2) (the S.) *рел.* Иису́с Христо́с, Спаси́тель

savor [ˈseɪvə] *амер.* = savour

savory I [ˈseɪvərɪ] *n* *бот.* чабе́р

savory II [ˈseɪvərɪ] *амер.* = savoury

savour [ˈseɪvə] **1.** *n* 1) осо́бый вкус *или* за́пах, при́вкус 2) отте́нок, при́месь, душо́к 3) интере́с, вкус (*к чему-л.*)

2. *v* 1) смакова́ть, наслажда́ться (*вкусом, ароматом и т. п.*) 2) име́ть при́вкус *или* за́пах; отдава́ть (of — *чем-л.; тж. перен.*); the soup ~s of onion суп попа́хивает лу́ком; his remarks ~ of insolence в его́ замеча́ниях сквози́т высокоме́рие 3) приправля́ть

savourless [ˈseɪvələs] *a* безвку́сный, пре́сный (*тж. перен.*)

savoury [ˈseɪvərɪ] **1.** *a* 1) вку́сный, апети́тный 2) о́стрый, солёный, пря́ный 3) прия́тный, привлека́тельный (*обыкн. ирон.*); his reputation was anything but ~ он по́льзовался сомни́тельной репута́цией

2. *n* о́строе блю́до, подава́емое до *или* по́сле обе́да

savoy [səˈvɔɪ] *n* саво́йская капу́ста

Savoyard [səˈvɔɪɑːd] *n* савоя́р, уроже́нец Саво́йи

savvy [ˈsævɪ] *sl.* **1.** *n* смека́лка; здра́вый смысл; no ~ не понима́ю, не зна́ю

2. *v* куме́кать, сообража́ть

saw I [sɔː] *past от* see I

saw II [sɔː] *n* посло́вица, афори́зм (*обыкн. в сочетании* old *или* wise ~ ста́рая *или* му́драя посло́вица)

saw III [sɔː] **1.** *n* пила́; circular ~ кру́глая пила́; crosscut ~ попере́чная пила́; crown ~ продо́льная пила́; cylinder ~ цилиндри́ческая пила́

2. *v* (sawed [-d]; sawed, sawn) пили́ть(ся); распи́ливать ▭ ~ **off** отпи́ливать; ~ **up** распи́ливать ◇ to ~ the air разма́хивать рука́ми; си́льно жестикули́ровать

sawblade [ˈsɔːbleɪd] *n* полотно́ пилы́

sawbones [ˈsɔːbəunz] *n sl.* хиру́рг

sawbuck [ˈsɔːbʌk] *n* 1) = sawhorse 2) десятидо́лларовая бума́жка

sawdust [ˈsɔːdʌst] *n* опи́лки ◇ to let the ~ out of smb. сбить спесь с кого́-л.

saw-edged [ˈsɔːedʒd] *a* зазу́бренный; пилообра́зный

sawfish [ˈsɔːfɪʃ] *n* пила́-ры́ба

sawfly [ˈsɔːflaɪ] *n* пили́льщик (*насекомое*)

saw frame [ˈsɔːfreɪm] *n* *тех.* лесопи́льная ра́ма

sawhorse [ˈsɔːhɔːs] *n* ко́злы для пи́лки дров

sawmill [ˈsɔːmɪl] *n* лесопи́льный заво́д; лесопи́лка

sawn [sɔːn] *p. p. от* saw III, 2

Sawney [ˈsɔːnɪ] *n* 1) *разг.* проста́к, простофи́ля 2) *презр.* шотла́ндец

saw set [ˈsɔːset] *n* разво́дка для пилы́ (*инструмент*)

saw tones [ˈsɔːtəunz] *n pl* визгли́вый тон, го́лос; to speak (*или* to utter) in ~ говори́ть визгли́вым го́лосом

sawtooth [ˈsɔːtuːθ] *n* зуб пилы́

saw-wort [ˈsɔːwɜːt] *n* *бот.* серпу́ха

sawyer [ˈsɔːjə] *n* 1) пи́льщик 2) *амер.* коря́га (*в реке*) 3) уса́ч (*насекомое*)

sax I [sæks] *n* ши́ферный молото́к (*для кровельных работ*)

sax II [sæks] *разг. сокр. от* saxophone

saxhorn [ˈsækshɔːn] *n* саксго́рн (*муз. инструмент*)

saxifrage [ˈsæksɪfreɪdʒ] *n* *бот.* камнело́мка

Saxon [ˈsæksn] **1.** *n* 1) *ист.* сакс 2) древнесаксо́нский язы́к; герма́нский элеме́нт в англи́йском языке́ 3) англича́нин (*в отличие от ирландца или валлийца*) 4) саксо́нец 5) шотла́ндец из Ю́жной Шотла́ндии (*в отличие от шотландца-горца*)

2. *a* (древне)саксо́нский; герма́нский

Saxon blue [,sæksnˈbluː] *n* тёмно-голубо́й цвет

saxony [ˈsæksənɪ] *n* 1) то́нкая шерстяна́я пря́жа *или* ткань 2) (S.) *ист.* Саксо́ния

saxophone [ˈsæksəfəun] *n* саксофо́н

say [seɪ] **1.** *v* (said) 1) говори́ть, сказа́ть; заявля́ть; they ~, it is said говоря́т; what do you ~ to a game of billiards? не хоти́те ли сыгра́ть в билья́рд?; to ~ to oneself сказа́ть себе́, поду́мать про себя́; to ~ no а) отрица́ть; б) отказа́ть; to ~ no more замолча́ть; to ~ nothing of не говоря́ о; to ~ smb. nay отказа́ть кому́-л. в про́сьбе 2) гласи́ть; it ~s in the book в кни́ге говори́тся 3) ука́зывать, пока́зывать; the clock ~s five minutes after twelve часы́ пока́зывают пять мину́т пе́рвого 4) *разг.* веле́ть, прика́зывать; he said to bring the car он веле́л пода́ть маши́ну 5) приводи́ть до́воды, аргуме́нты; to have nothing to ~ for oneself а) не име́ть, что сказа́ть в свою́ защи́ту; б) *разг.* быть неразгово́рчивым 6) предполага́ть, допуска́ть; (let us) ~ ска́жем, наприме́р; a few of them, ~ a dozen не́сколько из них, ска́жем, дю́жина; well, ~ it were true, what then? ну, допу́стим, что э́то ве́рно, что же из э́того? 7) произноси́ть, повторя́ть наизу́сть; деклами́ровать; to ~ one's lesson отвеча́ть уро́к; to ~ grace проче́сть моли́тву (*перед трапезой*) ▭ ~ over повторя́ть ◇ I ~!, *амер.* ~! послу́шайте!; ну и ну!; you don't ~ (so)! да ну!, не мо́жет быть!; you said it вот и́менно; you may well ~ so соверше́нно ве́рно; what I ~ is по-мо́ему; I should ~ а) я полага́ю; б) ничего́ себе́, не́чего сказа́ть; I should ~ so ещё бы, коне́чно; no sooner said than done ска́зано — сде́лано; that is to ~ то́ есть; to ~ the word приказа́ть, распоряди́ться; when all is said and done в коне́чном счёте; before you could ~ Jack Robinson момента́льно; не успе́ешь огляну́ться, как; и опо́мниться не успе́ешь, как

2. *n* 1) мне́ние, сло́во; let him have his ~ пусть он вы́скажется 2) влия́ние, авторите́т; to have no ~ in the matter не уча́ствовать в обсужде́нии; to have the ~ *амер.* распоряжа́ться

saying ['seɪɪŋ] **1.** *pres. p. от* say 1

2. *n* погово́рка, присло́вье; there is no ~ кто зна́ет, невозмо́жно сказа́ть; it goes without ~ само́ собо́й разуме́ется; as the ~ is (*или* goes) как говори́тся

say-so ['seɪsəʊ] *n разг.* 1) распоряже́ние 2) чьё-л. голосло́вное заявле́ние, необосно́ванное утвержде́ние 3) непререка́емый авторите́т

scab [skæb] **1.** *n* 1) струп, ко́рка (*на язве и т. п.*) 2) *презр.* штрейкбре́хер *или* рабо́чий, не жела́ющий вступа́ть в профсою́з 3) парша́, чесо́тка, коро́ста 4) парша́ (*болезнь растений*) 5) проти́вный челове́к

2. *v* 1) быть штрейкбре́хером 2) покрыва́ться стру́пьями

scabbard ['skæbəd] *n* но́жны; to throw away the ~ обнажи́ть меч, взя́ться за ору́жие, вступи́ть в бой

scabby ['skæbɪ] *a* 1) покры́тый стру́пьями; страда́ющий чесо́ткой 2) *sl.* парши́вый, дрянно́й; по́длый

scabies ['skeɪbiːz] *n мед.* чесо́тка

scabious ['skeɪbɪəz] *n бот.* скабио́за

scabrous ['skeɪbrəs] *a* 1) *бот., зоол.* шерша́вый, шерохова́тый 2) щекотли́вый, делика́тный; a ~ problem сло́жная пробле́ма 3) скабрёзный

scad [skæd] *n* ставри́да

scads [skædz] *n pl амер. разг.* о́чень большо́е коли́чество

scaffold ['skæfəʊld] **1.** *n* 1) эшафо́т; пла́ха; ви́селица; to go to (*или* to mount) the ~ сложи́ть го́лову на пла́хе; око́нчить жизнь на ви́селице; to bring to the ~ довести́ до ви́селицы; to send to the ~ приговори́ть к сме́рти 2) леса́, по́дмости

2. *v* обстра́ивать леса́ми

scaffolding ['skæfəʊldɪŋ] **1.** *pres. p. от* scaffold 2

2. *n* леса́, по́дмости

scalar ['skeɪlə] *a мат.* скаля́рный

scalawag ['skæləwæg] = scallywag

scald I [skɔːld] **1.** *n* ожо́г (кипя́щей жи́дкостью *или* па́ром)

2. *v* 1) обва́ривать, ошпа́ривать 2) пастеризова́ть; доводи́ть до кипе́ния

scald II [skɔːld] = skald

scalded ['skɔːldɪd] **1.** *p. p. от* scald I, 2

2. *a* 1) обва́ренный 2) пастеризо́ванный

scalding ['skɔːldɪŋ] **1.** *pres. p. от* scald I, 2

2. *a* 1) обжига́ющий 2) жгу́чий; ~ tears жгу́чие слёзы 3) е́дкий, язви́тельный

scale I [skeɪl] **1.** *n* 1) чешуя́ (*у рыб и т. п.*) 2) шелуха́ 3) *pl* щёчки, накла́дки (*на рукоятке складного ножа*) 4) *тех.* ока́лина, на́кипь 5) ка́мень (*на зубах*) ◇ ~s fell from his eyes пелена́ спа́ла с его́ глаз

2. *v* 1) чи́стить, соска́бливать чешую́ 2) снима́ть зубно́й ка́мень 3) лущи́ть 4) образо́вывать ока́лину, на́кипь 5) шелуши́ться

scale II [skeɪl] **1.** *n* 1) ча́ш(к)а весо́в; to turn (*или* to tip) the ~ at so many pounds ве́сить сто́лько-то фу́нтов 2) *pl* весы́ 3) (the Scales) = Libra ◇ to hold the ~s even суди́ть беспристра́стно

2. *v* 1) взве́шивать 2) ве́сить

scale III [skeɪl] **1.** *n* 1) ступе́нь, у́ровень (*развития*); to be high in the social ~ занима́ть высо́кое положе́ние в о́бществе; to sink in the ~ опусти́ться на бо́лее ни́зкую ступе́нь; утра́тить (пре́жнее) значе́ние, опусти́ться 2) града́ция, шкала́; rate ~ шкала́ расце́нок 3) масшта́б; разме́р; on a large (*или* grand) ~ в большо́м масшта́бе; on a small ~ в ма́леньком масшта́бе; the ~ to be 1:50000 в масшта́бе 1:50000; to ~ по масшта́бу 4) *муз.* га́мма; to practice ~s игра́ть га́ммы 5) масшта́бная лине́йка 6) *мат.* систе́ма счисле́ния (*тж.* ~ of notation)

2. *v* 1) поднима́ться, взбира́ться (*по лестнице и т. п.*) 2) своди́ть к определённому масшта́бу; определя́ть масшта́б; to ~ down prices понижа́ть це́ны; to ~ up wages повыша́ть за́работную пла́ту 3) быть соизмери́мыми, сопостави́мыми

scale beam ['skeɪlbiːm] *n* коромы́сло (*весов*)

scaleboard ['skeɪlbɔːd] *n* то́нкая доска́, защища́ющая зе́ркало *или* холст карти́ны с обра́тной стороны́

scaled I [skeɪld] **1.** *p. p. от* scale I, 2

2. *a* = scaly

scaled II, III [skeɪld] *p. p. от* scale II, 2 *и* III, 2

scalene ['skeɪliːn] *a геом.* неравносторо́нний

scaling ladder ['skeɪlɪŋ,lædə] *n ист.* штурмова́я ле́стница

scallop ['skɒləp] **1.** *n* 1) *зоол.* гребешо́к (*моллюск*) 2) ство́рка ра́ковины гребешка́ (*тж.* ~-shell) 3) *pl* фесто́ны, зубцы́

2. *v* 1) запека́ть (*устрицы и т. п.*) в ра́ковине 2) украша́ть фесто́нами; выре́зывать зубцы́

scallywag ['skælɪwæg] *n* 1) *разг. шутл.* безде́льник, прохво́ст 2) *амер. ист.* презри́тельная кли́чка южа́н — сторо́нников северя́н

scalp [skælp] **1.** *n* 1) ко́жа че́репа 2) скальп ◇ to be out for ~s быть агресси́вно настро́енным; to take smb.'s ~ одержа́ть верх над кем-л.

2. *v* 1) скальпи́ровать 2) раскритикова́ть 3) *амер.* разби́ть; уни́зить 4) обдира́ть (*напр., шелуху с зёрен*) 5) *амер. разг.* нажива́ться путём ме́лкой спекуля́ции

scalpel ['skælpl] *n хир.* ска́льпель

scalper ['skælpə] *n* 1) *амер. разг.* ме́лкий спекуля́нт 2) *с.-х.* обди́рочный поста́в

scaly ['skeɪlɪ] *a* 1) чешу́йчатый; чешуеобра́зный 2) покры́тый на́кипью, отложе́ниями 3) *sl.* потрёпанный, обноси́вшийся

scamp I [skæmp] *n шутл.* безде́льник, негодя́й

scamp II [skæmp] *v* рабо́тать бы́стро и небре́жно

scamper ['skæmpə] **1.** *n* 1) бы́стрый бег; пробе́жка 2) бе́глое чте́ние 3) поспе́шное бе́гство

2. *v* носи́ться (*о детях, животных и т. п.; обыкн.* ~ about); бежа́ть стремгла́в

scampish ['skæmpɪʃ] *a* беспу́тный, непутёвый; плутова́тый

scan [skæn] *v* 1) при́стально разгля́дывать, изуча́ть 2) бе́гло просма́тривать 3) сканди́ровать; сканди́роваться (*о стихах*) 4) *тлв.* разлага́ть изображе́ние; скани́ровать

scandal ['skændl] *n* 1) позо́рный посту́пок; посты́дный факт; what a ~!, it is a perfect ~! како́й позо́р! 2) злосло́вие, (гря́зные) спле́тни; to talk ~ злосло́вить, спле́тничать

scandalbearer ['skændl,beərə] = scandalmonger

scandalize ['skændəlaɪz] *v* 1) возмуща́ть, шоки́ровать 2) злосло́вить, спле́тничать

scandalmonger ['skændl,mʌŋgə] *n* спле́тник

scandalous ['skændləs] *a* 1) сканда́льный, позо́рный 2) клеветни́ческий

Scandinavian [,skændɪ'neɪvɪən] **1.** *a* скандина́вский

2. *n* 1) скандина́в; скандина́вка 2) *собир.* скандина́вские языки́

scandium ['skændɪəm] *n хим.* ска́ндий

scanner ['skænə] *n* 1) ска́нер 2) *тлв.* развёртывающее устро́йство 3) *тех.* многото́чечный измери́тельный прибо́р

scanning ['skænɪŋ] **1.** *pres. p. от* scan

2. *n* 1) скани́рование; развёртка изображе́ния 2) *мед.* скани́рование

scansion ['skænʃn] *n* сканди́рование (*стиха*)

scant [skænt] **1.** *a* ску́дный, недоста́точный; ограни́ченный; ~ eyebrows ре́дкие бро́ви; ~ foothold ненадёжная опо́ра; with ~ courtesy нелюбе́зно; ~ of breath задыха́ющийся

2. *v уст.* скупи́ться (*на что-л.*); ограни́чивать

scantling ['skæntlıŋ] *n* 1) пило- *или* лесоматериа́л ме́лких разме́ров 2) разме́ры (*строительного камня*) 3) *уст.* образе́ц; трафаре́т 4) весьма́ небольшо́е коли́чество

scanty ['skæntı] *a* ску́дный, недоста́точный, ограни́ченный

scape I [skeıp] *n* 1) сте́бель (*растения*); черешо́к 2) *архит.* сте́ржень коло́нны

scape II [skeıp] *уст.* = escape

scapegoat ['skeıpgəʊt] *n* козёл отпуще́ния

scapegrace ['skeıpgreıs] *n шутл.* пове́са, шалопа́й

scaphoid ['skæfɔıd] *a анат.* ладьеви́дный

scapula ['skæpjʊlə] *n* (*pl* -lae) *анат.* лопа́тка

scapulae ['skæpjʊli:] *pl от* scapula

scapular ['skæpjʊlə] **1.** *a анат.* лопа́точный

2. *n* (мона́шеский) напле́чник, нара́мник

scar I [skɑ:] **1.** *n* 1) шрам, рубе́ц 2) след, отпеча́ток

2. *v* 1) оставля́ть шрам; *перен.* оставля́ть глубо́кий след 2) рубцева́ться, зарубцо́вываться

scar II [skɑ:] *n* утёс, скала́

scarab ['skærəb] *n* скарабе́й

scaramouch ['skærəmu:tʃ] *n* 1) (S.) Скараму́ш (*персонаж итальянской комедии dell'arte*) 2) хвастли́вый трус

scarce [skeəs] **1.** *a* 1) недоста́точный, ску́дный; money is ~ де́нег ма́ло 2) ре́дкий, ре́дко встреча́ющийся; дефици́тный; ~ book ре́дкая кни́га ◇ to make oneself ~ ретирова́ться; удали́ться, уйти́; не попада́ться на глаза́

2. *adv уст., книжн. см.* scarcely

scarcely ['skeəslı] *adv* 1) едва́, с трудо́м; he can ~ speak он с трудо́м говори́т 2) едва́, как то́лько; то́лько что; he had ~ arrived when he was told that едва́ (*или* как то́лько) он вошёл, ему́ сказа́ли, что 3) едва́ ли, вряд ли; I ~ think so не ду́маю; I ~ know what to say я пря́мо не зна́ю, что сказа́ть; you will ~ maintain that едва́ ли вы ста́нете утвержда́ть э́то

scarcity ['skeəsətı] *n* 1) недоста́ток, нехва́тка (of); дефици́т 2) ре́дкость

scare [skeə] **1.** *n* внеза́пный испу́г; па́ника; to get a ~ перепуга́ться

2. *v* 1) пуга́ть 2) отпу́гивать, вспу́гивать (*тж.* ~ away, ~ off) ▭ ~ up *амер. разг.* отыска́ть

scarecrow ['skeəkrəʊ] *n* пу́гало, чу́чело

scared [skeəd] **1.** *p. p. от* scare 2

2. *a* испу́ганный; ~ face (*или* expression) испу́ганное лицо́

scare-head(ing) ['skeə,hed(ıŋ)] *n* сенсацио́нный заголо́вок (*в газете*)

scaremonger ['skeə,mʌŋgə] *n* паникёр

scarf I [skɑ:f] *n* (*pl* -s [-s], scarves) 1) шарф 2) га́лстук

scarf II [skɑ:f] **1.** *n* 1) скос, косо́й край *или* срез 2) соедине́ние замко́м

2. *v* 1) ре́зать вкось, ска́шивать; отёсывать края́, углы́ 2) де́лать пазы́, вы́емки 3) соединя́ть замко́м, сра́щивать 4) де́лать продо́льный разре́з (*при разделке туши кита*)

scarf pin ['skɑ:fpın] *n* була́вка для га́лстука

scarf skin ['skɑ:fskın] *n анат.* надко́жица, эпиде́рма

scarification [,skærıfı'keıʃn] *n с.-х.* скарифика́ция

scarifier ['skærıfaıə] *n с.-х.* скарифика́тор

scarify ['skærıfaı] *v* 1) *мед.* де́лать насе́чки, надре́зы 2) жесто́ко раскритикова́ть 3) разрыхля́ть по́чву пе́ред посе́вом 4) *с.-х.* скарифици́ровать

scarlet ['skɑ:lət] **1.** *n* 1) а́лый, я́рко-кра́сный цвет 2) ткань *или* оде́жда а́лого цве́та

2. *a* а́лый, я́рко-кра́сный; to turn ~ гу́сто покрасне́ть

scarlet fever [,skɑ:lət'fi:və] *n* скарлати́на

scarlet hat [,skɑ:lət'hæt] *n* кардина́льская ша́пка

scarlet runner [,skɑ:lət'rʌnə] *n бот.* фасо́ль о́гненная

scarlet whore [,skɑ:lət'hɔ:] *n* 1) *библ.* блудни́ца в пу́рпуре 2) проститу́тка 3) *презр.* ри́мско-католи́ческая це́рковь; папи́зм

scarlet woman [,skɑ:lət'wʊmən] = scarlet whore

scarp [skɑ:p] **1.** *n* 1) *воен.* эска́рп 2) круто́й отко́с

2. *v* 1) де́лать отве́сным *или* круты́м 2) *воен.* эскарпи́ровать

scarring ['skɑ:rıŋ] **1.** *pres. p. от* scar I, 2

2. *n* 1) рубцева́ние 2) рубцы́

scarves [skɑ:vz] *pl от* scarf I

scary ['skeərı] *a разг.* 1) жу́ткий 2) пугли́вый

scat I [skæt] *n* скэт, голосова́я имита́ция музыка́льного инструме́нта (*в джазе*)

scat II [skæt] *int разг.* брысь!; (поди́) прочь!

scathe [skeıð] **1.** *n уст.* уще́рб, вред; without ~ невреди́мый

2. *v поэт.* 1) причиня́ть вред, губи́ть 2) уничтожа́ть (*критикой, едкой сатирой и т. п.*)

scatheless ['skeıðləs] *a* (*обыкн. predic.*) невреди́мый

scathing ['skeıðıŋ] **1.** *pres. p. от* scathe 2

2. *a* е́дкий, злой, жесто́кий; ~ criticism ре́зкая кри́тика; ~ sarcasm е́дкий сарка́зм; ~ look уничтожа́ющий взгляд

scatter ['skætə] *v* 1) разбра́сывать (on, over) 2) посыпа́ть (with) 3) рассе́ивать, разгоня́ть; the police ~ed the demonstration поли́ция разогнала́ демонстра́цию 4) рассе́иваться; броса́ться врассыпну́ю 5) разбива́ть, разруша́ть; all our hopes and plans were ~ed все на́ши наде́жды ру́хнули, пла́ны потерпе́ли крах 6) *уст.* расточа́ть; сори́ть (де́ньга́ми); to ~ one's inheritance промота́ть насле́дство

scatterbrain ['skætəbreın] *n* вертопра́х, легкомы́сленный челове́к

scatterbrained ['skætəbreınd] *a* легкомы́сленный, ве́треный

scattered ['skætəd] **1.** *p. p. от* scatter

2. *a* 1) рассы́панный, разбро́санный (*о домах, предметах*) 2) отде́льный, разро́зненный; ~ instances отде́льные слу́чаи; ~ clouds разо́рванные облака́

scaup(-duck) ['skɔ:p(dʌk)] *n зоол.* че́рнеть морска́я

scaur [skɔ:] = scar II

scavenge ['skævındʒ] *v* 1) собира́ть (*отходы, утиль*) 2) ры́ться, копа́ться в отбро́сах (*в поисках пищи и т. п.*) 3) *уст.* убира́ть му́сор (*с улиц*) 4) *тех.* продува́ть (*цилиндр*); удаля́ть отрабо́танные га́зы

scavenger ['skævındʒə] *n* 1) сбо́рщик отхо́дов, ути́ля 2) живо́тное, пти́ца *или* ры́ба, пита́ющиеся па́далью 3) *уст.* убо́рщик му́сора, мете́льщик у́лиц

scavenger's daughter [,skævındʒəz'dɔ:tə] *n ист.* тиски́ (*орудие пытки*)

scenario [sə'nɑ:rıəʊ] *n* (*pl* -os [-əʊz]) сцена́рий

scenarist ['si:nərıst] *n* сценари́ст

scene [si:n] *n* 1) ме́сто де́йствия (*в пьесе, романе и т. п.*); ме́сто происше́ствия, собы́тия; the ~ is laid in France де́йствие происхо́дит во Фра́нции; the ~ of operations теа́тр вое́нных де́йствий 2) эпизо́д, сце́на (*из жизни*); происше́ствие; striking ~ потряса́ющее зре́лище 3) пейза́ж, карти́на; зре́лище; a woodland ~ лесно́й пейза́ж 4) сце́на, сканда́л; to make a ~ устро́ить сце́ну 5) сце́на, явле́ние (*в пьесе*) 6) декора́ция; behind the ~s за кули́сами (*тж. перен.*) 7) *уст.* театра́льные подмо́стки; to appear on the ~ появи́ться на сце́не; to quit the ~ сойти́ со сце́ны; *перен.* умере́ть

scene designer ['si:ndı,zaınə] = scene painter

scene dock ['si:ndɒk] *n* склад декора́ций

scene painter ['si:n,peıntə] *n* худо́жник-декора́тор

scenery ['si:nərı] *n* 1) пейза́ж 2) декора́ция

sceneshifter ['si:n,ʃıftə] *n* рабо́чий сце́ны

scenic ['si:nık] *a* 1) живопи́сный 2) *иск.* жа́нровый 3) сцени́ческий; сцени́чный; театра́льный 4) декорати́вный

scent [sent] **1.** *n* 1) за́пах 2) чутьё, нюх 3) духи́ 4) след; to be on the ~ идти́ по сле́ду; *перен.* быть на пра́вильном пути́; to get the ~ (of) напа́сть на след (*тж. перен.*); to put (*или* to throw) off the ~ сбить со сле́да; hot blazing ~ све́жий, горя́чий след; false ~ ло́жный след

2. *v* 1) чу́ять 2) заподо́зрить (*опасность и т. п.*) 3) наполня́ть арома́том, за́пахом 4) души́ть (*платок и т. п.*) 5) идти́ по сле́ду ▭ ~ out разузна́ть, проню́хать

sceptic ['skeptık] *n* ске́птик

sceptical ['skeptɪkl] *a* скепти́ческий

scepticism ['skeptɪsɪzəm] *n* скептици́зм

sceptre ['septə] *n* ски́петр; to wield the ~ пра́вить, ца́рствовать

schedule ['ʃedju:l] **1.** *n* 1) спи́сок, пе́речень, катало́г; о́пись 2) програ́мма, план; гра́фик 3) пе́речень тари́фов 4) расписа́ние; to be behind ~ запа́здывать; on ~ то́чно, во́время 5) *тех.* режи́м

2. *v* 1) составля́ть (*или* включа́ть в) расписа́ние 2) составля́ть (*список, опись и т. п.*) 3) назнача́ть; намеча́ть; плани́ровать; the journey is ~d for five days путеше́ствие рассчи́тано на пять дней

schematic [ski:'mætɪk] *a* схемати́ческий

schematize ['ski:mətaɪz] *v* 1) расположи́ть в определённом поря́дке, систематизи́ровать 2) предста́вить в ви́де схе́мы

scheme [ski:m] **1.** *n* 1) план, прое́кт; програ́мма; to lay a ~ составля́ть план, заду́мывать, замышля́ть 2) систе́ма, построе́ние, расположе́ние; under the present ~ of society при совреме́нном устро́йстве о́бщества; a colour ~ сочета́ние цвето́в 3) интри́га, махина́ция; про́иски; bubble ~ ду́тое предприя́тие 4) конспе́кт; кра́ткое изложе́ние 5) схе́ма, чертёж

2. *v* 1) замышля́ть (*недоброе*); плести́ интри́ги 2) плани́ровать, проекти́ровать

schemer ['ski:mə] *n* 1) интрига́н 2) прожектёр

scherzo ['skeətsəʊ] *n муз.* ске́рцо

Schiedam [skɪ'dæm] *n* голла́ндский джин

schilling ['ʃɪlɪŋ] *n* ши́ллинг (*денежная единица Австрии*)

schism ['skɪzəm] *n* 1) раско́л, распаде́ние на фра́кции *и т. п.* 2) *рел.* схи́зма, раско́л, е́ресь

schismatic [skɪz'mætɪk] *рел.* **1.** *a* раско́льнический

2. *n* раско́льник, схизма́тик

schist [ʃɪst] *n* а́спидный сла́нец

schistose, schistous ['ʃɪstəʊs, -təs] *a геол.* 1) сланцева́тый 2) слои́стый

schizo ['skɪtsəʊ] *n разг.* ши́зик, шизо́

schizophrenia [ˌskɪtsəʊ'fri:nɪə] *n* шизофрени́я

schlock [ʃlɒk] *n амер. разг.* дрянь, барахло́

schmaltz [ʃmɔ:lts] *n амер. разг.* сентимента́льщина (*в музыке, драме и т. п.*)

schmuck [ʃmʌk] *n амер. sl.* тупи́ца, ничто́жество, подо́нок

schnitzel ['ʃnɪtsl] *n кул.* шни́цель

scholar ['skɒlə] *n* 1) учёный 2) филоло́г-кла́ссик 3) стипендиа́т 4) *уст. разг.* грамоте́й; he's not much of a ~ он не ши́бко гра́мотен 5) *разг.* знато́к (*языка*) 6) *уст.* учени́к

scholarly ['skɒləlɪ] *a* учёный; сво́йственный учёным

scholarship ['skɒləʃɪp] *n* 1) учёность, эруди́ция 2) стипе́ндия

scholastic [skə'læstɪk] **1.** *a* 1) учи́тельский, преподава́тельский; шко́льный; a ~ institution уче́бное заведе́ние 2) учёный; ~ degree учёная сте́пень 3) схоласти́ческий

2. *n* схола́стик, схола́ст

scholasticism [skə'læstɪsɪzəm] *n* схола́стика

scholia ['skəʊlɪə] *pl* от scholium

scholiast ['skəʊlɪæst] *n ист.* коммента́тор дре́вних а́второв, схолиа́ст

scholium ['skəʊlɪəm] *n* (*pl* -lia) коммента́рий к произведе́ниям дре́вних кла́ссиков, схо́лия

school I [sku:l] **1.** *n* 1) шко́ла; secondary (*амер.* high) ~ сре́дняя шко́ла; higher ~ вы́сшая шко́ла; elementary ~ общеобразова́тельная шко́ла 2) уче́ние, обуче́ние; to go to ~ а) ходи́ть в шко́лу; б) поступи́ть в шко́лу; to go to ~ to smb. учи́ться у кого́-л.; to attend ~ ходи́ть в шко́лу; учи́ться в шко́ле; to leave ~ броса́ть уче́ние в шко́ле 3) заня́тия в шко́ле, уро́ки; there will be no ~ today сего́дня заня́тий не бу́дет 4) шко́льное зада́ние 5) университе́тский курс, дисципли́на 6) факульте́т университе́та (*дающий право на получение учёной степени*) 7) класс, кла́ссная ко́мната; аудито́рия 8) *pl* экза́мены 9) *собир.* уча́щиеся (и преподава́тели) одно́й шко́лы 10) шко́ла, направле́ние (*в науке, литературе, искусстве*); of the old ~ а) ста́рой шко́лы (*о произведениях искусства и т. п.*); б) старомо́дный 11) (the ~s) *pl* средневеко́вые университе́ты 12) *attr.* шко́льный, уче́бный; ~ house а) кварти́ра дире́ктора *или* учи́теля при шко́ле; б) пансиона́т при шко́ле

2. *v* 1) дисциплини́ровать, обу́здывать; приуча́ть; шко́лить 2) посыла́ть в шко́лу

school II [sku:l] **1.** *n* стая, косяк (*рыб*)

2. *v* собира́ться косяка́ми

schoolable ['sku:ləbl] *a* 1) подлежа́щий обяза́тельному шко́льному обуче́нию 2) поддаю́щийся обуче́нию

school board ['sku:lbɔ:d] *n амер., ист.* ме́стный шко́льный сове́т

schoolbook ['sku:lbʊk] *n* уче́бник, уче́бное посо́бие

schoolboy ['sku:lbɔɪ] *n* 1) шко́льник, учени́к 2) *attr.* мальчи́шеский

schoolfellow ['sku:lˌfeləʊ] *n* шко́льный това́рищ, однокла́ссник, однока́шник

schoolgirl ['sku:lgɜ:l] *n* шко́льница, учени́ца

schooling ['sku:lɪŋ] **1.** *pres. p. от* school I, 2

2. *n* 1) (шко́льное) обуче́ние, образова́ние 2) пла́та за обуче́ние 3) *уст.* вы́говор

school-leaver [ˌsku:l'li:və] *n* 1) учени́к, бро́сивший шко́лу 2) выпускни́к

schoolma'am ['sku:lmæm] *n амер. разг.* учи́тельница

schoolman ['sku:lmən] *n* 1) преподава́тель (*в средневековых университетах*) 2) *амер.* учи́тель

schoolmarm ['sku:lmɑ:m] = schoolma'am

schoolmaster ['sku:lˌmɑ:stə] *n* дире́ктор шко́лы; шко́льный учи́тель, педаго́г; наста́вник

schoolmasterly ['sku:lˌmɑ:stəlɪ] *a* наста́внический

schoolmate ['sku:lmeɪt] *n* шко́льный това́рищ

school miss ['sku:lmɪs] *n* засте́нчивая, наи́вная де́вушка

schoolmistress ['sku:lˌmɪstrəs] *n* же́нщина-дире́ктор шко́лы; шко́льная учи́тельница

schoolroom ['sku:lru:m] *n* класс, кла́ссная ко́мната; аудито́рия

school ship ['sku:lʃɪp] *n мор.* уче́бное су́дно

schoolteacher ['sku:lˌti:tʃə] *n* шко́льный учи́тель, педаго́г

schooltime ['sku:ltaɪm] *n* 1) часы́ заня́тий 2) го́ды уче́ния, шко́льные го́ды

school year [ˌsku:l'jɪə] *n* уче́бный год

schooner I ['sku:nə] *n* 1) шху́на 2) = prairie schooner

schooner II ['sku:nə] *n амер. разг.* высо́кий бока́л для пи́ва

sciagraphy [saɪ'ægrəfɪ] *n* 1) наложе́ние тене́й (*в рисунке*) 2) рентгеноскопи́я

sciatic [saɪ'ætɪk] *a анат.* седа́лищный

sciatica [saɪ'ætɪkə] *n мед.* и́шиас

science ['saɪəns] *n* 1) нау́ка; man of ~ учёный; applied ~ прикладна́я нау́ка 2) *собир.* есте́ственные нау́ки (*тж.* natural ~ *или* ~s, physical ~s) 3) уме́ние, ло́вкость; техни́чность; in judo ~ is more important than strength в борьбе́ дзюдо́ ло́вкость важне́е си́лы 4) *уст.* зна́ние

science fiction [ˌsaɪəns'fɪkʃn] *n* нау́чная фанта́стика

sciential [saɪ'enʃl] *a* 1) нау́чный 2) зна́ющий, учёный

scientific [ˌsaɪən'tɪfɪk] *a* 1) нау́чный 2) высо́кого кла́сса, техни́чный (*о спортсмене*)

scientist ['saɪəntɪst] *n* 1) учёный 2) естествоиспыта́тель

sci-fi ['saɪfaɪ] *n разг.* нау́чная фанта́стика

scilicet ['saɪlɪset] *adv* то́ есть, а и́менно

scimitar ['sɪmɪtə] *n* крива́я туре́цкая са́бля

scintilla [sɪn'tɪlə] *n* и́скра, про́блеск; крупи́ца (*тж. перен.*); not a ~ of smth. ни ка́пельки, ни намёка на что-л.

scintillate ['sɪntɪleɪt] *v* сверка́ть; и́скриться; мерца́ть; to ~ pleasure (*или* delight) сия́ть от удово́льствия; to ~ anger вспы́хнуть от гне́ва

scintillating ['sɪntɪleɪtɪŋ] *a* блестя́щий (*о речи и т. п.*), сверка́ющий остроу́мием

scintillation [ˌsɪntɪ'leɪʃn] *n* сверка́ние, блеск; мерца́ние

sciolism ['saɪəlɪzəm] *n* мни́мая учёность, наукообра́зие

sciolist ['saɪəlɪst] *n* лжеучёный

scion ['saɪən] *n* 1) побе́г (*растения*) 2) о́трпрыск, пото́мок

scission ['sɪʒn] *n* 1) разреза́ние, разделе́ние 2) раско́л

scissor ['sɪzə] *v разг.* ре́зать но́жницами (*обыкн.* ~ off, ~ up); вырезáть нóжницами (*обыкн.* ~ out)

scissors [ˈsɪzəz] *n pl* нóжницы (*тж.* a pair of ~) ◇ ~ and paste компиля́ция

Sclav, Sclavonic [sklɑːv, skləˈvɒnɪk] = Slav, Slavonic

sclera [ˈsklɪərə] *n анат.* склéра

scleroses [skləˈrəusiːz] *pl от* sclerosis

sclerosis [skləˈrəusɪs] *n* (*pl* -ses) *мед.* склерóз

sclerotic [skləˈrɒtɪk] *a* склероти́ческий

scobs [skɒbz] *n pl* 1) опи́лки, стрýжки 2) шлак, окáлина

scoff I [skɒf] **1.** *n* 1) насмéшка 2) посмéшище

2. *v* глуми́ться, насмехáться, издевáться

scoff II [skɒf] *разг.* **1.** *n* едá, жратвá

2. *v* жáдно есть, жрать

scoffer [ˈskɒfə] *n* насмéшник, зубоскáл

scold [skəuld] **1.** *v* 1) брани́ть(ся), распекáть 2) ворчáть, брюзжáть

2. *n уст.* сварли́вая жéнщина

scolding [ˈskəuldɪŋ] **1.** *pres. p. от* scold 1

2. *n* нагоня́й; брань

scoliosis [skɒlɪˈəusɪs] *n* сколиóз

scollop [ˈskɒləp] = scallop

sconce I [skɒns] *n* 1) *воен.* шáнец, отдéльное укреплéние 2) *уст.* убéжище, приют; укры́тие

sconce II [skɒns] *n* 1) подсвéчник 2) канделя́бр; бра

sconce III [skɒns] *n* штраф (*обыкн. кружка пива*) за нарушéние прáвил за столóм (*в Оксфордском университете*)

scone [skɒn] *n* ячмéнная *или* пшени́чная лепёшка

scoop [skuːp] **1.** *n* 1) совóк, лопáтка 2) черпáк; разливáтельная лóжка; ковш (*тж. экскаватора*) 3) чéрпание; with a ~, at one ~ одни́м взмáхом 4) *мед.* лóжечка 5) мéрная лóжка 6) сенсациóнная нóвость (*опубликованная в газете до её появления в других газетах*) 7) большóй куш; большáя при́быль 8) котловáн; углублéние, впáдина

2. *v* 1) чéрпать, зачéрпывать; вычéрпывать (*обыкн.* ~ up, ~ out) 2) копáть; выкáпывать 3) выдáлбливать, высвéрливать 4) опубликовáть сенсациóнное сообщéние (*раньше других газет*) 5) сорвáть куш ▭ ~ **in**, ~ **up** сгребáть, собирáть

scoop-neck [ˈskuːpnek] *n* глубóкий крýглый вы́рез (*у платья*)

scoop-net [ˈskuːpnet] *n* сачóк

scoot [skuːt] *v разг.* бежáть, удирáть

scooter [ˈskuːtə] *n* 1) дéтский самокáт 2) моторóллер 3) *амер.* скýтер

scop [skɒp] *n ист.* бард, менестрéль

scope I [skəup] *n* 1) грани́цы, рáмки, предéлы (*возможностей, знаний и т. п.*); a mind of wide ~ человéк ширóких взгля́дов, ширóкого кругозóра; it is beyond my ~ э́то вне моéй компетéнции 2) предéл, масштáб, размáх, сфéра; ~ of fire *воен.* пóле обстрéла 3) возмóжности, простóр (*для передвижения, действий, мысли и т. п.*); to give one's fancy full ~ дать простóр фантáзии 4) *уст.* намéрение, цель

scope II [skəup] *разг. сокр. от* microscope, telescope, periscope

scorbutic [skɔːˈbjuːtɪk] *мед.* **1.** *a* цинготный

2. *n* цинготный больнóй

scorch [skɔːtʃ] **1.** *n* 1) ожóг; пятнó от ожóга 2) *разг.* ездá с бéшеной скóростью

2. *v* 1) опаля́ть(ся), подпáливать(ся); обжигáть; выжигáть 2) выгорáть; корóбиться (от жары́) 3) *разг.* мчáться с бéшеной скóростью

scorched [skɔːtʃt] **1.** *p. p. от* scorch 2

2. *a* спалённый, вы́жженный; ~ earth policy *воен.* тáктика вы́жженной земли́

scorcher [ˈskɔːtʃə] *разг. n* 1) лихáч (*об автомобилисте и т. п.*) 2) знóйный день 3) нéчто потрясáющее, «си́ла»

scorching [ˈskɔːtʃɪŋ] **1.** *pres. p. от* scorch 2

2. *a разг.* 1) паля́щий; знóйный 2) жестóкий, уничтожáющий (*о критике*)

score [skɔː] **1.** *n* 1) счёт, коли́чество очкóв (*в игре*); to keep the ~ вести́ счёт 2) (*pl тж. без измен.*) два деся́тка; three ~ and ten сéмьдесят лет (*в Библии — нормальная продолжительность человеческой жизни*); a ~ or two of instances нéсколько деся́тков примéров 3) *pl* мнóжество; ~s of times мнóго раз 4) причи́на, основáние; on the ~ of по причи́не; on that ~ на э́тот счёт, в э́том отношéнии 5) *муз.* партитýра 6) удáча; what a ~! повезлó! 7) *разг.* остротá, óстрое, ехи́дное замечáние 8) *разг.* положéние вещéй; he asked what the ~ was он спроси́л, как делá; to know the ~ знать что к чемý 9) зарýбка, борóздка, мéтка; чертá 10) счёт, задóлженность (*в лавке, ресторане и т. п.*) ◇ to go off at full ~, to start off from ~ ри́нуться; с жáром начинáть (*что-л.*); to make a ~ off one's own bat сдéлать что-л. без пóмощи други́х; to pay off (*или* to settle, to wipe off) old ~s свести́ счёты

2. *v* 1) выи́грывать, имéть успéх; to ~ a point вы́играть очкó; to ~ an advantage (a success) получи́ть преимýщество (дости́гнуть успéха); you have ~d вам повезлó; we ~d heavily by it э́то нам бы́ло óчень кстáти 2) засчи́тывать (*тж.* ~ up); вести́ счёт, подсчи́тывать очки́ (*в игре*) 3) дéлать зарýбки, отмéтки; отмечáть; оставля́ть глубóкие следы́ (*тж. перен.*) 4) *муз.* оркестровáть 5) запи́сывать в долг 6) *sl.* добывáть наркóтики 7) *sl.* овладéть жéнщиной 8) *амер.* рéзко критиковáть ▭ ~ **off** *разг.* а) одержáть верх; б) уни́зить, посади́ть в калóшу; ~ **out** вычёркивать; ~ **under** подчёркивать

score board [ˈskɔːbɔːd] *n спорт.* таблó, демонстрациóнный щит

scorer [ˈskɔːrə] *n* 1) счётчик очкóв, маркёр 2) игрóк, забивáющий мяч

scoria [ˈskɔːrɪə] *n* (*pl* -ae) 1) *pl геол.* вулкани́ческие шлáки 2) шлак; окáлина

scoriae [ˈskɔːrɪiː] *pl от* scoria

scorify [ˈskɔːrɪfaɪ] *v тех.* шлаковáть

scorn [skɔːn] **1.** *n* 1) презрéние; насмéшка; to think ~ of презирáть 2) объéкт презрéния

2. *v* презирáть; to ~ lying не унижáться до лжи

scornful [ˈskɔːnfl] *a* презри́тельный; насмéшливый

Scorpio [ˈskɔːpɪəu] *n* Скорпиóн (*созвездие и знак зодиака*)

scorpion [ˈskɔːpɪən] *n* 1) скорпиóн 2) *библ.* бич с металли́ческими шипáми; to chastise with ~s бичевáть, сурóво наказывать 3) (the S.) = Scorpio

Scot [skɒt] *n* 1) шотлáндец 2) *ист.* скотт

scot [skɒt] *n ист.* налóг, пóдать; to pay ~ and lot плати́ть городски́е налóги; *перен.* нести́ óбщее брéмя

Scotch [skɒtʃ] **1.** *a* шотлáндский ◇ ~ broth перлóвый суп; ~ fir (*или* pine) соснá леснáя (*или* обыкновéнная); ~ kale краснокочáнная капýста

2. *n* 1) (the ~) *собир.* шотлáндцы 2) шотлáндский диалéкт 3) *разг.* шотлáндское ви́ски

scotch [skɒtʃ] **1.** *n* 1) *уст.* надрéз 2) чертá (*в детской игре в «классы»*) 3) *тех.* башмáк, клин (*как тормоз под колесо и т. п.*)

2. *v* 1) подавля́ть; to ~ a mutiny подави́ть восстáние; I don't ~ my mind я говорю́ пря́мо, без обинякóв 2) обезврéживать; to ~ a snake вы́рвать жáло у змеи́ 3) *уст.* рáнить; калéчить 4) тормози́ть

Scotchman [ˈskɒtʃmən] *n* шотлáндец ◇ Flying ~ экспрéсс Лóндон—Э́динбург

Scotch tape [ˌskɒtʃˈteɪp] *n* склéивающая лéнта, «скотч»

Scotchwoman [ˈskɒtʃˌwumən] *n* шотлáндка

scoter [ˈskəutə] *n зоол.* турпáн

scot-free [ˌskɒtˈfriː] **1.** *a* невреди́мый; ненакáзанный

2. *adv* безнакáзанно

Scotland Yard [ˌskɒtləndˈjɑːd] *n* Скóтленд-ярд (*центральное управление полиции и сыскного отделения в Лондоне*)

Scots [skɒts] **1.** *n* шотлáндский диалéкт

2. *a* шотлáндский

Scotsman [ˈskɒtsmən] = Scotchman

Scotswoman [ˈskɒtsˌwumən] = Scotchwoman

Scotticism [ˈskɒtɪsɪzəm] *n* шотлáндское слóво, выражéние, шотланди́зм

Scotticize [ˈskɒtɪsaɪz] *v* подражáть шотлáндским обы́чаям *или* шотлáндскому диалéкту

Scottish [ˈskɒtɪʃ] *a* шотлáндский; ~ dialect шотлáндский диалéкт

scoundrel [ˈskaundrəl] *n* негодя́й, подлéц

scoundrelly [ˈskaundrəlɪ] *a* пóдлый

scour I [ˈskauə] **1.** *n* 1) чи́стка, мытьё, промывáние 2) промóина, размы́в 3) мóющее, чи́стящее срéдство *или* устрóйство 4) (*обыкн. pl*) понóс (*у скота*)

2. *v* 1) чи́стить, прочищáть; отчищáть,

оттира́ть; отска́бливать 2) мыть, промыва́ть; смыва́ть 3) мезд́рить (*кожу*)

scour II ['skauə] *v* ры́скать (*тж.* ~ about); to ~ the woods ры́скать по́ лесу

scourer ['skauərə] *n* 1) металли́ческая моча́лка для чи́стки ку́хонной посу́ды 2) мезд́рильщик (*в кожевенной промышленности*)

scourge [skɜ:dʒ] 1. *n* 1) плеть 2) бич, бе́дствие; ка́ра, наказа́ние

2. *v* 1) бичева́ть 2) кара́ть, нака́зывать

scout I [skaut] 1. *n* 1) разве́дчик (*тж. о самолёте и корабле*) 2) разве́дка; on the ~ в разве́дке 3) (S.) бойска́ут 4) слуга́ (*в Оксфордском университете*) 5) *разг.* па́рень, ма́лый

2. *v* производи́ть разве́дку ▭ ~ **about,** ~ **round** ры́скать в по́исках (*чего-л.*)

scout II [skaut] *v* отверга́ть (*что-л.*), пренебрега́ть (*чем-л.*)

Scoutmaster ['skaut,mɑ:stə] *n* нача́льник отря́да бойска́утов

scow [skau] *n амер.* шала́нда

scowl [skaul] 1. *n* хму́рый вид; серди́тый взгляд

2. *v* хму́риться, смотре́ть серди́то (at)

scrabble ['skræbl] *v* 1) ры́ться (*обыкн.* ~ about) 2) цара́пать, писа́ть кара́кулями

scrag [skræg] 1. *n* 1) *кул.* бара́нья ше́я 2) живо́й скеле́т, коще́й, «ко́жа да ко́сти»; то́щее живо́тное 3) *разг.* ше́я

2. *v sl.* 1) задуши́ть, сверну́ть ше́ю; вздёрнуть на ви́селице 2) гру́бо схвати́ть за ше́ю 3) гру́бо обраща́ться (*с кем-л.*)

scraggy ['skrægɪ] *a* то́щий

scram [skræm] *v разг.* уходи́ть; ~! убира́йся!, кати́сь!, прова́ливай!

scramble ['skræmbl] 1. *n* 1) сва́лка, дра́ка, борьба́ (*за овладение*) 2) кара́бканье 3) мотого́нка по пересечённой ме́стности

2. *v* 1) кара́бкаться; пробира́ться, проти́скиваться 2) ползти́; цепля́ться (*о растениях*) 3) дра́ться, боро́ться за облада́ние (for — *чем-л.*) 4) де́лать яи́чницу-болту́нью

scrambled eggs [,skræmbld'egz] *n pl* 1) яи́чница-болту́нья 2) *воен. разг.* кока́рда

scrap I [skræp] 1. *n* 1) клочо́к, кусо́чек, лоскуто́к 2) чу́точка, ка́пелька; not a ~ ни ка́пельки 3) вы́резка из газе́ты 4) *собир.* металли́ческий лом, скрап 5) *pl* оста́тки, объе́дки

2. *v* 1) отдава́ть на слом; превраща́ть в лом 2) выбра́сывать за нена́добностью

scrap II [skræp] *разг.* 1. *n* потасо́вка; сты́чка; ссо́ра

2. *v* сцепи́ться, подра́ться

scrapbook ['skræpbuk] *n* альбо́м для наклеи́вания вы́резок

scrape [skreɪp] 1. *n* 1) скобле́ние *и пр.* [*см.* 2] 2) цара́пина 3) скрип 4) *разг.* затрудне́ние, неприя́тная ситуа́ция; to get into a ~ попа́сть в переде́лку

2. *v* 1) скобли́ть, скрести́(сь); to ~ one's chin бри́ться; to ~ one's boots счища́ть грязь с боти́нок; to ~ one's plate вы́скрести свою́ таре́лку 2) цара́пать, обдира́ть 3) выка́пывать (*яму*; *тж.* ~ out) 4) скрипе́ть; to ~ on a fiddle пили́кать на скри́пке 5) ша́ркать 6) задева́ть; проходи́ть вплотну́ю (against, along) 7) с трудо́м собра́ть, наскрести́ (*средства и т. п.*; *тж.* ~ up, ~ together); to ~ a living с трудо́м зараба́тывать себе́ на жизнь 8) ска́редничать, скопидо́мничать ▭ ~ **away,** ~ **down** отчища́ть, отска́бливать; ~ **through** а) с трудо́м пробра́ться; б) е́ле вы́держать (*экзамен*); ~ **together,** ~ **up** наскрести́; накопи́ть по мелоча́м ◇ to ~ (up) an acquaintance with smb. навя́зываться в знако́мые к кому́-л.; to bow and ~ расша́ркиваться (*перед кем-л.*)

scraper ['skreɪpə] *n* 1) желе́зная скоба́, желе́зная се́тка у вхо́да (*для счищения грязи с подошв обуви*) 2) скря́га 3) *тех.* скребо́к; ша́бер; ско́бель 4) *тех.* скре́пер; волоку́ша 5) *attr.* скребко́вый; ~ conveyor *горн.* скребко́вый транспортёр

scrap heap ['skræphi:p] *n* сва́лка, помо́йка (*тж. перен.*); to throw on the ~ вы́кинуть за нена́добностью

scrap iron ['skræpaɪən] = scrap I, 1, 4)

scrap metal ['skræpmetl] = scrap I, 1, 4)

scrapple ['skræpl] *n амер.* ку́шанье из свини́ны с кукуру́зной крупо́й и коре́ньями

scrappy ['skræpɪ] *a* 1) состоя́щий из оста́тков, обры́вков 2) отры́вочный, бессвя́зный

Scratch [skrætʃ] *n*: Old ~ дья́вол

scratch [skrætʃ] 1. *n* 1) цара́пина; to get off with a ~ отде́латься цара́пиной; легко́ отде́латься 2) скрип; цара́панье; чи́рканье 3) почёсывание, расчёсывание 4) *спорт.* ста́ртовая черта́; to come (up) to the ~ а) подойти́ к ста́ртовой черте́; б) реши́ться (*на что-л.*); быть гото́вым к борьбе́; быть в фо́рме; to start from ~ а) *спорт.* не име́ть преиму́щества; б) нача́ть всё с (са́мого) нача́ла 5) *спорт.* уча́стник состяза́ния, не получа́ющий преиму́щества (*тж.* ~ man) 6) ро́счерк; поме́тка; кара́кули; a ~ of the pen ро́счерк пера́ 7) насе́чка, ме́тка 8) *pl вет.* мокре́ц (*у лошади*) ◇ up to ~ на до́лжной высоте́

2. *a* 1) случа́йный 2) разношёрстный, сбо́рный; со́бранный на́спех; ~ crew (*или* team, pack) случа́йно *или* на́спех подо́бранная спорти́вная кома́нда; ~ dinner обе́д, пригото́вленный из того́, что оказа́лось под руко́й, импровизи́рованный обе́д 3) испо́льзуемый для черновико́в, набро́сков; ~ paper бума́га для заме́ток

3. *v* 1) цара́пать(ся), скрести́(сь); расцара́пать, оцара́пать; to ~ the surface of smth. а) не проника́ть глу́бже пове́рхности чего́-л.; б) относи́ться пове́рхностно к чему́-л. 2) чеса́ть(ся); to ~ one's head почеса́ть заты́лок (*тж. перен.*) 3) рыть (когтя́ми), выка́пывать 4) скрипе́ть (*о пере*) 5) нацара́пать (*письмо, рисунок*) 6) вычёркивать (*из списка участников, кандидатов*; *тж.* ~ off, ~ out, ~ through) 7) отка́зываться (*от чего-л.*); броса́ть ▭ ~ **along** перебива́ться; с трудо́м своди́ть концы́ с конца́ми; ~ **off,** ~ **out** вычёркивать; ~ **together,** ~ **up** наскрести́, накопи́ть ◇ ~ my back and I will ~ yours ≅ услу́га за услу́гу

scratchpad ['skrætʃpæd] *n* 1) *амер.* блокно́т для черновы́х за́писей 2) электро́нный блокно́т (*простейшая персональная микро-ЭВМ*)

scratch-race ['skrætʃreɪs] *n спорт.* состяза́ние без гандика́па

scratch-wig ['skrætʃwɪg] *n* накла́дка из воло́с

scratch-work ['skrætʃwɜ:k] *n иск.* граффи́то

scratchy ['skrætʃɪ] *a* 1) скрипу́чий, цара́пающий (*о пере*) 2) шерша́вый, гру́бый, колю́чий (*о ткани и т. п.*); a ~ woollen sweater колю́чий шерстяно́й сви́тер 3) гру́бый, неиску́сный (*о рисунке*) 4) разношёрстный, пло́хо подо́бранный

scrawl [skrɔ:l] 1. *n* 1) небре́жный по́черк, кара́кули 2) небре́жно, на́спех написанная запи́ска

2. *v* писа́ть бы́стро и неразбо́рчиво; писа́ть кара́кулями

scrawny ['skrɔ:nɪ] *a* костля́вый, сухопа́рый, то́щий

screak [skri:k] *v* пронзи́тельно скрипе́ть, визжа́ть

scream [skri:m] 1. *n* 1) вопль, пронзи́тельный крик; визг; ~s of laughter взры́вы сме́ха 2) *разг.* умо́ра, забáвный, умори́тельный челове́к, слу́чай *и т. п.*

2. *v* пронзи́тельно крича́ть, вопи́ть; реве́ть (*о свистке, сирене*); to ~ with laughter умира́ть со́ смеху, хохота́ть до упа́ду

screamer ['skri:mə] *n* 1) тот, кто кричи́т, крику́н 2) *разг.* кни́га, кинофи́льм *и т. п.*, производя́щие си́льное впечатле́ние *или* вызыва́ющие неудержи́мый смех 3) *разг.* превосхо́дный экземпля́р 4) *амер. разг.* сенсацио́нный заголо́вок 5) *спорт.* великоле́пный уда́р, бросо́к, прыжо́к *и т. п.* 6) *полигр. жарг.* восклица́тельный знак

screaming ['skri:mɪŋ] 1. *pres. p. от* scream 2

2. *a* 1) крича́щий (*о цвете, газетном заголовке и т. п.*) 2) умори́тельный; ~ fun (*или* farce) умори́тельный фарс

screamy ['skri:mɪ] *a* 1) крикли́вый; визгли́вый 2) крича́щий (*о красках*)

scree [skri:] *n* 1) ще́бень 2) камени́стая о́сыпь

screech [skri:tʃ] 1. *n* 1) визгли́вый *или* хри́плый крик 2) скрип, визг (*тормозов и т. п.*)

2. *v* 1) визгли́во *или* хри́пло крича́ть 2) скрипе́ть, визжа́ть

screech owl ['skri:tʃaul] *n* 1) *зоол.* сипу́ха 2) предве́стник несча́стья

screechy ['skri:tʃɪ] *a* ре́зкий, визгли́вый, скрипу́чий

screed [skri:d] *n* 1) дли́нная ску́чная речь, статья́ *и т. п.* 2) *стр.* мая́к (*при штукатурных работах*)

screen [skri:n] 1. *n* 1) ши́рма, экра́н

2) щит, доска́ (*для объявлений*) 3) прикры́тие, заслóн, заве́са (*тж. воен.*); under (the) ~ of night под покрóвом нóчи; to put on a ~ of indifference приня́ть нарочи́то безразли́чный вид 4) *кино, эл., тлв.* экра́н 5) (the ~) кинó 6) *авто* ветровóе стеклó 7) се́тка от насекóмых 8) грóхот, си́то, решетó 9) *воен.* заслóн 10) *attr.*: ~ adaptation экраниза́ция литерату́рного произведе́ния; ~ test кинопрóба

2. *v* 1) прикрыва́ть, укрыва́ть, защища́ть 2) демонстри́ровать фильм 3) трансли́ровать телепереда́чу 4) экранизи́ровать 5): to ~ well (badly) а) име́ть успе́х (не име́ть успе́ха) в кинó; б) быть фотогени́чным (нефотогени́чным) 6) просе́ивать, сортирова́ть, грохоти́ть 7) производи́ть прове́рку полити́ческой благонадёжности 8) *воен.* проводи́ть отбóр новобра́нцев 9) *спец.* экрани́ровать

screening ['skri:nɪŋ] **1.** *pres. p. от* screen 2

2. *n* 1) *pl* вы́севки 2) просе́ивание 3) отсе́в, отбóр 4) прове́рка полити́ческой благонадёжности 5) *воен.* прикры́тие, маскирóвка

screenplay ['skri:npleɪ] *n* сцена́рий

screenwiper ['skri:n,waɪpə] *n* стеклоочисти́тель ветровóго стекла́ (*в автомоби́ле*), «двóрник»

screenwriter ['skri:n,raɪtə] *n* сценари́ст, кинодрамату́рг

screw [skru:] **1.** *n* 1) винт (*тж.* male ~, external ~); болт, шуру́п; female (*или* internal) ~ га́йка; to turn (*или* to apply) the ~, to put the ~(s) on заверну́ть, подкрути́ть га́йку; *перен.* оказа́ть давле́ние, нажа́ть 2) *тех.* шнек, червя́к 3) (*тж. pl*) = thumbscrew 1); 4) *ав.* (возду́шный) винт; *мор.* (гребнóй) винт 5) поворóт винта́; to give a nut a (good) ~ покре́пче заверну́ть га́йку 6) небольшóй свёрток, бума́жный паке́т, «фу́нтик» 7) *sl.* тюре́мный стóрож, тюре́мщик 8) *sl.* зарпла́та, жа́лованье 9) *груб.* половóй акт *или* егó уча́стник 10) *sl.* скря́га 11) *sl.* кля́ча 12) *attr.* винтовóй ◇ he has a ~ loose у негó ви́нтика не хвата́ет; to have a ~ loose on smth. помеша́ться на чём-л.; there is a ~ loose somewhere чтó-то не в поря́дке

2. *v* 1) приви́нчивать, скрепля́ть винта́ми; нави́нчивать; зави́нчивать(ся); to ~ the lid on the jar завинти́ть кры́шку ба́нки 2) выжима́ть; to ~ water out of a sponge вы́жать гу́бку 3) крути́ть(ся), верте́ть(ся); to ~ smb.'s arm выкру́чивать комý-л. ру́ку 4) нажима́ть, притесня́ть, ока́зывать давле́ние 5) *sl.* скря́жничать, ска́редничать 6): to be ~ed *sl.* быть пья́ным 7) *груб.* переспа́ть (*с женщиной*) 8) нареза́ть резьбу́ ▭ ~ **out** а) выви́нчивать; б) вымога́ть (*деньги, согласие*; of — у *когó-л.*); ~ **up** а) зави́нчивать; подви́нчивать (*болт, гайку и т. п.*); нави́нчивать (*кры́шку и т. п.*); б) подтя́гивать, укрепля́ть; to ~ up one's courage подбодри́ться, набра́ться хра́брости; to ~ oneself up to do smth. заста́вить себя́ сде́лать что-л.; в) мóрщить (*лицо*); поджима́ть (*губы*); to ~ up one's eyes прищу́риться ◇ to have one's head ~ed on the right way име́ть хорóшую гóлову на плеча́х

screwball ['skru:bɔ:l] *n амер. sl.* 1) сумасбрóд, эксцентри́чный челове́к 2) сумасбрóдство

screw-bolt ['skru:bəʊlt] *n* болт

screw cap ['skru:kæp] = screw top

screwcutter ['skru:,kʌtə] *n* винторе́зный станóк

screwdriver ['skru:,draɪvə] *n* 1) отвёртка 2) вóдка с апельси́новым сóком и льдом

screwed [skru:d] **1.** *p. p. от* screw 2

2. *a sl.* пья́ный; подвы́пивший

screw jack ['skru:dʒæk] *n* винтовóй домкра́т

screwnut ['skru:nʌt] *n* га́йка

screwplate ['skru:pleɪt] *n тех.* винтова́льная доска́

screw propeller ['skru:prə,pelə] = screw 1, 4)

screw steamer ['skru:,sti:mə] *n* винтовóй парохóд

screw thread ['skru:θred] *n тех.* резьба́, винтова́я наре́зка

screw top ['skru:tɒp] *n* зави́нчивающийся колпачóк буты́лки; зави́нчивающаяся кры́шка ба́нки

screw valve ['skru:vælv] *n тех.* винтовóй кла́пан

screw wheel ['skru:wi:l] *n тех.* винтовóе, зу́бчатое колесó

screw wrench ['skru:rentʃ] *n тех.* разводнóй га́ечный ключ

screwy ['skru:ɪ] *a sl.* 1) ненорма́льный, «чóкнутый» 2) *амер.* подозри́тельный, стра́нный 3) прижи́мистый, скупóй 4) «косóй», пья́ный

scribal ['skraɪbl] *a* сде́ланный перепи́счиком; ~ error оши́бка перепи́счика

scribble I ['skrɪbl] **1.** *n* 1) кара́кули; мазня́ 2) пису́лька, небре́жная запи́ска 3) небре́жный *или* неразбóрчивый пóчерк

2. *v* 1) писа́ть бы́стро и небре́жно; писа́ть как ку́рица ла́пой 2) занима́ться бумагомара́нием, быть писа́кой

scribble II ['skrɪbl] *v текст.* гру́бо чеса́ть

scribbler I ['skrɪblə] *n* писа́ка, бумагомара́тель

scribbler II ['skrɪblə] *n текст.* щипа́льная маши́на для ше́рсти

scribe [skraɪb] **1.** *n* 1) писе́ц; перепи́счик 2) *библ.* кни́жник 3) *амер. разг.* писа́тель; журнали́ст 4) секрета́рь, клерк

2. *v тех.* размеча́ть

scrim [skrɪm] *n* 1) *текст.* гру́бый холст 2) маскирóвочная се́тка

scrimmage ['skrɪmɪdʒ] **1.** *n* 1) дра́ка, сва́лка; ссóра 2) = scrummage

2. *v* уча́ствовать в схва́тке, сва́лке, дра́ке

scrimp [skrɪmp] *v* скупи́ться (*на что-л.*); уре́зывать

scrimpy ['skrɪmpɪ] *a* 1) ску́дный 2) скупóй

scrimshank ['skrɪmʃæŋk] *v воен. жарг.* уклоня́ться от обя́занностей, «сачкова́ть»

scrimshaw ['skrɪmʃɔ:] **1.** *n* резьба́ на ра́ковинах, слонóвой кóсти *и т. п.*

2. *v* выреза́ть на ра́ковинах, слонóвой кóсти *и т. п.*

scrip I [skrɪp] *n уст.* сума́

scrip II [skrɪp] *n фин.* 1) вре́менный сертифика́т на владе́ние а́кциями 2) бума́жные де́ньги, выпуска́емые оккупациóнными властя́ми

script [skrɪpt] **1.** *n* 1) пóчерк 2) рукопи́сный шрифт 3) *кино, тлв.* сцена́рий 4) *радио* текст ле́кций *или* бесе́ды для переда́чи по ра́дио 5) пи́сьменная рабóта экзамену́ющегося 6) *юр.* пóдлинник (*документа*)

2. *v* писа́ть сцена́рий (*для кино, телевидения или радио*)

scriptoria [skrɪp'tɔ:rɪə] *pl от* scriptorium

scriptorium [skrɪp'tɔ:rɪəm] *n* (*pl* -s [-z], -ria) помеще́ние для перепи́ски ру́кописей (*в средневековых монастырях*)

scriptural ['skrɪptʃrəl] *a* библе́йский, относя́щийся к Свяще́нному писа́нию

scripture ['skrɪptʃə] *n* 1) свяще́нная кни́га 2) (S., the Scriptures) Би́блия, Свяще́нное писа́ние 3) *уст.* цита́та из Би́блии 4) *attr.* библе́йский

scriptwriter ['skrɪpt,raɪtə] *n* 1) сценари́ст 2) а́втор бесе́ды *или* ле́кции по ра́дио

scrivener ['skrɪvnə] *n уст.* 1) писе́ц 2) нота́риус 3) ростовщи́к ◇ ~'s palsy *мед.* пи́счая су́дорога

scrofula ['skrɒfjʊlə] *n мед.* золоту́ха

scrofulous ['skrɒfjʊləs] *a* 1) *мед.* золоту́шный 2) мора́льно развращённый

scroll [skrəʊl] **1.** *n* 1) сви́ток; манускри́пт 2) завитóк (*подписи*), рóсчерк 3) спи́сок, пе́речень 4) *уст.* спи́сок, скрижа́ли 5) *уст.* письмó, посла́ние 6) *архит.* волю́та, завитóк 7) спира́ль 8) *тех.* плóская резьба́

2. *v* украша́ть завитка́ми

scrollwork ['skrəʊlwɜ:k] *n* орна́мент в ви́де завиткóв

Scrooge [skru:dʒ] *n разг.* скря́га

scrota ['skrəʊtə] *pl от* scrotum

scrotum ['skrəʊtəm] *n* (*pl* -ta) *анат.* мошóнка

scrounge [skraʊndʒ] *v разг.* 1) добы́ть, стяну́ть, укра́сть 2) попроша́йничать; жить на чужóй счёт

scrub I [skrʌb] **1.** *n* 1) куста́рник, пóросль 2) куста́рниковая пу́стошь 3) малорóслое живóтное; ка́рликовое расте́ние 4) ничтóжный челове́к 5) *амер. разг.* мла́дшая *или* сла́бая кома́нда 6) *амер. разг.* игрóк такóй кома́нды

2. *a* = scrubby

scrub II [skrʌb] **1.** *n* 1) чи́стка щёткой 2) жёсткая щётка 3) подёнщик, выполня́ющий тяжёлую, гря́зную рабóту

2. *v* 1) тере́ть, скрести́; чи́стить, мыть щёткой 2) *разг.* отменя́ть (out); to ~ out an order отмени́ть прика́з 3) *тех.* промыва́ть газ

scrubber ['skrʌbə] *n* 1) *тех.* газопромыва́тель 2) скребо́к, жёсткая щётка

scrubbing brush ['skrʌbıŋbrʌʃ] *n* жёсткая щётка (для по́ла)

scrub brush ['skrʌbbrʌʃ] *амер.* = scrubbing brush

scrubby ['skrʌbı] *a* 1) низкоро́слый 2) захуда́лый, ничто́жный 3) поро́сший куста́рником 4) заро́сший щети́ной

scrub-up ['skrʌbʌp] *n* основа́тельная чи́стка

scrubwoman ['skrʌb,wʊmən] *n амер.* убо́рщица (*особ.* для рабо́ты по до́му)

scruff I [skrʌf] *n* загри́вок; to take by the ~ of the neck взять за ши́ворот

scruff II [skrʌf] *n разг.* грязну́ля, неря́ха

scruffy ['skrʌfı] *a разг.* гря́зный, нера́шливый

scrum(mage) ['skrʌm(ıdʒ)] *n* схва́тка (вокру́г мяча́) (*в регби*)

scrumptious ['skrʌmpʃəs] *a разг.* необыкнове́нно вку́сный; великоле́пный, восхити́тельный

scrunch [skrʌntʃ] = crunch

scruple ['skru:pl] **1.** *n* 1) сомне́ния, колеба́ния; угрызе́ния со́вести; to have no ~ to do smth. де́лать что-л. без колеба́ний; не постесня́ться сде́лать что-л.; without ~ без стесне́ния; to have ~s стесня́ться, со́веститься, не реша́ться (*на что-л.*); a man without ~s челове́к, не разбо́рчивый в сре́дствах; непоря́дочный челове́к 2) *ист.* скру́пул (*аптекарская мера веса = 20 гранам*) 3) *уст.* крупи́ца

2. *v* стесня́ться, со́веститься, не реша́ться (*на что-л.*)

scrupulosity [,skru:pjʊ'lɒsətı] *n* 1) щепети́льность 2) добросо́вестность, че́стность

scrupulous ['skru:pjʊləs] *a* 1) щепети́льный; со́вестливый 2) добросо́вестный 3) тща́тельный, скрупулёзный

scrutator [skrʊ'teıtə] *n* внима́тельный иссле́дователь (*чего-л.*)

scrutineer [,skru:tı'nıə] *n* член коми́ссии, проверя́ющий пра́вильность результа́тов вы́боров

scrutinize ['skru:tınaız] *v* 1) внима́тельно рассма́тривать 2) тща́тельно иссле́довать

scrutiny ['skru:tını] *n* 1) испыту́ющий взгляд 2) внима́тельный осмо́тр; иссле́дование 3) прове́рка пра́вильности результа́тов вы́боров

scry [skraı] *v* смотре́ть в «маги́ческий криста́лл», гада́ть по стеклу́

scuba ['sku:bə] *n* (*сокр. от* self-contained underwater breathing apparatus) ску́ба, дыха́тельный аппара́т для пла́вания под водо́й

scud [skʌd] **1.** *n* 1) стреми́тельное пла́вное движе́ние 2) гони́мые ве́тром облака́ 3) поры́в ве́тра; шквал

2. *v* 1) нести́сь, скользи́ть, лете́ть 2) *мор.* идти́ под ве́тром

scuff [skʌf] *v* 1) идти́ волоча́ но́ги 2) истере́ть(ся) (*от носки, употребления*)

scuffle ['skʌfl] **1.** *n* 1) дра́ка 2) ша́рканье (*ногами*)

2. *v* 1) дра́ться 2) ходи́ть, ша́ркая нога́ми

scull [skʌl] **1.** *n* 1) па́рное весло́ 2) кормово́е коро́ткое весло́

2. *v* 1) грести́ па́рными вёслами 2) гала́нить, грести́ кормовы́м весло́м

sculler ['skʌlə] *n* 1) гребе́ц па́рными вёслами 2) ма́ленькая двухвесе́льная ло́дка, я́лик

scullery ['skʌlərı] *n* 1) судомо́йня при ку́хне 2) *уст.* буфе́тная

scullion ['skʌlıən] *n уст.* 1) поварёнок 2) судомо́йка

sculp [skʌlp] = sculpt

sculpt [skʌlpt] *v* вая́ть, лепи́ть

sculptor ['skʌlptə] *n* ску́льптор, вая́тель

sculptress ['skʌlptrəs] *n* же́нщина-ску́льптор

sculptural ['skʌlptʃrəl] *a* скульпту́рный

sculpture ['skʌlptʃə] **1.** *n* 1) скульпту́ра, вая́ние 2) скульпту́ра, извая́ние 3) пове́рхностная фо́рма релье́фа (*земной коры*)

2. *v* 1) вая́ть, высека́ть, лепи́ть 2) украша́ть скульпту́рной рабо́той 3) выве́тривать; размыва́ть

sculpturesque [,skʌlptʃə'resk] *a* скульпту́рный, пласти́чный

scum [skʌm] **1.** *n* 1) пе́на, на́кипь 2) отбро́сы, очи́стки 3) опусти́вшийся челове́к; the ~ *собир.* подо́нки (*общества*) 4) мерза́вец 5) *метал.* ока́лина, шла́ки

2. *v* 1) снима́ть пе́ну 2) пе́ниться, покрыва́ться на́кипью

scumble ['skʌmbl] *v жив.* слегка́ покрыва́ть кра́ской, лессирова́ть

scummy ['skʌmı] *a* 1) пе́нистый 2) ни́зкий, по́длый

scunner ['skʌnə] *шотл.* **1.** *n* отвраще́ние; to take a ~ испы́тывать отвраще́ние (at, against)

2. *v* испы́тывать отвраще́ние

scupper ['skʌpə] **1.** *n мор.* шпига́т

2. *v sl.* 1) потопи́ть (*судно и команду*) 2) погуби́ть, провали́ть; уби́ть 3) напа́сть неожи́данно и переби́ть

scurf [skɜ:f] *n* 1) пе́рхоть 2) налёт, отложе́ния

scurfy ['skɜ:fı] *a* 1) покры́тый пе́рхотью 2) покры́тый налётом, отложе́ниями

scurrility [skə'rılətı] *n* гру́бость, непристо́йность

scurrilous ['skʌrələs] *a* гру́бый, непристо́йный; оскорби́тельный

scurry ['skʌrı] **1.** *n* 1) бы́строе, стреми́тельное движе́ние 2) беготня́; суета́ 3) ли́вень *или* снегопа́д с си́льным ве́тром 4) бег, ска́чки на коро́ткую диста́нцию

2. *v* 1) бежа́ть (*обыкн. мелкими шагами*) 2) снова́ть; суети́ться 3) спеши́ть; де́лать ко́е-ка́к, на́спех

scurvied ['skɜ:vıd] *a* цинго́тный

scurvy I ['skɜ:vı] *n мед.* цинга́

scurvy II ['skɜ:vı] *a* ни́зкий, по́длый

scut [skʌt] *n* коро́ткий хвост (*особ. зайца, кролика, оленя*)

scuta ['skju:tə] *pl от* scutum

scutate ['skju:teıt] *a бот., зоол.* щитови́дный

scutch [skʌtʃ] **1.** *n* льнотрепа́лка

2. *v* трепа́ть, мять (*лён, коноплю и т. п.*)

scutcheon ['skʌtʃən] *n* 1) щит ге́рба́ 2) накла́дка две́рного замка́ 3) доще́чка с фами́лией

scutcher ['skʌtʃə] *n* трепа́ло, трепа́льная маши́на; льнотрепа́лка

scute [skju:t] = scutum

scuttle I ['skʌtl] *n* ведёрко *или* я́щик для у́гля

scuttle II ['skʌtl] **1.** *n* 1) *мор.* отве́рстие в борту́ *или* в дни́ще су́дна 2) люк

2. *v* затопи́ть су́дно, откры́в кингсто́ны

scuttle III ['skʌtl] **1.** *n* 1) торопли́вая похо́дка 2) стреми́тельное бе́гство 3) стремле́ние избежа́ть опа́сности, тру́дностей; тру́сость

2. *v* 1) поспе́шно бежа́ть, удира́ть 2) (позо́рно) бежа́ть от опа́сности, тру́дностей

scuttlebutt ['skʌtlbʌt] *n* 1) *мор.* бачо́к с питьево́й водо́й 2) *разг.* слух; спле́тня

scutum ['skju:təm] *n* (*pl* -ta) *зоол.* щито́к

scythe [saıð] *с.-х.* **1.** *n* коса́

2. *v* коси́ть

Scythian ['sıðıən] **1.** *a* ски́фский

2. *n* 1) скиф 2) язы́к ски́фов

sea [si:] *n* 1) мо́ре; at ~ в мо́ре; beyond (*или* over) the sea(s) за́ морем; за́ море; by ~ мо́рем; by the ~ у мо́ря; to go to ~ стать моряко́м; to follow the ~ быть моряко́м; the high ~s мо́ре за преде́лами территориа́льных вод; откры́тое мо́ре; on the ~ а) в мо́ре; б) на морско́м берегу́; to put (out) to ~ пуска́ться в пла́вание; free ~ мо́ре, свобо́дное для прохо́да корабле́й всех стран; the four ~s четы́ре мо́ря, окружа́ющие Великобрита́нию; the seven ~s се́верная и ю́жная ча́сти Атланти́ческого океа́на, се́верная и ю́жная ча́сти Ти́хого океа́на, Се́верный Ледови́тый океа́н, моря́ Анта́рктики и Инди́йский океа́н 2) волне́ние (*на море*); волна́; a high (*или* heavy, rolling) ~ си́льное волне́ние (*на море*); a short ~ бу́рное мо́ре с коро́ткими во́лнами; a ~ struck us нас захлестну́ла волна́ 3) огро́мное коли́чество (*чего-л.*); a ~ of troubles бесчи́сленные бе́ды; a ~ of flame мо́ре огня́; ~s of blood мо́ре кро́ви 4) *уст.* прили́в; at full ~ в прили́в 5) *attr.* морско́й, примо́рский; ~ air морско́й во́здух ◇ to be all at ~ не знать, что де́лать, недоумева́ть, быть в по́лной расте́рянности

sea anchor ['si:,æŋkə] *n мор.* плаву́чий я́корь

sea-ape [,si:'eıp] *n зоол.* кала́н, морска́я вы́дра

sea-bathing ['si:,bɑ:ðıŋ] *n* морско́е купа́ние

sea bear ['si:beə] *n зоол.* 1) морско́й ко́тик 2) бе́лый медве́дь

seabed ['si:bed] *n* морско́е дно

sea biscuit ['si:,bɪskɪt] *n ист.* сухáрь; галéта

seaboard ['si:bɔ:d] *n* 1) бéрег мóря, побережье 2) *attr.* примóрский; прибрéжный

seaborn ['si:bɔ:n] *a поэт.* рождённый мóрем; the ~ town Венéция

seaborne ['si:bɔ:n] *a* перевози́мый мóрем; ~ trade морскáя торгóвля; a ~ invasion вторжéние с мóря

sea breeze ['si:bri:z] *n* вéтер с мóря, морскóй бриз

sea-calf ['si:kɑ:f] *n зоол.* тюлéнь (обыкновéнный)

sea captain ['si:,kæptɪn] *n* 1) капитáн дáльнего плáвания 2) *поэт.* знамени́тый мореплáватель *или* флотовóдец

seacard ['si:kɑ:d] *n уст.* картýшка кóмпаса

sea chest ['si:tʃest] *n* матрóсский сундучóк

seacock ['si:kɒk] *n* 1) *мор.* кингстóн, забóртный клáпан 2) *шутл.* морскóй волк

sea cow ['si:kaʊ] *n зоол.* 1) ламанти́н 2) дюгóнь 3) морж 4) гиппопотáм

sea cucumber ['si:,kju:kʌmbə] *n зоол.* морскóй огурéц

sea-dog ['si:dɒg] *n* 1) тюлéнь 2) нали́м 3) свечéние мóря в тумáне 4) óпытный моря́к, морскóй волк 5) *ист.* пирáт; пирáтское сýдно

seadrome ['si:drəʊm] *n* гидроаэродрóм

sea elephant ['si:,elɪfənt] *n зоол.* морскóй слон

seafarer ['si:,feərə] *n* моря́к; мореплáватель

seafaring ['si:,feərɪŋ] 1. *n* мореплáвание

2. *a* морехóдный

sea fight ['si:faɪt] *n* морскóй бой

sea fire ['si:,faɪə] *n* ночнóе свечéние мóря, фосфоресцéнция мóря

sea-folk ['si:fəʊk] *n* (*употр. с гл. во мн. ч.*) моряки́

sea food ['si:fu:d] *n* съедóбная морскáя ры́ба, крáбы, моллю́ски *и т. п.*

seafront ['si:frʌnt] *n* примóрская часть гóрода; примóрский бульвáр, нáбережная

sea-gauge ['si:geɪdʒ] *n* 1) футштóк; лот 2) осáдка сýдна

seagirt ['si:gɜ:t] *a поэт.* опоя́санный моря́ми

seagoing ['si:,gəʊɪŋ] *a* 1) дáльнего плáвания (*о судне*) 2) морехóдный

sea green [,si:'gri:n] 1. *n* цвет морскóй волны́

2. *a* цвéта морскóй волны́

sea gull ['si:gʌl] *n* чáйка

sea hare ['si:heə] *n зоол.* морскóй зáяц (*моллюск*)

sea horse ['si:hɔ:s] *n* 1) *зоол.* морскóй конёк 2) морж 3) полуры́ба-полукóнь (*сказочное морское чудовище*)

sea jelly ['si:dʒelɪ] *n* медýза

seakale ['si:keɪl] *n бот.* крáмбе примóрская

sea king ['si:kɪŋ] *n* ви́кинг

seal I [si:l] 1. *n* 1) *зоол.* тюлéнь; common ~ тюлéнь обыкновéнный; eared ~ сивýч 2) кóтиковый мех 3) тюлéнья кóжа

2. *v* охóтиться на тюлéней, кóтиков

seal II [si:l] 1. *n* 1) печáть; клеймó; Great S., State S. большáя госудáрственная печáть; Privy S. мáлая госудáрственная печáть; customs ~ печáть тамóжни [*см. тж.* 2)]; to receive (to return) the ~s приня́ть (сдать) дóлжность кáнцлера *или* мини́стра; to set one's ~ to a) постáвить печáть, удостовéрить; б) одóбрить; under my hand and ~ за моéй собственнорýчной пóдписью и с приложéнием печáти 2) плóмба; customs ~ тамóженная плóмба [*см. тж.* 1)] 3) печáтка, кольцó с печáткой *и т. п.* 4) знак, отпечáток; доказáтельство; горáнтия; the ~ of approval знак одобрéния; under the ~ of secrecy (*или* confidence, silence) с услóвием храни́ть тáйну, молчáние; ~ of love печáть любви́ (поцелýй, рождéние ребёнка *и т. п.*); ~ of death in one's face печáть смéрти на лицé 5) *тех.* перемы́чка; затвóр 6) *тех.* обтюрáтор 7) *тех.* изоли́рующий слой, изоля́ция

2. *v* 1) запечáтывать (*тж.* ~ up); my lips are ~ed ≅ на моих устáх печáть молчáния; я дóлжен молчáть 2) опечáтывать, пломбировáть 3) гермети́чески закрывáть, изоли́ровать; замáзывать, запáивать (*тж.* ~ up) 4) стáвить печáть, скрепля́ть печáтью 5) скрепля́ть (*сделку и т. п.*) 6) окончáтельно решáть; his answer ~ed our fate егó отвéт реши́л нáшу судьбý 7) торжéственно узакóнить; to ~ a marriage сочетáть брáком 8) окружáть плóтным кольцóм, закрывáть дóступ (*тж.* ~ off)

sea-lane ['si:leɪn] *n* морскóй путь; *pl* морски́е коммуникáции

sea lawyer [,si:'lɔ:jə] *n мор. жарг.* приди́ра, критикáн

sealed [si:ld] 1. *p. p. от* seal II, 2

2. *a* 1) запечáтанный 2) гермети́ческий, гермети́чный ◇ ~ book кни́га за семью́ печáтями

sea legs ['si:legz] *n pl:* to find (*или* to get, to have) one's ~ привы́кнуть к морскóй кáчке

sealer ['si:lə] *n* 1) охóтник на тюлéней 2) зверобóйное сýдно

sealery ['si:lərɪ] *n* лéжбище тюлéней

sea letter ['si:,letə] *n* охрáнное свидéтельство (*выдаваемое нейтральному кораблю во время войны*)

seal-fishery ['si:l,fɪʃərɪ] *n* тюлéний и кóтиковый прóмысел

sea-line I ['si:laɪn] *n* 1) берегова́я ли́ния 2) ли́ния горизóнта (*в море*)

sea-line II ['si:laɪn] *n* 1) лéсá, лéска (*для рыбной ловли в море*) 2) *мор.* линь

sealing wax ['si:lɪŋwæks] *n* сургýч

Sea Lord [,si:'lɔ:d] *n* морскóй лорд (*член совета Адмиралтейства в Великобритании*)

seal ring ['si:lrɪŋ] *n* пéрстень с печáткой

seal rookery ['si:l,rʊkərɪ] = sealery

sealskin ['si:lskɪn] *n* 1) кóтиковый мех 2) тюлéнья кóжа 3) *attr.* кóтиковый

seam [si:m] 1. *n* 1) шов 2) рубéц; морщи́на 3) *геол.* прослóек; пласт 4) *тех.* спай, шов ◇ bursting at the ~s переполненный; ≅ вот-вóт лóпнет

2. *v* 1) сшивáть, соединя́ть швáми 2) борозди́ть; покрывáть рубцáми, морщи́нами

sea-maid ['si:meɪd] *n* русáлка; морскáя ни́мфа

seaman ['si:mən] *n* моря́к; матрóс

seamanship ['si:mənʃɪp] *n* искýсство мореплáвания; морскáя прáктика

seamark ['si:mɑ:k] *n* 1) навигациóнный знак; ориентирóвочный предмéт на берегý 2) ли́ния ýровня пóлной воды́ (*в море*)

sea mew ['si:mju:] = sea gull

seamless ['si:mləs] *a* 1) без шва, бесшóвный; из одногó кускá 2) цельнотя́нутый (*о трубах*)

seamstress ['semstrəs] *n* швея́

seamy ['si:mɪ] *a* 1) покры́тый швáми 2) неприя́тный; неприли́чный; to know the ~ side of life знать тёмные стóроны жи́зни

Seanad ['ʃænəd] *n* сенáт, вéрхняя палáта (*в Ирландии*)

seance ['seɪɑ:ŋs] *n* 1) спирити́ческий сеáнс 2) заседáние; собрáние

sea pay ['si:peɪ] *n мор.* жáлованье во врéмя плáвания

sea pen ['si:pen] *n зоол.* морскóе перó (*полип*)

seapiece ['si:pi:s] *n жив.* мари́на, морскóй пейзáж

seaplane ['si:pleɪn] *n* гидросамолёт

seaport ['si:pɔ:t] *n* портóвый гóрод; морскóй порт

sea power ['si:,paʊə] *n* 1) воéнно-морскáя мощь 2) морскáя держáва

seaquake ['si:kweɪk] *n* моретрясéние

sear [sɪə] 1. *a книжн.* увя́дший, сухóй ◇ the ~ and yellow leaf a) óсень; б) пожилóй вóзраст, стáрость

2. *v* 1) прижигáть, опаля́ть 2) ожесточáть; his soul has been ~ed by injustice несправедли́вость ожесточи́ла егó 3) *редк.* иссушáть

search [sɜ:tʃ] 1. *n* 1) пóиски; I am in ~ of a house я ищý себé дом; a ~ for a missing aircraft пóиски пропáвшего самолёта 2) óбыск; right of ~ *юр.* прáво óбыска судóв 3) исслéдование; изыскáние 4) *attr.* пóисковый

2. *v* 1) искáть (for) 2) шáрить; обы́скивать; to ~ a house производи́ть óбыск в дóме; to ~ one's memory вспоминáть, напрягáя пáмять 3) исслéдовать; to ~ one's heart анализи́ровать свои́ чýвства 4) зонди́ровать (*рану*) 5) проникáть; the cold ~ed his marrow он продрóг до мóзга костéй ▭ ~ out разыскáть, найти́; to ~ out an old friend разыскáть стáрого дрýга ◇ ~ me! почём я знáю!

searching ['sɜ:tʃɪŋ] 1. *pres. p. от* search 2

2. *a* 1) тща́тельный (*об иссле́довании*) 2) испыту́ющий (*о взгля́де*) 3) прони́зывающий (*о ве́тре*)

searchlight ['sɜ:tʃlaɪt] *n* проже́ктор

searchparty ['sɜ:tʃ,pɑ:tɪ] *n* по́исковая гру́ппа

searchwarrant ['sɜ:tʃ,wɒrənt] *n* о́рдер на о́быск

seared [sɪəd] **1.** *p. p. от* sear 2

2. *a* притуплённый, осла́бленный; ~ conscience усну́вшая со́весть

sea rover ['si:,rəʊvə] *n* 1) морско́й пира́т 2) пира́тский кора́бль

sea salt ['si:sɔ:lt] *n* морска́я соль

seascape ['si:skeɪp] = seapiece

sea serpent ['si:,sɜ:pənt] *n* 1) морска́я змея́ 2) морско́е чудо́вище

seashore ['si:ʃɔ:] *n* морско́й бе́рег; морско́е побере́жье

seasick ['si:sɪk] *a* страда́ющий морско́й боле́знью; she felt ~ её укача́ло

seasickness ['si:sɪknəs] *n* морска́я боле́знь

seaside ['si:saɪd] *n* 1) = seashore 2) морско́й куро́рт (*тж.* ~ resort) 3) *attr.* примо́рский

sea snake ['si:sneɪk] = sea serpent

season ['si:zn] **1.** *n* 1) вре́мя го́да 2) сезо́н; the (London) ~ ло́ндонский (све́тский) сезо́н (*май — ию́ль*); the dead (*или* the off, the dull) ~ мёртвый сезо́н, *эк.* засто́й (*в дела́х*), спад делово́й акти́вности 3) пора́, вре́мя, пери́од; in the ~ of my youth в го́ды мое́й ю́ности; for a ~ *уст.* не́которое вре́мя 4) подходя́щее вре́мя, подходя́щий моме́нт; out of ~ не во́время; in ~ and out of ~ а) кста́ти и некста́ти; б) постоя́нно, всегда́; a word in ~ своевре́менный сове́т 5) *разг.* = season ticket 6) *attr.* сезо́нный

2. *v* 1) приправля́ть; ~ your egg with salt посоли́(те) яйцо́ 2) придава́ть интере́с, пика́нтность 3) выде́рживать (*де́рево, вино́ и т. п.*); суши́ть(ся) 4) закаля́ть, акклиматизи́ровать, приуча́ть; cattle ~ed to deseases скот, не подве́рженный заболева́ниям 5) *книжн.* смягча́ть

seasonable ['si:znəbl] *a* 1) по сезо́ну, соотве́тствующий вре́мени го́да 2) своевре́менный, уме́стный, подходя́щий

seasonal ['si:znəl] *a* сезо́нный

seasoned ['si:znd] **1.** *p. p. от* season 2

2. *a* 1) вы́держанный (*о вине́ и т. п.*) 2) закалённый, быва́лый; ~ soldier закалённый бое́ц; with ~ eye намётанным гла́зом 3) припра́вленный (*о пи́ще*)

seasoning ['si:znɪŋ] **1.** *pres. p. от* season 2

2. *n* 1) припра́ва 2) выде́рживание (*де́рева, вина́ и т. п.*)

season ticket ['si:zn,tɪkɪt] *n* 1) сезо́нный биле́т 2) абонеме́нт

seat [si:t] **1.** *n* 1) ме́сто для сиде́ния; сиде́нье; to have (*или* to take) a (*или* one's) ~ сади́ться; garden ~ садо́вая скаме́йка; jump ~ откидно́е сиде́нье; to keep one's ~ оста́ться сиде́ть 2) седа́лище, зад 3) зад, за́дняя сторона́; the ~ of smb.'s trousers зад брюк 4) ме́сто (*в теа́тре, на стадио́не и т. п.*); биле́т; he has taken two ~s for the theatre он взял два биле́та в теа́тр; to secure (*или* to book) ~s заказа́ть биле́ты 5) ме́сто, до́лжность, пост; a ~ on the bench до́лжность судьи́; he has a ~ on the Board он член правле́ния; to keep a ~ warm for smb. сохрани́ть до́лжность для кого́-л. (*вре́менно заня́в её*) 6) ме́сто в парла́менте; to have a ~ in Parliament быть чле́ном парла́мента; to win a ~ быть и́збранным в парла́мент; to lose one's ~ не быть переи́збранным в парла́мент 7) избира́тельный о́круг 8) местонахожде́ние; the liver is the ~ of the disease, the disease has its ~ in the liver боле́знь локализо́вана в пе́чени; the ~ of war теа́тр вое́нных де́йствий; the ~ of the Government местопребыва́ние прави́тельства; the ~ of the trouble ко́рень зла 9) уса́дьба 10) поса́дка (*на ло́шади*) 11) *тех.* гнездо́ *или* седло́ кла́пана 12) *тех.* опо́рная пове́рхность, основа́ние, подста́вка; подкла́дка 13) *горн.* подстила́ющая поро́да

2. *v* 1) уса́живать; to ~ oneself сесть, усе́сться; please be ~ed прошу́ сади́ться, сади́тесь, пожа́луйста 2) вмеща́ть; this hall will ~ 5000 в э́том за́ле 5000 мест 3) снабжа́ть сту́льями 4) предоставля́ть ме́сто; назнача́ть на до́лжность; проводи́ть (*кандида́та в парла́мент и т. п.*) 5) чини́ть сиде́нье

seat belt ['si:tbelt] *n* 1) *а́вто* реме́нь безопа́сности 2) *ав.* привязно́й реме́нь

seated ['si:tɪd] *a* 1) сидя́щий; проводя́щийся за столо́м 2) с расса́дкой (*приглашённых*) на зара́нее ука́занные места́ (*об официа́льном обе́де и т. п.*)

-seater [-si:tə] *в сло́жных слова́х означа́ет* тра́нспортное сре́дство на *сто́лько-то* мест; two-~, four-~ двухме́стный, четырёхме́стный автомоби́ль, самолёт *и т. п.*

seating ['si:tɪŋ] *n* 1) *собир.* сидя́чие места́, места́ для сиде́ния 2) уса́живание, расса́живание

sea urchin ['si:ɜ:tʃɪn] *n зоол.* морско́й ёж

seawall [,si:'wɔ:l] *n* да́мба; сте́нка на́бережной

seaward ['si:wəd] **1.** *a* напра́вленный к мо́рю

2. *adv* к мо́рю, в сто́рону мо́ря

seawards ['si:wədz] = seaward 2

seaway ['si:weɪ] *n* 1) фарва́тер, судохо́дная часть мо́ря 2) волне́ние на́ море; in a heavy ~ в си́льную волну́

seaweed ['si:wi:d] *n* морска́я во́доросль

seaworthy ['si:,wɜ:ðɪ] *a* облада́ющий хоро́шими морехо́дными ка́чествами

sebaceous [sə'beɪʃəs] *a физиол.* са́льный; ~ glands са́льные же́лезы

sec I [sek] *фр. a* сухо́й (*о вине́*)

sec II [sek] *n разг.* секу́нда, мгнове́ние

secant ['si:kənt] *мат.* **1.** *n* секу́щая; се́канс

2. *a* секу́щий, пересека́ющий

secateurs ['sekətəz] *n pl* садо́вые но́жницы, сека́тор

secede [sɪ'si:d] *v* отделя́ться, отка́лываться, отходи́ть (from — от *сою́за и т. п.*)

secernent [sɪ'sɜ:nənt] *a физиол.* выдели́тельный

secession [sɪ'seʃn] *n* вы́ход (*из па́ртии, сою́за и т. п.*); раско́л; отделе́ние

secessionist [sɪ'seʃnɪst] *n* отсту́пник, раско́льник

seclude [sɪ'klu:d] *v* отделя́ть, изоли́ровать (from); to ~ oneself (from society) уединя́ться, вести́ уединённый о́браз жи́зни; жить отше́льником

secluded [sɪ'klu:dɪd] **1.** *p. p. от* seclude

2. *a* уединённый; укро́мный

seclusion [sɪ'klu:ʒn] *n* 1) уедине́ние; to live in ~ жить в одино́честве, в уедине́нии 2) уединённое ме́сто

second I ['sekənd] **1.** *num. ord.* второ́й; the ~ seat in the ~ row второ́е кре́сло во второ́м ряду́

2. *a* 1) второ́й, друго́й; ~ thoughts пересмо́тр мне́ния, реше́ния; on ~ thoughts по зре́лом размышле́нии 2) дополни́тельный; друго́й, ещё оди́н; a ~ pair of shoes сме́нная па́ра о́буви 3) повто́рный; втори́чный; ~ ballot перебаллотиро́вка; ~ advent (*или* coming) *рел.* второ́е прише́ствие 4) второстепе́нный; второсо́ртный, уступа́ющий (по ка́честву) (to); ~ cabin каю́та второ́го кла́сса 5) *муз.* бо́лее ни́зкий *или* второстепе́нный; ~ violin втора́я скри́пка 6): ~ lieutenant второ́й лейтена́нт; the ~ officer (on a ship) второ́й помо́щник капита́на ◇ ~ teeth постоя́нные (не моло́чные) зу́бы; at ~ hand из вторы́х рук; ~ sight ясновиде́ние; ~ to none непревзойдённый; ~ wind второ́е дыха́ние

3. *n* 1) помо́щник; сле́дующий по ра́нгу; ~ in command *воен.* замести́тель команди́ра 2) получи́вший второ́й приз, втору́ю пре́мию; he was a good ~ он пришёл к фи́нишу почти́ вме́сте с пе́рвым 3) *муз.* секу́нда 4) друго́й, ещё оди́н (челове́к); the policeman was joined by a ~ к полице́йскому присоедини́лся ещё оди́н 5) *pl* това́р второ́го со́рта, ни́зшего ка́чества; мука́ гру́бого помо́ла 6) *pl разг.* второ́е (блю́до) 7) секунда́нт 8) *унив.* втора́я, не вы́сшая оце́нка 9) второ́й класс (*в по́езде, на парохо́де и т. п.*); to go ~ е́хать вторы́м кла́ссом 10) второ́е число́

4. *v* 1) подде́рживать, помога́ть; to ~ a motion поддержа́ть предложе́ние 2) подкрепля́ть; to ~ words with deeds подкрепля́ть слова́ дела́ми 3) быть секунда́нтом 4) [*обыкн.* sɪ'kɒnd] *воен.* откомандиро́вывать

5. *adv* вторы́м кла́ссом (*путеше́ствовать*); вторы́м но́мером; во второ́й гру́ппе

second II ['sekənd] *n* секу́нда; моме́нт, мгнове́ние; wait a ~ сейча́с; подожди́те мину́тку

secondary ['sekəndərɪ] **1.** *a* 1) втори́чный; вспомога́тельный; побо́чный; ~ colours составны́е цвета́; ~ planet спу́тник плане́ты 2) второстепе́нный 3) сре́дний (*об образова́нии*); ~ school сре́дняя шко́ла 4) *геол.* мезозо́йский

2. *n* 1) подчинённый 2) представи́тель

second-best [ˌsekənd'best] *a* второ́го со́рта ◇ to come off ~ потерпе́ть пораже́ние, неуда́чу

second chamber [ˌsekənd'tʃeɪmbə] *n* ве́рхняя пала́та (*парламента*)

second-class [ˌsekənd'klɑːs] *a* второкла́ссный, второсо́ртный

seconder ['sekəndə] *n* подде́рживающий предложе́ние кандида́та; выступа́ющий за прое́кт

second floor [ˌsekənd'flɔː] *n* 1) тре́тий эта́ж 2) *амер.* второ́й эта́ж

second-guess ['sekəndges] *v разг.* 1) предуга́дывать, предска́зывать 2) меня́ть своё мне́ние за́дним число́м, критикова́ть сли́шком по́здно

secondhand [ˌsekənd'hænd] *a* 1) поде́ржанный; ~ bookseller букини́ст 2) из вторы́х рук (*об информации и т. п.*)

second hand ['sekəndhænd] *n* секу́ндная стре́лка

secondly ['sekəndlɪ] *adv* 1) кро́ме того́, к тому́ же 2) во-вторы́х

second-mark ['sekəndmɑːk] *n* значо́к секу́нды (″)

second name [ˌsekənd'neɪm] *n* фами́лия

second-rate [ˌsekənd'reɪt] *a* 1) второсо́ртный 2) посре́дственный

second-rater [ˌsekənd'reɪtə] *n* 1) посре́дственность, зауря́дная ли́чность 2) посре́дственная вещь (*о картине, драгоценном камне и т. п.*)

second thoughts [ˌsekənd'θɔːts] *n* мы́сли, прише́дшие в го́лову поздне́е; ино́е мне́ние *или* реше́ние, возни́кшее по зре́лом размышле́нии

secrecy ['siːkrəsɪ] *n* 1) уме́ние храни́ть та́йну; скры́тность 2) та́йна; секре́тность; in ~ в секре́те, та́йно; there can be no ~ about it в э́том нет ничего́ секре́тного; he promised ~ он обеща́л храни́ть та́йну

secret ['siːkrət] **1.** *n* 1) та́йна, секре́т; to be in the ~ быть посвящённым в та́йну; to keep a ~ сохраня́ть та́йну; an open ~ ≅ секре́т полишине́ля 2) та́йна, зага́дка; the ~s of nature та́йны приро́ды

2. *a* 1) та́йный, секре́тный; ~ service секре́тная слу́жба, разве́дка; ~ marriage та́йный брак; ~ treaty та́йный догово́р; to keep ~ держа́ть в та́йне 2) потайно́й, скры́тый 3) скры́тный 4) уединённый, укро́мный

secretaire [ˌsekrə'teə] *n* секрете́р, бюро́; пи́сьменный стол

secretarial [ˌsekrə'teərɪəl] *a* секрета́рский

secretariat(e) [ˌsekrə'teərɪət] *n* 1) секретариа́т 2) до́лжность секретаря́

secretary ['sekrətərɪ] *n* 1) секрета́рь 2) секрета́рь, руководи́тель организа́ции; S. General генера́льный секрета́рь 3) мини́стр; S. of State мини́стр (*в Англии*); госуда́рственный секрета́рь, мини́стр иностра́нных дел (*в США*); S. of State for Foreign Affairs мини́стр иностра́нных дел (*в Англии*); Home S. мини́стр вну́тренних дел (*в Англии*)

secretary bird ['sekrətərɪbɜːd] *n* секрета́рь (*птица*)

secretaryship ['sekrətərɪʃɪp] *n* до́лжность, обя́занности *или* квалифика́ция секретаря́

secrete [sɪ'kriːt] *v* 1) *физиол.* выделя́ть 2) пря́тать, укрыва́ть

secretion [sɪ'kriːʃn] *n* 1) *физиол.* выделе́ние, секре́ция 2) сокры́тие, укрыва́ние; the ~ of stolen goods укрыва́ние кра́деного

secretive ['siːkrətɪv] *a* скры́тный

secretly ['siːkrətlɪ] *adv* незаме́тно для други́х; скры́тно

secretory [sɪ'kriːtərɪ] *a физиол.* выдели́тельный, секрето́рный

sect [sekt] *n* се́кта

sectarian [sek'teərɪən] **1.** *a* 1) секта́нтский 2) у́зкий, ограни́ченный

2. *n* секта́нт; фана́тик

sectarianism [sek'teərɪənɪzəm] *n* секта́нтство

sectary ['sektərɪ] *n* секта́нт

section ['sekʃn] **1.** *n* 1) (попере́чное) сече́ние, разре́з, про́филь; срез; microscopic ~ срез для микроскопи́ческого ана́лиза 2) отре́зок; сегме́нт; часть 3) се́кция, дета́ль, часть (*стандартного сооружения, мебели и т. п.*); built in ~s разбо́рный 4) до́лька (*плода*) 5) гру́ппа, кружо́к 6) пара́граф, разде́л (*книги, документа и т. п.*) 7) *амер.* земе́льный уча́сток (*в одну квадратную милю*) 8) *амер.* кварта́л (*города*); райо́н 9) рассече́ние 10) уча́сток железнодоро́жного пути́ 11) *амер.* купе́ спа́льного ваго́на

2. *v* 1) дели́ть на ча́сти, подразделя́ть 2) брать срез тка́ни *и т. п.* для микроскопи́ческого ана́лиза

sectional ['sekʃnəl] *a* 1) группово́й; ~ interests группо́вые интере́сы 2) секцио́нный, разбо́рный; ~ furniture секцио́нная ме́бель 3) ме́стный 4) да́нный в разре́зе; ~ view вид в разре́зе; ~ area пло́щадь попере́чного сече́ния; ~ drawing вид в разре́зе, разре́з (*чертежа*)

sectionalism ['sekʃnəlɪzəm] *n* секта́нтство; группови́щина

section-mark ['sekʃnmɑːk] *n* знак пара́графа (§)

sector ['sektə] *n* 1) се́ктор 2) часть, уча́сток 3) *тех.* кули́са

secular ['sekjʊlə] **1.** *a* 1) мирско́й, све́тский; ~ interests мирски́е (*т. е. не церковные*) интере́сы; the ~ arm *ист.* гражда́нская власть, приводи́вшая в исполне́ние пригово́ры церко́вных судо́в 2) *церк.* живу́щий в миру́; the ~ clergy бе́лое духове́нство 3) происходя́щий раз в сто лет 4) веково́й, ве́чный

2. *n* 1) миря́нин 2) принадлежа́щий к бе́лому духове́нству

secularism ['sekjʊlərɪzəm] *n* борьба́ за отделе́ние шко́лы от це́ркви

secularist ['sekjʊlərɪst] *n* сторо́нник све́тской шко́лы

secularization [ˌsekjʊləraɪ'zeɪʃn] *n* секуляриза́ция

secularize ['sekjʊləraɪz] *v* секуляризова́ть

secure [sɪ'kjʊə] **1.** *a* 1) споко́йный; to feel ~ about (*или* as to) the future не беспоко́иться о бу́дущем; to live a ~ life жить, ни о чём не забо́тясь 2) безопа́сный, надёжный; ~ hiding-place надёжное укры́тие; ~ from (*или* against) attack защищённый от нападе́ния 3) про́чный, надёжный, обеспе́ченный; ве́рный; ~ investment ве́рное помеще́ние капита́ла; ~ foundation незы́блемая осно́ва; ~ stronghold непристу́пная тверды́ня 4) уве́ренный (of — в *чём-л.*); ~ of success уве́ренный в успе́хе 5) (*обыкн. predic.*) сохра́нный, находя́щийся в надёжном ме́сте; I have got him ~ он не убежи́т 6) гаранти́рованный, застрахо́ванный

2. *v* 1) обеспе́чивать безопа́сность; укрепля́ть (*город и т. п.*) 2) закрепля́ть, прикрепля́ть; запира́ть; загражда́ть; to ~ a vein *хир.* перевя́зывать ве́ну; to ~ a mast укрепи́ть ма́чту 3) достава́ть, получа́ть; to ~ tickets for a play получи́ть (*или* доста́ть) биле́ты на спекта́кль 4) охраня́ть; гаранти́ровать, обеспе́чивать, страхова́ть; to ~ oneself against all risks застрахова́ть себя́ от вся́ких случа́йностей; loan ~d on landed property заём, обеспе́ченный недви́жимостью 5) овладева́ть, завладева́ть 6) добива́ться; достига́ть (*цели*); to ~ one's object дости́чь це́ли; to ~ a victory одержа́ть побе́ду

security [sɪ'kjʊərətɪ] *n* 1) безопа́сность; надёжность 2) охра́на, защи́та 3) обеспе́чение, гара́нтия; зало́г; in ~ for в зало́г; в ка́честве гара́нтии 4) о́рганы безопа́сности 5) уве́ренность 6) поручи́тельство, пору́ка 7) поручи́тель 8) *pl* це́нные бума́ги 9) *attr.* относя́щийся к охра́не, защи́те; ~ guard охра́нник, конво́ир; ~ risk неблагонадёжный челове́к, подозри́тельная ли́чность

Security Council [sɪ'kjʊərətɪˌkaʊnsl] *n* Сове́т Безопа́сности (*ООН*)

sedan [sɪ'dæn] *n* 1) *авто* седа́н (*тип закрытого кузова*) 2) *ист.* портше́з 3) *ист.*носи́лки, паланки́н

sedan chair [sɪˌdæn'tʃeə] = sedan 2)

sedate [sɪ'deɪt] *a* споко́йный, степе́нный, уравнове́шенный

sedation [sɪ'deɪʃn] *n мед.* успокое́ние

sedative ['sedətɪv] **1.** *a* успока́ивающий; болеутоля́ющий

2. *n* успока́ивающее сре́дство (*лекарство*)

sedentary ['sedntərɪ] *a* сидя́чий; ~ life сидя́чий о́браз жи́зни

sedge [sedʒ] *n бот.* осо́ка

sedgy ['sedʒɪ] *a* 1) поро́сший осо́кой 2) похо́жий на осо́ку

sediment ['sedɪmənt] *n* 1) оса́док, отсто́й 2) *геол.* оса́дочная поро́да, отложе́ние

sedimentary [ˌsedɪ'mentərɪ] *a* оса́дочный

sedimentation [ˌsedɪmen'teɪʃn] *n* осажде́ние; отложе́ние оса́дка

sedition [sɪ'dɪʃn] *n* подстрека́тельство

к мятежу́, бу́нту; антиправи́тельственная агита́ция

seditious [sɪ'dɪʃəs] *a* бунта́рский, мяте́жный

seduce [sɪ'dju:s] *v* соблазни́ть, обольща́ть; совраща́ть

seduction [sɪ'dʌkʃn] *n* 1) обольще́ние 2) собла́зн

seductive [sɪ'dʌktɪv] *a* соблазни́тельный

sedulity [sɪ'dju:lətɪ] *n* усе́рдие, прилежа́ние

sedulous ['sedjʊləs] *a* приле́жный, усе́рдный, стара́тельный

see I [si:] *v* (saw; seen) 1) ви́деть; смотре́ть, гляде́ть; наблюда́ть; to ~ well хорошо́ ви́деть 2) осма́тривать; рассма́тривать; to ~ the sights осма́тривать достопримеча́тельности; let me ~ the book покажи́те мне кни́гу [*ср. тж.* 12)] 3) понима́ть, знать; сознава́ть; I ~ я понима́ю; you ~, it is like this ви́дите ли, де́ло обстои́т таки́м о́бразом; he cannot ~ the joke он не понима́ет э́той шу́тки; now you ~ what it is to be careless тепе́рь ты ви́дишь, что зна́чит быть неосторо́жным; as far as I can ~ наско́лько я могу́ суди́ть; don't you ~? ра́зве вы не понима́ете?; I do not ~ how to do it не зна́ю, как э́то сде́лать 4) смотре́ть (*фильм и т. п.*), быть зри́телем 5) узнава́ть, выясня́ть; I don't know but I'll ~ я не зна́ю, но я вы́ясню 6) счита́ть, находи́ть; to ~ good (*или* fit, proper, right *и т. п.*) счесть ну́жным (*сделать что-л.*; *с inf.*) 7) вообрази́ть, предста́вить себе́; I can clearly ~ him doing it я я́сно себе́ представля́ю, как он э́то де́лает 8) повида́ть(ся); навести́ть; we went to ~ her мы пошли́ к ней в го́сти; when will you come and ~ us? когда́ вы придёте к нам?; can I ~ you on business? могу́ я уви́деться с ва́ми по де́лу? 9) встреча́ться, вида́ться; we have not ~n each other for ages мы давно́ не ви́делись; to ~ much (little) of smb. ча́сто (ре́дко) быва́ть в чьём-л. о́бществе; I'll be ~ing you уви́димся; ~ you later (*или* again, soon) до ско́рой встре́чи 10) принима́ть (*посетителя*); the doctor must ~ him at once врач до́лжен неме́дленно осмотре́ть его́; I am ~ing no one today я сего́дня никого́ не принима́ю 11) сове́товаться, консульти́роваться; to ~ a doctor (a lawyer) посове́товаться с врачо́м (адвока́том) 12) поду́мать, размы́слить; let me ~ да́йте поду́мать; позво́льте, посто́йте [*ср. тж.* 2)]; we must ~ what could be done сле́дует поразмы́слить, что мо́жно сде́лать 13) приде́рживаться определённого взгля́да; as I ~ it по моему́ мне́нию; I ~ life (things) differently now я тепе́рь ина́че смотрю́ на жизнь (на ве́щи) 14) испыта́ть, пережи́ть; to ~ life повида́ть свет, позна́ть жизнь 15) счита́ть допусти́мым, прие́млемым 16) позабо́титься (*о чём-л.*); посмотре́ть (*за чем-л.*); to ~ the work done, to ~ that the work is done проследи́ть за выполне́нием рабо́ты 17) провожа́ть; may I ~ you home? мо́жно мне проводи́ть вас домо́й? ▭ ~ **about** а) позабо́титься о *чём-л.*; проследи́ть за *чем-л.*; б) поду́мать; I will ~ about it поду́маю, посмотрю́; ~ **after** смотре́ть, следи́ть за *чем-л.*; ~ after the luggage присмотри́те за багажо́м; ~ **into** вника́ть в, разбира́ться, рассма́тривать; ~ **off** провожа́ть; to ~ smb. off at the station проводи́ть кого́-л. на вокза́л; to ~ smb. off the premises выпроводи́ть кого́-л.; ~ **out** а) проводи́ть (*до дверей*); б) пережи́ть; дожи́ть до; в) доводи́ть до конца́; г) досиде́ть до конца́; ~ **over** осма́тривать (*здание*); ~ **through** а) ви́деть наскво́зь; б) доводи́ть до конца́; to ~ smb. through smth. помога́ть кому́-л. в чём-л.; ~ **to** присма́тривать за, забо́титься о ◇ ~ here! *амер.* послу́шайте!; to ~ visions быть ясновидящим, провидцем; he will never ~ forty again ему́ уже́ за со́рок; to ~ eye to eye with smb. сходи́ться во взгля́дах с кем-л.; to ~ the back of smb. изба́виться от чьего́-л. прису́тствия; to ~ red прийти́ в я́рость, в бе́шенство; to ~ the red light предчу́вствовать приближе́ние опа́сности, беды́; to ~ service быть в до́лгом употребле́нии; износи́ться; повида́ть ви́ды; he has ~n better days он ви́дел лу́чшие времена́; these things have ~n better days э́ти ве́щи поизноси́лись, поистрепа́лись; I'll ~ you damned (*или* blowed) first! ≅ как бы не так!, держи́ карма́н ши́ре!, и не поду́маю!

see II [si:] *n* 1) епа́рхия 2) престо́л (*епископа и т. п.*); the Holy S., S. of Rome па́пский престо́л

seed [si:d] **1.** *n* 1) се́мя, зерно́; *собир.* семена́; to keep for (as) ~ храни́ть для посе́ва; to go (*или* to run) to ~ пойти́ в семена́; *перен.* переста́ть развива́ться; опусти́ться; обрю́згнуть *и т. п.* 2) = semen 3) исто́чник, нача́ло; to sow the ~s of strife (*или* discord) се́five семена́ раздо́ра 4) *библ.* пото́мок, пото́мство; to raise up ~ име́ть пото́мство 5) отбо́ранный (для соревнова́ния) игро́к

2. *v* 1) се́ять, засева́ть (*поле*) 2) семени́ться, пойти́ в се́мя 3) роня́ть семена́ 4) очища́ть от зёрнышек (*изюм и т. п.*) 5) отбира́ть игроко́в (для соревнова́ния)

seedbed ['si:dbed] *n* гря́дка с расса́дой

seedcake ['si:dkeɪk] *n* пече́нье *или* кекс с тми́ном

seed corn ['si:dkɔ:n] *n* посевно́е зерно́

seeder ['si:də] *n* 1) се́ятель; рабо́чий на се́ялке 2) *с.-х.* се́ялка 3) приспособле́ние для удале́ния зёрен, ко́сточек из фру́ктов

seed fish ['si:dfɪʃ] *n* нересту́ющая ры́ба

seeding machine ['si:dɪŋmə,ʃi:n] *n* се́ялка

seed leaf ['si:dli:f] *n бот.* семенодо́ля

seedless ['si:dləs] *a* бессемя́нный; бескосто́чковый (*о винограде, хлопке и т. п.*)

seedling ['si:dlɪŋ] *n* се́янец; расса́да, са́женец

seed-lobe ['si:dləʊb] *n бот.* семядо́ля

seed money ['si:dmʌnɪ] *n* 1) де́ньги на пе́рвое обзаведе́ние 2) *эк.* нача́льные инвести́ции

seed oil ['si:dɔɪl] *n* ма́сло из семя́н расте́ний

seed pearl [,si:d'pɜ:l] *n* ме́лкий же́мчуг

seed plot ['si:dplɒt] *n* пито́мник, расса́дник (*тж. перен.*)

seed potato [,si:dpə'teɪtə] *n* посевно́й карто́фель

seedsman ['si:dzmən] *n* торго́вец семена́ми

seedtime ['si:dtaɪm] *n* вре́мя се́ва; посевно́й сезо́н

seedvessel ['si:d,vesl] *n бот.* семенна́я коро́бочка; околопло́дник, зернови́к

seedy ['si:dɪ] *a* 1) напо́лненный семена́ми 2) изно́шенный, потрёпанный 3) *разг.* нездоро́вый; to feel ~ пло́хо себя́ чу́вствовать; to look ~ пло́хо вы́глядеть

seeing ['si:ɪŋ] **1.** *pres. p. от* see I

2. *n* 1) ви́дение; зри́тельный проце́сс; ~ is believing ≅ пока́ не уви́жу, не пове́рю 2) *астр.* ви́димость

3. *cj* ввиду́ того́, что; принима́я во внима́ние, поско́льку; ~ (that) it is ten o'clock, we will not wait for him any longer так как уже́ де́сять часо́в, мы бо́льше не бу́дем ждать его́

seek [si:k] *v* (sought) 1) иска́ть, разы́скивать; разузнава́ть; to ~ safety иска́ть убе́жища; the reason is not far to ~ причи́ну нетру́дно найти́ 2) добива́ться, стреми́ться; to ~ fame стреми́ться к сла́ве; to ~ damages of smb. тре́бовать возмеще́ния убы́тков с кого́-л.; to ~ to make peace пыта́ться помири́ть 3) проси́ть, обраща́ться; to ~ advice обраща́ться за сове́том ▭ ~ **after**, ~ **for** добива́ться *чего-л.*, домога́ться; стреми́ться (*к чему-л.*); to be much sought after а) име́ть большо́й спрос; б) име́ть успе́х, быть популя́рным; ~ **out** а) иска́ть, домога́ться (*чьего-л. общества*); б) разыска́ть, оты́скивать *кого-л.*; ~ **through** обы́скивать (*место и т. п.*) ◇ to ~ smb.'s life покуша́ться на чью-л. жизнь; ~ dead! *охот.* ищи́!

seeker ['si:kə] *n воен. разг.* самонаводя́щийся снаря́д

seel [si:l] *v уст.* завяза́ть (глаза́)

seem [si:m] *v* 1) каза́ться, представля́ться; they ~ to be living in here ка́жется, они́ живу́т здесь; he ~s to be tired он, по-ви́димому, уста́л; I ~ to hear smb. singing мне послы́шалось (*или* показа́лось), что кто-то поёт 2) *употр. как глагол-связка*: she ~s tired она́ вы́глядит уста́лой; she ~s young она́ вы́глядит мо́лодо ◇ it ~s по-ви́димому, ка́жется; it should (*или* would) ~ каза́лось бы; it ~s not по-ви́димому, нет

seeming ['si:mɪŋ] **1.** *pres. p. от* seem

2. *a* ка́жущийся, ненастоя́щий, мни́мый; притво́рный

3. *n книжн.* 1) вне́шний вид, вне́шность 2) ви́димость

seemingly ['si:mɪŋlɪ] *adv* 1) на вид 2) по-ви́димому

seemly [ˈsi:mlɪ] *a* подоба́ющий, прили́чествующий, прили́чный

seen [si:n] *p. p. от* see I

seep [si:p] *v* проса́чиваться (*тж. перен.*); протека́ть

seepage [ˈsi:pɪdʒ] *n* 1) проса́чивание; течь, уте́чка 2) инфильтра́ция 3) *геол.* вы́ход (*нефти*)

seer I [sɪə] *n* прови́дец, проро́к

seer II [sɪə] *n* 1) ме́ра ве́са в И́ндии (*ок. 1 кг*) 2) ме́ра жи́дкости в И́ндии (*ок. 1 л*)

seersucker [ˈsɪəˌsʌkə] *n текст.* инди́йская жа́тая ткань в поло́ску

seesaw [ˈsi:sɔ:] **1.** *n* 1) де́тские каче́ли (*доска, уравновешенная в центре*) 2) кача́ние на доске́ (*игра*); to play (at) ~ кача́ться на доске́ 3) возвра́тно-поступа́тельное движе́ние

2. *a* дви́гающийся вверх и вниз *или* взад и вперёд (*как пила*); име́ющий возвра́тно-поступа́тельное движе́ние ◇ ~ policy неусто́йчивая поли́тика

3. *v* 1) кача́ться (на доске́) 2) дви́гаться вверх и вниз *или* взад и вперёд 3) проявля́ть нереши́тельность, колеба́ться

4. *adv* 1) вверх и вниз, взад и вперёд 2) неусто́йчиво; to go ~ колеба́ться

seethe [si:ð] *v* (seethed [-d], *уст.* sod; seethed, *уст.* sodden) 1) кипе́ть, бурли́ть 2) быть охва́ченным (*каким-л. чувством*); madness ~d in his brain безу́мие охвати́ло его́ 3) *уст.* кипяти́ть, вари́ть

segment **1.** *n* [ˈsegmənt] 1) часть, кусо́к, отре́зок 2) до́ля (*апельсина и т. п.*) 3) *геом.* сегме́нт, отре́зок 4) *тех.* се́ктор 5) *эл.* пласти́на колле́ктора

2. *v* [segˈment] дели́ть(ся) на сегме́нты

segregate [ˈsegrɪgeɪt] *v* 1) отделя́ть(ся); выделя́ть(ся); разделя́ться; изоли́ровать 2) сегреги́ровать, разделя́ть по ра́совому при́знаку 3) *тех.* зейгерова́ть 4) *геол.* скопля́ться

segregation [ˌsegrɪˈgeɪʃn] *n* 1) отделе́ние, выделе́ние; разделе́ние; изоля́ция 2) сегрега́ция, разделе́ние по ра́совому при́знаку 3) *тех.* сегрега́ция, ликва́ция, зейгерова́ние

segregative [ˈsegrɪgeɪtɪv] *a* 1) спосо́бствующий отделе́нию 2) сегрегацио́нный 3) необщи́тельный

seiche [seɪʃ] *n геогр.* сейш (*колебание уровня воды*)

seigneur [senˈjɜ:] *n ист.* феода́льный власти́тель, сеньо́р ◇ grand ~ ва́жная персо́на

seignior [ˈseɪnjə] = seigneur

seigniorage [ˈseɪnjərɪdʒ] *n ист.* 1) пра́во сеньо́ра 2) нало́г на пра́во чека́нки моне́ты

seigniorial [seɪnˈjɔ:rɪəl] *a* сеньора́льный; феода́льный

seigniory [ˈseɪnjərɪ] *n ист.* 1) феода́льное владе́ние 2) власть сеньо́ра

seine [seɪn] **1.** *n* рыболо́вная сеть, не́вод

2. *v* лови́ть не́водом, се́тью

seiner [ˈseɪnə] *n* се́йнер

seise [si:z] = seize 8)

seisin [ˈsi:zɪn] *n юр.* владе́ние недви́жимостью

seism [ˈsaɪzəm] *n* землетрясе́ние

seismic [ˈsaɪzmɪk] *a* сейсми́ческий

seismograph [ˈsaɪzməgrɑ:f] *n* сейсмо́граф

seismology [saɪzˈmɒlədʒɪ] *n* сейсмоло́гия

seize [si:z] *v* 1) хвата́ть, схвати́ть 2) захва́тывать, завладева́ть; to ~ a fortress взять кре́пость 3) конфискова́ть, налага́ть аре́ст (*на что-л.*) 4) охвати́ть, обуя́ть (*о страхе, панике*; with) 5) ухвати́ться (*за что-л.*), воспо́льзоваться (*случаем, предлогом*; *тж.* ~ upon) 6) поня́ть (*мысль*) 7) *тех.* заеда́ть (*о подшипниках*; *тж.* ~ up) 8) (*обыкн. p. p.*) *юр.* вводи́ть во владе́ние; to be (*или* to stand) ~d of smth. владе́ть чем-л. 9) *мор.* найто́вить

seizin [ˈsi:zɪn] = seisin

seizing [ˈsi:zɪŋ] **1.** *pres. p. от* seize

2. *n мор.* бе́нзель

seizure [ˈsi:ʒə] *n* 1) захва́т 2) конфиска́ция, наложе́ние аре́ста 3) припа́док, при́ступ; апоплекси́ческий уда́р

sejant [ˈsi:dʒənt] *a геральд.* сидя́щий

selachian [sɪˈleɪkɪən] *n* хрящепёрая ры́ба

seldom [ˈseldəm] *adv* ре́дко

select [səˈlekt] **1.** *a* 1) отбо́рный; и́збранный 2) досту́пный немно́гим, и́збранным 3) разбо́рчивый

2. *v* отбира́ть, выбира́ть, подбира́ть

selected [səˈlektɪd] **1.** *p. p. от* select 2

2. *a* ото́бранный, подо́бранный

selectee [ˌselekˈti:] *n амер.* призывни́к

selection [səˈlekʃn] *n* 1) вы́бор, отбо́р, подбо́р 2) набо́р (*каких-л. вещей*) 3) сбо́рник и́збранных произведе́ний 4) *биол.* отбо́р, селе́кция

selective [səˈlektɪv] *a* 1) отбо́рный 2) отбира́ющий, выбира́ющий 3) селекти́вный, избира́тельный ◇ ~ service *амер.* систе́ма во́инской пови́нности для отде́льных гра́ждан

selectman [səˈlektmən] *n амер.* член городско́го управле́ния (*в штатах Новой Англии*)

selector [səˈlektə] *n* 1) отбо́рщик 2) ме́лкий фе́рмер (*в Австралии*) 3) *эл.* селе́ктор, иска́тель 4) *радио* ру́чка настро́йки, переключа́тель

selenium [sɪˈli:nɪəm] *n хим.* селе́н

selenography [ˌsi:ləˈnɒgrəfɪ] *n* селеногра́фия, изуче́ние пове́рхности Луны́

selenology [ˌsi:lɪˈnɒlədʒɪ] *n* селеноло́гия, нау́ка о Луне́

self [self] **1.** *n* (*pl* selves) 1) со́бственная ли́чность, сам; the study of the ~ самоана́лиз; my own ~, my very ~ я сам, моя́ со́бственная персо́на; one's better ~ лу́чшее, что есть в челове́ке; one's former ~ то, чем челове́к был ра́ньше; one's second ~ бли́зкий друг, пра́вая рука́ 2) ли́чные, эгоисти́ческие интере́сы; to have no thought of ~ не ду́мать о себе́ 3) *ком.* = myself *и т. д.*; cheque drawn to ~ чек, вы́писанный на себя́; your good selves Вы (*в коммерческих письмах*) ◇ ~ comes first, ~ before all ≅ своя́ руба́шка бли́же к те́лу

2. *a* 1) сплошно́й, одноро́дный (*о цвете*) 2) одноцве́тный (*о цветке*)

self- [self-] *в сложных словах выражает*: 1) *направленность действия на самого себя, связь с самим собой* само-, себя-; свое-; self-violence самоуби́йство; self-love себялю́бие; self-will своево́лие 2) *отсутствие посредничества, самопроизвольность, автоматический характер действия или состояния* само-; self-binder жне́йка-сноповяза́лка; self-loading machine автопогру́зчик; self-healing самозаживле́ние; self-winding с автомати́ческим заво́дом

self-abandonment [ˌselfəˈbændənmənt] *n* самозабве́ние

self-abasement [ˌselfəˈbeɪsmənt] *n* самоуниже́ние

self-abnegation [ˌselfæbnɪˈgeɪʃn] *n* 1) самоотрече́ние 2) самопоже́ртвование

self-absorbed [ˌselfəbˈsɔ:bd] *a* погружённый в себя́; эгоцентри́чный

self-abuse [ˌselfəˈbju:s] *n* самоуниже́ние

self-acting [ˌselfˈæktɪŋ] *a* автомати́ческий, самоде́йствующий

self-action [ˌselfˈækʃn] *n* самопроизво́льное де́йствие

self-adaptive [ˌselfəˈdæptɪv] *a* самоприспоса́бливающийся

self-addressed [ˌselfəˈdrest] *a* адресо́ванный самому́ себе́

self-adjusting [ˌselfəˈdʒʌstɪŋ] *a* с автомати́ческой регулиро́вкой (*о приборе, устройстве и т. п.*)

self-advertisement [ˌselfədˈvɜ:tɪsmənt] *n* саморекла́ма

self-affirmation [ˌselfæfəˈmeɪʃn] *n* самоутвержде́ние

self-analysis [ˌselfəˈnæləsɪs] *n* самоана́лиз

self-appointed [ˌselfəˈpɔɪntɪd] *a* сам себя́ назна́чивший, самозва́нный

self-appreciation [ˌselfəpri:ʃɪˈeɪʃn] *n* самомне́ние; самодово́льство

self-assertion [ˌselfəˈsɜ:ʃn] *n* упо́рное отста́ивание свои́х прав, притяза́ний

self-assertive [ˌselfəˈsɜ:tɪv] *a* напо́ристый

self-assumption [ˌselfəˈsʌmpʃn] *n* чва́нство, высокоме́рие

self-assurance [ˌselfəˈʃɔ:rəns] *n* самоуве́ренность; самонаде́янность

self-balanced [ˌselfˈbælənst] *a* автомати́чески уравнове́шивающийся

self-binder [ˌselfˈbaɪndə] *n* 1) жне́йка-сноповяза́лка 2) скоросшива́тель

self-censorship [ˌselfˈsensəʃɪp] *n* самоцензу́ра

self-centred [ˌselfˈsentəd] *a* эгоцентри́чный, эгоисти́чный

self-certification [ˌselfsɜ:tɪfɪˈkeɪʃn] *n* систе́ма, при кото́рой сотру́дник пи́сьменно объясня́ет, что его́ отсу́тствие свя́зано с боле́знью

self-closing [ˌself'kləʊzɪŋ] *a* закрывающийся автоматически, самозамыкающийся

self-cocking [ˌself'kɒkɪŋ] *a* самовзводный (*об оружии*)

self-collected [ˌselfkə'lektɪd] *a* сдержанный, хорошо владеющий собой; выдержанный; собранный

self-coloured [ˌself'kʌləd] *a* 1) одноцветный 2) естественной окраски

self-command [ˌselfkə'mɑːnd] *n* самообладание, умение владеть собой

self-communion [ˌselfkə'mjuːnɪən] *n* размышление, раздумье (о себе)

self-complacency [ˌselfkəm'pleɪsnsɪ] *n* самодовольство; самоуспокоенность

self-conceit [ˌselfkən'siːt] *n* самомнение, заносчивость

self-condemnation [ˌselfkɒndem'neɪʃn] *n* самоосуждение

self-confessed [ˌselfkən'fest] *a* открыто признающий за собой (*что-л. дурное*); he is a ~ thief он и не скрывает, что занимается воровством

self-confident [ˌself'kɒnfɪdənt] *a* самоуверенный, самонадеянный

self-conquest [ˌself'kɒŋkwest] *n* победа над самим собой, преодоление собственных недостатков и пороков

self-conscious [ˌself'kɒnʃəs] *a* неловкий, застенчивый

self-contained [ˌselfkən'teɪnd] *a* 1) необщительный, замкнутый 2) выдержанный, хорошо владеющий собой 3) отдельный (*о квартире*) 4) *тех.* независимый, автономный 5) *воен.* снабжённый всем необходимым

self-content [ˌselfkən'tent] *n* самодовольство

self-contradiction [ˌselfkɒntrə'dɪkʃn] *n* внутреннее противоречие

self-control [ˌselfkən'trəʊl] *n* самообладание; сдержанность

self-cooling [ˌself'kuːlɪŋ] *a тех.* с воздушным охлаждением

self-correcting [ˌselfkə'rektɪŋ] *a* саморегулирующийся; самокорректирующийся

self-criticism [ˌself'krɪtɪsɪzəm] *n* самокритика

self-deceit, self-deception [ˌselfdɪ'siːt, ˌselfdɪ'sepʃn] *n* самообман

self-defeating [ˌselfdɪ'fiːtɪŋ] *a* обречённый на провал самой своей природой, бессмысленный

self-defence [ˌselfdɪ'fens] *n* самооборона, самозащита

self-delusion [ˌselfdɪ'luːʒn] *n* самообман

self-denial [ˌselfdɪ'naɪəl] *n* самоотречение

self-dependence [ˌselfdɪ'pendəns] *n* собственная независимость, самостоятельность

self-deprecation [ˌselfdeprə'keɪʃn] *n* самоуничижение

self-destruct [ˌselfdɪ'strʌkt] *v амер.* самоликвидироваться (*о космическом корабле, снаряде и т. п.*)

self-destruction [ˌselfdɪ'strʌkʃn] *n амер.* самоуничтожение

self-determination [ˌselfdɪtɜːmɪ'neɪʃn] *n* 1) самоопределение 2) свободное волеизъявление

self-determined [ˌselfdɪ'tɜːmɪnd] *a* независимый, действующий по своему усмотрению

self-devotion [ˌselfdɪ'vəʊʃn] *n* 1) преданность, посвящение себя всего (*какому-л. делу*) 2) самопожертвование

self-discipline [ˌself'dɪsəplɪn] *n* самодисциплина; самоконтроль

self-doubt [ˌself'daʊt] *n* неверие в собственные силы, неуверенность в себе

self-drive [ˌself'draɪv] *a*: ~ cars for hire прокат автомашин

self-educated [ˌself'edjʊkeɪtɪd] *a* выучившийся самостоятельно, самоучкой

self-effacement [ˌselfɪ'feɪsmənt] *n* желание оставаться в тени, быть незаметным

self-esteem [ˌselfɪ'stiːm] *n* самоуважение; чувство собственного достоинства

self-evident [ˌself'evɪdənt] *a* очевидный, не требующий доказательств

self-examination [ˌselfɪgzæmɪ'neɪʃn] *n* самоанализ; критическая самооценка

self-explanatory [ˌselfɪk'splænətərɪ] *a* самоочевидный, ясный

self-expression [ˌselfɪk'spreʃn] *n* самовыражение

self-feeder [ˌself'fiːdə] *n* 1) *тех.* самоподающий механизм; автоматический питатель 2) *с.-х.* автоматическая кормушка

self-forgetful [ˌselfə'getfl] *a* самозабвенный

self-fulfilment [ˌselffʊl'fɪlmənt] *n* реализация своих способностей и возможностей

self-governing [ˌself'gʌvnɪŋ] *a* самоуправляющийся

self-government [ˌself'gʌvnmənt] *n* самоуправление

self-healing ['selfhiːlɪŋ] *n* самозаживление

self-help [ˌself'help] *n* самопомощь; самосовершенствование

selfhood ['selfhʊd] *n* 1) личность; индивидуальность 2) эгоизм

self-humiliation [ˌselfhjʊmɪlɪ'eɪʃn] *n* самоуничижение

self-image [ˌself'ɪmɪdʒ] *n* собственный воображаемый образ

self-immolation [ˌselfɪməʊ'leɪʃn] *n* 1) самосожжение 2) самопожертвование

self-importance [ˌselfɪm'pɔːtns] *n* самомнение, важничанье

self-induction [ˌselfɪn'dʌkʃn] *n эл.* самоиндукция

self-indulgence [ˌselfɪn'dʌldʒəns] *n* потакание своим слабостям, потворство своим желаниям

self-infection [ˌselfɪn'fekʃn] *n мед.* аутоинфекция

self-interest [ˌself'ɪntrəst] *n* своекорыстие; эгоизм

self-invited [ˌselfɪn'vaɪtɪd] *a* напросившийся, незваный (*о госте*)

selfish ['selfɪʃ] *a* эгоистичный, эгоистический

selfishness ['selfɪʃnəs] *n* эгоизм, эгоистичность

self-knowledge [ˌself'nɒlɪdʒ] *n* самопознание

selfless ['selfləs] *a* самоотверженный

self-lighting [ˌself'laɪtɪŋ] *a* самовоспламеняющийся

self-loading [ˌself'ləʊdɪŋ] *a* самозарядный

self-locking [ˌself'lɒkɪŋ] *a спец.* с автоматической блокировкой

self-love [ˌself'lʌv] *n* себялюбие, эгоизм

self-luminous [ˌself'luːmɪnəs] *a* самосветящийся

self-made [ˌself'meɪd] *a* 1) обязанный всем самому себе; a ~ man человек, добившийся успеха, славы *и т. п.* своими собственными силами 2) самодельный

self-maiming [ˌself'meɪmɪŋ] *n* членовредительство

self-mastery [ˌself'mɑːstərɪ] *n* умение владеть собой

self-motion [ˌself'məʊʃn] *n* самопроизвольное движение

self-murder [ˌself'mɜːdə] *n* самоубийство

self-opinionated [ˌselfə'pɪnjəneɪtɪd] *a* самоуверенный, упрямый

self-partiality [ˌselfpɑːʃɪ'ælətɪ] *n* переоценка своих собственных достоинств

self-pity [ˌself'pɪtɪ] *n* жалость к себе

self-pollination [ˌselfpɒlɪ'neɪʃn] *n бот.* самоопыление

self-portrait [ˌself'pɔːtrət] *n* автопортрет

self-possessed [ˌselfpə'zest] *a* имеющий самообладание, хладнокровный, выдержанный

self-possession [ˌselfpə'zeʃn] *n* самообладание, хладнокровие

self-praise [ˌself'preɪz] *n* самовосхваление

self-preservation [ˌselfprezə'veɪʃn] *n* самосохранение

self-propelled, self-propelling [ˌselfprə'peld, -'pelɪŋ] *a* самоходный

self-raising [ˌself'reɪzɪŋ] *a кул.* с добавлением разрыхлителей (*о муке*)

self-realization [ˌselfrɪəlaɪ'zeɪʃn] *n* самореализация, развитие своих способностей

self-recording [ˌselfrɪ'kɔːdɪŋ] *a* самопишущий

self-regard [ˌselfrɪ'gɑːd] *n* 1) = self-respect 2) эгоизм

self-regulating [ˌself'regjʊleɪtɪŋ] *a* саморегулирующийся

self-reliance [ˌselfrɪ'laɪəns] *n* уверенность в своих силах

self-reliant [ˌselfrɪ'laɪənt] *a* уверенный в себе, полагающийся только на себя

self-renunciation [ˌselfrɪnʌnsɪ'eɪʃn] *n* самоотречение; самопожертвование

self-respect [ˌselfrɪ'spekt] *n* чувство собственного достоинства

self-restraint [ˌselfrɪ'streɪnt] = self-control

self-righteous [ˌself'raɪtʃəs] *a* 1) самодово́льный; уве́ренный в свое́й правоте́ 2) фарисе́йский

self-righting [ˌself'raɪtɪŋ] *a* осто́йчивый (*о судне*)

self-sacrifice [ˌself'sækrɪfaɪs] *n* самопоже́ртвование

selfsame ['selfseɪm] *a* тот же са́мый

self-satisfied [ˌself'sætɪsfaɪd] *a* самодово́льный

self-seeker [ˌself'si:kə] *n* своекоры́стный челове́к; карьери́ст

self-seeking [ˌself'si:kɪŋ] *a* своекоры́стный

self-service [ˌself'sɜ:vɪs] *n* 1) самообслу́живание 2) *разг.* магази́н, кафе́ *и т. п.* самообслу́живания 3) *attr.*: ~ shop магази́н самообслу́живания

self-sown [ˌself'səʊn] *a* самосе́вный, вы́росший самосе́вом

self-starter [ˌself'stɑ:tə] *n тех.* автомати́ческий ста́ртер, стартёр, самопу́ск

self-styled [ˌself'staɪld] *a* самозва́ный; мни́мый

self-sufficiency [ˌselfsə'fɪʃnsɪ] *n* 1) незави́симость, самостоя́тельность 2) *эк.* самообеспе́ченность 3) самонаде́янность

self-sufficient [ˌselfsə'fɪʃnt] *a* 1) самостоя́тельный; самодовле́ющий 2) незави́симый в экономи́ческом отноше́нии 3) самонаде́янный

self-sufficing [ˌselfsə'faɪsɪŋ] = self-sufficient

self-suggestion [ˌselfsə'dʒestʃən] *n* самовнуше́ние

self-support [ˌselfsə'pɔ:t] *n* незави́симость, самостоя́тельность

self-supporting [ˌselfsə'pɔ:tɪŋ] *a* самостоя́тельный, самостоя́тельно зараба́тывающий на жизнь

self-surviving [ˌselfsə'vaɪvɪŋ] *a* пережи́вший самого́ себя́

self-taught [ˌself'tɔ:t] *a* вы́учившийся самостоя́тельно, самоу́чкой

self-violence [ˌself'vaɪələns] *n* самоуби́йство

self-will [ˌself'wɪl] *n* своево́лие, упря́мство

self-willed [ˌself'wɪld] *a* своево́льный, упря́мый

self-winding [ˌself'waɪndɪŋ] *a* с автомати́ческим заво́дом

sell [sel] **1.** *v* (sold) 1) продава́ть(ся); the house is to ~ дом продаётся; to ~ like wildfire (*или* hot cakes) быть нарасхва́т (*о товаре*) 2) торгова́ть 3) предава́ть (*дело и т. п.*) 4) реклами́ровать; популяризи́ровать 5) спосо́бствовать прода́же, обеспе́чивать спрос 6) *sl.* обма́нывать, надува́ть; разы́грывать 7) *разг.* внуша́ть (*мысль*); угова́ривать, убежда́ть ▭ ~ **off** распродава́ть со ски́дкой; ~ **on** уговори́ть, улома́ть; couldn't I ~ you on one more coffee? неуже́ли вы не вы́пьете ещё ча́шку ко́фе?; ~ **out** а) прода́ть, распрода́ть; б) преда́ть кого́-л.; стать преда́телем; ~ **up** продава́ть с торго́в ◇ I'm not sold on this я от э́того отню́дь не в восто́рге; to ~ the pass обману́ть дове́рие; измени́ть своему́ де́лу, соверши́ть преда́тельство

2. *n разг.* 1) уме́ние показа́ть това́р лицо́м 2) надува́тельство, обма́н

sell-by date ['selbaɪdeɪt] *n ком.* срок реализа́ции това́ра

seller ['selə] *n* 1) торго́вец, продаве́ц 2) ходово́й това́р; ходова́я кни́га

seller's market [ˌseləz'mɑ:kɪt] *n эк.* ры́нок, на кото́ром спрос превыша́ет предложе́ние

selling-price ['selɪŋpraɪs] *n* прода́жная цена́

sell-out ['selaʊt] *n* 1) распрода́жа 2) комме́рческий успе́х; по́лный сбор, аншла́г 3) преда́тельство; Munich ~ *ист.* Мю́нхенский сго́вор

seltzer ['seltsə] *n* се́льтерская вода́ (*тж.* ~ water)

selvage, selvedge ['selvɪdʒ] *n* 1) кро́мка, кайма́ 2) *горн.* краева́я часть (жи́лы); за́льбанд

selves [selvz] *pl от* self 1

semanteme [sə'mænti:m] *n лингв.* семанте́ма

semantic [sə'mæntɪk] *a лингв.* семанти́ческий

semantics [sə'mæntɪks] *n pl* (*употр. как sing*) *лингв.* сема́нтика

semaphore ['seməfɔ:] **1.** *n* 1) ручна́я сигнализа́ция (*флажками и т. п.*) 2) семафо́р

2. *v* сигнализи́ровать, семафо́рить

semasiology [səˌmeɪzɪ'ɒlədʒɪ] *n лингв.* семасиоло́гия

semblance ['sembləns] *n* 1) вид, нару́жность 2) ви́димость; under the ~ of под ви́дом; to put on a ~ (of) сде́лать вид 3) подо́бие, схо́дство; a feeble ~ of smth. сла́бое подо́бие чего́-л.

seme [si:m] *n лингв.* се́ма

sememe ['semi:m] *n лингв.* семе́ма

semen ['si:mən] *n* се́мя, спе́рма

semester [sə'mestə] *n* семе́стр

semi- ['semɪ-] *pref* полу-

semiannual [ˌsemɪ'ænjʊəl] *a* полугодово́й

semiautomatic [ˌsemɪɔ:tə'mætɪk] *a* полуавтомати́ческий

semibasement [ˌsemɪ'beɪsmənt] *n* полуподва́л

semicentennial [ˌsemɪsen'tenɪəl] **1.** *a* полувеково́й

2. *n* пятидесятиле́тний юбиле́й

semicircle ['semɪsɜ:kl] *n* полукру́г

semicircular [ˌsemɪ'sɜ:kjʊlə] *a* полукру́глый; ~ canals *анат.* полукру́жные кана́лы

semicolon [ˌsemɪ'kəʊlən] *n* то́чка с запято́й

semiconductor [ˌsemɪkən'dʌktə] *n физ.* полупроводни́к

semiconscious [ˌsemɪ'kɒnʃəs] *a* полубессозна́тельный

semidetached [ˌsemɪdɪ'tætʃt] *a* име́ющий о́бщую сте́ну; ~ house полови́на двухкварти́рного до́ма с отде́льным вхо́дом

semidiurnal [ˌsemɪdaɪ'ɜ:nl] *a астр.* полусу́точный

semidocumentary [ˌsemɪdɒkjʊ'mentərɪ] *n* худо́жественно-документа́льный фильм

semifinal [ˌsemɪ'faɪnl] *n спорт.* полуфина́л

semifinalist [ˌsemɪ'faɪnəlɪst] *n* полуфинали́ст

semifitted [ˌsemɪ'fɪtɪd] *a* полуприта́ленный

semifluid [ˌsemɪ'flu:ɪd] *a* полужи́дкий, вя́зкий

semilunar [ˌsemɪ'lu:nə] *a* в ви́де полуме́сяца, серпови́дный

semi-manufactured [ˌsemɪmænjʊ'fæktʃəd] *a*: ~ goods полуфабрика́ты

semimanufactures [ˌsemɪmænjʊ'fæktʃəz] *n pl* полуфабрика́ты; загото́вки

semimonthly [ˌsemɪ'mʌnθlɪ] **1.** *a* выходя́щий два ра́за в ме́сяц (*о периодическом издании*)

2. *n* журна́л, бюллете́нь *и т. п.*, выходя́щий два ра́за в ме́сяц

3. *adv* два́жды в ме́сяц

seminal ['semɪnl] *a* 1) семенно́й; заро́дышевый; ~ fluid *физиол.* се́мя 2) плодотво́рный; конструкти́вный

seminar ['semɪnɑ:] *n* 1) семина́р 2) интенси́вный курс обуче́ния 3) нау́чная конфере́нция

seminary ['semɪnərɪ] *n* 1) духо́вная семина́рия (*особ. католическая*) 2) семина́рия, шко́ла (*особ. для девочек*) 3) пито́мник, расса́дник (*тж. перен.*)

semination [ˌsemɪ'neɪʃn] *n биол.* обсемене́ние; оплодотворе́ние

seminiferous [ˌsemɪ'nɪfərəs] *a биол.* семено́сный

semiofficial [ˌsemɪə'fɪʃl] *a* полуофициа́льный; официо́зный; ~ newspaper официо́з

semiprecious [ˌsemɪ'preʃəs] *a* полудрагоце́нный; самоцве́тный; ~ stone самоцве́т

semiquaver ['semɪkweɪvə] *n муз.* шестна́дцатая но́та

semirigid [ˌsemɪ'rɪdʒɪd] *a ав.* полужёсткий

semiskilled [ˌsemɪ'skɪld] *a* малоо́пытный, недоста́точно квалифици́рованный

semisolid [ˌsemɪ'sɒlɪd] *a* полутвёрдый

Semite ['si:maɪt] *n* семи́т

Semitic [sə'mɪtɪk] *a* семити́ческий

semitone ['semɪtəʊn] *n муз.* полуто́н

semitrailer [ˌsemɪ'treɪlə] *n* полуприце́п

semitropical [ˌsemɪ'trɒpɪkl] *a* субтропи́ческий

semivowel ['semɪvaʊəl] *n* полугла́сный (звук)

semiweekly [ˌsemɪ'wi:klɪ] *a* выходя́щий два ра́за в неде́лю

semolina [ˌsemə'li:nə] *n* ма́нная крупа́

sempiternal [ˌsempɪ'tɜ:nl] *a ритор.* ве́чный

sempstress ['sempstrəs] = seamstress

senary ['si:nərɪ] *a* шестерно́й

senate ['senət] *n* 1) сена́т 2) сена́т, сове́т (*в некоторых университетах*)

senator ['senətə] *n* сена́тор

senatorial [,senə'tɔ:rɪəl] *a* сена́торский

send [send] *v* (sent) 1) посыла́ть, отправля́ть; отсыла́ть; to ~ a letter airmail посла́ть письмо́ авиапо́чтой; she sent the children into the garden она́ отпра́вила дете́й в сад погуля́ть 2) броса́ть, посыла́ть (*мяч и т. п.*); to ~ a bullet through прострели́ть 3) приводи́ть в како́е-л. состоя́ние *или* де́йствие; to ~ flying а) сообщи́ть предме́ту стреми́тельное движе́ние; б) рассе́ять; разброса́ть; обрати́ть в бе́гство; в) отшвырну́ть; to ~ smb. sprawling сбить кого́-л. с ног; the punch sent the fighter reeling боксёр зашата́лся от уда́ра; to ~ to sleep усыпи́ть 4) ниспосыла́ть (*дождь*); насыла́ть (*чуму*) 5) *радио* передава́ть ▭ ~ **away** а) посыла́ть (for); to ~ away for smth. посыла́ть за чем-л.; б) прогоня́ть; увольня́ть; ~ **down** а) исключа́ть *или* вре́менно отчисля́ть из университе́та; б) понижа́ть (*цены*); в) сбива́ть (*с ног*); г) приговори́ть к тюре́мному заключе́нию; ~ **for** посыла́ть за, вызыва́ть; to ~ for a doctor посла́ть за врачо́м; ~ **forth** испуска́ть, издава́ть; ~ **in** подава́ть (*заявление*); представля́ть (*экспонат на выставку*); to ~ in one's name запи́сываться (*на конкурс и т. п.*); ~ **off** а) отсыла́ть (*письмо, посылку и т. п.*); б) провожа́ть, устра́ивать про́воды; в) отправля́ть (*на работу*), направля́ть (*за границу*) *и т. п.*; г) *спорт.* удали́ть (*с поля*); ~ **out** а) выпуска́ть, испуска́ть; излуча́ть; the trees ~ out leaves дере́вья покрыва́ются листво́й; б) отправля́ть, рассыла́ть; ~ **up** а) направля́ть вверх; б) *амер.* приговори́ть к тюре́мному заключе́нию ◊ to ~ word сообща́ть, извеща́ть; to ~ smb. to Coventry прекрати́ть обще́ние с кем-л.; бойкоти́ровать кого́-л.; to ~ smb. packing прогна́ть, вы́проводить кого́-л.

sender ['sendə] *n* 1) отправи́тель 2) передаю́щий прибо́р; телегра́фный аппара́т, переда́тчик

send-off ['sendɒf] *n* 1) до́брые пожела́ния (*во время проводов*); до́брые слова́ 2) почи́н

send-up ['sendʌp] *n разг.* 1) ро́зыгрыш, насме́шка 2) паро́дия

senega ['senɪgə] *n бот.* сене́га

senesce [sɪ'nes] *v* старе́ть

senescent [sɪ'nesnt] *a* старе́ющий

seneschal ['senɪʃl] *n ист.* сенеша́ль

senile ['si:naɪl] *a* ста́рческий; дря́хлый

senility [sə'nɪlətɪ] *n* ста́рость; дря́хлость

senior ['si:nɪə] **1.** *a* 1) ста́рший (*противоп.* junior мла́дший); John Smith ~ Джон Смит ста́рший; he is two years ~ to me он ста́рше меня́ на два го́да; ~ man старшеку́рсник; ~ partner глава́ фи́рмы; the ~ service англи́йский вое́нно-морско́й флот (*старший из трёх видов вооружённых сил*) 2) *амер.* выпускно́й, после́дний (*о классе, курсе, семестре*); the ~ class после́дний год уче́ния в шко́ле

2. *n* 1) пожило́й челове́к 2) ста́рший; вышестоя́щий; he's my ~ он ста́рше меня́ 3) лауреа́т Ке́мбриджского университе́та 4) *амер.* учени́к выпускно́го кла́сса; студе́нт после́днего ку́рса; старшекла́ссник; старшеку́рсник

senior citizen [,si:nɪə'sɪtɪzən] *n* представи́тель ста́ршего поколе́ния (*о пенсионере*)

seniority [,si:nɪ'ɒrətɪ] *n* 1) старшинство́ 2) трудово́й стаж

senna ['senə] *n фарм.* александри́йский лист, се́нна

sennet ['senɪt] *n ист.* тру́бный сигна́л, возвеща́вший вы́ход арти́стов на сце́ну (*в пьесах Елизаветинского периода*)

sennight ['senaɪt] *n уст.* неде́ля

sennit ['senɪt] *n мор.* плетёнка

sensation [sen'seɪʃn] *n* 1) ощуще́ние, чу́вство 2) сенса́ция

sensational [sen'seɪʃnəl] *a* 1) сенсацио́нный, потряса́ющий 2) *predic.* великоле́пный, порази́тельный 3) *филос.* сенсуа́льный

sensationalism [sen'seɪʃnəlɪzəm] *n филос.* сенсуали́зм

sensationmonger [sen'seɪʃn,mʌŋgə] *n* распространи́тель сенсацио́нных слу́хов

sense [sens] **1.** *n* 1) чу́вство; ощуще́ние; the five ~s пять чувств; sixth ~ шесто́е чу́вство, интуи́ция; to have keen (*или* quick) ~s о́стро чу́вствовать, ощуща́ть; a ~ of duty чу́вство до́лга; a ~ of humour чу́вство ю́мора; a ~ of proportion чу́вство ме́ры 2) здра́вый смысл (*тж.* common ~, good ~); ум; a man of ~ разу́мный челове́к; to talk ~ говори́ть де́льно, разу́мно; he is talking ~ он де́ло говори́т 3) смысл, значе́ние; it makes no ~ в э́том нет смы́сла; in the strict(est) (*или* true) ~ of the word в (са́мом) то́чном значе́нии сло́ва; in a good ~ в хоро́шем смы́сле (сло́ва); in a literal ~ в буква́льном смы́сле сло́ва; in a ~ в изве́стном смы́сле, до изве́стной сте́пени; in all ~s во всех смы́слах, во всех отноше́ниях; in no ~ ни в како́м отноше́нии 4) о́бщее настрое́ние; to take the ~s of the meeting определи́ть настрое́ние собра́ния посре́дством голосова́ния 5) *pl* созна́ние; ра́зум; in one's ~s в своём уме́; have you taken leave (*или* are you out) of your ~s? с ума́ вы сошли́?; to come to one's ~s а) прийти́ в себя́; б) взя́ться за ум; to frighten (*или* to scare) smb. out of his ~s напуга́ть кого́-л. до поте́ри созна́ния

2. *v* 1) ощуща́ть, чу́вствовать 2) понима́ть

senseless ['sensləs] *a* 1) (находя́щийся) в бессозна́тельном состоя́нии 2) бессмы́сленный; глу́пый 3) бесчу́вственный, нечувстви́тельный; to knock ~ оглуши́ть

sense organ ['sens,ɔ:gən] *n* о́рган чувств

sensibility [,sensə'bɪlətɪ] *n* 1) чувстви́тельность 2) то́чность (*прибора*) 3) восприи́мчивость 4) *pl* оби́дчивость

sensible ['sensəbl] *a* 1) (благо)разу́мный, здравомы́слящий 2) ощути́мый, заме́тный; a ~ change for the better заме́тное улучше́ние; a ~ rise in the temperature значи́тельное повыше́ние температу́ры 3) рациона́льный, целесообра́зный; ~ clothing практи́чная оде́жда 4) сознаю́щий, чу́вствующий (of); to be ~ of one's peril сознава́ть опа́сность

sensitive ['sensətɪv] *a* 1) чувстви́тельный; восприи́мчивый; a ~ ear (боле́зненно) то́нкий слух; ~ market *эк.* неусто́йчивый ры́нок; ~ paper светочувстви́тельная бума́га; ~ plant *бот.* мимо́за стыдли́вая 2) о́чень не́жный, легко́ поддаю́щийся раздраже́нию; a ~ skin не́жная ко́жа 3) впечатли́тельный, чу́ткий 4) оби́дчивый 5) *тех.* прецизио́нный, то́чный 6) щекотли́вый, делика́тный (*о теме*)

sensitiveness, sensitivity ['sensətɪvnəs, ,sensə'tɪvətɪ] *n* чувстви́тельность

sensitize ['sensətaɪz] *v* 1) де́лать чувстви́тельным, повыша́ть чувстви́тельность 2) *фото* сенсибилизи́ровать

sensor ['sensə] *n тех.* да́тчик; чувстви́тельный (*или* воспринима́ющий) элеме́нт

sensory ['sensərɪ] *a* чувстви́тельный, сенсо́рный

sensual ['sensjʊəl] *a* 1) чу́вственный, пло́тский 2) сладостра́стный 3) *филос.* сенсуалисти́ческий

sensualist ['sensjʊəlɪst] *n* 1) сластолю́бец 2) *филос.* сенсуали́ст

sensuality [,sensjʊ'ælətɪ] *n* чу́вственность

sensuous ['sensjʊəs] *a* 1) чу́вственный (*о восприятии*) 2) эстети́ческий

sent [sent] *past и p. p. от* send

sentence ['sentəns] **1.** *n* 1) *грам.* предложе́ние 2) пригово́р; to pass a ~ upon smb. выноси́ть пригово́р кому́-л.; to serve one's ~ отбыва́ть срок наказа́ния 3) *уст.* сенте́нция, изрече́ние

2. *v* осужда́ть, пригова́ривать

sententious [sen'tenʃəs] *a* нравоучи́тельный; сентенцио́зный

sentience ['senʃns] *n* чувстви́тельность

sentient ['senʃnt] *a* чу́вствующий, ощуща́ющий

sentiment ['sentɪmənt] *n* 1) чу́вство; the ~ of pity (of respect) чу́вство жа́лости (уваже́ния) 2) отноше́ние, настрое́ние, мне́ние; these are (*или шутл.* them's) my ~s вот моё мне́ние 3) пожела́ние (*обыкн. при произнесении тоста*) 4) сентимента́льность

sentimental [,sentɪ'mentl] *a* сентимента́льный, чувстви́тельный; затра́гивающий чу́вства

sentimentality [,sentɪmen'tælətɪ] *n* сентимента́льность, чувстви́тельность

sentinel ['sentɪnl] **1.** *n* часово́й; страж; to stand ~ over охраня́ть

2. *v* охраня́ть, стоя́ть на стра́же

sentry ['sentrɪ] *n воен.* 1) часово́й 2) карау́л

sentry box ['sentrɪbɒks] *n* карау́льная бу́дка

sentry-go ['sentrɪgəʊ] *n* карау́льная слу́жба; to be on ~ быть в карау́ле

sepal ['sepl] *n бот.* чашели́стик

separability [ˌsepərə'bɪlɪtɪ] *n* отдели́мость

separable ['sepərəbl] *a* отдели́мый

separata [ˌsepə'reɪtə] *pl от* separatum

separate 1. *a* ['seprət] 1) отде́льный; cut it into four ~ parts разре́жьте э́то на четы́ре ча́сти; ~ maintenance содержа́ние, назнача́емое жене́ при разво́де 2) осо́бый, индивидуа́льный; самостоя́тельный; these are two entirely ~ questions э́то два соверше́нно самостоя́тельных вопро́са 3) изоли́рованный; уединённый 4) сепара́тный

2. *n* ['seprət] 1) *pl* отде́льные предме́ты оде́жды (*юбки, жакеты и т. п.*), из кото́рых мо́жно соста́вить анса́мбль 2) отде́льный о́ттиск (*статьи*)

3. *v* ['sepəreɪt] 1) отделя́ть(ся), разделя́ть(ся); разлуча́ть(ся); расходи́ться 2) сортирова́ть, отсе́ивать; to ~ chaff from grain очища́ть зерно́ от мяки́ны 3) разлага́ть (*на части*) 4) *амер.* увольня́ть, демобилизо́вывать

separatee [ˌsepərə'ti:] *n амер.* демобилизо́ванный

separation [ˌsepə'reɪʃn] *n* 1) отделе́ние, разделе́ние; разобще́ние 2) разлу́ка, разлуче́ние 3) разде́льное жи́тельство супру́гов 4) разложе́ние на ча́сти 5) *горн.* обогаще́ние 6) *воен.* увольне́ние, демобилиза́ция 7) *attr.*: ~ allowance посо́бие жене́ солда́та *или* матро́са (*во время войны*)

separatism ['seprətɪzəm] *n* сепарати́зм

separatist ['seprətɪst] *n* сепарати́ст

separator ['sepəreɪtə] *n* 1) сепара́тор, сортиро́вочный аппара́т 2) решето́, си́то, гро́хот 3) зерноочисти́тель; молоти́лка (*в комбайне*) 4) *тех.* прокла́дка, раздели́тель

separatum [ˌsepə'reɪtəm] (*pl* -ta) = separate 2

sepia ['si:pɪə] *n* се́пия (*краска*)

sepoy ['si:pɔɪ] *n ист.* сипа́й

sepsis ['sepsɪs] *n мед.* се́псис

sept [sept] *n* (ирла́ндский) клан

septa ['septə] *pl от* septum

septate ['septɪt] *a биол.* разделённый перегоро́дкой

September [sep'tembə] *n* 1) сентя́брь 2) *attr.* сентя́брьский

septenary [sep'tenərɪ] *a* семери́чный

septennial [sep'tenɪəl] *a* 1) семиле́тний 2) происходя́щий раз в семь лет

septet(te) [sep'tet] *n муз.* септе́т

septic ['septɪk] *a мед.* септи́ческий

septicaemia [ˌseptɪ'si:mɪə] *n мед.* зараже́ние кро́ви, се́псис, септицеми́я

septuagenarian [ˌseptjʊədʒə'neərɪən] 1. *a* семидесятиле́тний; в во́зрасте ме́жду 70 и 79 года́ми

2. *n* челове́к в во́зрасте между 70 и 79 года́ми

septum ['septəm] *n* (*pl* -ta) *биол.* перегоро́дка

septuple ['septjʊpl] 1. *a* семикра́тный

2. *n* семикра́тное коли́чество

3. *v* мно́жить на́ семь; увели́чивать в семь раз

sepulchral [sɪ'pʌlkrəl] *a* 1) моги́льный; погреба́льный; ~ mound моги́льный холм 2) мра́чный; ~ voice замоги́льный го́лос

sepulchre ['seplkə] 1. *n* моги́ла, гробни́ца; склеп; whited (*или* painted) ~ а) *библ.* гроб пова́пленный; б) лицеме́р

2. *v* погреба́ть, предава́ть земле́

sepulture ['sepltʃə] *n книжн.* погребе́ние

sequacious [sɪ'kweɪʃəs] *a* 1) после́довательный 2) *уст.* послу́шный, пода́тливый

sequel ['si:kwəl] *n* 1) после́дствие, результа́т; после́дующее собы́тие; in the ~ впосле́дствии 2) продолже́ние; the book is a ~ to (*или* of) the author's last novel э́та кни́га явля́ется продолже́нием после́днего рома́на писа́теля

sequela [sɪ'kwi:lə] *n* (*pl* -lae; *обыкн. pl*) *мед.* после́дствие, осложне́ние (*болезни*)

sequelae [sɪ'kwi:li:] *pl от* sequela

sequence ['si:kwəns] *n* 1) после́довательность; ряд; поря́док (сле́дования); ~ of events ход собы́тий; ~ of tenses *грам.* после́довательность времён; in ~ оди́н за други́м; in historical ~ в истори́ческой (*или* хронологи́ческой) после́довательности 2) (по)сле́дствие, результа́т 3) *кино* после́довательный ряд кинока́дров, эпизо́д 4) *муз.* секве́нция

sequent ['si:kwənt] *a* 1) сле́дующий 2) явля́ющийся сле́дствием 3) после́довательный

sequential [sɪ'kwenʃl] *a* явля́ющийся продолже́нием *или* сле́дствием

sequester [sɪ'kwestə] *v* 1) уединя́ть; изоли́ровать 2) = sequestrate

sequestered [sɪ'kwestəd] 1. *p. p. от* sequester

2. *a* изоли́рованный; уединённый; ~ life уединённая жизнь

sequestra [sɪ'kwestrə] *pl от* sequestrum

sequestrable [sɪ'kwestrəbl] *a юр.* подлежа́щий секве́стру

sequestrate ['si:kwestreɪt] *v юр.* секвестрова́ть; конфискова́ть

sequestration [ˌsi:kwe'streɪʃn] *n* 1) *юр.* секве́стр; конфиска́ция 2) *мед.* изоля́ция, каранти́н

sequestrum [sɪ'kwestrəm] *n* (*pl* -ra) *мед.* омертве́вшая часть ко́сти, секве́стр

sequin ['si:kwɪn] *n* 1) блёстка на пла́тье 2) *ист.* цехи́н (*венецианская золотая монета*)

sequoia [sɪ'kwɔɪə] *n бот.* секво́йя

sera ['sɪərə] *pl от* serum

seraglio [sə'rɑ:ljəʊ] *n* (*pl* -os [-əʊz]) сера́ль

serai [se'raɪ] *n* карава́н-сара́й

seraph ['serəf] *n* (*pl* -phim, -phs [-fs]) серафи́м

seraphic [sə'ræfɪk] *a* серафи́ческий, а́нгельский, неземно́й

seraphim ['serəfɪm] *pl от* seraph

Serb [sɜ:b] 1. *n* серб; се́рбка

2. *a* = Serbian 2

Serbian ['sɜ:bɪən] 1. *n* 1) се́рбский язы́к 2) = Serb 1

2. *a* се́рбский

Serbo-Croat, Serbo-Croatian [ˌsɜ:bəʊ'krəʊæt, -krəʊ'eɪʃn] *n* сербохорва́тский язы́к

sere I [sɪə] = sear

sere II [sɪə] *n воен.* спусково́й рыча́г

serein [sə'ræŋ] *фр. n* ме́лкий дождь при безо́блачном не́бе по́сле захо́да со́лнца (*в тропиках*)

serenade [ˌserə'neɪd] 1. *n* серена́да

2. *v* исполня́ть серена́ду

serene [sə'ri:n] 1. *a* 1) я́сный, споко́йный, ти́хий; безо́блачный; безмяте́жный; all ~ *sl.* всё в поря́дке 2): His S. Highness его́ све́тлость (*титул*)

2. *n поэт.* безо́блачное не́бо; споко́йное мо́ре

serenity [sə'renətɪ] *n* 1) я́сность, безмяте́жность 2) (S.) све́тлость (*титул*)

serf [sɜ:f] *n* 1) *ист.* крепостно́й 2) работя́га, «иша́к»

serfage, serfdom, serfhood ['sɜ:fɪdʒ, -dəm, -hʊd] *n* крепостно́е пра́во

serge [sɜ:dʒ] *n текст.* 1) серж (*шерстяная костюмная ткань*) 2) са́ржа

sergeant ['sɑ:dʒənt] *n* 1) сержа́нт 2) сержа́нт поли́ции

sergeant major [ˌsɑ:dʒənt'meɪdʒə] *n* 1) гла́вный сержа́нт 2) старшина́

serial ['sɪərɪəl] 1. *a* 1) сери́йный 2) после́довательный; ~ number поря́дковый но́мер 3) выходя́щий вы́пусками

2. *n* 1) периоди́ческое изда́ние 2) рома́н в не́скольких частя́х (*печатающийся в журнале или газете*); многосери́йный телефи́льм, сериа́л; кинофи́льм в не́скольких се́риях

serialize ['sɪərɪəlaɪz] *v* издава́ть вы́пусками, се́риями

seriate, seriated ['sɪərɪeɪt, 'sɪərɪeɪtɪd] *a* 1) в ви́де се́рий, сери́йный 2) располо́женный по поря́дку 3) периоди́ческий

seriatim [ˌsɪərɪ'eɪtɪm] *adv* пункт за пу́нктом, по поря́дку; to consider (to examine, to discuss) ~ рассма́тривать (изуча́ть, обсужда́ть) по пу́нктам

sericeous [sɪ'rɪʃəs] *a бот., зоол.* шелкови́стый

sericulture ['sɪərɪkʌltʃə] *n* шелково́дство

series ['sɪəri:z] *n* (*pl без измен.*) 1) ряд; a ~ of misfortunes полоса́ неуда́ч; in ~ после́довательно, по поря́дку 2) се́рия; вы́пуск; компле́кт; цикл (*лекций, телепередач*), круг (*спортивных игр*) *и т. п.*; a ~ of stamps (coins) се́рия ма́рок (моне́т) 3) *геол.* сви́та, отде́л; гру́ппа, систе́ма 4) *эл.* после́довательное соедине́ние

serin ['serɪn] *n зоол.* вьюро́к канаре́ечный

seringa [sɪ'rɪŋgə] *n бот.* геве́я

seriocomic [ˌsɪərɪəʊ'kɒmɪk] *a* трагикоми́ческий, полусерьёзный-полушутли́вый

serious ['sɪərɪəs] *a* 1) серьёзный; and now to be ~ одна́ко, шу́тки в сто́рону 2) вызыва́ющий опасе́ние, опа́сный; a ~ illness опа́сная, тяжёлая боле́знь 3) ва́жный, серьёзный

seriousness [ˈsɪərɪəsnəs] *n* серьёзность; ва́жность

serjeant-at-arms [ˌsɑ:dʒəntətˈɑ:mz] *n* парла́ментский при́став

serjeant-at-law [ˌsɑ:dʒəntətˈlɔ:] *n ист.* ба́ррherстер вы́сшего ра́нга

sermon [ˈsɜ:mən] *n* 1) про́поведь 2) поуче́ние, нота́ция

sermonize [ˈsɜ:mənaɪz] *v* 1) пропове́довать 2) поуча́ть, чита́ть мора́ль, нота́цию

serotinous [sɪˈrɒtɪnəs] *a бот.* по́здний

serous [ˈsɪərəs] *a физиол.* серо́зный

serpent [ˈsɜ:pənt] *n* 1) *книжн.* змея́, змей 2) *книжн.* злой, кова́рный челове́к 3) (the S.) *библ.* змий, дья́вол

serpent charmer [ˈsɜ:pəntˌtʃɑ:mə] *n* заклина́тель змей

serpentine [ˈsɜ:pəntaɪn] **1.** *a* 1) змеи́ный 2) змееви́дный; извива́ющийся, изви́листый 3) хи́трый; кова́рный, преда́тельский

2. *n* 1) *мин.* серпенти́н, змееви́к 2) *тех.* змееви́к

3. *v* извива́ться

serrate, serrated [ˈserət, səˈreɪtɪd] *a* зубча́тый; зазу́бренный

serration [səˈreɪʃn] *n* 1) зубча́тость 2) зубе́ц

serried [ˈserɪd] *a* со́мкнутый (*плечом к плечу*); in ~ ranks со́мкнутыми ряда́ми

serrulate, serrulated [ˈserjʊleɪt, -ɪd] *a* мелкозу́бчатый

serum [ˈsɪərəm] *n* (*pl* -s [-z], sera) *физиол., мед.* сы́воротка

servant [ˈsɜ:vnt] *n* 1) слуга́, служи́тель; прислу́га (*тж.* domestic ~); to engage (to dismiss) a ~ наня́ть (рассчита́ть) прислу́гу; general ~ «прислу́га за всё» 2) слу́жащий (*государственного учреждения*); public ~ лицо́, находя́щееся на госуда́рственной слу́жбе; civil ~ чино́вник, должностно́е лицо́

servant-maid [ˈsɜ:vntmeɪd] *n* служа́нка

serve [sɜ:v] **1.** *v* 1) служи́ть; рабо́тать; to ~ one's country служи́ть свое́й ро́дине; to ~ two masters быть слуго́й двух госпо́д; to ~ as smb., smth. служи́ть в ка́честве кого́-л., чего́-л. 2) быть прислу́гой 3) служи́ть в а́рмии; he ~d in North Africa он проходи́л вое́нную слу́жбу в Се́верной А́фрике; to ~ in the ranks служи́ть рядовы́м; to ~ under smb. служи́ть под нача́льством кого́-л. 4) годи́ться, удовлетворя́ть; it will ~ a) э́то то, что ну́жно; б) э́того бу́дет доста́точно; as occasion ~s когда́ представля́ется слу́чай; to ~ no purpose никуда́ не годи́ться 5) быть поле́зным, помога́ть, спосо́бствовать 6) отбыва́ть срок (*службы, наказания и т. п.*); to ~ one's apprenticeship (*или* time) проходи́ть курс учени́чества 7) подава́ть (*на стол*); обслу́живать за столо́м; dinner is ~d! обе́д по́дан! 8) обслу́живать; снабжа́ть; to ~ a customer занима́ться с покупа́телем, клие́нтом; this busline ~s a large district э́та авто́бусная ли́ния обслу́живает большо́й райо́н; to ~ a town with water снабжа́ть го́род водо́й 9) обходи́ться с, поступа́ть; he ~d me shamefully он обошёлся со мной отврати́тельно 10) *юр.* вруча́ть (*повестку кому-л.; on*); to ~ notice официа́льно извеща́ть 11) подава́ть мяч (*в теннисе и т. п.*) 12) *церк.* служи́ть слу́жбу 13) обслу́живать, управля́ть; to ~ a gun стреля́ть из ору́дия 14) *с.-х.* случа́ть 15) благоприя́тствовать (*о ветре и т. п.*) 16) *мор.* клетнева́ть ▭ ~ for a) годи́ться для *чего-л.*; б) служи́ть в ка́честве *чего-л.*; the bundle ~d him for a pillow свёрток служи́л ему́ поду́шкой; ~ out a) раздава́ть, распределя́ть; б) *разг.* отплати́ть; ~ round обноси́ть круго́м (*блюда*); ~ with подава́ть; снабжа́ть ◇ it ~s him (her) right! подело́м ему́ (ей)!; to ~ smb. a trick сыгра́ть с кем-л. шу́тку

2. *n спорт.* пода́ча (*мяча*)

service I [ˈsɜ:vɪs] **1.** *n* 1) слу́жба, рабо́та; to take into one's ~ нанима́ть; to take ~ with smb. поступа́ть на слу́жбу к кому́-л. 2) услу́га, одолже́ние; at your ~ к ва́шим услу́гам; to be of ~ быть поле́зным 3) заслу́га; ~s to the state заслу́ги пе́ред госуда́рством 4) обслу́живание, се́рвис 5) сообще́ние, связь, движе́ние; ре́йсы 6) услуже́ние 7) срок слу́жбы; долгове́чность 8) слу́жба, сфе́ра де́ятельности; Civil S. госуда́рственная (гражда́нская) слу́жба; National S. во́инская *или* трудова́я пови́нность (*в Англии*) 9) *воен.* род войск; the (fighting) ~s а́рмия, флот и вое́нная авиа́ция 10) *церк.* слу́жба; to say a ~ отправля́ть богослуже́ние 11) техни́ческое обслу́живание; ухо́д 12) пода́ча (*в теннисе и т. п.*) 13) серви́з 14) суде́бное извеще́ние 15) *мор.* клетнева́ние 16) *attr.* служе́бный; ~ record послужно́й спи́сок

2. *v* 1) обслу́живать 2) проводи́ть осмо́тр и теку́щий ремо́нт (*машины и т. п.*) 3) заправля́ть (горю́чим) 4) *с.-х.* случа́ть

service II [ˈsɜ:vɪs] = service tree

serviceable [ˈsɜ:vɪsəbl] *a* 1) поле́зный, практи́чный 2) про́чный; ~ fabric про́чная мате́рия

service area [ˈsɜ:vɪseərɪə] *n* 1) зо́на обслу́живания автомобили́стов (*с бензоколонкой, мастерской, кафетерием*) 2) *радио* зо́на веща́ния

service book [ˈsɜ:vɪsbʊk] *n* моли́твенник

service charge [ˈsɜ:vɪstʃɑ:dʒ] *n* дополни́тельная пла́та за обслу́живание (*в ресторане и т. п.*)

service dress [ˈsɜ:vɪsdres] *n* повседне́вное обмундирова́ние

service entrance [ˈsɜ:vɪsentrəns] *n* 1) служе́бный вход 2) чёрный ход

service flat [ˈsɜ:vɪsflæt] *n* кварти́ра с гости́ничным обслу́живанием

serviceman [ˈsɜ:vɪsmən] *n* 1) военнослу́жащий 2) ма́стер по ремо́нту; a television ~ телевизио́нный ма́стер

service medal [ˈsɜ:vɪsmedl] *n амер. воен.* па́мятная меда́ль (*за участие в какой-л. кампании или военной операции*)

service pipe [ˈsɜ:vɪspaɪp] *n* домо́вая водопрово́дная *или* газопрово́дная труба́

service shop [ˈsɜ:vɪsʃɒp] *n* мастерска́я теку́щего ремо́нта

service station [ˈsɜ:vɪssteɪʃn] *n* ста́нция обслу́живания (автомоби́лей)

service tree [ˈsɜ:vɪstri:] *n бот.* ряби́на дома́шняя

service uniform [ˈsɜ:vɪsju:nɪfɔ:m] *n амер. воен.* повседне́вная фо́рма оде́жды

serviette [ˌsɜ:vɪˈet] *n* салфе́тка

servile [ˈsɜ:vaɪl] *a* ра́бский; раболе́пный, подобостра́стный, холо́пский

servility [sɜ:ˈvɪlɪtɪ] *n* раболе́пие, подобостра́стие

servitude [ˈsɜ:vɪtju:d] *n* ра́бство; порабоще́ние; to deliver from ~ освобожда́ть от ра́бства

servo [ˈsɜ:vəʊ] *разг. сокр. от* servomechanism *и* servomotor

servomechanism [ˈsɜ:vəʊˌmekənɪzəm] *n тех.* сервомехани́зм; следя́щая систе́ма

servomotor [ˈsɜ:vəʊməʊtə] *n тех.* серводви́гатель; сервопри́во́д

sesame [ˈsesəmɪ] *n бот.* кунжу́т, сеза́м

sesquialteral [ˌseskwɪˈæltrəl] *a* полу́торный

sesquipedalian [ˌseskwɪpɪˈdeɪlɪən] *a* 1) полуторафу́товый 2) о́чень дли́нный, неудобопоня́тный (*о слове*)

sessile [ˈsesaɪl] *a бот., зоол.* сидя́чий

session [ˈseʃn] *n* 1) заседа́ние, совеща́ние; to be in ~ заседа́ть, быть в сбо́ре 2) се́ссия (*парламентская, судебная*); petty ~s «ма́лые се́ссии» (*без присяжных заседателей*) 3) уче́бный год; уче́бный семе́стр *или* триме́стр 4) заня́тия, уче́бное вре́мя в шко́ле 5) вре́мя, за́нятое чем-л. (*особ.* чем-л. неприя́тным)

sesterce [ˈsestɜ:s] *n ист.* сесте́рций (*римская монета*)

sestertii [sesˈtɜ:ʃɪɪ] *pl от* sestertius

sestertius [sesˈtɜ:ʃəs] (*pl* -tii) = sesterce

sestet [sesˈtet] *n* 1) шесть после́дних строк соне́та 2) = sextet(te)

set [set] **1.** *n* 1) набо́р, компле́кт; tea ~ ча́йный серви́з; a chess ~ ша́хматы; a ~ of golf clubs компле́кт клю́шек для го́льфа; a dressing-table ~ туале́тный прибо́р; a ~ of false teeth вставны́е зу́бы; вставна́я че́люсть; a ~ of Shakespeare's plays собра́ние пьес Шекспи́ра 2) круг люде́й, свя́занных о́бщими интере́сами; the smart ~ фешене́бельное о́бщество; the fast ~ картёжники 3) радиоприёмник; телеви́зор 4) сет (*в теннисе*) 5) са́женец; поса́дочный материа́л; onion ~s лук-са́женец 6) молодо́й побе́г (*растения*) 7) конфигура́ция, очерта́ния; строе́ние; ли́нии; оса́нка; the ~ of one's shoulders ли́ния плеч; the ~ of one's head поса́дка головы́; I don't like the ~ of his coat мне не нра́вится, как на нём сиди́т пальто́ 8) *поэт.* зака́т 9) сто́йка (*собаки*) 10) направле́ние (*течения, ветра*) 11) напра́вленность, тенде́нция; настро́й 12) разво́д (*пилы*); ширина́ разво́да (*пилы*) 13) *спец.* оста́точная деформа́ция 14) *стр.* оса́дка 15) декора́ции; съёмочная площа́дка 16) поря́док исполне́ния пе́сен (*на концерте джазовой и популярной музыки*) 17) укла́дка (*волос*); shampoo and ~ мытьё головы́ и укла́дка 18) = sett 19) *горн.* окла́д кре́пи 20) *тех.* обжи́мка 21) *текст.* съём ◇ to make a dead ~ at а) подверга́ть ре́зкой кри́тике; напада́ть на; б) домога́ться любви́, внима́ния *и т. п.* (*обыкн. о женщине*)

2. *a* 1) обду́манный (*о намерении*); of ~ purpose с у́мыслом; предумы́шленный 2) неподви́жный, засты́вший (*о взгляде, улыбке*) 3) зара́нее пригото́вленный, соста́вленный (*о речи*); усто́йчивый (*о словосочетании*) 4) постро́енный 5) твёрдый, реши́тельный, непоколеби́мый; реши́вшийся дости́чь (on, upon — *чего-л.*) 6) устано́вленный, назна́ченный; предпи́санный 7) установи́вшийся; ~ fair установи́вшийся (*о погоде*) 8) сложённый; a heavy ~ man челове́к пло́тного сложе́ния 9) сверну́вшийся (*о молоке*) 10) затверде́вший (*о цементе*) 11) заше́дший (*о солнце*) 12) *школ.* обяза́тельный (*о литературе*)

3. *v* (set) 1) ста́вить, класть, помеща́ть; расставля́ть, устана́вливать; располага́ть, размеща́ть; to ~ foot on smth. наступи́ть на что-л.; not to ~ foot in smb.'s house не переступа́ть поро́га чьего́-л. до́ма; to ~ sail а) ста́вить паруса́; б) пуска́ться в пла́вание; to ~ the signal пода́ть, установи́ть сигна́л; to ~ the table накрыва́ть на стол; to ~ to zero а) установи́ть на нуль; б) привести́ к нулю́; to ~ on stake ста́вить на ка́рту; to ~ one's name (*или* hand) to a document поста́вить свою́ по́дпись под докуме́нтом 2) подноси́ть, приставля́ть, приближа́ть; to ~ a glass to one's lips поднести́ стака́н к губа́м; to ~ a pen to paper нача́ть писа́ть; to ~ a seal to ста́вить печа́ть 3) поверну́ть, напра́вить; to ~ one's face towards the sun поверну́ться лицо́м к со́лнцу; to ~ one's mind (*или* brain) on (*или* to) smth. сосредото́чить мысль на чём-л. 4) устана́вливать, нала́живать; to ~ the hands of a clock установи́ть стре́лки часо́в; to ~ a razor пра́вить бри́тву 5) пригоня́ть; устана́вливать 6) вставля́ть в ра́му *или* опра́ву; оправля́ть (*драгоценные камни*) 7) укла́дывать (*волосы*) 8) приводи́ть в определённое состоя́ние; to ~ in motion приводи́ть в движе́ние; to ~ in order приводи́ть в поря́док; to ~ smb. at (his) ease успоко́ить, ободри́ть кого́-л.; he ~ people at once on their ease with him лю́дям в его́ прису́тствии сра́зу станови́лось легко́; to ~ at rest а) успоко́ить; б) ула́дить (*вопрос*); to ~ at variance поссо́рить; вы́звать конфли́кт; to ~ free освобожда́ть; to ~ loose отпуска́ть; to ~ right а) приводи́ть в поря́док, исправля́ть; б) выводи́ть из заблужде́ния; to ~ one's hat (tie, *etc.*) straight (*или* right) попра́вить шля́пу (га́лстук *и т. п.*); to ~ laughing рассмеши́ть; to ~ on fire поджига́ть; the news ~ her heart beating при э́том изве́стии у неё заби́лось се́рдце; the answer ~ the audience in a roar услы́шав отве́т, все прису́тствующие разрази́лись хо́хотом; to ~ a machine going пуска́ть маши́ну 9) де́лать твёрдым, густы́м, про́чным 10) тверде́ть, застыва́ть, затвердева́ть; схва́тываться (*о цементе, бетоне*); the jelly has (*или* is) ~ желе́ засты́ло 11) офо́рмиться, сложи́ться; приня́ть определённые очерта́ния; his character has (*или* is) ~ у него́ уже́ вполне́ сложи́вшийся хара́ктер 12) сиде́ть (*о платье*) 13) сади́ться, заходи́ть (*о солнце, луне*; *тж. перен.*); his star has ~ его́ звезда́ закати́лась 14) задава́ть (*работу, задачу*); to ~ to work усади́ть за де́ло; you have ~ me a difficult job вы за́дали мне тру́дную зада́чу; to ~ oneself a task поста́вить пе́ред собо́й зада́чу 15) подава́ть (*пример*) 16) вводи́ть (*в моду*); задава́ть (*тон, темп*) 17) устана́вливать (*рекорд*; *тж.* ~ up) 18) назнача́ть, устана́вливать, определя́ть (*цену, время и т. п.*); to ~ the value of smth. at a certain sum оцени́ть что-л.; установи́ть це́ну чего́-л.; to ~ bounds (to) ограни́чивать; to ~ a limit (to) положи́ть преде́л, пресе́чь 19) соединя́ть, укрепля́ть 20) вправля́ть (*кость*) 21) положи́ть на му́зыку (*тж.* ~ to music) 22) *полигр.* набира́ть 23) дви́гаться в изве́стном направле́нии; име́ть скло́нность; to ~ course лечь на курс; opinion is ~ting against it обще́ственное мне́ние про́тив э́того 24) сти́скивать, сжима́ть (*зубы*) 25) посади́ть (*курицу на яйца*) 26) сажа́ть (*растение*) 27) точи́ть, разводи́ть (*пилу*) 28) завя́зываться (*о плоде*) 29) де́лать сто́йку (*о собаке*) 30) коро́биться 31) *мор.* пеленгова́ть 32) *мор.* тяну́ть (*такелаж*) 33) *стр.* производи́ть кла́дку ▭ ~ **about** а) начина́ть, приступа́ть к *чему-л.*; б) побужда́ть (*кого-л.*) нача́ть; в) *разг.* напа́сть, нача́ть дра́ку с *кем-л.*; г) распространя́ть (*слух*); ~ **against** а) противопоставля́ть; б) восстана́вливать про́тив *кого-л.*; to ~ oneself against (a proposal, *etc.*) реши́тельно воспроти́виться (приня́тию предложе́ния *и т. п.*); ~ **apart** а) откла́дывать в сто́рону; б) приберега́ть; в) отделя́ть; г) разнима́ть (*дерущихся*); ~ **aside** а) откла́дывать; б) отверга́ть, оставля́ть без внима́ния; в) отменя́ть, аннули́ровать; ~ **at** а) напада́ть, набра́сываться на; б) натра́вливать на; ~ **back** а) класть *или* отодвига́ть наза́д; б) переводи́ть наза́д стре́лки часо́в; в) препя́тствовать, заде́рживать; г) *разг.* сто́ить, обходи́ться; ~ **before** а) представля́ть, излага́ть (*факты*); б) отдава́ть предпочте́ние; ~ **by** *уст.* откла́дывать, приберега́ть; ~ **down** а) положи́ть, бро́сить (*на землю*); б) запи́сывать, пи́сьменно излага́ть; в) выса́живать (*пассажира*); г) припи́сывать (to — *чему-л.*); д): ~ down as счита́ть *чем-л.*; е) отложи́ть; ж) *разг.* осади́ть, обре́зать (*кого-л.*); ~ **forth** а) отправля́ться б) излага́ть, объясня́ть; в) выставля́ть (напока́з); ~ **forward** а) отправля́ться; б) выдвига́ть (*предложение*); ~ **in** начина́ться; наступа́ть; устана́вливаться; the tide ~ in нача́лся прили́в; rain ~ in пошёл обложно́й дождь; установи́лась дождли́вая пого́да; winter has ~ in наступи́ла зима́; ~ **off** а) отправля́ть(ся); б) взрыва́ть (*бомбу*); пуска́ть (*ракету*); в) противопоставля́ть; г) стимули́ровать; побуди́ть к *чему-л.*; to ~ off laughing рассмеши́ть; д) уравнове́шивать; е) отмеча́ть; размеча́ть; ж) выделя́ть(ся); оттеня́ть; the frame ~s off the picture карти́на в э́той ра́ме выи́грывает; з) откла́дывать; ~ **on** а) напада́ть; б) подстрека́ть; натра́вливать; в) навести́ (*на след*); ~ **out** а) отпра́виться, вы́ехать, вы́лететь; б) намерева́ться; в) выставля́ть напока́з; г) выставля́ть на прода́жу; д) излага́ть; ~ **over** ста́вить во главе́; ~ **to** а) бра́ться за (*работу, еду*); to ~ oneself to smth. принима́ться за что-л.; б) вступа́ть в бой; ~ **up** а) воздвига́ть; б) осно́вывать, открыва́ть (*дело, предприятие и т. п.*); в) учрежда́ть; г) снабжа́ть, обеспе́чивать (in, with — *чем-л.*); д) поднима́ть (*шум*); е) вызыва́ть (*что-л.*); причиня́ть (*боль и т. п.*); ж) восстана́вливать си́лы, оживля́ть; з) тренирова́ть; физи́чески развива́ть; и) выдвига́ть (*теорию*); к) *полигр.* набира́ть; ~ **up as** а) устро́ить(ся) на рабо́ту (*в качестве кого-л.*); б) выдава́ть себя́ за *кого-л.*; he ~s up as a scholar он претенду́ет на учёность; ~ **upon** = ~ on; ~ **with** украша́ть, усыпа́ть (*блёстками, цветами и т. п.*) ◇ to ~ on foot пусти́ть в ход, нача́ть, организова́ть; to ~ smb. on his feet поста́вить кого́-л. на́ ноги; помо́чь кому́-л. в дела́х; to ~ one's mind on smth. стра́стно жела́ть чего́-л.; стреми́ться к чему́-л.; to ~ one's hopes on smb., smth. возлага́ть наде́жды на кого́-л., что́-л.; to ~ one's life on a chance рискова́ть жи́знью; to ~ much by smth. (высоко́) цени́ть что-л.; to ~ little by smth. быть невысо́кого мне́ния о чём-л.; this man will never ~ the Thames on fire ≅ э́тот челове́к по́роха не вы́думает; to ~ eyes on уви́деть

seta ['si:tə] *n* (*pl* -tae) *бот., зоол.* щети́н(к)а

setaceous [si:'teɪʃəs] *a бот., зоол.* щети́нистый

setae ['si:ti:] *pl om* seta

setback ['setbæk] *n* 1) заде́ржка (*развития и т. п.*); регре́сс; препя́тствие 2) неуда́ча; to suffer a ~ потерпе́ть неуда́чу

set-down ['setdaʊn] *n* 1) отпо́р; ре́зкий отка́з 2) упрёк; вы́говор

set-off ['setɒf] *n* 1) контра́ст; противопоставле́ние, противове́с 2) встре́чное тре́бование 3) украше́ние

setose ['si:təʊs] = setaceous

set-out ['setaʊt] *n* 1) нача́ло; at the first ~ в са́мом нача́ле 2) вы́ставка; витри́на 3) накры́тый стол; заку́ска «а-ля́ фурше́т» 4) приём госте́й

set screw ['setskru:] *n тех.* устано́вочный винт

set square ['setskweə] *n* уго́льник

sett [set] *n* брусча́тка

settee [se'ti:] *n* небольшо́й дива́н

setter ['setə] *n* се́ттер (*собака*)

setting ['setıŋ] **1.** *pres. p. от* set 3

2. *n* 1) окружа́ющая обстано́вка, окруже́ние; обрамле́ние 2) декора́ции и костю́мы; худо́жественное оформле́ние (*спектакля*) 3) опра́ва (*камня*) 4) му́зыка на слова́ (*стихотворения*) 5) сочине́ние му́зыки на слова́ (*стихотворения*) 6) захо́д (*солнца*) 7) столо́вый прибо́р на одного́ челове́ка 8) регули́рование, устано́вка; пуск в ход 9) кла́дка (*каменная*) 10) сгуще́ние, затвердева́ние, застыва́ние; схва́тывание

setting lotion [,setıŋ'ləʊʃn] *n* лосьо́н для укла́дки воло́с

setting-rule ['setıŋru:l] *n полигр.* набо́рная лине́йка

setting-stick ['setıŋstık] *n полигр.* верста́тка

setting-up ['setıŋʌp] *n тех.* сбо́рка, монта́ж

settle I ['setl] *n* скамья́(-ларь)

settle II ['setl] *v* 1) посели́ть(ся), водвори́ть(ся), обоснова́ться (*тж.* ~ down) 2) остепени́ться, образу́миться; угомони́ться (*часто* ~ down) 3) бра́ться за определённое де́ло (*часто* ~ down) 4) уса́живать(ся); укла́дывать(ся); устра́ивать(ся); to ~ oneself in the arm-chair усе́сться в кре́сло; to ~ an invalid among the pillows усади́ть больно́го в поду́шках 5) успока́ивать(ся) (*тж.* ~ down); to ~ (one's) nerves успока́иваться 6) реша́ть, назнача́ть, определя́ть; приходи́ть *или* приводи́ть к реше́нию; to ~ smb.'s doubts разреши́ть чьи-л. сомне́ния; that ~s the matter (*или* the question) вопро́с исче́рпан; to ~ the day определи́ть срок, назна́чить день 7) регули́ровать(ся); приводи́ть(ся) в поря́док; ула́живать(ся); устана́вливать(ся); to ~ one's affairs а) устро́ить свои́ дела́; б) соста́вить завеща́ние; things will soon ~ into shape положе́ние ско́ро определи́тся 8) опла́чивать (счёт); распла́чиваться; to ~ an old score свести́ ста́рые счёты 9) *юр.* закрепля́ть (*за кем-л.*); завеща́ть; to ~ an annuity on smb. назна́чить ежего́дную ре́нту кому́-л. 10) отста́иваться; осажда́ться, дава́ть оса́док 11) оседа́ть, опуска́ться ко дну; сади́ться; the dust ~ed on everything всё покры́лось пы́лью 12) дава́ть отстоя́ться; очища́ть от му́ти 13) разде́лываться; to ~ smb.'s hash разде́латься с кем-л., уби́ть кого́-л.; погуби́ть кого́-л. 14) заселя́ть, колонизи́ровать ▭ ~ **down** а) устро́иться, привы́кнуть к окружа́ющей обстано́вке; to ~ down to married life обзавести́сь семьёй; б) приступа́ть (*к чему-л.*); бра́ться (*за что-л.*); the boy couldn't ~ down to his homework ма́льчик ника́к не мог сесть за уро́ки; ~ **in** всели́ть(ся); ~ **up** а) (по́лностью) рассчита́ться; вы́платить (*долг*); б) оконча́тельно реши́ть (*вопрос*)

settlement ['setlmənt] *n* 1) поселе́ние 2) заселе́ние 3) *ист.* се́ттльмент 4) упла́та, расчёт 5) урегули́рование

settler ['setlə] *n* 1) поселе́нец 2) *sl.* реша́ющий до́вод; реша́ющий уда́р 3) *тех.* отсто́йник; сепара́тор

settling ['setlıŋ] **1.** *pres. p. от* settle II

2. *n* 1) (*обыкн. pl*) оса́док, отсто́й; налёт 2) стабилиза́ция

settling-day ['setlıŋdeı] *n* расчётный день (*на бирже*)

set-to ['settu:] *n* (*pl* -tos, -to's [-tu:z]) *разг.* 1) схва́тка; потасо́вка 2) шу́мная ссо́ра; перебра́нка

set-up ['setʌp] *n* 1) организа́ция, устро́йство; систе́ма, структу́ра 2) *разг.* положе́ние, ситуа́ция 3) *разг.* соревнова́ние с я́сным исхо́дом 4) оса́нка; конститу́ция

seven ['sevn] **1.** *num. card.* семь

2. *n* 1) семёрка 2) *pl* седьмо́й но́мер (*размер перчаток и т. п.*)

sevenfold ['sevnfəʊld] **1.** *a* семикра́тный

2. *adv* в семь раз (бо́льше)

seven-league ['sevnli:g] *a*: ~ steps *разг.* ≅ семими́льные шаги́

seventeen [,sevn'ti:n] *num. card.* семна́дцать

seventeenth [,sevn'ti:nθ] **1.** *num. ord.* семна́дцатый

2. *n* 1) семна́дцатая часть 2) (the ~) семна́дцатое число́

seventh ['sevnθ] **1.** *num. ord.* седьмо́й

2. *n* 1) седьма́я часть 2) (the ~) седьмо́е число́

Seventh-Day Adventists [,sevnθdeı 'ædvəntısts] *n pl* адвенти́сты Седьмо́го Дня

seventies ['sevntız] *n pl* 1) (the ~) семидеся́тые го́ды 2) се́мьдесят лет; восьмо́й деся́ток (*возраст между 70 и 79 годами*)

seventieth ['sevntııθ] **1.** *num. ord.* семидеся́тый

2. *n* семидеся́тая часть

seventy ['sevntı] **1.** *num. card* се́мьдесят; ~-one се́мьдесят оди́н; ~-two се́мьдесят два *и т. д.*; he is over ~ ему́ за се́мьдесят

2. *n* се́мьдесят (*единиц, штук*)

sever ['sevə] *v* 1) разъединя́ть, отделя́ть, разлуча́ть; to ~ oneself from отдели́ться, отколо́ться от 2) рва́ть(ся); перереза́ть; отруба́ть; отка́лывать 3) разрыва́ть, порыва́ть (*отношения*); to ~ a friendship порва́ть дру́жбу; to ~ diplomatic relations разорва́ть дипломати́ческие отноше́ния

several ['sevrəl] **1.** *a* 1) не́сколько; ~ people не́сколько челове́к 2) ка́ждый, отде́льный, осо́бый, свой; they went their ~ ways ка́ждый из них пошёл свое́й доро́гой; each has his ~ ideal у ка́ждого свой идеа́л; collective and ~ responsibility солида́рная и ли́чная отве́тственность; the ~ members of the Board отде́льные чле́ны правле́ния

2. *n* не́сколько, не́которое коли́чество; ~ of you не́которые из вас

severance ['sevrəns] *n* 1) отделе́ние, разделе́ние, разры́в 2) *attr.*: ~ pay выходно́е посо́бие

severe [sı'vıə] *a* 1) стро́гий, суро́вый; ~ punishment суро́вое наказа́ние; to be ~ with относи́ться со стро́гостью к; to be ~ upon критикова́ть, брани́ть 2) жесто́кий, тяжёлый, серьёзный (*о болезни, утрате и т. п.*); ~ loss кру́пный убы́ток 3) ре́зкий, си́льный; ~ storm си́льный што́рм; ~ weather суро́вая пого́да; ~ headache си́льная головна́я боль; ~ competition жесто́кая конкуре́нция 4) тре́бовательный, стро́гий 5) стро́гий, просто́й, сжа́тый (*о стиле, манерах, одежде и т. п.*); ~ pattern просто́й узо́р 6) тру́дный; ~ test тяжёлое испыта́ние

severely [sı'vıəlı] *adv* стро́го *и пр.* [*см.* severe]; to leave (*или* to let) ~ alone оста́вить без внима́ния в знак неодобре́ния; *шутл.* оста́вить в поко́е (*что-л. трудное*)

severity [sı'verətı] *n* 1) стро́гость, суро́вость; жесто́кость 2) *pl* тру́дности, тя́готы (*испытаний и т. п.*)

Sèvres ['seıvrə] *n* се́врский фарфо́р

sew [səʊ] *v* (sewed [-d]; sewed, sewn) шить, сшива́ть, зашива́ть, пришива́ть ▭ ~ **down** пришива́ть; ~ **in** вшива́ть; to ~ in a patch наложи́ть запла́т(к)у; ~ **on** = ~ down; ~ **together** сшива́ть; ~ **up** а) зашива́ть; б) *разг.* ула́дить; зако́нчить; в) *амер.* по́лностью контроли́ровать ◇ ~ed up пья́ный

sewage ['su:ıdʒ] *n* сто́чные во́ды; нечисто́ты

sewage farm ['su:ıdʒfɑ:m] *n* фе́рма на поля́х ороше́ния

sewage works ['su:ıdʒwɜ:ks] = sewage farm

sewer I ['səʊə] *n* швец; швея́

sewer II ['su:ə] **1.** *n* колле́ктор, канализацио́нная труба́; сто́чная труба́

2. *v* обеспе́чивать канализа́цией

sewerage ['su:ərıdʒ] *n* канализа́ция

sewing ['səʊıŋ] *n* шитьё

sewing-cotton ['səʊıŋ,kɒtn] *n* бума́жная ни́тка

sewing-machine ['səʊıŋmə,ʃi:n] *n* шве́йная маши́на

sewing silk ['səʊıŋsılk] *n* кручёные шёлковые ни́тки

sewn [səʊn] *p. p. от* sew

sex [seks] *n* 1) *биол.* пол; the weaker ~ сла́бый пол, же́нщины; the sterner (*или* stronger) ~ си́льный пол, мужчи́ны; the ~ *шутл.* же́нщины 2) секс 3) полово́е сноше́ние 4) *attr.* полово́й, сексуа́льный; ~ instinct полово́й инсти́нкт; ~ intergrade гермафроди́т; ~ kitten *разг.* «секс-ко́шечка»; ~ maniac *разг.* сексуа́льный манья́к

sexagenarian [,seksədʒə'neərıən] **1.** *a* шестидесятиле́тний (*в возрасте между 60 и 69 годами*)

2. *n* челове́к в во́зрасте ме́жду 60 и 69 года́ми

sex appeal ['seksəpi:l] *n* физи́ческая, сексуа́льная привлека́тельность (*обыкн. женщины*)

sexennial [seks'enıəl] *a* 1) шестиле́тний 2) происходя́щий ка́ждые шесть лет

sexiness ['seksɪnəs] *n* чу́вственность; сексуа́льность

sexism ['seksɪzəm] *n* предубежде́ние *или* дискримина́ция (*по половому признаку*)

sexless ['seksləs] *a* 1) бесполый 2) холо́дный в сексуа́льном отноше́нии

sexology [sek'sɒlədʒɪ] *n* сексоло́гия

sexploitation [ˌseksplɔɪ'teɪʃn] *n разг.* эксплуата́ция сексуа́льной те́мы (*в коммерческих целях*)

sexpot ['sekspɒt] *n разг.* сексуа́льная бабёнка

sextain ['sekstem] *n прос.* строфа́ из шести́ строк

sextan ['sekstən] *a мед.* происходя́щий на шесто́й день, шестидне́вный (*о лихорадке*)

sextant ['sekstənt] *n* секста́нт

sextet(te) [seks'tet] *n муз.* сексте́т

sexto ['sekstəʊ] *n* (*pl* -os [-əʊz]) форма́т кни́ги в 1/6 до́лю листа́

sextodecimo [ˌsekstəʊ'desɪməʊ] *n* (*pl* -os [əʊz]) форма́т кни́ги в 1/16 до́лю листа́

sexton ['sekstən] *n* церко́вный сто́рож; понома́рь; моги́льщик

sextuple ['sekstjʊpl] *a* шестикра́тный

sexual ['sekʃʊəl] *a* полово́й, сексуа́льный; ~ intercourse полово́е сноше́ние

sexy ['seksɪ] *a* сексуа́льный; чу́вственный, эроти́ческий

Seym [seɪm] *n* сейм

sgraffiti [sgrɑː'fiːtɪ] *pl от* sgraffito

sgraffito [sgrɑː'fiːtəʊ] *n* (*pl* -ti) *архит.* сграффи́то

shabby ['ʃæbɪ] *a* 1) потёртый, потрёпанный, поно́шенный 2) обноси́вшийся 3) запу́щенный, захуда́лый, убо́гий (*о доме и т. п.*) 4) жа́лкий, ничто́жный 5) ни́зкий, по́длый; ~ treatment гну́сное обраще́ние

shabby-genteel ['ʃæbɪdʒenˌtiːl] *a* со следа́ми было́го благополу́чия, стара́ющийся замаскирова́ть бе́дность

shabrack ['ʃæbræk] *n ист.* чепра́к

shack I [ʃæk] *n* 1) лачу́га; хи́жина 2) бу́дка

shack II [ʃæk] *v sl.* 1) жить, сожи́тельствовать (*с кем-л.*) 2) жить, прожива́ть (*тж.* ~ up)

shackle ['ʃækl] **1.** *n* 1) (*обыкн. pl*) кандалы́ 2) *pl* око́вы, у́зы 3) *тех.* хому́т(ик); соедини́тельная скоба́

2. *v* 1) зако́вывать в кандалы́ 2) меша́ть, стесня́ть, ско́вывать 3) сцепля́ть, соединя́ть

shad [ʃæd] *n* шэд (*западноевропейская сельдь*)

shadberry ['ʃædbərɪ] *n бот.* ирга́

shaddock ['ʃædək] *n бот.* помпе́льмус

shade [ʃeɪd] **1.** *n* 1) тень; полумра́к; light and ~ *жив.* свет и те́ни (*тж. перен.*); to throw (*или* to cast, to put) into the ~ затмева́ть 2) тень, прохла́да; in the ~ of a tree в тени́ де́рева 3) оттéнок, нюа́нс; незначи́тельное отли́чие; silks in all ~s of blue шёлковые ни́тки всех отте́нков си́него цве́та; people of all ~s of opinion лю́ди са́мых ра́зных убежде́ний 4) тень, намёк; there is not a ~ of doubt нет и те́ни сомне́ния 5) незначи́тельное коли́чество; a ~ better чуть-чу́ть лу́чше 6) экра́н, щит; абажу́р; стекля́нный колпа́к 7) марки́за, полотня́ный наве́с над витри́ной магази́на 8) *амер.* што́ра 9) солнцезащи́тные очки́ 10) защи́тное стекло́ (*на оптическом приборе*); бле́нда 11) *книжн., поэт.* беспло́тный дух; тень уме́ршего; among the ~s в ца́рстве тене́й

2. *v* 1) заслоня́ть от све́та; затеня́ть 2) омрача́ть; затума́нивать 3) штрихова́ть, тушева́ть 4) незаме́тно переходи́ть (into — в *другой цвет*); незаме́тно исчеза́ть (*обыкн.* ~ away, ~ off); смягча́ть (*обыкн.* ~ away, ~ down) 5) *амер.* слегка́ понижа́ть (*цену*)

shadow ['ʃædəʊ] **1.** *n* 1) тень; to cast a ~ отбра́сывать *или* броса́ть тень; to be afraid of one's own ~ боя́ться со́бственной те́ни; to live in the ~ остава́ться в тени́; the ~s of evening ночны́е те́ни 2) тень, полумра́к; her face was in deep ~ лицо́ её скрыва́лось в глубо́кой тени́; to sit in the ~ сиде́ть в полумра́ке, не зажига́ть огня́ 3) постоя́нный спу́тник; he is his mother's ~ он как тень хо́дит за ма́терью 4) шпик 5) тень, намёк; there is not a ~ of doubt нет ни мале́йшего сомне́ния 6) при́зрак; to catch at ~s гоня́ться за при́зраками, мечта́ть о несбы́точном; a ~ of death при́зрак сме́рти; he is a mere ~ of his former self от него́ оста́лась одна́ тень 7) мрак, уны́ние ◇ the ~ of a shade не́что соверше́нно нереа́льное

2. *v* 1) затеня́ть, заслоня́ть от со́лнца 2) *поэт.* осеня́ть 3) сле́довать по пята́м; та́йно следи́ть 4) излага́ть тума́нно *или* аллегори́чески (*обыкн.* ~ forth, ~ out) 5) омрача́ть 6) предвеща́ть, предска́зывать (*тж.* ~ forth)

shadow-boxing ['ʃædəʊˌbɒksɪŋ] *n* 1) *спорт.* «бой с те́нью», трениро́вочный бой с вообража́емым проти́вником (*в боксе*) 2) показна́я борьба́, ви́димость борьбы́

shadow cabinet [ˌʃædəʊ'kæbɪnɪt] *n полит.* «тенево́й кабине́т» (*состав кабинета министров, намечаемый лидерами оппозиции*)

shadowgraph ['ʃædəʊgrɑːf] *n* 1) рентге́новский сни́мок 2) = shadow play 3) силуэ́т, фигу́ра, образо́ванные те́нью на освещённом экра́не

shadow pantomime [ˌʃædəʊ'pæntəmaɪm] = shadow play

shadow play ['ʃædəʊpleɪ] *n* теа́тр тене́й, представле́ние теа́тра тене́й

shadowy ['ʃædəʊɪ] *a* 1) при́зрачный 2) тени́стый, тёмный 3) сму́тный, нея́сный; ~ past тума́нное про́шлое

shady ['ʃeɪdɪ] *a* 1) тени́стый 2) сомни́тельный; ~ transaction тёмное де́ло 3) плохо́й; ~ egg несве́жее яйцо́ ◇ on the ~ side of forty (fifty, *etc.*) за со́рок (за пятьдеся́т *и т. д.*) лет

shaft [ʃɑːft] *n* 1) *поэт.* копьё; стрела́ (*тж. перен.*); ~s of satire стре́лы сати́ры 2) дре́вко (*копья*) 3) луч (*света*) 4) вспы́шка мо́лнии 5) ру́чка, рукоя́тка; черено́к 6) коло́нна; сте́ржень коло́нны; столб 7) ды́шло, огло́бля 8) *горн.* ша́хта, ствол ша́хты 9) печна́я труба́ 10) *тех.* вал, ось, шпи́ндель

shaft furnace ['ʃɑːft,fɜːnɪs] *n тех.* ша́хтная печь

shaft-horse ['ʃɑːfthɔːs] *n* коренна́я ло́шадь, коренни́к

shafting ['ʃɑːftɪŋ] *n тех.* трансмиссио́нная переда́ча

shag I [ʃæg] *n* таба́к ни́зшего со́рта; махо́рка

shag II [ʃæg] *n зоол.* бакла́н хохла́тый *или* длинноно́сый

shag III [ʃæg] *v груб.* тра́хать

shaggy ['ʃægɪ] *a* 1) косма́тый, лохма́тый; волоса́тый; ~ eyebrows мохна́тые бро́ви 2) ворси́стый, с начёсом 3) шерша́вый, шерохова́тый 4) неопря́тный; гру́бый, неотёсанный

shaggy-dog story [ˌʃægɪ'dɒgstɔːrɪ] *n* дли́нный и ску́чный анекдо́т (*весь юмор которого заключается в его нелепости*)

shagreen [ʃə'griːn] *n* шагре́нь

shah [ʃɑː] *n* шах

shake [ʃeɪk] **1.** *n* 1) встря́ска; to give smth. a good ~ хороше́нько встряхну́ть что-л.; with a ~ of the head покача́в голово́й 2) потрясе́ние, шок 3) дрожь; дрожа́ние; вибра́ция; all of a ~ дрожа́ 4): the ~s *разг.* а) лихора́дка, озно́б; б) страх; to give smb. the ~s нагна́ть на кого́-л. стра́ху 5) *разг.* мгнове́ние; in a brace of ~s, in two ~s в оди́н миг 6) тре́щина, щель 7) морозобо́ина 8) *разг. см.* earthquake 9) *муз.* трель ◇ no great ~s нева́жный, несто́ящий

2. *v* (shook; shaken) 1) трясти́(сь); встря́хивать; сотряса́ть(ся); кача́ть(ся); to ~ hands пожа́ть друг дру́гу ру́ки; обменя́ться рукопожа́тием; to ~ smb. by the hand пожа́ть кому́-л. ру́ку; to ~ oneself free from smth. стряхну́ть с себя́ что-л.; to ~ one's head покача́ть голово́й (*в знак неодобрения или отрицания*; at, over); to ~ one's sides трясти́сь от сме́ха; to ~ dice встря́хивать ко́сти в руке́ (*перед тем, как бросить*) 2) дрожа́ть; to ~ with fear (cold) дрожа́ть от стра́ха (хо́лода) 3) *разг.* потряса́ть, волнова́ть 4) поколеба́ть, ослабить 5) трясти́, потряса́ть (*кулаками*), разма́хивать (*палкой*) ▭ ~ down а) стря́хивать (*плоды с дерева*); б) утряса́ть(ся); в) осво́иться; сжи́ться; г) *амер. sl.* вымога́ть (*деньги*); заста́вить раскоше́литься; д) постила́ть (*на полу — солому, одеяло и т. п.*); ~ off а) стря́хивать (*пыль*); to ~ off the dust from one's feet отрясти́ прах от ног свои́х; б) избавля́ться; to ~ off a bad habit изба́виться от дурно́й привы́чки; ~ out а) вытря́хивать; to ~ smth. out of one's head вы́бросить что-л. из головы́; отмахну́ться от неприя́тной мы́сли о чём-л.; б) развёртывать (*парус, флаг*); в): to ~ out into a fighting formation *воен.* разверну́ться в боево́й поря́док; ~ up а) встря́хивать;

взба́лтывать; б) взбива́ть (*поду́шку и т. п.*); в) раздража́ть; г) расшевели́ть, взбудора́жить ◇ to ~ in one's shoes дрожа́ть от стра́ха; to ~ a leg а) танцева́ть; б) торопи́ться; ~ a leg! живе́й!, живе́й повора́чивайся!; to ~ the plum-tree *амер.* предоставля́ть госуда́рственные до́лжности за полити́ческие услу́ги

shakedown [ˈʃeɪkdaʊn] *n* 1) импровизи́рованная посте́ль (*из соломы и т. п.*) 2) *амер. sl.* вымога́ние (*денег*) 3) *attr.*: ~ cruise *амер. разг.* пе́рвый рейс, про́бное пла́вание

shaken [ˈʃeɪkən] *p. p. от* shake 2

shaker [ˈʃeɪkə] *n* 1) ше́йкер, сосу́д для приготовле́ния кокте́йля 2) *тех.* вибрацио́нный гро́хот 3) (S.) ше́кер (*член американской религиозной секты*)

Shakespearian [ʃeɪkˈspɪərɪən] *a* шекспи́ровский; ~ scholar шекспирове́д

shake-up [ˈʃeɪkʌp] *n* 1) встря́ска 2) перемеще́ние должностны́х лиц

shako [ˈʃækəʊ] *n* (*pl* -os [-əʊz]) *воен.* ки́вер

shaky [ˈʃeɪkɪ] *a* 1) ша́ткий, нетвёрдый; to feel ~ чу́вствовать себя́ пло́хо, неуве́ренно; to be ~ on one's pins нетвёрдо держа́ться на нога́х 2) трясу́щийся; дрожа́щий, вибри́рующий; тря́ский 3) ненадёжный, сомни́тельный 4) тре́снувший, растре́скавшийся (*о дереве*)

shale [ʃeɪl] *n мин.* (гли́нистый) сла́нец, сланцева́тая гли́на

shale oil [ˈʃeɪl,ɔɪl] *n* сла́нцевое ма́сло

shall [ʃæl (*полная форма*); ʃəl, ʃl (*редуцированные формы*)] *v* (should) 1) *вспомогательный глагол; служит для образования будущего времени в 1. л. ед. и мн. ч.*: I ~ go я пойду́ 2) *модальный глагол; выражает решимость, приказание, обещание, угрозу во 2 и 3 л. ед. и мн. ч.*: you ~ not catch me again я вам не дам себя́ пойма́ть сно́ва; he ~ be told about it ему́ непреме́нно ска́жут об э́том; they ~ not pass! они́ не пройду́т!; you ~ pay for this! ты за э́то запла́тишь!

shalloon [ʃəˈlu:n] *n* лёгкая камво́льная са́ржа «шаллу́н»

shallop [ˈʃæləp] *n* 1) шлюп, я́лик 2) *поэт.* ло́дка, ладья́

shallot [ʃəˈlɒt] *n бот.* шало́т (*лук*)

shallow [ˈʃæləʊ] **1.** *a* 1) ме́лкий; ~ draft *мор.* небольша́я оса́дка 2) пове́рхностный, пусто́й; ~ mind пове́рхностный, неглубо́кий ум

2. *n* ме́лкое ме́сто, мель; о́тмель

3. *v* 1) меле́ть 2) уменьша́ть глубину́

shalt [ʃælt] *уст. 2-е л. ед. ч. настоящего времени гл.* shall

sham [ʃæm] **1.** *n* 1) притво́рство 2) притво́рщик, симуля́нт

2. *a* 1) притво́рный 2) подде́льный, фальши́вый; ~ diamond подде́льный бриллья́нт 3) бутафо́рский 4) притворя́ющийся, прики́дывающийся; ~ doctor врач-шарлата́н

3. *v* притворя́ться, прики́дываться, симули́ровать; to ~ illness притворя́ться больны́м; he ~med dead (*или* death) он притвори́лся мёртвым ◇ to ~ Abraham притворя́ться больны́м, симули́ровать

shaman [ˈʃæmən] *n* шама́н

shamateur [ˈʃæmətə] *n пренебр.* спортсме́н-профессиона́л, выдаю́щий себя́ за люби́теля

shamble [ˈʃæmbl] **1.** *n* неуклю́жая похо́дка

2. *v* волочи́ть но́ги, тащи́ться

shambles [ˈʃæmblz] *n pl* (*употр. с гл. в ед. ч.*) 1) *разг.* каварда́к, беспоря́док 2) бо́йня 3) разруше́ния, руи́ны; to turn cities into ~ преврати́ть города́ в руи́ны

shambolic [ʃæmˈbɒlɪk] *a разг.* беспоря́дочный, хаоти́чный

shame [ʃeɪm] **1.** *n* 1) стыд; ~!, for ~!, fie, for ~! сты́дно!; to think ~ to do smth. постыди́ться сде́лать что-л. 2) позо́р; to put to ~ посрами́ть; to bring to ~ опозо́рить; to bring ~ to (*или* on, upon) smb. покры́ть позо́ром кого́-л. 3) доса́да; неприя́тность; it is a ~ he is so clumsy жаль, что он так нело́вок; what a ~ you can't come earlier кака́я доса́да, что вы не мо́жете прийти́ пора́ньше

2. *v* 1) стыди́ть; пристыди́ть; to ~ a man into apologizing пристыди́ть челове́ка и заста́вить его́ извини́ться 2) посрами́ть; позо́рить

shamefaced [ˈʃeɪmfeɪst] *a* 1) засте́нчивый, ро́бкий, стыдли́вый 2) *поэт.* скро́мный, незаме́тный (*о цветке и т. п.*)

shameful [ˈʃeɪmfl] *a* позо́рный, посты́дный; сканда́льный

shameless [ˈʃeɪmləs] *a* бессты́дный; на́глый; неприли́чный; ~ liar на́глый лжец

shammer [ˈʃæmə] *n* притво́рщик, симуля́нт

shammy [ˈʃæmɪ] *n разг.* за́мша

shammy-leather [ˈʃæmɪ,leðə] = shammy

shampoo [ʃæmˈpu:] **1.** *n* 1) шампу́нь 2) мытьё головы́

2. *v* (shampooed [-d], shampoo'd [-d]) мыть (*голову*)

shamrock [ˈʃæmrɒk] *n* 1) *бот.* кисли́ца обыкнове́нная 2) *бот.* трили́стник 3) трили́стник (*эмблема Ирландии*)

shamus [ˈʃɑ:məs] *n амер. sl.* сы́щик, детекти́в

shandrydan [ˈʃændrɪdæn] *n шутл.* ве́тхая колыма́га

shandy(gaff) [ˈʃændɪ(gæf)] *n* смесь просто́го пи́ва с имби́рным *или* с лимона́дом

shanghai [,ʃæŋˈhaɪ] *v sl.* 1) опои́в, отпра́вить матро́сом в пла́вание 2) *амер.* доби́ться (*чего-л.*) нече́стным путём *или* принужде́нием

Shangri-La [,ʃæŋgrɪˈlɑ:] *n* 1) ра́йский уголо́к 2) *амер.* секре́тная вое́нно-возду́шная ба́за; засекре́ченный райо́н

shank [ʃæŋk] **1.** *n* 1) нога́ 2) го́лень 3) плюсна́ 4) сте́ржень; ствол 5) черено́к, хвостови́к (*инструмента*) 6) тру́бка (*ключа*) 7) веретено́ (*якоря*) 8) сре́дняя у́зкая часть 9) но́жка (*литеры*) 10) *амер. разг.* оста́ток; оста́вшаяся часть; the ~ of the evening коне́ц ве́чера ◇ on Shanks's mare (*или* pony) на свои́х на двои́х, пешко́м

2. *v* опада́ть (*обыкн.* ~ off)

shan't [ʃɑ:nt] *сокр. разг.* = shall not

shantung [,ʃænˈtʌŋ] *n текст.* род чесучи́

shanty I [ˈʃæntɪ] *n* хиба́рка, лачу́га

shanty II [ˈʃæntɪ] *n* хорова́я рабо́чая пе́сня матро́сов

shape [ʃeɪp] **1.** *n* 1) фо́рма, очерта́ние; о́блик; in the ~ of smth. в фо́рме чего́-л.; spherical in ~ сфери́ческий по фо́рме 2) фигу́ра, сложе́ние 3) вид, о́браз; a reward in the ~ of a sum of money награ́да в ви́де су́ммы де́нег; in no ~ or form а) ни в како́м ви́де; б) нико́им о́бразом 4) определённая, необходи́мая фо́рма; поря́док; to get one's ideas into ~ привести́ в поря́док свои́ мы́сли; to put into ~ а) придава́ть фо́рму; б) приводи́ть в поря́док; to take ~ приня́ть определённую фо́рму, воплоти́ться 5) *разг.* состоя́ние, положе́ние; in bad ~ в плохо́м состоя́нии; to be in good (bad) ~ быть в хоро́шей (плохо́й) спорти́вной фо́рме; to keep oneself in ~ сохраня́ть хоро́шую фо́рму 6) образе́ц, моде́ль, шабло́н 7) при́зрак 8) фо́рма (*для торта, желе и т. п.*)

2. *v* 1) придава́ть фо́рму, формирова́ть; де́лать по како́му-л. образцу́; to ~ into a ball придава́ть фо́рму ша́ра; to ~ one's course устана́вливать курс; брать курс 2) создава́ть, де́лать (*из чего-л.*) 3) принима́ть фо́рму, вид; получа́ться; to ~ well скла́дываться уда́чно 4) приспоса́бливать (to) ▭ ~ up а) придава́ть *или* принима́ть определённую фо́рму; б) подава́ть наде́жды; де́лать успе́хи

shaped [ʃeɪpt] **1.** *p. p. от* shape 2

2. *a* име́ющий определённую фо́рму; ~ like a pear грушеви́дный

-shaped [-ʃeɪpt] *в сложных словах означает* име́ющий *такую-то* фо́рму; *напр.*: cone-shaped конусообра́зный

shapeless [ˈʃeɪpləs] *a* бесфо́рменный

shapely [ˈʃeɪplɪ] *a* хорошо́ сложённый; стро́йный; прия́тной фо́рмы; a ~ pair of legs краси́вые но́ги

shaping [ˈʃeɪpɪŋ] **1.** *pres. p. от* shape 2

2. *n* 1) прида́ние фо́рмы 2) ше́йпинг 3) *тех.* фасони́рование

shaping-machine [ˈʃeɪpɪŋmə,ʃi:n] *n* попере́чно-строга́льный стано́к, ше́пинг

shard [ʃɑ:d] *n* надкры́лье (*жука*)

share I [ʃeə] **1.** *n* 1) до́ля, часть; he has a large ~ of self-esteem у него́ о́чень ра́звито чу́вство со́бственного досто́инства; to go ~s in smth. with smb. дели́ться чем-л. по́ровну с кем-л. 2) уча́стие; he does more than his ~ of the work он де́лает бо́льше, чем до́лжен (*или* чем от него́ тре́буется) 3) а́кция; пай; on ~s на пая́х; preferred ~s привилегиро́ванные а́кции ◇ ~ and ~ alike на ра́вных права́х; ~s! чур, по́ровну!

2. *v* 1) дели́ть(ся), распределя́ть (*тж.* ~ out); to ~ money among five men подели́ть де́ньги на пять челове́к; they ~d the secret они́ бы́ли посвящены́ в э́ту та́йну; he would ~ his last penny with me он подели́лся бы со мно́й после́дним пе́нсом; to ~ a room with smb. жить в одно́й ко́мнате с кем-л. 2) уча́ствовать; быть па́йщиком (*тж.* ~ in); to ~ profits уча́ствовать в при́былях 3) разделя́ть (*мнение, вкусы и т. п.*)

share II [ʃeə] *n с.-х.* ле́мех; сошни́к

sharecropper ['ʃeəkrɒpə] *n амер.* испо́льщик; издо́льщик

shareholder ['ʃeə,həʊldə] *n* акционе́р; па́йщик

share-list ['ʃeəlɪst] *n* курсово́й бюллете́нь

share-out ['ʃeəraʊt] *n* распределе́ние дохо́да

shariah [ʃə'ri:ə] *n* шариа́т

shark [ʃɑ:k] *n* 1) аку́ла 2) вымога́тель; моше́нник; шу́лер 3) *амер. sl.* блестя́щий знато́к (*чего-л.*)

sharkskin ['ʃɑ:kskɪn] *n* 1) аку́лья ко́жа 2) гла́дкая блестя́щая ткань (*обыкн. синтетическая*)

sharp [ʃɑ:p] **1.** *a* 1) о́стрый; остроконе́чный, отто́ченный 2) круто́й, ре́зкий (*о повороте, подъёме и т. п.*) 3) определённый, отчётливый (*о различии, очертании и т. п.*) 4) ре́зкий (*о боли, звуке, ветре*); пронзи́тельный; ~ frost си́льный моро́з 5) е́дкий, о́стрый (*о вкусе*) 6) о́стрый, то́нкий (*о зрении, слухе и т. п.*) 7) ко́лкий (*о замечаниях, словах*); раздражи́тельный (*о характере*); to have ~ words with smb. кру́пно поговори́ть с кем-л. 8) жесто́кий (*о борьбе*) 9) о́стрый, проница́тельный, наблюда́тельный 10) продувно́й, хи́трый; недобросо́вестный; he was too ~ for me он меня́ перехитри́л 11) бы́стрый, энерги́чный; ~ work горя́чая рабо́та 12) *муз.* повы́шенный на полто́на; дие́зный 13) *разг.* мо́дный, экстравага́нтный ◇ as ~ as a needle о́чень у́мный, проница́тельный

2. *n* 1) *муз.* дие́з 2) *разг.* жу́лик 3) *шутл.* знато́к 4) дли́нная то́нкая шве́йная игла́ 5) *pl с.-х.* вы́севки, ме́лкие о́труби

3. *adv* 1) то́чно, ро́вно; at six o'clock ~ ро́вно в 6 часо́в 2) кру́то, ре́зко; to turn ~ round кру́то поверну́ться 3) *муз.* в сли́шком высо́ком то́не ◇ look ~! а) живе́й!; б) смотри́(те) в о́ба!

4. *v* 1) *муз.* ста́вить дие́з 2) *уст.* плутова́ть

sharp-cut ['ʃɑ:pkʌt] *a* 1) отто́ченный, о́стрый 2) отчётливый, отто́ченный, чёткий, определённый (*о выражении, формулировке*)

sharpen ['ʃɑ:pən] *v* 1) точи́ть, заостря́ть 2) обостря́ть

sharper ['ʃɑ:pə] *n* шу́лер, жу́лик

sharp-eyed [,ʃɑ:p'aɪd] *a* облада́ющий о́стрым зре́нием

sharpie ['ʃɑ:pɪ] *n* 1) остроно́сая плоскодо́нная шлю́пка 2) шу́лер, моше́нник

sharp practice [,ʃɑ:p'præktɪs] *n* недобросо́вестное де́йствие; жу́льничество

sharp-set [,ʃɑ:p'set] *a* 1) о́чень голо́дный 2) жа́дный, па́дкий (*на что-л.*) 3) располо́женный под о́стрым угло́м

sharpshooter ['ʃɑ:p,ʃu:tə] *n* ме́ткий стрело́к, сна́йпер

sharp-witted [,ʃɑ:p'wɪtɪd] *a* 1) у́мный, сообрази́тельный 2) остроу́мный

shashlik ['ʃæʃlɪk] *n* шашлы́к

shatter ['ʃætə] **1.** *v* 1) разби́ть(ся) вдре́безги; раздроби́ть 2) расстра́ивать (*здоровье*); разруша́ть (*надежды*); to ~ confidence подорва́ть дове́рие

2. *n* обло́мок, оско́лок; to be in ~s быть разби́тым вдре́безги

shatterbrain ['ʃætəbreɪn] = scatterbrain

shave [ʃeɪv] **1.** *n* 1) бритьё; to have a ~ побри́ться; to get a close ~ чи́сто вы́бриться 2): near (*или* narrow) ~ опа́сность, кото́рую с трудо́м удало́сь избежа́ть; he had a close ~ of it, he missed it by a close ~ он был на волосо́к от э́того; we won by a close ~ мы чуть не проигра́ли 3) стру́жка; щепа́ 4) *уст.* обма́н, мистифика́ция

2. *v* (shaved [-d]; shaved, shaven) 1) бри́ть(ся) 2) немно́го уме́ньшить, сни́зить 3) строга́ть; скобли́ть 4) среза́ть, стричь; коси́ть 5) почти́ *или* слегка́ заде́ть; we managed to ~ past нам удало́сь проскользну́ть, не заде́в 6) *разг.* обира́ть

shaveling ['ʃeɪvlɪŋ] *n уст.* 1) «бри́тый» (*пренебрежительное прозвище католических монахов*) 2) ю́ноша, юне́ц

shaven ['ʃeɪvn] *p. p. от* shave 2

shaver ['ʃeɪvə] *n* 1) бри́тва; electric ~ электри́ческая бри́тва 2) *разг.* юне́ц, паренёк (*обыкн.* young ~)

shavetail ['ʃeɪvteɪl] *n* 1) необъе́зженный мул 2) *воен. sl.* (мла́дший) лейтена́нт (*тж.* ~ lieutenant)

Shavian ['ʃeɪvɪən] **1.** *n* после́дователь, покло́нник Берна́рда Шо́у

2. *a* в сти́ле, в мане́ре Шо́у; име́ющий отноше́ние к тво́рчеству *или* ли́чности Берна́рда Шо́у

shaving ['ʃeɪvɪŋ] **1.** *pres. p. от* shave 2

2. *n* 1) бритьё 2) *pl* стру́жка 3) *тех.* шевингова́ние (*зубчатых колёс*); обре́зка (*заусенцев*)

shaving brush ['ʃeɪvɪŋbrʌʃ] *n* ки́сточка для бритья́

shaving cream ['ʃeɪvɪŋkri:m] *n* крем для бритья́

shawl [ʃɔ:l] **1.** *n* шаль, плато́к

2. *v* надева́ть плато́к, уку́тывать в шаль

shawm [ʃɔ:m] *n* средневеко́вый музыка́льный инструме́нт ти́па гобо́я

shay [ʃeɪ] *n шутл., разг.* фаэто́н

she [ʃi:] **1.** *pron pers.* 1) она́ (*о существе женского пола, тж. о некоторых неодушевлённых предметах при персонификации; косв. п.* her её *и т. п.*); *косв. п. употр. в разговорной речи как именит. п.*: that's her э́то она́ 2) *поэт.* та (кото́рая); ~ of the golden hair та с золоти́стыми волоса́ми

2. *n* же́нщина; the not impossible ~ бу́дущая избра́нница

she- [ʃi:-] *в сложных словах означает самку животного; напр.*: she-goat коза́; she-wolf волчи́ца

shea [ʃi:] *n бот.* ма́сляное де́рево (*тж.* ~ tree)

sheading ['ʃi:dɪŋ] *n* о́круг (*на о-ве Мэн*)

sheaf [ʃi:f] **1.** *n* (*pl* sheaves) 1) сноп; вяза́нка 2) па́чка, свя́зка (*бумаг, денег*); пучо́к 3) *воен.* сноп траекто́рий; батаре́йный ве́ер (*тж.* ~ of fire)

2. *v* вяза́ть в снопы́

sheaf-binder ['ʃi:f,baɪndə] *n* сноповяза́лка

shear [ʃɪə] **1.** *n* 1) *pl* но́жницы 2) стри́жка; a sheep of one ~ овца́-однолéтка 3) *тех.* сдвиг, срез; сре́зывающая си́ла 4) *горн.* вертика́льный вруб (*в забое*) 5) *pl* = shearlegs

2. *v* (sheared [-d], *уст.* shore; shorn, sheared) 1) стричь (*обыкн. овец*) 2) ре́зать; среза́ть 3) лиша́ть чего́-л. (of) 4) (*обыкн. p. p.*) обдира́ть как ли́пку 5) *поэт.* рассека́ть, руби́ть 6) *горн.* де́лать вертика́льный вруб

-shear [-ʃɪə] *в сложных словах означает* стри́женный *столько-то раз; напр.*: a two-shear ram двухле́тний бара́н (*дважды стриженный*)

shearlegs ['ʃɪəlegz] *n pl мор.* вре́менная стрела́

shearling ['ʃɪəlɪŋ] *n* бара́шек по́сле пе́рвой стри́жки

sheatfish ['ʃi:tfɪʃ] *n* сом

sheath [ʃi:θ; *pl* ʃi:ðz] *n* 1) но́жны 2) футля́р 3) презервати́в 4) у́зкое, облега́ющее фигу́ру пла́тье 5) *анат.* оболо́чка 6) *зоол.* надкры́лье 7) *тех.* обши́вка

sheathe [ʃi:ð] *v* 1) вкла́дывать в но́жны, в футля́р 2) заключа́ть в оболо́чку, защища́ть 3) *тех.* обшива́ть

sheave I [ʃi:v] *n* 1) *тех.* шкив, ро́лик 2) шпу́ля, кату́шка 3) *с.-х.* костра́

sheave II [ʃi:v] = sheaf 2

sheaves [ʃi:vz] *pl от* sheaf 1

shebang [ʃɪ'bæŋ] *n амер. sl.* 1) де́ло 2) лачу́га, хиба́рка 3) заведе́ние

shebeen [ʃɪ'bi:n] *n* каба́к, где незако́нно торгу́ют спиртны́ми напи́тками (*особ. в Ирландии*)

she'd [ʃi:d] *сокр. разг.* = she had, she would

shed I [ʃed] *v* (shed) 1) роня́ть, теря́ть (*зубы, шерсть, волосы, листья*) 2) сбра́сывать (*одежду, кожу*) 3) пролива́ть, лить (*слёзы, кровь*) 4) распространя́ть; излуча́ть (*свет, тепло и т. п.*)

shed II [ʃed] *n* 1) наве́с, сара́й 2) анга́р; э́ллинг; гара́ж; депо́ 3) *эл.* ю́бка (*изолятора*)

sheen [ʃi:n] **1.** *n* 1) блеск, сия́ние 2) блестя́щий, сверка́ющий наря́д

2. *a* краси́вый; блестя́щий

sheeny ['ʃi:nɪ] *a* блестя́щий, сия́ющий

sheep [ʃi:p] *n* (*pl без измен.*) 1) овца́, бара́н; to follow like ~ сле́по сле́довать (*за кем-л.*) 2) ро́бкий, засте́нчивый челове́к 3) (*обыкн. pl*) па́ства (*часто шутл.*) 4) sheepskin 1) *и* 2) ◇ wolf in

~'s clothing волк в ове́чьей шку́ре; the black ~ (of a family) вы́родок (в семье́); to cast (*или* to make) ~'s eyes at smb. броса́ть влюблённые взгля́ды на кого́-л.; as well be hanged for a ~ as (for) a lamb ≅ семь бед — оди́н отве́т

sheepcote ['ʃi:pkəʊt] = sheepfold

sheepdog ['ʃi:pdɒg] *n* овча́рка

sheep-faced ['ʃi:pfeɪst] *a* ро́бкий, засте́нчивый

sheepfold ['ʃi:pfəʊld] *n* заго́н для ове́ц, овча́рня

sheepish ['ʃi:pɪʃ] *a* 1) ро́бкий, засте́нчивый 2) глупова́тый

sheepman ['ʃi:pmən] *n амер.* овцево́д

sheep run ['ʃi:prʌn] *n* ове́чье па́стбище

sheepshank ['ʃi:pʃæŋk] *n мор.* ко́лышка (*узел для временного укорочения снасти*)

sheep's-head ['ʃi:pshed] *n* «бара́нья голова́», дура́к

sheepskin ['ʃi:pskɪn] *n* 1) ове́чья шку́ра, овчи́на 2) бара́нья ко́жа 3) перга́мент 4) *амер. студ. разг.* дипло́м

sheep walk ['ʃi:pwɔ:k] *n* ове́чий заго́н

sheer I [ʃɪə] **1.** *a* 1) су́щий, я́вный 2) абсолю́тный, полне́йший; by ~ force одно́й то́лько си́лой; ~ waste of time соверше́нно бесполе́зная тра́та вре́мени; ~ exhaustion по́лное истоще́ние; a ~ impossibility абсолю́тная невозмо́жность 3) отве́сный, перпендикуля́рный 4) прозра́чный, лёгкий (*о тканях*) 5) чи́стый, несме́шанный, неразба́вленный

2. *adv* 1) по́лностью, абсолю́тно 2) отве́сно, перпендикуля́рно

sheer II [ʃɪə] *мор.* **1.** *n* 1) отклоне́ние от ку́рса 2) кривизна́ бо́рта, продо́льная по́гибь

2. *v* отклоня́ться от ку́рса ▭ ~ off уходи́ть, убега́ть

sheerlegs ['ʃɪəlegz] = shearlegs

sheet I [ʃi:t] **1.** *n* 1) простыня́; between the ~s в посте́ли; as white as a ~ бле́дный как полотно́ 2) лист (*бумаги, стекла, металла*); листо́к 3) широ́кая полоса́, пелена́, обши́рная пове́рхность (*воды, снега, пламени*) 4) *пренебр.* газе́тка, листо́к 5) печа́тный лист (*тж.* printer's ~) 6) ве́домость, табли́ца 7) *поэт.* па́рус 8) *геол.* пласт 9) *эл.* пласти́на колле́ктора 10) *attr.* листово́й; ~ iron (то́нкое) листово́е желе́зо; ~ rubber листова́я рези́на ◇ clean ~ безупре́чное про́шлое

2. *v* покрыва́ть (простынёй, брезе́нтом, сне́гом *и т. п.*)

sheet II [ʃi:t] *мор.* **1.** *n* шкот ◇ three ~s in (*или* to) the wind, three ~s in the wind's eye вдрызг пья́ный

2. *v* выбира́ть шко́ты

sheet anchor ['ʃi:t,æŋkə] *n* 1) *мор.* запа́сный станово́й я́корь 2) я́корь спасе́ния; еди́нственная наде́жда

sheeted I ['ʃi:tɪd] **1.** *p. p. от* sheet I, 2

2. *a* 1) покры́тый 2) сплошно́й; ~ rain сплошна́я пелена́ дождя́

sheeted II ['ʃi:tɪd] *p. p. от* sheet II, 2

sheeting I ['ʃi:tɪŋ] **1.** *pres. p. от* sheet I, 2

2. *n* 1) простынное полотно́ 2) защи́тное покры́тие

sheeting II ['ʃi:tɪŋ] *pres. p. от* sheet II, 2

sheet lightning [,ʃi:t'laɪtnɪŋ] *n* зарни́ца

sheet music ['ʃi:t,mju:zɪk] *n* музыка́льное произведе́ние, и́зданное без переплёта

sheet-proofs ['ʃi:tpru:fs] *n pl* корректу́ра

sheik(h) [ʃeɪk] *n* 1) шейх 2) *sl.* неотрази́мый мужчи́на

shekel ['ʃekl] *n* 1) ше́кель (*денежная единица Израиля*) 2) си́кель (*др.-евр. мера веса и монета*) 3) *pl разг.* де́ньги; бога́тство

sheldrake ['ʃeldreɪk] *n зоол.* у́тка-пега́нка

shelf [ʃelf] *n* (*pl* shelves) 1) по́лка 2) усту́п; вы́ступ 3) риф; (о́т)мель, шельф 4) *геол.* бедро́к 5) *мор.* прива́льный брус 6) *attr.*: ~ ice пла́вающие гли́бы прибре́жного льда ◇ to lay (*или* to put) on the ~ сдава́ть в архи́в; класть под сукно́; to be on the ~ а) быть изъя́тым из употребле́ния; б) быть отстранённым от дел (за нена́добностью); в) оста́ться в деви́цах

shell [ʃel] **1.** *n* 1) ра́ковина 2) скорлупа́, шелуха́ 3) оболо́чка; ко́рка 4) па́нцирь, щит (*черепахи*) 5) осто́в, карка́с 6) (артиллери́йский) снаря́д 7) *амер.* ги́льза (*патрона*) 8) *тех.* обши́вка; кожу́х 9) гроб 10) *pl sl.* де́ньги 11) *амер.* шелл, го́ночная восьмёрка 12) *attr.* име́ющий оболо́чку; ~ egg натура́льное яйцо́ (*в противоположность яичному порошку и т. п.*) ◇ to come out of one's ~ вы́йти из свое́й скорлупы́, стать общи́тельным, раско́ванным; to retire into one's ~ замкну́ться в себе́, уйти́ в свою́ скорлупу́

2. *v* 1) очища́ть от скорлупы́; лущи́ть 2) лущи́ться, шелуши́ться 3) обстре́ливать артиллери́йским огнём ▭ ~ off шелуши́ться; ~ out а) *воен.* выбива́ть огнём артилле́рии; б) *разг.* раскоше́ливаться

shellac [ʃə'læk] **1.** *n* шелла́к

2. *v* 1) покрыва́ть шелла́ком 2) *амер. sl.* поби́ть, победи́ть в дра́ке

shellback ['ʃelbæk] *n sl.* ста́рый моря́к, морско́й волк

shell crater ['ʃel,kreɪtə] *n* воро́нка от снаря́да

shelled [ʃeld] **1.** *p. p. от* shell 2

2. *a* име́ющий ра́ковину, па́нцирь

shellfish ['ʃelfɪʃ] *n* моллю́ск; ракообра́зное

shell hit ['ʃelhɪt] *n воен.* попада́ние снаря́да

shell hole ['ʃelhəʊl] *n* пробо́ина; воро́нка от снаря́да

shell pit ['ʃelpɪt] = shell crater

shellproof ['ʃelpru:f] *a* защищённый от артиллери́йского огня́, брониро́ванный

shell shock ['ʃelʃɒk] *n* конту́зия

shell-work ['ʃelwɜ:k] *n* украше́ние из ра́ковин

shelly ['ʃelɪ] *a* 1) изоби́лующий ра́ковинами 2) похо́жий на ра́ковину

shelter ['ʃeltə] **1.** *n* 1) прию́т, кров, приста́нище; убе́жище; to find (*или* to take) ~ найти́ себе́ прию́т, убе́жище 2) прикры́тие, укры́тие; under the ~ (of) под прикры́тием, под защи́той 3) бомбоубе́жище

2. *v* 1) приюти́ть, дать прию́т; служи́ть убе́жищем, прикры́тием; укрыва́ть; прикрыва́ть 2) спря́таться, укры́ться (under, in, from)

sheltered ['ʃeltəd] **1.** *p. p. от* shelter 2

2. *a эк.* покрови́тельствуемый

shelve I [ʃelv] *v* 1) ста́вить на по́лку 2) откла́дывать, класть в до́лгий я́щик 3) увольня́ть, отстраня́ть от дел 4) обору́довать по́лками

shelve II [ʃelv] *v* отло́го спуска́ться

shelves [ʃelvz] *pl от* shelf

shepherd ['ʃepəd] **1.** *n* 1) пасту́х; ~'s crook пасту́шеский по́сох с крючко́м 2) па́стырь ◇ ~'s pie карто́фельная запека́нка с мя́сом; ~'s plaid (шерстяна́я) ткань в ме́лкую чёрную и бе́лую клётку

2. *v* 1) пасти́ 2) вести́, гнать (*людей*) 3) смотре́ть, присма́тривать (*за кем-л.*)

shepherdess [,ʃepə'des] *n* пасту́шка

Sheraton ['ʃerətən] *n* шерато́н (*стиль мебели XVIII в.*)

sherbet ['ʃɜ:bət] *n* щербе́т

sherd [ʃɜ:d] = shard

sheriff ['ʃerɪf] *n* шери́ф

sherry ['ʃerɪ] *n* ше́рри, хе́рес

sherry-cobbler ['ʃerɪ,kɒblə] *n* ше́рри-ко́блер (*название коктейля*)

she's [ʃi:z] *сокр. разг* = she is, she has

shew [ʃəʊ] *v* (shewed [-d]; shewn) *уст.* = show 2

shewn [ʃəʊn] *p. p. от* shew

shibboleth ['ʃɪbəleθ] *n* 1) устаре́вшее пове́рье 2) осо́бенность произноше́ния, мане́ра одева́ться, привы́чки, сво́йственные определённому кру́гу люде́й 3) та́йный паро́ль

shield [ʃi:ld] **1.** *n* 1) щит 2) защи́та; защи́тник 3) *имер.* значо́к полице́йского 4) *тех.* экра́н ◇ the other side of the ~ друга́я сторона́ вопро́са

2. *v* 1) защища́ть, заслоня́ть 2) покрыва́ть, укрыва́ть 3) *тех.* экрани́ровать

shieling ['ʃi:lɪŋ] *n шотл.* 1) хи́жина пастуха́ 2) наве́с для ове́ц 3) па́стбище

shift [ʃɪft] **1.** *n* 1) измене́ние, перемеще́ние, сдвиг; ~ of fire *воен.* перено́с огня́ 2) сме́на, переме́на; заме́на; чередова́ние; ~ of clothes сме́на белья́; ~ of crops севооборо́т; the ~s and changes of life превра́тности жи́зни 3) (рабо́чая) сме́на; eight-hour ~ восьмичасово́й рабо́чий день 4) рабо́чие одно́й сме́ны 5) сре́дство, спо́соб; the last ~(s) после́днее сре́дство 6) уло́вка, хи́трость; to make one's way by ~s извора́чиваться; to make (a) ~ а) ухитря́ться; б) перебива́ться ко́е-ка́к, дово́льствоваться (with — *чем-л*); в) обходи́ться (without — без *чего-л.*) 7) же́нское пла́тье «руба́шка» 8) *уст.* соро́чка 9) *стр.* разго́нка швов в кла́дке

10) *геол.* косо́е смеще́ние 11) *тех.* переключе́ние (*скорости*)

2. *v* 1) перемеща́ть(ся); передвига́ть(ся); передава́ть (*другому*); перекла́дывать (*в другую руку*); to ~ the fire *воен.* переноси́ть ого́нь 2) меня́ть; to ~ one's lodging перемени́ть кварти́ру; to ~ one's ground измени́ть подхо́д к чему́-л., заня́ть но́вую пози́цию; to ~ the scene *театр.* меня́ть декора́ции 3) меня́ться; the wind ~ed ве́тер перемени́лся 4) устраня́ть, ликвиди́ровать; to ~ stains выводи́ть пя́тна 5) *sl.* спеши́ть 6) бы́стро есть, уплета́ть 7) извора́чиваться; ухищря́ться; to ~ for oneself обходи́ться без посторо́нней по́мощи 8) *тех.* переключа́ть; переводи́ть ▭ ~ off снима́ть с себя́ (*ответственность и т. п.*); избавля́ться (*от чего-л.*)

shifting [ˈʃɪftɪŋ] 1. *pres. p. от* shift 2

2. *a* 1) непостоя́нный, меня́ющийся 2) дви́жущийся; ~ sands дви́жущиеся пески́

shift-key [ˈʃɪftkiː] *n* кла́виша в пи́шущей маши́нке для сме́ны реги́стра

shiftless [ˈʃɪftləs] *a* 1) беспо́мощный, неуме́лый 2) лени́вый 3) бесхи́тростный

shifty [ˈʃɪftɪ] *a* 1) изворо́тливый, хи́трый 2) нече́стный, ненадёжный; ~ eyes бе́гающие глаза́ 3) изобрета́тельный; ло́вкий

Shiite [ˈʃiːaɪt] *n* шии́т

shikar [ʃɪˈkɑː] *инд. n* охо́та

shillelagh [ʃɪˈleɪlə] *n* дуби́нка

shilling [ˈʃɪlɪŋ] *n* 1) *ист.* ши́ллинг (*англ. серебряная монета = 1/20 фунта стерлингов = 12 пенсам*); every ~ всё до после́днего ши́ллинга 2) *attr.*: ~ shocker = shocker 1) ◇ to cut off with a ~ лиши́ть насле́дства; to take the King's (*или* the Queen's) ~ поступи́ть на вое́нную слу́жбу

shilly-shally [ˈʃɪlɪˌʃælɪ] 1. *n* нереши́тельность

2. *a* нереши́тельный

3. *v* колеба́ться, быть нереши́тельным

shim [ʃɪm] *тех.* 1. *n* 1) клин 2) то́нкая прокла́дка 3) ша́йба

2. *v* закли́нивать

shimmer [ˈʃɪmə] 1. *n* мерца́ние; мерца́ющий свет

2. *v* мерца́ть

shimmy [ˈʃɪmɪ] 1. *n* 1) *ист.* ши́мми (*танец*) 2) *уст. разг.* же́нская соро́чка 3) *тех.* вибра́ция, колеба́ние управля́емых колёс автомоби́ля

2. *v* вибри́ровать, колеба́ться

shin [ʃɪn] 1. *n* го́лень

2. *v* 1) кара́бкаться, ла́зить (*обыкн.* ~ up) 2) ударя́ть в го́лень; ударя́ться го́ленью 3) *разг.* ходи́ть, бе́гать

shinbone [ˈʃɪnbəʊn] *n анат.* большеберцо́вая кость

shindig [ˈʃɪndɪɡ] *n амер. разг.* весе́лье; шу́мная вечери́нка

shindy [ˈʃɪndɪ] *n разг.* 1) шум, сканда́л, сумато́ха, сва́лка; to kick up a ~ зате́ять сканда́л; подня́ть шум 2) весе́лье

shine [ʃaɪn] 1. *n* 1) сия́ние; (со́лнечный, лу́нный) свет 2) блеск, гля́нец; лоск; to get a ~ почи́стить сапоги́ (*у чистильщика*); to take the ~ out of smth. а) снять, удали́ть блеск, гля́нец с чего́-л.; б) лиши́ть что-л. бле́ска, новизны́; to take the ~ out of smb. затми́ть, превзойти́ кого́-л. 3) блеск, великоле́пие 4) *разг.* расположе́ние; he took a ~ to you вы ему́ понра́вились 5) (*обыкн. pl*) *амер. разг.* глу́пая вы́ходка, проде́лка

2. *v* (shone) 1) свети́ть(ся); сия́ть, блесте́ть 2) (*past и p. p.* shined [-d]) *разг.* придава́ть блеск, полирова́ть; чи́стить (*обувь, металл и т. п.*) 3) блиста́ть (*в обществе, разговоре*)

shiner [ˈʃaɪnə] *n* 1) блестя́щая вещь, моне́та 2) *разг.* подби́тый глаз, «фона́рь» 3) *pl уст.* де́ньги

shingle I [ˈʃɪŋɡl] 1. *n* 1) кро́вельная дра́нка, гонт 2) *уст.* коро́ткая да́мская стри́жка 3) *амер.* вы́веска; to hang out a ~ заня́ться ча́стной пра́ктикой (*о враче, адвокате*)

2. *v* 1) крыть, обшива́ть го́нтом, крыть щепо́й 2) *уст.* ко́ротко стричь во́лосы

shingle II [ˈʃɪŋɡl] *n* га́лька, голы́ш

shingles [ˈʃɪŋɡlz] *n pl мед.* опоя́сывающий лиша́й

shingly [ˈʃɪŋɡlɪ] *a* покры́тый га́лькой

shining [ˈʃaɪnɪŋ] 1. *pres. p. от* shine 2

2. *a* 1) я́ркий; сия́ющий; блестя́щий; a ~ example я́ркий (*или* блестя́щий) приме́р 2) великоле́пный; выдаю́щийся; ~ talents выдаю́щиеся тала́нты

shinny, shinty [ˈʃɪnɪ, ˈʃɪntɪ] *n* хокке́й по упрощённым пра́вилам; де́тский хокке́й

shiny [ˈʃaɪnɪ] *a* 1) блестя́щий 2) лосня́щийся

ship [ʃɪp] 1. *n* 1) кора́бль, су́дно; to take ~ сесть на кора́бль 2) экипа́ж корабля́ 3) па́русное су́дно 4) *амер.* самолёт 5) косми́ческий кора́бль 6) *разг.* (го́ночная) ло́дка 7) *attr.* корабе́льный, судово́й ◇ old ~ старина́, дружи́ще (*шутливое обращение к моряку*); ~ of the desert «кора́бль пусты́ни» (*верблюд*); ~s that pass in the night мимолётные, случа́йные встре́чи; when my ~ comes home (*или* in) когда́ я разбогате́ю

2. *v* 1) грузи́ть, производи́ть поса́дку (*на корабль*) 2) сади́ться на кора́бль 3) перевози́ть, отправля́ть (*груз и т. п.*) любы́м ви́дом тра́нспорта 4) зачерпну́ть во́ду (*о корабле, лодке*; *тж.* to ~ a sea) 5) вставля́ть в уклю́чины (*вёсла*) 6) ста́вить (*мачту, руль*) 7) поступа́ть матро́сом 8) нанима́ть (*матросов*) ▭ ~ off посыла́ть, отсыла́ть; отправля́ть

shipboard [ˈʃɪpbɔːd] *n*: on ~ на корабле́; на борту́

ship-broker [ˈʃɪpˌbrəʊkə] *n* судово́й ма́клер

shipbuilder [ˈʃɪpˌbɪldə] *n* кораблестрои́тель, судострои́тель

shipbuilding [ˈʃɪpˌbɪldɪŋ] *n* судострое́ние, кораблестрое́ние

ship-chandler [ˌʃɪpˈtʃɑːndlə] *n* судово́й поставщи́к

shipmaster [ˈʃɪpˌmɑːstə] *n* хозя́ин *или* капита́н торго́вого су́дна

shipmate [ˈʃɪpmeɪt] *n* това́рищ по пла́ванию

shipment [ˈʃɪpmənt] *n* 1) груз; па́ртия това́ра 2) погру́зка (*на корабль*); отпра́вка (*товаров*) 3) перево́зка това́ров

ship money [ˈʃɪpˌmʌnɪ] *n ист.* корабе́льная по́дать

shipowner [ˈʃɪpˌəʊnə] *n* судовладе́лец

shipper [ˈʃɪpə] *n* грузоотправи́тель

shipping [ˈʃɪpɪŋ] 1. *pres. p. от* ship 2

2. *n* 1) погру́зка, перево́зка гру́за 2) (торго́вый) флот, суда́ 3) судохо́дство

shipping articles, ship's articles [ˈʃɪpɪŋˌɑːtɪklz, ˈʃɪpsˌɑːtɪklz] *n pl* догово́р о на́йме на су́дно

ship's biscuit [ˈʃɪpsˌbɪskɪt] *n ист.* суха́рь, гале́та

shipshape [ˈʃɪpʃeɪp] 1. *a predic.* находя́щийся в по́лном поря́дке, аккура́тный

2. *adv* в по́лном поря́дке, аккура́тно

shipway [ˈʃɪpweɪ] *n* ста́пель

shipwreck [ˈʃɪprek] 1. *n* 1) кораблекруше́ние; *перен.* круше́ние (*надежд и т. п.*); ги́бель; to make ~ поги́бнуть, разори́ться 2) обло́мки корабля́ (*после крушения*)

2. *v* 1) потерпе́ть кораблекруше́ние; *перен.* потерпе́ть неуда́чу, круше́ние 2) быть причи́ной кораблекруше́ния; потопи́ть (*судно*) 3) причини́ть вред; губи́ть, разоря́ть

shipwright [ˈʃɪpraɪt] *n* 1) кораблестрои́тель 2) корабе́льный пло́тник

shipyard [ˈʃɪpjɑːd] *n* верфь, судострои́тельный заво́д

shire [ˈʃaɪə] *n уст.* гра́фство; the Shires центра́льные гра́фства А́нглии

shirk [ʃɜːk] 1. *v* увíливать, уклоня́ться (*от чего-л.*); to ~ responsibility уклоня́ться от отве́тственности; to ~ school прогу́ливать заня́тия в шко́ле

2. *n* = shirker

shirker [ˈʃɜːkə] *n* челове́к, уви́ливающий, уклоня́ющийся (*от чего-л.*)

shirr [ʃɜː] *амер.* 1. *n* сбо́рки

2. *v* собира́ть (*материю*) в сбо́рки

shirt [ʃɜːt] *n* 1) руба́шка (*мужская*); in one's ~ в одно́й руба́хе 2) блу́за 3) = nightshirt ◇ to have not a ~ to one's back жить в кра́йней нищете́; to get one's ~ out вы́йти из себя́; to keep one's ~ on сохраня́ть споко́йствие; to put one's ~ (on a horse) поста́вить всё на ка́рту, рискну́ть всем, что име́ешь; to give smb. a wet ~ заста́вить кого́-л. рабо́тать до седьмо́го по́та

shirtband [ˈʃɜːtbænd] *n* во́рот руба́шки

shirt-dress [ˈʃɜːtdres] = shirtwaister

shirtfront [ˈʃɜːtfrʌnt] *n* 1) крахма́льная грудь руба́шки, пластро́н 2) мани́шка

shirting [ˈʃɜːtɪŋ] *n* руба́шечная ткань

shirt-sleeve [ˈʃɜːtsliːv] 1. *n* (*обыкн. pl*): in one's ~s без пиджака́ (*в рубашке*)

2. *a* 1) просто́й, незамыслова́тый 2) просто́й, прямо́й, нецеремо́нный; ~ diplomacy диплома́тия без перча́ток

shirttail [ˈʃɜːtteɪl] *n* низ руба́шки

shirtwaist [ˈʃɜːtweɪst] *n амер.* англи́йская блу́зка

shirtwaister [ˈʃɜ:tweɪstə] *n амер.* плáтье спорти́вного покрóя

shirty [ˈʃɜ:tɪ] *a разг.* рассéрженный, раздражённый

shit [ʃɪt] *груб.* **1.** *n* дерьмó

2. *v* гáдить

shiver I [ˈʃɪvə] **1.** *n* (*часто pl*) дрожь, трéпет; to give a (little) ~ застáвить поёжиться; to give smb. the ~s *разг.* нагнáть стрáху на когó-л.

2. *v* дрожáть, вздрáгивать; трясти́сь; трепетáть; to ~ with cold дрожáть от хóлода ◇ ~ my timbers! чёрт бы меня́ побрáл! (*ругательство, приписываемое пиратам*)

shiver II [ˈʃɪvə] **1.** *n* **1)** (*обыкн. pl*) облóмок, оскóлок; to break to ~s разбивáться вдрéбезги **2)** *мин.* слáнец, ши́фер

2. *v* разбивáть(ся) вдрéбезги

shivery I [ˈʃɪvərɪ] *a* дрожáщий, трепéщущий

shivery II [ˈʃɪvərɪ] *a* хрýпкий, лóмкий

shoal I [ʃəʊl] **1.** *n* **1)** мéлкое мéсто, мелковóдье **2)** мель, бáнка **3)** (*обыкн. pl*) скры́тая опáсность

2. *a уст.* мéлкий, мелковóдный

3. *v* **1)** мелéть **2)** зайти́ в мелковóдье (*о корабле*)

shoal II [ʃəʊl] **1.** *n* **1)** стáя, кося́к (*рыбы*) **2)** мáсса, толпá, мнóжество

2. *v* **1)** собирáться в косяки́ (*о рыбе*) **2)** толпи́ться

shock I [ʃɒk] **1.** *n* **1)** удáр, толчóк; сотрясéние; ~s of earthquake подзéмные толчки́ (*при землетрясении*); to collide (*или* to clash) with a tremendous ~ столкнýться со стрáшной си́лой **2)** потрясéние, шок, удáр; the news came upon him with a ~ нóвость потряслá егó **3)** *мед.* шок **4)** *attr.* удáрный; сокруши́тельный; ~ wave *физ.* удáрная взрывнáя волнá; ~ absorber амортизáтор; ~ tactics *воен.* тáктика сокруши́тельных удáров; ~ troops *воен.* удáрные войскá **5)** *attr. мед.* шóковый; ~ therapy (*или* treatment) шóковая терапи́я

2. *v* **1)** потрясáть, поражáть **2)** возмущáть, шоки́ровать **3)** *поэт.* стáлкиваться

shock II [ʃɒk] **1.** *n* копнá, скирдá (*из снопов*)

2. *v* стáвить в кóпны, скирды́

shock III [ʃɒk] *n* **1)** копнá волóс **2)** мохнáтая собáка (*тж.* ~ dog)

shock absorber [ˈʃɒkəbsɔ:bə] *n тех.* амортизáтор

shock brigade [ˈʃɒkbrɪˌgeɪd] *n ист.* удáрная бригáда

shocker [ˈʃɒkə] *n разг.* **1)** óчень плохóй экземпля́р *или* образéц (*чего-л.*) **2)** дешёвый бульвáрный ромáн **3)** = shock absorber

shocking I [ˈʃɒkɪŋ] **1.** *pres. p. от* shock I, 2

2. *a* потрясáющий, скандáльный, ужасáющий

3. *adv разг.* óчень; a ~ bad cold ужáсный хóлод

shocking II [ˈʃɒkɪŋ] *pres. p. от* shock II, 2

shod [ʃɒd] *past и p. p. от* shoe 2

shoddy [ˈʃɒdɪ] **1.** *n* **1)** *текст.* шóдди (*пряжа и ткань*) **2)** дешёвая поддéлка; дешёвка с претéнзией **3)** претенциóзность

2. *a* **1)** сдéланный из шóдди **2)** дряннóй, низкопрóбный **3)** притвóрный, фальши́вый, поддéльный

shoe [ʃu:] **1.** *n* **1)** полуботи́нок, тýфля; high ~ *амер.* боти́нок; low ~ *амер.* полуботи́нок, тýфля **2)** подкóва **3)** желéзный пóлоз **4)** *тех.* колóдка, башмáк ◇ to be in smb.'s ~s быть в одинáковом положéнии с кем-л.; I wouldn't be in your ~s я бы не хотéл оказáться в твоéй шкýре; to know where the ~ pinches знать, в чём трýдность (*или* загвóздка); to put the ~ on the right foot обвиня́ть когó слéдует, справедли́во обвиня́ть; to step into smb.'s ~s заня́ть чьё-л. мéсто

2. *v* (shod) **1)** обувáть **2)** подкóвывать **3)** подбивáть (*чем-л.*)

shoeblack [ˈʃu:blæk] *n* чи́стильщик сапóг

shoebox [ˈʃu:bɒks] *n* **1)** корóбка для óбуви **2)** крóхотная камóрка *и т. п.*

shoehorn [ˈʃu:hɔ:n] *n* рожóк (*для обуви*)

shoelace [ˈʃu:leɪs] *n* шнурóк для боти́нок

shoeleather [ˈʃu:ˌleðə] *n* сапóжная кóжа ◇ as good a man as ever trod ~ прекрáснейший человéк

shoeless [ˈʃu:lɪs] *a* **1)** без óбуви, босикóм **2)** не имéющий óбуви

shoemaker [ˈʃu:ˌmeɪkə] *n* сапóжник

shoe polish [ˈʃu:ˌpɒlɪʃ] *n* крем для (чи́стки) óбуви

shoeshine [ˈʃu:ʃaɪn] *n амер.* **1)** чи́стка óбуви **2)** чи́стильщик сапóг

shoestring [ˈʃu:strɪŋ] *n* **1)** шнурóк для боти́нок **2)** *разг.* небольшáя сýмма дéнег; on a ~ с небольши́ми срéдствами

shoe-thread [ˈʃu:θred] *n* дрáтва

shoe-tie [ˈʃu:taɪ] = shoelace

shoe tree [ˈʃu:tri:] *n* распóрка для óбуви; колóдка

shone [ʃɒn] *past и p. p. от* shine 2

shoo [ʃu:] **1.** *int* кш-ш! (*при вспугивании птиц*)

2. *v* вспýгивать, прогоня́ть

shook [ʃʊk] *past от* shake 2

shoot [ʃu:t] **1.** *n* **1)** стрельбá **2)** ростóк, побéг **3)** грýппа охóтников **4)** охóта **5)** охóтничье угóдье **6)** прáво на отстрéл **7)** состязáние в стрельбé **8)** стремни́на, стреми́тельный потóк **9)** *тех.* наклóнный стóк, жёлоб, лотóк **10)** зáпуск (*ракеты или управляемого снаряда*) **11)** рывóк, бросóк **12)** фотографи́ческая съёмка

2. *v* (shot) **1)** стреля́ть; застрели́ть (*тж.* ~ down); расстреля́ть; he was shot in the chest пýля попáла емý в грудь; to ~ in sight расстрéливать на мéсте **2)** бросáть, кидáть; to ~ dice игрáть в кóсти **3)** пронести́сь, промелькнýть, промчáться (*тж.* ~ along, ~ forth, ~ out, ~ past) **4)** распускáться (*о деревьях, почках*); пускáть ростки́ (*тж.* ~ out) **5)** охóтиться **6)** фотографи́ровать; снимáть фильм **7)** посылáть (*мяч*) **8)** задвигáть (*засов*) **9)** сбрáсывать, ссыпáть (*мусор и т. п.*); сливáть; выбрáсывать **10)** стреля́ть (*о боли*), дёргать **11)** внезáпно появи́ться **12)** *sl.* впры́снуть себé наркóтик **13)** *разг.* éхать на крáсный свет □ ~ ahead вы́рваться вперёд (*часто о конкуренте*); ~ away расстреля́ть (*патроны*); ~ down а) сбить огнём; застрели́ть; расстреля́ть; б) одержáть верх в спóре; ~ in пристрéливаться; ~ out а) выскáкивать, вылетáть; б) выбрáсывать; высóвывать; пускáть (*ростки*); to ~ out one's lips презри́тельно выпя́чивать гýбы; в) разрази́ться (*потоком брани и т. п.*); ~ up а) бы́стро расти́; б) взлетáть, вздымáться (*о пламени и т. п.*); в) терроризи́ровать (*жителей*) стрельбóй ◇ to ~ the cat рвать, блевáть; to ~ fire метáть и́скры (*о глазах*); to ~ the breeze трепáться, болтáть; to ~ Niagara реши́ться на отчáянный шаг; подвергáться огрóмному ри́ску; I'll be shot if... провали́ться мне на э́том мéсте, éсли...; to ~ the moon съéхать с кварти́ры нóчью, не заплати́в за неё; to ~ oneself clear катапульти́роваться из самолёта

shooter [ˈʃu:tə] *n* **1)** стрелóк **2)** *sl.* револьвéр *и т. п.* **3)** *sl.* чёрная визи́тка

-shooter [-ˌʃu:tə] *в сложных словах*: six-shooter шестизаря́дный револьвéр

shooting [ˈʃu:tɪŋ] **1.** *pres. p. от* shoot 2

2. *n* **1)** стрельбá **2)** охóта **3)** прáво на охóту **4)** охóтничье угóдье **5)** *кино* съёмка **6)** внезáпная óстрая боль **7)** *горн.* палéние шпýров

shooting box [ˈʃu:tɪŋbɒks] *n* охóтничий дóмик

shooting gallery [ˈʃu:tɪŋˌgælərɪ] *n* тир

shooting iron [ˈʃu:tɪŋˌaɪən] *n разг.* огнестрéльное орýжие

shooting range [ˈʃu:tɪŋreɪndʒ] *n* стрéльбище, полигóн

shooting star [ˌʃu:tɪŋˈstɑ:] *n* метеóр, пáдающая звездá

shooting stick [ˈʃu:tɪŋstɪk] *n* трость-сидéнье

shooting war [ˌʃu:tɪŋˈwɔ:] *n* «горя́чая» войнá, настоя́щая войнá (*в противоположность «холодной» войне*)

shop [ʃɒp] **1.** *n* **1)** лáвка, магази́н **2)** мастерскáя, цех; closed ~ *амер.* предприя́тие, принимáющее на рабóту тóлько члéнов профсою́за; open ~ *амер.* предприя́тие, принимáющее на рабóту как члéнов, так и нечлéнов профсою́за **3)** профéссия, заня́тие; делá, вопрóсы, тéмы, свя́занные с чьей-л. профéссией; stop thinking ~! хвáтит дýмать о делáх (*или* рабóте)!; to talk ~ говори́ть о делáх, говори́ть на узкопрофессионáльные тéмы во врéмя óбщего разговóра (*в гостях и т. п.*) **4)** *разг.* заведéние, учреждéние, предприя́тие **5)** *attr.* цеховóй; ~ committee цеховóй комитéт; ~ chairman *амер.* профсою́зный организáтор (*на предприятии*) ◇ all over the ~ разбрóсанный повсю́ду, в беспоря́дке; to come (*или* to go) to the wrong ~ обрати́ться не по áдресу; to shut up ~ закры́ть лáвочку; прекрати́ть дéятельность

2. *v* 1) дéлать поку́пки (*обыкн.* to go ~ping) 2) *амер.* рассмáтривать витри́ны, присмáтриваться к товáрам 3) *sl.* сажáть в тюрьму́ 4) *sl.* донести́ в поли́цию (*на кого-л.*) ▭ ~ **around** *амер.* искáть рабóту, мéсто

shop-assistant ['ʃɒpə,sɪstənt] *n* продавéц; продавщи́ца

shop-boy [,ʃɒp'bɔɪ] *n* продавéц

shop floor [,ʃɒp'flɔ:] *n* рабóчие *какого-л.* предприя́тия (*в противоположность дирекции*); рядовы́е члéны профсою́за

shop-girl [,ʃɒp'gɜ:l] *n* продавщи́ца

shop hours ['ʃɒpaʊəz] *n pl* врéмя рабóты магази́нов

shopkeeper ['ʃɒp,ki:pə] *n* лáвочник; владéлец (небольшóго) магази́на

shoplifter ['ʃɒplɪftə] *n* магази́нный вор

shopman ['ʃɒpmən] *n* 1) продавéц 2) лáвочник 3) рабóчий, мáстер по ремóнту

shopper ['ʃɒpə] *n* покупáтель

shopping ['ʃɒpɪŋ] **1.** *pres. p. от* shop 2

2. *n* посещéние магази́на с цéлью покýпки (*чего-л.*); to do one's ~ дéлать покýпки

shopping centre ['ʃɒpɪŋ,sentə] *n* торгóвый центр

shoppy ['ʃɒpɪ] *a* 1) с больши́м коли́чеством магази́нов, торгóвый (*о районе города*) 2) *разг.* профессионáльный (*о разговоре и т. п.*)

shop steward [,ʃɒp'stju:əd] *n* цеховóй стáроста

shopwalker ['ʃɒp,wɔ:kə] *n* дежу́рный администрáтор универмáга

shop window [,ʃɒp'wɪndəʊ] *n* витри́на ◇ to have everything in the ~, to have all one's goods in the ~ а) быть повéрхностным человéком; б) выставля́ть всё напокáз

shore I [ʃɔ:] *n* бéрег (*моря, озера*); on ~ на берегу́; in ~ у бéрега; бли́же к бéрегу

shore II [ʃɔ:] **1.** *n* подпóрка, опóра; подкóс; креплéние

2. *v* подпирáть; окáзывать поддéржку (*обыкн.* ~ up)

shore III [ʃɔ:] *уст. past от* shear 2

shore dinner ['ʃɔ:,dɪnə] *n* обéд из рáзных блюд

shore leave ['ʃɔ:li:v] *n мор.* óтпуск на бéрег

shoreless ['ʃɔ:ləs] *a* безбрéжный

shoreman ['ʃɔ:mən] = shoresman

shore patrol ['ʃɔ:pə,trəʊl] *n амер.* береговóй дозóр

shoresman ['ʃɔ:zmən] *n* 1) прибрéжный рыбáк 2) лóдочник 3) портóвый гру́зчик

shoreward ['ʃɔ:wəd] **1.** *a* дви́жущийся по направлéнию к бéрегу

2. *adv* по направлéнию к бéрегу

shorn [ʃɔ:n] *p. p. от* shear 2

short [ʃɔ:t] **1.** *a* 1) корóткий; крáткий; краткосрóчный; a ~ way off недалекó; a ~ time ago недáвно; time is ~ врéмя не тéрпит; ~ cut а) кратчáйшее расстоя́ние; to take (*или* to make) a ~ cut избрáть кратчáйший путь; б) (наибóлее) рационáльный спóсоб (*достижения цели*) 2) ни́зкий, невысóкий (*о человеке*) 3) недостáточный, непóлный; имéющий недостáток (of — в *чём-л.*); не достигáющий (of — *чего-л.*); ~ weight недовéс; ~ measure недомéр; in ~ supply дефици́тный; ~ sight близору́кость; ~ views недальнови́дность; ~ memory корóткая пáмять; ~ of breath запыхáвшийся; страдáющий оды́шкой; to keep smb. ~ ску́дно снабжáть когó-л.; we are ~ of cash у нас не хватáет дéнег; to jump ~ недопры́гнуть; to run ~ истощáться; иссякáть; не хватáть; to come (*или* to fall) ~ of smth. а) не хватáть, имéть недостáток в чём-л.; б) уступáть в чём-л.; this book comes ~ of satisfactory э́та кни́га оставля́ет желáть мнóго лу́чшего; в) не дости́гнуть цéли; г) не оправдáть ожидáний 4) крáткий, сжáтый 5) отры́вистый, сухóй (*об ответе, приёме*); грубый, рéзкий (*о речи*); ~ word брáнное слóво 6) корóткий, плохóй (*о памяти*) 7) хру́пкий, лóмкий; рассы́пчатый (*о печенье, о глине*); pastry eats ~ печéнье рассыпáется во рту 8) крéпкий (*о напитке*); something ~ спиртнóе ◇ in the ~ run вскóре; at ~ notice немéдленно; ~ wind оды́шка; to make a long story ~ корóче говоря́; to make ~ work of smth. бы́стро спрáвиться, бы́стро раздéлаться с чем-л.; this is nothing ~ of a swindle э́то пря́мо надувáтельство; ~ of а) исключáя; б) не доезжáя; somewhere ~ of London гдé-то не доезжáя Лóндона

2. *adv* рéзко, кру́то, внезáпно; преждеврéменно; to stop ~ внезáпно останови́ться

3. *n* 1) *разг.* рю́мка, глотóк спиртнóго 2) *разг.* корóткое замыкáние 3) короткометрáжный фильм 4) крáткий глáсный *или* слог 5) знак крáткости 6) крáткость; for ~ для крáткости; in ~ корóче говоря́; вкрáтце 7) *бирж.* спекуля́нт, игрáющий на понижéние 8) *pl бирж.* краткосрóчные цéнные бумáги 9) *pl* мéлкие óтруби 10) *pl* отхóды

shortage ['ʃɔ:tɪdʒ] *n* нехвáтка, недостáток; дефици́т

shortbread ['ʃɔ:tbred] *n* песóчное печéнье

shortcake ['ʃɔ:tkeɪk] *n* 1) = shortbread 2) *амер.* слоёный торт с фруктóвой начи́нкой

short change [,ʃɔ:t'tʃeɪndʒ] *n* мéлочь, сдáча

shortchange [,ʃɔ:t'tʃeɪndʒ] *v амер.* 1) обсчи́тывать, недодавáть (*сдачу*) 2) обмáнывать

short circuit [,ʃɔ:t'sɜ:kɪt] *n эл.* корóткое замыкáние

short-circuit [,ʃɔ:t'sɜ:kɪt] *v эл.* 1) замкну́ть нáкоротко, сдéлать корóткое замыкáние 2) упрости́ть; укороти́ть 3) *разг.* препя́тствовать, мешáть; срывáть (*планы*) 4) дéйствовать в обхóд (*правил и т. п.*)

shortcoming ['ʃɔ:tkʌmɪŋ] *n* недостáток; дефéкт

short-cut 1. *n* ['ʃɔ:tkʌt] = short cut [*см.* short 1, 1)]

2. *a* [,ʃɔ:t'kʌt] укорóченный; сокращённый

short-dated [,ʃɔ:t'deɪtɪd] *a* краткосрóчный (*о векселе и т. п.*)

shorten ['ʃɔ:tn] *v* 1) укорáчивать(ся), сокращáть(ся) 2) добавля́ть к тéсту жир для рассы́пчатости

shortening ['ʃɔ:tnɪŋ] **1.** *pres. p. от* shorten

2. *n* жир, добавля́емый в тéсто для рассы́пчатости

shortfall ['ʃɔ:tfɔ:l] *n* дефици́т

short fuse ['ʃɔ:tfju:z] *n* вспы́льчивость

shorthand ['ʃɔ:thænd] *n* 1) стеногрáфия 2) *attr.* стенографи́ческий

shorthanded [,ʃɔ:t'hændɪd] *a* испы́тывающий недостáток в рабóчих рукáх, нуждáющийся в рабóчей си́ле

shorthorn ['ʃɔ:thɔ:n] *n* шортгóрнская порóда скотá

short list ['ʃɔ:tlɪst] *n* спи́сок кандидáтов *и т. п.*, из котóрых дéлается окончáтельный вы́бор

shortlived [,ʃɔ:t'lɪvd] *a* недолговéчный; мимолётный; ~ commodities скоропóртящиеся продýкты

shortly ['ʃɔ:tlɪ] *adv* 1) вскóре; незадóлго 2) кóротко, сжáто 3) отры́висто, рéзко

short order ['ʃɔ:tɔ:də] *n* блю́до (*в ресторане и т. п.*), не трéбующее врéмени на приготовлéние ◇ in ~ *амер.* срáзу же, бы́стро

short-paid [,ʃɔ:t'peɪd] *a* доплатнóй (*о почтовом отправлении*)

shorts [ʃɔ:ts] *n pl* 1) шóрты 2) тру́сики

shortsighted [,ʃɔ:t'saɪtɪd] *a* 1) близору́кий 2) недальнови́дный

short-spoken [,ʃɔ:t'spəʊkən] *a* неразговóрчивый, немногослóвный

short-tempered [,ʃɔ:t'tempəd] *a* несдéржанный, вспы́льчивый

short-term [,ʃɔ:t'tɜ:m] *a* краткосрóчный

short time [,ʃɔ:t'taɪm] *n* непóлный рабóчий день; непóлная рабóчая недéля

short ton [,ʃɔ:t'tʌn] *n* корóткая (мáлая) тóнна (= *907,2 кг*)

short wave [,ʃɔ:t'weɪv] *n радио* корóткая волнá

short-wave [,ʃɔ:t'weɪv] *a радио* коротковóлнóвый; ~ set коротковóлнóвый приёмник

short-winded [,ʃɔ:t'wɪndɪd] *a* 1) страдáющий оды́шкой 2) крáткий, сжáтый

shorty ['ʃɔ:tɪ] *n разг.* коротышка

shot I [ʃɒt] *n* 1) вы́стрел; *перен.* удáр; preliminary ~ *воен.* пристрéлка 2) *спорт.* удáр, бросóк 3) пу́шечное ядрó 4) (*pl без измен.*) дроби́нка; *собир.* дробь 5) фотосни́мок 6) *кино* кадр 7) *разг.* попы́тка (*угадать и т. п.*); to take (*или* to have, to try) a ~ сдéлать попы́тку; to make a good (bad) ~ at smth. отгада́ть (не отгада́ть) что-л.; не ошиби́ться (ошиби́ться) в чём-л. 8) *разг.* стрело́к 9) *спорт.* ядро́ для толка́ния 10) за́пуск (*ракеты*) 11) *разг.* глото́к спиртно́го 12) уко́л, инъе́кция; a ~ in the arm впры́скивание нарко́тика; *перен.* сти́мул 13) *горн.* взрыв; вы́пал (*шпура*); шпур ◇ like a ~ бы́стро, стреми́тельно, сра́зу; в одну́ мину́ту; о́чень охо́тно; a ~ in the blue ≅ оплошность, про́мах; by a long ~ намно́го; not by a long ~ отню́дь не

shot II [ʃɒt] **1.** *past u p. p. om* shoot 2

2. *a* 1) перели́вчатый; ~ with silver с серебри́стым отли́вом 2) потрёпанный, изно́шенный; his morale is ~ он оконча́тельно упа́л ду́хом

shot III [ʃɒt] *n* счёт; to pay one's ~ распла́чиваться (*в гостинице, ресторане и т. п.*)

shotgun ['ʃɒtgʌn] *n* дробови́к (*ружьё*) ◇ ~ marriage вы́нужденный брак

shotproof [,ʃɒt'pru:f] *a* пуленепробива́емый

shotput ['ʃɒtpʊt] *n спорт.* толка́ние ядра́

should [ʃʊd (*полная форма*); ʃəd, ʃd (*редуцированные формы*)] (*past om* shall) 1) *вспомогательный глагол; служит для образования будущего в прошедшем в 1 л. ед. и мн. ч.*: I said I ~ be at home next week я сказа́л, что бу́ду до́ма на сле́дующей неде́ле 2) *вспомогательный глагол; служит для образования*: а) *условного наклонения в 1 л. ед. и мн. ч.*: I ~ be glad to play if I could я бы сыгра́л, е́сли бы уме́л; б) *сослагательного наклонения*: it is necessary that he ~ go home at once необходи́мо, что́бы он сейча́с же шёл домо́й 3) *модальный глагол, выражающий*: а) *долженствование, уместность, целесообразность*; you ~ not do that э́того де́лать не сле́дует; we ~ be punctual мы должны́ быть аккура́тны; б) *предположение* (*вытекающее из обстоятельств*); they ~ be there by now сейча́с они́, наве́рное, уже́ там

shoulder ['ʃəʊldə] **1.** *n* 1) плечо́; ~ to ~ плечо́м к плечу́ 2) лопа́тка (*в мясной туше*) 3) пле́чики для оде́жды, ве́шалка 4) усту́п, вы́ступ 5) обо́чина (*дороги*) 6) *тех.* бу́ртик; поясо́к ◇ to rub ~s with обща́ться с; straight from the ~ сплеча́, пря́мо, без обиняко́в, открове́нно; to give the cold ~ to smb. оказа́ть холо́дный приём кому́-л., хо́лодно встре́тить кого́-л.

2. *v* 1) отта́лкивать в сто́рону, прота́лкиваться (*тж.* ~ one's way) 2) взвали́ть на пле́чи; брать на себя́ (*ответственность, вину*); to ~ arms брать к плечу́ (*винтовку*)

shoulder belt ['ʃəʊldəbelt] *n* 1) пе́ревязь че́рез плечо́ 2) *воен.* портупе́я 3) = shoulder-harness

shoulder blade ['ʃəʊldəbleɪd] *n анат.* лопа́тка

shoulder-harness [,ʃəʊldə'hɑ:nɪs] *n авто* плечево́й реме́нь безопа́сности

shoulder loop ['ʃəʊldəlu:p] *амер.* = shoulder strap 2)

shoulder-mark ['ʃəʊldəmɑ:k] *n* наплечный знак разли́чия (*в военно-морском флоте США*)

shoulder-pads [,ʃəʊldə'pædz] *n pl* подпле́чники

shoulder strap ['ʃəʊldəstræp] *n* 1) *pl* брете́льки; пле́чики; a dress without ~s пла́тье с откры́тыми плеча́ми 2) *воен.* пого́н

shout [ʃaʊt] **1.** *n* 1) крик, во́зглас 2) *австрал. разг.* чья-л. о́чередь плати́ть (*за угощение и т. п.*)

2. *v* 1) крича́ть (at — на); to ~ with laughter гро́мко хохота́ть 2) *австрал. разг.* угоща́ть всю компа́нию ▭ ~ down перекрича́ть; заглуша́ть кри́ком; ~ for, ~ to гро́мко позва́ть *кого-л.*

shouting ['ʃaʊtɪŋ] **1.** *pres. p. om* shout 2

2. *n* кри́ки; во́згласы одобре́ния, приве́тствия ◇ it's all over but the ~ все тру́дности позади́, мо́жно ликова́ть

shove [ʃʌv] **1.** *n* 1) толчо́к; толка́ние 2) *с.-х.* костра́ (льна)

2. *v* 1) пиха́ть; толка́ть(ся) 2) *разг.* сова́ть; засо́вывать 3) *разг.* спихну́ть; всучи́ть (onto — *кому-л.*) ▭ ~ off а) отта́лкиваться (*от берега — в лодке*); б) *sl.* уходи́ть; убира́ться

shovel ['ʃʌvl] **1.** *n* 1) лопа́та; сово́к 2) экскава́тор; механи́ческая лопа́та

2. *v* 1) копа́ть, рыть 2) сгреба́ть (*тж.* ~ up, ~ in); to ~ up food *разг.* уплета́ть

shovel hat ['ʃʌvlhæt] *n* шля́па с широ́кими поля́ми, за́гнутыми по бока́м (*у англ. духовных лиц*)

shoveller ['ʃʌvlə] *n зоол.* у́тка-широноско́ска

show [ʃəʊ] **1.** *n* 1) пока́з, демонстра́ция; to vote by ~ of hands голосова́ть подня́тием руки́ 2) вы́ставка 3) зре́лище; спекта́кль; moving-picture ~ киносеа́нс 4) *разг.* вне́шний вид, ви́димость; for ~ для ви́димости; there is a ~ of reason in it в э́том есть ви́димость смы́сла; he made a great ~ of zeal он де́лал вид, что о́чень стара́ется 5) показна́я пы́шность, пара́дность 6) *разг.* де́ло, предприя́тие, организа́ция; to run (*или* to boss) the ~ заправля́ть (*чем-л.*); хозя́йничать 7) *разг.* возмо́жность прояви́ть свои́ си́лы; удо́бный слу́чай 8) *воен. жарг.* бой, опера́ция ◇ to put up a good ~ доби́ться положи́тельных результа́тов; to give away the ~ вы́дать, разболта́ть секре́т; разболта́ть о недоста́тках (*какого-л. предприятия*)

2. *v* (showed [-d]; showed, shown) 1) быть ви́дным; появля́ться; каза́ться; the stain will never ~ пятно́ бу́дет незаме́тно; buds are just ~ing по́чки то́лько ещё появля́ются; your slip is ~ing у вас видна́ ни́жняя ю́бка 2) пока́зывать; to ~ oneself появля́ться в о́бществе; to ~ the way провести́, показа́ть доро́гу; *перен.* надоу́мить 3) проявля́ть; выставля́ть, демонстри́ровать; to ~ cause привести́ оправда́ние; he ~ed me great kindness он прояви́л ко мне большо́е уча́стие 4) проявля́ться; his dislike ~s его́ неприя́знь очеви́дна 5) дока́зывать, подтвержда́ть 6) демонстри́ровать (*фильм*), дава́ть (*спектакль*), выставля́ть (*картины*) 7) проводи́ть, ввести́ (into — *куда-л.*); вы́вести (out of — *откуда-л.*) ▭ ~ down откры́ть ка́рты; ~ in ввести́, провести́ (*в комнату*); ~ off а) пока́зывать в вы́годном све́те; б) *разг.* пуска́ть пыль в глаза́; рисова́ться; ~ out проводи́ть, вы́вести (*из комнаты*); ~ round пока́зывать (*кому-л. город, музей*); ~ up а) выделя́ться (*на фоне*); вырисо́вываться; б) изоблича́ть; разоблача́ть; в) *разг.* (по)явля́ться; объяви́ться неожи́данно; г) *разг.* смуща́ть; унижа́ть ◇ to ~ smb. the door указа́ть кому́-л. на дверь; to ~ one's hand (*или* cards) раскры́ть свои́ ка́рты; to ~ one's teeth прояви́ть вражде́бность; огрызну́ться; to have nothing to ~ for it не дости́чь никаки́х результа́тов; the picture ~s to good advantage in this light карти́на о́чень выи́грывает при э́том све́те

show-bill ['ʃəʊbɪl] *n* афи́ша, объявле́ние

showboat ['ʃəʊbəʊt] *n амер.* плаву́чий теа́тр

show business ['ʃəʊ,bɪznəs] *n* театра́льное де́ло; инду́стрия развлече́ний

show-card ['ʃəʊkɑ:d] *n* 1) рекла́ма 2) *ком.* ка́рточка образцо́в

showcase ['ʃəʊkeɪs] *n* витри́на

show-down ['ʃəʊdaʊn] *n* 1) раскры́тие карт 2) раскры́тие со́бственных пла́нов 3) реши́тельное столкнове́ние

shower ['ʃaʊə] **1.** *n* 1) ли́вень; a ~ of hail град 2) град (*пуль, вопросов*) 3) душ 4) *амер.* приём госте́й для преподнесе́ния пода́рков (*невесте и т. п.*)

2. *v* 1) осыпа́ть; забра́сывать; to be ~ed with telegrams быть засы́панным телегра́ммами; to ~ stones upon smb. заброса́ть кого́-л. камня́ми 2) полива́ть, ороша́ть 3) приня́ть душ 4) ли́ть(ся) ли́внем

shower bath ['ʃaʊəbɑ:θ] *n* душ

showery ['ʃaʊərɪ] *a* дождли́вый

showgirl ['ʃəʊgɜ:l] *n* певи́чка, танцо́вщица *или* актри́са на вы́ходах (*в эстрадном представлении*)

showground ['ʃəʊgraʊnd] *n театр.* игрова́я площа́дка

showing ['ʃəʊɪŋ] **1.** *pres. p. om* show 2

2. *n* 1) пока́з 2) впечатле́ние; to make a good (bad) ~ производи́ть хоро́шее (плохо́е) впечатле́ние 3) све́дения, да́нные; показа́тели 4) вы́ставка

showman ['ʃəʊmən] *n* 1) хозя́ин ци́рка, аттракцио́на *и т. п.*; балага́нщик 2) шоуме́н, специали́ст по организа́ции публи́чных зре́лищ

showmanship ['ʃəʊmənʃɪp] *n* 1) иску́сство организа́ции публи́чных зре́лищ 2) уме́ние произвести́ эффе́кт, показа́ть това́р лицо́м

shown [ʃəʊn] *p. p. om* show 2

showroom ['ʃəʊru:m] *n* вы́ставочный зал; демонстрацио́нный зал для пока́за образцо́в това́ра

show trial ['ʃəʊtraɪəl] *n* (*особ. ист.*) показа́тельный суде́бный проце́сс

showwindow [ˌʃəʊ'wɪndəʊ] *n* окно́ магази́на, витри́на

showy ['ʃəʊɪ] *a* 1) крича́щий; бью́щий на эффе́кт 2) эффе́ктный, я́ркий 3) пёстрый, безвку́сный

shrank [ʃræŋk] *past от* shrink

shrapnel ['ʃræpnl] *n* шрапне́ль

shred [ʃred] **1.** *n* 1) лоскуто́к, клочо́к, кусо́к; to tear to ~s разорва́ть в клочки́; to tear an argument to ~s по́лностью опрове́ргнуть до́вод 2) части́ца; мизе́рное коли́чество; not a ~ of truth ни ка́пли пра́вды

2. *v* (shredded [-ɪd], shred) 1) кромса́ть; ре́зать *или* рвать на клочки́ 2) располза́ться, распада́ться

shredder ['ʃredə] *n* бумагоре́зательная маши́на

shrew [ʃru:] *n* 1) *зоол.* землеро́йка 2) сварли́вая же́нщина

shrewd [ʃru:d] *a* 1) проница́тельный, у́мный; тре́звый, практи́чный 2) *уст.* си́льный, жесто́кий (*о боли, холоде*) 3) *уст.* зло́бный; ~ tongue злой язы́к

shrewish ['ʃru:ɪʃ] *a* сварли́вый

shrew mole ['ʃru:məʊl] *n* водяно́й крот

shrew-mouse ['ʃru:maʊs] = shrew 1)

shriek [ʃri:k] **1.** *n* пронзи́тельный крик, визг

2. *v* пронзи́тельно крича́ть, визжа́ть; выкри́кивать; to ~ with laughter истери́чески хохота́ть

shrieval ['ʃri:vəl] *a* шери́фский

shrievalty ['ʃri:vəltɪ] *n* 1) до́лжность шери́фа 2) сфе́ра полномо́чий шери́фа 3) срок пребыва́ния шери́фа в до́лжности

shrift [ʃrɪft] *n уст.* и́споведь ◇ short ~ коро́ткий срок ме́жду пригово́ром и ка́знью; to give short ~ to smb. бы́стро распра́виться с кем-л.

shrike [ʃraɪk] *n* сорокопу́т (*птица*)

shrill [ʃrɪl] **1.** *a* 1) пронзи́тельный, ре́зкий 2) насто́йчивый, назо́йливый

2. *v* пронзи́тельно крича́ть, визжа́ть

shrimp [ʃrɪmp] **1.** *n* 1) *зоол.* креве́тка 2) *разг.* ма́ленький, тщеду́шный челове́чек; ничто́жный челове́чек, козя́вка

2. *v* лови́ть креве́ток (*обыкн.* to go ~ing)

shrine [ʃraɪn] **1.** *n* 1) ра́ка; гробни́ца, усыпа́льница 2) ме́сто поклоне́ния, святы́ня

2. *v поэт.* благогове́йно храни́ть

shrink [ʃrɪŋk] *v* (shrank, shrunk; shrunk) 1) сади́ться (*о материи*), дава́ть уса́дку 2) сокраща́ть(ся), смо́рщивать(ся) 3) отпря́нуть, отступи́ть (*от чего-л.*) 4) избега́ть; уклоня́ться (from — от *чего-л.*); I ~ from telling her у меня́ не хвата́ет ду́ху сказа́ть ей 5) усыха́ть ▭ ~ on *метал.* насади́ть (*бандаж*) в горя́чем состоя́нии ◇ to ~ into oneself уйти́ в себя́

shrinkage ['ʃrɪŋkɪdʒ] *n* 1) сокраще́ние; сжа́тие 2) усу́шка, уса́дка

shrive [ʃraɪv] *v* (shrived [-d], shrove; shrived, shriven) *уст.* испове́довать, отпуска́ть грехи́

shrivel ['ʃrɪvl] *v* 1) смо́рщивать(ся); съёживаться, ссыха́ться 2) де́лать(ся) бесполе́зным

shriven ['ʃrɪvn] *p. p. от* shrive

shroud [ʃraʊd] **1.** *n* 1) са́ван 2) пелена́; покро́в; wrapped in a ~ of mystery оку́танный та́йной 3) *pl мор.* ва́нты 4) *тех.* кожу́х, колпа́к

2. *v* 1) завёртывать в са́ван 2) оку́тывать

shrove [ʃrəʊv] *past от* shrive

Shrovetide ['ʃrəʊvtaɪd] *n* ма́сленица

shrub I [ʃrʌb] *n* куст, куста́рник

shrub II [ʃrʌb] *n* напи́ток из фрукто́вого со́ка и ро́ма

shrubbery ['ʃrʌbərɪ] *n* 1) куста́рник 2) куста́рниковая за́росль

shrubby ['ʃrʌbɪ] *a* 1) поро́сший куста́рником 2) куста́рниковый

shrug [ʃrʌg] **1.** *n* пожима́ние (*плеча́ми*)

2. *v* пожима́ть (*плечами*); to ~ smth. off игнори́ровать, не обраща́ть внима́ния

shrunk [ʃrʌŋk] *past и p. p. от* shrink

shrunken ['ʃrʌŋkən] *a* смо́рщенный

shuck [ʃʌk] **1.** *n амер.* 1) шелуха́ 2) ство́рка у́стрицы, жемчу́жницы *и т. п.* ◇ ~! а) чёрт!; б) ерунда́!

2. *v* 1) лущи́ть, очища́ть от шелухи́ 2) сбра́сывать, снима́ть; to ~ off one's clothes сбро́сить оде́жду

shudder ['ʃʌdə] **1.** *n* дрожь, содрога́ние

2. *v* вздра́гивать; содрога́ться; I ~ to think of it я содрога́юсь при (одно́й) мы́сли об э́том

shuffle ['ʃʌfl] **1.** *n* 1) ша́рканье 2) тасова́ние (*карт*) 3) перемеще́ние; a ~ of the Cabinet перераспределе́ние портфе́лей внутри́ кабине́та мини́стров 4) трюк, увёртка

2. *v* 1) волочи́ть (*ноги*); ша́ркать (*ногами*) 2) тасова́ть (*карты*) 3) переме́шивать; перемеща́ть 4) колеба́ться, виля́ть, извора́чиваться, хитри́ть 5) ёрзать ▭ ~ off а) сбро́сить (*одежду*); б) свали́ть (*ответственность*); в) избави́ться; ~ on наки́нуть (*одежду*)

shuffler ['ʃʌflə] *n* 1) сдаю́щий (*в карточной игре*) 2) пройдо́ха

shun [ʃʌn] *v* избега́ть, остерега́ться; to ~ danger избежа́ть опа́сности

'shun [ʃʌn] *int* (*сокр. от* attention) *воен. разг.* сми́рно!

shunt [ʃʌnt] **1.** *n* 1) *ж.-д.* перево́д на запа́сный путь 2) стре́лка 3) *эл.* шунт

2. *v* 1) *ж.-д.* переводи́ть *или* переходи́ть на запа́сный путь, маневри́ровать 2) *эл.* шунти́ровать 3) *разг.* откла́дывать, класть под сукно́; избега́ть обсужде́ния (*чего-л.*); перекла́дывать (*ответственность, вину и т. п.*) на друго́го

shunter ['ʃʌntə] *n ж.-д.* стре́лочник; сце́пщик; состави́тель поездо́в

shunting yard ['ʃʌntɪŋjɑ:d] *n ж.-д.* сортиро́вочная ста́нция, маневро́вый парк

shush [ʃʌʃ] *v разг.* 1) заста́вить замолча́ть, заши́кать 2) замолча́ть, умо́лкнуть

shut [ʃʌt] **1.** *v* (shut) 1) затворя́ть(ся), закрыва́ть(ся) 2) запира́ть(ся) 3) закрыва́ть(ся); прекраща́ть, зака́нчивать (*работу*) 4) скла́дывать, закрыва́ть; to ~ a fan сложи́ть ве́ер; to ~ an umbrella закры́ть зо́нтик 5) прищемля́ть; he ~ his finger in the door он защеми́л па́лец в дверя́х 6) перекры́ть (*доступ*), прегради́ть (*проход*) ▭ ~ down а) закрыва́ть; захло́пывать; б) прекраща́ть рабо́ту (*на предприятии*); в) опуска́ться (*о тумане и т. п.*); ~ in а) запира́ть; б) загора́живать (*свет и т. п.*); ~ off а) выключа́ть (*воду, ток, пар и т. п.*); б) изоли́ровать (from); ~ out а) не допуска́ть; не впуска́ть; б) загора́живать; в) исключа́ть (*возможность*); ~ to закрыва́ть(ся) на́глухо; ~ the box to закро́йте я́щик; ~ up а) заби́ть, заколоти́ть; to be ~ up сиде́ть взаперти́; б) закры́ть (*магазин, предприятие*); в) заключи́ть (*в тюрьму*); г) *разг.* (заста́вить) замолча́ть; ~ up! замолчи́!, заткни́сь! ◇ to ~ one's ears to smth. не слу́шать, игнори́ровать, остава́ться глухи́м к чему́-л.; to ~ one's eyes to smth. закрыва́ть глаза́ на что-л., не замеча́ть чего́-л.

2. *a* закры́тый, за́пертый

shutdown ['ʃʌtdaʊn] *n* 1) закры́тие (*предприятия*) 2) выключе́ние

shut-eye ['ʃʌtaɪ] *n разг.* сон

shut-in ['ʃʌtɪn] **1.** *n* лежа́чий больно́й

2. *a* 1) не выходя́щий и́з дому; лежа́чий (*о больном*) 2) за́мкнутый, нелюди́мый

shut-out ['ʃʌtaʊt] *n* локау́т

shutter ['ʃʌtə] **1.** *n* 1) ста́вень; *pl* жалюзи́; to put up the ~s *перен.* закры́ть предприя́тие 2) задви́жка, засло́нка; затво́р (*напр., фотообъектива*)

2. *v* закрыва́ть ста́внями

shuttle ['ʃʌtl] **1.** *n* 1) челно́к (*ткацкого станка, швейной машины*) 2) затво́р шлю́за 3) = shuttle bus *и* shuttle train 4) = space shuttle

2. *v* дви́гать(ся) взад и вперёд

shuttle bus ['ʃʌtlbʌs] *n* при́городный авто́бус

shuttlecock ['ʃʌtlkɒk] *n* вола́н (*для игры в бадминтон*)

shuttle service ['ʃʌtlˌsɜ:vɪs] *n* движе́ние туда́ и обра́тно (*поездов, автобусов и т. п.*), ма́ятниковое движе́ние

shuttle train ['ʃʌtltreɪn] *n* при́городный по́езд

shy I [ʃaɪ] **1.** *a* 1) засте́нчивый, ро́бкий; осторо́жный, нереши́тельный; to be ~ of smth. а) избега́ть чего́-л.; не реша́ться на что-л.; б) *амер.* недостава́ть, не хвата́ть (*тж.* to be ~ on smth.) 2) пугли́вый

2. *v* 1) броса́ться в сто́рону, пуга́ться 2) уклони́ться, отшатну́ться (away, from, at)

shy II [ʃaɪ] *разг.* **1.** *n* 1) бросо́к 2) *разг.* попы́тка; to have a ~ at smth. попро́бовать доби́ться чего́-л. 3) *разг.* насме́шливое, ко́лкое замеча́ние

2. *v* броса́ть (*камень, мяч*)

shyer ['ʃaɪə] *n* пугли́вая ло́шадь

shyster ['ʃaɪstə] *n амер. разг.* стря́пчий по тёмным дела́м

si [si:] *n муз.* си

Siamese [,saɪə'mi:z] **1.** *a* сиа́мский; ~ twins сиа́мские близнецы́; ~ cat сиа́мская ко́шка

2. *n* (*pl без измен.*; *прежнее название жителей Таиланда*) сиа́мец; сиа́мка; the ~ *pl собир.* сиа́мцы

sib [sɪb] *n* 1) брат; сестра́ 2) кро́вный ро́дственник

Siberian [saɪ'bɪərɪən] **1.** *a* сиби́рский; ~ dog сиби́рская ла́йка; ~ plague сиби́рская я́зва

2. *n* сибиря́к; сибиря́чка

sibilant ['sɪbɪlənt] **1.** *a* свистя́щий, шипя́щий

2. *n фон.* свистя́щий *или* шипя́щий звук

sibling ['sɪblɪŋ] *n* (единокро́вный *или* единоутро́бный) брат; (единокро́вная *или* единоутро́бная) сестра́; ~s де́ти одни́х роди́телей; ~ rivalry сопе́рничество ме́жду детьми́ (*одних родителей*), де́тская ре́вность

sibyl ['sɪbɪl] *n* сиви́лла; предсказа́тельница; колду́нья

sibylline ['sɪbɪlaɪn] *a* проро́ческий

sic [sɪk] *лат. adv* так! (*указание на точное соответствие оригиналу*)

siccative ['sɪkətɪv] *хим.* **1.** *a* суши́льный

2. *n* суши́льное вещество́, сиккати́в

sice I [saɪs] *n* шесть очко́в (*на игральных костях*)

sice II [saɪs] = syce

Sicilian [sɪ'sɪlɪən] **1.** *a* сицили́йский

2. *n* жи́тель Сици́лии

sick I [sɪk] *a* 1) *predic.* чу́вствующий тошноту́; to feel (*или* to turn) ~ испы́тывать тошноту́; he is ~ его́ тошни́т (рвёт) 2) *преим. амер.* больно́й 3) боле́зненный; нездоро́вый; ~ fancies боле́зненные фанта́зии 4) относя́щийся к больно́му; свя́занный с боле́знью 5) тоску́ющий (for — по *чему-л.*); to be ~ at heart тоскова́ть 6) *разг.* пресы́щенный; уста́вший (of — от *чего-л.*); I am ~ of waiting мне надое́ло ждать 7) *разг.* раздоса́дованный 8) *разг.* мра́чный, жу́ткий; ~ joke жесто́кая шу́тка 9) бле́дный (*о цвете и т. п.*); сла́бый, вя́лый

sick II [sɪk] *v* натра́вливать (*собаку*); ~ him! *охот.* ату́!, возьми́ его́!

sick bay ['sɪkbeɪ] *n* корабе́льный лазаре́т

sickbed ['sɪkbed] *n* посте́ль больно́го

sick benefit [,sɪk'benɪfɪt] *n* посо́бие по боле́зни

sick call ['sɪkkɔ:l] *n* 1) посеще́ние больно́го на дому́ 2) *воен.* враче́бный приём больны́х; посеще́ние санита́рной ча́сти

sicken ['sɪkn] *v* 1) вызыва́ть тошноту́, отвраще́ние 2) чу́вствовать тошноту́, отвраще́ние 3) заболева́ть 4) пресы́титься (of)

sickener ['sɪknə] *n* 1) *разг.* то, что вызыва́ет отвраще́ние, тошноту́, раздраже́ние 2) *школ. жарг.* зану́да

sickening ['sɪknɪŋ] *a* отврати́тельный, тошнотво́рный; a ~ smell тошнотво́рный за́пах

sick flag ['sɪkflæg] *n* каранти́нный флаг

sick headache ['sɪk,hedeɪk] *n* мигре́нь

sickle ['sɪkl] *n* серп

sick leave ['sɪkli:v] *n* о́тпуск по боле́зни

sick list ['sɪklɪst] *n* 1) спи́сок больны́х 2) больни́чный лист; to be on the ~ не прису́тствовать по боле́зни, быть на больни́чном листе́

sickly ['sɪklɪ] *a* 1) боле́зненный 2) сла́бый, бле́дный 3) нездоро́вый (*о климате*) 4) сентимента́льный, слаща́вый 5) тошнотво́рный

sickness ['sɪknəs] *n* 1) боле́знь 2) тошнота́

sick pay ['sɪkpeɪ] *n* посо́бие по боле́зни; вы́плата по больни́чному листу́

sickroom ['sɪkru:m] *n* ко́мната больно́го

side [saɪd] **1.** *n* 1) сторона́, бок; from all ~s, from every ~ со всех сторо́н, отовсю́ду 2) сте́нка 3) бок (*туловища*); pain in the ~ боль в боку́ 4) полови́на мясно́й ту́ши *и т. п.* 5): the right (wrong) ~ of cloth пра́вая (ле́вая) сторона́ мате́рии, лицо́ (изна́нка) мате́рии 6) сторона́, аспе́кт, черта́ 7) пози́ция, то́чка зре́ния, подхо́д 8) сторона́ (*в процессе, споре и т. п.*) 9) край, коне́ц; at the ~ of the road на обо́чине доро́ги; ~ of the page по́ле страни́цы 10) склон (*горы*) 11) ли́ния родства́; relatives on the maternal ~ ро́дственники по матери́нской ли́нии 12) *мор.* борт 13) *sl.* чва́нство, высокоме́рие; to put on ~ ва́жничать 14) *разг.* телекана́л; to try another ~ посмотре́ть, что идёт по друго́й програ́мме 15) *attr.* боково́й 16) *attr.* побо́чный; a ~ effect побо́чное де́йствие (*лекарства, лечения и т. п.*) ◇ ~ by ~ ря́дом; бок о бок; to put on one ~ игнори́ровать; to get on the right ~ of smb. расположи́ть кого́-л. к себе́; to take ~s стать на чью-л. сто́рону; примкну́ть к той *или* друго́й па́ртии; the weather is on the cool ~ пого́да дово́льно прохла́дная; on the ~ попу́тно, ме́жду про́чим; дополни́тельно, в прида́чу; to be on the heavy ~ быть перегру́женным

2. *v* примкну́ть к кому́-л., быть на чьей-л. стороне́ (with)

side-arms ['saɪdɑ:mz] *n воен.* ору́жие, носи́мое на портупе́е *или* поясно́м ремне́ (*шашка, сабля, амер. тж. револьвер, пистолет*)

sideboard ['saɪdbɔ:d] *n* буфе́т; серва́нт

sideboards ['saɪdbɔ:dz] *n pl* ба́чки, ба́ки

sideburns ['saɪdbɜ:nz] = sideboards

sidecar ['saɪdkɑ:] *n* 1) коля́ска мотоци́кла 2) род кокте́йля

side dish ['saɪddɪʃ] *n* гарни́р, сала́т

side effect ['saɪdɪ,fekt] *n* побо́чный эффе́кт; побо́чное явле́ние

side issue ['saɪd,ɪʃu:] *n* побо́чный, второстепе́нный, несуще́ственный вопро́с

sidelight ['saɪdlaɪt] *n* 1) боково́й фона́рь 2) случа́йная информа́ция, пролива́ющая свет на что-л. 3) подфа́рник 4) *мор.* отличи́тельный ого́нь

sideline ['saɪdlaɪn] *n* 1) побо́чная рабо́та 2) *спорт.* бокова́я ли́ния игрово́го по́ля 3) това́ры, не составля́ющие гла́вный предме́т торго́вли в да́нном магази́не 4) *ж.-д.* бокова́я ве́тка

sideling ['saɪdlɪŋ] *a* накло́нный; непрямо́й (*тж. перен.*)

sidelong ['saɪdlɒŋ] **1.** *a* боково́й; косо́й, напра́вленный в сто́рону; a ~ glance косо́й взгляд

2. *adv* вкось; бо́ком; в сто́рону

side note ['saɪdnəʊt] *n* заме́тка на поля́х

sidereal [saɪ'dɪərɪəl] *a* звёздный

siderography [,sɪdə'rɒgrəfɪ] *n* гравирова́ние на ста́ли

sidesaddle ['saɪd,sædl] *n* да́мское седло́

sideshow ['saɪdʃəʊ] *n* 1) интерме́дия, вставно́й но́мер 2) несуще́ственное де́ло, пустя́к

sideslip ['saɪdslɪp] **1.** *n* 1) *авто, спорт.* боково́е скольже́ние 2) *ав.* скольже́ние на крыло́

2. *v* 1) *авто* заноси́ть 2) *ав.* скользи́ть на крыло́

sidesman ['saɪdzmən] *n* церко́вный служи́тель

sidesplitting ['saɪd,splɪtɪŋ] *a разг.* 1) уморите́льный 2) громово́й (*о хохоте*)

sidestep ['saɪdstep] **1.** *n* 1) шаг в сто́рону 2) ступе́нька; подно́жка 3) *спорт.* подъём «ле́сенкой» (*на лыжах*)

2. *v* 1) отступа́ть в сто́рону; уступа́ть доро́гу 2) уклоня́ться от уда́ра 3) уклоня́ться, обходи́ть; to ~ an issue обходи́ть вопро́с; to ~ a decision откла́дывать реше́ние

sidestroke ['saɪdstrəʊk] *n* 1) боково́й уда́р, уда́р сбо́ку 2) пла́вание на боку́

sidetrack ['saɪdtræk] **1.** *n* запа́сный путь; ве́тка

2. *v* 1) переводи́ть на запа́сный путь 2) уводи́ть в сто́рону; отвлека́ть (*кого-л.*) от це́ли; to ~ attention отвле́чь внима́ние 3) откла́дывать рассмотре́ние (*предложения*)

side view ['saɪdvju:] *n* про́филь, вид сбо́ку

sidewalk ['saɪdwɔ:k] *n амер.* тротуа́р

sideward(s) ['saɪdwəd(z)] = sideways

sideways ['saɪdweɪz] *adv* в сто́рону, вкось; бо́ком

side wind ['saɪdwɪnd] *n* 1) боково́й ве́тер 2) непрямо́е влия́ние; by a ~ око́льным путём, сторово́й

sidewinder ['saɪd,waɪndə] *n амер.* уда́р сбо́ку

siding ['saɪdɪŋ] **1.** *pres. p. от* side 2

2. *n* 1) *ж.-д.* запа́сный, подъездно́й путь; ве́тка 2) *амер.* нару́жная обши́вка

sidle ['saɪdl] *v* (под)ходи́ть бочко́м, ро́бко, укра́дкой (up, along)

sidy ['saɪdɪ] *a разг.* ва́жничающий

siege [si:dʒ] *n* 1) оса́да; to lay ~ to

осади́ть; to raise the ~ снять оса́ду; to stand a ~ выде́рживать оса́ду 2) до́лгий, тя́гостный пери́од вре́мени

siege train ['si:dʒtreɪn] *n воен.* оса́дный парк

sienna [sɪ'enə] *n* сие́на, о́хра (*кра́ска*)

sierra [sɪ'erə] *n* го́рная цепь

siesta [sɪ'estə] *n* сие́ста, полу́денный о́тдых (*в ю́жных стра́нах*)

sieve [sɪv] **1.** *n* 1) решето́, си́то; he has a memory like a ~ у него́ голова́ как решето́ 2) болту́н

2. *v* просе́ивать

sift [sɪft] *v* 1) просе́ивать; отсе́ивать (from) 2) сы́пать, посыпа́ть (*са́харом и т. п.*) 3) тща́тельно рассма́тривать, анализи́ровать (*фа́кты*) 4) подро́бно допра́шивать (*кого́-л.*)

sigh [saɪ] **1.** *n* вздох

2. *v* 1) вздыха́ть 2) тоскова́ть (for — по *ком-л.*)

sight [saɪt] **1.** *n* 1) зре́ние; long ~ дальнозо́ркость; short (*или* near) ~ близору́кость; loss of ~ поте́ря зре́ния, слепота́ 2) взгляд; рассма́тривание; at (*или* on) ~ при ви́де; payable at ~ подлежа́щий опла́те по предъявле́нии; at first ~ с пе́рвого взгля́да; to know by ~ знать то́лько в лицо́; to catch (*или* to gain, to get) ~ of уви́деть, заме́тить 3) вид; зре́лище; I hate the ~ of him я ви́деть его́ не могу́; it was a ~ to see э́то бы́ло настоя́щее зре́лище, э́то сто́ило посмотре́ть 4) взгляд, то́чка зре́ния; do what is right in your own ~ де́лайте так, как счита́ете ну́жным 5) по́ле зре́ния; in ~ в по́ле зре́ния; to come in ~ появи́ться; to put out of ~ пря́тать; out of my ~! прочь с глаз мои́х! to lose ~ of а) потеря́ть и́з виду; б) забы́ть, упусти́ть и́з виду 6) *pl* достопримеча́тельности; to see the ~s осма́тривать достопримеча́тельности 7) прице́л; to take a careful ~ тща́тельно прице́литься 8) *pl диал.* очки́ 9) *разг.* смехотво́рное *или* непригля́дное зре́лище; to make a ~ of oneself де́лать из себя́ посме́шище; you look a perfect ~! ну и вид у тебя́! 10) *разг.* большо́е коли́чество; to cost a ~ of money сто́ить больши́х де́нег; a long ~ better мно́го лу́чше 11) *геод.* маркше́йдерский знак ◇ out of ~ out of mind ≅ с глаз доло́й — из се́рдца вон; not by a long ~ отню́дь нет; ~ unseen *амер.* за глаза́; at ~ с листа́; to translate at ~ переводи́ть с листа́; to shoot at (*или* on) ~ стреля́ть без предупрежде́ния

2. *v* 1) уви́деть, обнару́жить 2) наблюда́ть 3) *воен.* прице́ливаться

sightless ['saɪtləs] *a* 1) неви́дящий, слепо́й 2) *поэт.* неви́димый

sightly ['saɪtlɪ] *a* краси́вый, прия́тный на вид; ви́дный

sightseeing ['saɪt,si:ɪŋ] *n* осмо́тр достопримеча́тельностей; to go ~ осма́тривать достопримеча́тельности

sightseer ['saɪt,si:ə] *n* тури́ст (осма́тривающий достопримеча́тельности)

sign [saɪn] **1.** *n* 1) знак; си́мвол; обозначе́ние; to give a ~ сде́лать знак; ~ manual собственнору́чная по́дпись (*мона́рха*) 2) зна́мение, предзнаменова́ние; the ~s of the times зна́мение вре́мени 3) жест, знак 4) вы́веска, объявле́ние (*тж.* ~board) 5) при́знак, приме́та; to make no ~ а) не подава́ть при́знаков жи́зни; б) не протестова́ть 6) *мед.* симпто́м 7) паро́ль; ~ and countersign паро́ль и о́тзыв 8) *амер.* след

2. *v* 1) подпи́сывать(ся) 2) выража́ть же́стом; подава́ть знак (to — *кому́-л.*) 3) отмеча́ть; ста́вить знак ▭ ~ **away** передава́ть (*пра́во, со́бственность*); завеща́ть (*что-л.*), отка́зываться в чью-л. по́льзу; ~ **off** а) *ра́дио* дать знак оконча́ния переда́чи; б) *разг.* переста́ть разгова́ривать, замолча́ть; ~ **over** = ~ away; ~ **on** а) нанима́ть(ся) на рабо́ту; б) *ра́дио* дать знак нача́ла переда́чи; ~ **up** = ~ on

signal ['sɪgnl] **1.** *n* 1) сигна́л; знак 2) сигна́льное устро́йство (*светофо́р и т. п.*) 3) *pl воен.* связь; войска́ свя́зи 4) *attr.*: ~ service *воен.* слу́жба свя́зи

2. *a* 1) выдаю́щийся, замеча́тельный; ~ victory блестя́щая побе́да 2) сигна́льный

3. *v* сигнализи́ровать, дава́ть сигна́л

signalbook ['sɪgnlbʊk] *n* код, сигна́льная кни́га, сбо́рник сигна́лов

signalbox ['sɪgnlbɒks] *n ж.-д.* блок-по́ст; пост централиза́ции

signalize ['sɪgnəlaɪz] *v* 1) отмеча́ть; ознаменова́ть 2) сигнализи́ровать

signaller ['sɪgnələ] *n воен.* 1) связи́ст 2) сигна́льщик

signalman ['sɪgnlmən] *n* сигна́льщик; связи́ст

signatory ['sɪgnətərɪ] **1.** *n* сторона́, подписа́вшая како́й-л. докуме́нт (*особ. догово́р*); joint ~ совме́стно подписа́вший

2. *a* подписа́вший (*како́й-л. докуме́нт, особ. догово́р*)

signature ['sɪgnətʃə] *n* 1) по́дпись; to bear the ~ (of) быть подпи́санным (*кем-л.*); over the ~ за по́дписью 2) подписа́ние 3) *муз.* ключ 4) *полигр.* сигнату́ра 5) *ра́дио, тлв.* музыка́льная ша́пка

signboard ['saɪnbɔ:d] *n* вы́веска

signer ['saɪnə] *n* лицо́ *или* сторона́, подписа́вшие како́й-л. докуме́нт

signet ['sɪgnɪt] *n* печа́тка, печа́ть

signet ring ['sɪgnɪtrɪŋ] *n* кольцо́ с печа́ткой

significance [sɪg'nɪfɪkəns] *n* 1) ва́жность, значи́тельность; to attach ~ to smth. придава́ть значе́ние чему́-л. 2) значе́ние, смысл 3) многозначи́тельность; вырази́тельность

significant [sɪg'nɪfɪkənt] *a* 1) значи́тельный, показа́тельный, суще́ственный 2) многозначи́тельный; вырази́тельный 3) ва́жный, знамена́тельный 4) значи́мый (*о су́ффиксе и т. п.*)

signification [,sɪgnɪfɪ'keɪʃn] *n* (то́чное) значе́ние, (то́чный) смысл

significative [sɪg'nɪfɪkətɪv] *a* 1) ука́зывающий (of — на *что-л.*) 2) ва́жный, зна́чимый 3) свиде́тельствующий (of — о *чём-л.*)

signify ['sɪgnɪfaɪ] *v* 1) зна́чить, означа́ть 2) име́ть значе́ние; it doesn't ~ э́то не име́ет значе́ния, э́то нева́жно 3) выка́зывать; to ~ one's consent вы́разить своё согла́сие 4) предвеща́ть

sign-painter ['saɪn,peɪntə] *n* худо́жник, рису́ющий вы́вески

signpost ['saɪnpəʊst] *n* указа́тельный столб, указа́тель

sign-writer ['saɪn,raɪtə] = sign-painter

Sikh [si:k] *инд. n* сикх

silage ['saɪlɪdʒ] *n* си́лос

silence ['saɪləns] **1.** *n* 1) тишина́, безмо́лвие 2) молча́ние; to break (to keep) ~ наруша́ть (храни́ть) молча́ние; to put to ~ заста́вить замолча́ть 3) забве́ние; отсу́тствие сведе́ний; to pass into ~ быть пре́данным забве́нию

2. *v* 1) заста́вить замолча́ть 2) заглуша́ть

silencer ['saɪlənsə] *n тех.* глуши́тель

silent ['saɪlənt] *a* 1) безмо́лвный; немо́й; ~ film немо́й фильм 2) молчали́вый; to be (*или* to keep) ~ молча́ть; ума́лчивать 3) не выска́зывающий; the report was ~ on that point об э́том в докла́де ничего́ не́ бы́ло ска́зано 4) не вы́сказанный вслух 5) непроизноси́мый (*о бу́кве*) 6) бесшу́мный, ти́хий ◇ ~ partner *см.* partner 1, 1); the ~ service подво́дный флот

silhouette [,sɪlʊ'et] **1.** *n* силуэ́т

2. *v* (*обы́кн. p. p.*) 1) изобража́ть в ви́де силуэ́та 2) вырисо́вываться (*на фо́не чего́-л.*)

silica ['sɪlɪkə] *n хим., мин.* кремнезём, кварц

silicate ['sɪlɪkeɪt] *n* 1) silика́т 2) *attr.* silика́тный

siliceous [sɪ'lɪʃəs] *a* кремни́стый, содержа́щий кре́мний

silicic [sɪ'lɪsɪk] *a* кре́мниевый

silicon ['sɪlɪkən] *n хим.* кре́мний

silk [sɪlk] **1.** *n* 1) шёлк 2) шёлковая нить 3) *разг.* короле́вский адвока́т; to take ~ стать короле́вским адвока́том

2. *a* шёлковый; ~ hat цили́ндр; ~ stocking шёлковый чуло́к [*ср. тж.* silk stocking]

silken ['sɪlkən] *a* 1) шёлковый 2) шелкови́стый, блестя́щий; гла́дкий 3) не́жный, мя́гкий 4) мя́гкий; вкра́дчивый

silk stocking ['sɪlk,stɒkɪŋ] *n* роско́шно оде́тый челове́к, бога́ч

silk-stocking ['sɪlk,stɒkɪŋ] *a* 1) элега́нтный, роско́шный 2) фешене́бельный, аристократи́ческий

silkworm ['sɪlkwɜ:m] *n зоол.* ту́товый шелкопря́д

silky ['sɪlkɪ] *a* 1) шелкови́стый 2) вкра́дчивый 3) бархати́стый (*о вине́ и т. п.*)

sill [sɪl] *n* 1) подоко́нник 2) *стр.* ле́жень, ни́жний брус 3) *горн.* по́чва у́гольного пласта́

sillabub ['sɪləbʌb] = syllabub

silliness ['sɪlɪnəs] *n* глу́пость

silly ['sɪlɪ] **1.** *a* 1) глу́пый; слабоу́мный 2) *уст.* просто́й, бесхи́тростный;

безоби́дный ◇ the ~ season зати́шье в пре́ссе (*особ. в конце лета*)

2. *n разг.* глупы́ш, несмышлёныш

silo ['saɪləʊ] **1.** *n* (*pl* -os [-əʊz]) си́лосная я́ма *или* ба́шня

2. *v* силосова́ть

silt [sɪlt] **1.** *n* ил, оса́док, нано́сы

2. *v* засоря́ть(ся) и́лом (*обыкн.* ~ up) □ ~ **through** проса́чиваться

Silurian [saɪ'lʊərɪən] *геол.* **1.** *a* силури́йский

2. *n* силури́йский перио́д

silvan ['sɪlvən] = sylvan

silver ['sɪlvə] **1.** *n* 1) серебро́; sterling ~ чи́стое серебро́ 2) цвет серебра́ 3) сере́бряные моне́ты; де́ньги 4) сере́бряные изде́лия; table ~ столо́вое серебро́

2. *a* 1) сере́бряный 2) серебри́стый; ~ sand то́нкий бе́лый песо́к 3) седо́й (*о волосах*)

3. *v* 1) серебри́ть 2) покрыва́ть (*зеркало*) амальга́мой рту́ти 3) серебри́ться 4) седе́ть

silver birch [,sɪlvə'bɜ:tʃ] *n* бе́лая берёза

silver fir [,sɪlvə'fɜ:] *n бот.* пи́хта благоро́дная

silver fox [,sɪlvə'fɒks] *n* черно-бу́рая лиси́ца

silver gilt [,sɪlvə'gɪlt] *a* из позоло́ченного серебра́

silvern ['sɪlvən] *a уст., поэт.* сере́бряный

silver paper [,sɪlvə'peɪpə] *n* 1) то́нкая папиро́сная бума́га 2) оловя́нная фольга́, стани́оль

silver plate [,sɪlvə'pleɪt] *n собир.* столо́вое серебро́

silver-plate [,sɪlvə'pleɪt] *v* покрыва́ть серебро́м, серебри́ть (*гальваническим способом*)

silver side ['sɪlvəsaɪd] *n* лу́чшая часть ссе́ка говя́дины

silversmith ['sɪlvəsmɪθ] *n* сере́бряных дел ма́стер

silver-tongued [,sɪlvə'tʌŋd] *a* сладкоречи́вый; красноречи́вый

silverware ['sɪlvəweə] *n* изде́лия из серебра́, *особ.* столо́вое серебро́

silvery ['sɪlvərɪ] *a* 1) серебри́стый 2) чи́стый, серебри́стый (*о звучании*)

silviculture ['sɪlvɪkʌltʃə] *n* лесово́дство

simian ['sɪmɪən] **1.** *a* обезья́ний, обезьяноподо́бный

2. *n* обезья́на

similar ['sɪmələ] *a* 1) подо́бный (to); схо́дный, похо́жий 2) *геом.* подо́бный; ~ triangles подо́бные треуго́льники

similarity [,sɪmə'lærətɪ] *n* 1) схо́дство, подо́бие 2) *геом.* подо́бие

similarly ['sɪmələlɪ] *adv* так же, подо́бным о́бразом

simile ['sɪmɪlɪ] *n лит.* сравне́ние

similitude [sɪ'mɪlɪtju:d] *n* 1) схо́дство, подо́бие 2) = simile 3) о́браз, вид; in the ~ of smb., smth. в о́бразе кого́-л., чего́-л.; to assume the ~ of приня́ть вид

simmer ['sɪmə] **1.** *n* закипа́ние

2. *v* 1) закипа́ть; кипе́ть на ме́дленном огне́ 2) кипяти́ть на ме́дленном огне́ 3) е́ле сде́рживать (*гнев или смех*); he was ~ing with anger он е́ле сде́рживал свой гнев □ ~ **down** остыва́ть, успока́иваться

simnel cake ['sɪmnlkeɪk] *n* пасха́льный кекс

simon-pure [,saɪmən'pjʊə] *a* настоя́щий, по́длинный

simony ['saɪmənɪ] *n ист.* симони́я

simoom, simoon [sɪ'mu:m, sɪ'mu:n] *n* саму́м

simp [sɪmp] *n* (*сокр. от* simpleton) *амер. разг.* прост́ак, простофи́ля

simper ['sɪmpə] **1.** *n* жема́нная *или* глу́пая улы́бка

2. *v* притво́рно *или* глу́по улыба́ться

simple ['sɪmpl] **1.** *a* 1) просто́й, несло́жный 2) элемента́рный, неразложи́мый; ~ fraction *мат.* проста́я дробь; ~ equation *мат.* уравне́ние 1-й сте́пени; ~ interest *фин.* просты́е проце́нты 3) незамыслова́тый, незате́йливый; просто́й, скро́мный; ~ food проста́я пи́ща 4) я́вный; и́стинный, абсолю́тный, просто́й; a ~ majority просто́е (*или* неквалифици́рованное) большинство́; it is a ~ lie э́то про́сто ложь; the ~ truth и́стинная пра́вда 5) простоду́шный, наи́вный; глупова́тый; he is not so ~ as you suppose он не так прост, как вы ду́маете; ~ Simon прост́ак 6) прямо́й, че́стный 7) просто́й, незна́тный

2. *n уст.* лека́рственная трава́

simple-hearted [,sɪmpl'hɑ:tɪd] *a* простоду́шный, бесхи́тростный

simpleminded [,sɪmpl'maɪndɪd] *n* 1) бесхи́тростный 2) тупова́тый, глу́пый

simpleton ['sɪmpltən] *n* прост́ак

simplex ['sɪmpleks] *a* 1) просто́й, несоставно́й 2) *вчт.* си́мплексный

simplicity [sɪm'plɪsətɪ] *n* 1) простота́, несло́жность 2) скро́мность, непритяза́тельность 3) простоду́шие, наи́вность

simplification [,sɪmplɪfɪ'keɪʃn] *n* упроще́ние

simplify ['sɪmplɪfaɪ] *v* упроща́ть

simplism ['sɪmplɪzəm] *n* упроще́нчество

simplistic [sɪm'plɪstɪk] *a* упрощённый

simply ['sɪmplɪ] *adv* 1) про́сто, легко́; I did it quite ~ я сде́лал э́то о́чень про́сто 2) *употр. для усиления:* I ~ wouldn't stand it я про́сто не мог перенести́ э́то 3) то́лько, соверше́нно

simulacra [,sɪmjʊ'leɪkrə] *pl от* simulacrum

simulacrum [,sɪmjʊ'leɪkrəm] *n* (*pl* -cra) подо́бие; ви́димость

simulate ['sɪmjʊleɪt] *v* 1) симули́ровать 2) притворя́ться, прики́дываться (*кем-л.*) 3) модели́ровать, воспроизводи́ть (*реальные условия работы при испытании*) 4) имити́ровать, подде́лывать

simulated ['sɪmjʊleɪtɪd] *a* 1) подде́льный, иску́сственный, фальши́вый 2) модели́рующий, воспроизводя́щий; ~ conditions иску́сственно со́зданные усло́вия

simulation [,sɪmjʊ'leɪʃn] *a* 1) симуля́ция; притво́рство 2) модели́рующее, имити́рующее устро́йство 3) *ав.* трена-жёр

simulcast ['sɪmlkɑ:st] *n* одновре́менная переда́ча одно́й и той же програ́ммы по ра́дио и телеви́дению

simultaneity [,sɪmltə'neɪətɪ] *n* одновре́менность

simultaneous [,sɪml'teɪnɪəs] *a* одновре́менный

sin [sɪn] **1.** *n* 1) грех; to live in ~ жить в незако́нном бра́ке 2) поро́к, недоста́ток

2. *v* 1) (со)греши́ть 2) наруша́ть (*правила, нормы*); to ~ against the laws of society наруша́ть зако́ны о́бщества

sinapism ['sɪnəpɪzəm] *n* горчи́чник

since [sɪns] **1.** *adv* 1) с тех пор; I have not seen him ~ я его́ не ви́дел с тех пор; he has (*или* had) been healthy ever ~ с тех пор он (всё вре́мя) был здоро́в 2) тому́ наза́д; he died many years ~ он у́мер мно́го лет наза́д; I saw him not long ~ я ви́дел его́ неда́вно

2. *prep* с; по́сле; I have been here ~ ten o'clock я здесь с 10 часо́в; ~ seeing you I have (*или* had) heard... по́сле того́, как я ви́дел вас, я узна́л...

3. *cj* 1) с тех пор как; it is a long time ~ I saw him last прошло́ мно́го вре́мени с тех пор, как я его́ ви́дел в после́дний раз 2) так как, поско́льку; ~ you are ill, I will go alone поско́льку вы больны́, я пойду́ оди́н

sincere [sɪn'sɪə] *a* и́скренний, чистосерде́чный; че́стный, прямо́й

sincerity [sɪn'serətɪ] *n* и́скренность; че́стность

sinciput ['sɪnsɪpʌt] *n анат.* пере́дняя и ве́рхняя часть че́репа, те́мя

sine I [saɪn] *n мат.* си́нус

sine II ['sɪnɪ] *лат. prep* без; ~ die [,saɪnɪ'daɪi:] на неопределённый срок; ~ qua non [,sɪnɪkwɑ:'nɒn] обяза́тельное усло́вие

sinecure ['sɪnɪkjʊə] *n* синеку́ра

sinew ['sɪnju:] **1.** *n* 1) сухожи́лие 2) *pl* мускулату́ра; физи́ческая си́ла 3) *pl* дви́жущая си́ла; the ~s of war де́ньги и материа́льные ресу́рсы (*необходимые для ведения войны*)

2. *v поэт.* укрепля́ть, уси́ливать

sinewy ['sɪnju:ɪ] *a* 1) му́скулистый 2) я́ркий, живо́й (*о стиле*)

sinful ['sɪnfl] *a* гре́шный; грехо́вный

sing [sɪŋ] **1.** *v* (sang; sung) 1) петь; to ~ flat (*или* sharp) фальши́вить; to ~ to a guitar петь под гита́ру; to ~ smb. to sleep убаю́кать кого́-л. пе́нием 2) гуде́ть (*о ветре*); свисте́ть (*о пуле*); звене́ть (*в ушах*) 3) *sl.* доноси́ть, стать стукачо́м; расколо́ться 4) воспева́ть, прославля́ть 5) ликова́ть □ ~ **out** выклика́ть; крича́ть ◇ to ~ small, to ~ another song сба́вить тон; присмире́ть

2. *n* 1) свист (*пули*); шум (*ветра*); звон (*в ушах*) 2) *разг.* спе́вка, пе́ние

singe [sɪndʒ] **1.** *n* ожо́г

2. *v* опаля́ть(ся); пали́ть; to ~ one's reputation запятна́ть свою́ репута́цию ◇

to ~ one's feathers (*или* wings) обжёчься на чём-л.

singer ['sɪŋə] *n* 1) певе́ц; певи́ца 2) пе́вчая пти́ца 3) *уст.* поэ́т, бард

Singhalese [,sɪŋə'li:z] = Sinhalese

singing ['sɪŋɪŋ] 1. *pres. p. от* sing 1

2. *n* пе́ние

singing-master ['sɪŋɪŋ,mɑ:stə] *n* учи́тель пе́ния

single ['sɪŋgl] 1. *a* 1) оди́н; еди́нственный; there is not a ~ one left не оста́лось ни одного́; a ~ eyeglass моно́кль; ~ combat единобо́рство; by instalments or in a ~ sum в рассро́чку *или* сра́зу всю су́мму 2) еди́ный, це́лый 3) одино́чный, предназна́ченный для одного́; ~ bed односпа́льная крова́ть; ~ room ко́мната на одного́ челове́ка 4) отде́льный, обосо́бленный 5) одино́кий; холосто́й; незаму́жняя 6) го́дный в оди́н коне́ц (*о билете*) 7) *уст.* прямо́й, и́скренний; бесхи́тростный; безразде́льный (*о привязанности*)

2. *n* 1) па́ртия (*в теннисе, гольфе*), в кото́рой уча́ствуют то́лько два проти́вника 2) биле́т в оди́н коне́ц 3) холостя́к; незаму́жняя 4) *амер. sl.* однодо́лларовая бума́жка

3. *v* выбира́ть, отбира́ть (*тж.* ~ out)

single-acting [,sɪŋgl'æktɪŋ] *a тех.* односторо́ннего де́йствия

single-breasted [,sɪŋgl'brestɪd] *a* однобо́ртный

single cream [,sɪŋgl'kri:m] *n* одина́рные сли́вки

single-decker [,sɪŋgl'dekə] *n* одноэта́жный авто́бус

single-eyed [,sɪŋgl'aɪd] *a* 1) одногла́зый 2) че́стный, прямо́й, прямолине́йный 3) целеустремлённый

single-gauge ['sɪŋglgeɪdʒ] *a ж.-д.* однопу́тный, одноколе́йный

single-handed [,sɪŋgl'hændɪd] 1. *a* 1) одноhouseholdру́кий 2) сде́ланный без посторо́нней по́мощи

2. *adv* без посторо́нней по́мощи

single-hearted [,sɪŋgl'hɑ:tɪd] *a* прямоду́шный; че́стный

single-minded [,sɪŋgl'maɪndɪd] *a* целеустремлённый

singleness ['sɪŋglnəs] *n* 1) одино́чество 2) прямоду́шие, и́скренность 3) целеустремлённость (*тж.* ~ of purpose)

single-seater [,sɪŋgl'si:tə] *n* одноме́стный автомоби́ль *или* самолёт

single-stage ['sɪŋglsteɪdʒ] *a* одноступе́нчатый

singlestick ['sɪŋglstɪk] *n* 1) па́лка с рукоя́ткой (*для фехтования*) 2) фехтова́ние

single-sticker ['sɪŋglstɪkə] *n мор. разг.* одномачто́вое су́дно

singlet ['sɪŋglət] *n* 1) фуфа́йка 2) ма́йка

singleton ['sɪŋgltən] *n* 1) *карт.* еди́нственная ка́рта да́нной ма́сти 2) одино́чка 3) еди́нственный ребёнок 4) едини́чный предме́т; вещь, не име́ющая па́ры

single-tree ['sɪŋgltri:] *амер.* = swingle-tree

singly ['sɪŋglɪ] *adv* 1) отде́льно, поодино́чке 2) самостоя́тельно, без по́мощи други́х

singsong ['sɪŋsɒŋ] 1. *n* 1) моното́нное чте́ние *или* пе́ние 2) импровизи́рованный конце́рт

2. *a* моното́нный

3. *v* чита́ть стихи́, говори́ть *или* петь моното́нно

singular ['sɪŋgjʊlə] 1. *n грам.* 1): the ~ еди́нственное число́ 2) сло́во в еди́нственном числе́

2. *a* 1) необыча́йный, исключи́тельный 2) стра́нный, своеобра́зный 3) *грам.* еди́нственный

singularity [,sɪŋgjʊ'lærətɪ] *n* оригина́льность, стра́нность; своеобра́зие; осо́бенность

Sinhalese [,sɪnhə'li:z] 1. *a* сингальский

2. *n* (*pl без измен.*) 1) синга́лец; синга́лка 2) синга́льский язы́к

sinister ['sɪnɪstə] *a* 1) злове́щий 2) злой, дурно́й 3) *геральд.* находя́щийся на пра́вой (*от зрителей*) стороне́ герба́ 4) *уст.* ле́вый

sink [sɪŋk] 1. *n* 1) ра́ковина (*для стока воды*) 2) сто́чная труба́ 3) клоа́ка; ~ of iniquity прито́н, верте́п 4) *геол.* котлови́на, прова́л

2. *v* (sank; sunk) 1) опуска́ть(ся), снижа́ть(ся); па́дать (*о цене, стоимости, барометре и т. п.*); my spirits (*или* heart) sank я упа́л ду́хом; to ~ in smb.'s estimation упа́сть в чьём-л. мне́нии; the sun sank below a cloud со́лнце зашло́ за ту́чу 2) проника́ть, проса́чиваться, впи́тываться (*о жидкости, краске*) 3) тону́ть (*о корабле и т. п.*); погружа́ться (*тж. перен.*); he sank into a chair он опусти́лся в кре́сло; to ~ into a reverie заду́маться; to ~ into a faint упа́сть в о́бморок 4) ослабева́ть, теря́ть си́лу; утиха́ть 5) ги́бнуть; he is ~ing он умира́ет 6) топи́ть (*судно*); затопля́ть (*местность*) 7) спада́ть (*о воде*); убыва́ть, уменьша́ться; the lake ~s вода́ в о́зере убыва́ет 8) оседа́ть (*о фундаменте*) 9) впада́ть; запада́ть 10) опуска́ться, ни́зко па́дать; to ~ into the poverty впасть в нищету́ 11) погря́знуть 12) вонза́ть (*зубы и т. п.*) 13) губи́ть, топи́ть 14) рыть (*колодец*); проходи́ть (*шахту*); прокла́дывать (*трубу*) 15) выреза́ть (*штамп*) 16) проника́ть; запечатле́ться; to ~ into the mind вре́заться в па́мять 17) (невы́годно) помести́ть (*капитал*); to ~ money in smth. ухло́пать де́ньги на что-л. 18) погаша́ть (*долг*) 19) забыва́ть, предава́ть забве́нию; зама́лчивать (*факт*); скрыва́ть (*своё имя и т. п.*); to ~ one's own interests не ду́мать о свои́х интере́сах; to ~ the shop скрыва́ть свои́ заня́тия, свою́ профе́ссию ◇ ~ or swim ≅ ли́бо пан, ли́бо пропа́л

sinker ['sɪŋkə] *n* 1) грузи́ло 2) *амер.* по́нчик, жа́реный пирожо́к 3) *горн.* прохо́дчик (*вертикальных и наклонных выработок*)

sinking ['sɪŋkɪŋ] 1. *pres. p. от* sink 2

2. *n* опуска́ние *и пр.* [*см.* sink 2]

sinking fund ['sɪŋkɪŋfʌnd] *n* амортизацио́нный фонд, фонд погаше́ния

sinner ['sɪnə] *n* гре́шник

Sinn Fein [,ʃɪn'feɪn] *n ист.* движе́ние шинфе́йнеров (*в Ирландии*)

Sinn Feiner [,ʃɪn'feɪnə] *n ист.* шинфе́йнер

sin-offering ['sɪn,ɒfərɪŋ] *n* искупи́тельная же́ртва

sinologist [saɪ'nɒlədʒɪst] = sinologue

sinologue ['saɪnəʊlɒg] *n* китаи́ст, сино́лог

sinology [saɪ'nɒlədʒɪ] *n* китаеве́дение, синоло́гия

sinter ['sɪntə] *n* 1) шлак, ока́лина 2) *геол.* туф

sinuosity [,sɪnjʊ'ɒsətɪ] *n* 1) изви́листость 2) изви́лина, изги́б

sinuous ['sɪnjʊəs] *a* 1) изви́листый; волнообра́зный, волни́стый 2) сло́жный, запу́танный

sinus ['saɪnəs] *n* (*pl* -es [-ɪz]) 1) *анат.* па́зуха 2) *мед.* свищ

Sioux [su:] *n* (*pl* Sioux [su:z]) си́у (*племя североамериканских индейцев и индеец этого племени*)

sip [sɪp] 1. *n* ма́ленький глото́к

2. *v* потя́гивать, прихлёбывать

siphon ['saɪfn] 1. *n* сифо́н

2. *v* 1) перелива́ть че́рез сифо́н 2) течь че́рез сифо́н

sippet ['sɪpɪt] *n* 1) кусо́чек хле́ба, обмакну́тый в подли́вку, молоко́ *и т. п.* 2) грено́к 3) кусо́чек, фрагме́нт

sir [sɜ: (*полная форма*); sə (*редуцированная форма*)] *n* сэр, господи́н, су́дарь (*как обращение; перед именем обозначает титул* knight *или* baronet, *напр.*, S. John); dear ~ ми́лостивый госуда́рь, дорого́й сэр

sirdar ['sɜ:dɑ:] *n* команди́р, нача́льник (*в некоторых странах Востока*)

sire ['saɪə] 1. *n* 1) производи́тель (*о жеребце и т. п.*) 2) *уст.* ва́ше вели́чество, сир (*обращение к королю*) 3) *уст., поэт.* оте́ц; пре́док

2. *v* быть производи́телем (*о жеребце и т. п.*)

siren ['saɪrən] *n* 1) сире́на 2) сигна́л возду́шной трево́ги 3) *миф.* сире́на; *перен.* бездушная краса́вица, соблазни́тельница

sirloin ['sɜ:lɔɪn] *n* филе́й, филе́йная часть (*туши*)

sirocco [sɪ'rɒkəʊ] *n* (*pl* -os [-əʊz]) сиро́кко

sirrah ['sɪrə] *n уст. презр.* эй, ты (су́дарь)!

sirup ['sɪrəp] = syrup

sisal ['saɪsl] *n* сиза́ль (*обработанные волокна текстильных агав*)

siskin ['sɪskɪn] *n* чиж

sissy ['sɪsɪ] *n разг.* 1) де́вочка, девчу́шка 2) изне́женный ма́льчик *или* мужчи́на; не́женка, ма́менькин сыно́к

sister ['sɪstə] *n* 1) сестра́; full (*или* german) ~ родна́я сестра́; half ~ сестра́ то́лько по одному́ из роди́телей 2) *разг.* де́вушка, сестрёнка (*как обращение*) 3) ста́ршая медици́нская сестра́ 4) член религио́зной общи́ны; мона́хиня 5) *attr.* се́стринский; ро́дственный; па́рный; материа́льно и организацио́нно свя́занный (*о предприятии*); ~ ships однотипные суда́

sisterhood ['sɪstəhʊd] *n* 1) ро́дственная связь сестёр, they lived in loving ~ они́ бы́ли лю́бящими сёстрами 2) религио́зная се́стринская общи́на

sister-in-law ['sɪstərɪnlɔ:] *n* (*pl* sisters-in-law) неве́стка (*жена брата*); золо́вка (*сестра мужа*); своя́ченица (*сестра жены*)

sisterly ['sɪstəlɪ] *a* се́стринский

Sisyphean [,sɪsɪ'fi:ən] *a греч. миф.* сизи́фов (*труд*)

sit [sɪt] *v* (sat) 1) сиде́ть; to ~ oneself сади́ться, уса́живаться 2) сажа́ть, уса́живать 3) сиде́ть на я́йцах (*о птице*) 4) сажа́ть на я́йца (*птицу*) 5) заседа́ть (*о суде или парламенте*; *тж.* ~ in session) 6) занима́ть *какой-л.* пост, быть чле́ном коми́ссии *и т. п.* 7) пози́ровать 8) остава́ться, пребыва́ть (в безде́йствии); the car ~s in the garage маши́на стои́т в гараже́ 9) находи́ться, быть располо́женным; стоя́ть 10) сиде́ть (*о платье*); to ~ ill on пло́хо сиде́ть на 11) держа́ться на ло́шади 12) сиде́ть с ребёнком, присма́тривать за ребёнком в отсу́тствие роди́телей (*тж.* ~ in) 13) име́ть пра́вильную пози́цию (*о гребце*) 14) вмеща́ть; быть рассчи́танным на; the table ~s six people за столо́м уса́живается шесть челове́к 15) *уст.* прожива́ть ▭ ~ **back** а) отки́дываться (*на спинку стула и т. п.*); б) безде́льничать; ~ **down** а) сади́ться; б) сиде́ть; в) сажа́ть, уса́живать; г) *разг.* приземля́ться, де́лать поса́дку (*о самолёте*); д) мири́ться, терпе́ть (under); to ~ down under insults сноси́ть оскорбле́ния; ~ **for** а) представля́ть в парла́менте (*округ*); б) to ~ for an examination экзаменова́ться; ~ **in** а) уча́ствовать в сидя́чей забасто́вке; б) сиде́ть с ребёнком, присма́тривать за ребёнком в отсу́тствие роди́телей; в) наблюда́ть, прису́тствовать, уча́ствовать (on); ~ **on** а) быть чле́ном (*комиссии*); б) разбира́ть (*дело*); в) *разг.* осади́ть; вы́бранить; ~ **out** а) не уча́ствовать (*в танцах и т. п.*); б) вы́сидеть до конца́; пересиде́ть; to ~ smb. out пересиде́ть кого́-л.; ~ **through** вы́держать, вы́сидеть до конца́; ~ **under** слу́шать про́поведи; ~ **up** а) приподня́ться, сесть (*в постели*); б) сиде́ть пря́мо; вы́прямиться; в) не ложи́ться спать; заси́живаться до по́здней но́чи; бо́дрствовать; г) *разг.* (внеза́пно) заинтересова́ться (*тж.* ~ up and take notice); to make smb. ~ up расшевели́ть, встряхну́ть кого́-л.; ~ **upon** = ~ on ◇ to ~ in judgement осужда́ть; критикова́ть; to ~ tight твёрдо держа́ться; не сдава́ть свои́х пози́ций; to ~ loose to не проявля́ть интере́са к *чему-л.*; не обраща́ть внима́ния на *что-л.*; to ~ on one's hands а) не аплоди́ровать; возде́рживаться от выраже́ния одобре́ния; б) безде́йствовать; сиде́ть сложа́ ру́ки; to ~ at smb.'s feet быть чьим-л. учеником, после́дователем; учи́ться у кого́-л.

sit-down ['sɪtdaʊn] *a* сидя́чий; ~ strike сидя́чая (*или* италья́нская) забасто́вка

site [saɪt] **1.** *n* 1) уча́сток (*для строительства*), ме́сто (*запуска ракеты*) *и т. п.* 2) местоположе́ние, местонахожде́ние

2. *v* 1) располага́ть 2) выбира́ть ме́сто

sit-in ['sɪtɪn] *n* 1) сидя́чая (*или* италья́нская) забасто́вка 2) *амер.* демонстра́ция про́тив ра́совой дискримина́ции (*путём занятия мест в кафе и т. п., куда не пускают негров*)

sitter ['sɪtə] *n* 1) тот, кто пози́рует худо́жнику, фото́графу; нату́рщик 2) = sitter-in 3) *разг.* лёгкая рабо́та, несло́жное де́ло 4) насе́дка

sitter-in ['sɪtərɪn] *n* приходя́щая ня́ня

sitting ['sɪtɪŋ] **1.** *pres. p. от* sit

2. *n* 1) сиде́ние; in one ~ в оди́н присе́ст 2) заседа́ние 3) сеа́нс (*позирования и т. п.*) 4) вы́сиживание цыпля́т

sitting-room ['sɪtɪŋru:m] *n* 1) о́бщая ко́мната в кварти́ре; гости́ная 2) ме́сто, помеще́ние для сиде́ния

situated ['sɪtʃʊeɪtɪd] *a* 1) располо́женный 2) находя́щийся в определённых обстоя́тельствах, усло́виях; thus ~ в таки́х обстоя́тельствах

situation [,sɪtʃʊ'eɪʃn] *n* 1) местоположе́ние, ме́сто 2) положе́ние, обстано́вка, состоя́ние, ситуа́ция; to come out of a difficult ~ with credit с че́стью вы́йти из тру́дного положе́ния 3) слу́жба, до́лжность, ме́сто; to find a ~ найти́ рабо́ту, устро́иться на ме́сто

situation comedy [,sɪtʃʊeɪʃn'kɒmədɪ] *n* коме́дия положе́ний

sitzkrieg ['sɪtskri:g] *нем n* «сидя́чая» война́ (*о начальном периоде второй мировой войны*)

six [sɪks] **1.** *num. card.* шесть

2. *n* 1) шестёрка 2) *pl* шесто́й но́мер (*размер перчаток и т. п.*) ◇ at ~es and sevens в беспоря́дке, вверх дном; it is ~ of one and half a dozen of the other э́то одно́ и то́ же, ра́зница то́лько в назва́нии

six-by-six [,sɪksbaɪ'sɪks] *n амер. разг.* шестиколёсный грузови́к

sixer ['sɪksə] *n разг.* шесть очко́в

sixfold ['sɪksfəʊld] **1.** *a* шестикра́тный **2.** *adv* вшестеро

six-footer [,sɪks'fʊtə] *n разг.* 1) челове́к шести́ фу́тов ро́стом 2) что-л. длино́ю в шесть фу́тов

sixpence ['sɪkspəns] *n* 1) су́мма в 6 пе́нсов 2) *ист.* серебряная моне́та в 6 пе́нсов *или* 1/2 ши́ллинга

six-shooter ['sɪksʃu:tə] *n* шестизаря́дный револьве́р

sixteen [,sɪks'ti:n] *num. card.* шестна́дцать

sixteenmo [sɪks'ti:nməʊ] = sextodecimo

sixteenth [,sɪks'ti:nθ] **1.** *num. ord.* шестна́дцатый

2. *n* 1) шестна́дцатая часть 2) (the ~) шестна́дцатое число́

sixth [sɪksθ] **1.** *num. ord.* шесто́й ◇ ~ column а) «шеста́я коло́нна», посо́бники «пя́той коло́нны»; б) организа́ция, боро́ющаяся про́тив «пя́той коло́нны»

2. *n* 1) шеста́я часть 2) (the ~) шесто́е число́

sixthly ['sɪksθlɪ] *adv* в-шесты́х

sixties ['sɪkstɪz] *n pl* 1) (the ~) шестидеся́тые го́ды 2) шестьдеся́т лет; седьмо́й деся́ток (*возраст между 60 и 69 годами*)

sixtieth ['sɪkstɪɪθ] **1.** *num. ord.* шестидеся́тый

2. *n* шестидеся́тая часть

sixty ['sɪkstɪ] **1.** *num. card.* шестьдеся́т; ~-one шестьдеся́т оди́н; ~-two шестьдеся́т два *и т. д.*; he is over ~ ему́ за шестьдеся́т

2. *n* шестьдеся́т (*единиц, штук*) ◇ like ~ стреми́тельно, с большо́й си́лой; чрезвыча́йно

sizable ['saɪzəbl] = sizeable

sizar ['saɪzə] *n* студе́нт, получа́ющий стипе́ндию (*в Кембридже и Дублине*)

size I [saɪz] **1.** *n* 1) разме́р, величина́; объём 2) но́мер, разме́р (*перчаток и т. п.*) 3) форма́т; кали́бр 4) *полигр.* ке́гель ◇ that's about the ~ of it вот что э́то тако́е

2. *v* сортирова́ть по величине́ ▭ ~ **up** а) определя́ть разме́р, величину́; б) *разг.* соста́вить мне́ние (*о ком-л.*)

size II [saɪz] **1.** *n* клей; шли́хта

2. *v* прокле́ивать; шлихтова́ть

sizeable ['saɪzəbl] *a* поря́дочного разме́ра

sizzle ['sɪzl] *разг.* **1.** *n* 1) шипе́ние; шипя́щий звук (*при жаренье на огне*) 2) *разг.* возбужде́ние

2. *v* 1) шипе́ть (*при жаренье*) 2) обжига́ть, испепеля́ть 3) *разг.* быть в возбуждённом состоя́нии

sizzling ['sɪzlɪŋ] **1.** *pres. p. от* sizzle 2

2. *a* испепеля́ющий, обжига́ющий; ~ hot раскалённый

sjambok ['ʃæmbɒk] **1.** *n* плеть, бич

2. *v* стега́ть бичо́м

skald [skɔ:ld] *n* скальд

skat [skæt] *n карт.* скат

skate I [skeɪt] *n* скат (*рыба*)

skate II [skeɪt] **1.** *n* 1) конёк 2) ро́ликовый конёк (*тж.* roller ~)

2. *v* 1) ката́ться на конька́х 2) скользи́ть; to ~ over smth. упомяну́ть что-л. вскользь

skateboard ['skeɪtbɔ:d] *n* скейтборд, ро́ликовая доска́

skater ['skeɪtə] *n* конькобе́жец

skating rink ['skeɪtɪŋrɪŋk] *n* като́к

sked [sked] *разг.* = schedule

skedaddle [skɪ'dædl] *v* (*обыкн. в imp.*) *разг.* удира́ть, улепётывать

skein [skeɪn] *n* 1) мото́к пря́жи 2) ста́я ди́ких гусе́й (*в полёте*) 3) запу́танный клубо́к, пу́таница

skeletal ['skelɪtl] *a* 1) скеле́тный 2) скелетообра́зный

skeleton ['skelıtən] *n* 1) скелéт, костя́к; óстов, каркáс 2) скелéт, кóжа да кóсти 3) набрóсок, план ◇ ~ at the feast то, что пóртит весéлье; ~ in the cupboard, family ~ семéйная тáйна; тáйна, тщáтельно скрывáемая от посторóнних

skeletonize ['skelıtənaız] *v* 1) остáвить оди́н óстов 2) сокращáть, своди́ть до ми́нимума 3) дéлать набрóсок

skeleton key ['skelıtənki:] *n* отмы́чка

skeptic ['skeptık] *амер.* = sceptic

skerry ['skerı] *n шотл.* шхéра, риф

sketch [sketʃ] **1.** *n* 1) эски́з, набрóсок; крокú 2) бéглый óчерк; отры́вок 3) *театр.* скетч 4) *разг.* чýчело, пýгало

2. *v* рисовáть эски́зы, дéлать набрóски

sketchbook ['sketʃbʊk] *n* альбóм

sketch-map ['sketʃmæp] *n* схемати́ческая кáрта

sketchy ['sketʃı] *a* 1) эски́зный; отры́вочный; схемати́ческий 2) повéрхностный

skew [skju:] **1.** *n* уклóн, наклóн, скос

2. *a* 1) косóй 2) асимметри́чный

3. *v* 1) отклоня́ть(ся); сворáчивать в стóрону, уклоня́ться 2) перекáшивать 3) искажáть; извращáть 4) смотрéть и́скоса; коси́ть глазáми

skewbald ['skju:bɔ:ld] *a* пéгий

skewer ['skju:ə] **1.** *n* 1) небольшóй вéртел 2) *шутл.* шпáга 3) *текст.* неподви́жное веретенó; шпи́лька для рóвницы

2. *v* 1) насáживать (*на что-л.*) 2) пронзáть

skew-eyed [,skju:'aıd] *a* косоглáзый

ski [ski:] **1.** *n* (*pl* skis *или без измен.*) лы́жа

2. *v* (ski'd) ходи́ть на лы́жах

skiagraphy [skaı'ægrəfı] = sciagraphy

skid [skıd] **1.** *n* 1) *авто* юз, буксовáние, занóс 2) скáты, пóлоз, салáзки, направля́ющий рельс 3) тормознóй башмáк 4) *ав.* лы́жа ◇ to put the ~s under а) толкáть к ги́бели, ускоря́ть крах; б) торопи́ть; on the ~s обречённый на провáл, ги́бель *и т. п.*

2. *v* 1) буксовáть 2) *авто* заноси́ть; the car ~ded маши́ну занеслó 3) скользи́ть 4) *разг.* потерпéть неудáчу, провали́ться; ошиби́ться

ski'd [ski:d] *past и p. p. от* ski 2

skid(d)oo [skı'du:] *v амер. sl.* умáтывать, убегáть

skier ['ski:ə] *n* лы́жник

skiff [skıf] *n* я́лик; *спорт.* скиф-одинóчка

skiffle ['skıfl] *n* скиффл (*нарóдная му́зыка, исполня́емая небольши́м ансáмблем и певцóм-гитари́стом*)

skiing ['ski:ıŋ] *n* 1) ходьбá, катáние на лы́жах 2) лы́жный спорт

skijoring ['ski:,dʒɔ:rıŋ] *n* лы́жная букси́ровка лóшадью *и т. п.*

ski jumping ['ski:,dʒʌmpıŋ] *n* прыжки́ на лы́жах с трампли́на

skilful ['skılfl] *a* искýсный, умéлый

ski lift ['ski:lıft] *n* подъёмник для горнолы́жников

skill [skıl] *n* искýсство, мастерствó, умéние; лóвкость, сноро́вка

skilled [skıld] *a* квалифици́рованный, искýсный

skillet ['skılıt] *n* 1) небольшáя кастрю́ля с дли́нной рýчкой (*обы́кн. на нóжках*) 2) *амер.* сковородá

skilly ['skılı] *n* жи́дкая похлёбка

skim [skım] **1.** *v* 1) снимáть (*накипь и т. п.*); to ~ milk снимáть сли́вки с молокá; to ~ the cream off снимáть сли́вки (*тж. перен.*) 2) едвá касáться, нести́сь, скользи́ть (along, over — по *чему-л.*) 3) бéгло прочи́тывать; перели́стывать (*кни́гу*; through, over) 4) *амер. sl.* скрывáть дохóды (*при уплáте налóгов*)

2. *a*: ~ milk сня́тое молокó

skimble-skamble ['skımbl,skæmbl] *a* бессвя́зный

skimmer ['skımə] *n* 1) шумóвка 2) *зоол.* водорéз, ножеклю́в 3) широкопóлая солóменная шля́па с ни́зкой тульёй

skimp [skımp] *v* скýдно снабжáть; урéзывать; скупи́ться

skimpy ['skımpı] *a* 1) скýдный 2) ýзкий; корóткий (*об одéжде*) 3) скупóй, эконóмный

skin [skın] **1.** *n* 1) кóжа; шкýра; outer ~ *анат.* эпидéрма 2) вы́деланная шкýра (*живóтного*) 3) кожурá, кóжица; baked potatoes in their ~s картóфель в мунди́ре 4) нарýжный слой, оболóчка; плёнка 5) мех (*для винá*) 6) обши́вка (*сýдна и т. п.*) ◇ in (*или* with) a whole ~ цел и невреди́м; to escape with (*или* by) the ~ of one's teeth éле-éле спасти́сь; to get under the ~ досаждáть, раздражáть, дéйствовать на нéрвы; to change one's ~ неузнавáемо измени́ться; to have a thick (thin) ~ быть нечувстви́тельным (óчень чувстви́тельным); to jump out of one's ~ быть вне себя́ (*от рáдости, удивлéния и т. п.*); to keep a whole ~, to save one's ~ спасти́ свою́ шкýру; mere (*или* only) ~ and bone кóжа да кóсти

2. *v* 1) ссади́ть, содрáть кóжу 2) сдирáть кóжу, шкýру; снимáть кожурý 3) покрывáть(ся) кóжей (*обы́кн.* ~ over); зарубцевáться (*обы́кн.* ~ over) 4) *sl.* обобрáть дóчиста ◇ to ~ a flint скря́жничать, быть скáредным; to keep one's eyes ~ned смотрéть в óба

skin-deep [,skın'di:p] **1.** *a* повéрхностный, неглубóкий (*о чýвствах и т. п.*)

2. *adv* повéрхностно

skin diver ['skındaıvə] *n* 1) аквалангист, спортсмéн, занимáющийся подвóдным плáванием 2) ловéц жéмчуга

skinflint ['skınflınt] *n* скря́га

skinful ['skınfʊl] *n разг.* пóлный мех (*винá*)

skin game ['skıngeım] *n амер. sl.* мошéнничество, обмáн

skin graft ['skın,grɑ:ft] *n мед.* 1) пересáдка кóжи 2) трансплантáнт

skinheads ['skınhedz] *n pl* «бритоголóвые», хулигáнствующие молодёжные группирóвки

skinner ['skınə] *n* 1) кожéвник 2) скорня́к 3) *амер. разг.* погóнщик мýлов 4) *разг.* обмáнщик 5) *амер.* води́тель (*трáктора или бульдóзера*)

skinny ['skını] *a* 1) тóщий, кóжа да кóсти 2) = skin-tight

skinny-dipping ['skınıdıpıŋ] *n амер. разг.* купáние нагишóм

skin-tight [,skın'taıt] *a* плóтно облегáющий, обтя́гивающий (*об одéжде*)

skip I [skıp] **1.** *n* 1) прыжóк, скачóк 2) *амер. разг.* «сачóк», лóдырь

2. *v* 1) скакáть, пры́гать 2) перескáкивать (*в разговóре; обы́кн.* ~ off, ~ from); to ~ a grade перескочи́ть чéрез класс (*в шкóле*) 3) пропускáть; he ~s as he reads он читáет не всё подря́д 4) *разг.* удрáть; скры́ться 5) *разг.* съéздить, махнýть ◇ ~ it! лáдно!, невáжно!

skip II [skıp] *n горн.* бадья́; скип; вагонéтка с отки́дывающимся кýзовом

skipjack ['skıpdʒæk] *n* 1) пры́гающая игрýшка, попрыгýнчик 2) *óбщее назвáние пры́гающих жукóв и рыб*

skipper ['skıpə] *n* 1) шки́пер, капитáн (*торгóвого сýдна*); *мор.* команди́р корабля́ 2) *ав.* команди́р корабля́ *или* стáрший пилóт 3) капитáн (спорти́вной комáнды) ◇ ~'s daughters высóкие вóлны с бéлыми грéбнями

skipping-rope ['skıpıŋrəʊp] *n* скакáлка

skirl [skɜ:l] **1.** *n* рéзкий, пронзи́тельный звук, *осóб.* звук волы́нки

2. *v* издавáть рéзкий, пронзи́тельный звук

skirmish ['skɜ:mıʃ] **1.** *n* 1) перестрéлка мéжду мéлкими отря́дами 2) схвáтка, сты́чка, перепáлка 3) *attr.*: ~ line стрелкóвая цепь

2. *v* перестрéливаться; сражáться мéлкими отря́дами

skirt [skɜ:t] **1.** *n* 1) ю́бка; divided ~ широ́кие брю́ки 2) полá, подóл 3) (*чáсто pl*) край, окрáина; on the ~s of the wood на опýшке лéса 4) *sl.* жéнщина, бабёнка 5) *тех.* ю́бка (*изоля́тора*)

2. *v* 1) огибáть; идти́ вдоль кpáя 2) быть располóженным на опýшке, на краю́ 3) проходи́ть сторонóй, обходи́ть

skirting ['skɜ:tıŋ] *n* 1) *стр.* бордю́р, пли́нтус, борт 2) край, каймá 3) ю́бочная ткань

ski run ['ski:rʌn] *n* лыжня́

skit I [skıt] *n* 1) шýтка; сати́ра, парóдия 2) скетч

skit II [skıt] *n разг.* мнóжество, толпá

skitter ['skıtə] *v* легкó и бы́стро нести́сь (*едвá касáясь повéрхности*)

skittish ['skıtıʃ] *a* 1) живóй, игри́вый; кокéтливый; капри́зный 2) норови́стый *или* пугли́вый (*о лóшади*)

skittle ['skıtl] **1.** *n* 1) кéгля 2) *pl* (*обы́кн. употр. как sing*) кéгли (*игрá*) ◇ ~! вздор!; not all beer and ~s не всё забáвы и развлечéния

2. *v*: to ~ away *разг.* растранжи́рить; упусти́ть

skittle-alley ['skıtl,ælı] *n* кегельбáн

skittle-ground ['skıtlgraʊnd] = skittle-alley

skive [skaıv] *v* 1) разрезáть, слои́ть

(*кожу, резину*) 2) ста́чивать 3) *разг.* уклоня́ться, увиливать

skivvies ['skɪvɪz] *n pl sl.* мужско́е ни́жнее бельё

skivvy ['skɪvɪ] *n разг. пренебр.* прислу́га

sko(a)l [skəʊl] *сканд. int* ва́ше здоро́вье!

skua ['skju:ə] *n зоол.* помо́рник большо́й

skulduggery [skʌl'dʌgərɪ] *n* надува́тельство

skulk [skʌlk] *v* 1) кра́сться 2) скрыва́ться; пря́таться (за чужу́ю спи́ну); уклоня́ться от отве́тственности, рабо́ты *и т. п.*

skull [skʌl] *n* че́реп; ~ and crossbones че́реп и ко́сти (*эмблема смерти*) ◇ thick ~ ≅ ме́дный лоб, ту́пость; ~ session *амер. sl.* совеща́ние, конфере́нция

skullcap ['skʌlkæp] *n* ермо́лка; тюбете́йка

skunk [skʌŋk] **1.** *n* 1) *зоол.* воню́чка, скунс 2) ску́нсовый мех 3) *разг.* подле́ц

2. *v амер. sl.* обыгра́ть в пух и прах

sky [skaɪ] **1.** *n* 1) не́бо, небеса́ 2) (*обыкн. pl*) кли́мат; under warmer skies в бо́лее тёплом кли́мате ◇ to laud (*или* to extol) to the skies превозноси́ть до небе́с; out of a clear ~ соверше́нно неожи́данно; ни с того́ ни с сего́

2. *v* 1) высоко́ забро́сить (*мяч*) 2) ве́шать под потоло́к (*картину*)

sky blue [,skaɪ'blu:] **1.** *n* лазу́рь

2. *a* лазу́рный

sky-clad ['skaɪklæd] *a шутл.* наго́й

skyer ['skaɪə] *n* высоко́ забро́шенный мяч

skyey ['skaɪɪ] *a* 1) небе́сный; возвы́шенный 2) небе́сно-голубо́й

sky-high [,skaɪ'haɪ] **1.** *a* высо́кий, достига́ющий не́ба

2. *adv* до небе́с; о́чень высоко́

skylark ['skaɪlɑ:k] **1.** *n* жа́воронок

2. *v* забавля́ться, выки́дывать шту́ки, резви́ться

skylight ['skaɪlaɪt] *n* 1) ве́рхний свет; застеклённая кры́ша 2) светово́й люк

skyline ['skaɪlaɪn] *n* 1) горизо́нт, ли́ния горизо́нта 2) очерта́ние на фо́не не́ба

sky pilot ['skaɪ,paɪlət] *n sl.* свяще́нник, *особ.* капелла́н

skyrocket ['skaɪ,rɒkɪt] **1.** *n* сигна́льная раке́та

2. *v* 1) устремля́ться ввысь 2) стреми́тельно поднима́ться, бы́стро расти́ (*о ценах, продукции и т. п.*)

skyscape ['skaɪskeɪp] *n* карти́на, изобража́ющая не́бо

skyscraper ['skaɪskreɪpə] *n* небоскрёб

sky troops ['skaɪtru:ps] *n* парашю́тно-деса́нтные войска́

sky truck ['skaɪtrʌk] *n амер. разг.* тра́нспортный самолёт

skyward(s) ['skaɪwəd(z)] *adv* к не́бу

sky wave ['skaɪweɪv] *n радио* волна́, отражённая от ве́рхних слоёв атмосфе́ры

sky-wave ['skaɪweɪv] *a*: ~ communication *радио* связь на отражённой волне́

skyway ['skaɪweɪ] *n* 1) возду́шная тра́сса, авиатра́сса 2) эстака́да, доро́га на эстака́де

skywriting ['skaɪ,raɪtɪŋ] *n* на́дпись, выче́рчиваемая в во́здухе самолётом; возду́шная рекла́ма

slab [slæb] **1.** *n* 1) плита́; пласти́на 2) кусо́к; a ~ of cheese кусо́к сы́ра 3) *стр.* горбы́ль 4) *метал.* сляб; пло́ская загото́вка

2. *v* 1) *стр.* среза́ть горбыли́ 2) мости́ть пли́тами

slab-sided [,slæb'saɪdɪd] *a разг.* худоща́вый; поджа́рый; высо́кий и то́нкий

slack I [slæk] **1.** *a* 1) ненатя́нутый (*о канате, вожжах*); вя́лый (*о мышцах*) 2) сла́бый; дря́блый; to feel ~ чу́вствовать себя́ разби́тым 3) расхля́банный; небре́жный; ~ in duty неради́вый 4) вя́лый (*о торговле, рынке*); неакти́вный; a ~ season пери́од зати́шья 5) ме́дленный; at a ~ pace ме́дленным ша́гом 6) сла́бый, неси́льный; ~ oven негоря́чая печь 7) расслабля́ющий (*о погоде*) ◇ to keep a ~ hand (*или* rein) опусти́ть пово́дья; быть нетре́бовательным, снисходи́тельным; ~ water а) стоя́чая вода́; б) вре́мя ме́жду прили́вом и отли́вом

2. *n* 1) осла́бнувшая верёвка, слабина́ 2) зати́шье (*в торговле*) 3) *разг.* безде́йствие; безде́лье; to have a good ~ безде́льничать, ничего́ не де́лать 4) = ~ water [*см.* 1, ◇]

3. *v* 1) ослабля́ть, распуска́ть 2) сла́бнуть 3) замедля́ть(ся) 4) *разг.* ло́дырничать 5) гаси́ть (*известь*) 6) утоля́ть (*жажду*) ▭ ~ **away** *мор.* трави́ть (*канат*); ~ **off** а) ослабля́ть своё рве́ние, напряже́ние *и т. п.*; б) = ~ away; ~ **up** замедля́ть ход

slack II [slæk] *n* у́гольная пыль

slack-baked ['slækbeɪkt] *a* 1) непропечённый 2) недоде́ланный, незако́нченный

slacken ['slækən] *v* 1) ослабля́ть 2) сла́бнуть 3) замедля́ть

slacker ['slækə] *n разг.* 1) ло́дырь, безде́льник 2) *воен.* уклоня́ющийся от слу́жбы в а́рмии

slack lime ['slæklaɪm] *n* гашёная и́звесть

slacks [slæks] *n pl* широ́кие брю́ки

slack suit ['slæksu:t] *n амер.* свобо́дная оде́жда для рабо́ты и о́тдыха

slag [slæg] *n* 1) шлак, вы́гарки, ока́лина 2) *sl. презр.* проститу́тка; развра́тница; ничто́жество

slain [sleɪn] *p. p. от* slay I

slake [sleɪk] *v* 1) утоля́ть (*жажду*); удовлетворя́ть (*жажду мести и т. п.*) 2) гаси́ть (*известь*) 3) туши́ть (*огонь*)

slalom ['slɑ:ləm] *n спорт.* сла́лом

slam [slæm] **1.** *n* 1) хло́панье (*дверьми*) 2) *карт.* шлем 3) *sl.* разно́с, ре́зкая кри́тика 4) (the ~) *амер. sl.* тюря́га, куту́зка

2. *v* 1) хло́пать, захло́пывать(ся) 2) броса́ть со сту́ком; швыря́ть 3) *sl.* разнести́, раскритикова́ть 4) *sl.* уда́рить

slander ['slɑ:ndə] **1.** *n* клевета́, злосло́вие

2. *v* клевета́ть, поро́чить репута́цию

slanderous ['slɑ:ndərəs] *a* клеветни́ческий

slang [slæŋ] **1.** *n* сленг, жарго́н

2. *a* относя́щийся к сле́нгу, жарго́нный; ~ word жаргони́зм, вульгари́зм

3. *v разг.* обруга́ть

slanguage ['slæŋgwɪdʒ] *шутл. см.* slang 1

slangy ['slæŋɪ] *a* 1) сле́нговый, жарго́нный 2) употребля́ющий жарго́нные выраже́ния, сленг

slant [slɑ:nt] **1.** *n* 1) склон, укло́н; on the ~ ко́со; в накло́нном положе́нии 2) *амер. разг.* бы́стрый взгляд; to take a ~ взгляну́ть 3) то́чка зре́ния, мне́ние; подхо́д; тенде́нция, предвзя́тое отноше́ние

2. *v* 1) наклоня́ть(ся), отклоня́ть(ся) 2) тенденцио́зно освеща́ть; искажа́ть (*факты, информацию*)

slanting ['slɑ:ntɪŋ] *a* косо́й; накло́нный

slantwise ['slɑ:ntwaɪz] *adv* ко́со

slap [slæp] **1.** *n* шлепо́к ◇ ~ in the face ре́зкое замеча́ние, оскорбле́ние, «пощёчина»

2. *v* 1) хло́пать, шлёпать 2) швырну́ть с си́лой 3) заля́пать; to ~ paint on the wall заля́пать сте́ну кра́ской

3. *adv разг.* вдруг; пря́мо; to hit smb. ~ in the eye уда́рить кого́-л. пря́мо в глаз; to run ~ into smb. налете́ть с разма́ху на кого́-л.

slap-bang [,slæp'bæŋ] *adv* 1) со всего́ разма́ха; с шу́мом 2) опроме́тчиво, очертя́ го́лову

slapdash ['slæpdæʃ] **1.** *a* стреми́тельный, поспе́шный; небре́жный; ~ work небре́жная рабо́та

2. *adv* очертя́ го́лову, как попа́ло, ко́е-ка́к

slaphappy ['slæphæpɪ] *a разг.* 1) беспе́чный, необду́манный; шально́й 2) ошеломлённый, потрясённый

slapjack ['slæpdʒæk] *n* 1) *амер.* блин, ола́дья 2) де́тская ка́рточная игра́

slapping ['slæpɪŋ] **1.** *pres. p. от* slap 2

2. *a разг.* сногсшиба́тельный

slapstick ['slæpstɪk] *n* 1) гру́бый, дешёвый фарс (*тж.* ~ comedy) 2) хлопу́шка

slap-up ['slæpʌp] *a разг.* шика́рный

slash I [slæʃ] **1.** *n* 1) ре́зкий уда́р, уда́р сплеча́ 2) разре́з; про́резь; глубо́кая ра́на 3) *амер.* вы́рубка 4) *разг.* уре́зывание, сокраще́ние, сниже́ние (*цен и т. п.*)

2. *v* 1) руби́ть (*саблей*); полосова́ть 2) коси́ть 3) хлеста́ть 4) *разг.* сокраща́ть; снижа́ть (*цены, налоги и т. п.*) 5) ре́зко критикова́ть 6) де́лать разре́зы (*в платье*)

slash II [slæʃ] *n амер.* боло́тистое ме́сто

slashing [ˈslæʃɪŋ] 1. *pres. p. от* slash I, 2

2. *n* ру́бка са́блей; се́ча

3. *a* 1) стреми́тельный, си́льный; ~ rain хле́щущий дождь 2) сокруши́тельный, ре́зкий; ~ criticism беспоща́дная кри́тика 3) *разг.* отли́чный, великоле́пный; ~ dinner о́чень сы́тный обе́д

slat I [slæt] *n* 1) перекла́дина, пла́нка; филёнка, доще́чка 2) *ав.* предкры́лок 3) *pl sl.* рёбра

slat II [slæt] *v* хло́пать *(о парусе)*

slate [sleɪt] 1. *n* 1) *мин.* сла́нец, ши́фер; ши́ферная плита́ 2) гри́фельная доска́ 3) *амер.* спи́сок кандида́тов *(на выборах и т. п.)* 4) синева́то-се́рый цвет ◇ a clean ~ безупре́чная репута́ция; to have a ~ loose ≅ ви́нтика не хвата́ет; to clean the ~, to wipe the ~ clean а) сбро́сить груз ста́рых оши́бок, заблужде́ний; б) изба́виться от всех ста́рых обяза́тельств

2. *v* 1) крыть ши́ферными пли́тами 2) *разг.* раскритикова́ть; вы́бранить 3) *амер.* плани́ровать, намеча́ть, назнача́ть 4) *амер.* заноси́ть в спи́сок кандида́тов *(на выборах и т. п.)*

slate-club [ˈsleɪtklʌb] *n* ка́сса взаимопо́мощи

slate-pencil [ˌsleɪtˈpensl] *n* гри́фель

slater [ˈsleɪtə] *n* 1) кро́вельщик 2) суро́вый кри́тик

slather [ˈslæðə] 1. *n* *(обыкн. pl)* 1) *амер. разг.* большо́е коли́чество 2) *австрал. sl.* широ́кое по́ле де́ятельности

2. *v* *амер. разг.* 1) нама́зывать то́лстым сло́ем 2) тра́тить, расхо́довать в больши́х коли́чествах

slattern [ˈslætn] *n* неря́ха, грязну́ля

slatternly [ˈslætnlɪ] *a* неря́шливый

slaty [ˈsleɪtɪ] *a* 1) сланцева́тый 2) синева́то-се́рый 3) слои́стый

slaughter [ˈslɔːtə] 1. *n* 1) убо́й *(скота)* 2) резня́, кровопроли́тие; избие́ние; ма́ссовое уби́йство

2. *v* 1) устра́ивать резню́, кровопроли́тие; соверша́ть ма́ссовое уби́йство 2) убива́ть, ре́зать *(скот)* 3) *разг.* разбива́ть в пух и прах

slaughterhouse [ˈslɔːtəhaʊs] *n* бо́йня

slaughterous [ˈslɔːtərəs] *a* *ритор.* 1) кровопроли́тный 2) кровожа́дный

Slav [slɑːv] 1. *n* славяни́н; славя́нка; the ~s *pl собир.* славя́не

2. *a* славя́нский

slave [sleɪv] 1. *n* 1) раб, нево́льник 2) *attr.* ра́бский; ~ labour поднево́льный труд

2. *v* рабо́тать как раб

slave-born [ˈsleɪvbɔːn] *a* рождённый в ра́бстве

slave driver [ˈsleɪvˌdraɪvə] *n* 1) надсмо́трщик над раба́ми 2) эксплуата́тор

slaveholder [ˈsleɪvˌhəʊldə] *n* рабовладе́лец

slaver I [ˈsleɪvə] *n* *ист.* 1) работорго́вец 2) = slave-ship

slaver II [ˈslævə] 1. *n* 1) слю́ни 2) гру́бая лесть 3) *разг.* глу́пая болтовня́, околе́сица

2. *v* 1) пуска́ть слюну́; слюня́вить 2) подли́зываться

slavery [ˈsleɪvərɪ] *n* 1) ра́бство 2) тяжёлый поднево́льный труд

slave-ship [ˈsleɪvʃɪp] *n* нево́льничье су́дно

slave trade [ˈsleɪvtreɪd] *n* работорго́вля

slavey [ˈslævɪ] *n* *разг.* прислу́га за всё

Slavic [ˈslɑːvɪk] = Slavonic

slavish [ˈsleɪvɪʃ] *a* ра́бский; ~ imitation ра́бское подража́ние

Slavonian [sləˈvəʊnɪən] 1. *a* 1) слове́нский 2) славя́нский

2. *n* 1) слове́нец; слове́нка 2) славяни́н; славя́нка 3) славя́нская гру́ппа языко́в

Slavonic [sləˈvɒnɪk] 1. *a* славя́нский

2. *n* славя́нская гру́ппа языко́в

Slavophile [ˈslɑːvəʊfaɪl] *n* славянофи́л

Slavophobe [ˈslɑːvəʊfəʊb] *n* славянофо́б

slaw [slɔː] *n* сала́т из шинко́ванной капу́сты *(тж.* cold ~*)*

slay I [sleɪ] *v* (slew; slain) *книжн.*, *шутл.* убива́ть; slain by a bullet сражённый пу́лей

slay II [sleɪ] *n* *текст.* бата́н

slayer [ˈsleɪə] *n* уби́йца

sleazy [ˈsliːzɪ] *a* 1) неря́шливый 2) то́нкий, непро́чный *(о ткани; тж. перен.)*

sled [sled] = sledge I

sledding [ˈsledɪŋ] *n* 1) езда́, ката́ние на саня́х, на сала́зках 2) са́нный путь 3) успе́хи, достиже́ния ◇ hard ~ *амер.* тру́дное положе́ние, затрудне́ние

sledge I [sledʒ] 1. *n* са́ни, сала́зки

2. *v* 1) е́хать на саня́х 2) вози́ть на саня́х

sledge II [sledʒ] = sledgehammer

sledge-car [ˈsledʒkɑː] *n* автоса́ни

sledgehammer [ˈsledʒˌhæmə] *n* 1) кува́лда, кузне́чный мо́лот 2) *attr.* сокруши́тельный; ~ blow сокруши́тельный уда́р; ~ argument уничтожа́ющий аргуме́нт

sleek [sliːk] 1. *a* 1) гла́дкий, лосня́щийся; прили́занный 2) еле́йный

2. *v* пригла́живать; наводи́ть лоск

sleeken [ˈsliːkn] = sleek 2

sleeky [ˈsliːkɪ] *a* 1) гла́дкий, прили́занный 2) *шотл.* вкра́дчивый; хи́трый

sleep [sliːp] 1. *n* 1) сон; to go to ~ засну́ть; to get a ~ поспа́ть; to get enough ~ вы́спаться; in one's ~ во сне; to send smb. to ~ усыпи́ть кого́-л.; to put to ~ уложи́ть спать; to get to ~ заста́вить себя́ засну́ть; the last ~, ~ that knows no breaking ве́чный сон, смерть 2) спя́чка

2. *v* (slept) 1) спать, засыпа́ть; to ~ with one eye open чу́тко спать; to ~ like a log *(или* top) спать мёртвым сном; to ~ the sleep of the just спать сном пра́ведника; to ~ the clock round проспа́ть двена́дцать часо́в 2) ночева́ть (at, in) 3) предоставля́ть ночле́г; the hotel can ~ 300 men в гости́нице мо́жет размести́ться 300 челове́к 4) сожи́тельствовать, спать (with, together — с *кем-л.*) 5) безде́йствовать 6) поко́иться *(в могиле)* ▭ ~ **around** *разг.* спать с кем попа́ло; ~ **away** проспа́ть; to ~ the day away проспа́ть весь день; ~ **in** а) спать до́льше обы́чного; б) ночева́ть на рабо́те; в): to be slept in быть за́нятым, испо́льзованным для сна; his bed has not been slept in он не ночева́л до́ма; ~ **off** отоспа́ться; ~ **out** а) спать, ночева́ть не до́ма; б): to ~ oneself out вы́спаться ◇ to ~ on *(или* over) a question *(или* problem) отложи́ть реше́ние вопро́са до утра́

sleeper [ˈsliːpə] *n* 1) спя́щий; light (heavy) ~ спя́щий чу́тко (кре́пко) 2) со́ня 3) *ж.-д.* шпа́ла 4) = sleeping car 5) спа́льное ме́сто *(в вагоне)* 6) гигиени́ческая серьга́ 7) не́что, неожи́данно получи́вшее призна́ние *(напр., лошадь, неожиданно пришедшая первой на скачках, неожиданно нашумевшая книга, кинокартина и т. п.)* 8) *(обыкн. pl)* де́тская пижа́ма 9) шпио́н, выжида́ющий удо́бный моме́нт для нача́ла свое́й де́ятельности

sleeperette [ˌsliːpəˈret] *n* отки́дывающееся кре́сло в самолёте *или* междуго́родном авто́бусе

sleeping bag [ˈsliːpɪŋbæg] *n* спа́льный мешо́к

sleeping car [ˈsliːpɪŋkɑː] *n* спа́льный ваго́н

sleeping draught [ˈsliːpɪŋdrɑːft] *n* снотво́рное сре́дство

sleeping partner [ˌsliːpɪŋˈpɑːtnə] *см.* partner 1, 1)

sleeping pills [ˈsliːpɪŋpɪlz] *n pl* снотво́рные табле́тки

sleeping sickness [ˈsliːpɪŋˌsɪknəs] *n* 1) *мед.* со́нная боле́знь 2) *амер.* летарги́ческий энцефали́т

sleepless [ˈsliːpləs] *a* бессо́нный; бо́дрствующий

sleepwalker [ˈsliːpˌwɔːkə] *n* луна́тик

sleepy [ˈsliːpɪ] *a* 1) со́нный, сонли́вый; a ~ little town ти́хий, со́нный городо́к; ~ sickness *мед.* летарги́ческий энцефали́т 2) вя́лый, лени́вый; ~ trade вя́ло иду́щая торго́вля 3) усыпля́ющий, нагоня́ющий сон

sleepyhead [ˈsliːpɪhed] *n* со́ня

sleet [sliːt] 1. *n* дождь со сне́гом, крупа́

2. *v* *(в безл. оборотах)*: it ~s идёт дождь со сне́гом

sleety [ˈsliːtɪ] *a* сля́котный

sleeve [sliːv] *n* 1) рука́в; to turn *(или* to roll) up one's ~s засучи́ть рукава́; *перен.* пригото́виться к борьбе́; к рабо́те 2) конве́рт для грампласти́нки 3) *тех.* му́фта, вту́лка, ги́льза ◇ to have smth. up one's ~ незаме́тно держа́ть что-л. нагото́ве; име́ть что-л. про запа́с; he has smth. up his ~ у него́ что́-то на уме́; to laugh in *(или* up) one's ~ смея́ться в кула́к, исподтишка́; ра́доваться втихомо́лку

sleeve-protectors [ˈsliːvprəˌtektəz] *n pl* нарука́вники

sleigh [sleɪ] = sledge I

sleigh bell [ˈsleɪbel] *n* бубе́нчик

sleight of hand [ˌslaɪtəv'hænd] *n* ло́вкость рук, жонглёрство

slender ['slendə] *a* 1) то́нкий, стро́йный 2) ску́дный, сла́бый; небольшо́й, незначи́тельный; ~ means ску́дные сре́дства; ~ income ма́ленький дохо́д; ~ hope сла́бая наде́жда

slenderize ['slendəraɪz] *v* 1) худе́ть, теря́ть в ве́се 2) де́лать то́нким

slept [slept] *past и p. p. от* sleep 2

sleuth [slu:θ] *разг.* **1.** *n* сы́щик

2. *v* 1) быть сы́щиком 2) высле́живать

sleuthhound ['slu:θhaʊnd] *n* 1) соба́ка-ище́йка 2) *разг.* сы́щик

slew I [slu:] **1.** *n* поворо́т, поворо́тное движе́ние

2. *v*: to ~ round повора́чивать(ся); враща́ть(ся)

slew II [slu:] *past от* slay I

slew III [slu:] *n амер.* за́водь; боло́то

slew IV [slu:] *n амер. разг.* большо́е коли́чество, о́чень мно́го

slice [slaɪs] **1.** *n* 1) ло́мтик, ломо́ть; то́нкий слой (*чего-л.*) 2) часть; до́ля; а ~ of territory (of the profits) часть террито́рии (при́были) 3) широ́кий нож 4) непра́вильный уда́р (*в гольфе*)

2. *v* 1) ре́зать ло́мтиками, нареза́ть (*тж.* ~ up) 2) дели́ть на ча́сти 3) *спорт.* среза́ть (*мяч*)

slick [slɪk] **1.** *a разг.* 1) превосхо́дный, отли́чный; прия́тный 2) ло́вкий, бы́стрый 3) хи́трый 4) гла́дкий, блестя́щий 5) ско́льзкий 6) *амер.* лёгкий, неглубо́кий, развлека́тельный; ~ fiction лёгкое чти́во

2. *adv* пря́мо, ло́вко, гла́дко; the machine goes very ~ маши́на рабо́тает без перебо́ев

3. *v разг.* 1) де́лать гла́дким, блестя́щим 2) *амер.* убира́ть, приукра́шивать; приводи́ть в поря́док (*обыкн.* ~ up)

4. *n* 1) плёнка, пятно́ (*нефти, масла на воде*) 2) *амер.* популя́рный иллюстри́рованный журна́л (*на мелованной бумаге*) 3) *амер. sl.* ме́рзкий тип

slicker ['slɪkə] *n амер.* 1) *разг.* ло́вкий обма́нщик, пройдо́ха 2) *разг.* городско́й хлыщ 3) макинто́ш; непромока́емый плащ

slid [slɪd] *past и p. p. от* slide 2

slide [slaɪd] **1.** *n* 1) скольже́ние 2) спускно́й жёлоб; накло́нная пло́скость 3) ледяна́я гора́ *или* доро́жка; като́к 4) о́ползень 5) диапозити́в; слайд 6) предме́тное стекло́ (*микроскопа*) 7) затво́рная ра́ма пулемёта 8) *тех.* скользя́щая часть механи́зма; сала́зки; золотни́к 9) *attr.*: ~ lecture ле́кция, сопровожда́емая демонстра́цией диапозити́вов

2. *v* (slid) 1) скользи́ть; to ~ over delicate questions обойти́ щекотли́вые вопро́сы 2) вдвига́ть, всо́вывать; to ~ the drawer into its place задви́нуть я́щик (*шкафа, комода*) 3) ката́ться по льду 4) поскользну́ться; выскользнуть 5) незаме́тно проходи́ть ми́мо; кра́сться; the years ~ past (*или* by) го́ды прохо́дят незаме́тно 6) незаме́тно переходи́ть из одного́ состоя́ния в друго́е ◇ to let things ~ относи́ться к чему́-л. небре́жно, спустя́ рукава́

slide-block ['slaɪdblɒk] *n тех.* ползу́н

slide fastener ['slaɪd,fɑ:snə] *n амер.* застёжка-мо́лния

slide rule ['slaɪdru:l] = sliding rule

slide valve ['slaɪdvælv] *n тех.* золотни́к

sliding rule [ˌslaɪdɪŋ'ru:l] *n* логарифми́ческая лине́йка

sliding scale [ˌslaɪdɪŋ'skeɪl] *n* 1) скользя́щая шкала́ 2) движо́к логарифми́ческой *или* счётной лине́йки

sliding seat [ˌslaɪdɪŋ'si:t] *n* слайд, подвижна́я ба́нка (*подвижное сиденье в гоночной лодке*)

slight [slaɪt] **1.** *n* пренебреже́ние, неуваже́ние; to put a ~ upon smb. прояви́ть, вы́казать неуваже́ние к кому́-л.

2. *a* 1) незначи́тельный, лёгкий, сла́бый; not the ~est doubt ни мале́йшего сомне́ния; а ~ cold небольшо́й на́сморк; not in the ~est ни на йо́ту 2) то́нкий; хру́пкий

3. *v* пренебрега́ть; трети́ровать; to ~ one's work недобросо́вестно относи́ться к свои́м обя́занностям

slightly ['slaɪtlɪ] *adv* слегка́, немно́го; I know him ~ я немно́го зна́ю его́

slim [slɪm] **1.** *a* 1) то́нкий, стро́йный 2) сла́бый, ску́дный; незначи́тельный; а ~ chance of success сла́бая наде́жда на успе́х 3) хи́трый

2. *v* (по)худе́ть, (по)теря́ть в ве́се

slime [slaɪm] **1.** *n* слизь; ли́пкий ил; шлам, муть

2. *v* 1) покрыва́ть(ся) слизью 2) *амер.* удаля́ть слизь

slimy ['slaɪmɪ] *a* 1) слизи́стый, вя́зкий 2) подобостра́стный, еле́йный 3) ско́льзкий

sling I [slɪŋ] **1.** *n* 1) реме́нь, кана́т 2) пе́ревязь; he had his arm in a ~ у него́ рука́ была́ на пе́ревязи 3) праща́; *тж.* рога́тка 4) *мор.* строп 5) броса́ние, швыря́ние 6) *австрал. sl.* чаевы́е *или* взя́тка

2. *v* (slung) 1) мета́ть из пращи́ 2) *разг.* швыря́ть; to ~ a man out of the room вы́швырнуть кого́-л. из ко́мнаты 3) подве́шивать (*гамак и т. п.*) 4) ве́шать че́рез плечо́ 5) *воен.* взять на реме́нь 6) поднима́ть с по́мощью ремня́, кана́та ◇ to ~ ink ча́сто выступа́ть в печа́ти; попи́сывать (*в газете и т. п.*); to ~ mud at smb. оскорбля́ть, облива́ть гря́зью кого́-л.

sling II [slɪŋ] *n* напи́ток из джи́на, воды́, са́хара, муска́тного оре́ха

slingshot ['slɪŋʃɒt] *n амер.* рога́тка

slink I [slɪŋk] *v* (slunk) кра́сться, идти́ кра́дучись (*обыкн.* ~ off, ~ away, ~ by)

slink II [slɪŋk] **1.** *n* недоно́сок (*о животном*)

2. *v* (slunk) вы́кинуть (*о животном*)

slip [slɪp] **1.** *n* 1) скольже́ние; сполза́ние 2) оши́бка, про́мах; ~ of the pen (tongue) опи́ска (обмо́лвка) 3) ни́жняя ю́бка; комбина́ция (*бельё*) 4) чехо́л (*для мебели*); на́волочка (*тж.* pillow ~) 5) *тех.* уменьше́ние числа́ оборо́тов (*колеса и т. п.*); пробуксо́вка; скольже́ние (*винта*) 6) *мор.* э́ллинг, ста́пель 7) (*обыкн. pl*) сво́ра (*для охотничьих собак*) 8) листо́к, бланк; ка́рточка (*регистрационная и т. п.*); to get the pink ~ *разг.* получи́ть уведомле́ние об увольне́нии 9) дли́нная у́зкая поло́ска (*чего-л.*); лучи́на, щепа́; а ~ of paper поло́ска бума́ги 10) побе́г, черено́к; отро́сток; а ~ of a girl ху́денькая (*или* стро́йная) де́вочка 11) *амер.* дли́нная у́зкая скамья́ (*в церкви*) 12) *pl театр.* кули́сы 13) *геол.* сдвиг; смеще́ние 14) *полигр.* гра́нка (*оттиск*) 15) *pl* пла́вки 16) *поэт.* о́тпрыск ◇ there is many a ~ 'twixt the cup and the lip ≅ не говори́ «гоп», пока́ не перепры́гнешь; to give smb. the ~ ускользну́ть, улизну́ть от кого́-л.

2. *v* 1) скользи́ть; поскользну́ться; my foot ~ped я поскользну́лся 2) проскользну́ть; исче́знуть 3) вы́скользнуть; соскользну́ть (*тж.* ~ off); the knot ~ped у́зел развяза́лся 4) ошиба́ться; he ~s in his grammar он де́лает граммати́ческие оши́бки 5) ухудша́ться, уменьша́ться 6) су́нуть (*руку в карман, записку в книгу и т. п.*); she ~ped the letter into her pocket она́ су́нула письмо́ в карма́н 7) спуска́ть (*собак*) 8) вы́травить (*якорную цепь*) 9) выпуска́ть (*стрелу*) 10) буксова́ть (*о колёсах*) 11) вы́кинуть (*о животном*) 12) спуска́ть пе́тлю (*в вязании*) 13) ускользну́ть (*тж.* ~ away); the dog ~ped the chain соба́ка сорвала́сь с цепи́; it has ~ped my attention я э́того ка́к-то не заме́тил; it ~ped my memory, it ~ped from my mind я совсе́м забы́л об э́том; to let the chance ~ упусти́ть удо́бный слу́чай 14) проноси́ться, лете́ть (*о времени*; *тж.* ~ away) 15) пла́вно переходи́ть (*из одного состояния в другое, от одного к другому*); the tango ~ped into a waltz та́нго перешло́ в вальс ▭ ~ **along** *разг.* мча́ться; ~ **away** а) уйти́, не проща́ясь; б) ускользну́ть; в) проноси́ться, лете́ть (*о времени*); ~ **by** бежа́ть (*о времени*); ~ **in** а) незаме́тно войти́; б) вкра́сться (*об ошибке*); ~ **off** а) сбро́сить (*платье*); б) ускользну́ть; в) соскользну́ть; ~ **on** наки́нуть, наде́ть; ~ **out** а) бы́стро сбро́сить с себя́ (*одежду*); б) соскользну́ть; в) вы́скользнуть, незаме́тно уйти́; г) сорва́ться (*тж. перен.*); he let the name ~ out и́мя сорвало́сь у него́ с языка́; ~ **up** а) *разг.* соверши́ть оши́бку; б) споткну́ться ◇ to ~ one's trolley *амер.* свихну́ться

slip carriage ['slɪp,kærɪdʒ] *n* ваго́н, отцепля́емый на ста́нции без остано́вки по́езда

slip-cover ['slɪp,kʌvə] *n* 1) чехо́л (*для мебели*) 2) *амер.* суперобло́жка

slipknot ['slɪpnɒt] *n* 1) передвижна́я петля́ на верёвке 2) скользя́щий у́зел

slip-on ['slɪpɒn] **1.** *n* 1) сви́тер; блу́зка (*надевающаяся через голову*) 2) свобо́дное пла́тье 3) та́почки *или* ту́фли без за́дника

2. *a* 1) надева́ющийся че́рез го́лову 2) широ́кий, свобо́дный 3) без за́дника (*об обуви*)

slipover ['slɪp,əʊvə] *n* 1) футля́р, чехо́л *и т. п.* 2) сви́тер, пуло́вер

slipper ['slɪpə] **1.** *n* 1) ко́мнатная ту́фля 2) *ж.-д.* (тормозно́й) башма́к

2. *v* отшлёпать ту́флей

slippery ['slɪpərɪ] *a* 1) ско́льзкий 2) увёртливый 3) ненадёжный, беспринци́пный (*о человеке*)

slippy ['slɪpɪ] *a разг.* 1) ско́льзкий 2) бы́стрый, проворный; be ~ about it!, look ~! шевели́сь!, побыстре́е!

slipshod ['slɪpʃɒd] *a* неря́шливый, небре́жный

slipslop ['slɪpslɒp] *разг.* **1.** *n* 1) сла́бый напи́ток; по́йло; бурда́ 2) глу́пая *или* сентимента́льная болтовня́ (кни́га *и т. п.*)

2. *a* 1) водяни́стый, разба́вленный 2) вздо́рный, глу́пый; сентимента́льный (*о книге, болтовне*)

slipsole ['slɪpsəʊl] *n* сте́лька

slip-up ['slɪpʌp] *n разг.* оши́бка, про́мах

slipway ['slɪpweɪ] *n мор.* слип, судоподъёмный э́ллинг

slit [slɪt] **1.** *n* 1) дли́нный разре́з; щель 2) *attr.*: ~ skirt ю́бка с разре́зом

2. *v* (slitted [-ɪd], slit) 1) разреза́ть в длину́; нареза́ть у́зкими полоса́ми; to ~ an envelope open вскры́ть конве́рт 2) рва́ться 3) расщепля́ть, раска́лывать

slither ['slɪðə] *v* скользи́ть; ска́тываться

slit trench ['slɪttrentʃ] *n воен.* щель-убе́жище

slitty ['slɪtɪ] *a* у́зкий, как щёлочка (*о глазах*)

sliver ['slɪvə] **1.** *n* 1) ще́пка, лучи́на 2) прядь (*шерсти*)

2. *v* отка́лываться, расщепля́ть(ся)

sloane [sləʊn] *n sl.* молодо́й ло́ндонец, принадлежа́щий к све́тской эли́те

slob [slɒb] *n* 1) *презр.* неря́ха, растрёпа; тупи́ца; толстя́к 2) *ирл.* грязь, сля́коть

slobber ['slɒbə] **1.** *n* 1) слю́ни 2) сентимента́льная болтовня́

2. *v* 1) пуска́ть слю́ни, слюня́вить 2) распусти́ть ню́ни; расчу́вствоваться

slobbery ['slɒbərɪ] *a* 1) слюня́вый 2) сентимента́льный, слезли́вый

sloe [sləʊ] *n* тёрн, терно́вая я́года

slog [slɒg] **1.** *n* 1) си́льный уда́р 2) тяжёлая, утоми́тельная рабо́та

2. *v* 1) си́льно ударя́ть 2) упо́рно рабо́тать (*тж.* ~ at one's work; ~ away, ~ on)

slogan ['sləʊgən] *n* 1) ло́зунг, призы́в; деви́з 2) боево́й клич (*шотл. горцев*)

sloop [slu:p] *n мор.* 1) шлюп 2) сторожево́й кора́бль; ~ of war вое́нный шлюп

slop I [slɒp] **1.** *n* 1) жи́дкая грязь; сля́коть 2) *pl* сантиме́нты, излия́ния (*чувств*) 3) *pl* помо́и; to empty the ~s выноси́ть помо́и 4) *pl* жи́дкая пи́ща (*для больных и т. п.*)

2. *v* 1) пролива́ть(ся), расплёскивать(ся) (*часто* ~ over, ~ out) 2) шлёпать, хлю́пать (*по грязи и т. п.*) ▭ ~ **over** излива́ть свои́ чу́вства

slop II [slɒp] *n* 1) спецо́вка, комбинезо́н 2) *pl* дешёвая гото́вая оде́жда 3) (*обыкн. pl*) оде́жда и посте́льные принадле́жности, отпуска́емые моряка́м на корабле́

slop basin ['slɒp,beɪsn] *n* полоска́тельница

slope [sləʊp] **1.** *n* 1) накло́н, склон, скат; ~ of a roof скат кры́ши; ~ of a river паде́ние реки́ 2) *горн.* накло́нная вы́работка 3) *воен.* положе́ние с винто́вкой на плечо́

2. *v* 1) клони́ться; име́ть накло́н; отло́го поднима́ться (*обыкн.* ~ up) *или* опуска́ться (*обыкн.* ~ down) 2) ста́вить в накло́нное положе́ние 3) ска́шивать; сре́зывать ▭ ~ **off** *sl.* удра́ть; улизну́ть

sloping ['sləʊpɪŋ] **1.** *pres. p. от* slope 2

2. *a* накло́нный, пока́тый

slop pail ['slɒppeɪl] *n* помо́йное ведро́

sloppy ['slɒpɪ] *a* 1) покры́тый лу́жами, мо́крый (*о дороге*); забры́зганный, зали́тый (*о столе, скатерти*) 2) жи́дкий (*о пище*) 3) неря́шливый, небре́жный (*об одежде и т. п.*) 4) сентимента́льный 5) неспоко́йный (*о море*)

slop-shop ['slɒpʃɒp] *n* магази́н дешёвого гото́вого пла́тья

slopwork ['slɒpwɜ:k] *n* 1) произво́дство дешёвого гото́вого пла́тья 2) неря́шливо, на́спех сде́ланная рабо́та

slosh [slɒʃ] **1.** *n* 1) = slush 1, 1) *и* 2); 2) *sl.* сокруши́тельный уда́р 3) разба́вленный напи́ток

2. *v* 1) хлю́пать, шлёпать (*по лужам, грязи*) 2) *sl.* нанести́ си́льный уда́р 3) разба́вить напи́ток

slot I [slɒt] **1.** *n* 1) щёлка, щель, про́резь, паз; отве́рстие (*автомата*) для опуска́ния моне́ты 2) *театр.* люк

2. *v* прореза́ть, желоби́ть; прода́лбливать

slot II [slɒt] *n* след (*оленя и т. п.*)

sloth [sləʊθ] *n* 1) лень, ле́ность 2) медли́тельность 3) *зоол.* лени́вец

sloth bear ['sləʊθbeə] *n* медве́дь-губа́ч

slothful ['sləʊθfl] *a* лени́вый, ине́ртный

slot machine ['slɒtmə,ʃi:n] *n* торго́вый автома́т; иго́рный автома́т

slouch [slaʊtʃ] **1.** *n* 1) неуклю́жая похо́дка 2) суту́лость 3) опу́щенные поля́ (*шляпы*) 4) лентя́й; he is no ~ он неплохо́й рабо́тник

2. *v* 1) неуклю́же держа́ться, суту́литься 2) свиса́ть (*о полях шляпы*) 3) надвига́ть (*шляпу*); опуска́ть поля́ ▭ ~ **about** слоня́ться

slouch hat [,slaʊtʃ'hæt] *n* шля́па с широ́кими опу́щенными поля́ми

slough I [slaʊ] *n* 1) боло́то, топь, тряси́на 2) депре́ссия, уны́ние, отча́яние (*тж.* S. of Despond)

slough II [slʌf] **1.** *n* 1) сбро́шенная ко́жа (*змеи*) 2) струп 3) забы́тая привы́чка

2. *v* 1) сбра́сывать ко́жу (*о змее*) 2) сходи́ть (*о коже*), шелуши́ться (*часто* ~ off, ~ away)

sloughy I ['slaʊɪ] *a* то́пкий

sloughy II ['slʌfɪ] *a* стру́пный

Slovak ['sləʊvæk] **1.** *n* 1) слова́к; слова́чка 2) слова́цкий язы́к

2. *a* слова́цкий

sloven ['slʌvn] *n* неря́ха

Slovene ['sləʊvi:n] *n* слове́нец; слове́нка

Slovenian [sləʊ'vi:nɪən] **1.** *a* слове́нский

2. *n* слове́нский язы́к

slovenliness ['slʌvnlɪnəs] *n* неря́шливость

slovenly ['slʌvnlɪ] *a* неря́шливый

slow [sləʊ] **1.** *a* 1) ме́дленный, ти́хий; постепе́нный 2) медли́тельный, неторопли́вый 3) затрудня́ющий бы́строе движе́ние (*о поверхности, дороге*) 4) (*обыкн. predic.*): the clock is 20 minutes ~ часы́ отстаю́т на 20 мину́т 5) тупо́й, несообрази́тельный (*тж.* ~ of wit); с заме́дленным разви́тием 6) ску́чный, неинтере́сный 7) неспеша́щий; he was ~ in arriving он запозда́л; he is not ~ to defend himself он себя́ в оби́ду не даст 8) иду́щий с ма́лой ско́ростью (*о поезде и т. п.*) 9) вя́лый (*о торговле*) ◇ ~ but sure ме́дленно, но ве́рно; ~ and steady wins the race ≅ ти́ше е́дешь, да́льше бу́дешь

2. *adv* ме́дленно; to go ~ быть осмотри́тельным

3. *v* замедля́ть(ся) (*обыкн.* ~ down, ~ up, ~ off)

slowcoach ['sləʊkəʊtʃ] *n* медли́тельный, тупова́тый *или* отста́лый челове́к

slowdown ['sləʊdaʊn] *n* 1) замедле́ние 2) сниже́ние те́мпа рабо́ты (*вид забастовки*)

slow goods ['sləʊgʊdz] *n pl* груз ма́лой ско́рости

slow match ['sləʊmætʃ] *n* огнепрово́дный шнур (*для взрывных работ и т. п.*)

slow motion [,sləʊ'məʊʃn] *n* эффе́кт заме́дленного де́йствия

slowpoke ['sləʊpəʊk] *амер.* = slowcoach

slow-witted [,sləʊ'wɪtɪd] *a* тупо́й, тупоголо́вый

slubber ['slʌbə] *v* де́лать небре́жно, ко́е-ка́к

sludge [slʌdʒ] *n* 1) густа́я грязь 2) са́ло (*плавающий лёд*) 3) ти́на, ил 4) отсто́й, шлам 5) *attr.*: ~ pump *горн.* жело́нка; грязево́й насо́с

sludgy ['slʌdʒɪ] *a* гря́зный; и́листый

slue [slu:] = slew I

slug I [slʌg] *n* 1) *зоол.* сли́зень, слизня́к 2) пу́ля (*неправильной формы*) 3) *полигр.* шпон 4) *полигр.* строка́, отли́тая на линоти́пе 5) (*особ. амер.*) глото́к (*спиртного*) 6) кусо́к мета́лла (*неправильной формы*)

slug II [slʌg] *амер.* 1. *v* си́льно ударя́ть, бить
2. *n* си́льный уда́р
slugabed [ˌslʌgə'bed] *n уст.* со́ня, лежебо́ка; лентя́й
sluggard ['slʌgəd] *n* лентя́й, безде́льник
sluggish ['slʌgɪʃ] *a* 1) ме́дленный, вя́лый 2) медли́тельный; ине́ртный
sluice [slu:s] 1. *n* 1) шлюз, перемы́чка; затво́р шлю́за 2) (иску́сственный) кана́л, водово́д 3) промы́вка 4) *горн.* рудопромыва́льный жёлоб
2. *v* 1) снабжа́ть шлю́зами; шлюзова́ть 2) отводи́ть во́ду шлю́зами, выпуска́ть, спуска́ть (че́рез шлюз) (*обыкн.* ~ off) 3) залива́ть; облива́ть 4) вытека́ть (*обыкн.* ~ out) 5) мыть, промыва́ть
sluice gate ['slu:sgeɪt] *n* шлю́зные воро́та
sluiceway ['slu:sweɪ] = sluice 1, 2)
slum [slʌm] 1. *n* (*обыкн. pl*) трущо́бы
2. *v* посеща́ть трущо́бы (*с благотворительной целью; обыкн.* go ~ming)
slumber ['slʌmbə] *поэт.* 1. *n* (*часто pl*) сон; дремо́та
2. *v* спать; дрема́ть ▭ ~ **away** проспа́ть, да́ром потеря́ть вре́мя
slumberous ['slʌmbərəs] *a* 1) навева́ющий сон 2) со́нный
slumber wear ['slʌmbəweə] *n* ночны́е руба́шки и пижа́мы
slumlord ['slʌmlɔ:d] *n* владе́лец трущо́б (*взимающий с жильцов непомерно высокую квартплату*)
slummock ['slʌmək] *v разг.* 1) жа́дно загла́тывать 2) говори́ть бессвя́зно, сумбу́рно
slump [slʌmp] 1. *n* 1) ре́зкое паде́ние цен, спро́са *или* интере́са; кри́зис 2) оползáние (*грунта*); о́ползень
2. *v* 1) ре́зко па́дать 2) тяжело́ опуска́ться, сади́ться, па́дать; he ~ed into a chair он тяжело́ опусти́лся на стул 3) го́рбиться, суту́литься
slung [slʌŋ] *past и p. p. от* sling I, 2
slunk [slʌŋk] *past и p. p. от* slink I *и* II, 2
slur [slɜ:] 1. *n* 1) пятно́ (*на репутации*); to put a ~ (upon) опоро́чить 2) слия́ние (*звуков, слов*) 3) *муз.* ли́га 4) *полигр.* мара́шка 5) (расплы́вшееся) пятно́
2. *v* 1) произноси́ть невня́тно, глота́ть (*слова*) 2) писа́ть неразбо́рчиво 3) *муз.* свя́зывать зву́ки 4) *уст.* клевета́ть, хули́ть, черни́ть 5) опуска́ть, пропуска́ть (over) 6) сма́зывать, стира́ть (*различие и т. п.*; *часто* ~ over)
slurry ['slʌrɪ] *n стр.* жи́дкое цеме́нтное те́сто; жи́дкая гли́на
slush [slʌʃ] 1. *n* 1) сля́коть, грязь 2) та́лый снег; шуга́, ледяно́е са́ло 3) (сентимента́льный) вздор
2. *v* 1) сма́зывать 2) ока́тывать гря́зью *или* водо́й
slush fund ['slʌʃfʌnd] *n* 1) де́ньги, предназна́ченные для взя́ток 2) *мор.* экономи́ческие су́ммы
slushy ['slʌʃɪ] *a* 1) сля́котный 2) сентимента́льный
slut [slʌt] *n презр.* 1) неря́ха, грязну́ля (*о женщине*) 2) потаску́шка 3) развя́зная девчо́нка; a saucy ~ озорни́ца 4) су́ка
sluttish ['slʌtɪʃ] *a* неря́шливый
sly [slaɪ] 1. *a* 1) хи́трый, ло́вкий, кова́рный 2) та́йный, скры́тый 3) озорно́й, лука́вый ◇ ~ dog хитре́ц, ловка́ч
2. *n:* on the ~ тайко́м
slyboots ['slaɪbu:ts] *n разг.* хитре́ц, плут, проны́ра
slype [slaɪp] *n* кры́тая арка́да
smack I [smæk] 1. *n* 1) вкус; при́вкус; за́пах; при́месь 2) немно́го еды́, глото́к питья́
2. *v* па́хнуть, отдава́ть, отзыва́ться (*чем-л.*); име́ть при́месь (of — *чего-л.*)
smack II [smæk] 1. *n* 1) зво́нкий шлепо́к; хлопо́к 2) зво́нкий поцелу́й 3) чмо́канье ◇ a ~ in the eye (*или* face) уда́р, пощёчина, жесто́кое разочарова́ние
2. *v* 1) хло́пать; шлёпать 2) чмо́кать губа́ми (*тж.* ~ one's lips)
3. *adv разг.* 1) с тре́ском 2) в са́мую то́чку, пря́мо
smack III [smæk] *n мор.* смэк (*одномачтовое рыболовное судно*)
smack IV [smæk] *n sl.* си́льный нарко́тик, *особ.* геро́ин
smacker ['smækə] *n sl.* 1) зво́нкий поцелу́й *или* шлепо́к 2) *амер.* до́ллар 3) кру́пный экземпля́р чего́-л.
small [smɔ:l] 1. *a* 1) ма́ленький; небольшо́й; ~ boy малы́ш; ~ craft ме́лкие суда́, ло́дки; ~ capitals *полигр.* капите́ль; ~ tools ручно́й инструме́нт, слеса́рный инструме́нт 2) то́нкий; ~ waist то́нкая та́лия 3) незначи́тельный, ма́лый, ничто́жный; he has ~ Latin он пло́хо зна́ет латы́нь; he drank a ~ whiskey он вы́пил глото́к ви́ски; on the ~ side бо́лее чем скро́мных разме́ров 4) ме́лкий; ~ coal штыб, у́гольная пыль; ~ rock щéбень 5) скро́мный, бе́дный; незна́тного происхожде́ния 6) пристыжённый, унижённый; to feel ~ чу́вствовать себя́ приниженным; чу́вствовать себя́ нело́вко; to look ~ име́ть глу́пый вид 7) ме́лкий, ни́зменный; it is ~ of you э́то по́дло с ва́шей стороны́ 8) разба́вленный, сла́бый (*о напитке*) 9) ти́хий, негро́мкий (*о звуке*); ~ voice сла́бый го́лос 10) немногочи́сленный 11) непродолжи́тельный ◇ (and) ~ wonder (и) неудиви́тельно, нет ничего́ удиви́тельного; ~ hours пе́рвые часы́ по́сле полу́ночи; the still ~ voice со́весть; ~ talk пусто́й, бессодержа́тельный, све́тский разгово́р
2. *n* 1): ~ of the back поясни́ца 2) *pl разг. обыкн.* ни́жнее бельё 3) *pl ист.* пе́рвый экза́мен на сте́пень бакала́вра (*в Оксфорде*) ◇ in ~ a) в небольши́х разме́рах; б) *жив.* в миниатю́ре
small arms ['smɔ:lɑ:mz] *n pl* стрелко́вое ору́жие
small beer [ˌsmɔ:l'bɪə] *n* 1) пустяки́, ме́лочи; to think no ~ of oneself быть о себе́ высо́кого мне́ния; to chronicle ~ отмеча́ть вся́кие ме́лочи; занима́ться пустяка́ми 2) сла́бое пи́во
small-bore ['smɔ:lbɔ:] *a воен.* малокали́берный
small change [ˌsmɔ:l'tʃeɪndʒ] *n* 1) ме́лкие де́ньги, ме́лочь 2) пусты́е, бана́льные замеча́ния
small holder ['smɔ:lˌhəʊldə] *n* ме́лкий со́бственник; ме́лкий аренда́тор
small-minded [ˌsmɔ:l'maɪndɪd] *a* 1) ме́лкий, ме́лочный 2) ограни́ченный, недалёкий
smallpox ['smɔ:lpɒks] *n* о́спа
smallsword ['smɔ:lsɔ:d] *n* рапи́ра, шпа́га
small-time [ˌsmɔ:l'taɪm] *a разг.* ме́лкий, незначи́тельный; второсо́ртный
small-tooth comb [ˌsmɔ:ltu:θ'kəʊm] *n* ча́стый гре́бень
smalt [smɔ:lt] *n* сма́льта
smarm [smɑ:m] *v разг.* 1) прили́зывать, пригла́живать 2) ублажа́ть; прислу́живаться, подли́зываться
smarmy ['smɑ:mɪ] *a разг.* льсти́вый; еле́йный, вкра́дчивый
smart [smɑ:t] 1. *n* 1) жгу́чая боль 2) го́ре, печа́ль
2. *a* 1) остроу́мный, нахо́дчивый 2) ло́вкий, продувно́й 3) щеголева́тый; наря́дный; мо́дный; the ~ set *разг.* фешене́бельное о́бщество 4) бы́стрый, прово́рный; you'd better be pretty ~ about the job с э́тим вам ну́жно поспеши́ть; to make a ~ job of it бы́стро и хорошо́ вы́полнить рабо́ту 5) ре́зкий, си́льный (*об ударе, боли*) 6) суро́вый (*о наказании*) ◇ a ~ few дово́льно мно́го
3. *adv* изя́щно, щеголева́то
4. *v* 1) испы́тывать жгу́чую боль; боле́ть; страда́ть 2) вызыва́ть жгу́чую боль; the insult ~s yet оби́да ещё жива́ ▭ ~ for поплати́ться за *что-л.*
smart aleck ['smɑ:tˌælɪk] *n разг.* самоуве́ренный челове́к; хлыщ
smart-alecky ['smɑ:tˌælɪkɪ] *a разг.* наха́льный; развя́зный и самоуве́ренный
smarten ['smɑ:tn] *v* 1): to ~ (oneself) up a) прихора́шивать(ся); б) хороше́ть 2) отшлифова́ть (*манеры и т. п.*)
smart money ['smɑ:tˌmʌnɪ] *n* 1) компенса́ция за уве́чье 2) отступны́е де́ньги
smarty ['smɑ:tɪ] *n разг.* 1) всезна́йка, самоуве́ренный челове́к 2) хлыщ, щёголь
smash [smæʃ] 1. *n* 1) внеза́пное паде́ние; гро́хот 2) ги́бель, уничтоже́ние, разруше́ние 3) столкнове́ние; катастро́фа 4) огро́мный успе́х (*тж.* ~ hit) 5) уда́р по мячу́ све́рху вниз, смэш (*в теннисе*) 6) сокруши́тельный уда́р 7) банкро́тство 8) *attr. разг.* успе́шный, бы́стро завоева́вший популя́рность; a ~ song мо́дная пе́сенка, хит
2. *v* 1) разбива́ть(ся) вдре́безги (*часто* ~ up) 2) ста́лкиваться (into, against, through) 3) разби́ть, сокруши́ть, уничто́жить (*противника и т. п.*) 4) ударя́ть изо все́х сил 5) обанкро́титься 6) ударя́ть по мячу́ све́рху вниз, гаси́ть (*в теннисе*) ▭ ~ in вломи́ться, ворва́ться

си́лой; to ~ in a door взлома́ть дверь; ~ **up** разбива́ть(ся) вдре́безги

3. *adv* с разма́ху; вдре́безги; to go (*или* to come) ~ а) вре́заться с разма́ху; б) потерпе́ть по́лный прова́л; разори́ться

smasher ['smæʃə] *n* 1) *разг.* не́что сногсшиба́тельное 2) сокруши́тельный уда́р, тяжёлое паде́ние (*тж. перен.*) 3) ре́зкий отве́т; разгро́мная реце́нзия

smashing ['smæʃɪŋ] 1. *pres. p. от* smash 2

2. *a* 1) *разг.* превосхо́дный, великоле́пный 2) сокруши́тельный; ~ blow сокруши́тельный уда́р

smattering ['smætərɪŋ] *n* 1) пове́рхностное зна́ние 2) *разг.* небольшо́е число́; ко́е-что́

smear [smɪə] 1. *n* 1) клевета́, бесче́стье 2) вя́зкое *или* ли́пкое вещество́ 3) пятно́; мазо́к

2. *v* 1) ма́зать, па́чкать 2) позо́рить, бесче́стить 3) *амер. sl.* (раз)громи́ть; подави́ть

smear-sheet ['smɪəʃi:t] *n амер.* гря́зная газетёнка

smeary ['smɪərɪ] *a* гря́зный

smectite ['smektaɪt] *n* сукнова́льная гли́на

smegma ['smegmə] *n* сме́гма

smell [smel] 1. *n* 1) обоня́ние; to have a good sense of ~ име́ть то́нкое обоня́ние 2): to take a ~ (at) поню́хать 3) за́пах

2. *v* (smelt, smelled [-d]) 1) чу́вствовать за́пах, чу́ять; обоня́ть 2) па́хнуть; the perfume ~s good э́ти духи́ хорошо́ па́хнут; to ~ of paint па́хнуть кра́ской 3) ню́хать (at) ▭ ~ **about** принюхиваться; разню́хивать, высле́живать; ~ **out** разню́хать, вы́следить, учу́ять; ~ **round** = ~ about ◇ to ~ powder «поню́хать по́роху»; to ~ of the lamp (*или* of the candle, of oil) быть вы́мученным (*о слоге и т. п.*)

smeller ['smelə] *n sl.* 1) нос 2) уда́р по́ носу

smelling bottle ['smelɪŋ,bɒtl] *n* флако́н с ню́хательной со́лью

smelling salts ['smelɪŋsɔ:lts] *n* ню́хательная соль

smelly ['smelɪ] *a* злово́нный

smelt I [smelt] 1. *n* пла́вка; распла́вленный мета́лл

2. *v* пла́вить (*руду*); расплавля́ть (*металл*)

smelt II [smelt] *n* ко́рюшка

smelt III [smelt] *past и p. p. от* smell 2

smeltery ['smeltərɪ] *n* плави́льня, плави́льный заво́д

smew [smju:] *n* лу́ток (*птица*)

smidgen ['smɪdʒən] *n разг.* чу́точка, ма́лость, ка́пелька

smile [smaɪl] 1. *n* 1) улы́бка; to be all ~s име́ть дово́льный вид 2) благоволе́ние; the ~s of fortune ≅ улы́бка форту́ны, пода́рок судьбы́

2. *v* 1) улыба́ться 2) выража́ть улы́бкой (*согласие и т. п.*); to ~ farewell улыбну́ться на проща́ние ▭ ~ at пренебрега́ть *чем-л.*; ~ on, ~ upon выка́зывать благоволе́ние; благоприя́тствовать; fortune has ~d upon him from his birth сча́стье улыба́лось ему́ с колыбе́ли ◇ to come up smiling не па́дать ду́хом по́сле неуда́чи, не унывать

smirch [smɜ:tʃ] 1. *n* пятно́ (*тж. перен.*)

2. *v* па́чкать, пятна́ть

smirk [smɜ:k] 1. *n* самодово́льная, де́ланная *или* глу́пая улы́бка; ухмы́лка

2. *v* ухмыля́ться

smite [smaɪt] 1. *v* (smote; smitten) *книжн., уст.* 1) ударя́ть 2) разбива́ть; разруша́ть; to ~ (enemies) hip and thigh беспоща́дно бить (враго́в), разби́ть (врага́) на́голову 3) (*обыкн. p. p.*) охва́тывать, поража́ть; smitten with palsy разби́тый параличо́м; smitten with fear охва́ченный стра́хом; he seems to be quite smitten with her он, ка́жется, без па́мяти влюблён в неё; an idea smote her её осени́ло 4) кара́ть; нака́зывать; his conscience smote him он почу́вствовал угрызе́ния со́вести, со́весть му́чила его́

2. *n* 1) си́льный уда́р 2) попы́тка

smith [smɪθ] *n* 1) кузне́ц 2) рабо́чий по мета́ллу

smithereens [,smɪðə'ri:nz] *n pl* оско́лки; черепки́; to smash to (*или* into) ~ разби́ть вдре́безги

smithy ['smɪðɪ] *n* 1) ку́зница 2) *амер.* кузне́ц

smitten ['smɪtn] *p. p. от* smite 1

smock [smɒk] 1. *n* 1) толсто́вка (*мужская блуза*) 2) рабо́чий хала́т 3) де́тский комбинезо́н

2. *v* украша́ть сбо́рками *или* бу́фами

smock frock [,smɒk'frɒk] *n* холщёвый хала́т (*для работы*)

smog [smɒg] *n* густо́й тума́н с ды́мом и ко́потью; смог

smoke [sməʊk] 1. *n* 1) дым, ко́поть 2) куре́ние; to have a ~ покури́ть 3) *разг.* сигаре́та, папиро́са, сига́ра 4) (the S.) *разг.* большо́й го́род, *особ.* Ло́ндон 5) тума́н, ды́мка ◇ to end (*или* to go up) in ~ ко́нчиться ниче́м; like ~ а) бы́стро, момента́льно; б) с лёгкостью; there is no ~ without fire нет ды́ма без огня́; to sell ~ занима́ться моше́нничеством

2. *v* 1) дыми́ть(ся) 2) копти́ть (*о лампе и т. п.*) 3) кури́ть 4) оку́ривать 5) подверга́ть копче́нию 6) выку́ривать (*тж.* ~ out) 7) *уст.* дразни́ть 8) *уст.* подозрева́ть, чу́ять

smoke-ball ['sməʊkbɔ:l] *n воен.* дымово́й снаря́д, дымова́я бо́мба

smoke-black ['sməʊkblæk] *n* са́жа

smoke-cloud ['sməʊkklaʊd] *n* дымово́е о́блако, дымова́я заве́са

smoke-consumer ['sməʊkkən,sju:mə] *n* дымопоглоща́ющее устро́йство

smoked [sməʊkt] 1. *p. p. от* smoke 2

2. *a* 1) ды́мчатый 2) закопчённый 3) копчёный; ~ fish копчёная ры́ба

smoke-dried ['sməʊkdraɪd] *a* копчёный

smoke-dry ['sməʊkdraɪ] *v* копти́ть

smokehouse ['sməʊkhaʊs] *n* копти́льня

smokeless ['sməʊkləs] *a* безды́мный; ~ powder безды́мный по́рох

smoker ['sməʊkə] *n* 1) кури́льщик 2) копти́льщик 3) = smoking-car 4) *амер.* мужска́я компа́ния

smoke screen ['sməʊkskri:n] *n воен.* дымова́я заве́са (*тж. перен.*)

smokestack ['sməʊkstæk] *n* дымова́я труба́

smoking-car ['sməʊkɪŋkɑ:] *n* ваго́н для куря́щих

smoking-carriage ['sməʊkɪŋ,kærɪdʒ] = smoking-car

smoking-room ['sməʊkɪŋru:m] *n* кури́тельная (ко́мната)

smoko ['sməʊkəʊ] *n австрал. разг.* 1) переку́р 2) переры́в для ча́я

smoky ['sməʊkɪ] *a* 1) ды́мный; закопте́лый; коптя́щий 2) ды́мчатый

smolder ['sməʊldə] *амер.* = smoulder

smooch [smu:tʃ] *n разг.* 1) ме́дленный та́нец в обни́мку 2) поцелу́й, ла́ски, объя́тия

smooth [smu:ð] 1. *a* 1) одноро́дный; ~ paste те́сто без комко́в 2) гла́дкий, ро́вный 3) пла́вный, споко́йный; беспрепя́тственный 4) нете́рпкий (*о вине*) 5) вкра́дчивый, льсти́вый 6) уравнове́шенный, споко́йный 7) *разг.* о́чень прия́тный, привлека́тельный ◇ to get to ~ water вы́браться из затрудни́тельного положе́ния

2. *n* 1) пригла́живание 2) гла́дкая пове́рхность

3. *v* 1) пригла́живать; сгла́живать(ся), разгла́живать(ся) (*часто* ~ out, ~ over, ~ down, ~ away) 2) смягча́ть, сма́зывать (*обыкн.* ~ over) 3) успока́ивать(ся) (*обыкн.* ~ down) 4) *тех.* полирова́ть, шлифова́ть, лощи́ть

smoothbore ['smu:ðbɔ:] *n воен.* гладкоство́льное ору́жие

smoothfaced ['smu:ðfeɪst] *a* 1) вкра́дчивый, лицеме́рный 2) бри́тый

smoothie ['smu:ðɪ] *n разг.* 1) учти́вый, ве́жливый челове́к 2) льстец

smoothspoken ['smu:ð,spəʊkən] = smooth-tongued

smooth-tongued ['smu:ðtʌŋd] *a* сладкоречи́вый, льсти́вый

smote [sməʊt] *past от* smite 1

smother ['smʌðə] 1. *v* 1) души́ть 2) осыпа́ть (*поцелуями, подарками и т. п.*) 3) *кул.* гу́сто покрыва́ть; туши́ть 4) туши́ть 5) задохну́ться 6): to ~ up a scandal замя́ть сканда́л 7) подавля́ть (*зевок, гнев*) 8) *амер.* разби́ть, разгроми́ть с хо́ду

2. *n* 1) густо́е о́блако ды́ма *или* пы́ли 2) тле́ющая зола́

smothered mate ['smʌðədmeɪt] *n шахм.* спёртый мат

smothery ['smʌðərɪ] *a* ду́шный; удушли́вый

smoulder ['sməʊldə] 1. *n* тле́ющий ого́нь

2. *v* 1) тлеть 2) те́плиться (*о чувствах*)

smouldering ['sməʊldərɪŋ] 1. *pres. p. от* smoulder 2

2. *a* тлéющий; раскалённый под пéплом; ~ hatred затаённая нéнависть

smudge I [smʌdʒ] 1. *n* грязное пятнó

2. *v* пáчкать(ся), мáзать(ся)

smudge II [smʌdʒ] *амер.* 1. *n* костёр (*зажигаемый, чтобы отогнать насекомых*)

2. *v* 1) отгонять дымом 2) окуривать

smudgy ['smʌdʒɪ] *a* грязный

smug [smʌg] 1. *a* 1) самодовóльный и ограни́ченный 2) чóпорный

2. *n* 1) *sl.* воображáла 2) *унив. жарг.* неспортсмéн; студéнт, отдающий всё своё врéмя занятиям и избегáющий развлечéний

smuggle ['smʌgl] *v* 1) провози́ть контрабáндой (into, out, through) 2) занимáться контрабáндой 3) тáйно проноси́ть; to ~ a letter into a prison тáйно пронести́ письмó в тюрьмý

smuggler ['smʌglə] *n* контрабанди́ст

smut [smʌt] 1. *n* 1) сáжа 2) грязное пятнó 3) непристóйность 4) *с.-х.* ржáвчина, головня́

2. *v* 1) пáчкать(ся) сáжей 2) заражáть(ся) головнёй

smutch [smʌtʃ] = smudge I

smutty ['smʌtɪ] *a* 1) грязный, чёрный 2) непристóйный 3) *с.-х.* заражённый головнёй

snack [snæk] *n* 1) лёгкая закýска; to have a ~ перекуси́ть на ходý 2) *австрал. sl.* что-л. легкó достижи́мое

snack bar ['snækbɑ:] *n* закýсочная, буфéт

snaffle I ['snæfl] *n* трéнзель; уздéчка ◇ to ride smb. on (*или* in, with) the ~ руководи́ть кем-л. без нажи́ма

snaffle II ['snæfl] *v sl.* 1) своровáть, стянýть; урвáть 2) поймáть, задержáть

snaffle-bit ['snæflbɪt] = snaffle I

snag I [snæg] 1. *n* 1) препя́тствие, загвóздка; to strike (*или* to come upon) a ~ натолкнýться на препя́тствие 2) выступ 3) коря́га, топля́к (*на дне реки*); сучóк, пенёк 4) облóманный зуб

2. *v* 1) налетéть на коря́гу 2) очищáть от коря́г *или* сучкóв

snag II [snæg] *n* (*обыкн. pl*) *австрал. sl.* 1) колбасá 2) соси́ска

snaggle-tooth ['snægltu:θ] *n* зуб непрáвильной фóрмы или выдающийся вперёд

snaggy ['snægɪ] *a* 1) сучковáтый 2) изоби́лующий коря́гами, засорённый (*о реке*)

snail [sneɪl] *n* 1) ули́тка 2) *разг.* тихохóд; медли́тельный человéк 3) *тех.* спирáль ◇ at a ~'s pace ≅ черепáшьим шáгом

snake [sneɪk] *n* 1) змея́ 2) предáтель, верoлóмный человéк ◇ ~ in the grass скрытая опáсность; скрытый враг; to raise (*или* to wake) ~s подня́ть скандáл, затéять ссóру; to see ~s ≅ допи́ться до чёртиков

snakebite ['sneɪkbaɪt] *n* укýс ядови́той змеи́

snake charmer ['sneɪk,tʃɑ:mə] *n* заклинáтель змей

snaky ['sneɪkɪ] *a* 1) змеи́ный 2) изви́листый 3) кишáщий змея́ми 4) ковáрный

snap [snæp] 1. *n* 1) треск; щёлканье, щелчóк 2) сухóе хрустящее печéнье 3) моментáльный сни́мок 4) рéзкое внезáпное похолодáние (*обыкн.* cold ~) 5) энéргия, живость, предприи́мчивость 6) *амер. sl.* лёгкая при́быльная рабóта (*обыкн.* soft ~) 7) застёжка, защёлка, замóчек (*браслета*), кнóпка (*для одежды*) 8) рéзкая отрывистая речь 9) кусóчек 10) *тех.* обжи́мка (*клепальная*) ◇ not a ~ ниско́лько; ничýть

2. *a* 1) поспéшный; неожи́данный, без предупреждéния; ~ elections внеочереднéые выборы 2) *амер.* простóй, лёгкий

3. *v* 1) щёлкать, ля́згать, хлóпать (*чем-л.*); the pistol ~ped пистолéт дал осéчку 2) защёлкивать(ся) (*тж.* ~ to) 3) огрызáться (at) 4) цáпнуть, укуси́ть (at) 5) дéлать моментáльный сни́мок 6) сломáть(ся), порвáть(ся) 7) ухвати́ться (at — за *предложение и т. п.*) ▭ ~ off a) отломáть(ся); б) укуси́ть; ~ out сказáть серди́то *или* грýбо, отрéзать; ~ to защёлкивать(ся); ~ up a) подхвати́ть, перехвати́ть; б) рéзко останови́ть, переби́ть (*говорящего*) ◇ to ~ one's fingers at smb. игнори́ровать, «плевáть» на когó-л.; to ~ off smb.'s head (*или* nose) оборвáть когó-л.; огрызнýться, рéзко отвéтить комý-л.; to ~ into it *амер.* брóситься бежáть; to ~ out of it отдéлаться от привычки; освободи́ться (от дурнóго настроéния *и т. п.*)

4. *adv* внезáпно, с трéском; ~ went an oar веслó с трéском сломáлось

snap beans ['snæpbi:nz] *n pl* лóмкая фасóль

snapdragon ['snæp,drægən] *n* 1) *бот.* льви́ный зев 2) рождéственская игрá, в котóрой хватáют изю́минки с блюда с горя́щим спи́ртом

snappish ['snæpɪʃ] *a* 1) раздражи́тельный, придирчивый 2) кусáчий (*о собаке*)

snappy ['snæpɪ] *a разг.* 1) живóй, энерги́чный; make it ~! быстро!, живо! 2) мóдный; щегольскóй 3) = snappish

snap roll ['snæprəul] *n ав.* бóчка

snap shot ['snæpʃɒt] *n* выстрел навски́дку

snapshot ['snæpʃɒt] 1. *n* сни́мок, фотогрáфия

2. *v* дéлать сни́мок, фотографи́ровать

snare [sneə] 1. *n* силóк, западня́, ловýшка

2. *v* поймáть в ловýшку

snarl I [snɑ:l] 1. *n* 1) рычáние 2) ворчáние

2. *v* 1) рычáть; огрызáться 2) серди́то ворчáть

snarl II [snɑ:l] 1. *n* 1) спýтанные ни́тки, спýтанный клубóк 2) пýтаница, беспоря́док

2. *v* 1) смéшивать, спýтывать 2) приводи́ть в беспоря́док

snarl-up ['snɑ:lʌp] *n разг.* 1) скоплéние трáнспорта, затóр, «прóбка» 2) пýтаница, неразбери́ха

snatch [snætʃ] 1. *n* 1) хватáние; to make a ~ at smth. пытáться схвати́ть что-л. 2) обрывок (*разговора, песни и т. п.*) 3) *амер. sl.* похищéние людéй 4) (*обыкн. pl*) корóткий промежýток (врéмени); to work in (*или* by) ~es рабóтать урывками

2. *v* 1) хватáть(ся), ухвати́ть(ся) (at); to ~ at a chance воспóльзоваться слýчаем 2) стащи́ть (*бумажник и т. п.*) 3) урывáть; to ~ an hour's sleep урвáть часóк для сна 4) срывáть, вырывáть (up, from, out, away) 5) *амер. sl.* похищáть (*кого-л.*)

snatchy ['snætʃɪ] *a* отрывистый; отрывочный

snath [snæθ] *n амер.* косови́ще

snathe [sneɪð] = snath

snavel ['snævl] *v австрал. sl.* стащи́ть, укрáсть

snazzy ['snæzɪ] *a sl.* брóский, шикáрный

sneak [sni:k] 1. *n* 1) *разг.* трус; подлéц 2) *школ. жарг.* я́беда, фискáл 3) *разг.* вори́шка 4) *разг.* незамéтный ухóд 5) *разг.* предвари́тельный просмóтр фи́льма (*тж.* ~ preview)

2. *v* 1) крáсться; to ~ out of danger ускользнýть от опáсности 2) *sl.* стащи́ть, укрáсть 3) *школ. жарг.* я́бедничать, фискáлить 4) дéлать что-л. тайкóм, украдкóй

sneakers ['sni:kəz] *n pl sl.* тáпочки, тýфли на рези́новой подóшве; тéннисные тýфли

sneaking ['sni:kɪŋ] 1. *pres. p. от* sneak 2

2. *a* 1) пóдлый; трусли́вый 2) тáйный; неосóзнанный (*о чувстве*)

sneaky ['sni:kɪ] *a* трусли́вый; пóдлый

sneer [snɪə] 1. *n* 1) презри́тельная усмéшка 2) насмéшка; глумлéние

2. *v* 1) насмéшливо улыбáться; усмехáться 2) насмехáться, глуми́ться (at — над)

sneering ['snɪərɪŋ] 1. *pres. p. от* sneer 2

2. *a* насмéшливый

sneeze [sni:z] 1. *n* чихáнье

2. *v* чихáть ◇ he is not to be ~d at с ним нáдо считáться; to ~ into a basket быть гильотини́рованным

snick [snɪk] 1. *n* надрéз, зарýбка

2. *v* слегкá надрéзать

snicker ['snɪkə] 1. *n* 1) = snigger 1; 2) ржáние

2. *v* 1) = snigger 2; 2) ти́хо ржать

snickersnee [,snɪkə'sni:] *n* дли́нный нож, кинжáл

snide [snaɪd] *sl.* 1. *n* 1) ехи́дный тип 2) éдкое замечáние 3) фальши́вая драгоцéнность *или* монéта

2. *a* 1) насмéшливый, глумли́вый 2) фальши́вый 3) *амер.* ни́зкий, пóдлый

sniff [snɪf] 1. *n* 1) сопéние 2) вдох, втя́гивание нóсом 3) (презри́тельное) фыркáнье

2. *v* 1) сопéть 2) (презри́тельно) фыр-

кать 3) вдыхáть, втя́гивать нóсом (*чáсто* ~ up) 4) нюхать, чу́ять

sniffer [ˈsnɪfə] *n* 1) наркомáн, вдыхáющий наркóтики 2) *sl.* нюхалка, нос 3) *разг.* прибóр для обнаружéния гáза, радиáции *и т. п.*

sniffer-dog [ˈsnɪfədɒg] *n разг.* собáка, обу́ченная находи́ть наркóтики и взрывчатые веществá

sniffy [ˈsnɪfɪ] *a разг.* 1) фы́ркающий, презри́тельный 2) попáхивающий, с запашкóм

snifter [ˈsnɪftə] *n* 1) *sl.* глотóк спиртнóго 2) *амер.* бокáл, су́женный кве́рху

snifter-valve [ˈsnɪftəvælv] *n* выдувнóй клáпан

snigger [ˈsnɪgə] 1. *n* хихи́канье, подáвленный смешóк

2. *v* хихи́кать

sniggle [ˈsnɪgl] *v* ловить угрéй

snip [snɪp] 1. *n* 1) надрéз 2) обрéзок; кусóк 3) *sl.* вы́годная покýпка; ≅ по дешёвке 4) *pl* нóжницы (*для металла, проволоки*)

2. *v* рéзать (*ножницами*)

snipe [snaɪp] 1. *n* 1) (*pl без измен.*) бекáс; great (*или* double) ~ ду́пель; half ~ гáршнеп 2) вы́стрел из укры́тия

2. *v* стреля́ть из укры́тия

sniper [ˈsnaɪpə] *n* мéткий стрелóк, снáйпер

snipper-snapper [ˈsnɪpə,snæpə] *n* нестóящий человéк, надýтое ничтóжество

snippet [ˈsnɪpɪt] *n* 1) отрéзок; лоскýт 2) *pl* обры́вки (свéдений, знáний *и т. п.*); отры́вок (из кни́ги, газéты *и т. п.*)

snippy [ˈsnɪpɪ] *a* 1) *разг.* придирчи́вый, рéзкий, грýбый 2) обры́вочный; крáткий

snip-snap [ˈsnɪpsnæp] *n* остроýмный, нахóдчивый отвéт

snitch [snɪtʃ] 1. *n* донóсчик

2. *v sl* 1) укрáсть, стащи́ть 2) я́бедничать; доноси́ть

snivel [ˈsnɪvl] 1. *n* 1) сóпли 2) слезли́вое лицемéрие 3) хны́канье

2. *v* 1) хны́кать, плáкаться 2) распускáть сóпли 3) причитáть; лицемéрно выражáть сочу́вствие

snob [snɒb] *n* сноб

snobbery [ˈsnɒbərɪ] *n* снобизм

snog [snɒg] *v sl.* целовáться и обнимáться

snood [snu:d] *n* сéтка (*для волос*)

snook [snu:k] *n sl.* «дли́нный нос»; to cock (*или* to make, to cut) a ~ (*или* ~s) at smb. показáть комý-л. дли́нный нос

snooker [ˈsnu:kə] *n* вид бильярдной игры́

snoop [snu:p] *разг.* 1. *n* 1) человéк, вéчно сýющий нос в чужи́е делá 2) детекти́в

2. *v* совáть нос в чужи́е делá

snooper [ˈsnu:pə] = snoop 1

snoopy [ˈsnu:pɪ] *a амер.* вьислéживающий; назóйливо любопы́тный

snoot [snu:t] 1. *n* 1) *sl.* нос 2) = snout 1); 3) *разг.* гримáса; to make a ~ гримáсничать 4) *разг.* сноб

2. *v* относи́ться свысокá

snooty [ˈsnu:tɪ] *a разг.* презри́тельный, высокомéрный

snooze [snu:z] *разг.* 1. *n* корóткий сон (*днём*)

2. *v* вздремнýть

snore [snɔ:] 1. *n* храп

2. *v* храпéть

snorkel [ˈsnɔ:kl] *n* 1) трýбка (*для плавания с маской под водой*) 2) *мор.* шнóркель

snort [snɔ:t] 1. *n* 1) фы́рканье; храпéние 2) *разг.* глотóк спиртнóго 3) *sl.* дóза вдыхáемого наркóтика

2. *v* 1) фы́ркать; храпéть 2) пыхтéть (*о машине*) 3) *sl.* вдыхáть (*наркотик*)

snorter [ˈsnɔ:tə] *n разг.* 1) нéчто сногсшибáтельное, óчень шýмное, большóе *и т. п.* 2) си́льный штóрм; бýря

snorting [ˈsnɔ:tɪŋ] 1. *pres. p. от* snort 2

2. *a* необыкновéнный, сногсшибáтельный

snot [snɒt] *n sl.* сóпли

snot-rag [ˈsnɒtræg] *n* носовóй платóк

snotty [ˈsnɒtɪ] *a sl.* 1) сопли́вый 2) злой, раздражи́тельный

snout [snaʊt] *n* 1) ры́ло; мóрда 2) *пренебр.* нос 3) *тех.* соплó, мундштýк 4) *sl.* сигарéта; табáк

snow I [snəʊ] 1. *n* 1) снег; to be caught in the ~ попáсть в метéль, застря́ть из-за снéжных занóсов 2) *поэт.* белизнá; сединá 3) *sl.* кокаи́н; герои́н 4) *attr.* снéжный

2. *v* 1) (*в безл. оборотах*): it ~s, it is ~ing идёт снег 2) сы́паться (как снег); gifts ~ed in подáрки сы́пались со всех сторóн 3) (*обыкн. p. p.*) заноси́ть снéгом (*часто* ~ up, ~ in, ~ under) 4) *амер. sl.* обмáнывать *или* обольщáть нейскренними речáми ▭ ~ **under** a): to be ~ed under *разг.* быть завáленным (*работой и т. п.*); б) *амер.* провали́ть (*огромным большинством*)

snow II [snəʊ] *n мор. ист.* снóу, шня́ва (*парусное судно*)

snowball [ˈsnəʊbɔ:l] 1. *n* 1) снежóк, снéжный ком 2) дéнежный сбор, при котóром кáждый учáстник обязýется привлéчь ещё нéсколько учáстников

2. *v* 1) игрáть в снежки́ 2) расти́ как снéжный ком

snowbank [ˈsnəʊbæŋk] *n* снéжный занóс, сугрóб

snowbird [ˈsnəʊbɜ:d] *n* 1) юнкó зи́мний (*птица*) 2) дрозд-ряби́нник (*птица*) 3) *sl.* кокаини́ст

snow-blind [ˈsnəʊblaɪnd] *a* страдáющий снéжной слепотóй

snowboots [ˈsnəʊbu:ts] *n pl* бóты

snowbound [ˈsnəʊbaʊnd] *a* 1) заснéженный, занесённый снéгом 2) задéржанный снéжными занóсами

snow-break [ˈsnəʊbreɪk] *n* 1) óттепель; тáяние снéга 2) снегозащи́тное заграждéние (*у шоссе, полотна железной дороги*)

snow-broth [ˈsnəʊbrɒθ] *n* 1) снéжная сля́коть 2) *амер.* си́льно охлаждённая жи́дкость

snow bunny [ˈsnəʊ,bʌnɪ] *n* неóпытная лы́жница

snowcapped [ˈsnəʊkæpt] *a* покры́тый снéгом (*о горах*)

snowdrift [ˈsnəʊdrɪft] *n* снéжный сугрóб

snowdrop [ˈsnəʊdrɒp] *n* подснéжник

snowfall [ˈsnəʊfɔ:l] *n* снегопáд

snow fence [ˈsnəʊfens] *n ж.-д.* снегозащи́тное заграждéние

snowflake [ˈsnəʊfleɪk] *n* снежи́нка; *pl* хлóпья снéга

snowman [ˈsnəʊmæn] *n* 1) ≅ снéжная бáба 2) снéжный человéк

snowmobile [ˈsnəʊmə,bi:l] *n* аэросáни

snowplough [ˈsnəʊplaʊ] *n* снеговóй плуг; снегоочисти́тель

snowshoes [ˈsnəʊʃu:z] *n pl* снегостýпы

snowslide [ˈsnəʊslaɪd] = snowslip

snowslip [ˈsnəʊslɪp] *n* лави́на

snowstorm [ˈsnəʊstɔ:m] *n* метéль, бурáн, вью́га

snow-white [,snəʊˈwaɪt] *a* белоснéжный

snowy [ˈsnəʊɪ] *a* 1) белоснéжный 2) снéжный, покры́тый снéгом

snub [snʌb] 1. *n* 1) пренебрежи́тельное обхождéние 2) рéзкое оскорби́тельное замечáние

2. *v* 1) осади́ть, обрéзать 2) относи́ться с пренебрежéнием; унижáть 3) *тех., мор.* крýто застóпорить; погаси́ть инéрцию хóда

snub-nosed [,snʌbˈnəʊzd] *a* курнóсый

snuff I [snʌf] 1. *n* 1) ню́хательный табáк *или* порошóк 2) поню́шка; to take ~ ню́хать табáк ◇ he is up to ~ *разг.* егó не проведёшь

2. *v* 1) вдыхáть 2) ню́хать (*табак*)

snuff II [snʌf] 1. *n* нагáр на свечé

2. *v* снимáть нагáр (*со свечи*) ▭ ~ **out** a) потуши́ть (*свечу*); б) уби́ть; разрýшить; подави́ть ◇ to ~ it *sl.* умерéть

snuffbox [ˈsnʌfbɒks] *n* табакéрка

snuff-colour [ˈsnʌf,kʌlə] *n* табáчный цвет

snuffers [ˈsnʌfəz] *n pl* щипцы́ (*для снятия нагара*)

snuffle [ˈsnʌfl] 1. *n* 1) сопéние 2) гнусáвость 3) *pl* нáсморк

2. *v* 1) сопéть 2) говори́ть в нос, гнусáвить

snuffle valve [ˈsnʌflvælv] *n тех.* выдувнóй *или* фы́ркающий клáпан

snuffy I [ˈsnʌfɪ] *a* 1) серди́тый, недовóльный 2) раздражи́тельный

snuffy II [ˈsnʌfɪ] *a* пожелтéвший от ню́хательного табакá

snug [snʌg] *a* 1) ую́тный; удóбный 2) аккурáтный, чи́стый 3) достáточный; a ~ income прили́чный дохóд 4) плóтно лежáщий, прилегáющий 5) тáйный, укрóмный; укры́тый ◇ to be as ~ as a bug in a rug óчень ую́тно устрóиться

snuggery [ˈsnʌgərɪ] *n* ую́тная кóмната; небольшóй удóбный кабинéт

snuggle [ˈsnʌgl] *v* 1) прижáть(ся), ую́тно устрóить(ся), свернýться калачиком 2) приюти́ться (*о доме, деревне и т. п.*)

so [səʊ] 1. *adv* 1) так, насто́лько; до тако́й сте́пени; it is so expensive that few can afford it э́то так до́рого, что лишь немно́гие мо́гут позво́лить себе́ э́то; I am not so foolish as to agree to that я не насто́лько глуп, что́бы согласи́ться на э́то; why are you so late? почему́ вы так опозда́ли? 2) то́же, та́кже; you are young and so am I вы мо́лоды и я то́же 3) *употр. для усиления*: I'm so glad я так рад; why so? почему́?; how so? как так?; so what? ну и что?, ну так что? 4) ита́к; so you are back ита́к, вы верну́лись 5) так, таки́м о́бразом; that's not so э́то не так; that's certainly so э́то, безусло́вно, так; if so! раз так!; is that so? ра́зве?; so he said так он сказа́л 6): or so (*после указания количества*) приблизи́тельно, о́коло э́того; a day or so денька́ два; he must be forty or so ему́ лет со́рок и́ли что́-то в э́том ро́де ▭ so as to, so that с тем что́бы; I tell you that so as to avoid trouble я предупрежда́ю вас об э́том, с тем что́бы избежа́ть неприя́тностей; so far as насто́лько, наско́лько; so far as I know наско́лько мне изве́стно ◇ so be it быть по сему́; so far до сих по́р; пока́; so long! *разг.* пока́!, до свида́ния!; so much for that дово́льно (говори́ть) об э́том; so that's that та́к-то вот; so to say так сказа́ть; and so on, and so forth и так да́лее, и тому́ подо́бное

2. *conj* 1) так что, поэ́тому; there was non left so we had to go without ничего́ не остава́лось, так что нам пришло́сь уйти́ ни с чем 2) что́бы; he came home early so that I could see him он пришёл домо́й ра́но, что́бы я мог уви́деться с ним 3) зате́м; and so to bed а пото́м — спать

soak [səʊk] 1. *n* 1) зама́чивание, мо́чка; to give a ~ вы́мочить 2) *разг.* запо́й 3) *разг.* пья́ница 4) впи́тывание, вса́сывание 5) *sl.* закла́д; to put in ~ отдава́ть в закла́д

2. *v* 1) пропи́тывать(ся); погружа́ть в жи́дкость 2) прома́чивать насквозь (*о дожде*) 3) впи́тывать(ся), вса́сывать(ся) (*тж.* ~ up, ~ in) 4): to ~ oneself in a subject погрузи́ться в рабо́ту 5) проса́чиваться 6) *разг.* выка́чивать де́ньги (*с помощью высоких цен, налогов и т. п.*) 7) *разг.* пья́нствовать 8) *sl.* отдава́ть в закла́д 9) *амер. sl* отколоти́ть, вздуть

soaker ['səʊkə] *n разг.* 1) проливно́й дождь 2) пья́ница

so-and-so ['səʊənsəʊ] 1. *n* тако́й-то (*вместо имени*); Mr. ~ господи́н тако́й-то

2. *adv* та́к-то

soap [səʊp] 1. *n* 1) мы́ло; a bar (*или* a cake) of ~ кусо́к мы́ла 2) *разг. см.* soap opera 3) *амер. sl.* де́ньги (*особ. идущие на взятку*) 4) *разг.* лесть ◇ to wash one's hands in invisible ~ потира́ть ру́ки; no ~ не пойдёт

2. *v* 1) намы́ливать; мы́ть(ся) мы́лом 2) *разг.* льсти́ть

soap-boiler ['səʊp,bɔɪlə] *n* мылова́р

soapbox ['səʊpbɒks] *n* 1) я́щик из-под мы́ла 2) импровизи́рованная трибу́на 3) *attr.*: ~ orator = soapboxer

soapboxer ['səʊp,bɒksə] *n* у́личный ора́тор

soap-bubble ['səʊp,bʌbl] *n* мы́льный пузы́рь (*тж. перен.*)

soap opera ['səʊp,ɒprə] *n* многосери́йная теле- *или* радиопостано́вка на семе́йные и бытовы́е те́мы (*обыкн. сентиментального характера*)

soap powder ['səʊp,paʊdə] *n* стира́льный порошо́к

soapstone ['səʊpstəʊn] *n мин.* мы́льный ка́мень, стеати́т

soapsuds ['səʊpsʌdz] *n pl* 1) мы́льная пе́на 2) обмы́лки

soap-works ['səʊpwɜːks] *n pl* (*употр. как sing и как pl*) мылова́ренный заво́д

soapy ['səʊpɪ] *a* 1) мы́льный 2) еле́йный, вкра́дчивый

soar [sɔː] *v* 1) пари́ть, высоко́ лета́ть; поднима́ться ввысь 2) (стреми́тельно) повыша́ться; поднима́ться (*выше обычного уровня*) 3) *ав.* плани́ровать

soaring ['sɔːrɪŋ] 1. *pres. p. от* soar

2. *n ав.* паре́ние, паря́щий полёт (*тж.* ~ flight)

3. *a* 1) паря́щий; летя́щий ввысь 2) высо́кий, вы́ше обы́чного у́ровня; ~ prices бы́стро расту́щие це́ны 3) высо́кий, возвыша́ющийся

s-o-b [,esəʊ'biː] *n* (*pl* s-o-b's) (*сокр. от* son of a bitch) *эвф.* су́кин сын

sob [sɒb] 1. *n* рыда́ние; всхли́пывание

2. *v* рыда́ть; всхли́пывать

sober ['səʊbə] 1. *a* 1) тре́звый 2) уме́ренный 3) рассуди́тельный; здра́вый, здравомы́слящий 4) споко́йный (*о красках*) ◇ as ~ as a judge абсолю́тно тре́звый; ≅ ни в одно́м глазу́

2. *v* протрезвля́ть(ся); отрезвля́ть (*часто* ~ down) (*тж. перен.*)

sober-blooded [,səʊbə'blʌdɪd] *a* споко́йный, хладнокро́вный

sober-minded [,səʊbə'maɪndɪd] *a* уравнове́шенный; здравомы́слящий

sobersides ['səʊbəsaɪdz] *n разг.* степе́нный челове́к

sobriety [səʊ'braɪətɪ] *n* 1) тре́звость 2) уме́ренность 3) рассуди́тельность; уравнове́шенность

sobriquet ['səʊbrɪkeɪ] *n* прозва́ние, про́звище, кли́чка

sob sister ['sɒb,sɪstə] *n амер.* писа́тельница душещипа́тельных *или* сенсацио́нных стате́й, расска́зов

sob stuff ['sɒbstʌf] *n разг.* сентимента́льщина

so-called [,səʊ'kɔːld] *a* так называ́емый

soccer ['sɒkə] *n* 1) футбо́л 2) *attr.*: ~ player футболи́ст

sociability [,səʊʃə'bɪlətɪ] *n* общи́тельность

sociable ['səʊʃəbl] 1. *a* 1) общи́тельный 2) дру́жеский (*о встрече и т. п.*)

2. *n* 1) *ист.* откры́тый экипа́ж с боковы́ми сиде́ньями друг про́тив дру́га 2) трёхколёсный велосипе́д с двумя́ сиде́ньями 3) козе́тка 4) *амер.* вечери́нка, встре́ча

social ['səʊʃl] 1. *a* 1) обще́ственный; социа́льный; ~ science социоло́гия; ~ security социа́льное обеспе́чение; ~ welfare а) социа́льное обеспе́чение; б) патрона́ж (*с благотворительными и воспитательными целями*); ~ evil проститу́ция 2) общи́тельный 3) све́тский; ~ evening вечери́нка

2. *n* 1) собра́ние, встре́ча (*членов общества и т. п.*) 2) *разг.* вечери́нка

social climber [,səʊʃl'klaɪmə] *n презр.* карьери́ст

social democracy [,səʊʃldɪ'mɒkrəsɪ] *n* социа́л-демокра́тия

social democrat [,səʊʃl'deməkræt] *n* социа́л-демокра́т

social democratic [,səʊʃldemə'krætɪk] *a* социа́л-демократи́ческий

socialism ['səʊʃəlɪzəm] *n* социали́зм

socialist ['səʊʃəlɪst] 1. *n* социали́ст

2. *a* социалисти́ческий

socialistic [,səʊʃə'lɪstɪk] *a* социалисти́ческий

socialite ['səʊʃəlaɪt] *n* лицо́, занима́ющее ви́дное положе́ние в о́бществе

sociality [,səʊʃɪ'ælətɪ] *n* 1) обще́ственный хара́ктер, обще́ственный инсти́нкт 2) общи́тельность

socialization [,səʊʃəlaɪ'zeɪʃn] *n* обобществле́ние; национализа́ция

socialize ['səʊʃəlaɪz] *v* 1) обща́ться 2) обобществля́ть; национализи́ровать 3) подгота́вливать к жи́зни в коллекти́ве, о́бществе

socially ['səʊʃəlɪ] *adv* 1) социа́льно; в обще́ственном отноше́нии 2) в о́бществе 3) неофициа́льно, приве́тливо

society [sə'saɪətɪ] *n* 1) о́бщество, объедине́ние, организа́ция 2) о́бщество 3) свет, све́тское о́бщество 4) обще́ние, конта́кт 5) *attr.* све́тский ◇ S. of Jesus иезуи́ты

sociologist [,səʊʃɪ'ɒlədʒɪst] *n* социо́лог

sociology [,səʊʃɪ'ɒlədʒɪ] *n* социоло́гия

sock I [sɒk] *n* 1) носо́к 2) сте́лька 3) *ист.* сanда́лия актёра (*в античной комедии*) ◇ the buskin and the ~ траге́дия и коме́дия; to pull one's ~s up *разг.* напря́чь все си́лы; to put a ~ in it *sl.* заткну́ться

sock II [sɒk] *разг.* 1. *n* уда́р; to give smb. ~(s) вздуть кого́-л.

2. *v*: ~ smb. дать тумака́ кому́-л.

3. *adv* с разма́ху, пря́мо

sock III [sɒk] *n с.-х.* ле́мех, сошни́к

sockdolager [,sɒk'dɒlədʒə] *n амер. разг.* 1) реша́ющий уда́р *или* до́вод 2) не́что огро́мное

socket ['sɒkɪt] *n* 1) впа́дина; углубле́ние, гнездо́ 2) патро́н (*электрической лампы*); розе́тка 3) *тех.* му́фта, растру́б, па́трубок

socle ['sɒkl] *n* 1) цо́коль, ту́мба 2) пли́нтус

sod I [sɒd] 1. *n* 1) дёрн; дерни́на 2) земля́; under the ~ в моги́ле

2. *v* обкла́дывать дёрном

sod II [sɒd] *past от* seethe

sod III [sɒd] *n sl. груб.* 1) пога́нец, гад 2) ме́рзкая вещь 3) па́рень; the lucky ~ везу́чий па́рень

soda [ˈsəʊdə] *n* 1) со́да, углеки́слый на́трий 2) со́довая вода́; газиро́ванная вода́

soda biscuit [ˈsəʊdə,bɪskɪt] *n* пече́нье на со́де

soda fountain [ˈsəʊdə,faʊntɪn] *n* сатура́тор, теле́жка с сатура́тором для прода́жи газиро́ванной воды́; сто́йка, где продаётся газиро́ванная вода́

soda jerk [ˈsəʊdədʒɜ:k] *n разг.* продаве́ц газиро́ванной воды́

sodality [səʊˈdælətɪ] *n* бра́тство, общи́на

soda water [ˈsəʊdə,wɔ:tə] = soda 2)

sodden I [ˈsɒdn] *a* 1) промо́кший, пропи́танный 2) отупе́вший (*от усталости, пьянства*) 3) непропечённый, сыро́й (*о хлебе*) 4) перева́ренный, разва́ренный (*об овощах*)

sodden II [ˈsɒdn] *p. p. от* seethe

sodium [ˈsəʊdɪəm] *n хим.* на́трий

sodomite [ˈsɒdəmaɪt] *n* педера́ст; гомосексуали́ст

sodomy [ˈsɒdəmɪ] *n* педера́стия

soever [səʊˈevə] *adv книжн.* 1) любы́м спо́собом 2) *присоединяясь к словам* who, what, when, how, where *служит для усиления*: in what place ~ где бы то ни́ было

sofa [ˈsəʊfə] *n* софа́, дива́н

sofa bed [ˈsəʊfəbed] *n* дива́н-крова́ть

soffit [ˈsɒfɪt] *n архит.* софи́т

soft [sɒft] **1.** *a* 1) мя́гкий; ~ palate за́днее (*или* мя́гкое) нёбо 2) мя́гкий, тёплый (*о климате, погоде*); a ~ breeze тёплый ветеро́к 3) пре́сный, мя́гкий (*о воде*) 4) нея́ркий (*о цвете и т. п.*) 5) не́жный, ла́сковый; ти́хий (*о звуке*); ~ nothings (*или* things, words) комплиме́нты, не́жности 6) *фон.* палатализо́ванный, смягчённый 7) прия́тный 8) мя́гкий (*о линии*); неконтра́стный (*о фотоснимке*) 9) до́брый, отзы́вчивый, кро́ткий 10) *разг.* влюблённый (on) 11) неусто́йчивый; легко́ поддаю́щийся влия́нию 12) *разг.* лёгкий; ~ thing (*амер.* snap) лёгкая рабо́та 13) не вызыва́ющий привыка́ния (*о наркотиках*) 14) *эк.* неусто́йчивый (*о ценах, валюте и т. п.*) 15) *разг.* слабоу́мный, придуркова́тый 16) вла́жный, сыро́й (*о погоде*) 17) мя́гкий, терпи́мый 18) дря́блый, сла́бый (*о мускулах*) 19) сла́бый, сла́бого здоро́вья 20) *тех.* ко́вкий; ги́бкий 21) ры́хлый (*о почве*) ◇ ~ corn мо́кнущая мозо́ль; to boil an egg ~ вари́ть яйцо́ всмя́тку; the ~er sex сла́бый пол

2. *adv* мя́гко, ти́хо; to lie ~ лежа́ть на мя́гкой посте́ли

3. *int уст.* ти́ше!, тихо́нько!

soften [ˈsɒfn] *v* смягча́ть(ся) ▭ ~ up *воен.* обраба́тывать (*оборону*) артогнём

softening [ˈsɒfnɪŋ] **1.** *pres. p. от* soften

2. *n* 1) смягче́ние 2) *фон.* ослабле́ние ◇ ~ of the brain *мед.* размягче́ние головно́го мо́зга

soft furnishings [,sɒftˈfɜ:nɪʃɪŋz] *n pl* декорати́вные тка́ни, оби́вочный материа́л

soft goods [,sɒftˈgʊdz] *n pl* тексти́льные изде́лия

softhead [,sɒftˈhed] *n* дурачо́к, придуркова́тый челове́к

softheaded [,sɒftˈhedɪd] *a* придуркова́тый

softhearted [,sɒftˈhɑ:tɪd] *a* мягкосерде́чный, отзы́вчивый

softie [ˈsɒftɪ] *n разг.* 1) дура́к 2) слабохара́ктерный челове́к, тря́пка

soft money [,sɒftˈmʌnɪ] *n амер. разг.* бума́жные де́ньги

soft pedal [,sɒftˈpedl] *n* 1) *муз.* ле́вая педа́ль 2) *разг.* запре́т, ограниче́ние

soft-pedal [,sɒftˈpedl] *v* 1) *муз.* брать ле́вую педа́ль 2) *разг.* смягча́ть

soft sawder [,sɒftˈsɔ:də] *n* лесть, комплиме́нты

soft soap [,sɒftˈsəʊp] **1.** *n* 1) жи́дкое мы́ло; зелёное мы́ло 2) *разг.* лесть

2. *v разг.* льстить

soft-spoken [,sɒftˈspəʊkən] *a* 1) произнесённый ти́хо 2) сладкоречи́вый

softwood [ˈsɒftwʊd] *n* мя́гкая древеси́на

softy [ˈsɒftɪ] = softie

soggy [ˈsɒgɪ] *a* 1) сыро́й, мо́крый, пропи́танный водо́й 2) тяжелове́сный, ну́дный, ску́чный (*о стиле, произведении и т. п.*)

soi-disant [,swɑ:ˈdi:zɒŋ] *фр. a* так называ́емый, мни́мый

soigné [ˈswɑ:njeɪ] *фр. a* холёный, ухо́женный; изы́сканный; вы́холенный

soil I [sɔɪl] *n* 1) по́чва; земля́; rich ~ жи́рная по́чва 2) земля́; террито́рия; on British ~ на брита́нской земле́

soil II [sɔɪl] *v* па́чкать(ся); грязни́ть(ся); *перен.* запятна́ть; to ~ one's hands with smth. мара́ть ру́ки чем-л.

soil III [sɔɪl] *v* дава́ть скоту́ зелёный корм

soilage [ˈsɔɪlɪdʒ] *n* си́лосная культу́ра, зелёные корма́

soilless [ˈsɔɪlləs] *a* незапя́тнанный

soil pipe [ˈsɔɪlpaɪp] *n* канализацио́нная труба́

soirée [ˈswɑ:reɪ] *n* зва́ный ве́чер

sojourn [ˈsɒdʒən] **1.** *n* (вре́менное) пребыва́ние

2. *v* (вре́менно) жить, прожива́ть

Sol [sɒl] *n шутл.* со́лнце (*часто* old ~)

sol I [sɒl] *n муз.* соль

sol II [sɒl] *n хим.* золь

solace [ˈsɒləs] **1.** *n* утеше́ние

2. *v* утеша́ть; успока́ивать ◇ to ~ oneself with smth. найти́ утеше́ние в чём-л.

solan(-goose) [ˈsəʊlən(gu:s)] *n* олу́ша (*морская птица*)

solar [ˈsəʊlə] *a* со́лнечный ◇ ~ battery (*или* cell) со́лнечная батаре́я; ~ plexus *анат.* со́лнечное сплете́ние

solaria [səˈleərɪə] *pl от* solarium

solarium [səˈleərɪəm] *n* (*pl* -ria) соля́рий

solarize [ˈsəʊləraɪz] *v* 1) подверга́ть возде́йствию со́лнца 2) *фото* передёрживать

solatia [səʊˈleɪʃɪə] *pl от* solatium

solatium [səʊˈleɪʃɪəm] *n* (*pl* -tia) возмеще́ние, компенса́ция

sold [səʊld] *past и p. p. от* sell 1

solder [ˈsɒldə] **1.** *n тех.* припо́й

2. *v* пая́ть, спа́ивать

soldering iron [ˈsɒldərɪŋ,aɪən] *n* пая́льник

soldi [ˈsɒldi:] *pl от* soldo

soldier [ˈsəʊldʒə] **1.** *n* 1) солда́т; рядово́й; to go for a ~ *разг.* пойти́ на вое́нную слу́жбу доброво́льно; to play at ~s игра́ть в солда́тики 2) военнослу́жащий, вое́нный 3) во́ин 4) полково́дец 5) *sl.* копчёная селёдка ◇ ~ of fortune наёмник; кондотье́р; old ~ а) быва́лый челове́к; to come the old ~ over кома́ндовать (*кем-л.*) на права́х о́пытного челове́ка; б) пуста́я буты́лка; в) оку́рок

2. *v* 1) служи́ть в а́рмии 2) *разг.* уви́ливать от рабо́ты; создава́ть ви́димость де́ятельности

soldier crab [ˈsəʊldʒəkræb] *n* рак-отше́льник

soldierlike [ˈsəʊldʒəlaɪk] = soldierly

soldierly [ˈsəʊldʒəlɪ] *a* 1) во́инский; с вое́нной вы́правкой 2) вои́нственный 3) му́жественный, хра́брый, реши́тельный

soldiership [ˈsəʊldʒəʃɪp] *n* вое́нное иску́сство

soldiery [ˈsəʊldʒərɪ] *n собир.* солда́ты; вое́нные

soldo [ˈsɒldəʊ] *n* (*pl* -di) со́льдо (*итальянская монета, равная 1/20 лиры*)

sole I [səʊl] **1.** *n* 1) подо́шва 2) подмётка 3) ни́жняя часть 4) *тех.* ле́жень, пята́, основа́ние

2. *v* ста́вить подмётку

sole II [səʊl] *n* морско́й язы́к (*рыба*); ка́мбала́; па́лтус

sole III [səʊl] *a* 1) еди́нственный 2) исключи́тельный 3) *уст., юр.* не состоя́щий в бра́ке (*особ. о женщине*) 4) *уст.* одино́кий; уединённый ◇ ~ weight со́бственный вес

solecism [ˈsɒlɪsɪzəm] *n* 1) солеци́зм, синтакси́ческая оши́бка 2) наруше́ние прили́чий

solely [ˈsəʊllɪ] *adv* еди́нственно; то́лько, исключи́тельно

solemn [ˈsɒləm] *a* 1) торже́ственный; on ~ occasions в торже́ственных слу́чаях 2) официа́льный; форма́льный; отвеча́ющий всем тре́бованиям зако́на; to take a ~ oath торже́ственно покля́сться 3) тёмный, мра́чный 4) ва́жный, серьёзный ◇ ~ fool напы́щенный дура́к

solemnity [səˈlemnətɪ] *n* 1) торже́ственность 2) ва́жность, серьёзность 3) (*обыкн. pl*) торжество́, торже́ственная церемо́ния 4) *юр.* форма́льность

solemnization [,sɒləmnaɪˈzeɪʃn] *n* пра́зднование

solemnize [ˈsɒləmnaɪz] *v* 1) соверша́ть торже́ственную церемо́нию 2) пра́здновать; торже́ственно отмеча́ть 3) придава́ть серьёзность, торже́ственность

solenoid [ˈsɒlənɔɪd] *n эл.* солено́ид

sol-fa [ˌsɒlˈfɑ:] *муз.* 1. *n* сольфе́джио

2. *v* петь сольфе́джио

soli [ˈsəʊli:] *pl om* solo

solicit [səˈlɪsɪt] *v* 1) проси́ть, упра́шивать; выпра́шивать 2) тре́бовать; хода́тайствовать 3) пристава́ть к мужчи́не на у́лице (*о проститутках*) 4) подстрека́ть

solicitation [səˌlɪsɪˈteɪʃn] *n* 1) насто́йчивая про́сьба, хода́тайство 2) пристава́ние к мужчи́не на у́лице 3) подстрека́тельство

solicitor [səˈlɪsɪtə] *n* 1) соли́ситор, адвока́т (*дающий советы клиенту, подготавливающий дела для барристера и выступающий только в судах низшей инстанции*) 2) *амер.* аге́нт фи́рмы по распростране́нию зака́зов 3) *амер.* юриско́нсульт

Solicitor General [səˌlɪsɪtəˈdʒenrəl] *n* 1) замести́тель генера́льного прокуро́ра 2) *амер.* замести́тель мини́стра юсти́ции 3) *амер.* гла́вный прокуро́р (*некоторых штатов*)

solicitous [səˈlɪsɪtəs] *a* 1) по́лный жела́ния (*сделать что-л.*), жела́ющий (of — *чего-л.*) 2) добива́ющийся (*чего-л.*), стремя́щийся (*к чему-л.*) 3) забо́тливый, внима́тельный (about, concerning, for)

solicitude [səˈlɪsɪtju:d] *n* 1) забо́тливость; беспоко́йство, забо́та (for — о *чём-л.*) 2) *pl* забо́ты, волне́ния

solid [ˈsɒlɪd] 1. *a* 1) твёрдый (*не жидкий, не газообразный*); ~ state твёрдое состоя́ние; to become ~ on cooling тверде́ть при охлажде́нии 2) сплошно́й; це́льный; ~ colour ро́вный цвет; ~ printing *полигр.* набо́р без шпо́нов; ~ square *воен.* (сплошно́е) каре́ 3) чи́стый, неразба́вленный; без приме́сей; ~ gold чи́стое зо́лото 4) про́чный, кре́пкий; пло́тный; соли́дный; to have a ~ meal пло́тно пое́сть; a man of ~ build челове́к пло́тного сложе́ния 5) *мат.* трёхме́рный, простра́нственный, куби́ческий; ~ angle теле́сный (*или* простра́нственный) у́гол; ~ foot куби́ческий фут 6) основа́тельный, надёжный; соли́дный; ве́ский; ~ argument ве́ский до́вод; ~ grounds реа́льные основа́ния; a man of ~ sense челове́к тре́звого ума́ 7) непреры́вный; ~ line of defence непреры́вная ли́ния оборо́ны; for a ~ hour (day) в тече́ние ча́са (дня) без переры́ва 8) сплочённый, единогла́сный; ~ party сплочённая па́ртия; the decision was passed by a ~ vote реше́ние бы́ло при́нято единогла́сно; to be ~ for стоя́ть твёрдо за 9) масси́вный (*не полый*) 10) пи́шущийся вме́сте, без дефи́са 11) *амер. разг.* находя́щийся в хоро́ших отноше́ниях (with) ◇ the S. South *амер.* ю́жные шта́ты, традицио́нно голосу́ющие за демократи́ческую па́ртию

2. *n* 1) *физ.* твёрдое те́ло 2) *pl* твёрдая пи́ща 3) *мат.* те́ло; regular ~ пра́вильное (геометри́ческое) те́ло 4) поро́да, масси́в (*угля или руды*)

3. *adv* единогла́сно; to vote ~ голосова́ть единогла́сно

solidarity [ˌsɒlɪˈdærətɪ] *n* солида́рность; сплочённость

solid geometry [ˌsɒlɪddʒɪˈɒmətrɪ] *n* стереоме́трия

solid-hoofed [ˈsɒlɪdhu:ft] *a зоол.* однокопы́тный

solidify [səˈlɪdɪfaɪ] *v* де́лать(ся) твёрдым, тверде́ть, застыва́ть

solidity [səˈlɪdətɪ] *n* твёрдость *и пр.* [*см.* solid 1]

soliloquize [səˈlɪləkwaɪz] *v* 1) говори́ть с сами́м собо́й 2) произноси́ть моноло́г

soliloquy [səˈlɪləkwɪ] *n* 1) разгово́р с сами́м собо́й 2) моноло́г

solipsism [ˈsɒlɪpsɪzəm] *n филос.* солипси́зм

solitaire [ˌsɒlɪˈteə] *n* 1) солите́р (*бриллиант*) 2) *амер.* пасья́нс

solitary [ˈsɒlətərɪ] 1. *a* 1) одино́кий; уединённый; a ~ life уединённая жизнь 2) едини́чный, отде́льный; ~ instance едини́чный слу́чай; ~ confinement одино́чное заключе́ние

2. *n* 1) отше́льник 2) *разг.* = solitary confinement [*см.* 1, 2)]

solitude [ˈsɒlətju:d] *n* 1) одино́чество; уедине́ние 2) (*обыкн. pl*) уединённые, безлю́дные места́

solo [ˈsəʊləʊ] 1. *n* (*pl* -os [-əʊz], -li) 1) *муз.* со́ло, со́льный но́мер 2) *ав.* самостоя́тельный полёт 3) *attr.* со́льный 4) *attr. ав.* самостоя́тельный (*о полёте без инструктора или механика*)

2. *v* 1) исполня́ть со́ло; соли́ровать 2) *ав.* выполня́ть самостоя́тельный полёт

soloist [ˈsəʊləʊɪst] *n* 1) соли́ст 2) лётчик, лета́ющий самостоя́тельно

Solomon [ˈsɒləmən] *n* 1) *библ.* Соломо́н 2) мудре́ц

Solomon's Seal [ˌsɒləmənzˈsi:l] *n* 1) соломо́нова печа́ть (*шестиконечная звезда, образованная из двух переплетённых треугольников*) 2) *бот.* купёна

solstice [ˈsɒlstɪs] *n астр.* солнцестоя́ние ◇ summer ~ ле́тнее солнцестоя́ние

solubility [ˌsɒljʊˈbɪlətɪ] *n* раствори́мость

soluble [ˈsɒljʊbl] *a* 1) раствори́мый 2) разреши́мый, объясни́мый

solus [ˈsəʊləs] *a predic.* оди́н, в еди́нственном числе́

solute [ˈsɒlju:t] *n* раство́р

solution [səˈlu:ʃn] *n* 1) реше́ние, разреше́ние (*вопроса и т. п.*); объясне́ние; his ideas are in ~ его́ взгля́ды ещё не устано́вились 2) растворе́ние; распуска́ние 3) раство́р 4) *мед.* оконча́ние боле́зни, разреше́ние 5) *мед.* миксту́ра, жи́дкое лека́рство

solvability [ˌsɒlvəˈbɪlətɪ] *n* разреши́мость

solvable [ˈsɒlvəbl] *a* разреши́мый

solve [sɒlv] *v* 1) реша́ть, разреша́ть (*проблему и т. п.*); находи́ть вы́ход; объясня́ть; to ~ a crossword puzzle (an equation) реши́ть кроссво́рд (уравне́ние) 2) оплати́ть (*долг*)

solvency [ˈsɒlvənsɪ] *n* платёжеспосо́бность

solvent [ˈsɒlvənt] 1. *n* раствори́тель

2. *a* 1) растворя́ющий 2) платёжеспосо́бный

somatic [səʊˈmætɪk] *a* теле́сный, сомати́ческий

sombre [ˈsɒmbə] *a* 1) тёмный, мра́чный; ~ sky па́смурное не́бо 2) угрю́мый; a man of ~ character угрю́мый челове́к

sombrero [sɒmˈbreərəʊ] *n* (*pl* -os [-əʊz]) сомбре́ро

some [sʌm] 1. *pron* 1) ко́е-кто́, не́которые, одни́, други́е; ~ came early не́которые пришли́ ра́но 2) не́которое коли́чество; ~ of these books are quite useful не́которые из э́тих книг о́чень поле́зны ◇ and then ~ *sl.* и ещё мно́го в прида́чу; вдоба́вок; ~ of these days вско́ре, на днях, в ближа́йшие дни

2. *a* 1) не́кий, не́который, како́й-то, како́й-нибудь; I saw it in ~ book (or other) я ви́дел э́то в како́й-то кни́ге; ~ day, ~ time (or other) когда́-нибудь; ~ one како́й-нибудь (оди́н); ~ people не́которые лю́ди; ~ place где́-нибудь; ~ way out како́й-нибудь вы́ход 2) не́который, не́сколько; *часто не переводится*; I have ~ money to spare у меня́ есть ли́шние де́ньги; I saw ~ people in the distance я уви́дел люде́й вдали́; I would like ~ strawberries мне хоте́лось бы клубни́ки 3) не́сколько, немно́го; ~ few не́сколько; ~ miles more to go оста́лось пройти́ ещё не́сколько миль; ~ years ago не́сколько лет тому́ наза́д 4) нема́ло, поря́дочно; you'll need ~ courage вам потре́буется нема́ло му́жества 5) *разг.* замеча́тельный, в по́лном смы́сле сло́ва, сто́ящий (*часто ирон.*); ~ battle кру́пное сраже́ние; ~ scholar! ну и учёный!; this is ~ picture! вот э́то действи́тельно карти́на!; she's ~ girl! вот э́то де́вушка!

3. *adv* 1) *разг.* не́сколько, до не́которой сте́пени, отча́сти; ~ colder немно́го холодне́й; he seemed annoyed ~ он каза́лся немно́го раздоса́дованным 2) о́коло, приблизи́тельно; there were ~ 20 persons present прису́тствовало о́коло 20 челове́к

somebody [ˈsʌmbədɪ] 1. *pron indef.* кто́-то, кто́-нибудь

2. *n* ва́жная персо́на

somehow [ˈsʌmhaʊ] *adv* ка́к-нибудь; ка́к-то; почему́-то; ~ or other так и́ли ина́че

someone [ˈsʌmwʌn] = somebody 1

someplace [ˈsʌmpleɪs] *adv амер. разг.* где́-нибудь, куда́-нибудь

somersault [ˈsʌməsɔ:lt] 1. *n* прыжо́к кувырко́м, кувырка́нье; to turn (*или* to throw) a ~ перекувырну́ться

2. *v* кувырка́ться

something [ˈsʌmθɪŋ] 1. *n, pron* 1) что́-то, ко́е-что́, что́-нибудь; ~ else а) что́-нибудь друго́е; б) *разг.* не́что осо́бенное, что-л. замеча́тельное; to be up to ~ замышля́ть что́-то недо́брое; he is ~ in the Record Office он занима́ет каку́ю-то должность в Архи́ве; he is ~ of a painter он до не́которой сте́пени худо́жник; I felt there was a little ~ wanting я чу́вствовал, что чего́-то не хвата́ет; it is ~ to be safe home again прия́тно верну́ться домо́й це́лым и невреди́мым; there is ~ about it in the papers об э́том упомина́ется в газе́тах; there is ~ in what you say в ва́ших слова́х есть до́ля пра́вды; the train gets in at two ~ по́езд прибыва́ет в два с че́м-то 2) *разг.* не́что (осо́бенное); the party was quite ~ вечери́нка удала́сь на сла́ву ◇ to think oneself ~, to think ~ of oneself быть высо́кого мне́ния о себе́

2. *adv* 1) до не́которой сте́пени, не́сколько, немно́го; ~ like немно́го похо́жий; ~ too much of this сли́шком мно́го э́того 2) приблизи́тельно; it must be ~ like six o'clock должно́ быть о́коло шести́ часо́в 3) великоле́пно; that's ~ like a hit! вот э́то уда́р!

sometime ['sʌmtaɪm] 1. *adv* 1) когда́-нибудь 2) когда́-то; не́когда, пре́жде

2. *a* бы́вший, пре́жний

sometimes ['sʌmtaɪmz] *adv* иногда́, по времена́м

someway ['sʌmweɪ] *adv* каки́м-то о́бразом; ка́к-нибудь

somewhat ['sʌmwɒt] 1. *n, pron уст.* что́-то; ко́е-что́; he is ~ of a connoisseur он до не́которой сте́пени знато́к

2. *adv* отча́сти, до не́которой сте́пени; he answered ~ hastily он отве́тил не́сколько поспе́шно; it is ~ difficult э́то дово́льно тру́дно ◇ more than ~ *разг.* о́чень, черто́вски

somewhere ['sʌmweə] *adv* где́-то, где́-нибудь; куда́-то, куда́-нибудь; ~ else где́-то в друго́м ме́сте ◇ to get ~ *разг.* доби́ться успе́ха; ~ about приблизи́тельно, приме́рно

somewise ['sʌmwaɪz] *adv уст.* каки́м-то о́бразом

somite ['səʊmaɪt] *n зоол.* сегме́нт, соми́т

somnambulism [sɒm'næmbjʊlɪzəm] *n* сомнамбули́зм, лунати́зм

somnambulist [sɒm'næmbjʊlɪst] *n* луна́тик

somnifacient [,sɒmnɪ'feɪʃnt] 1. *a* снотво́рный

2. *n* снотво́рное сре́дство

somniferous [sɒm'nɪfərəs] *a* снотво́рный, усыпля́ющий

somnolence, -cy ['sɒmnələns, -sɪ] *n* сонли́вость; дремо́та, со́нное состоя́ние

somnolent ['sɒmnələnt] *a* 1) со́нный, дре́млющий 2) усыпля́ющий, убаю́кивающий

son [sʌn] *n* 1) сын; ~ and heir ста́рший сын; he is a true ~ of his father, he is his father's own ~ он вы́литый оте́ц 2) сыно́к (*в обращении*) 3) уроже́нец; вы́ходец; пото́мок; ~ of the soil а) уроже́нец да́нной ме́стности; б) земледе́лец; ~ of toil трудя́щийся; тру́женик; the ~s of men челове́ческий род ◇ ~ of a bitch *sl.* су́кин сын

sonant ['səʊnənt] *фон.* 1. *a* зво́нкий

2. *n* зво́нкий согла́сный

sonar ['səʊnɑ:] *n* сона́р, гидролока́тор

sonata [sə'nɑ:tə] *n муз.* сона́та

song [sɒŋ] *n* 1) пе́сня; рома́нс 2) пе́ние; to burst forth (*или* to break) into ~ запе́ть 3) стихотворе́ние ◇ to buy (*или* to get) for a mere ~ (*или* for an old ~) купи́ть за бесце́нок; not worth an old ~ грош цена́; nothing to make a ~ about что-л., не заслу́живающее внима́ния; it's no use making a ~ about it из э́того не сто́ит создава́ть исто́рии

songbird ['sɒŋbɜ:d] *n* пе́вчая пти́ца

songful ['sɒŋfl] *a* мелоди́чный

songster ['sɒŋstə] *n* 1) пев́ец 2) пе́вчая пти́ца 3) поэ́т 4) *амер.* пе́сенник, сбо́рник пе́сен

songstress ['sɒŋstrəs] *n* певи́ца

sonic ['sɒnɪk] *a* 1) акусти́ческий 2) звуково́й, име́ющий ско́рость зву́ка; ~ barrier звуково́й барье́р

soniferous [sə'nɪfərəs] *a* 1) передаю́щий звук; звуча́щий 2) зву́чный, зво́нкий

son-in-law ['sʌnɪnlɔ:] *n* (*pl* sons-in-law) зять (*муж дочери*)

sonnet ['sɒnɪt] *n* соне́т

sonneteer [,sɒnɪ'tɪə] 1. *n* сочини́тель соне́тов; *пренебр.* стихоплёт

2. *v* писа́ть соне́ты

sonny ['sʌnɪ] *n разг.* сыно́к (*в обращении*)

sonometer [sə'nɒmɪtə] *n* соно́метр, прибо́р для иссле́дования слу́ха

sonority [sə'nɒrətɪ] *n* зву́чность, зво́нкость

sonorous ['sɒnərəs] *a* 1) зву́чный, зво́нкий 2) высокопа́рный (*о стиле, языке*)

sons-in-law ['sʌnzɪnlɔ:] *pl от* son-in-law

sonsy ['sɒnsɪ] *a шотл.* по́лный и доброду́шный (*преим. о женщине*)

soon [su:n] *adv* 1) ско́ро, вско́ре; бы́стро; as ~ as как то́лько, не по́зже; do it as ~ as possible сде́лайте э́то как мо́жно быстре́е; so ~ as (ever) как то́лько; no ~er than как то́лько; he had no ~er got well than he fell ill again не успе́л он вы́здороветь, как сно́ва заболе́л 2) ра́но; if we come too ~ we'll have to wait е́сли мы придём сли́шком ра́но, нам придётся ждать; the ~er, the better чем ра́ньше, тем лу́чше; ~er or later ра́но и́ли по́здно, в конце́ концо́в; it's too ~ to tell what's the matter with him сейча́с ещё тру́дно сказа́ть, что с ним 3) охо́тно; I would just as ~ not go there я охо́тно не пошёл бы туда́ совсе́м

soot [sʊt] 1. *n* са́жа; ко́поть

2. *v* покрыва́ть са́жей

sooth [su:θ] *n уст.* и́стина, пра́вда; in (good) ~ в са́мом де́ле, пои́стине; ~ to say по пра́вде говоря́

soothe [su:ð] *v* 1) успока́ивать, утеша́ть 2) смягча́ть; облегча́ть (*боль*) 3) *уст.* те́шить (*тщеславие*)

soother ['su:ðə] *n* льстец

soothing ['su:ðɪŋ] 1. *pres. p. от* soothe

2. *a* успоко́ительный; успока́ивающий

soothsay ['su:θseɪ] *v* предска́зывать

soothsayer ['su:θ,seɪə] *n* предсказа́тель; гада́лка

soot pit ['sʊtpɪt] *n тех.* зо́льник

sooty ['sʊtɪ] *a* 1) покры́тый ко́потью, запа́чканный са́жей, закопчённый 2) чёрный как са́жа 3) чернова́тый

sooty shearwater [,sʊtɪ'ʃɪəwɔ:tə] *n зоол.* буреве́стник се́рый

sop [sɒp] 1. *n* 1) кусо́к (*хлеба и т. п.*), обмакну́тый в подли́вку, молоко́ *и т. п.*; ~ in the pan поджа́ренный хлеб; грено́к 2) пода́рок *или* пода́чка (*чтобы задобрить*); to give (*или* to throw) a ~ to Cerberus умиротворя́ть пода́рком 3) *разг.* бесхара́ктерный челове́к, «тря́пка»

2. *v* 1) мака́ть, обма́кивать (*хлеб и т. п.*) 2) впи́тывать, вбира́ть; to ~ up подбира́ть жи́дкость (*губкой и т. п.*) 3) нама́чивать, мочи́ть 4) промока́ть; his clothes are ~ping wet его́ оде́жда промо́кла до ни́тки

soph [sɒf] *разг. сокр. от* sophomore

sophism ['sɒfɪzəm] *n* софи́зм

sophist ['sɒfɪst] *n* софи́ст

sophistic(al) [sə'fɪstɪk(l)] *a* софи́стский

sophisticate [sə'fɪstɪkeɪt] *v* 1) придава́ть утончённость, изы́сканность 2) занима́ться софи́стикой 3) извраща́ть, фальсифици́ровать, подде́лывать 4) лиша́ть простоты́, есте́ственности; де́лать искушённым в жите́йских дела́х

sophisticated [sə'fɪstɪkeɪtɪd] 1. *p. p. от* sophisticate

2. *a* 1) утончённый (*о вкусе, манерах*) 2) отвеча́ющий изощрённому вку́су (*о книге, музыке и т. п.*) 3) сло́жный, то́нкий (*о приборе, машине, системе и т. п.*) 4) искушённый в жите́йских дела́х, о́пытный 5) обма́нчивый, вводя́щий в заблужде́ние

sophistication [sə,fɪstɪ'keɪʃn] *n* 1) изощрённость, утончённость 2) искушённость, о́пыт 3) фальсифика́ция, подде́лка 4) упражне́ние в софи́стике

sophistry ['sɒfɪstrɪ] *n* софи́стика

sophomore ['sɒfəmɔ:] *n амер.* студе́нт-второку́рсник

sopor ['səʊpə] *n* тяжёлый, глубо́кий сон; летарги́ческий сон

soporific [,sɒpə'rɪfɪk] 1. *a* усыпля́ющий, наркоти́ческий

2. *n* снотво́рное, нарко́тик

sopping ['sɒpɪŋ] 1. *pres. p. от* sop 2

2. *a* мо́крый, промо́кший (насквозь)

soppy ['sɒpɪ] *a* 1) *разг.* глу́по сентимента́льный, слаща́вый 2) *разг.* влюблённый как сопли́вый юне́ц (on) 3) мо́крый, промо́кший насквозь

soprani [sə'prɑ:ni:] *pl от* soprano

soprano [sə'prɑ:nəʊ] *n* (*pl* -os [-əʊz], -ni) сопра́но; ди́скант

sorb [sɔ:b] *n* ряби́на

sorbet ['sɔ:beɪ] *n* 1) фрукто́вое моро́женое 2) щербе́т

sorcerer ['sɔ:sərə] *n* колду́н, чароде́й, волше́бник

sorceress [ˈsɔːsəres] *n* колду́нья, чаро-де́йка

sorcery [ˈsɔːsərɪ] *n* колдовство́, вол-шебство́; ча́ры

sordid [ˈsɔːdɪd] *a* 1) гря́зный, проти́в-ный 2) ни́зкий, по́длый; коры́стный; ~ desires ни́зменные жела́ния 3) жа́лкий, убо́гий

sordini [sɔːˈdiːnɪ] *pl от* sordino

sordino [sɔːˈdiːnəʊ] *n* (*pl* -ni) *муз.* сурди́нка

sore [sɔː] **1.** *n* 1) боля́чка, ра́на, я́зва 2) больно́е ме́сто; to reopen old ~s береди́ть ста́рые ра́ны ◇ an open ~ обще́ственное зло

2. *a* 1) больно́й, воспалённый; ~ feet стёртые, уста́лые от ходьбы́ но́ги; I have a ~ throat у меня́ боли́т го́рло 2) чувстви́тельный, боле́зненный 3) больно́й, тяжёлый; ~ news тяжёлое изве́стие; ~ point (*или* subject) больно́й вопро́с 4) огорчённый, опеча́ленный; to feel ~ about smth. страда́ть, му́читься; with a ~ heart с тяжёлым се́рдцем, с бо́лью в се́рдце 5) *уст.* тя́жкий, мучи́тельный; to be in ~ need of о́чень нужда́ться в 6) *разг.* оби́женный; раздражённый, обозли́вшийся ◇ like a bear with a ~ head о́чень серди́тый; разъярённый; a sight for ~ eyes прия́тное зре́лище

3. *adv уст.* жесто́ко, тя́жко; ~ afflicted в большо́м го́ре

sorehead [ˈsɔːhed] *амер.* **1.** *n* ны́тик, брюзга́

2. *a* недово́льный, раздражённый

sorely [ˈsɔːlɪ] *adv* 1) жесто́ко, тя́жко 2) о́чень; I am ~ perplexed я в кра́йнем недоуме́нии

soreness [ˈsɔːnəs] *n* 1) чувстви́тельность, боле́зненность 2) раздражи́тельность 3) чу́вство оби́ды

sorgho [ˈsɔːgəʊ] = sorghum

sorghum [ˈsɔːgəm] *n* со́рго (*хлебный злак*)

sorgo [ˈsɔːgəʊ] = sorghum

sorites [sɒˈraɪtiːz] *n филос.* сори́т

sorority [səˈrɒrətɪ] *n амер.* университе́тский же́нский клуб

sorrel I [ˈsɒrəl] *n* щаве́ль

sorrel II [ˈsɒrəl] **1.** *n* гнеда́я ло́шадь

2. *a* 1) гнедо́й 2) краснова́то-кори́чневый

sorrow [ˈsɒrəʊ] **1.** *n* 1) печа́ль, го́ре, скорбь; to feel ~ испы́тывать печа́ль 2) сожале́ние, грусть; to express ~ at (*или* for) smth. вы́разить сожале́ние по по́воду чего́-л. ◇ the Man of Sorrows *библ.* Христо́с

2. *v* горева́ть, скорбе́ть, печа́литься

sorrowful [ˈsɒrəʊfl] *a* 1) печа́льный; уби́тый го́рем; ско́рбный 2) плаче́вный, приско́рбный

sorry [ˈsɒrɪ] *a* 1) *predic.* огорчённый, по́лный сожале́ния; (I'm) ~, (I'm) so ~ винова́т, прости́те; to feel ~ for smb. сочу́вствовать кому́-л.; you will be ~ for this some day вы пожале́ете об э́том когда́-нибудь; I am so ~ мне так жаль; I am ~ to say he is ill он, к сожале́нию, бо́лен 2) жа́лкий, несча́стный; плохо́й; ~ excuse неуда́чное оправда́ние; ~ sight жа́лкое зре́лище 3) мра́чный, гру́стный

sort [sɔːt] **1.** *n* 1) род, сорт, вид, разря́д; of ~s ра́зных сорто́в, сме́шанный; I need all ~s of things мне ну́жно мно́го ра́зных веще́й; all ~s and conditions of men, people of every ~ and kind всевозмо́жные лю́ди 2) *разг.* ка́чество, хара́ктер; a good ~ сла́вный ма́лый; he's not a bad ~ он па́рень неплохо́й; the better ~ выдаю́щиеся лю́ди; he's not my ~ он не в моём ду́хе; what ~ of man is he? что он за челове́к? 3) *уст.* о́браз, мане́ра; after (*или* in) a ~ а) не́которым о́бразом; б) в не́которой сте́пени 4) *pl полигр.* ли́теры ◇ ~ of а) отча́сти; I'm ~ of glad things happened the way they did я отча́сти рад, что так вы́шло; б) как бы, вро́де; he ~ of hinted он вро́де бы намекну́л; a ~ of что́-то вро́де; that ~ of thing тому́ подо́бное; nothing of the ~ ничего́ подо́бного; to be out of ~s а) пло́хо себя́ чу́вствовать; б) быть не в ду́хе

2. *v* сортирова́ть; разбира́ть; классифици́ровать ▭ ~ **out** а) распределя́ть по сорта́м, рассортиро́вывать; б) ула́живать, утряса́ть (*проблемы*); разбира́ться (*в недоразумении и т. п.*) ◇ to ~ well (ill) with соотве́тствовать (не соотве́тствовать) (*чему-л.*); his actions ~ ill with his professions его́ де́йствия пло́хо вя́жутся с его́ слова́ми

sorter [ˈsɔːtə] *n* сортиро́вщик

sortie [ˈsɔːtɪ] *n* 1) *воен.* вы́лазка 2) *ав.* вы́лет, самолётовы́лет 3) *разг.* вы́ход из каби́ны (*космонавта*); a ~ into space вы́ход в ко́смос

sortilege [ˈsɔːtɪlɪdʒ] *n* колдовство́; ворожба́, гада́ние

sortition [sɔːˈtɪʃn] *n* жеребьёвка; распределе́ние по жре́бию

SOS [ˌesəʊˈes] **1.** *n* (радио)сигна́л бе́дствия

2. *v* дава́ть (радио)сигна́л бе́дствия

so-so [ˈsəʊsəʊ] **1.** *a predic.* нева́жный, та́к себе; сно́сный

2. *adv* та́к себе, нева́жно

sot [sɒt] **1.** *n* го́рький пья́ница

2. *v* пить, напива́ться

sottish [ˈsɒtɪʃ] *a* отупе́вший от пья́нства

sotto voce [ˌsɒtəʊˈvəʊtʃɪ] *ит. adv* вполго́лоса; про себя́

sou [suː] *n* 1) *ист.* су (*мелкая монета*) 2) *разг.* небольша́я су́мма де́нег; he hasn't a ~ у него́ нет ни гроша́

sou' [saʊ] *в сложных словах* юго-; sou'east ю́го-восто́к; sou'west ю́го-за́пад

souchong [ˌsuːˈtʃɒŋ] *n* сорт кита́йского чёрного ча́я

Soudanese [ˌsuːdəˈniːz] = Sudanese

sou'easter [ˌsaʊˈiːstə] = south-easter

souffle [ˈsuːfl] *n мед.* шум; дыха́тельный шум

soufflé [ˈsuːfleɪ] *n* суфле́

sough I [saʊ] **1.** *n* ше́лест, лёгкий шум (*ветра*)

2. *v* шелесте́ть

sough II [saʊ] *n* 1) сто́чный кана́л; дрена́жная труба́ 2) *горн.* водоотли́вная што́льня

sought [sɔːt] *past и p. p. от* seek

sought-after [ˈsɔːtɑːftə] *a* 1) име́ющий большо́й спрос (*о товаре*) 2) по́льзующийся успе́хом; жела́нный

soul [səʊl] *n* 1) душа́, дух; that man has no ~ э́то безду́шный челове́к; twin ~ ро́дственная душа́ 2) воплоще́ние, обра-зе́ц; she is the ~ of kindness она́ воплоще́ние доброты́ 3) челове́к; he is a simple (an honest) ~ он простоду́шный (че́стный) челове́к; the poor little ~ бедня́жка; the ship was lost with two hundred ~s on board затону́л парохо́д, на борту́ кото́рого бы́ло две́сти пассажи́ров; don't tell a ~ никому́ не говори́; be a good ~ and help me будь добр, помоги́ мне 4) эне́ргия; энтузиа́зм; she put her whole ~ into her work она́ вкла́дывает всю ду́шу в свою́ рабо́ту 5) негритя́нская му́зыка, культу́ра *и т. п.* ◇ not to be able to call one's ~ one's own быть в по́лном подчине́нии; I wonder how he keeps body and ~ together удивля́юсь, в чём у него́ душа́ де́ржится; upon my ~! а) че́стное сло́во! кляну́сь!; б) не мо́жет быть!

soulful [ˈsəʊlfl] *a* эмоциона́льный; душе́вный

soulless [ˈsəʊlləs] *a* безду́шный

sound I [saʊnd] **1.** *n* 1) звук; шум; within ~ of в преде́лах слы́шимости 2) (*тк. sing*) смысл, значе́ние, содержа́ние (*чего-л. услышанного, прочитанного и т. п.*); the news has a sinister ~ но́вость звучи́т злове́ще 3) *attr.* звуково́й

2. *v* 1) звуча́ть, издава́ть звук; it ~s like thunder похо́же на гром; the trumpets ~ раздаю́тся зву́ки труб 2) произноси́ть; the "h" in "hour" is not ~ed в сло́ве "hour" "h" не произно́сится 3) звуча́ть, каза́ться, создава́ть впечатле́ние; the excuse ~s very hollow извине́ние звучи́т о́чень неубеди́тельно 4) извлека́ть звук; дава́ть сигна́л; to ~ a bell звони́ть в ко́локол 5) *мед.* выслу́шивать; высту́кивать (*больного*) 6) провозглаша́ть; прославля́ть 7) высту́кивать (*о колесе вагона и т. п.*) ▭ ~ **off** *разг.* а) болта́ть, шуме́ть; б) вы́сказаться реши́тельно

sound II [saʊnd] **1.** *a* 1) здоро́вый, кре́пкий 2) неиспо́рченный; про́чный; ~ fruit неиспо́рченные фру́кты; ~ machine испра́вная маши́на 3) пра́вильный; здра́вый, логи́чный; ~ argument обосно́ванный до́вод 4) платёжеспосо́бный, надёжный; his financial position is perfectly ~ его́ фина́нсовое положе́ние о́чень про́чно 5) кре́пкий, глубо́кий (*о сне*) 6) си́льный; ~ flogging изря́дная по́рка 7) спосо́бный, уме́лый; ~ scholar серьёзный учёный 8) глубо́кий, тща́тельный (*об анализе и т. п.*) 9) *юр.* зако́нный, действи́тельный; ~ title to land зако́нное пра́во на зе́млю ◇ ~ as a bell вполне́ здоро́вый; ~ in life (*или* in wind) and limb ≅ здоро́в как бык

2. *adv* кре́пко; to be ~ asleep кре́пко спать

sound III [saʊnd] **1.** *n* зонд; щуп

2. *v* 1) измеря́ть глубину́ (*лотом*) 2) зонди́ровать, осторо́жно выспра́шивать (on, as to, about); стара́ться вы́яснить (*мнение взгляд*) 3) испыта́ть, прове́рить 4) *мед.* иссле́довать (*рану и т. п.*) 5) ныря́ть (*особ. о ките*); опуска́ться на дно

sound IV [saʊnd] *n* 1) у́зкий проли́в 2) пла́вательный пузы́рь (*у рыб*)

sound box ['saʊndbɒks] *n* 1) звукосннма́тель (*граммофона*) 2) резони́рующий ко́рпус (*скрипки и т. п.*)

sound engineer [,saʊndendʒɪ'nɪə] *n* звукоопера́тор

sounder ['saʊndə] *n тлф.* кло́пфер

sound film ['saʊndfɪlm] *n* звуково́й фильм

sounding I ['saʊndɪŋ] **1.** *pres. p. от* sound I, 2

2. *a* 1) звуча́щий, издаю́щий звук 2) зву́чный; гро́мкий 3) пусто́й; высокопа́рный; ~ promises гро́мкие обеща́ния; ~ rhetoric трееску́чие фра́зы

sounding II ['saʊndɪŋ] **1.** *pres. p. от* sound III, 2

2. *n* 1) проме́р глубины́ ло́том 2) глубина́ по ло́ту 3) *pl* ме́сто, где возмо́жен проме́р ло́том 4) зонди́рование

sounding balloon [,saʊndɪŋbə'lu:n] *n метео* шар-зо́нд

sounding board ['saʊndɪŋbɔ:d] *n* резона́тор, де́ка

soundless ['saʊndləs] *a* беззву́чный

sound locator [,saʊndləʊ'keɪtə] *n* шумопеленга́тор

sound man ['saʊndmæn] *n амер. радио, тлв.* 1) звукоопера́тор 2) звукорежиссёр

soundproof ['saʊndpru:f] **1.** *a* звуконепроница́емый

2. *v* де́лать звуконепроница́емым

sound rocket [,saʊnd'rɒkɪt] *n воен.* звукова́я сигна́льная раке́та

soundtrack ['saʊndtræk] *n кино* звукова́я доро́жка

sound wave ['saʊndweɪv] *n* звукова́я волна́

soup [su:p] **1.** *n* 1) суп 2) *амер. sl.* нитроглицери́н 3) *разг.* густо́й тума́н ◇ in the ~ в затрудне́нии; в беде́; ~ and fish вече́рний мужско́й костю́м

2. *v разг.*: ~ up а) увели́чивать мо́щность (*двигателя и т. п.*); б) увели́чивать ско́рость (*самолёта, ракеты и т. п.*); в) придава́ть си́лу, жи́вость

soupçon ['su:psɒn] *n* ма́лая то́лика (*чего-л.*); чу́точка

soup kitchen ['su:p,kɪtʃən] *n* 1) беспла́тная столо́вая для нужда́ющихся 2) *амер. воен. разг.* похо́дная ку́хня

soup-plate ['su:ppleɪt] *n* глубо́кая таре́лка

soupspoon ['su:pspu:n] *n* столо́вая ло́жка

soup-ticket ['su:p,tɪkɪt] *n* тало́н на беспла́тный обе́д

sour ['saʊə] **1.** *a* 1) ки́слый; ~ cream смета́на 2) проки́сший 3) угрю́мый 4) ки́слый, боло́тистый (*о почве*)

2. *v* 1) закиса́ть, прокиса́ть; скиса́ть 2) заква́шивать 3) озлобля́ть(ся); ~ed by misfortunes ожесточённый неуда́чами 4) *хим.* окисля́ть

source [sɔ:s] *n* 1) исто́к, верхо́вье 2) первопричи́на, нача́ло, исто́чник; reliable ~ of information надёжный исто́чник информа́ции 3) ключ, исто́чник

source book ['sɔ:sbʊk] *n* собра́ние по́длинных пи́сьменных исто́чников для изуче́ния (*какого-л. предмета*)

sourdine [sʊə'di:n] = sordino

sourdough ['saʊədəʊ] *n амер.* 1) заква́ска 2) старожи́л (*на Аляске*)

sourpuss ['saʊəpʊs] *n разг.* ворчу́н, брюзга́; мра́чная ли́чность

souse I [saʊs] **1.** *n* 1) рассо́л 2) *амер.* соле́нье (*свинины, рыбы и т. п.*) 3) погруже́ние в во́ду, в рассо́л 4) *разг.* кутёж, вы́пивка 5) *разг.* пья́ница, пропо́йца

2. *v* 1) соли́ть; мариновáть 2) окуна́ть(ся); ока́чивать; мочи́ть; промочи́ть; to ~ to the skin промо́кнуть до косте́й 3) *разг.* напи́ться, нализа́ться

souse II [saʊs] **1.** *n ав.* пики́рование

2. *v ав.* пики́ровать

3. *adv* с налёту, стреми́тельно, пря́мо

soused I [saʊst] **1.** *p. p. от* souse I, 2

2. *a разг.* пья́ный

soused II [saʊst] *p. p. от* souse II, 2

sousing I ['saʊsɪŋ] **1.** *pres. p. от* souse I, 2

2. *n*: to get a (thorough) ~ промо́кнуть до ни́тки

sousing II ['saʊsɪŋ] *pres. p. от* souse II, 2

soutache [sʊ'tɑ:ʃ] *n* сута́ж

soutane [sʊ'tɑ:n] *n* сута́на

souteneur [,su:tə'nɜ:] *фр. n* сутенёр

south [saʊθ] **1.** *n* 1) юг; *мор.* зюйд 2) (S.) ю́жная часть страны́, *особ.* юг, ю́жные шта́ты США 3) зюйд; ю́жный ве́тер

2. *a* 1) ю́жный 2) обращённый к ю́гу

3. *adv* на юг, к ю́гу, в ю́жном направле́нии

4. *v* 1) дви́гаться к ю́гу 2) *астр.* пересека́ть меридиа́н

southbound ['saʊθbaʊnd] *a* направля́ющийся на юг

Southdown ['saʊθdaʊn] *n* англи́йская поро́да безро́гих короткошёрстных ове́ц

southeast [,saʊθ'i:st, *мор.* saʊ'i:st] **1.** *n* ю́го-восто́к; *мор.* зюйд-о́ст

2. *a* ю́го-восто́чный

3. *adv* на ю́го-восто́к, в ю́го-восто́чном направле́нии, к ю́го-восто́ку

southeaster [,saʊθ'i:stə] *n* ю́го-восто́чный ве́тер; *мор.* зюйд-о́ст

southeasterly [saʊθ'i:stəlɪ] **1.** *a* 1) располо́женный к ю́го-восто́ку 2) ду́ющий с ю́го-восто́ка

2. *adv* в ю́го-восто́чном направле́нии

southeastern [saʊθ'i:stən] *a* ю́го-восто́чный

southeastward [saʊθ'i:stwəd] **1.** *adv* в ю́го-восто́чном направле́нии

2. *a* располо́женный на ю́го-восто́ке

3. *n* ю́го-восто́к

southeastwards [saʊθ'i:stwədz] = southeastward 1

souther ['sʌðə] *n* си́льный ю́жный ве́тер

southerly ['sʌðəlɪ] **1.** *a* ю́жный

2. *adv* к ю́гу, в ю́жном направле́нии

southern ['sʌðn] **1.** *a* ю́жный

2. *n* = southerner

southerner ['sʌðnə] *n* 1) южа́нин; жи́тель ю́га 2) (S.) жи́тель ю́жных шта́тов США

southernmost ['sʌðnməʊst] *a* са́мый ю́жный

southernwood ['sʌðnwʊd] *n бот.* куста́рниковая полы́нь

southing ['saʊðɪŋ] **1.** *pres. p. от* south 4

2. *n* 1) *мор.* зю́йдовая ра́зность широ́т; продвиже́ние на зюйд 2) *астр.* прохожде́ние че́рез меридиа́н

southland ['saʊθlənd] *n* страна́, о́бласть на ю́ге

southpaw ['saʊθpɔ:] *n спорт. sl.* спортсме́н-левша́

southron ['sʌðrən] *n шотл.* 1) южа́нин 2) англича́нин

southward ['saʊθwəd] **1.** *adv* к ю́гу, на юг

2. *a* располо́женный к ю́гу от; обращённый на юг

3. *n* ю́жное направле́ние

southwardly ['saʊθwədlɪ] *adv* к ю́гу, на юг

southwards ['saʊθwədz] = southward 1

southwest [,saʊθ'west, *мор.* saʊ'west] **1.** *n* ю́го-за́пад; *мор.* зюйд-ве́ст

2. *a* ю́го-за́падный

3. *adv* на ю́го-за́пад, в ю́го-за́падном направле́нии, к ю́го-за́паду

southwester [saʊθ'westə, *мор.* saʊ'westə] *n* ю́го-за́падный ве́тер; *мор.* зюйд-ве́ст

southwesterly [saʊθ'westəlɪ, *мор.* saʊ'westəlɪ] **1.** *a* 1) располо́женный к ю́го-за́паду от 2) ду́ющий с ю́го-за́пада

2. *adv* в ю́го-за́падном направле́нии

southwestern [saʊθ'westən] *a* ю́го-за́падный

southwestward [saʊθ'westwəd] **1.** *adv* в ю́го-за́падном направле́нии

2. *a* располо́женный на ю́го-за́паде

3. *n* ю́го-за́пад

southwestwards [saʊθ'westwədz] = southwestward 1

souvenir [,su:və'nɪə] *n* сувени́р, пода́рок на па́мять

sou'wester [saʊ'westə] *n мор.* 1) = south-wester 2) зюйдве́стка

sovereign ['sɒvrɪn] **1.** *n* 1) мона́рх; повели́тель 2) *ист.* совере́н (*золотая монета в один фунт стерлингов*)

2. *a* 1) верхо́вный, наивы́сший; ~ power верхо́вная власть 2) высокоме́рный; ~ contempt беспреде́льное презре́ние 3) сувере́нный, держа́вный, полновла́стный; незави́симый; ~ States сувере́нные госуда́рства 4) превосхо́дный; ~ remedy великоле́пное сре́дство

sovereignty ['sɒvrəntɪ] *n* 1) верхо́вная власть 2) суверените́т 3) сувере́нное госуда́рство

Soviet ['səʊvɪət] **1.** *n* сове́т

2. *a* сове́тский

sow I [səʊ] *v* (sowed [-d]; sown, sowed) 1) се́ять; засева́ть; to ~ the field with wheat засе́ять по́ле пшени́цей 2) се́ять, распространя́ть; насажда́ть; to ~ (the seeds of) dissention се́ять раздо́р □ ~ **out** высева́ть ◇ to ~ the wind and to reap the whirlwind ≅ посе́ешь ве́тер — пожнёшь бу́рю

sow II [saʊ] *n* 1) свинья́; свинома́тка 2) *метал.* козёл; на́стыль ◇ to take (*или* to get) the wrong ~ by the ear ≅ попа́сть па́льцем в не́бо; обрати́ться не по а́дресу; напа́сть не на того́, на кого́ сле́дует; to take (*или* to get) the right ~ by the ear ≅ попа́сть в то́чку; напа́сть на ну́жного челове́ка *или* вещь

sowar [sʌ'wɑ:] *n* кавалери́ст, ко́нный полице́йский, ко́нный ордина́рец (*в Индии*)

sowbelly ['saʊ,belɪ] *n амер.* бeко́н

sowbread ['saʊbred] *n бот.* ди́кий цикламе́н

sower ['səʊə] *n* 1) се́ятель 2) се́ялка

sowing ['səʊɪŋ] **1.** *pres. p. от* sow I

2. *n* 1) сев, посе́в, засе́в; засева́ние 2) *attr.*: ~ time вре́мя се́ва

sowing machine ['səʊɪŋmə,ʃi:n] *n* се́ялка

sown [səʊn] *p. p. от* sow I; the sky ~ with stars не́бо, усе́янное звёздами

sow thistle ['səʊ,θɪsl] *n бот.* осо́т

sox [sɔks] *n pl разг., ком.* носки́

soy [sɔɪ] *n* со́евый со́ус

soya ['sɔɪə] *n* 1) со́я 2) со́евый боб

soy bean ['sɔɪbi:n] = soya

sozzled ['sɒzld] *a разг.* вдрызг пья́ный

spa [spɑ:] *n* 1) минера́льный исто́чник 2) куро́рт с минера́льными во́дами 3) *амер.* кио́ск с прохлади́тельными напи́тками

space [speɪs] **1.** *n* 1) расстоя́ние; протяже́ние; for the ~ of a mile на протяже́нии ми́ли 2) простра́нство; to vanish into ~ исчеза́ть 3) ко́смос, косми́ческое простра́нство 4) интерва́л; промежу́ток вре́мени, срок; after a short ~ вско́ре; within the ~ of в тече́ние (определённого промежу́тка вре́мени); in the ~ of an hour в тече́ние ча́са; че́рез час 5) ме́сто, пло́щадь; for want of ~ за недоста́тком ме́ста; open ~s откры́тые простра́нства, пусты́ри́ 6) ме́сто, сиде́нье (*в поезде, самолёте и т. п.*) 7) коли́чество строк, отведённое под объявле́ния (*в газете, журнале*) 8) *полигр.* шпа́ция

2. *v* 1) оставля́ть промежу́тки, расставля́ть с промежу́тками 2) *полигр.* разбива́ть на шпа́ции; набира́ть в разря́дку (*часто* ~ out) □ ~ **out**: to be ~d out *амер. sl.* накури́ться марихуа́ны

space bar ['speɪsbɑ:] *n* кла́виша для интерва́лов (*на пишущей машинке*)

spacecraft ['speɪskrɑ:ft] = spaceship

spaceless ['speɪsləs] *a* 1) бесконе́чный, беспреде́льный 2) за́мкнутый, закры́тый, лишённый простра́нства

spaceman ['speɪsmæn] *n* 1) прише́лец с друго́й плане́ты 2) космона́вт, астрона́вт

spaceport ['speɪspɔ:t] *n* космодро́м

spacer ['speɪsə] *n* распо́рка, прокла́дка

space rocket ['speɪsrɒkɪt] *n* косми́ческая раке́та

space satellite [,speɪs'sætəlaɪt] *n* иску́сственный спу́тник

spaceship ['speɪsʃɪp] *n* косми́ческий лета́тельный аппара́т, косми́ческий кора́бль

space shuttle ['speɪsʃʌtl] *n* шаттл, косми́ческий лета́тельный аппара́т многора́зового испо́льзования

space suit ['speɪssu:t] *n* скафа́ндр

spacewalk ['speɪswɔ:k] *n* вы́ход в откры́тый ко́смос

spaceward ['speɪswəd] *adv* в ко́смос

space writer ['speɪs,raɪtə] *n* репортёр, получа́ющий постро́чный гонора́р

spacious ['speɪʃəs] *a* 1) просто́рный, обши́рный; помести́тельный 2) всеобъе́млющий, широ́кий, разносторо́нний; ~ mind широ́кий кругозо́р

spade I [speɪd] **1.** *n* лопа́та; за́ступ ◇ to call a ~ a ~ называ́ть ве́щи свои́ми имена́ми; ~ beard борода́ лопа́той

2. *v* копа́ть лопа́той

spade II [speɪd] *n* 1) *pl карт.* пи́ки 2) *sl. презр.* чернoко́жий

spadeful ['speɪdfʊl] *n* по́лная лопа́та

spadework ['speɪdwɜ:k] *n* кропотли́вая подготови́тельная рабо́та

spado ['speɪdəʊ] *лат. n* (*pl* -dones) 1) кастра́т 2) кастри́рованное живо́тное 3) *юр.* импоте́нт

spadones [speɪ'dəʊni:z] *pl от* spado

spae [speɪ] *v шотл.* предска́зывать, предвеща́ть; пророчи́ть

spaewife ['speɪwaɪf] *n шотл.* предсказа́тельница *или* ве́дьма

spaghetti [spə'getɪ] *n* спаге́тти

spake [speɪk] *уст. past от* speak

spall [spɔ:l] **1.** *n* оско́лок; обло́мок

2. *v горн.* 1) обтёсывать (*камень*) 2) разбива́ть (*руду*); дроби́ть (*породу*)

spalpeen [spæl'pi:n] *n ирл.* негодя́й

Spam [spæm] *n* консерви́рованный колба́сный фарш

span I [spæn] *уст. past от* spin 2

span II [spæn] **1.** *n* 1) длина́ мо́ста́, ширина́ реки́, разма́х рук *и т. п.* 2) пролёт (*моста*); расстоя́ние ме́жду опо́рами (*арки, свода*) 3) *ав.* разма́х (крыла́) 4) пядь (= *9 дюймам*) 5) коро́ткое расстоя́ние 6) промежу́ток вре́мени; пери́од вре́мени; his life had well-nigh completed its ~ жизнь его́ уже́ бли́зилась к концу́ 7) *ж.-д.* перего́н 8) *мат.* хо́рда

2. *v* 1) перекрыва́ть (*об арке, крыше и т. п.*); соединя́ть берега́ (*о мосте*); to ~ a river with a bridge постро́ить мост че́рез ре́ку́ 2) простира́ться, охва́тывать 3) измеря́ть пя́дями; *перен.* измеря́ть; охва́тывать; his eye ~ned the intervening space он глаза́ми сме́рил расстоя́ние 4) *муз.* взять окта́ву

span III [spæn] **1.** *n* 1) *мор.* штаг-ко́рнак 2) *амер.* па́ра лошаде́й, воло́в *и т. п.* (*как упряжка*)

2. *v мор.* крепи́ть; привя́зывать; затя́гивать

spandrel ['spændrəl] *n архит.* па́зуха сво́да; надсво́дное строе́ние

spang [spæŋ] *adv амер. разг.* пря́мо; то́чно; соверше́нно; he ran ~ into me он наткну́лся на меня́; ~ in the middle то́чно посреди́не

spangle ['spæŋgl] **1.** *n* блёстка

2. *v* украша́ть блёстками; the heavens ~d with stars не́бо, усы́панное звёздами

Spaniard ['spænjəd] *n* испа́нец; испа́нка

spaniel ['spænjəl] *n* 1) спание́ль (*порода собак*) 2) подхали́м; a tame ~ льстец

Spanish ['spænɪʃ] **1.** *a* испа́нский ◇ ~ fly шпа́нская му́ха

2. *n* испа́нский язы́к

spank [spæŋk] **1.** *n* шлепо́к

2. *v* 1) хло́пать, (от)шлёпать (ладо́нью) 2) бы́стро дви́гаться (*тж.* ~ along); бы́стро бежа́ть (*о лошади*)

spanker ['spæŋkə] *n* 1) тот, кто шлёпает 2) хоро́ший бегу́н; рыса́к 3) *разг.* выдаю́щийся экземпля́р (*чего-л.*)

spanking ['spæŋkɪŋ] **1.** *pres. p. от* spank 2

2. *n* си́льные шлепки́; трёпка

3. *a* 1) бы́стрый; ~ trot кру́пная рысь 2) *разг.* све́жий, си́льный (*о ветре*) 3) *разг.* превосхо́дный

spanless ['spænləs] *a* неизмери́мый; необъя́тный

spanner ['spænə] *n* га́ечный ключ

span-new ['spænnju:] *a* соверше́нно но́вый; то́лько что ку́пленный

span roof ['spæn,ru:f] *n* двуска́тная кры́ша

span-worm ['spænwɜ:m] *n амер. зоол.* гу́сеница пяде́ницы

spar I [spɑ:] **1.** *n* 1) *мор.* рангоу́тное де́рево 2) *ав.* лонжеро́н (крыла́)

2. *v мор.* устана́вливать перекла́дины

spar II [spɑ:] *n мин.* шпат

spar III [spɑ:] **1.** *n* 1) трениро́вочное состяза́ние в бо́ксе 2) наступа́тельный *или* оборони́тельный приём в бо́ксе 3) петуши́ный бой

2. *v* 1) боксирова́ть; дра́ться; би́ться на кула́чках; де́лать (притво́рный) вы́пад кулако́м (at) 2) спо́рить, препира́ться; to ~ at each other пики́роваться, прека́ться друг с дру́гом 3) дра́ться шпо́рами (*о петухах*)

sparable ['spærəbl] *n* ме́лкий сапо́жный гвоздь

spar-deck ['spɑ:dek] *n мор.* спарде́к

spare [speə] **1.** *n* 1) запасна́я часть (*машины*) 2) запасна́я ши́на 3) *спорт.* запасно́й игро́к

2. *a* 1) запасно́й, запа́сный; резе́рвный; ли́шний; ~ cash ли́шние де́ньги; ~ parts запасны́е ча́сти; ~ room ко́мната для госте́й; ~ time свобо́дное вре́мя; ~

tyre а) запасна́я ши́на; б) *разг.* слой жи́ра вокру́г та́лии 2) ску́дный, скро́мный; ~ diet ску́дное пита́ние 3) худоща́вый; ~ frame сухоща́вое телосложе́ние 4) *разг.* свобо́дный, неза́нятый (*о месте и т. п.*)

3. *v* 1) обходи́ться (*без чего-л.*); уделя́ть (*что-л. кому-л.*); I have no time to ~ today у меня́ нет сего́дня свобо́дного вре́мени; I cannot ~ another shilling мне нужны́ все мои́ де́ньги до после́днего ши́ллинга 2) щади́ть, бере́чь; избавля́ть (*от чего-л.*); ~ his feelings пощади́те его́ чу́вства; ~ me пощади́те меня́; ~ his blushes не заставля́йте его́ красне́ть; to ~ oneself не утружда́ть себя́; not to ~ oneself а) быть тре́бовательным к себе́; б) не жале́ть свои́х сил 3) возде́рживаться (*от чего-л.*); you need not ~ to ask my help не стесня́йтесь проси́ть меня́ о по́мощи 4) эконо́мить, жале́ть; to ~ neither trouble nor expense не жале́ть ни трудо́в, ни расхо́дов ◇ if I am ~d е́сли мне суждено́ ещё прожи́ть

sparge [spɑːdʒ] *v* обры́згивать, бры́згать

sparger ['spɑːdʒə] *n* разбры́згиватель

sparing ['speərɪŋ] **1.** *pres. p. от* spare 3

2. *a* 1) ску́дный, недоста́точный 2) уме́ренный 3) бережли́вый

spark I [spɑːk] **1.** *n* 1) и́скра 2) вспы́шка, про́блеск; he showed not a ~ of interest он не вы́казал ни мале́йшего интере́са 3) *pl разг.* ради́ст 4) *attr.*: ~ guard *амер.* ками́нная решётка ◇ the vital ~ жизнь; to strike ~s out of smb. заста́вить кого́-л. бле́снуть (*чем-л.; особ. в разговоре*)

2. *v* 1) и́скри́ться 2) зажига́ть и́скрой 3) искри́ть, дава́ть и́скры; вспы́хивать 4) зажига́ть, воодушевля́ть, побужда́ть (*тж.* ~ off)

spark II [spɑːk] **1.** *n* 1) щёголь; a gay young ~ молодо́й франт 2): to play the ~ to уха́живать за

2. *v* уха́живать

spark arrester ['spɑːkə,restə] *n тех.* искроуловитель, искрогаситель

spark coil ['spɑːkkɔɪl] *n эл.* индукцио́нная кату́шка

spark gap ['spɑːkgæp] *n эл.* 1) искрово́й промежу́ток 2) разря́дник

sparking plug ['spɑːkɪŋplʌg] *n авто* запа́льная свеча́, свеча́ зажига́ния

sparkle ['spɑːkl] **1.** *n* 1) и́скорка 2) блеск, сверка́ние 3) жи́вость, оживлённость

2. *v* 1) и́скри́ться; сверка́ть 2) игра́ть, и́скри́ться (*о вине*) 3) быть оживлённым; блиста́ть

sparklet ['spɑːklət] *n* и́скорка

sparkling ['spɑːklɪŋ] **1.** *pres. p. от* sparkle 2

2. *a* 1) сверка́ющий, блестя́щий, и́скря́щийся 2) шипу́чий, игри́стый, пе́нистый

spark plug ['spɑːkplʌg] *n амер.* 1) = sparking plug 2) *разг.* челове́к, заража́ющий други́х свое́й кипу́чей эне́ргией

sparring I ['spɑːrɪŋ] *pres. p. от* spar I, 2

sparring II ['spɑːrɪŋ] **1.** *pres. p. от* spar III, 2

2. *a* уче́бный, трениро́вочный (*в боксе*); ~ bout уче́бный бой; ~ partner партнёр для трениро́вки; ~ ring уче́бно-трениро́вочный ринг; ~ gloves трениро́вочные перча́тки

sparrow ['spærəʊ] *n* воробе́й

sparrowgrass ['spærəʊgrɑːs] *n диал., разг.* спа́ржа

sparrow hawk ['spærəʊhɔːk] *n* я́стреб-перепеля́тник

sparry ['spɑːrɪ] *a мин.* шпа́товый

sparse [spɑːs] *a* ре́дкий, разбро́санный

Spartan ['spɑːtn] **1.** *a* спарта́нский

2. *n* спарта́нец

spasm ['spæzəm] *n* 1) спа́зм(а), су́дорога 2) при́ступ; поры́в

spasmodic [spæz'mɒdɪk] *a* 1) спазмати́ческий, су́дорожный 2) нерегуля́рный, неритми́чный, неро́вный

spastic ['spæstɪk] *a мед.* спасти́ческий

spat I [spæt] **1.** *n* 1) у́стричная икра́ 2) мо́лодь у́стриц

2. *v* мета́ть икру́ (*об устрицах*)

spat II [spæt] *past и p. p. от* spit II, 2

spat III [spæt] *амер. разг.* **1.** *n* 1) небольша́я ссо́ра 2) лёгкий уда́р, шлепо́к

2. *v* 1) (по)хло́пать, (по)шлёпать 2) (по)брани́ться, слегка́ поссо́риться

spatchcock ['spætʃkɒk] **1.** *n* заре́занная и сра́зу зажа́ренная (на ра́шпере) пти́ца

2. *v* 1) жа́рить свежезаре́занную пти́цу 2) *разг.* на́спех вставля́ть (*фразу, слова в готовый текст*)

spate [speɪt] *n* 1) (внеза́пный) разли́в реки́, наводне́ние 2) внеза́пный ли́вень 3) пото́к, наплы́в (*заказов и т. п.*) 4) излия́ние (*чувств*)

spathic ['spæθɪk] *a* шпа́товый

spatial ['speɪʃl] *a* простра́нственный

spatiotemporal [,speɪʃɪəʊ'temprəl] *a* простра́нственно-временно́й

spats [spæts] *n pl ист.* коро́ткие ге́тры

spatter ['spætə] **1.** *n* 1) бры́зги (*грязи, дождя*) 2) бры́зганье

2. *v* 1) забры́згивать, разбры́згивать, бры́згать; расплёскивать 2) возводи́ть клевету́, черни́ть; to ~ a man's good name опоро́чить челове́ка

spatterdashes ['spætə,dæʃɪz] *n pl ист.* дли́нные ге́тры

spatter-dock ['spætədɒk] *n бот.* кубы́шка, кувши́нка

spatula ['spætjʊlə] *n* шпа́тель, лопа́точка

spavin ['spævɪn] *n вет.* ко́стный шпат

spavined ['spævɪnd] *a вет.* страда́ющий ко́стным шпа́том

spawn [spɔːn] **1.** *n* 1) икра́ 2) *презр.* пото́мство, порожде́ние, отро́дье 3) *бот.* мице́лий, грибни́ца

2. *v* 1) мета́ть икру́ 2) размножа́ться, плоди́ться (*презр. о людях*) 3) порожда́ть, вызыва́ть (*что-л.*)

spawning ['spɔːnɪŋ] **1.** *pres. p. от* spawn 2

2. *n* не́рест

spay [speɪ] *v* удаля́ть яи́чники (*у животных*)

speak [spiːk] *v* (spoke, *уст.* spake; spoken) 1) говори́ть, разгова́ривать; the baby is learning to ~ ребёнок у́чится говори́ть; Dixon ~ing Ди́ксон у телефо́на 2) сказа́ть; выска́зывать(ся); отзыва́ться; to ~ the truth говори́ть пра́вду; to ~ ill (*или* evil) of smb. ду́рно отзыва́ться о ком-л.; to ~ the word вы́разить жела́ние; to ~ for oneself а) говори́ть о со́бственных чу́вствах; б) говори́ть за себя́; ~ for yourself не говори́те за други́х, не припи́сывайте други́м ва́ших мне́ний 3) *разг.* де́лать вы́говор, брани́ть 4) произноси́ть речь, выступа́ть (*на собрании*); ~ to the subject! не отклоня́йтесь от те́мы! 5) изъясня́ться, говори́ть; English is spoken here здесь говоря́т по-англи́йски 6) звуча́ть (*о музыкальных инструментах, орудиях*) 7) *поэт.* волнова́ть, тро́гать 8) ла́ять (*о собаке*) 9) говори́ть, свиде́тельствовать; the facts ~ for themselves фа́кты говоря́т са́ми за себя́; this ~s him generous э́то говори́т о его́ ще́дрости 10) *мор.* оклика́ть; перегова́риваться с други́м су́дном ▭ ~ at выгова́ривать *кому-л.*; ~ for а) говори́ть за (*или* от лица́) *кого-л.*; б): to ~ well for говори́ть в по́льзу; ~ of упомина́ть; nothing to ~ of су́щий пустя́к; ~ out а) говори́ть гро́мко и отчётливо; б) выска́зываться; ~ to а) обраща́ться к *кому-л.*, говори́ть с *кем-л.*; б) подтвержда́ть *что-л.*; ~ up = ~ out ◇ so to ~ так сказа́ть

speakeasy ['spiːk,iːzɪ] *n амер. ист. sl.* бар, где незако́нно торгу́ют спиртны́ми напи́тками

speaker ['spiːkə] *n* 1) ора́тор; he is no ~ он плохо́й ора́тор 2) говоря́щий (*на каком-л. языке*) 3) (the S.) спи́кер (*председатель палаты общин в Англии, председатель палаты представителей в США*) 4) громкоговори́тель 5) *радио* ди́ктор 6) ру́пор

speaking ['spiːkɪŋ] **1.** *pres. p. от* speak

2. *a* 1) говоря́щий; облада́ющий да́ром ре́чи 2) вырази́тельный; ~ likeness живо́й портре́т; ~ look вырази́тельный взгляд 3) говоря́щий (*на каком-л. языке*) 4): legally ~ с юриди́ческой то́чки зре́ния; strictly ~ стро́го говоря́; generally ~ вообще́ говоря́; roughly ~ приблизи́тельно, приме́рно ◇ ~ acquaintance официа́льное знако́мство; to be on ~ terms with smb. а) быть едва́ знако́мым; б) быть в дру́жеских отноше́ниях

3. *n* разгово́р; plain ~ разгово́р начистоту́; in a manner of ~ е́сли мо́жно так вы́разиться; course in public ~ курс ора́торского иску́сства

speaking clock [,spiːkɪŋ'klɒk] *n* телефо́нная слу́жба то́чного вре́мени

speaking trumpet ['spiːkɪŋ,trʌmpɪt] *n ист.* ру́пор, мегафо́н

speaking tube ['spi:kɪŋtju:b] *n* переговóрная трýбка

spear [spɪə] **1.** *n* 1) копьё; дрóтик 2) острогá; гарпýн 3) *уст.* копéйщик 4) *бот.* побéг, óтпрыск; стрéлка ◇ ~ side мужскáя лúния (рóда)

2. *v* 1) *бот.* пойтú в стрéлку, выбрáсывать стрéлку 2) бить острогóй (*рыбу*) 3) пронзáть копьём

spearhead ['spɪəhed] *n* 1) остриё, наконéчник копья́ 2) *воен.* передовáя часть

spearman ['spɪəmən] *n уст.* копьенóсец

spearmint ['spɪəmɪnt] *n бот.* мя́та колосовáя

spec I [spek] *n разг.* спекуля́ция; on ~ а) наудáчу, на риск; б) с расчётом на вы́году

spec II [spek] *n разг.* спецификáция

special ['speʃl] **1.** *a* 1) специáльный; осóбый; to be of ~ interest представля́ть осóбый интерéс; ~ course of study специáльный предмéт; ~ anatomy анатóмия отдéльных óрганов; ~ hospital специализúрованная больнúца; ~ correspondent специáльный корреспондéнт; ~ pleading предвзя́тая одностóронняя аргументáция 2) особéнный; индивидуáльный; my ~ chair мой любúмый стул 3) э́кстренный; ~ edition э́кстренный вы́пуск; ~ train а) дополнúтельный пóезд; б) пóезд специáльного назначéния 4) определённый

2. *n* 1) специáльный корреспондéнт 2) э́кстренный вы́пуск 3) э́кстренный пóезд

specialism ['speʃlɪzəm] *n* 1) специализáция 2) óбласть специализáции

specialist ['speʃlɪst] *n* специалúст

speciality [,speʃɪ'ælətɪ] *n* 1) специáльность; to make a ~ of smth. специализúроваться в чём-л. 2) отличúтельная чертá, осóбенность 3) *pl* детáли, подрóбности 4) специáльный ассортимéнт (*товаров*)

specialization [,speʃəlaɪ'zeɪʃn] *n* специализáция

specialize ['speʃəlaɪz] *v* 1) специализúровать(ся) 2) *биол.* приспосáбливать(ся), адаптúроваться 3) индивидуализúровать 4) ограничúвать, сужáть

specially ['speʃlɪ] *adv* 1) специáльно 2) осóбенно

specialty ['speʃltɪ] *n* 1) *амер.* специáльность 2) *юр.* договóр за печáтью 3) специáльный ассортимéнт 4) осóбенность

specie ['spi:ʃɪ] *n* (*тк. sing*) металлúческие дéньги (*в противоп. бумажным*)

species ['spi:ʃi:z] *n* (*pl без измен.*) 1) род; порóда; the ~, our ~ человéческий род 2) *биол.* вид 3) вид, разновúдность; ~ of cunning своегó рóда хúтрость

specific [spə'sɪfɪk] **1.** *a* 1) определённый, тóчный, конкрéтный; ограничéнный; ~ aim определённая цель; ~ statement тóчно сформулúрованное утверждéние 2) характéрный, осóбенный 3) осóбый, осóбенный, специфúческий; with no ~ aim без какóй-л. осóбой цéли; ~ cause специфúческая причúна (*определённой болезни*); ~ remedy (medicine) специфúческое срéдство (лекáрство) 4) *биол.* видовóй; ~ difference видовóе различие; the ~ name of a plant видовóе название растéния 5) *физ.* удéльный; ~ gravity (*или* weight) удéльный вес; ~ heat удéльная теплоёмкость

2. *n* 1) *уст.* специфúческое срéдство, лекáрство 2) специфúческий аспéкт, фáктор

specification [,spesəfɪ'keɪʃn] *n* 1) спецификáция, детализáция; детализúрование 2) *pl* спецификáция, инстрýкция по обращéнию 3) *юр.* положúтельно выражéнное обусловливание

specify ['spesəfaɪ] *v* 1) тóчно определя́ть, устанáвливать; he specified the reasons of their failure он проанализúровал причúны их неудáчи 2) укáзывать, отмечáть; специáльно упоминáть; уточня́ть 3) специфицúровать, давáть спецификáцию; приводúть номинáльные *или* пáспортные дáнные 4) придавáть осóбый харáктер

specimen ['spesəmɪn] *n* 1) образéц, обрáзчик; экземпля́р 2) *разг. ирон.* субъéкт; тип; what a ~! вот так тип!; a queer ~ чудáк 3) *attr.* прóбный; ~ page прóбная странúца

specious ['spi:ʃəs] *a* 1) благовúдный, правдоподóбный; ~ excuse благовúдный предлóг; ~ tale правдоподóбный расскáз 2) показнóй, обмáнчивый

speck I [spek] **1.** *n* 1) пя́тнышко, крáпинка 2) частúчка, крупúнка; a ~ of dust пылúнка

2. *v* пятнáть, испещря́ть

speck II [spek] *n амер., южно-афр.* 1) вóрвань 2) жúрное мя́со, шпик, бекóн

speckle ['spekl] **1.** *n* пя́тнышко, крáпинка

2. *v* пятнáть, испещря́ть

speckled ['spekld] **1.** *p. p. от* speckle 2

2. *a* крáпчатый; ~ hen пёстрая, ря́бая кýрица

specs [speks] *n pl разг.* очкú

spectacle ['spektəkl] *n* 1) спектáкль, представлéние 2) зрéлище; to be a sad ~ возбуждáть жáлость; to make a ~ of oneself обращáть на себя́ внимáние 3) *pl* очкú (*тж.* pair of ~s); to see through rose-coloured ~s вúдеть всё в рóзовом свéте 4) *pl* цветны́е стёкла светофóра

spectacled ['spektəkld] *a* 1) носящий очкú, в очкáх 2) очкóвый (*о змее*)

spectacular [spek'tækjʊlə] **1.** *a* 1) эффéктный, импозáнтный 2) захвáтывающий

2. *n* эффéктное зрéлище

spectator [spek'teɪtə] *n* 1) зрúтель 2) очевúдец, наблюдáтель

spectatress [spek'teɪtrəs] *n* зрúтельница

spectra ['spektrə] *pl от* spectrum

spectral ['spektrəl] *a* 1) прúзрачный 2) *физ.* спектрáльный

spectre ['spektə] *n* 1) привидéние, прúзрак 2) дурнóе предчýвствие

spectrometer [spek'trɒmɪtə] *n* спектрóметр

spectroscope ['spektrəskəʊp] *n* спектроскóп

spectrum ['spektrəm] *n* (*pl* -ra) *физ.* 1) спектр 2) *attr.* спектрáльный; ~ analysis спектрáльный анáлиз

specula ['spekjʊlə] *pl от* speculum

specular ['spekjʊlə] *a* 1) зеркáльный; ~ surface отражáющая повéрхность 2) *мед.* произведённый с пóмощью расширúтеля

speculate ['spekjʊleɪt] *v* 1) размышля́ть, раздýмывать, дéлать предположéния (on, upon, as to, about) 2) спекулúровать; игрáть на бúрже; to ~ in shares спекулúровать áкциями

speculation [,spekjʊ'leɪʃn] *n* 1) размышлéние 2) теóрия, предположéние 3) спекуля́ция; игрá на бúрже; on ~ = on spec [*см.* spec I]

speculative ['spekjʊlətɪv] *a* 1) умозрúтельный 2) теоретúческий 3) спекуля́тивный 4) рискóванный

speculator ['spekjʊleɪtə] *n* 1) спекуля́нт 2) биржевóй делéц 3) мыслúтель

speculum ['spekjʊləm] *n* (*pl* -la) 1) *мед.* расширúтель, зéркало 2) рефлéктор 3) глазóк (*на крыле птицы*)

sped [sped] *past и p. p. от* speed 2

speech [spi:tʃ] *n* 1) речь, дар рéчи; речевáя дéятельность; словá; sometime gestures are more expressive than ~ иногдá жéсты выразúтельнее слов 2) речь, орáторское выступлéние; to deliver (*или* to make, to give) a ~ произносúть речь; set ~ зарáнее состáвленная речь; ~ from the throne трóнная речь 3) гóвор, произношéние; манéра говорúть; to be slow of ~ говорúть мéдленно; his ~ is indistinct он говорúт невня́тно, у негó плохáя дúкция 4) рéплика 5) язы́к; диалéкт 6) звучáние (*музыкального инструмента*) 7) *attr.* речевóй; ~ habits речевы́е нáвыки

speech day ['spi:tʃdeɪ] *n* акт, áктовый день (*в школе*)

speechify ['spi:tʃɪfaɪ] *v шутл., пренебр.* орáторствовать, разглагóльствовать; произносúть напы́щенную речь

speechless ['spi:tʃləs] *a* 1) онемéвший; ~ with rage онемéвший от я́рости 2) немóй 3) безмóлвный; ~ entreaty немáя мольбá 4) невыразúмый

speed [spi:d] **1.** *n* 1) скóрость; скóрость хóда; быстротá; with all ~ поспéшно; at full ~ пóлным хóдом; at great ~ на большóй скóрости; to gather ~ ускоря́ть ход, набирáть скóрость; to put in the first (second) ~ включúть пéрвую (вторýю) скóрость 2) *фото* светочувствúтельность 3) *sl.* «спид» (*наркотик из группы стимуляторов*) 4) *уст.* успéх; to wish good ~ желáть успéха 5) *тех.* числó оборóтов

2. *v* (sped) 1) спешúть, идтú поспéшно; an arrow sped past мúмо пролетéла стрелá; he sped down the street он поспéшно напрáвился вниз по ýлице 2) (speeded [-ɪd]) ускоря́ть (*особ.* ~ up) 3) (speeded [-ɪd]) устанáвливать скóрость 4) торопúть, торáпливать 5) *уст.* преуспевáть; how have you sped? как успéхи? God ~ you! да помóжет вам Бог! ▭

~ **up** увели́чивать (*скорость; выпуск продукции*)

-speed [-spi:d] *в сложных словах*: three-speed engine трёхскоростно́й дви́гатель

speedball [ˈspi:dbɔ:l] *n sl.* смесь кокаи́на с герои́ном *или* морфи́ном

speedboat [ˈspi:dbəʊt] *n* быстрохо́дный ка́тер

speed cop [ˈspi:dkɒp] *n sl.* полице́йский, следя́щий за ско́ростью движе́ния

speeder [ˈspi:də] *n* 1) *тех.* повыша́ющее устро́йство 2) *текст.* ро́вничная маши́на

speedily [ˈspi:dɪlɪ] *adv* бы́стро, поспе́шно

speeding [ˈspi:dɪŋ] **1.** *pres. p. от* speed 2

2. *n* езда́ с недозво́ленной ско́ростью

speed limit [ˈspi:d,lɪmɪt] *n* дозво́ленная ско́рость (*езды*)

speedo [ˈspi:dəʊ] *разг.* = speedometer

speedometer [spɪˈdɒmɪtə] *n* спидо́метр

speed reducer [ˈspi:drɪ,dju:sə] *n тех.* реду́ктор

speedster [ˈspi:dstə] *n* 1) *разг.* быстрохо́дное су́дно 2) *авто* спи́дстер

speed-up [ˈspi:dʌp] *n* 1) ускоре́ние 2) повыше́ние но́рмы вы́работки без повыше́ния зарпла́ты

speed-up system [,spi:dʌpˈsɪstəm] = sweating system

speedway [ˈspi:dweɪ] *n* 1) спидве́й, скоростны́е мотого́нки 2) доро́жка для мотоцикле́тных го́нок, го́ночный трек 3) *амер.* доро́га со скоростны́м движе́нием

speedwell [ˈspi:dwel] *n бот.* веро́ника

speedy [ˈspi:dɪ] *a* 1) бы́стрый, ско́рый; прово́рный 2) безотлага́тельный 3) поспе́шный

spelaean [spɪˈli:ən] *a* 1) пеще́рный, живу́щий в пеще́ре 2) спелеологи́ческий

speleologist [,spi:lɪˈɒlədʒɪst] *n* спелео́лог

speleology [,spi:lɪˈɒlədʒɪ] *n* спелеоло́гия

spell I [spel] **1.** *n* 1) заклина́ние 2) ча́ры; обая́ние; under a ~ зачаро́ванный; to cast a ~ on (*или* over) smb. очарова́ть, околдова́ть кого́-л.

2. *v* очаро́вывать

spell II [spel] *v* (spelt, spelled [-d]) 1) писа́ть *или* произноси́ть (*слово*) по бу́квам; how do you ~ your name? как пи́шется ва́ше и́мя?; we do not pronounce as we ~ мы произно́сим не так, как пи́шем; to ~ backward писа́ть *или* чита́ть (*буквы слова*) в обра́тном поря́дке; *перен.* извраща́ть смысл; толкова́ть непра́вильно 2) образо́вывать, составля́ть (*слово по буквам*; *напр.*: o-n-e ~s one) 3) означа́ть, влечь за собо́й ▭ ~ out а) чита́ть по склада́м, с трудо́м; б) расшифрова́ть, разобра́ть (*обыкн.* с трудо́м); в) продиктова́ть *или* произнести́ по бу́квам

spell III [spel] **1.** *n* 1) коро́ткий промежу́ток вре́мени; ~ of fine weather пери́од хоро́шей пого́ды; leave it alone for a ~ оста́вьте э́то в поко́е на вре́мя 2) очерёдность, заме́на (*в работе, дежурстве и т. п.*); to take ~s at the wheel вести́ маши́ну по о́череди 3) *австрал.* коро́ткая переды́шка (*в работе*)

2. *v* 1) сменя́ть; заменя́ть 2) дать переды́шку 3) *австрал.* передохну́ть, отдохну́ть

spellbind [ˈspelbaɪnd] *v* (spellbound) очаро́вывать

spellbinder [ˈspelbaɪndə] *n* ора́тор, увлека́ющий свою́ аудито́рию

spellbound [ˈspelbaʊnd] **1.** *past и p. p. от* spellbind

2. *a* 1) очаро́ванный 2) ошеломлённый

spelldown [ˈspeldaʊn] *амер.* = spelling bee

speller [ˈspelə] *n* 1): a good (bad) ~ гра́мотно (негра́мотно) пи́шущий челове́к 2) = spelling book

spelling I [ˈspelɪŋ] *pres. p. от* spell I, 2

spelling II [ˈspelɪŋ] **1.** *pres. p. от* spell II

2. *n* 1) произнесе́ние сло́ва по бу́квам 2) правописа́ние, орфогра́фия; variant ~ of a word вариа́нт написа́ния сло́ва

spelling III [ˈspelɪŋ] *pres. p. от* spell III, 2

spelling bee [ˈspelɪŋbi:] *n* ко́нкурс на лу́чшее правописа́ние

spelling book [ˈspelɪŋbʊk] *n* 1) орфографи́ческий спра́вочник 2) сбо́рник упражне́ний по правописа́нию

spelt I [spelt] *n бот.* пшени́ца спе́льта, по́лба настоя́щая

spelt II [spelt] *past и p. p. от* spell II

spelter [ˈspeltə] *n* 1) техни́ческий цинк (*в чушках или плитках*) 2) *тех.* ци́нковый припо́й

spencer [ˈspensə] *n* спе́нсер (*короткий шерстяной жакет*)

spend [spend] *v* (spent) 1) тра́тить, расхо́довать; to ~ much trouble on smth. тра́тить нема́ло труда́ на что-л. 2) проводи́ть (*время*); to ~ a sleepless night провести́ бессо́нную ночь 3) истоща́ть; to ~ oneself уста́ть, вы́мотаться; the storm has spent itself бу́ря улегла́сь 4) *мор.* потеря́ть (*мачту*) ◇ ~ing money карма́нные де́ньги; to ~ a penny *разг.* помочи́ться, отли́ть

spender [ˈspendə] *n* мот, транжи́ра

spendthrift [ˈspendθrɪft] **1.** *n* расточи́тель, мот

2. *a* расточи́тельный

Spenserian [spenˈsɪərɪən] *a*: ~ stanza *прос.* спе́нсерова строфа́

spent [spent] **1.** *past и p. p. от* spend

2. *a* 1) истощённый; испо́льзованный; ~ bullet пу́ля на излёте; ~ steam отрабо́танный пар; the night is far ~ *поэт.* ночь на исхо́де; a well ~ life хорошо́ про́житая жизнь 2) уста́лый, вы́дохшийся

sperm I [spɜ:m] *n биол.* спе́рма

sperm II [spɜ:m] = sperm whale

spermaceti [,spɜ:məˈsetɪ] *n* спермаце́т

spermatic [,spɜ:ˈmætɪk] *a биол.* семенно́й

spermatorrhoea [,spɜ:mətəˈri:ə] *n мед.* сперматоре́я

spermatozoa [,spɜ:mətəˈzəʊə] *pl от* spermatozoon

spermatozoon [,spɜ:mətəˈzəʊən] *n* (*pl* -zoa) *биол.* сперматозо́ид

sperm whale [ˈspɜ:mweɪl] *n зоол.* кашало́т

spew [spju:] **1.** *n* рво́та, блево́тина

2. *v* блева́ть, изрыга́ть

sphacelate [ˈsfæsɪleɪt] *v* вызыва́ть гангре́ну, омертве́ние

sphagna [ˈsfægnə] *pl от* sphagnum

sphagnum [ˈsfægnəm] *n* (*pl* -na) *бот.* сфа́гнум

sphenoid [ˈsfi:nɔɪd] *анат.* **1.** *a* клинови́дный

2. *n* сфено́ид, клинови́дная кость

spheral [ˈsfi:rəl] *a* 1) сфери́ческий 2) симметри́чный; гармони́чный

sphere [sfɪə] **1.** *n* 1) сфе́ра; шар 2) гло́бус 3) плане́та; небе́сное свети́ло 4) *поэт.* не́бо, небеса́ 5) небе́сная сфе́ра (*тж.* celestial ~) 6) сфе́ра, круг, по́ле де́ятельности; ~ of influence сфе́ра влия́ния; he has done much in his particular ~ он мно́гое сде́лал в свое́й о́бласти; that is not in my ~ э́то вне мое́й компете́нции 7) социа́льная среда́, круг; he moves in quite another ~ он враща́ется в соверше́нно друго́й среде́

2. *v уст. поэт.* 1) замыка́ть в круг 2) придава́ть фо́рму ша́ра 3) превозноси́ть (до небе́с)

spheric [ˈsferɪk] = spherical

spherical [ˈsferɪkl] *a* сфери́ческий, шарообра́зный

sphericity [sfɪˈrɪsətɪ] *n* сфери́чность, шарообра́зность

spherics [ˈsferɪks] *n pl* (*употр. как sing*) сфери́ческая геоме́трия и тригономе́трия

spheroid [ˈsfɪərɔɪd] *n* сферо́ид

spheroidal [sfɪəˈrɔɪdl] *n* сфероида́льный, шарови́дный

spherule [ˈsferu:l] *n* ша́рик, небольшо́й шар

sphincter [ˈsfɪŋktə] *n анат.* сфи́нктер

sphinx [sfɪŋks] *n* (*pl* -es [-ɪz]) 1) сфинкс 2) зага́дочное существо́; непоня́тный челове́к

spice [spaɪs] **1.** *n* 1) спе́ция, пря́ность; *собир.* спе́ции 2) острота́, пика́нтность 3) отте́нок (*чего-л.*); при́вкус, при́месь (of)

2. *v* 1) приправля́ть (*пряностями*) 2) придава́ть пика́нтность

spick and span [,spɪkənˈspæn] *a* 1) но́вый, све́жий; с иго́лочки 2) безупре́чно чи́стый

spicy [ˈspaɪsɪ] *a* 1) пря́ный, арома́тичный 2) пика́нтный, о́стрый; ~ bits of scandal пика́нтные подро́бности 3) *разг.* живо́й, энерги́чный

spider [ˈspaɪdə] *n* 1) пау́к; ~'s web = spiderweb 2) тага́н 3) *тех.* звезда́; крестови́на

spider crab [ˈspaɪdəkræb] *n зоол.* морско́й пау́к

spiderman [ˈspaɪdəmæn] *n разг.* верхола́з

spiderweb [ˈspaɪdəweb] *n* паути́на

spidery ['spaɪdərɪ] *a* 1) паучий, паукообразный 2) тонкий

spiel [ʃpiːl] *sl.* **1.** *n* разглагольствование; хвастливая болтовня

2. *v* разглагольствовать, ораторствовать

spieler ['ʃpiːlə] *n sl* 1) (*особ. амер.*) трепач 2) (*особ. амер.*) зазывала 3) *австрал.* картёжник, шулер

spier ['spaɪə] *n* шпион

spif(f)licate ['spɪflɪkeɪt] *v* (*обыкн. шутл.*) 1) разделаться (*с кем-л.*) 2) поколотить, измордовать

spigot ['spɪgət] *n тех.* 1) втулка, втулочное соединение, пробка (*крана*); центрирующий буртик 2) *амер.* водопроводный кран

spike [spaɪk] **1.** *n* 1) острый выступ, остриё 2) шип, гвоздь (*на подошве*) 3) *pl спорт. разг.* шиповки, беговые туфли 4) костыль, гвоздь 5) клин 6) *sl.* игла для подкожных впрыскиваний 7) *sl.* ночлежка 8) каблук «шпилька» (*тж.* ~ heel) 9) *бот.* колос

2. *v* 1) снабжать остриями, шипами 2) закреплять *или* прибивать гвоздями *или* шипами 3) пронзать, прокалывать 4) *разг.* добавить спиртное в питьё 5) делать бесполезным; to ~ smb.'s plans расстроить чьи-л. планы 6) отвергнуть статью ◇ to ~ a rumour *амер разг.* опровергать слух; to ~ smb.'s guns расстроить чьи-л. замыслы

spiked [spaɪkt] **1.** *p. p. от* spike 2

2. *a* с остриями, с шипами; ~ shoes ботинки на шипах

spikenard ['spaɪknɑːd] *n* нард (*растение и ароматическое масло*)

spikewise ['spaɪkwaɪz] *adv* в виде острия

spiky ['spaɪkɪ] *a* 1) заострённый, остроконечный; усаженный остриями 2) *разг.* сварливый; несговорчивый 3) *разг.* непримиримый в вопросах религии

spile [spaɪl] *n* 1) втулка; деревянная затычка 2) кол, свая

spill I [spɪl] **1.** *n* 1) поток, ливень 2) падение (*с лошади, из экипажа*); to have (*или* to get) a ~ упасть

2. *v* (spilt, spilled [-d]) 1) проливать(ся), разливать(ся), расплёскивать(ся); рассыпать(ся); to ~ blood проливать кровь; to ~ the blood of smb. убить *или* ранить кого-л. 2) сбросить, вывалить (*седока*) 3) *sl.* проболтаться 4) *мор.* обезветривать (*парус*)

spill II [spɪl] *n* 1) лучина; скрученный кусочек бумаги (*для зажигания трубки и т. п.*) 2) затычка, деревянная пробка

spillikin ['spɪlɪkɪn] *n* 1) бирюлька 2) *pl* игра в бирюльки

spillover ['spɪləʊvə] *n* 1) переливание через край 2) избыток (*чего-л.*)

spillway ['spɪlweɪ] *n гидр.* водослив

spilt ['spɪlt] *past и p. p. от* spill I, 2

spilth [spɪlθ] *n* 1) то, что пролито 2) излишек, избыток

spin [spɪn] **1.** *n* 1) кружение, верчение 2) *ав.* штопор 3) *разг.* короткая прогулка; быстрая езда (*на автомашине, велосипеде, лодке*); to go for a ~ in a car прокатиться на автомашине 4) *физ.* спин

2. *v* (spun, *уст.* span; spun) 1) крутить(ся), вертеть(ся), описывать круги; to ~ a top пускать волчок; to ~ a coin подбрасывать монету; to send smb. ~ning отбросить кого-л. ударом 2) прясть, сучить 3) прясть, плести (*о пауке*); to ~ a cocoon запрясться (*о шелковичном черве*) 4) рассказывать *или* писать (*рассказ, статью и т. п.*) 5) *разг.* нестись, быстро двигаться (*на велосипеде и т. п.*) 6) ловить (*рыбу*) на блесну 7) *тех.* выдавливать (*на токарно-давильном станке*) ▭ ~ **in** *ав.* войти в штопор; ~ **off** *ав.* выйти из штопора; ~ **out** а) растягивать; долго и нудно рассказывать *что-л.*; б) экономить; to ~ out money не транжирить деньги, растягивать на определённый срок ◇ to ~ a yarn плести небылицы

spinach ['spɪnɪdʒ] *n* шпинат

spinal ['spaɪnl] *a анат.* спинной; ~ column спинной хребет; позвоночный столб; ~ cord спинной мозг; ~ fluid спинномозговая жидкость

spindle ['spɪndl] **1.** *n* 1) *тех.* ось, вал, шпиндель 2) веретено 3) стойка перил 4) мера пряжи 5) тонкий, стройный человек 6) веретенообразный предмет ◇ ~ side женская линия (*рода*)

2. *v* вытягиваться; делаться длинным и тонким

spindle-legged ['spɪndllegd] *a* 1) с журавлиными ногами (*о человеке*) 2) с тонкими ножками (*о столе и т. п.*)

spindle-legs ['spɪndllegz] = spindle-shanks

spindle-shanked ['spɪndlʃæŋkt] = spindle-legged 1)

spindle-shanks ['spɪndlʃæŋks] *n pl* (*употр. как sing и как pl*) *разг.* долговязый человек

spindling ['spɪndlɪŋ] **1.** *pres. p. от* spindle 2

2. *n* 1) долговязый человек 2) тонкий побег; тонкое и высокое дерево

3. *a* 1) худой и высокий (*о человеке*) 2) тонкий и высокий (*о дереве и т. п.*)

spindly ['spɪndlɪ] *a* длинный и тонкий; веретенообразный

spin-drier [ˌspɪn'draɪə] *n* центрифуга

spindrift ['spɪndrɪft] *n* 1) пена *или* брызги морской воды 2) *attr.*: ~ clouds перистые облака

spin-dry [ˌspɪn'draɪ] *v* сушить (*бельё и т. п.*) в центрифуге

spine [spaɪn] *n* 1) *анат.* спинной хребет; позвоночный столб 2) *бот.* шип, игла, колючка 3) *зоол.* игла 4) гребень 5) сущность (*горы*) 6) корешок (*переплёта*)

spinel [spɪ'nel] *n мин.* шпинель

spineless ['spaɪnləs] *a* 1) *зоол.* беспозвоночный 2) *бот., зоол.* не имеющий колючек *или* игл 3) бесхребетный, бесхарактерный, мягкотелый

spinet [spɪ'net] *n* спинет (*род клавикордов*)

spinnaker ['spɪnəkə] *n мор.* спинакер (*треугольный парус*)

spinner ['spɪnə] *n* 1) прядильщик; прядильщица; пряха 2) прядильная машина 3) прядильный орган (*у паука, шелковичного червя*) 4) *уст.* паук 5) *ав.* обтекатель втулки винта

spinneret ['spɪnəret] = spinner 3)

spinney ['spɪnɪ] *n* рощица, заросль

spinning ['spɪnɪŋ] **1.** *pres. p. от* spin 2

2. *n* прядение

3. *a* прядильный

spinning machine ['spɪnɪŋməˌʃiːn] *n* прядильная машина

spinning wheel ['spɪnɪŋwiːl] *n* прялка, самопрялка

spinster ['spɪnstə] *n* старая дева; *юр.* незамужняя (женщина)

spinthariscope [spɪn'θærɪskəʊp] *n физ.* спинтарископ

spiny ['spaɪnɪ] *a* 1) колючий; покрытый шипами *или* иглами 2) затруднительный, щекотливый

spiracle ['spaɪrəkl] *n* 1) дыхальце (*у насекомых*) 2) дыхало (*у кита и т. п.*)

spiraea [spaɪ'rɪə] *n бот.* таволга

spiral ['spaɪrəl] **1.** *n* 1) *ав.* спиральный спуск 2) спираль; heating ~ нагревательный элемент 3) *эк.* постепенно ускоряющееся падение *или* повышение (*цен, зарплаты и т. п.*)

2. *a* спиральный, винтовой, винтообразный; ~ balance пружинные весы, безмен

spirant ['spaɪrənt] *n фон.* спирант

spire I ['spaɪə] *n* 1) шпиль, шпиц 2) остриё, стрелка 3) остроконечная верхушка

spire II ['spaɪə] *n* 1) спираль 2) виток

spirilla [spaɪ'rɪlə] *pl от* spirillum

spirillum [spaɪ'rɪləm] *n* (*pl* -la) *бакт.* спирилла

spirit ['spɪrɪt] **1.** *n* 1) моральная сила, дух, характер; a man of an unbending ~ несгибаемый человек, непреклонный характер 2) дух; духовное начало; душа; in (the) ~ мысленно, в душе 3) привидение, дух 4) (*часто pl*) настроение, душевное состояние; to be in high (*или* good) ~s быть в весёлом, приподнятом настроении; to be in low ~s, to be out of ~s быть в подавленном настроении; it shows a kindly ~ это показывает доброжелательное отношение; to keep up smb.'s ~s поднимать чьё-л. настроение, ободрять кого-л.; try to keep up your ~s не падайте духом 5) дух, общая тенденция; the ~ of progress дух прогресса; the ~ of times дух времени 6) храбрость; воодушевление, живость; to go at smth. with ~ энергично взяться за что-л.; people of ~ мужественные, храбрые люди; to speak with ~ говорить с жаром 7) человек (*с точки зрения душевных или нравственных качеств*); one of the greatest ~s of his day один из величайших умов своего времени 8) сущность, смысл; to take smth. in the wrong ~ неправильно толковать что-л.; you don't go about it in the right ~ у вас к э́тому непра́вильный подхо́д 9) (*обыкн. pl*) алкого́ль, спирт, спиртно́й напи́ток; ~ of camphor камфа́рный спирт; ~(s) of wine ви́нный спирт 10) *attr.* спирити́ческий 11) *attr.* спиртово́й ◇ that's the right ~! вот молоде́ц!

2. *v* 1) та́йно похища́ть (*обыкн.* ~ away, ~ off) 2) воодушевля́ть, ободря́ть; одобря́ть (*часто* ~ up)

spirited [ˈspɪrɪtɪd] **1.** *p. p. от* spirit 2

2. *a* живо́й, сме́лый, энерги́чный; горя́чий (*о лошади*); ~ reply бо́йкий отве́т; ~ translation я́ркий перево́д; ~ speech пы́лкая речь

-spirited [-ˌspɪrɪtɪd] *в сложных словах означает* име́ющий *такой-то* хара́ктер *или* находя́щийся в *таком-то* расположе́нии ду́ха; low-spirited в пода́вленном состоя́нии

spiritism [ˈspɪrɪtɪzəm] *n* спирити́зм

spirit lamp [ˈspɪrɪtlæmp] *n* спирто́вка

spiritless [ˈspɪrɪtləs] *a* безжи́зненный, вя́лый

spirit level [ˈspɪrɪtˌlevl] *n* спиртово́й у́ровень, ватерпа́с

spirit rapping [ˈspɪrɪtˌræpɪŋ] *n* столоверче́ние, спирити́зм

spiritual [ˈspɪrɪtʃʊəl] **1.** *a* 1) духо́вный 2) свято́й, боже́ственный 3) религио́зный, церко́вный; ~ court церко́вный суд; lords ~ епи́скопы — чле́ны парла́мента 4) одухотворённый, возвы́шенный

2. *n* 1) *амер.* спири́чуал, негритя́нский религио́зный гимн 2) *pl* церко́вные дела́

spiritualism [ˈspɪrɪtʃʊlɪzəm] *n* 1) *филос.* спиритуали́зм 2) = spiritism

spiritualistic [ˌspɪrɪtʃʊˈlɪstɪk] *a* 1) *филос.* спиритуалисти́ческий 2) спирити́ческий

spirituality [ˌspɪrɪtʃʊˈælətɪ] *n* 1) духо́вность 2) одухотворённость

spiritualize [ˈspɪrɪtʃʊlaɪz] *v* одухотворя́ть

spirituel [ˌspɪrɪtʃʊˈel] *a* изы́сканный, утончённый, то́нкий

spirituous [ˈspɪrɪtʃʊəs] *a* спиртно́й, алкого́льный (*о напитках*)

spirochaete [ˈspaɪrəʊkiːt] *n* спирохе́та

spirograph [ˈspaɪrəʊgrɑːf] *n* спиро́граф

spirt [spɜːt] **1.** *n* = spurt 1, 1)

2. *v* = spurt, 2, 1)

spit I [spɪt] **1.** *n* 1) ве́ртел 2) дли́нная о́тмель; намывна́я коса́, стре́лка

2. *v* наса́живать на ве́ртел; пронза́ть, протыка́ть

spit II [spɪt] **1.** *n* 1) слюна́, плево́к 2) плева́ние 3) небольшо́й до́ждик *или* снег ◇ ~ and polish а) обя́занности солда́та *и т. п.* по поддержа́нию вне́шнего ви́да; б) наведе́ние поря́дка для показу́хи; to be the dead (*или* the very) ~ быть то́чной ко́пией; he is the very ~ of his father он вы́литый оте́ц

2. *v* (spat) 1) плева́ть(ся); to ~ blood ха́ркать кро́вью 2) выска́зывать, выпа́ливать 3) треща́ть, шипе́ть (*об огне, свечке и т. п.*) 4) мороси́ть; бры́згать 5) фы́ркать ▭ ~ at проявля́ть вражде́бность к *кому-л.*; ~ **out** а) выплёвывать; б) *разг.* выдава́ть (*секрет*); в): to ~ it out *разг.* говори́ть, выска́зывать; ~ it out! говори́те гро́мче!; ~ **upon** наплева́ть на *что-л.*; относи́ться с презре́нием к *кому-л.*

spit III [spɪt] *n* штык (*слой земли на глубину лопаты*)

spite [spaɪt] **1.** *n* 1) зло́ба, злость; to have a ~ against smb. име́ть зуб про́тив кого́-л.; in (*или* for, from) ~ на́зло́ 2) недово́льство; за́висть ◇ in ~ of несмотря́ на

2. *v* досажда́ть, де́лать на́зло́

spiteful [ˈspaɪtfl] *a* 1) зло́бный 2) злора́дный, недоброжела́тельный 3) язви́тельный

spitfire [ˈspɪtˌfaɪə] *n* злю́чка; вспы́льчивый, раздражи́тельный челове́к

spitting image [ˌspɪtɪŋˈɪmɪdʒ] *n разг.* вы́литый портре́т, «ко́пия»

spittle [ˈspɪtl] *n* слюна́; плево́к

spittoon [spɪˈtuːn] *n* плева́тельница

spitz [spɪts] *n* шпиц

spitz-dog [ˈspɪtsdɒg] = spitz

spiv [spɪv] *n разг.* 1) спекуля́нт; фарцо́вщик; тёмная ли́чность 2) *attr.* спекуляти́вный

spivvery [ˈspɪvərɪ] *n разг.* спекуля́ция; тёмные дели́шки

splanchnic [ˈsplæŋknɪk] *a* относя́щийся к вну́тренностям, вну́тренностный

splash [splæʃ] **1.** *n* 1) бры́зги, бры́зганье 2) плеск, вспле́ск; to fall into water with a ~ бултыхну́ться в во́ду 3) пятно́ 4) сенсацио́нная статья́ в газе́те 5) кра́сочное пятно́ 6) *разг.* небольшо́е коли́чество, ка́пелька (*жидкости*) ◇ to make a ~ вы́звать сенса́цию; front-page ~ газе́тная сенса́ция

2. *v* 1) забры́згивать; бры́згать(ся); to ~ a page with ink зали́ть страни́цу черни́лами 2) плеска́ть(ся) 3) шлёпать (*по грязи или воде*; *обыкн.* ~ through, ~ across); to ~ one's way through the mud шлёпать по гря́зи 4) шлёпнуться, бултыхну́ться (into) 5) подава́ть материа́л бро́ско, под крича́щими заголо́вками 6) расцве́чивать; fields ~ed with poppies поля́, усе́янные ма́ками 7) сори́ть (деньга́ми), транжи́рить ▭ ~ **down** приводни́ться (*о космическом корабле*); ~ **out** *разг.* сори́ть деньга́ми

splashboard [ˈsplæʃbɔːd] *n* 1) крыло́, щито́к (*автомобиля, экипажа*) 2) *гидр.* шлю́зный щит

splashdown [ˈsplæʃdaʊn] *n* приводне́ние (*космического корабля*)

splasher [ˈsplæʃə] *n авто* грязево́й щито́к

splatter [ˈsplætə] *v* 1) плеска́ться; журча́ть 2) *амер.* = spatter 2; 3) говори́ть невня́тно, бормота́ть

splay [spleɪ] **1.** *n* скос, отко́с

2. *a* 1) косо́й, ско́шенный, расширя́ющийся 2) вы́вернутый нару́жу 3) неуклю́жий

3. *v* 1) вывора́чивать носки́ нару́жу (*при ходьбе*) 2) ска́шивать края́ (*отверстия*) 3) расширя́ть(ся) 4) вы́вихнуть

splayfoot(ed) [ˌspleɪˈfʊt(ɪd)] *a* косола́пый, име́ющий пло́ские вы́вернутые ступни́

spleen [spliːn] *n* 1) *анат.* селезёнка 2) зло́ба; раздраже́ние; to vent one's ~ upon smb. сорва́ть зло́бу на ком-л. 3) *уст.* сплин, хандра́

spleenful [ˈspliːnfl] *a* раздражи́тельный, зло́бный, жёлчный

splendent [ˈsplendənt] *a книжн.* блестя́щий, сверка́ющий

splendid [ˈsplendɪd] *a* 1) великоле́пный; роско́шный; блестя́щий 2) отли́чный, превосхо́дный

splendiferous [splenˈdɪfərəs] *a разг., шутл.* прекра́снейший, отли́чный, превосхо́днейший

splendour [ˈsplendə] *n* 1) блеск 2) великоле́пие; пы́шность 3) вели́чие, сла́ва; благоро́дство

splenectomy [spləˈnektəmɪ] *n мед.* спленэктоми́я, удале́ние селезёнки

splenetic [spləˈnetɪk] **1.** *a* 1) раздражи́тельный, жёлчный 2) селезёночный 3) *уст.* хандря́щий

2. *n* 1) раздражи́тельный, серди́тый челове́к 2) страда́ющий боле́знью селезёнки

splenic [ˈsplenɪk] *a* селезёночный ◇ ~ fever *вет.* сиби́рская я́зва

splenomegaly [ˌspliːnəʊˈmegəlɪ] *n мед.* спленомега́лия, увеличе́ние селезёнки

splice [splaɪs] **1.** *n* 1) *мор.* сплёсень 2) соедине́ние внакро́й, сра́щивание

2. *v* 1) *мор.* сплёснивать, сра́щивать (*концы тросов*) 2) соединя́ть внакро́й, сра́щивать 3) *разг.* (по)жени́ть

splint [splɪnt] **1.** *n* 1) *хир.* лубо́к, ши́на 2) лубо́к (*для плетения корзин*) 3) *вет.* нако́стник 4) оско́лок; щепа́ 5) = splint bone 6) *тех.* чека́, шплинт

2. *v хир.* накла́дывать ши́ну

splint bone [ˈsplɪntbəʊn] *n анат.* малоберцо́вая кость

splinter [ˈsplɪntə] **1.** *n* 1) ще́пка, лучи́на 2) оско́лок 3) зано́за 4) *attr.* оско́лочный; ~ effect *воен.* оско́лочное де́йствие

2. *v* расщепля́ть(ся); раска́лывать(ся); разбива́ться

splinter group [ˈsplɪntəgruːp] *n* отколо́вшаяся (полити́ческая) группиро́вка

splintery [ˈsplɪntərɪ] *a* 1) похо́жий на ще́пку *или* оско́лок 2) легко́ расщепля́ющийся *или* разлета́ющийся на оско́лки

split [splɪt] **1.** *n* 1) раска́лывание 2) тре́щина, щель, расще́лина; про́резь 3) раско́л 4) *pl спорт.* шпага́т 5) ще́пка, лучи́на (*для корзин*) 6) полбуты́лки *или* ма́ленькая буты́лка (*газированной воды, водки и т. п.*) 7) *эл.* расщеплённость 8) *разг.* до́ля в добы́че 9) *амер.* сла́дкое блю́до (*из фруктов, мороженого, орехов*)

2. *a* расщеплённый, раско́лотый; раздро́бленный; разделённый попола́м; ~ decision реше́ние, при кото́ром голоса́ раздели́лись; ~ second кака́я-то до́ля секу́нды; мгнове́ние

3. *v* (split) 1) раска́лывать(ся); расщепля́ть(ся) (*тж.* ~ asunder) 2) дели́ть на ча́сти; распределя́ть (*обыкн.* ~ up); дели́ться с кем-л. (with); to ~ one's vote (*или* ticket) голосова́ть одновре́ме́нно за кандида́тов ра́зных па́ртий; to ~ the profits подели́ть дохо́ды; to ~ a bottle *разг.* раздави́ть бу́тылочку на двои́х 3) разбива́ть(ся), тре́скаться; to ~ one's forces дроби́ть си́лы; my head is ~ting у меня́ раска́лывается голова́ от бо́ли 4) поссо́рить; раска́лывать (*на группы, фракции и т. п.*) 5) *sl.* уйти́; убра́ться; сбежа́ть 6) *амер. разг.* разбавля́ть (*спиртное*) ▭ ~ off отка́лывать(ся); отделя́ть; ~ on *разг.* выдава́ть (*сообщника*); доноси́ть; ~ up разделя́ть(ся), раска́лывать(ся) ◇ to ~ hairs а) спо́рить о мелоча́х; б) вдава́ться в ме́лкие подро́бности; to ~ one's sides надрыва́ться от хо́хота; the rock on which we ~ ка́мень преткнове́ния; причи́на несча́стий; to ~ smb.'s ears оглуша́ть кого́-л.; to ~ the difference а) брать сре́днюю величину́; б) идти́ на компроми́сс

split infinitive [,splɪtɪn'fɪnətɪv] *n грам.* инфинити́в с отделённой части́цей to (*напр.*: I wish to highly recommend him)

split mind ['splɪtmaɪnd] *n* шизофрени́я

split personality [,splɪtpɜ:sə'nælətɪ] *n* раздвое́ние ли́чности (*особ. при шизофрении и истерии*)

split pin [,splɪt'pɪn] *n тех.* шплинт

split ring [,splɪt'rɪŋ] *n* кольцо́ для ключе́й

split screen [,splɪt'skri:n] *n кино, тлв.* комбини́рованная съёмка

split second [,splɪt'sekənd] *n* до́ля секу́нды

splitter ['splɪtə] *n* 1) раско́льник 2) ме́лочный челове́к; педа́нт 3) си́льная головна́я боль

split the ticket [,splɪtðə'tɪkɪt] *n амер.* бюллете́нь, в кото́ром избира́тель голосу́ет за представи́телей двух *или* не́скольких па́ртий

splitting ['splɪtɪŋ] 1. *pres. p. от* split 3

2. *a* 1) о́стрый, си́льный (*о головной боли*) 2) головокружи́тельный 3) пронзи́тельный, оглуши́тельный 4) раско́льнический

splodge [splɒdʒ] *n разг.* 1) гря́зное пятно́ 2) большо́е неро́вное пятно́

splosh [splɒʃ] *n* 1) *разг.* про́литая вода́ 2) *sl.* де́ньги

splotch [splɒtʃ] = splodge

splotchy ['splɒtʃɪ] *a* покры́тый пя́тнами; запа́чканный

splurge [splɜ:dʒ] *разг.* 1. *n* выставле́ние напока́з, хвастовство́ (*особ. богатством*)

2. *v* выставля́ть напока́з, хва́стать, пуска́ть пыль в глаза́

splutter ['splʌtə] 1. *n* 1) бессвя́зная речь, лопота́нье 2) бры́зги 3) шипе́ние

2. *v* 1) говори́ть бы́стро и бессвя́зно, лопота́ть 2) бры́згать слюно́й, плева́ться 3) шипе́ть, треща́ть (*об огне, жире и т.п.*)

spoil [spɔɪl] 1. *n* 1) (*обыкн. pl или собир.*) добы́ча, награ́бленное добро́; the ~s of war вое́нная добы́ча, трофе́и 2) (*особ. шутл.*) при́быль, вы́года, полу́ченная благодаря́ высо́кому положе́нию *и т. п.* 3) предме́т иску́сства, ре́дкая кни́га *и т. п.*, приобретённые с трудо́м 4) *pl* госуда́рственные до́лжности, распределя́емые среди́ сторо́нников па́ртии, победи́вшей на вы́борах 5) вы́нутый грунт; пуста́я поро́да 6) *attr.*: ~s system *амер.* распределе́ние госуда́рственных должносте́й среди́ сторо́нников па́ртии, победи́вшей на вы́борах; предоставле́ние госуда́рственных должносте́й за полити́ческие услу́ги

2. *v* (spoilt, spoiled [-d]) 1) по́ртить 2) балова́ть 3) по́ртиться (*о продуктах*) 4) *уст., книжн.* гра́бить, отбира́ть; to ~ the Egyptians *библ.* обкра́дывать свои́х враго́в *или* угнета́телей; поживи́ться за счёт врага́ ◇ to be ~ing for си́льно жела́ть *чего-л.*; изголода́ться по *чему-л.*; to be ~ing for a fight лезть в дра́ку

spoilage ['spɔɪlɪdʒ] *n* 1) *полигр.* брако́ванные о́ттиски 2) по́рча 3) испо́рченный това́р, брак

spoiler ['spɔɪlə] *n* 1) *ав.* прерыва́тель пото́ка, спо́йлер 2) *авто* спо́йлер

spoilsman ['spɔɪlzmən] *n амер.* челове́к, получа́ющий до́лжность в награ́ду за полити́ческие услу́ги

spoilsport ['spɔɪlspɔ:t] *n* тот, кто по́ртит удово́льствие други́м

spoilt [spɔɪlt] 1. *past и p. p. от* spoil 2

2. *a* испо́рченный; избало́ванный; the ~ child of fortune ба́ловень судьбы́

spoke I [spəʊk] 1. *n* 1) спи́ца (*колеса*) 2) ступе́нька, перекла́дина (*приставной лестницы*) ◇ to put a ~ in smb.'s wheel ста́вить кому́-л. па́лки в колёса

2. *v* снабжа́ть спи́цами

spoke II [spəʊk] *past от* speak

spoke bone ['spəʊkbəʊn] *n анат.* лучева́я кость

spoken ['spəʊkən] 1. *p. p. от* speak

2. *a* у́стный; ~ language у́стная речь

spokesman ['spəʊksmən] *n* представи́тель, делега́т; ора́тор

spoliation [,spəʊlɪ'eɪʃn] *n* 1) грабёж, захва́т иму́щества (*особ.* нейтра́льных судо́в во вре́мя войны́) 2) *юр.* преднаме́ренное уничтоже́ние *или* искаже́ние докуме́нта (*чтобы он не мог служить доказательством*)

spondaic [spɒn'deɪɪk] *a прос.* спондеи́ческий

spondee ['spɒndi:] *n прос.* спонде́й

spondulicks [spɒn'du:lɪks] *n pl sl.* де́ньги

sponge [spʌndʒ] 1. *n* 1) гу́бчатое вещество́ 2) гу́бка 3) обтира́ние гу́бкой; to have a ~ down обтере́ться гу́бкой 4) что-л., похо́жее на гу́бку, *напр.*, ноздрева́тое подня́вшееся те́сто, взби́тые белки́ *и т. п.* 5) *мед.* тампо́н (*из марли и ваты*) 6) = sponger 1); 7) *разг.* пья́ница 8) «гу́бка», челове́к, легко́ восприни́мающий *что-л.*, бы́стро усва́ивающий зна́ния ◇ to pass the ~ over smth. преда́ть забве́нию что-л.; to chuck (*или* to throw) up the ~ призна́ть себя́ побеждённым

2. *v* 1) вытира́ть, мыть, чи́стить гу́бкой 2) собира́ть гу́бки 3) *разг.* одалжива́ть у кого́-л. (*без отдачи*); по́льзоваться чем-л. чужи́м, приобрета́ть за чужо́й счёт ▭ ~ down обтира́ть(ся) мо́крой гу́бкой; ~ off чи́стить гу́бкой; ~ on *разг.* жить на чужо́й счёт; ~ out а) стира́ть гу́бкой; б) изгла́дить из па́мяти; ~ up впи́тывать гу́бкой; ~ upon = ~ on

sponge bag ['spʌndʒbæg] *n* клеёнчатый мешо́чек для туале́тных принадле́жностей

sponge cake ['spʌndʒkeɪk] *n* бискви́т

sponger ['spʌndʒə] *n* 1) прижива́л; парази́т, нахле́бник 2) лове́ц гу́бок

spongy ['spʌndʒɪ] *a* гу́бчатый, пори́стый, ноздрева́тый

sponsion ['spɒnʃn] *n* поручи́тельство

sponsor ['spɒnsə] 1. *n* 1) спо́нсор, лицо́, финанси́рующее мероприя́тие *и т. п.* 2) (*особ. амер.*) фи́рма, зака́зывающая ра́дио- *или* телепрогра́мму в рекла́мных це́лях 3) поручи́тель 4) крёстный (оте́ц); крёстная (мать) 5) попечи́тель, покрови́тель 6) устрои́тель, организа́тор

2. *v* 1) подде́рживать; субсиди́ровать 2) устра́ивать, организо́вывать (*концерты, митинги и т. п.*) 3) руча́ться (*за кого-л.*)

spontaneity [,spɒntə'neɪətɪ] *n* 1) самопроизво́льность, спонта́нность 2) непосре́дственность

spontaneous [spɒn'teɪnɪəs] *a* 1) самопроизво́льный, спонта́нный; ~ combustion самовозгора́ние; ~ generation самозарожде́ние 2) доброво́льный 3) непосре́дственный, непринуждённый; стихи́йный; ~ enthusiasm и́скренний энтузиа́зм; ~ movement а) поры́в; б) стихи́йное движе́ние

spontoon [spɒn'tu:n] *n воен. ист.* эспонто́н, полупи́ка

spoof [spu:f] *разг.* 1. *n* 1) паро́дия 2) мистифика́ция, ро́зыгрыш 3) *attr.* вы́думанный; сфабрико́ванный

2. *v* мистифици́ровать; обма́нывать; you've been ~ed вас разыгра́ли

spook [spu:k] 1. *n* 1) *разг.* привиде́ние 2) *амер. sl.* шпио́н

2. *v амер. sl.* 1) пуга́ть, нерви́ровать 2) пуга́ться

spooky ['spu:kɪ] *a* 1) *разг.* похо́жий на привиде́ние, жу́ткий 2) *амер. sl.* боязли́вый 3) *амер. sl.* шпио́нский

spool [spu:l] 1. *n* шпу́лька, кату́шка; боби́на

2. *v* нама́тывать (*на катушку, шпульку и т. п.*)

spoon [spu:n] 1. *n* 1) ло́жка 2) широ́кая изо́гнутая ло́пасть (*весла*) 3) *спорт* вид клю́шки 4) блесна́ 5) *разг.* сентимента́льно влюблённый челове́к 6) *разг.* проста́к, недотёпа 7) *горн.* жело́нка ◇ to be born with a silver ~ in one's mouth ≅ роди́ться в соро́чке

2. *v* 1) че́рпать ло́жкой (*обыкн.* ~ up, ~ out) 2) *спорт.* подта́лкивать (*шар в крокете*); слегка́ подки́дывать мяч (*в крикете*) 3) *разг.* любе́зничать (*о влюб-*

лённых) 4) *уст.* ворковáть 5) ловúть рыбу на блеснý

spoon-bait ['spu:nbeɪt] *n* блеснá

spoonbill ['spu:nbɪl] *n зоол.* колпúца

spoondrift ['spu:ndrɪft] = spindrift

spoonerism ['spu:nərɪzəm] *n* непроизвóльная перестанóвка звýков (*напр.*, blushing crow *вм.* crushing blow)

spoon-fed ['spu:nfed] *past u p. p. om* spoon-feed

spoon-feed ['spu:nfi:d] *v* (spoon-fed) 1) кормúть с лóжки (*о ребёнке и т. п.*) 2) снабжáть пóмощью, информáцией *и т. п.* человéка, не прилагáющего к э́тому никакúх усúлий 3) находúться на госудáрственной дотáции (*об отрасли промышленности*)

spoonful ['spu:nfʊl] *n* пóлная лóжка (*чего-л.*)

spoon meat ['spu:nmi:t] *n* жúдкая пúща для младéнца

spoony ['spu:nɪ] *a разг. уст.* 1) влюблённый; сентиментáльный 2) глýпый

spoor [spʊə] 1. *n* след (*зверя*)

2. *v* выслéживать, идтú по слéду

sporadic [spə'rædɪk] *a* спорадúческий, единúчный, случáйный

sporangia [spə'rændʒɪə] *pl om* sporangium

sporangium [spə'rændʒɪəm] *n* (*pl* -gia) *бот.* спорáнгий

spore [spɔ:] *n биол.* спóра

sporran ['spɒrən] *n* кóжаная сýмка с мéхом (*часть костюма шотландского горца*)

sport [spɔ:t] 1. *n* 1) спорт, спортúвные úгры; охóта; рыбная лóвля; athletic ~s атлéтика; to go in for ~s занимáться спóртом; to have good ~ хорошó поохóтиться 2) *pl* спортúвные соревновáния 3) забáва, развлечéние; шýтка; to become the ~ of fortune стать игрýшкой судьбы; in ~ в шýтку; what ~! как вéсело! 4) *разг.* слáвный мáлый 5) *амер.* повéса, бездéльник 6) *биол.* мутáция ◇ to make ~ of высмéивать

2. *a* спортúвный; ~ clothes спортúвная одéжда

3. *v* 1) игрáть, веселúться, резвúться; развлекáться 2) носúть, выставлять напокáз; щеголять; to ~ a rose in one's buttonhole щеголять рóзой в петлúце 3) *биол.* давáть мутáцию ◇ 4) занимáться спóртом 5) шутúть ◇ to ~ one's oak *унив.* закрыть дверь для посетúтелей; не принимáть гостéй

sportful ['spɔ:tfʊl] *a* весёлый; забáвный

sporting ['spɔ:tɪŋ] 1. *pres. p. om* sport 3

2. *a* спортúвный; охóтничий ◇ a ~ chance рискóванный шанс; ~ house *амер.* а) игóрный дом; б) публúчный дом

sportive ['spɔ:tɪv] *a* 1) игрúвый, весёлый 2) спортúвный

sports [spɔ:ts] = sport 2

sports car ['spɔ:tskɑ:] *n* спортúвный автомобúль

sportscast ['spɔ:tskɑ:st] *n амер.* репортáж о спортúвных соревновáниях, спортúвная передáча

sportsman ['spɔ:tsmən] *n* 1) спортсмéн; охóтник; рыболóв 2) чéстный, порядочный человéк

sportsmanlike ['spɔ:tsmənlaɪk] *a* 1) спортсмéнский 2) чéстный, порядочный, благорóдный; мýжественный

sportsmanship ['spɔ:tsmənʃɪp] *n* 1) спортúвное мастерствó 2) увлечéние спóртом 3) чéстность, прямотá

sportswoman ['spɔ:ts,wʊmən] *n* спортсмéнка

sports writer ['spɔ:ts,raɪtə] *n* журналúст, пúшущий на спортúвную тéму

sporty ['spɔ:tɪ] *a разг.* 1) спортсмéнский 2) лихóй, удалóй 3) показнóй, щегольскóй

spot [spɒt] 1. *n* 1) пятнó; пятнышко; крáпинка 2) прыщик; a face covered with ~s прыщевáтое лицó 3) позóр, пятнó; without a ~ on his reputation с незапятнанной репутáцией 4) мéсто; a retired ~ уединённое мéсто 5) *разг.* мéсто, дóлжность 6) *разг.* мéсто в спúске, прогрáмме *и т. п.* 7) *разг.* небольшóе колúчество (*чего-л.*); how about a ~ of lunch? не позáвтракать ли? 8) кáпля (*дождя*) 9) *разг.* глотóк; will you have a ~ of whisky? хотúте немнóго вúски? 10) = spotlight 11) *pl* = ~ goods [*см.* 12)] 12) *attr.* налúчный; имéющийся на склáде; ~ cash налúчный расчёт; ~ goods налúчный товáр; товáр с немéдленной сдáчей; ~ price ценá при услóвии немéдленной уплáты налúчными 13) *attr. радио* мéстный; ~ broadcasting передáча мéстной радиостáнции ◇ blind ~ а) мёртвая тóчка; б) óбласть, в котóрой дáнное лицó плóхо разбирáется; в) *радио* зóна молчáния; in a ~ *разг.* в затруднúтельном положéнии; on the ~ а) на мéсте (*события и т. п.*); to be on the ~ быть очевúдцем; the people on the ~ люди, живýщие на мéсте и знакóмые с обстоятельствами; б) срáзу, немéдленно; to act on the ~ дéйствовать без промедлéния; to put smb. on the ~ а) *амер. sl.* решúть прикóнчить когó-л.; б) постáвить когó-л. в затруднúтельное положéние

2. *v* 1) *разг.* увúдеть, узнáть; определúть, опознáть; to ~ the cause of the trouble определúть причúну неполáдок; to ~ the winner определúть зарáнее бýдущего победúтеля в состязáнии; I ~ted his roguery as soon as I met him я догадáлся о его мошéнничестве, как тóлько егó увúдел 2) определúть местонахождéние, обнарýжить 3) пятнáть, пáчкать, покрывáть(ся) пятнами; this silk ~s with water на э́том шёлке от воды остаются пятна 4) пятнáть, позóрить 5) накрáпывать (*о дожде*); it's beginning to ~, it is ~ting with rain пошёл дóждик 6) выводúть пятна 7) *воен.* корректúровать стрельбý

spotless ['spɒtləs] *a* 1) без едúного пятнышка 2) безупрéчный; незапятнанный

spotlight ['spɒtlaɪt] 1. *n* 1) *театр.* прожéктор для подсвéтки 2) *авто* подвижнáя фáра ◇ to be in the ~ быть в цéнтре внимáния

2. *v* (spotlit, spotlighted [-ɪd]) 1) осветúть 2) поместúть в центр внимáния

spotlit ['spɒtlɪt] *past u p. p. om* spotlight 2

spot-on [,spɒt'ɒn] *a разг.* тóчный, безошúбочный; попадáющий в цель

spotted ['spɒtɪd] 1. *p. p. om* spot 2

2. *a* 1) пятнúстый, крáпчатый 2) запáчканный, запятнанный

spotted fever [,spɒtɪd'fi:və] *n* 1) сыпнóй тиф 2) цереброспинáльный менингúт

spotter ['spɒtə] *n* 1) наблюдáтель 2) *воен.* воздýшный наблюдáтель; самолёт-корректирóвщик 3) *амер.* сыщик, детектúв

spotty ['spɒtɪ] *a* 1) пятнúстый; пёстрый 2) неоднорóдный 3) прыщевáтый

spouse [spaʊs] *n поэт., уст.* 1) супрýг; супрýга 2) *pl* супрýжеская четá

spout [spaʊt] 1. *n* 1) нóсик, гóрлышко, рыльце 2) водостóчная трубá *или* жёлоб; выпускнóе отвéрстие 3) *зоол.* дыхáтельное отвéрстие (*у кита*) 4) *ист.* жёлоб *или* небольшóй лифт в ломбáрде для подъёма залóженных вещéй 5) струя; столб воды; водянóй смерч ◇ up the ~ *sl.* а) разорённый; обанкрóтившийся; б) в заклáде; his watch is put up the ~ он заложúл свои часы; в) берéменная

2. *v* 1) бить струёй; струúться, лúться потóком 2) изверга́ть; the volcano ~s lava вулкáн извергáет лáву 3) разглагóльствовать, орáторствовать; to ~ poetry деклами́ровать стихú 4) *sl.* заклáдывать

spraddle ['sprædl] *v* широкó расставлять (нóги)

sprain [spreɪn] 1. *n* растяжéние свя́зок

2. *v* растянýть свя́зки

sprang [spræŋ] *past om* spring 2

sprat [spræt] *n* 1) кúлька, шпрот; вся́кая мéлкая рыба, похóжая на кúльку 2) *шутл.* хýденький ребёнок 3) *презр.* мéлкая сóшка ◇ to throw (*или* to risk) a ~ to catch a mackerel ≅ рискнýть мáлым рáди большóго

sprat-day ['sprætdeɪ] *n* 9 ноября́, день начáла лóва кúльки

sprawl [sprɔ:l] 1. *n* неуклю́жая пóза; неуклю́жее движéние

2. *v* 1) растянýть(ся); развалúться (*о человеке*); to send one ~ing сбить когó-л. с ног 2) раскúдывать (*руки, ноги*) небрéжно *или* неуклю́же 3) расползáться во все стóроны

sprawling ['sprɔ:lɪŋ] 1. *pres. p. om* sprawl 2

2. *a* расползáющийся; ползýчий; ~ handwriting размáшистый пóчерк; ~ shoots стéлющиеся побéги

spray I [spreɪ] *n* 1) вéтка, побéг 2) узóр в вúде вéточки

spray II [spreɪ] 1. *n* 1) водянáя пыль, брызги 2) жúдкость для пульверизáции 3) пульверизáтор, распылúтель 4) *воен.* сноп разлёта оскóлков

2. *v* распылять, пульверизúровать; обрызгивать, опрыскивать, опылять

sprayer ['spreɪə] *n* 1) пульвериза́тор, распыли́тель 2) *тех.* форсу́нка

spread [spred] **1.** *n* 1) протяже́ние, простра́нство; простира́ние; протяжённость; a wide ~ of country широ́кий просто́р 2) разма́х (*крыльев и т. п.*) 3) распростране́ние; the ~ of learning распростране́ние зна́ний 4) расшире́ние, растяже́ние 5) *эк.* ра́зница, разры́в (*между ценами, курсами, издержками и т. п.*) 6) *разг.* оби́льное угоще́ние, пир горо́й; he gave us no end of a ~ он нас роско́шно угости́л 7) пастообра́зные проду́кты (*джем, паштет, масло и т. п.*) 8) покрыва́ло; ска́терть 9) разворо́т газе́ты 10) материа́л *или* объявле́ние (*длиной в несколько газетных столбцов*)

2. *v* (spread) 1) развёртывать(ся); раски́дывать(ся); простира́ть(ся); расстила́ть(ся); to ~ a banner разверну́ть зна́мя; to ~ one's hands to the fire протяну́ть ру́ки к огню́; to ~ a sail подня́ть па́рус; a broad plain ~s before us пе́ред на́ми расстила́ется широ́кая равни́на; the peacock ~s its tail павли́н распуска́ет хвост; the river here ~s to a width of half a mile ширина́ реки́ в э́том ме́сте достига́ет полуми́ли 2) распространя́ть(ся), разноси́ть(ся); the fire ~ from the factory to the house nearby ого́нь переки́нулся с фа́брики на сосе́дний дом; to ~ rumours (disease) распространя́ть слу́хи (боле́знь) 3) покрыва́ть, устила́ть, усе́ивать; to ~ the table накрыва́ть на стол; to ~ a carpet on the floor расстила́ть ковёр на полу́; to ~ manure over a field разбра́сывать наво́з по́ полю; a meadow ~ with daisies луг, усе́янный маргари́тками 4) разма́зывать(ся); нама́зывать(ся); to ~ butter on bread нама́зать хлеб ма́слом; the paint ~s well кра́ска хорошо́ ложи́тся 5) продолжа́ться; продлева́ть; the course of lectures ~s over a year курс ле́кций продолжа́ется год 6) *амер.* запи́сывать; to ~ on the records внести́ в за́писи 7) *тех.* растя́гивать, расширя́ть, вытя́гивать, расплю́щивать ▭ ~ **out** а) развёртывать(ся); to ~ out a map разложи́ть ка́рту; to ~ out one's legs вы́тянуть но́ги; the branches ~ out like a fan ве́тви расхо́дятся ве́ером; б) разбра́сывать ◇ to ~ oneself а) разбра́сываться (*о спящем*); б) распространя́ться, разглаго́льствовать; в) дать во́лю со́бственному гостеприи́мству; «вы́ложиться»; г) стара́ться понра́виться, лезть вон из ко́жи

spread eagle [spred'i:gl] *n* орёл с распростёртыми кры́льями (*на государственных гербах*)

spread-eagle [spred'i:gl] **1.** *a* 1) *амер. разг.* высокопа́рный; хвастли́вый; ура́-патриоти́ческий 2) распла́станный

2. *v* распласта́ть

spread-eagleism [spred'i:glɪzəm] *n амер. разг.* ура́-патриоти́зм

spreader ['spredə] *n* 1) распространи́тель 2) *тех.* приспособле́ние для раскла́дки; распредели́тель; распо́рка 3) *с.-х.* навозоразбра́сыватель 4) *ж.-д.* спре́дер

spree [spri:] *n разг.* весе́лье, ша́лости; кутёж; to go (*или* to be) on the ~ кути́ть; what a ~! как ве́село!

sprig [sprɪg] **1.** *n* 1) ве́точка, побе́г 2) узо́р в ви́де ве́точки 3) штифт; гвоздь без шля́пки 4) молодо́й челове́к, ю́ноша 5) *пренебр.* о́тпрыск

2. *v* 1) украша́ть узо́ром в ви́де ве́точек 2) закрепля́ть штифто́м

sprightly ['spraɪtlɪ] **1.** *a* оживлённый, весёлый

2. *adv* оживлённо, ве́село

spring [sprɪŋ] **1.** *n* 1) прыжо́к, скачо́к; to take a ~ пры́гнуть; to rise with a ~ подскочи́ть 2) пружи́на; рессо́ра 3) упру́гость, эласти́чность 4) весна́ 5) исто́чник, родни́к, ключ 6) (*обыкн. pl*) моти́в, причи́на; нача́ло; the ~s of action побуди́тельные причи́ны 7) *sl.* побе́г *или* освобожде́ние из тюрьмы́ 8) жи́вость, эне́ргия; his mind has lost its ~ он стал ту́го сообража́ть 9) тре́щина, течь

2. *v* (sprang, sprung; sprung) 1) пры́гать, вска́кивать; броса́ться; to ~ at (*или* upon) smb. набро́ситься на кого́-л.; to ~ to one's feet вскочи́ть на́ ноги; to ~ over a fence перескочи́ть че́рез забо́р; to ~ up into the air подскочи́ть в во́здух 2) отпуска́ть пружи́ну; the door sprang to дверь захло́пнулась (*на пружине*) 3) пружи́нить 4) дава́ть ростки́, побе́ги, пророста́ть; всходи́ть; the buds are ~ing появля́ются по́чки 5) брать нача́ло; происходи́ть, возника́ть (*обыкн.* ~ up); his mistakes ~ from carelessness его́ оши́бки — результа́т небре́жности; he is sprung from royal blood он происхо́дит из короле́вского ро́да 6) появля́ться; many new houses have sprung in this district в э́том райо́не появи́лось мно́го но́вых домо́в; where have you sprung from? отку́да вы появи́лись? 7) бить ключо́м 8) *sl.* замышля́ть побе́г *или* освобожде́ние 9) вспу́гивать (*дичь*) 10) дава́ть тре́щину, тре́скаться, раска́лывать(ся) 11) коро́биться (*о доске*) 12) *разг.* тра́тить (де́ньги) 13) взрыва́ть (*мину*) 14) возвыша́ться 15) бы́стро и неожи́данно перейти́ в друго́е состоя́ние; to ~ into fame стать изве́стным 16) прилива́ть, бры́знуть (*о крови*); blood sprang to my cheeks кровь бро́силась мне в лицо́ 17) внеза́пно откры́ть, сообщи́ть (upon); to ~ surprises де́лать сюрпри́зы; the news was sprung upon me но́вость заста́ла меня́ врасплох 18) *тех.* снабжа́ть пружи́ной *или* рессо́рами, подрессо́ривать; устана́вливать на пружи́не ▭ ~ **back** отпря́нуть; ~ **out** выска́кивать, выпры́гивать; ~ **up** *разг.* возника́ть (*об обычае, городах и т. п.*), появля́ться

spring balance [,sprɪŋ'bæləns] *n* пружи́нные весы́, безме́н

spring bed ['sprɪŋbed] *n* крова́ть с пружи́нным матра́цем

springboard ['sprɪŋbɔ:d] *n* 1) трампли́н 2) *воен.* плацда́рм

springbok ['sprɪŋbɒk] *n зоол.* пры́гун, газе́ль, антидо́рка

spring chicken [,sprɪŋ'tʃɪkɪn] *n* 1) цыплёнок 2) *неодобр.* наи́вный, нео́пытный челове́к (*особ. о женщине*)

springe [sprɪndʒ] *n* сило́к, западня́

springer ['sprɪŋə] *n* 1) пры́гун 2) соба́ка из поро́ды спание́лей 3) цыплёнок 4) *стр.* пя́товый ка́мень а́рки 5) = springbok

spring fever [,sprɪŋ'fi:və] *n* весе́нняя лихора́дка

spring-halt ['sprɪŋhɔ:lt] *n вет.* шпат

springhead ['sprɪŋhed] *n* исто́чник

spring tide [,sprɪŋ'taɪd] *n мор.* сизиги́йный прили́в

springtide [,sprɪŋ'taɪd] *n поэт.* весна́

springtime ['sprɪŋtaɪm] *n* весна́, весе́нняя пора́

spring water ['sprɪŋ,wɔ:tə] *n* ключева́я вода́

springy ['sprɪŋɪ] *a* упру́гий, эласти́чный; пружи́нистый

sprinkle ['sprɪŋkl] **1.** *n* 1) бры́зганье, обры́згивание 2) ме́лкий до́ждик 3) небольшо́е коли́чество; ка́пля

2. *v* 1) бры́згать, кропи́ть 2) посыпа́ть (with — *чем-л.*); разбра́сывать (on) 3) бры́згать, накра́пывать

sprinkler ['sprɪŋklə] *n* 1) разбры́згиватель 2) = sprinkling machine; street ~ поли́вочная маши́на 3) *attr.*: ~ system противопожа́рная систе́ма

sprinkling ['sprɪŋklɪŋ] **1.** *pres. p. от* sprinkle 2

2. *n* = sprinkle 1

sprinkling machine ['sprɪŋklɪŋmə,ʃi:n] *n* дождева́льная устано́вка; дождева́льная маши́на

sprint [sprɪnt] **1.** *n* бег на коро́ткую диста́нцию, спринт

2. *v* бежа́ть на коро́ткую диста́нцию, спринтова́ть

sprinter ['sprɪntə] *n* бегу́н на коро́ткие диста́нции, спри́нтер

sprit [sprɪt] *n мор.* шпринто́в

sprite [spraɪt] *n* эльф; фе́я

spritz [sprɪts] *амер.* = sprinkle

sprocket ['sprɒkɪt] *n тех.* цепно́е колесо́; звёздочка

sprocket wheel ['sprɒkɪtwi:l] = sprocket

sprog [sprɒg] *n sl.* малы́ш, «щено́к»

sprout [spraʊt] **1.** *n* 1) отро́сток, росто́к, побе́г 2) *pl* брюссе́льская капу́ста (*тж.* Brussels ~s)

2. *v* 1) пуска́ть ростки́, расти́ 2) отра́щивать

spruce I [spru:s] **1.** *a* щеголева́тый; элега́нтный, наря́дный

2. *v* 1) приводи́ть в поря́док (*обыкн.* ~ up) 2) принаряжа́ться

spruce II [spru:s] *n* ель

spruce III [spru:s] *v sl.* 1) обма́нывать 2) лгать 3) притворя́ться

sprue I [spru:] *n метал.* вертика́льный ли́тник

sprue II [spru:] *n мед.* спру, тропи́ческие а́фты

spruit [spreɪt] *n южно-афр.* ручеёк (*обыкн.* пересо́хший)

sprung [sprʌŋ] **1.** *past и p. p. от* spring 2

2. *a* 1) тре́снувший (*о бите, ракетке*) 2) *разг.* захмеле́вший

spry [spraɪ] *a* живо́й, подви́жный; прово́рный; look ~! шевели́тесь!

spud [spʌd] **1.** *n* 1) *sl.* карто́фелина; *pl* карто́шка 2) моты́га; ца́пка 3) *тех.* прижи́мная пла́нка

2. *v* ока́пывать, оку́чивать

spue [spju:] = spew

spume [spju:m] **1.** *n* пе́на; на́кипь

2. *v* пе́ниться

spumous ['spju:məs] *a* пе́нистый; покры́тый пе́ной

spumy ['spju:mɪ] = spumous

spun [spʌn] **1.** *past. и p. p. от* spin 2

2. *a*: ~ casting *метал.* центробе́жное литьё; ~ cotton бума́жная пря́жа; ~ gold каните́ль, золота́я нить; ~ yarn *мор.* шки́мушка

spunk [spʌŋk] *n* 1) трут 2) *разг.* пыл; му́жество 3) *sl. груб.* спе́рма

spunky ['spʌŋkɪ] *a разг.* му́жественный, хра́брый; пы́лкий

spur [spɜ:] **1.** *n* 1) шпо́ра; to put (*или* to set) ~s to пришпо́ривать; *перен.* подгоня́ть, потора́пливать; to win one's ~s *ист.* заслужи́ть зва́ние ры́царя; *перен.* доби́ться призна́ния, приобрести́ и́мя 2) сти́мул, побужде́ние; on the ~ of the moment а) под влия́нием мину́ты; б) экспро́мтом, сра́зу 3) верши́на, отро́г *или* усту́п горы́ 4) = ~ track 5) отро́сток (*на крыле или лапе у птиц*); петуши́ная шпо́ра 6) *горн.* ответвле́ние жи́лы 7) *бот.* спорынья́ ◇ to need the ~ быть медли́тельным

2. *v* 1) пришпо́ривать 2) побужда́ть, подстрека́ть (to — *к чему-л.*) 3) спеши́ть, мча́ться (*тж.* ~ on, ~ forward 4) снабжа́ть шпо́рами ◇ to ~ a willing horse подгоня́ть, понука́ть и без того́ добросо́вестного рабо́тника

spurge [spɜ:dʒ] *n бот.* молоча́й

spur gear ['spɜ:gɪə] = spur wheel

spurious ['spjʊərɪəs] *a* 1) подде́льный; подло́жный; ~ coin фальши́вая моне́та; ~ manuscript непо́длинная ру́копись; ~ sentiment притво́рное чу́вство 2) *бот.* ло́жный 3) незаконнорождённый

spurn [spɜ:n] **1.** *v* 1) отверга́ть с презре́нием; отта́лкивать 2) презри́тельно относи́ться (*к кому-л.*) 3) отпи́хивать ного́й

2. *n* 1) презри́тельный отка́з, отклоне́ние 2) пино́к ного́й

spurrier ['spʌrɪə] *n* рабо́чий-шпо́рник

spurt [spɜ:t] **1.** *n* 1) струя́; ~s of flame языки́ пла́мени 2) внеза́пное ре́зкое уси́лие, рыво́к

2. *v* 1) бить струёй (*тж.* ~ down, ~ out); выбра́сывать (*пламя*) 2) де́лать внеза́пное уси́лие, рыво́к

spur track ['spɜ:træk] *n ж.-д.* подъездна́я ве́тка

spur wheel ['spɜ:wi:l] *n тех.* цилиндри́ческое прямозу́бое колесо́

sputa ['spju:tə] *pl от* sputum

sputnik ['spʊtnɪk] *n* (иску́сственный) спу́тник

sputter ['spʌtə] **1.** *n* 1) = splutter 1; 2) сумато́ха; шум

2. *v* 1) = splutter 2) де́лать кля́ксы (*о пере*) 3) произноси́ть с жа́ром, с гне́вом (*угрозы и т. п.*)

sputum ['spju:təm] *n* (*pl* -ta) 1) слюна́ 2) *мед.* мокро́та

spy [spaɪ] **1.** *n* шпио́н; та́йный аге́нт; диверса́нт

2. *v* 1) шпио́нить, следи́ть 2) заме́тить, уви́деть, разгляде́ть; to ~ faults замеча́ть недоста́тки ▭ ~ **into** рассле́довать та́йно; ~ **out** высле́живать, разузнава́ть; to ~ out the land иссле́довать ме́стность; ~ **upon** следи́ть за кем-л.

spyglass ['spaɪglɑ:s] *n* подзо́рная труба́

spyhole ['spaɪhəʊl] *n* глазо́к

squab [skwɒb] **1.** *n* 1) невысо́кого ро́ста толстя́к *или* толсту́шка 2) неоперившийся го́лубь 3) ту́го наби́тая поду́шка 4) куше́тка

2. *a* коро́ткий и то́лстый; призе́мистый

squabble ['skwɒbl] **1.** *n* перебра́нка, ссо́ра из-за пустяко́в

2. *v* 1) вздо́рить, пререка́ться из-за пустяко́в 2) *полигр.* рассыпа́ть(ся) (*о наборе*)

squabby ['skwɒbɪ] *a* коро́ткий и то́лстый

squab pie ['skwɒbpaɪ] *n* 1) пиро́г с голубя́ми 2) пиро́г с бара́ниной, свини́ной, я́блоками и лу́ком

squad [skwɒd] **1.** *n* 1) небольша́я гру́ппа, брига́да 2) *воен.* гру́ппа; кома́нда; отделе́ние; ору́дийный расчёт; awkward ~ *разг.* взвод новобра́нцев; *перен.* новички́; flying ~ а) лету́чий отря́д; б) дежу́рная полице́йская маши́на 3) спорти́вная кома́нда

2. *v воен.* своди́ть в кома́нды, гру́ппы, отделе́ния

squad car ['skwɒdkɑ:] *n* полице́йская автомаши́на

squaddie ['skwɒdɪ] *n воен. жарг.* 1) новобра́нец 2) рядово́й

squad drill ['skwɒddrɪl] *n* обуче́ние новобра́нцев стро́ю

squadron ['skwɒdrən] **1.** *n* 1) отря́д 2) *воен.* эскадро́н 3) (артиллери́йский) дивизио́н 4) *мор.* эска́дра, соедине́ние (*кораблей*) 5) *ав.* эскадри́лья 6) *attr. воен.* эскадро́нный; дивизио́нный 7) *attr. мор.* эска́дренный

2. *v воен.* своди́ть в эскадро́ны

Squadron Leader [ˌskwɒdrən'li:də] *n* 1) майо́р авиа́ции 2) *амер.* команди́р эскадри́льи

squalid ['skwɒlɪd] *a* 1) гря́зный, запу́щенный 2) ни́щенский; жа́лкий; убо́гий; ~ lodgings убо́гая кварти́ра 3) опусти́вшийся

squall I [skwɔ:l] **1.** *n* вопль, пронзи́тельный крик; визг

2. *v* вопи́ть, пронзи́тельно крича́ть; визжа́ть (*о детях*)

squall II [skwɔ:l] *n* 1) шквал 2) (*особ. pl*) волне́ние, беспоря́дки ◇ look out for ~ береги́сь опа́сности; бу́дьте настороже́

squally ['skwɔ:lɪ] *a* бу́рный; поры́вистый

squalor ['skwɒlə] *n* 1) грязь, запу́щенность 2) нищета́; убо́жество

squama ['skweɪmə] *n* (*pl* -mae) чешуя́

squamae ['skweɪmi:] *pl от* squama

squander ['skwɒndə] **1.** *n* расточи́тельство

2. *v* расточа́ть, прома́тывать; to ~ time тра́тить вре́мя зря

square [skweə] **1.** *n* 1) квадра́т 2) предме́т квадра́тной фо́рмы; ~ of glass кусо́к стекла́ 3) кле́тка; по́ле (*шахматное и т. п.*) 4) академи́ческая ша́почка с пло́ским квадра́тным ве́рхом 5) пло́щадь, сквер 6) *амер.* кварта́л (*города*) 7) *мат.* квадра́т величины́; three ~ is nine три в квадра́те равно́ девяти́ 8) науго́льник 9) *sl.* мещани́н, обыва́тель; консерва́тор 10) *воен.* каре́ 11) *стр.* едини́ца пло́щади (= *100 футам*^{2} = *9,29 м*^{2}) 12) *амер.* сы́тная еда́ ◇ to be on the ~ а) вести́ себя́ че́стно, без обма́на; б) быть масо́ном; out of ~ а) ко́со, не под прямы́м угло́м; б) непра́вильно, нето́чно; в беспоря́дке

2. *a* 1) квадра́тный; в квадра́те; ~ inch квадра́тный дюйм; a table four feet ~ стол в 4 фу́та в длину́ и 4 в ширину́ 2) прямоуго́льный 3) паралле́льный *или* перпендикуля́рный (with, to — *чему-л.*); keep your face ~ to the camera держи́те лицо́ пря́мо про́тив фотоаппара́та; the picture is not ~ with the ceiling карти́на виси́т кри́во 4) пра́вильный, ро́вный, то́чный; to get one's accounts ~ привести́ счета́ в поря́док 5) справедли́вый, че́стный, прямо́й, недвусмы́сленный; ~ deal че́стная сде́лка; ~ refusal категори́ческий отка́з 6) *разг.* пло́тный, оби́льный; to have a ~ meal пло́тно пое́сть 7) *sl.* традицио́нный; консервати́вный; меща́нский, обыва́тельский ◇ to get ~ with smb. свести́ счёты с кем-л.; to call it ~ расквита́ться, рассчита́ться; all ~ а) с ра́вным счётом (*в игре*); б) без долго́в

3. *adv* 1) пря́мо; to stand ~ стоя́ть пря́мо 2) че́стно; справедли́во 3) лицо́м к лицу́ 4) пря́мо, непосре́дственно 5) твёрдо

4. *v* 1) придава́ть квадра́тную фо́рму; де́лать прямоуго́льным 2) *мат.* возводи́ть в квадра́т 3) согласо́вывать(ся), приноравливать(ся); his description does not ~ with yours его́ описа́ние не схо́дится с ва́шим; you should ~ your practice with your principles вам сле́дует поступа́ть согла́сно ва́шим при́нципам 4) приводи́ть в поря́док, ула́живать, урегули́ровать 5) рассчита́ться, расплати́ться; *перен.* расквита́ться (*тж.* ~ up) 6) выпрямля́ть, распрямля́ть; to ~ one's elbows вы́ставить ло́кти; to ~ one's shoulders распра́вить пле́чи 7) *разг.* подкупа́ть 8) удовлетворя́ть (*напр., кредиторов*) 9) *спорт.* выра́внивать счёт (*в* *игре)* 10) обтёсывать по наугольнику *(бревно)* ▭ ~ **away** *амер.* приводить в порядок; ~ **off** а) *амер.* принять боевую стойку *(в боксе)*; приготовиться к нападению *или* к защите; б) *австрал.* успокаивать, умиротворять; в) расчёрчивать на квадраты; ~ **up** а) расплатиться, урегулировать расчёты *(с кем-л.)*; б) изготовиться к бою *(о боксёре)* ◇ to ~ the circle добиваться невозможного; пытаться найти квадратуру круга

square-bashing [ˈskweəbæʃɪŋ] *n воен. жарг.* муштра на плацу

square-built [ˌskweəˈbɪlt] *a* широкоплечий

square dance [ˈskweədɑ:ns] *n* кадриль

squared paper [ˌskweədˈpeɪpə] *n* бумага в клетку

square-eyed [ˌskweərˈaɪd] *a шутл.* обалдевший от телевизора

squarehead [ˈskweəhed] *n амер. sl. бранная кличка немца или скандинава*

square meal [ˌskweəˈmi:l] *n* плотная, сытная еда

square-rigged [ˌskweəˈrɪgd] *a мор.* с прямым парусным вооружением

square-shouldered [ˌskweəˈʃəʊldəd] *a* с прямыми, широкими плечами

square-toed [ˌskweəˈtəʊd] *a* 1) с тупыми, широкими носками *(об обуви)* 2) педантичный; чопорный 3) старомодный, консервативный

square-toes [ˈskweətəʊz] *n* 1) формалист; педант 2) старомодный человек

squarson [ˈskwɑ:sn] *n (сокр. от* squire *и* parson) *шутл.* помещик, одновременно исполняющий обязанности приходского священника

squash I [skwɒʃ] **1.** *n* 1) толпа; давка; сутолока 2) фруктовый напиток; lemon (orange) ~ лимонад (апельсиновый напиток) 3) раздавленная масса, «каша» 4) игра в мяч *(вроде тенниса; тж.* ~ rackets)

2. *v* 1) раздавливать, расплющивать, сжимать 2) проталкиваться; втискиваться 3) толпиться 4) *разг.* заставить замолчать, обрезать 5) *разг.* подавить

squash II [skwɒʃ] *n бот.* кабачок; тыква

squash hat [ˈskwɒʃhæt] *n* мягкая фетровая шляпа

squashy [ˈskwɒʃɪ] *a* 1) мягкий, мясистый 2) топкий, болотистый

squat [skwɒt] **1.** *n* 1) сидение на корточках 2) нора

2. *v* 1) сидеть на корточках 2) *разг.* садиться 3) селиться самовольно на чужой *или* государственной земле; незаконно вселяться в дом 4) припадать к земле *(о животных)*

3. *a* короткий и толстый, приземистый

squatter [ˈskwɒtə] *n* 1) поселившийся незаконно на незанятой земле; незаконно вселившийся в дом 2) *австрал.* овцевод 3) поселившийся на государственной земле с целью приобретения титула 4) сидящий на корточках

squatty [ˈskwɒtɪ] = squat 3

squaw [skwɔ:] *n* 1) индианка *(жительница Северной Америки)* 2) *амер. шутл.* женщина, жена

squawk [skwɔ:k] **1.** *n* 1) пронзительный крик *(птицы)* 2) *разг.* громкая жалоба, протест

2. *v* 1) пронзительно кричать *(о птице)* 2) *разг.* громко жаловаться, протестовать

squaw man [ˈskwɔ:mæn] *n амер.* белый, женатый на индианке

squeak [skwi:k] **1.** *n* 1) писк 2) скрип 3) ≅ на волоске от провала *и т. п. (тж.* narrow ~)

2. *v* 1) пищать; пропищать 2) скрипеть 3) *разг.* еле-еле спастись, выиграть *и т. п.* 4) *sl.* стать доносчиком

squeaker [ˈskwi:kə] *n* 1) пискун 2) птенец *(особ.* голубя) 3) *sl.* доносчик

squeaky [ˈskwi:kɪ] *a* 1) писклявый 2) скрипучий

squeal [skwi:l] **1.** *n* 1) визг, пронзительный крик 2) *sl.* доносчик

2. *v* 1) визжать, пронзительно кричать; визгливо произносить 2) *sl.* стать доносчиком; выдавать (on — *кого-л.*); to make smb. ~ шантажировать, вымогать деньги 3) *sl.* жаловаться, протестовать

squealer [ˈskwi:lə] *n* 1) визгун 2) = squeaker 3); 3) нытик

squeamish [ˈskwi:mɪʃ] *a* 1) подверженный тошноте; слабый *(о желудке)*; I feel ~ меня тошнит 2) щепетильный; брезгливый, привередливый, разборчивый 3) обидчивый

squeegee [ˈskwi:dʒi:] *n* 1) деревянный скребок с резиновой пластинкой *(тж.* ~ mop) 2) резиновый валик для накатывания фотоотпечатков

squeezability [ˌskwi:zəˈbɪlətɪ] *n* сжимаемость

squeezable [ˈskwi:zəbl] *a* 1) сжимающийся, вдавливающийся 2) легко поддающийся давлению; податливый, уступчивый; ~ person податливый человек

squeeze [skwi:z] **1.** *n* 1) сжатие, пожатие; давление, сдавливание; to give a ~ (of the hand) пожать (руку) 2) объятие 3) теснота, давка 4) выдавленный сок 5) вымогательство; шантаж 6) *эк.* ограничение *(или* стеснение) кредита 7) оттиск *(монеты и т. п.)* 8) *разг.* тяжёлое положение; затруднение *(тж.* tight ~) 9) *горн.* осадка кровли ◇ to put the ~ on smb. *разг.* оказать нажим на кого-л.

2. *v* 1) сжимать; сдавливать; стискивать; to ~ smb.'s hand пожать кому-л. руку; to ~ moist clay мять сырую глину 2) выжимать(ся); выдавливать; the sponge ~s well эта губка легко выжимается; to ~ out a tear притворно плакать 3) вынуждать; вымогать (out of); to ~ a confession вынудить признание 4) обременять *(налогами и т. п.)* 5) втискивать, впихивать (in, into); протискиваться (past, through) 6) делать оттиск *(монеты и т. п.)*

squeezed [skwi:zd] **1.** *p. p. от* squeeze 2

2. *a* выжатый ◇ ~ orange ≅ «выжатый лимон»; ненужный больше *(или* использованный) человек

squeezer [ˈskwi:zə] *n* 1) тот, кто сжимает, выжимает *и пр.* [*см.* squeeze 2] 2) соковыжималка 3) *pl* игральные карты с обозначением достоинства в правом верхнем углу 4) *тех.* фальцовочный *или* гибочный станок

squelch [skweltʃ] **1.** *n* 1) хлюпанье 2) отпор, уничтожающий ответ

2. *v* 1) хлюпать; to ~ through the mud хлюпать по грязи 2) раздавить ногой, уничтожить 3) подавить 4) заставить замолчать

squib [skwɪb] **1.** *n* 1) петарда, шутиха 2) эпиграмма; памфлет; пасквиль 3) *воен.* пиропатрон

2. *v* 1) *уст.* писать памфлеты, эпиграммы, пасквили 2) взрываться 3) метаться

squiffed [skwɪft] = squiffy

squiffer [ˈskwɪfə] *n sl.* концертино *(шестигранная гармоника)*

squiffy [ˈskwɪfɪ] *a sl.* слегка подвыпивший

squill [skwɪl] *n бот.* морской лук

squint [skwɪnt] **1.** *n* 1) косоглазие; to have a bad ~ сильно косить 2) *разг.* взгляд украдкой, искоса; let me have a ~ at it дайте мне взглянуть

2. *v* 1) косить *(глазами)* 2) смотреть искоса, украдкой (at) 3) (при)щуриться *(от избытка света и т. п.)*

3. *a* косой, раскосый

squint-eyed [ˌskwɪntˈaɪd] *a* 1) косой, косоглазый 2) злой; предубеждённый

squire [ˈskwaɪə] **1.** *n* 1) сквайр, помещик; the ~ главный землевладелец прихода 2) *ист.* оруженосец 3) *шутл.* галантный кавалер 4) *амер.* мировой судья; местный судья *или* адвокат

2. *v* ухаживать; to ~ a dame сопровождать даму

squirearchy [ˈskwaɪərɑ:kɪ] *n* 1) аграрии, помещичий класс 2) власть помещиков, землевладельцев

squireen [ˌskwaɪəˈri:n] *n* мелкопоместный помещик *(преим. в Ирландии)*

squirm [skwɜ:m] *v* 1) извиваться, корчиться 2) чувствовать себя неприятно задетым; испытывать неловкость, смущение *и т. п.*

squirrel [ˈskwɪrəl] *n* белка

squirt [skwɜ:t] **1.** *n* 1) струя 2) шприц; спринцовка 3) *разг.* ничтожный, самодовольный человек; выскочка; наглец

2. *v* 1) пускать струю, бить струёй 2) спринцевать; разбрызгивать

squish [skwɪʃ] *v* хлюпать

squit [skwɪt] *n* 1) *sl.* никчёмная личность 2) *диал.* чушь, ерунда

stab [stæb] **1.** *n* 1) удар *(острым оружием)*; ~ in the back а) удар в спину, предательское нападение; б) клевета 2) внезапная острая боль 3) *разг.* попытка; to have *(или* to make) a ~ at smth. попытаться сделать что-л.

2. *v* 1) вонзать (into); ранить *(острым оружием)*, закалывать; наносить удáр (*кинжалом и т. п.*; at); to ~ in the back а) всадить нож в спи́ну; нанести́ преда́тельский уда́р; б) злосло́вить за спино́й; his conscience ~bed him он чу́вствовал угрызе́ния со́вести 2) стреля́ть, пронза́ть (*о боли*) 3) напада́ть; вреди́ть; наноси́ть уще́рб; to ~ smb.'s reputation повреди́ть чей-л. репута́ции

stabile ['steɪbaɪl] *n иск.* стаби́ль (*абстрактная скульптура из листового железа, проволоки и дерева*)

stability [stə'bɪlətɪ] *n* 1) усто́йчивость, стаби́льность, про́чность 2) постоя́нство, твёрдость (*характера*); непоколеби́мость (*решения*) 3) *мор.* остóйчивость

stabilization [,steɪbəlaɪ'zeɪʃn] *n* 1) стабилиза́ция, упро́чение 2) *воен.* образова́ние усто́йчивой ли́нии фро́нта; перехо́д к позицио́нной войне́

stabilizator ['steɪbəlaɪzeɪtə] = stabilizer

stabilize ['steɪbəlaɪz] *v* стабилизи́ровать, де́лать усто́йчивым

stabilized ['steɪbəlaɪzd] **1.** *p. p. от* stabilize

2. *a* стаби́льный, усто́йчивый; ~ warfare позицио́нная война́

stabilizer ['steɪbəlaɪzə] *n ав.* стабилиза́тор

stable I ['steɪbl] *a* 1) про́чный, кре́пкий; ~ foundation кре́пкий фунда́мент 2) сто́йкий; усто́йчивый 3) твёрдый, непоколеби́мый; реши́тельный 4) постоя́нный

stable II ['steɪbl] **1.** *n* 1) коню́шня; хлев 2) беговы́е ло́шади, принадлежа́щие одному́ владе́льцу, коню́шня

2. *v* ста́вить в коню́шню *или* хлев; держа́ть в коню́шне *или* в хлеву́

stable companion [,steɪblkəm'pænjən] *n* 1) ло́шадь той же коню́шни 2) това́рищ (*по школе, клубу*); однока́шник

stable man ['steɪblmən] *n* ко́нюх

stabling ['steɪblɪŋ] **1.** *pres. p. от* stable II, 2

2. *n* коню́шня; коню́шни

staccato [stə'kɑ:təʊ] *adv, n муз.* стакка́то

stack [stæk] **1.** *n* 1) стог, скирда́, омёт 2) ку́ча, гру́да; ~ of wood шта́бель дров; поле́нница; ~ of papers ку́ча бума́г 3) *разг.* ма́сса, мно́жество; ~s (*или* a whole ~) of work ма́сса рабо́ты; ~ of bones *амер.* измождённый челове́к; «скелёт», ко́жа да ко́сти 4) дымова́я труба́; ряд дымовы́х труб 5) *ав.* эшелони́рование самолётов пе́ред захо́дом на поса́дку 6) книгохрани́лище 7) *вчт.* стек, магази́н 8) стек (*единица объёма для дров и угля = 108 футам^3 = 3,01 м^3*)

2. *v* 1) скла́дывать в стог *и пр.* [*см.* 1] 2): ~ the cards подтасо́вывать ка́рты (*тж. перен.*) 3) *ав.* эшелони́ровать самолёты пе́ред захо́дом на поса́дку □ ~ **up** располага́ть(ся) оди́н над други́м

stack yard ['stækjɑ:d] *n* гумно́

stadia I ['steɪdɪə] *n* дальноме́рная лине́йка

stadia II ['steɪdɪə] *pl от* stadium

stadium ['steɪdɪəm] *n* (*pl* -dia) 1) стадио́н 2) ста́дий (*др.-греч. мера длины*) 3) *мед.* ста́дия

staff [stɑ:f] **1.** *n* 1) (*pl тж.* staves) по́сох, па́лка; with swords and staves с меча́ми и дреко́льем 2) жезл 3) флагшто́к; дре́вко 4) столп, опо́ра, подде́ржка 5) штат слу́жащих; служе́бный персона́л; ли́чный соста́в; ка́дры; to be on the ~ быть в шта́те; the ~ of a newspaper сотру́дники газе́ты 6) *воен.* штаб 7) (*pl* staves) *муз.* но́тный стан 8) *геод.* нивели́рная ре́йка ◇ the ~ of life хлеб насу́щный

2. *a* 1) шта́тный; ~ writer шта́тный сотру́дник газе́ты 2) *воен.* штабно́й 3) испо́льзуемый персона́лом; ~ room преподава́тельская (ко́мната)

3. *v* укомплекто́вывать шта́ты; набира́ть ка́дры

staffer ['stɑ:fə] *n амер.* шта́тный сотру́дник, *особ.* газе́ты

stag [stæg] *n* 1) оле́нь-саме́ц (*с пятого года*) 2) вол 3) биржево́й спекуля́нт 4) кавале́р без да́мы (*на вечеринке и т. п.*) 5) холостя́цкая вечери́нка 6) *attr.* холостя́цкий

stag beetle ['stæg,bi:tl] *n* жук-оле́нь

stage [steɪdʒ] **1.** *n* 1) фа́за, ста́дия, пери́од, эта́п, ступе́нь; initial (final) ~ нача́льная (коне́чная) ста́дия 2) по́дмости, помо́ст; платфо́рма; hanging ~ лю́лька (*для маляров*) 3) сце́на, эстра́да, театра́льные подмо́стки 4) (the ~) теа́тр, драмати́ческое иску́сство, профе́ссия актёра; to go on the ~ стать актёром; to quit the ~ уйти́ со сце́ны; *перен.* умере́ть 5) аре́на, по́прище; ме́сто де́йствия 6) перего́н; остано́вка, ста́нция 7) ступе́нь (*многоступенчатой ракеты*) 8) *геол.* я́рус, эта́ж 9) предме́тный сто́лик (*микроскопа*) 10) *эл.* каска́д 11) *attr.* сцени́ческий, театра́льный ◇ by easy ~s не спеша́, с переры́вами; to hold the ~ быть в це́нтре внима́ния

2. *v* 1) ста́вить (*пьесу*); инсцени́ровать 2) быть сцени́чным; the play ~s well э́та пье́са сцени́чна 3) организо́вывать, осуществля́ть; to ~ a demonstration устро́ить демонстра́цию

stagecoach ['steɪdʒkəʊtʃ] *n ист.* почто́вая каре́та, дилижа́нс

stagecraft ['steɪdʒkrɑ:ft] *n* мастерство́ драмату́рга *или* режиссёра

stage direction ['steɪdʒdɪ,rekʃn] *n* 1) сцени́ческая рема́рка 2) режиссёрское иску́сство 3) режиссу́ра

stage director ['steɪdʒdɪ,rektə] *n* режиссёр, постано́вщик

stage door [,steɪdʒdɔ:] *n* служе́бный вход в теа́тр

stage effect ['steɪdʒɪ,fekt] *n* сцени́ческий эффе́кт

stage fever ['steɪdʒ,fi:və] *n* непреодоли́мое влече́ние к сце́не

stage fright ['steɪdʒfraɪt] *n* волне́ние пе́ред вы́ходом на сце́ну; страх пе́ред аудито́рией

stagehand ['steɪdʒhænd] *n* рабо́чий сце́ны

stage-manage [,steɪdʒ'mænɪdʒ] *v* 1) ста́вить (*пьесу и т. п.*) 2) быть распоряди́телем (*на свадьбе и т. п.*)

stage-manager [,steɪdʒ'mænɪdʒə] *n* помо́щник режиссёра

stager ['steɪdʒə] *n*: an old ~ о́пытный, быва́лый челове́к

stage right ['steɪdʒraɪt] *n* исключи́тельное пра́во теа́тра на постано́вку пье́сы

stagestruck ['steɪdʒstrʌk] *a* увлека́ющийся теа́тром, стремя́щийся к сцени́ческой де́ятельности

stage whisper [,steɪdʒ'wɪspə] *n* 1) театра́льный шёпот 2) слова́, предназна́ченные не то́му, к кому́ они́ обращены́

stagey ['steɪdʒɪ] = stagy

stagflation [,stæg'fleɪʃn] *n эк.* стагфля́ция, засто́й при одновре́менной инфля́ции

stagger ['stægə] **1.** *n* 1) шата́ние, поша́тывание 2) *pl вет.* ко́лер (*у лошадей*); вертя́чка (*у овец*) 3) *тех.* зигзагообра́зное расположе́ние 4) *ав.* вы́нос крыла́

2. *v* 1) шата́ться; идти́ шата́ясь 2) расшата́ть, лиши́ть усто́йчивости 3) потрясáть, поража́ть; ошеломля́ть 4) поколеба́ть; вы́звать сомне́ния 5) колеба́ться, быть в нереши́тельности 6) *тех.* располага́ть в ша́хматном поря́дке; располага́ть по ступе́ням 7) регули́ровать часы́ рабо́ты, вре́мя отпуско́в *и т. п.*; ~ed hours ра́зные часы́ нача́ла рабо́ты (*для разгрузки городского транспорта в часы пик*)

staggerer ['stægərə] *n* 1) си́льный уда́р; потряса́ющее изве́стие *или* собы́тие 2) тру́дный вопро́с

stagger formation [,stægəfɔ:'meɪʃn] *n ав.* эшелони́рованный строй усту́пами

staging ['steɪdʒɪŋ] **1.** *pres. p. от* stage 2

2. *n* 1) постано́вка пье́сы 2) *стр.* по́дмости, леса́

stagnancy ['stægnənsɪ] *n* 1) засто́й, ко́сность 2) ине́ртность

stagnant ['stægnənt] *a* 1) стоя́чий (*о воде*) 2) ко́сный; ине́ртный, вя́лый

stagnate [stæg'neɪt] *v* 1) де́латься засто́йным, заста́иваться (*о воде*) 2) косне́ть, быть безде́ятельным

stagnation [stæg'neɪʃn] *n* 1) засто́й; загнива́ние *тж. спец.*; стагна́ция 2) ко́сность

stag party ['stæg,pɑ:tɪ] = stag 5)

stagy ['steɪdʒɪ] *a* театра́льный, неесте́ственный

staid [steɪd] *a* положи́тельный, степе́нный, уравнове́шенный

stain [steɪn] **1.** *n* 1) пятно́ 2) позо́р, пятно́; without a ~ on one's character с незапя́тнанной репута́цией 3) кра́ска, кра́сящее вещество́; цветна́я политу́ра, протра́ва

2. *v* 1) па́чкать(ся) 2) пятна́ть, по́ртить (*репутацию и т. п.*) 3) кра́сить; окра́шивать(ся) 4) набива́ть (*рисунок*)

stained [steɪnd] **1.** *p. p. от* stain 2

2. *a* 1) испа́чканный, в пя́тнах 2) запя́тнанный, опозо́ренный 3) окра́шенный, подкра́шенный; ~ glass цветно́е стекло́; витра́жное стекло́

stainless ['steɪnləs] *a* 1) че́стный 2) безупре́чный, незапя́тнанный 3) *тех.* усто́йчивый про́тив корро́зии; ~ steel нержаве́ющая сталь

stair [steə] *n* 1) ступе́нька (*ле́стницы*); flight of ~s ле́стничный марш 2) (*преим. pl*) ле́стница; схо́дни; *мор.* трап; the ~s are steep ле́стница крута́я; winding ~ винтова́я ле́стница; below ~s а) в полуподва́льном помеще́нии; б) ку́хня и помеще́ние для прислу́ги

staircase ['steəkeɪs] *n* 1) ле́стница; corkscrew (*или* spiral) ~ винтова́я ле́стница; open ~ ле́стница без пери́л; principal ~ пара́дная ле́стница 2) ле́стничная кле́тка

stairhead ['steəhed] *n* ве́рхняя площа́дка ле́стницы

stair-rod ['steərɒd] *n* металли́ческий прут для укрепле́ния ковра́ на ле́стнице

stairway ['steəweɪ] = staircase

stake [steɪk] **1.** *n* 1) кол, столб; сто́йка 2) столб, к кото́рому привя́зывали прису́ждённого к сожже́нию 3) (the ~) смерть на костре́, сожже́ние за́живо 4) небольша́я перено́сная накова́льня 5) (*ча́сто pl*) ста́вка (*в ка́ртах и т. п.*); закла́д (*в пари́*); he plays for high (low) ~s он игра́ет по большо́й (по ма́ленькой) 6) до́ля, уча́стие (*в при́были и т. п.*) 7) *pl* приз (*на ска́чках и т. п.*) 8) *pl* ска́чки на приз ◇ to be at ~ быть поста́вленным на ка́рту; быть в опа́сности; to pull (up) ~s сня́ться с ме́ста; смота́ть у́дочки

2. *v* 1) укрепля́ть *или* подпира́ть ко́лом, сто́йкой 2) сажа́ть на́ кол 3) ста́вить на ка́рту, рискова́ть (*чем-л.*) 4) *карт.* де́лать ста́вку 5) *амер. разг.* подде́рживать материа́льно, финанси́ровать (*что-л.*) ▭ ~ in огора́живать ко́льями; ~ off = ~ out; ~ out а) отмеча́ть грани́цу (*чего́-л.*) ве́хами; б) *разг.* следи́ть (*за кем-л.*); в) *разг.* назнача́ть (*кого́-л.*) вести́ наблюде́ние; ~ up загора́живать ко́льями

stakeholder ['steɪkhəʊldə] *n* посре́дник (*при заключе́нии сде́лки и т. п.*)

stalactite ['stæləktaɪt] *n* *геол.* сталакти́т

stalagmite ['stæləgmaɪt] *n* *геол.* сталагми́т

stale I [steɪl] **1.** *a* 1) несве́жий; ~ bread чёрствый хлеб 2) изби́тый, утра́тивший новизну́ 3) вы́дохшийся; перетрениро́вавшийся (*о спортсме́не*) 4) спёртый; ~ air спёртый, тяжёлый во́здух 5): ~ claim *юр.* не зая́вленное во́время притяза́ние

2. *v* 1) изна́шивать(ся) 2) лиша́ть(ся) све́жести, черстве́ть 3) утра́чивать новизну́, устарева́ть, станови́ться неинтере́сным

stale II [steɪl] **1.** *n* моча́ (*скота́*)

2. *v* мочи́ться (*о скоте́*)

stalemate ['steɪlmeɪt] **1.** *n* 1) *шахм.* пат 2) мёртвая то́чка; безвы́ходное положе́ние, тупи́к

2. *v* 1) *шахм.* де́лать пат 2) поста́вить в безвы́ходное положе́ние

stalk I [stɔ:k] *n* 1) сте́бель, черено́к; cabbage ~ кочеры́жка 2) *зоол.* но́жка 3) но́жка (*рю́мки и т. п.*) 4) ствол (*пера́*) 5) фабри́чная труба́

stalk II [stɔ:k] **1.** *n* 1) подкра́дывание (*к дичи́*) 2) го́рдая, велича́вая по́ступь

2. *v* 1) подкра́дываться (*к дичи́*); идти́ кра́дучись 2) ше́ствовать, го́рдо выступа́ть (*ча́сто* ~ along)

stalking-horse ['stɔ:kɪŋhɔ:s] *n* 1) *охот.* засло́нная ло́шадь 2) личи́на; предло́г, отгово́рка

stall [stɔ:l] **1.** *n* 1) ларёк, пала́тка, прила́вок 2) сто́йло 3) сиде́нье в алтаре́ *или* на хо́рах (*для духо́вных лиц*) 4) сан кано́ника 5) кре́сло в парте́ре; orchestra (pit) ~ кре́сло в пе́рвых (в за́дних) ряда́х 6) каби́нка (*душево́й, убо́рной и т. п.*) 7) ме́сто стоя́нки автомаши́н 8) = finger-stall 9) *горн.* забо́й 10) *ав.* поте́ря ско́рости

2. *v* 1) *авто* гло́хнуть (*о дви́гателе*) 2) *ав.* теря́ть ско́рость 3) ста́вить в сто́йло 4) де́лать сто́йло в коню́шне 5) застрева́ть (*в гря́зи, глубо́ком снегу́ и т. п.*); the car was ~ed in the mud маши́на застря́ла в грязи́ 6) *амер.* быть занесённым сне́гом 7) *разг.* вводи́ть в заблужде́ние, обма́нывать

stall-feed ['stɔ:lfi:d] *v* *с.-х.* 1) поста́вить в сто́йло на отко́рм 2) отка́рмливать гру́быми корма́ми

stallholder ['stɔ:lhəʊldə] *n* челове́к, в ве́дении кото́рого нахо́дится ларёк, прила́вок на ры́нке *и т. п.*

stallion ['stæljən] *n* жеребе́ц

stalwart ['stɔ:lwət] **1.** *n* 1) челове́к кре́пкого здоро́вья 2) сто́йкий приве́рженец; ве́рный после́дователь

2. *a* 1) ро́слый, дю́жий, здоро́вый 2) сто́йкий, ве́рный, реши́тельный

stamen ['steɪmen] *n* *бот.* тычи́нка

stamina ['stæmɪnə] *n* запа́с жи́зненных сил, выно́сливость; вы́держка, сто́йкость

stammer ['stæmə] **1.** *n* заика́ние

2. *v* 1) заика́ться 2) запина́ться (*тж.* ~ out); to ~ out an excuse заика́ясь, запина́ясь принести́ извине́ние

stammerer ['stæmərə] *n* заи́ка

stamp [stæmp] **1.** *n* 1) штамп, ште́мпель, печа́ть; клеймо́ 2) о́ттиск, отпеча́ток 3) ма́рка; ге́рбовая ма́рка 4) пло́мба *или* ярлы́к (*на това́ре*) 5) то́панье, то́пот 6) печа́ть, отпеча́ток, след; the statement bears the ~ of truth утвержде́ние похо́же на пра́вду 7) род, сорт; men of that ~ лю́ди тако́го скла́да

2. *v* 1) то́пать ного́й; бить копы́тами (*о ло́шади*); to ~ the grass flat примя́ть траву́ 2) штампова́ть, штемпелева́ть; клейми́ть, чека́нить 3) отпеча́тывать, отти́скивать 4) накле́ивать ма́рку 5) характеризова́ть; his acts ~ him as an honest man его́ посту́пки характеризу́ют его́ как че́стного челове́ка 6) запечатлева́ть(ся); отража́ть(ся); the scene is ~ed on my memory э́та сце́на запечатле́лась в мое́й па́мяти 7) дроби́ть (*руду́ и т. п.*) ▭ ~ down притопта́ть; ~ out подавля́ть, уничтожа́ть; to ~ a fire out потуши́ть ого́нь; to ~ out a rebellion подави́ть восста́ние

Stamp Act [ˌstæmp'ækt] *n* *ист.* зако́н о ге́рбовом сбо́ре

stamp collector ['stæmpkəˌlektə] *n* коллекционе́р почто́вых ма́рок

stamp duty ['stæmpˌdju:tɪ] *n* ге́рбовый сбор

stampede [stæm'pi:d] **1.** *n* 1) пани́ческое бе́гство 2) стихи́йное ма́ссовое движе́ние 3) *амер.* ежего́дный пра́здник с состяза́нием ковбо́ев, с вы́ставкой сельскохозя́йственных проду́ктов, с та́нцами *и т. п.*

2. *v* обраща́ть(ся) в пани́ческое бе́гство

stamping-ground ['stæmpɪŋgraʊnd] *n* ча́сто посеща́емое ме́сто

stamp-mill ['stæmpmɪl] *n* *спец.* толче́я

stamp paper ['stæmpˌpeɪpə] *n* ге́рбовая бума́га

stanch I [stɑ:ntʃ] *v* остана́вливать кровотече́ние (*из ра́ны*)

stanch II [stɑ:ntʃ] = staunch I

stanchion ['stɑ:ntʃən] *n* 1) сто́йка; столб; подпо́рка 2) *мор.* пи́ллерс

stand [stænd] **1.** *n* 1) остано́вка; to come to a ~ останови́ться; to bring to a ~ останови́ть 2) сопротивле́ние; to make a ~ for вы́ступить в защи́ту; to make a ~ against ока́зывать сопротивле́ние; вы́ступить про́тив 3) пози́ция, ме́сто; to take one's ~ а) заня́ть ме́сто; б) осно́вываться (on, upon — на) [*ср. тж.* 4)] 4) взгляд, то́чка зре́ния; to take one's ~ стать на каку́ю-л. то́чку зре́ния [*ср. тж.* 3)] 5) пьедеста́л; подста́вка; этаже́рка; подпо́ра, консо́ль, сто́йка 6) ларёк, кио́ск; стенд 7) стоя́нка (*такси́ и т. п.*) 8) трибу́на (*на ска́чках и т. п.*) 9) *амер.* ме́сто свиде́теля в суде́ 10) *театр.* остано́вка в како́м-л. ме́сте для гастро́льных представле́ний; ме́сто гастро́льных представле́ний 11) лесонасажде́ние 12) урожа́й на корню́; a good ~ of clover густо́й кле́вер 13) *тех.* стани́на

2. *v* (stood) 1) стоя́ть; he is too weak to ~ он е́ле де́ржится на нога́х от сла́бости; to ~ out of the path сойти́ с доро́ги 2) встава́ть (*обыкн.* ~ up); we stood up to see better мы вста́ли, что́бы лу́чше ви́деть (происходя́щее) 3) быть располо́женным, находи́ться 4) быть высото́й в...; he ~s six feet three его́ рост 6 фу́тов 3 дю́йма 5) (*обыкн. как глаго́л-свя́зка*) находи́ться, быть в определённом состоя́нии; he ~s first in his class он занима́ет пе́рвое ме́сто в кла́ссе; to ~ alone а) быть одино́ким; б) быть выдаю́щимся, непревзойдённым; to ~ convicted of treason быть осуждённым за изме́ну; to ~ corrected призна́ть оши́бку; осозна́ть справедли́вость (*замеча́ния и т. п.*); to ~ in need of smth. нужда́ться в чём-л.; to ~ one's friend быть дру́гом; to ~

godmother to the child быть крёстной ма́терью ребёнка; to ~ high а) быть в почёте; б): corn ~s high this year в э́том году́ це́ны на кукуру́зу высо́кие 6) ста́вить, помеща́ть, водружа́ть 7) остана́вливаться (*обыкн.* ~ still) 8) занима́ть определённую пози́цию; here I ~ вот моя́ то́чка зре́ния 9) держа́ться; быть усто́йчивым, про́чным; усто́ять; to ~ fast сто́йко держа́ться; the house still ~s дом ещё де́ржится; these boots have stood a good deal of wear э́ти сапоги́ хорошо́ послужи́ли; this colour will ~ э́та кра́ска не слиня́ет; not a stone was left ~ing ка́мня на ка́мне не оста́лось 10) остава́ться в си́ле, быть действи́тельным (*тж.* ~ good); that translation may ~ э́тот перево́д мо́жет оста́ться без измене́ний 11) *мор.* идти́, держа́ть курс 12) выде́рживать, выноси́ть, терпе́ть; подверга́ться; to ~ the test вы́держать испыта́ние; how does he ~ pain? как он перено́сит боль?; I can't ~ him я его́ не выношу́ 13) угоща́ть; who's going to ~ treat? кто бу́дет плати́ть за угоще́ние?; to ~ smb. a good dinner угости́ть кого́-л. вку́сным обе́дом 14) де́лать сто́йку (*о собаке*) 15) занима́ть определённое положе́ние; to ~ well with smb. а) быть в хоро́ших отноше́ниях с кем-л.; б) быть на хоро́шем счету́ у кого́-л. ▭ ~ **against** проти́виться, сопротивля́ться; ~ **away**, ~ **back** отступа́ть, держа́ться сза́ди; ~ **behind** отстава́ть; ~ **between** быть посре́дником ме́жду; ~ **by** а) прису́тствовать; быть безуча́стным зри́телем; б) защища́ть, помога́ть, подде́рживать; to ~ by one's friend быть ве́рным дру́гом; в) держа́ть, выполня́ть; приде́рживаться; to ~ by one's promise сдержа́ть обеща́ние; г) быть наготове; д) *радио* быть гото́вым нача́ть *или* принима́ть переда́чу; ~ **down** а) покида́ть (*свидетельское место в суде, спортивную команду и т. п.*); б) отказа́ться от своего́ поста́ *и т. п.* (*тж. в чью-л. пользу*); в) *воен.* сменя́ться с дежу́рства; ~ **for** а) символизи́ровать, означа́ть; б) *разг.* терпе́ть, выноси́ть; в) подде́рживать, стоя́ть за; ~ **in** а) представля́ть (for); замеща́ть (for); дубли́ровать (for); б) принима́ть уча́стие, помога́ть (with); в) *мор.* идти́ к бе́регу, подходи́ть к по́рту; ~ **in with** быть в хоро́ших отноше́ниях (*с кем-л.*); ~ **off** а) держа́ться на расстоя́нии от; отодви́нуться от; б) отстрани́ть, уво́лить (на вре́мя); в) *мор.* удаля́ться от бе́рега; ~ **on** а) то́чно соблюда́ть (*условности и т. п.*); б) *мор.* идти́ пре́жним ку́рсом; ~ **out** а) выделя́ться, выступа́ть; to ~ out against a background выделя́ться на фо́не; б) не сдава́ться; держа́ться; he stood out for better terms он стара́лся доби́ться лу́чших усло́вий; в) *мор.* удаля́ться от бе́рега; ~ **over** а) постоя́нно держа́ть в по́ле зре́ния (*кого-л.*), стоя́ть над душо́й; б) остава́ться нерешённым; быть отло́женным, отсро́ченным; let the matter ~ over отложи́те э́то де́ло; ~ **to** а) держа́ться *чего-л.*; to ~ to one's colours не отступа́ть, твёрдо держа́ться свои́х при́нципов; to ~ to it твёрдо наста́ивать на чём-л.; б) подде́рживать *что-л.*; в) выполня́ть (*обещание и т. п.*); ~ **up** а) встава́ть; б) ока́зываться про́чным *и т. п.*; в): to ~ smb. up *разг.* подвести́ кого́-л.; ~ **up for** защища́ть, отста́ивать; ~ **upon** = ~ on; ~ **up to** а) сме́ло встреча́ть; быть на высоте́; б) перечи́ть, прекосло́вить ◇ to ~ Sam *sl.* плати́ть за угоще́ние; how do matters ~? как обстоя́т дела́?; I don't know where I ~ не зна́ю, что да́льше со мной бу́дет (*или* что меня́ ждёт); to ~ on end стоя́ть ды́бом (*о волосах*); ~ and deliver! ру́ки вверх!; «кошелёк и́ли жизнь»!; to ~ to lose идти́ на ве́рное пораже́ние; it ~s to reason that само́ собо́й разуме́ется, что; to ~ to win име́ть все ша́нсы на вы́игрыш; to ~ well а) быть в хоро́ших отноше́ниях; б) по́льзоваться хоро́шей репута́цией

standard ['stændəd] **1.** *n* 1) станда́рт, но́рма, образе́ц, мери́ло; ~ of culture (*или* of education) культу́рный у́ровень; ~ of living жи́зненный у́ровень; ~ of price *эк.* у́ровень цен; ~s of weight ме́ры ве́са; to fall short of accepted ~s не соотве́тствовать при́нятым но́рмам; up to (below) ~ соотве́тствует (не соотве́тствует) при́нятому станда́рту 2) зна́мя, штанда́рт; to raise the ~ of revolt подня́ть зна́мя восста́ния; to march under the ~ of smb. быть после́дователем кого́-л. 3) сто́йка, подста́вка, опо́ра 4) шта́мбовое расте́ние 5) де́нежная систе́ма, де́нежный станда́рт; the gold ~ золото́й станда́рт 6) *ист.* класс (*в начальной школе*)

2. *a* 1) станда́ртный, типово́й; норма́льный; ~ shape (size) станда́ртная фо́рма (-ный разме́р); ~ gauge *ж.-д.* норма́льная колея́ 2) общепри́нятый, нормати́вный; образцо́вый; the ~ book on the subject образцо́вый труд по да́нному вопро́су 3) шта́мбовый (*о растениях*)

standard-bearer ['stændəd,beərə] *n* 1) знамено́сец 2) руководи́тель движе́ния, вождь

standardization [,stændədaɪ'zeɪʃn] *n* стандартиза́ция, нормализа́ция

standardize ['stændədaɪz] *v* стандартизи́ровать; калиброва́ть

standard lamp ['stændədlæmp] *n* торше́р

standard time [,stændəd'taɪm] *n* станда́ртное, декре́тное вре́мя

standby ['stændbaɪ] **1.** *n* 1) надёжная опо́ра 2) запа́с

2. *a* запа́сный, запасно́й, резе́рвный

standee [stæn'di:] *n разг.* 1) стоя́щий пассажи́р 2) *театр.* зри́тель на стоя́чих места́х

standfast ['stændfɑ:st] *n* про́чное положе́ние

stand-in ['stændɪn] *n* 1) *кино* дублёр (*заменяющий актёра, пока идут приготовления к съёмке*) 2) заме́на, подме́на 3) *амер. разг.* благоприя́тное положе́ние

standing ['stændɪŋ] **1.** *pres. p. от* stand 2

2. *n* 1) положе́ние; репута́ция; вес в о́бществе; a person of high ~ высокопоста́вленное лицо́ 2) продолжи́тельность; a quarrel of long ~ давни́шняя ссо́ра 3) стаж 4) нахожде́ние, (ме́сто)положе́ние 5) стоя́ние ◇ to have no ~ не име́ть ве́са; быть неубеди́тельным

3. *a* 1) стоя́щий; ~ corn хлеб на корню́ 2) постоя́нный; устано́вленный; ~ army постоя́нная а́рмия; ~ dish дежу́рное блю́до; *перен.* обы́чная те́ма; ~ joke шу́тка, неизме́нно вызыва́ющая смех; ~ menace ве́чная угро́за 3) неподви́жный, стациона́рный; ~ barrage *воен.* неподви́жный загради́тельный ого́нь 4) стоя́чий, непрото́чный (*о воде*) 5) простаи́вающий, нерабо́тающий 6) производи́мый из стоя́чего положе́ния

standing order [,stændɪŋ'ɔ:də] *n* 1) уста́в, положе́ние, регла́мент 2) *pl парл.* пра́вила процеду́ры 3) *воен.* постоя́нный прика́з-инстру́кция

standing room ['stændɪŋru:m] *n* стоя́чее ме́сто, ме́сто для стоя́ния (*особ. в театре*)

standoff ['stændɒf] **1.** *n* 1) *амер.* тупи́к; безвы́ходное положе́ние 2) = stand-off half

2. *a* = standoffish

stand-off half [,stændɒf'hɑ:f] *n* полузащи́тник (*в регби*)

standoffish [,stænd'ɒfɪʃ] *a* сде́ржанный; неприве́тливый; надме́нный

standout ['stændaʊt] *n амер.* 1) челове́к, отлича́ющийся от други́х самостоя́тельностью сужде́ний, посту́пков *и т. п.* 2) что-л. замеча́тельное (*по качеству, вкусу и т. п.*)

standpatter ['stændpætə] *n амер. разг.* консерва́тор, реакционе́р

standpipe ['stændpaɪp] *n тех.* напо́рная труба́

standpoint ['stændpɔɪnt] *n* то́чка зре́ния

standstill ['stændstɪl] *n* остано́вка, безде́йствие, засто́й; to come to a ~ оказа́ться в тупике́; work was at a ~ рабо́та совсе́м останови́лась

stand-up ['stændʌp] *a* 1): ~ meal заку́ска сто́я, на ходу́; ~ buffet буфе́т, где едя́т сто́я 2): ~ fight кула́чный бой 3) стоя́чий; ~ collar стоя́чий воротничо́к

stanhope ['stænəp] *n* лёгкий откры́тый одноме́стный экипа́ж

stank [stæŋk] *past от* stink 2

stannary ['stænərɪ] *n* оловя́нный рудни́к

stannic ['stænɪk] *a хим.* оловя́нный

stanniferous [stæ'nɪfərəs] *a* содержа́щий о́лово

stanza ['stænzə] *n прос.* строфа́, станс

staple I ['steɪpl] *n* ско́бка, скоба́, крюк; коле́но

staple II ['steɪpl] **1.** *n* 1) основно́й предме́т торго́вли 2) гла́вный элеме́нт (*чего-л.*); the ~ of conversation гла́вная те́ма разгово́ра 3) сырьё 4) *текст.* волокно́ 5) гла́вный проду́кт *или* оди́н из гла́вных проду́ктов, производи́мых в да́нном райо́не 6) *ист.* важне́йший ры́нок 7) *текст.* шта́пель (*волокна*); шта́пельная длина́ (*волокна*)

2. *a* 1) гла́вный, основно́й 2) основно́й (*о продуктах потребления или предметах торговли*)

star [stɑ:] **1.** *n* 1) звезда́; свети́ло; fixed ~s неподви́жные звёзды 2) судьба́, рок; to have one's ~ in the ascendant преуспева́ть; to thank (*или* to bless) one's ~ благодари́ть судьбу́ 3) что-л., напомина́ющее звезду́; звёздочка (*белая отметина на лбу животного*) 4) *полигр.* звёздочка 5) звезда́, веду́щий актёр *или* актри́са; выдаю́щаяся ли́чность; literary ~ изве́стный писа́тель; soccer ~ знамени́тый футболи́ст ◇ ~s and stripes госуда́рственный флаг США; I saw ~s ≅ у меня́ и́скры посы́пались из глаз

2. *a* 1) выдаю́щийся; великоле́пный; веду́щий; ~ witness гла́вный свиде́тель 2) звёздный 3): ~ system *театр.* тру́ппа с одни́м, двумя́ первокла́ссными актёрами и сла́бым анса́мблем

3. *v* 1) игра́ть гла́вные ро́ли, быть звездо́й; to ~ in the provinces гастроли́ровать в прови́нции в гла́вных роля́х 2) предоставля́ть гла́вную роль 3) украша́ть звёздами 4) отмеча́ть звёздочкой

starboard ['stɑ:bəd] *мор.* **1.** *n* пра́вый борт

2. *a* лежа́щий напра́во; пра́вого бо́рта

3. *v* положи́ть пра́во руля́

starch [stɑ:tʃ] **1.** *n* 1) крахма́л 2) чо́порность, церемо́нность 3) *амер. разг.* эне́ргия, жи́вость ◇ to take the ~ out of smb. *амер.* осади́ть, сбить спесь с кого́-л.

2. *v* крахма́лить

Star Chamber [,stɑ:'tʃeɪmbə] *n ист.* Звёздная пала́та

starchy ['stɑ:tʃɪ] *a* 1) крахма́листый, содержа́щий крахма́л 2) накрахма́ленный 3) чо́порный

star connection [,stɑ:kə'nekʃn] *n эл.* соедине́ние звездо́й

stardom ['stɑ:dəm] *n* 1) веду́щее положе́ние в теа́тре *или* кино́, положе́ние звезды́ 2) *собир.* звёзды (*в театре, кино*)

stare [steə] **1.** *n* изумлённый *или* при́стальный взгляд

2. *v* 1) смотре́ть при́стально; глазе́ть; тара́щить *или* пя́лить глаза́ (at, upon — на); to ~ smb. out of countenance смути́ть кого́-л. при́стальным взгля́дом; to ~ straight before one смотре́ть в одну́ то́чку; to ~ with astonishment широко́ откры́ть глаза́ от удивле́ния; to make people ~ удивля́ть, поража́ть люде́й 2) торча́ть (*о волосах и т. п.*) ▭ ~ **down**, ~ **out** смути́ть взгля́дом ◇ to ~ smb. in the face а) быть я́вным, очеви́дным; б) угрожа́ть, надвига́ться; в): the book I was looking for was staring me in the face кни́га, кото́рую я иска́л, лежа́ла передо мно́й

starfish ['stɑ:fɪʃ] *n зоол.* морска́я звезда́

stargazer ['stɑ:,geɪzə] *n шутл.* 1) астро́лог; звездочёт; астроно́м 2) идеали́ст, мечта́тель

stargazing ['stɑ:,geɪzɪŋ] *n шутл.* 1) созерца́ние звёзд; астроно́мия 2) мечта́тельность 3) рассе́янность

staring ['steərɪŋ] **1.** *pres. p. от* stare 2

2. *a* 1) широко́ раскры́тый (*о глазах*); при́стальный (*о взгляде*) 2) крича́щий, броса́ющийся в глаза́, я́ркий

stark [stɑ:k] **1.** *a* 1) го́лый (*о ландшафте*); пусты́нный 2) по́лный, абсолю́тный; ~ nonsense чисте́йший вздор 3) *уст.* окочене́вший, засты́вший 4) *поэт.* си́льный, реши́тельный, непрекло́нный

2. *adv* соверше́нно, по́лностью; ~ naked абсолю́тно го́лый

starkers ['stɑ:kəz] *a sl.* соверше́нно го́лый

starless ['stɑ:ləs] *a* беззвёздный

starlet ['stɑ:lət] *n* 1) тала́нтливая молода́я киноактри́са, бу́дущая звезда́, восходя́щая звезда́ 2) небольша́я звезда́

starlight ['stɑ:laɪt] **1.** *n* свет звёзд

2. *a* звёздный; ~ night звёздная ночь

starling I ['stɑ:lɪŋ] *n* скворе́ц

starling II ['stɑ:lɪŋ] *n* водоре́з, волноре́з; ледоре́з

starlit ['stɑ:lɪt] *a* звёздный, освещённый све́том звёзд

starred [stɑ:d] **1.** *p. p. от* star 3

2. *a* 1) усе́янный, усы́панный звёздами; укра́шенный, отме́ченный звездо́й 2) *театр., кино* явля́ющийся звездо́й

starry ['stɑ:rɪ] *a* 1) звёздный 2) звездообра́зный 3) я́ркий; сия́ющий как звёзды, лучи́стый (*о глазах*)

starry-eyed [,stɑ:rɪ'aɪd] *a разг.* мечта́тельный; не от ми́ра сего́

star shell ['stɑ:ʃel] *n воен.* освети́тельный снаря́д

star-spangled ['stɑ:,spæŋgld] *a* 1) усы́панный звёздами; the Star-Spangled Banner Звёздное зна́мя (*государственный флаг и гимн США*) 2) ура́-патриоти́ческий, настро́енный шовинисти́чески (*об американцах*)

start [stɑ:t] **1.** *n* 1) отправле́ние; нача́ло; to make a ~ нача́ть; отпра́виться; from ~ to finish с нача́ла до конца́; a ~ in life нача́ло карье́ры; to give smb. a ~ in life помо́чь кому́-л. встать на́ ноги 2) *спорт.* старт 3) преиму́щество; to get the ~ of smb. опереди́ть кого́-л., получи́ть преиму́щество пе́ред кем-л.; he gave me a ~ of 10 yards он дал мне фо́ру 10 я́рдов 4) вздра́гивание; толчо́к; to give smb. a ~ испуга́ть кого́-л.; to give a ~ вздро́гнуть 5) *разг.* неожи́данность 6) пуск в ход; за́пуск 7) *ав.* взлёт ◇ for a ~ для нача́ла, начнём с того́, что

2. *v* 1) начина́ть; бра́ться (*за что-л.*); to ~ a quarrel зате́ять ссо́ру; to ~ a subject нача́ть разгово́р о чём-л.; to ~ working взя́ться за рабо́ту 2) учрежда́ть, открыва́ть (*предприятия и т. п.*) 3) начина́ться; the fire ~ed in the kitchen снача́ла загоре́лось в ку́хне 4) отправля́ться, пуска́ться в путь; тро́гаться (*о трамвае, поезде и т. п.*); the train has just ~ed по́езд то́лько что ушёл; to ~ on a journey отпра́виться путеше́ствовать; to ~ for London отпра́виться в Ло́ндон 5) пуска́ть (*машину*; *тж.* ~ up) 6) помога́ть (*кому-л.*) нача́ть (*какое-л. дело и т. п.*) 7) *спорт.* дава́ть старт 8) *спорт.* стартова́ть 9) вздра́гивать, содрога́ться; to ~ in one's seat привскочи́ть на сту́ле 10) вскочи́ть, бро́ситься (*тж.* ~ up); to ~ back отпря́нуть, отскочи́ть наза́д; to ~ forward бро́ситься вперёд 11) вспу́гивать; to ~ a hare *охот.* подня́ть за́йца 12) коро́бится (*о древесине*) 13) поли́ться, хлы́нуть (*о слезах и т. п.*) 14) *ав.* взлета́ть 15) расшата́ть(ся) 16) расходи́ться (*о шве*) ▭ ~ **in** *разг.* начина́ть, принима́ться; just ~ in and clean the room прими́тесь-ка за убо́рку ко́мнаты; ~ **out** а) отправля́ться в путь; б) *разг.* собира́ться сде́лать (*что-л.*); he ~ed out to write a book он собира́лся написа́ть кни́гу; в) *разг.* начина́ть; ~ **up** а) вскакива́ть; б) появля́ться; a new idea has ~ed up возни́кла но́вая иде́я; в) пуска́ть в ход; to ~ up an engine запусти́ть мото́р; ~ **with** а): to ~ with нача́ть с того́...; пре́жде всего́; you have no right to go there, to ~ with (ну́жно) нача́ть с того́, что вы не име́ете пра́ва ходи́ть туда́; б) начина́ть с *чего-л.*, we had six members to ~ with у нас сперва́ бы́ло шесть чле́нов ◇ to ~ another hare подня́ть но́вый вопро́с для обсужде́ния; перемени́ть те́му разгово́ра

starter ['stɑ:tə] *n* 1) *авто* пусково́й прибо́р, ста́ртер, стартёр 2) *спорт.* ста́ртер 3) уча́стник состяза́ния 4) диспе́тчер 5) пе́рвое блю́до

starting gate ['stɑ:tɪŋgeɪt] *n* передвижно́й барье́р на ста́рте (*конный спорт*)

starting lever ['stɑ:tɪŋ,li:və] *n тех.* пусково́й рыча́г

starting point ['stɑ:tɪŋpɔɪnt] *n* отправно́й пункт, отправна́я то́чка

starting post ['stɑ:tɪŋpəʊst] *n* ста́ртовый столб

startle ['stɑ:tl] **1.** *n* испу́г

2. *v* 1) испуга́ть, си́льно удиви́ть; I was ~d by the news я был поражён изве́стием; to ~ a person out of his apathy вы́вести кого́-л. из состоя́ния апа́тии 2) вздра́гивать

startler ['stɑ:tlə] *n* сенсацио́нное собы́тие *или* заявле́ние

startling ['stɑ:tlɪŋ] **1.** *pres. p. от* startle 2

2. *a* потряса́ющий, порази́тельный

star turn ['stɑ:tɜ:n] *n* гла́вный но́мер програ́ммы

starvation [stɑ:'veɪʃn] *n* 1) го́лод; голода́ние 2) голо́дная смерть

starve [stɑ:v] *v* 1) голода́ть 2) умира́ть от го́лода 3) *разг.* чу́вствовать го́лод 4) жа́ждать (for — *чего-л.*) 5) мори́ть го́лодом; лиша́ть пи́щи, истоща́ть (*тж. перен.*); to ~ into surrender взять измо́ром 6) *уст.* умира́ть; to ~ with cold умира́ть от хо́лода

starveling ['stɑ:vlɪŋ] *уст.* **1.** *n* 1) изнурённый, голо́дный челове́к; истощённое живо́тное 2) замо́рыш

2. *a* голо́дный, изнурённый

Star Wars ['stɑ:wɔ:z] *n pl разг.* звёздные во́йны

stash [stæʃ] *v разг.* копи́ть, припря́тывать (*тж.* ~ away)

state I [steɪt] **1.** *n* 1) состоя́ние; ~ of mind душе́вное состоя́ние; ~ of health состоя́ние здоро́вья; in a ~ *разг.* а) в беспоря́дке; б) в затрудне́нии; в) в волне́нии, в возбужде́нии; to work oneself into a ~ взвинти́ть себя́; don't get into a ~! не заводи́сь!; things were in an untidy ~ всё бы́ло в беспоря́дке; what a ~ you are in! *разг.* в како́м вы ви́де! 2) строе́ние, структу́ра, фо́рма 3) положе́ние, ранг; in a style befitting his ~ как подоба́ет челове́ку его́ положе́ния; persons in every ~ of life лю́ди ра́зного зва́ния 4) великоле́пие, пы́шность; in ~ с по́мпой; to lie in ~ быть вы́ставленным для проща́ния (*о поко́йнике*); to receive in ~ устра́ивать торже́ственный приём

2. *a* пара́дный; торже́ственный; ~ coach пара́дная каре́та; ~ call *разг.* официа́льный визи́т

3. *v* 1) заявля́ть, утвержда́ть 2) устана́вливать, то́чно определя́ть; this condition was expressly ~d э́то усло́вие бы́ло специа́льно оговорено́ 3) констати́ровать; формули́ровать; излага́ть; to ~ one's case изложи́ть своё де́ло 4) *мат.* формули́ровать, выража́ть зна́ками

state II [steɪt] **1.** *n* (*тж.* S.) 1) госуда́рство 2) штат

2. *a* 1) госуда́рственный; ~ business де́ло госуда́рственной ва́жности; ~ trial суд над госуда́рственным престу́пником 2) *амер.* относя́щийся к отде́льному шта́ту (*в отли́чие от* federal); S. rights автоно́мия отде́льных шта́тов США; S. Board of Education управле́ние по дела́м образова́ния в шта́те

state-aided ['steɪteɪdɪd] *a* получа́ющий субси́дию от госуда́рства

statecraft ['steɪtkrɑ:ft] *n* иску́сство управля́ть госуда́рством

stated ['steɪtɪd] **1.** *p. p. от* state I, 3

2. *a* 1) устано́вленный; назна́ченный; регуля́рный; at ~ intervals че́рез определённые промежу́тки вре́мени; ~ office hours определённые часы́ рабо́ты (*в учрежде́нии*) 2) сформули́рованный; зафикси́рованный 3) вы́сказанный

Statehouse ['steɪthaʊs] *n амер.* зда́ние законода́тельного о́ргана шта́та

stately ['steɪtlɪ] *a* велича́вый, велича́ственный, по́лный досто́инства

statement ['steɪtmənt] *n* 1) изложе́ние, формулиро́вка 2) утвержде́ние, заявле́ние; to make a ~ заявля́ть, де́лать заявле́ние 3) официа́льный отчёт, бюллете́нь

stateroom ['steɪtru:m] *n* 1) пара́дный зал 2) отде́льная каю́та 3) *амер.* купе́

Stateside ['steɪtsaɪd] *амер. разг.* **1.** *a* относя́щийся к США; полу́ченный из США; направля́ющийся в США

2. *adv* из США; в США

statesman ['steɪtsmən] *n* госуда́рственный де́ятель

statesmanship ['steɪtsmənʃɪp] = statecraft

statewide ['steɪtwaɪd] *a амер.* в масшта́бе шта́та

static(al) ['stætɪk(l)] *a* стати́ческий, стациона́рный, неподви́жный

statics I ['stætɪks] *n pl* (*употр. как sing*) ста́тика

statics II ['stætɪks] *n pl радио* атмосфе́рные поме́хи

station ['steɪʃn] **1.** *n* 1) железнодоро́жная ста́нция, вокза́л (*тж.* railway ~) 2) ста́нция, пункт; lifeboat ~ спаса́тельная ста́нция; broadcasting ~ радиоста́нция 3) *амер.* почто́вое отделе́ние 4) вое́нно-морска́я ба́за (*тж.* naval ~); авиаба́за 5) обще́ственное положе́ние 6) *австрал.* овцево́дческая фе́рма; ове́чье па́стбище 7) *биол.* ареа́л 8) ме́сто, местоположе́ние; battle ~ боево́й пост; he took up a convenient ~ он за́нял удо́бную пози́цию; they returned to their several ~s они́ верну́лись на свои́ места́ 9) *attr.* станцио́нный

2. *v* 1) ста́вить на (определённое) ме́сто; помеща́ть; to ~ oneself расположи́ться 2) *воен.* размеща́ть; to ~ a guard вы́ставить карау́л

stationary ['steɪʃnərɪ] *a* 1) неподви́жный, закреплённый, стациона́рный; ~ troops ме́стные войска́ 2) постоя́нный, неизме́нный; ~ air во́здух, остаю́щийся в лёгких по́сле норма́льного вы́доха; ~ temperature постоя́нная температу́ра 3): ~ warfare позицио́нная война́

stationer ['steɪʃnə] *n* 1) торго́вец канцеля́рскими принадле́жностями 2) *уст.* книгоизда́тель; книготорго́вец

stationery ['steɪʃnərɪ] *n* 1) канцеля́рские принадле́жности 2) почто́вая бума́га

station house ['steɪʃnhaʊs] *n амер.* полице́йский уча́сток

station-master ['steɪʃn,mɑ:stə] *n ж.-д.* нача́льник ста́нции

station wagon ['steɪʃn,wægən] *n* многоме́стный легково́й автомоби́ль (*с отки́дными сиде́ньями и за́дним отки́дным бо́ртом*)

statist ['stætɪst] = statistician

statistic(al) [stə'tɪstɪk(l)] *a* статисти́ческий

statistician [,stætɪ'stɪʃn] *n* стати́стик

statistics [stə'tɪstɪks] *n pl* 1) (*употр. как sing*) стати́стика 2) (*употр. как pl*) статисти́ческие да́нные

statuary ['stætʃʊərɪ] **1.** *n* 1) *собир.* скульпту́ра 2) скульпту́ра (*вид иску́сства*)

2. *a* 1) скульпту́рный 2) приго́дный для скульпту́рных рабо́т (*о материа́ле*)

statue ['stætʃu:] *n* ста́туя, извая́ние

statuesque [,stætʃʊ'esk] *a* 1) засты́вший, похо́жий на извая́ние 2) велича́вый

statuette [,stætʃʊ'et] *n* статуэ́тка

stature ['stætʃə] *n* рост, стан, фигу́ра; to grow in ~ расти́; above average ~ вы́ше сре́днего ро́ста

status ['steɪtəs] *n* 1) ста́тус, обще́ственное положе́ние 2) состоя́ние, положе́ние дел 3) *юр.* ста́тус; гражда́нское состоя́ние

status quo [,steɪtəs'kwəʊ] *n* ста́тус-кво́

statute ['stætʃu:t] *n* 1) стату́т; законода́тельный акт парла́мента 2) уста́в

statute book ['stætʃu:tbʊk] *n* свод зако́нов

statute law ['stætʃu:tlɔ:] *n* ста́тутное пра́во; пра́во, вы́раженное в законода́тельных а́ктах

statutory ['stætʃʊtərɪ] *a* осно́ванный на зако́не, ста́тутный

staunch I [stɔ:ntʃ] *a* 1) ве́рный, сто́йкий; лоя́льный 2) водонепроница́емый 3) про́чный, основа́тельный

staunch II [stɔ:ntʃ] = stanch I

stave [steɪv] **1.** *n* 1) боча́рная клёпка 2) перекла́дина (*приставно́й ле́стницы*) 3) па́лка, шест 4) *прос.* строфа́ 5) = staff I, 7)

2. *v* (staved [-d], stove) снабжа́ть боча́рными клёпками ▭ ~ **in** разби́ть, пролома́ть (*бо́чку, ло́дку и т. п.*); ~ **off** а) предотврати́ть *или* отсро́чить (*бе́дствие и т. п.*); б) отбро́сить (*проти́вника*)

staves [steɪvz] *pl от* staff 1, 1) *и* 7)

stay I [steɪ] **1.** *n* 1) пребыва́ние; I shall make a week's ~ there я пробу́ду там неде́лю 2) остано́вка; стоя́нка 3) *юр.* отсро́чка, приостановле́ние 4) выно́сливость; вы́держка 5) опо́ра, подде́ржка; he is the ~ of his old age он его́ опо́ра в ста́рости (*о ком-л.*) 6) *pl уст.* корсе́т (*тж.* pair of ~s) 7) *тех.* люне́т

2. *v* 1) остава́ться, заде́рживаться (*тж.* ~ on); ~ here till I return побу́дьте здесь, пока́ я не верну́сь; to ~ calm (cool) сохраня́ть споко́йствие (хладнокро́вие); to come to ~ войти́ в употребле́ние, укорени́ться, приви́ться, получи́ть призна́ние; it has come to ~ *разг.* э́то надо́лго; to ~ put *разг.* а) остава́ться неподви́жным, замере́ть на ме́сте; остава́ться на ме́сте; б) остава́ться неизме́нным 2) остана́вливаться, жить (at); гости́ть (with) 3) *уст., книжн.* остана́вливать, сде́рживать; заде́рживать; to ~ one's hand возде́рживаться от де́йствия 4) (*особ. в повел. накл.*) ме́длить, ждать; ~! not so fast! подожди́те!, не так бы́стро!; куда́ вы торо́питесь? 5) *юр.* приостана́вливать, отсро́чивать 6) утоля́ть (*боль, го́лод и т. п.*); to ~ one's hunger (*или* stomach) ≅ замори́ть червячка́ 7) вы́держивать, выноси́ть, быть в состоя́нии продолжа́ть; не отстава́ть 8) придава́ть жёсткость, сто́йкость *или* про́чность констру́кции; подде́рживать, укрепля́ть, свя́зывать 9) затя́гивать в корсе́т ▭ ~ **away** не приходи́ть, не явля́ться; to ~ away from smb., smth. держа́ться пода́льше от кого́-л., чего́-л.; ~ **in** остава́ться до́ма, не выходи́ть; ~ **on** продолжа́ть остава́ться; заде́рживаться; ~ **out** а) не возвраща́ться домо́й; б) отсу́тствовать; в) пересиде́ть (*други́х госте́й*); ~ **up** не ложи́ться спать ◇ to ~ the course вы́держать до конца́ (*борьбу́ и т. п.*)

stay II [steɪ] *v мор.* 1) укрепля́ть; оття́гивать 2) де́лать поворо́т овершта́г

stay-at-home ['steɪəthəʊm] *n* 1) домосе́д(ка) 2) *attr.*: he is not the ~ sort он не лю́бит сиде́ть до́ма

stay-bolt ['steɪbəʊlt] *n тех.* а́нкерный болт, распо́рная связь

stayed I [steɪd] **1.** *p. p. от* stay I, 2

2. *a* затя́нутый в корсе́т

stayed II [steɪd] *p. p. от* stay II

stayer ['steɪə] *n* 1) выно́сливый челове́к *или* живо́тное 2) *спорт.* ста́йер

stay-in ['steɪɪn] *n* италья́нская забасто́вка (*тж.* ~ strike)

staying I ['steɪɪŋ] **1.** *pres. p. от* stay I, 2

2. *a* 1) остана́вливающий(ся), заде́рживающий(ся); сде́рживающий(ся) 2) остаю́щийся неизме́нным; неослабева́ющий; ~ power(s) выно́сливость, вы́держка

staying II ['steɪɪŋ] *pres. p. от* stay II

stay-lace ['steɪleɪs] *n* шнуро́вка для корсе́та

staysail ['steɪsl] *n мор.* ста́ксель

stead [sted] *n*: in smb.'s ~, in ~ of smb. вме́сто кого́-л., за кого́-л.; to stand smb. in good ~ пригоди́ться, оказа́ться поле́зным кому́-л.

steadfast ['stedfɑ:st] *a* 1) твёрдый, про́чный; усто́йчивый; ~ gaze приста́льный взгляд 2) сто́йкий, непоколеби́мый; ~ faith непоколеби́мая ве́ра

steading ['stedɪŋ] *n диал.* фе́рма, уса́дьба, ху́тор

steady ['stedɪ] **1.** *a* 1) усто́йчивый; про́чный 2) равноме́рный, ро́вный 3) постоя́нный, неизме́нный, неукло́нный; ~ flow of talk непреры́вный пото́к слов 4) твёрдый, ве́рный, непоколеби́мый; надёжный; ~ hand а) твёрдая, уве́ренная рука́; б) твёрдое руково́дство; ~ resolve непреклóнное реше́ние; ~ as a rock твёрдый как скала́ 5) уравнове́шенный, споко́йный; a ~ young fellow уравнове́шенный молодо́й челове́к

2. *v* 1) де́лать(ся) твёрдым, усто́йчивым; the boat steadied ло́дка пришла́ в равнове́сие 2) остепени́ться; he will soon ~ (down) он ско́ро остепени́тся

3. *n разг.* жени́х; неве́ста; возлю́бленный; возлю́бленная

4. *int* осторо́жно!

steak [steɪk] *n* 1) кусо́к мя́са *или* ры́бы (*для жаренья*) 2) бифште́кс

steak-house ['steɪkhaʊs] *n* бифште́ксная, рестора́н, специализи́рующийся на мясны́х блю́дах

steal [sti:l] **1.** *v* (stole; stolen) 1) ворова́ть, красть 2) сде́лать (*что-л.*) незаме́тно, укра́дкой; тайко́м доби́ться (*чего-л.*); to ~ a glance взгляну́ть укра́дкой; to ~ a ride е́хать за́йцем 3) кра́сться, прокра́дываться (*тж.* ~ up) 4) постепе́нно овладева́ть, захва́тывать (*о чувстве и т. п.*); a sense of peace stole over him им овладе́ло чу́вство поко́я ▭ ~ **away** незаме́тно ускользну́ть; ~ **by** проскользну́ть ми́мо; ~ **in** войти́ кра́дучись; ~ **out** улизну́ть; ~ **up** подкра́сться ◇ to ~ a march on smb. опереди́ть кого́-л. (*в чём-л.*); to ~ the show затми́ть всех; оказа́ться в це́нтре внима́ния

2. *n разг.* 1) *амер.* воровство́ 2) *амер.* укра́денный предме́т 3) вы́годная поку́пка

stealing ['sti:lɪŋ] **1.** *pres. p. от* steal 1

2. *n* 1) воровство́ 2) (*обыкн. pl*) укра́денное, кра́деные ве́щи

stealth [stelθ] *n*: by ~ укра́дкой, втихомо́лку, тайко́м

stealthily ['stelθɪlɪ] *adv* укра́дкой, та́йно, втихомо́лку

stealthy ['stelθɪ] *a* та́йный, скры́тый; ~ whisper осторо́жный шёпот; ~ footsteps бесшу́мные шаги́

steam [sti:m] **1.** *n* 1) пар; live (saturated, wet) ~ о́стрый (насы́щенный, вла́жный) пар; full ~ ahead! вперёд на всех пара́х!; to get up ~ развести́ пары́; *перен.* собра́ться с си́лами; разви́ть эне́ргию; to let (*или* to blow) off ~ вы́пустить пары́; *перен.* дать вы́ход свои́м чу́вствам; to put on ~ подба́вить па́ру; *перен.* торопи́ться 2) испаре́ние 3) *разг.* энтузиа́зм; эне́ргия

2. *a* парово́й

3. *v* 1) вари́ть на пару́ 2) подверга́ть де́йствию па́ра; па́рить; выпа́ривать; to ~ open откле́ивать с по́мощью па́ра 3) выпуска́ть пар 4) дви́гаться посре́дством па́ра; идти́ под пара́ми 5) *разг.* развива́ть большу́ю эне́ргию, «жа́рить» 6) поднима́ться в ви́де па́ра 7) запотева́ть, отпотева́ть ▭ ~ **away** выкипа́ть

steamboat ['sti:mbəʊt] *n* парохо́д

steam boiler ['sti:m,bɔɪlə] *n* парово́й котёл

steam coal ['sti:mkəʊl] *n* парови́чный у́голь

steam-driven ['sti:m,drɪvn] *a* приводи́мый в движе́ние па́ром

steam engine ['sti:m,endʒɪn] *n* парова́я маши́на, парово́й дви́гатель

steamer ['sti:mə] *n* 1) парохо́д 2) парова́рка

steam-gauge ['sti:mgeɪdʒ] *n* мано́метр

steam hammer ['sti:m,hæmə] *n* парово́й мо́лот ◇ to use a ~ to crack nuts ≅ стреля́ть из пу́шек по воробья́м

steam-heat ['sti:mhi:t] *n физ.* теплота́ конденса́ции

steam-jacket ['sti:m,dʒækɪt] *n тех.* парова́я руба́шка

steam-launch ['sti:m,lɔ:ntʃ] *n* парово́й ка́тер

steam-power ['sti:m,paʊə] *n* эне́ргия па́ра

steamroller ['sti:m,rəʊlə] *n* 1) парово́й като́к 2) всесокруша́ющая си́ла

steamship ['sti:mʃɪp] *n* парохо́д

steamshop ['sti:mʃɒp] *n* коте́льная; кочега́рка

steam shovel ['sti:m,ʃʌvl] *n* парово́й экскава́тор

steam table ['sti:m,teɪbl] *n* марми́т (*подогревательный шкаф в столовых, ресторанах*)

steam-tight ['sti:mtaɪt] *a* паронепроница́емый

steam turbine ['sti:m,tɜ:bɪn] *n* парова́я турби́на

steamy ['sti:mɪ] *a* 1) парообра́зный 2) насы́щенный пара́ми 3) испаря́ющийся

stearin ['stɪərɪn] *n* стеари́н

steatite ['sti:ətaɪt] *n мин.* мы́льный ка́мень, стеати́т, жирови́к

steed [sti:d] *n поэт., уст.* конь

steel [sti:l] **1.** *n* 1) сталь; a grip of ~ желе́зная хва́тка 2) твёрдость 3) *тех.* стально́й бур 4) стальна́я пласти́нка 5) *книжн.* меч, шпа́га; an enemy worthy of one's ~ досто́йный проти́вник 6) огни́во ◇ true as ~ абсолю́тно пре́данный и ве́рный

2. *a* 1) стально́й 2) жесто́кий

3. *v* 1) закаля́ть; *перен.* ожесточа́ть; to ~ one's heart, to ~ oneself against pity заста́вить себя́ забы́ть жа́лость; ожесточи́ться 2) покрыва́ть ста́лью; снабжа́ть стальны́м наконе́чником *и т. п.*

steel-blue [,sti:l'blu:] **1.** *n* синева́то-стально́й цвет

2. *a* синева́то-стально́го цве́та

steel-clad ['sti:lklæd] *a* брониро́ванный, зако́ванный в броню́

steel engraving [,sti:lɪn'greɪvɪŋ] *n* гравю́ра на ста́ли

steel gray [,sti:l'greɪ] **1.** *n* се́рый цвет с голубы́м отли́вом

2. *a* се́рый с голубы́м отли́вом

steel-plated [,sti:l'pleɪtɪd] *a* брониро́ванный; оби́тый ста́лью

steel wool [,sti:l'wʊl] *n* то́нкая стальна́я стру́жка для чи́стки кастрю́ль *и т. п.*

steelwork ['sti:lwɜ:k] *n* 1) *собир.* стальны́е изде́лия 2) стальна́я констру́кция, фе́рма *и т. п.* 3) *pl* (*употр. как sing и как pl*) сталелите́йный заво́д

steely ['sti:lɪ] *a* 1) стально́й, из ста́ли 2) непреклóнный, суро́вый; твёрдый как сталь

steelyard ['sti:ljɑ:d] *n* безме́н

steep I [sti:p] **1.** *a* 1) крутóй 2) *разг.* чрезме́рный, непоме́рно высо́кий (*о требованиях, ценах и т. п.*); it seems a bit ~ э́то уже́ сли́шком 3) *разг.* невероя́тный, преувели́ченный, неправдоподо́бный

2. *n* кру́ча; обры́в

steep II [sti:p] **1.** *n* 1) погруже́ние (в жи́дкость); пропи́тка 2) ва́нна для пропи́тки

2. *v* 1) погружа́ть (в жи́дкость); пропи́тывать 2) бу́чить, выщела́чивать ▭ ~ **in** погружа́ться, уходи́ть с голово́й; погря́знуть; to ~ in prejudice погря́знуть в предрассу́дках; to ~ in slumber погрузи́ться в сон; to be ~ed in literature уйти́ с голово́й в литерату́ру

steepen ['sti:pən] *v* де́лать(ся) кру́че

steeple ['sti:pl] *n* 1) колоко́льня 2) пирамида́льная кры́ша, шпиц, шпиль

steeplechase ['sti:pltʃeɪs] *n* бег *или* ска́чки с препя́тствиями

steeplechaser ['sti:pltʃeɪsə] *n* 1) уча́стник ска́чек *или* бе́га с препя́тствиями 2) ло́шадь, уча́ствующая в ска́чках с препя́тствиями

steeplejack ['sti:pldʒæk] *n* верхола́з

steer I [stɪə] **1.** *v* 1) пра́вить рулём, управля́ть (*автомобилем и т. п.*); вести́ су́дно 2) слу́шаться управле́ния; this car ~s easily э́той маши́ной легко́ пра́вить 3) сле́довать, идти́ (*по определённому курсу*); to ~ clear избега́ть, сторони́ться; to ~ a middle course избега́ть кра́йностей; to ~ a steady course неукло́нно идти́ свое́й доро́гой 4) направля́ть, руководи́ть

2. *n амер. разг.* намёк, подска́зка

steer II [stɪə] *n* кастри́рованный бычо́к; молодо́й вол

steerage ['stɪərɪdʒ] *n* 1) управле́ние рулём 2) рулево́е управле́ние 3) *уст.* тре́тий класс (*самые дешёвые места на океанских судах*)

steering committee ['stɪərɪŋkə,mɪtɪ] *n* коми́ссия по вы́работке регла́мента *или* поря́дка дня

steering gear ['stɪərɪŋgɪə] *n* рулево́й механи́зм; *мор.* рулево́е устро́йство

steering wheel ['stɪərɪŋwi:l] *n* рулево́е колесо́; штурва́л

steersman ['stɪəzmən] *n* рулево́й

stein [staɪn] *n* гли́няная пивна́я кру́жка

stela ['sti:lə] *n* (*pl* -ae) *археол.* сте́ла, надгро́бный обели́ск; коло́нна с на́дписями *или* изображе́ниями

stelae ['sti:li:] *pl от* stela

stele I ['sti:lɪ] *n* 1) *бот.* сте́ла 2) *археол.* = stela

stele II ['sti:lɪ] *n* рукоя́тка; дре́вко копья́

stellar ['stelə] *a* 1) звёздный; ~ navigation навига́ция по звёздам 2) звездообра́зный 3) *амер.* веду́щий, гла́вный (*об артисте, роли и т. п.*)

stellate, stellated ['stelɪt, 'steleɪtɪd] *a* звездообра́зный, расходя́щийся луча́ми в ви́де звезды́

stellular ['steljʊlə] *a* 1) усы́панный, покры́тый звёздочками 2) = stellate

stem I [stem] **1.** *n* 1) ствол; сте́бель 2) *бот.* соплóдие; a ~ of bananas гроздь бана́нов 3) но́жка (*бокала и т. п.*) 4) голо́вка часо́в 5) черено́к; рукоя́тка (*инструмента*) 6) *полигр.* основно́й штрих (*очка литеры*); но́жка (*литеры*) 7) *грам.* осно́ва 8) *мор.* форште́вень, нос; from ~ to stern во всю длину́ корабля́ 9) род; пле́мя 10) *тех.* сте́ржень, коро́ткая соедини́тельная дета́ль

2. *v* 1) происходи́ть (from, out of) 2) чи́стить я́годы 3) приде́лывать стебельки́ (*к искусственным цветам*) 4) *уст.* расти́ пря́мо (*как стебель*)

stem II [stem] *v* 1) ока́зывать сопротивле́ние; to ~ the tide идти́ про́тив тече́ния; to ~ difficulties преодолева́ть тру́дности 2) запру́живать; заде́рживать

stemma ['stemə] *n* родосло́вная, родосло́вное де́рево, генеало́гия

stem plough ['stemplaʊ] *n спорт.* поворо́т (на лы́жах) плу́гом

stem turn ['stemtɜ:n] *n спорт.* поворо́т (на лы́жах) упо́ром

stemware ['stemweə] *n* рю́мки, бока́лы, фуже́ры

stench [stentʃ] *n* злово́ние

stencil ['stensl] **1.** *n* 1) шабло́н, трафаре́т 2) узо́р *или* на́дпись по трафаре́ту

2. *v* наноси́ть узо́р *или* на́дпись по трафаре́ту

stencil-plate ['stenslpleɪt] = stencil 1, 1)

stenograph ['stenəgrɑ:f] **1.** *n* 1) стенографи́ческий знак 2) стенографи́ческая за́пись

2. *v* стенографи́ровать

stenographer [stə'nɒgrəfə] *n* стенографи́ст(ка)

stenographic [,stenə'græfɪk] *a* стенографи́ческий

stenography [stə'nɒgrəfɪ] *n* стеногра́фия

stenosis [ste'nəʊsɪs] *n мед.* стено́з

stentorian [sten'tɔ:rɪən] *a* громоподо́бный, зы́чный (*о голосе*)

step [step] **1.** *n* 1) шаг; ~ by ~ шаг за ша́гом; at every ~ на ка́ждом шагу́; in ~ а) в но́гу; б): to be in ~ соотве́тствовать; out of ~ не в но́гу; to keep ~ with идти́ в но́гу с; to turn one's ~s напра́виться; to bring into ~ согласова́ть во вре́мени 2) па (*в танцах*) 3) шаг, посту́пок; ме́ра; a false ~ ло́жный шаг; to take ~s принима́ть ме́ры 4) след (*ноги*); to follow smb.'s ~s, to tread in the ~s of smb. *перен.* идти́ по чьим-л. стопа́м 5) ступе́нь, ступе́нька; подно́жка, присту́пка; поро́г; подъём; flight of ~s марш ле́стницы 6) *pl* стремя́нка (*тж.* a pair of ~s) 7) коро́ткое расстоя́ние; it is but a few ~s to my house до моего́ до́ма всего́ два шага́ 8) звук шаго́в 9) по́ступь, похо́дка 10) *амер. муз.* стэп 11) *мор.* степс, гнездо́ (*мачты*) 12) *тех.* ход (*спирали*) ◇ to get one's ~ получи́ть повыше́ние; it is the first ~ that costs *посл.* ≅ тру́ден то́лько пе́рвый шаг

2. *v* 1) шага́ть, ступа́ть; to ~ high высоко́ поднима́ть но́ги (*особ. о рысаке*); to ~ short не рассчита́ть длину́ ша́га; to ~ lightly ступа́ть легко́; to ~ out briskly идти́ бы́стро; ~ lively! живе́й!; торопи́тесь! 2) проходи́ть небольшо́е расстоя́ние 3) достига́ть чего́-л. сра́зу, одни́м ма́хом 4) измеря́ть шага́ми (*тж.* ~ out) 5) де́лать па (*в танце*); to ~ it танцева́ть 6) *мор.* ста́вить, устана́вливать (*мачту*) ▭ ~ **aside** посторони́ться; *перен.* уступи́ть доро́гу друго́му; ~ **back** а) отступи́ть; б) уступи́ть; ~ **down** а) пода́ть, уйти́ в отста́вку; б) *эл.* понижа́ть напряже́ние; в) спусти́ться; г) вы́йти (*из экипажа и т. п.*); ~ **in** а) входи́ть; б) включа́ться (*в дело и т. п.*); в) вмешива́ться; ~ **off** а) сходи́ть; б) *амер. sl.* сде́лать оши́бку; ~ **on** а) наступа́ть на́ ноги (*в танце и т. п.*); I hate to be ~ped on я не переношу́ толкотни́; б) *разг.* задева́ть (*кого-л., чьи-л. чувства*); ~ **out** а) выходи́ть (*особ. ненадолго*); б) *разг.* развлека́ться; в) шага́ть больши́ми шага́ми; прибавля́ть ша́гу; ~ **up** а) увели́чивать; ускоря́ть; б) *эл.* повыша́ть напряже́ние; в) подойти́; ◇ ~ on it! *разг.* живе́й!, торопи́вайся, повора́чивайся!

stepbrother ['step,brʌðə] *n* сво́дный брат

stepchild ['steptʃaɪld] *n* па́сынок; па́дчерица

stepdaughter ['step,dɔ:tə] *n* па́дчерица

step-down transformer [,stepdaʊntræns'fɔ:mə] *n эл.* понижа́ющий трансформа́тор

stepfather ['step,fɑ:ðə] *n* о́тчим

step-ins ['stepɪnz] *n pl* 1) предме́т же́нского туале́та без застёжек (*резиновый пояс, трусики и т. п.*) 2) ту́фли без за́дников; шлёпанцы

stepladder ['step,lædə] *n* (ле́стница-)стремя́нка

stepmother ['step,mʌðə] *n* ма́чеха

stepmotherly ['step,mʌðəlɪ] *a* незабо́тливый; неприя́зненный

stepney ['stepnɪ] *n* запасно́е автомоби́льное колесо́

steppe [step] *n* степь

stepping-stone ['stepɪŋstəʊn] *n* 1) ка́мень, поло́женный для перехо́да че́рез ре́чку 2) что-л., спосо́бствующее улучше́нию положе́ния *или* состоя́ния; сре́дство к достиже́нию це́ли

stepsister ['step,sɪstə] *n* сво́дная сестра́

stepson ['stepsʌn] *n* па́сынок

step-up transformer [,stepʌptræns'fɔ:mə] *n эл.* повыша́ющий трансформа́тор

stereo ['sterɪəʊ] *сокр.* 1) *см.* stereoscope 2) *см.* stereoscopic 3) *см.* stereotype

stereochemistry [,sterɪəʊ'kemɪstrɪ] *n* стереохи́мия

stereography [,sterɪ'ɒgrəfɪ] *n* стереогра́фия

stereometry [,sterɪ'ɒmɪtrɪ] *n* стереоме́трия

stereophonic [,sterɪə'fɒnɪk] *a* стереофони́ческий

stereoscope ['sterɪəskəʊp] *n* стереоско́п

stereoscopic [,sterɪə'skɒpɪk] *a* стереоскопи́ческий; ~ telescope стереотруба́

stereotype ['sterɪətaɪp] **1.** *n* 1) *полигр.* стереоти́п 2) стереоти́пность; шабло́н; изби́тость

2. *a* 1) *полигр.* стереоти́пный 2) шабло́нный, станда́ртный, изби́тый

3. *v* 1) *полигр.* стереотипи́ровать 2) *полигр.* печа́тать со стереоти́па 3) придава́ть шабло́нность, де́лать изби́тым, станда́ртным

stereotyped ['sterɪətaɪpt] **1.** *p. p. от* stereotype 3

2. *a* 1) *полигр.* стереоти́пный 2) стереоти́пный, неоригина́льный, шабло́нный

sterile ['steraɪl] *a* 1) беспло́дный; неспосо́бный к деторожде́нию 2) безрезульта́тный 3) стери́льный, стерилизо́ванный

sterility [stə'rɪlətɪ] *n* 1) беспло́дие 2) беспло́дность 3) стери́льность

sterilization [ˌsterəlaɪ'zeɪʃn] *n* стерилизáция

sterilize ['sterəlaɪz] *v* 1) дéлать бесплóдным 2) стерилизовáть

sterilizer ['sterəlaɪzə] *n* стерилизáтор

sterlet ['stɜːlɪt] *n* стéрлядь

sterling ['stɜːlɪŋ] **1.** *a* 1) стéрлинговый; pound ~ фунт стéрлингов; ~ area стéрлинговая зóна 2) установлéнной прóбы (*о серебре; 925 частей серебра на 75 частей меди*); полноцéнный (*об англ. монетах*); in ~ coin of the realm полновéсной англи́йской монéтой 3) надёжный; пóдлинный; безукори́зненный; ~ fellow надёжный человéк; a work of ~ merit пóдлинное произведéние искýсства

2. *n* 1) англи́йская валю́та; стéрлинги, фýнты стéрлингов 2) серебрó установлéнной прóбы; a set of ~ набóр столóвого серебрá

stern I [stɜːn] *a* строгий, сурóвый; неумоли́мый; ~ resolve непреклóнное решéние ◇ the ~er sex си́льный пол (*о мужчинах*)

stern II [stɜːn] *n* 1) *мор.* кормá 2) зáдняя часть какóго-л. предмéта 3) хвост, прави́ло (*у гончей*) 4) *attr.* кормовóй, зáдний

sterna ['stɜːnə] *pl от* sternum

stern-post ['stɜːnpəʊst] *n* 1) *мор.* ахтерштéвень 2) *ав.* хвостовáя замыкáющая стóйка

sternum ['stɜːnəm] *n* (*pl тж.* -na) *анат.* груди́на

sternutation [ˌstɜːnjʊ'teɪʃn] *n* чихáнье

sternutatory [ˌstɜːnjʊ'teɪtərɪ] *a* вызывáющий чихáнье

stertorous ['stɜːtərəs] *a* тяжёлый, хрипя́щий, затруднённый (*о дыхании*)

stet [stet] *полигр.* **1.** *n* корректýрный знак, отменя́ющий прáвку

2. *v*: ~! остáвить как бы́ло!, не прáвить!

stethoscope ['steθəskəʊp] *мед.* **1.** *n* стетоскóп

2. *v* выслýшивать стетоскóпом

stevedore ['stiːvədɔː] **1.** *n* портóвый грýзчик

2. *v* грузи́ть *или* разгружáть корáбль

stew I [stjuː] **1.** *n* 1) тушёное мя́со; Irish ~ тушёная барáнина с лýком и картóфелем 2) *разг.* беспокóйство, волнéние; in a ~ в беспокóйстве; как на иго́лках

2. *v* 1) туши́ть(ся), вари́ть(ся) 2) *разг.* изнемогáть от жары́ 3) *разг.* волновáться, беспокóиться; взви́нчивать себя́ (*тж.* ~ up) ◇ to ~ in one's own juice самомý расхлёбывать послéдствия сóбственной неосмотри́тельности

stew II [stjuː] *n* ры́бий *или* ýстричный садóк

steward ['stjuːəd] *n* 1) стю́ард (*официант или коридорный на пассажирском судне; бортпроводник на самолёте*) 2) распоряди́тель (*на скачках, балах и т. п.*) 3) = shop steward 4) завхóз (*клуба и т. п.*) 5) управля́ющий (*крупным хозяйством, имением и т. п.*) 6) сенешáль; Lord High S. of England а) лорд-распоряди́тель на коронáции; б) председáтель судá пэ́ров; Lord S. of the Household глáвный камерге́р

stewardess [ˌstjuːə'des] *n* гóрничная (*на пассажирском судне*); стюардéсса, бортпроводни́ца (*на самолёте*)

stewardship ['stjuːədʃɪp] *n* 1) дóлжность управля́ющего *и пр.* [*см.* steward] 2) управлéние

stewed [stjuːd] **1.** *p. p. от* stew I, 2

2. *a* 1) тушёный; ~ fruit компóт 2) *sl.* пья́ный

stew-pan ['stjuːpæn] *n* сотéйник

stew-pot ['stjuːpɒt] = stew-pan

stick [stɪk] **1.** *n* 1) вéточка, вéтка 2) пáлка; прут; трость; стек; кóлышек; пóсох; жезл 3) *тех.* рукоя́тка 4) *муз.* дирижёрская пáлочка 5) *воен.* сéрия бомб 6) брусóк, пáлочка (*сургуча, мыла для бритья и т. п.*); ~ of chocolate пли́тка шоколáда; ~ of chewing gum пли́точка жевáтельной рези́нки 7) (the ~) наказáние, пóрка 8) *разг.* рéзкая кри́тика 9) *pl разг.* мéбель (*обыкн. грубая*) 10) *разг.* вя́лый *или* туповáтый человéк; тупи́ца; недалёкий *или* кóсный человéк 11) (the ~s) *pl разг.* захолýстье 12) *мор. жарг.* мáчта 13) *полигр.* верстáтка 14) *текст.* трепáло, мя́ло ◇ to cut one's ~ *sl.* удрáть, улизнýть; the big ~ поли́тика си́лы, поли́тика большóй дуби́нки

2. *v* (stuck) 1) втыкáть, вкáлывать, вонзáть; натыкáть, насáживать (*на остриё*); утыкáть 2) торчáть (*тж.* ~ out) 3) колóть, закáлывать; to ~ pigs а) закáлывать свиней; б) охóтиться на кабанóв верхóм с копьём 4) *разг.* класть, стáвить, совáть 5) приклéивать; наклéивать, расклéивать 6) ли́пнуть; присáсываться; приклéиваться; to be stuck with smth. не имéть возмóжности отдéлаться от чегó-л.; the envelope won't ~ конвéрт не заклéивается; the nickname stuck (to him) прóзвище пристáло к немý; to ~ on (a horse) *разг.* крéпко сидéть (на лóшади) 7) застря́ть, завя́знуть; to ~ fast основáтельно застря́ть; the door ~ дверь заедáет; the key has stuck in the lock ключ застря́л в замкé 8) оставáться; to ~ at home торчáть дóма 9) держáться, придéрживаться (to — *чего-л.*); упóрствовать (to — *в чём-л.*); оставáться вéрным (*другу, слову, долгу*; to); to ~ by (*или* with, to) one's friends in trouble не оставля́ть друзéй в бедé; friends ~ together друзья́ дéржатся вмéсте; to ~ to business не отвлекáться; to ~ to it упóрствовать, стоя́ть на чём-л.; to ~ to the point держáться бли́же к дéлу 10) *разг.* терпéть, выдéрживать; ~ it! держи́сь!, мужáйся!; I could not ~ it any longer я бóльше не смог э́того вы́терпеть 11) озадáчить, постáвить в тупи́к 12) всучи́ть, навязáть (with) 13) *разг.* обмáнывать 14) *разг.* застáвить (*кого-л.*) заплати́ть; вводи́ть в расхóд 15) *полигр.* вставля́ть в верстáтку ▭ ~ **around** *разг.* слоня́ться поблизости, не уходи́ть; ~ **at** упóрно продолжáть; he ~s at his work ten hours a day он упóрно рабóтает по дéсять часóв в день; to ~ at nothing ни перед чем не останáвливаться; ~ **down** а) приклéивать; б) *разг.* класть; в) *разг.* запи́сывать; ~ **out** а) высóвывать(ся); торчáть; to ~ out one's chest выпя́чивать грудь; б) бастовáть; в) мири́ться, терпéть; держáться до концá; ~ **out for** настáивать на *чём-л.*; ~ **up** а) выдавáться, торчáть; his hair stuck up on end у негó вóлосы стоя́ли торчкóм; б) стáвить торчкóм; в) *разг.* останáвливать с цéлью ограблéния; огрáбить; to ~ up the bank огрáбить банк; ~ **up for** защищáть, поддéрживать; to ~ up for one's rights защищáть свои́ прáвá; ~ **up to** не подчиня́ться; окáзывать сопротивлéние ◇ stuck on влюблённый; to ~ it on *sl.* а) запрáшивать большýю цéну; б) преувели́чивать; to ~ to one's ribs быть питáтельным, полéзным (*о пище*)

sticker ['stɪkə] *n* 1) афи́ша; объявлéние (*расклеиваемое на улице*); наклéйка; этикéтка 2) расклéйщик афи́ш 3) колю́чка, шип 4) упóрный, настóйчивый человéк 5) *разг.* трýдный вопрóс, загáдка

stickful ['stɪkfʊl] *n полигр.* пóлная верстáтка

sticking plaster ['stɪkɪŋˌplɑːstə] *n* ли́пкий плáстырь, лейкоплáстырь

stick-in-the-mud ['stɪkɪnðəˌmʌd] *разг.* **1.** *n* кóсный отстáлый человéк

2. *a* отстáлый; кóсный

stickjaw ['stɪkdʒɔː] *n разг.* тянýчка

stickle ['stɪkl] *v* 1) возражáть, упря́мо спóрить (*по мелочам*) 2) сомневáться, колебáться

stickleback ['stɪklbæk] *n* кóлюшка (*рыба*)

stickler ['stɪklə] *n* я́рый сторóнник, привéрженец (for — *чего-л.*)

stickpin ['stɪkpɪn] *n амер.* булáвка для гáлстука

stickup ['stɪkʌp] *n разг.* налёт, ограблéние

sticky ['stɪkɪ] *a* 1) ли́пкий, клéйкий 2) жáркий и влáжный 3) *разг.* несговóрчивый 4) *разг.* трýдный, затрудни́тельный; to be on a ~ wicket находи́ться в щекотли́вом положéнии 5) *разг.* óчень неприя́тный; he will come to a ~ end он плóхо кóнчит

stiff [stɪf] **1.** *a* 1) тугóй, неги́бкий, неэласти́чный; жёсткий; ~ cardboard негнýщийся картóн 2) нелóвкий, неуклю́жий 3) трýдный; ~ task нелёгкая задáча; ~ examination трýдный экзáмен 4) си́льный (*о ветре*) 5) стрóгий (*о наказании, приговоре и т. п.*) 6) натя́нутый, холóдный, чóпорный; ~ bow церемóнный поклóн 7) непреклóнный, непоколеби́мый; ~ denial реши́тельный откáз 8) окостенéвший; одеревенéлый; ~ in death засты́вший, окоченéвший (*о трупе*); he has a ~ leg у негó ногá онемéла; I have a ~ neck мне надýло в шéю; I feel ~ ≅ не могý ни согнýться, ни разогнýться 9) сильнодéйствующий; крéпкий (*о напитке*); a ~ doze of medicine си́льная дóза лекáрства 10) чрезмéрный (*о требо-*

вании и т. п.) 11) устойчивый (*о ценах, рынке*) 12) плотный, густой; ~ dough густое тесто 13) *разг.* имеющийся в большом количестве; a town ~ with tourists город наводнён туристами 14) *predic. разг.* до изнеможения, до смерти; they bored me ~ я чуть не умер от тоски, скуки; I was scared ~ я перепугался до смерти ◇ to keep a ~ upper lip а) проявлять твёрдость характера; б) сохранять присутствие духа; держаться молодцом; as ~ as a poker чопорный; ≅ словно аршин проглотил

2. *n sl.* 1) труп 2) оболтус; ничтожество 3) поддельный чек 4) вексель

stiffen ['stɪfn] *v* делать(ся) негибким, жёстким *и пр.* [*см.* stiff 1]; to ~ linen with starch крахмалить бельё; his resolution ~ed его решение стало более твёрдым

stiff-necked [,stɪf'nekt] *a* упрямый

stifle I ['staɪfl] *v* 1) сдерживать, подавлять; to ~ a rebellion подавить восстание; to ~ a yawn сдержать зевоту 2) задыхаться 3) душить, удушать 4) тушить (*огонь*) 5) замять (*дело и т. п.*)

stifle II ['staɪfl] *n* коленная чашка *или* коленный сустав (*у лошади, собаки и т. п.*)

stifle-joint ['staɪfldʒɔɪnt] = stifle II

stifling ['staɪflɪŋ] 1. *pres. p. от* stifle I

2. *a* душный

stigma ['stɪgmə] *n* (*pl* -s [-z], -ta) 1) позор, пятно 2) *бот.* рыльце 3) (*pl* -ta; *обыкн. pl*) *церк.* стигматы 4) *ист.* выжженное клеймо (*у преступника*)

stigmata ['stɪgmətə] *pl от* stigma

stigmatize ['stɪgmətaɪz] *v* клеймить, поносить, бесчестить

stile [staɪl] *n* 1) ступеньки для перехода через забор *или* стену; перелаз 2) турникет

stiletto [stɪ'letəʊ] *n* (*pl* -os [-əʊz]) 1) стилет 2) *attr.*: ~ heels высокие и тонкие каблуки, «гвоздики», «шпильки»

still I [stɪl] 1. *a* 1) неподвижный, спокойный; to stand ~ остановиться; keep ~! не шевелись! 2) тихий, бесшумный; to keep ~ не шуметь 3) не игристый (*о вине*) ◇ to keep ~ about smth. молчать о чём-л.; a ~ small voice голос совести

2. *n* 1) тишина, безмолвие; in the ~ of (the) night в ночной тиши 2) = still picture 3) рекламный кадр

3. *v* 1) успокаивать; утихомиривать; to ~ a child убаюкивать ребёнка 2) успокаивать, утолять; to ~ hunger утолить голод 3) *редк.* успокаиваться; when the tempest ~s когда буря утихнет

4. *adv* 1) неподвижно, спокойно 2) до сих пор, (всё) ещё, по-прежнему 3) всё же, тем не менее, однако 4) ещё (*в сравнении*); ~ longer ещё длиннее; ~ further ещё дальше; более того

still II [stɪl] 1. *n* 1) перегонный куб; дистиллятор 2) винокуренный завод

2. *v* перегонять, опреснять, дистиллировать

stillage ['stɪlɪdʒ] *n* стеллаж

stillbirth ['stɪlbɜ:θ] *n* рождение мёртвого плода

stillborn ['stɪlbɔ:n] *a* мертворождённый

still life [,stɪl'laɪf] *n жив.* натюрморт

still picture ['stɪl,pɪktʃə] *n* фотоснимок

still-room ['stɪlru:m] *n* кладовая; буфетная

stilly ['stɪlɪ] 1. *adv* тихо, безмолвно

2. *a поэт.* тихий

stilt [stɪlt] *n* 1) (*обыкн. pl*) ходули; on ~s на ходулях; *перен.* высокопарный 2) ходулочник (*птица*)

stilted ['stɪltɪd] *a* ходульный, напыщенный, высокопарный, неестественный

Stilton ['stɪltən] *n* стильтон (*сорт жирного сыра*; *тж.* ~ cheese)

stimulant ['stɪmjʊlənt] 1. *n* 1) возбуждающее средство 2) спиртной напиток; he never takes ~s он никогда не употребляет спиртных напитков 3) стимул

2. *a* возбуждающий, стимулирующий

stimulate ['stɪmjʊleɪt] *v* 1) возбуждать, стимулировать 2) побуждать; поощрять

stimulation [,stɪmjʊ'leɪʃn] *n* 1) возбуждение 2) поощрение

stimuli ['stɪmjʊlaɪ] *pl от* stimulus

stimulus ['stɪmjʊləs] *n* (*pl* -li) 1) стимул, побудитель; влияние 2) *физиол.* стимул, раздражитель

sting [stɪŋ] 1. *n* 1) жало 2) *бот.* жгучий волосок 3) укус; ожог крапивой 4) муки; острая боль; the ~s of hunger муки голода 5) ядовитость, колкость 6) острота, сила; his service has no ~ in it у него слабая подача (*в теннисе*) 7) *sl.* обман, мошенничество; грабёж ◇ ~ in the tail скрытое жало, самое неприятное в конце

2. *v* (stung) 1) жалить; жечь (*о крапиве и т. п.*) 2) причинять острую боль 3) чувствовать острую боль 4) уязвлять, терзать; to be stung by remorse мучиться угрызениями совести 5) возбуждать; побуждать; the insult stung him into a reply оскорбление побудило его ответить 6) (*обыкн. pass.*) *sl.* обмануть, надуть; обобрать, «нагреть»; he was stung for £5 его надули на 5 фунтов

stinger ['stɪŋə] *n* 1) жалящее насекомое *и т. п.* 2) жало (*насекомого*) 3) *разг.* резкий удар 4) язвительный ответ 5) *разг.* виски с содовой 6) *амер. разг.* коктейль из виски и мятного ликёра со льдом

stinging ['stɪŋɪŋ] 1. *pres. p. от* sting 2

2. *a* 1) жалящий; жгучий; ~ words язвительные слова 2) имеющий жало

stingo ['stɪŋgəʊ] *n* крепкое пиво

stingy ['stɪndʒɪ] *a* 1) скаредный, скупой 2) ограниченный, скудный; ~ crop скудный урожай

stink [stɪŋk] 1. *n* 1) зловоние, вонь 2) *разг.* скандал, шумиха; to raise a ~ поднять шум, устроить скандал 3) *pl sl.* химия; естественные науки ◇ like ~ *разг.* изо всех сил, во всю прыть, со всех ног

2. *v* (stank, stunk; stunk) 1) вонять; смердеть 2) *разг.* быть отталкивающим, омерзительным; this book ~s это отвратительная книга 3): to ~ of money *разг.* быть очень богатым ▭ ~ **out** выгонять, выкуривать

stinkard ['stɪŋkəd] *n* 1) *уст.* низкий, подлый человек 2) *зоол.* вонючка

stink-ball ['stɪŋkbɔ:l] *n воен. жарг.* ручная химическая граната

stinker ['stɪŋkə] *n* 1) вонючка 2) *sl.* подлец, подонок 3) *sl.* барахло, дрянь 4) *sl.* ≅ чёрт ногу сломит (*о трудности*) 5) *sl.* кляузное письмо

stinking ['stɪŋkɪŋ] 1. *pres. p. от* stink 2

2. *a* 1) вонючий 2) *sl.* мерзкий, подлый

3. *adv sl.* сверх головы; до безобразия; ~ rich ≅ денег навалом

stinko ['stɪŋkəʊ] *a sl.* пьяный, поддатый

stinkpot ['stɪŋkpɒt] *n воен.* химическая шашка

stink-stone ['stɪŋkstəʊn] *n мин.* вонючий камень

stint [stɪnt] 1. *n* 1) ограничение; предел, граница; to labour without ~ работать, не жалея сил 2) урочная работа; определённая норма (*работы*); to do one's daily ~ выполнить дневную норму (*работы*)

2. *v* урезывать, ограничивать, скупиться; he does not ~ his praise он не скупится на похвалы

stipe [staɪp] *n бот.* ножка, пенёк (*гриба*)

stipend ['staɪpend] *n* 1) жалованье (*особ. священника*) 2) *редк.* стипендия

stipendiary [staɪ'pendɪərɪ] 1. *a* 1) оплачиваемый 2) получающий жалованье

2. *n* должностное лицо, находящееся на жаловании правительства

stipple ['stɪpl] 1. *n* работа, гравирование пунктиром

2. *v* рисовать *или* гравировать пунктиром

stipulate ['stɪpjʊleɪt] *v* ставить условием, обусловливать, оговаривать в качестве особого условия (that) ▭ ~ **for** выговаривать себе *что-л.*

stipulation [,stɪpjʊ'leɪʃn] *n* 1) обусловливание 2) условие

stipule ['stɪpju:l] *n бот.* прилистник

stir I [stɜ:] 1. *n* 1) размешивание 2) суматоха, суета, переполох; to create (*или* to make) a ~ произвести сенсацию; возбудить общий интерес; наделать шуму 3) шевеление; движение; not a ~ ничто не шелохнётся

2. *v* 1) мешать, помешивать, размешивать; взбалтывать (*тж.* ~ up) 2) шевелить(ся); двигать(ся); he never ~s out of the house он никогда не выходит из дому 3) волновать, возбуждать (*тж.* ~ up); to ~ the blood возбуждать энтузиазм ▭ ~ **up** а) хорошенько размешивать, взбалтывать; б) раздувать (*ссору*); в) возбуждать (*любопытство и т. п.*) ◇ not to ~ an eyelid глазом не моргнуть; not to ~ a finger пальцем не пошевелить;

to ~ one's stumps *разг.* пошевéливаться, поторáпливаться

stir II [stɜ:] *n sl.* тюрьмá, кутýзка

stirabout ['stɜ:rəbaʊt] *n* кáша

stirpes ['stɜ:pi:s] *pl от* stirps

stirps [stɜ:ps] *n* (*pl* stirpes) 1) *биол.* семéйство 2) *юр.* генеалогúческая лúния 3) *юр.* главá рóда; родоначáльник

stirrer ['stɜ:rə] *n разг.* винóвник, возбудúтель

stirring ['stɜ:rɪŋ] **1.** *pres. p. от* stir I, 2 **2.** *n* помéшивание, взбáлтывание **3.** *a* 1) волнýющий; ~ times временá, пóлные собы́тий 2) дéятельный, актúвный; зáнятый

stirrup ['stɪrəp] *n* 1) стремя́ 2) *тех.* скобá, серьгá, бýгель, хомýт 3) *мор.* подпёрток

stirrup cup ['stɪrəpkʌp] *n* 1) послéдняя рю́мка на дорóгу 2) *ист.* прощáльный кýбок

stirrup leather ['stɪrəp,leðə] *n* пýтлище, стремя́нный ремéнь

stitch [stɪtʃ] **1.** *n* 1) стежóк, стёжка; шов 2) пéтля (*в вязанье*); to drop (to take up) a ~ спустúть (поднять) пéтлю 3) (*обыкн. pl*) *мед.* шов; to put ~es into a wound наложúть швы на рáну; to take ~es out of a wound снять швы с рáны 4) óстрая боль, колотьё в бокý 5) *разг.* мáлость, немнóжко; he has not done a ~ of work он не сдéлал рóвно ничегó ◇ without a ~ of clothing, not a ~ on совершéнно гóлый; he has not a dry ~ on он промóк до нúтки; he has not a ~ to his back ≅ он гол как сокóл; a ~ in time saves nine *посл.* одúн стежóк, сдéланный вóвремя, стóит девятú **2.** *v* шить; стегáть; вышивáть □ ~ up а) зашивáть; б) *полигр.* брошюровáть; в) *sl.* предавáть, обмáнывать

stitcher ['stɪtʃə] *n* 1) строчúльщик 2) строчúльная машúна 3) брошюрóвщик

stiver ['staɪvə] *n* 1) мéлкая голлáндская монéта 2) óчень мáленькое колúчество (*чего-л.*); not worth a ~ грошá не стóит

St.-John's-wort [sənt'dʒɒnzwɜ:t] *n бот.* зверобóй

stoat [stəʊt] *n* горностáй (*в летнем одеянии*)

stock [stɒk] **1.** *n* 1) запáс; инвентáрь; word ~ запáс слов; basic word ~ основнóй словáрный фонд; dead ~ (мёртвый) инвентáрь; in ~ в налúчии (*о товарах и т. п.*); под рукóй; out of ~ распрóдано; to lay in ~ дéлать запáсы; to take ~ а) инвентаризúровать; дéлать переучёт товáра; б) критúчески оцéнивать, рассмáтривать (of — *что-л.*); приглядываться (of — *к чему-л.*) 2) ассортимéнт (*товаров*) 3) сырьё; paper ~ бумáжное сырьё (*тряпьё и т. п.*) 4) скот, поголóвье скотá (*тж.* live ~) 5) *биол.* порóда, плéмя 6) *эк.* акционéрный капитáл (*тж.* joint ~); основнóй капитáл; фóнды; the ~s государственный долг 7) áкции; to take ~ in покупáть áкции; вступáть в пай [*см. тж.* ◇] 8) популя́рность, рéйтинг 9) род, семья́; of good ~ из хорóшей семьú 10) рáса 11) крéпкий бульóн из костéй 12) левкóй 13) глáвный ствол (*дерева*) 14) опóра, подпóра 15) *pl ист.* колóдки 16) *амер.* = ~ company 1); 17) *pl мор.* стáпель; to be on the ~s стоя́ть на стáпеле; *перен.* готóвиться, быть в рабóте (*о литературном произведении*) 18) рукоя́тка, рýчка; ружéйная лóжа 19) парк (*вагонов и т. п.*); подвижнóй состáв 20) грýппа рóдственных языкóв 21) ширóкий гáлстук *или* шарф 22) часть колóды карт, не рóзданная игрокáм 23) *уст.* пень; бревнó 24) *тех.* бáбка (*станка*) 25) *тех.* прúпуск 26) шток (*якоря*) 27) *метал.* шúхта, колóша 28) *бот.* подвóй ◇ ~s and stones а) неодушевлённые предмéты; б) бесчýвственные лю́ди; to take ~ in *sl.* а) вéрить; б) придавáть значéние [*см. тж.* 7)] **2.** *v* 1) снабжáть; to ~ a farm оборýдовать хозя́йство 2) имéть в налúчии, в продáже; the shop ~s only cheap goods в э́той лáвке продаю́тся тóлько дешёвые товáры 3) хранúть на склáде 4) придéлывать рýчку *и т. п.* **3.** *a* 1) имéющийся в налúчии, наготóве 2) избúтый, шаблóнный, заéзженный

stockade [stɒ'keɪd] **1.** *n* 1) частокóл 2) *амер.* укреплéние, форт 3) *амер.* тюрьмá для военнослýжащих **2.** *v* огорáживать *или* укрепля́ть частокóлом

stockbreeder ['stɒk,bri:də] *n* животновóд

stockbroker ['stɒk,brəʊkə] *n* биржевóй мáклер

stockcar ['stɒkkɑ:] *n* 1) серúйный *или* стандáртный автомобúль 2) *амер.* вагóн для скотá

stock company ['stɒk,kʌmpənɪ] *n* 1) *амер.* театрáльная трýппа, обы́чно выступáющая в однóм теáтре с определённым репертуáром; театрáльная трýппа со срéдним состáвом актёров (*без звёзд*) 2) акционéрная компáния

stockdove ['stɒkdʌv] *n* клúнтух (*птица*)

Stock Exchange ['stɒkɪks,tʃeɪndʒ] *n* фóндовая бúржа

stock farm ['stɒkfɑ:m] *n* животновóдческое хозя́йство, скотовóдческая фéрма

stockfish ['stɒkfɪʃ] *n* вя́леная ры́ба

stockholder ['stɒk,həʊldə] *n* акционéр

stockinet [,stɒkɪ'net] *n* 1) трикотáж, трикотáжное полотнó 2) чулóчная вя́зка

stocking I ['stɒkɪŋ] *n* 1) чулóк 2) *attr.*: ~ cap вя́заный колпáк с помпóном; in one's ~ feet в однúх чулкáх

stocking II ['stɒkɪŋ] *pres. p. от* stock 2

stockinged ['stɒkɪŋd] *a* в чулкé

stock-in-trade [,stɒkɪn'treɪd] *n* 1) запáс товáров 2) арсенáл средств, котóрым располагáют представúтели определённой профéссии; a sense of style is part of the ~ of any writer кáждому писáтелю неизмéнно присýще чýвство стúля 3) оборýдование, инвентáрь

stockjobber ['stɒk,dʒɒbə] *n пренебр.* биржевóй спекуля́нт, мáклер

stockjobbery, stockjobbing ['stɒk,dʒɒbərɪ, -,dʒɒbɪŋ] *n пренебр.* спекуляти́вные биржевы́е сдéлки

stockman ['stɒkmən] *n* 1) *австрал.* рабóчий на скотовóдческой фéрме 2) *амер.* скотовóд 3) *амер.* кладовщúк

stock market ['stɒk,mɑ:kɪt] *n* 1) фóндовая бúржа 2) ýровень цен на бúрже

stockpile ['stɒkpaɪl] **1.** *n* запáс, резéрв **2.** *v* накáпливать, дéлать запáсы

stockpiling ['stɒkpaɪlɪŋ] **1.** *pres. p. от* stockpile 2 **2.** *n* накоплéние

stock-raising ['stɒk,reɪzɪŋ] **1.** *n* животновóдство, скотовóдство **2.** *a* животновóдческий, скотовóдческий

stockrider ['stɒk,raɪdə] *n австрал.* кóнный пастýх, ковбóй

stockroom ['stɒkru:m] *n* склад, кладовáя

stock-still [,stɒk'stɪl] *adv* неподвúжно; как столб; he stood ~ он стоя́л как вкóпанный

stock-taking ['stɒk,teɪkɪŋ] *n* 1) переучёт товáра; провéрка инвентаря́, инвентаризáция 2) обзóр, оцéнка, критúческий анáлиз (*событий, успехов, достижений и т. п.*)

stockwhip ['stɒkwɪp] *n* бич пастухá

stocky ['stɒkɪ] *a* призéмистый, коренáстый

stockyard ['stɒkjɑ:d] *n* скотопригóнный двор

stodge [stɒdʒ] *разг.* **1.** *n* 1) тяжёлая, сы́тная едá 2) тяжеловéсный, нýдный человéк; неинтерéсная идéя **2.** *v* жáдно есть, уплетáть

stodgy ['stɒdʒɪ] *a* 1) тяжёлый (*о пище*) 2) скýчный, нýдный (*о человеке*) 3) перегрýженный (*деталями*); скýчный; тяжеловéсный

stogie, stogy ['stəʊdʒɪ] *n амер.* 1) дешёвая сигáра 2) тяжёлый сапóг

stoic ['stəʊɪk] **1.** *n* стóик **2.** *a* стоúческий

stoical ['stəʊɪkl] = stoic 2

Stoicism ['stəʊɪsɪzəm] *n* стоицúзм

stoke [stəʊk] *v* 1) поддéрживать огóнь (*в топке*); забрáсывать тóпливо; шуровáть; топúть (*тж.* ~ up) 2) *разг.* поглощáть пúщу в большúх колúчествах

stokehold ['stəʊkhəʊld] *n* кочегáрка

stokehole ['stəʊkhəʊl] *n* 1) отвéрстие тóпки 2) = stokehold

stoker ['stəʊkə] *n* 1) кочегáр; истóпник; котéльный машинúст 2) механúческая тóпка, стóкер

stole I [stəʊl] *n* 1) палантúн, меховáя накúдка 2) *церк.* епитрахúль, орáрь 3) *др.-рим.* стóла

stole II [stəʊl] *past от* steal 1

stolen ['stəʊlən] *p. p. от* steal 1

stolid ['stɒlɪd] *a* флегматúчный, бесстрáстный

stolidity [stə'lɪdətɪ] *n* флегматúчность

stomach ['stʌmək] **1.** *n* 1) желýдок; on an empty (a full) ~ на пустóй, голóдный (сы́тый) желу́док; to turn one's ~ вызыва́ть тошноту́; прете́ть 2) живо́т 3) аппети́т, вкус, скло́нность (*к чему-л.*); to have ~ for име́ть жела́ние 4) отва́га, му́жество ◇ proud (*или* high) ~ высокоме́рие

2. *v* 1) быть в состоя́нии съесть; быть в состоя́нии перевари́ть 2) стерпе́ть, снести́; to ~ an insult проглоти́ть оби́ду

stomachache ['stʌməkeɪk] *n* боль в животе́

stomacher ['stʌməkə] *n ист.* су́живающийся кни́зу перёд корса́жа; корса́ж

stomachic [stə'mækɪk] **1.** *a* 1) желу́дочный 2) спосо́бствующий пищеваре́нию

2. *n* желу́дочное сре́дство

stomach pump ['stʌməkpʌmp] *n* желу́дочный зонд

stomach-tooth ['stʌməktu:θ] *n* ни́жний клык (*моло́чный*)

stomatitis [,stəʊmə'taɪtɪs] *n мед.* стомати́т

stomatology [,stəʊmə'tɒlədʒɪ] *n* стоматоло́гия

stone [stəʊn] **1.** *n* 1) ка́мень; to break ~s бить щё́бень; *перен.* выполня́ть тяжёлую рабо́ту; зараба́тывать тяжёлым трудо́м 2) ка́мень (*материа́л*); to build of ~ стро́ить из ка́мня; heart of ~ ка́менное се́рдце 3) драгоце́нный ка́мень 4) ко́сточка (*сли́вы и т. п.*); зёрнышко (*плода́*) 5) *мед.* ка́мень 6) ка́менная боле́знь 7) (*pl обы́кн. без измен.*) стоун (= *14 фу́нтам = 6,35 кг*) 8) гра́дина ◇ to leave no ~ unturned испро́бовать всевозмо́жные сре́дства; приложи́ть все стара́ния; to cast (*или* to throw) ~s (*или* the first ~) at smb. (пе́рвым) бро́сить ка́мень в кого́-л.

2. *a* ка́менный; ~ implements ка́менные ору́дия

3. *v* 1) облицо́вывать *или* мости́ть ка́мнем 2) вынима́ть ко́сточки (*из фру́ктов*) 3) побива́ть камня́ми

Stone Age ['stəʊneɪdʒ] *n* ка́менный век

stone-blind [,stəʊn'blaɪnd] *a* соверше́нно слепо́й

stone-broke [,stəʊn'brəʊk] = stony-broke

stone-cast ['stəʊnkɑ:st] = stone's cast

stone-coal ['stəʊnkəʊl] *n* кусково́й антраци́т

stone-cold [,stəʊn'kəʊld] *a* ≅ холо́дный как лёд

stonecutter ['stəʊn,kʌtə] *n* камено́тёс

stoned I [stəʊnd] **1.** *p. p. от* stone 3

2. *a* очи́щенный от ко́сточек

stoned II [stəʊnd] *a sl.* 1) мертве́цки пья́ный 2) одуре́вший от нарко́тиков

stone-dead [,stəʊn'ded] *a* мёртвый

stone-deaf [,stəʊn'def] *a* соверше́нно глухо́й

stone-fruit ['stəʊnfru:t] *n бот.* костя́нка, ко́сточковый плод

stone-jug ['stəʊndʒʌg] *n sl.* тюрьма́

stonemason ['stəʊn,meɪsn] *n* ка́менщик

stone pine ['stəʊnpaɪn] *n бот.* пи́ния

stone-pit ['stəʊnpɪt] *n* каменоло́мня, карье́р

stone's cast ['stəʊnzkɑ:st] = stone's throw

stone's throw ['stəʊnzθrəʊ] *n* расстоя́ние, на кото́рое мо́жно бро́сить ка́мень, небольшо́е расстоя́ние

stone-still [,stəʊn'stɪl] *a* как вко́панный

stonewall [,stəʊn'wɔ:l] *v* устра́ивать обстру́кцию в парла́менте

stonewalling [,stəʊn'wɔ:lɪŋ] *n* парла́ментская обстру́кция; оппози́ция, сопротивле́ние

stoneware ['stəʊnweə] *n* керами́ческие изде́лия, гли́няная посу́да

stonework ['stəʊnwɜ:k] *n* ка́менная кла́дка; ка́менные рабо́ты

stony ['stəʊnɪ] *a* 1) камени́стый 2) ка́менный; твёрдый 3) холо́дный, неподви́жный; ~ stare неподви́жный, не узнаю́щий взгляд 4) = stony-broke

stony-broke [,stəʊnɪ'brəʊk] *a sl.* по́лностью разорённый, оста́вшийся без вся́ких средств

stonyhearted [,stəʊnɪ'hɑ:tɪd] *a* жестосе́рдный

stood [stʊd] *past и p. p. от* stand 2

stooge [stu:dʒ] *разг.* **1.** *n* 1) партнёр ко́мика (*в теа́тре*) 2) зави́симое *или* подчинённое лицо́; марионе́тка 3) подставно́е лицо́; провока́тор, осведоми́тель

2. *v* игра́ть подчинённую роль; to ~ for smb. быть марионе́ткой ▭ ~ **about,** ~ **around** болта́ться без де́ла

stool [stu:l] *n* 1) табуре́т(ка); ~ of repentance *ист.* позо́рный стул в шотла́ндских церква́х; *перен.* публи́чное униже́ние 2) скаме́ечка 3) су́дно, стульча́к 4) *мед.* стул, де́йствие кише́чника; to go to ~ испражня́ться 5) ко́рень *или* пень, пуска́ющий побе́ги ◇ to fall between two ~s сиде́ть ме́жду двух сту́льев

stoolie ['stu:lɪ] *n амер. sl.* провока́тор, осведоми́тель

stool pigeon ['stu:lpɪdʒən] *n* 1) го́лубь, слу́жащий для прима́нивания други́х голубе́й 2) провока́тор, осведоми́тель

stoop I [stu:p] **1.** *n* 1) суту́лость 2) стреми́тельный полёт вниз, паде́ние (*со́кола и т. п.*) 3) снисхожде́ние 4) униже́ние

2. *v* 1) наклоня́ть(ся), нагиба́ть(ся) 2) суту́лить(ся) 3) снисходи́ть (to — до) 4) унижа́ть(ся) 5) устремля́ться вниз (*тж.* ~ down)

stoop II [stu:p] *n амер.* крыльцо́ со ступе́ньками; вера́нда

stop [stɒp] **1.** *n* 1) остано́вка; заде́ржка, прекраще́ние; коне́ц; to bring to a ~ останови́ть; to come to a ~ останови́ться; to put a ~ to smth. положи́ть чему́-л. коне́ц; the train goes through without a ~ по́езд идёт без остано́вок 2) остано́вка (*трамва́я и т. п.*); request ~ остано́вка по тре́бованию 3) коро́ткое пребыва́ние, остано́вка 4) па́уза, переры́в 5) знак препина́ния; full ~ то́чка 6) = stopper 1, 1); 7) кла́пан, ве́нтиль (*духово́го инструме́нта*); реги́стр (*орга́на*) 8) прижима́ние па́льца к струне́ (*на скри́пке и т. п.*) 9) *фон.* взрывно́й согла́сный звук (*тж.* ~ consonant) 10) = stop-order 1); 11) *тех.* остано́в, ограничи́тель, сто́пор 12) *фо́то* диафра́гма

2. *v* 1) остана́вливать(ся); to ~ dead внеза́пно, ре́зко останови́ться; to ~ short at smth. не переступа́ть гра́ни чего́-л.; not to ~ short of anything ни пе́ред че́м не остана́вливаться; ~ the thief! держи́ во́ра!; do not ~ продолжа́йте; the train ~s five minutes по́езд стои́т пять мину́т; ~ a moment! посто́йте! 2) прекраща́ть(ся); конча́ть(ся); ~ grumbling! переста́ньте ворча́ть!; supplies suddenly ~ped запа́сы неожи́данно ко́нчились 3) *разг.* остана́вливаться, остава́ться непродолжи́тельное вре́мя; гости́ть; to ~ with friends гости́ть у друзе́й; to ~ at home остава́ться до́ма 4) затыка́ть, заде́лывать (*тж.* ~ up); зама́зывать, шпаклева́ть; to ~ a hole заде́лывать отве́рстие; to ~ a leak останови́ть течь; to ~ a wound остана́вливать кровотече́ние из ра́ны; to ~ one's ears затыка́ть у́ши; to ~ smb.'s mouth заткну́ть кому́-л. рот 5) уде́рживать, вычита́ть; уре́зывать; the cost must be ~ped out of his salary сто́имость должна́ быть уде́ржана из его́ жа́лованья 6) приостанови́ть платёж по че́ку, ве́кселю *и т. п.* (*тж.* to ~ payment) 7) запломбирова́ть зуб 8) *муз.* прижима́ть струну́ (*скри́пки и т. п.*); нажима́ть кла́пан, ве́нтиль (*духово́го инструме́нта*) 9) отража́ть (*уда́р в бо́ксе*) 10) ста́вить зна́ки препина́ния 11) *мор.* сто́порить, закрепля́ть 12) прегражда́ть; блоки́ровать; to ~ the way прегражда́ть доро́гу 13) уде́рживать (from — от *чего́-л.*); I could not ~ him from doing it я не мог удержа́ть его́ от э́того ▭ ~ **by** загляну́ть, зайти́; ~ **down** *фо́то* затемня́ть ли́нзу диафра́гмой; ~ **in** = ~ by; ~ **off** = ~ over; ~ **out** а) отсу́тствовать; б) покрыва́ть предохрани́тельным сло́ем (*при травле́нии на мета́лле*); ~ **over** останови́ться в пути́, сде́лать остано́вку; ~ **up** а) затыка́ть, заде́лывать; б) *разг.* не ложи́ться спать ◇ to ~ a blow with one's head *шутл.* получи́ть уда́р в го́лову; to ~ a bullet (*или* a shell) быть ра́неным *или* уби́тым

stopcock ['stɒpkɒk] *n* запо́рный кран

stopgap ['stɒpgæp] *n* 1) зати́чка 2) вре́менная ме́ра (*тж.* ~ measure); паллиати́в 3) заме́на; вре́менный замести́тель

stoplight ['stɒplaɪt] *n* 1) кра́сный сигна́л светофо́ра 2) *а́вто* стоп-сигна́л

stop-off ['stɒpɒf] *n* 1) остано́вка в пути́ (*с пра́вом испо́льзования того́ же биле́та*) 2) *амер.* биле́т, допуска́ющий остано́вку в пути́; транзи́тный биле́т

stop-order ['stɒp,ɔ:də] *n* 1) инстру́кция ба́нку о прекраще́нии платеже́й 2) поруче́ние биржево́му ма́клеру прода́ть *или* купи́ть це́нные бума́ги в связи́ с измене́нием ку́рса на би́рже

stopover ['stɒp,əʊvə] = stop-off

stoppage ['stɒpɪdʒ] *n* 1) остано́вка, заде́ржка 2) приостано́вка платеже́й 3) прекраще́ние рабо́ты, забасто́вка 4) *тех.* засоре́ние 5) вы́чет, удержа́ние

stopper ['stɒpə] **1.** *n* 1) про́бка; заты́чка 2) *мор.* сто́пор ◇ to put a ~ on а) положи́ть коне́ц (*чему-л.*); б) заткну́ть гло́тку (*кому-л.*); ну, даёшь!

2. *v* заку́поривать, затыка́ть

stopping ['stɒpɪŋ] **1.** *pres. p. от* stop 2

2. *n* 1) зубна́я пло́мба 2) остано́вка, затыка́ние *и пр.* [*см.* stop 2]

stopple ['stɒpl] **1.** *n* заты́чка, про́бка

2. *v* затыка́ть, заку́поривать

stop-press ['stɒppres] *n* э́кстренное сообще́ние в газе́те, «в после́днюю мину́ту»

stopwatch ['stɒpwɒtʃ] *n* секундоме́р с остано́вом

storage ['stɔ:rɪdʒ] *n* 1) хране́ние 2) склад, храни́лище 3) пла́та за хране́ние в холоди́льнике *или* на скла́де 4) запомина́ющее устро́йство, па́мять (*вычислительной машины*)

storage battery ['stɔ:rɪdʒ,bætrɪ] *n эл.* аккумуля́торная батаре́я

storage reservoir ['stɔ:rɪdʒ,rezəvwɑ:] *n* водохрани́лище

store [stɔ:] **1.** *n* 1) запа́с, резе́рв; in ~ наготове, про запа́с; to lay in ~ for the winter запаса́ть на́ зиму; I have a surprise in ~ for you у меня́ для вас пригото́влен сюрпри́з 2) *pl* запа́сы, припа́сы; иму́щество; marine ~s ста́рое корабе́льное иму́щество 3) универма́г 4) (*преим. амер.*) магази́н, ла́вка 5) (the ~s) *pl* магази́н, торгу́ющий това́рами пе́рвой необходи́мости 6) склад, пакга́уз; to deposit one's furniture in a ~ сдать ме́бель на хране́ние на склад 7) большо́е коли́чество; изоби́лие 8) = storage 4); 9) *attr.* запа́сный, запасно́й; оста́вленный про запа́с 10) *attr.* (*преим. амер.*) гото́вый, ку́пленный в магази́не; ~ clothes гото́вое пла́тье ◇ to lay (*или* to put) (great) ~ by (*или* on) придава́ть (большо́е) значе́ние; (высоко́) цени́ть

2. *v* 1) снабжа́ть; наполня́ть; his mind is well ~d with knowledge он о́чень мно́го зна́ет 2) запаса́ть, откла́дывать (*тж.* ~ up); the harvest has been ~d урожа́й у́бран 3) отдава́ть на хране́ние, храни́ть на скла́де 4) вмеща́ть

store cattle ['stɔ:,kætl] *n с.-х.* скот на отко́рме

storehouse ['stɔ:haʊs] *n* 1) склад; амба́р; кладова́я 2) сокро́вищница; кла́дезь; a ~ of information энциклопе́дия

storekeeper ['stɔ:,ki:pə] *n* 1) кладовщи́к 2) *амер.* ла́вочник

storeroom ['stɔ:ru:m] *n* кладова́я; цейхга́уз

storeship ['stɔ:ʃɪp] *n мор.* тра́нспорт с запа́сами

storey ['stɔ:rɪ] *n* эта́ж; я́рус; to add a ~ to a house надстро́ить дом ◇ the upper ~ *см.* upper 1, 1)

-storeyed [-'stɔ:rɪd] *в сложных словах* -эта́жный; one-storeyed одноэта́жный

storiated ['stɔ:rɪeɪtɪd] *a* укра́шенный истори́ческими *или* легенда́рными сюже́тами

storied ['stɔ:rɪd] *a книжн.* легенда́рный; изве́стный по преда́ниям

-storied [-'stɔ:rɪd] = -storeyed

storiette [,stɔ:rɪ'et] *n* коро́ткий расска́з

stork [stɔ:k] *n* а́ист

storm [stɔ:m] **1.** *n* 1) бу́ря, гроза́, урага́н; *мор.* шторм 2) си́льное волне́ние, смяте́ние 3) взрыв, град (*чего-л.*); ~ of applause взрыв аплодисме́нтов; ~ of arrows град стрел; ~ of shells урага́н снаря́дов 4) *воен.* штурм; to take by ~ взять шту́рмом; *перен.* увле́чь, захвати́ть 5) *радио* возмуще́ние ◇ a ~ in a teacup бу́ря в стака́не воды́

2. *v* 1) крича́ть, горячи́ться (at) 2) бушева́ть, свире́пствовать 3) стреми́тельно нести́сь, проноси́ться 4) *воен.* брать при́ступом, штурмова́ть

stormbeaten ['stɔ:mbi:tn] *a* 1) потрёпанный бу́рей (-ями) 2) мно́го пережи́вший, вида́вший ви́ды

storm-belt ['stɔ:mbelt] *n метео* по́яс бурь

storm-boat ['stɔ:mbəʊt] *n мор.* деса́нтный ка́тер

stormbound ['stɔ:mbaʊnd] *a* заде́ржанный што́рмом

storm-centre ['stɔ:m,sentə] *n* 1) *метео* центр цикло́на 2) центр спо́ров 3) оча́г (*восстания, эпидемии*)

storm-cloud ['stɔ:mklaʊd] *n* 1) грозова́я ту́ча 2) не́что, предвеща́ющее беду́; «ту́ча на горизо́нте»

storm cone ['stɔ:mkəʊn] *n* штормово́й сигна́л

storm-drum ['stɔ:mdrʌm] *n* штормово́й сигна́льный цили́ндр

storm-finch ['stɔ:mfɪntʃ] = storm petrel

storm-ladder ['stɔ:m,lædə] *n мор.* штормтра́п

storm petrel ['stɔ:m,petrəl] *n зоол.* буреве́стник, качу́рка ма́лая

storm-proof ['stɔ:mpru:f] *a* спосо́бный вы́держать шторм

storm-trooper ['stɔ:m,tru:pə] *n* 1) *ист.* штурмови́к; бое́ц из фаши́стских отря́дов СА 2) бое́ц уда́рных часте́й

storm-troops ['stɔ:mtru:ps] *n pl* штурмовы́е отря́ды; уда́рные ча́сти

storm window ['stɔ:m,wɪndəʊ] *n* втора́я око́нная ра́ма

stormy ['stɔ:mɪ] *a* 1) бу́рный; штормово́й 2) предвеща́ющий бу́рю (*тж. перен.*); ~ sunset зака́т, предвеща́ющий бу́рю 3) я́ростный, неи́стовый

stormy petrel ['stɔ:mɪ,petrəl] = storm petrel

stort(h)ing ['stɔ:tɪŋ] *n* сто́ртинг (*парламент Норвегии*)

story I ['stɔ:rɪ] *n* 1) расска́з, по́весть; short ~ коро́ткий расска́з, нове́лла; a good (*или* funny) ~ анекдо́т; 2) исто́рия; преда́ние; ска́зка; the ~ goes that преда́ние гласи́т; his ~ is an eventful one его́ биогра́фия бога́та собы́тиями; according to his ~ по его́ слова́м; they all tell the same ~ они́ все говоря́т одно́ и то́ же 3) фа́була, сюже́т 4) *разг.* вы́думка; ложь; don't tell stories не сочиня́йте 5) *амер.* газе́тный материа́л ◇ that is another ~ э́то друго́е де́ло; it is quite another ~ now положе́ние тепе́рь измени́лось; to cut (*или* to make) a long ~ short коро́че говоря́

story II ['stɔ:rɪ] = storey

storybook ['stɔ:rɪbʊk] *n* сбо́рник расска́зов, ска́зок

storyteller ['stɔ:rɪ,telə] *n* 1) расска́зчик 2) а́втор расска́зов 3) ска́зочник 4) *разг.* лгун, вы́думщик

stout [staʊt] **1.** *a* 1) по́лный, ту́чный, доро́дный 2) кре́пкий, про́чный, пло́тный 3) отва́жный, реши́тельный, си́льный; ~ heart сме́лость; ~ opponent сто́йкий проти́вник; ~ resistance упо́рное сопротивле́ние

2. *n* 1) кре́пкий по́ртер 2) по́лный челове́к

stouthearted [,staʊt'hɑ:tɪd] *a* сто́йкий, сме́лый

stoutness ['staʊtnəs] *n* 1) полнота́, ту́чность 2) про́чность, кре́пость 3) отва́га, сто́йкость

stove I [stəʊv] *n* 1) печь, пе́чка; ку́хонная плита́ 2) тепли́ца 3) суши́лка 4) *attr.* печно́й; ~ heating печно́е отопле́ние

stove II [stəʊv] *past и p. p. от* stave 2

stovepipe ['stəʊvpaɪp] *n* дымохо́д, желе́зная дымова́я труба́

stove-pipe hat [,stəʊvpaɪp'hæt] *n разг.* цили́ндр (*шляпа*)

stover ['stəʊvə] *n* гру́бые корма́ для скота́

stow [stəʊ] *v* 1) укла́дывать, скла́дывать 2) наполня́ть, набива́ть (with); to ~ a ship грузи́ть су́дно 3) *sl.* прекраща́ть; ~ that nonsense! бро́сьте э́ти глу́пости! □ ~ away а) пря́тать; б) е́хать на парохо́де *и т. п.* без биле́та

stowage ['stəʊɪdʒ] *n* 1) скла́дывание, укла́дка 2) *мор.* шти́вка 3) скла́дочное ме́сто 4) пла́та за укла́дку *или* хране́ние на скла́де 5) *горн.* закла́дка

stowaway ['stəʊəweɪ] *n* безбиле́тный пассажи́р (*на пароходе, самолёте*)

strabismus [strə'bɪzməs] *n мед.* косогла́зие

straddle ['strædl] **1.** *n* 1) стоя́ние, сиде́ние *или* ходьба́ с широко́ расста́вленными нога́ми 2) *бирж.* двойно́й опцио́н, стелла́ж 3) колеба́ния, двойственная поли́тика 4) *арт.* накрыва́ющая гру́ппа (разры́вов снаря́дов); *мор.* накрыва́ющий залп

2. *v* 1) широко́ расставля́ть но́ги 2) *воен.* накрыва́ть (*огнём*); захва́тывать цель в ви́лку 3) колеба́ться, вести́ двойственную поли́тику

strafe [strɑ:f] **1.** *n* 1) ата́ка с бре́ющего полёта 2) наказа́ние

2. *v* 1) атакова́ть с бре́ющего полёта 2) разноси́ть, руга́ть; нака́зывать

straggle ['strægl] **1.** *n* разбро́санная гру́ппа (*предметов*)

2. *v* 1) быть разбро́санным, тяну́ться беспоря́дочно 2) блужда́ть (*о мыслях*) 3) отстава́ть, идти́ вразбро́д, дви́гаться в беспоря́дке

straggler ['strægla] *n* отста́вший (солда́т); отста́вшее су́дно

straggling ['stræglıŋ] **1.** *pres. p. от* straggle 2

2. *n* разбро́санный, беспоря́дочный; ~ village широко́ раски́нувшаяся дере́вня

straight [streıt] **1.** *a* 1) прямо́й, неизо́гнутый 2) пра́вильный; ро́вный; находя́щийся в поря́дке; ~ eye ве́рный глаз, хоро́ший глазоме́р; put the picture ~ попра́вьте карти́ну; to put a room ~ привести́ ко́мнату в поря́док; is my hat on ~? у меня́ шля́па пра́вильно наде́та?; to put things ~ привести́ дела́ в поря́док 3) че́стный, прямо́й, и́скренний; a ~ question прямо́й вопро́с; ~ talk открове́нный разгово́р; ~ fight а) че́стный бой; б) *полит.* (предвы́борная) борьба́, в кото́рой уча́ствуют то́лько два кандида́та; ~ speaking и́скренность; прямота́; to keep ~ остава́ться че́стным 4) *театр.* относя́щийся к пье́сам при́знанного досто́инства 5) неразба́вленный; ~ whisky неразба́вленное ви́ски 6) *разг.* класси́ческий (*о музыке*) 7) *разг.* гетеросексуа́льный 8) прямо́й, невью́щийся (*о волосах*) 9) прямо́й (*о покрое одежды*) 10) надёжный, ве́рный; ~ tip све́дения из достове́рных исто́чников 11) *амер. полит.* неукло́нно подде́рживающий реше́ния свое́й па́ртии; пре́данный свое́й па́ртии; to vote the ~ ticket голосова́ть за спи́сок кандида́тов свое́й па́ртии 12) *амер. разг.* поштý́чный (*о цене*); cigars ten cents ~ сига́ры сто́имостью де́сять це́нтов за штý́ку

2. *adv* 1) пря́мо, по прямо́й ли́нии; to ride ~ е́хать напрями́к; to hit ~ нанести́ прямо́й уда́р 2) пра́вильно, то́чно, ме́тко; to shoot ~ ме́тко стреля́ть 3) пря́мо, че́стно, откры́то; tell me ~ what you think скажи́те мне пря́мо, что вы ду́маете 4) *уст.* неме́дленно, сра́зу ▭ ~ away сра́зу, то́тчас; ~ off *разг.* сра́зу, не обду́мав; ~ out напрями́к, пря́мо ◇ to go ~ (нача́ть) вести́ че́стный о́браз жи́зни

3. *n* (the ~) *тк. sing* 1) прямизна́ 2) пряма́я ли́ния 3) пять карт, подо́бранных подря́д по досто́инству, «стрит» (*в покере*) 4) *разг.* норма́льный челове́к (*не гомосексуалист, не наркоман*) 5) пряма́я (*перед финишем на скачках*)

straightaway [,streıtə'weı] *a амер.* 1) прямо́й 2) = straightforward

straighten ['streıtn] *v* 1) выправля́ть, приводи́ть в поря́док 2) выпрямля́ть(ся) 3) *разг.* испра́виться

straightforward [,streıt'fɔ:wəd] *a* 1) че́стный, прямо́й, открове́нный 2) просто́й; ~ style просто́й стиль 3) прямо́й; дви́жущийся *или* веду́щий пря́мо вперёд

straightforwardly [,streıt'fɔ:wədlı] *adv* пря́мо, откры́то

straight-out [,streıt'aʊt] *a амер.* 1) бескомпроми́ссный 2) прямо́й, откры́тый

straightway ['streıtweı] *adv уст.* сра́зу, неме́дленно

strain I [streın] **1.** *n* 1) натяже́ние, растяже́ние; the rope broke under the ~ верёвка ло́пнула от натяже́ния 2) напряже́ние; to bear the ~ выде́рживать напряже́ние 3) *тех.* деформа́ция

2. *v* 1) натя́гивать; растя́гивать(ся); to ~ a tendon растяну́ть сухожи́лие 2) стара́ться изо всех сил; the masts ~ and groan ма́чты гну́тся и скрипя́т; to ~ under a load напря́чь уси́лия под тя́жестью но́ши; to ~ at the oars налега́ть на вёсла 3) превыша́ть; злоупотребля́ть; наси́ловать; to ~ the law допусти́ть натя́жку в истолкова́нии зако́на; to ~ a person's patience испы́тывать чьё-л. терпе́ние 4) проце́живать(ся); фильтрова́ть(ся); проса́чиваться 5) обнима́ть, сжима́ть; to ~ smb. in one's arms сжать кого́-л. в объя́тиях; to ~ to one's heart прижа́ть к се́рдцу 6) напряга́ть (*зрение, слух, голос и т. п.*); to ~ oneself а) переутомля́ться; б) напряга́ться; to ~ every nerve напря́чь все си́лы 7) *тех.* вызыва́ть оста́точную деформа́цию ▭ ~ after тяну́ться за *чем-л.*; стреми́ться к *чему-л.*; ~ at быть чрезме́рно щепети́льным; ~ off отце́живать

strain II [streın] *n* 1) поро́да, пле́мя, род 2) насле́дственная черта́; черта́ хара́ктера; накло́нность; a ~ of cruelty не́которая жесто́кость, элеме́нт жесто́кости 3) *биол.* штамм 4) стиль, тон ре́чи; much more in the same ~ и мно́го ещё в том же ду́хе; he spoke in a dismal ~ он говори́л в меланхоли́ческом то́не 5) (*обыкн. pl*) *муз., поэт.* напе́в, мело́дия; поэ́зия, стихи́; the ~s of the harp зву́ки а́рфы; martial ~s вои́нственные напе́вы

strained [streınd] **1.** *p. p. от* strain I, 2

2. *a* 1) натя́нутый, напряжённый; нестéственный; ~ cordiality напускна́я серде́чность; ~ relations натя́нутые отноше́ния; ~ smile де́ланная улы́бка 2) искажённый 3) профильтро́ванный, проце́женный 4) *тех.* деформи́рованный

strainer ['streınə] *n* 1) си́то; фильтр 2) стя́жка; натяжно́е устро́йство

straining ['streınıŋ] **1.** *pres. p. от* strain I, 2

2. *n* напряже́ние *и пр.* [*см.* strain I, 2]; do your best without ~ сде́лайте, что мо́жете, но не напряга́йтесь

strait [streıt] *n* 1) (*часто pl*) проли́в 2) (*обыкн. pl*) затрудни́тельное положе́ние, стеснённые обстоя́тельства, нужда́; in great ~s в бе́дственном положе́нии 3) *редк.* перешéек

straiten ['streıtn] *v* 1) ограни́чивать; стесня́ть 2) *уст.* су́живать

straitened ['streıtnd] **1.** *p. p. от* straiten

2. *a* стеснённый; ~ circumstances стеснённые обстоя́тельства

straitjacket ['streıt,dʒækıt] *n* 1) смири́тельная руба́шка 2) ограничи́тельные ме́ры

straitlaced [,streıt'leıst] *a* стро́гий, пурита́нский, нетерпи́мый в вопро́сах нра́вственности

strait-waistcoat [,streıt'weıskəʊt] = straitjacket

stramineous [strə'mınıəs] *a* 1) соло́менный 2) соло́менно-жёлтый 3) не име́ющий значе́ния, ве́са

stramonium [strə'məʊnıəm] *n* 1) *бот.* дурма́н 2) *фарм.* страмо́ний

strand I [strænd] **1.** *n книжн., поэт.* бе́рег, прибре́жная полоса́

2. *v* 1) сесть на мель (*тж. перен.*) 2) посади́ть на мель (*тж. перен.*) 3) вы́бросить на бе́рег

strand II [strænd] **1.** *n* 1) прядь; стре́нга (*троса, кабеля*); ~s of hair пря́ди воло́с 2) ни́тка (*бус*)

2. *v* вить, скру́чивать

stranded I ['strændıd] **1.** *p. p. от* strand I, 2

2. *a* 1) сидя́щий на мели́; вы́брошенный на бе́рег 2) без средств, в затрудни́тельном положе́нии

stranded II ['strændıd] **1.** *p. p. от* strand II, 2

2. *a* скру́ченный, вито́й

strange [streındʒ] *a* 1) чужо́й; чу́ждый; незнако́мый, неизве́стный; in ~ lands в чужи́х края́х; this handwriting is ~ to me э́тот по́черк мне неизве́стен 2) стра́нный, необыкнове́нный; удиви́тельный; чудно́й; ~ to say удиви́тельно, что 3) *predic.* непривы́чный, незнако́мый; to feel ~ in company стесня́ться в о́бществе; he is ~ to the job он не знако́м с де́лом; I feel ~ мне не по себе́ 4) сде́ржанный, холо́дный

stranger ['streındʒə] *n* 1) чужестра́нец, чужо́й; незнако́мец; посторо́нний (челове́к); you are quite a ~ here вы ре́дко здесь пока́зываетесь 2) челове́к, не знако́мый (*с чем-л.*); he is a ~ to fear он не зна́ет стра́ха; he is no ~ to sorrow он зна́ет, что тако́е го́ре 3) *парл.* нечле́н пала́ты о́бщин; to spy (*или* to see) ~s тре́бовать удале́ния посторо́нней пу́блики (*из палаты общин*) ◇ the little ~ *шутл.* новорождённый; to make a ~ of smb. хо́лодно обходи́ться с кем-л.

strangle ['stræŋgl] *v* 1) задуши́ть, удави́ть 2) подавля́ть 3) задыха́ться 4) жать (*о воротничке и т. п.*)

stranglehold ['stræŋglhəʊld] *n* удуше́ние; мёртвая хва́тка (*обыкн. перен.*)

strangulate ['stræŋgjʊleıt] *v* 1) *мед.* сжима́ть, перехва́тывать (*кишку, вену и т. п.*) 2) *редк.* души́ть

strangulated hernia [,stræŋgjʊleıtıd-'hɜ:nıə] *n мед.* ущемлённая гры́жа

strangulation [,stræŋgjʊ'leıʃn] *n* 1) *мед.* зажима́ние, перехва́тывание; ущемле́ние 2) удуше́ние

strangury ['stræŋgʊjərı] *n* боле́зненное, затруднённое мочеиспуска́ние

strap [stræp] **1.** *n* 1) реме́нь, ремешо́к 2) поло́ска мате́рии *или* мета́лла; штри́пка; ля́мка 3) завя́зка; брете́лька 4) *воен.* пого́н 5) реме́нь для пра́вки бритв 6) (the ~) по́рка ремнём 7) *тех.* крепи́тельная пла́нка; скоба́ 8) *мор., ав.* строп

2. *v* 1) стя́гивать ремнём (*тж.* ~ down, ~ up) 2) хлеста́ть ремнём 3) стя́гивать края́ ра́ны ли́пким пла́стырем 4) пра́вить (бри́тву) на ремне́

straphanger ['stræp,hæŋə] *n sl.* стоя́щий пассажи́р, держа́щийся за ремéнь

strapless ['stræpləs] *a* без бретéлек (*о пла́тье и т. п.*)

strapontin [,stræpɒn'tæŋ] *n* приставно́й стул (*в теа́тре*); откидно́е сидéнье

strappado [strə'pɑ:dəʊ] *n* (*pl* -os, -oes [-əʊz] *ист.* ды́ба

strapper ['stræpə] *n* здоро́вый, ро́слый человéк

strapping ['stræpɪŋ] **1.** *pres. p. от* strap 2

2. *n* 1) *собир.* ремни́ 2) прикреплéние *или* стя́гивание ремня́ми 3) ли́пкий пла́стырь в ви́де лéнты 4) наложéние повя́зки из ли́пкого пла́стыря 5) по́рка ремнём

3. *a* ро́слый; си́льный; здоро́вый

strata ['strɑ:tə] *pl от* stratum

stratagem ['strætədʒəm] *n* (вое́нная) хи́трость; уло́вка; he devised a ~ он приду́мал уло́вку

strategic(al) [strə'ti:dʒɪk(l)] *a* стратеги́ческий; операти́вный; ~ map операти́вная ка́рта; ~ raw material стратеги́ческое сырьё

strategics [strə'ti:dʒɪks] *n pl* (*употр. как sing*) страте́гия

strategist ['strætədʒɪst] *n* страте́г

strategy ['strætədʒɪ] *n* страте́гия; операти́вное иску́сство

strath [stræθ] *n шотл.* широ́кая го́рная доли́на с протека́ющей по ней рекой

strathspey [stræθ'speɪ] *n* мéдленный шотла́ндский та́нец

strati ['streɪtaɪ] *pl от* stratus

stratification [,strætɪfɪ'keɪʃn] *n геол.* стратифика́ция; напластова́ние, залега́ние

stratify ['strætɪfaɪ] *v геол.* насла́иваться, напласто́вываться

stratigraphy [strə'tɪgrəfɪ] *n геол., археол.* стратигра́фия

stratocirrus [,strætəʊ'sɪrəs] *n метео* слои́сто-пéристые облака́

stratocracy [strə'tɒkrəsɪ] *n* вое́нная диктату́ра

stratocumulus [,streɪtəʊ'kju:mjʊləs] *n метео* слои́сто-кучевы́е облака́

stratosphere ['strætəsfɪə] *n* стратосфе́ра

stratum ['strɑ:təm] *n* (*pl* -ta) 1) *геол.* пласт, напластова́ние, форма́ция 2) (*обыкн. pl*) слой (*общества*)

stratus ['streɪtəs] *n* (*pl* -ti) слои́стое о́блако

straw [strɔ:] **1.** *n* 1) соло́ма; соло́мка 2) соло́минка 3) пустя́к, мéлочь; not worth a ~ ничего́ не сто́ящий 4) соло́менная шля́па ◇ to catch (*или* to grasp) at a ~ хвата́ться за соло́минку; the last ~ послéдняя ка́пля; a man of ~ а) соло́менное чу́чело; б) ненадёжный человéк; в) подставно́е, фикти́вное лицо́; г) вообража́емый проти́вник; not to care a ~ относи́ться совершéнно безразли́чно; a ~ in the wind намёк, указа́ние

2. *a* 1) соло́менный 2) желтова́тый, цвéта соло́мы 3) ненадёжный, сомни́тельный; ~ bail *амер.* ненадёжное, «ли́повое» поручи́тельство ◇ ~ vote (*или* poll) неофициа́льный опро́с общéственного мнéния для выяснéния настроéний общéственности

strawberry ['strɔ:bərɪ] *n* 1) земляни́ка; клубни́ка; wild ~ леснáя земляни́ка; crushed ~ цвет да́вленой земляни́ки 2) *attr.* земляни́чный; клубни́чный; ~ leaves земляни́чные ли́стья; *перен.* гéрцогское досто́инство (*от эмбле́мы в ви́де ли́стьев земляни́ки на ге́рцогской коро́не*)

strawberry mark ['strɔ:bərɪmɑ:k] *n* красновáтое роди́мое пятно́

strawberry tree ['strɔ:bərɪtri:] *n бот.* земляни́чное дéрево

strawberry vine ['strɔ:bərɪvaɪn] *n* ус земляни́чного куста́

straw boss [,strɔ:'bɒs] *n амер.* помо́щник ма́стера, прора́ба *и т. п.*

straw-colour ['strɔ:,kʌlə] *n* блéдно-жёлтый, соло́менный цвет

straw-coloured ['strɔ:,kʌləd] *a* блéдно-жёлтый

strawy ['strɔ:ɪ] *a* 1) соло́менный, похо́жий на соло́му 2) покры́тый соло́мой (*о кры́ше*)

stray [streɪ] **1.** *n* 1) заблуди́вшийся ребёнок 2) заблуди́вшееся *или* отби́вшееся от ста́да живо́тное 3) *pl радио* помéхи, побо́чные сигна́лы

2. *a* 1) заблуди́вшийся, заблу́дший; бездо́мный 2) случа́йный; ~ bullet шальна́я пу́ля; ~ thoughts бессвя́зные мы́сли; a few ~ instances нéсколько отдéльных примéров

3. *v* 1) сби́ться с пути́, заблуди́ться; отби́ться; don't ~ from the road не сбéйтесь с доро́ги; the sheep has ~ed from the flock овца́ отби́лась от ста́да 2) сби́ться с пути́ и́стинного 3) *поэт.* блужда́ть; броди́ть, скита́ться 4) отклони́ться от тéмы

strayed [streɪd] **1.** *p. p. от* stray 3

2. *a* заблуди́вшийся

streak [stri:k] **1.** *n* 1) поло́ска (*обыкн. неро́вная, изо́гнутая*); жи́лка, прожи́лка; a ~ of lightning вспы́шка мо́лнии; like a ~ of lightning с быстрото́ю мо́лнии 2) черта́ (*хара́ктера*); he has a ~ of obstinacy емý прису́ще (нéкоторое) упря́мство 3) пери́од, промежу́ток; ~ of luck полоса́ везéния, уда́ч ◇ the silver ~ Ла-Ма́нш

2. *v* 1) проводи́ть по́лосы, испещря́ть; прочерти́ть (*о мо́лнии*) 2) проноси́ться, мелька́ть

streaked [stri:kt] **1.** *p. p. от* streak 2

2. *a* с полоса́ми, с прожи́лками; marble ~ with red мра́мор с кра́сными прожи́лками

streaky ['stri:kɪ] *a* 1) полоса́тый 2) с просло́йками 3) *разг.* измéнчивый, непостоя́нный

stream [stri:m] **1.** *n* 1) пото́к, река́, руче́й; струя́; a ~ of blood (lava) пото́к кро́ви (ла́вы); the ~ of time течéние врéмени; in a ~ пото́ком; in ~s ручья́ми 2) пото́к, верени́ца; a ~ of cars пото́к маши́н 3) направлéние, течéние 4) *школ.* класс, сформиро́ванный с учётом спосо́бностей уча́щихся (*в англ. шко́лах*) ◇ to go with (against) the ~ плыть по течéнию (про́тив течéния)

2. *v* 1) течь, вытека́ть, ли́ться, струи́ться; light ~ed through the window свет струи́лся в окно́; people ~ed out of the building пу́блика толпо́й повали́ла из зда́ния 2) лить, источа́ть; his eyes ~ed tears слёзы текли́ по его́ щека́м; wounds ~ing blood кровоточа́щие ра́ны 3) развева́ть(ся) 4) проноси́ться

streamer ['stri:mə] *n* 1) вы́мпел; дли́нная у́зкая лéнта 2) транспара́нт, ло́зунг 3) *амер.* газéтный заголо́вок во всю ширину́ страни́цы, «ша́пка» 4) столб сéверного сия́ния

stream-gold ['stri:mgəʊld] *n* ро́ссыпное зо́лото

streaming ['stri:mɪŋ] **1.** *pres. p. от* stream 2

2. *a* теку́чий *и пр.* [*см.* stream 2]; ~ eyes слезя́щиеся глаза́

3. *n* распределéние уча́щихся по параллéльным кла́ссам с учётом их спосо́бностей (*в англ. шко́лах*)

streamlet ['stri:mlɪt] *n* ручеёк

streamline ['stri:mlaɪn] **1.** *n* 1) направлéние (*возду́шного тече́ния*) 2) ли́ния обтека́ния, ли́ния возду́шного пото́ка 3) обтека́емая фо́рма 4) *воен.* речно́й рубéж

2. *a* обтека́емый

3. *v* 1) придава́ть обтека́емую фо́рму 2) упроща́ть, модернизи́ровать, рационализи́ровать (*произво́дственные проце́ссы и т. п.*)

streamlined ['stri:mlaɪnd] **1.** *p. p. от* streamline 3

2. *a* 1) обтека́емый 2) хорошо́ нала́женный; модернизи́рованный

streamliner ['stri:mlaɪnə] *n* по́езд, авто́бус, автомоби́ль *и т. п.*, обтека́емой фо́рмы

stream of consciousness [,stri:məv'kɒnʃəsnəs] *n психол., лит.* пото́к созна́ния

streamy ['stri:mɪ] *a* 1) изоби́лующий ручья́ми, пото́ками 2) струя́щийся, бегу́щий

street [stri:t] *n* 1) у́лица 2) (the S.) *амер. sl.* делово́й *или* фина́нсовый центр (*обыкн.* Уо́лл-стрит) 3) *attr.* у́личный; ~ fighting у́личные бои́; ~ cries кри́ки разно́счиков ◇ the man in the ~ обыва́тель; зауря́дный человéк; to walk the ~s, to be on the ~s занима́ться проститу́цией; to be in the same ~ with smb. быть в одина́ковом положéнии с кем-л.; not in the same ~ with несравнéнно ни́же, слабéе *или* ху́же; it's not up (*или* right up) my ~ а) я в э́том не разбира́юсь; б) э́то не в моём вку́се; to be ~s ahead *разг.* намно́го опереди́ть

street Arab [,stri:t'ærəb] *n* беспризо́рник

streetcar ['stri:tkɑ:] *n амер.* трамвай

street-door ['stri:tdɔ:] *n* парадное, парадная дверь

street orderly ['stri:t,ɔ:dəlɪ] *n* 1) метельщик улиц 2) мусорщик

street-railway ['stri:t,reɪlweɪ] *n амер.* трамвайная линия *или* автобусный маршрут

street singer ['stri:t,sɪŋə] *n* уличный певец

street-sweeper ['stri:t,swi:pə] *n* 1) машина для подметания улиц 2) метельщик улиц

streetwalker ['stri:t,wɔ:kə] *n* проститутка

streetwise ['stri:twaɪz] *n амер.* человек, хорошо знающий проблемы городской жизни

strength [streŋθ] *n* 1) сила; ~ of mind сила духа 2) прочность; крепость 3) *тех.* сопротивление; ~ of materials сопротивление материалов 4) неприступность 5) численность, численный состав; in full ~ в полном составе; on the ~ *воен.* в штате, в списках; what is your ~? сколько вас? ◇ on the ~ of smth. в силу чего-л., на основании чего-л., исходя из чего-л.

strengthen ['streŋθən] *v* усиливать(ся); укреплять(ся); крепить ◇ to ~ smb.'d hand(s) поддержать кого-л.

strenuous ['strenjʊəs] *a* сильный, энергичный; усердный; напряжённый; требующий усилий; ~ efforts всемерные усилия; ~ life деятельная жизнь

streptococci [,streptə'kɒksaɪ] *pl от* streptococcus

streptococcus [,streptə'kɒkəs] *n* (*pl* -ci) стрептококк

streptomycin [,streptə'maɪsɪn] *n фарм.* стрептомицин

stress [stres] **1.** *n* 1) давление, нажим; under the ~ of poverty под гнётом нищеты; under the ~ of weather под влиянием непогоды 2) напряжение 3) *психол.* стресс 4) ударение; *перен.* значение; to lay ~ on подчёркивать, придавать особое (*или* большое) значение 5) *муз.* акцент

2. *v* 1) подчёркивать; ставить ударение 2) *тех.* подвергать напряжению

stressful ['stresfl] *a* 1) напряжённый (*о положении и т. п.*); I had a ~ day у меня был трудный день 2) ведущий к стрессу, стрессовый

stretch [stretʃ] **1.** *n* 1) протяжение, простирание; пространство; ~ of open country открытая местность; home ~ последний, заключительный этап 2) вытягивание, растягивание, удлинение; with a ~ and a yawn потягиваясь и зевая 3) *разг.* срок заключения 4) *мор.* галс курсом бейдевинд 5) напряжение; nerves on the ~ напряжённые нервы 6) натяжка; преувеличение; ~ of authority превышение власти; a ~ of imagination полёт фантазии 7) промежуток времени; at a ~ без перерыва, подряд; в один присест 8) прогулка, разминка

2. *v* 1) растягивать(ся), вытягивать(ся); удлинять; тянуть(ся); to ~ oneself потягиваться 2) натягивать(ся); напрягать(ся) 3) иметь протяжение, простираться, тянуться 4) увеличивать, усиливать 5) допускать натяжки; to ~ the law допустить натяжку в истолковании закона; to ~ a point выйти за пределы дозволенного; не так строго соблюдать правила; заходить далеко в уступках 6) преувеличивать (*тж.* ~ the truth) 7) разбавлять, подмешивать; to ~ gin with water разбавлять джин водой 8) *разг.* свалить, повалить (*ударом*); to ~ smb. on the ground повалить кого-л. ▭ ~ out а) протягивать; б) удлинять шаг; в): he ~ed himself out on the sands он растянулся на песке ◇ to ~ one's legs размять ноги, прогуляться

stretcher ['stretʃə] *n* 1) носилки 2) ложок (*кирпичная кладка*) 3) упор для ног гребца 4) приспособление для растягивания 5) *жив.* подрамник 6) *уст. sl.* преувеличение; ложь

stretcher-bearer ['stretʃə,beərə] *n* санитар-носильщик

stretch-out ['stretʃaʊt] *n амер. разг.* система, при которой рабочий выполняет дополнительную работу без особой оплаты *или* за незначительную оплату

strew [stru:] *v* (strewed [-d]; strewed, strewn) 1) разбрасывать; разбрызгивать 2) посыпать (*песком*), усыпать (*цветами*) 3) расстилать

strewn [stru:n] *p. p. от* strew

stria ['straɪə] *n* (*pl* striae) *биол.* полоска, бороздка

striae ['straɪi:] *pl от* stria

striated [straɪ'eɪtɪd] *a биол.* бороздчатый, полосатый

stricken ['strɪkən] **1.** *p. p. от* strike I, 1

2. *a* 1) поражённый (*чем-л.*); ~ with paralysis разбитый параличом; ~ with grief убитый горем 2) *уст.* раненый ◇ ~ in years престарелый; ~ field решительное сражение; поле брани

-stricken [-strɪkən] *в сложных словах означает* охваченный, поражённый *чем-л.;* подвергшийся *чему-л.*; terror-stricken охваченный ужасом; drought-stricken поражённый засухой

strickle ['strɪkl] *n* 1) гребок (*для сгребания лишнего зерна в мере*) 2) точильный брусок, оселок 3) скобель

strict [strɪkt] *a* 1) точный, определённый; ~ truth истинная правда; in the ~ sense в строгом смысле 2) строгий, требовательный; he was given ~ orders ему было строго-настрого приказано

strictly ['strɪktlɪ] *adv* строго *и пр.* [*см.* strict]; smoking is ~ prohibited курить строго воспрещается

stricture ['strɪktʃə] *n* 1) (*обыкн. pl*) строгая критика, осуждение 2) *мед.* сужение сосудов

stridden ['strɪdn] *p. p. от* stride 2

stride [straɪd] **1.** *n* 1) большой шаг 2) *pl* успехи; to make great ~s делать большие успехи; great ~s in education большие успехи в области образования 3) *pl sl.* брюки 4) расстояние между расставленными ногами ◇ to get into one's ~ приниматься за дело; to take smth. in one's ~ а) преодолевать что-л. без усилий; б) считать что-л. естественным, относиться спокойно к чему-л.

2. *v* (strode; stridden) 1) шагать (большими шагами) 2) перешагнуть (*тж.* ~ across, ~ over) 3) сидеть верхом

strident ['straɪdnt] *a* резкий, скрипучий

stridulate ['strɪdjʊleɪt] *v* скрипеть; трещать; стрекотать

strife [straɪf] *n* борьба; спор, раздор

strike I [straɪk] **1.** *v* (struck; struck, *уст.* stricken) 1) ударять(ся); бить; to ~ a blow нанести удар; to ~ a blow for smb., smth. выступить в защиту кого-л., чего-л.; to ~ the first blow быть зачинщиком; the ship struck a rock судно наскочило на скалу 2) вселять (*ужас и т. п.*) 3) высекать (*огонь*); зажигать(ся); to ~ a match чиркнуть спичкой, зажечь спичку; the match won't ~ спичка не зажигается 4) чеканить, выбивать 5) ударять (*по клавишам, струнам*) 6) бить (*о часах*); it has just struck four только что пробило четыре; the hour has struck пробил час, настало время; his hour has struck его (смертный) час пробил 7) поражать, сражать; to ~ dumb лишить дара слова; ошарашить (*кого-л.*) 8) производить впечатление; the story ~s me as ridiculous рассказ поражает меня своей нелепостью; how does it ~ you? что вы об этом думаете?; how does his suggestion ~ you? как вам нравится его предложение? 9) подводить (*баланс*); заключать (*сделку*); to ~ an average выводить среднее число 10) приходить в голову; an idea suddenly struck me меня внезапно осенила мысль 11) найти; наткнуться на, случайно встретить; to ~ the eye бросаться в глаза; to ~ oil открыть нефтяной источник; *перен.* достичь успеха; преуспевать 12) спускать (*флаг*); убирать (*паруса и т. п.*); to ~ camp, to ~ one's tent сняться с лагеря 13) направляться (*тж.* ~ out); ~ to the left поверните налево 14) подсекать (*рыбу*) 15) сажать 16) ровнять гребком (*меру зерна*) 17) пускать (*корни*) 18) *амер. sl.* просить, искать протекции; he struck his friend for a job он попросил приятеля подыскать ему работу 19): to ~ a jury сформировать специальный состав присяжных (*дав обеим сторонам вычеркнуть одинаковое количество кандидатов*) 20) *амер. sl.* шантажировать, вымогать 21) добираться, достигать 22) проникать; пронизывать; the light ~s through the darkness свет пробивается сквозь темноту ▭ ~ at наносить удар, нападать; ~ **back** нанести ответный удар, дать сдачи; ~ **down** свалить с ног, сразить; ~ **in** а) вмешиваться (*в разговор*); б) *мед.* перейти вовнутрь (*о болезни*); ~ **off** а) отрубать (*ударом меча, топора*); б) вычёркивать (*имя и т. п.*) из списка; в) *полигр.* отпечатывать; ~ **out** а) набрасываться (*с кулаками, оружием*); б) делать что-л. быстро и энергично; в) вычеркнуть; г) энергично двигать руками и ногами (*при плавании*); to ~ out for the shore быстро поплыть к берегу; д) изобрести, придумать; to ~ out a new idea изобрести новый план; ~ **through** зачёркивать; ~ **up** начинать; to ~ up an acquaintance завязать знакомство; the band struck up оркестр заиграл; ~ **upon** а) придумывать (*план*); б) напасть на (*мысль*); в) падать на (*о свете*) <> to ~ a note вызвать определённое впечатление; to ~ it rich а) напасть на жилу; б) преуспевать; to ~ out a new line for oneself выработать для себя новую линию поведения (теорию *и т. п.*); to ~ smb. all of a heap ошеломлять кого-л.; to ~ home а) попасть в цель; б) больно задеть, задеть за живое; to ~ hands ударить по рукам; to ~ an attitude принять (театральную) позу; ~ the iron while it is hot *посл.* куй железо, пока горячо

2. *n* 1) удар 2) открытие месторождения (*нефти, руды и т. п.*) 3) неожиданная удача (*тж.* lucky ~) 4) *геол.* простирание жилы *или* пласта 5) мера ёмкости (*разная в разных районах Англии*)

strike II [straɪk] **1.** *n* 1) забастовка, стачка; to be on ~ бастовать; to go on ~ объявлять забастовку, забастовать 2) коллективный отказ (*от чего-л.*), бойкот; buyers' ~ бойкотирование покупателями определённых товаров *или* магазинов 3) *attr.* забастовочный, стачечный; ~ action стачечная борьба

2. *v* бастовать; объявлять забастовку (for, against)

strike benefit ['straɪk,benɪfɪt] = strike pay

strikebound ['straɪkbaʊnd] *a* закрытый *или* не действующий в связи с забастовкой (*о заводе, порте и т. п.*)

strikebreaker ['straɪk,breɪkə] *n* штрейкбрехер

strikebreaking ['straɪk,breɪkɪŋ] *n* подавление забастовки

strike committee [,straɪkkə'mɪtɪ] *n* стачечный комитет

strike pay ['straɪkpeɪ] *n* пособие, выдаваемое профсоюзом забастовщикам

striker I ['straɪkə] *n* 1) молотобоец 2) *воен., тех.* ударник 3) *амер. воен.* ординарец 4) гарпунёр

striker II ['straɪkə] *n* забастовщик

striking I ['straɪkɪŋ] **1.** *pres. p. от* strike I, 1

2. *a* 1) (по)разительный, замечательный 2) ударный; ~ force *воен.* ударная группа

striking II ['straɪkɪŋ] *pres. p. от* strike II, 2

string [strɪŋ] **1.** *n* 1) верёвка, бечёвка; тесёмка, завязка, шнурок 2) тетива (*лука*) 3) *муз.* струна; to touch the ~s играть на струнном инструменте 4) (the ~s) *pl муз.* струнные инструменты оркестра 5) нитка (*бус и т. п.*) 6) вереница, ряд; a ~ of people вереница людей; a ~ of bursts пулемётная очередь 7) волокно, жилка 8) *pl* условие, ограничение 9) лошади, принадлежащие одному владельцу (*на скачках*) 10) тетива, косоур (*лестницы*) 11) *attr.* струнный; ~ orchestra струнный оркестр <> on a ~ в полной зависимости; на поводу; first ~ главный ресурс; second ~ а) запасной ресурс; б) *театр.* дублёр; to have two ~s to one's bow иметь на всякий случай какие-л. дополнительные ресурсы, средства; to harp on one (*или* on the same) ~ ≅ тянуть всё ту же песню; твердить одно и то же; to touch a ~ затронуть чью-л. слабую струнку

2. *v* (strung) 1) снабжать струной, тетивой *и т. п.* 2) завязывать, привязывать; шнуровать 3) натягивать (*струну*) 4) нанизывать (*бусы*) 5) вешать; to ~ a picture повесить картину 6) *разг.* обманывать; водить за нос ▭ ~ **along** *разг.* обманывать, одурачивать; ~ **along with** *разг.* быть преданным *кому-л.*; следовать за *кем-л.*; ~ **out** растягивать(ся) вереницей; the programme was strung out too long программа была слишком растянута; ~ **together** связывать; ~ **up** а) *разг.* вздёрнуть, повесить; б) взвинчивать, напрягать (*нервы и т. п.*)

string-bag ['strɪŋbæg] *n* сетка (*сумка для продуктов*)

string course ['strɪŋkɔ:s] *n архит.* поясок

stringed ['strɪŋd] *a* струнный (*особ. о музыкальных инструментах*)

stringency ['strɪndʒənsɪ] *n* 1) строгость 2) *эк.* недостаток денег 3) убедительность, вескость

stringent ['strɪndʒənt] *a* 1) строгий; обязательный, точный; ~ regulations обязательные постановления 2) стеснённый недостатком средств 3) убедительный, веский

stringer ['strɪŋə] *n* 1) продольная балка; тетива (*лестницы*) 2) *мор., ав.* стрингер

stringhalt ['strɪŋhɔ:lt] = spring-halt

stringy ['strɪŋɪ] *a* 1) волокнистый 2) тягучий, вязкий

strip I [strɪp] **1.** *n* 1) раздевание (*особ. о стриптизе*) 2) *разг.* игровая форма (*спортивной команды*)

2. *v* 1) сдирать, обдирать; снимать; обнажать 2) раздевать(ся); снимать, срывать; ~ped to the skin раздетый донага; to be ~ped of leaves стоять голым (*о дереве*) 3) лишать (*чего-л.*); to ~ smb. of his title лишить кого-л. звания; ~ped of fine names, it is a swindle выражаясь попросту — это надувательство 4) отнимать; грабить 5) разбирать, демонтировать 6) *тех.* срывать резьбу ▭ ~ **off** сдирать; соскабливать

strip II [strɪp] *n* 1) длинный узкий кусок; полоса; лента; полоска; ~ of board планка; ~ of garden полоска сада 2) рассказ в картинках (*в газете*; *тж.* ~ cartoon) 3) взлётно-посадочная полоса (*тж.* air ~, landing ~) 4) порча, разрушение

strip club ['strɪpklʌb] *n* клуб с показом стриптиза

stripe [straɪp] **1.** *n* 1) полоса 2) нашивка; шеврон; to get (to lose) one's ~s быть произведённым (разжалованным) 3) *амер.* тип, характер 4) *уст.* удар бичом; *pl* порка 5) *pl* (*употр. как sing*) *разг.* тигр 6) полосатый материал

2. *v* испещрять полосами

striped [straɪpt] **1.** *p. p. от* stripe 2

2. *a* полосатый

striper ['straɪpə] *n воен. жарг.* морской офицер

-striper [-,straɪpə] *амер. в сложных словах означает* имеющий *столько-то* нашивок (*о морском офицере*); four-striper капитан 2 ранга

stripling ['strɪplɪŋ] *n* юноша, подросток

strip map [,strɪp'mæp] *n ав.* маршрутная карта

strip mine ['strɪp,maɪn] *n амер. горн.* открытая добыча

stripper ['strɪpə] *n* 1) *с.-х.* стриппер, колосоуборщик 2) исполнительница стриптиза

striptease ['strɪpti:z] *n* стриптиз

stripy ['strɪpɪ] *a* полосатый

strive [straɪv] *v* (strove; striven) 1) стараться; прилагать усилия; to ~ for victory стремиться к победе 2) бороться (against, with — против)

striven ['strɪvn] *p. p. от* strive

strode [strəʊd] *past от* stride 2

stroke [strəʊk] **1.** *n* 1) удар; a finishing ~ а) удар, сражающий противника; б) решающий довод; [*ср. тж.* 8)] 2) *мед.* удар, паралич; heat ~ тепловой удар; he had a ~ у него был удар 3) взмах; отдельное движение *или* усилие; the ~ of an oar взмах весла; they have not done a ~ of work ≅ они палец о палец не ударили; with one ~ of the pen одним росчерком пера 4) приём, ход; a clever ~ ловкий ход; it was a ~ of genius это было гениально; a ~ of luck удача 5) *тех.* ход поршня; up (down) ~ ход поршня вверх (вниз) 6) загребной; to row (*или* to pull) the ~ задавать такт гребцам 7) стиль плавания 8) штрих, мазок, черта; finishing ~s последние штрихи, отделка [*ср. тж.* 1)]; to portray with a few ~s обрисовать несколькими штрихами 9) бой часов; it is on the ~ of nine сейчас пробьёт девять 10) поглаживание (*рукой*) <> ~ of (good) luck удача, везение

2. *v* 1) гладить (*рукой*), поглаживать, ласкать; to ~ smb. down успокоить, утихомирить кого-л. 2) задавать такт (*гребцам*) <> to ~ smb. (*или* smb.'s hair) the wrong way гладить кого-л. против шерсти; раздражать кого-л.

stroll [strəʊl] **1.** *n* прогулка

2. *v* 1) прогуливаться, бродить 2) странствовать, давать представления (*об актёрах*)

stroller [ˈstrəʊlə] *n* 1) прогу́ливающийся 2) *амер.* де́тский складно́й стул на колёсах 3) бродя́га 4) стра́нствующий актёр

strolling [ˈstrəʊlɪŋ] 1. *pres. p. от* stroll 2

2. *a* бродя́чий; ~ musicians (players) бродя́чие музыка́нты (актёры)

strong [strɒŋ] 1. *a* 1) си́льный, облада́ющий большо́й физи́ческой си́лой 2) здоро́вый; are you quite ~ again? вы вполне́ окре́пли? 3) усто́йчивый, твёрдый (*о рынке, ценах*); расту́щий (*о ценах*) 4) реши́тельный, энерги́чный, круто́й, стро́гий; ~ measures круты́е ме́ры; ~ man а) вла́стный челове́к; б) реши́тельный администра́тор 5) си́льный, ве́ский; серьёзный; ~ sense of disappointment си́льное разочарова́ние; ~ reason ве́ская причи́на 6) твёрдый, убеждённый; ре́вностный, усе́рдный (*приверженец, сторонник и т. п.*) 7) си́льный (*в чём-л.*); he is ~ in chemistry он хорошо́ зна́ет хи́мию 8) облада́ющий определённой чи́сленностью; battalions a thousand ~ батальо́ны чи́сленностью в ты́сячу челове́к ка́ждый; how many ~ are you? ско́лько вас? 9) си́льный; име́ющий си́лу, преиму́щество, ша́нсы *и т. п.*; ~ candidate кандида́т, име́ющий больши́е ша́нсы; ~ literary style энерги́чный, вырази́тельный стиль 10) кре́пкий; неразведённый; ~ coffee кре́пкий ко́фе; ~ remedy сильноде́йствующее сре́дство; ~ drinks спиртны́е напи́тки 11) гро́мкий (*о голосе*) 12) о́стрый, е́дкий; ~ cheese о́стрый сыр 13) кре́пкий, гру́бый; ~ language си́льные выраже́ния, руга́тельства 14) *грам.* си́льный 15) про́чный; выно́сливый; ~ castle хорошо́ укреплённый за́мок; ~ design про́чная констру́кция 16) я́сный, си́льный, определённый; a ~ resemblance большо́е схо́дство ◇ by the ~ arm (*или* hand) си́лой; ~ meat ≅ оре́шек не по зуба́м

2. *n* (the ~) *pl собир.* 1) си́льные, здоро́вые 2) си́льные, власть иму́щие

3. *adv разг.* си́льно, реши́тельно; to be going ~ *разг.* быть в по́лной си́ле; to come (*или* to go) it (*или* rather, a bit) ~ *разг.* а) зайти́ сли́шком далеко́; хвати́ть че́рез край; б) си́льно преувели́чивать; в) де́йствовать реши́тельно, быть напо́ристым

strong-arm [ˈstrɒŋɑ:m] *v разг.* применя́ть си́лу

strongarm [ˈstrɒŋɑ:m] *a разг.* применя́ющий си́лу; ~ tactics та́ктика си́льной руки́

strongbox [ˈstrɒŋbɒks] *n* сейф

stronghold [ˈstrɒŋhəʊld] *n* 1) кре́пость, тверды́ня, цитаде́ль; опло́т 2) *воен.* опо́рный пункт

strong interaction [ˌstrɒŋɪntərˈækʃn] *n физ.* си́льное взаимоде́йствие

strong-minded [ˌstrɒŋˈmaɪndɪd] *a* у́мный, энерги́чный

strongpoint [ˌstrɒŋˈpɔɪnt] *n* 1) си́льное ме́сто 2) *воен.* опо́рный пункт

strong room [ˈstrɒŋru:m] *n* ко́мната-сейф; кладова́я (*для хранения ценностей в банке и т. п.*)

strong-willed [ˌstrɒŋˈwɪld] *a* 1) реши́тельный; волево́й 2) упря́мый

strontium [ˈstrɒntɪəm] *n хим.* стро́нций

strop [strɒp] 1. *n* 1) реме́нь для пра́вки бритв 2) *мор.* строп

2. *v* пра́вить (*бритву*)

strophe [ˈstrəʊfɪ] *n прос.* строфа́

stroppy [ˈstrɒpɪ] *a разг.* несговорчи́вый; сварли́вый

strove [strəʊv] *past от* strive

struck [strʌk] *past и p. p. от* strike I, 1

structural [ˈstrʌktʃrəl] *a* 1) структу́рный; ~ linguistics структу́рная лингви́стика; ~ formula *хим.* структу́рная фо́рмула 2) строи́тельный; ~ features конструкти́вные дета́ли; ~ mechanics строи́тельная меха́ника

structure [ˈstrʌktʃə] *n* 1) зда́ние, сооруже́ние, строе́ние 2) структу́ра; устро́йство; social ~ социа́льный строй; the ~ of a language строй языка́; the ~ of a sentence структу́ра предложе́ния

strudel [ˈstru:dl] *n кул.* стру́дель

struggle [ˈstrʌgl] 1. *n* 1) борьба́; class ~ кла́ссовая борьба́; the ~ for existence (*или* life) борьба́ за существова́ние 2) напряже́ние, уси́лие

2. *v* 1) би́ться, отбива́ться 2) боро́ться; to ~ for peace боро́ться за мир; to ~ against difficulties боро́ться с тру́дностями; to ~ for one's living би́ться из-за куска́ хле́ба 3) де́лать уси́лия; стара́ться изо всех сил; to ~ to one's feet с трудо́м встать на́ ноги; to ~ with a mathematical problem би́ться над зада́чей; he ~d to make himself heard он вся́чески стара́лся, что́бы его́ услы́шали 4) пробива́ться (through)

strum [strʌm] 1. *n* бренча́ние, тре́ньканье

2. *v* бренча́ть, тре́нькать

strumpet [ˈstrʌmpɪt] *n уст.* проститу́тка

strung [strʌŋ] 1. *past и p. p. от* string 2

2. *a* 1) снабжённый стру́нами 2) взви́нченный, напряжённый; a highly ~ person взви́нченный челове́к; highly ~ nerves натя́нутые не́рвы

strut [strʌt] 1. *n* 1) *стр.* сто́йка; подко́с, распо́рка 2) ва́жная *или* неесте́ственная похо́дка

2. *v* 1) ходи́ть с ва́жным, напы́щенным ви́дом 2) подпира́ть

strutter [ˈstrʌtə] *n* задава́ка

strychnine [ˈstrɪkni:n] *n* стрихни́н

stub [stʌb] 1. *n* 1) коро́ткий тупо́й обло́мок *или* оста́ток; the ~ of a tooth пенёк зу́ба; the ~ of a pencil огры́зок карандаша́; the ~ of a cigar (of a cigarette) оку́рок 2) корешо́к (*квитанционной книжки и т. п.*) 3) пень

2. *v* 1) ударя́ться ного́й обо что-л. твёрдое; to ~ one's toe on (*или* against) smth. споткну́ться обо что-л. 2) погаси́ть оку́рок (*тж.* ~ out) 3) выкорчёвывать, вырыва́ть с ко́рнем (*тж.* ~ up)

stubble [ˈstʌbl] *n* 1) жнивьё, стерня́ 2) ко́ротко остри́женные во́лосы; давно́ не бри́тая борода́, щети́на

stubbly [ˈstʌblɪ] *a* 1) по́жнивный, покры́тый стернёй 2) торча́щий, щети́нистый (*о бороде и т. п.*)

stubborn [ˈstʌbən] *a* 1) упря́мый, непода́тливый 2) упо́рный; ~ resistance упо́рное сопротивле́ние

stubbornness [ˈstʌbənnəs] *n* 1) упря́мство 2) упо́рство

stubby [ˈstʌbɪ] *a* 1) похо́жий на обру́бок; корена́стый; a short ~ figure корена́стая фигу́ра 2) усе́янный пня́ми

stucco [ˈstʌkəʊ] 1. *n* (*pl* -oes [-əʊz]) отде́лочный, штукату́рный гипс

2. *v* штукату́рить

stuccowork [ˈstʌkəʊwɜ:k] *n* лепна́я рабо́та

stuck [stʌk] *past и p. p. от* stick 2

stuck-up [ˈstʌkʌp] *a разг.* высокоме́рный, самодово́льный, зано́счивый

stud I [stʌd] 1. *n* 1) гвоздь с большо́й шля́пкой; штифт; кно́пка 2) за́понка 3) *тех.* распо́рка; сто́йка; кося́к; обвя́зка

2. *v* 1) обива́ть 2) усе́ивать, усыпа́ть

stud II [stʌd] *n* 1) ко́нный заво́д; коню́шня 2) = studhorse 3) *разг.* жеребе́ц (*о мужчине*)

studbook [ˈstʌdbʊk] *n* племенна́я кни́га (*лошадей*)

studding sail [ˈstʌdɪŋseɪl, ˈstʌnsl] *n мор.* ли́сель

student [ˈstju:dnt] *n* 1) студе́нт 2) изуча́ющий (*что-л.*; of); учёный

studentship [ˈstju:dntʃɪp] *n* 1) студе́нческие го́ды 2) стипе́ндия

stud farm [ˈstʌdfɑ:m] *n* ко́нный заво́д

studhorse [ˈstʌdhɔ:s] *n* племенно́й жеребе́ц

studied [ˈstʌdɪd] 1. *p. p. от* study 2

2. *a* 1) обду́манный, преднаме́ренный; ~ insult умы́шленное оскорбле́ние 2) де́ланный; ~ politeness нарочи́тая любе́зность 3) изуча́емый 4) *редк.* начи́танный, зна́ющий

studio [ˈstju:dɪəʊ] *n* (*pl* -os [-əʊz]) 1) сту́дия; ателье́, мастерска́я 2) радиосту́дия; киносту́дия; телесту́дия

studio couch [ˈstju:dɪəʊkaʊtʃ] *n* дива́н-крова́ть

studious [ˈstju:dɪəs] *a* 1) за́нятый нау́кой 2) стара́тельный, приле́жный, усе́рдный 3) = studied 2, 1) *и* 2)

study [ˈstʌdɪ] 1. *n* 1) изуче́ние, иссле́дование (of); нау́чные заня́тия; to make a ~ of тща́тельно изуча́ть; much given to ~ увлека́ющийся нау́чными заня́тиями 2) (*обыкн. pl*) приобрете́ние зна́ний; to begin one's studies приступа́ть к учёбе 3) рабо́чий кабине́т 4) *иск.* этю́д, эски́з, набро́сок 5) о́черк 6) *муз.* этю́д, упражне́ние 7) предме́т (досто́йный) изуче́ния; his face was a perfect ~ на его́ лице́ сто́ило посмотре́ть 8) нау́ка; о́бласть нау́ки 9) *театр.* зау́чивание ро́ли 10) *театр.* тот, кто зау́чивает роль; he is a good (a slow) ~ он бы́стро (ме́дленно) зау́чивает роль 11) *уст.* забо́та, стара́ние; her constant ~ was to work well она́ всегда́ стара́лась хорошо́ рабо́тать 12) нау́чная рабо́та, моногра́фия 13) глубо́кая заду́мчивость (*обыкн.* brown ~)

2. *v* 1) занима́ться, учи́ться 2) гото́виться (*к экзамену и т. п.*; for); he is ~ing for the bar он гото́вится к карье́ре адвока́та 3) изуча́ть, иссле́довать; рассма́тривать; обду́мывать 4) зау́чивать наизу́сть 5) забо́титься (*о чём-л.*); стреми́ться (*к чему-л.*), стара́ться; ~ to wrong no man стара́йтесь никого́ не оби́деть; to ~ another's comfort забо́титься об удо́бстве други́х; to ~ one's own interests пресле́довать со́бственные интере́сы 6) *уст.* размышля́ть ▭ ~ **out** выясни́ть; разобра́ть; ~ **up** гото́виться к экза́мену

stuff [stʌf] **1.** *n* 1) материа́л; вещество́; to collect the ~ for a book собира́ть материа́л для кни́ги; green (*или* garden) ~ о́вощи; he is made of sterner ~ than his father у него́ бо́лее реши́тельный хара́ктер, чем у его́ отца́; a man with plenty of good ~ in him челове́к больши́х досто́инств; this book is poor ~ э́то никчёмная книжо́нка 2) мате́рия (*особ.* шерстяна́я) 3) дрянь, хлам, чепуха́; ~ and nonsens! вздор!; do you call this ~ butter? неуже́ли вы называ́ете э́ту дрянь ма́слом? 4) (the ~) *разг.* доста́точный запа́с (*особ.* питья́ *или* нарко́тиков) 5) *sl.* де́ньги 6) *разг.* лека́рство (*тж.* doctor's ~) 7) ве́щи, иму́щество 8) *sl.* обраще́ние, поведе́ние; this is the sort off ~ to give them то́лько так и на́до поступа́ть с ни́ми; они́ не заслу́живают лу́чшего обраще́ния ◇ bit of ~ *sl. пренебр.* бабёнка что на́до; to do one's ~ *разг.* де́лать своё де́ло

2. *v* 1) набива́ть, заполня́ть; начиня́ть, фарширова́ть 2) вти́скивать, засо́вывать; to ~ one's clothes into a suitcase запи́хивать ве́щи в чемода́н 3) набива́ть чу́чело живо́тного *или* пти́цы 4) зака́рмливать, корми́ть на убо́й; to ~ a child with sweets пи́чкать ребёнка сла́достями 5) объеда́ться; жа́дно есть 6) затыка́ть (*тж.* ~ up); he ~ed his fingers into his ears он заткну́л у́ши па́льцами; my nose is ~ed up у меня́ нос зало́жен 7) набива́ть, переполня́ть (*тж. перен.*); to ~ one's head with silly ideas забива́ть себе́ го́лову глу́пыми иде́ями 8) *амер.* наполня́ть избира́тельные у́рны фальши́выми бюллете́нями 9) *sl. пренебр.* переспа́ть (*с женщиной*) 10) *разг.* мистифици́ровать, обма́нывать 11) пломбирова́ть зуб

stuffed shirt [ˌstʌft'ʃɜ:t] *n разг.* напы́щенное ничто́жество

stuffing ['stʌfɪŋ] **1.** *pres. p. от* stuff 2

2. *n* 1) наби́вка (*подушки и т. п.*); прокла́дка 2) начи́нка 3) *амер.* наполне́ние избира́тельных урн фальши́выми бюллете́нями ◇ to knock (*или* to take) the ~ out of smb. *разг.* а) сбить спесь с кого́-л.; б) ослабить, изнури́ть кого́-л. (*о болезни и т. п.*)

stuffing box ['stʌfɪŋbɒks] *n тех.* са́льник

stuffy ['stʌfɪ] *a* 1) спёртый, ду́шный 2) ску́чный, неинтере́сный 3) зало́женный (*о носе и т. п. при простуде*) 4) чванли́вый, ва́жничающий 5) *разг.* серди́тый; сварли́вый 6) *разг.* щепети́льный, пурита́нский, старомо́дный; консервати́вный

stultification [ˌstʌltɪfɪ'keɪʃn] *n* выставле́ние в смешно́м ви́де *и пр.* [*см.* stultify]

stultify ['stʌltɪfaɪ] *v* 1) выставля́ть в смешно́м ви́де 2) своди́ть на не́т (*результаты работы и т. п.*)

stum [stʌm] **1.** *n* муст, виногра́дное су́сло

2. *v* подправля́ть вино́ прибавле́нием виногра́дного су́сла

stumble ['stʌmbl] **1.** *n* 1) спотыка́ние; запи́нка; заде́ржка 2) ло́жный шаг, оши́бка

2. *v* 1) спотыка́ться, оступа́ться (*тж. перен.*) 2) запина́ться; ошиба́ться; to ~ through a lesson отвеча́ть уро́к с запи́нками ▭ ~ **across** случа́йно найти́, натолкну́ться на; ~ **along** ковыля́ть; идти́ спотыка́ясь; ~ **at** усомни́ться в чём-л.; сомнева́ться, колеба́ться; ~ **upon** наткну́ться на

stumblebum ['stʌmblbʌm] *n амер. разг.* беста́ктный *или* глу́пый тип

stumbling block ['stʌmblɪŋblɒk] *n* ка́мень преткнове́ния

stumer ['stju:mə] *n sl.* 1) фальши́вая моне́та, подде́льный банкно́т *или* чек 2) фальши́вка, подде́лка 3) неуда́ча

stump [stʌmp] **1.** *n* 1) пень 2) обру́бок, культя́, ампути́рованная коне́чность 3) пенёк (*зуба*) 4) оку́рок 5) огры́зок (*карандаша*) 6) короты́шка 7) *pl шутл.* но́ги; to stir one's ~s *разг.* потора́пливаться, пошеве́ливаться 8) тяжёлый шаг 9) импровизи́рованная трибу́на; to go (*или* to be) on the ~ *разг.* вести́ агита́цию 10) *амер.* вы́зов на соревнова́ние (*в спорте, танце и т. п.*) 11) спи́ца кри́кетных воро́т; to draw ~s конча́ть игру́ (*в крикете*) 12) растушёвка, па́лочка для тушёвки 13) *горн.* цели́к ◇ to be up a ~ *амер.* находи́ться в растеря́нности

2. *v* 1) сруба́ть (*дерево*); обруба́ть (*сучья*) 2) корчева́ть 3) ковыля́ть, тяжело́ ступа́ть (*тж.* ~ along) 4) *разг.* ста́вить в тупи́к; I am ~ed for an answer не зна́ю, что отве́тить 5) соверша́ть пое́здки, выступа́я с реча́ми, агити́ровать 6) *амер.* вызыва́ть на соревнова́ние; подза́доривать 7) выбива́ть из игры́ (*в крикете*) ▭ ~ **up** *разг.* выкла́дывать де́ньги, плати́ть; распла́чиваться

stumper ['stʌmpə] *n разг.* озада́чивающий вопро́с; тру́дная зада́ча

stump orator [ˌstʌmp'ɒrətə] *n* ора́тор, выступа́ющий с импровизи́рованной трибу́ны; агита́тор

stump oratory [ˌstʌmp'ɒrətərɪ] = stump speeches

stump speeches ['stʌmpˌspi:tʃɪz] *n* 1) ре́чи с импровизи́рованной трибу́ны 2) напы́щенные, ходу́льные ре́чи

stumpy ['stʌmpɪ] *a* корена́стый, призе́мистый; коро́ткий и то́лстый; ~ fingers коро́ткие, то́лстые па́льцы

stun [stʌn] *v* оглуша́ть, ошеломля́ть

stung [stʌŋ] *past и p. p. от* sting 2

stunk [stʌŋk] *past и p. p. от* stink 2

stunner ['stʌnə] *n разг.* 1) краси́вый, привлека́тельный; челове́к, производя́щий на окружа́ющих си́льное впечатле́ние 2) изуми́тельный экземпля́р 3) потряса́ющее зре́лище

stunning ['stʌnɪŋ] **1.** *pres. p. от* stun

2. *a* 1) *разг.* сногсшиба́тельный; великоле́пный 2) оглуша́ющий, ошеломля́ющий; a ~ blow стра́шное потрясе́ние

stunt I [stʌnt] **1.** *n* остано́вка в ро́сте, заде́ржка ро́ста

2. *v* остана́вливать рост

stunt II [stʌnt] **1.** *n* 1) уда́чное, эффе́ктное выступле́ние (*на спортивных соревнованиях*) 2) штýка, трюк, фо́кус 3) *ав.* фигу́ра вы́сшего пилота́жа

2. *v* 1) демонстри́ровать сме́лость, ло́вкость 2) пока́зывать фо́кусы; выки́дывать номера́ 3) *ав.* выполня́ть фигу́ры вы́сшего пилота́жа

stunted I ['stʌntɪd] **1.** *p. p. от* stunt I, 2

2. *a* низкоро́слый, ча́хлый

stunted II ['stʌntɪd] *p. p. от* stunt II, 2

stunt man ['stʌntmæn] *n* каскадёр

stupe I [stju:p] **1.** *n* горя́чий компре́сс

2. *v* ста́вить горя́чий компре́сс

stupe II [stju:p] *n sl.* дура́к

stupefaction [ˌstju:pɪ'fækʃn] *n* 1) оцепене́ние, остолбене́ние 2) изумле́ние

stupefy ['stju:pɪfaɪ] *v* 1) притупля́ть ум *или* чу́вства 2) изумля́ть, поража́ть; ошеломля́ть

stupendous [stjʊ'pendəs] *a* изуми́тельный; грома́дный; огро́мной ва́жности

stupid ['stju:pɪd] **1.** *a* 1) глу́пый, тупо́й, бестолко́вый; дура́цкий 2) оцепене́вший; ~ with sleep осове́лый

2. *n разг.* дура́к

stupidity [stjʊ'pɪdətɪ] *n* глу́пость, ту́пость

stupor ['stju:pə] *n* 1) оцепене́ние, остолбене́ние 2) *мед.* сту́пор

sturdy ['stɜ:dɪ] *a* 1) си́льный, кре́пкий, здоро́вый; a ~ child крепы́ш 2) сто́йкий, твёрдый, отва́жный

sturgeon ['stɜ:dʒən] *n* осётр

Sturm und Drang [ˌʃtʊəmʊnt'dræŋ] *нем. n* «бу́ря и на́тиск» (*течение в немецкой литературе конца XVIII в.*)

stutter ['stʌtə] **1.** *n* заика́ние

2. *v* заика́ться; запина́ться; to ~ an apology неуве́ренно пробормота́ть извине́ние

stutterer ['stʌtərə] *n* заи́ка

sty I [staɪ] *n* свина́рник (*тж. перен.*)

sty II [staɪ] *n мед.* ячме́нь (*на глазу*)
stye [staɪ] = sty II
Stygian ['stɪdʒɪən] *a* 1) *греч. миф.* стиги́йский, относя́щийся к реке́ Сти́ксу; 2) *книжн.* а́дский, мра́чный
style [staɪl] **1.** *n* 1) стиль; слог; мане́ра (*петь и т. п.*) 2) направле́ние, шко́ла (*в искусстве*) 3) мо́да, фасо́н; покро́й 4) изя́щество, вкус; шик, блеск; in ~ с ши́ком; to live in grand ~ жить на широ́кую но́гу 5) род, сорт, тип; that ~ of thing тако́го ро́да вещь; a gentleman of the old ~ джентльме́н ста́рой шко́лы 6) стиль (*способ летосчисления*) 7) стиль (*остроконечная палочка для писания у древних греков и римлян*) 8) *поэт.* перо́, каранда́ш 9) граммофо́нная иго́лка 10) гравирова́льная игла́ 11) *мед.* игла́ 12) ти́тул; give him his full ~ велича́йте его́ по́лным ти́тулом
2. *v* 1) модернизи́ровать 2) титулова́ть; велича́ть 3) конструи́ровать по мо́де; вводи́ть в мо́ду
stylet ['staɪlət] *n* 1) стиле́т 2) *мед.* зонд
styli ['staɪlaɪ] *pl от* stylus
stylish ['staɪlɪʃ] *a* 1) мо́дный, элега́нтный; шика́рный 2) сти́льный, вы́держанный в определённом сти́ле
stylist ['staɪlɪst] *n* 1) моделье́р 2) парикма́хер-модельер 3) специали́ст по интерье́ру 4) стили́ст
stylistic [staɪ'lɪstɪk] *a* стилисти́ческий
stylistics [staɪ'lɪstɪks] *n* стили́стика
stylize ['staɪlaɪz] *v иск.* изобража́ть в традицио́нном сти́ле, стилизова́ть
stylo ['staɪləʊ] *сокр. см.* stylograph
stylograph ['staɪləʊgrɑːf] *n* стилогра́ф; ве́чное перо́
stylus ['staɪləs] *n* (*pl тж.* ~li) граммофо́нная иго́лка
stymie, stymy ['staɪmɪ] *v* ста́вить в безвы́ходное положе́ние, загна́ть в у́гол
styptic ['stɪptɪk] **1.** *a* кровоостана́вливающий
2. *n* кровоостана́вливающее сре́дство
Styx [stɪks] *n греч. миф.* Стикс (*река*) ◇ to cross the ~ умере́ть
suability [ˌsjuːə'bɪlətɪ] *n* 1) *юр.* возмо́жность привле́чь в ка́честве отве́тчика 2) подсу́дность
suable ['sjuːəbl] *a юр.* могу́щий быть привлечённым в ка́честве отве́тчика
suasion ['sweɪʒn] *n книжн.* угова́ривание; moral ~ увещева́ние
suave [swɑːv] *a* учти́вый, обходи́тельный; ве́жливый
suavity ['swɑːvətɪ] *n* обходи́тельность *и пр.* [*см.* suave]
sub [sʌb] *разг. сокр.* **1.** *n* 1) *см.* submarine 1; 2) *см.* subordinate 2; 3) *см.* subway 4) *см.* subaltern 1; 5) *см.* sublieutenant 6) *см.* subscription 7) *см.* subscriber 8) *см.* substitute 1
2. *v см.* substitute 2

sub- [sʌb-] *pref указывает на*: 1) *положение ниже чего-л. или под чем-л.*: subway а) тонне́ль; подзе́мный перехо́д; б) *амер.* подзе́мная желе́зная доро́га, метро́; subcutaneous подко́жный 2) *подчинение по службе, низший чин*: subeditor помо́щник реда́ктора 3) *более мелкое подразделение*: subcommittee подкоми́ссия; subdivide подразделя́ть(ся) 4) *передачу другому лицу*: subcontract субдогово́р; sublease суба́ре́нда 5) *недостаточное количество вещества в данном соединении*: suboxide не́докись 6) *незначительную степень, малое количество*: subaudible едва́ слы́шный
subaltern ['sʌbltən] **1.** *n воен.* мла́дший офице́р
2. *a* подчинённый
subaqueous [ˌsʌb'eɪkwɪəs] *a* подво́дный
subarctic [ˌsʌb'ɑːktɪk] *a* субаркти́ческий, приполя́рный
subaudition [ˌsʌbɔː'dɪʃn] *n* подразумева́ние
subchaser [ˌsʌb'tʃeɪsə] *n амер.* охо́тник за подво́дными ло́дками
subcommittee ['sʌbkəˌmɪtɪ] *n* подкоми́ссия
subconscious [sʌb'kɒnʃəs] *a* подсозна́тельный
subcontract 1. *n* [sʌb'kɒntrækt] субдогово́р
2. *v* [ˌsʌbkən'trækt] заключа́ть субдогово́р
subcutaneous [ˌsʌbkjʊ'teɪnɪəs] *a* подко́жный
subdivide [ˌsʌbdɪ'vaɪd] *v* подразделя́ть(ся)
subdivisible [ˌsʌbdɪ'vɪzəbl] *a* поддаю́щийся дальне́йшему подразделе́нию
subdivision ['sʌbdɪˌvɪʒn] *n* подразделе́ние
subdual [səb'djuːəl] *n* подчине́ние, покоре́ние
subduct [səb'dʌkt] *v редк.* вычита́ть
subdue [səb'djuː] *v* 1) подчиня́ть, покоря́ть; to ~ nature покоря́ть приро́ду 2) смягча́ть; снижа́ть, ослабля́ть; to ~ the enemy fire подави́ть ого́нь проти́вника 3) обраба́тывать зе́млю
subdued [səb'djuːd] **1.** *p. p. от* subdue
2. *a* 1) подчинённый, пода́вленный; ~ spirits пода́вленное настрое́ние 2) смягчённый, приглушённый; ~ voices приглушённые голоса́
subeditor [ˌsʌb'edɪtə] *n* 1) помо́щник реда́ктора 2) реда́ктор отде́ла (*газеты и т. п.*)
subfamily ['sʌbˌfæmɪlɪ] *n биол.* подсеме́йство
subfusc ['sʌbfʌsk] *a книжн.* ску́чный; мра́чный; тёмный
subgroup ['sʌbgruːp] *n* подгру́ппа
subhead ['sʌbhed] *n* 1) подзаголо́вок 2) замести́тель дире́ктора шко́лы
subjacent [sʌb'dʒeɪsnt] *a* 1) располо́женный ни́же (*чего-л.*) 2) лежа́щий в осно́ве
subject 1. *n* ['sʌbdʒekt] 1) те́ма; предме́т разгово́ра; сюже́т; to dwell on a sore ~ остана́вливаться на больно́м вопро́се; to change the ~ перемени́ть те́му разгово́ра; to traverse a ~ обсуди́ть вопро́с 2) по́вод (for — *к чему-л.*); a ~ for pity по́вод для сожале́ния 3) предме́т, дисципли́на; mathematics is my favourite ~ матема́тика — мой люби́мый предме́т 4) *грам.* подлежа́щее 5) по́дданный 6) *филос.* субъе́кт 7) *муз.* гла́вная те́ма 8) субъе́кт, челове́к; a hysterical ~ истери́ческий тип 9) объе́кт, предме́т (of) 10) труп (*для вскрытия*; *тж.* ~ for dissection) ◇ on the ~ of каса́ясь чего́-л.; while we are on the ~ of money may I ask you... раз уж мы заговори́ли о деньга́х, могу́ я узна́ть...
2. *a* ['sʌbdʒekt] 1) подчинённый, подвла́стный; ~ nations несамостоя́тельные госуда́рства 2) подве́рженный (to) 3) подлежа́щий (to) 4): ~ to (*употр. как adv*) при усло́вии, допуска́я, е́сли
3. *v* [səb'dʒekt] 1) подверга́ть (*воздействию, влиянию и т. п.*) 2) подчиня́ть, покоря́ть (to) 3) представля́ть; to ~ a plan for consideration предста́вить план на рассмотре́ние
subject-heading [ˌsʌbdʒekt'hedɪŋ] *n* предме́тный указа́тель, и́ндекс
subjection [səb'dʒekʃn] *n* 1) покоре́ние, подчине́ние 2) зави́симость
subjective [səb'dʒektɪv] *a* 1) субъекти́вный 2) *грам.* сво́йственный подлежа́щему; ~ case имени́тельный паде́ж
subjectivism [səb'dʒektɪvɪzəm] *n филос.* субъективи́зм
subjectivity [ˌsʌbdʒek'tɪvətɪ] *n* субъекти́вность
subject matter ['sʌbdʒektˌmætə] *n* те́ма, содержа́ние (*книги, разговора и т. п.*); предме́т (*обсуждения и т. п.*)
subjoin [ˌsʌb'dʒɔɪn] *v* добавля́ть; припи́сывать в конце́
sub judice [ˌsʌb'dʒuːdəsɪ] *лат. a юр.* на рассмотре́нии суда́; ещё не решённое (*дело*)
subjugate ['sʌbdʒʊgeɪt] *v* покоря́ть, порабоща́ть, подчиня́ть
subjugation [ˌsʌbdʒʊ'geɪʃn] *n* покоре́ние, подчине́ние
subjugator ['sʌbdʒʊgeɪtə] *n* покори́тель, поработи́тель
subjunctive [səb'dʒʌŋktɪv] *грам.* **1.** *n* сослага́тельное наклоне́ние
2. *a* сослага́тельный
sublease 1. *n* ['sʌbliːs] суба́ре́нда
2. *v* [ˌsʌb'liːs] заключа́ть догово́р суба́ре́нды
sublessee [ˌsʌble'siː] *n* субарендáтор
sublessor [ˌsʌble'sɔː] *n* отдаю́щий в суба́ре́нду
sublet [ˌsʌb'let] *v* передава́ть в суба́ре́нду
sublibrarian [ˌsʌblaɪ'breərɪən] *n* помо́щник библиоте́каря
sublieutenant [ˌsʌblef'tenənt] *n мор.* мла́дший лейтена́нт
sublimate 1. *n* ['sʌblɪmət] *хим.* возго́н; corrosive ~ сулема́
2. *v* ['sʌblɪmeɪt] 1) *психол.* сублими́ровать 2) *хим.* возгоня́ть 3) возвыша́ть, очища́ть
sublimation [ˌsʌblɪ'meɪʃn] *n* 1) *психол.*

сублима́ция 2) *хим.* возго́нка, сублима́ция 3) возвыше́ние, очище́ние

sublime [sə'blaɪm] **1.** *a* 1) вели́чественный, высо́кий, возвы́шенный, грандио́зный 2) го́рдый, надме́нный; ~ indifference высокоме́рное равноду́шие ◇ the S. Porte *см.* Porte

2. *n*: the ~ возвы́шенное, вели́кое

3. *v* = sublimate 2

subliminal [,sʌb'lɪmɪnl] *a* 1) подсозна́тельный 2) де́йствующий на подсозна́ние; ~ advertising рекла́ма, де́йствующая на подсозна́ние; реклами́рование с по́мощью внуше́ния

sublimity [sə'blɪmətɪ] *n* возвы́шенность, вели́чественность

sublunary [sʌb'lu:nərɪ] *a* подлу́нный, земно́й

submachine gun [,sʌbmə'ʃi:ngʌn] *n* пистоле́т-пулемёт, автома́т

subman ['sʌbmæn] *n презр.* недочелове́к, не́людь

submarginal [sʌb'mɑ:dʒɪnl] *a эк.* не достига́ющий минима́льно прие́млемого у́ровня

submarine ['sʌbməri:n] **1.** *n* 1) подво́дная ло́дка 2) подво́дное расте́ние

2. *a* подво́дный; ~ speed ско́рость под водо́й; ~ force подво́дный флот; ~ base ба́за подво́дных ло́док; ~ chaser морско́й охо́тник (*корабль*)

3. *v* потопи́ть подво́дной ло́дкой

submariner [sʌb'mærɪnə] *n* подво́дник

submerge [səb'mɜ:dʒ] *v* 1) затопля́ть 2) погружа́ть(ся)

submerged [səb'mɜ:dʒd] **1.** *p. p. от* submerge

2. *a* зато́пленный; погружённый ◇ the ~ tenth бедне́йшая часть населе́ния

submergence [səb'mɜ:dʒəns] *n* 1) погруже́ние в во́ду 2) затопле́ние

submerse [səb'mɜ:s] = submerge

submersed [səb'mɜ:st] **1.** *p. p. от* submerse

2. *a* расту́щий под водо́й, подво́дный

submersible [səb'mɜ:səbl] *a* приго́дный для де́йствия под водо́й

submersion [səb'mɜ:ʃn] = submergence

submission [səb'mɪʃn] *n* 1) подчине́ние 2) повинове́ние, поко́рность; with all due ~ с до́лжным смире́нием и уваже́нием 3) представле́ние, пода́ча (*документов и т. п.*)

submissive [səb'mɪsɪv] *a* поко́рный; смире́нный

submit [səb'mɪt] *v* 1) подчиня́ть(ся), покоря́ть(ся); I will not ~ to such treatment я не потерплю́ тако́го обраще́ния 2) представля́ть на рассмотре́ние; to ~ a question зада́ть вопро́с в пи́сьменном ви́де 3) предлага́ть (*своё мнение и т. п.*); дока́зывать, утвержда́ть; I ~ that a material fact has been passed over я сме́ю утвержда́ть, что суще́ственный факт был пропу́щен

submontane [sʌb'mɒnteɪn] *a* находя́щийся у подно́жия горы́

subnormal [,sʌb'nɔ:ml] **1.** *a* 1) у́мственно отста́лый; слабоу́мный 2) ни́же норма́льного

2. *n мат.* поднорма́ль

suborder ['sʌb,ɔ:də] *n зоол.* подотря́д

subordinate 1. *a* [sə'bɔ:dɪnət] 1) подчинённый (to) 2) второстепе́нный, ни́зший 3) *грам.* прида́точный; ~ clause прида́точное предложе́ние

2. *n* [sə'bɔ:dɪnət] подчинённый

3. *v* [sə'bɔ:dɪneɪt] подчиня́ть, ста́вить в зави́симость

subordination [sə,bɔ:dɪ'neɪʃn] *n* 1) подчине́ние, субордина́ция; подчинённость 2) *грам.* подчине́ние

suborn [sə'bɔ:n] *v* подкупа́ть; склоня́ть к преступле́нию (*особ. к лжесвидетельству*)

subornation [,sʌbɔ:'neɪʃn] *n* по́дкуп; взя́тка; попы́тка склони́ть к незако́нному де́йствию (*особ. к лжесвидетельству*)

suborner [sə'bɔ:nə] *n* даю́щий взя́тку, взяткода́тель

subpoena [sə'pi:nə] **1.** *n* пове́стка в суд

2. *v* вызыва́ть в суд

subpolar [,sʌb'pəulə] *a* субполя́рный

subreption [səb'repʃn] *n книжн.* получе́ние чего́-л. путём покры́тия каки́х-л. фа́ктов

subrogation [,sʌbrə'geɪʃn] *n юр.* суброга́ция, заме́на одного́ кредито́ра други́м

sub rosa [,sʌb'rəuzə] *лат. adv* секре́тно, конфиденциа́льно

subroutine ['sʌbru:ti:n] *n вчт.* (станда́ртная) подпрогра́мма

subscribe [səb'skraɪb] *v* 1) же́ртвовать де́ньги 2) присоединя́ться (*к чьему-л. мнению*; to) 3) подпи́сывать(ся) (*под чем-л.*) ◇ to ~ to подпи́сываться на (*газеты, журналы и т. п.*)

subscriber [səb'skraɪbə] *n* 1) подпи́счик 2) абоне́нт 3) же́ртвователь

subscriber trunk dialling [səb-,skraɪbətrʌŋk'daɪəlɪŋ] *n* автомати́ческая междугоро́дная телефо́нная связь

subscription [səb'skrɪpʃn] *n* 1) поже́ртвование; (подписно́й) взнос; to take up (*или* to make) a ~ собира́ть де́ньги (*для кого-л.*) 2) подпи́ска (*на газету и т. п.*) 3) подписа́ние 4) по́дпись (*на документе*) 5) подписна́я цена́ 6) *attr.* подписно́й; ~ list подписно́й лист

subscription concert [səb,skrɪpʃn-'kɒnsət] *n* конце́рт по абонеме́нту

subsection ['sʌb,sekʃn] *n* подсе́кция; подразде́л

subsequent ['sʌbsɪkwənt] *a* после́дующий; ~ to his death по́сле его́ сме́рти; ~ upon smth. явля́ющийся результа́том чего́-л.

subsequently ['sʌbsɪkwəntlɪ] *adv* впосле́дствии, пото́м, по́зже

subserve [səb'sɜ:v] *v* соде́йствовать

subservience [səb'sɜ:vɪəns] *n* 1) подхали́мство, раболе́пство 2) поле́зность, соде́йствие (*цели*)

subservient [səb'sɜ:vɪənt] *a* 1) раболе́пный 2) слу́жащий сре́дством, соде́йствующий (to) 3) подчинённый

subside [səb'saɪd] *v* 1) утиха́ть, умолка́ть; the gale ~d бу́ря ути́хла 2) па́дать, убыва́ть; the fever has ~d температу́ра спа́ла 3) осе́да́ть (*о почве и т. п.*) 4) (*обыкн. шутл.*) опуска́ться; he ~d into an armchair он опусти́лся в кре́сло

subsidence [səb'saɪdns] *n* паде́ние *и пр.* [*см.* subside]

subsidiary [səb'sɪdɪərɪ] **1.** *a* 1) вспомога́тельный, дополни́тельный 2) второстепе́нный

2. *n* доче́рняя *или* подконтро́льная компа́ния (*тж.* ~ company)

subsidize ['sʌbsɪdaɪz] *v* субсиди́ровать

subsidy ['sʌbsədɪ] *n* субси́дия, де́нежное ассигнова́ние, дота́ция

subsist [səb'sɪst] *v* 1) существова́ть 2) жить, корми́ться; to ~ on a vegetable diet быть вегетариа́нцем; to ~ by begging жить попроша́йничеством 3) *уст.* прокорми́ть; содержа́ть

subsistence [səb'sɪstəns] *n* 1) существова́ние 2) сре́дства к существова́нию (*тж.* means of ~); пропита́ние

subsistence allowance [səb'sɪstənsə-,lauəns] *n* 1) ава́нс (*в счёт заработной платы*) 2) командиро́вочные (де́ньги)

subsistence farming [səb'sɪstəns-,fɑ:mɪŋ] *n* бе́дное, малоpи́быльное хозя́йство (*фермера*)

subsistence level [səb'sɪstəns,levl] *n* прожи́точный ми́нимум

subsistence money [səb'sɪstəns,mʌnɪ] = subsistence allowance

subsistence wage [səb'sɪstənsweɪdʒ] = subsistence level

subsoil ['sʌbsɔɪl] *n* подпо́чва

subsonic [,sʌb'sɒnɪk] *a* дозвуково́й (*о скорости*)

substance ['sʌbstəns] *n* 1) вещество́ 2) твёрдость, пло́тность; густота́; soup without much ~ жи́дкий суп 3) су́щность, суть, содержа́ние; in ~ по существу́; по су́ти; to come to the ~ of the matter перейти́ к существу́ вопро́са 4) иму́щество, состоя́ние; a man of ~ состоя́тельный челове́к 5) *филос.* мате́рия, вещество́, субста́нция

substandard [,sʌb'stændəd] *a* 1) нестанда́ртный, ни́же ка́чества, устано́вленного станда́ртом 2) *лингв.* не соотве́тствующий языково́й но́рме

substantial [səb'stænʃl] *a* 1) суще́ственный, ва́жный, значи́тельный; ~ contribution большо́й вклад; ~ improvement заме́тное улучше́ние 2) про́чный, кре́пкий 3) состоя́тельный 4) реа́льный, веще́ственный 5) пита́тельный

substantiality [səb,stænʃɪ'ælətɪ] *n* реа́льность *и пр.* [*см.* substantial]

substantially [səb'stænʃəlɪ] *adv* 1) по существу́, в основно́м, в значи́тельной сте́пени 2) про́чно, основа́тельно

substantiate [səb'stænʃɪeɪt] *v* 1) приводи́ть доста́точные основа́ния, дока́зывать, подтвержда́ть; this view is ~d э́та то́чка зре́ния подтвержда́ется 2) придава́ть конкре́тную фо́рму, де́лать реа́льным

substantiation [səb͵stænʃɪ'eɪʃn] *n* 1) доказывание 2) доказательство

substantival [͵sʌbstən'taɪvl] *a грам.* субстантивный

substantive ['sʌbstəntɪv] **1.** *a* 1) самостоятельный, независимый; ~ rank *воен.* действительное звание 2) *грам.* субстантивный <> a ~ motion предложение по существу (*в ООН и т. п.*)

2. *n грам.* имя существительное

substation ['sʌbsteɪʃn] *n эл.* подстанция

substitute ['sʌbstɪtju:t] **1.** *n* 1) заместитель 2) замена 3) заменитель; суррогат

2. *v* 1) заменять; замещать (for — *кого-л.*) 2) подставлять

substitution [͵sʌbstɪ'tju:ʃn] *n* 1) замена, замещение 2) *мат.* подстановка 3) *attr.* подстановочный; ~ tables подстановочные таблицы

substrata ['sʌbstrɑ:tə] *pl от* substratum

substratosphere [sʌb'strætəsfɪə] *n* субстратосфера

substratum ['sʌbstrɑ:təm] *n* (*pl* -ta) 1) нижний слой 2) основание 3) подпочва 4) *филос.* субстрат

substruction ['sʌbstrʌkʃn] = substructure

substructure ['sʌbstrʌktʃə] *n* фундамент, основание

subsume [səb'sju:m] *v* относить к какой-л. категории (under)

subsurface [sʌb'sɜ:fɪs] *a* 1) находящийся, лежащий под поверхностью 2) подводный

subtenant [͵sʌb'tenənt] *n* субарендатор

subtend [səb'tend] *v геом.* стягивать (дугу); противолежать

subtense [səb'tens] *n геом.* хорда *или* сторона треугольника (*противолежащая углу*)

subterfuge ['sʌbtəfju:dʒ] *n* увёртка, отговорка

subterminal [sʌb'tɜ:mɪnl] *a* расположенный почти в конце

subterranean [͵sʌbtə'reɪnɪən] *a* 1) подземный 2) секретный, подпольный; тайный, скрытый

subterraneous [͵sʌbtə'reɪnɪəs] = subterranean

subtext ['sʌbtekst] *n* подтекст

subtile ['sʌtl] *уст.* = subtle

subtilize ['sʌtɪlaɪz] *v* 1) возвышать, облагораживать 2) обострять (*чувства, восприятие и т. п.*) 3) вдаваться в тонкости, мудрить (upon)

subtitle ['sʌbtaɪtl] *n* 1) подзаголовок 2) субтитр

subtle ['sʌtl] *a* 1) едва различимый, трудно уловимый 2) тонкий, нежный, неуловимый 3) утончённый; ~ delight утончённое наслаждение 4) острый, тонкий, проницательный (*об уме, замечании и т. п.*) 5) искусный; ~ device хитроумное приспособление; ~ fingers ловкие пальцы 6) *уст.* хитрый; вкрадчивый

subtlety ['sʌtltɪ] *n* 1) тонкость, нежность 2) утончённость 3) острота, тонкость (*ума, восприятия*) 4) тонкое различие 5) искусность 6) хитрость

subtorrid [sʌb'tɒrɪd] = subtropical

subtract [səb'trækt] *v мат.* вычитать

subtraction [səb'trækʃn] *n мат.* вычитание

subtrahend ['sʌbtrəhend] *n мат.* вычитаемое

subtropical [͵sʌb'trɒpɪkl] *a* субтропический

subtropics [͵sʌb'trɒpɪks] *n pl* субтропики

subulate ['sʌbjʊlət] *a бот.* шиловидный

suburb ['sʌbɜ:b] *n* 1) пригород 2) *pl* предместья, окрестности 3) *attr.* пригородный

suburban [sə'bɜ:bən] **1.** *a* 1) пригородный 2) *презр.* узкий, ограниченный, провинциальный

2. *n* житель пригорода

suburbanite [sə'bɜ:bənaɪt] *n* житель пригорода

suburbia [sə'bɜ:bɪə] *n пренебр.* предместья и их жители, их образ жизни

subvene [səb'vi:n] *v амер.* прийти на помощь, случайно оказавшись рядом

subvention [səb'venʃn] *n* субсидия, дотация

subversion [səb'vɜ:ʃn] *n* ниспровержение, свержение

subversive [səb'vɜ:sɪv] *a* 1) подрывной; ~ activities подрывная деятельность 2) разрушительный, гибельный, губительный

subvert [sʌb'vɜ:t] *v* (*особ. полит.*) свергать, ниспровергать; разрушать

subway ['sʌbweɪ] *n* 1) тоннель; подземный переход 2) (*особ. амер.*) подземная железная дорога, метро

succedanea [͵sʌksɪ'deɪnɪə] *pl от* succedaneum

succedaneum [͵sʌksɪ'deɪnɪəm] *n* (*pl* -nea) заменитель, *особ.* лекарства *или* наркотика

succeed [sək'si:d] *v* 1) достигать цели, преуспевать (in); иметь успех; to ~ in life преуспеть в жизни, сделать карьеру, выдвинуться 2) следовать за *чем-л.*, *кем-л.*; сменять; the generation that ~s us будущее поколение 3) наследовать, быть преемником (to)

succès de scandale [sʊk͵seɪdəskɒn'dɑ:l] *фр. n* скандальный успех (*пьесы, книги и т. п.*)

success [sək'ses] *n* 1) успех, удача; to be crowned with ~ увенчаться успехом 2) человек, пользующийся успехом; произведение, получившее признание *и т. п.*; the experiment is a ~ опыт удался; I count that book among my ~es я считаю, что эта книга — моя большая удача; she was a great ~ as a singer её пение имело большой успех <> nothing succeeds like ~ *посл.* успех влечёт за собой новый успех; ~ is never blamed *посл.* ≅ победителя не судят

successful [sək'sesfl] *a* 1) успешный; удачный; to be ~ иметь успех 2) удачливый, преуспевающий

succession [sək'seʃn] *n* 1) последовательность 2) непрерывный ряд; in ~ подряд; a ~ of disasters непрерывная цепь несчастий 3) преемственность; право наследования; порядок престолонаследия; in ~ to smb. в качестве чьего-л. преемника, наследника 4) *attr.*: ~ duty налог на наследство <> the S. States *ист.* государства, образовавшиеся после распада Австро-Венгрии

successive [sək'sesɪv] *a* 1) последующий 2) следующий один за другим, последовательный; it has rained for three ~ days дождь идёт три дня подряд

successor [sək'sesə] *n* преемник, наследник (to, of)

success story [sək'sesstɔ:rɪ] *n* ≅ из грязи — в князи

succinct [sək'sɪŋkt] *a* 1) сжатый, краткий 2) *уст.* опоясанный

succinite ['sʌksɪnaɪt] *n мин.* сукцинит; *уст.* янтарь

succory ['sʌkərɪ] *n* цикорий

succotash ['sʌkətæʃ] *n амер.* блюдо из молодой кукурузы и бобов

succour ['sʌkə] **1.** *n* помощь, оказанная в тяжёлую минуту

2. *v* помогать, приходить на помощь, поддерживать (*в тяжёлую минуту*)

succulence ['sʌkjʊləns] *n* сочность, мясистость

succulent ['sʌkjʊlənt] **1.** *a* 1) сочный 2) *разг.* соблазнительный 3) *бот.* сочный, мясистый

2. *n бот.* суккулент

succumb [sə'kʌm] *v* 1) поддаться, уступить (to); to ~ to temptation поддаться искушению 2) стать жертвой (*чего-л.*), умереть (to — от *чего-л.*); to ~ to pneumonia умереть от воспаления лёгких

such [sʌtʃ] **1.** *a* 1) такой; don't be in ~ a hurry не спешите так; there are no ~ doings now теперь подобных вещей не бывает; ~ and ~ things и тому подобное; ~ as а) как например; б) такой, как; her conduct was ~ as might be expected она вела себя так, как этого можно было ожидать; в) тот, который; he will have no books but ~ as I'll let him have он не получит никаких книг, кроме тех, которые я разрешу ему взять; г) такой, чтобы; his illness is not ~ as to cause anxiety его болезнь не настолько серьёзна, чтобы вызывать беспокойство; ~ that а) такой, что; his behaviour was ~ that everyone disliked him он так себя вёл, что все его невзлюбили; б) так что; he said it in ~ a way that I couldn't help laughing он так это сказал, что я не мог удержаться от смеха 2) такой-то; определённый (*но не названный*); allow ~ an amount for food, ~ an amount for rent and the rest for other things выделите столько-то денег на еду, столько-то на квартиру, а остальные деньги пойдут на другие расходы <> ~ master ~ servant *посл.* каков хозяин, таков и слуга

2. *pron demonstr.* 1) таковой; ~ was the

agreement таково́ бы́ло соглаше́ние; and ~ *разг.* и тому́ подо́бные; as ~ как тако-во́й; по существу́; there are no hotels as ~ in this town в э́том го́роде нет настоя́щих гости́ниц; we note your remarks and in reply to ~... мы принима́ем к све́дению ва́ши замеча́ния и в отве́т на них...; ~ as he is како́й бы он там ни́ был 2) тот, тако́й; те, таки́е; all ~ таки́е лю́ди; all ~ as are of my opinion... пусть те, кто со мной согла́сен...

such-and-such [ˈsʌtʃənsʌtʃ] *a* тако́й-то

suchlike [ˈsʌtʃlaɪk] *разг.* 1. *a* подо́бный, тако́й

2. *n*: and ~ а) тому́ подо́бное; б) и таки́е лю́ди

suck [sʌk] 1. *n* 1) соса́ние; to take a ~ пососа́ть 2) вса́сывание, заса́сывание 3) небольшо́й глото́к 4) матери́нское молоко́; to give ~ (to) *уст.* корми́ть гру́дью 5) *sl.* неприя́тность; прова́л

2. *v* 1) соса́ть; вса́сывать (*тж.* ~ in); the pump ~s насо́с вбира́ет во́здух вме́сто воды́ 2): to ~ dry вы́сосать, истощи́ть ▭ ~ at соса́ть, поса́сывать (*тру́бку и т. п.*); ~ in а) вса́сывать, впи́тывать (*тж. зна́ния и т. п.*); б) *sl.* обману́ть, обста́вить; ~ out выса́сывать; to ~ advantage out of smth. извлека́ть вы́году из чего́-л.; ~ up а) *разг.* подли́зываться (to); б) вса́сывать; поглоща́ть

sucked [sʌkt] 1. *p. p. от* suck 2

2. *a* вы́сосанный ◇ a ~ orange ≅ вы́жатый лимо́н

sucker [ˈsʌkə] *n* 1) сосу́н(о́к) (*осо́б. моло́чный поросёнок или детёныш кита́*) 2) *sl.* молокосо́с, проста́к 3) *зоол.* присо́сок 4) *бот.* отро́сток; боково́й побе́г 5) *тех.* по́ршень насо́са 6) *тех.* вса́сывающий па́трубок 7) *амер. разг.* ледене́ц на па́лочке

sucking [ˈsʌkɪŋ] 1. *pres. p. от* suck 2

2. *a* 1) грудно́й (*о ребёнке*) 2) нео́пытный, начина́ющий 3) *тех.* вса́сывающий

sucking-pig [ˈsʌkɪŋpɪg] *n* моло́чный поросёнок

suckle [ˈsʌkl] *v* 1) корми́ть гру́дью 2) дава́ть соса́ть вы́мя 3) вска́рмливать

suckling [ˈsʌklɪŋ] *n* 1) грудно́й ребёнок 2) сосу́н(о́к)

suction [ˈsʌkʃn] *n* 1) соса́ние; вса́сывание; приса́сывание 2) *attr.* вса́сывающий

suctorial [sʌkˈtɔːrɪəl] *a зоол.* сосу́щий; приспосо́бленный для соса́ния

Sudanese [ˌsuːdəˈniːz] 1. *a* суда́нский

2. *n* суда́нец; суда́нка; the ~ *pl собир.* суда́нцы

Sudani [suːˈdɑːnɪ] *n* суда́нский диале́кт ара́бского языка́

sudatoria [ˌsuːdəˈtɔːrɪə] *pl от* sudatorium

sudatorium [ˌsuːdəˈtɔːrɪəm] *n* (*pl* -ria) пари́льня (*в ба́не*)

sudd [sʌd] *n* ма́сса плаву́чих расте́ний на Бе́лом Ни́ле, меша́ющая судохо́дству

sudden [ˈsʌdn] 1. *a* 1) внеза́пный, неожи́данный 2) стреми́тельный, поспе́шный; to be ~ in one's actions быть о́чень стреми́тельным в свои́х де́йствиях ◇ ~ death *разг.* приня́тие реше́ния подбра́сыванием моне́ты *и т. п.*

2. *n*: all of a ~, *уст.* on a ~ внеза́пно, вдруг

suddenly [ˈsʌdnlɪ] *adv* внеза́пно, вдруг

sudoriferous [ˌsuːdəˈrɪfərəs] *a анат.* потово́й

sudorific [ˌsuːdəˈrɪfɪk] 1. *a* потого́нный

2. *n* потого́нное сре́дство

suds [sʌdz] *n pl* 1) мы́льная пе́на *или* вода́ 2) *амер. разг.* пи́во ◇ to be in the ~ быть в затрудне́нии, в замеша́тельстве

sudsy [ˈsʌdzɪ] *a* мы́льный, пе́нистый

sue [sjuː] *v* 1) *юр.* иска́ть в суде́, выступа́ть в ка́честве истца́, предъявля́ть иск; to ~ a person for libel возбужда́ть про́тив кого́-л. де́ло за клевету́ 2) проси́ть (to — *кого́-л.*, for — *о чём-л.*); to ~ to a law-court for redress иска́ть защи́ты у суда́ ▭ ~ out *юр.* испроси́ть в поря́дке хода́тайства

suede [sweɪd] *n* 1) за́мша 2) *attr.* за́мшевый

suet [ˈsuːɪt] *n* по́чечное *или* нутряно́е са́ло

suffer [ˈsʌfə] *v* 1) страда́ть; испы́тывать, претерпева́ть; he ~s from headaches он страда́ет от головны́х бо́лей; to ~ a loss потерпе́ть убы́ток 2) терпе́ть, сноси́ть; I cannot ~ him я его́ не выношу́ 3) *уст.* позволя́ть, дозволя́ть; to ~ them to come позво́лить им прийти́ ◇ to ~ fools gladly терпи́мо относи́ться к дурака́м

sufferance [ˈsʌfrəns] *n* 1) терпе́ние, терпели́вость; it is beyond ~ э́то невозмо́жно терпе́ть 2) *уст.* молчали́вое согла́сие, попусти́тельство; he is here on ~ его́ здесь те́рпят

sufferer [ˈsʌfərə] *n* 1) страда́лец 2) пострада́вший

suffering [ˈsʌfərɪŋ] 1. *pres. p. от* suffer

2. *n* страда́ние

3. *a* страда́ющий

suffice [səˈfaɪs] *v* быть доста́точным, хвата́ть; удовлетворя́ть ◇ ~ it to say доста́точно сказа́ть

sufficiency [səˈfɪʃnsɪ] *n* (*обыкн.* a ~) доста́точность; доста́ток

sufficient [səˈfɪʃnt] 1. *a* доста́точный; he had not ~ courage for it на э́то у него́ не хвати́ло сме́лости

2. *n разг.* доста́точное коли́чество

suffix [ˈsʌfɪks] *грам.* 1. *n* су́ффикс

2. *v* прибавля́ть (су́ффикс)

suffocant [ˈsʌfəkənt] 1. *a* уду́шливый, удуша́ющий

2. *n* отравля́ющее вещество́ удуша́ющего де́йствия

suffocate [ˈsʌfəkeɪt] *v* 1) души́ть, удуша́ть 2) задыха́ться

suffocation [ˌsʌfəˈkeɪʃn] *n* 1) удуше́ние 2) уду́шье

suffragan [ˈsʌfrəgən] *n* вика́рный епи́скоп (*тж.* ~ bishop)

suffrage [ˈsʌfrɪdʒ] *n* 1) пра́во го́лоса, избира́тельное пра́во; female ~ избира́тельное пра́во для же́нщин; universal ~ всео́бщее избира́тельное пра́во 2) го́лос (*при голосова́нии*) 3) одобре́ние, согла́сие 4) (*тж. pl*) *церк.* ектенья́

suffragette [ˌsʌfrəˈdʒet] *n ист.* суфражи́стка

suffragist [ˈsʌfrədʒɪst] *n* сторо́нник равнопра́вия же́нщин

suffuse [səˈfjuːz] *v* залива́ть (*слеза́ми*); покрыва́ть (*румя́нцем, кра́ской*)

suffusion [səˈfjuːʒn] *n* 1) кра́ска, румя́нец 2) покры́тие (*кра́ской*)

sugar [ˈʃʊgə] 1. *n* 1) са́хар 2) *хим.* сахаро́за 3) *амер. разг.* ми́лый, голу́бчик; ми́лочка, ду́шечка *и т. п.* 4) лесть 5) *sl.* нарко́тик, *обыкн.* герои́н *или* ЛСД (*принима́емые с куско́м са́хара*) 6) *sl.* де́ньги 7) *attr.* са́харный

2. *v* 1) обса́харивать; подсла́щивать (*тж. перен.*) 2) *sl.* рабо́тать с прохла́дцей, фило́нить

sugarbasin [ˈʃʊgəbeɪsn] *n* са́харница

sugar beet [ˌʃʊgəˈbiːt] *n* са́харная свёкла

sugarbowl [ˈʃʊgəbəʊl] = sugarbasin

sugar candy [ˈʃʊgəˌkændɪ] *n* ледене́ц

sugar cane [ˈʃʊgəkeɪn] *n* са́харный тростни́к

sugar-coat [ˈʃʊgəkəʊt] *v* 1) покрыва́ть са́харом 2) приукра́шивать

sugar daddy [ˈʃʊgədædɪ] *n sl.* пожило́й покло́нник молодо́й же́нщины, де́лающий бога́тые пода́рки

sugarloaf [ˈʃʊgələʊf] *n* 1) голова́ са́хару 2) со́пка, остроконе́чный холм 3) шля́па с конусообра́зной тульёй

sugarplum [ˈʃʊgəˌplʌm] *n уст.* кру́глый ледене́ц

sugar-refinery [ˈʃʊgərɪˌfaɪnərɪ] *n* (сахаро)рафина́дный заво́д

sugar tongs [ˈʃʊgətɒŋz] *n* щипцы́ для са́хара

sugary [ˈʃʊgərɪ] *a* 1) са́харный, сла́дкий 2) сахари́стый 3) при́торный, льсти́вый

suggest [səˈdʒest] *v* 1) предлага́ть, сове́товать; I ~ that we should go to the theatre я предлага́ю пойти́ в теа́тр; the architect ~ed restoring the building архите́ктор предложи́л восстанови́ть зда́ние; he ~ed a visit to the gallery он посове́товал посети́ть галере́ю 2) внуша́ть, вызыва́ть; подска́зывать (*мысль*); намека́ть; наводи́ть на мысль; говори́ть о, означа́ть; does the name ~ nothing to you? ра́зве э́то и́мя вам ничего́ не говори́т?; an idea ~ed itself to me мне пришла́ в го́лову мысль; what does this shape ~ to you? что вам напомина́ет э́та фо́рма?

suggestibility [səˌdʒestəˈbɪlətɪ] *n* внуша́емость

suggestible [səˈdʒestəbl] *a* 1) поддаю́щийся внуше́нию 2) могу́щий быть внушённым

suggestion [səˈdʒestʃn] *n* 1) сове́т, предложе́ние; to make a ~ а) пода́ть мысль; б) внести́ предложе́ние 2) намёк, указа́ние; there was a ~ of truth in what he said в его́ слова́х была́ до́ля прáвды; full of ~ многозначи́тельный; наводя́щий на размышлéние 3) внушéние; hypnotic ~ внушéние гипнóзом

suggestive [sə'dʒestɪv] *a* 1) вызывáющий мы́сли; this book is very ~ э́та кни́га заставля́ет дýмать 2) намекáющий на что-л. непристóйное; неприли́чный

suicidal [,su:ɪ'saɪdl] *a* 1) самоуби́йственный 2) уби́йственный; губи́тельный, ги́бельный; a ~ policy губи́тельная поли́тика

suicide ['su:ɪsaɪd] **1.** *n* 1) самоуби́йство; to commit ~ покóнчить с собóй 2) самоуби́йца 3) провáл плáнов, крах надéжд *и т. п.* по сóбственной винé

2. *v* покóнчить с собóй (*тж.* to ~ oneself)

suit [su:t] **1.** *n* 1) мужскóй костю́м (*тж.* ~ of clothes); a of ~ dittos пóлный костю́м из одногó материáла; dress ~ мужскóй вечéрний костю́м; a two-piece ~ дáмский костю́м (*юбка и жакет*) 2) набóр, комплéкт 3) *карт.* масть; to follow ~ ходи́ть в масть; *перен.* слéдовать примéру; подражáть; long (short) ~ си́льная (слáбая) масть 4) *юр.* иск; судéбный процéсс; судопроизвóдство; to bring (*или* to institute) a ~ against smb. предъяви́ть иск комý-л.; to be at ~ суди́ться 5) прошéние; ходáтайство о поми́ловании; to grant smb.'s ~ испóлнить чью-л. прóсьбу; to make ~ to смирéнно проси́ть; to press one's ~ настоя́тельно проси́ть [*см. тж.* 6)] 6) сватовствó; ухáживание; to plead (*или* to press) one's ~ with smb. *уст.* добивáться чьей-л. благосклóнности [*см. тж.* 5)]; to prosper in one's ~ доби́ться успéха в сватовствé 7) соглáсие, гармóния; in ~ with smb. заоднó с кем-л.; of a ~ with схóдный, гармони́рующий с чем-л.

2. *v* 1) годи́ться; соотвéтствовать, подходи́ть; he is not ~ed to be (*или* for) a teacher учи́теля из негó не полýчится 2) удовлетворя́ть трéбованиям; быть удóбным, устрáивать; will that time ~ you? э́то врéмя вас устрóит?; to ~ oneself выбирáть по вкýсу; ~ yourself дéлайте, как вам нрáвится 3) быть полéзным, пригóдным; meat does not ~ me мя́со мне врéдно 4) быть к лицý 5) приспосáбливаться; to ~ the action to the word подкрепля́ть словá делáми; приводи́ть в исполнéние; ≅ скáзано — сдéлано

suitable ['su:təbl] *a* подходя́щий, соотвéтствующий, гóдный

suitcase ['su:tkeɪs] *n* небольшóй плóский чемодáн

suite [swi:t] *n* 1) набóр, комплéкт; ~ of furniture гарнитýр мéбели; ~ of rooms а) анфилáда кóмнат, апартáмéнты; б) нóмер-лю́кс (*в гостинице*) 2) *муз.* сюи́та 3) сви́та 4) *геол.* сéрия, сви́та

suited ['su:tɪd] **1.** *p. p. от* suit 2

2. *a* подходя́щий, соотвéтствующий, гóдный

suiting ['su:tɪŋ] **1.** *pres. p. от* suit 2

2. *n* (*часто pl*) материáл для костю́мов

suitor ['su:tə] *n* 1) поклóнник 2) проси́тель 3) *юр.* истéц

sulk [sʌlk] **1.** *n* (*обыкн.* the ~s) дурнóе настроéние; to have (a fit of) the ~s дýться; быть серди́тым; in the ~s в плохóм настроéнии

2. *v* дýться; быть серди́тым, мрáчным

sulky I ['sʌlkɪ] *a* 1) надýтый, угрю́мый, мрáчный 2) мрáчный, гнетýщий (*о погоде и т. п.*); a ~ day сýмрачный день

sulky II ['sʌlkɪ] *n амер.* одномéстная двукóлка

sullen ['sʌlən] *a* 1) угрю́мый, зáмкнутый, серди́тый 2) мрáчный; зловéщий; гнетýщий 3) мéдленно текýщий (*о ручье и т. п.*)

sully ['sʌlɪ] *v* пáчкать, пятнáть

sulpha ['sʌlfə] = sulpha drugs

sulpha drugs ['sʌlfədrʌgz] *n pl фарм.* лекáрственные сульфами́дные препарáты

sulphate ['sʌlfeɪt] *n хим.* сульфáт, соль сéрной кислоты́; ~ of copper (iron, zinc) мéдный (желéзный, ци́нковый) купорóс

sulphide ['sʌlfaɪd] *n хим.* сульфи́д, серни́стое соединéние

sulphite ['sʌlfaɪt] *n хим.* сульфи́т, соль серни́стой кислоты́

sulphur ['sʌlfə] **1.** *n* 1) *хим.* сéра; flowers of ~ сéрный цвет 2) зеленовáто-жёлтый цвет 3) бáбочка из семéйства белянóк

2. *a* зеленовáто-жёлтый

3. *v* окýривать сéрой

sulphurate ['sʌlfjʊreɪt] *v* 1) пропи́тывать сéрой 2) окýривать сéрой

sulphureous [sʌl'fjʊrɪəs] *a* 1) *хим.* сéрный 2) зеленовáто-жёлтый

sulphuretted ['sʌlfjʊretɪd] *a хим.* сульфи́рованный; ~ hydrogen сероводорóд

sulphuric [sʌl'fjʊərɪk] *a хим.* сéрный; ~ acid сéрная кислотá

sulphurize ['sʌlfəraɪz] = sulphurate

sulphurous ['sʌlfərəs] *a* 1) = sulphureous 2) áдский 3) éдкий, злóбный, язви́тельный

sulphur-spring [,sʌlfə'sprɪŋ] *n* сéрный истóчник

sulphury ['sʌlfərɪ] *a* похóжий на сéру; сéрный, серни́стый

sultan ['sʌltən] *n* 1) султáн 2) порóда бéлых кур

sultana [sʌl'tɑ:nə] *n* 1) кишми́ш 2) фавори́тка 3) султáнша; женá, дочь, сестрá *или* мать султáна

sultanate ['sʌltənət] *n* султанáт, султáнство, владéния *и* власть султáна

sultriness ['sʌltrɪnəs] *n* духотá

sultry ['sʌltrɪ] *a* 1) знóйный, дýшный 2) стрáстный (*о темпераменте и т. п.*)

sum [sʌm] **1.** *n* 1) сýмма, коли́чество; итóг; ~ total óбщая сýмма 2) арифмети́ческая задáча 3) *pl разг.* арифмéтика, решéние задáч; he is good at ~s он си́лён в арифмéтике ◇ ~ and substance сáмая суть; in ~ в óбщем, кóротко говоря́

2. *v* склáдывать, подводи́ть итóг (*часто* ~ up) ▭ ~ up резюми́ровать, сумми́ровать

sumac(h) ['su:mæk] *n бот.* сумáх

summa cum laude [,sʊmәkʊm'laʊdeɪ] *adv, a* (*особ. амер.*) с (*высшим*) отли́чием (*о дипломе, степени и т. п.*)

summarize ['sʌməraɪz] *v* сумми́ровать, резюми́ровать, подводи́ть итóг

summary ['sʌmərɪ] **1.** *n* крáткое изложéние, резюмé, конспéкт, свóдка

2. *a* 1) суммáрный, крáткий; ~ account крáткий отчёт 2) *юр.* скóрый, суммáрный; ~ jurisdiction суммáрное производство; ~ court дисциплинáрный суд 3) скóрый, бы́стрый, сдéланный без дальнéйших отлагáтельств и промедлéния; ~ punishment а) наказáние, котóрому подвергáют немéдленно; б) дисциплинáрное взыскáние

summation [sʌ'meɪʃn] *n* 1) подведéние итóга, сумми́рование 2) совокýпность, итóг

summer I ['sʌmə] **1.** *n* 1) лéто 2) пери́од цветéния, расцвéта 3) (*обыкн. pl*) *поэт.* год; a woman of some twenty ~s жéнщина лет двадцати́ 4) *attr.* лéтний; ~ camp лéтний лáгерь; ~ cottage дáча; ~ sausage сухáя копчёная колбасá

2. *v* 1) проводи́ть лéто 2) пасти́ (*скот*) лéтом

summer II ['sʌmə] *n стр.* бáлка, перекла́дина

summerhouse ['sʌməhaʊs] *n* бесéдка

summer lightning ['sʌmə,laɪtnɪŋ] *n* зарни́ца

summerly ['sʌməlɪ] *a* лéтний

summersault ['sʌməsɔ:lt] = somersault

summer school ['sʌməsku:l] *n* сéрия лéкций в университéте (*во время летних каникул*)

summerset ['sʌməset] = somersault

summer time ['sʌmətaɪm] *n* лéтнее врéмя (*когда часы переведены на час вперёд*)

summertime ['sʌmətaɪm] *n* лéтний сезóн, лéто

summer-tree ['sʌmətri:] = summer II

summit ['sʌmɪt] *n* 1) верши́на, верх 2) зени́т, вы́сшая стéпень, предéл 3) встрéча *или* совещáние глав прави́тельств 4) *дип.* вы́сший ýровень; meeting at the ~ встрéча на вы́сшем ýровне 5) *attr. дип.* проходя́щий на вы́сшем ýровне; ~ talks переговóры на вы́сшем ýровне; ~ conference (*или* meeting) встрéча глав прави́тельств, конферéнция на вы́сшем ýровне

summon ['sʌmən] *v* 1) вызывáть (*в суд*) 2) трéбовать исполнéния (*чего-л.*); to ~ the garrison to surrender трéбовать сдáчи крéпости 3) созывáть (*собрание и т. п.*) 4) собирáть, призывáть (*часто* ~ up); to ~ up courage собрáться с дýхом

summons ['sʌmənz] **1.** *n* 1) вы́зов (*особ.* в суд) 2) судéбная повéстка; to serve a witness with a ~ вызывáть свидéтеля повéсткой в суд 3) *воен.* ультимáтум о сдáче (*тж.* ~ to surrender)

2. *v* вызывáть в суд повéсткой

summum bonum [,sʌməm'bəʊnəm] *лат. n* величáйшее блáго

sump [sʌmp] *n* 1) выгребна́я я́ма; сто́чный коло́дец 2) *тех.* грязеви́к; маслосбо́рник 3) *горн.* зумпф, отсто́йник

sumpter [ˈsʌmptə] *n уст.* вью́чная ло́шадь

sumption [ˈsʌmpʃn] *n лог.* больша́я посы́лка (*силлогизма*)

sumptuary [ˈsʌmptʃʊərɪ] *a* каса́ющийся расхо́дов, регули́рующий расхо́ды

sumptuous [ˈsʌmptʃʊəs] *a* роско́шный; дорогосто́ящий; пы́шный; великоле́пный

sun [sʌn] **1.** *n* 1) со́лнце; to take (*или* to shoot) the ~ *мор.* измеря́ть высоту́ со́лнца секста́нтом; mock ~ *астр.* ло́жное со́лнце 2) звезда́, аналоги́чная со́лнцу 3) со́лнечный свет; со́лнечные лучи́; ~'s backstays (*или* eyelashes), ~ drawing water *мор.* со́лнечные лучи́, прореза́ющие облака́; in the ~ на со́лнце; to bask in the ~ гре́ться на со́лнце; to take the ~ загора́ть; to close the shutters to shut out the ~ закры́ть ста́вни, что́бы затемни́ть ко́мнату 4) *поэт.* год, день 5) *уст.* восхо́д *или* зака́т со́лнца; to rise with the ~ ра́но встава́ть; from ~ to ~ от восхо́да (и) до зака́та (со́лнца) ◇ against the ~ про́тив часово́й стре́лки; with the ~ по часово́й стре́лке; beneath (*или* under) the ~ на на́шей плане́те, в э́том ми́ре; to hail (*или* to adore) the rising ~ заи́скивать пе́ред но́вой вла́стью; his ~ is rising (is set) его́ звезда́ восхо́дит (закати́лась); a place in the ~ ≅ тёпленькое месте́чко; вы́годное положе́ние; to hold a candle to the ~ занима́ться нену́жным де́лом, зря тра́тить си́лы; let not the ~ go down upon your wrath *шутл.* не серди́тесь бо́льше одного́ дня; the morning ~ never lasts a day *посл.* ≅ ничто́ не ве́чно под луно́й

2. *v* 1) гре́ть(ся) на со́лнце; to ~ oneself гре́ться на со́лнце 2) выставля́ть на со́лнце; подверга́ть де́йствию со́лнца

sun-and-planet gear [ˌsʌnəndplænɪtˈgɪə] *n тех.* планета́рный механи́зм

sunbaked [ˈsʌnbeɪkt] *a* вы́сушенный на со́лнце

sunbath [ˈsʌnbɑ:θ] *n* со́лнечная ва́нна

sunbeam [ˈsʌnbi:m] *n* 1) со́лнечный луч 2) *разг.* жизнера́достный челове́к (*особ.* ребёнок)

sunblind [ˈsʌnblaɪnd] *n* тент, наве́с, марки́за

sun-blinkers [ˈsʌnblɪŋkəz] *n pl* защи́тные очки́ от со́лнца

sunblock [ˈsʌnblɒk] *n* крем *или* лосьо́н от зага́ра

sunburn [ˈsʌnbɜ:n] *n* зага́р

sunburnt [ˈsʌnbɜ:nt] *a* загоре́лый

sunburst [ˈsʌnbɜ:st] *n* 1) ювели́рное изде́лие в ви́де со́лнца с луча́ми 2) я́ркие со́лнечные лучи́, неожи́данно появи́вшиеся из-за туч

sun-cult [ˈsʌnkʌlt] *n* поклоне́ние со́лнцу, культ со́лнца

sun-cured [ˈsʌnkjʊəd] *a* вя́леный на со́лнце

sundae [ˈsʌndeɪ] *n* сли́вочное моро́женое с фру́ктами, сиро́пом, оре́хами *и т. п.*

Sunday [ˈsʌndeɪ] *n* 1) воскресе́нье 2) *attr.* воскре́сный ◇ ~ best *шутл.* лу́чший костю́м *или* пла́тье; пра́здничное пла́тье

Sunday school [ˈsʌndɪsku:l] *n* воскре́сная церко́вная шко́ла

sunder [ˈsʌndə] *v уст., книжн.* разделя́ть(ся); разъединя́ть, разлуча́ть

sundew [ˈsʌndju:] *n бот.* pocя́нка

sundial [ˈsʌndaɪəl] *n* со́лнечные часы́

sun dog [ˈsʌndɒg] *n астр.* ло́жное со́лнце

sundown [ˈsʌndaʊn] *n* 1) зака́т, захо́д со́лнца 2) *амер.* широкопо́лая да́мская шля́па 3) *attr.*: ~ party ра́нняя вечери́нка

sundowner [ˈsʌndaʊnə] *n* 1) *австрал.* бродя́га, безрабо́тный, перебива́ющийся случа́йными за́работками 2) *разг.* рю́мка спиртно́го, выпива́емая ве́чером

sun-dried [ˌsʌnˈdraɪd] *a* вы́сушенный на со́лнце; вя́леный

sundry [ˈsʌndrɪ] **1.** *a* различный, ра́зный; to talk of ~ matters говори́ть о ра́зных веща́х

2. *n* 1) *pl* вся́кая вся́чина, ра́зное 2): all and ~ все вме́сте и ка́ждый в отде́льности, все без исключе́ния

sunfast [ˈsʌnfɑ:st] *a амер.* не выгора́ющий, сто́йкий (*о краске*)

sunflower [ˈsʌnflaʊə] *n* 1) подсо́лнечник 2) *attr.* подсо́лнечный; ~ seeds се́мечки; to nibble ~ seeds гры́зть се́мечки

sung [sʌŋ] *p. p. от* sing 1

sun-hat [ˈsʌnhæt] *n* широкопо́лая шля́па от со́лнца

sunk [sʌŋk] **1.** *p. p. от* sink 2

2. *a* 1) ни́же у́ровня; погружённый, пото́пленный; ~ fence и́згородь по дну кана́вы 2) *разг.* в затрудни́тельном положе́нии; I'm ~ я влип, попа́лся

sunken [ˈsʌŋkən] *a* 1) зато́нувший; погружённый; ~ rock подво́дная скала́; ~ battery *воен.* батаре́я, вры́тая в зе́млю 2) осе́вший 3) впа́лый, запа́вший; ~ cheeks впа́лые щёки; ~ eyes запа́вшие глаза́

sunlight [ˈsʌnlaɪt] *n* со́лнечный свет

sunlit [ˈsʌnlɪt] *a* освещённый со́лнцем

sunn [sʌn] *n бот.* кротоля́рия инди́йская (*тж.* ~ hemp)

Sunni [ˈsʊnɪ] *n* сунни́т

sunny [ˈsʌnɪ] *a* 1) со́лнечный, освещённый со́лнцем 2) ра́достный, весёлый; ~ disposition жизнера́достный хара́ктер; to look on the ~ side of things смотре́ть бо́дро на жизнь, быть оптими́стом ◇ she is on the ~ side of forty (fifty, *etc.*) ей ещё нет сорока́ (пятидесяти *и т. д.*) (лет)

sun parlour [ˈsʌnpɑ:lə] *n* застеклённая терра́са; ко́мната с больши́м коли́чеством о́кон, располо́женная на со́лнечной стороне́

sunproof [ˈsʌnpru:f] *a* 1) непроница́емый для со́лнечных луче́й 2) не выгора́ющий на со́лнце

sunrise [ˈsʌnraɪz] *n* восхо́д со́лнца; у́тренняя заря́

sunset [ˈsʌnset] *n* 1) захо́д со́лнца; зака́т; вече́рняя заря́ 2) зака́т, коне́ц; после́дний пери́од (*жизни и т. п.*) 3) *attr.* зака́тный; *перен.* преклонный

sunshade [ˈsʌnʃeɪd] *n* 1) зо́нтик (*от солнца*) 2) наве́с, тент

sunshine [ˈsʌnʃaɪn] *n* 1) со́лнечный свет; in the ~ на со́лнце 2) хоро́шая пого́да 3) весе́лье, ра́дость; сча́стье 4) исто́чник ра́дости, сча́стья *и т. п.*

sunspot [ˈsʌnspɒt] *n* 1) *астр.* пятно́ на со́лнце 2) весну́шка 3) *attr.*: ~ activity де́йствие со́лнечных пя́тен

sun-stone [ˈsʌnstəʊn] *n мин.* со́лнечный ка́мень

sunstroke [ˈsʌnstrəʊk] *n* со́лнечный уда́р

suntan [ˈsʌntæn] *n* зага́р; to get a ~ загора́ть

sunup [ˈsʌnʌp] *n* (*обыкн. амер.*) восхо́д со́лнца

sunward [ˈsʌnwəd] **1.** *a* обращённый к со́лнцу

2. *adv* по направле́нию к со́лнцу

sunwards [ˈsʌnwədz] = sunward 2

sunwise [ˈsʌnwaɪz] *adv* по часово́й стре́лке

sun-worship [ˈsʌnˌwɜ:ʃɪp] *n* солнцепокло́нничество, культ со́лнца

sup I [sʌp] **1.** *n* глото́к ◇ neither bite nor ~ не пи́вши, не е́вши

2. *v* 1) отхлёбывать, прихлёбывать; to ~ sorrow хлебну́ть го́ря 2) *разг.* вы́пить за́лпом

sup II [sʌp] *v уст.* у́жинать; to ~ on (*или* off) есть на у́жин что-л.

super [ˈsu:pə] *разг.* **1.** *n* 1) (*сокр. от* supernumerary) *театр.* стати́ст 2) (*сокр. от* superintendent) дире́ктор, управля́ющий 3) ли́шний *или* нену́жный челове́к 4) *ком.* первокла́ссный това́р 5) *см.* super-film

2. *a* 1) первосо́ртный, отли́чный, превосхо́дный 2) огро́мный, исключи́тельный по си́ле, интенси́вности *и т. п.*; ~ secrecy сверхсекре́тность

super- [ˈsu:pə-] *pref* над-, сверх-; supernatural сверхъесте́ственный; superimpose накла́дывать

superannuate [ˌsu:pərˈænjʊeɪt] *v* 1) увольня́ть по ста́рости *или* по нетрудоспосо́бности; переводи́ть на пе́нсию 2) изыма́ть из употребле́ния (*за ненужностью*) 3) устаре́ть; вы́йти из употребле́ния

superannuated [ˌsu:pərˈænjʊeɪtɪd] **1.** *p. p. от* superannuate

2. *a* 1) преста́релый 2) вы́шедший на пе́нсию 3) *разг.* устаре́лый

superannuation [ˌsu:pərænjʊˈeɪʃn] *n* 1) увольне́ние по ста́рости 2) пе́нсия лицу́, уво́ленному по ста́рости

superb [sʊˈpɜ:b] *a* 1) великоле́пный, роско́шный, прекра́сный; благоро́дный, вели́чественный 2) *разг.* превосхо́дный

superbomb [ˈsu:pəbɒm] *n* водорóдная бóмба

supercargo [ˌsu:pəˈkɑ:gəʊ] *n* (*pl* -oes [-əʊz]) *мор.* суперкáрго

supercharge [ˈsu:pətʃɑ:dʒ] *v тех.* 1) перегружáть 2) рабóтать с наддýвом

supercharger [ˈsu:pəˌtʃɑ:dʒə] *n тех.* нагнетáтель, компрéссор наддýва

superciliary [ˌsu:pəˈsɪlɪərɪ] *a анат.* надбрóвный, надглáзный

supercilious [ˌsu:pəˈsɪlɪəs] *a* высокомéрный, надмéнный, презри́тельный, гордели́вый

superconductivity [ˌsu:pəkɒndʌkˈtɪvətɪ] *n физ.* сверхпроводи́мость

supercool [ˌsu:pəˈku:l] *v* переохлаждáть(ся)

superego [ˌsu:pərˈi:gəʊ] *n психол.* сверх-я́

superelevation [ˌsu:pərelɪˈveɪʃn] *n* 1) *дор.* подъём виражá (*на закруглениях дорог*) 2) возвышéние нарýжного рéльса по кривóй

supererogation [ˌsu:pərerəˈgeɪʃn] *n* превышéние трéбований дóлга; выполнéние изли́шнего ◇ works of ~ *рел.* сверхдóлжные дóбрые делá (*у католиков*)

supererogatory [ˌsu:pəreˈrɒgətərɪ] *a* превышáющий трéбование дóлга; изли́шний, дополни́тельный

superette [ˌsu:pəˈret] *n* бакалéйный магази́н самообслýживания

superfatted [su:pəˈfætɪd] *a* пережи́ренный (*о мыле и т. п.*)

superficial [ˌsu:pəˈfɪʃl] *a* 1) повéрхностный, неглубóкий, внéшний; ~ knowledge повéрхностные знáния 2) *геол.* нанóсный, аллювиáльный

superficiality [ˌsu:pəfɪʃɪˈælətɪ] *n* повéрхностность

superficies [ˌsu:pəˈfɪʃi:z] *n* (*pl без измен.*) 1) повéрхность 2) террито́рия, óбласть 3) внéшний вид

super-film [ˈsu:pəfɪlm] *n кино* супербоеви́к

superfine [ˈsu:pəfaɪn] *a* 1) первоклáссный, вы́сшего сóрта; тончáйший 2) чрезмéрно утончённый; сли́шком тóнкий

superfluidity [ˌsu:pəfluˈɪdətɪ] *n физ.* сверхтекýчесть

superfluity [ˌsu:pəˈflu:ətɪ] *n* 1) избы́точность, оби́лие 2) избы́ток; изли́шек 3) (*обыкн. pl*) изли́шество

superfluous [sʊˈpɜ:flʊəs] *a* изли́шний, чрезмéрный, ненýжный

superfortress [ˌsu:pəˈfɔ:trəs] *n ав.* сверхмóщная летáющая крéпость

supergrass [ˈsu:pəgrɑ:s] *n разг.* сверхакти́вный осведоми́тель

superheat [ˈsu:pəhi:t] **1.** *n* перегрéв
2. *v* перегревáть

superheater [ˈsu:pəhi:tə] *n тех.* пароперегревáтель

superheterodyne [ˌsu:pəˈhetərəʊdaɪn] *n радио* супергетероди́н; супергетероди́нный приёмник

superhuman [ˌsu:pəˈhju:mən] *a* сверхчеловéческий

superimpose [ˌsu:pərɪmˈpəʊz] *v* наклáдывать (однó на другóе)

superincumbent [ˌsu:pərɪnˈkʌmbənt] *a* 1) лежáщий, покóящийся (*на чём-л.*) 2) выступáющий (*над чем-л.*)

superinduce [ˌsu:pərɪnˈdju:s] *v* вводи́ть дополни́тельно, привноси́ть

superintend [ˌsu:pərɪnˈtend] *v* 1) управля́ть, завéдовать, руководи́ть 2) смотрéть (*за чем-л.*); надзирáть

superintendence [ˌsu:pərɪnˈtendəns] *n* надзóр, контрóль; управлéние

superintendent [ˌsu:pərɪnˈtendənt] *n* 1) управля́ющий, дирéктор, руководи́тель 2) стáрший полицéйский офицéр (*следующий чин после инспектора*) 3) *амер.* комендáнт жилóго дóма, управля́ющий дóмом

superior [sʊˈpɪərɪə] **1.** *a* 1) вы́сший, стáрший 2) лýчший, превосхóдный, вы́сшего кáчества; made of ~ cloth сдéланный из сукнá вы́сшего кáчества; a very ~ man незауря́дный человéк 3) самодовóльный, высокомéрный 4) превосходя́щий; бóльший; ~ numbers (*обыкн. воен.*) превосходя́щие си́лы; ~ strength превосходя́щая си́ла 5) *зоол.* располóженный над други́м óрганом; ~ wings надкры́лья (*у насекомых*) 6) *астр.* отстоя́щий от Сóлнца дáльше, чем Земля́ 7) *полигр.* надстрóчный ◇ ~ persons (*обыкн. ирон.*) а) эли́та; б) тупы́е и самодовóльные лю́ди; to be ~ to а) быть лýчше, чем (*что-л.*); б) быть вы́ше (*чего-л.*); to be ~ to prejudice быть вы́ше предрассýдков
2. *n* 1) стáрший, начáльник 2) превосходя́щий другóго; he has no ~ in wit никтó егó не превзойдёт в остроýмии 3) настоя́тель(ница); Father S. игýмен; Mother S. игýменья 4) *полигр.* надстрóчный знак

superioress [sʊˈpɪərɪərəs] *n редк.* игýменья, настоя́тельница (*монастыря*)

superiority [sʊˌpɪərɪˈɒrətɪ] *n* 1) старшинствó; превосхóдство 2) *attr.*: ~ complex *психол.* чýвство превосхóдства над окружáющими, мáния вели́чия

superiorly [sʊˈpɪərɪəlɪ] *adv* 1) свéрху, вы́ше 2) лýчше

superlative [sʊˈpɜ:lətɪv] **1.** *a* 1) величáйший, высочáйший; a ~ chapter in the history of architecture блестя́щая страни́ца в истóрии зóдчества 2) *грам.* превосхóдный (*о степени*)
2. *n* 1) *грам.* превосхóдная стéпень 2) *грам.* прилагáтельное *или* нарéчие в превосхóдной стéпени 3) верши́на, кульминáция, вы́сшая тóчка ◇ to speak in ~s преувели́чивать

superlunary [ˌsu:pəˈlu:nərɪ] *a* 1) *астр.* надлýнный 2) неземнóй

superman [ˈsu:pəmæn] *n* 1) (*особ. филос.*) сверхчеловéк 2) *разг.* супермéн

supermarket [ˈsu:pəˌmɑ:kɪt] *n* большóй магази́н самообслýживания, супермáркет

supermundane [ˌsu:pəˈmʌndeɪn] *a* неземнóй; не от ми́ра сегó

supernaculum [ˌsu:pəˈnækjʊləm] *лат. adv* до послéдней кáпли (*до дна*)

supernal [sʊˈpɜ:nl] *a поэт.* божéственный, небéсный; ~ loveliness божéственная красотá

supernatant [ˌsu:pəˈneɪtnt] *a спец.* всплывáющий, плáвающий на повéрхности

supernatural [ˌsu:pəˈnætʃrəl] *a* сверхъестéственный

supernormal [ˌsu:pəˈnɔ:ml] *a* превышáющий нóрму (*по количеству, качеству и т. п.*); ~ pupil одарённый учени́к

supernova [ˌsu:pəˈnəʊvə] *n* (*pl тж.* -ae) *астр.* сверхнóвая звездá

supernovae [ˌsu:pəˈnəʊvi:] *pl от* supernova

supernumerary [ˌsu:pəˈnju:mrərɪ] **1.** *n* 1) сверхштáтный рабóтник; врéменный замести́тель 2) *театр.* стати́ст(ка)
2. *a* сверхштáтный, ли́шний; дополни́тельный

superphosphate [ˌsu:pəˈfɒsfeɪt] *n хим.* суперфосфáт

superphysical [ˌsu:pəˈfɪzɪkl] *a* не объясни́мый извéстными закóнами фи́зики

superpose [ˌsu:pəˈpəʊz] *v* наклáдывать (*одну вещь на другую*)

superposition [ˌsu:pəpəˈzɪʃn] *n* 1) *мат.* наложéние 2) *геол.* напластовáние

superpower [ˈsu:pəpaʊə] *n* 1) сверхдержáва; однá из наибóлее мóщных вели́ких держáв 2) си́ла, не имéющая себé рáвной

superprofit [ˌsu:pəˈprɒfɪt] *n* сверхпри́быль

superrealism [ˌsu:pəˈrɪəlɪzəm] = surrealism

supersaturate [ˌsu:pəˈsætʃəreɪt] *v* перенасыщáть (*раствор*)

superscribe [ˈsu:pəskraɪb] *v* надпи́сывать; адресовáть; дéлать нáдпись свéрху

superscription [ˌsu:pəˈskrɪpʃn] *n* нáдпись (*на чём-л.*); áдрес

supersede [ˌsu:pəˈsi:d] *v* 1) заменя́ть; смещáть 2) вытесня́ть; занимáть (*чьё-л.*) мéсто

supersensible [ˌsu:pəˈsensəbl] *a* сверхчýвственный

supersonic [ˌsu:pəˈsɒnɪk] *a* сверхзвуковóй, ультразвуковóй

supersound [ˈsu:pəsaʊnd] *n физ.* ультразвýк

superstar [ˈsu:pəstɑ:] *n* суперзвездá (*о человеке*)

superstition [ˌsu:pəˈstɪʃn] *n* суевéрие, религиóзный предрассýдок

superstitious [ˌsu:pəˈstɪʃəs] *a* суевéрный

superstore [ˈsu:pəstɔ:] *n* большóй супермáркет

superstrata [ˌsu:pəˈstreɪtə] *pl от* superstratum

superstratum [ˌsu:pəˈstreɪtəm] *n* (*pl* -ta) *геол.* вышележáщий пласт *или* слой

superstructure [ˈsu:pəstrʌktʃə] *n* 1) надстро́йка; часть зда́ния вы́ше фунда́мента 2) пролётное строе́ние (*моста*) 3) ве́рхнее строе́ние (*ж.-д. пути*) 4) *мор.* надпа́лубные сооруже́ния 5) *филос.* надстро́йка

supertax [ˈsu:pətæks] *n* нало́г на сверхпри́быль

supervacaneous [ˌsu:pəvəˈkeɪnɪəs] *a* изли́шний, нену́жный

supervene [ˌsu:pəˈvi:n] *v* происходи́ть вслед за *чем-л.*; вытека́ть из *чего-л.*, сле́довать за *чем-л.*

supervenient [ˌsu:pəˈvi:nɪənt] *a* сле́дующий за *чем-л.*; возника́ющий как не́что но́вое в дополне́ние к пре́жнему *или* изве́стному

supervention [ˌsu:pəˈvenʃn] *n* появле́ние в дополне́ние к *чему-л.*, *за чем-л.*; де́йствие *и т. п.*, возника́ющее как сле́дствие друго́го

supervise [ˈsu:pəvaz] *v* смотре́ть, наблюда́ть (*за чем-л.*); надзира́ть; заве́довать

supervising [ˈsu:pəvaɪzɪŋ] **1.** *pres. p. от* supervise

2. *a* наблюда́ющий, надзира́ющий (*за кем-л.*, *чем-л.*); ~ instructor кла́ссный наста́вник

supervision [ˌsu:pəˈvɪʒn] *n* надзо́р, наблюде́ние; заве́дование; under the ~ of smb. в ве́дении кого́-л.; под наблюде́нием, под руково́дством кого́-л.

supervisor [ˈsu:pəvaɪzə] *n* 1) надсмо́трщик, надзира́тель; контролёр 2) инспе́ктор шко́лы

supervisory [ˌsu:pəˈvaɪzərɪ] *a* наблюда́тельный, контроли́рующий; a ~ body контро́льный о́рган

supine I [ˈsu:paɪn] *a* 1) лежа́щий на́взничь 2) лени́вый, безде́ятельный 3) безразли́чный, ине́ртный, вя́лый

supine II [ˈsu:paɪn] *n грам.* супи́н

supper [ˈsʌpə] *n* у́жин ◇ to sing for one's ~ плати́ть за то, что получа́ешь

supplant [səˈplɑ:nt] *v* вы́жить, вы́теснить; заня́ть (*чьё-л.*) ме́сто (*особ. хитростью*)

supple [ˈsʌpl] **1.** *a* 1) ги́бкий; ~ leather мя́гкая ко́жа; ~ mind ги́бкий ум 2) пода́тливый, усту́пчивый; ~ horse хорошо́ вы́езженная ло́шадь 3) льсти́вый; уго́дливый

2. *v* де́лать(ся) ги́бким, мя́гким

supple-jack [ˈsʌpldʒæk] *n* 1) оди́н из ви́дов ползу́чих расте́ний, отлича́ющихся про́чным ги́бким сте́блем 2) трость из стебле́й ползу́чих расте́ний

supplement 1. *n* [ˈsʌplɪmənt] 1) добавле́ние, дополне́ние; приложе́ние 2) *геом.* дополни́тельный у́гол

2. *v* [ˈsʌplɪment] пополня́ть, добавля́ть

supplemental [ˌsʌplɪˈmentl] = supplementary

supplementary [ˌsʌplɪˈmentərɪ] *a* дополни́тельный; ~ angle = supplement 1, 2); ~ estimates дополни́тельные бюдже́тные ассигнова́ния

suppliant [ˈsʌplɪənt] **1.** *a* умоля́ющий, проси́тельный

2. *n* проси́тель

supplicant [ˈsʌplɪkənt] = suppliant

supplicate [ˈsʌplɪkeɪt] *v* моли́ть, проси́ть

supplication [ˌsʌplɪˈkeɪʃn] *n* мольба́, про́сьба

supplicatory [ˌsʌplɪˈkeɪtərɪ] *a* умоля́ющий, проси́тельный

supply I [səˈplaɪ] **1.** *n* 1) снабже́ние; поста́вка 2) запа́с 3) *pl* припа́сы, продово́льствие, провиа́нт (*особ. для армии*) 4) *pl* содержа́ние (*денежное*) 5) *pl* утверждённые парла́ментом ассигнова́ния 6) вре́менный замести́тель (*напр., учителя*) 7) *эк.* предложе́ние; ~ and demand спрос и предложе́ние 8) *тех.* пода́ча, пита́ние, подво́д, прито́к 9) *attr.* пита́ющий, подаю́щий; снабжа́ющий; ~ canal подводя́щий кана́л; ~ pressure *эл.* напряже́ние в сети́; ~ ship, ~ train *и т. п.* тра́нспорт снабже́ния 10) *attr.*: S. Day день рассмотре́ния прое́кта (государственного) бюдже́та в пала́те о́бщин

2. *v* 1) снабжа́ть (with) 2) поставля́ть; доставля́ть; дава́ть 3) восполня́ть, возмеща́ть (*недостаток*); удовлетворя́ть (*нужду*) 4) замеща́ть; to ~ the place of smb. заменя́ть кого́-л. 5) *тех.* подава́ть, подводи́ть (*напр., ток*); пита́ть

supply II [ˈsʌplɪ] *adv* ги́бко *и пр.* [*см.* supple 1]

support [səˈpɔ:t] **1.** *n* 1) подде́ржка; in ~ of в подтвержде́ние; to speak in ~ of... подде́рживать, защища́ть...; to lend (*или* to give) ~ (to) ока́зывать подде́ржку 2) корми́лец (*семьи*) 3) опо́ра, опло́т 4) сре́дства к существова́нию; without means of ~ без средств к существова́нию 5) *тех.* опо́рная сто́йка; кронште́йн; штати́в 6) *воен.* прикры́тие артилле́рии

2. *v* 1) подде́рживать; подпира́ть 2) помога́ть, подде́рживать (*материально*); содержа́ть (*напр., семью*); to ~ an institution же́ртвовать на учрежде́ние 3) подде́рживать; спосо́бствовать, соде́йствовать 4) подде́рживать, подкрепля́ть; подтвержда́ть 5) *театр.* игра́ть вторы́е ро́ли, уча́ствовать в эпизо́дах 6) выде́рживать, сноси́ть

supporter [səˈpɔ:tə] *n* 1) сторо́нник, приве́рженец 2) подвя́зка; подтя́жка 3) *геральд.* изображе́ние челове́ка *или* живо́тного на гербе́

supporting [səˈpɔ:tɪŋ] **1.** *pres. p. от* support 2

2. *a* 1) подде́рживающий, помога́ющий; ~ point опо́рный пункт 2) *театр.*, *кино* вспомога́тельный; ~ actor актёр вспомога́тельного соста́ва; ~ programme кинофи́льмы, иду́щие в дополне́ние к основно́му

support price [səˈpɔ:tprais] *n* субси́дии, дава́емые прави́тельством фе́рмерам

suppose [səˈpəʊz] *v* 1) предполага́ть, полага́ть, допуска́ть, ду́мать; I ~ so веро́ятно, должно́ быть; what do you ~ this means? что э́то, по-ва́шему, зна́чит? 2) подразумева́ть в ка́честве усло́вия 3) *в imp. выражает предложение*: ~ we go to the theatre? а не пойти́ ли нам в теа́тр? 4) *pass.*: to be ~d (*c inf.*) име́ть определённые обя́занности, забо́ты *и т. п.*; she is not ~d to do the cooking приготовле́ние пи́щи не вхо́дит в её обя́занности

supposed [səˈpəʊzd] **1.** *p. p. от* suppose

2. *a* 1) мни́мый 2) предполага́емый

supposedly [səˈpəʊzɪdlɪ] *adv* по о́бщему мне́нию; предположи́тельно

supposing [səˈpəʊzɪŋ] **1.** *pres. p. от* suppose

2. *cj* е́сли (бы); предполо́жим, что...; допу́стим, что...; ~ it were true, how we should laugh! как бы мы смея́лись, е́сли бы э́то была́ пра́вда!; always ~ при усло́вии, что...

supposition [ˌsʌpəˈzɪʃn] *n* предположе́ние; on the ~ of smth. предполага́я что-л., в ожида́нии чего́-л.; on this ~, on the ~ that... предполо́жим, что...

suppositional [ˌsʌpəˈzɪʃnəl] = suppositious

suppositious [ˌsʌpəˈzɪʃəs] *a* предположи́тельный, предполага́емый

supposititious [səˌpɒzɪˈtɪʃəs] *a* подде́льный, подло́жный, фальши́вый; подменённый

suppository [səˈpɒzɪtərɪ] *n мед.* суппози́торий, свеча́

suppress [səˈpres] *v* 1) подавля́ть (*восстание и т. п.*) 2) пресека́ть; сде́рживать; to ~ a yawn подави́ть зево́ту 3) запреща́ть (*газету*); конфискова́ть, изыма́ть из прода́жи (*книгу и т. п.*) 4) скрыва́ть, зама́лчивать (*правду и т. п.*)

suppression [səˈpreʃn] *n* 1) подавле́ние *и пр.* [*см.* suppress] 2): ~ of civic rights *юр.* пораже́ние в права́х

suppurate [ˈsʌpjʊreɪt] *v* гнои́ться

suppuration [ˌsʌpjʊˈreɪʃn] *n* нагное́ние

supra [ˈsu:prə] *лат. adv* вы́ше, ра́нее (*в книгах, документах и т. п.*)

supremacy [sʊˈpreməsɪ] *n* 1) верхове́нство; верхо́вная власть; Act of S. *ист.* зако́н о главе́нстве англи́йского короля́ над це́рковью 2) превосхо́дство

supreme [sʊˈpri:m] *a* 1) верхо́вный; вы́сший; Supreme Soviet of Russia Верхо́вный Сове́т Росси́и 2) высоча́йший; велича́йший; ~ courage велича́йшее му́жество 3) после́дний, кра́йний, преде́льный; at the ~ moment в после́дний, крити́ческий моме́нт ◇ the S. Being Бог

sura [ˈsʊərə] *n* су́ра (*глава корана*)

surcease [sɜ:ˈsi:s] *книжн.* **1.** *n* прекраще́ние, остано́вка

2. *v* прекраща́ть(ся)

surcharge [ˈsɜ:tʃɑ:dʒ] **1.** *n* 1) припла́та, допла́та (*за письмо*) 2) дополни́тельный нало́г 3) надпеча́тка (*на марке*) 4) доба́вочная нагру́зка, перегру́зка 5) штраф, пе́ня 6) перерасхо́д, изде́ржки сверх сме́ты

2. *v* 1) штрафова́ть; взы́скивать (*перерасходованные суммы*) 2) взима́ть дополни́тельную пла́ту *или* дополни́тельный нало́г 3) надпеча́тывать (*марку*) 4)

перегружа́ть 5) запра́шивать сли́шком высо́кую це́ну

surcingle [ˈsɜ:sɪŋgl] **1.** *n* подпру́га

2. *v* стя́гивать подпру́гой

surd [sɜ:d] **1.** *n* 1) *мат.* иррациона́льное число́ 2) *фон.* глухо́й звук

2. *a* 1) *мат.* иррациона́льный 2) *фон.* глухо́й

sure [ʃɔ:] **1.** *a* 1) ве́рный, безоши́бочный; надёжный, безопа́сный; a ~ method ве́рный ме́тод; ~ shot ме́ткий стрело́к 2) *predic.* несомне́нный; be ~ to (*или* and) tell me непреме́нно скажи́те мне, не забу́дьте сказа́ть мне; he is ~ to come он обяза́тельно придёт 3) уве́ренный; ~ of убеждённый в; ~ of oneself самоуве́ренный; to feel ~ (that) быть уве́ренным (что) ◇ well, I am ~! вот те ра́з!; одна́ко!; ~ thing! (*особ. амер.*) безусло́вно!, коне́чно!; to be ~ разуме́ется, коне́чно; a ~ draw а) лес, в кото́ром наверняка́ есть лиси́цы; б) замеча́ние, кото́рое рассчи́тано на то, что́бы заста́вить кого́-л. проболта́ться, вы́дать себя́; for ~ *разг.* а) обяза́тельно; б) то́чно, наверняка́; to make ~ of (*или* that) а) быть уве́ренным (*в чём-л.*); б) убеди́ться, удостове́риться; в) доста́ть; обеспе́чить (of); I must make ~ of a house for winter я до́лжен обеспе́чить себе́ жильё на́ зиму; ~ bind, ~ find *посл.* ≅ кре́пче запрёшь, верне́е найдёшь

2. *adv* 1): ~ enough *разг.* действи́тельно, коне́чно; без сомне́ния; as ~ as ве́рно, как 2) *употр. для усиления:* I ~ am sorry about it я о́чень сожале́ю об э́том 3) *амер. разг.* коне́чно, непреме́нно, безусло́вно (*в ответе на вопрос*) ◇ as ~ as eggs is eggs ≅ ве́рно, как два́жды два четы́ре; as ~ as a gun *sl.* безусло́вно; as ~ as fate (*или* as death) несомне́нно

3. *int* безусло́вно!

surefire [ˈʃɔ:faɪə] *a разг.* безоши́бочный, ве́рный, надёжный

surefooted [ˌʃɔ:ˈfʊtɪd] *a* усто́йчивый, не спотыка́ющийся (*тж. перен.*)

surely [ˈʃɔ:lɪ] *adv* 1) коне́чно, непреме́нно; he will ~ fail он наверняка́ потёрпит неуда́чу 2) несомне́нно; ~ I've met you before somewhere несомне́нно, я где́-то вас ви́дел 3) твёрдо, ве́рно, надёжно; slowly but ~ ме́дленно, но ве́рно; to know full ~ твёрдо знать 4) (*обыкн. амер.*) *разг.* обяза́тельно, непреме́нно (*в ответах*)

surety [ˈʃɔ:rətɪ] *n* 1) поручи́тель; to stand ~ for smb. взять кого́-л. на пору́ки; поручи́ться за кого́-л. 2) пору́ка, гара́нтия, зало́г, поручи́тельство 3) *уст.* уве́ренность; of a ~ наве́рно, несомне́нно

surf [sɜ:f] **1.** *n* прибо́й; буру́ны

2. *v спорт.* занима́ться сёрфингом

surface [ˈsɜ:fɪs] **1.** *n* 1) пове́рхность; an uneven ~ неро́вная пове́рхность 2) вне́шность; he looks at the ~ only он обраща́ет внима́ние то́лько на вне́шнюю сто́рону веще́й; on the ~ вне́шне 3) *геом.* пове́рхность 4) *attr.* вне́шний; пове́рхностный; ~ politeness показна́я любе́зность ◇ to come to the ~ обнару́житься, всплыть на пове́рхность

2. *v* 1) отде́лывать пове́рхность; отёсывать 2) всплыва́ть на пове́рхность (*о подводной лодке*) 3) заста́вить всплыть

surface-car [ˈsɜ:fɪskɑ:] *n амер.* трамва́йный ваго́н (*в отличие от вагонов воздушной и подземной железных дорог*)

surface mail [ˈsɜ:fɪsmeɪl] *n* обы́чная по́чта (*в отличие от авиапочты*)

surface-man [ˈsɜ:fɪsmən] *n* 1) *ж.-д.* путево́й рабо́чий 2) *горн.* рабо́чий на пове́рхности

surface tension [ˌsɜ:fɪsˈtenʃn] *n физ.* пове́рхностное натяже́ние

surface-to-air [ˌsɜ:fɪstʊˈeə] *a:* ~ (guided) missile *воен.* раке́та кла́сса «земля́ — во́здух»

surface-to-surface [ˌsɜ:fɪstəˈsɜ:fɪs] *a:* ~ (guided) missile *воен.* раке́та кла́сса «земля́ — земля́»

surface-water [ˌsɜ:fɪsˈwɔ:tə] *n геол.* пове́рхностная вода́, ве́рхняя вода́

surfboard [ˈsɜ:fbɔ:d] *n* сёрфборд, доска́ для сёрфинга

surfeit [ˈsɜ:fɪt] **1.** *n* 1) изли́шество, неуме́ренность (*особ. в пище и питье*) 2) избы́ток, изли́шек; a ~ of advice сли́шком мно́го сове́тов 3) пресыще́ние

2. *v* 1) перееда́ть, объеда́ться 2) пресыща́ть(ся) (with) 3) перека́рмливать

surfing [ˈsɜ:fɪŋ] = surf-riding

surf-riding [ˈsɜ:fraɪdɪŋ] *n спорт.* сёрфинг

surge [sɜ:dʒ] **1.** *n* 1) больша́я волна́; во́лны; a ~ of anger волна́ гне́ва 2) бы́стрый рост, повыше́ние (*цен, активности и т. п.*)

2. *v* 1) поднима́ться, вздыма́ться 2) волнова́ться (*о толпе*) 3) (на)хлы́нуть (*тж. перен.*) 4) *мор.* трави́ть ▭ ~ forward ри́нуться вперёд

surgeon [ˈsɜ:dʒən] *n* 1) хиру́рг 2) вое́нный, вое́нно-морско́й врач, офице́р медици́нской слу́жбы

surgeoncy [ˈsɜ:dʒənsɪ] *n* до́лжность вое́нного врача́

surgery [ˈsɜ:dʒərɪ] *n* 1) хирурги́я 2) кабине́т *или* приёмная врача́ с апте́кой 3) приёмная чле́на парла́мента, адвока́та *и т. п.*

surgical [ˈsɜ:dʒɪkl] *a* хирурги́ческий; ~ treatment хирурги́ческое вмеша́тельство; ~ fever травмати́ческая лихора́дка; ~ bag санита́рная су́мка; ~ boot ортопеди́ческий боти́нок

surly [ˈsɜ:lɪ] *a* угрю́мый, серди́тый; гру́бый

surma [ˈsʊəmə] *n* сурьма́

surmise [səˈmaɪz] **1.** *n* предположе́ние, подозре́ние, дога́дка

2. *v* предполага́ть, подозрева́ть, выска́зывать дога́дку

surmount [səˈmaʊnt] *v* 1) преодолева́ть; to ~ difficulties (an obstacle) преодолева́ть тру́дности (препя́тствие) 2) (*преим. pass.*) уве́нчивать; peaks ~ed with snow остроконе́чные сне́жные верши́ны

surmountable [səˈmaʊntəbl] *a* преодоли́мый

surmullet [səˈmʌlɪt] *n* бараб́улька (*рыба*)

surname [ˈsɜ:neɪm] *n* фами́лия

surpass [səˈpɑ:s] *v* 1) превосходи́ть, превыша́ть (in) 2) перегоня́ть

surpassing [səˈpɑ:sɪŋ] **1.** *pres. p.* от surpass

2. *a* превосхо́дный, исключи́тельный

surplice [ˈsɜ:pləs] *n церк.* стиха́рь

surplice-fee [ˈsɜ:pləsfi:] *n* вознагражде́ние, получа́емое духо́вным лицо́м за обря́д бракосочета́ния, похоро́н *и т. п.*

surplus [ˈsɜ:pləs] **1.** *n* изли́шек, оста́ток

2. *a* 1) изли́шний, избы́точный; доба́вочный; ~ kit *амер. воен.* компле́кт запасно́го обмундирова́ния 2) *полит.-эк.* приба́вочный; ~ value приба́вочная сто́имость

surplusage [ˈsɜ:pləsɪdʒ] *n* изли́шек, избы́ток

surprise [səˈpraɪz] **1.** *n* 1) удивле́ние; to my great ~ к моему́ велича́йшему удивле́нию; to show ~ удиви́ться 2) неожи́данность; сюрпри́з 3) неожи́данное де́йствие (*особ. нападение*); by ~ врасплóх; to take smb. by ~ захвати́ть кого́-л. врасплóх 4) *attr.* неожи́данный, внеза́пный; a ~ visit неожи́данный визи́т; ~ effect эффе́кт внеза́пности; ~ attack внеза́пная ата́ка

2. *v* 1) удивля́ть, поража́ть; I am ~d at you вы меня́ удивля́ете; I shouldn't be ~d if... меня́ ниско́лько не удиви́ло бы, е́сли... 2) нагря́нуть неожи́данно; напада́ть *или* застава́ть врасплóх; I ~d him in the act я накры́л его́ на ме́сте преступле́ния 3): to ~ smb. into doing smth. вы́нудить кого́-л. сде́лать что-л. (*неожиданным вопросом и т. п.*); to ~ a person into a confession вы́нудить призна́ние у кого́-л., заста́в его́ врасплóх

surprising [səˈpraɪzɪŋ] **1.** *pres. p.* от surprise 2

2. *a* неожи́данный; удиви́тельный, порази́тельный

surprisingly [səˈpraɪzɪŋlɪ] *adv* удиви́тельно, необыча́йно; неожи́данно

surra [ˈsu:rə] *n вет.* трипаносомо́з

surrealism [səˈrɪəlɪzəm] *n иск.* сюрреали́зм

surrebutter [ˌsʌrɪˈbʌtə] *n юр.* отве́т истца́ на возраже́ние отве́тчика

surrejoinder [ˌsʌrɪˈdʒɔɪndə] *n юр.* отве́т истца́ на тре́тью состяза́тельную бума́гу отве́тчика

surrender [səˈrendə] **1.** *n* 1) сда́ча, капитуля́ция 2) отка́з (*от чего-л.*) 3) *attr.:* ~ value су́мма, возвраща́емая лицу́, отказа́вшемуся от страхово́го по́лиса

2. *v* 1) сдава́ть(ся); to ~ at discretion сдава́ться на ми́лость победи́теля 2) уступа́ть, подчиня́ться; to ~ bail яви́ться в срок (*о выпущенном на поруки*) 3) (*обыкн. refl.*) поддава́ться, предава́ться; to ~ (oneself) to despair впасть в отча́яние; to ~ (oneself) over to smb.'s influence подпа́сть под чьё-л. влия́ние 4) отка́зываться; to ~ hope отка́зываться от наде́жды; to ~ a right отка́зываться от пра́ва

surreptitious [,sʌrəp'tɪʃəs] *a* та́йный; сде́ланный тайко́м, исподтишка́; ~ look взгляд исподтишка́; by ~ methods та́йными ме́тодами

surrey ['sʌrɪ] *n амер. ист.* лёгкий двухме́стный экипа́ж

surrogate ['sʌrəgət] 1. *n* 1) замести́тель (*особ. епископа*) 2) замени́тель, суррога́т 3) *амер.* судья́ по дела́м о насле́дстве и опе́ке

2. *v* замеща́ть; заменя́ть

surround [sə'raʊnd] *v* окружа́ть; обступа́ть

surrounding [sə'raʊndɪŋ] 1. *pres. p. от* surround

2. *a* близлежа́щий, сосе́дний

surroundings [sə'raʊndɪŋz] *n pl* 1) окре́стности 2) среда́; окруже́ние

surtax ['sɜ:tæks] 1. *n* доба́вочный подохо́дный нало́г

2. *v* облага́ть доба́вочным подохо́дным нало́гом

surveillance [sə'veɪləns] *n* надзо́р, наблюде́ние (*за подозреваемым в чём-л.*); under ~ под надзо́ром (*особ. полиции*)

survey 1. *n* ['sɜ:veɪ] 1) обозре́ние, осмо́тр 2) обзо́р 3) обсле́дование; инспекти́рование 4) отчёт об обсле́довании 5) межева́ние, съёмка; проме́р; aerial ~ аэросъёмка 6) (S.) о́рган, руководя́щий изыска́ниями в о́бласти геоло́гии, геоде́зии и гидрогра́фии (*в США*) 7) *attr.* обзо́рный; a ~ course in history обзо́рные ле́кции по исто́рии

2. *v* [sə'veɪ] 1) обозрева́ть, осма́тривать; изуча́ть с како́й-л. це́лью; to ~ the situation ознако́миться с положе́нием 2) де́лать обзо́р 3) инспекти́ровать 4) производи́ть землеме́рную съёмку; межева́ть 5) производи́ть изыска́ния *или* иссле́дования

surveyor [sə'veɪə] *n* 1) землеме́р; топо́граф; маркше́йдер; геодези́ст 2) инспе́ктор; ~ of weights and measures контролёр мер и весо́в 3) *амер. уст.* тамо́женный чино́вник

survey vessel ['sɜ:veɪ,vesl] *n* гидрографи́ческое су́дно

survival [sə'vaɪvl] *n* 1) выжива́ние; the ~ of the fittest *биол.* есте́ственный отбо́р 2) пережи́ток

survival kit [sə'vaɪvlkɪt] *n* авари́йный паке́т (*особ.* военнослу́жащего)

survive [sə'vaɪv] *v* 1) оста́ться в живы́х; продолжа́ть существова́ть; уцеле́ть; the custom still ~s э́тот обы́чай ещё существу́ет 2) пережи́ть (*современников, свою славу и т. п.*); he ~d his wife for many years он пережи́л свою́ жену́ на мно́го лет; to ~ one's usefulness стать бесполе́зным, нену́жным 3) пережи́ть, вы́держать, перенести́

survivor [sə'vaɪvə] *n* 1) оста́вшийся в живы́х, уцеле́вший 2) *юр.* еди́нственный оста́вшийся в живы́х насле́дник

susceptibility [sə,septə'bɪlətɪ] *n* 1) впечатли́тельность, восприи́мчивость 2) чувстви́тельность; оби́дчивость 3) *pl* чу́вства; words that wound susceptibilities бо́льно ра́нящие слова́

susceptible [sə'septəbl] *a* 1) впечатли́тельный, восприи́мчивый 2) чувстви́тельный (to); оби́дчивый 3) влю́бчивый 4) *predic.* допуска́ющий; поддаю́щийся (of); a theory ~ of proof легко́ доказу́емая тео́рия

susceptive [sə'septɪv] *a* впечатли́тельный; чувстви́тельный

suslik ['sʊslɪk] *n* су́слик

suspect 1. *n* ['sʌspekt] подозрева́емый *или* подозри́тельный челове́к

2. *a predic.* ['sʌspekt] подозри́тельный; подозрева́емый

3. *v* [sə'spekt] 1) подозрева́ть; to ~ smb. of smth. подозрева́ть кого́-л. в чём-л. 2) ду́мать, полага́ть, предполага́ть; you are pretty tired after your journey, I ~ я полага́ю, вы о́чень уста́ли от пое́здки 3) сомнева́ться в и́стинности, не доверя́ть; I ~ the authenticity of the document я сомнева́юсь в по́длинности докуме́нтов

suspend [sə'spend] *v* 1) ве́шать, подве́шивать 2) приостана́вливать; откла́дывать; (вре́менно) прекраща́ть; to ~ judgement откла́дывать пригово́р; to ~ one's judgement воздержа́ться от реше́ния; to ~ payment прекрати́ть платежи́ 3) вре́менно отстраня́ть, исключа́ть *и т. п.*; to ~ a student вре́менно исключи́ть студе́нта

suspended [sə'spendɪd] 1. *p. p. от* suspend

2. *a* 1) подве́шенный, вися́щий 2) подвесно́й, вися́чий 3) приостано́вленный; ~ sentence *юр.* усло́вный пригово́р 4) *хим.* взве́шенный; ~ matter взвесь

suspender [sə'spendə] *n* 1) подвя́зка 2) *pl амер.* подтя́жки, по́мочи

suspender belt [sə'spendəbelt] *n* же́нский по́яс с подвя́зками

suspense [sə'spens] *n* 1) неизве́стность, неопределённость; беспоко́йство; трево́га ожида́ния; нерешённость; the question is in ~ вопро́с ещё не решён; to keep smb. in ~ держа́ть кого́-л. в напряжённом ожида́нии 2) вре́менное прекраще́ние, приостано́вка

suspense account [sə,spensə'kaʊnt] *n бухг.* счёт переходя́щих сумм

suspension [sə'spenʃn] *n* 1) ве́шание; подве́шивание 2) приостано́вка; прекраще́ние; вре́менная отста́вка; ~ of arms *воен.* коро́ткое переми́рие 3) *эк.* приостановле́ние платеже́й (*тж.* ~ of payment(s); банкро́тство 4) *хим.* взве́шенное состоя́ние; суспе́нзия 5) *attr.* подвесно́й, вися́чий; ~ bridge вися́чий мост

suspension points [sə,spenʃn'pɔɪnts] *n* многото́чие

suspensive [sə'spensɪv] *a* 1) приостана́вливающий 2) нереши́тельный

suspensory [sə'spensərɪ] *мед.* 1. *a* подде́рживающий, подве́шивающий

2. *n* подде́рживающая повя́зка; суспензо́рий

suspicion [sə'spɪʃn] *n* 1) подозре́ние; his character is above ~ он вы́ше подозре́ний; on ~ по подозре́нию; to be under ~ быть под подозре́нием 2) (a ~) чу́точка; при́вкус, отте́нок

suspicious [sə'spɪʃəs] *a* подозри́тельный

suspire [sə'spaɪə] *v* вздыха́ть

suss [sʌs] *sl.* 1. *n* 1) подозрева́емый, подозри́тельная ли́чность 2) подозре́ние; on ~ по подозре́нию

2. *v* 1) подозрева́ть в соверше́нии преступле́ния 2) разузнава́ть, рассле́довать (out) 3) поня́ть, усе́чь

sustain [sə'steɪn] *v* 1) подде́рживать, подпира́ть 2) подкрепля́ть, подде́рживать; to ~ life подде́рживать жизнь; to ~ a conversation подде́рживать разгово́р 3) испы́тывать, выноси́ть; вы́держивать; to ~ injuries получи́ть уве́чье; to ~ a loss понести́ уще́рб, потерпе́ть убы́ток 4) подтвержда́ть, дока́зывать, подде́рживать; the court ~ed his claim суд реши́л в его́ по́льзу; to ~ a theory подде́рживать, подтвержда́ть тео́рию 5) вы́держивать (*роль, характер и т. п.*)

sustained [sə'steɪnd] 1. *p. p. от* sustain

2. *a* дли́тельный, непреры́вный; ~ effort дли́тельное уси́лие; ~ fire непреры́вный ого́нь; ~ defence долговре́менная оборо́на

sustaining [sə'steɪnɪŋ] 1. *pres. p. от* sustain

2. *a* 1) подде́рживающий, подпира́ющий; ~ power сто́йкость, выно́сливость; ~ program радиопрогра́мма, составля́емая и опла́чиваемая само́й радиокомпа́нией 2) подтвержда́ющий, дока́зывающий

sustenance ['sʌstənəns] *n* 1) пита́ние, пи́ща 2) сре́дства к существова́нию 3) пита́тельность 4) поддержа́ние, подде́ржка

sustention [sə'stenʃn] *n* подде́ржка; поддержа́ние в том же состоя́нии

sustentive [sə'stentɪv] *a* даю́щий, ока́зывающий подде́ржку; подкрепля́ющий

susurration [,su:sə'reɪʃn] *n книжн.* 1) шёпот 2) лёгкий шо́рох

sutler ['sʌtlə] *n ист.* маркита́нт

Sutra ['su:trə] *n* су́тры, собра́ние изрече́ний (*в древней санскритской литературе*)

suttee ['sʌti:] *n ист.* 1) обы́чай самосожже́ния вдовы́ вме́сте с тру́пом му́жа (*в Индии*) 2) вдова́, сжига́ющая себя́ вме́сте с тру́пом му́жа

suture ['su:tʃə] 1. *n* 1) *хир.* наложе́ние шва 2) нить для сшива́ния ра́ны 3) *анат., бот.* шов

2. *v хир.* накла́дывать шов, зашива́ть

suzerain ['su:zəreɪn] *n* 1) феода́льный власти́тель, сюзере́н 2) сюзере́нное госуда́рство

suzerainty ['su:zəreɪntɪ] *n* 1) власть сюзере́на 2) сюзерените́т

svelte [svelt] *a* стройный, гибкий (*о женщине*)

swab [swɒb] 1. *n* 1) швабра 2) *мед.* тампон 3) *мед.* мазок; to take a ~ взять мазок 4) *sl.* увалень 5) *мор. жарг.* офицерский погон 6) *воен.* щётка банника 7) *тех.* помазок; банник

2. *v* мыть шваброй (*тж.* ~ down); подтирать шваброй (*тж.* ~ up)

swabber ['swɒbə] *n* 1) уборщик 2) увалень

swaddle ['swɒdl] 1. *n* = swaddling-clothes

2. *v* пеленать, свивать (*младенца*)

swaddling bands ['swɒdlɪŋbændz] = swaddling-clothes

swaddling-clothes ['swɒdlɪŋkləʊðz] *n* 1) *pl* свивальники, пелёнки 2) начальный период развития; незрелость 3) ограничение, контроль ◇ still in ~, hardly (*или* just) out of ~ ≅ ещё молоко на губах не обсохло

Swadeshi [swə'deɪʃɪ] *n ист.* свадеши (*бойкот английских товаров с целью поощрения индийской промышленности*)

swag [swæg] *n* 1) *sl.* награбленное добро; добыча 2) *sl.* деньги, ценности, добытые незаконным путём 3) *австрал.* пожитки, поклажа

swage [sweɪdʒ] *тех.* 1. *n* 1) штамповочный молот; ковочный штамп; матрица 2) обжимка

2. *v* штамповать в горячем виде

swagger ['swægə] 1. *n* 1) чванливая и самодовольная манера держаться, походка *и т. п.* 2) развязность

2. *v* 1) расхаживать с важным видом (*тж.* ~ about, ~ in, ~ out); важничать; чваниться 2) хвастать (about)

3. *a разг.* щегольской, нарядный, шикарный

swagger cane ['swægəkeɪn] = swagger stick

swaggerer ['swægərə] *n* 1) хвастун 2) щёголь

swagger stick ['swægəstɪk] *n* офицерская тросточка

swain [sweɪn] *n* 1) *уст.* деревенский парень 2) пастушок (*в буколической поэзии*) 3) *шутл.* обожатель

swale [sweɪl] *n амер.* болотистая низина

swallow I ['swɒləʊ] 1. *n* 1) глотание 2) глоток; at a ~ одним глотком; залпом 3) глотка 4) прожорливость

2. *v* 1) глотать, проглатывать; to ~ words проглатывать слова, говорить неразборчиво 2) стерпеть; to ~ an insult проглотить обиду 3) принимать на веру 4) поглощать (*обыкн.* ~ up) ◇ to ~ one's words брать свои слова обратно

swallow II ['swɒləʊ] *n* ласточка ◇ one ~ does not make a summer *посл.* одна ласточка ещё не делает весны

swallow dive ['swɒləʊdaɪv] *n* прыжок в воду ласточкой

swallowtail ['swɒləʊteɪl] *n* 1) раздвоенный хвост 2) (*тж. pl*) *разг.* фрак (*тж.* swallow-tailed coat)

swam [swæm] *past от* swim 2

swamp [swɒmp] 1. *n* 1) болото, топь 2) *attr.* болотный; болотистый; ~ fever малярия; ~ ore болотная железная руда, лимонит

2. *v* 1) заливать, затоплять 2) (*обыкн. p. p.*) засыпать, заваливать (*письмами, заявлениями и т. п.*) 3) (*обыкн. p. p.*) засасывать

swamper ['swɒmpə] *n амер.* 1) житель болотистой местности 2) разнорабочий

swampy ['swɒmpɪ] *a* болотистый

swan [swɒn] *n* 1) лебедь; black ~ чёрный лебедь; *перен.* аномалия, странное явление; mute ~ лебедь-шипун; whooping ~ лебедь-кликун 2) *книжн.* бард, поэт; S. of Avon Шекспир 3) (S.) *астр.* созвездие Лебедя

swank [swæŋk] *разг.* 1. *n* 1) хвастовство, бахвальство 2) шик

2. *v* 1) хвастать, бахвалиться 2) щеголять

swankpot ['swæŋkpɒt] *n разг.* хвастун

swanky ['swæŋkɪ] *a* шикарный, модный, щегольской

swannery ['swɒnərɪ] *n* садок для лебедей

swansdown ['swɒnzdaʊn] *n* 1) лебяжий пух 2) тёплая полушерстяная ткань 3) хлопчатобумажная ткань с большим начёсом

swan-shot ['swɒnʃɒt] *n* крупная дробь

swanskin ['swɒnskɪn] *n* шерстяная *или* хлопчатобумажная фланель

swan song ['swɒnsɒŋ] *n* лебединая песнь

swap [swɒp] 1. *n* обмен

2. *v* менять, обмениваться

Swaraj [swə'rɑːdʒ] *n ист.* сварадж (*движение за самоуправление Индии*)

Swarajist [swə'rɑːdʒɪst] *n ист.* свараджист (*сторонник самоуправления Индии*)

sward [swɔːd] *книжн.* 1. *n* газон; дёрн; покров

2. *v* покрывать дёрном, травой; засаживать газон

sware [sweə] *уст. past от* swear 2

swarf [swɔːf] *n* мелкая металлическая стружка

swarm I [swɔːm] 1. *n* 1) рой; стая; толпа 2) пчелиный рой 3) *pl* куча, масса

2. *v* 1) роиться 2) толпиться; to ~ over the position *воен.* массированно прорвать позицию 3) кишеть (with)

swarm II [swɔːm] *v* лезть, карабкаться (*тж.* ~ up)

swart [swɔːt] *уст.* = swarthy

swarthy ['swɔːðɪ] *a* смуглый; тёмный

swash [swɒʃ] 1. *n* 1) плеск 2) прибой, сильное течение 3) отмель

2. *v* 1) плескать(ся) 2) *уст.* ударять с силой 3) *уст.* важничать, бахвалиться

swashbuckler ['swɒʃbʌklə] *n* 1) головорез; хулиган 2) хвастун

swasher ['swɒʃə] = swashbuckler

swashing ['swɒʃɪŋ] 1. *pres. p. от* swash 2

2. *a* сильный (*об ударе*)

swastika ['swɒstɪkə] *n* свастика

swat [swɒt] 1. *n* удар; шлепок, хлопок

2. *v* ударять; шлёпать, хлопать; to ~ a fly прихлопнуть муху

swatch [swɒtʃ] *n* образчик (*ткани*)

swath [swɒθ] *n* полоса скошенной травы, прокос, ряд ◇ to cut a wide ~ щеголять, красоваться; бахвалиться, пускать пыль в глаза

swathe [sweɪð] 1. *n* бинт; обмотка

2. *v* 1) бинтовать 2) закутывать, обматывать, пеленать

swatter ['swɒtə] *n* хлопушка для мух (*тж.* fly ~)

sway [sweɪ] 1. *n* 1) власть, влияние; правление 2) качание, колебание, взмах

2. *v* 1) качать(ся), колебать(ся); to ~ to and fro а) качаться из стороны в сторону; б) вестись с переменным успехом (*о бое*) 2) иметь влияние (*на кого-л., что-л.*); склонять (*кого-л. к чему-л.*); he is not to be ~ed by argument or entreaty его нельзя поколебать ни доводами, ни мольбой 3) *поэт.* управлять; править; to ~ the sceptre царствовать 4) *тех.* направлять, перетягивать; поворачивать в горизонтальном направлении

sway-beam ['sweɪbiːm] *n тех.* балансир

swear [sweə] 1. *n* 1) клятва 2) богохульство; ругательство

2. *v* (swore, *уст.* sware; sworn) 1) клясться; присягать; to ~ an oath давать клятву; to ~ allegiance клясться в верности 2) заставлять поклясться (to — в *чём-л.*); приводить к присяге (*тж.* ~ in); to ~ a person to secrecy (fact) заставить кого-л. поклясться в сохранении тайны (в правильности факта); to ~ (in) a witness привести свидетеля к присяге 3) ругаться; ругать (at — *кого-л.*); богохульствовать 4) давать показания под присягой; to ~ a charge (*или* accusation) against smb. подтвердить обвинение кого-л. присягой 5) *разг.* не гармонировать (*о цвете и т. п.*; at) ▭ ~ by а) клясться *чем-л.*; б) *разг.* постоянно обращаться к *чему-л.*, рекомендовать *что-л.*; безгранично верить *чему-л.*; he ~s by quinine for malaria он очень рекомендует принимать хинин от малярии; ~ in приводить к присяге при вступлении в должность; ~ off *разг.* давать зарок; to ~ off drink дать зарок не пить; ~ to утверждать под присягой ◇ it is enough to make smb. ~ этого достаточно, чтобы вывести кого-л. из себя; (not) enough to ~ by ≅ кот наплакал; незначительное количество

swearword ['sweəwɜːd] *n* ругательство, бранное слово

sweat [swet] 1. *n* 1) пот, испарина; in

a ~ весь в потý; all of a ~ взмóкший от пóта [*см. тж.* 3)] 2) потéние 3) *разг.* волнéние, беспокóйство; all of a ~ взволнóванный *или* испýганный [*см. тж.* 1)] 4) *разг.* тяжёлый труд 5) запотевáние, выделéние *или* осаждéние влáги (*на поверхности чего-л.*) ◇ by the ~ of one's brow в пóте лицá своегó; no ~ *разг.* нéчего беспокóиться

2. *v* 1) потéть; to ~ blood рабóтать до изнеможéния; to ~ with fear обливáться холóдным пóтом от стрáха 2) страдáть; волновáться; испы́тывать раздражéние *или* нетерпéние 3) выделя́ть влáгу; сырéть; запотевáть (*о стекле*) 4) *разг.* труди́ться, «потéть» (*над чем-л.*) 5) заставля́ть потéть; to ~ a horse загнáть лóшадь 6) *разг.* эксплуати́ровать 7) *амер. sl.* допрáшивать с применéнием пы́ток 8) *тех.* припáивать (in, on) ▭ ~ out а) избавля́ться; to ~ out a cold пропотéть, чтóбы избáвиться от простýды; б) *разг.* вымогáть; вымáливать ◇ to ~ it out *разг.* вы́держивать (до концá)

sweatband ['swetbænd] *n* кóжаная лéнта внутри́ шля́пы

sweatbox ['swetbɒks] *n sl.* кáрцер

sweatcloth ['swetklɒθ] *n* потни́к

sweated ['swetɪd] **1.** *past и p. p. от* sweat 2

2. *a* 1) потогóнный *или* применя́ющий потогóнную систéму; ~ industry óтрасль промы́шленности, в котóрой применя́ется потогóнная систéма 2) подвергáющийся жестóкой эксплуатáции, являю́щийся жéртвой потогóнной систéмы

sweater I ['swetə] *n* сви́тер

sweater II ['swetə] *n* эксплуатáтор

sweater girl ['swetəgɜ:l] *n sl.* полногрýдая деви́ца в сви́тере в обтя́жку

sweat gland ['swetglænd] *n анат.* потовáя железá

sweating system [,swetɪŋ'sɪstəm] *n* уси́ленная эксплуатáция; потогóнная систéма

sweat shirt ['swetʃɜ:t] *n* бумáжный спорти́вный сви́тер

sweatshop ['swetʃɒp] *n* предприя́тие, на котóром существýет потогóнная систéма

sweat suit ['swetsu:t] *n спорт.* тренирóвочный костю́м

sweaty ['swetɪ] *a* 1) пóтный 2) вызывáющий пот, потогóнный

Swede [swi:d] *n* швед; швéдка

swede [swi:d] *n бот.* брю́ква

swede turnip [,swi:d'tɜ:nɪp] = swede

Swedish ['swi:dɪʃ] **1.** *a* швéдский

2. *n* швéдский язы́к

sweeny ['swi:nɪ] *n амер. вет.* атрофи́я мýскула (*особ. плечевого — у лошади*)

sweep [swi:p] **1.** *n* 1) выметáние; подметáние; чи́стка 2) изги́б; поворóт (*дороги*); the graceful ~ of draperies краси́вые склáдки драпри́ 3) охвáт, кругозóр 4) трубочи́ст; a regular little ~ чумáзый ребёнок 5) *разг. см.* sweepstake 6) дли́нное веслó 7) крылó ветрянóй мéльницы 8) журáвль (*колодца*) 9) *тех.* шаблóн 10) *pl* мýсор 11) *sl.* негодя́й 12) течéние; непрестáнное движéние 13) размáх, взмах 14) распространéние, охвáт; разви́тие 15) протяжéние, пролёт 16) пóлная побéда 17) лекáло ◇ as black as a ~ чёрный как сáжа; to make a clean ~ of smth. избáвиться, окончáтельно отдéлаться от чегó-л.

2. *v* (swept) 1) мести́, подметáть, чи́стить, прочищáть; to ~ a chimney чи́стить дымохóд; to ~ (out) a room подметáть кóмнату; to ~ the seas очи́стить мóре от неприя́теля [*ср. тж.* 5)] 2) сметáть, уничтожáть, сноси́ть; смывáть (*волной*) (*тж.* ~ away, ~ off, ~ down); he was swept off his feet by a wave волнá сби́ла егó с ног [*ср. тж.* ◇]; to ~ away slavery уничтóжить рáбство 3) касáться, проводи́ть (*рукой*); to ~ one's hand across one's face провести́ рукóй по лицý 4) увлекáть (*тж.* ~ along, ~ away); he swept his audience along with him он увлёк свои́х слýшателей; to ~ a constituency получи́ть большинствó голосóв 5) нести́сь, мчáться, проноси́ться (*тж.* ~ along, ~ over); the cavalry swept down the valley кавалéрия устреми́лась в доли́ну; to ~ the seas избороздить все моря́ и океáны [*ср. тж.* 1)] 6) ходи́ть величáво 7) простирáться, тянýться 8) *мор.* трáлить 9) *воен.* обстрéливать, простреливать 10) обуя́ть, охвати́ть; a deadly fear swept over him егó обуя́л смертéльный страх 11) охвáтывать; оки́дывать взгля́дом; he swept the valley он оки́нул взгля́дом доли́ну 12) гнуть в дугý; изгибáть(ся) 13) одержáть пóлную побéду ◇ to be swept off one's feet быть захвáченным, увлечённым, покорённым (*чем-л.*) [*ср. тж.* 2)]; to ~ all before one пóльзоваться неизмéнным успéхом; to ~ under the carpet спря́тать, замáзать, замаски́ровать

sweeper ['swi:pə] *n* 1) убóрщик, трубочи́ст *и т. п.* 2) щётка для коврá *и т. п.* 3) свобóдный центрáльный защи́тник (*в футболе*)

sweeping ['swi:pɪŋ] **1.** *pres. p. от* sweep 2

2. *n* 1) *pl* мýсор 2) убóрка, подметáние

3. *a* 1) широ́кий; с больши́м охвáтом; ~ changes радикáльные перемéны 2) стреми́тельный, бы́стрый 3) не дéлающий различи́й, огýльный; ~ statements огýльные утверждéния

sweep-net ['swi:pnet] *n* 1) нéвод 2) сачóк для бáбочек

sweepstake ['swi:psteɪk] *n* пари́ на скáчках, тотализáтор

sweet [swi:t] **1.** *a* 1) слáдкий 2) души́стый 3) мелоди́чный, благозвýчный 4) прéсный; свéжий; неиспóрченный; ~ butter несолёное мáсло; ~ water прéсная водá; is the milk ~? молокó не ски́сло?; to keep the room ~ хорошó провéтрить кóмнату 5) прия́тный; лáсковый; ~ disposition мя́гкий харáктер; ~ face привлекáтельное лицó; ~ words лáсковые словá 6) люби́мый; ми́лый; ~ one люби́мый, люби́мая (*в обращении*) 7) *разг.* влюблённый; to be ~ on smb. быть влюблённым в когó-л. 8) плодорóдный (*о почве*) ◇ at one's own ~ will как вздýмается, наобýм; she's ~ *австрал. sl.* ≅ всё отли́чно

2. *n* 1) леденéц; конфéта 2) слáдкое (*как блюдо*) 3) слáдость, слáдкий вкус 4) *pl* наслаждéния; the ~s of life рáдости жи́зни 5) (*обыкн. pl*) аромáты 6) (*обыкн. в обращении*) дорогóй, дорогáя; ми́лый, ми́лая; люби́мый, люби́мая

sweet bay [,swi:t'beɪ] *n бот.* 1) лавр благорóдный 2) магнóлия вирги́нская

sweetbread ['swi:tbred] *n* зóбная и поджелýдочная жéлезы телёнка, ягнёнка *и т. п.*, употребля́емые в пи́щу

sweetbriar ['swi:tbraɪə] = sweetbrier

sweetbrier ['swi:tbraɪə] *n* рóза эглантéрия

sweeten ['swi:tn] *v* 1) подслáщивать 2) наполня́ть благоухáнием 3) смягчáть 4) освежáть, провéтривать 5) удобря́ть 6) *карт.* увели́чивать стáвку ◇ to ~ the pill подласти́ть пилю́лю

sweetening ['swi:tnɪŋ] **1.** *pres. p. от* sweeten

2. *n* 1) подслáщивание 2) то, что придаёт слáдость

sweetheart ['swi:thɑ:t] *n* 1) возлю́бленный, возлю́бленная 2) дорогóй, дорогáя (*в обращении*)

sweetie ['swi:tɪ] *n разг.* 1) конфéтка 2) = sweetheart (*особ. о женщине*)

sweeting ['swi:tɪŋ] *n* 1) сорт слáдких я́блок 2) *уст.* = sweetheart

sweetish ['swi:tɪʃ] *a* сладковáтый

sweetly ['swi:tlɪ] *adv* слáдко *и пр.* [*см.* sweet 1]; ~ pretty *разг.* очаровáтельный

sweetmeat ['swi:tmi:t] *n* 1) конфéта; леденéц 2) *pl* засáхаренные фрýкты

sweet oil [,swi:t'ɔɪl] *n* прованское, óливковое мáсло

sweet pea [,swi:t'pi:] *n бот.* души́стый горóшек

sweet-scented [,swi:t'sentɪd] *a* души́стый

sweet-shop ['swi:tʃɒp] *n* конди́терская

sweet-stuff ['swi:tstʌf] *n* слá(до)сти, конфéты

sweet talk ['swi:ttɔ:k] *n разг.* лесть, умáсливание

sweet-talk ['swi:ttɔ:k] *v разг.* льсти́ть, подольщáться

sweet-tempered [,swi:t'tempəd] *a* прия́тный, с мя́гким харáктером

sweet tooth [,swi:ttu:θ] *n* люблвь к слáдкому; to have a ~ быть сластёной

sweet william [,swi:t'wɪljəm] *n бот.* турéцкая гвозди́ка

sweety ['swi:tɪ] *n* конфéтка

swell [swel] **1.** *n* 1) возвыше́ние, вы́пуклость; the ~ of the ground приго́рок, хо́лм(ик) 2) волне́ние, зыбь 3) нараста́ние, разбуха́ние 4) постепе́нное нараста́ние и ослабле́ние зву́ка 5) *разг.* ва́жная персо́на, ши́шка 6) *разг.* щёголь; све́тский челове́к 7) припу́хлость, о́пухоль ◇ to come the heavy ~ over smb. ва́жничать пе́ред кем-л.

2. *a разг.* 1) *амер.* отли́чный, превосхо́дный; some ~ fellows замеча́тельные ребя́та; ~ society вы́сшее о́бщество 2) щегольско́й; шика́рный

3. *v* (swelled [-d]; swollen) 1) надува́ть(ся); раздува́ться 2) увели́чивать(ся); разраста́ться; набуха́ть; опуха́ть; the river is swollen река́ взду́лась 3) возвыша́ться, поднима́ться 4) быть перепо́лненным чу́вствами; the heart ~s се́рдце перепо́лнено; to ~ with indignation едва́ сде́рживать негодова́ние; to ~ with pride наду́ться от го́рдости 5) *разг.* ва́жничать 6) нараста́ть (*о звуке*) 7) то уси́ливаться, то затуха́ть (*о звуке*)

swelldom ['sweldəm] *n разг.* фешене́бельное о́бщество

swelled head [ˌsweld'hed] *n разг.* самомне́ние; to suffer from ~ страда́ть самомне́нием

swelling ['swelɪŋ] **1.** *pres. p. от* swell 3

2. *n* 1) о́пухоль 2) вы́пуклость, возвыше́ние 3) разбуха́ние, увеличе́ние

3. *a* 1) вздыма́ющийся, набуха́ющий; нараста́ющий 2) высокопа́рный; ~ oratory напы́щенное красноре́чие

swell mob [ˌswel'mɒb] *n sl.* шика́рно оде́тые жу́лики; афери́сты

swelter ['sweltə] **1.** *n* зной, духота́

2. *v* изнемога́ть от зно́я

swept [swept] *past и p. p. от* sweep 2

swerve [swɜ:v] **1.** *n* отклоне́ние (*от курса и т. п.*)

2. *v* отклоня́ться от пря́мого пути́, свора́чивать в сто́рону (*тж. перен.*)

swift [swɪft] **1.** *a* ско́рый, бы́стрый; ~ anger скоропроходя́щий гнев; ~ to anger вспы́льчивый; ~ to take offence оби́дчивый ◇ be ~ to hear, slow to speak побо́льше слу́шай, поме́ньше говори́

2. *adv* бы́стро, поспе́шно

3. *n* 1) *зоол.* стриж 2) *текст.* бараба́н, мотови́ло

4. *v мор.* 1) зари́фить 2) обтя́гивать; стя́гивать

swift-handed [ˌswɪft'hændɪd] *a* ско́рый, ло́вкий

swig [swɪg] *разг.* **1.** *n* большо́й глото́к (*спиртного*); to take a ~ an a bottle of beer вы́пить пи́ва из буты́лки

2. *v* пить больши́ми глотка́ми (*вино*); to ~ off a glass of rum вы́пить за́лпом стака́н ро́ма

swill [swɪl] **1.** *n* 1) полоска́ние, облива́ние водо́й 2) помо́и (*для свиней*), по́йло

2. *v* 1) полоска́ть, облива́ть водо́й (*часто* ~ out) 2) *разг.* жа́дно пить, лака́ть

swim [swɪm] **1.** *n* 1) пла́вание; to go for a ~ (пойти́) попла́вать; to have (*или* to take) a ~ попла́вать 2) о́мут, в кото́ром во́дится ры́ба 3) головокруже́ние; о́бморок ◇ to be in the ~ быть в ку́рсе де́ла; быть в це́нтре (*событий, общественной жизни и т. п.*); to be out of the ~ быть не в ку́рсе де́ла; стоя́ть вне жи́зни; to put smb. in the ~ ввести́ кого́-л. в курс де́ла

2. *v* (swam; swum) 1) пла́вать, плыть; переплыва́ть; to ~ like a stone *шутл.* ≅ пла́вать как топо́р; идти́ ко дну; to ~ a person a hundred yards состяза́ться с кем-л. в пла́вании на сто я́рдов; to ~ a race уча́ствовать в состяза́нии по пла́ванию 2) чу́вствовать головокруже́ние; кружи́ться (*о голове*); my head began to ~ у меня́ закружи́лась голова́; everything swam before his eyes всё поплы́ло у него́ пе́ред глаза́ми 3) быть за́ли́тым (in, with — *чем-л.*); пла́вать (*в чём-л.*); the meat ~s in gravy мя́со зали́то подли́вкой; to ~ in luxury утопа́ть в ро́скоши 4) заставля́ть плыть; to ~ a horse across a river заста́вить ло́шадь переплы́ть ре́ку́ ◇ to ~ with (*или* down) the tide (*или* the stream) примкну́ть к большинству́; to ~ against the stream идти́ про́тив большинства́; sink or ~ *см.* sink 2, ◇

swimmer ['swɪmə] *n* 1) плове́ц 2) поплаво́к

swimming ['swɪmɪŋ] **1.** *pres. p. от* swim 2

2. *n* 1) пла́вание 2) головокруже́ние

3. *a* 1) пла́вающий 2) предназна́ченный для пла́вания, пла́вательный 3) за́ли́тый; ~ eyes глаза́, зали́тые слеза́ми 4) испы́тывающий головокруже́ние

swimming bath ['swɪmɪŋbɑ:θ] *n* бассе́йн для пла́вания

swimming-bladder ['swɪmɪŋˌblædə] *n* пла́вательный пузы́рь (*у рыб*)

swimming costume ['swɪmɪŋˌkɒstju:m] *n* купа́льный костю́м

swimmingly ['swɪmɪŋlɪ] *adv* гла́дко, без поме́х; превосхо́дно; things went ~ всё шло как по ма́слу

swimming pool ['swɪmɪŋpu:l] = swimming bath

swimsuit ['swɪmsu:t] *n* же́нский купа́льник (*закрытый*)

swindle ['swɪndl] **1.** *n* надува́тельство

2. *v* обма́нывать, надува́ть; to ~ money out of a person, to ~ a person out of his money взять у кого́-л. де́ньги обма́нным путём, вы́манить у кого́-л. де́ньги

swindler ['swɪndlə] *n* моше́нник, жу́лик

swine [swaɪn] *n* (*pl без измен.*) 1) *книжн., амер.* = pig 1, 1); 2) *разг.* свинья́, наха́л 3) *разг.* неприя́тная *или* тру́дная вещь

swine-breeding ['swaɪnˌbri:dɪŋ] *n* свиново́дство

swineherd ['swaɪnhɜ:d] *n* свинопа́с

swinery ['swaɪnərɪ] *n* свина́рник

swing [swɪŋ] **1.** *n* 1) кача́ние; колеба́ние; the ~ of the pendulum *см.* pendulum 1); a ~ of public opinion измене́ние обще́ственного мне́ния 2) разма́х; взмах; ход; in full ~ в по́лном разга́ре; to give full ~ to smth. дать во́лю чему́-л. 3) ритм 4) ме́рная, ритми́чная похо́дка 5) каче́ли 6) свобо́да де́йствий; he gave us a full ~ in the matter в э́том де́ле он предоста́вил нам по́лную свобо́ду де́йствий 7) есте́ственный ход; let it have its ~ пусть исче́рпает свой запа́с эне́ргии 8) = swing music 9) поворо́т 10) *физ.* амплиту́да кача́ния 11) *тех.* максима́льное отклоне́ние стре́лки (*прибора*) 12) свинг (*в боксе*) ◇ to go with a ~ идти́ как по ма́слу; what you lose on the ~s you make up on the roundabouts поте́ри в одно́м возмеща́ются вы́игрышем в друго́м

2. *v* (swung) 1) кача́ть(ся), колеба́ть(ся); разма́хивать; to ~ a bell раска́чивать ко́локол; to ~ one's legs болта́ть нога́ми; to one's arms разма́хивать рука́ми 2) ве́шать, подве́шивать; *разг.* быть пове́шенным; he shall ~ for it *разг.* его́ пове́сят за э́то 3) верте́ть(ся); повора́чивать(ся); to ~ into line *мор.* заходи́ть в ли́нию, вступа́ть в строй; to ~ a ship about повора́чивать су́дно; to ~ open распа́хиваться; to ~ shut (*или* to) захло́пываться 4) идти́ ме́рным ша́гом 5) кру́то меня́ть (*мнение и т. п.*) 6) исполня́ть джа́зовую му́зыку в сти́ле суи́нга 7) *разг.* жить по́лной жи́знью; быть на у́ровне совреме́нности 8) *разг.* добива́ться реше́ния в свою́ по́льзу 9) *разг.* успе́шно провести́ (*что-л.*) ◇ to ~ the lead *разг.* симули́ровать

swing bridge ['swɪŋbrɪdʒ] *n* разводно́й мост

swing door [ˌswɪŋ'dɔ:] *n* враща́ющаяся дверь; дверь, открыва́ющаяся в любу́ю сто́рону (*обыкн. двустворчатая*)

swinge [swɪndʒ] *v уст.* си́льно ударя́ть

swingeing ['swɪndʒɪŋ] **1.** *pres. p. от* swinge

2. *a* 1) си́льный, ошеломля́ющий (*об ударе*) 2) грома́дный; ~ majority подавля́ющее большинство́

swinging ['swɪŋɪŋ] **1.** *pres. p. от* swing 2

2. *n* кача́ние, колеба́ние; разма́хивание

3. *a* кача́ющийся, колеблющийся; поворо́тный

swing joint [ˌswɪŋ'dʒɔɪnt] *n тех.* шарни́рное соедине́ние

swingle ['swɪŋgl] *с.-х.* **1.** *n* трепа́ло

2. *v* трепа́ть (лён)

swingletree ['swɪŋgltri:] *n* валёк (*конной упряжи*)

swing music [ˈswɪŋ,mju:zɪk] *n* суи́нг (*разнови́дность джа́зовой му́зыки*)

swing shift [ˈswɪŋ,ʃɪft] *n амер.* втора́я сме́на на фа́брике *или* заво́де (*с 4 часов дня до 12 часов ночи*)

swinish [ˈswaɪnɪʃ] *a* сви́нский

swipe [swaɪp] **1.** *n* 1) *разг.* си́льный уда́р 2) *тех.* во́рот, коромы́сло

2. *v разг.* 1) ударя́ть с си́лой 2) красть

swipes [swaɪps] *n pl разг.* водяни́стое му́тное пи́во, испо́рченное пи́во

swirl [swɜ:l] **1.** *n* 1) водоворо́т; круже́ние 2) завито́к, ло́кон

2. *v* 1) кружи́ть(ся) в водоворо́те 2) образо́вывать водоворо́т 3) обвива́ть 4) испы́тывать головокруже́ние

swish I [swɪʃ] **1.** *n* 1) свист (*хлыста и т. п.*); взмах (*косы и т. п.*) со сви́стом 2) ше́лест, шурша́ние

2. *v* 1) разма́хивать (*тро́стью, па́лкой*) 2) шелесте́ть, шурша́ть 3) рассека́ть во́здух со сви́стом 4) сечь (*розго́й*) ▭ ~ **off** ска́шивать, сбива́ть со сви́стом

swish II [swɪʃ] *a разг.* шика́рный

Swiss [swɪs] **1.** *a* швейца́рский ◇ ~ roll руле́т с варе́ньем

2. *n* швейца́рец; швейца́рка; the ~ *pl собир.* швейца́рцы

switch [swɪtʃ] **1.** *n* 1) *эл.* выключа́тель; переключа́тель; коммута́тор 2) переключе́ние; *перен.* поворо́т, измене́ние (*темы разговора и т. п.*) 3) прут; хлыст 4) *амер. ж.-д.* стре́лка 5) фальши́вая коса́; накла́дка (*волос*)

2. *v* 1) *эл.* переключа́ть; включа́ть; выключа́ть 2) переводи́ть (*поезд*) на друго́й путь 3) напра́вить (*мысли, разговор*) в другу́ю сто́рону (to, over to) 4) меня́ть(ся) 5) ре́зко хвата́ть (*что-л.*); to ~ smth. out of smb.'s hand вы́хватить что-л. у кого́-л. из рук 6) ударя́ть пруто́м *или* хлысто́м; отстега́ть пруто́м 7) маха́ть, разма́хивать ▭ ~ **off** а) *разг.* отключа́ться, не слу́шать; б) выключа́ть ток; в) разъединя́ть телефо́нного абоне́нта; г) дава́ть отбо́й; д) выключа́ть радиоприёмник; ~ **on** а) включа́ть (*свет, радио и т. п.*); б) соединя́ть абоне́нта

switchback [ˈswɪtʃbæk] *n* америка́нские го́рки (*аттракцион*)

switchboard [ˈswɪtʃbɔ:d] *n эл.* 1) коммута́тор; распредели́тельный щит 2) щит управле́ния

switched-on [,swɪtʃtˈɒn] *a разг.* 1) совреме́нный, на совреме́нном у́ровне 2) одурма́ненный нарко́тиками

switch lamp [ˈswɪtʃlæmp] *n ж.-д.* стре́лочный фона́рь

switchman [ˈswɪtʃmən] *n* стре́лочник

switchover [ˈswɪtʃ,əʊvə] *n* перехо́д (*к чему-л. другому*), переключе́ние

switch-plug [ˈswɪtʃplʌg] *n эл.* ште́псель

switch tender [ˈswɪtʃ,tendə] *амер.* = switchman

switch tower [,swɪtʃˈtaʊə] *n амер.* бу́дка стре́лочника

switchyard [ˈswɪtʃjɑ:d] *амер.* = shunting yard

swither [ˈswɪðə] *шотл.* **1.** *n* нереши́тельность, колеба́ние

2. *v* колеба́ться, быть в нереши́тельности

swivel [ˈswɪvl] *n* 1) *тех.* вертлю́г, шарни́рное соедине́ние 2) *attr.* враща́ющийся, поворо́тный; ~ chair враща́ющийся стул

swivel-eyed [,swɪvlˈaɪd] *a разг.* кося́щий, раско́сый

swizz [swɪz] *n разг.* 1) большо́е разочарова́ние 2) моше́нничество

swizzle I [ˈswɪzl] *n разг.* род кокте́йля

swizzle II [ˈswɪzl] *разг. см.* swizz

swob [swɒb] = swab

swollen [ˈswəʊlən] **1.** *p. p. от* swell 3

2. *a* 1) взду́тый, разду́тый 2) непоме́рно высо́кий (*о ценах и т. п.*)

swoon [swu:n] *книжн.* **1.** *n* о́бморок

2. *v* 1) па́дать в о́бморок 2) замира́ть (*о звуке*)

swoop [swu:p] **1.** *n* 1) внеза́пное нападе́ние, налёт 2) устремле́ние вниз (*хищной птицы на жертву*) ◇ at (*или* in) one fell ~ одни́м уда́ром, одни́м ма́хом

2. *v* 1) устремля́ться вниз (*обыкн.* ~ down) 2) налета́ть, броса́ться (*обыкн.* ~ on, ~ upon) 3) *разг.* хвата́ть, подхва́тывать (*обыкн.* ~ up) ▭ ~ **down** *ав.* пики́ровать

swop [swɒp] = swap

sword [sɔ:d] *n* 1) меч; шпа́га, рапи́ра; пала́ш; ша́шка; са́бля; cavalry ~ са́бля; court ~ шпа́га; duelling ~ рапи́ра; the ~ of justice меч правосу́дия, суде́бная власть; at ~'s points на ножа́х; вражде́бный, гото́вый к вражде́бным де́йствиям; to cross (*или* to measure) ~s нача́ть борьбу́; скрести́ть мечи́; to put to the ~ преда́ть мечу́; to sheathe the ~ вложи́ть меч в но́жны; *перен.* ко́нчить войну́ 2) (the ~) си́ла ору́жия, война́ ◇ to throw one's ~ into the scale поддержа́ть свои́ притяза́ния си́лой ору́жия; to beat ~s into ploughshares *библ.* перекова́ть мечи́ на ора́ла

sword-arm [ˈsɔ:dɑ:m] *n* пра́вая рука́

sword-bayonet [ˈsɔ:d,beɪənɪt] *n* клинко́вый штык, штык-теса́к

sword-bearer [ˈsɔ:d,beərə] *n* оружено́сец; мечено́сец

sword-belt [ˈsɔ:dbelt] *n* портупе́я

sword cane [ˈsɔ:dkeɪn] = swordstick

sword-cut [ˈsɔ:dkʌt] *n* 1) ре́заная ра́на 2) рубе́ц

sword dance [ˈsɔ:ddɑ:ns] *n* та́нец с меча́ми *или* с са́блями

swordfish [ˈsɔ:dfɪʃ] *n* меч-ры́ба

sword-guard [ˈsɔ:dgɑ:d] *n* ча́шка шпа́ги

sword-hand [ˈsɔ:dhænd] = sword-arm

sword-hilt [ˈsɔ:dhɪlt] *n* эфе́с

sword knot [ˈsɔdnɒt] *n* темля́к

sword-law [ˈsɔ:dlɔ:] *n* пра́во си́льного

sword-lily [ˈsɔ:d,lɪlɪ] *n бот.* гладио́лус

swordplay [ˈsɔ:dpleɪ] *n* 1) фехтова́ние 2) пикиро́вка; состяза́ние в остроу́мии

swordsman [ˈsɔ:dzmən] *n* фехтова́льщик

swordsmanship [ˈsɔ:dzmənʃɪp] *n* иску́сство фехтова́ния

swordstick [ˈsɔ:dstɪk] *n* трость с вкладно́й шпа́гой

swore [swɔ:] **1.** *past от* swear 2

2. *a* присягну́вший; покля́вшийся; ~ broker прися́жный ма́клер; ~ brothers назва́ные бра́тья; побрати́мы; ~ friends закады́чные друзья́; ~ enemies закля́тые враги́; ~ evidence (*или* oath) показа́ния под прися́гой

sworn [swɔ:n] *p. p. от* swear 2

swot [swɒt] *разг.* **1.** *n* 1) тяжёлая рабо́та 2) зубрёжка 3) зубри́ла

2. *v* зубри́ть, долби́ть; подзубри́ть (*обыкн.* ~ up)

swum [swʌm] *p. p. от* swim 2

swung [swʌŋ] *past и p. p. от* swing 2

sybarite [ˈsɪbəraɪt] *n* сибари́т

sybaritic [,sɪbəˈrɪtɪk] *a* сибари́тский; изне́женный

sybil [ˈsɪbɪl] = sibyl

sycamine [ˈsɪkəmaɪn] *n библ.* смоко́вница

sycamore [ˈsɪkəmɔ:] *n бот.* 1) сикамо́р (*тж.* ~ fig) 2) клён я́вор (*тж.* ~ maple) 3) плата́н

syce [saɪs] *инд. n* грум, ко́нюх

sycophancy [ˈsɪkəfənsɪ] *n* низкопокло́нство, лесть

sycophant [ˈsɪkəfənt] *n* льстец, подхали́м; лизоблю́д

sycosis [saɪˈkəʊsɪs] *n мед.* сико́з

syenite [ˈsaɪɪnaɪt] *n мин.* сиени́т

syllabary [ˈsɪləbərɪ] *n* слогова́я а́збука

syllabi [ˈsɪləbaɪ] *pl от* syllabus

syllabic [sɪˈlæbɪk] *a* слогово́й; силлаби́ческий

syllabication [sɪ,læbɪˈkeɪʃn] = syllabification

syllabification [sɪ,læbɪfɪˈkeɪʃn] *n* разделе́ние на сло́ги

syllabify [sɪˈlæbɪfaɪ] = syllabize

syllabize [ˈsɪləbaɪz] *v* разделя́ть на сло́ги; произноси́ть по слога́м

syllable [ˈsɪləbl] **1.** *n* 1) слог 2) звук, сло́во; he never uttered a ~ он не произнёс ни зву́ка ◇ in words of one ~ про́сто и я́сно, одни́м сло́вом

2. *v* произноси́ть по слога́м

-syllabled [-sɪləbld] *в сложных словах означает* состоя́щий из *стольких-то* слогов; one-syllabled односло́жный; two-syllabled двусло́жный *и т. п.*

syllabub [ˈsɪləbʌb] *n* (взби́тые) сли́вки с вино́м и са́харом

syllabus [ˈsɪləbəs] *n* (*pl* -bi, -es [-ɪz]) 1) програ́мма (*курса, лекций*) 2) конспе́кт, план 3) расписа́ние

syllogism ['sɪlədʒɪzəm] *n* 1) *лог.* силлогúзм 2) тóнкий, хúтрый ход для подтверждéния *или* доказáтельства (*чего-л.*)

syllogize ['sɪlədʒaɪz] *v* выражáть в фóрме силлогúзма

sylph [sɪlf] *n* 1) сильф 2) грациóзная дéвушка *или* жéнщина

sylvan ['sɪlvən] *a* леснóй, лесúстый

sylviculture ['sɪlvɪkʌltʃə] = silviculture

symbiosis [,sɪmbaɪ'əʊsɪs] *n бил.* симбиóз

symbol ['sɪmbl] *n* 1) сúмвол, эмблéма 2) обозначéние, знак

symbolic(al) [sɪm'bɒlɪk(l)] *a* символúческий

symbolism ['sɪmbəlɪzəm] *n* 1) символúчность 2) симвóлика 3) символúзм

symbolist ['sɪmbəlɪst] *n* символúст

symbolize ['sɪmbəlaɪz] *v* 1) символизúровать 2) изображáть символúчески

symmetric(al) [sɪ'metrɪk(l)] *a* симметрúчный, симметрúческий

symmetrize ['sɪmətraɪz] *v* дéлать симметрúчным; располагáть симметрúчно

symmetry ['sɪmətrɪ] *n* 1) симмéтрия 2) соразмéрность

sympathetic [,sɪmpə'θetɪk] *a* 1) сочýвственный; пóлный сочýвствия; вы́званный сочýвствием; ~ strike забастóвка солидáрности 2) симпатúчный 3) *физиол.* симпатúческий 4) *физ.* ответный; ~ vibration отвéтная вибрáция

sympathetic ink [sɪmpə,θetɪk'ɪŋk] *n* симпатúческие чернúла

sympathize ['sɪmpəθaɪz] *v* 1) сочýвствовать, выражáть сочýвствие (with) 2) благожелáтельно относúться; симпатизúровать (with)

sympathizer ['sɪmpəθaɪzə] *n* сочýвствующий; сторóнник

sympathy ['sɪmpəθɪ] *n* 1) сочýвствие (with); сострадáние (for); симпáтия; a man of wide sympathies отзы́вчивый человéк; you have my sympathies, my sympathies are with you а) я на вáшей сторонé; б) я вам сочýвствую 2) взаúмное понимáние; óбщность (*в чём-л.*); in ~ with в пóлном соглáсии с; out of ~ в разлáде

sympathy strike ['sɪmpəθɪstraɪk] = sympathetic strike [*см.* sympathetic 1)]

symphonic [sɪm'fɒnɪk] *a* симфонúческий; ~ music симфонúческая мýзыка; симфонúческое произведéние

symphony ['sɪmfənɪ] *n* 1) симфóния 2) *attr.* симфонúческий; ~ orchestra симфонúческий оркéстр

symposia [sɪm'pəʊzɪə] *pl om* symposium

symposium [sɪm'pəʊzɪəm] *n* (*pl* -sia) 1) симпóзиум, совещáние по определённому наýчному вопрóсу 2) филосóфская *или* инáя дрýжеская бесéда 3) сбóрник статéй разлúчных áвторов на óбщую тéму 4) *др.-греч.* пир

symptom ['sɪmptəm] *n* симптóм; прúзнак

symptomatic [,sɪmptə'mætɪk] *a* симптоматúческий

synagogue ['sɪnəgɒg] *n* синагóга

sync, synch [sɪŋk] *кино, тлв. разг.* 1. *n* синхронизáция звýка и изображéния

2. *a* синхронизúровать

synchrocyclotron [,sɪŋkrəʊ'saɪklətrɒn] *n физ.* синхроциклотрóн

synchronism ['sɪŋkrənɪzəm] *n* синхронúзм, одновремéнность

synchronize ['sɪŋkrənaɪz] *v* 1) синхронизúровать; совпадáть по врéмени 2) координúровать, согласóвывать во врéмени 3) устанáвливать одновремéнность собы́тий 4) покáзывать одинáковое врéмя (*о часах*) 5) сверять (*часы*) 6) *кино* озвýчивать

synchronized swimming [,sɪŋkrənaɪzd-'swɪmɪŋ] *n* синхрóнное плáвание

synchronizer ['sɪŋkrənaɪzə] *n* синхронизáтор

synchronous ['sɪŋkrənəs] *a* синхрóнный, одновремéнный

synchrophasotron [,sɪŋkrəʊ'feɪzəʊtrɒn] *n физ.* синхрофазотрóн

synchrotron ['sɪŋkrəʊtrɒn] *n физ.* синхротрóн

synco pate ['sɪŋkəpeɪt] *v* 1) *муз.* синкопúровать 2) *грам.* сокращáть слóво, опускáя звук *или* слог в серединé егó

syncope ['sɪŋkəpɪ] *n* 1) *грам.* синкóпа 2) *мед.* óбморок

syncretism ['sɪŋkrətɪzəm] *n* синкретúзм

syncretize ['sɪŋkrətaɪz] *v* *филос.* пытáться сочетáть разнорóдные, противоречúвые, несовместúмые воззрéния

syncro-mesh [,sɪŋkrəʊ'meʃ] *n* 1) *авто* синхронизáтор (*коробки передач*) 2) *тех.* синхронизúрующее приспособлéние

syndetic [sɪn'detɪk] *a грам.* сою́зный; соединúтельный; ~ word сою́зное слóво

syndic ['sɪndɪk] *n* 1) сúндик; член магистрáта 2) член сенáта Кéмбриджского университéта

syndicalism ['sɪndɪkəlɪzəm] *n* синдикалúзм

syndicalist ['sɪndɪkəlɪst] *n* синдикалúст

syndicate 1. *n* ['sɪndɪkət] 1) синдикáт 2) агéнтство печáти, приобретáющее информáцию, статьú *и т. п.* и продаю́щее их различным газéтам для одновремéнной публикáции

2. *v* ['sɪndɪkeɪt] 1) объединять в синдикáты, синдицúровать 2) приобретáть информáцию *и пр.* [*см.* 1, 2)]

syndrome ['sɪndrəʊm] *n мед.* синдрóм, совокýпность симптóмов

syne [saɪn] *шотл.* = since

synecdoche [sɪ'nekdəkɪ] *n прос.* синéкдоха

sinergism ['sɪnədʒɪzəm] *n* синергúзм, взаúмное усилéние дéйствия (*лекарств*)

syngenesis [sɪn'dʒenəsɪs] *n* 1) *биол.* половóе размножéние 2) *геол.* сингенéз

synod ['sɪnəd] *n* 1) собóр духовéнства; синóд 2) съезд, совéт

synonym ['sɪnənɪm] *n* синóним

synonymic [,sɪnə'nɪmɪk] = synonymous

synonymous [sɪ'nɒnəməs] *a* синонимúческий, синонимúчный

synonymy [sɪ'nɒnəmɪ] *n* 1) синонимúчность 2) синонúмика

synopses [sɪ'nɒpsi:z] *pl om* synopsis

synopsis [sɪ'nɒpsɪs] *n* (*pl* -ses) конспéкт, крáткий обзóр; синóпсис

synoptic(al) [sɪ'nɒptɪk(l)] *a* синоптúческий, обзóрный

syntactic(al) [sɪn'tæktɪk(l)] *a* синтаксúческий

syntax ['sɪntæks] *n* сúнтаксис

syntheses ['sɪnθəsi:z] *pl om* synthesis

synthesis ['sɪnθəsɪs] *n* (*pl* -ses) сúнтез

synthesizer ['sɪnθəsaɪzə] *n тех.* синтезáтор

synthetic(al) [sɪn'θetɪk(l)] *a* 1) *лингв., хим.* синтетúческий 2) искýсственный; ~ silk искýсственный шёлк

synthetics [sɪn'θetɪks] *n pl* синтетúческие материáлы, синтéтика

syntonize ['sɪntənaɪz] *v радио* настрáивать в тон, на волнý

syphilis ['sɪfəlɪz] *n* сúфилис

syphilitic [,sɪfə'lɪtɪk] *a* сифилитúческий

syphon ['saɪfn] = siphon

syren ['saɪrən] = siren

Syrian ['sɪrɪən] 1. *a* сирúйский

2. *n* сирúец; сирúйка

syringe [sɪ'rɪndʒ] 1. *n* 1) шприц; спринцóвка; hypodermic ~ шприц для подкóжных впры́скиваний 2) пожáрный насóс 3) опры́скиватель

2. *v* спринцевáть; впры́скивать, вводúть посрéдством шприца

syringes I [sɪ'rɪndʒɪz] *pl om* syringe 1

syringes II [sɪ'rɪndʒi:z] *pl om* syrinx

syringitis [,sɪrɪn'dʒaɪtɪs] *n мед.* воспалéние евстáхиевой трубы́

syrinx ['sɪrɪŋks] *n* (*pl* -es [-ɪz], -inges) 1) свирéль (Пáна); флéйта 2) нúжняя гортáнь пéвчих птиц 3) *анат.* евстáхиева трубá 4) *мед.* фúстула, свищ

syrup ['sɪrəp] *n* 1) сирóп 2) очúщенная пáтока; golden ~ свéтлая пáтока

systaltic [sɪ'stæltɪk] *a физиол.* поперемéнно расширя́ющийся и сокращáющийся; пульсúрующий

system ['sɪstəm] *n* 1) систéма, устрóйство; political ~ государственный строй

2) сеть (*дорог и т. п.*) 3) органи́зм 4) систе́ма; ме́тод; ~ of axes систе́ма координа́т; what ~ do you go on? како́му ме́тоду вы сле́дуете? 5) мир, вселе́нная 6) *геол.* систе́ма, форма́ция <> to get a thing out of one's ~ избавиться от навя́зчивой иде́и, беспоко́йства

systematic(al) [ˌsɪstəˈmætɪk(l)] *a* 1) системати́ческий 2) методи́чный

systematize [ˈsɪstəmətaɪz] *a* 1) систематизи́ровать 2) приводи́ть в поря́док

systemic [sɪˈsti:mɪk] *a физиол.* системати́ческий; относя́щийся ко всему́ органи́зму; сомати́ческий

systole [ˈsɪstəlɪ] *n физиол.* си́стола

syzygy [ˈsɪzədʒɪ] *n астр.* сизи́гия

T

T, t [ti:] *n* (*pl* Ts, T's [ti:z]) *20-я буква англ. алфавита* ◇ to mark with a T *ист.* выжига́ть во́ру клеймо́ в ви́де бу́квы T (*по первой букве слова* thief); to cross the T's *перен.* ≅ ста́вить то́чку над i; (right) to a T в соверше́нстве; то́чь-в-то́чь; как раз; в то́чности

T- [ti:-] *в сложных словах, обозначающих предметы, имеющие форму буквы T, напр.*: T-beam тавро́вая ба́лка; T-square рейсши́на

't [t] *сокр. разг.* = it *в сочетаниях* 'tis, 'twas, on't *и т. п.*

tab [tæb] **1.** *n* 1) ве́шалка; пе́телька; ушко́ (*сапога*) 2) наконе́чник (*шнурка для обуви*) 3) *амер. разг.* счёт; чек 4) петли́ца (*на воротнике*); red ~ *разг.* штабно́й офице́р, штаби́ст 5) учёт; to keep (a) ~ on smth., to keep ~s on smth. а) вести́ учёт чего́-л.; б) *перен.* следи́ть за чем-л. 6) *ав.* три́ммер

2. *v* 1) пришива́ть ве́шалку, пе́тельку *и т. п.* 2) обознача́ть; называ́ть 3) своди́ть в табли́цы; располага́ть в ви́де табли́ц, диагра́мм

tabard ['tæbɑ:d] *n ист.* 1) плащ, носи́мый ры́царями пове́рх лат 2) камзо́л геро́льда

tabby ['tæbɪ] *n* 1) полоса́тая ко́шка 2) муа́р 3) ста́рая де́ва 4) зла́я спле́тница 5) земляно́й бето́н

tabernacle ['tæbənækl] *n* 1) шатёр, пала́тка 2) сосу́д, челове́к (*как вместилище души*) 3) храм; моле́льня 4) *церк.* дарохрани́тельница 5) *церк.* ра́ка 6) *библ.* ски́ния ◇ Feast of Tabernacles пра́здник ку́щей

tabes ['teɪbi:z] *n мед.* та́бес, сухо́тка спинно́го мо́зга

tabescence [tə'besns] *n мед.* исхуда́ние, истоще́ние

tabetic [tə'betɪk] *мед.* **1.** *n* табе́тик

2. *a* страда́ющий та́бесом

table ['teɪbl] **1.** *n* 1) стол; to be (*или* to sit) at ~ быть за столо́м, обе́дать *и т. п.* 2) пи́ща, стол; еда́, ку́хня; to keep a good ~ име́ть хоро́шую ку́хню; хорошо́ гото́вить; unfit for ~ несъедо́бный 3) о́бщество за столо́м; to keep the ~ amused развлека́ть госте́й за столо́м 4) табли́ца; расписа́ние; та́бель; ~ of contents оглавле́ние 5) *тех.* стол (*станка*); планша́йба; рольга́нг 6) плита́; доще́чка; на́дпись на плите́, доще́чке; скрижа́ль; the ten ~s *библ.* де́сять за́поведей 7) го́рное плато́, плоского́рье (*тж.* ~ land) 8) *архит.* карни́з 9) грань (драгоце́нного ка́мня) 10) доска́ (*тж. для настольных игр*) 11) пло́ская пове́рхность 12) *attr.* столо́вый ◇ to lay on the ~ *парл.* отложи́ть обсужде́ние (*законопроекта*); to lie (up) on the ~ *парл.* быть отло́женным, не обсужда́ться (*о законопроекте*); on the ~ публи́чно обсужда́емый; общеизве́стный; to take from the ~ *амер.* верну́ться к обсужде́нию (*законопроекта*); to turn the ~s on (*или* upon) smb. бить проти́вника его́ же ору́жием; поменя́ться роля́ми; under the ~ «под столо́м», пья́ный

2. *v* 1) предлага́ть, выноси́ть на обсужде́ние 2) откла́дывать в до́лгий я́щик, положи́ть под сукно́ 3) *мор.* укрепля́ть па́рус широ́ким рубцо́м 4) класть на стол 5) составля́ть табли́цы, расписа́ние

tableau ['tæbləʊ] *фр. n* (*pl* -aux) 1) живопи́сная карти́на, я́ркое изображе́ние 2) жива́я карти́на (*тж.* ~ vivant) 3) неожи́данная сце́на 4) *attr.*: ~ curtains *театр.* раздвижно́й за́навес

tableaux ['tæbləʊz] *pl от* tableau

table-beer ['teɪbl,bɪə] *n* столо́вое пи́во

table-book ['teɪblbʊk] *n* 1) хорошо́ и́зданная кни́га с иллюстра́циями (*лежащая обычно на виду в гостиной*) 2) сбо́рник табли́ц *и т. п.*

tablecloth ['teɪblklɒθ] *n* ска́терть

table-cover ['teɪbl,kʌvə] *n* наря́дная ска́терть

table d'hôte [,tɑ:bl'dəʊt] *n* табльдо́т

table-flap ['teɪblflæp] *n* откидна́я доска́ стола́

tableful ['teɪblfʊl] *n* 1) по́лный стол (*угощений*) 2) по́лный стол госте́й, засто́лье

table-knife ['teɪblnaɪf] *n* столо́вый нож

tableland ['teɪbllænd] *n* плоского́рье, плато́

table-leaf ['teɪblli:f] *n* 1) вкладна́я доска́ раздвижно́го стола́ 2) = table-flap

table-lifting ['teɪbl,lɪftɪŋ] *n* столоверче́ние, спирити́зм

table linen ['teɪbl,lɪnɪn] *n* столо́вое бельё

tableman ['teɪblmən] *n* та́бельщик

tablemat ['teɪblmæt] *n* (теплоизоли́рующая) подста́вка (*под чайник и т. п.*)

table-money ['teɪbl,mʌnɪ] *n воен.* столо́вые де́ньги

table-napkin ['teɪbl,næpkɪn] *n* салфе́тка

tablespoon ['teɪblspu:n] *n* столо́вая ло́жка

table-stone ['teɪblstəʊn] *n археол.* дольме́н

tablet ['tæblət] *n* 1) табле́тка 2) кусо́к (*мыла и т. п.*) 3) доще́чка (*с надписью*) 4) *амер.* блокно́т

table talk ['teɪbltɔ:k] *n* засто́льная бесе́да

table tennis ['teɪbl,tenɪs] *n* насто́льный те́ннис

tableware ['teɪblweə] *n* посу́да, ви́лки, ло́жки *и т. п.*

table-water ['teɪbl,wɔ:tə] *n* минера́льная вода́ (*для стола*)

table-work ['teɪblwɜ:k] *n полигр.* табли́чный набо́р

tabloid ['tæblɔɪd] **1.** *n* 1) малоформа́тная газе́та со сжа́тым те́кстом и больши́м коли́чеством иллюстра́ций 2) резюме́, конспе́кт, кра́ткий обзо́р 3) табле́тка 4) бульва́рная газе́та

2. *a* 1) сжа́тый; in ~ form а) в сжа́том ви́де; б) в фо́рме табле́тки 2) бульва́рный, низкопро́бный; ~ press бульва́рная пре́сса

taboo [tə'bu:] **1.** *n* табу́; запреще́ние, запре́т

2. *a* 1) непеча́тный, непристо́йный (*о слове*) 2) запре́тный, запрещённый 3) свяще́нный

3. *v* подверга́ть табу́; бойкоти́ровать; запреща́ть

tabor ['teɪbə] *n* ма́ленький бараба́н

tabouret ['tæbərɪt] *n* 1) скаме́ечка, табуре́т 2) пя́льцы

tabu [tə'bu:] = taboo

tabular ['tæbjʊlə] *a* 1) в ви́де табли́ц, табли́чный 2) име́ющий пло́скую фо́рму *или* пове́рхность 3) пласти́нчатый, сло́истый

tabulate ['tæbjʊleɪt] **1.** *v* 1) своди́ть в табли́цы 2) придава́ть пло́скую пове́рхность

2. *a* пло́ский; пласти́нчатый

tabulation [,tæbjʊ'leɪʃn] *n* составле́ние табли́ц, сведе́ние в табли́цы

tabulator ['tæbjʊleɪtə] *n* 1) тот, кто составля́ет табли́цы 2) табуля́тор

tachometer [tæ'kɒmɪtə] *n тех.* тахо́метр

tacit ['tæsɪt] *a* 1) не вы́раженный слова́ми; подразумева́емый 2) молчали́вый

taciturn ['tæsɪtɜ:n] *a* молчали́вый, неразгово́рчивый

taciturnity [,tæsɪ'tɜ:nətɪ] *n* молчали́вость, неразгово́рчивость

tack I [tæk] **1.** *n* 1) гво́здик с широ́кой шля́пкой 2) *амер.* чертёжная *или* канцеля́рская кно́пка 3) стежо́к (*особ. при намётке*); *pl* намётка (*при шитье*) 4) *мор.* галс 5) курс, полити́ческая ли́ния; to take a wrong (right) ~ взять непра́вильный (пра́вильный) курс 6) ли́пкость, кле́йкость

2. *v* 1) прикрепля́ть гво́здиками, кно́пками (*часто* ~ down) 2) смётывать на живу́ю ни́тку (*тж. перен.*); примётывать (to) 3) добавля́ть, присоединя́ть (to, on to); *парл.* внести́ попра́вку в законопрое́кт 4) *мор.* повора́чивать на друго́й галс 5) измени́ть ли́нию поведе́ния; измени́ть мне́ние; меня́ть полити́ческий курс ▭ ~ **about** *мор.* де́лать поворо́т овершта́г

tack II [tæk] *n разг.* пи́ща; прови́зия; hard ~ морско́й суха́рь; soft ~ хлеб

tackle ['tækl] **1.** *n* 1) принадле́жности, инструме́нт; обору́дование; снаряже́ние 2) *мор.* такела́ж; та́ли 3) *тех.* полиспа́ст 4) игро́к, отбира́ющий мяч (*в футболе и т. п.*)

2. *v* 1) энерги́чно бра́ться (*за что-л.*); би́ться (*над чем-л.*); we ~d the cold beef мы набро́сились на холо́дную говя́дину; to ~ the problem взя́ться за де́ло, за реше́ние зада́чи 2) пыта́ться убеди́ть (*кого-л.*) 3) перехва́тывать, отбира́ть (*мяч в футболе и т. п.*) 4) закрепля́ть сна́стями 5) схвати́ть, пыта́ться удержа́ть

tacky I ['tækɪ] *a* ли́пкий

tacky II ['tækɪ] *a* (*обыкн. амер.*) *разг.* 1) бро́ский, крича́щий; аляпова́тый 2) ве́тхий, обша́рпанный

tact [tækt] *n* такт, такти́чность

tactful ['tæktfl] *a* такти́чный

tactical ['tæktɪkl] *a* 1) *воен.* такти́ческий; боево́й; ~ efficiency а) боева́я гото́вность; б) такти́ческие да́нные 2) ло́вкий, расчётливый

tactician [tæk'tɪʃn] *n* та́ктик

tactics ['tæktɪks] *n pl* (*употр. как sing и как pl*) та́ктика

tactile ['tæktaɪl] *a* 1) осяза́тельный 2) ощути́мый, осяза́емый

tactless ['tæktləs] *a* беста́ктный

tactual ['tæktʃʊəl] *a* осяза́тельный

tad I [tæd] *n амер. разг.* ка́пелька, чу́точка; a too ~ salty чуть-чу́ть пересо́лено

tad II [tæd] *n амер.* ребёнок

tadpole ['tædpəʊl] *n* голова́стик

Tadzhik [tɑː'dʒiːk] **1.** *a* таджи́кский

2. *n* 1) таджи́к; таджи́чка; the ~(s) *pl собир.* таджи́ки 2) таджи́кский язы́к

ta'en [teɪn] *поэт. см.* taken

taffeta ['tæfɪtə] *n* тафта́

Taffy ['tæfɪ] *n разг., часто презр.* валли́ец

taffy ['tæfɪ] *n амер.* 1) = toffee 2) лесть

tag [tæg] **1.** *n* 1) ярлы́к (*тж. перен.*); этике́тка; би́рка 2) металли́ческий наконе́чник на шнурке́ 3) пе́тля, ушко́ 4) свобо́дный, болта́ющийся коне́ц 5) заключи́тельные слова́ ре́чи, моноло́га; слова́, произнесённые под за́навес 6) изби́тая фра́за, цита́та 7) рефре́н 8) припе́в 9) заключе́ние, эпило́г; мора́ль (*басни и т. п.*) 10) игра́ в са́лки, в пятна́шки 11) коне́ц *или* заключи́тельная часть

2. *v* 1) прикрепля́ть ярлы́к, снабжа́ть ярлыко́м (*тж. перен.*) 2) *разг.* сле́довать по пята́м (after — за) 3) соединя́ть (*что-л.*); свя́зывать; скрепля́ть 4) добавля́ть, прилага́ть (*к книге, документу и т. п.*) 5) назнача́ть це́ну

tag day ['tægdeɪ] *n амер.* день сбо́ра средств, поже́ртвований (*в какой-л. фонд*)

tagged [tægd] **1.** *p. p. от* tag 2

2. *a* 1) снабжённый ярлыко́м, этике́ткой 2) *физ.* ме́ченый; ~ atoms ме́ченые а́томы

tagger ['tægə] *n* 1) водя́щий (*в салках*) 2) *pl* (о́чень) то́нкие листы́ желе́за

taiga ['taɪgə] *русск. n* тайга́

tail I [teɪl] **1.** *n* 1) хвост; at the ~ of smb., close on smb.'s ~ сле́дом, по пята́м за кем-л. 2) коса́, коси́чка 3) ни́жняя за́дняя часть, оконе́чность; ~ of a cart задо́к теле́ги; ~ of one's eye вне́шний у́гол гла́за; out of (*или* with) the ~ of one's eye укра́дкой, уголко́м гла́за 4) сви́та 5) о́чередь, «хвост» 6) *ав.* хвостово́е опере́ние, хвост 7) ме́нее влия́тельная часть (*политической партии*); бо́лее сла́бая часть (*спортивной команды*) 8) пола́, фа́лда; *pl разг.* фрак; to go into ~s нача́ть носи́ть оде́жду взро́слых (*о мальчиках*) 9) обра́тная сторона́ моне́ты 10) *разг.* сы́щик 11) *полигр.* ни́жний обре́з страни́цы 12) коне́ц, заключи́тельная часть (*чего-л.*) 13) *pl* отбро́сы, оста́тки 14) *pl sl.* зад 15) *attr.* за́дний; хвостово́й ◇ with one's ~ up весёлый; в хоро́шем настрое́нии; to turn one's ~ дать стрекача́, удра́ть, убежа́ть (*струсив*); with one's ~ between the legs поджа́в хвост, стру́сив

2. *v* 1) острига́ть хво́стики плодо́в, я́год 2) *разг.* идти́ сле́дом; высле́живать 3) снабжа́ть хвосто́м 4) отруба́ть *или* подреза́ть хвост 5) тяну́ться дли́нной ле́нтой (*о процессии и т. п.*) ▭ ~ **after** неотсту́пно сле́довать за *кем-л.*; тащи́ться за *кем-л.*; ~ **away** = ~ off; ~ **off** а) постепе́нно уменьша́ться; исчеза́ть вдали́; б) убыва́ть; затиха́ть, замира́ть; рассе́иваться; в) отстава́ть

tail II [teɪl] *юр.* **1.** *n* запове́дное иму́щество, уре́занная со́бственность (*ограниченная в прорядке наследования и отчуждения*); ~ male (female) то́лько по мужско́й (же́нской) ли́нии

2. *a* ограни́ченный определённым усло́вием при переда́че по насле́дству

tailboard ['teɪlbɔːd] *n* откидно́й задо́к (*телеги*); откидно́й борт (*грузовика*)

tailcoat [,teɪl'kəʊt] *n* фрак

tail-end ['teɪlend] *n* 1) коне́ц; хвост (*процессии*) 2) заключи́тельная часть (*чего-л.*)

tailings ['teɪlɪŋz] *n pl* 1) оста́тки; отбро́сы 2) *метал.* хвосты́, шлам 3) *с.-х.* схо́ды с си́та, недомоло́ченные коло́сья

tail-lamp ['teɪllæmp] = taillight

tailless ['teɪlləs] *a* бесхво́стый

taillight ['teɪllaɪt] *n амер.* 1) *ж.-д.* бу́ферный фона́рь (*красный*) 2) *авто* за́дний фона́рь 3) *ав.* хвостово́й ого́нь

tailor ['teɪlə] **1.** *n* портно́й ◇ the ~ makes the man *посл.* челове́ка де́лает портно́й; оде́жда кра́сит челове́ка

2. *v* 1) шить, быть портны́м 2) специа́льно приспоса́бливать (*для определённой цели, для чьих-л. нужд, вкусов*) 3) шить на кого́-л. 4) выде́рживать в сти́ле мужско́й оде́жды (*о строгой женской одежде*)

tailored [,teɪləd] **1.** *p. p. от* tailor 2

2. *a* 1) сде́ланный портны́м; a faultlessly ~ man безупре́чно оде́тый челове́к 2) сде́ланный на зака́з 3) вы́полненный в стро́гом сти́ле (*о женской одежде*) 4) офо́рмленный в стро́гом сти́ле

tailoring ['teɪlərɪŋ] **1.** *pres. p. от* tailor 2

2. *n* портня́жное де́ло, шитьё оде́жды

tailor-made [,teɪlə'meɪd] **1.** *a* 1) мужско́го покро́я (*особ. о строгой женской одежде*) 2) специа́льно пригото́вленный, сде́ланный по зака́зу; приспосо́бленный (*для определённой цели*); a score ~ for radio му́зыка, напи́санная по зака́зу ра́дио 3) фабри́чного произво́дства; маши́нной наби́вки (*о сигарете*)

2. *n разг.* сигаре́та *или* папиро́са фабри́чного произво́дства

tailpiece ['teɪlpiːs] *n* 1) за́дний коне́ц, хвостова́я часть (*чего-л.*) 2) *полигр.* конце́вка 3) струнодержа́тель (*у скрипки*)

tailpipe ['teɪlpaɪp] *n* выхлопна́я труба́

tailplane ['teɪlpleɪn] *n ав.* хвостово́й стабилиза́тор; хвостово́е опере́ние

tail-slide ['teɪlslaɪd] *n ав.* скольже́ние на хвост

tailspin ['teɪlspɪn] *n* 1) *ав.* норма́льный што́пор 2) *ав.* неуправля́емый што́пор 3) ре́зкий спад в эконо́мике

tail wind ['teɪlwɪnd] *n* попу́тный ве́тер

tain [teɪn] *n* оловя́нная амальга́ма

taint [teɪnt] **1.** *n* 1) пятно́, позо́р 2) налёт, при́месь (*чего-л. нежелательного, неприятного*) 3) зара́за; испо́рченность 4) боле́знь в скры́том состоя́нии

2. *v* заража́ть(ся); по́ртить(ся)

tainted ['teɪntɪd] **1.** *p. p. от* taint 2

2. *a* испо́рченный

taintless ['teɪntləs] *a* безупре́чный

take [teɪk] **1.** *v* (took; taken) 1) брать 2) взять, захвати́ть; to ~ prisoner взять в плен; to ~ in charge арестова́ть 3) снима́ть (*квартиру, дачу и т. п.*) 4) по́льзоваться (*транспортом*); испо́льзовать (*средства передвижения*); to ~ a train (a bus) сесть в по́езд (в авто́бус); е́хать по́ездом (авто́бусом) 5) выпи́сывать; получа́ть регуля́рно (*тж.* ~ in); I ~ a newspaper and two magazines я получа́ю газе́ту и два журна́ла 6) получи́ть; вы́играть; to ~ a prize получи́ть приз 7) занима́ть, отнима́ть (*место, время*; *тж.* ~ up); тре́бовать (*терпения, храбрости и т. п.*); it will ~ two hours to translate this article перево́д э́той статьи́ займёт два часа́; he took half an hour over his dinner обе́д о́тнял у него́ полчаса́ 8) потребля́ть; принима́ть внутрь, глота́ть; to ~ wine пить вино́ 9) возде́йствовать, ока́зывать де́йствие; the vaccination did not ~ о́спа не привила́сь 10) доставля́ть (*куда-л*); брать с собо́й; сопровожда́ть; провожа́ть; to ~ smb. home провожа́ть кого́-л. домо́й; I'll ~ her to the theatre я поведу́ её в теа́тр 11) заболе́ть; зарази́ться; I ~

cold easily я легко́ простужа́юсь; to be ~n ill заболе́ть 12) измеря́ть; to ~ measurements снима́ть ме́рку 13) полага́ть, счита́ть; понима́ть; you were late, I ~ it вы опозда́ли, на́до полага́ть; do you ~ me? *разг.* вы меня́ понима́ете? 14) воспринима́ть, реаги́ровать (*на что-л.*); относи́ться (*к чему-л.*); how did he ~ it? как он отнёсся к э́тому?; to ~ coolly относи́ться хладнокро́вно 15) принима́ть, соглаша́ться (*на что-л.*); to ~ an offer приня́ть предложе́ние; they will not ~ such treatment они́ не поте́рпят тако́го обраще́ния 16) отнима́ть, вычита́ть (*тж.* ~ off; from) 17) преодолева́ть; брать препя́тствие; the horse took the hedge easily ло́шадь легко́ взяла́ препя́тствие 18) фотографи́ровать; изобража́ть; рисова́ть 19) выходи́ть на фотогра́фии; he does not ~ well он пло́хо выхо́дит на фотогра́фии 20) овладе́ть (*женщиной*) 21) быть очаро́ванным (by, with) 22) лови́ть; to ~ fish лови́ть ры́бу; to ~ in the act (of) заста́ть на ме́сте преступле́ния 23) достава́ть, добыва́ть; to ~ coal добыва́ть у́голь 24) выбира́ть (*путь, способ*); to ~ the shortest way вы́брать кратча́йший путь 25) име́ть успе́х; нра́виться, увлека́ть; she took his fancy она́ завладе́ла его́ воображе́нием; the play didn't ~ пье́са не име́ла успе́ха 26) подверга́ться; поддава́ться (*обработке и т. п.*) 27) уноси́ть (*жизни*); the flood took many lives во вре́мя наводне́ния поги́бло мно́го люде́й 28) *тех.* тверде́ть, схва́тываться (*о цементе и т. п.*) 29) *образует с рядом конкретных и абстрактных существительных фразовые глаголы:* to ~ action де́йствовать; принима́ть ме́ры; to ~ part уча́ствовать, принима́ть уча́стие; to ~ effect вступи́ть в си́лу; возыме́ть де́йствие; to ~ leave уходи́ть; проща́ться (of); to ~ notice замеча́ть; to ~ a holiday отдыха́ть; to ~ a breath вдохну́ть; перевести́ дыха́ние; to ~ root укореня́ться; to ~ vote голосова́ть; to ~ offence обижа́ться; to ~ pity on smb. сжа́литься над кем-л.; to ~ place случа́ться; to ~ shelter укры́ться; to ~ a shot вы́стрелить; to ~ steps принима́ть ме́ры; to ~ a step шагну́ть; to ~ a tan загоре́ть ▭ ~ **aback** захвати́ть враспло́х; порази́ть, ошеломи́ть; ~ **after** походи́ть на *кого-л.*; ~ **apart** а) разбира́ть на ча́сти; б) *разг.* разби́ть в пух и прах; ~ **away** а) удаля́ть; б) уноси́ть; уводи́ть; забира́ть; в) вычита́ть; г) отнима́ть; ~ **back** а) брать обра́тно (*свои слова и т. п.*); б) отводи́ть; отвози́ть; относи́ть; в) напомина́ть (*прошлое*); ~ **down** а) запи́сывать; б) сноси́ть, разруша́ть; в) разбира́ть (*машину и т. п.*); г) снима́ть (*со стены, полки и т. п.*).; д) *полигр.* разбира́ть (*набор*); е) унижа́ть; сбива́ть спесь (*с кого-л.*); ж) прогла́тывать; з) снижа́ть (*цену*); ~ **for** принима́ть за; ~ **in** а) брать (*жильца; работу на дом и т. п.*); б) принима́ть го́стя; в) ушива́ть (*одежду*); г) поня́ть су́щность (*факта, довода*); д) обману́ть; to be ~n in быть обма́нутым; е) включа́ть, содержа́ть; ж) *разг.* посети́ть, побыва́ть; осма́тривать (*достопримечательности*); to ~ in a movie пойти́ в кино́; з) убира́ть (*паруса*); и) регуля́рно покупа́ть (*газету и т. п.*); к) занима́ть (*территорию*); л) пове́рить (*ложным заявлениям*); м) смотре́ть, ви́деть; ~ **off** а) снима́ть; to ~ smth. off one's hands изба́виться от чего́-л.; сбыть с рук; б) удаля́ть; в) уводи́ть (*кого-л. куда-л.*); г) вычита́ть; д) подража́ть; передра́знивать; е) *ав.* взлете́ть, оторва́ться от земли́ *или* воды́; ж) постепе́нно приобрета́ть популя́рность (*об идее и т. п.*); з) взять отгу́л; и) уменьша́ть(ся); потеря́ть (*в весе*); к) сбавля́ть (*цену*); л) уничтожа́ть, губи́ть, убива́ть; ~ **on** а) принима́ть на слу́жбу; б) брать (*работу*); в) ме́риться си́лами; принима́ть вы́зов; г) приобрета́ть (*новое значение и т. п.*); д) *разг.* си́льно волнова́ться, огорча́ться, расстра́иваться; е) *разг.* име́ть успе́х, станови́ться популя́рным; ж) *воен.* откры́ть ого́нь; ~ **out** а) вынима́ть; б) выводи́ть (*пятно*); в) выводи́ть на прогу́лку; г) брать (*патент*); д) пригласи́ть, повести́ (*в театр, ресторан*); е) выбира́ть, выпи́сывать (*цитаты*); ~ **over** а) вступа́ть во владе́ние (*вместо другого лица*); when did the government ~ over the railways in Great Britain? когда́ в Великобрита́нии бы́ли национализи́рованы желе́зные доро́ги?; б) принима́ть (*должность и т. п.*) от друго́го; в) перевози́ть на друго́й бе́рег; ~ **to** а) привяза́ться к *кому-л.*; пристрасти́ться к *чему-л.*; приобрести́ привы́чку; we took to him right away он нам сра́зу пришёлся по душе́; б) прибе́гнуть к *чему-л.*; to ~ to one's bed заболе́ть, слечь; ~ **up** а) бра́ться за *что-л.*; б) принима́ть под покрови́тельство; в) занима́ть, отнима́ть (*время, место и т. п.*); г) возвраща́ться к на́чатому; д) прерва́ть; одёрнуть; е) принима́ть (*предложение и т. п.*); ж) укора́чивать (*одежду*); з) поднима́ть; и) впи́тывать вла́гу; к) принима́ть (*пассажира*); л) аресто́вывать; м) обсужда́ть (*план и т. п.*); н): to ~ up with smb. *разг.* сближа́ться с кем-л.; о): I'll ~ you up on that ловлю́ вас на сло́ве; ~ **upon**: to ~ upon oneself брать на себя́ (*ответственность, обязательства*) ◇ to ~ it into one's head забра́ть себе́ в го́лову, возыме́ть жела́ние; to ~ it lying down безро́потно сноси́ть что́-л.; to ~ kindly to относи́ться доброжела́тельно; to ~ oneself off уходи́ть, уезжа́ть; to ~ the sea выходи́ть в мо́ре; пуска́ться в пла́вание; to ~ to the woods *амер.* уклоня́ться от свои́х обяза́нностей (*особ. от голосования*); ~ it from me ве́рьте мне; to ~ too much подвы́пить, хлебну́ть ли́шнего; to ~ the biscuit взять пе́рвый приз; ~ it or leave it как хоти́те; ли́бо да, ли́бо нет

2. *n* 1) захва́т, взя́тие 2) *кино* кинока́др; дубль 3) (*обыкн. амер.*) сбор (*театральный*) 4) бары́ши, вы́ручка 5) *полигр.* уро́к набо́рщика 6) уло́в (*рыбы*)

takedown [ˈteɪkdaʊn] **1.** *n* 1) *разг.* униже́ние 2) разбо́рка

2. *a* разбо́рный

take-home pay [ˈteɪkhəʊmpeɪ] *n* зарпла́та за вы́четом нало́гов; чи́стый за́работок

take-in [ˈteɪkɪn] *n* обма́н

taken [ˈteɪkən] *p. p. от* take 1

takeoff [ˈteɪkɒf] *n* 1) *ав.* подъём, взлёт; отры́в от земли́ 2) подража́ние; карикату́ра 3) ме́сто, с кото́рого произво́дится взлёт, отры́в от земли́

takeover [ˈteɪk,əʊvə] *n* 1) захва́т (*власти и т. п.*), овладе́ние 2) вступле́ние во владе́ние (*вместо прежнего владельца*)

taker [ˈteɪkə] *n* 1) беру́щий *и пр.* [*см.* take 1] 2) тот, кто принима́ет пари́ 3) тот, кто принима́ет предложе́ние; there were no ~s никто́ не при́нял э́то предложе́ние; ≅ никто́ на э́то не пошёл

taking [ˈteɪkɪŋ] **1.** *pres. p. от* take 1

2. *n* 1) *pl* бары́ши́ 2) захва́т 3) аре́ст 4) *уст.* волне́ние, беспоко́йство

3. *a* привлека́тельный, зама́нчивый

talari [ˈtɑ:lərɪ] *n* та́лари (*денежная единица Эфиопии*)

talc [tælk] **1.** *n мин.* тальк, жирови́к, стеати́т

2. *v* посыпа́ть, обраба́тывать та́льком

talcum [ˈtælkəm] = talc 1

talcum powder [ˈtælkəm,paʊdə] *n* тальк, гигиени́ческая пу́дра

tale [teɪl] *n* 1) расска́з; по́весть; a twice told ~ ста́рая исто́рия 2) (*часто pl*) вы́думки, ро́ссказни 3) спле́тня; to tell ~s спле́тничать; to tell ~s out of school ≅ выноси́ть сор из избы́ 4) *уст.* счёт, число́; коли́чество; the ~ is complete все в сбо́ре ◇ ~ of a tub вы́мысел, ска́зки, ба́сни

talebearer [ˈteɪl,beərə] *n* 1) спле́тник 2) я́бедник, доно́счик

talent [ˈtælənt] *n* 1) тала́нт 2) *собир.* тала́нтливые лю́ди 3) *ист.* тала́нт (*денежная и весовая единица*)

talented [ˈtæləntɪd] *a* тала́нтливый, одарённый

talentless [ˈtæləntləs] *a* безда́рный, лишённый тала́нта

tales [ˈteɪli:z] *лат. n pl юр.* 1) (*употр. как sing*) вы́зов запасны́х прися́жных заседа́телей для уча́стия в суде́бном заседа́нии 2) спи́сок запасны́х прися́жных

talesman [ˈteɪli:zmən] *n* запасно́й прися́жный заседа́тель

taleteller [ˈteɪl,telə] *n* 1) расска́зчик; вы́думщик 2) = talebearer

tali I, II [ˈteɪlaɪ] *pl от* talus I *и* II

taliped [ˈtælɪped] *a мед.* страда́ющий косола́постью

talipes [ˈtælɪpi:z] *n мед.* изуро́дованная стопа́; косола́пость

talipot [ˈtælɪpɒt] *n* ве́ерная па́льма

talisman [ˈtælɪzmən] *n* талисма́н

talk [tɔ:k] **1.** *n* 1) разгово́р; бесе́да; a heart-to-heart ~ разгово́р по душа́м; to fall into ~ разговори́ться 2) ле́кция, бесе́да 3) слу́хи, то́лки; предме́т разгово́ров, то́лков; it is the ~ of the town об э́том толку́ет весь го́род 4) *pl* перегово́ры 5) пусто́й разгово́р, болтовня́; it will end in ~ э́то да́льше разгово́ров не пойдёт 6) *attr.* говоря́щий; ~ film звуково́й фильм

2. *v* 1) говори́ть; разгова́ривать (about, of — о *чём-л.*; with — с *кем-л.*); to ~ English говори́ть по-англи́йски; to ~ oneself hoarse договори́ться до хрипоты́; to get oneself ~ed about заста́вить заговори́ть о себе́; to ~ politics говори́ть о поли́тике 2) болта́ть, говори́ть пусто́е 3) заговори́ть (*о допрашиваемом*) 4) сплетни́чать, распространя́ть слу́хи 5) чита́ть ле́кцию (on) 6) свя́зываться (*по радио*) ▭ ~ **at** говори́ть ду́рно о ком-л. в расчёте на то, что он э́то услы́шит; ~ **away** заговори́ться, заболта́ться; болта́ть без у́молку; ~ **back** возража́ть, дерзи́ть; ~ **down** а) перекрича́ть (*кого-л.*); заста́вить (*кого-л.*) замолча́ть; б): to ~ down to smb. говори́ть с кем-л. свысока́; ~ **into** уговори́ть, убеди́ть; to ~ smb. into doing smth. уговори́ть кого́-л. сде́лать что-л.; ~ **out** а) *парл.* затя́гивать пре́ния с тем, что́бы отсро́чить голосова́ние; б) исче́рпать те́му разгово́ра; в) вы́яснить что-л. в хо́де бесе́ды; ~ **out of** отговори́ть, разубеди́ть; to ~ smb. out of doing smth. отговори́ть кого́-л. от чего́-л.; ~ **over** а) обсуди́ть (подро́бно); б) убеди́ть; ~ **round** а) говори́ть простра́нно, не каса́ясь существа́ де́ла; б) переубеди́ть (*кого-л.*); ~ **to** выгова́ривать, брани́ть; ~ **up** а) хвали́ть, расхва́ливать; б) говори́ть пря́мо и открове́нно ◇ to ~ big (*или* large, tall) хва́стать, бахва́литься; to ~ against time а) говори́ть с це́лью вы́играть вре́мя; б) стара́ться уложи́ться в устано́вленное вре́мя (*об ораторе*); to ~ smb.'s head off, to ~ a donkey's hind leg off заговори́ть до́ смерти, how you ~! расска́зывай!, ври бо́льше!; to ~ turkey *амер.* а) говори́ть де́ло, разгова́ривать по-делово́му; б) говори́ть начистоту́; now you are ~ing! вот сейча́с ты говори́шь де́ло!; you can't ~ не тебе́ говори́ть, ты бы лу́чше пома́лкивал

talkathon [ˈtɔ:kəθɒn] *n разг.* чрезвыча́йно дли́нная речь *или* диску́ссия

talkative [ˈtɔ:kətɪv] *a* разгово́рчивый; словоохо́тливый

talker [ˈtɔ:kə] *n* 1) тот, кто говори́т 2) разгово́рчивый челове́к; болту́н 3) хоро́ший ора́тор ◇ good ~s are little doers *посл.* тот, кто мно́го говори́т, ма́ло де́лает

talkie [ˈtɔ:kɪ] *n* (*обыкн. амер.*) *разг.* звуково́е кино́

talking [ˈtɔ:kɪŋ] **1.** *pres. p. от* talk 2

2. *a* 1) говоря́щий; ~ film звуково́й фильм 2) разгово́рчивый 3) вырази́тельный; ~ eyes вырази́тельные глаза́ ◇ ~ of кста́ти о; ~ of food, what time is lunch? кста́ти о еде́, в кото́ром часу́ бу́дет ленч?

talking machine [ˈtɔ:kɪŋmə,ʃi:n] *n* граммофо́н; фоно́граф

talking shop [ˈtɔ:kɪŋʃɒp] *n презр.* говори́льня

talking-to [ˈtɔ:kɪŋtu:] *n разг.* вы́говор

talk show [ˈtɔ:kʃəʊ] *n* = chat show

tall [tɔ:l] *a* 1) высо́кий 2) *разг.* невероя́тный; чрезме́рный; a ~ story небыли́ца; a ~ order чрезме́рное тре́бование; тру́дная зада́ча 3) *разг.* хвастли́вый; ~ talk а) хвастовство́; б) преувеличе́ние

tallboy [ˈtɔ:lbɔɪ] *n* высо́кий комо́д

tall order [ˈtɔ:l,ɔ:də] *n* чрезме́рное тре́бование

tallow [ˈtæləʊ] **1.** *n* 1) жир, са́ло (*для свечей, мыла*) 2) колёсная мазь

2. *v* сма́зывать (*жиром*)

tallow-chandler [ˈtæləʊ,tʃɑ:ndlə] *n* торго́вец са́льными свеча́ми

tallow-face [ˈtæləʊfeɪs] *n* челове́к с бле́дным одутлова́тым лицо́м

tallowy [ˈtæləʊɪ] *a* 1) са́льный 2) жи́рный

tally [ˈtælɪ] **1.** *n* 1) би́рка; этике́тка, ярлы́к; квита́нция 2) ко́пия, дублика́т 3) счёт (*в игре*) 4) едини́ца счёта (*напр., десяток, дюжина, двадцать штук*)

2. *v* 1) подсчи́тывать (*часто* ~ up); *уст.* вести́ счёт по би́ркам 2) соотве́тствовать, совпада́ть (with) 3) прикрепля́ть ярлы́к

tally-ho [,tælɪˈhəʊ] **1.** *int охот.* ату́!

2. *v* нау́скивать соба́к

3. *n* больша́я каре́та, запряжённая четвёркой

tally-shop [ˈtælɪʃɒp] *n* магази́н, где това́ры продаю́тся в рассро́чку

tally trade [ˈtælɪtreɪd] *n* торго́вля в рассро́чку

talma [ˈtælmə] *фр. n* та́льма

Talmud [ˈtælmʊd] *n* Талму́д

talon [ˈtælən] *n* 1) (*обыкн. pl*) ко́готь; дли́нный но́готь 2) тало́н (*от квитанции, банковского билета*) 3) ка́рты, оста́вшиеся в коло́де по́сле сда́чи

taluk [tɑ:ˈlu:k] *инд. n* 1) нало́говый о́круг 2) насле́дственное име́ние

talus I [ˈteɪləs] *n* (*pl* -li) *анат.* тара́нная кость

talus II [ˈteɪləs] *n* 1) отко́с, скат 2) *геол.* о́сыпь, делю́вий

tamable [ˈteɪməbl] = tameable

tamarack [ˈtæməræk] *n бот.* ли́ственница америка́нская

tamarind [ˈtæmərɪnd] *n бот.* тамари́нд

tamarisk [ˈtæmərɪsk] *n бот.* тамари́ск

tambour [ˈtæmbʊə] **1.** *n* 1) бараба́н 2) кру́глые пя́льцы (*для вышивания*) 3) вы́шивка та́мбурным швом 4) *стр.* та́мбур

2. *v* выши́вать (*на пяльцах*)

tambourine [,tæmbəˈri:n] *n* тамбури́н, бу́бен

tame [teɪm] **1.** *a* 1) ручно́й; приручённый 2) ску́чный; неинтере́сный; бана́льный 3) поко́рный, пасси́вный 4) *амер. с.-х.* культу́рный, культиви́руемый (*о растении*)

2. *v* 1) приуча́ть, дрессирова́ть 2) смиря́ть 3) смягча́ть 4) де́лать неинтере́сным 5) культиви́ровать

tameable [ˈteɪməbl] *a* укроти́мый

tameless [ˈteɪmləs] *a* 1) ди́кий, неприру́чённый 2) неукроти́мый

tamer [ˈteɪmə] *n* укроти́тель; дрессиро́вщик

Tamil [ˈtæmɪl] **1.** *n* 1) тами́л 2) тами́льский язы́к

2. *a* тами́льский

Tamilian [təˈmɪlɪən] *a* тами́льский

Tammany [ˈtæmənɪ] *n амер.* 1) коррумпи́рованная полити́ческая организа́ция *или* гру́ппа 2) систе́ма по́дкупов в полити́ческой жи́зни 3) незави́симая организа́ция демократи́ческой па́ртии в Нью-Йо́рке

Tammany Hall [ˈtæmənɪhɔ:l] *n амер.* 1) штаб демократи́ческой па́ртии в Нью-Йо́рке 2) = Tammany 1)

tammy I [ˈtæmɪ] = tam-o'-shanter

tammy II [ˈtæmɪ] *n* цеди́лка, си́то (*из ткани*)

tam-o'-shanter [,tæməˈʃæntə] *n* шотла́ндский бере́т

tamp [tæmp] *v* 1) *горн.* забива́ть шпур гли́ной *и т. п.* 2) *ж.-д.* подбива́ть 3) набива́ть 4) трамбова́ть

tampan [ˈtæmpæn] *n* южноафрика́нский ядови́тый клещ

Tampax [ˈtæmpæks] *n* та́мпакс (*женский гигиенический тампон*)

tamper I [ˈtæmpə] *v* 1) вме́шиваться; сова́ться во что-л. (with) 2) подкупа́ть, ока́зывать та́йное давле́ние (with) 3) тро́гать, по́ртить; somebody had ~ed with the lock кто́-то пыта́лся откры́ть замо́к 4) искажа́ть, подде́лывать (*что-л. в документе*; with)

tamper II [ˈtæmpə] *n* трамбо́вка; пест

tampion [ˈtæmpɪən] *n* заты́чка, вту́лка

tampon [ˈtæmpɒn] *мед.* **1.** *n* тампо́н

2. *v* вставля́ть тампо́н

tamtam [ˈtæmtæm] = tomtom

tan [tæn] **1.** *n* 1) зага́р 2) желтова́то-кори́чневый цвет 3) дуби́льная кора́

2. *a* желтова́то-кори́чневый

3. *v* 1) загора́ть 2) обжига́ть ко́жу (*о солнце*) 3) дуби́ть (*кожу*) 4) *sl.* дуба́сить; to ~ smb.'s hide отдуба́сить, исполосова́ть кого́-л.

tandem [ˈtændəm] **1.** *n* 1) та́нде́м (*велосипед для двоих или троих*) 2) та́нде́м, расположе́ние гусько́м 3) упря́жка цу́гом

2. *adv* цу́гом, гусько́м

tang I [tæŋ] *n* 1) ре́зкий при́вкус; о́стрый за́пах 2) характе́рная черта́, осо́бенность 3) хвост, хвостови́к (*инструментов, имеющих деревянную ручку*)

tang II [tæŋ] **1.** *n* звон

2. *v* 1) звене́ть; гро́мко звуча́ть 2) звони́ть

tangent [ˈtændʒənt] **1.** *n* 1) *мат.* каса́тельная 2) *мат.* та́нгенс 3) *амер. разг.* прямо́й уча́сток железнодоро́жного пути́ ◇ to fly (*или* to go) off at (*или* on) a ~ внеза́пно отклони́ться (*от темы и т. п.*); сорва́ться, стра́нно себя́ повести́

2. *a мат.* каса́тельный

tangential [tænˈdʒenʃl] *a* 1) *мат.* напра́вленный по каса́тельной к да́нной криво́й 2) *мат.* тангенциа́льный 3) отклоня́ющийся (*от темы и т. п.*)

Tangerine [,tændʒəˈri:n] *n* уроже́нец Танже́ра

tangerine [ˌtændʒəˈriːn] *n* 1) мандари́н (*плод*) 2) ора́нжевый цвет

tangibility [ˌtændʒəˈbɪlətɪ] *n* 1) осяза́емость 2) реа́льность

tangible [ˈtændʒəbl] 1. *a* 1) осяза́емый, материа́льный 2) я́сный; ощути́мый, заме́тный; реа́льный

2. *n pl* не́что ощути́мое, реа́льное, осяза́емое

tangle [ˈtæŋgl] 1. *n* 1) спу́танный клубо́к 2) сплете́ние, пу́таница, неразбери́ха; in a ~ запу́танный 3) дра́га для иссле́дования морско́го дна 4) конфли́кт, ссо́ра; to get into a ~ with smb. повздо́рить, поссо́риться с кем-л.

2. *v* запу́тывать(ся), усложня́ть(ся)

tangly [ˈtæŋglɪ] *a* запу́танный

tango [ˈtæŋgəʊ] *n* (*pl* -os [-əʊz]) та́нго

tangy [ˈtæŋɪ] *a* о́стрый, ре́зкий (*о привкусе, запахе*)

tank I [tæŋk] 1. *n* 1) цисте́рна, бак, резервуа́р 2) иску́сственный *или* есте́ственный водоём 3) *радио* колеба́тельный ко́нтур

2. *v* 1) налива́ть в бак 2) сохраня́ть в ба́ке; обраба́тывать в ба́ке

tank II [tæŋk] *n* 1) танк 2) *attr.* та́нковый; ~ destroyer самохо́дное противота́нковое ору́дие

tankage [ˈtæŋkɪdʒ] *n* 1) ёмкость цисте́рны, ба́ка *и т. п.* 2) хране́ние в цисте́рнах *и т. п.* 3) пла́та за хране́ние в цисте́рнах 4) оса́док в ба́ке 5) отбро́сы бо́ен, иду́щие на удобре́ние (*мясокостная мука*)

tankard [ˈtæŋkəd] *n* высо́кая пивна́я кру́жка (*часто с крышкой*) ◇ cold (*или* cool) ~ прохлади́тельный напи́ток (*из вина, воды и лимонного сока*)

tank-borne [ˈtæŋkbɔːn] *a*: ~ infantry пехо́та, поса́женная на та́нки

tank-car [ˈtæŋkkɑː] *n* 1) *ж.-д* цисте́рна 2) автоцисте́рна

tanked [tæŋkt] 1. *p. p. от* tank I, 2

2. *a амер. sl.* пья́ный

tank engine [ˈtæŋkˌendʒɪn] *n* парово́з без те́ндера, танк-парово́з

tanker I [ˈtæŋkə] *n* 1) та́нкер, наливно́е су́дно 2) цисте́рна 3) самолёт-запра́вщик

tanker II [ˈtæŋkə] *n амер. воен.* танки́ст

tank top [ˈtæŋktɒp] *n* фуфа́йка-безрука́вка, *обыкн.* с кру́глым вы́резом

tanner I [ˈtænə] *n* дуби́льщик

tanner II [ˈtænə] *n ист. sl.* моне́та в 6 пе́нсов

tannery [ˈtænərɪ] *n* коже́венный заво́д, сыромя́тня

tannic [ˈtænɪk] *a* дуби́льный; ~ acid дуби́льная кислота́

tannin [ˈtænɪn] *n* тани́н

tansy [ˈtænzɪ] *n бот.* пи́жма

tantalize [ˈtæntəlaɪz] *v* подверга́ть танта́ловым му́кам, дразни́ть ло́жными наде́ждами

tantalum [ˈtæntələm] *n хим.* танта́л

Tantalus [ˈtæntələs] *n греч. миф.* Танта́л

tantalus [ˈtæntələs] *n* подста́вка для графи́нов с вино́м (*из которой их нельзя вынуть без ключа*)

tantamount [ˈtæntəmaʊnt] *a* равноси́льный, равноце́нный (to)

tantivy [tænˈtɪvɪ] 1. *n уст.* бы́стрый гало́п

2. *a уст.* бы́стрый

3. *adv* вскачь

tantrum [ˈtæntrəm] *n* вспы́шка раздраже́ния; to fly into a ~ вспы́хнуть, разрази́ться гне́вом

tap I [tæp] 1. *n* про́бка, заты́чка 2) кран (*водопроводный, газовый и т. п.*); to leave the ~ running оста́вить кран откры́тым 3) подслу́шивающее устро́йство (*для телефона*) 4) подслу́шивание телефо́нных разгово́ров 5) = taproom 6) сорт, ма́рка (*вина, пива*); beer of the first ~ пи́во вы́сшего со́рта 7) *тех.* ме́тчик 8) *эл.* отво́д, ответвле́ние; отпа́йка ◇ on ~ а) распи́вочно (*о вине*); б) гото́вый к неме́дленному употребле́нию, испо́льзованию; находя́щийся под руко́й

2. *v* 1) вставля́ть кран, снабжа́ть вту́лкой *и т. п.* 2) налива́ть пи́во, вино́ *и т. п.* 3) вынима́ть про́бку, заты́чку *и т. п.* 4) *мед.* де́лать проко́л, выка́чивать (*жидкость*) 5) де́лать надре́з на де́реве 6) перехва́тывать (*сообщения*); to ~ the wire перехва́тывать телегра́фные сообще́ния; to ~ the line подслу́шивать телефо́нный разгово́р 7) выпра́шивать, вы́уживать де́ньги; to ~ smb. for money выкола́чивать де́ньги из кого́-л. 8) *тех.* нареза́ть вну́треннюю резьбу́ 9) *метал.* пробива́ть лётку; выпуска́ть распла́вленный мета́лл (*из печи*) ◇ to ~ the house соверши́ть кра́жу со взло́мом

tap II [tæp] 1. *n* 1) лёгкий стук *или* уда́р 2) набо́йка (*на каблуке*) 3) *pl амер. воен.* сигна́л туши́ть огни́ (*в казармах*); отбо́й

2. *v* 1) стуча́ть, посту́кивать, обсту́кивать; хло́пать; to ~ at the door ти́хо́нько постуча́ть в дверь; to ~ on the shoulder похло́пать по плечу́ 2) набива́ть набо́йку (*на каблук*)

tap dance [ˈtæpdɑːns] *n* чечётка

tape [teɪp] 1. *n* 1) тесьма́ 2) ле́нта; adhesive ~ изоляцио́нная ле́нта 3) телегра́фная ле́нта 4) ле́нточка у фи́ниша; to breast the ~ прийти́ к фи́нишу 5) = tape-line 6) *сокр. от* red tape 7) магнитофо́нная ле́нта 8) магнитофо́нная за́пись

2. *v* 1) свя́зывать шнуро́м, тесьмо́й 2) запи́сывать на магнитофо́нную ле́нту 3) измеря́ть руле́ткой ▭ ~ up бинтова́ть, забинто́вывать ◇ to have (*или* to get) smb., smth. ~d твёрдо держа́ть кого́-л., что-л. в рука́х, быть хозя́ином положе́ния

tape-line [ˈteɪplaɪn] = tape measure

tape-machine [ˈteɪpməˌʃiːn] *n* буквопеча́тающий телегра́фный аппара́т

tape measure [ˈteɪpˌmeʒə] *n* руле́тка, ме́рная ле́нта

taper [ˈteɪpə] 1. *n* 1) вощёный фити́ль (*для зажигания ламп и т. п.*) 2) то́нкая све́чка

2. *v* су́живать(ся) к концу́ (*часто* ~ off); заостря́ть

tape-record [ˈteɪprɪˌkɔːd] *v* запи́сывать на магнитофо́нную плёнку

tape recorder [ˈteɪprɪˌkɔːdə] *n* магнитофо́н

tape recording [ˈteɪprɪˌkɔːdɪŋ] *n* магнитофо́нная за́пись

tapering [ˈteɪpərɪŋ] *a* 1) су́живающийся к одному́ концу́, конусообра́зный 2) то́нкий и дли́нный (*о пальцах руки и т. п.*)

tapestry [ˈtæpɪstrɪ] *n* 1) за́тканная от руки́ мате́рия; гобеле́н 2) декорати́вная ткань, имити́рующая гобеле́н

tapeworm [ˈteɪpwɜːm] *n мед.* ле́нточный червь, солитёр

taphole [ˈtæphəʊl] *n метал.* лётка; выпускно́е отве́рстие

taphouse [ˈtæphaʊs] = taproom

tapioca [ˌtæpɪˈəʊkə] *n* тапио́ка (*крупа*)

tapir [ˈteɪpə] *n зоол.* тапи́р

tapis [ˈtæpɪ] *фр. n*: to be (*или* to come) on the ~ быть на рассмотре́нии, обсужда́ться

tapper [ˈtæpə] *n* телегра́фный ключ

tappet [ˈtæpɪt] *n тех.* толка́тель кла́пана; кулачо́к

taproom [ˈtæpruːm] *n* пивна́я, бар

taproot [ˈtæpruːt] *n бот.* стержнево́й ко́рень

tapster [ˈtæpstə] *n* буфе́тчик; ба́рмен

tar [tɑː] 1. *n* смола́; дёготь; гудро́н ◇ to beat (*или* to knock, to whale) the ~ out of smb. *амер.* изби́ть кого́-л. до полусме́рти, исколоти́ть, исколошма́тить кого́-л.

2. *v* ма́зать дёгтем; смоли́ть; to ~ and feather вы́мазав дёгтем, обваля́ть в пе́рьях (*способ самосуда в США*) ◇ ~red with the same brush (*или* stick) ≅ одни́м ми́ром ма́заны; одни́м лы́ком ши́ты

taradiddle [ˈtærədɪdl] *n разг.* ложь, враньё

tarantella [ˌtærənˈtelə] *n* таранте́лла

tarantula [təˈræntjʊlə] *n зоол.* тара́нтул

taraxacum [təˈræksəkəm] *n* 1) *бот.* одува́нчик 2) *мед.* лека́рство из одува́нчика

tarboosh [ˌtɑːˈbuːʃ] *n* фе́ска

tar-brush [ˈtɑːbrʌʃ] *n* 1) кисть для сма́зки дёгтем 2) *амер. sl.* при́месь негритя́нской кро́ви

tardigrade [ˈtɑːdɪgreɪd] *a зоол.* ме́дленно передвига́ющийся

tardy [ˈtɑːdɪ] *a* 1) медли́тельный 2) запозда́лый, по́здний; to make a ~ appearance прийти́ с опозда́нием; to be ~ for school опозда́ть в шко́лу

tare I [teə] *n* 1) *бот.* ви́ка (посевна́я) 2) *pl библ.* пле́велы

tare II [teə] *n* 1) вес та́ры, та́ра 2) ски́дка на та́ру; ~ and tret пра́вила учёта ве́са та́ры

targe [tɑːdʒ] *n ист.* ма́ленький кру́глый щит

target [ˈtɑːgɪt] *n* 1) цель, мише́нь

(*тж. перен.*); off the ~ ми́мо це́ли 2) зада́ние, контро́льная ци́фра; to beat the ~ перевы́полнить план 3) = targe 4) *ж.-д.* сигна́л (*стре́лки*) 5) *attr.* пла́новый; ~ figure пла́новая *или* контро́льная ци́фра 6) *attr. воен.*: ~ hit попада́ние в цель *или* мише́нь; ~ practice уче́бная стрельба́

Tarheel(er) [ˈtɑ:ˌhi:l(ə)] *n амер. разг.* про́звище уроже́нца *или* жи́теля Се́верной Кароли́ны

tariff [ˈtærɪf] **1.** *n* 1) тари́ф; preferential ~ преференциа́льный тамо́женный тари́ф 2) расце́нка 3) *attr.* тари́фный; ~ reform протекциони́стская рефо́рма (*в А́нглии*)

2. *v* 1) включи́ть в тари́ф 2) установи́ть расце́нку

tarlatan [ˈtɑ:lətən] *n* тарлата́н (*жёстко прокрахмаленная кисея́*)

Tarmac [ˈtɑ:mæk] *сокр. см.* tarmacadam

tarmacadam [ˌtɑ:məˈkædəm] *n* гудрони́рованное шоссе́

tarn [tɑ:n] *n геол.* ка́ровое о́зеро

tarnation [tɑ:ˈneɪʃn] = damnation

tarnish [ˈtɑ:nɪʃ] **1.** *n* 1) ту́склость 2) *перен.* пятно́

2. *v* 1) лиша́ть(ся) бле́ска, тускне́ть 2) поро́чить, пятна́ть

tarpaper [ˈtɑ:peɪpə] *n стр.* толь

tarpaulin [tɑ:ˈpɔ:lɪn] *n* 1) брезе́нт, просмолённая паруси́на 2) матро́сская ша́пка *или* ку́ртка; штормо́вка 3) *уст.* моря́к; матро́с

tarpon [ˈtɑ:pən] *n зоол.* тарпо́н

tarragon [ˈtærəgən] *n бот.* полы́нь эстраго́н

tarrock [ˈtærək] *n назва́ние не́скольких се́верных морски́х птиц:* кра́чка; моёвка

tarry I [ˈtærɪ] *v книжн.* 1) ме́длить, ме́шкать 2) ждать, дожида́ться (for) 3) жить, прожива́ть (at, in)

tarry II [ˈtɑ:rɪ] *a* покры́тый *или* вы́мазанный дёгтем

tarsi [ˈtɑ:saɪ] *pl от* tarsus

tarsia [ˈtɑ:sɪə] *ит. n* инта́рсия, деревя́нная моза́ика

tarsus [ˈtɑ:səs] *n* (*pl* -si) 1) *анат.* предплюсна́ 2) *зоол.* плюсна́ (*пти́цы*); ла́пка насеко́мого

tart I [tɑ:t] *a* 1) ки́слый; те́рпкий; е́дкий 2) ре́зкий, ко́лкий (*об отве́те, возраже́нии и т. п.*)

tart II [tɑ:t] *n* 1) пиро́г (*с фру́ктами, я́годами или варе́ньем*), дома́шний торт; jam ~ пиро́г с варе́ньем 2) фрукто́вое пиро́жное

tart III [tɑ:t] *n sl.* проститу́тка

tartan [ˈtɑ:tn] *n* 1) клетча́тая шерстяна́я мате́рия, шотла́ндка 2) шотла́ндский плед 3) шотла́ндский го́рец 4) *attr.* сде́ланный из шотла́ндки

Tartar [ˈtɑ:tə] **1.** *n* 1) тата́рин; тата́рка 2) челове́к ди́кого, необу́зданного нра́ва 3) меге́ра, фу́рия ◇ young ~ тру́дный, капри́зный ребёнок; to catch a ~ столкну́ться с бо́лее си́льным проти́вником, встре́тить си́льный отпо́р

2. *a* тата́рский

tartar [ˈtɑ:tə] *n хим.* ви́нный ка́мень

Tartarean [tɑ:ˈteərɪən] *a* а́дский

tartar emetic [ˌtɑ:tərˈmetɪk] *n хим.* рво́тный ка́мень

Tartarian [tɑ:ˈteərɪən] *a* тата́рский

Tartarus [ˈtɑ:tərəs] *n греч. миф.* та́ртар, преиспо́дняя

tartlet [ˈtɑ:tlət] *n* тартале́тка; небольшо́й откры́тый пиро́г

task [tɑ:sk] **1.** *n* 1) уро́чная рабо́та; зада́ча; зада́ние; уро́к; to set a ~ before smb. дать кому́-л. зада́ние, поста́вить зада́чу пе́ред кем-л.; ~ in hand а) на́чатая рабо́та; б) ближа́йшая зада́ча 2) *амер.* но́рма (*рабо́чего*) ◇ to take (*или* to call) smb. to ~ сде́лать вы́говор, дать нагоня́й кому́-л.; ~ force (*или* group) *воен.* операти́вная (*или* такти́ческая) гру́ппа

2. *v* 1) обременя́ть, перегружа́ть; it ~s my power э́то мне не под си́лу, э́то сли́шком тру́дно 2) зада́ть рабо́ту

taskmaster [ˈtɑ:skmɑ:stə] *n* 1) бригади́р, деся́тник 2) надсмо́трщик

taskwork [ˈtɑ:skwɜ:k] *n* 1) уро́чная рабо́та 2) сде́льная рабо́та

tassel [ˈtæsl] *n* 1) ки́сточка (*как украше́ние*) 2) закла́дка (*в ви́де ле́нточки в кни́ге*)

taste [teɪst] **1.** *n* 1) вкус (*чу́вство*); sour to the ~ ки́слый на вкус 2) вкус (*отличи́тельная осо́бенность пи́щи*); this medicine has no ~ э́то лека́рство безвку́сно; to leave a bad (*или* a bitter) ~ in the mouth оста́вить дурно́й вкус во рту; *перен.* оста́вить неприя́тное впечатле́ние 3) скло́нность, пристра́стие (for — к *чему́-л.*); she has expensive ~s in clothes она́ лю́бит носи́ть дороги́е ве́щи; to have a ~ for music име́ть скло́нность к му́зыке; ~s differ, there is no accounting for ~s о вку́сах не спо́рят 4) вкус, понима́ние; to dress in good (bad) ~ одева́ться со вку́сом (безвку́сно) 5) мане́ра, стиль; the Baroque ~ стиль баро́кко 6) немно́го, чу́точка; кусо́чек, глото́чек (*на про́бу*); give me a ~ of the pudding да́йте мне кусо́чек пу́динга 7) представле́ние; пе́рвое знако́мство (*с чем-л.*); to have a ~ of skin-diving име́ть представле́ние о пла́вании под водо́й

2. *v* 1) (по)про́бовать (на вкус); отве́дать; *перен.* вкуси́ть, испыта́ть; to ~ of danger *книжн.* подве́ргнуться опа́сности 2) различа́ть на вкус 3) име́ть вкус, при́вкус; to ~ sour быть ки́слым на вкус, име́ть ки́слый вкус; the soup ~s of onions в су́пе (о́чень) чу́вствуется лук

tasteful [ˈteɪstfl] *a* 1) сде́ланный со вку́сом 2) облада́ющий хоро́шим вку́сом

tasteless [ˈteɪstləs] *a* 1) безвку́сный; пре́сный 2) с дурны́м вку́сом 3) беста́ктный

taster [ˈteɪstə] *n* 1) дегуста́тор 2) дегустацио́нный прибо́р 3) рецензе́нт изда́тельства

tasty [ˈteɪstɪ] *a* 1) вку́сный 2) прия́тный 3) *разг.* име́ющий хоро́ший вкус; изя́щный

tat I [tæt] *n разг.* 1) крича́щая неле́пая оде́жда 2) старьё, барахло́ 3) оборва́нец

tat II [tæt] *v* плести́ кру́жево

Tatar [ˈtɑ:tə] = Tartar

tatter [ˈtætə] **1.** *n* 1) (*обы́кн. pl*) лохмо́тья, кло́чья; to tear to ~s изорва́ть в кло́чья; *перен.* разби́ть в пух и прах 2) тря́пка 3) старьёвщик

2. *v* превраща́ть(ся) в лохмо́тья; рва́ть(ся) в кло́чья

tatterdemalion [ˌtætədɪˈmeɪlɪən] *n* оборва́нец

tattered [ˈtætəd] **1.** *p. p. от* tatter 2

2. *a* обо́рванный, в лохмо́тьях

tatting [ˈtætɪŋ] **1.** *pres. p. от* tat II

2. *n* плетёное кру́жево

tattle [ˈtætl] **1.** *n* болтовня́; пусто́й разгово́р; спле́тни

2. *v* болта́ть, суда́чить; спле́тничать

tattler [ˈtætlə] *n* болту́н; спле́тник

tattletale [ˈtætlteɪl] *амер.* = telltale 1, 1)

tattoo I [təˈtu:] **1.** *n* сигна́л вече́рней зари́

2. *v* 1) бить, игра́ть зо́рю 2) бараба́нить па́льцами; отбива́ть такт ного́й (*тж.* beat the devil's~)

tattoo II [təˈtu:] **1.** *n* татуиро́вка

2. *v* татуи́ровать

tatty [ˈtætɪ] *a разг.* 1) обо́рванный, оде́тый в лохмо́тья 2) дешёвый, ни́зкого ка́чества 3) крича́щий, безвку́сный (*об оде́жде*)

taught [tɔ:t] *past и p. p. от* teach

taunt I [tɔ:nt] **1.** *n* 1) насме́шка, язви́тельное замеча́ние; «шпи́лька» 2) *уст.* предме́т насме́шек

2. *v* насмеха́ться, говори́ть ко́лкости

taunt II [tɔ:nt] *a мор.* о́чень высо́кий (*о ма́чте*)

taupe [təʊp] *a* се́ро-кори́чневый

tauromachy [tɔ:ˈrɒməkɪ] *греч. n* бой быко́в

Taurus [ˈtɔ:rəs] *n* Теле́ц (*созве́здие и знак зодиа́ка*)

taut [tɔ:t] *a* 1) ту́го натя́нутый, упру́гий 2) напряжённый; ~ nerves взви́нченные не́рвы 3) в хоро́шем состоя́нии (*о корабле́ и т. п.*) 4) испра́вный; подтя́нутый; аккура́тный

tauten [ˈtɔ:tn] *v* ту́го натя́гивать(ся)

tautologize [tɔ:ˈtɒlədʒaɪz] *v* повторя́ться

tautology [tɔ:ˈtɒlədʒɪ] *n* тавтоло́гия

tavern [ˈtævn] *n книжн.* таве́рна; заку́сочная, бар

taw I [tɔ:] *n* 1) ша́рики (*де́тская игра́*) 2) черта́, с кото́рой броса́ют ша́рики

taw II [tɔ:] *v* выде́лывать ко́жу без дубле́ния

tawdry [ˈtɔ:drɪ] **1.** *a* мишу́рный, крича́ще безвку́сный

2. *n* дешёвый шик; безвку́сные украше́ния

tawny [ˈtɔ:nɪ] *a* рыжева́то-кори́чневый; тёмно-жёлтый

tawny owl [ˈtɔ:nɪaʊl] *n зоол.* нея́сыть се́рая (*или* обыкнове́нная)

tax [tæks] **1.** *n* 1) (госуда́рственный) нало́г; по́шлина; сбор; direct (indirect) ~es прямы́е (ко́свенные) нало́ги; single ~

единый земельный налог; to levy a ~ on smb., smth. облагать кого-л., что-л. налогом; heavy ~ большой, обременительный налог; nuisance ~ *амер.* небольшой налог, выплачиваемый по частям 2) напряжение, бремя, испытание; it is a great ~ on my time это требует от меня слишком много времени

2. *v* 1) облагать налогом; таксировать 2) чрезмерно напрягать, подвергать испытанию; утомлять; the work ~es my powers эта работа слишком тяжела для меня; I cannot ~ my memory не могу вспомнить; to ~ smb.'s patience испытывать чьё-л. терпение 3) *амер. разг.* спрашивать, назначать цену; what will you ~ me? сколько это будет (мне) стоить? 4) делать выговор, отчитывать (*кого-л.*); обвинять, осуждать (with) 5) *юр.* таксировать (*в судебных издержках*)

taxability [ˌtæksəˈbɪlətɪ] *n* облагаемость

taxable [ˈtæksəbl] *a* облагаемый налогом; подлежащий обложению налогом

taxation [tækˈseɪʃn] *n* 1) обложение налогом; взимание налога 2) размер, сумма налога

tax-collector [ˈtækskəˌlektə] *n* сборщик налогов

tax-deductible [ˌtæksdɪˈdʌktəbl] *a* исключаемый из суммы, подлежащей обложению подоходным налогом

tax evasion [ˈtæksɪˌveɪʒn] *n* уклонение от уплаты налогов

tax-exempt [ˈtæksɪgˌzempt] *a* не подлежащий обложению налогом

tax-farmer [ˈtæksˌfɑːmə] *n* откупщик

tax-free [ˌtæksˈfriː] *a* освобождённый от налогов

tax-gatherer [ˈtæksˌgæðərə] = tax-collector

taxi [ˈtæksɪ] **1.** *n* такси

2. *v* 1) ехать на такси 2) везти на такси 3) *ав.* рулить

taxicab [ˈtæksɪkæb] = taxi 1

taxi-dance hall [ˌtæksɪdɑːnsˈhɔːl] *n* *амер.* дансинг с профессиональными партнёршами *или* партнёрами

taxi dancer [ˈtæksɪˌdɑːnsə] *n* профессиональная партнёрша, профессиональный партнёр (*в дансинге*)

taxidermist [ˈtæksɪdɜːmɪst] *n* набивщик чучел, таксидермист

taxidermy [ˈtæksɪdɜːmɪ] *n* набивка чучел

taxi driver [ˈtæksɪˌdraɪvə] *n* шофёр такси

taximan [ˈtæksɪmən] = taxy driver

taximeter [ˈtæksɪˌmiːtə] *n* таксометр, счётчик

taxing [ˈtæksɪŋ] **1.** *pres. p. от* tax 2

2. *n* обложение налогом

3. *a* налоговый; ~ district налоговый округ

taxing-master [ˈtæksɪŋˌmɑːstə] *n* чиновник, определяющий размеры судебных издержек

taxis [ˈtæksɪs] *n биол.* ответная реакция организма, таксис

taxpayer [ˈtæksˌpeɪə] *n* налогоплательщик

tax return [ˈtæksrɪˌtɜːn] *n* декларация о доходах, подлежащих обложению налогом

tea [tiː] *n* 1) чай; afternoon ~ послеполуденный чай; high (*или* meat) ~ плотный ужин с чаем; tile ~ кирпичный плиточный чай; Russian ~ чай с лимоном (*подаётся в стаканах*); to make (the) ~ заваривать чай 2) настой; крепкий отвар *или* бульон 3) *амер. sl.* «чаёк» (*марихуана*) ◇ not smb.'s cup of ~ не по вкусу кому-л.

tea biscuit [ˈtiːˌbɪskɪt] *n* печенье к чаю

tea board [ˈtiːbɔːd] = tea tray

tea bread [ˈtiːbred] *n* сдобный хлебец *или* булочка к чаю

tea caddy [ˈtiːˌkædɪ] *n* чайница

tea cake [ˈtiːkeɪk] *n* булочка к чаю

teach [tiːtʃ] *v* (taught) 1) учить, обучать; давать уроки, преподавать; to ~ smb. French обучать кого-л. французскому языку 2) учить, приучать; to ~ smb. discipline приучать кого-л. к дисциплине 3) проучить; I will ~ him a lesson я проучу его

teachable [ˈtiːtʃəbl] *a* 1) доступный, усваиваемый (*о предмете*) 2) способный к учению; понятливый; прилежный

teacher [ˈtiːtʃə] *n* учитель(ница); преподаватель(ница)

teachers college [ˈtiːtʃəz ˌkɒlɪdʒ] *n* педагогический институт

teach-in [ˈtiːtʃˌɪn] *n* лекция, собрание *и т. п.* (*для обсуждения актуальных вопросов*)

teaching [ˈtiːtʃɪŋ] **1.** *pres. p. от* teach

2. *n* 1) обучение; to take up ~ стать преподавателем 2) учение, доктрина

tea cloth [ˈtiːklɒθ] *n* 1) полотенце для чайной посуды 2) чайная скатерть *или* салфетка

tea-cosy [ˈtiːˌkəʊzɪ] *n* стёганый чехольчик (*на чайник*)

teacup [ˈtiːkʌp] *n* (чайная) чашка

tea-dealer [ˈtiːˌdiːlə] *n* чаеторговец

tea-fight [ˈtiːfaɪt] *sl. см.* tea-party 1)

tea garden [ˈtiːˌgɑːdn] *n* 1) кафе *или* ресторан на открытом воздухе 2) чайная плантация

teahouse [ˈtiːhaʊs] *n* 1) чайхана (*на Востоке*) 2) кафе; закусочная

teak [tiːk] *n* тик(овое дерево)

teakettle [ˈtiːˌketl] *n* чайник (*для кипячения воды*)

teal [tiːl] *n зоол.* чирок

tea leaf [ˈtiːliːf] *n* 1) чайный лист 2) *pl* спитой чай

team [tiːm] **1.** *n* 1) спортивная команда 2) бригада, артель (*рабочих*) 3) экипаж судна 4) *воен.* команда 5) упряжка, запряжка (*лошадей, волов*); *амер.* упряжка с экипажем, выезд

2. *n* 1) объединяться в бригаду, команду *и т. п.*; to ~ up with smb. *амер.* объединиться с кем-л. 2) запрягать 3) быть погонщиком, возницей

teammate [ˈtiːmmeɪt] *n* игрок той же команды; член той же бригады, того же звена *и т. п.*

teamster [ˈtiːmstə] *n* 1) *амер.* водитель грузовика 2) погонщик; возница

teamwise [ˈtiːmwaɪz] *adv* сообща, вместе

teamwork [ˈtiːmwɜːk] *n* 1) бригадная *или* артельная работа 2) согласованная работа; совместные усилия; взаимодействие

tea-party [ˈtiːˌpɑːtɪ] *n* 1) званый чай 2) общество, приглашённое на чай

teapot [ˈtiːpɒt] *n* чайник (*для заварки*)

teapoy [ˈtiːpɔɪ] *инд. n* небольшой столик на трёх ножках (*особ. для чая*)

tear I [teə] **1.** *n* 1) разрыв; дыра, прореха 2) стремительное движение; спешка; full ~ опрометью 3) неистовство 4) *амер. sl.* кутёж 5) *тех.* задирание

2. *v* (tore; torn) 1) рвать(ся), срывать, отрывать(ся) (*тж.* ~ off); to ~ smth. to pieces изорвать что-л. в клочки; *перен.* ≅ разбить в пух и прах; раскритиковать 2) отнимать; выхватывать (*тж.* ~ out) 3) поранить, оцарапать; I have torn my finger я поранил себе палец 4) *перен.* раздирать; a heart torn by anxiety сердце, разрывающееся от тревоги; to be torn between разрываться на части; колебаться между (*двумя желаниями и т. п.*) 5) *разг.* мчаться (*тж.* ~ along, ~ down) 6) рваться; изнашиваться 7) неистовствовать, бушевать ▭ ~ **about** носиться сломя голову; ~ **along** бросаться, устремляться, мчаться; to ~ along the street мчаться по улице; ~ **at** тащить, тянуть с силой; ~ **away** отрывать; to ~ oneself away с трудом оторваться; ~ **down** а) срывать, сносить (*постройку*); б) опровергать (*пункт за пунктом*); в) нестись, мчаться; ~ **out** вырывать; выхватывать; ~ **up** а) вырвать; a tree torn up by the roots дерево, вырванное с корнем; б) изорвать ◇ that's torn it теперь всему крышка

tear II [tɪə] *n* 1) слеза; in ~s в слезах; bitter (*или* poignant) ~s горькие слёзы; to move smb. to ~s растрогать кого-л. до слёз 2) капля (*росы*)

teardrop [ˈtɪədrɒp] *n* слеза, слезинка

tear-duct [ˈtɪədʌkt] *n анат.* слёзный проток

tearful [ˈtɪəfl] *a* 1) плачущий 2) полный слёз; готовый расплакаться 3) печальный

tear gas [ˈtɪəgæs] *n* слезоточивый газ

tearing [ˈteərɪŋ] **1.** *pres. p. от* tear I, 2

2. *a* неистовый, бешеный

tearless [ˈtɪələs] *a* 1) без слёз 2) бесчувственный

tearoom [ˈtiːruːm] *n* кафе-кондитерская

tea rose [ˈtiːrəʊz] *n* чайная роза

tear sheet [ˈteəʃiːt] *n* рекламное объявление в газете, которое может быть вырезано читателем и направлено фирме в качестве заказа

tear-shell [ˌtɪəˈʃel] *n* снаряд со слезоточивым газом

tear-stained [ˈtɪəsteɪnd] *a* со следа́ми слёз, запла́канный

tease [ti:z] **1.** *v* 1) дразни́ть; поддра́знивать 2) надоеда́ть, пристава́ть; надоеда́ть про́сьбами; выпра́шивать 3) чеса́ть (*шерсть*) 4) начёсывать, взбива́ть (*волосы*)

2. *n* 1) *разг. см.* teaser 2); 2) попы́тка раздразни́ть

teasel [ˈti:zl] **1.** *n* 1) *бот.* ворся́нка 2) *текст.* ворсова́льная ши́шка

2. *v* ворси́ть

teaseler [ˈti:zlə] *n* ворси́льщик

teaser [ˈti:zə] 1) *разг.* тру́дная зада́ча, головоло́мка 2) люби́тель подразни́ть; зади́ра 3) (*обыкн. амер.*) коро́ткое рекла́мное объявле́ние *и т. п.*

tea-service [ˈti:,sɜ:vɪs] = tea set

tea set [ˈti:set] *n* ча́йный серви́з

tea shop [ˈti:ʃɒp] = tearoom

teaspoon [ˈti:spu:n] *n* ча́йная ло́жка

tea-strainer [ˈti:,streɪnə] *n* ча́йное си́течко

teat [ti:t] *n* 1) сосо́к 2) *тех.* бобы́шка

tea-table [ˈti:,teɪbl] *n* 1) ча́йный стол 2) о́бщество за ча́ем 3) *attr.*: ~ conversation бесе́да за ча́ем

tea-things [ˈti:θɪŋz] *n pl* ча́йная посу́да

tea towel [ˈti:taʊəl] *n* полоте́нце для ча́йной посу́ды

tea tray [ˈti:treɪ] *n* ча́йный подно́с

tea trolley [ˈti:,trɒlɪ] *n* сто́лик на колёсиках для ча́я *или* лёгкой заку́ски

tea-urn [ˈti:ɜ:n] *n* кипяти́льник, тита́н; бак для воды́

tea wagon [ˈti:,wæɡən] *амер.* = tea trolley

teazel, teazle [ˈti:zl] = teasel

tec [tek] *n разг.* 1) *сокр. от* detective 1; 2) *сокр. от* technical school [*см.* technical 1, 1)]

technical [ˈteknɪkl] **1.** *a* 1) техни́ческий; промы́шленный; ~ school (*или* institute) техни́ческое учи́лище 2) специа́льный; относя́щийся к определённой о́бласти зна́ний *или* определённому ви́ду иску́сства (*о терминологии*); ~ terms of law юриди́ческая терминоло́гия 3) форма́льно-юриди́ческий

2. *n pl* 1) специа́льная терминоло́гия 2) техни́ческие подро́бности

technicality [,teknɪˈkælətɪ] *n* 1) техни́ческая сторона́ де́ла 2) *pl* специа́льная терминоло́гия 3) техни́ческая дета́ль, форма́льность

technician [tekˈnɪʃn] *n* 1) челове́к, зна́ющий своё де́ло; специали́ст 2) челове́к, хорошо́ владе́ющий те́хникой (*в живописи, музыке и т. п.*)

Technicolor [ˈteknɪ,kʌlə] *n* систе́ма цветно́го кино́

technicolour [ˈteknɪ,kʌlə] *a* я́ркий, бро́ский, крича́щий

technics [ˈteknɪks] *n pl* (*употр. как sing*) те́хника, техни́ческие нау́ки

technique [tekˈni:k] *n* 1) те́хника, техни́ческие приёмы 2) ме́тод; спо́соб

technocracy [tekˈnɒkrəsɪ] *n* технокра́тия

technologist [tekˈnɒlədʒɪst] *n* техно́лог

technology [tekˈnɒlədʒɪ] *n* 1) техноло́гия 2) те́хника; техни́ческие и прикладны́е нау́ки 3) специа́льная терминоло́гия

techy [ˈtetʃɪ] = tetchy

tectonic [tekˈtɒnɪk] *a* 1) архитекту́рный 2) *геол.* тектони́ческий

tectonics [tekˈtɒnɪks] *n pl* (*употр. как sing*) текто́ника

ted [ted] *v* вороши́ть (*сено*)

tedder [ˈtedə] *n* сеновороши́лка

Teddy bear [ˈtedɪbeə] *n* медвежо́нок (*детская игрушка*)

teddy boy [ˈtedɪbɔɪ] *n разг.* пижо́н

Te Deum [,ti:ˈdi:əm] *n* 1) *муз.* Теде́ум 2) *церк.* благода́рственный моле́бен; благода́рственная моли́тва

tedious [ˈti:dɪəs] *a* ску́чный, утоми́тельный

tedium [ˈti:dɪəm] *n* ску́ка; утоми́тельность

tee I [ti:] **1.** *n* 1) *название буквы* T 2) вещь, име́ющая фо́рму бу́квы T; тройни́к

2. *a тех.* тавро́вый; T-обра́зный

tee II [ti:] **1.** *n* мише́нь (*в играх*); ме́тка для мяча́ в го́льфе ◇ to a ~ в то́чности, то́чно, точь-в-то́чь; в соверше́нстве

2. *v* класть мяч для пе́рвого уда́ра ▭ ~ off де́лать пе́рвый уда́р (*в гольфе*); ~ up = ~ off

tee-hee [,ti:ˈhi:] *n* **1.** *n* хихи́канье

2. *v* хихи́кать

teem I [ti:m] *v* кише́ть, изоби́ловать (with — *чем-л.*)

teem II [ti:m] *v метал.* разлива́ть (*слитки*)

teeming I [ˈti:mɪŋ] **1.** *pres. p. от* teem I

2. *a* перепо́лненный, битко́м наби́тый

teeming II [ˈti:mɪŋ] *pres. p. от* teem II

teenage [ˈti:neɪdʒ] *a* 1) находя́щийся в во́зрасте от 13 до 19 лет 2) ю́ношеский

teenager [ˈti:neɪdʒə] *n* подро́сток; ю́ноша *или* де́вушка

teener [ˈti:nə] = teenager

teens [ti:nz] *n pl* во́зраст от 13 до 19 лет (*включительно*); she is still in her ~ ей ещё нет двадцати́ лет; she is out of her ~ ей уже́ испо́лнилось два́дцать лет

teensy [ˈti:nzɪ] *a разг. см.* teeny

teeny [ˈti:nɪ] *a разг.* кро́шечный

teenybopper [ˈti:nɪ,bɒpə] *n разг.* подро́сток, *особ.* девчо́нка, поме́шанная на всём мо́дном

teeny-weeny [,ti:nɪˈwi:nɪ] *детск. см.* teeny

teeter [ˈti:tə] **1.** *n* 1) де́тские каче́ли (*доска, положенная на бревно*) 2) колеба́ние, кача́ние, поша́тывание

2. *v* 1) кача́ться на каче́лях 2) кача́ться, колеба́ться; поша́тываться

teeth [ti:θ] *pl от* tooth 1

teethe [ti:ð] *v* 1) проре́зываться (*о зубах*) 2) начина́ться; намеча́ться

teething ring [ˈti:ðɪŋrɪŋ] *n* де́тское зубно́е кольцо́

teethridge [ˈti:θrɪdʒ] *n* альвео́лы

teetotal [,ti:ˈtəʊtl] *a* 1) тре́звый, непью́щий 2) *разг.* по́лный, абсолю́тный

teetotaller [,ti:ˈtəʊtlə] *n* тре́звенник

teetotum [ti:ˈtəʊtəm] *n* вид волчка́

Teflon [ˈteflɒn] *n* тефло́новая ку́хонная посу́да

teg [teg] *n* 1) овца́ на второ́м году́ 2) оле́нья са́мка на второ́м году́

tegular [ˈtegjʊlə] *a* черепи́чный

tegument [ˈtegjʊmənt] *n* (*сокр. от* integument) оболо́чка, покро́в

telautogram [teˈlɔ:təgræm] *n* фототелегра́мма

telautograph [teˈlɔ:təgrɑ:f] *n* фототелегра́ф

tele [ˈtelɪ] *разг. сокр. от* television

telecast [ˈtelɪkɑ:st] **1.** *n* телевизио́нная переда́ча; телевизио́нное веща́ние

2. *v* передава́ть телевизио́нную програ́мму

telecasting [ˈtelɪkɑ:stɪŋ] **1.** *pres. p. от* telecast 2

2. *n* 1) = telecast 1; 2) *attr.* телевизио́нный; ~ studio телевизио́нная сту́дия

telecommunication [,telɪkəmju:nɪˈkeɪʃn] *n* да́льняя связь; телефо́н, телегра́ф *или* ра́дио; дистанцио́нная связь, телесвя́зь

teleconference [,telɪˈkɒnfrəns] *n* селе́кторное совеща́ние

telecontrol [ˈtelɪkən,trəʊl] *n* телеуправле́ние, дистанцио́нное управле́ние

telecruiser [ˈtelɪ,kru:zə] *n* передвижна́я телевизио́нная ста́нция

telefilm [ˈtelɪfɪlm] *n* 1) телевизио́нный фильм, телефи́льм 2) фильм, передава́емый по телеви́дению

telegenic [,telɪˈdʒenɪk] *a* телегени́чный; хорошо́ вы́глядящий на экра́не телеви́зора

telegram [ˈtelɪgræm] *n* телегра́мма

telegraph [ˈtelɪgrɑ:f] **1.** *n* 1) телегра́ф 2) *attr.* телегра́фный

2. *v* телеграфи́ровать

telegrapher [təˈlegrəfə] = telegraphist

telegraphese [,telɪgrɑ:fˈi:z] *n разг.* «телегра́фный» стиль

telegraphic [,telɪˈgræfɪk] *a* телегра́фный

telegraphist [təˈlegrəfɪst] *n* телеграфи́ст

telegraph-line [ˈtelɪgrɑ:flaɪn] *n* телегра́фная ли́ния

telegraph-pole [ˈtelɪgrɑ:fpəʊl] *n* телегра́фный столб

telegraph-post [ˈtelɪgrɑ:fpəʊst] = telegraph-pole

telegraph-wire [ˈtelɪgrɑ:fwaɪə] *n* телегра́фный про́вод

telegraphy [təˈlegrəfɪ] *n* телеграфи́я; телеграфи́рование

telekinesis [,telɪkaɪˈni:sɪs] *n* телекине́з

telemechanics [,telɪmɪˈkænɪks] *n pl* (*употр. как sing*) телемеха́ника

telemeter [təˈlemɪtə] *n* телеме́тр; дистанцио́нный измери́тельный прибо́р

teleology [,ti:lɪˈɒlədʒɪ] *n* телеоло́гия

telepathy [təˈlepəθɪ] *n* телепа́тия

telephone [ˈtelɪfəʊn] **1.** *n* 1) телефо́н 2) *attr.* телефо́нный; ~ directory телефо́нная кни́га

2. *v* 1) телефони́ровать 2) звони́ть, говори́ть по телефо́ну
telephone set ['telɪfəʊnset] *n* телефо́нный аппара́т
telephonic [ˌtelɪ'fɒnɪk] *a* телефо́нный
telephonist [tə'lefənɪst] *n* телефони́ст(ка)
telephony [tə'lefənɪ] *n* телефони́я; телефони́рование
telephotography [ˌtelɪfə'tɒgrəfɪ] *n* телефотогра́фия
teleprinter ['telɪprɪntə] *n* телета́йп, телегра́фный буквопеча́тающий аппара́т
telescope ['telɪskəʊp] 1. *n* опти́ческая (подзо́рная) труба́; телеско́п
2. *v* 1) скла́дывать(ся) (*подобно телескопу*) 2) вреза́ться (*о вагонах столкнувшихся поездов*) 3) сжима́ть, сокраща́ть (into — *текст, рассказ и т. п.*)
telescreen ['telɪskri:n] *n* экра́н телеви́зора
telethon ['teləθɒn] *n* многочасова́я телевизио́нная програ́мма в подде́ржку кампа́нии по сбо́ру средств *или* предвы́борной кампа́нии, телемарафо́н
teletype ['telɪtaɪp] *n* телета́йп
teleview ['telɪvju:] *v* смотре́ть телевизио́нную переда́чу
televiewer ['telɪvju:ə] *n* телезри́тель
televise ['telɪvaɪz] *v* передава́ть телевизио́нную програ́мму
television ['telɪvɪʒn] *n* 1) телеви́дение 2) *attr.* телевизио́нный; ~ viewer = televiewer; ~ broadcasting телевизио́нная переда́ча; ~ receiver (*или* set) телеви́зор
televisor ['telɪvaɪzə] *n* телеви́зор
televisual [ˌtelɪ'vɪʒʊəl] *a* телевизио́нный
telewriter ['telɪˌraɪtə] *n* дальнопи́шущий аппара́т
telex ['teleks] 1. *n* те́лекс
2. *v* передава́ть по те́лексу
tell [tel] *v* (told) 1) расска́зывать; to ~ a lie (*или* a falsehood) говори́ть непра́вду; this fact ~s its own tale (*или* story) э́тот факт говори́т сам за себя́ 2) говори́ть, сказа́ть; I am told мне сказа́ли, я слы́шал; to ~ good-bye *амер.* прости́ться 3) ука́зывать, пока́зывать; свиде́тельствовать; to ~ the time пока́зывать вре́мя (*о часах*) 4) сообща́ть, выдава́ть (*тайну*), выба́лтывать 5) *разг.* доноси́ть (on) 6) уверя́ть; заверя́ть 7) прика́зывать; ~ the driver to wait for me пусть шофёр меня́ подождёт; I was told to show my passport у меня́ потре́бовали па́спорт 8) отлича́ть, различа́ть; he can be told by his dress его́ мо́жно отличи́ть *или* узна́ть по оде́жде; to ~ apart понима́ть ра́зницу, различа́ть; to ~ one thing from another отлича́ть одну́ вещь от друго́й 9) ска́зываться, отзыва́ться (on); the strain begins to ~ on her напряже́ние начина́ет ска́зываться на ней 10) де́лать сообще́ние, докла́дывать (of) 11) выделя́ться; her voice ~s remarkably in the choir её го́лос удиви́тельно выделя́ется в хо́ре 12) счита́ть; подсчи́тывать; пересчи́тывать; to ~ one's beads чита́ть моли́твы, перебира́я чётки; all told в о́бщей сло́жности, в о́бщем; включа́я всех *или* всё □ ~ off а) *разг.* вы́ругать, отде́лать (*кого-л.*); б) отсчи́тывать, отбира́ть (*для определённого задания*); six of us were told off to get fuel ше́стеро из нас бы́ли отряжены́ за то́пливом; в) *воен.* производи́ть строево́й расчёт; ~ over пересчи́тывать ◇ don't (*или* never) ~ me не расска́зывайте ска́зок; to ~ smb. where to get off *амер.* поста́вить кого́-л. на ме́сто, осади́ть кого́-л.; дать нагоня́й кому́-л.; to ~ the world категори́чески утвержда́ть; do ~! *амер.* вот те на́!, не мо́жет быть!; I'll ~ you what зна́ете что; you never can ~ вся́кое быва́ет; почём знать?; you're ~ing me! кому́ вы расска́зываете?, я сам зна́ю!; there's no ~ing кто зна́ет? почём знать?
tellable ['teləbl] *a* 1) могу́щий быть расска́занным 2) сто́ящий того́, что́бы о нём рассказа́ли
teller ['telə] *n* 1) касси́р (*в банке*) 2) *парл.* счётчик голосо́в 3) расска́зчик
telling ['telɪŋ] 1. *pres. p. от* tell
2. *a* де́йственный; впечатля́ющий; вырази́тельный; a ~ speech я́ркая речь; a ~ argument убеди́тельный аргуме́нт; a ~ blow уда́р в цель
telling-off [ˌtelɪŋ'ɒf] *n разг.* вы́говор, нагоня́й
telltale ['telteɪl] 1. *n* 1) сплётник, болту́н 2) я́бедник 3) *тех.* контро́льное, сигна́льное *или* регистри́рующее устро́йство; часы́-та́бель
2. *a* 1) преда́тельский, выдаю́щий (*что-л.*); a ~ blush преда́тельский румя́нец 2) *тех.* сигна́льный, контро́льный
tellurian [te'lʊərɪən] 1. *n* жи́тель Земли́
2. *a* относя́щийся к Земле́, земно́й
telluric [te'lʊərɪk] *a* теллури́ческий, земно́й
tellurium [te'lʊərɪəm] *n хим.* теллу́р
telly ['telɪ] *n разг.* 1) телеви́дение 2) телеви́зор
telpher ['telfə] 1. *n тех.* те́льфер
2. *v* перевози́ть по подвесно́й доро́ге
telpherage ['telfərɪdʒ] *n* 1) перемеще́ние гру́зов по подвесно́й доро́ге 2) подвесна́я доро́га
temblor [tem'blɔ:] *n амер.* землетрясе́ние
temerarious [ˌtemə'reərɪəs] *a книжн.* безрассу́дный; безрассу́дно сме́лый; отча́янный
temerity [tə'merətɪ] *n* безрассу́дство, опроме́тчивость; безрассу́дная сме́лость
temp I [temp] *n* (*сокр. от* temporary) *разг.* вре́менный рабо́тник (*особ.* секрета́рь)
temp II [temp] *adv* во времена́; ~ Henry I во времена́ Ге́нриха I
temper ['tempə] 1. *n* 1) нрав, хара́ктер; quick (*или* short) ~ вспы́льчивость, горя́чность 2) раздражи́тельность; вспы́льчивость; to show ~ проявля́ть раздраже́ние; to get into a ~ рассерди́ться 3) настрое́ние; to be in a good (bad) ~ быть в хоро́шем (плохо́м) настрое́нии 4) сде́ржанность, самооблада́ние; to put smb. out of ~ вы́вести кого́-л. из себя́; to keep (*или* to control) one's ~ владе́ть собо́й; to lose one's ~ вы́йти из себя́; to recover (*или* to regain) one's ~ успоко́иться, овладе́ть собо́й 5) *хим.* соста́в 6) *метал.* содержа́ние углеро́да; сте́пень твёрдости и упру́гости
2. *v* 1) *метал.* отпуска́ть; закаля́ть(ся) (*тж. перен.*); ~ed in battle закалённый в бою́ 2) регули́ровать, умеря́ть, смягча́ть 3) *муз.* темпери́ровать 4) де́лать смесь
tempera ['tempərə] *n жив.* те́мпера, жи́вопись те́мперой
temperament ['temprəmənt] *n* темпера́мент
temperamental [ˌtemprə'mentl] *a* 1) темпера́ментный 2) сво́йственный определённому темпера́менту
temperance ['temprəns] *n* 1) сде́ржанность, уме́ренность (*особ. в еде и употреблении спиртных напитков*) 2) воздержа́ние от спиртны́х напи́тков, тре́звенность 3) *attr.*: ~ hotel гости́ница, в кото́рой не подаю́тся спиртны́е напи́тки
temperate ['tempərət] *a* 1) уме́ренный, возде́ржанный 2) уме́ренный (*о климате и т. п.*)
temperature ['temprətʃə] *n* 1) температу́ра; сте́пень нагре́ва; to take one's ~ измеря́ть температу́ру 2) *разг.* повы́шенная температу́ра; to have (*или* to run) a ~ име́ть повы́шенную температу́ру
tempest ['tempɪst] 1. *n* бу́ря; ~ in a teapot бу́ря в стака́не воды́
2. *v* бушева́ть
tempestuous [tem'pestʃʊəs] *a* бу́рный, бу́йный
tempi ['tempi:] *pl от* tempo
templar ['templə] *n* 1) юри́ст, живу́щий в Те́мпле [*см.* temple I, 2)] 2) (T.) *ист.* тамплие́р, храмо́вник (*тж.* Knight T.)
template ['templeɪt] *n тех.* шабло́н, лека́ло
temple I ['templ] *n* 1) храм 2) (the T.) Темпл, одно́ из двух ло́ндонских о́бществ адвока́тов и зда́ние, в кото́ром оно́ помеща́ется [*см.* inn ◇ the Inns of Court]
temple II ['templ] *n* висо́к
temple III ['templ] *n* 1) *текст.* шпару́тка 2) *тех.* прижи́мная пла́нка
templet ['templət] = template
tempo ['tempəʊ] *n* (*pl* -os [-əʊz], -pi) 1) *муз.* темп 2) ритм, темп (*жизни и т. п.*)
temporal I ['temprəl] *a* 1) све́тский, мирско́й; ~ peers, lords ~ све́тские чле́ны пала́ты ло́рдов 2) вре́менный, преходя́щий 3) *грам.* временно́й
temporal II ['temprəl] *анат.* 1. *a* виско́вый
2. *n* висо́чная кость
temporality [ˌtempə'rælətɪ] *n* 1) вре́менный хара́ктер 2) *pl* церко́вные владе́ния и дохо́ды
temporary ['temprərɪ] 1. *a* вре́менный
2. *n* вре́менный рабо́чий *или* слу́жащий

temporize [ˈtempəraız] *v* 1) стара́ться вы́играть вре́мя; ме́длить, колеба́ться; выжида́ть; a temporizing policy выжида́тельная поли́тика 2) приспоса́бливаться ко вре́мени и обстоя́тельствам

tempt [tempt] *v* 1) искуша́ть, соблазня́ть; one is ~ed to ask the question нево́льно напра́шивается вопро́с 2) испы́тывать, проверя́ть; to ~ fate (*или* providence) испы́тывать судьбу́

temptation [tempˈteıʃn] *n* искуше́ние, собла́зн

tempter [ˈtemptə] *n* искуси́тель; соблазни́тель

tempting [ˈtemptıŋ] **1.** *pres. p. от* tempt **2.** *a* зама́нчивый, соблазни́тельный

temptress [ˈtemptrəs] *n* искуси́тельница; соблазни́тельница

ten [ten] **1.** *num. card.* де́сять; ~ times as big в де́сять раз бо́льше ◇ ~ to one почти́ наверняка́

2. *n* 1) деся́ток; in ~s деся́тками 2) *pl* деся́тый но́мер (*размер перчаток и т. п.*) 3) *разг.* десятидо́лларовая бума́жка 4) *карт.* деся́тка ◇ take ~ передохни́ немно́го

tenable [ˈtenəbl] *a* 1) про́чный, надёжный (*о позиции*) 2) могу́щий быть за́нятым (*о посте, должности*); this office is ~ for a period of three years э́ту до́лжность мо́жно занима́ть в тече́ние трёх лет 3) логи́чный, здра́вый

tenacious [tıˈneıʃəs] *a* 1) це́пкий, кре́пкий; ~ memory хоро́шая па́мять 2) упо́рный; ~ of life живу́чий 3) вя́зкий, ли́пкий

tenacity [tıˈnæsətı] *n* 1) це́пкость 2) упо́рство, сто́йкость, твёрдость во́ли 3) вя́зкость, ли́пкость 4) кре́пость, про́чность

tenancy [ˈtenənsı] *n* 1) наём помеще́ния; владе́ние на права́х аре́нды 2) срок аре́нды 3) арендо́ванная земля́; арендо́ванный дом

tenant [ˈtenənt] **1.** *n* 1) нанима́тель, аренда́тор; (вре́менный) владе́лец; съёмщик; ~ at will бессро́чный аренда́тор 2) жи́тель, жиле́ц 3) *юр.* владе́лец (*преим. недвижимости*)

2. *v* арендова́ть, владе́ть на права́х аре́нды

tenantry [ˈtenəntrı] *n собир.* аренда́торы, нанима́тели

tench [tentʃ] *n* линь (*рыба*)

tend I [tend] *v* 1) име́ть тенде́нцию (*к чему-л.*); клони́ться (*к чему-л.*); it ~s to become cold at night вероя́тно к но́чи похолода́ет 2) име́ть скло́нность (*к чему-л.*); he ~s to exaggerate он скло́нен (всё) преувели́чивать 3) направля́ться; вести́ в определённом направле́нии (*о дороге, курсе и т. п.*)

tend II [tend] *v* (*сокр. от* attend) 1) забо́титься (*о ком-л.*); уха́живать (*за больным, за растениями и т. п.*) 2) обслу́живать; to ~ shop *амер.* обслу́живать покупа́телей

tendance [ˈtendəns] *n* (*сокр. от* attendance) 1) забо́та (*о ком-л.*); присмо́тр 2) *уст.* сви́та, прислу́жники

tendency [ˈtendənsı] *n* 1) стремле́ние, скло́нность, тенде́нция: a ~ to corpulence скло́нность к полноте́ 2) *attr.* тенденцио́зный; ~ writings тенденцио́зные статьи́

tendentious [tenˈdenʃəs] *n презр.* тенденцио́зный

tender I [ˈtendə] **1.** *n* 1) предложе́ние (*официальное*) 2) зая́вка на подря́д 3) су́мма (*вносимая в уплату долга и т. п.*); legal ~ *юр.* зако́нное платёжное сре́дство

2. *v* 1) предлага́ть; to ~ one's thanks приноси́ть благода́рность; to ~ an apology принести́ извине́ния; to ~ one's resignation подава́ть в отста́вку 2) предоставля́ть; вноси́ть (*деньги*) 3) подава́ть зая́вку (*на торгах*); подава́ть заявле́ние о подпи́ске (*на ценные бумаги*)

tender II [ˈtendə] *n* 1) лицо́, присма́тривающее за кем-л., обслу́живающее кого́-л., что-л.; baby ~ ня́ня; invalid ~ сиде́лка 2) *ж.-д.* те́ндер 3) *мор.* посы́льное су́дно; плаву́чая ба́за

tender III [ˈtendə] *a* 1) мя́гкий (*о мясе*) 2) не́жный, мя́гкий; ~ touch лёгкое прикоснове́ние 3) чувстви́тельный, боле́зненный; уязви́мый; ~ spot (*или* place) уязви́мое ме́сто 4) делика́тный, щекотли́вый 5) хру́пкий, сла́бый (*о здоровье*) 6) не́жный, лю́бящий; ~ passion (*или* sentiment) любо́вь, не́жные чу́вства; ~ heart до́брое се́рдце 7) чу́ткий, забо́тливый; to be ~ of smb. не́жно *или* забо́тливо относи́ться к кому́-л. 8) молодо́й, незре́лый; of ~ years не́жного во́зраста 9) нея́ркий, мя́гкий (*о тоне, цвете, краске*)

tender-eyed [ˈtendəraıd] *a* 1) с мя́гким ла́сковым взгля́дом 2) име́ющий сла́бое зре́ние

tenderfoot [ˈtendəfʊt] *n* новоприбы́вший, не осво́ившийся с но́вой обстано́вкой; новичо́к

tenderhearted [ˌtendəˈhɑ:tıd] *a* до́брый, мягкосерде́чный; отзы́вчивый

tenderling [ˈtendəlıŋ] *n* 1) ма́ленький ребёнок 2) *уст.* не́женка

tenderloin [ˈtendəlɔın] *n амер.* 1) филе́й, вы́резка 2) (T.) *sl.* городско́й райо́н, по́льзующийся дурно́й сла́вой

tenderness [ˈtendənəs] *n* не́жность *и пр.* [*см.* tender III]

tendinous [ˈtendınəs] *a* жи́листый; му́скулистый

tendon [ˈtendən] *n анат.* сухожи́лие

tendril [ˈtendrəl] *n бот.* у́сик

tenebrous [ˈtenıbrəs] *a* тёмный, мра́чный

tenement [ˈtenəmənt] *n* 1) многокварти́рный дом, сдава́емый в аре́нду (*тж.* ~ house) 2) арендо́ванное иму́щество; арендо́ванная земля́ 3) аренду́емое помеще́ние; кварти́ра (*снимаемая с семьёй*) 4) *поэт.* оби́тель

tenet [ˈtenıt] *n* до́гмат, при́нцип, доктри́на

tenfold [ˈtenfəʊld] **1.** *a* десятикра́тный **2.** *adv* вдеся́теро

tenner [ˈtenə] *n* 1) *разг.* банкно́т в 10 фу́нтов; *амер.* банкно́т в 10 до́лларов 2) *sl.* де́сять лет (тюре́много заключе́ния)

tennis [ˈtenıs] *n* те́ннис

tennis-ball [ˈtenısbɔ:l] *n* те́ннисный мяч

tennis-court [ˈtenıskɔ:t] *n* (те́ннисный) корт

tenon [ˈtenən] **1.** *n* 1) *стр.* шип; замо́к с шипо́м 2) *тех.* шпи́лька, язычо́к, ла́пка

2. *v* соединя́ть на шипа́х

tenor I [ˈtenə] 1) о́бщее содержа́ние, смысл ре́чи, статьи́ *и т. п.* 2) тече́ние, направле́ние; разви́тие 3) ко́пия; дублика́т 4) *горн.* содержа́ние руды́

tenor II [ˈtenə] *n муз.* 1) те́нор 2) *attr.* тено́ровый

tenpins [ˈtenpınz] *n pl* (*употр. как sing*) ке́гли

tense I [tens] *n грам.* вре́мя

tense II [tens] **1.** *a* натя́нутый; туго́й 2) возбуждённый, напряжённый; ~ anxiety не́рвное напряже́ние

2. *v* 1) натя́гивать(ся) 2) создава́ть напряже́ние

tensely [ˈtenslı] *adv* с напряже́нием, напряжённо

tensile [ˈtensaıl] *a* растяжи́мый; ~ strength *тех.* преде́л про́чности на разры́в

tensility [tenˈsılətı] *n* растяжи́мость

tension [ˈtenʃn] *n* 1) растяже́ние, натяже́ние, натя́гивание 2) натя́нутость, нело́вкость 3) напряже́ние, напряжённое состоя́ние; international ~ междунаро́дная напряжённость; to ease (*или* to relax, to reduce, to slacken) ~ осла́бить напряже́ние 4) *эл.* напряже́ние; high (low) ~ высо́кое (ни́зкое) напряже́ние 5) *тех.* упру́гость; давле́ние (*пара*)

tensity [ˈtensətı] *n* напряжённое состоя́ние, напряжённость

tensive [ˈtensıv] *a* создающий напряже́ние

ten-spot [ˈtenspɒt] *n амер. разг.* десятидо́лларовая бума́жка

ten-strike [ˈtenstraık] *n амер.* 1) уда́р, сбива́ющий сра́зу все ке́гли 2) *разг.* сокруши́тельный уда́р; кру́пный успе́х

tent I [tent] **1.** *n* пала́тка

2. *v* разби́ть пала́тку; жить в пала́тках

tent II [tent] *мед.* **1.** *n* тампо́н

2. *v* вставля́ть тампо́н

tent III [tent] *n* сла́бое кра́сное испа́нское вино́

tentacle [ˈtentəkl] *n* 1) *зоол.* щу́пальце (*тж. перен.*) 2) *бот.* у́сик

tentacular [tenˈtækjʊlə] *a* име́ющий фо́рму щу́пальца; подо́бный щу́пальцу

tentaculated [tenˈtækjʊleıtıd] *a* 1) *зоол.* снабжённый щу́пальцами 2) *бот.* снабжённый у́сиками

tentative [ˈtentətıv] *a* 1) про́бный, о́пытный, эксперимента́льный 2) неопределённый, колеблю́щийся, неуве́ренный

tent-bed [ˈtentbed] *n* похо́дная крова́ть

tenter [ˈtentə] *n текст.* шири́льная ра́ма ◇ to be on the ~s *уст.* = to be on tenterhooks [*см.* tenterhooks]

tenterhooks ['tentəhʊks] *n pl текст.* натяжны́е крючки́ ◇ to be on ~ ≅ сиде́ть как на иго́лках; му́читься неизве́стностью; to keep smb. on ~ держа́ть кого́-л. в состоя́нии неизве́стности *или* беспоко́йства

tenth [tenθ] **1.** *num. ord.* деся́тый ◇ ~ wave ≅ девя́тый вал

2. *n* 1) деся́тая часть 2) (the ~) деся́тое число́

tent-peg ['tentpeg] *n* ко́лышек для пала́тки

tenuity [te'nju:ətɪ] *n* 1) то́нкость 2) разрежённость (*во́здуха*) 3) бе́дность; нужда́; ску́дость 4) сла́бость (*зву́ка*) 5) простота́ (*сти́ля*)

tenuous ['tenjʊəs] *a* 1) незначи́тельный, то́нкий (*о разли́чиях*) 2) разрежённый (*о во́здухе*)

tenure ['tenjə] *n* 1) владе́ние, недви́жимость 2) пребыва́ние (*в до́лжности*) 3) срок владе́ния; срок пребыва́ния (*в до́лжности*)

tepee ['ti:pi:] *n* вигва́м североамерика́нских инде́йцев

tepefy ['tepɪfaɪ] *v* слегка́ подогрева́ть(ся)

tepid ['tepɪd] *a* теплова́тый; *перен.* прохла́дный

teratology [,terə'tɒlədʒɪ] *n биол.* терато́логия

terbium ['tɜ:bɪəm] *n хим.* те́рбий

tercel ['tɜ:sl] *n* со́кол (*саме́ц*)

tercentenary [,tɜ:sen'ti:nərɪ] **1.** *n* трёхсотле́тняя годовщи́на, трёхсотле́тие

2. *a* трёхсотле́тний

tercentennial [,tɜ:sen'tenɪəl] = tercentenary

tercet ['tɜ:sɪt] *n* 1) *n прос.* трёхсти́шие; терци́на 2) *муз.* терце́т

terebinth ['terəbɪnθ] *n* терпенти́нное де́рево

teredo [tə'ri:dəʊ] *n зоол.* корабе́льный червь, древото́чец

terete [te'ri:t] *a* цилиндри́ческий, кру́глый в сече́нии

tergal ['tɜ:gəl] *a зоол., анат.* спинно́й

tergiversate ['tɜ:dʒɪvɜ:seɪt] *v* 1) быть отсту́пником, преда́телем 2) увёртываться, уви́ливать

tergiversation [,tɜ:dʒɪvɜ:'seɪʃn] *n* 1) отсту́пничество; ренега́тство 2) увёртка

term [tɜ:m] **1.** *n* 1) те́рмин; *pl* выраже́ния, язы́к, спо́соб выраже́ния; in set ~s определённо; in the simplest ~s са́мым просты́м, поня́тным о́бразом; in ~s of figures языко́м цифр; in ~s of money в де́нежном выраже́нии 2) *pl* ли́чные отноше́ния; to be on good (bad) ~s быть в хоро́ших (плохи́х) отноше́ниях 3) *pl* усло́вия соглаше́ния; догово́р; to come to ~s (*или* to make ~s) with smb. прийти́ к соглаше́нию с кем-л.; to bring smb. to ~s заста́вить кого́-л. приня́ть усло́вия; to stand upon one's ~s наста́ивать на выполне́нии усло́вий 4) срок, определённый пери́од; for ~ of life пожи́зненно; ~ of office срок полномо́чий (*президе́нта, сена́тора и т. п.*); to serve one's ~ отбы́ть срок наказа́ния 5) *pl* усло́вия опла́ты; гонора́р; inclusive ~ цена́, включа́ющая опла́ту услу́г (*в гости́нице и т. п.*); ~s of trade соотноше́ние и́мпортных и э́кспортных цен 6) назна́ченный день упла́ты аре́нды, проце́нтов *и т. п.* 7) семе́стр 8) суде́бная се́ссия 9) *мат., лог.* член, элеме́нт 10) *мед.* срок разреше́ния от бре́мени 11) *уст.* преде́л, грани́ца

2. *v* выража́ть, называ́ть

termagant ['tɜ:məgənt] **1.** *n* гру́бая, сварли́вая же́нщина, меге́ра

2. *a* сварли́вый

termer ['tɜ:mə] *n* престу́пник, отбыва́ющий наказа́ние (*обы́чно в сочета́ниях*: first ~ отбыва́ющий заключе́ние в пе́рвый раз *и т. п.*)

terminable ['tɜ:mɪnəbl] *a* ограни́ченный сро́ком, сро́чный; ~ ten years from now действи́телен на де́сять лет, начина́я с настоя́щего моме́нта

terminal ['tɜ:mɪnl] **1.** *n* 1) кра́йность; вы́сшая, кра́йняя сте́пень 2) коне́чная ста́нция; коне́чный пункт; вокза́л 3) зда́ние аэропо́рта 4) *вчт.* термина́л 5) больно́й, страда́ющий смерте́льной боле́знью 6) *эл.* кле́мма; ввод *или* вы́вод 7) коне́чный слог *или* сло́во 8) *pl* пла́та за погру́зку това́ров на коне́чной железнодоро́жной ста́нции

2. *a* 1) смерте́льный (*о боле́зни*) 2) умира́ющий (*о больно́м*) 3) *разг.* чудо́вищный (*о ле́ни и т. п.*) 4) заключи́тельный, коне́чный; ~ station коне́чная ста́нция 5) периоди́ческий; периоди́чески повторя́ющийся 6) семестро́вый

terminate ['tɜ:mɪneɪt] *v* 1) ста́вить преде́л, положи́ть коне́ц 2) конча́ть(ся), заверша́ть(ся) (in) 3) ограни́чивать

termination [,tɜ:mɪ'neɪʃn] *n* 1) коне́ц; оконча́ние, истече́ние сро́ка, преде́л 2) *грам.* оконча́ние 3) исхо́д, результа́т

termini ['tɜ:mɪnaɪ] *pl от* terminus

terminology [,tɜ:mɪ'nɒlədʒɪ] *n* терминоло́гия

terminus ['tɜ:mɪnəs] *n* (*pl* -es [-ɪz], -ni) коне́чная ста́нция; вокза́л (*на коне́чной ста́нции*)

termitary ['tɜ:mɪtərɪ] *n* терми́тник, гнездо́ терми́тов

termite ['tɜ:maɪt] *n зоол.* терми́т

termless ['tɜ:mləs] *a* 1) не име́ющий грани́ц, безграни́чный 2) бессро́чный 3) не ограни́ченный усло́виями, незави́симый

term-time ['tɜ:mtaɪm] *n* пери́од заня́тий (*в шко́ле, колле́дже и т. п.*)

tern I [tɜ:n] *n* кра́чка (*пти́ца*)

tern II [tɜ:n] *n* 1) три предме́та; три числа́ *и т. п.*; тро́йка 2) три вы́игрышных биле́та в лотере́е

ternary ['tɜ:nərɪ] **1.** *n* три, тро́йка, триа́да

2. *a* 1) тройно́й 2) *хим., мин.* состоя́щий из трёх составны́х часте́й

Terpsichore [tɜ:p'sɪkərɪ] *n греч. миф.* Терпсихо́ра

terra ['terə] *лат. n* земля́; ~ incognita а) неизве́стная страна́; б) неизве́стная о́бласть (*зна́ния и т. п.*)

terrace ['terəs] **1.** *n* 1) терра́са; на́сыпь; усту́п 2) терра́са, вера́нда 3) ряд домо́в вдоль у́лицы 4) газо́н посреди́ у́лицы 5) пло́ская кры́ша

2. *v* устра́ивать в ви́де терра́сы

terracotta [,terə'kɒtə] **1.** *n* террако́та

2. *a* террако́товый

terrain [tə'reɪn] *n* 1) ме́стность, террито́рия; ~ of attack *амер.* райо́н наступле́ния 2) физи́ческие осо́бенности ме́стности; топогра́фия 3) *attr.* земно́й; ~ flying полёт по назе́мным ориенти́рам

terraneous [tɪ'reɪnɪəs] *n бот.* назе́мный

terrapin ['terəpɪn] *n* 1) водяна́я черепа́ха 2) автомоби́ль-амфи́бия

terraqueous [te'reɪkwɪəs] *a* 1) состоя́щий из земли́ и воды́ 2) земново́дный 3) сухопу́тно-морско́й (*о путеше́ствии*)

terrene ['teri:n] **1.** *a* земно́й

2. *n топ.* пове́рхность земли́

terrestrial [tə'restrɪəl] **1.** *a* 1) земно́й; ~ magnetism земно́й магнети́зм 2) сухопу́тный; назе́мный 3) земно́й, све́тский

2. *n* обита́тель земли́

terrible ['terəbl] *a* 1) внуша́ющий страх, у́жас 2) *разг.* (*с усил. знач.*) стра́шный, ужа́сный; грома́дный

terrier I ['terɪə] *n* 1) терье́р (*поро́да соба́к*) 2) *см.* territorial 2; 3) (T.) *амер.* «Терье́р», реакти́вный управля́емый снаря́д кла́сса «кора́бль — во́здух»

terrier II ['terɪə] *n ист.* поземе́льная кни́га

terrific [tə'rɪfɪk] *a* 1) *разг.* (*с усил. знач.*) огро́мный, необыча́йный, потряса́ющий *и т. п.* 2) ужаса́ющий

terrify ['terəfaɪ] *v* ужаса́ть, вселя́ть у́жас

territorial [,terə'tɔ:rɪəl] **1.** *a* 1) территориа́льный; ~ claims территориа́льные притяза́ния; ~ waters территориа́льные во́ды 2) земе́льный 3) *воен.* относя́щийся к территориа́льным вооружённым си́лам; T. Army территориа́льная а́рмия 4) (*обыкн.* T.) *амер.* относя́щийся к террито́рии [*см.* territory 2)]

2. *n* (T.) солда́т территориа́льной а́рмии

territory ['terətərɪ] *n* 1) террито́рия; земля́ 2) (T.) террито́рия (*администрати́вная едини́ца в США, Кана́де, Австра́лии, не име́ющая прав шта́та или прови́нции*) 3) о́бласть, сфе́ра (*нау́ки и т. п.*) 4) полови́на по́ля

terror ['terə] *n* 1) страх, у́жас 2) терро́р 3) «гроза́», лицо́ *или* вещь, внуша́ющие страх 4) *разг.* тяжёлый челове́к; беспоко́йный ребёнок; a holy ~ челове́к с тяжёлым, беспоко́йным хара́ктером; надое́дливый ребёнок ◇ the king of ~s смерть

terror-haunted ['terə,hɔ:ntɪd] *a* пресле́дуемый стра́хом

terrorism ['terərɪzəm] *n* террори́зм

terrorist ['terərɪst] *n* террори́ст

terrorize ['terəraɪz] *v* 1) вселя́ть страх 2) терроризи́ровать

terror-stricken, terror-struck ['terəstrɪkən, -strʌk] *a* объя́тый *или* охва́ченный у́жасом

terry [ˈterɪ] *n текст.* 1) вытяжно́й *или* була́вчатый ворс; неразрезно́й ворс 2) = terry-cloth

terry-cloth [ˈterɪklɪθ] *n* 1) махро́вая ткань (*для купальных халатов, простынь и т. п.*) 2) *attr.*: ~ robe купа́льный хала́т

terse [tɜ:s] *a* 1) сжа́тый, кра́ткий (*о стиле*) 2) немногосло́вный (*об ораторе*)

tertian [ˈtɜ:ʃn] *n мед.* малярия́, трёхдне́вная лихора́дка

tertiary [ˈtɜ:ʃərɪ] *a геол.* трети́чный

terza rima [ˌteətsəˈri:mə] *ит. n прос.* терци́на

terzetti [teətˈseti:] *pl от* terzetto

terzetto [teətˈsetəʊ] *n* (*pl* -os [-əʊz], -ti) *муз.* терце́т

tesla [ˈteslə] *n физ.* те́сла (*единица магнитной индукции*)

tessellated [ˈtesəleɪtɪd] *a* моза́ичный; мощённый разноцве́тными пли́тками

tessellation [ˌtesəˈleɪʃn] *n* моза́ичная рабо́та в ша́хматную кле́тку

tessera [ˈtesərə] *n* (*pl* -rae) ку́бик (*в мозаике*)

tesserae [ˈtesəri:] *pl от* tessera

tessitura [ˌtesɪˈtʊərə] *n муз.* тесситу́ра

test [test] **1.** *n* 1) испыта́ние; to put to ~ подверга́ть испыта́нию; to bear the ~ вы́держать испыта́ние; to stand the ~ of time вы́держать испыта́ние вре́менем 2) мери́ло; крите́рий 3) прове́рочная, контро́льная рабо́та; a ~ in English контро́льная рабо́та по англи́йскому языку́ 4) *психол.* тест 5) *хим.* иссле́дование, ана́лиз; прове́рка; a ~ for the amount of butter in milk определе́ние жи́рности молока́ 6) *хим.* реакти́в 7) *attr.* испыта́тельный, про́бный; контро́льный, прове́рочный; ~ station контро́льная ста́нция

2. *v* 1) подверга́ть испыта́нию, прове́рке; испы́тывать 2) *хим.* подверга́ть де́йствию реакти́ва 3) производи́ть о́пыты

testa [ˈtestə] *n* (*pl* -ae) 1) *бот.* те́ста, семенна́я кожура́ 2) па́нцирь (*беспозвоночных животных*)

testaceous [teˈsteɪʃəs] *a* 1) *зоол.* па́нцирный; защищённый па́нцирем 2) кирпи́чного цве́та (*о животных и растениях*)

testae [ˈtesti:] *pl от* testa

testament [ˈtestəmənt] *n* 1) *юр.* завеща́ние 2) (T.) *рел.* заве́т (*обыкн.* Но́вый Заве́т, Ева́нгелие; *тж.* New T.); Old T. Ве́тхий Заве́т

testamentary [ˌtestəˈmentərɪ] *a* завеща́тельный, пе́реданный по завеща́нию

testate [ˈtesteɪt] **1.** *a* оста́вивший по сме́рти завеща́ние; to die ~ умере́ть, оста́вив завеща́ние

2. *n* уме́рший завеща́тель

testator [teˈsteɪtə] *n* завеща́тель

testatrices [teˈsteɪtrɪsi:z] *pl от* testatrix

testatrix [teˈsteɪtrɪks] *n* (*pl* -rices) завеща́тельница

test ban [ˈtestbæn] *n* запреще́ние испыта́ний я́дерного ору́жия

test card [ˈtestkɑ:d] *n тлв.* се́тка

test case [ˈtestkeɪs] *n юр.* де́ло, явля́ющееся прецеде́нтом для реше́ния аналоги́чных дел

test drive [ˈtestdraɪv] *n* про́бная е́здка (*при покупке автомобиля*)

tester I [ˈtestə] *n* 1) испыта́тель; лабора́нт 2) прибо́р для испыта́ния; щуп, те́стер

tester II [ˈtestə] *n* балдахи́н (*над кроватью, алтарём и т. п.*)

testicle [ˈtestɪkl] *n анат.* яи́чко

testification [ˌtestɪfɪˈkeɪʃn] *n* да́ча показа́ний

testify [ˈtestɪfaɪ] *v* 1) дава́ть показа́ния, свиде́тельствовать (to — в по́льзу, against — про́тив); кля́твенно утвержда́ть 2) торже́ственно заявля́ть (*о своих убеждениях, о вере*) 3) свиде́тельствовать (*о чём-л.*); быть свиде́тельством

testily [ˈtestɪlɪ] *adv* раздражи́тельно, вспы́льчиво

testimonial [ˌtestɪˈməʊnɪəl] **1.** *n* 1) характери́стика, рекоменда́тельное письмо́; рекоменда́ция 2) коллекти́вный дар, подноше́ние, награ́да (*особ. преподнесённые публично*)

2. *a* благода́рственный; приве́тственный; ~ dinner обе́д *или* банке́т в честь кого́-л.

testimony [ˈtestɪmənɪ] *n* 1) показа́ние свиде́теля; false ~ ло́жные показа́ния; to give (*или* to bear) ~ дава́ть показа́ния; to call smb. in ~ вы́звать кого́-л. в ка́честве свиде́теля 2) доказа́тельство; свиде́тельство 3) утвержде́ние; (торже́ственное) заявле́ние 4) *pl библ.* скрижа́ли

test-mixer [ˈtest,mɪksə] *n* мензу́рка

test-paper [ˈtest,peɪpə] *n* 1) экзаменацио́нная рабо́та, тест 2) *хим.* реакти́вная бума́га 3) *амер. юр.* докуме́нт, испо́льзуемый для сличе́ния по́дписи лица́

test pilot [ˈtest,paɪlət] *n* лётчик-испыта́тель

test pit [ˈtestpɪt] *n геол.* про́бный шурф, разве́дочная сква́жина

test tube [ˈtesttju:b] *n* 1) проби́рка 2) *attr.* роди́вшийся в результа́те иску́сственного оплодотворе́ния

test-type [ˈtesttaɪp] *n* табли́ца для определе́ния остроты́ зре́ния

testy [ˈtestɪ] *a* вспы́льчивый, раздражи́тельный

tetanic [teˈtænɪk] *a мед.* столбня́чный

tetanus [ˈtetənəs] *n мед.* столбня́к

tetchy [ˈtetʃɪ] *a* оби́дчивый; раздражи́тельный; ~ horse ло́шадь с но́ровом ◇ ~ subject щекотли́вая те́ма

tête-à-tête [ˌteɪtəˈteɪt] **1.** *n* 1) свида́ние *или* разгово́р наедине́ 2) небольшо́й дива́н для двои́х

2. *a* конфиденциа́льный, ча́стный; a ~ conversation разгово́р с гла́зу на глаз

3. *adv* с гла́зу на глаз, наедине́

tether [ˈteðə] **1.** *n* 1) при́вязь (*для пасущегося животного*) 2) *перен.* преде́л; грани́ца; to come to the end of one's ~ дойти́ до преде́ла (сил); исче́рпать свои́ возмо́жности; дойти́ до то́чки

2. *v* 1) привяза́ть (*пасущееся животное*) 2) *перен.* ограни́чивать, ста́вить преде́л

tetra- [ˈtetrə-] *в сложных словах* четырёх-

tetragon [ˈtetrə,gɒn] *n геом.* четырёхуго́льник; regular ~ квадра́т

tetragonal [teˈtrægənl] *a геом.* четырёхуго́льный

tetrahedron [ˌtetrəˈhi:drən] *n геом.* четырёхгра́нник, тетра́эдр

tetralogy [teˈtrælədʒɪ] *n* 1) тетрало́гия (*четыре произведения, объединённые общим замыслом или темой*) 2) *др.-греч. иск.* тетрало́гия

tetrameter [teˈtræmɪtə] *n* четырёхсто́пный разме́р, тетра́метр

tetrastich [ˈtetrəstɪk] *n* строфа́, эпигра́мма, стихотворе́ние из четырёх строк

tetrasyllable [ˈtetrə,sɪləbl] *n* четырёхсло́жное сло́во

tetter [ˈtetə] *n уст., диал.* лиша́й, экзе́ма, парша́

Teuton [ˈtju:tn] *n* тевто́н; герма́нец

Teutonic [tjʊˈtɒnɪk] **1.** *a* прагерма́нский; тевто́нский

2. *n* герма́нский (*особ.* прагерма́нский) язы́к

Texan [ˈteksn] **1.** *n* теха́сец

2. *a* теха́сский

text [tekst] *n* 1) текст 2) по́длинный текст, оригина́л 3) цита́та из Би́блии 4) те́ма (*речи, проповеди*); to stick to one's ~ не отклоня́ться от те́мы 5) *амер.* = textbook 6) *полигр.* текст (*шрифт*)

textbook [ˈtekstbʊk] *n* уче́бник, руково́дство

text-hand [ˈteksthænd] *n* кру́пный кру́глый по́черк

textile [ˈtekstaɪl] **1.** *a* тексти́льный; тка́цкий

2. *n* (*обыкн. pl*) тексти́ль(ное изде́лие); ткань

textual [ˈtekstʃʊəl] *a* 1) текстово́й; относя́щийся к те́ксту; ~ criticism текстоло́гия, крити́ческое изуче́ние те́кста (*особ. с целью восстановления его первоначальной формы*) 2) тексту́альный, буква́льный

texture [ˈtekstʃə] *n* 1) строе́ние тка́ни, сте́пень пло́тности тка́ни; coarse (fine) ~ гру́бая (то́нкая) ткань 2) структу́ра, строе́ние; the ~ of a mineral структу́ра минера́ла 3) своеобра́зие, осо́бенности худо́жественной те́хники в произведе́ниях иску́сства; факту́ра, ткань (*произведения*); the ~ of verse факту́ра стиха́ 4) *жив.* тексту́ра 5) *анат., биол.* ткань

Thai [taɪ] **1.** *n* 1) представи́тель наро́да та́и 2) та́йский язы́к

2. *a* та́йский

thaler [ˈtɑ:lə] *n ист.* та́лер (*немецкая серебряная монета*)

Thalia [θəˈlaɪə] *n греч. миф.* Та́лия

thalidomide [θəˈlɪdəmaɪd] *n* 1) *фарм.* талидоми́д (*транквилизатор*) 2) *attr.*: ~ baby же́ртва талидоми́да (*урод, родившийся в результате приёма талидомида его матерью*)

thallium [ˈθælɪəm] *n хим.* та́ллий

than [ðæn (*полная форма*); ðən, ðn, n (*редуцированные формы*)] *cj* чем; he is taller ~ you are он вы́ше вас; I'd rather stay ~ go я предпочёл бы оста́ться ◇ none other ~ не кто ино́й, как

thane [θeɪn] *n ист.* тан

thank [θæŋk] **1.** *n* (*обыкн. pl*) 1) благода́рность; ~s спаси́бо; many ~s большо́е спаси́бо; ~ goodness (*или* God, heaven) сла́ва Бо́гу; to give ~s возблагодари́ть; to return ~s прочита́ть моли́тву (*до или после еды*) 2): ~s to (*употр. как prep*) благодаря́

2. *v* благодари́ть; ~ you благодарю́; ~ you ever so much о́чень вам благода́рен; ~ you for nothing! спаси́бо и на том! (*иронически, в ответ на отказ*); you may ~ yourself for that вы са́ми в э́том винова́ты; I'll ~ you to mind your own business я бы предпочёл обойти́сь без ва́ших сове́тов (*или* по́мощи)

thankee ['θæŋkɪ] *сокр. разг. от* thank you [*см.* thank 2]

thankful ['θæŋkfl] *a* благода́рный

thankfully ['θæŋkflɪ] *adv* 1) благода́рно, с благода́рностью 2) с облегче́нием; ~, nobody was hurt сла́ва Бо́гу, никто́ не пострада́л

thankless ['θæŋkləs] *a* неблагода́рный; ~ job неблагода́рная рабо́та

thank-offering ['θæŋk,ɒfərɪŋ] *n* благода́рственная же́ртва

thanksgiving ['θæŋks,gɪvɪŋ] *n* 1) благода́рственный моле́бен 2) благодаре́ние ◇ T. Day *амер.* День благодаре́ния, официа́льный пра́здник в па́мять пе́рвых колони́стов Массачу́сетса (*последний четверг ноября*)

thankworthy ['θæŋk,wɜ:ðɪ] *a* заслу́живающий благода́рности

that **1.** *pron* (*pl* those) 1) [ðæt] *demonstr.* тот, та, то (*иногда* э́тот *и пр.*); а) *указывает на лицо, понятие, событие, предмет, действие, отдалённые по месту или времени*: ~ house beyond the river тот дом за реко́й; ~ day тот день; ~ man тот челове́к; who is ~? кто говори́т?, кто у телефо́на?; б) *противополагается* this: this wine is better than ~ э́то вино́ лу́чше того́; в) *указывает на что-л. уже известное говорящему*: ~ is true э́то пра́вда; ~'s done it э́то реши́ло де́ло, переполо́нило ча́шу; г) *заменяет сущ. во избежание его повторения*: the climate here is like ~ of France зде́шний кли́мат похо́ж на кли́мат Фра́нции 2) [ðæt (*полная форма*); ðət, ðt (*редуцированные формы*)] *rel.* а) кото́рый, кто, тот кото́рый *и т. п.*; the members ~ were present те из чле́нов, кото́рые прису́тствовали; the book ~ I'm reading кни́га, кото́рую я чита́ю; б) *часто* = in (*или* on, at, for *и т. п.*) which: the year ~ he died год его́ сме́рти; the book ~ I spoke of кни́га, о кото́рой я говори́л ◇ and all ~ и тому́ подо́бное, и всё тако́е про́чее; by ~ тем са́мым, э́тим; like ~ таки́м о́бразом; ~'s that ничего́ не поде́лаешь; та́к-то вот; ~ is то́ есть; not ~ не потому́ (*или* не то), что́бы; ~'s it! вот и́менно!, пра́вильно!; ~'s all there is to it ну, вот и всё; this and ~ ра́зные; I went to this doctor and ~ я обраща́лся к ра́зным врача́м; now ~ тепе́рь, когда́; with ~ вме́сте с тем

2. *adv* [ðæt] так, до тако́й сте́пени; ~ far насто́лько далеко́; на тако́е расстоя́ние; ~ much сто́лько; he was ~ angry he couldn't say a word он был до того́ рассе́ржен, что слова́ не мог вы́молвить

3. *cj* [ðæt (*полная форма*); ðət (*редуцированная форма*)] что, что́бы (*служит для введения придаточных предложений дополнительных, цели, следствия и др.*); I khow ~ it was so я зна́ю, что э́то бы́ло так; we eat ~ we may live мы еди́м, что́бы подде́рживать жизнь; the explosion was so loud ~ he was deafened взрыв был насто́лько силён, что оглуши́л его́ ◇ oh, ~ I knew the truth! о, е́сли бы я знал пра́вду!

thatch [θætʃ] **1.** *n* 1) соло́менная *или* тростнико́вая кры́ша, кры́ша из па́льмовых ли́стьев 2) соло́ма *или* тростни́к (*для кровли*) 3) *разг.* густы́е во́лосы

2. *v* крыть соло́мой *или* тростнико́м

thaumaturge ['θɔ:mətɜ:dʒ] *n* чудотво́рец, куде́сник, волше́бник, маг

thaw [θɔ:] **1.** *n* 1) о́ттепель; та́яние 2) потепле́ние (*в отношениях*); смягче́ние междунаро́дной напряжённости, «о́ттепель»

2. *v* 1) та́ять; отта́ивать; *перен.* согрева́ться; it is ~ing та́ет 2) раста́пливать (*снег и т. п.*) 3) смягча́ться, станови́ться дружелю́бней, серде́чней

the [ði: (*полная форма*); ðɪ (*редуцированная форма, употр. перед гласными*), ðə (*редуцированная форма, употр. перед согласными*)] **1.** *определённый артикль* 1) *употр. перед сущ. для выделения предмета или явления внутри данной категории, данного класса предметов и явлений*: the book you mention упомина́емая ва́ми кни́га; I'll speak to the teacher я поговорю́ с преподава́телем (*тем, который преподаёт в нашем классе*) 2) *указывает на то, что данный предмет или лицо известны говорящему*: I dislike the man я не люблю́ э́того челове́ка; how is the score? како́й сейча́с счёт? 3) *указывает на то, что данный предмет или лицо являются исключительными, наиболее подходящими, самыми лучшими и т. п.*: (of all the men I know) he is the man for the position (из всех, кого́ я зна́ю,) он са́мый подходя́щий челове́к для э́того поста́ 4) *придаёт сущ. значение родового понятия*: the horse is a domestic animal ло́шадь — дома́шнее живо́тное 5) *употр. перед сущ., обозначающими предметы или понятия, являющиеся единственными в своём роде*: the sun со́лнце, the moon луна́ 6) *служит грамматическим средством оформления частично субстантивизированных прилагательных* а) *с абстрактным значением*: it is only a step from the sublime to the ridiculous от вели́кого до смешно́го то́лько оди́н шаг; б) *с собир. значением*: the poor бедняки́; the wise мудрецы́ 7) *придаёт конкретному сущ. обобщающее значение*: the stage сцени́ческая де́ятельность; the saddle верхова́я езда́

2. *adv употр. при сравн. ст. со значением* чем... тем; тем; the more the better чем бо́льше, тем лу́чше; the less said the better чем ме́ньше слов, тем лу́чше; (so much) the worse for him тем ху́же для него́

theater ['θɪətə] *амер.* = theatre

theatre ['θɪətə] *n* 1) теа́тр 2) кинотеа́тр 3) драмати́ческая литерату́ра, пье́сы; театра́льное иску́сство 4) аудито́рия в ви́де амфитеа́тра; operating ~ операцио́нная 5) по́ле де́йствий; the ~ of operations (*или* war) теа́тр вое́нных де́йствий 6) *predic.*: the play is good ~ пье́са о́чень сцени́чна

theatregoer ['θɪətəgəʊə] *n* театра́л

theatre-in-the-round [,θɪətərɪnðə'raʊnd] *n* теа́тр со сце́ной посреди́ зри́тельного за́ла

theatre sister ['θɪətəsɪstə] *n* ста́ршая операцио́нная сестра́

theatrical [θɪ'ætrɪkl] **1.** *a* 1) театра́льный, сцени́ческий; ~ column театра́льный отде́л в газе́те 2) театра́льный, несте́ственный, напы́щенный; показно́й

2. *n* 1) *pl* спекта́кль (*особ. любительский*) 2) профессиона́льный актёр

theatricality [θɪ,ætrɪ'kælətɪ] *n* театра́льность, неесте́ственность

theatricalize [θɪ'ætrɪkəlaɪz] *v* инсцени́ровать, театрализова́ть

theatrics [θɪ'ætrɪks] *n pl* (*употр. как sing*) сцени́ческое иску́сство

thé dansant [,teɪdɑ:ŋ'sɑ:ŋ] *фр. n* ве́черний чай с та́нцами

thee [ði:] *pron pers.* (*косв. п. от* thou) *уст., поэт.* тебя́, тебе́

theft [θeft] *n* 1) воровство́, кра́жа 2) *уст.* укра́денные ве́щи, покра́жа

their [ðeə] *pron poss.* (*употр. атрибутивно*; *ср.* theirs) их; свой, свои́

theirs [ðeəz] *pron poss.* (*абсолютная форма; не употр. атрибутивно*; *ср.* their) их; this book is ~ э́то их кни́га; ~ is a good house их дом хоро́ш

theism ['θi:ɪzəm] *n* теи́зм

them [ðem (*полная форма*); ðəm, ðm (*редуцированные формы*)] *pron. pers. косв. п. от* they

thematic [θɪ'mætɪk] *a* 1) темати́ческий 2) *грам.* относя́щийся к осно́ве; основообразу́ющий

theme [θi:m] *n* 1) те́ма, предме́т (*разговора, сочинения*) 2) *муз.* те́ма 3) *амер.* сочине́ние на за́данную те́му 4) *грам.* осно́ва 5) = theme song 2)

theme song ['θi:msɒŋ] *n* 1) повторя́ющаяся музыка́льная те́ма (*в фильме и т. п.*) 2) *радио* позывны́е

Themis ['θi:mɪs] *n греч. миф.* Феми́да

themselves [ðəm'selvz] *pron* 1) *emph.* са́ми; they built the house ~ они́ са́ми постро́или дом 2) *refl.* себя́, -ся; себе́; they wash ~ они́ мо́ются; they have built ~ a house они́ вы́строили себе́ дом

then [ðen] **1.** *adv* 1) тогда́; he was a little boy ~ тогда́ он был ребёнком 2) пото́м, зате́м; the noise stopped and ~ began again шум прекрати́лся, зате́м начался́ сно́ва 3) кро́ме того́, к тому́ же; I love my job and ~ it pays so well я люблю́ свою́ рабо́ту, к тому́ же она́ хорошо́ опла́чивается; and ~ you should remember кро́ме того́, вам сле́дует по́мнить 4) в тако́м слу́чае, тогда́; if you are tired ~ you'd better stay at home е́сли вы уста́ли, лу́чше остава́йтесь до́ма 5) *употр. для усиления значения при выражении согласия:* all right ~, do as you like ну ла́дно, поступа́йте, как хоти́те

2. *n* то вре́мя; by ~ к тому́ вре́мени; since ~ с того́ вре́мени ◇ every now and ~ вре́мя от вре́мени

3. *a* тогда́шний, существова́вший в то вре́мя; the ~ prime minister тогда́шний премье́р-мини́стр

thence [ðens] *adv уст., книжн.* 1) отту́да 2) отсю́да, поэ́тому, из э́того

thenceforth [,ðens'fɔ:θ] *adv уст., книжн.* с э́того вре́мени, впредь

thenceforward [,ðens'fɔ:wəd] = thenceforth

theocracy [θɪ'ɒkrəsɪ] *n* теокра́тия

theocratic [,θi:ə'krætɪk] *a* теократи́ческий

theodolite [θɪ'ɒdəlaɪt] *n геод.* теодоли́т

theologian [,θi:ə'ləʊdʒɪən] *n* богосло́в

theological [,θi:ə'lɒdʒɪkl] *a* богосло́вский

theology [θɪ'ɒlədʒɪ] *n* богосло́вие

theorbo [θɪ'ɔ:bəʊ] *n* (*pl* -os [-əʊz]) теорба (*род большой лютни XVII в.*)

theorem ['θɪərəm] *n* теоре́ма

theoretic(al) [,θɪə'retɪk(l)] *a* 1) теорети́ческий 2) спекуляти́вный, умозри́тельный

theoretics [,θɪə'retɪks] *n pl* (*употр. как sing*) тео́рия (*в противоп. практике*)

theorist ['θɪərɪst] *n* теоре́тик

theorize ['θɪəraɪz] *v* теоретизи́ровать

theory ['θɪərɪ] *n* 1) тео́рия; numbers ~ тео́рия чи́сел 2) необосно́ванное предположе́ние; to have a ~ that... полага́ть, что... 3) теорети́ческие осно́вы, при́нципы

theosophy [θɪ'ɒsəfɪ] *n* теосо́фия

therapeutic(al) [,θerə'pju:tɪk(l)] *a* терапевти́ческий

therapeutics [,θerə'pju:tɪks] *n pl* (*употр. как sing*) терапи́я, терапе́втика

therapeutist [,θerə'pju:tɪst] *n* терапе́вт

therapist ['θerəpɪst] *n* терапе́вт

therapy ['θerəpɪ] *n* лече́ние, терапи́я

there I [ðeə] **1.** *adv* 1) там; I shall meet you ~ я бу́ду ждать вас там; are you ~? вы слу́шаете? (*по телефону*) 2) туда́; ~ and back туда́ и обра́тно 3) здесь, тут, на э́том ме́сте; he came to the fourth chapter and ~ he stopped он дошёл до четвёртой главы́ и на ней застря́л 4) в э́том отноше́нии; I agree with you ~ в э́том я с ва́ми согла́сен ◇ ~ and then, then and ~ то́тчас же, на ме́сте; ~ it is та́к-то; таки́е-то дела́; ~ you are! а) вот вы где!; б) вот и вы!; в) вот вам!; вот то, что вам ну́жно!; держи́те, получа́йте!; г) и вот что получи́лось!; not all ~ не в своём уме́; to get ~ дости́чь це́ли, преуспе́ть

2. *n* (*с предлогами*): from ~ отту́да; up to ~ до того́ ме́ста; (he lives) near ~ (он живёт) в тех места́х, побли́зости

3. *int* ну, вот; на́до же!; ~!, ~! ну, ну, не пла́чь(те)!; ~, now! What did I tell you? ну, что́ я тебе́ говори́л?; ~! I've upset the ink! на́до же! Я разли́л черни́ла!; ~! та́к-то вот!

there II [ðɛə (*полная форма*); ðə (*редуцированная форма*)] *лишённое лексического знач. слово, употр. в основном с гл.* to be (~ is, ~ are есть, име́ется, име́ются) *и с некоторыми другими глаголами, напр.:* to seem, to appear, to live, to exist, to come, to pass, to fall *и т. п.*; ~ are many universities in our country в на́шей стране́ мно́го университе́тов; ~ came a knock on the door разда́лся стук в дверь ◇ ~ is a good fellow (boy, *etc.*) ну и молоде́ц!, вот у́мница!; ~ is no telling (understanding, *etc.*) нельзя́, тру́дно сказа́ть (поня́ть *и т. п.*)

thereabout [,ðeərə'baʊt] = thereabouts

thereabouts [,ðeərə'baʊts] *adv* 1) побли́зости; неподалёку; he lives in R or ~ он живёт в Р. и́ли где́-то в э́том райо́не 2) о́коло э́того; приблизи́тельно; в э́том ро́де; it's three o'clock or ~ сейча́с три часа́ и́ли о́коло того́ ◇ there or ~ о́коло э́того, приблизи́тельно

thereafter [ðeər'ɑ:ftə] *adv книжн.* 1) по́сле э́того; впосле́дствии 2) соотве́тственно

thereat [ðeər'æt] *adv уст.* 1) там, в том ме́сте 2) по э́той причи́не 3) тогда́, в то вре́мя

thereby [,ðeə'baɪ] *adv* 1) таки́м о́бразом 2) в связи́ с э́тим ◇ (and) ~ hangs a tale к э́тому мо́жно ещё ко́е-что́ приба́вить

therefor [,ðeə'fɔ:] *adv уст.* за э́то; в обме́н на э́то

therefore ['ðeəfɔ:] *adv* поэ́тому, сле́довательно

therefrom [,ðeə'frɒm] *adv уст.* отту́да

therein [,ðeər'ɪn] *adv книжн.* 1) здесь, там, в э́том, в том *и т. д.*; the earth and all ~ земно́й шар и всё на нём существу́ющее 2) в э́том отноше́нии

thereof [,ðeər'ɒv] *adv книжн.* 1) из э́того, из того́ 2) э́того; того́

thereon [,ðeər'ɒn] *adv уст.* 1) на том, на э́том 2) по́сле того́, вслед за тем

thereout [,ðeər'aʊt] *adv уст.* 1) отту́да 2) из того́

there's [ðeəz (*полная форма*); ðəz (*редуцированная форма*)] *сокр. разг.* = there is, there has

thereto [,ðeə'tu:] *adv книжн.* 1) к тому́, к э́тому; туда́ 2) кро́ме того́, к тому́ же, вдоба́вок

theretofore ['ðeətəfɔ:] *adv книжн.* до того́ вре́мени

thereunder [,ðeər'ʌndə] *adv книжн.* 1) под тем, под э́тим 2) на основа́нии э́того *или* в соотве́тствии с э́тим

thereunto [,ðeər'ʌntu:] *adv уст.* к тому́ же, вдоба́вок

thereupon [,ðeərə'pɒn] *adv* 1) вследствие того́ 2) вслед за тем 3) *уст.* на том, на э́том 4) *уст.* в отноше́нии того́

therewith [,ðeə'wɪθ] *adv уст.* 1) с тем, с э́тим 2) то́тчас, неме́дленно 3) к тому́ же

therewithal ['ðeəwɪðɔ:l] *adv уст.* к тому́ же

therm [θɜ:m] *n* терм (*единица теплоты*)

thermae ['θɜ:mi:] *n pl* 1) те́рмы, анти́чные обще́ственные ба́ни 2) *уст.* горя́чие исто́чники

thermal ['θɜ:ml] *a* 1) терми́ческий, теплово́й; калори́ческий 2) горя́чий, терма́льный (*об источнике*)

thermal capacity [,θɜ:mlkə'pæsətɪ] *n* теплоёмкость

thermal conductivity [,θɜ:mlkɒndʌk'tɪvətɪ] *n* теплопрово́дность

thermal unit [,θɜ:ml'ju:nɪt] *n* едини́ца теплоты́, кало́рия

thermic ['θɜ:mɪk] *a* теплово́й, терми́ческий

thermit ['θɜ:mɪt] = termite

thermite ['θɜ:maɪt] *n тех.* терми́т

thermo- ['θɜ:məʊ-] *в сложных словах* термо-; thermodynamics термодина́мика

thermochemistry [,θɜ:məʊ'kemɪstrɪ] *n* термохи́мия

thermocouple ['θɜ:məʊkʌpl] *n эл.* термоэлеме́нт, термопа́ра

thermodynamics [,θɜ:məʊdaɪ'næmɪks] *n pl* (*употр. как sing*) термодина́мика

thermoelectric [,θɜ:məʊɪ'lektrɪk] *a* термоэлектри́ческий

thermoelectricity [,θɜ:məʊɪlek'trɪsətɪ] *n* термоэлектри́чество

thermograph ['θɜ:məʊgrɑ:f] *n* термо́граф, самопи́шущий термо́метр

thermolysis [θɜ:'mɒlɪsɪs] *n хим.* термо́лиз

thermometer [θə'mɒmɪtə] *n* термо́метр, гра́дусник

thermonuclear [,θɜ:məʊ'nju:klɪə] *a* термоя́дерный; ~ weapon термоя́дерное ору́жие; ~ bomb водоро́дная бо́мба

thermopile ['θɜ:məʊpaɪl] *n* термоэлеме́нт; термосто́лбик

thermoplastic [,θɜ:məʊ'plæstɪk] **1.** *a* термопласти́ческий

2. *n* термопла́ст (*материал*)

thermoplegia [,θɜ:məʊ'pli:dʒɪə] *n мед.* теплово́й *или* со́лнечный уда́р

thermos ['θɜ:məs] *n* те́рмос (*тж.* ~ bottle, ~ flask, ~ jug)

thermostable [,θɜ:məʊ'steɪbl] *a* теплоусто́йчивый

thermostat ['θɜ:məʊstæt] *n* термоста́т

thermotaxis [,θɜ:məʊ'tæksɪs] *n физиол.* терморегуля́ция, теплорегуля́ция

thermotechnics [,θɜ:məʊ'teknɪks] *n pl* (*употр. как sing*) теплоте́хника

thermotropism [θɜ:'mɒtrəpɪzəm] *n бот.* термотропи́зм

thesauri [θɪ'sɔ:raɪ] *pl от* thesaurus

thesaurus [θɪ'sɔ:rəs] *n* (*pl* -ri, -ses [-ɪz])

1) слова́рь; энциклопе́дия, спра́вочник 2) *амер.* слова́рь сино́нимов *или* анто́нимов 3) темати́ческий *или* идеологи́ческий слова́рь, теза́урус 4) *редк.* сокро́вищница, храни́лище (*тж. перен.*)

these [ðiːz] *pl от* this

theses [ˈθiːsiːz] *pl от* thesis

thesis [ˈθiːsɪs] *n* (*pl* -ses) 1) те́зис; положе́ние 2) диссерта́ция 3) те́ма для сочине́ния, о́черка *и т. п.* 4) [*тж.* ˈθesɪs] *прос.* безуда́рный слог стопы́

Thespian [ˈθespɪən] **1.** *n* драмати́ческий, траги́ческий актёр *или* актри́са

2. *a* драмати́ческий, траги́ческий

Thetis [ˈθetɪs] *n греч. миф.* Фети́да

theurgy [ˈθiːɜːdʒɪ] *n* ма́гия, волшебство́

thews [θjuːz] *n pl книжн.* 1) му́скульная си́ла 2) си́ла ума́

they [ðeɪ] *pron pers.* 1) они́; *косв. п.* them их, им *и т. п.*; ~ who те, кто 2) (*в неопределённо-личных оборотах*): ~ say говоря́т

they'd [ðeɪd] *сокр. разг.* = they had; they would

they'll [ðeɪl] *сокр. разг.* = they will; they shall

they're [ðeə] *сокр. разг.* = they are

thick [θɪk] **1.** *a* 1) то́лстый; a foot ~ толщино́й в оди́н фут 2) жи́рный (*о шрифте, почерке и т. п.*) 3) густо́й, ча́стый; ~ hair густы́е во́лосы; ~ forest густо́й лес; 4) изоби́лующий (*чем-л*); запо́лненный (*чем-л.*); the air was ~ with snow па́дал густо́й снег 5) густо́й; ~ soup густо́й суп; ~ with dust покры́тый густы́м сло́ем пы́ли 6) (сши́тый) из то́лстой тка́ни, пло́тный 7) ча́стый, повторя́ющийся; ~ shower of blows сы́плющиеся гра́дом уда́ры 8) му́тный (*о жидкости*) 9) ту́склый; нея́сный, тума́нный (*о погоде*) 10) неразбо́рчивый, невня́тный (*о речи*); the patient's speech is still quite ~ больно́й говори́т ещё совсе́м невня́тно 11) хри́плый, ни́зкий (*о голосе*) 12) *разг.* глу́пый, тупо́й 13) *predic. разг.* бли́зкий, неразлу́чный; to be ~ with smb. дружи́ть с кем-л. ◇ to give smb. a ~ ear дать кому́-л. в у́хо; that is a bit (*или* too) ~ э́то чересчу́р, э́то уж сли́шком; ~ as black berries ≅ хоть пруд пруди́; в изоби́лии; to be ~ as thieves ≅ быть закады́чными друзья́ми

2. *n* 1) гу́ща; in the ~ of the crowd в гу́ще толпы́ 2) разга́р, пе́кло; to plunge into the ~ of the battle бро́ситься в са́мое пе́кло би́твы 3) *разг.* тупи́ца ◇ through ~ and thin упо́рно, несмотря́ на все препя́тствия

3. *adv* 1) гу́сто; оби́льно 2) ча́сто 3) нея́сно, заплета́ющимся языко́м; хри́пло ◇ ~ and fast бы́стро, стреми́тельно, оди́н за други́м; to lay it on ~ гру́бо льстить, хвати́ть че́рез край (*в похвалах*)

thicken [ˈθɪkən] *v* 1) утолща́ть(ся) 2) сгуща́ть(ся) 3) учаща́ться 4) мутне́ть 5) расти́, уплотня́ть(ся); the crowd is ~ing толпа́ растёт 6) усложня́ться

thicket [ˈθɪkɪt] *n* ча́ща; за́росли

thickhead [ˈθɪkhed] *n* тупи́ца

thick-headed [ˌθɪkˈhedɪd] *a* тупоголо́вый

thickly [ˈθɪklɪ] = thick 3

thickness [ˈθɪknəs] *n* 1) толщина́, густота́ *и пр.* [*см.* thick 1] 2) слой

thickset [ˌθɪkˈset] **1.** *a* 1) корена́стый 2) гу́сто заса́женный, гу́сто поса́женный, гу́сто заро́сший

2. *n* густа́я за́росль

thick-skinned [ˌθɪkˈskɪnd] *a* толстоко́жий (*тж. перен.*)

thick-skulled [ˌθɪkˈskʌld] *a* глу́пый, тупоголо́вый

thick-witted [ˌθɪkˈwɪtɪd] = thick-skulled

thief [θiːf] *n* (*pl* thieves) вор

thieve [θiːv] *v* (у)кра́сть, (с)ворова́ть

thievery [ˈθiːvərɪ] *n* воровство́, кра́жа

thieves [θiːvz] *pl от* thief

thievish [ˈθiːvɪʃ] *a* ворова́тый

thievishly [ˈθiːvɪʃlɪ] *adv* 1) ворова́то 2) бесче́стно

thigh [θaɪ] *n* бедро́

thighbone [ˈθaɪbəʊn] *n* бе́дренная кость

thill [θɪl] *n* огло́бля

thimble [ˈθɪmbl] *n* 1) напёрсток 2) наконе́чник; *тех.* му́фта, вту́лка 3) *мор.* ко́уш

thimbleful [ˈθɪmblfʊl] *n* глото́чек, щепо́тка, небольшо́е коли́чество

thimblerig [ˈθɪmblrɪg] *n* игра́ в напёрстки

thin [θɪn] **1.** *a* 1) то́нкий; ~ sheet то́нкий лист 2) то́нкий; прозра́чный; (сши́тый) из то́нкой тка́ни 3) худо́й, худоща́вый; ~ as a lath (*или* a rail, a whipping-post) худо́й как ще́пка 4) ре́дкий (*о волосах, лесе*) 5) малочи́сленный (*о населении, публике*) 6) жи́дкий, сла́бый, водяни́стый (*о чае, супе и т. п.*); разба́вленный, разведённый; ненасы́щенный 7) сла́бый, то́нкий (*о голосе*) 8) ме́лкий (*о дожде*) 9) разрежённый (*о газах*) 10) незапо́лненный, полупусто́й; ~ house полупусто́й теа́тр 11) ту́склый, сла́бый (*о свете*) 12) неубеди́тельный, ша́ткий; ~ excuse (story) неубеди́тельная отгово́рка (исто́рия) 13) *разг.* неприя́тный; to have a ~ time пло́хо провести́ вре́мя ◇ ~ on top лысе́ющий; that is too ~ э́то бе́лыми ни́тками ши́то

2. *v* 1) худе́ть (*тж.* ~ down) 2) де́лать(ся) то́нким, утонча́ть(ся); заостря́ть 3) оскудева́ть; реде́ть; разжижа́ться; пусте́ть (*о помещении, месте*); сокраща́ть(ся) в числе́ 4) прорежи́вать (*растения, посевы*; *тж.* ~ out) ▭ ~ **down** заостря́ть(ся); ~ **out** а) реде́ть; б) пусте́ть (*о помещении*); в) рассе́иваться (*о толпе*)

thine [ðaɪn] *pron poss. уст., диал.* 1) (*абсолютная форма; не употр. атрибутивно; ср.* thy) твой 2) = thy

thing [θɪŋ] *n* 1) вещь, предме́т; what are those black ~s in the field? что э́то там черне́ется в по́ле?; ~ in itself *филос.* вещь в себе́ 2) не́что, ко́е-что́; I have a few ~s to buy мне на́до ко́е-что́ купи́ть 3) (*обыкн. pl*) де́ло, факт, слу́чай, обстоя́тельство; ~s look promising положе́ние обнадёживающее; other ~s being equal при про́чих ра́вных усло́виях; a strange ~ стра́нное де́ло; how are ~s? *разг.* ну, как дела́?; as ~s go при сложи́вшихся обстоя́тельствах; all ~s considered учи́тывая всё (*или* все обстоя́тельства) 4) ка́чество, сво́йство, осо́бенность; patience is a useful ~ терпе́ние — поле́зное ка́чество 5) созда́ние, существо́; he is a mean ~ он по́длая тварь; oh, poor ~! о бедня́жка!; dumb ~s бессловե́сные живо́тные 6) образе́ц; обра́зчик; the latest ~ in hats са́мая мо́дная шля́па; quite the ~ мо́дный [*см. тж.* 7); *ср. тж.* ◇] 7) *разг.* не́что са́мое ну́жное, ва́жное, подходя́щее, настоя́щее; it is just the ~ э́то как раз то (, что на́до); a good rest is just the ~ for you хоро́ший о́тдых — вот что вам нужне́е всего́; the best ~ са́мое лу́чшее, лу́чше всего́; the next best ~ сле́дующий по ка́честву, лу́чший из остальны́х; (quite) the ~ как раз то, что ну́жно [*см. тж* 6); *ср. тж.* ◇] 8) *pl* ве́щи (*дорожные*); бага́ж 9) *pl* оде́жда; ли́чные ве́щи; take off your ~s сними́те пальто́, разде́ньтесь 10) *pl* у́тварь, принадле́жности; tea ~s ча́йная посу́да 11) литерату́рное, худо́жественное или музыка́льное произведе́ние; расска́з, анекдо́т ◇ we must do that first ~ мы должны́ сде́лать э́то в пе́рвую о́чередь; above all ~s пре́жде всего́, гла́вным о́бразом; among other ~s ме́жду про́чим; and ~s и тому́ подо́бное; to know a ~ or two ко́е-что́ знать; понима́ть что к чему́; no such ~ ничего́ подо́бного, во́все нет; near ~ опа́сность, кото́рую едва́ удало́сь избежа́ть; good ~s ла́комства; to make a good ~ of smth. извле́чь по́льзу из чего́-л.; to make a regular ~ of smth. регуля́рно занима́ться чем-л.; it amounts to the same ~ э́то одно́ и то же; to see ~s бре́дить, галлюцини́ровать; I am not quite the ~ today мне сего́дня нездоро́вится; (quite) the ~ мо́дный [*ср. тж.* 6) *и* 7)]; much of a good ~ э́то уж сли́шком

thingamy, thingum(a)bob, thingumajig, thingummy [ˈθɪŋəmɪ, ˈθɪŋəm(ɪ)bɒb, ˈθɪŋəmɪdʒɪg, ˈθɪŋəmɪ] *n разг. употр. вм. слова* (*особ. вм. имени*), *которое не можешь вспомнить* ≅ как бишь его́?

think [θɪŋk] *v* (thought) 1) ду́мать, обду́мывать (about, of — о *ком-л., чём-л.*); мы́слить 2) счита́ть, полага́ть; to ~ fit (*или* good) счесть возмо́жным, уме́стным 3) понима́ть, представля́ть себе́; I can't ~ how you did it вообрази́ть не могу́, как вы э́то сде́лали; I cannot ~ what he means не могу́ поня́ть, что он хо́чет сказа́ть 4) приду́мывать, находи́ть (of); I cannot ~ of the right word не могу́ подобра́ть подходя́щее сло́во 5) предполага́ть, допуска́ть; I thought as much я так и предполага́л 6) подозрева́ть, ожида́ть (*каких-л. результатов*); I think no harm in it не ви́жу в э́том ничего́ плохо́го 7) по́мнить, вспомина́ть; I didn't ~ to lock the door я забы́л запере́ть дверь; I ~ how we were once friends я вспомина́ю о том, как мы когда́-то дружи́ли; I can't ~ of his name не могу́ припо́мнить его́ и́мени 8) постоя́нно ду́мать, мечта́ть ▭ ~ out а) проду́мать до конца́; б) доду́маться; ~ over обсуди́ть, обду́мать; ~ through обду́мать со всех сторо́н, взве́сить; ~ up *разг.* вы́думать, сочини́ть, приду́мать ◇ to ~ much of быть высо́кого мне́ния; высоко́ цени́ть; to ~ well (highly, badly) of smb. быть хоро́шего (высо́кого, дурно́го) мне́ния о ком-л.; to ~ no end of smb. о́чень высоко́ цени́ть кого́-л.; to ~ better of а) переду́мать; отказа́ться от наме́рения (*сделать что-л.*); б) быть лу́чшего мне́ния о ком-л.; he ~s he is it он о себе́ высо́кого мне́ния; I ~ little (*или* nothing) of 30 miles a day де́лать 30 миль в день для меня́ су́щий пустя́к; I don't ~ (*прибавляется к ирон. утверждению*) не́чего сказа́ть; ни дать ни взять

thinkable ['θɪŋkəbl] *a* 1) мы́слимый 2) осуществи́мый, возмо́жный

thinker ['θɪŋkə] *n* мысли́тель, филосо́ф; a great ~ вели́кий мысли́тель

thinking ['θɪŋkɪŋ] **1.** *pres. p. от* think

2. *n* 1) размышле́ние; to do some hard ~ как сле́дует призаду́маться; поразмы́слить 2) мне́ние; to my ~ по моему́ мне́нию 3) *pl* размышле́ния; ход мы́слей

3. *a* мы́слящий, разу́мный ◇ ~ part *театр.* роль без слов; to put on one's ~ cap серьёзно обду́мать (*что-л.*)

think piece ['θɪŋkpi:s] *n разг.* обзо́рная статья́ (*в газете, журнале*), в кото́рой даётся исто́рия вопро́са, ана́лиза собы́тий *и т. п.*

think tank ['θɪŋktæŋk] *n разг.* 1) «мозгово́й центр»; коми́ссия экспе́ртов 2) голова́, башка́

thinner ['θɪnə] *n спец.* разбави́тель, разжижи́тель

thinning ['θɪnɪŋ] **1.** *pres. p. от* thin 2

2. *n* проре́живание посе́вов, лесонасажде́ний *и т. п.*

thin-skinned [,θɪn'skɪnd] *a* 1) тонкоко́жий 2) оби́дчивый, легкорани́мый

third [θə:d] **1.** *num. ord.* тре́тий; ~ person а) *грам.* тре́тье лицо́; б) *юр.* тре́тья сторона́, свиде́тель (*тж.* ~ party)

2. *n* 1) треть, тре́тья часть 2) (the ~) тре́тье число́ 3) *муз.* те́рция

third-best [,θə:d'best] *a разг.* третьесо́ртный, третьеразря́дный

thirdly ['θə:dlɪ] *adv* в-тре́тьих

third-rate [,θə:d'reɪt] *a* плохо́й, никуды́шный, «тре́тий сорт»

thirst [θə:st] **1.** *n* жа́жда; ~ for knowledge жа́жда зна́ний

2. *v* 1) хоте́ть пить (for) 2) жа́ждать (for, *библ.* after — *чего-л.*)

thirsty ['θə:stɪ] *a* 1) томи́мый жа́ждой; I am ~ я хочу́ пить 2) иссо́хший (*о почве*) 3) жа́ждущий (for — *чего-л.*) 4) *разг.* вызыва́ющий жа́жду

thirteen [,θə:'ti:n] *num. card.* трина́дцать

thirteenth [,θə:'ti:nθ] **1.** *num. ord.* трина́дцатый

2. *n* 1) трина́дцатая часть 2) (the ~) трина́дцатое число́

thirties ['θə:tɪz] *n pl* 1) (the ~) тридца́тые го́ды 2) четвёртый деся́ток (*возраст между 30 и 39 годами*); she is just out of her ~ ей то́лько что ми́нуло 40 лет

thirtieth ['θə:tɪəθ] **1.** *num. ord.* тридца́тый

2. *n* 1) тридца́тая часть 2) (the ~) тридца́тое число́

thirty ['θə:tɪ] **1.** *num. card.* три́дцать; ~-one три́дцать оди́н; ~-two три́дцать два *и т. д.*; he is over ~ ему́ за три́дцать

2. *n* три́дцать (*единиц, штук*)

this [ðɪs] *pron demonstr.* (*pl* these) э́тот, э́та, э́то а) *указывает на лицо, понятие, событие, предмет, действие, близкие по месту или времени*: ~ day сего́дня; these days в на́ши дни; ~ week на э́той неде́ле; ~ day week (month, year) ро́вно че́рез неде́лю (ме́сяц, год); ~ day last week ро́вно неде́лю наза́д; ~ country страна́, в кото́рой мы живём, нахо́димся (*обыкн. переводится названием страны, в которой находится говорящий или пишущий*); ~ house *парл.* э́та пала́та (*палата общин или лордов в зависимости от того, к какой палате обращается выступающий*); б) *противопоставляется* that: take ~ book and I'll take that one возьми́те э́ту кни́гу, а я возьму́ ту; в) *указывает на что-л., уже известное говорящему*: ~ is what I think вот что я ду́маю; ~ will never do э́то (ника́к) не годи́тся, не подхо́дит ◇ ~ much сто́лько-то; I know ~ much, that this story is exaggerated я зна́ю по кра́йней ме́ре то, что э́та исто́рия преувели́чена; ~ long так до́лго; the meeting isn't going to last ~ long собра́ние не продли́тся так уж до́лго; ~ side (of) ра́ньше, до (*определённого срока*); ~ side of midnight до полу́ночи; ~ way сюда́; like ~ так, вот так; таки́м о́бразом; ~ and that то да сё; ~, that and the other то одно́, то друго́е, то тре́тье; by ~ к э́тому вре́мени; ~ many a day давно́, уже́ мно́го дней; these ten minutes э́ти де́сять мину́т

thistle ['θɪsl] *n бот.* чертополо́х (*тж. как эмблема Шотландии*)

thistledown ['θɪsldaʊn] *n* пушо́к семя́н чертополо́ха ◇ as light as ~ ≅ лёгкий как пух

thistly ['θɪslɪ] *a* 1) заро́сший чертополо́хом 2) колю́чий

thither ['ðɪðə] *adv уст., книжн.* туда́, в ту сто́рону

thitherto [,ðɪðə'tu:] *adv уст.* до того́ вре́мени

thitherward(s) ['ðɪðəwəd(z)] *adv уст.* в ту сто́рону, туда́

tho' [ðəʊ] = though

thole [θəʊl] *n* уклю́чина (*тж.* thole-pin)

Thomas ['tɒməs] *n библ.* Фома́; doubting ~ Фома́ неве́рный, неве́рующий

thong [θɒŋ] **1.** *n* реме́нь; плеть

2. *v* стега́ть

thorax ['θɔ:ræks] *n анат.* грудна́я клётка

thorite ['θɔ:raɪt] *n мин.* тори́т

thorium ['θɔ:rɪəm] *n хим.* то́рий

thorn [θɔ:n] *n* 1) шип, колю́чка 2) торн (*название рунической буквы* þ, *соответствующей* th) ◇ a ~ in one's side (*или* flesh) ≅ исто́чник постоя́нного раздраже́ния; бельмо́ на глазу́

thorn apple ['θɔ:næpl] *n бот.* дурма́н

thorny ['θɔ:nɪ] *a* 1) колю́чий 2) терни́стый; тяжёлый; ~ path (*или* way) терни́стый путь 3) тру́дный, противоречи́вый (*о вопросе и т. п.*); a ~ subject щекотли́вая, опа́сная те́ма

thorough ['θʌrə] *a* 1) по́лный, соверше́нный; основа́тельный 2) доскона́льный, подро́бный; тща́тельный 3) зако́нченный, по́лный; a ~ scoundrel зако́нченный негодя́й

thoroughbass [,θʌrə'beɪs] *n муз.* 1) генера́л-ба́с 2) *распр.* гармо́ния

thoroughbred ['θʌrəbred] **1.** *a* 1) чистокро́вный, поро́дистый 2) хорошо́ воспи́танный; безупре́чный, безукори́зненный (*о манерах и т. п.*); элега́нтный

2. *n* чистокро́вное, поро́дистое живо́тное

thoroughfare ['θʌrəfeə] *n* 1) оживлённая у́лица; гла́вная арте́рия (*города*) 2) прохо́д, прое́зд; путь сообще́ния; no ~ прое́зд закры́т, прохо́да нет (*надпись*)

thoroughgoing [,θʌrə'gəʊɪŋ] *a* 1) иду́щий напроло́м, без компроми́ссов 2) радика́льный

thoroughly ['θʌrəlɪ] *adv* вполне́, соверше́нно, до конца́; основа́тельно, тща́тельно

thoroughness ['θʌrənəs] *n* основа́тельность, доскона́льность, тща́тельность, зако́нченность

thoroughpaced ['θʌrəpeɪst] *a* 1) хорошо́ вые́зженный 2) зако́нченный, отъя́вленный

thorp [θɔ:p] *n уст.* дере́вня, дереву́шка

those [ðəʊz] *pl от* that 1

thou [ðaʊ] *pron pers.* (*косв. п.* thee) *уст., поэт.* ты

though [ðəʊ] **1.** *cj* 1) хотя́, несмотря́ на 2) да́же, е́сли бы, хотя́ бы; it is worth attempting, ~ we fail сто́ит попро́бовать, да́же е́сли нам и не уда́стся

2. *adv разг.* тем не ме́нее; одна́ко (же); всё-таки; he said he would come, he didn't ~ он сказа́л, что придёт, не пришёл одна́ко

thought I [θɔ:t] *n* 1) мышле́ние 2) размышле́ние; (lost) in ~ погружённый в размышле́ния 3) забо́та; внима́ние; to take (*или* to show) ~ for smb. забо́титься о ком-л.; thank you for your kind ~ of me благодарю́ вас за внима́ние ко мне 4) мысль; to collect (*или* to compose) one's ~s собра́ться с мы́слями; to read smb.'s ~s чита́ть чьи-л. мы́сли; to take ~ заду́маться, опеча́литься 5) наме́рение 6) *обыкн. pl* соображе́ния, мы́сли, мне́ние 7) (a ~) чу́точка (*обыкн. употр. как adv* чу́точку); a ~ more polite чуть ве́жливей

◇ to give ~ to smth. призадуматься над чем-л.; (as) quick as ~ мгновенно; ≅ с быстротой молнии; second ~s are best ≅ семь раз отмерь — один раз отрежь

thought II [θɔ:t] *past и p. p. от* think

thoughtful [ˈθɔ:tfl] *a* 1) задумчивый, погружённый в размышления 2) глубокий по мысли, содержательный (*о книге и т. п.*) 3) заботливый, чуткий, внимательный (of — к *другим*)

thoughtless [ˈθɔ:tləs] *a* 1) невнимательный (of — к *другим*) 2) беспечный, безрассудный 3) необдуманный, глупый

thought-out [ˌθɔ:tˈaʊt] *a* продуманный; a well ~ argument хорошо продуманный аргумент

thought-reading [ˈθɔ:tˌri:dɪŋ] *n* чтение чужих мыслей

thought-transference [ˈθɔ:tˌtrænsfrəns] *n* передача мыслей на расстояние, телепатия

thousand [ˈθaʊznd] **1.** *num. card.* тысяча

2. *n* 1) тысяча; one in a ~ один на тысячу, исключительный 2) множество, масса; ~s of people тысячи людей ◇ many ~s of times (*или* a ~ times) множество раз; a ~ times easier в тысячу раз легче; the ~ and one small worries of life масса мелких забот; ≅ суета сует; he made a ~ and one excuses он тысячу раз извинялся; a ~ thanks ≅ большое спасибо

thousandfold [ˈθaʊzndfəʊld] **1.** *a* в тысячу раз больший

2. *adv* в тысячу раз больше

thousandth [ˈθaʊznθ] **1.** *num. ord.* тысячный

2. *n* тысячная часть

thraldom [ˈθrɔ:ldəm] *n ист.* рабство

thrall [θrɔ:l] **1.** *n* 1) раб 2) *ист.* рабство ◇ to hold smb. in ~ пленить, очаровать кого-л.

2. *v ист.* порабощать

thrash [θræʃ] *v* 1) бить, пороть 2) победить (*в борьбе, состязании*) 3) = thresh 1) ▭ ~ **about** метаться (*о больном*); ~ **out** тщательно обсуждать, выяснять, прорабатывать (*вопросы и т. п.*); ~ **over** = ~ out

thrasher [ˈθræʃə] *n* 1) = thresher 1); 2) = thresher 2); 3) *зоол.* морская лисица

thrashing [ˈθræʃɪŋ] **1.** *pres. p. от* thrash

2. *n* 1) порка, трёпка, взбучка; to give smb. a (sound) ~ вздуть кого-л. 2) = threshing 2, 1)

thrasonical [θrəˈsɒnɪkl] *a книжн.* хвастливый

thread [θred] **1.** *n* 1) нитка; нить (*тж. перен.*); the ~ of the story основная нить, линия рассказа; to lose the ~ of потерять нить (*рассказа и т. п.*); to resume (*или* to take up) the ~ (of) возобновить (*беседу, рассказ*); the ~ of life нить жизни; to pick up the ~ (of acquaintance with smb.) возобновить (знакомство с кем-л.) 2) *pl* *sl.* одежда, тряпки 3) *тех.* резьба, нарезка; шаг (*винта*) 4) *эл.* жила провода 5) *геол.* прожилок 6) *attr.* нитяный; нитевидный ◇ ~ and thrum всё вместе — и хорошее и плохое; to hang by a ~ висеть на волоске

2. *v* 1) продевать нитку (*в иголку*) 2) нанизывать (*бусы и т. п.*) 3) заправлять нитью (*ткацкий станок, швейную машину и т. п.*) 4): to ~ a film into the camera *кино* заряжать аппарат кинолентой 5) пробираться; прокладывать путь; to ~ one's way through the crowd пробираться сквозь толпу 6) пронизывать, проходить красной нитью 7) вплетать, переплетать 8) *тех.* нарезать (*резьбу*)

threadbare [ˈθredbeə] *a* 1) потёртый, изношенный 2) обшарпанный, бедно одетый 3) избитый (*о шутке, доводе и т. п.*); слабый (*об отговорке*)

threaded [ˈθredɪd] **1.** *p. p. от* thread 2

2. *a тех.* с нарезкой, с резьбой, нарезной

threader [ˈθredə] *n* винторезный станок

threadlike [ˈθredlaɪk] *a* 1) нитевидный 2) волокнистый

thread mark [ˈθredmɑ:k] *n* водяной знак (*на деньгах и т. п.*)

thread-needle [ˌθredˈni:dl] *n* «ручеёк» (*детская игра*)

threadworm [ˈθredwɜ:m] *n* острица (*глист*)

thready [ˈθredɪ] *a* 1) нитяный; нитевидный 2) волокнистый 3) тягучий (*о жидкости*) 4) слабый; ~ voice тонкий голосок

threat [θret] *n* 1) угроза 2) грозное предзнаменование; there is a ~ of rain собирается дождь

threaten [ˈθretn] *v* 1) грозить, угрожать (with — *чем-л.*); to ~ punishment угрожать наказанием 2) предвещать (*беду и т. п.*)

threatening [ˈθretnɪŋ] **1.** *pres. p. от* threaten

2. *a* угрожающий, грозящий; нависший (*об опасности и т. п.*)

three [θri:] **1.** *num. card.* три; ~ times ~ а) трижды три; б) девятикратное ура

2. *n* 1) тройка; in ~s по три 2) *pl* третий номер, размер 3) три очка

three-colour process [θri:ˌkʌləˈprəʊses] *n полигр.* трёхкрасочная печать

three-cornered [ˌθri:ˈkɔ:nəd] *a* 1) треугольный 2) происходящий с участием трёх человек, партий *и т. п.* (*о борьбе, диспуте и т. п.*) 3) нескладный, угловатый

three-decker [ˌθri:ˈdekə] *n* 1) трёхпалубное судно 2) трилогия; трёхтомный роман 3) трёхслойный сандвич

three-dimensional [ˌθri:daɪˈmenʃnəl] *a* трёхмерный, пространственный; стереоскопический

three-field [ˈθri:fi:ld] *a с.-х.* трёхпольный; ~ system трёхпольная система, трёхполье

threefold [ˈθri:fəʊld] **1.** *a* утроенный; тройной

2. *adv* втрое (больше), втройне

three halfpence [ˌθri:ˈheɪpəns] *n* полтора пенни

three-handed [ˌθri:ˈhændɪd] *a* происходящий с участием трёх игроков

three-lane [ˌθrɪˈleɪn] *a* трёхрядный, трёхполосный (*о дороге*)

three-legged [ˌθri:ˈlegɪd] *a* треногий; a ~ race бег парами (*игра, в которой нога одного бегуна связана с ногой другого*), бег «на трёх ногах»

three-master [ˌθri:ˈmɑ:stə] *n* трёхмачтовое судно

three-mile [ˈθri:maɪl] *a* трёхмильный; ~ limit граница трёхмильной полосы (*территориальных вод*)

threepence [ˈθrepəns] *n* три пенса; трёхпенсовая монета

threepenny [ˈθrepənɪ] *a* 1) стоящий три пенса; ~ bit (*или* piece) *ист.* трёхпенсовая монета 2) дешёвый, грошовый

three-per-cents [ˌθri:pəˈsents] *n pl* трёхпроцентные ценные бумаги

three-phase [ˌθri:ˈfeɪz] *a эл.* трёхфазный

three-piece [ˌθri:ˈpi:s] *a* состоящий из трёх предметов (*о костюме*)

three-ply [ˌθri:ˈplaɪ] **1.** *n* трёхслойная фанера

2. *a* трёхслойный (*о фанере*)

three-quarter [ˌθri:ˈkwɔ:tə] *a* 1) трёхчетвертной 2) с поворотом лица в три четверти (*о портрете, фотографии*)

threescore [ˌθri:ˈskɔ:] *n уст.* шестьдесят

threesome [ˈθri:səm] **1.** *n* 1) три человека, тройка 2) гольф (*или другая игра*) для трёх игроков

2. *a* состоящий из трёх; осуществляемый тремя

three-throw [ˌθri:ˈθrəʊ] *a тех.* строенный, трёхколенчатый

three-way [ˌθri:ˈweɪ] *a* 1) *тех.* трёхходовой 2) *ж.-д.* трёхпутный

thremmatology [ˌθreməˈtɒlədʒɪ] *n* тремматология, наука о разведении домашних животных и культурных растений

threnode, threnody [ˈθrenəʊd, ˈθrenədɪ] *n* погребальная песнь; погребальное пение

thresh [θreʃ] *v* 1) молотить 2) пытаться решить (*проблему и т. п.*; over) ▭ ~ **about** метаться ◇ to ~ over old straw ≅ толочь воду в ступе

thresher [ˈθreʃə] *n* 1) молотильщик 2) *с.-х.* молотилка

threshing [ˈθreʃɪŋ] **1.** *pres. p. от* thresh

2. *n* 1) молотьба 2) = thrashing 2, 1)

threshing-floor [ˈθreʃɪŋflɔ:] *n с.-х.* ток

threshing machine [ˈθreʃɪŋməˌʃi:n] *n с.-х.* молотилка

threshold [ˈθreʃhəʊld] *n* 1) порог 2) преддверие, отправной пункт, начало; to stumble on (*или* at) the ~ плохо начать (*дело*) 3) *психол.* порог (*сознания*)

threw [θru:] *past от* throw 2

thrice [θraɪs] *adv уст., книжн.* 1) трижды 2) очень, в высокой степени; ~ happy очень счастлив

thrice- [θraɪs-] *в сложных словах означает* в высшей степени, очень; thrice-

-told мно́го раз расска́занный; thrice-noble в вы́сшей сте́пени благоро́дный

thrift [θrɪft] *n* 1) эконо́мность, бережли́вость 2) *бот.* арме́рия

thriftless ['θrɪftləs] *a* расточи́тельный, неэконо́мный

thrifty ['θrɪftɪ] *a* 1) эконо́мный, бережли́вый 2) цвету́щий, процвета́ющий

thrill [θrɪl] **1.** *n* 1) возбужде́ние, глубо́кое волне́ние, тре́пет 2) не́рвная дрожь, тре́пет 3) что-л. волну́ющее, захва́тывающее 4) колеба́ние, вибра́ция

2. *v* 1) вызыва́ть тре́пет; си́льно взволнова́ть 2) испы́тывать тре́пет; си́льно взволнова́ться 3) дрожа́ть (*от страха, радости и т. п.*); трепета́ть; my heart ~ed with joy моё се́рдце затрепета́ло от ра́дости 4) колеба́ться, вибри́ровать

thrilled [θrɪld] **1.** *p. p. от* thrill 2

2. *a* 1) взволно́ванный, возбуждённый 2) заинтриго́ванный, захва́ченный

thriller ['θrɪlə] *n* три́ллер, сенсацио́нная кни́га *или* пье́са, остросюже́тный фильм, боеви́к

thrilling ['θrɪlɪŋ] **1.** *pres. p. от* thrill 2

2. *a* 1) волну́ющий, захва́тывающий 2) дрожа́щий, вибри́рующий

thrive [θraɪv] *v* (throve, *редк.* -d [-d]; thriven, *редк.* -d [-d]) 1) процвета́ть, преуспева́ть 2) бу́йно, пы́шно расти́, разраста́ться

thriven ['θrɪvn] *p. p. от* thrive

thro, thro' [θru:] = through

throat [θrəʊt] **1.** *n* 1) го́рло, горта́нь, гло́тка; to clear one's ~ отка́шливаться; full to the ~ сыт по го́рло; to stick in one's ~ застря́ть в го́рле (*о кости и т. п.*) [*см. тж.* ◇] 2) *книжн.* го́лос (*особ. певчей птицы*) 3) у́зкий прохо́д, у́зкое отве́рстие; жерло́ вулка́на 4) *тех.* горлови́на, зев, соедини́тельная часть; расчётный разме́р (в свету́) 5) *метал.* колошни́к (*домны*); горлови́на (*конвертора*) 6) *мор.* пя́тка (*гафеля*) ◇ to cut one's own ~ ≅ губи́ть себя́ со́бственными рука́ми; to cut one another's ~s смерте́льно враждова́ть; разоря́ть друг дру́га конкуре́нцией; to give smb. the lie in his ~ изобличи́ть кого́-л. в гру́бой лжи; to jump down smb.'s ~ перебива́ть кого́-л., гру́бо возража́ть; затыка́ть гло́тку кому́-л.; to thrust (*или* to ram) smth. down smb.'s ~ си́лой навяза́ть что-л. кому́-л.; to stick in one's ~ а) застрева́ть в го́рле (*о словах*); б) прети́ть; [*см. тж.* 1)]

2. *v* 1) бормота́ть 2) напева́ть хри́плым го́лосом

throaty ['θrəʊtɪ] *a* горта́нный; хри́плый

throb [θrɒb] **1.** *n* 1) тре́пет, волне́ние 2) бие́ние, пульса́ция

2. *v* 1) си́льно би́ться *или* пульси́ровать 2) трепета́ть, волнова́ться

throe [θrəʊ] *n* (*обыкн. pl*) 1) си́льная боль; in the ~s of в му́ках (*творчества и т. п.*); ~s of childbirth родовы́е му́ки 2) аго́ния

Throgmorton Street [θrɒg,mɔ:tn'stri:t] *n* 1) Трогмо́ртон-стрит (*улица в Лондоне, где расположена биржа*) 2) ло́ндонская би́ржа; биржевики́

thrombi ['θrɒmbaɪ] *pl от* thrombus

thromboses [θrɒm'bəʊsi:z] *pl от* thrombosis

thrombosis [θrɒm'bəʊsɪs] *n* (*pl* -ses) *мед.* тромбо́з

thrombus ['θrɒmbəs] *n* (*pl* -bi) тромб

throne [θrəʊn] **1.** *n* 1) трон; престо́л 2) (the ~) короле́вская, ца́рская власть 3) высо́кое положе́ние 4) *разг.* «трон», стульча́к

2. *v* 1) возводи́ть на престо́л 2) занима́ть высо́кое положе́ние

throng [θrɒŋ] **1.** *n* 1) толпа́, толчея́ 2) ма́сса, мно́жество

2. *v* толпи́ться; заполня́ть (*о толпе*); переполня́ть (*помещение*)

throstle ['θrɒsl] *n* 1) пе́вчий дрозд 2) *текст.* гребённая пряди́льная маши́на (*для шерсти*)

throttle ['θrɒtl] **1.** *n тех.* дро́ссель ◇ at full ~ на по́лной ско́рости, на по́лной мо́щности

2. *v* 1) души́ть 2) задыха́ться 3) *тех.* дроссели́ровать, мять (*пар*) ▭ ~ down уме́ньшить газ

through [θru:] **1.** *prep* 1) *указывает на пространственные отношения* че́рез, сквозь, по; ~ the gate че́рез воро́та; they marched ~ the town они́ прошли́ по го́роду; ~ this country по всей стране́ 2) *указывает на временные отношения*: а) в тече́ние, в продолже́ние; ~ the night всю ночь; to wait ~ ten long years прожда́ть де́сять до́лгих лет; б) *амер.* включи́тельно; May 10 ~ June 15 с 10 ма́я по 15 ию́ня включи́тельно 3) *в сочетаниях, имеющих переносное значение* в, че́рез; to flash ~ the mind промелькну́ть в голове́; to go ~ many trials пройти́ че́рез мно́го испыта́ний 4) че́рез (посре́дство), от; I heard of you ~ your sister я слы́шал о вас от ва́шей сестры́; he was examined ~ an interpreter его́ допра́шивали че́рез перево́дчика 5) по причи́не, вследствие, из-за, благодаря́; we lost ourselves ~ not knowing the way мы заблуди́лись из-за того́, что не зна́ли доро́ги

2. *adv* 1) от нача́ла до конца́; *в сочетании с глаголами передаётся приставками* пере-, про-; he slept the whole night ~ он проспа́л всю ночь; to carry ~ довести́ до конца́; I have read the book ~ я прочёл всю кни́гу; to get ~ пройти́; to look ~ просмотре́ть 2) насквозь; соверше́нно; I am wet ~ я насквозь промо́к ◇ to be ~ (with) а) зако́нчить (*что-л.*); б) поко́нчить (*с чем-л.*); в) пресы́титься (*чем-л.*); уста́ть (*от чего-л.*); to put a person ~ соедини́ть кого́-л. (*по телефону*); you are ~! абоне́нт у телефо́на, говори́те!; ~ and ~ а) соверше́нно, насквозь, до конца́, во всех отноше́ниях; an aristocrat ~ and ~ аристокра́т до ко́нчиков па́льцев; б) сно́ва и сно́ва

3. *a* 1) прямо́й, беспереса́дочный; ~ ticket сквозно́й биле́т; ~ service беспереса́дочное сообще́ние 2) свобо́дный, беспрепя́тственный; ~ passage свобо́дный прохо́д

throughly ['θru:lɪ] *уст.* = thoroughly

throughout [θrʊ'aʊt] **1.** *adv* 1) во всех отноше́ниях; соверше́нно 2) повсю́ду; на всём протяже́нии; the dictionary has been revised ~ слова́рь был с нача́ла до конца́ пересмо́трен

2. *prep* че́рез; по всему́; в продолже́ние (*всего времени и т. п.*); ~ the 19th century че́рез весь XIX век

throughput ['θru:pʊt] *n* пропускна́я спосо́бность; производи́тельность

throve [θrəʊv] *past от* thrive

throw [θrəʊ] **1.** *n* 1) боса́ние; бросо́к 2) да́льность броска́; расстоя́ние, на кото́рое мо́жно метну́ть диск *и т. п.* 3) риск, риско́ванное де́ло 4) *спорт.* бросо́к (*в борьбе*) 5) *геол.* вертика́льное перемеще́ние, сброс 6) гонча́рный круг 7) *тех.* ход (*поршня, шатуна*); разма́х 8) *амер.* покрыва́ло (*на кровати*) 9) *амер. разг.* шарф, лёгкая наки́дка 10) (а ~) *sl.* шту́ка, едини́ца; the book is sold at $5 a ~ кни́га продаётся по 5 до́лларов (за экземпля́р)

2. *v* (threw; thrown) 1) броса́ть, кида́ть; мета́ть; набра́сывать (*тж.* ~ on); to ~ oneself броса́ться, кида́ться; to ~ oneself at smb., smth. набра́сываться на кого́-л., что-л.; to ~ stones at smb. швыря́ть в кого́-л. камня́ми; *перен.* осужда́ть кого́-л.; to ~ a glance бро́сить взгляд; to ~ kisses at smb. посыла́ть кому́-л. возду́шные поцелу́и 2) бы́стро, неожи́данно приводи́ть, вверга́ть в како́е-л. состоя́ние (into, out of); to ~ into confusion приводи́ть в смяте́ние; he was thrown out of work его́ вы́кинули с рабо́ты 3) отбра́сывать (*тень*), броса́ть (*свет*) *и т. п.* 4) положи́ть на о́бе лопа́тки (*в борьбе*) 5) сбра́сывать (*всадника*) 6) *разг.* смуща́ть, приводи́ть в замеша́тельство 7) выбра́сывать како́е-л. коли́чество очко́в (*при игре в кости*) 8) навести́ (*мост*) 9) формова́ть (*изделие*); обраба́тывать (*на гончарном круге*) 10) *разг.* дава́ть, зака́тывать (*обед и т. п.*); устра́ивать (*вечеринку*) 11) *спорт. разг.* наме́ренно прои́грывать соревнова́ние 12) меня́ть (*кожу — о змее*) 13) отели́ться, ожереби́ться *и т. п.* 14) верте́ть; крути́ть (*шёлк*) ▭ ~ **about** разбра́сывать, раски́дывать; to ~ one's money about сори́ть деньга́ми; ~ **aside** отбра́сывать, отстраня́ть; ~ **away** а) броса́ть, отбра́сывать; б) тра́тить впусту́ю (*деньги и т. п.*); в) упусти́ть, не воспо́льзоваться; to ~ away an advantage упусти́ть возмо́жность; г) сбра́сывать (*карту*); ~ **back** а) походи́ть на пре́дков; проявля́ть атависти́ческие черты́; б) (*обыкн. pass*) вы́нудить *кого-л.* воспо́льзоваться свои́ми сбереже́ниями *и т. п.*; отбра́сывать наза́д; в) замедля́ть разви́тие; г) (ре́зко) отверга́ть; ~ **down** а) сбра́сывать; броса́ть; to ~ oneself down бро́ситься, лечь на зе́млю; to ~ down one's arms сдава́ться; to ~ down one's tools забастова́ть; б) сноси́ть, разруша́ть (*здание*); в) ниспроверга́ть; г) *хим* вызыва́ть оседа́ние; д) *амер.* отклоня́ть (*предложение и т. п.*); отверга́ть; to ~ down one's brief *юр.* отка́зываться от дальне́йшего веде́ния де́ла; ~ in а) вставля́ть (*замечание*); б) добавля́ть; в) *тех.* включа́ть; г) броса́ть (*в крикете*); ~ **off** а) отверга́ть; б) сверга́ть; в) сбра́сывать; избавля́ться; to ~ off an illness попра́виться, вы́лечиться; г) изверга́ть; д) легко́ и бы́стро наброса́ть (*эпиграмму и т. п.*); е) *охот.* спуска́ть соба́к; ж) начина́ть (*что-л.*); з) *тех.* выключа́ть; ~ **on** а) наки́нуть, наде́ть (*пальто и т. п.*); б) подбра́сывать, подбавля́ть; to ~ on coals подбра́сывать у́голь (*в топку*); ~ **out** а) выбра́сывать; б) выгоня́ть; увольня́ть; в) пристра́ивать; to ~ out a new wing пристро́ить но́вое крыло́ (к зда́нию); г) мимохо́дом выска́зывать (*предложение*); д) *парл.* отверга́ть (*законопроект*); е) сбить, запу́тать (*напр., в расчётах*); ж) *спорт.* перегоня́ть; з) испуска́ть, излуча́ть (*свет*); и) *воен.* выставля́ть, высыла́ть; ~ over а) броса́ть; покида́ть (*друзей*); б) отка́зываться (*от плана, намерения и т. п.*); в) *тех.* переключа́ть; ~ **together** а) на́спех составля́ть, компили́ровать; б) своди́ть вме́сте, ста́лкивать (*о людях*); ~ **up** а) подбра́сывать; б) вски́дывать (*глаза*); поднима́ть (*руки*); в) возводи́ть, бы́стро стро́ить (*дом, баррикады*); г) броса́ть, оставля́ть; д) отка́зываться от уча́стия; е) изверга́ть; *разг.* рвать; he threw up его́ вы́рвало ж) выделя́ть, оттеня́ть; з) *амер.* упрека́ть, критикова́ть ◇ to ~ the great cast поста́вить всё на ка́рту; to ~ a fit прийти́ в я́рость; закати́ть истерику; to ~ oneself at the head of smb. ве́шаться кому́-л. на ше́ю; to ~ the cap over the mill пуска́ться во все тя́жкие; to ~ the bull *амер.* трепа́ться; бессо́вестно врать; to ~ good money after bad, to ~ the handle after the blade рискова́ть после́дним; упо́рствовать в безнадёжном де́ле

throwaway ['θrəʊəweɪ] *n* рекла́мное объявле́ние, проспе́кт *и т. п.* (*распространяемые среди покупателей бесплатно*)

throwback ['θrəʊbæk] *n* 1) регре́сс; возвра́т к про́шлому 2) атави́зм

thrower ['θrəʊə] *n* 1) мета́тель; гранатомётчик; discus ~ мета́тель ди́ска, дискобо́л 2) гонча́р 3) = throwster 4) мета́тельный аппара́т

throw-in ['θrəʊɪn] *n* вбра́сывание (*мяча в игру*)

thrown [θrəʊn] *p. p. от* throw 2

thrown silk [,θrəʊn'sɪlk] *n* кручёный натура́льный шёлк

throw-off ['θrəʊɒf] *n* нача́ло (*охоты, бегов*)

throw-out ['θrəʊaʊt] *n разг.* отбро́сы; что-л. нену́жное

throwster ['θrəʊstə] *n текст.* шёлкокрути́льщик

thru [θru:] *амер.* = through

thrum [θrʌm] *v* 1) бренча́ть, тре́нькать 2) бараба́нить, стуча́ть (on)

thrush I [θrʌʃ] *n* дрозд

thrush II [θrʌʃ] *n мед.* моло́чница (*болезнь*)

thrust [θrʌst] **1.** *n* 1) толчо́к 2) уда́р, вы́пад 3) вооружённое нападе́ние, ата́ка 4) ре́зкое выступле́ние (*против кого-л.*); вы́пад, ко́лкость 5) *тех.* опо́ра, упо́р 6) *тех.* осева́я нагру́зка 7) *геол.* горизонта́льное или боково́е давле́ние; надви́г

2. *v* (thrust) 1) сова́ть, засо́вывать; to ~ one's hands into one's pockets засу́нуть ру́ки в карма́ны 2) навя́зывать (on — *кому-л.*); I don't want such things ~ on me я не хочу́, что́бы мне навя́зывали таки́е ве́щи 3) коло́ть, пронза́ть (at, through) 4) толка́ть; ты́кать 5) проти́скиваться, лезть, пролеза́ть (through, past); to ~ one's way пробива́ть себе́ доро́гу; to ~ oneself into a well-paid position проле́зть на хорошо́ опла́чиваемую до́лжность; to ~ oneself into smb.'s society втере́ться в чьё-л. о́бщество ▭ ~ **aside** отта́лкивать, отбра́сывать; ~ **forth** выта́лкивать; прота́лкивать; ~ **in** втыка́ть, всо́вывать, вонза́ть; to ~ in a word вста́вить сло́во; ~ **out** выгоня́ть, выселя́ть; вышвы́ривать ◇ to ~ oneself (*или* one's nose) in вме́шиваться (*не в своё дело*)

thud [θʌd] **1.** *n* глухо́й звук, стук (*от падения тяжёлого тела*)

2. *v* 1) свали́ться, шлёпнуться, бу́хнуться 2) ударя́ться с глухи́м сту́ком; bullets ~ed into the sandbags пу́ли глу́хо ударя́ли по мешка́м с песко́м

thug [θʌg] *n* 1) уби́йца; головоре́з 2) (Т.) *ист.* разбо́йник-души́тель (*член религиозной секты в северной Индии*)

thuggee, thuggery ['θʌgi:, 'θʌgərɪ] *n ист.* удуше́ние [*см.* thug 2)]

thuja ['θju:dʒə] *n бот.* ту́я

thulium ['θju:lɪəm] *n хим.* ту́лий

thumb [θʌm] **1.** *n* большо́й па́лец (*руки*); па́лец (*рукавицы*) ◇ under smb.'s ~ всеце́ло под влия́нием *или* во вла́сти кого́-л.; под башмако́м; Tom T. ма́льчик с па́льчик; to be all ~s быть нело́вким, неуклю́жим; ~s up! неду́рно!, подходя́ще!; to be ~s down быть про́тив, выража́ть несогла́сие, неодобре́ние (on)

2. *v* 1) захвата́ть, загрязни́ть 2) листа́ть, смотре́ть (*журнал, книгу; тж.* ~ through) 3) останови́ть проезжа́ющий автомоби́ль, подня́в большо́й па́лец (*тж.* ~ a lift) ◇ to ~ one's nose at smb. показа́ть нос кому́-л.

thumb index ['θʌm,ɪndeks] *n* бу́квенный указа́тель (*на обрезе справочника, словаря и т. п.*)

thumb-mark ['θʌmmɑ:k] *n* 1) след па́льцев (*на страницах книги*) 2) = thumbprint

thumbnail ['θʌmneɪl] **1.** *n* 1) но́готь большо́го па́льца 2) что-л., име́ющее разме́р но́гтя

2. *a* 1) ма́ленький 2) кра́ткий; ~ sketch кра́ткое описа́ние (*чего-л.*)

thumbprint ['θʌmprɪnt] *n* отпеча́ток большо́го па́льца (*в дактилоскопии*)

thumbscrew ['θʌmskru:] *n* 1) *ист.* тиски́ для больши́х па́льцев (*орудие пытки*) 2) *тех.* винт с нака́танной голо́вкой, винт-бара́шек

thumbtack ['θʌmtæk] *n амер.* чертёжная кно́пка

thump [θʌmp] **1.** *n* тяжёлый уда́р (*кулаком, дубинкой*); глухо́й звук (*удара*)

2. *v* 1) наноси́ть тяжёлый уда́р, ударя́ть; стуча́ть 2) ударя́ться; би́ться с глухи́м шу́мом; his heart ~ed его́ се́рдце глу́хо би́лось 3) (*часто* ~ out) ударя́ть, колоти́ть (*по клавишам*), выбива́ть, высту́кивать ритм

thumper ['θʌmpə] *n разг.* 1) что-л. о́чень большо́е 2) я́вная ложь

thumping ['θʌmpɪŋ] **1.** *pres. p. от* thump 2

2. *a разг.* грома́дный, подавля́ющий; ~ majority я́вное большинство́

3. *adv разг.* о́чень; ~ good play чертовски хоро́шая пье́са

thunder ['θʌndə] **1.** *n* 1) гром 2) гро́хот, шум 3) *часто pl* ре́зкое осужде́ние, угро́зы (*обыкн. со стороны газет, официальных лиц и т. п.*) ◇ to steal smb.'s ~ ≅ похи́тить чьи-л. ла́вры; воспо́льзоваться чьей-л. иде́ей до того́, как э́то сде́лает её а́втор

2. *v* 1) греме́ть (*тж. в безл. оборотах*); it ~s гром греми́т 2) громыха́ть, стуча́ть, колоти́ть 3) говори́ть громогла́сно 4) греми́ть, грози́ть (against); мета́ть гро́мы и мо́лнии

thunderbolt ['θʌndəbəʊlt] *n* 1) уда́р мо́лнии 2) белемни́т, чёртов па́лец (*остатки ископаемых моллюсков*) 3) не́что неожи́данное, ≅ как гром среди́ я́сного не́ба; to come like a ~, to be a ~ порази́ть, потрясти́, ошеломи́ть

thunderclap ['θʌndəklæp] *n* 1) уда́р гро́ма 2) неожи́данное собы́тие; ужа́сная но́вость

thundercloud ['θʌndəklaʊd] *n* грозова́я ту́ча

Thunderer ['θʌndərə] *n* (the ~) громове́ржец (*Юпитер, Тор*)

thundering ['θʌndərɪŋ] **1.** *pres. p. от* thunder 2

2. *a* 1) громоподо́бный; оглуша́ющий 2) *разг.* грома́дный; ~ ass ужа́сный болва́н

thunderous ['θʌndərəs] *a* 1) грозово́й, предвеща́ющий грозу́ 2) громово́й, оглуши́тельный

thunderpeal ['θʌndəpi:l] *n* уда́р *или* раска́т гро́ма

thunderstorm ['θʌndəstɔ:m] *n* гроза́

thunderstroke ['θʌndəstrəʊk] *n* уда́р мо́лнии

thunderstruck ['θʌndəstrʌk] *a* 1) сражённый уда́ром мо́лнии 2) ошеломлённый, оглушённый; как гро́мом поражённый

thundery ['θʌndərɪ] = thunderous 1)

thurible ['θjʊərɪbl] *n* кади́ло

thurify ['θjʊərɪfaɪ] *v* кади́ть

Thursday ['θɜ:zdeɪ] *n* четве́рг

thus [ðʌs] *adv* 1) так, таки́м о́бразом; поэ́тому (*амер. тж.* ~ and so); ~ and ~ та́к-то и та́к-то 2) до, до тако́й сте́пени;

~ far до сих по́р; ~ much сто́лько; ~ much at least is clear хоть э́то, по кра́йней ме́ре, я́сно

thwack [θwæk] **1.** *n* (си́льный) уда́р

2. *v* бить, колоти́ть

thwart [θwɔ:t] **1.** *n* ба́нка на гребно́й шлю́пке

2. *a* 1) попере́чный, косо́й; ~ motion попере́чное движе́ние 2) *уст.* несгово́рчивый, упря́мый

3. *v* (по)меша́ть исполне́нию (*жела́ний*); расстра́ивать, разруша́ть (*пла́ны и т. п.*)

thy [ðaɪ] *pron poss. уст.* (*употр. атрибутивно; ср.* thine) твой

thyme [taɪm] *n бот.* тимья́н, чабре́ц

thyroid ['θaɪrɔɪd] *анат.* **1.** *n* щитови́дная железа́

2. *a* щитови́дный; ~ cartilage щитови́дный хрящ; ~ gland щитови́дная железа́

thyrsi ['θɜ:saɪ] *pl от* thyrsus

thyrsus ['θɜ:səs] *n* (*pl* -si) *греч. миф.* тирс, жезл Ва́кха

thyself [ðaɪ'self] *уст. pron* 1) *refl.* себя́, -ся 2) *emph.* сам, сама́

tiara [tɪ'ɑ:rə] *n* 1) тиа́ра 2) диаде́ма

tibia ['tɪbɪə] *n* (*pl* -ae) *анат.* большеберцо́вая кость

tibiae ['tɪbɪi:] *pl от* tibia

tic [tɪk] *n мед.* тик; ~ douloureux [-,dolo'rɜ:] невралги́я тройни́чного не́рва

tick I [tɪk] *n* 1) чехо́л (*матра́ца, поду́шки*) 2) тик (*мате́рия*)

tick II [tɪk] **1.** *n* 1) ти́канье 2) *разг.* миг, мгнове́ние; in a ~ момента́льно, неме́дленно; in two ~s в два счёта; to (*или* on) the ~ то́чно, пунктуа́льно 3) отме́тка, пти́чка, га́лочка

2. *v* 1) ти́кать 2) де́лать отме́тку, ста́вить пти́чку (*ча́сто* ~ off) □ ~ away проходи́ть, пролета́ть (*о вре́мени*); ~ off *разг.* а) отде́лать, распуши́ть; б) *амер.* вы́вести из себя́, «доста́ть»; ~ out высту́кивать (*о телегра́фном аппара́те*); ~ over *авто* е́хать с вы́ключенным дви́гателем ◇ what makes him ~? что им дви́жет?, чем он живёт?

tick III [tɪk] *n* 1) *разг.* креди́т; to go (*или* to run) (on) ~ брать в креди́т; влеза́ть в долги́; to buy (to sell) on ~ покупа́ть (продава́ть) в креди́т 2) счёт

tick IV [tɪk] *n зоол.* клещ

ticker ['tɪkə] *n* 1) *разг.* се́рдце 2) *разг.* часы́ 3) *амер.* (биржево́й) телегра́фный аппара́т 4) *ра́дио* ти́ккер 5) *тлг.* зу́ммер

ticker tape ['tɪkəteɪp] *n* телегра́фная ле́нта

ticker-tape reception [,tɪkəteɪprɪ'sepʃn] *n амер.* торже́ственная встре́ча, торже́ственный прое́зд по у́лицам го́рода (*с осыпа́нием геро́я серпанти́ном из ти́ккерной ле́нты*)

ticket ['tɪkɪt] **1.** *n* 1) биле́т; тало́н; single (*амер.* one-way) ~ биле́т в оди́н коне́ц 2) пове́стка в суд за наруше́ние пра́вил у́личного движе́ния; to get a ~ быть оштрафо́ванным за наруше́ние пра́вил у́личного движе́ния 3) *воен.*: to get one's ~ *sl.* получи́ть увольне́ние; ~ of discharge увольни́тельное свиде́тельство 4) удостовере́ние; ка́рточка; квита́нция; pawn ~ зало́говая квита́нция 5) ярлы́к; price ~ этике́тка с цено́й 6) объявле́ние (*о сда́че внаём*) 7) *амер.* спи́сок кандида́тов како́й-л. па́ртии на вы́борах; straight ~ избира́тельный бюллете́нь с имена́ми кандида́тов како́й-л. одно́й па́ртии; mixed (*или* split) ~ бюллете́нь с кандида́тами из спи́сков ра́зных па́ртий; to carry a ~ провести́ свои́х кандида́тов; to be ahead of (behind) one's ~ получи́ть наибо́льшее (наиме́ньшее) коли́чество голосо́в по спи́ску свое́й па́ртии 8) предвы́борная платфо́рма полити́ческой па́ртии 9) *attr.* биле́тный; ~ scalper (*или* skinner) *амер. разг.* спекуля́нт театра́льными биле́тами; ~ window *амер.* ка́сса (*железнодоро́жного, возду́шного или автобусного сообще́ния*) ◇ the ~ то, что на́до; that's the ~ как раз то, что ну́жно; that's not quite the ~ не совсе́м то; непра́вильно; to work one's ~ а) добива́ться увольне́ния из а́рмии, освобожде́ния от рабо́ты (*ча́сто нече́стным путём*); б) отрабо́тать свой прое́зд на парохо́де

2. *v* 1) прикрепля́ть ярлы́к 2) *амер.* снабжа́ть биле́тами

ticket of leave [,tɪkɪtəv'li:v] *n ист.* досро́чное освобожде́ние заключённого

ticket-of-leave [,tɪkɪtəv'li:v] *a*: ~ man (*или* convict) *ист.* досро́чно освобождённый

ticking I ['tɪkɪŋ] = tick I, 2)

ticking II ['tɪkɪŋ] *pres. p. от* tick II, 2

tickle ['tɪkl] **1.** *n* щекота́ние; щеко́тка

2. *v* 1) щекота́ть 2) чу́вствовать щекота́ние; my nose ~s у меня́ щеко́чет в носу́ 3) угожда́ть; доставля́ть удово́льствие; весели́ть 4) лови́ть (*форе́ль*) рука́ми ◇ to ~ to death а) умори́ть со́ смеху; б) угоди́ть как нельзя́ лу́чше; до́ смерти обра́довать; to be ~d pink быть в восто́рге

tickler ['tɪklə] *n* 1) затрудне́ние; щекотли́вое положе́ние 2) тру́дная зада́ча, головоло́мка

ticklish ['tɪklɪʃ] *a разг.* 1) смешли́вый 2) тру́дный, делика́тный, щекотли́вый; риско́ванный; a ~ question щекотли́вый вопро́с 3) оби́дчивый

tick tack ['tɪktæk] *n* 1) ручна́я сигнализа́ция помо́щника букме́кера о хо́де ска́чек 2) *амер.* = ticktock 3) *attr.*: ~ man помо́щник букме́кера

ticktacktoe [,tɪktæk'təʊ] *n амер.* кре́стики и но́лики (*игра*)

ticktock ['tɪktɒk] *n* ти́канье (*часо́в*)

tic tac ['tɪktæk] = tick tack

tidal ['taɪdl] *a* свя́занный с прили́вом и отли́вом; прили́во-отли́вный; подве́рженный де́йствию прили́вов; ~ river прили́во-отли́вная река́; ~ wave прили́вная волна́; *перен.* волна́ чувств, охвати́вшая всех

tidbit ['tɪdbɪt] *амер.* = titbit

tiddly I ['tɪdlɪ] *a разг.* подвы́пивший, навеселе́

tiddly II ['tɪdlɪ] *a разг.* кро́шечный, ма́хонький

tiddlywinks ['tɪdlɪwɪŋks] *n pl* игра́ в бло́шки

tide [taɪd] **1.** *n* 1) морско́й прили́в и отли́в; high (low) ~ по́лная (ма́лая) вода́ 2) пото́к, тече́ние, направле́ние; the ~ turns собы́тия принима́ют ино́й оборо́т; to go with the ~ *перен.* плыть по тече́нию 3) волна́; the ~ of public discontent волна́ наро́дного возмуще́ния 4) *уст.* вре́мя, пора́, пери́од 5) *поэт.* пото́к, мо́ре ◇ double ~s о́чень напряжённо; неи́стово; to work double ~s рабо́тать день и ночь; рабо́тать не покладая́ рук

2. *v*: ~ over преодолева́ть; to ~ over a difficulty преодоле́ть затрудне́ние

-tide [-taɪd] *в сло́жных слова́х означа́ет* вре́мя го́да, сезо́н; Christmas-tide свя́тки

tide-gauge ['taɪdgeɪdʒ] *n гидр.* мареóграф, приливоме́р

tidemark ['taɪdmɑ:k] *n* отме́тка у́ровня по́лной воды́

tide table ['taɪdteɪbl] *n* расписа́ние прили́вов и отли́вов

tidewaiter ['taɪdweɪtə] *n ист.* чино́вник порто́вой тамо́жни

tidewater ['taɪdwɔ:tə] *n* 1) прили́вная вода́ 2) *амер.* подве́рженный де́йствию прили́вов

tideway ['taɪdweɪ] *n мор.* направле́ние прили́во-отли́вного тече́ния; фарва́тер, подве́рженный прили́вам и отли́вам

tidiness ['taɪdɪnəs] *n* опря́тность

tidings ['taɪdɪŋz] *n pl* (*употр. как sing и как pl*) *книжн.* но́вость, изве́стие; но́вости, изве́стия

tidy ['taɪdɪ] **1.** *a* 1) опря́тный, аккура́тный 2) *разг.* значи́тельный; a ~ sum кру́гленькая су́мма 3) *разг.* неплохо́й, дово́льно хоро́ший

2. *n* 1) мешо́чек для лоскуто́в и вся́кой вся́чины 2) убо́рка, прибо́рка 3) *амер.* салфе́точка (*на спи́нке мя́гкой ме́бели, на столе́*) 4) *диал.* де́тский пере́дник

3. *v* убира́ть, прибира́ть, приводи́ть в поря́док (*тж.* ~ up)

tie [taɪ] **1.** *n* 1) бечёвка, шнур, цепь, завя́зка, шнуро́к 2) га́лстук 3) (*обыкн. pl*) у́зы; the ~s of friendship у́зы дру́жбы 4) тягота́, обу́за 5) ра́вный счёт (*голосо́в избира́телей или очко́в в игре́*); игра́ вничью́; to end in a ~ зако́нчиться вничью́ 6) связь, соедине́ние; у́зел 7) *тех.* связь 8) *стр.* растя́нутый элеме́нт, затя́жка 9) *муз.* ли́га 10) *амер.* шпа́ла; to count the ~s *разг.* идти́ по шпа́лам 11) *амер. pl* полуботи́нки

2. *v* 1) завя́зывать(ся); привя́зывать (*тж.* ~ down; to — к *чему́-л.*); шнурова́ть (*боти́нки*); перевя́зывать (*го́лову и т. п.*; *ча́сто* ~ up); ~ it in a knot завяжи́те узло́м 2) скрепля́ть; завя́зывать узло́м, ба́нтом 3) свя́зывать у́зами, стесня́ть свобо́ду; обя́зывать (*тж.* ~ down, ~ up); ~d to (*или* for) time свя́занный вре́менем 4) ограни́чивать усло́виями 5) сравня́ть счёт, сыгра́ть вничью́; прийти́ голова́ в го́лову (*о лошадя́х на бега́х или* *ска́чках*); the teams ~d кома́нды сыгра́ли вничью́ □ ~ **in** а) присоедини́ть; б) связа́ться (with — с *кем-л.*); ~ **up** а) привяза́ть; перевяза́ть; связа́ть; I don't ~ it up э́то не вызыва́ет у меня́ никаки́х ассоциа́ций, воспомина́ний; б) вкла́дывать (*капита́л*); в) ограни́чить свобо́ду де́йствий; меша́ть, препя́тствовать; г) швартова́ться; д) совпада́ть, сходи́ться; it ~s up with what you were told before э́то совпада́ет с тем, что вам рассказа́ли ра́нее; е) объединя́ться, соединя́ть уси́лия (with); те́сно примыка́ть (with); ж) *pass. разг.* жени́ться; вы́йти за́муж

tie-beam ['taɪbi:m] *n* а́нкерная ба́лка

tied cottage [,taɪd'kɒtɪdʒ] *n* жили́ще, предоставля́емое сельскохозя́йственному рабо́чему на вре́мя рабо́ты

tied house [,taɪd'haʊs] *n* фи́рменный паб (*торгу́ет пи́вом одно́й компа́нии*)

tie-in ['taɪɪn] *n* принуди́тельный ассортиме́нт

tie pin ['taɪpɪn] *n* була́вка для га́лстука

tie-plate ['taɪpleɪt] *n тех.* 1) а́нкерная плита́ 2) путева́я подкла́дка

tier I ['taɪə] *n* 1) тот, кто (*или* то, что) свя́зывает 2) крепле́ние 3) *амер.* де́тский фа́ртук

tier II [tɪə] **1.** *n* 1) ряд; я́рус 2) бу́хта (*кана́та*)

2. *v* располага́ть я́русами (*тж.* ~ up)

tierce [tɪəs] *n* 1) [tɜ:s] *карт.* терц, три 2) тре́тья пози́ция и защи́та (*в фехтова́нии*) 3) *ист.* бо́чка (*ок. 200 л*)

tiercel ['tɪəsl] = tercel

tie-up ['taɪʌp] *n* 1) свя́занность, пу́ты 2) *разг.* связь, сою́з 3) *амер.* остано́вка, заде́ржка (*движе́ния и т. п.*); прекраще́ние рабо́ты (*в результа́те забасто́вки*)

tie-wig ['taɪwɪg] *n* пари́к, перевя́занный сза́ди ле́нтой

tiff [tɪf] *n* размо́лвка; сты́чка

tiffany ['tɪfənɪ] *n текст.* шёлковый газ

tiffin ['tɪfɪn] *инд.* **1.** *n* второ́й за́втрак

2. *v* за́втракать

tig [tɪg] **1.** *n* 1) прикоснове́ние 2) игра́ в са́лки

2. *v* са́лить

tiger ['taɪgə] *n* 1) тигр 2) опа́сный проти́вник (*в спо́рте*) 3) задира, хулига́н 4) *амер. разг.* крик одобре́ния, заверша́ющий троекра́тное «ура́»

tiger cat ['taɪgəkæt] *n зоол.* су́мчатая куни́ца

tigereye ['taɪgəraɪ] = tiger's-eye

tigerish ['taɪgərɪʃ] *a* 1) тигри́ный 2) свире́пый и кровожа́дный, как тигр

tiger moth ['taɪgəmɒθ] *n* медве́дица (*ба́бочка*)

tiger's-eye ['taɪgəzaɪ] *n* тигро́вый глаз (*полудрагоце́нный ка́мень*)

tight [taɪt] **1.** *a* 1) туго́й; ту́го завя́занный (*у́зел*) 2) пло́тный, компа́ктный; сжа́тый 3) пло́тно прилега́ющий, у́зкий, те́сный (*о пла́тье, о́буви*) 4) непроница́емый 5) ту́го натя́нутый 6) *разг.* пья́ный; ~ as a drum (*или* a brick) мертве́цки пья́ный 7) *разг.* скупо́й 8) ску́дный, недоста́точный (*о сре́дствах и т. п.*); money is ~ ма́ло де́нег 9) сжа́тый (*о сти́ле и т. п.*) 10) тру́дный, тяжёлый 11) *диал.* аккура́тный, опря́тный (*об оде́жде*) ◇ to get smb. in a ~ corner загна́ть кого́-л. в у́гол, прижа́ть кого́-л. к сте́нке; to be in a ~ place (*или* corner) быть в тру́дном положе́нии

2. *adv* 1) кре́пко; to sit ~ твёрдо держа́ться; не сдава́ть свои́х пози́ций 2) ту́го, пло́тно 3) те́сно

-tight [-taɪt] *в сло́жных слова́х означа́ет* непроница́емый; water-tight водонепроница́емый

tighten ['taɪtn] *v* сжима́ть(ся); натя́гивать(ся); уплотня́ть; to ~ one's belt поту́же затяну́ть по́яс (*тж. перен.*)

tightener ['taɪtnə] *n тех.* натяжно́е устро́йство

tightfisted [,taɪt'fɪstɪd] *a* скупо́й, скаредный

tight-fitting [,taɪt'fɪtɪŋ] *a* пло́тно облега́ющий, в обтя́жку

tight-lipped [,taɪt'lɪpt] *a* скры́тный, молчали́вый

tightly ['taɪtlɪ] = tight 2

tightness ['taɪtnəs] *n* напряжённость; ~ in the air напряжённая атмосфе́ра

tightrope ['taɪtrəʊp] *n* ту́го натя́нутый кана́т; ту́го натя́нутая про́волока

tightrope-dancer ['taɪtrəʊp,dɑ:nsə] *n* канатохо́дец

tights [taɪts] *n pl* 1) колго́тки 2) трико́ (*акроба́та и т. п.*)

tightwad ['taɪtwɒd] *n sl.* скупе́ц, скря́га

tigress ['taɪgrəs] *n* тигри́ца

tigrish ['taɪgrɪʃ] = tigerish

tike [taɪk] = tyke

til [tɪl] *n бот.* сеза́м, кунжу́т

tilbury ['tɪlbərɪ] *n ист.* тильбюри́ (*лёгкий откры́тый двухколёсный экипа́ж*)

tilde ['tɪldə] *n* 1) *полигр.* ти́льда (~) 2) ти́льда (*диакрити́ческий знак над смягчённым n в испа́нском языке́*)

tile [taɪl] **1.** *n* 1) черепи́ца 2) ка́фель, изразе́ц, пли́тка 3) *разг.* цили́ндр (*шля́па*) 4) гонча́рная труба́ ◇ to have a ~ loose *sl.* ≅ ви́нтика не хвата́ет; to be (out) on the ~s кути́ть, куроле́сить

2. *v* крыть черепи́цей *и́ли* ка́фелем

tiler ['taɪlə] *n* ма́стер по кла́дке черепи́цы; пли́точник

tilery ['taɪlərɪ] *n* 1) черепи́чный заво́д 2) печь для о́бжига черепи́цы

tiling ['taɪlɪŋ] **1.** *pres. p. от* tile 2

2. *n* 1) покры́тие черепи́цей 2) черепи́чная кро́вля

till I [tɪl] **1.** *prep* 1) до; ~ then до те́х по́р 2) до, не ра́ньше; he did not write us ~ last week до про́шлой неде́ли он ничего́ не писа́л нам

2. *cj* (до те́х по́р) пока́ (не); wait ~ I come подожди́, пока́ я приду́

till II [tɪl] *n* де́нежный я́щик, ка́сса (*в магази́не или ба́нке*)

till III [tɪl] *v* возде́лывать зе́млю, паха́ть

till IV [tɪl] *n геол.* тилл; валу́нная гли́на

tillable ['tɪləbl] *a с.-х.* па́хотный

tillage ['tɪlɪdʒ] *n* 1) обрабо́тка по́чвы 2) возде́ланная земля́; па́шня

tiller I ['tɪlə] *n* 1) земледе́лец 2) *амер.* культива́тор

tiller II ['tɪlə] *n* 1) *мор.* ру́мпель 2) *тех.* рукоя́тка

tiller III ['tɪlə] *бот.* **1.** *n* побе́г

2. *v* выбра́сывать побе́ги

tilt I [tɪlt] **1.** *n* 1) накло́н(ное положе́ние); to give a ~ наклони́ть 2) *ист.* нападе́ние вса́дника с копьём напереве́с 3) ссо́ра, спор, сты́чка ◇ (at) full ~ изо все́х си́л, по́лным хо́дом

2. *v* 1) наклоня́ть(ся) 2) опроки́дывать(ся); отки́дывать, повора́чивать 3) *ист.* би́ться на ко́пьях, сража́ться на турни́ре; to ~ at (*или* against) боро́ться с (*осо́б. на турни́ре*); де́лать вы́пад; 4) боро́ться, би́ться, ста́лкиваться; критикова́ть кого́-л., что-л. (*в выступле́нии, в печа́ти и т. п.*) 5) кова́ть

tilt II [tɪlt] **1.** *n* тент, паруси́новый наве́с (*над теле́гой, ло́дкой, ларько́м*)

2. *v* покрыва́ть паруси́новым наве́сом

tilth [tɪlθ] *n* 1) обрабо́тка по́чвы 2) па́шня 3) глубина́ вспа́шки

tilt-hammer [,tɪlt'hæmə] *n тех.* хвостово́й мо́лот

tiltyard ['tɪltjɑ:d] *n ист.* аре́на для турни́ров

timber ['tɪmbə] **1.** *n* 1) лесоматериа́лы 2) бревно́, брус; ба́лка 3) строево́й лес 4) *амер.* ли́чное ка́чество, досто́инство; a man of the right sort of ~ челове́к высо́ких ка́честв; he is good presidential ~ *разг.* он облада́ет все́ми ка́чествами, необходи́мыми для президе́нта 5) *мор.* ти́мберс; шпанго́ут 6) *горн.* крепёжный лес 7) *охот.* и́згородь

2. *v* обшива́ть де́ревом

timbered ['tɪmbəd] **1.** *p. p. от* timber 2

2. *a* 1) деревя́нный 2) леси́стый

timbering ['tɪmbərɪŋ] **1.** *pres. p. от* timber 2

2. *n* 1) лесоматериа́лы 2) пло́тничество, столя́рничество 3) *стр.* деревя́нная констру́кция, опа́лубка (*для бето́нных рабо́т*) 4) *горн.* деревя́нная крепь; крепле́ние

timberland ['tɪmbəlænd] *n амер.* лесны́е уча́стки

timberline ['tɪmbəlaɪn] *n* ве́рхняя грани́ца распростране́ния ле́са (*в гора́х*)

timber-man ['tɪmbəmən] *n* крепи́льщик

timber-toe(s) ['tɪmbətəʊ(z)] *n разг.* 1) челове́к с деревя́нной ного́й 2) челове́к с тяжёлой по́ступью

timber-yard ['tɪmbəjɑ:d] *n* лесно́й склад

timbre ['tæmbə] *n муз.* тембр

timbrel ['tɪmbrəl] *n уст.* бу́бен, тамбури́н

time [taɪm] **1.** *n* 1) вре́мя; what is the

~? котóрый час?; the ~ of day врéмя дня, час; from ~ to ~ врéмя от врéмени; in ~ вóвремя; to be in ~ поспéть, прийтѝ вóвремя; in course of ~ со врéменем; out of ~ несвоеврéменно; to have a good ~, to make a ~ of it хорошó провестѝ врéмя; in good ~ а) тóчно, своеврéменно; б) зарáнее, заблаговрéменно; all in good ~ всё в своё врéмя; in bad ~ не вóвремя, с опоздáнием, пóздно; to keep (good) ~ идтѝ хорошó (*о часах*); to keep bad ~ идтѝ плóхо (*о часах*); in no ~ необыкновéнно бы́стро, моментáльно; before ~ слѝшком рáно; in a short ~ в скóром врéмени; for a short ~ на корóткое врéмя, ненадóлго; to while away the ~ коротáть врéмя; to have ~ on one's hands имéть мáссу свобóдного врéмени; there is no ~ to lose нельзя́ терять ни минýты; in (*или* on) one's own ~ в свобóдное врéмя; to make ~ *амер.* а) спешѝть, пытáясь наверстáть упýщенное; б) éхать на определённой скóрости; on ~ *амер.* а) тóчно, вóвремя; б) в рассрóчку; at one ~ нéкогда; at ~s временáми; some ~ or other когдá-нибудь; at no ~ никогдá; at the same ~ а) в то же сáмое врéмя; б) вмéсте с тем; тем не мéнее; for the ~ being покá, до поры́ до врéмени 2) срок; it is ~ we were going нам порá идтѝ; ~ is up срок истёк; to do ~ *разг.* отбывáть тюрéмное заключéние; to serve one's ~ а) отбы́ть срок слýжбы; пройтѝ срок ученѝчества; б) отбы́ть срок наказáния; she is near her ~ онá скóро родѝт, онá на снóсях; to work against ~ старáться уложѝться в срок 3) (*часто pl*) эпóха, временá; перѝод; порá; hard ~s тяжёлые временá; ~ out of mind с незапáмятных времён; Shakespeare's ~s эпóха Шекспѝра; before one's ~ до когó-л.; до чегó-л. рождéния; ~s to come бýдущее; as ~s go по ны́нешним временáм; to go with the ~s не отставáть от жѝзни; идтѝ в нóгу со врéменем; before (behind) the ~s (*или* one's ~) передовóй (отстáлый) по взглядáм 4) раз; six ~s five is thirty шéстью пять — трѝдцать; ten ~s as large в дéсять раз бóльше; ~ after ~ раз за рáзом; повтóрно; one (two) at a ~ по одномý (пó двое); ~s out of (*или* without) number бесчѝсленное колѝчество раз; many a ~ чáсто, мнóго раз 5) жизнь, век; it will last my ~ э́того на мой век хвáтит 6) вóзраст; at my ~ of life в моѝ гóды, в моём вóзрасте 7) рабóчее врéмя; to work full (part) ~ рабóтать пóлный (непóлный) рабóчий день *или* пóлную (непóлную) рабóчую недéлю 8) *муз.* темп; такт; to beat ~ отбивáть такт; to keep ~ а) = to beat ~; б) выдéрживать ритм; в) идтѝ вéрно (*о часах*) 9) врéмя закры́тия пáба 10) интервáл мéжду рáундами (*бокс*); ~! врéмя! 11) *attr.* относя́щийся к определённому врéмени 12) *attr.* повремéнный ◇ it beats my ~ э́то вы́ше моегó понимáния; to sell ~ *амер.* предоставля́ть врéмя для выступлéния по рáдио *или* телевѝдению (*за плату*); lost ~ is never found again *посл.* потéрянного врéмени не ворóтишь; to give smb. the ~ of day, to pass the ~ of day with smb. здорóваться; обмéниваться привéтствиями; so that's the ~ of day! такѝе-то делá!; take your ~! не спешѝте!; to kill ~ убѝть врéмя

2. *v* 1) удáчно выбирáть врéмя; рассчѝтывать (по врéмени); приурóчивать; to ~ to the minute рассчѝтывать до минýты 2) назначáть врéмя; the train ~d to leave at 6.30 пóезд, отходя́щий по расписáнию в 6 ч. 30 м. 3) *спорт.* покáзывать врéмя (*в забеге, заезде и т. п.*) 4) танцевáть *и т. п.* в такт

-time [-taɪm] *в сложных словах означает* перѝод, порá; summer-time лéто

time and a half [ˌtaɪməndəˈhɑːf] *n* оплáта (сверхурóчной) рабóты в полуторнóм размéре

time-bargain [ˈtaɪmˌbɑːgɪn] *n* *бирж.* сдéлка на срок, срóчная сдéлка

time-bill [ˈtaɪmbɪl] *n* срóчный вéксель, вéксель с оплáтой в определённый срок

time bomb [ˈtaɪmbɒm] *n* *воен.* бóмба замéдленного дéйствия

time-book [ˈtaɪmbʊk] *n* тáбель прихóда на рабóту и ухóда с рабóты

time card [ˈtaɪmkɑːd] *n* кáрточка учёта прихóда на рабóту и ухóда с рабóты

time clock [ˈtaɪmklɒk] *n* часы́-тáбель

time-consuming [ˈtaɪmkənˌsjuːmɪŋ] *a* отнимáющий мнóго врéмени, трудоёмкий

time-expired [ˈtaɪmɪksˌpaɪəd] *a* *воен., мор.* вы́служивший срок

time exposure [ˈtaɪmɪksˌpəʊʒə] *n* *фото* вы́держка

time factor [ˈtaɪmfæktə] фáктор врéмени

time-fire [ˈtaɪmˌfaɪə] *n* *воен.* дистанциóнная стрельбá

time-fuse [ˈtaɪmfjuːz] *n* *воен.* дистанциóнная трýбка, дистанциóнный взрывáтель

time-honoured [ˈtaɪmˌɒnəd] *a* освящённый векáми

timekeeper [ˈtaɪmˌkiːpə] *n* 1) тáбельщик 2) часы́; хронóметр 3) *спорт.* судья́-хронометрѝст

time-lag [ˈtaɪmlæg] *n* промежýток врéмени мéжду двумя́ непосрéдственно свя́занными явлéниями *или* событиями (*напр., вспышкой молнии и раскатом грома*); отставáние во врéмени, запáздывание

timeless [ˈtaɪmləs] *a* 1) несвоеврéменный 2) не относя́щийся к определённому врéмени 3) *поэт.* вéчный

time limit [ˈtaɪmlɪmɪt] *n* предéльный срок, реглáмент

timeliness [ˈtaɪmlɪnəs] *n* своеврéменность

timely [ˈtaɪmlɪ] *a* своеврéменный

time-out [ˌtaɪmˈaʊt] *n* 1) *спорт.* перерыв, тайм-áут 2) корóткий перерыв в рабóте, передышка

timepiece [ˈtaɪmpiːs] *n* часы́; хронóметр

timer [ˈtaɪmə] *n* 1) хронометрѝст (*на скачках*) 2) часы́; хронóметр 3) *спец.* тáймер, регуля́тор вы́держки врéмени

-timer [-taɪmə] *в сложных словах означает* зáнятый стóлько-то врéмени; half-timer рабóчий, зáнятый непóлную рабóчую недéлю

time-saving [ˈtaɪmˌseɪvɪŋ] *a* эконóмящий врéмя, ускоря́ющий; ~ device *тех.* усовершéнствование, дающее эконóмию врéмени

time-served [ˈtaɪmsɜːvd] *a* прошéдший перѝод ученѝчества *или* обучéния

timeserver [ˈtaɪmˌsɜːvə] *n* приспособлéнец; оппортунѝст

time-serving [ˈtaɪmˌsɜːvɪŋ] **1.** *n* приспособлéнчество; оппортунѝзм

2. *a* приспосабля́ющийся; оппортунистѝческий; приспособлéнческий

time sheet [ˈtaɪmʃiːt] *n* тáбель учёта (*отработанных часов*)

time-signal [ˈtaɪmˌsɪgnl] *n* сигнáл тóчного врéмени, повéрка врéмени

time-study [ˈtaɪmˌstʌdɪ] *n* хронометрáж

timetable [ˈtaɪmˌteɪbl] *n* 1) расписáние (*железнодорожное, школьное и т. п.*) 2) грáфик (*работы и т. п.*)

timework [ˈtaɪmwɜːk] *n* повремéнная рабóта; подённая *или* почасовáя рабóта

timeworker [ˈtaɪmwɜːkə] *n* повремéнщик; рабóчий, зáнятый на подённой *или* почасовóй рабóте

timeworn [ˈtaɪmwɔːn] *a* 1) понóшенный, обветшáлый 2) стáрый, устарéвший

time zone [ˈtaɪmzəʊn] *n* часовóй пóяс

timid [ˈtɪmɪd] *a* рóбкий; застéнчивый

timidity [tɪˈmɪdətɪ] *n* рóбость; застéнчивость

timing [ˈtaɪmɪŋ] **1.** *pres. p. от* time 2

2. *n* 1) вы́бор определённого врéмени 2) расчёт врéмени 3) согласóванное дéйствие; координáция; синхрóнность (*тж. тех.*) 4) регулѝрование момéнта зажигáния (*в двигателях внутреннего сгорания*)

timorous [ˈtɪmərəs] *a* рóбкий; óчень боязлѝвый

timothy [ˈtɪməθɪ] *n* *бот.* тимофéевка луговáя (*тж.* ~ grass)

timpani [ˈtɪmpənɪ] *pl от* timpano

timpano [ˈtɪmpənəʊ] *ит.* *n* (*pl* -ni) *муз.* набóр литáвр

tin [tɪn] **1.** *n* 1) óлово 2) оловя́нная посýда 3) жестя́нка; консéрвная бáнка; a ~ of sardines корóбка сардѝн 4) *sl.* дéньги; богáтство ◇ straight from the ~ из пéрвых рук; свéженький

2. *a* 1) оловя́нный; ~ soldier оловя́нный солдáтик 2) ненастоя́щий, поддéльный; a (little) ~ god *разг.* человéк, пóльзующийся незаслýженным поклонéнием; ≅ «глѝняный божóк» ◇ ~ Lizzie *амер.* фóрдик, дешёвый автомобѝль; ~ wedding десятая годовщѝна свáдьбы, «оловя́нная свáдьба»

3. *v* 1) консервѝровать 2) лудѝть, покрывáть óловом

tinctorial [tɪŋkˈtɔːrɪəl] *a* красѝльный

tincture [ˈtɪŋktʃə] **1.** *n* 1) прѝвкус; прѝмесь 2) оттéнок; прѝмесь (*какого-л.*

цвета) 3) налёт 4) *фарм.* тинкту́ра, насто́йка 5) *разг.* спиртно́е

2. *v* 1) слегка́ окра́шивать 2) придава́ть (*запах, вкус и т. п.*)

tinder [ˈtɪndə] *n* 1) трут 2) сухо́е, гнило́е де́рево

tinderbox [ˈtɪndəbɒks] *n* 1) *ист.* тру́тница 2) оча́г напряжённости

tindery [ˈtɪndərɪ] *a* легковоспламеня́ющийся

tine [taɪn] *n* зубе́ц вил, бороны́; остриё

tinea [ˈtɪnɪə] *n мед.* опоя́сывающий лиша́й

tin fish [ˈtɪnfɪʃ] *n мор. sl.* торпе́да

tin-foil [ˈtɪnfɔɪl] *v* покрыва́ть фольго́й

tinfoil [ˈtɪnfɔɪl] *n* оловя́нная фольга́, станио́ль

ting [tɪŋ] *разг. см.* tinkle

tinge [tɪndʒ] **1.** *n* 1) лёгкая окра́ска; отте́нок, тон 2) при́вкус, след

2. *v* слегка́ окра́шивать, придава́ть отте́нок

tingle [ˈtɪŋgl] **1.** *n* звон в уша́х; пока́лывание, пощи́пывание; колотьё

2. *v* 1) испы́тывать пока́лывание (*в онеме́вших частя́х те́ла*), пощи́пывание (*на моро́зе*), боль, зуд *и т. п.* 2) вызыва́ть звон (*в уша́х*), ощуще́ние колотья́, щипа́ть *и т. п.*; the reply ~d in her ears отве́т ещё звене́л в её уша́х 3) горе́ть (with — от *стыда́, негодова́ния*) 4) дрожа́ть, трепета́ть (with — от) 5) *редк.* = tinkle 2, 1)

tin hat [ˈtɪnhæt] *n воен. разг.* стально́й шлем

tinhorn [ˈtɪnhɔːn] *амер. sl.* **1.** *n* хвасту́н, задава́ка

2. *a* показно́й, дешёвый

tinker [ˈtɪŋkə] **1.** *n* 1) ме́дник, луди́льщик 2) плохо́й рабо́тник, «сапо́жник» 3) попы́тка ко́е-ка́к почини́ть что-л.; ремо́нт на ско́рую ру́ку; ◇ I don't care a ~'s damn мне соверше́нно наплева́ть; not worth a ~'s damn гроша́ ло́маного не сто́ит

2. *v* 1) луди́ть, пая́ть 2) чини́ть ко́е-ка́к, на ско́рую ру́ку (*тж.* ~ up, ~ at); to ~ at smth. чини́ть ко́е-ка́к что-л., вози́ться с чем-л.

tinkle [ˈtɪŋkl] **1.** *n* 1) звон колоко́льчика *или* металли́ческих предме́тов друг о дру́га; звя́канье 2) *разг.* телефо́нный звоно́к; I'll give you a ~ я вам звя́кну

2. *v* 1) звене́ть; звони́ть; звя́кать 2) *разг.* мочи́ться, пи́сать

tinman [ˈtɪnmən] = tinsmith

tinned [tɪnd] **1.** *p. p. от* tin 3

2. *a* 1) консерви́рованный; ~ goods консе́рвы 2) покры́тый сло́ем о́лова ◇ ~ music му́зыка в механи́ческой за́писи

tinner [ˈtɪnə] *n* 1) рабо́чий на оловя́нных рудника́х 2) = tinman 3) рабо́чий консе́рвной фа́брики

tinnitus [tɪˈnaɪtəs] *n мед.* звон в уша́х

tinny [ˈtɪnɪ] *a* 1) оловоно́сный, оловосодержа́щий 2) име́ющий при́вкус же́сти 3) издаю́щий ре́зкий металли́ческий звук 4) *жив.* жёсткий (*о колори́те*)

tin-opener [ˈtɪnˌəʊpnə] *n* консе́рвный нож

tin-pan [ˈtɪnpæn] *a* металли́ческий, ре́зкий, неприя́тный (*о зву́ке*)

tin-pan alley [ˌtɪnpænˈælɪ] *n разг.* 1) райо́н го́рода, в кото́ром располо́жены музыка́льные изда́тельства 2) а́вторы и изда́тели лёгкой му́зыки

tinplate [ˈtɪnpleɪt] **1.** *n* (бе́лая) жесть

2. *v* луди́ть

tin-pot [ˈtɪnpɒt] *a разг.* дешёвый, скве́рный

tinsel [ˈtɪnsl] **1.** *n* 1) блёстки, мишура́ 2) ткань с блестя́щей ни́тью, с люре́ксом 3) показно́й блеск

2. *a* мишу́рный; показно́й

3. *v* (*обыкн. p. p.*) 1) украша́ть мишуро́й 2) придава́ть дешёвый блеск

tinsmith [ˈtɪnsmɪθ] *n* жестя́н(щ)ик

tinstone [ˈtɪnstəʊn] *n мин.* касситери́т, оловя́нный ка́мень

tint [tɪnt] **1.** *n* 1) бле́дный, све́тлый, ненасы́щенный тон (*с при́месью бели́л*) 2) кра́ска; отте́нок, тон

2. *v* слегка́ окра́шивать; подцве́чивать

tinted [ˈtɪntɪd] **1.** *p. p. от* tint 2

2. *a* окра́шенный; ~ paper тонова́я окра́шенная бума́га; ~ glasses затемнённые очки́

tintinnabulation [ˌtɪntɪnæbjʊˈleɪʃn] *n* звон колоколо́в

tintometer [tɪnˈtɒmɪtə] *n тех.* колори́метр

tintype [ˈtɪntaɪp] *n фото* ферроти́пия

tinware [ˈtɪnweə] *n* жестяны́е изде́лия; оловя́нная посу́да

tiny [ˈtaɪnɪ] *a* о́чень ма́ленький, малю́сенький, кро́шечный (*ча́сто* ~ little)

tip I [tɪp] **1.** *n* 1) то́нкий коне́ц; ко́нчик; I had it on the ~ of my tongue у меня́ э́то верте́лось на языке́; to walk on the ~s of one's toes ходи́ть на цы́почках; to touch with the ~s of one's fingers слегка́ косну́ться, едва́ дотро́нуться 2) наконе́чник (*напр., зо́нта*) 3) верху́шка ◇ the ~ of the iceberg ви́димая часть а́йсберга, то, что лежи́т на пове́рхности

2. *v* 1) приставля́ть *или* надева́ть наконе́чник 2) среза́ть верху́шки (*куста́, де́рева*)

tip II [tɪp] **1.** *n* 1) лёгкий толчо́к, прикоснове́ние 2) накло́н 3) ме́сто сва́лки (*му́сора, отхо́дов и т. п.*)

2. *v* 1) наклоня́ть(ся); the boat ~ped ло́дка накрени́лась 2) переве́шивать; to ~ the scale(s) ≅ склони́ть ча́шу весо́в; реши́ть исхо́д де́ла 3) слегка́ каса́ться *или* ударя́ть 4) опроки́дывать; сва́ливать, сбра́сывать; опорожня́ть ▭ ~ off налива́ть из сосу́да; ~ out выва́ливать(ся); ~ over, ~ up опроки́дывать(ся); to ~ up a seat отки́дывать сиде́нье ◇ to ~ over the perch ≅ протяну́ть но́ги, умере́ть

tip III [tɪp] **1.** *n* 1) чаевы́е; to give a ~ дава́ть «на чай» [*см. тж.* 2)] 2) наме́к, сове́т; take my ~ послу́шайте меня́; to give a ~ намекну́ть [*см. тж.* 1)] 3) све́дения, полу́ченные ча́стным о́бразом (*осо́б. на бега́х или в биржевы́х дела́х*) ◇ to miss one's ~ а) не дости́чь успе́ха; не доби́ться це́ли; б) *театр.* пло́хо игра́ть

2. *v* 1) дава́ть «на чай» 2) предупрежда́ть, предостерега́ть (*кого́-л.; обыкн.* ~ off) ◇ to ~ the wink сде́лать (*кому́-л.*) знак укра́дкой, дава́ть ча́стную информа́цию

tip and run [ˌtɪpəndˈrʌn] *n* молниено́сная ата́ка с после́дующим отхо́дом

tipcart [ˈtɪpkɑːt] *n тех.* опроки́дывающаяся теле́жка

tipcat [ˈtɪpkæt] *n* игра́ в чи́жика

tiplorry [ˌtɪpˈlɒrɪ] *n* самосва́л

tip-off [ˈtɪpɒf] *n* намёк, предупрежде́ние; конфиденциа́льная информа́ция; to give a ~ намекну́ть; во́время предупреди́ть

tip-over [ˈtɪpəʊvə] *a* опроки́дывающийся

tipper [ˈtɪpə] *n* самосва́л

tippet [ˈtɪpɪt] *n уст.* 1) паланти́н 2) капюшо́н ◇ Tyburn ~ пе́тля, верёвка (*на ви́селице*)

tipple I [ˈtɪpl] **1.** *n* 1) алкого́льный напи́ток 2) напи́ток, питьё

2. *v* пить, выпива́ть

tipple II [ˈtɪpl] *n амер. горн.* 1) надша́хтное сооруже́ние 2) приёмная площа́дка

tippler [ˈtɪplə] *n* пья́ница, выпиво́ха

tippy [ˈtɪpɪ] *a разг.* неусто́йчивый (*о предме́те*)

tipstaff [ˈtɪpstɑːf] *n* помо́щник шери́фа

tipster [ˈtɪpstə] *n* «жучо́к» (*на ска́чках*)

tipsy [ˈtɪpsɪ] *a разг.* подвы́пивший, навеселе́, пья́ный; a ~ lurch нетвёрдая похо́дка

tipsy-cake [ˈtɪpsɪkeɪk] *n* пропи́танный ро́мом *или* вино́м бискви́т с варе́ньем и кре́мом

tiptoe [ˈtɪptəʊ] **1.** *n* ко́нчики па́льцев ног, цы́почки; on ~ а) на цы́почках; б) укра́дкой; в) в ожида́нии; to be on ~ with curiosity сгора́ть от любопы́тства

2. *v* 1) ходи́ть на цы́почках 2) кра́сться

3. *adv* = on ~ [*см.* 1]

tip-top [ˌtɪpˈtɒp] *разг.* **1.** *n* вы́сшая то́чка, преде́л

2. *a* превосхо́дный, первокла́ссный

3. *adv* превосхо́дно

tip-truck [ˈtɪptrʌk] = tiplorry

tip-up [ˈtɪpʌp] *a*: ~ seat откидно́е сиде́нье (*в теа́тре и т. п.*)

tirade [taɪˈreɪd] *n* тира́да

tirailleur [ˌtiːrɑːˈjɜː] *n* сна́йпер

tire I [ˈtaɪə] = tyre I

tire II [ˈtaɪə] *уст.* **1.** *n* головно́й убо́р; оде́жда

2. *v* одева́ть (*кого́-л.*); наряжа́ть; украша́ть

tire III [ˈtaɪə] *v* 1) утомля́ть(ся), устава́ть (of — от *чего́-л.*) 2) надоеда́ть, прискучи́ть, наску́чить

tired I [ˈtaɪəd] **1.** *p. p. от* tire III

2. *a* уста́лый, утомлённый; пресы́щенный; ~ out изму́ченный, изнурённый; I am ~ to the bone ≅ я уста́л как соба́ка

tired II ['taɪəd] *p. p. от* tire II, 2

tireless ['taɪələs] *a* неутоми́мый; неуста́нный

tiresome ['taɪəsəm] *a* 1) ску́чный, утоми́тельный 2) *разг.* надое́дливый

tirewoman ['taɪə,wʊmən] *n уст.* камери́стка

tiring I ['taɪrɪŋ] **1.** *pres. p. от* tire III **2.** *a* утоми́тельный, изнури́тельный

tiring II ['taɪrɪŋ] *pres. p. от* tire II, 2

tiring-house ['taɪrɪŋhaʊs] = tiring-room

tiring-room ['taɪrɪŋru:m] *n уст.* артисти́ческая убо́рная

tiro ['taɪrəʊ] *n* (*pl* -os [-əʊz]) новичо́к

'tis [tɪz] *сокр. разг.* = it is

tisane [tɪ'zæn] = ptisan

tissue ['tɪʃu:] *n* 1) *биол.* ткань 2) = tissue paper 3) бума́жный носово́й плато́к, бума́жная салфе́тка *и т. п.* 4) *текст.* ткань (*особ. тонкая, прозрачная*) 5) паути́на, сеть, сплете́ние; a ~ of lies паути́на лжи

tissue paper ['tɪʃu:,peɪpə] *n* 1) то́нкая обёрточная бума́га 2) кита́йская шёлковая бума́га; папиро́сная бума́га 3) космети́ческая бума́га

tit I [tɪt] *n* сини́ца

tit II [tɪt] *n*: ~ for tat «зуб за́ зуб», отпла́та

tit III [tɪt] *разг. см.* teat 1)

Titan ['taɪtn] *n* 1) *греч. миф.* Тита́н 2) (t.) тита́н, коло́сс, исполи́н

titanic I [taɪ'tænɪk] *a* титани́ческий, колосса́льный

titanic II [taɪ'tænɪk] *a хим.* тита́новый

titanium [taɪ'teɪnɪəm] *n хим.* тита́н

titbit ['tɪtbɪt] *n* 1) ла́комый кусо́к 2) пика́нтная но́вость

titch [tɪtʃ] *n разг.* ма́ленький челове́чек

titchy ['tɪtʃɪ] *a разг.* ма́ленький, кро́хотный

tithe [taɪð] **1.** *n* 1) *ист.* церко́вная десяти́на 2) деся́тая часть 3) *разг.* кро́шечка, ка́пелька

2. *v ист.* облага́ть церко́вной десяти́ной; плати́ть церко́вную десяти́ну

Titian ['tɪʃn] *a* золоти́сто-кашта́новый (*особ. о волосах*)

titillate ['tɪtɪleɪt] *v* 1) прия́тно возбужда́ть 2) щекота́ть

titivate ['tɪtɪveɪt] *v разг.* прихора́шивать(ся), наряжа́ть(ся)

titlark ['tɪtlɑ:k] *n* конёк (*птица*)

title ['taɪtl] **1.** *n* 1) загла́вие, назва́ние 2) *кино* на́дпись, титр 3) ти́тул; зва́ние 4) *спорт.* зва́ние чемпио́на 5) пра́во (to — на *что-л.*); *юр.* пра́во со́бственности (to — на *что-л.*); докуме́нт, даю́щий пра́во со́бственности

2. *v* 1) называ́ть, дава́ть загла́вие 2) присва́ивать ти́тул, зва́ние 3) *кино* снабжа́ть ти́трами

titled ['taɪtld] **1.** *p. p. от* title 2

2. *a* титуло́ванный

title deed ['taɪtldi:d] *n юр.* докуме́нт, подтвержда́ющий пра́во со́бственности

titleholder ['taɪtl,həʊldə] *n спорт.* чемпио́н

title page ['taɪtlpeɪdʒ] *n полигр.* ти́тульный лист

title-role ['taɪtlrəʊl] *n* загла́вная роль

titmouse ['tɪtmaʊs] *n* (*pl* -mice [-maɪs]) сини́ца

titrate [taɪ'treɪt] *v хим.* титрова́ть

titter ['tɪtə] **1.** *n* хихи́канье

2. *v* хихи́кать

tittle ['tɪtl] *n* 1) мельча́йшая части́ца; чу́точка; ка́пелька; not one jot or ~ ни ка́пельки, ни чу́точки 2) диакрити́ческий знак

tittlebat ['tɪtlbæt] *n* ко́люшка (*рыба*)

tittle-tattle ['tɪtl,tætl] **1.** *n* спле́тни, болтовня́, слу́хи

2. *v* спле́тничать, распространя́ть слу́хи

tittup ['tɪtəp] **1.** *n* 1) весе́лье, ре́звость 2) гарцу́ющая похо́дка 3) лёгкий гало́п

2. *v* 1) весели́ться, резви́ться 2) пры́гать, гарцева́ть 3) идти́ лёгким гало́пом (*о лошади*)

titular ['tɪtʃʊlə] **1.** *a* 1) загла́вный, свя́занный с загла́вием *или* назва́нием; ~ part загла́вная роль 2) свя́занный с ти́тулом *или* с занима́емой до́лжностью; полага́ющийся по до́лжности 3) номина́льный 4) титуло́ванный

2. *n* лицо́, номина́льно нося́щее ти́тул *или* име́ющее зва́ние

titulary ['tɪtʃʊlərɪ] *редк.* = titular

tizzy I ['tɪzɪ] *n sl.* шестипе́нсовая моне́та

tizzy II ['tɪzɪ] *n разг.* волне́ние (*особенно по пустякам*); to get (*или* to work) oneself into a ~ взволнова́ться, встрево́житься

tmesis ['tmi:sɪs] *n* тме́зис (*расчленение сложного слова посредством другого слова, напр.*: what man soever *вм.* whatsoever man)

to [tu: (*полная форма*); tʊ (*редуцированная форма, употр. перед гласными*); tə (*редуцированная форма, употр. перед согласными*)] **1.** *prep* 1) *указывает на направление* к, в, на; the way to Moscow доро́га в Москву́; turn to the right поверни́те напра́во; I am going to the University я иду́ в университе́т; the windows look to the south о́кна выхо́дят на юг 2) *указывает на пределы движения, расстояния, времени, количества, колебаний* на, до; to climb to the top взобра́ться на верши́ну; (from Saturday) to Monday (с суббо́ты) до понеде́льника; he could be anywhere from 40 to 60 ему́ мо́жно дать от сорока́ до шести́десяти лет 3) *указывает на высшую степень* (*точности, аккуратности, качества и т. п.*) до, в; to the best advantage наилу́чшим о́бразом; в са́мом вы́годном све́те; to the minute мину́та в мину́ту; с то́чностью до мину́ты 4) *указывает на цель действия* на, для; to the rescue на по́мощь; to that end с э́той це́лью 5) *указывает на лицо, по отношению к которому или в интересах которого совершается действие*: *передаётся дат. падежом*: a letter to a friend письмо́ дру́гу; a party was thrown to the children де́тям устро́или пра́здник 6) *передаётся род. падежом и указывает на отношения*: а) *родственные*: Mary is sister to John Мэ́ри — сестра́ Джо́на; he has been a good father to them он был им хоро́шим отцо́м; б) *подчинения по службе*: secretary to the director секрета́рь дире́ктора; assistant to the professor ассисте́нт профе́ссора 7) *указывает на результат, к которому приводит данное действие, или на изменение состояния* на, к, до; to bring to poverty довести́ до бе́дности; to fall to decay (*или* ruin) разру́шиться, прийти́ в упа́док 8) *указывает на принадлежность к чему-л. или на прикрепление к чему-л.* к, от, для; to fasten to the wall прикрепи́ть к стене́; key to the door ключ от две́ри; there is an outpatient department attached to our hospital при на́шей больни́це есть поликли́ника 9) *указывает на сравнение, числовое соотношение или пропорцию* на; к; про́тив; 3 is to 4 as 6 is to 8 три отно́сится к четырём, как шесть к восьми́; ten to one he will find it out де́вять из десяти́ за то, что он э́то узна́ет; the score was 1 to 3 *спорт.* счёт был 1 : 3; it was nothing to what I had expected э́то пустяки́ в сравне́нии с тем, что я ожида́л 10) *указывает на близость, соприкосновение с чем-л., соседство* к, в; shoulder to shoulder плечо́ к плечу́; face to face лицо́м к лицу́ 11) *указывает на*: а) *связь между действием и ответным действием* к, на; to this he answered на э́то он отве́тил; deaf to all entreaties глух ко всем про́сьбам; б) *эмоциональное восприятие* к; to my disappointment к моему́ разочарова́нию; to my surprise к моему́ удивле́нию; в) *соответствие* по, в; to one's liking по вку́су 12) под (*аккомпанемент*); в (*сопровождении*); to dance to music танцева́ть под му́зыку; he sang to his guitar он пел под гита́ру 13) *указывает на лицо, в честь которого совершается действие* за, в честь; we drink to his health мы пьём за его́ здоро́вье

2. *adv указывает на приведение в определённое состояние*: shut the door to закро́йте дверь; I can't get the lid of the trunk quite to я не могу́ закры́ть кры́шку сундука́ ◇ to bring to привести́ в созна́ние; to come to прийти́ в созна́ние; to and fro взад и вперёд; туда́ и сюда́

3. *частица* 1) *при инфинитиве* 2) *употребляется вместо подразумеваемого инфинитива, чтобы избежать повторения*: I am sorry I can't come today — Oh! but you have promised to Извини́те, но я не могу́ прийти́ сего́дня — Но ведь вы обеща́ли

toad [təʊd] *n* 1) жа́ба 2) отврати́тельный челове́к, га́дина ◇ ~ in the hole бифште́кс, запечённый в те́сте; to eat smb.'s ~s быть чьим-л. прижива́льщиком

toadeater ['təʊdi:tə] *n уст.* льстец, подхали́м, низкопокло́нник

toad-eating ['təʊdi:tɪŋ] **1.** *n* низкопокло́нство

2. *a* низкопокло́нничающий, уго́дливый, льсти́вый

toadflax ['təʊdflæks] *n бот.* льня́нка

toadstool ['təʊdstu:l] *n* пога́нка (*гриб*)

toady ['təʊdɪ] 1. *n* 1) подхали́м 2) лизоблю́д, прижива́льщик

2. *v* льстить, низкопокло́нничать (to)

toadyism ['təʊdɪɪzəm] *n* 1) раболе́пие, льсти́вость 2) паразити́рование, прожива́ние на чужо́й счёт

toast I [təʊst] 1. *n* ло́мтик хле́ба, подрумя́ненный на огне́; грено́к; тост ◇ to have smb. on ~ *sl.* име́ть власть над кем-л.

2. *v* 1) подрумя́нивать(ся) на огне́; поджа́ривать 2) суши́ться, гре́ться (*у огня*); to ~ one's feet (*или* toes) греть но́ги

toast II [təʊst] 1. *n* 1) тост; предложе́ние то́ста; to drink a ~ to smb. пить за чьё-л. здоро́вье; to give (*или* to propose) a ~ to smb. провозгласи́ть тост в честь кого́-л. 2) лицо́, учрежде́ние, собы́тие, в честь *или* па́мять кото́рого предлага́ется тост

2. *v* пить *или* провозглаша́ть тост за (*чьё-л.*) здоро́вье; to ~ smb. пить за кого́-л.

toaster I ['təʊstə] *n* электри́ческий прибо́р для поджа́ривания гренко́в, то́стер

toaster II ['təʊstə] *n* 1) = toastmaster 2) провозглаша́ющий тост (*в честь кого-л.*)

toasting fork ['təʊstɪŋfɔ:k] *n* 1) дли́нная металли́ческая ви́лка для поджа́ривания хле́ба на огне́ 2) *шутл.* шпа́га

toasting-iron ['təʊstɪŋ,aɪən] = toasting fork

toastmaster ['təʊst,mɑ:stə] *n* лицо́, кото́рое провозглаша́ет то́сты (*на официальных приёмах*); тамада́

tobacco [tə'bækəʊ] (*pl* -os [-əʊz]) *n* 1) таба́к 2) *attr.* таба́чный

tobacco-box [tə'bækəʊbɒks] *n* табаке́рка

tobacconist [tə'bækənɪst] *n* 1) торго́вец таба́чными изде́лиями; the ~('s) таба́чная ла́вка 2) владе́лец таба́чной фа́брики

tobacco-pipe [tə'bækəʊpaɪp] *n* (кури́тельная) тру́бка

tobacco-pouch [tə'bækəʊpaʊtʃ] *n* кисе́т

to-be [tə'bi:] 1. *n* бу́дущее

2. *a* бу́дущий; a bride-~ бу́дущая неве́ста

toboggan [tə'bɒgən] 1. *n* тобо́гган, са́ни

2. *v* 1) ката́ться на саня́х (*особ. с горы*) 2) ре́зко па́дать; prices ~ed це́ны ре́зко упа́ли

toboggan-slide [tə'bɒgənslaɪd] *n* гора́ для ката́ния на саня́х

toby ['təʊbɪ] *n* 1) пивна́я кру́жка (*изображающая толстяка в костюме XVIII в.*; *тж.* ~ jug) 2) (T.) учёная соба́ка в англи́йских ку́кольных теа́трах 3) *амер. разг.* сорт то́нких дешёвых сига́р 4) *attr.*: ~ collar гофриро́ванный воротничо́к

toccata [tə'kɑ:tə] *n муз.* токка́та

tocology [tə'kɒlədʒɪ] *n* акуше́рство

tocsin ['tɒksɪn] *n* 1) наба́т 2) наба́тный ко́локол

today [tə'deɪ] 1. *adv* 1) сего́дня 2) в на́ши дни, в настоя́щее вре́мя

2. *n* 1) сего́дняшний день; the writers of ~ совреме́нные писа́тели 2) на́ши дни, настоя́щее вре́мя

toddle ['tɒdl] 1. *n* 1) ковыля́ние 2) *разг.* прогу́лка 3) *разг. см.* toddler

2. *v* 1) ковыля́ть, учи́ться ходи́ть 2) *разг.* прогу́ливаться, броди́ть 3) *разг.* уходи́ть (*обыкн.* ~ off)

toddler ['tɒdlə] *n* ребёнок, начина́ющий ходи́ть

toddy ['tɒdɪ] *n* 1) то́дди, пунш 2) па́льмовый сок (*особ. перебродивший*)

to-do [tə'du:] *n* сумато́ха, суета́, шум; what a ~ about nothing? из-за чего́ тако́й шум и сумато́ха?

tody ['təʊdɪ] *n* плосколю́в (*птица*)

toe [təʊ] 1. *n* 1) па́лец на ноге́ (*у человека, животного, птицы*) 2) носо́к (*ноги, башмака, чулка*); to turn one's ~s out (in) вывора́чивать но́ги носка́ми нару́жу (внутрь) 3) ни́жний коне́ц, ни́жняя часть (*чего-л.*) 4) пере́дняя часть копы́та 5) *тех.* пята́ ◇ to turn up one's ~s протяну́ть но́ги, умере́ть; to be on one's ~s а) быть жизнера́достным; б) быть де́ятельным; в) быть реши́тельным

2. *v* 1) каса́ться, ударя́ть носко́м *или* (*в гольфе*) ко́нчиком клю́шки; to ~ the line *спорт.* встать на ста́ртовую черту́; *перен.* стро́го приде́рживаться пра́вил; подчиня́ться тре́бованиям 2) надвя́зывать носо́к (*чулка*) 3) кри́во забива́ть (*гвоздь и т. п.*) ▭ ~ in ста́вить но́ги носка́ми внутрь; ~ out ста́вить но́ги носка́ми врозь

toe cap ['təʊkæp] *n* носо́к (*обуви*)

toe-in ['təʊɪn] *n авто* сходи́мость пере́дних колёс

toenail ['təʊneɪl] *n* но́готь на па́льце ноги́

toff [tɒf] *n sl.* 1) франт 2) джентльме́н; the ~s «сли́вки о́бщества»

toffee, toffy ['tɒfɪ] *n* ири́ска ◇ not for ~ а) во́все нет; б) ни за что́; he can't shoot for ~ стрело́к он никуды́шный

tog [tɒg] *разг.* 1. *n* (*обыкн. pl*) оде́жда

2. *v* одева́ть; to ~ oneself up (*или* out) щегольски́ одева́ться

toga ['təʊgə] *n* 1) *ист.* то́га 2) ма́нтия (*судьи и т. п.*)

together [tə'geðə] *adv* 1) вме́сте; сообща́; to get ~ а) собира́ть(ся); б) накопля́ть; в) объединя́ться 2) одновре́ме́нно 3) друг с дру́гом; compared ~ сра́внивая одно́ с други́м; the foes rushed ~ враги́ столкну́лись 4) подря́д, непреры́вно; for hours ~ часа́ми 5) *как усил. слово после некоторых глаголов разг.*: to add ~ прибавля́ть; to join ~ объединя́ть(ся); to cooperate ~ сотру́дничать ▭ ~ with вме́сте с, наряду́ с; в добавле́ние к

toggery ['tɒgərɪ] *n разг.* оде́жда (*особ. специальная*); bishop's ~ епи́скопское облаче́ние

toggle ['tɒgl] *n* продолгова́тая деревя́нная пу́говица (*на спортивной одежде*)

toggle joint ['tɒgldʒɔɪnt] *n тех.* коле́нно-рыча́жное соедине́ние

toil [tɔɪl] 1. *n* тяжёлый труд

2. *v* 1) уси́ленно труди́ться, рабо́тать без переды́шки (at, on, through — над *чем-л.*) 2) с трудо́м идти́, тащи́ться (*обыкн.* ~ up, ~ along)

toiler ['tɔɪlə] *n* тру́женик

toilet ['tɔɪlət] *n* 1) убо́рная 2) туале́т, одева́ние 3) *амер.* ва́нная 4) *амер.* гардеро́бная, ко́мната для одева́ния 5) = toilet-table 6) туале́т, костю́м 7) *attr.* туале́тный; относя́щийся к туале́ту; ~ soap туале́тное мы́ло; ~ water туале́тная вода́; ~ stall каби́на в убо́рной

toilet paper ['tɔɪlət,peɪpə] *n* туале́тная бума́га

toilet-roll ['tɔɪlətrəʊl] *n* руло́н туале́тной бума́ги

toiletry ['tɔɪlətrɪ] *n* принадле́жности туале́та; парфюме́рия, косме́тика

toilet-service ['tɔɪlət,sɜ:vɪs] = toilet-set

toilet-set ['tɔɪlətset] *n* туале́тный прибо́р

toilet-table ['tɔɪlətteɪbl] *n* туале́тный сто́лик с зе́ркалом

toilette [twɑ:'let] = toilet 2) *и* 6)

toiletware ['tɔɪlətweə] *n* предме́ты туале́та (*расчёски, щётки и т. п.*)

toilful ['tɔɪlfl] *a* тру́дный

toilless ['tɔɪlləs] *a* лёгкий, нетру́дный

toils [tɔɪlz] *n pl* 1) сеть, тенёта 2) лову́шка; taken (*или* caught) in the ~ а) по́йманный; б) очаро́ванный

toilsome ['tɔɪlsəm] *a* тру́дный, утоми́тельный

toilworn ['tɔɪlwɔ:n] *a* изнурённый тяжёлым трудо́м

Tokay [təʊ'keɪ] *n* тока́йское (вино́)

token ['təʊkən] *n* 1) знак; in ~ of respect в знак уваже́ния 2) приме́та, при́знак 3) опознава́тельный знак 4) пода́рок на па́мять 5) тало́н, жето́н (*тж. для автомата*) 6) *attr.* име́ющий ви́димость, подо́бие (*чего-л.*); ка́жущийся; символи́ческий; ~ smile подо́бие улы́бки; ~ resistance ви́димость сопротивле́ния; ~ payment символи́ческий взнос в счёт до́лга; ~ vote *парл.* голосова́ние символи́ческой су́ммы ассигнова́ния с после́дующим её уточне́нием ◇ by the same ~, by this ~, (more) by ~ к тому́ же, кста́ти; кро́ме того́; и ещё ли́шнее доказа́тельство того́, что

token money ['təʊkənmʌnɪ] *n фин.* било́нные де́ньги

tokology [tə'kɒlədʒɪ] = tocology

tola ['təʊlə] *n* едини́ца ве́са в И́ндии (= *180 гранам*)

tolbooth ['təʊlbu:θ] = tollbooth

told [təʊld] *past и p. p. от* tell

tolerable ['tɒlərəbl] *a* 1) сно́сный; терпи́мый 2) удовлетвори́тельный; дово́льно хоро́ший 3) *разг.* чу́вствующий себя́ вполне́ удовлетвори́тельно

tolerance ['tɒlərəns] *n* 1) терпи́мость 2) *фин.* допусти́мое отклоне́ние от станда́ртного разме́ра и ве́са моне́ты 3) *тех.* до́пуск 4) *мед.* толера́нтность

tolerant ['tɒlərənt] *a* 1) терпи́мый; to be ~ of criticism относи́ться терпи́мо к кри́тике 2) *мед.* толера́нтный

tolerate ['tɒləreɪt] *v* 1) терпе́ть, выноси́ть 2) допуска́ть; дозволя́ть 3) *мед.* быть толера́нтным

toleration [ˌtɒlə'reɪʃn] *n* терпи́мость

toll I [təʊl] **1.** *n* 1) (колоко́льный) звон; бла́говест; погреба́льный звон 2) уда́р ко́локола

2. *v* 1) ме́дленно и ме́рно ударя́ть в ко́локол, бла́говестить; звони́ть по поко́йнику 2) отбива́ть часы́

toll II [təʊl] *n* 1) по́шлина, сбор (*доро́жный и т. п.*); *перен.* дань 2) *воен.* поте́ри; heavy ~ больши́е поте́ри 3) *амер.* пла́та за междугоро́дный телефо́нный разгово́р 4) *ист.* удержа́ние (*ме́льником*) ча́сти зерна́ за помо́л; to take ~ of уде́рживать часть (*чего-л.*) 5) *ист.* пра́во взима́ния по́шлины *и т. п.* ◇ road ~ несча́стные слу́чаи на доро́гах

tollable ['təʊləbl] *a* облага́емый по́шлиной

toll-bar ['təʊlbɑ:] *n* заста́ва, шлагба́ум, где взима́ется сбор

tollbooth ['təʊlbu:θ] *n* пункт, пост, где взима́ется доро́жный сбор

toll call ['təʊlkɔ:l] *n* 1) телефо́нный разгово́р с при́городом 2) *амер.* междугоро́дный телефо́нный разгово́р

toller ['təʊlə] *n* 1) звона́рь 2) ко́локол

tollgate ['təʊlgeɪt] = toll-bar

tollhouse ['təʊlhaʊs] *n* пост у заста́вы, где взима́ется доро́жный сбор

toll line ['təʊllaɪn] *n* 1) при́городная телефо́нная ли́ния 2) *амер.* междугоро́дная телефо́нная ли́ния

tollman ['təʊlmən] *n* сбо́рщик по́шлины

tol-lol [tɒl'lɒl] *a разг.* сно́сный; та́к себе

tollroad ['təʊlrəʊd] *n* пла́тная (автомоби́льная) доро́га

toluene ['tɒljʊi:n] *n хим.* толуо́л

Tom [tɒm] *n* 1) обыкнове́нный, просто́й челове́к 2) назва́ние большо́го ко́локола *или* ору́дия, *напр.*: Long ~ *ист.* «Дли́нный Том» 3) (t.) саме́ц разли́чных живо́тных и птиц; ~ turkey индю́к ◇ Old ~ кре́пкий джин; ~ Dick and Harry а) вся́кий, ка́ждый; ка́ждый встре́чный и попере́чный; б) обыкнове́нные, зауря́дные лю́ди

tom- [tɒm] *в названиях животных и птиц означает самца, напр.*: tomcat кот; tom-swan ле́бедь-саме́ц

tomahawk ['tɒməhɔ:k] **1.** *n* томага́вк ◇ to bury the ~ заключи́ть мир

2. *v* 1) бить *или* убива́ть томага́вком 2) жесто́ко критикова́ть

toman [tə'mɑ:n] *n ист.* тума́н (*ира́нская моне́та*)

tomato [tə'mɑ:təʊ] *n* (*pl* -oes [-əʊz]) 1) помидо́р, тома́т 2) *амер. sl.* «пе́рсик» (*о женщине или девушке*)

tomb [tu:m] *n* 1) гробни́ца; склеп 2) моги́ла 3) надгро́бие; моги́ла с надгро́бием 4) (the ~) смерть

tombac ['tɒmbæk] *n* томпа́к (*сплав*)

tombola [tɒm'bəʊlə] *n* вид лотере́и (*где разыгрываются безделушки или небольшие денежные суммы*)

tomboy ['tɒmbɔɪ] *n* де́вочка с мальчи́шескими ухва́тками, девчо́нка-сорване́ц

tombstone ['tu:mstəʊn] *n* надгро́бный па́мятник, надгро́бная плита́

tomcat ['tɒmkæt] *n* кот

tome [təʊm] *n* том, больша́я кни́га

tomfool [ˌtɒm'fu:l] **1.** *n* 1) дура́к 2) шут

2. *v* дура́читься, валя́ть дурака́

tomfoolery [tɒm'fu:lərɪ] *n* 1) дура́чества; шутовство́ 2) глу́пая шу́тка

tommy ['tɒmɪ] *n* 1) (*тж.* T.) солда́т, рядово́й (*прозвище английского солдата*; *тж.* T. Atkins) 2) *sl.* хлеб; brown ~ чёрный хлеб 3) *ист.* проду́кты, выдава́емые рабо́чим (*вместо денег*)

tommy bar ['tɒmibɑ:] *n тех.* лом

tommy gun ['tɒmɪgʌn] *n воен.* пистоле́т-пулемёт

tommy rot ['tɒmɪrɒt] *n разг.* вздор, чепуха́, чушь несусве́тная

tomnoddy [ˌtɒm'nɒdɪ] *n* проста́к, дура́к

tomogram ['təʊməgræm] *n мед.* томогра́мма

tomography [təʊ'mɒgrəfɪ] *n мед.* томогра́фия

tomorrow [tə'mɒrəʊ] **1.** *adv* 1) за́втра 2) в ближа́йшем бу́дущем

2. *n* 1) за́втрашний день 2) ближа́йшее бу́дущее 3) *attr.* за́втрашний; ~ morning за́втра у́тром

tomtit ['tɒmtɪt] *n* сини́ца

tomtom ['tɒmtɒm] *n* тамта́м

ton I [tʌn] *n* 1) то́нна; long (*или* gross) ~ дли́нная то́нна (= *1016 кг*); metric ~ метри́ческая то́нна (= *1000 кг*); short (*или* net) ~ коро́ткая то́нна (= *907,2 кг*); displacement ~ то́нна водоизмеще́ния (= *весу 35 футов*^{3} *воды*); freight ~ фрахто́вая то́нна (= *1,12 м*^{3}); register ~ регистро́вая то́нна (= *2,83 м*^{3}) 2) (*обыкн. pl*) *разг.* ма́сса; ~s of people ма́сса наро́ду

ton II [tɔ:ŋ] *фр. n* 1) мо́да, стиль 2) све́тское о́бщество

tonality [təʊ'nælətɪ] *n* тона́льность

tone [təʊn] **1.** *n* 1) тон; deep (thin) ~ ни́зкий (высо́кий) тон; heart ~s *мед.* то́ны се́рдца 2) (*часто pl*) интона́ция, модуля́ция (*голоса*) 3) тон, выраже́ние; хара́ктер, стиль; to give ~ (to), to set the ~ придава́ть хара́ктер (*чему-л.*); задава́ть тон 4) *муз.* тон; whole ~ це́лый тон 5) *жив.* тон, отте́нок; града́ция тоно́в 6) о́бщая атмосфе́ра, обстано́вка 7) настрое́ние 8) *мед.* то́нус; to give ~ придава́ть си́лы 9) *фон.* музыка́льное ударе́ние 10) стиль, элега́нтность

2. *v* 1) придава́ть жела́тельный тон (*звуку или краске*); изменя́ть (*тон, цвет*) 2) настра́ивать (*музыкальный инструмент; часто* to) 3) гармони́ровать (in, with — с *чем-л.*) ▭ ~ **down** смягча́ть (*краски, выражение*); смягча́ться, ослабева́ть; ~ **up** а) уси́ливать, повыша́ть тон (*чего-л.*); б) *мед.* тонизи́ровать, повыша́ть то́нус

tone-arm ['təʊnɑ:m] *n* звукоснима́тель прои́грывателя

tone control ['təʊnkənˌtrəʊl] *n радио* регуля́тор те́мбра

toneless ['təʊnləs] *a* невырази́тельный

tongs [tɒŋz] *n pl* (*обыкн.* a pair of ~) щипцы́; sugar ~ щи́пчики для са́хара; coal (*или* fire) ~ ками́нные щипцы́ ◇ I wouldn't touch him with a pair of ~ ≅ я не хочу́ име́ть с ним никако́го де́ла

tongue [tʌŋ] *n* 1) язы́к; furred (*или* dirty, foul, coated) ~ обло́женный язы́к (*у больного*); to put out one's ~ пока́зывать язы́к (*врачу или из озорства*) 2) язы́к (*как кушанье*); smoked ~ копчёный язы́к 3) речь, мане́ра говори́ть; glib ~ бо́йкая речь 4) язы́к (*речь*); the mother ~ родно́й язы́к 5) что-л., име́ющее фо́рму языка́, напомина́ющее язы́к, *напр.*, язы́к пла́мени, ко́локола; язычо́к (*духового инструмента, обуви*) 6) *геогр.* коса́ 7) стре́лка весо́в 8) *тех* шпунт, шип 9) дышло 10) *ж.-д.* остря́к стре́лки ◇ to give ~ а) говори́ть, выска́зываться; б) подава́ть го́лос (*о собаках на охоте*); to speak with one's ~ in one's cheek, to put one's ~ in one's cheek а) говори́ть неи́скренне; б) говори́ть с насме́шкой, ирони́чески; he has a ready ~ он за сло́вом в карма́н не поле́зет; his ~ failed him у него́ отня́лся язы́к, он лиши́лся да́ра ре́чи; to find one's ~ сно́ва заговори́ть; (сно́ва) обрести́ дар ре́чи; to hold one's ~, to keep a still ~ in one's head пома́лкивать; держа́ть язы́к за зуба́ми; his ~ is too long for his teeth у него́ сли́шком дли́нный язы́к; to oil one's ~ льсти́ть; to have lost one's ~ молча́ть, проглоти́ть язы́к; to keep a civil ~ in one's head быть ве́жливым, учти́вым

tongue-in-cheek [ˌtʌŋɪn'tʃi:k] *a* неи́скренний; насме́шливый; ~ candour напускна́я открове́нность

tongue-tied ['tʌŋtaɪd] *a* 1) молча́щий, лиши́вшийся да́ра ре́чи (*от смущения и т. п.*) 2) косноязы́чный

tongue twister ['tʌŋˌtwɪstə] *n* скорогово́рка; труднопроизноси́мое сло́во

tonic ['tɒnɪk] **1.** *n* 1) *мед.* то́ник, тонизи́рующее, укрепля́ющее сре́дство 2) = tonic-water 3) *муз.* то́ника

2. *a* 1) *мед.* тонизи́рующий, укрепля́ющий 2) *муз.* тони́ческий

tonic-water ['tɒnɪkwɔ:tə] *n* то́ник, со́довая минера́льная вода́, содержа́щая хи́ну

tonight [tə'naɪt] **1.** *adv* сего́дня ве́чером *или* но́чью

2. *n* сего́дняшний ве́чер, наступа́ющая ночь

tonkin ['tɒnkɪn] *n* кре́пкий бамбу́к

tonnage [ˈtʌnɪdʒ] *n* 1) тонна́ж; грузовмести́мость 2) корабе́льный сбор

tonne [tʌn] *n* метри́ческая то́нна (*=1000 кг*)

-tonner [-tʌnə] *в сложных словах означает* водоизмеще́нием в *сто́лько-то* тонн; two-thousand-tonner водоизмеще́нием в две ты́сячи тонн

tonometer [təʊˈnɒmɪtə] *n* 1) *муз.* камерто́н 2) *мед.* тоно́метр

tonsil [ˈtɒnsl] *n* миндалеви́дная железа́

tonsillitis [ˌtɒnsəˈlaɪtɪs] *n мед.* воспале́ние минда́лин, тонзилли́т

tonsure [ˈtɒnʃə] **1.** *n* тонзу́ра

2. *v* выбрива́ть тонзу́ру

tontine [ˈtɒntaɪn] *n фин.* тонти́на

tony [ˈtəʊnɪ] *a амер. разг.* изы́сканный, фешене́бельный

too [tu:] *adv* 1) сли́шком; ~ good to be true так хорошо́, что про́сто не ве́рится; it is ~ much (of a good thing) ≅ хоро́шенького понемно́жку; это уже́ чересчу́р; none ~ pleasant не сли́шком прия́тный 2) *разг.* о́чень; ~ bad о́чень жаль; I am only ~ glad я о́чень, о́чень рад 3) та́кже, то́же; к тому́ же; кро́ме того́; won't you come ~? не придёте ли вы? 4) действи́тельно; they say he is the best student. And he is ~ говоря́т, он лу́чший студе́нт, и э́то действи́тельно так

took [tʊk] *past от* take 1

tool [tu:l] **1.** *n* 1) рабо́чий (ручно́й) инструме́нт; резе́ц; ору́дие труда́ 2) ору́дие (*в чьих-л. руках*) 3) стано́к 4) *груб.* полово́й член ◇ to play with edged ~s ≅ игра́ть с огнём; a bad workman quarrels with his ~s *посл.* ≅ ма́стер глуп, нож туп; у плохо́го ма́стера всегда́ инструме́нт винова́т

2. *v* 1) де́йствовать (*орудием, инструментом*) 2) обтёсывать (*камень*); обраба́тывать резцо́м (*металл*) 3) вытисня́ть узо́р (*на переплёте, коже и т. п.*) 4) *разг.* е́хать *или* везти́ в экипа́же ▭ ~ **up** а) обору́довать (*инструментами, станками фабрику и т. п.*); б) *sl.* вооружи́ться

tool box [ˈtu:lbɒks] *n* я́щик для инструме́нтов

tooled [tu:ld] **1.** *p. p. от* tool 2

2. *a тех.* 1) механи́чески обрабо́танный 2) обору́дованный (*инструментами*) 3) нала́женный (*станок*)

tooling [ˈtu:lɪŋ] **1.** *pres. p. от* tool 2

2. *n* механи́ческая обрабо́тка

toolmaker [ˈtu:lmeɪkə] *n* инструмента́льщик

toolroom [ˈtu:lru:m] *n* инструмента́льный цех

toon [tu:n] *n* кра́сное де́рево

toot I [tu:t] **1.** *n* звук ро́га; гудо́к, свисто́к

2. *v* труби́ть в рог *или* в рожо́к; дава́ть гудо́к

toot II [tu:t] *n амер. разг.* кутёж, весе́лье

tooth [tu:θ] **1.** *n* (*pl* teeth) 1) зуб; crown (neck) of the ~ коро́нка (ше́йка) зу́ба; root of the ~ ко́рень зу́ба; false teeth иску́сственные зу́бы; a loose ~ шата́ющийся зуб; he cut a ~ у него́ проре́зался зуб; to set (*или* to clench) one's teeth сти́снуть зу́бы; to pull a ~ out удали́ть зуб; I had my ~ out мне удали́ли зуб 2) *тех.* зуб, зубе́ц ◇ ~ and nail изо всех сил; to fight ~ and nail боро́ться не на жизнь, а на смерть; to go at it ~ and nail энерги́чно приня́ться за что-л.; to get one's teeth into smth. горячо́ взя́ться за что-л. to cast smth. in smb.'s teeth ≅ броса́ть кому́-л. в лицо́ упрёк; in the teeth of а) наперекор, вопреки́; б) пе́ред лицо́м (*чего-л.*); fed to the teeth ≅ сыт по го́рло; надое́ло, осточерте́ло; long in the ~ ста́рый

2. *v* 1) нареза́ть зубцы́ 2) зацепля́ть(ся)

toothache [ˈtu:θeɪk] *n* зубна́я боль

toothbrush [ˈtu:θbrʌʃ] *n* зубна́я щётка

toothcomb [ˈtu:θkəʊm] *n* ча́стый гре́бень ◇ to go through with a ~ «прочёсывать», осма́тривать, обы́скивать

toothed [tu:θt] **1.** *p. p. от* tooth 2

2. *a* 1) име́ющий зу́бы 2) зубча́тый

toother [ˈtu:θə] *n разг.* уда́р в зу́бы

toothful [ˈtu:θfʊl] *n* глото́к спиртно́го

toothing [ˈtu:θɪŋ] **1.** *pres. p. от* tooth 2

2. *n тех.* зубча́тое зацепле́ние

toothless [ˈtu:θləs] *a* беззу́бый

toothpaste [ˈtu:θpeɪst] *n* зубна́я па́ста

toothpick [ˈtu:θpɪk] *n* зубочи́стка

tooth powder [ˈtu:θˌpaʊdə] *n* зубно́й порошо́к

toothsome [ˈtu:θsəm] *a* прия́тный на вкус

tootle [ˈtu:tl] **1.** *n* звук трубы́, фле́йты *и т. п.*

2. *v* издава́ть негро́мкие зву́ки, негро́мко труби́ть, игра́ть на фле́йте *и т. п.*

tootsy(-wootsy) [ˌtu:tsɪ(ˈwu:tsɪ)] *n детск.* но́жка

top I [tɒp] **1.** *n* 1) верху́шка, верши́на (*горы*); маку́шка (*головы, дерева*) 2) ве́рхний коне́ц, ве́рхняя пове́рхность; верх (*экипажа, лестницы, страницы*); кры́шка (*кастрюли, банки*); колпачо́к; ве́рхний обре́з (*книги*); ~ of milk пе́нка молока́; from ~ to toe с ног до головы́; с головы́ до пят; from ~ to bottom све́рху до́низу 3) шпиль, ку́пол 4) вы́сшее, пе́рвое ме́сто; высо́кое положе́ние; to come out on ~ а) победи́ть в состяза́нии, вы́йти на пе́рвое ме́сто; б) преуспева́ть в жи́зни; to come (*или* to rise) to the ~ всплыть на пове́рхность; *перен.* отличи́ться; to take the ~ of the table сиде́ть во главе́ стола́ 5) пе́рвый; челове́к, занима́ющий пе́рвое ме́сто; he was ~ in maths по матема́тике он был лу́чшим ученико́м 6) блу́зка, дже́мпер, верх оде́жды *или* о́буви; pyjama ~ пижа́мная ку́ртка 7) вы́сшая сте́пень; вы́сшее напряже́ние; at the ~ of one's voice (speed) во весь го́лос (опо́р) 8) (*обыкн. pl*) ботва́ (*корнеплодов*) 9) *pl карт.* две ста́ршие ка́рты како́й-л. ма́сти (*в бридже*) 10) *pl* отворо́ты (*сапог*); высо́кие сапоги́ с отворо́тами 11) *горн.* кро́вля (*выработки*) 12) *метал.* колошни́к 13) *мор.* марс ◇ (a little bit) off the ~ не в своём уме́; to go over the ~ а) *воен.* идти́ в ата́ку; б) сде́лать реши́тельный шаг; нача́ть реши́тельно де́йствовать; on ~ of everything else в добавле́ние ко всему́; to be (*или* to sit) on ~ of the world ≅ быть на седьмо́м не́бе; to be at the ~ (of the ladder *или* tree) занима́ть ви́дное положе́ние (*особ. в како́й-л. профессии*); to come to the ~ заня́ть ви́дное положе́ние

2. *a* 1) ве́рхний; the ~ shelf ве́рхняя по́лка 2) наивы́сший, максима́льный; ~ speed са́мая вы́сшая ско́рость; ~ price са́мая высо́кая цена́ 3) са́мый гла́вный; ~ men лю́ди, занима́ющие са́мое высо́кое положе́ние ◇ ~ secret соверше́нно секре́тно

3. *v* 1) покрыва́ть (*сверху*); снабжа́ть верху́шкой, ку́полом *и т. п.*; the mountain was ~ped with snow верши́на горы́ была́ покры́та сне́гом; to ~ one's fruit укла́дывать наверху́ лу́чшие фру́кты 2) обреза́ть верху́шку (*дерева и т. п.*; *тж.* ~ up) 3) превосходи́ть; быть во главе́, быть пе́рвым; this picture ~s all I have ever seen э́та карти́на — лу́чшее из того́, что я когда́-либо ви́дел 4) превыша́ть; достига́ть како́й-л. верши́ны, ве́са *и т. п.*; he ~s his father by a head он на це́лую го́лову вы́ше отца́; he ~s six feet он шести́ фу́тов ро́стом 5) подня́ться на верши́ну; перевали́ть (*через гору*); перепры́гнуть (*через что-л.*) 6) покрыва́ть (*новой краской и т. п.*) 7) *с.-х.* покрыва́ть ▭ ~ **off** а) отде́лывать; украша́ть; б) зака́нчивать, заверша́ть; they ~ped off their dinner with fruit в конце́ обе́да им бы́ли по́даны фру́кты; ~ **up** а) добавля́ть; долива́ть, досыпа́ть (*доверху*); б) *авто* дозаправля́ть(ся) ◇ to ~ one's part прекра́сно сыгра́ть свою́ роль

top II [tɒp] *n* волчо́к (*игрушка*); the ~ sleeps (*или* is asleep) волчо́к ве́ртится так, что враще́ние его́ незаме́тно ◇ old ~ старина́, дружи́ще

topaz [ˈtəʊpæz] *n* топа́з

top boot [ˈtɒpbu:t] *n* высо́кий сапо́г с отворо́том

top brass [ˌtɒpˈbrɑ:s] *n разг.* 1) *воен.* ста́ршие нача́льники, «нача́льство» 2) руково́дство, верху́шка

topcoat [ˈtɒpkəʊt] *n* пальто́

top drawer [ˈtɒpˌdrɔ:ə] *n* 1) ве́рхний я́щик 2) *разг.* вы́сшее о́бщество

top-drawer [ˈtɒpˌdrɔ:ə] *a разг.* принадлежа́щий к вы́сшему о́бществу; великоле́пный, первокла́ссный

top-dress [ˌtɒpˈdres] *v с.-х.* подка́рмливать (*растения*)

tope I [təʊp] *n* ку́нья аку́ла

tope II [təʊp] *v уст., книжн.* пья́нствовать

tope III [təʊp] *n* ро́ща (*преим.* ма́нговая)

topee [ˈtəʊpi:] = topi

toper [ˈtəʊpə] *n уст., книжн.* пья́ница

topflight [ˌtɒpˈflaɪt] *a разг.* наилу́чший, первокла́ссный

topgallant [tɒp'gælənt] *n* 1) *мор.* брам-стéньга 2) верх, вы́сшая тóчка; зени́т

top gas [,tɒp'gæs] *n метал.* колошникóвый газ

top hat [,tɒp'hæt] *n* цили́ндр (*шляпа*)

top-heavy [,tɒp'hevɪ] *a* 1) перевéшивающий в своéй вéрхней чáсти; неустóйчивый 2) с раздýтым администрати́вным аппарáтом (*о фирме и т. п.*) 3) *разг.* грудáстая

tophi ['təʊfaɪ] *pl от* tophus

top-hole [,tɒp'həʊl] *a разг.* первоклáссный, превосхóдный

tophus ['təʊfəs] *n* (*pl* tophi) *мед.* 1) подагри́ческие отложéния в сустáвах 2) отложéние виннокáменной кислоты́ на зубáх

topi ['təʊpi:] *n* тропи́ческий шлем (*от солнца*)

topiary ['təʊpɪərɪ] **1.** *n* 1) искýсство фигýрной стри́жки садóвых дерéвьев 2) сад с подстри́женными дерéвьями

2. *a*: ~ art = 1, 1); ~ garden = 1, 2)

topic ['tɒpɪk] *n* тéма, предмéт обсуждéния; the ~ of the day злободнéвная тéма

topical ['tɒpɪkl] *a* 1) актуáльный, животрепéщущий 2) темати́ческий 3) мéстный (*тж. мед.*); имéющий лишь мéстное *или* врéменное значéние

topicality [,tɒpɪ'kælətɪ] *n* актуáльность

topknot ['tɒpnɒt] *n* 1) пучóк волóс, пéрьев *или* лент (*венчающий женскую причёску*) 2) хохолóк (*на голове птицы*)

topless ['tɒpləs] *a* 1) не имéющий верхýшки; без вéрха 2) без ли́фа (*об одежде*) 3) с обнажённой грýдью

top level [,tɒp'levl] *n* сáмого высóкого ýровня *или* рáнга; negotiations at ~ переговóры на вы́сшем ýровне

top-light ['tɒplaɪt] *n мор.* тóповый (*или* флáгманский) огóнь

top liner [,tɒp'laɪnə] *n* популя́рный актёр, *амер.* «звездá»

toplofty [,tɒp'lɒftɪ] *a амер. разг.* надмéнный, занóсчивый; напы́щенный

topmast ['tɒpmɑ:st] *n мор.* стéньга

topmost ['tɒpməʊst] *a* 1) сáмый вéрхний 2) сáмый вáжный

top-notch [,tɒp'nɒtʃ] *a разг.* превосхóдный, первоклáссный

topographer [tə'pɒgrəfə] *n* топóграф

topography [tə'pɒgrəfɪ] *n* топогрáфия

toponymy [tə'pɒnəmɪ] *n лингв.* топони́мика

topper ['tɒpə] *n разг.* 1) цили́ндр (*шляпа*) 2) то, что лежи́т наверхý корзи́ны, я́щика (*обыкн. о фруктах*) 3) превосхóдный человéк; превосхóдная вещь 4) ширóкое дáмское пальтó

topping ['tɒpɪŋ] **1.** *pres. p. от* top I, 3

2. *n* 1) верхýшка, верх 2) удалéние верхýшки (*дерева*), прищи́пывание (*растения*) 3) *pl* чáсти, срéзанные с верхýшки (*дерева и т. п.*)

3. *a* 1) главéнствующий, пéрвенствующий 2) *разг.* превосхóдный, великолéпный 3) *амер.* высокомéрный

toppingly ['tɒpɪŋlɪ] *adv разг.* превосхóдно, великолéпно

topple ['tɒpl] *v* 1) вали́ться, пáдать (*головой вниз*); опроки́дывать(ся) (*часто* ~ over, ~ down) 2) грози́ть падéнием

tops [tɒps] *разг.* **1.** *a predic.* прекрáсный, великолéпный, наилýчший, отли́чный

2. *n* (the ~) сáмое лýчшее; превосхóдная вещь; отли́чный человéк

topsail ['tɒpsl] *n мор.* мáрсель

top-sawyer [,tɒp'sɔ:jə] *n* 1) вéрхний из двух пи́льщиков 2) человéк, занимáющий высóкое положéние; выдаю́щийся человéк

top sergeant [,tɒp'sɑ:dʒənt] *n амер. воен. разг.* старшинá рóты

topside ['tɒpsaɪd] *adv* 1) на пáлубе 2) в главéнствующей рóли

topsoil ['tɒpsɔɪl] *n с.-х.* пáхотный слой пóчвы

topsyturvy [,tɒpsɪ'tɜ:vɪ] **1.** *n* неразбери́ха, кутерьмá, «дым коромы́слом»

2. *a* перевёрнутый вверх днóм; беспоря́дочный

3. *adv* вверх днóм, ши́ворот-навы́ворот

4. *v* перевёртывать всё вверх днóм

topsyturvydom [,tɒpsɪ'tɜ:vɪdəm] = topsyturvy 1

toque [təʊk] *n* ток (*женская шляпа без полей*)

tor [tɔ:] *n* скали́стая верши́на холмá

Torah ['tɔ:rə] *n рел.* (*обыкн.* the ~) Тóра, Пятикни́жие Моисéево

torch [tɔ:tʃ] **1.** *n* 1) кармáнный фонáрик (*тж.* pocket *или* electric ~) 2) фáкел 3) светóч; the ~ of learning светóч знáний 4) *тех.* паяльная лáмпа; горéлка ◇ to put to the ~ предáть огню́; to carry the ~ люби́ть без взáимности

2. *v* освещáть фáкелами

torchère [tɔ:'ʃeə] *n* торшéр

torch-fishing ['tɔ:tʃ,fɪʃɪŋ] *n* лучéние (*лов рыбы с подсветом*)

torchlight ['tɔ:tʃlaɪt] *n* свет фáкела; свет электри́ческого фонаря́

torchon ['tɔ:ʃn] *n* 1) род грýбого льнянóго *или* хлопчатобумáжного крýжева (*тж.* ~ lace) 2) торшóн (*плотная крупнозернистая бумага; тж.* ~ paper)

torch-singer ['tɔ:tʃ,sɪŋə] *n* исполни́тельница сентиментáльных пéсенок о несчáстной любви́

torch song ['tɔ:tʃsɒŋ] *n* сентиментáльная пéсенка о несчáстной любви́

tore I [tɔ:] *past от* tear I, 2

tore II [tɔ:] = torus 1)

toreador ['tɒrɪədɔ:] *n* тореадóр

torero [tɒ'reərəʊ] *n* (*pl* -os [-əʊz]) = toreador

toreutic [tə'ru:tɪk] *a* резнóй, чекáнный, вы́битый (*о металле*)

tori ['tɔ:raɪ] *pl от* torus

torment **1.** *n* ['tɔ:mənt] 1) мучéние, мýка; to suffer ~s испы́тывать мýки 2) истóчник мучéний

2. *v* [tɔ:'ment] 1) мýчить; причиня́ть боль 2) досаждáть, изводи́ть, раздражáть

tormentor [tɔ:'mentə] *n* 1) мучи́тель 2) колёсная боронá 3) *театр.* пéрвая кули́са

tormentress [tɔ:'mentrəs] *n* мучи́тельница

tormina ['tɔ:mɪnə] *n pl мед.* схваткообрáзные бóли в кишéчнике, кóлики

torn [tɔ:n] *p. p. от* tear I, 2

tornado [tɔ:'neɪdəʊ] *n* (*pl* -oes [-əʊz]) торнáдо, шквал, смерч

torpedo [tɔ:'pi:dəʊ] **1.** *n* (*pl* -oes [-əʊz]) 1) торпéда 2) *зоол.* электри́ческий скат 3) *амер. sl.* профессионáльный уби́йца; гáнгстер-телохрани́тель 4) *ж.-д.* сигнáльная петáрда 5) *attr.* торпéдный

2. *v* 1) подорвáть торпéдой, торпеди́ровать 2) уничтóжить, разби́ть, подорвáть; to ~ a project провали́ть проéкт

torpedo boat [tɔ:'pi:dəʊbəʊt] *n* торпéдный кáтер

torpedo-net(ting) [tɔ:'pi:dəʊ,net(ɪŋ)] *n* противоми́нная сеть

torpedo-plane [tɔ:'pi:dəʊpleɪn] *n* самолёт-торпедонóсец

torpedo-tube [tɔ:'pi:dəʊtju:b] *n* торпéдный аппарáт; трубá торпéдного аппарáта

torpid ['tɔ:pɪd] *a* 1) бездéятельный, вя́лый, апати́чный 2) онемéлый, оцепенéвший 3) *зоол.* находя́щийся в спя́чке

torpidity [tɔ:'pɪdətɪ] *n* бездéятельность *и пр.* [*см.* torpid 1) *и* 2)]

torpids ['tɔ:pɪdz] *n pl* гребны́е гóнки (*в Оксфордском университете после рождественских каникул*)

torpor ['tɔ:pə] *n* 1) безразли́чие, апáтия 2) онемéлость, оцепенéние 3) тýпость

torque [tɔ:k] *n* 1) *ист.* кручёное металли́ческое ожерéлье 2) *физ.* вращáющий момéнт

torrefy ['tɒrɪfaɪ] *v* 1) суши́ть, поджáривать (*на огне и т. п.*) 2) обжигáть

torrent ['tɒrənt] *n* 1) стреми́тельный потóк 2) *pl* ли́вень 3) потóк (*ругательств и т. п.*)

torrential [tə'renʃl] *a* 1) текýщий бы́стрым потóком 2) проливнóй 3) оби́льный

Torricellian [,tɒrɪ'tʃelɪən] *a*: ~ vacuum *физ.* торричéллиева пустотá

torrid ['tɒrɪd] *a* 1) жáркий, знóйный; вы́жженный сóлнцем; ~ zone тропи́ческий пóяс 2) горя́чий, пы́лкий, стрáстный

torse [tɔ:s] *n геральд.* гирля́нда

torsi ['tɔ:si:] *pl от* torso

torsion ['tɔ:ʃn] *n* 1) *тех.* кручéние; перекáшивание; скрýчивание 2) скрýченность

torsion balance ['tɔ:ʃn,bæləns] *n* мотóр-весы́, динáмо-весы́

torso ['tɔ:səʊ] *n* (*pl* -os [-əʊz], -si) 1) тýловище 2) торс (*статуи*)

tort [tɔ:t] *n юр.* дели́кт, граждáнское правонарушéние

torte ['tɔ:tə] *n* (*pl тж.* -ten) прáздничный торт

torten [ˈtɔ:tn] *pl от* torte

torticollis [ˌtɔ:tɪˈkɒlɪs] *n мед.* кривоше́я

tortilla [tɔ:ˈti:ə] *n* пло́ская маи́совая лепёшка (*заменяющая в Мексике хлеб*)

tortoise [ˈtɔ:təs] *n* черепа́ха (*сухопутная*)

tortoiseshell [ˈtɔ:təsʃel] *n* 1) па́нцирь черепа́хи 2) черепа́ха (*материал*) 3) *attr.* черепа́ховый

tortuosity [ˌtɔ:tʃʊˈɒsətɪ] *n* 1) изви́листость; кривизна́ 2) укло́нчивость; неи́скренность

tortuous [ˈtɔ:tʃʊəs] *a* 1) изви́листый 2) укло́нчивый, неи́скренний

torture [ˈtɔ:tʃə] **1.** *n* 1) пы́тка; to put to the ~ подверга́ть пы́тке 2) му́ки, аго́ния

2. *v* 1) пыта́ть 2) му́чить; he is ~d with headaches его́ му́чают головны́е бо́ли

torturer [ˈtɔ:tʃərə] *n* мучи́тель; пала́ч

torus [ˈtɔ:rəs] *n* (*pl* -ri) 1) *архит.* то́рус; полукру́глый фриз 2) *бот.* цветоло́же

Tory [ˈtɔ:rɪ] *n* 1) *разг.* то́ри, консерва́тор 2) *ист.* член па́ртии то́ри 3) *attr. разг.* консервати́вный

Toryism [ˈtɔ:rɪɪzəm] *n* тори́зм, консервати́зм

tosh [tɒʃ] *n разг.* вздор, ерунда́

tosher [ˈtɒʃə] *n sl.* студе́нт-эксте́рн

toss [tɒs] **1.** *n* 1) мета́ние, броса́ние *и пр.* [*см.* 2]; the ~ of the coin жеребьёвка; to win (to lose) the ~ а) вы́играть (проигра́ть) в орля́нку; б) вы́играть (проигра́ть) пари́ 2) паде́ние (*с лошади*) 3) толчо́к; сотрясе́ние 4) = toss-up 2)

2. *v* (-ed [-t], *поэт.* tost) 1) броса́ть; кида́ть; мета́ть; подбра́сывать; to ~ a coin а) подбра́сывать моне́ту; реша́ть спор подбра́сыванием моне́ты; б) игра́ть в орля́нку 2) поднима́ться и опуска́ться (*о судне*); носи́ться (*по волнам*); ре́ять 3) беспоко́йно мета́ться (*о больном*; *часто* ~ about) 4) отбра́сывать, швыря́ть (*тж.* ~ away, ~ aside) 5) поднима́ть на рога́ (*о быке*) 6) вски́дывать (*голову*) 7) сбра́сывать (*седока*) 8) *горн.* промыва́ть (*руду*) ▭ ~ **off** а) вы́пить за́лпом; б) сде́лать на́спех; на́скоро пригото́вить (*еду*); ~ **up** а) = 1); б) броса́ть жре́бий

toss-up [ˈtɒsʌp] *n* 1) что-л. неопределённое; сомни́тельное; it's a ~ whether he comes or not э́то ещё вопро́с, придёт он и́ли нет 2) подбра́сывание моне́ты (*в орлянке*); жеребьёвка

tost [tɒst] *past и p. p. от* toss 2

tot I [tɒt] *n* 1) малы́ш (*обыкн.* tiny ~) 2) *разг.* ма́ленькая рю́мка (*вина и т. п.*); глото́к вина́

tot II [tɒt] *v разг.* сумми́ровать, скла́дывать (*тж.* ~ up); our expenses ~ted up to £200 на́ши расхо́ды соста́вили две́сти фу́нтов

total [ˈtəʊtl] **1.** *n* це́лое, су́мма; ито́г; the grand ~ о́бщий ито́г

2. *a* 1) весь, це́лый; совоку́пный, сумма́рный 2) по́лный, абсолю́тный; ~ eclipse *астр.* по́лное затме́ние; ~ failure по́лная неуда́ча 3) тота́льный

3. *v* 1) подводи́ть ито́г, подсчи́тывать 2) составля́ть, насчи́тывать (*о сумме, числе*) 3) доходи́ть до, равня́ться

totalitarian [təʊˌtælɪˈteərɪən] *a* тоталита́рный

totality [təʊˈtælətɪ] *n* 1) вся су́мма целико́м, всё коли́чество 2) *астр.* вре́мя по́лного затме́ния

totalizator [ˈtəʊtəlaɪzeɪtə] *n* тотализа́тор

totalize [ˈtəʊtəlaɪz] *v* 1) соединя́ть воеди́но 2) подводи́ть ито́г, сумми́ровать

totalizer [ˈtəʊtəlaɪzə] *n* 1) = totalizator 2) сумми́рующее устро́йство

tote I [təʊt] *n sl. сокр. от* totalizator

tote II [təʊt] *амер. разг.* **1.** *v* нести́; перевози́ть

2. *n* 1) груз 2) перево́зка

totem [ˈtəʊtəm] *n* тоте́м

tother, t'other [ˈtʌðə] *диал., шутл.* = the other

totter [ˈtɒtə] *v* 1) идти́ неве́рной, дрожа́щей похо́дкой, ковыля́ть 2) трясти́сь; шата́ться; угрожа́ть паде́нием 3) ги́бнуть, разруша́ться

tottering [ˈtɒtərɪŋ] **1.** *pres. p. от* totter

2. *a* нетвёрдый (*о походке*)

tottery [ˈtɒtərɪ] *a* трясу́щийся; грозя́щий паде́нием

toucan [ˈtu:kən] *n зоол.* тука́н (*птица*)

touch [tʌtʃ] **1.** *n* 1) прикоснове́ние; at a ~ при мале́йшем прикоснове́нии 2) осяза́ние; soft to the ~ мя́гкий на о́щупь 3) чу́точка; при́месь; отте́нок, налёт; a ~ of salt чу́точка со́ли; there was a ~ of bitterness in what he said в его́ слова́х чу́вствовалась го́речь 4) мане́ра, приёмы (*художника и т. п.*) 5) характе́рная черта́; the ~ of a poet поэти́ческая стру́нка; personal ~ характе́рные черты́ (*человека*) 6) (*часто pl*) штрих; мазо́к; to put the finishing ~es (to) де́лать после́дние штрихи́, отде́лывать; зака́нчивать 7) соприкоснове́ние, обще́ние; in ~ with smb. в конта́кте с кем-л.; in ~ with smth. в ку́рсе чего́-л.; to get in ~ with smb. связа́ться с кем-л.; to lose ~ with smb. потеря́ть связь, конта́кт с кем-л. 8) подхо́д (*к людям*); такт; he has a marvellous ~ in dealing with children он прекра́сно ла́дит с детьми́ 9) лёгкий при́ступ (*болезни*); небольшо́й ушı́б *и т. п.;* a ~ of the sun перегре́в 10) *sl.* вымога́тельство; получе́ние де́нег обма́нным путём; же́ртва обма́на 11) про́ба, испыта́ние; to put (*или* to bring) to the ~ подве́ргнуть испыта́нию 12) са́лки (*детская игра*; *тж.* ~ and run) 13) *муз.* туше́ 14) *спорт.* пло́щадь за боковы́ми ли́ниями футбо́льного *и т. п.* по́ля; in ~ за боково́й ли́нией ◇ common ~ чу́вство ло́ктя; in (*или* within) ~ а) бли́зко, под руко́й; б) досту́пно, достижи́мо; near ~ опа́сность, кото́рую едва́ удало́сь избежа́ть

2. *v* 1) (при)каса́ться, тро́гать, притра́гиваться, дотра́гиваться; соприкаса́ться; to ~ one's hat to smb. приве́тствовать кого́-л., приподнима́я шля́пу 2) тро́гать, волнова́ть, задева́ть за живо́е 3) слегка́ каса́ться, задева́ть 4) (*обыкн. с отриц.*) копа́ться, ры́ться; don't ~ my things не ро́йся в мои́х веща́х 5) притра́гиваться к еде́, питью́, есть, пить; he has not ~ed food for two days он два дня ничего́ не ел; I couldn't ~ anything я ничего́ в рот взять не мог 6) каса́ться, слегка́ затра́гивать (*тему, вопрос*) 7) ока́зывать возде́йствие; nothing will ~ these stains э́тих пя́тен ниче́м не вы́ведешь 8) каса́ться, име́ть отноше́ние (*к чему-л.*); how does this ~ me? како́е э́то име́ет отноше́ние ко мне? 9) сравни́ться; дости́чь тако́го же (высо́кого) у́ровня; there is nothing to ~ sea air for bracing you up нет ничего́ поле́знее морско́го во́здуха для укрепле́ния здоро́вья 10) (*обыкн. pass.*) слегка́ по́ртить; leaves are ~ed with frost ли́стья тро́нуты моро́зом; he is slightly ~ed ≅ у него́ не все до́ма 11) слегка́ окра́шивать; придава́ть отте́нок; clouds ~ed with rose розова́тые облака́ 12) извлека́ть звук (*на музыкальном инструменте*), дотра́гиваться до струн, кла́виш 13) получа́ть, добыва́ть (*деньги, особ. в долг или мошенничеством;* for); he ~ed me for a large sum of money он за́нял, вы́клянчил у меня́ большу́ю су́мму (*денег*) 14) получа́ть (*жалованье*); he ~es £6 a week он получа́ет 6 фу́нтов в неде́лю 15) *геом.* каса́ться, быть каса́тельной ▭ ~ **at** *мор.* заходи́ть (*в порт*); ~ **down** приземли́ться, косну́ться земли́; ~ **off** а) бы́стро наброса́ть; переда́ть схо́дство; б) вы́палить (*из пушки*); в) вы́звать (*спор и т. п.*); ~ **on** а) затра́гивать, каса́ться вкра́тце (*вопроса и т. п.*); б) грани́чить с чем-л. (*напр., с дерзостью*); ~ **up** а) исправля́ть, зака́нчивать, отде́лывать, класть после́дние штрихи́, мазки́; б) взволнова́ть; возбуди́ть; в) подстегну́ть (*лошадь*); г) напо́мнить, натолкну́ть; ~ **upon** = ~ on ◇ to ~ shore подплы́ть к бе́регу; to ~ pitch име́ть де́ло с сомни́тельным предприя́тием *или* субъе́ктом; to ~ the spot попа́сть в цель; соотве́тствовать своему́ назначе́нию; to ~ smb. on a sore (*или* tender) place заде́ть кого́-л. за живо́е; he ~es six feet он шести́ фу́тов ро́стом; to ~ wood пыта́ться умилостиви́ть судьбу́; ~ wood! не сгла́зьте!

touchable [ˈtʌtʃəbl] *a* осяза́тельный, осяза́емый

touch-and-go [ˌtʌtʃənˈgəʊ] **1.** *n* риско́ванное, опа́сное де́ло *или* положе́ние; it was ~ for a while како́й-то моме́нт всё висе́ло на волоске́

2. *a* 1) риско́ванный, опа́сный 2) отры́вочный

touchdown [ˈtʌtʃdaʊn] *n* 1) *ав.* поса́дка; to make a ~ соверши́ть поса́дку 2) гол (*в регби*)

touched [tʌtʃt] **1.** *p. p. от* touch 2

2. *a* 1) взволно́ванный, тро́нутый 2) слегка́ поме́шанный, «тро́нутый» (*тж.* ~ in the upper storey) ◇ ~ in the wind страда́ющий оды́шкой

touchiness ['tʌtʃɪnəs] *n* оби́дчивость *и пр.* [*см.* touchy]

touching ['tʌtʃɪŋ] 1. *pres. p. от* touch 2

2. *a* тро́гательный

3. *prep. книжн.* каса́тельно, относи́тельно (*тж.* as ~)

touchline ['tʌtʃlaɪn] *n спорт.* бокова́я ли́ния (*в футболе и т. п.*)

touch-me-not ['tʌtʃmɪnɒt] *n* 1) недотро́га 2) запрещённая те́ма 3) *бот.* недотро́га

touch-needle ['tʌtʃni:dl] *n* проби́рная игла́

touchstone ['tʌtʃstəʊn] *n* 1) проби́рный ка́мень; осело́к 2) крите́рий; про́бный ка́мень

touch-typist ['tʌtʃtaɪpɪst] *n* машини́стка, рабо́тающая по слепо́му ме́тоду

touchwood ['tʌtʃwʊd] *n* 1) трут 2) гнило́е де́рево; гнилу́шка

touchy ['tʌtʃɪ] *a* 1) оби́дчивый; раздражи́тельный 2) повы́шенно чувстви́тельный 3) риско́ванный, опа́сный (*о положении и т. п.*) 4) легковоспламеня́ющийся

tough [tʌf] 1. *a* 1) жёсткий; пло́тный, упру́гий; (as) ~ as leather (жёсткий) как подо́шва (*о мясе и т. п.*) 2) кре́пкий, си́льный, несгиба́емый 3) сто́йкий, выно́сливый, упо́рный; ~ resistance упо́рное сопротивле́ние 4) тру́дный; упря́мый, несгово́рчивый; ~ customer *разг.* челове́к, с кото́рым тру́дно име́ть де́ло; непокла́дистый челове́к; ~ policy *полит.* жёсткий курс; a ~ problem труднорazреши́мая пробле́ма 5) тру́дный, тяжёлый, по́лный лише́ний 6) закорене́лый, неисправи́мый; a ~ criminal закорене́лый престу́пник 7) *разг.* престу́пный, хулига́нский, банди́тский 8) гру́бый, круто́й (*о человеке*) 9) *геол.* кре́пкий (*о породе*)

2. *n* хулига́н, банди́т

toughen ['tʌfn] *v* де́лать(ся) жёстким *и т. д.* [*см.* tough 1]

toughie ['tʌfɪ] *n разг.* тяжёлый, непокла́дистый челове́к; тру́дная пробле́ма

tough-minded [,tʌf'maɪndɪd] *a* тре́звый, реалисти́чный, лишённый сентимента́льности

toupee ['tu:peɪ] *n* 1) небольшо́й пари́к, фальши́вый ло́кон, накла́дка из иску́сственных воло́с 2) хохо́л; тупе́й

tour [tʊə] 1. *n* 1) путеше́ствие; пое́здка; турне́; экску́рсия; прогу́лка; to make a ~ of Russia путеше́ствовать по Росси́и; a foreign ~ путеше́ствие за грани́цу; the grand ~ *ист.* путеше́ствие по Фра́нции, Ита́лии, Швейца́рии и др. стра́нам для заверше́ния образова́ния 2) тур, объе́зд 3) турне́, гастро́ли 4) круг (*обязанностей*) 5) обхо́д карау́ла 6) сме́на (*на фабрике и т. п.*); ва́хта 7): ~ of duty а) стажиро́вка; пребыва́ние в до́лжности; б) дежу́рство; наря́д 8) обраще́ние, оборо́т; цикл

2. *v* 1) соверша́ть путеше́ствие, экску́рсию *и т. п.* (through, about, of); to ~ (through) a country путеше́ствовать по стране́ 2) соверша́ть объе́зд, обхо́д 3) *театр.* пока́зывать (спекта́кль) на гастро́лях; they ~ed "Othello" они́ игра́ли «Оте́лло» на гастро́лях

tourer ['tʊərə] *n* 1) = touring car 2) = tourist

touring ['tʊərɪŋ] 1. *pres. p. от* tour 2

2. *n* тури́зм

touring car ['tʊərɪŋkɑ:] *n* тури́стский автомоби́ль

tourism ['tʊərɪzəm] *n* тури́зм

tourist ['tʊərɪst] *n* 1) тури́ст, путеше́ственник 2) *attr.* тури́стский, относя́щийся к тури́зму, путеше́ствиям; ~ agency бюро́ путеше́ствий; ~ class тури́стический класс, второ́й класс (*на океанском пароходе или в самолёте*); ~ ticket обра́тный биле́т без указа́ния да́ты (*действительный в течение определённого времени*)

tourmalin, tourmaline ['tʊəməlɪn, -li:n] *n мин.* турмали́н

tournament ['tʊənəmənt] *n* 1) турни́р 2) состяза́ние ры́царей, средневеко́вый турни́р <> ~ standard у́ровень спорти́вного мастерства́, позволя́ющий уча́ствовать в соревнова́ниях

tourney ['tʊənɪ] *ист.* 1. *n* (средневеко́вый) турни́р

2. *v* сража́ться на турни́ре

tourniquet ['tɔ:nɪkeɪ] *мед* турнике́т, жгут

tousle ['taʊzl] *v* 1) еро́шить, взъеро́шивать 2) гру́бо обраща́ться

tout [taʊt] 1. *n* 1) челове́к, уси́ленно предлага́ющий *или* реклами́рующий това́р; коммивояжёр; челове́к, зазыва́ющий клие́нтов в гости́ницу, иго́рный дом *и т. п.* 2) челове́к, добыва́ющий и продаю́щий све́дения о лошадя́х пе́ред ска́чками, «жучо́к»

2. *v* 1) навя́зывать това́р 2) расхва́ливать, реклами́ровать 3) зазыва́ть (*покупателей, клиентов и т. п.*) 4) *амер.* агити́ровать за кандида́та 5) добыва́ть и сообща́ть све́дения о скаковы́х лошадя́х для испо́льзования их при заключе́нии пари́ 6) *разг.* шпио́нить

tow I [təʊ] 1. *n* 1) букциро́вка 2) букси́руемое су́дно 3) букси́рный карава́н 4) бечева́; букси́р(ный кана́т, трос) <> to take in (*или* on) ~ а) брать на букси́р; б) брать на попече́ние; to have smb. in ~ а) име́ть кого́-л. на своём попече́нии, опека́ть; б) име́ть кого́-л. в числе́ сопровожда́ющих; име́ть кого́-л. в числе́ свои́х покло́нников

2. *v* 1) тяну́ть (*баржу*) на бечеве́; букси́ровать 2) тащи́ть за собо́й

tow II [təʊ] *n текст.* 1) очёс, куде́ль 2) па́кля

towage ['təʊɪdʒ] *n* 1) буксиро́вка 2) пла́та за буксиро́вку

toward I ['təʊəd] 1. *a уст.* 1) происходя́щий; предстоя́щий 2) послу́шный; благонра́вный 3) спосо́бный к уче́нию

2. *prep* = towards

towards [tə'wɔ:dz] *prep* 1) к, по направле́нию к; he edged ~ the door он пробира́лся к две́ри; the windows look ~ the sea о́кна обращены́ к мо́рю; his back was turned ~ me он стоя́л ко мне спино́й 2) к, по отноше́нию к; attitude ~ art отноше́ние к иску́сству 3) *указывает на цель действия* для; с тем, что́бы; to save money ~ an education откла́дывать де́ньги для получе́ния образова́ния; to make efforts ~ a reconciliation стара́ться доби́ться примире́ния 4) *указывает на совершение действия к определённому моменту* о́коло, к; ~ the end of November к концу́ ноября́; ~ morning (evening) к утру́ (ве́черу)

tow-boat ['təʊbəʊt] *n* букси́рное су́дно

towel ['taʊəl] 1. *n* 1) полоте́нце 2) гигиени́ческий же́нский паке́т (*тж.* sanitary ~) <> to throw in the ~ сда́ться, призна́ть себя́ побеждённым

2. *v* 1) вытира́ть(ся) полоте́нцем 2) *sl.* бить, дуба́сить

towel-horse ['taʊəlhɔ:s] *n* ве́шалка для полоте́нец

towelling ['taʊəlɪŋ] 1. *pres. p. от* towel 2

2. *n* 1) материа́л для полоте́нец 2) *sl.* побо́и, по́рка

towel-rack ['taʊəlræk] = towel-horse

towel-rail ['taʊəlreɪl] = towel-horse

tower ['taʊə] 1. *n* 1) ба́шня; вы́шка 2) цитаде́ль, кре́пость 3) опло́т, опо́ра; a ~ of strength надёжная опо́ра; защи́тник, на кото́рого мо́жно по́лностью положи́ться 2): the T. (of London) (Ло́ндонский) Та́уэр (*ранее — тюрьма, где содержались коронованные и др. знатные преступники, ныне — арсенал и музей средневекового оружия и орудий пытки*) 3) *тех.* вы́шка 4) *архит.* пило́н

2. *v* 1) вы́ситься, возвыша́ться (*часто* ~ up) 2) быть вы́ше други́х (*тж. перен.*; *обыкн.* ~ above, ~ over)

towering ['taʊərɪŋ] 1. *pres. p. от* tower 2

2. *a* 1) высо́кий, вздыма́ющийся; возвыша́ющийся (*над чем-л.*) 2) увеличива́ющийся, расту́щий 3) ужа́сный, неи́стовый; in a ~ rage в я́рости

towhead ['təʊhed] *n* 1) све́тлые во́лосы 2) светловоло́сый ю́ноша

towing-line ['təʊɪŋlaɪn] = towline

towing-path ['təʊɪŋpɑ:θ] *n мор.* бечёвник

towing-rope ['təʊɪŋrəʊp] = towline

towline ['təʊlaɪn] *n* букси́р, букси́рный трос

town [taʊn] *n* 1) го́род; городо́к; *амер. тж.* месте́чко 2) го́род (*в противоп. сельской местности*); out of ~ а) в дере́вне; б) в отъе́зде (*обыкн. из Лондона*) 3) *собир.* жи́тели го́рода; he became the talk of the ~ о нём говори́т весь го́род 4) администрати́вный центр (*района, округа и т. п.*); са́мый большо́й из близлежа́щих городо́в 5) центр делово́й *или* торго́вой жи́зни го́рода 6) *attr.* городско́й; ~ house городска́я кварти́ра; ~ water вода́ из городско́го водопрово́да <> on the ~ а) в ви́хре све́тских удово́льствий; б) *амер.* получа́ющий посо́бие по безрабо́тице; ~ and gown жи́тели О́ксфорда *или* Ке́мбриджа, включа́я студе́нтов и профессу́ру; to paint the ~ red предава́ться весе́лью, кути́ть; to go to ~ а) кути́ть; б) преуспева́ть; в) уме́ло и бы́стро рабо́тать

town clerk [,taʊn'klɑ:k] *n ист.* секрета́рь городско́й корпора́ции

town council [,taʊn'kaʊnsl] *n* городско́й (*или* муниципа́льный) сове́т, мэ́рия

town councillor [,taʊn'kaʊnslə] *n* член городско́го (*или* муниципа́льного) сове́та

townee [taʊ'ni:] *n пренебр.* жи́тель О́ксфорда *или* Ке́мбриджа, не име́ющий отноше́ния к университе́ту, обыва́тель

town gas [,taʊn'gæs] *n* газ бытово́го назначе́ния, бытово́й газ

town hall [,taʊn'hɔ:l] *n* ра́туша

town house [,taʊn'haʊs] *n* 1) городско́й дом 2) = town hall

town planning [,taʊn'plænɪŋ] *n* градострои́тельство

townsfolk ['taʊnzfəʊk] *n* (*употр. с гл. во мн. ч.*) горожа́не

township ['taʊnʃɪp] *n* 1) *амер., канад.* месте́чко; райо́н (*часть округа*); уча́сток пло́щадью в 6 кв. миль 2) *ист.* церко́вный прихо́д *или* поме́стье (*особ. как административная единица в Англии*); ма́ленький городо́к *или* дере́вня, входи́вшие в соста́в большо́го прихо́да 3) посёлок, городо́к 4) уча́сток, отведённый под городско́е строи́тельство

townsman ['taʊnzmən] *n* 1) горожа́нин 2) жи́тель того́ же го́рода, сограждани́н

townspeople ['taʊnz,pi:pl] = townsfolk

towpath ['təʊpɑ:θ] = towing-path

tow-rope ['təʊrəʊp] = towline

toxaemia [tɒk'si:mɪə] *n мед.* зараже́ние кро́ви, токсеми́я

toxic ['tɒksɪk] **1.** *a* ядови́тый, токси́ческий

2. *n* яд

toxicology [,tɒksɪ'kɒlədʒɪ] *n* токсиколо́гия, уче́ние о я́дах и отравле́ниях

toxicosis [,tɒksɪ'kəʊsɪs] *n мед.* токсико́з

toxin ['tɒksɪn] *n* токси́н

toy [tɔɪ] **1.** *n* 1) игру́шка, заба́ва; to make a ~ of smth. забавля́ться чем-л. 2) что-л. ма́ленькое, ку́кольное; a ~ of a church церкву́шка 3) безделу́шка; пустя́к 4) пустяко́вое де́ло, ерунда́ 5) *attr.* игру́шечный, ку́кольный; миниатю́рный; ~ dog ма́ленькая ко́мнатная соба́чка; ~ fish аква́риумная ры́бка; ~ soldier а) оловя́нный солда́тик; б) *sl.* солда́т безде́йствующей а́рмии

2. *v* 1) игра́ть, забавля́ться, несерьёзно относи́ться 2) флиртова́ть 3) верте́ть в рука́х (with)

toyman ['tɔɪmən] *n* 1) торго́вец игру́шками 2) игру́шечный ма́стер

toyshop ['tɔɪʃɒp] *n* магази́н игру́шек

trace I [treɪs] **1.** *n* 1) след; to keep ~ of smth. следи́ть за чем-л.; without a ~ бессле́дно; hot on the ~s of smb. по чьим-л. горя́чим следа́м 2) незначи́тельное коли́чество, следы́ 3) *амер.* (исхо́женная) тропа́ 4) черта́ 5) чертёж на ка́льке 6) за́пись прибо́ра-самопи́сца 7) *амер. воен.* равне́ние в заты́лок 8) *attr.*: ~ elements *мин.* рассе́янные элеме́нты, микроэлеме́нты

2. *v* 1) обнару́жить, установи́ть; the police were unable to ~ the whereabouts of the missing girl поли́ция не смогла́ установи́ть местонахожде́ние пропа́вшей де́вочки 2) усма́тривать, находи́ть; I cannot ~ any connection to the event я не нахожу́ никако́й свя́зи с э́тим собы́тием 3) следи́ть (*за кем-л., чем-л.*), просле́живать, высле́живать 4) просле́живать(ся); восходи́ть к определённому исто́чнику *или* пери́оду в про́шлом (to, back to); this custom has been ~d to the twelfth century э́тот обы́чай восхо́дит к двена́дцатому ве́ку; this family ~s to the Norman Conquest э́тот род восхо́дит к времена́м норма́ннского завоева́ния 5) снима́ть ко́пию; кальки́ровать (*тж.* ~ over) 6) набра́сывать (*план*), черти́ть (*карту, диаграмму и т. п.*) 7) тща́тельно выпи́сывать, выводи́ть (*слова и т. п.*) 8) с трудо́м рассмотре́ть, различи́ть 9) восстана́вливать расположе́ние *или* разме́ры (*древних сооружений, памятников и т. п. по сохранившимся развалинам*) 10) фикси́ровать, запи́сывать (*о кардиографе и т. п.*) 11) (*обыкн. p. p.*) украша́ть узо́рами

trace II [treɪs] *n* 1) (*обыкн. pl*) постро́мка 2) *стр.* подко́с ◇ to kick over the ~s вы́йти из повинове́ния, взбунтова́ться

tracer ['treɪsə] *n* 1) аге́нт по ро́зыску утéрянных веще́й (*особ. на железной дороге*) 2) запро́с о поте́рянных (*при перевозке*) веща́х, о гру́зе *и т. п.* 3) иссле́дователь 4) чертёжник-копиро́вщик 5) ме́ченый а́том (*тж.* ~ element) 6) прибо́р для отыска́ния поврежде́ний 7) *воен.* трасси́рующий снаря́д

tracery ['treɪsərɪ] *n* 1) ажу́рная рабо́та (*особ. в средневековой архитектуре*) 2) узо́р, рису́нок

trachea [trə'ki:ə] *n* (*pl* -cheae) *анат.* трахе́я

tracheae [trə'ki:i:] *pl от* trachea

tracheotomy [,trækɪ'ɒtəmɪ] *n мед.* трахеотоми́я

trachoma [trə'kəʊmə] *n мед.* трахо́ма

trachyte ['treɪkaɪt] *n мин.* трахи́т

tracing ['treɪsɪŋ] **1.** *pres. p. от* trace I, 2

2. *n* 1) скальки́рованный чертёж, ка́лька, рису́нок 2) копиро́вка, кальки́ровка 3) просле́живание 4) за́пись (*регистрирующего прибора*) 5) трасси́рование

3. *a* трасси́рующий

tracing paper ['treɪsɪŋ,peɪpə] *n* воско́вка, ка́лька

track [træk] **1.** *n* 1) след; to be on the ~ of а) пресле́довать; б) напа́сть на след; to be in the ~ of smb. идти́ по стопа́м, сле́довать приме́ру кого́-л.; to lose ~ of а) потеря́ть след; б) потеря́ть нить (*чего-л.*); to keep ~ of следи́ть; to keep the ~ of events быть в ку́рсе собы́тий 2) тропа́, тропи́нка; просёлочная доро́га; 3) *ж.-д.* колея́, ре́льсовый путь; single (double) ~ одноколе́йный (двухколе́йный) путь; to leave the ~ сойти́ с ре́льсов; off the ~ соше́дший с ре́льсов [*см. тж.* 7) *и* ◇] 4) *спорт.* лыжня́; бегова́я доро́жка; трек 5) курс, путь; the ~ of a comet путь коме́ты 6) *ав.* путь, тра́сса, маршру́т полёта 7) жи́зненный путь; off the ~ сби́вшийся с пути́, на ло́жном пути́ [*см. тж.* 3) *и* ◇] 8) гу́сеница (*трактора, танка*) 9) доро́жка, боро́здка (*грампластинки*) 10) звукова́я доро́жка (*фонограммы*); фоногра́мма 11) ряд, верени́ца (*событий, мыслей*) 12) *спорт.* лёгкая атле́тика 13) *тех.* направля́ющее устро́йство ◇ in one's ~s на ме́сте; неме́дленно, то́тчас же; to make ~s дать тя́гу, улизну́ть, убежа́ть; to make ~s for отпра́виться, напра́вить свои́ стопы́; off the ~ уклони́вшийся от те́мы [*см. тж.* 3) *и* 7)]

2. *v* 1) следи́ть, просле́живать; высле́живать (*обыкн.* ~ out, ~ up, ~ down) 2) прокла́дывать путь; намеча́ть курс 3) кати́ться по колее́ (*о колёсах*) 4) *амер.* оставля́ть следы́; наследи́ть, напа́чкать 5) име́ть определённое расстоя́ние ме́жду колёсами; this car ~s 46 inches у э́той маши́ны расстоя́ние ме́жду колёсами равно́ 46 дю́ймам 6) прокла́дывать колею́; укла́дывать ре́льсы 7) тяну́ть бечево́й (*тж.* ~ up) ▭ ~ **down** вы́следить и пойма́ть

trackage ['trækɪdʒ] *n амер.* 1) железнодоро́жная сеть 2) пра́во одно́й железнодоро́жной компа́нии на по́льзование желе́зной доро́гой, принадлежа́щей друго́й компа́нии

track-and-field (athletics) [trækən-,fi:ld(æθ'letɪks)] *n спорт.* лёгкая атле́тика

tracker I ['trækə] *n* 1) охо́тник, высле́живающий ди́ких звере́й 2) филёр 3) ище́йка

tracker II ['trækə] *n мор.* 1) ля́мочник 2) букси́р

tracklayer ['træk,leɪə] *n* путево́й рабо́чий

trackless ['trækləs] *a* 1) бездоро́жный 2) непроторённый 3) не оставля́ющий следо́в 4) *тех.* безре́льсовый; ~ trolley (line) тролле́йбус(ная ли́ния)

trackman ['trækmən] *n* 1) путево́й рабо́чий 2) путево́й обхо́дчик

track record ['trækrekɔ:d] *n* (пре́жние) достиже́ния, успе́хи

track shoe ['trækʃu:] *n* 1) *pl* шипо́вки (*обувь бегуна*) 2) звено́ гу́сеницы, башма́к гу́сеничного полотна́

track suit ['træksu:t] *n* тёплый спорти́вный костю́м

trackwalker ['træk,wɔ:kə] *n амер. ж.-д.* путево́й обхо́дчик

trackway ['trækweɪ] *n* 1) тропи́нка 2) коле́йная доро́га

tract I [trækt] *n* небольшо́й тракта́т; брошю́ра (*особ. на моральную или религиозную тему*)

tract II [trækt] *n* 1) полоса́ простра́нства (*земли, леса, воды*) 2) *анат.* тракт;

the digestive ~ желу́дочно-кише́чный тракт 3) *уст.* непреры́вный пери́од вре́мени

tractable ['træktəbl] *a* 1) послу́шный, сгово́рчивый 2) легко́ поддаю́щийся обрабо́тке, *напр.*, ко́вкий *и т. п.*

tractate ['trækteɪt] *n* тракта́т

tractile ['træktaɪl] *a редк.* вытя́гивающийся (*в длину*)

traction ['trækʃn] *n* 1) тя́га; волоче́ние; electric ~ электри́ческая тя́га 2) *мед.* вытяже́ние, тра́кция 3) си́ла сцепле́ния 4) *амер.* городско́й тра́нспорт

traction engine ['trækʃn,endʒɪn] *n* тра́ктор-тяга́ч

traction-wheel ['trækʃnwi:l] *n* веду́щее колесо́

tractor ['træktə] *n* 1) тра́ктор 2) *ав.* самолёт с тя́нущим винто́м

tractor-driver ['træktə,draɪvə] *n* трактори́ст

trade [treɪd] **1.** *n* 1) торго́вля; fair ~ а) торго́вля на осно́ве взаи́мной вы́годы; б) *sl.* контраба́нда 2) заня́тие; ремесло́; профе́ссия; the ~ of war вое́нная профе́ссия; a saddler by ~ шо́рник по профе́ссии 3) (the ~) *собир.* торго́вцы *или* предпринима́тели (*в какой-л. отрасли*); the woollen ~ торго́вцы ше́рстью 4) (the ~) *собир. разг.* ли́ца, име́ющие пра́во прода́жи спиртны́х напи́тков; пивова́ры, виноку́ры 5) ро́зничная торго́вля (*в противоп. оптовой — commerce*); магази́н, ла́вка; his father was in ~ его́ оте́ц был ла́вочником, име́л ла́вку 6) (the ~) *собир.* ро́зничные торго́вцы; he sells only to the ~ он продаёт то́лько о́птом, то́лько ро́зничным торго́вцам 7) клиенту́ра, покупа́тели 8) *амер.* сде́лка; обме́н 9) *pl* = trade winds 10) *attr.* торго́вый; ~ balance торго́вый бала́нс 11) *attr.* профсою́зный; ~(s) committee профсою́зный комите́т

2. *v* 1) торгова́ть (in — *чем-л.*; with — с *кем-л.*) 2) обме́нивать(ся); a boy ~d his knife for a pup ма́льчик обменя́л свой но́жик на щенка́; they ~d insults они́ осыпа́ли друг дру́га оскорбле́ниями; we ~d seats мы обменя́лись места́ми 3) *амер.* постоя́нно покупа́ть, быть постоя́нным покупа́телем □ ~ in сдава́ть ста́рую вещь (*автомобиль и т. п.*) в счёт поку́пки но́вой; ~ off а) сбыва́ть; б) обме́нивать; ~ (up)on извлека́ть вы́году, испо́льзовать в ли́чных це́лях; to ~ on the credulity of a client испо́льзовать дове́рчивость покупа́теля, обману́ть покупа́теля

Trade Board ['treɪdbɔ:d] *n ист.* коми́ссия по урегули́рованию спо́рных вопро́сов

trade gap ['treɪdgæp] *n* дефици́т торго́вого бала́нса

trade-in ['treɪdɪn] *n* предме́т, сдава́емый в счёт опла́ты но́вого (*особ. автомобиль*)

trademark ['treɪdmɑ:k] *n* фабри́чная ма́рка

trade mission ['treɪdmɪʃn] *n* торго́вое представи́тельство, торгпре́дство

trade name ['treɪdneɪm] *n* 1) фи́рменное назва́ние 2) назва́ние фи́рмы

trade-off ['treɪdɒf] *n разг.* компроми́сс, взаи́мные усту́пки

trade price ['treɪdpraɪs] *n* опто́вая цена́

trader ['treɪdə] *n* 1) торго́вец (*особ.* опто́вый) 2) торго́вое су́дно

trade route ['treɪdru:t] *n* торго́вый путь

tradescantia [trædɪ'skæntɪə] *n* традеска́нция

trade school [,treɪd'sku:l] *n* произво́дственная шко́ла; профессиона́льное учи́лище

trade secret [,treɪd'si:krət] *n* 1) произво́дственный секре́т; профессиона́льная та́йна 2) *шутл.* та́йна, «секре́т фи́рмы»

tradesfolk ['treɪdzfəʊk] = tradespeople

trade show ['treɪdʃəʊ] *n* закры́тый просмо́тр, комме́рческий просмо́тр фи́льма (*представителями проката и т. п.*)

tradesman ['treɪdzmən] *n* 1) торго́вец, ла́вочник; купе́ц 2) *диал.* реме́сленник

tradespeople ['treɪdz,pi:pl] *n pl* купцы́, ла́вочники, их се́мьи и слу́жащие; торго́вое сосло́вие

trades union [,treɪdz'ju:nɪən] = trade union

tradeswoman ['treɪdz,wʊmən] *n* торго́вка; ла́вочница

trade union [,treɪd'ju:nɪən] **1.** *n* тред-юнио́н; профсою́з

2. *a* профсою́зный

trade unionism [,treɪd'ju:nɪənɪzəm] *n* тред-юниони́зм

trade unionist [,treɪd'ju:nɪənɪst] *n* тред-юниони́ст; член профсою́за

trade winds ['treɪdwɪndz] *n pl* пасса́ты

trading ['treɪdɪŋ] **1.** *pres. p. от* trade 2

2. *n* торго́вля; комме́рция

3. *a* 1) занима́ющийся торго́влей; торго́вый

trading estate ['treɪdɪŋɪ,steɪt] *n* райо́н, где размеща́ют но́вые промы́шленные и торго́вые предприя́тия

trading post ['treɪdɪŋpəʊst] *n* факто́рия

trading stamps ['treɪdɪŋstæmps] *n pl* торго́вые ма́рки (*выдаются вместе с покупками; опред. количество таких марок даёт право на бесплатное приобретение товара*)

tradition [trə'dɪʃn] *n* 1) тради́ция; ста́рый обы́чай; by ~ по тради́ции 2) преда́ние 3) *шутл.* привы́чка, обыкнове́ние

traditional [trə'dɪʃnəl] *a* традицио́нный; передава́емый из поколе́ния в поколе́ние, осно́ванный на обы́чае

traditionalism [trə'dɪʃnəlɪzəm] *n* приве́рженность к тради́циям

traditionally [trə'dɪʃnəlɪ] *adv* по тради́ции

traditionary [trə'dɪʃnərɪ] = traditional

traduce [trə'dju:s] *v* злосло́вить, клевета́ть

traffic ['træfɪk] **1.** *n* 1) движе́ние; тра́нспорт 2) торго́вля (*часто незаконная*); ~ in drugs торго́вля нарко́тиками; to carry on ~ вести́ торго́влю; ~ in votes торго́вля голоса́ми (*на выборах*) 3) перево́зки; фрахт, гру́зы; коли́чество перевезённых пассажи́ров за определённый пери́од 4) дела́, отноше́ния; I had no ~ with them я не име́л с ни́ми ничего́ о́бщего 5) коли́чество телегра́мм, радиогра́мм и т. п. (*за какой-л. период*) 6) *attr.* относя́щийся к тра́нспорту; ~ manager (*или* officer), *разг.* ~ cop полице́йский, регули́рующий у́личное движе́ние; ~ controller диспе́тчер

2. *v* торгова́ть (in — *чем-л.*)

trafficator ['træfɪkeɪtə] *n авто* указа́тель поворо́та

traffic circle ['træfɪk,sɜ:kl] *n дор.* кольцева́я тра́нспортная развя́зка

traffic island ['træfɪk,aɪlənd] *n дор.* острово́к безопа́сности

trafficker ['træfɪkə] *n* торго́вец (*обыкн. занимающийся незаконной торговлей*); ~ in slaves работорго́вец; drug ~ торго́вец нарко́тиками

traffic light ['træfɪklaɪt] *n* светофо́р

traffic sign ['træfɪksaɪn] *n* доро́жный знак

traffic warden ['træfɪk,wɔ:dn] *n* инспе́ктор доро́жного движе́ния (*особ. контролирующий соблюдение правил стоянки*)

tragedian [trə'dʒi:dɪən] *n* 1) а́втор траге́дий 2) тра́гик, траги́ческий актёр

tragedienne [trə,dʒi:dɪ'en] *n* траги́ческая актри́са

tragedy ['trædʒədɪ] *n* 1) траги́ческое собы́тие, траги́ческая ситуа́ция 2) траге́дия 3) *attr.* относя́щийся к траге́дии; ~ king актёр, исполня́ющий в траге́дии роль короля́; гла́вный траги́ческий актёр тру́ппы

tragic(al) ['trædʒɪk(l)] *a* 1) траги́ческий; трагеди́йный 2) *разг.* ужа́сный; катастрофи́ческий, приско́рбный, печа́льный

tragicomedy [,trædʒɪ'kɒmədɪ] *n* трагикоме́дия

tragicomic(al) [,trædʒɪ'kɒmɪk(l)] *a* трагикоми́ческий

trail [treɪl] **1.** *n* 1) след, хвост; the car left a ~ of dust маши́на оста́вила позади́ себя́ столб пы́ли 2) след (*человека, животного*); to be on the ~ of smb. высле́живать кого́-л.; to foul the ~ запу́тывать следы́; to get on the ~ напа́сть на след; to get off the ~ сби́ться со сле́да 3) тропа́, тропи́нка 4) *бот.* сте́лющийся побе́г 5) *воен.* хо́бот лафе́та 6) *воен.* положе́ние напереве́с (*оружия, снаряжения*) 7) *ав.* лине́йное отстава́ние бо́мбы

2. *v* 1) тащи́ть(ся), волочи́ть(ся) 2) отстава́ть, идти́ сза́ди, плести́сь (*часто* ~ behind) 3) идти́ по сле́ду; высле́живать 4) тяну́ться сза́ди (*чего-л.*); a cloud of dust ~ed behind the car маши́на оставля́ла позади́ себя́ о́блако пы́ли 5) протопта́ть тропи́нку; прокла́дывать путь 6) стели́ться (*о растениях*) 7) свиса́ть (*о волосах*) 8) трелева́ть (*брёвна*) 9) анонси́ровать кино- *или* телефи́льм ◇ to ~ one's coat держа́ться вызыва́юще, лезть в дра́ку

trailblazer ['treɪl,bleɪzə] *n* пионе́р, нова́тор

trailer ['treɪlə] *n* 1) тот, кто та́щит, волочи́т *и пр.* [*см.* trail 2] 2) ано́нс кино- *или* телефи́льма 3) прице́п; тре́йлер 4) жило́й автоприце́п 5) сте́лющееся расте́ние

trail-net ['treɪlnet] *n мор.* тра́ловая сеть

train I [treɪn] *v* 1) воспи́тывать, учи́ть, приуча́ть к хоро́шим на́выкам, к дисципли́не 2) дрессирова́ть (*собаку*); объезжа́ть (*лошадь*) 3) обуча́ть(ся), гото́вить(ся) 4) тренирова́ть(ся); to ~ for races гото́виться к ска́чкам 5) направля́ть рост расте́ний (*обыкн.* ~ up, ~ along, ~ over) 6) наводи́ть (*орудие, объектив и т. п.*) ▭ ~ **down** сбавля́ть вес специа́льной трениро́вкой

train II [treɪn] **1.** *n* 1) по́езд, соста́в; by ~ по́ездом; mixed ~ това́ро-пассажи́рский по́езд; goods ~ това́рный по́езд; up ~ по́езд, иду́щий в Ло́ндон; down ~ по́езд, иду́щий из Ло́ндона; wild ~ по́езд, иду́щий не по расписа́нию; the ~ is off по́езд уже́ отошёл; to make the ~ поспе́ть на по́езд 2) шлейф (*платья*); хвост (*павлина, кометы*) 3) проце́ссия, корте́ж; funeral ~ похоро́нная проце́ссия 4) карава́н 5) *воен.* обо́з 6) цепь, ряд, верени́ца (*событий, мыслей*); ~ of thought ход мы́слей; a ~ of misfortunes цепь несча́стий 7) сви́та; толпа́ (*поклонников и т. п.*) 8) после́дствие; in the (*или* in its) ~ в результа́те, всле́дствие 9) *метал.* прока́тный стан 10) *тех.* зубча́тая переда́ча

2. *v разг.* е́хать по желе́зной доро́ге, е́хать по́ездом

trainband ['treɪnbænd] *n ист.* ополче́ние англи́йских горожа́н (*в XVI — XVIII вв.*)

trainbearer ['treɪn,beərə] *n* паж

trained [treɪnd] **1.** *p. p. от* train I

2. *a* 1) вы́ученный, вы́школенный; обу́ченный; трениро́ванный 2) дрессиро́ванный

trainee [,treɪ'ni:] *n* проходя́щий подгото́вку, обуче́ние; стажёр, практика́нт

trainer ['treɪnə] *n* 1) инстру́ктор; тре́нер 2) дрессиро́вщик 3) *ист.* ополче́нец [*см.* trainband] 4) *ав.* уче́бно-трениро́вочный самолёт; тренажёр 5) *воен.* горизонта́льный наво́дчик

train-ferry ['treɪn,ferɪ] *n* железнодоро́жный паро́м

training I ['treɪnɪŋ] **1.** *pres. p. от* train I

2. *n* 1) воспита́ние 2) обуче́ние; on-the-job ~ обуче́ние по ме́сту рабо́ты 3) трениро́вка; in ~ а) трениру́ющийся; б) (находя́щийся) в хоро́шей (спорти́вной) фо́рме 4) дрессиро́вка

3. *a* трениро́вочный, уче́бный

training II ['treɪnɪŋ] *pres. p. от* train II, 2

training-college ['treɪnɪŋ,kɒlɪdʒ] *n* педагоги́ческий ко́лле́дж

training-school ['treɪnɪŋsku:l] *n* 1) специа́льное учи́лище (*медицинское и т. п.*) 2) исправи́тельно-трудова́я коло́ния

training-ship ['treɪnɪŋʃɪp] *n мор* уче́бное су́дно

trainman ['treɪnmən] *n амер.* тормозно́й конду́ктор; проводни́к

trainmaster ['treɪn,mɑ:stə] *a амер.* нача́льник по́езда; гла́вный конду́ктор

train oil ['treɪnɔɪl] *n* во́рвань

train-service ['treɪn,sɜ:vɪs] *n ж.-д.* слу́жба движе́ния

train staff ['treɪnstɑ:f] *n* поездна́я брига́да

train table ['treɪn,teɪbl] *n* гра́фик движе́ния поездо́в

traipse [treɪps] = trapse

trait [treɪ] *n* 1) характе́рная черта́, осо́бенность 2) штрих

traitor ['treɪtə] *n* преда́тель, изме́нник

traitorous ['treɪtərəs] *a* преда́тельский, вероло́мный

traitress ['treɪtrəs] *n* преда́тельница

trajectory [trə'dʒektərɪ] *n* траекто́рия

tram I [træm] **1.** *n* 1) трамва́й 2) = tramline 3) = tramcar 4) *горн.* вагоне́тка, теле́жка 5) *attr.* трамва́йный

2. *v* 1) е́хать в трамва́е 2) отка́тывать на вагоне́тках

tram II [træm] *n текст.* шёлковый кручёный уто́к

tramcar ['træmkɑ:] *n* трамва́й (*вагон*)

tram-driver ['træm,draɪvə] *n* вагоново́жатый

tramline ['træmlaɪn] *n* трамва́йная ли́ния

trammel ['træml] **1.** *n* 1) (*обыкн. pl*) поме́ха, препя́тствие; что-л. сде́рживающее 2) не́вод, трал 3) се́тка для ло́вли птиц 4) эллипсо́граф; штангенци́ркуль 5) *амер.* крючо́к для подве́шивания котла́ над огнём

2. *v* 1) меша́ть; препя́тствовать 2) лови́ть не́водом, се́тью

trammer ['træmə] *n* 1) трамва́йщик 2) ло́шадь в ко́нке

tramontane [trə'mɒnteɪn] **1.** *a* 1) заальпи́йский 2) иностра́нный, чужезе́мный; ва́рварский

2. *n* иностра́нец, чужезе́мец; ва́рвар

tramp [træmp] **1.** *n* 1) бродя́га 2) звук тяжёлых шаго́в 3) до́лгое и утоми́тельное путеше́ствие пешко́м 4) *мор.* трамп, грузово́е су́дно, су́дно рабо́тающее на ра́зных ре́йсах 5) *амер. sl.* распу́тница

2. *v* 1) тяжело́ ступа́ть, гро́мко то́пать 2) идти́ *или* путеше́ствовать пешко́м; тащи́ться с трудо́м, с неохо́той 3) топта́ть, ута́птывать, утрамбо́вывать (*часто* ~ down) 4) *австрал. разг.* уво́лить, вы́гнать 5) бродя́жничать

trample ['træmpl] **1.** *n* 1) топта́ние 2) то́панье 3) попра́ние

2. *v* 1) топта́ть (*траву, посевы*); раста́птывать 2) дави́ть (*виноград*) 3) тяжело́ ступа́ть 4) подавля́ть, попира́ть (on, upon); to ~ under foot попира́ть

tramroad ['træmrəʊd] *n ист.* ре́льсовый путь (*для трамвая, вагонетки и т. п.*)

tramway ['træmweɪ] = tramline

trance [trɑ:ns] *n* 1) *мед.* транс 2) состоя́ние экста́за

tranny ['trænɪ] *n разг.* транзи́стор

tranquil ['træŋkwɪl] *a* споко́йный

tranquillity [træŋ'kwɪlətɪ] *n* споко́йствие

tranquillize ['træŋkwəlaɪz] *v* успока́ивать(ся)

tranquillizer ['træŋkwəlaɪzə] *n фарм.* успока́ивающее сре́дство, транквилиза́тор

trans- [træns-] *pref* 1) за, по ту сто́рону; че́рез, транс-; transatlantic трансатланти́ческий 2) *указывает на изменение формы, состояния и т. п.* пере-; to transform превраща́ть; to transplant переса́живать; to transshape изменя́ть фо́рму 3) *указывает на превышение предела, переход границы* пере-, пре-; to transcend превыша́ть; to transgress преступа́ть (*или* наруша́ть) зако́н

transact [træn'zækt] *v* 1) вести́ (*дела*) 2) заключа́ть (*сделки*)

transaction [træn'zækʃn] *n* 1) де́ло; сде́лка 2) веде́ние (*дела*) 3) *pl* труды́, протоко́лы (*научного общества*) 4) *юр.* урегули́рование спо́ра путём соглаше́ния сторо́н *или* компроми́сса

transalpine [trænz'ælpaɪn] *a* трансальпи́йский, находя́щийся се́вернее Альп

transatlantic [,trænzət'læntɪk] **1.** *a* 1) трансатланти́ческий; ~ line трансатланти́ческая парохо́дная ли́ния 2) находя́щийся, живу́щий по другу́ю сто́рону Атланти́ческого океа́на

2. *n* трансатланти́ческий парохо́д

transcalent [træns'keɪlənt] *a* теплопро́водный

transceiver [træn'si:və] *n* (*сокр. от* transmitter-receiver) *амер.* приёмопереда́тчик, радиопереда́тчик и радиоприёмник в о́бщем ко́рпусе

transcend [træn'send] *v* 1) преступа́ть преде́лы 2) превосходи́ть, превыша́ть

transcendent [træn'sendənt] *a* 1) превосхо́дный; необыкнове́нный 2) превосходя́щий 3) = transcendental 1)

transcendental [,trænsen'dentl] *a* 1) *филос.* трансцендента́льный 2) *разг.* абстра́ктный; нея́сный, тума́нный 3) *мат.* трансценде́нтный

transcendentalism [,trænsen'dentəlɪzəm] *n* трансцендента́льная филосо́фия

transcontinental [,trænzkɒntɪ'nentl] *a* пересека́ющий контине́нт, трансконтинента́льный

transcribe [træn'skraɪb] *v* 1) перепи́сывать 2) расшифро́вывать стенографи́ческую за́пись 3) запи́сывать на плёнку (*для передачи*); передава́ть по ра́дио грамза́пись 4) *фон.* транскриби́ровать 5) *муз.* аранжи́ровать

transcript ['trænskrɪpt] *n* 1) ко́пия 2) расшифро́вка (*стенограммы*)

transcription [træn'skrɪpʃn] *n* 1) перепи́сывание 2) ко́пия 3) *радио* за́пись; electrical ~ механи́ческая за́пись 4) *фон.*

транскри́пция; транскриби́рование 5) *муз.* аранжиро́вка

transducer [trænz'dju:sə] *n эл.* преобразова́тель; да́тчик; приёмник

transect [træn'sekt] *v* де́лать попере́чный надре́з

transept ['trænsept] *n архит.* трансе́пт, попере́чный неф готи́ческого собо́ра

transfer 1. *n* ['trænsfɜ:] 1) перено́с; перемеще́ние 2) перево́д (*по службе*) 3) перево́д рису́нка *и т. п.* на другу́ю пове́рхность 4) *pl* переводны́е карти́нки 5) перево́д кра́сок на холст (*при реставрировании*) 6) *полигр.* зерка́льный о́ттиск 7) *юр.* усту́пка, переда́ча (*имущества, права и т. п.*); це́ссия; трансфе́рт; докуме́нт о переда́че; ~ of authority переда́ча прав, полномо́чий 8) переса́дка (*на железной дороге и т. п.*) 9) *амер.* переса́дочный биле́т

2. *v* [træns'fɜ:] 1) переноси́ть, перемеща́ть (from — из; to — в); to ~ a child to another school перевести́ ребёнка в другу́ю шко́лу 2) передава́ть (*имущество, право и т. п.*) 3) переходи́ть (*с одной работы на другую*); переводи́ться 4) переса́живаться (*на другой трамвай, автобус и т. п.*); де́лать переса́дку (*на железной дороге*) 5) переводи́ть рису́нок на другу́ю пове́рхность, *особ.* наноси́ть рису́нок на литогра́фский ка́мень

transferable [træns'fɜ:rəbl] *a* допуска́ющий переда́чу, перемеще́ние, заме́ну; all parts of the machine were standard and ~ все ча́сти маши́ны бы́ли станда́ртны и заменя́емы; ~ vote го́лос, кото́рый мо́жет быть пе́редан другому кандида́ту (*при пропорциональной системе представительства*)

transferal [træns'fɜ:rəl] *n* перево́д, перено́с, перемеще́ние

transferee [,trænsfɜ:'ri:] *n* лицо́, кото́рому передаётся что-л. *или* пра́во на что-л.; цессиона́рий

transference ['trænsfrəns] *n* 1) перево́д 2) перемеще́ние, перенесе́ние 3) переда́ча

transfer fee ['trænsfɜ:fi:] *n* су́мма, кото́рую выпла́чивают за перево́д профессиона́льного игрока́ в другу́ю кома́нду

transfer-ink [træns'fɜ:ɪŋk] *n* типогра́фская кра́ска

transferor [træns'fɜ:rə] *n* лицо́, передаю́щее что-л. (*право, вещь*); цеде́нт

transfiguration [,trænsfɪgə'reɪʃn] *n* 1) видоизмене́ние, преобразова́ние 2) (T.) *церк.* Преображе́ние (Госпо́дне)

transfigure [træns'fɪgə] *v* 1) видоизменя́ть 2) преобража́ть

transfix [træns'fɪks] *v* 1) пронза́ть; прока́лывать; прони́зывать 2) прикова́ть к ме́сту; ошеломи́ть; парализова́ть; he was ~ed with horror у́жас прикова́л его́ к ме́сту

transform [træns'fɔ:m] *v* превраща́ть(-ся); изменя́ть(ся), преобража́ть(ся), преобразо́вывать(ся); to ~ smth. beyond recognition измени́ть что-л. до неузнава́емости

transformation [,trænsfə'meɪʃn] *n* 1) превраще́ние 2) *эл.* трансформа́ция 3) *биол.* метаморфо́за 4) *уст.* же́нский пари́к 5) *мат.* преобразова́ние

transformer [træns'fɔ:mə] *n* 1) *эл.* трансформа́тор 2) преобразова́тель

transfuse [træns'fju:z] *v* 1) пропи́тывать; прони́зывать 2) де́лать перелива́ние (*крови*) 3) де́лать внутриве́нное влива́ние 4) передава́ть (*чувства и т. п.*) 5) перелива́ть

transfusion [træns'fju:ʒn] *n* перелива́ние (*особ. крови*)

transgress [trænz'gres] *v* 1) преступа́ть, наруша́ть (*закон и т. п.*) 2) греши́ть 3) переходи́ть грани́цы (*терпения, приличия и т. п.*)

transgression [trænz'greʃn] *n* 1) просту́пок; наруше́ние (*закона и т. п.*) 2) грех 3) *геол.* трансгре́ссия

transgressor [trænz'gresə] *n* 1) правонаруши́тель 2) гре́шник

tranship [træn'ʃɪp] = transship

transience, -cy ['trænzɪəns, -sɪ] *n* быстроте́чность, мимолётность

transient ['trænzɪənt] **1.** *a* 1) преходя́щий, мимолётный, скороте́чный 2) вре́менный (*о жильце в гостинице, рабочем и т. п.*)

2. *n* вре́менный жиле́ц, рабо́чий *и т. п.*

transient agent [,trænzɪənt'eɪdʒənt] *n* несто́йкое отравля́ющее вещество́

transistor [træn'zɪstə] *n* 1) *радио* транзи́стор, кристаллотрио́д 2) транзи́стор, транзи́сторный радиоприёмник (*тж.* ~ radio, ~ set)

transit ['trænsɪt] **1.** *n* 1) прохожде́ние; прое́зд; rapid ~ бы́стрый перее́зд 2) транзи́т, перево́зка; in ~ в пути́ 3) *астр.* прохожде́ние плане́ты че́рез меридиа́н 4) переме́на; перехо́д (*в другое состояние*) 5) теодоли́т 6) *attr.* транзи́тный; ~ visa транзи́тная ви́за 7) *attr.* кратковре́менный; преходя́щий

2. *v* 1) переходи́ть, переезжа́ть 2) *астр.* проходи́ть че́рез меридиа́н

transit duty ['trænsɪt,dju:tɪ] *n* транзи́тная по́шлина

transition [træn'zɪʃn] *n* 1) перехо́д, перемеще́ние 2) перехо́дный пери́од 3) *муз.* модуля́ция 4) *attr.* перехо́дный; ~ period перехо́дный пери́од; ~ curve *мат.* перехо́дная крива́я; ~ point *физ.* то́чка перехо́да

transitional [træn'zɪʃnəl] *a* перехо́дный; промежу́точный

transitive ['trænsətɪv] *a грам.* перехо́дный

transitory ['trænsətrɪ] *a* 1) мимолётный, вре́менный, преходя́щий 2): ~ action *юр.* де́ло, кото́рое мо́жет быть возбуждено́ в любо́м суде́бном о́круге

translatable [træns'leɪtəbl] *a* переводи́мый

translate [træns'leɪt] *v* 1) переводи́ть(ся) (*с одного языка на другой*; from — с, into — на); poetry does not ~ easily стихи́ тру́дно переводи́ть 2) излага́ть ясне́е, про́ще; объясня́ть, толкова́ть 3) перемеща́ть, переноси́ть, переводи́ть (*в другое место*) 4) преобразо́вывать 5) осуществля́ть, претворя́ть в жизнь, to ~ promises into actions выполня́ть обеща́ния 6) *радио* трансли́ровать 7) обновля́ть, переде́лывать из ста́рого

translation [træns'leɪʃn] *n* 1) перево́д *и пр.* [*см.* translate] 2) перемеще́ние, смеще́ние 3) *радио* трансля́ция 4) пересчёт из одни́х мер *или* едини́ц в други́е 5) поступа́тельное движе́ние

translator [træns'leɪtə] *n* перево́дчик

transliterate [trænz'lɪtəreɪt] *n* транслитери́ровать, передава́ть бу́квами друго́го алфави́та

transliteration [træns,lɪtə'reɪʃn] *n* транслитера́ция

translocate [træns'ləʊkeɪt] *v* смеща́ть, перемеща́ть

translucent [træns'lu:snt] *a* просве́чивающий; полупрозра́чный

transmarine [,trænsmə'ri:n] *a* 1) замо́рский 2) простира́ющийся че́рез мо́ре

transmigrant [trænz'maɪgrənt] *n* иностра́нец, находя́щийся в стране́ прое́здом на но́вое местожи́тельство

transmigrate [,trænzmaɪ'greɪt] *v* переселя́ть(ся)

transmigration [,trænzmaɪ'greɪʃn] *n* переселе́ние

transmissible [trænz'mɪsəbl] *a* 1) передаю́щийся 2) зара́зный

transmission [trænz'mɪʃn] *n* 1) переда́ча; radio ~ радиопереда́ча; TV ~ телепереда́ча 2) пересы́лка 3) *тех.* переда́ча; коро́бка переда́ч; трансми́ссия; при́вод 4) *attr.* переда́точный; ~ line *эл.* ли́ния переда́чи

transmit [trænz'mɪt] *v* 1) передава́ть 2) отправля́ть, посыла́ть 3) передава́ть по насле́дству 4) *радио, тлв.* трансли́ровать

transmitter [trænz'mɪtə] *n* 1) отправи́тель, переда́тчик 2) радиопереда́тчик; телепереда́тчик 3) *тлф.* микрофо́н

transmogrification [trænz,mɒgrɪfɪ'keɪʃn] *n шутл.* удиви́тельное превраще́ние, метаморфо́за

transmogrify [trænz'mɒgrɪfaɪ] *v шутл.* превраща́ть(ся), изменя́ть(ся) (*необыкновенным, таинственным образом*)

transmutation [,trænzmjʊ'teɪʃn] *n* превраще́ние; ~s of fortune превра́тности судьбы́

transmute [trænz'mju:t] *v* превраща́ть

transnational [trænz'næʃnəl] *a* транснациона́льный

transoceanic [,trænzəʊʃɪ'ænɪk] *a* 1) заокеа́нский 2) трансокеа́нский, пересека́ющий океа́н

transom ['trænsəm] *n* 1) попере́чный брус, попере́чная ба́лка 2) *мор.* тра́нец 3) фраму́га

transom-bar ['trænsəmbɑ:] *n стр.* и́мпост (*окна, двери*)

transonic [træn'sɒnɪk] = trans-sonic

transpacific [,trænspə'sɪfɪk] *a* 1) пересека́ющий Ти́хий океа́н 2) по другу́ю сто́рону Ти́хого океа́на

transparency [træns'pærənsɪ] *n* 1) прозра́чность 2) транспара́нт

transparent [træns'pærənt] *a* 1) прозра́чный, просве́чивающий 2) очеви́дный, я́вный 3) я́сный, поня́тный 4) открове́нный

transpicuous [træns'pɪkjʊəs] = transparent 1), 2) *и* 3)

transpierce [træns'pɪəs] *v* пронза́ть насквозь

transpiration [,trænspə'reɪʃn] *n* 1) испа́рина; выделе́ние по́та 2) испаре́ние

transpire [træn'spaɪə] *v* 1) обнару́живаться, станови́ться изве́стным 2) *разг.* случа́ться, происходи́ть 3) проступа́ть в ви́де ка́пель по́та 4) проса́чиваться (*о газе*) 5) испаря́ться

transplant [,træns'plɑ:nt] *v* 1) переса́живать (*растения*) 2) переселя́ть 3) *хир.* де́лать переса́дку (*ткани или органов*)

transplantation [,trænsplɑ:n'teɪʃn] *n* 1) переса́дка *и пр.* [*см.* transplant] 2) трансплanта́ция

transpontine [,trænz'pɒntaɪn] *a* 1) располо́женный за мосто́м; находя́щийся по ту сто́рону ло́ндонских мосто́в, к ю́гу от Те́мзы 2) мелодрамати́ческий; ~ drama дешёвая мелодра́ма

transport 1. *n* ['trænspɔ:t] 1) тра́нспорт, перево́зка 2) тра́нспорт, сре́дства сообще́ния; тра́нспорт(ное су́дно); тра́нспортный самолёт 3) (*часто pl*) поры́в (чувств); in a ~ of rage в поры́ве гне́ва 4) *ист.* ссы́льный; ка́торжник 5) *attr.* тра́нспортный

2. *v* [træns'pɔ:t] 1) перевози́ть; переноси́ть, перемеща́ть 2) *ист.* ссыла́ть на ка́торгу 3) (*обыкн. p. p.*) приводи́ть в состоя́ние восто́рга, у́жаса *и т. п.*; ~ed with joy не по́мня себя́ от ра́дости

transportable [træns'pɔ:təbl] *a* подвижно́й, передвижно́й, перено́сный, транспорта́бельный

transportation [,trænspɔ:'teɪʃn] *n* 1) перево́зка, тра́нспорт; транспорти́рование 2) *амер.* тра́нспортные сре́дства 3) *амер.* сто́имость перево́зки 4) *амер.* биле́т (*железнодорожный, трамвайный и т. п.*) 5) *ист.* ссы́лка на ка́торгу

transporter [træns'pɔ:tə] *n тех.* транспортёр, конве́йер

transpose [træns'pəʊz] *v* 1) перемеща́ть, переставля́ть 2) переставля́ть (*слова в предложении*) 3) *муз.* транспони́ровать 4) *мат.* переноси́ть в другу́ю часть уравне́ния с обра́тным зна́ком

transposition [,trænspə'zɪʃn] *n* 1) перемеще́ние, перестано́вка; перено́с 2) *муз.* транспониро́вка

transsexual [træn'sekʃʊəl] 1. *a* транссексуа́льный

2. *n* транссексуа́л, челове́к, кото́рому измени́ли пол в результа́те опера́ции

transship [træns'ʃɪp] *v мор., ж.-д.* 1) перегружа́ть 2) переса́живать(ся)

transshipment [træns'ʃɪpmənt] *n мор., ж.-д.* 1) перегру́зка 2) переса́дка

trans-sonic [trænz'sɒnɪk] *a физ.* околозвуково́й; ~ speed околозвукова́я ско́рость

transuranium [,trænzjʊ'ræniəm] *n хим.* трансура́новый элеме́нт

transvalue [trænz'vælju:] *v* переоце́нивать

transversal [trænz'vɜ:sl] 1. *a* попере́чный; секу́щий

2. *n* пересека́ющая, секу́щая ли́ния

transverse [trænz'vɜ:s] *a* попере́чный; ~ section попере́чный разре́з, попере́чное сече́ние

transvestism [trænz'vestɪzəm] *n мед., психол.* трансвести́зм, стремле́ние носи́ть оде́жду противополо́жного по́ла

transvestite [trænz'vestaɪt] *n мед., психол.* трансвести́т, челове́к, нося́щий оде́жду друго́го по́ла

trap I [træp] 1. 1) *n* капка́н, западня́; лову́шка; сило́к; to set a ~ ста́вить лову́шку; to bait a ~ класть прима́нку в лову́шку; *перен.* зама́нивать; to fall into a ~ попа́сться в лову́шку 2) рессо́рная двуко́лка 3) = trapdoor 4) *sl.* рот; shut your ~! заткни́сь! 5) (*обыкн. pl*) *разг.* уда́рные инструме́нты в орке́стре 6) *sl.* сы́щик; полице́йский 7) *тех.* сифо́н; трап 8) *радио* загражда́ющий фильтр 9) (вентиляцио́нная) дверь (*в шахте*)

2. *v* 1) ста́вить лову́шки, капка́ны; лови́ть в лову́шки, капка́ны 2) зама́нивать; обма́нывать 3) *тех.* улáвливать, поглоща́ть, отделя́ть (*тж.* ~ out)

trap II [træp] *n* 1) *pl разг.* ли́чные ве́щи, пожи́тки, бага́ж 2) *уст.* попо́на

trap III [træp] *n геол.* 1) трапп 2) моноклина́ль

trapdoor [,træp'dɔ:] *n* люк; опускна́я дверь

trapes [treɪps] = trapse

trapeze [trə'pi:z] *n* трапе́ция

trapezia [trə'pi:zɪə] *pl от* trapezium

trapezium [trə'pi:zɪəm] *n* (*pl* -s [-z], -zia) *геом.* трапе́ция

trap-line ['træplaɪn] *n охот.* систе́ма капка́нов

trapper ['træpə] *n* охо́тник, ста́вящий капка́ны

trappings ['træpɪŋz] *n pl* 1) вне́шние атрибу́ты (*занимаемой должности и т. п.*) 2) украше́ния 3) ко́нская сбру́я, попо́на (*особ. парадная*)

trappy ['træpɪ] *a разг.* преда́тельский, опа́сный

trapse [treɪps] *разг.* 1. *n* 1) утоми́тельная прогу́лка 2) *уст.* неря́ха

2. *v* 1) ходи́ть, броди́ть без де́ла 2) тащи́ться 3) волочи́ть по земле́ (*подол*)

trapshooting ['træp,ʃu:tɪŋ] *n* стрельба́ по дви́жущейся мише́ни (*мячу, глиняному голубю и т. п.*)

trash [træʃ] *n* 1) *амер.* отбро́сы, хлам; му́сор; макулату́ра 2) нестоя́щие лю́ди, дрянь; white ~ *амер. презр.* бедняки́ из бе́лого населе́ния ю́жных шта́тов 3) плоха́я литерату́рная *или* худо́жественная рабо́та; халту́ра; ерунда́; вздор 4) выжатый са́харный тростни́к

trash-ice ['træʃaɪs] *n* плаву́чие льди́ны (*во время ледохода*)

trashy ['træʃɪ] *a* дрянно́й

trass [trɑ:s] *n мин.* трас

trauma ['trɔ:mə] *n* (*pl* -ata, -s [-z]) *мед.* тра́вма

traumata ['trɔ:mətə] *pl от* trauma

traumatic [trɔ:'mætɪk] *a мед.* травмати́ческий

traumatize ['trɔ:mətaɪz] *v мед.* травми́ровать

travail ['træveɪl] *книжн.* 1. *n* 1) тяжёлый труд, мучи́тельные уси́лия 2) родовы́е му́ки

2. *v* 1) му́читься в ро́дах 2) напряга́ться, выполня́ть тру́дную рабо́ту

travel ['trævl] 1. *n* 1) путеше́ствие 2) *pl* описа́ние путеше́ствия; a book of ~s кни́га о путеше́ствиях 3) движе́ние; продвиже́ние 4) движе́ние (*снаряда по каналу ствола*) 5) *тех.* пода́ча, ход; длина́ хо́да

2. *v* 1) путеше́ствовать, е́здить 2) дви́гаться, передвига́ться 3) *разг.* выде́рживать перево́зку (*о вине и т. п.*) 4) е́здить в ка́честве коммивояжёра 5) перемеща́ться; распространя́ться; light ~s faster than sound ско́рость све́та превыша́ет ско́рость зву́ка 6) *разг.* е́хать, дви́гаться бы́стро 7) перебира́ть (*в памяти*); переходи́ть от предме́та к предме́ту (*о взгляде*); his eye ~led over the picture он рассма́тривал карти́ну

travel agency ['trævl,eɪdʒənsɪ] = travel bureau

travel bureau ['trævl,bjʊərəʊ] *n* бюро́ путеше́ствий

travel-film ['trævlfɪlm] *n* фильм о путеше́ствиях

travelled ['trævld] 1. *p. p. от* travel 2

2. *a* 1) мно́го путеше́ствовавший 2) прое́зжий (*о дороге*)

traveller ['trævlə] *n* 1) путеше́ственник; ~'s cheque тури́стский чек; ~'s tales «охо́тничьи» расска́зы 2) коммивояжёр (*тж.* commercial ~) 3) *тех.* бегуно́к

traveller's-joy ['trævləzdʒɔɪ] *n бот.* ломоно́с

travelling ['trævlɪŋ] 1. *pres. p. от* travel 2

2. *n* путеше́ствие

3. *a* 1) путеше́ствующий; свя́занный с путеше́ствием; ~ salesman коммивояжёр; ~ speed ско́рость движе́ния 2) подвижно́й; ~ kitchen похо́дная ку́хня; ~ library передвижна́я библиоте́ка

travelling bag ['trævlɪŋbæg] *n* доро́жная су́мка

travelling crane ['trævlɪŋkreɪn] *n* мостово́й кран

travelling-dress ['trævlɪŋdres] *n* доро́жный костю́м

travelling rug ['trævlɪŋrʌg] *n* доро́жный плед

travelogue ['trævəlɒg] *n* 1) ле́кция о путеше́ствии с диапозити́вами *или* кино́ 2) = travel-film

traverse ['trævɜ:s] 1. *n* 1) попере́чина, перекла́дина 2) *мор.* галс 3) тра́верс (*в альпинизме*) 4) *ав.* тра́верз 5) *юр.* возраже́ние отве́тчика по существу́ и́ска 6) *воен.* у́гол горизонта́льной наво́дки

2. *v* 1) пересека́ть; класть поперёк 2) (подро́бно) обсужда́ть; to ~ a subject обсуди́ть вопро́с со всех сторо́н 3) *воен.* повора́чиваться на вертика́льной оси́, враща́ться 4) *юр.* отрица́ть [*см.* 1, 5)] 5) возража́ть

travertin ['trævətɪn] = travertine

travertine ['trævətɪn] *n мин.* траверти́н, известко́вый туф

travesty ['trævəstɪ] **1.** *n* паро́дия; карикату́ра; a ~ of justice паро́дия на справедли́вость

2. *v* представля́ть паро́дию; пароди́ровать; искажа́ть

trawl [trɔ:l] **1.** *n* 1) трал 2) тра́ловая сеть; трал

2. *v* 1) тра́лить, лови́ть ры́бу тра́ловой се́тью 2) тащи́ть по дну

trawler ['trɔ:lə] *n* тра́улер

tray [treɪ] *n* 1) подно́с; to serve (breakfast, dinner, *etc.*) on a ~ подава́ть (за́втрак, обе́д *и т. п.*) на подно́се 2) жёлоб, лото́к 3) *тех.* поддо́н

treacherous ['tretʃərəs] *a* 1) преда́тельский, вероло́мный 2) ненадёжный; ~ ice ненадёжный лёд

treachery ['tretʃərɪ] *n* преда́тельство, вероло́мство

treacle ['tri:kl] *n* 1) па́тока 2) слаща́вость, лесть

treacly ['tri:klɪ] *a* 1) па́точный 2) при́торный, еле́йный

tread [tred] **1.** *n* 1) по́ступь, похо́дка 2) *стр.* ступе́нь 3) ширина́ хо́да, колея́ 4) *тех.* пове́рхность ката́ния; проте́ктор (*покрышки*); звено́ (гу́сеницы) 5) спа́ривание (*о птицах*)

2. *v* (trod; trodden) 1) ступа́ть, шага́ть, идти́; to ~ in smb.'s steps идти́ по чьим-л. стопа́м, сле́довать приме́ру 2) топта́ть, наступа́ть, дави́ть (*тж.* ~ down; on, upon); to ~ under foot уничтожа́ть, попира́ть; притесня́ть 3) прота́птывать (*дорожку*) 4) спа́риваться (*о птицах*) ▭ ~ **down** а) дави́ть, топта́ть, зата́птывать; б) попира́ть; подавля́ть; ~ **in** вта́птывать; ~ **out** а) дави́ть (*виноград*); б) зата́птывать (*огонь*); в) подавля́ть ◇ to ~ on the heels of сле́довать по пята́м; to ~ on smb.'s corns (*или* toes) наступи́ть кому́-л. на люби́мую мозо́ль; бо́льно заде́ть кого́-л.; заде́ть чьи-л. чу́вства; to ~ (as) on eggs ступа́ть, де́йствовать осторо́жно; to ~ the boards (the deck) быть актёром (моряко́м); to ~ lightly де́йствовать осторо́жно, такти́чно; to ~ water плыть сто́я

treadle ['tredl] **1.** *n* педа́ль (*велосипеда*); подно́жка (*швейной машины*); ножно́й при́вод

2. *v* рабо́тать педа́лью

treadmill ['tredmɪl] *n* 1) топча́к 2) однообра́зный механи́ческий труд

treason ['tri:zn] *n* 1) госуда́рственная изме́на (*тж.* high ~) 2) изме́на, преда́тельство

treasonable ['tri:znəbl] *a* изме́ннический

treasonous ['tri:znəs] = treasonable

treasure ['treʒə] **1.** *n* сокро́вище (*тж. перен.*); buried ~ клад; my ~! люби́мый!, моё сокро́вище!

2. *v* 1) храни́ть как сокро́вище; сберега́ть, храни́ть (*тж.* ~ up) 2) высо́ко цени́ть; о́чень дорожи́ть (*чем-л.*)

treasure-house ['treʒəhaʊs] *n* сокро́вищница (*особ. библиотека, музей*)

treasurer ['treʒərə] *n* 1) казначе́й; Lord High T. *ист.* госуда́рственный казначе́й 2) храни́тель (*ценностей, коллекции и т. п.*)

treasure trove ['treʒətrəʊv] *n* драгоце́нный клад; не име́ющие владе́льца драгоце́нности, на́йденные в земле́

treasury ['treʒərɪ] *n* 1) сокро́вищница 2) казна́ 3) (the T.) госуда́рственное казначе́йство; министе́рство фина́нсов 4) *attr.* казначе́йский; ~ note казначе́йский биле́т ◇ T. bench скамья́ мини́стров (*в англ. парламенте*)

treat [tri:t] **1.** *n* 1) удово́льствие, наслажде́ние 2) угоще́ние; this is to be my ~ сего́дня я угоща́ю, плачу́ за угоще́ние; to stand ~ угоща́ть, плати́ть за угоще́ние 3) *школ.* пикни́к, экску́рсия

2. *v* 1) обраща́ться, обходи́ться; относи́ться; he ~ed my words as a joke он при́нял мои́ слова́ за шу́тку 2) обраба́тывать, подверга́ть де́йствию (with) 3) лечи́ть (for — от *чего-л.*; with — *чем-л.*) 4) трактова́ть; the book ~s of poetry в э́той кни́ге говори́тся о поэ́зии 5) угоща́ть (to); пригласи́ть в теа́тр, кино́ *и т. п.* (to); they ~ed us to dinner они́ угости́ли нас обе́дом 6) име́ть де́ло, вести́ перегово́ры (with — с *кем-л.* for — о *чём-л.*) 7) *горн.* обогаща́ть

treatise ['tri:tɪz] *n* 1) тракта́т 2) нау́чный труд; курс (*учебник*)

treatment ['tri:tmənt] *n* 1) обраще́ние, обхожде́ние; rough ~ гру́бое обраще́ние 2) лече́ние, ухо́д; to take ~s проходи́ть курс лече́ния; manipulation ~ лече́бные процеду́ры 3) тракто́вка, подхо́д 4) обрабо́тка (*чем-л.*) 5) пропи́тка, пропи́тывание 6) *горн.* обогаще́ние

treaty ['tri:tɪ] *n* 1) догово́р 2) перегово́ры; to be in ~ with smb. for smth. вести́ с кем-л. перегово́ры о чём-л. 3) *attr.* догово́рный, существу́ющий на основа́нии догово́ра; ~ port *ист.* порт, откры́тый по догово́ру для вне́шней торго́вли

treble ['trebl] **1.** *a* 1) тройно́й, утро́енный 2) *муз.* дискантóвый

2. *n* 1) тройно́е коли́чество 2) *муз.* ди́скант; сопра́но

3. *v* 1) утра́ивать(ся) 2) петь ди́скантом

trecentist [treɪ'tʃentɪst] *n* италья́нский худо́жник *или* писа́тель XIV в.

trecento [treɪ'tʃentəʊ] *n иск.* трече́нто

tree [tri:] **1.** *n* 1) де́рево 2) распо́рка для о́буви 3) родосло́вное де́рево (*тж.* family ~) 4) дре́во; the ~ of knowledge дре́во позна́ния 5) *sl.* ви́селица (*тж.* Tyburn ~) 6) *тех.* сто́йка, подпо́рка 7) *тех.* вал; ось ◇ to be at the top of the ~ стоя́ть во главе́; занима́ть ви́дное положе́ние; up a ~ в безвы́ходном положе́нии

2. *v* 1) загна́ть на де́рево 2) влезть на де́рево 3) *обыкн. амер.* поста́вить в безвы́ходное положе́ние 4) растя́гивать, расправля́ть о́бувь (*на колодке*)

treecreeper ['tri:,kri:pə] *n* пищу́ха обыкнове́нная (*птица*)

tree fern ['tri:fɜ:n] *n* древови́дный па́поротник

tree frog ['tri:frɒg] *n* древе́сная лягу́шка

treeless ['tri:ləs] *a* безле́сный, го́лый, лишённый расти́тельности (*о земельном участке*)

treenail ['tri:neɪl] *n мор.* на́гель

treetop ['tri:tɒp] *n* верху́шка де́рева

trefoil ['trefɔɪl] *n* 1) *бот.* трили́стник, кле́вер 2) орна́мент в ви́де трили́стника

trek [trek] **1.** *n* 1) переселе́ние (*особ.* в фурго́нах, запряжённых вола́ми) 2) перехо́д, путеше́ствие

2. *v* 1) переселя́ться; е́хать в фурго́нах, запряжённых вола́ми 2) де́лать большо́й перехо́д; пересека́ть (*пустыню, горную местность и т. п.*)

trellis ['trelɪs] *n* решётка (для выю́щихся расте́ний), шпале́ра; подпо́рка (*для плодовых деревьев*)

tremble ['trembl] **1.** *n* дрожь, дрожа́ние; all in (*или* on, of) a ~ *разг.* дрожа́, в си́льном волне́нии

2. *v* 1) дрожа́ть; трясти́сь; 2) страши́ться, опаса́ться; трепета́ть; to ~ for one's life опаса́ться, дрожа́ть за свою́ жизнь; to ~ at the thought of трепета́ть при мы́сли 3) колыха́ться, развева́ться (*о флагах*)

trembler ['tremblə] *n эл.* прерыва́тель

trembling ['tremblɪŋ] **1.** *pres. p. от* tremble 2

2. *n* 1) дрожь 2) страх, тре́пет; in fear and ~ трепеща́

trembly ['tremblɪ] *a разг.* 1) дрожа́щий, неро́вный (*о почерке и т. п.*) 2) засте́нчивый, ро́бкий

tremendous [trɪ'mendəs] *a* 1) стра́шный; ужа́сный 2) *разг.* огро́мный, грома́дный; потряса́ющий

tremor ['tremə] *n* 1) дрожь, тре́пет 2) сотрясе́ние; толчки́; earth ~s толчки́ землетрясе́ния

tremulant ['tremjʊlənt] = tremulous

tremulous ['tremjʊləs] *a* 1) дрожа́щий (*о голосе*); неро́вный (*о почерке и т. п.*) 2) ро́бкий, тре́петный

trenail ['tri:neɪl] = treenail

trench [trentʃ] **1.** *n* 1) ров, кана́ва; борозда́; котлова́н 2) (*обыкн. pl*) транше́я, око́п 3) *attr.* транше́йный, око́пный; ~ warfare позицио́нная война́

2. *v* 1) рыть рвы, кана́вы, око́пы, транше́и 2) вска́пывать 3) проре́зать (*желобки, борозды*) 4) прорубáть ▭ ~ **about**, ~ **around** ока́пываться; ~ **upon** *уст.* а) посяга́ть; to ~ upon smb.'s time отнима́ть чьё-л. вре́мя; б) грани́чить; his answer ~ed upon insolence его́ отве́т грани́чил с де́рзостью

trenchant ['trentʃənt] *a* 1) ре́зкий; ко́лкий; язви́тельный; о́стрый; ~ style ре́зкая мане́ра 2) *поэт.* о́стрый, ре́жущий 3) я́сный, чёткий, определённый; ~ policy реши́тельная поли́тика

trench-bomb ['trentʃbɒm] *n воен.* ручна́я грана́та

trench coat ['trentʃkəʊt] *n* 1) тёплая полушине́ль 2) *амер.* плащ свобо́дного покро́я с по́ясом

trencher I ['trentʃə] *n* 1) солда́т, ро́ющий транше́и 2) канавокопа́тель

trencher II ['trentʃə] *n* 1) *ист.* деревя́нная доска́ для нареза́ния хле́ба *или* мя́са 2) = trencher cap

trencher cap ['trentʃəkæp] *n* «академи́ческая ша́почка», головно́й убо́р с квадра́тным ве́рхом (*у студентов и профессоров в Англии*)

trencherman ['trentʃəmən] *n* 1) едо́к; a good (poor) ~ хоро́ший (плохо́й) едо́к 2) прихлеба́тель

trench fever [,trentʃ'fi:və] *n* сыпно́й тиф

trench foot [,trentʃ'fʊt] *n мед.* транше́йная стопа́

trench mortar [,trentʃ'mɔ:tə] *n* миномёт

trend [trend] **1.** *n* 1) направле́ние 2) о́бщее направле́ние, тенде́нция

2. *v* 1) отклоня́ться, склоня́ться (*в каком-л. направлении*); the road ~s to the north доро́га идёт на се́вер 2) име́ть тенде́нцию

trendsetter ['trend,setə] *n* законода́тель мо́ды

trendy ['trendɪ] *a неодобр.* сверхмо́дный

trepan [trɪ'pæn] *мед.* **1.** *n* трепа́н

2. *v* трепани́ровать

trephine [trɪ'fi:n] *v мед.* производи́ть трепана́цию

trepidation [,trepɪ'deɪʃn] *n* 1) тре́пет, дрожь; дрожа́ние 2) трево́га, беспоко́йство

trespass ['trespəs] **1.** *n* 1) *юр.* наруше́ние владе́ния 2) посяга́тельство, злоупотребле́ние 3) *уст.* правонаруше́ние, просту́пок; грех, прегреше́ние

2. *v* 1) *юр.* наруша́ть чужо́е пра́во владе́ния 2) посяга́ть, злоупотребля́ть (on, upon); to ~ upon smb.'s hospitality (time) злоупотребля́ть чьим-л. гостеприи́мством (вре́менем) 3) *книжн., уст.* соверша́ть просту́пок, правонаруше́ние

trespasser ['trespəsə] *n* 1) лицо́, вторга́ющееся в чьи-л. владе́ния 2) правонаруши́тель

tress [tres] *n* 1) *книжн.* дли́нный ло́кон; коса́ 2) *pl* распу́щенные же́нские во́лосы

tressed [trest] *a* 1) име́ющий ко́сы 2) заплетённый в ко́су

trestle ['tresl] *n* 1) ко́злы; по́дмости 2) эстака́да

trestlework ['treslwɜ:k] *n стр.* по́дмости; эстака́да

trews [tru:z] *n pl* пло́тно облега́ющие клётчатые штаны́

trey [treɪ] *n* тро́йка (*в картах*); три очка́ (*на игральных костях*)

triable ['traɪəbl] *a* 1) *юр.* подсу́дный 2) допуска́ющий испыта́ние

triad ['traɪæd] *n* 1) что-л., состоя́щее из трёх часте́й, предме́тов; гру́ппа из трёх челове́к; триа́да 2) *муз.* трезву́чие

triage ['tri:ɑ:dʒ] *n* 1) сортиро́вка 2) ко́фе ни́зшего со́рта

trial ['traɪəl] *n* 1) *юр.* суде́бное разбира́тельство; суде́бный проце́сс, суд; to bring to (*или* to put on) ~ привлека́ть к суду́ [*ср. тж.* 3)]; to be on one's ~, to stand (*или* to undergo) ~ быть под судо́м; to give a fair ~ суди́ть по зако́ну, справедли́во 2) испыта́ние, про́ба; to give a ~ а) взять на испыта́ние, на испыта́тельный срок (*рабочего*); б) испы́тывать (*прибор, машину и т. п.*); on ~ а) находя́щийся на испыта́тельном сро́ке; б) взя́тый на про́бу (*о предметах*); by ~ and error путём проб и оши́бок 3) пережива́ние, тяжёлое испыта́ние; искуше́ние; злоключе́ние; to put on ~ подверга́ть серьёзному испыта́нию [*ср. тж.* 1)]; that child is a real ~ to me э́тот ребёнок — су́щее наказа́ние для меня́ 4) *спорт.* попы́тка 5) *геол.* разве́дка 6) *attr.* про́бный, испыта́тельный; ~ period испыта́тельный срок; ~ run про́бный пуск, пробе́г; ~ trip про́бное пла́вание; *перен.* экспериме́нт

trial jury ['traɪəldʒʊərɪ] *n юр.* ма́лое жюри́; суд из 12 прися́жных

triangle ['traɪæŋgl] *n* 1) треуго́льник 2) уго́льник для черче́ния

triangular [traɪ'æŋgjʊlə] *a* 1) треуго́льный 2) трёхгра́нный; ~ pyramid трёхгра́нная пирами́да 3) трёхсторо́нний, происходя́щий с уча́стием трёх челове́к, па́ртий, групп *и т. п.*; ~ fight борьба́ трёх сторо́н ме́жду собо́й; ~ agreement трёхсторо́ннее соглаше́ние

triangulate [traɪ'æŋgjʊleɪt] *v геод.* производи́ть триангуля́цию, де́лать тригонометри́ческую съёмку

triarchy ['traɪɑ:kɪ] *n* триумвира́т

Trias ['traɪæs] *n геол.* триа́с

triathlon [traɪ'æθlən] *n спорт.* трое-бо́рье

tribal ['traɪbl] *a* племенно́й, родово́й

tribe [traɪb] *n* 1) пле́мя; клан 2) *др.-рим.* три́ба 3) *пренебр.* ша́тия, компа́ния 4) *биол.* три́ба 5) *pl* мно́жество, ма́сса

tribesman ['traɪbzmən] *n* член ро́да, соро́дич, соплеме́нник

tribrach ['trɪbræk] *n прос.* трибра́хий

tribulation [,trɪbjʊ'leɪʃn] *n* го́ре, несча́стье, беда́

tribunal [traɪ'bju:nl] *n* 1) суд; трибуна́л; the ~ of public opinion суд обще́ственного мне́ния 2) ме́сто судьи́

tribunate ['trɪbjʊnət] *n др.-рим.* трибуна́т, до́лжность трибу́на

tribune I ['trɪbju:n] *n др.-рим.* трибу́н (*тж. перен.*)

tribune II ['trɪbju:n] *n* трибу́на, ка́федра

tributary ['trɪbjʊtərɪ] **1.** *n* 1) прито́к 2) *ист.* да́нник; госуда́рство, платя́щее дань

2. *a* 1) явля́ющийся прито́ком; ~ stream прито́к 2) *ист.* платя́щий дань; подчинённый 3) *геол.* второстепе́нный, подчинённый (*о породе*)

tribute ['trɪbju:t] *n* 1) дань, до́лжное; to pay a ~ to smb. отдава́ть дань (*уважения, восхищения*) кому́-л. 2) *ист.* дань; to lay under ~ наложи́ть дань 3) коллекти́вный дар, подноше́ние, награ́да; floral ~s цвето́чные подноше́ния

tricar ['traɪkɑ:] = tricycle 1

trice I [traɪs] *n*: in a ~ мгнове́нно, в оди́н миг

trice II [traɪs] *v мор.* подтя́гивать и привя́зывать (*обыкн.* ~ up)

tricentenary [,traɪsen'ti:nərɪ] = tercentenary

triceps ['traɪseps] *n анат.* трёхгла́вая мы́шца

trichina [trɪ'kaɪnə] *n* (*pl* -ae) трихи́на (*паразитический червь*)

trichinae [trɪ'kaɪni:] *pl от* trichina

trichinosis [,trɪkɪ'nəʊsɪs] *n мед.* трихинеллёз

trichord ['traɪkɔ:d] *n* трёхстру́нный музыка́льный инструме́нт

trichotomy [,traɪ'kɒtəmɪ] *n* деле́ние на три ча́сти, на три элеме́нта

trichromatic [,traɪkrəʊ'mætɪk] *a* трёхцве́тный

trick [trɪk] **1.** *n* 1) хи́трость, обма́н; by ~ обма́нным путём; ~ of senses (imagination) обма́н чувств (воображе́ния); to play smb. a ~ обману́ть, наду́ть кого́-л.; сыгра́ть с кем-л. шу́тку; you shall not serve that ~ twice второ́й раз э́тот но́мер не пройдёт 2) сноро́вка, ло́вкий приём; уло́вка; don't know (*или* have not got) the ~ of it не зна́ю, как э́то де́лается, не зна́ю «секре́та»; to do the ~ дости́чь це́ли, доби́ться своего́; he's done the ~ *разг.* ему́ э́то удало́сь; I know a ~ worth two of that *разг.* у меня́ есть сре́дство полу́чше; all the ~s and turns все приёмы, уло́вки; ~s of the trade специфи́ческие приёмы, профессиона́льные ухищре́ния 3) фо́кус, трюк 4) шу́тка; ша́лость; вы́ходка; none of your ~s! без фо́кусов!; a dirty ~ по́длость, га́дость; shabby ~s га́дкие шу́тки; ~s of fortune превра́тности судьбы́ 5) осо́бенность, характе́рное выраже́ние (*лица, голоса*); мане́ра, привы́чка (*часто дурная*) 6) *карт.* взя́тка; the odd ~ реша́ющая взя́тка 7) *мор.* о́чередь, сме́на у руля́; to take (*или* to have, to stand) one's ~ отстоя́ть сме́ну 8) *амер.* безделу́шка, заба́ва, игру́шка 9) *амер. разг.* ребёнок (*часто* little *или* pretty ~) 10) *attr.* сло́жный; ~ photography комбини́рованные съёмки 11) *attr.* обма́нчивый ◇ how's ~s? как пожива́ете?, как дела́?

2. *v* 1) обма́нывать, надува́ть; выма́нивать (out of); обма́ном заста́вить (*что-л. сделать*; into) 2) подводи́ть (*кого-л.*); наруша́ть пла́ны *и т. п.* ▭ ~ **out**, ~ **up** иску́сно *или* прихотли́во украша́ть

trickery ['trɪkərɪ] *n* 1) надува́тельство; обма́н 2) хи́трость, ло́вкая проде́лка

trickle [ˈtrɪkl] **1.** *n* струйка

2. *v* 1) течь тонкой струйкой, сочиться (*тж.* ~ out, ~ down, ~ through, ~ along); капать; the news ~d out новость просочилась 2) лить тонкой струйкой

trickster [ˈtrɪkstə] *n* обманщик; ловкач

tricksy [ˈtrɪksɪ] *a* 1) ненадёжный, обманчивый 2) шаловливый, игривый 3) *уст.* разодетый, нарядный

tricky [ˈtrɪkɪ] *a* 1) сложный; запутанный; мудрёный 2) ненадёжный 3) хитрый, ловкий; находчивый, искусный

triclinia [trɪˈklɪnɪə] *pl от* triclinium

triclinium [trɪˈklɪnɪəm] *n* (*pl* -ia) *др.-рим.* триклиний

tricolour [ˈtrɪkələ] **1.** *n* трёхцветный флаг; триколор; the French ~ трёхцветный флаг Франции

2. *a* трёхцветный

tricot [ˈtrɪkəʊ] *n* 1) трико (*материя*) 2) трикотаж(ное изделие)

tricycle [ˈtraɪsɪkl] **1.** *n* трёхколёсный велосипед; мотоцикл с коляской

2. *v* ездить на трёхколёсном велосипеде *или* мотоцикле

trident [ˈtraɪdnt] *n* 1) трезубец 2) (T.) «Трайдент» (*амер. баллистическая ракета*)

tried [traɪd] **1.** *past и p. p. от* try 2

2. *a* испытанный, проверенный; надёжный, верный

triennial [traɪˈenɪəl] **1.** *a* 1) продолжающийся три года 2) повторяющийся через три года

2. *n* 1) событие, происходящее раз в три года 2) процесс, период *и т. п.*, длящийся три года 3) трёхлетняя годовщина

trifle [ˈtraɪfl] **1.** *n* 1) пустяк, мелочь; a ~ немного, слегка; he seems a ~ annoyed он, кажется, немножко раздражён 2) небольшое количество, небольшая сумма; it cost a ~ это недорого стоило; put a ~ of sugar in my tea положите мне немного сахару в чай 3) бисквит, пропитанный вином и залитый взбитыми сливками

2. *v* 1) вести себя легкомысленно; заниматься пустяками 2) шутить; относиться несерьёзно; he is not a man to ~ with с ним шутки плохи 3) играть, вертеть в руках; теребить; he ~d with his pencil он вертел в руках карандаш 4) тратить понапрасну (*время, силы, деньги; обыкн.* ~ away); to ~ away one's time зря тратить время

trifling [ˈtraɪflɪŋ] **1.** *pres. p. от* trifle 2

2. *n* 1) подшучивание, шутливая беседа; лёгкий разговор 2) трата времени

3. *a* 1) пустячный, пустяковый; незначительный; a ~ talk несерьёзный разговор 2) нестоящий, никудышный; неинтересный; a ~ joke плоская шутка

trifocal [traɪˈfəʊkl] *опт.* **1.** *a* трифокальный

2. *n pl* трифокальные очки

trifoliate [traɪˈfəʊlɪɪt] *a* 1) *бот.* трёхлистный 2) *архит.* украшенный трилистником

triform [ˈtraɪfɔ:m] *a* 1) трёхчастный, состоящий из трёх частей 2) имеющий три формы

trig I [trɪg] *уст. диал.* **1.** *a* опрятный, нарядный, щеголеватый; аккуратный

2. *v* 1) держать в порядке (*часто* ~ up) 2) наряжать (*часто* ~ out)

trig II [trɪg] *тех.* **1.** *n* заклинивающая подкладка

2. *v* тормозить, заклинивать

trig III [trɪg] *школ. жарг. сокр. от* trigonometry

trigger [ˈtrɪgə] **1.** *n* 1) *воен.* спусковой крючок; to pull the ~ спустить курок; *перен.* пустить в ход, привести в движение 2) *тех.* собачка, защёлка 3) импульс, побуждение ◇ easy on the ~ *амер.* вспыльчивый, легко возбудимый; quick on the ~ быстро реагирующий, импульсивный

2. *v*: ~ off приводить в движение (*какие-л. силы*); начинать, вызывать

trigger-happy [ˈtrɪgə,hæpɪ] *a* 1) готовый стрелять по любому поводу, легкомысленный в обращении с оружием; to be ~ стрелять без разбора 2) воинственный, агрессивный

trigonal [ˈtrɪgnəl] 1) = triangular 2) = trigonous

trigonometric(al) [,trɪgənəˈmetrɪk(l)] *a* тригонометрический

trigonometry [,trɪgəˈnɒmətrɪ] *n* тригонометрия

trigonous [ˈtrɪgənəs] *a* треугольный; имеющий в сечении треугольник

trihedral [traɪˈhi:drəl] *a* трёхгранный, трёхсторонний

trihedron [traɪˈhi:drɒn] *n* трёхгранник

trike [traɪk] *разг. см.* tricycle

trilateral [,traɪˈlætərəl] *a* трёхсторонний

trilby [ˈtrɪlbɪ] *n* мягкая фетровая шляпа

trilinear [traɪˈlɪnɪə] *a мат.* трёхлинейный

trilingual [,traɪˈlɪŋgwəl] *a* 1) говорящий на трёх языках 2) трёхъязычный

trill [trɪl] **1.** *n* 1) *муз.* трель 2) *фон.* вибрирующее r

2. *v* выводить трель 2) *фон.* произносить звук r с вибрацией

trilling [ˈtrɪlɪŋ] *n* близнец из тройни, тройняшка

trillion [ˈtrɪljən] *num. card., n* квинтильон (10^{18}); *амер.* триллион (10^{12})

trilobate [traɪˈləʊbət] *a бот.* трёхлопастный

trilogy [ˈtrɪlədʒɪ] *n* трилогия

trim [trɪm] **1.** *n* 1) порядок, готовность; in fighting ~ в боевой готовности; in good ~ а) в порядке; в хорошем состоянии; б) в хорошей форме (*о спортсмене*) 2) наряд; украшение; отделка 3) *амер.* украшение витрины 4) стрижка, подравнивание, подрезка 5) *авто* внутренняя отделка 6) *мор.* правильное размещение балласта 7) *ав.* дифферент, продольный наклон

2. *a* 1) аккуратный, опрятный; приведённый в порядок 2) изящный, элегантный 3) *уст.* в состоянии готовности

3. *v* 1) приводить в порядок; to ~ oneself up приводить себя в порядок 2) подрезать (*напр., фитиль лампы*); подстригать; обрезать кромки; обтёсывать, торцевать (*доски*) 3) отделывать (*платье*); украшать (*блюдо гарниром и т. п.*) 4) приспосабливаться; балансировать между противоположными партиями 5) *разг.* отчитать, сделать выговор; побить 6) *разг.* обманывать; вымогать деньги 7) *мор.* уравновешивать, удифферентовывать (*судно*) 8) *тех.* снимать заусенцы ◇ to ~ the sails to the wind ≅ держать нос по ветру

trimester [traɪˈmestə] *n* 1) трёхмесячный срок 2) *амер.* триместр

trimeter [ˈtrɪmɪtə] *n прос.* триметр

trimmer [ˈtrɪmə] *n* 1) приводящий в порядок *и пр.* [*см.* trim 3] 2) приспособленец; оппортунист 3) *стр.* накатина, подбалочник 4) *мор.* укладка груза

trimming [ˈtrɪmɪŋ] **1.** *pres. p. от* trim 3

2. *n* 1) (*обыкн. pl*) отделка (*на платье*) 2) *pl разг.* приправа, гарнир 3) *разг.* побои 4) *pl* обрезки 5) заправка (*ламп*) 6) *тех.* снятие заусенцев

trine [traɪn] *a* 1) тройной 2) благоприятный

Trinitarian [,trɪnəˈteərɪən] *n рел.* верующий в догмат Троицы

trinitrotoluene [,traɪnaɪtrəʊˈtɒljʊi:n] = trinitrotoluol

trinitrotoluol [,traɪnaɪtrəʊˈtɒljʊɒl] *n* тринитротолуол (*взрывчатое вещество*)

trinity [ˈtrɪnətɪ] *n* 1) что-л., состоящее из трёх частей 2) (the T.) *рел.* Троица 3) (T.) *attr.* связанный с Троицей; T. Sunday Троицын день; T. Sittings судебная сессия в начале лета; T. term весенний триместр (*в университете*) ◇ T. House «Тринити Хаус» (*правление маячно-лоцманской корпорации*)

trinket [ˈtrɪŋkɪt] *n* 1) безделушка, брелок 2) пустяк

trinomial [traɪˈnəʊmɪəl] **1.** *a* 1) *мат.* трёхчленный 2) *биол.* триномиальный

2. *n мат.* трёхчлен

trio [ˈtri:əʊ] *n* 1) трое, тройка (*людей*); три (*предмета*) 2) *ав.* звено из трёх самолётов 3) *муз.* трио

triolet [ˈtri:əlet] *n стих.* триолет

trip [trɪp] **1.** *n* 1) путешествие; поездка, экскурсия, рейс; round ~ поездка туда и обратно; business ~ командировка; to take a ~ съездить 2) спотыкание, падение (*зацепившись за что-л.*) 3) ложный шаг, ошибка, обмолвка 4) быстрая лёгкая походка, лёгкий шаг 5) *спорт.* подножка 6) галлюцинирование (*под воздействием наркотика*) 7) *тех.* расцепляющее устройство 8) *горн.* состав (*вагонеток*)

2. *v* 1) идти быстро и легко; бежать вприпрыжку 2) спотыкаться, падать (*зацепившись за что-л.*); опрокинуть(ся) (*тж.* ~ over, ~ up) 3) сделать ложный шаг, обмолвиться, ошибиться, споткнуться; all are apt to ~ всем свойственно ошибáться 4) поймáть, уличи́ть во лжи *и т. п.* (*часто* ~ up) 5) запу́тать, сбить с тóлку; to ~ (up) a witness by artful questions запу́тать свидéтеля хи́тро постáвленными вопрóсами 6) стáвить поднóжку (*тж. перен.*) 7) *уст.* отправля́ться в путешéствие, совершáть экску́рсию 8) *разг.* галлюцини́ровать (*под воздействием наркотика*) 9) *тех.* расцепля́ть; выключáть 10) *мор.* выворáчивать из гру́нта (*якорь*)

tripartite [traɪ'pɑ:taɪt] *a* 1) состоя́щий из трёх частéй 2) трóйственный, трёхсторóнний; ~ conference конферéнция трёх держáв

tripe [traɪp] *n* 1) рубéц (*кушанье*) 2) *разг.* дрянь, чушь, чепухá, вздор

trip-hammer ['trɪp,hæmə] *n тех.* пáдающий мóлот

triphibious [traɪ'fɪbɪəs] *a* происходя́щий на землé, на мóре и в вóздухе; ~ warfare войнá, ведýщаяся на сýше, на мóре и в вóздухе

triphthong ['trɪfθɒŋ] *n фон.* трифтóнг

triple ['trɪpl] 1. *a* тройнóй; утрóенный, T. Alliance *ист.* Трóйственный сою́з; T. Entente *ист.* Антáнта, Трóйственное соглáсие; ~ time *муз.* трёхдóльный размéр; ~ jump *спорт.* тройнóй прыжóк

2. *v* утрáивать(ся); to ~ one's efforts утрáивать свои́ уси́лия

triplet ['trɪplət] *n* 1) тройня́шка, близнéц из трóйни; *pl* трóйня 2) трóйка (*три предмета, лица*) 3) *прос.* триплéт

triplex ['trɪpleks] 1. *a* 1) тройнóй; состоя́щий из трёх частéй 2) *тех.* стрóенный; тройнóго дéйствия

2. *n* 1) безоскóлочное стеклó, три́плекс 2) *муз.* трёхдóльный размéр

triplicate 1. *n* ['trɪplɪkət] однá из трёх кóпий; in ~ в трёх экземпля́рах

2. *a* ['trɪplɪkət] 1) состáвленный в трёх экземпля́рах 2) тройнóй

3. *v* ['trɪplɪkeɪt] 1) составля́ть в трёх экземпля́рах 2) утрáивать

triplication [,trɪplɪ'keɪʃn] *n* утроéние

tripod ['traɪpɒd] *n* 1) тренóжник; тренóга; штати́в 2) стул, стол на трёх нóжках

tripodal ['traɪpɒdl] *a* тренóгий

tripos ['traɪpɒs] *n* экзáмен на стéпень бакалáвра с отли́чием (*в Кембридже*)

tripper ['trɪpə] *n* экскурсáнт, тури́ст

tripping ['trɪpɪŋ] 1. *pres. p. от* trip 2

2. *n* 1) лёгкая похóдка 2) *тех.* отключéние 3) опроки́дывание (*вагонетки*)

3. *a* 1) быстронóгий 2) *тех.* выключáющий; отключáющий

trippingly ['trɪpɪŋlɪ] *adv* 1) бы́стро, жи́во, лóвко 2) бóйко, свобóдно (*говорить*)

triptych ['trɪptɪk] *n жив.* три́птих

triquetrous [traɪ'kwetrəs] *a* 1) треугóльный 2) *бот.* трёхгрáнный (*о стебле*)

trireme ['traɪri:m] *n мор. ист.* тририéма

trisect [traɪ'sekt] *v* дели́ть на три рáвные чáсти

trishaw ['traɪʃɔ:] *n* велори́кша

tristful ['trɪstfl] *a уст.* печáльный

trisyllabic [,traɪsɪ'læbɪk] *a* трёхслóжный

trisyllable [,traɪ'sɪləbl] *n* трёхслóжное слóво

trite [traɪt] *a* банáльный, изби́тый; ~ phrase изби́тая фрáза; ~ metaphor стёршаяся метáфора

tritium ['trɪtɪəm] *n хим.* три́тий

Triton ['traɪtn] *n* 1) *греч. миф.* тритóн 2) (t.) *зоол.* тритóн

triturate ['trɪtʃʊreɪt] *v* растирáть в порошóк

triumph ['traɪʌmf] 1. *n* триу́мф; торжествó, побéда

2. *v* 1) победи́ть; восторжествовáть (over — над) 2) прáздновать (триу́мф), ликовáть

triumphal [traɪ'ʌmfl] *a* триумфáльный

triumphant [traɪ'ʌmfənt] *a* 1) победонóсный 2) торжеству́ющий; лику́ющий

triumvir [traɪ'ʌmvə] *n* (*pl* -s [-z], -ri) *ист.* триумви́р

triumvirate [traɪ'ʌmvərət] *n ист.* триумвирáт

triumviri [traɪ'ʌmvɪri:] *pl от* triumvir

triune ['traɪju:n] *a* триеди́ный; the ~ Godhead *рел.* Трóица

trivet ['trɪvɪt] *n* 1) тагáн; тренóжник 2) подстáвка (*для блюда, кастрюли*) 3) *attr.* тренóгий; ~ table стол на трёх нóжках ◇ (as) right as a ~ а) здорóвый; в пóлном поря́дке; б) всё в поря́дке, óчень хорошó

trivia ['trɪvɪə] *n pl* мéлочи

trivial ['trɪvɪəl] *a* 1) незначи́тельный, мéлкий, пустóй; a ~ loss незначи́тельная потéря 2) ограни́ченный, пустóй (*о человеке*) 3) обы́денный, банáльный, тривиáльный; the ~ round обы́денщина, рути́на 4) ненау́чный, нарóдный (*о названиях растений и животных*) 5) относя́щийся к назвáнию ви́да (*в отличие от названия рода*)

triviality [,trɪvɪ'ælətɪ] *n* 1) незначи́тельность 2) тривиáльность; банáльность

triweekly [traɪ'wi:klɪ] 1. *a* 1) происходя́щий три рáза в недéлю 2) происходя́щий чéрез кáждые три недéли

2. *n* периоди́ческое издáние, выходя́щее три рáза в недéлю *или* кáждые три недéли

trocar ['trəʊkɑ:] *n мед.* троакáр

trochaic [trəʊ'keɪɪk] *a прос.* хореи́ческий

troche [trəʊʃ] *n мед.* пасти́лка, таблéтка

trochee ['trəʊki:] *n прос.* хорéй, трохéй

trod [trɒd] *past от* tread 2

trodden ['trɒdn] *p. p. от* tread 2

troglodyte ['trɒglədaɪt] *n* 1) троглоди́т, пещéрный человéк 2) отшéльник 3) *пренебр.* «ископáемое», ретрогрáд

Trojan ['trəʊdʒən] 1. *a* троя́нский

2. *n* 1) троя́нец 2) хрáбрый, энерги́чный, выносливый человéк ◇ to work like a ~ рабóтать изо всéх сил

troll I [trɒl] 1. *n* 1) куплéты, исполня́емые певцáми поочерёдно 2) блеснá

2. *v* 1) распевáть; петь (вступáя по óчереди) 2) лови́ть ры́бу на блеснý 3) кати́ть(ся), вращáть(ся) 4) ходи́ть, прогу́ливаться

troll II [trəʊl] *n сканд. миф.* тролль

trolley ['trɒlɪ] *n* 1) телéжка (*разносчика*); стóлик на колёсиках для подáчи пи́щи 2) вагонéтка; дрези́на 3) *эл.* рóликовый токоснимáтель; троллéй 4) *амер.* трамвáй

trolleybus ['trɒlɪbʌs] *n* троллéйбус

trolley-car ['trɒlɪkɑ:] *n амер.* трамвáй

trolley-pole ['trɒlɪpəʊl] *n эл.* штáнга троллéя

trollop ['trɒləp] *n* 1) неря́ха, растрёпа 2) проститу́тка

trombone [trɒm'bəʊn] *n* тромбóн

trommel ['trɒməl] *n горн.* барабáн

tromometer [trə'mɒmɪtə] *n* микросейсмóметр

troop [tru:p] 1. *n* 1) отря́д, грýппа людéй 2) стáдо 3) *pl* войскá 4) кавалери́йский взвод, батарéя; *амер.* эскадрóн 5) (*обыкн. pl*) *разг.* большóе коли́чество 6) *уст.* трýппа

2. *v* 1) собирáться толпóй (*часто* ~ up, ~ together) 2) дви́гаться толпóй (~ along, ~ in, ~ out) 3) проходи́ть стрóем 4) стрóить(ся), формировáть(ся) (*об отряде*) ▭ ~ **away**, ~ **off** а) удаля́ться; б) *воен.* спéшно выступáть; ~ **round** окружи́ть (*кого-л.*) ◇ to ~ the colour торжéственно выноси́ть знáмя (*особ. в день рождения монарха*)

troop carrier ['tru:p,kærɪə] *n ав.* 1) трáнспортно-десáнтный самолёт 2) *воен.* транспортёр для перевóзки ли́чного состáва

troop duty [,tru:p'dju:tɪ] *n воен.* строевáя слýжба

trooper ['tru:pə] *n* 1) кавалери́ст 2) солдáт бронетáнковых войск 3) солдáт парашю́тно-десáнтных войск 4) *австрал., амер.* кóнный полицéйский; полицéйский на автомаши́не 5) *амер. разг.* полицéйский 6) = troop-horse 7) = troopship ◇ to swear like a ~ ≅ ругáться как извóзчик

troop-horse ['tru:phɔ:s] *n* кавалери́йская лóшадь

troopship ['tru:pʃɪp] *n мор.* трáнспорт для перевóзки войск

troop-train ['tru:ptreɪn] *n* вóинский эшелóн

trope [trəʊp] *n лит.* троп

trophic ['trɒfɪk] *a физиол.* трофи́ческий

trophy ['trəʊfɪ] *n* 1) приз, наградá, пáмятный подáрок 2) трофéй; добы́ча

tropic ['trɒpɪk] 1. *n* трóпик; the Tropics трóпики

2. *a* = tropical I, 1)

tropical I ['trɒpɪkl] *a* 1) тропи́ческий 2) горя́чий, стрáстный

tropical II ['trɒpɪkl] *a* фигурáльный, метафори́ческий

tropicalize ['trɒpɪkəlaɪz] *v* приспосáбливать для жи́зни *или* де́йствий в тропи́ческих усло́виях

tropology [trə'pɒlədʒɪ] *n* о́бразная речь

troposphere ['trɒpəsfɪə] *n* тропосфе́ра

trot [trɒt] **1.** *n* 1) рысь 2) бы́страя похо́дка 3) *редк.* ребёнок, кото́рый у́чится ходи́ть 4) *презр.* ста́рая карга́ 5) *амер. студ. жарг.* перево́д, подстро́чник; шпарга́лка ◇ to keep smb. on the ~ не дава́ть кому́-л. поко́я; загоня́ть кого́-л.

2. *v* 1) бежа́ть, идти́ бы́стрыми ме́лкими шага́ми, спеши́ть 2) идти́ ры́сью 3) пуска́ть ры́сью; to ~ a horse пусти́ть ло́шадь ры́сью to ~ a person off his legs загоня́ть челове́ка ▭ ~ **about** суети́ться; ~ **out** а) пока́зывать рысь (*лошади*); б) пока́зывать (*товары*); в) щеголя́ть (*чем-л.*); ~ **round** води́ть, пока́зывать (*город и т. п.*)

troth [trəʊθ] *n уст.*: by my ~ че́стное сло́во; in ~ действи́тельно, в са́мом де́ле; to plight one's ~ дать сло́во (*особ. при обручении*)

trotter ['trɒtə] *n* 1) ряса́к 2) *pl* но́жки (*свиные и т. п. — как блюдо*) 3) *pl шутл.* но́ги

trotyl ['trəʊtɪl] *n* троти́л

troubadour ['tru:bədʊə] *n* 1) *ист.* трубаду́р 2) поэ́т, певе́ц

trouble ['trʌbl] **1.** *n* 1) беспоко́йство, волне́ние; трево́га; забо́ты, хло́поты; to give smb. ~, to put smb. to ~ причиня́ть беспоко́йство кому́-л. 2) затрудне́ние; уси́лие; to take the ~ потруди́ться, взять на себя́ труд; he takes much ~ он о́чень стара́ется; he did not take the ~ to come он не потруди́лся прийти́; no ~ at all ниско́лько не затрудни́т (*ответ на просьбу*); I had some ~ in reading his handwriting мне тру́дно чита́ть его́ по́черк 3) неприя́тности, го́ре, беда́; to be in ~ а) быть в беде́; б) *разг.* быть бере́менной (*о незамужней женщине*); to get into ~ попа́сть в беду́; to make ~ for smb. причиня́ть кому́-л. неприя́тности 4) боле́знь; heart ~ боле́знь се́рдца 5) *тех.* наруше́ние пра́вильности хо́да *или* де́йствия; ава́рия; поме́ха 6) волне́ния, беспоря́дки; racial ~s ра́совые волне́ния, беспоря́дки 7) *диал.* ро́ды 8) *attr.* авари́йный; ~ crew авари́йная брига́да ◇ what's the ~? в чём де́ло?; to ask (*или* to look) for ~ напра́шиваться на неприя́тности, лезть на рожо́н; вести́ себя́ неосторо́жно

2. *v* 1) беспоко́ить(ся), трево́жить(ся); му́чить; my leg ~s меня́ беспоко́ит нога́ 2) затрудня́ть; пристава́ть, надоеда́ть; may I ~ you to shut the door? закро́йте, пожа́луйста, дверь; may I ~ you for the salt? переда́йте, пожа́луйста, соль 3) (*обыкн. в отриц. предложениях*) труди́ться, стара́ться; he never even ~d to answer он да́же не потруди́лся отве́тить 4) дава́ться с трудо́м; mathematics doesn't ~ me at all матема́тика даётся мне легко́ 5) (*преим. тех.*) наруша́ть, поврежда́ть 6) *уст.* баламу́тить ◇ don't ~ trouble until trouble ~s you *посл.* ≅ не буди́ ли́ха, пока́ спит ти́хо

troubled ['trʌbld] **1.** *p. p. от* trouble 2

2. *a* 1) беспоко́йный; ~ look беспоко́йный, встрево́женный взгляд 2) штормово́й, предвеща́ющий бу́рю ◇ ~ waters запу́танное, сло́жное положе́ние; волне́ние, беспоко́йство; to fish in ~ waters лови́ть ры́бку в му́тной воде́

trouble-free ['trʌblfri:] *a спец.* надёжный, безотка́зный

troublemaker ['trʌbl,meɪkə] *n* наруши́тель споко́йствия, поря́дка; смутья́н

troubleshooter ['trʌbl,ʃu:tə] *n* 1) специа́льный уполномо́ченный по ула́живанию конфли́ктов 2) авари́йный монтёр

troublesome ['trʌblsəm] *a* 1) причиня́ющий беспоко́йство; беспоко́йный; тру́дный 2) мучи́тельный; ~ cough мучи́тельный ка́шель 3) недисциплини́рованный, беспоко́йный; ~ child беспоко́йный ребёнок

troublous ['trʌbləs] *a книжн., уст.* беспоко́йный, трево́жный; взволно́ванный; ~ times сму́тные времена́

trough [trɒf] *n* 1) коры́то, корму́шка 2) квашня́ 3) жёлоб, лото́к (*для стока воды*) 4) *метео* о́бласть ни́зкого давле́ния 5) подо́шва (*волны*) 6) впа́дина; котлови́на 7) *эк.* са́мая глубо́кая то́чка паде́ния произво́дства, цен *и т. п.* 8) *геол.* му́льда, синклина́ль

trounce [traʊns] *v* 1) разгроми́ть 2) бить, поро́ть; нака́зывать 3) суро́во брани́ть

troupe [tru:p] *n* тру́ппа

trouper ['tru:pə] *n* член тру́ппы, актёр

trousered ['traʊzəd] *a* оде́тый в брю́ки; в брю́ках

trousering ['traʊzərɪŋ] *n* брю́чная ткань

trouser-leg ['traʊzəleg] *n* штани́на

trousers ['traʊzəz] *n pl* брю́ки; штаны́, шарова́ры

trouser-stretcher ['traʊzə,stretʃə] *n* держа́тель для брюк

trouser stripe ['traʊzəstraɪp] *n* лампа́с

trouser suit ['traʊzəsu:t] *n* брю́чный (же́нский) костю́м

trousseau ['tru:səʊ] *n* (*pl* -s [-z], -x) прида́ное

trousseaux ['tru:səʊz] *pl от* trousseau

trout [traʊt] *n* (*pl без измен.*) форе́ль

trouvaille ['tru:vaɪl] *фр. n* счастли́вая нахо́дка

trover ['trəʊvə] *n юр.* присвое́ние, незако́нное завладе́ние (на́йденной) чужо́й со́бственности; action of ~ иск о возмеще́нии убы́тков (*возникших вследствие незаконного завладения чем-л.*)

trow [trəʊ] *v уст., шутл.* полага́ть, ду́мать; ве́рить

trowel ['traʊəl] **1.** *n* 1) *стр.* ке́льма, лопа́тка, мастеро́к 2) садо́вый сово́к ◇ to lay (it) on with a ~ а) гру́бо льсти́ть; б) де́лать (что-л.) о́чень гру́бо, утри́ровать, хвати́ть че́рез край

2. *v* накла́дывать *или* разгла́живать ке́льмой

troy [trɔɪ] *n* 1) тро́йский вес, тро́йская систе́ма мер и весо́в (*тж.* ~ weight) 2) *attr.*: ~ pound тро́йский фунт (= *373,24 г или 12 унциям*) [*ср.* avoirdupois]

truancy ['tru:ənsɪ] *n* 1) прогу́л 2) манки́рование слу́жбой, шко́лой

truant ['tru:ənt] **1.** *n* 1) прогу́льщик; шко́льник, прогу́ливающий уро́ки; to play ~ прогу́ливать (*особ. уроки*) 2) лентя́й

2. *a* 1) лени́вый; пра́здный 2) манки́рующий свои́ми обя́занностями

3. *v* прогу́ливать (*особ. уроки*)

truce [tru:s] *n* 1) переми́рие; ~ of God *ист.* прекраще́ние вражде́бных де́йствий в дни, устано́вленные це́рковью (*в средние века*) 2): ~ to jesting! дово́льно шу́ток!, бу́дет шути́ть! 3) передышка, зати́шье

truck I [trʌk] **1.** *n* 1) обме́н, ме́на; товарообме́н 2) *разг.* отноше́ния, свя́зи; to have no ~ with smb. не подде́рживать отноше́ния с кем-л., избега́ть кого́-л. 3) мелочно́й това́р 4) *амер.* о́вощи (*выращиваемые для продажи*) 5) *разг.* хлам, нену́жные ве́щи 6) *разг.* ерунда́, вздор 7) = ~ system [*см.* 8)] 8) *attr.*: ~ system *ист.* опла́та труда́ това́рами вме́сто де́нег

2. *v* 1) обме́нивать (with — с *кем-л.*; for — на *что-л.*); вести́ менову́ю торго́влю 2) торгова́ть вразно́с 3) *ист.* плати́ть нату́рой, това́рами 4) *амер.* выра́щивать о́вощи на прода́жу, занима́ться огоро́дничеством

truck II [trʌk] **1.** *n* 1) *ж.-д.* откры́тая това́рная платфо́рма 2) грузово́й автомоби́ль, грузови́к 3) бага́жная теле́жка, ваго́нетка 4) *тех.* колесо́, като́к

2. *v* 1) перевози́ть автотра́нспортом 2) грузи́ть на платфо́рму, на грузови́к 3) *амер.* води́ть грузови́к 4) *амер sl.* прогу́ливаться, шата́ться

truckage ['trʌkɪdʒ] *n* 1) перево́зка автотра́нспортом 2) пла́та за перево́зку автотра́нспортом

trucker I ['trʌkə] *n амер.* фе́рмер-овоще́во́д

trucker II ['trʌkə] *n амер.* 1) води́тель грузовика́ (*на дальних рейсах*) 2) тра́нспортная фи́рма, осуществля́ющая да́льние перево́зки

truck farm ['trʌkfɑ:m] *n амер.* овощево́дческая фе́рма

trucking ['trʌkɪŋ] *амер.* = trackage 1)

truckle ['trʌkl] **1.** *n* = truckle bed

2. *v* раболе́пствовать, трусли́во подчиня́ться (to)

truckle bed ['trʌklbed] *n* ни́зенькая крова́ть (*слуги, подмастерья*) на колёсиках, на́ день задвига́вшаяся под крова́ть хозя́ина

truckler ['trʌklə] *n* подхали́м

truck tractor ['trʌktræktə] *n* тра́ктор-тяга́ч

truck-trailer ['trʌk,treɪlə] *n* грузово́й автомоби́ль с прице́пом; прице́п грузовика́

truculent ['trʌkjʊlənt] *a* 1) гру́бый; ре́зкий; агресси́вный 2) свире́пый

trudge [trʌdʒ] **1.** *n* дли́нный тру́дный путь; утоми́тельная прогу́лка

2. *v* идти́ с трудо́м, уста́ло тащи́ться

trudgen ['trʌdʒən] *n* тре́джен (*стиль плавания*)

true [tru:] **1.** *a* 1) ве́рный, пра́вильный; ~ time сре́днее со́лнечное вре́мя; it is not ~ э́то непра́вда 2) и́стинный, настоя́щий, по́длинный 3) ве́рный, пре́данный (to); a ~ friend пре́данный друг 4) то́чный (*об изображении, копии и т. п.*; to); ~ to life реалисти́ческий, жи́зненно правди́вый; то́чно воспроизведённый 5) зако́нный, действи́тельный; ~ copy заве́ренная ко́пия 6) правди́вый, и́скренний, непритво́рный ◇ to come ~ сбыва́ться (*о мечтах*); ~ as I stand here су́щая пра́вда

2. *v тех.* пра́вить, пригоня́ть, выверя́ть, регули́ровать (*тж.* ~ up)

3. *adv* 1) правди́во; tell me ~ скажи́ мне че́стно; his words ring ~ его́ слова́ звуча́т правди́во 2) то́чно; to aim ~ це́литься то́чно; to breed ~ сохрани́ть чистоту́ поро́ды

true bill [,tru:'bɪl] *n амер. ист. юр.* утверждённый обвини́тельный акт

true-blue [,tru:'blu:] *a* после́довательный; сто́йкий, ре́вностный, пре́данный

trueborn [,tru:'bɔ:n] *a* 1) чистокро́вный 2) прирождённый

truebred [,tru:'bred] *a* 1) хорошо́ воспи́танный 2) чистокро́вный

true-hearted [,tru'hɑ:tɪd] *a* и́скренний; пре́данный

truelove ['tru:lʌv] *n* 1) возлю́бленный; возлю́бленная 2) двойно́й у́зел (*тж.* ~ knot *или* true-lover's knot)

truffle ['trʌfl] *n* 1) *бот.* трю́фель 2) трю́фель (*шоколадная конфета*)

truffled ['trʌfld] *a* пригото́вленный с трюфеля́ми

truism ['tru:ɪzəm] *n* трюи́зм

trull [trʌl] *n уст.* проститу́тка

truly ['tru:lɪ] *adv* 1) правди́во; и́скренне 2) в са́мом де́ле, че́стно говоря́ 3) ве́рно; лоя́льно 4) действи́тельно, то́чно 5) пои́стине ◇ yours ~ пре́данный вам (*в конце письма*)

trump I [trʌmp] **1.** *n* 1) ко́зырь; to play a ~ козырну́ть; to put a person to his ~s заста́вить козыря́ть; *перен.* заста́вить прибе́гнуть к после́днему сре́дству; to have all the ~s in one's hand име́ть на рука́х все ко́зыри; *перен.* быть хозя́ином положе́ния 2) *разг.* сла́вный ма́лый 3) *attr.* козырно́й; ~ card ко́зырь, козырна́я ка́рта; *перен.* ве́рное де́ло, ве́рное сре́дство ◇ to turn up ~s (неожи́данно) око́нчиться благополу́чно, сча́стли́во; сложи́ться о́чень уда́чно

2. *v* 1) козыря́ть; бить ко́зырем 2) *разг.* превзойти́ (*кого-л.*); получи́ть огро́мное преиму́щество □ ~ **up** вы́думать; сфабрикова́ть; to ~ up a charge against smb. сфабрикова́ть обвине́ние про́тив кого́-л.

trump II [trʌmp] *n уст.* звук трубы́; the last ~ *рел.* тру́бный глас

trumpery ['trʌmpərɪ] **1.** *n* мишура́; дрянь, ерунда́

2. *a* мишу́рный, показно́й; него́дный

trumpet ['trʌmpɪt] **1.** *n* 1) труба́ 2) труба́ч (*в оркестре*) 3) слухова́я тру́бка 4) растру́б 5) ру́пор 6) звук трубы́; тру́бный звук 7) рёв слона́ ◇ to blow one's own ~ хвали́ться, занима́ться самореќла́мой

2. *v* 1) труби́ть 2) реве́ть (*о слоне*) 3) возвеща́ть, труби́ть (*о достоинствах и т. п.*)

trumpet-call ['trʌmpɪtkɔ:l] *n* звук трубы́; *перен.* призы́в к де́йствию

trumpeter ['trʌmpɪtə] *n* 1) труба́ч 2) го́лубь-труба́ч ◇ to be one's own ~ хвали́ться, занима́ться самореќла́мой

trumpet major ['trʌmpɪt,meɪdʒə] *n* штаб-труба́ч

truncate [trʌŋ'keɪt] *v* 1) среза́ть верху́шку; усека́ть, обреза́ть 2) уре́зывать, сокраща́ть (*речь и т. п.*)

truncated [trʌŋ'keɪtɪd] **1.** *p. p. от* truncate

2. *a геом.* усечённый; ~ pyramid усечённая пирами́да

truncheon ['trʌŋtʃən] *n* 1) дуби́нка полице́йского 2) жезл

trundle ['trʌndl] **1.** *n* колёсико, ро́лик

2. *v* кати́ть(ся); везти́ (*тачку*)

trundle bed ['trʌndlbed] = truckle bed

trunk [trʌŋk] *n* 1) ствол (*дерева*) 2) ту́ловище 3) магистра́ль; гла́вная ли́ния (*железнодорожная, телефонная и т. п.*) 4) доро́жный сунду́к; чемода́н; to live in one's ~s жить на чемода́нах 5) *амер.* бага́жник (*в автомобиле*) 6) хо́бот (*слона*) 7) *pl* спорти́вные трусы́ 8) *pl* = trunk hose 9) *анат.* ствол (*нерва, сосуда*) 10) *архит.* сте́ржень коло́нны 11) вентиляцио́нная ша́хта; жёлоб; труба́ 12) *sl.* нос 13) *attr.* гла́вный, магистра́льный

trunk call ['trʌŋkkɔ:l] *n* вы́зов по междугоро́дному телефо́ну

trunk hose ['trʌŋkhəʊz] *n* коро́ткие штаны́ (*XVI-XVII вв.*)

trunk-line ['trʌŋklaɪn] *n* магистра́льная ли́ния, магистра́ль

trunk road ['trʌŋkrəʊd] *n* магистра́льная доро́га

trunnion ['trʌnɪən] *n тех.* ца́пфа

truss [trʌs] **1.** *n* 1) *стр.* фе́рма, связь, стропи́льная фе́рма 2) *мед.* грыжево́й банда́ж 3) свя́зка; большо́й пук (*соломы, сена и т. п.*) 4) гроздь, кисть; пучо́к 5) *мор.* борг; желе́зный бе́йфут

2. *v* 1) свя́зывать кры́лышки и но́жки пти́цы при жа́ренье 2) свя́зывать (*преступника*) 3) *стр.* свя́зывать, укрепля́ть 4) увя́зывать в пуки́ (*тж.* ~ up)

trust [trʌst] **1.** *n* 1) дове́рие, ве́ра; to have (*или* to put, to repose) ~ in доверя́ть; to take on ~ принима́ть на ве́ру, ве́рить на́ слово 2) наде́жда; he puts ~ in the future он наде́ется на бу́дущее 3) отве́тственность, долг, обяза́тельство; a position of ~ отве́тственный пост; breach of ~ наруше́ние дове́ренным лицо́м свои́х обяза́тельств 4) *ком.* креди́т; to supply goods on ~ отпуска́ть това́р в креди́т 5) опе́ка (*над имуществом и т. п.*); to have smth. in ~ получи́ть опе́ку над чем-л. 6) *юр.* довери́тельная со́бственность; иму́щество, управля́емое по дове́ренности; управле́ние иму́ществом по дове́ренности; to hold in ~ сохраня́ть 7) трест, конце́рн

2. *a* 1) дове́ренный (*кому-л. кем-л.*) 2) управля́емый по дове́ренности

3. *v* 1) доверя́ть(ся); полага́ться (*на кого-л.*); to ~ in smb. доверя́ть, по́лностью ве́рить кому́-л.; a man not to be ~ed челове́к, на кото́рого нельзя́ положи́ться; ненадёжный челове́к; he may be ~ed to do the work well мо́жно быть уве́ренным, что он вы́полнит рабо́ту хорошо́ 2) наде́яться; ве́рить; полага́ть; I ~ you will be better soon я наде́юсь, вы ско́ро попра́витесь 3) вверя́ть, поруча́ть попече́нию; to ~ smb. with smth., to ~ smth. to smb. поруча́ть, вверя́ть что-л. кому́-л. 4) дава́ть в креди́т

trust-deed ['trʌst,di:d] *n юр.* акт учрежде́ния довери́тельной со́бственности

trustee [,trʌ'sti:] **1.** *n* 1) *юр.* попечи́тель, опеку́н; довери́тельный со́бственник; Public T. Госуда́рственный попечи́тель (*по управлению имуществом частных лиц*) 2) госуда́рство, осуществля́ющее опе́ку 3) член правле́ния, сове́та *и т. п.*; Board of ~s сове́т попечи́телей

2. *v* передава́ть на попече́ние

trusteeship [,trʌ'sti:ʃɪp] *n* опе́ка, опеку́нство, попечи́тельство

trusteeship territory [trʌ,sti:ʃɪp'terətərɪ] = trust territory

trustful ['trʌstfl] *a* дове́рчивый; лишённый подозри́тельности

trustify ['trʌstɪfaɪ] *v эк.* трести́ровать

trustingly ['trʌstɪŋlɪ] *adv* дове́рчиво

trustless ['trʌstləs] *a* 1) ненадёжный 2) недове́рчивый

trust territory [,trʌst'terətərɪ] *n полит.* подопе́чная террито́рия

trustworthy ['trʌstwɜ:ðɪ] *a* заслу́живающий дове́рия; надёжный

trusty ['trʌstɪ] **1.** *a уст., шутл.* ве́рный, надёжный

2. *n* 1) надёжный челове́к 2) заключённый, заслужи́вший определённые привиле́гии свои́м образцо́вым поведе́нием

truth [tru:θ] *n* (*pl* -s [tru:ðz]) 1) пра́вда; и́стина; to tell the ~ а) говори́ть пра́вду; б) по пра́вде говоря́; the home (*или* bitter) ~ го́рькая пра́вда; the ~s of science нау́чные и́стины; in ~ действи́тельно, пои́стине; moment of the ~ моме́нт и́стины; the ~ is that I am very tired де́ло в том, что (*или* по пра́вде сказа́ть) я о́чень уста́л 2) правди́вость 3) то́чность, соотве́тствие; ~ to nature то́чность воспроизведе́ния 4) *тех.* со́сность, пра́вильность устано́вки

truthful ['tru:θfl] *a* 1) правди́вый (*о человеке*) 2) ве́рный, пра́вильный

truthless ['tru:θləs] *a* 1) ненадёжный (*о человеке*) 2) ло́жный

try [traɪ] **1.** *n* 1) попы́тка; to have (*или* to make) a ~ at (*или* for) smth. попыта́ться сде́лать что-л. 2) испыта́ние, про́ба; to give smth. a ~ испыта́ть что-л.; to give smb. a ~ дать кому́-л. возмо́жность показа́ть, прове́рить себя́ 3) *спорт.* вы́игрыш трёх очко́в при прохо́де игрока́ с мячо́м до ли́нии воро́т проти́вника (*в регби*)

2. *v* 1) пыта́ться, стара́ться; to ~ one's best а) сде́лать всё от себя́ зави́сящее; б) прояви́ть ма́ксимум эне́ргии; do ~ to (*или разг.* and) come постара́йтесь прийти́ обяза́тельно 2) подверга́ть испыта́нию; проверя́ть (на о́пыте) 3) про́бовать, испы́тывать (*тж.* ~ out); to ~ one's fortune попыта́ть сча́стья 4) про́бовать, отве́дывать (*пищу и т. п.*) 5) испы́тывать, раздража́ть, му́чить; to ~ smb.'s patience испы́тывать чьё-л. терпе́ние 6) утомля́ть; удруча́ть; the small print tries my eyes от э́того ме́лкого шри́фта у меня́ устаю́т глаза́ 7) рассле́довать (*дело*), допра́шивать; суди́ть; he is tried for murder его́ су́дят за уби́йство 8) добива́ться, ста́вить свое́й це́лью (for); he is going to ~ for a gold medal он прило́жит все си́лы, что́бы получи́ть золоту́ю меда́ль; to ~ for the navy добива́ться поступле́ния во флот 9) очища́ть (*металл*; *тж.* ~ out); выта́пливать (*сало*; *тж.* ~ out) ▭ ~ back заме́тив оши́бку, нача́ть снача́ла; ~ on а) примеря́ть (*платье*); б) *разг.* про́бовать, примеря́ться; it's no use ~ing it on with me со мной э́тот но́мер не пройдёт ◇ to ~ one's hand попро́бовать свои́ си́лы; попро́бовать сде́лать что-л. впервы́е

trying ['traɪɪŋ] 1. *pres. p. от* try 2

2. *a* 1) тру́дный, тяжёлый; мучи́тельный; a ~ situation тру́дное положе́ние 2) раздража́ющий, доку́чливый; тру́дно выноси́мый; ~ to the health вре́дный для здоро́вья

trying-plane ['traɪɪŋpleɪn] *n* фуга́нок

try-on ['traɪɒn] *n разг.* 1) приме́рка 2) попы́тка обману́ть

tryout ['traɪaʊt] *n разг.* 1) про́ба, репети́ция; прове́рка 2) *спорт.* отбо́рочные соревнова́ния

trysail ['traɪsl] *n мор.* три́сель

tryst [trɪst] *n уст.* 1) ме́сто встре́чи 2) назна́ченная встре́ча; to keep (to break) the ~ прийти́ (не прийти́) на свида́ние

tsar [zɑ:] *n* 1) *ист.* царь 2) де́спот; самоде́ржец

tsarevitch ['zɑ:rəvɪtʃ] *n ист.* царе́вич

tsarina [zɑ:'ri:nə] *n ист.* цари́ца

tsetse ['tetsɪ] *n* му́ха цеце́

T-shirt ['ti:ʃɜ:t] *n* ма́йка, футбо́лка с рукава́ми

T square ['ti:skweə] *n* рейсши́на

tsunami [tsʊ'nɑ:mɪ] *n* цуна́ми

tub [tʌb] 1. *n* 1) ка́дка, лоха́нь, бадья́, уша́т; бочо́нок (*тж. как мера ёмкости*) 2) *разг.* ва́нна; мытьё в ва́нне 3) уче́бная шлю́пка 4) *разг.* тихохо́дное неуклю́жее су́дно; ≅ ста́рая кало́ша 5) *горн.* ша́хтная ваго́нетка; я́щик для руды́ ◇ let every ~ stand on its own bottom ≅ пусть ка́ждый забо́тится о себе́ сам

2. *v* 1) *разг.* мы́ться в ва́нне 2) сажа́ть расте́ние в ка́дку 3) накла́дывать ма́сло в ка́дку 4) *разг.* упражня́ться в гре́бле

tuba ['tju:bə] *n* ту́ба (*музыкальный инструмент*)

tubal ['tju:bl] *a анат., мед.* тру́бный

tubbing ['tʌbɪŋ] 1. *pres. p. от* tub 2

2. *n горн.* водонепроница́емая крепь

tubby ['tʌbɪ] *a* 1) бочкообра́зный 2) коротконо́гий и то́лстый (*о человеке*) 3) издаю́щий глухо́й звук (*о музыкальном инструменте*)

tube [tju:b] 1. *n* 1) труба́, тру́бка 2) тю́бик 3) (*часто* the ~) *разг.* метрополите́н (*в Лондоне*) 4) *тлв.* электро́нно-лучева́я тру́бка; *радио* электро́нная ла́мпа 5) *амер. разг.* телеви́дение

2. *v* 1) заключа́ть в трубу́ 2) придава́ть тру́бчатую фо́рму

tuber ['tju:bə] *n бот.* клу́бень

tubercle ['tju:bəkl] *n* 1) *бот.* клубенёк 2) *мед.* тубе́ркул

tubercular [tjʊ'bɜ:kjʊlə] = tuberculous

tuberculin [tjʊ'bɜ:kjʊlɪn] *n фарм.* туберкули́н

tuberculosis [tjʊ,bɜ:kjʊ'ləʊsɪs] *n* туберкулёз

tuberculous [tjʊ'bɜ:kjʊləs] *a* туберкулёзный

tuberose ['tju:bərəʊz] *n бот.* тубero̍за

tuberous ['tju:bərəs] *a* 1) *бот.* клубнево́й 2) *мед.* бугo̍рчатый

tubing ['tju:bɪŋ] 1. *pres. p. от* tube 2

2. *n тех.* 1) тю́бинг 2) *собир.* тру́бы; трубопрово́д 3) прокла́дка труб

tub-thumper ['tʌb,θʌmpə] *n разг.* пропове́дник, произнося́щий напы́щенные ре́чи; пустосло́в

tub-thumping ['tʌb,θʌmpɪŋ] *разг.* 1. *n* напы́щенные ре́чи, разглаго́льствование

2. *a* напы́щенный (*о речи*)

tubular ['tju:bjʊlə] *a* тру́бчатый; ~ steelwork тру́бчатые металли́ческие констру́кции; ~ railway подзе́мная желе́зная доро́га

tubulate ['tju:bjʊleɪt] *v* 1) придава́ть тру́бчатую фо́рму 2) снабжа́ть тру́бкой

tubule ['tju:bju:l] *n* ма́ленькая тру́бка, тру́бочка

tuck [tʌk] 1. *n* 1) скла́дка (*на платье*); to make a ~ in a sleeve сде́лать скла́дку на рукаве́ (*чтобы укоротить*) 2) *разг.* еда́, *особ.* сла́дости, пиро́жное

2. *v* 1) подсо́вывать, подвора́чивать (*тж.* ~ in, ~ up) 2) укры́ть (*ребёнка*) одея́лом; подоткну́ть одея́ло (*тж.* ~ in, ~ up) 3) подгиба́ть; подбира́ть под себя́ 4) засо́вывать, пря́тать; запря́тать (*тж.* ~ away) 5) де́лать скла́дки (*на платье*); собира́ть в скла́дки ▭ ~ in *разг.* жа́дно есть, дави́ться (at); ~ into *разг.* уплета́ть, есть с жа́дностью; ~ up засу́чивать (*рукава*); подбира́ть (*подол*)

tucker I ['tʌkə] *n* 1) *ист.* шемизе́тка; best bib and ~ лу́чшая оде́жда 2) *австрал. разг.* еда́, сла́дости

tucker II ['tʌkə] *v амер. разг.* утомля́ть до изнеможе́ния (*обыкн.* ~ out)

tucket ['tʌkɪt] *n уст.* фанфа́ры

tuck-in ['tʌkɪn] *n разг.* основа́тельная заку́ска, пло́тная еда́

tuck-out ['tʌkaʊt] = tuck-in

tuck-shop ['tʌkʃɒp] *n* шко́льный буфе́т

Tudor ['tju:də] *a* тюдо́ровский; эпо́хи Тюдо́ров; ~ architecture стиль по́здней англи́йской го́тики

Tuesday ['tju:zdeɪ] *n* вто́рник

tufa ['tju:fə] *n мин.* известко́вый туф

tuff [tʌf] *n мин.* вулкани́ческий туф

tuft [tʌft] 1. *n* 1) пучо́к 2) хохоло́к 3) эспаньо́лка 4) титуло́ванный студе́нт 5) *ист.* золота́я ки́сточка (*на головном уборе титулованного студента*)

2. *v* 1) стега́ть (*одеяло, матрац и т. п.*) 2) расти́ пучка́ми

tufted ['tʌftɪd] 1. *p. p. от* tuft 2

2. *a* с хохолко́м

tuft-hunter ['tʌft,hʌntə] *n* при́хвостень титуло́ванной зна́ти

tufty ['tʌftɪ] *a* расту́щий пучка́ми

tug [tʌg] 1. *n* 1) тя́нущее *или* дёргающее уси́лие; рыво́к; to give a ~ at smth. дёрнуть, потяну́ть за что-л. 2) напряже́ние сил, уси́лие; I had a great ~ to persuade him мне сто́ило больши́х уси́лий уговори́ть его́ 3) = tugboat 4) ля́мка; гуж 5) ду́жка (*ведра*) 6) состяза́ние, упо́рная борьба́; ~ of war а) перетя́гивание на кана́те, б) реши́тельная борьба́, реша́ющая схва́тка

2. *v* 1) тащи́ть с уси́лием 2) дёргать изо всех сил (at) 3) букси́ровать

tugboat ['tʌgbəʊt] *n* букси́р, букси́рное су́дно

tuition [tjʊ'ɪʃn] *n* 1) обуче́ние 2) пла́та за обуче́ние

tuition-fee [tjʊ'ɪʃnfi:] = tuition 2)

tulip ['tju:lɪp] *n* тюльпа́н

tulle [tju:l] *n* тюль

tum [tʌm] *n разг.* живо́тик, пу́зико

tumble ['tʌmbl] 1. *n* 1) паде́ние 2) беспоря́док, смяте́ние ◇ to take a ~ *амер.* поумне́ть, измени́ться

2. *v* 1) па́дать (*тж.* ~ down); ру́шиться; упа́сть, споткну́вшись (over, off обо *что-л.*) 2) ре́зко па́дать (*о ценах*) 3) валя́ться; воро́чаться, мета́ться (*в постели*) 4) перевора́чивать, швыря́ть (*тж.* ~ up, ~ down, ~ out) 5) броса́ться; выска́кивать; to ~ into bed бро́ситься в посте́ль; to ~ out of bed вскочи́ть с посте́ли 6) кувырка́ться, де́лать акробати́ческие трю́ки 7) приводи́ть в беспоря́док; мять; еро́шить (*волосы*) ▭ ~ in а) вва́ливаться; б) *разг.* ложи́ться спать; ~ to *разг.* поня́ть; догада́ться; заме́тить

tumbledown ['tʌmbldaʊn] *a* полуразру́шенный, развали́вшийся

tumbler ['tʌmblə] *n* 1) бока́л (*без ножки*); высо́кий стака́н 2) акроба́т 3) го́лубь-верту́н 4) неваля́шка (*игрушка*) 5) *тех.* реверси́вный механи́зм 6) *метал.* бараба́н для очи́стки отли́вок

tumblerful ['tʌmbləfl] *n* по́лный стака́н

tumbler switch ['tʌmbləswɪtʃ] *n* ту́мблер, выключа́тель (*с перекидной головкой*)

tumbleweed ['tʌmblwi:d] *n амер. бот.* перекати́-по́ле

tumbling ['tʌmblɪŋ] **1.** *pres. p. от* tumble 2

2. *n* акробáтика

tumbrel, tumbril ['tʌmbrəl] *n* 1) самосвáльная телéжка 2) *воен.* кры́тая двукóлка

tumefaction [,tju:mɪ'fækʃn] *n* 1) опухáние, распухáние 2) óпухоль

tumefy ['tju:mɪfaɪ] *v* 1) опухáть 2) вызывáть óпухоль

tumid ['tju:mɪd] *a* 1) распу́хший 2) напы́щенный

tummy ['tʌmɪ] *n разг.* живóт(ик)

tumour ['tju:mə] *n* óпухоль

tumuli ['tju:mjʊlaɪ] *pl от* tumulus

tumult ['tju:mʌlt] *n* 1) шум и кри́ки; суматóха 2) мятéж, бу́йство 3) си́льное душéвное волнéние; смятéние чувств

tumultuary [tjʊ'mʌltʃʊərɪ] *a* 1) беспоря́дочный 2) шу́мный, бу́йный 3) недисциплини́рованный

tumultuous [tjʊ'mʌltʃʊəs] *a* 1) = tumultuary 2) возбуждённый

tumulus ['tju:mjʊləs] *n* (*pl* -li) моги́льный холм, курга́н

tun [tʌn] **1.** *n* 1) большáя пивнáя бóчка 2) бóчка (*мера ёмкости = 252 галлонам*)

2. *v* наливáть в бóчку, храни́ть в бóчке

tuna ['tu:nə] *n* (*pl тж. без измен.*) тунéц (*рыба*)

tunable ['tju:nəbl] *a* 1) мелоди́чный; гармони́чный 2) легкó настрáиваемый 3) *радио* настрáиваемый с подстрóйкой

tundra ['tʌndrə] *n* ту́ндра

tune [tju:n] **1.** *n* мелóдия, моти́в; напéв 2) строй, настрóенность; the piano is in (out of) ~ пиани́но настрóено (расстрóено) 3) гармóния, соглáсие; to be in ~ with smth. гармони́ровать с чем-л.; to be out of ~ (with) идти́ вразрéз (*с чем-л.*), быть не в ладу́ (*с кем-л.*) 4) настроéние; to be in ~ for smth быть настрóенным на что-л. 5) *уст.* тон, звук ◇ to sing another ~, to change one's ~ перемени́ть тон; заговори́ть по-инóму; to call the ~ задавáть тон; to the ~ of в размéре; на су́мму

2. *v* 1) настрáивать (*инструмент*) 2) налáживать, регули́ровать (*машину и т.п.; тж.* ~ up) 3) приспосáбливать (*к чему-л.*); приводи́ть в соотвéтствие (*с чем-л.*) 4) звучáть; петь, игрáть 5) соотвéтствовать, гармони́ровать (with) □ ~ in настрáивать приёмник; he ~d in to Radio 2 он настрóил приёмник на волну́ «Рáдио-2»; ~ **up** а) настрáивать инструмéнты; б) налáдить, отрегули́ровать маши́ну; в) запéть, заигрáть; г) *шутл.* заплáкать (*о ребенке*)

tuneful ['tju:nfl] *a* мелоди́чный; гармони́чный

tuneless ['tju:nləs] *a* 1) немелоди́чный 2) беззву́чный

tuner ['tju:nə] *n* 1) настрóйщик 2) *радио* механи́зм настрóйки

tung oil ['tʌŋɔɪl] *n тех.* ту́нговое мáсло

tungsten ['tʌŋstən] *n хим.* вольфрáм

tunic ['tju:nɪk] *n* 1) *воен.* ки́тель; мунди́р 2) туни́ка 3) блу́за *или* жакéт (*обыкн. с поясом*) 4) *биол.* оболóчка; покрóв

tunica ['tju:nɪkə] = tunic 4)

tunicate ['tju:nɪkət] *a* покры́тый оболóчкой

tuning ['tju:nɪŋ] **1.** *pres. p. от* tune 2

2. *n* 1) настрóйка (*радиоприёмника или музыкального инструмента*) 2) *тех.* регулирóвка (*двигателя*)

tuning fork ['tju:nɪŋfɔ:k] *n* камертóн

Tunisian [tjʊ'nɪzɪən] **1.** *a* туни́сский

2. *n* туни́сец; туни́ска

tunnel ['tʌnl] **1.** *n* 1) тоннéль; подзéмный ход 2) *горн.* штóльня 3) *воен.* ми́нная галерéя 4) дымохóд

2. *v* проклáдывать тоннéль

tunny ['tʌnɪ] *n* (*pl тж. без измен.*) тунéц (*рыба*)

tuny ['tju:nɪ] *a* легкó запоминáющийся (*о мотиве*); мелоди́чный

tup [tʌp] **1.** *n* 1) барáн 2) *тех.* бáба (*молота*)

2. *v с.-х.* покрывáть (*овцу*)

tuppence ['tʌpəns] *разг. см.* twopence

tuppenny ['tʌpənɪ] *разг. см.* twopenny

tuque [tju:k] *n канад.* вя́заная шерстянáя шáпочка

Turanian [tjʊ'reɪnɪən] **1.** *a лингв.* урáло-алтáйский

2. *n* урáло-алтáйские языки́

turban ['tɜ:bən] *n* 1) тюрбáн, чалмá 2) дáмская *или* дéтская шля́па без полéй

turbary ['tɜ:bərɪ] *n* торфя́ник, торфяно́е болóто

turbid ['tɜ:bɪd] *a* 1) му́тный (*о жидкости*); плóтный, густóй (*о дыме, тумане*) 2) тумáнный; запу́танный

turbidity [tɜ:'bɪdətɪ] *n* му́тность *и пр.* [*см.* turbid]

turbine ['tɜ:baɪn] *n* турби́на

turboblower ['tɜ:bəʊbləʊə] *n тех.* турбовоздуходу́вка

turbodrill ['tɜ:bəʊdrɪl] *n горн.* турбобу́р

turbogenerator [,tɜ:bəʊ'dʒenəreɪtə] *n эл.* турбогенерáтор

turbojet ['tɜ:bəʊdʒet] *n* 1) *ав.* турбореакти́вный дви́гатель 2) турбореакти́вный самолёт

2. *a ав.* турбореакти́вный

turboprop ['tɜ:bəʊprɒp] *n* 1) *ав.* турбовинтовóй дви́гатель 2) турбовинтовóй самолёт

2. *a ав.* турбовинтовóй

turbulence ['tɜ:bjʊləns] *n* бу́рность *и пр.* [*см.* turbulent]

turbulent ['tɜ:bjʊlənt] *a* 1) бу́рный 2) бу́йный; беспокóйный; непокóрный

Turcoman ['tɜ:kəmən] = Turkoman

turd [tɜ:d] *n груб.* дерьмó (*тж. перен.*)

tureen [tjʊ'ri:n] *n* су́пник, су́пница

turf [tɜ:f] **1.** *n* 1) дёрн 2) торф 3) (the ~) беговáя дорóжка (*на ипподроме*); скáчки; to be on the ~ быть завсегдáтаем скáчек, игрáть на скáчках

2. *v* 1) дерновáть 2) *разг.* вы́бросить, вы́швырнуть (*тж.* ~ out)

turf-clad ['tɜ:fklæd] *a* покры́тый дёрном

turfite ['tɜ:faɪt] *разг. см.* turfman

turfman ['tɜ:fmən] *n* (*обыкн. амер.*) завсегдáтай скáчек

turfy ['tɜ:fɪ] *a* покры́тый дёрном; дерни́стый; торфянóй

turgid ['tɜ:dʒɪd] *a* 1) опу́хший 2) напы́щенный (*о стиле*)

Turk [tɜ:k] *n* 1) ту́рок; турчáнка; Young ~ *ист.* младоту́рок 2) *шутл.* непослу́шный ребёнок 3) *презр.* ди́кий, неуправля́емый человéк

turkey ['tɜ:kɪ] *n* 1) индю́к; индéйка (*тж. кул.*) 2) *амер. sl.* неудáча, провáл ◇ Norfolk ~ жи́тель Нóрфолка; to talk ~ *амер.* говори́ть пря́мо, без обиняков

turkey buzzard ['tɜ:kɪbʌzəd] *n зоол.* гриф-индéйка

turkey-cock ['tɜ:kɪkɒk] *n* 1) индю́к 2) наду́тый, вáжный человéк

turkey-poult ['tɜ:kɪpəʊlt] *n* индюшóнок

Turkey red [,tɜ:kɪ'red] *n* я́рко-крáсный цвет

Turkic ['tɜ:kɪk] *a* тю́ркский

Turkish ['tɜ:kɪʃ] **1.** *a* турéцкий ◇ ~ towel мохнáтое полотéнце

2. *n* турéцкий язы́к

Turkish delight [,tɜ:kɪʃdɪ'laɪt] *n* рахáтлуку́м

Turkmen ['tɜ:kmən] *n* 1) туркмéн 2) туркмéнский язы́к

Turkoman ['tɜ:kəmən] *n* (*pl* -s [-z]) 1) тюрк 2) туркмéн

turmeric ['tɜ:mərɪk] *n бот.* курку́ма

turmeric-paper ['tɜ:mərɪk,peɪpə] *n хим.* курку́мовая реакти́вная бумáга

turmoil ['tɜ:mɔɪl] *n* шум, суматóха; беспоря́док

turn [tɜ:n] **1.** *n* 1) оборóт (*колеса*); at each ~ при кáждом оборóте 2) поворóт; right (left, about) ~! *воен.* напрáво! (налéво!, кругóм!) 3) изменéние *или* отклонéние от прéжнего направлéния 4) поворóтный пункт 5) изги́б (*дороги*); излу́чина (*реки*) 6) переме́на; изменéние (*состояния*); a ~ for the better изменéние к лу́чшему; the milk is on the ~ молокó скисáет; he hopes for a ~ in his luck он надéется, что емý повезёт; my affairs have taken a bad ~ мои́ делá при́няли дурнóй оборóт 7) спосóбность; склад (*характера*); стиль, манéра, отличи́тельная чертá; she has a ~ for music у неё есть музыкáльные спосóбности; he has an optimistic ~ of mind он оптими́ст 8) óчередь; ~ and ~ about, in ~, by ~s по óчереди; to take ~s дéлать поочерёдно, сменя́ться; to wait one's ~ ждать своéй óчереди; out of ~ а) вне óчереди; б) неумéстно, бестáктно 9) корóткая прогу́лка, поéздка; to take (*или* to go for) a ~ прогу́ляться 10) очереднóй нóмер прогрáммы, вы́ход; сцéнка, интермéдия 11) (рабóчая) смéна 12) корóткий перúод дéятельности 13) услу́га; to do smb. a good (an ill) ~ оказáть комý-л. хорóшую (плохýю) услу́гу 14) *разг.* при́ступ, вспы́шка, припáдок; шок; a ~ of anger припáдок гнéва; to give smb. a ~ взволновáть когó-л. 15) витóк (*проволоки, резьбы*) 16) оборóт, построéние (*фразы*); a ~ of speech оборóт рéчи 17) строéние, фóрма; the ~ of the ankle фóрма лоды́жки 18) *полигр.* марáшка 19) *pl* менструáции 20) *бирж.* курсовáя при́быль ◇ at every ~ на кáждом шагý, постоя́нно; to serve one's ~ годи́ться (*для определённой цели*); to a ~ тóчно; (meat is) done to a ~ (мя́со) зажáрено как раз в мéру; one good ~ deserves another *посл.* услýга за услýгу; not to do a hand's ~ и пáльцем не пошевели́ть

2. *v* 1) вращáть(ся), вертéть(ся) 2) поворáчивать(ся); обращáться; повёртывать(ся); to ~ to the right повернýть напрáво; to ~ on one's heel(s) крýто повернýться (и уйти́) 3) выворáчивать наизнáнку (*тж.* ~ inside out); переворáчивать; to ~ upside down перевернýть вверх днóм 4) направля́ть, сосредотóчивать (*тж. внимание, усилия*); to ~ the hose on the fire напрáвить струю́ на огóнь; to ~ one's hand to smth. принимáться за что-л.; to ~ one's mind to smth. дýмать о чём-л., обрати́ть внимáние на что-л., сосредотóчиться на чём-л. 5) превращáть(ся); передéлывать(ся) (into); to ~ milk into butter сбивáть мáсло; to ~ a book into a play инсцени́ровать кни́гу 6) изменя́ть(ся); luck has ~ed фортýна изменúла 7) *как глагол-связка* дéлаться, станови́ться; to ~ red покраснéть; to ~ sick почýвствовать тошнотý; to ~ teacher стать учи́телем 8) меня́ться, изменя́ть цвет, кáчество; пóртить(ся); the leaves ~ed early ли́стья рáно пожелтéли; the milk has ~ed молокó проки́сло 9) расстрáивать (*пищеварение, психику, здоровье и т. п.*); вызывáть отвращéние 10) переводи́ть (*на другой язык*; into) 11) огибáть, обходи́ть; to ~ the enemy's flank а) обойти́ проти́вника с флáнга; б) перехитри́ть когó-л. 12) дости́гнуть (*известного момента, возраста, количества*); he has ~ed fifty емý за пятьдеся́т; it has now ~ed 4 o'clock ужé четы́ре часá, ужé пя́тый час 13) переворáчиваться, кувыркáться 14) перелицóвывать (*платье*) 15) точи́ть (*на токарном станке*); обтáчивать 16) оттáчивать, придавáть изя́щную фóрму 17) обдýмывать (*вопрос, проблему*) 18) подвернýть, вы́вихнуть (*ногу*) 19) вспáхивать, пахáть ▭ ~ **about** оборáчиваться; повернýть кругóм (*на 180°*); ~ **against** а) восстáть прóтив; б) восстанови́ть прóтив; ~ **aside** а) отворáчиваться; б) отклоня́ть(ся); ~ **away** а) отворáчивать(ся); отвращáть; б) отклоня́ть, отвергáть; в) прогоня́ть, увольня́ть; ~ **back** а) прогнáть; б) повернýть назáд; в) обернýться; ~ **down** а) отвергáть (*предложение*); откáзывать (*кому-л.*); б) убáвить (*свет, звук и т. п.*); в) загнýть; отогнýть; to ~ down a collar отогнýть воротни́к; ~ **in** а) зайти́ мимохóдом; б) возвращáть, отдавáть; сдавáть; you must ~ in your uniform when you leave the army вам нýжно бýдет вернýть обмундировáние, когдá вы демобилизýетесь; в) *разг.* лечь спать; г) поворáчивать вовнýтрь; to ~ in one's toes постáвить нóги носкáми внутрь; ~ **off** а) закрывáть (*кран*); выключáть (*свет*); б) сворáчивать (*с дороги*); поворáчивать (*о дороге*); в) вызывáть неприя́знь, отбивáть интерéс; г) увольня́ть; ~ **on** а) открывáть (*кран, шлюз*); включáть (*свет*); б) *разг.* волновáть; сексуáльно возбуждáть; в) *разг.* одурмáнивать *или* быть одурмáненным наркóтиками; г) зави́сеть (*от*); much ~s on his answer мнóгое зави́сит от егó отвéта; д) = ~ upon; ~ **out** а) выгоня́ть; увольня́ть; исключáть; б) туши́ть (*свет*); в) украшáть, наряжáть; снаряжáть; г) выпускáть (*изделия*); д) вывёртывать (*карман, перчатку*); е) *разг.* вставáть (*с постели*); ж) вы́йти и́з дому; з) собрáться, прибы́ть; the fire-brigade ~ed out as soon as the fire broke out пожáрная комáнда прибылá, как тóлько начался́ пожáр; и) окáзываться; he ~ed out an excellent actor он оказáлся прекрáсным актёром; as it ~ed out как оказáлось; к) бастовáть; л) вызывáть; ~ out the guard вы́зовите караýл; ~ **over** а) перевёртывать(ся); б) опроки́дывать(ся); в) обдýмывать; г) передавáть (*дело, доверенность и т. п.*) другóму; д) *ком.* имéть оборóт; е) *тех.* запускáть дви́гатель; ~ **round** а) оборáчиваться; поворáчиваться; б) изменя́ть (*свои взгляды, политику и т. п.*); ~ to а) приня́ться за рабóту, дéло; б) обрати́ться к *кому-л.*; в) преврати́ться (*во что-л.*); ~ **up** а) уси́ливать; to ~ up the radio сдéлать рáдио грóмче; б) поднимáть(ся) вверх; загибáть(ся); her nose ~s up у неё вздёрнутый нос; в) обнарýживать, находи́ть; г) внезáпно появля́ться; приходи́ть, приезжáть; д) случáться; подвернýться, оказáться; something will ~ up чтó-нибудь да подвернётся; е) *разг.* вызывáть тошнотý; ж) откры́ть (*карту*); ~ **upon** внезáпно измени́ть отношéние к *кому-л.*; ополчáться (*против кого-л.*) ◇ to ~ smb.'s head вскружи́ть комý-л. гóлову; to ~ loose а) спускáть (*живóтное*) с цéпи; б) освобождáть; to ~ yellow стрýсить; to ~ the scale (*или* the balance) реши́ть исхóд дéла; not to know which way to ~ не знать, что предприня́ть; to ~ out in the cold ≅ игнори́ровать (*кого-л.*), проявля́ть невнимáние (*к кому-л.*); to ~ up one's heels протянýть нóги

turnabout [ˈtɜ:nə,baʊt] *n* 1) поворóт 2) изменéние пози́ции, взгля́дов *и т. п.*; перехóд на другýю стóрону 3) *амер.* карусéль

turnaround [ˈtɜ:nə,raʊnd] *n* 1) оборóт, оборáчиваемость (*судна, вагона*) 2) изменéние (*взглядов, политики и т. п.*)

turnback [ˈtɜ:nbæk] *n* 1) малодýшный человéк; трус 2) отóгнутая часть (*чего-л.*)

turncoat [ˈtɜ:nkəʊt] *n* ренегáт; перебéжчик

turncock [ˈtɜ:nkɒk] *n* распредели́тель воды по магистрáлям

turndown [ˈtɜ:ndaʊn] **1.** *a* отложнóй (*о воротнике*)

2. *n* 1) отложнóй воротни́к 2) откáз; отклонéние

turned [tɜ:nd] **1.** *p. p. от* turn 2

2. *a* 1) изготóвленный на станкé, маши́нного произвóдства 2) перелицóванный 3) проки́сший 4) *полигр.* перевёрнутый (*о литере*) ◇ a well ~ phrase оттóченная фрáза; a beautifully ~ out woman прекрáсно одéтая жéнщина

turned comma [,tɜ:ndˈkɒmə] *n полигр.* перевёрнутая запятáя (*вид кавычек*)

turner [ˈtɜ:nə] *n* 1) тóкарь 2) *амер.* гимнáст

turnery [ˈtɜ:nərɪ] *n* 1) токáрные издéлия 2) токáрная мастерскáя 3) токáрное ремеслó

turning [ˈtɜ:nɪŋ] **1.** *pres. p. от* turn 2

2. *n* 1) поворóт (*улицы, дороги*); излýчина (*реки*); перекрёсток 2) токáрное ремеслó; токáрная рабóта 3) вращéние 4) обтóчка 5) превращéние 6) вспáшка

3. *a* 1) токáрный; ~ lathe токáрный станóк 2) вращáющийся, поворóтный

turning point [ˈtɜ:nɪŋpɔɪnt] *n* поворóтный пункт; перелóм; кри́зис

turnip [ˈtɜ:nɪp] *n* 1) рéпа 2) *sl* больши́е стари́нные кармáнные часы́, «луковица»

turnkey [ˈtɜ:nki:] **1.** *n уст.* тюрéмщик; надзирáтель (*в тюрьме*)

2. *a* пóлностью готóвый; сдавáемый под ключ

turnout [ˈtɜ:naʊt] *n* 1) собрáние, пýблика 2) объём выпускáемой продýкции 3) забастóвка 4) забастóвщик 5) одéжда; манéра одевáться 6) экипирóвка 7) вы́езд; smart ~ щегольскóй вы́езд 8) подъём, вставáние с постéли 9) вы́зов к исполнéнию служéбных обя́занностей 10) *ж.-д.* разъéзд; стрéлочный перевóд

turnover [ˈtɜ:n,əʊvə] *n* 1) опроки́дывание 2) *эк.* оборóт 3) текýчесть рабóчей си́лы; коэффициéнт текýчести рабóчей си́лы 4) полукрýглый пирóг с начи́нкой 5) часть газéтной статьи́, напечáтанная на слéдующей страни́це

turnpenny [ˈtɜ:n,penɪ] *n* стяжáтель

turnpike [ˈtɜ:npaɪk] *n* 1) застáва, где взимáется подорóжный сбор 2) *амер.* (*тж.* ~ road) плáтная дорóга *или* автомагистрáль; глáвная магистрáль

turnround [ˈtɜ:nraʊnd] *n* поворóт

turn-screw [ˈtɜ:nskru:] *n* отвёртка

turnskin [ˈtɜ:nskɪn] *n* óборотень

turnsole [ˈtɜ:nsəʊl] *n* 1) *бот.* лáкмус краси́льный 2) *хим.* лáкмус

turnspit [ˈtɜ:nspɪt] *n* тот, кто жáрит мя́со на вéртеле

turnstile [ˈtɜ:nstaɪl] *n* 1) турникéт 2) крестови́на

turntable [ˈtɜ:n,teɪbl] *n* 1) диск (*патефона*) 2) проúгрыватель (*для пластинок*) 3) *ж.-д.* поворóтный круг

turn-up [ˈtɜ:nʌp] *n* 1) что-л. зáгнутое, отóгнутое, завёрнутое (*манжеты, отвороты, поля шляпы и т. п.*); манжéта (*на брюках*) 2) счастли́вый слýчай, удáча; неожи́данность 3) шум, дра́ка 4) ка́рта, откры́тая как ко́зырь

turpentine ['tɜ:pəntaɪn] 1. *n* 1) скипида́р, терпенти́н, живи́ца 2) терпенти́новое ма́сло (*тж.* oil of ~)

2. *v* 1) натира́ть скипида́ром 2) подса́чивать (*дерево*); добыва́ть живи́цу

turpitude ['tɜ:pɪtju:d] *n* 1) ни́зость, по́длость 2) поро́чность, развращённость

turps [tɜ:ps] *n разг.* терпенти́новое ма́сло

turquoise ['tɜ:kwɑ:z] *n* 1) бирюза́ 2) бирюзо́вый цвет

turret ['tʌrɪt] *n* 1) ба́шенка 2) оруди́йная ба́шня 3) *ав.* туре́ль 4) *тех.* револьве́рная голо́вка (*станка*)

turret-lathe ['tʌrɪtleɪð] *n* револьве́рный стано́к

turtle ['tɜ:tl] *n* 1) черепа́ха (*преим. морская*) 2) суп из черепа́хи 3) *attr.* черепа́ховый ◇ to turn ~ опроки́нуться, переверну́ться (*часто о судне*)

turtledove ['tɜ:tldʌv] *n* 1) го́рлица 2) возлю́бленный; люби́мый

turtleneck ['tɜ:tlnek] *a* с высо́ким во́ротом (*часто о свитере*)

turtle-shell ['tɜ:tlʃel] = tortoiseshell

Tuscan ['tʌskən] 1. *a* тоска́нский

2. *n* 1) тоска́нец 2) тоска́нский диале́кт

tush I [tʌʃ] *n* клык (*лошади, собаки и т. п.*)

tush II [tʌʃ] *int уст.* фу!, тьфу!

tusk [tʌsk] 1. *n* клык; би́вень (*слона, моржа*)

2. *v* ра́нить клыко́м, би́внем

tusker ['tʌskə] *n* слон *или* каба́н с больши́ми клыка́ми

tussive ['tʌsɪv] *a мед.* кашлево́й, вы́званный *или* сопровожда́ющийся ка́шлем

tussle ['tʌsl] 1. *n* борьба́; дра́ка

2. *v* боро́ться; дра́ться

tussock ['tʌsək] *n* 1) трава́, расту́щая пучко́м; ко́чка; дернови́на 2) кистехво́ст (*тж.* ~-moth; *бабочка*)

tussore ['tʌsə] *n* 1) инди́йский шелкови́чный червь 2) туссо́р (*тж.* ~ silk; *шёлк типа чесучи*)

tut [tʌt] *int* ах ты! (*выражает нетерпение, досаду или упрёк*)

tutelage ['tju:tɪlɪdʒ] *n* 1) опеку́нство; опе́ка; попечи́тельство 2) нахожде́ние под опе́кой 3) обуче́ние

tutelar ['tju:tələ] = tutelary

tutelary ['tju:tələrɪ] *a* 1) опеку́нский 2) охраня́ющий; опека́ющий

tutor ['tju:tə] 1. *n* 1) дома́шний учи́тель; репети́тор; *школ.* наста́вник 2) руководи́тель гру́ппы студе́нтов (*в англ. университетах*) 3) *амер.* мла́дший преподава́тель вы́сшего уче́бного заведе́ния 4) *юр.* опеку́н

2. *v* 1) обуча́ть 2) руководи́ть, наставля́ть; поуча́ть 3) дава́ть ча́стные уро́ки 4) *амер. разг.* брать уро́ки 5) отчи́тывать, брани́ть ◇ to ~ oneself (to be patient) сде́рживаться; обу́здывать себя́

tutorage ['tju:tərɪdʒ] *n* 1) рабо́та учи́теля 2) до́лжность наста́вника 3) пла́та за обуче́ние 4) опе́ка, опеку́нство

tutorial [tjʊ'tɔ:rɪəl] 1. *a* 1) наста́внический; ~ system университе́тская систе́ма прикрепле́ния студе́нтов к отде́льным консульта́нтам 2) опеку́нский

2. *n* 1) консульта́ция, встре́ча студе́нта со свои́м руководи́телем 2) пери́од обуче́ния в ко́лледже

tutorship ['tju:təʃɪp] *n* до́лжность наста́вника; обя́занности наста́вника *или* опекуна́ [*см.* tutor 1]

tutsan ['tʌtsn] *n бот.* зверобо́й

tutti-frutti [,tu:tɪ'fru:tɪ] *n* 1) моро́женое с фру́ктами 2) заса́харенные фру́кты

tutu ['tu:tu:] *n* па́чка (*балерины*)

tu-whit [tə'wɪt] *n* подража́ние кри́ку совы́

tu-whoo [tə'wu:] = tu-whit

tux [tʌks] *разг. сокр. от* tuxedo

tuxedo [tʌk'si:dəʊ] *n* (*pl* -os, -oes [-əʊz]) *амер.* смо́кинг

tuyère [twi:'jeə] *n метал.* фу́рма

twaddle ['twɒdl] 1. *n* пуста́я болтовня́, чушь

2. *v* пустосло́вить, нести́ чушь; писа́ть чепуху́

twain [tweɪn] *n уст., поэт.* два (*предмета*); дво́е; in ~ на́двое; попола́м

twang I [twæŋ] 1. *n* 1) ре́зкий звук натя́нутой струны́ 2) гнуса́вый вы́говор; American ~ гнуса́вый вы́говор америка́нцев 3) *разг.* ме́стный го́вор

2. *v* 1) звуча́ть (*о струне*) 2) *пренебр.* перебира́ть стру́ны; бренча́ть; to ~ (on) a violin пили́кать на скри́пке 3) гнуса́вить

twang II [twæŋ] *n амер., диал.* 1) сто́йкий за́пах *или* при́вкус 2) при́вкус, налёт

'twas [twɒz (*полная форма*); twəz (*редуцированная форма*)] *сокр. уст., поэт.* = it was

tweak [twi:k] 1. *n* щипо́к

2. *v* ущипну́ть, щипа́ть, дёргать; to ~ a child's ears надра́ть ребёнку у́ши

tweaker ['twi:kə] *n sl.* рога́тка (*для стрельбы*)

twee [twi:] *n пренебр.* чересчу́р изя́щный, изощрённый

tweed [twi:d] *n* 1) твид (*материя*) 2) *pl* костю́м из тви́да

Tweedledum [,twi:dl'dʌm] *n*: ~ and Tweedledee двойники́; две тру́дно различи́мые ве́щи; ве́щи, различа́ющиеся всего́ лишь по назва́нию

'tween [twi:n] *уст. сокр. от* between

tweet [twi:t] 1. *n* пти́чий щё́бет

2. *v* щебета́ть, чири́кать

tweeter ['twi:tə] *n радио* репроду́ктор для воспроизведе́ния зву́ков высо́кого то́на

tweezer ['twi:zə] *v* выщи́пывать пинце́том, щи́пчиками

tweezers ['twi:zəz] *n pl* пинце́т, щи́пчики

twelfth [twelfθ] 1. *num. ord.* двена́дцатый

2. *n* 1) двена́дцатая часть 2) (the ~) а) двена́дцатое число́; б) 12-е а́вгуста (*начало охоты на куропаток*)

Twelfth-Day ['twelfθdeɪ] *n церк.* Креще́ние

Twelfth-Night ['twelfθnaɪt] *n церк.* кану́н Креще́ния

twelve [twelv] 1. *num. card.* двена́дцать

2. *n* 1) двена́дцать (*единиц, штук*) 2) (the T.) *церк.* 12 апо́столов 3) *pl* кни́ги форма́том в двена́дцатую до́лю листа́

twelvefold ['twelvfəʊld] 1. *a* в двена́дцать раз бо́льший

2. *adv* в двена́дцать раз бо́льше

twelvemo ['twelvməʊ] *n* форма́т кни́ги в двена́дцатую до́лю листа́ (*пишется обычно 12 mo*)

twelvemonth ['twelvmʌnθ] *n уст.* год, двена́дцать ме́сяцев

twelver ['twelvə] *n sl. ист.* ши́ллинг

twenties ['twentɪz] *n pl* 1) (the ~) двадца́тые го́ды 2) тре́тий деся́ток (*возраст между 20 и 29 годами*)

twentieth ['twentɪəθ] 1. *num. ord.* двадца́тый

2. *n* 1) двадца́тая часть 2) (the ~) двадца́тое число́

twenty ['twentɪ] 1. *num. card.* два́дцать; ~-one два́дцать оди́н; ~-two два́дцать два *и т. д.*

2. *n* два́дцать (*единиц, штук*)

twentymo ['twentɪməʊ] *n* форма́т кни́ги в двадца́тую до́лю листа́ (*пишется обычно 20 mo*)

'twere [twɜ: (*полная форма*); twə (*редуцированная форма*)] *сокр. уст. поэт.* = it were

twerp [twɜ:p] *n sl.* грубия́н, хам

twice [twaɪs] *adv* 1) два́жды; ~ two is four два́жды два — четы́ре 2) вдво́е; ~ as good (as much) вдво́е лу́чше (бо́льше) ◇ to think ~ (before doing smth.) хорошо́ обду́мать что-л. (пре́жде чем сде́лать); not to think ~ about smth. а) не ду́мать бо́льше, забы́ть о чём-л.; б) сде́лать что́-л. без колеба́ний

twice-laid [,twaɪs'leɪd] *a* сде́ланный из обре́зков, отхо́дов

twicer ['twaɪsə] *n* 1) рабо́чий, явля́ющийся одновре́менно набо́рщиком и печа́тником 2) *разг.* челове́к, два́жды посеща́ющий це́рковь по воскресе́ньям 3) *разг.* обма́нщик, моше́нник

twice-told [,twaɪs'təʊld] *a* 1) расска́занный два́жды 2) изве́стный, избы́тый; ~ tale ста́рая исто́рия

twiddle ['twɪdl] 1. *n* 1) верче́ние 2) завито́к, украше́ние

2. *v* 1) верте́ть, крути́ть (*что-л.*), игра́ть (*чем-л.*) 2) безде́льничать, бить баклу́ши (*тж.* ~ one's thumbs)

twiddler ['twɪdlə] *n* безде́льник

twig I [twɪg] *n* ве́точка, прут; хворости́нка

twig II [twɪg] *v разг.* 1) поня́ть, разгада́ть; I ~ged what he was up to до меня́ дошло́, что он затева́ет 2) наблюда́ть, замеча́ть

twig III [twɪg] *n уст.* мо́да; стиль

twiggy ['twɪgɪ] *a* 1) то́нкий, хру́пкий 2) ветви́стый

twilight [ˈtwaɪlaɪt] *n* 1) су́мерки; полумра́к 2) далёкое про́шлое, о кото́ром ма́ло что изве́стно 3) нето́чное представле́ние (*о чём-л.*) 4) пери́од упа́дка, зака́та 5) *attr.* су́меречный, нея́сный; ~ vision *мед.* су́меречное зре́ние; ~ sleep *мед.* а) полусо́н (*способ обезболивания родов*); б) су́меречное состоя́ние

twill [twɪl] *текст.* **1.** *n* твил; са́ржа

2. *v* ткать твил, са́ржу; переплета́ть по диагона́ли

'twill [twɪl] *сокр. разг.* = it will

twin [twɪn] **1.** *n* 1) близне́ц, двойня́шка; *pl* близнецы́; дво́йня 2) двойни́к 3) па́рная вещь

2. *a* 1) явля́ющийся близнецо́м 2) двойно́й; сдво́енный, спа́ренный; состоя́щий из двух одноро́дных часте́й; составля́ющий па́ру, явля́ющийся близнецо́м; ~ soul *шутл.* ро́дственная душа́; ~ set гарниту́р, состоя́щий из жаке́та и дже́мпера (*одинакового цвета или гармонирующих цветов*) 3) одина́ковый, похо́жий; ~ tasks одина́ковые зада́чи

3. *v* 1) соединя́ть 2) роди́ть дво́йню

twin-birth [ˈtwɪnbɜːθ] *n* рожде́ние дво́йни

twine [twaɪn] **1.** *n* 1) бечёвка, шпага́т, шнуро́к 2) *pl* ко́льца (*змеи*) 3) сплете́ние, скру́чивание

2. *v* 1) вить; плести́, сплета́ть (*венок и т. п.*); свива́ть, скру́чивать 2) обвива́ть(ся) (*тж.* ~ round, ~ about) 3) опоя́сывать, окружа́ть, обноси́ть

twin-engined [ˌtwɪnˈendʒɪnd] *a* двухмото́рный, с двумя́ дви́гателями

twiner [ˈtwaɪnə] *n* 1) вью́щееся расте́ние 2) *текст.* крути́льная маши́на

twinge [twɪndʒ] **1.** *n* при́ступ бо́ли; a ~ of toothache о́страя зубна́я боль; ~s of conscience угрызе́ния со́вести

2. *v* 1) испы́тывать при́ступ бо́ли 2) вызыва́ть при́ступ бо́ли

twinkle [ˈtwɪŋkl] **1.** *n* 1) мерца́ние 2) мига́ние 3) мелька́ние 4) огонёк (*в глазах*); a mischievous ~ озорно́й огонёк (*в глазах*) 5) мгнове́ние

2. *v* 1) мерца́ть, сверка́ть 2) мига́ть 3) мелька́ть

twinkling [ˈtwɪŋklɪŋ] **1.** *pres. p. от* twinkle 2

2. *n* 1) мерца́ние 2) мгнове́ние; in a ~, in the ~ of an eye, in the ~ of a bedpost в мгнове́ние о́ка

twin-screw [ˈtwɪnskruː] *a мор.* двухвинтово́й

twin town [ˌtwɪnˈtaʊn] *n* го́род-побрати́м

twirl [twɜːl] **1.** *n* 1) враще́ние, круче́ние 2) вихрь 3) ро́счерк, завиту́шка

2. *v* верте́ть, кружи́ть (*часто* ~ round); крути́ть; to ~ one's moustache тереби́ть усы́

twist [twɪst] **1.** *n* 1) круче́ние, кру́тка; скру́чивание, суче́ние 2) что-л. свёрнутое, *напр.*, скру́ченный бума́жный паке́т, «фу́нтик» 3) верёвка; шнуро́к 4) изги́б, поворо́т 5) характе́рная осо́бенность; отличи́тельная черта́ (*ума, характера и т. п.*; *часто неодобр.*) 6) искаже́ние, искривле́ние; ~ of the tongue косноязы́чие 7) вито́й хлеб; ха́ла, плетёнка 8) вы́вих 9) *тех.* ход (*витка*) 10) сме́шанный напи́ток 11) *разг.* обма́н 12) *разг.* чудо́вищный аппети́т 13) твист (*танец*) ◇ ~ of the wrist ло́вкость рук; ло́вкость, сноро́вка; round the ~ свихну́вшийся

2. *v* 1) крути́ть, сучи́ть сплета́ть(ся), 2) верте́ть; повора́чивать(ся) 3) скру́чивать (*руки*); выжима́ть (*бельё*) 4) ви́ться; изгиба́ть(ся); the road ~s a good deal доро́га петля́ет 5) искажа́ть, искривля́ть 6) *разг.* обма́нывать 7) танцева́ть твист □ ~ **off** отла́мывать, откру́чивать; ~ **up** скру́чивать (*в трубочку*)

twister [ˈtwɪstə] *n* 1) *разг.* обма́нщик, лгун 2) *амер.* урага́н, смерч, торна́до 3) *разг.* вопро́с *или* зада́ча, ста́вящие в тупи́к 4) сучи́льщик; кана́тный ма́стер 5) сучи́льная маши́на 6) ше́нкель

twit I [twɪt] *n sl.* дура́к, обалду́й

twit II [twɪt] **1.** *n* 1) упрёк, попрёк 2) насме́шка, ко́лкость

2. *v* 1) упрека́ть, попрека́ть (with — *чем-л.*) 2) насмеха́ться, говори́ть ко́лкости

twitch [twɪtʃ] **1.** *n* 1) подёргивание, су́дорога 2) ре́зкое дёргающее уси́лие; рыво́к 3) *разг.* не́рвное состоя́ние 4) петля́, скоба́ (*для зажимания морды лошади во время операции*)

2. *v* 1) дёргать(ся), подёргивать(ся); his face ~ed with emotion у него́ дёргалось лицо́ от волне́ния; a horse ~es ears ло́шадь прядёт уша́ми 2) дёргать, тащи́ть (at — за *что-л.*) □ ~ **from** выдёргивать; ~ **off** сдёргивать

twite [twaɪt] *n* го́рная чечётка (*птица*)

twitter [ˈtwɪtə] **1.** *n* 1) ще́бет, щебета́ние 2) *разг.* возбужде́ние; волне́ние; in a ~ дрожа́, трепеща́, в возбужде́нии

2. *v* 1) щебета́ть, чири́кать 2) болта́ть, хихи́кать

'twixt [twɪkst] *сокр. уст.* = betwixt

two [tuː] **1.** *num. card.* два

2. *n* 1) дво́йка 2) *pl* второ́й но́мер, разме́р 3) дво́е; па́ра; ~ and ~, by ~s, ~ by ~ по́ двое, попа́рно; in ~s and threes небольши́ми гру́ппами; ~ of a trade два конкуре́нта ◇ in ~ а) на́двое, попола́м; б) врозь, отде́льно; in ~ ~s неме́дленно, в два счёта; to put ~ and ~ together сообрази́ть что к чему́; ~ can play at that game посмо́трим ещё, чья возьмёт; that makes ~ of us э́то в ра́вной сте́пени каса́ется нас обо́их

two-bit [ˌtuːˈbɪt] *a амер. разг.* плохо́й, никуды́шный; ≅ грош цена́

two-by-four [ˌtuːbəˈfɔː] *a амер. разг.* ме́лкий, незначи́тельный

two-decker [ˌtuːˈdekə] *n* 1) двухпа́лубное су́дно 2) двухэта́жный авто́бус *или* тролле́йбус

two-edged [ˌtuːˈedʒd] *a* 1) обоюдоо́стрый 2) спосо́бный оберну́ться друго́й стороно́й; двусмы́сленный (*комплимент и т. п.*)

two-faced [ˌtuːˈfeɪst] *a* двули́чный, лжи́вый

two-fisted [ˌtuːˈfɪstɪd] *a разг.* 1) неуклю́жий 2) си́льный, энерги́чный

twofold [ˈtuːfəʊld] **1.** *a* двойно́й; удво́енный

2. *adv* вдво́е (бо́льше); вдвойне́

two-footed [ˌtuːˈfʊtɪd] *a* двуно́гий

two-handed [ˌtuːˈhændɪd] *a* 1) двуру́чный (*о мече*) 2) для двои́х (*об игре*) 3) свобо́дно владе́ющий обе́ими рука́ми

two-master [ˌtuːˈmɑːstə] *n* двухма́чтовое су́дно

two-part [ˌtuːˈpɑːt] *a* состоя́щий из двух часте́й

twopence [ˈtʌpəns] *n* два пе́нса ◇ not to care ~ относи́ться безразли́чно

twopenny [ˈtʌpənɪ] *a* 1) двухпе́нсовый 2) дешёвый; дрянно́й ◇ ~ tube *уст.* ло́ндонское метро́

twopenny-halfpenny [ˌtʌpənɪˈheɪpənɪ] *a* грошо́вый, дрянно́й, ничто́жный

two-piece [ˌtuːˈpiːs] *a* состоя́щий из двух часте́й *или* куско́в

two-ply [ˈtuːplaɪ] *a* двойно́й; двухсло́йный

two-seater [ˌtuːˈsiːtə] *n* 1) двухме́стный автомоби́ль *или* самолёт 2) дива́нчик *и т. п.* для двои́х

two-sided [ˌtuːˈsaɪdɪd] *a* двухсторо́нний

twosome [ˈtuːsəm] *n* 1) *разг.* тет-а-те́т 2) па́ра 3) игра́ *или* та́нец для двои́х

two-step [ˈtuːstep] *n* тусте́п (*танец*)

two-storied [ˌtuːˈstɔrɪd] *a* двухэта́жный

two-time [ˈtuːtaɪm] *v разг.* 1) обма́нывать, изменя́ть (*мужу, жене*) 2) обма́нывать, подводи́ть (*кого-л.*), вести́ двойну́ю игру́ (*с кем-л.*)

two-tongued [ˌtuːˈtʌŋd] *a* двули́чный, лжи́вый

'twould [twʊd, twəd] *сокр. разг.* = it would

two-way [ˌtuːˈweɪ] *a* дву(х)сторо́нний; ~ deal (trade) двухсторо́нняя сде́лка (торго́вля); ~ radio приёмопереда́точная радиоустано́вка

tycoon [taɪˈkuːn] *n разг.* промы́шленный *или* фина́нсовый магна́т

tying [ˈtaɪɪŋ] *pres. p. от* tie 2

tyke [taɪk] *n* 1) грубия́н, хам 2) дворня́жка 3) малы́ш 4) *sl.* йоркши́рец

tympana [ˈtɪmpənə] *pl от* tympanum

tympanic [tɪmˈpænɪk] *a*: ~ membrane *анат.* бараба́нная перепо́нка

tympanites [ˌtɪmpəˈnaɪtɪs] *n мед.* воспале́ние бараба́нной перепо́нки

tympanum [ˈtɪmpənəm] *n* (*pl* -s [-z], -na) 1) *анат.* бараба́нная по́лость; сре́днее у́хо 2) *архит.* тимпа́н

type [taɪp] **1.** *n* 1) тип; типи́чный образе́ц *или* представи́тель (*чего-л.*); true to ~ типи́чный, характе́рный 2) род, класс, гру́ппа; blood ~ гру́ппа кро́ви 3) моде́ль, образе́ц; си́мвол 4) изображе́ние на моне́те *или* меда́ли 5) *полигр.* ли́тера; шрифт; black (*или* bold, fat) ~ жи́рный шрифт 6) *attr.*: ~ page полоса́ набо́ра

2. *v* печа́тать на маши́нке

type-form [ˈtaɪpfɔ:m] *n полигр.* текстовáя печáтная фóрма

typefounder [ˈtaɪp,faʊndə] *n* словолитчик

typefoundry [ˈtaɪp,faʊndrɪ] *n* словолúтня

type metal [ˈtaɪp,metl] *n полигр.* гарт

typescript [ˈtaɪpskrɪpt] **1.** *n* машинопúсный текст

2. *a* машинопúсный

typesetter [ˈtaɪp,setə] *n* 1) набóрщик 2) набóрная машúна

typesetting [ˈtaɪp,setɪŋ] *n* 1) типогрáфский набóр 2) *attr.* набóрный; ~ machine набóрная машúна

typewrite [ˈtaɪpraɪt] *v* печáтать на машúнке

typewriter [ˈtaɪp,raɪtə] *n* 1) пúшущая машúнка 2) *редк.* машинúстка

typewriting [ˈtaɪp,raɪtɪŋ] **1.** *pres. p. от* typewrite

2. *n* = typing 2

typewritten [ˈtaɪp,rɪtn] **1.** *p. p. от* typewrite

2. *a* машинопúсный, напечáтанный на машúнке

typhlitis [tɪfˈlaɪtɪs] *n мед.* тифлúт

typhoid [ˈtaɪfɔɪd] **1.** *n* брюшнóй тиф

2. *a* тифóзный; ~ fever брюшнóй тиф

typhoon [taɪˈfu:n] *n* тайфýн

typhous [ˈtaɪfəs] *a* (сыпно)тифóзный

typhus [ˈtaɪfəs] *n* сыпнóй тиф

typical [ˈtɪpɪkl] *a* 1) типúчный (of) 2) символúческий

typify [ˈtɪpɪfaɪ] *v* быть типúчным представúтелем; служúть типúчным примéром *или* образцóм; быть прообрáзом; олицетворя́ть

typing [ˈtaɪpɪŋ] **1.** *pres. p. от* type 2

2. *n* перепúска на машúнке

typist [ˈtaɪpɪst] *n* машинúстка

typo [ˈtaɪpəʊ] *n* (*pl* -os [-əʊz]) *разг.* 1) типогрáфская ошúбка 2) печáтник

typographer [taɪˈpɒgrəfə] *n* печáтник

typographic(al) [,taɪpəˈgræfɪk(l)] *a* типогрáфский; книгопечáтный

typography [taɪˈpɒgrəfɪ] *n* 1) книгопечáтание 2) оформлéние (*книги*)

tyrannical [tɪˈrænɪkl] *a* тиранúческий; деспотúчный; влáстный

tyrannicide [tɪˈrænɪsaɪd] *n* 1) тираноубúйство 2) тираноубúйца

tyrannize [ˈtɪrənaɪz] *v* тирáнствовать

tyrannous [ˈtɪrənəs] = tyrannical

tyranny [ˈtɪrənɪ] *n* 1) тиранúя, деспотúзм 2) тирáнство, жестóкость

tyrant [ˈtaɪrənt] *n* тирáн; дéспот

tyre I [ˈtaɪə] **1.** *n* 1) шúна; покры́шка 2) колёсный бандáж

2. *v* надевáть шúну (*на колесо*)

tyre II [ˈtaɪə] *инд. n* простоквáша

tyro [ˈtaɪrəʊ] = tiro

Tyrolean [,tɪrəʊˈli:ən] **1.** *n* тирóлец

2. *a* тирóльский

Tyrrhene, Tyrrhenian [tɪˈri:n, tɪˈri:nɪən] **1.** *a* этрýсский

2. *n* этрýск

tzar [zɑ:] = tsar

Tzigane [tsɪˈgɑ:n] **1.** *a* цыгáнский

2. *n* цыгáн(ка) (*особ. из Венгрии*)

U

U, u I [ju:] *n* (*pl* Us, U's [ju:z]) *21-я буква англ. алфавита*

U II [ju:] *a разг.* характéрный для вы́сших слоёв óбщества

ubiety [ju:ˈbaɪətɪ] *n* местонахождéние

ubiquitous [jʊˈbɪkwɪtəs] *a* вездесýщий; повсемéстный; встречáющийся повсю́ду

ubiquity [jʊˈbɪkwətɪ] *n* вездесýщность; повсемéстность

U-boat [ˈju:bəʊt] *n ист.* немéцкая подвóдная лóдка

udder [ˈʌdə] *n* вы́мя

udometer [jʊˈdɒmɪtə] *n* дождемéр

ufology [ˌju:ˈfɒlədʒɪ] *n* уфолóгия, изучéние неопóзнанных летáющих объéктов *и т. п.*

ugh [ʊh] *int* тьфу!; ах!

uglify [ˈʌglɪfaɪ] *v* урóдовать, обезобрáживать

ugliness [ˈʌglɪnəs] *n* урóдство; некрасúвая внéшность

ugly [ˈʌglɪ] *a* 1) урóдливый, безобрáзный; ~ as a scarecrow (*или* as sin) ≅ стрáшен как смéртный грех; the ~ duckling гáдкий утёнок 2) неприя́тный; протúвный, сквéрный; оттáлкивающий; an ~ task неприя́тная задáча; an ~ disposition дурнóй харáктер; ~ news плохúе вéсти 3) угрожáющий, опáсный; an ~ tongue злой язы́к; ~ symptoms опáсные симптóмы 4) вздóрный; склóчный, задúристый; an ~ customer *разг.* неприя́тный *или* опáсный человéк

uhlan [ˈu:lɑ:n] *n ист.* улáн

Uigur [ˈwi:gʊə] *n* 1) уйгýр(ка) 2) уйгýрский язы́к

ukase [jʊˈkeɪz] *n* укáз

Ukrainian [jʊˈkreɪnɪən] **1.** *a* украúнский

2. *n* 1) украúнец; украúнка; the ~s *pl собир.* украúнцы 2) украúнский язы́к

ukulele [ˌju:kəˈleɪlɪ] *n* гавáйская гитáра

ulcer [ˈʌlsə] *n* я́зва; *перен. тж.* зло

ulcerate [ˈʌlsəreɪt] *v* 1) изъязвля́ть(ся) 2) губúть, пóртить

ulcered, ulcerous [ˈʌlsəd, ˈʌlsərəs] *a* изъязвлённый, я́звенный

uliginose, uliginous [jʊˈlɪdʒɪnəʊs, -nəs] *a* 1) úлистый; болóтистый 2) болóтный, растýщий на болóте

ullage [ˈʌlɪdʒ] *n* 1) незапóлненная часть объёма (*бочки, резервуара и т. п.*) 2) утéчка, нехвáтка

ulna [ˈʌlnə] *n* (*pl* -nae) *анат.* локтевáя кость

ulnae [ˈʌlni:] *pl от* ulna

ulster [ˈʌlstə] *n* длúнное свобóдное мужскóе пальтó (*обыкн. с поясом*)

ulterior [ʌlˈtɪərɪə] *a* 1) скры́тый, невы́раженный; ~ motive (plan, object, *etc.*) скры́тый мотúв (план, цель *и т. п.*) 2) лежáщий по ту стóрону, располóженный дáльше 3) дальнéйший, послéдующий; ~ steps will be taken бýдут при́няты дальнéйшие мéры

ultima [ˈʌltɪmə] **1.** *n лингв.* исхóд слóва

2. *a* послéдний; ~ ratio послéдний дóвод, решúтельный аргумéнт

ultimate [ˈʌltɪmət] *a* 1) послéдний, конéчный; окончáтельный; ~ result окончáтельный результáт 2) сáмый отдалённый 3) первúчный, элементáрный; оснóвнóй; ~ particle *физ.* элементáрная частúца; ~ analysis *хим.* элементáрный анáлиз 4) максимáльный; предéльный; ~ load предéльная нагрýзка; ~ output максимáльная мóщность

ultimately [ˈʌltɪmətlɪ] *adv* в конéчном счёте, в концé концóв

ultimatum [ˌʌltɪˈmeɪtəm] *n* 1) ультимáтум 2) заключúтельное слóво (заявлéние, предложéние *и т. п.*)

ultimo [ˈʌltɪməʊ] *adv* прóшлого мéсяца; the 20th ult. 20-го числá истéкшего мéсяца

ultimogeniture [ˌʌltɪməʊˈdʒenətʃə] *n юр.* прáво млáдшего сы́на на наслéдование

ultra [ˈʌltrə] **1.** *a* крáйний (*об убеждениях, взглядах*)

2. *n* человéк крáйних взгля́дов; ýльтра

ultra- [ˈʌltrə-] *pref* сверх-, ультра-; крáйне; ultraconservative ультраконсервативный; ultrafashionable сверхмóдный

ultramarine [ˌʌltrəməˈri:n] *n* ультрамари́н

ultramodern [ˌʌltrəˈmɒdn] *a* сверхсовремéнный, ультрасовремéнный

ultramontane [ˌʌltrəˈmɒnteɪn] *a* являющийся сторóнником абсолю́тного авторитéта ри́мского пáпы

ultramundane [ˌʌltrəˈmʌndeɪn] *a* располóженный за предéлами сóлнечной систéмы

ultrashort [ˌʌltrəˈʃɔ:t] *a* ультракорóткий; ~ waves ультракорóткие вóлны

ultrasonic [ˌʌltrəˈsɒnɪk] *a* сверхзвуковóй

ultrasound [ˌʌltrəˈsaʊnd] *n* ультразвýк

ultraviolet [ˌʌltrəˈvaɪələt] *a* ультрафиолéтовый

ultra vires [ˌʌltrəˈvaɪəri:z] *лат. adv* вне компетéнции; за предéлами правомóчий, правоспосóбности

ululate [ˈju:ljʊleɪt] *v* выть, завывáть

umbel [ˈʌmbl] *n бот.* зóнтик

umbellate [ˈʌmbələt] *a бот.* зóнтичный

umbelliferous [ˌʌmbəˈlɪfərəs] = umbellate

umber [ˈʌmbə] **1.** *n* ýмбра (*краска*)

2. *a* тёмно-корúчневый

3. *v* крáсить ýмброй

umbilical [ʌmˈbɪlɪkl] *a* пупóчный; ~ cord пуповúна

umbilicus [ʌmˈbɪlɪkəs] *n* пупóк

umbra [ˈʌmbrə] *n астр.* пóлная тень

umbrage [ˈʌmbrɪdʒ] *n* 1) обúда; to take ~ обúдеться 2) *поэт.* тень, сень

umbrageous [ʌmˈbreɪdʒəs] *a* 1) обúдчивый, подозрúтельный 2) тенúстый

umbrella [ʌmˈbrelə] *n* 1) зóнтик 2) прикры́тие, ши́рма 3) *воен.* авиациóнное прикры́тие 4) *воен.* баррáж; заградúтельный огóнь 5) *attr.* зóнтичный; ~ antenna *радио* зóнтичная антéнна

umbrella stand [ʌmˈbreləstænd] *n* подстáвка для зонтóв

umbrella tree [ʌmˈbrelətri:] *n* магнóлия трёхлепестнáя

umiak [ˈu:mɪæk] *n* эскимóсская лóдка из шкур

umlaut [ˈʊmlaʊt] *n лингв.* умля́ут

umpire [ˈʌmpaɪə] **1.** *n* 1) посрéдник, третéйский судья́; суперарбúтр 2) *спорт.* судья́, рéфери́

2. *v* быть третéйским судьёй *и пр.* [*см.* 1]

umpteen [ˌʌmpˈti:n] *a* многочúсленный, бесчúсленный

umpteenth [ˌʌmpˈti:nθ] *a разг.*: for the ~ time в сóтый раз

un- [ʌn-] *pref* 1) *придаёт глаголу противоположное значение*: to undo уничтожáть сдéланное; to undeceive выводúть из заблуждéния 2) *глаголам, образованным от существительных, придаёт обыкновенно значение* лишáть, освобождáть от: to uncage выпускáть из клéтки; to unmask снимáть мáску 3) *придаёт прилагательным, причастиям и существительным с их производными, а тж. наречиям отриц. значение* не-, без-; happy счастлúвый, unhappy несчáстный; unhappily несчастлúво; unsuccess неудáча 4) *усиливает отриц. значение глагола, напр.*, to unloose

'un [ən] *разг. см.* one 4

unabashed [ˌʌnəˈbæʃt] *a* 1) нерастеря́вшийся, несмутúвшийся 2) бессóвестный 3) незапýганный

unabated [ˌʌnəˈbeɪtɪd] *a* неослáбленный (*о буре и т. п.*)

unabbreviated [ˌʌnəˈbri:vieɪtɪd] = unabridged

unabiding [ˌʌnəˈbaɪdɪŋ] *a* преходя́щий, непостоя́нный

unable [ʌnˈeɪbl] *a* 1) неспосо́бный (to — к *чему-л.*) 2) *predic.*: to be ~ не быть в состоя́нии; I shall be ~ to go there я не смогу́ пойти́ туда́

unabridged [ˌʌnəˈbrɪdʒd] *a* по́лный, несокращённый

unaccented [ˌʌnækˈsentɪd] *a* неуда́рный (*слог, звук*)

unacceptable [ˌʌnəkˈseptəbl] *a* неприе́млемый

unaccommodating [ˌʌnəˈkɒmədeɪtɪŋ] *a* неусту́пчивый, несгово́рчивый, непода́тливый

unaccompanied [ˌʌnəˈkʌmpənɪd] *a* 1) не сопровожда́емый (by, with) 2) без аккомпанеме́нта

unaccomplished [ˌʌnəˈkɒmplɪʃt] *a* 1) незако́нченный, незавершённый 2) неиску́сный, неуме́лый 3) лишённый вне́шнего ло́ска

unaccountable [ˌʌnəˈkaʊntəbl] *a* необъясни́мый; стра́нный

unaccredited [ˌʌnəˈkredɪtɪd] *a* неаккредито́ванный, неуполномо́ченный

unaccustomed [ˌʌnəˈkʌstəmd] *a* 1) не привы́кший (to — к *чему-л.*) 2) непривы́чный, необы́чный

unachievable [ˌʌnəˈtʃiːvəbl] *a* недосяга́емый, недостижи́мый

unachieved [ˌʌnəˈtʃiːvd] *a* недости́гнутый; незавершённый

unacknowledged [ˌʌnəkˈnɒlɪdʒd] *a* 1) непри́знанный 2) оста́вшийся без отве́та (*о поклоне, письме*)

unacquainted [ˌʌnəˈkweɪntɪd] *a* не знако́мый (*с кем-л., чем-л.*), не зна́ющий (*чего-л.*)

unactable [ʌnˈæktəbl] *a* несцени́чный (*о пьесе и т. п.*)

unacted [ʌnˈæktɪd] *a* 1) невы́полненный, несде́ланный 2) не ста́вившийся на сце́не (*о пьесе и т. п.*)

unadaptable [ˌʌnəˈdæptəbl] *a* непримени́мый, не могу́щий быть приспосо́бленным, неприспоса́бливаемый

unadmitted [ˌʌnədˈmɪtɪd] *a* непри́знанный

unadopted [ˌʌnəˈdɒptɪd] *a* 1) неусыновлённый 2) не находя́щийся в ве́дении ме́стных власте́й (*о дорогах*)

unadulterated [ˌʌnəˈdʌltəreɪtɪd] *a* 1) настоя́щий, нефальсифици́рованный 2) чи́стый, чисте́йший; ~ nonsense чисте́йший вздор

unadvised [ˌʌnədˈvaɪzd] *a* 1) поспе́шный, неразу́мный; неосмотри́тельный 2) не получи́вший сове́та

unadvisedly [ˌʌnədˈvaɪzɪdlɪ] *adv* безрассу́дно; необду́манно

unaffable [ʌnˈæfəbl] *a* неприве́тливый; нелюбе́зный

unaffected [ˌʌnəˈfektɪd] *a* 1) не затро́нутый (by — *чем-л.*) 2) не тро́нутый (by — *чем-л.*); оста́вшийся безуча́стным (by — к) 3) непodде́льный, лишённый аффекта́ции, непосре́дственный, и́скренний

unaided [ʌnˈeɪdɪd] *a* лишённый по́мощи; без (посторо́нней) по́мощи

unalive [ˌʌnəˈlaɪv] *a* 1) неживо́й, безжи́зненный 2) не сознаю́щий (to — *чего-л.*)

unallowable [ˌʌnəˈlaʊəbl] *a* недопусти́мый; непозволи́тельный

unallowed [ˌʌnəˈlaʊd] *a* неразрешённый, запрещённый

unalloyed [ˌʌnəˈlɔɪd] *a* беспри́месный, чи́стый; ~ happiness ниче́м не омрачённое сча́стье

unalterable [ʌnˈɔːltərəbl] *a* неизме́нный, не допуска́ющий переме́н; усто́йчивый

unaltered [ʌnˈɔːltəd] *a* неизменённый; неизме́нный

unambiguous [ˌʌnæmˈbɪgjʊəs] *a* недвусмы́сленный

unamenable [ˌʌnəˈmiːnəbl] *a* 1) непода́тливый 2) непослу́шный

un-American [ˌʌnəˈmerɪkən] *a* 1) чу́ждый америка́нским обы́чаям *или* поня́тиям 2) *амер.* антиамерика́нский; U. Activities Committee коми́ссия по рассле́дованию антиамерика́нской де́ятельности

unanalysable [ʌnˈænəlaɪzəbl] *a* не поддаю́щийся ана́лизу

unanimity [ˌjuːnəˈnɪmətɪ] *n* единоду́шие

unanimous [jʊˈnænɪməs] *a* единоду́шный, единогла́сный

unannounced [ˌʌnəˈnaʊnst] *a* (яви́вшийся) без объявле́ния, без докла́да; he walked into the room ~ он вошёл в ко́мнату без докла́да

unanswerable [ʌnˈɑːnsərəbl] *a* 1) неопровержи́мый 2) тако́й, на кото́рый невозмо́жно отве́тить (*о вопросе и т. п.*)

unanswered [ʌnˈɑːnsəd] *a* оста́вшийся без отве́та (*о письмах, просьбах*); ~ love любо́вь без взаи́мности

unappealable [ˌʌnəˈpiːləbl] *a юр.* не подлежа́щий апелля́ции; оконча́тельный

unappeasable [ˌʌnəˈpiːzəbl] *a* 1) непримири́мый 2) неутоми́мый, неукроти́мый

unappetizing [ʌnˈæpɪtaɪzɪŋ] *a* невку́сный, неаппети́тный; ~ kitchen неую́тная ку́хня

unappreciated [ˌʌnəˈpriːʃɪeɪtɪd] *a* непоня́тый, недооценённый

unapprehensive [ʌnˌæprɪˈhensɪv] *a* 1) непоня́тливый, несообрази́тельный 2) бесстра́шный

unapproachable [ˌʌnəˈprəʊtʃəbl] *a* 1) недосту́пный, недостижи́мый 2) непристу́пный 3) несравни́мый, бесподо́бный, не име́ющий ра́вных

unappropriated [ˌʌnəˈprəʊprɪeɪtɪd] *a* не предназна́ченный (*для какой-л. цели*); свобо́дный; ~ balance нераспределённая при́быль (*в балансах акционерных обществ*) ◇ ~ blessing *шутл.* ста́рая де́ва

unapproving [ˌʌnəˈpruːvɪŋ] *a* неодобри́тельный; осужда́ющий

unapprovingly [ˌʌnəˈpruːvɪŋlɪ] *adv* неодобри́тельно

unapt [ʌnˈæpt] *a* 1) неподходя́щий; an ~ quotation неподходя́щая цита́та 2) неспосо́бный, неуме́лый; ~ to learn не спосо́бный к уче́нию; ~ at games нело́вкий в и́грах 3) несклóнный

unarm [ˌʌnˈɑːm] *v* разоружа́ть(ся)

unarmed [ˌʌnˈɑːmd] **1.** *p. p. от* unarm **2.** *a* 1) безору́жный; невооружённый 2) *бот., зоол.* неколю́чий

unartful [ʌnˈɑːtfl] *a* 1) безыску́сственный 2) неиску́сный

unashamed [ˌʌnəˈʃeɪmd] *a* бессо́вестный, на́глый

unasked [ˌʌnˈɑːskt] *a* 1) доброво́льный, непро́шенный 2) неприглашённый

unaspiring [ˌʌnəsˈpaɪərɪŋ] *a* нечестолюби́вый, не претенду́ющий на что-л.

unassailable [ˌʌnəˈseɪləbl] *a* 1) непристу́пный; an ~ fortress непристу́пная кре́пость 2) неопровержи́мый

unassertive [ˌʌnəˈsɜːtɪv] *a* скро́мный, засте́нчивый

unassisted [ˌʌnəˈsɪstɪd] *a* без по́мощи; he did it ~ он сде́лал э́то сам

unassuming [ˌʌnəˈsjuːmɪŋ] *a* скро́мный, непритяза́тельный

unassured [ˌʌnəˈʃɔːd] *a* 1) неуве́ренный 2) сомни́тельный; ненадёжный 3) незастрахо́ванный

unatonable [ˌʌnəˈtəʊnəbl] *a* 1) не могу́щий быть загла́женным (*о вине*) 2) невозмести́мый

unattached [ˌʌnəˈtætʃt] *a* 1) непривя́занный; неприкреплённый 2) незаму́жняя; нежена́тый 3) не прикреплённый к определённому ко́лле́джу (*о студенте*) 4) *воен.* непри́данный, не прикреплённый к определённому полку́ 5) не аресто́ванный (*за долги*)

unattainable [ˌʌnəˈteɪnəbl] *a* недостижи́мый, недосяга́емый

unattended [ˌʌnəˈtendɪd] *a* 1) несопровожда́емый (*слугами, свитой и т. п.*) 2) оста́вленный без ухо́да; ~ wound неперевя́занная ра́на 3) непосеща́емый

unattending [ˌʌnəˈtendɪŋ] *a* невнима́тельный

unattractive [ˌʌnəˈtræktɪv] *a* непривлека́тельный

unauthorized [ʌnˈɔːθəraɪzd] *a* 1) неразрешённый 2) неправомо́чный

unavailable [ˌʌnəˈveɪləbl] *a* 1) не име́ющийся в нали́чии 2) недействи́тельный

unavailing [ˌʌnəˈveɪlɪŋ] *a* бесполе́зный, тще́тный, беспло́дный

unavenged [ˌʌnəˈvendʒd] *a* неотомщённый

unavoidable [ˌʌnəˈvɔɪdəbl] *a* неизбе́жный, немину́емый

unaware [ˌʌnəˈweə] *a predic.* 1) не зна́ющий, не подозрева́ющий (of — *чего-л.*); I was ~ of it я ничего́ не знал об э́том 2) невосприи́мчивый

unawares [ˌʌnəˈweəz] *adv* 1) неожи́данно, враспло́х (*тж.* at ~); to catch (*или* to take) ~ засти́гнуть враспло́х 2) непредумы́шленно, нечая́нно

unbacked [ʌnˈbækt] *a* 1) не име́ющий сторо́нников, подде́ржки 2) тако́й, на кото́рого не де́лают ста́вок (*напр., о лошади*) 3) не име́ющий спи́нки (*о стуле и т. п.*) 4) необъе́зженный (*о лошади*)

unbaked [ʌnˈbeɪkt] *a* невы́печенный

unbalance [ˌʌnˈbæləns] *v* лиши́ть душе́вного равнове́сия; вы́вести из равнове́сия

unbalanced [ˌʌnˈbælənst] **1.** *p. p. от* unbalance

2. *a* неуравнове́шенный; неусто́йчивый (*о психике*)

unballast [ˌʌnˈbæləst] *v мор.* выгружа́ть балла́ст

unballasted [ˌʌnˈbæləstɪd] **1.** *p. p. от* unballast

2. *a* 1) *мор.* не име́ющий балла́ста 2) *ж.-д.* незабалласти́рованный (*о пути*) 3) неусто́йчивый

unbar [ˌʌnˈbɑ:] *v* отодви́нуть засо́в; откры́ть (*дверь, путь и т. п.*)

unbare [ʌnˈbeə] *v* оголя́ть, обнажа́ть

unbearable [ʌnˈbeərəbl] *a* невыноси́мый

unbearded [ʌnˈbɪədɪd] *a* 1) безборо́дый 2) *бот.* лишённый у́сиков, осте́й

unbeaten [ʌnˈbi:tn] *a* 1) неби́тый 2) не испыта́вший пораже́ния; непревзойдённый 3) непроторённый; ~ track непроторённый путь; неизве́данная о́бласть (*знаний и т. п.*) 4) нетолчёный

unbecoming [ˌʌnbɪˈkʌmɪŋ] *a* 1) не иду́щий к лицу́ 2) неприли́чествующий; неподходя́щий 3) неприли́чный; ~ conduct неприли́чное поведе́ние

unbefitting [ˌʌnbɪˈfɪtɪŋ] *a* неподходя́щий

unbegun [ˌʌnbɪˈgʌn] *a* 1) (ещё) не на́чатый 2) не име́ющий нача́ла, существу́ющий ве́чно, изве́чный

unbeknown, unbeknownst [ˌʌnbɪˈnəʊn, -st] *a predic. разг.* неве́домый; he did it unbeknownst to me он сде́лал э́то без моего́ ве́дома

unbelief [ˌʌnbɪˈli:f] *n* неве́рие

unbelievable [ˌʌnbɪˈli:vəbl] *a* невероя́тный

unbeliever [ˌʌnbɪˈli:və] *n* 1) неве́рующий 2) скéптик

unbelt [ʌnˈbelt] *v* снима́ть *или* расстёгивать по́яс

unbend [ˌʌnˈbend] *v* (unbent) 1) выпрямля́ть(ся); разгиба́ть(ся) 2) ослабля́ть напряже́ние; дава́ть о́тдых; to ~ one's mind дать о́тдых голове́ 3) *refl.* стать просты́м, приве́тливым, отбро́сить чо́порность 4) *мор.* отдава́ть (*снасть*) 5) *тех.* рихтова́ть, пра́вить

unbending [ˌʌnˈbendɪŋ] **1.** *pres. p. от* unbend

2. *a* 1) негну́щийся 2) непрекло́нный 3) просто́й, нечо́порный, нецеремо́нный

unbeneficed [ʌnˈbenɪfɪst] *a церк.* не име́ющий бенефи́ция, прихо́да

unbent [ˌʌnˈbent] *past и p. p. от* unbend

unbeseeming [ˌʌnbɪˈsi:mɪŋ] *a* неприли́чествующий, неподоба́ющий, неподходя́щий

unbetterable [ˌʌnˈbetərəbl] *a* 1) не могу́щий быть превзойдённым 2) непоправи́мый

unbias(s)ed [ʌnˈbaɪəst] *a* беспристра́стный

unbidden [ʌnˈbɪdn] *a* непро́шеный, незва́ный

unbind [ˌʌnˈbaɪnd] *v* (unbound) 1) развя́зывать; распуска́ть; to ~ hair распуска́ть во́лосы 2) освобожда́ть; to ~ a prisoner освобожда́ть заключённого 3) снима́ть повя́зку (*с раны и т. п.*)

unblamable [ʌnˈbleɪməbl] *a* безупре́чный

unbleached [ʌnˈbli:tʃt] *a* небелёный, неотбелённый

unblemished [ʌnˈblemɪʃt] *a* незапя́тнанный, безупре́чный

unblended [ʌnˈblendɪd] *a* чи́стый, несме́шанный

unblessed [ʌnˈblest] *a* 1) лишённый благослове́ния 2) несча́стный, злополу́чный

unblock [ˌʌnˈblɒk] *v* откры́ть; устрани́ть препя́тствие

unblooded [ʌnˈblʌdɪd] *a* нечистокро́вный; an ~ horse нечистокро́вная ло́шадь

unbloody [ʌnˈblʌdɪ] *a* 1) не запя́тнанный кро́вью 2) бескро́вный 3) некровожа́дный

unblown I [ʌnˈbləʊn] *a* 1) ещё не прозвуча́вший 2) незапыха́вшийся

unblown II [ʌnˈbləʊn] *a* нераспусти́вшийся, нерасцве́тший

unblushing [ʌnˈblʌʃɪŋ] *a* бессты́дный, на́глый

unbodied [ʌnˈbɒdɪd] *a* бесплóтный, бестеле́сный

unboiled [ʌnˈbɔɪld] *a* некипячёный; не вскипе́вший

unbolt [ˌʌnˈbəʊlt] *v* снима́ть засо́в, отпира́ть

unbone [ˌʌnˈbəʊn] *v* вынима́ть ко́сти (*из мяса и т. п.*)

unbooked [ʌnˈbʊkt] *a* 1) незарегистри́рованный, не занесённый в кни́гу 2) не зака́занный зара́нее 3) малообразо́ванный; негра́мотный

unbookish [ʌnˈbʊkɪʃ] *a* 1) не увлека́ющийся чте́нием; неначи́танный 2) почéрпнутый не из книг

unborn [ˌʌnˈbɔ:n] *a* (ещё) не рождённый

unbosom [ˌʌnˈbʊzəm] *v* поверя́ть (*тайну*), излива́ть (*чувства*); to ~ oneself открыва́ть ду́шу

unbound [ˌʌnˈbaʊnd] **1.** *past и p. p. от* unbind

2. *a* 1) свобо́дный, не свя́занный обяза́тельствами 2) непереплетённый (*о книге*)

unbounded [ʌnˈbaʊndɪd] *a* неограни́ченный; безграни́чный, беспреде́льный

unbowed [ˌʌnˈbaʊd] *a* непокорённый

unbrace [ˌʌnˈbreɪs] *v* ослабля́ть, расслабля́ть

unbred [ʌnˈbred] *a* пло́хо воспи́танный

unbridle [ʌnˈbraɪdl] *v* 1) распряга́ть 2) распуска́ть

unbridled [ʌnˈbraɪdld] **1.** *p. p. от* unbridle

2. *a* разну́зданный; необу́зданный; распу́щенный

unbroken [ʌnˈbrəʊkən] *a* 1) неразби́тый, це́лый 2) необъе́зженный (*о лошади*) 3) непреры́вный (*о сне и т. п.*) 4): ~ record непоби́тый реко́рд 5) непокорённый; ~ spirit несло́мленный дух 6) сде́ржанный (*об обещании и т. п.*)

unbuckle [ˌʌnˈbʌkl] *v* расстёгивать пря́жку, застёжку

unbuild [ˌʌnˈbɪld] *v* (unbuilt) 1) разруша́ть, сноси́ть 2) *эл.* размагни́чивать

unbuilt [ˌʌnˈbɪlt] *past и p. p. от* unbuild

unburden [ˌʌnˈbɜ:dn] *v* 1) облегча́ть бре́мя, но́шу 2) сбро́сить тя́жесть; to ~ one's mind вы́сказать то, что накопи́лось; to ~ oneself отвести́ ду́шу

unbusinesslike [ʌnˈbɪznɪslaɪk] *a* неделово́й, непракти́чный

unbutton [ˌʌnˈbʌtn] *v* 1) расстёгивать 2) *разг.* чу́вствовать себя́ непринуждённо, свобо́дно

unbuttoned [ˌʌnˈbʌtnd] *a* 1) расстёгнутый 2) непринуждённый

uncage [ˌʌnˈkeɪdʒ] *v* выпуска́ть из клéтки

uncalled-for [ʌnˈkɔ:ldfɔ:] *a* непро́шеный; неуме́стный; ниче́м не вы́званный; ~ remark неуме́стное замеча́ние

uncanny [ʌnˈkænɪ] *a* жу́ткий, сверхъесте́ственный

uncap [ˌʌnˈkæp] *v* 1) снима́ть кры́шку, открыва́ть, отку́поривать 2) *воен.* вынима́ть ка́псюль 3) снима́ть шля́пу

uncared-for [ʌnˈkeədfɔ:] *a* забро́шенные; ~ appearance запу́щенный вид; ~ children забро́шенные де́ти

uncart [ˌʌnˈkɑ:t] *v* разгружа́ть теле́жку

uncase [ˌʌnˈkeɪs] *v* 1) вынима́ть из я́щика, футля́ра, но́жен 2) распако́вывать

uncaused [ˌʌnˈkɔ:zd] *a* 1) беспричи́нный 2) изве́чный

unceasing [ʌnˈsi:sɪŋ] *a* непрекраща́ющийся, непреры́вный, безостано́вочный

uncelebrated [ʌnˈselɪbreɪtɪd] *a* 1) не по́льзующийся изве́стностью 2) неотмеча́емый, непра́зднуемый

unceremonious [ˌʌnserɪˈməʊnɪəs] *a* 1) просто́й; неофициа́льный 2) бесцеремо́нный

uncertain [ʌnˈsɜ:tn] *a* 1) то́чно не изве́стный; сомни́тельный; the result is ~ результа́т нея́сен 2) неопределённый; in no ~ terms в недвусмы́сленных выраже́ниях; a lady of ~ age да́ма неопределённого во́зраста 3) изме́нчивый, ненадёжный 4) неуве́ренный; колеблю́щийся, находя́щийся в нереши́тельности; сомнева́ющийся

uncertainty [ʌnˈsɜ:tntɪ] *n* 1) неуве́ренность, нереши́тельность; сомне́ния; to be in a state of ~ сомнева́ться, колеба́ться 2) неизве́стность, неопределённость 3) изме́нчивость

unchain [ˌʌnˈtʃeɪn] *v* 1) спуска́ть с це́пи 2) раско́вывать, освобожда́ть

unchallengeable [ʌnˈtʃælɪndʒəbl] *a* неоспори́мый

unchancy [ʌnˈtʃɑ:nsɪ] *a преим. шотл.*

1) неуда́чный, случи́вшийся некста́ти 2) небезопа́сный

unchanged [ʌn'tʃeɪndʒd] *a* неизмени́вшийся, оста́вшийся пре́жним

uncharitable [ʌn'tʃærɪtəbl] *a* жесто́кий, немилосе́рдный; зло́стный

uncharted [ˌʌn'tʃɑ:tɪd] *a* не отме́ченный на ка́рте

unchecked [ˌʌn'tʃekt] *a* 1) беспрепя́тственный 2) необу́зданный 3) непрове́ренный

unchristian [ʌn'krɪstjən] *a* 1) недо́брый 2) *разг.* неудо́бный; to call on smb. at an ~ hour прийти́ к кому́-л. в неподходя́щее вре́мя

unchurch [ʌn'tʃɜ:tʃ] *v* отлуча́ть от це́ркви

uncial ['ʌnsɪəl] **1.** *a* унциа́льный

2. *n* 1) унциа́льный шрифт 2) ру́копись, напи́санная унциа́льным шри́фтом

uncivil [ʌn'sɪvl] *a* 1) неве́жливый, гру́бый 2) непатриоти́чески настро́енный

uncivilized [ʌn'sɪvəlaɪzd] *a* нецивилизо́ванный, ва́рварский

unclad [ˌʌn'klæd] *a* го́лый

unclasp [ˌʌn'klɑ:sp] *v* 1) отстёгивать застёжку 2) разжима́ть (*объятия*); выпуска́ть (*из рук, из объятий*)

uncle ['ʌŋkl] *n* 1) дя́дя 2) пожило́й челове́к; «дя́дюшка» (*особ. в обращении*) 3) *sl.* *уст.* ростовщи́к; my ~'s ла́вка ростовщика́ ◇ U. Sam «дя́дя Сэм», США

unclean [ˌʌn'kli:n] *a* 1) неопря́тный; нечи́стый 2) отврати́тельный, гря́зный; амора́льный 3) *рел.* нечи́стый (*о пище*)

uncleared [ˌʌn'klɪəd] *a* 1) неу́бранный; нерасчи́щенный 2) неопра́вданный

unclench [ˌʌn'klentʃ] *v* разжа́ть (*кулак и т. п.*)

uncloak [ˌʌn'kləʊk] *v* 1) срыва́ть ма́ску, разоблача́ть 2) снима́ть плащ

unclose [ˌʌn'kləʊz] *v* открыва́ть(ся)

unclosed [ˌʌn'kləʊzd] **1.** *p. p. от* unclose

2. *a* 1) откры́тый 2) незако́нченный; ~ argument спор, оста́вшийся незако́нченным

unclothe [ˌʌn'kləʊð] *v* 1) раздева́ть 2) раскрыва́ть, обнажа́ть

unclouded [ʌn'klaʊdɪd] *a* безо́блачный; ~ happiness безо́блачное сча́стье

unco ['ʌŋkəʊ] *шотл.* **1.** *a* стра́нный

2. *adv* необыкнове́нно; о́чень

3. *n* (*pl* -os [-əʊz]) 1) незнако́мец 2) *pl* но́вости

uncock [ˌʌn'kɒk] *v* спуска́ть с боево́го взво́да без вы́стрела

uncoil [ˌʌn'kɔɪl] *v* разма́тывать(ся); раскру́чивать(ся)

uncoined [ˌʌn'kɔɪnd] *a* 1) нечека́нный 2) по́длинный, непритво́рный

uncome-at-able [ˌʌnkʌm'ætəbl] *a* *разг.* непристу́пный

uncomely [ʌn'kʌmlɪ] *a* 1) непристо́йный 2) некраси́вый, непривлека́тельный

uncomfortable [ʌn'kʌmftəbl] *a* 1) неудо́бный; ~ chair неудо́бный стул; ~ position неудо́бное положе́ние 2) испы́тывающий неудо́бство, стеснённый; he felt ~ он (по)чу́вствовал себя́ нело́вко

uncommercial [ˌʌnkə'mɜ:ʃl] *a* некомме́рческий

uncommitted [ˌʌnkə'mɪtɪd] *a* 1) не свя́завший себя́ (*чем-л.*); не приня́вший на себя́ обяза́тельства; an ~ nation неприсоедини́вшееся госуда́рство 2) не пе́реданный в коми́ссию (*парламента*) 3) не совершённый (*об ошибке, преступлении и т. п.*) 4) не находя́щийся в заключе́нии

uncommon [ʌn'kɒmən] **1.** *a* 1) ре́дкий, ре́дко встреча́ющийся *или* случа́ющийся 2) необыкнове́нный, замеча́тельный, недю́жинный

2. *adv разг. см.* uncommonly

uncommonly [ʌn'kɒmənlɪ] *adv* замеча́тельно, удиви́тельно

uncommunicative [ˌʌnkə'mju:nɪkətɪv] *a* необщи́тельный, молчали́вый

uncompanionable [ˌʌnkəm'pænjənəbl] *a* необщи́тельный

uncomplaining [ˌʌnkəm'pleɪnɪŋ] *a* безро́потный

uncompliant [ˌʌnkəm'plaɪənt] *a* непода́тливый, несгово́рчивый

uncomplying [ˌʌnkəm'plaɪɪŋ] *a* не поддаю́щийся (*на что-л.*), не склоня́ющийся (*к чему-л.*)

uncompromising [ʌn'kɒmprəmaɪzɪŋ] *a* 1) не иду́щий на компроми́ссы 2) непрекло́нный, сто́йкий

unconcealed [ˌʌnkən'si:ld] *a* нескрыва́емый, я́вный

unconcern [ˌʌnkən'sɜ:n] *n* 1) беззабо́тность 2) равноду́шие; безразли́чие

unconcerned [ˌʌnkən'sɜ:nd] *a* 1) беспе́чный, беззабо́тный (about — в отноше́нии *чего-л.*) 2) равноду́шный, незаинтересо́ванный; не интересу́ющийся (with — *чем-л.*) 3) не заме́шанный (in — в *чём-л.*)

unconditional [ˌʌnkən'dɪʃnəl] *a* не ограни́ченный усло́виями, безогово́рочный, безусло́вный; ~ surrender безогово́рочная капитуля́ция

unconditioned [ˌʌnkən'dɪʃnd] *a* 1) неограни́ченный, неоговорённый, необусло́вленный 2) абсолю́тный; безусло́вный; ~ reflex безусло́вный рефле́кс

unconforming [ˌʌnkən'fɔ:mɪŋ] *a* не соотве́тствующий (тре́бованиям); вызыва́ющий возраже́ния

unconformity [ˌʌnkən'fɔ:mətɪ] *n* 1) несоотве́тствие 2) *геол.* несогла́сное напластова́ние

uncongenial [ˌʌnkən'dʒi:nɪəl] *a* 1) чу́ждый по ду́ху, неконгениа́льный 2) неподходя́щий; неблагоприя́тный

unconnected [ˌʌnkə'nektɪd] *a* 1) не свя́занный (*с чем-л.*) 2) неро́дственный, не име́ющий свя́зей 3) бессвя́зный

unconquerable [ʌn'kɒŋkərəbl] *a* непобеди́мый

unconscionable [ʌn'kɒnʃnəbl] *a* 1) бессо́вестный; ~ bargain *юр.* незако́нная сде́лка 2) неуме́ренный, чрезме́рный

unconscious [ʌn'kɒnʃəs] **1.** *a* 1) не сознающий (of — *чего-л.*); to be ~ of а) не сознава́ть; б) не ви́деть, не замеча́ть 2) бессозна́тельный; she is ~ она́ без созна́ния, в о́бмороке 3) нево́льный; нечая́нный

2. *n* (the ~) подсозна́тельное (*в психоанализе*)

unconstitutional [ˌʌnkɒnstɪ'tju:ʃnəl] *a* противоре́чащий конститу́ции, неконституцио́нный

unconstrained [ˌʌnkən'streɪnd] *a* 1) непринуждённый, есте́ственный 2) де́йствующий не по принужде́нию; доброво́льный

uncontemplated [ʌn'kɒntəmpleɪtɪd] *a* неожи́данный; непредви́денный

uncontented [ˌʌnkən'tentɪd] *a* недово́льный, неудовлетворённый

uncontrollable [ˌʌnkən'trəʊləbl] *a* 1) неудержи́мый; не поддаю́щийся контро́лю 2) не поддаю́щийся регулиро́вке

unconventional [ˌʌnkən'venʃnəl] *a* чу́ждый усло́вности; нешабло́нный ◇ ~ weapons осо́бые ви́ды вооруже́ния (*ядерное, химическое и бактериологическое оружие*), сре́дства ма́ссового пораже́ния

unconversable [ˌʌnkən'vɜ:səbl] *a* неразгово́рчивый; необщи́тельный

unconverted [ˌʌnkən'vɜ:tɪd] *a* 1) неизменённый; оста́вшийся пре́жним 2) *рел.* необращённый

unconvincing [ˌʌnkən'vɪnsɪŋ] *a* неубеди́тельный

uncooked [ʌn'kʊkt] *a* сыро́й, непригото́вленный (*о пище*)

uncord [ˌʌn'kɔ:d] *v* развя́зывать, отвя́зывать

uncork [ˌʌn'kɔ:k] *v* 1) отку́поривать 2) дава́ть вы́ход, во́лю (*чувствам*)

uncorruptible [ˌʌnkə'rʌptəbl] *a* неподку́пный

uncostly [ˌʌn'kɒstlɪ] *a* дешёвый

uncountable [ʌn'kaʊntəbl] *a* бесчи́сленный, неисчисли́мый

uncounted [ʌn'kaʊntɪd] *a* несчётный, бесчи́сленный

uncouple [ˌʌn'kʌpl] *v* 1) расцепля́ть; разъединя́ть 2) спуска́ть (*собак*) со сво́ры

uncouth [ʌn'ku:θ] *a* 1) неуклю́жий 2) грубова́тый, неотёсанный 3) забро́шенный, ди́кий (*о месте*)

uncover [ʌn'kʌvə] *v* 1) снима́ть (*крышку, покров и т. п.*) 2) открыва́ть (*лицо и т. п.*) 3) обнару́живать; раскрыва́ть; the police have ~ed a plot поли́ция раскры́ла за́говор 4) *уст.* обнажа́ть го́лову 5) *воен.* оставля́ть без прикры́тия

uncovered [ʌn'kʌvəd] **1.** *p. p. от* uncover

2. *a* 1) неприкры́тый, откры́тый 2) с непокры́той голово́й; to stand ~ стоя́ть с непокры́той голово́й 3) *фин.* необеспе́ченный; ~ paper money необеспе́ченные бума́жные де́ньги 4) *горн.* вскры́тый (*о полезном ископаемом*)

uncreated [ˌʌnkrɪ'eɪtɪd] *a* 1) существу́ющий изве́чно 2) (ещё) не со́зданный

uncrippled [ʌn'krɪpld] *a* неповреждённый

uncritical [ʌn'krɪtɪkl] *a* 1) принима́ющий слéпо, без кри́тики 2) некрити́чный; an ~ estimate некрити́чная оце́нка

uncrossed [ʌn'krɒst] *a* 1) неперечёркнутый; an ~ cheque *фин.* некросси́рованный чек 2) беспрепя́тственный

uncrown [ˌʌn'kraʊn] *v* сверга́ть с престо́ла; *перен.* развéнчивать

uncrowned [ˌʌn'kraʊnd] **1.** *p. p. от* uncrown

2. *a* 1) некоронóванный 2) незакóнченный, незавершённый

unction ['ʌŋkʃn] *n* 1) пома́зание (*обря́д*) 2) елéйность 3) втира́ние ма́зи 4) мазь 5) пыл, рвéние 6) на́божность

unctuous ['ʌŋktʃʊəs] *a* 1) елéйный 2) масляни́стый 3) жи́рный и ли́пкий (*о почве*)

uncultivated [ˌʌn'kʌltɪveɪtɪd] *a* 1) невозде́ланный (*о земле*) 2) нера́звитый (*о способностях и т. п.*) 3) гру́бый, неотёсанный; некульту́рный

uncultured [ˌʌn'kʌltʃəd] *a* некульту́рный, невоспи́танный

uncurb [ˌʌn'kɜ:b] *v* 1) разну́здывать 2) дава́ть вóлю (*чувствам и т. п.*)

uncurl [ˌʌn'kɜ:l] *v* развива́ть(ся) (*о локонах*)

uncurtained [ˌʌn'kɜ:tnd] *a* незанавéшенный; с раздви́нутыми, пóднятыми занавéсками

uncustomary [ʌn'kʌstəmərɪ] *a* непривы́чный

uncustomed [ʌn'kʌstəmd] *a* не опла́ченный тамóженной пóшлиной

uncut [ˌʌn'kʌt] *a* 1) неразрéзанный 2) с необрéзанными поля́ми (*о книге*) 3) пóлный, несокращённый (*о тексте и т. п.*)

undamped [ˌʌn'dæmpt] *a радио* недемпфи́рованный

undated [ʌn'deɪtɪd] *a* недати́рованный

undaunted [ʌn'dɔ:ntɪd] *a* неустраши́мый, бесстра́шный

undeceive [ˌʌndɪ'si:v] *v* выводи́ть из заблуждéния, открыва́ть глаза́ (*на что-л.*)

undecided [ˌʌndɪ'saɪdɪd] *a* 1) нерешённый 2) нереши́тельный 3) не реши́вшийся, не приня́вший решéния; I am ~ whether to go or stay я не зна́ю, идти́ мне и́ли остава́ться

undecipherable [ˌʌndɪ'saɪfərəbl] *a* не поддаю́щийся расшифрóвке; неразбóрчивый

undecisive [ˌʌndɪ'saɪsɪv] *v* нереша́ющий, неоконча́тельный

undecked [ˌʌn'dekt] *a* 1) неукра́шенный, без украшéний 2) беспа́лубный

undeclared [ˌʌndɪ'kleəd] *a* 1) необъя́вленный, непровозглашённый 2) непредъя́вленный на тамóжне (*о вещах, подлежащих таможенному сбору*)

undeclinable [ˌʌndɪ'klaɪnəbl] *a* 1) не могу́щий быть отвéргнутым 2) *грам.* несклоня́емый

undefended [ˌʌndɪ'fendɪd] *a* 1) незащищённый 2) не подкреплённый доказа́тельствами, неаргументи́рованный 3) *юр.* без защи́ты, без защи́тника (*об обвиняемом*)

undelivered [ˌʌndɪ'lɪvəd] *a* 1) недоста́вленный 2) непроизнесённый; an ~ speech непроизнесённая речь 3) *мед.* не разреши́вшаяся от берéменности

undemocratic [ʌnˌdemə'krætɪk] *a* антидемократи́ческий, недемократи́ческий

undemonstrative [ˌʌndɪ'mɒnstrətɪv] *a* сдéржанный

undeniable [ˌʌndɪ'naɪəbl] *a* неоспори́мый; несомнéнный; я́вный; ~ truth неопровержи́мая и́стина

undenominational [ˌʌndɪnɒmɪ'neɪʃnəl] *a* не относя́щийся к какóму-л. вероисповéданию

under ['ʌndə] **1.** *prep* 1) *указывает на положение одного предмета ниже другого или на направление действия вниз* под, ни́же; ~ the table под столóм; ~ one's feet под нога́ми; put the suitcase ~ the table постáвьте чемода́н под стол 2) *указывает на нахождение под бременем, тяжестью чего-л.* под; ~ the load под тя́жестью; he broke down ~ the burden of sorrow гóре сломи́ло егó 3) *указывает на пребывание под властью, контролем, командованием* под; to work ~ a professor рабóтать под руковóдством профéссора; England ~ the Stuarts А́нглия в эпóху Стюа́ртов; an office ~ Government госуда́рственная слу́жба 4) *указывает на нахождение в движении, процессе, осуществлении, определённом состоянии и т. п.*: the question is ~ consideration вопрóс обсужда́ется; the road is ~ repair дорóга ремонти́руется; ~ arrest под арéстом 5) *указывает на условия, обстоятельства, при которых совершается действие* при, под, на; ~ fire под огнём; ~ arms вооружённый; ~ heavy penalty под стра́хом сурóвого наказа́ния; ~ the necessity of smth. под давлéнием каки́х-л. обстоя́тельств; ~ cover под прикры́тием; ~ an assumed name под вы́мышленным и́менем; ~ a mask под ма́ской; ~ the protection of smth. под защи́той чегó-л. 6) *указывает на соответствие, согласованность* по; ~ the present agreement по настоя́щему соглашéнию; ~ the new law по нóвому закóну; ~ right in international law в соответ́ствии с междунарóдным пра́вом; to operate (*или* to act) ~ a principle дéйствовать по при́нципу 7) *указывает на включение в графу, параграф, пункт и т. п.* под, к; the subject falls ~ the head of grammar э́та тéма отнóсится к грамма́тике; this rule goes ~ point five э́то пра́вило отнóсится к пу́нкту пя́тому 8) *указывает на меньшую степень, более низкую цену, на меньший возраст и т. п.* ни́же, мéньше; ~ two hundred people were there там бы́ло мéньше двухсóт человéк; the child is ~ five ребёнку ещё нет пяти́ лет; I cannot reach the village ~ two hours я не могу́ добра́ться до дерéвни мéньше, чем за два часа́; ~ age не дости́гший определённого вóзраста; несовершеннолéтний; to sell ~ cost продава́ть ни́же стóимости 9) *указывает на использование площади, участка земли в определённых целях* под; a field ~ clover пóле, засéянное клéвером

2. *adv* 1) ни́же, вниз 2) внизу́ ◇ to bring ~ подчиня́ть; to keep ~ искореня́ть, не дава́ть распространя́ться

3. *a* 1) ни́жний 2) ни́зший, нижестоя́щий, подчинённый 3) мéньший, ни́же устанóвленной нóрмы

4. *n арт.* недолёт

under- ['ʌndə-] *pref* 1) *в значении* ни́же, под, *присоединяясь к существительному, образует разные части речи*: underground а) под землёй; б) подзéмный; underclothes ни́жнее бельё 2) *присоединяясь к существительному, придаёт значение подчинённости*: under-secretary замести́тель *или* помóщник мини́стра 3) *присоединяясь к глаголу и прилагательному, придаёт значение недостаточности, неполноты* недо-; ни́же чем; to undervalue недооцéнивать; underdone недожа́ренный; to undernourish недока́рмливать

underachieve [ˌʌndərə'tʃi:v] *v* рабóтать *или* учи́ться ни́же свои́х возмóжностей; не дотя́гивать, не стара́ться

underact [ˌʌndər'ækt] *v* исполня́ть роль блéдно, сла́бо

underaction [ˌʌndər'ækʃn] *n* 1) побóчная интри́га, эпизóд 2) неэнерги́чные дéйствия

underage [ˌʌndər'eɪdʒ] *a* несовершеннолéтний

underbade [ˌʌndə'beɪd] *past от* underbid

underbid [ˌʌndə'bɪd] *v* (underbade, underbid; underbidden, underbid) сбива́ть, снижа́ть цéну; назнача́ть бóлее ни́зкую цéну (*особ. на аукционе*)

underbidden [ˌʌndə'bɪdn] *p. p. от* underbid

underbought [ˌʌndə'bɔ:t] *past и p. p. от* underbuy

underbred [ˌʌndə'bred] *a* 1) ду́рно воспи́танный; вульга́рный 2) нечистокрóвный, непорóдистый

underbrush ['ʌndəbrʌʃ] *амер.* = underwood

underbuy [ˌʌndə'baɪ] *v* (underbought) покупа́ть ни́же стóимости

undercarriage ['ʌndəkærɪdʒ] *n ав., авто* шасси́

undercharge [ˌʌndə'tʃɑ:dʒ] **1.** *n* 1) сли́шком ни́зкая цена́ 2) *воен.* умéньшенный заря́д

2. *v* 1) назнача́ть сли́шком ни́зкую цéну 2) *воен.* заряжа́ть умéньшенным заря́дом 3) недогружа́ть

underclass ['ʌndəklɑ:s] *n* ни́зшие слои́ óбщества, беднота́

underclassman ['ʌndəklɑ:smæn] *n* (*обыкн. pl*) *амер. унив.* студéнт пéрвого *или* вторóго ку́рса

underclothes ['ʌndəkləʊðz] *n pl* ни́жнее бельё

underclothing ['ʌndəkləʊðɪŋ] = underclothes

undercoat ['ʌndəkəʊt] *n* 1) *тех.* грунто́вка (*под краску*) 2) подшёрсток 3) оде́жда, носи́мая под друго́й оде́ждой

undercooling ['ʌndəku:lɪŋ] *n* 1) недоста́точное охлажде́ние 2) *физ.* переохлажде́ние

undercover [,ʌndə'kʌvə] *a* та́йный, секре́тный; ~ agent та́йный аге́нт

undercroft ['ʌndəkrɒft] *n* 1) подва́л со сво́дами 2) *церк.* крипта

undercurrent ['ʌndəkʌrənt] *n* 1) низово́е подво́дное тече́ние 2) скры́тая тенде́нция; не вы́раженное я́вно настрое́ние, мне́ние *и т. п.*

undercut 1. *n* ['ʌndəkʌt] 1) вырезка (*часть туши*) 2) *амер.* подру́бка, зару́бка 3) *тех.* поднутре́ние 4) *спорт.* бросо́к *или* уда́р сни́зу

2. *v* [,ʌndə'kʌt] (undercut) 1) сбива́ть це́ны; продава́ть по бо́лее ни́зким це́нам (*чем конкурент*) 2) подреза́ть

underdeveloped [,ʌndədɪ'veləpt] *a* 1) недора́звитый; слабора́звитый; ~ countries развива́ющиеся стра́ны 2) *фото* недопроя́вленный

underdid [,ʌndə'dɪd] *past от* underdo

underdo [,ʌndə'du:] *v* (underdid; underdone) 1) недоде́лывать 2) недожа́ривать

underdog ['ʌndədɒg] *n* 1) соба́ка, побеждённая в дра́ке 2) побеждённая *или* подчини́вшаяся сторона́ 3) неуда́чник

underdone [,ʌndə'dʌn] **1.** *p. p. от* underdo

2. *a* 1) недоде́ланный 2) недожа́ренный

underdose ['ʌndədəʊs] **1.** *n* недоста́точная до́за

2. *v* дава́ть недоста́точную до́зу

underemployment [,ʌndərɪm'plɔɪmənt] *n* 1) непо́лная за́нятость (*рабочей силы*) 2) непо́лный рабо́чий день

underestimate 1. *n* [,ʌndər'estɪmət] недооце́нка

2. *v* [,ʌndər'estɪmeɪt] недооце́нивать

underexpose [,ʌndərɪks'pəʊz] *v фото* недодержа́ть

underexposure [,ʌndərɪk'spəʊʒə] *n фото* недоде́ржка

underfed [,ʌndə'fed] **1.** *past и p. p. от* underfeed

2. *a* недоко́рмленный

underfeed [,ʌndə'fi:d] *v* (underfed) 1) недоко́рмливать 2) недоеда́ть

underfoot [,ʌndə'fʊt] *adv* 1) под нога́ми 2) в подчине́нии, под контро́лем; to keep smb. ~ держа́ть кого́-л. в подчине́нии

undergarment ['ʌndəgɑ:mənt] *n* предме́т ни́жнего белья́

undergo [,ʌndə'gəʊ] *v* (underwent; undergone) испы́тывать; переноси́ть, подверга́ться (*чему-л.*); to ~ an operation подве́ргнуться опера́ции

undergone [,ʌndə'gɒn] *p. p. от* undergo

undergrad ['ʌndəgræd] *разг. см.* undergraduate

undergraduate [,ʌndə'grædʒʊət] *n* студе́нт

underground 1. *n* ['ʌndəgraʊnd] (the ~) 1) метрополите́н 2) подпо́льная организа́ция; подпо́лье

2. *a* [,ʌndə'graʊnd] 1) подзе́мный 2) та́йный, подпо́льный

3. *adv* [,ʌndə'graʊnd] 1) под землёй 2) та́йно, подпо́льно, нелега́льно

undergrowth ['ʌndəgrəʊθ] *n* подле́сок, подро́ст, подле́сье

underhand [,ʌndə'hænd] **1.** *a* 1) та́йный, закули́сный; ~ intrigues закули́сные интри́ги 2) хи́трый, кова́рный

2. *adv* та́йно, за спино́й

underhanded [,ʌndə'hændɪd] = underhand 1

underhung [,ʌndə'hʌŋ] *a* 1) выступа́ющий вперёд (*о нижней челюсти*) 2) име́ющий выступа́ющую вперёд ни́жнюю че́люсть

underlaid [,ʌndə'leɪd] *past и p. p. от* underlay II

underlain [,ʌndə'leɪn] *p. p. от* underlie

underlay I [,ʌndə'leɪ] *past от* underlie

underlay II [,ʌndə'leɪ] *v* (underlaid) подкла́дывать, подпира́ть

underlet [,ʌndə'let] *v* (underlet) 1) передава́ть в субаре́нду 2) сдава́ть в аре́нду за бо́лее ни́зкую пла́ту

underlie [,ʌndə'laɪ] *v* (underlay; underlain) 1) лежа́ть под *чем-л.* 2) лежа́ть в осно́ве (*чего-л.*)

underline 1. *n* ['ʌndəlaɪn] 1) ли́ния, подчёркивающая сло́во 2) объясни́тельная на́дпись под карти́нкой, чертежо́м *и т. п.* 3) *pl* транспара́нт (*для письма*)

2. *v* [,ʌndə'laɪn] подчёркивать

underling ['ʌndəlɪŋ] *n* 1) *презр.* ме́лкий чино́вник; ме́лкая со́шка 2) сла́бое, хи́лое существо́

underload [,ʌndə'ləʊd] *v* недоста́точно нагружа́ть, недогружа́ть

underloading [,ʌndə'ləʊdɪŋ] **1.** *pres. p. от* underload

2. *n* непо́лная нагру́зка, недогру́зка

underlying [,ʌndə'laɪɪŋ] **1.** *pres. p. от* underlie

2. *a* 1) лежа́щий *или* располо́женный под *чем-л.* 2) основно́й; лежа́щий в осно́ве

undermanned [,ʌndə'mænd] *a воен. мор.* име́ющий некомпле́кт ли́чного соста́ва

undermentioned [,ʌndə'menʃnd] *a* нижеупомя́нутый

undermine [,ʌndə'maɪn] *v* 1) разруша́ть, подрыва́ть; to ~ one's health разруша́ть здоро́вье; to ~ smb.'s reputation повреди́ть чьей-л. репута́ции 2) подмыва́ть (*берега*) 3) подка́пывать, де́лать подко́п 4) минировать; подрыва́ть

undermost ['ʌndəməʊst] *a* са́мый ни́жний; ни́зший

underneath [,ʌndə'ni:θ] **1.** *adv* вниз; внизу́; ни́же

2. *prep* под

undernourish [,ʌndə'nʌrɪʃ] *v* недока́рмливать

underpaid [,ʌndə'peɪd] *past и p. p. от* underpay

underpants ['ʌndəpænts] *n pl* кальсо́ны, ни́жние трусы́ (*мужские*)

underpass ['ʌndəpɑ:s] *n* 1) прое́зд под полотно́м желе́зной доро́ги 2) подзе́мный пешехо́дный перехо́д 3) у́личный тонне́ль для автотра́нспорта

underpay [,ʌndə'peɪ] *v* (underpaid) опла́чивать по бо́лее ни́зкой ста́вке

underpin [,ʌndə'pɪn] *v* 1) подпира́ть (*стены*); подводи́ть фунда́мент 2) подде́рживать, покрепля́ть (*тезис, аргумент и т. п.*)

underplay [,ʌndə'pleɪ] *v* 1) *карт.* умы́шленно не брать взя́тку 2) = underact

underplot ['ʌndəplɒt] *n* 1) побо́чная, второстепе́нная интри́га (*в пьесе, романе*) 2) та́йный за́мысел

underpopulated [,ʌndə'pɒpjʊleɪtɪd] *a* малонаселённый (*о районе и т. п.*)

underpressure [,ʌndə'preʃə] *n физ.* разреже́ние; вакуумметри́ческое давле́ние

underprivileged [,ʌndə'prɪvəlɪdʒd] *a* 1) по́льзующийся ме́ньшими права́ми 2) неиму́щий, бе́дный

underprize [,ʌndə'praɪz] *v* недооце́нивать

underproduce [,ʌndəprə'dju:s] *v* выпуска́ть проду́кцию в недоста́точном коли́честве

under-production [,ʌndəprə'dʌkʃn] *n* недопроизво́дство

underproof [,ʌndə'pru:f] *a*: ~ spirit спирт ни́же устано́вленного гра́дуса

underquote [,ʌndə'kwəʊt] *v* предлага́ть по бо́лее ни́зкой цене́

underrate [,ʌndə'reɪt] *v* 1) недооце́нивать 2) дава́ть зани́женные показа́ния (*о приборе*)

underripe [,ʌndə'raɪp] *a* недоспе́лый, недозре́лый

underscore [,ʌndə'skɔ:] *v* подчёркивать

undersea [,ʌndə'si:] **1.** *a* подво́дный

2. *adv* под водо́й

undersecretary [,ʌndə'sekrətərɪ] *n* 1) замести́тель *или* помо́щник мини́стра; Parliamentary ~ замести́тель мини́стра (*член кабинета*); permanent ~ несменя́емый помо́щник мини́стра 2) замести́тель секретаря́

undersell [,ʌndə'sel] *v* (undersold) 1) продава́ть деше́вле други́х 2) продава́ть ни́же сто́имости

underset 1. *n* ['ʌndəset] 1) *мор.* подво́дное тече́ние, противополо́жное тече́нию на пове́рхности 2) *геол.* ни́жняя жи́ла

2. *v* [,ʌndə'set] (underset) подпира́ть (*стену и т. п.*)

undersexed [,ʌndə'sekst] *a* сексуа́льно холо́дный

undershirt ['ʌndəʃɜ:t] *n* (*обыкн. амер.*) ни́жняя руба́ха

undersign [,ʌndə'saɪn] *v* ста́вить свою́ по́дпись, подпи́сывать(ся)

undersigned [,ʌndə'saɪnd] **1.** *p. p. от* undersign

2. *a* нижеподписа́вшийся

3. *n pl* нижеподписа́вшиеся; we the ~ ... мы, нижеподписа́вшиеся...

undersized [ˌʌndəˈsaɪzd] *a* маломе́рный; ка́рликовый; низкоро́слый

underskirt [ˈʌndəskɜ:t] *n* ни́жняя ю́бка

undersoil [ˈʌndəsɔɪl] *n* подпо́чва

undersold [ˌʌndəˈsəʊld] *past и p. p. от* undersell

undersong [ˈʌndəsɒŋ] *n* 1) припе́в, рефре́н; сопровожда́ющая мело́дия 2) скры́тый смысл

understaffed [ˌʌndəˈstɑ:ft] *a* неукомплекто́ванный (*шта́тами*)

understand [ˌʌndəˈstænd] *v* (understood) 1) понима́ть; to make oneself understood уме́ть объясни́ться 2) истолко́вывать, понима́ть; no one could ~ that from my words никто́ не мог сде́лать тако́го заключе́ния из мои́х слов; to give to ~ дать поня́ть 3) предполага́ть, дога́дываться 4) подразумева́ть; what do you ~ by this? что вы под э́тим подразумева́ете? 5) (у)слы́шать, узна́ть; I ~ that you are going abroad я слы́шал, что вы е́дете за грани́цу 6) усла́вливаться; it was understood we were to meet at dinner бы́ло усло́влено, что мы встре́тимся за обе́дом 7) уме́ть, смы́слить (*в чём-л.*) ◇ to ~ each other а) понима́ть друг дру́га; б) дости́гнуть взаимопонима́ния, договори́ться

understanding [ˌʌndəˈstændɪŋ] 1. *pres. p. от* understand

2. *n* 1) понима́ние; to get an ~ of the question поня́ть вопро́с 2) ра́зум, спосо́бность понима́ть; a person of ~ челове́к с голово́й 3) соглаше́ние; взаимопонима́ние; согла́сие (*ме́жду сторона́ми*); to come to (*или* to reach) an ~ найти́ о́бщий язы́к; on the ~ that на том усло́вии, что; on this ~ при э́том усло́вии 4) *pl sl.* но́ги; башмаки́

3. *a* 1) понима́ющий, разу́мный 2) чу́ткий, отзы́вчивый

understate [ˌʌndəˈsteɪt] *v* 1) не выска́зывать откры́то, до конца́ 2) преуменьша́ть

understatement [ˌʌndəˈsteɪtmənt] *n* 1) сде́ржанное выска́зывание, зама́лчивание 2) преуменьше́ние

understock I [ˌʌndəˈstɒk] *n с.-х.* приви́тое расте́ние

understock II [ˌʌndəˈstɒk] *v* снабжа́ть недоста́точным коли́чеством инвентаря́ (*фе́рму*), недоста́точным коли́чеством това́ра (*магази́н*) *и т. п.*

understood [ˌʌndəˈstʊd] *past и p. p. от* understand

understrapper [ˈʌndəˌstræpə] = underling

understratum [ˌʌndəˈstrɑ:təm] *n* ни́жний слой

understudy [ˈʌndəstʌdɪ] *театр.* 1. *n* дублёр

2. *v* дубли́ровать, заменя́ть

undertake [ˌʌndəˈteɪk] *v* (undertook; undertaken) 1) предпринима́ть 2) брать на себя́ определённые обяза́тельства, фу́нкции *и т. п.*; to ~ a task взять на себя́ зада́чу; to ~ too much брать на себя́ сли́шком мно́го 3) гаранти́ровать, руча́ться 4) [ˈʌndəteɪk] *разг.* быть владе́льцем похоро́нного бюро́

undertaken [ˌʌndəˈteɪkən] *p. p. от* undertake

undertaker [ˈʌndəteɪkə] *n* владе́лец похоро́нного бюро́

undertaking [ˌʌndəˈteɪkɪŋ] 1. *pres. p. от* undertake

2. *n* 1) предприя́тие; де́ло 2) обяза́тельство; соглаше́ние 3) [ˈʌndəteɪkɪŋ] похоро́нное бюро́; ла́вка гробовщика́

undertenant [ˌʌndəˈtenənt] *n* субаренда́тор

under-the-counter [ˌʌndəðəˈkaʊntə] *a* продаю́щийся из-под полы́

under-the-table [ˌʌndəðəˈteɪbl] *a* та́йный, подпо́льный, незако́нный (*о сде́лке и т. п.*)

undertint [ˈʌndətɪnt] *n жив.* полуто́н

undertone [ˈʌndətəʊn] *n* 1) полуто́н; to speak in ~s говори́ть вполго́лоса 2) отте́нок 3) подте́кст, скры́тый смысл

undertook [ˌʌndəˈtʊk] *past от* undertake

undertow [ˈʌndətəʊ] *n* 1) отли́в прибо́я 2) = underset 1, 1)

undervalue [ˌʌndəˈvælju:] *v* недооце́нивать

underwear [ˈʌndəweə] *n* ни́жнее бельё

underwent [ˌʌndəˈwent] *past от* undergo

underwit [ˈʌndəwɪt] *n* слабоу́мный (*челове́к*)

underwood [ˈʌndəwʊd] *n* подле́сок, по́росль

underwork 1. *n* [ˈʌndəwɜ:k] рабо́та ме́нее квалифици́рованная *или* ху́дшего ка́чества

2. *v* [ˌʌndəˈwɜ:k] 1) рабо́тать недоста́точно 2) рабо́тать за бо́лее ни́зкую пла́ту 3) недоста́точно по́лно испо́льзовать (*что-л.*); to ~ a machine эксплуати́ровать маши́ну не на по́лную мо́щность

underworld [ˈʌndəwɜ:ld] *n* 1) подо́нки о́бщества, «дно» 2) преиспо́дняя 3) *поэт.* антипо́ды 4) *attr.*: ~ language воровско́й жарго́н

underwrite [ˌʌndəˈraɪt] *v* (underwrote; underwritten) 1) *ком.* принима́ть на страх (*суда́, това́ры*) 2) гаранти́ровать 3) подтвержда́ть (*пи́сьменно*) 4) (*ча́ще p. p.*) подпи́сывать(ся)

underwriter [ˈʌndəraɪtə] *n* 1) страхова́я компа́ния; страхо́вщик 2) гара́нт размеще́ния (*за́йма, а́кций и т. п.*)

underwritten [ˌʌndəˈrɪtn] 1. *p. p. от* underwrite

2. *a* 1) нижеизло́женный 2) нижеподписа́вшийся

underwrote [ˌʌndəˈrəʊt] *past от* underwrite

undeserved [ˌʌndɪˈzɜ:vd] *a* незаслу́женный

undeservedly [ˌʌndɪˈzɜ:vɪdlɪ] *adv* незаслу́женно

undeserving [ˌʌndɪˈzɜ:vɪŋ] *a* не заслу́живающий (*чего́-л.*); ~ of respect не заслу́живающий уваже́ния

undesigned [ˌʌndɪˈzaɪnd] *a* неумы́шленный

undesirable [ˌʌndɪˈzaɪərəbl] 1. *a* 1) нежела́тельный 2) неудо́бный, неподходя́щий; he did it at a most ~ moment он сде́лал э́то в са́мый неподходя́щий моме́нт

2. *n* нежела́тельное лицо́

undeterminable [ˌʌndɪˈtɜ:mɪnəbl] *a* неопредели́мый

undetermined [ˌʌndɪˈtɜ:mɪnd] *a* 1) нерешённый; неопределённый; the question remained ~ вопро́с оста́лся откры́тым 2) нереши́тельный

undeveloped [ˌʌndɪˈveləpt] *a* 1) неразвито́й 2) необрабо́танный (*о земле́*) 3) незастро́енный (*о земле́*)

undid [ʌnˈdɪd] *past от* undo

undies [ˈʌndɪz] *n pl* (*сокр. от* underclothes) *разг.* же́нское ни́жнее бельё

undigested [ˌʌndɪˈdʒestɪd] *a* 1) непereва́ренный 2) неусво́енный 3) непроду́манный, непосле́довательный, хаоти́чный

undignified [ʌnˈdɪgnɪfaɪd] *a* недосто́йный (*о посту́пке и т. п.*)

undine [ˈʌndi:n] *n* унди́на, руса́лка

undiplomatic [ʌnˌdɪpləˈmætɪk] *a* недипломати́чный; беста́ктный

undipped [ʌnˈdɪpt] *a* некрещёный

undischarged [ˌʌndɪsˈtʃɑ:dʒd] *a* 1) неупла́ченный 2) не восстано́вленный в права́х (*о банкро́те*) 3) невы́полненный (*о до́лге и т. п.*) 4) неразряжённый

undisciplined [ʌnˈdɪsɪplɪnd] *a* 1) недисциплини́рованный 2) необу́ченный

undiscriminated [ˌʌndɪsˈkrɪmɪneɪtɪd] *a* 1) недискримини́рованный, по́льзующийся ра́вными права́ми 2) неразличи́мый

undisguised [ˌʌndɪsˈgaɪzd] *a* 1) незамаскиро́ванный 2) откры́тый, я́вный

undisposed [ˌʌndɪˈspəʊzd] *a* 1) нерасполо́женный (to) 2) нераспределённый (*об иму́ществе*) 3) *уст.* пло́хо себя́ чу́вствующий

undisputed [ˌʌndɪˈspju:tɪd] *a* неоспори́мый; бесспо́рный

undistinguished [ˌʌndɪˈstɪŋgwɪʃt] *a* 1) неразличи́мый, нея́сный 2) невыдаю́щийся, незаме́тный, неприме́ча́тельный

undisturbedly [ˌʌndɪˈstɜ:bdlɪ] *adv* поко́йно

undiverted [ˌʌndaɪˈvɜ:tɪt] *a* при́стальный (*о внима́нии*)

undivided [ˌʌndɪˈvaɪdɪd] *a* 1) неразделённый, це́лый; ~ opinion единоду́шное мне́ние 2) = undiverted

undo [ʌnˈdu:] *v* (undid; undone) 1) открыва́ть, развя́зывать, расстёгивать 2) уничтожа́ть сде́ланное; to ~ the seam распоро́ть шов; to ~ a treaty расто́ргнуть догово́р; what is done cannot be undone сде́ланного не попра́вишь 3) губи́ть; по́ртить 4) разбира́ть (*маши́ну*)

undock [ʌnˈdɒk] *v косм.* производи́ть расстыко́вку

undoing [ʌnˈdu:ɪŋ] 1. *pres p. от* undo

2. *n* 1) уничтоже́ние; ги́бель 2) развя́-

зывание, расстёгивание 3) аннулирование

undone [ʌn'dʌn] **1.** *p. p. от* undo

2. *a* 1) несде́ланный; незако́нченный 2) расстёгнутый, развя́занный 3) *уст.* погу́бленный; we are ~ мы поги́бли

undoubted [ʌn'daʊtɪd] *a* несомне́нный, бесспо́рный

undraw [ˌʌn'drɔ:] *v* открыва́ть, раздвига́ть (*што́ры, занаве́ски*)

undreamed-of, undreamt-of [ʌn'dri:md-ɒv, ʌn'dremtɒv] *a* и во сне не сни́вшийся; невообрази́мый, неожи́данный

undress [ʌn'dres] **1.** *n* 1) дома́шний костю́м 2) *воен.* повседне́вная фо́рма оде́жды 3) *attr.* повседне́вный, непара́дный (*об оде́жде*)

2. *v* раздева́ть(ся)

undressed [ʌn'drest] **1.** *p. p. от* undress 2

2. *a* 1) раздёт ый, неоде́тый 2) необрабо́танный; ~ leather невы́деланная ко́жа; ~ logs неокорённые брёвна; ~ wound неперевя́занная ра́на 3) неприпра́вленный (*о пи́ще*); без гарни́ра 4) неу́бранный (*о витри́не*)

undue [ˌʌn'dju:] *a* 1) чрезме́рный; ~ haste чрезме́рная поспе́шность 2) несвоевре́менный; неподходя́щий 3) по сро́ку не подлежа́щий опла́те (*о ве́кселе, до́лге*)

undulate ['ʌndjʊleɪt] **1.** *a* волни́стый, волнообра́зный

2. *v* 1) быть волни́стым 2) быть холми́стым (*о ме́стности*)

undulated ['ʌndjʊleɪtɪd] = undulate 1

undulation [ˌʌndjʊ'leɪʃn] *n* 1) волни́стость 2) волнообра́зное движе́ние 3) неро́вность пове́рхности

unduly [ʌn'dju:lɪ] *adv* 1) непра́вильно, незако́нно 2) чрезме́рно

undying [ʌn'daɪɪŋ] *a* бессме́ртный; ве́чный; ~ glory ве́чная сла́ва

unearned [ˌʌn'ɜ:nd] *a* незарабо́танный; ~ praise незаслу́женная похвала́; ~ income *эк.* непроизво́дственный дохо́д, ре́нтный дохо́д; ~ increment *эк.* повыше́ние це́нности иму́щества, *осо́б.* земе́льного, не свя́занного с вложе́нием труда́

unearth [ʌn'ɜ:θ] *v* 1) выры́вать из земли́ 2) раска́пывать, извлека́ть; to ~ a mystery (a secret, *etc.*) раскры́ть та́йну (секре́т *и т. п.*) 3) выгоня́ть из норы́

unearthly [ʌn'ɜ:θlɪ] *a* 1) неземно́й, сверхъесте́ственный; таи́нственный 2) *разг.* стра́нный; абсу́рдный; кра́йне неподходя́щий; ~ hour кра́йне неудо́бное вре́мя; чересчу́р ра́нний час

uneasiness [ʌn'i:zɪnəs] *n* 1) неудо́бство 2) беспоко́йство, трево́га 3) нело́вкость, стеснённость

uneasy [ʌn'i:zɪ] *a* 1) неудо́бный 2) беспоко́йный, трево́жный; I am ~ я беспоко́юсь, мне не по себе́ 3) нело́вкий, стеснённый, свя́занный (*о движе́ниях и т. п.*); I felt ~ я почу́вствовал себя́ нело́вко

uneatable [ʌn'i:təbl] *a* несъедо́бный

unedited [ʌn'edɪtɪd] *a* неи́зданный

uneducated [ʌn'edjʊkeɪtɪd] *a* необразо́ванный, неучёный

unemployed [ˌʌnɪm'plɔɪd] **1.** *a* 1) безрабо́тный 2) неза́нятый; неиспо́льзованный

2. *n* (the ~) *pl собир.* безрабо́тные

unemployment [ˌʌnɪm'plɔɪmənt] *n* 1) безрабо́тица 2) *attr.*: ~ benefit посо́бие по безрабо́тице

unencumbered [ˌʌnɪn'kʌmbəd] *a* 1) незало́женный (*об име́нии, иму́ществе*) 2) необременённый

unending [ʌn'endɪŋ] *a* бесконе́чный, нескончае́мый

unendowed [ˌʌnɪn'daʊd] *a* не обеспе́ченный капита́лом

unendurable [ˌʌnɪn'djʊərəbl] *a* нестерпи́мый

un-English [ʌn'ɪŋglɪʃ] *a* неангли́йский; не типи́чный для англича́н

unenlightened [ˌʌnɪn'laɪtnd] *a* 1) непросвещённый 2) неосведомлённый

unenlivened [ˌʌnɪn'laɪvnd] *a* однообра́зный, не оживлённый (*чем-л.*)

unenterprising [ʌn'entəpraɪzɪŋ] *a* непредприи́мчивый, безынициати́вный

unequable [ʌn'i:kwəbl] *a* неусто́йчивый; неуравнове́шенный

unequal [ʌn'i:kwəl] *a* 1) нера́вный; неравноце́нный; пло́хо подо́бранный; ~ match нера́вный брак 2) несоотве́тствующий, неадеква́тный; ~ to the work неподходя́щий для да́нной рабо́ты 3) неро́вный (*в поведе́нии, отноше́нии и т. п.*)

unequalled [ʌn'i:kwəld] *a* бесподо́бный; непревзойдённый

unequipped [ˌʌnɪ'kwɪpt] *a* неподгото́вленный; неприспосо́бленный; не име́ющий ну́жных приспособле́ний, неэкипиро́ванный

unequivocal [ˌʌnɪ'kwɪvəkl] *a* недвусмы́сленный, определённый; я́сный; to count on ~ support рассчи́тывать на определённую подде́ржку; to give ~ expression я́сно заяви́ть

unerring [ʌn'ɜ:rɪŋ] *a* безоши́бочный, ве́рный; непогреши́мый; ~ judgement безоши́бочное сужде́ние

unessential [ˌʌnɪ'senʃl] *a* несуще́ственный, незначи́тельный

uneven [ʌn'i:vn] *a* 1) неро́вный; шерохова́тый 2) неуравнове́шенный; of ~ temper име́ющий неуравнове́шенный хара́ктер 3) нечётный

uneventful [ˌʌnɪ'ventfl] *a* не бога́тый собы́тиями; ~ life ти́хая, не бога́тая собы́тиями жизнь

unexampled [ˌʌnɪg'zɑ:mpld] *a* беспримéрный; беспрецеде́нтный

unexcelled [ˌʌnɪk'seld] *a* непревзойдённый

unexceptionable [ˌʌnɪk'sepʃnəbl] *a* превосхо́дный, замеча́тельный; соверше́нный

unexecuted [ʌn'eksɪkju:tɪd] *a* 1) невы́полненный 2) неофо́рмленный (*о докуме́нте*)

unexpected [ˌʌnɪk'spektɪd] *a* неожи́данный, непредви́денный; внеза́пный

unexperienced [ˌʌnɪk'spɪərɪənst] *a* нео́пытный

unexplored [ˌʌnɪks'plɔ:d] *a* неиссле́дованный

unfabled [ʌn'feɪbld] *a* невы́мышленный; настоя́щий

unfading [ʌn'feɪdɪŋ] *a* 1) неувяда́емый, неувяда́ющий 2) нелиня́ющий

unfailing [ʌn'feɪlɪŋ] *a* 1) неизме́нный; ве́рный; an ~ friend ве́рный друг 2) неисчерпа́емый

unfair [ˌʌn'feə] *a* 1) несправедли́вый; пристра́стный; непра́вильный 2) нече́стный; ~ player нече́стный игро́к

unfaithful [ʌn'feɪθfl] *a* 1) неве́рный, вероло́мный; to be ~ to one's husband (wife) изменя́ть му́жу (жене́) 2) не соотве́тствующий действи́тельности; нето́чный

unfaltering [ʌn'fɔ:ltərɪŋ] *a* недро́гнувший; твёрдый, реши́тельный; with ~ steps твёрдым ша́гом; ~ determination непоколеби́мое реше́ние

unfamiliar [ˌʌnfə'mɪlɪə] *a* 1) незнако́мый, неве́домый 2) непривы́чный, чужо́й, чу́ждый 3) незнако́мый (with — с *чем-л.*), не зна́ющий (*чего-л.*)

unfashionable [ˌʌn'fæʃnəbl] *a* немо́дный

unfasten [ʌn'fɑ:sn] *v* открепля́ть, отстёгивать, расстёгивать

unfathered [ʌn'fɑ:ðəd] *a* 1) *поэт.* незаконнорождённый 2) неизве́стного происхожде́ния; ~ theory тео́рия, а́втор кото́рой неизве́стен

unfathomable [ʌn'fæðəməbl] *a* 1) неизмери́мый, бездо́нный 2) необъясни́мый, непостижи́мый

unfavourable [ʌn'feɪvərəbl] *a* 1) неблагоприя́тный; неблагоскло́нный 2) неприя́тный

unfavoured [ʌn'feɪvəd] *a* по́льзующийся благоскло́нностью *или* по́мощью

unfed ['ʌnfed] *a* неко́рмленный, ненако́рмленный

unfee'd [ˌʌn'fi:d] *a* не опла́ченный гонора́ром

unfeeling [ʌn'fi:lɪŋ] *a* бесчу́вственный, жесто́кий

unfeigned [ʌn'feɪnd] *a* неподде́льный, и́скренний, и́стинный

unfetter [ˌʌn'fetə] *v* снима́ть око́вы; освобожда́ть

unfinished [ˌʌn'fɪnɪʃt] *a* 1) незако́нченный, незавершённый 2) гру́бый, необрабо́танный, неотшлифо́ванный

unfit [ʌn'fɪt] **1.** *a* 1) него́дный, неподходя́щий; a house ~ to live in дом, неприго́дный для жилья́; he is ~ for work он неспосо́бен, не мо́жет рабо́тать 2) нездоро́вый; него́дный (*по состоя́нию здоро́вья*)

2. *v* де́лать неприго́дным (for)

unfix [ʌn'fɪks] *v* 1) открепля́ть 2) де́лать неусто́йчивым, расша́тывать, подрыва́ть

unflagging [ʌn'flægɪŋ] *a* неослабева́ющий

unflappable [ʌnˈflæpəbl] *a разг.* невозмути́мый; ~ temperament невозмути́мый хара́ктер

unfold [ʌnˈfəʊld] *v* 1) развёртывать(ся); раскрыва́ть(ся) 2) раскрыва́ть, открыва́ть (*планы, замыслы*) 3) распуска́ться (*о почках*)

unforeseen [ˌʌnfɔːˈsiːn] *a* непредви́денный

unforgettable [ˌʌnfəˈgetəbl] *a* незабве́нный; незабыва́емый

unforgivable [ˌʌnfəˈgɪvəbl] *a* непрости́тельный

unformed [ʌnˈfɔːmd] *a* 1) бесфо́рменный 2) (ещё) не сформирова́вшийся

unfortunate [ʌnˈfɔːtʃənət] **1.** *a* 1) неуда́чный 2) несча́стный; несчастли́вый
2. *n* 1) горемы́ка; неуда́чник 2) *уст. эвф.* проститу́тка

unfounded [ʌnˈfaʊndɪd] *a* необоснова́тельный, необосно́ванный

unfreeze [ʌnˈfriːz] *v* 1) размора́живать 2) прекрати́ть «замора́живание» зарпла́ты 3) снять контро́ль с произво́дства *или* прода́жи проду́кции

unfrequented [ˌʌnfrɪˈkwentɪd] *a* ре́дко посеща́емый

unfriended [ʌnˈfrendɪd] *a книжн.* не име́ющий друзе́й

unfriendly [ʌnˈfrendlɪ] *a* 1) недружелю́бный; неприве́тливый 2) неблагоприя́тный

unfrock [ˌʌnˈfrɒk] *v* лиша́ть духо́вного са́на

unfulfilled [ˌʌnfʊlˈfɪld] *a* невы́полненный; неосуществлённый

unfunded [ʌnˈfʌndɪd] *a* теку́щий (*о долге*)

unfunny [ʌnˈfʌnɪ] *a* несмешно́й, неостроу́мный (*об анекдоте и т. п.*)

unfurnished [ʌnˈfɜːnɪʃt] *a* немеблиро́ванный

ungainly [ʌnˈgeɪnlɪ] *a* нело́вкий, неуклю́жий, нескла́дный

ungear [ʌnˈgɪə] *v тех.* выключа́ть

ungetatable [ˌʌngetˈætəbl] *a разг.* непристу́пный; недосту́пный

ungloved [ʌnˈglʌvd] *a* без перча́ток

ungodly [ʌnˈgɒdlɪ] *a* 1) неве́рующий 2) *разг.* ужа́сный, возмути́тельный 3) *разг.* неле́пый

ungovernable [ʌnˈgʌvənəbl] *a* неуправля́емый; неукроти́мый; необу́зданный

ungraceful [ʌnˈgreɪsfl] *a* неизя́щный, нело́вкий

ungracious [ʌnˈgreɪʃəs] *a* 1) нелюбе́зный, гру́бый 2) неприя́тный

ungrateful [ʌnˈgreɪtfl] *a* 1) неблагода́рный 2) неприя́тный, неблагода́рный (*о работе*)

ungrounded [ʌnˈgraʊndɪd] *a* беспо́чвенный, необосно́ванный

ungrudging [ʌnˈgrʌdʒɪŋ] *a* 1) ще́дрый, до́брый; широ́кий (*о натуре*) 2) оби́льный

unguarded [ʌnˈgɑːdɪd] *a* 1) беспе́чный; неосмотри́тельный; неосторо́жный 2) незащищённый

unguent [ˈʌŋgwənt] *n* мазь

ungulate [ˈʌŋgjʊleɪt] *зоол.* **1.** *a* копы́тный
2. *n* копы́тное живо́тное

unhackneyed [ʌnˈhæknɪd] *a* све́жий, оригина́льный

unhallowed [ʌnˈhæləʊd] *a* 1) неосвящённый 2) гре́шный

unhand [ˌʌnˈhænd] *v книжн., шутл.* отнима́ть ру́ки (*от чего-л.*); выпуска́ть из рук

unhandsome [ʌnˈhænsəm] *a* 1) уро́дливый 2) нелюбе́зный, гру́бый 3) неблагоро́дный, невеликоду́шный

unhang [ʌnˈhæŋ] *v* (unhung) снима́ть (*что-л. висящее*)

unhappy [ʌnˈhæpɪ] *a* 1) несчастли́вый; несча́стный; he looks ~ у него́ печа́льный вид 2) неуда́чный; an ~ remark неуме́стное замеча́ние

unharmed [ʌnˈhɑːmd] *a* нетро́нутый, невреди́мый; he will be ~ ему́ не причиня́т вреда́

unharness [ˌʌnˈhɑːnəs] *v* распряга́ть

unhealthy [ʌnˈhelθɪ] *a* 1) боле́зненный; больно́й; ~ complexion нездоро́вый цвет лица́ 2) вре́дный, нездоро́вый; ~ occupation вре́дное заня́тие 3) *sl.* опа́сный

unheard [ʌnˈhɜːd] *a* 1) неслы́шный 2) невы́слушанный 3) неизве́стный

unheard-of [ʌnˈhɜːdɒv] *a* неслы́ханный

unheeded [ʌnˈhiːdɪd] *a* незаме́ченный, не при́нятый во внима́ние

unheeding [ʌnˈhiːdɪŋ] *a* невнима́тельный, небре́жный

unhesitating [ʌnˈhezɪteɪtɪŋ] *a* реши́тельный, неколе́блющийся

unhesitatingly [ʌnˈhezɪteɪtɪŋlɪ] *adv* без колеба́ния, реши́тельно, уве́ренно

unhewn [ʌnˈhjuːn] *a* 1) неотде́ланный, нео(б)тёсанный 2) *перен.* гру́бый

unhinge [ʌnˈhɪndʒ] *v* 1) снима́ть с пе́тель (*дверь*) 2) вноси́ть беспоря́док; расстра́ивать; выбива́ть из колеи́ ◇ his mind is ~d он помеша́лся

unholy [ʌnˈhəʊlɪ] *a* 1) нечести́вый 2) зло́бный; поро́чный 3) *разг.* ужа́сный, стра́шный; an ~ row жу́ткий сканда́л

unhook [ʌnˈhʊk] *v* 1) снять с крючка́ 2) расстегну́ть (крючки́) 3) отцепи́ть

unhoped(-for) [ʌnˈhəʊpt(fɔː)] *a* неожи́данный

unhorse [ʌnˈhɔːs] *v* сбра́сывать с ло́шади

unhoused [ʌnˈhaʊzd] *a* бездо́мный, лишённый кро́ва, и́згнанный и́з дому

unhung [ʌnˈhʌŋ] *past и p. p. от* unhang

unhurried [ʌnˈhʌrɪd] *a* ме́дленный, нетороплі́вый

unhurt [ʌnˈhɜːt] *a* це́лый и невреди́мый

unhygienic [ˌʌnhaɪˈdʒiːnɪk] *a* негигиени́чный, нездоро́вый

uni- [ˈjuːnɪ-] *в сложных словах* одно-, едино-; unicameral однопала́тный; unicolour одноцве́тный

unicellular [ˌjuːnɪˈseljʊlə] *a биол.* однокле́точный

unicorn [ˈjuːnɪkɔːn] *n миф.* единоро́г

unicorn-fish [ˈjuːnɪkɔːnfɪʃ] *n зоол.* нарва́л

unification [ˌjuːnɪfɪˈkeɪʃn] *n* 1) объедине́ние 2) унифика́ция

uniform [ˈjuːnɪfɔːm] **1.** *n* фо́рменная оде́жда, фо́рма
2. *a* 1) единообра́зный; однообра́зный; одноро́дный; ~ prices еди́ные це́ны 2) постоя́нный 3) фо́рменный (*об одежде*)
3. *v* одева́ть в фо́рму

uniformed [ˈjuːnɪfɔːmd] **1.** *p. p. от* uniform 3
2. *a* оде́тый в фо́рму

uniformity [ˌjuːnɪˈfɔːmətɪ] *n* единообра́зие

unify [ˈjuːnɪfaɪ] *v* 1) объединя́ть 2) унифици́ровать

unilateral [ˌjuːnɪˈlætrəl] *a* односторо́нний; ~ disarmament односторо́ннее разоруже́ние

unimaginable [ˌʌnɪˈmædʒɪnəbl] *a* невообрази́мый

unimaginative [ˌʌnɪˈmædʒɪnətɪv] *a* лишённый воображе́ния, прозаи́ческий

unimpaired [ˌʌnɪmˈpeəd] *a* нетро́нутый, незатро́нутый, непострада́вший

unimpeachable [ˌʌnɪmˈpiːtʃəbl] *a* безупре́чный; безукори́зненный

unimpeded [ˌʌnɪmˈpiːdɪd] *a* беспрепя́тственный

unimportant [ˌʌnɪmˈpɔːtnt] *a* нева́жный

unimprovable [ˌʌnɪmˈpruːvəbl] *a* 1) неисправи́мый 2) безупре́чный, идеа́льный

unimproved [ˌʌnɪmˈpruːvd] *a* 1) неиспра́вленный, неулу́чшенный 2) необрабо́танный (*о земле*) 3) неупотребля́емый; неиспо́льзованный; ~ opportunities неиспо́льзованные возмо́жности

uninfluenced [ʌnˈɪnflʊənst] *a* не находя́щийся под влия́нием, непредубеждённый

uninformed [ˌʌnɪnˈfɔːmd] *a* несве́дущий, неосведомлённый

uninhabitable [ˌʌnɪnˈhæbɪtəbl] *a* неприго́дный для жилья́

uninhabited [ˌʌnɪnˈhæbɪtɪd] *a* необита́емый

uninhibited [ˌʌnɪnˈhɪbɪtɪd] *a* несде́рживаемый, свобо́дный

uninjured [ʌnˈɪndʒəd] *a* неповреждённый, непострада́вший

uninspired [ˌʌnɪnˈspaɪəd] *a* 1) невдохновлённый, невоодушевлённый 2) ску́чный (*об ораторе и т. п.*)

uninsured [ˌʌnɪnˈʃʊəd] *a* незастрахо́ванный

unintelligent [ˌʌnɪnˈtelɪdʒənt] *a* 1) неу́мный 2) неве́жественный

unintelligible [ˌʌnɪnˈtelɪdʒɪbl] *a* неразбо́рчивый

uninterested [ʌnˈɪntrəstɪd] *a* 1) не заинтересо́ванный (*в чём-л.* — in); не интересу́ющийся (*чем-л.*) 2) безразли́чный, равноду́шный

uninterrupted [ˌʌnɪntəˈrʌptɪd] *a* 1) непрерыва́емый 2) непреры́вный

uninuclear [ˌju:nɪˈnju:klɪə] *a* одноя́дерный

uninvited [ˌʌnɪnˈvaɪtɪd] *a* неприглашённый, незва́ный

uninviting [ˌʌnɪnˈvaɪtɪŋ] *a* непривлека́тельный; неаппети́тный

union [ˈju:nɪən] *n* 1) объедине́ние, соедине́ние; сою́з; the U. а) у́ния А́нглии с Шотла́ндией; б) у́ния Великобрита́нии с Ирла́ндией; [*см. тж.* 2) *и* 6)] 2) сою́з (*государственное объединение*); the U. а) *амер.* Соединённые Шта́ты; б) Соединённое Короле́вство; [*см. тж.* 1) *и* 6)] 3) профессиона́льный сою́з, тред-юнио́н; closed ~ профсою́з с ограни́ченным число́м чле́нов; to join the ~ вступи́ть в профсою́з 4) бра́чный сою́з; ~ of hearts брак по любви́ 5) едине́ние, согла́сие; in perfect ~ в по́лном согла́сии 6) (the U.) студе́нческий клуб [*см. тж.* 1) *и* 2)] 7) *уст.* объедине́ние не́скольких прихо́дов для по́мощи бе́дным 8) *тех.* ни́ппель; шту́цер; му́фта 9) *attr.* профсою́зный; ~ shop предприя́тие, на кото́ром мо́гут рабо́тать то́лько чле́ны профсою́за; ~ label этике́тка, удостоверя́ющая, что това́р изгото́влен чле́нами профсою́за

union card [ˈju:nɪənkɑ:d] *n* профсою́зный биле́т

union cloth [ˈju:nɪənklɒθ] *n* полушерстяна́я ткань

Union flag [ˈju:nɪənflæg] = Union Jack

unionism [ˈju:nɪənɪzəm] *n* 1) тред-юниони́зм 2) *ист.* униони́зм

unionist [ˈju:nɪənɪst] *n* 1) член профсою́за 2) *ист.* унионист (*противник предоставления самоуправления Ирландии, амер. сторонник федерации во время гражданской войны*)

unionize [ˈju:nɪənaɪz] *v* 1) объединя́ть 2) объединя́ть в профсою́зы

Union Jack [ˌju:nɪənˈdʒæk] *n* госуда́рственный флаг Соединённого Короле́вства

union-smashing [ˌju:nɪənˈsmæʃɪŋ] *n* разгро́м профсою́зов

union suit [ˌju:nɪənˈsu:t] *n амер.* мужско́й нате́льный комбинезо́н

unique [ju:ˈni:k] **1.** *a* 1) еди́нственный в своём ро́де; уника́льный; ~ feature *тех.* осо́бенность констру́кции *или* моде́ли 2) *разг.* необыкнове́нный, замеча́тельный

2. *n* у́никум

unisex [ˈju:nɪseks] *a* го́дный для лиц обо́его по́ла (*об одежде, причёске и т. п.*)

unisexual [ˌju:nɪˈsekʃʊəl] *a* 1) *бот.* однопо́лый 2) = unisex

unison [ˈju:nɪzən] *n* 1) *муз.* унисо́н; to sing in ~ петь в унисо́н 2) согла́сие; to act in ~ де́йствовать в согла́сии

unit [ˈju:nɪt] *n* 1) едини́ца; це́лое 2) едини́ца измере́ния; a ~ of length едини́ца длины́ 3) *мат., мед.* едини́ца 4) *тех.* агрега́т, се́кция, блок, у́зел, элеме́нт 5) *воен.* часть; подразделе́ние; соедине́ние 6) *амер.* коли́чество часо́в кла́ссной рабо́ты, тре́буемое для получе́ния зачёта ◇ ~ rule *амер.* положе́ние, по кото́рому все делега́ты шта́та голосу́ют за кандида́та большинства́; to be a ~ *амер.* быть единоду́шным

unite [jʊˈnaɪt] *v* 1) соединя́ть(ся) 2) объединя́ть(ся)

united [jʊˈnaɪtɪd] **1.** *p. p. от* unite

2. *a* 1) соединённый; объединённый 2) совме́стный; ~ actions совме́стные де́йствия 3) дру́жный; ~ family дру́жная семья́

United Nations [jʊˌnaɪtɪdˈneɪʃnz] *n* Организа́ция Объединённых На́ций

unity [ˈju:nətɪ] *n* 1) еди́нство; ~ of purpose еди́нство це́ли; the dramatic unities, the unities of time, place and action еди́нство вре́мени, ме́ста и де́йствия (*в классической драме*) 2) еди́нство, сплочённость, едине́ние 3) согла́сие, дру́жба; to live in ~ жить в согла́сии, дру́жбе 4) *юр.* совме́стное владе́ние 5) *мат.* едини́ца

univalve [ˈju:nɪvælv] *зоол.* **1.** *n* одноство́рчатый моллю́ск

2. *a* одноство́рчатый

universal [ˌju:nɪˈvɜ:sl] *a* 1) всео́бщий; всеми́рный 2) универса́льный

universe [ˈju:nɪvɜ:s] *n* 1) мир, вселе́нная; ко́смос 2) челове́чество; населе́ние земли́

university [ˌju:nɪˈvɜ:sətɪ] *n* 1) университе́т 2) *собир.* преподава́тели и студе́нты университе́та 3) университе́тская спорти́вная кома́нда 4) *attr.* университе́тский

unjoin [ʌnˈdʒɔɪn] *v* разъединя́ть

unjust [ʌnˈdʒʌst] *a* несправедли́вый

unjustifiable [ʌnˈdʒʌstɪfaɪəbl] *a* не име́ющий оправда́ния

unkempt [ˌʌnˈkempt] *a* 1) неопря́тный; неря́шливый 2) нечёсаный 3) небре́жный (*о стиле*)

unkennel [ˌʌnˈkenl] *v* 1) выгоня́ть из норы́ *или* конуры́ 2) открыва́ть, разоблача́ть

unkind [ˌʌnˈkaɪnd] *a* злой, недо́брый

unknown [ˌʌnˈnəʊn] **1.** *a* неизве́стный; address ~ а́дрес неизве́стен ◇ U. Soldier (*или* Warrior) неизве́стный солда́т

2. *n* (the ~) 1) незнако́мец; the Great U. «вели́кий незнако́мец» (*прозвище В. Скотта до раскрытия его псевдонима*) 2) неизве́стное 3) *мат.* неизве́стное, неизве́стная величина́

3. *adv* та́йно, без ве́дома; he did it ~ to me он сде́лал э́то та́йно от меня́ *или* без моего́ ве́дома

unlaboured [ʌnˈleɪbəd] *a* дости́гнутый без уси́лия; лёгкий, непринуждённый, не вы́мученный (*особ. о стиле*)

unlace [ˌʌnˈleɪs] *v* расшнуро́вывать, распуска́ть шнуро́вку

unlade [ˌʌnˈleɪd] *v* (unladed [-ɪd]; unladed, unladen) разгружа́ть (*корабль*)

unladen [ˌʌnˈleɪdn] **1.** *p. p. от* unlade

2. *a* не обременённый (*чем-л.*); ~ with anxieties не обременённый забо́тами; ~ weight вес порожняко́м

unladylike [ʌnˈleɪdɪlaɪk] *a* 1) несво́йственный, неподоба́ющий ле́ди 2) неже́нственный

unlaid [ˌʌnˈleɪd] *past и p. p. от* unlay

unlawful [ʌnˈlɔ:fl] *a* 1) незако́нный, противозако́нный 2) внебра́чный

unlay [ˌʌnˈleɪ] *v* (unlaid) распуска́ть на пря́ди (*трос*)

unlearn [ˌʌnˈlɜ:n] *v* (unlearnt, unlearned [-d]) 1) разучи́ться; забы́ть то, что знал 2) отучи́ться (*от дурных привычек и т. п.*)

unlearned [ˌʌnˈlɜ:nd] **1.** *p. p. от* unlearn

2. *a* 1) невы́ученный, незау́ченный 2) неучёный, негра́мотный

unlearnt [ˌʌnˈlɜ:nt] *past и p. p. от* unlearn

unleash [ʌnˈli:ʃ] *v* 1) спуска́ть с при́вязи 2) развяза́ть, дать во́лю; to ~ war развяза́ть войну́

unleavened [ˌʌnˈlevnd] *a* пре́сный (*о тесте*); ~ bread *церк.* просфора́; маца́

unless [ənˈles] **1.** *cj* е́сли не; пока́ не; I shall not go ~ the weather is fine я не пое́ду, е́сли не бу́дет хоро́шей пого́ды; ~ and until до тех по́р пока́

2. *prep.* кро́ме, за исключе́нием

unlettered [ˌʌnˈletəd] *a* негра́мотный; необразо́ванный

unlike [ˌʌnˈlaɪk] **1.** *a* непохо́жий на, не тако́й, как; ~ poles (charges) *физ.* разноимённые по́люсы (заря́ды); ~ sings *мат.* зна́ки плюс и ми́нус

2. *prep* в отли́чие от

unlikely [ʌnˈlaɪklɪ] **1.** *a* 1) неправдоподо́бный, невероя́тный, маловероя́тный; recovery is ~ выздоровле́ние маловероя́тно 2) ничего́ хоро́шего не обеща́ющий; малообеща́ющий 3) непривлека́тельный

2. *adv* вряд ли, едва́ ли

unlimited [ʌnˈlɪmɪtɪd] *a* безграни́чный, неограни́ченный; беспреде́льный

unlink [ʌnˈlɪŋk] *v* разъединя́ть; расцепля́ть; размыка́ть

unlit [ʌnˈlɪt] *a* 1) незажжённый 2) тёмный, неосвещённый

unlive [ʌnˈlɪv] *v* измени́ть о́браз жи́зни, жить и́наче; стара́ться загла́дить *или* забы́ть (*прошлое*)

unload [ʌnˈləʊd] *v* 1) разгружа́ть(ся); выгружа́ть 2) *воен.* разряжа́ть 3) *разг.* отде́лываться, избавля́ться (*от чего-л. невыгодного*), *особ.* сбыва́ть а́кции 4) *разг.* дать во́лю (*чувствам*)

unlock [ʌnˈlɒk] *v* 1) отпира́ть; открыва́ть 2) *тех.* размыка́ть; разъединя́ть 3) раскрыва́ть (*душу и т. п.*); she ~ed her secret она́ откры́ла свой секре́т

unlooked-for [ʌnˈlʊktfɔ:] *a* неожи́данный, непредви́денный

unloose, unloosen [ʌnˈlu:s, ʌnˈlu:sn] = loose 3

unlovable [ʌnˈlʌvəbl] *a* 1) недосто́йный любви́, не вызыва́ющий симпа́тии 2) неприя́тный, непривлека́тельный

unlovely [ʌnˈlʌvlɪ] *a* неприя́тный, непривлека́тельный, проти́вный

unlucky [ʌnˈlʌkɪ] *a* 1) неуда́чный; an

~ day for their arrival неуда́чный день для их прие́зда 2) несчастли́вый

unmade [ˌʌnˈmeɪd] *past и p. p. от* unmake

unmake [ˌʌnˈmeɪk] *v* (unmade) 1) уничтожа́ть (*сделанное*); аннули́ровать 2) переде́лывать 3) понижа́ть (*в чине, звании*)

unman [ˌʌnˈmæn] *v* 1) лиша́ть му́жественности, му́жества 2) кастри́ровать 3) оставля́ть без люде́й, оголи́ть

unmanageable [ʌnˈmænɪdʒəbl] *a* 1) тру́дно поддаю́щийся контро́лю *или* обрабо́тке 2) тру́дный (*о ребёнке, о положении и т. п.*); непоко́рный

unmanly [ˌʌnˈmænlɪ] *a* недосто́йный мужчи́ны; нему́жественный; трусли́вый; сла́бый

unmanned [ˌʌnˈmænd] **1.** *p. p. от* unman

2. *a* 1) не укомплекто́ванный (*штатом*) 2) безлю́дный 3) *ав.* беспило́тный; управля́емый автомати́чески

unmannerly [ʌnˈmænəlɪ] *a* невоспи́танный, неве́жливый

unmapped [ˌʌnˈmæpt] *a* не нанесённый на ка́рту

unmarked [ˌʌnˈmɑːkt] *a* 1) незаме́ченный 2) неме́ченый, неотме́ченный

unmarketable [ʌnˈmɑːkɪtəbl] *a* него́дный для ры́нка, для прода́жи

unmarried [ˌʌnˈmærɪd] *a* холосто́й, нежена́тый; незаму́жняя

unmarrigeable [ʌnˈmærɪdʒəbl] *a* не могу́щий жени́ться; не могу́щая вы́йти за́муж; не дости́гший бра́чного во́зраста

unmask [ˌʌnˈmɑːsk] *v* 1) снима́ть *или* срыва́ть ма́ску; *перен. тж.* разоблача́ть 2) *воен.* обнару́живать 3) *воен.* демаски́ровать

unmatched [ˌʌnˈmætʃt] *a* не име́ющий себе́ ра́вного, бесподо́бный

unmeaning [ʌnˈmiːnɪŋ] *a* бессмы́сленный

unmeant [ʌnˈment] *a* ненаме́ренный; неумы́шленный

unmeasured [ʌnˈmeʒəd] *a* 1) неизме́ренный 2) неизмери́мый, безме́рный 3) чрезме́рный, непоме́рный

unmeet [ʌnˈmiːt] *a* неподходя́щий

unmentionable [ʌnˈmenʃnəbl] **1.** *a* нецензу́рный, неприли́чный

2. *n* 1) *pl шутл.* «невырази́мые» предме́ты ни́жнего белья́ 2) *уст.* брю́ки, штаны́

unmerchantable [ʌnˈmɜːtʃəntəbl] = unmarketable

unmerciful [ʌnˈmɜːsɪfl] *a* немилосе́рдный, безжа́лостный

unmerited [ʌnˈmerɪtɪd] *a* незаслу́женный

unmindful [ʌnˈmaɪndfl] *a* забы́вчивый, невнима́тельный; ~ of one's duties невнима́тельный к свои́м обя́занностям; to be ~ of others забыва́ть о други́х

unmistakable [ˌʌnmɪsˈteɪkəbl] *a* безоши́бочный, несомне́нный, я́сный, очеви́дный

unmitigated [ʌnˈmɪtɪgeɪtɪd] *a* 1) несмягчённый; неосла́бленный 2) я́вный, абсолю́тный; an ~ liar отъя́вленный лгун

unmoor [ˌʌnˈmʊə] *v мор.* отда́ть шварто́вы, сня́ться с я́коря

unmoral [ʌnˈmɒrəl] *a* безнра́вственный

unmounted [ʌnˈmaʊntɪd] *a* 1) пе́ший 2) неопра́вленный (*о драгоценном камне*) 3) неоканто́ванный (*о картине*)

unmoved [ʌnˈmuːvd] *a* 1) неподви́жный; несдви́нутый, нетро́нутый 2) непрекло́нный 3) нерастро́ганный, оста́вшийся равноду́шным

unmurmuring [ʌnˈmɜːmərɪŋ] *a* безро́потный

unmusical [ʌnˈmjuːzɪkl] *a* немузыка́льный

unmuzzle [ˌʌnˈmʌzl] *v* 1) снима́ть намо́рдник 2) дать возмо́жность говори́ть, выска́зываться

unnamed [ˌʌnˈneɪmd] *a* 1) безымя́нный 2) неупомя́нутый

unnatural [ʌnˈnætʃrəl] *a* 1) неесте́ственный 2) необы́чный, стра́нный 3) бессерде́чный 4) противоесте́ственный, чудо́вищный

unnecessary [ʌnˈnesəsrɪ] *a* нену́жный, изли́шний

unnerve [ˌʌnˈnɜːv] *v* нерви́ровать, расстра́ивать, лиша́ть прису́тствия ду́ха, си́лы *или* реши́мости, расслабля́ть

unnoted [ˌʌnˈnəʊtɪd] *a* незаме́ченный, неотмеченный

unnoticed [ˌʌnˈnəʊtɪst] *a* незаме́ченный

unnumbered [ˌʌnˈnʌmbəd] *a* 1) ненумеро́ванный; несчи́танный 2) несме́тный, бесчи́сленный, бессчётный

unobjectionable [ˌʌnəbˈdʒekʃnəbl] *a* не вызыва́ющий возраже́ний; не вызыва́ющий неприя́тного чу́вства

unobservant [ʌnəbˈzɜːvnt] *a* невнима́тельный, ненаблюда́тельный

unobstructed [ˌʌnəbˈstrʌktɪd] *a* беспрепя́тственный, свобо́дный; ~ sight по́лная ви́димость

unobtainable [ˌʌnəbˈteɪnəbl] *a* недосту́пный; тако́й, кото́рого нельзя́ доста́ть *или* получи́ть

unobtrusive [ˌʌnəbˈtruːsɪv] *a* скро́мный, ненавя́зчивый

unoccupied [ʌnˈɒkjʊpaɪd] *a* 1) свобо́дный, неза́нятый, пра́здный (*о людях*) 2) неза́нятый, необита́емый; пусто́й

unoffending [ˌʌnəˈfendɪŋ] *a* безоби́дный, неви́нный

unofficial [ˌʌnəˈfɪʃl] *a* неофициа́льный ◇ ~ strike забасто́вка, не санкциони́рованная профсою́зом

unoriginal [ˌʌnəˈrɪdʒnəl] *a* неоригина́льный; заи́мствованный

unostentatious [ʌnˌɒstenˈteɪʃəs] *a* ненавя́зчивый, не броса́ющийся в глаза́, скро́мный

unowned [ʌnˈəʊnd] *a* 1) непри́знанный 2) не име́ющий владе́льца *или* хозя́ина

unpack [ˌʌnˈpæk] *v* распако́вывать; to ~ a trunk выкла́дывать ве́щи из чемода́на

unpaged [ˌʌnˈpeɪdʒd] *a* с ненумеро́ванными страни́цами

unpaid [ˌʌnˈpeɪd] *a* 1) неупла́ченный; неопла́ченный; ~ for взя́тый в креди́т 2) не получа́ющий пла́ты 3) беспла́тный; ~ work беспла́тная рабо́та

unpaired [ʌnˈpeəd] *a* непа́рный; не име́ющий па́ры

unpalatable [ʌnˈpælətəbl] *a* 1) невку́сный 2) неприя́тный

unparalleled [ʌnˈpærəleld] *a* не име́ющий себе́ ра́вного, бесприме́рный, бесподо́бный

unpardonable [ʌnˈpɑːdnəbl] *a* непрости́тельный

unparented [ˌʌnˈpeərəntɪd] *a* не име́ющий роди́телей; осироте́лый; бро́шенный роди́телями

unparliamentary [ˌʌnpɑːləˈmentərɪ] *a* непарла́ментский, проти́вный парла́ментским обы́чаям; ~ language си́льные выраже́ния; гру́бости, оскорбле́ния

unpatriotic [ʌnˌpætrɪˈɒtɪk] *a* непатриоти́чный

unpeg [ˌʌnˈpeg] *v* 1) вынима́ть, выдёргивать ко́лышки 2) *бирж.* прекрати́ть иску́сственную подде́ржку (*цен, курсов*)

unpenetrable [ʌnˈpenətrəbl] *a* непроница́емый

unpeople [ˌʌnˈpiːpl] *v* обезлю́дить

unperformed [ˌʌnpəˈfɔːmd] *a* невы́полненный, неосуществлённый

unperson [ˌʌnˈpɜːsn] *n* ви́дный де́ятель, потеря́вший своё положе́ние

unpersuadable [ˌʌnpəˈsweɪdəbl] *a* не поддающийся убежде́нию

unperturbed [ʌnpəˈtɜːbd] *a* невозмути́мый

unpick [ˌʌnˈpɪk] *v* распа́рывать

unpicked [ˌʌnˈpɪkt] **1.** *p. p. от* unpick

2. *a* 1) неподо́бранный, неото́бранный 2) несо́бранный 3) распо́ротый

unpin [ʌnˈpɪn] *v* отка́лывать; вынима́ть була́вки (*из чего-л.*)

unplaced [ˌʌnˈpleɪst] *a* 1) не заня́вший ни одного́ из пе́рвых трёх мест (*на скачках или бегах*) 2) не име́ющий ме́ста; не находя́щийся на ме́сте 3) не назна́ченный на до́лжность

unpleasant [ʌnˈpleznt] *a* неприя́тный, отта́лкивающий

unpleasantness [ʌnˈplezntnəs] *n* 1) непривлека́тельность 2) неприя́тность 3) ссо́ра, недоразуме́ние; to have a slight ~ with smb. повздо́рить с кем-л. ◇ the late ~ *шутл.* гражда́нская война́ в США

unpointed [ʌnˈpɔɪntɪd] *a* 1) тупо́й, неотто́ченный (*о карандаше и т. п.*) 2) без зна́ков препина́ния 3) пло́ский, неостроу́мный 4) не относя́щийся к де́лу (*о замечании*)

unpolished [ʌnˈpɒlɪʃt] *a* неотполиро́ванный; неотшлифо́ванный

unpolitical [ˌʌnpəˈlɪtɪkl] *a* 1) аполити́чный 2) не относя́щийся к поли́тике

unpopular [ʌnˈpɒpjʊlə] *a* непопуля́рный, не по́льзующийся любо́вью (with — у *кого-л.*)

unposted [ʌnˈpəʊstɪd] *a* 1) (ещё) не отпра́вленный (*по почте*), не опу́щенный в почтóвый я́щик 2) неосведомлённый

unpractical [ʌnˈpræktɪkl] *a* непракти́чный

unpractised [ʌnˈpræktɪst] *a* 1) неóпытный, неискýсный 2) не применённый на прáктике

unprecedented [ʌnˈpresɪdentɪd] *a* не имéющий прецедéнта, беспрецедéнтный; беспримéрный

unpredictable [ˌʌnprɪˈdɪktəbl] *a* не мóгущий быть предскáзанным; не поддаю́щийся прогнози́рованию

unprefaced [ʌnˈprefəst] *a* без предислóвия

unprejudiced [ʌnˈpredʒʊdɪst] *a* непредубеждённый, беспристрáстный

unpremeditated [ˌʌnpriːˈmedɪteɪtɪd] *a* 1) непреднамéренный, неумы́шленный, не обдýманный зарáнее 2) *юр.* непредумы́шленный

unprepared [ˌʌnprɪˈpeəd] *a* неподготóвленный, неготóвый; без подготóвки

unprepossessed [ˌʌnpriːpəˈzest] = unprejudiced

unpresentable [ˌʌnprɪˈzentəbl] *a* непрезентáбельный, непредстави́тельный, невзрáчный

unpretending [ˌʌnprɪˈtendɪŋ] = unpretentious

unpretentious [ˌʌnprɪˈtenʃəs] *a* скрóмный, простóй, без претéнзий

unpriced [ʌnˈpraɪst] *a* 1) без определённой, без обозначённой цены́ 2) бесцéнный

unprincipled [ʌnˈprɪnsəpld] *a* беспринци́пный; безнрáвственный

unprintable [ʌnˈprɪntəbl] *a* непригóдный для печáти; непечáтный, нецензýрный

unprivileged [ʌnˈprɪvɪlɪdʒd] *a* не имéющий привилéгий, непривилегирóванный

unprized [ʌnˈpraɪzd] *a* неоценённый

unprocurable [ˌʌnprəˈkjʊərəbl] *a* недостýпный; такóй, котóрого нельзя́ достáть

unproductive [ˌʌnprəˈdʌktɪv] *a* непродукти́вный; ~ capital мёртвый капитáл

unprofessional [ˌʌnprəˈfeʃnəl] *a* 1) не соотвéтствующий э́тике дáнной профéссии 2) непрофессионáльный; ~ advice совéт неспециали́ста

unprofitable [ʌnˈprɒfɪtəbl] *a* 1) не принося́щий при́были, нерентáбельный, невы́годный 2) непромы́шленный (*о руде*)

unpromising [ˌʌnˈprɒmɪsɪŋ] *a* не обещáющий ничегó хорóшего; не подаю́щий никаки́х надéжд

unprompted [ʌnˈprɒmptɪd] *a* 1) самопроизвóльный, спонтáнный 2) не подскáзанный, не внушённый, сдéланный по сóбственному почи́ну

unproportional [ˌʌnprəˈpɔːʃnəl] *a* непропорционáльный

unprotected [ˌʌnprəˈtektɪd] *a* 1) незащищённый; беззащи́тный 2) откры́тый (*о местности*)

unprovided [ˌʌnprəˈvaɪdɪd] *a* 1) не снабжённый, не обеспéченный (*деньгами и т. п.*; *тж.* ~ for); he was left ~ for он остáлся без средств 2) не подготóвленный; не предусмóтренный

unprovoked [ˌʌnprəˈvəʊkt] *a* ничéм не вы́званный, неспровоци́рованный

unpublished [ˌʌnˈpʌblɪʃt] *a* неопубликóванный, неи́зданный

unpunishable [ʌnˈpʌnɪʃəbl] *a* ненаказýемый

unpunished [ʌnˈpʌnɪʃt] *a* безнакáзанный

unputdownable [ˌʌnpʊtˈdaʊnəbl] *a* *разг.* захвáтывающий (*о книге*); ≅ не оторвёшься

unqualified [ˌʌnˈkwɒlɪfaɪd] *a* 1) не имéющий соотвéтствующей подготóвки, образовáния *или* квалификáции 2) неподходя́щий, негóдный (*к чему-л.*) 3) безоговорóчный, неограни́ченный; an ~ refusal реши́тельный откáз; ~ praise чрезмéрная похвалá 4) [ʌnˈkwɒlɪfaɪd] *разг.* я́вный, я́рко вы́раженный; an ~ liar отъя́вленный лгун

unquenchable [ʌnˈkwentʃəbl] *a* 1) неутоли́мый; ~ thirst неутоли́мая жáжда 2) неиссякáемый (*об энтузиазме и т. п.*)

unquestionable [ʌnˈkwestʃənəbl] *a* несомнéнный, неоспори́мый

unquestioned [ʌnˈkwestʃənd] *a* 1) неоспáриваемый, не вызывáющий сомнéния 2) неопрóшенный

unquestioning [ʌnˈkwestʃənɪŋ] *a* 1) не задаю́щий вопрóсов 2) несомнéнный, пóлный; ~ obedience пóлное повиновéние

unquiet [ˌʌnˈkwaɪət] 1. *n* беспокóйство 2. *a* 1) беспокóйный 2) взволнóванный

unquotable [ˌʌnˈkwəʊtəbl] *a* нецензýрный

unquote [ˌʌnˈkwəʊt] *v* закрывáть кавы́чки

unquoted [ˌʌnˈkwəʊtɪd] 1. *p. p.* от unquote

2. *a* 1) нецити́рованный 2) *бирж.* некоти́рующийся без объя́вленного кýрса

unravel [ʌnˈrævl] *v* 1) распýтывать (*нитки и т. п.*) 2) разгáдывать, объясня́ть; to ~ a mystery разгадáть тáйну

unrazored [ʌnˈreɪzəd] *a* *амер.* небри́тый

unread [ˌʌnˈred] *a* непрочи́танный

unreadable [ʌnˈriːdəbl] *a* 1) скýчный, непригóдный для чтéния 2) неразбóрчивый (*о почерке*), неудобочитáемый

unready [ˌʌnˈredɪ] *a* 1) неготóвый 2) непровóрный, несообрази́тельный 3) нереши́тельный

unreal [ʌnˈrɪəl] *a* 1) ненастоя́щий, поддéльный 2) нереáльный, воображáемый 3) *амер.*, *австрал.* *sl.* потрясáющий, порази́тельный

unreality [ˌʌnrɪˈælətɪ] *n* 1) нереáльность 2) что-л. нереáльное, воображáемое

unrealizable [ʌnˈrɪəlaɪzəbl] *a* 1) неосуществи́мый 2) *ком.* не могýщий быть реализóванным

unrealized [ʌnˈrɪəlaɪzd] *a* неосуществлённый, невы́полненный

unreason [ʌnˈriːzn] *n* неразýмность, глýпость, безýмие; абсýрдность

unreasonable [ʌnˈriːznəbl] *a* 1) непомéрный, чрезмéрный; непомéрно высóкий (*о цене и т. п.*); an ~ demand необоснóванное трéбование 2) неблагоразýмный, безрассýдный

unreasoned [ʌnˈriːznd] *a* непродýманный; неаргументи́рованный

unreciprocated [ˌʌnrɪˈsɪprəkeɪtɪd] *a* не встречáющий отвéта *или* взаи́мности

unreclaimed [ˌʌnrɪˈkleɪmd] *a* 1) неосвóенный, необрабóтанный (*о земле*) 2) неиспрáвленный 3) незатрéбованный

unrecognizable [ˌʌnˈrekəgnaɪzəbl] *a* неузнавáемый

unrecognized [ˌʌnˈrekəgnaɪzd] *a* 1) неýзнанный 2) непри́знанный

unrecorded [ˌʌnrɪˈkɔːdɪd] *a* незафикси́рованный; незапротоколи́рованный

unredeemed [ˌʌnrɪˈdiːmd] *a* 1) неиспóлненный (*об обещании*) 2) невы́купленный (*о закладе*); неоплáченный (*о векселе*); непогáшенный (*о платеже*) 3) неискýпленный (by)

unreel [ˌʌnˈriːl] *v* размáтывать(ся)

unrefined [ˌʌnrɪˈfaɪnd] *a* 1) неочи́щенный, нерафини́рованный 2) грýбый; ~ manners грýбые манéры

unreflecting [ˌʌnrɪˈflektɪŋ] *a* 1) легкомы́сленный; неразмышля́ющий, бездýмный 2) неотражáющий (*свет*)

unregistered [ʌnˈredʒɪstəd] *a* незарегистри́рованный

unregulated [ʌnˈregjʊleɪtɪd] *a* нерегули́руемый, неконтроли́руемый; беспоря́дочный

unrehearsed [ˌʌnrɪˈhɜːst] *a* 1) неожи́данный; непредви́денный 2) неотрепети́рованный

unrein [ˌʌnˈreɪn] *v* 1) отпусти́ть пóвод, разнуздáть 2) освободи́ть (*от чего-л.*), дать вóлю

unrelated [ˌʌnrɪˈleɪtɪd] *a* несвя́занный, не имéющий отношéния (to)

unrelenting [ˌʌnrɪˈlentɪŋ] *a* 1) безжáлостный, жестóкий 2) неуменьшáющийся, неослабевáющий

unreliable [ˌʌnrɪˈlaɪəbl] *a* ненадёжный

unrelieved [ˌʌnrɪˈliːvd] *a* 1) монотóнный 2) не получáющий пóмощи, облегчéния; необлегчённый 3) не освобождённый (*от каких-л. обязанностей или обязательств*) 4) несменённый (*о часовом и т. п.*) ◇ ~ boredom смертéльная скýка

unremitting [ˌʌnrɪˈmɪtɪŋ] *a* неослáбный; беспрестáнный; упóрный; ~ toil упóрный труд

unrepeatable [ˌʌnrɪˈpiːtəbl] *a* 1) неповтори́мый 2) неприли́чный, нецензýрный

unrepentant [ˌʌnrɪˈpentənt] *a* некáющийся; нераскáявшийся

unrepresented [ʌnˌreprɪˈzentɪd] *a* непредстáвленный

unrequited [ˌʌnrɪˈkwaɪtɪd] *a* 1) невознаграждённый, неоплáченный; ~ love любóвь без взаи́мности 2) неотомщённый

unreserve [ˌʌnrɪˈzɜːv] *n* 1) несдéржанность 2) откровéнность

unreserved [ˌʌnrɪ'zɜ:vd] *a* 1) незабронированный, не заказанный заранее 2) откровенный; ~ admiration откровенное восхищение 3) несдержанный 4) не ограниченный (*какими-л. условиями*)

unreservedly [ˌʌnrɪ'zɜ:vɪdlɪ] *adv* 1) открыто, свободно, откровенно 2) безоговорочно

unresolved [ˌʌnrɪ'zɒlvd] *a* 1) нерешительный; не решившийся (*на что-л.*), не принявший решения 2) неразрешённый; my doubts are still ~ мои сомнения ещё не разрешены

unresponsive [ˌʌnrɪ'spɒnsɪv] *a* не реагирующий, не отвечающий (*на что-л.*); неотзывчивый; невосприимчивый

unrest [ʌn'rest] *n* 1) беспокойство, волнение 2) беспорядки, волнения

unresting [ʌn'restɪŋ] *a* неутомимый

unrestrained [ˌʌnrɪ'streɪnd] *a* 1) несдержанный, необузданный 2) непринуждённый; ~ laughter естественный смех

unrestraint [ˌʌnrɪ'streɪnt] *n* несдержанность, необузданность; свобода

unrestricted [ˌʌnrɪ'strɪktɪd] *a* неограниченный

unrewarded [ˌʌnrɪ'wɔ:dɪd] *a* невознаграждённый

unriddle [ˌʌn'rɪdl] *v* разгадать, объяснить

unrig [ˌʌn'rɪg] *v мор.* расснащивать; разоружать

unrighteous [ʌn'raɪtʃəs] **1.** *a* 1) нечестивый; неправедный 2) нечестный 3) несправедливый; незаслуженный

2. *n* (the ~) *pl собир.* нечестивцы

unrighteousness [ʌn'raɪtʃəsnəs] *n* нечестивость; неправедность

unrip [ʌn'rɪp] *v* распарывать; разрывать

unripe [ˌʌn'raɪp] *a* неспелый; незрелый

unrivalled [ʌn'raɪvld] *a* не имеющий себе равных, непревзойдённый

unrobe [ʌn'rəʊb] *v* снимать одеяние *или* мантию

unroll [ʌn'rəʊl] *v* развёртывать(ся)

unroof [ˌʌn'ru:f] *v* сносить крышу

unroot [ˌʌn'ru:t] *v* выкорчёвывать; искоренять

unround [ˌʌn'raʊnd] *v фон.* делабиализовать (*гласный звук*)

unroyal [ʌn'rɔɪəl] *a* некоролевский; недостойный королевского сана

unruffled [ʌn'rʌfld] *a* 1) гладкий (*о поверхности, море и т. п.*) 2) спокойный, невзволнованный

unruled [ʌn'ru:ld] *a* 1) неуправляемый, неконтролируемый 2) нелинованный (*о бумаге*)

unruly [ʌn'ru:lɪ] *a* непокорный, непослушный, буйный ◇ ~ locks непокорные кудри

unsaddle [ʌn'sædl] *v* 1) расседлать (*лошадь*) 2) сбросить (*седока*)

unsafe [ʌn'seɪf] *a* ненадёжный, опасный

unsaid [ˌʌn'sed] **1.** *past и p. p. от* unsay

2. *a* непроизнесённый, невысказанный; things better left ~ то, о чём лучше не говорить, не упоминать

unsatisfactorily [ʌnˌsætɪs'fæktərəlɪ] *adv* неудовлетворительно

unsatisfactory [ʌnˌsætɪs'fæktərɪ] *a* неудовлетворительный

unsatisfied [ʌn'sætɪsfaɪd] *a* неудовлетворённый; неуспокоенный; ~ demand неудовлетворённый спрос

unsatisfying [ʌn'sætɪsfaɪɪŋ] *a* неудовлетворяющий, ненасыщающий

unsavoury [ʌn'seɪvərɪ] *a* 1) невкусный 2) отталкивающий, отвратительный

unsay [ˌʌn'seɪ] *v* (unsaid) брать назад свои слова; отрекаться от своих слов

unscalable [ˌʌn'skeɪləbl] *a* неприступный (*о крутом подъёме и т. п.*)

unscathed [ʌn'skeɪðd] *a* невредимый

unschooled [ˌʌn'sku:ld] *a* 1) необученный, неопытный 2) естественный, прирождённый; ~ talent природный талант

unscientific [ˌʌnsaɪən'tɪfɪk] *a* ненаучный, антинаучный

unscramble [ʌn'skræmbl] *v* 1) разлагать на составные части 2) расшифровывать (*секретное послание и т. п.*)

unscreened [ʌn'skri:nd] *a* 1) не просеянный сквозь грохот 2) не защищённый ширмой *или* решёткой

unscrew [ˌʌn'skru:] *v* отвинчивать(ся); развинчивать(ся)

unscrupulous [ʌn'skru:pjʊləs] *a* 1) неразборчивый в средствах; нещепетильный 2) беспринципный; бессовестный

unseal [ˌʌn'si:l] *v* 1) распечатывать 2) раскрывать

unseam [ˌʌn'si:m] *v* распарывать

unsearchable [ʌn'sɜ:tʃəbl] *a* непостижимый, таинственный

unseasonable [ʌn'si:znəbl] *a* 1) не по сезону 2) несвоевременный, неуместный

unseasoned [ʌn'si:znd] *a* 1) неприправленный (*о пище*) 2) несозревший; невыдержанный 3) непривыкший, неприученный

unseat [ˌʌn'si:t] *v* 1) сбросить с седла; ссадить со стула *и т. п.* 2) лишить парламентского мандата 3) лишать места, должности *и т. п.*; to ~ a government свергнуть правительство

unseeing [ˌʌn'si:ɪŋ] *a* 1) ненаблюдательный 2) невидящий; слепой

unseemly [ʌn'si:mlɪ] *a* неподобающий; непристойный

unseen [ʌn'si:n] **1.** *a* 1) невидимый 2) невиданный 3): ~ translation перевод с листа

2. *n* 1) (an ~) отрывок для перевода с листа 2) (the ~) духовный мир

unselfconscious [ʌnˌself'kɒnʃəs] *a* общительный; ≅ раскованный

unselfish [ʌn'selfɪʃ] *a* бескорыстный, неэгоистичный

unsettle [ʌn'setl] *v* 1) нарушать распорядок (*чего-л.*); выбивать из колеи 2) расстраивать(ся)

unsettled [ˌʌn'setld] **1.** *p. p. от* unsettle

2. *a* 1) неустроенный; неустановившийся; the weather is ~ погода не установилась 2) нерешённый, неурегулированный 3) неоплаченный 4) незаселённый

unsex [ʌn'seks] *v* 1) лишать признаков пола; делать бесполым 2) кастрировать

unshackle [ʌn'ʃækl] *v* снимать кандалы; *перен.* освобождать

unshaded [ʌn'ʃeɪdɪd] *a* 1) не защищённый от солнца, без тени 2) без теней, контурный, линейный (*о рисунке*)

unshadowed [ʌn'ʃædəʊd] *a* безоблачный, ясный; неомрачённый

unshak(e)able [ʌn'ʃeɪkəbl] *a* непоколебимый

unshaken [ʌn'ʃeɪkən] *a* непоколебленный, твёрдый

unshapely [ʌn'ʃeɪplɪ] *a* бесформенный, некрасивый; ~ figure нескладная фигура

unshared [ʌn'ʃeəd] *a* неразделённый (*о чувстве и т. п.*)

unshaven [ʌn'ʃeɪvn] *a* небритый

unsheathe [ʌn'ʃi:ð] *v* вынимать из ножен; to ~ the sword обнажить меч; *перен.* объявить войну

unshed [ˌʌn'ʃed] *a* непролитый; ~ tears невыплаканные слёзы

unsheltered [ʌn'ʃeltəd] *a* 1) неприкрытый, незащищённый 2) не имеющий приюта, убежища 3) *ком.*: ~ industries непокровительствуемые отрасли промышленности

unshielded [ˌʌn'ʃi:ldɪd] *a* незащищённый

unship [ˌʌn'ʃɪp] *v* 1) выгружать с корабля 2) высаживать на берег 3) убирать, снимать (*вёсла, руль*)

unshod [ˌʌn'ʃɒd] **1.** *past и p. p. от* unshoe

2. *a* 1) необутый 2) неподкованный, раскованный (*о лошади*)

unshoe [ˌʌn'ʃu:] *v* (unshod) 1) снимать обувь (*с кого-л.*) 2) расковывать (*лошадь*)

unshorn [ˌʌn'ʃɔ:n] *a* нестриженый; неподстриженный

unshrinkable [ʌn'ʃrɪŋkəbl] *a* не садящийся при стирке (*о материи*), безусадочный

unshrinking [ʌn'ʃrɪŋkɪŋ] *a* непоколебимый, неустрашимый, твёрдый

unshutter [ˌʌn'ʃʌtə] *v* открывать, снимать ставни

unsighted [ʌn'saɪtɪd] *a* 1) не попавший в поле зрения 2) не снабжённый прицелом 3) неприцельный

unsightly [ʌn'saɪtlɪ] *a* неприглядный; вызывающий отвращение (своим видом); уродливый

unsigned [ˌʌn'saɪnd] *a* неподписанный; ~ letter анонимное письмо

unsized [ʌn'saɪzd] *a* не сортированный по величине

unskilful [ˌʌn'skɪlfl] *a* 1) неумелый, неискусный 2) неуклюжий, нескладный, неловкий

unskilled [ˌʌn'skɪld] *a* 1) неквалифицированный; ~ labour а) неквалифицированный труд, чёрная рабо́та; б) *собир.* неквалифици́рованная рабо́чая си́ла 2) неуме́лый; ~ work неуме́лая рабо́та

unsleeping [ʌn'sli:pɪŋ] *a* недре́млющий, бди́тельный

unsnarl [ʌn'snɑ:l] *v* распу́тывать (*тж. перен.*)

unsociable [ʌn'səʊʃəbl] *a* необщи́тельный; сде́ржанный

unsocial [,ʌn'səʊʃl] *a* 1) необщи́тельный 2) антиобще́ственный

unsold [,ʌn'səʊld] *a* непро́данный, нераспро́данный, залежа́вшийся (*о товаре*)

unsolder [,ʌn'sɒldə] *v* распа́ивать

unsolved [,ʌn'sɒlvd] *a* нерешённый (*о задаче, проблеме*)

unsophisticated [,ʌnsə'fɪstɪkeɪtɪd] *a* 1) просто́й, простоду́шный, безыску́сственный, наи́вный 2) нефальсифици́рованный; чи́стый, без при́меси

unsought [,ʌn'sɔ:t] *a* 1) полу́ченный без уси́лий с чьей-л. стороны́ 2) непро́шенный

unsound [,ʌn'saʊnd] *a* 1) нездоро́вый, больно́й; боле́зненный; of ~ mind сумасше́дший, душевнобольно́й 2) испо́рченный, гнило́й 3) необосно́ванный, оши́бочный; ~ arguments необосно́ванные до́воды 4) ненадёжный 5) неглубо́кий (*сон*) 6) *тех.* дефе́ктный

unsounded [,ʌn'saʊndɪd] *a* неизме́ренный (*о глубине*)

unsown [,ʌn'səʊn] *a* незасе́янный

unsparing [ʌn'speərɪŋ] *a* 1) расточи́тельный, ще́дрый (of, in) 2) беспоща́дный 3) усе́рдный, не щадя́щий сил

unspeakable [ʌn'spi:kəbl] *a* 1) невырази́мый (слова́ми); ~ joy невырази́мая ра́дость 2) о́чень плохо́й; ~ manners отврати́тельные мане́ры

unspent [ʌn'spent] *a* 1) неистра́ченный; нерастра́ченный 2) неутомлённый

unspoiled, unspoilt [,ʌn'spɔɪlt] *a* неиспо́рченный

unspoken [ʌn'spəʊkən] *a* невы́сказанный, невы́раженный

unsporting [ʌn'spɔ:tɪŋ] *a* 1) неспорти́вный, недосто́йный спортсме́на; не соотве́тствующий пра́вилам спо́рта 2) непоря́дочный, нече́стный

unsportsmanlike [ʌn'spɔ:tsmənlaɪk] = unsporting

unspotted [,ʌn'spɒtɪd] *a* незапа́чканный; незапя́тнанный (*тж. перен.*)

unsprung [,ʌn'sprʌŋ] *a* не име́ющий пружи́н, неподрессо́ренный

unstable [ʌn'steɪbl] *a* 1) нетвёрдый; неусто́йчивый; ~ equilibrium неусто́йчивое равнове́сие 2) колеблющийся, изме́нчивый 3) *хим.* нестойкий

unstained [ʌn'steɪnd] *a* незапя́тнанный (*тж. перен.*)

unstamped [ʌn'stæmpt] *a* 1) нештемпелёванный, без ште́мпеля 2) не опла́ченный ма́ркой

unstarched [ʌn'stɑ:tʃt] *a* 1) ненакрахма́ленный 2) непринуждённый, есте́ственный, нечо́порный

unstatutable [ʌn'stætʃʊtəbl] *a* не дозво́ленный стату́том, уста́вом

unsteady [ʌn'stedɪ] *a* 1) неусто́йчивый, нетвёрдый; ша́ткий, коле́блющийся 2) непостоя́нный

unstick [,ʌn'stɪk] *v* (unstuck) 1) откле́ивать, отдира́ть 2) *ав. разг.* взлете́ть, оторва́ться от земли́

unstirred [ʌn'stɜ:d] *a* невозмути́мый

unstitch [ʌn'stɪtʃ] *v* распа́рывать (*шов*)

unstop [,ʌn'stɒp] *v* 1) прочища́ть (*раковину и т. п.*) 2) отку́поривать

unstrained [ʌn'streɪnd] *a* 1) непринуждённый 2) непроце́женный

unstrap [,ʌn'stræp] *v* отстёгивать, развя́зывать (*ремень и т. п.*)

unstressed [,ʌn'strest] *a* 1) безуда́рный (*звук, слог*) 2) неподчёркнутый

unstring [,ʌn'strɪŋ] *v* (unstrung) 1) снять *или* осла́бить стру́ны (*музыкального инструмента*) *или* тетиву́ (*лука*) 2) распусти́ть (*бусы и т. п.*) 3) расша́тывать (*нервы*)

unstrung [,ʌn'strʌŋ] **1.** *past и p. p. от* unstring

2. *a* расша́танный (*о нервах*)

unstuck [,ʌn'stʌk] **1.** *past и p. p. от* unstick

2. *a* откле́енный (*о конверте и т. п.*) ◇ our plan has come ~ наш план не уда́лся

unstudied [,ʌn'stʌdɪd] *a* есте́ственный, непринуждённый

unsubmissive [,ʌnsəb'mɪsɪv] *a* непоко́рный, не жела́ющий подчиня́ться

unsubstantial [,ʌnsəb'stænʃl] *a* 1) невесо́мый, бестеле́сный, невеще́ственный 2) нереа́льный 3) непро́чный 4) непита́тельный; лёгкий (*о пище*) 5) несуще́ственный

unsuccessful [,ʌnsək'sesfl] *a* 1) безуспе́шный, неуда́чный 2) неуда́чливый

unsuitable [ʌn'su:təbl] *a* неподходя́щий, неподоба́ющий

unsullied [,ʌn'sʌlɪd] *a* незапя́тнанный (*о репутации и т. п.*)

unsung [,ʌn'sʌŋ] *a поэт.* 1) неспе́тый 2) невоспе́тый

unsunned [,ʌn'sʌnd] *a* не освещённый *или* не согре́тый со́лнцем

unsure [,ʌn'ʃʊə] *a* 1) ненадёжный 2) неопределённый 3) неуве́ренный; коле́блющийся

unsurpassable [,ʌnsə'pɑ:səbl] *a* не могу́щий быть превзойдённым

unsurpassed [,ʌnsə'pɑ:st] *a* непревзойдённый

unsusceptible [,ʌnsə'septəbl] *a* невосприи́мчивый, нечувстви́тельный (to)

unsuspected [,ʌnsə'spektɪd] *a* 1) не вызыва́ющий подозре́ний; незаподо́зренный 2) неожи́данный, непредви́денный

unsuspecting [,ʌnsə'spektɪŋ] *a* не подозрева́ющий (of — о)

unsuspicious [,ʌnsə'spɪʃəs] *a* 1) неподозрева́ющий 2) не вызыва́ющий подозре́ний

unswathe [,ʌn'sweɪð] *v* распелёнывать; разбинто́вывать

unswayed [ʌn'sweɪd] *a* 1) не поддаю́щийся влия́нию 2) непредубеждённый

unswerving [ʌn'swɜ:vɪŋ] *a* непоколеби́мый

unsworn [ʌn'swɔ:n] *a* 1) не да́вший прися́ги 2) не свя́занный кля́твой

unsympathetic [,ʌnsɪmpə'θetɪk] *a* 1) несочу́вствующий; чёрствый 2) несимпати́чный, антипати́чный

untam(e)able [,ʌn'teɪməbl] *a* не поддаю́щийся приручéнию

untangle [ʌn'tæŋgl] *v* распу́тывать

untaught [,ʌn'tɔ:t] *a* 1) необу́ченный; неве́жественный 2) врождённый, есте́ственный

untenable [ʌn'tenəbl] *a* 1) неприго́дный для оборо́ны 2) неприго́дный для жилья́

untenantable [ʌn'tenəntəbl] *a* него́дный для жилья́; нежило́й

unthankful [ʌn'θæŋkfl] *a* неблагода́рный

unthinkable [ʌn'θɪŋkəbl] *a* 1) невообрази́мый; немы́слимый 2) *разг.* неправдоподо́бный; невероя́тный; it's quite ~ э́то невероя́тно

unthinking [ʌn'θɪŋkɪŋ] *a* безду́мный, легкомы́сленный

unthread [,ʌn'θred] *v* 1) вы́нуть ни́тку (*из иголки*) 2) вы́браться из лабири́нта

unthrifty [ʌn'θrɪftɪ] *a* небережли́вый, расточи́тельный

unthrone [,ʌn'θrəʊn] *v* све́ргнуть с престо́ла

untidiness [ʌn'taɪdɪnəs] *n* неопря́тность, неаккура́тность; беспоря́док

untidy [ʌn'taɪdɪ] *a* неопря́тный, неаккура́тный; в беспоря́дке (*о комнате*)

untie [,ʌn'taɪ] *v* 1) развя́зывать 2) освобожда́ть

untied [,ʌn'taɪd] **1.** *p. p. от* untie

2. *a* несвя́занный; развя́занный

untight [ʌn'taɪt] *a* непло́тный; негермети́ческий

until [ən'tɪl] = till I, 1

untile [ʌn'taɪl] *v* снима́ть черепи́цу

untimely [ʌn'taɪmlɪ] **1.** *a* 1) несвоевре́менный; неуме́стный 2) безвре́менный; преждевре́менный

2. *adv уст.* 1) несвоевре́менно; неуме́стно 2) безвре́менно; преждевре́менно

unto ['ʌntʊ] *поэт. см.* to 1

untold [,ʌn'təʊld] *a* 1) нерасска́занный; he left the secret ~ он не рассказа́л секре́та; он не раскры́л та́йны 2) несосчи́танный; бессчётный; ~ wealth несме́тные бога́тства

untouchable [ʌn'tʌtʃəbl] **1.** *a* 1) неприкоснове́нный 2) недосту́пный, недосяга́емый 3) *инд.* неприкаса́емый

2. *n инд.* член ка́сты неприкаса́емых; the ~s ка́ста неприкаса́емых

untoward [,ʌntə'wɔ:d] *a* 1) неблагоприя́тный, неуда́чный; несчастли́вый; if nothing ~ happens е́сли ничего́ плохо́го не случи́тся 2) нело́вкий 3) непоко́рный, своенра́вный 4) неподоба́ющий, неприли́чный

untrained [ʌn'treɪnd] *a* необу́ченный; неподгото́вленный

untrammelled [ʌn'træmld] *a* беспрепя́тственный; ~ right неоспори́мое пра́во

untransferable [ˌʌntræns'fɜːrəbl] *a* не могу́щий быть пе́реданным, без пра́ва переда́чи

untranslatable [ˌʌntræns'leɪtəbl] *a* непереводи́мый

untried [ʌn'traɪd] *a* 1) непрове́ренный, неиспы́танный 2) не разбира́вшийся в суде́ (*о деле*)

untrodden [ʌn'trɒdn] *a* непросто́птанный, неисхо́женный; забро́шенный, пусты́нный

untrue [ʌn'truː] *a* 1) ло́жный; непра́вильный 2) неве́рный (*кому-л.*; to) 3) несоотве́тствующий; ~ to type не соотве́тствующий образцу́, ти́пу

untrustworthy [ʌn'trʌstˌwɜːðɪ] *a* ненадёжный

untruth [ʌn'truːθ] *n* 1) непра́вда, ложь; to tell an ~ солга́ть 2) *уст.* неве́рность

untuck [ˌʌn'tʌk] *v* 1) отгиба́ть, расправля́ть (*что-л. подвёрнутое, подогнутое*) 2) распуска́ть (*складки*)

untune [ʌn'tjuːn] *v* расстра́ивать (*музыкальный инструмент*)

unturned [ʌn'tɜːnd] *a* неперевёрнутый, оста́вленный на ме́сте ◇ to leave no stone ~ *см.* stone 1 ◇

untutored [ˌʌn'tjuːtəd] *a* 1) необу́ченный 2) наи́вный, простоду́шный, неискушённый 3) врождённый, приро́дный (*о таланте*)

untwine [ˌʌn'twaɪn] *v* 1) распу́тывать(ся); расплета́ть(ся) 2) отделя́ть(ся)

untwist [ʌn'twɪst] *v* раскру́чивать(ся); расплета́ть(ся); рассу́чивать(ся)

unusable [ʌn'juːzəbl] *a* неподходя́щий, неприго́дный, не могу́щий быть испо́льзованным

unused *a* 1) [ˌʌn'juːzd] неиспо́льзованный; неиспо́льзуемый 2) [ʌn'juːst] непривы́кший (to — к *чему-л.*)

unusual [ʌn'juːʒuəl] *a* 1) необыкнове́нный; необы́чный, стра́нный; ре́дкий 2) замеча́тельный

unutilized [ʌn'juːtɪlaɪzd] *a* неиспо́льзованный

unutterable [ʌn'ʌtərəbl] *a* 1) непроизноси́мый 2) невырази́мый, неопису́емый

unvalued [ʌn'væljuːd] *a* 1) неоценённый 2) неоцени́мый

unvarnished [ˌʌn'vɑːnɪʃt] *a* 1) нелакиро́ванный 2) неприкра́шенный; ~ truth го́лая пра́вда

unveil [ˌʌn'veɪl] *v* 1) снима́ть покрыва́ло (*с чего-л.*); раскрыва́ть; *перен.* предста́ть в и́стинном све́те 2) торже́ственно открыва́ть (*памятник*) 3) открыва́ть (*тайну, планы и т. п.*)

unversed [ʌn'vɜːst] *a* несве́дущий, нео́пытный, неиску́сный (in — в *чём-л.*)

unvoice [ˌʌn'vɔɪs] *v фон.* оглуша́ть

unvoiced [ˌʌn'vɔɪst] *a* 1) непроизнесённый 2) *фон.* глухо́й

unvote [ˌʌn'vəʊt] *v* отменя́ть повто́рным голосова́нием

unwanted [ʌn'wɒntɪd] *a* нежела́нный, нежела́тельный; нену́жный, ли́шний

unwarned [ʌn'wɔːnd] *a* непредупреждённый

unwarrantable [ʌn'wɒrəntəbl] *a* неопра́вданный, непрости́тельный

unwarranted [ʌn'wɒrəntɪd] *a* 1) недозво́ленный 2) неопра́вданный, необосно́ванный

unwary [ʌn'weərɪ] *a* неосторо́жный, опроме́тчивый

unwashed [ˌʌn'wɒʃt] *a* немы́тый; нести́ранный

unwavering [ʌn'weɪvərɪŋ] *a* недро́гнувший

unwearied [ʌn'wɪərɪd] *a* 1) неутомлённый 2) неутоми́мый

unwearying [ʌn'wɪərɪŋ] *a* неутоми́мый; насто́йчивый

unweave [ʌn'wiːv] *v* (unwove; unwoven) распуска́ть (*ткань*), разотка́ть; расплета́ть

unwed [ˌʌn'wed] *a* невéнчанный; холосто́й; незаму́жняя

unweighted [ʌn'weɪtɪd] *a* 1) необду́манный, неблагоразу́мный 2) невзве́шенный (*о товарах*)

unwelcome [ʌn'welkəm] *a* нежела́нный, нежела́тельный; непро́шенный

unwell [ʌn'wel] *a* нездоро́вый; she is а) ей нездоро́вится; б) *эвф.* у неё менструа́ция

unwept [ʌn'wept] *a поэт.* 1) неопла́канный 2) невы́плаканный (*о слезах*)

unwholesome [ʌn'həʊlsəm] *a* нездоро́вый, неполе́зный, вре́дный

unwieldy [ʌn'wiːldɪ] *a* громо́здкий, неуклю́жий

unwilled [ʌn'wɪld] *a* нево́льный, неумы́шленный, ненаме́ренный

unwilling [ʌn'wɪlɪŋ] *a* несклóнный, нерасполо́женный

unwillingly [ʌn'wɪlɪŋlɪ] *adv* неохо́тно, про́тив жела́ния

unwind [ˌʌn'waɪnd] *v* (unwound) 1) разма́тывать(ся); раскру́чивать(ся) 2) *разг.* отдохну́ть, успоко́иться; рассла́биться

unwinking [ʌn'wɪŋkɪŋ] *a* 1) немига́ющий 2) бди́тельный

unwisdom [ʌn'wɪzdəm] *n* глу́пость, неблагоразу́мие

unwise [ˌʌn'waɪz] *a* не(благо)разу́мный

unwished [ʌn'wɪʃt] *a* нежела́нный (for)

unwitnessed [ʌn'wɪtnəst] *a* 1) незаме́ченный 2) не подтверждённый свиде́тельскими показа́ниями

unwitting [ʌn'wɪtɪŋ] *a* 1) не зна́ющий (*чего-л.*) 2) нево́льный, непреднаме́ренный; нечáянный

unwittingly [ʌn'wɪtɪŋlɪ] *adv* нево́льно, непреднаме́ренно; неча́янно

unwonted [ʌn'wəʊntɪd] *a* 1) непривы́чный, необы́чный; ре́дкий 2) не привы́кший (to — к *чему-л.*)

unworkable [ʌn'wɜːkəbl] *a* неприме́нимый, него́дный для рабо́ты

unworkmanlike [ʌn'wɜːkmənlaɪk] *a* сде́ланный по-люби́тельски, неуме́ло

unworldly [ʌn'wɜːldlɪ] *a* 1) не от ми́ра сего́ 2) духо́вный; несве́тский

unworn [ʌn'wɔːn] *a* 1) ненóшеный 2) непоно́шенный

unworthy [ʌn'wɜːðɪ] *a* 1) недосто́йный (of — *чего-л.*) 2) ни́зкий, презре́нный

unwound [ˌʌn'waʊnd] *past и p. p. от* unwind

unwove [ˌʌn'wəʊv] *past от* unweave

unwoven [ˌʌn'wəʊvən] *p. p. от* unweave

unwrap [ˌʌn'ræp] *v* развёртывать(ся)

unwritten [ˌʌn'rɪtn] *a* 1) непи́саный; ~ law а) непи́саный зако́н; б) *юр.* прецеде́нтное пра́во 2) незапи́санный, ненапи́санный 3) чи́стый (*о странице*)

unyielding [ʌn'jiːldɪŋ] *a* твёрдый, упо́рный; неподда́тливый, несгиба́емый

unyoke [ˌʌn'jəʊk] *v* снима́ть ярмо́ (*с кого-л.*); освобожда́ть от и́га

unyoked [ˌʌn'jəʊkt] **1.** *p. p. от* unyoke **2.** *a* не впряжённый в ярмо́

unzip [ˌʌn'zɪp] *v* расстегну́ть мо́лнию

up [ʌp] **1.** *adv* 1) *указывает на нахождение наверху или на более высокое положение* наверху́; вы́ше; high up in the air высоко́ в не́бе *или* в во́здухе; she lives three floors up она́ живёт тремя́ этажа́ми вы́ше 2) *указывает на подъём* наве́рх, вверх; he went up он пошёл наве́рх; hands up! ру́ки вверх! 3) *указывает на переход из горизонтального положения в вертикальное или от состояния покоя к деятельности*: he is up он встал; he was up all night он не спал, был на нога́х всю ночь 4) *указывает на истечение срока, завершение или результат действия*: Parliament is up се́ссия парла́мента закры́лась; it is all up with him с ним всё поко́нчено; the house burned up дом сгоре́л дотла́; to eat up съесть; to save up скопи́ть 5) *спорт.* впереди́; he is two points up он на два очка́ впереди́ своего́ проти́вника 6) *указывает на приближение*: a boy came up подошёл ма́льчик 7) *указывает на увеличение, повышение в цене, в чине, в значении и т. п.* вы́ше; the corn is up хлеб подорожа́л; age 12 up от 12 лет и ста́рше 8) *указывает на совершение действия*: something is up что́-то происхо́дит; что́-то затева́ется; what's up? в чём де́ло?, что случи́лось? 9) *указывает на близость или сходство*: he is up to his father as a scientist как учёный он не уступа́ет своему́ отцу́ ▭ up in а) све́дущий; she is well up in history она́ сильна́ в исто́рии; б) гото́вый; up in arms *см.* arm II 1, 1); up to а) *указывает на пригодность, соответствие*: he is not up to this job он не годи́тся для э́той рабо́ты; he is up to a thing or two зна́ний *или* уме́ния ему́ не занима́ть стать; to act up to one's promise поступа́ть согла́сно обеща́нию; исполня́ть обеща́ние; б) *указывает на временной предел* вплоть до; up to the middle of January до середи́ны января́ <> it's up to you (him, *etc.*) to decide (to act, *etc.*) реша́ть (де́йствовать *и т. п.*) предстои́т вам (ему́ *и т. п.*); up with..! да здра́вствует..!; to be up and about быть на нога́х, встать, попра́виться по́сле боле́зни; up against smth. лицо́м к лицу́ с чем-л.

2. *prep* 1) вверх по, по направле́нию к (*источнику, центру, столице и т. п.*); up the river вверх по реке́; up the hill в го́ру; up the steps вверх по ле́стнице 2) вдоль по; вглубь; up the street по у́лице; to travel up (the) country е́хать вглубь страны́ 3) про́тив (*течения, ветра и т. п.*); up the wind про́тив ве́тра; to row up the stream грести́ про́тив тече́ния 4) к се́веру, в се́верном направле́нии

3. *a* 1) иду́щий, поднима́ющийся вверх 2) направля́ющийся в кру́пный центр *или* на се́вер (*особ. о поезде*); up train по́езд, иду́щий в Ло́ндон *или* большо́й го́род 3) шипу́чий (*о напитках*) 4) повыша́ющийся

4. *n* 1) подъём; ups and downs а) взлёты и паде́ния; б) превра́тности судьбы́ 2) успе́х 3) вздорожа́ние 4) по́езд, авто́бус *и т. п.*, иду́щий в Ло́ндон, в большо́й го́род *или* на се́вер <> on the up and up а) преуспева́ющий, процвета́ющий; б) (*обыкн. амер.*) че́стно, откры́то

5. *v разг.* 1) поднима́ть; повыша́ть (*цены*) 2) вска́кивать

up- [ʌp-] *pref* 1) *в значении* вверх, кве́рху *прибавляется к существительным, образуя разные части речи*: upgrade подъём; upland наго́рный; upstairs наве́рх 2) *прибавляется к глаголам и отглагольным существительным, образуя существительные со значением* рост, подъём, измене́ние состоя́ния *и т. п.*; upheaval сдвиг; переворо́т; upswing улучше́ние 3) *прибавляется к глаголам, образуя новые глаголы, указывающие на полноту действия*: to uproot вырыва́ть с ко́рнем, выкорчёвывать; to upset опроки́дывать; to upturn перевёртывать

up-and-coming [ˌʌpən'kʌmɪŋ] *a разг.* 1) подаю́щий наде́жды, многообеща́ющий 2) напо́ристый, предприи́мчивый; энерги́чный

up and down [ˌʌpən'daʊn] *adv* 1) вверх и вниз; взад и вперёд 2) там и сям 3) *разг.* улучше́ние и ухудше́ние здоро́вья, перепа́ды настрое́ния

up-and-down [ˌʌpən'daʊn] *a* 1) холми́стый 2) дви́гающийся вверх и вниз, с ме́ста на ме́сто 3) *амер.* прямо́й, открове́нный 4) перпендикуля́рный

upas ['ju:pəs] *n* 1) *бот.* анча́р 2) па́губное влия́ние

upas tree ['ju:pəstri:] = upas 1)

upbear [ʌp'beə] *v* (upbore; upborne) подде́рживать

upbeat ['ʌpbi:t] *n муз.* неуда́рный звук в та́кте

upbore [ʌp'bɔ:] *past от* upbear

upborne [ʌp'bɔ:n] *p. p. от* upbear

upbraid [ʌp'breɪd] *v* брани́ть, укоря́ть (with, for — за *что-л.*)

upbringing ['ʌpbrɪŋɪŋ] *n* воспита́ние

upbuild [ʌp'bɪld] *v* вы́строить, постро́ить

upcast ['ʌpkɑ:st] **1.** *n* 1) *геол.* взброс 2) *горн.* вентиляцио́нная ша́хта

2. *a* восходя́щий, напра́вленный вверх

upcoming ['ʌpkʌmɪŋ] *a обыкн. амер.* 1) развива́ющийся, иду́щий вперёд 2) подаю́щий наде́жды

up-country [ˌʌp'kʌntrɪ] **1.** *a* располо́женный внутри́ страны́; вну́тренний

2. *adv* внутри́ страны́; внутрь страны́

update 1. *v* [ˌʌp'deɪt] модернизи́ровать

2. *n* ['ʌpdeɪt] 1) модерниза́ция 2) све́жие но́вости, изве́стия

updo ['ʌpdu:] = upsweep 1

up front [ˌʌp'frʌnt] *adv разг.* вперёд, ава́нсом

upfront [ˌʌp'frʌnt] **1.** *a* 1) че́стный, откры́тый, и́скренний 2) внесённый ава́нсом (*о платежах*)

2. *adv* = up front

upgrade 1. *n* ['ʌpgreɪd] подъём; on the ~ на подъёме

2. *v* [ˌʌp'greɪd] повыша́ть в до́лжности, переводи́ть на бо́лее высокоопла́чиваемую рабо́ту *и т. п.*

upgrowth ['ʌpgrəʊθ] *n* 1) рост, разви́тие 2) то, что растёт, тя́нется вверх

upheaval [ʌp'hi:vl] *n* 1) сдвиг 2) переворо́т 3) *геол.* смеще́ние пласто́в

upheave [ʌp'hi:v] *v* (upheaved [-d], uphove) поднима́ть(ся)

upheld [ʌp'held] *past и p. p. от* uphold

uphill [ˌʌp'hɪl] **1.** *adv* в го́ру

2. *a* 1) иду́щий в го́ру 2) тяжёлый, тру́дный; an ~ task тру́дная зада́ча

uphold [ʌp'həʊld] *v* (upheld) подде́рживать, защища́ть; поощря́ть; to ~ the view приде́рживаться взгля́да

upholder [ʌp'həʊldə] *n* сторо́нник

upholster [ʌp'həʊlstə] *v* 1) обива́ть (*мебель*; with, in — *чем-л.*) 2) ве́шать (*портьеры, ковры и т. п.*)

upholsterer [ʌp'həʊlstərə] *n* обо́йщик; драпиро́вщик

upholstery [ʌp'həʊlstərɪ] *n* 1) оби́вочный материа́л, оби́вка 2) ремесло́ обо́йщика *или* драпиро́вщика

uphove [ʌp'həʊv] *past и p. p. от* upheave

upkeep ['ʌpki:p] *n* 1) содержа́ние (*в исправности*); ремо́нт 2) сто́имость содержа́ния

upland ['ʌplənd] **1.** *n* (*обыкн. pl*) наго́рная страна́; гори́стая часть страны́

2. *a* 1) наго́рный 2) отдалённый; лежа́щий внутри́ страны́

uplift 1. *n* ['ʌplɪft] 1) подъём (*культуры и т. п.*); духо́вный подъём 2) *геол.* взброс 3) бюстга́льтер

2. *v* [ʌp'lɪft] поднима́ть (*настроение*)

upon [ə'pɒn] (*полная форма*); əpən (*редуцированная форма*)] = on 1 <> ~ my Sam! *sl.* че́стное сло́во!

upper ['ʌpə] **1.** *a* 1) ве́рхний; вы́сший; the U. House ве́рхняя пала́та; the ~ servants ста́ршая прислу́га (*дворецкий и т. п.*); the ~ ten (thousand) верху́шка о́бщества; ~ crust а) ве́рхняя ко́рка (*буханки*); б) *разг.* верху́шка о́бщества, аристокра́тия; the ~ storey а) ве́рхний эта́ж; б) *разг.* башка́, «черда́к»; he is a little wrong in the ~ storey ≅ у него́ не все до́ма 2) *горн.* восстаю́щий (*о шпуре*)

2. *n* 1) передо́к боти́нка 2) *pl* ге́тры; гама́ши 3) *разг.* ве́рхняя по́лка (*в вагоне*) 4) ве́рхний зуб 5) *горн.* восстаю́щий шпур <> to be (down) on one's ~s а) быть без гроша́; быть в стеснённых обстоя́тельствах; б) ходи́ть в сто́птанных башмака́х

uppercut ['ʌpəkʌt] *n* апперко́т, уда́р сни́зу (*в боксе*)

uppermost ['ʌpəməʊst] **1.** *a* 1) са́мый ве́рхний; вы́сший 2) преоблада́ющий, гла́вный

2. *adv* 1) наверху́ 2) пре́жде всего́; I said whatever came ~ я сказа́л пе́рвое, что пришло́ в го́лову

upper works ['ʌpəwɜ:ks] *n pl* надво́дная часть су́дна

uppish ['ʌpɪʃ] *a разг.* чва́нный, спеси́вый; на́глый

uppity ['ʌpətɪ] *разг. см.* uppish

upraise [ʌp'reɪz] *v* поднима́ть, воздева́ть; возвыша́ть

upright 1. *n* ['ʌpraɪt] 1) подпо́рка; коло́нна; сто́йка 2) *сокр. от* upright piano

2. *a* [ˌʌp'raɪt] 1) вертика́льный, прямо́й, отве́сный 2) че́стный

uprightly ['ʌpraɪtlɪ] *adv* пря́мо, че́стно

upright piano [ˌʌpraɪtpɪ'ænəʊ] *n* пиани́но

uprise 1. *n* ['ʌpraɪz] 1) восхо́д 2) появле́ние 3) подъём 4) = uprising 2

2. *v* [ʌp'raɪz] (uprose; uprisen) *поэт.* 1) восстава́ть 2) поднима́ться

uprisen [ʌp'rɪzn] *p. p. от* uprise 2

uprising [ʌp'raɪzɪŋ] **1.** *pres. p. от* uprise 2

2. *n* восста́ние

uproar ['ʌprɔ:] *n* 1) шум, гам 2) волне́ние, беспоря́дки

uproarious [ʌp'rɔ:rɪəs] *a* 1) шу́мный, бу́йный 2) вызыва́юще гро́мкий (*о смехе*)

uproot [ʌp'ru:t] *v* вырыва́ть с ко́рнем, выкорчёвывать; искореня́ть

uprose [ʌp'rəʊz] *past от* uprise 2

upset 1. *v* [ʌp'set] (upset) 1) опроки́дывать(ся) 2) расстра́ивать, наруша́ть (*порядок и т. п.*); to ~ smb.'s plans расстра́ивать чьи-л. пла́ны 3) расстра́ивать, огорча́ть, выводи́ть из душе́вного равнове́сия; I am ~ я расстро́ен 4) наруша́ть пищеваре́ние 5) *тех.* обжима́ть; оса́живать

2. *n* ['ʌpset] 1) опроки́дывание 2) беспоря́док 3) расстро́йство, огорче́ние 4) *разг.* ссо́ра 5) недомога́ние; stomach ~ расстро́йство желу́дка 6) *спорт.* неожи́данное пораже́ние

3. *a* [ˌʌp'set]: ~ price ни́зшая отправна́я цена́ (*на аукционе*)

upshot ['ʌpʃɒt] *n* развя́зка, заключе́ние; результа́т; in the ~ в конце́ концо́в

upside ['ʌpsaɪd] *n* ве́рхняя сторона́ *или* часть

upside down [,ʌpsaɪd'daʊn] *adv* вверх дном, в беспоря́дке

upside-down [,ʌpsaɪd'daʊn] *a* перевёрнутый вверх дном

upsides ['ʌpsaɪdz] *adv разг.*: to be (*или* to get) ~ with smb. расквита́ться с кем-л.

upstage [,ʌp'steɪdʒ] **1.** *a* 1) относя́щийся к за́дней ча́сти сцены 2) *разг.* надме́нный, высокоме́рный

2. *adv* 1) в глубине́ сце́ны 2) *разг.* надме́нно

upstair [,ʌp'steə] = upstairs 1, 1) *и* 3

upstairs [,ʌp'steəz] **1.** *adv* 1) вверх (по ле́стнице), наве́рх; наверху́, в ве́рхнем этаже́ 2) *ав.* на большо́й высоте́; в во́здухе

2. *n* 1) ве́рхняя часть зда́ния 2) челове́к, живу́щий в ве́рхнем этаже́

3. *a* находя́щийся в ве́рхнем этаже́, наверху́

upstanding [,ʌp'stændɪŋ] *a* 1) стоя́чий; стоя́щий; прямо́й 2) здоро́вый; ~ children здоро́вые де́ти 3) че́стный и прямо́й 4) с прямо́й оса́нкой

upstart **1.** *n* ['ʌpstɑ:t] вы́скочка

2. *v* [ʌp'stɑ:t] 1) вска́кивать 2) заста́вить вскочи́ть, спугну́ть

upstate [,ʌp'steɪt] *n амер.* се́верная часть шта́та

upstream [,ʌp'stri:m] **1.** *adv* 1) про́тив тече́ния 2) вверх по тече́нию

2. *a* 1) плыву́щий про́тив тече́ния 2) располо́женный вверх по тече́нию

upsurge **1.** *n* ['ʌpsɜ:dʒ] рост, повыше́ние, подъём; ~ of anger волна́ гне́ва

2. *v* [ʌp'sɜ:dʒ] поднима́ться, повыша́ться

upsweep **1.** *n* ['ʌpswi:p] приче́ска, при кото́рой во́лосы зачёсываются наве́рх

2. *v* [,ʌp'swi:p] зачёсывать, убира́ть наве́рх (*во́лосы*)

upswing ['ʌpswɪŋ] **1.** *n* подъём; улучше́ние

2. *v* поднима́ться; улучша́ться

uptake ['ʌpteɪk] *n* 1) *разг.* понима́ние; to be quick (slow) in the ~ бы́стро (ме́дленно) сообража́ть 2) *тех.* вертика́льный кана́л

upthrow ['ʌpθrəʊ] *n* 1) бросо́к вверх 2) = upheaval 3)

up-to-date [,ʌptə'deɪt] *a* совреме́нный; соотве́тствующий совреме́нным тре́бованиям; нове́йший

uptown [,ʌp'taʊn] *амер.* **1.** *n* 1) ве́рхняя часть го́рода 2) жилы́е кварта́лы го́рода

2. *a* располо́женный *или* находя́щийся в ве́рхней ча́сти го́рода

3. *adv* в ве́рхней ча́сти го́рода

uptrend [ʌp'trend] *n* тенде́нция к повыше́нию

upturn ['ʌptɜ:n] **1.** *n* 1) подъём; улучше́ние (*усло́вий и т. п.*) 2) рост (*цен и т. п.*)

2. *v* перевёртывать

upward ['ʌpwəd] **1.** *a* напра́вленный *или* дви́жущийся вверх

2. *adv* = upwards

upwards ['ʌpwədsz] *adv* 1) вверх; to follow the river ~ идти́ вверх по реке́ 2) бо́льше; ста́рше; вы́ше; children of five years and ~ де́ти пяти́ лет и ста́рше ◇ ~ of свы́ше; ~ of 50 people бо́лее 50 челове́к

uraemia [jʊ'ri:mɪə] *n мед.* уреми́я

Ural-Altaic [,jʊərəlæl'teɪɪk] **1.** *a* ура́ло-алта́йский

2. *n* ура́ло-алта́йская гру́ппа языко́в

uranium [jʊ'reɪnɪəm] *n хим.* 1) ура́н 2) *attr.* ура́новый; ~ reactor ура́новый реа́ктор

Uranus ['jʊərənəs] *n греч. миф.*, *астр.* Ура́н

urban ['ɜ:bən] *a* городско́й; ~ population городско́е населе́ние; ~ guerilla террори́ст, де́йствующий в го́роде

urbane [ɜ:'beɪn] *a* ве́жливый; с изы́сканными мане́рами

urbanite ['ɜ:bənaɪt] *n* горожа́нин

urbanity [ɜ:'bænətɪ] *n* 1) ве́жливость, любе́зность, учти́вость 2) городска́я жизнь

urbanize ['ɜ:bənaɪz] *v* 1) де́лать ве́жливым, учти́вым 2) превраща́ть в го́род (*посёлок и т. п.*)

urban sprawl [,ɜ:bən'sprɔ:l] *n* стихи́йный рост городо́в за счёт се́льской ме́стности

urchin ['ɜ:tʃɪn] *n* 1) мальчи́шка, постре́л 2) ёж 3) *уст.* домово́й

Urdu ['ʊədu:] *n* язы́к урду́

urea [jʊ'ri:ə] *n хим.* мочеви́на

ureter ['jʊərɪtə] *n анат.* мочето́чник

urethra [jʊ'ri:θrə] *n* мочеиспуска́тельный кана́л, уре́тра

urge [ɜ:dʒ] **1.** *n* 1) толчо́к, побужде́ние 2) си́льное жела́ние

2. *v* 1) понужда́ть, подгоня́ть (*тж.* ~ on) 2) побужда́ть; подстрека́ть 3) убежда́ть, наста́ивать на; настоя́тельно сове́товать; to ~ smth. upon smb. убежда́ть кого́-л. в чём-л. 4) надоеда́ть, тверди́ть одно́ и то́ же

urgency ['ɜ:dʒənsɪ] *n* 1) настоя́тельность, безотлага́тельность; a matter of great ~ сро́чное де́ло 2) насто́йчивость; назо́йливость

urgent ['ɜ:dʒənt] *a* 1) сро́чный, настоя́тельный 2) кра́йне необходи́мый; to be in ~ need of smth. кра́йне нужда́ться в чём-л. 3) насто́йчивый, упо́рный; назо́йливый

uric ['jʊərɪk] *a* мочево́й

urinal [jʊ'raɪnl] *n* 1) писсуа́р 2) мочеприёмник 3) «у́тка» (*больни́чная*)

urinalyses [,jʊərɪ'næləsi:z] *pl от* urinalysis

urinalysis [,jʊərɪ'næləsɪs] *n* (*pl* -ses) ана́лиз мочи́

urinary ['jʊərɪnərɪ] *a* мочево́й

urinate ['jʊərɪneɪt] *v* мочи́ться

urination [,jʊərɪ'neɪʃn] *n* мочеиспуска́ние

urine ['jʊərɪn] *n* моча́

urinology [,jʊərɪ'nɒlədʒɪ] = urology

urn [ɜ:n] *n* 1) у́рна 2) электри́ческий самова́р *или* кофе́йник

urology [jʊ'rɒlədʒɪ] *n* уроло́гия

Ursa ['ɜ:sə] *n*: ~ Major (Minor) *астр.* Больша́я (Ма́лая) Медве́дица

ursine ['ɜ:saɪn] *a* медве́жий

Uruguayan [,jʊərə'gwaɪən] **1.** *a* уругва́йский

2. *n* уругва́ец; уругва́йка

us [ʌs (*по́лная фо́рма*); əs (*редуци́рованная фо́рма*)] *pron pers. косв. п. от* we

usable ['ju:zəbl] *a* 1) го́дный к употребле́нию 2) удо́бный, практи́чный

usage ['ju:sɪdʒ] *n* 1) обхожде́ние, обраще́ние; harsh ~ гру́бое обраще́ние 2) обы́чай, обыкнове́ние 3) употребле́ние 4) словоупотребле́ние

usance ['ju:zns] *n* устано́вленный торго́вым обы́чаем срок платежа́ по иностра́нным векселя́м

use **1.** *n* [ju:s] 1) употребле́ние; примене́ние; in ~ в употребле́нии; in daily ~ в ча́стом употребле́нии; в обихо́де; to be (*или* to fall) out of ~ вы́йти из употребле́ния; to put knowledge to ~ применя́ть зна́ния на пра́ктике 2) (ис)по́льзование; спосо́бность *или* пра́во по́льзования (*чем-л.*); to have the ~ of smth. по́льзоваться чем-л.; he put the ~ of his house at my disposal он предложи́л мне по́льзоваться свои́м до́мом; to lose the ~ of smth. потеря́ть спосо́бность по́льзоваться чем-л.; he lost the ~ of his eyes он осле́п; to make ~ of, to put to ~ испо́льзовать, воспо́льзоваться 3) по́льза; толк; to be of (no) ~ быть (бес)поле́зным; is there any ~? сто́ит ли?; what's the ~ of arguing? к чему́ спо́рить? 4) обыкнове́ние, привы́чка; ~ and wont обы́чная пра́ктика; long ~ has reconciled me to it я примири́лся с э́тим благодаря́ давни́шней привы́чке 5) цель, назначе́ние; a tool with many ~s инструме́нт, применя́емый для разли́чных це́лей 6) ритуа́л це́ркви, епа́рхии 7) *юр.* управле́ние иму́ществом по дове́ренности; дохо́д от управле́ния иму́ществом по дове́ренности ◇ I have no ~ for it а) мне э́то соверше́нно не ну́жно; б) я э́того не выношу́

2. *v* [ju:z] 1) употребля́ть, по́льзоваться, применя́ть; he rarely ~s the car он ре́дко по́льзуется маши́ной; to ~ one's brains (*или* one's wits) «шевели́ть мозга́ми» 2) обраща́ться, обходи́ться (*с кем-л.*); to ~ smb. like a dog третировать кого́-л.; he thinks himself ill ~d он счита́ет, что с ним пло́хо обошли́сь 3) испо́льзовать в свои́х интере́сах 4) (*тк. past* [*обы́кн.* ju:st]): I ~d to see him often я ча́сто его́ встреча́л; it ~d to be said (быва́ло) говори́ли; there ~d to be a house here ра́ньше здесь стоя́л дом 5) прибега́ть (*к чему-л.*), по́льзоваться (*чем-л.*); may I ~ your name? могу́ я на вас сосла́ться? 6) испо́льзовать, израсхо́довать; they ~ 10 tons of coal a month они́ расхо́дуют 10 тонн у́гля в ме́сяц ▭ ~ **up** а) израсхо́довать, испо́льзовать; истра́-

тить; б) истощать; to feel ~d up чувствовать себя совершенно обессиленным

used 1. [ju:zd] *p. p. от* use 2

2. *a* 1) подержанный, старый 2) *тех.* отработанный, отработавший

used to [ˈju:stʊ] *a* привыкший; you'll soon get ~ it вы скоро привыкнете к этому

used-up [ˈju:zdʌp] *a* 1) измученный, изнурённый 2) *амер.* окончательный; полностью обсуждённый

useful [ˈju:sfl] *a* 1) полезный, пригодный; ~ effect *тех.* полезное действие, отдача 2) *разг.* способный; успешный; весьма похвальный ◇ to make oneself ~ приносить пользу

useless [ˈju:sləs] *a* 1) бесполезный; никуда не годный 2) *разг.* плохо себя чувствующий, в плохом настроении; I am feeling ~ я чувствую себя отвратительно, я ни на что не гожусь

user [ˈju:zə] *n* 1) лицо, осуществляющее пользование 2) *разг.* наркоман 3) потребитель 4) *юр.* пользование правом *или* вещью

usher [ˈʌʃə] **1.** *n* 1) капельдинер; билетёр 2) пристав (*в суде*) 3) церемониймейстер 4) швейцар 5) *уст., шутл.* младший учитель 6) *амер.* шафер

2. *v* 1) проводить; вводить (in) 2) объявлять, возвещать (*приход, наступление; тж.* ~ in)

usherette [ˌʌʃəˈret] *n* капельдинерша; билетёрша

usquebaugh [ˈʌskwɪbɔ:] *n* 1) *шотл., ирл.* виски 2) ирландский напиток из коньяка с пряностями

usual [ˈju:ʒʊəl] **1.** *a* обыкновенный, обычный; as ~ как обычно; the ~ thing то, что обычно принято (*говорить, делать*)

2. *n* (the ~) *разг. см.* the ~ thing [*см.* 1]

usually [ˈju:ʒʊəlɪ] *adv* обычно, обыкновенно

usufruct [ˈju:sjʊfrʌkt] *n юр.* узуфрукт (*право пользования чужой собственностью и доходами от неё без причинения ущерба*)

usufructuary [ˌju:sjʊˈfrʌktʃʊərɪ] *юр.* **1.** *a* относящийся к узуфрукту [*см.* usufruct]

2. *n* человек, пользующийся узуфруктом

usurer [ˈju:ʒərə] *n* ростовщик

usurious [ju:ˈzjʊərɪəs] *a* ростовщический

usurp [jʊˈzɜ:p] *v* узурпировать, незаконно захватывать

usurpation [ˌju:zɜ:ˈpeɪʃn] *n* узурпация, незаконный захват

usurper [ju:ˈzɜ:pə] *n* узурпатор, захватчик

usury [ˈju:ʒərɪ] *n* 1) ростовщичество 2) ростовщический процент 3): with ~ с лихвой

utensil [jʊˈtensl] *n* посуда, утварь; принадлежность; kitchen ~s кухонная посуда; writing ~s письменные принадлежности

uteri [ˈju:tərаɪ] *pl от* uterus

uterine [ˈju:təraɪn] *a* утробный; ~ brother единоутробный брат

uterus [ˈju:tərəs] *n* (*pl* -ri) *анат.* матка

utilitarian [jʊˌtɪlɪˈteərɪən] **1.** *a* утилитарный

2. *n* (U.) утилитарист

utilitarianism [jʊˌtɪlɪˈteərɪənɪzəm] *n филос.* утилитаризм

utility [jʊˈtɪlətɪ] *n* 1) полезность; выгодность; of no ~ бесполезный 2) полезная вещь 3) *pl* (*тж.* public utilities) коммунальные сооружения, предприятия; коммунальные услуги 4) *pl* акции и облигации предприятий общественного пользования 5) *эк.* общественная полезность 6) *attr.* утилитарный 7) *attr.* связанный с коммунальными услугами 8) *attr.* практичный (*о товарах*)

utility-man [jʊˈtɪlətɪmən] *n* 1) *театр. жарг.* актёр на выходных ролях 2) мастер на все руки

utilization [ˌju:tɪlaɪˈzeɪʃn] *n* использование, утилизация

utilize [ˈju:tɪlaɪz] *v* использовать, утилизировать

utmost [ˈʌtməʊst] **1.** *a* 1) самый отдалённый; the ~ ends of earth самые отдалённые районы земли 2) крайний, предельный; величайший; ~ secrecy глубокая тайна; with the ~ pleasure с превеликим удовольствием

2. *n* самое большое, всё возможное; to do one's ~ сделать всё возможное; he did the ~ of his power он сделал всё, что было в его силах

Utopia [jʊˈtəʊpɪə] *n* утопия

Utopian [jʊˈtəʊpɪən] **1.** *a* утопический

2. *n* утопист

utricle [ˈju:trɪkl] *n анат.* перепончатый мешочек ушного лабиринта

utter I [ˈʌtə] *v* 1) издавать (*звук*); произносить 2) выражать словами; to ~ a lie солгать 3) пускать в обращение (*особ. фальшивые деньги*)

utter II [ˈʌtə] *a* 1) полный, совершенный, абсолютный; крайний; ~ darkness абсолютная темнота; an ~ scoundrel отъявленный негодяй 2): ~ barrister адвокат, не имеющий звания королевского адвоката и выступающий в суде «за барьером»

utterance [ˈʌtrəns] *n* 1) выражение в словах, произнесение; he gave ~ to his rage он разразился гневом 2) высказывание; public ~ публичное заявление 3) дар слова 4) дикция; произношение, манера говорить

utterly [ˈʌtəlɪ] *adv* крайне, чрезвычайно; ~ ruined совершенно, полностью разорённый

uttermost [ˈʌtəməʊst] = utmost

uvula [ˈju:vjʊlə] *n* (*pl* -lae) *анат.* язычок

uvulae [ˈju:vjʊli:] *pl от* uvula

uvular [ˈju:vjʊlə] *a* язычковый

uxorious [ʌkˈsɔ:rɪəs] *a* очень *или* слишком любящий свою жену

Uzbek [ˈʊzbek] **1.** *a* узбекский

2. *n* 1) узбек; узбечка 2) узбекский язык

V

V, v [vi:] *n* (*pl* Vs, V's [vi:z]) 1) *22-я буква англ. алфавита* 2) что-л., имéющее фóрму бýквы V 3) ри́мская ци́фра 5; 4) *амер. разг.* пятидóлларовая бумáжка

V- [vi:-] *в сложных словах* 1) *означает* свя́занный с побéдой (*во второй мировой войне*); V-Day День Побéды 2) имéющий фóрму бýквы V 3) *тех.* V-обрáзный; клинови́дный; V-belt клиновóй ремéнь

vac [væk] *разг. сокр. от* vacation 1

vacancy ['veɪkənsɪ] *n* 1) пустотá 2) вакáнсия, свобóдное мéсто 3) помещéние, сдающееся внаём; "no vacancies" «мест нет» (*объявление в гостинице и т. п.*) 4) безучáстность; рассéянность 5) бездéятельность 6) незáнятый, незастрóенный учáсток *или* промежýток; пустóе, незáнятое мéсто 7) пробéл; прóпуск; a ~ in one's knowledge пробéл в знáниях

vacant ['veɪkənt] *a* 1) пустóй, незáнятый, свобóдный; to be ~ пустовáть; "~ possession" «помещéние готóво для въéзда» (*объявление*) 2) вакáнтный, незáнятый (*о должности*) 3) рассéянный, бессмы́сленный, безучáстный, отсýтствующий (*взгляд и т. п.*); a ~ smile отсýтствующая улы́бка 4) бездéятельный 5) *тех.* холостóй (*ход*)

vacantly ['veɪkəntlɪ] *adv* бессмы́сленно, безучáстно, рассéянно

vacate [və'keɪt] *v* 1) освобождáть; покидáть, оставля́ть 2) упраздня́ть; аннули́ровать

vacation [və'keɪʃn] **1.** *n* 1) канúкулы, the long ~ лéтние канúкулы 2) *амер.* óтпуск 3) оставлéние; освобождéние 4) *attr.* отпускнóй; каникуля́рный; ~ pay оплáта óтпуска

2. *v амер.* отдыхáть, брать óтпуск

vacationist [və'keɪʃnɪst] *n амер.* отдыхáющий, отпускни́к

vaccinate ['væksɪneɪt] *v мед.* 1) прививáть óспу (*тж.* to ~ smb. against smallpox) 2) применя́ть вакци́ну, вакцини́ровать, дéлать приви́вку

vaccination [,væksɪ'neɪʃn] *n мед.* 1) приви́вка óспы 2) вакцинáция

vaccine ['væksi:n] *n мед.* 1) вакци́на 2) *attr.* вакци́нный; ~ therapy вакцинотерапи́я

vaccinia [væk'sɪnɪə] *n* корóвья óспа

vacillate ['væsɪleɪt] *v* 1) колебáться; проявля́ть нерешúтельность 2) качáться, колебáться

vacillating ['væsɪleɪtɪŋ] **1.** *pres. p. от* vacillate

2. *a* колéблющийся; нерешúтельный

vacillation [,væsɪ'leɪʃn] *n* 1) колебáние; непостоя́нство 2) шатáние

vacua ['vækjʊə] *pl от* vacuum

vacuity [væ'kju:ətɪ] *n* 1) отсýтствие мы́сли; бессодержáтельность (*взгляда и т. п.*) 2) пусты́е, бессодержáтельные словá; «водá»

vacuous ['vækjʊəs] *a* 1) пустóй (*преим. перен.*); ~ stare бессмы́сленный взгляд 2) бездéятельный, прáздный

vacuum ['vækjʊəm] **1.** *n* (*pl* -s [-z], -cua) 1) *физ.* вáкуум, безвоздýшное прострáнство 2) пустотá; to fill the ~ заполнить пустотý, воспóлнить пробéл 3) *разг.* пылесóс 4) понúженное давлéние (*по сравнению с атмосферным*) 5) *attr.* вáкуумный

2. *v разг.* чи́стить пылесóсом

vacuum brake ['vækjʊəm,breɪk] *n* вáкуумный тóрмоз

vacuum cleaner ['vækjʊəm,kli:nə] *n* пылесóс

vacuum fan ['vækjʊəmfæn] *n тех.* эксгáустер, вытяжнóй вентиля́тор

vacuum flask ['vækjʊəmflɑ:sk] *n* тéрмос

vacuum gauge ['vækjʊəm,geɪdʒ] *n* вакуумметр

vacuum pump ['vækjʊəmpʌmp] *n* вáкуум-насóс

vacuum tube ['vækjʊəmtju:b] *n радио* электрóнная лáмпа

vacuum-valve ['vækjʊəmvælv] = vacuum tube

vade mecum [,vɑ:dɪ'meɪkəm] *n* кармáнный спрáвочник; путеводи́тель

vagabond ['vægəbɒnd] **1.** *n* 1) бродя́га 2) *разг.* бездéльник; мерзáвец

2. *a* бродя́чий; to live a ~ life вести́ бродя́чий óбраз жи́зни, скитáться

3. *v* скитáться; бродя́жничать

vagabondage ['vægəbɒndɪdʒ] *n* 1) бродя́жничество 2) *собир.* бродя́ги

vagabondize ['vægəbɒndaɪz] *v* скитáться; бродя́жничать

vagarious [və'geərɪəs] *a* капри́зный, стрáнный

vagary ['veɪgərɪ] *n* 1) капри́з, причýда; вы́ходка 2) *pl* преврáтности; the vagaries of Fortune превратности судьбы́

vagina [və'dʒaɪnə] *n* (*pl* -nae, -s [-z]) *анат., бот.* влагáлище

vaginae [və'dʒaɪni:] *pl от* vagina

vaginal [və'dʒaɪnl] *a анат.* влагáлищный

vagrancy ['veɪgrənsɪ] *n* 1) бродя́жничество; taken up for ~ арестóванный за бродя́жничество 2) вы́ходка, причýда

vagrant ['veɪgrənt] **1.** *n* бродя́га; прáздношатáющийся

2. *a* 1) бродя́чий; стрáнствующий; ~ tribes кочевы́е племенá 2) измéнчивый; блуждáющий (*о взгляде и т. п.*); ~ thoughts прáздные мы́сли

vague [veɪg] *a* 1) неопределённый, неясный, смýтный; неулови́мый; ~ hopes смýтные надéжды; ~ rumours неопределённый слýхи; ~ resemblance отдалённое схóдство; I have not the ~st notion what to do не имéю ни малéйшего представлéния, что дéлать; he was very ~ on this point по э́тому вопрóсу он не вы́сказал определённого мнéния 2) рассéянный; отсýтствующий (*о взгляде и т. п.*)

vail [veɪl] *v уст.* 1) склоня́ть (*оружие, знамёна*) 2) уступáть; склоня́ться (to — пéред *кем-л.*) 3) снимáть (*шляпу*) 4) наклоня́ть (*голову*); опускáть (*глаза*)

vain [veɪn] *a* 1) тщеслáвный, пóлный самомнéния; to be ~ of smth. горди́ться чем-л. 2) пустóй; сýетный 3) мишýрный, показнóй 4) тщéтный; напрáсный; ~ efforts напрáсные уси́лия 5) *уст.* глýпый ◇ in ~ а) напрáсно, тщéтно; б) всýе; to take smb.'s name in ~ говори́ть о ком-л. без дóлжного уважéния; to take God's name in ~ богохýльствовать

vainglorious [veɪn'glɔ:rɪəs] *a книжн.* тщеслáвный; хвастли́вый

vainglory [veɪn'glɔ:rɪ] *n книжн.* тщеслáвие; хвастли́вость

vainly ['veɪnlɪ] *adv* 1) напрáсно, тщéтно 2) тщеслáвно

vakeel, vakil [væ'ki:l] *инд. n* 1) представи́тель 2) послáнник 3) адвокáт

valance ['væləns] *n* подзóр (*у кровати*); балдахи́н

vale I [veɪl] *n поэт., уст.* дол, доли́на; this ~ of tears (*или* of woe, of misery) «юдóль слёз», «юдóль печáли»

vale II ['vɑ:leɪ] **1.** *n* прощáние; to say (*или* to take) one's ~ прощáться

2. *int* прощáй(те)!

valediction [,vælɪ'dɪkʃn] *n* 1) прощáние 2) прощáльная речь, прощáльные пожелáния

valedictorian [,vælɪdɪk'tɔ:rɪən] *n амер.* студéнт-выпускни́к, произнося́щий прощáльную речь

valedictory [,vælɪ'dɪktərɪ] **1.** *n* 1) прощáльная речь 2) *амер.* прощáльное слóво, напýтствие

2. *a* прощáльный; ~ speech прощáльная речь

valence I ['væləns] = valance

valence II ['veɪləns] *амер.* = valency

Valenciennes [,vælənsɪ'en] *n* валансьéнские кружевá

valency ['veɪlənsɪ] *n хим.* 1) вале́нтность 2) *attr.* вале́нтный; ~ link вале́нтная связь

-valent [-'veɪlənt] *в сложных словах* -вале́нтный

valentine ['væləntaɪn] *n* 1) любо́вное *или* шутли́вое посла́ние, стихи́, посыла́емые в день св. Валенти́на [*см.* 2)] 2) возлю́бленный, возлю́бленная (*выбираемые в шутку обыкн. 14-го февраля, в день св. Валентина*)

valerian [və'lɪərɪən] *n* 1) *бот.* валериа́на 2) валериа́новые ка́пли (*тж.* ~ drops)

valeric [və'lɪərɪk] *a*: ~ acid валериа́новая кислота́

valet ['vælɪt] **1.** *n* 1) слуга́, камерди́нер 2) слу́жащий гости́ницы, занима́ющийся чи́сткой, утю́жкой оде́жды

2. *v* 1) служи́ть камерди́нером 2) занима́ться чи́сткой, утю́жкой оде́жды (*в гостинице*)

valetudinarian [,vælɪtju:dɪ'neərɪən] **1.** *a* боле́зненный; мни́тельный

2. *n* боле́зненный *или* мни́тельный челове́к; челове́к сла́бого здоро́вья

valetudinarianism [,vælɪtju:dɪ'neərɪənɪzəm] *n* боле́зненность; мни́тельность

valetudinary [,vælɪ'tju:dɪnərɪ] = valetudinarian

valgus ['vælgəs] *n мед.* кривоно́гость

Valhalla [væl'hælə] *n* 1) *сканд. миф.* Валга́лла 2) пантео́н

valiancy ['vælɪənsɪ] *n* хра́брость, до́блесть

valiant ['vælɪənt] **1.** *a* 1) хра́брый, до́блестный (*человек*) 2) герои́ческий (*поступок*)

2. *n* хра́брый челове́к

valid ['vælɪd] *a* 1) ве́ский, обосно́ванный (*довод, возражение*) 2) юриди́чески действи́тельный, име́ющий си́лу; the contract is ~ догово́р в си́ле; the ticket is ~ for a month биле́т действи́телен в тече́ние ме́сяца 3) *спорт.* зачётный; ~ trial зачётная попы́тка

validate ['vælɪdeɪt] *v* 1) утвержда́ть, ратифици́ровать 2) де́лать действи́тельным, придава́ть юриди́ческую си́лу

validation [,vælɪ'deɪʃn] *n* 1) утвержде́ние, ратифика́ция 2) легализа́ция; прида́ние юриди́ческой си́лы

validity [və'lɪdətɪ] *n* 1) действи́тельность, зако́нность 2) ве́скость, обосно́ванность; without ~ несостоя́тельный, необосно́ванный

valise [və'li:z] *n* 1) саквоя́ж, ко́жаный чемода́н 2) *амер.* складна́я доро́жная су́мка 3) *воен. ист.* ра́нец; переме́тная сума́

Valkyrie ['vælkərɪ] *n сканд. миф.* валькири́я

valley ['vælɪ] *n* 1) доли́на 2) *архит.* ендова́, разжело́бок 3) *тех.* жёлоб

valor ['vælə] *амер.* = valour

valorize ['væləraɪz] *v эк.* 1) устана́вливать це́ны путём госуда́рственных мероприя́тий 2) ревалоризи́ровать (валю́ту)

valorous ['vælərəs] *a* до́блестный

valour ['vælə] *n* до́блесть

valse [va:ls] *n* вальс

valuable ['væljuəbl] **1.** *a* 1) це́нный; дорого́й; a ~ picture це́нная карти́на 2) це́нный, поле́зный; he gave me ~ information он сообщи́л мне це́нные све́дения

2. *n* (*обыкн. pl*) це́нные ве́щи; драгоце́нности

valuation [,vælju'eɪʃn] *n* 1) оце́нка (*имущества*); to take smb. at his own ~ принима́ть кого́-л. за того́, за кого́ он себя́ выдаёт 2) це́нность; цена́

value ['vælju:] **1.** *n* 1) це́нность; of no ~ несто́ящий, не име́ющий це́нности; to put much (little) ~ upon smth. высоко́ (ни́зко) цени́ть что-л. 2) сто́имость; цена́; справедли́вое возмеще́ние; they paid him the ~ of his lost property они́ возмести́ли ему́ сто́имость его́ пропа́вшего иму́щества; to get good ~ for one's money получи́ть сполна́ за свои́ де́ньги, вы́годно купи́ть; to go down in ~ пони́зиться в цене́, подешеве́ть; обесце́ниться 3) *эк.* сто́имость; surplus (exchange) ~ приба́вочная (менова́я) сто́имость 4) *pl* це́нности, досто́инства; cultural ~s культу́рные це́нности; sense of ~s мора́льные крите́рии 5) оце́нка 6) *муз.* дли́тельность (*ноты*) 7) *мат.* величина́, значе́ние 8) значе́ние, смысл (*слова*); to give full ~ to each word отчека́нивать слова́ 9) *жив.* сочета́ние све́та и те́ни в карти́не

2. *v* 1) оце́нивать 2) дорожи́ть, цени́ть; he ~s himself on his knowledge он горди́тся свои́ми зна́ниями; I do not ~ that a brass farthing ≅ по-мо́ему, э́то гроша́ ло́маного не сто́ит

valued ['vælju:d] **1.** *p. p. от* value 2

2. *a* це́нный; цени́мый; высоко́ оценённый; ~ opinion це́нное мне́ние

valueless ['væljuləs] *a* ничего́ не сто́ящий, бесполе́зный

valuer ['væljuə] *n* оце́нщик

valuta [və'lu:tə] *n* валю́та

valve [vælv] *n* 1) кла́пан, ве́нтиль; золотни́к 2) створка (*раковины*) 3) *бот.* ва́льва; ство́рка 4) кла́пан (*сердца*) 5) *радио* электро́нная ла́мпа 6) *муз.* писто́н, ве́нтиль 7) *attr.* ла́мповый 8) *attr.* кла́панный

valve set ['vælvset] *n радио* ла́мповый приёмник

valvular ['vælvjulə] *a* 1) *мед.*: ~ defect поро́к кла́панов (се́рдца) 2) кла́панный

vamoose, vamose [və'mu:s, və'məus] *v амер. sl.* уходи́ть, убира́ться; удира́ть

vamp I [væmp] **1.** *n* 1) передо́к (*ботинка*); сою́зка 2) запла́та 3) *муз.* импровизи́рованный аккомпанеме́нт 4) что-л. почи́ненное на ско́рую ру́ку

2. *v* 1) чини́ть, лата́ть (*обыкн.* ~ up) 2) (*тж.* ~ up) компили́ровать; мастери́ть из старья́; де́лать на ско́рую ру́ку 3) *муз.* импровизи́ровать аккомпанеме́нт 4) ста́вить но́вый передо́к (*на ботинок*)

vamp II [væmp] *разг.* **1.** *n* соблазни́тельница; (же́нщина-)вамп

2. *v* завлека́ть (*мужчину, особ. с корыстной целью*)

vampire ['væmpaɪə] *n* 1) вампи́р, упы́рь 2) вымога́тель, кровопи́йца 3) вампи́р (*южноамериканская летучая мышь*) 4) *театр.* люк, «прова́л»

vampire bat ['væmpaɪəbæt] = vampire 3)

van I [væn] *n* (*сокр. от* vanguard) аванга́рд; to be in (*или* to lead) the ~ быть впереди́, в аванга́рде

van II [væn] **1.** *n* 1) фурго́н 2) бага́жный *или* това́рный ваго́н 3) цыга́нская теле́га, киби́тка

2. *v* перевози́ть в фурго́не, това́рном ваго́не *и т. п.*

van III [væn] *n разг.* преиму́щество в счёте (*в теннисе после счёта* «ро́вно»)

vanadium [və'neɪdɪəm] *n хим.* вана́дий

vandal ['vændl] **1.** *n* 1)ванда́л, ва́рвар 2) (V.) *ист.* ванда́л 3) хулига́н

2. *a* ва́рварский

vandalism ['vændəlɪzəm] *n* вандали́зм, ва́рварство

vandalize ['vændəlaɪz] *v* 1) бесчи́нствовать, хулига́нить 2) ва́рварски относи́ться к произведе́ниям иску́сства, разруша́ть

vandyke [væn'daɪk] *n* 1) (V.) боро́дка кли́ном (*тж.* ~ beard) 2) кружевно́й воротни́к с зубца́ми (*тж.* ~ collar)

Vandyke brown [væn,daɪk'braun] *n* отте́нок тёмно-кори́чневой кра́ски

vane [veɪn] *n* 1) флю́гер 2) крыло́ (*ветряной мельницы, вентилятора*); ло́пасть (*винта*); лопа́тка (*турбины*); стабилиза́тор (авиабо́мбы) 3) ползу́н, визи́рка (на нивели́рной ре́йке); дио́птр

vanguard ['vængɑ:d] *n* 1) *воен.* головно́й отря́д, аванга́рд 2) руково́дство (*движения и т. п.*), вырази́тели иде́и *и т. п.*

vanilla [və'nɪlə] *n* 1) вани́ль 2) *разг.* вани́льное моро́женое 3) *attr.* вани́льный

vanillin [və'nɪlɪn] *n хим.* ванили́н

vanish ['vænɪʃ] **1.** *v* 1) исчеза́ть, пропада́ть; to ~ in the crowd смеша́ться с толпо́й 2) *мат.* стреми́ться к нулю́

2. *n фон.* скольже́ние

vanishing ['vænɪʃɪŋ] **1.** *pres. p. от* vanish 1

2. *a* исчеза́ющий; ~ fraction *мат.* дробь, стремя́щаяся к нулю́; ~ cream бы́стро впи́тывающийся космети́ческий крем, крем под пу́дру

vanishing line ['vænɪʃɪŋlaɪn] *n* ли́ния схо́да (*параллельных плоскостей*)

vanishing point ['vænɪʃɪŋpɔɪnt] *n* то́чка схо́да (*параллельных линий*); *перен.* кра́йний преде́л

vanity ['vænətɪ] *n* 1) тщесла́вие; injured ~ уязвлённое самолю́бие 2) суета́, суе́тность; тщета́ 3) *амер.* туале́тный сто́лик ◇ V. Fair я́рмарка тщесла́вия

vanity bag ['vænətɪbæg] *n* да́мская су́мочка; карма́нный несессе́р

vanity case ['vænətɪkeɪs] = vanity bag

vanquish ['væŋkwɪʃ] *v книжн.* 1) побежда́ть; покоря́ть 2) преодолева́ть, подавля́ть (*какое-л. чувство и т. п.*)

vanquisher [ˈvæŋkwɪʃə] *n* победи́тель; покори́тель

vantage [ˈvɑːntɪdʒ] *n* 1) = vantage point 2) преиму́щество в счёте (*в теннисе после счёта «ровно»*) 3) *уст.* преиму́щество; to have (*или* to hold, to take) smb. at a (*или* the) ~ име́ть преиму́щество пе́ред кем-л.

vantage ground [ˈvɑːntɪdʒgraʊnd] = vantage point

vantage point [ˈvɑːntɪdʒpɔɪnt] *n* удо́бная, вы́годная пози́ция, пункт наблюде́ния

vapid [ˈvæpɪd] *a* 1) безвку́сный, пре́сный; ~ beer вы́дохшееся пи́во 2) пло́ский; ску́чный, вя́лый, бессодержа́тельный; ~ conversation пусто́й разгово́р

vapidity [væˈpɪdətɪ] *n* безвку́сность *и пр.* [*см.* vapid]

vapor [ˈveɪpə] *амер.* = vapour

vaporarium [ˌveɪpəˈreərɪəm] = vapour bath

vaporescense [ˌveɪpəˈresns] *n* парообразова́ние

vaporization [ˌveɪpəraɪˈzeɪʃn] *n* испаре́ние; парообразова́ние; выпа́ривание

vaporize [ˈveɪpəraɪz] *v* испаря́ть(ся)

vaporizer [ˈveɪpəraɪzə] *n* испари́тель

vaporous [ˈveɪpərəs] *a* 1) парообра́зный 2) напо́лненный пара́ми 3) *уст.* нереа́льный, пусто́й

vapour [ˈveɪpə] **1.** *n* 1) пар; пары́; испаре́ния 2) *pl уст.* меланхо́лия, депре́ссия 3) не́что нереа́льное, химе́ра, фанта́зия; the ~s of a disordered mind фанта́зия безу́мца

2. *v* 1) испаря́ться 2) болта́ть по́пусту 3) бахва́литься

vapour bath [ˈveɪpəbɑːθ] *n* парова́я ва́нна *или* ба́ня; пари́льня

vapourish [ˈveɪpərɪʃ] *a* 1) хвастли́вый 2) страда́ющий ипохо́ндрией

vapour trail [ˈveɪpətreɪl] *n* инверсио́нный след (*самолёта*)

vapoury [ˈveɪpərɪ] *a* 1) тума́нный; затума́ненный 2) уны́лый 3) га́зовый (*о материи*)

varan [ˈværən] *n зоол.* вара́н

Varangian [vəˈrændʒɪən] *ист.* **1.** *a* варя́жский

2. *n* варя́г

variability [ˌveərɪəˈbɪlətɪ] *n* изме́нчивость, непостоя́нство

variable [ˈveərɪəbl] **1.** *a* 1) изме́нчивый, непостоя́нный; ~ weather неусто́йчивая пого́да 2) переме́нный (*тж. мат.*) 3) *биол.* аберра́нтный; изме́нчивый

2. *n* 1) *мат.* переме́нная (величина́) 2) *мор.* неро́вный ве́тер 3) *pl мор.* райо́ны океа́на, где нет постоя́нного ве́тра

variance [ˈveərɪəns] *n* 1) разногла́сие; размо́лвка; to be at ~ а) расходи́ться во мне́ниях; находи́ться в противоре́чии; б) быть в ссо́ре; to set at ~ вызыва́ть конфли́кт, приводи́ть к столкнове́нию; ссо́рить 2) *юр.* расхожде́ние (*между показаниями или документами*) 3) измене́ние 4) *биол.* отклоне́ние от ви́да, ти́па

variant [ˈveərɪənt] **1.** *n* вариа́нт

2. *a* 1) отли́чный от други́х; ино́й; ~ reading разночте́ние 2) разли́чный; ~ results разли́чные результа́ты; ~ spellings of a word орфографи́ческие вариа́нты сло́ва

variation [ˌveərɪˈeɪʃn] *n* 1) измене́ние, переме́на; ~s of temperature измене́ния температу́ры; ~s in public opinion колеба́ния обще́ственного мне́ния; ~ in (*или* of) prices ра́зница в це́нах 2) отклоне́ние; permissible ~ допусти́мое отклоне́ние 3) разнови́дность; вариа́нт 4) *мат., муз.* вариа́ция 5) склоне́ние магни́тной стре́лки

varicella [ˌværɪˈselə] *n мед.* ветряна́я о́спа

varicoloured [ˈveərɪˌkʌləd] *a* 1) разноцве́тный 2) разнообра́зный

varicose [ˈværɪkəʊs] *a мед.* расши́ренный, варико́зный (*о вене*)

varied [ˈveərɪd] **1.** *p. p. от* vary

2. *a* 1) разли́чный; дифференци́рованный; with ~ success с переме́нным успе́хом 2) разнообра́зный

variegate [ˈveərɪəgeɪt] *v* 1) де́лать пёстрым, раскра́шивать в ра́зные цвета́ 2) разнообра́зить

variegated [ˈveərɪəgeɪtɪd] **1.** *p. p. от* variegate

2. *a* 1) разноцве́тный; пёстрый 2) разнообра́зный; неоднoро́дный, сме́шанный, разносторо́нний

variegation [ˌveərɪəˈgeɪʃn] *n* пёстрая раскра́ска

varietist [vəˈraɪətɪst] *n* челове́к, не похо́жий на други́х

variety [vəˈraɪətɪ] *n* 1) разнообра́зие; ~s of fortune перипети́и судьбы́; great (*или* vast) ~ многообра́зие 2) (of) ряд, мно́жество; for a ~ of reasons по це́лому ря́ду причи́н 3) сорт, вид 4) = variety show 5) многосторо́нность; I was struck by the ~ of his attainments меня́ порази́ла его́ разносторо́нность 6) *биол.* разнови́дность

variety entertainment [vəˌraɪətɪentəˈteɪnmənt] = variety show

variety show [vəˈraɪətɪʃəʊ] *n* варьете́, эстра́дное представле́ние, эстра́дный конце́рт

variety store [vəˈraɪətɪstɔː] *n амер.* универса́льный магази́н

variform [ˈveərɪfɔːm] *a* име́ющий разли́чные фо́рмы

variola [vəˈraɪələ] *n мед.* о́спа

variolate [ˈveərɪəleɪt] *v мед.* привива́ть о́спу

variometer [ˌveərɪˈɒmɪtə] *n радио* варио́метр

variorum [ˌveərɪˈɔːrəm] *n* 1) изда́ние с примеча́ниями разли́чных коммента́торов 2) изда́ние, содержа́щее разли́чные вариа́нты одного́ те́кста

various [ˈveərɪəs] **1.** *a* 1) разли́чный, ра́зный; known under ~ names изве́стный под ра́зными имена́ми 2) (*с сущ. во мн. ч.*) мно́гие, ра́зные; there are ~ reasons for believing so есть ряд основа́ний так ду́мать 3) разнообра́зный; разносторо́нний

2. *n разг.* не́которые (ли́ца)

varmint [ˈvɑːmɪnt] *n* 1) *амер., диал.* шалопа́й, негодя́й 2) хи́щное живо́тное, 3) *диал.* = vermin

varnish [ˈvɑːnɪʃ] **1.** *n* 1) лак 2) лоск, вне́шний налёт; to take the ~ off показа́ть в и́стинном све́те, разоблачи́ть 3) гля́нец 4) прикры́тие, маскиро́вка 5) *тех.* глазу́рь

2. *v* 1) лакирова́ть, покрыва́ть ла́ком (*тж.* ~ over) 2) придава́ть лоск 3) прикрыва́ть, прикра́шивать (*недостатки*)

varnishing-day [ˈvɑːnɪʃɪŋdeɪ] *n* день накану́не откры́тия вы́ставки (*когда художники могут подправить картины, покрыть их лаком и т. п.*)

varsity [ˈvɑːsətɪ] *n разг.* 1) университе́т 2) *амер.* университе́тская спорти́вная кома́нда

vary [ˈveərɪ] *v* 1) меня́ть(ся), изменя́ть(ся); to ~ directly (inversely) *мат.* изменя́ться пря́мо (обра́тно) пропорциона́льно 2) ра́зниться; расходи́ться; opinions ~ on this point мне́ния по э́тому вопро́су расхо́дятся 3) разнообра́зить; варьи́ровать; to ~ one's diet разнообра́зить дие́ту 4) *муз.* украша́ть вариа́циями; исполня́ть вариа́ции

vascular [ˈvæskjʊlə] *a анат.* сосу́дистый; ~ system сосу́дистая систе́ма

vase [vɑːz] *n* ва́за

Vaseline [ˈvæsəliːn] *n* вазели́н

vase-painting [ˈvɑːzˌpeɪntɪŋ] *n* ва́зовая жи́вопись

vassal [ˈvæsl] *n* 1) *ист.* васса́л 2) васса́л, зави́симое лицо́ 3) слуга́ 4) *attr.* васса́льный; подчинённый

vassalage [ˈvæslɪdʒ] *n* 1) *ист.* васса́льная зави́симость 2) зави́симость, ра́бство

vast [vɑːst] **1.** *a* 1) обши́рный, грома́дный; безбре́жный; ~ plains необозри́мые равни́ны; ~ scheme грандио́зный план 2) многочи́сленный; ~ interests широ́кий круг интере́сов 3) *разг.* огро́мный; it makes a ~ difference э́то по́лностью меня́ет де́ло

2. *n поэт.* просто́р; the ~ of ocean просто́р океа́на

vastly [ˈvɑːstlɪ] *adv* 1) значи́тельно, в значи́тельной сте́пени 2) *разг.* о́чень, кра́йне; I shall be ~ obliged я бу́ду о́чень благода́рен

vasty [ˈvɑːstɪ] = vast 1, 1)

vat [væt] *n* 1) чан, бак, цисте́рна 2) бо́чка, ка́дка, уша́т 3) *attr.* ку́бовый; ~ colours ку́бовые краси́тели

vatic [ˈvætɪk] *a книжн.* проро́ческий

Vatican [ˈvætɪkən] *n* Ватика́н

Vaticanism [ˈvætɪkənɪzəm] *n* догма́т непогреши́мости па́пы

vaticinate [væˈtɪsɪneɪt] *v книжн.* проро́чествовать, предска́зывать

vaticination [ˌvætɪsɪˈneɪʃn] *n книжн.* проро́чество, предсказа́ние

vaudeville [ˈvɔːdəvɪl] *n* 1) (*обыкн. амер.*) варьете́, эстра́дное представле́ние 2) водеви́ль

vault I [vɔːlt] **1.** *n* 1) свод; the ~ of

heaven небéсный свод 2) подвáл, пóгреб, склеп (*со сводом*); wine ~ вúнный пóгреб; family ~ фамúльный склеп

2. *v* возводúть свод (*над чем-л.*)

vault II [vɔ:lt] **1.** *n спорт.* опóрный прыжóк, прыжóк с шестóм

2. *v* 1) прыгáть, перепрыгивать (*особ. опираясь на что-л.*) 2) вольтижúровать

vaulted I [ˈvɔ:ltɪd] **1.** *p. p. от* vault I, 2

2. *a* свóдчатый

vaulted II [ˈvɔ:ltɪd] *p. p. от* vault II, 2

vaulting I [ˈvɔ:ltɪŋ] **1.** *pres. p. от* vault I, 2

2. *n* 1) возведéние свóда 2) свод, свóды

vaulting II [ˈvɔ:ltɪŋ] **1.** *pres. p. от* vault II, 2

2. *n* прыжкú; вольтижирóвка

vaulting horse [ˈvɔ:ltɪŋhɔ:s] *n* гимнастúческий конь

vaunt [vɔ:nt] *книжн.* **1.** *n* хвастовствó

2. *v* 1) хвáстаться (of — *чем-л.*) 2) превозносúть

vavasour [ˈvævəsɔ:] *n ист.* подвассáл

V-Day [ˈvi:deɪ] *n* День побéды (*во второй мировой войне*)

've [v] *сокр. разг.* = have

veal [vi:l] *n* 1) телятина 2) *attr.* телячий (*о кушанье*)

vector [ˈvektə] **1.** *n* 1) *мат.* вéктор 2) перенóсчик инфéкции 3) курс самолёта 4) *attr. мат.* вéкторный; ~ equation вéкторное уравнéние

2. *v* направлять, наводúть, придавáть направлéние

Veda [ˈveɪdə] *n*: the ~(s) Вéды (*священные книги древних индусов*)

V-E Day [ˌvi:ˈi:deɪ] *n* (Victory in Europe Day) День побéды в Еврóпе (*во второй мировой войне*)

vedette [vɪˈdet] *n* 1) кóнный часовóй; кавалерúйский пост 2) торпéдный кáтер (*тж.* ~ boat)

veer I [vɪə] **1.** *n* перемéна направлéния

2. *v* 1) менять направлéние 2) менять направлéние по часовóй стрéлке (*о ветре*); the wind ~s aft вéтер отхóдит 3) изменять (*взгляды и т. п.*); to ~ left полевéть 4) *мор.* менять курс

veer II [vɪə] *v мор.* травúть (*канат*; *тж.* ~ away, ~ out); ~ and haul потрáвливать и выбирáть

veering I [ˈvɪərɪŋ] **1.** *pres. p. от* veer I, 2

2. *n* поворóт

veering II [ˈvɪərɪŋ] *pres. p. от* veer II

vegan [ˈvi:gən] *n* стрóгий вегетариáнец

vegetable [ˈvedʒtəbl] **1.** *n* óвощ; green ~ зéлень, óвощи ◇ to become a mere ~ прозябáть, жить растúтельной жúзнью

2. *a* 1) растúтельный; ~ physiology физиолóгия растéний; ~ oil растúтельное мáсло; ~ life а) растúтельная жизнь; прозябáние; б) *собир.* растéния; растúтельность 2) овощнóй; ~ dish овощнóе блюдо 3) скýчный, бесцвéтный, вялый

vegetal [ˈvedʒɪtl] *a* растúтельный

vegetarian [ˌvedʒəˈteərɪən] **1.** *n* вегетариáнец

2. *a* вегетариáнский; ~ restaurant вегетариáнский ресторáн

vegetarianism [ˌvedʒəˈteərɪənɪzəm] *n* вегетариáнство

vegetate [ˈvedʒəteɪt] *v* 1) прозябáть; жить растúтельной жúзнью 2) растú, произрастáть

vegetation [ˌvedʒəˈteɪʃn] *n* 1) растúтельность; tropical ~ тропúческая растúтельность 2) произрастáние 3) прозябáние; растúтельная жизнь 4) *attr.* вегетациóнный; ~ period вегетациóнный перúод (*растения*)

vegetative [ˈvedʒətətɪv] *a* 1) растúтельный, вегетациóнный; *физиол.* вегетатúвный 2) прозябáющий; живýщий растúтельной жúзнью

veggie [ˈvedʒɪ] = vegie

vegie [ˈvedʒɪ] *n разг.* вегетариáнец

vehemence [ˈvi:əməns] *n* сúла; стрáстность, горячность

vehement [ˈvi:əmənt] *a* сúльный; неúстовый; стрáстный

vehicle [ˈvi:ɪkl] *n* 1) перевóзочное срéдство (*автомобиль, вагон, повозка и т. п.*) 2) летáтельный аппарáт; space ~ космúческий корáбль 3) срéдство выражéния и распространéния (*мыслей*) 4) проводник (*звука, света, инфекции и т. п.*) 5) растворúтель; связующее веществó

vehicular [vɪˈhɪkjʊlə] *a* 1) перевóзочный; ~ transport автогужевóй трáнспорт 2) автомобúльный

veil [veɪl] **1.** *n* 1) покрывáло; вуáль; чадрá 2) покрóв, завéса; пеленá; to draw a ~ over smth. опустúть завéсу над чем-л.; обойтú молчáнием что-л. 3) предлóг; мáска; under the ~ of под предлóгом; под вúдом ◇ to take the ~ постричься в монáхини; to pass beyond the ~ умерéть

2. *v* 1) закрывáть покрывáлом, вуáлью 2) скрывáть, прикрывáть; маскировáть; to ~ one's designs скрывáть свои зáмыслы

veiling [ˈveɪlɪŋ] **1.** *pres. p. от* veil 2

2. *n* 1) *текст.* вуáль 2) материáл для вуáли

vein [veɪn] *n* 1) вéна; кровенóсный сосýд 2) жúлка (*листа*); прожúлка (*крылышка насекомого*) 3) жúлка, склóнность 4) настроéние; to be in the ~ for smth. быть в настроéнии дéлать что-л.; in the same ~ в том же дýхе, в том же рóде 5) *мин.* жúла

veined [veɪnd] *a* испещрённый жúлками, прожúлками

veinstone [ˈveɪnstəʊn] *n геол.* рудá из жúлы, жúльная порóда

veiny [ˈveɪnɪ] *a* 1) = veined 2) жилистый; с разбýхшими вéнами

vela [ˈvi:lə] *pl от* velum

velar [ˈvi:lə] *фон.* **1.** *a* велярный, заднеяёбный

2. *n* велярный, заднеяёбный звук

velaria [vɪˈleərɪə] *pl от* velarium

velarium [vɪˈleərɪəm] *n* (*pl* -ria) навéс (*над амфитеатром в Древнем Риме*)

Velcro [ˈvelkrəʊ] *n* «липýчка» (*тип застёжки*)

veld(t) [velt] *n южно-афр.* вельд, степь

velleity [veˈli:ətɪ] *n книжн.* 1) пассúвное желáние; воздыхáние (*о чём-л.*) 2) *pl* благúе пожелáния

vellum [ˈveləm] *n* 1) тóнкий пергáмент 2) кáлька, воскóвка 3) *attr.*: ~ paper велéневая бумáга; ~ cloth полотняная кáлька

velocipede [vəˈlɒsəpi:d] *n* 1) *амер.* трёхколёсный велосипéд 2) *уст.* велосипéд

velocity [vəˈlɒsətɪ] *n* 1) скóрость; быстротá; initial ~ начáльная скóрость; at the ~ of sound со скóростью звýка 2) *attr.* скоростнóй; ~ gauge *тех.* тахóметр

velodrome [ˈvelədrəʊm] *n* велодрóм

velour(s) [vəˈlʊə] *n* 1) велюр; драп-велюр 2) *уст.* велюровая шляпа 3) *attr.* велюровый

velum [ˈvi:ləm] *n* (*pl* vela) *анат.* пáрус; нёбная занавéска

velvet [ˈvelvɪt] **1.** *n* 1) бáрхат (*тж.* silk ~); cotton ~ вельвéт, плис 2) бархатúстость, мягкость 3) *разг.* вы́года, неожúданный дохóд, вы́игрыш; to be on ~ а) материáльно преуспевáть; б) быть гарантúрованным от случáйностей и неудáч (*особ. в денежных вопросах*)

2. *a* 1) бáрхатный 2) бархатúстый ◇ a ~ tread мягкая, неслы́шная пóступь

velveteen [ˌvelvəˈti:n] *n* вельвéт

velveting [ˈvelvətɪŋ] *n собир.* издéлия из бáрхата

velvety [ˈvelvətɪ] *a* бархатúстый

vena [ˈvi:nə] *n* (*pl* venae) *анат.* вéна

venae [ˈvi:ni:] *pl от* vena

venal [ˈvi:nl] *a* продáжный; подкупнóй; корыстный; ~ practices коррýпция

venality [vi:ˈnælətɪ] *n* продáжность

venation [vi:ˈneɪʃn] *n бот.* нервáция, жилковáние

vend [vend] *v* 1) торговáть (*особ. в розницу*) 2) *юр.* продавáть

vendee [ˌvenˈdi:] *v юр.* покупáтель (*преим. недвижимости*)

vender [ˈvendə] = vendor 1)

vendetta [venˈdetə] *n* 1) вендéтта, крóвная месть 2) продолжúтельная враждá

vendible [ˈvendəbl] **1.** *a* 1) гóдный для продáжи 2) = venal

2. *n pl* товáры для продáжи

vending machine [ˈvendɪŋməˌʃi:n] *n* торгóвый автомáт

vendor [ˈvendɔ:] *n* 1) *юр.* продавéц (*преим. недвижимости*) 2) = vending machine

veneer [vəˈnɪə] **1.** *n* 1) шпон; однослóйная фанéра 2) (кирпúчная) облицóвка; нарýжный слой 3) внéшний лоск, налёт; a ~ of culture вúдимость культýры 4) *attr.* фанéрный

2. *v* 1) обклéивать фанéрой 2) покрывáть тóнким слóем (*чего-л.*); облицóвывать 3) придавáть внéшний лоск (*чему-л.*); маскировáть (*что-л.*)

venepuncture ['vi:nɪ,pʌŋktʃə] *n мед.* проко́л ве́ны; венепу́нкция

venerable ['venərəbl] *a* 1) дре́вний, освящённый века́ми 2) *церк.* преподо́бный (*как титул*) 3) почте́нный; ~ age почте́нный во́зраст

venerate ['venəreɪt] *v* благогове́ть (*перед кем-л.*), чтить

veneration [,venə'reɪʃn] *n* благогове́ние, почита́ние

venerator ['venəreɪtə] *n* почита́тель

venereal [və'nɪərɪəl] *a* 1) сладостра́стный 2) *мед.* венери́ческий; ~ disease венери́ческая боле́знь

venereologist [və,nɪərɪ'ɒlədʒɪst] *n* венеро́лог

venesection [,venɪ'sekʃn] *n мед.* вскры́тие ве́ны, кровопуска́ние

Venetian [və'ni:ʃn] **1.** *a* венециа́нский; ~ window венециа́нское окно́; ~ blind подъёмные жалюзи́; ~ mast декорати́вная ма́чта со спира́льным разноцве́тным рису́нком; ~ pearl иску́сственный же́мчуг

2. *n* венециа́нец; венециа́нка

Venezuelan [,venə'zweɪlən] **1.** *a* венесуэ́льский

2. *n* венесуэ́лец, венесуэ́лка

vengeance ['vendʒəns] *n* месть, мще́ние; fearful ~ стра́шная месть; to take (*или* to inflict) ~ on (*или* upon) smb. отомсти́ть кому́-л.; to seek ~ upon smb. стреми́ться отомсти́ть кому́-л. ◇ with a ~ а) здо́рово; вовсю́; чрезвыча́йно; that was luck with a ~! нам черто́вски повезло́!; б) в большо́м коли́честве, с лихво́й; в по́лном смы́сле сло́ва; the rain came down with a ~ дождь поли́л как из ведра́

vengeful ['vendʒfl] *a* мсти́тельный

venial ['vi:nɪəl] *a* прости́тельный; a ~ error прости́тельная оши́бка

venipuncture ['vi:nɪ,pʌŋktʃə] = venepuncture

venire [vɪ'naɪərɪ] *n юр.* предписа́ние, вызыва́ющее прися́жного в суд

venison ['venɪsən] *n* олени́на

venom ['venəm] *n* 1) яд (*животного происхождения, особ. змеиный*) 2) зло́ба, яд

venomous ['venəməs] *a* 1) ядови́тый 2) зло́бный

venose ['vi:nəʊs] *a бот.* жилкова́тый

venous ['vi:nəs] *a* 1) *анат.* вено́зный 2) = venose

vent I [vent] **1.** *n* 1) входно́е *или* выходно́е отве́рстие; вентиляцио́нное отве́рстие; отду́шина 2) вы́ход, выраже́ние; to give ~ to one's feelings отвести́ ду́шу, дать вы́ход свои́м чу́вствам; to find ~ for smth. in smth. найти́ вы́ход чему́-л. в чём-л.; he found (a) ~ for his anger in smashing the crockery он изли́л свой гнев, переби́в всю посу́ду 3) кла́пан (*духового инструмента*) 4) за́дний прохо́д (*у птиц и рыб*) 5) *воен.* запа́льный кана́л 6) по́люсное отве́рстие (*парашюта*)

2. *v* 1) сде́лать отве́рстие (*в чём-л.*) 2) выпуска́ть (*дым и т. п.*); испуска́ть 3) дава́ть вы́ход (*напр., чувству*); излива́ть (*злобу и т. п.*; upon — на *кого-л.*) 4) выска́зывать, выража́ть; to ~ one's opinion откры́то вы́сказать своё мне́ние

vent II [vent] *n* шли́ца, разре́з (*на одежде, особ. на пальто*)

ventage ['ventɪdʒ] *n* 1) отду́шина 2) кла́пан (*духового инструмента*)

venter ['ventə] *n* 1) *анат., зоол.* живо́т 2) *юр.*: by one ~ единоутро́бный

vent-hole ['venthəʊl] = vent I, 1, 1)

ventiduct ['ventɪdʌkt] *n архит.* вентиляцио́нная труба́, отве́рстие

ventilate ['ventɪleɪt] *v* 1) прове́тривать, вентили́ровать 2) снабжа́ть кла́паном, отду́шиной 3) обсужда́ть, выясня́ть (*вопрос*) 4) выска́зывать, доводи́ть до све́дения; предава́ть гла́сности

ventilation [,ventɪ'leɪʃn] *n* 1) прове́тривание; вентиля́ция 2) обсужде́ние, выясне́ние (*вопроса*)

ventilator ['ventɪleɪtə] *n* вентиля́тор

vent-peg ['ventpeg] *n тех.* вту́лка

vent-pipe ['ventpaɪp] *n* вытяжна́я труба́

ventral ['ventrəl] *a анат., зоол.* брюшно́й; ~ fin брюшно́й плавни́к

ventricle ['ventrɪkl] *n анат.* желу́дочек (*сердца, мозга*)

ventriloquism [ven'trɪləkwɪzəm] *n* чревовеща́ние

ventriloquist [ven'trɪləkwɪst] *n* чревовеща́тель

ventriloquize [ven'trɪləkwaɪz] *v* чревовеща́ть

venture ['ventʃə] **1.** *n* 1) риско́ванное предприя́тие *или* начина́ние; to run the ~ рискова́ть 2) спекуля́ция 3) су́мма, подверга́емая ри́ску; ста́вка ◇ at a ~ наугáд; науда́чу

2. *v* 1) рискова́ть (*чем-л.*); ста́вить на ка́рту; to ~ one's life рискова́ть жи́знью 2) отва́житься, реши́ться; осме́литься (*тж.* ~ on, ~ upon); he ~d (upon) a remark он позво́лил себе́ сде́лать замеча́ние

venturer ['ventʃərə] *n ист.* предпринима́тель, иду́щий на риск

venturesome ['ventʃəsəm] *a* 1) аза́ртный; иду́щий на риск 2) сме́лый; безрассу́дно хра́брый 3) риско́ванный, опа́сный

venturous ['ventʃərəs] = venturesome

venue ['venju:] *n* 1) ме́сто сбо́ра, встре́чи; to shift the ~ измени́ть ме́сто сбо́ра (*спортивного состязания и т. п.*) 2) *юр. ист.* суде́бный о́круг, в кото́ром должно́ слу́шаться де́ло

Venus ['vi:nəs] *n* 1) *миф., астр.* Вене́ра 2) *поэт.* краса́вица

veracious [və'reɪʃəs] *a книжн.* 1) правди́вый 2) достове́рный, ве́рный

veracity [və'ræsətɪ] *n* 1) правди́вость 2) то́чность, достове́рность 3) пра́вда, правди́вое выска́зывание

veranda(h) [və'rændə] *n* 1) вера́нда, терра́са 2) места́ под наве́сом для зри́телей на стадио́не

verb [vɜ:b] *n* глаго́л

verbal ['vɜ:bl] **1.** *a* 1) относя́щийся к слова́м, слове́сный; his sympathy is only ~ его́ сочу́вствие не идёт да́льше слов 2) у́стный; ~ contract у́стное соглаше́ние 3) глаго́льный; отглаго́льный; ~ noun отглаго́льное существи́тельное 4) буква́льный; ~ translation буква́льный перево́д 5) многосло́вный 6) *дип.* верба́льный; ~ note верба́льная но́та

2. *n* 1) нели́чная фо́рма глаго́ла 2) *sl.* у́стное заявле́ние, призна́ние (*арестованного*) 3) *sl.* брань, оскорбле́ние

verbalism ['vɜ:bəlɪzəm] *n* 1) педанти́зм, буквое́дство 2) пусты́е слова́ 3) многосло́вие

verbalist ['vɜ:bəlɪst] *n* педа́нт, буквое́д

verbalize ['vɜ:bəlaɪz] *v* 1) выража́ть слова́ми 2) быть многосло́вным 3) *грам.* превраща́ть в глаго́л (*другую часть речи*)

verbally ['vɜ:bəlɪ] *adv* у́стно

verbatim [vɜ:'beɪtɪm] **1.** *adv* дosло́вно, сло́во в сло́во; to report a speech ~ переда́ть речь сло́во в сло́во

2. *a* досло́вный; ~ report стеногра́мма, стенографи́ческий отчёт

verbena [vɜ:'bi:nə] *n бот.* верб́ена

verbiage ['vɜ:bɪɪdʒ] *n* многосло́вие; пустосло́вие; to lose oneself in ~ запу́таться в со́бственном красноре́чии

verbify ['vɜ:bɪfaɪ] = verbalize 3)

verbose [vɜ:'bəʊs] *a* многосло́вный

verbosity [vɜ:'bɒsətɪ] *n* многосло́вие

verdancy ['vɜ:dnsɪ] *n* 1) зе́лень, зелёный цвет 2) незре́лость, нео́пытность

verdant ['vɜ:dnt] *a* 1) зелёный, зелене́ющий 2) нео́пытный, незре́лый, «зелёный»

verdict ['vɜ:dɪkt] *n* 1) верди́кт; реше́ние прися́жных; to return (*или* to bring in) a ~ of guilty (not guilty) призна́ть вино́вным (невино́вным) 2) мне́ние, сужде́ние; my ~ differs from yours моё мне́ние расхо́дится с ва́шим

verdigris ['vɜ:dɪgri:] *n* я́рь-медя́нка (*краска*)

verdure ['vɜ:dʒə] *n* 1) зе́лень 2) зелёная листва́ 3) *поэт.* све́жесть (*чувств и т. п.*)

verdurous ['vɜ:dʒərəs] *a* заро́сший, поро́сший зе́ленью; зелёный и све́жий

verge [vɜ:dʒ] **1.** *n* 1) край 2) грань; on the ~ of на гра́ни 3) кайма́ из дёрна вокру́г клу́мбы 4) *архит.* край кры́ши у фронто́на, сте́ржень коло́нны 5) обо́чина (*дороги*); бе́рма 6) *церк.* жезл, по́сох

2. *v* клони́ться, приближа́ться (to, towards — к *чему-л.*) ▭ ~ on, ~ upon грани́чить с *чем-л.*; it ~s on madness э́то грани́чит с безу́мием

verger ['vɜ:dʒə] *n* 1) церко́вный служи́тель 2) жезлоно́сец (*в процессиях*)

veridical [və'rɪdɪkl] *a* 1) *книжн.* правди́вый 2) *психол.* отража́ющий действи́тельные собы́тия (*о галлюцинациях, бреде и т. п.*)

verifiable ['verɪfaɪəbl] *a* поддаю́щийся прове́рке; неголосло́вный

verification [,verɪfɪ'keɪʃn] *n* 1) прове́рка 2) подтвержде́ние (*предсказания, сомнения*) 3) *юр.* засвиде́тельствование

verify ['verɪfaɪ] *v* 1) проверя́ть 2) подтвержда́ть 3) исполня́ть (*обещание*) 4) *юр.* удостоверя́ть (*подлинность*); подтвержда́ть (*под присягой*)

verily ['verəlɪ] *adv уст.* и́стинно, пои́стине

verisimilar [ˌverɪ'sɪmɪlə] *a* правдоподо́бный; вероя́тный

verisimilitude [ˌverɪsɪ'mɪlɪtju:d] *n* правдоподо́бие

verism ['vɪərɪzəm] *n иск.* вери́зм

veritable ['verɪtəbl] *a* настоя́щий, и́стинный, по́длинный

verity ['verətɪ] *n* 1) правди́вость 2) и́стина; пра́вда; и́стинность; in all ~, *уст.* of a ~ пои́стине

verjuice ['vɜ:dʒu:s] *n* 1) ки́слый сок (*незрелых фруктов*) 2) неприве́тливость; ре́зкость; a look of ~ неприве́тливый, недово́льный взгляд, ки́слое выраже́ние лица́

vermeil ['vɜ:meɪl] **1.** *n* 1) позоло́ченное серебро́, бро́нза, медь 2) *поэт. см.* vermilion 1

2. *a поэт. см.* vermilion 2

vermicelli [ˌvɜ:mɪ'tʃelɪ] *n* вермише́ль

vermicide ['vɜ:mɪsaɪd] = vermifuge

vermicular [vɜ:'mɪkjʊlə] = vermiform

vermiform ['vɜ:mɪfɔ:m] *a* червеобра́зный; ~ appendix *анат.* червеобра́зный отро́сток

vermifuge ['vɜ:mɪfju:dʒ] *n мед.* глистого́нное сре́дство

vermilion [və'mɪlɪən] **1.** *n* 1) ки́новарь 2) я́рко-кра́сный цвет

2. *a* я́рко-кра́сный; а́лый

3. *v* 1) кра́сить ки́новарью 2) окра́шивать в я́рко-кра́сный цвет

vermin ['vɜ:mɪn] *n* 1) хи́щное живо́тное; хи́щная пти́ца 2) *собир.* парази́ты (*клопы, вши и т. п.*) 3) *собир. с.-х.* вреди́тели, парази́ты 4) престу́пный элеме́нт, престу́пник 5) *собир.* сброд, подо́нки

verminous ['vɜ:mɪnəs] *a* 1) кише́щий парази́тами 2) передава́емый парази́тами 3) отврати́тельный; вре́дный

vermouth ['vɜ:məθ] *n* ве́рмут

vernacular [və'nækjʊlə] **1.** *a* 1) наро́дный; тузе́мный; родно́й (*о языке*); ме́стный (*о диалекте*) 2) сво́йственный да́нной ме́стности, характе́рный для да́нной ме́стности (*о болезни и т. п.*) 3) напи́санный на родно́м языке́ *или* диале́кте 4) наро́дный, общеупотреби́тельный (*о названии растения, животного и т. п. — в противоположность научному названию*)

2. *n* 1) родно́й язы́к; ме́стный диале́кт; профессиона́льный жарго́н 2) *шутл.* си́льные выраже́ния, брань 3) наро́дное, общеупотреби́тельное назва́ние (*растения и т. п.*)

vernacularism [və'nækjʊlərɪzəm] *n* 1) ме́стное сло́во *или* выраже́ние 2) употребле́ние ме́стного диале́кта

vernal ['vɜ:nl] *a* 1) весе́нний; the ~ equinox весе́ннее равноде́нствие 2) молодо́й, све́жий

vernalization [ˌvɜ:nəlaɪ'zeɪʃn] *n* яровиза́ция

vernation [vɜ:'neɪʃn] *n бот.* листорасположе́ние в по́чке

vernier ['vɜ:nɪə] *n тех.* но́ниус, верньер

veronal ['verənl] *n* верона́л

veronica [və'rɒnɪkə] *n бот.* веро́ника

versatile ['vɜ:sətaɪl] *a* 1) многосторо́нний; ги́бкий; ~ talent разносторо́нний тала́нт; ~ mind ги́бкий ум 2) *бот., зоол.* подви́жный 3) *уст.* непостоя́нный, изме́нчивый

versatility [ˌvɜ:sə'tɪlətɪ] *n* многосторо́нность *и пр.* [*см.* versatile]

verse [vɜ:s] **1.** *n* 1) строфа́; стих 2) стихи́, поэ́зия; in ~ or prose в стиха́х и́ли в про́зе; lyrical ~ лири́ческая поэ́зия

2. *v* 1) выража́ть в стиха́х 2) писа́ть стихи́

versed I [vɜ:st] *a* о́пытный, све́дущий (in — в *чём-л.*)

versed II [vɜ:st] *p. p. от* verse 2

versemonger ['vɜ:sˌmʌŋgə] *n* рифмоплёт; версифика́тор

versicoloured ['vɜ:sɪˌkʌləd] *a* разноцве́тный, перелива́ющийся ра́зными цвета́ми, ра́дужный

versification [ˌvɜ:sɪfɪ'keɪʃn] *n* 1) стихосложе́ние; просо́дия 2) переложе́ние в стихотво́рную фо́рму

versifier ['vɜ:sɪfaɪə] *n* версифика́тор

versify ['vɜ:sɪfaɪ] *v* 1) перелага́ть в стихи́ 2) писа́ть стихи́

version ['vɜ:ʃn] *n* 1) ве́рсия; вариа́нт 2) перево́д 3) текст (*перевода или оригинала*); the Russian ~ of the treaty ру́сский текст догово́ра 4) *мед.* поворо́т плода́ в ма́тке

vers libre [veə'li:brə] *фр. n стих.* свобо́дный стих; верли́бр

verso ['vɜ:səʊ] *n* (*pl* -os [-əʊz]) 1) ле́вая страни́ца раскры́той кни́ги 2) оборо́тная сторона́ (*монеты, медали*)

verst [vɜ:st] *n ист.* верста́

versus ['vɜ:səs] *prep* 1) (*обыкн. сокр.* v.) *юр., спорт.* про́тив; Smith v. Robinson де́ло, возбуждённое Сми́том про́тив Ро́бинсона; Lancashire v. Yorkshire матч ме́жду кома́ндами Ла́нкашира и Йо́ркшира 2) в сравне́нии с

vert I [vɜ:t] (*сокр. от* convert *или* pervert) **1.** *n* обращённый *или* совращённый в другу́ю ве́ру

2. *v* переходи́ть в другу́ю ве́ру

vert II [vɜ:t] *n геральд.* зелёный цвет

vertebra ['vɜ:tɪbrə] *n* (*pl* -rae) 1) позвоно́к 2) *pl* позвоно́чник

vertebrae ['vɜ:tɪbreɪ] *pl от* vertebra

vertebral ['vɜ:tɪbrəl] *a* позвоно́чный; ~ column позвоно́чный столб; спинно́й хребе́т

vertebrate ['vɜ:tɪbrət] **1.** *n* позвоно́чное живо́тное

2. *a* позвоно́чный

vertex ['vɜ:teks] *n* (*pl* -tices) 1) верши́на; ~ of an angle верши́на угла́ 2) *анат.* ве́ртекс, маку́шка головы́ 3) *астр.* зени́т

vertical ['vɜ:tɪkl] **1.** *a* 1) вертика́льный; ~ take-off aircraft самолёт с вертика́льным взлётом 2) отве́сный ◇ ~ union *амер.* произво́дственный профсою́з, охва́тывающий всех рабо́тников, за́нятых в да́нной о́трасли промы́шленности

2. *n* вертика́льная ли́ния; перпендикуля́р

vertices ['vɜ:tɪsi:z] *pl от* vertex

verticil ['vɜ:tɪsɪl] *n бот.* муто́вка

vertiginous [vɜ:'tɪdʒɪnəs] *a* 1) головокружи́тельный 2) страда́ющий головокруже́нием; to feel ~ испы́тывать головокруже́ние 3) крутя́щийся, враща́ющийся; ~ current водоворо́т

vertigo ['vɜ:tɪgəʊ] *n* (*pl* -os [-əʊs]) головокруже́ние

vervain ['vɜ:veɪn] *n бот.* verbе́на

verve [vɜ:v] *n* 1) жи́вость и я́ркость (*описания*); си́ла (*изображения*); to set to do smth. with ~ принима́ться за что-л. с жа́ром 2) индивидуа́льность худо́жника

very ['verɪ] **1.** *a* 1) *как усиление подчёркивает тождественность, совпадение* са́мый, тот са́мый; this ~ day в э́тот же день; the ~ man I want тот са́мый челове́к, кото́рый мне ну́жен 2) са́мый преде́льный; at the ~ end в са́мом конце́; a ~ little more чуть-чу́ть бо́льше 3) *подчёркивает важность, значительность* са́мый, сам по себе́; да́же; his ~ absence is eloquent са́мое его́ отсу́тствие знамена́тельно 4) *уст.* и́стинный, настоя́щий, су́щий; the ~ truth су́щая пра́вда; the veriest coward отъя́вленный трус

2. *adv* 1) о́чень; ~ well отли́чно; I don't swim ~ well я пла́ваю дово́льно скве́рно; ~ much о́чень; in a ~ torn condition истрёпанный, изо́рванный в кло́чья 2) *служит для усиления; часто в сочетании с превосх. ст. прилагательного* са́мый; it is the ~ best thing you can do э́то са́мое лу́чшее, что вы мо́жете сде́лать; he came the ~ next day он пришёл на сле́дующий же день 3) *подчёркивает тождественность или противоположность*: he used the ~ same words as I had он в то́чности повтори́л мои́ слова́; the ~ opposite to what I expected пря́мо противополо́жное тому́, что я ожида́л; ~ much the other way как раз наоборо́т 4) *подчёркивает близость, принадлежность*: my (his, *etc.*) ~ own моё (его́ *и т. д.*) са́мое бли́зкое, дорого́е; you may keep the book for your ~ own мо́жете оста́вить э́ту кни́гу себе́ — я дарю́ её вам

Very light ['vɪərɪlaɪt] *n воен.* сигна́льная раке́та Ве́ри

vesicant ['vesɪkənt] **1.** *a* нарывно́й

2. *n* боево́е отравля́ющее вещество́ ко́жно-нарывно́го де́йствия

vesicate ['vesɪkeɪt] *v* нарыва́ть

vesicle ['vesɪkl] *n* 1) *геол.* по́лость в поро́де *или* минера́ле 2) *анат., биол.* пузырёк

vesicular [vɪ'sɪkjʊlə] *a мед.* пузы́рчатый; ~ disease пузырча́тка

vesper ['vespə] *n* 1) (V.) вече́рняя звезда́ 2) *поэт.* ве́чер 3) *pl церк.* вече́рня 4) = vesper bell

vesper bell ['vespəbel] *n* вечéрний звон

vespertine ['vespətaɪn] *a* 1) *бот.* распускáющийся вéчером 2) *зоол.* ночнóй (*о птицах*) 3) вечéрний

vespiary ['vespɪərɪ] *n* осúное гнездó

vessel ['vesl] *n* 1) сосýд 2) сýдно, корáбль 3) = blood vessel 4) самолёт 5) *библ.* человéк; weak ~ ненадёжный человéк; the weaker ~ а) сосýд скудéльный; брéнное существó; б) нéмощнейший сосýд (*женщина*); слáбое, беззащúтное существó

vest [vest] **1.** *n* 1) натéльная фуфáйка 2) *амер., австрал.* жилéт; coat, ~ and trousers костю́м-трóйка 3) встáвка спéреди (*в женском платье*) 4) *уст., поэт.* одеяние; наряд 5) *церк.* облачéние

2. *v* 1) облекáть; to ~ smb. with power облекáть когó-л. влáстью; to ~ rights in a person наделя́ть когó-л. правáми 2) переходúть (*об имуществе, наследстве и т. п.*; in) 3) наделя́ть (*имуществом и т. п.*; with) 4) *поэт.* облачáть(ся)

Vesta ['vestə] *n римск. миф.* Вéста

vesta ['vestə] *n уст.* восковáя спúчка (*тж.* wax ~); fusee ~ не гáснущая на ветрý спúчка

vestal ['vestl] **1.** *n* 1) дéвственница 2) монáхиня 3) *др. рим.* вестáлка 4) *ирон.* стáрая дéва

2. *a* 1) дéвственный, целомýдренный, непорóчный; ~ virgin вестáлка 2) *ирон.* стародевúческий

vested ['vestɪd] **1.** *p. p. от* vest 2

2. *a* 1) облачённый 2) закóнный, принадлежáщий по прáву; ~ rights безуслóвные правá; ~ interest а) *юр.* принадлежáщее вéщное прáво; б) лúчная заинтересóванность (*в каком-л. деле*); в) эгоистúческий *или* коры́стный интерéс

vestiary ['vestɪərɪ] = vestry 1)

vestibule ['vestɪbju:l] *n* 1) вестибю́ль; перéдняя 2) церкóвная пáперть 3) *амер. ж.-д.* вагóнный тáмбур с кры́тым перехóдом 4) *анат.* преддвéрие 5) *attr.*: ~ train *амер.* пóезд с кры́тыми перехóдами мéжду вагóнами

vestibule school ['vestɪbju:lsku:l] *n амер.* произвóдственная шкóла (*при фабрике или заводе*)

vestige ['vestɪdʒ] *n* 1) след, остáток; прúзнак; not a ~ of evidence ни малéйших доказáтельств *или* улúк 2) *биол.* рудимéнт, остáток 3) след ногú

vestigia [ve'stɪdʒɪə] *pl от* vestigium

vestigial [ve'stɪdʒɪəl] *a* остáточный, исчезáющий; ~ organs *биол.* рудиментáрные óрганы

vestigium [ve'stɪdʒɪəm] *n* (*pl* -gia) = vestige 1)

vestment ['vestmənt] *n* 1) *церк.* облачéние, рúза 2) одея́ние, одéжда

vest-pocket [,vest'pɒkɪt] *a* кармáнный; небольшóго размéра, мáленький; a ~ camera миниатю́рная фотокáмера

vestry ['vestrɪ] *n* 1) *церк.* рúзница 2) помещéние для молúтвенных и другúх собрáний 3) *уст.* собрáние налогоплатéльщиков прихóда (*тж.* common ~, general ~, ordinary ~); select ~ собрáние представúтелей налогоплатéльщиков прихóда

vestryman ['vestrɪmən] *n* член прихóдского управлéния

vesture ['vestʃə] *поэт.* **1.** *n* 1) одеяние 2) покрóв

2. *v* одевáть, облачáть

vestured ['vestʃəd] **1.** *p. p. от* vesture 2

2. *a поэт.* 1) одéтый 2) покры́тый

vet I [vet] **1.** *n разг. сокр. от* veterinary surgeon [*см.* veterinary]

2. *v* 1) дéлать ветеринáрный осмóтр; лечúть (*животных*) 2) быть ветеринáром 3) *разг.* подвергáть медицúнскому осмóтру 4) просмáтривать (*рукопись*); рассмáтривать, исслéдовать; проверя́ть (*прибор*)

vet II [vet] *разг. амер. сокр. от* veteran

vetch [vetʃ] *n бот.* вúка

veteran ['vetərən] *n* 1) ветерáн 2) *амер.* фронтовúк; учáстник войны́ 3) *амер.* демобилизóванный военнослýжащий 4) *attr.* заслýженный, мастúтый; со стáжем; óпытный, умудрённый óпытом; a ~ teacher стáрый, óпытный педагóг 5) *attr.* многолéтний, долголéтний

veterinarian [,vetərɪ'neərɪən] *n амер.* ветеринáрный врач

veterinary ['vetrənərɪ] *a* ветеринáрный; ~ surgeon ветеринáрный врач

veto ['vi:təʊ] **1.** *n* (*pl* -oes [-əʊz]) 1) вéто, запрещéние; to put (*или* to set) a ~ on smth. наложúть вéто (*или* запрéт) на что-л. 2) прáво вéто; to exercise the ~ воспóльзоваться прáвом (налагáть) вéто

2. *v* 1) налагáть вéто (*на что-л.*) 2) запрещáть; to ~ a plan воспрепя́тствовать намéренно

vex [veks] *v* 1) досаждáть, раздражáть; сердúть; to be ~ed сердúться; ~ed with (*или* at) smb., smth. сердúтый на когó-л., что-л.; this silly chatter would ~ a saint э́та идиóтская болтовня́ мóжет и святóго вы́вести из себя́ 2) *уст.* беспокóить, волновáть 3) дразнúть (*животное*) 4) без концá обсуждáть, дебатúровать

vexation [vek'seɪʃn] *n* 1) досáда, раздражéние 2) неприя́тность

vexatious [vek'seɪʃəs] *a* 1) сопряжённый с неприя́тностями; беспокóйный 2) досáдный 3) стеснúтельный, неудóбный, обременúтельный; ~ rules and regulations нескончáемые парáграфы правил и распоряжéний 4) *юр.* крючкотвóрный, сутя́жнический (*о процессе*)

vexed [vekst] **1.** *p. p. от* vex

2. *a* 1) раздосáдованный 2): ~ question (point) спóрный, горячó дебатúруемый вопрóс (пункт); ~ problem óстрая проблéма

vexillology [,veksɪ'lɒlədʒɪ] *n* изучéние флáгов

vexing ['veksɪŋ] **1.** *pres. p. от* vex

2. *a* раздражáющий, неприя́тный; how ~! какáя досáда!

via ['vaɪə] *prep* чéрез

viable ['vaɪəbl] *a* 1) жизнеспосóбный 2) *с.-х.* всхóжий (*о семенах*)

viaduct ['vaɪədʌkt] *n* виадýк; путепровóд

vial ['vaɪəl] *n* пузырёк, буты́лочка ◇ to pour out the ~s of wrath on smb. излúть свой гнев на когó-л.

viands ['vaɪəndz] *n pl книжн.* 1) провúзия 2) я́ства

viatic [vaɪ'ætɪk] *a* дорóжный

viatica [vaɪ'ætɪkə] *pl от* viaticum

viaticum [vaɪ'ætɪkəm] *n* (*pl* -ca) 1) *церк.* причáстие, давáемое умирáющему 2) дéньги *или* провúзия на дорóгу

viator [vaɪ'eɪtə] *n* путешéственник

vibes [vaɪbz] *разг.* = vibraphone

vibrancy ['vaɪbrənsɪ] = vibration

vibrant ['vaɪbrənt] *a* 1) вибрúрующий 2) трепéщущий, дрожáщий (with — от); ~ with passion дрожáщий от волнéния *или* стрáсти 3) резонúрующий (*о звуке*)

vibraphone ['vaɪbrəfəʊn] *n муз.* виброфóн

vibrate [vaɪ'breɪt] *v* 1) вибрúровать, дрожáть (with — от) 2) качáться, колебáться 3) звучáть (*в ушах, в памяти*) 4) трепетáть (at — при) 5) вызывáть вибрáцию (*в чём-л.*) 6) сомневáться, колебáться, быть в нерешúтельности

vibration [vaɪ'breɪʃn] *n* 1) вибрáция *и пр.* [*см.* vibrate] 2) *pl* флюúды, эминéнции (*у спиритов*)

vibrator [vaɪ'breɪtə] *n тех.* 1) вибрáтор 2) прерывáтель

vibratory ['vaɪbrətərɪ] *a* 1) вибрúрующий; вызывáющий вибрáцию 2) колéблющийся, дрожáщий

vibrio ['vɪbrɪəʊ] *n* (*pl* -os [-əʊz]) *биол.* вибриóн

viburnum [vaɪ'bɜ:nəm] *n бот.* калúна

vicar ['vɪkə] *n* 1) прихóдский свящéнник (*не получающий десятины*) 2) викáрий, заместúтель; намéстник; (the) V. of Christ Пáпа Рúмский ◇ ~ of Bray беспринцúпный человéк; ренегáт (*по имени полулегендарного викария XVI в., четыре раза менявшего свою религию*)

vicarage ['vɪkərɪdʒ] *n* 1) дом свящéнника 2) дóлжность прихóдского свящéнника

vicarial [vɪ'keərɪəl] *a церк.* 1) викáрный 2) пáстырский

vicarious [vɪ'keərɪəs] *a* 1) кóсвенный, чужóй; to feel ~ pleasure переживáть чужýю рáдость 2) сдéланный за другóго; ~ atonement искуплéние чужóй вины́ 3) замещáющий другóго; ~ authority (*или* power) власть *или* прáво дéйствовать по чьемý-л. уполномóчию; довéренность

vice I [vaɪs] *n* 1) порóк, зло 2) недостáток (*в характере и т. п.*) 3) нóров (*у лошади*) 4) (the V.) *ист.* Порóк (*шутовская фигура в моралите*)

vice II [vaɪs] **1.** *n тех.* тискú, зажимнóй патрóн

2. *v* сжимáть, стúскивать; зажимáть в тискú (*тж. перен.*)

vice III ['vaɪsɪ] *prep* вмéсто

vice IV [vaɪs] *разг. сокр. от* vice-chancellor, vice-president *и т. п.*

vice- [vaɪs-] *pref* вице-

vice admiral [ˌvaɪs'ædmrəl] *n* вице-адмирáл

vice-chairman [ˌvaɪs'tʃeəmən] *n* заместитель председáтеля

vice-chancellor [ˌvaɪs'tʃɑːnsələ] *n* вице-кáнцлер

vice-consul [ˌvaɪs'kɒnsl] *n* вице-кóнсул

vicegerent [ˌvaɪs'dʒerənt] *n* намéстник

vice-governor [ˌvaɪs'gʌvnə] *n* вице-губернáтор

vice-minister [ˌvaɪs'mɪnɪstə] *n* товáрищ *или* заместитель министра

vicennial [vaɪ'senɪəl] *a* 1) двадцатилéтний (*срок, период*) 2) происходящий кáждые 20 лет

vice-president [ˌvaɪs'prezɪdənt] *n* вице-президéнт

viceregal [ˌvaɪs'riːgl] *a* вице-королéвский

vicereine [ˌvaɪs'reɪn] *n* супрýга вице-королá

viceroy ['vaɪsrɔɪ] *n* вице-корóль; намéстник королá

vice squad [ˌvaɪs'skwɒd] *n* отрáд полиции нрáвов

vice versa [ˌvaɪsɪ'vɜːsə] *adv* наоборóт; обрáтно; I dislike him and ~ он мне неприятен, и это взаимно

vicinage ['vɪsɪnɪdʒ] *n* 1) окрéстности 2) сосéдство

vicinal ['vɪsɪnl] *a* 1) сосéдний 2) мéстный

vicinity [və'sɪnətɪ] *n* 1) окрéстности; окрýга; райóн 2) сосéдство, близость; in close ~ близко, по сосéдству; in the ~ of а) поблизости; б) óколо, приблизительно; (he is) in the ~ of fifty (емý) óколо пятидесяти

vicious ['vɪʃəs] *a* 1) злой; злóбный (*о взгляде, словах*); a most ~ enemy злéйший враг 2) порóчный 3) ошибочный, непрáвильный; дефéктный; ~ habits дурные привычки; a ~ argument несостоятельный дóвод; ~ union *мед.* непрáвильное сращéние 4) норовистый 5) ужáсный; ~ headache ужáсная головнáя боль 6) *уст.* грязный, загрязнённый (*о воде, воздухе и т. п.*) ◇ ~ circle порóчный круг

vicissitude [vaɪ'sɪsətjuːd] *n* 1) превратность; the ~s of fate (*или* life) превратности судьбы 2) *уст., поэт.* перемéна, смéна; чередовáние

victim ['vɪktɪm] *n* жéртва; the ~ of his own foolishness жéртва сóбственной глýпости; to fall a ~ to стать жéртвой *когó-л., чегó-л.*

victimization [ˌvɪktɪmaɪ'zeɪʃn] *n* 1) преслéдование 2) увольнéние рабóчих и слýжащих за учáстие в забастóвке, в политическом выступлéнии *и т. п.*

victimize ['vɪktɪmaɪz] *n* 1) дéлать своéй жéртвой; мýчить; to be ~d by smb., smth. стать жéртвой когó-л., чегó-л. 2) подвергáть преслéдованию 3) увольнять рабóчих и слýжащих; *см.* victimization 2); 4) обмáнывать

victor ['vɪktə] *n* 1) победитель 2) *attr.* победонóсный

victoria [vɪk'tɔːrɪə] *n* 1) лёгкий двухмéстный экипáж 2) легковáя автомашина с откидным вéрхом

Victoria Cross [vɪkˌtɔːrɪə'krɒs] *n* крест óрдена Виктóрии (*высшая военная награда в Англии*)

Victorian [vɪk'tɔːrɪən] **1.** *a* 1) викториáнский (*относящийся к эпохе королевы Виктории 1837—1901 гг.*) 2) старомóдный; добропорядочный, консервативный

2. *n* человéк, *особ.* писáтель викториáнской эпóхи

victoria plum [vɪkˌtɔːrɪə'plʌm] *n* сорт сливы

victorious [vɪk'tɔːrɪəs] *a* победонóсный; побéдный

victory ['vɪktərɪ] *n* побéда; to gain (*или* to win) a ~ (over) одержáть побéду ◇ ~ gardens огорóды городских жителей Англии (*во время второй мировой войны*)

victress ['vɪktrəs] *n* победительница

victual ['vɪtl] **1.** *n* (*обыкн. pl*) пища, провизия

2. *v* 1) снабжáть провизией 2) запасáться провизией 3) питáться

victualler ['vɪtlə] *n* 1) поставщик продовóльствия; licensed ~ трактирщик, имéющий патéнт на продáжу спиртных напитков 2) *воен., мор.* трáнспорт с продовóльствием

victualling ['vɪtlɪŋ] **1.** *pres. p. от* victual 2

2. *n* снабжéние продовóльствием

victualling-yard ['vɪtlɪŋjɑːd] *n* продовóльственные склáды (*при доках*)

vicuña [vɪ'kjuːnə] *n* 1) *зоол.* викýнья 2) ткань (*из шерсти викуньи*)

vide ['vaɪdɪ] *лат. v imp.* смотри; ~ supra (infra) смотри выше (ниже)

videlicet [vɪ'diːlɪset] *adv* (*сокр.* viz., *обыкн. читается* namely) а именно

video ['vɪdɪəʊ] **1.** *n* 1) видео 2) телевидение 3) изображéние (*в телевидении*) 4) *разг.* видеомагнитофóн

2. *a* телевизиóнный, свáзанный с телевидением

video cassette [ˌvɪdɪəʊkə'set] *n* видеокассéта

video recorder ['vɪdɪəʊrɪˌkɔːdə] *n* видеомагнитофóн

vidimus [vaɪdɪməs] *n* 1) официáльная провéрка докумéнтов 2) завéренная кóпия

vie [vaɪ] *v* сопéрничать; to ~ with smb. for smth. сопéрничать с кем-л. в чём-л.; to ~ in doing smth. состязáться в чём-л.

Viennese [ˌviːə'niːz] **1.** *a* вéнский

2. *n* (*pl без измен.*) житель Вéны

Vietnamese [ˌvjetnə'miːz] **1.** *a* вьетнáмский

2. *n* вьетнáмец; вьетнáмка; the ~ *pl собир.* вьетнáмцы

view [vjuː] **1.** *n* 1) пóле зрéния, кругозóр; we came in ~ of the bridge а) мы увидели мост; б) нас стáло видно с мостá; to burst (*или* to come) into ~ внезáпно появиться; to pass from smb.'s ~ скрыться из чьегó-л. пóля зрéния; out of ~ вне пóля зрéния; to be in ~ а) быть видимым; б) предвидеться; certain modifications may come in ~ предвидятся нéкоторые изменéния; in full ~ of everybody у всех на видý; to the ~ (of) открыто, на видý; to have (*или* to keep) in ~ не терять из видý; имéть в видý; in ~ of ввидý; принимáя во внимáние 2) вид; пейзáж; a house with a ~ of the sea дом с видом на мóре 3) картина (*особ. пейзаж*) 4) осмóтр; to have (*или* to take) a ~ of smth. осмотрéть что-л.; on ~ выставленный для обозрéния; private ~ выставка *или* просмóтр картин (*частной коллекции*); on the ~ во врéмя осмóтра, при осмóтре; at first ~ при бéглом осмóтре; upon a closer ~ при внимáтельном рассмотрéнии 5) взгляд, мнéние, тóчка зрéния; in my ~ по моемý мнéнию; to form a clear ~ of the situation состáвить себé ясное представлéние о положéнии дел; to hold extreme ~s in politics придéрживаться крáйних взглядов в политике; short ~s недальновидность; to take a rose-coloured ~ of smth. смотрéть сквозь рóзовые очки на что-л.; to exchange ~s on smth. обменяться взглядами *или* мнéниями по пóводу чегó-л. 6) намéрение; will this meet your ~s? не противорéчит ли это вáшим намéрениям?; to have ~s on smth. имéть виды на что-л.; with the ~ of, with a ~ to с намéрением; с цéлью

2. *v* 1) осмáтривать; an order to ~ разрешéние на осмóтр (*дома, участка и т. п.*) 2) рассмáтривать, оцéнивать, судить (*о чём-л.*); he ~s the matter in a different light он инáче смóтрит на это 3) *поэт.* узрéть 4) смотрéть (*телевизор*)

viewdata ['vjuːdeɪtə] *n вчт.* дáнные изображéний; видеодáнные

viewer ['vjuːə] *n* 1) зритель (*особ.* телезритель) 2) осмóтрщик 3) окуляр стереоскóпа *и т. п.*

viewfinder ['vjuːˌfaɪndə] *n фото* видоискáтель

viewing stand ['vjuːɪŋstænd] *n* трибýна для зрителей

viewless ['vjuːləs] *a* 1) невидимый 2) не имéющий убеждéний

viewpoint ['vjuːpɔɪnt] *n* тóчка зрéния

viewy ['vjuːɪ] *a разг.* 1) чудаковáтый, стрáнный 2) эффéктный, яркий; шикáрный

vigesimal [vaɪ'dʒesɪml] *a* разделённый на двáдцать частéй; состоящий из двадцати частéй

vigil ['vɪdʒɪl] *n* 1) бóдрствование; дежýрство; to keep ~ бóдрствовать; дежýрить; to keep ~ over a sick child не отходить от (постéли) больнóго ребёнка 2) *церк.* канýн прáздника; пост наканýне прáздника 3) пикетирование (*здания суда, посольства и т. п.*)

vigilance ['vɪdʒələns] *n* 1) бдительность 2) *мед.* бессóнница 3) *психол.* вигильность

vigilance committee ['vɪdʒələnskəˌmɪtɪ]

n амер. «комитéт бди́тельности» (*организация линчевателей*)

vigilant ['vɪdʒələnt] *a* бди́тельный; неусы́пный

vigilante gang [,vɪdʒɪ'læntɪgæŋ] = vigilance committee

vignette [vɪn'jet] **1.** *n* виньéтка

2. *v* рисовáть виньéтки

vigogne [vɪ'gəʊn] *n текст.* вигóнь

vigor ['vɪgə] *амер.* = vigour

vigorous ['vɪgərəs] *a* си́льный, энерги́чный; ~ protest энерги́чный, реши́тельный протéст; physically ~ физи́чески крéпкий; бóдрый; the movement grew ~ движéние при́няло мóщный размáх

vigorously ['vɪgərəslɪ] *adv* си́льно, энерги́чно, реши́тельно; to oppose ~ реши́тельно проти́виться *или* воспрепя́тствовать (*чему-л.*)

vigour ['vɪgə] *n* 1) си́ла, энéргия 2) закóнность, действи́тельность; a law still in ~ закóн, ещё сохрани́вший си́лу

Viking ['vaɪkɪŋ] *n ист.* ви́кинг

vilayet [vɪ'lɑ:jet] *n* вилайéт

vile [vaɪl] *a* 1) пóдлый, ни́зкий 2) *разг.* отврати́тельный

vilification [,vɪlɪfɪ'keɪʃn] *n* поношéние

vilify ['vɪlɪfaɪ] *v* поноси́ть, черни́ть (*кого-л.*)

vilipend ['vɪlɪpend] *v книжн.* пренебрежи́тельно отзывáться (*о ком-л.*); пренебрежи́тельно относи́ться (*к кому-л.*)

villa ['vɪlə] *n* ви́лла

village ['vɪlɪdʒ] *n* 1) дерéвня; селó 2) *амер.* городóк 3) *собир.* деревéнские жи́тели 4) *attr.* деревéнский

villager ['vɪlɪdʒə] *n* сéльский жи́тель

villain ['vɪlən] *n* 1) злодéй, негодя́й; ~ of the piece глáвный злодéй (*в драме*) 2) *разг. шутл.* хитрéц, плути́шка 3) = villein

villainage ['vɪlɪnɪdʒ] = villeinage

villainous ['vɪlənəs] *a* 1) злодéйский 2) пóдлый 3) *разг.* мéрзкий; отврати́тельный

villainy ['vɪlənɪ] *n* 1) мéрзость 2) пóдлость 3) злодéйство

villein ['vɪleɪn] *n ист.* виллáн, крепостнóй

villeinage ['vɪlənɪdʒ] *n ист.* крепостнóе состоя́ние; крепостнáя зави́симость

vim [vɪm] *n разг.* энéргия, си́ла; напóр; put more ~ into it! поднату́жься, давáй, давáй!

vinaigrette [,vɪneɪ'gret] *n* 1) припрáва из у́ксуса и оли́вкового мáсла к зелёному салáту (*тж.* ~ sauce) 2) флакóн с ню́хательной сóлью *или* туалéтным у́ксусом

vincible ['vɪnsɪbl] *a книжн.* преодоли́мый

vindicate ['vɪndɪkeɪt] *v* 1) опрáвдывать, реабилити́ровать 2) докáзывать; to ~ one's courage доказáть своё му́жество 3) отстáивать (*право и т. п.*); to ~ one's judgement защити́ть *или* отстоя́ть свою пози́цию, утверждéние *и т. п.*

vindication [,vɪndɪ'keɪʃn] *n* 1) оправдáние 2) доказáтельство 3) защи́та

vindicative ['vɪndɪkətɪv] = vindicatory 1)

vindicator ['vɪndɪkeɪtə] *n* защи́тник, побóрник

vindicatory ['vɪndɪkətərɪ] *a* 1) защити́тельный 2) карáтельный

vindictive [vɪn'dɪktɪv] *a* 1) мсти́тельный 2) *редк.* карáтельный ◇ ~ damages *юр.* штрафны́е убы́тки

vine [vaɪn] *n* виногрáдная лозá

vinedresser ['vaɪn,dresə] *n* виногрáдарь

vinegar ['vɪnɪgə] *n* 1) у́ксус 2) неприя́тный харáктер; нелюбéзный отвéт *и т. п.* 3) *attr.* у́ксусный; *перен.* ки́слый, неприя́тный

vinegary ['vɪnɪgərɪ] *a* 1) у́ксусный 2) ки́слый, неприя́тный; ~ smile ки́слая улы́бка

vine-prop ['vaɪnprɒp] *n* шпалéра

vinery ['vaɪnərɪ] *n* виногрáдная тепли́ца

vineyard ['vɪnjəd] *n* виногрáдник

viniculture ['vɪnɪkʌltʃə] = viticulture

vino ['vi:nəʊ] *n sl.* дешёвое винó

vin ordinaire [,væn,ɔ:dɪ'neə] *фр. n* дешёвое (*обыкн.* крáсное) винó

vinous ['vaɪnəs] *a* 1) ви́нный 2) вы́званный опьянéнием; ~ mirth пья́ное весéлье 3) бордóвый

vintage ['vɪntɪdʒ] *n* 1) сбор *или* урожáй виногрáда 2) винó из сбóра определённого гóда 3) винó вы́сшего кáчества из определённого райóна и определённого гóда ◇ ~ cars автомоби́ли стáрых мáрок

vintager ['vɪntɪdʒə] *n* сбóрщик виногрáда

vintner ['vɪntnə] *n* виноторгóвец

vinyl ['vaɪnl] *n* вини́л

viol ['vaɪəl] *n* вио́ла (*музыкальный инструмент*)

viola I [vɪ'əʊlə] *n* альт (*музыкальный инструмент*)

viola II ['vaɪələ] *n бот.* фиáлка

violaceous [,vaɪə'leɪʃəs] *a* 1) фиолéтовый 2) *бот.* фиáлковый

viola da gamba [vɪ,əʊlədə'gæmbə] *n* вио́ла-да-гáмба

violate ['vaɪəleɪt] *v* 1) нарушáть, попирáть, преступáть (*клятву, закон*); to ~ a treaty нару́шить договóр 2) осквернять (*могилу и т. п.*) 3) вторгáться, врывáться; нарушáть (*тишину и т. п.*) 4) наси́ловать, применя́ть наси́лие; изнаси́ловать

violation [,vaɪə'leɪʃn] *n* нарушéние *и пр.* [*см.* violate]

violator ['vaɪəleɪtə] *n* наруши́тель

violence ['vaɪələns] *n* 1) си́ла, неи́стовство; стреми́тельность 2) жестóкость, наси́лие; to do ~ to... оскорбля́ть дéйствием, наси́ловать...; he did ~ to his feelings он дéйствовал вопреки́ свои́м убеждéниям

violent ['vaɪələnt] *a* 1) неи́стовый; я́ростный; ~ efforts отчáянные уси́лия; he was in a ~ temper он был в я́рости; ~ competition ожесточённая конкурéнция; ~ measures жёсткие мéры 2) си́льный, интенси́вный; ~ pain си́льная боль; ~ heat ужáсная жарá; ~ yellow я́рко-жёлтый цвет; ~ contrast рéзкий контрáст 3) наси́льственный; to resort to ~ means прибéгнуть к наси́лию; to lay ~ hands on smth. захвати́ть что-л. си́лой; to meet a ~ death умерéть наси́льственной смéртью 4) вспы́льчивый, горя́чий; ~ language брань, рéзкие словá 5) стрáстный, горя́чий; ~ speech стрáстная речь; a ~ demonstration бу́рная демонстрáция 6) искажённый, непрáвильный; ~ interpretation лóжная интерпретáция; ~ assumption невероя́тное предположéние

violently ['vaɪələntlɪ] *adv* 1) си́льно, óчень; to sneeze ~ грóмко чихну́ть; to run ~ бежáть стреми́тельно, без огля́дки 2) неи́стово, я́ростно; to be ~ criticized подвéргнуться рéзкой кри́тике 3) жестóко; бесчеловéчно; to die ~ поги́бнуть при трагúческих обстоя́тельствах

violet ['vaɪəlɪt] **1.** *n* 1) фиáлка 2) фиолéтовый цвет

2. *a* фиолéтовый, тёмно-лилóвый

violin [,vaɪə'lɪn] *n* 1) скри́пка (*инструмент*) 2) скри́пка, скрипáч (*в оркестре*) ◇ to play first ~ игрáть пéрвую скри́пку, быть глáвным, занимáть веду́щее положéние

violinist [,vaɪə'lɪnɪst] *n* скрипáч

violoncellist [,vaɪələn'tʃelɪst] *книжн.* = cellist

violoncello [,vaɪələn'tʃeləʊ] *книжн. см.* cello

viper ['vaɪpə] *n* 1) *зоол.* гадю́ка, випéра 2) змея́, верolóмный человéк; to cherish a ~ in one's bosom ≅ отогрéть змею́ на груди́

viperous ['vaɪpərəs] *a* ядови́тый, злóбный, ехи́дный

virago [və'rɑ:gəʊ] *n* (*pl* -os, -oes [-əʊz]) 1) сварли́вая жéнщина, мегéра 2) *уст.* бой-бáба, реши́тельная осóба

viral ['vaɪrəl] *a* ви́русный

virgin ['vɜ:dʒɪn] **1.** *n* 1) дéва; дéвственница 2) (the V.) *библ.* Дéва Мари́я 3) (V.) = Virgo 4) *разг.* наи́вный *или* неóпытный человéк

2. *a* 1) деви́чий 2) дéвственный 3) саморóдный (*о металле*); неразрабáтывавшийся (*о месторождении*) 4) нетрóнутый, чи́стый, дéвственный; ~ soil новь, целинá; ~ forest дéвственный лес 5) чи́стый, несмéшанный; ~ wool чи́стая шерсть 6) не бы́вший в употреблéнии; пéрвый ◇ the V. Queen *ист.* королéва Елизавéта I

virginal I ['vɜ:dʒɪnl] *a* дéвственный; неви́нный, непорóчный

virginal II ['vɜ:dʒɪnl] *n ист. муз.* спинéт без нóжек (*тж.* ~s, pair of ~s)

Virginia [və'dʒɪnɪə] *n* 1) виргúнский табáк 2) сигарéта из виргúнского табакá

Virginia creeper [və'dʒɪnɪə'kri:pə] *n* ди́кий виногрáд (пятили́стный)

virginity [və'dʒɪnətɪ] *n* дéвственность

Virgo ['vɜ:gəʊ] *n* Дéва (*созвездие и знак зодиака*)

viridity [vɪ'rɪdətɪ] *n книжн.* 1) зéлень 2) свéжесть; незрéлость

virile ['vɪraɪl] *a* 1) возмужáлый; зрéлый 2) дости́гший полово́й зре́лости 3) му́жественный; си́льный; ~ mind о́стрый ум; ~ government си́льное прави́тельство

virility [və'rɪlətɪ] *n* 1) му́жество 2) возмужа́лость; му́жественность 3) полова́я зре́лость

virology [ˌvaɪ'rɒlədʒɪ] *n* вирусоло́гия

virtu [vɜ:'tu:] *n*: articles of ~ худо́жественные ре́дкости

virtual ['vɜ:tʃʊəl] *a* 1) факти́ческий, не номина́льный, действи́тельный 2) *опт.* мни́мый; ~ image мни́мое изображе́ние

virtually ['vɜ:tʃʊəlɪ] *adv* факти́чески; в су́щности; пои́стине

virtue ['vɜ:tʃu:] *n* 1) доброде́тель; a man of ~ доброде́тельный челове́к; the cardinal ~s (prudence, fortitude, temperance, justice) (четы́ре) гла́вные доброде́тели (благоразу́мие, хра́брость, уме́ренность во всём, справедли́вость); to make it a point of ~ возводи́ть что-л. в доброде́тель 2) целому́дрие; a woman of easy ~ досту́пная же́нщина 3) досто́инство, хоро́шее ка́чество 4) си́ла, де́йствие; a remedy of great ~ о́чень хорошо́ де́йствующее сре́дство 5) сво́йство ◇ by (*или* in) ~ of smth. посре́дством чего́-л.; благодаря́ чему́-л.; в си́лу чего́-л.; на основа́нии чего́-л.; to make a ~ of necessity из нужды́ де́лать доброде́тель

virtuosi [ˌvɜ:tʃʊ'əʊzi:] *pl от* virtuoso

virtuosity [ˌvɜ:tʃʊ'ɒsətɪ] *n* 1) виртуо́зность 2) понима́ние то́нкостей иску́сства

virtuoso [ˌvɜ:tʃʊ'əʊzəʊ] *n* (*pl* -os [-əʊz], -si) 1) виртуо́з 2) знато́к худо́жественных ре́дкостей; цени́тель иску́сства

virtuous ['vɜ:tʃʊəs] *a* 1) доброде́тельный 2) целому́дренный

virulence ['vɪrʊləns] *n* 1) ядови́тость; си́ла, вируле́нтность (*яда*) 2) зло́ба, зло́бность

virulent ['vɪrʊlənt] *a* 1) ядови́тый; вируле́нтный (*о яде*) 2) опа́сный, стра́шный (*о болезни*) 3) зло́бный; вражде́бный; жесто́кий; ~ abuse зло́бные вы́пады, оскорбле́ния

virus ['vaɪrəs] *n* 1) ви́рус; filterable ~ фильтру́ющий ви́рус 2) зара́за, яд 3) *attr.* ви́русный; ~ warfare бактериологи́ческая война́

visa ['vi:zə] **1.** *n* ви́за; to grant a ~ вы́дать ви́зу; entrance (*или* entry) ~ ви́за на въезд; exit ~ выездна́я ви́за

2. *v* визи́ровать

visage ['vɪzɪdʒ] *n книжн.* лицо́; выраже́ние лица́, вид

-visaged [-'vɪzɪdʒd] *в сложных словах* -ли́цый; dark-~ смуглоли́цый; long-~ длинноли́цый

visard ['vɪzəd] = visor

vis-à-vis [ˌvi:zɑ:'vi:] *фр.* **1.** *n* визави́

2. *adv* друг про́тив дру́га, напро́тив

3. *prep* в отноше́нии, по отноше́нию

viscera ['vɪsərə] *n pl* вну́тренности (*особ.* кишки́)

visceral ['vɪsərəl] *a* 1) относя́щийся к вну́тренностям 2) нутряно́й, чу́вствующий нутро́м, полага́ющийся на инсти́нкт

viscid ['vɪsɪd] = viscous

viscidity [vɪ'sɪdətɪ] = viscosity

viscose ['vɪskəʊs] *n текст.* виско́за

viscosity [vɪ'skɒsətɪ] *n* вя́зкость, ли́пкость, кле́йкость; тягу́честь

viscount ['vaɪkaʊnt] *n* вико́нт

viscountess [ˌvaɪkaʊn'tes] *n* виконте́сса

viscous ['vɪskəs] *a* вя́зкий, ли́пкий, кле́йкий; тягу́чий, густо́й

vise [vaɪs] *амер.* = vice II

visé ['vi:zeɪ] = visa

Vishnu ['vɪʃnu:] *n* Ви́шну

visibility [vɪzə'bɪlətɪ] *n* ви́димость; обзо́р

visible ['vɪzəbl] *a* 1) ви́димый; ~ image ви́димое изображе́ние 2) я́вный, очеви́дный; the trends became ~ вы́явились (скры́тые) тенде́нции; without any ~ cause без вся́кой ви́димой причи́ны

visibly ['vɪzəblɪ] *adv* я́вно, ви́димо, заме́тно

Visigoth ['vɪzɪgɒθ] *n ист.* вестго́т

vision ['vɪʒn] *n* 1) зре́ние; to lose one's ~ теря́ть зре́ние, сле́пнуть; beyond our ~ вне на́шего по́ля зре́ния 2) ви́дение, мечта́; the romantic ~s of youth романти́ческие грёзы ю́ности; to have another ~ смотре́ть (на ве́щи) ина́че 3) проникнове́ние, проница́тельность, предви́дение; дальнови́дность; a man of ~ проница́тельный челове́к 4) прекра́сный вид, краси́вое зре́лище; I had only a momentary ~ of the sea я то́лько на мгнове́ние уви́дел мо́ре 5) телеви́дение ◇ field of ~ по́ле зре́ния

visional ['vɪʒnl] *a* 1) зри́тельный 2) вообража́емый

visionary ['vɪʒnərɪ] **1.** *a* 1) при́зрачный; вообража́емый, фантасти́ческий 2) скло́нный к галлюцина́циям 3) мечта́тельный 4) непракти́чный; неосуществи́мый

2. *n* 1) мечта́тель; фантазёр 2) визионе́р, ми́стик; прови́дец

visit ['vɪzɪt] **1.** *n* 1) посеще́ние, визи́т; to make (*или* to pay) a ~ to smb. навеща́ть, посеща́ть кого́-л. 2) пое́здка; вре́менное пребыва́ние; to go on a ~ to the seaside пое́хать к мо́рю; to be on a ~ гости́ть 3) *юр.* осмо́тр, досмо́тр (*судна нейтральной страны*) 4) *амер.* дру́жеская бесе́да

2. *v* 1) навеща́ть; посеща́ть 2) осма́тривать, инспекти́ровать 3) остана́вливаться, гости́ть, быть (*чьим-л.*) го́стем; to ~ at a place гости́ть где-л.; to ~ with smb. гости́ть у кого́-л.; to ~ in the country остана́вливаться в дере́вне 4) навеща́ть ча́сто, быть постоя́нным посети́телем 5) постига́ть, поража́ть (*о болезни, бедствии и т. п.*) 6) *библ.* кара́ть; отмща́ть (upon — *кому-л.*, with — *чем-л.*); the sins of the fathers are ~ed upon the children ≅ грехи́ отцо́в па́дают на го́ловы дете́й ▭ ~ with (*преим. амер.*) поговори́ть, поболта́ть; she loves ~ing with her neighbours and having a good gossip она́ лю́бит поболта́ть и поспле́тничать с сосе́дями

visitable ['vɪzɪtəbl] *a* 1) откры́тый для посети́телей 2) привлека́ющий (большо́е число́) посети́телей

visitant ['vɪzɪtənt] *n* 1) гость; высо́кий гость 2) = visitor 2)

visitation [ˌvɪzɪ'teɪʃn] *n* 1) официа́льное посеще́ние; объе́зд 2) испыта́ние; ка́ра; «бо́жье наказа́ние» 3) *разг.* продолжи́тельный визи́т 4) = visit 1, 3)

visitatorial [ˌvɪzɪtə'tɔ:rɪəl] *a* инспекти́рующий, инспе́кторский

visiting ['vɪzɪtɪŋ] **1.** *pres. p. от* visit 2

2. *a* посеща́ющий; навеща́ющий на дому́; ~ nurse сестра́ по́мощи на дому́ ◇ ~ fireman *амер. sl.* ва́жный посети́тель (*для которого устраивают специальный приём*)

visiting card ['vɪzɪtɪŋkɑ:d] *n* визи́тная ка́рточка

visiting day ['vɪzɪtɪŋdeɪ] *n* приёмный день; день приёма госте́й

visiting professor [ˌvɪzɪtɪŋprə'fesə] *n* специали́ст, приглаша́емый для чте́ния ци́кла ле́кций в университе́те

visiting round [ˌvɪzɪtɪŋ'raʊnd] *n* обхо́д (*караулов; пациентов*)

visiting teacher [ˌvɪzɪtɪŋ'ti:tʃə] *n амер.* шко́льный учи́тель, на обя́занности кото́рого лежи́т наблюде́ние за посеща́емостью и обуче́ние на дому́ дете́й-инвали́дов *или* больны́х

visitor ['vɪzɪtə] *n* 1) посети́тель, гость; the ~s' book кни́га посети́телей 2) перелётная пти́ца 3) инспе́ктор, ревизо́р

visor ['vaɪzə] *n* 1) козырёк (*фуражки*) 2) *ист.* забра́ло (*шлема*) 3) солнцезащи́тный щито́к (*в автомобиле; тж.* sun-~) 4) *уст.* ма́ска, личи́на

vista ['vɪstə] *n* 1) перспекти́ва, вид (*в конце аллеи, долины и т. п.*) 2) алле́я, про́сека 3) верени́ца (*воспоминаний и т. п.*); to look back through the ~s of the past огля́дываться на далёкое про́шлое 4) возмо́жности, ви́ды на бу́дущее; a discovery that opens up new ~s изобрете́ние, открыва́ющее широ́кие перспекти́вы

visual ['vɪzʊəl] *a* 1) зри́тельный; ~ nerve зри́тельный нерв; ~ memory зри́тельная па́мять 2) ви́димый 3) нагля́дный; ~ instruction нагля́дное обуче́ние 4) опти́ческий; ~ angle у́гол зре́ния, опти́ческий у́гол; ~ signal опти́ческий сигна́л

visualization [ˌvɪzʊəlaɪ'zeɪʃn] *n* 1) отчётливый зри́тельный о́браз 2) спосо́бность вызыва́ть зри́тельные о́бразы

visualize ['vɪzʊəlaɪz] *v* 1) де́лать ви́димым 2) отчётливо представля́ть себе́, мы́сленно ви́деть

vita ['vi:tə] *n* биогра́фия

vitaglass [ˌvi:tə'glɑ:s] *n* стекло́, пропуска́ющее ультрафиоле́товые лучи́

vital ['vaɪtl] *a* 1) жи́зненный; жи́зненно ва́жный; ~ functions жи́зненные отправле́ния; ~ power жи́зненная эне́ргия 2) насу́щный, суще́ственный; ~ choice ва́жный вы́бор; ~ needs животрепе́щущие *или* насу́щные ну́жды; a question of

~ importance вопро́с первостепе́нной ва́жности; ~ industries важне́йшие о́трасли промы́шленности 3) энерги́чный, по́лный жи́зни 4) ги́бельный, рокова́й; ~ wound смерте́льная ра́на ◇ ~ statistics а) стати́стика есте́ственного движе́ния населе́ния (*рождаемости, смертности, браков*); б) *разг.* объём груди́, та́лии и бёдер (*женщины*)

vitalism [ˈvaɪtəlɪzəm] *n биол.* витали́зм

vitality [vaɪˈtælətɪ] *n* 1) эне́ргия, жи́вость 2) жизнеспосо́бность; жи́зненность 3) живу́честь

vitalize [ˈvaɪtəlaɪz] *v* оживля́ть; обновля́ть

vitally [ˈvaɪtlɪ] *adv*: to be ~ concerned быть кро́вно заинтересо́ванным

vitals [ˈvaɪtlz] *n pl* 1) жи́зненно ва́жные о́рганы 2) наибо́лее ва́жные ча́сти, це́нтры *и т. п.*; to tear the ~ out of a subject дойти́ до са́мой су́ти предме́та

vitamin [ˈvɪtəmɪn] *n* 1) витами́н 2) *attr.* витами́нный; ~ tablets витами́ны в табле́тках; ~ deficiency *мед.* авитамино́з

vitaminize [ˈvɪtəmɪnaɪz] *v* витаминизи́ровать

vitiate [ˈvɪʃɪeɪt] *v* 1) по́ртить; искажа́ть 2) де́лать недействи́тельным (*контракт, аргумент*); this admission ~s your argument э́то допуще́ние (на́чисто) опроверга́ет ва́ше сужде́ние

vitiation [ˌvɪʃɪˈeɪʃn] *n* 1) по́рча 2) *юр.* лише́ние юриди́ческой си́лы

viticulture [ˈvɪtɪkʌltʃə] *n* виногра́дарство

vitreous [ˈvɪtrɪəs] *a* 1) стеклови́дный; ~ body (*или* humour) *анат.* стеклови́дное те́ло (*глаза*); ~ silver *мин.* аргенти́т 2) стекля́нный

vitrification [ˌvɪtrɪfɪˈkeɪʃn] *n* превраще́ние в стекло́ *или* в стеклови́дное вещество́

vitrify [ˈvɪtrɪfaɪ] *v* превраща́ть(ся) в стекло́ *или* в стеклови́дное вещество́

vitriol [ˈvɪtrɪəl] *n* 1) купоро́с; blue (green) ~ ме́дный (желе́зный) купоро́с 2) купоро́сное ма́сло (*тж.* oil of ~) 3) язви́тельность, сарка́зм

vitriolic [ˌvɪtrɪˈɒlɪk] *a* 1) купоро́сный 2) ре́зкий, е́дкий, саркасти́ческий; a ~ remark язви́тельное замеча́ние

vituperate [vaɪˈtju:pəreɪt] *v* брани́ть, поноси́ть

vituperation [vaɪˌtju:pəˈreɪʃn] *n* брань, поноше́ние

vituperative [vaɪˈtju:pərətɪv] *a* бра́нный, руга́тельный

viva I [ˈvi:və] *ит.* **1.** *int* да здра́вствует!

2. *n* 1) приве́тственный во́зглас 2) *pl* приве́тствия

viva II [ˈvaɪvə] *разг. см.* viva voce

vivacious [vɪˈveɪʃəs] *a* живо́й, оживлённый

vivacity [vɪˈvæsətɪ] *n* жи́вость, оживлённость

vivaria [vaɪˈveərɪə] *pl от* vivarium

vivarium [vaɪˈveərɪəm] *n* (*pl* -ia) 1) вива́рий 2) садо́к

viva voce [ˌvaɪvəˈvəʊtʃɪ] **1.** *n* у́стный экза́мен

2. *a* у́стный; ~ examination у́стный экза́мен

3. *adv* у́стно

vivid [ˈvɪvɪd] *a* 1) я́ркий; я́сный; a ~ flash of lightning я́ркая вспы́шка мо́лнии 2) живо́й, я́ркий; пы́лкий; ~ imagination пы́лкое воображе́ние

vivify [ˈvɪvɪfaɪ] *v* оживля́ть

viviparous [vɪˈvɪpərəs] *a зоол.* живородя́щий

vivisect [ˈvɪvɪsekt] *v* подверга́ть вивисе́кции

vivisection [ˌvɪvɪˈsekʃn] *n* вивисе́кция

vixen [ˈvɪksən] *n* 1) са́мка лиси́цы 2) сварли́вая же́нщина, мегéра

vixenish [ˈvɪksənɪʃ] *a* сварли́вый, злой

viz. [vɪz] *adv* а и́менно

vizard [ˈvɪzɑ:d] *n уст.* ма́ска, личи́на

vizier [vɪˈzɪə] *n ист.* визи́рь

vizor [ˈvaɪzə] = visor

V-J Day [ˌvi:ˈdʒeɪdeɪ] *n* День побе́ды над Япо́нией (*во второй мировой войне*)

V-mail [ˈvi:meɪl] *n* корреспонде́нция на микроплёнке (*посылаемая военнослужащим*)

V neck [ˈvi:nek] *n* вы́рез мы́сом (*в платье*)

vocable [ˈvəʊkəbl] **1.** *n лингв.* вока́була

2. *a* произноси́мый

vocabulary [vəʊˈkæbjʊlərɪ] *n* 1) слова́рь, спи́сок слов (и фраз), располо́женных в алфави́тном поря́дке и снабжённых поясне́ниями 2) запа́с слов; лексико́н 3) слова́рный соста́в (*языка*); ле́ксика; слова́рь (*писателя, группы лиц и т. п.*) 4) терминоло́гия 5) *attr.* слова́рный; ~ entry слова́рная статья́

vocal [ˈvəʊkl] *a* 1) голосово́й; ~ organ го́лос 2) у́стный 3) *фон.* зво́нкий; гла́сный 4) выска́зывающийся (откры́то); public opinion has become ~ обще́ственное мне́ние по́дняло свой го́лос 5) *поэт.* звуча́щий; зву́чный; напо́лненный зву́ками; woods ~ with the sound of birds леса́, оглаша́емые пе́нием птиц 6) вока́льный; для го́лоса 7) шу́мный, крикли́вый

vocalic [vəʊˈkælɪk] *a* гла́сный; бога́тый гла́сными (*о языке, слове*)

vocalist [ˈvəʊkəlɪst] *n* вокали́ст; певе́ц; певи́ца

vocalization [ˌvəʊkəlaɪˈzeɪʃn] *n* 1) примене́ние го́лоса 2) *фон.* вокализа́ция; озвонче́ние

vocalize [ˈvəʊkəlaɪz] *v* 1) издава́ть зву́ки 2) исполня́ть вокали́зы 3) *фон.* вокализи́ровать; произноси́ть зво́нко 4) выража́ть, выска́зывать

vocation [vəʊˈkeɪʃn] *n* 1) призва́ние; скло́нность (for — к *чему-л.*); he has little or no ~ for teaching ≅ у него́ душа́ не лежи́т к профе́ссии учи́теля 2) профе́ссия; to mistake one's ~ ошиби́ться в вы́боре профе́ссии

vocational [vəʊˈkeɪʃənəl] *a* профессиона́льный; ~ school реме́сленное учи́лище; ~ training профессиона́льное обуче́ние; профессиона́льно-техни́ческое образова́ние

vocative [ˈvɒkətɪv] *грам.* **1.** *a* зва́тельный

2. *n* зва́тельный паде́ж

voces [ˈvəʊsi:z] *pl от* vox

vociferate [vəʊˈsɪfəreɪt] *v* крича́ть, горла́нить, ора́ть

vociferation [vəʊˌsɪfəˈreɪʃn] *n* кри́к(и); шум

vociferous [vəʊˈsɪfərəs] *a* 1) громкоголо́сый; горла́стый 2) многоголо́сый 3) гро́мкий, шу́мный; громогла́сный; ~ cheers гро́мкие приве́тствия

voder [ˈvəʊdə] *n* электро́нный аппара́т (*воспроизводящий звучание, близкое к человеческой речи*), «во́удер»

vodka [ˈvɒdkə] *n* во́дка

vogue [vəʊg] *n* 1) мо́да; all the ~ после́дний крик мо́ды; in ~ в мо́де; to go out of ~ вы́йти из мо́ды; to come into ~ войти́ в мо́ду; to bring into ~ вводи́ть в мо́ду 2) популя́рность; to have a ~ быть популя́рным; to acquire ~ приобрести́ популя́рность

voice [vɔɪs] **1.** *n* 1) го́лос; I did not recognize his ~ я не узна́л его́ го́лоса; to be in good (bad) ~ быть (не) в го́лосе; at the top of one's ~ гро́мко, громогла́сно; to teach ~ занима́ться постано́вкой го́лоса; ста́вить го́лос; to lift up one's ~ заговори́ть 2) го́лос, мне́ние; to give ~ to smth. выража́ть, выска́зывать что-л.; to give one's ~ for smth. подава́ть го́лос, выска́зываться за что-л.; to have (to demand) a ~ in smth. име́ть пра́во (заявля́ть о своём пра́ве) вы́разить мне́ние по како́му-л. по́воду; I have no ~ in the matter э́то от меня́ не зави́сит; with one ~ единогла́сно 3) *грам.* зало́г

2. *v* 1) выража́ть (*словами*); to ~ one's protest выража́ть проте́ст 2) *фон.* произноси́ть зво́нко; озвонча́ть

voicecast [ˈvɔɪskɑ:st] *n* магни́тная плёнка с за́писью го́лоса (*говорящего*)

voiced [vɔɪst] **1.** *p. p. от* voice 2

2. *a фон.* зво́нкий

-voiced [-vɔɪst] *в сложных словах означает* облада́ющий *таким-то* го́лосом; sweet-~ облада́ющий прия́тным го́лосом; loud-~ громкоголо́сый

voiceless [ˈvɔɪsləs] *a* 1) не име́ющий го́лоса, потеря́вший го́лос 2) безгла́сный, немо́й 3) безмо́лвный 4) *фон.* глухо́й

voice vote [ˈvɔɪsvəʊt] *n амер.* приня́тие (*решения, резолюции и т. п.*) путём опро́са уча́ствующих в голосова́нии

void [vɔɪd] **1.** *n* пустота́; ва́куум; пробе́л; there was a ~ in his heart он чу́вствовал пустоту́ в се́рдце

2. *a* 1) пусто́й, свобо́дный, неза́нятый 2) лишённый (of — *чего-л.*) 3) бесполе́зный, неэффекти́вный 4) не име́ющий юриди́ческой си́лы; to consider (null and) ~ счита́ть не име́ющим си́лы

3. *v* 1) лиша́ть юриди́ческой си́лы 2) опорожня́ть (*кишечник, мочевой пузырь*); выделя́ть (*мочу*)

voile [vɔɪl] *n текст.* тонкая прозрачная ткань; вуаль

volant [ˈvəʊlənt] *a* 1) *зоол.* летающий 2) *геральд.* с расправленными крыльями, летящий 3) *книжн.* проносящийся; быстрый, подвижный

volatile [ˈvɒlətaɪl] *a* 1) *хим.* летучий, быстро испаряющийся 2) непостоянный, изменчивый; неуловимый

volatility [ˌvɒləˈtɪlətɪ] *n* 1) *хим.* летучесть 2) изменчивость, непостоянство

volatilization [vəˌlætɪlaɪˈzeɪʃn] *n* 1) улетучивание 2) выпаривание; приведение в состояние летучести

volatilize [vəˈlætɪlaɪz] *v* улетучивать(ся); испарять(ся)

vol-au-vent [ˈvɒləvɑːŋ] *n кул.* волован

volcanic [vɒlˈkænɪk] *a* 1) вулканический; ~ rock вулканическая порода 2) бурный (*о темпераменте и т. п.*)

volcano [vɒlˈkeɪnəʊ] *n* (*pl* -oes [-əʊz]) вулкан; active (dormant) ~ действующий (бездействующий) вулкан

vole I [vəʊl] *n* полёвка (*мышь; тж.* field ~)

vole II [vəʊl] *n карт. уст.* выигрыш всех взяток; to win the ~ взять все взятки; to go the ~ а) рисковать всем ради большого выигрыша; б) много испытать в жизни

volet [ˈvɒleɪ] *n жив.* крыло триптиха

volition [vəʊˈlɪʃn] *n* 1) волевой акт, хотение; to do smth. of (*или* by) one's own ~ сделать что-л. по доброй воле, по собственному желанию 2) воля, сила воли

volitional [vəʊˈlɪʃənəl] *a* волевой

volley [ˈvɒlɪ] **1.** *n* 1) залп 2) град, поток (*упрёков и т. п.*) 3) удар с лёта (*в теннисе и т. п.*)

2. *v* 1) стрелять залпами 2) сыпаться градом 3) испускать (*крики, жалобы; обыкн.* ~ forth, ~ off, ~ out) 4) ударить (*мяч*) с лёта

volleyball [ˈvɒlɪbɔːl] *n* волейбол

volplane [ˈvɒlpleɪn] *ав.* **1.** *n* планирование (*самолёта*)

2. *v* планировать

volt I [vəʊlt] = volte

volt II [vəʊlt] *n эл.* вольт

voltage [ˈvəʊltɪdʒ] *n эл.* вольтаж, напряжение

voltaic [vɒlˈteɪɪk] *a эл.* гальванический; ~ arc электрическая дуга

Voltairian [vɒlˈteərɪən] **1.** *a* вольтеровский; вольтерьянский

2. *n* вольтерьянец

Voltairianism [vɒlˈteərɪənɪzəm] *n* вольтерьянство

Voltairism [vɒlˈteərɪzəm] = Voltairianism

voltameter [vɒlˈtæmɪtə] *n* вольтаметр (*в электрохимии*)

volte [vɒlt] *n* 1) уклонение от удара противника (*при фехтовании*) 2) вольт (*конный спорт*)

volte-face [ˌvɒltˈfɑːs] *n* 1) резкая перемена (*взглядов, политики и т. п.*); to make a ~ переметнуться в лагерь противника 2) *воен.* поворот кругом

voltmeter [ˈvəʊltˌmiːtə] *n эл.* вольтметр

volubility [ˌvɒljʊˈbɪlətɪ] *n* говорливость, разговорчивость

voluble [ˈvɒljʊbl] *a* 1) говорливый, многоречивый; речистый 2) вьющийся (*о растении*)

volume [ˈvɒljuːm] *n* 1) том, книга 2) *ист.* свиток 3) объём, масса (*какого-л. вещества*) 4) (*обыкн. pl*) значительное количество; ~s of smoke клубы дыма 5) ёмкость, вместительность 6) сила, полнота (*звука*); ~ of sound громкость 7) *attr.* объёмный; относящийся к объёму ◇ to tell (*или* to speak) ~s говорить красноречивее всяких слов (*о выражении лица и т. п.*); быть весьма многозначительным

volumeter [vɒˈljuːmɪtə] *n* волюметр (*прибор для измерения объёма жидких и газообразных тел*)

volumetric [ˌvɒljʊˈmetrɪk] *a* объёмный; ~ capacity ёмкость; ~ flask *физ.* мерная колба

voluminous [vəˈluːmɪnəs] *a* 1) объёмистый, массивный, обширный; a ~ correspondence обширная переписка 2) многотомный (*об издании*) 3) плодовитый (*о писателе*)

voluntarism [ˈvɒləntərɪzəm] *n* 1) *филос.* волюнтаризм 2) *ист.* принцип, согласно которому школы и церковь должны содержаться на добровольные взносы 3) принцип добровольности (*службы в армии и т. п.*)

voluntary [ˈvɒləntərɪ] **1.** *a* 1) добровольный; добровольческий 2) содержащийся на добровольные взносы; ~ school школа, содержащаяся на добровольные взносы 3) сознательный, умышленный; ~ waste умышленная порча 4) *физиол.* произвольный; ~ muscles произвольные мышцы

2. *n* 1) добровольные действия, добровольная работа 2) *ист.* сторонник принципа добровольности [*см.* voluntarism 2) *и* 3)] 3) соло на органе (*в начале или в конце церковной службы*)

voluntaryism [ˈvɒləntərɪɪzəm] *ист.* = voluntarism 2) *и* 3)

volunteer [ˌvɒlənˈtɪə] **1.** *n* 1) доброволец, волонтёр 2) *attr.* добровольный, добровольческий 3) *attr.* растущий самопроизвольно; ~ plant растение, выросшее самопроизвольно, самосевное растение

2. *v* 1) предлагать (*свою помощь, услуги*); вызваться добровольно (*сделать что-л.*; for) 2) поступить добровольцем на военную службу

voluptuary [vəˈlʌptʃʊərɪ] *n* сластолюбец

voluptuous [vəˈlʌptʃʊəs] *a* 1) чувственный; сластолюбивый, сладострастный 2) пышный, роскошный; возбуждающий чувственное желание (*о фигуре, формах тела*)

volute [vəˈluːt] *n* 1) *архит.* волюта; спираль, завиток 2) *зоол.* свиток (*моллюск*) 3) *attr.* спиральный

volution [vəˈluːʃn] *n* завиток

volvulus [ˈvɒlvjʊləs] *n* заворот кишок

vomit [ˈvɒmɪt] **1.** *n* 1) рвота 2) рвотная масса 3) *уст.* рвотное (средство)

2. *v* 1) страдать рвотой; he was ~ing blood его рвало кровью 2) извергать; to ~ curses извергать проклятия; to ~ (forth) smoke извергать клубы дыма (*напр., о фабричной трубе*)

vomitive [ˈvɒmɪtɪv] = vomitory

vomitory [ˈvɒmɪtərɪ] **1.** *n* рвотное (средство)

2. *a* рвотный

voodoo [ˈvuːduː] (*преим. в Вест-Индии*) **1.** *n* 1) вера в колдовство, шаманство 2) знахарь, шаман 3) *attr.* колдовской; знахарский; ~ doctor (*или* priest) знахарь, шаман

2. *v* околдовать

voracious [vəˈreɪʃəs] *a* прожорливый; жадный; ненасытный

voracity [vɒˈræsətɪ] *n* прожорливость

vortex [ˈvɔːteks] *n* (*pl* -tices, -es [-ɪz]) 1) водоворот; вихрь 2) *attr.* вихревой; ~ motion *физ.* вихревое движение

vortical [ˈvɔːtɪkl] *a* вихревой; вращательный

vortices [ˈvɔːtɪsiːz] *pl от* vortex

vorticose [ˈvɔːtɪkəʊs] = vortical

votaress [ˈvəʊtəres] *n* 1) монахиня 2) почитательница; сторонница

votary [ˈvəʊtərɪ] *n* 1) монах 2) почитатель; приверженец; сторонник

vote [vəʊt] **1.** *n* 1) голосование; баллотировка; to cast a ~ голосовать; to put to the ~ ставить на голосование; to get out the (*или* a) ~ *амер.* добиться активного участия в голосовании своих предполагаемых сторонников 2) (избирательный) голос; to count the ~s производить подсчёт голосов 3) право голоса; to have the ~ иметь право голоса; one man one ~ каждый избиратель имеет право голосовать только один раз 4) вотум; решение (*принятое большинством*); ~ of nonconfidence вотум недоверия 5) ассигнования, кредиты (*принятые законодательным органом*); educational ~ ассигнования на образование 6) общее число голосов; голоса 7) избирательный бюллетень 8) *уст.* избиратель

2. *v* 1) голосовать (for — за, against — против) 2) постановлять большинством голосов 3) ассигновать; выделять (*средства*) 4) *разг.* признавать; the play was ~d a failure пьеса была признана неудачной 5) *разг.* предлагать, вносить предложение; I ~ that we go home я за то, чтобы пойти домой □ ~ **down** провалить (*предложение*); ~ **in** избрать голосованием (*куда-л.*); ~ **into**: to ~ smb. into a committee голосованием избрать кого-л. в комиссию; ~ **through** провести путём голосования; to ~ a measure (a bill, *etc.*) through провести мероприятие (закон *и т. п.*) путём голосования ◇ to ~ with one's feet *разг.* голосовать ногами, уходить (*с собрания и т. п.*)

voter ['vəʊtə] *n* 1) избира́тель 2) уча́стник голосова́ния

voting ['vəʊtɪŋ] **1.** *pres. p. от* vote 2
2. *n* голосова́ние

voting machine ['vəʊtɪŋmə,ʃi:n] *n* 1) *(особ. амер.)* маши́на для подсчёта голосо́в (*на выборах*) 2) маши́на голосова́ния

voting paper ['vəʊtɪŋ,peɪpə] *n* избира́тельный бюллете́нь

votive ['vəʊtɪv] *a* испо́лненный по обе́ту

vouch [vaʊtʃ] *v* 1) руча́ться, поручи́ться (for) 2) *уст.* подтвержда́ть

voucher ['vaʊtʃə] *n* 1) руча́тельство, поручи́тельство (*в письменном виде*) 2) распи́ска; оправда́тельный докуме́нт 3) ва́учер 4) поручи́тель ◇ hotel ~ кни́жечка (*или* путёвка) с отрывны́ми тало́нами для прожива́ния в гости́нице (*оплаченная в турбюро*); meal ~ курсо́вка на пита́ние (*оплаченная в турбюро*)

vouchsafe [vaʊtʃ'seɪf] *v книжн.* удоста́ивать; соизво́лить; he ~d no answer он не снизошёл до отве́та

vow [vaʊ] **1.** *n* обе́т, кля́тва; to be under a ~ быть свя́занным кля́твой; to make (*или* to take) a ~ дать кля́тву ◇ to take the ~s а) постри́чься в мона́хи; б) связа́ть себя́ бра́чными у́зами
2. *v* дава́ть обе́т; кля́сться (*в чём-л.*)

vowel ['vaʊəl] *n* гла́сный (звук)

vox [vɒks] *лат. n* (*pl* voces) го́лос; ~ populi обще́ственное мне́ние

voyage ['vɔɪɪdʒ] **1.** *n* 1) пла́вание, морско́е путеше́ствие; to make a ~ соверши́ть путеше́ствие (*по морю*) 2) полёт, перелёт (*на самолёте*) 3) кни́га *или* расска́з о путевы́х впечатле́ниях
2. *v* 1) пла́вать, путеше́ствовать (*по морю*) 2) лета́ть (*на самолёте*)

voyager ['vɔɪədʒə] *n уст.* морепла́ватель

voyeur [vwaɪ'ɜ:] *n* челове́к, чьё боле́зненное любопы́тство удовлетворя́ется созерца́нием эроти́ческих сцен

vug [vʌg] *n геол.* впа́дина, пустота́ в поро́де, жео́да

Vulcan ['vʌlkən] *n римск. миф.* Вулка́н

vulcanic [vʌl'kænɪk] = volcanic

vulcanite ['vʌlkənaɪt] *n* вулкани́ческая рези́на, эбони́т

vulcanization [,vʌlkənaɪ'zeɪʃn] *n* вулканиза́ция (*резины*)

vulcanize ['vʌlkənaɪz] *v* вулканизи́ровать (*резину*)

vulcanology [,vʌlkə'nɒlədʒɪ] *n* вулканоло́гия

vulgar ['vʌlgə] **1.** *a* 1) простонаро́дный; плебе́йский; the ~ herd *презр.* чернь 2) гру́бый; вульга́рный; по́шлый 3) наро́дный, родно́й (*о языке*) 4) широко́ распространённый, о́бщий (*об ошибке и т. п.*) ◇ ~ fraction проста́я дробь
2. *n* (the ~) *уст.* простонаро́дье

vulgarian [vʌl'geərɪən] *n* 1) парвеню́, вы́скочка 2) вульга́рный, невоспи́танный челове́к

vulgarism ['vʌlgərɪzəm] *n* 1) вульга́рное выраже́ние; вульгари́зм 2) вульга́рность

vulgarity [vʌl'gærətɪ] *n* вульга́рность

vulgarization [,vʌlgəraɪ'zeɪʃn] *n* опошле́ние; вульгариза́ция

vulgarize ['vʌlgəraɪz] *v* опошля́ть; вульгаризи́ровать

Vulgate ['vʌlgeɪt] *n* (the ~) *ист.* вульга́та (*латинский перевод Библии IV в.*)

vulnerability [,vʌlnərə'bɪlətɪ] *n* уязви́мость; рани́мость

vulnerable ['vʌlnərəbl] *a* уязви́мый; рани́мый

vulnerary ['vʌlnərərɪ] *a* цели́тельный; ~ plants целе́бные тра́вы

vulpicide ['vʌlpɪsaɪd] *n* 1) охо́та на лиси́цу без го́нчих 2) охо́тник, уби́вший лиси́цу не по пра́вилам охо́ты, без соба́к

vulpine ['vʌlpaɪn] *a* 1) ли́сий 2) хи́трый, кова́рный

vulture ['vʌltʃə] *n* 1) гриф (*птица*); Egyptian ~ стервя́тник 2) хи́щник (*о человеке*)

vulturous ['vʌltʃʊrəs] *a* хи́щный

vulva ['vʌlvə] *n анат.* ву́льва, нару́жные же́нские половы́е о́рганы

vying ['vaɪɪŋ] *pres. p. от* vie

W

W, w ['dʌblju:] *n* (*pl* Ws, W's ['dʌblju:z]) *23-я буква англ. алфавита*

wabble ['wɒbl] = wobble

wabbly ['wɒblɪ] = wobbly

wack [wæk] *n* (*обыкн. амер.*) *sl.* псих, ненорма́льный

wacko ['wækəʊ] = wack

wacky ['wækɪ] *sl.* **1.** *a* чо́кнутый, психо́ванный

2. *n* псих

wad [wɒd] **1.** *n* 1) кусо́к, комо́к (*ваты, шерсти и т. п.*) 2) па́чка бума́жных де́нег; де́ньги 3) *sl.* бу́лочка, бутербро́д *и т. п.*

2. *v* набива́ть *или* подбива́ть ва́той

wadding ['wɒdɪŋ] **1.** *pres. p. от* wad 2

2. *n* 1) ва́та, шерсть (*для набивки*) 2) наби́вка, подби́вка 3) подкла́дка

waddle ['wɒdl] **1.** *n* похо́дка вперева́лку

2. *v* ходи́ть вперева́лку

wade [weɪd] **1.** *n* 1) перехо́д вброд 2) брод

2. *v* 1) переходи́ть вброд 2) пробира́ться, идти́ (*по грязи, снегу и т. п.*; *тж.* ~ through) 3) преодолева́ть (*что-л. трудное, скучное*; *тж.* ~ through) ▭ ~ **in** *разг.* а) набро́ситься; приня́ться за *что-л.*; б) вступи́ть (*в спор, дискуссию, борьбу*); ~ **into** а) *разг.* ре́зко критикова́ть; б) = ~ in а); ~ **through** одоле́ть (*что-л. трудное, скучное*)

wader ['weɪdə] *n* 1) боло́тная пти́ца 2) *pl* боло́тные сапоги́

wading bird ['weɪdɪŋbɜ:d] *n* боло́тная пти́ца

wafer ['weɪfə] *n* 1) ва́фля 2) обла́тка 3) сургу́чная печа́ть 4) *элн.* ва́фля, то́нкая кристалли́ческая пласти́на

wafer-thin [,weɪfə'θɪn] *a* о́чень то́нкий; ≅ как папиро́сная бума́га

waff [wɒf] *n диал.* 1) лёгкое движе́ние 2) мимолётное виде́ние

waffle I ['wɒfl] *n* (*обыкн. амер.*) ва́фля

waffle II ['wɒfl] *разг.* **1.** *n* (пуста́я) болтовня́, трёп

2. *v* болта́ть по́пусту, трепа́ться бе́з толку (*тж.* ~ on)

waffle iron ['wɒfl,aɪən] *n* ва́фельница

waft [wɑ:ft] **1.** *n* 1) дунове́ние (*ветра*) 2) струя́ (*запаха*) 3) взмах (*крыла*) 4) о́тзвук, донёсшийся звук 5) мимолётное ощуще́ние

2. *v* 1) нести́; the leaves were ~ed along by the breeze ветеро́к гнал ли́стья 2) нести́сь (*по воздуху, по воде*) 3) доноси́ть; a song was ~ed to our ears до нас донесли́сь зву́ки пе́сни

wag I [wæg] **1.** *n* взмах; киво́к; with a ~ of its (*или* the) tail вильну́в хвосто́м

2. *v* 1) маха́ть; кача́ть(ся); to ~ the tail виля́ть хвосто́м (*о собаке*) 2) *разг.* болта́ть, спле́тничать; to set tongues (*или* chins, jaws, beards) ~ging дать по́вод для спле́тен; вы́звать то́лки 3) кива́ть, де́лать знак ◇ to ~ one's finger at smb. грози́ть кому́-л. па́льцем; that's the way the world ~s таковы́ дела́; how ~s the world? как дела́?; the tail ~s the dog ≅ я́йца ку́рицу у́чат

wag II [wæg] **1.** *n* 1) шутни́к 2) *sl.* прогу́льщик; безде́льник, лентя́й; to play (the) ~ уви́ливать от заня́тий, прогу́ливать

2. *v* прогу́ливать

wage I [weɪdʒ] *n* (*обыкн. pl*) 1) за́работная пла́та; living ~ прожи́точный ми́нимум; nominal (real) ~s номина́льная (реа́льная) за́работная пла́та 2) возме́здие 3) *attr.* свя́занный с за́работной пла́той, относя́щийся к за́работной пла́те; ~ scale шкала́ за́работной пла́ты; ~ labour наёмный труд

wage II [weɪdʒ] *v* вести́ (*войну*); проводи́ть (*кампанию*); боро́ться (*за что-л.*).

wage-cut ['weɪdʒkʌt] *n* сниже́ние за́работной пла́ты

wage earner ['weɪdʒ,ɜ:nə] *n* 1) (наёмный) рабо́тник, рабо́чий 2) тот, кто обеспе́чивает семью́, корми́лец

wage-freeze ['weɪdʒfri:z] *n* замора́живание за́работной пла́ты

wage-fund ['weɪdʒfʌnd] = wages-fund

wager ['weɪdʒə] **1.** *n* пари́; ста́вка; to lay a ~ держа́ть пари́

2. *v* 1) держа́ть пари́ 2) рискова́ть (*чем-л.*)

wage-rate ['weɪdʒreɪt] *n* ста́вка, тари́ф за́работной пла́ты

wages-fund ['weɪdʒɪzfʌnd] *n* фонд за́работной пла́ты

wage-slavery ['weɪdʒ,sleɪvərɪ] *n* поднево́льный наёмный труд

wage-work ['weɪdʒwɜ:k] *n* наёмный труд

wageworker ['weɪdʒ,wɜ:kə] = wage earner 1)

waggery ['wægərɪ] *n* 1) ша́лость; (гру́бая) шу́тка 2) шутли́вость

waggish ['wægɪʃ] *a* 1) шаловли́вый; озорно́й 2) заба́вный, коми́чный

waggle ['wægl] **1.** *n* пома́хивание; пока́чивание

2. *v* пома́хивать; пока́чивать(ся)

waggly ['wæglɪ] *a* неусто́йчивый

wag(g)on ['wægən] **1.** *n* 1) теле́жка; пово́зка; фурго́н; автофурго́н; пика́п 2) *ж.-д.* ваго́н-платфо́рма (*в Англии*) 3) *амер. разг.* де́тская коля́ска 4) (the ~) *амер.* полице́йская автомаши́на 5) *горн.* вагоне́тка 6) = station wagon 7) сервиро́вочный сто́лик на колёсах 8) *амер. мор. жарг.* кора́бль ◇ to go (*или* to be) on the (water) ~ переста́ть пить; to be off the (water) ~ запи́ть, пить запо́ем; to hitch one's ~ to a star ≅ далеко́ ме́тить; быть одержи́мым честолюби́вой мечто́й

2. *v* 1) грузи́ть в фурго́н, на железнодоро́жную платфо́рму-гондо́лу 2) перевози́ть в фурго́не, на железнодоро́жной платфо́рме-гондо́ле *и т. п.*

wag(g)oner ['wægənə] *n* во́зчик

wag(g)onette [,wægə'net] *n* экипа́ж с двумя́ продо́льными сиде́ньями

wagon-lit [,wægɒn'li:] *n* спа́льный ваго́н

wagon train ['wægəntreɪn] *n* обо́з

wagtail ['wægteɪl] *n зоол.* трясогу́зка

waif [weɪf] *n* 1) бездо́мный челове́к; беспризо́рный ребёнок 2) заблуди́вшееся дома́шнее живо́тное 3) никому́ не принадлежа́щая вещь ◇ ~s and strays а) беспризо́рные де́ти; б) оста́тки, отбро́сы

wail [weɪl] **1.** *n* 1) вопль 2) завыва́ние (*ветра*) 3) причита́ния, стена́ния

2. *v* 1) вопи́ть; выть 2) причита́ть, стена́ть; опла́кивать (over)

wailful ['weɪlfl] *a* гру́стный, печа́льный

Wailing Wall [,weɪlɪŋ'wɔ:l] *n* Стена́ пла́ча (*в Иерусалиме*)

wain [weɪn] *n* 1) *уст., поэт.* теле́га 2) (the W.) *астр.* Больша́я Медве́дица (*тж.* Charles's *или* Arthur's W.)

wainscot ['weɪnskət] **1.** *n* деревя́нная стенна́я пане́ль

2. *v* обшива́ть пане́лью

waist [weɪst] *n* 1) та́лия; to strip to the ~ разде́ться до по́яса 2) перехва́т, суже́ние; у́зкая часть (*скрипки и т. п.*) 3) *амер.* корса́ж, лиф; де́тский ли́фчик 4) *мор.* шкафу́т

waistband ['weɪstbænd] *n* по́яс (*юбки, брюк*)

waist-belt ['weɪstbelt] *n* поясно́й реме́нь

waistcoat ['weɪskəʊt] *n* жиле́т

waist-deep, waist-high [,weɪst'di:p, -'haɪ] **1.** *a* доходя́щий до по́яса

2. *adv* по по́яс; ~ in the water в воде́ по по́яс

waistline ['weɪstlaɪn] *n* та́лия, ли́ния та́лии; low ~ зани́женная та́лия

wait [weɪt] **1.** *n* 1) ожида́ние; a long ~ до́лгое ожида́ние 2) заса́да; выжида́ние; to lay ~ for smb. подстере́чь кого́-л.; устро́ить кому́-л. заса́ду; to lie in ~ for smb.

быть в заса́де, поджида́ть кого́-л. 3) (the ~s) *pl уст.* христосла́вы (*певцы, ходящие по домам в Сочельник*)

2. *v* 1) ждать (for); ~ for me, please подожди́те меня́, пожа́луйста; ~ until he comes дожди́тесь его́ прихо́да; don't keep me ~ing не заставля́йте меня́ ждать 2) поджида́ть, выжида́ть 3) прислу́живать (*за столом и т. п.*; on, upon — *кому-л.*); быть официа́нтом; to ~ at (*амер.* on) table обслу́живать посети́телей рестора́на, прислу́живать за столо́м 4) сопровожда́ть, сопу́тствовать (upon); may success ~ upon you! да сопу́тствует вам успе́х! 5) *разг.* откла́дывать (*о трапезе*); we shall ~ dinner for you мы подождём вас с обе́дом ▭ ~ **off** *спорт.* приберега́ть си́лы к концу́ состяза́ния; ~ **on** а) явля́ться результа́том (*чего-л.*); б) *уст.* наноси́ть визи́т, явля́ться к кому́-л.; ~ **up** *разг.* не ложи́ться спать (до *чьего-л. прихода*; for); ~ **upon** = ~ on ◇ you ~! ты дождёшься! ~ for it! а) споко́йно, не торопи́тесь!; б) ≅ что́ бы вы ду́мали?

wait-a-bit ['weɪtəbɪt] *n разг.* колю́чий куста́рник

wait-and-see [,weɪtn'si:] *a*: ~ policy выжида́тельная поли́тика

waiter ['weɪtə] *n* 1) официа́нт 2) посети́тель, дожида́ющийся приёма *и т. п.* 3) подно́с 4) = dumb waiter

waiting ['weɪtɪŋ] **1.** *pres. p. от* wait 2

2. *n* ожида́ние

3. *a* 1) выжида́тельный 2) ждущий; ~ list спи́сок кандида́тов (*на должность, на получение жилплощади и т. п.*) 3) прислу́живающий

waiting room ['weɪtɪŋru:m] *n* 1) приёмная 2) *ж.-д.* зал ожида́ния

waitress ['weɪtrəs] *n* официа́нтка, подава́льщица

waive [weɪv] *v* 1) отка́зываться (*от права, требования*; *тж. юр.*) 2) вре́менно откла́дывать

waiver ['weɪvə] *n юр.* отка́з от пра́ва

wake I [weɪk] **1.** *v* (woke, waked [-t]; waked, woken, woke) 1) просыпа́ться (*тж.* ~ up) 2) буди́ть (*тж.* ~ up) 3) пробужда́ть, возбужда́ть (*желание, подозрение и т. п.*); to ~ the memories of the past пробуди́ть воспомина́ния 4) *уст.* бо́дрствовать 5) опо́мниться, очну́ться; to ~ from a stupor вы́йти из забытья́, очну́ться 6) осозна́ть (to); he woke to danger он осозна́л опа́сность 7) *ирл.* справля́ть поми́нки (*перед погребением*)

2. *n* 1) *поэт.* бо́дрствование 2) (*обыкн. pl*) храмово́й пра́здник 3) *ирл.* поми́нки (*перед погребением*)

wake II [weɪk] *n мор.* кильва́тер; in the ~ of... в кильва́тер за...; *перен.* в кильва́тере, по пята́м, по следа́м; in the ~ of smb. на поводу́ у кого́-л.

wakeful ['weɪkfl] *a* 1) бо́дрствующий 2) бессо́нный 3) бди́тельный

wakeless ['weɪkləs] *a* кре́пкий, непробу́дный (*о сне*)

waken ['weɪkən] *v* 1) просыпа́ться, пробужда́ться 2) буди́ть, пробужда́ть

wakening ['weɪkənɪŋ] **1.** *pres. p. от* waken

2. *n* пробужде́ние

wakey ['weɪkɪ] *int разг.* встава́й!, подъём!

waking ['weɪkɪŋ] **1.** *pres. p. от* wake I, 1

2. *n* = wakening 2

3. *a* 1) бо́дрствующий 2) бди́тельный; недре́млющий

wale [weɪl] **1.** *n* 1) полоса́, рубе́ц (*от удара плетью, прутом*) 2) *текст.* ру́бчик (*выработка ткани*) 3) *мор.* вельс

2. *v* 1) полосова́ть (*плетью, прутом*); оставля́ть рубцы́ 2) *текст.* выраба́тывать ткань в ру́бчик

walk [wɔ:k] **1.** *n* 1) прогу́лка пешко́м; to go for a ~ идти́ гуля́ть; to take a ~ прогуля́ться; to go ~s with children води́ть дете́й гуля́ть 2) похо́дка 3) ходьба́ 4) расстоя́ние; a mile's ~ from на расстоя́нии ми́ли от 5) шаг; to go at a ~ идти́ ша́гом 6) тропа́, алле́я; (люби́мое) ме́сто для прогу́лки 7) обхо́д своего́ райо́на (*разносчиком и т. п.*) 8) *уст.* вы́пас (*особ.* для овец) 9) *спорт.* состяза́ние в ходьбе́ ◇ ~ of life обще́ственное положе́ние; заня́тие, профе́ссия; people from all ~s of life лю́ди всех слоёв о́бщества; in a ~ ≅ по́ходя, без труда́

2. *v* 1) ходи́ть, идти́ 2) идти́ пешко́м; идти́ *или* е́хать ша́гом; ходи́ть по, обходи́ть; I have ~ed the country for many miles round я обошёл всю ме́стность на протяже́нии мно́гих миль; to ~ a mile пройти́ ми́лю; to ~ the floor ходи́ть взад и вперёд 3) води́ть гуля́ть, прогу́ливать (*кого-л.*); to ~ a baby учи́ть ребёнка ходи́ть; to ~ a dog выводи́ть гуля́ть соба́ку 4) выва́живать (*лошадь после быстрой езды*) 5) де́лать обхо́д (*о стороже, путевом обходчике и т. п.*); to ~ the rounds ходи́ть дозо́ром 6) появля́ться (*о привидениях*) 7) *уст.* вести́ себя́ ▭ ~ **about** прогу́ливаться, проха́живаться, фланёровать; ~ **away** а) уходи́ть; to ~ away from smb. обгоня́ть кого́-л. без труда́; б) обходи́ть (*кого-л.*) стороно́й; в) *разг.* унести́, укра́сть (with); г) уводи́ть; ~ **back** отка́зываться от (*своих слов, своей позиции и т. п.*); ~ **in** а) входи́ть; б) неожи́данно появи́ться, нагря́нуть; ~ **into** а) *разг.* натолкну́ться, попа́сть; he ~ed into the ambush он натолкну́лся на заса́ду; б) *уст. sl.* брани́ть, набра́сываться с бра́нью (*на кого-л.*); в) *уст. sl.* есть, уплета́ть; г) входи́ть; ~ **off** а) уходи́ть; б) сгоня́ть ходьбо́й (*вес*); в) уводи́ть; г) *разг.* унести́, укра́сть (with); д) *разг.* одержа́ть лёгкую побе́ду (with); ~ **on** а) идти́ вперёд; б) продолжа́ть ходьбу́; в) *театр.* игра́ть роль без слов; ~ **out** а) выходи́ть; б) демонстрати́вно поки́нуть (*зал и т. п.*); в): to ~ out with smb. уха́живать, «гуля́ть» с кем-л. (*обыкн. о прислуге*); ~ **over** а) перешагну́ть; б) без труда́ опереди́ть сопе́рников (*на бегах и т. п.*); в) не счита́ться (*с чувствами кого-л. и т. п.*); пло́хо обраща́ться; ~ **up** подойти́ (to — к *кому-л.*) ◇ to ~ in on smb. огоро́шить, заста́ть вра́сплох кого́-л.; to ~ out on smb. поки́нуть кого́-л. в беде́; улизну́ть от кого́-л.; to ~ the boards быть актёром; to ~ the hospitals проходи́ть студе́нческую пра́ктику в больни́це; to ~ smb. round обвести́ кого́-л. вокру́г па́льца; to ~ in golden (*или* silver) slippers ≅ купа́ться в ро́скоши; to ~ tall горди́ться; ≅ ног под собо́й не чу́вствовать от го́рдости

walkaway ['wɔ:kəweɪ] *n* лёгкая побе́да (*в состязании*)

Walker ['wɔ:kə] *int sl.* врёшь!, не мо́жет быть!

walker ['wɔ:kə] *n* 1) ходо́к; I am not much of a ~ я плохо́й ходо́к 2) *спорт.* скорохо́д

walkie-lookie [,wɔ:kɪ'lʊkɪ] *n разг.* порта́тивный телевизио́нный переда́тчик

walkie-talkie [,wɔ:kɪ'tɔ:kɪ] *n разг.* перено́сная ра́ция, у́оки-то́ки

walking ['wɔ:kɪŋ] **1.** *pres. p. от* walk 2

2. *n* 1) ходьба́ 2) похо́дка

3. *a* 1) гуля́ющий; ходя́чий; ~ case *мед.* ходя́чий больно́й 2) *тех.* на шага́ющем ходу́; ~ excavator шага́ющий экскава́тор ◇ ~ corpse живы́е мо́щи; ~ dictionary (*или* encyclopaedia) ходя́чая энциклопе́дия; ~ gentleman (lady) *театр.* стати́ст (стати́стка); ~ part роль без слов

walking-orders ['wɔ:kɪŋ,ɔ:dəz] = walking papers

walking papers ['wɔ:kɪŋ,peɪpəz] *n pl разг.* увольне́ние с рабо́ты; to get the ~ получи́ть докуме́нт об увольне́нии, быть уво́ленным

walking-race ['wɔ:kɪŋreɪs] *n* соревнова́ния по спорти́вной ходьбе́

walking stick ['wɔ:kɪŋstɪk] *n* трость

walking-ticket ['wɔ:kɪŋ,tɪkɪt] = walking papers

walking-tour ['wɔ:kɪŋtʊə] *n* экску́рсия пешко́м

walk-on ['wɔ:kɒn] *n театр.* арти́ст «на вы́ходах»; стати́ст

walkout ['wɔ:kaʊt] *n* 1) забасто́вка 2) вы́ход из организа́ции *или* ухо́д с собра́ния (*в знак протеста*)

walkover ['wɔ:k,əʊvə] *n* лёгкая побе́да

walk-up ['wɔ:kʌp] *n амер. разг.* кварти́ра в до́ме без ли́фта

walkway ['wɔ:kweɪ] *n* доро́жка; алле́я

wall [wɔ:l] **1.** *n* 1) стена́; a blank ~ глуха́я стена́ 2) барье́р, прегра́да; ~ of partition стена́; про́пасть 3) сте́нка (*сосуда*) 4) *pl воен.* укрепле́ния 5) *геол.* бок (*месторождения*) 6) *attr.* стенно́й; ~ box насте́нный (почто́вый) я́щик ◇ to give smb. the ~ посторони́ться; уступи́ть доро́гу, преиму́щество *и т. п.* кому́-л.; to take the ~ of smb. не уступи́ть доро́ги кому́-л.; to go to the ~ потерпе́ть неуда́чу; обанкро́титься; the weakest goes to the ~ *посл.* ≅ сла́бых бьют; to see through (*или* into) a brick ~ облада́ть необыча́йной проница́тельностью; with one's back to the ~ в безвы́ходном положе́нии; to push (*или* to drive, to thrust) to the ~ припере́ть к сте́нке; поста́вить в безвы́ходное положе́ние; to hang by the ~ не быть в употребле́нии; ~s have ears сте́ны име́ют у́ши; off the ~ *амер.* неприву́чный, нешабло́нный

2. *v* 1) обноси́ть стено́й 2) укрепля́ть, стро́ить укрепле́ния 3) разделя́ть стено́й □ ~ up заде́лывать (*дверь, окно*); замуро́вывать

walla [ˈwɒlə] = wallah

wallaby [ˈwɒləbɪ] *n* 1) кенгуру́ (*ма́лый*) 2) (Wallabies) *pl разг.* австрали́йцы ◇ on the ~ (track) *австрал.* скита́ющийся; безрабо́тный

wallah [ˈwɒlə] *n sl.* 1) слу́жащий, слуга́ 2) хозя́ин 3) челове́к, па́рень

wallaroo [ˌwɒləˈru:] *n австрал.* кенгуру́ (*кру́пный*)

wallet [ˈwɒlɪt] *n* 1) бума́жник 2) *уст.* кото́мка 3) футля́р, су́мка (*для инструме́нтов и т. п.*)

walleye [ˈwɔ:laɪ] *n* бельмо́, лейко́ма

walleyed [ˈwɔ:laɪd] *a* 1) с бельмо́м на глазу́ 2) косо́й, косогла́зый 3) свире́пый (*о взгля́де*) 4) *sl.* окосе́вший, пья́ный

wallflower [ˈwɔ:lˌflaʊə] *n* 1) *бот.* желтофио́ль (садо́вая) 2) *разг.* да́ма, оста́вшаяся без кавале́ра (*на вечери́нке, балу́ и т. п.*) 3) *мор. жарг.* кора́бль, до́лго стоя́щий у сте́нки

Walloon [wɒˈlu:n] 1. *n* 1) валло́н; валло́нка 2) валло́нский язы́к

2. *a* валло́нский

wallop [ˈwɒləp] *разг.* 1. *n* 1) си́льный уда́р; to land (*или* to strike) a ~ си́льно уда́рить 2) гро́хот, шум (*от паде́ния*) 3) кре́пкий кула́к, физи́ческая си́ла 4) пи́во

2. *v* 1) зада́ть трёпку, поколоти́ть; бить (*па́лкой*) 2) тяжело́ ступа́ть; ходи́ть вперева́лку (*тж.* ~ along)

walloper I [ˈwɒləpə] *n австрал. sl.* полице́йский

walloper II [ˈwɒləpə] *n разг.* не́что огро́мное, грома́дное

walloping [ˈwɒləpɪŋ] 1. *pres. p. от* wallop 2

2. *a разг.* большо́й, кру́пный

3. *n разг.* 1) побо́и, взбу́чка, трёпка 2) по́лное пораже́ние

wallow [ˈwɒləʊ] 1. *n* 1) валя́ние (*в гря́зи и т. п.*) 2) пы́льная поля́нка *или* лу́жа, куда́ прихо́дят валя́ться живо́тные

2. *v* 1) валя́ться; бара́хтаться 2) передвига́ться тяжело́, неуклю́же 3) купа́ться; погря́знуть; to ~ in money купа́ться в зо́лоте

wall painting [ˈwɔ:lˌpeɪntɪŋ] *n* насте́нная жи́вопись; фре́ска, фре́сковая жи́вопись

wallpaper [ˈwɔ:lˌpeɪpə] *n* обо́и

wall pier [ˈwɔ:lpɪə] *n архит.* пиля́стра

Wall Street [ˈwɔ:lˌstri:t] *n* Уо́лл-стрит (*у́лица в Нью-Йо́рке, где нахо́дится би́ржа*); *перен.* америка́нский фина́нсовый капита́л, фина́нсовая олига́рхия

wally [ˈwɒlɪ] *n sl.* бе́столочь; растя́па

walnut [ˈwɔ:lnʌt] *n* 1) гре́цкий оре́х 2) оре́ховое де́рево 3) древеси́на оре́хового де́рева 4) *attr.* оре́ховый ◇ over the ~s and the wine *шутл.* во вре́мя послеобе́денной бесе́ды

walnut-tree [ˈwɔ:lnʌttri:] = walnut 2)

Walpurgis Night [vælˈpʊəgɪsˌnaɪt] *n* вальпу́ргиева ночь

walrus [ˈwɔ:lrəs] *n* 1) морж 2) *attr.*: ~ moustache *разг.* отви́сшие усы́ «как у моржа́»

waltz [wɔ:ls] 1. *n* вальс

2. *v* 1) вальси́ровать 2) пляса́ть от ра́дости (*тж.* ~ in, ~ out, ~ round)

wamble [ˈwɒmbl] *v диал.* 1) поша́тываться, идти́ нетвёрдой похо́дкой 2) перевора́чивать(ся) 3) урча́ть (*в животе́*) 4) испы́тывать чу́вство тошноты́

wampum [ˈwɒmpəm] *n* ожере́лье из ра́ковин (*у инде́йцев*)

wampus [ˈwɒmpəs] *n sl.* неприя́тный, несгово́рчивый *или* глу́пый челове́к

wamus [ˈwɒməs] *n амер.* жаке́т (*вя́заный или из грубошёрстной тка́ни*)

wan [wɒn] 1. *a* 1) бле́дный, изнурённый; боле́зненный 2) се́рый, ту́склый

2. *v* 1) изнуря́ть 2) станови́ться ту́склым, се́рым

wand [wɒnd] *n* 1) волше́бная па́лочка 2) прут, па́лочка 3) *разг.* дирижёрская па́лочка 4) жезл 5) *уст.* ски́петр

wander [ˈwɒndə] 1. *v* 1) броди́ть; стра́нствовать, скита́ться 2) блужда́ть (*о мы́слях, взгля́де и т. п.*) 3) извива́ться (*о реке́, доро́ге и т. п.*) 4) заблуди́ться; to ~ out of one's way сби́ться с доро́ги 5) отклоня́ться; to ~ from in point отойти́ (*или* отклони́ться) от те́мы 6) стать непосле́довательным, невнима́тельным, рассе́янным 7) бре́дить (*тж.* ~ in one's mind)

2. *n* стра́нствие

wanderer [ˈwɒndərə] *n* стра́нник; скита́лец

wandering [ˈwɒndərɪŋ] 1. *pres. p. от* wander 1

2. *n* 1) стра́нствие; путеше́ствие; скита́ния 2) (*обы́кн. pl*) бред, бессвя́зные ре́чи

3. *a* 1) бродя́чий; блужда́ющий 2) изви́листый (*о реке́, доро́ге и т. п.*) 3) *мед.* блужда́ющий; ~ kidney блужда́ющая по́чка ◇ ~ Jew а) Ве́чный жид, Агасфе́р; б) ве́чный стра́нник

wanderlust [ˈwɒndəlʌst] *n* страсть к путеше́ствиям

wane [weɪn] 1. *n* 1) убыва́ние; to be on the ~ убыва́ть; быть на уще́рбе (*о луне́*) 2) спад, упа́док; his power was on the ~ власть постепе́нно ускольза́ла из его́ рук 3) *лес.* обзо́л

2. *v* 1) быть на уще́рбе (*о луне́*); убыва́ть 2) идти́ на у́быль, па́дать; уменьша́ться; подходи́ть к концу́; ослабева́ть

wangle [ˈwæŋgl] *разг.* 1. *n* хи́трость, уло́вка; нече́стная сде́лка

2. *v* 1) доби́ться, вы́просить, ухитри́ться получи́ть; to ~ an extra week's holiday ухитри́ться получи́ть ли́шнюю неде́лю о́тпуска 2) хи́тростью вы́нудить *или* побуди́ть 3) подтасо́вывать фа́кты, искажа́ть

wank [wæŋk] *sl. груб.* 1. *n* онани́зм

2. *v* занима́ться онани́змом

want [wɒnt] 1. *n* 1) недоста́ток (of — в); for (*или* from) ~ of smth. из-за недоста́тка, нехва́тки чего́-л.; to be in ~ of smth. нужда́ться в чём-л. 2) нужда́, бе́дность; the family was perpetually in ~ семья́ пребыва́ла в постоя́нной нужде́ 3) (*ча́сто pl*) потре́бность; жела́ние, жа́жда; my ~s are few мои́ потре́бности невелики́ 4) необходи́мость (of — в)

2. *v* 1) хоте́ть, жела́ть 2) *разг.* испы́тывать необходи́мость; быть ну́жным, тре́боваться; you ~ to see a doctor вам сле́дует пойти́ к врачу́ 3) нужда́ться (*тж.* ~ for); let him ~ for nothing пусть он ни в чём не нужда́ется 4) испы́тывать недоста́ток (*в чём-л.*); he certainly does not ~ intelligence ума́ ему́ не занима́ть; it ~s ten minutes to four без десяти́ четы́ре; he never ~s for friends у него́ всегда́ мно́го друзе́й 5) тре́бовать; he is ~ed by the police его́ разы́скивает поли́ция □ ~ in (*преим. амер.*) *разг.* хоте́ть войти́, проси́ться в помеще́ние; ~ out (*преим. разг.*) хоте́ть вы́йти

want ad [ˈwɒntæd] *n амер.* (коро́ткое) объявле́ние (*в газе́те*) в отде́ле спро́са и предложе́ния

wantage [ˈwɒntɪdʒ] *n* нехва́тка; недостаю́щее коли́чество

wanting [ˈwɒntɪŋ] 1. *pres. p. от* want 2

2. *a* 1) нужда́ющийся; ~ in initiative безынициати́вный 2) отсу́тствующий, недостаю́щий; a month ~ two days без двух дней ме́сяц 3) придуркова́тый; he seems to be slightly ~ у него́, по-мо́ему, не все до́ма ◇ to be found ~ оказа́ться не на высоте́

3. *prep* без; ~ mutual trust business is impossible без взаи́много дове́рия невозмо́жны деловы́е отноше́ния

wanton [ˈwɒntən] 1. *a* 1) распу́тный 2) бессмы́сленный, беспричи́нный; произво́льный, безотве́тственный; своенра́вный 3) экстравага́нтный; шика́рный 4) *уст.* ре́звый 5) *поэт.* бу́йный (*о ро́сте, разви́тии и т. п.*) 6) *поэт.* изме́нчивый, непостоя́нный (*о ве́тре и т. п.*)

2. *n книжн.* распу́тница

3. *v книжн.* 1) резви́ться 2) распу́тничать (with) 3) бу́йно разраста́ться

wapiti [ˈwɒpətɪ] *n* вапи́ти (*оле́нь*)

war [wɔ:] 1. *n* 1) война́; civil ~ гражда́нская война́; ideological ~ идеологи́ческая война́; ~ of manoeuvre манёвренная война́; in the ~ а) на войне́; б) во вре́мя войны́; ~ to the knife война́ на истребле́ние; борьба́ не на живо́т, а на сме́рть; at ~ в состоя́нии войны́; to carry the ~ into the enemy's country (*или* camp) переноси́ть войну́ на террито́рию проти́вника; *перен.* предъявля́ть встре́чное обвине́ние; отвеча́ть обвине́нием на обвине́ние; to declare ~ on smb. объяви́ть войну́ кому́-л.; to levy (*или* to make, to wage) ~ on smb. вести́ войну́ с кем-л.; art of ~ вое́нное иску́сство; the Great W., World W. I пе́рвая мирова́я война́ (*1914—1918 гг.*);

World W. II вторáя мировáя войнá (*1939—1945 гг.*) 2) борьбá; ~ of the elements борьбá стихи́й; ~ between man and nature борьбá человéка с прирóдой 3) *attr.* воéнный; W. Office воéнное министéрство (*в Англии*); ~ seat теáтр воéнных дéйствий; on a ~ footing в боевóй готóвности; ~ effort воéнные уси́лия, мобилизáция всех сил для оборóны страны́; ~ loan воéнный заём; ~ crimes воéнные преступлéния; ~ hawk поджигáтель войны́, «ястреб» ◇ to have been in the ~s ≅ пройти́ огóнь и вóду

2. *v* 1) сопéрничать, конкури́ровать 2) воевáть ▭ ~ **down** завоевáть, покори́ть

warble ['wɔ:bl] 1. *n* 1) трель 2) песнь

2. *v* издавáть трéли; петь (*о птицах*)

warbler ['wɔ:blə] *n* пéвчая пти́ца

war cloud ['wɔ:klaʊd] *n* предвоéнная атмосфéра; при́зрак надвигáющейся войны́

war cry ['wɔ:kraɪ] *n* боевóй клич; лóзунг

ward [wɔ:d] 1. *n* 1) палáта (*больничная*); кáмера (*тюремная*) 2) администрати́вный райóн гóрода 3) опекáемый; подопéчный 4) вы́ступ *или* вы́емка (*в бородке ключа и в замке*) 5) *уст.* опéка; to be in ~ находи́ться под опéкой 6) *уст.* заключéние 7) *attr.*: ~ round обхóд палáт (*врачом*) ◇ watch and ~ неусы́пная бди́тельность; to keep watch and ~ (over) охранять

2. *v*: ~ **off** отражáть, отвращáть (*удар, опасность*)

warden ['wɔ:dn] *n* 1) смотри́тель, надзирáтель; служи́тель 2) цéрковный стáроста 3) начáльник; дирéктор, рéктор (*в некоторых английских колледжах*) 4) (*преим. амер.*) начáльник тюрьмы́ 5) (*преим. ист.*) губернáтор; высóкое должностнóе лицó

warder ['wɔ:də] *n* 1) тюрéмный надзирáтель; тюрéмщик 2) стóрож, стрáжа 3) *ист.* жезл (*эмблема власти*)

war-devastated ['wɔ:,devəsteɪtɪd] *a* разорённый, опустошённый войнóй

war-dog ['wɔ:dɒg] *n* 1) *воен.* служéбная собáка 2) бывáлый солдáт 3) *амер.* милитари́ст

Wardour Street English [,wɔ:dəstri:t-'ɪŋglɪʃ] *n* англи́йская речь, уснащённая архаи́змами (*по названию лондонской улицы — средоточию антикварных магазинов*)

wardress ['wɔ:drəs] *n* тюрéмная надзирáтельница; тюрéмщица

wardrobe ['wɔ:drəʊb] *n* 1) гардерóб (*шкаф*) 2) гардерóб, одéжда 3) гардерóбная 4) *attr.* платянóй; ~ dealer торгóвец понóшенной одéждой; ~ mistress костюмéрша; ~ trunk кофр, сунду́к-шкаф для вéрхней одéжды

wardroom ['wɔ:dru:m] *n* 1) офицéрская кают-компáния 2) (the ~) *собир.* офицéры корабля́

wardship ['wɔ:dʃɪp] *n* опéка

ware I [weə] *n* 1) издéлия; china ~ фарфóр; delft ~ фая́нсовая посу́да 2) *pl* товáр(ы), продýкты произвóдства

ware II [weə] 1. *a predic. поэт.* бди́тельный, осторóжный

2. *v* остерегáться, *особ. imp. охот.* берегись!

-ware [-weə] *в сложных словах означает* издéлие; earthenware гончáрные издéлия, керáмика; glassware стекля́нная посу́да; silverware столóвое серебрó

warehouse 1. *n* ['weəhaʊs] 1) товáрный склад; пакгáуз 2) большóй магази́н 3) *attr.* складскóй

2. *v* ['weəhaʊz] помещáть в склад; храни́ть на склáде

warehouseman ['weəhaʊsmən] *n* 1) владéлец склáда 2) слу́жащий на склáде 3) оптóвый торгóвец

warfare ['wɔ:feə] *n* 1) войнá; приёмы ведéния войны́ 2) столкновéние, борьбá

war game ['wɔ:geɪm] *n* воéнная игрá

warhead ['wɔ:hed] *n реакт.* боевáя головка; головнáя часть с заря́дным устрóйством

war-horse ['wɔ:hɔ:s] *n* 1) *уст.* боевóй конь 2) *разг.* ветерáн (*войны́*); бывáлый, óпытный солдáт 3) *уст.* óпытный полити́ческий дéятель *и т. п.*

warily ['weərɪlɪ] *adv* осторóжно

wariness ['weərɪnəs] *n* осмотри́тельность, осторóжность

warlike ['wɔ:laɪk] *a* 1) вои́нственный; ~ attitude вои́нственность 2) воéнный

warlock ['wɔ:lɒk] *n уст.* волшéбник, маг, колду́н

warlord ['wɔ:lɔ:d] *n* 1) верхóвный главá áрмии 2) военачáльник 3) я́рый милитари́ст

warm [wɔ:m] 1. *a* 1) тёплый; согрéтый, подогрéтый 2) тёплый, сохраня́ющий теплó 3) горя́чий, сердéчный (*о приёме, поддержке и т. п.*); ~ heart дóброе сéрдце 4) разгорячённый; горя́чий, стрáстный; ~ with wine разгорячённый винóм; in ~ blood сгорячá; в сердцáх 5) раздражённый 6) *жив.* тёплый (*о цвете — с преобладанием красного, оранжевого или жёлтого*) 7) *охот.* свéжий (*след*); to follow a ~ scent идти́ по горя́чему слéду 8) влю́бчивый 9) похотли́вый 10) *разг.* зажи́точный, богáтый; хорошó устрóенный 11) жáркий; ~ countries жáркие стрáны ◇ ~ language брань; ~ work напряжённая *или* опáсная рабóта; to make things ~ for smb. досаждáть комý-л.; сдéлать чьё-л. положéние невыноси́мым; ~ corner жáркий учáсток (*боя и т. п.*); to get ~ а) согрéться; б) разгорячи́ться; в) напáсть на след; you are getting ~! горячó! (*т. е. близко к цели — в детской игре*); вы на прáвильном пути́

2. *n* согревáние; to have a ~ (по)грéться; I must give the milk a ~ нáдо подогрéть молокó ◇ British ~ корóткая зи́мняя шинéль

3. *v* 1) грéть(ся), нагревáть(ся), согревáть(ся) (*тж.* ~ up) 2) разгорячáть(ся), воодушевля́ться, оживля́ться 3) (*часто* ~ to, ~ toward); почу́вствовать симпáтию, интерéс (к *кому-л.*; *чему-л.*); my heart ~s to him я емý сочу́вствую; to ~ to one's work жи́во заинтересовáться своéй рабóтой; to ~ to one's role входи́ть в роль; to ~ to one's subject увлéчься проблéмой ▭ ~ **up** а) разогревáть(ся), подогревáть(ся); б) воодушевля́ть(ся); разжигáть; to ~ up to smth. прояви́ть заинтересóванность в чём-л.; в) *спорт.* разминáть(ся) ◇ to ~ the bench *спорт.* отси́живаться на скамьé для запасны́х игрокóв; быть в резéрве

warm-blooded [,wɔ:m'blʌdɪd] *a* 1) *зоол.* теплокрóвный 2) горя́чий (*о темпераменте*)

warmed-over ['wɔ:md,əʊvə] *a* подогрéтый, разогрéтый ◇ that is ~ cabbage э́то стáрая истóрия

warmer ['wɔ:mə] *n* 1) грéлка 2) подогревáтельный *или* нагревáтельный прибóр

warmhearted [,wɔ:m'hɑ:tɪd] *a* сердéчный, учáстливый; дóбрый

warm-house ['wɔ:mhaʊs] *n* тепли́ца, оранжерéя

warming ['wɔ:mɪŋ] 1. *pres. p. от* warm 3

2. *n* 1) согревáние; подогревáние 2) *разг.* побóи, трёпка

warming pan ['wɔ:mɪŋpæn] *n* 1) *ист.* грéлка (*металлическая с углями, для согревания постели*) 2) *разг.* врéменный замести́тель

warming-up ['wɔ:mɪŋʌp] *n* 1) *спорт.* размúнка 2) *тех.* прогрéв

warmish ['wɔ:mɪʃ] *a* тепловáтый

warmonger ['wɔ:,mʌŋgə] 1. *n* поджигáтель войны́

2. *v* подстрекáть к войнé

warmth [wɔ:mθ] *n* 1) теплó 2) сердéчность 3) горя́чность; запáльчивость 4) *жив.* тёплый колори́т

warm-up ['wɔ:mʌp] *n спорт.* размúнка

warn [wɔ:n] *v* предупреждáть; предостерегáть (of)

warning ['wɔ:nɪŋ] 1. *pres p. от* warn

2. *n* 1) предупреждéние; предостережéние; to give a ~ предупреди́ть; it must be a ~ to you пусть э́то послу́жит вам предостережéнием 2) знак, при́знак (*чего-л. предстоящего*) 3) предупреждéние об ухóде *или* увольнéнии с рабóты; to give a month's ~ за мéсяц предупреди́ть об увольнéнии

3. *a* 1) предупреждáющий, предостерегáющий 2) предупреди́тельный

warp [wɔ:p] 1. *n* 1) корóбление; деформáция (*древесины*) 2) извращённость; непрáвильное, отклоня́ющееся от нóрмы суждéние *и т. п.*; предубеждéние 3) оснóва (*ткани*) 4) *мор.* верповáльный трос *или* пéрлинь 5) нанóсный ил

2. *v* 1) корóбить(ся); искривля́ться; деформи́роваться, перекáшиваться (*о древесине*); the table-top has ~ed кры́шка столá покорóбилась 2) извращáть, искажáть (*взгляды и т. п.*); to ~ one's judgement мешáть быть объекти́вным; to ~ one's whole life исковéркать, испóртить свою́ жизнь 3) *мор.* верповáть(ся) 4) удобря́ть нанóсным и́лом

war paint [ˈwɔːpeɪnt] *n* 1) раскра́ска те́ла пе́ред похо́дом (*у индейцев*) 2) *разг.* грим, макия́ж 3) *разг.* пара́дный костю́м, по́лная боева́я фо́рма

warpath [ˈwɔːpɑːθ] *n ист.* тропа́ войны́ (*североамериканских индейцев*) ◇ to be (*или* to go) on the ~ вести́ войну́; быть в вои́нственном настрое́нии, рва́ться в бой

warped [wɔːpt] **1.** *p. p. от* warp 2

2. *a* 1) покоро́бленный 2) искажённый, извращённый (*об информации и т. п.*)

warper [ˈwɔːpə] *n текст.* снова́льщик

warplane [ˈwɔːpleɪn] *n* вое́нный самолёт

warrant [ˈwɒrənt] **1.** *n* 1) основа́ние; правомо́чие; оправда́ние; he had no ~ for saying that у него́ не́ было основа́ния говори́ть э́то 2) о́рдер (*на арест и т. п.*); предписа́ние 3) *воен.* прика́з о присвое́нии зва́ния уо́рент-офице́ра

2. *v* 1) опра́вдывать, служи́ть оправда́нием; подтвержда́ть 2) руча́ться, гаранти́ровать; I'll ~ him a perfectly honest man руча́юсь, что он абсолю́тно че́стный челове́к; the colours of all stuffs ~ed fast про́чность окра́ски всех тка́ней гаранти́руется; I'll ~ (you that...) я уве́рен (в том, что...); we shall win the game, I ~ не сомнева́юсь в на́шей побе́де, игра́ бу́дет на́ша 3) дава́ть пра́во, полномо́чия

warrantable [ˈwɒrəntəbl] *a* зако́нный; допусти́мый

warrantee [ˌwɒrənˈtiː] *n юр.* лицо́, кото́рому даётся гара́нтия

warranter [ˈwɒrəntə] = warrantor

warrant officer [ˈwɒrəntˌɒfɪsə] *n* 1) *воен.* уо́рент-офице́р (*промежуточная категория между сержантским и офицерским составом*) 2) *мор.* ми́чман

warrantor [ˈwɒrəntɔː] *n* лицо́, даю́щее гара́нтию; поручи́тель

warranty [ˈwɒrəntɪ] *n* 1) основа́ние 2) *ком.* гара́нтия; руча́тельство 3) *тех.* приёмное техни́ческое испыта́ние (*тж.* ~ test)

warren [ˈwɒrən] *n* 1) кро́личий садо́к 2) уча́сток, где во́дятся кро́лики 3) перенаселённый дом, райо́н *и т. п.*; a ~ of passages лабири́нт перехо́дов

warring [ˈwɔːrɪŋ] **1.** *pres. p. от* war 2

2. a 1) противоречи́вый, непримири́мый 2) вою́ющий

warrior [ˈwɒrɪə] *n поэт.* во́ин; бое́ц; вои́тель

warship [ˈwɔːʃɪp] *n* вое́нный кора́бль

wart [wɔːt] *n* 1) борода́вка 2) кап, наро́ст, наплы́в (*на дереве*) 3) *разг.* неприя́тный тип ◇ to paint smb. ~s and all изобража́ть кого́-л. без прикра́с

warthog [ˈwɔːthɒg] *n зоол.* борода́вочник

wartime [ˈwɔːtaɪm] *n* 1) вое́нное вре́мя; in ~ во вре́мя войны́ 2) *attr.* вое́нный, свя́занный с войно́й; вое́нного вре́мени; ~ industry промы́шленное произво́дство вое́нного вре́мени

warty [ˈwɔːtɪ] *a* покры́тый борода́вками, борода́вчатый

war whoop [ˈwɔːhuːp] *n шутл.* боево́й клич

warworn [ˈwɔːwɔːn] *a* опустошённый войно́й; истощённый войно́й

wary [ˈweərɪ] *a* 1) осторо́жный 2) подозри́тельный; насторожённый

was [wɒz (*полная форма*); wəz, wz (*редуцированные формы*)] *прошедшее время ед. ч. гл.* to be

was-bird [ˈwɒzbɜːd] *n sl.* челове́к, утра́тивший свои́ бы́лые ка́чества, опусти́вшийся челове́к

wash [wɒʃ] **1.** *n* 1) (a ~) мытьё; to have a ~ помы́ться; to give a ~ вы́мыть, помы́ть 2) (the ~) сти́рка; to send clothes to the ~ отда́ть бельё в сти́рку; at the ~ в сти́рке 3) (the ~) *разг.* бельё; to hang out the ~ to dry вы́весить бельё суши́ться 4) прибо́й; шум прибо́я 5) попу́тная струя́, кильва́тер; волна́ 6) песо́к, гра́вий; аллю́вий; нано́сы 7) помо́и; бурда́; жи́дкий суп; сла́бый чай 8) примо́чка 9) то́нкий слой (*металла, жидкой краски*) 10) лосьо́н, космети́ческое молочко́ *и т. п.* 11) *разг.* трепотня́, перелива́ние из пусто́го в поро́жнее 12) золотоно́сный песо́к 13) ста́рое ру́сло (*реки*) 14) боло́то; лу́жа 15) овра́г, ба́лка 16) *attr.* предназна́ченный для мытья́ 17) *attr.* стира́ющийся, нелиня́ющий; ~ goods нелиня́ющие тка́ни ◇ it'll all come out in the ~ всё образу́ется

2. *v* 1) мы́ть(ся); обмыва́ть, отмыва́ть, смыва́ть, промыва́ть; стира́ть; to ~ clean отмы́ть до́чиста 2) стира́ться (*о материи*); не линя́ть (*в стирке*) 3) *поэт.* сма́чивать; flowers ~ed with dew цветы́, омы́тые росо́й 4) плеска́ться, омыва́ть (берега́; *тж.* ~ upon); разбива́ться о бе́рег (*о волнах*; *тж.* ~ against) 5) нести́, сноси́ть (*о воде*) 6) размыва́ть 7) промыва́ть золотоно́сный песо́к 8) бели́ть (*потолок, стены*) 9) *горн.* обогаща́ть (*руду, уголь*) 10) залива́ть; покрыва́ть то́нким сло́ем 11) ли́ться, струи́ться; влива́ться, перелива́ться 12) очища́ть, обели́ть 13) быть (доста́точно) убеди́тельным; that theory won't ~ э́та тео́рия не выде́рживает кри́тики ▭ ~ **away** а) смыва́ть; сноси́ть; вымыва́ть; б) очища́ть, обеля́ть; to ~ away one's sin искупи́ть свой грех; ~ **down** а) вы́мыть; б) окати́ть (водо́й); в) смыть; снести́; г) запива́ть (*еду, лекарство водой, вином и т. п.*); ~ **off** смыва́ть (*тж. перен.*); ~ **out** а) мыть, вы́мыть (*особ. внутри*; *чашки, бутылки и т. п.*); б) отстира́ть (*пятно на одежде*); в) помеша́ть проведе́нию (*какого-л. мероприятия и т. п.*); г) разру́шить (*планы*); д) размыва́ть; е) *амер.* призна́ть неприго́дным (*к военной службе, полёту и т. п.*); ж) (*обыкн. p. p.*) лиша́ть сил, изма́тывать; to be ~ed out, to look ~ed out полиня́ть; быть бле́дным, чу́вствовать утомле́ние; ~ **over** перелива́ться че́рез край; ~ **up** а) мыть посу́ду; б) *амер.* умыва́ться ◇ to ~ one's hands умы́ть ру́ки; to ~ one's dirty linen in public ≅ выноси́ть сор из избы́

washable [ˈwɒʃəbl] *a* стира́ющийся, нелиня́ющий

wash and wear [ˌwɒʃənˈweə] **1.** *n* оде́жда из тка́ни, не тре́бующей гла́женья по́сле сти́рки

2. *a* не тре́бующий гла́женья по́сле сти́рки (*о ткани*)

washbasin [ˈwɒʃˌbeɪsn] *n* (умыва́льный) таз; умыва́льная ра́ковина

washboard [ˈwɒʃbɔːd] *n* 1) стира́льная доска́ 2) *стр.* пли́нтус 3) коле́йный изно́с доро́ги

wash-boiler [ˈwɒʃˌbɔɪlə] *n* бак для кипяче́ния белья́

washbowl [ˈwɒʃbəʊl] *n* таз

washcloth [ˈwɒʃklɒθ] *n* мочалка из махро́вой тка́ни

washday [ˈwɒʃdeɪ] *n* день сти́рки

wash-drawing [ˈwɒʃˌdrɔːɪŋ] *n* 1) акваре́ль 2) рису́нок ту́шью размы́вкой

washed-out [ˌwɒʃtˈaʊt] *a* 1) полиня́вший 2) *разг.* утомлённый, вы́дохшийся (*о человеке*)

washed-up [ˌwɒʃtˈʌp] *a* 1) = washed-out 2) (*обыкн. амер.*) *sl.* ко́нченый; отве́ргнутый, нену́жный

washer [ˈwɒʃə] *n* 1) мо́йщик 2) промывно́й аппара́т; мо́йка 3) стира́льная маши́на 4) *тех.* ша́йба

washerwoman [ˈwɒʃəˌwʊmən] *n* пра́чка

washeteria [ˌwɔːʃəˈtɪərɪə] *n* пра́чечная самообслу́живания

wash-hand [ˈwɒʃhænd] *a* умыва́льный; ~ basin а) таз для умыва́ния; б) умыва́льная ра́ковина; ~ stand = washstand

washhouse [ˈwɒʃhaʊs] *n* пра́чечная

washiness [ˈwɒʃɪnəs] *n* 1) водяни́стость 2) сла́бость

washing [ˈwɒʃɪŋ] **1.** *pres. p. от* wash 2

2. *n* 1) бельё (для сти́рки) 2) мытьё; сти́рка 3) обмы́лки 4) то́нкий слой (*металла, краски и т. п.*)

3. *a* 1) стира́ющийся 2) употребля́емый для сти́рки, мо́ющий; ~ powder стира́льный порошо́к

washing day [ˈwɒʃɪŋdeɪ] = washday

washing-house [ˈwɒʃɪŋhaʊs] = washhouse

washing machine [ˈwɒʃɪŋməˌʃiːn] *n* стира́льная маши́на

washing soda [ˈwɒʃɪŋˌsəʊdə] *n* стира́льная со́да

washing-stand [ˈwɒʃɪŋstænd] = washstand

washing-up [ˌwɒʃɪŋˈʌp] *n* 1) мытьё посу́ды 2) гря́зная посу́да, со́бранная для мытья́

wash-leather [ˈwɒʃˌleðə] *n* за́мша

washout [ˈwɒʃaʊt] *n* 1) *разг.* неуда́ча 2) *разг.* неуда́чник 3) размы́в; смыв

washroom [ˈwɒʃruːm] *n* 1) умыва́льня 2) *амер.* убо́рная, туале́т

washstand [ˈwɒʃstænd] *n* умыва́льник

washtub [ˈwɒʃtʌb] *n* поха́нь для сти́рки

wash-up [ˌwɒʃˈʌp] *n* 1) = washing-up 2) что-л., вы́кинутое на бе́рег (*волной, прибоем и т. п.*)

washwoman ['wɒʃ,wʊmən] = washerwoman

washy ['wɒʃɪ] *a* 1) жи́дкий, водяни́стый; разба́вленный 2) бле́дный, блёклый 3) сла́бый, вя́лый

Wasp, WASP [wɒsp] *n амер. презр.* америка́нец сре́днего доста́тка англосаксо́нского происхожде́ния и протеста́нтского вероиспове́дания

wasp [wɒsp] *n* оса́

waspish ['wɒspɪʃ] *a* 1) язви́тельный, ядови́тый; раздражи́тельный; злой 2) оси́ный (*о талии*)

wassail ['wɒseɪl] 1. *n* 1) пиру́шка, попо́йка 2) здра́вица

2. *v* пирова́ть, бра́жничать

wassailing ['wɒseɪlɪŋ] *n* свя́точное хожде́ние из до́ма в дом с пе́нием рожде́ственских ги́мнов

wast [wɒst (*полная форма*); wəst (*редуцированная форма*)] *уст. форма 2 л. ед. ч. прошедшего времени гл.* to be

wastage ['weɪstɪdʒ] *n* 1) изна́шивание; поте́ри, уте́чка, усу́шка, у́быль; normal ~ есте́ственная у́быль, обы́чная уте́чка 2) расточи́тельность

waste [weɪst] 1. *n* 1) изли́шняя тра́та; oil ~ перерасхо́д ма́сла; to run (*или* to go) to ~ быть потра́ченным по́пусту; ≅ идти́ коту́ под хвост 2) поте́ри; у́быль, уще́рб, убы́ток, по́рча 3) пусты́ня 4) отбро́сы, отхо́ды, уга́р, обре́зки, лом 5) *юр.* по́рча иму́щества, небре́жное отноше́ние (*особ. арендатора к чужому имуществу*) 6) *горн.* пуста́я поро́да

2. *a* 1) ли́шний, нену́жный; ~ effort напра́сное уси́лие; ~ products отхо́ды; ~ paper макулату́ра 2) пусты́нный, незаселённый; невозде́ланный; опустошённый; ~ land (*или* ground) пусты́рь, пу́стошь; to lay ~ опустоша́ть; to lie ~ быть невозде́ланным (*о земле*) 3) *тех.* отрабо́танный; ~ steam отрабо́танный пар 4) него́дный, брако́ванный

3. *v* 1) расточа́ть (*деньги, энергию и т. п.*); теря́ть (вре́мя); тра́тить впусту́ю; to ~ money броса́ть де́ньги на ве́тер; to ~ words говори́ть на ве́тер; тра́тить слова́ по́пусту; my joke was ~d upon him он не по́нял мое́й шу́тки 2) изнуря́ть; he was ~d by disease боле́знь изнури́ла его́ 3) ча́хнуть; истоща́ться, приходи́ть к концу́ (*тж.* ~ away) 4) по́ртить; to be entirely ~d стать по́лностью неприго́дным к употребле́нию 5) опустоша́ть

wastebasket ['weɪst,bɑ:skɪt] (*обыкн. амер.*) = wastepaper basket

wasteful ['weɪstfl] *a* расточи́тельный

wastepaper basket [weɪst'peɪpə,bɑ:skɪt] *n* корзи́на для (нену́жных) бума́г; fit for the ~ никуды́шный, никчёмный

waste pipe ['weɪstpaɪp] *n* сто́чная труба́

waster ['weɪstə] *n* 1) расточи́тель 2) *разг. см.* wastrel 3) брак, брако́ванное изде́лие

wasting ['weɪstɪŋ] 1. *pres. p. от* waste 3

2. *a* 1) опустоши́тельный; разори́тельный; ~ war опустоши́тельная война́ 2) изнури́тельный (*о болезни*)

wastrel ['weɪstrəl] *n* 1) никуды́шный челове́к 2) безд́омный челове́к; беспризо́рный ребёнок

watch I [wɒtʃ] *n* 1) часы́ (*карманные, наручные*); a dress ~ часы́-брошь; by (*или* on) my ~ по мои́м часа́м; he set his ~ by mine он поста́вил свои́ часы́ по мои́м 2) *attr.*: ~ band ремешо́к для нару́чных часо́в

watch II [wɒtʃ] 1. *n* 1) внима́ние; наблюде́ние; бди́тельность; to keep ~ over smb., smth. а) наблюда́ть за кем-л., чем-л.; б) карау́лить, сторожи́ть кого́-л., что-л.; to be on the ~ for подкарау́ливать, поджида́ть 2) *мор.* ва́хта 3) сто́рож; *уст.* страж; стра́жа, дозо́р 4) *ист.* стра́жа (*часть ночи*) 5) бо́дрствование; in the ~es of the night в бессо́нные ночны́е часы́ ◇ to pass as a ~ in the night исче́знуть без следа́

2. *v* 1) наблюда́ть, следи́ть; смотре́ть; to ~ it (*или* oneself) *разг.* быть осторо́жным; ~ that he doesn't fall смотри́, что́бы он не упа́л; to ~ TV смотре́ть телеви́зор 2) бо́дрствовать; дежу́рить 2) карау́лить; сторожи́ть, охраня́ть (*тж.* ~ over) 3) выжида́ть, ждать (*тж.* ~ for) ▭ ~ out остерега́ться; ~ out! осторо́жно!; ~ over охраня́ть ◇ a ~ed pot never boils ≅ когда́ ждёшь, вре́мя тя́нется; to ~ one's step а) ступа́ть осторо́жно; б) де́йствовать осмотри́тельно

watch-box ['wɒtʃbɒks] *n* карау́льная бу́дка

watch-case ['wɒtʃkeɪs] *n* ко́рпус часо́в

watch-chain ['wɒtʃtʃeɪn] *n* цепо́чка для часо́в

watch-crystal ['wɒtʃ,krɪstl] = watchglass

watchdog ['wɒtʃdɒg] *n* 1) сторожево́й пёс 2) наблюда́тель; контролёр; (о)храни́тель 3) *attr.*: ~ committee *амер.* наблюда́тельная коми́ссия (*по выборам и т. п.*)

watcher ['wɒtʃə] *n* 1) сто́рож 2) наблюда́тель 3) *амер.* наблюда́тель за пра́вильностью проведе́ния вы́боров 4) знато́к, иссле́дователь

watch fire ['wɒtʃ,faɪə] *n* 1) бива́чный костёр 2) сигна́льный костёр

watchful ['wɒtʃfl] *a* бди́тельный; осторо́жный

watchglass ['wɒtʃglɑ:s] *n* стекло́ для часо́в

watch-guard ['wɒtʃgɑ:d] *n* цепо́чка *или* шнуро́к для часо́в

watch-house ['wɒtʃhaʊs] *n воен.* карау́льное помеще́ние

watch-key ['wɒtʃki:] *n* ключ для заво́да часо́в

watchmaker ['wɒtʃ,meɪkə] *n* 1) часовщи́к 2): ~'s часова́я мастерска́я

watchman ['wɒtʃmən] *n* 1) ночно́й сто́рож 2) *уст.* карау́льный

watch night ['wɒtʃnaɪt] *n* 1) ночь под Но́вый год 2) *церк.* новогодняя Все́нощная

watch pocket ['wɒtʃ,pɒkɪt] *n* карма́н для часо́в

watch-spring ['wɒtʃsprɪŋ] *n* часова́я пружи́на

watchtower ['wɒtʃ,taʊə] *n* сторожева́я ба́шня

watchword ['wɒtʃwɜ:d] *n* 1) ло́зунг; призы́в, клич 2) *уст.* паро́ль

water ['wɔ:tə] 1. *n* 1) вода́; by ~ во́дным путём; on the ~ на ло́дке, парохо́де *и т. п.*; let's go on the ~ поката́емся на ло́дке; to hold ~ а) не пропуска́ть во́ду; б) выде́рживать кри́тику (*о теории и т. п.*); в) быть логи́чески после́довательным; to make ~ дать течь (*о корабле*) [*ср. тж.* 2)]; ~ bewitched *шутл.* ≅ а) води́чка (*слабый чай и т. п.*); б) вода́ (*о пустословии*) 2) жи́дкие выделе́ния (*организма*); слёзы, слюна́, пот, моча́, околопло́дная жи́дкость, во́ды; to make (*или* to pass) ~ мочи́ться [*ср. тж.* 1)]; red ~ крова́вая моча́; ~ on the brain водя́нка мо́зга 3) (*часто pl*) во́ды; мо́ре; во́лны 4) (*часто pl*) (минера́льные) во́ды; to drink the ~s побыва́ть на во́дах, пить лече́бные во́ды (*на курорте*) 5) вода́ (*качество драгоценного камня*); of the first ~ чи́стой воды́ (*о драгоценных камнях, особ. о бриллиантах*); *перен.* замеча́тельный; genius of the first ~ исключи́тельный тала́нт 6) водоём 7) па́водок 8) прили́в и отли́в 9) *жив. сокр. от* watercolour ◇ the ~s of forgetfulness Ле́та, забве́ние, смерть; to draw ~ in a sieve носи́ть во́ду решето́м; to get into (*или* to be in) hot ~ попа́сть в беду́ (*обыкн. по собственной вине*); in deep ~(s) в беде́; in low ~ «на мели́», бли́зкий к разоре́нию; in smooth ~ преуспева́ющий; like a fish out of ~ не в свое́й стихи́и; как ры́ба, вы́нутая из воды́; to spend blood like ~ проли́ть мо́ре кро́ви; written in ~ недолгове́чный, преходя́щий (*о славе и т. п.*)

2. *v* 1) мочи́ть, сма́чивать 2) полива́ть, ороша́ть; снабжа́ть вла́гой 3) пои́ть (*животных*) 4) слези́ться; поте́ть; выделя́ть во́ду, вла́гу; it made his mouth ~ у него́ слю́нки потекли́ 5) *текст.* муари́ровать 6) разбавля́ть (*водой*) 7) ходи́ть на водопо́й 8) набира́ть во́ду (*о корабле и т. п.*) 9) разводня́ть (*об акционерном капитале*) ▭ ~ down а) разбавля́ть (*водой*); б) сгла́живать, смягча́ть; to ~ down the differences затушёвывать разногла́сия

water aerodrome ['wɔ:tə,eərədrəʊm] *n* гидроаэродро́м

waterage ['wɔ:tərɪdʒ] *n* 1) перево́зка гру́зов по воде́ 2) пла́та за перево́зку гру́зов по воде́

water-anchor ['wɔ:tə,æŋkə] *n мор.* плаву́чий я́корь

water bailiff ['wɔ:tə,beɪlɪf] *n* 1) инспе́ктор рыбнадзо́ра 2) *уст.* порто́вый тамо́женный чино́вник

Water-Bearer ['wɔ:tə,beərə] = Aquarius

water-bearing ['wɔ:tə,beərɪŋ] *a* водоно́сный

water bed ['wɔ:təbed] *n* рези́новый матра́ц, напо́лненный водо́й (*для больных*)

waterbird ['wɔ:təbɜ:d] *n* водяна́я пти́ца

water blister ['wɔ:tə,blɪstə] *n* водяно́й волды́рь

waterborne ['wɔ:təbɔ:n] *a* 1) перевози́мый по воде́, мо́рем (*о товарах*) 2) *мед.* передаю́щийся с водо́й (*об инфекции*)

water bottle ['wɔ:tə,bɒtl] *n* 1) графи́н для воды́ 2) фля́га

water bus ['wɔ:təbʌs] *n* речно́й трамва́й

water butt ['wɔ:təbʌt] *n* бо́чка для дождево́й воды́

water-can ['wɔ:təkæn] *n* бидо́н

water-carriage ['wɔ:tə,kærɪdʒ] *n* во́дный тра́нспорт

water carrier ['wɔ:tə,kærɪə] *n* 1) (W.) Водоле́й (*созвездие и знак зодиака*) 2) водоно́с; водово́з 3) водоналивно́е су́дно

water cart ['wɔ:təkɑ:t] *n* 1) цисте́рна для поли́вки у́лиц 2) теле́жка водово́за

water closet ['wɔ:tə,klɒzɪt] *n* убо́рная

watercolour ['wɔ:tə,kʌlə] *n* 1) (*обыкн. pl*) акваре́ль(ные кра́ски) 2) акваре́ль (*рисунок*) 3) *attr.* акваре́льный

water-cooled ['wɔ:təku:ld] *a тех.* с водяны́м охлажде́нием

watercourse ['wɔ:təkɔ:s] *n* 1) пото́к; ре́чка; руче́й; кана́л 2) ру́сло

watercraft ['wɔ:təkrɑ:ft] *n* су́дно; *собир.* суда́

watercress ['wɔ:təkres] *n бот.* кресс водяно́й, жеру́ха

water-cure ['wɔ:təkjʊə] *n* водолече́ние

water dog ['wɔ:tədɒg] *n разг.* быва́лый моря́к; хоро́ший плове́ц

water-drinker ['wɔ:tə,drɪŋkə] *n* тре́звенник

water-drop ['wɔ:tədrɒp] *n* 1) ка́пля воды́ 2) слеза́

watered ['wɔ:təd] **1.** *p. p. от* water 2

2. *a* 1) муа́ровый 2) разба́вленный (*водой*) 3): ~ stock *фин.* разводнённый акционе́рный капита́л

water-engine ['wɔ:tə,endʒɪn] *n* 1) водоподъёмная маши́на 2) *уст.* пожа́рная маши́на

waterfall ['wɔ:təfɔ:l] *n* водопа́д

waterfowl ['wɔ:təfaʊl] *n* (*обыкн. собир.*) водяны́е пти́цы

waterfront ['wɔ:təfrʌnt] *n* 1) порт; райо́н по́рта; городско́й райо́н, располо́женный на берегу́ (*реки, моря и т. п.*) 2) бе́рег

water gas ['wɔ:tə,gæs] *n хим.* водяно́й газ

water gate ['wɔ:təgeɪt] *n* затво́р (*шлюза*)

water gauge ['wɔ:təgeɪdʒ] *n* водоме́р

water glass ['wɔ:təglɑ:s] *n* 1) *хим.* раствори́мое стекло́ 2) стекля́нный сосу́д для воды́; ва́за 3) водоме́рное стекло́

water hammer ['wɔ:tə,hæmə] *n тех.* гидравли́ческий уда́р

water hen ['wɔ:təhen] *n* водяна́я ку́рочка; камы́шница

water ice ['wɔ:təraɪs] *n* фрукто́вое моро́женое

watering ['wɔ:tərɪŋ] **1.** *pres. p. от* water 2

2. *n* 1) поли́вка 2) разбавле́ние водо́й 3) слезотече́ние 4) слюнотече́ние 5) *фин.* разводне́ние акционе́рного капита́ла

watering can ['wɔ:tərɪŋkæn] *n* ле́йка

watering cart ['wɔ:tərɪŋkɑ:t] = water cart 1)

watering place ['wɔ:tərɪŋpleɪs] *n* 1) водопо́й 2) во́ды, куро́рт с минера́льными во́дами 3) морско́й куро́рт

watering pot ['wɔ:tərɪŋpɒt] = watering can

water jacket ['wɔ:tə,dʒækɪt] *n тех.* водяна́я руба́шка

waterless ['wɔ:tələs] *a* безво́дный

water level ['wɔ:tə,levl] *n* 1) у́ровень воды́; у́ровень грунто́вых вод 2) ватерпа́с

water lily ['wɔ:tə,lɪlɪ] *n* водяна́я ли́лия, кувши́нка

water line ['wɔ:təlaɪn] *n мор.* ватерли́ния

waterlogged ['wɔ:təlɒgd] *a* 1) пропи́танный водо́й 2) полузато́пленный 3) заболо́ченный

water main ['wɔ:təmeɪn] *n* водопрово́дная магистра́ль

waterman ['wɔ:təmən] *n* 1) ло́дочник, перево́зчик 2) гребе́ц

watermanship ['wɔ:təmənʃɪp] *n* уме́ние хорошо́ грести́

watermark ['wɔ:təmɑ:k] **1.** *n* 1) водяно́й знак (*на бумаге*) 2) *гидр.* отме́тка у́ровня воды́

2. *v* де́лать водяны́е зна́ки (*на бумаге*)

water meadow ['wɔ:tə,medəʊ] *n* заливно́й луг

watermelon ['wɔ:tə,melən] *n* арбу́з

water-meter ['wɔ:tə,mi:tə] *n* водоме́р

water mill ['wɔ:təmɪl] *n* водяна́я ме́льница

water nymph ['wɔ:tə,nɪmf] *n* руса́лка; ная́да

water parting ['wɔ:tə,pɑ:tɪŋ] *n* водоразде́л

water pipe ['wɔ:təpaɪp] *n* водопрово́дная труба́

water-plant ['wɔ:təplɑ:nt] *n* во́доросль

water-point ['wɔ:təpɔɪnt] *n* пункт водоснабже́ния

water polo ['wɔ:tə,pəʊləʊ] *n спорт.* во́дное по́ло

waterpower ['wɔ:tə,paʊə] *n* 1) гидроэне́ргия 2) *attr.* гидросилово́й; ~ plant гидроэлектроста́нция

waterproof ['wɔ:təpru:f] **1.** *a* водонепроница́емый, непромока́емый

2. *n* непромока́емый плащ

3. *v* придава́ть водонепроница́емость

water pump ['wɔ:təpʌmp] *n* водяно́й насо́с

water-ram ['wɔ:təræm] *n тех.* гидравли́ческий тара́н

water rat ['wɔ:təræt] *n* 1) водяна́я кры́са 2) *пренебр.* корабе́льная кры́са (*о моряке*) 3) *sl.* вор (*орудующий на пристанях и т. п.*) 4) *мор. жарг.* бич

water rate ['wɔ:təreɪt] *n* пла́та за во́ду

water-repellent [,wɔ:tərɪ'pelənt] = waterproof 1

waterscape ['wɔ:təskeɪp] *n* морско́й пейза́ж

water-seal ['wɔ:təsi:l] *n тех.* гидравли́ческий затво́р

water-service ['wɔ:tə,sɜ:vɪs] *n* водоснабже́ние

watershed ['wɔ:təʃed] *n* 1) водоразде́л 2) бассе́йн реки́

water-shoot ['wɔ:təʃu:t] *n* водосто́чная труба́

waterside ['wɔ:təsaɪd] *n* 1) бе́рег 2) *attr.* располо́женный на берегу́, проходя́щий по бе́регу

water-skin ['wɔ:təskɪn] *n* ко́жаный мешо́к *или* мех для воды́

water skis ['wɔ:təski:s] *n* во́дные лы́жи

water-softener ['wɔ:tə,sɒfnə] *n* сре́дство для смягче́ния воды́

water-soluble ['wɔ:tə,sɒljʊbl] *a* раствори́мый в воде́

waterspout ['wɔ:təspaʊt] *n* 1) водяно́й смерч 2) водосто́чная труба́

water supply ['wɔ:təsə,plaɪ] *n* водоснабже́ние

water system ['wɔ:tə,sɪstəm] *n* 1) река́ со свои́ми прито́ками 2) = water supply

water-table ['wɔ:tə,teɪbl] = water level

water-tap ['wɔ:tətæp] *n* кран

watertight ['wɔ:tətaɪt] *a* 1) водонепроница́емый; гермети́ческий 2) неопровержи́мый, выде́рживающий кри́тику, вполне́ обосно́ванный (*о теории и т. п.*) 3) не допуска́ющий двойно́го толкова́ния, соверше́нно определённый (*о юридическом документе и т. п.*)

water-to-air missile [,wɔ:tətʊeə'mɪsaɪl] *n воен.* раке́та кла́сса «кора́бль — во́здух»

water tower ['wɔ:tə,taʊə] *n* водонапо́рная ба́шня

water-trough ['wɔ:tətrɒf] *n* пои́лка для скота́

water vole ['wɔ:təvəʊl] *n* водяна́я кры́са

water wagon ['wɔ:tə,wægən] *n* 1) пово́зка водово́за 2) железнодоро́жная цисте́рна для перево́зки воды́, «водя́нка» ◇ to be on the ~ возде́рживаться от спиртны́х напи́тков

water wave ['wɔ:təweɪv] *n* 1) больша́я волна́, вал 2) холо́дная зави́вка

waterway ['wɔ:təweɪ] *n* 1) судохо́дное ру́сло, фарва́тер 2) во́дный путь; inland (international) ~s вну́тренние (междунаро́дные) во́дные пути́ 3) *мор.* ватерве́йс, водопрото́к

waterwheel ['wɔ:təwi:l] *n* водяно́е колесо́

water wings ['wɔ:təwɪŋz] *n* спаса́тельный по́яс (*для начинающих плавать*)

waterworks ['wɔ:təwɜ:ks] *n pl* (*употр. как sing и как pl*) водопрово́дная ста́нция; водопрово́дные сооруже́ния 2) во́дные сооруже́ния; фонта́н 3) слёзы, плач; to turn on the ~ распла́каться, зали́ться слеза́ми

watery ['wɔ:tərɪ] *a* 1) водяно́й; мо́крый 2) водяни́стый, жи́дкий (*о пище*) 3) по́лный слёз (*о глазах*) 4) бле́дный, бесцве́тный (*о красках и т. п.*) 5) предвеща́ющий дождь 6) ску́чный; вя́лый, бессодержа́тельный (*о разговоре*)

watt [wɒt] *n эл.* ватт

wattle I [ˈwɒtl] *n* серёжка (*у птиц*); боро́дка (*индюка, петуха*)

wattle II [ˈwɒtl] **1.** *n* 1) плете́нь; ~ and daub ма́занка 2) *бот.* австрали́йская ака́ция *или* мимо́за

2. *v* 1) плести́ (*плетень*) 2) стро́ить из плетня́

wattled [ˈwɒtld] **1.** *p. p. от* wattle II, 2

2. *a* плетёный

wattless [ˈwɒtləs] *a эл.* реакти́вный, «безва́ттный»

wattmeter [ˈwɒt,mi:tə] *n эл.* ваттме́тр

waul [wɔ:l] *v* крича́ть, мяу́кать

wave [weɪv] **1.** *n* 1) волна́; вал 2) *воен.* атаку́ющая цепь; эшело́н *или* волна́ деса́нта 3) маха́ние; a ~ of the hand взмах руки́ 4) зави́вка (*тж.* hair ~); to get a ~ сде́лать причёску 5) волни́стость; she has a natural ~ in her hair у неё вью́тся во́лосы 6) волна́; подъём; a ~ of enthusiasm волна́ энтузиа́зма 7) колеба́ние 8) *радио* сигна́л; волна́; long (medium, short) ~s дли́нные (сре́дние, коро́ткие) во́лны 9): the ~s *поэт.* мо́ре 10) *attr.* волново́й; ~ mechanics волнова́я меха́ника

2. *v* 1) разма́хивать, маха́ть (*рукой, платком*); подава́ть знак руко́й; to ~ in farewell, to ~ a farewell помаха́ть руко́й на проща́ние 2) развева́ться (*о флагах*); волнова́ться (*о ниве и т. п.*); кача́ться (*о ветках*) 3) завива́ть (*волосы*) 4) ви́ться (*о волосах*) ▭ ~ **aside, away** сде́лать (*кому-л.*) знак удали́ться; *перен.* отмахну́ться; не соглаша́ться (*на что-л.*), не принима́ть (*предложения*); ~ **off** отма́хиваться (*тж. перен.*)

waved [weɪvd] **1.** *p. p. от* wave 2

2. *a* волни́стый (*о волосах*); завито́й

waveguide [ˈweɪvgaɪd] *n радио* волново́д

wavelength [ˈweɪvleŋθ] *n физ.* длина́ волны́ ◇ to be on the same ~ понима́ть друг дру́га (с полусло́ва); одина́ково смотре́ть на ве́щи

wavelet [ˈweɪvlət] *n* небольша́я волна́

waver [ˈweɪvə] *v* 1) дро́гнуть (*о войсках*) 2) колеба́ться 3) колыха́ться (*о пламени*) 4) развева́ться, полоска́ться (*о флаге и т. п.*)

wavering [ˈweɪvərɪŋ] **1.** *pres. p. от* waver

2. *n* нереши́тельность; колеба́ния

3. *a* неусто́йчивый, коле́блющийся

wavy [ˈweɪvɪ] *a* 1) волни́стый 2) коле́блющийся 3) *тех.* рифлёный

wax I [wæks] **1.** *n* 1) воск; mineral ~ минера́льный воск, озокери́т 2) ушна́я се́ра 3) *разг.* пласти́нка 4) *attr.* восково́й; ~ candle восково́я свеча́

2. *v* вощи́ть

wax II [wæks] *v* прибыва́ть (*о луне*; *тж. перен.*) ◇ to ~ angry разозли́ться

wax III [wæks] *n sl.* при́ступ гне́ва; я́рость; to be in a ~ быть в бе́шенстве; to get into a ~ взбеси́ться, рассвирепе́ть

waxcloth [ˈwæksklɒθ] *n* лино́леум

waxen [ˈwæksn] *a* 1) вощёный 2) мя́гкий как воск 3) бле́дный, бесцве́тный 4) *уст.* восково́й

wax-end [ˈwæksend] *n* дра́тва

wax paper [ˈwæks,peɪpə] *n* вощёная бума́га

waxwork [ˈwækswɜ:k] *n* 1) ле́пка из во́ска 2) восково́я фигу́ра; муля́ж 3) *pl* пано́птикум

waxy I [ˈwæksɪ] *a* 1) восково́й 2) похо́жий на воск 3) вощёный

waxy II [ˈwæksɪ] *a sl.* вспы́льчивый, раздражи́тельный

way [weɪ] **1.** *n* 1) путь; доро́га; to take one's ~ идти́; уходи́ть; to lead the ~ идти́ вперёд; быть вожако́м, пока́зывать приме́р; to lose one's ~ сби́ться с пути́; back ~ око́льный путь; on the ~ а) в пути́; on the ~ home по пути́ домо́й; б) попу́тно; to be on one's ~ быть в пути́; to go one's ~(s) уходи́ть, отправля́ться; to be in the ~ а) стоя́ть поперёк доро́ги, меша́ть; б) быть под руко́й; by the ~ а) по доро́ге, по пути́; б) кста́ти, ме́жду про́чим; to get out of smb.'s ~ уйти́ с доро́ги; to make ~ for smb., smth. дать доро́гу, уступи́ть ме́сто кому́-л., чему́-л.; to see one's ~ понима́ть, как на́до де́йствовать; быть в состоя́нии сде́лать что-л.; now I see my ~ тепе́рь я зна́ю, что де́лать; to try one's own ~ поступа́ть по-сво́ему; to have (*или* to get) one's own ~ доби́ться своего́, настоя́ть на своём, поступа́ть посво́ему; to have it one's own ~ де́йствова́ть по-сво́ему, добива́ться своего́; she had it her own ~ in the end в конце́ концо́в хозя́йкой положе́ния оказа́лась она́; have it your (own) ~ поступа́й, как зна́ешь; твоё де́ло; to be in the ~ of doing smth. быть бли́зким к тому́, что́бы соверши́ть что-л.; out of the ~ а) не по пути́; в стороне́; б) необыкнове́нный; необы́чный, незауря́дный; he has done nothing out of the ~ он не сде́лал ничего́ из ря́да вон выходя́щего 2) ме́тод, сре́дство, спо́соб; мане́ра; о́браз де́йствия; ~ of living о́браз жи́зни; усло́вия существова́ния; I will find a ~ to do it я найду́ спо́соб э́то сде́лать; to my ~ of thinking по моему́ мне́нию; one ~ or another так и́ли ина́че; the other ~ ина́че; ~s and means а) пути́ и спо́собы; пути́ и возмо́жности; б) *парл.* пути́ и спо́собы изыска́ния де́нежных средств; to put smb. in the ~ of (doing) smth. дать кому́-л. возмо́жность зарабо́тать, сде́лать что-л. *и т.п.*; to see one's ~ (clear) to doing smth. знать, как сде́лать что-л.; to have a ~ with smb. име́ть осо́бый подхо́д к кому́-л., уме́ть убежда́ть кого́-л. 3) движе́ние вперёд; ход; to make one's ~ а) продвига́ться; пробира́ться; б) сде́лать карье́ру, завоева́ть положе́ние в о́бществе (*тж.* to make one's ~ in the world); to make the best of one's ~ идти́ как мо́жно скоре́е, спеши́ть; to have ~ on дви́гаться вперёд (*о корабле, автомобиле и т. п.*); under ~ *мор.* на ходу́ (*тж. перен.*); preparations are under ~ идёт подгото́вка; to be well under ~ зайти́ доста́точно дале́ко 4) обы́чай, привы́чка; осо́бенность; it is not in his ~ to be communicative общи́тельность не в его́ хара́ктере; to stand in the ancient ~s быть проти́вником всего́ но́вого 5) о́браз жи́зни; to live in a great (small) ~ жить на широ́кую но́гу (скро́мно) 6) расстоя́ние; a little ~, *амер. разг.* a little ~s недалеко́; a long ~, *амер. разг.* a long ~s далеко́ 7) о́бласть, сфе́ра; to be in the retail ~ занима́ться ро́зничной торго́влей 8) состоя́ние; in a bad ~ в плохо́м состоя́нии 9) *sl.* волне́ние; she is in a terrible ~ она́ ужа́сно взволно́вана 10) отноше́ние; bad in every ~ плохо́й во всех отноше́ниях; in a ~ в не́котором отноше́нии; в изве́стном отноше́нии; в изве́стном смы́сле; до изве́стной сте́пени; in many ~s во мно́гих отноше́ниях 11) сторона́, направле́ние; look this ~ посмотри́те сюда́; this ~, please (пройди́те) сюда́, пожа́луйста; (are you) going my ~? нам по пути́?; the other ~ round наоборо́т 12) *pl мор.* ста́пель 13) *тех.* направля́ющая (*станка*) 14) *attr.*: the Ways and Means Committee а) бюдже́тная коми́ссия брита́нского парла́мента; б) постоя́нная бюдже́тная коми́ссия конгре́сса США ◇ ~ out вы́ход из положе́ния; by ~ of а) ра́ди, с це́лью; б) в ви́де, в ка́честве; to give ~ а) поддава́ться, уступа́ть; б) поддава́ться, предава́ться (*отчаянию и т. п.*); в) по́ртиться, сдава́ть; г) па́дать (*об акциях*); one ~ or the other тем и́ли ины́м путём, так и́ли ина́че; no two ~s about it а) э́то неизбе́жно; б) об э́том не мо́жет быть двух мне́ний; to put smb. in the ~ of smth. предоста́вить кому́-л. слу́чай, дать возмо́жность сде́лать что-л.; pay your own ~ плати́те за себя́; to go the ~ of all flesh (*или* of nature, of all the earth) умере́ть; to go out of one's ~ ..., to put oneself out of the ~ ... постара́ться изо всех сил (*чтобы оказать помощь, содействие другому*); she went out of the ~ to please her future mother-in-law она́ изо всех сил стара́лась понра́виться свое́й бу́дущей свекро́ви; to put smb. out of the ~ убра́ть кого́-л., уби́ть кого́-л.; to come smb.'s ~ попада́ться, встреча́ться кому́-л. (*на жизненном пути*); the longest ~ round is the shortest way home *посл.* ≅ ти́ше е́дешь, да́льше бу́дешь; to have a ~ with oneself облада́ть обая́нием

2. *adv разг.* далеко́, значи́тельно, чересчу́р; ~ behind далеко́ позади́; ~ back давно́; ~ back in the nineties ещё в 90-х года́х; ~ ahead далеко́ впереди́; the runner was ~ ahead of his opponents бегу́н значи́тельно опереди́л свои́х сопе́рников; ~ over чересчу́р; to go ~ over one's budget вы́йти из бюдже́та, перерасхо́довать сре́дства

waybill [ˈweɪbɪl] *n* 1) спи́сок пассажи́ров 2) маршру́т (*туристический и т. п.*) 3) накладна́я; путево́й лист

wayfarer [ˈweɪ,feərə] *n* пу́тник, стра́нник

wayfaring [ˈweɪˌfeərɪŋ] **1.** *n* стра́нствие

2. *a* стра́нствующий; перебира́ющийся с ме́ста на ме́сто

waygoing [ˈweɪˌgəʊɪŋ] *диал.* **1.** *n* проща́ние

2. *a* отбыва́ющий

waylay [weɪˈleɪ] *v* 1) подстерега́ть; устра́ивать заса́ду (*на кого-л.*) 2) перехвати́ть по пути́ (*кого-л. — для разговора и т. п.*)

wayleave [ˈweɪli:v] *n* 1) пра́во перево́зки по чужо́й земле́ 2) пра́во полёта над террито́рией

way-out [ˌweɪˈaʊt] *a разг.* 1) отдалённый 2) нове́йший, совреме́нный (*о музыке и т. п.*) 3) необыкнове́нный

wayside [ˈweɪsaɪd] **1.** *n* 1) придоро́жная полоса́; обо́чина 2) *pl ж.-д.* полоса́ отчужде́ния ◇ to fall by the ~ потерпе́ть неуда́чу; вы́йти из стро́я ра́ньше вре́мени

2. *a* придоро́жный

way station [ˈweɪˌsteɪʃn] *n амер.* небольша́я промежу́точная ста́нция; полуста́нок

wayward [ˈweɪwəd] *a* 1) своенра́вный; капри́зный 2) изме́нчивый, непостоя́нный 3) сби́вшийся с пути́

wayworn [ˈweɪwɔ:n] *a* утомлённый (*о путнике*)

we [wi:] *pron pers.* (*косв. п.* us) мы

weak [wi:k] *a* 1) сла́бый; in a ~ moment засти́гнутый врасплóх; ~ point (*или* spot) сла́бое ме́сто; he is ~ in English он отстаёт, слаб в англи́йском языке́; ~ in the head у́мственно отста́лый 2) нереши́тельный; слабово́льный; ~ refusal нереши́тельный отка́з 3) неубеди́тельный 4) сла́бый, водяни́стый (*о чае и т. п.*) 5) *грам.* сла́бый 6) *фон.* неуда́рный, редуци́рованный ◇ the ~er sex сла́бый пол (*о женщинах*)

weaken [ˈwi:kən] *v* 1) ослабля́ть 2) слабе́ть 3) поддава́ться, сдава́ться

weak-eyed [ˈwi:kaɪd] *a* со сла́бым (*или* с плохи́м) зре́нием

weak-headed [ˌwi:kˈhedɪd] *a* 1) слабоу́мный 2) легко́ пьяне́ющий

weak-kneed [ˌwi:kˈni:d] *a разг.* слабово́льный, малоду́шный

weakling [ˈwi:klɪŋ] *n* 1) сла́бое *или* хи́лое существо́ 2) слабово́льный челове́к

weakly [ˈwi:klɪ] **1.** *a* хи́лый, боле́зненный

2. *adv* сла́бо

weak-minded [ˌwi:kˈmaɪndɪd] *a* 1) = weak-headed 1); 2) слабово́льный, нереши́тельный

weakness [ˈwi:knəs] *n* 1) сла́бость 2) сла́бое ме́сто, недоста́ток; отста́лость, отстава́ние 3) сла́бость, скло́нность, пристра́стие (for — к *чему-л.*) 4) неубеди́тельность, необосно́ванность

weak-spirited [ˌwi:kˈspɪrɪtɪd] *a* малоду́шный

weal I [wi:l] *n книжн.* благосостоя́ние, бла́го; for the public (*или* general) ~ для о́бщего бла́га; common ~ благосостоя́ние о́бщества ◇ in ~ and woe в сча́стье и в го́ре

weal II [wi:l] = wale

weald [wi:ld] *n* 1) поля́, пу́стошь 2) (the W.) райо́н ю́жной А́нглии, в кото́рый вхо́дят ча́сти графств Кент, Су́ссекс, Су́ррей, Ге́мпшир

wealth [welθ] *n* 1) бога́тство; a man of ~ бога́тый челове́к 2) изоби́лие; ~ of hair пы́шные во́лосы; ~ of experience богате́йший о́пыт 3) *собир.* материа́льные це́нности, бога́тства; сокро́вища 4) *уст.* благосостоя́ние ◇ great ~ кру́пные капитали́сты

wealthy [ˈwelθɪ] *a* 1) бога́тый; состоя́тельный 2) изоби́лующий, оби́льный (in); language ~ in nuances вырази́тельный язы́к

wean I [wi:n] *v* 1) отнима́ть от груди́ 2) отуча́ть (from, of, away — от)

wean II [wi:n] *n шотл.* ребёнок

weanling [ˈwi:nlɪŋ] *n* ребёнок, неда́вно о́тнятый от груди́

weapon [ˈwepən] *n* 1) ору́жие; *перен.* сре́дство; ~ of mass destruction ору́жие ма́ссового уничтоже́ния 2) сре́дства самозащи́ты (*у животных и насекомых*)

weaponless [ˈwepənləs] *a* безору́жный

weaponry [ˈwepənrɪ] *n* вооруже́ние, ору́жие; atomic ~ а́томное ору́жие

wear I [weə] **1.** *n* 1) ноше́ние, но́ска (*одежды*); in ~ в но́ске, в употребле́нии; this is now in (general) ~ э́то тепе́рь мо́дно; a dress for summer ~ ле́тнее пла́тье 2) оде́жда, пла́тье; men's ~ мужска́я оде́жда; working ~ рабо́чее пла́тье 3) но́ска, но́скость; there is still much ~ in these shoes э́ти боти́нки ещё бу́дут до́лго носи́ться 4) изно́с, изна́шивание; to show ~ износи́ться ◇ ~ and tear a) изно́с; амортиза́ция; изна́шивание; б) *эк.* изно́с основно́го капита́ла; в) утомле́ние; ~ and tear of life жи́зненные переде́ряги

2. *v* (wore; worn) 1) быть оде́тым (*во что-л.*); носи́ть (*одежду и т. п.*); to ~ scent души́ться; to ~ one's hair loose ходи́ть с распу́щенными волоса́ми 2) вы́глядеть, име́ть вид; to ~ (one's years) well *разг.* вы́глядеть моло́же свои́х лет [*см. тж.* 5)]; to ~ a troubled look име́ть смущённый *или* взволно́ванный, озабо́ченный вид 3) (*обыкн. с обращением*) *разг.* допуска́ть, принима́ть; they won't ~ that excuse тако́е извине́ние их не устро́ит 4) изна́шивать, стира́ть, протира́ть; пробива́ть; размыва́ть; the water has worn a channel вода́ промы́ла кана́ву; to ~ a track across a field протопта́ть тропи́нку в по́ле 5) носи́ться (*об одежде*); to ~ well хорошо́ носи́ться [*см. тж.* 2)] 6) утомля́ть; изнуря́ть 7) подвига́ться, приближа́ться (*о времени*); the day ~s towards its close день бли́зится к концу́ 8) *мор.*: to ~ the ensign (*или* the flag) пла́вать под фла́гом ▭ ~ away a) стира́ть(ся); б) ме́дленно тяну́ться (*о времени*); ~ down a) стира́ть(ся), изна́шивать(ся); the record is worn down э́та пласти́нка истёрлась; б) преодолева́ть (*сопротивление и т. п.*); опроверга́ть (*аргументы*); в) утомля́ть (*кого-л.*); ~ off a) стира́ть(ся); б) смягча́ться; проходи́ть; the effect of the medicine will ~ off in a few hours лека́рство перестаёт де́йствовать че́рез не́сколько часо́в; ~ on ме́дленно тяну́ться (*о времени*); ~ out a) изна́шивать(ся); б) истоща́ть(ся) (*о терпении и т. п.*); в) изнури́ть; соста́рить ◇ to ~ the King's (*или* the Queen's) coat служи́ть в англи́йской а́рмии; to ~ the trousers (*или амер.* the pants) облада́ть мужски́м хара́ктером (*о женщине*); верхово́дить в до́ме

wear II [wɪə] = weir

wearer [ˈweərə] *n* владе́лец (*шляпы, пальто и т. п.*); тот, на ком наде́то пла́тье, пальто́ *и т. п.*

weariful [ˈwɪərɪfl] *a* ску́чный, утоми́тельный

weariless [ˈwɪərɪləs] *a* неутоми́мый

weariness [ˈwɪərɪnəs] *n* 1) уста́лость, утомлённость 2) утоми́тельность, ску́ка

wearing [ˈweərɪŋ] **1.** *pres. p. от* wear I, 2

2. *a* 1) предназна́ченный для но́ски; ~ apparel оде́жда, пла́тье 2) утоми́тельный; ску́чный, ну́дный

wearisome [ˈwɪərɪsəm] *a* 1) изнури́тельный, изнуря́ющий 2) ску́чный, наводя́щий тоску́

wearproof [ˈweəpru:f] *a* износосто́йкий, ме́дленно сраба́тывающийся

weary [ˈwɪərɪ] **1.** *a* 1) утомлённый 2) уста́вший, потеря́вший терпе́ние (of — от *чего-л.*); изныва́ющий от ску́ки; I am ~ of it мне э́то надое́ло 3) утоми́тельный; ~ hours томи́тельные часы́

2. *v* 1) утомля́ть(ся) 2) уста́ть, потеря́ть терпе́ние (of — от *чего-л.*); изныва́ть от ску́ки *и т. п.* ▭ ~ for тоскова́ть по *ком-л.*, по *чём-л.*; стреми́ться к *чему-л.*

weasel [ˈwi:zl] *n зоол.* ла́ска ◇ to catch a ~ asleep заста́ть врасплóх челове́ка, обы́чно настороже́нного

weather [ˈweðə] **1.** *n* 1) пого́да; ~ permitting при усло́вии благоприя́тной пого́ды; good ~ хоро́шая пого́да; bad ~ непого́да 2) непого́да, што́рм; to make good (bad) ~ *мор.* хорошо́ (пло́хо) выде́рживать што́рм (*о корабле*) 3) *attr.* относя́щийся к пого́де; ~ conditions метеорологи́ческие усло́вия; ~ report метеосво́дка ◇ in the ~ на у́лице, на дворе́; to make heavy ~ of smth. находи́ть что-л. тру́дным, утоми́тельным; under the ~ a) нездоро́вый, больно́й; б) в беде́; в затрудни́тельном положе́нии; в) *амер.* вы́пивший; to have the ~ (of) a) *мор.* идти́ с наве́тренной стороны́; б) име́ть преиму́щество (пе́ред *кем-л.*)

2. *a мор.* наве́тренный ◇ to keep one's ~ eye open смотре́ть в о́ба; держа́ть у́хо востро́

3. *v* 1) выве́тривать(ся), подверга́ть(ся) атмосфе́рным влия́ниям 2) выде́рживать (*бурю, натиск, испытание и т. п.*) 3) *мор.* обходи́ть с наве́тренной стороны́ ▭ ~ on *мор.* идти́ с наве́тренной стороны́; ~ out, ~ through выде́рживать (*испытание и т. п.*)

weather-beaten ['weðə,bi:tn] *a* 1) поврежде́нный бу́рями 2) обве́тренный; загоре́лый 3) вида́вший ви́ды, потрёпанный

weatherboard ['weðəbɔ:d] *n мор.* наве́тренный борт

weather-bound ['weðəbaʊnd] *a* заде́ржанный непого́дой

weather bureau ['weðə,bjʊərəʊ] *n* бюро́ пого́ды

weather-chart ['weðə,tʃɑ:t] *n* синопти́ческая ка́рта

weather-cloth ['weðəklɒθ] *n мор.* обве́с; защи́тный брезе́нт

weathercock ['weðəkɒk] *n* 1) флю́гер 2) непостоя́нный, ненадёжный челове́к, флю́гер

weathered ['weðəd] **1.** *p. p. от* weather 3

2. *a* 1) подве́ргшийся атмосфе́рным влия́ниям 2) *геол.* вы́ветрившийся 3) *стр.* име́ющий сток для дождево́й воды́ (*о крыше*)

weather forecast ['weðə,fɔ:kɑ:st] *n* прогно́з пого́ды

weatherglass ['weðəglɑ:s] *n* баро́метр

weathering ['weðərɪŋ] **1.** *pres. p. от* weather 3

2. *n* 1) *стр.* скос *или* накло́н для сто́ка дождево́й воды́, слив 2) *геол.* вывéтривание, эро́зия

weatherman ['weðəmæn] *n разг.* метеоро́лог

weather map ['weðəmæp] = weather-chart

weatherproof ['weðəpru:f] *a* защищённый от непого́ды; усто́йчивый про́тив атмосфе́рных влия́ний

weather-prophet ['weðə,prɒfɪt] *n* предсказа́тель пого́ды (*по местным приметам*)

weather-side ['weðəsaɪd] *n мор.* наве́тренная сторона́

weather-sign ['weðəsaɪn] *n* приме́та пого́ды

weather-stained ['weðəsteɪnd] *a* вы́цветший

weather station ['weðə,steɪʃn] *n* метеорологи́ческая ста́нция

weather strip ['weðəstrɪp] *n* прокла́дка (*из поролона и т. п. для сохранения тепла или герметизации*)

weather vane ['weðəveɪn] = weathercock 1)

weatherwear ['weðəweə] *n* защи́тная оде́жда (*на случай дождя и т. п.*)

weather-wise ['weðəwaɪz] *a* уме́ющий предска́зывать пого́ду

weatherworn ['weðəwɔ:n] *a* пострада́вший от непого́ды

weave [wi:v] **1.** *v* (wove, woven) 1) ткать 2) плести́; вплета́ть 3) *разг.* плести́, сочиня́ть 4) сплета́ть(ся), соединя́ть(ся), слива́ть(ся) 5) пока́чиваться, кача́ться

2. *n* 1) узо́р, вы́работка (*ткани*); переплете́ние ни́тей в тка́ни 2) *attr.* тка́цкий

weaver ['wi:və] *n* ткач, ткачи́ха

weazen(ed) ['wi:zn(d)] = wizen(ed)

web [web] **1.** *n* 1) ткань; шту́ка тка́ни 2) сплете́ние, сеть (*лжи, интриг*) 3) паути́на 4) перепо́нка (*у утки, летучей мыши и т. п.*) 5) руло́н (*бумаги*) 6) ребро́ (*балки*); сте́ржень (*рельса*); диск (*колеса*); полотно́ (*пилы*) 7) щека́ криво́шипа 8) перемы́чка, перебо́рка 9) *анат.* соедини́тельная ткань

2. *v* 1) плести́ паути́ну 2) окружа́ть, опу́тывать паути́ной 3) зама́нивать в се́ти; втя́гивать, вовлека́ть

webbed [webd] **1.** *p. p. от* web 2

2. *a* перепо́нчатый

webbing ['webɪŋ] **1.** *pres. p. от* web 2

2. *n* тка́ная ле́нта; тесьма́

wed [wed] *v* (wedded [-ɪd], *редк.* wed) 1) *книжн.* выдава́ть за́муж; жени́ть 2) *книжн.* вступа́ть в брак 3) сочета́ть, соединя́ть

we'd [wi:d (*полная форма*); wɪd (*редуцированная форма*)] = we had; we should; we would

wedded ['wedɪd] **1.** *p. p. от* wed

2. *a* 1) супру́жеский; a ~ pair супру́жеская па́ра 2) пре́данный (to — *чему-л.*)

wedding ['wedɪŋ] **1.** *pres. p. от* wed

2. *n* 1) сва́дьба; венча́ние, бракосочета́ние; жени́тьба 2) *attr.* сва́дебный

wedding breakfast ['wedɪŋ,brekfəst] *n* приём госте́й по́сле бракосочета́ния (*в любое время дня*)

wedding-cake ['wedɪŋkeɪk] *n* сва́дебный пиро́г

wedding-day ['wedɪŋdeɪ] *n* день сва́дьбы; годовщи́на сва́дьбы

wedding-dress ['wedɪŋdres] *n* подвене́чное пла́тье

wedding-favour ['wedɪŋ,feɪvə] *n* бант ша́фера

wedding ring ['wedɪŋrɪŋ] *n* обруча́льное кольцо́

wedge [wedʒ] **1.** *n* 1) клин; to force (*или* to drive) a ~ вбива́ть клин 2) что-л., име́ющее фо́рму кли́на 3) *радио* лине́йчатый клин ◇ the thin end of the ~ ≅ скро́мное, но многообеща́ющее нача́ло; пе́рвый шаг (*к чему-л.*)

2. *v* 1) закрепля́ть кли́ном 2) раска́лывать при по́мощи кли́на 3) размина́ть *или* раска́тывать рука́ми гли́ну (*в гончарном производстве*) □ ~ in вкли́нивать; to ~ oneself in вти́скиваться; ~ off раста́лкивать

wedge writing ['wedʒ,raɪtɪŋ] *n* клино́пись

wedgies ['wedʒɪz] *n pl разг.* танке́тки (*обувь*)

Wedgwood ['wedʒwʊd] *n* ве́джвуд (*фарфор и фаянс англ. фабрики Веджвуд*)

wedlock ['wedlɒk] *n* супру́жество; брак; children born in (out of) ~ законнорождённые (внебра́чные) де́ти

Wednesday ['wenzdeɪ] *n* среда́ (*день недели*)

wee I [wi:] *a шотл.* кро́шечный, ма́ленький; a ~ bit немно́жко

wee II [wi:] *sl. см.* wee-wee

weed [wi:d] **1.** *n* 1) со́рная трава́, сорня́к 2) *разг.* то́щий, долговя́зый челове́к 3) *sl.* марихуа́на 4) (the ~) *sl.* таба́к 5) *разг.* сига́ра 6) *разг.* кля́ча ◇ ill ~s grow apace *посл.* дурна́я трава́ в рост идёт

2. *v* 1) поло́ть 2) очища́ть; избавля́ть □ ~ away, ~ out удаля́ть, вычища́ть; отбира́ть

weeds [wi:dz] *n pl уст.* вдо́вий тра́ур (*обыкн.* widow's ~)

weedy ['wi:dɪ] *a* 1) заро́сший сорняка́ми 2) худосо́чный, то́щий, сла́бый; нескла́дный 3) расту́щий как со́рная трава́

week [wi:k] *n* 1) неде́ля; in a ~ че́рез неде́лю; в неде́льный срок; he came back Saturday ~ в суббо́ту была́ *или* бу́дет неде́ля, как он верну́лся 2) шесть рабо́чих дней неде́ли 3) *pl* це́лая ве́чность; I have not seen you for ~s я сто лет вас не ви́дел ◇ a ~ of Sundays а) семь неде́ль; б) ≅ це́лая ве́чность; ~ in, ~ out беспреры́вно

weekday ['wi:kdeɪ] *n* бу́дний день

weekend [,wi:k'end] **1.** *n* вре́мя о́тдыха с пя́тницы *или* суббо́ты до понеде́льника, уик-э́нд; to go to the country for the ~ пое́хать за́ город на уик-э́нд

2. *v* отдыха́ть (*где-л.*) с пя́тницы *или* суббо́ты до понеде́льника

weekender [,wi:k'endə] *n* уезжа́ющий отдыха́ть на вре́мя с пя́тницы *или* суббо́ты до понеде́льника

weeklong ['wi:klɒŋ] *a* продолжа́ющийся неде́лю

weekly ['wi:klɪ] **1.** *n* еженеде́льник

2. *a* еженеде́льный; неде́льный

3. *adv* еженеде́льно; раз в неде́лю

ween [wi:n] *v уст.* 1) ду́мать, полага́ть 2) наде́яться

weeny ['wi:nɪ] *a разг.* кро́шечный

weep [wi:p] *v* (wept) 1) пла́кать, рыда́ть 2) опла́кивать (for) 3) покрыва́ться ка́плями; запотева́ть, выделя́ть вла́гу; the pipes have wept тру́бы запоте́ли □ ~ away пропла́кать; ~ out вы́плакать; to ~ oneself out вы́плакаться

weeper ['wi:pə] *n* 1) пла́кса 2) *уст.* пла́кальщик 3) *уст.* тра́урная повя́зка, креп 4) *pl разг.* бакенба́рды

weeping ['wi:pɪŋ] **1.** *pres. p. от* weep

2. *a* 1) пролива́ющий слёзы 2) плаку́чий; ~ willow плаку́чая и́ва 3) запоте́вший 4) *мед.* мо́кнущий, вла́жный; ~ eczema *мед.* мо́кнущая экзе́ма ◇ W. Cross *ист.* крест, у кото́рого моли́лись ка́ющиеся; to come home by W. Cross раска́яться

3. *n* 1) плач, рыда́ние 2) запотева́ние (*стекла и т. п.*)

weepy ['wi:pɪ] *n разг.* сентимента́льное произведе́ние, ≅ слеза́ с сопле́й (*книга, фильм, пьеса*)

weevil ['wi:vl] *n зоол.* долгоно́сик

weevilly ['wi:vlɪ] *a* поражённый долгоно́сиком (*о зерне*)

wee-wee ['wi:wi:] *sl.* **1.** *n* моча́, пи-пи́

2. *v* писа́ть, отли́ть

weft [weft] *n* 1) *текст.* уто́к 2) *разг.* ткань

weigh [weɪ] *v* 1) взвéшивать(ся) 2) взвéшивать, обдýмывать, оцéнивать; to ~ the advantages and disadvantages взвéсить все за и прóтив; to ~ one's words взвéшивать свои́ словá, тщáтельно подбирáть словá 3) срáвнивать (with, against) 4) вéсить; how much do you ~? скóлько вы вéсите? 5) имéть вес, значéние, влия́ть ▭ ~ **down** а) отягощáть; перевéшивать; б) угнетáть, тяготи́ть; ~ **in** а) *спорт.* взвéшиваться до соревновáния (*о спортсмене*); б): to ~ in with *разг.* вы́двинуть (*убедительные доводы, факты и т. п.*); to ~ in with an argument привести́ решáющий дóвод; ~ **on** тяготи́ть; ~ **out** а) *спорт.* взвéшиваться пóсле соревновáния (*о спортсмене*); б) отвéшивать, развéшивать; ~ **up** а) *разг.* составля́ть себé мнéние (*о ком-л.*), оцéнивать (*человека*); б) взвéсить и реши́ть; ~ **upon** = ~ on; ~ **with** имéть значéние; влия́ть на (*решение и т. п.*)

weighbridge [ˈweɪbrɪdʒ] *n* мостовы́е весы́

weigher [ˈweɪə] *n* 1) весовщи́к 2) весы́, безмéн

weigh-in [ˈweɪɪn] *n* взвéшивание спортсмéна пéред соревновáниями

weighing [ˈweɪɪŋ] 1. *pres. p. от* weigh

2. *n* взвéшивание; ~ in = weigh-in

weighing-machine [ˈweɪɪŋmə,ʃi:n] *n* весы́

weigh-out [ˈweɪaʊt] *n* взвéшивание спортсмéна пóсле соревновáний

weight [weɪt] 1. *n* 1) вес; мáсса; to put on ~ толстéть, поправля́ться; to lose ~ худéть 2) ги́ря; *pl* разновéс 3) тя́жесть; груз 4) брéмя; a (great) ~ off one's mind ≅ кáмень с души́, горá с плеч 5) влия́ние, значéние, авторитéт; men of ~ влия́тельные лю́ди; an argument of great ~ убеди́тельный дóвод; to throw one's ~ about (*или* around) *разг.* комáндовать; подавля́ть свои́м авторитéтом 6) *спорт.* ги́ря, штáнга 7) *спорт.* весовáя категóрия ◇ Weights and Measures Department Палáта мер и весóв

2. *v* 1) нагружáть; увели́чивать вес; подвéшивать ги́рю 2) отягощáть, обременя́ть (with) 3) подмéшивать (*для веса*) 4) придавáть вес; си́лу ▭ ~ **down** а) тянýть вниз, оття́гивать; б) отягощáть (*заботами и т. п.*)

weightless [ˈweɪtləs] *a* невесóмый

weightlessness [ˈweɪtləsnəs] *n* невесóмость; состоя́ние невесóмости

weight-lifter [ˈweɪt,lɪftə] *n* гиреви́к, штанги́ст

weight-lifting [ˈweɪt,lɪftɪŋ] *n* *спорт.* поднятие тя́жестей; тяжёлая атлéтика

weighty [ˈweɪtɪ] *a* 1) тяжёлый 2) обремени́тельный 3) вáжный, вéский

weir [wɪə] 1. *n* плоти́на, запрýда; водосли́в

2. *v* устрáивать плоти́ну, запрýживать

weird [wɪəd] 1. *n уст., шотл.* 1) судьбá, рок 2) предзнаменовáние, предсказáние

2. *a* 1) роковóй, фатáльный 2) таи́нственный, сверхъестéственный 3) *разг.* стрáнный, непоня́тный; причýдливый ◇ the ~ sisters *миф.* боги́ни судьбы́, пáрки; вéдьмы

weirdie [ˈwɪədɪ] *разг. см.* weirdo

weirdo [ˈwɪədəʊ] *n разг.* чудáк, стрáнная ли́чность

Welch [weltʃ] = Welsh

welch [welʃ] = welsh

welcome [ˈwelkəm] 1. *n* 1) привéтствие 2) гостеприи́мство, радýшный приём; to give a warm ~ оказáть сердéчный приём; to find a ready ~ быть радýшно приня́тым; to wear out (*или* to outstay) smb.'s ~ злоупотребля́ть чьим-л. гостеприи́мством; надоедáть хозя́евам

2. *a* 1) желáнный; прия́тный; ~ news прия́тная нóвость; to make smb. ~ радýшно принимáть когó-л. 2): ~ to *predic.* охóтно разрешáемый; he is ~ to use my library я охóтно позволя́ю емý пóльзоваться моéй библиотéкой ◇ (you are) ~ а) добрó пожáловать; б) пожáлуйста, не стóит благодáрности (*в ответ на благодарность*)

3. *v* 1) привéтствовать; радýшно принимáть; I ~ you to my house рад вас ви́деть у себя́ 2) привéтствовать, одобря́ть (*предложение, начинание и т. п.*)

4. *int* добрó пожáловать! (*тж.* you are ~!); ~ home! с приéздом!

weld [weld] 1. *n тех.* сварнóй шов

2. *v* 1) *тех.* свáривать(ся) 2) сплáчивать, объединя́ть

welder [ˈweldə] *n* 1) свáрщик 2) свáрочный агрегáт

welding [ˈweldɪŋ] 1. *pres. p. от* weld 2

2. *n тех.* свáрка

welfare [ˈwelfeə] *n* 1) благосостоя́ние, благодéнствие 2) = welfare work [*см.* 3)] 3) *attr.*: the W. State *полит.* «госудáрство всеóбщего благосостоя́ния»; ~ work мероприя́тия по улучшéнию бытовы́х услóвий (*неимущих и т. п.*); благотвори́тельность

welkin [ˈwelkɪn] *n поэт.* нéбо, небосвóд

well I [wel] 1. *n* 1) колóдец, водоём 2) лéстничная клéтка 3) истóчник 4) минерáльный истóчник 5) *pl* курóрт с минерáльными вóдами 6) = inkwell 7) *уст.* родни́к 8) *горн.* сквáжина; отстóйник, зумпф 9) местá адвокáтов (*в английском суде*) 10) шáхта ли́фта

2. *v* хлы́нуть, бить ключóм (*часто* ~ up, ~ out, ~ forth)

well II [wel] 1. *adv* (better; best) 1) хорошó; ~ done! отли́чно!; здóрово!; she is ~ spoken of у неё отли́чная репутáция 2) как слéдует; хорошéнько; основáтельно; we ought to examine the results ~ слéдует тщáтельно изучи́ть результáты; to talk ~ наговори́ться вдóволь 3) хорошó, разýмно, прáвильно; to behave ~ хорошó вести́ себя́; you can't ~ refuse to help him у вас нет достáточных основáний отказáть емý в пóмощи 4) совершéнно, пóлностью; he was ~ out of sight он совсéм исчéз и́з виду 5) óчень, значи́тельно, далекó, вполнé; the work is ~ on рабóта значи́тельно продви́нулась; he is ~ past forty емý далекó зá сорок; it may ~ be true весьмá возмóжно, что так онó и есть на сáмом дéле; this may ~ be so э́то весьмá верóятно ◇ as ~ вдобáвок; as ~ as так же как, а тáкже; заоднó и ; it's just as ~ ну чтó же, пусть бýдет так, ≅ жалéть не стóит; ~ enough довóльно хорошó; the girl speaks French ~ enough to act as our interpreter дéвушка достáточно хорошó владéет францýзским языкóм, чтóбы быть нáшим перевóдчиком

2. *a* (better; best) *predic.* 1) хорóший; all is ~ всё в поря́дке, всё прекрáсно; all turned out ~ всё сошлó благополýчно; to be ~ out of smth. счáстли́во отдéлаться от чегó-л. 2) здорóвый; I am quite ~ я совершéнно здорóв 3): ~ up знáющий, толкóвый; he isn't ~ up in psychology он не си́лён в психолóгии

3. *n* добрó; I wish him ~ я желáю емý добрá ◇ let ~ alone, *амер.* let ~ enough alone ≅ от добрá добрá не и́щут

4. *int* ну! (*выражает удивление, уступку, согласие, ожидание и т. п.*); ~ and good! хорошó!, лáдно!; if you promise that, ~ and good éсли вы обещáете э́то, тогдá хорошó; ~, to be sure вот тебé рáз!; ~, what next? ну, а что дáльше?; ~, now tell me all about it ну, тепéрь расскажи́те мне всё об э́том

we'll [wi:l (*полная форма*); wɪl (*редуцированная форма*)] = we shall; we will

well-advised [,weləd'vaɪzd] *a* благоразýмный

well-appointed [,welə'pɔɪntɪd] *a* хорошó снаряжённый, хорошó оборýдованный

well-armed [,wel'ɑ:md] *a* хорошó вооружённый

well-balanced [,wel'bælənst] *a* 1) уравновéшенный, рассуди́тельный 2) гармони́ческий; симметри́чный

well-becoming [,welbɪ'kʌmɪŋ] *a* подходя́щий, прáвильный

well-behaved [,welbɪ'heɪvd] *a* 1) благонрáвный 2) вы́дрессированный (*о животном*)

well-being [,wel'bi:ɪŋ] *n* 1) здорóвье 2) благополýчие; процветáние, благосостоя́ние

well-boring [,wel'bɔ:rɪŋ] *n горн.* бурéние сквáжин

well-born [,wel'bɔ:n] *a* родови́тый

well-bred [,wel'bred] *a* 1) благовоспи́танный 2) порóдистый, чистокрóвный (*о животном*)

well-built [,wel'bɪlt] *a* крéпкий; хорошó сложённый

well-conducted [,welkən'dʌktɪd] *a* 1) хорошó организóванный (*о митинге и т. п.*) 2) воспи́танный; такти́чный

well-connected [,welkə'nektɪd] *a* с большúми свя́зями в вы́сшем свéте

well-defined [,weldɪ'faɪnd] *a* чёткий; вполнé определённый, стрóго óчерченный

well-directed [,weldɪ'rektɪd] *a* мéткий

(*о выстреле и т. п.*); то́чно напра́вленный

well-dish [ˌwelˈdɪʃ] *n* блю́до с углубле́нием для со́уса

well-disposed [ˌweldɪˈspəʊzd] *a* благожела́тельный, благосклóнный (to, towards)

well-doer [ˌwelˈdu:ə] *n* 1) доброде́тельный челове́к 2) благоде́тель

well-doing [ˌwelˈdu:ɪŋ] *n* до́брые дела́ и посту́пки

well-done [ˌwelˈdʌn] *a* 1) хорошо́ прожа́ренный 2) хорошо́, уда́чно сде́ланный

well-earned [ˌwelˈɜ:nd] *a* заслу́женный

well-educated [ˌwelˈedju:keɪtɪd] *a* образо́ванный

well-favoured [ˌwelˈfeɪvəd] *a* краси́вый, привлека́тельный

well-fed [ˌwelˈfed] *a* отко́рмленный, то́лстый

well-found [ˌwelˈfaʊnd] *a* хорошо́ обору́дованный; хорошо́ снаряжённый

well-founded [ˌwelˈfaʊndɪd] *a* обосно́ванный; осно́ванный на фа́ктах (*о подозрениях*)

well-groomed [ˌwelˈgru:md] *a* 1) холёный; выхоленный 2) хорошо́ ухо́женный (*о лошади*)

well-grounded [ˌwelˈgraʊndɪd] *a* 1) = well-founded 2) хорошо́ подгото́вленный (по *какому-л. предмету*; in); све́дущий (в *чём-л.*)

wellhead [ˈwelhed] *n* исто́чник

well-heeled [ˌwelˈhi:ld] *a разг.* бога́тый

well-informed [ˌwelɪnˈfɔ:md] *a* хорошо́ осведомлённый

wellingtons [ˈwelɪŋtənz] *n pl* высо́кие рези́новые сапоги́

well-intentioned [ˌwelɪnˈtenʃnd] *a* испо́лненный бла́гих наме́рений; де́йствующий из са́мых лу́чших побужде́ний

well-judged [ˌwelˈdʒʌdʒd] *a* во́время, иску́сно *или* такти́чно сде́ланный; ~ reply проду́манный отве́т; ~ blow уда́р, попа́вший в цель

well-knit [ˌwelˈnɪt] *a* 1) кре́пко сколо́ченный 2) кре́пкого сложе́ния 3) сплочённый

well-known [ˌwelˈnəʊn] *a* 1) изве́стный, популя́рный 2) хорошо́ знако́мый, общеизве́стный

well-lined [ˌwelˈlaɪnd] *a* ту́го наби́тый (*о бумажнике*)

well-made [ˌwelˈmeɪd] *a* 1) иску́сный; уда́чный в композицио́нном отноше́нии 2) хорошо́ сложённый

well-mannered [ˌwelˈmænəd] *a* (благо)воспи́танный

well-marked [ˌwelˈmɑ:kt] *a* отчётливый

well-meaning [ˌwelˈmi:nɪŋ] *a* име́ющий хоро́шие наме́рения; благонаме́ренный

well-meant [ˌwelˈment] = well-intentioned

well-minded [ˌwelˈmaɪndɪd] = well-disposed

well-natured [ˌwelˈneɪtʃəd] = good-natured

well-nigh [ˌwelˈnaɪ] *adv* почти́

well-off [ˌwelˈɒf] *a* 1) состоя́тельный, зажи́точный 2) хорошо́ снабжённый, обеспе́ченный (for); ~ for books по́лностью обеспе́ченный кни́гами

well-oiled [ˌwelˈɔɪld] *a* 1) *разг.* подвы́пивший 2) *разг.* льсти́вый 3) хорошо́ сма́занный

well-ordered [ˌwelˈɔ:dəd] *a* упоря́доченный

well-paid [ˌwelˈpeɪd] *a* хорошо́ опла́чиваемый

well-proportioned [ˌwelprəˈpɔ:ʃnd] *a* пропорциона́льный, соразме́рный

well-read [ˌwelˈred] *a* 1) начи́танный 2) облада́ющий обши́рными зна́ниями в како́й-л. о́бласти (in); he is ~ in English literature он хорошо́ зна́ет англи́йскую литерату́ру

well-regulated [ˌwelˈregjʊleɪtɪd] *a* находя́щийся под надлежа́щим контро́лем; урегули́рованный

well-room [ˈwelru:m] *n* бюве́т

well-run [ˌwelˈrʌn] *a* отли́чно де́йствующий (*о предприятии, лавке и т. п.*)

well-seeming [ˌwelˈsi:mɪŋ] *a* хоро́ший на вид

well-set [ˌwelˈset] *a* 1) корена́стый 2) пра́вильно при́гнанный, кре́пкий

well-sinking [ˌwelˈsɪŋkɪŋ] *n* рытьё коло́дца; буре́ние сква́жины

well-spent [ˌwelˈspent] *a* потра́ченный разу́мно, не зря

well-spoken [ˌwelˈspəʊkən] *a* 1) изы́сканный (*о манере говорить*) 2) ска́занный кста́ти, к ме́сту

wellspring [ˈwelsprɪŋ] = wellhead

well-tailored [ˌwelˈteɪləd] *a* 1) хорошо́ оде́тый 2) хорошо́ сши́тый

well-thought-of [ˌwelˈθɔ:tɒv] *a* име́ющий хоро́шую репута́цию; уважа́емый

well-thought-out [ˌwelθɔ:tˈaʊt] *a* проду́манный, обосно́ванный

well-timed [ˌwelˈtaɪmd] *a* своевре́менный

Welsh-to-do [ˌweltəˈdu:] *a* состоя́тельный, зажи́точный

well-tried [ˌwelˈtraɪd] *a* испы́танный

well-trodden [ˌwelˈtrɒdn] *a* протоpённый; ча́сто посеща́емый; *перен.* изби́тый

well-turned [ˌwelˈtɜ:nd] *a* 1) уда́чный, уда́чно вы́раженный 2) скла́дный

well-water [ˈwelˌwɔ:tə] *n* коло́дезная *или* роднико́вая вода́

well-wisher [ˈwelˌwɪʃə] *n* доброжела́тель

well-wishing [ˈwelˌwɪʃɪŋ] *a* доброжела́тельный

well-worn [ˌwelˈwɔ:n] *a* поно́шенный; *перен.* истаска́нный, изби́тый (*о шутке и т. п.*); a ~ story ≅ анекдо́т с бородо́й

Welsh [welʃ] **1.** *a* валли́йский, уэ́льский ◇ ~ rabbit (*или* rarebit) гренки́ с сы́ром

2. *n* 1) (the ~) *pl собир.* валли́йцы, уэ́льсцы 2) валли́йский язы́к

welsh [welʃ] *v* скры́ться, не уплати́в про́игрыша

Welshman [ˈwelʃmən] *n* уроже́нец Уэ́льса; валли́ец, уэ́льсец

Welshwoman [ˈwelʃwʊmən] *n* уроже́нка Уэ́льса; валли́йка

welt [welt] **1.** *n* 1) рант (*башмака*) 2) след, рубе́ц (*от удари кнутом*) 3) *тех.* фальц; бордю́р 4) уда́р

2. *v* 1) шить по ранту́ (*обувь*) 2) полосова́ть, бить 3) обшива́ть; окаймля́ть

welter I [ˈweltə] **1.** *n* столпотворе́ние, сумбу́р; неразбери́ха; (по́лная) пу́таница (*во взглядах, мыслях и т. п.*)

2. *v* 1) валя́ться, бара́хтаться; to ~ in one's blood пла́вать в лу́же кро́ви; to ~ in pleasure предава́ться удово́льствиям; to ~ in vice погря́знуть в поро́ке 2) вздыма́ть-ся и па́дать (*о волнах*) 3) волнова́ться

welter II [ˈweltə] *n* 1) = welterweight 2) *разг.* сокруши́тельный уда́р 3) *разг.* грома́дина (*о человеке*); что-л. неподъёмное (*о вещах*)

welterweight [ˈweltəweɪt] *n* 1) доба́вочный груз (*на скачках*) 2) *спорт.* второ́й полусре́дний вес; боксёр *или* боре́ц второ́го полусре́днего ве́са

wen [wen] *n* 1) *мед.* жирова́я ши́шка, жирови́к 2) *мед.* стеато́ма 3) большо́й перенаселённый го́род; the great ~ Ло́ндон

wench [wentʃ] **1.** *n* 1) *шутл.* де́вушка, молода́я же́нщина 2) *уст.* де́вка (*проститутка*)

2. *v уст.* ходи́ть к проститу́ткам; распу́тничать

wend [wend] *v уст.* идти́; to ~ one's way держа́ть путь, направля́ться (to)

went [went] *past от* go

wept [wept] *past и p. p. от* weep

were [wɜ: (*полная форма*); wə (*редуцированная форма*)] *прошедшее время мн. ч. гл.* to be

we're [wɪə] *сокр. разг.* = we are

weren't [wɜ:nt] *сокр. разг.* = were not

wer(e)wolf [ˈweəwʊlf] *n* о́боротень

wert [wɜ:t (*полная форма*); wət (*редуцированная форма*)] *уст. 2-е л. ед. ч. прошедшего времени гл.* to be

west [west] **1.** *n* 1) за́пад; *мор.* вест 2) за́падный ве́тер; *мор.* вест 3) (the W.) *амер.* за́падные шта́ты

2. *a* за́падный; ~ country а) за́падная часть страны́; б) гра́фства, располо́женные к ю́го-за́паду от Ло́ндона

3. *adv* к за́паду, на за́пад ◇ to go ~ умере́ть, поги́бнуть

West End [ˌwestˈend] *n* Уэст-Э́нд, за́падная, аристократи́ческая часть Ло́ндона

West-Ender [ˌwestˈendə] *n* жи́тель Уэст-Э́нда

westering [ˈwestərɪŋ] *a* 1) на зака́те (*о солнце*) 2) напра́вленный на за́пад

westerly [ˈwestəlɪ] **1.** *a* за́падный

2. *adv* с за́пада; на за́пад

3. *n pl мор.* за́падные ве́тры, ве́сты

western [ˈwestən] **1.** *a* за́падный; относя́щийся к за́паду

2. *n* 1) *амер.* ве́стерн, ковбо́йский фильм, ковбо́йская пье́са, телепереда́ча *и т. п.* 2) = westerner 1); 3) приве́рженец западной, римско-католической церкви

westerner ['westənə] *n* 1) житель *или* уроженец запада (*особ. в США*) 2) представитель запада (*о стране, культуре и т. п.*)

westernize ['westənaɪz] *v* (насильственно) европеизировать

westernmost ['westənməʊst] *a* самый западный

westing ['westɪŋ] *n мор.* дрейф на вест

westward ['westwəd] **1.** *a* направленный к западу

2. *adv* на запад

3. *n* западное направление; западный район

westwards ['westwədz] = westward 2

wet [wet] **1.** *a* 1) мокрый, влажный; ~ to the skin, ~ through промокший до нитки 2) дождливый, сырой; ~ weather промозглая погода 3) непросохший; ~ paint непросохшая краска 4) жидкий (*о грязи, смоле*) 5) слезливый, плаксивый; ~ smile улыбка сквозь слёзы 6) *разг.* глупый, несуразный; to talk ~ нести околесицу 7) *амер.* «мокрый», разрешающий *или* стоящий за разрешение продажи спиртных напитков; ~ state штат, в котором разрешена продажа спиртных напитков 8) страдающий ночным недержанием мочи (*о ребёнке*); he is still ~ at night он всё ещё по ночам мочится в постель 9) *разг.* пьяный; ~ night попойка ◇ ~ behind the ears незрелый, неоперившийся

2. *n* 1) влажность, сырость 2) дождливая погода 3) *разг.* никчёмный человек, сопляк 4) *разг.* выпивка; спиртные напитки 5) *амер.* сторонник разрешения продажи спиртных напитков 6) *разг.* плакса

3. *v* 1) мочить, смачивать, увлажнять; to ~ one's bed мочиться в постели, страдать недержанием мочи 2) *разг.* вспрыснуть; to ~ a bargain вспрыснуть сделку; to ~ one's whistle промочить горло, выпить ▭ ~ out а) промочить; б) промывать

wetback ['wetbæk] *n амер. разг.* сельскохозяйственный рабочий, незаконно приехавший *или* доставленный из Мексики в США

wet blanket [ˌwet'blæŋkɪt] *n разг.* человек, отравляющий другим удовольствие, радость *и т. п.*

wet-blanket [ˌwet'blæŋkɪt] *v разг.* обескураживать; отравлять удовольствие

wet bob ['wetbɒb] *n* учащийся, занимающийся водным спортом

wether ['weðə] *n* валух, кастрированный баран

wet nurse ['wetnɜːs] *n* 1) кормилица 2) нянька; to play ~ нянчиться

we've [wiːv] *сокр. разг.* = we have

whack [wæk] **1.** *n* 1) *разг.* сильный удар; звук от удара 2) *sl.* причитающаяся доля; to go ~s войти в долю (*с кем-л.*); to have one's ~ of smth. получить вдоволь чего-л. ◇ to have a ~ at smth. попробовать, попытаться сделать что-л.; out of ~ *преим. амер.* не в порядке

2. *v* 1) *разг.* ударять, колотить 2) *sl.* делить(ся) (*тж.* ~ up)

whacked [wækt] *a разг.* измотанный, измученный

whacker ['wækə] *n разг.* 1) громадина 2) наглая ложь

whacking ['wækɪŋ] **1.** *pres. p. от* whack 2

2. *a разг.* огромный

3. *adv разг.* очень

whacko [ˌwæk'əʊ] *int sl.* здорово!; блеск!; колоссально!

whale I [weɪl] **1.** *n* 1) кит; bull ~ кит-самец; cow ~ самка кита 2): a ~ of *разг.* что-л. огромное, колоссальное *или* очень хорошее; a ~ of a story прекрасный рассказ 3): a ~ at (*или* on) *разг.* мастер (своего дела); знаток; мастак; he is a ~ on (*или* at) history он знаток истории ◇ very like a ~ *ирон.* ну, конечно!, так я и поверил!

2. *v* (*обыкн. pres. p.*) бить китов

whale II [weɪl] *v амер. разг.* бить, пороть

whaleboat ['weɪlbəʊt] *n* 1) китобойное судно 2) вельбот

whalebone ['weɪlbəʊn] *n* 1) китовый ус 2) изделие из китового уса

whale-fin ['weɪlfɪn] = whalebone

whale-fishery ['weɪlˌfɪʃərɪ] *n* китобойный промысел

whaleman ['weɪlmən] *n* 1) китолов, китобой 2) китобойное судно

whale oil ['weɪlɔɪl] *n* ворвань, китовый жир

whaler ['weɪlə] *n* 1) китобойное судно 2) *мор.* вельбот 3) китолов, китобой

whaling I ['weɪlɪŋ] **1.** *pres. p. от* whale I, 2

2. *n* охота на китов; китобойный промысел

3. *a разг.* громадный, необыкновенный

whaling II ['weɪlɪŋ] *амер.* **1.** *pres. p. от* whale II

2. *n разг.* порка

whaling-gun ['weɪlɪŋgʌn] *n* гарпунная пушка

whammy ['wæmɪ] *n амер. разг.* дурной глаз; сглаз

whang [wæŋ] *разг.* **1.** *n* громкий удар

2. *v* ударять, бить

wharf [wɔːf] *n* (*pl* -ves, -fs [-fs]) пристань; причал

wharfage ['wɔːfɪdʒ] *n мор.* причальный сбор

wharfinger ['wɔːfɪndʒə] *n* владелец пристани *или* его управляющий

wharves [wɔːvz] *pl от* wharf

what [wɒt] *pron* 1) *inter.* какой?, что?, сколько?; ~ is it? что это (такое?); ~ did he pay for it? сколько он заплатил за это?; ~ is he? кто он такой? (*по профессии*); ~? ~ did you say? repeat, please что? что вы сказали? повторите; ~ about...? что нового о...?, ну как...?; ~ about your promise? ну, так как же насчёт вашего обещания?; ~'s his name? как его зовут?; ~ for? зачем?; ~ good (*или* use) is it? какая польза от этого?, какой толк в этом?; ~ if...? а что, если...?; ~ manner (*или* kind, sort) of? что за?; какой?; ~ kind of man is he? каков он?, что он собой представляет?; ~ next? ну, а дальше что?; ~ of...? = ~ about...?; well, ~ of it?, *разг.* so ~? ну и что из того?, ну, так что ж?; ~ though...? что из того, что...?; ~ are we the better for it all? что нам от того? 2) *conj.* какой, что, сколько; I don't know ~ she wants я не знаю, что ей нужно; like ~'s in your worker's eyes? например, что думают ваши рабочие?; he gave her ~ money he had он дал ей все деньги, какие у него были; I know ~ to do я знаю, что нужно делать; do you know him ~ came yesterday? (*неправ. вместо* who) вы знаете человека, который приходил вчера? 3) *emph.* какой!; как!; что!; ~ a strange phenomenon! какое необычное явление!; ~ an interesting book it is! какая интересная книга!; ~ a pity! как жаль! ◇ (and) ~ not и так далее; ~ ho! *оклик или приветствие*; ~ matter? это несущественно!; ~ is more более точно, кроме того; ~ with вследствие, из-за; ~ gives! что я вижу!; да ну!; I know ~ у меня есть предложение, идея; ~ is ~ что к чему; I know ~'s ~ я отлично всё понимаю; this isn't easy ~? это не легко, а? как вы считаете?; ~ the hell? а) какого чёрта?; б) ну и что?, подумаешь!; come ~ may будь, что будет; ~ on earth (*или* in the blazes, in the world)...? чёрт возьми, бога ради...; ~ on earth is he doing here? какого чёрта ему нужно здесь?, что он, чёрт побери, делает здесь?

what-d'ye-call-em ['wɒtdʒʊˌkɔːləm] *n шутл.* как их, бишь, там?

whate'er [wɒt'eə] *поэт. см.* whatever

whatever [wɒt'evə] **1.** *a* какой бы ни, любой

2. *pron* 1) *conj.* всё что; что бы ни; I am right, ~ you think я прав, что бы вы там ни думали; ~ the appearances... как бы это ни выглядело со стороны...; что бы там ни говорили...; ~ the reason... каковы бы ни были причины... 2) *emph.* (*после* no) никакой; (*после* any) какой-нибудь; is there any hope ~? есть ли хоть какая-нибудь надежда? 3) *разг.* (хоть) что-нибудь

what-for ['wɒtfɔː] *n разг.* взбучка, наказание

Whatman ['wɒtmən] *n* ватманская бумага (*тж.* ~ paper)

whatnot ['wɒtnɒt] *n* 1) всякая всячина, пустяки, безделушки 2) этажерка для безделушек

whatsis, whatsit ['wɒtsɪs, 'wɒtsɪt] *n амер. разг.* ну как это (называется)?

whatsoe'er [ˌwɒtsəʊ'eə] *поэт. см.* whatsoever

whatsoever [ˌwɒtsəʊ'evə] *эмфатическая форма от* whatever

wheat [wiːt] *n* пшеница; winter (summer) ~ озимая (яровая) пшеница

Wheatstone bridge [ˈwiːtstən,brɪdʒ] *n эл.* мóст(ик) сопротивлéния

wheedle [ˈwiːdl] *v* 1) подольщáться 2) обхáживать 3) вымáнивать лéстью; to ~ smb. into doing smth. лéстью застáвить когó-л. сдéлать что-л.; to ~ smth. out of smb. вы́манить что-л. у когó-л.

wheedling [ˈwiːdlɪŋ] 1. *pres. p. от* wheedle

2. *a* льсти́вый; умéющий уговори́ть с пóмощью лéсти

wheel [wiːl] 1. *n* 1) колесó; колёсико; Geneva ~ *тех.* мальти́йский крест 2) пря́лка 3) гончáрный круг (*тж.* potter's ~) 4) колесó фортýны, счáстье (*тж.* Fortune's ~) 5) кружéние, круг, оборóт 6) рулевóе колесó, штурвáл 7) *pl* механи́зм; the ~s of state госудáрственная маши́на 8) *уст.* велосипéд 9) припéв, рефрéн 10) *воен.*: left (right) ~! прáвое (лéвое) плечó вперёд! ◇ to be at the ~ а) быть води́телем (*автобуса и т. п.*); б) вести́ корáбль; в) быть руководи́телем; стоя́ть во главé (*чего-л.*); to break on the ~ *ист.* колесовáть; to break a butterfly (*или* a fly) on the ~ ≅ стреля́ть из пýшек по воробья́м; to go on ~s идти́ как по мáслу; ~s within ~s слóжная взаимосвя́зь; слóжное положéние; to put one's shoulder to the ~ энерги́чно взя́ться за рабóту

2. *v* 1) опи́сывать круги́ 2) поворáчивать(ся) 3) кати́ть, везти́ (*тачку и т. п.*) 4) éхать на велосипéде 5) *воен.* заходи́ть *или* заезжáть флáнгом ◇ to ~ and deal обдéлывать дели́шки, совершáть махинáции; заправля́ть делáми

wheel and axle [,wiːləndˈæksl] *n тех.* вóрот

wheelbarrow [ˈwiːl,bærəʊ] *n* тáчка

wheelbase [ˈwiːlbeɪs] *n авто* колёсная бáза

wheelchair [ˈwiːltʃeə] *n* крéсло на колёсах (*для инвалидов*)

wheeled [wiːld] 1. *p. p. от* wheel 2

2. *a* колёсный, имéющий колёса

wheeler [ˈwiːlə] *n* 1) коренни́к, коренна́я лóшадь 2) = wheelwright 3) *attr.*: ~ team коренна́я пáра

wheeler-dealer [,wiːləˈdiːlə] *n* 1) заправи́ла 2) махинáтор, ловкáч; пройдóха (*тж.* wheeler and dealer) 3) *attr.* жуликовáтый

wheelhorse [ˈwiːlhɔːs] = wheeler 1)

wheelhouse [ˈwiːlhaʊs] *n мор.* рулева́я рýбка

wheeling [ˈwiːlɪŋ] 1. *pres. p. от* wheel 2

2. *n* 1) ездá на велосипéде 2) поворóт; оборóт

wheelman [ˈwiːlmən] *n* (*преим. амер.*) 1) велосипеди́ст 2) рулевóй

wheelsman [ˈwiːlzmən] *n амер.* рулевóй

wheelwright [ˈwiːlraɪt] *n* колёсный мáстер

wheeze [wiːz] 1. *n* 1) тяжёлое дыхáние, оды́шка, хрип 2) *разг.* блестя́щая идéя 3) *театр.* отсебя́тина 4) *разг.* избитая шýтка, острóта

2. *v* дышáть с при́свистом; хрипéть ▭ ~ out прохрипéть

wheezy [ˈwiːzɪ] *a* 1) страдáющий оды́шкой, áстмой 2) хри́плый

whelk [welk] *n* прыщ

whelm [welm] *v поэт.* заливáть; поглощáть; подавля́ть

whelp [welp] 1. *n* 1) щенóк; детёныш 2) щенóк, отрóдье

2. *v* щени́ться; производи́ть детёнышей

when [wen] 1. *adv* 1) *inter.* когдá? 2) *rel.* когдá; during the time ~ you were away во врéмя вáшего отсýтствия 3) *conj.* когдá; I don't know ~ she will come не знáю, когдá онá придёт

2. *cj* 1) когдá, в то врéмя как, как тóлько, тогдá как; ~ seated си́дя; ~ speaking говоря́ 2) хотя́, несмотря́ на, тогдá как; he is reading the book ~ he might be out playing он читáет кни́гу, хотя́ мог бы игрáть во дворé 3) éсли; how can he buy it ~ he has no money? как он мóжет э́то купи́ть, éсли у негó нет дéнег?

3. *n* врéмя, дáта; he told me the ~ and the why of it он рассказáл мне когдá и отчегó э́то произошлó; till ~ can you stay? до какóго врéмени вы мóжете остáться? ◇ say ~ скажи́те (сáми), когдá довóльно (*при наливании вина*)

whence [wens] 1. *adv inter.* 1) откýда? (*обыкн.* from ~?); from ~ is he? откýда он? 2) как?, каки́м óбразом?; ~ comes it that...? как э́то получáется, что...

2. *cj* откýда; go back ~ you came возвращáйтесь тудá, откýда вы при́были

whene'er [wenˈeə] *поэт. см.* whenever

whenever [wenˈevə] 1. *adv разг.* когдá же; ~ will you learn? когдá же ты вы́учишь?

2. *cj* вся́кий раз когдá; когдá бы ни; I'll be at home ~ he arrives когдá бы он ни приéхал, я бýду дóма; ~ I see her she is smiling когдá бы я ни встрéтил её, онá (всегдá) улыбáется

whensoever [,wensəʊˈevə] *эмфатическая форма от* whenever

where [weə] 1. *adv* 1) *inter.* где?; кудá? 2) *rel.* где; the place ~ we lived is not far from here мéсто, где мы жи́ли, недалекó отсю́да 3) *conj.* где ▭ ~ from? откýда?; ~ do you come from? откýда вы?; ask her ~ she comes from? спроси́ её, откýда онá?; ~ to кудá?

2. *cj* тудá; тудá кудá; тудá где; где; send him ~ he will be well taken care of пошли́те егó тудá, где за ним бýдет хорóший ухóд

3. *n* мéсто происшéствия; the ~s and whens are important вáжно, где и когдá э́то случи́лось

whereabouts 1. *n* [ˈweərəbaʊts] (приблизи́тельное) местонахождéние; can you tell me his ~? мóжете вы сказáть мне, где егó найти́?

2. *adv inter.* [,weərəˈbaʊts] где?; óколо какóго мéста?; в каки́х края́х?

whereas [weərˈæz] *cj* 1) тогдá как 2) несмотря́ на то, что 3) (*в преамбулах официальных документов*) принимáя во внимáние, поскóльку

whereat [weərˈæt] *adv* на э́то; затéм; пóсле э́того; о чём, на что

whereby [weəˈbaɪ] *adv* 1) *rel.* посрéдством чегó 2) *inter. уст.* посрéдством чегó?; как?, каки́м óбразом?

where'er [weərˈeə] *поэт. см.* wherever

wherefore [ˈweəfɔː] 1. *adv inter. поэт.* почемý?, по какóй причи́не?; для чегó?

2. *n* причи́на

wherein [ˈweərɪn] *adv книжн.* 1) *rel.* там, где 2) *inter. уст.* в чём?

whereof [weərˈɒv] *adv книжн.* 1) из котóрого 2) о котóром, о чём

wheresoe'er [,weəsəʊˈeə] *поэт. см.* wheresoever

wheresoever [,weəsəʊˈevə] *эмфатическая форма от* wherever

whereupon [,weərəˈpɒn] 1. *adv* на чём?; где?

2. *cj* пóсле чегó; вслéдствие чегó; тогдá

wherever [weərˈevə] 1. *adv* 1) где? 2) кудá?

2. *cj* где бы ни; кудá бы ни

wherewith [ˈweəwɪð] *adv уст.* чем, с пóмощью чегó

wherewithal [ˈweəwɪðɔːl] *n* (the ~) *разг.* необходи́мые срéдства, дéньги

wherry [ˈwerɪ] *n* лóдка, я́лик; баржá; бáрка

whet [wet] 1. *n* 1) тóчка, прáвка (*бритвы и т. п.*) 2) срéдство для возбуждéния аппети́та; глотóк спиртнóго

2. *v* 1) точи́ть, прáвить (*на оселке*) 2) разжигáть, раззадóрить; возбуждáть (*аппетит, желание*) ◇ to ~ one's whistle глотнýть спиртнóго, вы́пить, промочи́ть глóтку

whether [ˈweðə] 1. *cj* ли; I don't know ~ he is here я не знáю, здесь ли он ◇ ~ or no так и́ли инáче; во вся́ком слýчае

2. *pron уст.* котóрый (из двух)

whetstone [ˈwetstəʊn] *n* точи́льный кáмень

whew [fjuː] *int шутл.* вот так тáк!

whey [weɪ] *n* сы́воротка

whey-faced [ˈweɪfeɪst] *a* блéдный (*особ. от страха*)

which [wɪtʃ] *pron* 1) *inter.* котóрый?; какóй?; кто?; (*подразумевается выбор*); ~ of you am I to thank? когó из вас мне благодари́ть?; ~ way shall we go? в какýю стóрону мы пойдём? 2) *rel.* каковóй, котóрый, что; the book ~ you are talking about... кни́га, о котóрой вы говори́те... 3) *conj.* котóрый, какóй; что; I don't know ~ way we must take я не знáю, по какóй дорóге нам нáдо éхать

whichever [wɪtʃˈevə] *pron* 1) *inter.* какóй? 2) *conj.* какóй угóдно, какóй бы ни

whichsoever [wɪtʃsəʊˈevə] *эмфатическая форма от* whichever

whicker [ˈwɪkə] *v диал.* ржать

whiff I [wɪf] 1. *n* 1) дуновéние, струя́; a ~ of fresh air струя́ свéжего вóздуха 2) слáбый зáпах (*часто неприятный*) 3) дымо́к 4) сла́бые при́знаки надвига́ющегося сканда́ла *и т. п.* 5) *разг.* небольша́я сига́ра 6) затя́жка (*при курении*); to take a ~ or two затяну́ться разо́к-друго́й

2. *v* 1) ве́ять, слегка́ дуть 2) пуска́ть клубы́ (*дыма*); попы́хивать 3) издава́ть неприя́тный за́пах, пова́нивать

whiff II [wɪf] *n* пло́ская ры́ба (*общее название камбаловых рыб*)

whiff III [wɪf] *n* уче́бная го́ночная ло́дка-кли́нкер

whiffet [ˈwɪfɪt] *n амер. разг.* ничто́жество

whiffle [ˈwɪfl] *v* 1) дуть сла́бо (*особ. порывами — о ветре*) 2) колеба́ться; уви́ливать; проявля́ть нереши́тельность 3) посви́стывать, свисте́ть 4) развева́ть, рассе́ивать

whiffy [ˈwɪfɪ] *a разг.* попа́хивающий

Whig [wɪg] *n ист.* 1) виг 2) (*тж.* w.) либера́л

while [waɪl] **1.** *n* вре́мя, промежу́ток вре́мени; a long ~ до́лго; a short ~ недо́лго; for a ~ на вре́мя; for a good ~ на дово́льно до́лгий срок; in a ~ (*или* in a little ~) ско́ро; the ~ *поэт.* покуда; в то вре́мя как

2. *v*: ~ away безде́льничать; to ~ away the time (*или* a few hours) проводи́ть, корота́ть вре́мя

3. *cj* 1) пока́, в то вре́мя как; ~ in London he studied music когда́ он был в Ло́ндоне, он занима́лся му́зыкой 2) несмотря́ на то, что; тогда́ как; ~ the book was terribly dull, he would read it to the end хотя́ кни́га была́ невыноси́мо скучна́, он упря́мо продолжа́л чита́ть её до конца́

whiles [waɪlz] *cj уст.* пока́, в то вре́мя как

whilom [ˈwaɪləm] *уст.* **1.** *a* бы́вший, пре́жний

2. *adv* не́когда, во вре́мя о́но

whilst [waɪlst] *cj* пока́

whim [wɪm] *n* при́хоть, капри́з; причу́да

whimper [ˈwɪmpə] **1.** *n* хны́канье

2. *v* хны́кать

whimsical [ˈwɪmzɪkl] *a* 1) капри́зный; прихотли́вый 2) фантасти́ческий 3) причу́дливый, эксцентри́чный; he turned ~ в его́ поведе́нии ста́ли проявля́ться стра́нности

whimsicality [ˌwɪmzɪˈkælətɪ] *n* причу́ды, капри́зы; прихотли́вость

whimsy [ˈwɪmzɪ] **1.** *n* при́хоть, причу́да, капри́з

2. *a* = whimsical

whin I [wɪn] *n бот.* утёсник обыкнове́нный

whin II [wɪn] *n геол.* твёрдая компа́ктная поро́да

whine [waɪn] **1.** *n* жа́лобный вой; хны́канье

2. *v* 1) скули́ть, хны́кать, пла́каться 2) подвыва́ть, завыва́ть

winge [wɪndʒ] *разг. см.* whine

whinger [ˈwɪndʒə] *n* кинжа́л, коро́ткий меч

whinny [ˈwɪnɪ] **1.** *n* ти́хое *или* ра́достное ржа́ние

2. *v* ти́хо ржать

whip [wɪp] **1.** *n* 1) кнут, хлыст 2) *полит.* парла́ментский парти́йный организа́тор (*в Англии; тж.* party ~) 3) пове́стка парти́йного организа́тора о необходи́мости прису́тствовать на заседа́нии парла́мента; the ~s are off чле́ны парла́мента име́ют пра́во голосова́ть по своему́ усмотре́нию 4) (the ~) парти́йная дисципли́на и директи́вы (*члену парламента*) голосова́ть за кандида́та *или* мероприя́тие 5) взби́тые сли́вки, крем *и т. п.* 6) *охот.* выжля́тник 7) *мор.* подъёмный го́рдень 8) ку́чер; I am no ~ я не уме́ю хорошо́ пра́вить 9) обмётка (*петель и т. п.*) 10) ко́нный спорт 11) крыло́ ветряно́й ме́льницы

2. *v* 1) хлеста́ть, сечь 2) сбива́ть, взбива́ть (*сливки, яйца*) 3) подгоня́ть (*тж.* ~ up) 4) де́йствовать бы́стро 5) вбежа́ть, влете́ть; юркну́ть 6) *sl.* укра́сть, спере́ть 7) *разг.* поби́ть, победи́ть; превзойти́; to ~ creation превзойти́ всех сопе́рников 8) поднима́ть груз посре́дством во́рота, го́рденя 9) обмётывать, сшива́ть че́рез край 10) трепа́ться (*о парусе, флаге и т. п.*) 11) руга́ть; ре́зко критикова́ть 12) уди́ть ры́бу на му́шку (*тж.* to ~ a stream) 13) *разг.* пропусти́ть стака́нчик, опроки́нуть рю́мочку 14) заде́лывать коне́ц (*троса*) ма́ркой ▭ ~ **away** а) сбежа́ть; уе́хать; б) забира́ть, уводи́ть; в) вы́хватить (*оружие*); ~ **in** а) сгоня́ть, объединя́ть; б) вызыва́ть на заседа́ние; ~ **off** а) сбро́сить, сдёрнуть; б) убежа́ть; в) вы́гнать плетью; г) = 13); ~ **on** подстёгивать; ~ **out** а) вы́хватить (*оружие*); б) вы́скочить; сбежа́ть; в) вы́гнать плетью; г) произнести́ (*что-л.*) ре́зко и неожи́данно; to ~ out a reply ре́зко отве́тить; ~ **round** бы́стро поверну́ться; ~ **up** а) расшевели́ть; to ~ up emotions разжига́ть стра́сти; б) привлека́ть (*большую аудиторию, толпу и т. п.*); в) взбива́ть; г) подстёгивать; подгоня́ть; д) хвата́ть, выхва́тывать (*оружие*) ◇ to ~ into shape *амер. разг.* обучи́ть, «натаска́ть»; привести́ в ну́жный вид; to ~ round for subscriptions собира́ть де́ньги для кого́-л.

whipcord [ˈwɪpkɔ:d] *n* 1) бечёвка (*из которой делается плеть*) 2) *текст.* тяжёлый габарди́н 3) ткань для джи́нсов

whip hand [ˈwɪphænd] *n* рука́, держа́щая кнут; *перен.* преиму́щество, контро́ль; to have the ~ of (*или* over) smb. име́ть кого́-л. в по́лном подчине́нии

whip handle [ˈwɪphændl] *n* кнутови́ще; *перен.* преиму́щество, контро́ль

whiplash [ˈwɪplæʃ] *n* реме́нь кнута́; бечева́ пле́ти; to work under the ~ рабо́тать из-под па́лки

whipper-in [ˌwɪpərˈɪn] *n* 1) *охот.* выжля́тник, доезжа́чий 2) ло́шадь, прише́дшая после́дней (*на скачках, бегах*)

whippersnapper [ˈwɪpəˌsnæpə] *n* ничто́жество; «мальчи́шка»

whippet [ˈwɪpɪt] *n* го́нчая (соба́ка)

whipping [ˈwɪpɪŋ] **1.** *pres. p. от* whip 2

2. *n* 1) побо́и 2) обмётка, подши́вка че́рез край 3) *тех.* проги́б; провиса́ние

whipping boy [ˈwɪpɪŋbɔɪ] *n* козёл отпуще́ния

whipping-top [ˈwɪpɪŋtɒp] *n* волчо́к (*подстёгиваемый кнутиком*)

whip-poor-will [ˈwɪpəwɪl] *n* козодо́й жа́лобный (*птица*)

whippy [ˈwɪpɪ] *a* ги́бкий; упру́гий

whipsaw [ˈwɪpsɔ:] *n* лучко́вая пила́

whipster [ˈwɪpstə] *n* молокосо́с

whipstitch [ˈwɪpstɪtʃ] = whip 2, 9)

whir [wɜ:] = whirr

whirl [wɜ:l] **1.** *n* 1) круже́ние 2) вихрево́е движе́ние; вихрь; завихре́ние 3) спе́шка, сумато́ха 4) смяте́ние (*чувств*) 5) *разг.* попы́тка

2. *v* 1) верте́ть(ся); кружи́ть(ся) 2) произноси́ться; the car ~ed out of sight маши́на бы́стро скры́лась и́з виду 3) быть в смяте́нии ▭ ~ **away** уноси́ть(ся); ви́хрем промча́ться

whirlabout [ˈwɜ:ləbaʊt] *n* 1) враще́ние 2) юла́, волчо́к 3) *attr.* враща́ющийся

whirligig [ˈwɜ:lɪgɪg] **1.** *n* 1) юла́, верту́шка 2) карусе́ль 3) водоворо́т (*событий*); бы́страя сме́на (*впечатлений и т. п.*); ~ of time превра́тности судьбы́

2. *a* вихрево́й

whirlpool [ˈwɜ:lpu:l] *n* водоворо́т

whirlwind [ˈwɜ:lwɪnd] *n* 1) вихрь; смерч, урага́н 2) *attr.* вихрево́й, урага́нный

whirr [wɜ:] **1.** *n* 1) жужжа́ние 2) шум (*машин, крыльев*)

2. *v* 1) проноси́ться с шу́мом, сви́стом; вспа́рхивать (*с шумом*) 2) жужжа́ть 3) шуме́ть (*о машине и т. п.*)

whisk [wɪsk] **1.** *n* 1) коро́ткое бы́строе движе́ние 2) муто́вка, сбива́лка (*для яиц, крема и т. п.*) 3) ве́ничек; метёлочка

2. *v* 1) сма́хивать, сгоня́ть (*часто* ~ away, ~ off) 2) сбива́ть (*белки и т. п.*) 3) бы́стро уноси́ть 4) бы́стро удаля́ться; юркну́ть (*тж.* ~ out) 5) пома́хивать (*хвостом*)

whisker [ˈwɪskə] *n* (*обыкн. pl*) 1) бакенба́рды 2) усы́ (*кошки, тигра и т. п.*) 3) *разг.* небольшо́е расстоя́ние ◇ to have (*или* to have grown) ~s *разг.* ≅ «с бородо́й» (*об анекдоте и т. п.*)

whiskered [ˈwɪskəd] *a* 1) с бакенба́рдами 2) с уса́ми (*о кошке, тигре и т. п.*)

whisky [ˈwɪskɪ] *n* ви́ски

whisky sour [ˌwɪskɪˈsaʊə] *n* вид кокте́йля

whisper [ˈwɪspə] **1.** *n* 1) шёпот; to speak in a ~ говори́ть шёпотом 2) шо́рох, шурша́ние 3) слух, слушо́к, молва́; to give the ~ *разг.* намекну́ть

2. *v* 1) говори́ть шёпотом, шепта́ть 2) сообща́ть по секре́ту; шепта́ться; it is ~ed хо́дит слух 3) шелесте́ть, шурша́ть

whisperer [ˈwɪspərə] *n* спле́тник

whispering ['wɪspərɪŋ] **1.** *pres. p. от* whisper 2

2. *n* 1) шёпот, разговóр шёпотом; перешёптывание, шушýканье 2) слух, слушóк, сплéтни, молвá

whispering campaign ['wɪspərɪŋkæm-ˌpeɪn] *n* распространéние лóжных слýхов про своегó протúвника

whisperous ['wɪspərəs] *a* похóжий на шёпот

whist [wɪst] *n карт.* вист

whistle ['wɪsl] **1.** *n* 1) свист 2) свистóк; penny (*или* tin) ~ свистýлька 3) *sl.* гóрло, гортáнь; глóтка ◇ to pay for one's ~ дóрого платúть за своюю прúхоть; to blow the ~ on *разг.* а) пресéчь чьи-л. дéйствия; б) донестú, «накáпать»; as clear (*или* clean, dry) as a ~ ≅ как стёклышко

2. *v* 1) свистéть; давáть свистóк (*как сигнал*) 2) насвúстывать (*мотив и т. п.*) 3) проносúться со свúстом; a bullet ~d past him мúмо негó просвистéла пýля ▭ ~ away насвúстывать; ~ up вызывáть, подзывáть ◇ to ~ for smth. тщéтно искáть *или* желáть чегó-л.; to let smb. go ~ не считáться с чьúми-л. желáниями; to ~ for a wind выжидáть удóбного слýчая; to ~ in the dark а) ободрять, подбáдривать; б) напускáть на себя спокóйствие, маскировáть волнéние, страх *и т. п.*

whistler ['wɪslə] *n sl.* донóсчик

whistle stop ['wɪslstɒp] *n* 1) *амер.* полустáнок 2) останóвка в мáленьких местéчках для встрéчи с избирáтелями (*во время избирательной кампании*)

whistling ['wɪslɪŋ] **1.** *pres. p. от* whistle 2

2. *n* свист ◇ ~ in the dark показнóй оптимúзм; подбáдривание

3. *a* свистящий; ~ kettle чáйник со свисткóм

Whit [wɪt] *a церк.*: ~ Monday Дýхов день; ~ Sunday Трóицын день

whit [wɪt] *n* кáпелька, йóта; he is no (*или* never a, not a) ~ better емý ничýть не лýчше

white [waɪt] **1.** *a* 1) бéлый; ~ heat бéлое калéние (*тж. перен.*) 2) блéдный; to turn ~ побледнéть, побелéть 3) (W.) бéлый, белокóжий 4) седóй; серебрúстый 5) *разг.* невúнный, незапятнанный, чúстый 6) прозрáчный; бесцвéтный 7): ~ coffee кóфе с молокóм *или* слúвками 8) *ист.* бéлый, реакциóнный; белогвардéйский 9) безврéдный; без злóго ýмысла; ~ lie безврéдная ложь 10) *ист. разг.* чéстный, прямóй, благорóдный; ~ man порядочный человéк ◇ ~ fury неúстовство, бéшенство, ярость; ~ light а) дневнóй свет; б) беспристрáстное суждéние; ~ night ночь без сна; ~ sheet *уст.* покаянная одéжда; to stand in a ~ sheet публúчно кáяться; ~ slave «бéлая рабыня», проститýтка; ~ crow бéлая ворóна, рéдкость; ~ squall внезáпный шквал (*в тропиках*)

2. *n* 1) бéлый цвет; белизнá 2) бéлый материáл; бéлое плáтье *и т. п.* 3) *шахм.* бéлые фигýры; игрóк, игрáющий бéлыми 4) белóк (*яйца; тж.* ~ of the egg) 5) белóк (*глаза; тж.* ~ of the eye) 6) (W.) бéлый (*человек*); белокóжий 7) *полигр.* пробéл 8) бéлая крáска, белúла 9) чистотá, непорóчность 10) *бот.* заболонь

whitebait ['waɪtbeɪt] *n* малёк; мóлодь; снетóк

white book [ˌwaɪt'bʊk] *n амер.* Бéлая кнúга (*сборник официальных документов*)

white coal [ˌwaɪt'kəʊl] *n* бéлый ýголь, гидроэнéргия

white-collar [ˌwaɪt'kɒlə] *a*: ~ job рабóта в учреждéнии; ~ worker слýжащий

whitefish ['waɪtfɪʃ] *n* сиг

white frost [ˌwaɪt'frɒst] *n* úней

Whitehall ['waɪthɔːl] *n* 1) Уáйтхолл (*улица в Лондоне, на которой расположены правительственные учреждения*) 2) английское правúтельство

white-handed [ˌwaɪt'hændɪd] *a* чéстный

whitehead ['waɪthed] *n разг.* прыщ, нарыв

white-headed ['waɪthedɪd] *a* 1) седóй 2) светловолóсый

white horses [ˌwaɪt'hɔːsɪz] *n* барáшки (*на море*)

white-hot [ˌwaɪt'hɒt] *a* раскалённый добелá, доведённый до бéлого калéния

White House ['waɪthaʊs] *n* Бéлый дом (*резиденция президента США*)

white lady [ˌwaɪt'leɪdɪ] *n* вид коктéйля

white lead [ˌwaɪt'led] *n* свинцóвые белúла

white-lipped [ˌwaɪt'lɪpt] *a* с побелéвшими (от стрáха) губáми

white-livered [ˌwaɪt'lɪvəd] *a* малодýшный, труслúвый

white meat [ˌwaɪt'miːt] *n* бéлое мясо (*курица, телятина и т. п.*)

whiten ['waɪtn] *v* 1) белúть 2) отбéливать 3) побелéть; (по)бледнéть

whiteness ['waɪtnəs] *n* 1) белизнá; бéлый цвет 2) блéдность 3) чистотá, незапятнанность

whitening ['waɪtnɪŋ] **1.** *pres. p. от* whiten

2. *n* 1) мел 2) белéние, побéлка

White Paper [ˌwaɪt'peɪpə] *n* «Бéлая кнúга» (*англ. официальное издание*)

whites [waɪts] *n pl* 1) бéлая мукá высшего сóрта 2) *мед.* бéли 3) халáт, одéжда (*медработника*)

whitesmith ['waɪtsmɪθ] *n* жестян(щ)ик; лудúльщик

whitethorn ['waɪtθɔːn] *n* боярышник

whitethroat ['waɪtθrəʊt] *n* слáвка (*птица*)

whitewash ['waɪtwɒʃ] **1.** *n* 1) известкóвый раствóр (*для побелки*) 2) побéлка 3) обелéние, замáзывание (*чьих-л.*) недостáтков 4) реабилитáция; восстановлéние (*банкрота*) в правáх 5) *амер. спорт.* «сухáя» (*о выигрыше*) 6) *sl.* стакáн шéрри (*выпитый после других вин*)

2. *v* 1) белúть 2) пытáться обелúть (*кого-л.*), скрыть недостáтки 3) *амер. спорт.* выигрáть «всухýю»

white wedding [ˌwaɪt'wedɪŋ] *n* свáдебная церемóния, все атрибýты котóрой подчёркивают непорóчность невéсты

white whale [ˌwaɪt'weɪl] *n зоол.* белýха

whitewing [ˌwaɪt'wɪŋ] *n амер.* убóрщик ýлиц

Whitey ['waɪtɪ] *n* (*pl* -s[-z]) *sl. презр.* 1) бéлый (*о человеке*) 2) *собир.* бéлые

whither ['wɪðə] *уст.* **1.** *adv inter.* кудá?; ~ did they go? кудá онú отпрáвились?

2. *cj* кудá; go ~ you will идúте, кудá вам угóдно

3. *n* мéсто назначéния

whithersoever [ˌwɪðəsəʊ'evə] *adv уст.* кудá бы ни

whiting I ['waɪtɪŋ] *n* мел (*для побелки, чистки и т. п.*)

whiting II ['waɪtɪŋ] *n* мерлáнг (*рыба*)

whitish ['waɪtɪʃ] *a* белéсый, бел(ес)овáтый

whitlow ['wɪtləʊ] *n мед.* панарúций

Whitsuntide ['wɪtsntaɪd] *n церк.* недéля пóсле Трóицына дня (*особ. первые три дня*)

whittle ['wɪtl] **1.** *n уст.* нож мясникá

2. *v* строгáть *или* оттáчивать ножóм (*дерево*); to ~ at smth. снимáть стрýжку с чегó-л. ▭ ~ away сточúть; *перен.* свестú на нéт; to ~ away the distinction between уничтóжить разлúчие мéжду; ~ down = ~ away

whity- [waɪtɪ-] *в сложных словах* свéтло-, беловáто-; ~-brown свéтло-корúчневый

whiz [wɪz] **1.** *n* 1) свист (*рассекаемого воздуха*) 2) *разг.* молодчúна; лóвкий человéк; he is a ~ at chess он здóрово игрáет в шáхматы 3) *амер. sl.* нéчто замечáтельное

2. *v* 1) просвистéть 2) проносúться со свúстом; bullets ~ed past пýли просвистéли рядом

whiz-bang ['wɪzbæŋ] *n воен. разг.* снаряд, гранáта

whiz-kid ['wɪzkɪd] *n* одарённый человéк (*который несмотря на молодость уже пользуется известностью*), ≅ восходящая звездá

whizz [wɪz] = whiz

who [huː] *pron* (*косв. п.* whom) 1) *inter.* кто?; ~ is there? кто там?; whom did you see? когó вы вúдели?; whom (*или разг.* ~) do you mean? когó вы имéете в видý?; ~ did you give it to? комý вы éто дáли? 2) *rel.* котóрый, кто; the man whom you saw... человéк, котóрого вы вúдели... 3) *conj.* а) котóрый, кто; do you know ~ has come? знáете ли вы, кто пришёл?; to know ~ is ~ знать, что кáждый собóй представляéт; б) тот, кто; те, кто; ~ breaks pays кто разобьёт, тот заплáтит ◇ W.'s W. биографúческий спрáвочник совремéнников; W. was W. биографúческий спрáвочник умéрших; as ~ should say как мóжно бы́ло бы сказáть

whoa [wəʊ] *int* тпру!

who'd [huːd] = who had; who would

whodun(n)it [ˌhuːˈdʌnɪt] *n разг.* детекти́вный рома́н, фильм *и т. п.*

whoe'er [hʊˈeə] *поэт. см.* whoever

whoever [hʊˈevə] *pron indef.* (*косв. п.* whomever) кто бы ни, кото́рый бы ни

whole [həʊl] **1.** *n* 1) це́лое; on (*или* upon) the ~ в це́лом; в о́бщем; taken as a ~ рассма́триваемый в це́лом 2) всё (*часто* ~ of); I cannot tell you the ~ (of it) я не могу́ сказа́ть вам всего́ 3) (the ~ of) все; the ~ of London knows it весь Ло́ндон э́то зна́ет

2. *a* 1) невреди́мый, це́лый 2) це́лый, весь; ~ number *мат.* це́лое число́; a ~ lot *разг.* мно́го; the ~ world весь мир; with one's ~ heart всем се́рдцем; ре́вностно 3) це́льный, неснято́й (*о молоке*) 4) родно́й, кро́вный; a ~ brother родно́й брат 5) непросе́янный (*о муке*) 6) *уст.* здоро́вый; ~ effect поле́зное де́йствие ◇ to be the ~ show *амер.* игра́ть гла́вную роль

whole-coloured [ˌhəʊlˈkʌləd] *a* одноцве́тный

wholehearted [ˌhəʊlˈhɑːtɪd] *a* и́скренний; иду́щий от всего́ се́рдца, от всей души́

whole-hogger [ˌhəʊlˈhɒgə] *n* 1) челове́к, де́лающий всё основа́тельно 2) *полит.* убеждённый сторо́нник (*чего-л.*)

whole-hoofed [ˌhəʊlˈhuːft] *a зоол.* однокопы́тный

whole-length [ˌhəʊlˈleŋθ] **1.** *n* портре́т во весь рост

2. *a* во весь рост

wholemeal [ˈhəʊlmiːl] *n* 1) непросе́янная мука́ 2) *attr.* сде́ланный из непросе́янной муки́; ~ bread хлеб из непросе́янной муки́

wholesale [ˈhəʊlseɪl] **1.** *n* опто́вая торго́вля; by (*амер.* at) ~ о́птом; в больши́х коли́чествах

2. *a* 1) опто́вый; ~ dealers опто́вые торго́вцы; ~ prices опто́вые це́ны 2) ма́ссовый, в больши́х разме́рах; ~ slaughter резня́

3. *v* вести́ опто́вую торго́влю

4. *adv* о́птом; в больши́х разме́рах; to sell ~ продава́ть о́птом

wholesome [ˈhəʊlsəm] *a* 1) поле́зный; благотво́рный; здоро́вый; здра́вый; ~ advice поле́зный сове́т 2) *sl.* безопа́сный

whole-souled [ˌhəʊlˈsəʊld] *a* 1) благоро́дный, и́скренний 2) безразде́льный

wholly [ˈhəʊlɪ] *adv* по́лностью, целико́м; I do not ~ agree я не совсе́м согла́сен

whom [huːm] *косв. п. от* who

whomever [huːmˈevə] *косв. п. от* whoever

whomsoever [ˌhuːmsəʊˈevə] *косв. п. от* whosoever

whoop [wuːp] **1.** *n* 1) во́зглас, восклица́ние; ~ of laughter взрыв сме́ха 2) коклю́шный ка́шель ◇ not worth a ~ гроша́ ло́маного не сто́ит

2. *v* 1) крича́ть, выкри́кивать 2) ка́шлять 3) приве́тствовать ра́достными во́згласами; to ~ with joy вскри́кнуть от ра́дости 4) ги́кать ◇ to ~ it (*или* things) up зате́ять ссо́ру; шуме́ть, буя́нить

whoopee [ˈwʊpiː] *n разг.* 1) во́зглас (*восторга и т. п.*) 2) кутёж; гуля́нка; to make ~ кути́ть

whooping cough [ˈhuːpɪŋkɒf] *n* коклю́ш

whop [wɒp] *v sl.* 1) бить, колоти́ть 2) одоле́ть, победи́ть 3) шлёпнуться 4) кру́то поверну́ть; бро́ситься в сто́рону

whopper [ˈwɒpə] *n sl.* 1) грома́дина 2) на́глая ложь

whopping [ˈwɒpɪŋ] *sl.* **1.** *pres. p. от* whop

2. *a* огро́мный; a ~ lie чудо́вищная ложь

3. *adv* о́чень, ужа́сно; a ~ big fish здорове́нная ры́бина

whore [hɔː] **1.** *n* 1) проститу́тка 2) *презр.* шлю́ха 3) блудни́ца

2. *v* развра́тничать, распу́тничать

whoredom [ˈhɔːdəm] *n* 1) блуд, распу́тство; проститу́ция 2) *рел.* е́ресь

whorehouse [ˈhɔːhaʊs] *n* борде́ль, барда́к

whoreson [ˈhɔːsn] *n разг.* подле́ц, су́кин сын

whorl [wɜːl] *n* 1) кольцо́ ли́стьев (*вокруг стебля*); муто́вка 2) завито́к (*раковины, улитки*) 3) пальцево́й узо́р; to indentify a criminal by the ~s of his fingerprints установи́ть ли́чность престу́пника по отпеча́ткам па́льцев 4) *текст.* блок веретена́

whortleberry [ˈwɜːtlˌberɪ] *n* черни́ка; bog ~ голуби́ка; red ~ брусни́ка

whose [huːz] *pron poss.* чей, чья, чьё, чьи

whosesoever [ˌhuːzsəʊˈevə] *pron poss.* чей бы ни

whoso [ˈhuːsəʊ] *уст.* = whoever

whosoe'er [ˌhuːsəʊˈeə] *поэт. см.* whosoever

whosoever [ˌhuːsəʊˈevə] *pron indef.* (*косв. п.* whomsoever) кто бы ни, кото́рый бы ни

why [waɪ] **1.** *adv* 1) *inter.* почему́?; ~ so? по како́й причи́не? на како́м основа́нии? 2) *rel.* почему́; I can think of no reason ~ you shouldn't go there почему́ бы вам не пойти́ туда́? 3) *conj.* почему́; I don't know ~ they are late не зна́ю, почему́ они́ опа́здывают

2. *int выражает*: 1) *удивление*: ~, it is Jones! да ведь э́то Джо́унз! 2) *нетерпение*: ~, of course I do ну коне́чно, да 3) *нерешительность*: ~, yes, I think so как вам сказа́ть? Я ду́маю, да 4) *возражение или аргумент*: ~, what is the harm? ну так что ж за беда́?

3. *n* (*pl* ~s [-z]) 1) основа́ние, причи́на; to go into the ~s and wherefores of it углубля́ться в причи́ны 2) зага́дка, зада́ча

wick [wɪk] *n* 1) фити́ль 2) тампо́н

wicked [ˈwɪkɪd] **1.** *a* 1) гре́шный; нечи́стый; the ~ one нечи́стый, дья́вол, сатана́ 2) злой; нехоро́ший; безнра́вственный; испо́рченный 3) свире́пый (*о животном*) 4) озорно́й, шаловли́вый, плуто́вской 5) *разг.* неприя́тный, проти́вный (*о запахе и т. п.*) 6) опа́сный (*о ране, ударе и т. п.*) 7) *sl.* отли́чный, замеча́тельный

2. *n* (the ~) *pl собир.* нечести́вцы

wickedness [ˈwɪkɪdnəs] *n* 1) зло́бность 2) зла́я вы́ходка, злой посту́пок

wicker [ˈwɪkə] *n* 1) пру́тья для плете́ния 2) плетёная корзи́нка 3) *attr.* плетёный; ~ chair плетёный стул

wickerwork [ˈwɪkəwɜːk] *n* плете́ние, плетёные изде́лия

wicket [ˈwɪkɪt] *n* 1) воро́тца (*в крикете*) 2) кали́тка 3) турнике́т 4) *амер.* задвижно́е око́шко (*в двери*); око́шко (*кассы*)

wicketkeeper [ˈwɪkɪtˌkiːpə] *n* игро́к, охраня́ющий воро́тца (*в крикете*)

wickiup [ˈwɪkɪʌp] *n амер.* 1) хи́жина (*индейцев*) 2) хиба́рка, шала́ш

wide [waɪd] **1.** *a* 1) широ́кий 2) *такой-то* ширины́; 3. ft. ~ в 3 фу́та ширино́й 3) большо́й, обши́рный; просто́рный; the ~ world весь свет; ~ interests разносторо́нние интере́сы 4) широко́ откры́тый (*о глазах и т. п.*) 5) далёкий

2. *adv* 1) широко́, повсю́ду (*тж.* far and ~) 2) далеко́; ~ apart на большо́м расстоя́нии друг от дру́га; ~ of the truth далеко́ от и́стины 3) ми́мо це́ли (*тж.* ~ of the mark) 4) широ́ко́; to open the window ~ распахну́ть на́стежь окно́

wide-awake [ˌwaɪdəˈweɪk] *a* 1) бо́дрствующий, недре́млющий 2) *разг.* начеку́, бди́тельный; осмотри́тельный

wideawake [ˈwaɪdəweɪk] *n разг.* широкопо́лая фе́тровая шля́па

wide-eyed [ˌwaɪdˈaɪd] *a* с широко́ откры́тыми глаза́ми (*от изумления и т. п.*)

widen [ˈwaɪdn] *v* расширя́ть(ся); to ~ one's outlook расширя́ть свой кругозо́р

wide-open [ˌwaɪdˈəʊpən] *a* 1) широко́ откры́тый; with ~ eyes с широко́ раскры́тыми глаза́ми (*от изумления и т. п.*) 2) незащищённый 3) *амер.* допуска́ющий аза́ртные и́гры, прода́жу спиртны́х напи́тков *и т. п.*; ~ town го́род, в кото́ром разрешена́ прода́жа спиртны́х напи́тков и аза́ртные и́гры

widespread [ˈwaɪdspred] *a* широко́ распространённый

widgeon [ˈwɪdʒən] *n* ди́кая у́тка

widish [ˈwaɪdɪʃ] *a* широкова́тый

widow [ˈwɪdəʊ] **1.** *n* вдова́ ◇ ~'s mite вдо́вья ле́пта; скро́мная до́ля; ~'s cruse неиссяка́емый запа́с

2. *v* 1) де́лать вдово́й, вдовцо́м 2) лиша́ть, отнима́ть; обездо́лить

widowed [ˈwɪdəʊd] **1.** *past и p. p. от* widow 2

2. *a* овдове́вший

widower [ˈwɪdəʊə] *n* вдове́ц

widowhood [ˈwɪdəʊhʊd] *n* вдовство́

widow's walk [ˌwɪdəʊzˈwɔːk] *n* площа́дка с пери́льцами на кры́ше до́ма

width [wɪdθ] *n* 1) ширина́; широта́; расстоя́ние 2) широта́ (*взглядов и т. п.*) 3) поло́тнище, полоса́ 4) *тех.* пролёт 5) *горн.* мо́щность (*жилы или пласта*)

wield [wiːld] *v* владе́ть, име́ть в рука́х

(*тж. перен.*); to ~ an axe работать топором; to ~ the sceptre править государством; to ~ power (*или* authority) обладать властью; to ~ a formidable pen владеть острым пером

wieldly ['wi:ldlı] *a* легко управляемый; послушный

Wienerwurst [,wi:nə'wз:st] *n* копчёные колбаски

wife [waıf] *n* (*pl* wives) 1) жена; to have (*или* to take) to ~ *уст.* взять в жёны, жениться 2) *уст.* женщина; old wives' tales бабьи сплетни, бабушкины сказки

wifeless ['waıfləs] *a* 1) овдовевший 2) холостой

wifely ['waıflı] *a* свойственный, подобающий жене

wig [wıg] *n* 1) парик 2) *шутл.* волосы ◇ ~s on the green общая свалка, драка

wigging ['wıgıŋ] *n разг.* разнос, нахлобучка, нагоняй

wiggle ['wıgl] *разг.* **1.** *n* покачивание, ёрзание

2. *v* покачивать(ся); извиваться, ёрзать

wiggle-waggle ['wıgl,wægl] = wiggle

wight [waıt] *n уст.* человек, существо

wigwag ['wıgwæg] *разг.* **1.** *n* сигнализация флажками

2. *v* 1) двигаться взад и вперёд 2) сигнализировать флажками, семафорить

wigwam ['wıgwæm] *n* вигвам

wild ['waıld] **1.** *a* 1) дикий; ~ flower полевой цветок 2) невозделанный; необитаемый 3) *разг.* распущенный, безнравственный; ~ fellow повеса 4) находящийся в беспорядке, растрёпанный; ~ hair растрёпанные волосы 5) штормовой, бурный 6) *разг.* бешеный, неистовый; раздражённый; безумный; исступлённый; to be ~ about smth. быть без ума от чего-л.; in ~ spirits в возбуждённом состоянии; it drives me ~ это приводит меня в бешенство; ~ with joy вне себя от радости 7) бурный, буйный, необузданный 8) необдуманный, сделанный наугад; ~ scheme сумасбродный план; ~ shot выстрел наугад; ~ guesses а) домыслы; б) смутные догадки 9) пугливый (*о животных, птицах и т. п.*) 10) *разг.* волнующий, восхитительный ◇ to run ~ а) зарастать; б) расти недорослем, без образования; в) вести распутный образ жизни

2. *adv* наугад, как попало

3. *n* (the ~s) пустыня, дебри; in the ~s of Africa в дебрях Африки

wildcat ['waıldkæt] **1.** *n* 1) вспыльчивый, необузданный человек 2) *амер.* рыжая рысь 3) рискованное предприятие 4) скважина, пробурённая наугад

2. *a* 1) (*преим. амер.*) рискованный, фантастический (*план и т. п.*) 2) незаконный, не соответствующий договору, несанкционированный; ~ strike забастовка, проведённая рабочими без разрешения профсоюза 3) *амер. ж.-д.* идущий не по расписанию

wild duck [,waıld'dʌk] *n* дикая утка, кряква

wildebeest ['vıldəbi:st] *n* гну (*животное*)

wilderness ['waıldənəs] *n* 1) пустыня; дикая местность 2) запущенная часть сада 3) масса, множество ◇ a voice in the ~ *библ.* глас вопиющего в пустыне

wildfire ['waıldfaıə] *n ист.* греческий огонь; to spread like ~ распространяться со сверхъестественной быстротой (*о слухах, сплетнях и т. п.*)

wildfowl ['waıldfaʊl] *n* дичь

wild-goose [,waıld'gu:s] *n* дикий гусь ◇ ~ chase сумасбродная затея, погоня за недостижимым, за несбыточным

wilding ['waıldıŋ] *n бот.* 1) дичок 2) плод дикой яблони, груши *и т. п.* 3) *attr.* дикий

wildlife ['waıldlaıf] *n* 1) живая природа (*лес, поле, пустыня, океан и их обитатели*) 2) *attr.*: a ~ sanctuary заказник, заповедник

wild oat(s) [,waıld'əʊt(s)] *n бот.* овсюг ◇ to sow one's ~s отдаваться увлечениям юности; he has sown his ~s он перебесился, остепенился

wile [waıl] **1.** *n* (*обыкн. pl*) хитрость, уловка; обман

2. *v* заманивать, завлекать ◇ to ~ away the time приятно проводить время, развлекаться

wilful ['wılfl] *a* 1) преднамеренный; ~ murder предумышленное убийство 2) упрямый; своенравный, своевольный

will I [wıl] **1.** *n* 1) воля; сила воли; the ~ to live воля к жизни; ~ can conquer habit (дурную) привычку можно преодолеть силой воли 2) воля, твёрдое намерение; желание; against one's ~ против воли; at ~ по желанию, как угодно; what is your ~? каково ваше желание?; to have one's ~ добиться своего; a ~ of one's own своеволие; of one's own free ~ добровольно, по собственному желанию 3) энергия, энтузиазм; to work with a ~ работать с энтузиазмом 4) завещание; to make (*или* to draw up) one's ~ сделать завещание; one's last ~ and testament последняя воля (*юридическая формула в завещании*) 5) отношение (*к кому-л.*); good (ill) ~ хорошее (плохое) отношение ◇ where there is a ~ there is a way ≅ где хотение, там и умение; было бы желание, а возможность найдётся; to take the ~ for the deed довольствоваться обещаниями

2. *v* (willed [-d]) 1) проявлять волю; хотеть, желать; let him do what he ~ пусть он делает, что хочет; he who ~s success is halfway to it воля к успеху есть залог успеха 2) заставлять, велеть, внушать; to ~ oneself to fall asleep заставить себя заснуть 3) завещать

will II [wıl] *v* (would) 1) *вспомогательный глагол; служит для образования будущего времени во 2 и 3 л. ед. и мн.ч.*: he ~ come at two o'clock он придёт в два часа 2) *в сочетании с другими глаголами выражает привычное действие; часто не переводится*: boys ~ be boys мальчики — всегда мальчики; accidents ~ happen всегда бывают несчастные случаи; he ~ smoke his pipe after dinner после обеда он обыкновенно курит трубку 3) *модальный глагол выражает*: а) *намерение, решимость, обещание* (*особ. в 1 л. ед. и мн. ч.*): I ~ let you know я непременно извещу вас; б) *предположение, вероятность*: you ~ be Mrs. Smith? вы, вероятно, миссис Смит? ◇ ~ do! *разг.* будет сделано!

-willed [-wıld] *в сложных словах*: self-willed своевольный; ill-willed злонамеренный

willies ['wılız] *n pl* (*обыкн.* the ~) *разг.* нервное состояние, нервная дрожь; to give the ~ вызывать нервную дрожь

willing ['wılıŋ] **1.** *pres. p. от* will I, 2

2. *a* 1) готовый (*сделать что-л.*); охотно делающий что-л. 2) добровольный; ~ help охотно оказанная помощь 3) старательный; ~ worker старательный работник ◇ ~ horse работяга

3. *n* готовность, энтузиазм

willingly ['wılıŋlı] *adv* охотно, с готовностью

willingness ['wılıŋnəs] *n* готовность

will-o'-the-wisp [,wıləðə'wısp] *n* 1) блуждающий огонёк 2) нечто обманчивое, неуловимое

willow ['wıləʊ] *n* 1) ива 2) бита (*в крикете, бейсболе*) ◇ to wear the ~ носить траур; горевать по возлюбленному

willowherb ['wıləʊhз:b] *n бот.* кипрей узколистный; иван-чай

willow pattern ['wıləʊ,pætn] *n* 1) трафаретный китайский рисунок на фарфоре 2) посуда с трафаретным китайским рисунком

willowy ['wıləʊı] *a* 1) заросший ивняком 2) гибкий и тонкий (*о человеке*)

willpower ['wıl,paʊə] *n* сила воли

willy ['wılı] *n sl.* (половой) член

willy-nilly [,wılı'nılı] *adv* волей-неволей

willy-willy [,wılı'wılı] *n австрал.* тропический шторм; ураган

wilt I [wılt] *уст. 2-е л. ед. ч. настоящего времени гл.* will II

wilt II [wılt] **1.** *n* 1) вилт (*увядание растений*) 2) слабость, вялость

2. *v* 1) вянуть, поникать 2) (по)губить (*цветы*) 3) слабеть, ослабевать 4) терять присутствие духа

Wilton ['wıltən] *n* род пушистого ковра (*тж.* ~ carpet)

wily ['waılı] *a* лукавый, хитрый; коварный

wimble ['wımbl] *n* 1) бурав 2) коловорот

wimple ['wımpl] *n* плат, апостольник (*на голове монахини*)

win [wın] **1.** *n* выигрыш; победа (*в игре и т. п.*)

2. *v* (won) 1) выиграть; победить, одержать победу; to ~ the battle выиграть сражение; to ~ the day (*или* the field) *уст.* одержáть побéду; to ~ all hearts завоевáть, покорить все сердцá (*или* всех); to ~ by a head опередить на гóлову (*на скачках*); вырвать побéду; to ~ clear (*или* free) с трудóм выпутаться, освободиться; вырваться; to ~ hands down, to ~ in a canter выиграть с лёгкостью; легкó достигнуть побéды 2) добирáться, достигáть; to ~ the shore достигнуть бéрега, добрáться до бéрега 3) добиться; достигнуть; приобрести, получить, заработать; to ~ consent добиться соглáсия; to ~ one's way пробить себé дорóгу; добиться успéха; to ~ respect добиться уважéния 4) уговорить, убедить; you have won me вы меня убедили 5) добывáть (*руду*) ▭ ~ **out** = ~ through; ~ **over** склонить на свою стóрону; расположить к себé; ~ **through** пробиться; преодолéть (*трудности*); ~ **upon** постепéнно завоёвывать (*симпатию, признание и т. п.*)

wince [wɪns] **1.** *n* содрогáние, вздрáгивание

2. *v* вздрáгивать, мóрщиться (*от боли*)

wincey ['wɪnsɪ] *n* прóчная полушерстянáя матéрия, идущая на сорóчки, юбки *и т. п.*

winch [wɪntʃ] *тех.* **1.** *n* 1) лебёдка, вóрот 2) рукоятка в виде кривошипа

2. *v* поднимáть с пóмощью лебёдки

Winchester ['wɪntʃɪstə] *n* винчéстер (*род винтовки*; *тж.* ~ rifle)

winchester disk ['wɪntʃɪstədɪsk] *n вчт.* винчéстер

wind I [wɪnd, *поэт. часто* waɪnd] **1.** *n* 1) вéтер; fair (strong) ~ попутный (сильный) вéтер; ~ and weather непогóда; before (*или* down) the ~ по вéтру; in the ~'s eye, in the teeth of the ~ прямо прóтив вéтра; close to (*или* near) the ~ а) *мор.* в крутóй бейдевинд; б) на грáни порядочности *или* пристóйности, на скóльзком пути; like the ~ быстро, как вéтер, стремительно; to take the ~ out of one's sails а) *мор.* отнять вéтер; б) ≅ выбить пóчву из-под ног; постáвить в безвыходное положéние; помешáть 2) дыхáние; to get (*или* to recover) one's ~ отдышáться; to lose ~ запыхáться; he has a bad ~ он страдáет одышкой; second ~ а) *спорт.* вторóе дыхáние; б) спокóйствие и увéренность; to fetch one's second ~ опрáвиться, спрáвиться с послéдствиями; прийти в себя 3) пустые словá; вздор; his speech was ~ егó речь былá бессодержáтельна 4) *мед.* вéтры, гáзы, метеоризм 5) ток вóздуха (*напр., в оргáне*), воздýшная струя 6) (the ~) духовые инструмéнты 7) зáпах, дух 8) слух; намёк; there is smth. in the ~ а) в вóздухе что-то нóсится; б) хóдят какие-то слухи; to get ~ of smth. пронюхать, почуять что-л.; узнáть (*по слухам и т. п.*) 9) *тех.* дутьё ◇ the four ~s стрáны свéта; from the four ~s со всех сторóн; to fling (*или* to cast) to the ~s отбрóсить (*благоразумие и т. п.*); to get (*или* to take) ~ стать извéстным, распространиться; to get the ~ of имéть преимýщество пéред; to get the ~ up утрáтить спокóйствие, испугáться; to put the ~ up испугáть (*кого-л.*); to raise the ~ раздобыть дéнег; between ~ and water наибóлее уязвимое мéсто; to be in the ~ подвыпить; to catch the ~ in a net ≅ переливáть из пустóго в порóжнее; зря старáться; gone with the ~ исчéзнувший бесслéдно; to hang in the ~ колебáться; to scatter to the ~s а) нанести сокрушительное поражéние; б) промотáть

2. *v* (winded [-ɪd]) 1) застáвить задохнуться; вызвать одышку; I am ~ed by run-ning я задыхáюсь от бéга 2) дать перевести дух; a brief stop to ~ the horses мáленькая остановка, чтобы дать передохнýть лошадям 3) чуять; идти по слéду 4) [waɪnd] (*past и p. p. тж.* wound) *поэт.* игрáть на духовóм инструмéнте, трубить 5) сушить на ветрý; провéтривать

wind II [waɪnd] **1.** *n* 1) оборóт 2) поворóт 3) витóк; извилина

2. *v* (wound) 1) виться, извивáться 2) намáтывать; обмáтывать, обвивáть; мотáть; she wound her arms round the child онá заключила ребёнка в свои объятия 3) заводить (*часы*; *тж.* ~ up) 4) поднимáть, тянуть при пóмощи лебёдки *и т. п.* 5) вертéть, поворáчивать, крутить ▭ ~ **off** размáтывать(ся); ~ **up** а) смáтывать; б) заводить (*часы*); в) заводиться; I'm afraid he's wound up ну, он тепéрь завёлся (на час); тепéрь егó не останóвишь; г) *разг.* взвинчивать; д) закáнчивать; завершáть; е) ликвидировать (*предприятие и т.п.*) ◇ to ~ oneself (*или* one's way) into smb.'s trust (affection, *etc.*) вкрáдываться, втирáться в чьё-л. довéрие (расположéние *и т. п.*); to ~ round one's (little) finger обвести вокрýг пáльца

windage ['wɪndɪdʒ] *n* 1) сопротивлéние вóздуха 2) снос (*снаряда*) вéтром 3) надвóдная часть сýдна

windbag ['wɪndbæg] *n* 1) *разг.* болтýн, пустозвóн 2) *шутл.* груднáя клéтка

windbound ['wɪndbaʊnd] *a мор.* задéржанный противными вéтрами

windbreak ['wɪndbreɪk] *n* 1) щит, ветролóм 2) защитная лесополосá (*вдоль дороги и т. п.*)

wind-breaker ['wɪnd,breɪkə] *амер.* = windcheater

windcheater ['wɪnd,tʃi:tə] *n* ветрóвка, ветронепроницáемая кýртка (*с вязаными манжетами и воротником*)

winder I ['waɪndə] *n* 1) заводнóй ключ 2) вьющееся растéние 3) ступéнька винтовóй лéстницы 4) *текст.* мотáльная машина 5) *текст.* мотáльщик

winder II ['waɪndə] *n* трубáч

winder III ['wɪndə] *n sl.* сильный удáр

windfall ['wɪndfɔ:l] *n* 1) плод, сбитый вéтром; пáданец 2) неожиданная удáча, *особ.* неожиданно полýченные дéньги 3) ветровáл, бурелóм

windflaw ['wɪndflɔ:] *n* порыв вéтра

windflower ['wɪnd,flaʊə] *n* анемóн (*цветок*)

wind-gauge ['wɪndgeɪdʒ] *n* анемóметр

windhover ['wɪnd,hɒvə] *n* пустельгá (*птица*)

winding I ['wɪndɪŋ] *pres. p. от* wind I, 2, 1), 2), 3) *и* 5)

winding II ['waɪndɪŋ] **1.** *pres. p. от* wind I, 2, 4) *и* II, 2

2. *n* 1) извилина, изгиб, поворóт 2) намáтывание 3) *эл.* обмóтка

3. *a* извилистый; витóй, спирáльный

winding-sheet ['waɪndɪŋʃi:t] *n* сáван

wind instrument ['wɪnd,ɪnstrəmənt] *n* духовóй инструмéнт

windjammer ['wɪnd,dʒæmə] *n* пáрусное сýдно

windlass ['wɪndləs] *n тех.* брáшпиль; лебёдка, вóрот

windless ['wɪndləs] *a* безвéтренный; ~ day безвéтренный день

windmill ['wɪndmɪl] *n* 1) ветрянáя мéльница; to fight (*или* to tilt at) ~s сражáться с ветряными мéльницами, донкихóтствовать 2) *ав. жарг.* вертолёт

window ['wɪndəʊ] *n* 1) окнó 2) витрина 3) *attr.* окóнный ◇ to have all one's goods in the (front) ~ а) выставлять всё напокáз; б) быть повéрхностным человéком; out of the ~ *разг.* сбрóшенный со счетóв, утрáтивший своё значéние

windowbox ['wɪndəʊbɒks] *n* нарýжный ящик для растéний

window dressing ['wɪndəʊ,dresɪŋ] *n* 1) украшéние витрин 2) умéние показáть товáр лицóм

window-pane ['wɪndəʊpeɪn] *n* окóнное стеклó

window-shopping ['wɪndəʊʃɒpɪŋ] *n* рассмáтривание витрин

windowsill ['wɪndəʊsɪl] *n* подокóнник

windpipe ['wɪndpaɪp] *n анат.* дыхáтельное гóрло

wind rose ['wɪndrəʊz] *n метео* рóза ветрóв

windrow ['wɪndrəʊ] *n с.-х.* полосá скóшенного хлéба, сéна *и т. п.*

wind-screen ['wɪndskri:n] *n* 1) *авто* перéднее стеклó, ветровóе стеклó 2) *ав.* козырёк 3) *attr.*: ~ wiper *авто* стеклоочиститель, «двóрник»

windshield ['wɪndʃi:ld] *амер.* = wind--screen 1)

Windsor ['wɪnzə] *n* 1) дешёвое тёмное туалéтное мыло (*тж.* brown ~ soap, ~ soap) 2) = Windsor chair

Windsor chair [,wɪnzə'tʃeə] *n* резнóе деревянное крéсло

windstorm ['wɪndstɔ:m] *n* бýря, метéль

windsurfing ['wɪndsɜ:fɪŋ] *n* виндсéрфинг

windswept ['wɪndswept] *a* незащищённый от вéтра, открытый (всем) ветрáм

wind tunnel ['wɪnd,tʌnl] *n* аэродинамическая трубá

windup ['waɪndʌp] *n* 1) конéц, завершéние 2) страх, нéрвное возбуждéние; to get (*или* to have) the ~ испугáться

windward ['wɪndwəd] **1.** *a* навéтренный

2. *adv* с навéтренной стороны

3. *n* навéтренная сторонá ◇ to get to ~

of smb. обойти́, обскака́ть кого́-л., име́ть преиму́щество пе́ред кем-л.

windy ['wɪndɪ] *a* 1) ве́треный; ~ day ве́треный день 2) обдува́емый ве́тром; W. City *амер.* Го́род ветро́в (*о Чикаго*) 3) *мед.* страда́ющий метеори́змом 4) *мед.* вызыва́ющий пу́чение живота́ 5) *разг.* многосло́вный; болтли́вый; пусто́й, несерьёзный 6) *разг.* испу́ганный

wine [waɪn] **1.** *n* 1) вино́; green (*или* new) ~ молодо́е вино́; thin ~ плохо́е вино́; to take ~ with smb. обменя́ться то́стами с кем-л.; in ~ пья́ный, опьяне́вший 2) тёмно-кра́сный цвет, цвет кра́сного вина́ 3) *унив.* студе́нческая пиру́шка 4) *attr.* ви́нный; ~ vinegar ви́нный у́ксус ◊ Adam's ~ *шутл.* вода́; good ~ needs no (ivy) bush ≅ хоро́ший това́р сам себя́ хва́лит; to put new ~ in old bottles вти́скивать но́вое содержа́ние в ста́рую фо́рму

2. *v* 1) пить вино́ 2) угоща́ть, пои́ть вино́м; to ~ and dine угоща́ть, по́тчевать

wine cellar [,waɪn'selə] *n* ви́нный по́греб

wine-coloured [,waɪn'kʌləd] *a* тёмно-кра́сный; вишнёвый; цве́та кра́сного вина́

wine cooler [,waɪn'ku:lə] *n* ведёрко для охлажде́ния вина́

wineglass ['waɪnglɑ:s] *n* 1) бока́л; рю́мка; фуже́р 2) = wineglassful

wineglassful [,waɪn'glɑ:sful] *n* четы́ре столо́вых ло́жки (*лекарства*)

winegrower [,waɪn'grəʊə] *n* виноде́л; виногра́дарь

winepress ['waɪnpres] *n* дави́льный пресс

winery ['waɪnərɪ] *n* (*особ. амер.*) ви́нный заво́д

wineshop ['waɪnʃɒp] *n* ви́нный погребо́к

wineskin ['waɪnskɪn] *n* бурдю́к, мех для вина́

wine-vault ['waɪnvɔ:lt] = wineshop

wing [wɪŋ] **1.** *n* 1) крыло́; to add (*или* to lend) ~s (to) придава́ть кры́лья; ускоря́ть; to be on the ~ а) лете́ть; б) *разг.* переезжа́ть с ме́ста на ме́сто; путеше́ствовать; to take ~ взлете́ть; on the ~s of the wind на кры́льях ве́тра, стреми́тельно 2) *архит.* фли́гель, крыло́ до́ма 3) *спорт.* кра́йний напада́ющий (*в футболе и т. п.*) 4) *pl. театр.* кули́сы; to stand (*или* to wait) in the ~s а) ждать своего́ вы́хода на сце́ну (*об актёре*); б) ждать своего́ ча́са, быть наготове 5) крыло́ (*политической партии*) 6) *воен.* фланг 7) авиакрыло́ (*тактическая единица*) 8) *pl* «кры́лья» (*нашивка, эмблема у лётчиков*) 9) *амер. разг.* рука́; a touch in the ~ ра́на в ру́ку ◊ to take to itself ~s исче́знуть, улету́чиваться, смы́ться; to take smb. under one's ~ взять кого́-л. под своё покрови́тельство; to clip one's ~s подре́зать кры́лья (*или* кры́лышки), лиши́ть акти́вности, не дать разверну́ться; his ~s are sprouting он пари́т в облака́х

2. *v* 1) лете́ть; a bird ~s the sky пти́ца лети́т в поднебе́сье 2) ра́нить (*в крыло или руку*) 3) снабжа́ть кры́льями 4) подгоня́ть, ускоря́ть; fear ~ed his steps страх заста́вил его́ уско́рить шаги́ 5) пуска́ть (*стрелу*)

wing-beat ['wɪŋbi:t] *n* взмах кры́льев

wing case ['wɪŋ,keɪs] *n зоол.* надкры́лье (*у жуков и т. п.*)

winged [wɪŋd] **1.** *p. p. от* wing 2

2. *a* 1) крыла́тый 2) окрылённый 3) бы́стрый ◊ ~ words крыла́тые слова́

wing flap ['wɪŋflæp] *n ав.* крыльево́й закры́лок

wing-footed [,wɪŋ'fʊtɪd] *a поэт.* быстроно́гий, бы́стрый

wingless ['wɪŋləs] *a* бескры́лый

wingover ['wɪŋ,əʊvə] *n ав.* полубо́чка

wing sheath ['wɪŋ,ʃi:θ] = wing case

wingspan ['wɪŋspæn] *n* разма́х крыла́ (*птицы, самолёта*)

wing-spread ['wɪŋspred] = wingspan

wing-stroke ['wɪŋstrəʊk] = wing-beat

wink [wɪŋk] **1.** *n* 1) морга́ние 2) подми́гивание; to give a ~ а) подмигну́ть; б) намекну́ть 3) *разг.* коро́ткий сон, дремота́; миг; not to sleep a ~, not to get a ~ of sleep не сомкну́ть глаз; in a ~ момента́льно 4): a ~ is good as a nod ≅ сто́ит лишь гла́зом моргну́ть

2. *v* 1) морга́ть, мига́ть 2) мерца́ть ▭ ~ at а) смотре́ть сквозь па́льцы на *что-л.*; закрыва́ть глаза́ на *что-л.*; б) подми́гивать *кому-л.*

winkers ['wɪŋkəz] *n pl* 1) *авто* указа́тель поворо́тов, сигна́л маневри́рования, «мига́лки» 2) шо́ры 3) *sl.* морга́лки (*о глазах, ресницах*)

winking ['wɪŋkɪŋ] **1.** *pres. p. от* wink 2

2. *n* 1) мига́ние; морга́ние; like ~ *разг.* в мгнове́ние о́ка 2) коро́ткий сон, дремо́та

winkle ['wɪŋkl] **1.** *n* береговичо́к (*моллюск*)

2. *v*: ~ out *разг.* вы́ковырять, извле́чь

winner ['wɪnə] *n* 1) победи́тель; (пе́рвый) призёр 2) *разг.* уда́чная иде́я, перспекти́вное предприя́тие *и т. п.*

winning ['wɪnɪŋ] **1.** *pres. p. от* win 2

2. *n* 1) *pl* вы́игрыш, вы́игранные де́ньги 2) вы́игрыш, побе́да 3) *горн.* прохо́дка но́вой ша́хты

3. *a* 1) вы́игрывающий, побежда́ющий; to play a ~ game а) игра́ть наверняка́; б) де́йствовать наверняка́ 2) привлека́тельный, обая́тельный; ~ smile обая́тельная улы́бка 3) реша́ющий (*об ударе и т.п.*)

winning-post ['wɪnɪŋpəʊst] *n* фи́нишный столб

winnow ['wɪnəʊ] *v* 1) ве́ять (*зерно*); отве́ивать (*мякину*; *тж.* ~ out, ~ away, ~ from) 2) отсе́ивать (*тж.* ~ out, ~ away); разбира́ть, проверя́ть 3) *поэт.* маха́ть (*крыльями*)

wino ['waɪnəʊ] *n sl.* алкого́лик, пья́ница

winsome ['wɪnsəm] *a* привлека́тельный, обая́тельный

winter ['wɪntə] **1.** *n* 1) зима́; a hard (*или* severe) ~ холо́дная зима́ 2) *поэт.* год; of fifty ~s 50-ле́тний 3) *attr.* зи́мний 4) *attr.* ози́мый

2. *v* 1) проводи́ть зи́му, зимова́ть 2) перезимова́ть (*о растениях*) 3) содержа́ть зимо́й (*скот и т. п.*)

winter-crop [,wɪntə'krɒp] *n с.-х.* ози́мая культу́ра

winterer ['wɪntərə] *n* зимо́вщик

wintering ['wɪntərɪŋ] **1.** *pres. p. от* winter 2

2. *n* 1) зимо́вка 2) *attr.* зиму́ющий

winterize ['wɪntəraɪz] *v* (*преим. амер.*) приспоса́бливать к зи́мним усло́виям

winterkill ['wɪntəkɪl] *v амер.* погиба́ть в зи́мних усло́виях (*о растениях*)

winterly ['wɪntəlɪ] = wintry

winter quarters [,wɪntə'kwɔ:təz] *n pl воен.* зи́мние кварти́ры

winter sports [,wɪntə'spɔ:ts] *n pl* зи́мние ви́ды спо́рта

wintertide ['wɪntətaɪd] *n поэт.* зима́

wintertime ['wɪntətaɪm] *n* зима́

wintry ['wɪntrɪ] *a* 1) зи́мний; холо́дный 2) неприве́тливый (*об улыбке и т.п.*) 3) безра́достный

winy ['waɪnɪ] *a* ви́нный, име́ющий вкус *или* за́пах вина́

winze [wɪnz] *n горн.* гезе́нк, подъёмная вы́работка

wipe [waɪp] **1.** *n* 1) вытира́ние; to give a ~ вы́тереть 2) *разг.* носово́й плато́к 3) издёвка, глумле́ние

2. *v* 1) вытира́ть, протира́ть, утира́ть; to ~ one's eyes осуши́ть слёзы; to ~ one's hands on a towel вытира́ть ру́ки полоте́нцем 2) *sl.* уда́рить с разма́ху; замахну́ться (at — на *кого-л.*) ▭ ~ away, ~ off стира́ть; вытира́ть, утира́ть; ~ out а) уничто́жить (*противника и т. п.*); б) вытира́ть, протира́ть (*внутри*); в) смыва́ть (*обиду*); ~ up а) вытира́ть (*посуду*); б) подтира́ть ◊ to ~ smb.'s eye а) ≅ утере́ть нос кому́-л.; нанести́ кому́-л. по́лное пораже́ние; б) уни́зить кого́-л.; to ~ the state clean нача́ть всё сы́знова; сбро́сить груз ста́рых оши́бок; to ~ the floor (*или* the ground) with smb. изничто́жить кого́-л.; уни́зить

wiper ['waɪpə] *n* 1) *авто* стеклоочисти́тель, «дво́рник» 2) *эл.* конта́ктная щётка 3) *тех.* кулачо́к 4) тря́пка для вытира́ния; приспособле́ние для чи́стки 5) полоте́нце 6) *sl.* носово́й плато́к

wire [waɪə] **1.** *n* 1) про́волока; про́вод 2) телегра́ф; by ~ по телегра́фу, телегра́ммой; I'll reply by ~ я отве́чу телегра́ммой 3) (*преим. амер.*) *разг.* телегра́мма; send me a ~ извести́те меня́ телегра́ммой 4) *attr.* про́волочный; ~ hanger про́волочная ве́шалка для оде́жды ◊ to give smb. the ~ та́йно предупреди́ть кого́-л.; to be on ~s быть в состоя́нии не́рвного возбужде́ния

2. *v* 1) свя́зывать *или* скрепля́ть про́волокой 2) устана́вливать *или* монти́ровать провода́ 3) (*преим. амер.*) *разг.* телеграфи́ровать 4) *охот.* лови́ть в про́волочные си́лки ▭ ~ in а) окружа́ть про́волокой; б) *sl.* стара́ться изо все́х сил

wire-cutters ['waɪə,kʌtəz] *n тех.* куса́чки

wire-dancer ['waɪə,dɑːnsə] *n* канато-хо́дец

wiredrawn ['waɪədrɔːn] *a* сли́шком то́нкий (*о различии и т. п.*); наду́манный

wire entanglement [,waɪəɪn'tæŋglmənt] *n* про́волочное загражде́ние

wire gauge ['waɪəgeɪdʒ] *n* про́волочный кали́бр

wirehaired [,waɪə'heəd] *a* жесткошёрстный, с жёсткой ше́рстью

wireless ['waɪələs] **1.** *n* 1) ра́дио; by ~ по ра́дио 2) *уст.* радиоприёмник

2. *a* 1) беспро́волочный 2) ра́дио-; ~ office *мор.* пункт радиосвя́зи

3. *v* передава́ть по ра́дио

wire netting [,waɪə'netɪŋ] *n* се́тка из то́нкой про́волоки

wirepuller ['waɪə,pʊlə] *n* (*особ. амер.*) лицо́, держа́щее ни́ти в свои́х рука́х; полити́ческий интрига́н

wire sticher ['waɪə,stɪtʃə] *n* проволокошве́йная маши́на

wire tapping ['waɪə,tæpɪŋ] *n* перехва́т телефо́нных сообще́ний; подслу́шивание телефо́нных разгово́ров

wiring ['waɪərɪŋ] **1.** *pres. p. от* wire 2

2. *n* 1) прокла́дка электри́ческих прово́дов; электропрово́дка 2) *воен.* про́волочные загражде́ния

wiry ['waɪərɪ] *a* 1) похо́жий на про́волоку, ги́бкий, то́нкий, кре́пкий 2) жи́листый; выно́сливый 3) про́волочный

wisdom ['wɪzdəm] *n* 1) му́дрость; to pour forth ~ изрека́ть сенте́нции 2) здра́вый смысл

wisdom tooth ['wɪzdəmtuːθ] *n* зуб му́дрости; to cut one's wisdomteeth стать благоразу́мным; приобрести́ жи́зненный о́пыт

wise I [waɪz] **1.** *a* 1) му́дрый; благоразу́мный 2) *амер. разг.* осведомлённый; зна́ющий ◇ ~ after the event ≅ за́дним умо́м кре́пок; to put smb. ~ to smth. вы́вести кого́-л. из заблужде́ния, объясни́ть, надоу́мить; to be (*или* to get) ~ to smth. узна́ть, поня́ть что-л.

2. *v* (*обыкн. амер.*) *разг.* надоу́мить, подбро́сить иде́ю (*обыкн.* ~ up)

wise II [waɪz] *n уст.* о́браз, спо́соб; in no ~ нико́им о́бразом

wiseacre ['waɪz,eɪkə] *n* мудре́ц, у́мник

wisecrack ['waɪzkræk] *разг.* **1.** *n* уда́чное замеча́ние; острота́, саркасти́ческое замеча́ние

2. *v* остри́ть

wise guy ['waɪzgaɪ] *n разг.* самоуве́ренный тип, «всезна́йка»

wise woman ['waɪz,wʊmən] *n* 1) колду́нья, вороже́я; зна́харка 2) повива́льная ба́бка

wish [wɪʃ] **1.** *n* 1) жела́ние, пожела́ние; she expressed a ~ to be alone она́ пожела́ла оста́ться одна́ 2) про́сьба; to carry out smb.'s ~ выполня́ть чью-л. про́сьбу 3) предме́т жела́ния ◇ if ~es were horses beggars might ride *посл.* ≅ е́сли бы да кабы́ во рту росли́ грибы́

2. *v* 1) жела́ть, хоте́ть; вы́сказать пожела́ния; I ~ it to be done я хочу́, что́бы э́то бы́ло сде́лано; I ~ you to understand я хочу́, что́бы вы по́няли; I ~ you joy жела́ю вам сча́стья; I ~ you were with us мне бы хоте́лось, что́бы вы бы́ли вме́сте с на́ми 2): to ~ smb. well (ill) жела́ть кому́-л. добра́ (зла); he ~es well он настро́ен доброжела́тельно ▭ ~ for жела́ть, стреми́ться; what more can you ~ for? о чём ещё мо́жете мечта́ть?, чего́ ещё вам не хвата́ет?; long ~ed for давно́ жела́нный; ~ on *разг.* навяза́ть (*кому-л. кого-л. или что-л.*); we had Peter's son ~ed on us for the weekend Пи́тер подки́нул нам своего́ сы́на на выходно́й день

wishbone ['wɪʃbəʊn] *n* ду́жка (*грудная кость птицы*)

-wisher [-wɪʃə] *в сложных словах означает* жела́ющий (*чего-л.*); well-wisher доброжела́тель

wishful ['wɪʃfl] *a* 1) жела́емый; ~ thinking приня́тие жела́емого за действи́тельное 2) жела́ющий, жа́ждущий

wish-wash ['wɪʃ,wɒʃ] *n* 1) бурда́ 2) болтовня́

wishy-washy ['wɪʃɪ,wɒʃɪ] *a* 1) сла́бый, бле́дный; невырази́тельный 2) жи́дкий

wisp [wɪsp] *n* 1) пучо́к, жгут (*соломы, сена и т. п.*) 2) что-л. сла́бое, неразви́вшееся, скоропреходя́щее; a ~ of a smile едва́ заме́тная улы́бка; a ~ of smoke лёгкая стру́йка ды́ма; a ~ of a girl то́ненькая девчу́шка 3) клочо́к, обры́вок 4) метёлка

wispy ['wɪspɪ] *a* то́нкий

wist [wɪst] *past и p. p. от* wit 2

wistaria [wɪ'stɪərɪə] = wisteria

wisteria [wɪ'steərɪə] *n бот.* глици́ния

wistful ['wɪstfl] *a* 1) тоску́ющий, тоскли́вый 2) заду́мчивый (*о взгляде, улыбке*)

wit I [wɪt] *n* 1) (*часто pl*) ум, ра́зум; he has quick (slow) ~s он сообрази́телен (несообрази́телен) 2) остроу́мие 3) остря́к; he sets up for a ~ он хо́чет каза́ться остроу́мным ◇ to be at one's ~'s end стать в тупи́к; не знать, что де́лать; to have (*или* to keep) one's ~s about one а) быть начеку́; б) понима́ть что к чему́; to live by one's ~s ко́е-ка́к извора́чиваться; out of one's ~s обезу́мевший

wit II [wɪt] *v* (*pres.* wot, *past и p. p.* wist) *уст.* знать, ве́дать ◇ to ~ то́ есть, а и́менно

witch [wɪtʃ] **1.** *n* 1) колду́нья; ве́дьма; ~'s broom помело́ 2) *уст.* колду́н, зна́харь 3) очарова́тельная де́вушка *или* же́нщина, чаро́дейка

2. *v уст.* 1) околдова́ть, обворожи́ть 2) очарова́ть

witchcraft ['wɪtʃkrɑːft] *n* колдовство́; чёрная ма́гия

witch-doctor ['wɪtʃ,dɒktə] *n* колду́н, зна́харь

witchery ['wɪtʃərɪ] *n* 1) = witchcraft 2) очарова́ние, ча́ры

witch-hunt ['wɪtʃhʌnt] *n* 1) *ист.* охо́та за ве́дьмами 2) пресле́дование прогресси́вных де́ятелей

witching ['wɪtʃɪŋ] **1.** *pres. p. от* witch 2

2. *a поэт.* колдовско́й; the ~ time of night по́лночь

with [wɪð] *prep* 1) *указывает на связь, совместность, согласованность во взглядах, пропорциональность* с; he came ~ his brother он пришёл вме́сте с бра́том; to deal ~ smb. име́ть де́ло с кем-л.; to mix ~ the crowd смеша́ться с толпо́й; to grow wiser ~ age станови́ться умне́е с года́ми; I am entirely ~ you in this в э́том вопро́се я с ва́ми по́лностью согла́сен; to rise ~ the sun встава́ть на зо́рьке, вме́сте с со́лнцем 2) *указывает на предмет действия или орудие, с помощью которого совершается действие; передается тв. падежом*: to adorn ~ flowers украша́ть цвета́ми; ~ a pencil карандашо́м; to cut ~ a knife ре́зать ножо́м 3) *указывает на наличие чего-л., характерный признак*: ~ no hat on без шля́пы; ~ blue eyes с голубы́ми глаза́ми 4) *указывает на обстоятельства, сопутствующие действию*: ~ care с осторо́жностью; ~ thanks с благода́рностью 5) *указывает на причину* от, из-за; to die ~ pneumonia умере́ть от воспале́ния лёгких; her flat was gay ~ flowers цветы́ оживля́ли её кварти́ру 6) *указывает на лицо, по отношению к которому совершается действие* у, каса́тельно, с(о); it is holiday time ~ us у нас кани́кулы; things are different ~ me со мной де́ло обстои́т ина́че; to be honest ~ oneself быть че́стным пе́ред сами́м собо́й; be patient ~ them прояви́те терпе́ние по отноше́нию к ним 7) несмотря́ на; ~ all his gifts he failed несмотря́ на все свои́ тала́нты, он не име́л успе́ха ◇ ~ child (*или* young) *книжн.* бере́менная; away ~ him! вон его́!; to be (*или* to get) ~ it *разг.* идти́ в но́гу с мо́дой

with- [wɪð-] *pref прибавляется к глаголам со значением* 1) наза́д; to withdraw отдёргивать 2) про́тив; to withstand противостоя́ть, сопротивля́ться *и т. п.*

withal [wɪð'ɔːl] *уст.* **1.** *adv* к тому́ же, вдоба́вок; в то же вре́мя

2. *prep* с(о); the sword he used to defend himself ~ меч, кото́рым он защища́лся

withdraw [wɪð'drɔː] *v* (withdrew; withdrawn) 1) отдёргивать; to ~ one's hand отдёргивать ру́ку 2) брать наза́д; ~! возьми́те наза́д свои́ слова́!; to ~ a privilege лиша́ть привиле́гии 3) забира́ть; отзыва́ть; отводи́ть (*войска*); to ~ a boy from school взять ма́льчика из шко́лы 4) изыма́ть (*монету из обращения*) 5) уходи́ть, удаля́ться, ретирова́ться 6) извлека́ть; to ~ a cigarette out of one's case извле́чь сигаре́ту из портсига́ра

withdrawal [wɪð'drɔːəl] *n* 1) отдёргивание 2) взя́тие наза́д; изъя́тие 3) отозва́ние, уво́д 4) ухо́д; удале́ние 5) *воен.* отхо́д; вы́вод войск; ~ from action вы́ход из бо́я; to conduct a ~ осуществля́ть отхо́д

withdrawn [wɪð'drɔ:n] 1. *p. p. от* withdraw

2. *a* за́мкнутый, уше́дший в себя́ (*челове́к*)

withdrew [wɪð'dru:] *past от* withdraw

withe [wɪθ] *n* и́вовый прут; лоза́

wither ['wɪðə] *v* 1) вя́нуть, со́хнуть; блёкнуть 2) иссуша́ть, лиша́ть си́лы *или* све́жести 3) ослабева́ть, уменьша́ться 4) (*обыкн. шутл.*) уничтожа́ть; to ~ smb. with a look испепели́ть кого́-л. взгля́дом

withers ['wɪðəz] *n pl* хо́лка (*у лошади*) ◇ my ~ are unwrung ≅ моё де́ло — сторона́

withheld [wɪð'held] *past и p. p. от* withhold

withhold [wɪð'həʊld] *v* (withheld) 1) уде́рживать, остана́вливать; what withheld him from making the attempt? что помеша́ло ему́ сде́лать э́ту попы́тку? 2) отка́зывать (*в чём-л.*); возде́рживаться (*от чего-л.*); to ~ one's consent не дава́ть согла́сия 3) не сообща́ть, ута́ивать; disagreeable facts were withheld from him от него́ скры́ли неприя́тные фа́кты

within [wɪð'ɪn] 1. *prep* 1) в, в преде́лах; ~ sight of в преде́лах ви́димости; ~ reach of в преде́лах досяга́емости; it is true ~ limits до изве́стной сте́пени ве́рно; to come ~ the terms of reference относи́ться к ве́дению, к компете́нции; to keep ~ the law не выходи́ть из ра́мок зако́на 2) в, внутри́; ~ the building внутри́ до́ма; ~ doors до́ма, в до́ме; hope sprang up ~ him у него́ появи́лась наде́жда 3) не да́лее (как), не поздне́е; в тече́ние; ~ a year в тече́ние го́да; че́рез год

2. *adv уст., книжн.* внутри́; to stay ~ остава́ться до́ма; is Mrs. Jones ~? до́ма ми́ссис Джо́унз?

3. *n* вну́тренняя сторона́; the door opens from ~ дверь открыва́ется изнутри́

with-it ['wɪðɪt] *a разг.* мо́дный, совреме́нный; ~ clothes мо́дная оде́жда

without [wɪð'aʊt] 1. *prep* 1) без; ~ friends без друзе́й; to do (*или* to go) ~ smth. обходи́ться без чего́-л. 2) вне, за; things ~ us вне́шний мир 3) (*перед герундием и отглагольным сущ.*) без того́, что́бы; ~ taking leave не проща́ясь

2. *adv уст.* вне, снару́жи; listening to the wind ~ прислу́шиваясь к ве́тру на у́лице; I heard footsteps ~ за две́рью послы́шались шаги́

3. *n* нару́жная сторона́; from ~ снару́жи, извне́

4. *cj уст. разг.* е́сли не; без того́, что́бы

withstand [wɪð'stænd] *v* (withstood) 1) противостоя́ть, вы́держать 2) (*обыкн. поэт.*) сопротивля́ться

withstood [wɪð'stʊd] *past и p. p. от* withstand

withy ['wɪðɪ] = withe

witless ['wɪtləs] *a* 1) безмо́зглый, глу́пый 2) слабоу́мный

witling ['wɪtlɪŋ] *n* (*обыкн. презр.*) остря́к

witness ['wɪtnəs] 1. *n* 1) очеви́дец 2) свиде́тель (*особ. в суде*) 3) поня́той 4) доказа́тельство, свиде́тельство (to, of); to bear ~ to (*или* of) свиде́тельствовать, удостоверя́ть; in ~ of smth. в доказа́тельство чего́-л. ◇ to call to ~ ссыла́ться на; призыва́ть в свиде́тели

2. *v* 1) быть свиде́телем (*чего-л.*); ви́деть; Europe ~ed many wars Евро́па не раз была́ аре́ной войн 2) дава́ть показа́ния (against, for) 3) заверя́ть (*подпись и т. п.*); to ~ a document заверя́ть докуме́нт 4) свиде́тельствовать; служи́ть ули́кой, доказа́тельством

witness-box ['wɪtnəsbɒks] *n* ме́сто для да́чи свиде́тельских показа́ний (*в суде*)

witness stand ['wɪtnəsstænd] *амер.* = witness-box

-witted [-'wɪtɪd] *в сложных словах означает* облада́ющий *такими-то* у́мственными спосо́бностями; halfwitted слабоу́мный; quickwitted нахо́дчивый, сообрази́тельный

witticism ['wɪtɪsɪzəm] *n* острота́; шу́тка

wittily ['wɪtɪlɪ] *adv* остроу́мно

wittingly ['wɪtɪŋlɪ] *adv* созна́тельно, умы́шленно

witty ['wɪtɪ] *a* остроу́мный

wive [waɪv] *v* брать в жёны

wives [waɪvz] *pl от* wife

wizard ['wɪzəd] 1. *n* 1) колду́н, маг, чаро́дей, куде́сник, волше́бник; the W. of the North Чаро́дей Се́вера (*прозвище Вальтера Скотта*) 2) фо́кусник 3) *текст.* ремизоподъёмная каре́тка

2. *a* 1) колдовско́й 2) *sl.* великоле́пный

wizardry ['wɪzədrɪ] *n* колдовство́; ча́ры (*тж. перен.*)

wizen(ed) ['wɪzn(d)] *a* 1) иссо́хший и морщи́нистый (*о человеке*) 2) высо́хший (*о растении*)

wo [wəʊ] = whoa

wobble ['wɒbl] 1. *n* 1) кача́ние 2) колеба́ние; виля́ние 3) *авто* вихля́ние пере́дних колёс

2. *v* 1) кача́ться из стороны́ в сто́рону; вихля́ть; идти́ шата́ясь 2) колеба́ться; виля́ть 3) дрожа́ть (*о голосе, звуке*)

wobbler ['wɒblə] *n* ненадёжный челове́к

wobbly ['wɒblɪ] *a* ша́ткий, шата́ющийся

Woden ['wəʊdn] *n* Во́тан, О́дин (*в германской и скандинавской мифологии*)

wodge [wɒdʒ] *n разг.* кру́пный кусо́к, ком, глы́ба

woe [wəʊ] *n* 1) *книжн., уст.* го́ре, скорбь; несча́стья; ~ is me! го́ре мне! 2) *шутл.* пробле́мы, «головна́я боль»; ~ be to him!, ~ betide him! будь он про́клят!

woebegone ['wəʊbɪgɒn] *a* удручённый го́рем, мра́чный

woeful ['wəʊfl] *a* 1) ско́рбный, го́рестный; несча́стный 2) о́чень плохо́й, жа́лкий, стра́шный; ~ ignorance вопию́щее невéжество

woesome ['wəʊsəm] = woeful

woke [wəʊk] *past и p. p от* wake I, 1

woken ['wəʊkən] *p. p. от* wake I, 1

wold [wəʊld] *n* пусты́нное наго́рье; пу́стошь

wolf [wʊlf] 1. *n* (*pl* wolves) 1) волк 2) *sl.* ба́бник 3) жа́дный *или* прожо́рливый челове́к; хи́щник 4) *амер. воен. жарг.* старшина́ (*роты и т. п.*) ◇ to cry ~ поднима́ть ло́жную трево́гу; to keep the ~ from the door перебива́ться; боро́ться с нището́й; to have (*или* to hold) a ~ by the ears быть в безвы́ходном положе́нии

2. *v* пожира́ть с жа́дностью (*часто* ~ down)

wolf cub ['wʊlfkʌb] *n* 1) волчо́нок 2) бойска́ут (*8 — 10 лет*)

wolfhound ['wʊlfhaʊnd] *n* волкода́в

wolfish ['wʊlfɪʃ] *a* во́лчий, зве́рский; ~ appetite во́лчий аппети́т

wolfram ['wʊlfrəm] *n* 1) *хим.* вольфра́м 2) вольфрами́т

wolframite ['wʊlfrəmaɪt] = wolfram 2)

wolfskin ['wʊlfskɪn] *n* 1) во́лчья шку́ра 2) доха́ из во́лчьих шкур

wolf whistle ['wʊlf,wɪsl] *n* свист как знак восхище́ния (*при виде красивой женщины*)

wolverene ['wʊlvəri:n] = wolverine

wolverine ['wʊlvəri:n] *n* 1) *зоол.* росома́ха 2) (W.) *амер. разг.* уроже́нец шта́та Мичига́н

wolves [wʊlvz] *pl от* wolf 1

woman ['wʊmən] *n* (*pl* women) 1) же́нщина; women's rights же́нское равнопра́вие; a ~ of the world а) же́нщина, умудрённая жи́зненным о́пытом; б) све́тская же́нщина; a single ~ незаму́жняя же́нщина 2) (*без артикля*) же́нщины, же́нский пол; man born of ~ сме́ртный 3) любо́вница 4) (the ~) же́нственность, же́нское нача́ло 5) же́нственный мужчи́на, «ба́ба»; to play the ~ пла́кать; тру́сить 6) *разг.* служа́нка, убо́рщица 7) *attr.* же́нский; ~ suffrage избира́тельные права́ для же́нщин; ~ artist худо́жница; ~ friend прия́тельница

woman-hater [,wʊmən'heɪtə] *n* женоненави́стник

womanhood ['wʊmənhʊd] *n* 1) же́нская зре́лость 2) же́нские ка́чества; же́нственность 3) же́нский пол, же́нщины

womanish ['wʊmənɪʃ] *a* женоподо́бный; же́нский

womankind ['wʊmənkaɪnd] *n собир.* же́нщины

womanlike ['wʊmənlaɪk] *a* женоподо́бный; же́нственный

womanly ['wʊmənlɪ] *a* же́нственный, не́жный, мя́гкий

womb [wu:m] *n* 1) *анат.* ма́тка 2) ло́но ◇ in the ~ of time когда́-нибудь в далёком бу́дущем

wombat ['wɒmbæt] *n зоол.* вомба́т

women ['wɪmɪn] *pl от* woman

womenfolk ['wɪmɪnfəʊk] *n pl* же́нщины; one's ~ же́нская полови́на семьи́

won [wʌn] *past и p. p. от* win 2

wonder ['wʌndə] 1. *n* 1) удивле́ние,

изумлéние; (it is) no (*или* small) ~ (that) неудивúтельно (что); what a ~! поразúтельно!; what ~? что удивúтельного? 2) чýдо; нéчто удивúтельное; for a ~ как э́то ни стрáнно, какúм-то чýдом; to work ~s творúть чудесá

2. *v* 1) удивля́ться (at) 2) интересовáться; желáть знать; I ~ who it was интерéсно знать, кто э́то мог быть ◇ I ~! сомневáюсь!, не знáю, не знáю — мóжет быть; I shouldn't ~ if неудивúтельно бýдет, éсли

wonderful ['wʌndəfl] *a* удивúтельный, замечáтельный

wonderland ['wʌndəlænd] *n* странá чудéс

wonderment ['wʌndəmənt] *n* 1) удивлéние, изумлéние 2) нéчто удивúтельное

wonder-stricken [,wʌndə'strɪkən] = wonderstruck

wonderstruck [,wʌndə'strʌk] *a* поражённый, изумлённый

wonder-work ['wʌndəwɜ:k] *n* чýдо

wonder-worker ['wʌndə,wɜ:kə] *n* 1) чудотвóрец 2) человéк, творя́щий чудесá (*о враче и т. п.*)

wondrous ['wʌndrəs] *поэт.* **1.** *a* удивúтельный, чудéсный

2. *adv* (*тк. с прил.*) удивúтельно; ~ kind удивúтельно дóбрый

wonky ['wɒŋkɪ] *a sl.* 1) шáткий, ненадёжный (*о вещах*) 2) нетвёрдый на ногáх (*после болезни и т. п.*)

wont [wəʊnt] **1.** *n книжн., шутл.* обыкновéние, привы́чка; he rose to greet them as was his ~ по своемý обыкновéнию, он поднялся, чтóбы привéтствовать их

2. *a predic. книжн., уст.* имéющий обыкновéние (*c inf.*); as he was ~ to say как он обыкновéнно говорúл

3. *v* (wont; wont, wonted [-ɪd]) *уст.* имéть обыкновéние

won't [wəʊnt] *сокр. разг.* = will not

wonted ['wəʊntɪd] **1.** *p. p. от* wont 3

2. *a* 1) привы́чный; обы́чный 2) привы́кший к нóвым услóвиям

woo [wu:] *v* 1) ухáживать; свáтаться 2) добивáться 3) уговáривать, докучáть прóсьбами

wood [wʊd] **1.** *n* 1) дéрево (*материал*); древесúна; лесоматериáл 2) дровá 3) (*часто pl*) лес; рóща; a clearing in the ~s леснáя прогáлина; поля́на; to prune the old ~ away подчищáть лес 4) (the ~) бóчка, бочóнок (*для вина*); wine from the ~ винó в разлúв из бóчки 5) (the ~) *pl собир.* деревя́нные духовы́е инструмéнты 6) *attr.* леснóй; ~ lot леснóй учáсток 7) *attr.* деревя́нный ◇ to get (*или* to be) out of the ~(s) вы́путаться из затруднéния; быть вне опáсности; to go to the ~s быть изгнанным из óбщества; to take in ~ *амер.* вы́пить; to be unable to see the ~ for the trees за дерéвьями лéса не вúдеть

2. *v* 1) сажáть лес 2) запасáться тóпливом

wood alcohol [,wʊd'ælkəhɒl] *n* метúловый спирт

woodbind, woodbine ['wʊdbaɪnd, 'wʊdbaɪn] *n бот.* 1) жúмолость 2) *амер.* плющ пятилúстный

woodblock ['wʊdblɒk] *n* 1) колóда 2) *дор.* торéц

woodcock ['wʊdkɒk] *n* вáльдшнеп

woodcraft ['wʊdkrɑ:ft] *n* (*преим. амер.*) 1) умéние мастерúть из дéрева 2) знáние лéса

woodcut ['wʊdkʌt] *n* гравю́ра на дéреве

woodcutter ['wʊd,kʌtə] *n* 1) дровосéк 2) гравёр по дéреву

woodcutting ['wʊd,kʌtɪŋ] *n* ксилогрáфия

wooded ['wʊdɪd] **1.** *p. p. от* wood 2

2. *a* лесúстый

wooden ['wʊdn] *a* 1) деревя́нный; ~ ware деревя́нные издéлия; ~ walls *уст.* воéнные кораблú 2) деревя́нный, безжúзненный; ~ smile деревя́нная улы́бка 3) топóрный (*о слоге*) ◇ ~ head *разг.* дурáк; ~ horse троя́нский конь; ~ spoon послéднее мéсто (*в состязании*)

wood-engraver [,wʊdɪn'greɪvə] = woodcutter 2)

wood fibre [,wʊd'faɪbə] *n* древéсное волокнó

wood grouse ['wʊdgraʊs] *n зоол.* тéтерев-глухáрь

woodland ['wʊdlənd] *n* 1) лесúстая мéстность 2) *attr.* леснóй; ~ scenery леснóй пейзáж; ~ choir птúцы

woodless ['wʊdləs] *a* безлéсный

wood-louse ['wʊdlaʊs] *n* мокрúца

woodman ['wʊdmən] *n* 1) леснúк 2) лесорýб

wood nymph ['wʊd,nɪmf] *n миф.* дриáда

woodpecker ['wʊd,pekə] *n* дя́тел

woodpile ['wʊdpaɪl] *n* охáпка дров

woodprint ['wʊdprɪnt] = woodcut

wood pulp ['wʊdpʌlp] *n* пýльпа, древéсная мáсса

woodruff ['wʊdrʌf] *n бот.* ясмéнник (душúстый)

woodshed ['wʊdʃed] *n* дровянóй сарáй ◇ something nasty in the ~ *разг.* семéйная неприя́тность, скрывáемая от посторóнних

woodsman ['wʊdzmən] *n* 1) леснóй жúтель (*о леснике, лесорубе и т. п.*) 2) рéзчик по дéреву, столя́р *и т. п.*

wood spirit [,wʊd'spɪrɪt] *n* метúловый *или* древéсный спирт

woodsy ['wʊdzɪ] *a амер.* леснóй

woodward ['wʊdwəd] *n* леснúчий

woodwax(en) ['wʊdwæks(n)] *n бот.* дрок красúльный

woodwinds ['wʊdwɪndz] *n pl собир.* деревя́нные духовы́е инструмéнты

woodwool ['wʊdwʊl] *n тех.* древéсная шерсть; тóнкая, упакóвочная стрýжка

woodwork ['wʊdwɜ:k] *n* 1) деревя́нные издéлия 2) деревя́нные чáсти строéния (*двери, оконные рамы и т. п.*)

woodworker ['wʊdwɜ:kə] *n* 1) плóтник; столя́р; тóкарь по дéреву 2) деревообдéлочный станóк

woody ['wʊdɪ] *a* 1) лесúстый 2) леснóй 3) древéсный

wooer [wu:ə] *n* поклóнник

woof I [wu:f] = weft

woof II [wʊf] *n* 1) гáвканье 2) *радио* нúзкий тон настрóйки репродýктора

woofer ['wu:fə] *n радио* репродýктор нúзкого тóна

wool [wʊl] *n* 1) шерсть; рунó; dyed in the ~ а) окрáшенный в пря́же; б) отъя́вленный, закоренéлый; a dyed in the ~ Tory зая́длый консервáтор 2) шерстянáя пря́жа *или* ткань; шерстяны́е издéлия; Berlin ~ цветнóй гáрус, шерстянáя вязáльная пря́жа (*ярких цветов*) 3) *разг.* вóлосы ◇ to pull the ~ over smb.'s eyes обмáнывать, вводúть когó-л. в заблуждéние; to lose one's ~ рассердúться; to keep one's ~ on сохраня́ть самообладáние; all ~ and a yard wide *амер.* настоя́щий; отлúчный, заслýживающий довéрия; to go for ~ and come home shorn ≅ пойтú по шерсть, а вернýться стрúженным

woolen ['wʊlən] *амер.* = woollen

woolgathering ['wʊl,gæðərɪŋ] **1.** *n* рассéянность, витáние в облакáх

2. *a* рассéянный

woollen ['wʊlən] **1.** *a* шерстянóй

2. *n pl* 1) шерстянáя ткань 2) шерстянóе издéлие

woolly ['wʊlɪ] **1.** *a* 1) покры́тый шéрстью 2) шерстúстый 3) нея́сный, пýтаный (*о доводах и т. п.*) 4): ~ hair густы́е и курчáвые вóлосы; ~ painting *жив.* письмó грýбым мазкóм; ~ voice сúплый гóлос 5) *разг.* грýбый, неотёсанный

2. *n разг.* 1) шерстянóй свúтер 2) *pl* шерстянóе бельё

Woolsack ['wʊlsæk] *n* набúтая шéрстью подýшка, на котóрой сидúт председáтель (лóрд-кáнцлер) в палáте лóрдов ◇ to reach the ~ стать лóрдом-кáнцлером

wool-work ['wʊlwɜ:k] *n* вы́шивка гáрусом

woozy ['wu:zɪ] *a разг.* 1) неустóйчивый, нетвёрдый 2) окосéвший, пья́ный 3) нечёткий, нея́сный

wop [wɒp] *n sl. презр.* прóзвище, даваéмое америкáнцами иммигрáнтам из Итáлии

word [wɜ:d] **1.** *n* 1) слóво; ~ for ~ слóво в слóво; буквáльно; by ~ of mouth ýстно; на словáх; in a ~, in one ~ однúм слóвом; корóче говоря́; in other ~s другúми словáми; to put in (*или* to say) a ~ for smb. замóлвить за когó-л. словéчко; a ~ in one's ear нá ухо, по секрéту; it is not the ~ не то слóво, э́то ещё слáбо скáзано; to take smb. at his ~ поймáть когó-л. на слóве; on (*или* with) the ~ вслед за словáми 2) (*часто pl*) речь, разговóр; can I have a ~ with you? мне нáдо поговорúть с вáми 3) обещáние, слóво; to give one's ~ обещáть; a man of his ~ человéк слóва; upon my ~! чéстное слóво!; to be as good as one's ~ сдержáть слóво; to be better than one's ~ сдéлать бóльше обéщанного 4) замечáние; to say a few

~s вы́сказать не́сколько замеча́ний (*по поводу чего-л. — на собрании и т. п.*); she had the last ~ её сло́во бы́ло после́дним; ≅ она́ в долгу́ не оста́лась 5) *pl* текст, слова́ (*песни*); текст (*роли*) 6) *pl* размо́лвка, ссо́ра, перебра́нка; to have ~s with smb. кру́пно поговори́ть, поссо́риться с кем-л.; warm (*или* hot) ~s брань, кру́пный разгово́р 7) ве́сти; изве́стие, сообще́ние; to receive ~ of smb.'s coming получи́ть изве́стие о чьём-л. прие́зде 8) приказа́ние; ~ of command *воен.* кома́нда; to give (*или* to send) ~ отда́ть распоряже́ние 9) паро́ль; to give the ~ сказа́ть паро́ль 10) деви́з; ло́зунг ◇ big ~s хвастовство́; the last ~ in (*или* on) smth. а) ≅ после́дний крик мо́ды; б) после́днее сло́во (*в какой-л. области*); the last ~ has not yet been said on this subject вопро́с ещё не решён; sharp's the ~! потора́пливайся!, живе́й!; in so many ~s я́сно, недвусмы́сленно; hard ~s break no bones *посл.* ≅ брань на вороту́ не ви́снет; he hasn't a ~ to throw at a dog а) от него́ сло́ва не добьёшься; б) он и разгова́ривать не жела́ет; a ~ spoken is past recalling *посл.* ≅ сло́во не воробе́й, вы́летит — не пойма́ешь; a ~ to the wise ≅ у́мный с полусло́ва понима́ет

2. *v* выража́ть слова́ми; подбира́ть выраже́ния; to ~ a telegram соста́вить телегра́мму; I should ~ it rather differently я сказа́л бы э́то, пожа́луй, ина́че; a beautifully ~ed address прекра́сно соста́вленная речь

wordbook ['wɜ:dbʊk] *n* 1) слова́рь 2) либре́тто (*оперы*)

wording ['wɜ:dɪŋ] 1. *pres. p. от* word 2
2. *n* реда́кция, фо́рма выраже́ния, формулиро́вка

wordless ['wɜ:dləs] *a* 1) без слов; молчали́вый 2) невы́раженный; не могу́щий быть вы́раженным; не вырази́мый слова́ми

word-painting ['wɜ:d,peɪntɪŋ] *n* о́бразное описа́ние

word-perfect [,wɜ:d'pɜ:fɪkt] *a* зна́ющий наизу́сть

wordplay ['wɜ:dpleɪ] *n* игра́ слов; каламбу́р

word processor ['wɜ:d,prəʊsesə] *n* *вчт.* текстово́й проце́ссор

word-splitting ['wɜ:d,splɪtɪŋ] *n* то́нкое слове́сное разли́чие; софи́стика

wordy ['wɜ:dɪ] *a* 1) многосло́вный 2) слове́сный

wore [wɔ:] *past от* wear I, 2

work [wɜ:k] 1. *n* 1) рабо́та; труд; заня́тие; де́ло; at ~ upon smth. быть за́нятым чем-л.; in ~ име́ющий рабо́ту; out of ~ безрабо́тный; to set smb. to ~ дать рабо́ту, засади́ть за рабо́ту; to set (*или* to get) to ~ приня́ться за де́ло; to have one's ~ cut out for one име́ть мно́го дел, забо́т, рабо́ты; I've had my ~ cut out for me у меня́ де́л по го́рло 2) произведе́ние, сочине́ние, труд; a ~ of art произведе́ние иску́сства 3) де́йствие, посту́пок; wild ~ ди́кий посту́пок 4) *pl* обще́ственные рабо́ты (*тж.* public ~s) 5) обрабо́тка 6) рукоде́лие, шитьё, вышива́ние 7) *pl* механи́зм (*особ. часов*); there is something wrong with the ~s механи́зм не в поря́дке 8) *pl* техни́ческие сооруже́ния; строи́тельные рабо́ты 9) *pl библ.* дела́, дея́ния 10) (*обыкн. pl*) фортификацио́нные сооруже́ния, укрепле́ния 11) броже́ние 12) *физ.* рабо́та; unit of ~ едини́ца рабо́ты 13) *attr.* рабо́чий; ~ station (*или* position) рабо́чее ме́сто (*у конвейера*); ~ horse рабо́чая ло́шадь ◇ all in the day's ~ в поря́дке веще́й; норма́льный; to make hard ~ of smth. преувели́чивать тру́дности (*мероприятия и т. п.*); it was the ~ of a moment to call him вы́звать его́ бы́ло де́лом одно́й мину́ты; to make short ~ of smth., smb. (бы́стро) разде́латься с чем-л., распра́виться с кем-л.; ~ to rule стро́гое выполне́ние усло́вий трудово́го соглаше́ния (коллекти́вного догово́ра *и т. п.*); to make sure ~ with smth. обеспе́чить свой контро́ль над чем-л.; to get the ~s *амер.* ≅ попа́сть в переплёт; to give smb. the ~s а) *разг.* всё отда́ть *или* рассказа́ть кому́-л.; б) *разг.* взять кого́-л. в рабо́ту, гру́бо обраща́ться; в) *sl.* пусти́ть кого́-л. в оборо́т, уби́ть

2. *v* (*в некоторых значениях past и p. p.* wrought) 1) рабо́тать, занима́ться (at — *чем-л.*); to ~ like a horse (*или* a navvy, a nigger, a slave) рабо́тать как вол; to ~ side by side with smb. те́сно сотру́дничать с кем-л.; to ~ towards smth. спосо́бствовать чему́-л. 2) рабо́тать, быть специали́стом, рабо́тать в како́й-л. о́бласти 3) стреми́ться (*к чему-л.*; for); to ~ for peace боро́ться за мир 4) приводи́ть в движе́ние *или* де́йствие; управля́ть (*машиной и т. п.*); вести́ (*предприятие*) 5) заставля́ть рабо́тать; he ~ed them long hours он заставля́л их до́лго рабо́тать 6) (*past и p. p. обыкн.* wrought) обраба́тывать; отде́лывать; разраба́тывать; to ~ the soil обраба́тывать по́чву; to ~ a vein разраба́тывать жи́лу 7) (*past и p. p. тж.* wrought) причиня́ть, вызыва́ть; to ~ changes вызыва́ть *или* производи́ть измене́ния; to ~ miracles де́лать чудеса́ 8) (*past и p. p. обыкн.* wrought) придава́ть определённую фо́рму *или* консисте́нцию; меси́ть; кова́ть 9) де́йствовать, быть *или* находи́ться в де́йствии; the pump will not ~ насо́с не рабо́тает 10) быть в движе́нии; his face ~ed with emotion его́ лицо́ подёргивалось от волне́ния 11) распу́тать, вы́простать (*из чего-л.*; *обыкн.* ~ loose, ~ free of) 12) (*past и p. p. часто* wrought) (иску́сственно) приводи́ть себя́ в како́е-л. состоя́ние (*тж.* ~ up; into); to ~ oneself into a rage довести́ себя́ до исступле́ния 13) вычисля́ть; реша́ть (*пример и т. п.*) 14) заслужи́ть; отрабо́тать (*тж.* ~ out); to ~ one's passage отрабо́тать свой прое́зд на парохо́де 15) занима́ться рукоде́лием, вышива́ть 16) *разг.* испо́льзовать в свои́х це́лях 17) де́йствовать, ока́зывать де́йствие; возыме́ть де́йствие (on, upon — на); the medicine did not ~ лека́рство не помогло́ 18) броди́ть *или* вызыва́ть броже́ние 19) пробива́ться, проника́ть, прокла́дывать себе́ доро́гу (*тж.* ~ in, ~ out, ~ through *и др.*); the dye ~s its way in кра́ска впи́тывается; to ~ one's way прокла́дывать себе́ доро́гу; пробива́ться 20) *разг.* добива́ться (*чего-л.*) обма́нным путём ▭ ~ **against** де́йствовать про́тив; ~ **away** продолжа́ть рабо́тать; ~ **in** а) проника́ть, прокла́дывать себе́ доро́гу; б) вставля́ть, вводи́ть; he ~ed in a few jokes in his speech он вста́вил не́сколько шу́ток в свою́ речь; в) соотве́тствовать; his plans do not ~ in with ours его́ пла́ны расхо́дятся с на́шими; ~ **off** а) освободи́ться, отде́латься от *чего-л.*; to ~ off one's excess weight ≅ сбро́сить ли́шний вес, похуде́ть; б) вымеща́ть; to ~ off one's bad temper on smb. срыва́ть своё плохо́е настрое́ние на ком-л.; в) распрода́ть; ~ **on** а) = ~ away; б) = ~ upon; ~ **out** а) реша́ть (*задачу*); б) составля́ть, выража́ться (*в такой-то цифре*); the costs ~ out at £50 изде́ржки составля́ют 50 фу́нтов сте́рлингов; в) сраба́тывать; быть успе́шным, реа́льным; the plan ~ed out план оказа́лся реа́льным; г) разраба́тывать (*план*); составля́ть (*документ*); подбира́ть ци́фры, цита́ты *и т. п.*; д) с трудо́м доби́ться; е) истоща́ть; ж) *уст.* отрабо́тать (*долг и т. п.*); ~ **over** а) перераба́тывать; to ~ over a letter переде́лывать письмо́; б) *разг.* изби́ть; ~ **up** (*past и p. p. часто* wrought) а) обраба́тывать; отде́лывать, придава́ть зако́нченный вид; б) добива́ться, завоёвывать; to ~ up a reputation завоева́ть репута́цию; в) возбужда́ть, вызыва́ть; to ~ up an appetite нагуля́ть себе́ аппети́т; to ~ up a rebellion подстрека́ть к бу́нту; г) сме́шивать (*составные части*); д) собира́ть све́дения (*по какому-л. вопросу*); е) де́йствовать на *кого-л.*; ~ **upon** влия́ть (*на что-л.*); to ~ upon smb.'s conscience поде́йствовать на чью-л. со́весть ◇ to ~ one's will *уст.* поступа́ть, как взду́мается; де́лать по-сво́ему; to ~ one's will upon smb. заставля́ть кого́-л. де́лать по-сво́ему; to ~ against time стара́ться ко́нчить к определённому сро́ку; to ~ it дости́гнуть це́ли; it won't ~ ≅ э́тот но́мер не пройдёт; э́то не вы́йдет; to ~ up to the curtain *театр.* игра́ть под за́навес

workability [,wɜ:kə'bɪlətɪ] *n* примени́мость; го́дность (*к обработке*)

workable ['wɜ:kəbl] *a* 1) выполни́мый; осуществи́мый; реа́льный 2) рента́бельный

workaday ['wɜ:kədeɪ] *a* бу́дничный; повседне́вный

workaholic [,wɜ:kə'hɒlɪk] *n разг.* челове́к, не могу́щий жить без рабо́ты

workaway ['wɜ:kəweɪ] *n sl.* челове́к, отраба́тывающий свой прое́зд (*особ. на пароходе*)

workbag ['wɜ:kbæg] *n* рабо́чая су́мка; мешо́чек с рукоде́лием

workbasket ['wɜ:k,bɑ:skɪt] *n* рабо́чая корзи́нка (*для рукоделия*)

workbook ['wɜ:kbʊk] *n* 1) конспéкт (*курса лекций и т. п.*) 2) тетрáдь для зáписи произведённой рабóты 3) сбóрник упражнéний

workbox ['wɜ:kbɒks] = workbasket

workday ['wɜ:kdeɪ] *n* (*обыкн. амер.*) бýдний день; рабóчий день

worker ['wɜ:kə] *n* 1) рабóчий; рабóтник 2) *attr.* рабóчий, трудовóй

workhouse ['wɜ:khaʊs] *n* 1) *ист.* рабóтный дом 2) *амер.* исправúтельная тюрьмá

work-in ['wɜ:kɪn] *n* «уорк-úн» (*новая форма забастовки, когда рабочие не прекращают работу на ликвидируемом предприятии и не покидают фабрики, завода и т. п.*)

working ['wɜ:kɪŋ] **1.** *pres. p. от* work 2

2. *n* 1) рабóта, дéйствие; дéятельность; прáктика 2) эксплуатáция; разрабóтка 3) обрабóтка 4) *pl горн.* вы́работки

3. *a* 1) рабóтающий, рабóчий; ~ woman рабóтница 2) отведённый для рабóты; ~ hours рабóчее врéмя, рабóчие часы́ 3) дéйствующий, эксплуатациóнный; пригóдный для рабóты; ~ conditions а) услóвия трудá; б) *тех.* эксплуатациóнный режúм; ~ efficiency производúтельность трудá

working capital [,wɜ:kɪŋ'kæpɪtl] *n* оборóтный капитáл

working class [,wɜ:kɪŋ'klɑ:s] *n* рабóчий класс

working-class [,wɜ:kɪŋ'klɑ:s] *a* относя́щийся, принадлежáщий к рабóчему клáссу; ~ solidarity солидáрность трудя́щихся

working day [,wɜ:kɪŋ'deɪ] = workday

working-out [,wɜ:kɪŋ'aʊt] *n* детáльная разрабóтка (*плана и т. п.*)

working people ['wɜ:kɪŋ,pi:pl] *n* трудя́щиеся; трудовóй люд

workman ['wɜ:kmən] *n* рабóчий, рабóтник

workmanlike ['wɜ:kmənlaɪk] *a* искýсный

workmanship ['wɜ:kmənʃɪp] *n* искýсство, мастерствó; квалификáция; exquisite ~ тóнкое мастерствó

workout ['wɜ:kaʊt] *n спорт.* тренирóвка

workpeople ['wɜ:k,pi:pl] *n* рабóчий люд

workroom ['wɜ:kru:m] *n* рабóчая кóмната; помещéние для рабóты

works [wɜ:ks] *n pl* (*употр. как sing и как pl*) завóд, фáбрика

workshop ['wɜ:kʃɒp] *n* 1) мастерскáя; цех 2) сéкция; семинáр; симпóзиум 3) *attr.* цеховóй; ~ committee цеховóй комитéт

workshy ['wɜ:kʃaɪ] **1.** *n* лентя́й, бездéльник

2. *a* ленúвый, уклоня́ющийся от рабóты

worktable ['wɜ:k,teɪbl] *n* рабóчий стóлик, *особ.* для рукодéлия

worktop ['wɜ:ktɒp] *n* рабóчий стол, *особ.* на кýхне

workweek ['wɜ:kwi:k] *n* рабóчая недéля

workwoman ['wɜ:k,wʊmən] *n* рабóтница

work-worn ['wɜ:kwɔ:n] *a* 1) изнурённый тяжёлым трудóм 2) натрýженный

world [wɜ:ld] *n* 1) мир, свет; вселéнная; to bring into the ~ произвестú на свет, родúть; the Old (New) W. Стáрый (Нóвый) свет; the ~ at large весь мир; the ~ over во всём мúре, в цéлом мúре; not for the ~ ни за что на свéте; not of this ~ ≅ не от мúра сегó; he would give the ~ to know он бы всё отдáл, тóлько бы узнáть 2) мир, цáрство; the animal (vegetable) ~ живóтный (растúтельный) мир 3) (the ~, this ~) жизнь (*человека*); to begin the ~ вступáть в нóвую жизнь 4) мир, кругозóр; дéятельность; his ~ is a very narrow one егó кругозóр (*или* мирóк) óчень ýзок; how goes the ~ with you? как вáши делá? 5) определённая сфéра дéятельности, мир; the ~ of letters (of sport) литератýрный (спортúвный) мир 6) óбщество; the great ~ свéтское óбщество 7) мнóжество, кýча; he has had a ~ of troubles у негó былá прóпасть хлопóт 8) *служит для усиления*: what in the ~ does he mean? что, наконéц, он хóчет сказáть?; a ~ too слúшком 9) *attr.* мировóй, всемúрный; ~ problems мировы́е проблéмы; ~ peace мир во всём мúре; ~ line-up расстанóвка сил в мúре; ~ market мировóй ры́нок; ~ trade междунарóдная торгóвля; ~ outlook (*или* view) мировоззрéние, миропонимáние ◇ to think the ~ of smb. быть óчень высóкого мнéния о ком-л.; ~ without end на вéки вéчные; all the ~ and his wife а) все без исключéния; б) всё свéтское óбщество; for all the ~ like похóжий во всех отношéниях; for all the ~ as if тóчно так, как éсли бы; to know the ~ имéть óпыт; the lower ~ преиспóдняя, ад; to the ~ крáйне, совершéнно; drunk to the ~ ≅ мертвéцки пьян; so goes (*или* wags) the ~ таковá жизнь; to come down in the ~ опустúться, утрáтить былóе положéние; to come up (*или* to rise) in the ~ сдéлать карьéру; out of this ~ *разг.* великолéпный

worldling ['wɜ:ldlɪŋ] *n* человéк, поглощённый земны́ми интерéсами

worldly ['wɜ:ldlɪ] *a* 1) мирскóй; земнóй; ~ goods имýщество, сóбственность 2) лю́бящий жúзненные блáга 3) óпытный, искушённый; ~ wisdom житéйская мýдрость 4) *редк.* свéтский

worldly-minded [,wɜ:ldlɪ'maɪndɪd] = worldly 2)

worldly-wise [,wɜ:ldlɪ'waɪz] *a* óпытный, бывáлый, искушённый

world-old [,wɜ:ld'əʊld] *a* стáрый как мир

world power [,wɜ:ld'paʊə] *n* мировáя держáва

World Series [,wɜ:ld'sɪəri:z] *n pl амер.* ежегóдный чемпионáт США по бейсбóлу

world-weary [,wɜ:ld'wɪərɪ] *a* устáвший от жúзни, пресы́тившийся

worldwide [,wɜ:ld'waɪd] *a* распространённый по всемý свéту; всемúрно извéстный, мировóй; ~ fame всемúрная извéстность; on a ~ scale в общемировóм масштáбе; ~ organization всемúрная организáция

worm [wɜ:m] **1.** *n* 1) червя́к, червь; глист 2) нúзкий человéк, презрéнная лúчность; a poor ~ like him такóе жáлкое существó, как он 3) *тех.* червя́к, шнек, червя́чный винт ◇ the ~ of conscience угрызéния сóвести; I am a ~ today мне сегóдня не по себé; to have a ~ in one's tongue ворчáть, быть сварлúвым; even a ~ will turn ≅ вся́кому терпéнию прихóдит конéц

2. *v* 1) ползтú, пробирáться ползкóм; продирáться (through) 2) вползáть; проникáть; to ~ oneself into smb.'s confidence вкрáсться в довéрие к комý-л. 3) вы́пытать, разузнáть; to ~ a secret out of smb. вы́ведать у когó-л. тáйну 4) гнать глистóв

worm-eaten ['wɜ:m,i:tn] *a* 1) источенный червя́ми 2) устарéлый

worm-fishing ['wɜ:m,fɪʃɪŋ] *n* ры́бная лóвля на червя́

worm gear ['wɜ:mgɪə] *n тех.* червя́чная передáча

wormhole ['wɜ:mhəʊl] *n* червотóчина

wormseed ['wɜ:msi:d] *n* цитвáрное сéмя

worm's-eye view [,wɜ:mzaɪ'vju:] *n* предéльно ограни́ченное пóле зрéния; неспосóбность вúдеть дáльше своегó нóса

worm wheel ['wɜ:mwi:l] *n тех.* червя́чное колесó

wormwood ['wɜ:mwʊd] *n* 1) полы́нь гóрькая 2) гóречь, истóчник гóречи; the thought was ~ to him э́та мысль былá емý óчень горькá

wormy ['wɜ:mɪ] *a* 1) червúвый 2) пóдлый, нúзкий

worn [wɔ:n] *p. p. от* wear I, 2

worn-out [,wɔ:n'aʊt] *a* 1) понóшенный, изнóшенный 2) устáлый, измýченный

worrier ['wʌrɪə] *n* беспокóйный человéк

worrisome ['wʌrɪsəm] *a* 1) беспокóйный 2) причиня́ющий беспокóйство; назóйливый

worrit ['wʌrɪt] *разг.* = worry

worry ['wʌrɪ] **1.** *n* 1) беспокóйство, тревóга; мучéние 2) забóта

2. *v* 1) мýчить(ся), терзáть(ся), беспокóить(ся); don't let that ~ you пусть э́то вас не тревóжит 2) надоедáть; приставáть 3) держáть в зубáх и трепáть (*обыкн. о собаке*) 4) беспокóить, болéть; his wound worries him рáна беспокóит егó ▭ ~ along *разг.* продвигáться, пробивáться вперёд (чéрез все трýдности) ◇ not to ~ нéчего беспокóиться

worse [wɜ:s] **1.** *a* (*сравн. ст. от* bad 1) хýдший; he is ~ today емý сегóдня хýже; to be none the ~ for smth. ничýть не не пострада́ть от чего́-л.; he is none the ~ for it а ему́ хоть бы что; to be the ~ for wear а) изно，си́ться, быть поно́шенным; б) истощи́ться

2. *adv* (*сравн. ст. от* badly) ху́же; сильне́е; none the ~ ничу́ть не ху́же, ещё лу́чше; I like him none the ~ for being outspoken я ещё бо́льше люблю́ его́ за и́скренность ▭ ~ off: to be ~ off оказа́ться в бо́лее затрудни́тельном положе́нии

3. *n* ху́дшее; to go from bad to ~ станови́ться всё ху́же и ху́же; to have the ~ потерпе́ть пораже́ние; to put to the ~ нанести́ пораже́ние; a change (*или* a turn) for the ~ переме́на к ху́дшему; ~ cannot happen ничего́ ху́дшего не мо́жет случи́ться

worsen [ˈwɜːsn] *v* ухудша́ть(ся)

worship [ˈwɜːʃɪp] **1.** *n* 1) культ; почита́ние; поклоне́ние 2) богослуже́ние; public (*или* divine) ~ церко́вная слу́жба; place of ~ це́рковь 3) *уст.* почёт; a man of great ~ челове́к, по́льзующийся больши́м почётом; to win ~ дости́чь сла́вы 4): Your W. ва́ша ми́лость (*при обращении к судье, мэру*) ◇ freedom of ~ свобо́да со́вести

2. *v* 1) поклоня́ться, почита́ть; боготвори́ть, обожа́ть 2) быва́ть в це́ркви

worshipful [ˈwɜːʃɪpfl] *a уст.* почте́нный, уважа́емый (*в обращении*); ~ sir ми́лостивый госуда́рь

worst [wɜːst] **1.** *a* (*превосх. ст. от* bad 1) наиху́дший

2. *adv* (*превосх. ст. от* badly) ху́же всего́

3. *n* наиху́дшее, са́мое ху́дшее; the ~ of the storm is over бу́ря начина́ет утиха́ть; at (the) ~ в са́мом ху́дшем положе́нии *или* слу́чае; на худо́й коне́ц; if the ~ comes to the ~ е́сли случи́тся са́мое ху́дшее; в са́мом ху́дшем слу́чае; he always thinks the ~ of everybody он всегда́ ду́мает о лю́дях са́мое плохо́е; to get the ~ of it потерпе́ть пораже́ние

4. *v* одержа́ть верх, побе́ду

worsted [ˈwʊstɪd] *n* ткань из гребенно́й ше́рсти; камво́льная ткань

worth I [wɜːθ] **1.** *n* 1) досто́инства; a man of ~ досто́йный, заслу́живающий уваже́ния челове́к; he was never aware of her ~ он никогда́ не цени́л её по заслу́гам 2) цена́, сто́имость, це́нность, досто́инство; give me a shilling's ~ of stamps да́йте мне ма́рок на ши́ллинг; to be aware of one's ~ ≅ знать себе́ це́ну 3) *уст.* бога́тство, иму́щество ◇ to put in one's two cents ~ вы́сказаться

2. *a predic.* 1) сто́ящий; is ~ nothing ничего́ не сто́ит; little ~ *поэт.* ма́ло сто́ящий; what is it ~? ско́лько э́то сто́ит? 2) заслу́живающий; ~ attention заслу́живающий внима́ния; ~ while, *разг.* ~ it сто́ящий затра́ченного вре́мени *или* труда́; this play is ~ seeing э́ту пье́су сто́ит посмотре́ть; it is not ~ taking the trouble об э́том не сто́ит беспоко́иться; take the story for what is ~ не принима́йте всего́ на ве́ру в э́том расска́зе 3) облада́ющий (*чем-л.*); he is ~ over a million у него́ де́нег бо́льше миллио́на ◇ for all one is ~ *разг.* изо все́х си́л; not ~ a button ≅ гроша́ ме́дного не сто́ит; not ~ the trouble ≅ игра́ не сто́ит свеч; not ~ powder and shot ≅ овчи́нка вы́делки не сто́ит

worth II [wɜːθ] *v уст.*: woe (well) ~ the day! будь про́клят (благослове́н) день!

worthless [ˈwɜːθləs] *a* ничего́ не сто́ящий; никуды́шный; бесполе́зный; никчёмный

worthwhile [ˌwɜːθˈwaɪl] *a* сто́ящий; де́льный; ~ experiment интере́сный о́пыт; to be ~ име́ть смысл

worthy [ˈwɜːðɪ] **1.** *a* 1) досто́йный; заслу́живающий (of; *с inf.*); ~ of the name тако́й, о кото́ром сто́ило бы говори́ть; ~ of praise, ~ to be praised досто́йный похвалы́ 2) соотве́тствующий, подоба́ющий 3) (*обыкн. ирон.*) достопочте́нный

2. *n* 1) досто́йный челове́к 2) знамени́тость 3) *шутл.* осо́ба; тип

-worthy [-wɜːðɪ] *в сложных словах означает* заслу́живающий; noteworthy заслу́живающий внима́ния; blameworthy заслу́живающий порица́ния

wot [wɒt] *pres. от* wit II

would [wʊd (*полная форма*); wəd, əd (*редуцированные формы*)] 1) *вспомогательный глагол; служит для образования будущего в прошедшем во 2 и 3 лице*: he told us he ~ come at two он сказа́л нам, что придёт в два часа́ 2) *вспомогательный глагол; служит для образования условного наклонения*: it ~ be better бы́ло бы лу́чше 3) *служебный глагол, выражающий привычное действие, относящееся к прошедшему времени*: he ~ stand for hours watching the machine work он, быва́ло, це́лыми часа́ми наблюда́л за рабо́той маши́ны 4) *модальный глагол, выражающий*: а) *упорство, настойчивость*: I warned you, but you ~ do it я предостерега́л вас, но вы непреме́нно хоте́ли поступи́ть так; б) *желание*: ~ I were a child хоте́л бы я сно́ва стать ребёнком; come when you ~ приходи́те, когда́ захоти́те; I ~ rather (*или* sooner), I ~ just as soon я бы предпочёл; в) *вероятность*: that ~ be his house э́то, вероя́тно, его́ дом; г) *вежливую просьбу*: ~ you help me, please? не помо́жете ли вы мне?

would-be [ˈwʊdbiː] *a* 1) (*обыкн. презр.*) претенду́ющий (*на что-л.*); с прете́нзией (*на что-л.*); мечта́ющий (*о чём-л.*) 2) предполага́емый; потенциа́льный 3) притво́рный

wouldn't [ˈwʊdnt] *сокр. разг.* = would not

wound I [wuːnd] **1.** *n* 1) ра́на; ране́ние 2) оби́да, оскорбле́ние; уще́рб 3) *поэт.* му́ки любви́

2. *v* 1) ра́нить 2) причиня́ть боль, заде́ть; to ~ smb.'s feelings заде́ть чьи-л. чу́вства; he was ~ed in his deepest affections он был оскорблён в свои́х лу́чших чу́вствах

wound II [waʊnd] *past и p. p. от* wind I, 2, 4)

wound III [waʊnd] *past и p. p. от* wind II, 2

wove [wəʊv] *past от* weave 1

woven [ˈwəʊvn] *p. p. от* weave 1

wow [waʊ] **1.** *n sl.* 1) не́что из ря́да вон выходя́щее 2) *театр.* огро́мный успе́х

2. *v sl.* порази́ть, ошеломи́ть

3. *int* здо́рово!, красота́!

wowser [ˈwaʊzə] *n австрал. sl.* 1) стро́гий пурита́нин 2) челове́к, по́ртящий настрое́ние други́м 3) во́инствующий тре́звенник

wrack [ræk] **1.** *n* 1) оста́тки кораблекруше́ния 2) *уст., поэт.* разоре́ние, разруше́ние; to go to ~ разру́шиться; ~ and ruin по́лное разоре́ние 3) во́доросль (*выброшенная на берег моря*)

2. *v* разруша́ть(ся)

wraith [reɪθ] *n* дух (*кого-л.*), явля́ющийся незадо́лго до сме́рти *или* вско́ре по́сле неё; виде́ние

wrangle [ˈræŋgl] **1.** *n* пререка́ния, спор; to have a ~ with smb. about (*или* over) smth. поспо́рить *или* повздо́рить с кем-л. о чём-л.

2. *v* 1) (по)спо́рить, повздо́рить; пререка́ться (*с кем-л. о чём-л.*); what are they wrangling about? о чём они́ спо́рят? 2) *амер.* пасти́ ста́до, табу́н лошаде́й (*обыкн. верхом*)

wrangler [ˈræŋglə] *n* 1) крику́н, спо́рщик 2) *амер.* ковбо́й 3) студе́нт, осо́бо отличи́вшийся на экза́мене по матема́тике (*в Кембриджском университете*)

wrap [ræp] **1.** *n* 1) шаль, плато́к; мехова́я пелери́на; одея́ло, плед 2) обёртка ◇ to take the ~s off рассекре́чивать; under ~s та́йно

2. *v* 1) завёртывать, свора́чивать, скла́дывать, заку́тывать (*часто* ~ up); to ~ oneself тепло́ одева́ться 2) оку́тывать, обёртывать (round, about); to ~ it paper оберну́ть бума́гой ▭ ~ over перекрыва́ть; ~ up а) заверша́ть; дава́ть кра́ткое заключе́ние; б) ку́таться; в) *imp. sl.* заткни́сь! ◇ ~ped up in а) погружённый в (*себя, во что-л.*), за́нятый *чем-л.*; ~ped up in slumber погружённый в сон; б) скрыва́емый; the affair is ~ped up in mystery э́то де́ло оку́тано та́йной

wrapper [ˈræpə] *n* 1) обёртка 2) бандеро́ль 3) супероблóжка 4) хала́т; капо́т

wrapping [ˈræpɪŋ] **1.** *pres. p. от* wrap 2

2. *n* (*часто pl*) обёртка; обёрточная бума́га

wrapping-paper [ˌræpɪŋˈpeɪpə] *n* обёрточная бума́га

wrap-up [ˈræpʌp] *n амер.* кра́ткая сво́дка новосте́й

wrasse [ræs] *n* губа́н (*рыба*)

wrath [rɒθ] *n книжн.* гнев, я́рость; глубо́кое возмуще́ние

wrathful [ˈrɒθfl] *a* гне́вный, рассе́рженный

wreak [riːk] *v* дава́ть вы́ход, во́лю (*чувству*); to ~ vengeance upon one's enemy отомсти́ть врагу́

wreath [riːθ] *n* 1) вено́к, гирля́нда 2) завито́к, кольцо́ (*дыма*)

wreathe [ri:ð] *v* 1) свивáть, сплетáть (*венки*) 2) обвивáть(ся) 3) клубиться (*о дыме*) 4) покрывáть (*морщинами и т. п.*)

wreathed [ri:ðd] **1.** *past и p. p. от* wreathe

2. *a* 1) сплетён-ый 2) покры́тый; a face ~ in wrinkles лицó, покры́тое морщи́нами; a fact ~ in smiles лицó, расплы́вшееся в улы́бке

wreck [rek] **1.** *n* 1) круше́ние, авáрия; ги́бель, уничтоже́ние; the house was a ~ after the party в дóме бы́ло всё вверх дном пóсле вечери́нки 2) óстов разби́того сýдна, остáтки кораблекруше́ния (*выброшенные на берег*); облóмки (*самолёта*) 3) развáлина; what a ~ of his former self he is! какóй он стал развáлиной! 4) крах, круше́нис (*надежд и т. п.*) 5) *attr.* авари́йный; ~ mark *мор.* знак, ограждáющий мéсто затонýвшего сýдна

2. *v* 1) вы́звать круше́ние, разруше́ние; потопи́ть (*судно*) 2) потерпе́ть круше́ние 3) рýхнуть (*о планах, надеждах*) 4) разрушáть (*здоровье и т. п.*) 5) снести́ (*здание*)

wreckage ['rekɪdʒ] *n* 1) облóмки круше́ния 2) = wreck 1, 4)

wrecked [rekt] **1.** *p. p. от* wreck 2

2. *a* потерпе́вший кораблекруше́ние, авáрию

wrecker ['rekə] *n* 1) мародёр, *особ.* грабитель разби́тых судóв 2) *амер. ж.-д.* рабóчий ремóнтной (авари́йной) бригáды 3) *амер.* рабóчий по снóсу домóв; *pl* фи́рма по снóсу домóв 4) *амер.* маши́на техни́ческой пóмощи

wrecking ['rekɪŋ] **1.** *pres. p. от* wreck 2

2. *n* 1) разруше́ние 2) снесе́ние (*зданий*) 3) *амер.* авари́йно-спасáтельные рабóты

3. *a* 1) спасáтельный; ~ car = wrecker 4); 2): ~ crew бригáда по снóсу здáний 3) разруши́тельный, губи́тельный; ~ policy разори́тельная поли́тика

Wren [ren] *n разг.* военнослýжащая же́нской вспомогáтельной слýжбы ВМС (*во время второй мировой войны*)

wren [ren] *n* крапи́вник (*птица*)

wrench [rentʃ] **1.** *n* 1) дёрганье; скрýчивание 2) щемя́щая тоскá, боль (*при разлуке*); the ~ of saying goodbye боль разлýки 3) вы́вих; to give one's ankle a ~ вы́вихнуть лоды́жку 4) искаже́ние (*истины, текста и т. п.*) 5) *тех.* гáечный ключ-

2. *v* 1) вывёртывать, вырывáть (*тж.* ~ off, ~ away; from, out of); to ~ open взлáмывать 2) вы́вихнуть 3) искажáть (*факты, истину*)

wrest [rest] *v* 1) вырывáть (*силой*); вывoрáчивать 2) вырывáть (*оружие, победу у врага*); исторгáть (*согласие*; from — у *кого-л.*) 3) искажáть, истолкóвывать непрáвильно (*закон, текст*)

wrestle ['resl] **1.** *n* 1) *спорт.* борьбá; соревновáние по борьбé 2) упóрная борьбá (*с трудностями и т. п.*)

2. *v* борóться; to ~ against (*или* with) temptation (adversity) борóться с искуше́нием (бедóй); to ~ with a problem би́ться, ломáть гóлову над задáчей

wrestler ['reslə] *n спорт.* борéц

wrestling ['reslɪŋ] **1.** *pres. p. от* wrestle 2

2. *n спорт.* борьбá

wretch [retʃ] *n* 1) несчáстный; poor ~ бедня́га 2) негодя́й 3) *шутл.* негóдник

wretched ['retʃɪd] *a* 1) несчáстный; жáлкий; ~ existence жáлкое существовáние, прозябáние 2) никудá не гóдный, никуды́шный, плохóй; гнýсный; ~ hovel жáлкая лачýга; ~ state of things сквéрное положе́ние вещéй; ~ weather мéрзкая погóда 3) неприя́тный, ужáсный; ~ toothache отчáянная зубнáя боль ◇ to feel ~ а) чýвствовать себя́ нехорошó; б) чýвствовать себя́ нелóвко

wrick [rɪk] **1.** *n* растяже́ние (*мышцы*)

2. *v* растянýть (*мышцу*)

wriggle ['rɪgl] **1.** *n* изги́б, изви́в

2. *v* 1) извивáться (*о черве и т. п.*); изгибáться (*тж.* ~ oneself) 2) пробирáться, продвигáться вперёд (*тж.* ~ along) 3) втирáться, примáзываться; to ~ into office пробрáться на какóй-л. пост; to ~ into favour втерéться в довéрие ▭ ~ **out of** *разг.* виля́ть, увиливать; to ~ out of an engagement уклоня́ться от обязáтельства; to ~ out of a difficulty вы́путаться из затрудни́тельного положе́ния

wriggler ['rɪglə] *n* 1) личи́нка комарá 2) человéк, увиливающий от свои́х обязáтельств 3) проны́ра; интригáн

-wright [-raɪt] *в сложных словах в названиях профессий*: shipwright кораблестрои́тель; playwright драматýрг

wring [rɪŋ] **1.** *n* скрýчивание, выжимáние *и пр.* [*см.* 2]

2. *v* (wrung) 1) жать (*об обуви*) 2) выжимáть (*тж.* ~ out); ~ing wet мóкрый, хоть вы́жми 3) скрýчивать; to ~ one's hands ломáть себé рýки; to ~ smb.'s hand крéпко сжать, пожáть комý-л. рýку 4) терзáть 5) вымогáть, исторгáть (*тж.* ~ out; from, out of); to ~ consent принýдить согласи́ться; to ~ a promise from smb. вы́рвать у когó-л. обещáние

wringer ['rɪŋə] *n* маши́на для отжимáния белья́ ◇ to put smb. through the ~ а) (жестóким обращéнием) истóргнуть признáние; б) выжимáть все сóки (*из подчинённых и т. п.*)

wrinkle ['rɪŋkl] **1.** *n* 1) морщи́на; склáдка; to fit without a ~ сидéть без еди́ной морщи́нки, как вли́тое (*об одежде*) 2) *разг.* полéзный совéт, намёк

2. *v* мóрщить(ся) (*тж.* ~ up); сминáть(ся), мять(ся)

wrinkly ['rɪŋklɪ] *a* морщи́нистый, в морщи́нах

wrist [rɪst] *n* 1) запя́стье 2) *тех.* цáпфа 3) *attr.* нарýчный; ~ watch нарýчные часы́

wristband ['rɪstbænd] *n* 1) манжéта, обшлáг 2) браслéт

wristlet ['rɪstlət] *n* 1) браслéт 2) ремешóк для часóв 3) *attr.*: ~ watch нарýчные часы́, часы́-браслéт

wrist pin ['rɪstpɪn] *n тех.* цáпфа

writ I [rɪt] *n* 1) прикáз, распоряже́ние, предписáние (*судебных, государственных органов и т. п.*); to serve ~ on smb. вручáть комý-л. прикáз 2) *уст.* писáние

writ II [rɪt] *уст. past и p. p. от* write ◇ ~ large а) я́вный, я́сно вы́раженный; б) усугублённый, ухýдшенный

write [raɪt] *v* (wrote, *уст.* writ; written, *уст.* writ) 1) писáть; to ~ a good (legible) hand имéть хорóший (чёткий) пóчерк; to ~ large (small, plain) писáть крýпно (мéлко, разбóрчиво); to ~ in ink (in pencil) писáть черни́лами (карандашóм); to ~ shorthand стенографи́ровать 2) написáть, вы́писать; to ~ a cheque вы́писать чек; to ~ an application написáть заявлéние 3) выражáть, покáзывать; fear is written on his face страх напи́сан у негó на лицé 4) сочиня́ть (*музыку, рассказы и т. п.*); to ~ for a living быть писáтелем; to ~ out of one's own head насочиня́ть; придýмать 5) печáтать на маши́нке; диктовáть на маши́нку 6) вводи́ть информáцию (*в компьютер*) ▭ ~ **down** а) запи́сывать; б) отзывáться (*о ком-л.*) пренебрежи́тельно *или* неодобри́тельно в печáти; в) *ком.* уцени́ть (*товар*); ~ **for** а) быть корреспондéнтом, сотрýдничать в газéте; б) вы́звать письмóм; we wrote for his mother мы вы́звали егó мать; в) вы́писать, сдéлать пи́сьменный закáз; to ~ for a fresh supply заказáть нóвую пáртию (*товара и т. п.*); ~ **in** а) вписáть, встáвить (*в текст, бланк и т. п.*), заполнить (*графу анкеты и т. п.*); б) *амер.* вписáть фами́лию кандидáта в избирáтельный бюллетéнь; ~ **off** а) написáть и отослáть письмó; б) спи́сывать со счёта; вычёркивать, аннули́ровать (*долг и т. п.*); в) сбрáсывать со счетóв, не принимáть во внимáние; г) писáть с лёгкостью; ~ **out** а) выпи́сывать; to ~ out in full выпи́сывать пóлностью; to ~ out a check вы́писать чек; б): to ~ oneself out исписáться; в) перепи́сывать; to ~ out fair написáть начи́сто; ~ **up** а) подрóбно опи́сывать; б) восхваля́ть в печáти; в) закáнчивать, допи́сывать, доводи́ть до сегóдняшнего дня (*отчёт, дневник*) ◇ nothing to ~ home about *разг.* ≅ нé о чем дáже рассказáть

write-in ['raɪtɪn] *n амер.* 1) систéма голосовáния, при котóрой голосýющий впи́сывает в бюллетéнь и́мя кандидáта 2) кандидáт, дополни́тельно внесённый в спи́сок 3) *attr.*: ~ votes голосá, пóданные за кандидáта, котóрого нет в спи́ске; ~ campaign кампáния за внесéние в спи́сок нóвого кандидáта

write-off ['raɪtɒf] *n* 1) списáние (*имущества*) 2) аннули́рование; пи́сьменный откáз 3) *pl* сýммы, спи́санные со счёта

writer ['raɪtə] *n* 1) писáтель; áвтор; the present ~ пи́шущий э́ти стрóки 2) писéц, клерк ◇ W. to the Signet при-

ся́жный стря́пчий (*в Шотландии*); ~s cramp (*или* palsy) *мед.* пи́счая су́дорога

write-up ['raɪtʌp] *n* 1) *разг.* подро́бный газе́тный отчёт 2) описа́ние (*события, состояния больного и т. п.*)

writhe [raɪð] *v* 1) ко́рчиться (*от боли*) 2) страда́ть (*от стыда, смущения и т. п.*).; to ~ with shame му́читься от стыда́; to ~ under (*или* at) the insult терза́ться оби́дой

writing ['raɪtɪŋ] **1.** *pres. p. от* write

2. *n* 1) пи́сьменность; письмо́ 2) по́черк 3) (*обыкн. pl*) (литерату́рное) произведе́ние; the ~s of Jonathan Swift произведе́ния Джоната́на Сви́фта 4) писа́ние; at the present ~ в то вре́мя, когда́ пи́шутся э́ти стро́ки; in ~ в пи́сьменной фо́рме; ~ down *ком.* списа́ние су́ммы 5) докуме́нт 6) стиль, фо́рма (*литературного произведения*); мане́ра письма́ ◇ the ~ on the wall а) *библ.* письмена́ на стене́; б) злове́щее предзнаменова́ние

3. *a* пи́счий; для письма́; пи́сьменный

writing-case ['raɪtɪŋkeɪs] *n* несессе́р для пи́сьменных принадле́жностей

writing desk ['raɪtɪŋdesk] *n* конто́рка; пи́сьменный стол

writing-ink ['raɪtɪŋɪŋk] *n* черни́ла

writing-master ['raɪtɪŋ,mɑ:stə] *n* учи́тель чистописа́ния

writing-materials ['raɪtɪŋmə,tɪərɪəlz] *n pl* пи́сьменные принадле́жности

writing-pad ['raɪtɪŋpæd] *n* блокно́т

writing paper ['raɪtɪŋ,peɪpə] *n* почто́вая бума́га; пи́счая бума́га

writing-table ['raɪtɪŋ,teɪbl] *n* пи́сьменный стол

written ['rɪtn] *p. p. от* write

wrong [rɒŋ] **1.** *n* 1) непра́вда; непра́вильность, оши́бочность, заблужде́ние; to do ~ заблужда́ться; греши́ть; to do ~ to smb. быть несправедли́вым к кому́-л.; to be in the ~ быть непра́вым 2) зло; несправедли́вость; оби́да; to put smb. in the ~ свали́ть вину́ на кого́-л. 3) *юр.* правонаруше́ние

2. *a* 1) непра́вильный, оши́бочный; the whole calculation is ~ весь расчёт неве́рен; my watch is ~ мои́ часы́ неве́рны; I can prove you ~ я могу́ доказа́ть, что вы непра́вы; to be quite ~ жесто́ко ошиба́ться 2) не тот (кото́рый ну́жен); несоотве́тствующий; at the ~ time в неподходя́щее вре́мя; he took the ~ street он пошёл не по той у́лице; to talk to the ~ man обраща́ться не по а́дресу; what's ~ with it? а) почему́ э́то вам не нра́вится *или* не подхо́дит?; б) что же тут тако́го?; в) почему́ бы не...; what's ~ with a cup of coffee? почему́ бы не вы́пить ча́шечку ко́фе? 3) дурно́й, противозако́нный, безнра́вственный 4) неиспра́вный; something is ~ with the motor мото́р неиспра́вен; my liver is ~ у меня́ что́-то не в поря́дке с пе́ченью ◇ to go ~ а) сби́ться с пути́ и́стинного, согреши́ть; опусти́ться (*морально*); б) не удава́ться; everything went ~ всё шло не так; в) вы́йти из стро́я (*о машине и т. п.*); to get (*или* to get hold) of the ~ end of the stick непра́вильно поня́ть, превра́тно истолкова́ть (*что-л.*); to get off on the ~ foot произвести́ плохо́е впечатле́ние; неуда́чно нача́ть; on the ~ side of 40 за́ сорок (лет)

3. *adv* непра́вильно, неве́рно; I'm afraid you got me ~ бою́сь, вы меня́ не так по́няли

4. *v* 1) вреди́ть; причиня́ть зло, обижа́ть 2) быть несправедли́вым (*к кому-л.*); припи́сывать дурны́е побужде́ния (*кому-л.*)

wrongdoer ['rɒŋ,du:ə] *n* 1) гре́шник 2) престу́пник; правонаруши́тель 3) оби́дчик, оскорби́тель

wrongdoing ['rɒŋ,du:ɪŋ] *n* 1) грех; просту́пок 2) преступле́ние; правонаруше́ние

wrongful ['rɒŋfl] *a* 1) непра́вильный, несправедли́вый 2) вре́дный 3) незако́нный, престу́пный; неправоме́рный; ~ dismissal незако́нное увольне́ние

wrongheaded [,rɒŋ'hedɪd] *a* заблужда́ющийся; упо́рствующий в заблужде́ниях

wrong'un ['rɒŋən] *n разг.* тёмная ли́чность

wrote [rəut] *past от* write

wroth [rəuθ] *a predic. уст.* разгне́ванный

wrought [rɔ:t] *past и p. p. уст. от* work 2, 6), 7), 8) *и* 12)

wrought iron [,rɔ:t'aɪən] *n* сва́рочная сталь, ко́вкая мя́гкая сталь

wrought-up [,rɔ:t'ʌp] *a* не́рвный; взви́нченный

wrung [rʌŋ] *past и p. p. от* wring 2

wry [raɪ] *a* 1) криво́й, переко́шенный; to make a ~ face (*или* mouth) сде́лать ки́слую ми́ну; a ~ smile крива́я улы́бка 2) непра́вильный; противоречи́вый; искажённый 3) сде́ржанный (*о юморе*)

wryneck ['raɪnek] *n* 1) вертише́йка (*птица*) 2) *мед* кривоше́я

wunderkind ['wʌndəkɪnd] *n разг.* вундерки́нд

wych elm ['wɪtʃelm] *n бот.* ильм го́рный *или* шерша́вый

wye [waɪ] *n* 1) *название буквы* Y 2) *эл.* звезда́; соедине́ние звездо́й 3) *ж.-д.* поворо́тный треуго́льник 4) *тех.* тройни́к

Wykehamist ['wɪkəmɪst] *n* воспи́танник Ви́нчестерского ко́лледжа

wynd [waɪnd] *n шотл.* у́зкая у́лица *или* алле́я

X

X x [eks] *n* (*pl* **Xs, X's** ['eksɪz]) 1) *24-я буква англ. алфавита* 2) что-л., напоминáющее по фóрме бýкву X 3) *мат.* икс, неизвéстная величинá 4) нéчто таи́нственное *или* неизвéстное; нéкто таи́нственный, неизвéстный 5) крест, крéстик 6) значóк *и т. п.*, укáзывающий на оши́бку (*в тексте, экзаменационной работе*) 7) категóрия фи́льмов, на котóрые дéти не допускáются 8) (X) *амер.* дéсять дóлларов (*бумажные*)

Xanthippe [zæn'θɪpɪ] *n* Ксанти́ппа; *перен.* злáя, сварли́вая женá

xanthous ['zænθəs] *a* жёлтый (*о коже, волосах и т. п.*)

X-axis ['eks,æksɪs] *n мат.* ось абсци́сс

X-bit ['eksbɪt] *n горн.* крестóвая голóвка бýра

X-bracing ['eks,breɪsɪŋ] *n тех.* крестóвые свя́зи

xebec ['zi:bek] *n ист.* шебéка (*тип парусного судна на Средиземном море*)

X-engine ['eks,endʒɪn] *n тех.* двúгатель с X-образным расположéнием цили́ндров

xenial ['zi:nɪəl] *a* свя́занный с гостеприи́мством, относя́щийся к гостеприи́мству; ~ customs закóны гостеприи́мства

xenogamy [zɪe'nɒgəmɪ] *n бот.* ксеногáмия, перекрёстное опылéние

xenon ['zi:nɒn] *n хим.* ксенóн

xenophobia [,zenə'fəʊbɪə] *n* неприя́зненное отношéние к инострáнцам

xerography [zɪə'rɒgrəfɪ] *n* размножéние на ксéроксе, ксерографи́рование

Xerox ['zɪərɒks] *n* 1) ксéрокс (*аппарат для снятия фотокопий*) 2) фотокóпия

Xerxes ['zɜ:ksi:z] *n ист.* Ксеркс

xiphoid ['zɪfɔɪd] *a биол.* мечеви́дный

X-line ['ekslaɪn] *n мат.* ось и́ксов, ось абсци́сс

Xmas ['krɪsməs] *разг.* = Christmas

X-ray [,eks'reɪ] **1.** *n* 1) (*обыкн. pl*) рентгéновы лучи́ 2) *attr.* рентгéновский; ~ therapy рентгенотерапи́я; ~ picture рентгенограмма; ~ photograph рентгéновский сни́мок

2. *v* просвéчивать, исслéдовать рентгéновыми лучáми

xylanthrax [zaɪ'lænθræks] *n* древéсный ýголь

xylograph ['zaɪləgrɑ:f] *n* гравю́ра на дéреве

xylography [zaɪ'lɒgrəfɪ] *n* ксилогрáфия

Xylonite ['zaɪlənaɪt] *n* целлулóид

xylophone ['zaɪləfəʊn] *n* ксилофóн

xylose ['zaɪləʊz] *n хим.* ксилóза

xyster ['zɪstə] *n мед.* распáтор

Y

Y, y [waɪ] *n* (*pl* Ys, Y's [waɪz]) 1) *25-я буква англ. алфавита* 2) что-л., напоминáющее по фóрме бýкву Y 3) *мат.* ѝгрек, неизвéстная величинá

yacht [jɒt] **1.** *n* я́хта

2. *v* плáвать, ходи́ть на я́хте

yacht-club [ˈjɒtklʌb] *n* яхт-клýб

yachting [ˈjɒtɪŋ] **1.** *pres. p. от* yacht 2

2. *n* пáрусный спорт (*тж.* ~ sport)

yachtsman [ˈjɒtsmən] *n* 1) *спорт.* яхтсмéн 2) владéлец я́хты

yaffil, yaffle [ˈjæfl] *n* *диал.* зелёный дя́тел

yah [jɑː] *int* да ну? (*выражает насмешку, презрение*)

yahoo [jɑːˈhuː] *n* 1) иéху [*слово, созданное Свифтом, см. «Путешествие Гулливера»*] 2) отврати́тельное существó, гáдина 3) *амер.* деревéнщина, мужлáн

yak [jæk] *n* *зоол.* як

Yakut [jəˈkʊt] **1.** *n* 1) якýт; якýтка 2) якýтский язы́к

2. *a* якýтский

Yale lock [ˈjeɪllɒk] *n* автомати́ческий «америкáнский» замóк

yam [jæm] *n* *бот.* 1) ямс 2) батáт

yammer [ˈjæmə] *v* *разг. диал.* 1) жáловаться, ныть 2) болтáть без ýмолку; говори́ть глýпости, нести́ вздор

Yank [jæŋk] *n* *разг.* (*часто пренебр.*) я́нки

yank [jæŋk] *разг.* **1.** *n* рывóк, дёрганье

2. *v* налегáть с размáху на рычáг; дёргать (*обыкн.* ~ out, ~ off)

Yankee [ˈjæŋkɪ] *n* *разг.* 1) (*часто пренебр.*) я́нки, америкáнец 2) урожéнец *или* жи́тель Нóвой Áнглии 3) *attr.* америкáнский

yankeefied [ˈjæŋkɪfaɪd] *a* обамерикáнившийся

yap [jæp] **1.** *n* 1) лай; тя́вканье 2) *разг.* болтовня́ 3) *sl.* треплó 4) *sl.* рот; хайлó

2. *v* 1) пронзи́тельно ля́ять; тя́вкать 2) *разг.* болтáть

yapp [jæp] *n* мя́гкий кóжаный переплёт

yard I [jɑːd] *n* 1) ярд (= *3 футам или 914,4 мм*); by the ~ в я́рдах; can you still buy cloth by the ~ in Britain? в Áнглии ещё мéрят ткáни на я́рды? 2) *мор.* рей

yard II [jɑːd] **1.** *n* 1) двор 2) леснóй склад 3) *амер.* сад 4) (the Y.) *разг.* = Scotland Yard 5) загóн 6) *ж.-д.* парк; сортирóвочная стáнция

2. *v* загоня́ть (*скотину на двор*)

yardarm [ˈjɑːdɑːm] *n* *мор.* нок-рéя

yard-bird [ˈjɑːdbɜːd] *n* *амер. sl.* 1) новобрáнец 2) заключённый

yardman [ˈjɑːdmən] *n* *ж.-д.* рабóчий депó *или* пáрка

yardmaster [ˈjɑːdˌmɑːstə] *n* *ж.-д.* составѝтель поездóв; диспéтчер стáнции

yard-measure [ˈjɑːdˌmeʒə] *n* измери́тельная линéйка *или* рулéтка, «метр» длинóй в оди́н ярд

yardstick [ˈjɑːdstɪk] *n* 1) = yard-measure 2) мéрка; мери́ло; критéрий; to measure (*или* to judge) others by one's own ~ ≅ мéрить всех на свой арши́н

yard-wand [ˈjɑːdwɒnd] = yard-measure

yarmulke [ˈjɑːmʊlkə] *n* ермóлка

yarn [jɑːn] **1.** *n* 1) пря́жа, нить 2) *разг.* (дли́нный) расскáз

2. *v* *разг.* расскáзывать бáйки; болтáть

yarn-beam [ˈjɑːnbiːm] *n* *текст.* ткáцкий навóй с пря́жей

yarn-dyed [ˈjɑːndaɪd] *a* крáшеный в пря́же

yarrow [ˈjærəʊ] *n* *бот.* тысячели́стник обыкновéнный

yashmak [ˈjæʃmæk] *n* чадрá

yataghan [ˈjætəgən] *n* ятагáн

yaw [jɔː] *мор., ав.* **1.** *n* отклонéние от направлéния движéния, ры́скание

2. *v* отклоня́ться от кýрса

yawl [jɔːl] *n* *мор.* ял; иóл

yawn [jɔːn] **1.** *n* 1) зевóта 2) *разг.* скучи́ща, нéчто нýдное 3) *тех.* зазóр

2. *v* 1) зевáть; he ~ed good night зевáя, он пожелáл дóброй нóчи 2) зия́ть 3) разверзáться; a gulf ~ed at our feet бéздна развéрзлась у нáших ног ◊ to make a person ~ нагнáть сон *или* скýку на когó-л.

Y-axis [ˈwaɪˌæksɪs] *n* *мат* ось ординáт

yclept [ɪˈklept] *a* *уст., шутл.* называ́емый, именýемый

ye [jiː] *уст., поэт.* = you ◊ how d'ye do? здрáвствуйте; как поживáете?; ye gods! о, бóги!

yea [jeɪ] *уст.* **1.** *n* соглáсие; утверди́тельный отвéт ◊ ~ and nay нереши́тельность; ~s and nays *парл.* поимённое голосовáние

2. *adv* 1) да 2) бóльше тогó; дáже; I will give you a pound, ~ two pounds я дам вам фунт, дáже бóльше, два фýнта стéрлингов

3. *int* действи́тельно?(!), прáвда?(!) (*выражает недоверие, иронию и т. п.*)

yeah [jeə] *adv* *разг.* да

yean [jiːn] *v* *уст.* ягни́ться

yeanling [ˈjiːnlɪŋ] *n* *уст.* козлёнок; ягнёнок

year [jɪə] *n* 1) год; ~ by ~ кáждый год; ~ in ~ out из гóда в год; from ~ to ~, ~ by ~, ~ after ~ с кáждым гóдом; кáждый год; год óт году; ~s (and ~s) ago óчень давнó, цéлую вéчность; the ~ of grace год нáшей э́ры; in the ~ of grace (*или* of our Lord) 1975 в 1975 годý от рождествá Христóва 2) *pl* вóзраст, гóды; he looks young for his ~s он мóлодо вы́глядит для свои́х лет; in ~s пожилóй

yearbook [ˈjɪəbʊk] *n* ежегóдник

yearling [ˈjɪəlɪŋ] **1.** *n* 1) годови́к, годовáлое живóтное; сáженец 2) *амер. воен. жарг.* призывни́к

2. *a* годовáлый

yearlong [ˌjɪəˈlɒŋ] *a* длящийся цéлый год

yearly [ˈjɪəlɪ] **1.** *a* 1) ежегóдный 2) дляшийся год

2. *adv* кáждый год; раз в год

yearn [jɜːn] *v* 1) томи́ться, тосковáть (for, after — по *ком-л., чём-л.*); he ~ed to be home again он рвáлся домóй 2) жáждать, стреми́ться (for, to — к *чему-л.*)

yearning [ˈjɜːnɪŋ] **1.** *pres. p. от* yearn

2. *n* си́льное желáние; óстрая тоскá; popular ~s нарóдные чáяния

yeast [jiːst] *n* дрóжжи, заквáска

yeasty [ˈjiːstɪ] *a* 1) пéнистый 2) бродя́щий 3) пустóй (*о словах и т. п.*)

yegg [jeg] *n* *амер. sl.* взлóмщик, грабѝтель

yell [jel] **1.** *n* 1) пронзи́тельный крик 2) *амер.* вóзгласы одобрéния, при́нятые в кáждом кóллéдже (*выкрикиваемые на студенческих спортивных состязаниях*) 3) *sl.* заня́тный тип; смешнáя забáвная вещи́ца, штукóвина

2. *v* 1) кричáть, вопи́ть 2) выкри́кивать; to ~ out curses изрыгáть прокля́тия

yellow [ˈjeləʊ] **1.** *a* 1) жёлтый 2) *разг.* труслѝвый; he has a ~ streak in him он трусовáт 3) зави́стливый, ревни́вый, подозри́тельный (*о взгляде и т. п.*) ◊ the ~ press жёлтая прéсса; ~ flag каранти́нный флаг

2. *n* 1) желтизнá, жёлтый цвет 2) желтóк 3) *разг.* трýсость

3. *v* 1) желтéть 2) желти́ть

yellowback [ˈjeləʊbæk] *n* 1) дешёвый бульвáрный ромáн 2) францýзский ромáн (*в жёлтой обложке*)

yellow-bark oak [ˌjeləʊbɑːkˈəʊk] *n* *бот.* бáрхатный дуб

yellow-belly [ˈjeləʊˌbelɪ] *n* *разг.* трус

yellow card [ˌjeləʊˈkɑːd] *n* *спорт.* жёлтая кáрточка

yellow dog [ˌjeləʊˈdɒg] *n* *амер.* пóдлый человéк, трус; презрéнная ли́чность

yellow-dog contract [ˌjeləʊdɒgˈkɒntrækt] *n* *амер.* обязáтельство рабóчего о невступлéнии в профсою́з

yellow-dog fund [ˌjeləʊdɒg'fʌnd] *n амер.* фонд для по́дкупа, взя́ток *и т. п.*

yellow fever [ˌjeləʊ'fi:və] *n мед.* жёлтая лихора́дка

yellowhammer ['jeləʊˌhæmə] *n* овся́нка обыкнове́нная (*птица*)

yellowish ['jeləʊɪʃ] *a* желтова́тый

yellow jack [jeləʊˌdʒæk] *n* 1) = yellow fever 2) каранти́нный флаг

yellow-livered ['jeləʊˌlɪvəd] *a разг.* трусли́вый

yellowness ['jeləʊnəs] *n* желтизна́

Yellow Pages [ˌjeləʊ'peɪdʒɪz] *n* «жёлтый спра́вочник» (*торгово-промышленный раздел телефонного справочника на бумаге жёлтого цвета*)

yellow spot [ˌjeləʊ'spɒt] *n анат.* жёлтое пятно́

yellowy ['jeləʊɪ] = yellowish

yelp [jelp] **1.** *n* визг; лай

2. *v* визжа́ть; ла́ять; тя́вкать

Yemeni ['jemənɪ] = Yemenite

Yemenite ['jemənaɪt] **1.** *a* йе́менский

2. *n* йе́менец; йе́менка

yen I [jen] *n* (*pl без измен.*) ие́на (*денежная единица Японии*)

yen II [jen] *разг.* **1.** *n* си́льное жела́ние

2. *v* жа́ждать, стреми́ться (*сделать что-л.*)

yeoman ['jəʊmən] *n* 1) *ист.* йо́мен 2) фе́рмер сре́дней руки́, ме́лкий землевладе́лец 3) *амер. мор.* пи́сарь 4): ~ of signals *мор.* старшина́-сигна́льщик ◇ ~ of the Guard англи́йский дворцо́вый страж; ~('s) service а) по́мощь в нужде́; б) безупре́чная слу́жба

yeomanry ['jəʊmənrɪ] *n* 1) *ист.* сосло́вие йо́менов 2) *ист.* территориа́льная ко́нница 3) *воен.* территориа́льная доброво́льческая часть

yep [jep] *int амер. разг.* да

yes [jes] **1.** *adv* да

2. *n* утвержде́ние; согла́сие

yes-man ['jesmæn] *n разг.* подхали́м, подпева́ла

yesterday ['jestədɪ] **1.** *adv* 1) вчера́; ~ morning вчера́ у́тром 2) совсе́м неда́вно

2. *n* вчера́шний день; ~'s incident вчера́шний слу́чай

yesterevening [ˌjestər'i:vnɪŋ] *поэт.* **1.** *n* вчера́шний ве́чер

2. *adv* вчера́ ве́чером

yesternight ['jestənaɪt] = yesterevening

yesteryear ['jestəjɪə] *книжн.* **1.** *n* про́шлый год

2. *adv* в про́шлом году́

yestreen [je'stri:n] *шотл.* = yesterevening

yet [jet] **1.** *adv* 1) ещё, всё ещё; he has not come ~ он ещё не пришёл; not ~ ещё не(т); never ~ никогда́ ещё не; ~ more ещё бо́льше 2) ещё, кро́ме того́; he has ~ much to say ему́ ещё мно́гое на́до сказа́ть 3) уже́ (*в вопр. предложениях*); need you go ~? вам уже́ на́до идти́? 4) да́же; бо́лее; this question is more important ~ э́тот вопро́с да́же важне́е; he will not accept help nor ~ advice он не при́мет ни по́мощи, ни да́же сове́та 5) до сих по́р, когда́-либо; it is the largest specimen ~ found э́то са́мый кру́пный экземпля́р из на́йденных до сих по́р; as ~ всё ещё, пока́, до сих по́р; the scheme has worked well as ~ пока́ э́та схе́ма вполне́ себя́ опра́вдывает 6) тем не ме́нее, всё же, всё-таки; it is strange and ~ true э́то стра́нно, но (тем не ме́нее) ве́рно

2. *cj* одна́ко, всё же, несмотря́ на э́то; но

yeti ['jetɪ] *n* сне́жный челове́к

yew [ju:] *n бот.* тис

yew-tree ['ju:tri:] = yew

Yiddish ['jɪdɪʃ] *n* евре́йский язы́к, и́диш

yield [ji:ld] **1.** *n* 1) сбор плодо́в, урожа́й; a good ~ of wheat хоро́ший урожа́й пшени́цы 2) разме́р вы́работки; коли́чество добы́того *или* произведённого проду́кта; вы́ход (*продукции*); milk ~ надо́й молока́ 3) *эк.* дохо́д; дохо́дность 4) теку́честь (*металла*)

2. *v* 1) производи́ть, приноси́ть, дава́ть (*плоды, урожай, доход*); this land ~s poorly э́та земля́ даёт плохо́й урожа́й; to ~ no results не дава́ть никаки́х результа́тов 2) сдава́ть(ся); to ~ oneself prisoner сда́ться в плен 3) уступа́ть; соглаша́ться (*на что-л.*); to ~ a point сде́лать усту́пку (*в споре*); to ~ to the advice после́довать сове́ту; to ~ to none не уступа́ть никому́ (*по красоте, доброте и т. п.*) 4) поддава́ться; подава́ться; пружи́нить; the door ~ed to a strong push от си́льного толчка́ дверь подала́сь; the disease ~s to treatment э́та боле́знь поддаётся лече́нию 5) *амер. парл.* уступи́ть трибу́ну, прерва́ть ора́тора (*тж.* to ~ the floor); Will Mr. N. ~? Прошу́ разреше́ния прерва́ть речь ми́стера Н. ▭ ~ **up** а) сдава́ть, уступа́я си́ле; to ~ up a fort сдать кре́пость; б) передава́ть, отдава́ть; уступа́ть ◇ to ~ up the ghost отда́ть бо́гу ду́шу, умере́ть

yielding ['ji:ldɪŋ] **1.** *pres. p. от* yield 2

2. *a* 1) усту́пчивый, покла́дистый 2) мя́гкий, пода́тливый (*о материале*) 3) упру́гий; пружи́нистый 4) неусто́йчивый; оседа́ющий

yip [jɪp] *n амер.* тя́вканье, лай

yippee ['jɪpi:] *int* ура́

yob [jɒb] *n sl.* хулига́н

yobbo ['jɒbəʊ] = yob

yodel ['jəʊdl] **1.** *n* йодль (*манера пения тирольцев*)

2. *v* петь йо́длем

yoga ['jəʊgə] *n* йо́га

yoghurt ['jɒgət] *n* йо́гурт

yogi ['jəʊgɪ] *n* йог

yogurt ['jɒgət] = yoghurt

yo-heave-ho [ˌjəʊhi:v'həʊ] *int* ≅ взяли!, дру́жно! (*возглас матросов при работе*)

yoke [jəʊk] **1.** *n* 1) ярмо́ 2) (*pl без измен.*) па́ра запряжённых воло́в 3) коромы́сло 4) коке́тка (*на платье*) 5) и́го, ра́бство; to endure (to shake off) the ~ терпе́ть (сбро́сить) и́го; to pass (*или* to come) under the ~ примири́ться с пораже́нием 6) у́зы (*особ. брака*) 7) *тех.* скоба́; бу́гель; хому́т, обо́йма 8) *ав.* ру́чка управле́ния

2. *v* 1) впряга́ть в ярмо́ 2) соединя́ть, сочета́ть

yokefellow ['jəʊkfeləʊ] *n* това́рищ (*по работе*); супру́г(а)

yokel ['jəʊkl] *n* дереве́нщина; неотёсанный па́рень

yokemate ['jəʊkmeɪt] = yokefellow

yolk [jəʊk] *n* желто́к

yolk-bag ['jəʊkbæg] = yolk sac

yolk sac ['jəʊksæk] *n биол.* желто́чный мешо́к (*зародыша*)

yon [jɒn] *уст., диал.* = yonder

yonder ['jɒndə] **1.** *a* вон тот

2. *adv* вон там

yore [jɔ:] *n книжн.*: of ~ давны́м-давно́; in days of ~ во вре́мя о́но

Yorkist ['jɔ:kɪst] *n ист.* сторо́нник Йоркской дина́стии

Yorkshire ['jɔ:kʃə] *n* 1) йоркши́рская поро́да бе́лой свиньи́ 2) пиро́г из взби́того те́ста, запечённого под куско́м мя́са (*тж.* ~ pudding) [*см. тж. Список географических названий*]

you [ju: (*полная форма*); jʊ (*редуцированная форма*)] *pron pers.* (*косв. п. без измен.*) 1) ты, вы 2) *употр. для усиления восклицания*: ~ fool! дура́к! 3) (*в безличных оборотах*): ~ never can tell *разг.* никогда́ нельзя́ сказа́ть, как знать 4) *уст. см.* yourself

you-all [jʊ'ɔ:l] *pron pers. pl амер. разг.* вы (*в обращении к нескольким лицам*)

you'd [ju:d] *сокр. разг.* = you had; you would

you-know-what [ju:'nəʊwɒt] *n эвф. формула, служащая для выражения чего-л. крайне неприличного или того, что говорящий считает излишним называть*

you'll [ju:l] *сокр. разг.* = you will; you shall

young [jʌŋ] **1.** *a* 1) молодо́й, ю́ный; ю́ношеский; he is ~ for his age он мо́лодо вы́глядит для своего́ во́зраста; ~ man молодо́й челове́к (*тж. шутл.*); my ~ man (lady *или* woman) *разг.* мой возлю́бленный (моя́ возлю́бленная); ~ one's де́ти; детёныши; пте́нчики; зверёныши 2) нео́пытный 3) молодо́й, мла́дший (*для обозначения двух людей в одной семье, носящих одно и то же имя*) 4) но́вый, неда́вний; the night is yet ~ ещё не по́здно ◇ ~ blood а) молодёжь; б) но́вые ве́яния *или* иде́и

2. *n* (*тж.* the ~) *pl собир.* 1) молодёжь; old and ~ стар и млад 2) детёныши ◇ to be with ~ быть супоро́сой, сте́льной *и пр.*

youngish ['jʌŋɪʃ] *a* моложа́вый

youngling ['jʌŋlɪŋ] **1.** *n поэт.* 1) ребёнок; детёныш; птене́ц 2) нео́пытный челове́к

2. *a* молодо́й

youngster ['jʌŋstə] *n* 1) ма́льчик, ю́ноша; юне́ц 2) *амер.* курса́нт второ́го ку́рса вое́нно-морско́го учи́лища

your [jɔ:] *pron poss.* (*употр. атрибутивно*: *ср.* yours) ваш; твой

you're [jɔ:] *сокр. разг.* = you are

yours [jɔ:z] *pron poss.* (*абсолютная форма*; *не употр. атрибутивно*; *ср.* your) ваш; твой; this book is ~ э́та кни́га ва́ша; I saw a friend of ~ я ви́дел ва́шего дру́га; you and ~ вы и ва́ши (родны́е); ~ sincerely *или* sincerely ~ с и́скренним уваже́нием (*в письме*); ~ of the 7th ва́ше письмо́ от 7-го числа́

yourself [jɔ:'self] *pron* (*pl* yourselves) 1) *refl.* себя́, -ся, -сь; себе́; have you hurt ~? вы уши́блись?; how's ~? *sl.* как вы пожива́ете? 2) *emph.* сам, са́ми; you told me so ~ вы са́ми мне э́то сказа́ли; have you been all by ~ the whole day? вы бы́ли одни́ це́лый день?; you are sure to do it all by ~ вы, коне́чно, мо́жете сде́лать э́то без посторо́нней по́мощи ◇ you are not quite ~ вы не в свое́й таре́лке

yourselves [jɔ:'selvz] *pl от* yourself

youth [ju:θ] *n* 1) ю́ность; мо́лодость; the fountain of ~ исто́чник мо́лодости 2) ю́ноша 3) молодёжь 4) *attr.* молодёжный; ~ organizations молодёжные организа́ции; a ~ festival фестива́ль молодёжи

youthful ['ju:θfl] *a* 1) ю́ный, молодо́й 2) ю́ношеский 3) но́вый; ра́нний 4) энерги́чный, живо́й

you've [ju:v] *сокр. разг.* = you have

yowl [jaʊl] 1. *n* вой

2. *v* выть

yoyo ['jəʊjəʊ] *n* йо-йо́ (*чёртик на ниточке*)

Y-shaped ['waɪʃeɪpt] *a* Y-обра́зный; вилкообра́зный

ytterbium [ɪ'tɜ:bɪəm] *n хим.* иттё́рбий

yttrium ['ɪtrɪəm] *n хим.* и́ттрий

yucca ['jʌkə] *n бот.* ю́кка

yule [ju:l] *n* свя́тки

yule-log ['ju:llɒg] *n уст.* большо́е поле́но, сжига́емое в соче́льник

yule-tide ['ju:ltaɪd] = yule

Z

Z, z [zed] *n* (*pl* Zs, Z's [zedz]) 1) *последняя, 26-я буква англ. алфавита* 2) что-л., напоминáющее по фóрме бýкву Z 3) *мат.* зет, неизвéстная величинá

zany [ˈzeɪnɪ] *n* 1) сумасбрóд, дурáк; фигля́р 2) *уст.* шут 3) дзáнни (*слуга просцениума в итальянской камедии масок*)

zariba [zəˈri:bə] *n* колю́чая и́згородь; палисáд

Z-bar [ˈzedbɑ:] *n метал.* зéтовая сталь

zeal [zi:l] *n* рвéние, усéрдие

zealot [ˈzelət] *n* фанати́ческий привéрженец; фанáтик

zealotry [ˈzelətrɪ] *n* фанати́зм

zealous [ˈzeləs] *a* 1) рья́ный, усéрдный 2) жáждущий; to be ~ for smth. стрáстно желáть чегó-л.

zebra [ˈzebrə] *n зоол.* зéбра

zebu [ˈzi:bu:] *n зоол.* зéбу

zed [zed] *n* назвáние бýквы Z

zee [zi:] *n амер.* назвáние бýквы Z

Zeitgeist [ˈzaɪtgaɪst] *нем. n* дух врéмени

Zen [zen] *n* будди́йская сéкта «дзэн» (*в Японии*), проповéдующая созерцáние и интуи́цию как оснóву прозрéния

zenana [zeˈnɑ:nə] *n* жéнская полови́на дóма (*в Индии и Иране*)

Zend [zend] *n* язы́к Авéсты

Zend-Avesta [ˌzendəˈvestə] *n лит.* Зенд-Авéста

zenith [ˈzenɪθ] *n* зени́т; at the ~ of fame в зени́те слáвы

zenithal [ˈzenɪθl] *a астр.* зени́тный

zenith distance [ˌzenɪθˈdɪstəns] *n* угловóе расстоя́ние (*небесного тела*) от зени́та; зени́тное расстоя́ние

zeolite [ˈzi:əlaɪt] *n геол.* цеоли́т

zephyr [ˈzefə] *n* 1) *поэт.* зефи́р, ласкáющий ветерóк 2) зефи́р (*ткань*) 3) лёгкая шаль *или* блýзка 4) зáпадный вéтер

Zeppelin [ˈzepəlɪn] *n ист.* цеппели́н

zero [ˈzɪərəʊ] **1.** *n* (*pl* -os [-əʊz]) 1) нуль, ничтó; to reduce to ~ свести́ на нет 2) нулевáя тóчка; пéрвая основнáя тóчка температýрной шкалы́; below ~ ни́же нуля́ 3) *attr.*: ~ setting установка прибóра на нуль 4): ~ hour a) *воен.* час начáла атáки, выступлéния *и т. п.*; б) реши́тельный час

2. *v* устанáвливать (*прибор и т. п.*) на нуль □ ~ in (on) а) прицéливаться; б) нацéливаться на (*что-то*); избрáть мишéнью

zero-gravity [ˌzɪərəʊˈgrævətɪ] *n* невесóмость

zest [zest] **1.** *n* 1) то, что придаёт вкус; пикáнтность; «изю́минка»; to give ~ to smth. придавáть вкус (*или* пикáнтность, интерéс) чемý-л. 2) интерéс; жар; he entered into the game with ~ он с жáром принялся́ игрáть 3) энéргия, жи́вость 4) цéдра

2. *v* придавáть пикáнтность; придавáть интерéс

zeugma [ˈzju:gmə] *n лингв.* зéвгма

Zeus [zju:s] *n греч. миф.* Зевс

Zibet [ˈzɪbɪt] *n зоол.* цибéт, азиáтская вивéрра

zigzag [ˈzɪgzæg] **1.** *n* зигзáг

2. *a* зигзагообрáзный

3. *adv* зигзагообрáзно

4. *v* дéлать зигзáги

zinc [zɪŋk] **1.** *n* 1) цинк 2) *attr.* ци́нковый

2. *v* оцинкóвывать

zinciferous [zɪŋˈkɪfərəs] *a* содержáщий цинк

zincography [zɪŋˈkɒgrəfɪ] *n* цинкогрáфия

zing [zɪŋ] *разг.* **1.** *n* жизнь, оживлéние, энéргия

2. *v* нести́сь, мчáться, рассекáя вóздух (*об автомобиле и т. п.*)

zinnia [ˈzɪnɪə] *n бот.* ци́нния

Zionism [ˈzaɪənɪzəm] *n* сиони́зм

zip [zɪp] **1.** *n* 1) свист пýли 2) треск разрывáемой ткáни 3) энéргия, темперáмент 4) = zipper 1)

2. *v* 1) застёгивать(ся) на мóлнию 2) быть энерги́чным, пóлным энéргии 3) промелькнýть

Zip code [ˈzɪpkəʊd] *n амер.* почтóвый и́ндекс

zip-fastener [ˈzɪpfɑ:snə] = zipper 1)

zipper [ˈzɪpə] *n* 1) (*преим. амер.*) застёжка-мóлния 2) *pl* боти́нки *или* сапоги́ на мóлнии

zippy [ˈzɪpɪ] *a разг.* 1) живóй, я́ркий, энерги́чный 2) провóрный, бы́стрый

zircon [ˈzɜ:kɒn] *n мин.* циркóн

zirconium [zɜ:ˈkəʊnɪəm] *n хим.* циркóний

zither [ˈzɪðə] *n* ци́тра

zodiac [ˈzəʊdɪæk] *n астр.* зодиáк; signs of the ~ знáки зодиáка

zodiacal [zəʊˈdaɪəkl] *a астр.* зодиакáльный; ~ light зодиакáльный свет

zoic [ˈzəʊɪk] *a геол.* содержáщий окаменéлости

zombi(e) [ˈzɒmbɪ] *n* 1) *разг.* скýчный *или* глýпый человéк; чуднóй тип 2) зóмби, ожи́вший мертвéц 3) *воен. жарг.* новобрáнец 4) коктéйль из рóма, фруктóвого сóка с сóдовой водóй

zonal [ˈzəʊnl] *a* зонáльный

zone [zəʊn] **1.** *n* 1) зóна, пóяс; полосá; райóн; temperature ~s умéренные поясá 2) *амер.* райóн отделéния свя́зи 3) *уст., поэт.* пóяс, кушáк 4) *attr.* зонáльный; пояснóй; регионáльный; ~ time поя́сное врéмя

2. *v* 1) опоя́сывать 2) разделя́ть на зóны 3) устанáвливать зонáльный тари́ф *или* зонáльные цéны

zoo [zu:] *n* зоопáрк; the Z. зоопáрк в Лóндоне

zoogeography [ˌzəʊədʒɪˈɒgrəfɪ] *n* зоогеогрáфия

zoological [ˌzəʊəˈlɒdʒɪkl] *a* зоологи́ческий; ~ garden(s) зоопáрк, зоосáд

zoologist [zəʊˈɒlədʒɪst] *n* зоóлог

zoology [zəʊˈɒlədʒɪ] *n* зоолóгия

zoom [zu:m] **1.** *n ав.* «гóрка», «свéчка»

2. *v* 1) *ав.* взмыть, рéзко подня́ться; сдéлать «гóрку» *или* «свéчку» 2) рéзко подня́ться, «взлетéть»; prices ~ed цéны рéзко повы́сились

zoophyte [ˈzəʊəfaɪt] *n биол.* зоофи́т

zoster [ˈzɒstə] *n* опоя́сывающий лишáй

Zouave [zʊˈɑ:v] *n воен. ист.* зуáв

zounds [zaʊndz] *int уст.* чёрт возьми́!

Zulu [ˈzu:lu:] **1.** *a* зулýсский

2. *n* 1) зулýс; зулýска 2) зулýсский язы́к

zwieback [ˈzwi:bæk] *n* сдóбный сухáрь

zygoma [zaɪˈgəʊmə] *n* (*pl* -ata) сконóвая кость

zygomata [zaɪˈgəʊmətə] *pl от* zygoma

zygote [ˈzaɪgəʊt] *n биол.* зигóта

zymase [ˈzaɪmeɪs] *n хим.* дрожжевóй фермéнт брожéния, зимáза

zymosis [zaɪˈməʊsɪs] *n уст.* брожéние

zymotic [zaɪˈmɒtɪk] *a уст.* 1) броди́льный 2) зарáзный; ~ diseases инфекциóнные болéзни

zymurgy [ˈzaɪmɜ:dʒɪ] *n* технолóгия броди́льных произвóдств

СПИСОК ЛИЧНЫХ ИМЕН

Abel [ˈeɪbl] Э́йбел, А́бель

Abraham [ˈeɪbrəhæm] Э́йбрахам, А́брахам; Авраа́м

Ada [ˈeɪdə] А́да

Adalbert [ˈædəlbɜ:t] Адальбе́рт

Adam [ˈædəm] Ада́м

Adrian [ˈeɪdrɪən] Адриа́н

Agatha [ˈægəθə] Ага́та

Agnes [ˈægnɪs] Агне́сса

Alan [ˈælən] А́лан

Albert [ˈælbət] Альбе́рт

Alec(k) [ˈælɪk] *уменьш. от* Alexander; А́лек

Alexander [ˌælɪgˈzɑ:ndə] Алекса́ндр

Alfred [ˈælfrɪd] Альфре́д

Algernon [ˈælʤənən] Э́лджернон

Alice [ˈælɪs] Э́лис; Али́са

Allan [ˈælən] А́лла́н

Aloys [æˈlɔɪs] Ало́из

Amabel [ˈæməbəl] Амабе́ль

Ambrose [ˈæmbrəʊz] Э́мброуз

Amelia [əˈmi:lɪə] Аме́лия; Эми́лия

Amy [ˈeɪmɪ] Э́ми

Andrew [ˈændru:] Э́ндрю

Andromache [ænˈdrɒməkɪ] Андрома́ха

Andy [ˈændɪ] *уменьш. от* Andrew; Э́нди

Angelica [ænˈʤelɪkə] Анжели́ка

Angelina [ˌænʤəˈli:nə] Анджели́на

Ann, Anna [æn, ˈænə] Энн; А́нна

Annabel [ˈænəbel] Э́ннабел, А́ннабел

Annie [ˈænɪ] *уменьш. от* Ann, Anna; Э́нни

Anthony [ˈæntənɪ] Э́нтони; Анто́ний

Antoinette [ˌæntwəˈnet] Антуане́тта

Antony [ˈæntənɪ] = Anthony

Arabella [ˌærəˈbelə] Арабе́лла

Archibald [ˈɑ:tʃɪbɔ:ld] Арчиба́льд

Archie [ˈɑ:tʃɪ] *уменьш. от* Archibald; А́рчи

Arnold [ˈɑ:nld] Арно́льд

Arthur [ˈɑ:θə] Арту́р

Aubrey [ˈɔ:brɪ] О́бри

August [ˈaʊgʊst] А́вгуст

Augustus [ɔ:ˈgʌstəs] Ога́стес; А́вгуст

Aurora [əˈrɔ:rə] Авро́ра

Austin [ˈɒstɪn] О́стин

Bab [bæb] *уменьш. от* Barbara; Бэб

Baldwin [ˈbɔ:ldwɪn] Бо́лдуин

Barbara [ˈbɑ:brə] Ба́рбара

Bart [bɑ:t] *уменьш. от* Bartholomew; Барт

Bartholomew [bɑ:ˈθɒləmju:] Барто́ломью; Варфоломе́й

Basil [ˈbæzl] Бэ́зил, Бе́зил

Beatrice, Beatrix [ˈbɪətrɪs, -ɪks] Бе́атрис; Беатри́са

Beck, Becky [bek, ˈbekɪ] *уменьш. от* Rebecca; Бек, Бе́кки

Bel, Bella [bel, ˈbelə] *уменьш. от* Isabel, Isabella, Annabel *и* Arabella; Бел(л), Бе́лла

Ben [ben] *уменьш. от* Benjamin; Бен

Benedict [ˈbenɪdɪkt] Бенеди́кт

Benjamin [ˈbenʤəmɪn] Бе́нджамин, Бенджаме́н; Вениами́н

Benny [ˈbenɪ] *уменьш. от* Benjamin; Бе́нни

Bernard [ˈbɜ:nəd] Бе́рна́рд

Bert, Bertie [bɜ:t, ˈbɜ:tɪ] *уменьш. от* Albert, Bertram, Herbert *и* Robert; Берт, Бе́рти

Bertram [ˈbɜ:trəm] Бе́ртра́м

Bess, Bessie, Bessy [bes, ˈbesɪ] *уменьш. от* Elisabeth; Бесс, Бе́сси

Betsey, Betsy [ˈbetsɪ] *уменьш. от* Elisabeth; Бе́тси

Betty [ˈbetɪ] *уменьш. от* Elisabeth; Бе́тти

Bex [beks] *уменьш. от* Rebecca; Бекс

Biddy [ˈbɪdɪ] *уменьш. от* Bridget; Би́дди

Bill, Billy [bɪl, ˈbɪlɪ] *уменьш. от* William; Билл, Би́лли

Blanch(e) [blɑ:ntʃ] Бланш

Bob, Bobbie, Bobby [bɒb, ˈbɒbɪ] *уменьш. от* Robert; Боб, Бо́бби

Brian [ˈbraɪən] Бра́йан; Бриа́н

Bridget [ˈbrɪʤɪt] Бри́джи́т, Бриги́тта

Candida [ˈkændɪdə] Канди́да

Carol [ˈkærəl] Кэ́рол

Caroline [ˈkærəlaɪn] Кароли́на

Carrie [ˈkærɪ] *уменьш. от* Caroline; Кэ́рри

Caspar [ˈkæspə] Каспа́р

Catherine [ˈkæθrɪn] Кэ́трин; Екатери́на

Cathie [ˈkæðɪ] *уменьш. от* Catherine; Кэ́ти

Cecil [ˈsesl] Се́сил

Cecilia, Cecily [səˈsi:lɪə, ˈsɪsəlɪ] Сеси́лия, Цеци́лия

Charles [tʃɑ:lz] Чарл(ь)з; Карл

Charley, Charlie [ˈtʃɑ:lɪ] *уменьш. от* Charles; Ча́рли

Charlotte [ˈʃɑ:lət] Шарло́тта

Chris [krɪs] *уменьш. от* Christian, Christi(a)na, Christine *и* Christopher; Крис

Christian [ˈkrɪstʃən] Кри́стиан; Христиа́н

Christiana [ˌkrɪstɪˈɑ:nə] Кристиа́на

Christie [ˈkrɪstɪ] *уменьш. от* Christian; Кри́сти

Christina, Christine [krɪˈsti:nə, ˈkrɪsti:n] Кристи́на, Кри́стин

Christopher [ˈkrɪstəfə] Кри́стофер; Христофо́р

Christy [ˈkrɪstɪ] = Christie

Clara [ˈkleərə] Кла́ра

Clare [kleə] Клэр

Clarence [ˈklærəns] Клэ́ренс, Кла́ренс

Claud [klɔ:d] Клод

Claude [kləʊd] Клод

Claudius [ˈklɔ:dɪəs] Кла́вдий

Clem [klem] *уменьш. от* Clement; Клем

Clement [ˈklemənt] Кле́ме́нт

Clementina, Clementine [ˌklemənˈti:nə, ˈkleməntaɪn] Клементи́на

Clifford [ˈklɪfəd] Кли́ффорд

Clot(h)ilda [kləʊˈtɪldə] Клоти́льда

Colette [kɒˈlet] *уменьш. от* Nicola; Коле́тт(а)

Connie [ˈkɒnɪ] *уменьш. от* Constance; Ко́нни

Connor [ˈkɒnə] Ко́ннор

Constance [ˈkɒnstəns] Ко́нстанс; Конста́нция

Cora [ˈkɔ:rə] Ко́ра

Cordelia [kɔ:ˈdi:lɪə] Корде́лия

Cornelia [kɔ:ˈni:lɪə] Корне́лия

Cornelius [kɔ:ˈni:lɪəs] Корне́лий

Cyril [ˈsɪrəl] Си́рил

Cyrus [ˈsaɪrəs] Са́йрус, Са́йрес; *ист.* Кир

Dan [dæn] *уменьш. от* Daniel; Дэн, Дан

Daniel [ˈdænjəl] Дэ́ниел; *библ.* Дании́л

Dannie [ˈdænɪ] *уменьш. от* Daniel; Дэ́нни, Да́нни

Dave [deɪv] *уменьш. от* David; Дейв
David ['deɪvɪd] Дэ́вид; *библ.* Дави́д
Davy ['deɪvɪ] *уменьш. от* David; Дэ́ви
Deborah ['debərə] Дебо́ра
Den(n)is ['denɪs] Де́н(н)ис
Desmond ['dezmənd] Дэ́смонд
Diana [daɪ'ænə] Диа́на
Dick [dɪk] *уменьш. от* Richard; Дик
Dickie ['dɪkɪ] *уменьш. от* Richard; Ди́к(к)и
Dickon ['dɪkən] *уменьш. от* Richard; Ди́кон
Dicky ['dɪkɪ] = Dickie
Dinah ['daɪnə] Ди́на
Dob, Dobbin ['dɒb, -ɪn] *уменьш. от* Robert; Доб, До́ббин
Doll, Dolly ['dɒl, -ɪ] *уменьш. от* Dorothy; Долл, До́лли
Dolores [də'lɔːres] Доло́рес
Donald ['dɒnld] До́нальд
Dora ['dɔːrə] *уменьш. от* Theodora, Dorothy; До́ра
Dorian ['dɔːrɪən] До́риа́н
Doris ['dɔːrɪs] До́рис
Dorothy ['dɒrəθɪ] До́роти
Douglas ['dʌgləs] Ду́глас

Ed [ed] *уменьш. от* Edgar, Edmund, Edward *и* Edwin; Эд
Eddie, Eddy ['edɪ] *уменьш. от* Edward *и* Edwin; Э́дди
Edgar ['edgə] Э́дга́р
Edith ['iːdɪθ] Э́ди́т
Edmund ['edmənd] Э́дму́нд
Edna ['ednə] Э́дна
Edward ['edwəd] Э́двард, Эдуа́рд
Edwin ['edwɪn] Э́двин
Eleanor ['elənə] Э́линор; Элеоно́ра
Elijah [ɪ'laɪdʒə] Эла́йджа; *библ.* Илия́
Elinor ['elənə] = Eleanor
Elisabeth, Elizabeth [ɪ'lɪzəbəθ] Эли́забет; Елизаве́та
Ella ['elə] *уменьш. от* Eleanor; Э́лла
Ellen ['elən] *уменьш. от* Eleanor; Э́ллен
Elliot ['elɪət] Э́ллиот
Elmer ['elmə] Э́лмер
Elsie ['elsɪ] *уменьш. от* Elisabeth *и* Alice; Э́лси
Elvira [el'vɪərə] Эльви́ра
Em [em] *уменьш. от* Emily; Эм
Emery ['emərɪ] Э́мери
Emilia [e'mɪlɪə] Эми́лия
Emily ['emәlɪ] Э́мили; Эми́лия
Emm [em] *уменьш. от* Emma; Эм(м)
Emma ['emə] Э́мма
Emmanuel [ɪ'mænjʊəl] Эм(м)ануэ́ль; Эммануи́л
Emmie ['emɪ] *уменьш. от* Emma; Э́мми
Emory ['emərɪ] = Emery
Enoch ['iːnɒk] И́нок; *библ.* Ено́х
Erasmus [ɪ'ræzməs] Эра́зм
Ernest ['ɜːnɪst] Эрн(е́)ст
Ernie ['ɜːnɪ] *уменьш. от* Ernest; Э́рни
Essie ['esɪ] *уменьш. от* Esther; Э́сси
Esther ['estə] Э́стер; *библ.* Эсфи́рь
Ethel ['eθl] Эте́ль
Etta ['etə] *уменьш. от* Henrietta; Э́тта
Eugene ['juːdʒiːn] Ю́джин; Евге́ний
Eustace ['juːstəs] Ю́стас
Eva, Eve ['iːvə, iːv] Е́ва
Evelina, Eveline, Evelyn ['iːvlɪnə, 'iːvlɪn] Эвели́на, Э́велин

Fanny ['fænɪ] *уменьш. от* Frances; Фа́нни
Felicia, Felice [fə'lɪsɪə, -'liːs] Фели́ция
Felix ['fiːlɪks] Фе́ликс
Ferdinand ['fɜːdɪnænd] Фердина́нд
Fidelia [fɪ'deɪlɪə] Фиде́лия
Flo [fləʊ] *уменьш. от* Florence *и* Flora; Фло
Flora ['flɔːrə] Фло́ра
Florence ['flɒrəns] Фло́ренс
Flossie ['flɒsɪ] *уменьш. от* Florence; Фло́сси
Floy [flɔɪ] *уменьш. от* Florence; Флой
Frances ['frɑːnsɪs] Фра́нсис; Фра́нсес; Франче́ска, Франци́ска
Francis ['frɑːnsɪs] Фра́нсис, Фрэ́нсис; Франци́ск; Франц
Frank [fræŋk] *уменьш. от* Francis; Фрэнк
Fred, Freddie, Freddy [fred, 'fredɪ] *уменьш. от* Frederic(k); Фред, Фре́дди
Frederic(k) ['fredrɪk] Фре́дери́к; Фри́дрих
Fr(i)eda ['friːdə] *уменьш. от* Winifred; Фри́да

Gabriel ['geɪbrɪəl] Габрие́ль; *библ.* Гаврии́л
Geffrey, Geoffrey ['dʒefrɪ] Дже́ффри
George [dʒɔːdʒ] Джордж, Гео́рг
Gerald ['dʒerəld] Дже́ральд
Gertie ['gɜːtɪ] *уменьш. от* Gertrude; Ге́рти
Gertrude ['gɜːtruːd] Гертру́да
Gideon ['gɪdɪən] Гидео́н
Gil [gɪl] *уменьш. от* Gilbert; Гил
Gilbert ['gɪlbət] Ги́л(ь)берт
Gladys ['glædɪs] Глэ́дис
Gloria ['glɔːrɪə] Гло́рия
Godfrey ['gɒdfrɪ] Го́дфри
Godwin ['gɒdwɪn] Го́двин
Gordon ['gɔːdn] Го́рдон
Grace [greɪs] Грейс
Graham ['greɪəm] Гре́йам, Грэ́хем
Gregory ['gregərɪ] Гре́гори
Greta ['griːtə] *уменьш. от* Margaret; Гре́та
Griffith ['grɪfɪθ] Гри́ффит
Guy [gaɪ] Гай
Gwendolin, Gwendoline, Gwendolyn ['gwendəlɪn] Гве́ндолин

Hadrian ['heɪdrɪən] = Adrian
Hal [hæl] *уменьш. от* Henry; Хэл
Hannah ['hænə] = Anna
Harold ['hærəld] Га́рольд
Harriet, Harriot ['hærɪət] Ха́рриет; Генрие́тта
Harry ['hærɪ] Га́рри
Hatty ['hætɪ] *уменьш. от* Harriet, Harriot; Хэ́тти
Helen, Helena ['helən, 'helənə] Хе́лен; Еле́на
Henrietta [ˌhenrɪ'etə] Генрие́тта
Henry ['henrɪ] Ге́нри; Ге́нрих
Herbert ['hɜːbət] Ге́рберт
Herman(n) ['hɜːmən] Ге́рман
Hester ['hestə] = Esther
Hetty ['hetɪ] *уменьш. от* Henrietta *и* Hester; Хэ́тти, Хе́тти
Hilary ['hɪlərɪ] Хи́лари
Hilda ['hɪldə] Хи́льда
Hope [həʊp] Хо́уп
Horace, Horatio ['hɒrəs, hə'reɪʃɪəʊ] Хо́рас, Гора́цио; Гора́ций
Howard ['haʊəd] Ха́уард, Го́вард
Hubert ['hjuːbət] Хью́берт
Hugh, Hugo [hjuː, 'hjuːgəʊ] Хью, Хью́го
Humphr(e)y ['hʌmfrɪ] Ха́мфри, Хэ́мфри, Ге́мфри

Ida ['aɪdə] И́да
Ik, Ike [ɪk, aɪk] *уменьш. от* Isaac; Айк
Ira ['aɪrə] А́йра
Irene ['aɪriːn] А́йрин, Ирэ́н; Ири́на
Isaac ['aɪzək] А́йзек; Исаа́к
Isabel, Isabella ['ɪzəbel, ˌɪzə'belə] И́забел, Изабе́лла
Isaiah [aɪ'zaɪə] Иса́й(я)
Isidore ['ɪzədɔː] Исидо́р
Isold(e) [ɪ'zɒldə] Изо́льда
Israel ['ɪzreɪl] Израи́ль

Jack [dʒæk] *уменьш. от* John; Джек
Jacob ['dʒeɪkəb] Дже́(й)коб; *библ.* Иа́ков
Jake [dʒeɪk] *уменьш. от* Jacob; Джейк
James [dʒeɪmz] Дже(й)мс; *библ.* Иа́ков
Jane [dʒeɪn] Джейн

Janet ['dʒænɪt] Джéнет, Жанéт
Jasper ['dʒæspə] Джáспер
Jean [dʒi:n] Джин
Jeff [dʒef] *уменьш. от* Jeffrey; Джефф
Jeffrey ['dʒefrɪ] Джéффри
Jem [dʒem] *уменьш. от* James; Джем
Jemima [dʒɪ'maɪmə] Джемáйма
Jen, Jennie [dʒen, 'dʒenɪ] *уменьш. от* Jane; Джен, Джéнни
Jenny ['dʒenɪ] *уменьш. от* Jane; Джéнни
Jeremiah [,dʒerɪ'maɪə] Джéреми; *библ.* Иеремúя
Jerome [dʒə'rəʊm] Джерóм
Jerry ['dʒerɪ] Джéрри
Jess [dʒes] *уменьш. от* Jessica; Джесс
Jessica ['dʒesɪkə] Джéссика
Jessie, Jessy ['dʒesɪ] *уменьш. от* Janet, Jessica; Джéсси
Jim, Jimmy [dʒɪm, 'dʒɪmɪ] *уменьш. от* James; Джим, Джúмми
Jo [dʒəʊ] *уменьш. от* Joseph *и* Josephine; Джо
Joachim ['jəʊəkɪm] Иоáхим
Joan, Joanna [dʒəʊn, dʒəʊ'ænə] Джоáн, Джоáнна; ~ of Arc *ист.* Жáнна д'Арк
Job [dʒəʊb] Джоб; *библ.* Иóв
Jock [dʒɒk] *уменьш. от* John; Джок
Joe [dʒəʊ] *уменьш. от* Joseph *и* Josephine; Джо
Joey ['dʒəʊɪ] *уменьш. от* Joseph; Джо
John [dʒɒn] Джон; Иоáнн
Johnny ['dʒɒnɪ] *уменьш. от* John; Джóнни
Jonathan ['dʒɒnəθən] Джóнатан; *библ.* Ионафáн
Joseph ['dʒəʊzɪf] Джóзеф; Иóсиф
Josephine ['dʒəʊzɪfi:n] Джóзефин; Жозефúна
Joshua ['dʒɒʃjʊə] Джóшуа; *библ.* Иисýс
Joy [dʒɔɪ] Джой
Joyce [dʒɔɪs] Джойс
Jozy ['dʒəʊzɪ] *уменьш. от* Josephine; Джóзи
Judith ['dʒu:dɪθ] Джýдит; *библ.* Юдúфь
Judy ['dʒu:dɪ] *уменьш. от* Judith; Джýди
Julia ['dʒu:lɪə] Джýлия; Ю́лия
Julian ['dʒu:lɪən] Джýлиан; Юлиáн
Juliana [,dʒu:lɪ'ɑ:nə] Джулиáна; Юлиáна
Juliet ['dʒu:lɪət] Джульéтта
Julius ['dʒu:lɪəs] Джýлиус; Ю́лий

Kate [keɪt] *уменьш. от* Catherine; Кейт
Katharine ['kæθrɪn] = Catherine
Kathleen ['kæθli:n] Кэ́тлин
Katie ['keɪtɪ] = Cathie
Katrine ['kætrɪn] *уменьш. от* Catherine; Кэ́трин
Keith [ki:θ] Кит
Kenneth ['kenɪθ] Кéннет
Kit [kɪt] *уменьш. от* Christopher *и* Catherine; Кит
Kitty ['kɪtɪ] *уменьш. от* Catherine; Кúтти

Lambert ['læmbət] Лáмберт
Laura ['lɔ:rə] Лóра; Лаýра
Laurence ['lɒrəns] Лóренс
Lauretta [lə'retə] *уменьш. от* Laura; Лорéтта
Lawrence ['lɒrəns] = Laurence
Lazarus ['læzərəs] Лáзарь
Leila ['li:lə] Лéйла
Leo ['li:əʊ] Лéо
Leonard ['lenəd] Леонáрд
Leonora [,li:ə'nɔ:rə] Леонóра
Leopold ['li:əpəʊld] Леопóльд
Lesley, Leslie ['lezlɪ] Лéсли
Lew, Lewie [lu:, 'lu:ɪ] *уменьш. от* Lewis; Лу, Луú
Lewis ['lu:ɪs] Льюис
Lillian ['lɪlɪən] Лилиáн; Лилиáна
Lily ['lɪlɪ] Лúли
Linda ['lɪndə] Лúнда
Lionel ['laɪənl] Лáйонел; Лионéль
Liz, Liza, Lizzie [lɪz, 'laɪzə, 'lɪzɪ] *уменьш. от* Elisabeth; Лиз, Лúза, Лúззи

Lola ['ləʊlə] *уменьш. от* Dolores; Лóла
Lolly ['lɒlɪ] *уменьш. от* Laura; Лóлли
Lottie ['lɒtɪ] *уменьш. от* Charlotte; Лóтти
Louie ['lu:ɪ] *уменьш. от* Louis; Луú
Louis ['lu:ɪ] Лýис, Луú
Louisa, Louise [lʊ'i:zə, -'i:z] Луúза
Lucas ['lu:kəs] Лýкас
Lucy ['lu:sɪ] Люсú
Luke [lu:k] Л(ь)юк; *библ.* Лукá

Mabel ['meɪbl] Мейбл
Madeleine ['mædlɪn] Мáделейн; Маделúна
Madge [mædʒ] *уменьш. от* Margaret; Мэдж, Мадж
Mag [mæg] *уменьш. от* Margaret; Мэг
Maggie ['mægɪ] *уменьш. от* Margaret; Мэ́гги
Magnus ['mægnəs] Мáгнус
Malcolm ['mælkəm] Мáлькольм
Mamie ['meɪmɪ] *уменьш. от* Mary; Мéйми
Marcus ['mɑ:kəs] Мáркус
Margaret ['mɑ:grət] Мáргарет; Маргарúта
Margery ['mɑ:dʒərɪ] *уменьш. от* Margaret; Мáрджери
Margie ['mɑ:dʒɪ] *уменьш. от* Margaret; Мáрджи
Maria [mə'ri:ə] Марúя
Marian ['mærɪən] Мэ́риан
Marianne [,mærɪ'æn] Мариáнна
Marina [mə'ri:nə] Марúна
Marion ['mærɪən] Мáрион, Мэ́рион
Marjory ['mɑ:dʒərɪ] *уменьш. от* Margaret; Мáрджори
Mark [mɑ:k] Марк
Martha ['mɑ:θə] Мáрта
Martin ['mɑ:tɪn] Мáртин
Mary ['meərɪ] Мэ́ри; Марúя
Mat [mæt] *уменьш. от* Matthew, Matthias, Mat(h)ilda *и* Martha; Мэт
Mat(h)ilda [mə'tɪldə] Матúльда
Matthew, Matthias ['mæθju:, mə'θaɪəs] Мэ́тью, Мáтиас; *библ.* Матфéй
Matty ['mætɪ] *уменьш. от* Martha *и* Mat(h)ilda; Мэ́тти
Maud(e) [mɔ:d] *уменьш. от* Madeleine *и* Mat(h)ilda; Мод
Maurice ['mɒrɪs] Мóрис
Max [mæks] *уменьш. от* Maximilian; Макс
Maximilian [,mæksɪ'mɪlɪən] Максимилиáн
May [meɪ] *уменьш. от* Mary *и* Margaret; Мэй, Мей
Meg, Meggy [meg, 'megɪ] *уменьш. от* Margaret; Мэг, Мег, Мэ́гги, Мéгги
Mercy ['mɜ:sɪ] Мéрси
Meredith ['merədɪθ] Мéредит
Michael ['maɪkl] Майкл; *библ.* Михаúл
Micky ['mɪkɪ] *уменьш от* Michael, Мúки
Mike [maɪk] *уменьш. от* Michael; Майк
Mildred ['mɪldrəd] Мúлдред
Millie ['mɪlɪ] *уменьш. от* Mildred, Emilia *и* Amelia; Мúлли
Mima ['maɪmə] *уменьш. от* Jemima; Мáйма
Minna ['mɪnə] Мúнна
Minnie ['mɪnɪ] *уменьш. от* Minna; Мúнни
Mirabel ['mɪrəbel] Мирабéл(ь)
Miranda [mə'rændə] Мирáнда
Miriam ['mɪrɪəm] Мúриáм
Moll, Molly [mɒl, 'mɒlɪ] *уменьш. от* Mary; Молл, Мóлли
Monica ['mɒnɪkə] Мóника
Montagu(e) ['mɒntəgju:] Мóнтегю
Monty ['mɒntɪ] *уменьш. от* Montagu(e); Мóнти
Morgan ['mɔ:gən] Мóрган
Morris ['mɒrɪs] Мóррис
Mortimer ['mɔ:tɪmə] Мóртимер
Moses ['məʊzɪz] Мóзес; *библ.* Моисéй
Muriel ['mjʊərɪəl] Мю́риель

Nance, Nancy [næns, 'nænsɪ] *уменьш. от* Agnes *и* Ann, Anna; Нэнс, Нэ́нси
Nannie, Nanny ['nænɪ] *уменьш. от* Ann, Anna; Нэ́нни

Nat [næt] *уменьш. от* Nathaniel, Nathan *и* Natalia, Natalie; Нат
Natalia, Natalie [nə'tæliə, 'nætəli] Ната́лия, Нэ́тали, На́тали́
Nathan ['neiθn] Ната́н
Nathaniel [nə'θænjəl] Натаниэ́ль
Ned, Neddie, Neddy [ned, 'nedi] *уменьш. от* Edgar, Edmund, Edwin *и* Edward; Нед, Не́дди
Nell, Nellie, Nelly [nel, 'neli] *уменьш. от* Eleanor *и* Helen, Helena; Нел, Не́лли
Net, Nettie, Netty [net, 'neti] *уменьш. от* Antoinette, Henrietta *и* Janet; Нет, Не́тти
Neville ['nevl] Не́виль
Nicholas ['nikələs] Ни́колас; *библ.* Никола́й
Nicola ['nikələ] Ни́кола
Nik [nik] *уменьш. от* Nicholas; Ник
Nina, Ninette, Ninon ['ni:nə, ni:'net, ni:'nɔ:ŋ] *уменьш. от* Ann, Anna; Ни́на, Нине́тта, Нино́н
Noah ['nəuə] Ной
Noel ['nəuəl] Ноэ́ль
Noll, Nolly [nɒl, 'nɒli] *уменьш. от* Olive, Olivia *и* Oliver; Нол, Но́лли
Nora ['nɔ:rə] *уменьш. от* Eleanor *и* Leonora; Но́ра
Norman ['nɔ:mən] Но́рман

Odette [əu'det] Оде́тта
Olive ['ɒliv] О́лив, Оли́вия
Oliver ['ɒlivə] О́ливер
Olivia [ə'liviə] Оли́вия
Ophelia [ə'fi:liə] Офе́лия
Oscar ['ɒskə] О́ска́р
Osmond, Osmund ['ɒzmənd] О́смунд
Oswald ['ɒzwəld] О́свальд
Ottilia [ɒ'tiliə] Отти́лия
Owen ['əuin] О́уэн

Paddy ['pædi] *уменьш. от* Patrick *и* Patricia; Пэ́дди, Па́дди
Pat [pæt] *уменьш. от* Patrick, Patricia *и* Martha; Пэт, Пат
Patricia [pə'triʃə] Патри́ция
Patrick ['pætrik] Па́трик
Patty ['pæti] *уменьш. от* Martha *и* Mat(h)ilda; Пэ́тти, Па́тти
Paul [pɔ:l] Пол(ь); *библ.* Па́вел
Paula ['pɔ:lə] По́ла, Па́ула
Paulina, Pauline [pɔ:'li:nə, 'pɔ:li:n] Паули́на; Поли́на
Peg, Peggy [peg, 'pegi] *уменьш. от* Margaret; Пэг, Пег, Пэ́гги, Пе́гги
Pen [pen] *уменьш. от* Penelope; Пен
Penelope [pə'nelәpi] Пенело́па
Penny ['peni] *уменьш. от* Penelope; Пе́нни
Persy ['pɜ:si] Пе́рси
Pete [pi:t] *уменьш. от* Peter; Пит
Peter ['pi:tə] Пи́тер; *библ.* Пётр
Phil [fil] *уменьш. от* Philip; Фил
Philip ['filip] Фи́лип; Фили́пп
Pip [pip] *уменьш. от* Philip; Пип
Pius ['paiəs] Пий
Pol, Polly [pɒl, 'pɒli] *уменьш. от* Mary; Полл, По́лли
Portia ['pɔ:ʃə] По́рция

Rachel ['reitʃəl] Ре́(й)чел; *библ.* Рахи́ль
Ralph [rælf] Ральф
Ranald ['rænəld] Рэ́нальд
Randolph ['rændɒlf] Ра́ндольф
Raphael ['ræfeiəl] Рафаэ́ль
Rasmus ['ræzməs] *уменьш. от* Erasmus; Ра́смус
Ray [rei] *уменьш. от* Rachel *и* Raymond; Рей
Raymond ['reimənd] Ра́ймонд
Rebecca [ri'bekə] Ребе́кка; *библ.* Реве́кка
Reg, Reggie [redʒ, 'redʒi] *уменьш. от* Reginald; Редж, Ре́джи
Reginald ['redʒinld] Ре́джинальд
Reynold ['renld] Ре́йнольд
Richard ['ritʃəd] Ри́чард
Rita ['ri:tə] *уменьш. от* Margaret; Ри́та
Rob, Robbie [rɒb, 'rɒbi] *уменьш. от* Robert; Роб, Ро́бби
Robert ['rɒbət] Ро́берт
Robin ['rɒbin] *уменьш. от* Robert; Ро́бин
Roddy ['rɒdi] *уменьш. от* Roderick; Ро́дди
Roderick ['rɒdərik] Ро́дерик
Rodney ['rɒdni] Ро́дни
Roger ['rɒdʒə] Ро́джер
Roland ['rəulənd] Ро́ланд
Rolf [rɒlf] Рольф
Romeo ['rəumiəu] Роме́о
Ronald ['rɒnld] Ро́нальд
Rosa ['rəuzə] Ро́за
Rosabel, Rosabella ['rəuzəbel, ,rəuzə'belə] Ро́забел, Розабе́лла
Rosalia, Rosalie [rəu'zeiliə, 'rɒzəli] Роза́лия, Розали́
Rosalind, Rosaline ['rɒzəlind, 'rɒzəlin] Розали́нда, Розали́на
Rosamond, Rosamund ['rɒzəmənd] Розаму́нда
Rose [rəuz] Ро́уз; Ро́за
Rosemary ['rəuzməri] Ро́змари́
Rowland ['rəulənd] = Roland
Roy [rɔi] Рой
Rudolf, Rudolph ['ru:dɒlf] Ру́до́льф
Rupert ['ru:pət] Ру́перт
Ruth [ru:θ] Рут

Sadie ['seidi] *уменьш. от* Sara(h); Се́йди, Сэ́ди
Sal, Sally [sæl, 'sæli] *уменьш. от* Sara(h); Сэл, Сэ́лли, Са́лли
Salome [sə'ləumi] Саломе́я
Sam, Sammy [sæm, 'sæmi] *уменьш. от* Samuel; Сэм, Сэ́мми
Sam(p)son ['sæmpsən] Сэ́мпсон; *библ.* Самсо́н
Samuel ['sæmjuəl] Сэ́мюел(ь); *библ.* Самуи́л
Sanders ['sɑ:ndəz] *уменьш. от* Alexander; Са́ндерс
Sandy ['sændi] *уменьш. от* Alexander; Сэ́нди, Са́нди
Sara(h) ['seərə] Са́ра
Saul [sɔ:l] Сол; *библ.* Сау́л
Sebastian [sə'bæstiən] Себа́стиан, Себастья́н
Septimus ['septiməs] Се́птимус
Sibil, Sibyl, Sibylla ['sibil, si'bilə] Си́бил, Сиби́лла
Sidney ['sidni] Си́дней
Siegfried ['si:gfri:d] Зи́гфрид
Silas ['sailəs] Са́йлас
Silvester [sil'vestə] Сильве́стр
Silvia ['silviə] Си́львия; Си́льва
Sim [sim] *уменьш. от* Simeon *и* Simon; Сим
Simeon ['simiən] Симео́н
Simmy ['simi] *уменьш. от* Simeon *и* Simon; Си́мми
Simon ['saimən] Са́ймон
Sol, Solly [sɒl, 'sɒli] *уменьш. от* Solomon; Сол, Со́лли
Solomon ['sɒləmən] Со́ломо́н
Sophia [səu'faiə] Софи́я
Sophie, Sophy ['səufi] *уменьш. от* Sophia; Софи́
Stanislas, Stanislaus ['stænisləs, -slaus] Станисла́в
Stanley ['stænli] Стэ́нли, Ста́нли
Stella ['stelə] Сте́лла
Stephana, Stephanie ['stefənə, 'stefəni] Стефа́ния
Stephen ['sti:vn] Сти́в(е)н; Сте́фа́н
Steve [sti:v] *уменьш. от* Stephen; Стив
Sue [su:] *уменьш. от* Susan *и* Susanna(h); Сью
Susan ['su:zn] Сью́зен; Сюза́нна
Susanna(h) [su'zænə] Сюза́нна
Susie, Susy ['su:zi] *уменьш. от* Susan *и* Susanna(h); Сю́зи
Sylvester [sil'vestə] = Silvester
Sylvia ['silviə] = Silvia

Ted, Teddy [ted, 'tedi] *уменьш. от* Theodore; Тед, Те́дди
Terry ['teri] *уменьш. от* T(h)eresa; Те́рри
Tessa ['tesə] *уменьш. от* T(h)eresa; Те́сса
Theobald ['θi:əbɔ:ld] Теоба́льд
Theodora [,θi:ə'dɔ:rə] Теодо́ра
Theodore ['θi:ədɔ:] Теодо́р
T(h)eresa [tə'ri:zə] Тере́за

Thomas ['tɒməs] То́мас; *библ.* Фома́
Tib, Tibbie [tɪb, 'tɪbɪ] *уменьш. от* Isabel, Isabella; Тиб, Ти́бби
Tilda ['tɪldə] *уменьш. от* Mat(h)ilda; Ти́лда
Tilly ['tɪlɪ] *уменьш. от* Mat(h)ilda; Ти́лли
Tim [tɪm] *уменьш. от* Timothy; Тим
Timothy ['tɪməθɪ] Ти́моти
Tina ['ti:nə] *уменьш. от* Christina; Ти́на
Tobias [tə'baɪəs] Тоба́йас, Тоба́йес, То́биас
Toby ['təʊbɪ] *уменьш. от* Tobias; То́би
Tom [tɒm] *уменьш. от* Thomas; Том
Tommy ['tɒmɪ] *уменьш. от* Thomas; То́мми
Tony ['təʊnɪ] *уменьш. от* Anthony, Antony; То́ни
Tristan ['trɪstən] Триста́н
Trudy ['tru:dɪ] *уменьш. от* Gertrude; Тру́ди
Tybalt ['tɪbəlt] Тиба́льт

Valentine ['væləntaɪn] Валенти́н
Veronica [və'rɒnɪkə] Веро́ника, *библ.* Верони́ка
Victor ['vɪktə] Ви́ктор
Victoria [vɪk'tɔ:rɪə] Викто́рия
Vincent ['vɪnsənt] Ви́нсе́нт
Viola ['vaɪələ] Вио́ла
Violet ['vaɪələt] Виоле́тта
Virginia [və'dʒɪnɪə] Вирджи́ния, Вирги́ния
Vivian, Vivien ['vɪvɪən] Ви́вьен

Wallace ['wɒlɪs] Уо́ллес, Уо́ллас
Walt [wɔ:lt] *уменьш. от* Walter; Уо́лт
Walter ['wɔ:ltə] Уо́лтер; Ва́льтер
Wat, Watty [wɒt, 'wɒtɪ] *уменьш. от* Walter; Уо́т, Уо́тти
Wilfred, Wilfrid ['wɪlfrɪd] Уи́лфред
Will [wɪl] *уменьш. от* William; Уилл
William ['wɪljəm] Уи́льям, Ви́льям; Вильге́льм
Willy ['wɪlɪ] *уменьш. от* William; Уи́лли, Би́лли
Win [wɪn] *уменьш. от* Winifred; Уи́н
Winifred ['wɪnɪfrɪd] Уи́нифред
Winnie ['wɪnɪ] *уменьш. от* Winifred; Уи́нни

СПИСОК ГЕОГРАФИЧЕСКИХ НАЗВАНИЙ

Aberdeen [ˌæbəˈdiːn] Абердин (*графство и город*)
Abidjan [ˌæbɪˈdʒɑːn] *г.* Абиджан
Abu Dhabi [ˌæbʊˈdɑːbɪ] *г.* Абу-Даби
Accra [əˈkrɑː] *г.* Аккра
Addis Ababa [ˌædɪsˈæbəbə] *г.* Аддис-Абеба
Adelaide [ˈædəleɪd] *г.* Аделаида
Aden [ˈeɪdn] *г.* Аден
Adirondack Mts* [ædəˌrɒndækˈmaʊntɪnz] горы Адирондак
Admiralty Isls [ˌædmrəltɪˈaɪləndz] острова Адмиралтейства
Adriatic Sea [eɪdrɪˌætɪkˈsiː] Адриатическое море
Aegean Sea [iːˌdʒiːənˈsiː] Эгейское море
Afghanistan [æfˈgænɪstæn] Афганистан
Africa [ˈæfrɪkə] Африка
Akkra [ˈækrə] = Accra
Alabama [ˌæləˈbæmə] Алабама
Åland Isls [ˌɑːləndˈaɪləndz] Аландские острова
Alaska [əˈlæskə] Аляска
Albania [ælˈbeɪnɪə] Албания
Albany [ˈɔːlbənɪ] Олбани
Aleutian Isls [əˌluːʃnˈaɪləndz] Алеутские острова
Alexandria [ˌælɪgˈzɑːndrɪə] *г.* Александрия
Algeria [ælˈdʒɪərɪə] Алжир
Algiers [ælˈdʒɪəz] *г.* Алжир
Al Kuwait [elkʊˈweɪt] *г.* Эль-Кувейт
Allegheny Mts [ˌælɪˌgeɪnɪˈmaʊntɪnz] Аллеганские горы
Alma-Ata [ælˌmɑːəˈtɑː] *г.* Алма-Ата
Alps [ælps] Альпы
Altai [ɑːlˈtaɪ] Алтай
Amazon [ˈæməzən] *р.* Амазонка
America [əˈmerɪkə] Америка
Amman [əˈmɑːn] *г.* Амман
Amsterdam [ˈæmstədæm] *г.* Амстердам
Amu Darya [ˌɑːmuːˈdɑːrɪə] *р.* Амударья
Amur [əˈmʊə] *р.* Амур
Andaman Isls [ˌændəmənˈaɪləndz] Андаманские острова
Andes [ˈændiːz] Анды
Andorra [ænˈdɔːrə] Андорра
Angara [æŋgəˈrɑː] *р.* Ангара
Anglesey [ˈæŋglsɪ] Англси
Angola [æŋˈgəʊlə] Ангола
Angus [ˈæŋgəs] Ангус
Ankara [ˈæŋkərə] *г.* Анкара
Antananarivo [ˌæntənænəˈriːvəʊ] *г.* Антананариву, Тананариве
Antarctic Continent [æntˌɑːktɪkˈkɒntɪnənt] Антарктида
Antarctic Region [æntˌɑːktɪkˈriːdʒən] Антарктика
Antilles [ænˈtɪliːz] Антильские острова; **Greater Antilles** Большие Антильские острова; **Lesser Antilles** Малые Антильские острова
Antrim [ˈæntrɪm] Антрим
Antwerp [ˈæntwɜːp] *г.* Антверпен
Apennines [ˈæpənaɪnz] Апеннины
Apia [ɑːˈpiːə] *г.* Апиа
Appalachian Mts, Appalachians [æpəˌleɪtʃɪənˈmaʊntɪnz, æpəˈleɪtʃɪənz] Аппалачские горы, Аппалачи
Arabia [əˈreɪbɪə] *п-ов* Аравия
Arabian Sea [əˌreɪbɪənˈsiː] Аравийское море
Aral Sea [ˌærəlˈsiː] Аральское море
Ararat [ˈærəræt] Арарат (*гора*)
Arctic Ocean [ˌɑːktɪkˈəʊʃn] Северный Ледовитый океан
Arctic Region [ˌɑːktɪkˈriːdʒən] Арктика
Argentina [ˌɑːdʒənˈtiːnə] Аргентина
Argyll(shire) [ɑːˈgaɪl(ʃə)] Аргайлл(шир)
Arizona [ˌærɪˈzəʊnə] Аризона
Arkansas [ˈɑːkənsɔː] Арканзас (*река и штат*)
Arkansas City [ˌɑːkənsɔːˈsɪtɪ] *г.* Арканзас-Сити
Arkhangelsk [ʌrˈkhɑːngɪljsk] *г.* Архангельск
Arlington [ˈɑːlɪŋtən] *г.* Арлингтон
Armagh [ˌɑːˈmɑː] Арма
Armenia [ɑːˈmiːnɪə] Армения
Ascot [ˈæskət] *г.* Эскот
Ashghabad [ˌæʃgəˈbɑːd] *г.* Ашхабад
Asia [ˈeɪʃə] Азия
Asia Minor [ˌeɪʃəˈmaɪnə] *п-ов* Малая Азия
Asmara [æsˈmɑːrə] *г.* Асмара
Assam [æˈsæm] Ассам
Assouan, Aswan [ˌæsˈwɑːn] *г.* Асуан
Assyria [əˈsɪrɪə] *ист.* Ассирия
Astrakhan [ˌæstrəˈkæn] *г.* Астрахань
Asuncion [æˌsʊnsɪˈɒn] *г.* Асунсьон
Athens [ˈæθɪnz] *г.* Афины
Atlanta [ətˈlæntə] *г.* Атланта
Atlantik City [ətˌlæntɪkˈsɪtɪ] *г.* Атлантик-Сити
Atlantic Ocean [ətˈlæntɪkˈəʊʃn] Атлантический океан
Atlas Mts [ˌætləsˈmaʊntɪnz] Атласские горы
Auckland [ˈɔːklənd] *г.* Окленд
Austin [ˈɒstɪn] *г.* Остин
Australia [ɒˈstreɪlɪə] Австралия
Australia, Commonwealth of [ˌkɒmənwelθəvɒˈstreɪlɪə] Австралийский Союз
Austria [ˈɒstrɪə] Австрия
Avon [ˈeɪvn] *р.* Эйвон
Ayr(shire) [ˈeə(ʃə)] Эр(шир)
Azerbaijan [ˌæzəbaɪˈdʒɑːn] Азербайджан
Azof, Sea of [ˌsiːəvˈɑːzɒf] = Azov, Sea of
Azores [əˈzɔːz] Азорские острова
Azov, Sea of [ˌsiːəvˈeɪzɒv] Азовское море

Bab el Mandeb [ˌbæbelˈmændeb] Баб-эль-Мандебский пролив
Babylon [ˈbæbɪlən] *ист.* Вавилон
Baffin Bay [ˌbæfɪnˈbeɪ] Баффинов залив
Bag(h)dad [ˌbægˈdæd] *г.* Багдад
Bahama Isls, Bahamas [bəˌhɑːməˈaɪləndz, bəˈhɑːməz] Багамские острова
Bahrain, Bahrein [bəˈreɪn] Бахрейн
Baikal [baɪˈkæl] *оз.* Байкал
Baku [bʌˈkuː] *г.* Баку
Balearic Isls [bælɪˌærɪkˈaɪləndz] Балеарские острова
Balkan Mts [ˌbɔːlkənˈmaʊntɪnz] Балканские горы, Балканы
Balkan Peninsula [ˌbɔːlkənpəˈnɪnsjʊlə] Балканский полуостров
Baltic Sea [ˌbɔːltɪkˈsiː] Балтийское море
Baltimore [ˈbɔːltɪmɔː] *г.* Балтимор
Bamako [ˌbæməˈkəʊ] *г.* Бамако
Banff [bænf] Банф (*графство и город*)

* Слова Mountain, Mountains, Island, Islands даны в сокращении Mt, Mts, Isl, Isls

Bangkok [ˌbæŋ'kɒk] *г.* Бангкóк
Bangladesh [ˌbæŋglə'deʃ] Бангладéш
Bangui [ˌbɒŋ'gi:] *г.* Банги́
Banjoul, Banjul [bæn'dʒu:l] *г.* Банджу́л
Barbados [bɑ:'beɪdɒs] Барбáдос
Barcelona [ˌbɑ:sɪ'ləʊnə] *г.* Барселóна
Barents Sea [ˌbærənts'si:] Бáренцево мóре
Basel, Basle ['bɑ:zl, 'bɑ:sl] *г.* Бáзель
Basra ['bæzrə] *г.* Бáсра
Basse-Terre [ˌbɑ:s'teə] *г.* Бас-Тéр
Bass Strait [ˌbæs'streɪt] Бáссов проли́в
Bath [bɑ:θ] *г.* Бат
Batumi [bɑ:'tu:mɪ] *г.* Бату́ми
Bedford(shire) ['bedfəd(ʃə)] Бéдфорд(шир)
Beds [bedz] *см.* Bedford(shire)
Beirut [ˌbeɪ'ru:t] *г.* Бейру́т
Belfast [ˌbel'fɑ:st] *г.* Бéлфаст
Belgium ['beldʒəm] Бéльгия
Belgrade [ˌbel'greɪd] *г.* Белгрáд
Belize [bɪ'li:z] Бели́з
Bellingshausen Sea [ˌbelɪŋzhaʊzn'si:] мóре Беллинсгáузена
Bengal, Bay of [ˌbeɪəvben'gɔ:l] Бенгáльский зали́в
Bengasi, Benghazi [ben'gɑ:zɪ] *г.* Бенгáзи
Benin [be'ni:n] Бени́н
Bering Sea [ˌbeərɪŋ'si:] Бéрингово мóре
Bering Strait [ˌbeərɪŋ'streɪt] Бéрингов проли́в
Berks [bɑ:ks] *см.* Berkshire
Berkshire ['bɑ:kʃə] Бéркшир
Berlin [bɜ:'lɪn] *г.* Берли́н
Bermuda Isls, Bermudas [bəˌmju:də'aɪləndz, bə'mju:dəz] Берму́дские острова́
Bern(e) [bɜ:n] *г.* Берн
Berwick(shire) ['berɪk(ʃə)] Бéрик(шир)
Beyrouth [ˌbeɪ'ru:t] = Beirut
Bhutan [ˌbu:'tɑ:n] Бутáн
Bikini [bɪ'ki:nɪ] *атолл* Бики́ни
Bilbao [bɪl'baʊ] *г.* Бальбáо
Birmingham ['bɜ:mɪŋəm] *г.* Би́рмингем
Biscay, Bay of [ˌbeɪəv'bɪskeɪ] Бискáйский зали́в
Bishkek [bɪʃ'kek] *г.* Бишкéк
Bissau [bɪ'saʊ] *г.* Бисáу
Blackpool ['blækpu:l] *г.* Блэ́кпул
Black Sea [ˌblæk'si:] Чёрное мóре
Blue Mts [ˌblu:'maʊntɪnz] Голубы́е гóры
Bogota [ˌbɒgə'tɑ:] *г.* Боготá
Bolivia [bə'lɪvɪə] Боли́вия
Bombay [ˌbɒm'beɪ] *г.* Бомбéй
Bonn [bɒn] *г.* Бонн
Bordeaux [bɔ:'dəʊ] *г.* Бордó
Borneo ['bɔ:nɪəʊ] *о-в* Борнéо; *см.* Kalimantan
Bosnia and Herzegovina ['bɒznɪəndˌheətsə'gɒvɪnə] Бóсния и Герцегови́на
Bosporus ['bɒspərəs] Босфóр
Boston ['bɒstən] *г.* Бóстон
Bothnia, Gulf of [ˌgʌlfəv'bɒθnɪə] Ботни́ческий зали́в
Botswana [bɒt'swɑ:nə] Ботсвáна
Boulogne [bʊ'lɔɪn] *г.* Булóнь
Bournemouth ['bɔ:nməθ] *г.* Бóрнмут
Bradford ['brædfəd] *г.* Брэ́дфорд
Brahmaputra [ˌbrɑ:mə'pu:trə] *р.* Брахмапу́тра
Brasilia [brə'zɪlɪə] *г.* Брази́лиа
Bratislava [ˌbrætɪ'slɑvə] *г.* Братислáва
Brazil [brə'zɪl] Брази́лия
Brazzaville ['bræzəvɪl] *г.* Браззави́ль
Brecknock(shire) ['breknɒk(ʃə)] Брéкнок(шир)
Brecon ['brekən] *см.* Brecknock(shire)
Bremen ['breɪmən] *г.* Брéмен
Brest [brest] *г.* Брест
Bridgeport ['brɪdʒpɔ:t] *г.* Бри́джпорт
Bridgetown ['brɪdʒtaʊn] *г.* Бри́джтаун
Brighton ['braɪtn] *г.* Брáйтон
Brisbane ['brɪzbən] *г.* Бри́сбен
Bristol ['brɪstl] *г.* Бристóль
Britain ['brɪtn] *см.* Great Britain
Brittany ['brɪtənɪ] *ист.* Бретáнь
Bronx [brɒŋks] Бронкс
Brooklyn ['brʊklɪn] Бру́клин
Bruges [bru:ʒ] *г.* Брю́гге
Brunei ['bru:naɪ] Брунéй
Brussels ['brʌslz] *г.* Брюссéль
Bucharest [ˌbu:kə'rest] *г.* Бухарéст
Buckingham(shire) ['bʌkɪŋəm(ʃə)] Бáкингем(шир)
Bucks [bʌks] *см.* Buckingham(shire)
Budapest [ˌbju:də'pest] *г.* Будапéшт
Buenos Aires [ˌbweɪnɒs'aɪrɪz] *г.* Буэ́нос-А́йрес
Buffalo ['bʌfələʊ] *г.* Бу́ффало
Bug [bu:g] *р.* Буг
Bujumbura [ˌbu:dʒəm'bʊərə] *г.* Бужумбу́ра
Bukhara [bʊ'kɑ:rə] *г.* Бухарá
Bulgaria [bʌl'geərɪə] Болгáрия
Burkina Faso [bɜ:ˌki:nə'fæsəʊ] Буркинá-Фасó
Burundi [bʊ'rʊndɪ] Буру́нди
Bute(shire) ['bju:t(ʃə)] Бьют(шир)
Byelorussia [bɪˌeləʊ'rʌʃə] Белору́ссия
Byzantium [bɪ'zæntɪəm] *ист.* Византи́я

Cabo Verde [ˌkɑ:vʊ'vɜ:d] Кáбо-Вéрде
Cadiz [kə'dɪz] *г.* Кáдис
Caernarvon(shire) [kə'nɑ:vn(ʃə)] Карнáрвон(шир)
Cairo ['kaɪrəʊ] *г.* Каи́р
Caithness ['keɪθnes] Кéйтнесс
Calais ['kæleɪ] *г.* Калé
Calcutta [kæl'kʌtə] *г.* Калькýтта
California [ˌkælə'fɔ:nɪə] Калифóрния
Cambodia [kæm'bɔ:dɪə] Камбóджа
Cambridge ['keɪmbrɪdʒ] *г.* Кéмбридж
Cambridgeshire ['keɪmbrɪdʒʃə] Кéмбриджшир
Cameroon [ˌkæmə'ru:n] Камеру́н
Canada ['kænədə] Канáда
Canary Isls [kəˌneərɪ'aɪləndz] Канáрские острова́
Canaveral, Cape [ˌkeɪpkə'nævrəl] мыс Канáверал
Canberra ['kænbərə] *г.* Кáнберра
Cannes [kæn] *г.* Канн(ы)
Canterbury ['kæntəbərɪ] *г.* Кéнтербери
Cape of Good Hope [ˌkeɪpəvgʊd'həʊp] мыс Дóброй Надéжды
Cape Town, Capetown [ˌkeɪp'taʊn] *г.* Кейптáун
Cape Verde Isls [ˌkeɪpvɜ:d'aɪləndz] Острова́ Зелёного Мы́са
Caracas [kə'rækəs] *г.* Карáкас
Cardiff ['kɑ:dɪf] *г.* Кáрдифф
Cardigan(shire) ['kɑ:dɪgən(ʃə)] Кáрдиган(шир)
Caribbean (Sea) [ˌkærə'bi:ən('si:)] Кари́бское мóре
Carlisle [kɑ:'laɪl] *г.* Карлáйл
Carmarthen(shire) [kə'mɑ:ðn(ʃə)] Кармáртен(шир)
Carnarvon(shire) [kə'nɑ:vn(ʃə)] = Caernarvon(shire)
Caroline Isls, Carolines [ˌkærəlaɪn'aɪləndz, 'kærəlaɪnz] Кароли́нские острова́
Carpathian Mts, Carpathians [kɑ:ˌpeɪθɪən'maʊntɪnz, kɑ:'peɪθɪənz] Карпáтские гóры, Карпáты
Carpentaria, Gulf of [ˌgʌlfəvˌkɑ:pən'teərɪə] зали́в Карпентáрия
Carthage ['kɑ:θɪdʒ], **Carthago** [kɑ'θeɪgəʊ] *ист.* Карфагéн
Caspian Sea [ˌkæspɪən'si:] Каспи́йское мóре
Caucasus, the ['kɔ:kəsəs] Кавкáз
Cayenne [keɪ'en] *г.* Кайéнна
Celebes [sə'li:bɪz] *о-в* Цéлебес; *см.* Sulawesi
Central African Republic [ˌsentrəlæfrɪkənrɪ'pʌblɪk] Центрáльно-африкáнская Респу́блика
Central America [ˌsentrələ'merɪkə] Центрáльная Амéрика
Chad [tʃæd] Чад
Chad, Lake [ˌleɪk'tʃæd] óзеро Чад
Channel, the ['tʃænl] *см.* English Channel
Channel Isls [ˌtʃænl'aɪləndz] Нормáндские острова́

Charleston ['tʃɑ:lstən] *г.* Ча́рлстон
Chatham ['tʃætəm] *г.* Ча́тем
Cheltenham ['tʃeltnəm] *г.* Че́лтнем
Cherbourg ['ʃeəbʊəg] *г.* Шербу́р
Cheshire ['tʃeʃə] *г.* Че́шир
Chester ['tʃestə] *г.* Че́стер
Cheviot Hills [,tʃi:vɪət'hɪlz] Че́виот-Хилс (*горы*)
Chicago [ʃɪ'kɑ:gəʊ] *г.* Чика́го
Chile ['tʃɪlɪ] Чи́ли
China ['tʃaɪnə] Кита́й
Chios ['kaɪɒs] *о-в* Хи́ос
Chomolungma [,tʃəʊməʊ'lʊŋmɑ:] Джомолу́нгма; *см.* Everest
Chukchee Sea [,tʃʊktʃi:'si:] Чуко́тское мо́ре
Chungking [tʃʊŋ'kɪŋ] *г.* Чунци́н
Cincinnati [,sɪnsə'nætɪ] *г.* Цинцинна́ти
Clackmannan [klæk'mænən] Клакма́ннан
Cleveland ['kli:vlənd] *г.* Кли́вленд
Clyde [klaɪd] *р.* Клайд
Cologne [kə'ləʊn] *г.* Кёльн
Colombia [kə'lɒmbɪə] Колу́мбия (*страна*)
Colombo [kə'lʌmbəʊ] *г.* Коло́мбо
Colorado [,kɒlə'rɑ:dəʊ] Колора́до
Columbia [kə'lʌmbɪə] Колу́мбия (*город и река*)
Comoro Isls [,kɒmərəʊ'aɪləndz] Комо́рские острова́
Conakry [,kɒnə'kri:] *г.* Ко́накри
Congo ['kɒŋgəʊ] Ко́нго (*страна*)
Congo, the ['kɒŋgəʊ] *р.* Ко́нго
Connecticut [kə'netɪkət] Конне́ктикут
Constantinople [,kɒnstæntɪ'nəʊpl] *ист.* Константино́поль
Constantsa [kɒn'stɑ:ntsə] *г.* Конста́нца
Copenhagen [,kəʊpən'heɪgən] *г.* Копенга́ген
Corfu [,kɔ:'fu:] *о-в* Ко́рфу
Corinth ['kɒrɪnθ] *ист.* Кори́нф
Cork [kɔ:k] *г.* Корк
Cornwall ['kɔ:nwɔ:l] Ко́рнуолл
Corsica ['kɔ:sɪkə] *о-в* Ко́рсика
Costa Rica [,kɒstə'ri:kə] Ко́ста-Ри́ка
Côte d'Ivoire [,kəʊtdɪv'wɑ:] Кот-д'Ивуа́р
Coventry ['kɒvntrɪ] *г.* Ко́вентри
Crete [kri:t] *о-в* Крит
Crimea, the [kraɪ'mɪə] Крым
Croatia [krəʊ'eɪʃə] Хорва́тия
Cuba ['kju:bə] Ку́ба
Cumberland ['kʌmbələnd] Ка́мберленд
Curaçao ['kjʊərəsəʊ] *о-в* Кюраса́о
Cyprus ['saɪprəs] Кипр
Czechoslovakia [,tʃekəʊsləʊ'vækɪə] *ист.* Че́хослова́кия
Czechia ['tʃekɪə] Че́хия

Dacca ['dækə] *г.* Да́кка
Dakar ['dækɑ:] *г.* Дака́р
Dallas ['dæləs] *г.* Да́ллас
Damascus [də'mæskəs] *г.* Дама́ск
Danube ['dænju:b] *р.* Дуна́й
Dardanelles [,dɑ:də'nelz] проли́в Дардане́ллы
Dar es Salaam [,daressə'lɑ:m] *г.* Да́р-эс-Сала́м
Dartmouth ['dɑ:tməθ] *г.* Да́ртмут
Daugava ['dɑ:ʊgɑ:və] *р.* Да́угава
Dead Sea [,ded'si:] Мёртвое мо́ре
Delaware ['deləweə] Де́лавэр
Delhi ['delɪ] *г.* Де́ли
Denbigh(shire) ['denbɪ(ʃə)] Де́нби(шир)
Denmark ['denmɑ:k] Да́ния
Denver ['denvə] *г.* Де́нвер
Derby(shire) ['dɑ:bɪ(ʃə)] Де́рби(шир)
Des Moines [də'mɔɪn] *г.* Де-Мо́йн
Detroit [dɪ'trɔɪt] *г.* Детро́йт
Devon(shire) ['devn(ʃə)] Де́вон(шир)
Dieppe [dɪ'ep] *г.* Дьепп
District of Columbia [,dɪstrɪktəvkə'lʌmbɪə] о́круг Колу́мбия

Djakarta [dʒə'kɑ:tə] = Jakarta
Djibouti [dʒɪ'bu:tɪ] = Jibuti
Djokjakarta [,dʒəʊgjə'kɑ:tə] = Jogjakarta
Dnieper ['ni:pə] *р.* Днепр
Dniester ['ni:stə] *р.* Днестр
Dodecanese Isls [dəʊdɪkə,ni:z'aɪləndz] *о-ва* Додекане́с
Doha ['dəʊhɑ:] *г.* До́ха
Dominican Republic [də,mɪnɪkənrɪ'pʌblɪk] Доминика́нская Респу́блика
Don [dɒn] *р.* Дон
Donegal [,dɒnɪ'gɔ:l] До́негол
Dorset(shire) ['dɔ:sɪt(ʃə)] До́рсет(шир)
Dover ['dəʊvə] *г.* Дувр
Dover, Strait of [,streɪtəv'dəʊvə] Па-де-Кале́
Down [daʊn] Да́ун
Drake Strait ['dreɪk,streɪt] проли́в Дре́йка
Dublin ['dʌblɪn] *г.* Ду́блин
Dudley ['dʌdlɪ] *г.* Да́дли
Dumbarton(shire) [dʌm'bɑ:tn(ʃə)] Дамба́ртон(шир)
Dumfries(shire) [dʌm'fri:s(ʃə)] Дамфри́с(шир)
Dundee [dʌn'di:] *г.* Да́нди
Dunkirk [dʌn'kɜ:k] *г.* Дюнке́рк
Durban ['dɜ:bən] *г.* Ду́рбан
Durham ['dʌrəm] Да́рем
Dushanbe [dju:'ʃɑ:mbə] *г.* Душанбе́

East China Sea [,i:sttʃaɪnə'si:] Восто́чно-Кита́йское мо́ре
Easter Isl [,i:stə'aɪlənd] о́стров Па́схи
East Indies [,i:st'ɪndjəz] *ист.* Ост-И́ндия
East Lothian [,i:st'ləʊðɪən] Ист-Ло́тиан
Ecuador ['ekwədɔ:] Эквадо́р
Edinburgh ['edɪnbərə] *г.* Э́динбург
Egypt ['i:dʒɪpt] Еги́пет
Eire ['eərə] Э́йре; *см.* Ireland
Elba ['elbə] *о-в* Э́льба
Elbe [elb] *р.* Э́льба
Elbrus, Elbruz [el'bru:z] Эльбру́с
Elgin(shire) ['elgɪn(ʃə)] Э́лгин(шир) [*см. тж.* Moray]
El Salvador [el'sælvədɔ:] Сальвадо́р
Ely, Isle of [,aɪləv'i:lɪ] Айл-оф-И́ли
England ['ɪŋglənd] А́нглия
English Channel [,ɪŋglɪʃ'tʃænl] Ла-Ма́нш
Enisei [jenɪ'seɪ] = Yenisei
Entebbe [en'tebɪ] *г.* Энте́ббе
Epsom ['epsəm] *г.* Э́псом
Equatorial Guinea [,ekwətɔ:rɪəl'gɪnɪ] Экваториа́льная Гвине́я
Erevan [,erə'vɑ:n] = Yerevan
Erie, Lake [,leɪk'ɪərɪ] о́зеро Э́ри
Essex ['esɪks] Э́ссекс
Estonia [e'stəʊnɪə] Эсто́ния
Ethiopia [,i:θɪ'əʊpɪə] Эфио́пия
Etna ['etnə] Э́тна
Eton ['i:tn] *г.* И́тон
Euphrates [jʊ'freɪti:z] *р.* Евфра́т
Europe ['jʊərəp] Евро́па
Everest ['evərɪst] Эвере́ст

Fairbanks ['feəbæŋks] *г.* Фэ́рбенкс
Falkland Isls [,fɔ:lklənd'aɪləndz] Фолкле́ндские острова́
Faroe Isls, Faroes [,feərəʊ'aɪləndz, 'feərəʊz] Фаре́рские острова́
Fermanagh [fə'mænə] Ферма́на
Fes, Fez [fes, fez] *г.* Фес
Fife [faɪf] Файф
Fiji ['fi:dʒi:] Фи́джи
Finland ['fɪnlənd] Финля́ндия
Firth of Forth [,fɜ:θəv'fɔ:θ] *залив* Ферт-оф-Фо́рт
Flint(shire) ['flɪnt(ʃə)] Фли́нт(шир)
Florence ['flɒrəns] *г.* Флоре́нция

Florida ['flɒrɪdə] Флори́да
Folkestone ['fəʊkstən] *г.* Фо́лкстон
Formosa [fɔ:'məʊsə] Формо́за; *см.* Taiwan
Forth [fɔ:θ] *р.* Форт
France [frɑ:ns] Фра́нция
Frankfurt am Main [,fræŋkfɜ:tɑ:m'maɪn] *г.* Фра́нкфурт-на-Ма́йне
Franz Joseph Land [,frænts'dʒəʊzɪflænd] Земля́ Фра́нца Ио́сифа
Freetown ['fri:taʊn] *г.* Фри́таун
Fujiyama [,fu:dʒɪ'jɑ:mə] Фудзия́ма

Gabon, Gaboon ['gæbɒn, gə'bu:n] Габо́н
Gaborone [,gæbə'rəʊnɪ] *г.* Габоро́не
Galapagos Isls [gə,læpəgəs'aɪləndz] Галапаго́сские острова́
Gambia ['gæmbɪə] Га́мбия
Ganges ['gændʒi:z] *р.* Ганг
Gary ['gærɪ] *г.* Гэ́ри
Gdansk [gə'dænsk] *г.* Гданьск
Gdynia [gə'dɪnjə] *г.* Гды́ня
Geneva [dʒə'ni:və] *г.* Жене́ва
Genoa ['dʒenəʊə] *г.* Ге́нуя
Georgetown ['dʒɔ:dʒtaʊn] *г.* Джо́рджтаун
Georgia I ['dʒɔ:dʒə] Джо́рджия (*штат США*)
Georgia II ['dʒɔ:dʒə] Гру́зия
Germany ['dʒɜ:mənɪ] Герма́ния
Gettysburg ['getɪzbɜ:g] *г.* Ге́ттисберг
Ghana ['gɑ:nə] Га́на
Ghent [gent] *г.* Гент
Gibraltar [dʒɪ'brɔ:ltə] Гибралта́р
Glamorgan(shire) [glə'mɔ:gən(ʃə)] Гламо́рган(шир)
Glasgow ['glɑ:zgəʊ] *г.* Гла́зго
Gloucester(shire) ['glɒstə(ʃə)] Гло́стер(шир)
Gobi, the ['gəʊbɪ] Го́би
Got(h)land ['gɒtlənd ('gɒθlənd)] *о-в* Го́тланд
Grampian Hills, the Grampians [,græmpɪən'hɪlz, 'græmpɪənz] Грампиа́нские го́ры
Great Bear Lake [,greɪt'beə,leɪk] Большо́е Медве́жье о́зеро
Great Britain [,greɪt'brɪtn] Великобрита́ния
Great Yarmouth [,greɪt'jɑ:məθ] = Yarmouth
Greece [gri:s] Гре́ция
Greenland ['gri:nlənd] Гренла́ндия
Greenwich ['grenɪtʃ] *г.* Гри́нвич
Grenada [grɪ'neɪdə] Грена́да
Guadalcanal [,gwɑ:dlkə'næl] *о-в* Гуадалкана́л
Guadeloupe [,gwɑ:də'lu:p] Гваделу́па
Guam [gwɑ:m] *о-в* Гуа́м
Guatemala [,gwɑ:tə'mɑ:lə] Гватема́ла
Guatemala (City) [,gwɑ:tə'mɑ:lə, (sɪtɪ)] *г.* Гватема́ла
Guayaquil [,gwaɪə'ki:l] *г.* Гуаяки́ль
Guernsey ['gɜ:nzɪ] *о-в* Ге́рнси
Guinea ['gɪnɪ] Гвине́я
Guinea-Bissau [,gɪnɪbɪ'saʊ] Гвине́я-Биса́у
Guyana [gaɪ'ænə] Гайа́на

Hague, the [heɪg] *г.* Гаа́га
Haifa [haɪfə] *г.* Ха́йфа
Hainan [haɪ'næn] *о-в* Хайна́нь
Haiti ['heɪtɪ] Гаити
Hakodate [,hækəʊ'dɑ:tɪ] *г.* Хакода́те
Halifax ['hælɪfæks] *г.* Га́лифакс
Hamburg ['hæmbɜ:g] *г.* Га́мбург
Hamilton ['hæmltən] *г.* Га́мильтон
Hampshire ['hæmpʃə] Ге́мпшир
Hanoi [hæ'nɔɪ] *г.* Хано́й
Hants [hænts] *см.* Hampshire
Harrow ['hærəʊ] *г.* Ха́рроу
Harwell ['hɑ:wəl] *г.* Ха́руэлл
Harwich ['hærɪdʒ] *г.* Ха́ридж
Hastings ['heɪstɪŋz] *г.* Га́стингс
Havana [hə'vænə] *г.* Гава́на
Havre ['ɑ:vrə] *г.* Гавр
Hawaii [hə'waɪɪ] Гава́йи (*острова и штат*)
Hawaiian Isls [hə,waɪən'aɪləndz] Гава́йские острова́
Hebrides ['hebrədi:z] Гебри́дские острова́
Heligoland ['helɪgəʊlænd] *о-в* Ге́льголанд
Hellas ['helæs] *ист.* Элла́да
Hellespont ['helɪspɒnt] *ист.* Геллеспо́нт
Helsinki [hel'sɪŋkɪ] *г.* Хе́льсинки
Henley(-on-Thames) ['henlɪ(ɒn,temz)] *г.* Хе́нлей(-на-Те́мзе)
Herat [he'ræt] *г.* Гера́т
Hereford(shire) ['herɪfəd(ʃə)] Хе́реффорд(шир)
Hertford(shire) ['hɑ:fəd(ʃə)] Ха́ртфорд(шир)
Herts [hɑ:ts] *см.* Hertford(shire)
Himalaya(s), the [,hɪmə'leɪə(z)] Гимала́и, Гимала́йские го́ры
Hindu Kush [,hɪndu:'ku:ʃ] *горы* Гинduку́ш
Hindustan [,hɪndʊ'stɑ:n] *п-ов* Индоста́н
Hiroshima [hɪ'rɒʃɪmə] *г.* Хиро́сима
Ho Chi Minh [,həʊ,tʃi:'mɪn] *г.* Хошими́н
Holland ['hɒlənd] Голла́ндия; *см.* Netherlands
Hollywood ['hɒlɪwʊd] *г.* Голливу́д
Hondo ['hɒndəʊ] = Honshu
Honduras [hɒn'djʊərəs] Гондура́с
Hong Kong [,hɒŋ'kɒŋ] Гонко́нг; *см.* Siangan
Honiara [,həʊnɪ'ɑ:rə] *г.* Хониа́ра
Honolulu [,hɒnə'lu:lu:] *г.* Гонолу́лу
Honshu ['hɒnʃu:] *о-в* Хо́нсю
Horn, Cape [,keɪp'hɔ:n] мыс Горн
Houston ['hu:stən] *г.* Хью́стон
Hudson ['hʌdsn] *р.* Гудзо́н
Hudson Bay [,hʌdsn'beɪ] Гудзо́нов зали́в
Hudson Strait [,hʌdsn'streɪt] Гудзо́нов проли́в
Hull [hʌl] *г.* Гулль, Халл
Hungary ['hʌŋgərɪ] Ве́нгрия
Huntingdon(shire) ['hʌntɪŋdən(ʃə)] Ха́нтингдон(шир)
Hunts [hʌnts] *см.* Huntingdon(shire)
Huron, Lake [,leɪk'hjʊərən] о́зеро Гуро́н
Hwang Ho [,hwæŋ'həʊ] *р.* Хуанхэ́
Hyderabad ['haɪdərəbæd] *г.* Хайдараба́д

Iceland ['aɪslənd] Исла́ндия
Idaho ['aɪdəhəʊ] Айда́хо
Illinois [,ɪlə'nɔɪ] Иллино́йс
India ['ɪndɪə] И́ндия
Indiana [,ɪndɪ'ænə] Индиа́на
Indian Ocean [,ɪndɪən'əʊʃn] Инди́йский океа́н
Indonesia [,ɪndəʊ'ni:zɪə] Индоне́зия
Indus ['ɪndəs] *р.* Инд
Inverness [,ɪnvə'nes] Инверне́сс
Ionian Sea [aɪ,əʊnɪən'si:] Иони́ческое мо́ре
Iowa ['aɪəʊə] Айо́ва
Irak [ɪ'rɑ:k] = Iraq
Iran [ɪ'rɑ:n] Ира́н
Iraq [ɪ'rɑ:k] Ира́к
Ireland ['aɪələnd] Ирла́ндия
Irtish [ɪr'tɪʃ] *р.* Иртыш
Isfahan ['ɪsfəhæn] *г.* Исфаха́н
Islamabad [ɪz'lɑ:məbæd] *г.* Исламаба́д
Islington ['ɪzlɪŋtən] *г.* И́слингтон
Ispahan [,ɪspə'hɑ:n] = Isfahan
Israel ['ɪzreɪl] Изра́иль
Istanbul [,ɪstæn'bʊl] *г.* Стамбу́л
Italy ['ɪtəlɪ] Ита́лия
Izmir [ɪz'mɪr] *г.* Изми́р

Jacksonville ['dʒæksənvɪl] *г.* Джэ́ксонвилл
Jaffa ['dʒæfə] *г.* Я́ффа
Jaipur [,dʒaɪ'pʊə] *г.* Джайпу́р

Jakarta [dʒə'kɑ:tə] *г.* Джака́рта
Jamaica [dʒə'meɪkə] Яма́йка
Japan [dʒə'pæn] Япо́ния
Java ['dʒɑ:və] *о-в* Я́ва
Jersey ['dʒɜ:zɪ] *о-в* Дже́рси
Jersey City [,dʒɜ:zɪ'sɪtɪ] *г.* Дже́рси-Си́ти
Jerusalem [dʒə'ru:sələm] *г.* Иерусали́м
Jibuti [dʒɪ'bu:tɪ] *г.* Джибу́ти
Jidda ['dʒɪdə] *г.* Джи́дда
Jogjakarta [,dʒəʊgjə'kɑ:tə] *г.* Джокьяка́рта
Johannesburg [dʒəʊ'hænɪsbɜ:g] *г.* Йоха́ннесбург
Jordan ['dʒɔ:dn] 1) Иорда́ния 2) *р.* Иорда́н
Jugoslavia [ju:gəʊ'slɑ:vɪə] = Yugoslavia
Jutland ['dʒʌtlənd] *п-ов* Ютла́ндия

Kabul ['kɑ:bʊl] *г.* Кабу́л
Kalahari Desert [kælə,hɑ:rɪ'dezət] пусты́ня Калаха́ри
Kalimantan [,kælɪ'mæntən] *о-в* Калиманта́н
Kaliningrad [kə'li:nɪngrɑ:d] *г.* Калинингра́д
Kama ['kɑ:mə] *р.* Ка́ма
Kamchatka [kæm'tʃætkə] *п-ов* Камча́тка
Kampala [kæm'pɑ:lə] *г.* Кампа́ла
Kansas ['kænzəs] Канза́с
Kansas City [,kænzəs'sɪtɪ] *г.* Канза́с-Си́ти
Karachi [kə'rɑ:tʃɪ] *г.* Кара́чи
Kara Sea [,kɑ:rɑ:'si:] Ка́рское мо́ре
Karlovy Vary [,kɑ:ləʊvɪ'vɑ:rɪ] Ка́рлови-Ва́ри
Kashmir [,kæʃ'mɪə] Кашми́р
Katmandu [,kætmæn'du:] *г.* Катманду́
Kattegat [,kætɪ'gæt] *пролив* Каттега́т
Kaunas ['kaʊnɑ:s] *г.* Ка́унас
Kazakhstan [,kæzæk'stɑ:n] Казахста́н
Kent [kent] Кент
Kentucky [ken'tʌkɪ] Кенту́кки
Kenya ['kenjə] Ке́ния
Kerch [kertʃ] *г.* Керчь
Kerry ['kerɪ] Ке́рри
Kharkov ['karjkəf] *г.* Ха́рьков
Khart(o)um [,kɑ:'tu:m] *г.* Харту́м
Kiel [ki:l] *г.* Киль
Kiev ['ki:ef] *г.* Ки́ев
Kigali [kɪ'gɑ:lɪ] *г.* Кига́ли
Kilimanjaro [,kɪlɪmən'dʒɑ:rəʊ] Килиманджа́ро (*гора*)
Kilkenny [kɪl'kenɪ] Килке́нни
Kincardine [kɪn'kɑ:dɪn] Кинка́рдин
Kingston ['kɪŋstən] *г.* Ки́нгстон
Kinross [kɪn'rɒs] Кинро́сс
Kinshasa [kɪn'ʃɑ:sə] *г.* Кинша́са
Kioto [kɪ'əʊtəʊ] = Kyoto
Kirkcudbright(shire) [kə'ku:brɪ(ʃə)] Керку́бри(шир)
Kishinev [,kɪʃɪ'njɔ:f] *г.* Кишинёв
Klaipeda ['klaɪpɪdə] *г.* Кла́йпеда
Klondike ['klɒndaɪk] Клонда́йк
Kobe ['kəʊbeɪ] *г.* Ко́бе
Kongo ['kɒŋgəʊ] = Congo
Korea [kə'rɪə] Коре́я
Kuala Lumpur [,kwɑ:lə'lʊmpʊə] *г.* Куа́ла-Лу́мпур
Kuril(e) Isls [kʊ,ri:l'aɪləndz] Кури́льские острова́
Kuwait [kʊ'weɪt] Куве́йт
Kyoto [kɪ'əʊtəʊ] *г.* Кио́то
Kyrghyzstan [,kɪrgɪz'stɑ:n] Кыргызста́н

Labrador ['læbrədɔ:] *п-ов* Лабрадо́р
Ladoga ['lædəʊgə] Ла́дожское о́зеро
Lagos ['leɪgɒs] *г.* Ла́гос
Lahore [lə'hɔ:] *г.* Лахо́р
Lake District ['leɪk,dɪstrɪkt] Озёрная о́бласть
Lanark(shire) ['lænək(ʃə)] Ла́нарк(шир)
Lancashire ['læŋkəʃə] Ла́нкашир
Lancaster ['læŋkəstə] 1) = Lancashire 2) *г.* Ла́нкастер
Laos ['laʊz] Лао́с
La Paz [lɑ:'pæz] *г.* Ла-Па́с
La Plata [lə'plɑ:tə] *г.* Ла-Пла́та
Laptev Sea [,lɑ:ptjəf'si:] мо́ре Ла́птевых
Latvia ['lætvɪə] Ла́твия
Lebanon ['lebənən] Лива́н
Leeds [li:dz] *г.* Лидс
Leghorn ['leghɔ:n] *г.* Ливо́рно
Leicester(shire) ['lestə(ʃə)] Ле́стер(шир)
Leipzig ['laɪpsɪg] *г.* Ле́йпциг
Lena ['leɪnə] *р.* Ле́на
Lesotho [lə'su:tu:] Лесо́то
Lhasa ['lɑ:sə] *г.* Лха́са
Liberia [laɪ'bɪərɪə] Либе́рия
Libia ['lɪbɪə] = Libya
Libreville [,li:brə'vi:l] *г.* Либреви́ль
Libya ['lɪbɪə] Ли́вия
Liechtenstein ['lɪktənstaɪn] Лихтенште́йн
Liege [lɪ'eɪʒ] *г.* Льеж
Lilongwe [lɪ'lɒŋweɪ] *г.* Лило́нгве
Lima ['li:mə] *г.* Ли́ма
Lincoln(shire) ['lɪŋkən(ʃə)] Ли́нкольн(шир)
Lisbon ['lɪzbən] *г.* Лис(с)або́н
Lithuania [,lɪθjʊ'eɪnɪə] Литва́
Little Rock ['lɪtlrɒk] *г.* Литл-Ро́к
Liverpool ['lɪvəpu:l] *г.* Ли́верпул(ь)
Lofoten Isls [ləʊ,fəʊtn'aɪləndz] Лофоте́нские острова́
Loire [lwɑ:] *р.* Луа́ра
Lome ['ləʊmeɪ] *г.* Ломе́
London ['lʌndən] *г.* Ло́ндон
Londonderry ['lʌndənderɪ] Лондонде́рри (*город и графство*)
Los Angeles [lɒs'ændʒəli:z] *г.* Лос-А́нджелес
Louisiana [lʊ,i:zɪ'ænə] Луизиа́на
Luanda [lʊ'ændə] *г.* Луа́нда
Lusaka [lʊ'sɑ:kə] *г.* Луса́ка
Luxemburg ['lʌksəmbɜ:g] Люксембу́рг
Luzon [,lu:'zɒn] *о-в* Лусо́н
Lyons ['li:ɒn] *г.* Лио́н

Macedonia [,mæsɪ'dəʊnɪə] Македо́ния
Mackenzie [mə'kenzɪ] *р.* Макке́нзи
Madagascar [,mædə'gæskə] Мадагаска́р
Madeira [mə'dɪərə] *о-в* Маде́йра
Madras [mə'drɑ:s] *г.* Мадра́с
Madrid [mə'drɪd] *г.* Мадри́д
Magellan, Strait of [,streɪtəvmə'gelən] Магелла́нов проли́в
Maine [meɪn] Мэн (*штат США*)
Majorca [mə'jɔ:kə] *о-в* Мальо́рка, Майо́рка
Makassar Strait [mə,kæsə'streɪt] Макаса́рский проли́в
Malabo [mə'lɑ:bəʊ] *г.* Мала́бо
Malawi [mə'lɑ:wɪ] Мала́ви
Malay Archipelago [mə,leɪɑ:kɪ'peləgəʊ] Мала́йский архипела́г
Malaysia [mə'leɪzɪə] Мала́йзия
Maldives ['mɔ:ldi:vz] Мальди́вы, Мальди́вские острова́
Male [meɪl] *г.* Ма́ле
Mali ['mɑ:lɪ] Мали́
Malta ['mɔ:ltə] Ма́льта
Man [mæn] *о-в* Мэн
Managua [mə'nægwə] *г.* Мана́гуа
Manama [mə'næmə] *г.* Мана́ма
Manchester ['mæntʃɪstə] *г.* Ма́нчестер
Manhattan [mæn'hætn] Манха́ттан
Manila [mə'nɪlə] *г.* Мани́ла
Manitoba [,mænɪ'təʊbə] Манито́ба
Mannar, Gulf of [,gʌlfəvmə'nɑ:] Мана́рский зали́в
Maputo [mə'pu:təʊ] *г.* Мапу́ту
Margate ['mɑ:geɪt] *г.* Ма́ргит
Mariana Isls, Marianas [mærɪ,ɑ:nə'aɪləndz, ,mærɪ'ɑ:nəz] Мариа́нские острова́

Marmara (Marmora), Sea of [ˌsi:əv'mɑ:mərə] Мра́морное мо́ре
Marquesas Isls [mɑ:ˌkeɪzəz'aɪləndz] Марки́зские острова́
Marseilles [mɑ:'seɪ] *г.* Марсе́ль
Marshall Isls [ˌmɑ:ʃl'aɪləndz] Марша́лловы острова́
Martinique [ˌmɑ:tɪ'ni:k] *о-в* Мартини́ка
Maryborough ['meərɪbərə] *г.* Мэ́риборо
Maryland ['meərɪlənd] Мэ́риленд
Maseru [mə'sɪəru:] *г.* Ма́серу
Masqat ['mʌskət] = Muscat
Massachusetts [ˌmæsə'tʃu:sɪts] Массачу́сетс
Mauritania [ˌmɒrɪ'teɪnɪə] Маврита́ния
Mauritius [mə'rɪʃəs] Маври́кий
Mbabane [əmˌbɑ:'bɑ:nɪ] *г.* Мбаба́не
Mecca ['mekə] *г.* Ме́кка
Medina [me'di:nə] *г.* Меди́на
Mediterranean Sea [ˌmedɪtəˌreɪnɪən'si:] Средизе́мное мо́ре
Mekong [ˌmi:'kɒŋ] *р.* Меко́нг
Melanesia [ˌmelə'ni:zɪə] Мелане́зия
Melbourn ['melbɔ:n] *г.* Ме́льбурн
Memphis ['memfɪs] *г.* Ме́мфис
Merioneth(shire) [ˌmerɪ'ɒnəθ(ʃə)] Мерио́нет(шир)
Mersey ['mɜ:zɪ] *р.* Мерсе́й (Ме́рси)
Mesopotamia [ˌmesəpə'teɪmɪə] *ист.* Месопота́мия
Mexico ['meksɪkəʊ] Ме́ксика
Mexico (City) [ˌmeksɪkəʊ('sɪtɪ)] *г.* Ме́хико
Mexico, Gulf of [ˌgʌlfəv'meksɪkəʊ] Мексика́нский зали́в
Miami [maɪ'æmɪ] *г.* Майа́ми
Michigan ['mɪʃɪgən] Ми́чига́н
Michigan, Lake [ˌleɪk'mɪʃɪgən] о́зеро Ми́чига́н
Middlesex ['mɪdlseks] Ми́длсекс
Midlothian [mɪd'ləʊθɪən] Мидло́тиан
Midway ['mɪdweɪ] *о-в* Ми́дуэй
Milan [mɪ'læn] *г.* Мила́н
Miletus [maɪ'li:təs] *ист. г.* Миле́т
Milwaukee [mɪl'wɔ:kɪ] *г.* Милуо́ки
Mindanao [ˌmɪndə'naʊ] *о-в* Минданао
Minneapolis [ˌmɪnɪ'æpəlɪs] *г.* Миннеа́полис
Minnesota [ˌmɪnɪ'səʊtə] Миннесо́та
Minorca [mɪ'nɔ:kə] *о-в* Мено́рка
Minsk [mɪnsk] *г.* Минск
Mississippi [ˌmɪsɪ'sɪpɪ] Миссиси́пи (*река и штат*)
Missouri [mɪ'sʊərɪ] Миссу́ри (*река и штат*)
Mogadiscio, Mogadishu [ˌmɒgə'dɪʃəʊ, ˌmɒgə'dɪʃu:] *г.* Могади́шо
Moldova [mɒl'dɔ:vɑ:] Молдо́ва
Molucca Isls, Moluccas [məʊˌlʌkə'aɪləndz, məʊ'lʌkəz] Молу́кские острова́
Monaco ['mɒnəkəʊ] Мона́ко
Mongolia [mɒŋ'gəʊlɪə] Монго́лия
Monmouth(shire) ['mɒnməθ(ʃə)] Мо́нмут(шир)
Monrovia [mən'rəʊvɪə] *г.* Монро́вия
Montana [mɒn'tænə] Монта́на
Mont Blanc [ˌmɒnt'blɑ:ŋ] Монбла́н
Monte Carlo [ˌmɒntɪ'kɑ:ləʊ] *г.* Мо́нте-Ка́рло
Montevideo [ˌmɒntɪvɪ'deɪəʊ] *г.* Монтевиде́о
Montgomery(shire) [mənt'gʌmərɪ(ʃə)] Монтго́мери(шир)
Montreal [ˌmɒntrɪ'ɔ:l] *г.* Монреа́ль
Moray ['mʌrɪ] Мо́ри, Ма́ри [*см. тж.* Elgin(shire)]
Morocco [mə'rɒkəʊ] Маро́кко
Moscow ['mɒskəʊ] *г.* Москва́
Mosul [məʊ'su:l] *г.* Мосу́л
Mozambique [ˌməʊzəm'bi:k] Мозамби́к
Munich ['mju:nɪk] *г.* Мю́нхен
Murmansk [mɜ:'mænsk] *г.* Му́рманск
Murray ['mʌrɪ] *р.* Му́ррей (Ма́рри)
Muscat ['mʌskæt] *г.* Маска́т
Myanma ['mjɑ:nmə] Мья́нма
Mysore [maɪ'sɔ:] Майсу́р

Nagasaki [ˌnægə'sɑ:kɪ] *г.* Нагаса́ки
Nairn [neən] Нэрн
Nairobi [naɪ'rəʊbɪ] *г.* Найро́би
Namibia [nə'mɪbɪə] Нами́бия
Nanking [ˌnæn'kɪŋ] *г.* Нанки́н
Naples ['neɪplz] *г.* Неа́поль
Narvik ['nɑ:vɪk] *г.* На́рвик
Nauru [naʊ'ru:] Нау́ру
N'Djamena [ndʒɑ:'menə] *г.* Нджаме́на
Nebraska [nə'bræskə] Небра́ска
Neman ['nemən] *р.* Не́ман
Nepal [nɪ'pɔ:l] Непа́л
Netherlands ['neðələndz] Нидерла́нды
Neva ['neɪvə] *р.* Нева́
Nevada [nɪ'vɑ:də] Нева́да
Newark ['nju:ək] *г.* Нью́арк
New Caledonia [ˌnju:kælɪ'dəʊnɪə] *о-в* Но́вая Каледо́ния
Newcastle ['nju:kɑ:sl] *г.* Нью́касл
Newfoundland ['nju:fndlənd] *о-в* Ньюфа́ундле́нд
New Guinea [ˌnju:'gɪnɪ] Но́вая Гвине́я
New Hampshire [ˌnju:'hæmpʃə] Нью-Ге́мпшир
New Hebrides [ˌnju:'hebrədi:z] *о-ва* Но́вые Гебри́ды
New Jersey [ˌnju:'dʒɜ:zɪ] Нью-Дже́рси
New Mexico [ˌnju:'meksɪkəʊ] Нью-Ме́ксико (*штат США*)
New Orleans [ˌnju:'ɔ:li:əns] *г.* Но́вый Орлеа́н
Newport ['nju:pɔ:t] *г.* Нью́порт
New South Wales [ˌnju:saʊθ'weɪlz] Но́вый Ю́жный Уэ́льс (*Австралия*)
New York [ˌnju:'jɔ:k] Нью-Йо́рк (*город и штат*)
New Zealand [njʊ'zi:lənd] Но́вая Зела́ндия
Niagara [naɪ'ægərə] *р.* Ниага́ра
Niagara Falls [naɪˌægərə'fɔ:lz] Ниага́рский водопа́д
Niamey [nɪ'ɑ:meɪ] *г.* Ниаме́й
Nicaragua [ˌnɪkə'rægjʊə] Никара́гуа
Nice [ni:s] *г.* Ни́цца
Nicosia [ˌnɪkə'si:ə] *г.* Никоси́я
Niger [ni:'ʒeə] Ни́гер
Nigeria [naɪ'dʒɪərɪə] Ниге́рия
Nile [naɪl] *р.* Нил
Nome [nəʊm] *г.* Ном
Norfolk ['nɔ:fək] Но́рфолк
Normandy ['nɔ:mәndɪ] *ист.* Норма́ндия
North America [ˌnɔ:θə'merɪkə] Се́верная Аме́рика
Northampton(shire) [nɔ:'θæmptən(ʃə)] Нортге́мптон(шир)
North Cape [ˌnɔ:θ'keɪp] *мыс* Но́рдкап
North Carolina [ˌnɔ:θkærə'laɪnə] Се́верная Кароли́на
North Dakota [ˌnɔ:θdə'kəʊtə] Се́верная Дако́та
North Pole [ˌnɔ:θ'pəʊl] Се́верный по́люс
North Sea [ˌnɔ:θ'si:] Се́верное мо́ре
Northumberland [nɔ:'θʌmbələnd] Норту́мберленд
North-West Territories [nɔ:θˌwest'terətərɪz] Се́веро-За́падные террито́рии (*в Канаде*)
Norway ['nɔ:weɪ] Норве́гия
Norwich I ['nɒrɪdʒ] *г.* Но́ридж (*в Англии*)
Norwich II ['nɔ:wɪtʃ] *г.* Но́рвич (*в США*)
Nottingham(shire) ['nɒtɪŋəm(ʃə)] Но́ттингем(шир)
Notts [nɒts] *см.* Nottingham(shire)
Nouakchott [nwɑ:k'ʃɔ:t] *г.* Нуакшо́т
Noumea [nu:'meɪə] *г.* Нуме́а
Novosibirsk [ˌnəʊvəʊsɪ'bɪəsk] *г.* Новосиби́рск
Nukualofa [ˌnu:kʊə'lɔ:fə] *г.* Нукуало́фа
Nuremberg, Nurnberg ['njʊərəmbɜ:g, 'njʊrnbɜ:k] *г.* Ню́рнберг

Oakland ['əʊklənd] *г.* О́кленд
Ob [ɒb] *р.* Обь
Oceania [ˌəʊsɪ'ɑ:nɪə] Океа́ния
Oder ['əʊdə] *р.* О́дер
Odessa [əʊ'desə] *г.* Оде́сса
Ohio [əʊ'haɪəʊ] Ога́йо
Oka [əʊ'kɑ:] *р.* Ока́
Okhotsk, Sea of [ˌsi:əvəʊ'kɒtsk] Охо́тское мо́ре
Okinawa [ˌɒkɪ'nɑ:wə] *о-в* Окина́ва

Oklahoma [,əʊklə'həʊmə] Оклахóма
Olympus [ə'lɪmpəs] Олимп (*гора*)
Oman [əʊ'mɑ:n] Омáн
Onega [ɒ'neɪgə] Онéжское óзеро
Ontario [ɒn'teərɪəʊ] Онтáрио
Ontario, Lake [,leɪkɒn'teərɪəʊ] óзеро Онтáрио
Orange River [,ɒrɪndʒ'rɪvə] рекá Орáнжевая
Oregon ['ɒrɪgən] Орегóн
Öresund ['ɜ:rəsʌn] *пролив* Эресунн
Orinoco [,ɒrɪ'nəʊkəʊ] *р.* Оринóко
Orkney Isls, Orkneys [,ɔ:knɪ'aɪləndz] Оркнéйские островá
Osaka [əʊ'sɑ:kə] *г.* Óсака
Oslo ['ɒzləʊ] *г.* Óсло
Ottawa ['ɒtəwə] *г.* Оттáва
Ouagadougou [,wɑ:gə'du:gu:] *г.* Уагадýгу
Oxford ['ɒksfəd] *г.* Óксфорд
Oxfordshire ['ɒksfəd(ʃə)] Óксфордшир

Pacific Ocean [pə,sɪfɪk'əʊʃn] Тúхий океáн
Pago Pago [,pɑ:gəʊ'pɑ:gəʊ] *г.* Пáго-Пáго
Pakistan [,pɑ:kɪ'stɑ:n] Пакистáн
Palawan [pə'lɑ:wɑ:n] *о-в* Палáван
Palermo [pə'leəməʊ] *г.* Палéрмо
Palestine ['pæləstaɪn] Палестúна
Pamirs, the [pə'mɪəz] Памúр
Panama ['pænəmɑ:] Панáма
Panama Canal [,pænəmɑ:kə'næl] Панáмский канáл
Papua ['pæpʊə] Пáпуа
Paraguay ['pærəgwaɪ] Парагвáй
Paramaribo [,pærə'mærɪbəʊ] *г.* Парамарúбо
Parana [,pɑ:rɑ:'nɑ:] *р.* Паранá
Paris ['pærɪs] *г.* Парúж
Pearl Harbo(u)r [,pɜ:l'hɑ:bə] Перл-Хáрбор
Peebles ['pi:blz] Пиблс
Peking [,pi:'kɪŋ] *г.* Пекúн
Pembroke(shire) ['pembrʊk(ʃə)] Пéмбрук(шир)
Pennine Chain [,penaɪn'tʃeɪn] Пеннúнские гóры
Pennsylvania [,pensl'veɪnɪə] Пенсильвáния
Persia ['pɜ:ʃə] Пéрсия; *см.* Iran
Persian Gulf [,pɜ:ʃn'gʌlf] Персúдский залúв
Perth [pɜ:θ] *г.* Перт
Perth(shire) ['pɜ:θ(ʃə)] Пéрт(шир)
Peru [pə'ru:] Перý
Pescadores [,peskə'dɔ:rɪz] Пескадóрские островá
Peterborough ['pi:təbərə] *г.* Пúтерборо
Philadelphia [,fɪlə'delfɪə] *г.* Филадéльфия
Philippines ['fɪləpi:nz] Филиппúны
Phoenicia [fə'nɪʃə] *ист.* Финикúя
Piraeus [paɪ'ri:əs] *г.* Пирéй
Pittsburgh ['pɪtsbɜ:g] *г.* Пúтсбург
Plata, Plate ['plɑ:tə, pleɪt] = La Plata
Plymouth ['plɪməθ] *г.* Плúмут
Pnompenh [,nɒm'pen] *г.* Пномпéнь
Poland ['pəʊlənd] Пóльша
Polynesia [,pɒlɪ'ni:zɪə] Полинéзия
Popocatepetl [,pɒpəʊkætə'petl] Попокатепéтль
Port-au-Prince [,pɔ:təʊ'prɪns] *г.* Порт-о-Прéнс
Portland ['pɔ:tlənd] *г.* Пóртленд
Port Louis ['pɔ:t,lu:ɪs] *г.* Порт-Луú
Port Moresby ['pɔ:t,mɔ:zbɪ] *г.* Порт-Мóрсби
Port of Spain ['pɔ:təv,speɪn] *г.* Порт-оф-Спéйн
Porto-Novo ['pɔ:təʊ,nəʊvəʊ] *г.* Пóрто-Нóво
Port Said [,pɔ:t'saɪd] *г.* Порт-Сáйд
Portsmouth ['pɔ:tsməθ] *г.* Пóртсмут
Portugal ['pɔ:tʃʊgl] Португáлия
Prague [prɑ:g] *г.* Прáга
Pretoria [prɪ'tɔ:rɪə] *г.* Претóрия
Prussia ['prʌʃə] *ист.* Прýссия
Puerto Rico [,pwɜ:təʊ'ri:kəʊ] Пуэ́рто-Рúко
Punjab [pʌn'dʒɑ:b] Пенджáб
Pyongyang [,pjɒŋ'jæŋ] *г.* Пхеньян
Pyreness [,pɪrə'ni:z] Пиренéи

Qatar ['kætɑ:] Катáр
Quebec [kwɪ'bek] Квебéк
Queensland ['kwi:nzlənd] Квúнсленд
Quezon City [,keɪzɒn'sɪtɪ] *г.* Кéсон-Сúти
Quito ['ki:təʊ] *г.* Кúто

Rabat [rə'bɑ:t] *г.* Рабáт
Radnor(shire) ['rædnə(ʃə)] Рáднор(шир)
Rangoon [ræŋ'gu:n] *г.* Рангýн
Rawalpindi [,rɔ:l'pɪndɪ] *г.* Равалпúнди
Reading ['redɪŋ] *г.* Рéдинг
Ricife [rə'si:fə] *г.* Ресифи
Red Sea [,red'si:] Крáсное мóре
Reims [ri:mz] *г.* Реймс
Renfrew(shire) ['renfru:(ʃə)] Рéнфру(шир)
Republic of South Africa [rɪ,pʌblɪkəvsaʊθ'æfrɪkə] Южно-Африкáнская Респýблика, ЮАР
Reunion [ri:'ju:nɪən] Реюньóн
Reykjavik ['reɪkjəvɪk] *г.* Рéйкьявик
Phine [raɪn] *р.* Рейн
Rhode Island ['rəʊd,aɪlənd] Род-Áйленд
Rhodes [rəʊdz] *о-в* Рóдос
Rhone [rəʊn] *р.* Рóна
Richmond ['rɪtʃmənd] *г.* Рúчмонд
Riga ['ri:gə] *г.* Рúга
Rio de Janeiro ['ri:əʊdəʒə'nɪərəʊ] *г.* Рúо-де-Жанéйро
Rio-de-Oro [,ri:əʊdi:'əʊrəʊ] Рúо-де-Óро
Rio Grande [,ri:əʊ'grænd] *р.* Рúо-Грáнде
Riyadh ['ri:æd] *г.* Эр-Рияд
Rochester ['rɒtʃɪstə] *г.* Рóчестер
Rockies, the ['rɒkɪz] = Rocky Mts
Rocky Mts [,rɒkɪ'maʊntɪnz] Скалúстые гóры
Romania [rʊ'meɪnɪə] Румы́ния
Rome [rəʊm] *г.* Рим
Ross and Gromarty [,rɒsənd'krɒmətɪ] Росс-энд-Крóмарти
Rotterdam ['rɒtədæm] *г.* Рóттердам
Roxburgh(shire) ['rɒksbərə(ʃə)] Рóксбро(шир)
Ruhr [rʊə] *р.* Рур
Russia ['rʌʃə] Россúя
Russian Federation ['rʌʃən,fedə'reɪʃən] Россúйская Федерáция
Rutland(shire) ['rʌtlənd(ʃə)] Рáтленд(шир)
Rwanda [rʊ'ændə] Руáнда

Sahara [sə'hɑ:rə] Сахáра
Saint George's [seɪnt'dʒɔ:dʒɪz] *г.* Сент-Джóрджес
Saint Helena [,seɪnthə'li:nə] óстров Св. Елéны
Saint Lawrence [seɪnt'lɒrəns] рекá Св. Лаврéнтия
Saint Louis [seɪnt'lʊɪs] *г.* Сент-Луúс (*в США*)
Saint Petersburg [seɪnt'pi:təzbɜ:g] *г.* Санкт-Петербýрг
Sakhalin ['sækəli:n] *о-в* Сахалúн
Salisbury ['sɔ:lzbərɪ] *г.* Сóлсбери
Salonika [sə'lɒnɪkə] *г.* Салóники
Salop ['sæləp] *см.* Shropshire
Salt Lake City [,sɔ:ltleɪk'sɪtɪ] *г.* Солт-Лейк-Сúти
Salvador ['sælvədɔ:] = El Salvador
Samoa [sə'məʊ] *о-ва* Самóа
Sana, Sanaa ['sæn,ɑ:] *г.* Санá
San Antonio [,sænæn'təʊnɪəʊ] *г.* Сан-Антóнио
Sandhurst ['sændhɜ:st] *г.* Сáндхерст
San Francisco [,sænfrən'sɪskəʊ] *г.* Сан-Францúско
San Jose [,sænhəʊ'zeɪ] *г.* Сан-Хосé
San Juan [,sæn'wɑ:n] *г.* Сан-Хуáн
San Marino [,sænmə'ri:nəʊ] Сан-Марúно
San Remo [sæn'reɪməʊ] *г.* Сан-Рéмо
San Salvador [sæn'sælvədɔ:] *г.* Сан-Сальвадóр
Santiago [,sæntɪ'ɑ:gəʊ] *г.* Сантьяго

Santo Domingo [,sæntəudə'mɪŋgəu] *г.* Са́нто-Доми́нго
São Paulo [səum'pauləu] *г.* Сан-Па́улу
São Tomé [,sauntə'meɪ] *г.* Сан-Томе́
São Tomé and Principe [sauntə,meɪən'prɪnsəpə] Сан-Томе́ и При́нсипи
Sarawak [sə'rɑ:wək] Савара́к
Sardinia [sɑ:'dɪnɪə] *о-в* Сарди́ния
Saskatchewan [sæ'skætʃəwən] *р.* Саска́чеван
Saudi Arabia [,saudɪə'reɪbɪə] Сау́довская Ара́вия
Scarborough ['skɑ:brə] *г.* Ска́рборо
Scheldt [ʃelt] *р.* Ше́льда
Scotland ['skɒtlənd] Шотла́ндия
Seattle [sɪ'ætl] *г.* Сиэ́тл
Sedan [sɪ'dæn] *г.* Седа́н
Seine [seɪn] *р.* Се́на
Selkirk(shire) ['selkɜ:k(ʃə)] Се́лкерк(шир)
Senegal [,senɪ'gɔ:l] Senега́л
Seoul [səul] *г.* Сеу́л
Sevan, Sevang [se'vɑ:n, sevɑ:ŋ] *оз.* Сева́н
Sevastopol [,sevə'stəupəl; sə'væstəpl] *г.* Севасто́поль
Severn ['sevn] *р.* Се́верн
Seville [sə'vɪl] *г.* Севи́лья
Seychelles [seɪ'ʃelz] Сейше́льские острова́
Shanghai [,ʃæŋ'haɪ] *г.* Шанха́й
Sheffield ['ʃefi:ld] *г.* Ше́ффилд
Shetland Isls [,ʃetlənd'aɪləndz] Шетла́ндские острова́
Shrewsbury ['ʃrəuzbərɪ] *г.* Шру́сбери
Shropshire ['ʃrɒpʃə] Шро́пшир
Siangan [,ʃɑ:n'gɑ:n] Сянга́н
Siberia [saɪ'bɪərɪə] Сиби́рь
Sicily ['sɪsəlɪ] *о-в* Сици́лия
Sierra Leone [sɪ,erəlɪ'əun] Сье́рра-Лео́не
Sierra Nevada [sɪ,erənɪ'vɑ:də] Сье́рра-Нева́да
Simla ['sɪmlə] *р.* Си́мла
Singapore [,sɪŋə'pɔ:] Сингапу́р
Skagerrack ['skægəræk] *пролив* Скагерра́к
Slovakia [sləu'vækɪə] Слова́кия
Slovenia [sləu'vi:nɪə] Слове́ния
Sofia ['səufɪə] *г.* Софи́я
Solomon Isls [,sɒləmən'aɪləndz] Соломо́новы острова́
Somalia [sə'mɑ:lɪə] Сомали́
Somerset(shire) ['sʌməset(ʃə)] Со́мерсет(шир)
Sound, the [saund] *пролив* Зунд; *см.* Oresund
South America [,sauθə'merɪkə] Ю́жная Аме́рика
Southampton [sauθ'hæmptən] *г.* Саутге́мптон
South Australia [,sauθɒ'streɪlɪə] Ю́жная Австра́лия
South Carolina [,sauθkærə'laɪnə] Ю́жная Кароли́на
South China Sea [,sauθtʃaɪnə'si:] Ю́жно-Кита́йское мо́ре
South Dakota [,sauθdə'kəutə] Ю́жная Дако́та
South Pole [,sauθ'pəul] Ю́жный по́люс
Spain [speɪn] Испа́ния
Spitsbergen ['spɪts,bɜ:gən] *о-ва* Шпицбе́рген
Sri Lanka [srɪ'læŋkə] Шри-Ла́нка
Stafford(shire) ['stæfəd(ʃə)] Ста́ффорд(шир)
Stirling(shire) ['stɜ:lɪŋ(ʃə)] Сте́рлинг(шир)
Stockholm ['stɒkhəum] *г.* Стокго́льм
Strasbourg ['stræzbɜ:g] *г.* Стра́сбург
Stratford-on-Avon [,strætfədɒn'eɪvn] *г.* Стра́тфорд-он-Э́йвон, Стра́тфорд-на-Э́йвоне
Sucre ['su:kreɪ] *г.* Су́кре
Sudan, the [su'dɑ:n] Суда́н
Suez ['su:ɪz] *г.* Суэ́ц
Suez Canal [,su:ɪzkə'næl] Суэ́цкий кана́л
Suffolk ['sʌfək] Су́ффолк
Sulawesi [,su:lə'weɪsɪ] *о-в* Сулаве́си
Sumatra [su'mɑ:trə] *о-в* Сума́тра
Superior, Lake [,leɪksu'pɪərɪə] о́зеро Ве́рхнее
Surinam [,suərɪ'næm] Сурина́м
Surrey ['sʌrɪ] Су́ррей
Sussex ['sʌsɪks] Су́ссекс
Sutherland ['sʌðələnd] Са́терленд
Suva ['su:və] *г.* Су́ва
Swansea ['swɒnzɪ] *г.* Суо́нси
Swaziland ['swɑ:zɪlænd] Сва́зиленд
Sweden ['swi:dn] Шве́ция
Switzerland ['swɪtsələnd] Швейца́рия
Sydney ['sɪdnɪ] *г.* Си́дней
Syracuse ['saɪrəkju:z] *г.* Сираку́зы
Syr Darya [,sɪrdɑ:r'jɑ:] *р.* Сырдарья́
Syria ['sɪrɪə] Си́рия

Tadzhikistan [tɑ:,dʒi:kɪ'stɑ:n] Таджикиста́н
Tahiti [tə'hi:tɪ] *о-в* Таи́ти
Taiwan [,taɪ'wɑ:n] *о-в* Тайва́нь
Tallinn ['tælɪn] *г.* Та́ллинн
Tanganyika, Lake [leɪk,tæŋgən'ji:kə] о́зеро Танганьи́ка
Tangier [tæn'dʒɪə] *г.* Танже́р
Tanzania [,tænzə'ni:ə] Танза́ния
Tashkent [,tæʃ'kent] *г.* Ташке́нт
Tasmania [tæz'meɪnɪə] *о-в* Тасма́ния
Tbilisi [təbɪ'li:sɪ] *г.* Тбили́си
Tchad [tʃæd] = Chad
Tegucigalpa [tə,gu:sɪ'gɑ:lpə] *г.* Тегусига́льпа
Teh(e)ran [,teə'rɑ:n] *г.* Тегера́н
Tel Aviv [,telə'vi:v] *г.* Тель-Ави́в
Tennessee [,tenə'si:] Теннесси́
Texas ['teksəs] Теха́с
Thailand ['taɪlænd] Таила́нд
Thames [temz] *р.* Те́мза
Thebes [θi:bz] *ист. г.* Фи́вы
Thermopylae [θə'mɒpəlɪ] Фермопи́лы
Thibet [tɪ'bet] = Tibet
Thimbu, Thimphu ['θɪmbu, 'θɪmfu] *г.* Тхи́мпху
Thrace [θreɪs] *ист.* Фра́кия
Tiber ['taɪbə] *р.* Тибр
Tibet [tɪ'bet] Тибе́т
Tien Shan [tɪ,en'ʃɑ:n] Тянь-Ша́нь
Tientsin [tjen'tsɪn] *г.* Тяньцзи́нь
Tierra del Fuego [tɪ,eərədel'fweɪgəu] *о-в* О́гненная Земля́
Tigris ['taɪgrɪs] *р.* Тигр
Timbuktu [,tɪmbʌk'tu:] *г.* Тимбу́кту́
Timor ['ti:mɔ:] Тимо́р
Tirana [tɪ'rɑ:nə] *г.* Тира́на
Tirol [tɪ'rəul] = Tyrol
Tobruk [tə'bruk] *г.* Тобру́к
Togo ['təugəu] То́го
Tokyo ['təukɪəu] *г.* То́кио
Toledo I [tɒ'leɪdəu] *г.* Толе́до (*в Испании*)
Toledo II [tə'li:dəu] *г.* Толи́до (*в США*)
Tonga ['tɒŋə] То́нга
Toronto [tə'rɒntəu] *г.* Торо́нто
Torquay [,tɔ:'ki:] *г.* То́рки
Torres Strait [,tɒrɪs'streɪt] Торре́сов проли́в
Tottenham ['tɒtnəm] *г.* То́тнем
Trafalgar, Cape [,keɪptrə'fælgə] мыс Трафальга́р
Trent [trent] *р.* Трент
Trieste [trɪ'est] г. Трие́ст
Trinidad and Tobago [,trɪnɪdædəntə'beɪgəu] Тринида́д и Тоба́го
Tripoli ['trɪpəlɪ] *г.* Три́поли
Troy [trɔɪ] *ист. г.* Тро́я
Tsushima ['tsu:ʃɪmə] *о-в* Цуси́ма
Tunis ['tju:nɪs] *г.* Туни́с
Tunisia [tju'nɪzɪə] Туни́с
Turin [,tjuə'rɪn] *г.* Тури́н
Turkey ['tɜ:kɪ] Ту́рция
Turkmenistan [,tɜ:kmenɪ'stɑ:n] Туркмениста́н
Tweed [twi:d] *р.* Твид
Twickenham ['twɪkənəm] *г.* Туи́кнем
Tyrol [tɪ'rəul] Тиро́ль
Tyrone [tɪ'rəun] Тиро́н
Tyrrhenian Sea [tɪ,ri:nɪən'si:] Тирре́нское мо́ре

Uganda [jʊ'gændə] Уга́нда
Ukraine, the [jʊ'kreɪn] Укра́ина
Ulan Bator [,u:lɑ:n'bɑ:tə] *г.* Ула́н-Ба́тор
Ulster ['ʌlstə] О́льстер
United Arab Emirates [jʊ,naɪtɪdærəb'emərəts] Объединённые Ара́бские Эмира́ты
United Kingdom of Great Britain and Northern Ireland [jʊ,naɪtɪd,kɪŋdəməv,greɪt,brɪtnən,nɔ:ðn'aɪələnd] Соединённое Короле́вство Великобрита́нии и Се́верной Ирла́ндии
United States of America, USA [jʊ,naɪtɪd,steɪtsəvə'merɪkə] Соединённые Шта́ты Аме́рики, США
Urals, the ['jʊərəl] Ура́л
Uruguay ['jʊərəgwaɪ] Уругва́й
Utah ['ju:tɑ:] Ю́та
Uzbekistan [,ʊzbekɪ'stɑ:n] Узбекиста́н

Vaduz [fɑ:'du:ts] *г.* Ваду́ц
Valencia [və'lenʃɪə] *г.* Вале́нсия
Valletta [və'letə] *г.* Валле́тта
Valparaiso [,vælpə'raɪzəʊ] *г.* Вальпара́исо
Vancouver [væn'ku:və] *г.* Ванку́вер
Vatican ['vætɪkən] Ватика́н
Venezuela [,venə'zweɪlə] Венесу́эла
Venice ['venɪs] *г.* Вене́ция
Vermont [və'mɒnt] Вермо́нт
Versailles [veə'saɪ] *г.* Верса́ль
Vesuvius [və'su:vɪəs] Везу́вий
Victoria I [vɪk'tɔ:rɪə] Викто́рия (*Австралия*)
Victoria II [vɪk'tɔ:rɪə] *г.* Викто́рия
Victoria, Lake [,leɪkvɪk'tɔ:rɪə] о́зеро Викто́рия
Vienna [vɪ'enə] *г.* Ве́на
Vientiane [,vjæŋ'tjɑ:n] *г.* Вьентья́н
Vietnam [,vi:et'næm] Вьетна́м
Vila ['vi:lə] *г.* (Порт) Ви́ла
Vilnius ['vɪlnɪəs] *г.* Ви́льнюс
Virginia [və'dʒɪnɪə] Вирги́ния
Vistula ['vɪstjʊlə] *р.* Ви́сла
Vladivostok [,vlædɪ'vɒstɒk] *г.* Владиво́сток
Volga ['vɒlgə] *р.* Во́лга
Volgograd ['vɒlgəʊgræd] *г.* Волгогра́д

Wales [weɪlz] Уэ́льс
Warsaw ['wɔ:sɔ:] *г.* Варша́ва
Warwick(shire) ['wɒrɪk(ʃə)] Уо́рик(шир)
Washington ['wɒʃɪŋtən] Вашингто́н (*город и штат*)
Waterloo [,wɔ:tə'lu:] Ватерло́о
Wellington ['welɪŋtən] *г.* Ве́ллингтон
Western Australia [,westənɒ'streɪlɪə] За́падная Австра́лия
Western Isls [,westən'aɪləndz] *см.* Hebrides
Western Samoa [,westənsə'məʊ] За́падное Само́а
West Indies [,west'ɪndjəz] *ист. о-ва* Вест-И́ндия
West Lothian [,west'ləʊðɪən] Уэ́ст-Ло́тиан
Westmorland ['westmələnd] Уэ́стморленд
West Virginia [,westvə'dʒɪnɪə] За́падная Вирги́ния
White Sea [,waɪt'si:] Бе́лое мо́ре
Wight [waɪt] *о-в* Уа́йт
Wigtown(shire) ['wɪgtəʊn(ʃə)] Уи́гтон(шир)
Wilts [wɪlts] *см.* Wiltshire
Wiltshire ['wɪltʃə] Уи́лтшир
Windhoek ['wɪndhʊk] *г.* Ви́ндхук
Windsor ['wɪnzə] *г.* Ви́ндзор
Winnipeg ['wɪnɪpeg] *г.* Ви́ннипег
Wisconsin [wɪ'skɒnsɪn] Виско́нсин
Worcester(shire) ['wʊstə(ʃə)] Ву́стер(шир)
Wroclaw ['vrɒtslɑ:v] *г.* Вро́цлав
Wyoming [waɪ'əʊmɪŋ] Вайо́минг

Yalta ['jæltə] *г.* Я́лта
Yamoussoukro [,jɑ:mu:'su:krə] *г.* Ямуссу́кро
Yangtze (Kiang) [,jæŋtsɪ(kɪ'æŋ)] *р.* Янцзы́ (цзя́н)
Yaounde, Yaunde [jɑ:'ʊndeɪ] *г.* Я́унде
Yarmouth ['jɑ:məθ] *г.* Я́рмут
Yellow Sea [,jeləʊ'si:] Жёлтое мо́ре
Yemen ['jemən] Йе́мен
Yenisei [,jenɪ'seɪ] *р.* Енисе́й
Yerevan [,jere'vɑ:n] *г.* Ерева́н
Yokohama [,jəʊkəʊ'hɑ:mə] *г.* Йокоха́ма
York(shire) ['jɔ:k(ʃə)] Йо́рк(шир)
Yugoslavia [,ju:gəʊ'slɑ:vɪə] Югосла́вия
Yukon ['ju:kɒn] *р.* Ю́кон

Zaire [zaɪ'ɪə] Заи́р
Zambezi [zæm'bi:zɪ] *р.* Замбе́зи
Zambia ['zæmbɪə] За́мбия
Zanzibar ['zænzɪbɑ:] *о-в* Занзиба́р
Zetland ['zetlənd] Ше́тланд
Zimbabwe [zɪm'bɑ:bwɪ] Зимба́бве
Zurich ['zʊərɪk] *г.* Цю́рих

СПИСОК НАИБОЛЕЕ УПОТРЕБИТЕЛЬНЫХ СОКРАЩЕНИЙ

a. about примéрно, óколо, приблизи́тельно

a acre акр (*4047 м*^{2})

a afternoon пóсле полу́дня, пополу́дни; днём

a age вóзраст

a. annual ежегóдный, годи́чный

AA Alcoholics Anonymous Анони́мные алкогóлики (*организация по борьбе с алкоголизмом*)

AA antiaircraft зени́тный; противовоздýшный

AA Automobile Association Автомоби́льная ассоциáция

AAA Amateur Athletic Association Ассоциáция спортсмéнов-любителей

AAAL American Academy of Arts and Letters Америкáнская акадéмия искýсств и литератýры

AAAS American Association for the Advancement of Science Америкáнская ассоциáция содéйствия разви́тию наýки

AACS Airways and Air Communications Service слýжба воздýшных сообщéний

AAS associate in applied science наýчный рабóтник в óбласти прикладны́х наýк

AAUN American Association for the United Nations Америкáнская ассоциáция содéйствия ООН

AAUP American Association of University Professors Америкáнская ассоциáция преподавáтелей университéтов

AB Bachelor of Arts бакалáвр гуманитáрных наýк (*США*)

ABC American Broadcasting Company Америкáнская радиовещáтельная компáния, Эй-би-си́

ABM antiballistic missile противоракéта

abn airborne воздýшно-десáнтный

ABS American Broadcasting System радиовещáтельная компáния «Áмерикэн брóдкастинг си́стем»

abt about примéрно, óколо, приблизи́тельно

a/c account счёт

AC aircraft carrier авианóсец

AC, ac alternating current перемéнный ток

AC ante Christum *лат.* до нáшей э́ры

acct account счёт

ACE Allied Command, Europe Европéйское комáндование НАТО

ACE American Council on Education совéт по образовáнию

acft aircraft самолёт

ack, ackn acknowledge(d) подтверждáю получéние (*расписка*)

A.C.L.S. American Council of Learned Societies Америкáнский совéт наýчных óбществ

acpt acceptance *ком.* акцéпт(овáние)

a/d acceptance and delivery приёмка и постáвка

AD Anno Domini *лат.* нáшей э́ры

ADC aide-de-camp адъютáнт

addl additional дополни́тельный, добáвочный

adds address áдрес

ADIZ air defence indentification zone зóна опознавáния противовоздýшной оборóны

adm admission входнáя плáта

a.d.s. autograph document signed *юр.* собственнорýчно напи́санный и подпи́санный докумéнт

adt, advt advertisement объявлéние; реклáма

AEC Atomic Energy Commission Коми́ссия по áтомной энéргии

AEF American Expeditionary Force америкáнские экспедициóнные войскá

A.E.U. Amalgamated Engineering Union Объединённый (*профессиональный*) сою́з машинострои́телей

aff affirmative утверди́тельный, положи́тельный

Afft affidavit *лат. юр.* пи́сьменное показáние под прися́гой

AFL/CIO American Federation of Labor/Congress of Industrial Organization Америкáнская Федерáция трудá и Конгрéсс производственных профсою́зов, АФТ/КПП

Afr Africa Áфрика; African африкáнский

Agcy agency агéнтство; представи́тельство

AGM annual general meeting óбщее ежегóдное собрáние

Ah, ah ampere-hour ампéр-чáс

AHA American Historical Association Америкáнская истори́ческая ассоциáция

a.i. ad interim *лат.* врéменный; врéменно

AIDS Acquired Immune Deficiency Syndrome синдрóм приобретённого иммунодефици́та, СПИД

AK Alaska Аля́ска (*штат США*)

Al. Alaska Аля́ска (*штат США*)

AL American Legion Америкáнский легиóн

a.l. attacking line *спорт.* ли́ния нападéния

Al. Ala Alabama Алабáма (*штат США*)

ald. alderman óлдермен (*в Англии до 1974 года — член совета графства или муниципалитета; в США — член городского совета*)

alky alkalinity *хим.* щёлочность

ALS autograph letter signed оригинáл докумéнта подпи́сан

Alta Alberta Альбéрта (*провинция Канады*)

a.m. abovementioned вышеукáзанный, вышеупомя́нутый

AM air mail воздýшная пóчта

AM amplitude modulation амплитýдная модуля́ция

a.m. ante meridiem *лат.* до полýдня, в ýтренние часы́

A.M. Associate Member член-корреспондéнт (*в отличие от действительного члена*)

AMA American Medical Association Америкáнская медици́нская ассоциáция

amt amount коли́чество

amu atomic mass unit áтомная едини́ца мáссы

AMVETS American Veterans of World War II Сою́з америкáнских ветерáнов вторóй мировóй войны́

an, a/n abovenamed вышеукáзанный, вышеупомя́нутый

ANA American Nurses Association Америкáнская ассоциáция медсестёр

anon anonymous анони́мный, неизвéстный

ans answer отвéт

a.n.wt. actual net weight реáльный вес нéтто

ANZUS Australia, New Zealand, United States Тихоокеáнский пакт безопáсности, АНЗЮС

a. o. account of за счёт (*кого-л.*)

A/P, a/p account paid счёт оплáчен

AP airplane самолёт

AP airport аэропóрт

AP American Patent америкáнский патéнт

AP Associated Press информациóнное агéнтство «Ассошиэ́йтед Пресс»

APA American Philological Association Америкáнская филологи́ческая ассоциáция

APB All Points Bulletin (полицéйский) словéсный портрéт (*разыскиваемого человека*)

app appendix приложéние, дополнéние

appl applied прикладнóй, практи́ческий

appro approval одобре́ние, утвержде́ние
approx approximately приблизи́тельно
apps appendixes приложе́ния, дополне́ния
appt appointed назна́ченный
Apr April апре́ль
aptd appointed назна́ченный
AR acknowledgment receipt распи́ска в получе́нии
AR annual return годово́й отчёт
AR Arkansas Арканза́с (*штат США*)
AR army regulation уста́в во́инской слу́жбы
ARC American Red Cross Америка́нский Кра́сный Крест
ARE Arab Republic of Egypt Ара́бская Респу́блика Еги́пет, АРЕ
Arg Argyllshire Арга́йллшир (*графство в Шотландии*)
Ariz. Arizona Аризо́на (*штат США*)
Ark. Arkansas Арканза́с (*штат США*)
ARP air raid precautions ме́ры противовозду́шной оборо́ны
arr arrival прибы́тие
ARS American Rocket Society Америка́нское раке́тное о́бщество
art article статья́
art artificial иску́сственный
art, arty artillery артилле́рия
ARX American Red Cross Америка́нский Кра́сный Крест
AS Anglo-Saxon англосаксо́нский
ASA American Standards Association Америка́нская ассоциа́ция стандa̍ртов
ASCAP, Ascap American Society of Composers Authors and Publishers Америка́нское о́бщество по охра́не а́вторских прав компози́торов, писа́телей и изда́телей
asf and so forth и так да́лее
asgd assigned назна́ченный; предназна́ченный
asgmt assignment 1) назначе́ние 2) *юр.* це́ссия
ASME American Society of Mechanical Engineers Америка́нское о́бщество инжене́ров-меха́ников
A.S.P. American Society of Parasitologists Америка́нское о́бщество паразито́логов
asp as soon as possible по возмо́жности скоре́е; при пе́рвой возмо́жности
Aspt aspirant кандида́т (*на должность*)
assn association о́бщество; ассоциа́ция
assoc associate помо́щник; association ассоциа́ция
Assr. assignor *юр.* цеде́нт
asst. assistant ассисте́нт; помо́щник
asstd assorted 1) сортиро́ванный 2) классифици́рованный
AST Altantic Standard Time атланти́ческое (нью-йо́ркское) поясно́е вре́мя
ASV American Standard Version в соотве́тствии с америка́нским эталo̍ном
A.T., A/T American Terms *ком.* америка́нские техни́ческие усло́вия
at airtight гермети́ческий
AT, a.t. apparent time *астр.* и́стинное вре́мя
at atomic а́томный
atm atmosphere атмосфе́ра
at. no. atomic number а́томное число́, а́томный но́мер
ats at the suit *юр.* по и́ску
attn attention 1) внима́ние 2) внима́нию *такого-то* 3) обрати́ть внима́ние!
atty attorney атто́рней, пове́ренный, адвока́т
at. wt. atomic weight а́томный вес
A.U. astronomical unit астрономи́ческая едини́ца
Aug. August а́вгуст
AUS Army of the United States а́рмия США
Austral Australian австрали́йский
auth authentic по́длинный
auth author а́втор
auth authorized по́льзующийся пра́вом
AV ad valorem *лат.* по сто́имости
AV audiovisual аудиовизуа́льный
av average сре́дний
AVC American Veterans Committee Комите́т америка́нских ветера́нов войны́
avdp avoirdupois «эвердьюпо́йс» (*английская система мер веса для всех товаров, кроме благородных металлов, драгоценных камней и лекарств*)
Ave. avenue авеню́, проспе́кт, у́лица
avg average сре́днее число́; в сре́днем
av. l. average length сре́дняя длина́
av. w. average width сре́дняя ширина́
AW actual weight факти́ческий вес, и́стинный вес
a.w. atomic weight а́томный вес
AWOL absent without leave *воен.* (находя́щийся) в самово́льной отлу́чке
awu atomic weight unit едини́ца а́томного ве́са
Ayr Ayrshire Эрши́р (*графство в Шотландии*)
AZ Arizona Аризо́на (*штат США*)

B bar бар (*единица давления*)
b born роди́вшийся; рождённый; уроже́нец
BA Bachelor of Arts бакала́вр гуманита́рных нау́к
B.A. British Academy Брита́нская Акаде́мия
BAEC British Atomic Energy Corporation Брита́нская корпора́ция по а́томной эне́ргии
b&b bed and breakfast ночле́г и за́втрак (*для постояльца*)
B.B. Blue Book Си́няя кни́га (*сборник официальных документов, парламентские стенограммы и т. п.*)
BBC British Broadcasting Corporation Брита́нская веща́тельная корпора́ция, Би-би-си́
bbl barrel 1) бочо́нок, бо́чка 2) ба́ррель (*мера*)
BC before Christ до на́шей э́ры
BC birth certificate свиде́тельство о рожде́нии
BC British Columbia Брита́нская Колу́мбия (*провинция Канады*)
BC British Council Брита́нский Сове́т
B.C., b/c bulk cargo насыпно́й, нава́лочный *или* наливно́й груз; беста́рный груз
B.C.N. British Commonwealth of Nations Брита́нское Содру́жество На́ций
BD barrels per day (*столько-то*) ба́ррелей в день
BD bills discounted дисконти́рованные *или* учтённые векселя́
bd bond 1) облига́ция; бо́на 2) долгово́е обяза́тельство 3) закладна́я
bd bond for... направля́ющийся в... (*в судне*)
bd bundle 1) свя́зка, па́чка, тюк 2) вя́зка пря́жи (*54840 м*)
bdg building зда́ние, строе́ние
B.E. Bank of England Англи́йский банк
BE bill of exchange переводно́й ве́ксель, тра́тта
BEA, BEAC British European Airways Corporation Брита́нская европе́йская авиатра́нспортная компа́ния, БЕАК
Beds. Bedfordshire Бе́дфордшир (*графство в Англии*)
Berks. Berkshire Бе́ркшир (*графство в Англии*)
Berw. Berwichshire Бе́рикшир (*графство в Шотландии*)
beth between ме́жду, в промежу́тке
b.f. bona fide *лат.* добросо́вестно
BG British Government англи́йское прави́тельство
B.H.P. brake horsepower эффекти́вная мо́щность в лошади́ных си́лах
BID bis in die *лат.* два ра́за в день (*о приёме лекарства*)
B.I.S. British Interplanetary Society Брита́нское о́бщество межплане́тных полётов
bk back наза́д, обра́тно
bk book кни́га
Bkg banking 1) произво́дство ба́нковских опера́ций 2) ба́нковское де́ло
bkt bracket ско́бка
B.L. Bachelor of Law бакала́вр пра́ва
bl bale ки́па, тюк
bl barrel 1) бочо́нок, бо́чка 2) ба́ррель (*мера*)
bl bilateral двусторо́нний
B/L bill of lading тра́нспортная накладна́я, коносаме́нт
bldg building зда́ние, строе́ние

BLS Bureau of Labor Statistics Бюро́ трудово́й за́нятости (*США*)
blvd boulevard бульва́р
BM Bachelor of Medicine бакала́вр медици́ны (*ставится после фамилии*)
BM basal metabolism *мед.* основно́й обме́н
BM bowel movement *мед.* стул
BM British Museum Брита́нский музе́й
B.M.A. British Medical Association Брита́нская медици́нская ассоциа́ция
BMD ballistic missile defence противоракéтная оборо́на
B.M.T. British Mean Time брита́нское сре́днее вре́мя
BMEWS Ballistic Missile Early Warning System *амер. воен.* систе́ма да́льнего обнаруже́ния баллисти́ческих ракéт
BMus Bachelor of Music бакала́вр му́зыки (*ставится после фамилии*)
bn battalion батальо́н
b.o. back order обра́тный поря́док; в обра́тном поря́дке
BO Branch Office ме́стное отделе́ние, филиа́л
B.O., b.o. buyer's option по вы́бору (*или* усмотре́нию) покупа́теля
bo body odour за́пах по́та
bo box office *разг.* ка́сса
B.O.A. British Olympic Association *спорт.* Брита́нская олимпи́йская ассоциа́ция
B.O.A., B.O.A.C. British Overseas Airways Corporation Брита́нская компа́ния трансокеа́нских возду́шных сообще́ний, БОАК
BOQ bachelor officer's quarters размеще́ние (на кварти́рах) нежена́тых офице́ров
BOR British other ranks рядово́й и сержа́нтский соста́в англи́йской а́рмии
B.O.T. unit Board of Trade unit килова́тт-ча́с
BOU British Ornithologists' Union Брита́нский сою́з орнито́логов
BP barometric pressure барометри́ческое давле́ние
BP bills payable векселя́ к платежу́
bp bishop 1) епи́скоп 2) *шахм.* слон
B.P. blood pressure артериа́льное давле́ние
b.p. boiling point то́чка кипе́ния, температу́ра кипе́ния
BP British Patent брита́нский пате́нт
B.P. British Pharmacopoeia Брита́нская фармакопе́я
bpl birth place ме́сто рожде́ния
BR bills receivable векселя́ к получе́нию
BR bedroom спа́льня
B.R. book of reference спра́вочник, спра́вочное изда́ние
Br. British англи́йский, брита́нский
BRCS British Red Cross Society Англи́йское о́бщество Кра́сного Креста́
Breck, Brecon Brecknockshire Бре́кнокшир (*графство в Уэльсе*)
Brig brigade брига́да
Brig.-Gen. Brigadier-General брига́дный генера́л
Brit. Britain Великобрита́ния; British англи́йский, брита́нский
Bros brothers бра́тья (*в названиях фирм*)
BS Bachelor of Science бакала́вр (есте́ственных) нау́к (*США*)
BS balance sheet *бухг.* бала́нс
B.S. bill of sale закладна́я
BS British Standard брита́нский станда́рт
BSA Boy Scouts of America Организа́ция америка́нских бойска́утов
BSc Bachelor of Science бакала́вр (есте́ственных) нау́к
BSI British Standard Institution Брита́нский институ́т станда́ртов
BST British Summer Time англи́йское ле́тнее вре́мя
Bt baronet барон́ет
BT berth terms *мор.* лине́йные усло́вия (*о погрузке и выгрузке*)
BThU British Thermal Unit брита́нская теплова́я едини́ца (*0,252 большой калории*), БТЕ
btto brutto (вес) бру́тто
BTUC British Trade Union Congress Конгре́сс брита́нских тред-юнио́нов
bu. bushel бу́шель (≅*36,3 л*)
Bucks. Buckinghamshire Ба́кингемшир (*графство в Англии*)
BUP British United Press информацио́нное аге́нтство «Бри́тиш Юна́йтед Пресс»
BWT British Winter Time англи́йское зи́мнее вре́мя
BX Base Exchange основно́й обме́н

C calorie больша́я кало́рия, килогра́мм-кало́рия
c calorie ма́лая кало́рия, грамм-кало́рия
c. carat кара́т (*200 миллиграммов*)
C. centigrade по стогра́дусной шкале́ (*о температуре*)
c centimetre сантиме́тр
c century век
c circa *лат.* приблизи́тельно, о́коло
c. curie кюри́ (*единица радиоактивности*)
Ca. Cavan Ка́ван (*графство в Ирландии*)
C.A. Central America Центра́льная Аме́рика
CA Chartered Accountant бухга́лтер-экспе́рт
C.A. Court of Appeal апелляцио́нный суд
CA current account теку́щий счёт
CAD cash against documents платёж нали́чными про́тив грузовы́х докуме́нтов
CAF cost and freight сто́имость и фрахт
CAI cost and insurance сто́имость и страхова́ние
Caith Caithness Ке́йтнесс (*графство в Шотландии*)
Cal, Calif. California Калифо́рния (*штат США*)
C&LC capitals and lower case пропи́сные и строчные бу́квы
Cambs. Cambridgeshire Ке́мбриджшир (*графство в Англии*)
Can. Canada Кана́да
Canad. Canadian кана́дский
Cantab. Cantabrigian выпускни́к Ке́мбриджского университе́та
CAP Common Agricultural Policy о́бщая сельскохозя́йственная поли́тика ЕЭС
Capt. Captain капита́н
Car. Carlow Ка́рлоу (*графство в Ирландии*)
Cards. Cardiganshire Ка́рдиганшир (*графство в Уэльсе*)
Carm., Carmaths. Carmarthenshire Карма́ртеншир (*графство в Уэльсе*)
Carn. Ca(e)rnarvonshire Карна́рвоншир (*графство в Уэльсе*)
Cath. Catholic католи́ческий
cb centibar центиба́р (*единица атмосферного давления*)
CBC Canadian Broadcasting Corporation Кана́дская радиовеща́тельная и телевизио́нная корпора́ция, Си-би-си́
cbcm cubic centimetre куби́ческий сантиме́тр
CBD cash before delivery платёж нали́чными до сда́чи това́ра
cbft cubic foot куби́ческий фут
CBI Confederation of British Industry Конфедера́ция брита́нской промы́шленности
cbm cubic metre куби́ческий метр
CBS Columbia Broadcasting System (Америка́нская) радиовеща́тельная и телевизио́нная компа́ния «Кола́мбиа бро́дкастинг си́стем»; Си-би-э́с
CBW chemical and biological warfare хими́ческая и биологи́ческая война́
CC. cash credit (ба́нковский) креди́т нали́чными деньга́ми
CC common carrier 1) посы́льный 2) бюро́ тра́нспортных и ины́х услу́г
cc cubic centimetre куби́ческий сантиме́тр
cca circa *лат.* приблизи́тельно, о́коло
ccm. cubic centimetre куби́ческий сантиме́тр
CCTV close circuit television ка́бельное телеви́дение
CD Civil Defence гражда́нская оборо́на
CD Corps Diplomatique *фр.* дипломати́ческий ко́рпус
cdm cubic decimetre куби́ческий дециме́тр
Cdr commander 1) команди́р 2) *мор.* капита́н 3 ра́нга
CE Civil Engineer инжене́р-строи́тель

CEA Council of Economic Advisors грýппа экономи́ческих совéтников (*при президенте США*)

CEC Central Executive Committee центрáльный исполни́тельный комитéт

cen central центрáльный

cert certificate свидéтельство; certified засвидéтельствовано

CET Central European Time центральноевропéйское врéмя

cf confer сравни́

C.F.L. Canadian Federation of Labour Канáдская Федерáция трудá

cfs cubic feet per second (*стóлько-то*) куби́ческих фýтов в секýнду

cg centigram(me) сантигрáмм

c.g. centre of gravity центр тя́жести

CG Consul General генерáльный кóнсул

CGS centimetre-gram(me)-second систéма сантимéтр-грамм-секýнда, систéма СГС

ch central heating центрáльное отоплéние

CH Clearing-House расчётная палáта

CH Custom-House тамóжня

ch., chap. chapter главá

Ches. Cheshire Чéшир (*графство в Англии*)

chm, chmn chairman председáтель

CHU centigrade heat unit фунт-калóрия

C/I, c./i. certificate of insurance страховóй пóлис, страховóе свидéтельство

CIA Central Intelligence Agency Центрáльное развéдывательное управлéние, ЦРУ (*США*)

CID Criminal Investigation Department Отдéл уголóвного рóзыска

CIF cost, insurance, freight стóимость, страховáние и фрахт, сиф

C-in-C Commander-in-Chief главнокомáндующий

C.I.O. Congress of Industrial Organizations Конгрéсс произвóдственных профсою́зов США, КПП; *см. тж.* AFL/CIO

ckw clockwise по часовóй стрéлке

cm. centimetre сантимéтр

CM court martial воéнный суд

CM command module *косм.* комáндный отсéк, отсéк управлéния

CM Common Market Óбщий ры́нок

cmm cubic millimetre куби́ческий миллимéтр

cmps centimetre per second (*стóлько-то*) сантимéтров в секýнду

c.o., c/o care of для передáчи (*такому-то*; *надпись на письмах*)

CO cash-order *фин.* трáтта, срóчная по предъявлéнии

CO commanding officer 1) начáльник 2) команди́р

Co company компáния (*промышленная, торговая и т. п.*)

C.O. Conscientious Objector лицó, откáзывающееся нести́ воéнную слýжбу по религиóзным *или* ины́м моти́вам

Co. county грáфство (*административная единица*)

C.O.D. cash on delivery уплáта при достáвке; налóженный платёж

C of C Chamber of Commerce торгóвая палáта

COI Central Office of Information Центрáльное управлéние информáции

Col. colonel полкóвник

Col. Colorado Колорáдо (*штат США*)

Coll, coll. College кóлледж

Colo. Colorado Колорáдо (*штат США*)

Conn. Connecticut Коннéктикут (*штат США*)

Co-op. Co-operative Society Кооперати́вное óбщество

Corp, Corpn corporation корпорáция

Coy Company *воен.* рóта

CP Calorific power теплотвóрная спосóбность; теплопроизводи́тельность

cp candle-power си́ла свéта (*в свечах*)

CP charter-party *мор.* чáртер-пáртия

cp. compare сравни́

Cpl. Corporal капрáл

cps cycles per second (*стóлько-то*) герц

Cr. creditor кредитóр

C.R.C. Canadian Red Cross Канáдский Крáсный Крест

CRT cathode-ray tube электрóнно-лучевáя трýбка

CS Chief of Staff начáльник штáба

CS Civil Service государственная граждáнская слýжба

CSE Certificate of Secondary Education аттестáт зрéлости

CST Central Standard Time центрáльное пояснóе врéмя (*от 90° до 105° западной долготы*)

CTU centigrade thermal unit фунт-калóрия

CW chemical warfare хими́ческая войнá

CWO cash with order нали́чный расчёт при вы́даче закáза

CWT Central Winter Time центрáльное зи́мнее пояснóе врéмя (*от 90° до 105° западной долготы*)

cwt hundredweight цéнтнер (*в Англии = 50,8 кг*; *в США = 45,4 кг*)

cy. currency валю́та

CZ Canal Zone зóна Панáмского канáла

d. date дáта

d. day день

d. denarius *лат.* пéнни, оди́н пенс (*0,01 фунта стерлингов*)

d daughter дочь

D Democrat демокрáт, член демократи́ческой пáртии; Democratic демократи́ческий, относя́щийся к демократи́ческой пáртии

D. Department департáмент, управлéние, министéрство

d. diameter диáметр

d. died скончáлся

D, d diopter диоптри́я

d. dollar дóллар

d. dose *мед.* дóза

DA Danish дáтский

DA days after acceptance *банк.* (*через столько-то*) дней пóсле акцéпта

DA District Attorney окружнóй прокурóр (*США*)

DAR Daughters of the American Revolution «Дóчери америкáнской револю́ции» (*женская организация*)

das decastere дéсять кубомéтров

DB., d.b. daybook дневни́к; журнáл

db decibel *физ.* децибéл

dbl. double двойнóй; сдвóенный

D.C. direct current постоя́нный ток

D.C. District of Columbia Федерáльный óкруг Колýмбия (*США*)

dct document докумéнт

DD days after date (*через столько-то*) дней от сегó числá

DD demand draft трáтта, срóчная по предъявлéнии

D.D. Doctor of Divinity дóктор богослóвия

D.E. degree of elasticity стéпень упрýгости

dec., decd deceased скончáвшийся, покóйный

Dec. December декáбрь

def. defendant отвéтчик

def. deffered отсрóченный

deg. degree грáдус

Del. Delaware Дéлавэр (*штат США*)

Dem. Democrat демокрáт, член демократи́ческой пáртии; Democratic демократи́ческий, относя́щийся к демократи́ческой пáртии

demo demonstration демонстрáция, шéствие

Den. Denbighshire Дéнбишир (*графство в Уэльсе*)

dep. departure отправлéние; отхóд

dep. deposit вклад

Dept. department 1) управлéние; отдéл; департáмент 2) министéрство; вéдомство

Derby Derbyshire Дéрбишир (*графство в Англии*)

DEW distant early warning дáльнее радиолокациóнное обнарýжение

DF direction finder (рáдио)пеленгáтор

dft defendant обвиня́емый, подсуди́мый; отвéтчик

dft draft 1) набро́сок; схе́ма, чертёж 2) прое́кт (*докуме́нта*) 3) чек, тра́тта 4) *воен.* набо́р, призы́в 5) *мор.* оса́дка

dg decigram(me) дециграмм

DG Director General генера́льный дире́ктор

DIA Defense Intelligence Agency Разве́дывательное управле́ние министе́рства оборо́ны США

dia., diam. diameter диа́метр

dkg dekagram(me) декагра́мм

dkl. dekalitre декали́тр

D.Lit. Doctor of Literature до́ктор литерату́ры

dm. decimetre дециме́тр

D.M. Doctor of Medicine до́ктор медици́ны

do ditto то же са́мое

DOB date of birth да́та рожде́ния

dol. dollar до́ллар

dom. dominion доминио́н

Dors. Dorset(shire) До́рсет(шир) (*гра́фство в А́нглии*)

doz. dozen дю́жина

DPh., DPhil Doctor of Philosophy до́ктор филосо́фии

Dr debtor должни́к, дебито́р

Dr Doctor до́ктор (*учёная сте́пень*)

dr drachm дра́хма

D.S. document signed докуме́нт, подпи́санный (*таки́м-то*)

DSc Doctor of Science до́ктор (есте́ственных) нау́к

D.T., dt's delirium tremens *лат.* бе́лая горя́чка

Dumb. Dumbartonshire Дамба́ртоншир (*гра́фство в Шотла́ндии*)

Dumf. Dumfriesshire Дамфри́сшир (*гра́фство в Шотла́ндии*)

dupl duplicate дублика́т

dw dead weight *тех.* 1) вес констру́кции, мёртвый вес 2) по́лная грузоподъёмность (*су́дна*)

dwt pennyweight пе́нниве́йт (*ме́ра ве́са = 1,555 г*)

dz. dozen дю́жина

E. East восто́к; eastern восто́чный

E. English англи́йский

E. engineer инжене́р

E.A. East Africa Восто́чная А́фрика

EAEC European Atomic Energy Community Европе́йское соо́бщество по а́томной эне́ргии, Евра́том

E.O.E. errors and omissions excepted исключа́я оши́бки и про́пуски

e erg *физ.* эрг

EAON except as otherwise noted исключа́я те слу́чаи, когда́ ука́зано ина́че

E.B. Encyclopaedia Britannica *лат.* Брита́нская энциклопе́дия

EBB extra best best са́мого вы́сшего ка́чества

E.C. Executive Committee исполни́тельный комите́т

e.c. exempli cause *лат.* наприме́р

ECA Economic Commission for Africa Экономи́ческая коми́ссия ООН для А́фрики, ЭКА

ECAFE Economic Commission for Asia and the Far East Экономи́ческая коми́ссия ООН для А́зии и Да́льнего Восто́ка, ЭКАДВ

ECE Economic Commission for Europe Европе́йская экономи́ческая коми́ссия ООН, ЭЭК

ECG electrocardiogram электрокардиогра́мма

ECLA Economic Commission for Latin America Экономи́ческая коми́ссия ООН для стран Лати́нской Аме́рики, ЭКЛА

ECME Economic Commission for the Middle East Коми́ссия ООН для стран Бли́жнего Восто́ка

ecol ecology эколо́гия; ecological экологи́ческий

econ economic экономи́ческий; economics эконо́мика; economy эконо́мия

ECOSOC Economic and Social Council (of the United Nations) Экономи́ческий и социа́льный сове́т ООН

ECSC European Coal and Steel Community Европе́йское объедине́ние угля́ и ста́ли, ЕОУС

ECU European Currency Unit Европе́йская валю́тная едини́ца, экю́

ed. edited by и́зданный (*кем-л.*); editor реда́ктор; edition изда́ние

EdM Master of Education маги́стр педагоги́ческих нау́к

EDP, edp electronic data processing электро́нная обрабо́тка да́нных

E.D.S. English Dialect Society Англи́йское диалектологи́ческое о́бщество

EDT Eastern daylight time восто́чное поясно́е вре́мя

educ education образова́ние, воспита́ние; educational общеобразова́тельный

EE Early English раннеангли́йский язы́к

EE Envoy Extraordinary чрезвыча́йный посла́нник

EEC European Economic Community, the Common Market Европе́йское экономи́ческое соо́бщество, ЕЭС, О́бщий ры́нок

EET East European Time восточноевропе́йское поясно́е вре́мя

EFTA European Free Trade Association Европе́йская ассоциа́ция свобо́дной торго́вли, ЕАСТ

e.g. exempli gratia *лат.* наприме́р

EHP effective horsepower эффекти́вная мо́щность в лошади́ных си́лах

EHT extra high tension *эл.* сверхвысо́кое напряже́ние

EKG electrocardiogram электрокардиогра́мма, ЭКГ

EL east longitude *геогр.* восто́чная долгота́

EL East Lothian Ист-Ло́тиан (*гра́фство в Шотла́ндии*)

elec, elect. electric электри́ческий; electricity электри́чество

elem. elementary элемента́рный

EM electromagnetic электромагни́тный

EM enlisted man рядово́й (*а́рмии США*)

EM Engineer of Mines го́рный инжене́р

EMF electromotive force электродви́жущая си́ла

EMS European Monetary System Европе́йская валю́тная систе́ма

EMT European Mean Time среднеевропе́йское поясно́е вре́мя

emu electromagnetic unit электромагни́тная едини́ца

ENT Ear, Nose and Throat у́хо, го́рло, нос (*отделе́ние кли́ники*)

e.o.m. end of the month (following) в конце́ (сле́дующего) ме́сяца

EP estimated position предполага́емое положе́ние

EP, ep extended play долгоигра́ющая пласти́нка (на 45 оборо́тов)

EPT Excess Profits Tax нало́г на сверхпри́быль

eq. equivalent эквивале́нтный

esp. especially гла́вным о́бразом, осо́бенно

Esq., Esqr. Esquire эсква́йр

Ess. Essex Э́ссекс (*гра́фство в А́нглии*)

esu electrostatic unit электростати́ческая едини́ца

ETA estimated time of arrival расчётное вре́мя прибы́тия

et al. et alii *лат.* и други́е

ETD estimated time of departure расчётное вре́мя отправле́ния

et seq. et sequence *лат.* после́дующий; et sequentia все после́дующие

Eurovision Europe — Television Объединённая западноевропе́йская телевизио́нная програ́мма «Еврови́дение»

eV electron volt электронво́льт

EW enlisted woman же́нщина-рядово́й (*в а́рмии США*)

exps expenses расхо́ды, издержки

exx examples приме́ры

F Fahrenheit по шкале́ Фаренге́йта

f fathom морска́я са́же́нь (*183 см*)

f. feminine же́нский

f. foot фут

f.a.c. fast as can как мо́жно скоре́е

FAI Fédération Aéronautique Internationale *фр.* Междунаро́дная авиацио́нная Федера́ция, ФАИ

FAO Food and Agricultural Organization of the United Nations Организа́ция ООН по вопро́сам продово́льствия и се́льского хозя́йства, ФАО

FAQ fair average quality *ком.* справедли́вое сре́днее ка́чество

FAS free alongside ship фрáнко вдоль бóрта сýдна

F.B.A. Fellow of the British Academy член Британской акадéмии

FBI Federal Bureau of Investigation Федерáльное бюрó расслéдований, ФБР (*США*)

F.B.I. Federation of British Industries Федерáция британских промышленников

Feb. February февráль

Fed., fed. federal федерáльный; federation федерáция

fem feminine жéнский

Ferm Fermanagh Фермáна (*графство в Северной Ирландии*)

ff. following (pages) и слéдующие (страни́цы)

FGA free of general average *мор. страх.* свобóдно от óбщей авáрии

F.H.R. Federal House of Representatives Федерáльная палáта представи́телей (*в Австралии*)

FIDE Fédération Internationale des Échecs *фр.* Междунарóдная шáхматная федерáция, ФИДЕ

FIFA Fédération Internationale de Football Associations *фр.* Междунарóдная федерáция футбóльных ассоциáций, ФИФА

FIO free in and out *мор.* погрýзка и вы́грузка оплáчиваются фрахтовáтелем, ФИО

FL falsa lectio *лат.* разночтéние

Fla. Florida Флори́да (*штат США*)

fm. fathom морскáя сáжéнь (*183 см*)

FM frequency modulation частóтная модуля́ция

fn footnote снóска, примечáние

F.O. Foreign Office Министéрство инострáнных дел (*Великобритания*)

F.O.B. free on board фрáнко-борт, ФОБ

FOC free of charge бесплáтно, безвозмéздно

fol., foll. following слéдующий

for. foreign инострáнный

fp freezing point тóчка замерзáния

FPC Federal Power Commission Федерáльная коми́ссия по энергéтике (*США*)

Fr. father отéц

fr. franc франк

Fr. French францýзский

fr. from из

Fri. Friday пя́тница

FRS Federal Reserve System Федерáльная резéрвная систéма (*США*)

frt. freight груз; фрахт

F.S. Faraday Society Фарадéевское óбщество (*в Англии*)

ft foot фут; feet фýты

FTC Federal Trade Commission Федерáльная торгóвая коми́ссия (*США*)

fur. furlong фарлóнг (*мера длины*)

f.v. folio verso *лат.* на оборóте (*листа, страницы*)

FYI for your information для вáшего свéдения

g. acceleration of gravity ускорéние свобóдного падéния

G gauss гáусс (*единица магнитной индукции*)

G., g. gram(me) грамм

g specific gravity удéльный вес

ga. gauge 1) кали́бр; шаблóн; масштáб; стандáрт 2) *ж.-д.* ширинá колéи

GA General Assembly Генерáльная Ассамблéя (ООН)

G.A., G/A general average *мор. страх.* óбщая авáрия

Ga. Georgia Джóрджия (*штат США*)

gal. gallon галлóн

GATT General Agreement on Tariffs and Trade Генерáльное соглашéние по тамóженным тари́фам и торгóвле (*стран Атлантического союза*)

G.B. Great Britain Великобритáния

GCA ground-controlled approach управля́емое с земли́ сближéние (*в космосе*)

g.-cal. gram(me) calorie грамм-калóрия

gcc ground control centre назéмный центр управлéния полётом

G.C.D. greatest common divisor óбщий наибóльший дели́тель

GCE General Certificate of Education аттестáт зрéлости

Gdn(s) Garden(s) парк *или* сад (*в названиях*)

gds. goods товáры

GEM Ground Effect Machine трáнспортное срéдство на воздýшной подýшке

Gen. General генерáл

genl general óбщий

Ger. German немéцкий; германский

G.F.T.U. General Federation of Trade Unions Всеóбщая федерáция тред-юниóнов

G.H.Q. General Headquarters стáвка глáвного комáндования; штаб-кварти́ра; общевойсковóй штаб

GI Government Issue *амер.* 1) *разг.* солдáт 2) солдáтский; воéнного образцá

Gk. Greek грéческий

Glam. Glamorganshire Гламóрганшир (*графство в Уэльсе*)

Glos. Gloucestershire Глóстершир (*графство в Англии*)

G.M. General Manager Генерáльный дирéктор

gm. gramme(s) грáмм(ы)

GM guided missile управля́емая ракéта

G.M.T. Greenwich Mean Time срéднее врéмя по гри́нвичскому меридиáну

GNP Gross National Product валовóй национáльный продýкт

GOP Grand Old Party «Вели́кая стáрая пáртия» (*неофициальное название Республиканской партии США*)

Gov, gov governor губернáтор; прави́тель

Gov, govt government прави́тельство

GP general practitioner врач óбщей прáктики

g.p.h. gallons per hour (*столько-то*) галлóнов в час

g.p.m. gallons per minute (*столько-то*) галлóнов в минýту

G.P.O. General Post Office глáвное почтóвое управлéние

gr. grade 1) грáдус 2) сорт

gr. grain гран (*аптекарская мера веса = 0,0648 г*)

gr. gram(me) грамм

gr gross гросс (*12 дюжин, 144 штуки*)

grad. graduate дипломи́рованный специали́ст

gras generally recognized as safe *амер.* безврéдный (*о пищевых добавках*)

gr. wt. gross weight вес брýтто

G.S. General Staff óбщий штаб

GSA General Services Administration Администрáция óбщих служб (*США*)

gt great большóй; вели́кий

GT gross ton дли́нная *или* англи́йская тóнна (*1016 кг*)

G.T.C. good till cancelled действи́телен до погашéния

gtd. guaranteed гаранти́рованный

H., h. harbour гáвань, порт

H., h. hardness твёрдость

H., h. height высотá

H henry *эл.* гéнри

h heroin герои́н

h. hour час

h. hundred сто

ha. hectare гектáр

h.a. hoc anno *лат.* в э́том годý

h.&c. hot and cold горя́чая и холóдная (водá)

handbk handbook спрáвочник

Hants Hampshire Гéмпшир (*графство в Англии*)

Haw. Hawaii Гавáйи (*острова и штат США*)

HC, hc hard copy *вчт.* печáтная кóпия; полномасштáбная кóпия с микрофи́льма

h.c. honoris causa *лат.* за заслýги; рáди почёта

H.C. House of Commons палáта óбщин (*в Англии*)

HD heavy-duty (предназнáченный) для тяжёлого режи́ма рабóты

hdbk handbook спрáвочник

h.e. hic est *лат.* тó есть

He high explosive взры́вчатое веществó

Heref Herefordshire Хéрефордшир (*графство в Англии*)

Herts. Hertfordshire Хáртфордшир (*графство в Англии*)

hf. half половина

HF high frequency высóкая частотá

H.G. High German верхненемéцкий язык

hgt. height высотá

hhd. hogshead хогсхéд (*мера жидкости: в Англии = 286,4 л; в США = 238 л*)

HHFA Housing and Home Finance Agency Агéнтство по финанси́рованию жили́щного строи́тельства (*США*)

H.I. Hawaiian Islands Гавáйи (*острова и штат США*)

hist. history истóрия

Hl. hectolitre гектоли́тр

H.L. House of Lords палáта лóрдов

hm. hectometre гектомéтр

H.M.S. His (Her) Majesty's Ship англи́йский воéнный корáбль

HofC House of Commons палáта óбщин

HofL House of Lords палáта лóрдов

Hon. Honorary почётный; Honourable достопочтённый

hosp. hospital больни́ца, гóспиталь

HP high pressure высóкое давлéние

HP hire purchase покýпка *или* продáжа в рассрóчку

hp horsepower лошади́ная си́ла (*единица мощности*)

HQ Headquarters штаб

hr hour час

HR House of Representatives палáта представи́телей (*американского конгресса*)

HS high school срéдняя шкóла

HT high tension высóкое напряжéние

H.V. high voltage *эл.* высóкое напряжéние

hwt hundredweight цéнтнер (*в Англии = 50,8 кг; в США = 45,4 кг*)

Hz hertz герц

I. Idaho Айдáхо (*штат США*)

i. inch дюйм

i island, isle óстров

Ia. Iowa Айóва (*штат США*)

IAAF International Amateur Athletic Federation Международная люби́тельская легкоатлети́ческая федерáция, ИААФ

IAC International Air Convention Междунарóдная авиациóнная конвéнция

IADL International Association of Democratic Lawyers Междунарóдная ассоциáция юри́стов-демокрáтов, МАЮД

IAEA International Atomic Energy Agency Междунарóдное агéнтство по áтомной энéргии, МАГАТЭ

IAF International Aeronautical Federation Междунарóдная авиациóнная федерáция, ФАИ

ib., ibid ibidem *лат.* там же

IBA Independent Broadcasting Authority Управлéние незави́симого вещáния (*Великобритания*)

IBRD International Bank for Reconstruction and Development Междунарóдный банк реконстрýкции и разви́тия, МБРР

i/c in charge вéдает (*этим отделом и т. п.*); отвечáет (*за этот отдел и т. п.*)

ICA International Cooperative Alliance Междунарóдный кооперати́вный альянс, МКА

ICA International Cooperation Administration Междунарóдная кооперати́вная администрáция

ICAAAA, IC4A Intercollegiate Association of Amateur Athletes of America Всеамерикáнская студéнческая ассоциáция спортсмéнов-люби́телей

ICAO International Civil Aviation Organization Междунарóдная организáция граждáнской авиáции, ИКАО

ICBM intercontinental ballistic missile межконтинентáльная баллисти́ческая ракéта, МБР

ICC International Chamber of Commerce Междунарóдная торгóвая палáта, МТП

ICFTU International Confederation of Free Trade Unions Междунарóдная конфедерáция свобóдных профсою́зов, МКСП

ICJ International Court of Justice Междунарóдный суд (*ООН*)

ICSU International Council of Scientific Unions Междунарóдный совéт нaýчных союзов, МСНС

ICW International Council of Women Междунарóдный совéт жéнщин, МСЖ

Id. Idaho Айдáхо (*штат США*)

id. idem *лат.* тот же

ID identification идентификáция

ID inside dimensions внýтренние размéры

ID Intelligence Department развéдывательный отдéл

IDA International Development Association Междунарóдная ассоциáция разви́тия, МАР

i.e. id est *лат.* тó есть

IGO Intergovernmental Organization Межправи́тельственная организáция (*ООН*)

i.h.p. indicated horsepower индикáторная мóщность

Ill. Illinois Иллинóйс (*штат США*)

ill., illus. illustration иллюстрáция; illustrated иллюстри́рованный

ILO International Labour Organization Междунарóдная организáция трудá, МОТ (*ООН*)

ILS instrument landing system *ав.* посáдка по прибóрам, слепáя посáдка

IMCO Intergovernmental Maritime Consultative Organization Межправи́тельственная морскáя консультати́вная организáция, ИМКО

IMF International Monetary Fund Междунарóдный валю́тный фонд (*ООН*), МВФ

imp. imperative настоя́тельный

imp imperial устанóвленный, соотвéтствующий британскому стандáрту

imp. imprimatur *лат.* разрешéние цензýры (*на печатание*)

in. inch дюйм

Inc., inc. Incorporated зарегистри́рованный как корпорáция

incl. including включи́тельно

incr. increase увеличéние; рост

ind. independent незави́симый

ind. index и́ндекс

Ind. Indiana Индиáна (*штат США*)

ind. industrial промы́шленный

I'ness Inverness-shire Инвернéссшир (*графство в Шотландии*)

ins. inches дю́ймы

inst. instant текýщего мéсяца (*в официальном письме*)

Inst. institute институ́т

int, intl international междунарóдный

Interpol International Police Междунарóдная организáция уголóвной поли́ции, Интерпóл

intro., introd. introduction введéние

Inv Inverness-shire Инвернéссшир (*графство в Шотландии*)

inv invoice *ком.* фактýра, счёт

I/O, i/o input/output *эл.* вход/выход сигнáла; *вчт.* ввод/вывод дáнных

IOC International Olympic Committee Междунарóдный олимпи́йский комитéт, МОК

IOJ International Organization of Journalists Междунарóдная организáция журнали́стов, МОЖ

IOU I owe you я вам дóлжен (*форма долговой расписки*)

IPA International Phonetic Alphabet междунарóдный фонети́ческий алфави́т; междунарóдная фонети́ческая транскри́пция

IPU Interparliamentary Union межпарлáментский сою́з

i.q. idem quod *лат.* так же как

I.Q. intelligence quotient коэффициéнт ýмственного разви́тия

IR infrared инфракрáсный

IRA Irish Republic Army Ирлáндская республикáнская áрмия, ИРА

IRBM intermediate range ballistic missile баллисти́ческая ракéта срéдней дáльности

IRC International Red Cross Междунарóдное óбщество Крáсного Крестá

ISBN International Standard Book Number междунарóдный стандáртный кни́жный нóмер

ISO International Organization for Standardization Междунаро́дная организа́ция по стандартиза́ции

It., Ital. Italian италья́нский

it., ital. italics курси́в

ITO International Trade Organization Междунаро́дная организа́ция торго́вли (*ООН*)

ITT International Telephone and Telegraph Corporation конце́рн «Междунаро́дная телефо́нная и телегра́фная корпора́ция», ИТТ (*США*)

ITV Independent Television незави́симое телеви́дение (*Великобритания*)

ITV instructional television учёбное телеви́дение

I.U. international unit междунаро́дная едини́ца

IUS International Union of Students Междунаро́дный сою́з студе́нтов, МСС

I.W. Isle of Wight Айл-оф-Уа́йт (*графство в Англии*)

J. joul джо́уль

J. judge судья́

J. justice 1) правосу́дие 2) судья́

J.A. Judge Advocate вое́нный прокуро́р

Jan. January янва́рь

Jap Japan Япо́ния

JCS Joint Chiefs of Staffs Объединённый комите́т нача́льников штабо́в (*США*)

jct., jctn junction железнодоро́жный у́зел; стык шоссе́йных *или* желе́зных доро́г

J.D. Jurum Doctor *лат.* до́ктор пра́ва

jnt joint объединённый, соединённый; совме́стный, еди́ный

JP Jet propulsion 1) реакти́вное движе́ние 2) реакти́вный дви́гатель

J.P. Justice of the Peace мирово́й судья́

Jr, jr junior мла́дший

jt joint объединённый, соединённый; совме́стный, еди́ный

Ju. June ию́нь

Jul July ию́ль

jun. junior мла́дший

junc junction железнодоро́жный у́зел; стык шоссе́йных *или* желе́зных доро́г

juv juvenile малоле́тний

k. karat кара́т (*мера веса драгоценных камней*)

K., k. kilogram(me) килогра́мм

k knot у́зел (*единица скорости хода морских судов*)

Kan., Kans., Kas. Kansas Ка́нзас (*штат США*)

kc. kilocycle килоци́кл

KC King's Counsel короле́вский адвока́т

kcal kilocalorie килокало́рия, больша́я кало́рия

Kc/s kilocycles per second (*столько-то*) килоге́рц

Ken. Kentucky Кенту́кки (*штат США*)

Ker Kerry Ке́рри (*графство в Ирландии*)

kev kilo-electron-volt килоэлектроново́льт

kg kilogram(me) килогра́мм

KGPS kilograms per second (*столько-то*) килогра́ммов в секу́нду

kHz kilohertz килоге́рц

KIA killed in action поги́б в бою́

kild Kildare Килдэ́р (*графство в Ирландии*)

Kilk. Kilkenny Килке́нни (*графство в Ирландии*)

Kin. Kinross-shire Кинро́ссшир (*графство в Шотландии*)

Kinc. Kincardineshire Кинка́рдиншир (*графство в Шотландии*)

Kirk. Kirkcudbrightshire Керку́бришир (*графство в Шотландии*)

KKK Ku Klux Klan ку-клукс-кла́н

kl. kilolitre килоли́тр

km. kilometre киломе́тр

km/s kilometres per second (*столько-то*) киломе́тров в секу́нду

K.O. knock out *спорт.* нока́ут

kph kilometres per hour (*столько-то*) киломе́тров в час

KV, kv kilovolt килово́льт

KVA kilovolt-ampere (*столько-то*) килово́льт-ампе́р

kw. kilowatt килова́тт

kwh, kw-hr kilowatt-hour килова́тт-ча́с

Ky Kentucky Кенту́кки (*штат США*)

L. lake о́зеро

l. left ле́вый

L. length длина́

L learner учени́к (*за рулём*)

L Liberal член па́ртии либера́лов, либера́л (*особ. в Великобрита́нии*)

L; £ libra *лат.* фунт (сте́рлингов)

L. litre литр

L. longitude долгота́; меридиа́н

l lumen лю́мен (*единица светового потока*)

L.A. Legislative Assembly законода́тельное собра́ние

L.A. Los Angeles *г.* Лос-А́нжелес

La. Louisiana Луизиа́на (*штат США*)

lab. *разг.* laboratory

Lab. Labour Party лейбори́стская па́ртия (*в Англии*)

Lab. Labrador *п-ов* Лабрадо́р

Lancs. Lancashire Ла́нкашир (*графство в Англии*)

Lat. Latin лати́нский язы́к

lat. latitude *геогр.* широта́

lb. libra *лат.* фунт

lb. ap. pound apothecary фунт апте́карского ве́са (*373,24 г*)

lb. av. pound avoirdupois англи́йский торго́вый фунт (*453,6 г*)

l.b.s. lectori benevolo salutem! *лат.* приве́т благоскло́нному чита́телю!

L.C. Law Court суд

LC, L/C letter of credit аккредити́в

L.C. Library of Congress Библиоте́ка конгре́сса США

l.c. loco citato *лат.* в приведённом (*или* цити́рованном) ме́сте

LD lethal dose смерте́льная до́за

ldg lodging жили́ще; кварти́ра

Ldn London *г.* Ло́ндон

Leics. Leicestershire Ле́стершир (*графство в Англии*)

Leit Leitrim Ли́трим (*графство в Ирландии*)

LF low frequency ни́зкая часто́та

Lfd Longford Ло́нгфорд (*графство в Ирландии*)

L.G. Low German нижненеме́цкий язы́к

lgth length длина́

lg tn long ton дли́нная *или* англи́йская то́нна (*1016 кг*)

lh left hand ле́вая рука́

L.H.D. Doctor of the Humanities до́ктор гуманита́рных нау́к

Lim. Limerick Ли́мерик (*графство в Ирландии*)

Lincs. Lincolnshire Ли́нкольншир (*графство в Англии*)

ll. lines ли́нии

l.l. loco laudato *лат.* в упомя́нутом ме́сте

LL.B. Bachelor of Laws бакала́вр пра́ва

LL.D. Doctor of Laws до́ктор пра́ва

lm lumen *физ.* лю́мен

LMT local mean time ме́стное сре́днее вре́мя

Lnrk Lanarkshire Ла́наркшир (*графство в Шотландии*)

Lon., Lond. London *г.* Ло́ндон

Lond. Londonderry Лондонде́рри (*графство в Ирландии*)

Long Longford Ло́нгфорд (*графство в Ирландии*)

Lou Louth Ла́ут (*графство в Ирландии*)

LP Labour Party лейбори́стская па́ртия (*в Англии*)

LP long-playing (record) долгоигра́ющая (пласти́нка)

LP low pressure ни́зкое давле́ние

L.R. Lloyd's Register судово́й реги́стр Лло́йда

LR living room жила́я ко́мната

LRV, lrv lunar roving vehicle лунохо́д

LS left side ле́вая сторона́

LSA Linguistic Society of America Америка́нское лингвисти́ческое о́бщество

L.S.D., L.s.d. librae, solidi, denarii *лат.* фу́нты сте́рлингов, ши́ллинги, пе́нсы

LSD lysergic acid diethylamide ЛСД (*наркотик, вызывающий галлюцинации*)
LSS life-saving service слу́жба безопа́сности на воде́
LST local standard time ме́стное станда́ртное вре́мя (*США*)
Lt. Lieutenant лейтена́нт
LT long ton дли́нная *или* англи́йская то́нна (*1016 кг*)
LT low tension *эл.* ни́зкое напряже́ние
LT.-Col. Lieutenant-Colonel подполко́вник
Ltd, ltd limited (*компания*) с ограни́ченной отве́тственностью
LW low water *мор.* ма́лая вода́
lx lux люкс (*единица измерения освещённости*)
LZ landing zone зо́на приземле́ния *или* приводне́ния

m. married жена́тый; заму́жняя
M mass ма́сса
M. meridian *геогр.* меридиа́н
m. metre метр
m. mile ми́ля
m. million миллио́н
m. minute мину́та
M molecular weight молекуля́рный вес
M moment моме́нт
m. mounth ме́сяц
M.A. Master of Arts маги́стр гуманита́рных нау́к
MA mental age у́мственное разви́тие, соотноси́мое с во́зрастом
ma milliampere миллиампе́р
Ma. Minnesota Миннесо́та (*штат США*)
mag. magazine журна́л
mag. magnetic магни́тный
Maj. Major майо́р
Maj.-Gen. Major-General генера́л-майо́р
Man. Manitoba Манито́ба (*провинция Канады*)
man. manual ручно́й, без примене́ния механи́змов
Mar. March март
Mass. Massachusetts Массачу́сетс (*штат США*)
MAT Master of Arts in Teaching маги́стр педаго́гики
math *амер. см.* maths
maths mathematics матема́тика
MATS Military Air Transport Service вое́нная авиатра́нспортная слу́жба
max. maximum ма́ксимум
mb millibar миллиба́р (*единица атмосферного давления*)
M.B.A. Master of Business Administration маги́стр эконо́мики управле́ния
MBS Mutual Broadcasting System радио- и телевеща́ние компании Эм-би-эс (*США*)
M.C. Master of Ceremonies веду́щий, конферансье́
mc megacycle мегаге́рц
M.C. Member of Congress член конгре́сса
M.D. Doctor of Medicine до́ктор медици́ны
Md. Maryland Мэ́риленд (*штат США*)
M.D. medical department 1) вое́нно-санита́рный отде́л 2) ме́дико-санита́рная слу́жба (*на корабле*)
MD, md months after date (*через столько-то*) ме́сяцев от сего́ числа́
Mddx. Middlesex Ми́длсекс (*графство в Англии*)
mdnt midnight по́лночь
M.D.S. Master of Dental Surgery маги́стр стоматоло́гии
mdse. merchandise това́ры
Me. Maine Мэн (*штат США*)
M.E. Mechanical Engineer инжене́р-меха́ник
ME medical examiner патологоана́том
ME Middle East Бли́жний Восто́к
M.E. Middle English среднеангли́йский язы́к
Mea. Meath Мит (*графство в Ирландии*)
M.Ed. Master of Education маги́стр педаго́гики
med. medicine медици́на
Medit. Mediterranean средиземномо́рский
mem. member член
memo memorandum мемора́ндум; па́мятная запи́ска
mep mean effective pressure сре́днее эффекти́вное давле́ние
Meri. Merionethshire Мерио́нетшир (*графство в Уэльсе*)
Messrs messieurs *фр.* господа́
met. meteorological метеорологи́ческий
met. metropolitan столи́чный
MeV megaelectron-volt мегаэлектро́н-во́льт
Mex. Mexico Ме́ксика
MF medium frequency сре́дняя частота́
mf. microfarad микрофара́да; millifarad миллифара́да
M.F.A. Master of Fine Arts маги́стр изя́щных иску́сств
MFN most favoured nation наибо́лее благоприя́тствуемая на́ция
mfr. manufacturer изготови́тель
mg. milligram(me) миллигра́мм
Mgr. Manager управля́ющий, заве́дующий
mgt management управле́ние; дире́кция
mh millihenry *эл.* миллиге́нри
mi. mile ми́ля
MI Military Intelligence вое́нная разве́дка
MIA missing in action пропа́л бе́з вести
Mich. Michigan Ми́чига́н (*штат США*)
MidL Midlothian Мидло́тиан (*графство в Шотландии*)
mil. military вое́нный
min. minimum ми́нимум
min. minister мини́стр
min. minute мину́та
Minn. Minnesota Миннесо́та (*штат США*)
misc. miscellaneous разнообра́зный, ра́зный
Miss. Mississippi Миссиси́пи (*штат США*)
mk. mark 1) знак 2) тип маши́ны; ма́рка, сери́йный но́мер
MKS metre-kilogram(me)-second систе́ма МКС, метр-килогра́мм-секу́нда
ml. millilitre миллили́тр
mm. millimetre миллиме́тр
m.m.f. magnetomotive force магнитодви́жущая си́ла
MN magnetic north магни́тный се́вер
M.N. Merchant Navy торго́вый (*или* гражда́нский) флот
M.O. mail order зака́з (това́ров) по по́чте
M.O. Medical Officer офице́р медици́нской слу́жбы
Mo. Missouri Миссу́ри (*штат США*)
MO money order де́нежный перево́д по по́чте
mo. month ме́сяц
mod. moderate уме́ренный
mod. modern совреме́нный; моде́рн
mos cons modern conveniences 1) совреме́нные удо́бства 2) со все́ми удо́бствами (*в объявлении*)
mol. molecule моле́кула
mol. wt. molecular weight молекуля́рный вес
Mon Monaghan Мо́наган (*графство в Ирландии*)
Mon. Monday понеде́льник
Mon. Monmouthshire Мо́нмутшир (*графство в Англии*)
Mont. Montana Монта́на (*штат США*)
Montgom. Montgomeryshire Монтго́меришир (*графство в Уэльсе*)
MOR middle of the road середи́на прое́зжей ча́сти (*дороги*)
mos. months ме́сяцы
m.p. melting point то́чка плавле́ния
M.P. MP Member of Parliament член парла́мента
M.P. Metropolitan Police Ло́ндонская поли́ция
M.P., MP Military Police вое́нная поли́ция
mpg miles per gallon (*столько-то*) миль на галло́н (*горючего*)
mph miles per hour (*столько-то*) миль в час
mps metres per second (*столько-то*) ме́тров в секу́нду
Mr. Mister ми́стер, господи́н
Mrs Mistress ми́ссис, госпожа́
MS manuscript ру́копись
M.S. Master of Science маги́стр (есте́ственных) нау́к
MS motor ship теплохо́д
M.Sc. Master of Science маги́стр (есте́ственных) нау́к

m.s.l. mean sea level срéдний ýровень мóря

msl missile управля́емая ракéта

MSTS Military Sea Transport(ation) Service воéнно-морскáя трáнспортная слýжба (*США*)

mt megaton мегатóнна

M.T. metric ton метри́ческая тóнна

Mt mountain горá

mun. municipal муниципáльный

m.v. market value ры́ночная стóимость

mv millivolt милливóльт

M.V. motor vessel теплохóд

MVA Missouri Valley Authority Администрáция доли́ны Миссýри (*США*)

Mx. Middlesex Ми́длсекс (*графство в Англии*)

myth., mythol. mythology мифолóгия

N knight *шахм.* конь

N. navy воéнно-морски́е си́лы

n. net (вес) нéтто

n. noon пóлдень

N. North сéвер

n. note 1) замéтка 2) запи́ска 3) примечáние

n. number числó

N.A. North America Сéверная Амéрика

NAACP National Association for the Advancement of Colored People Национáльная ассоциáция содéйствия прогрéссу цветнóго населéния (*США*)

N.A.A.F.I, Naafi Navy, Army and Air Force Institute воéнно-торгóвая слýжба ВМС, ВВС и сухопýтных войск (*в Англии*)

NAC North Atlantic Council Совéт Североатланти́ческого сою́за, Совéт НАТО

NAD no appreciable disease практи́чески здорóв

NAM National Association of Manufacturers Национáльная ассоциáция промы́шленников, НАП (*США*)

NAS National Academy of Science Национáльная акадéмия наýк (*США*)

NAS naval air station бáза морскóй авиáции

NASA National Aeronautics and Space Administration Национáльное управлéние по аэронáвтике и исслéдованию косми́ческого прострáнства, НАСА (*США*)

nat. national национáльный

nat native тузéмный

nat. natural естéственный

NATO North Atlantic Treaty Organization Североатланти́ческий сою́з, НАТО

naut nautical морехóдный

nav. naval воéнно-морскóй

nav. navigation навигáция

N.B. New Brunswick Нью-Брáнсуик (*провинция Канады*)

NB northbound в сéверном направлéнии

N.B. nota bene *лат.* нотабéне, обрати́ осóбое внимáние

NBS National Broadcasting Company рáдио- и телевещáние компáнии Эн-би-си (*США*)

NBS National Bureau of Standards Национáльное бюрó стандáртов

NC nitrocellulos нитроцеллюлóза

NC no charge без взимáния сбóра, без оплáты

N.C. North Carolina Сéверная Кароли́на (*штат США*)

NC Nurse Corps *воен.* Слýжба медици́нских сестёр

NCAA National Collegiate Athletic Association Национáльная студéнческая спорти́вная ассоциáция (*США*)

NCO Non-Commissioned Officer военнослýжащий сержáнтского состáва

ncv no commercial value коммéрческой цéнности не имéет

ND, n.d. no date без обозначéния дáты

N.D., N.Dak. North Dakota Сéверная Дакóта (*штат США*)

N.E. New England Нóвая Áнглия (*штаты Мэн, Нью-Гемпшир, Вермонт, Массачусетс, Род-Айленд, Коннектикут*)

NE north-east сéверо-востóк

Neb., Nebr. Nebraska Небрáска (*штат США*)

NEDC National Economic Development Council Национáльный совéт по экономи́ческому развúтию

neg. negative отрицáтельный

NEI not elsewhere included нигдé не укáзано; нигдé не упомя́нуто

N.E.S., n.e.s. not elsewhere specified не укáзанный где-л. в другóм мéсте

Neth. Netherlands Нидерлáнды

Nev. Nevada Невáда (*штат США*)

NF, nfd. Newfoundland Ньюфаундлéнд (*провинция Канады*)

N.G. National Guard Национáльная гвáрдия (*США*)

NGS National Geographic Society Национáльное географи́ческое óбщество (*США*)

N.H. New Hampshire Нью-Гéмпшир (*штат США*)

NHL National Hockey League Национáльная хоккéйная ли́га

NHS National Health Service Государ́ственная слýжба здравоохранéния

nhp nominal horsepower номинáльная мóщность (*в лошадиных силах*)

NI National Insurance государ́ственное страховáние

N.I. Northern Ireland Сéверная Ирлáндия

N.J. New Jersey Нью-Джéрси (*штат США*)

NL night letter почтóвый текст, отправля́емый телегрáфом нóчью по льгóтному тари́фу

nl non licet *лат.* не разрешáется

NL north latitude *геогр.* сéверная широтá

NLRB National Labor Relations Board Национáльное управлéние трудовы́х отношéний (*США*)

NLT night letter почтóвый текст, отправля́емый телегрáфом нóчью по льгóтному тари́фу

NM National Museum Национáльный музéй (*США*)

NM nautical mile морскáя ми́ля

NM night message почтóвый текст, отправля́емый телегрáфом нóчью по льгóтному тари́фу

N.M., N.Mex. New Mexico Нью-Мéксико (*штат США*)

NNE North-north-east сéверо-сéверо-востóк

NNW North-north-west сéверо-сéверо-зáпад

No. north сéвер

No., no. number 1) нóмер 2) числó

non-U not upper class невысóкого достóинства *или* кáчества; not in vogue немóдный

NORAD North American Air Defense Command Объединённое комáндование ПВО североамерикáнского континéнта (*США и Канады*)

Norf. Norfolk Нóрфолк (*графство в Англии*)

Northants. Northamptonshire Нортгéмптоншир (*графство в Англии*)

Northumb. Northumberland Нортýмберленд (*графство в Англии*)

Norw. Norwegian норвéжский

NOS not otherwise specified тóлько, как предусмóтрено

nor numbers чи́сла; номерá

Notts. Nottinghamshire Нóттингемшир (*графство в Англии*)

Nov. November ноя́брь

NPF not provided for не предусмóтрено

nr near бли́зко, óколо, недалекó

NRC National Research Council Национáльный наýчно-исслéдовательский совéт (*США*)

N.S. new series нóвая сéрия

n.s. not signed не подпи́сано

n.s. not specified не уточненó

NS new style нóвый стиль

NS "not sufficient (funds)" «нет достáточного покры́тия» (*отметка банка на неоплаченном чеке или векселе*)

N.S. Nova Scotia Нóвая Шотлáндия (*провинция Канады*)

NS nuclear ship атомохóд

NS nuclear submarine áтомная подвóдная лóдка

NSC National Security Council Совéт национáльной безопáсности (*США*)

NSF National Science Foundation Национа́льный нау́чный фонд (*США*)

NSF "not sufficient funds" «нет доста́точного покры́тия» (*отме́тка ба́нка на неопла́ченном че́ке или ве́кселе*)

NSPCC National Society for the Prevention of Cruelty to Children Национа́льное о́бщество защи́ты дете́й от жесто́кости

N.S.W. New South Wales Но́вый Ю́жный Уэ́льс (*штат Австра́лии*)

N.T., NT New Testament Но́вый заве́т (*Ева́нгелие*)

N.T. Northern Territory Се́верная террито́рия (*Австра́лия*)

ntp normal temperature and pressure норма́льная температу́ра и давле́ние

nt.wt. net weight вес не́тто, чи́стый вес

NU name unknown и́мя неизве́стно

N.U.M. National Union of Mine workers Национа́льный (*профессиона́льный*) сою́з горняко́в (*в А́нглии*)

N.U.R. National Union of Railwaymen Национа́льный (*профессиона́льный*) сою́з железнодоро́жников (*в А́нглии*)

NV nonvoting не голосу́ющий

NW North-west се́веро-за́пад

NWS North-Western States Се́веро-За́падные шта́ты (*США*)

NWT Northwest Territories Се́веро-За́падные террито́рии (*Кана́да*)

nx non-expendable многокра́тного примене́ния

N.Y. New York Нью-Йо́рк (*го́род и штат США*)

N.Y.C. New York City *г.* Нью-Йо́рк

NYSE New York Stock Exchange Нью-йо́ркская би́ржа

N.Z. New Zealand Но́вая Зела́ндия

O. observer наблюда́тель

O Ocean океа́н

O. officer 1) офице́р 2) чино́вник

O. Ohio Ога́йо (*штат США*)

O ohm ом

o old ста́рый

O. Ontario Онта́рио (*прови́нция Кана́ды*)

o/a on account в счёт (*причита́ющейся су́ммы*)

OAAPS Organization for Afro-Asian Peoples' Solidarity Организа́ция солида́рности наро́дов стран А́зии и А́фрики, ОСНАА

OAP old age pensioner пенсионе́р по ста́рости

OAS Organization of American States Организа́ция америка́нских госуда́рств, ОАГ

OAU Organization for African Unity Организа́ция Африка́нского Еди́нства, ОАЕ

obj. objective цель; объе́кт

obl. oblong продолгова́тый

obs. observation наблюде́ние

obs. observatory обсервато́рия

obs. obsolete устаре́лый, выходя́щий из употребле́ния

oc ocean океа́н

O.C. Officer Commanding команди́р; нача́льник

occas. occasionally нерегуля́рно

OCD Office of Civil Defense Управле́ние гражда́нской оборо́ны (*США*)

OCR optical character recognition *вчт.* автомати́ческое чте́ние печа́тного материа́ла

Oct. October октя́брь

O.D. Officer of the Day дежу́рный офице́р

OD olive drab 1) защи́тный (цвет) 2) обмундирова́ние оли́вково-се́рого цве́та (*в а́рмии США*)

O/D on demand по тре́бованию

O.D., o.d. outside diameter вне́шний (*или* нару́жный) диа́метр

OECD Organization for Economic Cooperation and Development Организа́ция экономи́ческого сотру́дничества и разви́тия

O.E.D. Oxford English Dictionary Оксфо́рдский слова́рь англи́йского языка́

OEEC Organization for European Economic Cooperation Организа́ция Европе́йского экономи́ческого сотру́дничества, ОЕЭС

O.H.M.S. on His (Her) Majesty's Service состоя́щий на короле́вской (*госуда́рственной или вое́нной*) слу́жбе

OIF Office of International Trade Управле́ние по внешнеторго́вым свя́зям (*США*)

O.K. okay 1) всё в поря́дке, хорошо́ 2) утверждено́, согласо́вано 3) пра́вильно, в испра́вности

Okla. Oklahoma Оклахо́ма (*штат США*)

O-level ordinary level сре́дняя успева́емость (*экзаменацио́нная оце́нка*)

OMB Office of Management and Budget Администрати́вное и бюдже́тное управле́ние (*США*)

On octane number *хим.* окта́новое число́

ONI Office of Naval Intelligence Управле́ние вое́нно-морско́й разве́дки

ONR Office of Naval Research Управле́ние морски́х иссле́дований

Ont. Ontario Онта́рио (*прови́нция Кана́ды*)

O.P. observation post наблюда́тельный пункт

op. operation опера́ция

op. opus *лат.* произведе́ние, сочине́ние

o.p. out of print распро́дано (*об изда́нии*)

op. cit. opus citatum *лат.* цити́руемое произведе́ние

OPEC Oil Producting and Exporting Countries Организа́ция стран-экспортёров не́фти, ОПЕК

opp. opposite 1) противополо́жный 2) про́тив; напро́тив

opt. optician о́птик

opt. optional необяза́тельный, допуска́ющий вы́бор

O/R on request по жела́нию, по запро́су

OR owner's risk *страх.* на риск владе́льца

ord. order 1) зака́з 2) прика́з

ord. ordnance артилле́рия

Ore., Oreg. Oregon Орего́н (*штат США*)

org. organization организа́ция; organized организо́ванный

orig. original 1) оригина́льный 2) первонача́льный 3) по́длинный

Ork Orkney О́ркни (*гра́фство в Шотла́ндии*)

O/S Old Style ста́рый стиль (*календаря́*)

O/S on sale продаётся, поступи́ло в прода́жу

O.S. ordinary seaman мла́дший матро́с

OSRD Office of Scientific Research and Development Управле́ние нау́чных иссле́дований и усоверше́нствований (*США*)

O.T., OT Old Testament Ве́тхий заве́т

OTS officers' training school вое́нное учи́лище

O.U. Oxford University Оксфо́рдский университе́т

Oxon. Oxfordshire О́ксфордшир (*гра́фство в А́нглии*)

Oxon. Oxoniensis *лат.* выпускни́к Оксфо́рдского университе́та

oz ounce у́нция

p. page страни́ца

p. part часть

p. pawn пе́шка

p. penny пе́нни, пенс

p. pole по́люс

P., p. post по́чта

P., p. power си́ла

P., p. pressure давле́ние

Pa. Pennsylvania Пенсильва́ния (*штат США*)

p.a. per annum *лат.* ежего́дно, в год

P.A. power of attorney дове́ренность

P.A. Press Agency аге́нтство печа́ти

PA private account *амер.* ли́чный счёт

PA public address (system) громкоговоря́щая систе́ма оповеще́ния

Pac. Pacific тихоокеа́нский

PAC Political Action Committee Комите́т полити́ческих де́йствий

pam. pamphlet брошю́ра

Pan. Panama Пана́ма

P.&L. profit and loss при́быль и убы́ток

par. пункт, разде́л; пара́граф

Parl. Parliament парла́мент; Parliamentary парла́ментский
part. particular осо́бый, осо́бенный
PA system public address system устано́вка (*микрофона, громкоговорителя и т. п.*) для организа́ции переда́чи в эфи́р (ва́жного) выступле́ния
pat. patent пате́нт
PAU Pan-American Union Панамерика́нский сою́з
PAYE pay as you earn выпла́чивать (*кредит*) в полу́чку
payt. payment платёж
p.c. per cent проце́нт
P.C. police constable полице́йский, консте́бль
p.c. post card почто́вая откры́тка
P.C. Privy Councillor член Та́йного сове́та (*королевы*)
pct. per cent проце́нт
pd. paid упла́чено; опла́ченный
P.D. per diem ка́ждый день; (*столько-то*) в день
P.D. Police Department полице́йское управле́ние
P.D. postal district отделе́ние свя́зи
PD potential difference *эл.* ра́зность потенциа́лов
PE physical education физи́ческое воспита́ние
P.E. probable error возмо́жная оши́бка
Peeb Peeblesshire Пи́блсшир (*графство в Шотландии*)
P.E.I. Prince Edward Island о́стров При́нца Эдуа́рда (*провинция Канады*)
Pemb. Pembrokeshire Пе́мбрукшир (*графство в Уэльсе*)
pen. peninsula полуо́стров
Penn., Penna. Pennsylvania Пенсильва́ния (*штат США*)
per. period пери́од
per., pers. person челове́к, осо́ба
perm. permanent *разг.* пермане́нт (*завивка*)
pert. pertaining (to) относя́щийся (к)
pet petroleum нефть
PF power factor коэффицие́нт мо́щности
Pfc private first class рядово́й 1-го кла́сса (*США*)
P.G. paying guest постоя́лец; жиле́ц; квартира́нт
P.G. postgraduate аспира́нт
Phar., Pharm. pharmaceutical фармацевти́ческий
Ph.B. Bachelor of Philosophy бакала́вр филосо́фии
Ph.D. Doctor of Philosophy до́ктор филосо́фии
Phila. Philadelphia *г.* Филаде́льфия
PHS Public Health Service слу́жба здравоохране́ния
PI, pi programmed instruction *вчт.* запрограмми́рованная инстру́кция
pk park парк
pkg, pkge package посы́лка, упако́вка
pkt packet 1) паке́т 2) пакетбо́т
pl place ме́сто
Pl and R postal laws and regulations почто́вые пра́вила и инстру́кции
plat. platoon взвод
plf plaintiff исте́ц
PLO Palestine Liberation Organization Организа́ция освобожде́ния Палести́ны, ООП
P.M. paymaster касси́р; казначе́й
P.M. Police Magistrate судья́ полице́йского суда́ (*США*)
P.M. Postmaster нача́льник по́чты
p.m. post meridiem *лат.* (*во столько-то часов*) пополу́дни
p.m. postmortem *лат.* враче́бное заключе́ние о сме́рти
P.M. Prime Minister премье́р-мини́стр
PM Provost Marshal нача́льник вое́нной поли́ции
p.m.h. production per man-hour произво́дительность труда́ в челове́ко-часа́х
P/N promissory note долгово́е обяза́тельство
PO Personnel Officer офице́р по вопро́сам ли́чного соста́ва
P.O. Petty Officer старшина́ (*во флоте*)
P.O. postal order де́нежный перево́д (*по почте*)
P.O. Post Office отделе́ние свя́зи, почто́вое отделе́ние
POB Post-Office Box почто́вый абонеме́нтный я́щик
POC port of call порт захо́да (*по расписанию*)
P.O.D. pay on delivery упла́та при доста́вке; нало́женный платёж
POD port of destination порт назначе́ния
POE port of embarkation порт погру́зки
POE port of entry порт захо́да (*судов*)
pol., polit. political полити́ческий
pop. popular 1) популя́рный 2) наро́дный; population населе́ние
POR pay on return опла́та по возвраще́нии
Port. Portugal Португа́лия
pos. positive положи́тельный
poss possible возмо́жный; вероя́тный
pot. potential потенциа́л
P.O.W. prisoner of war военнопле́нный
p.p. pages страни́цы
P.P. parcel post почто́вая посы́лка
pp per procurationem *лат.* по дове́ренности
PP postpaid с опла́ченными почто́выми расхо́дами
ppa per power of attorney че́рез пове́ренного
ppd prepaid опла́чено вперёд
pr pair па́ра
pr. price цена́
PR proportional representation пропорциона́льное представи́тельство
PR public relations обще́ственная информа́ция и рекла́ма; ма́ссовые свя́зи
PR Puerto Rico Пуэ́рто-Ри́ко
prec. preceding предше́ствующий
pref. preface предисло́вие
pref. preference 1) предпочте́ние 2) префере́нция
prep. preparatory подготови́тельный
Pres. President 1) президе́нт 2) председа́тель
p.r.n. pro re nata *лат.* сообра́зно возника́ющим обстоя́тельствам
pro professional профессиона́л
P.R.O. Public Records Office Ло́ндонский архи́в
P.R.O. Public Relations Officer отве́тственный сотру́дник (*учреждения*) по вне́шним свя́зям, рекла́ме *и т. п.*
proc. proceedings 1) процеду́ра 2) протоко́л 3) проце́сс
Prof. Professor профе́ссор
pro tem pro tempore *лат.* вре́менно; в да́нный моме́нт
prox. proximo *лат.* сле́дующего ме́сяца
P.S. post scriptum *лат.* постскри́птум, припи́ска
PS Public School 1) привилегиро́ванное ча́стное закры́тое сре́днее уче́бное заведе́ние для ма́льчиков (*в Англии*) 2) (беспла́тная) сре́дняя шко́ла (*в США и Шотландии*)
P.S.T. Pacific Standard Time тихоокеа́нское поясно́е вре́мя (*США*)
pt part часть, до́ля
pt. payment платёж
P.T. physical training физи́ческая подгото́вка
pt pint пи́нта (*в Англии = 0,568 л; в США = 0,473 л*)
pt. point то́чка
P.T.A. Parent-Teacher Association Учи́тельско-роди́тельская ассоциа́ция
Pte Private рядово́й, солда́т (*в Великобритании*)
P.T.O. please turn over переверни́те, пожа́луйста; смотри́те на оборо́те
pty proprietary ча́стный, принадлежа́щий ча́стному лицу́
pub. public обще́ственный
pub. publication изда́ние
pub., publ. published и́зданный
PUD pickup and delivery с погру́зкой и доста́вкой на ме́сто
Pvt private рядово́й, солда́т (*США*)
pw per week в неде́лю
PW prisoner of war военнопле́нный
PWA Public Works Administration Ве́домство обще́ственных рабо́т
pwt pennyweight пе́ннивейт (*мера веса = 1,555 г*)

PX post exchange гарнизо́нная ла́вка, кафе́ *и т. п.*

q quart ква́рта (*ме́ра объёма для жи́дких и сыпу́чих тел: в Англии = 1,136 л; в США = 0,946 л для жидких и 1,101 л для сыпучих тел*)

q quarto ква́рто (*полиграфи́ческая ме́ра*)

q question вопро́с

q quintal квинта́л (*в метри́ческой систе́ме мер = 100 кг; в Англии = 50,8 кг; в США = 45,36 кг*)

Q.C. Queen's Counsel короле́вский адвока́т

Q.E.D. quod erat demonstrandum *лат.* что и тре́бовалось доказа́ть

Q.E.F. quod erat faciendum *лат.* что и тре́бовалось сде́лать

Q.E.I. quod erat inveniendum *лат.* что и тре́бовалось найти́

Qld Queensland Кви́нсленд (*штат в Австра́лии*)

Q.M. Quartermaster квартирме́йстер

q.p., q.pl. quantum placet *лат.* ско́лько найдёте ну́жным *или* поле́зным

qq questions запро́сы; вопро́сы

qr quarter 1) че́тверть 2) кварта́л

qt, qty quantity коли́чество

Qu Queen короле́ва

qu. question вопро́с

Que. Quebec Квебе́к (*провинция Кана́ды*)

q.v. quod vide *лат.* смотри́ (*там-то*)

R.r. radius ра́диус

R. Réaumur по шкале́ Реомю́ра

R. Republican член Республика́нской па́ртии (*США*)

R reverse ре́верс

R., r. right пра́вый

R., r. river река́

R.A. Rear Admiral контр-адмира́л

R.A. Royal Academy Короле́вская акаде́мия

R.A.A. Royal Academy of Arts Короле́вская акаде́мия изобрази́тельных иску́сств

RAAF Royal Australian Air Force вое́нно-возду́шные си́лы Австра́лии

RAC Royal Automobile Club Короле́вский автомоби́льный клуб

rad. radical радика́л

rad radio ра́дио

rad. radius ра́диус

Rad. Radnorshire Ра́дноршир (*гра́фство в Уэ́льсе*)

R.A.D.A. Royal Academy of Dramatic Arts Короле́вская акаде́мия драмати́ческого иску́сства

RAdm Rear Admiral контр-адмира́л

R.A.F. Royal Air Force вое́нно-возду́шные си́лы Великобрита́нии

R.A.M. Royal Academy of Music Короле́вская акаде́мия му́зыки

R&D research and development нау́чно-иссле́довательские и о́пытно-констру́кторские рабо́ты

R.A.S. Royal Academy of Science Короле́вская акаде́мия нау́к

R.B.A. Royal Society of British Artists Короле́вское о́бщество англи́йских худо́жников

R.C. Red Cross Кра́сный Крест

R.C.A.F. Royal Canadian Air Force кана́дские вое́нно-возду́шные си́лы

R.C.M. Royal College of Music Короле́вский музыка́льный ко́лледж

R.C.M.P. Royal Canadian Mounted Police кана́дская ко́нная поли́ция

rd road доро́га, путь

RD Rural Delivery беспла́тная доста́вка корреспонде́нции в се́льской ме́стности

REA Rural Electrification Administration Ве́домство электрифика́ции се́льского хозя́йства (*США*)

rec receipt распи́ска (*в получе́нии*); квита́нция

rec. record 1) за́пись; протоко́л 2) реко́рд

rec. recording звукоза́пись

recd received полу́чено, при́нято

rec. sec. recording secretary протоколи́ст

rect receipt распи́ска (*в получении*); квита́нция

ref. referee ре́фери́, судья́ (*в спорти́вных и́грах*)

ref. reference ссы́лка, спра́вка

reg. region 1) райо́н, о́бласть 2) регио́н

reg registered заказно́й (*о почто́вых отправле́ниях*)

reg. regular регуля́рный

regd registered заказно́й (*о почто́вых отправле́ниях*)

rel released 1) вы́пущенный 2) разрешённый (*к изда́нию и т. п.*)

Renf Renfrewshire Ре́нфрушир (*гра́фство в Шотла́ндии*)

rep repair ремо́нт

Rep Repertory «репертуа́рный» теа́тр (*с постоя́нной тру́ппой и определённым репертуа́ром*)

Rep. Representative конгрессме́н (*США*)

Rep Republican член республика́нской па́ртии (*США*)

rept report 1) отчёт 2) докла́д

res reserved 1) резе́рвный 2) зарезерви́рованный

res. residence резиде́нция; местожи́тельство

res resigned в отста́вке, отставно́й

resp. respectively соотве́тственно

ret, retd retired (находя́щийся) в отста́вке

ret, retd returned 1) возвра́тный; возвращённый 2) и́збранный (*в парла́мент*)

RF radio frequency радиочастота́

rgt regiment полк

rh right hand пра́вая рука́

R.I. Rhode Island Род-А́йленд (*штат США*)

riv. river река́

RJ road junction стык доро́г

rly railway желе́зная доро́га

rm room ко́мната, помеще́ние

R.M. Royal Marines морска́я пехо́та Великобрита́нии

RMC remote control дистанцио́нное управле́ние

RN registered nurse диплоди́рованная медсестра́

R.N. Royal Navy вое́нно-морско́й флот Великобрита́нии

RNR Royal Naval Reserve вое́нно-морско́й резе́рв Великобрита́нии

Ros., Rosc Roscommon Роско́ммон (*гра́фство в Ирла́ндии*)

RoSPA Royal Society for the Prevention of Accidents Короле́вское о́бщество по предупрежде́нию несча́стных слу́чаев

Ross Ross and Cromarty Ро́сс-энд-Кро́марти (*гра́фство в Шотла́ндии*)

ROTC Reserve Officiers' Training Corps слу́жба подгото́вки офице́ров резе́рва

Rox Roxburghshire Ро́ксброшир (*гра́фство в Шотла́ндии*)

R/P by return of post обра́тной по́чтой

R.P. reply paid отве́т опла́чен

RP reprint стереоти́пное изда́ние; перепеча́тка

rpm revolutions per minute (*сто́лько-то*) оборо́тов в мину́ту

rps revolutions per second (*сто́лько-то*) оборо́тов в секу́нду

R.S. Recording Secretary протоколи́ст

RS right side пра́вая сторона́

R.S.M. Regimental Sergeant-Major старшина́ полка́

RSM Royal School of Music Короле́вское музыка́льное учи́лище

R.S.P.C.A. Royal Society for the Prevention of Cruelty to Animals Короле́вское о́бщество защи́ты живо́тных

R.S.V.P. répondez, s'il vous plaît *фр.* отве́тьте, пожа́луйста

RT radiotelephony радиотелефони́я

rt. right пра́вый

rte route путь, доро́га

RT Hon Right Honourable достопочте́нный (*фо́рма обраще́ния к вы́сшей зна́ти, чле́нам та́йного сове́та и т. п.*)

Rt Rev Right Reverend (его́) преосвяще́нство (*о епи́скопе*)

r-t-w ready-to-wear гото́вый (*об оде́жде*)

R.U. Rugby Union (Брита́нская) ли́га регби́стов

Rum. Rumania Румы́ния

Rut. Rutlandshire Ра́тлендшир (*графство в Англии*)
RW radiological warfare радиологи́ческая война́
Rwy, Ry railway желе́зная доро́га

S. saint свято́й
s. second секу́нда
s. shilling ши́ллинг
s snow снег
s. son сын
S. South юг
S.A. Salvation Army А́рмия спасе́ния (*религиозная организация*)
S.A. sex appeal физи́ческая, сексуа́льная привлека́тельность
S.A. South Africa Ю́жная А́фрика
S.A. South America Ю́жная Аме́рика
SA subject to approval на утвержде́ние; подлежи́т утвержде́нию
SAC Strategic Air Command стратеги́ческое авиацио́нное кома́ндование
s.a.e.l. sine anno et loco *лат.* без указа́ния го́да и ме́ста (изда́ния)
Salop Shropshire Шро́пшир (*графство в Англии*)
SALT Strategic Arms Limitation Talks (сове́тско-америка́нские) перегово́ры об ограниче́нии стратеги́ческих вооруже́ний
S.Am. South America Ю́жная Аме́рика
Sask. Saskatchewan Саска́чеван (*провинция Канады*)
Sat. Saturday суббо́та
S.Aus., S.Austr. South Australia Ю́жная Австра́лия
SB Bachelor of Science бакала́вр (есте́ственных) нау́к
SB simultaneous broadcast одновре́ме́нное радиовеща́ние по не́скольким ста́нциям
SB southbound в ю́жном направле́нии
SBA Small Business Administration ве́домство по дела́м ме́лких предпринима́телей (*США*)
sc. scale шкала́
Sc. Scots шотла́ндцы
sc. scruple скру́пул (*1,24 г*)
SC Security Council of the United Nations Сове́т Безопа́сности ООН
s/c self-contained автоно́мный; отде́льный
S.C. South Carolina Ю́жная Кароли́на (*штат США*)
S.C. Supreme Court Верхо́вный суд
SCAP Supreme Commander Allied Powers Верхо́вный главнокома́ндующий объединёнными вооружёнными си́лами НАТО
ScD Doctor of Science до́ктор (есте́ственных) нау́к
sch school шко́ла
sci science нау́ка; scientific нау́чный
Scot. Scotland Шотла́ндия
Scrpt. Scripture Би́блия
SD, S/D sight draft *фин.* тра́тта, сро́чная по предъявле́нии
s.d. sine die *лат.* без указа́ния сро́ка *или* да́ты; на неопределённый срок
S.D. South Dakota Ю́жная Дако́та (*штат США*)
SD special delivery сро́чная доста́вка (*корреспонденции*)
S. Dak. South Dakota Ю́жная Дако́та (*штат США*)
SDP Social Democratic Party социа́л-демократи́ческая па́ртия, СДП
SE South-east ю́го-восто́к
S.E. Stock Exchange фо́ндовая би́ржа
sec. second секу́нда
sec secretary 1) секрета́рь 2) мини́стр
Sec Nav Secretary of the Navy Вое́нно-морско́й мини́стр (*США*)
secy secretary 1) секрета́рь 2) мини́стр
sel. selection отбо́р
Selk Selkirkshire Се́лкеркшир (*графство в Шотландии*)
Sen. Senate сена́т; Senator сена́тор
Sen. Senior ста́рший
Sep., Sept. September сентя́брь
seq. sequentes *лат.* сле́дующий
ser serial сериа́л, многосери́йный телевизио́нный фильм; series ряд; се́рия
Sergt Sergeant сержа́нт
serv service обслу́живание, се́рвис
SF Science Fiction нау́чная фанта́стика
SFC Space Flight Center центр косми́ческих полётов
SG, sg senior grade вы́сшего разря́да
s.g. specific gravity уде́льный вес
SG Surgeon General нача́льник медици́нской слу́жбы а́рмии (*США*)
sgd. signed подпи́сано
Sgt. Sergeant сержа́нт
sh. shilling ши́ллинг
Shak. Shakespeare Шекспи́р
SHAPE Supreme Headquarters Allied Powers in Europe штаб верхо́вного главнокома́ндующего объединёнными вооружёнными си́лами НАТО в Евро́пе
shf superhigh frequency сверхвысо́кая частота́
shpt shipment 1) отпра́вка; погру́зка 2) груз (*судна*)
sh tn short ton коро́ткая то́нна (*907,2 кг*)
SI (International) System of Units (междунаро́дная) систе́ма едини́ц СИ
SJD Doctor of Juridical Science до́ктор юриспруде́нции
Skt. Sanskrit санскри́т
SL sea level у́ровень мо́ря
SL south latitude *геогр.* ю́жная широта́
SLAN sine loco, anno, (vel) nomine *лат.* без указа́ния ме́ста, го́да, и́мени
Slo Sligo Сла́йго (*графство в Ирландии*)
S.M. Master of Science маги́стр (есте́ственных) нау́к
SM strategic missile стратеги́ческая раке́та
Sn Senior ста́рший
s.n. sine nomine *лат.* без (указа́ния) и́мени *или* назва́ния
Snr Senior ста́рший
Soc. Society о́бщество
Sol. Solicitor соли́ситор, адвока́т (*дающий советы клиентам*)
sol, soln solution раство́р
Som., Soms. Somerset(shire) Со́мерсет(шир) (*графство в Англии*)
soph sophomore *амер.* второку́рсник
SP self-propelled самохо́дный
SP Shore Patrol берегово́й патру́ль
Sp. Spain Испа́ния
sp. special специа́льный
sp. species вид; поро́да; specimen образе́ц, обра́зчик
sp. spelling правописа́ние
S.P.C.A. Society for the Prevention of Cruelty to Animals О́бщество защи́ты живо́тных от жесто́кого обраще́ния
S.P.C.C. Society for the Prevention of Cruelty to Children О́бщество защи́ты дете́й от жесто́кого обраще́ния
spec. special специа́льный
spec. specific 1) определённый, специфи́ческий 2) уде́льный
sp.gr. specific gravity уде́льный вес
sp.ht. specific heat уде́льная теплоёмкость
S.P.R. Society for Psychical Research О́бщество психи́ческих иссле́дований
sp.vol. specific volume уде́льный объём
sq. sequence после́довательность
Sq. Squadron ро́та; эска́дра; эскадри́лья
Sq. Square пло́щадь (*в названиях*)
sq. square квадра́тный
Sr. Senior ста́рший
Sr Sister сестра́
S.R.O. standing room only (*остались*) то́лько стоя́чие места́
ss scilicet *лат.* а и́менно
SS, S/S steamship парохо́д
SSA Social Security Administration Администра́ция социа́льного обеспе́чения (*США*)
SSRC Social Science Research Council Сове́т социологи́ческих иссле́дований (*США*)
St saint свято́й

ST Standard Time поясное время
st state государство
St. Street улица
Sta Station станция
Staffs. Staffordshire Стаффордшир (*графство в Англии*)
Stir Stirlingshire Стерлингшир (*графство в Шотландии*)
stk stock наличный запас
STOL short takeoff and landing (aircraft) *ав.* укороченный пробег (*при взлёте и посадке самолёта*)
str. steamer пароход
Str strait пролив
Str Street улица
SU Soviet Union *ист.* Советский Союз
sub, subs subscription пожертвование; подписка
sub, subs substitute 1) замена 2) заместитель
Suff. Suffolk Суффолк (*графство в Англии*)
Sun. Sunday воскресенье
sup. superior высшего качества
sup. supplement приложение
svc. service 1) обслуживание, сервис 2) служба
SW short waves короткие волны
S.W. South Wales Южный Уэльс
SW south-west юго-запад; south-western юго-западный
Sw. Sweden Швеция
Switz. Switzerland Швейцария
Sx. Sussex Суссекс (*графство в Англии*)
Sy. Surrey Суррей (*графство в Англии*)
S.Yd. Scotland Yard Скотленд-Ярд
sym. symmetric(al) симметричный
syst. system система

T temperature температура
t. temporary временный
T tension напряжение; натяжение
t. time время, срок
t. ton тонна
T., t. township *амер.* местечко; район (*часть округа*)
t true истинный
TA (United Nations) Technical Assistance Техническая помощь ООН развивающимся странам
TA Territorial Army территориальная армия (*Великобритания*)
T.A.A. Trade Agreement Act закон о торговых соглашениях (*США*)
TAC Technical Assistance Committee Комитет технической помощи ООН
TAP Technical Assistance Program Программа технической помощи ООН развивающимся странам
Tas. Tasmania Тасмания (*штат Австралии*)
TAS true airspeed истинная скорость полёта (*самолёта*)
T.B. tuberculosis туберкулёз
TBM tactical ballistic missile тактическая баллистическая ракета
TC teachers college учительская семинария
Tc, tc tierce бочка (= *190,83 л*)
TC Trusteeship Council Совет по опеке (*ООН*)
TCC (United Nations') Transport and Communication Commission Комиссия ООН по транспорту и связи
TD telemetry data телеметрические данные
TD touchdown *ав.* посадка, приземление
TDY temporary duty временное исполнение обязанностей
tec detective *разг.* сыщик, детектив
Tech Technical (College) Высшее техническое училище
tech., technol. technology техника; технология
tel. telegram телеграмма
tel. telegraph телеграф
tel telephone телефон
temp temperature температура
temp. temporary временный
Tenn. Tennessee Теннесси (*штат США*)
Ter, Terr Terrace 1) улица по склону холма 2) терраса
Ter, Terr territory территория
Tex. Texas Техас (*штат США*)
Th.D. Doctor of Theology доктор богословия
t.h.i. time handed in время вручения
ths thousand тысяча
Thur., Thurs. Thursday четверг
TI technical information техническая информация; технические данные
Tip. Tipperary Типперэри (*графство в Ирландии*)
tit. title 1) титул 2) заголовок
tk truck грузовик
TKO technical knock-out *спорт.* технический нокаут
tkt ticket билет
TL total loss 1) общая сумма убытков 2) *страх.* полная гибель (*судна*)
TM technical manual технический справочник
TM ton-miles (*столько-то*) тонно-миль
TM trade mark торговый знак, фабричная марка
TMO telegraph money order денежный перевод по телеграфу
TN thermonuclear термоядерный
tn ton тонна
TN true north истинный север
tng training обучение; тренировка
TNT trinitrotoluene тринитротолуол, тротил, тол
TO telegraph office телеграфное отделение, телеграфная контора
t.o. turn over переверни(те); смотри(те) на обороте
t.p. title page титульный лист
tp. township *амер.* местечко; район (*часть округа*)
TPH tons per hour (*столько-то*) тонн в час
TR transmit-receive передача — приём (*по радио*)
trans. transaction дело, сделка, операция (*торговая*)
trans, transp transportation транспортировка; транспорт
treas. treasurer казначей; treasure казначейство; казна
trop. tropical тропический
TS, ts tensile strength прочность на разрыв *или* на растяжение
ts this этот
TS top secret совершенно секретно
tsp. teaspoon чайная ложка
T.U. thermal unit тепловая единица, калория
TU trade union тред-юнион; профессиональный союз
Tu. Tuesday вторник
T.U.S. Trade Union Congress Конгресс (британских) тред-юнионов
Tues. Tuesday вторник
Turk. Turkey Турция
TV television телевидение
TVA Tennessee Valley Authority Администрация долины Теннесси (*США*)
T.W. total weight общий вес
twp. township *амер.* местечко; район (*часть округа*)
TX Texas Техас (*штат США*)
Tyr. Tyrone Тирон (*графство в Северной Ирландии*)

U, u uncle дядя
U. Union союз
U. University университет
U. upper верхний
u.c. upper case прописные буквы
U.D.C. Universal Decimal Classification универсальная десятичная классификация, УДК
UFO unidentified flying object неопознанный летающий объект, НЛО
UHF ultrahigh frequency ультравысокая частота, УВЧ
U.K. United Kingdom (of Great Britain and Northern Ireland) Соединённое Королевство (Великобритании и Северной Ирландии)
UMT Universal Military Training всеобщее военное обучение
UMW(A) United Mine Workers of America Объединение горнорабочих Америки (*профсоюз*)

UNA United Nations Association Ассоциа́ция соде́йствия ООН

UNESCO United Nations Educational, Scientific and Cultural Organization Организа́ция ООН по вопро́сам образова́ния, нау́ки и культу́ры, ЮНЕСКО

UNGA United Nations General Assembly Генера́льная Ассамбле́я ООН

UNICEF United Nations International Children's Emergency Fund фонд ООН по́мощи де́тям, ЮНИСЕФ

Univ. University университе́т

UNO United Nations Organization Организа́ция Объединённых На́ций, ООН

UNSC United Nations Security Council Сове́т Безопа́сности ООН

UPI United Press International информацио́нное аге́нтство Юна́йтед пресс Интерн́эшнл, ЮПИ

UPU Universal Postal Union Всеми́рный почто́вый сою́з

US United States (of America) Соединённые Шта́ты (Аме́рики)

USA United States Army сухопу́тные войска́ США

USA United States of America Соединённые Шта́ты Аме́рики

USAEC United States Atomic Energy Commission Коми́ссия по а́томной эне́ргии США

USAF United States Air Force вое́нно-возду́шные си́лы США

USBS United States Bureau of Standards Бюро́ станда́ртов США

USIA United States Information Agency Информацио́нное Аге́нтство США, ЮСИА

USMC United States Marine Corps морска́я пехо́та США

USN United States Navy вое́нно-морски́е си́лы США

U.S.P. United States Pharmacopoeia Фармакопе́я США

USS United States Ship вое́нный кора́бль США

U.S.S.R. Union of Soviet Socialist Republics *ист.* Сою́з Сове́тских Социалисти́ческих Респу́блик, СССР

usu usual обы́чный

U.T., u.t. Universal Time всеми́рное вре́мя, мирово́е вре́мя

Ut. Utah Ю́та (*штат США*)

UV ultraviolet ультрафиоле́товый

V velocity ско́рость

v. verse стих; стихотво́рная строка́

V Victory побе́да

v. vide *лат.* смотри́, см.

V, v volt вольт

V, v volume 1) объём 2) том 3) гро́мкость

V.A. Vice Admiral вице-адмира́л

Va. Virginia Вирги́ния (*штат США*)

VA volt-ampere вольт-ампе́р

val value це́нность, сто́имость

var. various разли́чный, разнообра́зный

VAR visual-aural range преде́л ви́димости и слы́шимости

VAT value added tax нало́г на доба́вленную *или* приращённую сто́имость

V.C. Veterinary Corps ветерина́рная слу́жба а́рмии

V.C. Vice-Chairman замести́тель председа́теля

V.C. Vice-Chancellor вице-ка́нцлер

V.C. Vice-Consul вице-ко́нсул

v.d. various dates разли́чные (календа́рные) да́ты

V.D. venereal disease венери́ческая боле́знь

V-E Day Victory in Europe Day День побе́ды в Евро́пе (*во второй мировой войне*)

Ven. Venerable 1) преподо́бный 2) достопочте́нный

vet. veteran уча́стник войны́; ветера́н

vet. veterinary ветерина́рный

VHF very high frequency о́чень высо́кая частота́

VIN vehicle identification number номерно́й знак тра́нспортного сре́дства

V.I.P. very important person *разг.* нача́льство; высокопоста́вленное лицо́

viz. videlicet *лат.* то́ есть; а и́менно

VLF very low frequency о́чень ни́зкая частота́

VOA Voice of America прави́тельственное радиовеща́ние США «Го́лос Аме́рики»

vol. volume 1) объём 2) том 3) гро́мкость

vou. voucher 1) распи́ска; оправда́тельный докуме́нт 2) поручи́тель

VP, VPres Vice-President вице-президе́нт

vs. versus *лат.* про́тив

V.S. Veterinary Surgeon (вое́нно-)ветерина́рный врач

v.s. vide supra *лат.* смотри́ вы́ше

V.T. vacuum tube электро́нная ла́мпа

Vt. Vermont Вермо́нт (*штат США*)

VTOL vertical take off and landing *ав.* вертика́льный взлёт и поса́дка

v.v. vice versa *лат.* наоборо́т

W. Wales Уэ́льс

W., w. warden 1) смотри́тель 2) дире́ктор (*школы*); ре́ктор (*колледжа*) 3) дека́н

W, w watt ватт

W. Wednesday среда́

w. week неде́ля

W., w. weight вес

W. Welsh валли́йский, уэ́льский

W West за́пад

W., w. width ширина́

w. wife жена́

w. with с

W.A. West Africa За́падная А́фрика

W.A. Western Australia За́падная Австра́лия

WAC, Wac Women's Army Corps же́нская вспомога́тельная слу́жба сухопу́тных войск США

War. Warwickshire Уо́рикшир (*графство в Англии*)

Wash. Washington Вашингто́н (*город и штат США*)

WAT Waterford Уо́терфорд (*графство в Ирландии*)

W.Aus., W.Austr. Western Australia За́падная Австра́лия

W/B, W.B. waybill тра́нспортная накладна́я

WB Weather Bureau бюро́ пого́ды

w.c. water closet убо́рная

w.c. without charge без опла́ты

WCC World Council of Churches Всеми́рный сове́т церкве́й

wd. word сло́во

Wed. Wednesday среда́

w.e.f. with effect from... вступа́ющий в си́лу с (*такого-то числа*)

Westm Westmeath Уэ́стмит (*графство в Ирландии*)

Westm. Westminster Ве́стминстер

Westm Westmorland Уэ́стморленд (*графство в Англии*)

Wex Wexford Уэ́ксфорд (*графство в Ирландии*)

W/F weather forecast прогно́з пого́ды

WFEA World Federation of Educational Associations Всеми́рная федера́ция просвети́тельских ассоциа́ций, ВФПА

WFSW World Federation of Scientific Workers Всеми́рная федера́ция нау́чных рабо́тников

WFTU World Federation of Trade Unions Всеми́рная федера́ция профсою́зов, ВФП

WFUNA World Federation of United Nations Associations Всеми́рная федера́ция ассоциа́ций соде́йствия ООН

w.g. weight guaranteed вес гаранти́рован

wh watt-hour ватт-ча́с

WH White House Бе́лый дом

WHO World Health Organization Всеми́рная организа́ция здравоохране́ния (*ООН*), ВОЗ

whs, whse warehouse това́рный склад

whsle wholesale опто́вая торго́вля

WI Wisconsin Виско́нсин (*штат США*)

Wick. Wicklow Уи́клоу (*графство в Ирландии*)

WIDF Women's International Democratic Federation Междунаро́дная демократи́ческая федера́ция же́нщин, МДФЖ

Wig. Wigtownshire Уи́гтауншир (*графство в Шотландии*)

WILPF Women's International League for Peace and Freedom

Междунаро́дная же́нская ли́га борьбы́ за мир и свобо́ду, МЖЛМС

Wilts. Wiltshire Уи́лтшир (*графство в Англии*)

WIMC, w.i.m.c. whom it may concern всем, к кому́ э́то отно́сится, кого́ э́то каса́ется

Wis., Wisc. Wisconsin Виско́нсин (*штат США*)

wk week неде́ля

wk. work рабо́та

WMO World Meteorological Organization Всеми́рная метеорологи́ческая организа́ция, ВМО

WO Warrant Officer 1) уо́ррент-офице́р 2) *мор.* ми́чман

w/o without без

WOMAN World Organization of Mothers of All Nations Всеми́рная организа́ция матере́й

Worcs. Worcestershire Ву́стершир (*графство в Англии*)

WP weather permitting при благоприя́тной пого́де

wpb wastepaper basket в корзи́ну для (*ненужной*) бума́ги (*помета о непригодности рукописи*)

wpm words per minute (*столько-то*) слов в мину́ту

WR weather report сво́дка пого́ды

wrnt warrant 1) гара́нтия 2) полномо́чие 2) о́рдер

WS water supply водоснабже́ние

WS wireless station радиоста́нция

wt weight вес

WT wireless telegraphy радиотелегра́фная связь

WTO World Trade Organization Организа́ция по междунаро́дной торго́вле (*ООН*)

W. Va. West Virginia За́падная Вирги́ния (*штат США*)

WW I World War I пе́рвая мирова́я война́

WW II World War II втора́я мирова́я война́

WWW World Weather Watch Всеми́рная слу́жба пого́ды

Wy., Wyo. Wyoming Вайо́минг (*штат США*)

X a kiss поцелу́й (*в конце письма*)

X experimental эксперимента́льный

xc, xcp without coupon без купо́на на ближа́йшее получе́ние проце́нтов (*о продаваемой облигации*)

xd, xdiv. without dividend без пра́ва получе́ния ближа́йшего дивиде́нда (*о продаваемой акции*)

Xmas Christmas Рождество́

Xnty Christianity христиа́нство

xpr without privileges без привиле́гий

xr without rights без (приобрете́ния) прав

xw without warrants без гара́нтий

Y, y yard ярд (*91,44 см*)

Y, y year год

YB yearbook ежего́дник

yd yard ярд (*91,44 см*)

Y.M.C.A. Young Men's Christian Association Христиа́нский сою́з молоды́х люде́й (*международная организация*)

Yorks. Yorkshire Йо́ркшир (*графство в Англии*)

yr year год

yr. younger мла́дший

yr your ваш

yrbk yearbook ежего́дник

YS young soldier новобра́нец, молодо́й солда́т

YT Yukon Territory Ю́кон (*территория в Канаде*)

Y.W.C.A. Young Women's Christian Association Христиа́нский сою́з же́нской молодёжи (*международная организация*)

Z, z zero нуль

Z, z zone зо́на

ZPG zero population growth нулево́й приро́ст населе́ния

ZST Zone Standard Time поясно́е станда́ртное вре́мя

МЕТРИЧЕСКАЯ СИСТЕМА ИЗМЕРЕНИЯ
TABLES OF METRIC SYSTEM OF MEASUREMENT

Линейные меры
Linear Measure

1 kilometre (km) километр = 10 hectometres = 1,000 metres
1 hectometre (hm) гектометр = 10 dekametres = 100 metres
1 dekametre (dam) декаметр = 10 metres
1 metre (m) метр = 10 decimetres = 1,000 millimetres
1 decimetre (dm) дециметр = 10 centimetres = 100 millimetres
1 millimetre (mm) миллиметр = 0.1 centimetre

Меры площади
Square Measure

1 square kilometre (km^2) = 100 hectares = 1,000,000 square metres
1 hectare (ha) = 100 ares = 10,000 square metres
1 are (a) = 100 square metres
1 square metre (m^2) = 10,000 square centimetres
1 square centimetre (cm^2) = 100 square millimetres
1 square millimetre (mm^2) = 0.01 square centimetre

Меры объема
Cubic Measure

1 cubic metre (m^3) = 1,000 cubic decimetres = 1,000,000 cubic centimetres
1 cubic decimetre (dm^3) = 1,000 cubic centimetres = 1,000,000 cubic millimetres
1 cubic centimetre (cm^3) = 1,000 cubic millimetres
1 cubic millimetre (mm^3) = 0.001 cubic centimetre

Меры жидкостей
Liquid Measure

1 kilolitre (kl) килолитр = 10 hectolitres = 1,000 litres
1 hectolitre (hl) гектолитр = 10 decalitres = 100 litres
1 dekalitre (dal) декалитр = 10 litres
1 litre (1) литр = 10 decilitres
1 decilitre (dl) децилитр = 10 centilitres = 100 millilitres
1 centilitre (cl) сантилитр = 10 millilitres
1 millilitre (ml) миллилитр = 0.1 centilitre

Меры массы (веса)
Weight Measure

1 metric ton(ne) (t) метрическая тонна = 1,000 kilogram(me)s
1 kilogram(me) (kg) килограмм = 10 hectogram(me)s = 1,000 gram(me)s
1 hectogram(me) (hg) гектограмм = 10 dekagram(me)s = 100 gram(me)s
1 dekagram(me) (dag) декаграмм = 10 gram(me)s
1 gram(me) (g) грамм = 10 decigram(me)s = 1,000 milligram-(me)s
1 decigram(me) (dg) дециграмм = 10 centigram(me)s = 100 milligram(me)s
1 centigram(me) (cg) сантиграмм = 10 milligram(me)s
1 milligram(me) (mg) миллиграмм = 0.1 centigram(me)

ТАБЛИЦЫ ПЕРЕВОДА АНГЛО-АМЕРИКАНСКИХ ЕДИНИЦ ИЗМЕРЕНИЯ В МЕТРИЧЕСКУЮ СИСТЕМУ
TABLES OF EQUIVALENTS BRITISH-AMERICAN UNITS OF MEASUREMENT TO METRIC SYSTEM

Линейные меры
Linear Measure

1 league (nautical sea) лига морская = 3 nautical miles = 5.56 kilometres
1 league (land, statute) лига (уставная, статутная) = 3 (land, statute) miles = 4.83 kilometres
1 International Nautical Mile (INM) морская миля = 10 cable's lengths = 6,076 feet = 1.852 kilometres
1 mile (land, statute) (ml) миля (уставная, статутная) = 8 furlongs = 1,760 yards = 5,280 feet = 1.609 kilometres
1 cable's length кабельтов British = 100 fathoms = 600 feet = 183 metres
U.S. = 120 fathoms = 720 feet = 219.5 metres
1 furlong (fur) фарлонг = 10 chains (surveyor's) = 40 rods = 660 feet = 220 yards = 201.17 metres
1 chain (Gunte's surveyor's) (ch) чейн (геодезический) = 4 rods = 66 feet = 20.12 metres
1 chain (engineer's) (ch) чейн (строительный) = 100 feet = 30.48 metres
1 rod (pole, perch) (rd) род (поль, перч) = 16.5 feet = 5.5 yards = 5.03 metres
1 fathom (f) фатом, морская сажень = 6 feet = 2 yards = 8 spans = 1.83 metres
1 ell эль *ист.* = 45 inches = 1.14 metres
1 yard (yd) ярд = 3 feet = 16 nails = 91.44 centimetres
1 foot (ft) фут = 3 hands = 12 inches = 30.48 centimetres
1 pace пейс = 0.5—0.7 rod = 2.5 feet = 76.2 centimetres
1 cubit кубит *ист.* 18—22 inches = 0.5 metre
1 span спен = 4 nails = 9 inches = 22.86 centimetres
1 link (Gunter's, surveyor's) линк (геодезический) = 7.92 inches = 20 centimetres
1 link (engineer's) линк (строительный) = 1 foot = 30 centimetres
1 finger фингер = 4.5 inches = 11.4 centimetres
1 hand хенд = 4 inches = 10.16 centimetres
1 nail нейл = 21/4 inches = 5.7 centimetres
1 inch (in.) дюйм = 12 lines = 2.54 centimetres
1 barleycorn барликорн = 4 lines = 1/3 inch = 8.5 millimetres
1 line линия = 6 points = 2.1 millimetres
1 point точка = 1/12 inch = 0.351 millimetre
1 mil мил = 0.001 inch = 0.025 millimetre

Меры площади
Square Measure

1 township тауншип U.S. = 36 square miles = 36 sections = 93.24 square kilometres
1 square mile (ml^2) (land, statute) кв. миля (уставная, статутная) = 640 acres = 259 hectares = 2.59 square kilometres
1 hide хайда British *уст.* = 80—120 acres = 32.4—48.6 hectares
1 acre (a.) акр = 4 roods = 43.6 square feet = 4.8 square yards = 0.405 hectare

1 rood руд = 40 square rods = 2.5 square chains = 0.101 hectare
1 square chain кв. чейн = 16 square rods = 404.7 square metres
1 are (a.) ар U.S. = 119.6 square yards = 100 square metres
1 square fathom (f^2) кв. фатом = 4 square yards = 3.34 square metres
1 square rod (rd^2) (pole, perch) кв. род (поль, перч) = 30 1/4 square yards = 25.29 square metres
1 square yard (yd^2) кв. ярд = 9 square feet = 0.836 square metre
1 square foot (ft^2) кв. фут = 144 square inches = 929 square centimetres
1 square inch ($in.^2$) кв. дюйм = 6.45 square centimetres
1 square line кв. линия = 4.4 square millimetres

Меры объема
Cubic Measure

1 rod род = 10 register ton(ne) = 1,000 cubic feet = 28.3 cubic metres
1 register ton(ne) тонна регистровая = 100 cubic feet = 2.83 cubic metres
1 freight ton(ne) тонна фрахтовая (корабельная) = 40 cubic feet = 1.13 cubic metres
1 cubic fathom куб. фатом (для круглого леса) = 216 cubic feet = 6.116 cubic metres
1 standard стандарт (для пиломатериалов) = 165 cubic feet = 4.672 cubic metres
1 cord (gross) корд (большой) (для дров) = 128 cubic feet = 3.624 cubic metres
1 cord (short) корд (малый) (для круглого леса) = 126 cubic feet = 3.568 cubic metres
1 stack стек = 108 cubic feet = 4 cubic yards = 3.04 cubic metres
1 load лоуд (для круглого леса) = 40 cubic feet = 1.12 cubic metres
1 load лоуд (для пиломатериалов) = 50 cubic feet = 1.416 cubic metres
1 cubic yard (yd^3) куб. ярд = 27 cubic feet = 0.76 cubic metre
1 barrel, bulk баррель, балк *уст.* = 5—8 cubic feet = 0.14—0.224 cubic metre
1 cubic foot (ft^3) куб. фут = 0.028 cubic metre
1 board foot борт фут = 1/12 cubic foot = 0.00236 cubic metre
1 cubic inch ($in.^3$) куб. дюйм = 16.39 cubic centimetres

Меры веса
Weight Measure

Avoirdupois Measure

1 ton(ne) (tn) (gross, long) тонна (большая, длинная) = 20 hundredweight (long) = 2,240 pounds = 1,016 kilogram(me)s
1 ton(ne) (sh. tn) (net, short) тонна (малая, короткая) = 20 hundredweight (short) = 2,000 pounds = 907.18 kilogram(me)s
1 ton(ne) (t) (metric, millier) тонна (метрическая, мильер) = 2,204.6 pounds = 0.984 gross ton(ne) = 1,000 kilogram(me)s
1 quintal квинтал British = 112 pounds 1 hundredweight
U.S. = 100 pounds
1 wey вей = 2—3 hundredweight = 101.6—152.4 kilogram(me)s
1 hundredweight (cwt) (gross, long) хандредвейт (большой, длинный) = 112 pounds = 50.8 kilogram(me)s
1 hundredweight (cwt) (net, short) хандредвейт (малый, короткий) = 100 pounds = 45.36 kilogram(me)s
1 central центал = 1 hundredweight (short) = 100 pounds = 45.36 kilogram(me)s
1 quarter (gross) квартер (длинный) = 1/4 hundredweight = 28 pounds = 2 stones = 12.7 kilogram(me)s
1 quarter (short) квартер (короткий) = 25 pounds = 11.34 kilogram(me)s
1 tod тод British *уст.* = 28 pounds = 2 stones = 12.7 kilogram(me)s
1 stone стоун, стон = 14 pounds = 6.35 kilogram(me)s
1 clove клов British *уст.* = 8 pounds = 3.175 kilogram(me)s
1 quartern квартерн British *уст.* = 1/4 stone = 3.5 pounds = 1.58 kilogram(me)s
1 pound (lb) фунт = 16 ounces = 7,000 grains = 453.59 gram(me)s
1 ounce (oz) унция = 16 drams = 437.5 grains = 28.35 gram(me)s
1 drachm, dram (dr) драхма = 27.344 grains = 1.772 gram(me)s
1 grain гран = 64.8 milligram(me)s

Troy Measure

1 pound (lb) фунт = 12 ounces = 5,760 grains = 373.2 gram(me)s
1 ounce (oz) унция = 8 drams = 480 grains = 31.1 gram(me)s
1 pennyweight (dwt) пеннивейт = 24 grains = 1.555 gram(me)s
1 carat (c) карат = 3.086 grains = 200 milligram(me)s
1 grain гран = 64.8 milligram(me)s
1 mite майт = 24 doits = 3.24 milligram(me)s
1 doit дойт = 24 periots = 0.135 milligram(me)
1 periot пириот = 24 blanks = 0.00675 milligram(me)
1 blank блэнк = 0.00028 milligram(me)

Apothecaries' Measure

1 pound (lb) фунт = 12 ounces = 5,760 grains = 373.2 gram(me)s
1 ounce (oz) унция = 8 drams = 480 grains = 31.1 gram(me)s
1 drachm, dram (dr) драхма = 3 scruples = 3.89 gram(me)s
1 scruple скрупул = 20 grains = 1.3 gram(me)s
1 grain гран = 64.8 milligram(me)s

Меры жидкостей
Liquid Measure

1 butt бат = 108 — 140 gallons = 490.97 — 636.44 litres
1 pipe пайп = 105 gallons = 477.33 litres
1 hogshead (hhd) хогсхед = 52.5 Imperial gallons = 238.67 litres
1 barrel (bbl) баррель = 31—42 gallons = 140.6—190.9 litres
1 barrel (for liquids) British = 36 Imperial gallons = 163.6 litres
U.S. = 31.5 gallons = 119.2 litres
1 barrel (for crude oil) British = 34.97 gallons = 158.988 litres
U.S. = 42.2 gallons = 138.97 litres
1 kilderkin килдеркин = 2 firkins = 16-18 gallons = 72.7-81.8 litres
1 firkin фиркин = 8-9 gallons = 36.3-40.9 litres
1 gallon (gal) галлон British Imperial = 4 Imperial quarts = 8 pints = 4.546 litres
U.S. = 0.833 British gallon = 3.785 litres
1 pottle потл *уст.* 1/2 gallon = 2 quarts = 2.27 litres
1 quart (qt) кварта British Imperial = 1/4 gallon = 2 pints = 1.14 litres
U.S. = 0.833 British quart = 0.946 litre
1 pint (pt) пинта British = 1/8 gallon = 4 gills = 0.57 litre
U.S. = 1/8 U.S. gallon = 0.47 litre
1 gill джилл, гилл = 1/4 pint British = 0.142 litre
U.S. = 0.118 litre
1 fluid drachm, dram (fl dr) драхма жидкая = 1/8 British liquid ounce = 3.55 millilitres
1 fluid drachm, dram (fl dr) драхма жидкая = 1/8 U.S. liquid ounce = 2.96 millilitres
1 fluid ounce (fl oz) унция жидкая British = 8 fluid drams = 28.4 millilitres
U.S. = 1.041 British fluid ounce = 29.57 millilitres
1 wineglass рюмка = 16 fluid drams = 2 ounces = 56.8 millilitres
1 tablespoon столовая ложка = 3 teaspoons = 4 fluid drams = 1/2 fluid ounce = 14.2 millilitres
1 teaspoon чайная ложка = 1/3 tablespoon = 11/3 fluid drams = 4.4 millilitres

1 minim миним = 1/60 fluid dram = 0.06 millilitre

Меры сыпучих тел
Dry Measure

1 chaldron челдрон British *ист.* = 32—36 bushels = 1,268—1,309 litres

1 quarter квартер = 2 coombs = 8 bushels = 291 litres

1 coomb коум British *ист.* = 4 bushels = 1.45 British gallons = 145.5 litres

1 coomb коум British *ист.* = 4 bushels = 1.41 U.S. gallons = 141 litres

1 sac сак British *ист.* = 3 bushels = 109.1 litres

1 strike страйк British *ист.* = 2 bushels = 72.73 litres

1 bushel (bu) бушель British Imperial = 4 pecks = 8 gallons = 1.032 U.S. bushels = 36.35 litres

1 bushel (bu) бушель U.S. = 0.9689 Imperial bushel = 35.2 litres

1 peck (pk) пек British Imperial = 2 gallons = 1.032 U.S. peck = 8.81 litres

1 peck (pk) пек U.S. = 0.9689 Imperial peck = 7.7 litres

1 gallon (gal) галлон British Imperial = 4.546 litres
U.S. = 0.83267 Imperial gallon = 3.785 litres

1 quart (qt) кварта British Imperial = 2 pints = 1.032 U. S. quarts = 1.14 litres
U. S. = 1.101 litres

1 pint пинта British Imperial = 0.568 litre
U. S. = 0.551 litre

1 barrel (bbl) баррель British Imperial = 163.6—181.7 litres
U. S. = 117.3—158.98 litres

СООТНОШЕНИЕ ТЕМПЕРАТУРНОЙ ШКАЛЫ ФАРЕНГЕЙТА И ЦЕЛЬСИЯ

	шкала Фаренгейта	шкала Цельсия
Точка кипения	212°	100°
	194°	90°
	176°	80°
	158°	70°
	140°	60°
	122°	50°
	104°	40°
	86°	30°
	68°	20°
	50°	10°
Точка замерзания	32°	0°
	14°	-10°
	0°	-17,8°
Температура абсолютного нуля	-459,67°	-273,15°

При переводе из шкалы Фаренгейта в шкалу Цельсия из исходной цифры вычитают 32 и умножают на 5/9

При переводе из шкалы Цельсия в шкалу Фаренгейта исходную цифру умножают на 9/5 и прибавляют 32

Справочное издание

МЮЛЛЕР
Владимир Карлович и др.

НОВЫЙ АНГЛО-РУССКИЙ СЛОВАРЬ

Ведущий редактор
Л. К. ГЕНИНА

Редакторы
Л. С. РОБАТЕНЬ,
С. М. ШКУНАЕВА

Художник
Л. П. КОПАЧЕВА

Художественный редактор
Н. И. ТЕРЕХОВ

Технический редактор
М. Н. КУРОЧКИНА

Корректоры
Г. Н. КУЗЬМИНА,
Н. Н. СИДОРКИНА,
А. В. УХЛИНА

Оригинал-макет подготовлен
А. И. ЩЕРБОНОС

Издание осуществлено при участии издательства «Дрофа»

Подписано в печать 08.01.02. Формат $84\times108^{1}/_{16}$. Бумага офсетная № 1. Гарнитура «Таймс». Печать офсетная. Усл. печ. л. 94,08. Уч.-изд. л. 162,78. Доп. тираж VII 30 000 экз. Заказ № 670.

Изд. лиц. № 010155 от 09.04.97.

Издательство «Русский язык» Министерства РФ по делам печати, телерадиовещания и средств массовых коммуникаций.
113303, Москва, М. Юшуньская ул., 1.

Отпечатано в полном соответствии с качеством предоставленных диапозитивов в ОАО «Можайский полиграфический комбинат».
143200, Можайск, ул. Мира, 93.

ISBN 5-200-03176-1

9 785200 031764

ДЛЯ ЗАМЕТОК